[redacted] [redacted]



[redacted]

[redacted] [redacted] [redacted]

# LE GRAND ROBERT
# DE LA
# LANGUE FRANÇAISE

# LE GRAND ROBERT DE LA LANGUE FRANÇAISE

*deuxième édition*

dirigée par

**ALAIN REY**

du

DICTIONNAIRE ALPHABÉTIQUE
ET ANALOGIQUE DE LA LANGUE FRANÇAISE
de **PAUL ROBERT**



DICTIONNAIRES LE ROBERT - PARIS

Nouvelle édition augmentée


27, rue de la Glacière, 75013 PARIS

ISBN 2-85036-673-0 (édition complète).
ISBN 2-85036-674-9 (tome I)

# PRINCIPAUX COLLABORATEURS
# PRÉFACES

## PRINCIPAUX COLLABORATEURS

### *Première édition*

**en 6 volumes** (1951-1966)

*Dictionnaire alphabétique*
*et analogique de la langue française*
par Paul ROBERT

**rédaction**

Alain REY
(volumes 1 à 6)
secrétaire général de la rédaction (vol. 4 à 6)

Josette REY-DEBOVE
(vol. 2 à 6)

Henri COTTEZ
(vol. 3 à 6)

Olivier COTINAUD
(vol. 1 et 2)

Henri CLOT
(vol. 1 et 2)

Madeleine PETER
(vol. 1 et 2)

Madeleine ROBIN
(vol. 2 à 4)

Jean-Paul GIRODET
(vol. 5 et 6)

Geneviève PENCHENAT
(vol. 5 et 6)

**réviseurs**

Robert LE BIDOIS
(grammaire)

René BONNOT
(philosophie)

Jean LECOMTE
membre de l'Institut
(physique)

Paul LAFFITE
membre de l'Institut
(chimie)

**documentation et secrétariat**

Fernande BALLESTER
Renée de COURVILLE
Sophie LAFITE
et collaborateurs

### *Supplément*

(1970)

Alain REY, Josette REY-DEBOVE, Sophie LAFITE,
Henri COTTEZ
et collaborateurs

PRINCIPAUX COLLABORATEURS

*Deuxième édition*
**en 9 volumes** (1985)
*Le Grand Robert*
*de la langue française*
dirigée par Alain REY

**rédaction**

Sophie CHANTREAU
Claude DÉSIRAT
Gérard DIMIER
Tristan HORDÉ
Édith LANÇON
Isabelle MÉTAYER
Françoise MOREL-TIPHINE
Danièle MORVAN
Daniel PÉCHOIN
Joëlle SAMPY

**et**

Aliette BOUMENDIL-LUCOT (phonétique), Dominique CHAPELLE (botanique),
Dr Ludmila MANUILA (biologie, médecine), Philippe ROBERT (sciences exactes),
Président Maurice PACQUETET (droit et procédure) ; Gilberte GAGNON (canadianismes),
Maurice PIRON (belgicismes), Violaine SPICHIGER et collaborateurs (helvétismes)

**conception typographique :** Chantal PAILLET

***révision et mise à jour*** (1985-1995)
Danièle MORVAN
avec le concours de
Méryem PUILL-CHATILLON, Muriel ZARKA-RICHARD

*Édition augmentée*
**en 6 volumes** nouveau format (2001)
sous la responsabilité de
Alain REY et Danièle MORVAN

**rédaction**

Sophie CHANTREAU-RAZUMIEV, avec la contribution de Laurence LAPORTE

**correction**

Brigitte ORCEL, Anne-Marie LENTAIGNE, Nadine NOËL-LEFORT

**documentation**

Laurent CATACH
Émilie BARAO, Annick DEHAIS, Laurent NICOLAS

**informatique éditoriale**

Karol GOSKRZYNSKI
Monique HÉBRARD, Kamal LOUDIYI, Claude SELLIN, Catherine VALAT
et Domitille BAYLE, Tatiana VERBI

**conception technique et maquette**

Gonzague RAYNAUD

couverture : CAUMON

# SOMMAIRE DES INTRODUCTIONS


Page

Introduction, préfaces et postface du *Dictionnaire alphabétique et analogique de la langue française* ..... IX

par Paul Robert

Introduction au premier volume (1950) ..... IX
Postface du premier volume (1953) ..... XIV
Préface du quatrième volume (1959) ..... XV
Préface du cinquième volume (1961) ..... XVI
Préface du sixième volume (1964) ..... XVII

*

Préface du *Grand Robert de la langue française* ..... XIX

par Alain Rey

I - Un dictionnaire moderne dans une tradition ..... XIX
II - Nature et caractères du *Grand Robert de la langue française* ..... XXV
La nomenclature ..... XXV
Les informations : la forme ..... XXXI
Les informations historiques : étymologies et datations ..... XXXV
Analyse des mots : sens et emplois ..... XL
L'information morphologique ..... XLII
La définition ..... XLII
Les mots dans l'usage : discours, exemples et citations ..... XLV
Le dictionnaire analogique dans le dictionnaire ..... L
Le fonctionnement social du français dans le dictionnaire ..... LII

*

Principes de la transcription phonétique ..... LVII
Tableau des signes conventionnels, conventions et abréviations ..... LXV
Correspondances des principales datations de mots ..... LXXV


*

On trouvera en fin d'ouvrage (tome VI) les annexes suivantes : dérivés de noms propres de personnes et de lieux (noms d'habitants), tableaux des conjugaisons des verbes français, bibliographie et liste des suffixes, ainsi que la table des matières de l'ouvrage.

# INTRODUCTION, PRÉFACES et POSTFACE

du

## *Dictionnaire alphabétique et analogique de la langue française*

par Paul ROBERT

(1950-1964)

### INTRODUCTION AU 1er VOLUME

L'élaboration d'un dictionnaire général de la langue exige un travail assidu, poursuivi durant de longues années. Il faut, pour s'y astreindre, une foi persévérante dans l'utilité de l'effort. Si j'ai relégué au second plan maints avantages immédiats pour me consacrer à une entreprise aussi ardue, c'est qu'un profond espoir m'animait : celui de rendre service à bon nombre de mes contemporains, en France et à l'étranger.

Voici les raisons de cet espoir :

D'abord, l'absence de tout dictionnaire équivalant pour nous à ce que fut le *Littré* pour nos pères et nos grand-pères. Je n'entends, certes, pas dire que le célèbre *Dictionnaire de la Langue française* ait perdu ses droits à la place d'honneur sur le rayon le plus accessible de nos bibliothèques. Un tel ouvrage est irremplaçable, mais il a vieilli à bien des égards et le besoin d'une mise à jour s'impose depuis longtemps déjà : rappelons qu'il fut composé et publié de 1846 à 1872.

En un siècle, la langue française a évolué ; trois générations de grands écrivains se sont succédé.

Des mots nouveaux sont nés, d'autres sont tombés en désuétude. Certains ont repris vie après un sommeil deux ou trois fois séculaire.

Surtout l'usage a modifié le sens de mille expressions en rejetant dans l'ombre l'acception primitive, seule enregistrée dans maints dictionnaires. **Palabrer**, dérivé de *palabre*, ne signifie plus « tenir une conférence avec un chef nègre », mais « discourir interminablement, bavarder », comme le montre l'exemple suivant :

« Les députés, Anciens ou Cinq cents, se formaient en groupes nombreux sur la terrasse et, en attendant qu'ils pussent occuper leurs locaux, se mirent à palabrer » (L. MADELIN, *Histoire du Consulat et de l'Empire*, t. II, p. 347).

Plus rarement, l'emploi actuel rapproche le mot de son étymologie. C'est ainsi qu'**affirmer**, que Littré n'a pu — fait surprenant — illustrer d'aucune citation, s'entend fréquemment aujourd'hui dans le sens d'**affermir** ou de **raffermir** :

« Le sens primitif s'affaiblit par la diffusion de l'expression, et... il a besoin d'être affirmé » (BRUNOT, *la Pensée et la Langue*, p. 683).

Les textes modernes rendent compte de nuances d'expression comme celle du verbe **affecter**, usité pour **nommer, incorporer** :

« Oh ! il sait se débrouiller ! Il s'est fait affecter à la météo... » (MARTIN du GARD, *les Thibault*, VIII, 10).

Ou comme celle d'**affaires**, effets personnels, sens déjà attesté chez Molière, mais plus courant de nos jours, malgré la condamnation de quelques puristes :

« Il considérait avidement toutes ces affaires de femme étalées autour de lui : les jupons de basin, les fichus, les collerettes... » (FLAUBERT, *Madame Bovary*, II, 12).

Or, les citations admises par Littré ne vont guère au-delà de Chateaubriand. Il a accueilli quelques écrivains de la première moitié du XIX^e^ siècle dont le nom a sombré dans l'oubli, il en a écarté d'autres qui ont pris rang parmi les plus célèbres dans notre littérature nationale : Stendhal, Balzac, Flaubert, Vigny, etc. Il est toujours malaisé d'anticiper le jugement du temps, mais il vaut mieux courir le risque d'un choix discutable parmi ses contemporains que de négliger par principe un demi-siècle de production littéraire.

Hatzfeld et Darmesteter, qui ont apporté une contribution si remarquable à la science étymologique et à la sémantique, n'ont guère puisé hors des sources utilisées par Littré lui-même, si bien que nous ne possédons aujourd'hui aucun dictionnaire général qui appuie ses définitions sur des œuvres vieilles de moins d'un siècle ! Pourtant, que de noms prestigieux ont illustré ces cent dernières années ! Le Victor Hugo des *Contemplations* et de la *Légende des siècles,* le Vigny des *Destinées,* Baudelaire, Sainte-Beuve, Taine, Renan, Flaubert, Fromentin, Daudet, Maupassant, Verlaine, Zola, France, Loti, Bourget, Barrès, Bergson, Proust, Valéry... pour ne citer que ceux d'hier.

Tout en conservant aux créateurs de la langue classique la place éminente qui leur appartient sans conteste, je me suis efforcé, avec l'aide de quelques amis, de reprendre et de poursuivre l'œuvre de dépouillement commencée par Littré. Il ne s'agit point là d'un *inventaire général de la langue française,* d'ailleurs entrepris par un organisme officiel qui accomplit lentement son immense tâche. Il fallait limiter la nôtre aux forces de quelques personnes de bonne volonté, sacrifier à regret de nombreux trésors pour puiser dans quelques-uns. Tout choix provoque la critique, Littré lui-même n'y a pas échappé. Nous répéterons avec lui que « l'usage contemporain est le premier et principal objet d'un dictionnaire ». Le but est atteint si les textes retenus rendent compte de cet usage. Par surcroît, leur réunion peut constituer une anthologie de la littérature nationale, pleine de fleurs précieuses, de « lambeaux de pourpre ». Mais il n'est pas, non plus, d'anthologie à l'abri des critiques...

La conception nouvelle d'un dictionnaire *à la fois* alphabétique et analogique a paru, en second lieu, justifier mon entreprise. Un mot n'est pas défini *complètement* par son étymologie, son classement grammatical et la signification de ses divers emplois. Il ne prend sa pleine valeur que *par rapport* aux autres mots qu'il évoque logiquement : non seulement ses synonymes, homonymes et antonymes, mais encore les termes auxquels le rattachent sa famille, sa place dans la phrase et les liens multiples de l'association d'idées.

Ces liens sont, évidemment, variables d'un individu à l'autre, et les variations individuelles de l'association des idées fournissent aux psychologues, et particulièrement aux psychanalystes, des indications sur la personnalité ou sur les états psychiques de chacun.

Il suffit de lire quelques pages d'un écrivain tel que Marcel Proust pour se convaincre que la pensée ne suit pas chez tous les êtres humains des évolutions semblables :

« Le nom de Parme, une des villes où je désirais le plus aller, depuis que j'avais lu *la Chartreuse,* m'apparaissant compact, lisse, mauve et doux, si on me parlait d'une maison quelconque de Parme dans laquelle je serais reçu, on me causait le plaisir de penser que j'habiterais une demeure lisse, compacte, mauve et douce, qui n'avait de rapport avec les demeures d'aucune ville d'Italie, puisque je l'imaginais seulement à l'aide de cette syllabe lourde du nom de Parme, où ne circule aucun air, et de tout ce que je lui avais fait absorber de douceur stendhalienne et du reflet des violettes. » (*À la recherche du temps perdu,* t. II, p. 229.)

Cependant, il paraît possible de dégager des variations individuelles de la pensée quelques enchaînements logiques, communs à un grand nombre d'hommes, sinon à tous. Par exemple, il semble bien que l'association de la *violette* au nom de *Parme* ne soit pas particulière à Proust, mais commune à tous ceux qui ont maintes fois assemblé dans leur esprit les mots *violette de Parme*.

Les sources communes de l'association des idées sont assez nombreuses pour que l'on puisse parler d'une *logique des idées* fondée sur des rapports généraux tels que le genre et l'espèce, le tout et la partie, le contenant et le contenu, l'agent et l'instrument..., rapports qui permettent d'élaborer un dictionnaire analogique aussi utile et souvent plus utile pour tout le monde qu'un simple dictionnaire alphabétique.

En effet, pour trouver un mot dans un dictionnaire alphabétique, il faut, d'abord, que ce mot soit déjà connu, ensuite, qu'il affleure à l'esprit. Impossible de le découvrir si l'on ignore son existence ou s'il reste enfoui au fond de la mémoire défaillante. C'est au dictionnaire analogique à le tirer du néant ou de l'oubli, au bénéfice de chacun, étudiant ou savant.

La plupart des Français utilisent moins de 5 000 mots alors qu'un dictionnaire général en comporte de 40 000 à 50 000. À côté du vocabulaire commun en principe à tous, il existe une série de langues particulières plus ou moins incomprises hors des milieux sociaux ou professionnels qui les emploient. Le vocabulaire de ces diverses langues, qui figure, en grande partie, à la nomenclature des lexiques ordinaires, noyé dans les colonnes alphabétiques, devient accessible à chacun, si on le rattache au fonds commun à tous les Français. Ainsi, le mot **cynégétique**, familier aux chasseurs puisqu'il désigne l'art de la chasse, doit être relié à **chasse** ; les expressions du langage maritime : **amener, enverguer, éventer, ferler, gambier, larguer, rabanter une voile** doivent se rencontrer à l'article **voile**, etc.

Il est inutile de multiplier les exemples dont le présent dictionnaire abonde, pour comprendre la possibilité de passer du connu à l'inconnu et de l'idée vague à l'expression précise.

Je voudrais seulement attirer l'attention sur une forme très féconde d'analogie : celle qui provient des *affixes,* c'est-à-dire des préfixes et suffixes. Il y a un parallélisme évident entre les dérivés du latin **aqua**, et un autre, non moins évident entre ces dérivés et ceux du grec **hydôr**. Les uns et les autres évoquent l'idée d'**eau** et tout dictionnaire analogique les rapproche sous ce terme. Pour les mots composés du même *suffixe* le rapprochement s'impose d'autant plus que l'ordre alphabétique les disperse dans un dictionnaire ordinaire. Un étudiant en médecine peut fort bien connaître les suffixes **-tomie** et **-ectomie** (du grec **temnein,** couper et **ektemnein,** extraire par incision), mais oublier que **cornée** se dit **keras** en grec. Le dictionnaire ordinaire lui sera d'un piètre secours pour retrouver **keratectomie**, excision d'une portion de la cornée. Afin de secourir les mémoires défaillantes, les suffixes savants ont été traités ici comme des articles groupant les termes qui en sont formés.

J'ai employé d'autres méthodes que mes devanciers, mais la conception d'un dictionnaire analogique est déjà ancienne. C'est en 1852 que le Dr Peter Mark Roget publiait en Angleterre son *« Thesaurus of English words and phrases »* (Longmans, éd.), en 1862 que P. Boissière donnait son *Dictionnaire analogique de la langue française* dont Charles Maquet a présenté en 1936 une édition réduite et refondue (Larousse, éd.). L'abbé Élie Blanc a publié une « classification naturelle et philosophique des mots, des idées et des choses » dans un *« Dictionnaire universel de la pensée »* (E. Vitte, éd., 1899), P. Rouaix un *« Dictionnaire des idées suggérées par les mots »* (Colin, éd.), P. Schéfer un *« Dictionnaire des qualificatifs classés par analogie »* (Delagrave, éd., 1905)...

Tous ces ouvrages sont des catalogues de mots groupés autour de quelques termes d'identification ou mots-centres : un millier chez Roget, deux mille chez Boissière.

Le choix de ces mots-centres en nombre limité aboutit soit à étendre excessivement la compréhension des rubriques, soit à rejeter les expressions qui ne peuvent y trouver place.

La présentation des analogies, article par article, dans le cadre d'un dictionnaire alphabétique, a paru plus sûre pour fournir au chercheur l'expression adéquate à sa pensée.

Dans quelle mesure la méthode adoptée rapproche-t-elle du but ? Là encore l'œuvre ne sera exempte ni de lacunes, ni d'imperfections. Nul plus que moi n'en est persuadé, bien que je me sois efforcé, suivant le conseil de Ch. Bally, « d'établir la chaîne logique des associations, de les grouper, de les serrer en mailles toujours plus nombreuses, jusqu'à former un réseau où tout se tient. » (*Traité de stylistique,* Heidelberg, 1921, t. I, p. 128).

Les termes mêmes des définitions ont fourni les fils. Le réseau a ensuite été vérifié, renforcé, complété au moyen de centaines de milliers de textes qui illustrent, pour ainsi dire sur le vif, les rapports des choses et les rapprochements d'idées.

Ce n'est, sans doute, pas toujours sans quelques détours que le lecteur rencontrera l'expression, la locution, le proverbe ou la citation précise qu'il recherche. Sous peine de grossir démesurément le dictionnaire, la hiérarchie des mots a dû être respectée. Il y a parmi eux des chefs de famille, des genres, des espèces, des variétés. **Prendre** est plus général que **saisir**, qui est, à son tour, plus général que **empoigner** ou **gripper**. La substance des articles est d'autant plus riche que la compréhension du mot est plus large, à moins que, jugée trop large, elle n'ait été répartie entre les diverses espèces du genre. On ne saurait appliquer en matière de langage les classifications rigoureuses des botanistes ou des zoologistes : les problèmes que pose chaque mot ne peuvent être uniformément résolus.

Une des difficultés du dictionnaire alphabétique et analogique consistait à bien séparer ce qui s'applique exactement au mot défini des idées plus ou moins nombreuses qu'il suggère. J'espère avoir évité l'écueil qui guette les lexicologues : « l'habitude de considérer les mots synonymes comme des équivalents et de définir les uns par les autres » (Hatzfeld et Darmesteter, préface, XV). Les associations d'idées, précédées de la lettre V. **(Voir)** et imprimées en caractères gras se distinguent nettement dans le texte de ce qui appartient proprement à la définition. Les exemples illustrant les définitions sont en italique. Aucune confusion ne doit donc obscurcir le sens des mots.

Un dictionnaire doit toujours beaucoup à ceux qui l'ont précédé : celui-ci plus qu'un autre, peut-être, en certaines de ses parties. Le principal de mon effort s'est appliqué au classement des idées et au dépouillement des auteurs, parce que c'est en cela que j'ai cru faire œuvre originale et utile. Pour le reste, j'ai dû emprunter aux dictionnaires généraux et spéciaux, sous peine de reculer indéfiniment l'achèvement. Faute de les citer tous je mentionnerai ceux auxquels je dois le plus.

Ce sont :

pour l'*étymologie :* les dictionnaires de W. v. Wartburg, O. Bloch et W. v. Wartburg, Albert Dauzat, L. Clédat, H. Stappers, Hatzfeld et Darmesteter ;

pour la *nomenclature,* le *classement des sens,* les *définitions,* les dictionnaires généraux de Littré, de Hatzfeld et Darmesteter, de Larousse, et plus particulièrement, la huitième édition du *Dictionnaire de l'Académie française,* les dictionnaires de H. Bauche pour le langage populaire, de Lalande pour la philosophie, de M. Garnier et V. J. Delamare pour la médecine, de R. Gruss pour la marine, de Louis Réau pour l'art et l'archéologie, le Larousse de l'Industrie et des Arts et Métiers, le Larousse Commercial, l'Omnium agricole publié sous la direction de Henri Sagnier, les ouvrages de Gaston Bonnier pour la botanique, de Rémy Perrier pour une grande part de la zoologie, de A. Ménégaux pour les oiseaux, de Louis Roule pour les poissons, etc. ;

pour les *associations d'idées* en plus des ouvrages signalés plus haut, j'ai eu fréquemment recours au vieux *Dictionnaire des synonymes* de B. Lafaye, paru en 1858, ainsi qu'au récent *Dictionnaire des synonymes* de René Bailly (Larousse, 1946). Quoique j'estime avec Hatzfeld et Darmesteter (Préface, p. XVI) que « du rapprochement de définitions exactes doit sortir sans effort la distinction des termes synonymes », je n'en pense pas moins que la confrontation de ces termes aide à les préciser : aussi ai-je inclus dans mes articles de nombreux passages de Lafaye et de Littré.

Parmi les ouvrages qui ont guidé ma voie, je n'aurai garde d'oublier *La Pensée et la Langue* de Ferdinand Brunot (Masson, 2e édition, 1926) dont la lecture, entreprise au cours de mes travaux, m'encouragea vivement à la persévérance.

Le bienveillant accueil réservé à mes premiers articles par MM. Georges Duhamel, Émile Henriot, André Maurois et mon maître André Siegfried m'est allé au cœur et a soutenu mon effort.

Il me reste à exprimer ma reconnaissance et mon affection à tous ceux qui m'ont apporté leur aide, d'abord à celle qui est pour moi la plus chère des collaboratrices, puis à Mme Brousse, Mme et M. André Muller, M. Albert Dahan. Je dois une gratitude particulière, pour la constance de leur concours, à Madame L. G. Deschepper, amie toujours fidèle, à M. Georges Pouzet, plein d'amical dévouement, et à mon cher condisciple Georges Chetcuti.

Je m'en voudrais d'oublier mon ami l'imprimeur Albert Jean dont la compétence et l'ingéniosité nous ont permis de surmonter mille difficultés.

1950.

## Postface du 1$^{er}$ volume

Trois ans ont passé depuis que l'Académie française m'encourageait à publier mes travaux en me décernant le prix Saintour sur la présentation des soixante-dix premières pages de mon dictionnaire. La Haute Compagnie rompait avec un usage constant en couronnant un ouvrage inachevé. Cet honneur exceptionnel m'impose un double devoir : devoir de gratitude et devoir de persévérance dans l'accomplissement de ma tâche.

Je manquerais gravement au premier si je n'associais, dans un hommage public comme au fond de mon cœur, les noms de M. Georges Lecomte, Secrétaire perpétuel de l'Académie française, et de M. Firmin Roz, de l'Institut, à ceux de MM. Georges Duhamel, Émile Henriot, François Mauriac, André Maurois et André Siegfried, que j'ai déjà cités dans mon Introduction.

Je serais indigne de leur généreuse confiance si je ne menais mon entreprise à son terme, en dépit des difficultés qu'elle comporte.

J'ai dû en surmonter de bien grandes au cours des trois années écoulées. Je n'aurais pu les vaincre sans le concours des affectueux amis qui m'ont aidé à fonder la *Société du Nouveau Littré* et sans l'adhésion des milliers de souscripteurs qui m'ont apporté les moyens matériels d'élever l'édifice.

Pour leur donner l'assurance que la construction en serait menée à bonne fin quoi qu'il advienne à son architecte, je me suis adjoint une équipe de collaborateurs qui travaillent aujourd'hui à mes côtés sur les documents amassés et qui poursuivraient la tâche sans moi si j'en étais empêché par quelque cause indépendante de ma volonté. À cette équipe, composée de M$^{lles}$ J. Debove, M. Peter et de MM. H. Clot, O. Cotinaud, A. Rey, de nombreux lecteurs continuent d'apporter, chaque jour, de nouveaux documents qu'un secrétariat diligent dépouille sans arrêt sous la direction de M$^{lle}$ Ballester. La correction des épreuves est confiée à mon fidèle ami G. Chetcuti.

Le dévouement de mes collaborateurs m'a permis d'accélérer la publication des fascicules de telle sorte que l'ouvrage sera entièrement achevé dans les délais prévus à l'origine.

Certes, un travail de ce genre ne peut être exempt de fautes et de lacunes. Je m'efforcerai de les corriger dans un supplément pour l'élaboration duquel je fais appel à toutes les critiques. Je puis assurer que j'en tiendrai compte.

Parmi celles que j'ai déjà reçues, il en est une à laquelle il me faut répondre ici puisqu'il s'agit de justifier le titre même de mon ouvrage.

Je dois rappeler qu'un *dictionnaire* n'est pas nécessairement *alphabétique* et qu'il existe des *dictionnaires analogiques* qui ne sont pas alphabétiques. Le premier ouvrage digne de ce nom, l'*Onomasticon* de Julius Pollux, classait les mots dans un ordre logique qui n'était ni plus ni moins arbitraire que l'ordre alphabétique, mais qui, certes, était beaucoup moins pratique.

En adoptant le titre de *Dictionnaire alphabétique et analogique de la langue française*, j'ai voulu souligner qu'un « appareil » analogique complétait l'étude des mots alphabétiquement classés.

Octobre 1953.

## Préface du 4e volume

Six ans se sont écoulés depuis la publication du premier volume de ce Dictionnaire, six ans au cours desquels j'ai éprouvé d'angoissantes difficultés, mais aussi la joie de les surmonter finalement.

Il n'est pas temps de retracer l'histoire d'une entreprise que j'aurais jugée aventureuse et même irréalisable, il y a quinze ans, si une foi aveuglante ne m'avait dissimulé les terribles obstacles qui devaient, inévitablement, se jeter à la traverse. Je souhaite écrire un jour une sorte de biographie de mon Dictionnaire mais je ne saurais différer jusque-là l'expression d'une gratitude immense à l'égard de ceux qui m'ont soutenu tout au long de mon effort.

Dirai-je jamais assez ce que je dois aux amis de la première heure qui fondèrent avec moi la Société du Nouveau Littré, aux hommes de lettres qui m'aidèrent de tout leur cœur et de tout leur prestige ? Telle lettre affectueuse de Georges Duhamel, tel article fraternel de Daniel-Rops, telle intervention généreuse de Jules Romains a ravivé mes forces à l'instant où je me sentais guetté par le découragement.

Jour après jour, les encouragements de souscripteurs chaleureux m'ont assuré que l'œuvre était utile et qu'il fallait, coûte que coûte, la mener jusqu'à son terme. Que d'obligations n'ai-je pas envers ces milliers d'amis connus et inconnus qui m'ont fourni les moyens de la poursuivre ! J'éprouve une grande confusion en songeant à ceux qui, depuis plusieurs années, attendent l'achèvement du Dictionnaire. Mon impatience égale la leur, mais je suis responsable des longs délais de publication, quels qu'aient été mes efforts pour les abréger dans une lutte quotidienne contre les circonstances adverses.

Pourquoi n'avouerais-je pas aussi, comme Littré osa le faire, que mes prévisions furent dépassées et que le constant souci d'améliorer mon œuvre a entraîné un allongement des délais ?

Les Français aiment trop leur langue, symbole de grandeur et d'union, pour ne pas comprendre qu'en ce domaine plus qu'en tout autre la précipitation entraîne fatalement des erreurs et des omissions. Il est, certes, toujours loisible de les corriger dans un supplément, puis dans des éditions successives, mais il vaut mieux s'efforcer de les éviter dès l'abord.

Au travail solitaire des débuts s'est substitué, depuis sept ans, un travail d'équipe. Notre ami André Billy a parlé du « phalanstère de jeunes linguistes » que je dirigeais à Casablanca. Le transfert de ma Rédaction à Paris en a modifié la composition, quelques-uns de mes anciens collaborateurs restant au Maroc tandis que les autres me suivaient. Parmi ces derniers je dois mentionner, outre mon fidèle compagnon Georges Chetcuti, M. Alain Rey, qui fut le premier de mes rédacteurs et qui, après sept années de travail en commun, est devenu mon associé au Conseil d'Administration de la S. N. L., en même temps qu'à la Rédaction où il remplit les fonctions de Secrétaire général. Auprès de lui travaillent dans une atmosphère d'amicale entente des collaborateurs permanents aidés d'un petit groupe d'auxiliaires.

Plusieurs réviseurs m'apportent le concours de leur science, de leur expérience et de leur enthousiasme. L'amitié autant que la gratitude me font un devoir de rendre tout particulièrement hommage à M. Henri Cottez, agrégé des lettres, ancien élève de l'École Normale Supérieure, et à M. Robert Le Bidois, docteur ès lettres. Le premier a collaboré à la rédaction de nombreux articles à partir de la lettre E. La précieuse contribution du second, grammairien éminent, s'exerce plus particulièrement dans le domaine de sa spécialité, depuis le début du tome III.

Le transfert du siège de la Société du Nouveau Littré à Paris devait coïncider avec l'expiration d'un contrat qui la liait aux Presses Universitaires de France pour la distribution du Dictionnaire en librairie. Leur président-directeur général, M. Paul Angoulvent, et leur directeur commercial, M. Roger Basselier, restent pour moi de grands amis que je veux assurer de ma gratitude. Ils ont aidé aux premiers pas, et pour ainsi dire, présidé à la majorité de la Société du Nouveau Littré.

La diffusion du Dictionnaire est désormais confiée entièrement à la S. A. F. O. R. qui est gérée par un ami fraternel, M. Marcel Tordjman. Je souhaite à tout homme de lettres, conduit, par la force des choses, au rôle de chef d'entreprise, de rencontrer un associé semblable ! Auprès de moi et de Georges Chetcuti, il a vécu des heures anxieuses, ne ménageant ni son temps ni sa peine pour résoudre nos problèmes et triompher de nos soucis. Il partage avec moi la joie de compter un ami en chacun de nos collaborateurs, ceux de la S. N. L. et ceux de la S. A. F. O. R.

Octobre 1959.

## Préface du 5^e volume

J'éprouve quelque confusion à présenter à mes lecteurs ce cinquième volume qui devait être le dernier du Dictionnaire. Non que tout mon effort, avec l'aide de mes collaborateurs, n'ait pas tendu sans relâche à l'abrègement des délais de publication, mais l'enrichissement continuel de nos dossiers nous a fait déborder les limites étroites que j'avais d'abord assignées à mon équipe.

Oserai-je avouer que j'ai ainsi connu, au milieu d'écueils semblables, les mêmes préoccupations que le grand Littré ?

« ... Les prévisions furent dépassées, écrivait-il en 1880 dans son admirable opuscule intitulé *Comment j'ai fait mon Dictionnaire*. La matière donnait incessamment un peu plus qu'il m'avait semblé qu'elle donnerait. Non que je me livrasse à des divagations et à des hors-d'œuvre ; mais en me renfermant strictement dans les lignes tracées, comme je tenais à ne rien omettre d'essentiel ni à ne rien écourter, la copie s'allongeait sous ma plume, non sans exciter mes appréhensions. »

Il m'est apparu, tout compte fait, que je devais moins céder à mes impatiences de finir qu'aux encouragements de ceux qui m'incitaient à tirer le meilleur parti des trésors accumulés en quinze années de travail assidu, poursuivi, sous ma direction, par un groupe d'ardents collaborateurs.

Que nos souscripteurs soient, cependant, rassurés ! La préparation du sixième et dernier volume est déjà très avancée. Ils ne tarderont plus guère à posséder l'ouvrage tout entier.

La diffusion en est exclusivement assurée par la Société du Nouveau Littré, depuis le transfert de son siège social à Paris, mais elle reste confiée aux soins vigilants de mon ami Marcel Tordjman, ancien gérant de la S. A. F. O. R., devenu Directeur commercial de la S. N. L. Son inlassable dévouement s'appuie sur l'affectueuse confiance de tous les membres de notre Conseil d'Administration parmi lesquels je dois particulièrement nommer mon cher condisciple Georges Chetcuti et mon ami Alain Rey, Secrétaire général de la Rédaction.

1961.

## Préface du 6$^{e}$ volume

Voici que s'achève enfin un ouvrage auquel j'ai consacré dix-huit années de ma vie.

Ce n'est pas le lieu de dire ici combien il m'a coûté d'efforts, de soucis, de tourments. Je compte bien en faire le récit ailleurs, dans un petit livre que j'intitulerai sans doute « Les aventures d'un dictionnaire ».

L'encre de nos derniers articles est encore trop fraîche et je ne songe aujourd'hui qu'à me tourner vers tous ceux qui m'ont permis de poursuivre ma tâche jusqu'à son terme. Ils sont innombrables et beaucoup me sont inconnus. Des mois ne me suffiraient pas pour remercier d'une lettre ceux que je connais personnellement. Depuis le jour où j'ai réuni dans la Société du Nouveau Littré quelques dizaines de chaleureux amis, que de concours n'ai-je pas rencontrés tant auprès de mes collaborateurs directs qu'auprès de hautes cautions qui ont su éveiller l'intérêt sympathique d'un vaste public en faveur d'une entreprise bien modeste à ses débuts.

Si elle fut placée sous le signe et l'inspiration d'un illustre devancier, puis-je le regretter alors qu'elle m'a valu deux précieuses récompenses : l'affectueux encouragement de mes amis Le Hanneur, cousins d'Émile Littré, et la réimpression, par les soins de plusieurs éditeurs, de son grand Dictionnaire, admirable monument du siècle précédent ?

Mon Dictionnaire vieillira à son tour, et j'ose dire qu'il a déjà vieilli en quelques-uns de ses articles, tant la langue évolue vite et tant la publication d'un semblable ouvrage souffre de longs délais. J'en connais mieux que personne les imperfections et les lacunes. C'est pourquoi un *Supplément,* ouvert depuis plusieurs années, devra lui apporter bien des retouches et des compléments. Les matériaux déjà réunis forment une masse considérable qui doit encore s'enrichir dans les mois à venir. Je fais appel, pour les compléter, à la collaboration du public et d'abord, naturellement, à celle de nos souscripteurs dont le nombre approche maintenant de cent mille.

J'éprouve une grande fierté à remercier ceux qui, près de leur « capitaine », ont lutté, contre vents et marées, pour mener avec lui le navire au port.

L'hommage que je leur ai rendu depuis la publication de mon premier volume doit leur être renouvelé avec toute la gratitude que méritent leur zèle et leur affection. Sans l'ardeur d'une foi solide dans l'œuvre et le « maître de l'œuvre », un effort aussi prolongé n'aurait pas pu être soutenu. Je désire mentionner à nouveau ceux qui, depuis une dizaine d'années, sont demeurés à mes côtés.

— *À la Rédaction :* M$^{me}$ Rey (déjà citée dans mon premier volume sous le nom de M$^{lle}$ J. Debove) ; MM. Henri Cottez (Ancien élève de l'E. N. S., agrégé de l'Université) ; Alain Rey (Secrétaire général de la Rédaction, administrateur de la S. N. L.) ; et *aux Services annexes de la Rédaction :* M$^{lle}$ F. Ballester (Secrétaire de Direction) ; MM. Georges Chetcuti (Chef du Service de la correction, administrateur de la S. N. L.) ; N. Lapeyre (Chef correcteur adjoint).

— *Au service commercial :* M. Marcel Tordjman, et tous les « ambassadeurs » qui ont coopéré avec lui à la diffusion du ROBERT.

Ma reconnaissance va également à M. Robert Le Bidois, docteur ès lettres, ainsi qu'à MM. Jean Lecomte, éminent physicien, Membre de l'Institut, et Paul Laffitte, Professeur de chimie à la Sorbonne, qui nous ont apporté leur précieux concours dans l'élaboration des deux derniers volumes.

Je n'aurai garde d'oublier les services rendus, dans la révision des articles, par mon fils Philippe Robert, ancien élève de l'École Polytechnique, et par mon excellent ami Armand Montagne.

Paris, le 28 juin 1964.

# *Préface du Grand Robert de la langue française*

par Alain REY

## I
## UN DICTIONNAIRE MODERNE DANS UNE TRADITION

Encore qu'il s'agisse de l'édition augmentée d'un ouvrage reconnu, ce dictionnaire de langue constitue une nouveauté dans l'histoire du genre. En effet, tous les grands ouvrages alphabétiques sur la langue française ont apporté une vision historiquement déterminée du lexique et des vocabulaires ; et leurs qualités mêmes les ont condamnés à une pérennité immobile. Moderniser le *Littré* est une entreprise absurde. En revanche, enrichir et mettre à jour le *Grand Robert*, édité sous une forme plus maniable, était une démarche naturelle.

Le *Dictionnaire alphabétique et analogique de la langue française*, on le sait, était un projet original. Paul Robert avait conçu son entreprise comme un mariage de la description alphabétique illustrée par des exemples littéraires — analogue au Littré — et du dictionnaire « analogique » qui regroupe les expressions diverses d'une même « idée » ; l'influence d'un ouvrage controversé, *La Pensée et la Langue* de Ferdinand Brunot, est sans cesse perceptible dans le projet initial du *Robert*. Ce projet, dont porte témoignage la lettre *A* du *Dictionnaire alphabétique et analogique de la langue française*, rédigée par Paul Robert, ne se modifia pas fondamentalement, mais il bénéficia par la suite d'influences qui lui donnèrent d'autres dimensions : le perfectionnement de l'analyse des sens, l'apparition des premières attestations datées de l'emploi des mots, la multiplication des exemples d'usage sont observables de volume en volume, avec l'intervention d'une équipe que je fus appelé à diriger en 1956.

Les volumes suivants, rédigés collectivement, marquaient l'approfondissement d'une méthode que, dans les trois derniers volumes, l'équipe rédactionnelle, supervisée par Paul Robert, a tenté de mettre à profit.

Achevé en 1964, ce dictionnaire visait à donner une image plus homogène et plus moderne des vocabulaires et des usages du français. C'est dans cet esprit qu'a été entrepris l'ouvrage actuel, qui est beaucoup plus qu'une réédition augmentée.

À une époque où l'on s'interroge sur le sort du livre de référence imprimé, face aux produits électroniques, l'ouvrage ici présenté propose un texte que l'informatisation intégrale permet de garder vivant et évolutif. Pour la première fois, un dictionnaire de langue conserve fidèlement sa personnalité tout en intégrant les connaissances nouvelles et en épousant l'évolution de son objet, procédure couramment mise en œuvre par les grandes encyclopédies, et ceci depuis le XVIII$^{e}$ siècle, notamment avec l'*Encyclopædia Britannica*.

Ces modifications, dans le *Grand Robert* de 1985, concernaient trois axes principaux :

— quant à l'objet décrit, un enrichissement de la nomenclature et des emplois traités, en fonction de l'évolution des vocabulaires et surtout en fonction des besoins nouveaux du public ;

— quant aux méthodes employées et aux informations fournies, une prise en compte des importants travaux sur la langue française effectués après 1950 ;

— quant au contenu même du dictionnaire, une clarté accrue, par l'organisation des articles et la typographie, par le retour à l'ordre alphabétique strict et par une homogénéité plus grande.

En résumé, il s'agissait, tout en gardant la richesse extensive d'information que permet un gros ouvrage, d'améliorer l'homogénéité et l'économie des informations.

Après la parution des 9 grands volumes de 1985, le texte fut entretenu, révisé, parfois corrigé et augmenté, par Danièle Morvan, principale responsable du *Robert pour tous*. C'est dans ce texte que l'on a intégré de nombreux ajouts destinés à couvrir les évolutions du vocabulaire depuis la fin des années 1980 jusqu'en 2001, ajouts rédigés par Sophie Chantreau et Laurence Laporte.

Entre le gigantisme « philologique » du *Trésor de la langue française* — qui ne porte que sur le français de 1790 à 1960 —, et l'information trop partielle ou rendue archaïque des autres dictionnaires de langue, nous avons visé la richesse d'information dans l'économie de présentation, la modernité sur fond historique, la simplicité de l'exposé pour maîtriser la complexité des faits décrits ; en un mot, la communication d'une image sociale : celle de la culture francophone classique et contemporaine à travers le kaléidoscope des mots.

## La tradition du dictionnaire de langue dans la culture française.

Le *Robert* se situe clairement dans une tradition. Mal connue par rapport à d'autres activités culturelles, jamais enseignée, l'histoire des ouvrages de référence — à l'exception du *Dictionnaire critique* de Bayle et de l'*Encyclopédie* de Diderot et d'Alembert, appréhendés surtout en tant qu'objets littéraires — constitue un domaine immense, dont la connaissance est essentielle dans le tableau idéologique, didactique et éditorial de la France et des pays francophones.

Sans vouloir refaire cette histoire, que des spécialistes ont explorée[1], on rappellera simplement quelques faits. Le moyen âge a connu des glossaires, listes de mots commentés, aide-mémoire pour la lecture et maintes encyclopédies, mais non pas de véritable dictionnaire. C'est la Renaissance qui inaugure le genre, sous la forme de *Thesaurus* bilingues où l'objet à décrire est le grec (Henri Estienne, *Thesaurus græcæ linguæ,* 1572) et le latin (Robert Estienne, *Dictionnaire latin-français et dictionnaire français-latin,* 1539), alors que le moyen de description est le français. Dans le même temps, on le sait, des érudits, des humanistes et des poètes, notoirement Du Bellay, célèbrent et étudient le français, qui devient digne de remplacer le latin non seulement dans les usages pratiques de la vie quotidienne, mais dans les fonctions les plus nobles du savoir et de la beauté. Cependant, entre la *Deffence et Illustration* et les outils de travail qu'elle impliquait, il fallut bien des années, car un lexique et un bon usage ne se fixent, ne se retiennent et ne se trans-

1. Voir notamment : G. Matoré, *Histoire des dictionnaires français,* Paris, Larousse, 1968 ; B. Quemada, *Les Dictionnaires du français moderne (1539-1863)...,* Paris, Didier, 1968 ; A. Rey, *Encyclopédies et Dictionnaires,* Paris, P.U.F., Que sais-je ? n° 2000, 1982 ; R.-L. Wagner, *Les Vocabulaires français,* t. I, Paris, Didier, 1967.

mettent qu'au prix de milliers d'informations qu'il faut rassembler et ordonner. En retard sur l'Italie (Calepino) et sur l'Espagne (Covarrubias), la France ne produit un dictionnaire où le français prend la première place qu'en 1606, avec le *Thresor* de Jean Nicot, issu d'additions au dictionnaire français-latin de Robert Estienne (1573). Paru après la mort (1600) de son principal auteur — un personnage remarquable, ce seigneur de Villemain, homme d'État, ambassadeur, introducteur en France de « l'herbe à Nicot » ou « nicotiane », c'est-à-dire le tabac —, cet ouvrage est un vrai et riche dictionnaire de notre langue, où le latin sert plutôt de caution que d'objet d'étude. Mais, après ce témoignage tardif de l'esprit humaniste, on sentait le besoin d'un ouvrage purement français et, surtout, pour épouser le mouvement des idées, d'un ouvrage plus normatif, ou peut-être établi selon d'autres normes.

En fondant l'Académie française, Richelieu lui assigna la tâche de produire un dictionnaire ainsi qu'une grammaire. Une longue histoire, faite de retournements politiques, d'hésitations culturelles, de conflits larvés et ouverts conduisit enfin, sous le règne de Louis XIV, à un dictionnaire en 3 volumes qui fut assez fraîchement accueilli malgré ses qualités, recouvertes par des défauts trop visibles. La doctrine académique qui préside au dictionnaire de 1694 est la suivante : définir, par des choix dictés par le bon goût, un usage du français excluant les variétés régionales — surtout méridionales —, les archaïsmes, les vulgarismes, ainsi que les termes « d'art », c'est-à-dire scientifiques et techniques. Même sélection, d'ailleurs sans sévérité excessive, pour la syntaxe, les exemples étant du discours écrit d'allure littéraire, mais non signé : les rédacteurs, étant Académiciens, considéraient qu'ils détenaient le beau parler. Ce dictionnaire fait pour Vaugelas et pour Boileau est aussi un dictionnaire pour Descartes et pour les grammairiens de Port-Royal : on a cherché à y décrire la « raison » des mots, au moyen de regroupements par familles étymologiques et morphologiques manifestant un ordre interne. C'est d'ailleurs cette infraction motivée à l'arrangement alphabétique qui est le plus critiquée : l'Académie l'abandonne dès sa deuxième édition.

Avant ce dictionnaire, avaient paru deux ouvrages importants : celui de Richelet (1680), de dimension modeste (il grossit de réédition en réédition, au XVIIIe siècle), hâtivement rédigé, mais riche en observations plus brutes sur la langue du temps et rempli d'un matériel savoureux. Bizarrement, Richelet était proche du milieu puriste, alors que l'Académie représentait la doctrine du juste milieu ; mais son œuvre, le premier dictionnaire français où le latin ait entièrement disparu, préfère la critique à l'effacement ; son caractère primesautier lui confère un grand intérêt pour le lecteur moderne.

Le dictionnaire d'Antoine Furetière vit le jour un an après la mort de son auteur, et quatre ans avant son concurrent académique, en 1690. L'abbé Furetière avait défrayé la chronique par son conflit avec l'Académie, dont il avait pourtant été un membre zélé. Ami de Racine et de Gilles Boileau (le frère de Nicolas), cet homme actif, vif, remuant, souvent hargneux, était littérairement doué : on connaît son *Roman bourgeois*, mais ses satires, épigrammes, facéties burlesques et sa *Nouvelle allégorique* méritent aussi l'attention. Il fut souvent calomnié, et il est vrai qu'il détourna à son profit une partie du matériel réuni pour le dictionnaire de l'Académie ; mais ce fut pour réaliser un ouvrage d'un tout autre esprit.

Selon nous, le *Furetière* est de loin le meilleur dictionnaire du français classique. Sa description n'est nullement contradictoire de celle de l'Académie, mais complémentaire. Adepte lui aussi de la norme centrale, du « bon usage », Furetière s'intéresse à la transmission des connaissances autant et plus qu'à la langue. Aussi inclut-il les termes scientifiques et techniques utiles à l'honnête homme, termes qui donnent accès à un savoir alors en pleine mutation : l'algèbre se construit avec Descartes, Harvey vient de découvrir la circulation du sang, etc. Furetière se tient au courant de cette actualité : son discours de lexicographe transmet de manière critique les connaissances « populaires » — qu'il juge souvent comme des superstitions — avec les vocabulaires techniques de son temps. Le regroupement des mots du *Furetière*, que nous avons publié en annexe de la réédition de son dictionnaire[2], est à cet égard révélateur. Bien entendu, ce dictionnaire, comme celui de l'Académie, transmet les idées dominantes du règne de Louis XIV. J'ai montré ailleurs comment l'analyse sémantiquement aberrante du mot *roi* conduit en ligne directe du « roi des rois » au Roi-Soleil, de Dieu à Louis XIV, faisant ainsi figurer *dans la langue* une construction idéologique et politique active, la doctrine de la monarchie de droit divin. Furetière, plongé dans son temps et donc témoin irremplaçable pour l'historien, ouvre l'avenir. L'esprit encyclopédiste est en germe dans sa vision, où la description des idées et des réalités du monde l'emporte sur le souci du beau langage, à moins que ce dernier (comme le disent par ailleurs les Messieurs de Port-Royal, Boileau et La Bruyère) ne soit considéré comme une garantie de la qualité de la pensée.

Malgré de multiples différences, le *Grand Robert* reprend aujourd'hui cette tradition ; il s'oppose ainsi au Littré et aux ouvrages purement philologiques.

La lexicographie du XVIII^e^ siècle, en France, est dominée par l'*Encyclopédie*. C'est dire que la description de la langue et de l'usage, ou d'une norme basée sur un usage parisien distingué, cède la place à celle des moyens d'expression des connaissances, des terminologies. Le programme du « dictionnaire de choses » comme l'on dit inexactement, ou plutôt du « dictionnaire raisonné » — titre de l'*Encyclopédie* — était préparé, on l'a vu, par Furetière. C'est d'ailleurs son dictionnaire, « piraté » par les Jésuites de Trévoux, qui sert de base à la célèbre série des *Trévoux*, grands dictionnaires encyclopédiques qui s'opposent idéologiquement à l'œuvre de Diderot et d'Alembert, et qui, sans démériter, sont loin d'avoir ses vertus.

Le XVIII^e^ siècle voit aussi le développement des dictionnaires de noms propres (issus de Moréri et tributaires de Bayle, qui occupe une place à part) et des dictionnaires spéciaux. Par exemple, un auteur exceptionnellement fécond et parfois génial, l'abbé Prévost, créateur de *Manon Lescaut*, publie en 1750 un important recueil de néologismes qui dépeint l'évolution du lexique.

À la même époque, un homme de lettres très influent, Samuel Johnson, met au point en Grande-Bretagne un dictionnaire de langue à références littéraires précises, mais cette innovation n'aura pas d'effet immédiat en France.

La prolifération des dictionnaires à partir du début du XIX^e^ siècle correspond à une mutation sociale : les besoins didactiques nouveaux, la démocratisation lente et contrariée du savoir, le libéralisme, revers de l'ordre moral de la Restauration, l'évolution de l'édition et du commerce, tout se ligue pour remplacer les vastes synthèses critiques par des ouvrages de taille plus raisonnable (l'immense *Encyclopédie méthodique* éditée par Panckoucke est à cet égard un anachronisme). Les dictionnaires français, hormis ceux de l'Académie (1787 ; 1835, mais le complé-

2. Le *Dictionnaire universel* d'Antoine FURETIÈRE (...) précédé d'une biographie de son auteur et d'une analyse de l'ouvrage par Alain REY, suivi d'une bibliographie, d'un index thématique (...), S. N. L.-Le Robert, Paris, 1978 (3 vol.).

ment de cette 6$^{e}$ édition, paru en 1842, est fort extensif), sont alors voués à la description d'un lexique de plus en plus abondant où la désignation des réalités du monde telles que les appréhendent la science et les techniques prend une place écrasante. La description de la langue et des usages, les querelles concernant les normes en souffrent, alors même que le discours est de plus en plus ouvertement pédagogique, avec une intention d'ouverture sociale.

Paraissent alors en France de nombreux dictionnaires, depuis Boiste, auteur d'un remarquable recueil de poche (1800), puis d'ouvrages plus développés mais étonnamment compacts (1839, par exemple) jusqu'à Laveaux, à La Châtre, à Bescherelle (1846). La sociologie de la lecture se modifie alors profondément : un public moins fortuné accède au savoir et les ouvrages de taille modeste s'ajoutent aux grandes collections. En même temps, c'est la course à l'« universalité » : les nomenclatures se gonflent, mais la rigueur de la description, qu'elle soit langagière ou conceptuelle, en souffre considérablement. Parfois, c'est l'idéologie, le plus souvent généreuse, qui l'emporte : Maurice La Châtre, traducteur de Karl Marx, veut, sinon mettre « un bonnet rouge au vieux dictionnaire » (Hugo), du moins démocratiser la maîtrise des mots.

Ce mouvement s'accompagne — mais sans publication notoire en matière de dictionnaires — d'un intérêt pour l'histoire de la langue : le moyen âge n'est pas seulement un « gadget » romantique ; les dialectes et les patois sont décrits, notamment par Raynouard, et Godefroy prépare son grand recueil d'ancien français. Enfin, la philologie se développe en France, surtout à propos de discours antiques ou exotiques : vers le milieu du siècle, Champollion, Rémusat, Eugène Burnouf ont déjà étudié les hiéroglyphes, le chinois, le persan avestique. En Allemagne, une science nouvelle, la « linguistique » comme réflexion théorique sur les systèmes des langues et non pas sur leurs produits, prend une place majeure.

Ce tableau complexe engendre, dans les années 1860, deux grands ouvrages qui auront un effet organisateur essentiel en France dans le champ du dictionnaire. D'un côté, la pédagogie démocratique, la terminologie, les connaissances encyclopédiques découpées en tranches fines et mises à la portée d'un large public, sinon du peuple, notion mal définie, c'est Pierre Larousse ; de l'autre, la description de la langue moderne dans son épaisseur historique, la construction d'une norme fictive, parce que voulue scientifique, et c'est Émile Littré.

Les deux champions ne combattent pas l'un contre l'autre, mais contre des ennemis différents : tous deux cherchent à vaincre certains préjugés, à recueillir et à transmettre un savoir. Larousse veut rassembler l'ensemble des connaissances, mais aussi susciter les attitudes propres à faire un bon citoyen, dans une démocratie bourgeoise quelque peu positiviste ; Littré poursuit un programme destiné à l'« élite savante », et construit un usage choisi, non plus par une autorité, comme au XVII$^{e}$ siècle, mais par la raison de l'histoire et la sagesse de la tradition. Il rassemble des discours auxquels le jugement social accorde valeur et légitimité, soit pour décrire un arrière-plan (les « historiques », chapelets d'exemples du XI$^{e}$ au XVI$^{e}$ siècle), soit pour définir un bon usage garanti par le génie littéraire, de Malherbe à Chateaubriand.

Littré modifie le sentiment de la langue en le fondant sur l'observation très enrichie, très améliorée de l'histoire des discours, produits de cette langue. Mais il crée les conditions de la grande illusion : celle d'un équilibre intangible, d'un sommet d'où l'on ne peut que redescendre et s'avilir. Cette illusion n'est pas le fait d'un esprit passéiste ou entêté, encore moins réactionnaire. Littré n'élimine de son dictionnaire les écrivains qui sont ses contemporains que par prudence, et même par un certain masochisme. Quant à sa méthode lexicographique, elle est pour le moins imparfaite, malgré l'immense culture et les qualités didactiques de l'auteur[3].

Émile Littré - Pierre Larousse : deux tendances pour le dictionnaire, deux genres — redisons-le — complémentaires. Toute la lexicographie française est depuis lors articulée par ces deux conceptions. Les dictionnaires encyclopédiques — au premier chef la série des Larousse, depuis 1898 *(Nouveau Larousse illustré)* jusqu'au *Grand Dictionnaire encyclopédique* (1983-1984) et à ses successeurs — subordonnent la description de la langue à celle des notions et la classification des sens des mots à celle des domaines du savoir. Dictionnaires avant tout terminologiques, certains pratiquent aussi de manière intéressante et novatrice l'analyse linguistique. Le *Grand Dictionnaire universel du* XIX*e siècle* (le « Pierre Larousse ») était déjà plus riche que le Littré en matière phraséologique et pour les nouveautés langagières ; naguère, le *Grand Dictionnaire encyclopédique Larousse* présentait des analyses syntactiques brèves mais pertinentes, par exemple en ce qui concerne les constructions verbales (décrites par Jean Dubois et tributaires des travaux de Maurice Gross).

Quant aux dictionnaires de langue, leur évolution est considérable depuis Littré, mais sans rupture profonde, en ce qui concerne le contenu global. Il faut citer en premier lieu le *Dictionnaire général* de Hatzfeld, Darmesteter et Thomas, à peine postérieur au Littré, plus bref (donc, moins riche), mais qui manifeste une rigueur d'analyse (Hatzfeld était professeur de philosophie et de logique) et une précision philologique (celle de Darmesteter) très supérieures à celles de Littré. On verra plus loin que les plans d'articles « arborescents », seul moyen de représenter clairement l'articulation sémantique des unités décrites, ont été adoptés par tous les grands dictionnaires de langue, comme ils l'étaient parallèlement dans d'autres traditions, et notamment par le grand dictionnaire allemand des frères Grimm, continué après leur mort, et par l'admirable *New English Dictionary* publié à Oxford ; en France, c'est au *Dictionnaire général* qu'ils sont redevables.

Entre 1900 et 1952, c'est le désert. Alors que de nombreux pays élaborent ou perfectionnent une description que toutes les civilisations sentent nécessaire, celle du lexique comme moyen d'expression et de communication fondamental, la France ne produit que des encyclopédies et des dictionnaires encyclopédiques. En reprenant le contenu philologique et littéraire de Littré, en adoptant l'organisation du *Dictionnaire général*, en intégrant l'analyse sémantique des dictionnaires appelés analogiques (Boissière, l'anglais Roget), le projet du *Robert* renouvelle la tradition. Puis le succès du *Petit Robert* a dévoilé un véritable besoin. D'autres éditeurs ont suivi le mouvement, avec plus ou moins de bonheur.

Si l'on s'en tient aux grands dictionnaires en plusieurs volumes, incluant une vaste nomenclature, un traitement détaillé de l'usage des mots, et de nombreux exemples de leurs emplois, la langue française dispose aujourd'hui de trois descriptions lexicographiques notables : le *Robert,* tel qu'il se présente aujourd'hui, le *Grand Larousse de la langue française,* plus succinct, et le *Trésor de la langue française*. Ce dernier se borne malgré ses dimensions (16 volumes) à la langue des XIX$^{e}$ et XX$^{e}$ siècles ; il arrête en général la description — au moins dans ses

3. Sur Littré et son œuvre, voir *Littré, l'humaniste et les mots,* par A. REY, Paris, Gallimard ; et *Émile Littré* (actes du Colloque 1981 du Centre international de synthèse), Paris, Albin-Michel, s. d. (1983).

premiers volumes — à 1950-1960, l'énorme corpus de citations réunies par le C. N. R. S. n'allant pas au-delà. Enfin, le *Robert* et le *TLF* donnent lieu à une version informatique intégrale.

Ce type de dictionnaires, aujourd'hui, ne peut être qu'un travail d'amateur ou une réalisation collective. Il va sans dire que le *Robert* est du second type. Comme les encyclopédies, et quelles que soient les personnalités qui les prennent en charge et les dirigent, les dictionnaires procèdent d'un énorme effort d'équipe, et celui-ci s'appuie sur une tradition collective, ancienne et riche. Ces ouvrages nécessitent un double effort, d'harmonisation et d'unité, certes, mais aussi d'enrichissement dans la variété. Ainsi, une équipe de rédactrices et de rédacteurs, de réviseuses et de réviseurs, n'apporte pas seulement des connaissances et des compétences, mais encore des ouvertures sur l'objet même du travail de description. Cet objet n'est pas, ne doit pas être une abstraction figée (la « langue », le « français »), mais un ensemble d'usages sociaux — dans le temps, dans l'espace, dans la réalité humaine —, usages variés et dont la variété reflète celle des groupes sociaux. Ces usages du français sont engagés à la fois dans des conflits et dans un processus de représentation organisé, unifiant, un processus de normalisation. Si chaque membre d'une équipe lexicographique est contraint par la conception générale de l'œuvre, qui garantit son unité et son efficacité, il apporte sa propre attitude vis-à-vis de la langue, il représente préférentiellement un usage parmi les usages, une norme parmi les normes. D'où l'avantage évident d'une équipe variée, formée de bons témoins, hommes et femmes, jeunes et moins jeunes, représentants de régions diverses — en France et hors de France —, de formations humaines et intellectuelles différentes. Cette variété n'est jamais assez grande ; en percevoir la nécessité est déjà un progrès. On imagine sans peine, dans un ouvrage qui tente de refléter toute la tradition littéraire « francographe » jusqu'à nos jours, quel peut être l'apport de goûts et de sensibilités pluriels. Il en va de même pour la tâche des documentalistes, tâche primordiale d'observation et de sélection, aujourd'hui assistés par l'informatique et par Internet.

Mais, pour unifier ces tendances représentatives de la richesse culturelle « en français », pour élaborer à partir d'elles un texte clair, homogène, d'utilisation aisée, d'autres contributions sont nécessaires. Celle d'un responsable centralisateur et quelque peu « modérateur » ne suffit pas. Il faut indispensablement celle d'un secrétariat, d'équipes chargées de l'établissement de la copie, des références bibliographiques et des relations avec l'atelier de composition, d'un vaste service de relecture d'épreuves, etc. Le lecteur doit savoir que, s'il relève des imperfections, il s'agit du résidu des inévitables erreurs produites par une chaîne complexe d'opérations de transfert d'information. Et plus la matière est riche, variée, plus la mise en forme doit être unifiée et contrôlée. On trouvera en tête d'ouvrage la liste des principaux responsables de ce texte, dans ses états successifs, et le signataire de cette introduction se plaît à leur rendre un particulier hommage.

## II
## NATURE ET CARACTÈRES DU GRAND ROBERT DE LA LANGUE FRANÇAISE.

### *La nomenclature.*

Un dictionnaire, pour décrire les usages de la langue, ou du moins ceux qu'il retient, doit construire une liste de formes, couramment désignées comme « les mots du dictionnaire » et techniquement dites « entrées ».

Ces entrées constituent une nomenclature, présentée en général dans un ordre formel, strictement alphabétique ou rompu par des regroupements morphologiques (« familles de mots »).

Le *Grand Robert* présente une nomenclature de plus de 75 000 entrées. Peut-être n'est-il pas inutile de rappeler comment sont choisies ces entrées. Un lexique est un ensemble très complexe, formé de différentes couches d'importance inégale. Les unités de ce lexique — mots et assemblages de mots — sont disponibles pour former des énoncés, des phrases du discours ; dans les énoncés effectivement produits — par exemple, dans la totalité des phrases prononcées et écrites en français au cours d'une journée —, on retrouve ces mots actualisés au moyen d'un ensemble de règles, d'une grammaire. Chacun de ces mots possède une fréquence. Mais les fréquences réelles sont à jamais inconnues : ce que l'on connaît, c'est une fréquence relative à l'intérieur d'un ensemble de discours servant d'échantillon, et qu'on appelle un *corpus*. On considérera pour le français plusieurs zones concentriques dont la plus centrale est formée des mots les plus indispensables, les plus disponibles — les enfants et les étrangers qui apprennent la langue doivent d'abord les acquérir —, et aussi les plus fréquents. L'important travail du *Français fondamental*, basé sur une vaste enquête, contient 1 063 mots, le *Dictionnaire élémentaire* de Georges Gougenheim qui en est issu en comporte 3 000, censés correspondre aux plus fréquents et aux plus « disponibles » en français actuel. Ce petit nombre d'entrées correspond aux mots grammaticaux (articles, pronoms, prépositions...), qui sont indispensables à la formation du discours, et à un stock minimal de verbes, substantifs, adjectifs et adverbes très usuels. Dans un dictionnaire extensif, ces mots donnent matière à un traitement développé ; ils ont de nombreux sens et emplois, sont illustrés par une grande quantité d'exemples : les « mots-outils » *(dont, que, qui, pour...)*, les verbes *faire, passer, aller*, les substantifs *femme, main, liberté*, les adjectifs *grand, petit, beau...* en font partie.

La zone suivante, qui ajoute à ces 3 000 entités une dizaine de milliers d'unités, correspond à la « compétence » réelle d'un adulte : le mythe selon lequel certains Français n'emploieraient que 2 000 à 3 000 mots repose sur de nombreuses confusions et n'est entretenu que par les préjugés. Ce n'est pas un hasard si les dictionnaires pour enfants possèdent de deux ou trois mille à vingt mille « mots », ce qui correspond aux besoins de la classe, entre huit et quatorze ans, selon l'idée de la pédagogie que se fait notre société[4]. Bien entendu, ces nomenclatures de dictionnaires ne coïncident pas avec l'usage réel des enfants auxquels ils s'adressent : de nombreux mots qui y figurent sont pratiquement lettre morte dans le discours spontané ; d'autres, d'un emploi fréquent — les « mots de la tribu », famille, lycée, etc., et bien entendu les « gros mots » et termes à la mode — sont pour partie exclus des nomenclatures.

Un cran plus haut dans la description, se trouve une nomenclature normative et générale, qu'illustre bien le *Dictionnaire de l'Académie française :* elle représente de 25 000 à 30 000 unités. À partir de ces chiffres, on entre soit dans le domaine des vocabulaires spéciaux, soit dans l'univers des mots rares, pour une raison ou pour une autre : archaïsmes, usages littéraires ou poétiques, termes propres à un milieu, etc. Les dictionnaires généraux de langue française, lorsqu'ils intègrent ces éléments, atteignent de 40 000 à 70 000 « entrées », selon leurs dimensions et selon les options.

---

4. Voir, par exemple, le *Robert Benjamin* et le *Robert Junior,* dont les textes, entièrement originaux, ne doivent rien aux dictionnaires pour adultes.

La nomenclature du *Grand Robert,* qui dépasse ces chiffres, mais n'atteint pas — tout à fait délibérément — ceux des plus vastes encyclopédies, lesquelles sont gonflées par les nomenclatures des sciences naturelles et les terminologies, techniques ou autres, est soumise à une conception précise des besoins de l'utilisateur. Celui-ci, que le français soit pour lui langue maternelle ou langue étrangère bien maîtrisée, doit pouvoir trouver dans son dictionnaire la totalité des mots de la conversation courante, la quasi-totalité de ceux qui sont employés dans un périodique général d'information, et une grande partie de ceux que l'on trouve dans les textes littéraires effectivement lus ou écoutés. Dans la situation culturelle du français, ceci rend nécessaire la description de la partie du vocabulaire classique que l'on trouve dans les pièces de Corneille, Molière ou Racine, dans les romans de M^me^ de La Fayette ou dans les lettres de M^me^ de Sévigné ; bien entendu, les auteurs du XVIII^e^ siècle sont à considérer aussi pour définir cette langue classique. Avec le XIX^e^ siècle et le romantisme, on entre dans la langue « moderne » : le nombre de mots s'accroît avec la variété des thèmes littéraires et avec la prise en charge par l'écrivain de la diversité des usages sociaux ; le mouvement s'accentue au XX^e^ siècle : sans anticiper sur la question de la représentativité du discours littéraire — essentielle pour ce type de dictionnaire —, on peut déjà noter que la lecture de Céline ou de Queneau exige la connaissance de nombreux mots dits « populaires » ou « familiers ».

*Les régionalismes.*

À la variété des signes selon les usages sociaux s'ajoute leur variété géographique, en général appréhendée sous l'étiquette de « régionalisme ». Sur ce plan, le *Grand Robert,* après plusieurs dictionnaires français, tente de faire évoluer la description. Il inclut non seulement des régionalismes de France, mais aussi des mots du terroir employés en Belgique, en Suisse, au Québec, ainsi que des termes ou des sens institutionnels et propres aux États. Les premiers ignorent les frontières politiques : ainsi, une bonne part des helvétismes a cours en Savoie, en Dauphiné ou même dans la région lyonnaise, qui appartiennent au domaine franco-provençal. Les seconds sont indispensables si l'on veut éviter les contresens et les ambiguïtés, d'autant qu'il ne s'agit pas seulement de formes nouvelles (comme *gouvernance,* terme créé par L. S. Senghor au Sénégal), mais de sens différents (*échevin,* archaïsme historique en France, est vivant et administratif en Belgique ; *cantonal* a un tout autre sens en Suisse et en France, ainsi que *bourgeoisie...*).

Cette ouverture sur les usages géographiques du français hors de France est indispensable si l'on prétend décrire « le français », comme est indispensable l'inclusion des régionalismes de France même ; *bagad* ou *bigouden* (emprunts au breton), sont des mots originaux dans une description générale et peu de dictionnaires français les enregistrent, alors que *bombarde* ou *gavotte* ont en français de Bretagne un tout autre sens que dans d'autres usages. Le choix de ces termes, étrangers à la norme « centrale » du français, est délicat. Deux principes ont commandé la sélection : celui de la représentativité et celui de l'intérêt socio-culturel. Ainsi, les helvétismes retenus dans le dictionnaire sont en usage dans la plupart des cantons de Suisse romande, sinon dans tous ; un mot en usage seulement à Genève, dans le Vaudois ou à Neuchâtel n'est pas retenu. Même principe pour les africanismes : les mots ou acceptions de l'*Inventaire des particularités lexicales du français en Afrique noire* (publié par l'Association des Universités partiellement ou entièrement de langue française : A. U. P. E. L. F.) qui sont signalés comme employés dans quatre ou cinq pays, sont traités (ex. : *banco, solde* 4. [« salaire »], *toubab*), alors que les « sénégalismes » ou « ivoirismes » spécifiques ne le sont pas, à l'exception de certains termes institutionnels. Enfin, pour les civilisations non françaises, leurs ressortissants, chaque fois que cela a été possible, ont présidé à cette sélection.

Alors que les dialectes et patois font l'objet de nombreux et remarquables travaux, les régionalismes de France sont assez mal traités dans les dictionnaires généraux du français : nous espérons avoir fait un premier pas vers l'amélioration de cette situation grâce aux nombreux travaux régionalistes des dernières décennies[5]. Elle ne provient pas d'un hasard, et correspond à la centralisation très puissante de la vie sociale et culturelle en France. La norme linguistique y est conçue comme centrée — sinon, ce qui est pire, comme parisienne —, et les régionalismes, entre le « bon français » estampillé par l'institution pédagogique et les langues et dialectes régionaux, qui s'affirment souvent en s'opposant en bloc au « français », sont en mauvaise posture. Nombreux, cependant, sont ceux qui se diffusent : le domaine culinaire et gastronomique en est un bon témoin, et les *magrets, pistous, gougères* et autres *tripoux* — après les *quiches* et les *bouillabaisses* complètement acclimatées — marquent la vitalité de l'apport régional au patrimoine lexical français. Y ajouter dans le dictionnaire le *solilem* et le *kouglof* alsaciens, le *ragoût de pattes de cochon* et la *tourtière* du Québec, le *biscôme* et les *röstis* suisses, la *raclette* suisse et savoyarde, le *filet américain* ou le *cannibale* belges (qui équivalent au *steak tartare* de France), c'est, nous le pensons, faire œuvre pie. Il s'agit là de véritables emprunts, et ce domaine est lui aussi très sensible aux variations, et sujet aux enrichissements.

*Les emprunts.*

En effet, à part les emprunts dits « de luxe » — qu'on pourrait souvent appeler « de snobisme » — lesquels expriment de manière exotique des réalités qui n'en avaient pas besoin, étant déjà désignées par des mots français, il existe de nombreux emprunts nécessaires, qui correspondent à des faits de civilisation intraduisibles — ou mal traduits. Ainsi, avec la vogue internationale du Japon, qui a attiré l'attention occidentale — *judo* et *karaté* aidant — sur une des plus riches cultures d'Asie, un certain nombre de mots sans équivalents ont été empruntés : ils concernent, par exemple, les arts martiaux, on vient de le voir, mais aussi la musique et l'art *(biwa),* l'histoire *(bakufu),* le vêtement *(obi),* la nourriture *(sashimi, tempura),* etc. Un tour du monde lexical des désignations propres à chaque culture enrichirait sans aucun doute les dictionnaires de chaque langue désireuse d'exprimer ces réalités. De l'emprunt bien intégré au terme étranger simplement cité, que certains linguistes appellent « xénisme », il existe toute une gamme de mots, qui donnent à la fois la couleur locale aux récits, aux reportages, et l'exactitude conceptuelle aux études. Parmi ces termes, il faut choisir. La sélection du *Grand Robert* est large et riche, mais tient compte de l'usage effectif des mots dans les communautés francophones ; ne sont retenus que ceux qui sont employés dans le discours littéraire, savant ou journalistique de manière normale et, en pratique, les termes attestés par plusieurs sources dignes d'intérêt. Parmi ces emprunts, certains proviennent, d'ailleurs, de pays entièrement ou partiellement francophones (ex. *inuit,* au Canada ; *balafon,* en Afrique).

---

5. Mais de récents dictionnaires spéciaux, et notamment celui « des régionalismes de France » par Pierre Rézeau, qui inclut les travaux de Jean-Pierre Chambon, Jean-Paul Chauveau, André Thibault, et d'autres chercheurs.

Pour une catégorie d'emprunts particulièrement — excessivement — abondante, les *anglicismes,* on a suivi, comme dans le *Dictionnaire des anglicismes* de J. Rey-Debove et G. Gagnon, une politique d'objectivité, en distinguant simplement les emprunts bien intégrés — et souvent inaperçus — tels *bifteck, rail* ou *tunnel,* ou bien *sentimental,* mot « inventé » par le génial Sterne —, qui sont traités sans autre commentaire, des innombrables emprunts récents ou mal intégrés, et qui sont alors qualifiés d'« anglicismes » (abrégé en *anglic.*). Cette « marque » signifie que ces mots ne sont pas unanimement acceptés et font parfois l'objet d'une décision officielle de francisation — qui est signalée. À noter qu'« anglicisme » concerne la langue et non pas la civilisation d'origine, et inclut l'américanisme, l'origine « états-unienne » étant éventuellement précisée dans l'étymologie. Un autre enrichissement de la nomenclature, qui conduirait à un nombre d'entrées astronomique, concerne les classifications des *sciences naturelles,* la *terminologie chimique* et les *terminologies techniques*. C'est dans ces domaines que le dictionnaire de langue doit effectuer une sélection sévère, sous peine d'assommer son lecteur de mots et d'expressions (ou syntagmes) désignant des réalités qui ne sont nommées que dans des activités hyperspécialisées de la connaissance. Au contraire, les vocabulaires nécessaires à la pédagogie des sciences et des techniques, ceux qui se diffusent par les médias et sont en contact avec le public (le cas des termes médicaux et pharmaceutiques est significatif) méritent d'être retenus dans un dictionnaire extensif de la langue. Ils sont très nombreux dans le *Grand Robert ;* si l'on tient compte du fait que de nombreux termes ne sont pas des mots simples, mais des « syntagmes » — et ceci est vrai de bien des « mots » courants : *grand ensemble* est traité à part —, les nomenclatures deviennent plus impressionnantes. Ce n'est plus de 70 000 à 80 000 entrées qu'il faut parler, mais de 500 000 « termes » au moins. Ainsi, pour en finir avec ce sujet, on remarquera que la course au plus grand nombre d'entrées — que pratiquaient avec ardeur les lexicographes entre 1850 et 1900 — n'a pas de sens en soi. Chaque nomenclature dépend de la structure des dictionnaires : ceux qui « dégroupent » les mots en plusieurs entrées synonymes, ceux qui — comme l'excellent *Webster* américain — donnent en entrées des syntagmes, en plus des mots simples, atteignent évidemment, à contenu égal, des chiffres plus spectaculaires ; il ne faut pas que l'utilisateur s'y laisse prendre. La manière de compter est responsable de maintes légendes, comme celle qui attribue au vocabulaire anglais une plus grande richesse qu'au français : ce n'est vrai qu'en « entrées » de dictionnaire.

*Organisation matérielle de la nomenclature.*

Cette masse de rubriques, correspondant chacune à une forme lexicale distincte : nom, adjectif, verbe, etc., peut être rangée soit par ordre alphabétique strict, soit par regroupements (par racines ; ou par le sens : dictionnaires analogiques). L'abondant système de renvois internes qui caractérise les dictionnaires *Robert* nous a incités, pour améliorer la facilité de consultation, à alphabétiser exactement tous les mots traités. Dans le cas de mots homographes sous leur forme de présentation[6], ils sont numérotés et leur numéro est rappelé dans les renvois (ex. *1. solde, 2. solde ; 1. solder, 2. solder ; 1. voler, 2. voler,* etc.).

---

6. On ne se préoccupe pas des homographies en discours qui troublent les relevés automatiques de textes, du type *« les poules du couvent couvent »*, puisque le substantif *couvent* et le verbe *couver* sont distingués par la forme de l'entrée même.

La valeur d'une nomenclature de dictionnaire ne dépend pas de son importance quantitative, mais de la fonction qu'elle peut remplir auprès de ses lecteurs. On peut se demander qui aurait réellement besoin d'une addition de toutes les langues de spécialités, réunies en une collection qui ne pourrait être que gigantesque et dont la plus grande partie ne serait jamais consultée[7]. Il semble bien que toute personne désireuse de connaître, par exemple, le vocabulaire de la médecine et de la biologie dans sa quasi-intégralité, se servira de dictionnaires spéciaux. Ce qui intéressera l'utilisateur d'un dictionnaire général, même très extensif, ce sera un extrait pertinent de ce vocabulaire, tenant compte de la diffusion sociale des mots.

Quant aux chiffres avancés par la publicité des dictionnaires, on les considérera avec prudence : tel ouvrage qui s'enorgueillit d'un nombre de « mots » supérieur à celui de ses concurrents devra cet avantage apparent à des raisons purement formelles (mots dégroupés, syntagmes extraits et comptés pour un mot, alors que de nombreux adjectifs participiaux seront, au contraire, non comptés par tel autre dictionnaire parce qu'ils y sont décrits sous les verbes correspondants...). Dans le cas même où des informations supplémentaires sont effectivement incluses, il faut s'interroger sur leur intérêt, et cet intérêt est variable selon les utilisateurs. Multiplier les archaïsmes tirés d'anciens dictionnaires, les formes rarissimes que l'on trouve au hasard d'un seul texte (d'ailleurs remarquables si le texte en question est de Rimbaud *(abracadabrantesque)* ou de Mallarmé *(ptyx)*, mais moins passionnantes s'il s'agit d'un obscur symboliste), empiéter sur des domaines habituellement extérieurs à celui du dictionnaire de langue (noms ethniques facilement multipliables, nomenclatures d'histoire naturelle ou de chimie...) n'a de sens que si la taille du dictionnaire l'autorise, que si tous les emplois plus fréquents ont été correctement décrits et que si les ajouts sont convenablement équilibrés entre eux et avec le reste de la nomenclature. Tel n'est pas toujours le cas... Le seul inconvénient de ce classement formel, partiellement arbitraire mais si commode, que permet l'alphabet, est de rompre les relations de forme (morphologie) et de sens qui permettent de mieux comprendre le fonctionnement du lexique ; mais les renvois systématiques aux dérivés et composés, aux synonymes et aux contraires, aux mots liés par une communauté sémantique, éliminent en grande partie cet inconvénient. C'est pourquoi, renonçant à des regroupements qui conduisent trop souvent à sacrifier les dérivés et composés par rapport aux mots-racines, le *Grand Robert* respecte la présentation alphabétique stricte : aucune forme n'est alors privilégiée par rapport

---

7. La véritable finalité d'un ensemble de ce genre est terminologique. Dans ce domaine, rappelons-le, l'unité n'est pas le mot de la langue, mais le *terme,* qui est un nom dans un système de désignation reflétant un ensemble organisé de notions. Le terme correspond le plus souvent sur le plan du langage à un syntagme. L'insuffisance des vocabulaires terminologiques imprimés — en particulier scientifiques et techniques — est notoire, et leur inévitable archaïsme, face à des évolutions rapides, est une plaie pour l'utilisateur. Celui-ci est le plus souvent un traducteur. Pour ce public exigeant, spécialisé, la solution d'avenir ne peut être que l'informatique, et notamment la banque de données terminologique, dont une utilisation privilégiée est l'aide à la traduction. Ces « banques » sont, plutôt que des dictionnaires, des fichiers interrogeables sur le mode « conversationnel ». Il faut noter que le contenu quantitatif de ces systèmes s'évalue en *termes,* et doit être au minimum de l'ordre du million, ce qui correspond à peu près au nombre de syntagmes contenus dans un dictionnaire encyclopédique de 80 000 à 100 000 entrées-mots. Pour fixer les idées, un dictionnaire général de langue comme le *Trésor de la langue française* ou le *Grand Robert,* avec des nomenclatures de l'ordre de 70 000 à 80 000 entrées, contient un nombre très supérieur de syntagmes, parmi lesquels les syntagmes terminologiques figurent pour plusieurs centaines de milliers (environ 500 000, selon une évaluation tout intuitive), certaines entrées, comme *point* ou *chaîne,* comportant plusieurs dizaines de ces syntagmes.

aux autres — comme l'est le mot-souche par rapport aux dérivés et composés, dans les dictionnaires à regroupements — si ce n'est par les deux facteurs qui doivent en effet la privilégier : la fréquence d'usage et l'intérêt conceptuel ou culturel du signifié.

*La fréquence.*

Quant à l'organisation possible de cette vaste nomenclature, elle peut se concevoir selon de nombreux axes différents. Les mots appartiennent, dans l'usage actuel, à différents niveaux statistiques de fréquence, mais cette fréquence n'est pas une information très sérieuse quant à l'ensemble du lexique. Les listes publiées pour le français correspondent au dépouillement de corpus plus ou moins représentatifs : la plus importante information de ce type, qui rend et rendra de grands services aux chercheurs, est contenue dans le matériel de l'*Institut national de la langue française* (INALF) et dans les études qui s'appuient sur cette information (Étienne Brunet, *Le Vocabulaire français de 1789 à nos jours, d'après les données du* Trésor de la langue française, Genève-Paris, Slatkine, Champion, 1981, 3 vol.) ; mais ces données ne concernent guère qu'un ensemble d'usages littéraires et didactiques, à l'intérieur de la langue écrite et cultivée. Dans un dictionnaire général, indiquer des fréquences, même celles du *français fondamental,* n'aurait pour résultat que de donner au lecteur une fausse impression de scientificité, de rigueur mathématique, dans un domaine où règne l'arbitraire des collections philologiques (qu'il s'agisse de textes littéraires, non littéraires ou d'enregistrements oraux). Si le dictionnaire, selon nous, ne décrit pas abstraitement la langue, mais les usages de cette langue, il n'est pas fait, en revanche, pour décrire seulement un ensemble de « discours », aussi large soit-il. Voilà pourquoi on ne trouvera pas ici d'informations chiffrées. Mais la fréquence des mots est en général impliquée par l'importance de leur traitement : le nombre de sens et de nuances, le nombre d'exemples et de citations, surtout, donnera une idée assez exacte, non pas seulement de la fréquence, mais de l'importance, du « poids » langagier et culturel de chaque mot. Ceci n'est possible que dans la mesure où nous sommes parvenus à calibrer de manière satisfaisante cet ouvrage, ce qui n'est pas aisé. En effet, peu de dictionnaires sont convenablement équilibrés[8]. L'intuition est ici appuyée sur une importante documentation, sur une grande tradition lexicographique — et sur l'expérience des rédacteurs de l'ouvrage.

Plus pertinent que le niveau statistique, donc, le niveau d'usage, ici repéré par un système — on l'a voulu simple — de « marques », sur lequel on reviendra plus loin.

## *Les informations : la forme.*

La première information que donne une entrée de dictionnaire est l'arrangement formel des lettres, la graphie. Celle-ci n'est pas une donnée évidente : certes, pour les mots courants, la norme moderne est stable et simple. Mais déjà, à l'exception des mots invariables, il faut choisir une forme parmi d'autres pour servir d'entrée. Les noms substan-

8. Le *Trésor de la langue française,* comme le *Dictionnaire général,* est beaucoup plus développé dans les premières lettres que dans la suite ; au contraire, la première édition du *Robert,* comme le *Littré,* est plus sommaire au début de l'alphabet, et devient progressivement plus extensive. Le présent dictionnaire tend à un meilleur équilibre, et l'importance relative de ses articles nous semble refléter plus correctement que dans d'autres dictionnaires l'importance réelle des mots dans l'usage.

tifs sont au singulier ; les adjectifs au masculin singulier, et les verbes à l'infinitif (alors que les dictionnaires grecs et latins les donnent à la première personne de l'indicatif présent). Bien qu'on soit conscient des implications de ces choix (le verbe à l'infinitif est sournoisement nominalisé, par un substantialisme inconscient), on n'a pas voulu bouleverser des habitudes de consultation bien établies. Or, les pluriels, les féminins singuliers et pluriels, et surtout les formes des verbes peuvent faire problème : ces problèmes sont soit résolus explicitement (féminins et pluriels donnés en entrée ; ex. *animateur, trice ; antérieur, eure ; cheval, aux ;* pluriels irréguliers et pluriels des noms composés donnés en exemples ; ex. à *bain-marie : des bains-marie*), soit explicités par renvois (conjugaison des verbes renvoyant à des modèles repris dans des tableaux en fin d'ouvrage, ex. *balancer :* conjug. *placer ;* seuls les verbes les plus irréguliers sont conjugués en leur lieu).

Le problème des formes féminines des noms revêt une particulière importance pour les noms d'« êtres animés ». La femelle de l'espèce lion, tigre, éléphant a bien une désignation : *lionne, tigresse, éléphante,* mais ces formes n'ont pas le même statut que le masculin ; pour l'espèce rat ou souris, la question est plus délicate encore, et il faut noter que les mâles des espèces désignées par des noms féminins : *souris, grenouille,* etc., n'ont pas de désignation propre : la langue française n'est pas toujours sexiste dans le même (mauvais) esprit antiféministe...

Ceci nous conduit aux féminins des noms désignant des êtres humains. Là aussi, il faut noter qu'*une sentinelle* est le plus souvent un homme. Mais le cas inverse est infiniment plus fréquent ! Traditionnellement, pour de nombreux noms de métiers, de fonctions, les dictionnaires (avec l'usage) ne connaissent que la forme masculine. Avec le changement positif du statut de la femme dans nos sociétés, les dictionnaires ont changé. Ainsi *biochimiste* ou *ministre* par exemple, n'est plus n(om) m(asculin), mais n(om), ce qui permet de dire et d'écrire normalement *une biochimiste, une ministre*... Mais, là comme ailleurs, les résistances, les ambiguïtés et les incohérences de l'usage rendent la description difficile.

De nombreuses femmes se disent *avocat* (alors que la forme *avocate* existe) ou *docteur* (alors que *doctoresse* est parfaitement attesté) : il fallait décrire les deux possibilités et commenter la situation de l'usage réel. Dans d'autres cas, le féminin est facile à former, mais n'est pas (à notre connaissance) attesté : alors, pour éviter la « linguistique-fiction », nous avons opté pour la formule : « le féminin est virtuel » ; cette virtualité peut se réaliser d'un moment à l'autre. C'est notamment le cas des métiers de l'industrie. Ainsi de *bitumier,* ouvrier des bitumes, qui forme naturellement *bitumière,* comme *plombier* rend possible *plombière* — que nous avons d'ailleurs relevé dans notre documentation. Les homonymies évoquées pour refuser certains féminins sont d'ailleurs inégalement actives : le fait qu'un entremets glacé se nomme *plombières* ne saurait rendre inacceptable le féminin de *plombier,* puisqu'une *cuisinière,* en français, peut aussi bien être dite *électrique* que *timide, à gaz* qu'*à cheveux blonds*.

Un autre problème se pose : l'*orthographe* (la « bonne graphie ») du français est capricieuse ; les variantes et les irrégularités sont nombreuses. En principe, l'orthographe du dictionnaire de l'Académie fait foi : mais on a pu montrer[9] que ses solutions étaient peu cohérentes. La politique suivie a été celle d'une simplification ; seules les variantes

9. N. CATACH, *Orthographe et Lexicographie,* Paris, Didier.

courantes sont signalées en entrée, quitte à mentionner dans le corps de l'article celles qui sont attestées chez de bons écrivains.

On a tenu compte des décisions de l'Académie, décisions qui ne seront entérinées que dans sa 9e édition, en (long) cours de publication. Ainsi, le mot *événement* qu'une tradition têtue note avec deux accents aigus — alors que le second *e* est ouvert — peut maintenant, selon l'Académie elle-même, être écrit *évènement ;* bien entendu, les exemples littéraires portent normalement l'ancienne graphie, mais cette nouvelle possibilité orthographique, plus logique, doit être signalée. Il en va de même pour *chausse-trape,* qui peut — et même doit — s'écrire *chausse-trappe,* comme *trappe*. Devant l'échec des projets de réforme, on ne peut que refléter les modifications effectivement entrées dans l'usage (par exemple sur le pluriel des composés, certains accents).

Certains conflits inévitables apparaissent entre la tendance souhaitable à la simplification et la tradition. Ainsi, les composés formés sur des préfixes savants *(bio-, chrono-...)* devraient ne garder une division (un « trait d'union ») que si le second élément commence par une voyelle ; et, même dans ce cas, la tendance est à écrire le mot de manière ininterrompue, mais on rencontre souvent la graphie en deux éléments et l'usage hésite. Ainsi, pour *bioélectrique, bioélectricité, bioénergie,* les entrées sont écrites soudées, avec la précision suivante : « on écrit souvent *bio-énergie* », notre documentation étant chiche en attestations de la graphie *bioénergie,* forme plus cohérente par rapport aux précédentes. Si deux variantes sont également attestées et également « normales », elles peuvent être signalées toutes deux en entrée (par ex. *birth(-)control,* qui doit se lire : *birth control* ou *birth-control*). Ainsi, dans un tout autre domaine, on admet *bistro* ou *bistrot,* aucune autorité n'ayant tranché sur ce point et l'usage ne se décidant pas clairement.

Cependant, d'une manière générale, on a réduit le nombre des entrées multiples, ainsi que celui des variantes. Encore fallait-il que l'une de ces formes paraisse nettement préférée ou préférable.

À la graphie est jointe une information systématique sur la *prononciation,* donnée selon la transcription de l'A.P.I. (Association phonétique internationale). Là aussi, on a recherché la précision et la simplicité. La notation phonétique internationale permet la précision, en notant le timbre des voyelles et l'articulation des consonnes. Mais les spécialistes et toutes les personnes douées d'une bonne oreille le savent, les prononciations individuelles et celles des usages régionaux sont diverses : la moitié du territoire français ou presque — le domaine occitan — prononce des *e* qui sont caducs dans la partie nord de la France ; des *e* et des *o,* ouverts là, sont fermés ailleurs ; certains différencient *brun* et *brin,* d'autres non.

Dans la plupart des cas, le dictionnaire donne la prononciation la plus « normale », et cette norme correspond à un usage urbain « cultivé » (d'aucuns disent « bourgeois ») de l'Île-de-France — et certes pas aux prononciations parisiennes, avec leurs variantes faubouriennes ou snobs si fortement marquées. De même, sont signalées les prononciations traditionnelles recommandées mais en voie de disparition (*dompter* et *dompteur* sans [p] comme *compter ; arguer* avec un [ɥ] comme *tuer ; quadragénaire* commençant par [kwa] et non par [ka], etc.), quitte à donner aussi la variante « familière » ou « relâchée » quand elle nous a semblé l'emporter. Il ne s'agit pas là de laxisme, mais de véracité dans l'observation.

Les utilisateurs du dictionnaire dont le français n'est pas la langue maternelle ont évidemment besoin de ces informations. Quant aux lecteurs français et francophones, ils constateront sans doute que les mots qui posent un problème de prononciation sont plus nombreux qu'on ne pense. En particulier, l'appauvrissement du système phonétique chez de nombreux locuteurs (confusion de *a* antérieur et de *a* postérieur, de *o* ouvert et de *o* fermé), et les flottements (présence ou absence du *e : renseign'ment* ou *renseignement ?*) rendent une norme phonétique nécessaire.

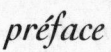

Certes, chaque usage régional — ou social — en produirait une autre, légèrement ou plus profondément différente ; le choix du *Robert* n'est pas un jugement de valeur hiérarchique, mais la proposition d'un étalon neutre, et partout acceptable. Il ne pouvait être question dans un dictionnaire de ce type d'enregistrer — il n'existe d'ailleurs aucune description générale qui le fasse — les prononciations du français dominantes à Toulouse, à Strasbourg, à Bruxelles, à Lausanne ou au Québec ; mais leur existence objective, à côté des formes « canoniques », ne doit pas être oubliée ou niée. Enfin, la phonologie du français évolue et une étude historique ou de tendance n'est pas à la portée des dictionnaires. Mais le lexicographe se doit d'en être conscient, et de saluer les travaux des spécialistes[10].

Si le dictionnaire choisit de réduire les variantes pour proposer une seule norme par unité traitée, il doit pourtant quelquefois mentionner deux variantes de prononciation. Comme pour l'orthographe, il s'agit de cas où ni l'usage ni la norme ne permettent de trancher. Ainsi, *août* se prononce le plus souvent avec le *t* final mais aussi sans ce *t ;* il ne se prononce jamais comme il s'écrit. En revanche, *aoûter* et *aoûtage* se prononcent plus souvent *a-ou* [aute], [autaʒ] que *ou* [ute], [utaʒ], ce dernier usage étant pourtant plus « correct ». Le plus souvent, on a choisi — notamment à l'intention des étrangers — une seule prononciation, à la fois courante et correcte. Le lecteur trouvera plus loin l'exposé des principes qui ont précisément guidé notre transcription phonétique.

Immédiatement après la prononciation, notée entre crochets, on trouvera, comme dans tout dictionnaire de langue, une abréviation concernant la *fonction grammaticale* du mot. Pour la caractériser, on a eu recours à des catégories traditionnelles et bien connues. Mais, pour évidente qu'elle paraisse, cette information pose déjà bien des problèmes. En règle générale, seules sont mentionnées initialement les fonctions essentielles de chaque mot. Au contraire, les fonctions secondaires — celle d'un adjectif substantivé, qui devient nom, d'un verbe au participe passé, qui devient adjectif, ou encore la valeur adverbiale, prépositionnelle d'une locution formée avec un substantif — sont indiquées au cours de l'article, en leur lieu et place.

Indiquons dès maintenant les problèmes syntaxiques les plus fréquents : pour les noms, les emplois adjectifs ou quasi adjectifs (une jupe *abricot*), pour les adjectifs, les substantivations (un *beau* [adj.] vieillard, un vieux *beau* [n. m.]) ; pour les verbes, les fonctions transitive (directe et indirecte), pronominale, intransitive, passive et participiale, l'adjectivation et la substantivation des participes. Les verbes pronominaux, les participes passés adjectivables font notamment l'objet de véritables sous-entrées dans les verbes. Mais, entre un verbe passif (traité normalement à l'intérieur du transitif), un participe passé de nature verbale, et un autre de nature adjective, la transition est continue. Enfin, certains participes passés se détachent littéralement de leur origine verbale et

---

10. Voir, par exemple, A. MARTINET, *La Prononciation du français contemporain*, Droz, rééd. 1971 ; A. MARTINET et H. WALTER, *Dictionnaire de la prononciation française dans son usage réel*, France-Expansion, 1973 ; H. WALTER, *Enquête phonologique et variétés régionales du français*, Paris, P.U.F., 1982 ; et, avec une importante bibliographie : *Phonologie et Usages du français* (*Langue française*, n° 60, déc. 1983).

deviennent des adjectifs très autonomes (ex. *distingué, ée*). Le cas est plus net encore avec les participes présents devenus adjectifs, plus souvent traités à leur ordre alphabétique — comme des dérivés du verbe — qu'à l'intérieur de ce verbe, en sous-rubrique (dans ce cas, un renvoi éclaire le lecteur). Un certain arbitraire règne dans ce domaine ; l'abandonner pour une solution tranchée et unique serait donner une image fictivement simple d'une réalité nuancée.

L'organisation interne des articles et la typographie orienteront le lecteur dans ce dédale, bien connu des syntacticiens, mais déconcertant pour l'utilisateur non spécialiste. Ce dernier a droit à une description claire, et on doit reconnaître que la tradition grammaticale ne l'est pas toujours. On a tenu compte ici des procédés de la linguistique moderne, mais sans jamais bouleverser les habitudes de désignation et de classement.

Quant à la *typographie* de cette édition, elle repose sur un principe simple : faire correspondre à chaque type principal d'informations un caractère d'imprimerie reconnaissable. Le dictionnaire, outre les formes présentées en entrées (ici en capitales grasses), contient trois textes très distincts : 1°) les équivalences synonymiques servant d'explications, de gloses, notamment les définitions ; 2°) l'ensemble des extraits de discours, d'énoncés formant l'objet même de la description et illustrant l'emploi des mots : exemples et citations ; 3°) les informations concernant la langue et les usages : étymologies et données historiques, remarques grammaticales, etc. : pour employer le terme technique, *l'information métalinguistique*. Typographiquement, les données du premier genre, notamment les définitions, sont en romain, dans un caractère appelé *times ;* les exemples, dans le même *times,* mais en italique et, pour les citations littéraires et didactiques numérotées, dans un corps plus petit, et sous une présentation très distincte ; enfin, les informations du troisième genre se présentent dans un autre caractère. Ainsi, les étymologies, les datations, les marques d'usage caractérisant les emplois, les remarques et commentaires, c'est-à-dire le métalangage de description, est présenté sous une autre apparence matérielle que les définitions et les exemples, eux-même typographiquement distincts. Cette innovation technique n'a pas été adoptée pour des raisons seulement esthétiques, ni même théoriques, mais bien pour la commodité d'emploi du dictionnaire, et pour améliorer le « confort optique » du lecteur. Enfin, la disposition en paragraphes, les nombreux passages à la ligne, tout en aérant le texte, contribuent à l'analyse linguistique elle-même et sont destinés à faciliter la consultation.

## *Les informations historiques : étymologies et datations.*

L'usage contemporain est le résultat d'une longue et constante évolution historique. Sa description ne peut être « synchronique » que si elle renonce à expliquer les formes et les usages d'autrefois, abandonnant tous ceux qui ont encore une vie sociale, il est vrai surtout passive : les comédiens disent Molière, les spectateurs reçoivent ce message, reflet d'un code périmé, le français du XVII<sup>e</sup> siècle, mais nul ne parle au XX<sup>e</sup> siècle comme les personnages de Molière. Or, on lit encore, et c'est heureux, La Fontaine et Diderot, Pascal et Montaigne, on lit ou on écoute — au théâtre, à la radio, à la télévision — Molière et Racine, Marivaux et Beaumarchais..., et ces lectures, ces auditions posent de nombreux problèmes de compréhension, qu'un grand dictionnaire doit résoudre alors même qu'il s'agit de mots et de sens n'appartenant plus à l'expression contemporaine. En outre, la langue contemporaine elle-même, par des locutions, des proverbes, des citations, conserve des termes qui sont par ailleurs complètement archaïques : *maille* dans *n'avoir ni sou ni maille,* le sens originel de *antan* dans « les neiges d'antan », celui de *demeure* dans *il n'y a pas péril en la demeure*.

Alors même que cet ouvrage n'est pas un conservatoire de la totalité des mots français dans le temps, qu'il n'est pas un dictionnaire intégralement historique[11], il traite historiquement les mots et les emplois aujourd'hui vivants ou conservés par les textes.

*L'étymologie.*

Et cela commence par l'étymologie et les dates d'apparition des mots. L'étymologie, disait Jean Paulhan, « fait sa propre réclame ». En effet, le mot *étymologie* vient du grec par le latin, et, en grec, il désigne la « parole-raison vraie », le *logos* (parole, discours, mais aussi raison humaine) conforme à la nature des choses (*etumos :* « vrai »). Bien entendu, le sens actuel du mot est bien différent, et les illusions (ou peut-être les ironies) de Socrate dans le *Cratyle,* ce dialogue énigmatique de Platon sur les noms, si elles ont alimenté bien des spéculations métaphysiques, religieuses ou poétiques, ont cédé la place à la modestie de l'investigation scientifique. À chaque mot, qui est un signe unissant une forme et une valeur sémantique, une origine directe peut être assignée : c'est la fonction de nos « étymologies » modernes, qui sont de minuscules condensés d'une évolution complexe, souvent séculaire ou millénaire.

L'étymologie française a une longue histoire, et un recueil tel que celui-ci doit presque tout aux travaux inlassables des chercheurs. Le public retient trop souvent les noms de vulgarisateurs, certes estimables, mais qui s'appuient sur les découvertes des spécialistes qui, eux, restent obscurs.

Au XX^e siècle, Ernst Gamillscheg, Meyer-Lübke et les élèves du grand dialectologue Gilliéron, notamment le Suisse Walther von Wartburg, ont constitué une sorte de corpus canonique des étymologies françaises et gallo-romanes, où les principes rigoureux de l'évolution des formes, mais aussi la connaissance des « choses » et des civilisations sont en honneur. Ces principes ont été établis pour d'autres langues par les indispensables recherches des plus grands noms de la linguistique historique, tel Franz Bopp ou, plus près de nous, l'admirable savant que fut Hugo Schuchardt ; ils ont rendu possible le tableau actuel, synthétisé dans le grand *Französisches Etymologisches Wörterbuch* de Wartburg et ses collaborateurs. Cet ouvrage monumental, malgré ses faiblesses[12], constitue la source indispensable de tout exposé de l'histoire des mots français. Aussi bien, l'essentiel des étymologies présentées ici proviennent du « Wartburg ». Cependant, les résultats obtenus par tous ces chercheurs, incontestables quand il s'agit du « fonds commun » des langues romanes, posent encore maints problèmes dans le domaine plus mouvant des emprunts et surtout de ces mots très courants et très anciens qui n'apparaissent que dans le domaine gaulois, n'existent pas dans les formes de latin extérieures à la Gaule (et évidemment pas en latin classique ou tardif d'Italie). Parmi ces mots, fort peu sont assignables au gaulois, qui laisse plus de traces dans les noms de lieux, et les étymologistes se sont surtout appuyés sur deux origines : l'onomatopée (souvent moyen commode de se débarrasser des gêneurs) et le francique, langue

11. Le *Dictionnaire historique de la langue française,* dirigé par le signataire de ces lignes, assume ce rôle.
12. Sa lettre A est d'ailleurs en cours de publication, avec un texte très augmenté.

germanique occidentale des Francs reconstituée à partir de l'ancien allemand et d'autres langues germaniques anciennes. C'est ici qu'intervient la réflexion du regretté Pierre Guiraud, auquel je tiens à rendre un hommage particulier, parce qu'amical. Guiraud, pour proposer des solutions à ces étymologies obscures ou qu'il estimait — à juste titre — douteuses, se fondait sur une conception très orthodoxe, mais où la sémantique joue un rôle plus important que chez ses prédécesseurs, et où les structures étymologiques donnent les pistes pour des solutions nouvelles[13]. Historiquement, sa thèse est que la plupart des mots difficiles de l'étymologie française, plutôt que de venir, par des voies peu compréhensibles, d'un fonds germanique mal attesté ou de radicaux onomatopéiques, proviendraient du fonds roman développé en Gaule pendant la période très peu connue — et sans aucun texte en langue vulgaire — du haut moyen âge. Des comparaisons avec l'occitan ancien, des reconstitutions respectueuses des lois phonétiques portant non plus sur le francique mais sur un état primitif du roman, des hypothèses structurales enfin, l'amènent à reprendre de nombreuses séries de mots d'origine obscure. Le *Robert* sera le premier dictionnaire à présenter, avec prudence et au conditionnel, ces hypothèses nouvelles sur l'histoire ancienne de notre langue.

La brève *notice étymologique* du *Grand Robert* est donc tributaire de ces recherches, et en donne brièvement le dernier état, en tenant compte des excellentes synthèses procurées par les articles « diachroniques » du *Trésor de la langue française*. La structure de cette notice est simple : une date initiale correspond à la première attestation du mot traité ; si la forme ou le sens diffère de la forme et du sens actuels, l'un et/ou l'autre sont signalés. Ainsi, *solennel* apparaît sous cette forme en 1380, mais on rencontre *sollempnel* (forme faussement savante) en 1250, et *solene* (forme plus simple, plus « populaire », c'est-à-dire plus évoluée) dès 1190.

Parfois, plusieurs formes et sens archaïques sont mentionnés. Ensuite vient la forme d'origine, appelée étymon, soit précédée de la préposition *de*, lorsqu'il s'agit d'une évolution de longue durée, ayant donné, par exemple, le mot *eau* à partir du latin *aqua*, par des intermédiaires progressifs (*ewe*, où l'on retrouve le son *qu* [kw] affaibli en [w] en ancien français) ou lorsqu'une manipulation morphologique (dérivation, composition) conduit de cet étymon à la forme traitée. Au contraire, s'il s'agit de la source directe d'un emprunt (*solennité* est « emprunté » au latin *solennitas*, on aura SOLENNITÉ : ... lat. *solennitas* (et non : « du » latin...). La forme d'origine, dans tous les cas, est précédée du nom de la langue concernée : lat. (latin), grec, gaulois, ital. (italien), esp. (espagnol), port. (portugais), provençal, francique, all. (allemand), angl. (anglais), russe, arabe, etc. Les formes originelles attestées sont distinguées des formes reconstituées (latin populaire oral, francique, etc.) qui sont classiquement précédées du signe*. Quand on l'a estimé utile, on a donné l'origine, forme et sens, de l'étymon, ce qui a notamment permis de reconstituer des familles de mots latins. Cependant, on n'a pas en général fait état des origines du latin et du grec, en essayant de remonter aux racines indo-européennes, ce que tente de faire le *Dictionnaire historique* déjà cité. On recommandera aussi le *Dictionnaire des structures du vocabulaire savant*, par Henri Cottez, qui explore historiquement les éléments grecs et latins dans la langue française. Certaines notices du *Grand Robert*, concernant les mots « à problèmes », sont plus dévelop-

---

13. Voir *Structures étymologiques du lexique français*, Paris, Larousse, 1967, rééd. à paraître chez Payot ; *Dictionnaire des étymologies obscures*, Paris, Payot, 1982.

pées que les autres (ex. *bisque, soldat*). Dans de rares cas, on a même signalé des hypothèses visiblement fausses, mais très connues, pour les critiquer et pour éviter à nos lecteurs la peine de nous les proposer (ainsi de l'anecdote qui fait venir le très français *bistro,* né dans le Nord de la France, d'une exclamation cosaque : *byistro !* — en russe, « vite ! » — voir *Bistro* ou *bistrot*). Pour les emprunts qui assument une apparence française ou gréco-latine, nous avons, dans la limite de nos connaissances, précisé la langue de formation du composé (ex. *biosphère,* qui ne fut pas formé en français, mais en allemand, ou *téléphone,* successivement forgé en français, en allemand, puis en anglais par l'Américain Edison — et c'est cette forme que le français moderne a reprise, alors qu'il avait la priorité dans la formation du terme).

*Les datations.*

Ces informations, on l'a dit, sont accompagnées de datations. Presque tous les mots, de très nombreux sens, emplois et locutions, sont ainsi affectés d'une date, millésime précis, siècle ou portion de siècle, laquelle correspond au premier emploi connu et repérable. Cette documentation chronologique emprunte beaucoup au *Französisches Etymologisches Wörterbuch* de Wartburg, mais aussi à tous les travaux postérieurs, publiés par le C. N. R. S. (Institut national de la langue française), soit dans le *Trésor de la langue française,* soit dans la collection des *Datations et Documents lexicographiques* (D. D. L.) auxquels de nombreux chercheurs ont collaboré, et aux ouvrages (thèses, etc.) et revues spécialisées (on citera en exemple les travaux de K. Baldinger, de R. Arveiller, ceux de G. Petiot sur le vocabulaire des sports, de M. Höfler sur les anglicismes et le vocabulaire culinaire, de P. Enckell sur les locutions...), sans oublier le riche contenu historique du *Grand Larousse de la langue française,* dû à A. Lerond, et les éléments recueillis et présentés dans le *Dictionnaire historique de la langue française*. À ces documents dispersés mais publiés, on a ajouté le résultat de recherches originales, portant notamment sur les dictionnaires anciens — pour les mots omis par les recueils et les travaux existants — et sur des textes littéraires, scientifiques et techniques des XIXᵉ et XXᵉ siècles (*Année scientifique et industrielle, Revue générale des sciences,* etc.). L'ensemble fournit au moins 400 000 datations, puisque sens, emplois et locutions sont très souvent datés.

Mais, dira-t-on, pourquoi s'attacher à dater les mots et leurs emplois ? Les mobiles de cet effort ne sont pas futiles. En effet, s'il est passionnant de connaître l'origine des mots, recherche qui nous conduit hors de la langue française, il est encore plus important de pouvoir montrer, ne fût-ce qu'approximativement, l'entrée de chaque unité du lexique dans notre langue. L'ensemble de ces datations donne, et peut seul donner une image assez fidèle des différentes couches formatrices de nos vocabulaires actuels. Par l'intermédiaire des renvois « analogiques », on pourra ainsi distinguer les apports des grandes époques de l'histoire du français dans un domaine déterminé : vocabulaire d'une science ou d'une technique, série de synonymes, famille morphologique, etc. L'intérêt de ces comparaisons nous a paru propre à stimuler de nouvelles recherches et à enrichir les travaux déjà existants, qui se multiplient d'ailleurs, montrant l'intérêt porté à ces questions, non seulement par les linguistes, mais par les historiens.

Ces datations sont présentées dans le *Grand Robert* quelquefois avec une référence complète, parfois avec la mention d'un auteur ou d'un texte. Il nous a en effet semblé que ces références, indispensables pour le spécialiste, n'offraient qu'un intérêt limité si elles n'étaient pas très précises, ce qui aurait occupé une place trop importante — et déjà autrement utilisée — dans l'ouvrage ; l'utilisateur sera plus éclairé par une date ou une époque que par la mention d'auteurs et de textes souvent peu connus.

La date mentionnée, précisons-le, n'est pas en général celle du premier emploi réel du mot, de l'expression ou du sens en français. Il n'existe aucun greffe, aucun bureau d'enregistrement pour les termes nouveaux. On se doute que pour l'ancien français, le hasard des textes connus, dépouillés et étudiés préside plus à nos connaissances que la réalité de la langue du XII<sup>e</sup> ou du XIII<sup>e</sup> siècle, laquelle reste en partie mystérieuse. La date présentée est donc celle de la première attestation connue, soumise aux incertitudes de notre connaissance des textes et de leur datation, au moins pour les plus anciens manuscrits. Il s'agit souvent de la première apparition dans un dictionnaire et, dans ce cas (fréquent pour la période 1850-2000), une date antérieure peut (et devra) être cherchée. Disons, cependant, que l'état des travaux rend cette recherche de plus en plus difficile, ce qui montre qu'on s'approche d'une image assez fidèle. Un tableau des dates les plus fréquentes placé en annexe dans le 1er volume (grands textes médiévaux, principaux dictionnaires utilisés) aidera le lecteur à trouver des repères. On a préféré, en règle générale, la date précise au siècle ; parfois cette date est précédée de *v. (vers)* qui signifie soit que le texte où le mot a été trouvé n'est pas de date sûre, soit que l'époque d'apparition est approximative en l'absence d'un texte précis. D'autres fois, on a situé une époque (déb. XIIe, fin XIIIe, etc.) pour éviter à la fois des précisions inutiles ou fictives et un vague excessif. Si le mot apparaît après 1945, on a noté : milieu XXe (mil. XXe), ou, quand le mot nous paraissait bien antérieur à 1950 sans que nous puissions en fournir une attestation écrite, simplement XXe. Quelquefois (rarement), nous avons dû avouer que la date nous était inconnue (d. i.), quitte à ajouter une mention d'époque (XXe, signifie que nous avons la quasi-certitude que le mot ne peut être antérieur à 1900 ; mil. XXe, qu'il ne saurait apparaître avant 1945-50). Ces semi-précisions ne sont pas toujours satisfaisantes, mais elles permettent d'éviter une notion encore plus imprécise et très arbitraire, celle de « néologisme », qui a été bannie de ce dictionnaire[14].

Les mots signalés avec plusieurs variantes comprennent une date par variante, dans l'ordre de présentation (ex. SOIFFARD ou SOIFFEUR : 1843, *soiffard(e) ; soiffeur,* 1839 ; *soiffeuse,* 1843). Quand le mot apparaît avec une forme ou un sens nettement différent de sa forme ou de son sens actuel, ce sens, cette forme, ont été signalés. Par exemple, FÉLICITER : v. 1460, « rendre heureux », le premier sens moderne étant daté du XVIIe siècle (1630, dès 1611, *féliciter avec qqn*) ; ou bien FEU : XIIe siècle (forme actuelle), *fou* au IXe siècle — qui porte la trace du latin *focus.* Lorsqu'un mot a plusieurs sens, la date donnée dans la notice étymologique s'applique au premier sens, sauf précision explicite. Enfin, quand un terme a été repris après une période d'abandon, ou s'est répandu longtemps après être apparu (comme mot savant, ou senti comme étranger), ce fait a été précisé. Les dates correspondant aux attestations isolées sont signalées ; elles sont le plus souvent suivies d'une autre date, qui est la première d'une série continue d'emplois.

Toutes les datations recueillies qui ne proviennent pas des travaux antérieurs cités plus haut, sont référencées précisément. Certaines recourent à une citation donnée dans l'article, où le lecteur pourra vérifier le

---

14. Voir A. REY, « Néologisme : un pseudo-concept ? », in *Cahiers de lexicologie,* XXVIII, 1976, 1.

contexte de cette première attestation (ex. : *antimère ; solaire,* 4. [« réflecteur solaire »]).

Pour conclure, rappelons que ces premières attestations sont le plus souvent provisoires, et que des dépouillements plus précis ou plus exhaustifs pourront les améliorer. Mais la course à la date la plus ancienne peut receler des pièges : certaines datations données sans précautions doivent parfois être améliorées et remplacées par un millésime plus récent. C'est, par exemple, le cas d'ouvrages augmentés au cours des rééditions et qui ont donné lieu à des erreurs (la *Grande Chirurgie* de Guy de Chauliac est bien connue des spécialistes). Les dictionnaires mêmes sont sujets à des flottements chronologiques : il arrive qu'on y repère un mot ajouté au hasard d'un tirage et qui était absent du premier — ni l'un ni l'autre n'étant daté sur l'exemplaire. Sans entrer dans le détail ingrat de ces recherches, on dira simplement que cette édition a tenu compte des travaux philologiques les plus récents, et que des dates postérieures à celles que donnent, par exemple, la première édition du *Robert,* le *Dictionnaire étymologique* de Dauzat, ou le *Grand Larousse de la langue française,* correspondent à des rectifications volontaires, et non à des étourderies.

## *Analyse des mots : sens et emplois. Organisation visuelle des articles.*

Depuis le *Dictionnaire général* de Hatzfeld, Darmesteter et Thomas (1900), l'organisation des articles de dictionnaires français répond à un classement hiérarchique des sens et des emplois. Auparavant, ces aspects d'un même mot étaient catalogués de manière linéaire, l'organisation apparente étant réduite à des remarques d'ordre rhétorique (*par extension, par métaphore, figuré,* etc.) ou à une succession décourageante de numéros qui se suivent sans faire apparaître de principe organisateur, cas du *Littré,* dont c'est peut-être la principale faiblesse.

Depuis Hatzfeld donc, les dictionnaires de langue développés ont opté pour une classification hiérarchique, « en arbre » et plus ou moins complexe. Avec le *T. L. F.,* le *Robert* est le dictionnaire le plus analytique, puisqu'il peut opérer jusqu'à 6 niveaux (*I* et *II, A* et *B, 1, 2, 3,* etc., *a, b,* paragraphes internes et subdivisions par tirets, chaque opposition étant subordonnée à la précédente). Ces subdivisions interviennent chaque fois qu'elles sont nécessaires à la clarté de l'exposé, et non pas seulement pour les mots très fréquents correspondant à de très longs articles.

Cette organisation formelle, soulignée par la typographie, interfère avec des sous-entrées non numérotées, mais clairement distinguées, qui correspondent, par exemple, aux pronominaux fréquents et aux participes pouvant fonctionner comme adjectifs, sous un verbe (ces sous-entrées peuvent elles-mêmes être subdivisées par des numéros) [ex. sous le verbe *animer,* le pronominal *s'animer,* subdivisé en deux sens, et le participe-adjectif *animé, ée,* analysé en six sens et valeurs].

Un tel classement formel doit être justifié par des oppositions pertinentes, concernant à la fois la forme (distribution du mot dans l'énoncé), le sens et l'utilisation sociale, c'est-à-dire, pour s'exprimer de manière plus théorique, la syntaxe, la sémantique et la pragmatique. Car il convient d'écarter les classements basés sur un sentiment de fréquence d'ailleurs complètement intuitif, classements qui ne sont acceptables que pour les petits dictionnaires d'apprentissage, où seules les valeurs très courantes sont décrites.

Pour un recueil englobant un aspect historique, diachronique, il existe plusieurs grandes possibilités de classement. Tel est le classement strictement *historique,* qui présente les acceptions dans l'ordre de leur apparition. Il a l'avantage de représenter — dans les limites des connaissances sur l'histoire du lexique — une évolution réelle et non pas abstraite ou « logique ». Il s'appuie sur la connaissance objective des « discours » (textes ou, depuis peu, enregistrements de parole), c'est-à-dire sur la philologie. Au contraire, un plan *logique* rétablit parfois artificiellement les lois générales des évolutions. Or, les sens figurés — par exemple ceux qui sont empruntés à un sens figuré en latin — peuvent apparaître en français avant un sens propre ou un sens « étymologique », repris plus tard ; un mot abstrait dérivé d'un verbe peut fort bien ne jamais avoir la valeur théorique « action de... », mais uniquement des valeurs dérivées.

La logique, la régularité dans le lexique sont virtuelles. Dans le dictionnaire, c'est la réalité, l'actualisation sociale des usages (et par là des discours) qui doit être représentée le plus fidèlement possible.

Les exemples sont innombrables. Ainsi, le mot *hostia* signifie « victime » en latin ; il a donné le français *hostie* qui a existé en effet dans cette acception. Il est très licite de commencer la description par ce sens archaïque — ce que font déjà Littré et Hatzfeld —, pour marquer l'évolution de sens dans la langue latine et son reflet en français. Mais dans cette langue, le sens premier du mot est le sens religieux et courant qu'avait pris le latin *hostia* au moyen âge. Le sens étymologique de « victime » est, en réalité, un emprunt savant de la Renaissance au latin classique, précédé par de rares attestations médiévales. Quel que soit le plan adopté, il faut que le lecteur ait ces éléments à sa disposition. Dans d'autres cas, les anomalies ne sont qu'apparentes. Ainsi, les emplois figurés et assez récents de *sarabande,* qui semblaient inexplicablement résulter d'un sens musical bien attesté « danse grave et lente », représentent la valeur initiale du mot, « danse espagnole vive et érotique », qui s'était à demi perdue. Ici, l'histoire et la logique se réconcilient.

*Nature des données à classer.*

Tout le monde sent bien que les mots — surtout les plus usuels — ont fréquemment un grand nombre de possibilités, que réalise leur insertion dans des énoncés (*être trempé comme une soupe* ne « va pas » avec la définition la plus attendue de *soupe,* qui convient pour une *assiettée de soupe ; assiette* dans une *assiette à soupe* ou *casser des assiettes* ne peut être assimilé à *il n'est pas dans son assiette* ou à *l'assiette de l'impôt*). C'est ce phénomène (appelé polysémie ou homonymie, de manière passablement arbitraire) qui rend indispensable la multiplication des entrées : *voler quelqu'un* et *voler au secours de quelqu'un* représentent deux verbes différents, malgré l'ancienne histoire du mot qui rattache un sens à l'autre par une métaphore de la fauconnerie (*voler un oiseau :* l'attaquer en plein vol) ; de là *1. voler* et *2. voler*. Si un mot, au contraire, est considéré comme unique, l'article peut se déployer en « morceaux de mots » — qui sont en fait des « paquets d'emplois » — numérotés, divisions qui correspondent à des ensembles fonctionnels cohérents. Ces divisions correspondent soit à des *sens distincts,* repérables par des définitions différentes, soit à des *types d'emploi,* repérables par la place du mot dans la phrase, par son entourage (*grand* dans un *grand* homme et un homme *grand ; faire* dans *faire* quelque chose, *faire* suivi d'un infinitif, dans *il fait...,* impersonnel, etc.). L'analyse proprement sémantique exprime sa nature et ses options dans les définitions principales de chaque subdivision. Elle est subordonnée aux deux grands critères, sens et emplois, qui peuvent se rencontrer (l'article est alors clair) ou interférer bizarrement (l'article du dictionnaire est alors complexe, reflétant les ambiguïtés possibles de l'usage). Enfin, des oppositions moins internes à la langue, plus liées aux usages et à la société, plus pragmatiques enfin, se manifestent aussi. Telles sont les différences entre les emplois d'un même substantif, avec un même sens général, mais qui correspondent à plusieurs zones de désignation, à plusieurs usages disciplinaires (en sciences et en techniques, notamment, mais aussi dans l'usage général : *carte* dans *carte d'identité, carte de visite, carte de crédit* — repérables très simplement par ces formes mêmes, mais qui, lorsque la situation est claire, peuvent redevenir simplement *carte*). Ces oppositions de domaines, de types d'usage, interfèrent avec les oppositions concernant les notions et leur organisation dans des terminologies (ou des nomenclatures) ; un système de « marques » est chargé de représenter les niveaux d'usage en relation ou non avec un domaine conceptuel précis (voir plus loin : le fonctionnement social).

## *L'information morphologique.*

Comme toute langue connue, le français possède une grammaire du mot, qui permet en principe de créer avec une certaine régularité, à partir d'un élément de base, des dérivés et des composés : ce que l'on appelle une morphologie. Or, on l'a vu, le *Robert* a choisi de présenter les mots qu'il traite dans l'ordre alphabétique et non pas de les regrouper par familles.

Mais ces familles sont reconstituées par la notice étymologique, dans le cas d'une origine interne au français (si *pomme* vient du latin, *pommier* vient de *pomme*, ce qui implique un élément *-ier*). À chaque mot ayant produit d'autres mots, on trouvera ces « dérivés » et « composés » rappelés en fin d'article, avec des informations d'une autre nature, phonétique (les homonymes) et sémantique (les contraires). En outre, les principaux éléments de formation des mots français, préfixes, suffixes, affixes, éléments savants provenant du grec et du latin, sont mentionnés en entrées, avec leur origine et des exemples. Des exemples de composés, notamment pour les préfixes les plus productifs, s'ajoutent à la nomenclature et comprennent de nombreuses données : catégories grammaticales, dates d'apparition (ex. l'article *bio-* qui mentionne dix composés, outre ceux qui sont traités explicitement). Pour les formations « libres », qui sont virtuelles et impossibles à dénombrer, de très nombreux exemples littéraires ou non littéraires illustrent la productivité de leurs éléments formateurs : plus de 25 exemples pour *anti-*, illustrant des mots rares ou occasionnels, s'ajoutent aux centaines de composés traités.

Mais le *Grand Robert* conserve une conception historique, étymologique de la morphologie : pour l'analyse « synchronique » du système structurel de notre lexique actuel, on se reportera à l'ouvrage dirigé par J. Rey-Debove, le *Robert méthodique*.

## *La définition.*

Le centre vital d'un dictionnaire de langue, l'essentiel d'un lexique terminologique reste, quelle que soit l'importance des exemples, la définition. On se souvient que Voltaire a écrit — et on n'a pas cessé de le citer — qu'« un dictionnaire sans exemples [était] un squelette ». Encore faut-il se souvenir que sans squelette, le plus beau corps ne serait qu'une informe méduse.

La définition, son nom l'indique, sert à délimiter, à indiquer les « fins », les bornes, les « termes ». Sa nature est complexe et sa théorie difficile. Les aspects philosophiques de la question — notamment depuis Aristote, qui s'en est longuement et précisément soucié —, ses aspects logiques et épistémologiques ne doivent pas nous retenir. La définition de dictionnaire n'a pas — comme les définitions de la mathématique — la prétention de construire les concepts et l'image du monde ; elle se contente de refléter l'organisation sémantique du lexique par un énoncé en langue naturelle (ici, en français moderne le plus neutre possible), selon une rhétorique entièrement didactique dans son esprit. Il s'agit, en effet, à propos d'une forme stable du langage — mot, syntagme, proposition ou phrase figée, telle qu'une locution ou un proverbe — de produire une synonymie « étalée ». Alors que le dictionnaire bilingue donne pour chacune des unités décrites une équivalence dans l'autre langue, la plus brève possible, une « traduction » au même niveau formel (mot pour mot, locution pour locution, si possible), le dictionnaire unilingue cherche à déployer le sens des unités définies, et notamment des mots, pour le rendre clair ou plus clair, ou plus précis à l'utilisateur.

De nombreuses règles, qui sont restées implicites sinon inconscientes pendant des siècles — alors que les réflexions savantes sur la « définition » philosophique ou scientifique abondent — sont appliquées dans les dictionnaires pour obtenir ce résultat. Depuis les premiers dictionnaires à définitions développées et systématiques (fin XVII$^{e}$ siècle, en France), les progrès vers plus de rigueur sont notables. Sans entrer dans les détails[15], on se bornera à rappeler les procédés essentiels appliqués aux définitions.

Ces définitions sont — comme dans tout dictionnaire digne de ce nom — des expressions destinées à recouvrir exactement et à suggérer ce qu'on appelle le *sens,* c'est-à-dire l'ensemble — ou l'un des ensembles — des valeurs d'emploi d'une suite de sons, de lettres, correspondant à un « mot » ou à une locution. La définition est une périphrase synonyme du défini. Dans cette périphrase, un mot central désigne une notion qui englobe celle du défini (c'est le « genre prochain ») et est qualifié par d'autres mots, dont le rôle est de distinguer le sens à définir de tous les autres du même genre (la ou les « différences spécifiques »). Ex. *balcon :* plate-forme (genre prochain) en saillie sur la façade d'un bâtiment (première différence) et qui communique avec les appartements par une ou plusieurs ouvertures, baies ou fenêtres (deuxième différence). À noter que le genre prochain et la deuxième différence spécifique (sans la première) produisent le signifié de *terrasse.*

Une bonne définition doit correspondre, selon la formule consacrée, à *tout le défini* — ce qui la rend adéquate —, et *seulement au défini* — ce qui la rend exacte. Non seulement une définition doit être adéquate et exacte, mais elle a pour fonction d'éclairer le défini : la notion que recouvre un mot inconnu du lecteur doit être révélée par les termes mêmes de sa définition. C'est aussi parce que la définition est explicative qu'elle doit être rédigée en langage clair et si possible élégant. Mais ces qualités de clarté et d'élégance doivent passer après l'exigence d'exactitude dans l'analyse.

La définition précède les exemples d'emplois et suit le numéro du sens (ex. *antipathie :* 1. Vx. Défaut d'affinité [entre deux substances]... 2. [XVII$^{e}$]. Mod. Aversion instinctive, irraisonnée [à l'égard de qqn]). Quand elle analyse et explique un groupe de mots, la définition le suit, soit qu'elle définisse l'expression par une équivalence (ex. *bain de foule :* action de se mêler à la foule), soit en ne reprenant qu'un élément dans une sorte de glose (à *bain :* « *Robe bain de soleil,* sans manches, avec le dos nu »), analysant un surplus de sens ajouté à ce qui vient d'être défini. Il en est de même de phrases liminaires qui précèdent — rarement — les

15. Voir notamment *La Définition,* éd. Larousse, 1990, et, dans l'ouvrage de J. REY-DEBOVE, *Étude linguistique et sémiotique des dictionnaires français contemporains,* le chapitre consacré à cette question.

véritables définitions et qui donnent une valeur générale, commune à plusieurs sens. Elles ne correspondent pas forcément à un emploi réel, ce que suggère le fait qu'elles ne sont jamais suivies directement d'un exemple. Ex. *3. droit*, n. m. « Ce qui est conforme à une règle » précède l'analyse des sens I *(un droit, des droits)*, II et III *(le droit)*. Dans cet exemple, les expressions *un droit, des droits* et *le droit* opposent les emplois avec l'article indéfini singulier et pluriel, et les emplois avec l'article défini, généralement au singulier : système d'opposition fréquent pour le substantif français.

Les **parenthèses** qui se rencontrent à l'intérieur des définitions ont une valeur précise. Tout d'abord, elles isolent les éléments qui correspondent non pas au mot lui-même, mais aux mots avec lesquels il peut être employé. Par exemple, le verbe *soigner* reçoit, parmi d'autres, cette définition : « s'occuper du bien-être et du contentement de (qqn), du bon état de (qqch.) » et, sens plus courant, « s'occuper de rétablir la santé de (qqn) » et « s'occuper de guérir (un mal) ». Les compléments du verbe sont ainsi catégorisés comme « être humain » (qqn : quelqu'un), « chose » (qqch. : quelque chose) ou, plus précisément « un mal » : nom de maladie, etc. De même, les définitions d'adjectifs sont souvent précédées de « (Choses) » ou « (Personnes) », note qui concerne la nature du nom avec lequel est employé l'adjectif. Ex. *soigneux :* A. (Personnes) ; B. (Choses) : *travail soigneux, de soigneuses recherches*... De cette manière, la définition couvre aussi les éléments contextuels les plus proches du mot traité, qui influent sur sa valeur de sens.

Les définitions s'appliquent soit au sens des mots à une seule valeur (« monosémiques »), soit à chaque valeur, à chaque nuance des mots « polysémiques », que ces valeurs soient ou non distinguées par des numéros dans l'analyse interne d'un article.

Ainsi un mot banal comme *chambre* ne comprend pas moins de 58 définitions (plus une, contenue dans une citation scientifique) qui correspondent à des sens, à des valeurs ou à des nuances du mot *chambre* employé seul, ou encore à des syntagmes *(chambre d'ami, chambre à donner, chambre de bonne)*, à des constructions *(travailler en chambre)*, à des locutions à valeur terminologique *(chambre à gaz, chambre forte, chambre noire, chambre de Wilson)*. Ces définitions explicitent les sens évidents pour tout francophone (« pièce où l'on couche, dans une habitation »), mais aussi des sens propres à une partie de la francophonie (on emploie *chambre* en Suisse romande, pour *pièce*, valeur qui correspond à des emplois anciens du mot *chambre* en français général), ou bien des valeurs spéciales, inconnues du public non spécialisé (« endroit où les cerfs, les biches se reposent pendant le jour », terme de vénerie ; ou encore : « vide accidentel produit à la fonte », terme technique).

Dans un dictionnaire de langue, la définition a deux missions principales : (a) comme dans tout dictionnaire, rendre plus claires et plus précises pour le lecteur les formes du lexique et de la phraséologie : c'est le rôle des définitions analytiques de notions ou de signifiés (un mot d'importance moyenne comme *chambre* correspondant à près de 60 définitions et le nombre d'entrées du *Grand Robert* étant voisin de 80 000, on aura une idée de l'importance quantitative du matériel...) ; (b) mais aussi rendre compte de la structuration sémantique du lexique et notamment de ses rapports avec la morphologie : c'est le rôle des définitions-renvois qui soulignent l'unité des familles de mots et paraissent souvent n'apporter qu'une information dérisoire (*rangement* « action de ranger » ; *fumeur, euse* « personne qui fume »). Un peu dérisoires, en effet, si on les considère seules, ces définitions sont précieuses pour montrer ce qui, dans la morphologie française, est cohérent au niveau des significations — et, par conséquent, ce qui ne l'est pas, ou plus. Ainsi, le verbe *chambrer,* dans des acceptions archaïques — ici notées vx (vieux) —, peut être défini « habiter la même chambre » et « tenir (qqn) enfermé dans une chambre » ; mais aux sens modernes *(chambrer qqn, chambrer du vin),* le lien qui était manifeste entre le nom et son dérivé est rompu : *chambre* ne convient plus dans la définition. Et qui reconnaît aujourd'hui dans *départ* et dans *département* deux dérivés du verbe *départir ?* Les rapports entre mots de même famille sont souvent très complexes : définir *change* et *changement* comme « action de changer » ne suffit évidemment pas, mais la relation (déjà manifeste sur le plan formel dans les étymologies et les dérivés) entre ces trois mots (et avec *changeur,* etc.) doit être manifestée, notamment par ce procédé.

Enfin, c'est la *structure même des définitions,* avec leurs mots-centres, exprimant les genres prochains, qui fournit la clé du système « analogique » du *Robert* (voir ci-dessous). Déjà révélatrices en ce qui concerne la langue générale, ces relations de sens entre les mots deviennent fondamentales lorsqu'il s'agit de nomenclatures et de terminologies, que ces dernières concernent les sciences et les techniques les plus contemporaines, le droit et l'économie ou même des activités et des réalités plus traditionnelles.

## *Les mots dans l'usage : discours, exemples et citations.*

Les mots ne vivent pas seuls. La rigueur formelle et l'arbitraire visible de la liste alphabétique que forme une nomenclature donne une impression étrange d'éclatement, avec des rencontres attendues et inattendues. Mais ce découpage, nécessaire pour décrire et pour présenter ce que l'on cherche dans un ordre tel qu'on puisse le trouver, correspond à un artifice.

La réalité de la communication et de l'expression, ce sont des signes qui fonctionnent, et dans la langue, le seul moyen qu'ont les signes — les mots — de fonctionner, c'est de prendre place dans des énoncés où ils se manifestent selon des règles d'assemblage linéaire, règles dont l'ensemble forme une *grammaire*. Quel que soit le modèle théorique adopté pour étudier et décrire cette grammaire, on connaît par l'observation ses résultats, qui sont innombrables : la totalité des énoncés produits, qu'ils soient adressés à autrui ou émis solitairement, compris ou incompris, oraux ou écrits, murmurés ou hurlés, entendus ou perdus, vrais ou faux, sincères ou trompeurs, rationnels ou absurdes, intelligents ou sots, bien ou mal formés, esthétiques ou plats, répétés ou nouveaux. Cet univers du discours manifeste des récurrences : on y retrouve — sinon, nulle communication ne pourrait s'établir — des stabilités : précisément, ces « mots », ces groupes de mots, syntagmes, locutions... que le lexicographe met en cage et en listes.

Pour que le dictionnaire remplisse sa fonction culturelle, il doit redonner à ces mots isolés, et comme desséchés par leur arrachement à la réalité du discours, une vie certes moins intense, mais aussi moins anarchique que dans cette indescriptible, cette inépuisable réalité. Il ne peut le faire qu'en les replaçant dans les deux milieux nécessaires à leur vie : le milieu réel et observable du contexte langagier — les linguistes parlent alors de « relations syntagmatiques » —, et le milieu structurel et abstrait des relations de forme et de sens entre eux — « relations paradigmatiques ». Le *Robert* est probablement le seul dictionnaire de langue au monde à donner autant d'importance à ces deux types de relations.

Les usages du français, objet de ce dictionnaire, ne nous sont connus que par notre compétence, notre aptitude à produire des énoncés acceptables, en ce qui concerne quelques-uns d'entre ces usages (ou un seul), ainsi que par les discours, les énoncés que nous entendons, que nous lisons. La valeur de ces innombrables énoncés qui forment notre « bain quotidien » de langage est très diverse : les uns sont à peine du français, d'autres, appréciés par le jugement social (les textes littéraires, par exemple), importants par leurs effets (les textes administratifs, juridiques...) ou acceptés à cause de leur diffusion massive (la presse), méritent d'être retenus pour illustrer certains faits de langue.

Un dictionnaire n'est pas un magnétophone qui se contente d'enregistrer le réel. Son rôle est double ; il consiste à retenir et à classer les emplois les plus fréquents, sans la connaissance desquels il serait impossible de comprendre et de se faire comprendre, et à présenter parmi ceux-ci des exemples qui puissent servir de *modèles* (ce que dit le mot *exemple*). C'est pourquoi le dictionnaire n'est pas, ne peut et ne doit pas être seulement le reflet du français parlé (dans la rue ou dans le privé) et écrit (dans les bureaux, dans les correspondances...). En revanche, il ne doit pas se borner à des emplois parfaits et fictifs, généralement marqués par le temps, ou enrichis, donc déformés, par le souci de style. Un étranger qui, possédant par cœur son *Littré* ou son *Dictionnaire de l'Académie,* voudrait s'en tenir à ce « pur français », s'exposerait à d'étranges mésaventures.

C'est pourquoi les contextes — fragments de discours où figure l'unité lexicale décrite — et les éléments de contexte cités ici sont si nombreux. Ils se divisent en deux catégories : exemples intégrés au texte, citations référencées.

### *Les exemples.*

Des *exemples intégrés au texte* sont chargés de montrer au lecteur les principales possibilités combinatoires de chaque mot. Ces exemples sont parfois des énoncés observables tels quels (phrases ou membres de phrases parlés et écrits), parfois des énoncés traités et simplifiés, réduits à ceux de leurs éléments qui sont pertinents dans la description. La plupart proviennent de textes effectivement observés et, dans de très nombreux cas, des citations données dans l'ouvrage même. C'est dans ce choix d'exemples qu'on trouvera les assemblages de mots les plus usuels, les plus courants et donc les plus banals. Tout énoncé sortant de cette banalité et provenant d'un texte, en général littéraire, est renvoyé à ce texte. Dans ce cas, l'exemple, phrase, proposition ou tronçon, se réfère au mot-entrée où l'on trouve le passage d'où il est extrait et précise le numéro de la citation concernée. Ces renvois de citations sont présentés soit par une flèche simple (ex. à *chapeau : chapeau pointu*. → Enjoliver, cit. 2, renvoie à une citation du *Voyage en Espagne* de Gautier qu'on trouve sous le verbe *enjoliver,* en n° 2), soit, quand le mot de renvoi apparaît dans l'exemple même, par l'abréviation cit. (citation) entre parenthèses et suivie du numéro, immédiatement après le mot concerné — ex. à *chanson : chanson bachique* (cit. 1 et 2) indique que l'adjectif *bachique* présente deux citations où le syntagme *chanson bachique* est illustré ; la première est de Boileau, la seconde d'Anatole France. Ces renvois sont plus nombreux à mesure qu'on avance dans l'ordre alphabétique, car ils renvoient le plus souvent vers le début de l'ouvrage, les citations se renouvelant sans cesse ; ils enrichissent considérablement les références littéraires du dictionnaire.

La typologie des exemples de dictionnaires est complexe[16]. Signalons simplement que, pour un nom, les exemples sont chargés de donner des groupes nom + adjectif ou nom + *à* ou *de* et nom ; verbe + nom (complément) et nom (sujet) + verbe, seuls ou intégrés dans des propositions, voire des phrases entières, selon la nécessité ou non d'un contexte. Ainsi, *chanson* au sens premier fournit environ 35 exemples de syntagmes où le mot est qualifié *(chanson populaire, à boire, de marche, de cow-boy...)*, 7 verbes dont *chanson* est normalement complément, etc. Dans les grands articles complexes, ces exemples se comptent par centaines, voire par milliers *(passer, pied, prendre...)*. Parmi ces exemples, nombreux sont ceux qui concernent des groupes de mots figés (locutions, proverbes, etc.). On comprendra sans peine qu'il faut faire une distinction entre les exemples d'auteurs ou les phrases anonymes qui procèdent d'un choix nécessairement arbitraire, et les groupes de mots qui ne laissent aucun choix, aucune liberté au sujet parlant ou écrivant. Si à l'article *fièvre* nous donnons l'exemple : *avoir de la fièvre,* c'est qu'il s'agit d'un des emplois les plus courants du mot, formant une véritable locution verbale ; on peut dire aussi *avoir la fièvre*. Mais ces emplois ne sont pas contraignants. Témoin les variantes possibles *(je sens la fièvre, de la fièvre)* ou les modifications de la phrase : *il a encore un peu de fièvre, il a une grosse fièvre*. Cette liberté dans l'énoncé est rarement complète ; souvent même elle disparaît. Témoin un autre exemple, *fièvre de cheval* (traité à *cheval*). Ici, le français courant n'a plus le choix : il est impossible de parler d'une « fièvre de vache » ou « de poney » ; impossible même de dire : « il a une fièvre de petit cheval » ou « de cheval de labour », sauf en vue d'un effet de style.

Cet exemple aidera à comprendre la différence qui existe entre une *suite de mots* fréquente mais *modifiable* (exemple ou citation), et une *suite de mots intangible* (expression, locution, proverbe) aussi indispensable à connaître que le mot lui-même. Aux étrangers, cette information sur la « phraséologie » (il s'agit alors pour eux de *gallicismes*) est absolument primordiale, autant que celle qui porte sur les mots eux-mêmes. Ces groupes figés sont des « unités de traduction » que l'on est obligé d'apprendre au même titre que les entrées du dictionnaire.

Il n'y a pas de limite précise entre l'un et l'autre cas. Cependant, on reconnaîtra dans le dictionnaire les expressions stables ou figées à ce qu'elles sont en général suivies d'une explication quand leur caractère archaïque les rend obscures, et à ce qu'elles sont précédées d'une mention particulière : *loc.* (locution), *prov.* (proverbe), etc. Sous le nom féminin *figure,* l'expression *faire figure de...* (« Il est gênant et fatigant de *faire figure de* grand homme », Valéry, Figure, cit. 19) constitue un véritable verbe, que l'on peut remplacer par *passer pour...* Dans l'impossibilité de le traiter à part, à l'ordre alphabétique, ce qui aurait conduit à multiplier par dix, vingt ou cent le nombre d'entrées de ce dictionnaire, on a souvent présenté ces groupes comme des sortes de « demi-mots » (ils font parfois l'objet d'un numéro à part dans l'article) fréquemment imprimés en capitales. Ex. à *billard,* 3. : BILLARD ÉLECTRIQUE ; à *billet,* II., 1. : BILLET À ORDRE ; II., 2. : BILLET DE BANQUE ; à *biscuit :* BISCUIT DE MER (« os de seiche ») ; à *blanc,* II. (n. m.) : À BLANC, loc. adv. : CHAUFFER À BLANC, BLANC DE BLANC(S) ; ou encore, à *bandoulière :* EN BANDOULIÈRE, signalé comme « plus cour(ant) » que les autres emplois du mot.

---

16. Voir le chapitre consacré à l'exemple dans *Étude linguistique et sémiotique des dictionnaires français contemporains,* par J. Rey-Debove, et « L'exemple », numéro thématique de la revue *Langue française*.

Comme ces groupes comportent par définition plusieurs éléments, ils peuvent figurer en plusieurs lieux de l'ouvrage. Pour la commodité du lecteur, et alors même qu'ils font l'objet d'un traitement approprié sous une entrée, ils sont en général rappelés aux autres mots qu'ils comportent, et sont renvoyés à l'information principale par l'astérisque ou le renvoi en gras. Ex. à *banc,* I... Loc. *Char à bancs.* ⇒ **Char** (alors que BANC-TITRE, BANC D'ESSAI sont traités sous l'entrée *banc* elle-même) ; à *tomber :... tomber sur le dos*, la bosse*, le casaquin*, le paletot*, le poil* ;* à *banque, billet de banque* renvoie non seulement à *billet,* mais à des synonymes et à des termes sémantiquement en rapport (pour éviter au lecteur un détour). Un traitement sommaire n'exclut pas le renvoi ; ainsi, à *bleu, zone* bleue,* qui est défini, renvoie cependant au mot *zone ;* ou à *tombe, avoir déjà un pied** (cit. 15) *dans la tombe :* être près de mourir, implique la consultation de l'article *pied.* Il arrive d'ailleurs que certaines locutions soient commentées sous plusieurs entrées (*battre son plein,* à *battre* et à *plein*), car l'éclairage explicatif peut être tout différent si l'on part de l'un ou de l'autre élément métaphorisé. Ainsi, *lieu commun* est traité à *lieu* (Lieu, IV), mais rappelé à *commun,* où deux citations illustrent l'évolution de valeur de l'adjectif dans ce terme complexe.

*Citations et exemples référencés.*

Le *Grand Robert* est (avec le *Trésor de la langue française*) le plus grand recueil de citations littéraires et didactiques (scientifiques, techniques, journalistiques) en français, organisé selon les mots de la langue.

Ces citations — à la différence de celles du *T. L. F.* qui ne commencent qu'en 1790 et s'arrêtent vers 1960 — couvrent plus de cinq siècles ; la majorité d'entre elles appartiennent aux XIX^e et XX^e siècles (écornant même le XXI^e), mais les auteurs des XVI^e, XVII^e et XVIII^e siècles, classiques et moins classiques (les poètes baroques, Vadé, Restif, Sade — lequel n'était cité par aucun dictionnaire français) sont bien représentés. On est parti de relevés de textes quantitativement importants (autour d'un million de fiches, ce qui est d'ailleurs encore raisonnable face aux documentations mises en mémoire par le C. N. R. S. qui dépassent largement la centaine de millions), et tous ces textes étaient destinés à la réalisation de cet ouvrage (alors que les relevés du C. N. R. S., indispensables pour des travaux statistiques, n'étaient pas faits — ou pas seulement faits — pour un dictionnaire). Comme pour la première édition — dont toutes les citations ont été conservées —, les passages sélectionnés devaient illustrer, soit un emploi (de préférence typique ou rare, mais intéressant), soit une qualité stylistique, soit un contenu de pensée, soit simplement la présence d'un fait de langue remarquable — mot, sens, locution... Un intérêt spécial a été porté aux évolutions de la langue, à la néologie et divers fichiers externes (souvent en provenance de la francophonie : sources belges de Maurice Piron, sources helvétiques du Centre de l'Université de Neuchâtel, sources québécoises, africaines, etc.) sont venus enrichir la documentation interne du *Robert*.

Les citations représentent à peu près tous les types de discours littéraire et didactique. Le choix des sources pose évidemment d'innombrables problèmes. Littré, on le sait, avait éliminé l'une des principales difficultés en ne s'appuyant que sur les écrivains du passé — de son passé —, acceptant à peine Chateaubriand et quelques bribes du jeune Hugo, de Lamartine ou... de Charles de Bernard, romancier alors à la mode. Littré, non par ignorance ni par mépris, écarte impitoyablement la plupart de ses contemporains et jusqu'à son maître spirituel Auguste Comte. Le *Robert,* au contraire, tente de refléter la complexité des usages, en citant de très nombreux contemporains, auteurs d'avant-garde, auteurs à succès, et même auteurs « populaires », auteurs non français aussi, qu'il s'agisse de Français d'adoption (Julien Green, Ionesco, Beckett) ou des représentants d'une civilisation francophone (Belges, Suisses, Québécois et Acadiens, et, en français langue étrangère, Maghrébins, Africains, Libanais...). Exactement référencées (la description des éditions utilisées est donnée en bibliographie), ces citations sont numérotées par article : pour respecter — sauf modification absolument nécessaire — les numéros des citations de la première édition, qui font, on l'a vu, l'objet de nombreux renvois enrichissant le texte, on a eu recours à des numéros intermédiaires à deux chiffres (les citations 0.1, 0.2... précèdent la citation 1 ; si une ou plusieurs citations nouvelles sont ajoutées entre les citations 3 et 4, elles seront repérées comme 3.1, 3.2, 3.3, etc.). Ce système nous a semblé présenter un avantage, celui de signaler au lecteur l'existence de « couches documentaires », dont la seconde, rassemblée de 1966 à 2001, illustre l'évolution récente des vocabulaires français.

Plus que l'auteur, c'est le contenu de l'exemple qui importe. Ce contenu va de la simple attestation d'une forme lexicale en fonction et en contexte — elle peut alors prêter à sourire si une banalité nécessaire s'orne d'une illustre signature : on évitera « il fait chaud », signé Valéry ! — à la citation descriptive, définitoire, à la citation-pensée ou au fragment de texte véhiculant une beauté stylistique, parfois poétique. Cette littérarité de l'exemple, très étrangère aux préoccupations de la linguistique pure, nous y tenons beaucoup, et ce dictionnaire ne refuse pas, bien au contraire, d'être tenu pour une anthologie, un florilège. Il rejoint en cela deux immenses traditions d'ouvrages de référence : celle de l'Islam classique et celle de la Chine. Oublier telle description qui a fait date dans l'élaboration de l'« objet textuel » à fort pouvoir imaginaire devient alors un « défaut », que nous avons parfois évité... Qu'on se reporte à *casquette* où s'amorce l'inoubliable passage que Flaubert a consacré à cet objet et où tout le personnage de son possesseur, l'infortuné Charles Bovary, est en germe, ou bien à telle réflexion de Francis Ponge à propos de l'indissoluble amalgame du mot et de la chose (*crevette*, par exemple), ou à la description de certaine *tomate* par laquelle Robbe-Grillet, dans *Les Gommes,* illustrait un aspect important d'un objet littéraire en gestation, le nouveau roman.

Bien qu'il soit privilégié, le discours littéraire n'est pas le seul à donner matière aux citations du dictionnaire : on y trouvera des textes scientifiques, techniques, juridiques, ainsi que de nombreux extraits de périodiques (généraux et spécialisés), parfois intégrés aux articles sous forme d'exemples, mais alors placés entre guillemets et référencés avec autant de précision que les citations numérotées.

Si la littérature domine, ce n'est pas par un choix traditionnel qui prétendrait que cette forme d'expression est la seule à attester un « bon usage ». Tout au contraire, le discours littéraire nous importe parce qu'il représente la plus grande variété d'usages : du grand lyrisme de Corneille ou de Saint-John Perse à la poésie familière de Mathurin Régnier ou de Prévert, de la prose noble depuis Bossuet jusqu'à Montherlant ou à Malraux, vers les reflets stylistiques des usages populaires de Rabelais à Queneau ou à Céline, en passant par Zola, on parcourt non seulement le temps, mais la société, les activités professionnelles, les régions (avec Pourrat, Pagnol, Mauriac...). Malgré l'intérêt que de nombreux savants attachent à l'écriture, leur style n'est pas aussi multiple, et le discours scientifique ou didactique ne donne pas la même image plurielle des usages du français. Reste qu'il est indispensable, si l'on veut illustrer par des textes de qualité les termes (et les notions) essentiels des sciences et des techniques, et si l'on veut donner par le dictionnaire une image acceptable de la vie culturelle en français à notre époque, d'intégrer à la description des textes non littéraires. Un grand dictionnaire de langue française où l'on ne trouverait aucun texte philosophique de Merleau-Ponty, de Foucault, de Derrida, aucun texte psychanalytique de Lagache ou de Lacan (faute d'un Freud francophone...), aucun texte anthropologique de Lévi-Strauss, historique d'un des grands continuateurs de Lucien Febvre, tels Georges Duby, Jacques Le Goff, aucun texte biologique de Jean Rostand, Jacob ou Monod, mathématique de « Bourbaki » ou de René Thom, physique de Leprince-Ringuet ou de L. de Broglie, technique de Simondon — parmi beaucoup d'autres — manquerait à l'une de ses missions, qui est de proposer un microcosme du « discours en français ». En effet, ces noms font autant, sinon plus, pour le rayonnement de la pensée et de la langue françaises, que poèmes et romans. Sur un autre mode, les textes poétiques ou prosaïques de scénaristes de films, de chanteurs comme Brassens, de diseurs comme Raymond Devos, ajoutent en quelques lieux du dictionnaire un type d'utilisation du langage qui n'était guère pris en compte auparavant.

## *Le dictionnaire analogique dans le dictionnaire.*

Outre son souci de composer un « nouveau Littré » en améliorant les méthodes de son grand prédécesseur, Paul Robert — il s'en expliquait dans la préface de son premier volume, qu'on aura lue ici même — tenait à intégrer dans la description une information systématique sur les rapports de sens et de désignation entre les mots. Il suivait ainsi une tradition. En effet, il existait des descriptions ordonnées du vocabulaire, orientées vers l'apprentissage des langues, et ceci depuis un lointain passé. L'initiateur, dans les temps modernes, est l'humaniste tchèque Komensky, dont le nom fut latinisé en Comenius. De nombreux manuels, illustrés ou non, furent publiés sous son nom et par des imitateurs. Mais c'est en 1852 que l'Anglais Peter Mark Roget composa un ouvrage fameux qui visait à regrouper un grand nombre de mots de la langue anglaise, de manière systématique, organisée, c'est-à-dire conforme à ce que pourrait être le plan idéal d'une encyclopédie thématique. L'entreprise fut reprise au XX^e siècle par Hallig et von Wartburg — qui cherchaient un cadre conceptuel pour les études de désignations (dites « onomasiologiques ») où l'on part de l'objet et de la notion pour aller vers les mots. Hallig et Wartburg proposent donc un « système conceptuel » englobant — *Begriffssystem*. Malgré le caractère idéaliste et quelque peu illusoire de ces tentatives, le *Thesaurus of English Words and Phrases* s'est avéré un instrument de travail utile, bien souvent réédité, abrégé et modernisé et dont on trouve les échos dans de nombreuses classifications pratiques. Pour le français, P. Boissière faisait paraître en 1862 un *Dictionnaire analogique de la langue française,* qui fut plusieurs fois repris et adapté. Ces ouvrages et les autres dictionnaires dits analogiques regroupent, en général sans commentaire, les mots et la phraséologie sous un nombre réduit de notions (ou de mots-centres, la philosophie sémantique des auteurs n'étant pas toujours claire). Ils posent deux sortes de problèmes et souffrent de deux grandes limitations : d'abord, le choix des mots-centres y est forcément un peu arbitraire et l'ordre de leur disposition beaucoup plus — elle est en fait chargée de sens et reflète l'idéologie d'une société et d'une époque — ; ensuite le nombre relativement réduit de ces regroupements (un ou deux milliers, rarement plus) limite singulièrement leur efficacité.

En reprenant le principe de renvois notionnels, mais en l'appuyant sur l'analyse sémantique de la définition lexicographique (intuitive, certes, mais naturelle et pédagogique), en l'intégrant à la structure du dictionnaire de langue alphabétisé, le *Robert* en changeait profondément la nature et en multipliait l'efficace. En effet, Roget, Boissière et leurs successeurs — y compris, dans un esprit plus scientifique, Hallig et Wartburg — étaient prisonniers d'une analyse soumise à la pensée dominante d'une époque, et qui en reflète la philosophie, ou plutôt des systèmes philosophiques bien plus anciens (Roget, comme S. T. Coleridge dans son *Encyclopœdia Metropolitana* — 1817-1845 — s'inspire plus de Bacon que de Leibniz, pour ne pas parler de Hegel). Au contraire, le système analogique du *Robert* est entièrement soumis à la structure du dictionnaire, c'est-à-dire au « scandale » logique et conceptuel que constitue l'ordre formel, alphabétique. Mais, paradoxalement, ce système étant strictement sémantique et notionnel — dans la mesure où les définitions d'où il procède le sont —, il donne à l'ordre alphabétique les avantages dont il était dépourvu, tout en lui empruntant la remarquable neutralité idéologique qui le caractérise. L'alphabet, en effet, instaure la suprématie du signifiant, de la lettre — ce qui n'est pas fait pour déplaire à tout un courant philosophique et psychanalytique contemporain — quitte à placer dans ce cadre signifiés, notions et références au monde, sans lesquels le dictionnaire manquerait à sa mission.

Ces « renvois analogiques » sont en quelque sorte l'envers de l'univers formel que constituent (aussi) les mots ; ils rétablissent des liens que le discours ne suffit pas — ou pas toujours — à manifester ; ils reconstituent des « champs » (lexicaux, sémantiques), de petits univers du discours repérables, non par une étiquette plus ou moins arbitraire dans une classification, ce qui est le cas de toutes les encyclopédies, mais par ces unités formelles et observables, dictées par la réalité sociale de la communication, que sont les mots et les autres unités lexicales.

Pratiquement, ce système est une pédagogie du vocabulaire. Ce type de dictionnaire est le seul où, ne connaissant pas ou ayant oublié une forme de la langue (mot, locution, syntagme...), l'utilisateur a les plus fortes chances de la trouver (de la retrouver) de la manière la plus naturelle qui soit, c'est-à-dire au moyen des formes qu'il maîtrise déjà. En effet, on constatera que ce sont les mots les plus fréquents, donc les plus connus, les premiers appris, qui sont les plus riches en références de ce genre. Les renvois « analogiques » sont présentés en caractères gras et précédés d'une flèche grasse (**→**). On se rappellera que le renvoi est alors « sémantique », qu'il concerne une relation de sens qui peut être une « synonymie », une ressemblance, un rapport logique (contenant-contenu, partie-tout, cause-effet, etc.), parfois même une appartenance commune à un thème d'expression.

Comme nul ne saurait disposer des 75 000 mots, des centaines de milliers d'expressions contenues dans cet ouvrage, cet avantage, utile aux francophones les plus cultivés, est essentiel pour tous les « apprentis » de la langue française. Ainsi l'adjectif *facile,* qui appartient au français fondamental et que connaît toute personne ayant des notions de français, renvoie à *aisé, commode, élémentaire, enfantin, simple, faisable, possible ;* à *coulant, courant (un style facile) ;* à *accommodant, arrangeant, commode, complaisant, indulgent, conciliant, doux, malléable, tolérant, traitable, tendre* (en parlant des personnes), etc., sans parler des expressions : *c'est un jeu d'enfant, cela va tout seul* (= c'est facile), *c'est un jeu pour lui* (= la chose lui est facile) et familièrement : *ça ne fait pas un pli*, c'est du billard, ça marche comme sur des roulettes*, c'est du gâteau, de la tarte* (ces expressions sont présentées par une flèche maigre (→) et l'astérisque ne fait qu'orienter le lecteur dans la consultation). À cet éventail de mots *synonymes* dans un ou plusieurs emplois, ou de sens *voisins,* s'ajoutent différentes relations de sens. Certains mots-centres, autour desquels s'organise tout un vocabulaire, renvoient à l'essentiel d'une sphère de désignation (ex. *cheval*). En outre, en énumérant des mots et des expressions de niveaux différents, plus ou moins familiers, parfois littéraires ou archaïques, on suggère que les valeurs sociales interfèrent avec le sens (voir plus loin : le fonctionnement social du français). Ce procédé permet, de proche en proche et d'un terme à l'autre, de couvrir tout le champ des possibilités d'expression d'un domaine en s'élevant d'un vocabulaire élémentaire à une grande richesse lexicale.

Il convient d'ajouter à cet appareil très riche (beaucoup plus d'un million de renvois), les contraires qui font l'objet de listes en fin d'articles, et certains systèmes d'opposition, signalés dans le texte. On aurait sans doute pu intégrer les contraires au système général des relations sémantiques, mais l'inconvénient pédagogique eût été considérable, pour les mots rares notamment, où le lecteur aurait pu confondre ressemblance et opposition de sens.

Le lecteur, au XXIe siècle, remarquera sans peine que ce système de liens sémantiques n'est autre qu'un *hypertexte,* qui permet, pour une sélection de mots apparentés, d'avoir accès à des développements homogènes en d'autres lieux de l'ouvrage. Les renvois analogiques sont autant de « liens hypertextes ».

## *Le fonctionnement social du français dans le dictionnaire.*

Chaque élément mentionné et commenté dans cet ouvrage, chaque fragment de discours — exemple, citation — qu'il renferme est sans doute « du français », appartient à la langue française, que cette appartenance soit séculaire (mots attestés au Xe siècle et aussi anciens que notre langue même) ou très récente (emprunts, sigles, formations des dernières années précédant la publication).

Tous ces éléments sont utiles pour comprendre le français. Mais pour s'exprimer soi-même dans cette langue, il faut en outre connaître les conditions normales d'emploi de chaque élément. Sur ces conditions, sur l'usage, on ne sait a priori pas grand-chose : le fait que *reculer* vienne du mot *cul* n'en fait pas un mot vulgaire ni même familier ; le fait que *orchidée* vienne du grec (précisément du mot grec signifiant « testicule »), que *géranium* ou *pétunia* soient des formes latines ne rendent pas ces termes plus savants que *lilas ;* les mots les plus usuels ont des emplois archaïques et d'autres modernes, des emplois familiers et d'autres littéraires.

Or, la connaissance des pouvoirs, des conditions d'emploi des mots est essentielle pour quiconque veut apprendre, connaître, maîtriser le français.

Comment en rendre compte dans un dictionnaire ? D'abord, on l'a vu, par des mises en contexte réelles ou vraisemblables, sous forme d'exemples et de citations. Ensuite, sous forme de « marques d'usage », très nombreuses, qui qualifient non seulement les mots et leurs assemblages, mais aussi leurs emplois, leurs nuances.

Ces marques sont de diverses natures et esquissent — très grossièrement — une configuration des usages de la langue. Dans **l'espace** d'abord, en opposant aux emplois neutres, qui sont compris et employés dans l'ensemble de la francophonie active, des emplois qualifiés de régionaux ou rapportés à une communauté précise (« en français d'Afrique », en « français des Antilles », par exemple). Ces marques correspondent à l'élargissement de la nomenclature par rapport à la norme « centrale » : termes régionaux de France (du Nord, de l'Est, de l'Ouest, du domaine franco-provençal, du Centre, d'Occitanie... ou d'une région précise, voire d'une ville [les *traboules* lyonnaises]), de Belgique, de Suisse romande, du Québec et des lieux où le français est une langue apprise, non maternelle (français d'Afrique, du Maghreb, des Antilles). La dénomination *régional* est plus ou moins bien adaptée à ces mots et à ces valeurs. Normale quand il s'agit du terroir, elle doit le céder à un repérage précis, voire national, lorsqu'il s'agit de termes propres aux institutions, comme la *gouvernance* sénégalaise, les *échevins* belges ou les *cantons* suisses.

Dans **le temps**, les marques opposent aux emplois neutres, compris et produits aujourd'hui, des emplois vieux *(vx),* vieillis ou archaïques — il s'agit souvent d'archaïsmes littéraires. *Vieux* correspond à des formes qui ne sont plus clairement comprises et qui ne sont jamais produites spontanément dans la communication ; *vieilli,* à ce qui est encore compréhensible et peut encore être dit ou écrit, dans certaines circonstances ou par certains locuteurs (âgés ou isolés). Les emplois « vieux » appartiennent souvent à l'usage classique et sont encore connus par les passages de Molière, Racine, La Fontaine, etc. qui les illustrent. Quant à l'archaïsme, c'est un emploi actuel ou récent de mots « vieux ».

Dans **la société,** les distinctions sont infiniment plus délicates. L'abréviation *pop.* pour « populaire » a été beaucoup moins utilisée que dans la première édition du dictionnaire. C'est qu'on a renoncé à qualifier de « populaires » des mots et des emplois que toute la communauté employait dans certaines circonstances de la communication. L'auteur de ces lignes, avec Jacques Cellard, a employé pour certains usages généralement qualifiés de « populaires » par les recueils, le qualificatif de « non conventionnel[17] ». C'est en effet que ces emplois (« gros mots », vulgarismes, mots érotiques, etc., emprunts à l'argot bien répandus, verlan, etc.) ne sont nullement des marques d'appartenance sociale, par exemple non bourgeoise, mais bien des choix de discours, et qu'ils sont fonction de situations de communication. Ainsi, « populaire », dans ce dictionnaire, est réservé aux emplois réprouvés par les personnes pourvues d'un « capital scolaire » (*de suite* pour *tout de suite,* un emploi d'ailleurs très digne au XVIII^e^ siècle ; *votre dame* pour *votre femme,* etc.).

Au contraire, l'abréviation *fam.* (familier) est ici très employée. Elle correspond aux emplois (formes et sens) normaux dans une communication sociale aisée, plutôt parlée qu'écrite, et dénuée de la contrainte propre aux échanges officiels, hiérarchiques, etc. Elle peut se moduler en « très familier », en « familier et vulgaire », quand le contenu (érotique, scatologique, etc.) est en cause, alors que « argot » est réservé à des mots et à des emplois inconnus de la majorité des locuteurs. Ainsi, alors que le mot *bisness,* au sens de « affaires » est familier, son emploi au sens de « prostitution » est franchement argotique. Le passage de l'argot à la langue familière est d'ailleurs la règle, créant des usages qu'on peut qualifier d'« argot familier ».

Enfin, la fréquence est prise en compte : mais la marque *rare,* qui qualifie des emplois non spécialisés et non archaïques très peu attestés, ou des usages minoritaires par rapport à une norme, est elle-même... rare, car elle ne peut être que très intuitive, encore que les mots attestés une ou deux fois seulement dans le vaste corpus du *Trésor de la langue*

---

17. *Dictionnaire du français non conventionnel,* par Jacques CELLARD et Alain REY, Paris, Hachette, 1980.

*française,* lorsqu'ils sont par ailleurs inconnus de tous les témoins consultés, méritent sans aucun doute cette qualification.

Une question sur laquelle il faut peut-être préciser notre point de vue est celle des usages et discours spécialisés. De nombreux mots et syntagmes (parfois formés avec des noms ou des verbes courants) sont inconnus de l'usage général et réservés à des discours spéciaux : professionnels, pédagogiques, didactiques, scientifiques, techniques... Ces mots correspondent en général à des « termes » qui peuvent être classés par domaines du savoir. C'est ainsi que procèdent les encyclopédies et dictionnaires encyclopédiques, pour lesquels ce sont non pas les mots, mais les termes et surtout les notions qui comptent. Ainsi, les notions de « chêne » et de « chien » — hommage à Queneau — appartiennent bien à la botanique et à la zoologie. Mais les mots *chêne* et *chien,* eux, ne sont pas propres au discours des sciences naturelles, et appartiennent de plein droit au vocabulaire le plus courant. Ici, donc, ils ne seront nullement marqués, alors même que leur définition peut avoir recours à des notions scientifiques (« cupuliféracées », « canidés »).

Le dictionnaire de langue n'a pas à classer les termes par domaine autrement que par leurs définitions. Mais il peut et doit classer les mots — et les syntagmes — par leur caractère sociolinguistique, comme aptes à former du discours général ou du discours spécial, du discours neutre ou du discours « marqué ». L'opposition est évidente quand il s'agit de synonymes. Dire que quelqu'un a la *jaunisse* est neutre ; qu'il a un *ictère,* manifeste une intention didactique, savante, professionnelle, médicale, etc.

Le lecteur ne doit donc jamais oublier que ces abréviations concernent l'usage linguistique et lui seul ; qu'elles ne doivent pas figurer devant un mot courant, même si ce mot désigne un objet scientifique : *écologie, transistor, électronique* appartiennent, bien ou mal compris, au français de M. Tout-le-Monde.

D'une manière générale, l'absence de ces marques devant un mot ou un sens signifie que ce mot, ce sens, sont d'emploi normal pour une personne cultivée. Lorsqu'on a précisé *cour.* (courant) ou *mod.* (moderne), c'est soit pour écarter un doute possible, soit pour opposer un emploi normal de nos jours à un emploi spécial ou vieux. Ex. le substantif *ton* qui, dans son sens I (concret, sonore), se subdivise en un emploi A, courant, un emploi B, propre à l'usage didactique de la phonétique (les tons des langues africaines, du chinois), et C, au langage de la musique (TON I : A. *Cour... ;* B. *Phonét... ;* C. *Mus...*).

Il va de soi que cette notation généralisée des valeurs d'emploi est délicate et sujette à contestations : certains pourront trouver courants des termes considérés ici comme techniques ou scientifiques, d'autres emploieront encore (ou auront l'impression d'employer) des mots notés comme vieillis. Dans d'autres cas, il est impossible de décider si un nom d'animal ou de plante est savant ou courant, régional ou général : cela dépendra des situations de communication, du caractère familier de la chose et non plus du mot. Suivant le même raisonnement, les mots *carrosse* ou *montgolfière* ne sont nullement *vieux :* ce sont les choses désignées qui n'existent plus — elles sont d'ailleurs aptes à revivre : la montgolfière l'a récemment prouvé — ; on les a donc présentés sous les rubriques *ancienn*t (anciennement) et *hist.* (histoire) qui signifient que le mot désigne encore de nos jours une réalité du passé. En effet, les termes se référant à ces réalités du passé (antiquité, féodalité, etc.) sont plutôt des termes du discours de l'historien — quand ils ne sont pas connus du grand public — que des termes repérables par une marque temporelle ; et c'est bien ainsi, comme un mot didactique de spécialité, qu'un terme d'antiquité (noté *antiq.*) doit être interprété, et nullement comme un mot archaïque. En somme, c'est toujours la forme linguistique, et non pas la notion ou la chose qui est qualifiée. La distinction n'est délicate qu'en apparence ; elle sera vite comprise et utilisée avec profit par les étrangers. Quels que soient les problèmes posés par tel ou tel choix particulier, nous avons la conviction que cette méthode est indispensable au perfectionnement des dictionnaires, et apporte à l'usager des renseignements qui sont aussi précieux que ceux qui concernent le sens ou les constructions d'un mot.

Malgré sa longueur — qu'on a cru nécessaire — cette préface ne fait que survoler un sujet extrêmement complexe. Un dictionnaire tel que celui-ci est un objet culturel qui implique de nombreuses options, tout en véhiculant les traits saillants d'une longue tradition.

On aura compris, je l'espère, dans quel esprit l'ouvrage a été entièrement revu, enrichi, parfois modifié. Cet esprit est celui de l'ouverture vers les conceptions descriptives les plus efficaces, les plus tournées vers les utilisateurs. Le dictionnaire de langue, différant en cela de l'encyclopédie, se doit de proposer une image claire et suffisamment extensive de cet instrument fondamental d'expression et de communication qu'est la langue, pour nous le français. Divisé en usages différents — dans le temps, dans l'espace, dans le tissu social — le français, dans un tel ouvrage, doit exposer sa variété tout en manifestant son unité. Le dictionnaire doit proposer des modèles, des normes, sans jamais éliminer les ferments d'évolution qui compromettent ces modèles. Il doit certes dire la « vérité des mots » jusque dans leur lointain passé (l'étymologie), mais aussi la vérité des usages jusque dans la trahison ou la transgression de cette vérité première, que le poète seul peut éviter de compromettre (« un sens plus pur aux mots de la tribu » — mais la tribu nous est précieuse et fraternelle !). Il doit, à travers les formes du langage, mots, expressions, tournures, saisir la vitalité du dire et de l'écrire dans ses productions les plus vives, celles des témoins de la culture, qui ne sont pas seulement les écrivains.

Le découpage du monde, l'organisation de la pensée et de la vie culturelle que propose le lexique d'une langue naturelle, incarne et représente la totalité de l'expérience sociale historique : ce qui est dit, écrit, nommé, exprimé, c'est tout ce qui importe à la communauté. C'est pourquoi le dictionnaire est (devrait être) l'exposé liminaire, le seuil de la compréhension interhumaine, de l'échange : je pense ici à un dictionnaire idéal, bien différent de ce temple de la norme auquel Valéry subtilement songeait. Mais l'objet matériel qu'est ce dictionnaire-ci, ce livre, peut se tourner vers cet horizon. N'excluant aucune mode, pour prendre à leur égard plus de recul, intégrant les traditions pour montrer les voies possibles de leur dépassement, le dictionnaire se veut l'historien et le sociologue du pouvoir de dire. La description analytique d'un ensemble lexical, à condition qu'elle soit équilibrée et sincère, informée et critique, constitue la voie d'accès à cet univers mental collectif, qu'il s'agisse de mieux connaître une langue maternelle en laquelle cet univers se forme et s'exprime, ou de maîtriser une langue, d'abord étrangère, qui en garde l'entrée.

Décembre 1984-avril 2001
Alain Rey.

# PRINCIPES DE LA TRANSCRIPTION PHONÉTIQUE

# ALPHABET PHONÉTIQUE ET VALEUR DES SIGNES

| VOYELLES | | CONSONNES | |
|---|---|---|---|
| [i] | **i**l, v**i**e, l**y**re | [p] | **p**ère, sou**p**e |
| [e] | bl**é**, jou**er** | [t] | **t**erre, vi**t**e |
| [ɛ] | l**ai**t, jou**et**, m**e**rci, f**ê**te | [k] | **c**ou, **qu**i, sa**c**, **k**épi |
| [a] | pl**a**t, p**a**tte | [b] | **b**on, ro**b**e |
| [ɑ] | b**as**, p**â**te | [d] | **d**ans, ai**d**e |
| [ɔ] | f**o**rt, d**o**nner | [g] | **g**are, ba**gu**e |
| [o] | m**o**t, d**ô**me, **eau**, g**au**che | [f] | **f**eu, neu**f**, **ph**oto |
| [u] | gen**ou**, r**ou**e | [s] | **s**ale, **c**elui, **ç**a, de**ss**ous, ta**ss**e, na**t**ion |
| [y] | r**u**e, vêt**u** | [ʃ] | **ch**at, ta**ch**e |
| [ø] | p**eu**, d**eu**x, chant**eu**se | [v] | **v**ous, rê**v**e |
| [œ] | m**eu**ble, chant**eu**r, **œ**il | [z] | **z**éro, mai**s**on, ro**s**e |
| [ə] | l**e**, pr**e**mier | [ʒ] | **j**e, **g**ilet, **ge**ôle |
| [ɛ̃] | mat**in**, pl**ein**, b**ain** | [l] | **l**ent, so**l** |
| [ɑ̃] | s**an**s, v**en**t, t**em**ps | [ʀ] | **r**ue, veni**r** |
| [ɔ̃] | b**on**, **om**bre | [m] | **m**ain, fe**mm**e |
| [œ̃] | l**un**di, br**un** | [n] | **n**ous, to**nn**e, a**n**imal |
| | | [ɲ] | a**gn**eau, vi**gn**e |
| SEMI-CONSONNES | | [h] | **h**op ! (exclamatif) |
| | | ['] | **h**aricot (pas de liaison) |
| [j] | **y**eux, pa**ill**e, p**i**ed | [ŋ] | mots empr. anglais, campi**ng** |
| [w] | **ou**i, **jou**et | [x] | mots empr. espagnol, **j**ota ; |
| [ɥ] | h**u**ile, l**u**i | | — — arabe, **kh**amsin, etc. |

Remarque : la lettre **x** correspond à la prononciation des deux consonnes [gz] ou [ks] :

[gz] e**x**emple

[ks] fi**x**er, e**x**trait

# PRINCIPES GÉNÉRAUX DE LA TRANSCRIPTION PHONÉTIQUE

**La notation** adoptée est celle de l'**Association Phonétique internationale ;** tous les mots traités dans le dictionnaire sont transcrits. Quand un mot peut se rencontrer sous différentes formes, une transcription suit chacune de ses formes. Les **variations morphologiques** du nom et de l'adjectif sont présentées sans reprise de la racine (ex. : *Journ-al, -aux :* [ʒuʀnal, o]). Le pronom des verbes pronominaux, qui varie selon les personnes, n'est pas transcrit. Enfin, nous nous sommes efforcés de noter les variations importantes de la prononciation d'un mot dans certains syntagmes (ex. : *huit*).

Nous avons considéré la prononciation du mot isolé. C'est pourquoi nous n'avons pas noté la prononciation des éléments (ex. : *aéro-*), qui n'existent pas isolément.

Les variations des mots dans les syntagmes sont indiquées en remarque. Ainsi nous avons transcrit *dix* [dis], puisqu'en disant le mot isolé, c'est la seule prononciation attestée. Par contre, dans l'article, des explications sont données pour *dix garçons* [digaʀsɔ̃] et *dix enfants* [dizɑ̃fɑ̃].

**Syllabation** La division des mots en syllabes n'offre pas d'intérêt majeur ; comme elle alourdit et complique la transcription phonétique, nous ne l'avons pas indiquée. Il suffira de noter ici que deux consonnes différentes se séparent (*acteur* [ak-tœʀ] ; *exemple* [ɛg-zɑ̃pl]), mais que deux consonnes dont la deuxième est une liquide [l, ʀ] forment un groupe explosif avant lequel se fait la division (*après* [a-pʀɛ]).

**Accent** Nous n'avons pas noté l'accent tonique qui, dans le mot isolé, est fixé régulièrement sur la dernière voyelle prononcée. Dans la chaîne parlée, le mot peut perdre son accent ; par exemple, dans « Il est *grand* », *grand* est accentué, mais dans « C'est un *grand* enfant », *grand* est inaccentué. L'accent porte sur la dernière syllabe du groupe rythmique.

**Longueur des voyelles** La longueur des voyelles en français ne sert pas à distinguer des mots — sauf pour [ɛ] dans quelques cas (ex. : *mètre* [ɛ], et *maître* [ɛː]) — ; encore cette distinction a-t-elle tendance à disparaître. C'est pourquoi nous n'avons pas noté la longueur des voyelles. Il suffira de signaler qu'en français contemporain, les voyelles s'allongent dans certaines positions et selon des lois précises. Tout d'abord, seules les voyelles accentuées peuvent être longues. Parmi ces voyelles, seules s'allongent : 1° les voyelles nasales [ɑ̃, ɔ̃, ɛ̃, œ̃] et les voyelles [ɑ, o, ø] suivies d'une consonne prononcée (ex. : *chance* [ʃɑ̃ːs] ; *émeute* [emøːt]) ; 2° les voyelles accentuées suivies des consonnes [ʀ, z, v, ʒ], et du groupe consonantique [vʀ] (ex. : *chèvre* [ʃɛːvʀ] ; *bonheur* [bɔnœːʀ]). L'allongement de la voyelle dépendant de son accentuation, la dernière syllabe d'un mot pourra être allongée ou non suivant la position du mot (ex. : il parle *fort* [fɔːʀ], mais : il est *fort beau* [fɔʀbo]).

**Variations de prononciation**

De nombreux mots sont soumis à des variations de prononciation, qui se manifestent surtout dans les points du système où des changements sont en cours. Elles dépendent des caractéristiques des locuteurs (âge, sexe, profession) et du style (soutenu, familier) : mais un même sujet peut, dans une même phrase, prononcer le même mot de deux façons différentes en hésitant entre l'usage ancien et l'usage récent.

Nous avons voulu donner la description la plus exacte des usages actuels dans leur variété, tout en tenant compte de la prononciation que la norme phonétique recommande. Nous avons donc indiqué ces variations en donnant le plus souvent possible toutes les prononciations attestées d'un mot, sans pour autant multiplier inutilement les transcriptions phonétiques. Quand deux prononciations ont la même valeur d'usage, la première transcription correspond à la prononciation la plus fréquente (ex. : *auréole* [ɔʀeɔl ; oʀeɔl]). Quand la prononciation dépend du style, des marques précisent la valeur d'emploi.

**Distinctions en régression**

La tendance générale du français est de supprimer certaines distinctions. Ainsi [œ̃] tend à se prononcer comme [ɛ̃]. On entend souvent *un chat* [ɛ̃ʃa] et non [œ̃ʃa], et *brun* comme *brin* [bʀɛ̃]. On observe de même une régression de la distinction entre [a] et [ɑ], au profit d'une voyelle ouverte centrale intermédiaire entre le *a antérieur* [a] et le *a postérieur* [ɑ], ce qui entraîne une confusion entre *patte* [pat] et *pâte* [pɑt], *là* [la] et *las* [lɑ]. On peut remarquer que les termes en [ɑ] ont tendance à disparaître de la langue courante.

Pour ces voyelles, nous avons en général transcrit la prononciation correspondant à l'usage qui maintient la distinction, en ne mettant deux transcriptions que dans les cas où même les locuteurs qui pratiquent ces distinctions ont un usage hésitant.

**Ouverture des voyelles**

Le cas des voyelles [e], [ɛ], [ø], [œ], [o], [ɔ] est plus complexe. La distinction entre voyelle ouverte et voyelle fermée se maintient dans l'usage parisien. L'opposition [ø]/[œ] sert à distinguer uniquement les mots *jeûne* [ʒøn], *jeune* [ʒœn], et *veule* [vøl], *veulent* [vœl], mais l'alternance vocalique pratiquée dans les adjectifs du type *menteur* [mɑ̃tœʀ], *menteuse* [mɑ̃tøz] contribue au maintien de l'opposition. Ces oppositions ne se rencontrent pas pour toutes les positions de la voyelle dans le mot.

*En syllabe finale accentuée,* [e] s'oppose à [ɛ] en syllabe ouverte, c'est-à-dire terminée par la prononciation de la voyelle (ex. : *ré* [ʀe], *raie* [ʀɛ]), et [o] s'oppose à [ɔ] en syllabe fermée, c'est-à-dire terminée par une consonne prononcée (ex. : *saule* [sol], *sol* [sɔl]). En syllabe ouverte, on prononce uniformément [o] et [ø], et en syllabe fermée [ɛ].

*En syllabe non finale de mot,* l'opposition entre voyelle ouverte et fermée ne se fait plus guère que pour l'opposition [o]/[ɔ] dans quelques mots (ex. : *beauté* [bote], *botté* [bɔte]).

1° **Cas de [e] et [ɛ] en syllabe non finale.** Si la norme donne les prononciations *pécheur* [peʃœʀ] et *pêcheur* [pɛʃœʀ], la majorité des locuteurs ne pratique plus cette distinction. Il aurait été possible de transcrire [E], symbole utilisé par les linguistes pour transcrire l'archiphonème (V. ce mot dans le dictionnaire), et manifester ainsi que la distinction [e]/[ɛ] ne se pratique plus souvent en syllabe non finale de mot. Mais nous n'avons pas voulu mélanger les symboles utilisés en transcription phonétique et phonologique. Nous avons choisi de transcrire selon la norme et de n'introduire de variations de prononciation que dans les cas où cela s'imposait.

Selon la règle de l'*harmonisation vocalique,* quand un [ɛ] en syllabe ouverte subit l'influence d'un [i], [y] ou [e] dans la syllabe suivante, il se ferme (ex. : *je vêtais* [vɛtɛ], mais *vêtez* [vete], *je vêtis* [veti], *vêtu* [vety]). Cependant, des enquêtes récentes ont montré que les locuteurs appliquaient fort inégalement cette règle. Quand l'usage était en contradiction avec cette règle, nous avons transcrit les deux prononciations possibles (ex. : *embêter* [ɑ̃bɛte ; ɑ̃bete]).

2° **Cas de *o* non final.** En général, le *o* non final se prononce [ɔ] (ex. : *joli* [ʒɔli]), mais lorsque le radical initial est terminé par *o,* plusieurs cas peuvent se présenter : *a)* le mot est perçu comme une unité ; dans ce cas, on prononce *o* ouvert [ɔ] (ex. : *photographie* [fɔtɔgʀafi]) ; *b)* le mot est nettement perçu comme composé de deux morphèmes ; dans ce cas, on prononce *o* fermé [o] (ex. : *photonucléaire* [fɔtonykleɛʀ]).

Entre ces deux cas extrêmes, des hésitations d'usage peuvent se rencontrer ; nous avons souvent transcrit les deux prononciations en usage.

**Les consonnes**

1° **Les consonnes doubles ou géminées.** Les consonnes géminées peuvent ou non être prononcées, selon les cas. Elle se prononcent souvent dans certains mots savants ou étrangers, et à l'articulation d'un préfixe avec un radical *(illégal).* Mais, dans de nombreux mots courants, la géminée ne se fait pas sentir : *accolage, accueil, appétit, cannibale, effet, collage, colline, erreur,* etc.

2° **L'assimilation.** À l'intérieur d'un mot, une consonne sourde se sonorise devant une consonne sonore, une consonne sonore s'assourdit devant une consonne sourde. Parfois l'assimilation est incomplète. Dans le mot *médecin, d* est assourdi mais reste une consonne douce [mɛdsɛ̃]. Parfois, il y a assimilation de surdité et de force. On peut alors transcrire un [p] (qui correspond au *b)* et un [t] (ex. : *adsorption* [atsɔʀpsjɔ̃]).

**Les semi-voyelles**

Les voyelles *i, u, ou,* suivies d'une voyelle se prononcent [j], [ɥ], [w] (ex. : *pied* [pje]), sauf quand elles sont précédées d'un groupe liquide (consonne + [ʀ] ou [l]), auquel cas elles se prononcent [ij], [y], [u] ; ex. : *crier* [kʀije], *cruel* [kʀyɛl]. Mais en poésie, on peut toujours faire la diérèse (ex. : « Les violons [vijɔlɔ̃] mêlaient leur rire au chant des flûtes » [Verlaine]).

**Le *h* « aspiré »**

Le *h* à l'initiale d'un mot ne correspond pas à un souffle, sauf dans certaines interjections. Mais quand il est dit « aspiré », il empêche la liaison et l'élision. Nous avons noté ce fait par une apostrophe ['] devant la transcription. Si les mots commençant par *h* « aspiré » sont détachés de la chaîne parlée, ils peuvent être homonymes d'autres mots ne commençant pas par *h*, quoique dans la chaîne parlée on ne puisse pas les confondre (ex. : *haut* ['o] et *eau* [o] qui deviennent *le haut* et *l'eau :* [ləo] et [lo]).

**Les mots étrangers** Les mots étrangers ont parfois deux prononciations différentes, l'une où la graphie du mot est interprétée selon les habitudes françaises, et l'autre où la prononciation est simplement adaptée au système phonétique français en restant le plus près possible du modèle étranger. Dans ces cas-là, nous avons mis les deux transcriptions (ex. : *gas-oil* [gazɔjl ; gazwal]). La terminaison anglaise *-ing* a été transcrite [iŋ], le signe [ŋ] représentant un [g] nasalisé. Il est cependant fréquent d'entendre [iɲ], comme dans li*gne* (nasale palatale).

**Le *e* muet (ou « instable »)** [ə] À l'intérieur des mots, le *e* instable [ə] précédé d'une seule consonne prononcée tombe toujours (ex. : *émeraude* [ɛmʀod] ; *follement* [fɔlmɑ̃]). Nous avons noté uniquement cette prononciation. Cependant, en versification régulière, le *e* instable se conserve pour des raisons d'euphonie. Ainsi : « J'ai plus de souvenirs [suvəniʀ] que si j'avais mille ans » (Baudelaire). Ce *e* est aussi prononcé dans une grande partie du Midi de la France (ex. : *samedi* [samdi] prononcé [samədi]).

Comme nous avons considéré la prononciation du mot isolé, nous n'avons jamais transcrit le *e* instable en fin de mot (ex. : *table* [tabl]), sauf dans les monosyllabes (ex. : *me* [mə]). Cependant, nous avons transcrit [(ə)] dans la première syllabe des mots pour distinguer les mots où le *e* instable peut tomber (ex. : *fenêtre* [f(ə)nɛtʀ]) et ceux où il se maintient toujours (ex. : *belette* [bəlɛt]).

Selon la position d'un mot dans la phrase, le *e* instable [ə] se prononce ou tombe. a) *À la fin d'un mot :* précédé d'une seule consonne, [ə] tombe toujours ; précédé de deux consonnes, il tombe à la pause ou devant une voyelle (ex. : *à table !* [atabl] ; la *table à repasser* [tablaʀpɑse]). Par contre, il se prononce dans un groupe rythmique, devant consonne (ex. : *table ronde* [tabləʀɔ̃d]). b) *Au début du mot :* dans un mot commençant par deux consonnes, [ə] se conserve ; dans un mot commençant par une seule consonne, [ə] tombe après une seule consonne et se conserve après deux consonnes (ex. : *la fenêtre* [lafnɛtʀ] ; *une fenêtre* [ynfənɛtʀ]). c) *Dans les monosyllabes :* on a tendance à prononcer les [ə] dans la lecture. Dans la conversation, à l'intérieur du groupe rythmique, [ə] tombe après une seule consonne prononcée.

**Le cas de succession de *e* instables.** En général, le premier *e* se conserve, le deuxième (précédé d'une seule consonne) tombe, le troisième (précédé de deux consonnes) se conserve, etc. (ex. : *je le recevais* [ʒəlʀəsvɛ] — mais on entend aussi [ʒləʀsəvɛ] — ; *je ne le recevais pas* [ʒənləʀsəvɛpɑ].

**La liaison** Devant un mot commençant par une voyelle ou un *h* « muet », la consonne finale et normalement muette du mot précédent peut se prononcer. Ce phénomène de la liaison entraîne alors la modification de quelques consonnes finales (*s* et *x* se prononcent [z], *d* se prononce [t]) ; il provoque aussi la dénasalisation de certaines voyelles nasales, en particulier après *bon* (ex. : *un bon ami* [œ̃bɔnami]) et la plupart des adjectifs en [ɛ̃] (ex. : *moyen âge* [mwajɛnaʒ], *plein air* [plɛnɛʀ]), mais la dénasalisation est rare après *mon, ton, son,* et elle ne se produit pas après *un* (ex. : *un ami* [œ̃nami]), *aucun* (ex. : *aucun ami* [okœ̃nami]), *en* (ex. : *en allant* [ɑ̃nalɑ̃]), *bien* et *rien* (ex. : *bien arrivé* [bjɛ̃naʀive]).

**Les prononciations régionales**

La tendance à l'uniformisation du sytème phonétique s'accentue aujourd'hui sous l'influence des médias qui diffusent, en général, un modèle standardisé. Mais dans chaque région, des habitudes phonétiques se maintiennent et peuvent s'écarter sensiblement de la prononciation parisienne. Nous invitons les lecteurs à reconnaître ces différences qui font partie de la richesse du français.

Aliette LUCOT.

N. B. : La conjugaison des verbes français pose de nombreux problèmes phonétiques qui sont traités dans les Remarques phonétiques des tableaux des conjugaisons, à la fin du tome VI.

---

Nous avons tenu compte des précieuses indications d'usage données dans l'ouvrage de A. Martinet et H. Walter, *Dictionnaire de la prononciation française dans son usage réel,* Paris, France Expansion, 1973, et du résultat des enquêtes réalisées auprès de deux cents locuteurs parisiens consigné dans la thèse de doctorat de 3e cycle « Méthodologie d'une enquête sociolinguistique auprès de sujets parisiens », par Aliette Boumendil-Lucot. — On pourra consulter également : P. Delattre, *Studies in French and comparative phonetics,* La Haye, Mouton, 1966 ; P. Léon, *Prononciation du français standard : Aide-mémoire d'orthoépie à l'usage des étudiants étrangers,* Paris-Bruxelles-Montréal, Didier, 1967 ; B. Malmberg, *Manuel de Phonétique générale,* Paris, Picard, 1974 ; *Phonétique française,* Malmö, 1969 ; A. Martinet, *la Prononciation du français contemporain,* Genève, Droz, 1971.

# TABLEAU DES SIGNES CONVENTIONNELS, CONVENTIONS ET ABRÉVIATIONS

**I**, **II** numéros généraux correspondant à un regroupement de sens apparentés ou de formes semblables.

**A** **B** même valeur que **I**, **II**, qu'ils subdivisent.

♦**1**, ♦**2** numéros correspondant à un sens, et éventuellement à un emploi ou un type d'emploi (parfois regroupés sous **A**, **B**, ou **I**, **II**, etc.).

**a**, **b**, **c** lettres de subdivision qui séparent les nuances de sens ou d'emploi à l'intérieur d'un sens (♦**1**, ♦**2**, etc.).

— sépare les nuances déterminées par le contexte ; les emplois ou expressions à l'intérieur d'un même sens ou d'une même valeur, lesquels sont en général isolés par un passage à la ligne.

♦ précédant un mot en capitales grasses, sert à présenter la forme pronominale d'un verbe transitif, ainsi que les participes à valeur d'adjectif : participe présent (Voir *p. prés.*) ou, plus souvent, participe passé (participe passé adjectif : *p. p. adj.* Voir *p. p.*). Cette subdivision du verbe intervient en fin d'article, et est indépendante des divisions propres à l'emploi actif ou à l'ensemble des emplois (**I**, **II**, etc.) ; elle peut elle-même être analysée en **I**, **II**, etc. — Certains emplois pronominaux ou participiaux sont traités aux sens où ils interviennent, et certains participes lexicalisés sont traités à leur ordre alphabétique ; dans ce cas, le paragraphe en question peut être absent ou n'intervenir qu'à titre de renvoi.

1., 2. avant une entrée, signale qu'il s'agit d'une forme homographe d'une autre (ex. : 1. **VOLER**, 2. **VOLER**). Ce repérage formel ne fait évidemment pas partie du mot, et est, si nécessaire, rappelé dans les renvois (ex. : ➜ 2. **Voler**).

* placé avant une forme, dans une étymologie, signifie que cette forme n'est pas attestée, mais reconstituée selon les lois de l'évolution phonétique (par ex. : mots du latin parlé populaire, mots franciques).

* placé après un mot, signifie qu'on y trouvera une explication.

➜ suivi d'un mot en gras (renvoi analogique) : présente un mot qui a un rapport étroit de sens : 1° avec le mot traité (synonyme, mot de sens voisin ou mot constituant une espèce par rapport au genre que désigne le mot, un hyponyme par rapport à l'hyperonyme) ; 2° avec l'exemple qui précède ; 3° avec l'expression qui précède. → signale dans les deux premiers cas un simple rapport de sens et l'article concernant le mot qui le suit ne donne pas forcément des informations sur le mot où il est signalé.

→ 1° sert à présenter un mot de sens différent, mais comparable ; une expression, une locution de même sens ou de formation identique (le mot essentiel est généralement marqué par *) ; suivi de *ci-dessus, ci-dessous,* sert à rapprocher, dans le corps d'un article, des emplois différents du même mot, mais formellement ou sémantiquement comparables ; 2° dans les étymologies, présente un terme apparenté. Voir aussi *cf.* ; 3° renvoie aux citations numérotées. Voir *cit.*

[ ] après chaque entrée, contient la prononciation en alphabet phonétique (voir p. LVIII) ; dans le corps de l'article, contient la prononciation d'une variante, ou celle d'un groupe de mots posant un problème particulier.

abrév. *abréviation.*

absolt *absolument* (en construction absolue : sans le complément attendu).

abstrait *abstrait :* qualifie un sens (s'oppose à *concret*).

abusivt *abusivement* (emploi très critiquable, parfois faux sens ou solécisme).

acoust. terme technique d'*acoustique.*

adapt. *adaptation* (d'une forme étrangère adaptée en français).

adj. 1° *adjectif* (*loc. adj. :* locution adjective ; *p. p. adj. :* participe passé adjectif) ; 2° *adjectivement* (emploi en valeur d'adjectif d'un mot qui ne l'est pas normalement).

admin. dans la langue écrite de l'*administration* seulement.

adv. 1° *adverbe ;* 2° *adverbial* (dans *loc. adv.* Voir *loc*) ; 3° *adverbialement* (emploi comme adverbe d'un mot qui ne l'est pas normalement).

aéron., aéronaut. terme technique d'*aéronautique.*

agric. terme technique du langage de l'*agriculture* (peut inclure l'arboriculture [Voir *arbor.*], l'horticulture [Voir *hortic.*], la sylviculture [Voir *sylv.*], la viticulture [Voir *vitic.*], l'élevage...).

alchim. terme du langage de l'*alchimie,* des *alchimistes* (mot vieux ou encore utilisé en histoire des sciences).

alg. terme didactique d'*algèbre.*

all. *allemand* (langue).

allus. *allusion* (*par allus. :* par allusion [à]... ; *allus. bibl. :* allusion biblique ; *allus. hist. :* allusion historique ; *allus. littér. :* allusion littéraire).

alphab. *alphabétique.*

alpin. terme technique d'*alpinisme.*

altér. *altération* (modification anormale d'une forme ancienne ou étrangère).

amér. *américain* (variété d'anglais parlé et écrit en Amérique du Nord, notamment aux États-Unis). — On emploie plutôt l'expression : *anglais des États-Unis.* Voir aussi *anglic.*

**anal.** *analogie* (*par anal* : par analogie) : correspondance de sens. Désigne un sens issu du précédent, dans un même mot, par une comparaison implicite (ex. : analogie de forme, de couleur) ou plus généralement une valeur impliquant le sentiment d'un rapport avec la valeur-source.

**anat.** terme du langage technique de l'*anatomie.*

**anc.** *ancien* (*anc. franç. :* ancien français, IXe-XIIIe siècles).

**anciennt** *anciennement* (présente un mot ou un sens courant qui désigne une chose du passé disparue). — Ne pas confondre avec *vx* (vieux), avec *hist.* (histoire).

**angl.** *anglais* (langue).

**anglic.** *anglicisme :* mot anglais, de quelque provenance qu'il soit — la notion inclut les américanismes (Voir *amér.*) —, employé en français et critiqué comme emprunt abusif ou inutile (les mots anglais employés depuis longtemps et normalement en français ne sont pas précédés de cette marque). Les américanismes sont distinguables par l'étymologie (« américain », « anglais des États-Unis »).

**anthropol.** terme du langage didactique de l'*anthropologie.*

**antiphr.** *antiphrase* (*par antiphr. :* par antiphrase) : emploi d'un mot, d'une locution dans un sens opposé à son sens normal, en exprimant par ironie (Voir *iron.*) le contraire de ce qu'on veut dire.

**Antiq.** terme technique concernant l'*Antiquité ;* mot didactique employé en histoire antique (*Antiq. grecque :* Antiquité grecque ; *Antiq. rom. :* Antiquité romaine). Voir *hist.*

**apic.** terme technique d'*apiculture.*

**appell.** *appellation.*

**appellatif** *appellatif :* qualifie un substantif ou un syntagme nominal utilisé pour s'adresser à un allocutaire (ex. : ma crotte, mon général, maman). — Les injures (Voir *injure*) fonctionnent comme appellatifs. — Certains appellatifs correspondent à des emplois hypocoristiques (Voir *hypocoristique*).

**appos.** *apposition* (*par appos. :* par apposition) ou *apposé.* Se dit d'un nom qui en suit un autre et le détermine, sans mot grammatical entre eux.

**après** *après* (placé avant un millésime, signifie que la forme ou le sens concerné est légèrement postérieur à cette date).

**arbor.** terme technique d'*arboriculture.* Voir *forest., sylv.*

**archaïsme** *archaïsme :* forme ou sens qui n'est plus d'usage normal, mais qui se rencontre encore dans la langue moderne, notamment dans un usage particulier (régional ; littéraire : *archaïsme littér.*).

**archéol.** terme technique d'*archéologie,* d'Antiquité (Voir *Antiq.*), d'art (Voir *art*) ou d'histoire (Voir *hist.*) concernant notamment des objets matériels.

**archit.** terme technique d'*architecture.*

**argot, argotique** mot d'*argot,* emploi *argotique* limité à un milieu particulier, surtout professionnel (*argot scol. :* argot scolaire ; *argot mar. :* argot des marins), mais inconnu du grand public. Les mots d'argot passés dans le langage courant sont souvent qualifiés de *argot fam.* (argot familier) ou simplement de *fam.* (familier) [l'origine argotique est alors mentionnée en étymologie]. — *loc. argotique :* locution argotique.

**arithm.** terme didactique d'*arithmétique.*

**arm.** terme spécial aux techniques de l'*armement.*

**art, arts** mot spécial au langage des *arts* (technique, critique, histoire...). Voir *archéol., bx-arts.*

**art.** *article* (*art. déf. :* article défini ; *art. indéf. :* article indéfini).

**artill.** terme technique d'*artillerie.*

**art vétér.** *art vétérinaire.* Voir *vétér.*

**astrol.** terme didactique d'*astrologie.*

**astron.** terme didactique d'*astronomie.*

**astronaut.** terme technique d'*astronautique.*

**at.** *atomique* (dans *p. at., n° at. :* poids atomique, numéro atomique).

**attestation isolée** *attestation idolée :* apparition d'un mot, observée dans un texte mais non suivie d'autres attestations pendant une certaine période, la diffusion du terme n'étant manifeste que si plusieurs attestations se suivent à intervalles rapprochés (ex. : certains emprunts, employés une fois par un voyageur, mais qui ne se diffusent que plus tard). — Cette marque correspond au terme technique *hapax* (Voir ce mot dans le dictionnaire).

**attesté** *attesté :* qualifie une forme effectivement observée dans un texte, par opposition aux formes vraisemblables, soit reconstituées, soit virtuelles (Voir *virtuel*). — Dans les datations, signale, à l'intérieur d'une période de repérage, l'existence d'une référence exacte et vérifiable (texte, dictionnaire), par rapport à laquelle le mot est certainement antérieur.

**attr.** *attraction* (*par attr. :* par attraction [d'une forme]).

**autom.** terme ou emploi technique du langage de l'*automobile.*

**aux.** *auxiliaire.*

**av.** *avant* (*av.* 1655 : au plus tard en 1655, souvent date de mort d'un auteur dont on ne peut dater certaines œuvres).

**aviat.** terme technique du langage de l'*aviation.*

**bactér.** terme didactique de *bactériologie.*

**balist.** terme technique de *balistique.*

**bas lat.** *bas latin.* Voir *lat.*

**bibl., bible, biblique** 1° terme employé en critique *biblique* ou employé dans le langage général par allusion à la *Bible* (*allus. bibl. :* allusion biblique) ;
2° terme, expression tirés et traduits de la *Bible.*

**bijout.** terme technique de *bijouterie.* Voir aussi *joaill.*

**biochim.** terme didactique de *biochimie.*

**biogéogr.** terme didactique de *biogéographie.*

**biol.** terme didactique de *biologie.*

**blas., blason** terme technique de *blason.*

bot. — 1° terme didactique de *botanique ;* 2° *botanique* (*lat. bot. :* latin botanique).

bouch. — terme technique de *boucherie.*

boulang. — terme technique de *boulangerie.*

bx-arts — *beaux-arts* (voir *art*).

byz. — *byzantin* (dans *grec byz. :* grec byzantin, grec tardif parlé à Byzance).

c.-à-d. — *c'est-à-dire.*

caractér. — terme didactique de *caractérologie.*

cartes — terme spécial aux jeux de *cartes.*

cathol. — *catholique* (*liturgie cathol. :* terme spécial à la liturgie catholique.

céram. — terme technique de *céramique.*

cf. — *confer. :* comparez. Sert à renvoyer à une référence (un auteur, un ouvrage) ; à un mot étranger ayant un rapport avec le mot traité, ou à une expression (notamment dans les étymologies, etc.). — Si la forme à comparer est traitée dans le dictionnaire, on emploie →.

charcut. — terme technique de *charcuterie.*

charpent. — terme technique de *charpenterie.*

chasse — terme technique de *chasse* (surtout chasse au fusil). Voir *fauconn., vén.*

ch. de fer — terme technique des *chemins de fer.*

chim. — terme didactique du langage de la *chimie* (*chim. org. :* chimie organique).

chir. — terme technique du langage de la *chirurgie.*

chir. dent. — terme technique du langage de la *chirurgie dentaire.*

chorégr. — terme technique du langage de la *chorégraphie* (danse classique). Voir *danse.*

(choses) — présente un sens, un emploi où le mot (adjectif, verbe) ne peut s'employer qu'avec des noms de *choses ;* s'oppose à *(êtres animés), (êtres vivants)* ou *(personnes) ;* ex. : (sujet *n. de chose ;* compl. *n. de chose*) : s'oppose à *(n. de personne).*

chrét. — *chrétien* (*liturgie chrét. :* terme spécial à la liturgie chrétienne ; *lat. chrét. :* latin chrétien).

cin. — terme technique du langage du *cinéma.*

cit. — *citation :* suivi d'un numéro, sert à renvoyer [par le signe →] à une citation d'un autre article, dans laquelle on trouvera le mot traité, ou (avec *ci-dessus, ci-dessous*) à une citation du même article.

civ. — *civil* (*dr. civ. :* droit civil).

class. — *classique* (*lat. class. :* latin classique [Voir *lat.*] ; *langue class. :* langue classique, français de la période classique [XVII^e siècle ; qualifie un emploi vieux (*vx*) ou *archaïque*]).

collectif, collectivt — *collectif, collectivement :* présente un mot employé au singulier pour désigner un ensemble, une pluralité.

comm. — terme de la langue *commerciale* ou terme technique concernant les activités commerciales (*dr. comm. :* droit commercial).

COMP., comp. — *composé.*

compar. — 1° *comparaison* (*par compar. :* par comparaison avec un usage-source, traité antérieurement, lorsque cette comparaison est explicite [emploi de *comme, tel...*] ; à distinguer de *par métaphore*) ; 2° *comparatif* (*loc. compar. :* locution comparative).

compl. — *complément* (ex. *compl. ind. :* complément indirect).

comptab. — terme technique de *comptabilité.*

concret — *concret :* qualifie un sens (s'oppose à *abstrait*).

cond. — *conditionnel.*

confis. — terme technique de *confiserie.*

conj. — 1° *conjonction ;* 2° *conjonctif* (dans *loc. conj.* Voir *loc.*).

conjug. — *conjugaison ;* ex. : *conjug.* placer : se conjugue comme *placer* (où les irrégularités sont mentionnées, soit à l'article même, soit, en tant que type, dans le tableau placé en annexe [6^e volume]).

constit. — *constitutionnel* (*dr. constit. :* droit constitutionnel).

constr. — terme technique de *construction.*

CONTR., contr. — *contraire :* présente les contraires, ou antonymes, d'une unité. À distinguer de *par oppos. à* (par opposition à), *opposé à.*

coord. — *coordination.*

cordonn. — terme technique de *cordonnerie.*

cour. — 1° *courant :* insiste sur le fait qu'un sens, un emploi est connu et employé de tous, notamment quand les autres sens sont techniques, savants, etc. L'absence de marque correspond aux informations : moderne, courant. — *mod. et cour. :* moderne et courant ; *plus cour. :* plus courant que d'autres sens eux-mêmes courants ; ou relativement plus courant que les autres sens (sans être très courant dans l'absolu) ; 2° *couramment.*

cout. — terme technique de *couture.* Voir *mode.*

cristallogr. — terme didactique de *cristallographie.*

cuis. — terme technique de *cuisine* (excluant le plus souvent les termes propres à la confiserie et à la pâtisserie. Voir *confis., pâtiss.*).

cybern. — terme didactique de *cybernétique.*

cytol. — terme didactique de *cytologie.*

d. — *date* (*d. i. :* date inconnue ; *d. incert. :* date incertaine). — La mention *d. i.* peut être suivie d'une indication chronologique (d. i. [XX^e] : ne saurait être antérieur à 1900 ; d. i. [mil. XX^e] : ne saurait être antérieur à 1950).

d'abord — *d'abord* (désigne un sens, un emploi premier, plus ancien, dans une étymologie).

danse — terme technique de *danse.* Voir *chorégr.*

d'après — *d'après* (tel mot) : en imitant la forme de ce mot, par son influence.

de — *de... :* dans une étymologie, signale la dérivation ou la composition (et non l'emprunt). Voir *du.*

déb. — *début* (ex. : *déb. XV^e :* au début du XV^e siècle).

déf. — *défini* (*art. déf. :* article défini).

dém. — *démonstratif.*

démogr. — terme didactique de *démographie.*

dens. *densité*.

dent. *dentaire* (*chir. dent. :* chirurgie dentaire).

déposé Voir *marque déposée, nom déposé*.

DÉR., dér. *dérivé* (*dér. sav. :* dérivé savant).

d. i. *date inconnue*.

dial. 1° *dialectal :* mot ou emploi provenant d'un dialecte, d'un patois, qui nest pas employé comme un mot du français général et n'appartient pas à l'usage bourgeois, urbain (à la différence de *régional*) ;
2° *dialecte*.

d. incert. *date incertaine*.

didact. *didactique :* mot ou emploi qui n'existe que dans la langue savante (ouvrages pédagogiques, etc.) et non dans la langue parlée ordinaire. — Les mots didactiques sont présentés par *didact.* ou par *sc.* (sciences), parfois suivi de l'abréviation d'un nom de science.

dimin. *diminutif*.

diplom. terme de la langue de la *diplomatie*.

dir. *direct* (dans *tr. dir. :* transitif direct).

div. *divers* (*loc. div. :* locutions diverses).

doc., documentation terme technique de *documentation*.

dr. terme de la langue du *droit : dr. canon, dr. civ.* (civil), *dr. comm.* (commercial), *dr. constit.* (constitutionnel), *dr. criminel, dr. fin.* (financier), *dr. fisc.* (fiscal), *dr. instit.* (institutionnel), *dr. internat.* (international), *dr. pén.* (pénal), *dr. privé, dr. publ.* (public), *dr. du travail*. Voir aussi *procéd.*

du ; de *du... :* dans une étymologie, avant le nom d'une langue, signifie *« dérivé du... »*, la forme ayant subi une évolution phonétique qui l'altère (ex. : *eau*, du lat. *aqua ; gros*, du lat. impérial *grossus*) ; *du* est absent s'il s'agit d'emprunts, même anciens (ex. : *habitation*, lat. *habitatio ; habitude*, lat. *habitudo*) ;
*de... :* précédant une forme, signifie que le mot traité est formé par dérivation ou composition à partir de celle-ci.

eaux et forêts terme technique des *eaux et forêts*. Voir *forest., sylv.*

ecclés. *ecclésiastique* (ex. : *lat. ecclés. :* latin ecclésiastique).

écol. terme didactique d'*écologie*. Voir *environnement*.

écon. terme didactique d'*économie* (*écon. polit. :* économie politique).

éduc. terme technique d'*éducation*. Voir *pédag.*

électr. terme technique d'*électricité*.

électron. terme technique d'*électronique*.

élevage terme technique d'*élevage*. Voir *zootechn.*

ellipse *ellipse* (Voir ce mot dans le dictionnaire).

ellipt 1° *elliptique ;*
2° *elliptiquement :* par ellipse, présente une expression où un terme attendu n'est pas exprimé.

embryol. terme didactique d'*embryologie*.

empr. *emprunt* à, *emprunté* à (telle langue) ; *empr. sav. :* emprunt savant. — REM. Le plus souvent, dans les étymologies, *empr.* est sous-entendu, et la forme est directement rattachée à la forme-source, précédée du nom de la langue à laquelle elle appartient. L'opposition est alors entre cette présentation et *de* ou *du*, signalant une dérivation.

enfantin *enfantin* (*lang. enfantin :* langage enfantin [mot, expression du langage des jeunes enfants, mais que les adultes peuvent employer aussi, en leur parlant ou par emploi stylistique]).

entomol. terme didactique d'*entomologie*.

env. *environ*.

environnement terme technique d'*environnement*. Voir *écol.*

épistém. terme didactique d'*épistémologie*.

équit. terme technique d'*équitation*. Voir *hippol.*

équiv. *équivalent*.

érotique emploi propre au discours *érotique* (souvent *fam. :* familier — niveau de discours — et/ou *vulg. :* vulgaire — jugement de contenu).

escr. terme technique d'*escrime*.

esp. *espagnol* (langue).

ethnogr. terme didactique d'*ethnographie*.

ethnol. terme didactique d'*ethnologie*.

éthol. terme didactique d'*éthologie*.

étym. *étymologie*. Voir *orig.*

euphém. *euphémisme* (*par euphém. :* par euphémisme, qualifie une valeur d'emploi qui remplace un terme plus cru, désignant par exemple un référent sexuel, scatologique, etc.).

ex. *exemple* (*par ex. :* par exemple).

exagér. *exagération* (*par exagér. :* par exagération, présente un sens, une expression emphatique).

exclam. *exclamation ; exclamatif*.

expr. *expression* (*dans quelques expr. :* sens qui n'existe que dans quelques expressions).

ext. (par) *par extension :* présente une acception ou une valeur plus large, plus étendue que celle qui vient d'être traitée (s'oppose logiquement à *spécialt :* spécialement).

f., fém. *féminin* (*n. f. :* nom féminin ; *adj. f. :* adjectif féminin ; *au fém. :* au féminin).

fam. *familier :* qualifie un mot ou un sens appartenant à l'usage parlé ou écrit de la langue quotidienne : conversation, etc., mais qui ne s'emploierait pas dans les circonstances solennelles (*argot fam. :* argot familier [Voir *argot*] ; *loc. fam. :* locution familière). — *fam.* concerne le niveau de discours et ne signale pas une appartenance sociale, à la différence de *pop.* (populaire).

fauconn. terme technique de *fauconnerie*.

fém. *féminin*. Voir *f.*

féod. terme spécial concernant la *féodalité*, utilisé par les historiens, les juristes, etc.

fig. *figuré :* qualifie un sens issu d'une image (valeur abstraite correspondant à un sens concret). — *au fig. :* au figuré (opposé à : *au propre*) ; *loc. fig. :* locution figurée. — *fig.* est à distinguer de *par métaphore*.

fin. — 1° terme technique de *finances ;* 2° *financier* (*dr. fin. :* droit financier).

fisc. — *fiscal* (*dr. fisc. :* droit fiscal).

forest. — terme technique de *foresterie.* Voir *sylv.*

fortif. — terme technique de *fortifications.*

franç. — *français* (langue) ; *anc. franç. :* ancien français ; *moy. franç. :* moyen français ; *franç. mod. :* français moderne. — Le français du XVII^e siècle, ou français classique, est parfois signalé comme *langue class.* (langue classique). Voir *class.*

francique — *francique* (langue germanique occidentale des Francs, reconstituée à partir de l'ensemble des langues germaniques du moyen âge, qui a donné de nombreux mots au français médiéval). Le concept correspond à l'expression technique : *ancien bas francique*, les autres acceptions de *francique* (utilisées en dialectologie allemande) n'étant pas utilisées dans le dictionnaire.

gaul. — *gaulois* (langue).

gén. — *général* (*en gén. :* en général).

généralt — *généralement,* le plus souvent.

géochim. — terme didactique de *géochimie.*

géod. — terme didactique de *géodésie.*

géogr. — terme didactique de *géographie.*

géol. — terme didactique de *géologie.*

géom. — terme didactique de *géométrie.*

géomorphol. — terme didactique de *géomorphologie.*

géophys. — terme didactique de *géophysique.*

gotique — *gotique* (langue germanique). Voir l'article du dictionnaire.

gramm. — terme didactique de *grammaire.*

grec — *grec* (langue) ; employé seul : grec ancien ; *grec byz. :* grec byzantin ; *grec mod. :* grec moderne. — *Antiq. grecque, hist. grecque :* Antiquité grecque, histoire grecque.

hébr. — *hébreu* (langue).

hippol. — terme technique ou didactique d'*hippologie.*

hist. — terme didactique d'*histoire ; hist. médiévale ; hist. mod. :* histoire moderne ; *hist. des sc. :* histoire des sciences ; *hist. relig. :* histoire des religions, etc. Voir *Antiq., archéol., préhist.* — *hist. littér. :* terme didactique d'histoire littéraire (ne pas confondre avec *littér.* « littéraire ») ; *hist. mus. :* histoire de la musique.

hist. nat. — terme didactique d'*histoire naturelle* (notion ancienne, en général remplacée par *sc. nat.* [sciences naturelles]).

histol. — terme didactique d'*histologie.*

holl. — *hollandais* (langue). Voir *néerl.*

HOM. — *homonyme* (en fin d'article, présente la forme — ou les formes — ayant la même prononciation que le mot traité ; exclut les paronymes, qui peuvent ne différer que par un trait phonologique [qualité d'une voyelle, par exemple]).

horlog. — terme technique d'*horlogerie.*

hortic. — terme technique d'*horticulture.* Voir *arbor., jard.*

hydrogr. — terme didactique d'*hydrographie.*

hyg. — terme technique d'*hygiène.*

hyperb. — *hyperbole* (*par hyperb. :* par hyperbole).

hypocoristique — *hypocoristique :* mot ou emploi affectueux, souvent appellatif de nature affective.

i. — *inconnu* (*d. i. :* date inconnue ; *orig. i. :* origine inconnue).

iconogr., iconographie — terme technique d'*iconographie.*

imp. — *imparfait* (temps du verbe).

impér. — *impératif* (mode du verbe).

impérial — *impérial* dans *lat. impérial.* Voir *lat.*).

impers. — 1° *impersonnel* (*v. impers. :* verbe impersonnel) : 2° *impersonnellement* (emploi impersonnel d'un verbe personnel).

imprim. — terme technique d'*imprimerie.* Voir *typogr.*

impropre, improprt — *impropre, improprement* (emploi critiquable, sur le plan syntaxique ou sémantique).

*in* — *dans* (un ouvrage, un texte utilisé comme référence bibliographique ou philologique).

incert. — *incertain* (*d. incert. :* date incertaine ; *orig. incert. :* origine incertaine).

ind. — *indirect* (*v. tr. ind. :* verbe transitif indirect, dont l'objet est introduit par une préposition ; *compl. ind. :* complément indirect, introduit par une préposition).

indéf. — *indéfini.*

indic. — *indicatif* (mode du verbe).

industr. — *industrie* ou *industriel* (mot, sens ou emploi propre à l'usage technique particulier à un secteur du domaine industriel) ; *industr. chim. :* industrie chimique ; *industr. textile :* industrie textile.

inf. — *infinitif* (mode du verbe).

infl. — *influence* (d'une forme ou d'un sens).

inform. — terme technique d'*informatique.*

*infra* — *infra :* au-dessous de. Suivi de *cit.* (citation) et du numéro de la citation concernée, sert à situer, dans un article auquel on renvoie, le lieu où l'on trouvera une information.

injure, injurieux — *injure, injurieux :* qualifie un terme, un emploi ou une locution dont le contenu sémantique implique le désir de blesser, d'insulter (plus fort que *péj. :* péjoratif) ; *injure raciste :* terme ou emploi insultant, fondé sur le préjugé ou la haine raciste.

instit. — 1° terme spécial au vocabulaire des *institutions ;* 2° *institutionnel* (*dr. instit. :* droit institutionnel).

interj. — 1° *interjection ;* 2° *interjectif* (*loc. interj. :* locution interjective).

interm. — *intermédiaire* (dans *par l'interm. :* par l'intermédiaire [d'une langue qui a véhiculé le mot]).

internat. — *international* (ex. : *dr. internat.*).

| | |
|---|---|
| interrog. | *interrogation ; interrogatif.* |
| intr., intrans. | *intransitif* (*v. intr. :* verbe intransitif, qui n'a jamais de complément d'objet dans le sens envisagé. — Ne pas confondre avec *absolt* [absolument], ni avec *tr. ind.* [transitif indirect]). |
| intrans. | *intransitif* [Voir *intr.*] ; *intransitivement* (passage d'un transitif à un emploi intransitif). |
| inus. | *inusité :* emploi qui est, ou extrêmement rare, ou non attesté hors des dictionnaires. |
| invar. | *invariable* (*invar. en genre :* invariable en genre [adjectifs] ; *invar. :* invariable en genre et en nombre [noms et adjectifs]). |
| iron. | *ironique, ironiquement,* pour se moquer (souvent par antiphrase. Voir *antiphr.*). |
| irrég. | *irrégulier.* |
| ital. | *italien* (langue). |
| jap. | *japonais* (langue). |
| jard. | terme technique de *jardinage.* Voir *hortic.* |
| jeux | terme spécial à la langue des *jeux,* à un *jeu* (et peu connu dans l'usage général). |
| joaill. | terme technique de *joaillerie.* Voir aussi *bijout., orfèvr.* |
| journal. | terme particulier à l'usage du milieu de la presse, du *journalisme.* |
| judic. | *judiciaire.* |
| jurid. | *juridique* (*lat. jurid. :* latin juridique). |
| lang. | *langage* (ex. *lang. enfantin.* Voir *enfantin*). — Dans ce type d'emploi, « langage » est synonyme de « usage ». |
| lat. | *latin* (langue) ; employé seul ou *lat. class. :* latin classique, de l'époque de Cicéron ; *lat. impérial ; bas lat. :* bas latin, latin ancien mais tardif, postérieur au latin classique ; *lat. médiéval ; lat. pop. :* latin populaire [correspond parfois à des formes non attestées, précédées de*] ; *lat. chrét.* (chrétien) ; *lat. ecclés.* (ecclésiastique) ; *lat. sav. :* latin savant, forgé par les savants avec les racines du lat. class., et servant de langue scientifique universelle ; *lat. sc.* (scientifique) ; *lat. bot.* (botanique) ; *lat. zool.* (zoologique) ; *lat. jurid.* (juridique) ; *lat. médical ; — loc. lat. :* locution latine. |
| législ. | terme technique de *législation* (*législ. soc. :* législation sociale). |
| ling. | terme didactique de *linguistique.* |
| littér. | 1° terme didactique des études *littéraires,* ou de *littérature* (théorie, critique et histoire). Voir *hist. (hist. littér.) ;* 2° *littéraire :* désigne un mot qui n'est pas d'usage familier, qui s'emploie surtout dans l'usage écrit et soutenu. Un tel mot a généralement des synonymes d'emploi plus courant. Voir aussi *poét. — allus. littér. :* allusion littéraire ; *archaïsme littér. :* archaïsme littéraire. |
| littéralt | *littéralement,* mot pour mot. |
| liturgie | terme didactique de *liturgie* (*liturgie cathol., liturgie chrét. :* liturgie catholique, chrétienne). Voir *relig.* |
| loc. | *locution* (groupe de mots formant une unité et ne pouvant pas être modifié à volonté ; certaines ont la valeur d'un mot grammatical) ; *loc. adj. :* locution adjective, à valeur d'adjectif ; *loc. adv. :* locution adverbiale, à valeur d'adverbe ; *loc. conj. :* locution conjonctive, à valeur de conjonction ; *loc. prép. :* locution prépositive, à valeur de préposition ; *loc. verb. :* locution verbale, à valeur de verbe ; *loc. interj. :* locution interjective. — *loc. fig. :* locution figurée ; *loc. compar. :* locution comparative ; *loc. métaphorique :* locution métaphorique ; *loc. prov. :* locution proverbiale ; *loc. div. :* locutions diverses ; — *loc. fam. :* locution familière ; *loc. argotique :* locution argotique. — *loc. lat. :* locution latine. |
| log. | terme didactique de *logique.* |
| m., masc. | *masculin* (*n. m. :* nom masculin ; *adj. m. :* adjectif masculin ; *au masc. :* au masculin). Le nom masculin s'emploie aussi à propos d'une femme si la définition commence par : Personne qui... S'il ne s'applique qu'à des hommes, la définition commence par : Celui qui... |
| maçonn. | terme technique de *maçonnerie.* |
| mar. | 1° terme technique ou didactique de *marine* concernant les navires, la navigation et utilisé par les marins, les spécialistes seulement ; 2° *maritime,* des marins (*argot mar. :* argot des marins). |
| marque, marque déposée | *marque déposée :* caractérise un mot dont l'usage est réglementé et qui bénéficie d'une protection légale. Voir *nom déposé.* |
| masc. | *masculin.* Voir *m.* |
| math. | terme didactique de *mathématiques.* |
| mécan. | terme didactique de *mécanique.* |
| mécanogr. | terme technique de *mécanographie.* |
| méd. | terme didactique de *médecine* (Voir *biol., pathol., physiol.*). |
| médiéval | *médiéval :* propre au moyen âge (*lat. médiéval :* latin médiéval ; *hist. médiévale :* histoire médiévale). |
| menuis. | terme technique de *menuiserie.* |
| mérid. | *méridional,* du midi de la France. |
| métall. | terme technique de *métallurgie.* |
| métaphore | *métaphore* (*par métaphore :* comparaison implicite intermédiaire entre le propre et le figuré [Voir *fig.*], mais distincte du sens figuré en ce qu'elle implique un sémantisme de même niveau [une « isotopie »] pour plusieurs mots de l'énoncé). |
| météor. | terme didactique de *météorologie.* |
| métonymie | *métonymie* (Voir ce mot dans le dictionnaire) ; *par métonymie :* introduit un emploi issu d'un autre emploi par cette figure. |
| métrol. | terme technique de *métrologie.* |
| microbiol. | terme didactique de *microbiologie.* |
| mil. | *milieu* (devant l'indication d'un siècle ; *mil. XX^e^ :* mot ou sens apparu en français au milieu du XX^e^ siècle, vers 1950). Ce repérage approximatif correspond souvent à l'absence d'attestation précise (ou à des attestations plus |

tardives) et est parfois précédé de *d. i.* (date inconnue).

milit. terme technique du langage *militaire.*

minér. terme didactique de *minéralogie.*

mod. *moderne* 1° insiste sur le fait qu'un sens, un emploi est d'usage actuel, quand le sens précédent ou les emplois voisins sont vieux *(vx), vieillis, archaïques* (abandonnés). — *mod. et littér. :* moderne et littéraire ; *mod. et cour. :* moderne et courant ;
2° *franç. mod. :* français moderne ; *grec mod. :* grec moderne ; *lat. mod. :* latin moderne ; — *hist. mod. :* histoire moderne.

mode (t. de), modes terme technique des arts et du commerce de la *mode.* Voir *cout.*

mor. terme didactique de *morale.*

moy. *moyen* (*moy. franç. :* moyen français, XIVe et XVe siècles).

mus. terme technique de *musique. — hist. mus. :* terme didactique de l'histoire de la musique.

myth. terme didactique de *mythologie.*

n. *nom,* substantif ; *n. m. : nom masculin ; n. f. :* nom féminin ; *n. m. pl. :* nom masculin pluriel ; *n. pr. :* nom propre... ; — *n. sc. ;* nom scientifique ; — *n. déposé :* nom déposé ; — *(n. de chose).* Voir *(choses) ; (n. de personne).* Voir *(personnes).*

n° *numéro. — n° at. :* numéro atomique.

nat. *naturel* (*hist. nat. :* histoire naturelle ; *sc. nat. :* sciences naturelles).

N. B. *nota bene.*

néerl. *néerlandais* (langue). Voir *holl.*

nom déposé *nom déposé :* nom appartenant à une firme commerciale, mais utilisé comme nom commun. Voir *marque déposée* (si le nom déposé est celui d'une marque).

nomencl. *nomenclature.*

norv. *norvégien* (langue).

nucl. terme spécial au domaine *nucléaire* (ex. *phys. nucl. :* physique nucléaire).

numism. terme didactique de *numismatique.* Voir *archéol.*

océanogr. terme didactique d'*océanographie.*

océanol. terme didactique d'*océanologie.*

œnol. terme technique d'*œnologie.*

off. 1° *officiel* (*recomm. off. :* recommandation officielle) :
2° *officiellement.*

onomat. 1° *onomatopée* ou formation expressive ;
2° *onomatopéique.*

ophtalm. terme technique d'*ophtalmologie.*

oppos. *opposition (par oppos. à...).* Est employé à l'intérieur de l'article, pour signaler une opposition sémantique concernant un emploi, une locution, etc. À distinguer de contraire ou antonyme (Voir *contr.*).

opposé à introduit un mot de sens opposé, en opposition permanente, qui sert à éclairer le sens du mot défini, à l'intérieur de l'article (concerne un emploi, une locution, etc.).

opt. terme didactique ou technique d'*optique.*

orfèvr. terme technique d'*orfèvrerie.* Voir aussi *joaill.*

organ. *organique* (*chim. organ. :* chimie organique).

orig. *origine* (d'un mot, d'une forme) [Voir *étym.*] ; *orig. i. :* origine inconnue ; *orig. incert. :* origine incertaine.

orth. 1° *orthographe ;*
2° *orthographique* (*var. orth. :* variante orthographique).

p. 1° *page ;*
2° *participe.* Voir *p. p., p. prés. ;*
3° *poids* (*p. at. :* poids atomique).

paléont. terme didactique de *paléontologie.*

papet. terme technique de *papeterie.*

partic. (en) *en particulier.*

particult *particulièrement :* concernant telle situation, tel objet particuliers. À distinguer de *spécialt* (spécialement), qui concerne le sens, et non pas le référent.

pathol. terme didactique de *pathologie.* Voir *physiol.* et *méd.*

pâtiss. terme technique de *pâtisserie.* Voir *cuis.*

p.-ê. *peut-être.*

pêche terme technique de *pêche* (Voir *mar.*).

pédag. terme didactique de *pédagogie.* Voir *éduc.*

pédol. terme didactique de *pédologie.*

peint. terme technique ou didactique de *peinture.*

péj. *péjoratif ; péjorativement* (avec mépris, en mauvaise part). Certains termes péjoratifs peuvent être *injurieux.*

pén. *pénal* (*dr. pén. :* droit pénal).

pers. 1° *personne* (ex. 1re *pers.* du prés.) ;
2° *personnel* (*pron. pers. :* pronom personnel).

(personnes) présente un sens, un emploi où le mot (adjectif, verbe) ne peut s'employer qu'avec des noms de *personnes ;* s'oppose à *(choses) ;* ex. : (sujet *n. de personne,* compl. *n. de personne*) : s'oppose à *(n. de chose).*

pharm. terme technique ou didactique de *pharmacie.*

parmacol. terme didactique de *pharmacologie.*

philos. terme didactique de *philosophie* (Voir *épistém., log., mor.*).

phonét. terme didactique de *phonétique.*

photogr. terme technique de *photographie.*

phys. terme didactique ou technique de *physique* (*phys. nucl. :* physique nucléaire).

physiol. terme didactique de *physiologie.* Voir *pathol.* et *méd.*

pl., plur. *pluriel* (ex. *n. m. pl. :* nom masculin pluriel ; *au plur. :* au pluriel).

plais., plaisant 1° *plaisanterie (par plais.), plaisant :* emploi qui vise à être drôle, à amuser ;
2° *plaisamment.*

plur. *pluriel.* Voir *pl.*

poét. *poétique :* mot ou emploi appartenant à l'usage littéraire (Voir *littér.* « littéraire »), utilisé notamment en poésie, surtout dans la poésie classique et postclassique, où la hiérarchie des genres entraîne des spécialisations lexicales.

polit. 1° terme didactique ou spécial de *politique* ; 2° *politique* (*écon. polit.* : économie politique).

pop. *populaire* : qualifie un mot ou un sens courant dans la langue parlée des milieux populaires (parfois argot ancien répandu), qui ne s'emploierait pas normalement dans un milieu social élevé. À distinguer de *fam.* (familier), qui concerne un niveau de discours. — *lat. pop.* : latin populaire. Voir *lat.*

port. *portugais* (langue).

poss. *possessif* (*adj. poss.* : adjectif possessif ; *pron. poss.* : pronom possessif).

p. p. *participe passé* ; *p. p. adj.* : participe passé adjectif ; *p. p.* ou *au p. p.* : participe passé. — REM. Les participes passés adjectifs (*p. p. adj.*) lexicalisés (sentis comme indépendants du verbe) sont traités à l'ordre alphabétique. Les autres sont mentionnés au verbe, soit en fin d'article, dans un paragraphe présenté par la forme en capitales, soit en cours d'article, parfois rattachés aux emplois passifs (certains sont donnés en exemple sans mention particulière, après un —).

p. prés. *participe présent.* — REM. Ils sont plus souvent traités comme des adjectifs lexicalisés que les participes passés.

pr. *propre* (dans *n. pr.* : nom propre).

précéd. *précédent* (surtout : mot précédent, dans l'ordre alphabétique).

préf. *préfixe.*

préhist. *préhistoire.*

prép. 1° *préposition* ; 2° *prépositif* (dans *loc. prép.* Voir *loc.*).

prépositivt *prépositivement.*

prés. 1° *présent* (temps du verbe) ; 2° *p. prés.* : participe présent.

priv. *privatif.*

probablt *probablement.*

procéd. terme didactique de *procédure*, appartenant à l'usage juridique. Voir *dr.*

pron. 1° *pronom* (*pron. pers.* : pronom personnel, *dém.* : démonstratif, *indéf.* : indéfini, *poss.* : possessif, *rel.* ; relatif) ; 2° *pronominal* (*v. pron.* : verbe pronominal ; *v. pron. réfl.* : verbe pronominal réfléchi, *récipr.* : réciproque).

prononc. *prononciation.*

propre (au) *au* sens *propre* (opposé à : *au figuré.* Voir *fig.*).

proprt *proprement* : désigne le sens premier d'un mot dont est issu un mot français, quand c'est dans un autre sens qu'il a été pris.

prov. 1° *proverbe* ; 2° *proverbial* (dans *loc. prov.* Voir *loc.*).

psychan. terme didactique de *psychanalyse.*

psychiatrie terme didactique de *psychiatrie.*

psychol. terme didactique de *psychologie.*

psychopath. terme didactique de *psychopathologie.*

publ. *public* (*dr. publ.* : droit public ; *trav. publ.* : travaux publics).

publicité terme technique de *publicité.*

qqch., quelque chose *quelque chose* : sert à présenter, dans une définition ou un exemple, une catégorie de mots (sujet, complément d'un verbe, etc.). Voir *(choses)* [sujet, compl. n. de choses, etc.].

qqn, quelqu'un *quelqu'un* : sert à présenter, dans une définition ou un exemple, une catégorie de mots. Voir *(personnes)* [sujet, compl. n. de personnes, etc.].

rac. *racine.*

rad. *radical.*

radio terme technique de *radio* (radiotéléphonie, radiotélégraphie ou radiodiffusion).

radioélectr. terme technique de *radioélectricité.*

rare mot qui, dans son usage particulier (il peut être didactique, technique, etc.), n'est employé qu'exceptionnellement.

récipr. *réciproque* (*v. pron. récipr.* : verbe pronominal réciproque).

recomm. off. *recommandation officielle* : termes et expressions approuvés ou recommandés par arrêté ministériel, en application des décrets relatifs à l'enrichissement de la langue française.

réfect. *réfection* (modification d'une forme plus ancienne, sous l'influence d'une forme du latin classique, etc.).

réfl. *réfléchi* (*v. pron. réfl.* : verbe pronominal réfléchi).

régional *régional* (mot ou emploi particulier au français parlé dans une ou plusieurs régions, mais qui n'est pas d'usage général ou qui est senti comme propre à une région). — *régional* désigne les emplois propres à une région géographique (partie de la France, pays francophones) qui ne sont pas connus dans l'ensemble de la francophonie. Dans certains cas où le mot, le sens était normalisé (institutionnel), on a employé la formule : « en français de... », suivie du nom de la zone concernée. — À distinguer de *dial.* (dialectal).

rel. *relatif* (*pron. rel.* : pronom relatif).

relig. terme didactique de *religion.* Voir aussi *liturgie, théol.* — *hist. relig.* : histoire des religions.

reliure terme technique de *reliure.*

REM. *remarque.*

rhét. terme didactique de *rhétorique.*

rom. *romain* (*Antiq. rom.* : antiquité romaine).

s. *siècle* (dans les étymologies, *siècle* n'est pas mentionné [XVI[e] : XVIe siècle]).

sav. *savant* (ex. : *lat. sav.* : latin savant ; *dér. sav.* : dérivé savant ; *empr. sav.* : emprunt savant).

sc. 1° terme didactique du langage scientifique, appartenant en général au domaine de plusieurs *sciences* (sinon, on indique la science concernée). — *hist. des sc.* : histoire des sciences ; 2° *scientifique* (*lat. sc.* : latin scientifique ; *n. sc.* : nom scientifique).

sc. nat. terme didactique de *sciences naturelles* (comprenant la botanique, la zoologie, la minéralogie, etc.).

| | |
|---|---|
| scol. | *scolaire* (*argot scol.* : argot scolaire). |
| scolast. | terme didactique de *scolastique*. |
| sculpt. | terme technique de *sculpture*. |
| sémiol., sémiot. | terme didactique de *sémiologie*, de *sémiotique*. |
| serrur. | terme technique de *serrurerie*. |
| seult | *seulement*. |
| sing. | *singulier* (*au sing.* : au singulier). |
| soc. | *social* (ex. *législ. soc.* : législation sociale). |
| sociol. | terme didactique de *sociologie*. |
| sorcell. | terme de *sorcellerie*. |
| spécialt | *spécialement* (dans un sens plus étroit, moins étendu ; s'oppose à *par ext.*). Distinct de *particult* (particulièrement), qui concerne les référents, les objets désignés. |
| spectacles | terme technique concernant les *spectacles*, les arts du spectacle (cinéma, théâtre, chanson...). |
| spéléol. | terme technique de *spéléologie*. |
| sport, sports | terme technique du langage des *sports* (et peu connu du grand public) ; certains termes sont présentés par le nom du sport où ils sont employés : *aviron, football, tennis*, etc. |
| statist. | terme didactique de *statistique*. |
| sténogr. | terme technique de *sténographie*. |
| subj. | *subjonctif* (mode du verbe). |
| subst. | 1° *substantif, substantivement* (emploi comme nom d'un adjectif, d'un participe). Voir *n* ; 2° *substantivé*. |
| suéd. | *suédois* (langue). |
| suff. | *suffixe*. |
| superl. | *superlatif*. |
| *supra* | *supra* : au-dessus de. Suivi de *cit.* (citation) et du numéro de la citation concernée, sert à situer, dans un article auquel on renvoie, le lieu où l'on trouvera une information. |
| syll. | *syllabe*. |
| sylv. | terme technique de *sylviculture*. Voir *arbor., forest., eaux et forêts*. |
| symb. | *symbole* (symbole d'une unité de mesure, symbole chimique, etc.). |
| syn. | *synonyme*. |
| t. | *terme* ([*en*] *t. de...* : [en] termes de..., dans le langage spécial de telle technique ou activité). |
| taurom. | terme technique de *tauromachie*. |
| techn. | *technique* : qualifie un mot ou un sens appartenant au langage technique, et peu ou mal connu de l'ensemble du public ; quand il s'agit d'une technique particulière et importante, *techn.* est remplacé par le nom de cette technique (*aviat., autom., électr., photogr.*, etc.). |
| technol. | terme didactique de *technologie*. |
| télécomm. | terme technique de *télécommunications*. |
| télév. | terme technique de *télévision*. |
| théâtre | terme technique de *théâtre*. |
| théol. | terme didactique de *théologie*. Voir aussi *relig*. |
| topogr. | terme technique de *topographie*. |
| tr., trans. | *transitif* (*v. tr.* : verbe transitif, qui a un complément d'objet [exprimé ou non] ; *tr. dir.* : transitif direct ; *tr. ind.* : transitif indirect ; *emploi trans.* : emploi transitif [d'un verbe intransitif]). |
| trad. | *traduction* (de telle langue ; de tel auteur). |
| trans. | *transitif*. Voir *tr*. |
| trav. publ. | terme technique de *travaux publics*. |
| turf | terme spécial au milieu du *turf*, des courses de chevaux. |
| typogr. | terme technique de *typographie*. Voir *imprim*. |
| v. | *verbe* (*v. intr.* ; *v. tr.* ; *v. pron.* ; *v. impers.*). |
| V., v. | *vers* (devant une date). |
| V. | *voir* (notamment dans les rubriques finales des articles : dérivés et composés, pour signaler des formes indirectement rattachées au mot de base [par le latin, etc.]). |
| var. | *variante* (*var. graphique* : variante graphique ; *var. anc.* : variante ancienne). |
| vén. | terme technique de *vénerie*. |
| verb. | *verbal* (*loc. verb.* : locution verbale) ; *adj. verb.* : adjectif verbal. |
| vétér., art vétér. | mot technique de l'*art vétérinaire* ; quand il s'agit du cheval, voir *hippol*. |
| vieilli | mot, sens ou expression encore compréhensible de nos jours, mais qui ne s'emploie plus naturellement dans la langue parlée courante. Distinct de *vx* (vieux). |
| virtuel | *virtuel* : qualifie une forme normale selon les règles usuelles de la morphologie du français mais qui n'est pas, au moment de la rédaction du dictionnaire, attestée dans notre documentation. De nombreux féminins, notamment ceux des noms de métiers, sont virtuels, et seront très probablement en usage dans l'avenir. |
| vitic. | terme technique de *viticulture*. |
| voc. | *vocabulaire*. |
| vulg. | *vulgaire* : mot, sens ou emploi choquant, souvent familier *(fam.)* ou populaire *(pop.)*, qu'on ne peut employer dans un discours soucieux de correction, de bienséances, quelle que soit la classe sociale. |
| vx | *vieux* (mot, sens ou emploi de l'ancienne langue, incompréhensible ou peu compréhensible de nos jours et jamais employé, sauf par effet de style : *archaïsme*). — Distinct de *vieilli*. — Ne pas confondre avec *ancienn*. — Certains mots ou emplois qualifiés de *vx* appartiennent à la langue classique (Voir *class*.). |
| zool. | 1° terme didactique de *zoologie* ; 2° *zoologique* (*lat. zool.* : latin zoologique). |
| zootechn. | terme technique de *zootechnie*. Voir *élevage*. |

# ANNEXE : TABLEAU DES ABRÉVIATIONS ET SIGLES PROPRES AUX RÉFÉRENCES BIBLIOGRAPHIQUES

| | |
|---|---|
| Académie, Acad. | *Dictionnaire de l'Académie française* (éventuellement, date de l'édition). |
| A. C. C. T. | Agence de coopération culturelle et technique. |
| AFNOR | Association française de normalisation. |
| AFTERM | Association française de terminologie. |
| Année sc. et industr. | *l'Année scientifique et industrielle* (publication). |
| art. | article (d'un ouvrage : dictionnaire, édition d'un Code, etc.). |
| A. U. P. E. L. F. | Association des universités partiellement ou entièrement de langue française. |
| avr. | avril. |
| chap. | chapitre. |
| C. I. L. F. | Conseil international de la langue française. |
| C. N. R. S. | Centre national de la recherche scientifique. |
| coll. | collection. |
| Compl. | Complément (d'un ouvrage). |
| Corresp. | Correspondance. |
| D. D. L. | *Datations et Documents lexicographiques.* |
| déc. | décembre. |
| Dict. | Dictionnaire. |
| Disc. | Discours. |
| éd. | édition. |
| Encycl. | Encyclopédie. |
| Encycl. franç. | *Encyclopédie française* (fondée par Anatole de Monzie). |
| Encycl. Pl. | *Encyclopédie de la Pléiade* (Éd. Gallimard). |
| Encycl. Univ. | *Encyclopœdia Universalis.* |
| Encyclopédie | *Encyclopédie, ou Dictionnaire raisonné des sciences, des arts et des métiers* (Diderot et d'Alembert). |
| *et al.* | *et alii.* |
| févr. | février. |
| F. E. W. (ou F. e. w.) | *Französisches Etymologisches Wörterbuch,* par Walther von Wartburg. |
| franç. | français. |
| Franç. mod. | *le Français moderne* (publication périodique). |
| G. L. E. | *Grand Larousse encyclopédique.* |
| G. L. L. F. | *Grand Larousse de la langue française.* |
| Hist. | Histoire. |
| H. L. F. | *Histoire de la langue française...,* par Ferdinand Brunot. |
| *ibid.* | *ibidem.* |
| *id.* | *idem.* |
| I. F. A. | *Inventaire des particularités lexicales du français en Afrique noire.* |
| I. G. L. F. | *Inventaire général de la langue française.* |
| *in* | *in :* dans (un ouvrage, un texte). |
| I. N. A. L. F. | Institut national de la langue française. |
| Introd. | Introduction. |
| janv. | janvier. |
| Journ. off. | *Journal officiel.* |
| juil. | juillet. |
| L. de Poche | Le Livre de Poche. |
| Nouvel Obs. | *le Nouvel Observateur* (publication périodique). |
| nov. | novembre. |
| oct. | octobre. |
| Œ. ; Œ. compl. ; Œ. roman. | *Œuvres ; Œuvres complètes ; Œuvres romanesques.* |
| p. | page. |
| Pl. | Pléiade : collection « Bibliothèque de la Pléiade » (Éd. Gallimard). |
| préf. | préface. |
| rééd. | réédition. |
| Rev. des cours sc. | *Revue des cours scientifiques* (publication). |
| Rev. gén. des sc. | *Revue générale des sciences* (publication). |
| R. E. W. | *Romanisches Etymologisches Wörterbuch,* par Wilhelm Meyer-Lübke. |
| *s. d.* | *sine data :* sans date. |
| *s. n.* | *sine nomine :* sans nom d'éditeur. |
| sept. | septembre. |
| *sq.* | *sequiturque :* et suivant(e). |
| *sqq.* | *sequunturque :* et suivant(e)s. |
| Suppl. | Supplément (à un ouvrage). |
| t. | tome. |
| T. L. | *Altfranzösisches Wörterbuch,* par Adolf Tobler et Erhard Lommatzsch. |
| T. L. F. | *Trésor de la langue française.* |
| trad. | traduction (de tel auteur). |
| U. F. O. D. | Union française des organismes de documentation. |
| v. | vers ; verset. |
| Voc. | Vocabulaire. |
| vol. | volume. |

**N.B. Pour les ouvrages de référence, se reporter aussi à la bibliographie en fin du sixième volume ; on les trouvera sous le nom de leur auteur, ou, pour certains dictionnaires, sous leur titre ou sous le nom de leur éditeur.**

# CORRESPONDANCES DES PRINCIPALES DATATIONS DE MOTS

Bien que toutes les datations données dans le dictionnaire correspondent à un texte précis, signalé dans les ouvrages spécialisés (notamment le *Französisches Etymologisches Wörterbuch* de Walther von Wartburg) ou conservé dans les archives de la rédaction (ceci pour les dates nouvellement découvertes), l'absence de référence pourrait paraître gênante à certains lecteurs. C'est pourquoi nous présentons ici une liste des textes ayant fourni les attestations les plus nombreuses. Les textes médiévaux sont notamment daté d'après Walther von Wartburg (F. E. W.), Raphaël Lévy (L.), ou le *Trésor de la langue française*.

Pour le moyen âge, on a signalé les textes les plus utilisés ; à partir du XVIe siècle, seuls sont cités les ouvrages importants pour l'histoire de la langue (dictionnaires, traités, etc.).

La bibliographie complète des références se trouve à la fin du neuvième volume. Enfin, on trouvera une chronologie détaillée et plus complète dans le *Dictionnaire historique de la langue française*.

| | |
|---|---|
| VIIIe s. | *Gloses de Reichenau.* |
| 842 | *Serments de Strasbourg.* |
| v. 880 | *Poème de sainte Eulalie.* |
| Xe s. (v. 980 F. E. W.) | *Jonas.* |
| v. 980 | *Passion du Christ.* |
| Xe s. | *Vie de saint Léger.* |
| 1050 | *Vie de saint Alexis.* |
| 1080 | *Chanson de Roland.* |
| déb. XIIe s. | *Couronnement de Louis.* |
| déb. XIIe (1156 L.) | *Roman de Thèbes.* |
| *id.* | *Voyage de Charlemagne.* |
| 1112 | *Le Voyage de saint Brendan.* |
| 1120 | *Psautiers de Cambridge* et *d'Oxford.* |
| v. 1119 ou 1125 (F. E. W.) | *Bestiaire et Comput* de Philippe de Thaun. |
| v. 1130 | *Chanson de Guillaume.* |
| 1130 | *Job.* |
| v. 1130 (1160 L.) | *Eneas.* |
| 1138 (v. 1180 F. E. W., 1185 L.) | *Vie de saint Gilles.* |
| v. 1150 | *Pèlerinage de Charlemagne.* |
| 1155 | *Roman de Brut* de Wace. |
| v. 1160 | *Tristan* de Béroul. |
| 1160 | *Roman de Rou* de Wace. |
| 1170 | *Fierabras.* |
| v. 1172 ou 1160 | *Chronique des ducs de Normandie.* |
| 1170 (ou v. 1190) | *Les 4 livres des rois.* |
| 1170-1180 | Principales œuvres de Chrétien de Troyes. |
| 1175 | *Le Chevalier au lion* de Chrétien de Troyes. |
| 1180 (ou fin XIIe) | *Roman d'Alexandre.* |
| v. 1180 | *Aimeri de Narbonne.* |
| *id.* | *Girart de Roussillon.* |
| v. 1190 | *Sermons de saint Bernard.* |
| *id.* | *Œuvres* de Jean Bodel. |
| *id.* (ou 1172-1174) | *Saint Thomas le martyr* de Garnier de Pont Sainte-Maxence. |
| fin XIIe s. (entre 1180 et 1210) | *Raoul de Cambrai.* |
| fin XIIe-XIIIe s. (1175-1250) | *Roman de Renart.* |
| XIIe-XIIIe s. (versions XIIe et v. 1220) | *Roncevaux.* |
| fin XIIe s. (1220 F. E. W.) | *Huon de Bordeaux.* |
| fin XIIe s. | *Geste des Loherains.* |
| *id.* | *Dialogues de saint Grégoire.* |
| *id.* | *Louis de Guillaume le Conquérant.* |
| *id.* | *Aucassin et Nicolette.* |
| 2e moitié XIIe s. | *Fables* : v. 1180 ; *Lais* (de Marie de France) : v. 1165. |
| XIIIe s. | *Garin le Loherains.* |
| *id.* | *Isopet de Lyon.* |
| v. 1200 | *La Règle de saint Benoît.* |
| 1205 | *Doon de Mayence.* |
| 1206 | *Bible* de Guiot de Provins. |
| 1213 | *Fets des Romains.* |
| 1214 | Vie de saint Grégoire. |
| 1218 | Lancelot du Lac. |
| 1220 | La Queste du saint Graal. |
| v. 1220 | Mistère de la sainte Vierge de G. de Coincy. |
| 1240 | *Roman de la Rose I* de G. de Lorris. |
| v. 1250 | *Les Enfances Guillaume.* |
| *id.* (1274 L.) | *Li Regres Nostre Dame* de Huon de Cambrai. |
| 1256 | *Aldebrandin de Sienne.* |
| 1265 | *Trésor* de B. Latini. |
| *id.* | *Livre de Justice.* |
| 1268 | *Livre des Mestiers* de É. Boileau. |
| v. 1270 (1277 L.) | *Roman de la Rose II* de J. de Meung. |
| v. 1270 | *Miracle de Théophile* de Rutebeuf. |
| 1273 | *Berte aux grands pieds.* |
| 1274 (L.) | *Chroniques de saint Denis.* |
| v. 1274 (1276 F. E. W.) | *Jeu de la feuillée* d'Adam de la Halle. |
| 1276 | *L'Enfance d'Ogier.* |
| 1280 | *Les Institutes de Justinien.* |

| | |
|---|---|
| (v.) 1283 | *Coutumes* de Ph. de Beaumanoir. |
| v. 1285 | *Jeu de Robin et Marion* d'Adam de la Halle |
| 1294 | *Bible* de Guiart de Moulins. |
| 1298 | *Livre de Marco Polo.* |
| fin XIIIe s. (1295 L.) | *Testament* de Jean de Meung. |
| fin XIIIe s. (v. 1300) | *Roman de Chastelain de Coucy.* |
| XIVe s. | *Œuvres* d'Eustache Deschamps. |
| v. 1300 | *Coutumes d'Artois.* |
| *id.* | *La Dame à la licorne.* |
| déb. XIVe s. (av. 1350) | *Poésies* de Guillon le Muisit. |
| 1309 | *Histoire de Saint Louis* de Joinville. |
| 1314 (v. 1300 F. E. W.) | *Chirurgie* de H. de Mondeville. |
| v. 1320 | *Contes* de Nicolas Bozon. |
| *id.* | *Dits* de Watriquet de Couvin. |
| v. 1330 | *Girart de Roussillon.* |
| 1340-1370 | *Œuvres* de Guillaume de Machaut. |
| 1352 (1355 L.) | *Trad. de Tite-Live* par Bersuire. |
| v. 1360 | *Perceforest.* |
| 1361 (ou v. 1370) | *Œuvres* d'Oresme. |
| v. 1370 | *La Grande Chirurgie* de Guy de Chauliac (manuscrit de Montpellier). |
| 1372 | *Propriété des choses* de J. Corbichon. |
| 1375 | *La Cité de Dieu* de Raoul de Presles. |
| 1379 (v. 1375 F. E. W.) | *Modus et Ratio.* |
| 1389 | *Grandes coutumes de France.* |
| 1390-1400 | *Œuvres* de Christine de Pisan. |
| 1398 | *Le Ménagier de Paris.* |
| fin XIVe s. | *Chroniques* de Froissart. |
| 1403 | *L'Internale consolacion.* |
| 1424 | *La Belle Dame sans merci* de A. Chartier. |
| v. 1450 | *Le Mystère de la Passion* de Arnould Gréban. |
| 1458 | *Chroniques de Charlemagne.* |
| v. 1462 (1466 L.) | *Les Cent Nouvelles Nouvelles.* |
| 1464 | *La Farce de maître Patelin.* |
| 1468 (1440-1475 F. E. W.) | *Chronique des ducs de Bourgogne* de G. Chastellain. |
| 1470 | *Comptes de la ville de Doulens.* |
| *id.* | *Livre de la discipline d'amour divine.* |
| *id.* | *Chronique d'Angleterre* de J. de Wavrin. |
| 1478 | *Grande chirurgie* de Guy de Chauliac (1re éd.). |
| av. 1478 | *id.* (manuscrit antérieur à cette édition : entre 1370 et 1478). |
| 1487 | *Vocabulaire latin-français* de Garbin. |
| 1488 | *Mer des histoires.* |
| 1495 (1496 F. E. W.) (daté souvent de 1327 par erreur) | *Miroir historial* de Jean de Vignay. |
| 1497 | *La Nef des Fols.* |
| 1503 | *Grande chirurgie* de Guy de Chauliac (éd. définitive). |
| 1510 | *Coutumes d'Auvergne.* |
| v. 1517 | *Les Soirées* de Guillaume Bouchet. |
| 1530 | *Éclaircissements de la langue française* de Palsgrave. |
| 1532 | *Pantagruel* de Rabelais. |
| 1537-1539 | *Thérapeutique ; Tables anatomiques* de J. Canappe. |
| 1538 | Le *Dictionnaire* de Robert Estienne. |
| 1542 | *Histoire naturelle de Pline* par Du Pinet. |
| 1545 | *Épîtres* de Jean Bouchet. |
| *id.* | *Dissection des parties du corps* de Charles Estienne. |
| 1546 | *Le Tiers livre* de Rabelais. |
| 1547 | *Institution du prince* de Guillaume Budé. |
| 1549 | *Histoire des Plantes.* |
| 1552 | *Les Amours* de Ronsard. |
| 1558 | *Nouvelles récréations* de Des Périers. |
| *id.* | *L'Heptaméron* de M. de Navarre. |
| 1560 | *Institutions* de Calvin. |
| 1560 (1561 F. E. W.) | *Anatomie* d'Ambroise Paré. |
| 1564 | *Maison rustique* de Liébault. |
| *id.* | *Dict. français-latin* de J. Thierry. |
| 1573 | *Dict. français-latin* de Du Puys. |
| 1575 | *Cosmographie* de Thevet. |
| 1580 | *Essais* de Montaigne. |
| 1585 | *Merveilles du monde* de Dampmartin. |
| *id.* | *Trésor des remèdes* de Liébault. |
| *id.* | *Eutrapel* de N. du Fail. |
| 1588 | *Psautier* de Vigenère. |
| v. 1590 | *Œuvres* de Marnix. |
| 1594 | *La Satire Ménippée.* |
| 1600 | *Théâtre d'agriculture* d'O. de Serres. |
| 1606 | *Trésor de la langue française* de Nicot. |
| 1611 | *Dict.* de Cotgrave. |
| 1621 | *Merveilles de la nature* d'E. Binet. |
| 1636 | *Abrégé du parallèle des langues française et latine* de Monet. |
| 1640 | *Recherches italiennes et françaises* d'A. Oudin. |
| 1662 | *Dict. italien* d'A. Oudin. |
| 1675 | *Dict. de commerce* de Savary. |
| 1676 | *Principes d'architecture* de Felibien. |

| | |
|---|---|
| 1677 | *Dict. français-anglais* de Miège. |
| 1680 | *Dict.* de Richelet. |
| 1687 | *Dict. des termes de marine* de Desroches. |
| 1688 | *Grand dict. français* de Miège |
| 1690 | *Dict.* de Furetière |
| 1691 | *Dict. mathématique* d'Ozanam. |
| 1694 | *Dict. de l'Académie* (1re éd.) |
| 1696-1697 | *Dict.* de Bayle. |
| 1701 | *Dict.* de Furetière. |
| 1704 | *Dict. de Trévoux* (1re éd.). |
| 1706 | *Dict.* de Richelet. |
| 1718 | *Dict. de l'Académie* (2e éd.). |
| 1721 | *Dict. de Trévoux.* |
| 1723 | *Dict. de commerce* (2e éd.) de Savary. |
| 1726 | *Dict. néologique* de Desfontaines. |
| 1732 | *Dict. de Trévoux.* |
| *id.* | *Dict.* de Richelet. |
| 1733 | *Dict. des drogues* de Lemery. |
| 1734 | *Dict. de Trévoux.* |
| 1740-1743 | *Dict. de Trévoux.* |
| *id.* | *Dict. de l'Académie* (3e éd.). |
| *id.* | *Dict.* de Richelet. |
| 1751 | *Encyclopédie* de Diderot (t. I) ; tomes II à VII entre 1751 et 1757 ; tome VIII et suivants en 1765 (voir cette date). |
| *id.* | *Dict. universel d'agriculture.* |
| 1752 | *Dict. comique* de Leroux. |
| *id.* | *Dict. des beaux-arts* de La Combe. |
| 1755 | *Manuel lexique* de l'Abbé Prévost. |
| 1762 | *Dict. de l'Académie* (4e éd.). |
| 1764 | *Dict. de musique* de J.-J. Rousseau. |
| *id.* | *Dict. de médecine* de Lavoisien. |
| 1765 | *Encyclopédie* de Diderot (t. VIII à XVII). |
| 1771 | *Dict. de Trévoux.* |
| 1775-1776 | *Dict. d'histoire naturelle* de Valmont de Bomare. |
| 1776-1777 | Suppl. de l'*Encyclopédie* de Diderot. |
| 1780 | Tables de l'*Encyclopédie* de Diderot. |
| 1781 | *Encyclopédie méthodique* de Panckoucke. |
| 1787 | *Dict. critique* de Féraud. |
| 1796 | *Dict. néologique* (Le néologiste français). |
| 1797 | *Dict.* de Gattel. |
| 1798 | *Dict. de l'Académie* (5e éd.). |
| 1800 | *Dict.* de Boiste (1re éd.). |
| 1801 | *La Néologie* de Mercier. |
| *id.* | *Dict.* de Wailly. |
| 1802 | *Dict.* de Boiste. |
| *id.* | *Dict.* de Laveaux. |
| 1804 | *Dict. des sciences naturelles.* |
| 1807 | *Dict. des expressions vicieuses* de Michel. |
| 1808 | *Dict.* de Boiste. |
| *id.* | *Dict. du bas langage* de L'Hautel. |
| 1811-1812 | *Dict. français-allemand* de Mozin. |
| 1821 | *Dict.* de Nodier. |
| 1827 | *Suppl. du Dict. de l'Académie.* |
| 1832 | *Dict.* de Raymond. |
| 1834 | *Dict.* de Landais. |
| 1835 | *Dict. de l'Académie* (6e éd.). |
| 1836 | *Dict.* de Landais. |
| 1838-1842 | *Compl. au Dict. de l'Académie.* |
| 1839 | *Dict.* de Boiste. |
| 1841 | *Les Français peints par eux-mêmes.* |
| 1843 | *Dict.* de Landais. |
| 1845 | *Dict. des mots nouveaux* de Richard de Radonvilliers (2e éd.). |
| *id.* | *Dict.* de Bescherelle (1re éd.). |
| 1846 | *id.* |
| 1848 | *Glossaire nautique* de Jal. |
| 1851 | *Dict.* de Poitevin. |
| 1853-1854 | *Dict.* de La Châtre. |
| 1855 | *Dict. de médecine* de Nysten et Littré. |
| 1858 | *Dict.* de Legoarant. |
| 1860 | *Dict. d'argot* de Larchey. |
| 1863-1872 | *Dict.* de Littré. |
| 1865-1876 | *Dict.* de P. Larousse. |
| 1866 | *Dict. de la langue verte* de Delvau. |
| 1877 | *Suppl. du Dict.* de Littré. |
| 1878 | *Ier Suppl. du Dict.* de P. Larousse. |
| *id.* | *Dict. de l'Académie* (7e éd.). |
| 1885-1903 | *Grande Encyclopédie* de M. Berthelot. |
| 1890 [1888 selon le G. L. L. F.] | *2e Suppl. du Dict.* de P. Larousse. |
| 1898-1906 | *Nouveau Larousse illustré.* |
| v. 1900 | *Dict. général* de Hatzfeld, Darmesteter et Thomas. |
| 1907 | *Suppl. du Nouveau Larousse illustré.* |
| 1907-1910 | *Larousse mensuel.* |
| 1908 | *Encyclopédie universelle du XXe s.* |
| 1920 | *Omnium agricole.* |
| 1922-1923 | *Larousse universel.* |
| 1924 | *Dict. des sciences* de Poiré. |
| 1932 | *Dict. de l'Académie* (8e éd.). |
| 1933 | *Dict. Larousse du XXe s.* |
| 1946 | *Encyclopédie Quillet.* |
| 1951-1964 | *Le Robert* (1re éd.). |
| 1960-1964 | *Grand Larousse encyclopédique.* |
| 1968 | *Ier Suppl. du Grand Larousse encyclopédique.* |
| 1968-1970 | *Dict. encyclopédique Quillet.* |

1970 *Dict. français de médecine et de biologie* de A. Manuila, L. Manuila, M. Nicole et H. Lambert.

1971 1er volume du *Trésor de la langue française.*

1971-1976 *Grand Larousse de la langue française.*

1975 2e *Suppl. du Grand Larousse encyclopédique.*

1982-1984 *Grand Dict. encyclopédique Larousse.*

1992 *Dictionnaire québécois d'aujourd'hui*, dir. Jean-Claude Boulanger.

*id.* *Dictionnaire historique de la langue française*, dir. Alain Rey.

1994 Le 16e et dernier volume du *Trésor de la Langue française* (1er vol. : 1971).

1995 *Dictionnaire historique de l'orthographe française*, dir. Nina Catach.

1997 *Dictionnaire suisse romand,* par André Thibault, dir. Pierre Knecht.

2000 *Histoire de la langue française, 1945-2000*, sous la dir. de Gérald Antoine et Bernard Cerquiglini.

2001 *Dictionnaire des régionalismes de France*, dir. Pierre Rézeau.

tome 1

# A - CHAR

# A

**A** [a, ɑ] n. m.

Première lettre et première voyelle de l'alphabet. A *majuscule,* a *minuscule;* a *romain, a italique;* â *(a accent circonflexe).*

♦ **1** Phonét. Son, ou phonème noté pour cette lettre. *A est la plus ouverte des voyelles. A antérieur* [a] *(la); A postérieur* [ɑ] *(las); A nasal* [ɑ̃] *(banc).*

1 Quels mots impressionnants ! *Dakar :* deux *a,* comme *arabe,* mais si différemment colorés par les consonnes ! Le *k* intercale son exotisme menaçant, l'r final gronde et se répercute.

J.-R. BLOCH, Cacaouettes et Bananes, p. 69.

2 La distinction entre les deux A [non nasalisés] tend à disparaître au profit du seul *a* antérieur, l'opposition de ces deux voyelles n'a plus guère de valeur linguistique en dehors de quelques mots comme *patte* et *pâte.*

P. et M. LÉON, Introd. à la phonétique corrective, p. 13.

Loc. *Une panse d'a :* la première partie d'un petit *a* dans l'écriture cursive. — Loc. (vx). *N'avoir pas fait une panse d'a,* n'avoir jamais rien écrit, rien composé.

*Depuis A jusqu'à Z* (ou *de a à z*) : du commencement à la fin (→ L'alpha* et l'oméga).

3 Ah ! Ausonius, prends les journaux et lis-les, tous les matins, de *a* à *z.* Ça t'inspirera.

Alain BOSQUET, les Bonnes Intentions, p. 205.

Loc. (vieilli). *Ne savoir ni a ni b :* ne pas savoir lire, et, par ext., être ignorant.

♦ **2** Mus. A : nom de la note *la* (dans la nomenclature musicale anglaise et allemande, et dans certaines partitions pour instruments transpositeurs). *Clarinette en A.*

♦ **3** Abréviations et symboles. [a] (Avec A majuscule). Phys. A : symbole représentant le nombre de masse atomique, exprimée en grammes. — A : symbole de l'*ampère.*

Chim. A : symbole de l'*argon.*

*Groupe A,* l'un des groupes sanguins. *Anticorps anti-A. Être A+* [aplys] : appartenir au groupe sanguin A, rhésus positif.

Sigle. A : abréviation de *Altesse* dans des sigles. *S. A. R. (Son Altesse Royale).*

[b] (Avec a minuscule). Math. a : symbole représentant un nombre, un élément quelconque. — Cour. *Prouver par a+b :* prouver mathématiquement, démontrer d'une manière rigoureuse.

Métrol. a : symbole de l'are.

a : symbole du préf. *atto-* ($10^{-18}$).

♦ **4** Å : symbole de l'angström*.

1. **A-** Élément, du latin *ad,* marquant la direction, le but à atteindre, ou le passage d'un état à un autre (var. : *ac-, ad-, af-, al-, am-, ar-, as-, at-*). Ex. : *abaisser, aborder, accourir, adjoindre, allonger, attendre, assouplir.*

REM. En franç. mod., *a-* ne s'accole qu'à des mots commençant par une consonne.

2. **A-, AN-** Élément tiré du grec, exprimant la négation (pas) ou la privation, et dit *a privatif.* Ex. : *acaule, acéphale, amoral, aphasique, apolitique, athée.*

REM. *a* privatif devient *an-* devant une voyelle ou un *h.* Ex. : *anaérobie, anharmonique.*

Une grande partie des dérivés appartient aux vocabulaires techniques et scientifiques ; mais on trouve aussi des exemples dans le discours général soutenu :

Il se dit «a-chrétien».

J. GREEN, Journal, 4 déc. 1959, Vers l'invisible, p. 162.

**À** [a] prép. — Du latin *ad,* exprimant la direction, le mouvement vers un lieu ou vers une personne : correspond au datif et au génitif classique ; par ext., exprime le moyen, la manière, le rapport ; d'autres emplois procèdent du latin *ab* exprimant la séparation, et du latin *apud,* exprimant l'accomplissement par une forme vulg. *abu,* d'où *ab* en roman *(Serments de Strasbourg).*

REM. *À* se combine avec l'article défini masculin pour donner les formes contractées *au* [o] (pour : *à le*) et *aux* [o] (pour : *à les*). Les autres constructions ne donnent pas lieu à contraction : *à la ; à une, à des.*

**I** Marquant l'appartenance, avec *être* (et *appartenir*) ou après un substantif qu'elle relie à un autre. — REM. Certains voient dans cette valeur une dérivation logique du sens II. : «Ce qu'on donne (ou rend) à César devient en effet la "propriété" de César» (G. et R. Le Bidois). **A** ♦ **1** Après les verbes *être* et *appartenir,* marquant un rapport de possession et, figurément, une relation, une mise en rapport. *Ceci est à vous. Cette maison appartient à M. X. À qui est ce manteau ? À qui c'est, cette veste, c'est à toi ? Non, elle est (c'est) à Jean.*

Le premier qui, ayant enclos un terrain, s'avisa de dire : «Ceci est à moi» et trouva des gens assez simples pour le 1

croire, fut le vrai fondateur de la société civile.
ROUSSEAU, De l'inégalité parmi les hommes, I.

2 Le véritable passif du verbe *avoir* est, au fond, le tour *être à :* Pierre a le livre, le livre est à Pierre.
Henri FREI, la Grammaire des fautes, p. 221.

Fig. *La décision est à vous,* vous appartient.

Fig. *Je suis à vous :* je m'occupe de vous, je vous consacre mon temps, mon attention.

REM. 1. La mise en possession est souvent exprimée par des verbes construits avec *à (acheter, donner quelque chose à quelqu'un).* → ci-dessous, III., 2.

3 Qui donne au pauvre prête à Dieu.
HUGO, les Feuilles d'automne, XXXII, «Épigramme».

2. Pour *être à...* répété, exprimant le rapport d'analogie, voir ci-dessous, II., C., 6.

Avec ellipse du verbe :

4 Tout m'appartient. À moi, symboles, mœurs, images.
À moi ce monde affreux de bourreaux et de mages.
HUGO, la Légende des siècles, XIII, «L'épopée du ver».

♦ **2** Marquant le terme d'un souhait exprimé par un subst. de valeur imprécative. *Honte à toi! Malheur à vous!*

♦ **3** Marquant le terme d'un jugement, établissant une relation entre deux termes.

Avec *c'est, c'était... C'est à vous de décider :* il vous appartient de décider.

5 C'est bien à vous, infâme que vous êtes, à vouloir faire l'homme d'importance.
MOLIÈRE, les Précieuses ridicules, 14.

6 C'est à vous d'en sortir, vous qui parlez en maître,
La maison m'appartient, je le ferai connaître (...)
MOLIÈRE, Tartuffe, IV, 7.

(Construit avec *c'est* et adj.). *C'est très gentil, c'est aimable à vous,* de votre part. — (Avec un adverbe) :

7 Swann nous ayant dit que c'était mal à lui de s'absenter, car il avait pour le moment de la famille à demeure.
PROUST, À la recherche du temps perdu, t. I, p. 128.

Vx. *C'est honte à lui de... :* c'est honteux pour lui (→ ci-dessus 2.); *c'est honteux à lui* (ci-dessus).

**B** Établissant une relation entre deux noms, par appartenance de l'un à l'autre. → De.

Dans des loc. anciennes et figées. *Bête à bon Dieu.*

Dans des emplois fam. ou pop. (rural). *Le fils au père André.* Loc. Cour. *Un fils à papa.* — Fam. *La copine à Jacques. Les godasses à Paulo, au Paulo.*

8 (...) Parpluche, le chien à Joset, au lieu de s'enmalicer, avait couru le premier vers la porte.
G. SAND, les Maîtres sonneurs, 5e veillée.

9 — Comment t'appelles-tu? demanda Laigle.
— Navet, l'ami à Gavroche.
HUGO, les Misérables, XII, II.

9.1 Christine (...) entendit les témoins s'enfiévrer au sujet de la bonne femme à Mahoudeau. ZOLA, l'Œuvre, p. 300.

10 On entend la bonne de Mme Pigeonnier qui chante sentimentale. Le fils au pharmacien part en bicyclette; il va voir le match de l'E. C. F. contre l'A. S. T. V.
R. QUENEAU, le Chiendent, p. 54.

REM. Cette construction, aujourd'hui marquée comme populaire ou incorrecte, était absolument normale dans l'ancienne langue : *«Conte de Bretaigne, le père au duc qui ore* (aujourd'hui) *est»* (Joinville, cité par Damourette et Pichon).

Après un nom propre de bateau, marquant la propriété. *Le yacht* Aurore, *à M. X, au baron Untel.*

11 À présent, le trophée est en Norvège. Il y reste jusqu'en 1926 malgré trois tentatives françaises pour le reprendre : *Mamoussa* en 1923 à M. Louis Breguet, *Coq gaulois* (le fameux) à M. Lesueur en 1924 et *Aile IV* à la tenace et courageuse Virginie Hériot en 1925.
J. GROUT, C'était au temps des yachtsmen, 1978, p. 153.

Dans des noms de lieux. *La mare au diable,* qui est au diable. — N. B. Ne pas confondre avec la construction analogue, traitée sous V., 2. : *l'île au trésor.*

L'élément introduit par *à* est un pronom. *Un ami à moi. C'est une idée à lui. «Notre vie, à tous les deux»* (M. Prévost, *in* Le Bidois).

Par insistance, après un possessif. *C'est son idée, à lui.* — (Avec une valeur affective). *C'est ma petite femme à moi.*

**II** Introduisant le compl. circonstanciel d'un verbe, et éventuellement d'un nom d'action — par nominalisation —, avec trois grandes valeurs sémantiques : lieu, temps, manière.

Il y a une différence de comportement entre *à* d'une part et les autres prépositions de lieu. Cette différence semble aller de pair avec le fait que *à* est la plus neutre, la plus vide, de toutes ces prépositions, et que son emploi ne se limite pas, loin de là, aux seuls compléments de lieu. Il semble que le contenu sémantique de *à* (pour autant qu'*à* ait un contenu sémantique) soit insuffisant pour marquer à lui seul la valeur locative du complément introduit par cette préposition. 12
Nicolas RUWET, À propos des prépositions de lieu en français, p. 117-118.

**A** LIEU. (Position, direction, situation. Provenance).

♦ **1** Introduisant le compl. d'un verbe de «mouvement», pour signifier la direction. *Aller, arriver, se rendre, retourner à la ville, à Paris. Aborder, accéder, courir, filer, galoper à... Passer, pénétrer à... Passez au salon, à table.*

Nous volons d'arbre en arbre aux forêts de ténèbres (...) 13
HUGO, Dieu, I, II.

REM. 1. *Partir* se construit normalement avec *pour.*

Alors, tu vas partir à Cannes? (*Mademoiselle GB,* le 31 mars 1936). Le départ n'aura lieu que dans quelques jours. C'est le séjour qui est prochain, en tant qu'il aura de la durée, que l'absence se prolongera quelques jours. D'où *à* et non *pour.* 14
DAMOURETTE et PICHON, Essai de grammaire de la langue franç., § 3000, t. VII, p. 236.

2. *Passer* se construit avec *à* et avec *par.*

Construit en corrélation avec *de* signifiant l'origine, la provenance. *Aller d'un point, d'un lieu à un autre. Revenir d'un voyage à son domicile. Arriver à Londres venant de, en provenance de Paris.*

Sans verbe, *de... à* désigne la distance qui sépare les deux points. *De Bruxelles à Londres. De Montréal à Québec. De Nice à Cannes, presque tout le littoral est construit. D'ici à...*

REM. *À* est alors souvent renforcé en *jusqu'à.* → Jusque.

Sans *de* avec le même sens. Loc. *Porte* à porte.*

♦ **2** Situation statique — et ponctuelle —, avec des verbes d'«état», ou exprimant une action durable. *Où est-il? À Lyon. Être à la campagne, au théâtre. Demeurer, habiter, rester, vivre à la campagne. Pendant que les enfants sont à l'école. Être né à... Mourir à... Dormir au soleil, à l'ombre... Travailler à son domicile.* — Loc. *Coucher à terre, s'étendre à terre* (en concurrence avec *par*). — *Être à terre,* par oppos. à *à bord* (d'un bateau).

Adieu on m'attend à la deuxième tour du Louvre... — Moi au palais. — Et vous, enfants, à la tour de Nesle. 15
DUMAS, la Tour de Nesle, I, 4.

LE PRÉSIDENT. Où êtes-vous né? — JEAN IROUX. À Golord. — Où? — À Golord. — Où est situé ce pays? — À Golord. — Quel département? — À Golord. — Près de quelle ville — À Golord. 16
Henri MONNIER, Scènes populaires, 1835, p. 52-53.

«Les plus beaux couchers du soleil que j'ai vus, c'est à Douarnenez», nous dit-il. Mon ami et moi nous décidâmes aussitôt intérieurement à aller à Douarnenez. «Peut-on y aller facilement d'ici?» 17
PROUST, Jean Santeuil, Pl., p. 197.

18 — Qu'est-ce que vous faites là ? (...)
— Je suis en mission à la Préfecture maritime, lieutenant.
L'officier se rapprocha.
— Vous êtes à terre ? (...) Vous rentrerez avec la vedette suivante. J'ai besoin que vous alliez à l'intendance porter un ordre. Jean GENET, Querelle de Brest, p. 195.

19 Te voici à Marseille au milieu des pastèques
Te voici à Coblence à l'hôtel du Géant
Te voici à Rome assis sous un néflier du Japon
Te voici à Amsterdam avec une jeune fille que tu trouves belle et qui est laide
APOLLINAIRE, Alcools, Pl., p. 42.

*À* introduisant un nom exprimant un lieu très éloigné. *C'est au diable, à Pétaouchnok, à Dache** (noms propres de fantaisie, fam.), très loin. *Il habite au diable* (→ aussi ci-dessous, 3. : *envoyer au diable*).

Formant un compl. circonstanciel de lieu. *À table, il se sert le premier. À droite, à gauche, on voyait...* → **Vers.** — Loc. *À votre droite, à votre gauche... Au bout..., au milieu... À l'entrée du village, à la sortie... — À l'ombre des jeunes filles en fleurs* (Proust).

20 Et bientôt à vos pieds *(Aricie)* verra toute la Grèce.
RACINE, Phèdre, II, 1.

21 (...) Mon auberge était à la Grande-Ourse.
— Mes étoiles au ciel avaient un doux frou-frou (...)
RIMBAUD, Poésies, «Ma Bohême», Pl., p. 69.

Introduisant le compl. de lieu d'un nom, pour exprimer la situation. *La porte à gauche* (→ La porte *de* gauche).

22 — Mademoiselle Pauline ?
— Elle y est ; au quatrième, la porte à gauche.
Henri MONNIER, Scènes populaires, 1835, p. 29.

Ellipt. *À l'enseigne du Lion d'or. Au Lion d'or. Au Bœuf couronné. Avoir une marque, un tatouage au bras droit,* sur le bras droit.

♦ **3** Avec des verbes transitifs directs à double compl., pour introduire le compl. second en exprimant la direction ou la situation. — Le premier compl. désigne une personne. *Conduire, ramener quelqu'un à la maison, à la gare.* → aussi **Chez.** *Je les ai laissés au marché, à la mairie, au restaurant.*

23 Où le conduisez-vous ? — À la mort. — À la gloire !
CORNEILLE, Polyeucte, V, 3.

*Attirer, envoyer, étendre, placer... quelqu'un à...* — (Une partie du corps). *Élever, lever la tête, les bras au ciel. Baisser les yeux à terre.* — (Une action faite par l'homme). *Diriger ses pas à droite, à gauche.* → **Vers.** (Avec un verbe de perception). *Regarder quelqu'un au visage.*

24 Ils avaient tous du mal à le regarder au visage, tant leur idée allait aux bottes.
Henri MICHAUX, Ailleurs, p. 72.

Spécialt (exprimant le rejet ; compl. n. de personne). *Envoyer quelqu'un au diable.* Ellipt. *Au diable, cet idiot !* (qu'il aille au diable !). Pop., pour conspuer : *Aux chiottes !*

Loc. *Mettre quelqu'un à la porte.*

(Le premier compl. désigne une chose). *Mettre, placer qqch. à... Porter un œillet à sa boutonnière. Mettre une pochette à son veston. Monter des caisses au grenier. Descendre des bouteilles à la cave.*

25 Tu portes au cou sa chaîne et j'ai au bras la tienne.
APOLLINAIRE, Poèmes à Lou, Pl., p. 426.

Spécialt. Avec l'idée de contact physique. *Cogner sa tête au plafond.* → **Contre.** *Déchirer ses habits aux ronces.* → **Après.**

26 Depuis huit jours, j'avais déchiré mes bottines
Aux cailloux du chemin. J'entrai à Charleroi.
RIMBAUD, Poésies, «Au cabaret vert», Pl., p. 66.

Avec un verbe pronominal. *Le village s'étend à flanc de colline, au milieu des champs, au bas de la côte. — Il s'est écorché à un clou.*

♦ **4** Introduisant le compl. d'un substantif d'action — nominalisation des emplois ci-dessus —, pour exprimer la direction ou la situation. *Son arrivée, son retour à la ville, à Paris. Naissance, vie, mort à... Descente, montée, course, voyage à... Un passage rapide à Londres. Promenade, séjour, travail à...*
(Avec d'autres subst. d'action).

Quel saccage au jardin de la beauté ! 27
RIMBAUD, les Illuminations, Pl., p. 171.

♦ **5** Par ellipse de *aller, venir... à.* Exclamatif.

Introduisant un nom ou un pronom, pour marquer le mouvement vers... *Vite, à la maison ! Tous à la manif !* *À moi !* : venez vers moi (appel à l'aide, défi, etc.) *«À moi, comte, deux mots !»* (Corneille, *le Cid*). — Pour invoquer :

À moi, puissances de l'émotion plastique ! Résurrection du passé, à moi ! à moi ! 28
FLAUBERT, Notes de voyage, Carthage, *in* G. et R. LE BIDOIS.

Par ext., le compl. désignant non pas un lieu, mais une action. *Au travail, au boulot ! «Le Muezzin criant : "À la prière, à la prière !"»* (Leconte de Lisle, *in* G. L. L. F.).

Suivi d'un infinitif (rare, sauf dans la langue maritime). *«À casser des pierres !»* (Pagnol, *in* G. L. L. F.) : allez, allons... casser des pierres. — Mar. (pour commander de se tenir prêt pour une manœuvre). *À hisser ! À déborder ! «C'était la Danaé À prendre un ris dans les basses voiles C'était la Danaé À prendre un ris dans les huniers»* (chanson de marins).

REM. 1. *À* est en concurrence avec d'autres prépositions dans certains de ses emplois. → Dans, en. *Travailler, travail à l'usine X, à la faculté de droit* (et : travail *en* usine, *en* faculté). *Arrivée, arriver à la gare* (et : le train arrive, entre *en* gare). *Venir, entrer au salon* (et : *dans* le salon). Dans certains cas, *dans* est concret et *à* fig. : *Être dans la rue ; être à la rue.* — *À* s'employait, encore au XIXe s. là où on dit aujourd'hui : *dans. Passer ses jours aux églises* (Chateaubriand) ; *mettre sa pipe à sa poche* (O. Feuillet, *in* T. L. F.). — *Mettre à, mettre dans la bouche* sont également possibles.

La parole de vie éternelle que le Saint-Esprit lui avait mise à la bouche. 29
BOSSUET, Sermon sur la bonté et la rigueur de Dieu.

Mais que diable allait-il faire à cette galère ? 30
MOLIÈRE, les Fourberies de Scapin, II, 7.

L'usage est incertain quant aux limites entre *à* et *dans* :

Le sang coula, chez Barbe-Bleue, — aux abattoirs, — dans les cirques, où le sceau de Dieu blêmit les fenêtres. 31
RIMBAUD, les Illuminations, Pl., p. 167.

2. Avec un nom désignant une profession, *à* est en concurrence avec *chez*, et est en général familier ou régional. *Aller au dentiste, au coiffeur, au boucher* (dans l'usage soigné : *chez le...* ; mais : aller *à la boucherie*). Cet usage était normal jusqu'au XIXe s. *«Son fils unique qui étudiait aux Jésuites»* (Mérimée, *in* T. L. F.). Vx. *Aller au ministre, à l'évêque...,* aller le trouver, s'adresser à lui.

3. Vx. *Aller, courir à quelqu'un.* → **Vers.** Encore normal avec un pronom : *il accourut, courut à nous.*

4. Avec les noms propres de lieu.

Noms de ville. Sans article. *À Nîmes* (→ ci-dessus cit. 19). — Avec article contracté. *Au Havre. Au Tréport. Aux Saintes-Maries.* — Art. fém. ; sing. *À la Baule, à la Napoule.* N. B. Exception : *en* Avignon (= dans le territoire d'Avignon ; mais *à Avignon* : dans la ville d'Avignon), *en* Arles. Mais : *à Arpajon, à Alès...*

Noms de pays. *À* se construit avec les noms masculins commençant par une consonne ou un *h aspiré*, sous la forme *au. Au Maroc, au Honduras* (mais : *en* Hollande, fém.).

Noms de pays au plur. : aux. *Aux États-Unis, aux Indes.* Noms de régions. *À* se construit avec certains noms au masc. *(au)*, mais on emploie en général *dans le, en.* Noms d'îles sans article *(à Ouessant, à Java)*, et quelques noms au fém. avec l'article : *à la Guadeloupe.*

N. B. L'emploi de *à* était plus étendu dans la langue classique. *«À la Floride»* (Chateaubriand). *À l'Amérique. À la Chine.* → **En.**

5. *À*, dans des loc. adv. de lieu. *À droite, à gauche, à proximité, à côté, au-dessus, au-dessous.*

Dans des loc. prép. *À l'abri, à l'approche, au bout, au centre, au coin, au-delà, à l'entour, à l'entrée, à la sortie de...*

Dans des loc. où le subst. est répété et avec la valeur de «proximité» et d'«exclusivité». *Tête à tête. Corps* à corps.*

32 Le pape est avec Dieu tête à tête et le tance.

HUGO, la Légende des siècles, XX, «Les quatre jours d'Elciis».

♦ **6** Marquant la provenance, en indiquant le lieu d'où une chose est extraite.

(Concret). *Puiser de l'eau à la source. Extraire du minerai à la mine* (vieilli → **De**).

(Abstrait). *Prendre, retenir l'impôt à la source. Prélever un pourcentage à la production.*

**B** TEMPS. ♦ **1** Indiquant la situation ponctuelle dans le temps, le moment.

**a** Avec un verbe ou un nom d'action. *Arriver, venir, rentrer... à l'aube, au soir, à la nuit. Ils sont venus à l'époque, au moment, à l'instant où..., au moment dit, prévu, à l'heure dite.*

*Son arrivée, sa venue, sa rentrée à l'aube, au soir, au même moment.*

(Avec être). *Nous sommes à Noël.* — Indiquant un futur proche. *Nous sommes, nous serons bientôt à la Pentecôte, à l'été. Il me tarde d'être à samedi, à demain.* Loc. *À l'heure. À cette heure :* maintenant (régional : *à c't'heure*). → **Heure** (B., 1.). *À présent. À temps.* Vieilli. *À ce moment* (opposé à *en* ce moment). Vx. *À cette saison.* → **En** (mod.).

Vieilli ou littér. *Au matin, au soir. Il est parti au matin.* — N. B. *Au petit matin, au petit jour* (par anal. avec : *à l'aube*) restent usuels. — Vx. *À ce matin...* (pour : *ce matin...*). *«À cet automne», «à cet avril»* (Loti, *Ramuntcho*).

Vieilli. *Hier au matin* (pour : *hier matin*). *La veille, l'avant-veille au matin, au soir. Le quinze septembre au matin, au soir* (et : *dans* l'après-midi).

Introduisant un numéral. *Demain à cinq heures. Rendez-vous à huit heures à la gare. À vingt ans, il était plus mince. Au seizième siècle...*

33 À quatre heures du matin, l'été,
Le sommeil d'amour dure encore.

RIMBAUD, Une saison en enfer, Pl., p. 219.

REM. L'usage de *à* dans ce type d'emploi était plus étendu dans la langue classique et reste plus large dans des usages régionaux : *À ce soir, il y aura la fête. À quand vient-il ? À la première fois, à d'autres fois.* → Fois. *À cette fois, il sera content.* → ci-dessous, l'expression de l'itération (*supra* cit. 34).

**b** Mod. Avec un nom d'action (ci-dessus) ou un repère temporel. *À l'annonce de... À ces mots, à ce signal, telle chose se passa.* — REM. Cet emploi peut acquérir valeur causale : *à ces mots, il s'affola* (→ ci-dessous C., 3.) ou d'effet : *à ma grande surprise, il refusa de parler.*

34 Au cri du sergent, les hommes du poste étaient sortis pêle-mêle. HUGO, les Misérables, IV, XV, IV.

♦ **2** Après un verbe exprimant la durée, et introduisant l'infinitif. *Rester, s'attarder à faire qqch.*

REM. Cette valeur temporelle se perd dans la fonction syntaxique : voir ci-dessous III.

♦ **3** Marquant la répétition, l'itération, après un verbe ou un participe passé, et introduisant un syntagme nominal pour former des loc. temporelles. *À ses heures :* lorsque cela lui convient. *À chaque instant, à chaque minute :* souvent. *À mon, à son tour. À plusieurs reprises, à deux, à trois... reprises. À intervalles réguliers, à temps inégaux, égaux. À chaque fois* (en concurrence avec : *chaque fois* → **Fois**). *À tous les coups l'on gagne.*

REM. Même avec cette valeur, *à* recule devant les emplois sans prép. : *à tous les jours* est archaïque.

35 Mais, Hippolyte n'osant à tous les jours se servir d'une si belle jambe *(artificielle)*, supplia madame Bovary de lui en procurer une autre plus commode.

FLAUBERT, Mme Bovary, II, XII.

♦ **4** Introduisant un compl. désignant le terme d'une durée : *délai, échéance, huitaine, terme... À bref délai, à longue échéance, à huitaine* (aussi : *sous**), *à terme.* Loc. *À la longue.*

En concurrence avec *jusqu'à*. Vieilli. *«Attendre au printemps»* (Mérimée).

(Par anal. avec le tour spatial). En corrélation avec *de...*, marquant une durée entre deux limites ordonnées. *Du matin au soir :* toute la journée. *Du lundi au samedi. De cinq à sept* (n. m. : *un cinq* à sept*). — *D'ici à... D'ici à demain, à huit jours.* — REM. Pour *de... à*, → aussi le sens «évaluatif», ci-dessous.

♦ **5** Sans verbe, dans des tours exclamatifs ou interrogatifs exprimant la fixation d'un moment futur. *À ce soir ! À demain ! À vendredi, cinq heures.*

36 On se criait de loin : «Bonjour ! — Ça va bien ? — Oui ! — Non ! — À tantôt !»

FLAUBERT, l'Éducation sentimentale, II, IV.

*Au revoir.* → **Revoir.**

Régional ou fam. *À quand la prochaine réunion ?* (Voir aussi les emplois analogues, spatiaux et attributifs).

♦ **6** Reliant deux numéraux, pour exprimer la répartition dans l'espace ou le temps. *Grouper, aligner, répartir, réunir, des objets, des personnes, des actions, des événements deux à deux, trois à trois, etc.* → **Par.** *Il a abandonné ses amis un à un,* successivement. → aussi ci-dessous, C., 2., e.

**C** Compléments circonstanciels de manière, de moyen, de cause, etc.

REM. Les diverses valeurs de *à* procèdent historiquement des sémantismes de base : appartenance, direction, situation spatiale ou temporalité ; ils dépendent étroitement de la nature du rapport établi entre verbe (ou subst. d'action) et syntagme nominal complément. Au niveau de la préposition, leur analyse est relativement arbitraire.

♦ **1** Manière, moyen.

**a** Verbe suivi de *à* introduisant un substantif précédé d'une détermination (article, possessif, etc.) et indiquant la manière, et, plus spécialt, le comportement. *Aller, venir au galop, au trot. Fonctionner à l'essence. Avancer au ralenti. Saisir au vol. Observer à la jumelle, à l'œil nu* (cf. Observer *avec une, avec la jumelle*, où le substantif est actualisé).

REM. Des loc. comme *aimer à la folie, rire aux larmes* expriment l'intensité (donc, la «manière») mais d'abord et surtout la tendance : → ci-dessous 4.

(Avec un subst. d'action, même valeur). *Marche au ralenti, observation à la jumelle.*

Spécialt, exprimant le moyen. *Peindre à l'huile, passer au brou de noix. Se battre au couteau. Nettoyer à l'essence.* → **Avec.** *Taper une lettre à la machine.* Après un substantif (nominalisation). *Bagarre au couteau. Nettoyage à l'essence. Coupe au rasoir.* —

REM. Si le sémantisme des substantifs s'éloigne de la valeur d'«action», ou si le substantif ne provient pas d'un verbe, de nombreux syntagmes avec *à*, avec la même valeur, relèvent des constructions nominales analysées ci-dessous : V., 2.

Spécialt. *À la...* et adjectif (surtout ethnique substantivé), signifiant : *à la manière... Boire à la russe, à la cosaque. Filer à l'anglaise. Faire l'amour à la hussarde, à la papa. Faire qqch. à la bourgeoise. — Concombres préparés à la russe.* — REM. Avec effacement du verbe, → ci-dessous, c.

Avec des verbes de perception, de compréhension, *à* suivi d'un nom exprimant un indice, un signe... correspond à «par l'action de... ; grâce à...». *Apercevoir, comprendre, croire, découvrir, deviner, entendre, sentir, voir... à* (telle impression, tel caractère perçu). *Il l'a immédiatement reconnu à la rose qu'il portait à la boutonnière, à son air ahuri.*

REM. Il s'agit ici d'une proposition circonstancielle, dont la syntaxe est simple (cf. *À son air ahuri, on l'a tout de suite reconnu*), qu'on ne confondra pas avec les constructions à double complément, du type : *les possessions qu'on connaît à quelqu'un* (ci-dessous 3., c.).

[b] La prép. *à* est suivie d'un syntagme nominal sans déterminant, et forme avec le substantif un ensemble figé qui se combine avec quelques verbes pour former une locution. *Acheter, vendre à crédit, à tempérament. Combattre à outrance. Tirer à blanc, tirer à vue. Mener à bien. Garder à vue. Gonfler à bloc. Fermer à clé. Engager à fond.*

Le nom est suivi d'un adj. *Cuire à feu doux. Parler à cœur ouvert. Parler à mots couverts. Arriver, venir à point nommé* (temporel). *Sauter à pieds joints.*

Le nom est précédé d'un adj. *Manger à belles dents. Mener à bonne fin. Cueillir à pleines mains. Acheter à bon prix. Laver à grande eau.*

D'autres constructions se rencontrent. (Loc.). *À cor et à cri, à bras le corps..., à force de rames...*

REM. La prép. *à* peut former avec un subst. des loc. adverbiales et prépositionnelles fonctionnant avec de nombreux verbes; la phraséologie du français compte des milliers de loc. où *à* ne peut plus être analysé : se reporter au substantif. Ex. : *Avoir (mettre, prendre...) à bail; être (mettre, pousser) à bout; avoir (prendre...) à charge; avoir... à cœur; être (mettre...) à cran; arriver... à égalité; prendre... à défaut; être (mettre...) à flot; être (mettre, rester...) à genoux; avoir (tenir...) à honneur; mettre... à jour; être (mettre, tenir...) à part; prendre... à partie; prendre... à tâche; mener... à terme, etc.*

Certaines de ces loc. sont à peu près indépendantes des verbes : *À propos. À tort ou à raison. À peine. À bout de... (nerfs, souffle...). À défaut de... À force de...*

Spécialt, correspondant au mode de déplacement (avec une valeur plus ou moins spatiale). *Aller, monter, voyager à cheval, à dos de mulet, de chameau; à bicyclette, à vélo, à moto.* — REM. Pour ces derniers substantifs *à* est en concurrence avec *en.* → Bicyclette, vélo; et aussi ski *(à skis, en skis)*. Ellipt. *Tous à vélo!*

Après un substantif d'action, par nominalisation des emplois précédents. *Achat, vente à crédit. Arrivée, venue à point nommé; combat à outrance. Compte à rebours. Course à pied. Cuisson à feu doux. Départ à toute allure, au grand galop. Déplacement, départ, voyage à dos de mulet, à vélo. Fermeture à clé. Garde à vue. Lavage à grande eau. Marche à pied. Mise à sac. Paiement à crédit, à terme. Renvoi à huitaine. Saut à pieds joints. Tir à blanc.*

REM. Le processus de nominalisation n'est pas régulier : certains syntagmes verbaux ne l'admettent pas; pour d'autres *(compte à rebours)* c'est le syntagme nominal qui est le seul normal : de nombreux substantifs ne provenant pas (morphologiquement) d'un verbe y donnent lieu sémantiquement : *se battre à mort → duel à mort*.*

[c] La prép. *à* suit un substantif (ne provenant pas d'un verbe nominalisé) et correspond à «qui est à...».

Dans des syntagmes plus ou moins figés, le substantif introduit par *à* n'étant pas déterminé. *Chasseur à pied. Œil à fleur de tête. Plaie à vif. Rocher, montagne à pic. Viande à point.*

Dans des syntagmes plus libres, le substantif étant déterminé. *Œufs à la coque. Robe, costume à la mode. Tarte aux pommes.*

REM. Si l'on envisage dans ces syntagmes la valeur d'«accompagnement» : avec *un, des...*, l'analyse relève plutôt des constructions analysées en V. : constructions nominales; → ci-dessous V., 3.

Spécialt. *À la*, suivi d'un nom ethnique au fém. pour exprimer une manière de faire, un mode vestimentaire, un type de préparation culinaire. *Thon à la catalane. Choucroute à l'alsacienne* (ou, par appos., *choucroute alsacienne*). *Pâtes à l'italienne. — Laquais à la française. — «Rodomontade et vantardise à l'espagnole ou à la gasconne»* (Gautier).

*À la* suivi d'un nom propre (à la manière de...). *Un uniforme à la Mao. Un petit chapeau à la Napoléon.*

— Si nous mangions, je suppose, un turban de lapin à la 37
Richelieu et un pudding à la d'Orléans?
— Oh! pas d'Orléans! s'écria Cisy, lequel était légitimiste et crut faire un mot.
— Aimez-vous mieux un turbot à la Chambord, reprit-elle.

FLAUBERT, l'Éducation sentimentale, II, IV.

*À la*, suivi d'un nom commun ou d'une proposition nominalisée, pour marquer la dépréciation (fam.). *À la noix. À la flan. À la con. À la mords-moi le doigt.*

[d] Marquant l'état. — Spécialt. Dans un état (morphologique, syntactique). *Adjectif au féminin, au pluriel. Verbe au passif, au subjonctif.* Fig. *L'art au présent, la mode au féminin...*

Suivi d'un adj. substantivé. *L'actualité au quotidien.*

♦ **2** Spécialt (la manière étant de nature évaluative).

[a] (Valeur générale).

Après un verbe transitif. *Compter, estimer, évaluer, tarifer quelque chose à...* (tel prix, telle valeur). *Estimer une distance, une durée* (→ ci-dessus), *une surface, un poids, à tant d'unités.*

Après le substantif objet de l'évaluation. *Des fruits à X francs le kilo, à un prix élevé.* — REM. Cette construction n'est possible que pour l'évaluation financière; dans les autres cas, on emploie *de : Un champ de dix hectares.* — *Des briquets à vingt francs* (en concurrence avec *de* : une robe à cent francs marquant plutôt un prix de série).

Après un verbe intransitif. *Voiture qui roule, avance à cent kilomètres-heure, à cent à l'heure.*

Après un pronominal :

Tu comprends que ça le ferait plus rigoler de dîner avec 38
nous que d'aller s'embêter à quarante sous l'heure avec Cotonnet et les autres.

PROUST, Jean Santeuil, Pl., p. 563.

[b] Spécialt, exprimant la manière de payer, d'utiliser un service rémunéré (issu de la valeur temporelle). → **Par.** *Payer à la journée; louer une voiture à la semaine. Payer à la distance, au kilomètre, à l'heure.*

Marius fit signe au cocher d'arrêter, et lui cria : 39
— À l'heure. HUGO, les Misérables, III, VIII, X.

[c] En corrélation avec *de*, marquant deux limites, par métaphore des valeurs spatio-temporelles (ci-dessus, II., A. et B.). *Il y a de deux cents à trois cents caisses dans l'entrepôt. Ce pays compte de cinq à six millions d'habitants.* → **Entre.**

Sans *de*. *Il gagne cinq à six mille francs par mois.*

REM. Les nombres mis en rapport par *à* ne doivent pas être consécutifs s'ils ne peuvent être fractionnés : *elle a de quatre à cinq millions de fortune ;* mais : elle a trois *ou* quatre enfants.

40 La combinaison de ces deux prépositions (*de* et *à*), devant des adjectifs numéraux, sert également à énoncer un nombre approximatif, dont on indique seulement les limites minimum et maximum : «Des groupes de quatre à dix hommes» Maurois *Cercle de fam.* III, III. Dans cette phrase de R. Rolland : «Elle avait (...) deux enfants de sept à dix ans» (*Buisson ardent* I, 51), l'emploi de *à* étonne un peu, puisqu'il n'est ici question que de «deux» enfants, (cf. : «Deux enfants de sept et dix ans»). Quant au tour «douze à vingt personnes», qu'admettent quelques grammairiens, il nous paraît peu recommandable ; nous dirions plutôt : *de* douze *à* vingt personnes.
S'il s'agit de nombres consécutifs, le *de* introducteur disparaît de la combinaison, et *à* se fait remplacer d'ordinaire par *ou* (...) Mais il ne manque pas d'exemples avec *à :* «Trois à quatre vieilles chansons» Barbey d'Aurevilly, *les Diaboliques* 9 ; construction à éviter.

G. et R. LE BIDOIS, Syntaxe du franç. moderne, p. 676.

**d** Introduisant un nom de nombre, suivi éventuellement d'un substantif, pour marquer la participation collective. *Ils sont à trois dans cette affaire. Ils se sont mis à quatre* (personnes) *pour soulever la voiture. Ils vivent à trois dans la même pièce.*

41 Je fus frappé alors du groupe qu'ils formaient à eux quatre.

BARBEY D'AUREVILLY, les Diaboliques, p. 198, *in* G. et R. LE BIDOIS.

Avec un indéfini. *À lui seul, il ne pourra pas.*

**e** Dans des loc. où un substantif est répété, et avec la valeur de *par. Mot* à mot, ligne à ligne. Pied* à pied. Pas* à pas.* — Avec un nom de nombre (→ ci-dessus, B., 6. pour la valeur temporelle de ce tour). *Deux à deux. Quatre* à quatre.* — Avec un adverbe. *Peu* à peu.*

♦ **3** Marquant la cause (issu de la valeur temporelle ci-dessus).

**a** Après un verbe et introduisant un nom. *Rétrécir à l'usure. Il a été muté à l'instigation du directeur.* → **Par.** — REM. Cet emploi est le plus souvent littéraire.

**b** Antéposé avant une proposition et introduisant un infinitif, pour former une proposition causale par rapport à une principale. *À commander brutalement, il s'est fait haïr. Il s'essouffle à essayer de... À trop vouloir en faire, il risque de tout rater. On ne risque rien à tenter l'expérience. Il m'agace à toujours répéter la même chose.*

42 À vaincre sans péril, on triomphe sans gloire.

CORNEILLE, le Cid, II, 2.

**c** Avec des verbes de perception ou de jugement, le compl. second désignant la personne ou la chose à qui appartient (concrètement ou figurément : caractère) ce que désigne le compl. direct. *Les biens, les possessions que l'on connaît à quelqu'un* (qu'on lui connaît). *Une propriété que l'on a trouvée, découverte à cette substance.*

43 «Il me regarde de cet air qu'on voit aux gros chiens (...)» France *Crime de S. Bonnard* I, 33 ; «Le sourire possède (...) une propriété que les physiciens ont découverte depuis au courant électrique» J. Romains *Éros* XVIII, 204. Dans toutes ces phrases, le verbe (...) a pour objet direct la chose (ou personne) qui est possédée ou attribuée, et pour objet secondaire la personne (ou chose) à qui on attribue ladite possession ou qualité. Ainsi, ces phrases supposent toutes un rapport d'appartenance plus ou moins explicite.

G. et R. LE BIDOIS, Syntaxe du franç. moderne, p. 676.

Avec une valeur d'hypothèse, coordonné avec une proposition au conditionnel. *À faire telle chose, on risquerait de...*

44 Je deviendrais suspect, à parler davantage.

CORNEILLE, Cinna, I, 4.

Elle éprouvait un ravissement muet à s'asseoir dans de beaux fauteuils, à toucher de belles robes. 45

R. ROLLAND, Jean-Christophe, Le buisson ardent, I, p. 53, *in* G. et R. LE BIDOIS.

La sous-phrase est arbitrairement déplaçable sans que le sens de la phrase en soit grandement altéré : «on triomphe, à vaincre sans péril, sans gloire» ; — «on triomphe sans gloire à vaincre sans péril (...)» la construction d'un tel infinitif régime est recevable auprès de n'importe quel verbe. 46

DAMOURETTE et PICHON, Essai de grammaire franç., § 1130, t. III, p. 601.

Ellipt (valeur causale ou hypothétique). *À* introduit un syntagme nominal coordonné avec un autre syntagme nominal. Le sens est «si..., quand (cette chose existe, ce fait se produit), alors (cette autre chose existe, cet autre fait se produit)». *À père avare fils prodigue. À bon chat bon rat. À malin, malin et demi.* — Cette construction est archaïque et figée : on ne la trouve que dans des loc. prov. et stylistiquement (ex. : titres de chapitres, chez Hugo : *À bon évêque, dur évêché* (*les Misérables*, I, I, III) ; *À tristesse, tristesse et demie* (*les Misérables*, IV, III, VII)).

REM. Cette construction a diverses équivalences : *en* et participe présent (*en* command*ant* brutalement, il s'est fait haïr), *quand* et subordonnée temporelle avec la valeur hypothétique, *si.*

En principe, le sujet du verbe à l'infinitif doit être le même que celui de la principale : les phrases suivantes sont parlées et souvent considérées comme fautives : *cette musique m'intéresse à écouter ; c'est une chose qui me plaît à penser.*

**d** Introduisant un nom, avec la même valeur :

Aux vertus qu'on exige d'un domestique, Votre Excellence connaît-elle beaucoup de maîtres qui fussent dignes d'être valets. BEAUMARCHAIS, le Barbier de Séville, I, 2. 47

♦ **4** Marquant la conséquence, la fin, le but, l'effet, le résultat.

**a** Introduit un substantif. *Tirer à sa fin. Tourner au tragique. Aboutir au résultat.* — REM. Cette valeur se réalise avec une petite série de verbes, notamment indiquant le terme à atteindre. → **Jusqu'à.** *Rire aux larmes. Aimer à la folie.* Littér. «*Je les adore à la souffrance*» (Samain, *in* G. L. L. F.).

**b** Introduisant un infinitif. *Avoir des provisions à ne plus savoir qu'en faire. Faire un bruit à casser les vitres. Crier à faire peur, à effrayer toute la maison. Pleurer à fendre l'âme. Faire qqch., se démener à perdre haleine. S'ennuyer à périr, à mourir. Se gratter à s'écorcher* (moins usuel que : *jusqu'à*).

— Oh ! c'est que je t'aime ! reprenait-elle, je t'aime à ne pouvoir me passer de toi (...) 48

FLAUBERT, Mme Bovary, II, XII.

REM. Après un passif : *être ému à pleurer ;* voir ci-dessous les syntagmes adjectivaux : IV. (IV., 3., b.).

La préposition *à* relie un substantif et un infinitif. *Le but à atteindre,* qu'il faut atteindre. *La conduite à tenir. Des personnes à informer. Des bouches à nourrir. Une décision à prendre. Le chemin à parcourir. C'est un bon tour à jouer.*

Introduisant un factitif. *Une beauté à faire tourner les têtes.* — (Sans *faire*). *Des histoires à dormir debout, à mourir de rire,* à faire dormir, mourir quelqu'un... *Un nom à coucher dehors. Une beauté à s'évanouir. Une bringue à tout casser.*

Je me sens un cœur à aimer toute la terre. 49

MOLIÈRE, Dom Juan, I, 2.

**c** La prép. *à* introduisant un substantif et formant une proposition, généralement antéposée, qui exprime un effet psychologique. *À ma grande surprise, à notre étonnement, il refusa de parler.*

Mais, à mon grand étonnement, la mère fut impassible, pas une larme ne suinta du coin de son œil. 50

BAUDELAIRE, le Spleen de Paris, XXX.

♦ **5** (Avec quelques verbes). Marque la *finalité*. *Appeler, crier à l'aide, au secours. — Appel à l'aide.*

Elliptiquement et exclamativement. *À l'aide! Au secours! —* Par anal., le substantif introduit par *à* désignant un danger, la cause du danger (auteur d'une agression, etc.) qui fait qu'on requiert de l'aide, du secours. *Au voleur! À l'assassin! Au viol! Au feu!*

REM. Bien que sémantiquement tout différents, des emplois du type de *à moi* (qu'on vienne à moi, pour m'aider, me secourir), *à la garde!* (qu'on aille chercher la garde!), *aux armes!* sont sentis comme apparentés à *au secours*, et renforcent cet emploi de *à*.

♦ **6** La prép. *à* marque une relation positive ou négative (union, opposition) entre le sujet d'un verbe exprimant une telle relation et le compl. introduit par elle. *Résister, s'opposer à qqn, à l'ennemi. S'allier à qqn. Se heurter à l'hostilité de qqn.*

REM. On peut considérer cette valeur et la précédente comme relevant de la pure syntaxe et l'analyser sous III. ci-dessous.

Après un adjectif de sens comparable : → ci-dessous IV. : *sympathique, hostile à...*

♦ **7** Après le verbe *être* et suivi de la même formule précédé de *ce que*... pour exprimer un rapport d'analogie entre quatre termes. *A est à B ce que C est à D.*

1 La bonne grâce est au corps ce que le bon sens est à l'esprit.
LA ROCHEFOUCAULD, Réflexions et maximes, 67.

2 Ce que le titan chauve est à l'archange imberbe Don Jayme l'est à don Ascagne; il a blanchi (...)
HUGO, la Légende des siècles, XXII, «Le cycle pyrénéen».

♦ **8** Introduisant une relative pour exprimer la mise en rapport du complément avec d'autres (idée de compétition). *Le prix ira à celui qui ira le plus vite.* Loc. *Jouer à qui perd gagne. À qui mieux mieux.*

Après *c'est. C'est à qui, c'est à celui qui...* (fera telle ou telle chose dans telle condition). *C'est à qui sera le plus menteur.*

♦ **9** Dans des loc. adverbiales et prépositives, avec les diverses valeurs ci-dessus. *À cause, à condition de... Au contraire (de...). À l'exemple de... Au fait. À la fois. À force de... Au fur et à mesure. À peine. À perte de vue. À vie. Au mieux, au pire, au plus. Au maximum, au minimum. À mesure que...*

**III** La prép. *à* introduit (obligatoirement) le compl. d'un verbe transitif indirect, ou d'un substantif obtenu par nominalisation d'un tel verbe.

REM. 1. La valeur sémantique de *à* est alors fonction du verbe : lorsqu'on peut tenter de la définir en elle-même, l'emploi a été traité selon cette valeur (ex. : «appartenance» : *appartenir à...*; «mouvement» et «position» : *arriver, parvenir à...*; «relation positive ou négative» : *s'allier, s'opposer à...*). Mais ces valeurs sont subordonnées à la fonction syntactique, puisqu'il n'y a pas de choix quant à la construction. Cependant, les emplois dont la liste suit peuvent être décrits selon quelques valeurs, fréquemment psychologiques : hésitation ou décision, tension vers un résultat, jugement de mise en rapport (ex. : *consister à*) dérivant du sémantisme de l'«attribution», ou encore temporelles et causatives, par exemple pour exprimer le stade d'une évolution *(commencer, continuer à...)*.

2. Morphologiquement, les verbes formés d'un préfixe se construisent souvent avec *à*..., le compl. introduit par la préposition marquant le terme d'un mouvement concret (→ ci-dessus II.) ou abstrait *(contrevenir, subvenir, équivaloir... à...)*.

♦ **1** Introduisant un complément unique.

**a** Il s'agit d'un verbe actif (ou du subst. dérivé). Voir les verbes dont le compl. correspond à un animé ou un inanimé : *Convenir, croire, déplaire, importer, incomber, manquer, nuire, obéir, penser, plaire, renoncer, résister, ressembler, succéder, suffire, tenir...* à (qqn), à (qqch.).

Mais qu'importe l'éternité de la damnation à qui a trouvé dans une seconde l'infini de la jouissance! 53
BAUDELAIRE, le Spleen de Paris, IX.

Verbes dont le compl. correspond à un inanimé. *Accéder, applaudir, assister, atteindre, consentir, contribuer, correspondre, jouer, participer, procéder, réfléchir, satisfaire, toucher...* à (qqch.).

Introduisant un infinitif. *Aimer, aspirer, chercher, commencer, consentir, consister, continuer, contribuer, hésiter, jouer, manquer, participer, persévérer, penser, persister, renoncer, servir, suffire, tarder, tendre, tenir, travailler, veiller, viser...* à (faire), à (être...).

N. B. On rencontre aussi des loc. verbales : *faire attention à tout remettre en ordre.*

REM. 1. Pour *commencer, continuer, à* est en concurrence avec *de*. Cette concurrence, autrefois beaucoup plus générale, s'est le plus souvent résolue en faveur de *à*. → Consentir, hésiter, réussir, veiller, etc.

2. Certains verbes se construisent avec ou sans *à*, selon des nuances de sens et d'emploi : *atteindre le but, au but; viser la cible, viser au succès; insulter qqn, insulter à sa mémoire. — Aimer travailler, aimer à travailler.*

3. De nombreux verbes qui se construisaient avec *à* sont devenus transitifs directs. *Chasser aux papillons* (vx). *Aider à qqn* (régional). — *Oublier à dire qqch.* (vx). — N. B. Le compl. en *à* des verbes normalement transitifs directs est fréquent en français des régions occitanes.

4. D'une manière générale, les problèmes de constructions verbales (possibilités de construction avec *à* ou avec *en*, avec *à* ou sans préposition, etc.) sont traités aux verbes.

La prép. *à* introduit *ce que*... (et une relative). *Aidez-nous à ce que tout soit rangé. Je consens à ce qu'il vienne. Faire attention, veiller à ce que...*

REM. 1. Certains verbes transitifs (et pronominaux) et locutions verbales se construisent avec *à ce que*... → S'accoutumer, s'appliquer, condescendre, contribuer, se décider, s'habituer, veiller... à ce que...; avoir intérêt, avantage...; être attentif... à ce que...

Dans les autres cas, même si elle est possible, cette construction est jugée moins élégante que celle en *que*. → Aimer, s'attendre, consentir, demander.

2. Les loc. *de manière, de façon à ce que*... sont critiquées par rapport à *de façon (de manière) que...*

Loc. **ÊTRE À...** suivi de l'infinitif.

(Choses). Correspond à *devoir être*. *Certaines choses sont à reprendre, à revoir, à recommencer... —* Vx. *«Je suis encore à comprendre qu'il y ait des hommes si fiers»* (Marivaux, *in* Gougenheim, *Étude sur les périphrases verbales*), je ne comprends pas encore, j'essaie de comprendre.

(Personnes). Être en train de... (aspect duratif de l'infinitif). *Ils étaient tous à travailler. Être quelque part à faire quelque chose.*

En temps de guerre, il est naturellement exceptionnel qu'on la voie *(l'armée)*, étant à boire et à manger et à faire la noce chez les Hokotis *(les ennemis)*. 54
Henri MICHAUX, Ailleurs, p. 123.

Même valeur, après *voici, voilà. Les voilà tous à courir.*

(Choses). Fam. *Les légumes sont à cuire* (cf. aussi par ellipse : *elle a laissé les légumes à cuire*, en train de cuire; ci-dessous d., 4.).

**EN ÊTRE À...** (exprimant le résultat). *Je n'en suis pas à mendier* (même nuance avec *en arriver à..., en venir à...*).

**AVOIR À...** et l'infinitif.

Marque la possibilité. *J'ai, il y a à manger* (même nuance avec *rester : il reste à manger*).

Marque la nécessité. *J'ai à faire.*

55 Non, Jules ne peut pas. Il a à me porter des cartes d'un autre côté. PROUST, Jean Santeuil, Pl., p. 257.

REM. On peut considérer ces emplois comme résultant par effacement de la construction *avoir quelque chose à...* (et infinitif → ci-dessous 2., a., 3. REM. ).

**(en) VENIR À...** *Il vint à passer...*

56 Il en vint à rougir d'être un bourgeois.
FLAUBERT, Mme Bovary, III, X.

**b** Il s'agit d'un verbe pronominal. Voir les verbes : *s'apparenter, s'appliquer, s'attacher, se dévouer, se donner, se fier, se joindre, se mesurer, s'offrir, s'en prendre, se rendre à...* (qqn, qqch.); *s'adonner, s'arrêter, s'attendre, se porter à...* (qqch.); *s'acharner, s'apprêter, s'aventurer, se complaire, s'enhardir, s'entêter, s'essayer, s'évertuer, s'ingénier, se laisser aller, se mettre, s'obstiner, se plaire, se prendre, se prêter, se vouer à...* (et l'infinitif).

REM. 1. Les verbes construits avec *à* et l'infinitif admettent souvent la construction *à* + substantif d'action *(il s'obstine à courir, à la course; il se plaît à travailler, au travail...)* et même *à* + substantif à valeur analogue *(il s'obstine, il se plaît au piano)*.

2. De nombreux verbes de ce type expriment soit l'attirance *(se plaire, etc.)* soit l'effort à l'action *(s'acharner, etc.)*.

3. Dans le cas des verbes pronominaux, la concurrence entre *à* et *de* est spécifique.

a) Certains verbes construits avec *de* à l'actif se construisent avec *à* au pronominal. → **Décider, essayer, hasarder, oublier, risquer.** (Ex. : *décider de qqch.; se décider à qqch.*).

b) La double construction peut sélectionner deux sens selon les prépositions *à* et *de*. → **Arrêter, amuser, divertir, occuper...**

c) Selon les cas, la construction avec *de* ou celle avec *à* est marquée (archaïque, stylistique) par rapport à l'autre. Voir les verbes (ex. : *épargner à qqn à faire qqch., manquer à faire qqch., s'empresser à faire qqch., haïr à faire qqch.*).

d) Construit avec un substantif d'action, correspondant à la nominalisation :

D'un verbe actif.

Voir : *accession, applaudissement, assistance, contribution, croyance, obéissance, participation, renonciation, renoncement, résistance, succession... à* (qqch.).

57 (...) ce jeu au soldat à jeun, dans la boue, lui sembla à la longue d'un goût détestable.
FRANCE, les Désirs de Jean Servien, XXIX, p. 204-205, *in* DAMOURETTE et PICHON.

*Croyance, désobéissance, obéissance, recours, résistance... à* (qqn); *aspiration, consentement, contribution, hésitation, persistance, renonciation, tendance... à* (faire quelque chose).

D'un verbe pronominal.

Voir : *adaptation, application, attachement, dévouement, obstination, résignation... à* (qqn, qqch.); *acharnement, application, complaisance, entêtement, obstination, plaisir, vocation... à* (faire qqch.).

♦ **2** Introduisant le complément indirect d'un verbe transitif direct ou le substantif qui y correspond par nominalisation.

REM. Cet emploi, syntactiquement distinct, procède sémantiquement de II., 3. «destination»; → notamment a. et d.

**a** Après le verbe, introduisant un substantif «animé» ou «humain» (noms de personnes, de choses humanisées, d'abstractions humaines...) avec l'idée générale de «destination, transmission», ou de suppression de ce rapport. (La forme est : verbe... «quelque chose» *à* «quelqu'un»). La valeur de sens correspond à la transmission effective *(acheter, donner qqch. à qqn)* ou projetée *(promettre à)* d'une chose (plus rarement d'un être animé), d'une personne (le sujet du verbe) à une autre (le complément introduit par *à*); l'«objet» transmis est fréquemment un message, une information *(dire, enseigner, ordonner qqch. à qqn)*. Les antonymes marquant le refus de transmission *(refuser qqch. à qqn)* ou la destruction du rapport *(arracher, dérober, retirer, voler...)* ont la même construction. On se reportera aux verbes, par ex. : *abandonner, accorder, acheter, affirmer, adresser, annoncer, apprendre, assigner, assujettir, attribuer, cacher, causer, commander, communiquer, confier, conseiller, consentir, crier, dédier, défendre, demander, destiner, devoir, dire, dispenser, dissimuler, donner, écrire, envoyer, expédier, garantir, inculquer, infliger, inspirer, interdire, jeter, jurer, laisser, lire, montrer, nommer, notifier, objecter, offrir, ordonner, pardonner, payer, porter, prescrire, prêter, procurer, promettre, prononcer, prouver, raconter, rappeler, rapporter, refuser, remettre, rendre, répéter, répliquer, représenter, reprocher, rétorquer, révéler, sacrifier, servir, signifier, soutenir, suggérer, susciter, télégraphier, téléphoner, témoigner, tendre, transmettre...* (quelque chose *à* quelqu'un).

Nous rendions à César ce qu'on doit à César. 5
HUGO, Hernani, IV, 4.

Une atmosphère obscure enveloppe la ville 5
Aux uns portant la paix, aux autres le souci.
BAUDELAIRE, les Fleurs du mal, «Recueillement».

REM. Quelques-uns de ces verbes correspondent à des sémantismes de base, comme l'appartenance.

Loc. *Trouver quelque chose à son goût.*

Écoutez si vous trouverez l'air à votre goût. 6
MOLIÈRE, les Précieuses ridicules, 9.

Avec les mêmes verbes, en emploi pronominal. *Ceci s'adresse à vous. Il se nomme à tous. Il se trouve à son goût.*

C'est à vous, s'il vous plaît, que ce discours s'adresse. 6
MOLIÈRE, le Misanthrope, I, 2.

Avec un double compl. en *à...* *Apprendre à qqn à faire qqch.* → aussi Demander, donner, enseigner...

Anne-Marie apprenait à sa sœur Pauline à élever la volaille, à travailler le parterre, à gouverner les servantes. 6
H. POURRAT, À la belle bergère, I, 1, p. 7, *in* DAMOURETTE et PICHON.

Avec ellipse d'un impératif à la 2e pers., dans des cris. *À la bonne salade!* (pour *venez voir, acheter...; venez à...*). *«À la fraîche! À la glace!»* (cri des marchands ambulants de coco, autrefois).

REM. 1. Certains de ces verbes peuvent se construire avec un infinitif introduit par *de*. *Dire, garantir, jurer, offrir, promettre, reprocher, téléphoner... à* (quelqu'un de faire quelque chose).

2. Certains de ces verbes sont pronominalisables : *s'abandonner, s'accorder, s'adresser... à* (quelqu'un).

3. Dans certains cas, la construction verbe + compl. + *à* + compl. indirect est en concurrence avec une construction avec *de*, avec un sens différent : *fournir quelque chose à quelqu'un — fournir quelqu'un de quelque chose.*

4. Certains verbes de la liste ci-dessus admettent un compl. en *à* nom de chose (impliquant un contenu humain). Ex. : *objecter, répliquer, rétorquer* quelque chose (un argument, etc.) *à* quelque chose.

5. La même idée de «destination» peut s'exprimer par *à* suivant un verbe intransitif à sujet non animé : *le prix ira au vainqueur, à celui qui..., etc.* → aussi II., c., 7.

Avec les verbes *faire* et (vx) *laisser* suivis de l'infinitif la préposition *à* introduit un complément d'agent le plus souvent «animé, humain». *Elle fait continuer leurs études à ses filles.* — *Il s'est laissé prendre, il s'est fait prendre à ce piège, à leur charme.*

**b** Introduisant un subst. «non humain», «non animé» *(... à quelque chose)*, avec des verbes établissant une relation d'attribution ou d'adjonction, un rapport à la fois spatial (*joindre* quelque chose *à* quelque chose) et abstrait (*comparer* quelque chose *à* quelque chose).

Voir les verbes : *adjoindre, allier, annexer, apporter, assimiler, associer, comparer, confronter, consacrer, donner, fixer, joindre, lier, mêler, relier, subordonner, substituer* (quelque chose *à* quelque chose).

Avec une valeur locative, spatiale. *Déchirer ses habits aux ronces.* Voir ci-dessus II., A.

**c** Le verbe a un complément direct «animé, humain» et un complément en *à* «non animé», avec la valeur de «destination», ou, au contraire, de «séparation». *Abonner qqn à une publication. Abandonner, arracher qqn au danger.*

Pronominalisé : *s'abonner, s'arracher à...*

**d** Introduisant un infinitif ou un substantif d'action, le complément direct étant ou non «animé, humain».

Compl. direct «animé». La préposition *à* correspond à un rapport établi entre le substantif «animé» et le verbe, quant à une action à accomplir : appel, préparation ou contrainte. Voir les verbes : *aider, amener, appeler, assigner, astreindre, autoriser, condamner, conduire, contraindre, convertir, convier, décider, destiner, déterminer, dresser, employer, encourager, endurcir, engager, entraîner, exciter, exercer, exhorter, forcer, former, habituer, induire, initier, inviter, obliger, porter, pousser, préparer, réduire, résoudre, utiliser...* quelqu'un *à* quelque chose, à faire quelque chose. — Voir v. pron. *S'apprêter, s'engager à...* (quelque chose, *à* faire quelque chose).

Le compl. direct, en général «non animé», est aussi le compl. de l'infinitif. — REM. Cette construction n'est possible qu'avec quelques verbes : *avoir* quelque chose *à* + inf., marquant la nécessité, le devoir (*j'ai autre chose à faire, je n'ai que la rue à traverser, vous n'avez qu'un mot à dire...* → Avoir et ci-dessus cit...) ; *donner, laisser* quelque chose *à* + inf. (*donner du linge à laver, à repasser, je te donne, laisse le gosse à garder...* → Donner, laisser) ; *mettre quelque chose à cuire, à chauffer... Trouver* quelque chose *à* + inf. (*il n'a rien trouvé à répondre.* → Trouver). *Vouloir quelque chose à manger.* — Les mêmes verbes fonctionnent sans compl. direct : *avoir à* + inf. marque l'obligation (*il a beaucoup à faire* ; → Devoir) ; *donner, laisser à* + inf. marque l'effet, la conséquence (*donner à penser, laisser à désirer.* → Donner, laisser) ; *trouver à* + inf. → Trouver. *Vouloir à manger.*

REM. Dans cette construction, le compl. de l'infinitif peut se placer avant (*elle lui donnait, confiait... la voiture à réparer*) ou après lui (*elle lui donnait à réparer sa voiture*).

Le compl. direct, non animé, est sans rapport syntaxique avec l'infinitif (il n'est ni sujet ni compl.). Avec quelques verbes : *mettre, consacrer, dépenser, employer, utiliser... Il met (consacre, emploie...) tout son temps, tous ses efforts à faire ce travail. Il a mis huit jours, une heure à...* (et inf.) : l'action faite par lui a duré* (...).

Ellipt (soit du p. p. d'un verbe tel que *mettre* ci-dessus 2., soit de *être* ci-dessus 1., a. : *être à...*).

63 Quand Charles rentrait, il trouvait auprès des cendres ses pantoufles à chauffer. FLAUBERT, Mme Bovary, II, V.

Spécialt. *Laisser à quelqu'un à* (et l'inf.). → **Laisser.** Cette construction est rare, sauf avec un pronom complément, qui fait disparaître le premier *à* : *je vous, je lui laisse à penser, à deviner, à imaginer ceci.*

♦ **3** Après un substantif provenant d'un verbe (ci-dessus a.) par nominalisation.

**a** Le complément introduit par *à* est un animé, humain. *L'annonce d'une nouvelle à quelqu'un* (le compl. de *de* est non animé). Voir : *abandon, achat, affirmation, annonce, application, assignation, assujettissement, attribution, aveu, communication, défense, demande, dissimulation, don, enseignement, envoi, expédition, garantie, inculpation, interdiction, lecture, notification, objection, offre, ordre, paiement, prescription, prêt, promesse, rappel, rapport, refus, remise, réplique, répétition, révélation, sacrifice, suggestion, transmission* (*de* quelque chose *à* quelqu'un).

**b** Le compl. de *à* est non animé, le premier compl. (en *de*) étant quelconque. Voir : *adjonction, annexion, apport, assimilation, association, comparaison, confrontation, consécration, don, liaison, réduction, subordination, substitution... de* (quelque chose), *de* (quelqu'un) *à* (quelque chose).

**c** Le compl. de *à* est un infinitif ou un nom d'action. Voir : *autorisation, condamnation, encouragement, entraînement, exhortation, formation, initiation, préparation, utilisation... de* (quelqu'un *à* faire quelque chose, *à* une action).

♦ **4** Elliptique (parfois exclamatif) pour exprimer l'attribution, la transmission de quelque chose ou la désignation de quelqu'un. *À toi la balle ! À vous l'honneur. À vous. Au suivant (de ces messieurs).* — Avec un compl. en *de* à l'infinitif. *À toi de jouer, de dire. Au suivant d'entrer.*

Dans une dédicace, un envoi (avec la valeur de «je donne, j'envoie, j'adresse...» ou «on donne, etc. à...»). *Aux grands hommes, la Patrie reconnaissante* (épigraphe du Panthéon, à Paris) : la Patrie dédie (le monument) aux grands hommes. *Au lecteur. À M. X, en hommage de l'auteur.* → **Pour.**

Construit avec un nom. *Poèmes à Lou* (Apollinaire). → **Pour.**

À ma sœur Léonie Aubois d'Ashby. Baou ! — l'herbe d'été bourdonnante et puante (...) 64
À Lulu, — démon — (...)
À l'adolescent que je fus. À ce saint vieillard, ermitage ou mission.
À l'esprit des pauvres. Et à un très haut clergé (...)
RIMBAUD, les Illuminations, Pl., p. 195.

Cet emploi correspond à l'effacement de verbes comme *adresser, dédier, donner, envoyer,* qui peuvent être exprimés, la mise en valeur du dédicataire présenté par *à* étant assurée par la postposition du verbe :

Au poète impeccable, au parfait magicien ès lettres françaises, à mon très-cher et très-vénéré maître et ami Théophile Gauthier *(sic)* avec les sentiments de la plus profonde humilité je dédie ces fleurs maladives. 65
BAUDELAIRE, Dédicace des Fleurs du mal.

Loc. *À votre santé*. À la vôtre, à la bonne vôtre. À la tienne, Étienne !*

**IV** La préposition *à* relie un adjectif à un substantif ou à un infinitif, marquant une idée locative ou temporelle, une idée de mise en relation, etc. ♦ **1** Idée locative ou temporelle.

(Domaine concret, spatial). Voir : *adjacent, attenant, contigu, extérieur, inférieur, parallèle, perpendiculaire, supérieur à...* (quelque chose). — (Temporel). Voir : *antérieur, consécutif, postérieur, préalable à...*

Domaine abstrait, marquant une relation : comparaison, opposition. Voir : *adéquat, analogue, applicable, comparable, conforme, contraire, égal, équivalent, identique, pareil, relatif, semblable à...*

♦ **2** Idée de mise en rapport entre des choses ou des personnes, entraînant une relation de possibilité, d'effet, etc. Voir : *défavorable, favorable ; impossible, possible ; étranger, familier, habituel, ordinaire ; profitable, néfaste, nuisible ; inutile, utile ; spécifique, spécial, particulier... à* (quelqu'un, quelque chose).

Mise en rapport entre une qualité, un caractère (de quelque chose) et une personne, pour marquer un rapport de connaissance, de perception (rapport objet-sujet). Voir : *accessible, compréhensible, inaccessible, impénétrable à* (quelqu'un). Par ext. *Impénétrable, insensible, sensible, inaccessible au doute, aux arguments, aux qualités* de (quelqu'un).

66 La douleur la rendait insensible à tout, à sa douleur même. Jean GENET, Pompes funèbres, p. 105.

Marquant un rapport positif ou négatif : *agréable, bon, cher, doux, précieux; douloureux, pénible, intolérable... à* (quelqu'un).

Rapport entre personnes : *indulgent, loyal, dur, impitoyable à... Il est cher à tous ses amis. Hostile, sympathique à...*

67 Cet homme si fidèle aux particuliers, si redoutable à l'État, d'un caractère si haut qu'on ne pouvait ni l'estimer, ni le craindre, ni l'aimer, ni le haïr à demi (...)
BOSSUET, Oraison funèbre de Michel Le Tellier.

♦ **3** Introduisant un infinitif.

**a** Avec une valeur «active». L'adjectif qualifie un substantif «humain» et la préposition *à* introduit un infinitif avec une idée de rapport positif (aptitude, capacité) ou négatif (incapacité). *Il, elle est apte, enclin(e), habile, porté(e), prêt(e), sujet(te) à faire telle chose, à agir, à se comporter... Être inapte, inhabile, maladroit, négligent à faire quelque chose. Ils furent unanimes à le condamner.*

*À* est en concurrence avec *pour.*

Même construction avec un nom de chose, le sens pouvant être actif ou passif : *chose bonne, prête, propre à...*

**b** Valeur «passive». Le substantif peut être «humain» ou «non humain», l'adjectif marque une qualité attribuée, en relation avec l'infinitif par le sujet implicite de cet infinitif. *Spectacle, homme beau, laid, insupportable à voir, à regarder :* beau... dans la mesure où on (quelqu'un) le regarde; beau... si on le regarde. Cf. *À le regarder, à le voir...,* ce spectacle est beau, etc. *Obstacle difficile à franchir. Chemin long, interminable à parcourir. Nouvelle insupportable à entendre.*

68 Mes livres que tout à l'heure encore je trouvais si ennuyeux, si lourds à porter, ma grammaire, mon histoire sainte, me semblaient de vieux amis qui me feraient beaucoup de peine à quitter.
Alphonse DAUDET, Contes du lundi, «La dernière classe».

REM. 1. Dans de nombreux cas, ce tour correspond à l'attribution d'une qualité à l'infinitif lui-même, le substantif ayant la valeur d'un complément du verbe. *Ce désert est difficile, impossible à traverser :* traverser ce désert est difficile, impossible. Voir les adjectifs comme : *facile, difficile; aisé, malaisé; commode, incommode; dur; simple,* etc.
2. Les adjectifs en *-ble (agréable, supportable, etc.)* sont souvent construits avec *à...*

La préposition *à* comporte une relation de conséquence. L'adjectif est renforcé et particularisé par rapport à l'infinitif.

Le substantif qualifié par l'adjectif est le sujet de l'infinitif. *Elle se sentait triste à pleurer, à en mourir,* au point de... *Il est bête à manger du foin. Plein à craquer. Laide à faire peur. Facile à dire. Difficile à croire.* — Avec *être* et un attribut. *Il est laid à en être effrayant.* — Avec un passif. *Les femmes «étaient faciles à être contentées...»* (Proust, *in* Le Bidois, qui critique ce tour comme «artificiel»).

L'infinitif a un autre sujet, notamment un sujet implicite et général. *Il est bête à pleurer :* il est si bête que cela fait pleurer, qu'on en pleure, qu'on en pleurerait. → **Si, tellement** (que).

REM. Dans le second cas (sujet de l'infinitif différent), ce tour est surtout vivant dans des locutions *(bête à pleurer, jolie à croquer).* En emploi libre, cette construction est stylistique et souvent anormale : *un lit «large à y coucher à trois»* (*in* T. L. F.).

Avec un participe passé adjectivé. *Être ému à ne savoir quoi dire.*

Le substantif précédé de *à* est plus rarement déterminé, souvent dans des emplois familiers et figés. *Assiette au beurre, boîte aux lettres* (en concurrence avec : *à lettres,* ci-dessous, V., 1., a.).

Dans tous les cas, cette structure correspond à un syntagme usuel, plus ou moins figé. Les emplois analogues libres sont stylistiques.

La main à plume vaut la main à charrue. Quel siècle à 69
mains! RIMBAUD, Une saison en enfer, Pl., p. 206.

**V** La préposition *à* sert à construire le complément d'un nom (à l'exception des substantifs provenant de la nominalisation d'un verbe, traités ci-dessus, en III.). ♦ **1** Correspondant à l'idée de destination, dans des syntagmes nominaux de la forme :

**a** Nom + *à* + nom (non déterminé).

(Concret). *Boîte à* (gants, cigares, lettres...), *brosse à* (habits, chaussures, dents...), *canne à pêche, corbeille à papier, couteau à* (pain, viande...), *cuiller à* (soupe, dessert), *épingle à* (cheveux, linge...), *étui à* (lunettes...), *fourchette à* (huîtres...), *moulin à café, papier à lettres, plateau à* (fromage...), *pot à* (lait, tabac...), *sac à* (provisions...), *seau à* (glace, champagne...), *tasse à* (café, thé...), *verre à* (vin, bière...). Spécialt, le compl. désigne le produit. *Arbre à pain, canne à sucre.*

Compl. de manière. *Sac à main,* porté à la main.

**b** Le nom suivi de *à* est suivi d'un infinitif, avec la valeur :

Active, correspondant à 1. («qui sert à...»). *Air à danser, carte à jouer, chambre à coucher, chanson à boire, couteau à découper, crème à raser, fer à* (repasser, souder...), *machine à* (écrire, laver...), *poêle à frire, poil à gratter, salle à* (manger; régional, dîner), *verre à boire.* — REM. L'infinitif a parfois une valeur factitive *(chanson, verre... à boire).*

Passive, avec la valeur «destiné à être...». *Bois à brûler, tabac à priser, terrain à bâtir.*

Avec l'infinitif d'un verbe intransitif ou transitif indirect. *L'année, les siècles à venir.* Comm. (fautif). *Affaire, occasion à profiter.* — REM. Dans cet emploi, on peut construire de nombreux syntagmes libres avec des verbes transitifs directs : *c'est le (un) livre à lire, l'homme à abattre, le dernier film à voir. Une maison, une voiture... à vendre, à louer.*

♦ **2** La préposition *à* introduit le complément de moyen d'un nom (en particulier : source d'énergie, moyen ou élément de fonctionnement). *Appareil à pétrole, à essence; arme à feu; avion à réaction, briquet à essence, à gaz; bateau à moteur, à voiles, à rames; calculatrice à diodes, à cristaux liquides; frein à main; instrument à cordes, à vent; lampe à huile, à pétrole...; machine à vapeur; montre à quartz; moteur à essence, à hélice, à explosion, à réaction; moulin à aubes, à vent...; patins à roulettes; poêle à bois, à charbon; système à...*

La construction est analogue à celle de certains substantifs d'action traités ci-dessus : *coupe au rasoir.*

♦ **3** La préposition *à* introduit un compl. d'«accompagnement» et équivaut à «qui a un, des...». → **Avec;** et aussi ci-dessus, II., C., 1., c. *Armoire à glace, bête à corne, chapeau à fleurs, chambre à deux lits, char à bancs, homme à femmes, piano à queue...*

REM. Cet emploi donne lieu à relativement moins de syntagmes figés que les précédents ; mais de nombreux syntagmes libres sont possibles, notamment pour qualifier un objet quant à ses éléments perceptibles *(tapis à fleurs, à ramages, à motifs... ; pantalon à carreaux, à rayures...)* ou une personne quant à ses caractéristiques physiques et morales *(un type à moustache, une fille à chignon, à nattes, des gros capitalistes à cigares, un homme à principes...)*. Le substantif introduit par *à* est souvent déterminé : *un tapis aux dessins compliqués, une pièce aux portes entrouvertes, un garçon à l'air abruti, une femme aux cheveux blonds...*, même dans des syntagmes figés *(l'homme à l'oreille cassée, arbres à feuilles caduques)*.

'0 *(Le sang)* Qui coule, bleu, sous ta peau blanche
Aux tons rosés (...) RIMBAUD, Poésies, Pl., p. 57.

1 Les bons vergers à l'herbe bleue,
Aux pommiers tors (...) RIMBAUD, Poésies, Pl., p. 57.

2 Épatant sur son banc les raideurs de ses reins
Un bourgeois à boutons clairs, bedaine flamande (...)
RIMBAUD, Poésies, «À la musique», Pl., p. 60.

'3 Henrika avait une jupe de coton à carreau blanc et brun (...) un bonnet à rubans et un foulard de soie.
RIMBAUD, les Illuminations, Pl., p. 178.

4 Il vint des maçons aux vêtements maculés de plâtre
Il vint des garçons bouchers aux bras teints de sang (...)
APOLLINAIRE, le Guetteur mélancolique, «Un dernier chapitre», Pl., p. 562.

Spécialt (noms de comestibles). *Café au lait. Tarte aux pommes.*

Noms de personnes ou de lieux, formant des noms propres complexes. *Berthe aux grands pieds. Alceste, surnommé «l'homme aux rubans verts» par Célimène. — Le Parc aux cerfs. L'île au Trésor,* traduction française du titre anglais d'un roman de R.-L. Stevenson *(Treasure Island).*

REM. Sur la valeur sémantique subordonnante de cette construction :

1 Cette valeur «transitive», disons plutôt cette valeur semi-verbale, d'une préposition comme *à*, éclate dans des phrases telles que celles-ci : «La cigogne *au long bec* n'en put attraper miette». La Fontaine, Fables, I., 18 (= la cigogne *qui avait, parce qu'elle avait,* un long bec, etc.); «Sa véritable maîtresse, *aux décisions* impossibles à prévoir, *aux ruses* difficiles à déjouer, *au bon cœur* facile à fléchir, sa souveraine, son tout-puissant monarque n'était plus». Proust, (*Du côté de chez Swann,* I., 221) : ici encore, de quelque façon qu'on explique ces tours, on aboutit à une subordonnée conjonctive (*qui avait* des décisions, etc. ; ou : *dont les décisions étaient,* etc.).
G. et R. LE BIDOIS, Syntaxe du franç. moderne, p. 679.

REM. Introduisant un pronom et le verbe *connaître*, au passif (en concurrence avec *de : connu de...*).

5 M. PRUDHOMME. Il y a tout à parier que ce monsieur a des raisons *à* lui connues pour cacher son état.
Henri MONNIER, Scènes populaires, 1835, p. 130.

**A͡A** Du grec *ana.* Symbole alchimique de l'amalgame.

**AA** ou **A͡A** Symbole pharmaceutique indiquant un mélange en quantités égales.

**AA** [aa] n. m. — Attesté 1980 ; mot d'orig. hawaïenne.
Didact. (géomorphol.). Coulée de lave rugueuse, à scories, le plus souvent basaltique.

**AB-** Élément tiré du latin *ab* marquant (au propre ou au fig.) l'éloignement, l'écart, la séparation. Ex. : *abduction, abjurer, ablation, abolir.* — Dans quelques dérivés, variante : *abs- : abscons, abstention, abstraire.*

**ABACA** [abaka] n. m. — 1664 ; «bananier» au sens 2., 1782 ; du tagal (langue des Philippines) par l'esp. *abacá.*

♦ **1** Bot. Bananier des Philippines, dont les pétioles fournissent une matière textile.

♦ **2** Matière textile appelée aussi *chanvre de Manille,* ou *tagal,* tirée de ce bananier, et avec laquelle on fait des cordages, des nattes, des paillassons, du papier, des tissus.

**ABACULE** [abakyl] n. m. — 1933 ; du lat. *abaculus.*
Didact. Petit cube, élément d'une mosaïque*.

**ABAISSABLE** [abɛsabl] adj. — 1866 ; de *abaisser.*
Qu'on peut abaisser. *Un siège abaissable. Tablette abaissable.* → **Rabattable.**

**ABAISSANT, ANTE** [abɛsɑ̃, ɑ̃t] adj. — 1846 ; de *abaisser.*
Qui abaisse moralement. *Paroles abaissantes.* → **Dégradant, humiliant.**
CONTR. **Exaltant.**

**ABAISSE** [abɛs] n. f. — 1490 ; de *abaisser,* 2.
Pâtiss. Couche de pâte amincie sous le rouleau. *Étendre la pâte en abaisses.*
HOM. **Abbesse** ; formes du v. **abaisser.**

**ABAISSÉE** [abese] n. f. — Av. 1877, *Comptes rendus de l'Académie des sciences,* in Littré *Suppl.* ; de *abaisser.*
Didact. *Abaissée d'aile :* l'un des deux mouvements alternés qui constituent le vol des oiseaux, pendant lequel les ailes s'abaissent ; distance parcourue pendant ce mouvement.
CONTR. **Relevée.**

**ABAISSE-LANGUE** [abɛslɑ̃g] n. m. invar. — 1841 ; de *abaisser,* et *langue.*
Méd. Instrument, en forme de palette, servant à abaisser la langue pour examiner la gorge.

Pour examiner l'isthme du gosier, on fait ouvrir largement la bouche au malade ; on déprime la langue avec le doigt indicateur ou avec le manche d'une cuiller, une spatule ou un *abaisse-langue* dont la surface concave s'adapte exactement à la convexité de cet organe et l'on met à découvert le voile du palais et ses piliers, la luette, les amygdales et la partie postérieure du pharynx.
A.-F. CHOMEL, Éléments de pathologie générale, p. 468, 1841, *in* D.D.L., II, 18.

**ABAISSEMENT** [abɛsmɑ̃] n. m. — Fin XII^e ; de *abaisser.*
Action d'abaisser, de s'abaisser.

♦ **1** Action de faire descendre ; état de ce qui est descendu (→ **Baisse**). — *L'abaissement de qqch. (par qqn). L'abaissement d'un store. L'abaissement des paupières.* — Processus par lequel qqch. s'abaisse. *L'abaissement d'un organe, de l'utérus.* → **Affaissement, chute, descente ; ptose, prolapsus.**

Mépris outré, par l'abaissement excessif des coins de la bouche, à propos de je ne sais quelle attaque (...) 0.1
STENDHAL, Journal, 21 mai 1813.

À chaque gonflement de la vague enflée comme un poumon, ces fleurs, baignées, resplendissaient, à chaque abaissement, elles s'éteignaient. 1
HUGO, les Travailleurs de la mer, II, I, XIII.

Géom. *Abaissement d'une perpendiculaire. — Abaissement du niveau d'un liquide.*

♦ **2** Action de diminuer une hauteur, la hauteur de (qqch.). *L'abaissement d'un mur, d'un talus.* — Par métonymie. Forme de ce qui diminue de hauteur (à un endroit donné). → **Dépression.** *L'abaissement, le brusque abaissement de la côte, de la falaise.*

♦ **3** Le fait de diminuer de force, d'intensité, de devenir plus bas, plus faible. *L'abaissement de la température, du degré d'humidité.*

1.1 Les colons n'en avaient pas fini avec les froids rigoureux. On sait que, dans l'hémisphère boréal, le mois de février se signale principalement par de grands abaissements de la température. Il devait en être de même dans l'hémisphère austral.
J. VERNE, l'Île mystérieuse, t. I, p. 290 (1874).

Action de diminuer (une valeur), de la rendre plus basse. *L'abaissement du prix des denrées.* → **Diminution.** *Abaissement d'un taux, de la valeur d'une monnaie.* → **Chute, dévaluation.** *Abaissement de l'âge de la retraite.* → **Avancement.**

1.2 La campagne lancée par les syndicats en faveur de l'abaissement de l'âge de la retraite est extrêmement populaire, et les patrons en ont reconnu le bien-fondé puisqu'ils ont accepté de verser une pré-retraite aux chômeurs de plus de 60 ans (...) Jean FERNIOT, Pierrot et Aline, p. 293.

♦ **4** Vieilli. Action de rendre moins puissant. → **Affaiblissement, anéantissement.**

2 Après l'abaissement des Carthaginois, Rome n'eut presque plus que de petites guerres.
MONTESQUIEU, Grandeur et décadence des Romains, V.

♦ **5** Vx. État de ce qui a une valeur moindre. → **Décadence, déclin, dégénérescence.** — REM. *Bassesse* marque un état permanent, *abaissement* un état accidentel.

3 Bassesse est un substantif pur, abaissement est un substantif verbal. La bassesse est un état; l'abaissement, un état qui résulte d'une action.
LAFAYE, Dict. des synonymes, Bassesse, abaissement.

Action de descendre du niveau (moral) auquel qqch. se tenait; état résultant de cette action. *L'abaissement de la morale publique.* → **Dégénérescence.**

4 L'abaissement des caractères et la conquête macédonienne livrent la Grèce aux étrangers.
TAINE, Philosophie de l'art, t. I, I, p. 8.

♦ **6** (Personnes). Vx. Le fait de s'humilier, de se soumettre, soit par un acte délibéré (pouvant avoir une valeur morale et mystique positive), soit par la contrainte et les circonstances; état qui en résulte. — Spécialt. Déshonneur, indignité. → **Abjection, avilissement, déchéance, dégradation, déshonneur, indignité.** *L'abaissement et la honte*.* → aussi **Servitude, soumission.**

5 Vous avez vu ma honte et mon abaissement.
VOLTAIRE, Brutus, IV, 1.

6 Dieu ne nous fait trouver notre salut que dans les humiliations et l'abaissement.
MASSILLON, cité par LAFAYE, Dict. des synonymes, Bassesse, abaissement.

Dans un contexte religieux. Comportement par lequel une personne renonce à tout orgueil mondain, par humilité*, état de renoncement. → **Humiliation, renoncement.** *Abaissement volontaire.*

7 Son humilité la sollicite à venir prendre part aux abaissements de la vie religieuse.
BOSSUET, Sermon pour la profession de Mlle La Vallière.

8 Fils du ciel, je fuirai les honneurs de la terre;
Dans mon abaissement je mettrai mon orgueil (...)
HUGO, Odes et Ballades, IV, 9.

Littér. Le fait d'occuper une situation plus basse, pour une personne.

9 Anne ignorait son abaissement soudain, et que sa hauteur, son mépris, ne m'en imposaient plus (...)
GIRAUDOUX, Simon le pathétique, p. 231.

Vx. Situation sociale inférieure.

CONTR. **Élévation, exhaussement, relèvement, soulèvement, surélévation. — Exaltation, glorification.**

**ABAISSER** [abese] v. tr. — Av. 1150; de 1. *a-*, et *baisser.*

♦ **1** Faire descendre à un niveau plus bas. → **Baisser.** *Voulez-vous abaisser la vitre? Abaisser qqch. en inclinant*, en penchant*.* — Arithm. *Abaisser un chiffre* : dans une division, écrire un chiffre du dividende à la suite du reste obtenu. — Géom. *Abaisser une perpendiculaire* : mener d'un point une perpendiculaire à une ligne, à un plan.

Baisser une chose, c'est la mettre plus bas qu'elle n'était; l'abaisser c'est la mettre plus bas qu'une autre, ou au moins la faire descendre jusqu'à une autre qui était plus bas. 1
CONDILLAC, cité par LAFAYE, Dict. des synonymes, Baisser.

(Le compl. désigne une partie du corps). *Abaisser un bras, la tête.* — (Sujet n. de chose, → cit. 2, ci-dessous).

J'étais tout à la joie de voir les yeux noirs abaisser leurs grands cils de soie sur les pages de mon livre et les relever vers moi avec admiration. 2
Alphonse DAUDET, le Petit Chose, p. 289.

En passant, elle abaissa sur moi ses grands yeux ardents et noirs. FRANCE, le Petit Pierre, XVI, p. 104. 3

Vx (langue class.). Baisser.

Voyez comme elle abaisse cette tête auguste devant laquelle s'incline l'univers. 4
BOSSUET, Oraison funèbre de Marie-Thérèse d'Autriche.

♦ **2** (1751). Rare. Diminuer la hauteur de. *Abaisser la pâte, de la pâte avec un rouleau à pâtisserie,* l'aplatir en couche mince. → **Biller; abaisse.**

♦ **3** Diminuer la quantité de, faire baisser. *Abaisser la température.* → **Atténuer.** *Abaisser le prix des denrées.* → **Diminuer.** *Abaisser la voix. — Abaisser un seuil, un temps. Abaisser l'âge de la retraite :* réduire le nombre d'années de travail nécessaires, dans une profession donnée, au droit à la retraite. → Abaissement, cit. 1.2.

Alg. *Abaisser le degré d'un polynôme, d'une équation,* le ou la réduire à un degré inférieur.

♦ **4** Fig. Faire descendre à un niveau inférieur. → **Abattre, affaiblir, anéantir, écraser.** → ci-dessous cit. 11, 12, 16 et 19.

*Abaisser une puissance,* l'affaiblir. → **Abattre, soumettre.** → ci-dessous cit. 5, 6, 13, 14 et 17.

*La souffrance abaisse,* humilie. → **Mortifier, rabaisser, ravaler.** → ci-dessous cit. 7, 10 et 18.

Cette fierté si haute est enfin abaissée. 5
RACINE, Alexandre, V, 3.

Dans ce désordre, si les puissances féodales avaient été abaissées, les puissances d'argent avaient grandi. 6
J. BAINVILLE, Hist. de France, XII, p. 220.

On peut, sans s'avilir, s'abaisser sous les dieux, les craindre et les servir. VOLTAIRE, Sémiramis, II, 7. 7

Morbleu! c'est une chose indigne, lâche, infâme, 8
De s'abaisser ainsi jusqu'à trahir son âme.
MOLIÈRE, le Misanthrope, I, 1.

(...) la bonté qu'il a de s'abaisser à s'entretenir avec vous. 9
RACINE, Lettre à son fils.

La servitude abaisse les hommes jusqu'à s'en faire aimer. 1
VAUVENARGUES, Réflexions et maximes, 22.

Nous élevons la gloire des uns pour abaisser celle des autres, et quelquefois on louerait moins Monsieur le Prince et M. de Turenne si on ne les voulait point blâmer tous deux. LA ROCHEFOUCAULD, Maximes, 198. 1

Les grands noms abaissent au lieu d'élever ceux qui ne les savent pas soutenir. 1
LA ROCHEFOUCAULD, Maximes, 94.

C'est un malheur que les hommes ne puissent d'ordinaire posséder aucun talent sans avoir quelque envie d'abaisser les autres. 1
VAUVENARGUES, Réflexions et maximes, 281.

Il s'agit pour chaque cité *(grecque)* d'assujettir ou d'abaisser les autres, d'acquérir des vassaux, de conquérir ou d'exploiter autrui. TAINE, Philosophie de l'art, p. 67. 1

15 Quiconque s'élèvera sera abaissé, et quiconque s'abaissera sera élevé.
BIBLE (CRAMPON), Évangile selon saint Matthieu, XXIII, 12.

6 S'il se vante, je l'abaisse ; s'il s'abaisse, je le vante et le contredis toujours, jusqu'à ce qu'il comprenne qu'il est un monstre incompréhensible.
PASCAL, Pensées, VI, 420.

7 La douleur abaisse, humilie, porte à blasphémer.
RENAN, Souvenirs d'enfance..., VI, 5.

8 L'humilité (...) artifice de l'orgueil qui s'abaisse pour s'élever. LA ROCHEFOUCAULD, (→ Humilité).

9 Rabaisser est plus fort *(qu'abaisser)* ; on rabaisse ce qui est beaucoup trop élevé, l'arrogance, la présomption.
LITTRÉ, Dict., art. *Abaisser.*

REM. Les citations précédentes (notamment les cit. 15 et 16) montrent que *abaisser* est parfois aussi fort que *rabaisser.*

◆ **S'ABAISSER** v. pron.

♦ **1** Descendre à un niveau plus bas. *Le terrain s'abaisse vers la rivière.* → **Descendre.** — Pouvoir être descendu, abaissé. *Vitre qui s'abaisse.* — Diminuer de force, d'intensité. *Voix qui s'abaisse.*

♦ **2** Se mettre dans une position inférieure. → **Humilier** (s'). *S'abaisser devant Dieu.* → cit. 8 et 15 ci-dessus. — *S'abaisser à la portée de qqn :* consentir à descendre du niveau auquel on se tient. → **Condescendre, daigner.** → cit. 9 ci-dessus.

Qui s'est abaissé devant la fourmi, n'a plus à s'abaisser devant le lion.
Henri MICHAUX, Face aux verrous, p. 65.

*S'abaisser sous la volonté de qqn.* → **Plier** (se), **soumettre** (se). *S'abaisser à des compromissions.* → **Compromettre** (se). *S'abaisser à (des actes vils, des comportements honteux),* descendre jusqu'à (...). → **Avilir** (s').

♦ **3** Vx. *Le soir s'est abaissé,* a diminué. → **Décliner, tomber.**

CONTR. **Élever, relever, soulever, surélever.** — **Exhausser, hausser.** — **Célébrer, exalter, glorifier, honorer, vanter.**
◈ DÉR. **Abaissable, abaissant, abaisse, abaissée, abaissement, abaisseur.** → COMP. **Abaisse-langue.**

**ABAISSEUR** [abɛsœʀ] adj. et n. m. — 1564, « qui humilie » ; sens médical, 1690 ; de *abaisser.*

♦ **1** Anat. Se dit d'un muscle servant à abaisser une partie du corps. *Muscle abaisseur de la lèvre.* — N. m. *L'abaisseur du sourcil, de la lèvre.*

♦ **2** (Fin XIXe). Techn. Qui abaisse. *Rouleau abaisseur.* — N. m. *Un abaisseur de tension* (électrique).

**ABAJOUE** [abaʒu] n. f. — 1766, Buffon ; mot dialectal, de *la bajoue,* avec agglutination du *a* de l'article.

Zool. Poche que certains mammifères ont entre les joues et les mâchoires, et qui leur sert à mettre des aliments en réserve. *Les abajoues du singe, du hamster.*

(...) toutes les guenons ont, aussi bien que les singes et les babouins, des caractères généraux et particuliers qui les séparent en entier des sapajous et des sagouins (...) le second, c'est d'avoir des abajoues, c'est-à-dire des poches au bas des joues, où elles peuvent garder leurs aliments (...)
BUFFON, Hist. nat. des animaux, Les singes.

Fam. Joue pendante. → **Bajoue.**
(Fin XIXe). Au plur. Argot anc. Face.

**ABALÉ** [abale] n. m. — D. i. (XXe) ; mot d'une langue africaine.

Bot. et techn. Arbre d'Afrique tropicale appelé scientifiquement *Petersianthus macrocarpus,* dont le bois rosâtre ou brun violacé est employé en placage.

**ABALONE** [abalɔn] n. m. — XXe ; 1870 en amér. ; mot angl.

Zool. Mollusque gastéropode univalve du genre *haliotis,* couramment appelé *oreille de mer* ou *ormeau* (→ 2. **ormeau**). — Surtout au plur. *Des abalones.*

**ABALOURDIR** [abaluʀdiʀ] v. tr. — 1598 ; de 1. *a-,* et *balourd.*

Vieilli et fam. Rendre balourd, stupide. → **Abêtir.** — Pron. *S'abalourdir.*

DÉR. **Abalourdissement.**

**ABALOURDISSEMENT** [abaluʀdismɑ̃] n. m. — 1842 ; de *abalourdir.*

Rare. Fait d'abalourdir, de s'abalourdir ; son résultat. → **Abêtissement.**

**ABANDON** [abɑ̃dɔ̃] n. m. — XIIe ; de l'anc. franç. *(mettre) a bandon* « (mettre) au pouvoir de » ; *bandon* est issu du croisement des radicaux *ban-* (francique **bannjan* « bannir »), et *band-* (francique **bandjan* « faire signe »).

♦ **1** Action de mettre à la discrétion, à la disposition (de qqn) en renonçant soi-même (à une chose). *Faire l'abandon de ses biens à qqn.* → **Cession, délaissement, don ; désappropriation, dévêtissement** (vx). — REM. Sauf en t. de droit, *abandon* s'emploie peu en parlant des choses concrètes. *L'abandon de la tradition. Politique d'abandon.* → **Abdication, capitulation, concession, défaite, défection ;** et aussi **reculade, reddition, retraite.** *Abandon d'une opinion.* → **Abjuration, reniement, volte-face.** *Abandon des hostilités.* → **Armistice, arrêt, cessation, suspension, trêve.** *L'abandon d'un projet.* → **Élimination, enterrement** (fam.). *Abandon d'une qualité, d'une caractéristique.*

Ainsi, au prix de l'abandon de sa partie matérielle, le sage atteint son but unique, qui est de jouir en paix de l'idéal. 1
RENAN, Souvenirs d'enfance..., II, 7.

Dr. Acte par lequel on renonce à un bien, à un droit, à une prétention juridique. *Abandon d'un fonds improductif au profit de la commune.* → **Cession, don.** *Abandon de mitoyenneté. Abandon d'une accusation.* → **Renonciation.**

Spécialt (vieilli). *L'abandon de son corps, de son âme. Abandon de soi-même.* → **Abnégation, renoncement.** — *Abandon de soi. L'abandon à Dieu.* — *L'abandon aux caprices de* (qqn).

Quand des gens de notre sorte donnent, en un mot, ce n'est jamais que pour recevoir ; or, comment une petite fille comme vous peut-elle reconnaître ce qu'on fait pour elle, si ce n'est par l'abandon le plus entier de tout ce qu'on exige de son corps ! 1.1
SADE, Justine..., t. I, p. 22 (1791).

Absolt (au sens actif). Le fait d'abandonner volontiers ce que l'on possède, soi-même. → ci-dessous cit. 5 et *supra : vertu d'abandon.*

♦ **2** Dr. Action de quitter (un lieu dans lequel on est tenu de séjourner). *Abandon du domicile conjugal* (par l'un des époux). *Abandon des lieux.* → **Déguerpissement.** — *Abandon de navire.* — Par ext. *Abandon de poste, de service.*

♦ **3** Action de renoncer à utiliser (qqch). *L'abandon d'une hypothèse de travail, d'un projet.* → **Rejet.** *Abandon d'un type ancien de machine.*

♦ **4** Action d'abandonner (2.). (1884, *in* Petiot). Spécialt, sports. Action de renoncer à poursuivre une épreuve sportive, une compétition. → **Abandonner,** 5. *Les abandons ont été nombreux pendant l'étape de montagne.* — (1905). *Match de boxe gagné par abandon.*

♦ **5** Action de délaisser (qqn), de ne plus s'en occuper. Dr. *Abandon de famille, abandon d'incapable. Abandon d'enfant* (loi du 11 juillet 1966). → **Exposition** (anciennt). — *L'abandon d'un enfant par ses parents. Il ne supporte pas son abandon,* d'être abandonné. *Abandon d'un époux, d'une maîtresse.* → (fam.) **Lâchage, plaquage**; et aussi **rupture, séparation.**

2 (...) à cet instant où mon cœur est brisé par un abandon si cruel et une trahison si basse *(s'écrie Bettine, abandonnée par son amant)* (...) A. DE MUSSET, Bettine, 18.

REM. Dans certains contextes, notamment en emploi absolu, *abandon* peut être ambigu (cf. le sens 7. ci-dessous) : *un sentiment d'abandon; l'abandon de qqn.*

Psychiatrie. *Sentiment d'abandon* : sentiment pénible d'abandon éprouvé par certains sujets, qui semble sans fondement réel ou hors de proportion avec la matérialité des faits, et qui peut perturber la vie psychique. → aussi **Abandonnique.** — Psychan. *Névrose* d'abandon.*

(Animaux). *L'abandon d'un chien par ses maîtres. — Des chiens perdus, à l'abandon.*

♦ **6** [a] Rare. Action de délaisser (un lieu). *L'abandon de la maison par ses occupants. Depuis l'abandon de cette villa...*

[b] Plus cour. État d'un lieu délaissé.

3 La pièce du bas avait le même air de misère et d'abandon. Alphonse DAUDET, Lettres de mon moulin, p. 27.

Dans un sens plus général :

3.1 Il y a, derrière chaque parcelle vivante, tant de misère et tant d'abandon qu'il n'est pas possible d'oublier. J.-M. G. LE CLÉZIO, l'Extase matérielle, p. 15.

Loc. adv. et adj. **À L'ABANDON** : dans un état d'abandon. *Un jardin à l'abandon.*

4 Justin descendit au parc. Il était à l'abandon. Les allées ne se distinguaient même plus des anciennes pelouses sur lesquelles se dressaient les tiges mortes et rouillées, mais roides encore, de l'oseille sauvage. G. DUHAMEL, le Désert de Bièvres, VI.

♦ **7** Le fait de se laisser aller, de se détendre; effet agréable qui en résulte. *L'abandon de qqn, son abandon. Abandon dans les mouvements, les attitudes.* → **Détente, naturel, nonchalance**; → 1. Samba, cit. *Un sommeil, une pose plein(e) d'abandon. Aimable, heureux, gracieux, doux abandon. — Un, des abandons.* → **Abandonnement,** 3. — Péj. Relâchement. *Abandon dans la mise.* → **Désordre, négligence.** — *Calme confiant. Parler, s'épancher avec abandon.* → **Confiance.** *Écrire sans abandon,* d'une manière contrôlée. — Vieilli (dans cet emploi). *À l'abandon* : abandonné (→ ci-dessous, cit. 4.1).

Vx. *Vertu d'abandon* : remise entre les mains de la Providence. → **Soumission.** — REM. Dans cette expression, le fait d'abandonner (1.) ses biens, de s'abandonner, prévaut sur l'idée de «laisser-aller».

4.1 Il n'y avait pas, en me parlant, cette tendresse et des yeux à l'abandon (...) STENDHAL, Journal, 4 avr. 1813.

5 (...) cette connaissance du vouloir divin qui est le fruit de la vertu d'abandon. F. MAURIAC, la Pharisienne, V.

6 (...) une expression d'abandon, de sécurité totale. MARTIN DU GARD, les Thibault, IV, I.

7 Elle a un mouvement délicieux du visage qui exprime l'abandon et le ravissement. A. MAUROIS, Climats, p. 37.

8 (...) l'abandon enchanté de son sommeil qui la surprenait parfois sur l'herbe, à mes côtés. F. MAURIAC, la Pharisienne, VI.

9 Dormeuse, amas doré d'ombres et d'abandon. VALÉRY, Poésies, «La dormeuse».

10 (...) des gestes qui s'encanaillent dans les instants d'abandon. R. ROLLAND, Liluli, p. 8.

(...) ma paix dans la salle tiède a disparu. L'inquiétude a pris la place de l'abandon et du délassement. Henri MICHAUX, Face aux verrous, p. 140. 10

(...) comme presque tous les hommes, il prendrait le plaisir qu'elle avait à le séduire pour celui d'un abandon. MALRAUX, la Condition humaine, p. 100. 11

CONTR. **Acquisition, adoption; conservation, maintien; raideur, tension; méfiance.** ◊ DÉR. **Abandonner, abandonnique.**

## ABANDONNATAIRE [abɑ̃dɔnatɛʀ] n. — 1845; de *abandonner.*

Dr. Bénéficiaire d'un abandon* de biens (opposé à *abandonnateur*).

## ABANDONNATEUR, TRICE [abɑ̃dɔnatœʀ, tʀis] n. — 1866, P. Larousse; de *abandonner.*

Dr. Personne qui fait un abandon* de biens (opposé à *abandonnataire*).

## ABANDONNEMENT [abɑ̃dɔnmɑ̃] n. m. — 1275; de *abandonner.*

♦ **1** Vieilli. Action d'abandonner (qqch.); cession de (qqch.). *Abandonnement de biens.*

♦ **2** État d'une personne qui est abandonnée. → Abandonner, 3.

Elle *(la philosophie chrétienne)* nous soutient surtout dans le malheur, dans l'oppression, et dans l'abandonnement qui la suit. VOLTAIRE, Lettre à M... de l'Acad. franç., mars 1743. 1

♦ **3** Action de laisser aller tout son être. → **Abandon,** 7.

Une causerie vagabonde avec des expansions, des confidences, des abandonnements. Ed. et J. DE GONCOURT, Journal, t. III, p. 328.

## ABANDONNER [abɑ̃dɔne] v. tr. — 1080; de *abandon.*

♦ **1** [a] Sans compl. second. Ne plus vouloir de (un bien, un droit). → **Dessaisir** (se), **renoncer** (à). *Abandonner tous ses biens.* → **Déposséder** (se), **dépouiller** (se). *Abandonner le pouvoir.* → **Abdiquer.** *Abandonner une charge, une fonction, un poste.* → **Démettre** (se), **démissionner, désister** (se), **résigner** (ses fonctions).

*Abandonner qqch. pour sauver le reste.* → **Renoncer** (à), **sacrifier.**

[b] *Abandonner qqch. à qqn.* Laisser (un bien, un droit) à qqn. → **Céder, confier, donner, léguer.** *Abandonner sa fortune à qqn.*

Par ext. Littér. Laisser, confier. *Abandonner à qqn le soin de faire qqch.*

♦ **2** Renoncer à (une idée, une conviction, une intention). *Abandonner ses prétentions.*

Vous abandonnez le principe général (...) vous voudriez entrer en composition. PASCAL, les Provinciales, 4.

Je n'abandonnai nullement mon goût pour l'idéal; je l'ai plus vif que jamais, je l'aurai toujours. RENAN, Souvenirs d'enfance..., II, 7.

*Abandonner à qqn* (une idée, une opinion). → **Concéder.** *Je vous abandonne ce point.* → **Accorder.**

♦ **3** Quitter, laisser définitivement (qqn dont on doit s'occuper, envers qui on est lié). *Abandonner ses enfants.* → **Exposer** (anciennt). *Abandonner son conjoint.* → **Délaisser, lâcher, tomber** (laisser tomber); fam. **larguer, plaquer.** *Elle vient d'abandonner son mari.*

Dès qu'il ne voit plus les gens, il les oublie, il les abandonne. G. DUHAMEL, Chronique des Pasquier, III, XVI.

3 Un amour trompé, qu'est-ce que cela ? Une femme qu'on abandonne, un serment qu'on trahit, un lien sacré qu'on brise (...) A. DE MUSSET, Bettine, 18.

♦ **4** Cesser de défendre (une cause, une idée). *Abandonner sa foi.* → **Abjurer.** *Abandonner ses engagements, ses devoirs.* → **Lâcher, rejeter, renier.** — *Abandonner une affaire, un travail,* cesser de s'en occuper. → **Finir** (en finir avec).

4 Je n'ai jamais abandonné une affaire quand elle a valu la peine d'être achevée, il y a telle chose que j'ai poursuivie quinze ans de ma vie, aussi plein d'ardeur le dernier jour que le premier.
CHATEAUBRIAND, Mémoires d'outre-tombe, II, p. 98.

5 Il n'est pas si facile qu'on pense de renoncer à la vertu ; elle tourmente longtemps ceux qui l'abandonnent.
ROUSSEAU, cité par LAFAYE, Dict. des synonymes, Quitter...

♦ **5** Interrompre (une activité). *Abandonner les recherches.* → **Cesser.** *Abandonner la partie. Il parle de tout abandonner.* → **Lâcher, laisser, plaquer.**
Spécialt. Renoncer à poursuivre, à continuer (une action difficile, pénible). *Abandonner le combat, la lutte, la partie.* → **Capituler, céder, flancher, incliner** (s'), **lâcher** (pied, prise).
Absolt. *Abandonner :* ne plus continuer. → Laisser tomber*. — (1858, *in* Petiot). Interrompre sa participation à une épreuve ; renoncer à concourir (en cours d'épreuve). *Boxeur qui abandonne après deux rounds.* → Jeter l'éponge*.

♦ **6** Quitter définitivement (un lieu), cesser d'entretenir et d'occuper. → **Déserter, évacuer, laisser.** *Abandonner son logement, sa maison pour s'installer ailleurs.* → **Déloger, déménager.** *Il a à peu près abandonné sa maison de campagne. Abandonner les lieux rapidement, en fuyant.* → **Déguerpir.**

6 La différence entre quitter et abandonner est que l'on quitte de toutes les manières, ce mot en lui-même étant indifférent, au lieu que dans abandonner il y a toujours l'idée d'une sorte de délaissement, de désertion.
LITTRÉ, Dict., art. *Abandonner.*

6.1 Le harcèlement constant des moustiques et des tsé-tsé nous fait abandonner Liranga sans regrets.
GIDE, Voyage au Congo, *in* Souvenirs, Pl., p. 708.

Spécialt. *Abandonner le domicile conjugal. — Abandonner son poste,* le laisser vacant.
Figuré :

7 Je n'aime pas regarder en arrière, et j'abandonne au loin mon passé, comme l'oiseau, pour s'envoler, quitte son ombre. GIDE, l'Immoraliste, p. 172.

♦ **7** Cesser d'aider, de soutenir (qqn). *Ses complices l'abandonnent.* → **Larguer** (fam.). *Abandonner qqn dans une situation difficile, alors qu'il a besoin d'aide.*

8 On ne peut quand même pas l'abandonner dans cette situation tragique.
G. DUHAMEL, Chronique des Pasquier, VI, I.

9 Il me fait encore pitié. Je ne peux pas l'abandonner dans l'état de (...) maladie où je le vois aujourd'hui.
G. DUHAMEL, Chronique des Pasquier, VI, IX.

*Abandonner (qqn, soi-même) à (qqn, qqch.) :* (le, la ; se) laisser au pouvoir de (qqn, qqch.), sans plus intervenir. *Je l'abandonne à la colère de ses ennemis. Abandonner une ville au pillage.*

10 (...) Je ne veux pas qu'on emprisonne ce garçon ; je ne veux pas qu'on l'abandonne à la colère et humeur mélancolique d'un furieux maître d'école.
MONTAIGNE, Essais, I, 25.

Abstrait ; domaine psychique.

11 Il était de ces êtres (...) qui, lorsqu'une pensée lancinante s'insinue en eux, ne peuvent lui mesurer la place, lui abandonnent leur cœur entier.
MARTIN DU GARD, les Thibault, IV, 9.

(...) Je compris qu'elle était détachée même de ses fautes et qu'elle abandonnait le tout à la Miséricorde. 12
F. MAURIAC, la Pharisienne, XVI.

(Sujet inanimé). Faire défaut, venir à manquer. *Ses moyens l'ont abandonné pendant les épreuves.*

Ses forces subitement l'abandonnèrent. 13
FLAUBERT, Mme Bovary, III, VIII.

Antoine lut sur les traits dévastés de Rachel qu'elle était à bout de force ; et lui aussi, toute fermeté l'abandonnait. 14
MARTIN DU GARD, les Thibault, III, 13.

♦ **8** Cesser d'employer, de considérer comme utile, bon. *Abandonner une hypothèse* (→ **Rejeter**), *un procédé.*

◆ **ABANDONNÉ, ÉE** p. p.

♦ **1** Qu'on a abandonné, délaissé (→ aussi ci-dessous, 3.). — Spécialt. *Abandonné par les médecins :* considéré comme incurable.

Une femme (...) abandonnée de tous les médecins. 15
FÉNELON, Empédocle.

Dans cette dernière maladie, vous demeurez sans secours, plus délaissé, plus abandonné que ce pauvre qui meurt sur la paille. 16
BOSSUET, cité par LAFAYE, Dict. des synonymes, *Abandonner, délaisser.*

(...) pas plus qu'à l'intérieur des groupes, on ne lit ici sur aucune figure, dans aucun mouvement, l'hésitation, la perplexité, le débat intérieur ou le repliement sur soi. Les trois soldats, au contraire, paraissent abandonnés. Ils ne conversent pas entre eux ; ils ne s'intéressent à rien de précis : ni affiche, ni verre, ni voisinage. Ils n'ont rien à faire. 16.1
A. ROBBE-GRILLET, Dans le labyrinthe, p. 28.

Sans maître. *Chien abandonné.*

♦ **2** [a] (Lieux). Que ses habitants, ses utilisateurs, ont quitté sans intention de retour. *Un village abandonné.* → **Dépeuplé, déserté, inhabité ;** → À l'abandon. *Maison abandonnée.*

(...) les grandes cours abandonnées, que l'herbe envahissait déjà. Alphonse DAUDET, le Petit Chose, I, 1. 17

Dans la cour abandonnée des pavots plient 18
Sous l'eau lourde qui les effeuille et les pourrit.
Francis JAMMES, Poèmes, « Souvenirs d'enfance ».

[b] Qui n'est plus utilisé. *Une route abandonnée. Modèle abandonné.*

Force sera de (...) gagner Nola par la rive gauche, car, nous dit-on, l'autre route est abandonnée. 18.1
GIDE, Voyage au Congo, *in* Souvenirs, Pl., p. 755.

♦ **3** (Du sens 1., ci-dessus). Spécialt. (Dans le contexte amoureux). Que l'on a quitté. *Séduite et abandonnée.*

Tel lorsque, abandonné d'une infidèle amante, 19
Pour la première fois j'ai connu la douleur,
Transpercé tout à coup d'une flèche sanglante,
Seul, je me suis assis dans la nuit de mon cœur.
A. DE MUSSET, Lettre à Lamartine.

Trois heures cependant ont lentement sonné ; 20
La voix du temps est triste au cœur abandonné ;
Ses coups y réveillaient la douleur de l'absence.
A. DE VIGNY, Poèmes antiques et modernes, « Dolorida ».

♦ **4** Vx, langue class. (pour *abandonné de Dieu, abandonné aux vices*). Moralement perdu, sans règle de vie.

Il y a bien peu de femmes assez abandonnées pour porter le crime si loin *(violer la foi conjugale).* Elles peuvent bien se relâcher des devoirs extérieurs que la pudeur exige ; mais, quand il s'agit de faire les derniers pas, la nature se révolte. MONTESQUIEU, Lettres persanes, XXVI. 21

♦ **5** Qui a de l'abandon (7.). *Position abandonnée.*

◆ **S'ABANDONNER** v. pron. Se laisser aller à (un état, un sentiment). *S'abandonner au désespoir.* → **Livrer** (se), **succomber.** *S'abandonner à la facilité, à ses passions.* → **Céder** (→ ci-dessous cit. 23, 24, 25, 26, 28 et 31). — *S'abandonner à* (et l'inf.) : se laisser aller à (et l'inf.). → cit. 30.

Absolt, vieilli. Laisser (un homme) avoir des relations sexuelles avec soi (le sujet désigne une femme). → Accorder les dernières faveurs* (→ ci-dessous cit. 29). → **Donner** (se). — REM. L'emploi du verbe avec un sujet masculin est rare. — Fig. Se donner (→ cit. 27).

Se détendre, se laisser aller physiquement (→ ci-dessous cit. 33, 36 (p. p.) et 37).

Se livrer en toute confiance. → **Épancher** (s'), **fier** (se), **reposer** (se reposer sur). → ci-dessous cit. 32, 34 et 35.

Se livrer. → ci-dessous cit. 22.

22 Quand je m'abandonne à mes propres coups, qui pourrait me sauver?
J.-M. G. LE CLÉZIO, l'Extase matérielle, p. 159.

23 (...) il s'abandonna lâchement au bien-être, mêlé de fatigue, qui peu à peu l'engourdissait.
MARTIN DU GARD, les Thibault, IV, 13.

24 Emma s'abandonnait à cette facilité de satisfaire tous ses caprices. FLAUBERT, Mme Bovary, II, XII.

25 Malheur à celui qui, au milieu de la jeunesse, s'abandonne à un amour sans espoir. Malheur à celui qui se livre à une douce rêverie, avant de savoir où sa chimère le mène, et s'il peut être payé de retour.
A. DE MUSSET, les Caprices de Marianne, I, 1.

26 De jour en jour on se fait à sa souffrance, on s'y livre, on s'y abandonne, on s'y dévoue, on l'aime, on aime la mort... A. DE MUSSET, Carmosine, III, 8.

27 (...) la campagne dort, s'abandonne, se livre au vent du sud, à la pluie orageuse, au soleil, à l'ombre, ne songe à aucune résistance.
F. MAURIAC, Souffrances et Bonheur du chrétien, p. 154.

28 Mon âme à tout mon sort s'était abandonnée.
RACINE, Andromaque, IV, 5.

29 Défaillante, tout en pleurs, avec un long frémissement et se cachant la figure, elle s'abandonna.
FLAUBERT, Mme Bovary, II, IX.

30 Le moindre défaut des femmes qui se sont abandonnées à faire l'amour, c'est de faire l'amour.
LA ROCHEFOUCAULD, Maximes, 131.

31 Ce qui nous empêche de nous abandonner à un seul vice est que nous en avons plusieurs.
LA ROCHEFOUCAULD, Maximes, 195.

32 Elle prit notre silence pour un acquiescement et céda au plaisir de s'abandonner, de se confier.
F. MAURIAC, la Pharisienne, p. 193.

33 L'homme qui marche est miraculeusement allégé par le jeu des muscles. Il se délie; il s'abandonne (...) Il avouera certainement à la faveur de la marche (...) mille secrets délicats dont il ne soufflerait pas mot dans l'ombre et dans le silence.
G. DUHAMEL, le Temps de la recherche, X, p. 138.

34 Le tout est de savoir s'abandonner à Dieu en pure foi.
BOSSUET, Lettre à Mme Cornau, 4.

35 Elle devait à présent joindre ses souffrances à celles de Jésus-Christ, et s'abandonner à la miséricorde divine.
FLAUBERT, Mme Bovary, III, VIII.

36 Ces visages détendus, abandonnés dans le sommeil.
Alphonse DAUDET, les Contes du lundi, «La partie de billard».

37 Ses muscles se détendirent, ses épaules s'abandonnèrent contre le mur : il dormait.
MARTIN DU GARD, les Thibault, III, 3.

CONTR. **Rechercher. — Continuer; achever. — Soigner, soutenir. — Aider, assister. — Garder, maintenir. — Résister. — Méfier** (se), **observer** (s'); **attention** (faire); **garder** (se). **— Maîtriser** (se), **observer** (s'). **— Raidir** (se), **résister. — Tenir.** — (Du p. p.) **Recherché; tendu.** ◊ DÉR. **Abandonnataire, abandonnateur, abandonnement.**

**ABANDONNIQUE** [abɑ̃dɔnik] adj. — 1950, G. Guex; de *abandon.*

Psychol., psychan. Se dit d'un sujet (plus particulièrement, d'un enfant), dont la vie affective est dominée par la crainte d'être abandonné, sans qu'il existe nécessairement des raisons objectives justifiant cette crainte. → aussi **Abandon** (sentiment d'), **névrose** (d'abandon).

**ABAQUE** [abak] n. m. — XIIe; lat. *abacus,* grec *abax, abakos* «tablette».

Didactique.

♦ **1** Tablette à calculer de l'Antiquité (utilisée aussi pour jouer), devenue au Xe siècle un tableau à colonnes (unités, dizaines, centaines) utilisant les chiffres arabes. *Un abaque.* — Mod. Boulier-compteur. — Représentation graphique permettant d'éviter ou de simplifier certains calculs (→ **Nomographie).** *Abaque pour le calcul des marées, donnant la hauteur d'eau par l'intersection de deux droites. Abaque cartésien :* système de courbes planes tracées dans un repère orthogonal. *Abaque anamorphosé* (→ **Anamorphose).**

♦ **2** (1561, *abacus*). Archit. Tablette qui forme la partie supérieure d'un chapiteau de colonne et supporte l'architrave. Syn. : *tailloir. — Corne d'abaque :* encoignure de l'abaque des chapiteaux corinthiens.

**ABARTICULAIRE** [abaʀtikylɛʀ] adj. — 1876, *Journal de médecine et de chirurgie pratique,* 67, p. 524; de *abarticulation* «articulation qui jouit d'une grande mobilité» (terme remplacé par *diarthrose*), d'après *articulaire.*

Méd. Qui concerne la diarthrose* (appelée de 1814 à la fin du XIXe siècle *abarticulation*). *Un rhumatisme abarticulaire.*

**ABASIE** [abazi] n. f. — 1892; de 2. *a-,* et grec *basis* «action de marcher».

Méd. Difficulté ou impossibilité de marcher, sans qu'il y ait trouble musculaire. *Astasie*-abasie.*

**ABASOURDIR** [abazuʀdiʀ]; [abasuʀdiʀ] sous l'infl. de *assourdir;* v. tr. — 1713; «tuer», déb. XVIIe; de l'argot *basourdir* (1628) «tuer» (altér. de l'argot *basir,* même sens), avec infl. de *assourdir;* la forme *basir serait, selon Guiraud, un dérivé du lat. *basis* «base»; *ourdir,* en anc. franç. signifie «assener des coups».

♦ **1** Vx ou littér. Rendre sourd, assourdir, étourdir par un grand bruit.

♦ **2** Mod. Étourdir de surprise, déconcerter. → **Hébéter, sidérer, stupéfier.** *La nouvelle nous a complètement abasourdis.*

Votre refus de dimanche m'a abasourdi, abruti. 0.
Léon BLOY, Journal, p. 151 (1895), *in* T. L. F.

REM. Le verbe est rare en dehors des emplois passifs et participiaux.

◆ **ABASOURDI, IE** [abazuʀdi] ou [abasuʀdi] p. p. adj.

♦ **1** Étourdi par un grand bruit. — Par ext. Frappé par une forte sensation physique. *Être abasourdi par une explosion.*

Durtal le connaissait ce moment délicieux où l'on reprend 1
haleine, encore abasourdi par ce brusque passage d'une bise cinglante à une caresse veloutée d'air.
HUYSMANS, la Cathédrale, p. 7.

Tirez! tirez! (...) Abasourdis, hébétés, on recharge le lebel 1.
qui brûle. R. DORGELÈS, les Croix de bois, p. 238.

♦ **2** Par ext. Étourdi par ce qui surprend. → **Étonné.** *Il est resté complètement abasourdi après cette nouvelle. Avoir l'air abasourdi.* → **Hébété.**

Joseph répétait, hochant la tête d'un air abasourdi (...) 2
G. DUHAMEL, Chronique des Pasquier, X, V.

À propos de *coepit pavere* dans Marc XIV, 33 (...) les traduc- 3
tions françaises ne (rendent) peut-être pas toute la force du mot grec qui indique un grand étonnement, une sorte de stupeur devant l'épreuve. On n'ose pas dire que le mot d'*abasourdi* se présente à l'esprit, et pourtant (...)
J. GREEN, Journal, 17 juin 1959, Vers l'invisible, p. 123.

DÉR. **Abasourdissant, abasourdissement.**

**ABASOURDISSANT, ANTE** [abazuʀdisɑ̃, ɑ̃t; abasuʀdisɑ̃, ɑ̃t] adj. — 1833, P. Borel, *in* T. L. F.; de *abasourdir.*

♦ **1** Rare. Assourdissant. *Un bruit abasourdissant.* → **Abrutissant.**

♦ **2** Stupéfiant. «*Nouvelle abasourdissante*» (Littré, art. *Abasourdir*).

**ABASOURDISSEMENT** [abazuʀdismɑ̃; abasuʀdismɑ̃] n. m. — 1823, «stupeur»; 1835, sens physique; de *abasourdir.*

Littér. État d'une personne abasourdie.

**ABAT** [aba] n. m. — 1400, «viande d'animal»; «action de tuer au combat», 1524; déverbal de *abattre.*

**I** ♦ **1** (1527). Vx. Action d'abattre. *Un abat d'arbres.*

♦ **2** Vx ou régional. Action de s'abattre. *Pluie d'abat :* averse*, forte pluie. — *Un grand abat de pluie, d'eau, de grêle.*

Il pleuvait par torrents le lendemain; une de ces pluies d'abat, sans trêve, sans merci, aveuglante, inondant tout.
LOTI, Mme Chrysanthème, III.

♦ **3** Techn. Longueur sur laquelle un arbre s'abat.

**II** N. m. pl. **LES ABATS :** les sous-produits comestibles (viscères essentiellement) des animaux tués pour la consommation. → **Abattis; triperie, tripier.** *Des abats de poule. Abats rouges :* cœur, foie, mamelles, poumons (mou), rate, reins (rognons). *Abats blancs :* estomac (gras-double), intestins (tripes), langue, mufle, pied, thymus (ris), testicules (rognons blancs, amourettes). *Les abats des animaux de boucherie forment le «cinquième quartier»; ils ne sont pas considérés comme viande*. Son médecin lui défend les abats : il a la goutte.*

**ABATAGE** [abataʒ] n. m. → **Abattage.**

**ABATANT** [abatɑ̃] n. m. → **Abattant.**

**ABÂTARDIR** [abataʀdiʀ] v. tr. — XIIe; de 1. *a-, bâtard,* et suff. verbal.

Littéraire ou style soutenu.

♦ **1** Péj. Altérer en faisant perdre les qualités (de la race, d'un groupe social, d'une personne); faire dégénérer. → **Dégénérer.**

1 Tous nos soins à bien traiter et nourrir ces animaux n'aboutissent qu'à les abâtardir.
ROUSSEAU, De l'inégalité parmi les hommes, I.

♦ **2** Fig. Faire perdre ses qualités à (un groupe, une personne, une œuvre). → **Avilir, dégrader, diminuer.** *Abâtardir l'homme, les qualités, le génie. Les circonstances ont abâtardi ce régime, cette société. — Les adaptations abâtardissent les œuvres littéraires.*

2 Il est des victoires qui exaltent, d'autres qui abâtardissent. Des défaites qui assassinent, d'autres qui réveillent.
SAINT-EXUPÉRY, Pilote de guerre, XXIV.

◆ **S'ABÂTARDIR** v. pron. Dégénérer; perdre de ses qualités. «*Le haut de la société s'abâtardit et dégénère*» (Hugo).

3 La démagogie s'introduit quand, faute de commune mesure, le principe d'égalité s'abâtardit en principe d'identité.
SAINT-EXUPÉRY, Pilote de guerre, XXVI.

◆ **ABÂTARDI, IE** p. p. adj. *Race abâtardie. Les descendants abâtardis d'une illustre lignée. — Œuvre abâtardie.*

CONTR. **Régénérer, relever.** ◇ DÉR. **Abâtardissement.**

**ABÂTARDISSEMENT** [abataʀdismɑ̃] n. m. — 1495; de *abâtardir.*

Littéraire ou style soutenu. État de ce qui est abâtardi. → **Altération, dégénérescence.** *L'abâtardissement des hommes, d'une race.*

Et cette aristocratie qui se meurt, ce patriarcat découronné, ruiné, tombé à l'abâtardissement des races finissantes, le plus grand nombre réduits à la misère, les autres, les rares qui ont gardé leur argent, écrasés sous les impôts trop lourds, n'ayant plus que des fortunes mortes. 1
ZOLA, Rome, p. 703.

(→ Abâtardir 2.). → **Avilissement, dégradation.** *L'abâtardissement d'un régime, d'une société.*

(...) ce flot de prières incessantes qui montait de Lourdes, 2
dont la supplication sans fin l'avait baigné et attendri : n'était-ce autre chose qu'un bercement puéril, un abâtardissement de toutes les énergies?
ZOLA, Lourdes, p. 290.

CONTR. **Relèvement, renforcement.**

**ABATÉE** [abate] n. f. → **Abattée.**

**ABAT-FAIM** [abafɛ̃] n. m. invar. — 1732; de *abattre,* et *faim.*

Vx. Premier plat de résistance qu'on met à table. → aussi **Coupe-faim.** *Des abat-faim.*

**ABAT-FEUILLE** [abafœj] n. m. — 1907, *Nouveau Larousse illustré, Suppl.;* de *abattre,* et *feuille.*

Techn. (vieilli). Dispositif d'une presse à imprimer qui abat et maintient la feuille de papier. *Des abat-feuilles.*

**ABAT-FOIN** [abafwɛ̃] n. m. invar. — 1803, terme d'archit.; de *abattre,* et *foin.*

Trappe par laquelle on fait tomber le fourrage du grenier dans une étable, une écurie. Syn. : *affenoir. Des abat-foin.*

**ABATIS** [abati] n. m. → **Abattis.**

**ABAT-JOUR** [abaʒuʀ] n. m. invar. — 1670; de *abattre* (I., 3.), et *jour* «clarté».

♦ **1** Archit. Fenêtre, soupirail percé obliquement pour éclairer une pièce, un sous-sol de haut en bas.

Dispositif (écran, ouvrage de menuiserie, etc.) placé devant une fenêtre pour empêcher que l'on voie ou que l'on soit vu. *Des abat-jour de prison.*

Je voulais la prier de daigner toujours (...) regarder quel- 0.1
quefois la fenêtre de la prison, même quand elle la trouvera masquée par un énorme volet de bois (...) le lendemain Clélia n'avait pas paru (...) quand on acheva de poser devant les fenêtres de Fabrice les deux énormes abat-jour; les diverses pièces en avaient été élevées, à partir de l'esplanade de la grosse tour, au moyen de cordes et de poulies attachées par dehors aux barreaux de fer des fenêtres.
STENDHAL, la Chartreuse de Parme, XVIII.

♦ **2** (1829). Cour. Réflecteur adapté à une lampe pour en rabattre la lumière. *Abat-jour de suspension* (→ **Céladon**). *Le bâti, la carcasse d'un abat-jour. Abat-jour hémisphérique, tronconique; de métal, de papier. Lampe à abat-jour de tissu.*

Une petite lampe électrique veillait, sur la table de nuit, 1
dans un abat-jour de soie.
G. DUHAMEL, Chronique des Pasquier, IV, XV.

Mais qu'il fait sombre! On n'y voit goutte... 2
Lève donc un peu l'abat-jour.
Paul GÉRALDY, Toi et Moi, p. 24.

Une chambre au décor vaguement oriental, à peine 2.1
éclairée par de petites lampes dont les abat-jour diffusent çà et là une lumière rousse.
A. ROBBE-GRILLET, la Maison de rendez-vous, p. 48.

2.2 L'abat-jour projette au plafond un cercle de lumière. Mais ce cercle n'est pas entier : un de ses bords se trouve coupé, à la limite du plafond, par la paroi verticale, celle qui est située derrière la table.
A. ROBBE-GRILLET, Dans le labyrinthe, p. 10-11.

2.3 Un coup de vent s'engouffra par la fenêtre faisant vaciller l'abat-jour en tôle émaillée de la lampe (...)
M. TOURNIER, le Roi des Aulnes, p. 66.

Par anal. Ce qui protège du jour. → **Visière.**

3 Elle s'éloigna, se rapprocha, fit un abat-jour de sa main, chercha la place d'où l'esquisse était le mieux en lumière, puis elle se déclara satisfaite.
MAUPASSANT, Fort comme la mort, I, XII.

*En abat-jour :* en formant une sorte d'abat-jour, de visière.
Vx. Visière; casque colonial (argot vieilli).

**ABAT-SON** ou **ABAT-SONS** [abasɔ̃] n. m. invar. — 1833; de *abattre* (I., 3.), et *son.*

Ensemble des lames insérées dans les baies d'un clocher pour rabattre le son des cloches vers le sol.

1 (...) d'autres baies s'ouvraient encore, que garnissaient les abat-son, fraîchement peints.
ZOLA, Lourdes, p. 149.

2 Au-delà (...) s'élevait une tour carrée (...) C'était un petit clocher. Les abat-son de bois rongés de vents et de pluies permettaient de se glisser facilement dans l'habitacle des cloches.
J. GIONO, le Hussard sur le toit, p. 151.

**ABATTABLE** [abatabl] adj. — XIIIe, «annulable», sens mod., 1842; de *abattre.*

Rare. Qui peut être abattu (surtout en tournure négative). *Un arbre aussi gros n'est pas abattable par un seul homme.*

**ABATTAGE** ou (vx) **ABATAGE** [abataʒ] n. m. — 1265, au sens I., 3.; 1313; de *abattre.*

**I** Action d'abattre, de faire tomber. ♦ **1** Action d'abattre (les arbres, les bois sur pied). *L'abattage d'un pin à la cognée, à la scie, à la tronçonneuse. Abattage des arbres, dans une forêt.* → **Coupe.** *Procéder à l'abattage des arbres. — D'abattage :* qui sert à l'abattage. *Corde, hache d'abattage.*

1 Pendant ce temps, ses compagnons s'employèrent à l'abattage et au charroi des arbres qui devaient fournir les courbes, la membrure et le bordé (...) Les charpentiers travaillèrent donc avec ardeur (...) Maître Jup *(un singe)* les aidait adroitement, soit qu'il grimpât au sommet d'un arbre pour y fixer les cordes d'abattage, soit qu'il prêtât ses robustes épaules pour transporter les troncs ébranchés.
J. VERNE, l'Île mystérieuse, t. II, p. 769.

*Abattage d'un pylône, d'un poteau, d'une palissade.* → **Démolition.**

♦ **2** (1905, in *Rev. gén. des sc.,* n° 13, p. 617). Action de détacher (le minerai, le charbon) de la paroi d'une mine. *Abattage au marteau-piqueur. — Abattage des roches, de la houille.* → **Havage.** *Chantier d'abattage.*

2 Il faut bien vous rendre compte — lui dit un porion à qui il demande plusieurs années après quelques explications élémentaires —, il règne couramment dans les chantiers d'abattage une température de 35 à 40°. Des courants d'air glacés vous passent le long de l'échine durant la descente (...)
Pierre MERTENS, les Bons Offices, p. 38.

♦ **3** Action d'abattre, de tuer (un animal, notamment pour la boucherie). *Abattage à la masse, au merlin, au pistolet automatique. Abattage par assommement*, par énervation.*

3 Il venait rappeler au boucher les nouveaux règlements municipaux aux termes desquels l'abattage des bêtes de boucherie devait avoir lieu dans les bâtiments construits par la ville à cet usage.
Pierre GASCAR, les Bêtes, p. 63.

**II** Action de coucher ce qui est debout. *Abattage d'un cheval,* pour le soigner. — Mar. *Abattage d'un navire en carène,* pour le nettoyer de la végétation sous-marine, le réparer, etc. *Barres d'abattage.*

**III** (Emplois fig. de *abattre,* I. : *abattre de la besogne, etc.*). ♦ **1** (1822). Argot, vx. **AVOIR DE L'ABATTAGE :** avoir une haute stature, une grande vigueur. — (1908). Mod. Avoir du brio, de l'entrain, tenir son public en haleine. *Cet acteur a de l'abattage, un sacré abattage.*

♦ **2** (1872, Larchey). Argot comm. *Vente à l'abattage :* vente à vil prix et par grandes quantités d'une marchandise de qualité médiocre. *Un abattage :* une vente à l'abattage.

Argot. «Commerce galant rapide à prix fixe et de tarif modeste» (Simonin); fait de se prostituer à vil prix à une clientèle nombreuse. (Surtout en loc.). *Maison d'abattage. Faire (de) l'abattage, travailler à l'abattage.*

**IV** (1872, in G. L. L. F.). Fam. et vieilli. Critique, réprimande violente. *Faire, se livrer à un abattage.*

Pendant quarante ans j'ai été vendeur dans les tissus 4
d'ameublement (...) Le chef de rayon sur le dos à vous surveiller et raison ou pas, quand il vous passe un abattage, vous n'avez qu'à vous incliner. C'est ça ou bien prendre la porte.
M. AYMÉ, le Passe-muraille, «En attendant».

**ABATTANT** ou (vx) **ABATANT** [abatɑ̃] n. m. — 1680; de *abattre.*

Pièce d'un meuble, d'un siège, que l'on peut lever ou abaisser à volonté. *L'abattant d'un secrétaire. Abattants des stalles d'un chœur, munis de miséricordes*.*

Elle range ce sachet dans l'un des petits tiroirs intérieurs du secrétaire. Elle remet les autres *(sachets)* dans l'enveloppe brune, tout en les recomptant, et replace l'ensemble sur l'abattant, là où elle l'a trouvé.
A. ROBBE-GRILLET, la Maison de rendez-vous, 1965, p. 102.

Spécialt. *L'abattant d'une cuvette de W.-C.*

**ABATTÉE** ou (vx) **ABATÉE** [abate] n. f. — 1687; de *abattre.*

Technique.

♦ **1** Mar. Mouvement d'un navire (surtout : d'un navire à voiles, mais se dit aussi pour les navires à moteur), dont l'axe s'éloigne du lit du vent (opposé à *auloffée*). — Amplitude de ce mouvement.

Il a donné l'ordre de renverser la barre. L'abatée ayant été un peu forte, le redressement du navire, contrarié par la mer, a demandé quelques minutes (...)
J.-R. BLOCH, Sur un cargo, p. 90.

Changement de cap (d'un navire à moteur). *Une abatée de 5 degrés.*

♦ **2** (1932). Rupture d'équilibre d'un avion en vol horizontal, survenant à la suite d'une perte de vitesse.

**ABATTEMENT** [abatmɑ̃] n. m. — 1180, «action de tuer»; «action d'affaiblir», av. 1250; de *abattre.*

**I** Action d'abattre. ♦ **1** Vx (concret). → **Abat, abattage.**

♦ **2** (1259). Fig. Retranchement. Spécialt. Diminution effectuée sur une somme déjà fixée. → **Déduction.** — (1932). Dr. fisc. Fraction de la matière imposable exemptée de l'impôt. *Abattement à la base. — Abattement de zone :* réduction qui concerne le salaire minimum garanti ou le montant des prestations familiales, applicable dans une région.

**II** État d'une personne abattue. ♦ **1** Grande diminution des forces physiques. → **Adynamie; affaiblissement, épuisement, faiblesse, fatigue, langueur**

(littér.), **lassitude, léthargie, mollesse, prostration, torpeur; collapsus, coma.** — REM. La plupart du temps, les emplois de *abattement* dans ce sens impliquent le sens 2. (→ ci-dessous cit. 1 et 4).

♦ **2** Dépression morale, désespoir calme. → **Accablement, affliction, anéantissement, atterrement, consternation, découragement, démoralisation, dépression, désespoir, écœurement, effondrement, mélancolie, neurasthénie, stupeur;** (fam.) **aplatissement.** *Tomber dans l'abattement, dans un abattement profond. Un état d'abattement.*

1 L'abattement amortit la douleur physique et morale.
B. CONSTANT, Journal intime, p. 360.

2 Le désespoir a des degrés remontants. De l'accablement on monte à l'abattement, de l'abattement à l'affliction, de l'affliction à la mélancolie.
HUGO, les Travailleurs de la mer, III, I, I.

3 Un abattement, fait d'ennui sans cause et de force en excès, entravait en lui toute velléité d'action, obscurcissait toute pensée. MARTIN DU GARD, les Thibault, t. II, p. 190.

4 Ce qui l'effrayait le plus, c'était l'abattement d'Emma; car elle ne parlait pas, n'entendait rien et même semblait ne point souffrir, — comme si son corps et son âme se fussent ensemble reposés de toutes leurs agitations.
FLAUBERT, Mme Bovary, II, XIII.

5 Réveillé au bruit de la chute de la Bastille comme au bruit avant-coureur de la chute du trône, Versailles avait passé de la jactance à l'abattement.
CHATEAUBRIAND, Mémoires d'outre-tombe, V, p. 214.

6 Gringoire, le premier mouvement d'abattement passé, avait repris contenance. Il s'était roidi contre l'adversité.
HUGO, Notre-Dame de Paris, I, 5.

7 Il est des jours d'ennui, d'abattement extrême,
Où l'homme le plus ferme est à charge à lui-même.
DUCIS, *in* LITTRÉ.

8 C'était d'abord l'abattement, le dégoût de la vie, la mélancolie noire. «Le monde, disait un écrivain du temps (XIe s.), n'est plus qu'un abîme de méchanceté et d'impudicité».
TAINE, Philosophie de l'art, I, II, VI.

*(Un, des abattements).* État, situation où l'on est abattu (sens 1. ou 2.). → ci-dessus cit. 3. *Des abattements fréquents, prolongés.*

CONTR. **Énergie, excitation. — Exaltation, joie.**

**ABATTEUR, EUSE** [abatœʀ, øz] n. — XIIe, n. m.; de *abattre.*

♦ **1** Celui qui abat (I.). *Abatteur de bestiaux :* celui qui abat les bestiaux aux abattoirs. → **Tueur.** — Vx. *Abatteur d'arbres,* et, absolt, *abatteur :* bûcheron.

1 Longtemps, longtemps, les haches cognent sans qu'il tombe un seul arbre. C'est que les abatteurs en ont d'abord observé le port, l'inclinaison (...)
Henri FAUCONNIER, Malaisie, p. 227.

Fig. et vx. *Un (grand) abatteur de quilles :* celui qui se vante de prouesses (notamment amoureuses) qu'il n'a pas accomplies. Syn. : *abatteur de bois, de filles.*

2 Vous êtes, je vois bien, grand abatteur de quilles.
Mathurin RÉGNIER, Satires, XI.

♦ **2** (1752). *Un grand abatteur de besogne, de travail :* celui qui travaille beaucoup et efficacement. → **Bourreau** (de travail). — Au fém. (XXe). *Une terrible abatteuse d'ouvrage.*

3 (...) mon père (...) un formidable abatteur de travail (...)
J.-R. BLOCH, Deux hommes se rencontrent, p. 79.

**ABATTIS** ou (vx) **ABATIS** [abati] n. m. — XIIe; de *abattre.*

♦ **1** Vx ou techn. Le fait de s'abattre, d'être abattu. *Des abattis de maisons,* leur démolition. — *Se livrer à des abattis de gibier.*

1 Ce fut comme un abatis d'arbres; tous tombaient les uns sur les autres. HUGO, Quatre-vingt-treize, III, II.

♦ **2** Par métonymie. Ce qui est abattu; ensemble de choses abattues.

C'était vraiment un extraordinaire hérissement de débris, un abattis de fer jeté de l'avant à l'arrière, sous un réseau de ronces géantes. 2
Roger VERCEL, Remorques, p. 80.

(Fin XVIIe). Milit. Obstacle artificiel formé d'arbres abattus, de branchages.

(1674). Régional (Canada). *Abattis* ou *abatis :* terrain entièrement ou partiellement déboisé, qui n'est pas encore essouché.

On traversa l'abatis du Colombier piqueté de souches, de recrus de plaines et de fougères brunes (...) 3
F.-A. SAVARD, Menaud, maître-draveur, p. 48, *in* T. L. F.

♦ **3** Rare. Action d'abattre (des arbres). — *Faire un abattis.* → **Déboiser.**

Fig. Le fait d'abattre (du travail); travail abattu.

Déjeuné. – Écrit des lettres, – un abatis! 4
BARBEY D'AUREVILLY, Premier memorandum, 1836-1838, p. 29.

♦ **4** (Au plur.; 1690). *Les abattis :* les abats* de volaille (tête, cou, ailerons, pattes, foie, gésier).

(1839; *numéroter ses membres,* 1802, *in* D. D. L.). Fig. et fam. Membres. Surtout dans des loc. *Numéroter ses abattis :* se tenir prêt à éprouver un dommage corporel (le plus souvent : dans une lutte, une rixe); compter ses bras et ses jambes (idée des membres épars qu'il faudra remettre en place et dans le bon ordre après la bataille). *Tu veux te battre? Tu peux numéroter tes abattis!,* formule de menace. — REM. Le singulier est plus rare :

C'te chose-là, j'ai pas pu l'encaisser, mon vieux, j'y ai empoigné l'abatis au moment où i'foutait son riz en l'air et l'riz a dégouliné ici, dans la tranchée. 5
H. BARBUSSE, le Feu, t. II, XX, p. 25.

**ABATTOIR** [abatwaʀ] n. m. — 1806; de *abattre.*

♦ **1** Cour. Bâtiment où l'on abat les animaux de boucherie (→ **Abattage, bouvril, échaudoir, écorcherie, équarrissoir).**

(...) Chicago sent la colle forte. L'haleine des abattoirs reflue sur le cœur de la ville (...) C'est une ville dans la ville, un monde au sein d'un monde, le sanctuaire de l'humanité carnivore, le royaume de la mort scientifique (...) Si tu n'as jamais respiré la fauve et fade odeur de l'abattoir (...) ô mon ami, tu ne connais pas toutes les tristesses du monde. 1
G. DUHAMEL, Scènes de la vie future, p. 118-135.

Dans la salle d'abattoir blanche et rouge, frappe le coup sourd du marteau au clou acéré qui entre très vite dans la nuque du bœuf. Celle qui m'a mis au monde, aussi m'a tué. J.-M. G. LE CLÉZIO, l'Extase matérielle, p. 22. 2

Par métaphore (littér.). *Des abattoirs d'hommes* (Flaubert, Bernanos, *in* T. L. F.). *Les abattoirs de la misère*(L. Bloy, *in* T. L. F.).

Fig. et cour. *Envoyer des soldats à l'abattoir,* au massacre. → **Carnage, tuerie.**

♦ **2** (1847). Argot anc. Guillotine. — Cellule des condamnés à mort.

**ABATTRE** [abatʀ] v. tr. [CONJUG.: *battre.*] — 1080; la forme *abattas* est dans les *Gloses de Reichenau* (VIIIe); du lat. pop. *abbattuere, abattere* (VIe, mais antérieur), de *ad-*, et *batt(u)ere.* → Battre.

**I** Faire tomber. ♦ **1** **a** Jeter à bas (ce qui est vertical). *Abattre des fortifications.* → **Démanteler, raser.** — *Abattre un mur, une cloison.* → **Démolir.** *Faire abattre une cloison* (par des ouvriers). *Abattre une statue* (→ **Renverser**), *un monument.* — (1798). *Abattre des quilles avec une boule.* → **Renverser.** — *Abattre dans une forêt le bois qui dépérit.*

→ **Déroder.** *Abattre un arbre* (cit. 18, 19 et 20), *l'abattre à la cognée.* → **Couper.** — Loc. fig. (1690). Vx. *Abattre du bois :* faire un travail difficile, ardu, avec efficacité.

1 Il est vrai que nous ne voyons point qu'on jette par terre toutes les maisons d'une ville pour le seul dessein de les refaire d'autre façon (...) mais on voit bien que plusieurs font abattre les leurs pour les rebâtir.
DESCARTES, Discours de la méthode, II.

(Sujet n. de chose). *Le vent a abattu deux arbres.*

2 Télémaque (...) vient fondre sur son ennemi (...) il le renverse comme le cruel aquilon abat les tendres moissons qui dorent les campagnes (...)
FÉNELON, Télémaque, XV.

3 Le coup qui doit l'abattre va bientôt partir et le renverser.
BOURDALOUE, Pensées, t. III, p. 72.

Loc. métaphorique :

4 Son plaisir ressemblait au coup de hache du despotisme, qui abat l'arbre pour en avoir les fruits.
BALZAC, Melmoth réconcilié, Pl., t. IX, p. 297.

Rare. *Abattre une tête, les têtes.* → **Couper, trancher; décapiter.**

**b** Faire tomber par terre. *Abattre des noix avec une gaule.* — Loc. fig. Vx. *Y aller de cul et de tête comme une corneille qui abat des noix :* s'agiter avec zèle et maladresse.

**c** Techn. (emplois spéciaux). *Abattre du minerai,* le détacher de la paroi pour le faire tomber. — *Abattre les saillies d'une pierre.* → **Bûcher.**

**d** (1798). *Abattre de la besogne, du travail,* en faire beaucoup; travailler beaucoup et efficacement.

5 D'autres jours, il se mettait à la terre avec rage et abattait à lui seul le travail de dix journaliers (...)
Alphonse DAUDET, Lettres de mon moulin, «L'arlésienne».

5.1 Il a longuement parlé de tout (...) et aussi de couture : «Avec ma machine à coudre, je vous abats une douzaine de torchons en une soirée.»
J. GREEN, Journal, Ce qui reste de jour, 4 févr. 1968, p. 71.

**e** (Métaphore de l'idée de destruction). *Abattre une distance,* la parcourir rapidement. — Sports (1885, en cyclisme). *Abattre des kilomètres, du kilomètre :* couvrir une distance importante dans un effort soutenu.

**f** (Passif et p. p. des emplois ci-dessus). *Arbres abattus par la foudre. Le travail abattu en un jour.* — Techn. *Le minerai abattu.*

6 Les donjons abattus plus tard avec rage avaient été construits d'abord avec le zèle qu'on met à élever des fortifications contre l'ennemi.
J. BAINVILLE, Hist. de France, IV, p. 43.

*Distance abattue,* parcourue en une fois (et assez vite).

♦ **2** (XII^e). Faire tomber (un être vivant) en donnant un coup mortel. → **Tuer;** → Mettre à mort*. *Abattre un bœuf, en l'assommant, en l'égorgeant. Abattre un oiseau, du gibier d'un coup de fusil.*

6.1 De mon premier coup de fusil, j'abats un grand vautour, perché tout au sommet d'un arbre mort.
GIDE, Voyage au Congo, *in* Souvenirs, Pl., p. 730.

*Abattre un avion. La D. C. A. a abattu trois bombardiers. Abattre quelqu'un,* l'assassiner avec une arme à feu. → **Descendre** (fam.). *Ils l'ont abattu comme un chien. Être abattu d'une balle dans le dos.* — *Un homme à abattre* (au fig., à vaincre).

♦ **3** (1677). Sujet n. de chose. *La pluie abat la poussière.* — (XV^e). Prov. *Petite pluie abat grand vent :* fig. (fin XVII^e) il suffit parfois de peu de chose pour apaiser les querelles.

♦ **4** **a** Fig. (Sujet n. de chose ou de personne). Rendre faible, ôter les forces à (qqn). *Cette fièvre l'a abattu.* → **Épuiser, fatiguer.**

J'avais dormi toute la journée, tant la faiblesse et la chaleur m'avaient abattu. 6
BALZAC, Lettre, 30 juil. 1864, *in* Correspondance, t. II, p. 264 (1876).

Ôter (l'énergie, l'espoir, la joie). *Abattre le courage de qqn.* → **Accabler, anéantir, annihiler, briser, broyer, consterner, décourager, démonter, démoraliser, déprimer, désespérer, détruire, ébranler, écraser, frapper, ruiner;** fam. **calamiter, catastropher; miner, saper** (le moral). — *Se laisser abattre :* perdre courage (→ cit. 11). *Ne vous laissez pas abattre, réagissez.*

Ses malheurs n'avaient point abattu sa fierté (...) 7
RACINE, Athalie, II, 5.

Et j'abattrai d'un coup sa tête et son orgueil. 8
CORNEILLE, Héraclius, III, 3.

Le vrai courage ne se laisse jamais abattre. 9
FÉNELON, Télémaque, XX.

Le chagrin dans le cœur de l'homme l'abat, mais une bonne parole le réjouit. 10
BIBLE (CRAMPON), Proverbes, XII, 25.

Lorsque les grands hommes se laissent abattre par la longueur de leurs infortunes (...) 11
LA ROCHEFOUCAULD, Maximes, 24.

La mauvaise fortune, au lieu de l'abattre l'exaspéra. 12
Alphonse DAUDET, le Petit Chose, I, I, p. 6.

La prospérité nous élève, l'affliction nous abat. 13
MASSILLON, Mart., *in* LITTRÉ.

**b** Fig. (1800). *Abattre une puissance.* → **Abaisser, réduire.** *Abattre la résistance ennemie.* → **Anéantir, annihiler, écraser, saper.** — Vx ou littér. *Abattre l'arrogance, l'orgueil de qqn.* → **Briser, détruire, vaincre.** — Au p. p. :

Ces grands corps *(les États)* sont malaisés à relever, étant abattus. DESCARTES, Discours de la méthode, II. 14

**c** Absolument, littéraire :

Abattre : C'est la principale science des Révolutions, et presque le seul mot qui forme le Dictionnaire des Vandales Révolutionnaires. C'est là leur rudiment politique et social; leur alphabet se réduit là. 14
Cousin Jacques, Dict. néologique (1800), *in* D. D. L. II, 11.

Comme un ange porté sur des ailes dorées, 15
Vous veniez, murmurant des paroles sacrées,
Pour abattre et pour relever.
HUGO, Odes et Ballades, II, I.

♦ **5** Techn. Faire descendre ou rendre plat. → **Aplatir.** *Abattre l'ouvrage,* en bonneterie. *Abattre un chapeau,* en aplatir les bords. Imprim. *Abattre la forme,* l'abaisser rapidement.
Arrondir. *Abattre les angles d'un édifice* (archit.).
Enlever en arrachant. *Abattre les cuirs, les peaux, la laine* (corroierie, tannerie).

**II** Par ext. **a** Coucher (ce qui était debout). *Abattre un cheval, un oiseau* (fauconnerie), pour le soigner.

**b** (1687). *Abattre un navire en carène,* pour découvrir la carène et nettoyer ou réparer les œuvres vives.

**c** (1835). *Abattre ses cartes, son jeu :* déposer ses cartes avant la fin du jeu (dans la certitude d'avoir gagné). → **Étaler.** Fig. Dévoiler tout à coup ses desseins et passer à l'action.

**III** V. intr. ♦ **1** Mar. Gouverner de façon à éloigner l'axe d'un bateau du lit du vent. → **Arriver, porter** (laisser porter). Contr. : *lofer.*

REM. La langue maritime soignée exigerait *abattre* s'agissant d'un bateau sans erre (au départ d'un mouillage, par ex.) et *laisser porter* pour un bateau en route. Dans l'usage, la distinction n'est plus faite, et *abattre* est employé aujourd'hui dans les deux cas, *laisser porter* apparaissant comme vieilli.

♦ **2** Techn. Appuyer à fond sur (un levier).

◆ **S'ABATTRE** v. pron.

♦ **1** Tomber tout d'un coup. → **Affaisser** (s'), **écrouler** (s'), **effondrer** (s'); **crouler, tomber.** *Il s'abattit brusquement comme foudroyé. S'abattre comme une masse* (cit. 2). *Le toit s'est abattu sur les occupants.*

16 Il est tombé en ruines par sa volonté dépravée, le comble s'est abattu sur les murailles et les murailles sur les fondements.
BOSSUET, Sermon pour profession de Mlle La Vallière.

17 De la force du coup pourtant il s'abattit.
LA FONTAINE, Fables, VIII, 27.

18 L'homme face à face avec la nuit, s'abat, s'agenouille, se prosterne, se couche à plat ventre, rampe vers un trou, ou se cherche des ailes.
HUGO, les Travailleurs de la mer, II, II, III.

Se laisser tomber (sur), se coucher brusquement (sur).

19 Ils s'abattirent, haletants, au pied d'un buisson incendié par les rayons du soleil couchant, et, avant d'avoir repris haleine, ils s'unirent.
MAUPASSANT, la Femme de Paul, p. 23.

20 Elle frissonna, ferma les yeux, et s'abattit sur sa poitrine. Leur première étreinte (...)
MARTIN DU GARD, les Thibault, VII, LV.

♦ **2 S'ABATTRE (sur)... :** se laisser tomber (sur) en volant (spécialt, pour manger). *Aigle qui s'abat sur sa proie.* → **Fondre; précipiter** (se).

21 Des volées de petits moineaux s'abattaient sur cette moisson perdue.
Alphonse DAUDET, Contes du lundi, «Alsace».

Par compar. et métaphore. *Le désespoir s'abattit sur eux comme un aigle.*

22 La dévastation s'abattant sur la misère, le vautour s'acharnant sur le ver de terre, il y a là on ne sait quel contresens qui serre le cœur.
HUGO, Quatre-vingt-treize, I, IV, VII.

23 Le sommeil s'abat sur la fatigue comme un oiseau de proie. HUGO, les Travailleurs de la mer, II, III, VI.

24 Le sommeil n'est pas à nos ordres. C'est un poisson aveugle qui monte des profondeurs, un oiseau qui s'abat sur nous.
COCTEAU, le Grand Écart, p. 152.

Fig. Se jeter sur (qqch., pour piller).

25 On verra des nuées de concussionnaires s'abattre sur le trésor public.
FRANCE, les Opinions de J. Coignard, Œ., t. VIII, p. 391.

Fig. *Le malheur, le découragement, un accès de désespoir s'abattit sur lui.* → **Fondre, tomber** (→ aussi, par métaphore, les cit. 22 et 23). *Les ennuis s'abattaient sur lui.* → **Pleuvoir.**

♦ **3** Tomber brutalement, être jeté, projeté vers le bas; être abattu. *Le mur s'abattit sous les bombes. S'abattre à terre, par terre, sur le sol.*

26 Une grosse pluie verticale, pesante, acharnée, s'abattait sur le jardin.
G. DUHAMEL, Chronique des Pasquier, III, V.

◆ **ABATTU, UE** [abaty] p. p. adj. et n. m. **A** Au p. p. → ci-dessus à l'article.

**B** Adj. ♦ **1** Qui n'a plus de force, est très fatigué (spécialt, en parlant d'un malade). → **Faible, las.** *Le malade, l'opéré est encore très abattu.*

27 Et, en voyant cette multitude d'hommes, il fut ému de compassion pour eux, parce qu'ils étaient harassés et abattus.
BIBLE (CRAMPON), Évangile selon saint Matthieu, IX, 36.

REM. En emploi participial, *abattu* se construit avec *par* ou (littér.) avec *de*.

28 Ton corps est abattu du mal de ta pensée;
Tu sens ton front peser et tes genoux fléchir.
Tombe, agenouille-toi, créature insensée :
Ton âme est immortelle, et la mort va venir.
A. DE MUSSET, Lettre à Lamartine.

♦ **2** Triste et découragé. → **Affligé, découragé, dégoûté, prostré.** *Être morne et abattu.* → **Déprimé.**

♦ **3** Détruit en vol, en parlant d'un avion.

♦ **4** Abaissé. — Vieilli. *Avoir des épaules abattues,* tombantes. — Loc. mod. *À bride abattue.* → **Bride.**

♦ **5** N. m. Position du chien d'un fusil désarmé. *Le cran de l'abattu.*

CONTR. **Relever, remonter.** ◇ DÉR. **Abat, abattable, abattage, abattant, abattée, abattement, abatteur, abattis, abattoir, abatture.** ← COMP. **Abat-faim, abat-feuille, abat-foin, abat-jour, abat-son, abat-vent, abat-voix. — Rabattre.**

**ABATTURE** [abatyʀ] n. f. — XIV^e; de *abattre.*

♦ **1** Techn. (Eaux et Forêts). Action d'abattre les fruits des arbres, particulièrement les glands. → **Gaulage** (des noix).

♦ **2** N. f. pl. Chasse. **ABATTURES :** traces laissées par un cervidé abattant du bas de son ventre les broussailles. *Les abattures d'un cerf dans les fougères.*

Il semblait même que le cheval, ayant compris à la longue ce qu'on attendait de lui, flairait les voies et repérait les abattures des cerfs avec une ardeur de limier (...)
M. TOURNIER, le Roi des Aulnes, p. 240.

**ABAT-VENT** [abavɑ̃] n. m. invar. — 1344; rare en franç. mod. av. 1820; de *abattre* (I., 3.), et *vent.*

Techn. Lame inclinée que l'on adapte à une fenêtre ou à certains appareils, dont on garnit les tuyaux de cheminée, etc., pour se garantir du vent, de la pluie. *Des abat-vent* (→ aussi **Mitre).**

Soudain l'abat-vent, violemment poussé par la rafale, heurta la fenêtre de la chambre. Gérande tressaillit et se leva brusquement, sans comprendre la cause de ce bruit qui secoua sa torpeur. Dès que son émotion se fut calmée, elle ouvrit le châssis.
J. VERNE, Maître Zacharius, p. 121-122 (1854).

**ABAT-VOIX** [abavwa] n. m. invar. — 1808; de *abattre* (I., 3.), et *voix.*

Techn. Dais placé au-dessus d'une chaire pour rabattre la voix du prédicateur vers l'auditoire.

**ABBASIDE** [abasid] adj. et n. — 1697, d'Herbelot; de *'Abbas,* nom de l'oncle de Mahomet.

Relatif à la troisième dynastie des califes, fondée en 750 par Abou al ʻAbbas al Saffah (descendant de l'oncle du Prophète), qui régna à Bagdad jusqu'en 1258. *La civilisation, l'art abbaside, des Abbasides.*

REM. On écrit aussi *abbasside.*

**ABBATIAL, ALE, AUX** [abasjal, o] adj. et n. f. — 1404, «appartenant à l'abbé»; du lat. ecclés. *abbatialis,* de *abbas.* → Abbé.

♦ **1** Adj. Qui appartient à l'abbé, à l'abbesse ou à l'abbaye. *Droits abbatiaux. Fonctions abbatiales. Église abbatiale.*

♦ **2** N. f. Église abbatiale; église principale d'une abbaye. *L'abbatiale de Saint-Germain-des-Prés. Une abbatiale gothique.*

**ABBAYE** [abei] n. f. — 1175; du lat. ecclés. *abbatia* «charge d'abbé».

♦ **1** Couvent, monastère, communauté de religieux ou de religieuses, qui a pour supérieur un abbé ou une abbesse. → aussi **Prieuré.**

Une de ces innombrables abbayes bénédictines qui sont semées comme des joyaux sur la robe de la Gaule chrétienne. 1
FRANCE, la Rôtisserie de la reine Pédauque, *in* 1 t. VIII, p. 249.

Prov. *Pour un moine l'abbaye ne faut pas :* le défaut d'un seul n'empêche pas une réunion de se tenir, un projet de s'exécuter.

♦ **2** Bâtiments de cette communauté. *Le cloître, le réfectoire, les cuisines... d'une abbaye. Abbaye gothique, romaine; cistercienne. Une vieille, une ancienne abbaye en ruine. L'abbaye de Jumièges.*

♦ **3** Hist. Bénéfice attaché au titre d'abbé. *Abbaye en commende,* celle à laquelle le roi pouvait nommer un séculier. *Abbaye en règle,* celle qui ne pouvait être attribuée qu'à un régulier.

♦ **4** Argot. [a] (1389, «bordel»). Maison de tolérance.
[b] Loc. (1628). *L'abbaye de monte-à-regret :* la potence, puis (XIX^e s.), la guillotine.

**ABBÉ** [abe] n. m. — 1080; du lat. ecclés. *abbatem,* accus. de *abbas* «abbé».

♦ **1** (Dans l'église catholique et orthodoxe). Supérieur d'un monastère d'hommes érigé en abbaye.

1 Savez-vous bien qu'abbé signifie père? (...)
Les anciens moines donnèrent ce nom au supérieur qu'ils élisaient. VOLTAIRE, Dict. philosophique, Abbé.

2 Moines, Abbés, Prieurs, tout s'arme contre moi.
BOILEAU, le Lutrin, II.

*Abbé régulier :* religieux. *Abbé commendataire :* séculier bénéficiaire d'une abbaye en commende. *Abbé crossé et mitré.*
Prov. *Nous l'attendrons comme les moines font l'abbé :* nous ne l'attendrons pas pour dîner au delà de l'heure fixée. *Le moine répond comme l'abbé chante :* les inférieurs modèlent souvent leurs allures, leurs habitudes sur celles de leurs supérieurs.
Loc. *Abbé de cour** (cit. 14.1).

♦ **2** Hist. Chef de certaines confréries de jeunes gens, au Moyen Âge.

♦ **3** Titre donné à un prêtre séculier. *Monsieur l'abbé.*
REM. 1. Au XVII^e et au XVIII^e s., les *abbés* portaient le petit collet, mais tous ne remplissaient pas les fonctions sacerdotales :

3 Mais si vous n'êtes monsieur l'abbé que pour avoir été tonsuré, pour porter un petit collet, un manteau court, et pour attendre un bénéfice simple, vous ne méritez pas le nom d'abbé. VOLTAIRE, Dict. philosophique, Abbé.

2. Aux mêmes époques, le mot est utilisé comme appellatif, sans *monsieur. Bonjour, l'abbé !*

4 — L'abbé divague. — Et toi, marquis,
Tu mets de travers ta perruque (...)
— Ma flamme... — Do, mi, sol, la, si.
L'abbé, ta noirceur se dévoile!
VERLAINE, Fêtes galantes, «Sur l'herbe».

♦ **4** Dans le clergé français, Prêtre qui n'est pas détenteur d'un bénéfice (à la différence du curé*).

DÉR. V. **Abbéton.** — (Du lat. *abbatia*). V. **Abbatial, abbaye.**
◊ HOM. **Abée.**

**ABBESSE** [abɛs] n. f. — 1172-1174; du lat. ecclés. *abbatissa,* de *abbas.* → Abbé.

♦ **1** Supérieure d'une abbaye de femmes. *L'abbesse et la coadjutrice.*

♦ **2** (1712, *in* D.D.L.). Argot, vx. Tenancière d'une maison de prostitution. → Sous-maîtresse.

(...) ce n'est plus sur le pied de fille du monde que je vais finir le récit de mes aventures, c'est sur celui d'abbesse, assez jeune et assez jolie pour faire souvent ma pratique moi-même.
SADE, les 120 Journées de Sodome, 1785, *in* D.D.L., II, 14.

HOM. **Abaisse.**

**ABBÉTON** [abetɔ̃] n. m. — XX^e; dimin. de *abbé.*

Par plais. Jeune abbé (cf. Abbéion, Anjou). → **Curaillon, cureton.**

Il descendit la chaire, fit cacher son abbéton dans un confessionnal et il alla ouvrir la porte. C'était un bel homme. La porte pouvait être ouverte, il la bouchait avec toute sa carrure.
J. GIONO, Un roi sans divertissement, p. 18 (1947).

**ABBEVILLIEN, IENNE** [abviljɛ̃, jɛn] adj. et n. m. — V. 1932; de *Abbeville,* dans la Somme.

Didact. (géol., paléont.). Se dit de l'industrie préhistorique du chelléen inférieur (Paléolithique), caractérisée par des silex taillés sur deux faces. → **Biface, coup-de-poing.**

(...) l'abbé Breuil proposa de remplacer les anciens termes de Préchelléen et Chelléen par celui d'*Abbevillien* puisque les bifaces archaïques se trouvent bien en place dans le gisement du Champ-de-Mars, à Abbeville.
Raymond FURON, Manuel de préhistoire générale, 1966, p. 186.

N. m. *L'Abbevillien* (ou *l'abbevillien*) : la période caractérisée par cette technique de taille. → Chelléen.

**ABC** [abese] n. m. invar. — Déb. XII^e; noms des trois premières lettres de l'alphabet.

♦ **1** Petit livre pour apprendre l'alphabet. → **Abécédaire.** — Dans ce sens, on trouve la graphie *abécé* (Michelet, *in* T. L. F.).

♦ **2** Fig. Commencement, premiers principes, rudiments (d'un art, d'une science...). *L'ABC du métier.* → **B.a-ba.**

C'est le fondement et l'ABC de toute notre morale. 1
PASCAL, les Provinciales, V.

(...) les notions élémentaires d'économie politique nécessaires à un député, l'ABC de la sociologie à l'usage des classes dirigeantes. 2
MAUPASSANT, Fort comme la mort, éd. 1889, p. 81.

On dit aussi *ABCD* (parfois écrit *abécédé*).

**ABCÉDER** [absede; apsede] v. intr. [CONJUG.: *céder.*] — 1539; du lat. *abscedere* «se former en abcès» (I^er siècle).

Méd. Se transformer en abcès. *Tumeur qui abcède.*
V. pron. *S'abcéder* (même sens). — Au p. p. *Un nodule abcédé. Phlegmon abcédé.*

**ABCÈS** [absɛ; apsɛ] n. m. — 1537; lat. *abscessus,* de *abscedere.*

♦ **1** Amas de pus formant une poche à l'intérieur d'un tissu ou d'un organe (→ aussi **Anthrax, bubon, clou, furoncle, panaris, phlegmon** [cit.], **tourniole).** *Abcès chaud,* accompagné d'inflammation aiguë : chaleur, rougeur, gonflement, douleur. *Abcès froid,* qui évolue «à bas bruit», sans signes d'inflammation aiguë (abcès tuberculeux, par exemple). → **Écrouelles, scrofule.** *Abcès artificiel* ou *de fixation,* provoqué par une injection d'essence de térébenthine pour localiser une infection générale (aussi sens fig., voir 2. ci-dessous). *Faire aboutir* un abcès. Crever un abcès,* le débrider, l'ouvrir, le percer, le vider. *Abcès qui crève. Abcès mûr* (cit. 2), *près de crever. Ponction* (exploratrice ou évacuatrice) *d'un abcès. Suppuration d'un abcès.*

♦ **2** (XVII^e). Fig. *Crever, vider l'abcès :* extirper un mal, un abus, un sujet de discorde.

L'abcès, du moins, était vidé... Voilà ce qu'on pouvait appeler une chirurgie radicale. 1
G. DUHAMEL, Chronique des Pasquier, X, XI.

2 Il semble que par la peste et collectivement un gigantesque abcès, tant moral que social, se vide; et de même que la peste, le théâtre est fait pour vider collectivement des abcès.
A. ARTAUD, le Théâtre et son double, Le théâtre et la peste, Œ. compl., t. IV, p. 38.

Loc. fig. **ABCÈS DE FIXATION :** événement ou phénomène mauvais en lui-même, mais qui empêche un principe dangereux de se répandre, en le fixant.

3 Toutes les équivoques qui liaient le trône à l'autel, le goupillon au sabre, furent sinon détruites, du moins fixées : le venin n'en fut plus répandu dans le corps tout entier : «L'Action Française» aura été un abcès de fixation nécessaire. F. MAURIAC, Bloc-notes 1952-1957, p. 54.

**ABDICATAIRE** [abdikatɛʀ] adj. — 1848; de *abdiquer.* Qui a abdiqué. — REM. Le mot n'a été relevé que chez Chateaubriand : «*le roi abdicataire de Sardaigne*».

**ABDICATION** [abdikɑsjɔ̃] n. f. — Av. 1406, sens 2.; sens 1., 1584; du lat. *abdicatio,* du supin de *abdicare.* → Abdiquer.

♦ **1** Action de renoncer (au pouvoir suprême, à la couronne, à une charge, à un titre). → **Démission.** *L'abdication de Charles Quint.*

Par ext. (avec une valeur stylistique). Démission, abandon (d'une charge, d'une fonction).

1 Toute abdication, fût-ce d'un métier infime, prête à celui qui abdique une dignité comparable à celle du sacre. Songe à un maître d'école qui abdique, un boulanger qui abdique!
GIRAUDOUX, Siegfried et le Limousin, p. 269.

♦ **2 ABDICATION DE... :** action d'abdiquer, de renoncer à (une valeur, un sentiment). → **Abandon, dessaisissement, désistement, renonciation.** *L'abdication de sa volonté, de son orgueil, de toutes ses ambitions.* Absolt. *Une attitude d'abdication et de renoncement, de résignation.*

1 Tout, plutôt que l'abdication de la raison, de la justice, devant la force brutale, et le sang!
MARTIN DU GARD, les Thibault, VII, LX.

2 Il y a, dans le renoncement à la joie, de la faillite et comme une sorte d'abdication, de lâcheté.
GIDE, les Nouvelles Nourritures, p. 110.

REM. Le mot a souvent, mais pas obligatoirement, une signification péjorative; certains contextes lui confèrent une valeur morale laudative.

CONTR. (Du sens 2.) **Fermeté, résistance.**

**ABDIQUER** [abdike] v. tr. — 1375; du lat. *abdicare.*

♦ **1** [a] V. tr. Vieilli ou littér. Renoncer (au pouvoir), déposer (la couronne). *Abdiquer la couronne, le pouvoir royal, l'autorité souveraine.*

1 Abdiquer (...) est plus noble *(que se démettre)* et ne se dit que de l'autorité souveraine ou d'une couronne.
LAFAYE, Dict. des synonymes, Abdiquer...

2 Dioclétien abdiqua solennellement l'empire, comme fit depuis Charles-Quint.
VOLTAIRE, *in* LAFAYE, Dict. des synonymes, Abdiquer...

[b] Absolt. Cour. *Le roi a abdiqué.* — Par ext. *Le pouvoir, l'autorité abdique.* → **Céder, renoncer.**

3 Aux journées de février 1848 comme aux journées de juillet 1830, la monarchie avait cédé presque sans résistance à l'émeute de Paris. Dans les deux cas, ce n'était pas seulement le roi qui avait abdiqué, c'était l'autorité elle-même. J. BAINVILLE, Hist. de France, XX, p. 475.

Par ext. *Un maître d'école, un boulanger qui abdique.* → Abdication, cit. 0.1.

♦ **2** (1402). Littér. Renoncer, renoncer à (une chose). *Abdiquer son autorité, son orgueil; «chacun abdiqua sa mauvaise humeur»* (Baudelaire). — Absolt et cour. (cit. 4 et 6). Renoncer à agir, se déclarer vaincu. → **Abandonner, céder, démissionner.**

Il avait renoncé, il avait abdiqué. Sa destinée était faite. 4
BAUDELAIRE, le Spleen de Paris, XIV.

Il manquait à la première règle de la compagnie qui est 5
d'abdiquer tout ce qui peut s'appeler talent, originalité, pour se plier à la discipline d'une commune médiocrité.
RENAN, Souvenirs d'enfance..., IV, II.

Que ce soit la Croix ou le Néant, tous ces héros abdiquent, 6
succombent au dégoût, au désespoir ou à une résignation plus triste que le désespoir.
R. ROLLAND, Musiciens d'aujourd'hui, p. 141.

Pron. (rare). *S'abdiquer :* renoncer à soi-même, à ses caractéristiques propres.

CONTR. (Du sens 2.) **Conserver, garder; résister.** ◊ DÉR. **Abdicataire.**

**ABDOMEN** [abdɔmɛn] n. m. — 1537; lat. *abdomen, -inis.*

♦ **1** Anat. Cavité viscérale à la partie inférieure du tronc (limitée en haut par le diaphragme; en bas par le plancher pelvien et le bassin; en avant, en arrière et sur les côtés par la paroi abdominale proprement dite), qui contient la plus grande partie de l'appareil digestif, l'appareil urinaire et, chez la femme, l'appareil génital. → **Abdominal; abdomino-.** *Régions de l'abdomen.* → **Épigastre, hypogastre, hypocondre.** *Les muscles de l'abdomen.*

Cour. Partie antérieure de l'abdomen. *Un gros abdomen, un abdomen proéminent.* → **Ventre; bedaine, bedon, panse.** *Un coup dans l'abdomen.*

♦ **2** Zool. Partie postérieure du corps (des insectes, de certains crustacés). *L'abdomen, le thorax et la tête. L'abdomen et le céphalothorax.*

DÉR. V. **Abdominal.**

**ABDOMINAL, ALE, AUX** [abdɔminal, o] adj. — 1611; dér. sav. du lat. *abdomen, -inis.*

♦ **1** Anat. De l'abdomen. *Muscles abdominaux. Ptose abdominale. — Hystérotomie abdominale.* → **Césarienne.**

— Non. Je dis seulement que j'espère me trouver en pré- 1
sence d'une simple contusion abdominale sans lésions internes.
MAUPASSANT, Fort comme la mort, éd. 1889, II, VI.

N. m. pl. *Développer ses abdominaux,* ses muscles abdominaux.

Entre ces deux arcs symétriques *(l'échancrure thoracique* 2
*et le sillon sous-pubien),* les trois plans des abdominaux sont étonnamment bien écrits pour un corps par ailleurs si enveloppé.
M. TOURNIER, le Roi des Aulnes, p. 305.

Par ext. Exercices de développement des muscles abdominaux. «(Le professeur de gymnastique) *nous fait faire des abdominaux»* (Joseph Joffo, *Baby-foot,* p. 83). Fam. *Abdos* [abdo] : abdominaux. *Faire une série d'abdos.*

♦ **2** Zool. Se dit des poissons chez lesquels les nageoires pelviennes sont à l'arrière du corps. — N. m. «*La plupart des Malacoptérygiens sont des Abdominaux*» (R. et M.-L. Bauchot, *les Poissons,* p. 22).

COMP. **Sous-abdominal.**

**ABDOMINO-** Premier élément de mots de médecine, d'anatomie, de chirurgie, du lat. *abdomen, -inis.* — Ex. : *nerf abdomino-génital* (se dit de deux branches du plexus lombaire); *amputation abdomino-périnéale* (du rectum); *incision abdomino-thoracique* (1898; syn. : *thoraco-abdominale*).

**ABDUCTEUR** [abdyktœʀ] adj. et n. m. — 1565; dér. sav. du lat. *abducere* «enlever», ou du lat. sav. *abductor* (1507), de *abducere*.

♦ **1** Anat. Qui produit ou permet l'abduction. *Muscle abducteur.* — N. m. *L'abducteur du gros orteil.* — *Canal abducteur.*

♦ **2** Techn. *Tube abducteur,* qui recueille les gaz provenant d'une réaction chimique.

♦ **3** Zool. *Ligament abducteur :* ligament élastique qui, reliant les deux valves de la coquille des mollusques bivalves, en permet l'ouverture et la maintient ouverte en position de repos.

CONTR. **Adducteur.**

**ABDUCTION** [abdyksjɔ̃] n. f. — 1541; lat. *abductio* «action d'enlever», du supin de *abducere* (→ Abducteur).

♦ **1** Didact. Mouvement qui écarte du plan médian du corps un membre ou un segment de membre. → **Écartement.**

Par ext. *Abduction de l'œil :* rotation vers le dehors du globe oculaire, dans un plan horizontal (opposé à *adduction*).

♦ **2** (1771). Log. Syllogisme dans lequel la majeure est certaine et la mineure probable (la conclusion est alors seulement probable).

CONTR. (Du sens 1.) **Adduction.**

**ABÉCÉDAIRE** [abesedɛʀ] adj. et n. m. — 1529; du lat. ecclés. *abecedarius* «de l'alphabet».

♦ **1** Adj. Vx. Alphabétique. *Ordre abécédaire.*

♦ **2** N. m. Livre pour apprendre l'alphabet. → **ABC, alphabet.** *Un abécédaire illustré.*

(XVIII^e). Rare. Ouvrage élémentaire, donnant les éléments d'une science, d'un art. — Par métaphore :

*(Un homme),* dont la puissance merveilleuse et aisée tire de ce piano, qui pour les autres semble un abécédaire de la musique épelant les phrases musicales, des flots dans lesquels il se jouait, planant comme une mouette sur la tempête (...)
PROUST, Jean Santeuil, Pl., p. 565.

**ABÈCHEMENT** [abɛʃmɑ̃] n. m., **ABÉCHER** [abeʃe] v. tr. → **Abecquement, abecquer.**

**ABECQUEMENT** [abɛkmɑ̃] n. m. — 1611, *abèchement;* de *abecquer.*

Vx. Action d'abecquer. — REM. La forme *abèchement* est d'usage en fauconnerie.

**ABECQUER** [abeke] v. tr. — XIII^e, «allécher (qqn)»; «donner la becquée», v. 1360; sens fig., 1837; de 1. *a-,* et *bec.*

♦ **1** Nourrir en donnant la becquée. *Abecquer un oiseau.* — REM. La forme *abécher* est d'usage en fauconnerie.

♦ **2** Fam. Porter la nourriture à la bouche de (qqn).

Il *(le malade)* réclama son potage et se laissa abecquer sans souffler mot.
MARTIN DU GARD, les Thibault, t. III, p. 263.

DÉR. **Abecquement.**

**ABÉE** [abe] n. f. — 1444, «écluse, vanne»; forme agglutinée de *la bée,* p. p. substantivé de l'anc. franç. *baer* «ouvrir», → Béer.

Techn. Ouverture donnant passage à l'eau qui tombe sur la roue d'un moulin. → **Béer** (bée, n. f.).

HOM. **Abbé.**

**ABEILLAGE** [abɛjaʒ] n. m. — 1369, *aboilage; abeillage,* 1769; de *aboille,* forme régionale de *abeille.*

♦ **1** Hist. Droit du seigneur sur les essaims d'abeilles qui se posaient sur son domaine.

♦ **2** Vx. **a** (1842). Essaim d'abeilles.

**b** Élevage des abeilles (*apiculture* est seul employé aujourd'hui).

**ABEILLE** [abɛj] n. f. — 1500; *abueille,* déb. XIV^e; anc. provençal *abelha,* du lat. *apicula,* dimin. de *apis.*

**A** Cour. ♦ **1** Insecte hyménoptère social *(Apidés* ou *Apiaires)* vivant en colonie (→ **Essaim; ruche**), produisant la cire et le miel; spécialt, l'abeille dite mellifique *(Apis mellifica).* Syn. (vx ou régional) : → **Avette, mouche** (à miel). *Abeille femelle stérile* (→ **Ouvrière**), *reproductrice* (→ **Reine**); *abeille mâle* (ou faux bourdon). *Antennes, labre, trompe d'une abeille. Thorax à 3 paires de pattes et 2 paires d'ailes des abeilles. Brosses, corbeilles d'une patte d'abeille. Dard, aiguillon d'une abeille. L'abeille, insecte aculé*.* — *Cellule d'abeille.* → **Alvéole, cellule; opercule.** *Œufs d'abeille.* → **Couvain.** *Élevage des abeilles.* → **Apiculture, ruche** (cit. 1). *Production des abeilles.* → **Cire, miel; gâteau, gaufre.** — *La loque*, maladie des abeilles.* — *Abeille sauvage. Pain d'abeille :* pollen mêlé de miel, nourriture des larves et des nymphes, des futurs mâles et des ouvrières. — *Peloton d'abeilles :* essaim accroché à une branche d'arbre. — *Les abeilles bourdonnent, butinent* (cit. 1.1, 1.2), *travaillent, volent. Se faire piquer par une abeille. Piqûre d'abeille* (ouvrière), avec l'aiguillon à venin. — *La danse frétillante des abeilles :* ensemble de mouvements exécutés sur un rayon par une butineuse de retour à la ruche pour renseigner les autres abeilles sur la direction et la distance du butin. *Le langage des abeilles,* ce mode de communication. Collectivement : *l'abeille mellifique, l'abeille commune* (cet emploi appartient plutôt au langage scientifique).

Les colonies de l'abeille commune comprennent une 1
femelle pondeuse ou reine, quelques centaines de mâles ou faux bourdons et des milliers d'ouvrières ou femelles stériles.
Omnium agricole, p. 3.

*(L'abeille)* se rend à la ruche, y dégorge son butin dans 2
l'une des cellules du grenier.
MAETERLINCK, la Vie des abeilles, p. 122.

Les abeilles donnent le miel et la cire odorante à l'homme 3
qui les soigne.
MAETERLINCK, la Vie des abeilles, p. 58.

(...) les grands épisodes de la vie des abeilles, à savoir : 4
la formation et le départ de l'essaim, la fondation de la cité nouvelle, la naissance, les combats et le vol nuptial des jeunes reines, le massacre des mâles et le retour du sommeil de l'hiver.
MAETERLINCK, la Vie des abeilles, p. 24.

*(L'esprit de la ruche)* règle le travail de chacune des 5
ouvrières. Selon leur âge, il distribue leur besogne aux nourrices qui soignent les larves et les nymphes, aux dames d'honneur qui pourvoient à l'entretien de la reine et ne la perdent pas de vue, aux ventileuses qui du battement de leurs ailes aèrent, rafraîchissent ou réchauffent la ruche, et hâtent l'évaporation du miel trop chargé d'eau, aux architectes, aux maçons, aux cirières, aux sculpteuses qui font la chaîne et bâtissent les rayons, aux butineuses qui vont chercher dans la campagne le nectar des fleurs qui deviendra le miel, le pollen qui est la nourriture des larves et des nymphes, la propolis qui sert à calfeutrer et à consolider les édifices de la cité, l'eau et le sel nécessaires à la jeunesse de la nation. Il impose leur tâche aux chimistes, qui assurent la conservation du miel en y instillant à l'aide de leur dard une goutte d'acide formique, aux operculeuses qui scellent les alvéoles dont le trésor est mûr, aux balayeuses qui maintiennent la propreté méticuleuse des rues et des places publiques, aux nécrophores qui emportent au loin les cadavres, aux amazones du corps de garde qui veillent nuit et jour à la sécurité du seuil (...)
MAETERLINCK, la Vie des abeilles, p. 37.

6 Ninon, quand vous riez, vous savez qu'une abeille
Prendrait pour une fleur votre bouche vermeille.
A. DE MUSSET, Poésies, «À Ninon».

(Collectif). *L'abeille, emblème de l'activité. — Industrieux, laborieux comme une abeille. Léger, actif comme une abeille.* — REM. Le nom de l'abeille est associé à de nombreux adjectifs à valeur laudative qui en font le symbole de l'activité ordonnée et féconde (→ Ruche, cit. 2, Hugo). Ces valeurs sont exploitées dans les comparaisons et les métaphores :

7 Je trouvai un petit vieux frétillant, sec, tout en nerfs, alerte et gai comme une abeille.
Alphonse DAUDET, le Petit Chose, II, III, p. 189.

8 C'étaient des abeilles au corselet brillant, ces précieuses *(du XVII<sup></sup>e siècle)* qui fécondaient les fleurs du savoir.
Léon DAUDET, la Femme et l'Amour, p. 167.

9 Comme on voit les frelons, troupe lâche et stérile,
Aller piller le miel que l'abeille distille?
BOILEAU, Satires, I, «Le départ du poète».

10 (...) Je soutiens
Qu'il faut de tout aux entretiens : (...)
Sur différentes fleurs l'abeille s'y repose,
Et fait du miel de toute chose.
LA FONTAINE, Fables, IX, 20.

11 Et, semblable à l'abeille en nos jardins éclose,
De différentes fleurs j'assemble et je compose
Le miel que je produis.
J.-B. ROUSSEAU, Ode au C. de Luc, *in* LITTRÉ.

12 (...) C'était toutefois sans s'arrêter trop longtemps à une même matière, voltigeant de propos en autre, comme des abeilles qui rencontreraient en leur chemin diverses sortes de fleurs. LA FONTAINE, Psyché, I.

13 Je suis chose légère et semblable aux abeilles,
À qui le bon Platon compara nos merveilles.
LA FONTAINE, Épître à Huet, *in* LITTRÉ.

14 Le plus chétif objet suffit pour me changer en abeille et me faire voltiger çà et là avec un plaisir toujours nouveau.
A. DE MUSSET, Fantasio, I, 2.

15 Je ne suis pas comme l'abeille butineuse qui s'en va sucer le miel d'une fleur, puis d'une autre fleur.
MARTIN DU GARD, les Thibault, t. I, p. 73.

Mythol. *Les abeilles, filles d'Aristée.*

Loc. (d'après l'angl.). *À vol, en ligne d'abeille :* en ligne droite, à vol d'oiseau*.

16 La distance qui sépare le fort Kearney d'Omaha est, en droite ligne — à vol d'abeille, comme disent les Américains —, de deux cents milles au plus.
J. VERNE, le Tour du monde en 80 jours, p. 282 (1873).

Loc. fam. *Avoir les abeilles :* être agité, énervé (comme si on était tourmenté par un essaim).

♦ **2** Représentation de cet insecte en héraldique. *Les abeilles impériales. Abeilles d'or. Semis d'abeilles.*

17 Filles de la lumière, abeilles,
Envolez-vous de ce manteau!
HUGO, les Châtiments, V, III.

REM. Il s'agit ici des abeilles emblématiques du manteau impérial que «Napoléon le Petit» (Napoléon III) n'est pas digne de revêtir.

♦ **3** Fig. **NID(S) D'ABEILLES.** → **Nid.**

**B** N. f. pl. Didact. (zool.). **LES ABEILLES :** super-famille d'insectes hyménoptères apocrites (appelée aussi *Apoïdés* ou *Apoïdes*) récoltant le pollen et le nectar. *Abeilles inférieures,* solitaires (bien que certaines espèces manifestent des tendances sociales). *Abeilles supérieures,* pour la plupart sociales, parmi lesquelles les *Apidés* supérieurs (bourdon, mélipone et abeille proprement dite) sont tous sociaux et producteurs de cire; seules les espèces du genre *Apis* construisent des rayons verticaux en cire pure. — Au sing. *Une abeille :* un individu ou un ensemble d'individus appartenant à cette super-famille. *Observer la danse d'une abeille. Le bourdon est une abeille* (ou : *les bourdons sont des abeilles*).

DÉR. **Abeillage, abeiller.**

**ABEILLER, ÈRE** [abeje, abejɛʀ; abɛje, jɛʀ] adj. et n. m. — 1250, n. m.; de *abeille.*

Rare.

♦ **1** Régional. *Un abeiller :* un rucher.

♦ **2** Adj. (1863). Relatif aux abeilles. *Industrie abeillère.*

**ABÉLIEN, IENNE** [abeljɛ̃, jɛn] adj. — 1853, Lachâtre; le mot est antérieur à 1851 (mort de Jacobi); de *Abel,* mathématicien norvégien, 1802-1829.

Didact. (math.). *Fonctions abéliennes* (introduites par *Abel* en analyse). *Équation abélienne,* telle que chaque racine peut s'exprimer rationnellement en fonction de l'une quelconque des autres. *Intégrale abélienne :* généralisation des intégrales elliptiques due à Abel. — *Groupe abélien* (ou *commutatif*), dont la loi de composition interne est commutative. *Anneau abélien :* anneau dont la seconde loi de composition interne (loi multiplicative) est commutative.

**ABELMOSQUE** [abɛlmɔsk] n. f. — D. i.; lat. mod. *abelmoschus,* de l'arabe *abu'l-misk* proprt «père du musc».

Bot. Plante de la famille des malvacées, qui fournit l'ambrette (dite *musc végétal*).

**ABER** [abɛʀ] n. m. — 1834, Landais; mot breton, signalé in *Encyclopédie,* 1751, comme mot breton, autre sens «chute d'un ruisseau dans une rivière».

Géogr. ou régional. Profond estuaire de rivière, en Bretagne (côtes à *rias**).

*(Des)* golfes étroits pénétrant très loin dans l'intérieur et prolongés dans le relief sous-marin par des chenaux profonds. Ces golfes sont appelés *rivières* dans la Bretagne française, *aber* dans la Basse-Bretagne (...) Ils sont des vallées rajeunies que l'immersion a gagnées.
E. DE MARTONNE, Traité de géographie physique, t. II, p. 1023.

(Dans un nom propre). *L'Aber-Wrach, l'Aber-Benoît.*

**ABERRANCE** [abɛʀɑ̃s] n. f. — 1936, Céline, *Mort à crédit;* répandu vers 1950; de *aberrant.*

♦ **1** Didact. (sc.). Dans un ensemble d'observations, Caractère d'une grandeur qui s'écarte beaucoup de la valeur moyenne.

♦ **2** Aberration.

Il y a là toute une aberrance de la sensibilité, qui a cet intérêt de traverser l'idée simpliste de finalité (...)
VALÉRY, Cahiers, Pl., t. II, p. 538.

**ABERRANT, ANTE** [abɛʀɑ̃, ɑ̃t] adj. — 1842; de *aberrer.*

Qui s'écarte du type normal.

♦ **1** Cour. (choses). Qui s'écarte de la règle, se fourvoie. Qui est contraire au bon sens, à la raison. → **Absurde, déraisonnable.** *Une attitude, une conduite aberrante. Un raisonnement aberrant.*

La politique américaine à l'égard de la Chine populaire m'avait toujours paru aberrante, au point que l'excès même de son absurdité me rassurait. 1
F. MAURIAC, le Nouveau Bloc-notes 1958-1960, p. 345.

(Personnes). Fam. Bizarre, absurde. *Ce type, ce bonhomme est complètement aberrant.*

♦ **2** Didact. (biol.). Qui présente des variations rares. *Espèce aberrante par mutation ou sommation :*

Le terme *aberration* est assez souvent pris en mauvaise part. On l'entend d'un écart de la normale qui se dirige vers le pire (...) Mais dans certaines branches de la science, 2 ce même mot, tout en conservant une certaine couleur pathologique, peut désigner quelque excès de vitalité, une sorte de débordement d'énergie interne, qui aboutit à une production anormalement développée d'organes ou d'activité physique ou psychique. C'est ainsi que la botanique parle de végétations aberrantes, et que, en un certain sens, la plupart des espèces végétales que l'homme utilise pour ses besoins comme le froment, la vigne, la rose, etc., sont des produits de procédés de culture immémoriaux qui ont réalisé des variétés qu'on peut dire aberrantes, en dépit de leur utilité ou de leur beauté.

VALÉRY, Monsieur Teste, *in* 1 t. II, Pl., p. 6.

Par ext. Qui correspond, est propre à une espèce aberrante.

3 Certaines lignées de Drosophiles sont caractérisées par un comportement génétique aberrant, c'est-à-dire que, lorsqu'on les croise avec d'autres lignées, tout se passe comme si un de leurs chromosomes manquait de certains gènes, ou comme si certains gènes n'occupaient point leur place coutumière.

Jean ROSTAND, Idées nouvelles de la génétique, p. 16.

♦ **3** (Statistique, etc.). Qui présente un caractère d'aberrance (observation, grandeur...).

♦ **4** Ling. Se dit d'une forme irrégulière ou singulière. → **Anomal.**

CONTR. **Normal, régulier.** ◊ DÉR. **Aberrance.**

**ABERRATION** [abɛʀasjɔ̃] n. f. — 1624, «action de s'écarter»; du lat. *aberratio.*

♦ **1** Didact. État d'une image qui s'écarte de la réalité. — (1733). Astron. Effet d'optique par lequel on voit un astre dans une position un peu différente de sa position actuelle, à cause du temps que sa lumière met à nous parvenir, et de la rotation de la Terre. *L'aberration des étoiles fixes.* — (1798). Opt. Tout défaut de l'image donnée par un système optique (lentille, objectif, miroir grossissant), ou par l'œil, dû à une irrégularité de forme *(aberration géométrique, aberration de sphéricité),* ou à une réfraction inégale des radiations de longueurs d'onde différentes des différentes couleurs *(aberration chromatique).* → **Astigmatisme, irisation.**

Biol. Écart par rapport à l'espèce type. → Aberrant, cit. 2. *Aberration chromosomique :* anomalie dans la formule chromosomique, à l'origine de diverses manifestations pathologiques (notamment mongolisme).

♦ **2** (1775, d'abord dans l'usage didact. et savant; cour. au XX^e, comme *aberrant*). Égarement des sens. → **Trouble.** *Aberration de la vue.* Déviation du bon sens; dérangement, désordre mental. → **Égarement, folie.** *Un moment d'aberration. Sombrer dans l'aberration.*

1 Si dans un premier instant d'aberration, je vous ai parlé autrement que je ne vous parle, je vous demande de me le pardonner. J'ai été fou.

Paul BOURGET, Un divorce, V, p. 184.

*(Une, des aberrations).* Idée, conduite aberrante. → **Absurdité, anomalie, folie.** *C'est une aberration, une véritable aberration. Un tissu d'aberrations. Des aberrations de jugement, de sentiment, d'esprit.*

2 Il faut d'ailleurs, avant d'aller plus loin, remarquer l'affection étrange que tous les livres traitant de la matière alchimique professent pour le terme de théâtre, comme si leurs auteurs avaient senti dès l'origine tout ce qu'il y a de *représentatif,* c'est-à-dire de théâtral, dans la série complète des *symboles* par lesquels se réalise spirituellement le Grand Œuvre (...) et aussi dans les écarts et errements de l'esprit mal informé, autour de ces opérations et dans le dénombrement on pourrait dire «dialectique» de toutes les aberrations, phantasmes, mirages et hallucinations par lesquels ne peuvent manquer de passer ceux qui tentent ces opérations *avec des moyens purement humains.*

A. ARTAUD, le Théâtre et son double, Idées/Gallimard, p. 72-73 (1938).

CONTR. (Du sens 1.) **Norme, normalité.** — (Du sens 2.) **Bon sens, raison.**

**ABERRER** [abeʀe] v. intr. — 1532, «s'écarter de»; du lat. *aberrare.*

Rare. Se tromper, s'écarter du bon sens ou de la norme.

DÉR. **Aberrant.**

**ABÊTIR** [abetiʀ] v. tr. — 1330; de 1. *a-,* et *bête.*

Rendre bête, stupide. → **Abrutir, bêtifier, crétiniser.** *Ce travail inepte finira par l'abêtir. Cette vie oisive abêtirait la plupart des gens.* — Absolt. *La misère abêtit.* Spécialt (chez Pascal). Faire renoncer à une raison humaine. → cit. 1, 2. — Par ext. *Abêtir l'esprit, la raison.*

Suivez la manière par où ils ont commencé : c'est en faisant tout comme s'ils croyaient, en prenant de l'eau bénite, en faisant dire des messes, etc. Naturellement même cela vous fera croire et vous abêtira. 1

PASCAL, Pensées, III, 233.

Port-Royal n'avait pas osé reproduire ce mot *(abêtir);* 2 Victor Cousin qui l'a publié le premier l'a accompagné du commentaire éloquent que l'on connaît : «Quel langage! Est-ce donc là le dernier mot de la sagesse humaine? La raison n'a-t-elle été donnée à l'homme que pour en faire le sacrifice, et le seul moyen de croire à la suprême intelligence est-il, comme le veut et le dit Pascal, de nous abêtir? Comme si lorsqu'on a hébété l'homme, il en était plus près de Dieu». Victor Cousin exagère sans doute la pensée de Pascal... S'abêtir, c'est retourner à l'enfance pour atteindre les vérités supérieures qui sont inaccessibles à la courte sagesse des demi-savants.

Léon BRUNSCHVICG, *in* Pensées de PASCAL, t. II, p. 154, note 1.

(...) le fatras qu'on leur impose *(aux écoliers)* pour les abêtir 3 et les étioler. LOTI, Figures et Choses..., II.

Au passif. *Être abêti par...*

♦ **S'ABÊTIR** v. pron.

♦ **1** Devenir (plus) bête. → **Encrasser** (s'), **encroûter** (s'). *Il s'abêtit de jour en jour.*

♦ **2** (Au sens de Pascal). *S'abêtir par la prière.*

♦ **ABÊTI, IE** p. p. adj. *Un esprit abêti.*

DÉR. **Abêtissant, abêtissement, abêtisseur, abêtissoir.**

**ABÊTISSANT, ANTE** [abetisɑ̃, ɑ̃t] adj. — 1845; de *abêtir.*

Qui abêtit, rend stupide. → **Abrutissant, crétinisant.** — Qui est de nature à abêtir. *Un journal, un cinéma abêtissant.*

**ABÊTISSEMENT** [abetismɑ̃] n. m. — 1552; de *abêtir.*

♦ **1** Action d'abêtir. → **Abrutissement, crétinisation.** *L'abêtissement de qqn par qqn. «L'abêtissement systématique des masses»* (S. de Beauvoir).

♦ **2** État de celui qui est abêti. → **Crétinisme.** *Son abêtissement est complet. Sombrer dans l'abêtissement.*

La renaissance de la superstition, qu'il avait crue enterrée par Voltaire et Rousseau, lui semblait, dans la génération nouvelle, le signe d'un complet abêtissement.

RENAN, Souvenirs d'enfance..., Œ. compl., t. II, p. 777.

**ABÊTISSEUR, EUSE** [abetisœʀ, øz] n. — 1871; de *abêtir.*

Celui, celle qui abêtit.

N'est-il pas évident que tous les gouvernements sont les empoisonneurs systématiques, les abêtisseurs intéressés des masses populaires?

M. BAKOUNINE, Dieu et l'État, 1871, *in* D.D.L., II, 7.

**ABÊTISSOIR** [abetiswaR] n. m. — 1956; de *abêtir.*
Littér. Ce qui abêtit.

Nostradamus, Cagliostro, le Grand Albert
Sont leur refuge d'ombre et leur abêtissoir (...)
ARAGON, le Crève-cœur, «Ombres», p. 61.

**AB HOC ET AB HAC** [abɔkeabak] loc. adv. — 1578, Estienne; fin XV^e, *d'abac ou d'aboc* «d'un côté ou de l'autre» : expr. lat., de *ab,* et des formes pron. *hic, hæc* à l'ablatif.
Vx. À tort et à travers (avec les verbes *parler, raisonner,* et des verbes de sens analogue).

Je me délasse de mes travaux en croquignolant un petit roman dans le genre antique. Mais je le fais mot à mot, pensée à pensée, ou, pour mieux dire, ab hoc et ab hac.
BALZAC, Correspondance, 6 sept. 1819, t. I, p. 7.

**ABHORRER** [abɔRe] v. tr. — 1488; *avourrir,* XIII^e; du lat. *abhorrere* soit par emprunt savant pour *abhorrer,* soit par la voie héréditaire avec influence de l'anc. provençal pour l'anc. forme *avourrir.*
Littér. (Sujet n. de personne). Avoir (qqch., qqn) en horreur, en aversion; avoir du dégoût, de la répugnance, de la répulsion pour (qqch., qqn). → **Détester, exécrer, haïr.** *Il abhorre son père. Il est très xénophobe, il abhorre les étrangers. Abhorrer un chef d'État, un dictateur. — Elle abhorre les cérémonies, la vie mondaine. — Abhorrer de* (et inf.), *que* (et indic.). *«Il abhorrait qu'on le remarque»* (Céline). — (Sujet n. de chose). *La nature* (cit. 47) *abhorre le vide.*

◆ **S'ABHORRER** v. pron. — (Réfl.). *S'abhorrer soi-même* (→ ci-dessous, cit. 2). — (Réciproque). *Non seulement ils se méprisent l'un l'autre, mais ils s'abhorrent.*

◆ **ABHORRÉ, ÉE** p. p. adj. Haï, détesté. → ci-dessous cit. 1 et 5.

1 Chez nos dévots aïeux le théâtre abhorré
Fut longtemps dans la France un plaisir ignoré.
BOILEAU, l'Art poétique, III, v, 81-82.

2 Je hais le monde entier, je m'abhorre moi-même.
VOLTAIRE, Zaïre, V, 6.

3 L'homme *(Napoléon)* qui ne donne aujourd'hui l'empire du monde à la France que pour le fouler à ses pieds, cet homme, dont j'admire le génie et dont j'abhorre le despotisme (...)
CHATEAUBRIAND, Mémoires d'outre-tombe, I.

1 Je déteste ces horreurs, j'abhorre et je méprise les hommes qui ont pu se les permettre, s'écria Lucien (...)
STENDHAL, Lucien Leuwen, XIV, *in* Romans, Pl., p. 1104.

4 Claudio le juge, que je déteste, méprise et abhorre depuis les pieds jusqu'à la tête.
A. DE MUSSET, les Caprices de Marianne, II, 1.

5 Dès qu'il *(Napoléon)* paraissait, on oubliait tout, les désastres de la veille et ceux que son retour annonçait, les tueries pour lesquelles on avait fini par maudire son nom, la conscription abhorrée.
J. BAINVILLE, Hist. de France, XVIII, p. 436.

**ABIES** [abjɛs] n. m. — Av. 1845; mot latin «sapin».
Didact. (bot.). Sapin (par oppos. aux autres *Abiétacées**).

DÉR. V **Abiétacées, abiétin, abiétinées, abiétique.**

**ABIÉTACÉES** [abjetase] n. f. pl. — 1868; de *abies, abietis,* nom lat. du sapin, et suff. *-acées.*
Bot. Plantes phanérogames gymnospermes *(Conifé-rales),* dont les cônes sont porteurs de nombreuses écailles. *Principales abiétacées : abies* (→ **Sapin**), *picea* (→ **Épicéa**), *larix* (→ **Mélèze**), *pinus* (→ **Pin**), *cedrus* (→ **Cèdre**). — Au sing. *Une abiétacée.*

**ABIÉTATE** [abjetat] n. m. — Déb. XIX^e, de *abiét(ique),* et suff. *-ate.*
Chim. Sel ou ester de l'acide abiétique.

**ABIÉTIN, INE** [abjetɛ̃, in] adj. — 1838; du lat. *abies, abietis* «sapin».
Bot. Qui se rapporte au sapin.

**ABIÉTINÉES** [abjetine] n. f. pl. — 1826, *in* Cottez; de *abies, abietis,* nom lat. du sapin, et suff. *-inées.*
Bot. Vx. → **Abiétacées.**

**ABIÉTIQUE** [abjetik] adj. — 1826, *in* Cottez; du lat. *abies, abietis* «sapin».
Chim. *Acide abiétique :* acide carboxylique, constituant des colophanes.

DÉR. **Abiétate.**

**ABÎME** [abim] n. m. — Déb. XII^e, aussi écrit *abyme* jusqu'au XX^e; lat. chrét. *abyssus,* altéré en **abismus;* du grec *abussos* «sans fond».

**I** Cavité dont la profondeur est ou paraît insondable. — Par métaphore et fig. Chose insondable, incompréhensible, indéterminée (avec une idée d'immensité menaçante, de danger). ♦ **1** Littér. ou vx. Cavité naturelle très profonde. Par ext. (vieilli). Vallée profonde, espace situé à un niveau très inférieur.

En outre, ces regards fascinants l'attiraient peu à peu vers 0.1
le bord de la route, qui surplombait un abîme insondable hérissé de pointes rocheuses (...) Tout à coup, sans avoir pu tenter un geste pour la retenir, il *(Ghîriz)* vit Neddou entraînée vers le précipice par une force invincible (...) Ghîriz, penché sur le gouffre, voulut partager le sort de son amante et d'un bond s'élança dans le vide. Les deux cadavres s'affalèrent côte à côte, réunis pour l'éternité dans d'inaccessibles profondeurs.
Raymond ROUSSEL, Impressions d'Afrique, p. 377-378.

Géogr. Cavité profonde, de section relativement faible. → **Gouffre; abysse, aven, puits.**
Profondeur au-dessous du niveau de l'eau (mer, océan). → **Abysse.** *Les abîmes de l'océan, de la mer.* → Navigation, cit. 2. — Par ext. *L'abîme* (notamment dans le discours romantique) : la mer.
Spécialt (dans le discours biblique) :

Du fond de l'abîme, je t'invoque, ô Éternel! 1
BIBLE (SEGOND), Psaumes, CXXX, 1.

*L'abîme de l'enfer, l'abîme infernal; l'abîme souterrain.*

REM. *L'abîme,* au sens concret, peut être conçu comme limité ou non par un fond. *Abîme sans fond.*

Du fond de l'abîme entr'ouvert sous ses pas. 2
RACINE, Athalie, III, 5.

Dans l'abîme sans fond mon regard a plongé. 3
De l'atome au soleil j'ai tout interrogé.
LAMARTINE, Premières méditations, «L'homme».

♦ **2** Littér. Se dit d'une chose insondable, considérée comme illimitée ou indéterminée. → **Gouffre, précipice.** *Un abîme moral, psychologique.*

On ne peut sonder la profondeur, ni percer les ténèbres 4
de ses abîmes *(l'amour-propre).*
LA ROCHEFOUCAULD, Maximes, 563.

Le cœur d'un homme vierge est un vase profond, 5
Lorsque la première eau qu'on y verse est impure,
La mer y passerait sans laver la souillure,
Car l'abîme est immense, et la tache est au fond.
A. DE MUSSET, Premières poésies, «La coupe et les lèvres», IV, 1.

Monde d'avant ma naissance, monde qui ne veut pas de 5.1
moi, qui n'a pas besoin de moi, abîme sans profondeur, gouffre qui dévore dans sa terrible surface, vide qui ne disperse pas, qui n'anéantit pas, mais qui plaque contre le sol! Monde impénétrable, intestin, seul organe qui ne sert à rien d'autre qu'à lui-même. Je suis sur cet océan glauque comme un îlot qui va s'effondrer.
J.-M. G. LE CLÉZIO, l'Extase matérielle, p. 14.

Par métaphore. *Un abîme de* (suivi d'un nom désignant une situation). *Tomber dans un abîme de difficultés.*

REM. Par rapport au sens 5., cet emploi conserve intacte l'image de gouffre, d'espace vide et insondable.

6 Pour moi qui ne vois rien dans le trouble où je suis,
Qu'un gouffre de malheurs, qu'un abîme d'ennuis.
CORNEILLE, Rodogune, V, 4.

Loc. Vieilli. *Un abîme de science :* un puits de science.

Spécialt, en parlant d'une dépense dont on ne peut déterminer les limites. → **Gouffre** (plus courant).

7 Tout cela lui coûte un argent infini ; c'est un abîme, il se ruine. MARIVAUX, la Double Inconstance, II, 1.

En parlant d'une distance ou d'une période de temps immense et plus ou moins effrayante. → **Immensité.**

8 Éternité, néant, passé, sombres abîmes,
Que faites-vous des jours que vous engloutissez !
LAMARTINE, Premières méditations, « Le lac ».

*L'abîme du temps ; de l'immensité, de l'infini, du néant.*

9 (...) l'abîme de l'immensité qui le sépare de la terre habitée.
BUFFON, Hist. nat. des animaux, Quadrupèdes, IV, p. 15.

*Un abîme de... :* une distance immense constituée par...

10 On dirait que des abîmes de silence séparent tous les objets, même les plus proches les uns des autres.
Valery LARBAUD, Amants, heureux amants, p. 12.

Prov. *L'abîme appelle l'abîme* (trad. du lat. *abyssus abyssum invocat*).

♦ **3** Cour. Séparation, différence extrêmement importante, pouvant aller jusqu'à une opposition. → **Division, fossé, séparation.** *Il y a un abîme entre ces deux opinions.*

11 Entre elle et ses filles, un abîme s'était creusé, de deux siècles au moins, tant les choses marchent vite dans la Turquie d'aujourd'hui.
LOTI, les Désenchantées, I, II, p. 25.

12 Entre elle et ses petites-filles, l'abîme d'incompréhension demeurait absolument insondable.
LOTI, les Désenchantées, I, II, p. 26.

REM. Dans ce sens, *abîme* peut être employé métaphoriquement, avec l'image du gouffre, de l'espace vide, ou avoir une valeur figurée, et être un synonyme partiel de *opposition, contraste.*

13 Chaque fois que revenait, dans nos entretiens, un mot ayant le moindre rapport avec l'affaire Dreyfus, il semblait qu'aussitôt un abîme s'ouvrît sous nos pas et divisât la famille.
G. DUHAMEL, Chronique des Pasquier, III, I.

14 Ce n'est pas un fossé qui se creuse entre nous, Laurent, c'est un abîme.
G. DUHAMEL, Chronique des Pasquier, VII, V.

15 Il suffit d'une querelle même infime, pour qu'entre nous se révèlent des abîmes.
Paul GÉRALDY, Toi et Moi, p. 116.

♦ **4** Littér. Par métaphore, avec l'idée de chute, de perte. Se dit d'une situation matérielle ou morale très mauvaise, très dangereuse. *S'enfoncer, se perdre dans l'abîme, dans un abîme. Aller vers, à, dans l'abîme.* → **Perte, ruine.**

16 Les jours, les mois, les années s'enfoncent et se perdent sans retour dans l'abîme des temps (...)
LA BRUYÈRE, les Caractères, XIII, 31.

17 *(Quelques-uns)* sentaient obscurément l'immensité de la chute et toute la profondeur de l'abîme dans laquelle le genre humain s'enfonçait depuis mille ans.
TAINE, Philosophie de l'art, I, II, VI.

18 (...) Non, pas de pardon pour certaines fautes... C'est avec ces complaisances qu'une société va aux abîmes.
ZOLA, Nana, II.

Loc. *La course à l'abîme,* se dit d'une évolution dangereuse par laquelle un homme, un pays se précipite vers une catastrophe.

Elle ne fournirait même plus l'effort nécessaire à la course à l'abîme classique qui était sa spécialité — cet abîme qui n'était jamais le dernier, et à peine en avions-nous été tirés à grands frais, que nous repartions gaillardement vers la prochaine culbute. 1
F. MAURIAC, le Nouveau Bloc-notes 1958-1960, p. 365.

Spécialt. État de perdition où risque de choir le pécheur. *L'abîme du péché, de la damnation. Être dans l'abîme.*

Si vous ne sortez pas de l'abîme où vous vivez. 1
MASSILLON, Petit carême, Conversion, *in* LITTRÉ.

Que cette petite eût, sinon touché le fond de l'abîme, du moins qu'elle l'eût si jeune approché, c'était un malheur, certes, mais qui rendrait possibles les mesures décisives pour son relèvement. 2
F. MAURIAC, la Pharisienne, VI, p. 92.

*Être au bord de l'abîme* (au sens général ou spécialt ci-dessus) : être dans une situation de grave danger, où l'on risque de tomber, de se perdre.

Sur le bord de l'abîme 2
Où votre aveuglement vous conduit par le crime.
VOLTAIRE, Catilina, I, 5.

Il éprouva comme un rappel atténué des sourdes terreurs de l'enfance (...) non point une appréhension intellectuelle, mais un frisson physique, un vertige au bord d'abîmes soudain béants. 2
Jean-Louis CURTIS, le Roseau pensant, p. 84.

♦ **5** Cour. (suivi d'un nom exprimant un état psychique). Degré extrême. → **Comble.** *Tomber, être dans un abîme de perplexité,* au plus fort de la perplexité, dans une perplexité intense, immense.

Trois secondes pleines s'étaient écoulées et il n'avait point agi, et il était plongé dans un abîme d'irrésolution. 2
FRANCE, le Mannequin d'osier, VI, Œ. compl., t. XI, p. 297.

Il était stupide de surprise, dans un abîme d'étonnement. 2
FRANCE, le Lys rouge, p. 251.

Du fond de cet abîme de tristesse, Beethoven entreprit de célébrer la joie. 2
R. ROLLAND, Vie de Beethoven, p. 60.

♦ **6** Littér. Ce qui semble impénétrable incompréhensible ; ce qui constitue un mystère, une énigme. *Un abîme insondable, impénétrable, obscur.* — Absolt. *C'est un abîme pour moi.*

Éternelle justice, abîme impénétrable, 2
Ne distinguez-vous pas le faible et le coupable ?
VOLTAIRE, Oreste, III, 1.

On eût dit qu'un heureux Traité allait terminer toutes les guerres de l'Europe, lors que Dieu, dont les jugements selon le Prophète sont des abîmes, voulut affliger et punir la France par elle-même (...) 2
FLÉCHIER, Oraison funèbre de M. de Turenne.

Et faut-il que, sur l'affaire de votre salut seulement, vous soyez un abîme de contradiction, et un paradoxe incompréhensible ? 2
MASSILLON, Sermon IIIe dim. Avent, Sur le délai de la conversion.

Les diverses valeurs métaphoriques (sens 3. à 6.) peuvent se réaliser dans différents syntagmes verbaux. *Choir, descendre, se perdre, plonger, se précipiter dans l'abîme, dans un abîme. Creuser, ouvrir un abîme* (au sens 3. → ci-dessus cit. 11, 14). *Jeter, précipiter qqn dans un abîme.*

Dans l'abîme effroyable où je suis descendu. 2
VOLTAIRE, Tancrède, II, 6.

(...) le parti que ma conscience me conseillait ouvrait devant moi un abîme de peines. 2
RENAN, Souvenirs d'enfance..., Appendice, p. 271.
(→ *Supra,* cit. 13).

Cette odeur dont la seule pensée suffit encore aujourd'hui pour me plonger dans un abîme de tendre tristesse. 3
G. DUHAMEL, Chronique des Pasquier, I, V.

Elle était joyeuse, au contraire, sans s'apercevoir de l'abîme où elle se précipitait. 3
FLAUBERT, Mme Bovary, II, XV.

32 Que celui qui l'a fait t'explique l'univers :
Plus je sonde l'abîme, hélas ! plus je m'y perds.
LAMARTINE, Premières méditations, «L'homme».

(Avec l'idée d'une chute ou d'un déplacement éternel).

33 Ils tombent dans les abîmes éternels.
BOSSUET, Prédic. I, *in* LITTRÉ.

34 Elle se sentait perdue, roulant au hasard dans des abîmes indéfinissables. FLAUBERT, Mme Bovary, III, VII.

**II** Loc. EN ABÎME, EN ABYME. ♦ **1** (1690). Blason. Situé au cœur, au milieu de l'écu, sans toucher aucune autre pièce.

35 Ainsi, on dit d'un petit Escu qui est au milieu d'un grand, qu'il est mis en *abysme.* Et tout autant de fois qu'on commence à blasonner par toute autre figure que par celle du milieu, on dit que celle qui est au milieu est en *abysme*, comme si on voulait dire, que les autres pièces étant élevées, celle-là paraît petite, comme cachée, et abysmée.
FURETIÈRE, Dict. (1690), art. *Abysme.*

36 J'aime assez qu'en une œuvre d'art, on retrouve ainsi transposé, à l'échelle des personnages, le sujet même de cette œuvre (...) Ainsi, dans tels tableaux de Memling ou de Quentin Metsys, un petit miroir convexe sombre reflète, à son tour, l'intérieur de la pièce où se joue la scène peinte (...) ce qui dirait mieux ce que j'ai voulu dans mes *Cahiers*, dans mon *Narcisse*, et dans la *Tentative*, c'est la comparaison avec ce procédé du blason qui consiste, dans le premier, à en mettre un second «en abyme».
GIDE, Journal 1889-1939, Pl., p. 41 (1893).

♦ **2** (1950, Cl. E. Magny ; d'après la compar. proposée par A. Gide, cit. ci-dessus). Fig. Littér., arts. *Mise en abyme ; composition, structure, construction... en abyme* (ou, rare, *en abîme*) : procédé ou structure par lesquels, dans une œuvre, un élément renvoie à la totalité, par sa nature (tableau dans le tableau, récit dans le récit...) notamment lorsque ce renvoi est multiplié indéfiniment ou qu'il inclut fictivement l'œuvre elle-même. Syn. : *composition, structure en miroir, spéculaire.*

37 Le terme de mise en abyme vise à regrouper un ensemble de réalités distinctes. Ces dernières (...) se ramènent à trois figures essentielles, qui sont la *réduplication simple* (fragment qui entretient avec l'œuvre qui l'inclut un rapport de similitude), la *réduplication à l'infini* (...) et la *réduplication aporistique* (fragment censé inclure l'œuvre qui l'inclut).
Lucien DALLENBÄCH, le Récit spéculaire, p. 51.

DÉR. Abîmer.

**ABÎMER** [abime] v. tr. — Av. 1231 ; de *abîme.*

**I** ♦ **1** Vx. Précipiter dans un abîme. → **Engloutir, ensevelir ; anéantir.**

Spécialt (avec le sens spécial d'*abîme* «océan»). Engloutir.

1 Dieu résolut enfin d'abîmer sous les eaux tous ces audacieux. BOILEAU, Satires, XII.

♦ **2** Vx. Mettre dans une mauvaise situation ; perdre, ruiner.

2 De si grands maux sont capables d'abîmer l'État.
BOSSUET, Lettres, 34, *in* LITTRÉ.

Vx. Ravaler, critiquer.

3 Critiques et louanges m'abîment et me louent sans comprendre un mot de mon talent.
Th. GAUTIER *in* Ed. et J. DE GONCOURT, Journal des Goncourt, t. I, p. 182.

**II** ♦ **1** (Depuis 1567). Mod. Mettre hors de service, d'usage, endommager (qqch.). → **Casser, détériorer, gâter, saccager** ; fam. **amocher, bousiller, esquinter, fusiller, massacrer, saloper.** *Il a abîmé ses vêtements*, sali, taché, déchiré... *Abîmer un meuble, un livre.*

1 Je suis obligé de prendre les mots dans le sens qu'ils ont aujourd'hui, et non pas toujours dans celui qu'ils pourraient ou devraient avoir. — «J'ai abîmé mes affaires», tellement vitupéré par mon professeur de rhétorique. — Adorable.
CLAUDEL, Cahier IV, août 1919, *in* Journal, Pl., t. I, p. 451.

Spécialt. *Abîmer ses yeux, sa vue ; s'abîmer la vue.* — Passif et p. p. :

Mes pauvres petits yeux sont abîmés *(par l'insomnie).* 4
Mme de SÉVIGNÉ, 2, 348.

♦ **2** Fam. *Abîmer qqn*, le blesser, le meurtrir par des coups. → **Amocher, arranger, esquinter.** *Il a commencé à abîmer son adversaire au 3e round. Il s'est fait salement abîmer.*

Fam. *S'abîmer le portrait* : se blesser, se défigurer.

◆ **S'ABÎMER** v. pron.

♦ **1** Littér. Disparaître dans un abîme ou être détruit violemment.

Pourquoi regretterais-je Paris plus que Florence ou Weimar, toutes villes chéries que j'ai voulu voir dès dix-huit ans et qui vont s'abîmer dans le prochain tremblement de terre ? 4.1
DRIEU LA ROCHELLE, la Comédie de Charleroi, p. 286.

♦ **2** Littér. Se plonger dans (qqch.) comme dans un abîme, un gouffre. *S'abîmer dans des réflexions, des méditations sans fin.*

Je m'abîmais dans des désespoirs inexplicables. 5
CHATEAUBRIAND, Mémoires d'outre-tombe, t. III.

Dans l'extase de joie où son cœur s'abîmait, 6
Il lui semblait que tout aimait ce qu'il aimait,
Que tout, autour de lui, partageait son ivresse.
LAMARTINE, la Chute d'un ange, «L'épouse retrouvée».

Bienheureux est celui qui, cessant de penser et de comprendre, s'abîme dans la contemplation de la beauté. 7
FRANCE, le Petit Pierre, XXIX, p. 206.

Littér. Se prosterner. → ci-dessous cit. 10.

♦ **3** (Choses concrètes). Se détériorer ; se gâter.

Relevant un peu sa belle robe du dimanche qui aurait pu s'abîmer, elle entra (...) 8
Alphonse DAUDET, Lettres de mon moulin, «Les étoiles».

Fig. Se détériorer (en parlant d'une réalité abstraite, psychologique). — REM. Ces emplois lorsqu'ils sont littéraires, jouent avec le sens 1., et peuvent donc être plus ou moins forts.

À force de plaisirs notre bonheur s'abîme. 9
COCTEAU, Poèmes, «À force de plaisirs...», p. 89.

◆ **ABÎMÉ, ÉE** p. p. adj. Vx. Ruiné. *«Des sujets abîmés»* (Montesquieu).

(Au sens 2.). Plongé comme dans un abîme.

(...) je demeurai longtemps abîmé dans une confusion de pensées toutes plus affligeantes les unes que les autres. 9.1
A. GALLAND, les Mille et une Nuits, t. I, p. 221.

Littér. Prosterné.

Renaud, cependant, ne pouvait douter qu'il eût devant lui un membre de la famille royale, car les serviteurs étaient abîmés à terre, la tête entre les genoux, les mains orantes, jointes par-dessus les cheveux, et demeuraient dans cette posture. Paul MORAND, Bouddha vivant, p. 26. 10

Mod. Endommagé, détérioré. *Objets abîmés, en solde. Peinture abîmée.*

Fam. Blessé, défiguré, enlaidi. → **Amoché.**

**AB INITIO** [abinisjo] loc. adv. — Attesté déb. XXe (1908, *in Rev. gén. des sc.*, no 9, p. 359) ; 1600 en angl. ; loc. lat., de *ab* «de», et *initium* «début».

Didact. Dès le début, l'origine. → **Ab ovo.** — REM. On rencontre parfois cette locution dans la presse : *«(...) le second avion franco-britannique à être étudié "ab initio" comme un projet commun aux deux pays»* (*France-Europe*, no 16, p. 39, 1966).

**AB INTESTAT** [abɛ̃tɛsta] loc. adv. et adj. — 1409 ; du lat. jurid. *ab intestato*, formé avec *ab* «de», et *intestatus* «qui n'a pas testé».

Dr. civ. *Héritier ab intestat,* sans qu'il ait été fait de testament. *Succession ab intestat.* → **Héritier; succession.**

**ABIOGENÈSE** [abjoʒənɛz] n. f. — 1892; adapté de l'angl. *abiogenesis* (1870), de *a-* privatif, *bio-*, et *genesis.* → Genèse.

Biol. Apparition de la vie à partir de la matière inanimée (→ Génération* spontanée).

**ABIOSE** [abjoz] n. f. — 1907; de 2. *a-* priv., et grec *bios* «vie».

Didact. État de vie suspendue, caractérisé par un métabolisme absolument imperceptible, dans lequel peuvent être placés momentanément certains êtres (comme les rotifères et les tardigrades).

**ABIOTIQUE** [abjɔtik] adj. — 1874; du grec *abiôtos* «qu'on ne peut vivre», de 2. *a-* priv., et *bios* «vie».

Didact. Biol. Où la vie est impossible. → **Amicrobien, 1. azoïque.** *Milieu abiotique. Rayons abiotiques* (ultra-violets de 3 000 à 2 000 Å). *«Un immense désert sans plantes, sans animaux, auquel il* (Forbes) *donnait le nom de zone abiotique»* (A. Reclus, *Revue maritime et coloniale,* juil. 1874, *in* Littré. *Suppl.*).

(Écol.). *Facteurs (écologiques) abiotiques,* liés au milieu (opposé à *facteur biotique*). *Les facteurs abiotiques intervenant en écologie sont de nature chimique ou physique (mécanique, etc.).* — REM. On dit aussi *facteurs non biotiques.*

**ABIOTROPHIE** [abjɔtʀɔfi] n. f. — 1952, Porot, art. *Pick;* de 2. *a-* priv., *bio-*, et *-trophie.*

Didact. (mot critiqué). Processus dégénératif qui atteint les cellules vivantes (se dit spécialt de la «mort» des cellules nerveuses).

La pathologie abiotrophique englobe (...) toutes les désorganisations endogènes qui s'opposent à celles dont l'étiologie répond à des mécanismes d'agression et de défense, à des processus traumatiques, infectieux, toxiques, inflammatoires, néoplasiques, etc. (...) Mais l'abiotrophie n'apporte pas en soi une doctrine explicative. Dans le domaine qu'elle délimite, les incessants progrès de la génétique, de la chimie moléculaire opèrent des reclassements significatifs.

A. Porot et Ch. Bardenat, *in* Manuel alphabétique de psychiatrie, art. *Abiotrophiques.*

DÉR. **Abiotrophique.**

**ABIOTROPHIQUE** [abjɔtʀɔfik] adj. — 1952, Porot; de *abiotrophie.*

Didact. (mot critiqué). Relatif à l'abiotrophie (cit.). *Affections abiotrophiques :* affections du système nerveux attribuées à une abiotrophie d'origine génétique.

Trois états anatomiques sont parfois considérés comme spécifiques du grand âge. Les altérations neuronales «abiotrophiques», les «feutrages neurofibrillaires» et les «plaques séniles».

Léon Binet, Gérontologie et Gériatrie, p. 41-42.

**AB IRATO** [abiʀato] loc. adv. et adj. — 1769; lat. jurid. *(testamentum) ab irato (factum)* «(testament fait) par qqn que la colère anime», IIIe siècle.

Adv. Dr. civ. Sous l'empire de la colère. *Une lettre écrite ab irato.*

Adj. *Acte, testament ab irato.*

**ABJECT, ECTE** [abʒɛkt] adj. — 1470; du lat. *abjectus,* p. p. de *abjicere* «abaisser, mépriser», de *ab-*, et *jacere* (→ Jeter).

Qui inspire l'aversion, le dégoût, la répulsion; qui attire le mépris, l'opprobre. → **Abominable, bas** (vieilli), **dégoûtant, ignoble, indigne, infâme, infect, méprisable, odieux, répugnant, vil.** *Un homme, une créature abjecte. Un être abject et rampant.* → **Vil.** → Un ver* de terre. *Une âme abjecte. Des mœurs, des sentiments abjects. Son comportement est abject.* → **Ignominieux.** *C'est absolument abject.* → **Honteux.** *La guerre est toujours abjecte.*

Et moi, tout méprisable, tout néant que je suis, vile et 1
abjecte créature. Pascal, Pensées, *in* Littré.

Ces hommes qui mourront, foule abjecte et grossière, Sont 2
de la boue avant d'être de la poussière.
Hugo, les Châtiments, IV, p. 53.

Quant à moi, je prétends que s'il y a quelque chose de plus 3
méprisable que l'homme, et de plus abject, c'est beaucoup d'hommes.
Gide, les Faux-monnayeurs, III, XI, p. 417.

Qui a l'âme élevée sans être fort, sera hypocrite ou abject. 4
Henri Michaux, Face aux verrous, p. 68.

N. m. Littér. *L'abject :* l'abjection. *Se complaire dans l'abject.*

CONTR. **Digne, élevé, noble.** ◊ DÉR. **Abjectement.**

**ABJECTEMENT** [abʒɛktəmɑ̃] adv. — 1470; repris 1845, Bescherelle *Suppl.;* de *abject.*

Littér. D'une manière abjecte. *Il nous a abjectement trompés.* → **Abominablement, ignoblement, odieusement; honteusement.**

**ABJECTION** [abʒɛksjɔ̃] n. f. — 1372; du lat. *abjectio* «abattement de l'âme»; en lat. ecclés. «humilité».

♦ **1** Extrême degré d'abaissement, d'avilissement. *Vivre, tomber, croupir dans le vice et l'abjection.* → **Avilissement, bassesse, indignité, infamie;** par métaphore (littér.) **boue, fange.** *L'abjection morale. Histoire de l'abjection,* titre français d'un ouvrage de Borges.

Lorsque, dans le silence de l'abjection, l'on n'entend plus 1
retentir que la chaîne de l'esclave ou la croix du délateur; lorsque tout tremble devant le tyran, et qu'il est aussi dangereux d'encourir sa faveur que de mériter sa disgrâce, l'historien paraît, chargé de la vengeance des peuples. C'est en vain que Néron prospère. Tacite est déjà né dans l'empire; il croît inconnu auprès des cendres de Germanicus, et déjà l'intègre Providence a livré à un enfant obscur la gloire du maître du monde.
Chateaubriand, *in* Mercure de France, t. XXIX, juil. 1807.

(...) Il *(Tolstoï)* voit, dans le cœur de chacune *(des femmes* 2
*de la prison),* la détresse sous l'abjection, et sous le masque d'effronterie le visage qui pleure.
R. Rolland, Vie de Tolstoï, p. 51.

Sans un souffle de cette littérature, sœur de la politesse, 3
la vie retombe assez vite à la goujaterie et à l'abjection.
G. Duhamel, Chronique des Pasquier, III, XV.

Je veux réhabiliter cette époque en l'écrivant avec les noms 4
des choses les plus nobles. Ma victoire est verbale et je la dois à la somptuosité des termes mais qu'elle soit bénie cette misère qui me conseille de tels choix. Près de Stilitano à l'époque où je la devais vivre je cessai de désirer l'abjection morale et je haïs ce qui en doit être le signe : mes poux, mes haillons et ma crasse.
Jean Genet, Journal du voleur, p. 62.

Spécialt, relig. Humiliation absolue, correspondant à l'état de dégradation de l'homme après le péché originel.

♦ **2** *(Une, des abjections).* Comportement abject; situation abjecte.

Chose abjecte. *Ce livre est une abjection.* → **Infamie.**

REM. Le verbe *abjecter* a été employé sous la forme pronominale : *s'abjecter* «devenir abject» (1580) et proposé, à la forme active, dans le *Dict. des mots nouveaux* de Richard de Radonvilliers (1842). Jouhandeau l'a employé dans *De l'abjection* (1939).

CONTR. **Dignité, élévation, grandeur, noblesse.**

**ABJURATION** [abʒyʀasjɔ̃] n. f. — 1492; du lat. *abjuratio,* de *abjurare.* → Abjurer.
Action d'abjurer; abandon solennel (d'une opinion, d'un sentiment). → **Apostasie, reniement, rétractation.**

Déjà résolu à «sauter le pas», à se convertir, il *(Henri IV)* voulait que son abjuration fût volontaire.
J. BAINVILLE, Hist. de France, X, p. 184.

*Faire abjuration de... :* abjurer. *Abjuration complète, forcée. — L'abjuration d'une croyance, d'une idée, d'un sentiment par qqn. L'abjuration de qqn, son abjuration :* le fait qu'il abjure, qu'il ait abjuré.

CONTR. **Fidélité, persévérance. — Conversion.**

**ABJURATOIRE** [abʒyʀatwaʀ] adj. — 1842; de *abjurer.*
Didact. (dr., relig.). Qui contient, exprime une abjuration. *Formule abjuratoire.*

**ABJURER** [abʒyʀe] v. intr. et tr. — 1327, «rejeter l'autorité de qqn»; du lat. *abjurare* «nier qqch. avec serment».

♦ **1** [a] (XVII[e]). Intrans. Renoncer solennellement à la religion qu'on professait. → **Apostasier, rétracter** (se). *Il refuse d'abjurer.* → **Renier** (se). *Action d'abjurer.* → **Abjuration.**

1 Le 25 juillet 1593, Henri IV abjura en l'église Saint-Denis.
J. BAINVILLE, Hist. de France, X, p. 186.

[b] Trans. Abandonner solennellement (une croyance, une religion). → **Renier.** *Abjurer sa foi. Hérétique qui abjure l'hérésie, puis y retombe.* → **Relaps.**

2 «On n'était reçu alors dans l'Église qu'après avoir abjuré sa vie passée.» PASCAL. Qui *renie* sa religion apostasie; qui l'*abjure* ordinairement quitte l'erreur, se convertit.
LAFAYE, Dict. des synonymes, Renoncer...

♦ **2** V. tr. (XVIIe). Renoncer publiquement à (une opinion, des principes). *Abjurer une philosophie, ses croyances.* — Par ext. *Abjurer ses habitudes; «abjurer la coquetterie»* (Mme de Staël).

3 Il est temps d'abjurer ces coupables maximes!
Il faut des lois, des mœurs, et non pas des victimes.
M.-J. CHÉNIER, Timoléon, II, 6.

4 (...) ne voyant, ne considérant que lui seul dans l'univers, c'est à lui seul qu'il *(le philosophe)* rapporte tout. S'il ménage ou caresse un instant les autres, ce n'est jamais que relativement au profit qu'il croit en tirer; n'a-t-il plus besoin d'eux, prédomine-t-il par sa force, il abjure alors à jamais tous ces beaux systèmes d'humanité et de bienfaisance auxquels il ne se soumettait que par politique; il ne craint plus de rendre tout à lui, d'y ramener tout ce qui l'entoure, et quelque chose que puisse coûter ses jouissances aux autres, il les assouvit sans examen, comme sans remords. SADE, Justine..., t. I, p. 198.

CONTR. **Persévérer, persister.** ◊ DÉR. **Abjuratoire.**

**ABLACTATION** [ablaktasjɔ̃] n. f. — 1771; lat. sav. *ablactatio,* de *ab-,* et *lactatio* «lactation».
Didact. Arrêt de l'allaitement, pour la mère. *Ablactation au moment du sevrage* de l'enfant.*

**ABLASTINE** [ablastin] n. f. — XXe; 1970, *in* Manuila; de 2. *a-, blasto-,* et *-ine.*
Biol. Anticorps empêchant la reproduction de cellules bactériennes infectieuses.

**ABLATER** [ablate] v. tr. — 1923, en géol., généralisé mil. XXe; repris à l'angl. *to ablate,* du moyen franç. *ablater* «enlever».
Sc., techn. Produire une ablation (2., 3.).
Pron. *S'ablater :* perdre de la matière par ablation (2., 3.).

Ces stratifiés s'ablatent moins vite que les plastiques renforcés (...)
J.-C. DESJEUX et J. DUFLOS, les Plastiques renforcés, p. 39.

REM. L'administration recommande : *ablatir, s'ablatir* [ablatiʀ].

**ABLATIF** [ablatif] n. m. et adj. — XIVe; au XIIIe «qui enlève»; du lat. *ablativus.*

♦ **1** N. m. Ling. Sixième cas de la déclinaison latine, indiquant qu'un substantif sert de point de départ ou d'instrument à l'action. *Mettre un mot à l'ablatif. Ablatif absolu.*

Le français a perdu sa déclinaison, et cependant il continue d'employer des ablatifs absolus. — «Lui mort, toutes nos espérances sont anéanties.» — «La nouvelle s'étant répandue, des attroupements se formèrent.»
Michel BRÉAL, Essai de sémantique, p. 53.

♦ **2** Adj. (V. 1970; repris à l'angl. *ablative,* de *to ablate*). Propre à l'ablation. *«Le choc thermique très intense peut également rendre fragile le revêtement ablatif que l'on trouve sur tous les corps de rentrée actuels, voire le fissurer»* (*la Recherche,* p. 227, juil.-août 1970).

**ABLATION** [ablasjɔ̃] n. f. — XIVe; du lat *ablatio* «enlèvement».
Didactique.

♦ **1** Chir. Action d'enlever, de retrancher du corps une partie morbide. → **Amputation, excision, exérèse.** *Ablation chirurgicale.* → **Opération**; et aussi **-ectomie.** *L'ablation d'une tumeur, d'un rein. Greffe succédant à une ablation. Ablation des parties génitales.* → **Castration.**

Eux, eux qui avaient eu faim et froid, les pieds dans la fange, les oreilles gelées, la peau trouée, les membres arrachés, pendant quatre ans, pendant quatre ans. Ils tapaient dans le vide de leurs ablations en disant : «J'ai laissé ça à Verdun.» D'autres avaient laissé ça dans la Somme. D'autres encore étaient allés plus loin pour obtenir un pareil résultat... à Salonique... à Arkhangel... «J'ai un moignon, je ne vous dis que ça», ajoutaient-ils avec des coups malins de l'œil. Pour exciter l'intérêt, qui s'amollissait.
Ils nous ont narré leurs opérations chirurgicales inédites et inouïes dont ils étaient sortis raccourcis et diminués, allongés et pas agrandis.
Henri CALET, la Belle Lurette, p. 143-144.

♦ **2** Géol. (*ablation glaciaire,* 1885, Encycl. Berthelot; probablt repris à l'angl. *ablation,* 1860 en ce sens). Perte de substance subie par un relief. → **Érosion.** — Perte de glace subie par un glacier (par fusion, sublimation). → **Vêlage.**

♦ **3** (1964). Sc., techn. «Phénomène complexe de transfert de matière qui se produit par rupture mécanique, sublimation, fusion, vaporisation ou oxydation, pyrolyse ou dissociation moléculaire du matériau» (J.-C. Desjeux et J. Duflos, *les Plastiques renforcés,* p. 112). *Vitesse d'ablation. Céramiques qui revêtent les engins spatiaux pour pallier les phénomènes d'ablation.*

DÉR. **Ablater** (s').

**ABLE** [abl] n. m. — 1393; du lat. *albula* «petit poisson», de *albulus* «blanchâtre».
Poisson d'eau douce de la famille des Cyprinidés, à écailles blanches (nom commun à plusieurs espèces). → **Ablette, gardon.**
Vx. Variété de saumon.

DÉR. **Ableret, ablette.**

**-ABLE** Élément, du lat. *-abilis,* qui s'ajoute aux bases des verbes transitifs en *-er (chanter, chantable)* et en *-ir* (variante *-issable : périr, périssable*) pour former des adjectifs avec la valeur passive de «qui peut être...», ou à une base nominale avec la valeur active de «qui donne», «enclin à» (ex. : charitable, pitoyable). → **-ible.** La formation de tels adjectifs est libre, notamment en combinaison avec le préfixe négatif *in- (in-, im-, ir-).*

1 Comme morphème du verbe, le sort de l'adjectif verbal indiquant la possibilité est lié à celui du verbe, et même à celui du verbe transitif (...) Bien que l'adjectif verbal soit disponible pour tous les verbes transitifs, la forme (en *-able*) n'a pas une fréquence relative telle qu'elle soit immédiatement enregistrée dans les dictionnaires (...) la lexicalisation ne se justifie que lorsque l'adjectif en *-able* est relativement autonome du verbe, et le lexicographe ne se croit pas obligé d'enregistrer les formes simplement disponibles (...) Le suffixe se présente sous les deux formes *-able* et *-issable;* les dérivés en *-ible (-uble)* par suite de leur isolement relatif dans la structure ont tendance à se lexicaliser immédiatement.
J. DUBOIS, la Dérivation suffixale, p. 52.

Exemples de telles formes :

2 (...) au contraire de ces clairs miroirs d'extase *(ses yeux),* allumables seulement au foyer de quelque émotion profonde (...) Léon BLOY, le Désespéré, p. 122.

3 S'il avait un sou de talent au service de sa désespérée fureur de raté, nul n'échapperait au venin de ses abominables crocs, à l'exception, peut-être, de quelques turfistes à poigne, accoutumés à rosser des bêtes plus nobles, mais fort capables, après le champagne, de déroger jusqu'à son calottable visage. Léon BLOY, le Désespéré, p. 202.

**ABLÉGAT** [ablega] n. m. — 1752; du lat. *ab-* exprimant l'orig., et du franç. *légat.*

Relig. Vicaire d'un légat. — Envoyé du pape.

Élevé au Collège des Nobles, Pio Boccanera n'avait quitté Rome qu'une fois, très jeune, à peine diacre, pour aller à Paris présenter une barrette, comme ablégat.
ZOLA, Rome, p. 88.

DÉR. **Ablégation.**

**ABLÉGATION** [ablegasjɔ̃] n. f. — 1771, en dr. rom.; de *ablégat.*

(1842). Relig. Qualité d'ablégat.

**ABLÉPHARIE** [ablefaʀi] n. f. — 1961, Garnier Delamare; *ablepharon, in* Littré-Robin, 1865; de 2. *a-* priv., et du grec *blepharon* «paupière».

Didact. Absence de cils. — Absence congénitale de paupières.

**ABLERET** [ablɔʀɛ] ou **ABLIER** [ablije] n. m. — 1317, *ableré;* de *able.*

Filet de pêche carré. → **Carrelet.**

**ABLETTE** [ablɛt] n. f. — 1525; *auvette,* 1386; dimin. de *able,* même sens.

Cour. Poisson téléostéen physostome, de la famille des Cyprinidés, scientifiquement appelé *alburnus,* qui vit en troupe dans les eaux douces. *Ablette commune (alburnus lucidus),* ou *blanchet. Ablette spirlin (spirlinus bipunctatus),* ou *lugnotte. Les écailles de l'ablette servent à préparer l'«essence d'Orient» qui était utilisée dans la fabrication des fausses perles.*

1 — Moi, je ne trouve rien d'insupportable comme ces petits poissons qui mordent toujours et qui ne se prennent jamais!
— Les ablettes?... vous voulez parler des ablettes?
E. LABICHE, Deux merles blancs, III, 5.

2 Des petites médailles d'écume blanche se détachent d'un bouillon et s'en vont à la dérive, au fil de l'eau. On dirait qu'une bouche d'ange qui s'amuse crache du haut du ciel dans le bassin. D'un coup de queue, une ablette court flairer une brindille de bois.
J. RENARD, Journal, 22 juil. 1889.

**ABLOC** [ablɔk] n. m. — XIVᵉ, mot picard, «bloc de pierre employé dans la construction» (Godefroy); *ablocq* «support», XVIᵉ; de 1. *a-,* et *bloc.*

Techn. Pilier de soutien. — Fondation de la culée d'un pont.

**ABLOCAGE** [ablɔkaʒ] n. m. — XXᵉ; de *abloquer.*

Techn. Fixation (d'une pièce) sur la machine-outil. *Bride, cale d'ablocage.*

**ABLOQUER** [ablɔke] v. tr. — XXᵉ; en anc. franç. *ablochier, abloquier* (1336) «consolider sur un *abloc*»; de 1. *a-,* et *bloquer.*

Techn. Fixer (une pièce) sur la machine-outil, pour usiner.

DÉR. **Ablocage.**

**ABLUANT, ANTE** [ablyɑ̃, ɑ̃t] adj. et n. m. — 1842; de *abluer.*

♦ **1** Adj. Vx. Propre à déterger une plaie. *Préparations abluantes.*

♦ **2** N. m. Vx. *Un abluant :* une préparation pour déterger une plaie.

**ABLUER** [ablye] v. tr. — XIVᵉ; du lat. *abluere* «laver».

♦ **1** Vx. Laver. Poét. «*Terre abluée des encres du copiste*» (Saint-John Perse).

♦ **2** Techn. Laver un manuscrit, un livre, pour enlever les taches.

♦ **3** V. pron. Littér. *S'abluer :* se laver, faire ses ablutions.

DÉR. **Abluant.**

**ABLUTION** [ablysjɔ̃] n. f. — XIIIᵉ, «purification par l'eau baptismale»; du lat. ecclés. *ablutio,* même sens.

♦ **1** Liturg. rom. Action de verser sur les doigts du prêtre du vin et de l'eau après la communion. — (Au plur.). Par ext. L'eau et le vin ainsi versés. *Les ablutions de la messe.* → **Lustral** (eau lustrale).

♦ **2** Relig. Lavage du corps, d'une partie du corps comme purification religieuse. *Les ablutions des musulmans. Des Indous «accomplissaient pieusement leurs saintes ablutions»* → Zébu, cit. — Fig. Purification.

Le baptême du Christ, ce baptême de l'esprit, cette ablution 1
de l'âme. VOLTAIRE, Lettres anglaises, 1.

♦ **3** Action de se laver. *Une ablution complète, prolongée.* — (Plur.). Cour. *Faire ses ablutions.*

Il se représenta par avance le délice des ablutions froides 2
et jeta ses vêtements autour de lui avec une impatience d'enfant. MARTIN DU GARD, les Thibault, III, 3.

Puis il se tint la tête sous un robinet d'eau froide et s'offrit 3
une longue ablution pour mettre en fuite jusqu'aux dernières vapeurs de la colère.
G. DUHAMEL, Chronique des Pasquier, VIII, XI.

DÉR. **Ablutionner.**

**ABLUTIONNER** [ablysjɔne] v. tr. — 1866, P. Larousse; de *ablution.*

Littér. Laver; soumettre à des ablutions (une personne, un animal). — Pron. *S'ablutionner.* — Au p. p. :

Daria demeure lointaine et inaccessible, même quand elle répond aux questions de Poupée, maintenant rafraîchie et ablutionnée (...) J.-R. BLOCH, Sybilla, p. 236.

**ABM** [abeɛm] n. m. — V. 1970, abrév. de l'angl. *Anti-Balistic Missile.*

Techn. (milit.). Anglic. Missile défensif porteur d'une tête explosive, et destiné à anéantir ou à neutraliser les missiles balistiques adversaires (l'abrév. franç. serait *M. A. B.*).

**ABNÉGATION** [abnegasjɔ̃] n. f. — 1488; «neutralisation» (philos.), 1377; lat. *abnegatio* «refus», du supin de *abnegare*, de *ab-* et *negare* «nier».

Sacrifice volontaire de soi-même, de son intérêt. → **Désintéressement, dévouement, renoncement, sacrifice.** *Abnégation absolue, totale, héroïque. Faire (l') abnégation de...,* le sacrifice. *L'abnégation de la volonté, de soi.* Absolt. *Un acte, un comportement plein d'abnégation. Faire preuve d'abnégation.*

1 Est-il un plus beau sacrifice? Est-il une abnégation de soi-même et une mortification plus parfaite?
BOURDALOUE, Pensées, t. III, p. 153.

2 Nab était Nab. Il était ce qu'il serait toujours, le courage, le zèle, le dévouement, l'abnégation personnifiée.
J. VERNE, l'Île mystérieuse, t. I, p. 250.

3 Mme Santeuil était restée, vous le voyez, la femme tendre, soumise, dévouée aux autres, pleine d'abnégation que vous connaissez depuis déjà tantôt vingt ans.
PROUST, Jean Santeuil, Pl., p. 871.

REM. Sur le latin *abnegare* et d'après *nier* et *abnégation*, on trouve le verbe correspondant *s'abnier* (M. Tournier, *le Roi des Aulnes*, p. 348).

CONTR. **Égoïsme.**

**ABO** [abeo] adj. — Déb. XXe, système découvert en 1900 par Landsteiner; des initiales des groupes sanguins.

Biol. *Système ABO :* premier système érythrocytaire d'histocompatibilité conduisant à répartir les individus selon quatre groupes sanguins A, B, AB, et O.

**ABOI** [abwa] n. m. — XIIe; de *aboyer.*

♦ **1** Vx ou littér. Cri du chien (*aboiement* est plus usité; *glapissement* se dit du cri des petits chiens). — *L'aboi d'un chien. Un aboi à la lune. Des abois aigus.*

1 Le soir était tout vibrant d'appels de bergers, d'abois de chiens, de rires.
F. MAURIAC, l'Enfant chargé de chaînes, p. 226.

1 (...) le chien lui répond maintenant par une plainte modulée, qui s'achève en une gamme ascendante d'abois aigus, insupportables.
BERNANOS, Nouvelle histoire de Mouchette, *in* Œ. roman., Pl., p. 1313.

♦ **2** Au plur. Chasse. Rare. *Les abois :* les cris de la meute qui entoure la bête et, par ext., extrémité où se trouve l'animal serré par les chiens. Loc. cour. **AUX ABOIS.**

2 J'aime le son du cor, le soir, au fond des bois,
Soit qu'il chante les pleurs de la biche aux abois,
Ou l'adieu du chasseur (...)
A. DE VIGNY, Poèmes antiques et modernes, «Le cor».

*Forcer la bête jusqu'à ce qu'elle soit aux abois.* → **Courre.** — *Le cerf est aux abois, on sonne l'hallali.*

Fig. *Être aux abois,* réduit à la dernière extrémité, faute de ressources :

3 Il semblait, à me voir, que je fusse aux abois.
LA FONTAINE, Ép. XXII, 19, *in* LITTRÉ, art. *Aboi.*

**ABOIEMENT** [abwamɑ̃] n. m. — XIIIe, *abaiement;* de *aboyer.*

♦ **1** Cri du chien et de quelques animaux; action d'aboyer. → **Aboi.**

1 (...) les faibles aboiements du chien qui chassait tout à l'autre bout de l'horizon, éveillaient les aboiements encore plus faibles à cette distance du chien de la ferme des Aigneaux (...) PROUST, Jean Santeuil, Pl., p. 511.

♦ **2** Par anal. Cri rappelant celui du chien.

1 Les aboiements des crieurs de journaux, dominant le sourd bruissement de la foule, achevaient d'ébranler les nerfs. MARTIN DU GARD, les Thibault, VII, 67.

♦ **3** Fig., péj. Paroles violentes.

Fermons l'oreille aux aboiements de la critique. 2
BUFFON, Disc. à l'Académie, Rép. à M. de Duras.

Les journaux contiennent assez d'aboiements patriotiques. 3
GIDE, Pages de Journal, 30 déc. 1939.

**ABOLIR** [abɔliʀ] v. tr. — 1344, «abroger»; du lat. *abolere* qui aurait dû donner **aboloir;* la conjug. en *-ir* vient de *abolitio.*

Réduire à néant, supprimer. → **Anéantir, annuler, détruire.**

♦ **1** Supprimer (un texte ayant force prescriptive, une coutume) par une action volontaire ou involontaire, soudaine ou progressive. *Abolir une loi, un décret, un usage, une règle.* → **Annuler, casser, infirmer, invalider.** *Abolir une peine.* → **Annuler.**

Ne pensez pas que je sois venu abolir la Loi ou les Pro- 1
phètes; je ne suis pas venu abolir, mais parfaire.
BIBLE (CRAMPON), Évangile selon saint Matthieu, V, 17.

Il faut, dit-on, recourir aux lois primitives et fondamen- 2
tales qu'une coutume injuste a abolies.
PASCAL, Pensées, *in* LITTRÉ.

La peine de mort est abolie dans plusieurs nations de 3
l'Europe, sans qu'il s'y commette plus de crimes que dans les pays où subsiste cette ignoble pratique.
FRANCE, le Mannequin d'osier, p. 359.

Si l'on veut abolir la peine de mort, en ce cas, que mes- 4
sieurs les assassins commencent.
A. KARR, les Guêpes.

On abolit les règles, on supprime les barrières, on ne veut 5
plus ni punitions, ni sanctions (...)
A. MAUROIS, Climats, II, XX, p. 257.

Syn. : *abroger* (plus spécial qu'*abolir;* implique une suppression légale).

La loi abolie a cessé peu à peu d'être observée; la loi 6
abrogée a été légalement condamnée, déclarée désormais sans valeur. LAFAYE, Dict. des synonymes, Abolir...

♦ **2** Supprimer, détruire, faire disparaître. → **Anéantir, ruiner.** *Abolir un sentiment, une réaction.* → **Effacer, éteindre.** *Abolir de vieilles habitudes.* → **Démanteler** (fig.); → Faire table* rase.

Une mode a à peine détruit une autre mode qu'elle est 7
abolie par une plus nouvelle, qui cède elle-même à celle qui la suit et qui ne sera pas la dernière.
LA BRUYÈRE, les Caractères, XIII.

M. le premier président de Bonfons, (il avait enfin aboli 7.1
le nom patronimique *[sic]* de Cruchot)...
BALZAC, Eugénie Grandet, éd. 1838, p. 377.

L'effet de l'ivresse est d'abolir les scrupules du sentiment. 8
ALAIN, les Aventures du cœur, p. 94.

Plus familière qu'autrefois, comme si les années de guerre 9
avaient aboli d'anciennes distances.
MARTIN DU GARD, les Thibault, VIII, 7.

(...) cette nuit que n'abolirait aucun jour. 9.1
J.-M. G. LE CLÉZIO, l'Extase matérielle, p. 22.

♦ **3** Vx (langue classique). Détruire, tuer, anéantir (qqn, qqch.).

◆ **ABOLI, IE** p. p. adj. Qui a été supprimé (en parlant d'un texte, d'une loi, d'une coutume). → ci-dessus cit. 2. *Régime aboli.*

Le régime parlementaire, aboli en 1852, avait été recons- 10
titué pièce à pièce.
J. BAINVILLE, Hist. de France, XX, p. 501.

Détruit, anéanti. *Souvenirs abolis.*

(...) nul ptyx 11
Aboli bibelot d'inanité sonore.
MALLARMÉ, Sonnets. → Ptyx.

CONTR. **Conserver, maintenir, prolonger, proroger. — Créer, fonder, instituer.** ◊ DÉR. **Abolisseur.** — V. **Abolition.**

**ABOLISSEUR** [abɔlisœʀ] n. m. — 1866, P. Larousse, qui le qualifie de «vieux mot»; de *abolir.*

Littér. ou didact. Celui qui abolit ou veut abolir (une loi, une institution). *Les abolisseurs des privilèges, de la peine de mort.*

**ABOLITION** [abɔlisjɔ̃] n. f. — Déb. XIVe, dr.; t. de relig. au XVIIe; autres valeurs au XIXe; du lat. *abolitio*, de *abolere*. → Abolir.

Action d'abolir, son résultat.

♦ **1** Dr. Le fait d'abolir, de supprimer; son résultat. → **Abrogation, annulation.** *L'abolition d'une loi, d'un règlement.* Hist. *Lettre d'abolition :* décision royale soustrayant une personne aux poursuites ou à une peine (sous l'Ancien Régime). *L'abolition des privilèges,* le 4 août 1789.

Relig. Le fait d'effacer (le péché). *L'abolition des péchés par le baptême.* → **Absolution.**

♦ **2** Cour. Suppression (d'une coutume, d'une situation). → **Suppression.** *L'abolition de la peine de mort, d'un privilège, d'un usage. Une abolition entière, définitive* (→ **Anéantissement**), *progressive, spontanée* (→ **Extinction**). *Militer pour l'abolition des inégalités. L'abolition de l'esclavage.* → **Abolitionnisme.**

Les philanthropes ont obtenu au commencement de ce siècle l'abolition de la peine de mort, ce dernier vestige des siècles de barbarie qu'a traversés l'humanité.
A. ROBIDA, le Vingtième Siècle, p. 101-102 (v. 1900).

CONTR. **Conservation, maintien.**

**ABOLITIONNISME** [abɔlisjɔnism] n. m. — 1836; anglo-amér. *abolitionism,* même sens, de *abolition,* même mot que le franç. *abolition.*

Doctrine des partisans de l'abolition de l'esclavage. Par ext. Doctrine de ceux qui demandent l'abolition d'une loi, d'une coutume.

**ABOLITIONNISTE** [abɔlisjɔnist] n. et adj. — 1826, *in* D. D. L.; anglo-amér. *abolitionist,* même sens, de *abolition,* même orig. que le franç. *abolition.*

♦ **1** N. m. Partisan de l'abolitionnisme.

Cet intrépide était un Nègre, né sur le domaine de l'ingénieur, d'un père et d'une mère esclaves, mais que, depuis longtemps, Cyrus Smith, abolitionniste de raison et de cœur, avait affranchi.
J. VERNE, l'Île mystérieuse, t. I, p. 16.

♦ **2** Adj. Relatif à l'abolitionnisme. *Des principes, des journaux abolitionnistes.*

**ABOMA** [abɔma] n. m. — Fin XVIIIe; mot angl., empr. à une langue congolaise (*mboma* «python») par l'intermédiaire des esclaves de la Guyane.

Variété de python.

Le vieux roi des pythons, l'aboma caraïbe.
LECONTE DE LISLE, Poèmes tragiques, «L'Aboma».

**ABOMASUM** [abɔmasɔm] ou **ABOMASUS** [abɔmasys] n. m. — Déb. XVIIIe (attesté dans Trévoux, 1740); en angl., 1706; du lat. sc. *abomasus, -um,* de *ab-,* et *omasum* «tripes de boeuf».

Didact. (sc.). Quatrième compartiment de l'estomac des ruminants, ayant seul une véritable activité gastrique. → **1. Caillette.**

**ABOMINABLE** [abɔminabl] adj. — 1120; lat. ecclés. *abominabilis* «à repousser comme mauvais présage», de *ab-,* et *omen* «présage».

♦ **1** Qui mérite de la répulsion, inspire de l'horreur. → **Affreux, atroce, horrible, monstrueux.** *Un abominable forfait. Une politique, une tyrannie abominable. C'est abominable.*

1 Ses crimes sont abominables et la seule pensée m'en donne un tel frisson que je sens se hérisser d'effroi tous les poils de ma chair.
FRANCE, Thaïs, p. 14.

N. m. *L'abominable :* ce qui est abominable. (Personnes). *C'est un monstre abominable.*

Loc. (trad. angl. : *the abominable snowman*). *L'abominable homme des neiges :* le yéti.

♦ **2** Très mauvais (moralement ou matériellement). → **Affreux, horrible.** *Un temps abominable, des habitudes abominables.* → **Détestable, exécrable.** *La route est abominable. Ce film, ce livre est nul, abominable. Une journée «abominable d'ennui»* (Flaubert).

Je ne sais ce qu'est la vie d'un coquin, je ne l'ai jamais été; mais celle d'un honnête homme est abominable. 2
J. DE MAISTRE, Lettres et opuscules inédits, I, p. 215.

Je n'ai pas encore osé me regarder; je dois être abominable. 3
Henri MONNIER, Scènes populaires, t. I, p. 210.

CONTR. **Bon, excellent.** ◇ DÉR. **Abominablement.**

**ABOMINABLEMENT** [abɔminabləmɑ̃] adv. — XIVe; de *abominable.*

♦ **1** D'une manière abominable. *Jurer abominablement. Se conduire abominablement.* → **Ignoblement.**

Le fœtus se veut dehors. Toujours le caché cherche abominablement à voir le jour.
Henri MICHAUX, Face aux verrous, p. 175.

♦ **2** → **Abominable,** 2. *Il est abominablement habillé,* très mal. → **Affreusement, horriblement.** *Il joue, il chante abominablement. Il tousse abominablement,* beaucoup et de manière inquiétante.

**ABOMINATION** [abɔminasjɔ̃] n. f. — 1120; du lat. ecclés. *abominatio* «horreur éprouvée devant ce qui est impie». → Abominable.

♦ **1** Littér. Exécration, horreur ressentie pour ce qui est maudit, impie, et, par ext., moralement insupportable. → **Horreur.** *«Une sorte de haine et d'abomination pour tout ce que je voyais»* (Baudelaire). *L'abomination publique.* — Loc. *Avoir qqn, qqch. en abomination. Être en abomination à qqn.*

Ceux qui ont le cœur pervers sont en abomination à l'Éternel. 1
BIBLE (SEGOND), Proverbes, XI, 20.

Sa mémoire est en abomination. 2
BOURDALOUE, Épiphanie..., 2.

Ce diamant à l'éclat trompeur, c'était bien le diamant de l'homme dont les millions pouvaient faire illusion, qu'on aurait pu prendre pour des millions qui se donneraient sans réticence. Et son dégoût était aussi fort que si M. Jo les avait volés. 2
— Crapaud pour crapaud, disait-elle, ils se valent. Elle les confondait décidément dans la même abomination.
M. DURAS, Un barrage contre le Pacifique, p. 178.

♦ **2** Vieilli. Ce qui inspire de l'horreur, du dégoût; caractère de ce qui est abominable. *L'abomination de son geste. Avoir l'abomination de...* → **Ignominie, scélératesse.** — Mod. *(Une, des abominations).* Acte, chose abominable; ensemble de choses abominables. *L'abomination qu'est la torture. L'abomination humaine.*

Les désordres et les abominations de toute sa vie. 3
MASSILLON, Sur l'injustice du monde.

La nature est impitoyable; elle ne consent pas à retirer ses fleurs, ses musiques, ses parfums et ses rayons devant l'abomination humaine. 4
HUGO, Quatre-vingt-treize, III, 7, 6.

Elle avait fait beaucoup parler d'elle. Sans doute la charité nous interdit de croire ce qui se colporte et Brigitte Pian n'ajoutait aucune foi à ces abominations. 5
F. MAURIAC, la Pharisienne, VI, p. 83.

Quelle souffrance que d'être ainsi vivant. Quelle abomination, quelle pourriture! Comment mon corps, ce corps qui est à moi, qui appartient ou qui est le maître de cet esprit pas particulièrement attaché à la vie, a-t-il la force, le courage d'exister? 5
J.-M. G. LE CLÉZIO, l'Extase matérielle, p. 33.

Par ext. *Sa nouvelle robe est une abomination,* elle est d'une laideur abominable.

♦ **3** Spécialt (Bible). *L'abomination de la désolation :* le plus grand sacrilège, les plus grandes profanations, et, par ext., le comble d'un mal.

6 L'abomination de la désolation qui a été prédite par le prophète Daniel.
BIBLE (SACY), Évangile selon saint Matthieu, XXIV, 15.

CONTR. **Attirance, attrait.**

**ABOMINER** [abɔmine] v. tr. — 1120; du lat. *abominari* «repousser comme un mauvais présage».

♦ **1** Littér. Avoir en abomination, éprouver de l'aversion pour. → **Abhorrer, détester, exécrer.** *Abominer un tyran, un criminel. Être abominé.* Au p. p. *Des ennemis abominés.*

1 (...) le moine que le prêtre abomine, car la vie du cloître est pour son existence à lui un constant reproche.
HUYSMANS, En route, p. 186.

2 Ah ! que vous êtes détesté, haï, (...) cela dépasse l'imagination, il fallait entendre ce qu'il y avait de fureur contre vous dans les corridors, et ce n'est point encore tant le lettré que l'homme, qui est abominé !
Ed. et J. DE GONCOURT, Journal, t. VIII, p. 29.

3 (...) Je me trouve à l'instant bouleversé, décapé, racorni infect, au rang des larves empestantes, en dépit des bonnes intentions, abominé, étrillé vif (...)
CÉLINE, Guignol's band, p. 28.

4 Discussion sur la peine de mort que j'abomine, parce que c'est avant tout une vengeance.
J. GREEN, Journal, 28 déc. 1958, Vers l'invisible, p. 69.

Absolt. *Les nerveux «détestent, ils exècrent, ils abominent, ils méprisent»* (H. Mounier, *in* T. L. F.).

Pron. *S'abominer soi-même* (réfl.). *Les deux adversaires s'abominent* (réciproque).

♦ **2** Par ext. Détester (qqch.). *Il abomine la viande rouge.*

5 Je voudrais qu'il aimât les clairs de lune, les roses pompon, les nostalgies exotiques, les langueurs printanières, les névroses fin de siècle, toutes choses que personnellement j'abomine mais qui, de nos jours, font bien dans un roman.
R. QUENEAU, le Vol d'Icare, p. 17.

CONTR. **Aimer, chérir.**

**ABONDAMMENT** [abɔ̃damɑ̃] adv. — Déb. XIIe, *abundantmant; habondamment,* fin XIIe; de *abondant.*

D'une manière abondante, en grande quantité. → **Considérablement.** *Boire, manger abondamment.* → **Beaucoup, plantureusement.** *Servez-vous abondamment.* → **Copieusement, largement, libéralement; satiété** (à), **volonté** (à). *L'orateur a traité abondamment de la question.* → **Amplement, profusément;** → À flots*, à foison*, à poignées*, à torrents*.

1 Ils mangeaient abondamment. Chacun s'en donnait pour sa quote-part.
FLAUBERT, Mme Bovary, II, VIII.

2 Elle *(la pluie)* tomba toute la nuit, abondamment, à flots.
FLAUBERT, Salammbô, XIV.

On distinguera l'emploi de l'adverbe de celui de la locution adv. *en abondance* (→ Abondance) :

3 L'adverbe convient mieux en parlant de ce qui arrive : boire, suer **abondamment.** La phrase adverbiale se dit seule en parlant de ce qui est : les mets étaient **en abondance** sur la table (...) Cependant la différence n'est pas toujours aussi grande, et **en abondance** se dit aussi, comme **abondamment,** des choses qui se passent ou arrivent.
LAFAYE, Dict. des synonymes, *Abondamment...,* p. 91.

CONTR. **Chichement, peu.**

**ABONDANCE** [abɔ̃dɑ̃s] n. f. — Déb. XIIe; lat. *abundantia* «affluence».

**I** ♦ **1** Grande quantité; quantité supérieure aux besoins. → **Quantité; profusion, surabondance;** → les métaphores : avalanche, déluge, flot, flux, fourmillement, mer, pluie, pullulation. *L'abondance des récoltes. L'abondance des matières dans un journal.* → **Profusion; foisonnement, pléthore** (→ ci-dessous cit. 3, 4, 5, 7). *L'abondance des textes cités.* → **Masse, multiplicité** (→ cit. 6). *L'abondance de la documentation.* → **Luxe, richesse.** — Prov. *Abondance de biens ne nuit pas :* alors même que l'abondance et le choix peuvent embarrasser, ils ne nuisent pas.

Loc. adv. **EN ABONDANCE :** abondamment. → **Foison** (à), **profusion** (à). → ci-dessous cit. 1, 2.

Heureux, dit-on, le peuple florissant 1
Sur qui ces biens coulent en abondance !
RACINE, Esther, II, 8, 790.

Vos pleurs compatissants coulent en abondance. 2
M.-J. CHÉNIER, Fénelon, II, 3, *in* LITTRÉ.

Parcourez les maisons et les familles distinguées par les richesses et par l'abondance des biens, je dis celles qui se piquent le plus d'être honorablement établies, celles où il paraît de la probité et même de la religion; si vous remontez jusqu'à la source d'où cette opulence est venue, à peine en trouverez-vous où l'on ne découvre dans l'origine et dans le principe des choses qui font trembler. 3
BOURDALOUE, Œ., t. I, p. 259.

C'est l'abondance et la rareté relative des monnaies des divers pays qui forment ce qu'on appelle le change. 4
MONTESQUIEU, l'Esprit des lois, XXII, 10.

L'abondance du seul nécessaire ne peut dégénérer en abus, parce que le nécessaire a sa mesure naturelle, et que les vrais besoins n'ont jamais d'excès. 5
ROUSSEAU, Julie ou la Nouvelle Héloïse, V, 2.

Il nous explique, avec une abondance folle de détails et d'exemples, comment se gagnent les fortunes. 6
G. DUHAMEL, Chronique des Pasquier, III, XIII.

Ce pouvoir délirant d'extase et de désespoir, cette abondance d'amour et de haine, cette ivresse perpétuelle de vie (...) 7
R. ROLLAND, Musiciens d'aujourd'hui, p. 34.

♦ **2** Absolt. Ressources supérieures aux besoins. → **Aisance, fortune, luxe, opulence, prospérité.**

Le seul bonheur, dit-il *(Marat)* dont les dix-neuf vingtièmes des (...) citoyens peuvent jouir est l'abondance, le plaisir et la paix. 8
JAURÈS, Hist. socialiste..., t. I, p. 379.

L'abondance est le fruit d'une bonne administration (Saint-Just). 9
JAURÈS, Hist. socialiste..., t. VI, p. 163.

*Vivre dans l'abondance :* ne manquer de rien. *Nager dans l'abondance :* être comblé de richesses. — *Pays d'abondance,* où les richesses, les biens abondent (→ Pays de Cocagne*, Eldorado*). *Année d'abondance,* où les produits sont abondants.

Voici que du fleuve montaient sept vaches grasses (...) Et voici qu'après elles montaient sept autres vaches maigres (...) Voici, sept années de grande abondance vont venir dans tout le pays d'Égypte. Sept années de famine, viendront ensuite (...) 10
BIBLE, Genèse, XLI, 18-19, 29-30.

Loc. Vx. *Grenier d'abondance,* où l'on met en réserve les excédents de récolte en prévision de la disette.

Mod. **CORNE D'ABONDANCE,** d'où s'échappent à profusion des produits de la terre (fruits, épis, fleurs) ou, plus rarement, des pièces d'or et d'argent, emblème de l'abondance. *Diplôme de concours agricole orné de palmes, de feuilles de chêne et de cornes d'abondance.*

Écon. État de l'économie d'un pays lorsque l'offre est supérieure à la demande. *Société d'abondance,* caractérisée par ce type d'économie. *Doctrine, théorie de l'abondance :* théorie économique qui considère que, les moyens techniques permettant de produire une quantité de biens toujours supérieure aux moyens économiques des consommateurs, les problèmes économiques essentiels

concernent la distribution des biens en tenant compte des besoins, et que la production doit être soutenue par les débouchés. → **Abondanciste.**
Phys. *Abondance d'un isotope,* par rapport aux autres isotopes d'un même élément.

♦ **3** Fig. et littér. Richesse d'expression, d'élocution. *Parler avec abondance.*

11 Souvent trop d'abondance appauvrit la matière.
BOILEAU, l'Art poétique, III.

12 Fuyez de ces auteurs l'abondance stérile,
Et ne vous chargez pas d'un détail inutile.
BOILEAU, l'Art poétique, I.

13 En de certains jours, elle bavardait avec une abondance fébrile. FLAUBERT, Mme Bovary, I, IX.

Loc. **PARLER D'ABONDANCE,** avec aisance et en improvisant, sans citer ni réciter. — REM. Cette loc. est plutôt comprise aujourd'hui au sens de parler beaucoup (abondamment) et facilement.

♦ **4 D'ABONDANCE DE CŒUR** (expr. tirée de la Bible) : en s'épanchant avec confiance.

14 Car la bouche parle de l'abondance du cœur.
BIBLE, Évangile selon saint Matthieu, XII, 34.

**II** (1752, Trévoux). Vx. Boisson où l'eau abonde, mêlée d'un peu de vin, et que l'on servait dans les communautés.

CONTR. (De I., 1.) **Absence, disette, manque, pénurie, rareté.** — (De I., 2.) **Dénuement, indigence, misère, pauvreté.** ◊ DÉR. **Abondanciste.**

**ABONDANCISTE** [abɔ̃dɑ̃sist] n. — V. 1945; de *abondance.*
Didact. (écon. polit.). Partisan des doctrines de l'abondance.

**ABONDANT, ANTE** [abɔ̃dɑ̃, ɑ̃t] adj. — Déb. XIIe; lat. *abundans,* p. prés. de *abundare* «être en abondance».

♦ **1** Qui abonde, qui est en grande quantité. *Récolte abondante, nourriture abondante.* → **Copieux, plantureux, riche.** *Larmes abondantes.* — Qui est largement développé (→ cit. 4). → **Généreux, opulent.** *Chevelure abondante,* épaisse, fournie. → **Luxuriant.** — (Avec un plur.). *Références, lectures abondantes.* → **Nombreux.** — Par ext. *Une imagination abondante.* → **Fertile.**

1 Une abondante chevelure retombait presque sur ses épaules. M. BARRÈS, la Colline inspirée, p. 222.

2 C'est uniquement dans les propres souvenirs de ma vie, et non dans d'abondantes lectures, que je puise toutes mes richesses.
FRANCE, la Rôtisserie de la reine Pédauque, 1 t. VIII, p. 5.

3 (...) une imagination si abondante *(chez Goethe et chez Beethoven)* qu'elle ruisselle en improvisations (...)
Ed. HERRIOT, la Vie de Beethoven, p. 294.

4 Sa blanche et abondante gorge où ses enfants ont bu la vie (...) MICHELET, la Femme, p. 371.

5 Toute sa nature d'homme raisonnable et patient se confessait en phrases claires, qui coulaient abondantes, sans effort. ZOLA, Germinal, IV, IV.

5.1 Rien n'existait plus pour lui, pendant ces heures de travail, que le morceau de toile où naissait une image sous la caresse de ses pinceaux, et il éprouvait, en ses crises de fécondité, une sensation étrange et bonne de vie abondante qui se grise et se répand.
MAUPASSANT, Fort comme la mort, I, III.

♦ **2** (Construit avec un compl. introduit par *en*). Qui a (qqch.) en abondance. → **Riche.** *Mer abondante en poissons. Ouvrages abondants en réflexions nouvelles* (à distinguer de l'emploi du verbe *abonder* au part. prés. : *ouvrages abondant en...*).

5.2 L'île où je me trouvais était fort peuplée et abondante en toutes sortes de choses, et l'on faisait un grand commerce dans la ville où le roi demeurait.
A. GALLAND, les Mille et une Nuits, t. I, p. 240.

Vx ou littér. Qui possède qqch. en abondance. *Région abondante en vin et produits de toute sorte.* → **Fécond, fertile, riche.**

♦ **3** *Style abondant,* où l'expression, le développement de l'idée, sont aisés, riches. → **Exubérant, prolixe.** — *Livre abondant.*
Par ext. *Écrivain abondant* (cit. 8).

Dans ce livre (l'Ami des hommes *du père de Mirabeau*), 6
abondant et touffu, il y a des vues, mais pas de système.
Louis BARTHOU, Mirabeau, p. 13.

Fénelon n'est pas un grand écrivain; c'est un écrivain dis- 7
tingué, au style abondant, facile, harmonieux, plein de grâce un peu molle et d'une délicatesse un peu frêle.
Émile FAGUET, Études littéraires, XVIIe s., p. 480.

Autant je me sens expansif, fluide, abondant et débordant 8
dans les douleurs fictives, autant les vraies restent dans mon cœur âcres et dures.
FLAUBERT, Correspondance, t. I, p. 94.

(...) la plume de ce temps-ci la plus riche, la plus abon- 9
dante et la plus flexible *(celle de Lamartine).*
SAINTE-BEUVE, Causeries du lundi, I, p. 65.

CONTR. **Maigre, rare; insuffisant; pauvre.** ◊ DÉR. **Abondamment.**

**ABONDEMENT** [abɔ̃dmɑ̃] n. m. — XIIe, repris 1866; de *abonder.*
Admin. Addition, augmentation (d'une somme d'argent). — Absolt. Majoration forfaitaire.

**ABONDER** [abɔ̃de] v. intr. — 1120; du lat. *abundare* «affluer, regorger».

♦ **1** Être en grande quantité, en abondance. — (Sujet n. de chose). *Les marchandises abondent.* → **Foisonner.** *Les fautes abondent dans cette copie.* → **Fourmiller, grouiller** (fig.), **pulluler.** *Les céréales, les minerais abondent dans ce pays.* — Vx. *Abonder à qqn.*

Le riche, à qui tout abonde. 1
BOSSUET, Sur l'impénitence finale, 1.

Je tremble, et dans ma bouche abondent les paroles 2
Quand son nom gigantesque, entouré d'auréoles,
Se dresse dans mon vers de toute sa hauteur.
HUGO, les Orientales, XL.

La large pluie abonde aux feuilles remuées. 3
HUGO, la Légende des siècles, XXXVI, 1.

(Sujet n. de personne).

C'était un rendez-vous de plaisir où abondaient, depuis 4
bien des années, intrigants, financiers, chevaliers d'industrie, filles de joie.
JAURÈS, Hist. socialiste..., t. I, p. 358.

Vieilli. Couler en abondance. *Source, eau qui abonde.*
Loc. jurid. *Ce qui abonde ne vicie pas* (du lat. *Quod abundat non vitiat*) : ce qui est de trop, (moyen superflu ou formalité non prescrite), n'empêche pas la validité de l'acte. — Par ext., fam. : on n'a jamais trop de ce qui est bon, abondance de biens ne nuit pas.

♦ **2** Vx. (Sujet n. de personne). Parler avec abondance. *«Il abonde et ne tarit plus, une fois sur ce chapitre»* (Sainte-Beuve).

♦ **3 ABONDER DE** (vx), **EN** : posséder ou produire en grande quantité. Vx. *Pays qui abonde en vigne.* → **Regorger.** Mod. Être plein, rempli, riche de... *Abonder en événements, en paroles.*

Elle abondait en saillies charmantes qu'elle ne recherchait 5
point et qui partaient quelquefois malgré elle.
ROUSSEAU, les Confessions, II, p. 290.

*(Il)* abondait en renseignements; il était alphabet et alma- 6
nach (...) HUGO, les Travailleurs de la mer, I, V, 1.

Lui qui était volontiers taciturne il abondait en paroles. 7
J. ROMAINS, les Hommes de bonne volonté, II, p. 65.

♦ **4** Fig. (Sujet n. de personne). *Abonder dans le sens de qqn* : parler dans le même sens que lui, se ranger tout à fait à son opinion. *Abonder dans le même sens, dans tel ou tel sens. J'abonde dans votre sens.*

8 J'abonde dans votre sens, et je vous dis : Aimer, c'est se donner corps et âme (...)
A. DE MUSSET, la Confession d'un enfant du siècle, I, 5.

♦ **5** Régional. *Ne pas abonder à...* (et inf.) : ne pas cesser, ne pas s'arrêter de...

9 Barthélemy Piéchut leva les bras.
— Ma pauvre demoiselle, je n'abonde pas à m'occuper de tout ! C'est la mairie, les paperasses (...) Je n'abonde pas, je vous dis. G. CHEVALLIER, Clochemerle, p. 138.

**CONTR. Manquer.** ◊ **DÉR. Abondement.**

**ABONNABLE** [abɔnabl] adj. — 1828, *in* D. D. L. ; de *abonner.*

Dr. anc. *Matière abonnable,* qui peut être l'objet d'un abonnement. — Par ext. (et passage du sens I. au sens II. de *abonner*) :

«On demande un abonné au Constitutionnel». — Voilà près d'un mois que cette annonce demeure infructueuse. Qu'est-ce à dire ? Paris ne renferme-t-il plus de matière abonnable ?
BAUDELAIRE, éd. Club du livre franç., *in* Œ. compl., t. I, p. 183.

**ABONNAGE** [abɔnaʒ] n. m. — 1322, sens 2. ; sens 1., 1352 ; de *abonner* I., 1.

Droit ancien.

♦ **1** Pose d'une limite, d'une borne. → **Bornage.**

♦ **2** Fixation d'une redevance.

**ABONNATAIRE** [abɔnatɛʀ] adj. et n. — 1834, Landais, comme n. ; Lachâtre, adj., 1853 ; de *abonner,* d'après *abandonnataire, donataire, forfaitaire, etc.*

Dr. Concédé par abonnement. — N. m. Entrepreneur chargé d'un marché par abonnement.

**ABONNÉ, ÉE** [abɔne] n. — Mil. XIX^e ; de *abonné,* p. p. du v. *abonner,* au sens II., 1.

Personne qui s'est abonnée ou qui a été abonnée par qqn, qui a pris un abonnement. *Les abonnés d'un périodique. Les abonnés et les acheteurs au numéro. À nos abonnés. Les abonnés du téléphone sont répertoriés dans l'annuaire*. Il n'y a pas d'abonné au numéro que vous avez demandé. Les abonnés absents. C'est une nouvelle abonnée.* — Par plais. *Un tel, abonné au gaz* (par dérision des titres infimes, sur une carte de visite, etc.).

**ABONNEMENT** [abɔnmɑ̃] n. m. — 1275, «terre produisant un revenu fixe» ; 1283 au sens I., 1. de *abonner* ; de *abonner.*

**I** Hist. et dr. anc. (aussi en 1295 «fixation des limites, des bornes» ; → Abonnage). Fixation d'une redevance (normalement variable) par contrat ; spécialt, impôt forfaitaire.

1 L'abonnement était un procédé très fort goûté par beaucoup de provinces, de villes, car il leur était fort avantageux, étant fort au dessous de ce qui aurait produit une perception exacte.
M. MARION, Dict. des institutions de la France, art. *Abonnement.*

**II** (Fin XVIII^e). Mod. ♦ **1** Le fait d'abonner qqn ou de s'abonner ; contrat par lequel on acquiert le bénéfice d'un service régulier moyennant une somme fixe, à verser à intervalles de temps déterminés.

REM. 1. Dans la langue courante, *abonnement* a une plus grande extension que *abonner,* et s'applique plus facilement que le verbe aux services de transports, à l'entretien du matériel, etc. *Abonner* est surtout employé à propos de périodiques, de services culturels ; *abonné* est dans une situation intermédiaire.

2. Le mot est rare dans son emploi actif «acte de s'abonner» : *l'abonnement de cent personnes à ce journal ; attendre l'abonnement de quelqu'un ; l'abonnement d'un enfant à un magazine par son père.*

Cour. *Avoir, prendre, souscrire* (→ **Souscription**) *un abonnement à un journal.* — Vieilli. *«En prenant un abonnement du chemin de fer»* (Nerval). *Renouveler son abonnement. Abonnement à l'électricité, au gaz, au téléphone. Carte d'abonnement* (notamment sur les moyens de transport). → **Forfait.** *Quittance d'abonnement au gaz. Un abonnement de six mois, d'un an. Abonnement spécial, à prix réduit.*

Enfin, *pour se tenir au courant,* il prit un abonnement à *La Ruche médicale,* journal nouveau dont il avait reçu le prospectus. FLAUBERT, M^me Bovary, I, IX. 2

En 1890, les conditions d'abonnements aux téléphones ont été modifiées, par un décret (...) 3
L. FIGUIER, l'Année scientifique et industrielle 1891, p. 116.

Vieilli. *«Ses souliers, nettoyés par abonnement avec un décrotteur»* (Balzac, *in* T. L. F.). *Payer qqn à l'abonnement.*

Prix, montant d'un abonnement. *L'abonnement va augmenter. Régler l'abonnement.* → aussi **Souscription.**

(...) d'autres publications non coupées, les *Arts modernes,* qu'on doit recevoir uniquement à cause du prix, l'abonnement coûtant quatre cents francs par an (...) 4
MAUPASSANT, Fort comme la mort, I, III.

Le contrat. *Signer l'abonnement,* la formule d'abonnement.

♦ **2** Inform. Liaison établie entre un ordinateur et un site permettant à l'utilisateur d'être informé des modifications apportées au contenu de ce site et de télécharger les mises à jour.

♦ **3** Fam. Habitude régulière, réitération (d'un événement). *Elle vient d'attraper sa douzième contravention : c'est un abonnement, elle a un abonnement !*

**ABONNER** [abɔne] v. tr. — XIII^e ; de l'anc. franç. *bonne* → Borne, aux sens de «limite» et «but».

**I** Vx ou anciennt. (Hist.). ♦ **1** (Idée de limite ; en anc. franç. (XIII^e-XVI^e) «fixer une limite à...» → Abonnage ; puis (XIV^e) «convertir les droits dus au seigneur en une somme déterminée» : *abonner un fief, etc.*). Dr. féod. Fixer (une redevance) par contrat.

(XVII^e-XVIII^e). Dr. fisc. Fixer de manière conventionnelle une redevance, en échappant ainsi à la perception exacte. — Au p. p. *Taille abonnée,* fixée par contrat entre le seigneur et les serfs.

♦ **2** (Idée de but ; déb. XIV^e). V. pron. *S'abonner à... :* s'adonner à...

**II** Mod. ♦ **1** V. pron. **S'ABONNER** (XVII^e). **a** (XVII^e). *S'abonner avec* (un fournisseur, un marchand).
**b** (Fin XVIII^e). *S'abonner à* (un journal, etc.). Obtenir, par une convention, un service régulier ou la possibilité de bénéficier d'un avantage, moyennant un prix convenu (en principe inférieur à la somme des prix des biens et services acquis ou payés séparément). *Il préfère s'abonner plutôt que d'acheter le journal au numéro.* — (Construit avec *à*). *S'abonner à un journal, à une revue. S'abonner à un service pour telle somme. Elle s'est abonnée à une série de concerts, de conférences.*

♦ **2** V. trans. [a] Obtenir pour qqn un abonnement. *Abonner qqn à un journal. Abonnez-moi donc à cet hebdomadaire.* — Au passif. *Être abonné par un ami à une revue.* Absolt. *Être abonné* (par soi-même → S'abonner; ou par qqn). «*Je ne suis plus abonné au téléphone*» (Apollinaire). *Être abonné au gaz.* [b] Fig., fam. Prendre l'habitude régulière de. *Il est abonné au rhume depuis le début de l'hiver.*

◆ **ABONNÉ, ÉE** p. p. adj.

♦ **1** Qui a pris un abonnement. *Personne abonnée à un journal :* voir ci-dessus II., 2., a. (passif). — Subst. → **Abonné,** nom.

♦ **2** Fam. *Être abonné à :* être coutumier de, avoir pris l'habitude de (voir ci-dessus II., 2., b.). «*Abonnés aux boîtes de conserves...*» (P. Morand). *Il est abonné aux contraventions. Il a encore eu un accident, il y est abonné.*

REM. Cet emploi peut constituer une simple extension ironique du sens 1. lorsque l'idée sur laquelle on veut insister est celle d'absence de paiement : *il est abonné à la table de son cousin* (il se fait inviter régulièrement).

**DÉR. Abonnable, abonnage, abonnataire, abonné, abonnement.** ◊ **COMP. Désabonner, réabonner.**

**ABONNIR** [abɔniʀ] v. tr. — XII^e; de *bon.*

Rare. Amender, bonifier. *Abonnir une terre.* → **Améliorer.** *Les caves fraîches abonnissent le vin.* — V. pron. *S'abonnir :* devenir bon. *Le vin s'abonnit en vieillissant.*

**CONTR. Se gâter.** ◊ **DÉR. Abonnissement.**

**ABONNISSEMENT** [abɔnismɑ̃] n. m. — 1653; de *abonnir.*

Rare. Le fait d'abonnir, de s'abonnir. *L'abonnissement du vin.* → **Amélioration.**

**ABORAL, ALE, AUX** [abɔʀal, o] adj. — 1893, E. Perrier; de *ab-*, et *oral.*

Didact. Placé du côté opposé à la bouche ou très éloigné de la bouche. *Cavités orale et aborale. Face aborale d'un organisme.*

**DÉR. Aboralement.**

**ABORALEMENT** [abɔʀalmɑ̃] adv. — 1903, in *Rev. gén. des sc.*, n° 1, p. 53; de *aboral.*

Didact. De façon aborale, dans une direction opposée à celle de la bouche.

Les expériences ont démontré que de toutes ces régions partent de nombreux systèmes de fibres se dirigeant aboralement.
L. OLIVIER, Revue générale des sciences, 15 janv. 1903, p. 53.

**ABORD** [abɔʀ] n. m. — 1468; de *aborder.*

[I] ♦ **1** (1556). Vx. Action d'aborder un rivage. *À notre abord dans l'île, nous fûmes attaqués* (Académie). *L'abord de la côte fut difficile.*

1 Leur abord fut bien prompt, leur fuite encore plus prompte. CORNEILLE, le Cid, IV, 1.

(Milit.). Attaque. *Empêcher l'abord de l'ennemi.*

(Déb. XVII^e). Littér. Fait de pouvoir accéder (à un lieu); possibilité d'accès. → **Accès.**

2 Là, comme dans un fort, son audace enfermée (...)
Aux plus hardis guerriers en défendait l'abord.
RACINE, Alexandre, V, 3.

2.1 Chaque souvenir qui surnageait de mon passé contenait, trop tardif, inutile, comme la bouteille d'un naufragé, l'appel d'un enfant à l'abandon dans une île désormais sans abord.
GIRAUDOUX, Simon le pathétique, p. 123.

Spécialt (impliquant la rencontre de qqn → ci-dessous, cit. 4).

♦ **2** (XVIII^e). Cour. au plur. *Les abords d'un lieu :* ce qui y donne accès, l'entoure. → **Alentours, environs** (abords suppose une proximité plus grande). *Les abords immédiats. Les abords du volcan sont dangereux. En arrivant aux abords. La maison et ses abords.*

Raymond, le lendemain matin, errait dans le village et aux abords, sous un soleil qui avait percé les nuages de la nuit. LOTI, Ramuntcho, II, 3. 3

Par métaphore. *Jusqu'aux abords de la vieillesse. Aux abords du XVI^e siècle.*

♦ **3** Loc. adv. Mar. **EN ABORD :** le long du bord, à l'intérieur du pavois ou des filières. *Espar arrimé en abord.*

[II] ♦ **1** (Mil. XV^e). Action d'aborder qqn, de venir le trouver, de s'adresser à lui. — Vieilli. Arrivée, venue. *L'abord de qqn dans un lieu, chez qqn, etc. Dès, à mon (son) abord... «Je crois que notre abord met ces dames en fuite»* (Musset).

Mon abord en ces lieux 4
Me fit voir Polyeucte (...) CORNEILLE, Polyeucte, I, 3.

Vous ne m'attendiez pas, Madame; et je vois bien 5
Que mon abord ici trouble votre entretien (...)
RACINE, Andromaque, IV, 5.

Son âme à mon abord s'ouvrit aux sentiments paternels dont elle était pleine. Que de pleurs nous versâmes en nous embrassant. ROUSSEAU, les Confessions, IV. 6

Que l'objet convoité soit en effet une femme ou un homme, même à supposer que l'abord soit simple, et inutiles les marivaudages qui s'éterniseraient dans un salon (du moins en plein jour), le soir (même dans une rue si faiblement éclairée qu'elle soit), il y a du moins un préambule où les yeux seuls mangent le blé en herbe, où la crainte des passants, de l'être recherché lui-même, empêchent de faire plus que de regarder, de parler. 6
PROUST, le Temps retrouvé, Pl., t. III, p. 834.

Mod. (dans quelques expressions). *Être d'un abord facile.* → **Accessible.** *Un tel est d'un abord difficile, froid, sévère, rebutant.* — Air de la personne que l'on aborde, accueil qu'elle fait. *Cette personne a l'abord facile, gracieux, aimable, séduisant.*

(1611). Au plur. *Les abords de qqn :* son apparence, son comportement lorsqu'on le rencontre. → **Dehors, apparence**(s). *Sous des abords assez froids, il est très gentil.*

Loc. adv. **À L'ABORD** (littér.), **AU PREMIER ABORD, DE PRIME ABORD :** dès la première rencontre, et, par ext., à première vue, tout de suite. *Au premier abord, de prime abord, je ne l'ai pas reconnu.* — Variantes moins courantes : *de, du premier abord, dès l'abord, dès le premier abord.*

Monseigneur (...) surprenait, à l'abord, par les grands traits pâles de son visage que les années avaient fatigués sans les vieillir. 7
FRANCE, l'Anneau d'améthyste, 1 t. XII, p. 207.

Cet homme, au premier abord un peu fermé ou plutôt comme enseveli au fond de lui-même. 8
Ed. et J. DE GONCOURT, Journal, t. I, p. 143.

À l'usure des marches, au luisant noir des murailles, on prend de prime abord conscience d'une antiquité extrême. 9
LOTI, Jérusalem, XIII.

Loc. adv. **DÈS L'ABORD :** dès le commencement, immédiatement, incontinent, tout de suite.

Dès l'abord, leur doyen, personne fort prudente, 1
Opina qu'il fallait (...) LA FONTAINE, Fables, II, 2.

(Abstrait). → **A priori.** *Au premier abord, la question paraît insoluble. Je ne peux pas vous répondre de prime abord,* sans étude préalable.

♦ **2** Loc. adv. (vx). **DANS L'ABORD :** d'abord.

Combien en voyons-nous se laisser pas à pas 1
Ravir jusqu'aux faveurs dernières,
Qui dans l'abord ne croyaient pas

Pouvoir accorder les premières !

LA FONTAINE, Contes, II, 14.

♦ **3** Loc. adv. **D'ABORD.** [a] Vx (époque classique) ou littér. Dès le premier contact.

12 Nous autres grands médecins, nous connaissons d'abord les choses (...) je touche au but du premier coup et je vous apprends que votre fille est muette.

MOLIÈRE, le Médecin malgré lui, II, 4.

[b] Cour. (Dans le temps). Dès le début ; au préalable. *Commençons d'abord par là* (par oppos. à *ensuite, puis*). *Il faut d'abord que nous nous préparions.* — (Détaché, en tête de phrase). *D'abord, vous devez.., il faut... D'abord... ensuite...*

13 On le souffre d'abord, mais la suite importune (...)

CORNEILLE, Nicomède, I, 2.

14 Ce qui d'abord est gloire à la fin est fardeau.

HUGO, la Légende des siècles, XI, 6.

14.1 Rendons d'abord l'atmosphère à la fois brumeuse et sèche, échevelée, où la cigarette est toujours posée de travers depuis que continûment elle la crée.

Francis PONGE, le Parti pris des choses, « La cigarette ».

*Tout d'abord :* avant toute chose.

15 Je l'étranglerai tout d'abord.

LA FONTAINE, Fables, I, 6.

[c] Par ext. Cour. En premier lieu, dans une série ordonnée. *D'abord, les petits ; après (ensuite) les grands.*

[d] Essentiellement. *Je fais cela d'abord pour réussir, ensuite pour gagner de l'argent. Chacun lutte d'abord pour survivre.*

[e] Fam. En tête de phrase ou en incise, sert à renforcer une affirmation. *Moi, d'abord, je n'aime pas ce genre de réflexions ! D'abord, c'est pas moi, c'est lui ! J'irai pas, d'abord ! D'abord, je lui ai déjà dit, et d'une.*

**ABORDABLE** [abɔʀdabl] adj. — 1542 ; de *aborder.*

♦ **1** Vx. Où l'on peut aborder, d'un accès facile. *Cette côte est abordable.* → **Accessible.**

♦ **2** (1611). Littér. Qu'on peut aborder en étant bien accueilli, d'un abord facile, accueillant (personnes). *Il n'est pas très abordable.* — Par ext. *Être d'une humeur, d'un caractère abordable.* « *Il est d'une humeur ! il n'est pas abordable depuis quelques jours* » (Scribe).

♦ **3** Qu'on peut aborder, entreprendre, avec des chances de succès. *Ce problème est difficilement abordable. Question abordable par des profanes.*

♦ **4** (Fin XIXe). Cour. (Valeurs, prix). Que la majorité des gens peut acheter, obtenir, en raison d'un prix modéré ; modéré (prix). *Prix abordables.* → **Raisonnable.** *En cette saison, les légumes verts ne sont plus abordables.*

CONTR. **Inabordable, inaccessible. — Cher.**

**ABORDAGE** [abɔʀdaʒ] n. m. — 1553 « fait d'arriver au port » ; 1660, sens 1. ; de *aborder.*

♦ **1** Action d'aborder un navire. — Spécialt. Manœuvre qui consistait à s'amarrer bord à bord avec un navire et à monter à son bord pour se rendre maître de son équipage. *Un abordage sanglant. Aller, monter à l'abordage.*

*À l'abordage !,* cri de guerre qui annonçait l'abordage.

*D'abordage,* qui sert dans les abordages (armes, instruments). *Grappins, chaînes d'abordage. Hache* d'abordage. Sabre* d'abordage.*

1 Harold, le sabre en main, s'élance à l'abordage.

LAMARTINE, Harold, 18.

— L'abordage ! l'abordage ! — 2
On se suspend au cordage
On s'élance des haubans. La poupe heurte la proue.

HUGO, les Orientales, V, 4.

Une tour en rase campagne ressemble à un navire en pleine mer. elle doit être attaquée de la même façon. C'est plutôt un abordage qu'un assaut. Pas de canon. Rien d'inutile. À quoi bon canonner des murs de quinze pieds d'épaisseur. 3

HUGO, Quatre-vingt-treize, III, 4, 7.

♦ **2** (Fin XVIIe). Collision, choc de deux navires qui viennent à s'entrechoquer. *Règlement international pour prévenir les abordages en mer,* arrêtant les obligations des navires en matière de feux de position, de signaux sonores (corne, cloche, sifflet), de veille, de choix de la route, etc.

*Risques d'abordage. Abordage fortuit, fautif* (code de commerce).

Par analogie :

Déjà un robuste aéronef de la ligne de Versailles avait dû faire un brusque crochet pour éviter un abordage. 4

A. ROBIDA, le Vingtième Siècle, p. 96 (v. 1900).

♦ **3** Le fait d'atteindre, de toucher au rivage (en parlant du navire, de ses occupants). *Manœuvres d'abordage.*

Par métonymie (vieilli). Lieu où l'on peut aborder. *Un abordage bien équipé.*

♦ **4** Vx ou littér. Le fait d'aborder une personne. — REM. Cet emploi est en général métaphorique du sens 1., et fait allusion à des disputes ou des combats, ou encore à la « guerre amoureuse » : « (Stendhal) *voulait qu'un homme, se trouvant avec une femme seule, tentât l'abordage* » (Mérimée, *in* T. L. F.).

**ABORDER** [abɔʀde] v. tr. — Fin XIIIe ; de *à,* et *bord* « bordage ».

♦ **1** Mar. Se mettre bord à bord avec (un navire), dans une intention hostile, pour l'attaquer. → **Abordage.** — Par ext. → **Accoster.**

Heurter, éperonner (un navire), accidentellement — ou volontairement. — Au p. p. *Navire abordé.* — N. m. *L'abordé et l'abordeur*.*

Par temps de brouillard, la nuit, sur les bancs de Terre-Neuve, *La Dordogne* avait été abordée par un trois-mâts dont l'avant était entré dans sa chambre des machines. 0.1

G. LEROUX, le Parfum de la dame en noir.

Loc. *Aborder de long en long* (côte à côte), *en travers, par le travers, par l'avant, etc. Aborder à l'ancre, au vent.*

♦ **2** (XIVe ; de *à* et *bord* « rivage »). V. tr. ind. Arriver au rivage, sur le bord ; toucher (le port). *Ce navire se prépare à aborder à ce quai. Aborder à un appontement.* → **Apponter.** *Aborder au port.* — *Aborder dans une île, un port.*

Littér. et vx. *Aborder à (un lieu) :* atteindre, toucher.

Absolt. *On ne peut pas aborder, avec cette houle.*

Ils abordent sans peur, ils ancrent, ils descendent, 1
Et courent se livrer aux mains qui les attendent.

CORNEILLE, le Cid, IV, 3.

À l'échelle du Phanar, nous abordâmes avec précaution dans la nuit noire, au milieu de pieux, d'épaves et de milliers de caïques échoués sur la vase. 2

LOTI, Aziyadé, XXXII.

♦ **3** V. tr. Atteindre, toucher (le rivage). *Aborder les rochers, une île.*

Les compagnons d'Ulysse, après dix ans d'alarmes, 3
Erraient au gré du vent, de leur sort incertains.
Ils abordèrent un rivage (...)

LA FONTAINE, Fables, XII, 1.

Par ext. Arriver à (un lieu ; un lieu inconnu ou qui présente des difficultés). *Aborder une montagne par la face Nord. Aborder un monument par la façade, par une aile.* — Intrans. (vx). *Aborder dans un lieu.*

4 Un flot continuel de peuple qui abordait dans cette église.
RACINE, Port-Royal, 1.

5 Il aborde le noir séjour de l'impitoyable Pluton.
FÉNELON, Télémaque, 18.

REM. Les emplois 2. et 3. n'appartiennent pas à la langue de la marine.

♦ **4** Fig. *Aborder qqn :* s'approcher de qqn, aller à qqn (qu'on ne connaît pas, ou avec qui l'on n'est pas familier) pour lui parler. → **Accoster.** *Aborder une femme dans la rue.*

6 Comme je restais en extase, un paysan bas-normand m'aborda et me raconta l'histoire de la grande querelle de Saint-Michel avec le diable.
MAUPASSANT, Clair de lune, p. 132.

Pronominal :

7 Tout le monde s'abordait, s'interrogeait dans les églises, sans se connaître.
VOLTAIRE, le Siècle de Louis XIV, XV, 12.

♦ **5** Fig. En venir à..., pour en parler, en débattre. → **Entamer.** *Aborder une question, un problème, un sujet de conversation. Aborder le fond du problème. Il faut aborder cette affaire de front. J'évite d'aborder ce sujet avec lui.*

8 Ce qui étonne le plus un provincial dans une société de Paris, c'est comme tout sujet y est abordé sans vergogne.
F. MAURIAC, la Province, p. 43.

9 Puis, en hâte, avec la brutalité des gens timides, il aborda la chose (...) ZOLA, la Terre, I, p. 264.

Fig. Arriver au bord (d'une situation, d'un état dans lequel on veut entrer); commencer à s'occuper de (qqch.). *Aborder une difficulté, une épreuve avec courage.*

10 On n'aborde pas la solitude sans provisions morales.
BALZAC, Mme de La Chanterie, Pl., t. VII, p. 258.

11 Un héros qui aborde la vie avec les idées préconçues de l'adolescence.
A. MAUROIS, Études littéraires, II, p. 92.

12 Toutes les œuvres qui ont tenu quelque place dans ma vie, toutes les œuvres d'art dont la connaissance a fait, de moi, un homme, représentent, d'abord, une conquête. J'ai dû les aborder de haute lutte et les mériter après une fervente passion.
G. DUHAMEL, Scènes de la vie future, p. 60.

13 Après avoir à ses débuts abordé le théâtre, pour lequel il ne se jugeait ni assez recommandé ni assez mûr, il s'était jeté dans le journalisme.
E. FROMENTIN, Dominique, X.

♦ **6** (Des sens 1. et 2.). En parlant de véhicules. (Ch. de fer). *Aborder une aiguille (en pointe, en talon). Locomotive qui aborde une rame* (pour lui être attelée).

Cour. (En parlant d'une automobile, de son conducteur). S'engager dans (une partie de la voie où la conduite est délicate ou dangereuse). *Aborder une rampe, un virage. Aborder prudemment un virage en épingle à cheveux.*

CONTR. **Appareiller, partir. — Quitter.** ◊ DÉR. **Abord, abordable, abordage, abordeur.**

**ABORDEUR** [abɔʀdœʀ] n. m. et adj. — Fin XVIIIe; de *aborder.*

Navire auteur ou responsable d'un abordage (opposé à *abordé.* → **Aborder**).

Adj. *Bâtiment, navire abordeur.*

Et pendant que le navire abordeur s'en allait à la dérive, le paquebot avait coulé à pic, en dix minutes.
G. LEROUX, le Parfum de la dame en noir, p. 10.

**ABORIGÈNE** [abɔʀiʒɛn] n. et adj. — 1488; lat. *aborigines* «premiers habitants du Latium», rac. *origo, originis* «origine»; forme en *-gène* p.-ê. par attraction de *indigène.*

♦ **1** N. Autochtone dont les ancêtres sont considérés comme étant à l'origine du peuplement (par opposition à ceux qui viennent s'établir ultérieurement). → **Indigène, natif, naturel.** *Les aborigènes d'Australie* (le mot tend à s'employer surtout dans ce contexte). → **Australoïde.** — REM. S'emploie surtout au pluriel.

Par plaisanterie :

Puis, il éclate contre ses administrés. Il s'est dévoué pour eux. Il a trouvé la commune dans un état!... Rien que des dettes. Il leur a fait un budget, mais ça l'embête. Tous ces gars-là sont jaloux. Ils voudraient être les maîtres, eux, les autochtones, les aborigènes. M. le maire me fait l'honneur de ses mots distingués.
J. RENARD, Journal, 6 juin 1900.

Adj. *Population aborigène.*

♦ **2** Adj. (Sc.). Qui est originaire du pays où il vit. *Plante, animal aborigène.*

CONTR. **Allogène, aubain, étranger, exotique.**

**AB ORIGINE** [abɔʀiʒine] loc. adv. — Lat. *ab* «dès, depuis», et *origine,* ablatif de *origo* «origine».

Depuis l'origine. *Prendre les choses ab origine,* par le commencement.

**ABORNEMENT** [abɔʀnəmɑ̃] n. m. — 1611; antérieur au sens de «abonnement»; de *aborner.*

Vx. Action d'aborner. → **Bornage.**

REM. 1. Le mot a remplacé en partie *abonnement* (qui a ce sens jusqu'au XVIIe s.).

2. On trouve aussi la forme *abornage* (1611).

**ABORNER** [abɔʀne] v. tr. — XVIe; antérieur au sens de «abonner»; de *borne.*

Vx. Limiter (un terrain) par des bornes. → **Borner.** *«Faire aborner son champ»* (Littré).

DÉR. **Abornement.**

**ABORTIF, IVE** [abɔʀtif, iv] adj. — 1752, Trévoux; à partir du XIVe (vx) «avorté»; lat. *abortivus,* du supin de *abortare.* → Avorter.

Didactique.

♦ **1** [a] Qui fait avorter. *Une substance abortive* (ou, n. m., *un abortif*).

[b] Qui gêne le développement (des plantes). — N. m. *Un abortif.*

(...) l'irrésistible verdure dont la puissance abortive du froid contrariait mais ne parvenait pas à refréner la progressive poussée (...)
PROUST, À la recherche du temps perdu, t. II, p. 234.

♦ **2** Qui cesse sans avoir accompli son évolution normale (maladie, symptôme). *Fièvre abortive. Fœtus abortif,* qui ne parvient pas au terme de son développement.

DÉR. V. **Abortion.**

**ABORTION** [abɔʀsjɔ̃] n. f. — 1920; du rad. de *abortif.*

Mod. Interruption provoquée d'une maladie évolutive.

**ABOT** [abo] n. m. — 1819; p.-ê forme dial. de *about,* de *abouter* «fixer à», comp. de *bouter* «mettre».

Techn. (agric.) et régional. Entrave au pied d'un cheval.

**ABOUCHEMENT** [abuʃmɑ̃] n. m. — XVI^e; de *aboucher.*

♦ **1** Vx ou littér. Mise en rapport (de personnes). → **Entretien, entrevue.** «*Des tentatives d'abouchement qui n'ont pas réussi*» (Goncourt).

♦ **2** Application de l'ouverture (d'un conduit) à celle d'un autre afin qu'ils communiquent. → **Jonction.** — Anat. *Abouchement de vaisseaux.* → **Anastomose.**

**ABOUCHER** [abuʃe] v. tr. — XIII^e, «tomber en avant (sur la bouche)»; de *à,* et *bouche.*

♦ **1** (XVII^e). Mettre en rapport, provoquer une entrevue. → **Rapprocher, réunir.** *Aboucher une personne et une autre, deux personnes. — Aboucher une personne avec une autre, à une autre; avec un groupe.*

1 Je voulais en secret vous aboucher tous deux.
MOLIÈRE, l'Étourdi, IV, 1.

2 Et l'on doit aujourd'hui l'aboucher avec vous.
MOLIÈRE, l'Avare, II, 1.

.1 Gavard, à partir de ce jour, fut persuadé qu'il faisait partie d'une société secrète et qu'il conspirait. Le cercle ne s'étendit pas, mais Logre promit de l'aboucher avec d'autres réunions qu'il connaissait.
ZOLA, le Ventre de Paris, t. I, p. 223.

♦ **2** Mettre l'ouverture (d'un conduit) contre celle d'un autre afin qu'ils communiquent. *Aboucher des tuyaux, un tuyau et un autre, avec un autre.* — Anat. *Aboucher deux vaisseaux.* → **Anastomoser.** — Par ext., littér. et rare. Mettre en communication (des rues). *Le carrefour qui abouche ces trois rues.*

◆ **S'ABOUCHER** v. pron. (Réfl.). *S'aboucher à, avec qqn :* entrer en pourparlers, en relation avec lui. → **Négocier.** — (Réciproque) :

3 Il ne s'agit que de faire qu'ils s'abouchent et qu'ils se parlent.
LA BRUYÈRE, les Caractères, VIII, 86.

4 Pichegru, d'ici à trois jours, s'aboucherait avec Moreau, et il fallait espérer qu'étant tous deux gens de guerre, ils parleraient peu et nous laisseraient vite agir.
SAINTE-BEUVE, Volupté, XIV.

DÉR. **Abouchement.**

**ABOULER** [abule] v. — 1790; de *à,* et *bouler,* d'abord dialectal «rouler (comme une *boule*)».

♦ **1** V. intr. ou pron. Argot (vx). *Abouler* ou *s'abouler :* arriver.

1 Comme un fait exprès, ils arrivèrent sur le quai de départ au moment où le train allait repartir. «Mince! exultait Ribouldingue, c'est pas pour dire, les aminches, mais v'là c'qu'y s'appelle avoir de la veine! — Tu parles que l'train s'est aboulé à temps», ripostait Croquignol.
L. FORTON, les Aventures des Pieds-Nickelés, *in* l'Épatant, 1909, p. 59.

♦ **2** V. tr. Argot (souvent dans une proposition négative, ou à l'impér.). Donner, remettre. *Aboule le fric!*

Absolument, vieux :

2 (...) qui est-ce qui veut *faire une tête dans la plume* (se coucher) avec moi cette nuit. Je vous préviens, faut abouler avant.
Louise MICHEL, la Misère, t. II, p. 469.

**ABOULIE** [abuli] n. f. — 1883, Ribot; grec *aboulia* «irréflexion», sens modifié d'après *boulesthai* «vouloir».

♦ **1** Méd., psychiatrie. Trouble mental caractérisé par une diminution ou une disparition de la volonté se traduisant par une inaptitude à choisir, à se décider, à passer de l'idée à l'acte. → **Apragmatisme;** et aussi **apathie, neurasthénie.** — *Aboulie intellectuelle* (Janet) : fléchissement de l'attention volontaire.

1 Le mot **aboulie,** quand il est employé d'une manière précise, ne désigne pas la suppression d'une action d'un degré quelconque; il désigne exactement la suppression de l'action réfléchie, l'impossibilité de donner à l'acte la forme d'une décision, c'est-à-dire d'une volonté ou d'une croyance arrêtées après délibération.
Pierre JANET, *in* LALANDE, Voc. de la philosophie.

Je lui disais l'effroi où je me trouvais devant les retours 2 inopinés et de plus en plus fréquents de torpeur et d'aboulies intellectuelles.
J.-R. BLOCH, Deux hommes se rencontrent, p. 158.

Chez beaucoup de malades, l'insomnie même n'est qu'une 3 des mille formes de l'aboulie.
BERNANOS, Sous le soleil de Satan, *in* Œ. roman., Pl., p. 254.

♦ **2** Fig. Perte de la volonté, de la vitalité (chez une personne, dans un groupe). «*Un état d'anémie et d'aboulie sociales*» (Maurras).

DÉR. **Aboulique.**

**ABOULIQUE** [abulik] adj. et n. — 1887; de *aboulie.*

Atteint d'aboulie. *Il, elle est complètement, un peu aboulique.* — N. *Un, une aboulique.*

(...) Ce fut *(Nietzsche)* un faible et un aboulique. C'est pourquoi il ne parle que de ce qui lui manque surtout : la force et la volonté.
G. DEHERME, *in* GIDE, Journal, 1889-1939, Pl., p. 665.

Relatif à l'aboulie. *Syndrome aboulique.*

**ABOUNA** ou **ABUNA** [abuna] n. m. — 1690; arabe *(')ăbūnā* «notre père», de *'ăbū* «père».

Didact. Chef du clergé de l'Église abyssine.

Les *Komos* sont eux-mêmes soumis au patriarche des Abyssins que l'on appelle abuna.
Encyclopédie (DIDEROT), 1765, art. *Komos.*

**ABOUT** [abu] n. m. — 1213; de *abouter.*

Techn. Extrémité (d'une pièce de bois, de métal) préparée pour se joindre à une autre. → **Ajoutage, assemblage, emboîtement, emboîture, embrèvement, enture, mortaise, tenon.**

Spécialt. [a] Pièce métallique que l'on fixe à une seringue pour y adapter l'aiguille.

[b] Extrémité (d'un rail).

**ABOUTAGE** [abutaʒ] n. m. — 1845; mil. XIV^e, «décision»; de *abouter.*

Mar. Action de joindre les bouts (de deux cordages) par un nœud. → **Ajut.**

**ABOUTEMENT** [abutmɑ̃] n. m. — 1835; «bien dont les limites *(bouts)* sont précisées avant hypothèque», 1224; de *abouter.*

Rare ou techn. Action d'abouter. État de deux choses aboutées. *L'aboutement de deux pièces de charpente.*

**ABOUTER** [abute] v. tr. — 1180-1200 «appliquer (qqch.)»; de *à,* et *bout.*

Rare ou technique.

♦ **1** Joindre, assembler (une chose à une autre; deux choses) par le bout, par les bouts. → **About; abuter.**

♦ **2** Agric. *Abouter la vigne,* la tailler.

♦ **3** Vx. Mettre en rapport (des personnes, des groupes). — Pron. *S'abouter avec qqn.*

DÉR. **About, aboutage, aboutement.**

**ABOUTIR** [abutiʀ] v. — Deuxième moitié du XIII^e^, *abouti* «opiniâtre»; de *à*, et *bout*.

**I** V. tr. ind. (XVII^e^). ♦ **1** Arriver par un bout; se diriger vers, se terminer, tomber dans. *Le Rhône aboutit à la Méditerranée. Le boulevard Raspail aboutit à la place Denfert-Rochereau* (à Paris). *L'escalier aboutit à un large palier.* — Intrans. *Un couloir qui aboutit dans une chambre.*

1 Nous étions entrés dans un chemin de traverse qui aboutissait à un bouquet d'arbres.
Edmond JALOUX, Fumées dans la campagne, p. 66.

(Personnes). *Aboutir à, dans... Vous prenez la première rue à gauche et vous aboutissez à (sur) la place de l'église.*

♦ **2** Fig. Conduire à..., avoir comme résultat. → **Conduire, mener** (à). *Cela n'a abouti qu'à de la confusion. N'aboutir à rien. Aboutir à quelque chose, à faire quelque chose.*

2 L'oreille hésite (...) on ne sait où va aboutir ce mystère d'harmonie. BERLIOZ, Beethoven, p. 39.

3 La volonté aboutit à un ajournement, l'utopie; la science aboutit à un doute, l'hypothèse.
HUGO, Post-Scriptum de ma vie, p. 81.

4 Une idée fixe aboutit à la folie ou à l'héroïsme.
HUGO, Quatre-vingt-treize, III, 2, 6.

5 Tout aboutit au même abîme universel.
HUGO, la Légende des siècles, LV, V.

6 On a abouti au positivisme quand on s'est particulièrement attaché au principe d'évidence.
Émile FAGUET, Études littéraires, XVII^e^ siècle, p. 70.

**II** V. intr. (XIX^e^). Avoir finalement un résultat. → **Réussir.** *Les négociations ont abouti, l'accord est réalisé. Il est arrivé à ses fins, ses démarches ont abouti. Faire aboutir une demande, une tentative.* — Se développer jusqu'à son terme. *Un orage qui aboutit.*

Méd. Vx. *Abcès, tumeur qui aboutit,* qui se collecte.

CONTR. (De I.) **Commencer, naître, partir** (de), **provenir** (de). — (De II.) **Avorter, échouer, rater.** ◈ DÉR. **Aboutissant, aboutissement.**

**ABOUTISSANT, ANTE** [abutisɑ̃, ɑ̃t] adj. et n. m. — 1508, sens 3.; p. prés. de *aboutir.*

♦ **1** Adj. Vx. Qui aboutit, s'achève à tel endroit.

♦ **2** N. m. (1866). Littér. Ce à quoi quelque chose aboutit (fig.). → **Aboutissement, résultat.** *L'aboutissant d'un long travail, de phénomènes, de la vie.*

1 Tout ce que nous faisons, tout ce que nous sommes, est l'aboutissant d'un travail séculaire.
RENAN, Souvenirs d'enfance..., Préface.

2 La nation, comme l'individu, est l'aboutissant d'un long passé d'efforts, de sacrifices et de dévouements.
RENAN, Discours et Conférences, Qu'est-ce qu'une nation?, Œ. compl., t. I, p. 904.

3 La candeur, l'innocence, la grâce, le rire paraissaient à Fontranges des qualités d'aînés, l'aboutissant de la vie, et non son départ. GIRAUDOUX, Bella, V.

♦ **3** N. m. pl. **LES TENANTS ET ABOUTISSANTS (d'un domaine) :** les pièces qui y sont adjacentes, le bornent (les *tenants* dans le sens de la largeur, les *aboutissants* dans le sens de la longueur). — Cour. *Les tenants et les aboutissants (d'une affaire) :* tout ce qui s'y rapporte (et, en particulier : ses causes, son origine et ses conséquences, ses prolongements). *Un scandale dont on n'a pas fini d'apprendre les tenants et les aboutissants.*

**ABOUTISSEMENT** [abutismɑ̃] n. m. — 1611; «action de pousser qqn à faire qqch.», 1125; de *aboutir.*

♦ **1** Le fait d'aboutir (II.), d'avoir un résultat. *L'aboutissement d'un projet, d'une enquête, d'un procès.* — Méd. (vx). *L'aboutissement d'un abcès.*

♦ **2** Ce à quoi une chose aboutit. → **Résultat;** et aussi **fin, issue, terme.** *L'heureux aboutissement de nos efforts.*

Aucune action humaine n'a de source unique, les motifs 1
les plus divers se coalisent pour la nécessiter, elle est l'aboutissement de causes dissemblables et multiples, dont on ne voit que la plus sensible ou la dernière.
Edmond JALOUX, le Jeune Homme au masque, XIV.

Et maintenant, c'est l'aboutissement, l'apothéose. Sa mort 2
resplendit devant lui, semblable à ce coucher de soleil glorieux. MARTIN DU GARD, les Thibault, VIII, 82.

CONTR. **Commencement, début, départ.**

**AB OVO** [abɔvo] loc. adv. — V. 1600; loc. lat. empruntée à Horace, «depuis l'oeuf».

Vx. Depuis le commencement. → **Ab initio.** *Raconter les choses ab ovo. Reprendre une affaire ab ovo.*

**ABOYANT, ANTE** [abwajɑ̃, ɑ̃t] adj. — XVI^e^; p. prés. de *aboyer.*

Littér. Qui aboie. *Meute aboyante.* — Au figuré :

(...) Les campagnes voisines qui, tour à tour, sur la route, lançaient des vagues vivantes à cette malheureuse voiture *(de Marie-Antoinette),* vagues furieuses, aboyantes (...)
MICHELET, Hist. de la Révolution franç., Pl., t. I, p. 630.

**ABOYER** [abwaje] v. — Mil. XII^e^; du rad. *bai-*, forme du rad. onomat. *bau-* exprimant l'aboiement du chien; forme *abaier* jusqu'au XVII^e^.

♦ **1** V. intr. Donner de la voix, produire son cri, en parlant du chien et de quelques autres animaux (renard, notamment). *Le chien aboie contre, après les voleurs.* → **Glapir, hurler, japper;** → liste, cit. 2. Vx. *Aboyer aux voleurs. Aboyer avec force, fureur.*

Les chiens de garde à la niche aboyaient en tirant sur leur 1
chaîne. FLAUBERT, M^me^ Bovary, I, 2.

*Aboyer à la lune,* se dit du chien qui aboie en voyant briller la lune. — Fig. Crier inutilement.

Comme un chien aboie à la lune, j'ai été fasciné par un 2
reflet. F. MAURIAC, le Nœud de vipères, p. 261.

*Aboyer à la mort.* → Hurler à la mort.

Prov. *Chien qui aboie ne mord pas :* ceux qui crient fort et menacent ne sont pas forcément les plus redoutables. *Les chiens aboient, la caravane* passe.*

Par comparaison :

Mon stomach abboye de male faim, comme un chien. 3
Jectons luy force souppes en gueule pour l'appaiser (...)
RABELAIS, le Tiers Livre, 15.

♦ **2** V. intr. Fig. Faire un bruit semblable à un aboiement.

Au loin, des canons continuaient à aboyer sourdement. 4
MARTIN DU GARD, les Thibault, VIII, 14.

♦ **3** V. intr. Fig. Crier inutilement (contre qqn), invectiver; poursuivre (qqn) de ses criailleries, de ses menaces. *Aboyer après, contre qqn, qqch.* → **Clabauder.**

(...) l'argent, d'autre part, nous presse pour notre subsis- 5
tance, et nous avons de tous côtés des gens qui aboient après nous. MOLIÈRE, les Fourberies de Scapin, I, 7.

Donc laissons aboyer la conscience humaine
Comme un chien qui s'agite et qui tire sa chaîne.
HUGO, les Châtiments, VI, 13, 9.

La grande armée catholique a été un effort insensé (...) une 7
meute de noëls et d'oremus aboyant autour de la Marseillaise. HUGO, Quatre-vingt-treize, III, 1, 6.

♦ **4** V. tr. Fig. Émettre, dire d'une voix furieuse. *Il aboie ses ordres, des injures.*

Rare. *Aboyer qqn. «Nous fûmes aboyés, hurlés»* (Céline).

DÉR. **Aboi, aboiement, aboyant, aboyeur.**

**ABOYEUR, EUSE** [abwajœʀ, øz] n. — 1327, *abayeur* «personne qui aboie»; fém., 1843; de *aboyer.*

♦ **1** N. m. (1387). Chien qui aboie. — (Chasse). Chien qui aboie sans attaquer le gibier.

Par ext. (Appos.). *Oiseau aboyeur* (cf. *Aboyeurs,* Bescherelle, 1846) : oiseau exotique dont le cri ressemble à un aboiement.

1 (...) sur les branches de l'érable l'oiseau aboyeur aussi peu nomade qu'un chien.
GIRAUDOUX, les Aventures de Jérôme Bardini, p. 122.

♦ **2** N. m. Vx. (Celui que son métier oblige à crier). Crieur à l'entrée d'une salle, qui annonce le spectacle. → **Annonceur.** — Crieur qui appelle les voitures à la sortie du spectacle. — Crieur qui annonce les invités, dans une réception.

Vendeur de journaux; camelot, bonimenteur. — Vx. *Aboyeur de journaux. Un aboyeur de trottoir,* qui «aboie» sur les trottoirs.

Mod. Sports (XX^e^). Personne qui crie au chronométreur le numéro ou le nom d'un coureur au moment où il passe à l'endroit où on le chronomètre.

♦ **3** N. Personne qui aboie (fig.) contre qqn. → **Clabaudeur.**

2 Eux, les aboyeurs, vont commencer à l'approuver *(l'U.R.S.S.)* lorsque précisément nous cesserons de le faire. GIDE, Journal, 30 oct. 1935.

**ABRA** [abʀa] n. f. — XX^e^, lat. sc.; orig. inconnue, p.-ê. du lat. de la Vulgate *abra* «jeune servante».

Zool. Mollusque bivalve *(Sémélidés)* des côtes d'Europe vivant dans la vase. — Syn. : *syndesmie.*

**ABRACADABRA** [abʀakadabʀa] n. m. — 1560; p.-ê. altér. de l'hébreu *arba-dak-arba,* de *arba* «quatre». → 1. Abraxas.

Mot auquel on attribuait la guérison de certaines maladies, des effets magiques.

1 Ce beau mot abracadabra, pour guérir de la fièbvre.
Ambroise PARÉ, Œuvres, XXV, 31.

2 De vos mains grossières,
Parmi des poussières,
Écrivez, sorcières :
Abracadabra. HUGO, Ballades, 14.

3 (...) un tel mélange de formules, d'abracadabra, que rien de pareil n'a eu lieu depuis la scène des trois sorcières de Macbeth.
MICHELET, Hist. de la Révolution franç., p. 295.

DÉR. **Abracadabrant.**

**ABRACADABRANCE** [abʀakadabʀɑ̃s] n. f. — 1891, *in* D. D. L.; de *abracadabrant.*

Rare. Caractère de ce qui est abracadabrant.

Nicole aimerait bien être jugée avant mon transfert, car une idée lui est venue, toute simple d'abracadabrance :
— Je fais appel aussi et je vous rejoins...
— J'en serais ravie, Nicole, mais... N'oubliez pas qu'un appel de votre part entraîne automatiquement celui de vos coïnculpés... A. SARRAZIN, la Cavale, p. 314.

**ABRACADABRANT, ANTE** [abʀakadabʀɑ̃, ɑ̃t] adj. — 1834; de *abracadabra.*

Extraordinaire et incohérent, éloigné de la raison comme l'est une formule magique. → **Abracadabrantesque.** *Une histoire complètement abracadabrante. Il a une allure abracadabrante.*

Elle chantait aux offices et, n'ayant jamais su lire, ses cantiques constituaient la plus abracadabrante suite de coq-à-l'âne qu'il fût possible d'imaginer.
Edmond JALOUX, Fumées dans la campagne, V.

DÉR. **Abracadabrance, abracadabrantesque.** — REM. On trouve chez Raoul Ponchon le verbe **abracadabrer** «rendre abracadabrant».

**ABRACADABRANTESQUE** [abʀakadabʀɑ̃tɛsk] adj. — 1852, *in* D. D. L.; de *abracadabrant.*

Littér. et plais. Abracadabrant, extravagant.

Ô flots abracadabrantesques, 1
Prenez mon cœur, qu'il soit lavé !
RIMBAUD, Poésies, «Le cœur volé», XXXIII, Œ. compl., Pl., p. 80.

Cette harmonie constitue un des éléments nouveaux des 2
toujours délicieusement abracadabrantesques compositions de Waroquier qui, dans la patine ambrée des vieilles pierres vénitiennes, inscrit l'amusante flottille de bateaux à voiles et de gondoles.
A. ARTAUD, Littérature et Arts plastiques, Les salons du printemps, 1921, *in* Œ. compl., t. II, p. 216.

**ABRANCHE** [abʀɑ̃ʃ] adj. et n. m. — 1842; de 2. *a-,* et *branchie.*

Zool. Dont les branchies ne sont pas apparentes. *Batracien abranche.* — N. m. *Un abranche.*

**ABRASAX** [abʀasaks] n. m. → 1. **Abraxas.**

**ABRASEMENT** [abʀazmɑ̃] n. m. — XV^e^, *abracement* «démolition»; repris au XX^e^; de *abraser.*

Techn. Action d'abraser; fait d'être abrasé, de s'abraser. → **Abrasion.**

**ABRASER** [abʀaze] v. tr. — 1364, «démolir»; repris XX^e^ (déjà en méd. au XIX^e^, 1864), d'après *abrasion;* du lat. *abrasus,* p. p. de *abradere* «enlever en grattant».

Techn. User (une matière, un objet) par abrasion, par frottement. — Littéraire :

Puis l'on monte à Burgdorf et à Grenzach, où tout est également nivelé, abrasé, réduit en cendres (...)
B. CENDRARS, l'Or, 57, p. 230.

Pron. *Pièce qui s'abrase,* qui s'use par frottement.

DÉR. **Abrasement.**

**ABRASIF, IVE** [abʀazif, iv] n. m. et adj. — 1905, n. m., in *Rev. gén. des sc.,* n° 11, p. 504; du rad. de *abrasion.*

Techn. Matière qui use, nettoie, polit par frottement. *L'émeri, le grès, les poudres à récurer sont des abrasifs. Meule en abrasif aggloméré.* — Adj. Se dit d'une matière utilisée pour user, polir, etc. *Une poudre, une matière abrasive. Produits et instruments abrasifs :* carborundum, corindon, émeri, grès, meule, ponce (pierre ponce), sable, verre (papier de verre), toile (émeri)...

**ABRASIN** [abʀazɛ̃] n. m. — 1712, dans un texte en lat. bot.; tiré d'un mot japonais par E. Kämpfer.

Bot. Arbre *(Aleurites cordata;* → **Aleurite**) d'origine asiatique, dont la graine fournit une huile alimentaire.

Je connaissais Savoy. Il avait une plantation d'abrasins à Xien-Kouang.
Jean HOUGRON, la Gueule pleine de dents, p. 281.

**ABRASION** [abʀazjɔ̃] n. f. — 1611 ; lat. *abrasio,* de *abradere* «enlever en grattant» (→ Abraser).

Techn. Action d'user par frottement, grattement. — Méd. Enlèvement par raclage superficiel de certains tissus. — Géol. Érosion par enlèvement de matériaux. *Abrasion glaciaire :* érosion exercée sous la pression de la glace par les matériaux que celle-ci contient. → **Polissage** (glaciaire). *Abrasion marine :* usure mécanique d'une roche par l'eau chargée de débris. *Plate-forme d'abrasion.* — Chir. dent. «Usure des cuspides ou des tissus de la dent par une attrition continue» *(Dict. odontostomatologique). Surface d'abrasion des dents,* où les dents s'usent sur leurs antagonistes.

Par métaphore. Usure. *L'abrasion des sentiments qu'entraîne une longue cohabitation.*

DÉR. V. **Abraser, abrasif.**

1. **ABRAXAS** [abʀaksas] ou **ABRASAX** [abʀasaks] n. m. — 1751, «amulette»; grec *abraxas,* p.-ê. cryptogramme d'origine hébraïque. → Abracadabra.

Didact. Mot mystique des gnostiques, et, par ext., pierre portant ce mot (ou d'autres formules magiques), utilisée comme amulette.

HOM. 2. **Abraxas.**

2. **ABRAXAS** [abʀaksas] n. m. — XIXe ; orig. inconnue, probablt de 1. *abraxas.*

Zool. Papillon dont la chenille est nuisible au groseillier (*Abraxas grossulariata,* famille des géométridés, ordre des lépidoptères).

HOM. 1. **Abraxas.**

**ABRÉACTEUR** [abʀeaktœʀ] n. m. — D. i. ; du rad. de *abréaction.*

Didact. (psychan.). Thérapeute qui provoque une abréaction. «*Le shaman est un abréacteur professionnel*» (Lévi-Strauss).

**ABRÉACTION** [abʀeaksjɔ̃] n. f. — 1902, *Abreaction, in* D. D. L. ; de *ab-,* et *réaction,* pour traduire l'all. *Abreagieren,* substantivation de *abreagieren,* v. → Abréagir.

Didact. (psychan.). Brusque libération émotionnelle ; réaction d'extériorisation par laquelle une personne se libère de l'affect attaché au souvenir d'un événement traumatique. → **Catharsis, décharge** (émotionnelle), **défoulement.** *Abréaction spontanée. Abréaction provoquée, secondaire. L'absence d'abréaction laisse subsister à l'état inconscient des groupes de représentations pathogènes. L'abréaction peut marquer la fin du traitement psychanalytique, mais aussi intensifier les résistances de l'analysé. Abréaction d'un affect.*

On appelle (...) abréaction une décharge émotionnelle par laquelle un sujet se débarrasse d'un choc ancien qui, au moment où il s'est produit, n'a pas donné lieu à une réaction complète. L'abréaction est à la base de la catharsis.
Guy PALMADE, la Psychothérapie, p. 73.

DÉR. (Du même rad.) **Abréacteur.**

**ABRÉAGIR** [abʀeaʒiʀ] v. tr. — 1926, *in* D. D. L., au p. p. ; de *ab-,* et *réagir,* pour traduire l'all. *abreagieren,* créé par Breuer et Freud.

Didact. (psychan.). Réagir à (un événement traumatisant) par une décharge émotionnelle qui lui enlève son pouvoir pathogène.

1 (...) on devine aisément ce que ce dernier *(Freud)* a pu trouver d'intéressant (...) à la lecture de Schopenhauer : d'une part le fait que l'auteur du *Monde comme volonté et représentation* situe d'emblée le mécanisme de la folie dans la relation du malade à son passé (...) d'autre part, la description qu'il fait de la défense qui tente d'abréagir le trauma et produit réactionnellement des formations substitutives.
Roland JACCARD, la Folie, p. 73.

Passif et p. p. *L'affect peut être abréagi dans la psychothérapie cathartique grâce au rôle substitutif du langage.*

Absolt. Manifester une abréaction.

(...) le petit enfant s'exprime moins par la parole que par 2
le jeu : il abréagit plus par le geste que par des expressions verbales.
Guy PALMADE, la Psychothérapie, p. 90.

**ABRÉGÉ** [abʀeʒe] n. m. — 1305, *abregié ;* du p. p. de *abréger.*

**I** ♦ **1** Écrit ou discours réduit à un bref exposé, aux points essentiels. → **Résumé ; abstract** (anglic.), **digest** (anglic.), **plan, schéma, sommaire ;** (didact. ou vx) **compendium, enchiridion, épitomé.** *Faire, rédiger un abrégé d'une discipline. Abrégé analytique.* → **Analyse.** *Un abrégé satisfaisant, excellent. Un abrégé des thèses de X. Abrégé partiel.* → **Extrait.**

Dans des temps d'ignorance, l'abrégé d'un ouvrage fait sou- 1
vent tomber l'ouvrage même.
MONTESQUIEU, l'Esprit des lois, XXVIII, 10.

Hé ! finissez, rimeur à la douzaine ! 2
Vos abrégés sont longs au dernier point.
Ami lecteur, vous voilà bien en peine ;
Rendons-les courts en ne les lisant point.
J.-B. ROUSSEAU, Épigrammes, II, 12.

Par ext. Petit ouvrage présentant le résumé d'une connaissance, d'une technique. → **Aide-mémoire, compendium, condensé, élément**(s), **précis, rudiment**(s). *Un abrégé de chimie publié au début du siècle.* → **Manuel.** *Abrégé de sciences naturelles à l'usage des classes terminales.*

♦ **2** (XVIIe). Littér. Représentation en petit, image en raccourci. → **Raccourci, réduction.** *Voir dans l'homme un abrégé du monde.* → **Microcosme.**

Le peuple juif est un abrégé symbolique de la race 3
humaine.
CHATEAUBRIAND, le Génie du christianisme, *in* LITTRÉ.

♦ **3** Loc. adv. **EN ABRÉGÉ :** en raccourci ; avec très peu de signes, de mots ; en résumé, en passant sur les détails. *Mot en abrégé* (→ **Abréviation**). *Écrire en abrégé* (→ Style télégraphique*). «*Voici, très en abrégé, un spécimen de ma polémique...*» (Chateaubriand).

**II** (1690). Techn. Mécanisme qui, dans les orgues, transmet le mouvement des touches.

CONTR. (De I.) **Développement. — Amplification. — Grand** (en) ; **détail** (en), **longuement.**

**ABRÉGEABLE** [abʀeʒabl] adj. — 1936, Céline ; de *abréger.*

Rare. Qui peut être abrégé. *Ce texte est difficilement abrégeable.*

**ABRÉGEMENT** [abʀɛʒmɑ̃] n. m. — XIIIe ; de *abréger.*

Action d'abréger. → **Raccourcissement.** *L'abrégement d'un texte par son auteur, par l'éditeur. L'abrégement d'un délai, d'un congé.*

Nous avons divers procédés d'abrégement à notre disposition. Si le terme est formé de deux ou plusieurs mots — composé en voie d'élaboration — on a recours à l'ellipse, en reportant sur l'un des éléments, seul conservé, le sens du groupe.
A. DAUZAT, le Génie de la langue franç., p. 63.

*Abrégement d'un mot.* → **Abréviation, aphérèse, apocope.** — *Réduction de la durée d'émission d'un phonème.*

CONTR. **Allongement.**

**ABRÉGER** [abʀeʒe] v. tr. [CONJUG. : *céder.*] — 1160 ; du bas lat. *abbreviare,* de *brevis* « bref » (cf. l'anc. franç. *abrevier*). → 1. Bref.

♦ **1** Rendre plus court, plus bref (un discours, un récit, un écrit). → **Accourcir** (vx), **écourter, limiter, raccourcir, resserrer, résumer, tronquer ; abrégement, abréviation.** *Abréger un discours, un texte. Simplifier et abréger un chapitre, un article. Abréger un texte en retranchant, en soustrayant.*

1 Si vous n'abrégez ce récit, nous en voilà pour jusqu'à demain. Laissez-le-moi finir en deux mots.
MOLIÈRE, les Fourberies de Scapin, I, 2.

2 Tacite fait un ouvrage exprès sur les mœurs des Germains. Il est court, cet ouvrage, mais c'est l'ouvrage de Tacite, qui abrégeait tout, parce qu'il voyait tout.
MONTESQUIEU, l'Esprit des lois, XXX, 2.

Absolt. *Abrégeons ! venez-en au fait !* → **Couper, trancher** (court). *Votre manuel est excellent, mais vous devriez abréger.*

3 La tâche de l'historien consiste essentiellement à abréger. S'il n'abrégeait pas, — et la remarque n'est pas nouvelle, — il faudrait autant de temps pour raconter l'histoire qu'elle en a mis à se faire.
J. BAINVILLE, Hist. de France, p. 8.

♦ **2** Diminuer la durée de (qqch.). *Abréger une opération, un processus. Simplifier et abréger une procédure. — Abréger une visite, un repas.*

4 Son but était d'abréger mes années de collège en me préparant le plus vite possible aux hautes classes.
E. FROMENTIN, Dominique, III.

5 Souvent le pain qui manque abrégeait son repas.
HUGO, les Châtiments, V, 11.

.1 Il avait envie de siffler, ainsi qu'il faisait devant ses modèles ; mais comme il sentait son énervement grandir et qu'il redoutait de faire quelque sottise, il abrégea la séance, sous prétexte d'un rendez-vous.
MAUPASSANT, Fort comme la mort, I, I.

2 (...) le médecin avait dit ne pas voir grand inconvénient aux représentations de la Berma. Il l'avait dit parce qu'il avait senti qu'il ferait ainsi plaisir à la jeune femme qu'il aimait, peut-être aussi par ignorance, parce qu'aussi il savait de toutes façons la maladie inguérissable, et qu'on se résigne volontiers à abréger le martyre des malades quand ce qui est destiné à l'abréger nous profite à nous-même, peut-être aussi par la bête conception que cela faisait plaisir à la Berma et devait donc lui faire du bien (...)
PROUST, le Temps retrouvé, Pl., t. III, p. 995.

*Abréger sa vie, ses jours* (par les excès, la fatigue, le souci, le travail, etc.) : faire en sorte que l'on meure plus tôt.

6 Les plaisirs pris sans modération abrègent plus les jours des hommes que les remèdes ne peuvent les prolonger.
FÉNELON, Télémaque, XVII.

7 Le cardinal de Richelieu avait abrégé ses jours par les inquiétudes qui le dévorèrent.
VOLTAIRE, Essai sur les mœurs, p. 177.

♦ **3** Faire paraître moins long. *Sa conversation a un peu abrégé cette soirée interminable.*

8 Les soirées d'hiver étaient longues ; la lecture en abrégeait les heures.
LAMARTINE, Premières méditations, Préface.

♦ **4** (XIXe). *Abréger un mot :* supprimer une partie des lettres (les moins essentielles et souvent les dernières). → **Abréviation, abrégement.** — *Abréger une syllabe :* la rendre brève (en métrique).

◆ **ABRÉGÉ, ÉE** p. p. adj. *Un chapitre abrégé. Son discours est très abrégé par rapport au projet.*

9 Si vous le trouvez bon, Madame, dit la belle *Thérèse,* je vais me borner à vous expliquer ici l'histoire abrégée du premier mois que je passai dans ce couvent, c'est-à-dire les principales anecdotes de cet intervalle (...)
SADE, Justine..., t. I, p. 179 (1791).

*Procédure abrégée.*

*Mot abrégé, expression abrégée :* abréviation.

CONTR. **Allonger, amplifier, développer, étendre.** ◇ DÉR. **Abrégé, abrégeable, abrégement.**

**ABRÊTIER** [abʀetje] ou **ABRÊT-NOIR** [abʀɛnwaʀ] n. m. → **Airelle.**

**ABREUVAGE** [abʀœvaʒ] n. m. — 1262, t. de dr. ; de *abreuver.*

♦ **1** Vx. Action d'abreuver. *L'abreuvage des chevaux.* → **Abreuvement.**

♦ **2** Régional. Point d'eau où l'on abreuve les animaux. *Pêcher dans un abreuvage.*

**ABREUVEMENT** [abʀœvmɑ̃] n. m. — XIIIe, *abevrement ;* de *abreuver.*

♦ **1** Action d'abreuver (des bêtes). *L'abreuvement des chevaux, des troupeaux.* → **Abreuvage** (vx).

♦ **2** Par métaphore. Littér. « *Un abreuvement (...) à la poésie* » (Goncourt). « *Cet abreuvement de lumière* » (Gide, *in* T. L. F.).

**ABREUVER** [abʀœve] v. tr. — XIIIe, *abrever ; abevrer,* XIIe ; du lat. pop. **abbiberare,* lat. class. *bibere* « boire ».

**I** ♦ **1** Faire boire abondamment (un animal, et, spécialt, un cheval). *Abreuver un troupeau, les vaches.*

(...) d'un arrosoir infatigable elle sollicitait la paresse du nonchalant végétal. La terre buvait à merveille, semblait toujours avoir soif. Si bien soigné, abreuvé, le haricot succomba.
MICHELET, la Femme, p. 128. 1

Faire boire abondamment, désaltérer, verser à boire à (qqn). → **Désaltérer.** *Abreuver et nourrir qqn.*

L'hôte se lassa d'abreuver tant de gosiers altérés. 2
A.-R. LESAGE, le Diable boiteux, 8.

*Abreuver qqn de...* (une boisson). *Abreuver ses convives des meilleurs vins.*

♦ **2** Fig., littér. (le sujet désigne le liquide). Imbiber, imprégner. → **Pénétrer, saturer.** *Les eaux abreuvent les champs.* → **Arroser.**

Qu'un sang impur abreuve nos sillons. 3
ROUGET DE L'ISLE, la Marseillaise.

Loc. fig. (Sujet n. de personne). Vieilli. *Abreuver qqn de ses larmes :* lui donner le spectacle de sa douleur. — (Passif). *Être abreuvé de larmes :* souffrir, subir des peines qui font pleurer.

Me nourrissant de fiel, de larmes abreuvée, 4
RACINE, Phèdre, IV, 6.

Oh ! Venez, vous qui partagez ma perte, venez partager mes douleurs ; venez nourrir mon cœur de vos regrets, venez l'abreuver de vos larmes, c'est la seule consolation que l'on puisse attendre, c'est le seul plaisir qui me reste à goûter. 5
ROUSSEAU, Julie ou la Nouvelle Héloïse, t. II, p. 394.

♦ **3** Littér. Remplir abondamment, donner abondamment à. → **Combler, couvrir.** *Abreuver qqn d'attentions.*

L'homme a toujours besoin de caresse et d'amour. 6
Sa mère l'en abreuve alors qu'il vient au jour (...)
A. DE VIGNY, Poèmes philosophiques, « La colère de Samson ».

Plus cour. *Abreuver qqn de chagrins, de coups, de dégoût, de honte, d'injures...* → **Accabler.** *Être abreuvé de tristesses, d'amertumes, de privations.*

Vous insultez le juste abreuvé d'amertumes 7
HUGO, les Châtiments, IV, 4.

M. Eyssette, de le voir éternellement la larme à l'œil, avait fini par le prendre en grippe et l'abreuvait de taloches (...) 8
Alphonse DAUDET, le Petit Chose, I, 2.

Nous avons vu des femmes rejetées par leur milieu, abreuvées d'opprobres, uniquement « parce qu'on parlait d'elles ». 9
F. MAURIAC, la Province, p. 44.

♦ **4** Absolt. (Sujet n. de chose). Étancher la soif.

**II** Techn. (Sujet n. de personne). Imbiber abondamment. Absolt. Mettre des couches très diluées d'enduit, de peinture sur une surface pour en boucher les pores.

*Abreuver des tonneaux :* les remplir d'eau (pour s'assurer qu'ils ne fuient pas, pour faire gonfler les douves...).

(Sujet n. du liquide). S'infiltrer dans le moule (en parlant du métal en fusion).

◆ **S'ABREUVER** v. pron. Boire (au propre et au fig.). *S'abreuver à une source, à une fontaine. S'abreuver à longs traits. S'abreuver d'eau.*

9.1 Par instants ce rideau s'interrompt et permet accès aux pirogues, aux passeurs, au bétail qui vient s'abreuver.
GIDE, Voyage au Congo, *in* Souvenirs, Pl., p. 835.

Par métaphore. *Il s'abreuve aux sources pures de la science.* → **Nourrir** (se nourrir).

10 Dans le torrent d'amour où toute âme se noie,
Où s'abreuve de feux le séraphin brûlant,
HUGO, Odes, V, 16, p. 285.

◆ **ABREUVÉ, ÉE** p. p. adj. Voir à l'article.

DÉR. **Abreuvage, abreuvement, abreuvoir.**

**ABREUVOIR** [abʀœvwaʀ] n. m. — XIII^e; de *abreuver.*

♦ **1** Lieu, point d'eau aménagé pour faire boire les animaux. *Conduire, mener les bêtes, les troupeaux à l'abreuvoir. Une nappe d'eau, un étang servait d'abreuvoir.*

Par ext. Point d'eau naturel. *Cette flaque d'eau est l'abreuvoir des bêtes fauves.*

Spécialt. Grand récipient, souvent de forme allongée, où peuvent s'abreuver les animaux d'élevage. → **Auge, bassin.** *Un abreuvoir creusé dans un tronc d'arbre. Abreuvoir en bois, en ciment, de pierre. Une auge d'abreuvoir. Abreuvoir des vaches, pour les vaches. Se laver dans l'abreuvoir de la ferme. — Abreuvoir automatique, abreuvoir à niveau constant. Abreuvoir antigel, abreuvoir chauffant.*

Le brancard a été posé sur l'accotement, près d'un abreuvoir où les soldats de toutes armes viennent emplir leurs bidons. MARTIN DU GARD, les Thibault, VII, 85.

Petit récipient où peuvent s'abreuver les oiseaux (en cage, en volière, etc.).

Loc. fig., fam. (vieilli). *Abreuvoir à mouches :* balafre, plaie au visage.

♦ **2** Fig. **a** Lieu où l'on s'abreuve, où l'on boit; spécialt, cabaret.

**b** Littér. (abstrait). Lieu, chose qui sert à étancher une soif (fig.), à apaiser un besoin.

**ABRÉVIATEUR, TRICE** [abʀevjatœʀ, tʀis] adj. et n. — Deuxième moitié du XIV^e; bas lat. *abbreviator* «rédacteur d'abrégés», «employé pontifical».

♦ **1** Adj. Qui abrège. → **Abréviatif.** *«Peintres dont le regard est synthétique et abréviateur»* (Baudelaire, *Curiosités esthétiques,* Pl., p. 338).

1 Il y a des esprits si abréviateurs qu'ils suppriment toute la série fatale chez les autres et ne pénètrent pas dans la suite de leurs ébranlements.
VALÉRY, Cahiers, Pl., t. II, p. 338.

♦ **2** N. Personne qui abrège un ouvrage.

♦ **3** Hist. relig. *Abréviateur apostolique :* employé de la chancellerie romaine chargé de rédiger et de réviser les lettres apostoliques, les brefs.

2 (...) les Abréviateurs, les Maîtres des cérémonies, les Camériers secrets (...)
Ed. et J. DE GONCOURT, Madame Gervaisais, p. 95.

**ABRÉVIATIF, IVE** [abʀevjatif, iv] adj. — 1442; de *abréviation.*

Didact. Qui sert à abréger ou à noter une abréviation. *Signes abréviatifs.*

Il se nommait Nabuchodonosor, mais il ne répondait qu'à l'appellation abréviative et familière de Nab.
J. VERNE, l'Île mystérieuse, t. I, p. 16.

CONTR. **Augmentatif.** ◊ DÉR. **Abréviativement.**

**ABRÉVIATION** [abʀevjasjɔ̃] n. f. — V. 1450; «écrit, texte abrégé», 1375; bas lat. *abbreviatio.*

♦ **1** Vx. Abrégement (de temps).

♦ **2** Retranchement de lettres dans l'écriture d'un mot, de mots dans une phrase, pour écrire plus vite ou prendre moins de place. *Abréviation de* c'est-à-dire *en* c.-à-d., *de* Mademoiselle *en* M^lle, *de* kilogramme *en* kg.

Les médecins ont leurs abréviations, comme les mécaniciens. Plus on vit une existence agitée, hâtive, où les paroles, comme le temps, sont de l'argent, plus on tend à raccourcir phrases et mots. 1
A. DAUZAT, le Génie de la langue franç. p. 63.

Ils avaient voulu armer «contre l'ennemi de l'intérieur», les milices patriotiques, que leurs adversaires appelaient, par bienveillante abréviation, les mil-pat : les mille-pattes. 2
MALRAUX, Antimémoires, Folio, p. 117.

♦ **3** Mot ou expression abrégés. → **Sigle.** *Tableau des abréviations d'un ouvrage de référence. Les symboles* d'arithmétique, de métrologie, de physique, de chimie, sont souvent des abréviations.*

ABRÉVIATIONS LES PLUS USITÉES : Voir tableau page suivante.

ABRÉVIATIONS EN MUSIQUE : Voir tableau page suivante.

CONTR. **Addition, allongement, amplification, développement, extension, paraphrase, rallonge.** ◊ DÉR. **Abréviatif.**

**ABRÉVIATIVEMENT** [abʀevjativmɑ̃] adv. — 1830; de *abréviatif.*

Didact. ou littér. Sous une forme abrégée. *Noter qqch. abréviativement.*

**ABRI** [abʀi] n. m. — 1170; de l'anc. franç. *abrier* «mettre à l'abri»; du bas lat. *apricare,* lat. class. *apricari* «se chauffer au soleil»; (*abrier* est encore utilisé dans l'Ouest (Normandie), au sens de «couvrir», *s'abrier* au sens de «se mettre à couvert»).

**A** Concret. ♦ **1** (Emploi général). Lieu où l'on peut mettre à couvert, protéger contre les intempéries ou un danger des personnes ou des choses; ce qui met en sûreté contre un danger. → **Asile, refuge, retraite.** *Un abri contre la pluie. Un abri contre les regards indiscrets.*

S'il est aux bords déserts du torrent ignoré
Quelque rustique abri de verdure entouré,
LAMARTINE, Méditations philosophiques.

Mais les plus délicieux abris étaient ceux qu'élirent les colombes. Elles se tenaient sur d'amers oliviers vacillants au crépuscule.
Francis JAMMES, le Roman du lièvre, p. 41.

On descend à la file indienne dans un abri superbement aménagé et on s'assied sur des chaises de jardin.
S. DE BEAUVOIR, la Force de l'âge, p. 421.

REM. Les mots désignant des abris sont nombreux, la notion étant très large; mais le mot *abri* est d'usage limité et ne peut pas toujours s'employer à la place du terme spécial. → **Habitation, maison; baraque, cabane, case, foyer, gîte, guérite guitoune, hutte, logement. Alcôve, reposoir. Kiosque, pavillon.**

**Couverture, clôture, fermeture; auvent, dais, marquise, toit. Galerie, porche, préau.**

**Bâche, banne, tente. Écran, paravent, rideau.**

### Abréviations les plus usitées

| | |
|---|---|
| A. | Altesse. |
| @ | *a commercial*; symbole séparateur dans une adresse électronique. |
| A. I. | Altesse impériale. |
| A. R. | Altesse royale. |
| B. P. F. | Bon pour francs. |
| C. | Commandeur. |
| C.-à-d. | C'est-à-dire. |
| C/c | Compte courant. |
| C/o | Anglic. Care of : *aux bons soins de.* |
| Cf. | Confer : *reportez-vous à.* |
| C. G. A. | Confédération générale agricole. |
| C. G. C. | Confédération générale des cadres. |
| C. G. S. | Centimètre, gramme, seconde. |
| C. G. T. | Confédération générale du travail. |
| C.G.T.F.O. | Confédération générale du travail force ouvrière. |
| C. F. D. T. | Confédération française du travail. |
| C. F. T. C. | Conféd. franç. des travailleurs chrétiens. |
| Ch. ou Chap. | Chapitre. |
| C$^{ie}$ | Compagnie. |
| C. C. P. | Compte chèques postaux. |
| C$^{te}$ ou C. | Compte. |
| C$^{te}$ ou C$^{tesse}$ | Comte ou comtesse. |
| C. V. | Cheval-vapeur. |
| C. V. | Curriculum vitae. |
| D. | Don ou Dom. |
| Delt. | Delineavit : *dessiné.* |
| D$^{o}$ | Dito : *ce qui a été dit.* |
| D. O. M. | Deo optimo maximo : *À Dieu très bon, très grand.* |
| D. O. M. | Département d'outre-mer. Cf. T. O. M. |
| D. P. L. G. | Diplômé par le gouvernement. |
| D$^{r}$ | Docteur. |
| E. ou Em. | Éminence. |
| E. V. | En ville. |
| Esq. | Esquire. |
| & | Et (lettres *e* et *t* liées). |
| Etc. | Et cœtera : *et le reste.* |
| Exc. | Excellence. |
| Ex. | Exemple. |
| F. ou F∴ ou Fr. | Frère. |
| F$^{co}$ | Franco. |
| F$^{o}$ | Folio. |
| G. C. | Grand-croix. |
| G. I. G. | Grand invalide de guerre. |
| G. O. | Grand Officier. |
| H. P. | Horse-power : *cheval-vapeur.* |
| H. P. | Hôpital psychiatrique. |
| Id. ou Ibid. | Idem ou ibidem : *dans le même endroit.* |
| I. H. S. | *Iesus Hominum Salvator :* monogramme du Christ. |
| I. N. R. I. | *Iesus Nazarenus Rex Iudaeorum :* Jésus, nazaréen, roi des Juifs. |
| In-4$^{o}$ | In quarto : *en quatre.* |
| In-8$^{o}$ | In octavo : *en huit.* |
| I. V. G.* | Interruption volontaire de grossesse. |
| J.-C. | Jésus-Christ. |
| LL. AA. | Leurs Altesses. |
| LL. EE. | Leurs Éminences. |
| LL. MM. | Leurs Majestés. |
| L. Q. | Lege quaeso : *lisez, je vous prie.* |
| Mad. ou M$^{me}$ | Madame. |
| M$^{d}$, M$^{de}$ | Marchand, marchande. |
| M$^{lle}$ | Mademoiselle. |
| M$^{e}$ | Maître (avocat, avoué, notaire). |
| M. I. | Majesté impériale. |
| M. R. | Majesté Royale. |
| M$^{is}$, M$^{ise}$ | Marquis, marquise. |
| M. ou M$^{r}$ | Monsieur. |
| MM. | Messieurs. |
| M$^{gr}$ | Monseigneur. |
| N$^{gt}$ ou N$^{t}$ | Négociant. |
| N$^{a}$ | Nota. |
| N. B. | Nota bene : *notez bien.* |
| N.-D. | Notre-Dame. |
| N.-S.-J.-C. | Notre-Seigneur-Jésus-Christ. |
| N$^{o}$ | Numéro. |
| Pass. | Passim : *en divers endroits.* |
| P. C. B. | Physiques, chimiques, biologiques, (certificat d'études). |
| P. D. | Port dû. |
| P.-D. G.* | Président-Directeur général. |
| P. P. | Port payé. |
| P.-S. | Post-scriptum : *après l'écriture.* |
| P. C. C. | Pour copie conforme. |
| P. p. c. | Pour prendre congé. |
| P. T. T. | Postes, Télégraphes, Téléphones, puis Télécommunications. |
| S. F. | Sans frais. |
| S. G. D. G. | Sans garantie du gouvernement. |
| S. G. | Sa Grâce (duc), Sa Grandeur (prélat). |
| S. H. | Sa Hauteur (sultan), Son Honneur (lord anglais). |
| S., S$^{t}$, S$^{te}$ | Saint, sainte. |
| S. V. P. | S'il vous plaît |
| S. A. I. et R. | Son Altesse Impériale et Royale. |
| S. Em. | Son Éminence (cardinal). |
| S. Exc. | Son Excellence (ministre, ambassadeur, évêque). |
| S. M. | Sa Majesté. |
| S. S. | Sa Sainteté (le pape), Sa Seigneurie. |
| S. O. S. | Signal de détresse. |
| T. O. M. | Territoire d'outre-mer. |
| T. S. F. | Télégraphie sans fil. |
| T. S. V. P. | Tournez s'il vous plaît. |
| U. V. ou UV | Unité de valeur<br>Ultra-violet(s) |
| V$^{e}$ ou V$^{ve}$ | Veuve. |
| V. | Votre. |
| V$^{te}$, V$^{tesse}$ | Vicomte, vicomtesse. |
| W.-C. | Water-closet. |
| X. ou N. | Inconnu ou anonyme. |

ABRÉVIATIONS EN MUSIQUE

| | | | | | |
|---|---|---|---|---|---|
| Ad libit. | Ad libitum. | D. C. | Da capo. | Mor. | Morendo. |
| Accel. | Accelerando. | Decresc. | Decrescendo. | P. P. et P. P. P. | Pianissimo. |
| Ad$^{go}$ | Adagio. | Dim. | Diminuendo. | P. | Piano. |
| Affett$^{o}$ | Affettuoso. | Dol. | Dolce. | P. f. | Piano forte. |
| Ag$^{o}$ ou Agit$^{o}$ | Agitato. | F. | Forte. | Rinf. | Rinforzando. |
| All$^{tto}$ | Allegretto. | Fp. | Forte piano. | Ritard. | Ritardando. |
| All$^{o}$ | Allegro. | F. F. et F. F. F. | Fortissimo. | Rit. ou Riten. | Ritenuto. |
| Andn$^{o}$ | Andantino. | M. f. | Mezzo-forte. | Smorz. | Smorzando. |
| And$^{te}$ | Andante. | M. p. | Mezzo-piano. | Sot. voc. | Sottovoce. |
| Cresc. | Crescendo. | Mez. voc. | Mezzo-voce. | V. S. | Volti subito. |

**Ombrelle, parapluie, parasol.**

**Entrepôt, garage, gare, garde-meubles, grange, grenier, hangar, magasin, remise, resserre.** — *(Abri de feuillage).* → **Feuillée, forêt, gloriette, tonnelle.**

*Abris pour les végétaux, les cultures.* → **Abat-vent, abrivent, auvent, brise-vent, chapeau, chaperon, châssis, claie, cloche, mur, paillasson, serre.**

*Abris particuliers aux animaux.* → **Aire, antre, bauge, bergerie, bouvril, bouverie, box, cabane, cage, chambre, chenil, clapier, cocon, coquille, demeure, écurie, étable, garenne, gîte, lapinière, loge, niche, poulailler, porcherie, rabouillère, repaire, reposée, retraite, ruche, soue, tanière, terrier, vacherie.**

*Abris marins.* → **Accul, acrostole, ancrage, anse, baie, bassin, bastingage, brise-lames, cagnard, carbet, château, cirque, cockpit, coqueron, crique, darse, deck-house, digue, dunette, havre, jetée, kiosque, môle, mouillage, port, rade, rouf, soute, taud, tendelet, tenderolle, teugue, timonerie.**

*Abris militaires.* → **Fortification; baraquement, barbelé, barricade, blindage, blockhaus, boyau, cagna** (argot), **caponnière, casemate, caserne, épaulement, fort, fortin, forteresse, gabionnade, galerie, guérite, mantelet, masque, mur, muraille, pare-éclats, rempart, retirade, retranchement, tour, tourelle, tranchée, tranchée-abri.**

♦ **2** Emplois spéciaux. [a] Mar. Lieu (port, rade, etc.) protégé du vent, de la mer, des courants, où les bateaux se trouvent en sûreté. *Une côte sans abri. Un abri sûr par vent d'Ouest. Gagner, rallier un abri.*

[b] Habitation rudimentaire, très souvent provisoire. → **Baraquement, cabane, hutte, tente.**

2.2 Non loin, quelques cases, qui semblent plutôt des abris provisoires (...)

GIDE, Voyage au Congo, *in* Souvenirs, Pl., p. 830.

[c] Toit supporté par des montants, ou construction rudimentaire destinée à protéger le voyageur (à la campagne, en montagne [→ **Gîte**]; aux arrêts de train, d'autobus [→ **Abribus, aubette**]). → **Refuge.**

[d] Milit. Installation, au sol ou en sous-sol, destinée à protéger du feu ennemi. → **Boyau, tranchée; cagna** (argot). *Un abri souterrain. Tranchée-abri :* tranchée couverte. *Abris fortifiés.* → **Fortification; blockhaus, casemate, fortin.** *Abri bétonné, blindé, cuirassé.* — Tout lieu souterrain qui, dans une agglomération, est susceptible de protéger contre les bombardements. *Abri antiaérien. Abri antiatomique,* destiné à protéger ses occupants contre les effets d'une arme atomique. *Abri équipé.*

[e] (1936, *in* Petiot). Sports. Véhicule, coureur qui protège un coureur du vent.

[f] (Protection des choses). *Abri météorologique :* enceinte protégeant les instruments. *Température relevée sous abri.* — *Abris naturels et artificiels,* en agriculture. → **Châssis, cloche; abrivent, brise-vent.**

**B** Fig. Ce qui préserve de l'adversité. → **Protection, refuge.**

Au fond, toute âme humaine est cela : une fragile lumière en marche vers quelque abri divin, qu'elle imagine, cherche et ne voit pas. 3

A. MAUROIS, le Cercle de famille, p. 167.

**C** Loc. adv. **À L'ABRI :** à couvert des intempéries, des dangers. *Se mettre à l'abri.* → **Abriter** (s'), **planquer** (se), **réfugier** (se). *Mettre des dossiers à l'abri,* en lieu sûr.

Dans une rade où ils se trouvèrent à l'abri. 4

FÉNELON, Télémaque, 9.

Vous ne pouvez enfin qu'aux dépens de sa tête 5
Mettre à l'abri la vôtre (...) CORNEILLE, Pompée, I, 1.

Il y a toujours moins de courage à emboîter le pas qu'à se détacher d'un ensemble, lorsque ce détachement même, loin de vous mettre à l'abri, vous expose. 6

GIDE, Journal, p. 1151.

Lorsque l'enfant lui racontait qu'il avait eu bien chaud, lorsqu'il lui revenait les vêtements secs, elle éprouvait une reconnaissance vague, un contentement de le savoir à l'abri, les pieds devant le feu. 6

ZOLA, le Ventre de Paris, t. I, p. 192.

Loc. fam. (vx). *Mettre qqn à l'abri,* en prison. → (Mod.). À l'ombre.

Loc. prép. **À L'ABRI DE... :** à couvert contre (qqch.), hors d'atteinte de...

L'astre roi se couchait. Calme, à l'abri du vent, 7
La mer réfléchissait ce globe d'or vivant,
Ce monde, âme et flambeau du nôtre (...)

HUGO, les Orientales, I, 4.

En vain quelques soldats fidèles ont voulu 8
Résister, à l'abri d'un créneau vermoulu (...)

HUGO, la Légende des siècles, XVIII, XIII, II.

Encore si vous naissiez à l'abri du feuillage 9
Dont je couvre le voisinage (...)

LA FONTAINE, Fables, I, 22.

Figuré :

À l'abri de ce badinage, je dis des vérités. 1

VOLTAIRE, Lettres 10, 11 janv. 1732.

Je répète, avec le vieux proverbe : «Celui qui aime et qui est aimé est à l'abri des coups du sort.» 1

A. DE MUSSET, Comédies et Proverbes, t. II.

Loc. *Mettre qqn à l'abri de (qqch.) :* le protéger de (qqch.). → **Préserver.** *Se mettre à l'abri de (qqch.).* — *Être à l'abri du besoin.*

La tombe délia Mirabeau de ses promesses, et le mit à l'abri des périls que vraisemblablement il n'aurait pu vaincre. 1

CHATEAUBRIAND, Mémoires d'outre-tombe, t. I, p. 226.

CONTR. **Découvert** (à); **exposé** (à). ◊ DÉR. **Abriter.** → COMP. **Abribus, abri-sous-roche, abrivent. Sans-abri.**

**ABRIBUS** [abʀibys] n. m. — 1965; nom déposé, de *abri*, et de *(auto)bus*.

Édicule placé à certains arrêts d'autobus, destiné à abriter les usagers des intempéries, et pouvant comporter une cabine de téléphone et d'autres accessoires de la voirie (recomm. off. : *aubette**). *«Deux cents abribus dont 160 munis de téléphones ont déjà été montés dans les XIe, XVe et XXe arrondissements» (l'Express,* p. 59, 8 janv. 1973).

**ABRICOT** [abʀiko] n. m. — 1545, *arbricoz;* 1525, *aubercot;* arabe d'Espagne *ăl-bărqūq*, calqué du grec *praikokkion* «fruit précoce» par l'intermédiaire de l'esp. *albaricoque* ou du port. *albricoque* pour la forme moderne, du catalan *albercoc* pour *aubercot*.

♦ **1** Fruit de l'abricotier, à noyau, à chair et peau jaune orangé. *Abricots frais, secs, en confiture, en gelée. Compote, marmelade d'abricots. Les amandes de l'abricot sont recherchées par les confiseurs. Pêche*-abricot.*

1 Charles, pour lui obéir, s'était rassis, et il crachait dans sa main les noyaux des abricots, qu'il déposait ensuite dans son assiette. FLAUBERT, Mme Bovary, Folio, p. 274.

♦ **2** (1740). Couleur jaune orangé de ce fruit. *Un abricot tirant sur le rouge.* — Adj. *Un ruban abricot, une robe abricot.* → **Abricotine.**

2 Ce jaune se doroit peu à peu, et passoit du *(sic)* couleur d'or à l'aurore, à l'abricot, à l'isabelle, tombant enfin dans l'orangé, (...)

L. B. CASTEL, l'Optique des couleurs, p. 179, *in* D. D. L., II, 20.

♦ **3** Fig., érotique. *Abricot, abricot fendu :* sexe de la femme.

3 Il vient en secret après l'école il la baise il ne lui parle jamais elle crève à petit feu il lui mord l'abricot jusqu'au sang... Tony DUVERT, Paysage de fantaisie, p. 135.

DÉR. **Abricoté, abricoter, abricotier, abricotine.**

**ABRICOTÉ, ÉE** [abʀikɔte] adj. — 1628, *prune abricotée;* n. m., 1690, Furetière, «abricot confit»; de *abricot*.

♦ **1** Agric. *Pêche abricotée,* qui ressemble à l'abricot (pêche à chair jaune). On dit plus couramment *une pêche-abricot.*

♦ **2** Cour. Aux abricots; parfumé à l'abricot. *Crème abricotée. Gâteau abricoté.*

**ABRICOTER** [abʀikɔte] v. tr. — 1866, terme d'horticulture; *abricoter,* 1887; de *abricot*.

Pâtiss. Recouvrir (un gâteau, etc.) d'une marmelade d'abricots; parfumer à l'abricot.

**ABRICOTIER** [abʀikɔtje] n. m. — 1526; de *abricot*.

Arbre fruitier de la famille des Rosacées (dicotylédone, dialypétale), originaire d'Arménie, à fleurs blanches paraissant avant les feuilles, qui produit l'abricot.

**ABRICOTINE** [abʀikɔtin] n. f. — 1843, au sens 1.; 1654, «abricot précoce»; de *abricot*.

♦ **1** Géol. Marbre comportant une couleur abricot.

♦ **2** Cour. Alcool blanc fait avec des abricots. *Une bouteille d'abricotine.*

**ABRI-SOUS-ROCHE** (avec ou sans traits d'union) [abʀisuʀɔʃ] n. m. — 1869; de *abri, sous* et *roche*.

Didact. (géol., préhist.). Enfoncement dans une paroi rocheuse, surplombé par une avancée (et moins profond qu'une caverne*).

Le nombre des cavernes et des *abris sous roches* ayant fourni des restes de l'industrie humaine augmente tous les jours.

L. FIGUIER, l'Année scientifique et industrielle 1870, p. 371 (1869).

**ABRITER** [abʀite] v. tr. — 1489, attestation isolée; 1740, *abrité*, t. d'hortic.; de *abri*.

♦ **1** Mettre à l'abri. *Abriter qqn contre qqch.* → **Garantir, préserver, protéger.** *Il l'a abrité de la pluie, sous, avec son parapluie. Abriter qqch. de..., contre.*

♦ **2** (Le sujet désigne un abri). Protéger. → **Protéger; cacher, couvrir.** *Abriter sous son ombre.* → **Obombrer** (littér.). *L'auvent est trop petit pour vous abriter du soleil.*

Le port artificiel abritait devant lui d'innombrables navires aux sombres carènes (...) FRANCE, Thaïs, p. 52. 1

(Le sujet désigne un lieu). Recevoir, être capable de recevoir (des occupants). → **Héberger, loger;** → Donner asile*, donner l'hospitalité* à... *Cet immeuble abrite trente familles, cent personnes. — Ce garage peut abriter vingt voitures.* → **Garer.** — *Ce local abrite les services commerciaux,* leur est affecté.

♦ **3** Littér. Dissimuler (ses sentiments).

C'est une espèce de philosophe silencieux comme les solitaires, abritant sa méfiance de paysan sous d'épais sourcils en broussailles. 2

Alphonse DAUDET, Lettres de mon moulin, p. 246.

◆ **S'ABRITER** v. pron.

♦ **1** Se mettre à l'abri (des intempéries, du danger). → **Garantir** (se), **préserver** (se), **protéger** (se). *S'abriter du vent, de la pluie sous, derrière qqch.*

Le bateau (...) était une vieille embarcation de la douane, à demi-pontée, où l'on n'avait pour s'abriter du vent, des lames, de la pluie, qu'un petit rouf goudronné, à peine assez large pour tenir une table et deux couchettes. 3

Alphonse DAUDET, Lettres de mon moulin, p. 96.

Elle avait une main sur les yeux, pour s'abriter du soleil de midi (...) 4

Léon DAUDET, la Femme et l'Amour, p. 24.

Absolt. *S'abriter sous un arbre.* → **Cacher** (se).

L'homme, par les soirs pluvieux d'octobre et de novembre, éprouve surtout l'instinctif désir de s'abriter au gîte (...) 5

LOTI, Ramuntcho, p. 5.

♦ **2** Fig. *S'abriter derrière qqn :* faire assumer par une personne plus puissante une responsabilité, une initiative qu'elle a partagée. *S'abriter derrière la loi :* mettre en avant des arguments purement juridiques, formels, pour éviter d'assumer une responsabilité.

◆ **ABRITÉ, ÉE** p. p. adj.

♦ **1** Qui est à l'abri des intempéries (lieux). *Une terrasse bien abritée. Port abrité; rade bien abritée* (s'oppose à *forain*).

♦ **2** (Êtres vivants). Qui est à l'abri (au propre et au figuré).

Abrité par les roseaux, le chasseur guette les canards du fond de sa barque (...) 6

Alphonse DAUDET, Lettres de mon moulin, p. 241.

Par ext. *Une existence abritée* (du danger).

Ce que mon âge trop tendre, ma trop courte expérience et une vie abritée m'empêchèrent de voir, c'est la fortune et ses coups. FRANCE, la Vie en fleur, p. 241. 7

CONTR. **Découvrir, exposer.**

**ABRIVENT** ou **ABRI-VENT** [abʀivɑ̃] n. m. — 1752; de *abri*, et *vent*.

♦ **1** Vx. Abri pour une sentinelle au bivouac.

♦ **2** Techn. Paillasson vertical pour protéger des plantes du vent, des intempéries; par ext., tout ce qui coupe le vent, dans un bocage (haies, talus, etc.). → **Brise-vent.** «*Dans les pâturages, on conserverait les abris-vent au maximum, mais on les supprimerait à l'intérieur des zones de culture...*» (*le Monde*, 29 août 1973, *in* la Clé des mots). — Plur. : des *abrivents*, des *abris-vent*.

**ABROGATIF, IVE** [abʀɔgatif, iv] ou **ABROGATOIRE** [abʀɔgatwaʀ] adj. — 1845; Lachâtre, 1853; du rad. de *abrogation*.

Didact. (dr.). Qui abroge (un texte, une loi), est destiné à abroger. *Mesures abrogatives ou abrogatoires. Loi abrogative.*

**ABROGATION** [abʀɔgasjɔ̃] n. f. — Av. 1356; lat. *abrogatio* «action d'annuler un texte juridique».

Action d'abroger. → **Annulation, retrait.** — Dr. *Abrogation expresse. Abrogation tacite. L'abrogation d'une loi.*

CONTR. **Promulgation.** ◊ DÉR. V. **Abrogatif.**

**ABROGEABLE** [abʀɔʒabl] adj. — 1843; de *abroger*.

Didact. (admin., dr.). Qui peut être abrogé.

**ABROGER** [abʀɔʒe] v. tr. [CONJUG.: *bouger*.] — Av. 1356; lat. *abrogare*.

Rendre nul, en parlant d'une loi ou d'une disposition légale. → **Abolir, annuler, casser, infirmer, révoquer, supprimer.** *Abroger un règlement, un acte réglementaire.*

1 Abroger une loi, c'est lui retirer sa force obligatoire, soit qu'on remplace ses dispositions par des dispositions différentes, soit qu'on la supprime purement et simplement.
M. PLANIOL, Traité élémentaire de droit civil, I, p. 98.

2 Au reste, il ne faut jamais souffrir qu'aucune loi tombe en désuétude. Fût-elle indifférente, fût-elle mauvaise, il faut l'abroger formellement, ou la maintenir en vigueur.
ROUSSEAU, le Gouvernement de Pologne, X.

CONTR. **Établir, instituer, promulguer.** ◊ DÉR. **Abrogeable.**

**ABROUTI, IE** [abʀuti] adj. — 1585; p. p. de l'anc. franç. *abroutir* «brouter les jeunes pousses».

Techn. (agric.) ou régional. Qui a été brouté par le bétail, en parlant des taillis.

**ABROUTISSEMENT** [abʀutismɑ̃] n. m. — 1669; de l'anc. franç. *abroutir*. → Abrouti.

Vieux ou régional.

♦ **1** Action de brouter les taillis (pour le bétail).

Ces arbres, souvent gâtés par l'abroutissement du bétail, ne s'élèvent pas.
BUFFON, Hist. nat. des végétaux, Expériences sur les végétaux.

♦ **2** Déformation d'un arbre, d'un taillis abrouti.

**ABRUPT, UPTE** [abʀypt] adj. et n. m. — 1512, «dissonant, rauque (voix)»; lat. *abruptus* «coupé brusquement», «à pic», de *rumpere* «rompre».

**I** Adj. ♦ **1** Dont la pente est brusquement rompue, quasi verticale. *Versant abrupt. Montagne abrupte.* → **Escarpé, pic** (à pic), **raide.** — *Chemin abrupt.* → **Droit, raide.**

1 L'espèce de succion qu'exercent la profondeur abrupte et son vide. VALÉRY, Mon Faust, p. 211.

♦ **2** Fig. Dont le caractère est net, tranché, sans nuances.

Stendhal est peut-être le seul exemple qui existe dans notre littérature d'une disproportion aussi abrupte, aussi radicale entre les deux versants de la vie littéraire, celui qui est exposé au soleil des vivants et celui qui reçoit le soleil des morts.
A. THIBAUDET, Hist. de la littérature franç., p. 200.

♦ **3** Fig. Se dit d'un style coupé*, d'allure heurtée et inégale. *Des phrases abruptes. Une conclusion abrupte.*

On en a trouvé le style haché, abrupt, incorrect.
DIDEROT, Claude et Néron, II, p. 109.

♦ **4** (1852, Nerval; personnes). Qui est trop direct, qui ne prend pas de ménagements, dont le caractère est brusque, rude. → **Revêche, rude, sauvage.**

**II** N. m. (1869; on a dit *une abrupte* : «*à cause de l'abrupte des falaises*», *Journal off.*, 9 mai 1876, *in* Littré, *Suppl.*). UN ABRUPT : paroi abrupte, verticale. → **À-pic.**

À leurs pieds, une série d'abrupts. Mille coudées plus bas, la vertigineuse descente se perd dans un marécage de brume (...)
J.-R. BLOCH, la Nuit kurde, Livre terrestre, Chant Ier (1925).

Un grand cerf emporté par le poids de ses bois formidables bascula en arrière en essayant de franchir un abrupt et retomba sur une biche en lui brisant l'échine.
M. TOURNIER, le Roi des Aulnes, p. 225.

CONTR. **Doux, insensible, plat. — Harmonieux. — Affable, aimable, civil, sociable.** ◊ DÉR. **Abruptement.**

**ABRUPTEMENT** [abʀyptəmɑ̃] adv. — 1327; de *abrupt*.

♦ **1** D'une manière abrupte. *La route descendait abruptement.*

♦ **2** Fig. Brusquement, inopinément, sans préambule. → **Ex abrupto.** *Conclure, finir abruptement un discours. — Il nous a quittés abruptement.*

**ABRUTI, IE** [abʀyti] adj. et n. — 1845; p. p. de *abrutir*.

♦ **1** *Abruti de, par le (la)...* : dont les facultés intellectuelles sont temporairement amoindries par... *Être abruti de (par le) chagrin, de fatigue, de travail*, etc. → **Étourdi.** — «*Une aristocratie gâteuse, abrutie par les clubs*» (R. Rolland, *in* T. L. F.).

Debout! les régiments sont là dans les casernes,
Sac au dos, abrutis de vin et de fureur,
N'attendant qu'un bandit pour faire un empereur.
HUGO, les Châtiments, «Nox».

Il demeurait immobile, abruti d'étonnement et de souffrance (...)
MAUPASSANT, Une page d'histoire inédite, Pl., t. I, p. 192.

REM. Le mot est littér. avec un compl. normalement positif : «*abruti et imbécile d'adoration pour ces chers petits êtres*» (Hugo, *Correspondance*, *in* T. L. F.).

♦ **2** Sans compl. Sans intelligence. *Ce type est tout à fait, complètement abruti.* → **Idiot, stupide.** — *Un air, un regard abruti.* → **Ahuri, hébété.**

(...) il paraît que le vent tourne à la bêtise générale. Avec ça je deviens aussi de jour en jour plus stupide et plus abruti.
FLAUBERT, Correspondance, 1842, p. 12, *in* T. L. F.

N. Personne stupide (surtout employé en injure). *Vous êtes un abruti. Espèce d'abruti!* → **Crétin.**

Abruti! C'est malin ce que tu as inventé là! (...)
Mais Bardolotti, lourd de somnolence, laissait rouler sa tête sur la table (...)
GIDE, les Caves du Vatican, *in* Romans, Pl., p. 807.

CONTR. **Dispos. — Éveillé, intelligent.**

**ABRUTIR** [abʀytiʀ] v. tr. — 1541; de *à*, et *brute*.

♦ **1** Littér. Rendre semblable à la brute, dégrader l'esprit, la raison. *L'alcool l'a complètement abruti.* → **Altérer, dégrader.**

1 Qu'il m'avait paru changé !... Ou mes yeux n'étaient plus les mêmes, ou la débauche avait abruti son esprit, ou tout son premier éclat tenait à celui de la jeunesse, qu'il n'avait plus. ROUSSEAU, les Confessions, t. II, p. 234.

♦ **2** Rendre stupide. → **Abêtir, hébéter, stupéfier.**

2 Le fisc d'une part, la féodalité de l'autre semblaient lutter pour l'abrutir *(le peuple)* sous la pesanteur des maux. MICHELET, Hist. de la révolution franç. p. 78.

♦ **3** Fatiguer l'esprit, lui faire perdre son acuité. — (Sujet n. de chose). *Le bruit des machines nous abrutit.* → **Abasourdir, assourdir, étourdir.** — (Sujet n. de personne). *Abrutir qqn de...,* par (une cause). *Abrutir qqn de travail.* → **Surmener.**

Pron. *S'abrutir (de travail) :* devenir comme hébété.

3 À mesure qu'il s'est abruti, il a tâché de se persuader que l'homme était semblable à la bête. MASSILLON, Carême, Vérité d'un avenir, *in* LITTRÉ.

4 Silène, au dire d'Épicure, était un sage tellement pensif qu'il semblait éperdu. Il s'abrutissait d'infini. HUGO, Post-Scriptum de ma vie, p. 37.

CONTR. **Élever, éveiller.** ◊ DÉR. **Abruti, abrutissant, abrutissement.**

**ABRUTISSANT, ANTE** [abʀytisɑ̃, ɑ̃t] adj. — Fin XVIIe; de *abrutir*.

♦ **1** Vx ou littér. Qui abrutit (1.), dégrade l'être pensant. → **Dégradant.**

1 Les plaisirs abrutissants de la table. MASSILLON, Avent, Noël I.

♦ **2** Qui abrutit (3.). *Un travail abrutissant.* → **Fatigant.**

2 (...) mon père dut me retirer de l'abrutissant séjour et me garder à la maison. Léon BLOY, le Désespéré, p. 30.

3 (...) c'étaient des conversations infinies, où le religieux, naguère élevé dans les abrutissantes disciplines du monde, s'instruisait, une fois de plus, de leur néant, à l'école de ce massacré (...) Léon BLOY, le Désespéré, p. 70.

Fam. *Des médicaments abrutissants.* — N. m. *Des abrutissants* (Geneviève Dormann, *Je t'apporterai des orages,* p. 236).

**ABRUTISSEMENT** [abʀytismɑ̃] n. m. — 1586; de *abrutir*.

♦ **1** Vieilli. État d'une personne qui vit comme une brute, une bête.

♦ **2** Action d'abrutir, de rendre stupide; état d'une personne abrutie. → **Abêtissement, ahurissement, engourdissement, hébétude, stupeur, stupidité.** *L'abrutissement du gâtisme, du crétinisme.*

1 Voilà bien la sirène et la prostituée; —
Le type de l'égout; — la machine inventée
Pour désopiler l'homme et pour boire son sang;
La meule de pressoir de l'abrutissement.
A. DE MUSSET, Premières poésies, «La coupe et les lèvres», IV, I, p. 251.

2 La presse est une école d'abrutissement, parce qu'elle dispense de penser. FLAUBERT, Correspondance, t. IV, p. 74.

3 Ajoutez que, dans la saleté et la misère universelles, par l'oubli des règles les plus ordinaires de l'hygiène, les pestes, la lèpre, les épidémies, s'étaient acclimatées comme sur leur terrain. On en était arrivé aux mœurs des anthropophages de la Nouvelle-Zélande, à l'abrutissement ignoble des Calédoniens et des Papous, au plus bas fond du cloaque humain, puisque le souvenir du passé empirait la misère présente, et que les quelques têtes pensantes, qui lisaient encore l'ancienne langue, sentaient obscurément l'immensité de la chute (...) TAINE, Philosophie de l'art, p. 78.

Le plus souvent l'état visionnaire accable l'homme et le stupéfie. L'abrutissement sacré existe. 4
HUGO, les Travailleurs de la mer, I, 1, 7.

CONTR. **Civilisation, évolution. — Éducation, élévation.**

**ABS-** → **Ab-.**

**A. B. S.** [abeɛs] n. m. — 1982; sigle angl. ***A****nti-lock* ***B****rake* (ou ***B****raking*) «frein» ou «freinage antiblocage» ***S****ystem.*

*Système A. B. S. :* système antiblocage des roues d'un véhicule assurant un freinage optimal sans dérapage. — *Ce modèle possède l'A. B. S.*

**ABSCISION** [apsizjɔ̃] ou **ABSCISSION** [apsisjɔ̃] n. f. — 1155, «apocope»; 1503, t. médical; lat. *abscis(s)io* «action de retrancher».

♦ **1** Méd. (chirurgie). Vieilli. Excision.

♦ **2** Bot. *Couche d'abscission :* partie du pétiole où la feuille se détache de la tige.

**ABSCISSE** [apsis] n. f. — 1732; lat. *abscissa (linea)* «ligne coupée», p. p. de *abscidere* «couper».

Math. Coordonnée horizontale qui permet de déterminer, avec la coordonnée verticale (→ **Ordonnée**), la position d'un point dans un plan. *Porter une grandeur en abscisse. Axe* des abscisses. — Abscisse curviligne.*

**ABSCONS, ONSE** [apskɔ̃, ɔ̃s] adj. — 1478, terme médical; 1509; lat. *absconsus* «caché».

Didact. Difficile à comprendre. → **Abstrus.** *Un raisonnement abscons. Un langage abscons.*

Rosny parle des abstraits et des concrets en littérature et des préférences morales, et de beaucoup de choses absconses, compliquées et peu compréhensibles (...) 1
Ed. et J. DE GONCOURT, Journal, 1888, p. 890.

Vingt revues parmi les plus absconses et les essayistes les mieux en vogue avaient beau prêcher que la philosophie ambiante s'orientait vers le *refus,* il me semblait que j'allais un peu loin. 2
A. BLONDIN, les Enfants du bon Dieu, p. 59.

(Personnes). *Un écrivain, un penseur abscons.*

(...) je suis pris à partie en compagnie de «Rimbaud, Proust, Apollinaire, Suarès, Valéry et Cocteau» comme exemple de ces écrivains «abscons» dont la France ne veut *à aucun prix.* 3
GIDE, Voyage au Congo, *in* Souvenirs, Pl., p. 802.

N. masculin.

Quand l'ébahissement cesse d'être naturel, il prend la forme de l'abscons et du saugrenu. 4
Alain BOSQUET, les Bonnes Intentions, p. 262.

**ABSENCE** [apsɑ̃s] n. f. — Déb. XIIIe; du lat. *absentia* «non présence (d'une personne)».

**I** Non présence. ♦ **1** Le fait de ne pas être dans un lieu où l'on est habituellement, où l'on pourrait ou devrait être normalement. *L'absence de qqn à..., dans..., chez... Son absence cause un grand vide. On a remarqué l'absence de son fils à la cérémonie.*

Loc. **EN L'ABSENCE DE (qqn) :** quelqu'un étant absent. → ci-dessous, III.

(...) La fortune jalouse N'a pas en votre absence épargné votre épouse. RACINE, Phèdre, III, 4. 1

Loc. *Briller par son absence :* se faire remarquer par le fait même d'être absent. — REM. La loc., neutre dans la langue classique, est devenue ironique au XIXe s.

Brutus et Cassius brillaient par leur absence. 2
M.-J. DE CHÉNIER, Tibère, I, 1.

♦ **2** Le fait d'avoir quitté la compagnie de qqn, de ne plus être avec qqn. → **Éloignement, séparation.** *L'absence d'une personne aimée.* — Absolt. *L'absence :* celle des personnes aimées.

3 L'absence est le plus grand des maux.
LA FONTAINE, Fables, IX, 2, 7.

4 L'absence est aussi bien un remède à la haine
Qu'un appareil contre l'amour.
LA FONTAINE, Fables, X, 11.

5 On parle fort diversement Des effets que produit l'absence :
L'un dit qu'elle est contraire à la persévérance;
Et l'autre, qu'elle fait aimer plus longuement;
Pour moi, voici ce que je pense :
L'absence est à l'amour ce qu'est au feu le vent.
Il éteint le petit, il allume le grand.
BUSSY RABUTIN, *in* P. LAROUSSE, (1866) art. *Absence.*

6 L'absence diminue les médiocres passions, et augmente les grandes, comme le vent éteint les bougies, et allume le feu. LA ROCHEFOUCAULD, Maximes, 276.

7 Quand on aime fortement, c'est toujours une nouveauté de voir la personne aimée; après un moment d'absence, on la trouve de manque dans son cœur. Quelle joie de la retrouver!
PASCAL, Disc. sur les Passions de l'amour, p. 140.

8 Et l'absence de ce qu'on aime,
Quelque peu qu'elle dure, a toujours trop duré.
MOLIÈRE, Amphitryon, II, 2.

9 L'absence ni le temps ne sont rien quand on aime.
A. DE MUSSET, Poésies nouvelles, «Rappelle-toi».

10 L'absence unit et désunit, elle rapproche aussi bien qu'elle divise, elle fait se souvenir, elle fait oublier; elle relâche certains liens très solides, elle les tend et les éprouve au point de les briser (...)
E. FROMENTIN, Dominique, p. 18.

11 L'absence n'est-elle pas, pour qui aime, la plus certaine, la plus efficace, la plus vivace, la plus indestructible, la plus fidèle des présences?
PROUST, les Plaisirs et les Jours, p. 142.

11.1 Historiquement, le discours de l'absence est tenu par la Femme : la Femme est sédentaire, l'Homme est chasseur, voyageur; la Femme est fidèle (elle attend), l'Homme est coureur (il navigue, il drague). C'est la Femme qui donne forme à l'absence, en élabore la fiction, car elle en a le temps; elle tisse et elle chante (...)
R. BARTHES, Fragments d'un discours amoureux, p. 20.

REM. L'*absence* est conçue, soit comme une situation caractérisée par le manque psychologique (que crée la non-présence d'un être), soit comme une force abstraite dont les effets sont analogues à ceux du temps (cit. 9, 10, ci-dessus). Ses effets sont toujours relatifs à l'être qui subit l'absence de l'autre.

En emploi absolu (littéraire) :

11.2 L'absence au col tranché que dévore le sang.
Yves BONNEFOY, Poèmes, «Hier régnant désert», p. 101.

♦ **3** (Recouvrant les valeurs 1. et 2.). Le fait de s'absenter, de partir, de ne pas être là; temps que dure cette situation. *Pendant l'absence du directeur, pendant son absence. Une absence prolongée. Faire une absence (longue, brève).*

11.3 (...) la servante fit une absence de quatre jours, sous prétexte d'aller ranger quelque chose à Froidfond
BALZAC, Eugénie Grandet, éd. 1838, p. 338.

Loc. *En cas d'absence.*

11.4 En cas d'absence ou empêchement des procureurs de la République et de leurs substituts, ils seront remplacés par l'un des juges ou suppléants.
Code de Procédure civile, art. 84.

Par métaphore :

11.5 Ce qui vient s'enfuit Le jour est la nuit
Les sommeils sont des absences.
ARAGON, le Voyage de Hollande et autres poèmes, p. 22.

♦ **4** Dr. Situation légale d'une personne qui a cessé de paraître au lieu de son domicile et dont on n'a pas de nouvelles depuis au moins quatre ans. *Jugement déclarant l'absence.*

L'absence, c'est la rupture du lien qui attache l'individu à un lieu déterminé, l'état de choses anormal qui empêche de **situer** l'individu même transitoirement, à ce point que son existence même devient problématique. 12
A. COLIN et H. CAPITANT, Cours élémentaire de droit civil, t. I, p. 434.

Lorsqu'une personne aura cessé de paraître au lieu de son domicile ou de sa résidence, et que depuis quatre ans on n'en aura point eu de nouvelles, les parties intéressées pourront se pourvoir devant le tribunal de première instance, afin que l'absence soit déclarée. 13
Code civil, art. 115, p. 72.

♦ **5** Le fait de ne pas aller (là où on le devrait), de manquer à une séance, à un cours (→ **Absentéisme).** *Des absences trop nombreuses. Signaler les absences d'un élève.* → **Fugue**; → École buissonnière*, fam. sécher (la classe, les cours). Vieilli. *Faire des absences :* faire des fugues.

♦ **6** Le fait (pour une chose) de ne pas se trouver (là où l'on s'attend à la trouver). → **Manque.** *L'absence de feuilles aux arbres.*

♦ **7** Par ext. Le fait de ne pas exister. → **Défaut, manque**; préf. **a-, ana-, dés-, in-; non, sans.** *«L'absence de peur* (cit. 4) *n'est qu'une absence d'imagination».*

(...) il *(le protestant)* ne voyait dans le mal que l'absence du bien, tout comme dans l'ombre l'absence de lumière. 1
GIDE, Dostoïevsky, p. 228.

Il a fait de nouveau très froid cette nuit; mais, par absence de vent, froid supportable. 1
GIDE, Voyage au Congo, *in* Souvenirs, Pl., p. 838.

**II** *(Une, des absences).* Oubli. ♦ **1** *Absence* ou *absence de mémoire* (→ **Trou**) : oubli, défaillance de la mémoire ou de l'attention due à la fatigue, à l'égarement ou à la distraction, à l'étourderie, à l'inattention. *Il a souvent des absences, il est dans la lune.* → **Amnésie.**

Ce sont là des surprises et des absences d'un moment. 1
MASSILLON, Pentecôte, *in* LITTRÉ.

♦ **2** (XXe). Méd. *Absence (épileptique) :* arrêt soudain, de courte durée, de la conscience, sans défaillance des fonctions végétatives, caractéristique de la forme mineure de l'épilepsie *(petit mal).*

**III** Loc. prép. **EN L'ABSENCE DE :** lorsque (qqn) est absent; à défaut de (qqn qui est absent). *En l'absence de mon mari, je ne reçois personne.*

Par métaphore :

Lorsque la volonté se tait, l'instinct parle; en l'absence de l'âme, le corps va son chemin. 1
R. ROLLAND, Jean-Christophe, p. 189.

Fig. *En l'absence de preuves, d'indices, on ne peut pas l'accuser.*

CONTR. **Présence. — Abondance, profusion.**

**ABSENT, ENTE** [apsɑ̃, ɑ̃t] adj. et n. — XIIe, *ausent; absent,* 1296; du lat. *absens, absentis.*

♦ **1** Qui n'est pas où il, elle pourrait ou devrait se trouver normalement. *Il était absent de chez lui, j'ai trouvé porte close. — Elle est absente pour deux mois, elle a été absente deux mois, pendant deux mois. Pendant que je serai absent.*

Et jamais l'Empereur n'est absent de ces lieux. 1
RACINE, Britannicus, II, 6.

♦ **2** Vx. *Être absent de qqn,* séparé de lui.

Dans les amants absents de leurs maîtresses l'image du plaisir et le désir coulent avec leur sang dans les veines et y excitent des transports et des représentations si vives qu'ils produisent souvent les mêmes plaisirs que l'amour 2

lui-même.
HELVÉTIUS, Notes, maximes et pensées, p. 270.

♦ **3** Absolt. Qui n'est pas là où on s'attendrait à le trouver. *Le sous-directeur est absent.*

3 Présente, je vous fuis ; absente, je vous trouve.
RACINE, Phèdre, II, 2.

4 Les charmes d'une maîtresse même absente assiègent vos yeux, sa voix assiège vos oreilles. Tout sert d'aliment à l'amour pour l'étendre et l'accroître (...)
HELVÉTIUS, Notes, maximes et pensées, p. 270.

*Être porté absent.* → **Manquer.** *Voilà des années qu'il est absent et ne donne aucun signe de vie.* → **Parti.** *Être absent.* → **Éloigné ; inexistant.**

5 (...) Et Charles lui semblait aussi détaché de sa vie, aussi absent pour toujours, aussi impossible et anéanti, que s'il allait mourir et qu'il eût agonisé sous ses yeux.
FLAUBERT, Mme Bovary, p. 120.

♦ **4** (Choses). *Être absent quelque part, dans un endroit, être absent de quelque chose :* faire défaut. → **Manquer.** *La gaîté est absente de cette maison. La ponctuation est absente de ce texte.* — (Sans compl.). *Faire semblant de contempler une photo absente.* → **Fictif.**

(...) il a feint de consulter à son poignet une montre absente et il s'est éloigné, sans réfléchir davantage, dans la rue perpendiculaire.
A. ROBBE-GRILLET, Dans le labyrinthe, p. 124.

♦ **5** (Personnes). Qui ne porte pas attention à ce qui l'entoure, qui n'est pas à ce qu'il devrait faire. → **Distrait, inattentif.** *Il reste distrait et comme absent. Avoir l'air, l'esprit absent.* — (Avec un compl.). Littér. *Être absent de soi-même, absent à tout.*

6 Était-ce le chagrin, comme ses filles le supposaient, qui avait fait de lui cet homme étrange, taciturne, comme absent de soi-même, qui semblait mener un autre destin que le sien, ce véritable étranger de la vie.
Edmond JALOUX, les Visiteurs, p. 12.

7 *(Cet air)* absent que les businessmen américains imposent, comme un uniforme, à tous les hommes d'affaires du monde, cet air qui donne à croire que l'on a de si grands soucis, de si hauts devoirs, de si remarquables projets, de si lourdes responsabilités.
G. DUHAMEL, Scènes de la vie future, p. 123.

(Choses) :

Il y avait dans sa voix, de même que dans son regard, quelque chose d'absent — comme s'il eût craint d'être engagé par ses paroles, ou si ce qu'il allait dire l'eût à peine distrait d'une méditation.
MALRAUX, Antimémoires, Folio, p. 35.

♦ **6** N. *Les absents et les présents* (→ 1. Présent). *Dire du mal des absents. Condamner un absent, une absente* (→ **Contumace**). — Loc. proverbiale :

8 Les absents ont toujours tort.
Ph. DESTOUCHES, l'Obstacle imprévu, I, 6.

Par euphémisme. Mort. *Pleurer un absent.* — En emploi adjectif, dans ce sens :

O chers êtres absents, on ne vous verra plus
Marcher au vent penchant des coteaux chevelus
Disant tout bas de douces choses !
HUGO, les Contemplations, IV, 17.

Dr. Qui est dans la situation juridique de l'absence. *Un mari interdit ou absent.*

Le tribunal (...) commettra un notaire pour représenter les présumés absents (...) Code civil, art. 113.

Milit. *Bon absent :* jeune homme qui ne s'est pas présenté devant le conseil de révision, sans présenter d'excuse valable, et qui est censé être bon pour le service.

CONTR. **Présent. — Attentif.**

**ABSENTÉISME** [apsɑ̃teism] n. m. — 1834, Boiste ; *absentisme*, 1828 ; de l'angl. *absenteeism*, de *absentee* « absent ».

♦ **1** Vx. ou didact. (hist.). Habitude prise par les propriétaires fonciers de résider hors de leurs terres.

Son absence même de ses terres, au lieu de soulager ses voisins, augmentait leur gêne. L'absentéisme ne servait pas même à cela (...) 1
A. DE TOCQUEVILLE, l'Ancien Régime et la Révolution, p. 169.

♦ **2** (1846, cit.). Cour. Manque d'assiduité à un travail exigeant la présence en un lieu ; comportement d'une personne qui est souvent absente. *Son carnet scolaire fait état de son absentéisme.*

Si par hasard un maître rigoureux exige de la régularité et l'exécution de la tâche habituelle avec plus d'exactitude que ses voisins, il est exposé à la désertion et à l'absentéisme ; à la désertion, parce que l'employé veut prendre du service chez quelque propriétaire où il pourra se livrer à plus d'indolence, et à l'absentéisme, parce que c'est pour lui un moyen d'échapper temporairement à la contrainte et au travail régulier. 2
Annales maritimes et coloniales, t. 97, p. 79-80 (1846).

(1859). *Absentéisme électoral.* — Spécialt, mod. (dans des contextes traitant de la vie économique, de la production). Tendance à l'absence des lieux de travail, chez les salariés. *La répétitivité des tâches est considérée comme un facteur aggravant l'absentéisme, alors que l'initiative laissée aux exécutants tend à le faire diminuer.*

**ABSENTÉISTE** [apsɑ̃teist] adj. et n. — 1853 ; de *absentéisme*.

Didactique.

♦ **1** Partisan de l'absentéisme* des propriétaires fonciers.

♦ **2** (1866). Qui pratique l'absentéisme (2.). — N. Personne qui est souvent absente, qui manque d'assiduité (dans un travail, une obligation). → **Absentéisme.**

**ABSENTER (S')** [apsɑ̃te] v. pron. — 1322, v. pron. ; emplois transitifs jusqu'au XVIe ; du bas lat. *absentare* « rendre absent », de *absens, -entis.* → Absent.

♦ **1** S'éloigner, se retirer pour un temps plus ou moins long du lieu où l'on se trouvait. *S'absenter de son domicile. S'absenter pour quelques instants.* → **Quitter.** — Absolt. *Demander la permission de s'absenter. Il s'est absenté quelques instants.* → **Éclipser** (s'), **sortir.**

♦ **2** Fig. S'échapper, devenir inattentif (à soi-même, à son entourage). *Il s'absente dans la prière. S'absenter de soi-même.*

On dirait par instant que son âme s'absente.
HUGO, la Légende des siècles, XVIII, p. 121.

CONTR. **Demeurer, rester.**

**ABSIDAL, ALE, AUX** [apsidal, o] vx ou **ABSIDIAL, IALE, IAUX** [apsidjal, jo] adj. — 1866, *absidal ; absidial*, 1908 ; de *abside*.

De l'abside, d'une abside. *Chapelle absidale* ou *absidiale. Plan absidial rayonnant,* comportant des absidioles*.

Ce fond semi-circulaire, cette conque absidiale, avec ses chapelles nimbant le chœur (...)
HUYSMANS, la Cathédrale, p. 117 (1908).

**ABSIDE** [apsid] n. f. — 1562, terme d'astron.; 1690, sens 1.; bas lat. *absida*, lat. class. *absis, absidis*, du grec *hapsis* «arc», «voûte».

♦ **1** Partie arrondie en hémicycle de certaines églises, derrière le chœur (→ **Chevet**). *L'abside d'une cathédrale. Le pourtour de l'abside.*

1 Les garçons à droite, les filles à gauche, emplissaient les stalles du chœur; le curé se tenait debout près du lutrin; sur un vitrail de l'abside, le Saint-Esprit dominait la Vierge (...)
FLAUBERT, Trois contes, «Un cœur simple».

2 La nef se creusait comme une grotte miraculeuse, obscure et pourtant illuminée par d'innombrables herses de cierges qui transformaient l'abside en un buisson ardent.
MARTIN DU GARD, les Thibault, t. VII, p. 302.

♦ **2** Par ext. Pan coupé d'une tente, qui la prolonge et l'agrandit. *Une abside triangulaire.*

DÉR. **Absidal, absidiale.** ◊ HOM. **Apside.**

**ABSIDIAL, IALE, IAUX** [apsidjal, jo] adj. → **Absidal.**

**ABSIDIOLE** [apsidjɔl] n. f. — 1866; dimin. d'*abside*.

Didact. (archit.). Petite chapelle, en général en demi-cercle, d'une abside. *Une abside accompagnée de deux absidioles. Absidioles rayonnantes d'une église romane.*

**ABSINTHE** [apsɛ̃t] n. f. — Déb. XIIIe et encore au XVIIe, *absince; absinthe*, 1546; lat. *absinthium*, grec *absinthion*.

♦ **1** Armoise* *(Composées)* d'une variété aromatique à fleurs jaunes et feuilles blanchâtres qui pousse sur des terrains pauvres (sable, rocaille). *Amère et aromatique, l'absinthe est employée dans la fabrication de la liqueur apéritive du même nom.*

1 Car les lèvres de l'étrangère distillent le miel, et son palais est plus doux que l'huile. Mais à la fin elle est amère comme l'absinthe, aiguë comme un glaive à deux tranchants.
BIBLE, Proverbes, V, 3-4.

2 (...) Une petite cour mélancolique, toute embaumée de romarin et d'absinthe sauvage (...)
Alphonse DAUDET, Lettres de mon moulin, p. 77.

2.1 Au bout de quelques pas, les absinthes nous prennent à la gorge. Leur laine grise couvre les ruines à perte de vue. Leur essence fermente sous la chaleur, et de la terre au soleil monte sur toute l'étendue du monde un alcool généreux qui fait vaciller le ciel.
CAMUS, Noces, éd. 1939, p. 14.

Fig., littér. Amertume. *Boire, faire boire l'absinthe, le fiel et l'absinthe.*

3 Absence abominable absinthe de la guerre
ARAGON, le Crève-cœur, p. 15.

♦ **2** Liqueur alcoolique, extraite d'une variété de cette plante, de couleur verte et dont la toxicité serait due à un principe, la *thuyone*. (→ Opalin, cit.). *Prendre une absinthe. Faire son absinthe* : mêler de l'eau à l'absinthe. *Cuillère à absinthe. L'absinthe, très en vogue entre 1870 et 1900, fut appelée* la fée verte (ellipt., *la bleue, la verte**); *elle fut interdite en 1915.*

REM. Le mot, comme la chose, fut à la mode à la fin du XIXe siècle et donna naissance à plusieurs loc. fig., aujourd'hui archaïques. *Faire l'absinthe, son absinthe* : postillonner, crachoter en parlant. *Avaler son absinthe* : supporter les désagréments avec résignation. *Renverser son absinthe* : mourir. D'autre part, des dérivés, comme *s'absinther, absinthé, absinthage, absintheur, absintheuse* (buveur, buveuse d'absinthe) n'ont pas vécu.

(1925, *in* D. D. L.). Par oppos. *Vert absinthe. — Couleur absinthe.* Adjectif :

4 (...) des bombes au calcium. C'est vert, absinthe exactement.
MALRAUX, l'Espoir, *in* Romans, Pl., p. 720.

DÉR. **Absinthine, absinthique, absinthisme.**

**ABSINTHINE** [apsɛ̃tin] n. f. — Mil. XIXe; de *absinthe*.

Vx. Principe amer de l'absinthe, que la médecine utilise comme emménagogue, stimulant, tonique, vermifuge.

**ABSINTHIQUE** [apsɛ̃tik] adj. — 1845; de *absinthe*.

Vx. *Acide absinthique*, extrait des tiges d'absinthe. — Qui a rapport à l'intoxication par l'absinthe, à l'absinthisme. *Empoisonnement absinthique.* — N. *Un, une absinthique* : une personne atteinte d'absinthisme.

**ABSINTHISME** [apsɛ̃tism] n. m. — 1872, cit.; de *absinthe*.

Intoxication par l'absinthe.

(...) chez un autre chien l'injection de 20 centigrammes d'essence d'absinthe dans la veine crurale a déterminé de véritables accès d'épilepsie. Il y aurait donc à distinguer (...) deux actions très différentes, celle de l'alcool et celle de l'absinthe, deux états pathologiques qui ne se ressemblent point, l'alcoolisme et l'absinthisme.
Article de *l'Union médicale*, rendant compte du *Congrès médical de Lyon*, sept. 1872, *in* l'Année scientifique et industrielle, 1873 (1872).

*Second consommateur.*
Doit-il boire son absinthe? (...)
*Troisième consommateur.*
Si jeune et déjà perdu... absinthisme et grisette (...)
R. QUENEAU, le Vol d'Icare, p. 24.

**ABSOLU, UE** [apsɔly] adj. et n. m. — 1080, *asolu*; du lat. *absolutus* «achevé».

**I** Adj. ♦ **1** Omnipotent, en parlant de la puissance divine ou humaine, de l'autorité, du gouvernement. — (1777). *Autorité absolue. Pouvoir absolu*, sans contrôle ni limitation. → **Autocratique, despotique, dictatorial, totalitaire, tyrannique.** *Pouvoir arbitraire et absolu. Monarchie absolue. Roi absolu*, qui a le pouvoir absolu. (1793, Robespierre). *Démocratie absolue.*

Les chrétiens n'ont qu'un Dieu, maître absolu de tout,
De qui le seul vouloir fait tout ce qu'il résout.
CORNEILLE, Polyeucte, IV, 6.

Mais songez que les rois veulent être absolus.
CORNEILLE, le Cid, II, 1.

Le cardinal de Richelieu a été maître absolu du royaume de France pendant le règne d'un roi qui lui laissait le gouvernement de son État, lorsqu'il n'osait lui confier sa propre personne.
LA ROCHEFOUCAULD, Réflexions, 17.

Un homme d'esprit me disait un jour que le gouvernement de France était une monarchie absolue, tempérée par des chansons.
CHAMFORT, 90.

Je sais maintenant pourquoi le pouvoir absolu du tyran finit toujours par le rendre absolument fou. C'est parce qu'il ne sait qu'en faire.
M. TOURNIER, le Roi des Aulnes, p. 366.

♦ **2** (Personnes). Qui ne souffre pas d'opposition, de contradiction, ne fait aucune concession. *C'est un homme absolu, insensible aux nuances. — Un esprit absolu.* → **Autoritaire, despotique, entier, intransigeant.** *Ton absolu*, autoritaire. → **Cassant, tranchant.**

C'est elle qui gouverne, et d'un ton absolu
Elle dicte pour loi ce qu'elle a résolu.
MOLIÈRE, les Femmes savantes, I, 3.

Les natures absolues ont besoin de ces partis tranchés.
RENAN, Souvenirs d'enfance..., IV.

♦ **3** Qui ne comporte aucune restriction ni réserve. → **Achevé, intégral, total.** *Une confiance absolue dans l'avenir* (→ **Aveugle**). *Vous comprenez que c'est une nécessité absolue. Un silence absolu. Sens absolu*, fort. *Vous prenez ce que je vous dis dans un sens trop absolu.*

8 Rien ne m'a plus donné un absolu mépris du succès que de considérer à quel prix on l'obtient.
FLAUBERT, Correspondance, p. 204, *in* T. L. F.

9 En fait, je n'ai d'amour que pour les caractères d'un idéalisme absolu, martyrs, héros, utopistes, amis de l'impossible. RENAN, Souvenirs d'enfance..., VII.

10 Il devait à la fréquentation de Thomas Reid une grande aversion pour la métaphysique et une confiance absolue dans le bon sens. RENAN, Souvenirs d'enfance..., IV.

11 C'est dans l'absolue ignorance de notre raison d'être qu'est la racine de notre tristesse et de nos dégoûts.
FRANCE, le Jardin d'Épicure, p. 51.

12 J'ai éprouvé déjà que, chez les pauvres gens plus qu'ailleurs, on trouve de ces dévouements absolus et spontanés (...) LOTI, Aziyadé, p. 40.

13 Vivre, répéta-t-il, je crois que c'est avoir le sentiment absolu, que l'on possède enfin quelque chose ou quelqu'un, et qu'on le possède pour toujours.
Edmond JALOUX, le Dernier Jour de la création, p. 96.

(Concret). Pur, sans mélange.

13.1 Il se retrouve dans le noir (...) rien ne permet de s'orienter, aucune lueur. C'est la nuit absolue.
A. ROBBE-GRILLET, Dans le labyrinthe, p. 58.

♦ **4** (Dans un contexte abstrait où est impliquée l'idée de valeur). Parfait ; aussi parfait qu'on peut l'imaginer. → **Idéal.** *La vérité absolue. L'être absolu* (Dieu).

14 Les vérités absolues supposent un Être absolu comme elles où elles ont leur dernier fondement.
Victor COUSIN, Du vrai, du beau, du bien, IV.

15 Il y a quelque impiété à faire marcher de concert la vérité immuable, absolue, et cette sorte de vérité imparfaite et provisoire qu'on appelle la science.
FRANCE, l'Orme du mail, p. 75.

16 Le christianisme *(à l'époque médiévale)* reposait non sur des croyances ou des traditions populaires, mais sur la révélation d'une vérité absolue dans des livres saints destinés à l'humanité entière.
Ch. SEIGNOBOS, Hist. sincère de la nation franç., p. 48.

17 Toujours, ou presque toujours, les hommes ont poursuivi la vérité absolue, le mot de la charade, la suprême pensée.
A. MAUROIS, Études littéraires, IV, 3, p. 44.

18 Il n'y a de définitif et d'absolu que les lois du beau.
E. FROMENTIN, Une année dans le Sahel, p. 33.

19 La forme est essentielle et absolue : elle vient des entrailles mêmes de l'idée. Elle est le beau ; et tout ce qui est le beau manifeste le vrai.
HUGO, Post-Scriptum de ma vie, p. 9.

20 Vouloir chercher dans la vie réelle des amours pareils à ceux-là, éternels et absolus, c'est la même chose que de chercher sur la place publique des femmes aussi belles que la Vénus, ou de vouloir que les rossignols chantent les symphonies de Beethoven.
A. DE MUSSET, la Confession d'un enfant du siècle, p. 45.

21 L'amour absolu n'existe pas plus que le parfait gouvernement et l'opportunisme du cœur est la seule sagesse sentimentale. A. MAUROIS, Climats, p. 268.

22 Élan vers le Dieu absolu qui nous libère du contingent. Mais en cette vie nous sommes séparés de lui.
CLAUDEL, Cinq grandes odes, II, Argument, p. 37.

♦ **5** (Opposé à *relatif*). Qui est tel en lui-même, considéré en lui-même et non par rapport à autre chose. → **Soi** (en soi). *Majorité* absolue.* — Milit. *L'arme absolue,* contre laquelle aucune défense n'est possible.

Sc. Indépendant de tout repère ou de tout paramètre arbitraire. *Mouvement absolu (d'un point).* Phys. *Dilatation absolue d'un liquide :* dilatation réelle d'un liquide (par opposition à la *dilatation apparente,* qui dépend du récipient contenant le liquide). *Température absolue,* comptée à partir du zéro absolu. *Zéro* absolu.* — *Valeur* absolue.* — *Humidité absolue :* nombre de grammes de vapeur d'eau dans un m³ d'air.

*Appareil absolu :* instrument de mesure dont les constantes ne dépendent que des grandeurs fondamentales.

Dr. *Nullité absolue d'un acte. «Selon que la règle dont la violation motive la nullité a pour but de protéger l'intérêt général ou un intérêt privé, la nullité est absolue ou relative»* (T. L. F.).

Théol. *Rémission absolue des péchés :* rémission des péchés par le prêtre, dans la religion catholique.

(XIVe). Gramm. *Superlatif absolu :* superlatif qui marque le très haut degré d'un mot qualificatif, sans qu'une référence soit faite à un autre terme qualifiable par le mot (ex. : *une avenue très large ; il est extrêmement gentil*). — *Temps absolu. «Une certaine tradition distingue les temps* absolus, *qui datent l'événement par rapport au moment de la parole, et les temps* relatifs, *qui le datent par rapport au moment où se déroule un autre procès»* (M. Grevisse, *le Bon Usage,* 8e éd., 1964, p. 556). — (Opposé à *dépendant*). Vx. *Proposition absolue,* indépendante. — (XIVe). *Construction absolue,* dont aucun terme ne se rattache grammaticalement au reste de la phrase. *Ablatif* (cit.) *absolu, génitif absolu.* Exemple : *«et d'ailleurs, étant certain que la longue vie approche de plus près l'immortalité, ne devons-nous pas souhaiter (...)»* (Bossuet).

*Emploi absolu d'un verbe transitif,* sans complément d'objet.

**II** N. m. ♦ **1** Philos. Ce qui existe indépendamment de toute condition ou de tout rapport avec autre chose.

L'absolu, s'il existe, n'est pas du ressort de nos connais- 23
sances ; nous ne jugeons et nous ne pouvons juger des choses que par les rapports qu'elles ont entre elles.
BUFFON, Hist. nat. des animaux, Les animaux carnassiers.

Les esprits que dévore le besoin de l'absolu, se lassent des 24
tâtonnements, des lenteurs de cette science qui admet les seules vérités prouvées (...) il leur faut une synthèse totale et immédiate pour dormir en paix.
ZOLA, Rome, p. 22.

Nous sommes liés à l'absolu par toutes nos fibres. Non 25
tant au pouvoir absolu qu'à ce dont il découle : le savoir absolu. Tant que l'absolu s'incarna dans le siècle, nous pouvions nous battre heureux.
Régis DEBRAY, l'Indésirable, p. 294.

♦ **2** Loc. cour. **DANS L'ABSOLU :** sans comparer, sans tenir compte des circonstances, des conditions. *Juger de qqch. dans l'absolu.*

♦ **3** Alchimie. La matière unique d'où dériveraient tous les corps. *La Recherche de l'absolu,* titre d'un roman de Balzac.

CONTR. **Limité, partiel, libéral. — Conciliant. — Imparfait, relatif. — Contingent.** ◊ DÉR. **Absoluité, absolument, absolutisme.**

**ABSOLUITÉ** [apsɔlyite] n. f. — 1866 ; de *absolu.*

Didact. (philos.), rare. Qualité de ce qui est absolu. *L'absoluité d'une religion.*

**ABSOLUMENT** [apsɔlymɑ̃] adv. — 1225 ; de *absolu.*

♦ **1** D'une manière absolue, qui ne souffre aucune réserve. *Il refuse absolument toute aide. Il veut absolument partir.* → **Prix** (à tout prix). *Il faut absolument le prévenir.* → **Nécessairement.**

Il fallait donc absolument créer un numéraire nouveau, ou 1
pour parler plus exactement, un équivalent du numéraire.
JAURÈS, Hist. socialiste..., p. 93.

Il faut, il faut absolument que la femme soit gracieuse. 2
Elle n'est pas tenue d'être belle. Mais la grâce lui est propre.
MICHELET, la Femme, p. 122.

♦ **2** Tout à fait. → **Complètement, entièrement, foncièrement, pleinement, totalement.** *C'est absolument exclu. Vous êtes absolument libre de faire ce que vous voulez. Il n'a absolument rien à dire. Le pouvoir absolu* (cit. 5) *rend absolument fou.*

2.1 (...) M. de *Corville* âgé de cinquante ans, jouissant du crédit et de la considération, que nous avons peints plus haut, résolut de se sacrifier entièrement pour cette femme, et de la fixer à jamais à lui. Soit attention, soit procédés, soit politique de la part de Madame de *Lorsange*, il y était parvenu, et il y avait quatre ans qu'il vivait avec elle, absolument comme avec une épouse légitime (...)
SADE, Justine..., t. I, p. 17-18.

3 Il est impossible que deux têtes humaines conçoivent le même sujet absolument de même manière.
HUGO, Littérature et Philosophie mêlées, p. 37.

4 Nous avons beau faire, nous ne pouvons pas être absolument naturels, et nous n'avons pas grand avantage à l'être.
Valery LARBAUD, Amants, heureux amants, p. 135.

4.1 (...) Paule avait allumé dans la cheminée un grand feu de bois, malgré la douceur du ciel de novembre, et tout en tisonnant distraitement, elle demanda :
– Tu es absolument décidé à signer ?
– Absolument.
S. DE BEAUVOIR, les Mandarins, p. 256.

(Pour acquiescer). *«Les choses se présentent bien ? – Absolument.»* → **Oui.**

♦ **3** *Absolument parlant :* dans un sens général, sans tenir compte des circonstances.

♦ **4** Gramm. *Un verbe (un nom) employé absolument,* sans l'expansion attendue. *Prendre, employer un mot absolument.*

5 Dans cette phrase, Espérer, c'est jouir, les verbes espérer et jouir sont pris absolument. Dict. de l'Académie.

**ABSOLUTIF, IVE** [apsɔlytif, iv] adj. — XX^e^; lat. *absolutivus,* de *absolutus.* → Absolu.

Gramm. En construction absolue ; syntaxiquement autonome par rapport au syntagme. Ex. : *cet homme, je le connais bien.*

**ABSOLUTION** [apsɔlysjɔ̃] n. f. — 1172; lat. *absolutio,* du supin de *absolvere.* → Absoudre.

♦ **1** Effacement d'une faute par le pardon. *L'absolution est un acte de bonté, d'indulgence, de miséricorde.*

Relig. cathol. Rémission des péchés accordée par le prêtre après la confession. *Donner, administrer l'absolution à un pécheur.*

1 Ce n'est pas l'absolution seule qui remet les péchés au sacrement de pénitence, mais la contrition (...)
PASCAL, Pensées, XIV, 923.

♦ **2** Dr. Jugement qui tout en déclarant coupable un inculpé le renvoie de l'accusation, sa faute ne donnant lieu à l'application d'aucune sanction. *L'absolution n'est pas un acquittement.*

2 La Cour prononcera l'absolution de l'accusé, si le fait dont il est déclaré coupable n'est pas défendu par une loi pénale. Code d'instruction criminelle, art. 364.

Littér. Acquittement.

3 Quelquefois on a réuni trois généraux pour en juger un ; le résultat était toujours l'absolution majeure.
ALAIN, Propos, 3 févr. 1934, Les irresponsables.

CONTR. **Condamnation.**

**ABSOLUTISME** [apsɔlytism] n. m. — 1796; de *absolu.*

♦ **1** Système de gouvernement, régime politique où le pouvoir du souverain est absolu, n'est soumis à aucun contrôle. → **Autocratie, caporalisme, césarisme, despotisme, dictature, tyrannie.**

Représentant l'intérêt commun du royaume (...) il *(le roi de France)* a, pour le promouvoir, des moyens d'action illimités et n'est soumis à aucun contrôle positif. C'est l'absolutisme. O. MARTIN, Hist. du droit franç., p. 240. 1

Le caporalisme, c'est l'absolutisme. 2
HUGO, Paris, p. 17.

♦ **2** Dogmatisme, esprit d'intransigeance ; caractère de ce qui est intransigeant. *Absolutisme doctrinal.*

DÉR. V. **Absolutiste.**

**ABSOLUTISTE** [apsɔlytist] adj. et n. — 1823, n. ; 1830, adj. ; d'après *absolutisme.*

♦ **1** Adj. Favorable à l'absolutisme. *Doctrine, théorie absolutiste. Des croyances absolutistes.* — (Personnes). *Un homme absolutiste.*

(...) vous me dites de m'attendre à ceci : ce livre est républicain, la presse absolutiste l'attaquera ; ce livre est librepenseur, la presse catholique l'attaquera (...) 1
HUGO, Correspondance, *in* Œ. compl., t. XVIII, p. 305.

♦ **2** N. (le fém. est rare). Partisan de l'absolutisme (1. et 2.). *Les absolutistes briguaient le pouvoir.*

S'il ne se hausse pas jusqu'au génie, il a un de ces talents complets dans leur modération qui défient la critique. M. Cogniet ignore les caprices hardis de la fantaisie et le parti pris des absolutistes. 2
BAUDELAIRE, Curiosités esthétiques, «Salon de 1845».

**ABSOLUTOIRE** [apsɔlytwaʀ] adj. — 1321 ; lat. *absolutorius,* de *absolutus.* → Absolu.

Didact. ou droit. Qui porte absolution. *Sentence absolutoire.* Dr. *Excuse absolutoire,* qui entraîne la suppression de la peine.

L'**excuse absolutoire** aboutit à l'impunité du délinquant, ou tout au moins, à l'impossibilité de prononcer contre le délinquant **absous** une peine principale.
Paul CUCHE, Précis de droit criminel, p. 203.

**ABSORBABLE** [apsɔʀbabl] adj. — 1834; de *absorber.*

Qui peut être absorbé. *Des aliments, des matières absorbables, peu absorbables.*

**ABSORBANCE** [apsɔʀbɑ̃s] n. f. — V. 1970 ; de *absorbant.*

Didact. En optique, Grandeur caractérisant le pouvoir absorbant*, pour les radiations monochromatiques. Syn. : *densité optique.*

**ABSORBANT, ANTE** [apsɔʀbɑ̃, ɑ̃t] adj. — 1740; p. prés. de *absorber.*

♦ **1** [a] Adj. (Concret). Qui a la propriété d'absorber les liquides, les gaz, les rayons lumineux, etc. *Poils* absorbants des racines. — La gaze, tissu absorbant employé en pansements. Couche-culotte en fibre cellulosique absorbante.*

[b] N. m. *Un absorbant :* un corps capable d'absorber.

Il y a des tempéraments auxquels le lait ne convient point, et alors nul absorbant ne le leur rend supportable. 1
ROUSSEAU, Émile, p. 35.

Phys. Écran qui absorbe un rayonnement ionisant.

Techn. *Absorbant flottant :* matériau qui agglomère les hydrocarbures à la surface de l'eau et permet leur récupération par des moyens mécaniques. — *Absorbant coulant :* matériau hydrophobe qui permet de faire couler des hydrocarbures répandus à la surface de l'eau.

[c] *Pouvoir absorbant :* faculté que possède un corps d'absorber les liquides, les gaz, les radiations (infrarouges, ultraviolettes).

♦ **2** (Abstrait). Qui s'empare de l'esprit et l'occupe tout entier. → **Captivant.** *Les soucis absorbants.*

2 Il craignait d'aliéner une part trop grande de sa liberté en assumant une tâche considérable et absorbante.
Henri LICHTENBERGER, Richard Wagner, p. 26.

CONTR. **Hydrofuge, imperméable.** ◊ DÉR. **Absorbance.**

**ABSORBATION** [apsɔʀbasjɔ̃] n. f. — 1792, Mme de Staël; de *absorber.*

Vx. État d'une personne, d'un esprit totalement absorbé (par qqch., qqn). → **Absorbement.**

Que ne puis-je vous inspirer cette douce absorbation, cet enivrement qui semble s'accroître par tous les événements, qui en apprenant à détester les hommes font tant aimer celui qui a dépassé votre imagination !
Mme DE STAËL, Correspondance générale, Lettres inédites à Louis de Narbonne, 1792, *in* T. L. F.

**ABSORBEMENT** [apsɔʀb(ə)mɑ̃] n. m. — Mil. XVIIe ; de *absorber.*

Vieilli. État d'une personne absorbée. → **Absorbation.**

**ABSORBER** [apsɔʀbe] v. tr. — Mil. XIe, *assorber* «engloutir»; lat. *absorbere.*

♦ **1** (XVIIIe). Laisser pénétrer et retenir (un liquide, un gaz; une radiation). *Les terres sablonneuses absorbent bien l'eau.* → **Imbiber** (s'), **imprégner** (s'). *Le buvard absorbe l'encre.* → **Boire.** — *La couleur noire absorbe la lumière.*

(Êtres vivants). Faire pénétrer en soi pour assimiler. *Les plantes absorbent les aliments et l'eau du sol par leurs racines.* → **Pomper.**

♦ **2** (XIIe). Boire, manger. *L'animal n'avait rien absorbé depuis trois jours.* → **Ingurgiter.** *Le malade absorbera seulement des aliments liquides ou pâteux.*

1 Il protestait contre la loi de prohibition. Il protestait à sa manière, en absorbant, tous les quarts d'heure, de grands verres de whisky, coupé de cognac.
G. DUHAMEL, Scènes de la vie future, p. 31.

*Absorber l'air frais du matin.* → **Respirer.**

♦ **3** Fig., par métaphore. Se nourrir de... → **Assimiler.**

1 — Petite, assieds-toi là et prends ce recueil de vers. Cherche la page... la page 336, où tu trouveras une pièce intitulée : *les Pauvres Gens.* Absorbe-la comme on boirait le meilleur des vins, tout doucement, mot à mot, et laisse-toi griser, laisse-toi attendrir. Écoute ce que te dira ton cœur. Puis, ferme le bouquin, lève les yeux, pense et rêve (...)
MAUPASSANT, Fort comme la mort, éd. 1889, II, III.

2 Je sentais et ressentais fortement les choses et absorbais tout ce qui, dans le monde extérieur, correspondait à ma faible intelligence. FRANCE, le Petit Pierre, XVII.

♦ **4** Faire disparaître par incorporation. *Entreprise qui en absorbe une autre.* → **Annexer, intégrer.**

3 Il semblait que l'horreur de cette agonie fût absorbée peu à peu par tant de douceur mystique et de splendeur grave, ainsi qu'un orage se fond et se dissipe dans les rais de la pluie ensoleillée.
Léon DAUDET, la Femme et l'Amour, p. 45.

1 (...) l'âme a besoin d'absorber les sentimens d'une autre âme, de se les assimiler, pour les lui restituer plus riches.
BALZAC, Eugénie Grandet, éd. 1838, p. 338.

4 Comme une goutte d'eau dans l'océan versée, L'infini dans son sein absorbe ma pensée (...)
LAMARTINE, Méditations sur Dieu.

Faire disparaître en utilisant. *Cet achat a absorbé toutes mes économies.* → **Dévorer, engloutir, épuiser.**

Toutes ces nations (...) absorbèrent peu à peu les richesses des Romains. 5
MONTESQUIEU, Grandeur et décadence des Romains, 18.

(...) aucun afflux d'argent qui ne fût aussitôt absorbé par les dettes. GIDE, Dostoïevsky, p. 15. 6

♦ **5** Occuper tout entier. *Absorber l'attention de son auditoire.* → **Accaparer.**

(...) et se livrant à une besogne silencieuse qui l'absorbe et le fait suer. 7
Alphonse DAUDET, le Petit Chose, p. 398.

◆ **S'ABSORBER** v. pron.

♦ **1** Disparaître; se fondre, se perdre dans.

Il *(le bon sentiment)* se fond et s'absorbe dans tout ce qui l'enveloppe, et perd son nom comme sa nature. 8
Émile FAGUET, XVIIe siècle, Études littéraires, p. 220.

(...) l'équipage, c'est-à-dire quelques centaines d'hommes que le hasard a rassemblés, dont les noms sont tout d'un coup devenus des numéros, et dont les personnalités s'absorbent dans les fonctions remplies. 9
LOTI, Matelot, p. 83.

♦ **2** Occuper son esprit tout entier (à qqch.). *S'absorber dans la contemplation, l'étude, la méditation, la réflexion, la rêverie.* → **Abstraire** (s'), **enfoncer** (s'), **perdre** (se), **plonger** (se). *Il s'absorbe jusqu'à en oublier le boire et le manger.*

◆ **ABSORBÉ, ÉE** p. p. adj. Dont l'esprit est tout entier occupé à qqch. *Un air absorbé.* → **Absent, méditatif, préoccupé, rêveur.** *Absorbé dans ses pensées.* → 1. Pensée, cit. 31.

Il était demeuré là jusqu'à la nuit noire, absorbé dans une contemplation dont l'ivresse inondait son âme d'une joie presque surhumaine. 10
Paul BOURGET, Un divorce, p. 118.

CONTR. **Dégorger, rejeter, restituer.** ◊ DÉR. **Absorbable, absorbant, absorbation, absorbement, absorbeur.**

**ABSORBEUR, EUSE** [apsɔʀbœʀ, øz] n. m. et adj. — 1929; de *absorber.*

Techn. Appareil, produit qui absorbe.

♦ **1** N. m. (Emploi plus courant que les autres emplois techniques). Élément d'une installation, d'un appareil frigorifique fonctionnant par absorption d'un fluide frigorigène par une autre substance. → **Saturateur.**

Ce type de machine frigorifique est différent des précédents, en ce que le compresseur ou l'éjecteur y est remplacé par des organes, dits absorbeurs ou saturateurs, dans lesquels s'effectue la dissolution du gaz ammoniac dans l'eau. Roger SIMONET, le Froid, p. 105.

♦ **2** N. m. Appareil de raffinage qui absorbe les gaz (industrie du pétrole). — *Absorbeur d'ondes* (protection contre les surtensions).

♦ **3** N. m. Phys. Matériau qui absorbe les rayonnements (X et gamma, notamment) ou les particules (neutrons). — *Absorbeur d'ultraviolets* (produit incorporé dans certains matériaux : matières plastiques, etc.).

Adj. *Des matériaux absorbeurs. Substance absorbeuse.*

**ABSORPTANCE** [apsɔʀptɑ̃s] n. f. — V. 1970; du rad. de *absorption,* et *-ance* (→ Résistance, réactance, impédance).

Phys. Coefficient d'absorption des ondes ou vibrations incidentes (reçues par un corps). *Mesure de l'absorptance d'un matériau, d'un local.*

**ABSORPTIF, IVE** [apsɔʀptif, iv] adj. — 1834; du rad. de *absorption.*

Phys., chim. Qui a la faculté d'absorber (une substance, un fluide).

**DÉR. Absorptivité.**

**ABSORPTIOMÈTRE** [apsɔʀpsjɔmɛtʀ] n. m. — 1890, P. Larousse, *Deuxième Suppl.;* de *absorption,* et *-mètre.*

Phys., chim. Appareil destiné à mesurer l'absorption des gaz par les liquides.

**ABSORPTIOMÉTRIE** [apsɔʀpsjɔmetʀi] n. f. — 1970; de *absorption,* et *-métrie.*

Phys., chim. Procédé d'analyse physicochimique utilisant les phénomènes d'absorption d'un rayonnement (électromagnétique, radioactif) par les molécules ou les ions du milieu étudié. → aussi **Spectrophotométrie.** *Absorptiométrie dans le visible, dans l'ultraviolet. L'absorptiométrie tend à remplacer la gravimétrie et la volumétrie.*

**ABSORPTION** [apsɔʀpsjɔ̃] n. f. — 1586; lat. ecclés. *absorptio* «engloutissement», du supin du lat. class. *absorbere.*

♦ **1** Didact. Action, fait d'absorber un fluide (liquide, gaz), une matière pulvérulente, etc., pour une chose. *L'absorption de l'eau par les terrains perméables.*

(1771). Physiol. *Absorption digestive :* passage de l'eau, des sels minéraux et des produits de la digestion (→ **Nutriment**) dans le sang et la lymphe. *L'absorption digestive s'effectue principalement au niveau des villosités de l'intestin grêle (absorption intestinale). — Absorption buccale, gastrique et intestinale.* — Biol. *Absorption cellulaire :* pénétration de substances à travers la membrane de la cellule.

(1905, in *Rev. gén. des sc.,* n° 1, p. 2). Techn. *Réfrigération par absorption* (du fluide frigorigène par une autre substance).

Phys. Propriété des substances qui retiennent des molécules d'autres substances. *Absorption d'un gaz dans un liquide. — Absorption superficielle.* → **Adsorption.** — Arrêt ou affaiblissement des rayonnements électromagnétiques ou des particules élémentaires (par une substance déterminée). *Absorption des rayons ultraviolets solaires par l'ozone de la haute atmosphère. Coefficient d'absorption. Spectre d'absorption :* ensemble discontinu des longueurs d'onde restantes après absorption d'un rayonnement électromagnétique par un milieu. — *Absorption sonore :* réduction de la puissance acoustique après passage du son dans certains milieux ou par réflexion sur des parois.

Math. *Loi d'absorption* (en algèbre).

♦ **2** Cour. Action (pour une personne) de boire, de manger, de respirer, d'avaler (qqch., spécialt, qqch. d'inhabituel ou de nuisible). *Suicide par absorption d'un poison.* → **Ingestion.** *Absorption de gaz toxiques.*

0.1 Ils les mangèrent comme des huîtres, et ils leur trouvèrent une saveur fortement poivrée (...) Leur faim fut donc momentanément apaisée, mais non leur soif, qui s'accrut après l'absorption de ces mollusques naturellement épicés.
J. VERNE, l'Île mystérieuse, éd. Hetzel, p. 28 (s. d.).

♦ **3** Littér. Disparition en tant qu'individu, en tant qu'élément distinct, par intégration à un ensemble. *Absorption de l'individu dans le groupe.*

1 D'ailleurs, il se révoltait contre l'absorption, chaque jour plus grande de sa personnalité.
FLAUBERT, Mme Bovary, III, VI.

(...) il faut de toute nécessité que le virtuose s'efface devant le compositeur comme fait l'orchestre dans les symphonies; il doit y avoir absorption complète de l'un par l'autre (...) 2
BERLIOZ, Beethoven, p. 134.

Fin. Fusion de sociétés, d'entreprises, au profit d'une seule. *L'absorption d'une entreprise par une société multinationale.* — Écon. *Capacité d'absorption du capital :* maximum d'investissement réalisable.

♦ **4** Rare. État d'une personne absorbée.

*(Elle)* était en train de tomber plus bas que dans l'absorption fixe du fou. Elle allait tomber dans le vide fixe de l'idiot. 3
BARBEY D'AUREVILLY, Une histoire sans nom, p. 159.

CONTR. **Élimination, rejet.** ◊ DÉR. V. **Absorptance, absorptif.** — COMP. **Absorptiomètre, absorptiométrie.**

**ABSORPTIVITÉ** [apsɔʀptivite] n. f. — 1834; de *absorptif* «absorbant».

Phys., chim. Pouvoir d'absorption (d'une substance, d'un corps).

**ABSOUDRE** [apsudʀ] v. tr. [CONJUG.: *j'absous, tu absous, il absout, nous absolvons, vous absolvez, ils absolvent; j'absolvais; j'ai absous; j'absoudrai, nous absoudrons; j'absoudrais, nous absoudrions; absous, absolvons, absolvez; que j'absolve, que nous absolvions; absolvant; absous, absoute.* **Passé simple et imp. du subj. inusités.**] — Xe; var. *absoldre, assoldre, assoudre* jusqu'au XVe; du lat. *absolvere* «libérer (d'une obligation, d'une charge)».

♦ **1** Théol. (cathol.). Remettre les péchés (de qqn), donner l'absolution (à qqn). *Absoudre un pécheur.*

Mais priez Dieu que tous nous veuille absoudre! 1
VILLON, Poésies diverses, «Ballade des pendus».

Il *(le chrétien pardonné)* est absous (...) mais autour de lui et jusque sur ses mains, le sang d'Abel fume encore. 2
F. MAURIAC, Souffrances et Bonheur du chrétien, p. 113.

♦ **2** Dr. Renvoyer de l'accusation un accusé dont l'acte n'est pas qualifié de punissable par la loi (à distinguer de *acquitter**). → **Jugement.**

Déclarer innocent, innocenter.

Celui qui absout le coupable et celui qui condamne le juste sont tous deux en abomination à Yaweh. 3
BIBLE, Proverbes, XVII, 15.

Les juges absolvent les pharisiens qui l'ont crucifié et condamnent la Madeleine qu'il releva de ses mains divines. 4
FRANCE, la Rôtisserie de la Reine Pédauque, p. 502.

Écoutez. Vous avez trahi le droit auguste, 5
Absous les scélérats, condamné l'homme juste,
Et lié l'innocence aux pieds du crime heureux.
HUGO, la Légende des siècles, LIV, XI.

♦ **3** (XVIe). Pardonner à (qqn), excuser. → **Disculper.** *Il l'a absous.* Emploi absolu :

(...) On croit douter des gens qu'on aime, on les accable de reproches, on les appelle parjures, infidèles (...) au fond de l'âme on n'en croit pas un mot, et pendant que la bouche accuse, le cœur absout. 6
A. DE MUSSET, Comédies et proverbes, «Bettine», XVII.

CONTR. **Condamner.** ◊ DÉR. **Absoute.**

**ABSOUTE** [apsut] n. f. — 1319, *absolte* «absolution»; sens mod., 1606; du p. p. de *absoudre.*

Liturgie catholique.

♦ **1** Absolution publique donnée au peuple le Jeudi saint.

♦ **2** Prières dites devant le cercueil, après l'office des morts, aux cérémonies funèbres, aux funérailles. *Dire, célébrer, donner l'absoute.*

Sitôt réintégré dans sa fonction, qui était la prière, l'indubitable grâce d'état se produisit, et la brève absoute fut donnée avec autant de solennité que dans un chœur de cathédrale.
M. YOURCENAR, le Coup de grâce, p. 233.

**ABSTÈME** [apstɛm] adj. — 1596; du lat. *abstemius*, même sens.

♦ **1** Dr. canon. Qui s'abstient de boire du vin. *Prêtre abstème*, que l'Église dispensait de la participation au calice (communion sous l'espèce du vin).

♦ **2** (XVIIIe). Qui s'abstient de boire de l'alcool. *Il est abstème depuis son hépatite. Aujourd'hui, je suis abstème.* — N. *Un, une abstème. Les abstèmes musulmans, hindous.* → **Abstinent**, 2.

(...) nous serions tous abstèmes si l'on ne nous eût donné du vin dans nos jeunes ans.
ROUSSEAU, Émile, II, p. 165.

**ABSTENANT** [apstənɑ̃] n. m. — 1871, *in* T. L. F.; p. prés. de *s'abstenir*.

Polit. Vx. Personne qui ne vote pas. → **Abstentionniste** (mod.).

**ABSTENIR (S')** [apstəniʀ] v. pron. [CONJUG.: *tenir*.] — Mil. XIe, *astenir; abstenir*, XIVe; lat. *abstinere* «tenir éloigné»; la forme en *-ir* est analogique du v. *tenir*.

Construit avec *de* ou absolt.

♦ **1** *S'abstenir de faire :* ne pas faire, volontairement. *S'abstenir de prendre part à un vote. S'abstenir de dépenser pour économiser.* → **Empêcher** (s'), **éviter, garder** (se), **interdire** (s'). *S'abstenir de juger qqn.* → **Refuser** (se). *S'abstenir de manger.* → **Abstinence.** *Nous nous en sommes abstenus.*

1 Quand elle approchait de mon visage son museau sec et noir, barbouillé de tabac d'Espagne, j'avais peine à m'abstenir d'y cracher. ROUSSEAU, les Confessions, IV.

♦ **2** *S'abstenir d'une chose :* s'en passer volontairement ou ne pas la faire volontairement. *S'abstenir de vin, de café, de tabac.* → **Priver** (se); **abstème, abstinence.** *S'abstenir des plaisirs du monde.* → **Renoncer** (à). *Les journaux s'abstiennent de tout commentaire.*

♦ **3** Absolt. *S'abstenir :* ne pas agir, ne rien faire.

2 Il est vain d'agir ou de s'abstenir; il est indifférent de vivre ou de mourir. J'ai renoncé en effet aux choses vaines qui font communément le souci des hommes.
FRANCE, Thaïs, p. 28.

Prov. *Dans le doute, abstiens-toi.*

1 Peut-être, disait Harbert, nos compagnons auront-ils trouvé une meilleure installation que la nôtre? — C'est possible, répondait le marin, mais, dans le doute, ne t'abstiens pas!
J. VERNE, l'Île mystérieuse, t. I, p. 50 (1874).

Spécialt. Ne pas prendre part à un vote. *De nombreux électeurs se sont abstenus* (→ **Abstention**).

(1701). Dr. Se récuser (en parlant d'un juge).

3 Tout juge qui saura cause de récusation en sa personne sera tenu de la déclarer à la chambre, qui décidera s'il doit s'abstenir. Code de procédure civile, art. 380.

CONTR. **Agir, intervenir, prendre** (part). ◊ DÉR. **Abstenant.**

**ABSTENTION** [apstɑ̃sjɔ̃] n. f. — V. 1840; *astensiun* «abstinence», 1160; *abstention* «renonciation (à un héritage)», 1630; lat. *abstentio* «action de retenir», de *abstinere*. → S'abstenir.

Action de s'abstenir de faire qqch. → **Neutralité, non-intervention.** *L'abstention de qqn dans une affaire, en matière de...* Rare. *L'abstention de qqch. :* le fait de s'en abstenir.

La paix, si jamais elle existe, ne reposera pas sur la crainte 1
de la guerre mais sur l'amour de la paix; elle ne sera pas l'abstention d'un acte, elle sera l'avènement d'un état d'âme.
Julien BENDA, la Trahison des clercs, p. 225.

(...) la liberté signifie pour nous l'abstention de l'État en 2
tout ce qui n'est pas intérêt social immédiat (...)
RENAN, Questions contemporaines, I, Œ. compl., t. I, p. 71.

[a] Spécialt. Dr. Acte par lequel le juge se récuse lui-même. → **Récusation.**

[b] Le fait de ne pas se prononcer dans un vote, de ne pas voter. → **Abstentionnisme.** — Par ext. (dans un compte). Électeur qui n'a pas pris part au vote. → **Abstenant.** *La motion a été adoptée par vingt voix et deux abstentions. Les abstentions expriment l'indifférence, la neutralité, l'hésitation.*

CONTR. **Action, intervention, participation.** ◊ DÉR. **Abstentionnisme, abstentionniste.**

**ABSTENTIONNISME** [apstɑ̃sjɔnism] n. m. — 1870; de *abstention*.

Cour. Attitude politique de qqn qui ne vote pas (→ **Abstentionniste**). *Propagande de l'État, des comités d'action civique, contre l'abstentionnisme.*

Donc, en pleine fièvre électorale, alors que les forces vives de la nation devaient se dresser contre les lames de fond de l'abstentionnisme obscurant *(sic)*, l'ordre était lancé en haut lieu (...) d'envoyer le corps électoral à la pêche.
Jacques PERRET, Bâtons dans les roues, p. 75.

**ABSTENTIONNISTE** [apstɑ̃sjɔnist] n. et adj. — 1853; de *abstention*.

Partisan de l'abstention dans un vote. Personne qui ne vote pas. → **Abstenant** (vx). *Un nombre important d'abstentionnistes.* Adj. *Électeur abstentionniste.*

Sur quelque 25 millions d'inscrits, il y eut environ 20 millions de votants. Des 5 millions d'abstentionnistes, la plupart étaient des femmes qui évitaient des formalités dont elles n'avaient pas l'habitude.
Ch. DE GAULLE, Mémoires de guerre, t. III, p. 269.

CONTR. **Votant.**

**ABSTERGENT, ENTE** [apstɛʀʒɑ̃, ɑ̃t] adj. et n. m. — V. 1570; lat. *abstergens*, p. prés. de *abstergere*. → Absterger.

Méd. Vx. Qui est propre à nettoyer les plaies. *Médicament, remède abstergent.* — N. m. *Un abstergent.* → **Abluant, détersif.**

**ABSTERGER** [apstɛʀʒe] v. tr. — XIVe; lat. *abstergere* «nettoyer».

Méd. Vx. Laver, nettoyer (une plaie, un ulcère). → **Déterger, purifier.**

Pron. *S'absterger :* se nettoyer. Fig., littér. Se purifier.

**ABSTERSIF, IVE** [apstɛʀsif, iv] adj. et n. m. — 1314; lat. médiéval *abstersivus*, du lat. class. *abstergere*. → Absterger.

Méd. Vx. Propre à nettoyer (une plaie). — N. m. *Un abstersif.* → **Abstergent.**

**ABSTERSION** [apstɛʀsjɔ̃] n. f. — XIVe; bas lat. *abstersio* «action d'essuyer», de *abstergere*.

Méd. Vx. Action d'absterger.

**ABSTINENCE** [apstinɑ̃s] n. f. — XIIe; *austinance*, 1050; lat. *abstinentia*, de *abstinere*. → Abstenir (s').

♦ **1** Privation volontaire de certains aliments (par exemple, viande) ou boissons (alcool), pour une raison religieuse ou médicale. → **Diète, jeûne;** et aussi **frugalité, sobriété, tempérance.** *Faire abstinence* *le vendredi.* → **Maigre.** *Observer l'abstinence. Jours d'abstinence. L'abstinence du Carême.*

1 Anachorètes et cénobites vivaient dans l'abstinence, ne prenant de nourriture qu'après le coucher du soleil, mangeant pour tout repas leur pain avec un peu de sel et d'hysope.
FRANCE, Thaïs, p. 4.

♦ **2** Littér. Action de s'abstenir de qqch., de renoncer à la satisfaction d'un besoin (→ **Sobriété, tempérance**), d'un désir. *Vivre dans l'abstinence de tous les plaisirs.* → **Privation, renoncement.** *Faire abstinence par choix. «L'abstinence et la mortification sont des vertus de barbares»* (→ Matériel, cit. 10, Renan).

♦ **3** Continence sexuelle. → **Chasteté.**

2 Sans fléchir ses genoux en écartant les jambes, elle se courba si bien que son menton frôlait le plancher; et les nomades habitués à l'abstinence, les soldats de Rome experts en débauches (...) tous, dilatant leurs narines, palpitaient de convoitise.
FLAUBERT, Trois contes, «Hérodias» (1877).

♦ **4** Psychan. *Règle d'abstinence :* principe selon lequel la cure faite par le patient doit être conduite de telle façon qu'il trouve le moins possible de satisfactions substitutives à ses symptômes. *«La notion d'abstinence est implicitement liée au principe même de la méthode analytique en tant que celle-ci fait de l'interprétation son acte fondamental au lieu de satisfaire les exigences libidinales du patient»* (J. Laplanche et J.-B. Pontalis, *Vocabulaire de la psychanalyse*, p. 3, P.U.F., 1967).

♦ **5** Zool. Faculté qu'ont certains animaux (marmotte, ours) de passer l'hiver sans prendre de nourriture (→ **Hibernation**). — Par ext. *Abstinence hivernale*, des animaux qui ne trouvent pas suffisamment de nourriture à cause de l'hiver. *L'abstinence hivernale du sanglier.*

CONTR. **Bombance, noce, ripaille. — Abandon, débauche, dérèglement, désordre, excès, jouissance.**

**ABSTINENT, ENTE** [apstinɑ̃, ɑ̃t] adj. — 1160; lat. *abstinens*, p. prés. de *abstinere*.

♦ **1** Qui observe les abstinences de sa religion. Qui boit et mange avec modération (→ **Frugal, sobre, tempérant**) ou se prive de certains plaisirs (→ **Chaste, continent**). — N. *Un abstinent.*

(...) je puis jouir sans réserve de mon droit de n'avoir pas d'opinion. S'il fallait que je me fisse un jugement de don Juan d'après un homme qui «lève», en trois mots et trois ronds de jambes, deux petites rustaudes, j'aurais bien du mal à réformer mon don Juan personnel, sombre, obstiné — j'allais écrire abstinent — paré de cette mysogynie *(sic)* foncière qui plaît tant aux femmes...
COLETTE, le Fanal bleu, éd. L. de Poche, p. 46.

♦ **2** Qui s'abstient complètement d'alcool. → **Abstème.**

CONTR. **Débauché, noceur, viveur.**

**ABSTRACT** [apstʀakt] n. m. — 1939, *in* T. L. F.; mot angl., «résumé» de même orig. que le franç. *abstraire, abstrait.*

Anglic. Résumé d'un texte scientifique ou technique. *Rédiger l'abstract d'un ouvrage, d'un article. Table d'abstracts.* → **Résumé.**

**ABSTRACTEUR** [apstʀaktœʀ] n. m. et adj. — 1532, t. d'alchimie; lat. médiéval *abstractor*, même sens, de *abstractus.* → Abstrait.

♦ **1** N. m. Loc. **ABSTRACTEUR DE QUINTESSENCE :** alchimiste qui extrayait la partie la plus subtile d'un corps. — Fig. Personne qui subtilise à l'excès, se plaît aux abstractions, aux subtilités. — Didact., absolt. Personne qui abstrait, considère par abstraction (cit. 2).

La vie très horrificque du Grand Gargantua père de Pantagruel jadis composée par M. Alcofribas abstracteur de quinte essence. Livre plein de pantagruélisme. 1
RABELAIS, Gargantua, titre (Épithète que Rabelais ajoute à son pseudonyme, dans le titre).

De subtils abstracteurs, de froids examinateurs de la nature humaine (...) 2
DIDEROT, Lettre de Ramsay, *in* LITTRÉ.

Les philosophes eux-mêmes, les abstracteurs de quintessence, vont, malgré eux, par la voie simple du pauvre vicaire savoyard. 3
MICHELET, Hist. de la Révolution franç., I, p. 59.

♦ **2** Adj. Qui abstrait. *Un génie abstracteur et théoricien.* — Le fém. est *abstractrice* [apstʀaktʀis], rare.

**ABSTRACTIF, IVE** [apstʀaktif, iv] adj. — 1510, *science abstractive* «qui utilise l'abstraction», Lemaire de Belges; lat. médiéval *abstractivus* «qui pratique l'abstraction».

Didact. (log.). Qui abstrait, sert à former des idées abstraites. *L'abstraction, considérée comme «résultat de l'opération abstractive»* (Foulquié, *Dict. de la langue philosophique*, art. *Abstraction*).

Il n'avait sûrement pas assez de culture historique, ou de subtilité intellectuelle, ou de finesse abstractive, pour porter sur la politique un jugement qui passât au delà des apparences sensibles ou morales.
Raymond ABELLIO, Ma dernière mémoire, t. I, p. 75.

DÉR. **Abstractivement, abstractivité.**

**ABSTRACTION** [apstʀaksjɔ̃] n. f. — 1370; XIIIe, «action d'extraire (un corps d'une blessure)»; bas lat. *abstractio*, de *abstractus.* → Abstrait.

♦ **1** Philos. *L'abstraction :* faculté de l'intelligence, opération de l'esprit qui sépare, isole, pour le considérer indépendamment, un élément (qualité, relation), de l'objet auquel il est uni, et qui ne se présente pas séparément dans la réalité. *L'homme est capable d'abstraction et de généralisation. Pouvoir, faculté d'abstraction.*

Toutes les idées sur lesquelles reposent les sciences : les idées de nombre, d'étendue, de force, d'énergie, de rapport, ne seraient jamais devenues des idées claires sans l'abstraction. 1
P. F. THOMAS, Cours de philosophie, p. 186, *in* T. L. F.

L'abstraction proprement dite est inséparable de la généralisation. 2
CUVILLIER, Petit voc. de la langue philosophique.

L'abstraction isole par la pensée ce qui ne peut être isolé dans la représentation. La dissection d'un organe ou même la représentation intellectuelle d'un organe isolé n'est pas une abstraction. L'abstraction diffère de l'analyse en ce que celle-ci considère également tous les éléments de la représentation analysée. 3
LALANDE, Voc. de la philosophie, art. *Abstraction.*

Rare. Cette faculté, chez une personne.

(...) l'abstraction impitoyable *(chez Robespierre)* d'un homme qui ne veut plus être homme, mais un principe vivant. 4
MICHELET, Hist. de la Révolution franç., p. 219.

♦ **2** (XVIIe). *Une, des abstractions.* Résultat de cette opération, qualité ou relation isolée par l'esprit. → aussi **Notion.** *La forme, le volume, la couleur sont des abstractions.*

L'idée sans le mot serait une abstraction; le mot sans l'idée serait un bruit; leur jonction est leur vie. 5
HUGO, Post-Scriptum de ma vie, p. 11.

♦ **3** Cour. *(Une, des abstractions).* Idée abstraite (opposé à *représentation concrète*, à *réalité vécue*). → **Idée, concept.** — Péj. Idée faussement prise pour la réalité. → **Chimère, entité**; et aussi **allégorie, symbole; chimère.** *Ce ne sont que des mots, des abstractions!*

6 Voilà trois mois que je lis exclusivement de la métaphysique ! Après tant d'abstractions, vous pouvez penser s'il m'a été doux de me désaltérer dans le réel.
FLAUBERT, Correspondance, p. 327, *in* T. L. F.

7 (...) la dialectique religieuse m'occupait déjà tout entier. Le flot d'abstractions qui me montait à la tête m'étourdissait et me rendait, pour tout le reste, absent et distrait.
RENAN, Souvenirs d'enfance..., VI, II, Œ. compl., t. II, p. 780.

8 L'homme a une telle facilité à s'évader en des abstractions nobles et fausses, qu'il est sain de lui replonger de temps à autre le nez dans son ordure.
A. MAUROIS, Études littéraires, t. II, p. 191.

9 Évidemment, c'était la première fois, ce soir, que la guerre, cessant pour elle d'être une abstraction, s'imposait à son imagination avec un tel relief, dans sa réalité sanglante.
MARTIN DU GARD, les Thibault, t. V.

♦ **4** Vx. Action de séparer, d'isoler. — Loc. mod. (XVIIe). **FAIRE ABSTRACTION DE...** : écarter par la pensée, ne pas tenir compte de... → **Écarter, exclure, négliger.**

1 (...) dans une chose totalement indifférente, nous devons, si nous sommes sages et maîtres de la chose, la faire indubitablement tourner du côté où elle nous est profitable, abstraction faite de tout ce que peut y perdre l'adversaire (...)
SADE, Justine..., t. I, p. 49.

0 Le principe essentiel de la science, en effet, c'est de faire abstraction du surnaturel.
RENAN, Questions contemporaines, V, Œ. compl., t. I, p. 161.

*Abstraction de... :* en faisant abstraction de... *Abstraction faite.*

1 Abstraction de toute lourdeur de toute longueur de toute géométrie de toute architecture abstraction faite : VITESSE.
Henri MICHAUX, Face aux verrous, p. 14.

*Faire abstraction de soi* (plus généralt, *de qqn*) : ne pas tenir compte de soi (de qqn), dans la vie.

♦ **5** (XXe ; probablt de l'all. *Abstraktion,* 1908, Wörringer, dans ce sens). Technique artistique qui aboutit à un objet d'art ne correspondant pas à des éléments reconnaissables. *«Esthétique de l'abstraction»* (Ch.-P. Bru). *Abstraction géométrique, lyrique, tachiste.* — Syn. : *art abstrait.* — Opposé à *figuration, représentation.*

♦ **6** Vx ou littér. État d'une personne qui s'abstrait, s'isole. *Vivre dans une sorte d'abstraction. Sortir de son abstraction, de ses abstractions.*

**ABSTRACTIVEMENT** [apstʀaktivmɑ̃] adv. — 1504 ; repris au XVIIIe ; de *abstractif.*

♦ **1** Vx. D'une manière abstractive. *Considérer abstractivement une qualité.*

♦ **2** Didact. En faisant abstraction (de...).

**ABSTRACTIVITÉ** [apstʀaktivite] n. f. — 1832, Balzac ; de *abstractif.*

Didact. Caractère de ce qui est abstractif.

Il se trouve nécessairement des êtres intermédiaires (...) chez lesquels l'Instinctivité se mêle à l'Abstractivité dans des proportions infinies.
BALZAC, Louis Lambert, Pl., t. X, p. 450.

**ABSTRAIRE** [apstʀɛʀ] v. tr. [CONJUG. : *traire.* **Inusité au passé simple et à l'imp. du subj.**] — 1327, pron. «s'arracher à» ; du lat. *abstrahere* «arracher», de *ab-,* et *trahere,* refait d'après *traire.*

♦ **1** Considérer par abstraction (un caractère, une qualité) en séparant, en isolant. *«Dans un objet blanc, on abstrait la blancheur, qui devient un terme général»* (Littré).

A mesure que l'esprit a abstrait ou (...) distillé la nature pour en tirer l'essence (...)
FRANCE, le Jardin d'Épicure, p. 218.

J'étais pour longtemps encore à l'âge où l'on n'a pas encore abstrait ce plaisir de la possession des femmes différentes avec lesquelles on l'a goûté, où on ne l'a pas réduit à une notion générale qui les fait considérer dès lors comme des instruments interchangeables d'un plaisir toujours identique. 2
PROUST, À la recherche du temps perdu, t. I, p. 213.

Absolt. *Il faut abstraire pour généraliser.*

♦ **2** Pron. **S'ABSTRAIRE** : s'isoler du milieu extérieur pour s'absorber, se plonger dans la méditation, la rêverie. *S'abstraire de son entourage.* — (Sans compl.). *Il arrive à s'abstraire complètement au milieu du bruit et de l'agitation ; rien ne le distrait de son travail.*

Encore une journée de perdue ! Salie ! gâchée ! (...) Enfin ! que je puisse m'abstraire !... tu comprends ?... La vie extérieure me ligote... Elle me grignote ! 3
CÉLINE, Mort à crédit, éd. Denoël, p. 478.

Trans. (même sens). *Abstraire son esprit.*

**ABSTRAIT, AITE** [apstʀɛ, ɛt] adj. et n. m. — 1372, *abstract,* t. de gramm. ; lat. *abstractus,* p. p. de *abstrahere,* refait d'après le p. p. de *abstraire.*

**I** Adj. ♦ **1** Se dit d'une notion de qualité ou de relation considérée par abstraction. — Gramm. Se dit des termes (ou noms) qui désignent les qualités conçues indépendamment des sujets qui les possèdent, par opposition aux termes (ou noms) concrets qui désignent ou qualifient les sujets eux-mêmes.

*Rondeur* (la rondeur d'un visage) *est un terme abstrait ; rond* (un visage rond) *est un terme concret.* Math. *Nombre abstrait,* que l'on énonce comme une collection d'unités, en faisant abstraction de la nature de celles-ci, par opposition à *nombre concret.* Sept *est un nombre abstrait ;* sept *dans* sept pommes *est un nombre concret.* — Phys. *Nombre abstrait,* sans unité.

N. m. Ce qui est abstrait. → **Abstraction** (cit. 3). *Dans l'abstrait :* sans référence à la réalité concrète. → **Abstraitement.** *Parler dans l'abstrait.*

*(Abstrait)* se dit de toute notion de qualité ou de relation que l'on considère à part des représentations où elle est donnée. Par opposition, la représentation complète, telle qu'elle est ou peut être donnée, est dite concrète. 1
LALANDE, Voc. de la philosophie.

Une idée est «plus ou moins abstraite» qu'une autre, selon que sa compréhension — c'est-à-dire l'ensemble des caractères qu'elle évoque — est plus ou moins restreinte que celle de cette autre. 2
CUVILLIER, Petit voc. de la langue philosophique.

Le langage humain tend à l'abstrait et s'éloigne toujours davantage du concret. 3
A. MAUROIS, Études littéraires, t. I, p. 46.

Les discussions des philosophes ne portent pas sur la nature des choses, mais sur les rapports de certains mots, assez largement abstraits pour être vides et indéfinissables. 4
A. MAUROIS, Études littéraires, t. I, p. 32.

Le mot est devenu un signe abstrait qui désigne conventionnellement à l'intelligence telle ou telle notion. Il n'atteint plus la sensibilité qu'indirectement, par l'intermédiaire de la raison et de l'imagination. 5
Henri LICHTENBERGER, Richard Wagner, p. 132.

♦ **2** Qui use d'abstractions, opère sur des qualités et des relations et non sur la réalité. *Des spéculations abstraites. Un point de vue abstrait.*

La pensée abstraite fatigue l'homme, parce que l'homme n'est pas un pur esprit. 6
Gustave LANSON, l'Art de la prose, p. 72.

Indépendant de la situation concrète.

Les orateurs (...) jouent d'ailleurs leurs rôles d'une façon parfaitement abstraite, parlant toujours droit devant eux sans que leur regard se fixe sur qui que ce soit... 6.1
A. ROBBE-GRILLET, Projet pour une révolution à New York, p. 41.

*Sciences abstraites,* qui usent des abstractions (mathématique, logique; métaphysique autrefois). → **Pur.**

♦ **3** Cour. Qui est difficile à comprendre, à cause des abstractions, par le manque de représentations du monde sensible. *Un texte,* par ext., *un auteur trop abstrait.* → **Abscons, abstrus.**

7 Et, s'il *(le prédicateur)* s'écarte de ces lieux communs, il n'est plus populaire, il est abstrait ou déclamateur, il ne prêche plus l'Évangile.
LA BRUYÈRE, les Caractères, XV, 26.

♦ **4** (Personnes). Vx (langue class.) ou littér. Qui est comme renfermé en lui-même, séparé du monde extérieur.

8 Il est abstrait, rêveur, et il a, avec de l'esprit, l'air d'un stupide. LA BRUYÈRE, les Caractères, VI, 84.

9 Quand il marche dans la rue, il est constamment préoccupé et abstrait.
J. ROMAINS, les Hommes de bonne volonté, t. II, p. 16.

♦ **5** (1932, *in* D. D. L.). Qui ne représente pas le monde sensible (réel ou imaginaire); qui utilise la matière, la ligne et la couleur pour elles-mêmes. *Art abstrait.* → **Abstraction.** *Peinture, toile, composition, sculpture abstraite.* → **Figuratif** (non figuratif).

10 Dépouillé de toute ressemblance avec les formes de la nature, le tableau abstrait crée un répertoire de signes émotionnels qui atteignent directement (...) la sensibilité du spectateur.
M. BRION, l'Abstraction, 10, *in* FOULQUIÉ, Dict. de la langue philosophique, art. *Abstraction.*

11 Pourtant ma peinture n'est pas, comme beaucoup le croient, une peinture abstraite. Ma peinture est au contraire ultraréaliste.
M. AYMÉ, le Vin de Paris, «La bonne peinture», p. 214.

**II** N. m. ♦ **1** Ce qui a les caractères de la pensée abstraite. *Demeurer dans l'abstrait. Aller du concret vers l'abstrait. — Le plus, le moins abstrait.*

12 (...) il faut commencer par le commencement; et la nature nous jette justement aux yeux et dans les mains ce qui est le plus obscur et le plus difficile. Il faut comprendre cette ruse de la raison, et cet immense détour qui nous instruit par le plus simple, le plus abstrait et le moins touchant.
ALAIN, Propos, 16 mai 1922, Les conditions de l'expérience.

♦ **2** (1935). *L'abstrait :* l'art abstrait. → **Abstraction.**

13 Pignon, lui, se moque du conformisme de l'abstrait. Ce qui vit, rutile et bouge à jamais sur ses toiles, m'a rendu heureux (...)
F. MAURIAC, le Nouveau Bloc-notes 1958-1960, p. 334.

*Un abstrait :* un peintre abstrait (homme ou femme). *Les abstraits et les surréalistes.*

14 Oui, nous mettons à profit l'enseignement des impressionnistes, aussi bien que celui des cubistes et des abstraits.
Claude MAURIAC, le Dîner en ville, p. 138.

Tableau abstrait.

15 Il y avait (...) un luminaire de boutique et deux fauteuils de télévision. Des abstraits au mur.
René MASSON, Drugstore, p. 163.

CONTR. **Concret, positif, réel. — Naturel, simple. — Figuratif.**
◊ DÉR. **Abstraitement.**

**ABSTRAITEMENT** [apstʀɛtmɑ̃] adv. — 1579, *abstractement;* forme mod. au XVIII^e; de *abstrait.*

♦ **1** D'une manière abstraite. *Exposer abstraitement une doctrine. Envisager abstraitement une œuvre.*

♦ **2** Dans l'abstrait. *Résoudre abstraitement une question. Abstraitement, il a raison, mais concrètement, son attitude est absurde.* → **Théoriquement.**

Prends la question de la culpabilité. Politiquement, abstraitement, un individu qui a travaillé avec les Allemands est un salaud, on lui crache dessus, il n'y a pas de problème. Maintenant si tu en vois de près un en particulier, ce n'est plus du tout la même chose.
S. DE BEAUVOIR, les Mandarins, p. 134.

CONTR. **Concrètement.**

**ABSTRUS, USE** [apstʀy, yz] adj. — V. 1327; lat. *abstrusus,* p. p. de *abstrudere* «cacher».

Didact. Qui est difficile à comprendre. → **Abscons, abstrait** (I., 3.), **obscur.**

Quelle rêverie ajuster à tous ces aboutissants mystérieux? 1
Que de révélations abstruses, simultanées, balbutiantes, s'obscurcissant par leur foule même, sortes de bégaiements du verbe!
HUGO, les Travailleurs de la mer, II, II, V.

Le plus abstrus sonnet de Mallarmé n'est pas plus difficile à comprendre que, pour le spectateur non prévenu, non apprivoisé par avance, l'enchevêtrement de cet amphigouri sublime. 2
GIDE, Voyage au Congo, *in* Souvenirs, Pl., p. 820.

CONTR. **Clair.**

**ABSTRUSION** [apstʀyzjɔ̃] n. f. — 1751; de *abstrus.*
Didact., rare. Caractère abstrus.

**ABSURDE** [apsyʀd] adj. et n. m. — Déb. XIII^e, *absorde;* du lat. *absurdus* «dissonant», de *surdus* «sourd».

♦ **1** Didact. Qui est faux (pour des raisons logiques); qui enfreint les règles, les lois de la logique. *Un jugement, un raisonnement absurde.*

N. m. *L'absurde :* ce qui est faux pour des raisons logiques. *Raisonnement, démonstration par l'absurde :* démonstration d'une proposition effectuée en montrant que la proposition contradictoire mène à une conclusion manifestement fausse. → **Apagogie** (vx).

L'absurde, en ce sens, est (...) plus général que le **contradictoire,** et moins général que le **faux.** Strictement parlant, l'**absurde** doit être distingué du non-sens; car l'absurde a un sens, et est faux, tandis que le non-sens n'est proprement ni vrai ni faux. 1
LALANDE, Voc. de la philosophie.

Quand l'absurde est outré, l'on lui fait trop d'honneur De vouloir par raison combattre son erreur. 2
LA FONTAINE, Fables, IX, 1.

♦ **2** Cour. Contraire à la raison, au sens commun. → **Déraisonnable, insensé.** *C'est absurde, c'est une idée absurde. Supposition absurde.* → **Faux, illogique, incohérent.** *Je trouve votre position absurde.* → **Aberrant.** *Ce qu'il dit est absurde par rapport à sa position antérieure.* → **Contradictoire.**

Quand un homme ne peut croire ce qu'il trouve absurde, ce n'est pas sa faute, c'est celle de sa raison. 3
ROUSSEAU, Lettre à d'Alembert.

Il est dans la nature humaine de penser sagement et d'agir d'une façon absurde. 4
FRANCE, le Livre de mon ami, II.

C'est alors qu'il donne l'ordre fou, l'ordre jugé délirant, absurde, imbécile et despotique par le peuple et par tout son entourage. 4
A. ARTAUD, le Théâtre et son double, Idées/Gallimard, p. 19.

N. masculin :

L'impuissance du rêveur n'est pas toujours visible; mais quand il faudrait agir *réellement* elle paraît; alors, l'absurde naît. 5
VALÉRY, Cahiers, Pl., t. II, p. 55.

Fam. Qui est jugé inintelligent (→ **Bête, idiot, inepte, sot, stupide**) ou hors de toute norme (→ **Extravagant, fou).**

Par ext. Inopiné et qui contrarie les intentions de qqn. *Un contretemps absurde.* → **Ridicule.**

Un absurde contre-temps m'empêche, en passant à Boma (Congo Belge), d'aller présenter mes respects au Gouverneur (...)
GIDE, Voyage au Congo, *in* Souvenirs, Pl., p. 690.

(Personnes). *Vous êtes absurde! :* vous dites des absurdités. → **Déraisonnable, fou.**

N. m. Ce qui est absurde (→ ci-dessus, cit. 2). → **Absurdité, non-sens.**

♦ **3** Philos. et cour. (Sens répandu par A. Camus). Dont l'existence ne paraît justifiée par aucune fin dernière; qui est dans le monde avec une gratuité téléologique qui paraît «absurde» (au sens 2.). → **Absurdité.**

7 Ce monde en lui-même n'est pas raisonnable, c'est tout ce qu'on peut en dire. Mais ce qui est absurde, c'est la confrontation de cet irrationnel et de ce désir éperdu de clarté dont l'appel résonne au plus profond de l'homme.
CAMUS, le Mythe de Sisyphe, p. 37 (1942).

1 On ne se suicide pas parce que la vie est absurde, ou parce qu'on est abandonné. Ces raisons-là viennent après.
J.-M. G. LE CLÉZIO, l'Extase matérielle, p. 93.

*L'absurde :* le caractère absurde (de l'homme, du monde). *La philosophie de l'absurde.*

8 Ce malaise devant l'inhumanité de l'homme même, cette incalculable chute devant l'image de ce que nous sommes, cette nausée comme l'appelle un auteur de nos jours, c'est aussi l'absurde. CAMUS, le Mythe de Sisyphe, p. 29.

9 L'absurde est la notion essentielle et la première vérité.
CAMUS, le Mythe de Sisyphe, p. 49.

CONTR. **Fondé, raisonnable, sage, sensé. — Logique.** ◊ DÉR. **Absurdement, absurdisme.**

**ABSURDEMENT** [apsyʀdəmɑ̃] adv. — 1549, R. Estienne; de *absurde.*

D'une manière absurde. *Se conduire absurdement. Parler, répondre absurdement. Il s'est absurdement trompé. Être absurdement honnête, raisonnable* (dans une circonstance qui commanderait de ne pas l'être).

**ABSURDISME** [apsyʀdism] n. m. — Mil. XX^e; de *absurde.*

Didact. (philos.). Doctrine d'après laquelle le monde, la vie sont absurdes.

**ABSURDITÉ** [apsyʀdite] n. f. — 1371; lat. ecclés. *absurditas* «dissonance», de *absurdus.* → Absurde.

♦ **1** Caractère de ce qui est absurde. *L'absurdité d'un raisonnement.*

1 Il est facile de prouver l'absurdité de tous ces ragots.
A. MAUROIS, Bernard Quesnay, XIV.

Philos. *L'absurdité.* → **Absurde,** 3. *Sentiment de l'absurdité :* sentiment que rien ne peut être expliqué rationnellement.

1 Je suis donc fondé à dire que le sentiment de l'absurdité ne naît pas du simple examen d'un fait ou d'une impression mais qu'il jaillit de la comparaison entre un état de fait et une certaine réalité, entre une action et le monde qui la dépasse. CAMUS, le Mythe de Sisyphe, p. 48.

♦ **2** *(Une, des absurdités).* Chose absurde. → **Ineptie, sottise, stupidité.** *Un livre plein d'absurdités.*

2 Que ceux qui nous exhortent à faire ce qu'ils disent, et non ce qu'ils font, disent une grande absurdité!
ROUSSEAU, Julie ou la Nouvelle Héloïse, t. II, p. 84.

3 (...) ils ont fait *(de l'Écriture),* par leurs commentaires, explications et méditations, un manuel d'erreurs, une bibliothèque d'absurdités, un magasin de niaiseries, un cabinet de mensonges, une galerie de sottises, un lycée d'ignorance, un musée d'inepties et le garde-meuble enfin de la bêtise et de la méchanceté humaine.
FRANCE, la Rôtisserie de la reine Pédauque, XIII, 1 t. VIII, p. 114.

4 Voici bien l'incompréhensible, ce qui fait que ma vie est un non-sens, une absurdité.
M. JOUHANDEAU, Chroniques maritales, p. 44.

CONTR. **Bien-fondé, sagesse, bon sens.**

**ABUS** [aby] n. m. — 1370; lat. *abusus* «mauvais usage», de *usus.*

♦ **1** *(L'abus de...).* Action d'abuser (de qqch.). Usage mauvais, excessif (d'une chose). *L'abus n'empêche pas l'usage.* → **Exagération, excès.** *L'abus de la force, d'une facilité.*

Un superflu qui me deviendrait pernicieux et nuisible par l'abus que j'en ferais. 1
BOURDALOUE, Pensées, t. II, p. 77.

C'est l'abus de nos facultés qui nous rend malheureux et méchants (...) ROUSSEAU, Émile, IV. 2

La libre communication des pensées et des opinions est un des droits les plus précieux de l'homme : tout citoyen peut donc parler, écrire, imprimer librement, sauf à répondre de l'abus de cette liberté dans les cas déterminés par la loi. Déclaration des droits de l'homme, 1789, art. 11. 3

Mais qui ne voit que ces abus de la force sont la rançon même de tout grand mouvement. 4
JAURÈS, Hist. socialiste..., p. 163.

Dr. *Abus d'autorité, de pouvoir :* acte d'un fonctionnaire qui outrepasse son autorité.

Dr. et cour. **ABUS DE CONFIANCE :** délit que l'on commet en abusant de la confiance de qqn. *Le Code pénal qualifie d'abus de confiance l'abus des besoins, des faiblesses ou des passions d'un mineur, l'abus de blanc-seing, le détournement d'objets confiés à titre de louage, dépôt, mandat, etc..., le détournement de pièces produites dans une contestation judiciaire* (art. 406 à 409). — *Mais c'est un abus de confiance!*

*Abus de droit :* usage abusif d'un droit.

Il peut donc y avoir des abus dans la conduite des hommes, mais ce n'est pas quand ils exercent leurs droits, c'est quand ils les dépassent; l'homme abuse des choses, il n'abuse pas des droits. Au fond, tout le monde est d'accord; seulement là où les uns disent : «Il y a usage abusif d'un droit», les autres disent : «Il y a un acte accompli sans droit». On défend une idée juste avec une formule fausse. 5
M. PLANIOL, Traité élémentaire de droit civil, t. II, p. 313.

Spécialt. *Abus de mots :* emploi abusif de mots dont on force le sens.

Fam. *Il y a de l'abus,* de l'exagération; les choses vont trop loin.

♦ **2** *(Un, des abus).* Cet usage, lorsqu'il s'est établi dans une société; chose mauvaise qui s'est établie. → **Excès, injustice.** *Créer, introduire un abus, ouvrir la porte aux abus; consacrer, perpétuer, tolérer un abus; corriger, réformer, réprimer, retrancher, extirper un abus. Les abus et les désordres* sociaux, politiques* (→ **Illégalité, injustice, mal...**).

Qui croit devoir fermer les yeux sur quelque chose se voit bientôt forcé de les fermer sur tout : le premier abus toléré en amène un autre; et cette chaîne ne finit plus qu'au renversement de tout ordre et au mépris de toute loi. 6
ROUSSEAU, Émile, IV.

Les abus invétérés ne se corrigent qu'avec le temps. 7
VOLTAIRE, Éloge funèbre de Louis XV.

*C'est un abus :* c'est abusif, c'est un peu fort, c'est trop fort.

Elles *(les femmes)* font la sottise, et nous sommes les sots. C'est un vilain abus. 8
MOLIÈRE, le Cocu imaginaire, XVII.

Dr. canon (hist.). *Appel comme d'abus :* recours contre les abus de pouvoir que commettaient les autorités ecclésiastiques, en empiétant sur l'ordre temporel.

CONTR. **Mesure, modération.** ◊ DÉR. **Abuser.**

**ABUSER** [abyze] v. tr. — 1312; de *abus.*

**I** V. tr. ind. ♦ **1** *(Abuser de qqch.).* User mal, user avec excès. → **Mésuser.** *Abuser de l'alcool, des plaisirs.*

*User d'une chose sans en abuser. Abuser de son pouvoir, de son autorité.* → **Outrepasser**; cf. Dépasser, passer la mesure. *Le droit d'user et d'abuser de qqch.*, d'en jouir et de le dénaturer, de le détruire.

1 Prince... n'abusez point de l'état où je suis.
— En abuser, ô ciel! quand je cours vous défendre (...)
Vous croyez qu'abusant de mon autorité,
Je prétends attenter à votre liberté?
RACINE, Mithridate, I, 2.

2 J'abuse, cher ami, de ton trop d'amitié.
RACINE, Andromaque, III, 1.

3 Guillerargues disait hier que Pelisson abusait de la permission qu'ont les hommes d'être laids.
Mme DE SÉVIGNÉ, à Mme de Grignan, 5 janv. 1674.

4 Combien mérite de mépris et de haine tout homme qui abuse, pour le malheur du genre humain, du génie et des talents que lui donna la nature!
ROUSSEAU, Lettre à d'Alembert.

5 C'est un terrible avantage de n'avoir rien fait, mais il ne faut pas en abuser. RIVAROL, Pensées et maximes.

5.1 Vous abusez lâchement des sentiments que j'eus pour vous, mais que je n'ai plus.
STENDHAL, le Rouge et le Noir, I, XXX.

*Abuser de la bonté, de la patience de qqn. Abuser de qqn* (ou, absolt, *abuser*) : se comporter sans délicatesse à son égard.

5.2 Que dois-je faire, monsieur Fogg? dit-elle.
— C'est très simple, répondit le gentleman. Revenir en Europe.
— Mais je ne puis abuser...
— Vous n'abusez pas, et votre présence ne gêne en rien mon programme (...)
J. VERNE, le Tour du monde en 80 jours, p. 149 (1873).

(Absolt). Cour., fam. *Abuser :* en user sans mesure, sans délicatesse. *Téléphoner à trois heures du matin, vraiment il abuse.* → **Exagérer.** Absolt. *Usez, n'abusez point :* soyez modérés.

6 Seulement Mirabeau, cédant trop à son goût naturel, appuie, insiste et abuse. Le tact n'est pas sa qualité dominante. Louis BARTHOU, Mirabeau, p. 112.

♦ **2** (1370). *Abuser d'une femme :* la contraindre à des relations physiques qu'elle n'est pas en situation de pouvoir refuser; par euphém., la violer.

7 Alexandre VI était accusé d'abuser de sa propre fille Lucrèce. VOLTAIRE, Essai sur les mœurs, 110.

7.1 (...) j'étais au pied d'un arbre, hors de toutes les routes, froissée, ensanglantée... déshonorée, Madame; (...) ce scélérat après avoir fait de moi tout ce qu'il avait voulu, après en avoir abusé de toutes manières, de celle même qui outrage le plus la Nature, avait pris ma bourse (...)
SADE, Justine..., t. I, p. 62.

Au p. p. :

8 Il y a dans le Deutéronome une loi par laquelle une fille abusée était punie avec le séducteur, si le délit avait été commis dans la ville. ROUSSEAU, Émile, V.

♦ **3** *Abuser de qqn, de sa crédulité :* en profiter en le trompant. *Abuser de qqn en lui faisant croire qqch.* → ci-dessous II.

9 Mais doucement détruire une femme! et creuser
Sous ses pieds une trappe! et contre elle abuser,
Qui sait? de son humeur peut-être hasardeuse!
Prendre ce pauvre oiseau dans quelque glu hideuse!
HUGO, Ruy Blas, I, 2.

**II** V. tr. dir. (1341). Par ext. Tromper (qqn) en abusant de sa crédulité; induire en erreur. → **Duper, égarer, embabouiner** (vx), **enjôler, jouer, leurrer, mystifier; amuser** (vx), **attraper, décevoir** (vieilli). *Se laisser abuser. Abuser qqn par de fausses promesses,* (vx) *l'abuser de fausses promesses.* → Donner le change, monter le coup à qqn, surprendre la bonne foi de qqn. — (Compl. n. de chose). *Abuser la raison* (littér.). — (Sujet n. de chose). Vx. *Une idée fausse, un préjugé l'abuse.* — Au passif. *Être abusé par...*

Les sens abusent la raison par de fausses apparences.
PASCAL, Pensées, II, 83.

Je crains presque, je crains qu'un songe ne m'abuse.
RACINE, Phèdre, II, 2.

Justice, équité, providence! Vains mots dont on nous abuse. COURIER, Œuv., p. 6.

Nous sommes abusés par de vaines images, nous poursuivons des songes et nous embrassons des ombres.
FRANCE, la Rôtisserie de la reine Pédauque, 1 t. VIII, p. 55.

Les yeux et tous nos sens ne sont que des messagers d'erreurs et des courriers de mensonges. Ils nous abusent plus qu'ils ne nous instruisent.
FRANCE, la Rôtisserie de la reine Pédauque, 1 t. VIII, p. 213.

Qui donc oserait penser que ces belles inventions de l'intelligence (...) vont ruiner les sociétés humaines après les avoir enrichies, vont les asservir après les avoir abusées par des promesses de franchise?
G. DUHAMEL, le Temps de la recherche, IX, p. 121.

◆ **S'ABUSER** v. pron. Se tromper, se méprendre. → **Égarer** (s'), **illusionner** (s'). *Il s'abuse sur ses capacités.*

Ne jugez point, vous ne vous abuserez jamais.
ROUSSEAU, Émile, III.

Les grands hommes ne s'abusent point sur leur supériorité; ils la voient, la sentent, et n'en sont pas moins modestes. ROUSSEAU, Émile, IV.

(...) malgré ma confiance en mon noble guide, je commençais à croire que je m'étais abusé.
SAINTE-BEUVE, Volupté, V.

Créée pour rencontrer l'homme et lui plaire, pour l'aimer fréquemment et s'abuser sur lui, elle jouait avec l'approche d'un homme qui allait entrer.
COLETTE, Julie de Carneilhan, p. 180.

Loc. Plus cour. *Si je ne m'abuse :* si je ne me trompe.

◆ **ABUSÉ, ÉE** p. p. adj. Dupé, trompé.

CONTR. **Éclairer, guider. — Détromper, ouvrir** (les yeux).
◊ DÉR. **Abuseur.** — REM. Gide (*in* Correspondance) emploie le p. prés. *abusant, ante* comme adj.

**ABUSEUR** [abyzœʀ] n. m. — 1309, Joinville; de *abuser.*

Rare. Celui qui abuse, qui abuse de (qqch.).

Vous fréquentez des gens terribles! Haut et court!... Un abuseur des libertés!...
CÉLINE, Guignol's band, p. 74.

**ABUSIF, IVE** [abyzif, iv] adj. — 1371, en gramm.; bas lat. *abusivus,* de *abusus.* → Abus.

♦ **1** Qui constitue un abus. *L'emploi abusif des médicaments.* → **Excessif, immodéré, mauvais.** *L'usage abusif de la sonnette d'alarme sera sanctionné. Un contrat injuste et abusif.* → **Léonin.** — *Emploi abusif d'un mot :* emploi d'un mot dans un sens qu'il n'a pas. → **Impropre.**

L'emploi constant des tirets (j'en supprime plus des trois quarts) m'irrite, et, plus encore, de certains mots, particulièrement le «après» dont je fais un usage impropre et abusif. GIDE, Journal, 26 août 1926.

Rare (choses concrètes). Dont l'usage constitue un abus. *Suivre un chemin abusif.*

*(Il)* se mit à poursuivre à coups de pierres une petite paysanne qui avait pris un sentier abusif, et traversait un coin du verger. STENDHAL, le Rouge et le Noir, I, 9.

♦ **2** Psychol., psychan. Qui abuse de sa situation; qui s'exerce, agit dans un sens appropriatif. → **Captatif, possessif.** *Sentiments abusifs. Parents abusifs à l'endroit de l'enfant,* qui cherchent à l'accaparer, à l'«absorber» affectivement, au lieu de se donner à lui. *Mère abusive, père abusif :* mère, père, qui maintient son enfant dans une trop grande dépendance affective. *Veuve abusive,* qui exploite à son profit la notoriété de son mari défunt.

3 Le plus odieux mensonge est celui des mères abusives, qui, sous prétexte qu'elles ont allaité, torché, bichonné, caressé, embrassé, consolé, soigné, protégé leur bambin, exigent d'être payées en retour de gratitude émue ou d'amour reconnaissant; comme si, pour ce faire, elles avaient dû se «sacrifier».

Annie LECLERC, Parole de femme, p. 102.

♦ **3** Vx. Qui abuse, trompe. *Des croyances abusives.*

**CONTR.** **Équitable, juste. — Oblatif.** ◊ **DÉR.** **Abusivement.**

**ABUSIVEMENT** [abyzivmɑ̃] adv. — 1327; de *abusif.*

D'une manière abusive.

1 On a exagéré, on a généralisé abusivement quelques passages de vieilles chroniques.

J. BAINVILLE, Hist. de France, p. 50.

2 (...) ce labyrinthe commun, où cinq cents Normands et cinq cents Saxons — gens de même race, sans doute : o patries abusivement partagées — se rejoignaient et se mêlaient.

DRIEU LA ROCHELLE, la Comédie de Charleroi, p. 59.

Ling. Employé de manière abusive; en faisant un abus de langage, une faute.

**ABUTER** [abyte] v. tr. — 1215, «arriver»; de 1. *a-*, et *but.*

Technique.

♦ **1** (1550, A. Paré, au p. p.). Ajuster (deux pièces) par le bout. *Abuter deux pièces de bois.* → **Abouter.**

V. intr. Se joindre par le bout. *Deux pièces de bois abutent.*

♦ **2** (1680). Absolt. Jeu. Lancer une boule, un palet... vers le but, pour savoir qui jouera le premier. → **Quiller.**

◆ **ABUTÉ, ÉE** p. p. adj. *Pièces bien abutées.*

**ABUTILON** [abytilɔ̃] n. m. — 1694, Tournefort; lat. sc., adapt. de l'arabe *abū tilūn* (Avicenne).

Bot. Plante *(Malvacées)* des régions chaudes et tempérées, utilisée pour ses propriétés thérapeutiques et dont les tiges fournissent une fibre textile.

**ABYME** [abim] n. m. → **Abîme.**

**ABYSSAL, ALE, AUX** [abisal, o] adj. — 1842; «dont l'immensité est insondable», théol., 1597; du lat. ecclés. *abyssus* «abîme». → Abysse.

♦ **1** Théol. ou littér. Dont la profondeur est insondable. *Des ténèbres abyssales. Un espace abyssal. «Le plus abyssal des non-sens»* (G. Bataille, *in* T. L. F.).

Par ext. Fam. Immense, insondable (surtout avec les subst. désignant la sottise).

1 Elle était d'une stupidité si abyssale qu'il en eut le vertige et la planta là.

Jean-Louis CURTIS, le Roseau pensant, p. 192.

♦ **2** Didact. Des grandes profondeurs, qui a rapport aux abysses océaniques. *Fosses abyssales. Faune abyssale. Benthos* abyssal. Zone, plaine abyssale.* → **Pélagique.**

♦ **3** (Déb. xxᵉ). Psychol. Qui appartient aux couches les moins connues de la personnalité humaine. *Couches abyssales. Psychologie abyssale* (ou *psychologie* profonde*) : psychanalyse, surtout quand l'investigation s'oriente vers les couches les plus profondes et les plus anciennes de la personnalité.

2 La Raison qui surgissait autrefois on ne sait trop comment de la nature ou des profondeurs abyssales de l'Esprit, prend maintenant une forme dialectique et sort de l'Histoire. H. LEFEBVRE, la Somme et le Reste, I, p. 60.

Ce qui est nouveau, c'est que de tels fantômes *(l'incendie, l'assassinat organisé, la révolution sanglante)* surgis jadis mystérieusement des profondeurs abyssales, sont aujourd'hui renvoyés au grand jour à leur superficialité d'images d'Épinal, ou de bandes dessinées. 3

A. ROBBE-GRILLET, *in* le Nouvel Obs., Avant-propos de «Projet pour une révolution à New York».

**ABYSSE** [abis] n. m. — 1890; lat. ecclés. *abyssus* «abîme», «profondeur de la mer» (ivᵉ).

♦ **1** Didact. Grande profondeur des fonds marins, fosse sous-marine. *La topographie des abysses. Un abysse de 6 000 m.*

♦ **2** Fig. Littér. Abîme; couche profonde de la personnalité.

Il y a l'histoire contre nous *(les femmes),* il y a la biologie — peut-être —, il y a l'introduction en nos intelligences d'une culture et d'un mécanisme de pensée masculins dont le tranchant est double, mais il nous reste les abysses que personne n'a explorés.

Michèle PERREIN, Entre chienne et louve, p. 167.

**DÉR.** **V. Abyssal.**

**ABYSSIN, INE** [abisɛ̃, in] adj. et n. — Av. 1704 (probablt déb. xviiᵉ); cf. angl. *Abissian,* 1621); du lat. mod. *Abyssinia* «Abyssinie», mot port., de l'arabe *El Habesha,* de *habesh* «mixte», à cause de la population multiraciale.

Vieilli. D'Abyssinie (ancien nom de l'Éthiopie, *éthiopien** ayant à l'origine un sens plus extensif). *Le massif, le plateau abyssin. Les populations abyssines.* — N. *Les Abyssins.*

Mod. *Chat abyssin,* d'une race *(abyssine),* à poil fauve avec des zones plus foncées, au corps élancé. — N. m. *Un abyssin.*

REM. La var. *abyssinien, enne* [abisinjɛ̃, ɛn] (1796, *in* T. L. F.), de *Abyssinie* (p.-ê. d'après l'anglais *Abyssinian,* 1753), s'est employée au xixᵉ s.

**ABZYME** [abzim] n. f. — 1896; empr. à l'angl. *abzyme,* de *a(nti)b(ody)* «*anticorps*», et *(en)zyme.*

Biochim. Anticorps doué d'activité catalytique, comme une enzyme.

**ACA** [aka] n. m. — Attesté xixᵉ; de l'anc. franç. *a quaz* (1080), de *caz, quaz,* d'où *cad* (*un cad d'eau,* 1606), du lat. pop. **coactiare,* de *cagere* «presser»; var. *agas, agaste,* par croisement avec *agaster,* de *gaster, gâter.*

Régional. **ACA D'EAU** : brusque pluie torrentielle.

Var. *Aga d'eau* (Colette, *Sido,* in T. L. F.).

**ACABIT** [akabi] n. m. — xvᵉ, «événement malheureux, accident»; var. *acabie,* fém., «sorte, espèce» jusqu'à la fin du xviiᵉ; orig. obscure, p.-ê. de l'anc. provençal *acabir,* au p. p. *acabit, acabat* «achevé», le sens de «accident» venant de l'idée d'«achever (un blessé)», selon Guiraud. → Achever.

♦ **1** (xviiᵉ). Vx. Qualité, manière d'être bonne ou mauvaise (des choses — en particulier, des denrées : fruits, etc. —, des personnes). *Des poires de bon acabit.*

♦ **2** Loc. mod.; souvent péj. *De cet, son acabit; de, du même acabit* : de cette, de même nature. → **Farine** (de même farine). Cf. le lat. de cuisine *ejusdem farinae.*

(...) au nom de principes et de convenances (...) qu'ils invoquaient en commun avec lui, en braves gens de même acabit (...) 1

PROUST, À la recherche du temps perdu, t. I, p. 203.

Il était avec un compagnon de son acabit qui lui donnait un conseil relatif à certain bouton de son pardessus. 2

R. QUENEAU, Exercices de style, p. 43.

Péj. *De tout acabit* (et, rare, *de tous les acabits*) : de tout genre.

3 Ce n'est pas que je donne dans le poncif de tenir pour sacré le mot mère. Il y a des femmes de tout acabit; or la majorité des femmes sont mères; il y a donc des mères de tout acabit.
MONTHERLANT, les Lépreuses, *in* Romans, Pl., p. 1415.

**ACACIA** [akasja] n. m. — XIVe, *acacie; acacia,* XVIe, réfection étymologique, lat. *acacia;* le mot a désigné d'abord des mimosacées (sens 2.), leur fruit, ainsi que le suc de la plante, en pharmacie (XVIe-XVIII[e]) et le suc de prunelle; le sens courant est postérieur à 1601, date où Jean Robin reçut d'Amérique la première semence.

♦ **1** (1680, lat. bot. *acacia robini*). Cour. Arbre au fût élancé, aux branches épineuses, aux fleurs odorantes formant des grappes blanches (parfois jaunes ou roses), scientifiquement appelé *robinier**. *Acacia blanc, jaune. Acacia nain. Bosquet, bouquet d'acacias. L'acacia, originaire d'Amérique, a été acclimaté en Europe. Beignets de fleurs d'acacia. Miel d'acacia.*

0.1 (...) bien avant d'arriver à l'allée des Acacias leur parfum qui, irradiant autour, faisait sentir de loin l'approche et la singularité d'une puissante et molle individualité végétale, puis, quand je me rapprochais, le faîte aperçu de leur frondaison légère et mièvre (...) sur laquelle des centaines de fleurs s'étaient abattues (...), enfin jusqu'à leur nom féminin, désœuvré et doux, me faisaient battre le cœur.
PROUST, Du côté de chez Swann, Pl., t. I, p. 418.

0.2 (...) elle *(Lalla)* va vers les torrents asséchés pour ramasser des brindilles d'acacia, elle les lie avec une ficelle, et elle rapporte le fagot à la maison d'Aamma. Les flammes bondissent joyeusement dans les brindilles, font éclater les tiges et les épines, font bouillir la sève.
J.-M. G. LE CLÉZIO, Désert, p. 93-94.

Par ext. Bois de cet arbre, dur et fibreux. *Rais de roue en acacia.*

REM. L'usage courant de *acacia* est généralt celui du sens 1., ci-dessus; cependant, les descriptions suggèrent que le mot est aussi employé (depuis l'origine) pour désigner des arbres et arbrisseaux de la famille des mimosacées. Voir ci-dessous, 2.

♦ **2** Bot. [a] Plante (arbre ou arbrisseau) appartenant à un genre de légumineuses, proche des Mimosas (2.), comportant environ quatre cent cinquante espèces exotiques (Asie, Australie, Afrique), dont certaines sont acclimatées en Europe. *Le cachou provient d'un acacia* (acacia catechu).

REM. 1. Toutes ces plantes portent dans la nomenclature le nom latin d'*acacia*. Certaines sont communément appelées *mimosas** (acacia dealbata), d'autres *gommier** (acacia arabica; acacia Senegal), *cassie** (acacia farnesiana). Cependant, on rencontre des syntagmes comme *acacia de Farnèse* (cassie), *acacia de Bailey*, pour les désigner.

2. Les emplois de *acacia* pour désigner les variétés de mimosas sont assez rares dans la langue courante.

1 Les acacias balançaient à la face des nues leur opulent plumage doré.
G. DUHAMEL, Chronique des Pasquier, V, XI, p. 133.

2 (...) le parfum entêtant des acacias (...)
F. MAURIAC, l'Enfant chargé de chaînes, p. 145.

[b] *Faux acacia :* le robinier, appelé dans la langue courante *acacia* (ci-dessus, 1.).

**ACADÉMICIEN, IENNE** [akademisjɛ̃, jɛn] n. et adj. — V. 1550, Ramus (au sens antique); du lat. *academicus*. → Académique, et suff. *-ien, -ienne*.

[I] N. ♦ **1** Didact. Philosophe de l'Académie, école platonicienne. → **Platonicien.**

♦ **2** N. m. (12 février 1635). Cour. Membre de l'Académie française. → **Immortel.** — Membre de l'Institut (→ **Académie**). *Le titre d'académicien.* — (1672). Membre d'une société (artistique, littéraire, scientifique) appelée *académie. Les académiciens Goncourt :* les membres de l'Académie Goncourt.

REM. Les membres de l'Académie française s'étaient d'abord appelés *académistes*.

Ci-gît Piron, qui ne fut rien, 1
Pas même académicien.
PIRON, Épigrammes, «Mon épitaphe».

Car alors *(au temps de Conrart)* aussi on faisait académiciens ceux qui n'écrivaient point, sans toutefois mettre en prison ceux qui écrivaient. 2
P.-L. COURIER, Pamphlets politiques, Pl., p. 150.

Nu comme un plat d'argent, — Nu comme un mur d'église, 3
Nu comme le discours d'un académicien.
A. DE MUSSET, Namouna.

N. f. **ACADÉMICIENNE** (1648, en parlant de l'Antiquité; pour l'époque moderne, 1900, Robida, *le XXe siècle*, p. 179 — roman d'anticipation). Femme membre d'une académie. *Colette était académicienne de l'Académie royale de Belgique.* — (À l'Académie française). *Marguerite Yourcenar fut la première académicienne* (1980).

Le Roi *(des Belges)* était très grand; il se pencha pour embrasser la première académicienne de son royaume *(la comtesse de Noailles).* 4
G. BAUER, les Billets de Guermantes, juil. 1936, p. 75.

[II] Adj. (Rare). ♦ **1** Didact. Qui est propre à l'Académie (I., 1.). *La philosophie académicienne.*

♦ **2** Académique. *Une formule académicienne.*

**ACADÉMIE** [akademi] n. f. — 1508, sens I., 1.; lat. *Academia*, emprunté au grec *Akadêmia* «jardin d'Akadêmos où Platon enseignait»; 1570, sens I., 2.; ital. *accademia.*

[I] ♦ **1** Didact. Jardin du Grec Akadêmos, près d'Athènes, où enseignèrent Platon, Speusippe, Xénocrate. — Par ext. L'École platonicienne elle-même; sa doctrine. *Un philosophe de l'Académie. Les enseignements de l'Académie.*

♦ **2** Compagnie, société de gens de lettres, de savants, d'artistes. *Antoine de Baïf fonda la première académie de musique en 1570, sur le modèle des académies italiennes.*

*L'Académie* (pour *l'Académie française*). *Les membres de l'Académie* (les Quarante). → **Académicien, immortel.** *Siège à l'Académie.* → **Fauteuil.** *Être reçu à l'Académie.* → **Coupole** (sous la). *Le secrétaire perpétuel de l'Académie. Le dictionnaire de l'Académie.*

REM. *L'Académie des Beaux-Arts, l'Académie des Inscriptions et Belles-Lettres, l'Académie des Sciences, l'Académie des Sciences morales et politiques,* forment avec *l'Académie française* l'Institut* de France.

J'ai ouï parler d'une espèce de tribunal qu'on appelle l'Académie française. Il n'y en a point de moins respecté dans le monde; car on dit qu'aussitôt qu'il a décidé, le peuple casse ses arrêts, et lui impose des lois qu'il est obligé de suivre. 1
MONTESQUIEU, Lettres persanes, LXXIII.

Il serait honteux pour l'Académie que Voltaire en fût, et il lui sera quelque jour honteux qu'il n'en ait pas été. 2
MONTESQUIEU, Des modernes, p. 623.

(...) la noblesse n'est pas de rigueur pour entrer à l'Académie; l'ignorance, bien prouvée, suffit. 3
P.-L. COURIER, Pamphlets littéraires, Pl., p. 277.

En France, le dictionnaire de l'Académie fait toujours loi dans les discussions qui s'élèvent sur la propriété d'un mot, d'un terme ou d'une expression. 4
STENDHAL, Racine et Shakespeare, éd. Martino, t. II, p. 59.

5 Les Académies n'aiment pas les camélias parfumés et exceptionnels. Elles aiment les camélias ordinaires, qui ne sentent rien, les vrais camélias.
BARBEY D'AUREVILLY, les Poètes, p. 369.

.1 Académie : réunion de gens habiles et de gens influents. Ce n'est pas un brevet d'orgueil... ni de grandeur d'âme. On y trouve les plus naïfs des hommes de talent encadrés par les plus habiles des hommes sans talent.
VALÉRY, Cahiers, t. II, Pl., p. 1459.

Par ext. Compagnie, société dont les membres s'occupent de lettres, d'arts, de sciences ou d'une autre spécialité. *L'Académie de médecine. Académie nationale de musique* (Opéra de Paris). *Une académie d'apiculture.*

Hist. *L'Académie des jeux floraux,* à Toulouse.

6 L'Institut, livré aux médiocrités, laisse entière à l'Académie des Jeux Floraux la noble tâche d'encourager les jeunes talents. HUGO, Lettre du 25 févr. 1822.

Par ext. *Une académie de... :* une société, une réunion de personnes qui favorise (une attitude, une activité).

7 Si j'avais à écrire une histoire de France d'après-guerre, je ferais une place à part au «Bœuf sur le Toit», sorte d'académie du snobisme qui donne en outre la clef d'une foule de liaisons, de contrats et de mouvements, tant littéraires que politiques ou sexuels.
Léon-Paul FARGUE, le Piéton de Paris, p. 49.

♦ **3** (XVIe). École supérieure. *Académie de dessin, de peinture, d'architecture. Les cours de l'académie de peinture.*

Vx. *Académie d'équitation, d'escrime :* école où l'on apprenait l'équitation, l'escrime. — Absolt. *Les académies :* les écoles où les jeunes gens de la noblesse s'exerçaient aux activités de leur état (arts de la guerre — escrime, équitation, etc. — et de la vie civile — danse). *Élève d'une académie.* → **Académiste.**

.1 Animé par l'éclat poli de l'acier, sentant la garde bien à la main, Sigognac se mit à tirer au mur, et vit qu'il n'avait rien oublié des leçons que Pierre, ancien prévôt de salle, lui donnait (...)
Ces exercices auxquels il s'était livré avec son vieux domestique, faute de pouvoir suivre les académies comme il eût été convenable pour un jeune gentilhomme, avaient développé sa force, corroboré ses muscles, augmenté sa souplesse naturelle.
Th. GAUTIER, le Capitaine Fracasse, IX.

♦ **4** (1666). Vx. Maison de jeu, tripot. — Loc. mod. *Académie de billard :* établissement privé, salle de jeu réservée exclusivement à la pratique du billard.

♦ **5** (1808). Division territoriale de l'Université de France dirigée par un recteur, assisté des inspecteurs d'Académie (un par département) de son ressort.

*Aller à l'académie,* aux bureaux de l'Inspection académique.

*Officier d'académie :* naguère (jusqu'en 1956), Personne décorée des palmes académiques. *Mme X, inspectrice de l'enseignement primaire, officier d'académie.* (On dit aujourd'hui : *chevalier des palmes académiques*).

**II** (De I., 3. : *académie de dessin, de peinture*). Représentation dessinée ou peinte d'un modèle nu, qui n'entre pas dans la composition d'un tableau; étude de nu représentant le modèle entier. *Une académie à la sanguine, au fusain, à la mine d'argent. Un lot d'académies mises aux enchères avec deux portraits à l'huile.*

8 (...) Langibout s'arrêtait, étonné et souriant d'un détail exagéré ou forcé dans une académie bien dessinée (...)
Ed. et J. DE GONCOURT, Manette Salomon, p. 21.

En compl. d'objet direct du v. *poser* (argot d'atelier). *Poser une académie :* poser pour une académie.

Il est très amusant à la campagne; il fait des tours de force; puis, il est superbe, le gredin; je l'ai vu nu, et s'il voulait me poser des académies, en plein air (...) 9
ZOLA, le Ventre de Paris, t. I, p. 32.

DÉR. **Académicien, académisable, académiser, académisme, académiste.**

**ACADÉMIQUE** [akademik] adj. — 1508; 1371, *Académiques,* n. propre «livres de Cicéron à propos de la doctrine de l'Académie»; lat. *academicus,* de *academia.* → Académie.

♦ **1** Didact. Qui appartient à l'École platonicienne, dans l'Antiquité. *La philosophie académique.* → **Académicien** (1.).

♦ **2** Plus cour. Qui appartient à une académie, à une société savante, et, spécialt, à l'Académie française. *Un fauteuil académique. Un discours, une séance, une élection académique.* — N. *Les académiques :* les membres d'une académie.

En ce temps *(la Renaissance),* le mot beauté, comme les 0.1
mots amour, Dieu, mort, prend sa force dans les sens qu'il superpose; grâce à lui, les académiques de tous arts se réclament de Platon, et l'Idée platonicienne s'attache à un style particulier.
MALRAUX, l'Homme précaire et la Littérature, 1976, p. 51-52.

Vx. D'une académie (I., 3.); qui est conforme à l'enseignement que les maîtres d'armes, d'équitation, de danse, etc., dispensaient aux jeunes gentilshommes dans les académies.

Sigognac lia avec son épée le fer du bretteur et lui poussa 0.2
une flanconnade que celui-ci para avec une retraite de corps, tout en admirant le coup de son adversaire pour sa perfection et sa régularité académique.
Th. GAUTIER, le Capitaine Fracasse, XIII.

♦ **3** (1751). Qui suit étroitement les règles conventionnelles, avec froideur ou prétention. → **Conventionnel.** *Un poète académique, un talent académique.*

On s'était fait une langue de convention, un style aca- 1
démique, une mythologie de parade, une versification factice, un vocabulaire vérifié, approuvé, extrait des bons auteurs. TAINE, Philosophie de l'art, t. I, p. 21.

(En art). *Peinture académique. Pose académique.* → **Académisme.** — *Figure académique,* traitée sans inspiration, de façon conventionnelle.

Plus de liberté, quoique d'un pinceau académique, dans 1.1
le tableau du milieu.
E. DELACROIX, Journal, 10 août 1840, t. II, p. 28.

(Dans d'autres domaines que l'art). Guindé, appliqué; conventionnel. *Tout est raisonné, compassé, académique et plat* (cit. 13).

L'homme n'était pas amusant, la personne était sèche et 2
triste, aucunement populaire, mais plutôt académique, en un sens même aristocratique.
MICHELET, Hist. de la révolution franç., Pl., t. I, p. 489.

Le planteur du Nord ne dansait pas mal. Il dansait lente- 3
ment, avec une certaine application académique, soucieux peut-être de manifester ainsi à Suzanne son tact, sa classe, et sa considération.
M. DURAS, Un barrage contre le Pacifique, p. 43.

Par ext. (Personnes). Conservateur, timoré.

Ils s'amusent à des riens; et leurs audaces sont pâles, 4
pâles, s'arrêtent aux premiers pas. Ils sont révolutionnaires, au coin du feu. À peine sont-ils arrivés au bas de l'escalier que les voilà déjà conservateurs, académiques.
R. ROLLAND, Deux hommes se rencontrent, p. 153.

N. m. *L'académique.*

Il y a beaucoup d'académique dans Rubens, surtout dans 5
son exécution, surtout dans son ombre systématiquement peu empâtée et marquant beaucoup au bord.
E. DELACROIX, Journal, 14 mai 1830, t. I, p. 144.

6 L'Hindou a le goût, le sens et le vice de la séduction, mais aussi de l'académique. L'Indien aime les recettes, les codes, les chiffres, les symboles rigoureux, la grammaire.
Henri MICHAUX, Un barbare en Asie, p. 40.

♦ **4** [a] (En France). Qui a rapport à l'administration de l'académie (Université). *L'Inspection académique.*

*Palmes* (1. Palme, cit. 7) *académiques :* distinction honorifique qui récompense des services rendus au sein de l'Université ou, plus généralement, dans le domaine de l'instruction publique, des lettres, des arts. *Chevalier, officier, commandeur des palmes académiques.*

7 Le père marqua un temps d'arrêt. Un sentiment délicat, de pudeur et de modestie, lui fit baisser les paupières. — Le jour où j'apprends que je suis proposé pour les palmes académiques. Oui, voilà le jour qu'on a choisi. (...) Mme Jacotin, sachant qu'il attendait depuis deux ans la récompense de services rendus, en sa qualité de trésorier bénévole, à la société locale de solfège et de philharmonie (l'U. N. S. P.), eut l'impression que quelque chose d'important venait de lui échapper. Le mot de palmes académiques rendit à ses oreilles un son étrange mais familier, et fit surgir pour elle la vision de son époux coiffé de sa casquette de musicien honoraire et à califourchon sur la plus haute branche d'un cocotier.
M. AYMÉ, le Passe-muraille, «Le proverbe».

Insigne (palmes d'argent supportées par un ruban violet; ruban violet) de cette distinction. *Arborer les palmes académiques à sa boutonnière.*

[b] (En Belgique). Relatif à l'Université, aux études universitaires. *L'année académique débute en octobre, l'année scolaire en septembre. Conseil académique :* assemblée réunissant le corps professoral des diverses facultés. *Grades académiques :* titres de candidat, licencié, docteur, agrégé, etc., conférés en vertu de la loi réglant les épreuves universitaires. *Liberté académique :* droit exercé par le professeur de choisir les options scientifiques ou méthodologiques de son enseignement. *Séance académique :* assemblée solennelle des enseignants, des chercheurs, etc., d'une université pour célébrer ou commémorer un événement.

[c] (Au Canada; de l'angl.). Universitaire.

**CONTR. Naturel, simple, spontané.** ◊ **DÉR. Académiquement.**

**ACADÉMIQUEMENT** [akademikmɑ̃] adv. — 1570, «à la manière de l'École de Platon»; sens mod. XVIIIe; de *académique.*

D'une manière académique (3.).

**ACADÉMISABLE** [akademizabl] adj. — 1890; du v. *académiser* (non attesté dans ce sens), sur le modèle des adj. en *-able* (→ Papable).

Didact. Susceptible d'être élu à l'Académie française. *Cet écrivain est académisable, mais sa candidature sera difficile.*

**ACADÉMISER** [akademize] v. tr. — 1765; de *académie.*

Arts. Soumettre à des règles académiques (3.).

La musique prenait dans ce milieu un caractère doctrinal; ce n'était pas un délassement; les concerts devenaient des leçons d'histoire, ou des exemples d'édification. On académisait les pensées avancées. Le grand Bach, torrentueux, était reçu, assagi, dans le giron de l'Église.
R. ROLLAND, Jean-Christophe, p. 695.

Pron. *S'académiser :* se soumettre à ces règles; tendre à l'académisme. *L'esprit d'invention disparaît, la pensée s'académise.*

**ACADÉMISME** [akademism] n. m. — 1845; de *académie.*

Arts. Observation étroite des traditions académiques; classicisme étroit.

Rare (en littérature) :

Je vois l'Académie où Montherlant va entrer comme le dernier refuge des écrivains qui appartiennent à une certaine tradition d'écriture, qui soutiennent un certain ton, et dont les négligences mêmes sont inimitables. C'est peut-être cela «l'académisme», après tout (...)
F. MAURIAC, le Nouveau Bloc-notes 1958-1960, p. 310.

**ACADÉMISTE** [akademist] n. m. — 1613, adj., *chien académiste* «chien savant»; de *académie.*

♦ **1** (1672). Vx. Élève d'une académie (I., 3.).

♦ **2** (1634). Vx ou péj. Membre de l'Académie française. → **Académicien.**

**ACADIEN, IENNE** [akadjɛ̃, jɛn] adj. et n. — 1842; de *Acadie,* région orientale du Canada français.

♦ **1** D'Acadie, qui concerne l'Acadie. *Antonine Maillet, écrivain acadien.* — N. Habitant, originaire de l'Acadie. *Les Acadiens exilés en Louisiane* (→ **Cajun**), *à Belle-Île-en-mer.*

N. m. Variante du français canadien parlé en Acadie (parfois en Louisiane. → Cajun).

♦ **2** (1960). Géol. Relatif à la période de l'ère primaire correspondant au cambrien moyen. — N. m. Cette période elle-même.

**DÉR. Cajun.** ◊ **HOM. Akkadien.**

**ACAGNARDER** [akaɲarde] v. tr. — Av. 1564, Calvin; comp. de *a-,* et 1. *cagnard* «fainéant comme un chien couché».

**I** V. tr. Vx. Accoutumer (qqn) à la fainéantise, et, par ext., à une vie oisive.

**II** V. pron. **S'ACAGNARDER.** Vx ou régional. ♦ **1** Se confiner dans une vie oisive, s'installer de façon à mener une vie paresseuse.

♦ **2** S'installer dans un coin tranquille, discrètement. S'installer en carrant son corps et en le ramassant sur lui-même.

Les choses vont ainsi jusqu'à cette heure de froidure qui est l'avant-coureur de l'aurore. Alors chacun s'acagnarde dans son petit herbage, et dès qu'il ne rit plus, il dort. 1
R. TÖPFFER, Voyages en zig-zag, «Aux Alpes et en Italie», 3, p. 19.

Je ne serais pas rattrapé. Je pris un billet pour Gournay et m'acagnardai dans un compartiment de troisième, persuadé que tous les voyageurs lisaient sur mon visage la double indignité du séquestré et du fugueur. 2
M. TOURNIER, le Roi des Aulnes, p. 68.

Fig. *S'acagnarder dans ses habitudes.*

Il s'acagnardait des après-midi dans un fauteuil, s'essorait dans des songes (...) 3
HUYSMANS, En route, p. 24.

**ACAJOU** [akaʒu] n. m. — 1578, *acajou* «anacardier»; 1557, *acaïou,* mot tupi du Brésil; 1658, *acajou* «arbre de la famille des Méliacées»; 1640, *acaïou;* abrév. du tupi *acaiacatinga* et — au sens 2. — confusion avec *acajou* «anacardier».

♦ **1** Anacardier *(acajou à pommes).* → **Acajuba.** *Noix d'acajou.* → **Cajou.**

♦ **2** Arbre d'Amérique tropicale et des Antilles *(Méliacées),* dont le bois est employé en ébénisterie, en tabletterie et dans l'industrie du placage. *Les racines de l'acajou sont utilisées en marqueterie.*

REM. Ce mot, désignant l'arbre, n'est couramment usité que dans le franç. d'Afrique, des Antilles, l'espèce ne poussant pas en France.

1 Il essayait de se rappeler les chênes élevés (...) les acajous baignés d'une obscure lumière (...)
Jacques ROUMAIN, Gouverneurs de la rosée, II, p. 21.

Cour. Ce bois, dur, rougeâtre et susceptible d'un beau poli. *Une table d'acajou, en acajou massif. Acajou drapé,* moiré. *Acajou uni, veiné, moucheté, ronceux.*

Littér. *Des cheveux, une chevelure d'acajou,* couleur de l'acajou (→ ci-dessous, 4.).

♦ **3** Par anal. *Acajou africain :* arbre d'une espèce voisine (Khaya) dont le bois est utilisé en ébénisterie. *Acajou de Madère :* eucalyptus *(Myrtacées).*

♦ **4** Adj. D'une couleur brun rougeâtre. *Des cheveux acajou.*

2 Sa voiture est une Mercedes gris acier. Le cuir des sièges est acajou, et de même l'ensemble des décorations intérieures de l'automobile.
J.-P. MANCHETTE, Trois hommes à abattre, I, p. 8.

**ACAJUBA** [akaʒyba] n. — 1865, Littré-Robin au sens 2.; fin XIXe, sens 1.; du tupi *acaiuba.*

♦ **1** N. m. Bot. Arbre d'Amérique *(Térébinthacées),* dont le bois était surtout utilisé pour construire des embarcations. On dit aussi *anacardier d'Occident, acajou à pommes.*

♦ **2** N. f. Noix d'acajou.

**ACALCULIE** [akalkyli] n. f. — 1951, Piéron, *Vocabulaire de psychologie;* de *a-* priv., et *calcul.*

Psychol., psychiatrie. Perte pathologique de la capacité de calculer, de manier les chiffres. *L'acalculie est une agnosie visuelle, en corrélation avec la pensée symbolique.*

**ACALÈPHES** [akalɛf] n. m. pl. — V. 1820, Cuvier; 1771, sing., «ortie de mer»; grec *akalêphê* «ortie de mer».

Didact. (zool.). Classe d'invertébrés marins *(Cnidaires)* groupant les méduses les plus grandes et les plus évoluées, dépourvues de velum (→ **Acraspède**) et dont les tentacules sont très urticants. «*Ce monde des polypes et des acalèphes*» (Renan). Aurelia aurita, *méduse fréquente en Méditerranée, et* Rhizostoma pulma, *la plus grande méduse des côtes de France, sont des acalèphes.* — Par appos. *Les méduses acalèphes.* — Sing. *Un acalèphe.*

**ACALORIQUE** [akalɔʀik] adj. — 1976; de 2. *a-,* et *calorique.*

Didact. Qui n'apporte pas de calories (à un organisme). *Certains édulcorants de synthèse sont pratiquement acaloriques.*

**ACALYPHE** [akalif] n. m. — Mil. XXe; lat. sc. *acalypha,* du grec *acaluphos* «non caché, à découvert».

Bot. Plante phanérogame angiosperme dialypétale *(Euphorbiacées),* comprenant des espèces tropicales ornementales à fleurs rouges groupées en panicules. Syn. : *ricivielle.* — REM. On emploie aussi la forme latine *acalypha.*

**ACANTH-** → **Acantho-.**

**ACANTHACÉES** [akɑ̃tase] n. f. pl. — 1817; adj., 1751; de *acanthe.*

Bot. Famille de plantes dicotylédones gamopétales dont le type est l'*acanthe.* — Au sing. *Une acanthacée.*

**ACANTHAIRES** [akɑ̃tɛʀ] n. m. pl. — Fin XIXe (1887, Haeckel); de *acanthe.*

Zool. Classe de protozoaires actinopodes pélagiques, caractérisés par un squelette formé de spicules radiaires. — Au sing. *Un acanthaire.*

**ACANTHE** [akɑ̃t] n. f. — 1509, *achante;* lat. *acanthus,* grec *akanthos,* de *akantha* «épine».

♦ **1** Plante à longues feuilles très découpées, dont une espèce, ornementale, est appelée aussi *branche-ursine* (à cause de sa ressemblance avec une patte d'ours).

(...) j'aime mieux qu'il me montre une plante d'acanthe, et 1
qu'il trace moins bien le feuillage d'un chapiteau.
ROUSSEAU, Émile, II.

Par anal. (forme des feuilles). *Acanthe d'Allemagne :* grande berce*.

♦ **2** Antiq. Feuilles d'acanthe ornant la tête des déesses et des muses.

Voici la fête d'Olympie! 1.1
Tressez l'acanthe et le laurier!
Que les dieux confondent l'impie!
Que l'antique audace assoupie
Se réveille au cœur du guerrier!
HUGO, Odes et Ballades, I, *in* Œ. poétiques, t. I, Pl., p. 429.

♦ **3** Loc. FEUILLE D'ACANTHE :ornement d'architecture imitant la feuille de la plante et employé surtout pour les chapiteaux corinthiens*.

Elle *(une salle)* a d'énormes solives que l'on toucherait de 2
la main et dont chacune est une guirlande de feuilles d'acanthe précieusement dorées.
LOTI, Figures et Choses..., IV, 2.

DÉR. **Acanthacées, acanthaires.**

**ACANTHIAS** [akɑ̃tjas] n. m. → **Aiguillat.**

**ACANTHIE** [akɑ̃ti] n. f. → **Punaise.**

**ACANTH-, ACANTHO-** Élément tiré du grec *akantha* «épine», servant à former des mots de botanique et de zoologie. Ex. : *acanthophage* (1842) : qui se nourrit de chardons; *acanthocéras :* ammonite des terrains crétacés.

**ACANTHOBDELLES** [akɑ̃tɔbdɛl] n. m. pl. — D. i. (XXe); de *acantho-,* et grec *bdella* «sangsue».

Zool. Ordre d'annélides (classe des hirudinées), sangsues primitives, les seuls achètes à posséder des soies et des cavités coelomiques reconnaissables. *Les acanthobdelles parasitent les Salmonidés de l'océan Pacifique.* — Au sing. *Un acanthobdelle.*

**ACANTHOCARPE** [akɑ̃tokaʀp] adj. — 1846, Bescherelle; de *acantho-,* et *-carpe* «fruit».

Bot. Se dit d'une plante dont les fruits sont couverts de piquants.

**ACANTHOCÉPHALES** [akɑ̃tosefal] n. m. pl. — 1839, en parlant de certains vers nématodes; de *acantho-,* et *-céphale.*

Zool. Embranchement de vers acoelomates, parasites, à l'état larvaire, des insectes, des crustacés et des petits mammifères, et, à l'état adulte, du tube digestif des animaux (surtout du porc) et de l'homme. — Au sing. *Un acanthocéphale.*

**ACANTHODES** [akɑ̃tɔd] n. m. pl. — 1846, Bescherelle; terme dû à L. Agassiz, du grec *akanthôdês,* adj., «couvert de piquants, épineux».

Zool., paléont. Genre de poissons fossiles de la classe des Acanthodiens (famille des *Acanthodidés*), ayant vécu du Carbonifère au Permien inférieur. — Au sing. *Un acanthode.*

**ACANTHODIENS** [akɑ̃tɔdjɛ̃] n. m. pl. — 1927, Haug, p. 674; lat. sav. *Acanthodii*, 1900; de *acanthod(es)**, et *-ien*. Cf. angl. *acanthodian*, 1852.

Zool. Classe paléozoïque de poissons aux petites écailles ossifiées, aux nageoires munies de robustes aiguillons, considérés comme les plus primitifs des vertébrés dotés de mâchoire inférieure (ou *gnathostomes*). *Les Acanthodiens existèrent de la fin du Silurien au début du Permien.* — Au sing. *Un acanthodien.*

**ACANTHOPANAX** [akɑ̃topanaks] n. m. — Fin XIX^e; de *acantho-*, et grec *panax* «plante médicinale».

Bot. Arbuste japonais, plante décorative *(Araliacées)* à feuilles digitées.

**ACANTHOPTÉRYGIEN, IENNE** [akɑ̃topteʀiʒjɛ̃, jɛn] n. m. et adj. — 1808, Cuvier; lat. mod. *Acanthopterygiæ* (1686), de *acantho-*, grec *pterux, pterugos* «aile, nageoire», et suff. *-ien*.

♦ **1** N. m. pl. Hist. des sc. Vx. **ACANTHOPTÉRYGIENS** : ordre de poissons *(Téléostéens)*, caractérisés par des nageoires munies de rayons épineux. *L'ordre des acanthoptérygiens comprenait la majorité des espèces de poissons.* — Au sing. *Un acanthoptérygien.*

♦ **2** Adj. Mod. *Poisson acanthoptérygien* : poisson téléostéen possédant des rayons épineux aux nageoires (état final, l'état initial étant caractérisé par l'absence de ces rayons épineux).

**ACANTHURE** [akɑ̃tyʀ] n. m. — 1839, Boiste, *Suppl.*; lat. mod. *acanthurus*, de *acanth-*, et grec *oura* «queue».

Zool. Poisson téléostéen des récifs coralliens dont les épines caudales érectiles et tranchantes ont été comparées à des lancettes chirurgicales (d'où son nom courant : *poisson chirurgien*).

**ACAP** [akap] n. m. — 1831, E. Sue, *in* T. L. F.; mot esp. du Mexique, de *acapu*, probablt de l'arawak.

Bot. Arbre des Caraïbes *(Vouacapona americana)*. — Bois de cet arbre, utilisé en ébénisterie.

**A CAPPELLA** [akapela; akapɛlla] loc. adj. ou adv. — 1863; loc. ital. «à chapelle».

Mus. Sans accompagnement d'instruments. *Chœur a cappella. Chanter a cappella.*

REM. On trouve la var. graphique *a capella.*

**ACARE** [akaʀ] n. m. Vx. → **Acarus.**

**ACARIÂTRE** [akaʀjɑtʀ] adj. — 1523; *mal aquariastre* «qui rend fou», 1493; p.-ê. de *Achorius*, n. propre, évêque du VII^e siècle qui passait pour guérir la folie, avec infl. du lat. *acer* «aigre».

Péj. D'un caractère désagréable, difficile. → **Acrimonieux, aigre, atrabilaire, bougon, grincheux, grognon, hargneux, insociable, intraitable, querelleur, quinteux**; → Pas commode*. *Un homme acariâtre; un caractère hypocondriaque et acariâtre. Acariâtre et criard. Maussade, triste, misanthrope et acariâtre.*

1 Socrate, qui avait pris une femme acariâtre pour s'exercer à la patience (...)
P.-L. COURIER, Correspondance, 10 sept. 1793, Pl., p. 649.

2 Cette disposition acariâtre de la nation fut, il faut l'avouer, la cause de plusieurs des fautes dont on a fait peser la responsabilité sur le gouvernement de la Restauration.
RENAN, Philosophie de l'hist. contemporaine, I.

2.1 M^me van Tricasse était devenue acariâtre, quinteuse, gourmandeuse. Son mari parvenait peut-être à couvrir sa voix en criant plus haut qu'elle, mais non à la faire taire. L'humeur irascible de cette brave dame s'en prenait à tout. Rien n'allait! J. VERNE, le Docteur Ox, p. 78.

Quand il rentrait chez lui, il trouvait un logis sans grâce 3
et mal odorant, une femme bruyante et acariâtre qui ne le comprenait pas, qui le traitait de fainéant ou de fou.
R. ROLLAND, Jean-Christophe, p. 1278.

REM. Le mot s'emploie le plus souvent en parlant d'une femme. → **Chipie, dragon** (dragonne) (vx), **furie, mégère, ménade** (vx), **pie** (grièche). → ci-dessus, cit. 1, 2.1 et 3.

Par ext. (En parlant d'une attitude de l'esprit). *Une humeur acariâtre* (→ ci-dessus, cit. 2). — (Actions, paroles). *Réponse acariâtre.*

DÉR. **Acariâtreté.**

**ACARIÂTRETÉ** [akaʀjɑtʀəte] n. f. — 1611; de *acariâtre.*

Rare. Caractère d'une personne acariâtre.

**ACARICIDE** [akaʀisid] n. m. et adj. — V. 1970; de *acari(ens)*, et *-cide*.

Didact. Produit utilisé pour détruire les acariens*. — Adj. *Produit acaricide.*

**ACARIEN, IENNE** [akaʀjɛ̃, jɛn] n. m. et adj. — 1842; *acarides*, n. f. pl., 1832; du lat. *acarus*, grec *akari* «ciron».

**I** N. m. pl. Zool. **ACARIENS** : Ordre de petits arthropodes chélicérates dont les nombreuses espèces (environ 10 000) sont parasites (de l'homme, des animaux, des végétaux), pathogènes, ou vecteurs d'agents infectieux. → **Acarus, araignée** (rouge), **aoûtat, demodex, ixode, sarcopte, tique, trombidion.** *Acariens des oiseaux.* — Au sing. *Un acarien.*

Les Acariens constituent un très vaste ensemble d'environ 10 000 espèces, ensemble homogène certes, mais si diversifié qu'il paraît impossible (...) d'en préciser le «type morphologique».
Max VACHON, *in* Zoologie, t. II, Encycl. Pl., p. 157.

**II** Adj. (1842). Méd. Causé par des acariens. *Une lésion acarienne.*

DÉR. **Acariose.**

**ACARIOSE** [akaʀjoz] n. f. — Déb. XX^e; de *acari(en)*, et 2. *-ose*.

Méd., vétér. Parasitose dont l'agent est un acarien. *Acarioses des animaux, des végétaux. Acariose des abeilles,* due à la présence d'un acarien *(Acarapis woodi)* dans leurs trachées thoraciques. *La gale* est une acariose* (causée par *Acarus sino*, le sarcopte* → **Acarus**).

**ACAROLOGIE** [akaʀɔlɔʒi] n. f. — XX^e; du lat. *acarus*, grec *akari* «ciron», et *-logie*.

Didact. Étude scientifique des acariens.

**ACARPE** [akaʀp] adj. — 1866, P. Larousse; de 2. *a-*, et grec *karpos*. → -carpe.

Bot. *Plante acarpe*, qui ne porte pas de fruit.

**ACARUS** [akaʀys] n. m. — 1808; *acare*, 1752; mot lat. *acarus*, grec *akari* «ciron».

Zool. Parasite de l'ordre des acariens. — Spécialt. *Acarus sino* : acarien *(sarcopte)* responsable de la gale humaine.

Rencontrer des ours, ou entendre un avaleur de sabres, bras nus et ceinturonné de rouge, confronter en plein air l'acarus de l'homme à l'acarus du chameau et faire à des paysans un cours philosophique de gale comparée!
HUGO, le Rhin, 1812, p. 163, *in* T. L. F.

**ACARYOTE** [akaʀjɔt] n. f. et adj. — Mil. XX^e; de 2. *a-*, et grec *karuon* «noyau». → Caryo-.

N. f. Cellule vivante dépourvue de noyau. — Adj. *Cellule acaryote*, qui n'a pas de noyau cellulaire.

**ACATALECTIQUE** [akatalɛktik] adj. et n. m. — 1588; lat. *acatalectus,* grec *akatalêktos* «dont le dernier pied n'est pas tronqué».

Métrique ancienne. Se dit d'un vers ou d'un membre métrique complet, auquel ne manque pas de demi-pied final. — N. m. *Un acatalectique.*

REM. On trouve aussi la graphie *acatalecte* (1644).

**ACATALEPSIE** [akatalɛpsi] n. f. — 1555; grec *akatalêpsia* «caractère incompréhensible d'une chose», de *katalepsia.* → Catalepsie.

Philos. (Antiq.). Impossibilité de connaître avec certitude, selon le principe des sceptiques grecs qu'il n'y a pas de critère de la vérité.

DÉR. **Acataleptique.**

**ACATALEPTIQUE** [akatalɛptik] adj. et n. — 1752; de *acatalepsie.*

Philos. Relatif à l'acatalepsie*; qui professe l'acatalepsie. *Doctrine acataleptique. Un philosophe acataleptique. «Que sais-je?», devise acataleptique de Montaigne.* — N. *Un acataleptique.*

**ACATÈNE** [akatɛn] adj. — 1898; de 2. *a-,* et du lat. *catena* «chaîne». → Caténaire, concaténation.

Techn. (mécan.). *Transmission acatène,* qui s'effectue sans l'intermédiaire d'une chaîne. *Motocyclette à transmission acatène.*

**ACAUDE** [akod] adj. — 1865, Littré-Robin; de 2. *a-,* et lat. *cauda* «queue».

Bot. Dépourvu de queue. *Fruit acaude.* — REM. Ne pas confondre avec *acaule*.*

**ACAULE** [akol] adj. — 1783, *in* Cottez; grec *akaulos* «sans tige», cf. lat. *caulis* (→ -caule).

Bot. Qui n'a pas de tige ou dont la tige est peu apparente. *Plantes acaules. Un chardon acaule.*

(...) au milieu des flaques des pissenlits et des colchiques acaules.

B. CENDRARS, la Main coupée, Œ. compl., t. X, p. 124.

CONTR. **Caulescent.**

**ACCABLANT, ANTE** [akablɑ̃, ɑ̃t] adj. — XVIIe; de *accabler.*

Qui accable, ou peut accabler.

(Concret). Qui pèse lourdement et fatigue. *Un poids accablant. Une charge accablante.* → **Écrasant, lourd.** — Qui fatigue. *Chaleur accablante.* → **Étouffant, oppressant, suffocant;** → ci-dessous cit. 2.

(Abstrait). Qui accable, psychologiquement. *Une douleur, une peine accablante.* → **Intolérable.** — *Un témoignage accablant.* → **Accusateur, impitoyable.** — *Un livre d'une monotonie accablante. C'est d'un ennui accablant. Une misère accablante.*

C'est quelque chose d'accablant, d'irrésistible, d'endormeur, d'anéantissant, comme le contact du vide infini.

MAUPASSANT, la Vie errante, p. 13.

(...) des vents violents alternant avec des calmes plats, des midis accablants, des nuits belles comme des aurores, et l'irritante électricité des jours orageux.

E. FROMENTIN, Dominique, III.

Elle *(Thérèse)* n'osait pas regarder sa montre, de peur d'y voir l'accablante immobilité du temps.

FRANCE, le Lys rouge, p. 391.

Car toute cruche, comme dit le sage, a deux anses, et de même tout événement a deux aspects, toujours accablant si l'on veut, toujours réconfortant et consolant si l'on veut; et l'effort qu'on fait pour être heureux n'est jamais perdu.

ALAIN, Propos sur le bonheur, p. 13.

Qui n'a connu de ces heures où l'on en arrive à ne plus se sentir vivre, tant le sentiment de la vie devient intense et accablant. 5

Edmond JALOUX, la Chute d'Icare, p. 267.

Que d'ombres! Que d'ombres accablantes! 6

MICHAUX, Face aux verrous, p. 177.

CONTR. **Doux, léger; consolant, réconfortant.**

**ACCABLEMENT** [akabləmɑ̃] n. m. — 1556, «action de renverser à terre»; de *accabler.*

♦ **1** Vx. Action d'accabler (1. ou 2.).

Pour dernier accablement, son adversaire (...) lui donna un coup de pied. 1

SCARRON, le Roman comique, I, 10.

Vx. Charge excessive.

Si c'est trop de se trouver chargé d'une seule famille, si c'est assez d'avoir à répondre de soi seul; quel poids, quel accablement que celui de tout un royaume! 2

LA BRUYÈRE, les Caractères, X, 34.

Fig. Littér. Le fait d'accabler (3.), de faire souffrir. *L'accablement des coupables par la punition.*

(...) l'Écriture fournit Bossuet de textes impitoyables pour l'accablement des pécheurs. 3

F. MAURIAC, Souffrances et Bonheur du chrétien, p. 61.

♦ **2** (1636). État d'une personne qui supporte une situation très pénible (ennui, grande souffrance, extrême fatigue, etc.). → **Abattement, prostration.** *Accablement physique; moral. L'accablement de qqn,* celui qu'il ressent. *L'accablement de la misère,* que cause la misère (chez qqn). *Un accablement pénible, profond.* — Vx. *Faire qqch. d'accablement,* par accablement (cit. 5).

Abattement et accablement diffèrent (...) l'un de l'autre, et font deux images différentes. L'une donne l'idée d'une affliction, d'un revers, d'un souffle ou d'un choc qui renverse, de manière cependant qu'on peut se relever; l'autre, celle d'un poids énorme qui nous écrase et nous anéantit en quelque sorte. Abattement signifie en conséquence un état moins absolu, une simple défaillance, et non une oppression totale, et comme un anéantissement. 4

LAFAYE, Dict. des synonymes.

Quand il dort un peu, c'est d'accablement. 5

Mme DE SÉVIGNÉ, 1116.

Comme il était plongé dans l'accablement du désespoir (...) 6

VOLTAIRE, Jeannot et Colin.

(...) il commençait à sentir cet accablement que vous cause la répétition de la même vie, lorsque aucun intérêt ne la dirige et qu'aucune espérance ne la soutient. 7

FLAUBERT, Mme Bovary, II, 6.

Rare. Atmosphère qui accable.

(...) on n'entendait aucun bruit, un accablement indicible pesait dans l'air. 8

FLAUBERT, Salammbô, X.

(...) on y pouvait deviner aussi l'ennui lumineux de l'éternel azur, l'indéfinissable accablement des pays chauds. 9

Th. GAUTIER, le Roman de la momie, I.

REM. Le mot est rarement associé à un adj. de valeur positive.

(...) cette espèce de stupeur et d'accablement délicieux que donne la contemplation de la mer. 10

Alphonse DAUDET, Lettres de mon moulin, VIII.

Littér. (au pluriel) :

L'oisiveté est le plus lourd des accablements. 11

HUGO, Post-Scriptum de ma vie, p. 13.

Je sombrais en des accablements de sommeil dont dormir ne me guérissait pas. 12

GIDE, les Nourritures terrestres, p. 25.

(Avec une dominante physiologique) :

(...) tout l'accablement du monde, un accablement sans amertume, amené par l'opium à une pureté suprême. 13

MALRAUX, la Condition humaine, p. 58.

CONTR. **Allant, enthousiasme, entrain.**

**ACCABLER** [akable] v. tr. — 1423; «abattre (des arbres)», 1329; de 1. *a-*, et de l'anc. franç. *chabler, chable* ou *caable,* du lat. pop. **catabola* «machine à lancer des pierres», grec *katabolê* «lancement».

♦ **1** (1542). Vx ou littér. Faire plier sous un poids. *Accabler qqn, un animal sous un fardeau, un faix.*

Faire succomber, écraser. → **Terrasser; atterrer.**

1 Sous tant de morts, sous Troie, il fallait l'accabler.
RACINE, Andromaque, I, 2.

(Sujet n. de chose). Vx. *Les coups qui l'accablent.*

2 Le coup qu'on m'a prédit va tomber sur ma tête. Il vous accablera vous-même à votre tour.
RACINE, Britannicus, V, 7.

3 Si la foudre d'abord accablait les coupables!
RACINE, la Thébaïde, III, 2.

♦ **2** (1423). Vx ou littér. Abattre, achever (un adversaire).

4 (...) car mon cœur, respectant sa vertu
N'accable point encore un rival abattu.
RACINE, Alexandre, III, 2.

5 *(Mardonius)* croyait accabler les Grecs par le nombre de ses soldats.
BOSSUET, Disc. sur l'Hist. universelle, I, 8.

Réduire à l'impuissance.

6 Si le joug qui l'accable *(Rome)* est brisé par nos mains.
CORNEILLE, Cinna, I, 3.

♦ **3** (XVIe). Faire supporter une chose pénible, dangereuse à (qqn). *Cette maladie l'accable. — Accabler qqn de travail.* → **Surcharger.** — *Accabler les contribuables d'impôts.* → **Écraser.** — *Accabler la population d'exactions.* → **Opprimer.** — *Accabler qqn de dettes.* → **Obérer.** — Spécialt. Confondre, prouver la culpabilité de... *Les témoins ont accablé le prévenu. Le témoignage qui l'accable.*

Passif et p. p. *Être accablé par le travail, de travail. Accablé d'ennuis...* → ci-dessous cit. 8, 9, 10, 11, 13.

7 Tout cela formera contre lui un témoignage qui l'accablera et qui ne lui laissera aucune excuse pour se justifier.
BOURDALOUE, Pensées, t. II, p. 431.

8 (...) il arriva accablé de fatigues d'un si long voyage.
MONTESQUIEU, Lettres persanes, XI.

9 Quelle lâcheté de se sentir découragé du bonheur des autres et d'être accablé de leur fortune.
MONTESQUIEU, Cahiers, p. 11.

10 Enfin, accablé, épuisé de fatigue et de douleur, je me laissai tomber dans la neige au pied d'un châtaignier.
Alphonse DAUDET, le Petit Chose, I, 12.

11 Vingt fois le jour, alors même que me voici accablé de soucis exténuants (...)
G. DUHAMEL, le Temps de la recherche, VII.

12 Une sorte de torpeur douloureuse accablait la maison entière. Edmond JALOUX, les Visiteurs, XX.

13 (...) une humanité chaste ignorerait la plupart des maux dont nous sommes accablés (...)
F. MAURIAC, la Pharisienne, XI.

Adj. Qui exprime l'accablement.

14 Il n'avait point cet air dolent, accablé qu'il affectait d'habitude, mais il semblait, au contraire, ne pouvoir dominer une vive surexcitation nerveuse.
G. DUHAMEL, Chronique des Pasquier, Cécile, XXIV.

Écraser psychologiquement. *Le désespoir qui l'accable, qui accable son esprit. Cette nouvelle nous a accablés.* → **Consterner.**

15 Ce qui abat, ce qui accable, ce qui détruit irrémédiablement l'âme, c'est la médiocrité de la douleur et de la joie, la souffrance égoïste et mesquine (...)
R. ROLLAND, Jean-Christophe, p. 648.

16 Toujours cette horrible peur d'être arrêté en chemin, de mourir avant l'âge; l'obsédait, l'accablait, le talonnait à la fois. R. ROLLAND, Jean-Christophe, p. 146.

Absolument :

Tous ceux qui sont vivants et qui bougent sont frappés par la masse qui accable sans cesse, qui cogne, qui rebondit, qui ondoie autour d'eux.
J.-M. G. LE CLÉZIO, l'Extase matérielle, p. 17.

♦ **4** (1651). **ACCABLER (qqn) DE... :** attaquer (qqn) par la parole. *Accabler qqn d'injures, de reproches.* → **Abreuver.** — *Faire subir à (qqn) un sentiment humiliant.* → **Humilier.**

(...) depuis qu'il est devenu de bon air de m'accabler d'injustices et d'outrages, je n'ai pu me guérir de ma folie.
ROUSSEAU, les Confessions, V.

Il vint trouver votre père, l'accabla de reproches, l'accusa d'avoir trahi sa confiance et d'avoir causé le refus qu'il avait essuyé.
A. DE MUSSET, les Caprices de Marianne, I, 11.

Il les accabla de sa colère et de son mépris.
FRANCE, le Lys rouge, p. 45.

Iron. Combler. *Accabler qqn de cadeaux. Accabler qqn de conseils, de sollicitations.* → **Bombarder, excéder, fatiguer.** *Se faire, se laisser accabler de...*

Votre sœur (...) nous accable tous les jours de lettres.
RACINE, Lettres.

Je me suis laissé accabler de visites.
Mme DE SÉVIGNÉ, 463.

Vieilli. *Accabler qqn de soi,* en parlant de soi.

*(Il)* nous accabla pendant deux heures de lui, de son mérite. MONTESQUIEU, Lettres persanes, 50.

(1643). En bonne part. *Accabler qqn de bienfaits.* → **Prodiguer.**

*(Un prince)* qui me comble d'honneurs, qui m'accable de biens. CORNEILLE, Cinna, III, 3.

Je vous vois accabler un homme de caresses.
MOLIÈRE, le Misanthrope, I, 1.

REM. Dans l'exemple suivant, il s'agit du sens 3., mais employé stylistiquement avec les connotations du sens 4. :

Votre bonté (...) mais elle m'accable, et me confond.
A. DE MUSSET, Carmosine, III, IV.

◆ **ACCABLÉ, ÉE** p. p. adj. Voir à l'article, ci-dessus.

CONTR. (Du sens 1.) **Soulager.** — (Du sens 3.) **Décharger, libérer, réconforter.** ◇ DÉR. **Accablant, accablement.**

**ACCALMIE** [akalmi] n. f. — 1783; var. *accalmée,* 1845; du normand t. de mar. *calmir* «se calmer» avec infl. de *embellie.*

♦ **1** Mar. Calme passager de la mer; arrêt du vent. → **Bonace, embellie, rémission.** *Une brève accalmie a suivi la bourrasque.*

♦ **2** (1866). Fig. Moment de repos après un temps d'activité, d'agitation, de crise. → **Apaisement, calme, paix, placidité, quiétude, tranquillité, sérénité.**

(...) cette sorte d'accalmie qui succède à tant de crises. 1
JAURÈS, Hist. socialiste, p. 397.

(...) et j'ai voulu profiter d'un instant d'accalmie dans 2
mes souffrances (...) dans les tourments qui me sont infligés (...) MARTIN DU GARD, les Thibault, V, 3.

Rien ne m'effraye plus que la fausse accalmie 3
D'un visage qui dort;
Ton rêve est une Égypte et toi c'est la momie
Avec son masque d'or.
COCTEAU, Plain-chant, 1923, *in* Poèmes, p. 102.

*Période, état d'accalmie. La fièvre tomba, il y eut une période d'accalmie.* → **Trêve.**

Moment de calme provisoire, dans une période de troubles, de violences.

En janvier 1945, au moment même où, après une accalmie 4
de deux mois et demi, les Soviétiques lançaient une vaste offensive contre les lignes allemandes.
M. TOURNIER, le Roi des Aulnes, p. 380.

CONTR. (Du 1.) **Tempête.** — (Du 2.) **Agitation, crise, reprise.**

**ACCALMINÉ, ÉE** [akalmine] adj. — 1928; de 1. *a-*, et *calminé, calminer* (1899) «se calmer» (du temps), avec infl. de *accalmie*.

Mar. Vx. Immobilisé par une accalmie, par l'absence de vent. — Syn. mod. : *encalminé*.

**ACCALMIR (S')** [akalmiʀ] v. pron. — D. i.; de 1. *a-*, et *calmir*.

Rare. Devenir calme. *La mer s'est accalmie.* — Personnes. Se calmer (Gobineau, *les Pléiades*, in T. L. F.).

Ça m'était pas arrivé depuis longtemps (...) Y a ben neuf, dix ans de ça. Faut croire que la jeunesse s'accalmit dans mes reins.
Jean-Yves SOUCY, Un dieu chasseur, p. 14.

**ACCAPARANT, ANTE** [akapaʀɑ̃, ɑ̃t] adj. — Fin XIX^e; p. prés. de *accaparer*.

♦ **1** Qui veut garder pour soi seul une personne, ou l'attention, le temps, etc., de qqn. → **Envahissant, exigeant.** *Un enfant accaparant. Une affection accaparante.*

♦ **2** Qui accapare le temps de qqn, qui l'occupe jusqu'à employer toute son attention, son temps, son activité.

Certes, j'ai beaucoup travaillé, cette année, *l'Oubli, les Parisiens du dimanche,* une accaparante préface par mois et mes articles habituels.
Claude MAURIAC, le Temps immobile, p. 494.

**ACCAPAREMENT** [akapaʀmɑ̃] n. m. — 1751, écon., *Encyclopédie*; de *accaparer*.

♦ **1** Action d'accaparer (2.). → **Monopolisation.** *L'accaparement des grains.*

1 L'accaparement consiste à se rendre momentanément maître de la plus grande quantité possible d'une valeur ou d'une marchandise pour dominer son marché et faire monter son prix.
Paul REBOUD, Précis d'économie politique, t. II, p. 54.

2 Où finit le commerce licite? Où commence l'accaparement? JAURÈS, Hist. socialiste, t. VII, p. 48.

♦ **2** Le fait de prendre pour soi seul.

3 (...) cette répugnance (qui déjà sans doute était native) à toute possession particulière, à tout accaparement.
GIDE, Journal, juin 1933, Pl., p. 1176.

**ACCAPARER** [akapaʀe] v. tr. — 1562, au sens 2.; de l'ital. anc. *accaparrare* (aujourd'hui *incaparrare*), de *caparra* «arrhes».

♦ **1** (1625). Vx. Acheter (une marchandise) en donnant des arrhes.

♦ **2** Acheter ou retenir la plus grande quantité possible de (une valeur, une marchandise) afin de rendre rare et de faire monter le prix. → **Amasser.** *Accaparer un marché.* → **Emparer** (s'), **monopoliser, truster; spéculer.**

Absolt. → Accapareur, cit. 1.

♦ **3** Prendre, retenir en entier. *Accaparer les charges, le pouvoir.* → **Occuper.**

1 D'abord, le pouvoir dépendait de tous sans qu'aucun fût assez fort pour l'accaparer.
FLAUBERT, Salammbô, VI.

(Sujet n. de chose). *Les occupations qui m'accaparent.* → **Absorber.**

2 Seul, j'appartiens à la tristesse, dès que ne m'accapare plus le travail. GIDE, Journal, 5 août 1922.

♦ **4** (1788). *Accaparer qqn,* le retenir, l'occuper entièrement.

.1 — Il me semble, ma femme, que tu veux accaparer monsieur, dit en riant le gros et grand banquier.
BALZAC, Eugénie Grandet, éd. 1838, p. 96.

(Compl. n. de chose). *Accaparer l'attention de qqn.*

Un seul être accapare toutes ses puissances de tendresse; 3
on n'aime plus personne quand on aime.
F. MAURIAC, Vie de Racine, V, p. 73.

♦ **5** Régional (Belgique). *S'accaparer de (qqch.)* : s'emparer de, s'approprier indûment (qqch.).

CONTR. **Distribuer, partager.** ◊ DÉR. **Accaparant, accaparement, accapareur.**

**ACCAPAREUR, EUSE** [akapaʀœʀ, øz] n. et adj. — Av. 1724, n. f., emploi fig. (→ ci-dessous, 2.); de *accaparer*.

♦ **1** Personne qui accapare (2.) des marchandises, des denrées alimentaires (→ **Monopolisateur**), et, spécialt, dans une intention de spéculation. → **Agioteur, spéculateur.**

Vous avez porté des lois contre les accapareurs; ceux qui 1
devroient faire respecter les lois accaparent; ainsi les consuls *Papius et Poppeus,* tous deux célibataires, firent des lois contre le célibat.
SAINT-JUST, Rapport à la Convention, 10 oct. 1793, *in* A. LIÉNARD, Théorie politique, p. 236.

♦ **2** Adj. Qui accapare, cherche à obtenir pour soi seul (l'attention, les égards, les sentiments de qqn). *C'est un enfant accapareur, il veut qu'on s'occupe de lui sans cesse.*

(En parlant des attitudes, du comportement) :

(...) j'aurais pu profiter de l'occasion pour (...) le planter 2
là, lui, son insistance accapareuse (...) ses questions. Mais il m'avait déjà séduit, ou plutôt accroché, ou intrigué (...)
Claude SIMON, le Vent, p. 106.

D'ailleurs, reprit-elle (...) en me désignant d'une main acca- 3
pareuse, Monsieur était le camarade de mon fils (...)
DRIEU LA ROCHELLE, la Comédie de Charleroi, p. 14.

**ACCASTILLAGE** [akastijaʒ] n. m. — 1678; de *accastiller*.

♦ **1** Vx. Ensemble des deux châteaux, d'avant et d'arrière d'un navire. → **Acrostole.**

♦ **2** Vx. Partie émergée (d'un navire chargé).

♦ **3** Mod. Ensemble des aménagements et appareils utilisés sur les superstructures des bateaux. — Quincaillerie marine. *Accastillage en inox.*

**ACCASTILLER** [akastije] v. tr. — 1678; de l'esp. *accastillar,* de *castillo* «château».

Mar. Garnir un navire de son accastillage.

◆ **ACCASTILLÉ, ÉE** p. p. adj.

(...) lorsque vous aurez vu notre bateau bien gréé, bien accastillé, quand vous aurez observé comment il se comporte à la mer, quand nous aurons fait le tour de notre île — car nous le ferons ensemble —, j'imagine, dis-je, que vous n'hésiterez plus à me laisser partir!
J. VERNE, l'Île mystérieuse, t. II, p. 452.

DÉR. **Accastillage.**

**ACCÉDANT, ANTE** [aksedɑ̃, ɑ̃t] n. — V. 1980; du p. prés. de *accéder*.

Dr. *Accédant à la propriété* : personne qui devient propriétaire (d'une habitation). — Absolt. *Cette nouvelle loi favorise les accédants.*

**ACCÉDER** [aksede] v. tr. ind. [CONJUG.: *céder.*] — XIII^e, «s'approcher»; du lat. *accedere*.

Se construit avec *à*.

♦ **1** (1488). Avoir accès dans un lieu, pouvoir y pénétrer. → **Entrer, pénétrer.** *Accéder au sommet d'un donjon.*

Nous nous assîmes sur les marches du perron, par où on 1
accédait au corps principal de l'école.
F. MAURIAC, la Pharisienne, I.

1.1 Suite de salles très petites et basses, en terre durcie; on y accède par un dédale de couloirs, de passages (...)
GIDE, Voyage au Congo, *in* Souvenirs, Pl., p. 850.

Fig. Parvenir à (un but, une situation, une valeur, etc.). *Accéder au trône.*

2 Connaître, ce n'est point démontrer, ni expliquer. C'est accéder à la vision.
SAINT-EXUPÉRY, Pilote de guerre, p. 54.

♦ **2** [a] (1731). Vx. Se joindre à qqn dans (un engagement qui a déjà été contracté).

3 Le roi de Pologne et le czar accédèrent eux-mêmes à ce traité. VOLTAIRE, Hist. de Charles XII, 5.

[b] Mod. Accepter, donner son consentement à... → **Acquiescer, consentir, souscrire.** *Accéder à une prière, à un vœu, aux désirs de qqn.* → **Rendre** (se).

CONTR. **Sortir. — Opposer** (s'), **refuser, rejeter, repousser.**
◊ DÉR. **Accédant.** V. **Accès, accessible, accession, accessit, accessoire.**

**ACCELERANDO** [akseleʀɑ̃do; akseleʀɑ̃ndo] adv. — 1907; mot ital., gérondif du v. *accelerare* «accélérer».

Mus. En accélérant le mouvement. *Jouer un passage accelerando.* — N. m. invar. (1840, *in* T. L. F.). *Un accelerando.*

Le même temps (...) règne, du commencement à la fin, sans aucune indication d'accelerando ou de ritardando, comme c'est l'habitude chez Beethoven.
R. ROLLAND, le Chant de la résurrection, p. 535 (1937).

CONTR. **Rallentendo, ritardando.**

**ACCÉLÉRATEUR, TRICE** [akseleʀatœʀ, tʀis] adj. et n. m. — 1611, n. «celui qui accélère», et adj. *muscle accélérateur;* de *accélérer.*

[I] Adj. Qui accélère. (1752). *Force accélératrice.* → **Accélération.**

[II] N. m. ♦ **1** (1898). Organe qui commande l'admission du mélange gazeux au moteur (l'admission accrue augmente la vitesse). *Pédale d'accélérateur. Appuyer sur l'accélérateur,* sur la pédale d'accélérateur. → fam. **Champignon;** → Le pied au plancher*. *Lâcher l'accélérateur.*

Le milieu de mai était venu, et avec lui la grande chaleur. Rares étaient les conducteurs d'automobile qui n'avaient pas le pied nu sur l'accélérateur.
GIRAUDOUX, les Aventures de Jérôme Bardini, p. 80.

♦ **2** (1963; bâtiment). Techn. *Accélérateur de prise :* produit que l'on mêle au mortier ou au béton pour réduire la durée de prise. — (1928). Chim. Produit qui permet d'accélérer la vulcanisation du caoutchouc. — (V. 1960). Pompe électrique qui permet la circulation mécanique dans une installation de chauffage central.

♦ **3** (1891, in *l'Amateur photographe*). Chim. Substance qui accélère une réaction. *Utilisation des accélérateurs en photographie, dans la technique des adhésifs.*

♦ **4** (Attesté 1953; la technique a été appliquée dès 1931 par Sloan et Lawrence). Phys. *Accélérateur de particules :* appareil qui communique à des particules chargées (électrons, protons, antiprotons, positons, noyaux d'atomes, ions) des énergies très élevées. *Accélérateurs linéaires. Accélérateurs circulaires. Accélérateurs électrostatiques.* → **Cyclotron; bêtatron, synchrotron, synchrocyclotron.**

♦ **5** Astron. Dispositif d'accélération d'un engin spatial (recomm. off. pour remplacer l'anglic. *booster*).

**ACCÉLÉRATION** [akseleʀasjɔ̃] n. f. — 1327, «fait d'exécuter plus rapidement un acte»; lat. *acceleratio,* de *accelerare.* → Accélérer.

♦ **1** (1701). Cour. [a] Augmentation de vitesse (d'un mobile). *L'accélération d'un mouvement. Une voiture qui a des accélérations foudroyantes.*

[b] Fig. Le fait d'aller plus vite, activité plus rapide. → **Activation.** *L'accélération de la circulation, du pouls, de la respiration. L'accélération des travaux. L'accélération de l'histoire :* événements et transformations qui se succèdent de plus en plus vite.

(...) ce pouvoir échappe au président du Conseil parce qu'il 0.
n'a plus d'existence privée et que l'accélération du film politique obéit à des lois qui le dominent et qui ne dépendent pas de lui.
F. MAURIAC, Bloc-notes 1952-1957, p. 125.

Armand parlant très vite ou parlant en marchant et d'un 0.
pas rapide, par l'accélération du débit s'opposant au ton grave de la voix il obtenait une réussite musicale savante. Sur un mouvement aussi précipité on attendait un timbre aigu, ou d'une voix si grave qu'elle se mût lourdement, difficilement : elle était agile.
J. GENET, Journal du voleur, p. 141.

[c] Phys. *Accélération des particules* (→ **Accélérateur,** II., 4.).

Au moment où les techniques électriques atteignent leur 0.
plein développement, elles produisent à titre d'élément des schèmes nouveaux qui amorcent une nouvelle phase : c'est d'abord l'accélération des particules, réalisée initialement par des champs électriques, puis par des champs électriques continus et des champs magnétiques alternatifs, et qui conduit à la construction d'individus techniques ayant fait découvrir la possibilité d'exploiter l'énergie nucléaire.
Gilbert SIMONDON, Du mode d'existence des objets techniques, p. 68-69.

REM. Cette valeur correspond au sens (virtuel ou, en tout cas, rare) «fait d'accélérer (qqch.), de faire aller plus vite».

♦ **2** Sc. Quotient de la variation de la vitesse par l'intervalle de temps correspondant. *L'unité d'accélération est le mètre par seconde carrée* ($m/s^2$ ou $m{\cdot}s^{-2}$) *dans le système international; le centimètre par seconde carrée* (ou gal*) *dans le système C. G. S. Accélération moyenne* (d'un point mobile, entre deux instants) : quotient de la différence des vitesses de ce point à ces instants par l'intervalle de temps qui les sépare. *Accélération instantanée* (d'un point mobile, à un instant), dérivée de la vitesse par rapport au temps. — Appos. *Vecteur accélération :* le vecteur dérivée par rapport au temps du vecteur vitesse. *Composante normale* (1.), *composante tangentielle de l'accélération. Accélération normale* (ou *radiale*), *accélération tangentielle* (à la trajectoire d'un mobile). *Accélération angulaire* (l'unité de mesure est le radian par seconde carrée : rad. $s^{-2}$). *Accélération d'entraînement* (d'un mobile en mouvement dans un référentiel en mouvement). *Accélération complémentaire* (ou *de Coriolis*). *Mouvement rectiligne uniformément varié* (accéléré ou retardé), dont l'accélération est constante. Accélération de la pesanteur :* accélération du mouvement de chute libre des corps pesants, notée *g. À Paris, l'accélération de la pesanteur est de 9,81* $m{\cdot}s^{-2}$.

Une expérience unique sur l'accélération des corps fait 1
découvrir les lois de leur chute.
D'ALEMBERT, Encycl., Discours préliminaire.

La rapidité de sa chute (d'un objet) peut être calculée et 2
l'accélération de cette chute pour un lieu donné est constante. A. MAUROIS, Un art de vivre, I, 6, p. 28.

(1845). Astron. *Accélération d'une planète :* variation de la vitesse de translation d'une planète sur son orbite elliptique.

◆ **3** (V. 1960). Écon. *Principe d'accélération* (ou *principe d'amplification de la demande dérivée*) : phénomène selon lequel la variation de l'investissement a une amplitude supérieure à la variation de la demande finale de biens de consommation qui l'a provoquée.

CONTR. **Décélération; ralentissement.** ◊ COMP. **Post-accélération.**

**ACCÉLÉRÉ, ÉE** [akseleʀe] adj. et n. m. — 1611, «hâté, pressé»; p. p. de *accélérer.*

◆ **1** Adj. Rendu plus rapide qu'à l'ordinaire. *Mouvement accéléré. Réaction accélérée. — Un pas accéléré.* → **Redoublé.**

Sc. *Mouvement accéléré,* dans lequel la valeur absolue de la vitesse est croissante (opposé à *décéléré, retardé*). *Un mouvement est accéléré quand le produit scalaire du vecteur vitesse et du vecteur accélération est positif. Mouvement rectiligne uniformément accéléré* (→ **Accélération, 2.**).

◆ **2** N. m. (1921). Au cinéma, Procédé qui simule, à la projection, des mouvements accélérés. *Utiliser l'accéléré. Effet d'accéléré. — En accéléré, à l'accéléré,* se dit par analogie de mouvements naturels, et, par métaphore :

1 Le film où s'est inscrite cette histoire contrastée passe en accéléré. Claude MAURIAC, le Dîner en ville, p. 2.

2 (...) les nuages fuient à l'accéléré, happés par l'entonnoir du ciel vers un insaisissable point de fuite.
Régis DEBRAY, l'Indésirable, p. 306.

*(Un, des accélérés).* Passage accéléré, dans un film.

3 (...) cette lutte de la jeunesse avec une force qui, pour les films au ralenti plus encore que pour les accélérés, ressemble si fort au dépérissement et à la mort.
GIRAUDOUX, Siegfried et le Limousin, p. 160.

**ACCÉLÉRER** [akseleʀe] v. tr. [CONJUG. : *céder.*] — 1327; lat. *accelerare,* de *celer* «rapide».

◆ **1** Rendre plus rapide (un mouvement, le rythme de fonctionnement d'un organe). *Accélérer l'allure, le mouvement.* — (1895). Sports. *Accélérer le train.* → **Hâter, presser.** — Emploi pron. (→ ci-dessous cit. 2 et 5). — P. p. et adj. (→ cit. 4 et Accéléré).

1 Quatre chevaux qu'il ne pouvait retenir accéléraient leur train. FLAUBERT, Trois contes, «Un cœur simple».

2 Les battements de cœur (...) s'accéléraient l'un après l'autre, à intermittences inégales.
FLAUBERT, Mme Bovary, II, 13.

3 (...) je bus (...) la mixture qui allait accélérer la lutte de mon sang contre mon cœur trop faible.
GIRAUDOUX, Bella, VI.

4 *(Le destin)* c'est simplement la forme accélérée du temps.
GIRAUDOUX, La guerre de Troie n'aura pas lieu, p. 13.

5 (...) six années tellement brèves, effrayantes d'avoir été si brèves, tant s'accélère de plus en plus la fuite du temps, au déclin de la vie.
LOTI, Suprêmes visions d'Orient, p. 1.

6 (...) lente intoxication, qui accélérait encore la déchéance générale commencée trois années plus tôt.
MARTIN DU GARD, les Thibault, IV, 2.

7 Sa fébrilité lui avait fait insensiblement accélérer l'allure.
MARTIN DU GARD, les Thibault, VIII, 9.

Fig. Rendre plus prompt. → **Activer, avancer, presser.** *Accélérer les travaux.*

◆ **2** Intrans (1937, *in* Petiot). Augmenter la vitesse d'une voiture; la vitesse du moteur (même à l'arrêt). → **Accélérateur.** *Accélérez doucement, ensuite changez de vitesse.*

8 (...) nous nous mîmes à courir pour rattraper un tramway qui démarrait justement sur la place du Marché-Vieux (...) et qui se mit à accélérer dès qu'il eut atteint les faubourgs (...) B. CENDRARS, Bourlinguer, p. 254.

◆ **ACCÉLÉRÉ, ÉE** p. p. adj. → **Accéléré.**

CONTR. **Modérer, ralentir, retarder. — Freiner.** ◊ DÉR. et COMP. **Accélérateur, accéléré. Accélérographe, accéléromètre. Réaccélérer.**

**ACCÉLÉRINE** [akseleʀin] n. f. — Après 1951; angl. *accelerin,* 1951, Owren.

Biol. Facteur protéinique de la coagulation sanguine, qui accélère la formation de la thrombine. → aussi **Proaccélérine.**

COMP. V. **Proaccélérine.**

**ACCÉLÉROGRAPHE** [akseleʀɔgʀaf] n. m. — 1873; de *accélérer,* et *-graphe.*

Mécan. Appareil permettant d'enregistrer graphiquement l'accélération (positive ou négative) d'un mouvement, pour l'étudier.

**ACCÉLÉROMÈTRE** [akseleʀɔmɛtʀ] n. m. — 1873, Deprez, *in* Encycl. Berthelot; de *accélérer,* et *-mètre.*

Techn. Appareil qui mesure les accélérations. *«Des accéléromètres linéaires et angulaires»* (*Ingénieurs et Techniciens,* no 200, p. 25). *Accéléromètre enregistreur.* → **Accélérographe.**

1. **ACCENSE** [aksɑ̃s] n. m. — 1751, *Encyclopédie;* du lat. *accensus.*

Antiq. Officier civil attaché à un magistrat, chez les Romains.

HOM. **2. Accense.**

2. **ACCENSE** [aksɑ̃s] ou **ACENSE** [asɑ̃s] n. f. — 1230, «fermage»; de l'anc. franç. *accenser* «donner à cens», de *cens.*

Hist. (dr. médiéval). Bail à cens. — Par ext. Le bien donné à cens (terre, maison, etc.).

HOM. **1. Accense.**

**ACCENT** [aksɑ̃] n. m. — 1265; *aucent,* 1220; du lat. *accentus* «intonation».

**I** ◆ **1** Augmentation d'intensité de la voix sur un son, dans la parole (*accent d'intensité,* dit à tort *accent tonique,* les deux accents étant difficiles à distinguer en latin. → cit. 1).

Mus. Augmentation d'intensité sonore sur un temps.

◆ **2** **a** Élévation de la voix sur un son *(accent de hauteur; accent musical).* → **Ton.** *L'accent d'intensité et l'accent de hauteur portent souvent sur la même syllabe.*

On distingue en phonétique un **accent musical** — la 1
voyelle accentuée du mot se chante sur une note plus élevée que les autres voyelles — et un **accent d'intensité,** fort complexe : la voyelle accentuée du mot **s'articule plus énergiquement** que les autres.
F. BRUNOT et Ch. BRUNEAU, Grammaire historique, p. 25.

**b** *Accent de phrase, accent de la phrase.*

Il existe un second accent, **l'accent de la phrase**; que 2
l'on compare les deux phrases : je vous ai parlé de cela la semaine dernière (simple observation formulée sur le ton le plus calme), et : je vous ai parlé de cela la semaine dernière ! (protestation indignée : comment, vous osez prétendre que je vous aurais parlé de cela !).
F. BRUNOT et Ch. BRUNEAU, Grammaire historique, p. 27.

◆ **3** (1549). Signe graphique qui note un accent (langues anciennes; espagnol, russe, etc.). — (En français). Signe qui, placé sur une voyelle, la définit. *E accent aigu* (é [e] fermé); *grave* (è [ɛ] ouvert); *circonflexe* (ê [ɛ] ouvert; plus long autrefois). → Circonflexe, cit. 1.1 et 2. — Signe diacritique analogue *(à, où). Mets un accent sur ton* a. — Spécialt. Caractère typographique correspondant à un accent graphique.

2.1 J'avais regagné Saïgon avec des caractères de langue anglaise, sans accents. Impossible d'imprimer. Un jour, un ouvrier annamite était entré, avait tiré de sa poche un mouchoir noué en bourse, les coins dressés comme des oreilles de lapin : «C'est rien que des *é*. Il y a des accents aigus, des graves et aussi des circonflexes. Pour les trémas, ce sera plus difficile. Peut-être vous pourrez vous en passer. Demain, des ouvriers vont apporter tous les accents qu'ils pourront.» Il avait vidé sur un marbre les caractères enchevêtrés comme des jonchets, les avait alignés du bout de son doigt d'imprimeur, et était parti.
MALRAUX, Antimémoires, Folio, p. 483-484.

**II** ♦ **1** (1559). Ensemble des inflexions de la voix (timbre, intensité) permettant d'exprimer les sentiments, les émotions. → **Inflexion, intonation.** *Un accent amer, douloureux, hautain, gouailleur, pathétique... Un accent mielleux* (cit. 2) *et caressant. Un accent d'innocence, de franchise, de sincérité. Un accent de tristesse. Un accent de réprobation.*

3 L'accent est l'âme du discours, il lui donne le sentiment et la vérité. ROUSSEAU, Émile, I.

4 Des oiseaux chantaient avec un accent qui me remuait jusqu'au fond du cœur.
E. FROMENTIN, Dominique, III.

5 Il ne disposait que d'un vocabulaire très pauvre, et suppléait à cette indigence par l'image, par le cliché, par l'accent et la gesticulation.
F. MAURIAC, la Pharisienne, III.

6 La rapidité de nos répliques, que nous n'avions pas prévue, nous eût menés à l'accent d'une querelle.
COLETTE, la Naissance du jour, p. 164.

♦ **2** Fig. Caractère personnel (du style), manière caractéristique. → **Manière, note.**

7 Le cercle d'idées dans lequel se meut l'art est des plus limités. La force n'est pas en elles, mais dans l'expression qu'il leur donne, dans l'accent personnel, dans l'empreinte de l'artiste, dans l'odeur de la vie.
R. ROLLAND, Vie de Tolstoï, p. 3.

Vx. Accent propre à un genre littéraire. *Accent dramatique, pathétique,* ou *oratoire.*

♦ **3** Par anal. *Un accent :* intensité plus forte d'une couleur, d'un trait.

8 De petites moustaches donnaient de l'accent à ses lèvres ardentes. FRANCE, Les dieux ont soif, p. 26.

♦ **4** Loc. Fig. *Mettre l'accent sur (qqch.).* → **Accentuer, insister.** *Il a mis l'accent sur les difficultés économiques actuelles.*

♦ **5** Littér. *Les accents :* sons expressifs. — (De la parole, du chant) :

9 Écoute les accents de sa mourante voix.
CORNEILLE, Médée, V, 7.

10 Te dirai-je qu'un soir, dans la brise embaumée,
Endormie, comme toi, dans la paix du bonheur,
Aux célestes accents d'une voix bien aimée,
J'ai cru sentir le temps s'arrêter dans mon cœur?
A. DE MUSSET, Lettre à Lamartine.

11 Ô Ninette! où sont-ils, belle muse adorée,
Ces accents pleins d'amour, de charme et de terreur (...)
A. DE MUSSET, À la Malibran.

11.1 Pareillement, la musique n'avait pas réussi à créer des rythmes éternels. Ce moment de passion et de foi, lorsque ses accents l'avaient pour ainsi dire soulevée, était en réalité tout entier tourné vers le divin silence (...)
J.-M. G. LE CLÉZIO, l'Extase matérielle, p. 201.

(D'un instrument). *Les accents guerriers du clairon.* → **Voix.**

**III** (1680). Ensemble des caractères phonétiques distinctifs d'une communauté linguistique considérés comme un écart par rapport à la norme, dans une langue donnée. *L'accent breton, lorrain, marseillais, normand, parisien...* (en français). *L'accent allemand, anglais* (en français). *L'accent français* (en anglais, etc.).

L'accent du pays où l'on est né demeure dans l'esprit et dans le cœur, comme dans le langage. 1
LA ROCHEFOUCAULD, Maximes, 342.

La voix a le vieil accent parisien, dont celui des faubourgs actuels est une forme dégénérée, avilie. 1
J. ROMAINS, les Hommes de bonne volonté, t. I, p. 279.

M. Beulier commença à parler. Il avait un accent bordelais extrêmement prononcé qui étonna Jean. Il disait «philôsôphie», «niaizeûrie», en marquant autant l'une que l'autre les quatre syllabes. 1
PROUST, Jean Santeuil, Pl., p. 260.

Absolt. Prononciation qui diffère de la norme et qui est rattachée à une origine géographique. *Avoir un accent, un léger accent. Perdre son accent.* — Spécialt. L'accent du Sud de la France (pour les locuteurs du Nord). *Il parle avec l'accent* (plus souvent : *avé l'assent* [avelasɑ̃]. → **Assent**).

— Ah! à l'Hippodrome?... j'avais entendu l'Ambigu-Comique!... c'est votre faute.. vous prononcez à l'américaine! 1
— C'est vrai, mon ami, vous avez de l'accent!
E. LABICHE, Deux merles blancs, II, 7.

DÉR. **Accentuel.**

**ACCENTEUR** [aksɑ̃tœʀ] n. m. — 1829, Boiste; lat. *accentor* «celui qui chante avec»; var. *accentueur* sous infl. de *accentuer.*

Zool. Petit oiseau passériforme *(Prunellidés);* n. sc. : *prunella. Accenteur mouchet* (n. sc. : *prunella modularis*), commun en Europe (souvent confondu avec le moineau domestique).

**ACCENTUABLE** [aksɑ̃tɥabl] adj. — 1863; de *accentuer.*

Didact. Qui peut être accentué. *Une syllabe accentuable.*

**ACCENTUATION** [aksɑ̃tɥasjɔ̃] n. f. — 1521; du lat. *accentuatio, -onis,* de *accentuare.* → Accentuer.

♦ **1** Le fait de mettre l'accent (I.). *Les règles de l'accentuation grecque.* — (1798). Le fait de placer les signes diacritiques appelés accents. *Des fautes d'accentuation.*

♦ **2** Le fait ou la manière de prononcer avec force ou expression une syllabe, un mot; d'accentuer une note. → **Insistance.**

♦ **3** (XIXe). Le fait d'être accentué (II., 2.). → **Intensité.**

Un visage qui semble mou, malgré l'accentuation de certains traits.
J. ROMAINS, les Hommes de bonne volonté, t. II, p. 5.

Le fait d'accentuer. *L'accentuation des traits dans la caricature.*

♦ **4** Électron. Modification des amplitudes relatives des composantes spectrales d'un signal.

COMP. **Préaccentuation.**

**ACCENTUÉ, ÉE** [aksɑ̃tɥe] adj. → **Accentuer.**

**ACCENTUEL, ELLE** [aksɑ̃tɥɛl] adj. — 1621, *in* D. D. L.; de *accent.*

Didact. (ling.). Qui porte, qui conserve l'accent d'intensité ou l'accent tonique. *Syllabe accentuelle.* — Qui porte l'accent, signe typographique.

On y trouve aussi les a aiguz et les à graves, les é accentuels et les simples, les s longues, et les s rondes (...)
E. BINET, Essay des merveilles de natures, 1621, *in* D. D. L. II, 20.

**ACCENTUER** [aksɑ̃tɥe] v. tr. — 1511, «déclamer»; du lat. médiéval *accentuare,* de *accentus* «accent».

**I** ♦ **1** Élever ou intensifier la voix sur (un son) dans la parole. *On accentue la première syllabe en finnois.*

♦ **2** (1549). Tracer un accent sur (une lettre). *Accentuer un* e. — Absolt. *Il ne sait pas accentuer.*

**II** ♦ **1** Vieilli. Prononcer avec expression, en appuyant nettement sur les accents. → **Marteler, rythmer, scander.**

♦ **2** Mod. Donner de l'intensité, de l'expression à (qqch.); faire ressortir. → **Insister** (sur), **souligner.**

1 Son geste accentuait la puissance de sa voix.
Louis BARTHOU, Danton, p. 228.

Donner un caractère plus marqué à (qqch.). → **Augmenter, intensifier, renforcer.** *Accentuer son effort, son action.*

1.1 Depuis douze ans elle accentuait son penchant vers l'art distingué, combattait ses retours vers la simple réalité, et par des considérations d'élégance mondaine, elle le poussait tendrement vers un idéal de grâce un peu maniéré et factice. MAUPASSANT, Fort comme la mort, I, I.

2 Un homme corpulent (...) dont la barbe noire accentuait le type sémite.
MARTIN DU GARD, les Thibault, Pl., t. I, p. 1068.

◆ **S'ACCENTUER** v. pron. Devenir plus net, plus fort. → **Augmenter.**

3 Le halètement s'accentuait et devenait pénible à entendre.
MARTIN DU GARD, les Thibault, Pl., t. I, p. 1299.

◆ **ACCENTUÉ, ÉE** p. p. adj. Sur quoi porte l'accent. *Syllabe, voyelle accentuée, non accentuée.* — *Lettres accentuées,* munies d'un accent. — Fig. *Caractères, traits accentués,* marqués.

CONTR. **Atténuer, modérer, réduire.** — (Du p. p.) **Atone.** ◊ DÉR. **Accentuable.**

**ACCEPTABILITÉ** [aksɛptabilite] n. f. — V. 1960; de *acceptable.*

Ling. Caractère d'une phrase acceptable pour la syntaxe et pour le sens (correcte et signifiante). → **Grammaticalité, signifiance.** *L'acceptabilité, concept méthodologique, est liée à l'usage.*

1 (...) il peut arriver que la délimitation entre phrases acceptables et phrases inacceptables ne soit pas tranchée d'une manière aussi nette. L'acceptabilité est en effet une notion très complexe qui comporte des intuitions de forme et de sens, et qui dépend de nombreux facteurs culturels.
Maurice GROSS, Méthodes en syntaxe, p. 22-23.

2 (...) quand le linguiste demande — explicitement ou implicitement — qu'un sujet teste les jugements d'acceptabilité, il ne s'agit pas d'un sondage d'opinion et il ne suffit pas, comme cela arrive trop souvent, que le sujet réagisse, immédiatement, à l'aveuglette, en acceptant ou refusant la phrase proposée : des précautions sont nécessaires, car, on le sait, il n'y a aucune raison de penser qu'un sujet se forme une représentation exacte de sa propre intuition.
Jean-Claude MILNER, De la syntaxe à l'interprétation, p. 21.

Sociol. Capacité psychologique que possède une personne sortie de son groupe de donner sa confiance à un autre groupe et d'être acceptée de lui.

**ACCEPTABLE** [aksɛptabl] adj. — Déb. XIIIe; *acetable* «agréable», 1165; du lat. ecclés. *acceptabilis.*

♦ **1** Qui mérite d'être accepté. *Des offres acceptables.* → **Recevable, satisfaisant, valable** (fam.). *Une explication acceptable.*

1 La paix acceptable, la transaction honorable, qu'on s'était flatté d'obtenir après la déchéance de la dynastie napoléonienne, n'étaient pas possibles.
J. BAINVILLE, Hist. de France, XXI.

♦ **2** Qui a un niveau suffisant; admissible. → **Passable, potable** (fam.), **satisfaisant.** *Des notes acceptables.*

♦ **3** Ling. Qui a le caractère d'acceptabilité* (cit. 1).

Il a fait un assez grand usage de cette notion linguistique : l'*acceptable :* une forme est acceptable (lisible, grammaticale), lorsque, dans une langue donnée, elle peut recevoir du sens. R. BARTHES, Roland Barthes, p. 121. 2

CONTR. **Inacceptable.** ◊ DÉR. **Acceptabilité.**

**ACCEPTANT, ANTE** [aksɛptɑ̃, ɑ̃t] adj. et n. — 1464; p. prés. de *accepter.*

♦ **1** Dr. Qui accepte, donne son consentement à une convention. — N. m. *Les acceptants et les appelants*.*

♦ **2** Adj. Qui accepte (la situation, son sort...).

(...) une mort lente, acceptante et presque sereine à Lausanne. M. YOURCENAR, Archives du Nord, p. 370.

**ACCEPTATION** [aksɛptasjɔ̃] n. f. — 1262; du lat. *acceptatio,* de *acceptare.* → Accepter.

♦ **1** Le fait d'accepter. *Il faut l'acceptation de toutes les parties.* → **Accord, consentement.** *Donner son acceptation à... L'acceptation d'un don, d'un cadeau,* par la personne qui le reçoit. — Absolt. Le fait d'accepter en se résignant. *Prêcher l'acceptation.* — (Au plur.). Actes de soumission (cit. 2).

(...) pour nous unir étroitement avec lui *(Dieu)* par une amoureuse acceptation de toutes ses volontés. 1
CORNEILLE, Au souverain Pontife, *in* Œ. compl., t. VIII, p. 2.

Le devoir est une série d'acceptations. 2
HUGO, les Travailleurs de la mer, I, I, III.

L'amour des Anglais pour leur liberté se complique d'une certaine acceptation de la servitude d'autrui. 3
HUGO, l'Homme qui rit, II, I, V.

Vote des humbles — acceptation; et cela leur va si bien, à certains, qu'on croit comprendre que leur vie est faite à la mesure de leur âme. 3.1
GIDE, Paludes, *in* Romans, Pl., p. 107.

La guerre, ce n'est pas l'acceptation du risque. Ce n'est pas l'acceptation du combat. C'est à certaines heures, pour le combattant, l'acceptation pure et simple de la mort. 4
SAINT-EXUPÉRY, Pilote de guerre, XVIII.

♦ **2** Dr. Acte par lequel une partie accepte ce que l'autre lui offre; consentement formel. *L'acceptation d'une donation, d'une succession* (→ Accepter, cit. 3), *d'une lettre de change par qqn. Acceptation d'une traite :* promesse de payer (distinct de *aval**).

♦ **3** Psychol. Le fait d'intégrer la réalité à sa vie consciente. *Conduites d'acceptation* (opposées aux *conduites de refus**) : comportements adoptés par le sujet, qui l'engagent symboliquement dans la reconnaissance d'un état de fait (exemple : l'aveu).

Par son adaptation au «principe de réalité», l'enfant apprend l'acceptation du renoncement, l'acceptation d'autrui et l'acceptation de la lutte. 5
E. MOUNIER, Traité du caractère, p. 683.

CONTR. **Refus; protestation.**

**ACCEPTER** [aksɛpte] v. tr. — V. 1250; du lat. *acceptare,* fréquentatif de *accipere* «recevoir, accueillir».

**I** **ACCEPTER (qqn, qqch.).** ♦ **1** Recevoir, prendre volontiers (ce qui est accordé, offert, proposé). *Accepter un don, un présent, une invitation. Accepter qqch. de qqn. Accepter qqch. de grand cœur.* Absolt. *Je vous prends au mot, j'accepte.* — Acquiescer à... *Il accepte tout.* → **Consentir** (à).

J'accepte tous les dons que vous me voulez faire. 1
RACINE, Phèdre, II, 3.

♦ **2** Dr. Approuver, donner son accord à... *Accepter un contrat. Accepter une donation, une succession, un héritage.* (1644, *in* D. D. L.). Spécialt. *Accepter une lettre de change :* prendre l'engagement de la payer à l'échéance. → **Promettre.**

2 Le tuteur ne pourra accepter ni répudier une succession échue au mineur, sans une autorisation préalable du conseil de famille. L'acceptation n'aura lieu que sous bénéfice d'inventaire. Code civil, art. 461.

2.1 Ce sont des contrats qu'ils ont librement acceptés, après discussion. MARTIN DU GARD, les Thibault, VII, 17.

♦ **3** *Accepter qqn,* l'admettre auprès de soi, ou dans tel rôle. — *Accepter des hommages, le cœur de qqn* (→ ci-dessous, cit. 3). — *Accepter qqn pour..., comme...* → **Agréer.** *Accepter (qqn) pour époux, pour gendre* (cit. 4). — Vx. *Accepter qqn pour maître, pour guide...*

3 Je vous offre mon bras. Puis-je espérer encore
Que vous accepterez un cœur qui vous adore ?
RACINE, Andromaque, I, 4.

4 Je t'adopte pour fils, accepte-moi pour père.
CORNEILLE, Héraclius, V, 3.

5 Le jeune homme gémissait (...) « Acceptez-moi, aimez-moi, et je deviendrai un grand poète. »
G. DUHAMEL, Chronique des Pasquier, VII, XXV.

♦ **4** (Abstrait). Accueillir, admettre pour vrai. *Accepter une excuse.* → **Croire.** *Accepter qqch. pour argent comptant.* → **Avaler** (fam.). *Accepter une théorie, une thèse.* → **Adhérer** (à), **embrasser.**

6 Avec cela, une femme forte, qui ne croit ni à Dieu ni au diable, mais qui accepte aveuglément les prédictions des somnambules et du marc de café.
Alphonse DAUDET, le Petit Chose, II, XI.

7 (...) tout remplace tout. Ce qu'on acceptait hier est remis à la meule aujourd'hui. HUGO, Shakespeare, I, 3, 4.

*Accepter l'augure de qqch.* → **Augure.**

8 J'en accepte l'augure, et j'ose l'espérer.
CORNEILLE, Cinna, V, 3.

♦ **5** Consentir à (un acte proposé). *Accepter le combat, la lutte :* se montrer prêt à se battre, à lutter.

9 *(La Serbie)* replierait son armée, sans accepter le combat.
MARTIN DU GARD, les Thibault, VII, 40.

*Accepter le débat, la discussion.* — *Accepter le défi :* s'engager à faire qqch. dont on a été défié. *Accepter ses responsabilités.*

10 Émile Ollivier prononça le mot qui pèse encore sur sa mémoire : « Cette responsabilité, nous l'acceptons d'un cœur léger ». J. BAINVILLE, Hist. de France, XX.

♦ **6** Se soumettre à (ce qu'on ne peut ou ne doit pas refuser). *Accepter une épreuve.* → **Résigner** (se), **subir ; assumer** (2.). *Accepter philosophiquement la vie, les épreuves.* → **Souffrir, supporter.** *Accepter le danger, la mort.*

11 Le courage, le vrai, ça n'est pas d'attendre avec calme l'événement ; c'est de courir au devant, pour le connaître le plus tôt possible, et l'accepter.
MARTIN DU GARD, les Thibault, III, 1.

12 Ce n'est pas le risque que j'accepte. Ce n'est pas le combat que j'accepte. C'est la mort.
SAINT-EXUPÉRY, Pilote de guerre, XVIII.

13 Il accepte, comme l'hostie, la mort avec un cœur simple et obéissant. CLAUDEL, Feuilles de saints, IX.

14 Selon l'Église, ce n'est pas la douleur en soi qui rachète, mais la douleur acceptée, consentie, subie, en union avec le Christ, dans un esprit de pénitence et de repentir.
F. MAURIAC, Souffrances et Bonheur du chrétien, p. 36.

15 Louise, passive, résignée, a accepté ce malheur, comme elle accepte tout.
R. ROLLAND, Jean-Christophe, p. 33.

16 Que le mal nous façonne, il faut bien l'accepter.
COLETTE, l'Étoile Vesper, p. 10.

L'échec, il l'acceptait à la rigueur, mais en fin de partie. 17
J. ROMAINS, les Hommes de bonne volonté, t. V, p. 127.

Il n'acceptait de lui-même ni l'impulsivité ni l'abandon ; il 18
acceptait volontiers, pendant les réceptions ou à des occasions choisies par lui, une conversation superficielle (...)
MALRAUX, Antimémoires, Folio, p. 152.

**II** ♦ **1** Trans. ind. **ACCEPTER DE...** (suivi de l'inf.) : bien vouloir. → **Consentir** (à). *Il accepte de venir.*

♦ **2 ACCEPTER QUE...** (suivi du subj.) : supporter.

◆ **S'ACCEPTER** v. pron.

**a** (Passif). *C'est une situation qui s'accepte facilement.*

**b** (Réfl. ; au sens 3.). *S'accepter tel que l'on est.*

**c** (Récipr.). *S'accepter réciproquement.*

◆ **ACCEPTÉ, ÉE** p. p. adj. *Don, présent accepté, accepté de bon cœur. — Héritage accepté. — Excuse acceptée. — Une situation bien, mal acceptée.*

CONTR. **Décliner, récuser, refuser, rejeter, repousser.** ◊ DÉR. **Acceptant.** — V. **Acceptable.**

**ACCEPTEUR** [aksɛptœʀ] n. et adj. m. — 1389 ; bas lat. *acceptor* « celui qui reçoit, approuve ».

♦ **1** (1751). Dr. Celui qui accepte une lettre de change. → **Souscripteur, tiré.**

♦ **2** Adj. et n. m. (1928). Sc. Capable de se combiner à... *Corps accepteur d'oxygène, d'hydrogène. Atome accepteur,* qui, dans une liaison chimique semi-polaire, reçoit deux électrons d'un autre atome (appelé *donneur*).

Adj. Physiol. Capable d'entrer* dans une liaison du type de l'adsorption*, avec (une molécule, un radical chimique). *Substrat accepteur de la membrane d'une cellule olfactive, sensible aux osmophores*.*

**ACCEPTION** [aksɛpsjɔ̃] n. f. — XIIIe, au sens 2. ; du lat. *acceptio* « action de recevoir qqch. », de *acceptare.* → Accepter.

♦ **1** (XVIIe). Vx. Acceptation. *L'acception d'épreuves pénibles.*

♦ **2** (Dans des loc.). Action de considérer la qualité d'une personne, d'en tenir compte au préjudice d'une autre personne. *« La justice ne fait acception de personne »* (Académie). *Tout le monde y est admis sans acception de fortune ou de parti.*

♦ **3** (XVIIe). Sens particulier d'un mot, admis et reconnu par l'usage. → **Signification** (→ 2. Original, cit. 1). *Acception propre ou figurée. Mot à plusieurs acceptions,* polysémique.

J'entends ce mot dans son acception la plus large et la plus noble. G. DUHAMEL, Discours aux nuages, I.

Loc. *Dans (toute) l'acception du (de ce) mot,* pour indiquer que le mot employé est bien celui qui convient. *Il était méchant, dans toute l'acception du mot :* il était réellement, vraiment méchant.

**ACCÈS** [aksɛ] n. m. — Fin XIIIe, *donner accès ;* du lat. *accessus,* p. p. de *accedere.* → Accéder.

**I** ♦ **1** **a** Possibilité d'aller, de pénétrer dans (un lieu), d'entrer. → **Abord, approche, entrée, ouverture.** *L'accès d'un lieu. L'accès à cette salle est facile, bien agencé. Accès libre.* → **Entrée.** — ... **D'ACCÈS.** *Voie d'accès. Porte* d'accès.*

Les sables et les bancs cachés dessous les eaux 1
Rendent l'accès mal sûr à de plus grands vaisseaux.
CORNEILLE, Pompée, II, 2.

2 (...) depuis quand, Seigneur, entre-t-on dans ces lieux,
Dont l'accès était même interdit à nos yeux?
RACINE, Bajazet, I, 1.

3 (...) et c'est depuis quelques années seulement que l'accès (de cette enceinte) en est ouvert aux hommes de toutes les religions. LOTI, Jérusalem, VIII.

Spécialt. *Point d'accès :* ville, lieu où les transporteurs aériens étrangers peuvent prendre ou déposer des voyageurs (pour traduire l'angl. *gateway*).

**b** *(Un, des accès).* Voie, passage qui permet d'entrer. *Les principaux accès du stade.*

**c** Loc. (propre — sens a. — et fig.). *Avoir accès quelque part, à un lieu. — Donner accès :* permettre d'atteindre (au propre et au fig.). → **Conduire, introduire.** *Un concours qui donne accès à un poste de direction. Un escalier qui donne accès à un grenier.*

♦ **2** Possibilité d'arriver jusqu'à une personne, d'être admis, reçu par elle. Loc. *Avoir accès auprès de qqn.* → **Accueil.** — *Introduction. Permettre, interdire l'accès auprès de qqn.*

4 Cet accès libre à tous, cet accueil favorable.
CORNEILLE, Poésies diverses, 77.

5 Pour le fléchir enfin tente tous les moyens :
Tes discours trouveront plus d'accès que les miens.
RACINE, Phèdre, III, 1.

6 Ce jaloux maudit, ce traître de Sicilien, me fermera toujours tout accès auprès d'elle.
MOLIÈRE, le Sicilien, 4.

7 (...) vos ministres qu'on me dit être d'un accès si difficile.
MONTESQUIEU, Lettres persanes, 48.

♦ **3** Fig. Possibilité d'aborder, de connaître, de participer (à qqch.). *L'accès de tous à la culture. Le libre accès à l'information, à l'éducation.*

Loc. *Avoir accès à (un poste, des honneurs, etc.) :* avoir la possibilité d'obtenir. — *Ouvrir l'accès à... :* préparer le chemin.

8 C'était comme l'initiation au monde, l'accès de plaisirs défendus. FLAUBERT, Mme Bovary, I, I.

♦ **4** Inform. Recherche et obtention des informations consécutivement à un traitement. — *Accès direct :* méthode d'organisation d'un fichier tel que chaque donnée, identifiable par une clé, peut être retrouvée quelle que soit sa place sur le support. — *Accès aléatoire :* méthode d'accès mettant en jeu un calcul où interviennent des nombres aléatoires. — *Temps d'accès :* temps nécessaire pour atteindre une information stockée en mémoire.

**II** (1341). ♦ **1** Phénomène morbide souvent violent et de courte durée, qui survient brusquement et se répète ordinairement à intervalles (intermissions) plus ou moins réguliers. → **Attaque, crise, poussée, raptus.** *Accès de fièvre intermittente. Accès de folie, de délire. Accès de toux* (→ **Quinte**; → Oppression, cit. 5). *Un accès subit. L'accès se déclenche; il s'exacerbe, atteint son paroxysme, décroît. Dans les intermissions des accès, il y a rémission des symptômes.*

9 Il y a des maladies qui commencent lentement par des malaises légers et convergents; d'autres éclatent en une soirée dans un accès de fièvre violent.
A. MAUROIS, Climats, I, VIII.

(...) mon mal de tête augmente; je grelotte; c'est un accès de fièvre.
GIDE, Voyage au Congo, *in* Souvenirs, Pl., p. 725.

♦ **2** Brusque phénomène psychologique; sentiment, émotion vive et passagère. *Des accès de rire, de colère, de fureur, de mélancolie.* → **Crise, effervescence**; (par métaphore) **bouillonnement, bourrasque, orage.**

10 Dans ses accès de colère, je l'ai vu rouer sa négresse de coups de cravache, la jeter par terre, la trépigner.
Alphonse DAUDET, le Petit Chose, II, XI.

Jupiter a créé les hommes dans un accès de misanthropie. 11
HUGO, Notre-Dame de Paris, II, III.

Les tourmentes sont les crises de nerfs et les accès de délire 12
de la mer. HUGO, l'Homme qui rit, I, II, I.

CONTR. (Du sens 1.) **Débouché, issue, sortie.**

**ACCESSIBILITÉ** [aksesibilite] n. f. — 1630; de *accessible.*

Possibilité d'accéder, d'arriver à... (→ Automobile, cit. 3). *L'accessibilité à un lieu,* (fig.) *à un emploi.*

**ACCESSIBLE** [aksesibl] adj. — 1355; du bas lat. *accessibilis,* de *accedere* «approcher».

♦ **1** Où l'on peut accéder, arriver, entrer. → **Abordable, atteignable.** *Une région difficilement accessible. Un chalet accessible par un sentier abrupt. Lieu accessible à qqn.*

*(Il)* rendit sa maison accessible à tout le monde. 1
MONTESQUIEU, Lettres persanes, 141.

♦ **2** (Personnes). Que l'on peut approcher, voir, rencontrer.

Ce roi (...) se rendit affable et accessible à tout le monde. 2
MONTESQUIEU, l'Esprit des lois, XIX, II.

Par ext. (en parlant d'une femme ou du corps féminin). Qui se laisse approcher (dans l'amour physique).

Si on la plaçait *(cette femme)* au sommet d'une montagne 3
à pic, elle serait encore très accessible.
A. MAUROIS, Terre promise, XVII.

♦ **3** Qui est ouvert, sensible à (qqch.). *Être accessible aux idées nouvelles, au progrès.*

Et de grâce m'apprends l'heure de mon trépas, 4
L'heure, le lieu, le genre, et si ton cœur sensible
À la compassion peut se rendre accessible
Donne-moi les moyens d'un généreux effort
Qui des mains des bourreaux affranchisse ma mort.
CORNEILLE, Médée, IV, 5.

On est accessible à la flatterie dans la mesure où soi-même 5
on se flatte. VALÉRY, Autres rhumbs, p. 185.

♦ **4** Fig. Qui ne présente pas d'obstacle, qui est à la portée de qqn. *Des prix accessibles.* → **Abordable.** — Par ext. Compréhensible, simple. *Une musique, une lecture accessible au profane.* → **Intelligible.** *Auteur accessible, peu accessible.*

(...) l'âme d'un homme est un domaine secret et difficile- 6
ment accessible.
G. DUHAMEL, Chronique des Pasquier, III, IX.

Naturellement (...) certains auteurs d'aujourd'hui ne sont 7
pas accessibles à tout le monde. Ils demandent une attention soutenue (...)
Jean-Louis CURTIS, le Roseau pensant, p. 43.

CONTR. **Inaccessible.** — **Impénétrable, inabordable; insensible.** — (Du sens 3.) **Ardu, difficile, secret.** ◊ DÉR. **Accessibilité.**

**ACCESSION** [aksesjɔ̃] n. f. — XIIe, «attaque, accès d'une maladie»; lat. *accessio,* du supin de *accedere.* → Accéder.

**I** Le fait d'accéder. ♦ **1** Vx. Action d'approcher d'un lieu; accès.

♦ **2** (XVIIe). *Accession au trône,* le fait d'y monter. — (XVIIIe, empr. à l'angl.). Le fait d'accéder (à une fonction, un pouvoir, une situation sociale). → **Admission, avènement.** *L'accession à une situation élevée, à un poste de commandement.*

J'ai même observé qu'une brusque accession au Parnasse 1
ne va pas sans troubler les caractères les mieux assis.
G. DUHAMEL, Discours aux nuages, I.

♦ **3** Fig. et mod. Le fait d'accéder, d'arriver à (un état, une situation). *La rapide accession d'un pays à l'indépendance. Favoriser l'accession à la propriété,* pour les occupants, les locataires. *L'accession du* *paysan à la propriété* (→ Morbifique, cit.). *L'accession à la connaissance, à l'éducation.*

11 (...) le terme de «constitution» (constitution des connaissances valables) recouvrant à la fois les *conditions d'accession* et les *conditions proprement constitutives* (...) Le terme d'«accession» indique que la connaissance est un processus.

J. PIAGET, l'Épistémologie, *in* Logique et Connaissance scientifique, Encycl. Pl., p. 6.

**II** ♦ **1** (1326). Dr. ou vx. Le fait d'ajouter; addition, supplément. → **Accroissement, adjonction, atterrissement.**

2 La propriété s'acquiert aussi par accession ou incorporation. Code civil, art. 712.

3 La propriété d'une chose, soit mobilière, soit immobilière, donne droit sur tout ce qu'elle produit, et sur ce qui s'y unit accessoirement, soit naturellement, soit artificiellement. Ce droit s'appelle droit d'accession. Code civil, art. 546.

♦ **2** (XVII^e). Adhésion (à une convention). *L'accession d'un État à un traité.* Adhésion (à une doctrine). *L'accession au christianisme.*

**ACCESSIT** [aksesit] n. m. — 1680; mot lat., de la formule utilisée autrefois dans les distributions de prix *accessit proxime* «il s'est approché de très près (du prix)», du lat. *accedere* «approcher».

Distinction, nomination, récompense que l'on décerne à une personne qui approche de ceux qui obtiennent des prix. *Des accessits. Premier accessit, deuxième accessit.*

1 À force de s'appliquer, il se maintint toujours vers le milieu de la classe; une fois même, il gagna un premier accessit d'histoire naturelle.

FLAUBERT, M^me Bovary, I, I.

(Rare). Personne qui a obtenu un accessit.

2 Cet excellent homme était sur toute la ligne un premier accessit.

Léon DAUDET, l'Entre-deux Guerres, p. 230, *in* T. L. F.

**ACCESSOIRE** [akseswaʀ] adj. et n. m. — 1296; lat. médiéval *accessorius*, du supin de *accedere*. → Accéder.

**I** Adj. ♦ **1** Qui s'ajoute comme un accompagnement, une suite ou une dépendance, à la chose principale. *Des circonstances accessoires. Un problème accessoire; une question accessoire* (→ **À-côté**). *Des chapitres accessoires.* → **Additionnel, annexe, complémentaire, subsidiaire, supplémentaire.** *Constructions accessoires.* → **Dépendance.** *Les ornements accessoires du discours.* Cf. Broderie, hors-d'œuvre (fig.). *Des épisodes, des anecdotes amusants mais accessoires.*

1 (...) dans un temps court, et dans le même lieu, il ne peut y avoir probablement qu'une seule action principale; les autres sont accessoires.

MONTESQUIEU, Cahiers, p. 79.

Vx. *Un État accessoire d'un autre.* → **Dépendant.**

Mod. Dr. *Les peines principales et les peines accessoires.* — (Abstrait). *Une action accessoire; une idée accessoire.*

*C'est tout à fait accessoire.* → **Insignifiant, négligeable, secondaire.**

♦ **2** N. m. (1328). Ce qui est accessoire. *L'accessoire suit le principal. Séparer le principal de l'accessoire.*

2 Si de deux choses unies pour former un seul tout, l'une ne peut point être regardée comme l'accessoire de l'autre, celle-là est réputée principale qui est la plus considérable en valeur, ou en volume, si les valeurs sont à peu près égales. Code civil, art. 569.

**II** N. m. Chose accessoire. ♦ **1** (1771). Vx (le plus souvent au plur.). Parties secondaires (d'un tableau, d'un décor...). *Les accessoires d'un tableau.*

(...) les singuliers accessoires de la salle, les solives du plancher, le ton des boiseries ou les points que les mouches y avaient imprimés et dont nombre aurait suffi pour ponctuer l'Encyclopédie méthodique et le Moniteur (...) 2

BALZAC, Eugénie Grandet, éd. 1838, p. 88.

♦ **2** (1835). Objet nécessaire à une représentation théâtrale, à un déguisement. *Les décors, les costumes et les accessoires. Technicien chargé des accessoires.* → **Accessoiriste.** *Magasin des accessoires* (d'un théâtre, de studios de cinéma ou de télévision). — Fig. *Quelques mots que nous avons laissé se décolorer dans le magasin* (cit. 3) *des accessoires romantiques.*

Par comparaison :

Tous ces hommes qui m'ont sacrifiée, qui ont disposé de moi comme d'un accessoire dans leur vie. 3

M^me DE STAËL, Delphine, V, VI.

Petit rôle. *Jouer les accessoires.* → **Utilité.**

On ne m'appréciait pas à ma juste valeur; et puis je m'étais prise pour une étoile, et je n'avais été qu'un accessoire. 4

S. DE BEAUVOIR, Mémoires d'une jeune fille rangée, p. 31.

♦ **3** **a** (1611). Ce qui constitue un complément nécessaire ou utile pour l'usage commode d'un objet (en particulier, d'un objet manufacturé complexe : véhicule, machine, mécanisme). *Ce fusil de chasse est vendu avec tous les accessoires pour le nettoyer. Des accessoires d'automobile.*

Instrument, ustensile conçu de manière autonome, indépendamment de tout autre, pour faciliter une opération matérielle (et remplissant donc une fonction analogue à celle d'«accessoire» au sens défini ci-dessus). *Accessoires de toilette réunis dans une trousse, un écrin pour le voyage.* → **Nécessaire.** *Magasin d'accessoires pour la photographie.*

**b** Élément associé à une toilette mais qui n'en fait pas partie (gants, sac, ceinture, éventuellement bijoux). *Compléter une toilette de grand couturier par ses accessoires.* → **Accessoiriser.** *Tailleur pantalon en jersey noir porté avec des accessoires rouges.*

**c** (1752, *nerf accessoire*). Anat. Muscle, nerf, vaisseau qui en accompagnent d'autres, ou qui ont un rôle secondaire. *L'accessoire du brachial cutané interne.* — Adj. *Un nerf accessoire. Le nerf accessoire du brachial cutané interne.* — Spécialt. *Le nerf accessoire* (ou *spinal*) : nerf crânien appartenant à la onzième paire. *Le nerf accessoire est le nerf moteur des muscles trapèze et sterno-cléido-mastoïdien.*

CONTR. (Du sens I.) **Essentiel, principal.** ◊ DÉR. **Accessoirement, accessoiriste.**

**ACCESSOIREMENT** [akseswaʀmɑ̃] adv. — 1326; de *accessoire*.

D'une manière accessoire; en plus d'un motif principal.

**ACCESSOIRISER** [akseswaʀize] v. tr. — V. 1980; de *accessoire*.

Techn., comm. Compléter (une toilette) par un ou des accessoires.

**ACCESSOIRISTE** [akseswaʀist] n. — 1902, J. Renard (cit. 1); de *accessoire* (II., 2.).

Personne chargée des accessoires (éléments mobiles de décor, objets) au théâtre, au cinéma, à la télévision. *«L'équipe des machinistes, des électriciens, des accessoiristes»* (Claudel).

Il aime le théâtre comme accessoiriste ou comme habilleur. Chez Deval, en plus, il jouait de la grosse caisse et, dans la coulisse chantait deux couplets d'un laboureur. 1

J. RENARD, Journal, 2 juil. 1902.

2 Accessoiriste de décor, reçoit les meubles et accessoires livrés par le régisseur d'extérieurs, meuble des décors, contrôle l'exactitude des objets reçus et rendus et leur état.
COHEN-SÉAT, Essai sur les principes de la philosophie du cinéma, p. 195.

3 *(Ces dames)* vont et viennent, déplacent des chaises, font le ménage, semblables aux accessoiristes qui s'empressent sur la scène avec le lever du rideau.
G.-E. CLANCIER, l'Éternité plus un jour, p. 339.

**ACCIDENT** [aksidɑ̃] n. m. — 1170, «indice, signe»; lat. *accidens, accidentis,* de *accidere* «survenir».

♦ **1** (1237). Théol., philos. Ce qui n'est pas essentiel à l'être et qui, par suite, peut être modifié ou supprimé sans altérer la nature, l'essence, la substance. → **Attribut, phénomène.**

1 Il n'y a du plus ou du moins qu'entre les accidents, et non point entre les formes et natures des individus d'une même espèce.
DESCARTES, Discours de la méthode, I.

*Sophisme de l'accident,* qui consiste à prendre une qualité accidentelle pour une qualité essentielle. Vx. *Chose d'accident,* qui n'est pas essentielle par soi-même. → **Accidentel.**

2 L'esclavage dans la conquête est une chose d'accident.
MONTESQUIEU, l'Esprit des lois, X, III.

(1268). Fait accessoire (→ **Accidentel**); manifestation contingente.

3 Tout poème où le merveilleux est le fond et non l'accident du tableau pèche essentiellement par la base.
CHATEAUBRIAND, le Génie du christianisme, II, I, II.

4 Je ressentis toutefois ces événements distincts non comme des accidents ou des phénomènes limités mais comme des symptômes ou des prémisses, comme des faits significatifs dont la signification passait de beaucoup l'importance intrinsèque et la portée apparente.
VALÉRY, Regards sur le monde actuel, p. 12.

5 Nul doute : l'erreur est la règle : la vérité est l'accident de l'erreur.
G. DUHAMEL, Chronique des Pasquier, I, p. 26.

6 Il n'y a eu aucun changement de sens quand on a dit ressembler à au lieu de ressembler. Ce n'est pas autre chose qu'une modification de construction. Elle a le caractère d'un pur accident de forme, qui n'a aucune signification rationnelle ni psychologique.
F. BRUNOT, la Pensée et la Langue, p. 6.

♦ **2** Ce qui advient fortuitement, de façon imprévisible. Vx ou littér. Événement heureux ou malheureux qui vient rompre la marche régulière des choses. *Les accidents de la vie. Les accidents de la fortune.*

7 Il n'y a point d'accidents si malheureux dont les habiles gens ne tirent quelque avantage, ni de si heureux que les imprudents ne puissent tourner à leur préjudice.
LA ROCHEFOUCAULD, Maximes, 59.

8 Il arrive quelquefois des accidents dans la vie d'où il faut être un peu fou pour se bien tirer.
LA ROCHEFOUCAULD, Maximes, 310.

Mod. Épisode non essentiel. — Loc. littér. *Par accident :* par hasard. → **Fortuitement.**

9 La poésie n'était pas mon métier; c'était un accident, une aventure heureuse, une bonne fortune dans ma vie.
LAMARTINE, Premières méditations, Préface.

10 Madeleine, j'en étais certain, ne pouvait ressentir aucun intérêt pour un étranger que le hasard avait jeté dans sa vie comme un accident.
E. FROMENTIN, Dominique, VII.

(1968, d'abord en politique). *Accident de parcours :* «événement imprévu qui a perturbé l'évolution normale d'un phénomène économique, social ou politique» (P. Gilbert, 1971).

♦ **3** (Fin XIIe). Événement fâcheux ou malheureux. → **Aventure, calamité, contretemps, coup, ennui, malheur, mésaventure, revers;** (vx) **malencontre, méchef;** (fam.) **bûche, tuile.**

Mais nous ne verrons point de pareils accidents 11
Lorsque Rome suivra des chefs moins imprudents.
CORNEILLE, Cinna, II, 2.

(XVIIIe). Cour. Événement imprévu et soudain qui entraîne des dégâts, met en danger (de blessure, d'invalidité, de mort). → **Choc, chute, collision, explosion.** *Un accident de voiture, de train, d'avion. Accident de personnes. Les accidents de la route, de la circulation. Déclaration* d'accident. Un léger accident qui n'entraîne que des dégâts matériels* (cf. De la tôle froissée). *Un grave, un terrible accident. Accident mortel. Prévention contre les accidents de la route* (cf. Prévention routière). — Situation matérielle créée par un accident (→ ci-dessous cit. 12).

(...) je ne sais comment l'accident eut lieu, mais il fut écrasé par la voiture qui tomba sur lui. 11.1
BALZAC, Eugénie Grandet, éd. 1838, p. 8.

Et les accidents de machine, les déraillements, les rencontres, la mauvaise saison, l'accumulation des neiges, est-ce que tout n'était pas contre Phileas Fogg? 11.2
J. VERNE, le Tour du monde en 80 jours, p. 31.

L'horreur d'un accident qu'on découvre sur sa route provient de ce qu'il est de la vitesse immobile, un cri changé en silence (et non pas du silence après un cri). 12
COCTEAU, la Machine infernale, p. 12.

(...) mot de Valéry : «Combien de gens meurent dans les accidents, pour ne pas lâcher leur parapluie». 13
GIDE, Journal, 25 janv. 1931.

*Accident du travail :* «événement imprévu et soudain survenu du fait ou à l'occasion du travail et qui provoque dans l'organisme une lésion ou un trouble fonctionnel permanent ou passager» (Reclus). *Lois sur les accidents du travail. Accident de trajet.*

♦ **4** Méd. Phénomène qui se manifeste dans le développement d'une maladie. *Accident primitif, accidents secondaires, tertiaires de la syphilis. — Accidents d'origine médicale.* — Symptôme d'aggravation dans le cours d'une maladie. → **Complication, lésion.**

De fait, je n'ai jamais eu dans la suite le moindre accident, la plus légère menace de récidive. 14
MARTIN DU GARD, les Thibault, IV, 9.

♦ **5** Ce qui rompt l'uniformité.

(...) les détours de ce chemin pittoresque, dont les moindres accidents réveillent des souvenirs (...) 15
BALZAC, Eugénie Grandet, éd. 1838, p. 29.

[a] **ACCIDENT DE TERRAIN :** dislocation ou déformation de tout genre. → **Aspérité, mouvement** (→ Montée, cit. 9).

(...) les différences de perspective, comme un accident de terrain, colline ou château, qui apparaît tantôt à droite, tantôt à gauche, semble d'abord dominer une forêt, ensuite sortir d'une vallée, et révèle ainsi au voyageur des changements d'orientation et des différences d'altitude dans la route qu'il suit. 16
PROUST, le Temps retrouvé, Pl., t. III, p. 970.

[b] Mus. Signe (dièse, bémol, bécarre) qui, placé dans une phrase musicale sans être indiqué à la clé, élève ou baisse le ton.

**DÉR. Accidenté.** ◊ **COMP. Accidentologie.**

**ACCIDENTÉ, ÉE** [aksidɑ̃te] adj. — 1622, adj., t. de méd.; repris au XIXe; de *accident.*

♦ **1** (1827). Qui présente des accidents (5.), des inégalités. → **Inégal, mouvementé, varié.** *Relief accidenté. Région accidentée.* → **Montagneux.** *Pays accidenté et pittoresque.*

Habituée aux aspects calmes, elle se tournait au contraire vers les accidentés. 1
FLAUBERT, Mme Bovary, I, VI.

Littér. *Accidenté de... :* accidenté par...

2 Les brocarts des rideaux et des portières, accidentés de plis superbes, s'empourpraient de tons chauds, qui se cassaient violemment aux angles de la lourde étoffe.
J. VERNE, Michel Strogoff, p. 3.

♦ **2** (1841). Rare. Mouvementé. *Une vie accidentée.*

♦ **3** (1900, *Larousse mensuel*, «surtout en parlant des accidents du travail»). Fam. (emploi critiqué). Qui a subi un accident. *Personne accidentée sur la voie publique. Voiture accidentée à hauteur de Corbeil.*

3 Un flic est venu, hier; il cherchait «une mineure accidentée sur la route». A. SARRAZIN, l'Astragale, p. 102.

N. (Personnes). *Les accidentés de la route.*

4 (...) les exhibitions des «secouristes français», société de secours aux accidentés de la rue.
Michel LEIRIS, l'Âge d'homme, p. 127.

CONTR. **Égal, plain, plat, uni. — Calme, paisible.** ◊ DÉR. **Accidenter.**

**ACCIDENTEL, ELLE** [aksidɑ̃tɛl] adj. — XIIIe, au sens 2.; du bas lat. *accidentalis*, de *accidens*. → Accident.

♦ **1** (XVIe). Qui arrive hors du cours régulier des choses, par hasard; qui est produit par une circonstance occasionnelle. → **Casuel, contingent, fortuit, imprévu, inattendu, occasionnel.** *Un fait, un événement accidentel. Des causes accidentelles.* — N. m. *L'accidentel.*

1 Également convaincus de l'insignifiance des choses passagères, épris du même goût de l'éternel, nous ne pourrions nous résigner à l'aveu d'une distraction consentie vers le fortuit et l'accidentel.
RENAN, Souvenirs d'enfance..., Œ. compl., t. II, VI, II.

2 Ils avaient fait connaissance dans des conditions si accidentelles qu'elles excluaient, de sa part à lui, la préméditation. BOURGET, Un divorce, III.

3 Je doute si, dans quelques années, ce déboisement continu, systématique et volontaire, ou accidentel, n'amènera pas de profonds changements dans le régime des pluies.
GIDE, Voyage au Congo, *in* Souvenirs, Pl., p. 732.

Sc., phys., chim. Cause qui agit sans paraître sujette à des lois. Géogr. *Le débit accidentel d'une source*, occasionnel.

*Mort accidentelle*, du fait d'un accident (3.).

♦ **2** Philos. Qui appartient à l'accident (1.) non à l'essence. → **Accessoire, contingent, extrinsèque** (opposé à *absolu, substantiel* et *nécessaire*). *Définition accidentelle.*

N. m. *Distinguer l'accidentel du nécessaire.*

♦ **3** (De *accident*, 5., b.). Mus. *Signe accidentel :* dièse, bémol ou bécarre non indiqué à la clef. *Lignes accidentelles,* qui sont au-dessus ou au-dessous de la portée.

CONTR. **Certain, constant, fatal, intentionnel, normal, régulier.** ◊ DÉR. **Accidentellement.**

**ACCIDENTELLEMENT** [aksidɑ̃tɛlmɑ̃] adv. — XVe; de *accidentel*.

♦ **1** D'une manière accidentelle (non essentielle, fortuite, ou imprévue). *Cela est arrivé accidentellement.* → **Accident** (par), **hasard** (par).

1 Ce qui arrive accidentellement est un événement qui survient contre notre attente (...) Ce qui arrive fortuitement est considéré comme arrivant sans cause.
LITTRÉ, Dict., art. *Accidentellement.*

Exceptionnellement. *Il ne pourra intervenir qu'accidentellement.*

Gramm. *Verbe accidentellement pronominal,* qui ne se rencontre pas seulement à la forme pronominale.

♦ **2** (XXe). Par suite d'un accident (3.). *Il est mort accidentellement.*

J'ai su, par un copain qu'une auto, conduite par une de ses victimes, le rechercha longtemps à travers Paris, afin de l'écraser «accidentellement». Il y a de terribles vengeances de tantes. J. GENET, Journal du voleur, p. 54. 2

CONTR. **Constamment, fatalement, normalement, régulièrement.**

**ACCIDENTER** [aksidɑ̃te] v. tr. — 1841, Gautier; de *accidenté*.

Rare.

♦ **1** Rendre accidenté.

Des collines d'un beau mouvement, bien frappées par la lumière, accidentent les côtés de la route (...) 1
Th. GAUTIER, Voyage en Espagne, p. 134.

♦ **2** Fam. Endommager ou blesser dans un accident. → **Accidenté.**

Chaumien vient d'être accidenté... Une voiture l'a percuté sur sa gauche. 2
Philippe BERNERT, S. D. E. C. E. Service 7, p. 114.

Par ext. Endommager accidentellement. *«On ne l'accidente* (le drap) *qu'à la cendre ou au chocolat»* (A. Sarrazin, *l'Astragale*, p. 172).

REM. Le dér. *accidenteur*, n. m. «personne qui cause un accident», est attesté (*Servir*, 9 oct. 1947, p. 3).

◆ **S'ACCIDENTER** v. pron. Devenir inégal, prendre des aspects divers. *Le paysage s'accidente insensiblement.*

**ACCIDENTOLOGIE** [aksidɑ̃tɔlɔʒi] n. f. — 1973; de *accident*, et *-logie*.

Didact. Étude des accidents de la route, notamment de leurs causes et de leurs conséquences. *Un, une spécialiste d'accidentologie* (*accidentologue*, n.).

**ACCIPITRIDÉS** [aksipitʀide] n. m. pl. — 1892, *Dict. des dict.*; rad. du lat. *accipiter, accipitris* «faucon, oiseau de proie» (attesté auparavant dans *Accipitres* «groupe des oiseaux de proie», G. Cuvier), et suff. de noms de familles *-idés*.

Zool. Famille de rapaces diurnes (ordre des Falconiformes) dans laquelle on classe les vautours d'Europe, les aigles, les buses, les éperviers, les milans, les busards (→ aussi 2. **Autour, bondrée, circaète, gypaète, pygargue...**). — Au sing. *Un accipitridé.* — REM. Le terme a parfois été appliqué aux anciens *Accipitres* (mod. Falconiformes*) ou à la grande famille des *Falconidés** (Vx). Dans l'usage mod., il a remplacé *Aquilidés.*

**ACCIPITRIFORMES** [aksipitʀifɔʀm] n. m. pl. — 1907, *in* Cottez; rad. du lat. *accipiter* → *Accipitridés*, et suff. *-forme.*

Zool. Vieilli. Ordre d'oiseaux comprenant les rapaces* diurnes. Syn. mod. : *Falconiformes.* — Au sing. *Un accipitriforme.*

**ACCIPITRINÉS** [aksipitʀine] n. m. pl. — 1846, Bescherelle, *Accipitrinées* «sous-famille d'oiseaux de proie», dénomination proposée par Swainson; rad. du lat. *accipiter* → Accipitridés, et suff. de noms de sous-familles *-inés.*

Zool. Groupe d'oiseaux rapaces diurnes (famille des accipitridés) dont les principaux représentants sont l'épervier *(Accipiter nisus)* et l'autour des palombes *(Accipiter gentilis).* — Au sing. *Un accipitriné.*

**ACCISE** [aksiz] n. f. — XVI^e, en Belgique; du moy. néerl. *accijs* «impôt de consommation»; l'anglicisme *excise* «impôt sur les marchandises comestibles» a été utilisé en concurrence avec *accise* aux XVII^e et XVIII^e.

Vx (en France); mod. (en Belgique, au Canada). Impôt indirect frappant certains produits de consommation (notamment les boissons alcoolisées).

1 En Angleterre, l'administration de l'accise (...) a été empruntée des fermiers.
MONTESQUIEU, l'Esprit des lois, III, XIX.

REM. Le terme est courant en français de Belgique. *Agent des douanes et des accises.* → Accisien.

2 *(Les gouvernements espagnols)* ont à leur discrétion domaines, accises et rentes,
Charles DE COSTER, Légende d'Ulenspiegel, *in* Littératures de langue franç. hors de France, p. 434.

DÉR. **Accisien.**

**ACCISIEN** [aksizjɛ̃] n. m. — D. i.; de *accise.*

Régional (Belgique; terme cour., non officiel). Agent des douanes et des accises* chargé de relever les infractions aux lois sur la vente et le débit des alcools.

**ACCLAMATEUR, TRICE** [aklamatœʀ, tʀis] n. — 1578; de *acclamer.*

Rare. Personne qui acclame.

**ACCLAMATION** [aklamasjɔ̃] n. f. — 1504; lat. *acclamatio, acclamationis* «cri collectif», du supin de *acclamare.* → Acclamer.

♦ **1** (Surtout au plur.). Cri d'admiration, d'approbation, de joie ou d'enthousiasme que poussent une assemblée, une foule. *Son retour fut salué par des acclamations.* → **Applaudissement, bravo, hourra.** *Être accueilli par une immense acclamation.* → **Ovation, vivat;** et aussi **triomphe.** *Des acclamations enthousiastes.*

1 Nous l'avons vu entrer au bruit des acclamations publiques.
MASSILLON, Carême, De la Passion, *in* LITTRÉ.

2 (...) la salle tremblait encore d'acclamations.
HUGO, Notre-Dame de Paris, I, II.

Littér. *L'acclamation de qqn,* que fait qqn.

3 *(Napoléon)* s'arrangeait d'être acclamé en son apparence, toujours un peu comédien en cela; au lieu que l'acclamation de ceux qui souffraient et mouraient était toute généreuse.
ALAIN, Propos, 5 oct. 1932, l'Amour généreux, Pl., p. 1097.

♦ **2** Loc. adv. (1740). *Par acclamation,* à l'unanimité et avec enthousiasme. *Élire, nommer, voter par acclamation,* sans qu'il soit besoin d'un scrutin (en élevant les mains).

CONTR. **Huée, sifflet, tollé.**

**ACCLAMER** [aklame] v. tr. — 1509; lat. *acclamare* «pousser des cris à l'adresse de qqn ou qqch.».

♦ **1** Saluer par des cris de joie, des manifestations d'enthousiasme. → **Applaudir; acclamation.** *Acclamer qqn avec ferveur. Acclamer chaudement, follement un homme d'État. Toute la salle l'a longuement acclamé. Être acclamé.*

À son départ pour l'armée d'Italie, il *(Napoléon III)* fut acclamé dans le faubourg même où s'étaient dressées les barricades du 2 décembre.
J. BAINVILLE, Hist. de France, XX.

♦ **2** (XVIII^e). Vx. Nommer par acclamation. *Il fut acclamé pour chef.*
*Voter (une loi, un décret) par acclamation.*

CONTR. **Conspuer, huer, siffler.** ◊ DÉR. **Acclamateur.** — V. **Acclamation.**

**ACCLIMATABLE** [aklimatabl] adj. — 1845; de *acclimater.*

Qui peut être acclimaté. *Cette plante n'est pas acclimatable en France.*

**ACCLIMATATION** [aklimatasjɔ̃] n. f. — 1832; de *acclimater.*

♦ **1** Le fait d'acclimater des animaux, des plantes; le fait de s'acclimater. *Le problème de l'acclimatation d'un animal ou d'une plante dans un climat différent du climat naturel.* → (vx) **Acclimatement.**

L'acclimatation diffère de l'introduction et de la naturalisation. Introduire une plante là où elle n'existait pas, c'est un fait dégagé de toute théorie. La naturaliser, c'est la transporter dans une contrée géographiquement différente de celle où l'a placée la nature, mais reproduisant pour elle le climat du pays natal. Omnium agricole, p. 10. 1

(...) les correspondants des sociétés d'acclimatation du monde entier le félicitaient. 2
GIRAUDOUX, Juliette au pays des hommes, p. 48.

♦ **2** Loc. cour. **JARDIN D'ACCLIMATATION :** jardin zoologique (→ **Zoo**) où vivent des espèces exotiques.

COMP. **Non-acclimatation.**

**ACCLIMATEMENT** [aklimatmɑ̃] n. m. — 1801; de *acclimater.*

♦ **1** Biol., vieilli. Le fait pour un organisme de vivre et se reproduire dans un milieu différent de son milieu d'origine. *L'acclimatement d'espèces animales.* → **Acclimatation, naturalisation.** *Acclimatement d'une espèce aux climats chauds, froids.*

♦ **2** (Personnes). Fig., vieilli. Le fait de s'habituer à un autre milieu. → **Accoutumance.** *Après un siècle de colonisation, il n'y a pas d'acclimatement parfait chez ces descendants des premiers colons.*

DÉR. **Inaccoutumance.**

**ACCLIMATER** [aklimate] v. tr. — 1775, Buffon; de 1. *a-, climat,* et suff. verbal.

♦ **1** Habituer (un organisme vivant) à un autre milieu biologique. *Acclimater une plante tropicale dans un pays de climat tempéré.* → **Importer, introduire, naturaliser, transplanter.**

Une plante quelconque ne peut être acclimatée que là où elle trouve un ensemble de conditions, de climat et de sol, assez voisines des conditions auxquelles elle est adaptée dans sa patrie. 1
E. DE MARTONNE, Traité de géographie physique, t. III, p. 1244.

Fig. (Compl. n. de personne). Habituer à de nouvelles conditions de vie, à une situation nouvelle. — (Compl. n. abstrait) :

Il jugeait essentiel de ne rien dramatiser, d'acclimater peu à peu cette sauvagerie, à force de cordialité et d'aisance. 1.1
MARTIN DU GARD, les Thibault, Pl., p. 1211.

Pron. *S'acclimater :* s'habituer à un milieu nouveau. *L'homme s'acclimate dans tous les pays.*

N'en déplaise à ceux qui pourraient nier l'influence du terroir, je sentais qu'il y avait en moi je ne sais quoi de local et de résistant que je ne transplanterais jamais qu'à demi et si le désir de m'acclimater m'était venu, les mille liens indéracinables des origines m'auraient averti par de continuelles et vaines souffrances que c'était inutile. 2
E. FROMENTIN, Dominique, IX.

(...) les pestes, la lèpre, les épidémies s'étaient acclimatées comme sur leur terrain. 3
TAINE, Philosophie de l'art, I, 2, 6.

Pendant cette période, on put constater que maître Jup *(un singe)* s'acclimatait aisément et se familiarisait avec ses nouveaux maîtres, qu'il regardait toujours d'un œil extrêmement curieux. Cependant, par mesure de précaution, Pencroff ne lui laissait pas encore liberté complète de ses mouvements (...) 3.1
J. VERNE, l'Île mystérieuse, t. I, p. 391.

♦ **2** Fig. Importer (une idée, une habitude, un usage, etc.). → **Introduire.**

4 Acclimater chez nous ces utopies, ce serait préparer un beau gâchis!
MARTIN DU GARD, les Thibault, t. VIII, p. 256.

5 Les professionnels du sport ont acclimaté, chez nous, un jargon ébouriffant, presque intraduisible.
G. DUHAMEL, Scènes de la vie future, XII.

Pron. *Ces idées, ces habitudes ont du mal à s'acclimater ici.*

**CONTR. Exporter.** ◊ **DÉR. Acclimatable, acclimatation, acclimatement.**

**ACCOINÇON** [akwɛ̃sɔ̃] n. m. — 1783; de *à,* et *coin,* même suff. que *écoinçon.*

Techn. Partie de charpente ajoutée à une toiture pour régulariser sa pente.

**ACCOINTANCE** [akwɛ̃tɑ̃s] n. f. — 1170; de l'anc. franç. *acointier,* du lat. pop. **accognitare.* → Accointer (s').

♦ **1** Vieilli. Liaison familière avec qqn. → **Fréquentation, lien.**

1 Ce que nous appelons ordinairement amis et amitiés, ce ne sont qu'accointances et familiarités nouées par quelque occasion ou commodité, par le moyen de laquelle nos âmes s'entretiennent. MONTAIGNE, Essais, I, XXVII.

♦ **2** Mod. *Avoir des accointances.* → **Connaissance, intelligence, relation.** *Avoir de très hautes accointances.*

2 Il avait des accointances parmi les hommes au pouvoir, et jusque dans le monde de la police.
R. ROLLAND, Jean-Christophe, p. 1270.

♦ **3** Vx. Relations intimes. *Il a eu accointance avec cette femme. Elle a eu des accointances avec lui* (Académie).

**ACCOINTER (S')** [akwɛ̃te] v. pron. et tr. — XII^e; du lat. pop. **accognitare,* formé sur *accognitus,* de *accognoscere* «reconnaître».

Vieux ou littéraire.

♦ **1** V. pron. Lier commerce, avoir des relations familières. → **Fréquenter; acoquiner** (s'), péj.; **accointance.**

1 Me concilier et m'accointer à la mort.
MONTAIGNE, Essais, II, 27.

Vx. Avoir des relations intimes. *Il s'est accointé avec cette femme.*

♦ **2** V. tr. Fréquenter; mettre en liaison. → **Rapprocher; attacher.**

2 (...) souvent, si je n'étais là pour les accointer, mon être du matin ne reconnaîtrait pas celui du soir.
GIDE, les Faux-monnayeurs, I, VII, *in* Romans, Pl., p. 987.

3 Hier trois hommes, dont moi, d'amitié très ancienne, se retrouvaient après une longue absence. Notre comportement et nos œuvres n'ont rien qui les accointe. Cependant, tous trois baignions dans un fluide amical, beaucoup plus riche, plus salubre qu'une entente faite d'habitudes communes et de tournures semblables de l'esprit.
COCTEAU, Journal d'un inconnu, p. 138.

**CONTR. Détacher** (se), **éloigner** (s'), **séparer** (se).

**ACCOISER** [akwaze] v. tr. — 1080; du lat. pop. **adquietare* «rendre calme», de *quietus* «qui est au repos, paisible».

Vx. Rendre tranquille, calmer. — (1798, Académie). *Accoiser la tempête.*

**ACCOLADE** [akɔlad] n. f. — Déb. XVI^e; de *accoler.*

**I** ♦ **1** Le fait de mettre les bras autour du cou. → **Embrassade.** *Donner, recevoir l'accolade. Se ruer en accolades.* → Reconnaissance, cit. 3. *Une accolade fraternelle, amicale.*

Renonçant à cette accolade qu'elle se préparait déjà à donner, elle se contenta de tendre la main au jeune homme. MARTIN DU GARD, les Thibault, VII, 75. 1

Loc. fam. *Donner l'accolade à une bouteille,* la vider.

(...) en donnant à l'outre de si rudes accolades, que nous l'eûmes bientôt vidée. A. R. LESAGE, Gil Blas, II, 8. 2

♦ **2** *Donner l'accolade.* **a** Hist. Passer les bras autour du cou pour donner le titre de chevalier, au cours de la cérémonie de l'adoubement.

**b** Mod. Geste qui accompagne la remise officielle d'une décoration (Légion d'honneur, par exemple). *Nous lui avons remis les insignes de son grade et donné l'accolade* (formule traditionnelle).

**II** ♦ **1** (1718). Signe à double courbure qui sert à réunir plusieurs lignes *(accolade verticale)* ou colonnes *(accolade horizontale).*

(1768). Mus. Trait qui permet de joindre plusieurs portées.

♦ **2** (1863). Archit. Arc surbaissé à courbes et contre-courbes qui ressemble à une accolade horizontale. *L'accolade est caractéristique du gothique flamboyant. Ogive en accolade.*

♦ **3** (1659). Vieilli, cuis. Couple de lapereaux servis l'un contre l'autre. *Une accolade de lapereaux.*

**DÉR. Accolader.**

**ACCOLADER** [akɔlade] v. tr. — 1845; de *accolade.*

♦ **1** Rare. Donner l'accolade.

♦ **2** Techn. Joindre par une accolade. *Accolader deux paragraphes.*

**ACCOLAGE** [akɔlaʒ] n. m. — 1732; de *accoler.*

Arbor., vitic. Action de rapprocher et de fixer les jeunes pousses sur un support (espaliers, échalas...).

**ACCOLEMENT** [akɔlmɑ̃] n. m. — 1842; «étreinte», 1213; de *accoler.*

Littér. Rapprochement de deux choses accolées l'une à l'autre. *L'accolement d'une épithète à un nom.*

**ACCOLER** [akɔle] v. tr. — Mil. XI^e; de l'anc. franç. *col* «cou».

**I** Vx. Jeter les bras autour du cou de (qqn), pour l'embrasser.

(...) Lors, se tournant vers moi, 1
M'accole à tour de bras; et, tout pétillant d'aise,
Doux comme une épousée, à la joue, il me baise (...)
Mathurin RÉGNIER, Satires, 8.

Fam. et vx. *Accoler une bouteille,* boire à la bouteille. → **Donner l'accolade*.**

Hist. *Accoler la cuisse, accoler la botte à qqn,* l'embrasser en marque de soumission et d'infériorité.

**II** ♦ **1** Lier, joindre, réunir (des choses) de manière à ce qu'elles se touchent, soient contiguës.

Les bateaux destinés au transport des animaux et des chars étaient accolés bord à bord. 2
Th. GAUTIER, le Roman de la momie, II.

(XV^e). Techn. (arbor., vitic.). *Accoler la vigne,* la fixer à un support. → **Accolage; échalasser.**

Archit. Entrelacer des branches qui s'enroulent autour d'une colonne. — Au p. p. *Colonne accolée.*

Blason. *Écus accolés,* joints ensemble, attenants.

(1680). Cuis. *Accoler deux lapereaux.* → **Accolade.**

Numism. *Têtes accolées* ou *conjuguées,* jointes sur la même médaille, le même camée.

♦ **2** Fig. Réunir, mettre l'un à côté de l'autre. *De quel droit accole-t-il cette particule à son nom? Accoler deux mots,* les juxtaposer. — Mettre en présence, rapprocher. *Accoler deux personnes ensemble. Être accolés.*

3 Jamais ils n'avaient encore réussi à accoler aussi étroitement et aussi près d'eux des amants brouillés et les deux descendants de familles ennemies.
GIRAUDOUX, Bella, VI.

♦ **3** (1690). Réunir par une accolade (II.). *Accoler deux paragraphes dans un tableau.*

◆ **S'ACCOLER** v. pron.

♦ **1** Fig. et littér. S'embrasser, se joindre. — (Réfl.). *S'accoler à...* — (Récipr.). Au pluriel :

4 Quand je saute, elle s'éloigne, et nous retombons embrassés, pour recommencer plus fort, comme deux noirs papillons qui s'accolent, puis se disjoignent, puis s'accolent (...)
COLETTE, la Paix chez les bêtes, Poum.

5 Des bâtiments disparates étaient venus s'accoler au logis central (...) MARTIN DU GARD, les Thibault, III, 8.

♦ **2** Fig. et vx. Fréquenter, s'acoquiner avec. *Il s'est accolé avec cette femme.*

◆ **ACCOLÉ, ÉE** p. p. adj. Voir ci-dessus à l'article.

DÉR. **Accolade, accolage, accolement, accolure.**

**ACCOLURE** [akɔlyʀ] n. f. — 1743; de *accoler.*

♦ **1** Vitic. Lien avec lequel on accole la vigne.

♦ **2** Techn. Assemblage de bûches dans un train de bois flotté.

**ACCOMBANT, ANTE** [akɔ̃bɑ̃, ɑ̃t] adj. — 1862, *in* T. L. F. lat. *accumbens,* p. prés. de *accumbere* «se coucher».

Bot. *Cotylédon accombant,* cotylédon d'un embryon courbe quand la tigelle vient s'appliquer contre son bord.

**ACCOMMODABLE** [akɔmɔdabl] adj. — 1564; de *accommoder.*

Rare. Qui peut s'accommoder, s'arranger (en parlant d'un différend ou d'une querelle).

CONTR. **Inaccommodable.**

**ACCOMMODAGE** [akɔmɔdaʒ] n. m. — 1680; de *accommoder.*

Vx. Apprêt, façon que l'on donne aux aliments. → **Cuisine.** *L'accommodage d'une viande.*

**ACCOMMODANT, ANTE** [akɔmɔdɑ̃, ɑ̃t] adj. — 1671; *(remède) accommodant* «utile», v. 1600; de *accommoder.*

♦ **1** Qui est facile à contenter, à satisfaire; qui s'accommode facilement des choses, des personnes. *Un caractère accommodant.* → **Complaisant, conciliant, coulant** (fam.), **débonnaire;** → Aisé, facile à vivre. *Il est d'une humeur accommodante.* → **Facile, sociable, traitable;** → Être bon prince*. — (Personnes). *Il est très accommodant.* → Il est du bois* dont on fait les flûtes, il plie, se plie* facilement. *Ce commerçant est très accommodant.* → **Arrangeant.**

1 Ne soyons pas si difficiles :
Les plus accommodants, ce sont les plus habiles.
LA FONTAINE, Fables, VII, 5.

♦ **2** Littér. (Choses). Dont la forme s'adapte facilement.

2 Après quelques jours de cohabitation dans ce sac, les objets les plus disparates entrent dans un commerce intime (...) Le plus accommodant, c'est mon parapluie (...)
GIDE, Voyage en Andorre, 1910 *in* Journal 1889-1939, Pl., p. 316.

♦ **3** Vx. *Accommodant à...,* qui supporte*, admet facilement.

CONTR. **Acariâtre, difficile, insociable, intraitable, intransigeant, pointilleux, susceptible, tranchant.**

**ACCOMMODAT** [akɔmɔda] n. m. — V. 1965; de *accommoder.*

Biol. Modification morphologique ou physiologique, non transmise aux descendants, qui permet à un être vivant de s'adapter à un nouveau milieu.

L'accommodation entraîne des modifications morphologiques et physiologiques qui constituent des accommodats ou des somations (...) Les accommodats disparaissent plus ou moins rapidement lorsque l'individu n'est plus soumis aux conditions particulières qui les avaient fait naître.
André TÉTRY, l'Adaptation, *in* Encycl. Pl., Biologie, p. 1699-1700.

**ACCOMMODATEUR, TRICE** [akɔmɔdatœʀ, tʀis] adj. — 1578, n., «personne qui soigne les oreilles»; repris 1897; de *accommoder.*

Anat. Qui sert à l'accommodation. *Muscle accommodateur. Le cristallin est l'organe accommodateur de l'œil.*

**ACCOMMODATION** [akɔmɔdasjɔ̃] n. f. — 1395, «prêt gratuit» (→ Accommodement); du lat. *accommodatio, onis* «appropriation; esprit d'accommodement», de *accommodare.* → Accommoder.

♦ **1** (1566). Le fait d'accommoder ou de s'accommoder (aux circonstances, aux individus). *Accommodation de la vérité.*

Il s'assimilait lui-même des éléments de toutes provenances, parfois assez disparates, et dont la disparité ne le choquait ni le gênait, d'autant qu'il leur faisait souvent subir une sorte d'accommodation qui suffisait à leur donner une homogénéité superficielle.
Gaston PARIS, Préface à Tristan et Iseult, éd. J. Bédier, p. 4.

♦ **2** Sc. (biol.). Ensemble de modifications morphologiques et physiologiques non héréditaires qui permettent l'adaptation au milieu. *L'accommodation des êtres vivants aux conditions dans lesquelles ils se trouvent.* → **Acclimatement, accommodat.**

(1863). Physiol. Aptitude du cristallin à modifier sa puissance, pour assurer une vision nette *(pouvoir d'accommodation);* le changement, le mouvement qui assure cet effet. *Amplitude d'accommodation. Le champ de l'accommodation. Une accommodation défectueuse du cristallin.* → **Presbytie.** — *Accommodation nerveuse,* augmentation progressive du seuil d'excitabilité d'un nerf soumis à des stimulations prolongées d'intensité croissante.

Embryol. Modification de la posture du fœtus afin que ses particularités s'adaptent à celles de l'utérus et du bassin.

Psychol. Modification des activités mentales (surtout chez l'enfant) en vue de s'adapter au milieu, aux situations nouvelles.

♦ **3** (1868). Phonét. Action par laquelle deux phonèmes s'assimilent partiellement.

**ACCOMMODEMENT** [akɔmɔdmɑ̃] n. m. — 1585, «commodité (pour qqn)»; de *accommoder.*

♦ **1** (XVII^e). Vx. Arrangement, amélioration. *Introduire des accommodements dans un logement vétuste.*

♦ **2** (XVIIe). Mod. Règlement à l'amiable (d'un différend, d'une querelle). → **Composition, compromis, conciliation.** *Agir par voie d'accommodement.* — Action de (se) mettre d'accord (avec qqn). *Conclure, obtenir un accommodement.*

1 *(Je l'ai vu)* dans les accommodements, calmer les esprits aigris avec une patience et une douceur (...)
BOSSUET, Oraison funèbre du prince de Condé.

1.1 Si Khrouchtchev a vraiment cru que les contradictions avaient disparu en Russie, c'est peut-être parce qu'il a cru gouverner la Russie ressuscitée...
— Laquelle ?
— Celle des victoires. Ça peut suffire. La victoire est la mère de beaucoup d'illusions. Quand il est venu ici pour la dernière fois, à son retour de Camp-David, il croyait aux accommodements avec l'impérialisme américain.
MALRAUX, Antimémoires, Folio, p. 556.

♦ **3** Fig. Expédient* pour concilier, faire taire les scrupules, etc. *Trouver des accommodements avec sa conscience.*

2 Le ciel défend, de vrai, certains contentements ;
Mais on trouve avec lui des accommodements.
MOLIÈRE, Tartuffe, IV, 5.

**ACCOMMODER** [akɔmɔde] v. tr. — 1336, *accommoder une injure*; «rendre conforme à», 1530; lat. *accommodare* «adapter».

**I** Rendre commode ou convenable. → **Adapter, agencer, apprêter, disposer.** Spécialement : ♦ **1** Vieilli. *Ceci m'accommode,* est à ma convenance. → **Convenir, plaire.**

1 Elle a bien de la peine à en trouver une *(nourrice),* à Paris, qui l'accommode. RACINE, Lettres, 12 nov. 1686.

Vx. Donner de l'aisance, enrichir. *Les dignités accommodent tous les hommes.*

(1606). Vieilli ou littér. Bien installer (qqn). *«Que je l'accommode dans sa chaise»* (Molière). — Traiter (qqn) de façon avantageuse. *C'est un bon hôtelier, il vous accommodera bien.*

1.1 Une atmosphère de fête foraine et d'émeute bon enfant règne à la gare de Versailles. Michel-Charles lui-même conseille d'attendre le train suivant, ce qui après tout les retardera très peu : pour accommoder la foule des voyageurs, des convois partent maintenant toutes les dix minutes.
M. YOURCENAR, Archives du Nord, p. 108.

♦ **2** Vx ou littér. Préparer une chose afin qu'elle plaise, satisfasse. → **Arranger, disposer.** *Accommoder une maison avec goût.*

2 *(Il)* a la bonté de vouloir visiter mon appartement pour voir comment on l'a accommodé.
RACINE, Lettre du 12 nov. 1686.

2.1 Je vous ai fait venir, leur dit-il, afin que vous m'accommodiez cette croisée et que vous la mettiez dans la même perfection que les autres (...)
A. GALLAND, les Mille et une Nuits, t. III, p. 145.

Vx. *Accommoder ses affaires,* les rendre prospères. Au p. p. *Affaires accommodées.* — (Personnes). *Être accommodé,* riche, prospère. — REM. Cet emploi est encore attesté régionalement au XXe s. (H. Pourrat, *in* T. L. F.).

3 Mon père était des premiers et des plus accommodés de son village.
SCARRON, le Roman comique, II, 13 (→ Aisé).

♦ **3** Fig. Vx. Donner de l'ordre à (ses pensées), arranger en composant, en écrivant.

4 *(L'idée)* Que j'ai sur le papier en prose accommodée.
MOLIÈRE, les Femmes savantes, III, 2.

♦ **4** (1622). Vx. Habiller, ou (1688) coiffer (qqn).

4.1 (...) La même servante qui, trois jours auparavant, l'avait accommodé de son mieux, l'aida à mettre le même habit pailleté, tachant de l'accommoder mieux encore.
A. DE MUSSET, la Mouche, p. 303.

4.2 (...) la conversation tomba sur lui tandis que Ketty accommodait sa maîtresse.
DUMAS, les Trois Mousquetaires, t. II, p. 406.

Iron. et fam. (surtout au p. p.). Accoutrer. *Vous voilà drôlement accommodé.*

♦ **5** Fig. Vieilli ou littér. *Accommoder qqn,* le maltraiter, l'injurier.

Il me prend des tentations d'accommoder tout son visage 5
à la compote. MOLIÈRE, George Dandin, II, 4.

Ridiculiser (qqn).

On ne saurait aller nulle part, où l'on ne vous entende 6
accommoder de toutes pièces. Vous êtes la fable et la risée de tout le monde. MOLIÈRE, l'Avare, III, 5.

♦ **6** (1608). Préparer (des aliments) pour la consommation. → **Apprêter, assaisonner, cuisiner.** *Accommoder du poisson avec une sauce, des escargots au beurre. Accommoder des restes.*

Loc. fam. *Accommoder qqn à toutes les sauces,* employer à toutes sortes de services. → **Servir** (se), **tirer** (parti de).

**II** Vx. Mettre d'accord, en accord. ♦ **1** (1636). *Accommoder un différend, une querelle,* y mettre un terme. → **Concilier.** — Rare. *Accommoder des personnes,* les mettre d'accord.

♦ **2** *Accommoder (qqch.) à,* disposer ou modifier de manière à faire convenir. *Accommoder l'offre à la demande. Accommoder son enseignement au public.* → **Adapter, ajuster, approprier.**

Il faut que l'air soit accommodé aux paroles. 7
MOLIÈRE, le Bourgeois gentilhomme, I, 2.

♦ **3** *Accommoder avec,* faire s'accorder, concorder. → **Allier, concilier.**

Ils accommodent la religion avec les plaisirs. 8
FLÉCHIER, Oraison funèbre de Mme la Dauphine.

*Accommoder (qqn) de (qqch.),* le pourvoir de (qqch.). *Accommoder qqn d'une faveur.*

**III** Mod. Mettre au point (un système optique, l'œil). *Accommoder sur, à dix mètres, à cinq centimètres.*

Le docteur Pasquier arrêta sur Laurent un regard pâle, 9
azurin, dont les pupilles étaient accommodées à l'infini.
G. DUHAMEL, Chronique des Pasquier, VII, 2.

REM. En fait, les pupilles n'accommodent pas à l'infini.

Si un sujet accommode pour la vision à grande distance, 9.1
il a de son propre doigt comme de tous les objets proches une image double.
MERLEAU-PONTY, Phénoménologie de la perception, p. 238.

Et l'espace ? On croirait, à me voir, que c'est mon élément, 9.2
que je suis constamment entre ici et là-bas, entre loin et tout près, comme un poisson dans l'eau. J'accommode (moins bien, depuis que je suis presbyte et pour lire me sers de lunettes), j'évalue (...)
Claude ROY, Moi je, p. 76.

Au participe passé :

Elle s'arrêtait soudain, la bouche ouverte, le regard accom- 10
modé sur quelque objet lointain.
G. DUHAMEL, Chronique des Pasquier, V, 5.

◆ **S'ACCOMMODER** v. pron.

♦ **1** (1690). Vx ou littér. *S'accommoder avec (qqn),* ou, absolt, *s'accommoder,* s'entendre avec (qqn), se mettre d'accord avec lui. → **Arranger** (s').

Le maréchal s'est accommodé avec ses créanciers. 11
Mme DE SÉVIGNÉ, Lettres, 29.

Tenez donc, voici deux bûchettes : 12
Accommodez-vous, ou tirez.
LA FONTAINE, Fables, III, 8.

♦ **2** **a** Vx ou littér. *S'accommoder à (avec) qqch.,* se conformer, s'adapter à qqch. *S'accommoder avec l'inévitable.* — Absolt. *Les hommes ont une grande aptitude à s'accommoder* (→ ci-dessous cit. 13, 16, 17).

**b** (1617). Mod. *S'accommoder de qqch.,* s'accorder avec qqch. (→ ci-dessous cit. 14, 15).

3 A ses moindres désirs il sait s'accommoder (...)
RACINE, Britannicus, II, 2.

4 Le sentiment, par nature, s'accommode particulièrement d'exclamations, de brèves expressions, de groupes de mots à allure irrégulière.
F. BRUNOT, la Pensée et la Langue, I, 6.

5 Si les nuances infinies du langage ne s'accommodent point des classifications rigides qu'on veut faire, tant pis pour les classifications. La science doit s'accommoder à la nature. La nature ne peut s'accommoder à la science.
F. BRUNOT, la Pensée et la Langue, IX, 6.

6 Cherchons à nous accommoder à cette vie; ce n'est point à cette vie à s'accommoder à nous.
MONTESQUIEU, Cahiers, p. 23.

7 J'appelle raisonnable celui qui accorde sa raison particulière avec la raison universelle, de manière à n'être jamais trop surpris de ce qui arrive et à s'y accommoder tant bien que mal.
FRANCE, le Petit Pierre, XXXIII.

Cour. *S'accommoder de qqch., de qqn,* accepter (qqch., qqn) comme pouvant convenir, trouver (qqch., qqn) à sa convenance. → **Accepter, résigner** (se), **supporter** (→ Prendre* les choses comme elles viennent, les gens comme ils sont, le temps comme il vient; prendre les choses avec philosophie*, du bon côté*; prendre son parti* de qqch.). *Il ne s'accommode pas de la situation; il s'en accommode.*

Le moyen, mon oncle, qu'une fille un peu raisonnable se pût accommoder de leur personne?
MOLIÈRE, les Précieuses ridicules, 4.

De guerre lasse, il dut s'accommoder d'une mauvaise chambre à l'auberge.
M. BARRÈS, la Colline inspirée, p. 133.

◆ **ACCOMMODÉ, ÉE** p. p. adj.

♦ **1** Vx. Arrangé, préparé. *Une femme toujours bien accommodée,* bien habillée, ou, bien coiffée.
Vx. *Être mal accommodé,* mal vêtu, mal coiffé.
Vx ou littér. *Un jardin, un logement accommodé avec goût. Un salon accommodé à l'orientale.*

C'était trop loin pour qu'il pût distinguer (...) la maison des gardes, et celle du comte de Remilleret, une ancienne ferme vaste comme une caserne, accommodée en demeure de maître.
M. GENEVOIX, Raboliot, p. 71.

Mod. *Du poisson accommodé avec une sauce piquante. Des restes accommodés en ragoût.*

♦ **2** Adapté à, sur. *Des barrages accommodés aux crues. — Le regard accommodé sur l'horizon* (→ ci-dessus cit. 10). Absolt. *L'œil bien accommodé.*

♦ **3** Vx ou littér. *Accommodé de...,* pourvu de... *Une jeune fille accommodée d'une jolie dot.* — Absolt et vx. *Accommodé,* prospère, aisé (→ ci-dessus I., 2., Accommoder ses affaires, et cit. 3).

CONTR. **Déranger. — Brouiller** (des personnes); **envenimer** (un différend). **Opposer, séparer. — Refuser.** ◈ DÉR. **Accommodable, accommodage, accommodant, accommodat, accommodateur, accommodé, accommodement.**

**ACCOMPAGNATEUR, TRICE** [akɔ̃paɲatœʀ, tʀis] n. — V. 1670, sens musical; de *accompagner.*

♦ **1** Mus. et cour. Personne qui accompagne la partie principale. *Ce pianiste est l'accompagnateur d'un chanteur. — Une excellente accompagnatrice.*

♦ **2** (XX^e). Personne qui accompagne et guide un groupe. → **Guide.** *Il est accompagnateur dans une agence de voyages organisés.* — Adjectif :

Les deux dames accompagnatrices, elles sont arrivées plus tôt qu'on pensait... Un peu des genres de «bonnes sœurs».
CÉLINE, Mort à crédit, p. 646.

♦ **3** Techn. Agent qui accompagne le matériel roulant dans certains trains, et qui assure de petites réparations en route.

♦ **4** Bourse. Spéculateur qui «accompagne» la tendance (hausse ou baisse).

♦ **5** Adj. (Choses). Littéraire :

Signes (...) accompagnateurs de nos actes et contradicteurs de notre retenue. 2
Henri MICHAUX, Face aux verrous, p. 19.

**ACCOMPAGNEMENT** [akɔ̃paɲmɑ̃] n. m. — XIII^e, en droit féodal; sens 1., 1539; de *accompagner.*

Action ou façon d'accompagner.

♦ **1** Rare. Action d'accompagner (qqn, un groupe).

Ces accompagnements inutiles de personnes qui n'ont rien à dire (...) ont toujours mauvaise grâce au théâtre. 1
CORNEILLE, Examens du Cid.

L'idée d'accompagnement, de réunion, peut être enclose dans les mots eux-mêmes : cohabitation, etc... 2
F. BRUNOT, la Pensée et la Langue, XIX, 2.

REM. Ne s'emploie guère au sens propre qu'en parlant de certaines cérémonies. — *Cet officier désigné pour l'accompagnement de la princesse... L'accompagnement du corps au cimetière.* → **Cortège, convoi, équipage, escorte.**

♦ **2** Fig. Ce qui accompagne, vient s'ajouter à (qqch.). *«Le bonheur n'est pas toujours l'accompagnement de la vertu»* (Académie). *Nos sottises sont l'accompagnement nécessaire de nos vertus.* → **Conséquence, résultat, suite;** → Aller de compagnie* avec.

La grande nature admirée ensemble est le plus bel accompagnement d'un noble amour. 3
SAINTE-BEUVE, Causeries du lundi, t. I, 29, 1849.

Les levers de soleil sont un accompagnement des longs voyages en chemin de fer, comme les œufs durs, les journaux illustrés, les jeux de cartes, les rivières où des barques s'évertuent sans avancer. 4
PROUST, À la recherche du temps perdu, t. IV, p. 69.

Accessoire. *La figure principale de ce tableau aurait besoin de quelques accompagnements.*
Cuis. *L'accompagnement d'un plat. Un accompagnement de légumes.* → **Garniture.**
Techn. (ch. de fer). Service de l'accompagnateur*.
Fin. *Crédits d'accompagnement.*

♦ **3** (1690). Mus. Action de jouer une partie de soutien à la partie principale; cette partie, exécutée par un instrument ou une voix. *Chanter sans accompagnement.* → **A cappella.** *Accompagnement de quatuor. Accompagnement d'harmonie. Accompagnement à grand orchestre.*
Blason. Ce qui est situé hors de l'écu (supports, cimier, lambrequins, etc.).

♦ **4** Milit. Action de soutien. *Tir, mission d'accompagnement.*

**ACCOMPAGNER** [akɔ̃paɲe] v. tr. — 1165, «prendre (qqn) comme compagnon»; de 1. *a-*, et anc. franç. *compain* «compagnon». → Compagnon, copain.

**I** (Idée de mouvement). ♦ **1** Se joindre à (qqn) pour aller où il va; aller de compagnie avec. → **Conduire, guider;** → Aller, marcher... avec (qqn). *À cause de ses ennemis, il se fait toujours accompagner.* → **Escorter.** *Sa grande sœur l'accompagne toujours le soir.* → **Chaperonner.** *Accompagner qqn quelque part, à..., dans... Son amoureux l'accompagne partout.* → **Suivre.** → Être pendu aux basques* de... *Je vais vous accompagner jusqu'au bout de la rue. Accompagner un groupe, un voyage organisé.* → **Accompagnateur.**

(Compl. n. de chose). Littér. *Accompagner les pas de qqn.*

1 Chez Zacharie, allez, ne vous arrêtez pas,
De votre auguste père accompagnez les pas.
RACINE, Athalie, I, 3.

1.1 La famille se mit en route pour accompagner Charles à la diligence de Nantes (...)
BALZAC, Eugénie Grandet, éd. 1838, p. 262.

1.2 (...) deux ou trois amis de collège, qui l'accompagnaient jusqu'à la calèche (...)
STENDHAL, le Rouge et le Noir, I, 29, *in* Romans, t. I, Pl., p. 415.

2 J'avais peine à le suivre, car ses longues enjambées de faucheux dépassaient de beaucoup mes facultés, mais je l'aurais accompagné au bout du monde.
Edmond JALOUX, Fumées dans la campagne, VIII.

3 Comme il veut qu'elle l'accompagne partout, il n'ose plus aller nulle part. GIDE, Journal, 18 juin 1923.

4 Ça vous ennuie que je vous accompagne? — Mais comment pouvez-vous dire cela, vous savez bien que mon plus grand plaisir est de sortir avec vous.
PROUST, À la recherche du temps perdu, t. IX, p. 225.

Par ext. Rendre les honneurs à une personne défunte en la conduisant au cimetière. *Accompagner (qqn) à sa dernière demeure.*

♦ **2** Par ext. *Accompagner (qqn) de. Il l'accompagnait du regard.*

4.1 Leurs yeux échangèrent un adieu angoissé, fraternel (...) les gamins l'accompagnèrent, de leurs rires et de leurs cris, jusqu'à ce qu'il eût franchi la grille. Jacques l'avait suivi des yeux.
MARTIN DU GARD, les Thibault, L'été 1914, Pl., t. II, p. 247.

(Sans compl. second). *Accompagner quelqu'un,* faire la même chose que lui.

4.2 Yvette avait faim, après ses cinq heures consécutives de danse. Delphine dit qu'elle mangerait un peu, «pour t'accompagner». M^me^ Sarlat réprouva ces mœurs de satrape.
Jean-Louis CURTIS, le Roseau pensant, p. 70-71.

Vivre auprès de qqn. *Elle accompagne sa vie.* — (Sujet n. de chose). *Tous nos vœux vous accompagnent.*

**II** ♦ **1** S'ajouter à, se joindre à (autre chose).

5 (...) Quel arrogant maintien
Accompagnait l'orgueil d'un si long entretien!
CORNEILLE, Médée, II, 3.

6 Quelques grâces (...) qui l'embellissent *(l'utile)* sans le déguiser et l'accompagnent sans le dérober à la vue.
CORNEILLE, Au lecteur de l'Imitation (de Jésus-Christ).

7 Non sans accompagner, pour plus grand ornement,
De son chant gracieux cette action hardie.
LA FONTAINE, Fables, IV, 5.

8 Allons! Vive l'amour que l'ivresse accompagne!
A. DE MUSSET, Poésies nouvelles, «Rolla», III.

Gramm. *L'adjectif accompagne le nom; l'adverbe accompagne le verbe.*

Cuis. *Accompagner une viande* (la garnir) *de légumes. Accompagner son repas de vin.* — *Les haricots qui accompagnent le gigot.*

♦ **2** Se produire en même temps; avoir pour effet simultané. *L'angoisse accompagne parfois la nécessité de choisir.*

9 Le bruit de ses éperons accompagnait les éclats de sa voix.
FRANCE, le Lys rouge, III, p. 46.

10 *(Une mode)* qui éloigne les cheveux du visage, bien qu'ils ne croissent que pour l'accompagner.
LA BRUYÈRE, les Caractères, XIII, 12.

Passif. Être suivi de. *Il est accompagné de sa sœur.* Avoir pour conséquence.

10.1 Les sensations sont accompagnées de plaisir et de douleur; et l'homme a de même la faculté de transformer ces impressions momentanées en sentiments durables, doux ou pénibles (...)
CONDORCET, Esquisse d'un tableau historique des progrès de l'esprit humain, p. 1.

♦ **3** (1690). Ajouter (qqch.) à (qqch.). *Accompagner ses paroles d'un geste menaçant.*

♦ **4** (Sujet et compl. n. de chose). S'ajouter à qqch. pour le mettre en valeur, le faire valoir. *Cette écharpe accompagne bien son manteau.*

♦ **5** Exécuter un accompagnement musical, soutenir une mélodie, un chant à l'aide de la voix ou d'un instrument. *Accompagner une chanteuse au piano.* — Absolt. *Il accompagne à merveille.*

◆ **S'ACCOMPAGNER** v. pron.

♦ **1** Vieilli. Prendre avec soi, s'adjoindre qqn. *Il s'accompagne de gens de main pour faire le coup.*

♦ **2** Être suivi, avoir pour conséquence. *Une défaite s'accompagne toujours de quelque humiliation.* — Survenir en même temps.

Mais toujours le plaisir de douleur s'accompagne.
RONSARD, Sonnets, «Pour Hélène».

(...) un admirable exemple pour montrer de combien peu d'infatuation, de suffisance, s'accompagne parfois cette croyance en la valeur du moi.
GIDE, Dostoïevsky, p. 47.

♦ **3** Jouer une partie d'accompagnement en chantant soi-même. *Il s'accompagne au piano ou à la guitare* (aussi, plus rare : *avec le piano ou avec la guitare*).

◆ **ACCOMPAGNÉ, ÉE** p. p. adj. *Enfants accompagnés. Groupe accompagné.* — *Plat accompagné (de légumes).* — Fig. *Un échec accompagné de compensations.*

Blason. *Figure accompagnée,* ayant à ses côtés des pièces secondaires.

CONTR. **Quitter. — Précéder, succéder, suivre.** ◇ DÉR. et COMP. **Accompagnateur, accompagnement. Raccompagner.**

**ACCOMPLI, IE** [akɔ̃pli] adj. et n. m. — Fin XII^e^; p. p. de *accomplir.* → Accomplir.

♦ **1** Adj. (Après le nom). Qui est parfait en son genre. *Une beauté accomplie, un homme du monde accompli.* → **Achevé, consommé, idéal, impeccable, incomparable, irréprochable, parfait.** *Un cavalier accompli.* → Prestance, cit. 2.

REM. L'emploi avec un n. de chose (→ cit. 1 et 2) semble archaïque.

1 On connaîtra bien qu'il est malaisé, en ne travaillant que sur les ouvrages d'autrui, de faire des choses fort accomplies. DESCARTES, Discours de la méthode, II, 82.

2 J'étais né pour servir d'exemple à ta colère
Pour être du malheur un modèle accompli.
RACINE, Andromaque, V, 5.

3 *(Elle)* voulait faire de sa fille une personne accomplie.
FLAUBERT, Trois contes, «Un cœur simple».

♦ **2** Adj. Terminé. *Les temps sont accomplis,* venus, révolus (→ Accomplir, cit. 5). — Loc. (XIX^e^). **LE FAIT ACCOMPLI :** ce qui est fait, terminé, ce sur quoi on ne peut revenir. *Mettre qqn devant le fait accompli. Il a dû céder devant le fait accompli. Le spectacle des montagnes* (cit. 1) *donne... l'idée du fait accompli.*

♦ **3** N. m. Ling. Aspect* du procès, de la forme verbale qui l'exprime, lorsqu'il a atteint sa limite finale. *Les temps de l'accompli,* les temps composés et surcomposés, en français (opposé à *non-accompli, inaccompli).*

CONTR. **Imparfait, inachevé, incomplet.** ◇ COMP. **Inaccompli, non-accompli.**

**ACCOMPLIR** [akɔ̃pliʀ] v. tr. — Déb. XII^e; de 1. *a-,* et anc. franç. *complir* «achever», du lat. *complere,* devenu *complire* «remplir».

Faire complètement. → **Achever, terminer.**

♦ **1** Faire (qqch.) jusqu'au bout, mener à son terme. — *Accomplir un acte, une action, une tâche, un travail. Accomplir un exploit, une mission.* — (Le compl. désigne une durée, un temps). *«Accomplir le temps de son apprentissage, de son noviciat, de son service militaire»* (Académie). *Accomplir sa journée de travail.* — (Passif et p. p.). *Travail accompli. Temps accomplis,* révolus.

1 Quand Jésus eut pris le vinaigre, il dit : «Tout est accompli». Et, baissant la tête, il rendit l'esprit.
BIBLE, Évangile selon saint Jean, XIX, 30.

2 Les temps sont accomplis, Princesse : il faut parler.
RACINE, Athalie, I, 2.

3 Il faut (...) pour accomplir cette course, qu'elle *(la lune)* aille cinq mille six cents fois plus vite qu'un cheval de poste (...)
LA BRUYÈRE, les Caractères, XVI, Esprits forts.

Atteindre (un âge).

4 Je n'avais pas encore accompli mes quatre ans.
FRANCE, le Petit Pierre, XI.

5 Le mineur est l'individu de l'un et l'autre sexe qui n'a point encore l'âge de dix-huit ans accomplis.
Code civil, art. 388.

Absolt. *«Napoléon (...) cet homme qui accomplissait par la violence»* (Alain, *Propos, in* T. L. F.).

♦ **2** Mettre à exécution, faire en effet ce qui était préparé, projeté. *Accomplir un vœu, un souhait, une promesse, un dessein.* → **Effectuer, exécuter, réaliser, remplir.** *Accomplir une prédiction, une prophétie. Accomplir la volonté de quelqu'un.*

6 Doit-elle se mettre en peine, pourvu que j'accomplisse ma promesse?
MOLIÈRE, Dom Juan, II, 5.

7 Elle cherchait dans sa tête quelque vœu à accomplir.
FLAUBERT, Mme Bovary, I, 6.

1 Le général de Gaulle ordonnait l'action selon un «grand dessein» variable, puisqu'il était limité par le possible, variable lui aussi. Il entendait l'accomplir par tous les moyens dont il disposait.
MALRAUX, Antimémoires, Folio, p. 157.

*Accomplir ce qu'on a désiré. Accomplir de grandes choses, de grandes œuvres.*

8 (...) dans la certitude qu'aucune force au monde ne l'empêcherait jamais d'accomplir ce qu'il avait une fois résolu.
F. MAURIAC, la Pharisienne, VIII.

9 C'est quand elle *(la grande action)* est accomplie qu'elle semble possible aux êtres du commun.
STENDHAL, le Rouge et le Noir, II, 11.

0 (...) le bon ouvrier sait que de grandes choses sont possibles et prudemment, peu à peu les accomplit.
A. MAUROIS, Un art de vivre, III, 1.

♦ **3** Faire (ce qui est demandé, ordonné, proposé); obéir à (une volonté, un ordre) en exécutant qqch. *Accomplir son devoir, sa tâche.* → **Acquitter** (s'). *Accomplir la loi, une obligation, un rite.* → **Observer, suivre.**

1 J'accomplis l'ordre de Mithridate.
RACINE, Mithridate, V, 2.

2 Que peut-on m'ordonner que mon bras n'accomplisse?
CORNEILLE, le Cid, V, 8.

3 Il accomplissait sa petite tâche quotidienne à la manière du cheval de manège.
FLAUBERT, Mme Bovary, I, I.

♦ **4** (Sans idée de perfection ou de terme atteint; simple renforcement de *faire*). Faire. *Accomplir un geste, un mouvement.*

4 Ceux qui ont l'habitude d'être aimés accomplissent, d'instinct, tous les gestes et disent toutes les paroles qui attirent les cœurs.
F. MAURIAC, le Nœud de vipères, p. 227.

*Accomplir une mauvaise action, un crime, un forfait.* → **Commettre, perpétrer.**

On accomplit une mauvaise action, on met sa marque dessus. 15
HUGO, l'Homme qui rit, II, V, 2.

◆ **S'ACCOMPLIR** v. pron.

♦ **1** (Choses). Se réaliser, atteindre son terme ou son point de perfection. — Avoir lieu. → **Arriver, produire** (se). *Son souhait s'est accompli,* s'est exaucé.

Eh! qui ne sent que (...) quelque chose de grand s'accomplit? 16
HUGO, Littérature et philosophie mêlées, p. 118.

La plus belle théorie n'a de prix que par les œuvres où elle s'accomplit. 17
R. ROLLAND, Vie de Tolstoï, p. 128.

Elle était près de croire (...) que ce qu'on désire de tout son être finit toujours par s'accomplir. 18
R. ROLLAND, Jean-Christophe, III, p. 55.

Relig. *Que la volonté de Dieu s'accomplisse!*

♦ **2** Réfléchi. (Personnes). Réaliser pleinement sa nature, son destin. *Il s'accomplit dans le travail, dans, par le dévouement. — Existence qui ne s'accomplit pas pleinement.*

◆ **ACCOMPLI, IE** p. p. adj. Voir ci-dessus à l'article et → **Accompli** (adj. et n. m.).

CONTR. **Commencer, ébaucher, esquisser. — Échouer. — Désobéir, refuser.** ◊ DÉR. **Accompli, accomplissement.**

**ACCOMPLISSEMENT** [akɔ̃plismɑ̃] n. m. — 1214; de *accomplir.*

♦ **1** Le fait d'accomplir. → **Exécution.** *L'accomplissement d'une action, d'une promesse par qqn.*

À mesure que l'objet de nos souhaits approche, la volupté qu'on avait entrevue dans leur accomplissement diminue. 1
FLAUBERT, Correspondance, t. I, p. 31.

(...) l'hésitation suprême (...) et puis l'accomplissement de l'acte irrévocable. 2
LOTI, les Désenchantées, LVI.

♦ **2** (1288, «perfection»). État de ce qui est accompli, réalisé. → **Réalisation.**

Elle touchait pour de bon à l'accomplissement de ce rêve qu'elle avait, des années durant, caressé. 3
MARTIN DU GARD, les Thibault, III, 12.

REM. *Accomplissement* est rarement attesté au pluriel. *«Leurs héroïques accomplissements»* (Las Cases, *Mémorial de Sainte-Hélène,* in T. L. F.).

CONTR. **Commencement, ébauche, esquisse. — Échec.**

**ACCON** [akɔ̃] n. m. → **Acon.**

**ACCONAGE** [akɔnaʒ] n. m. → **Aconage.**

**ACCONIER** [akɔnje] n. m. → **Aconier.**

**ACCORAGE** [akɔʀaʒ] n. m. — 1798; de *accorer.*

♦ **1** Mar. Action d'accorer. *L'accorage des navires.*

♦ **2** Techn. Le fait d'accorer (assujettir) une charge.

**ACCORD** [akɔʀ] n. m. — Fin XII^e; de *accorder.*

**I** (Personnes). ♦ **1** État qui résulte d'une conformité ou d'une communauté de sentiments, de pensées, de volontés. *Bon, complet, parfait accord; commun accord; accord unanime, général.* → **Communion, concert, concorde, consensus, entente, fraternité, harmonie, intelligence** (bonne), **paix, sympathie, union.**

Notre harem, concluait Aziyadé, est réputé partout comme un modèle, pour notre patience mutuelle et le bon accord qui règne entre nous. 1
LOTI, Aziyadé, XIV.

*L'accord entre des alliés, des conjurés.* → **Alliance, collusion, complicité, connivence.** — (Dr. internat. publ.). *Accord de coopération entre deux États.*

♦ **2 En accord** : en s'entendant bien. *Vivre en accord avec quelqu'un.*

♦ **3 D'accord.** *Être d'accord :* avoir le même avis, le même sentiment, partager l'opinion. → **Entendre** (s'), **concerter** (se). → Faire cause* commune, se donner la main*, marcher la main dans la main, comme un seul homme, être unis ; ne faire entendre qu'une seule voix*, ne faire qu'un* avec. *Être d'accord avec quelqu'un,* être du même avis (→ Abonder dans le sens de quelqu'un). *Être d'accord* (avec qqn) *sur qqch., à propos de qqch. — Sembler d'accord.*

Vx. *Être d'accord de qqch.*

2 Le roi même est d'accord de cette vérité.
CORNEILLE, le Cid, IV, 2.

Mod. *Demeurer d'accord de qqch.,* avouer, reconnaître. → **Convenir** (en). *J'en demeure d'accord.* — Littér. *Demeurer d'accord que...* (suivi de l'indicatif) :

3 Bien loin d'en demeurer d'accord, j'en ose dire que (...)
CORNEILLE, Avertissement du Cid.

4 Il faut demeurer d'accord, à l'honneur de la vertu, que les plus grands malheurs des hommes sont ceux où ils tombent par les crimes.
LA ROCHEFOUCAULD, Maximes, 183.

Ellipt. *D'accord,* j'en conviens, j'y consens. *Viendrez-vous demain ? — D'accord.* → **Oui ; O. K.** — Fam. *Pas d'accord.*

5 Il me plaît d'être battue. — D'accord.
MOLIÈRE, le Médecin malgré lui, I, 2.

REM. On trouve dans cette scène les équivalents : J'y consens de tout mon cœur. J'ai tort. Vous avez raison. Je me rétracte. Je ne dis plus mot. Il est vrai. Fort bien. Sans doute.

En incise. C'est vrai, il faut l'admettre.

5.1 Voilà comme il raisonne, à côté, d'accord, mais à côté de quoi, c'est ça qu'il faut voir.
S. BECKETT, Textes pour rien, p. 140.

Fam. (abrév.). *D'ac,* d'accord.

5.2 (...) cric crac croc allez sors d'ac mais tu recules de dix pas dans le couloir, non de vingt et après tu dis ça y est.
Tony DUVERT, Paysage de fantaisie, p. 187.

*Tomber d'accord que...,* reconnaître ensemble que...

6 Et l'on tomba d'accord Qu'à peu de gens convient le diadème. LA FONTAINE, Fables, VI, 6.

*Se mettre d'accord,* s'entendre. *Mettre deux personnes d'accord. — Se trouver d'accord avec quelqu'un.*

7 Les chefs ne s'étaient même pas entendus sur les buts à atteindre, même pas mis d'accord sur un plan tactique d'ensemble. MARTIN DU GARD, les Thibault, VII, 7.

Littér. (avec des verbes autres que les verbes d'état). *Penser d'accord* (Barrès, *in* T. L. F.), *travailler d'accord* (A. France, *in* T. L. F.).

♦ **4** *(Un, des accords).* Arrangement entre des personnes, des groupes qui se mettent d'accord. *Conclure, négocier, passer un accord; arrêter, régler les termes d'un accord; respecter, rompre un accord. Accord bipartite. Accord-cadre,* accord général qui peut servir de cadre à des accords ultérieurs. *« Pour lui, un simple accord bilatéral égypto-israélien portant uniquement sur le Sinaï aurait été préférable à ces deux accords cadres de traité engageant, sans qu'ils aient été consultés, l'avenir des Palestiniens »* (*l'Express,* 2 oct. 1978, p. 122). — *Accord commercial; accord de paiement, accord de produit* (portant sur un produit). — *Accord d'entreprise, d'établissement* (en droit du travail).

7.1 La signature des accords Matignon nous remplit de joie : contrats collectifs, hausse des salaires, semaine de quarante heures, congés payés, quelque chose changeait dans la condition ouvrière.
S. DE BEAUVOIR, la Force de l'âge, p. 273.

Les conséquences de cette crise suscitée par la haine, à la veille de la signature des accords tunisiens et au moment où un effort sérieux allait être tenté pour pacifier le Maroc, demeurent imprévisibles. 7.
F. MAURIAC, Bloc-notes 1952-1957, p. 161.

Règlement terminant un différend, une négociation (→ ci-dessous, cit. 9 à 12). *Accord à l'amiable, de gré à gré. — Accord de principe, qui ne mentionne pas les détails d'application.* → **Accommodement, arrangement, contrat, convention, pacte, traité.** — (1350). Vx. Plur. Conventions préliminaires d'un mariage, et, par ext., fiançailles (→ ci-dessous cit. 8). → **Accordailles.**

L'argent était touché, les accords publiés. 8
CORNEILLE, la Suite du Menteur, I, 1.

Mais les deux ennemis ne voulant point d'accord, 9
Le monarque des Dieux s'avisa, pour bien faire (...)
LA FONTAINE, Fables, II, 8.

La chatte détruisit par sa fourbe l'accord. 1
LA FONTAINE, Fables, III, 6.

Si son père et le mien ne tombent point d'accord. 1
CORNEILLE, le Menteur, V, 4.

Grippeminaud le bon apôtre (...) 1
Mit les plaideurs d'accord en croquant l'un et l'autre.
LA FONTAINE, Fables, VII, 16.

♦ **5** *Donner son accord,* accepter, autoriser, permettre. → **Acceptation, autorisation, permission.** *Il a maintenant donné son accord, les travaux vont commencer.*

**II** (Choses). ♦ **1** Vx ou didact. État qui résulte de la présence simultanée de choses qui ont des rapports, forment un ensemble. → **Adéquation, affinité, analogie, cohérence, compatibilité, concordance, conformité, congruité** (vieilli), **équilibre, harmonie, proportion, symétrie, sympathie** (vx). *L'accord qui règne entre les parties d'une œuvre, entre le geste et la parole.* — (Qualifié ; langue class.). *Beaux, doux accords.*

Le ciel n'a point encor, par de si doux accords, 1
Uni tant de vertus aux grâces d'un beau corps.
CORNEILLE, Pompée, III, 3.

J'épouse une princesse en qui les doux accords 1
Des grâces de l'esprit avec celles du corps
Forment le plus brillant et plus noble assemblage
Qui puisse orner une âme et parer un visage.
CORNEILLE, Suréna, II, 1.

(Plusieurs sujets coordonnés). *« Cet heureux accord de la politique et de la vertu »* (M$^{me}$ de Genlis, *in* T. L. F.).

Aux poutres peintes, s'enchevêtre encore le bestiaire bordé de blanc. Mais ces tombeaux, comme le Temple du Ciel, proclament l'harmonie suprême. Toute terre est terre des morts, toute harmonie unit les morts aux vivants. Chaque tombeau révèle l'accord du ciel et de la terre. L'harmonie est la présence de l'éternité, à laquelle est visiblement rendu le corps de l'empereur — comme lui sont invisiblement rendus tous les autres corps. 1
MALRAUX, Antimémoires, Folio, p. 565.

♦ **2** Loc. *Être d'accord* (vx), *en accord* (avec autre chose) : être adapté, adéquat, approprié (à). → **Aller** (bien), **apparier** (s'), **cadrer, répondre** (se). → Être au diapason, dans la note, dans le ton. — (Sujet au plur. ; sans compl.). *Ces deux éléments ne sont guère en accord.*

Ce qui fait la plupart des contradictions de l'homme, c'est que la raison physique et la raison morale ne sont presque jamais d'accord. MONTESQUIEU, Cahiers, p. 50. 1

Pourquoi, dans ton œuvre céleste, 1
Tant d'éléments si peu d'accord ?
A. DE MUSSET, l'Espoir en Dieu.

En lui l'instinct profond de l'homme et le sens mondain n'étaient pas bien d'accord. Il n'avait pas l'esprit très apte à concilier ces antinomies. 1
FRANCE, l'Anneau d'améthyste, p. 194.

1 Tout est rythme. Comprendre la beauté, c'est parvenir à faire coïncider son rythme propre avec celui de la nature. Chaque chose, chaque être a une indication particulière. Il porte en lui son chant. Il faut être en accord avec lui jusqu'à se confondre.
J.-M. G. LE CLÉZIO, l'Extase matérielle, p. 90.

*Mettre d'accord, en accord,* en harmonie. → **Accorder.** — Spécialt. Vx (mus.). *Mettre des instruments d'accord,* les accorder. — REM. Dans l'usage moderne, cet emploi de *d'accord* (*un clavier d'accord,* → ci-dessous, cit. 23) entre dans le champ sémantique de la musique (sens III., 1.).

3 Mettez, pour me jouer, vos flûtes mieux d'accord.
MOLIÈRE, l'Étourdi, I, 4.

**III** Spécialt. ♦ **1** Mus. et cour. **a** Vx (au plur.). *Les, des accords,* la musique, les sons accordés.

Tircis, qui pour la seule Annette
Faisait résonner les accords D'une voix et d'une musette (...)
LA FONTAINE, Fables, X, 10.

Lévites, de vos sons prêtez-moi les accords.
RACINE, Athalie, III, 7, 20.

Loc. *Pincer des accords sur (un instrument),* en jouer.

Les prêtres, de temps à autre, pinçaient sur leurs lyres des accords presque étouffés. FLAUBERT, Salammbô, I.

**b** Vieilli (d'un instrument). *D'accord,* accordé. → ci-dessus cit. 18.

J'essaye les cordes les plus sensibles et les plus fatiguées de mon cerveau pour savoir si rien n'y est brisé et si le clavier est toujours d'accord.
E. FROMENTIN, Une année dans le Sahel, p. 63.

**c** Mod. Association de plusieurs sons (au moins trois) simultanés ayant des rapports de fréquence (codifiés par les lois de l'harmonie). *Accords assonants* (→ **Assonance**), *consonants* (→ **Consonance**), *dissonants* (→ **Dissonance**). *Accords naturels, renversés* (→ **Renversement**), *altérés. Les intervalles d'un accord. Accord parfait* (tonique, médiante, dominante), *imparfait; de tierce, de quarte, de quinte.*

Il m'a dit qu'on avait l'habitude d'apprendre les accords avant le contrepoint, c'est-à-dire la succession des notes qui mène aux accords (...)
E. DELACROIX, Journal, 7 avr. 1849, t. I, p. 365.

Aux premiers accords plaqués sur l'orgue, Durtal reconnut le «Dies irae». HUYSMANS, En route, p. 10.

Un enfant devant un piano dont il ne sait pas jouer et qui s'émerveille, lorsque, en frappant des touches, il réussit à produire un accord.
Valery LARBAUD, Amants, heureux amants..., p. 25.

(...) il donnait à ces trois syllabes, comme aux notes d'un accord arpégé, une sonorité étonnante.
MARTIN DU GARD, les Thibault, IV, 9.

Émission de tels sons. *Frapper, plaquer un accord. Accords arpégés* (→ **Arpège**), *plaqués.*

**d** Action d'accorder un instrument; manière d'être accordé. — Spécialt. *Instrument qui ne tient pas l'accord,* qui ne reste pas bien accordé.

♦ **2** (1677). Peint. Harmonie des couleurs. *L'accord de teintes délicates.*

♦ **3** (Fin XVII^e). Gramm. Correspondance entre des formes linguistiques (→ **Morphologie**) liées dans le discours, de manière à assurer la conservation de l'information et la cohésion grammaticale; règles formelles qui permettent d'assurer cette correspondance. *Accord de l'adjectif et du substantif, du verbe et de son sujet, avec son sujet. Accord des participes*. Faute d'accord. Syntaxe d'accord. Les marques de l'accord.*

♦ **4** (1976). Techn. Réglage d'un circuit électrique en vue d'obtenir la résonance avec une fréquence déterminée. → **Couplage.** *L'accord d'un récepteur. Appareil, dispositif d'accord.* → (anglic.) Tuner.

CONTR. **Désaccord; brouille, conflit, différend, discorde, dispute, dissension, divergence, division, mésentente, querelle, rupture, zizanie. — Contraste, discordance, disparité, dissonance, incompatibilité, opposition.** ◊ HOM. 1. **Accore,** 2. **accore, accort.**

**ACCORDABLE** [akɔʀdabl] adj. — 1164, «conciliant»; de *accorder.*

Qui peut s'accorder, qu'on peut accorder. *Piano, instrument accordable.*

REM. Le mot n'est guère usité qu'au sens musical de *accorder* (→ Accorder I., 4.).

CONTR. **Inaccordable.**

**ACCORDAGE** [akɔʀdaʒ] n. m. — 1853; de *accorder.*

Mus. Opération qui consiste à accorder (un instrument de musique); son résultat. — *Clef d'accordage,* clef utilisée par les accordeurs.

**ACCORDAILLES** [akɔʀdaj] n. f. pl. — 1539; de *accorder.*

♦ **1** Vx ou fam. Réunion pour signer un contrat de mariage. *Conclure les accordailles.*

♦ **2** Vx ou régional. Fiançailles.

On fête les accordailles de la jeune Louise avec son cousin Maximilien-Napoléon de Coussemaker, d'une famille dont il n'y a que du bien à dire depuis quatre cents ans.
M. YOURCENAR, Archives du Nord, p. 121.

Temps compris entre les fiançailles et le mariage.

**ACCORDANCE** [akɔʀdɑ̃s] n. f. — V. 1172, *en accordance;* «accord», v. 1177; de *accorder.*

♦ **1** Vx. (Encore chez Baudelaire, Maupassant, Huysmans, *in* T. L. F.). Accord.

♦ **2** Géol. (d'après *discordance*). Tendance de deux surfaces discordantes à devenir parallèles.

**ACCORDANT, ANTE** [akɔʀdɑ̃, ɑ̃t] adj. — XIII^e; p. prés. de *accorder.*

♦ **1** Vx. Qui s'accorde. *Être accordant à qqch.*

(...) et alors je cessai mes folies, ou du moins j'en fis de plus accordantes à mon naturel.
ROUSSEAU, les Confessions, III.

♦ **2** Mus. Syn. vieilli de *consonant.*

REM. Huysmans (in *Là-bas*) emploie *accordant* au sens de «sonneur professionnel d'une église»; cet emploi est isolé.

**ACCORDÉ, ÉE** [akɔʀde] n. — 1538; p. p. de *accorder.*

Vieilli. Fiancé, fiancée. *L'Accordée de village,* tableau de Greuze.

On l'avait habituée à détester le vulgaire, à admirer les moutons enrubannés des Bergeries plutôt que les troupeaux, les bons pauvres reconnaissants, les accordées de village toutes pures.
Suzanne PROU, la Terrasse des Bernardini, p. 111-112.

HOM. **Accorder.**

**ACCORDÉON** [akɔʀdeɔ̃] n. m. — 1833; de l'all. *Akkordion,* 1829, mot forgé par Damian, inventeur de l'instrument; de *Akkord* «accord», et suff. *-ion,* francisé en *-éon,* sur le modèle d'*orphéon.*

♦ **1** Instrument de musique à vent, composé d'un soufflet et de claviers agissant sur des anches métalliques. → aussi **Bandonéon.** *Accordéon diatonique, chromatique. Accordéon à clavier, à touches, à boutons. Jouer de l'accordéon dans un bal musette. La musique populaire russe fait grand usage de l'accordéon.*

Des airs d'accordéon, minces comme des fumées de cigarettes, s'échappent des portes, et le Bal du Tourbillon commence à saigner de sa bouche dure (...) 1
Léon-Paul FARGUE, le Piéton de Paris, p. 25.

Musique d'accordéon. *On entendait un accordéon lointain, plaintif.*

♦ **2** Par compar. *Plissé comme un accordéon.* — Loc. *En accordéon,* plissé comme un accordéon (en parlant d'un pantalon, de bas, etc.). *Il avait des chaussettes en accordéon.*

2 Les lanternes vénitiennes suspendaient aux branches leurs fruits lumineux, les unes rondes et tendues comme des oranges, les autres longues et plissées comme des accordéons.
Edmond JALOUX, le Jeune Homme au masque, p. 24.

*Circulation en accordéon,* alternativement dense et fluide. *Aux heures de pointe, la circulation sur les autoroutes est en accordéon.*

Cout. *Plissé, plissage accordéon,* qui forme des plis parallèles.

Imprim. *Pliage accordéon d'une feuille de papier.*

Par ext. *Ses chaussettes faisaient des accordéons.*

**DÉR. Accordéoniste.**

**ACCORDÉONISTE** [akɔʀdeɔnist] n. — 1866; de *accordéon.*

Personne qui joue de l'accordéon. *Une excellente accordéoniste.*

Les braves accordéonistes de l'époque Doumergue, qui scandaient les airs à coups d'espadrilles, ont été remplacés par les orchestres de location promis à Cannes ou Wiesbaden.
Léon-Paul FARGUE, le Piéton de Paris, p. 136.

**ACCORDER** [akɔʀde] v. tr. — 1080; du lat. pop. **accordare,* pour *concordare,* de *ad* «vers; auprès de», et *cor, cordis* «cœur», avec infl. de *chorda* «corde d'un instrument de musique».

**I** Mettre d'accord ou en accord. ♦ **1** (Rare; sujet n. de personne ou de chose). Mettre (des personnes) en communauté d'idées, de sentiments. → **Allier, associer, joindre, lier, réunir.**

1 Soyez joints, mes enfants, que l'amour vous accorde.
LA FONTAINE, Fables, IV, 18.

Littér. (Sujet n. de chose). *Accorder qqn au monde.*

1.1 Moi, ce que je voudrais bien trouver dans chaque homme, c'est une pulsation, un mouvement régulier et souple qui l'accorde au temps et au monde. Alors je me mets à l'unisson avec lui, et je l'écoute, je l'observe, je le visite.
J.-M. G. LE CLÉZIO, l'Extase matérielle, p. 93.

(XV^e). Vx ou régional. Établir les conventions d'un mariage, et, par ext., fiancer. *Elle a été accordée à un homme qu'elle n'aime pas.* → **Accordé.**

♦ **2** Vx. Apaiser (un différend). → **Accommoder, raccommoder.**

2 Elle employa sa médiation
Pour accorder une telle querelle.
LA FONTAINE, Fables, VII, 8.

3 D'Albe avec mon amour j'accordai la querelle (...)
CORNEILLE, Horace, I, 3.

Régler (une affaire). → **Arranger, régler.**

♦ **3** Mod. (Choses abstraites). Mettre en harmonie, en établissant un accord (II.). → **Adapter, agencer, allier, appareiller, apparier, approprier, assembler, associer, assortir.** *Accorder des contraires. Accorder des récits contradictoires. — Accorder ses principes et sa vie.*

4 Accordez ces discours que j'ai peine à comprendre.
CORNEILLE, Pompée, V, 3.

5 Et je saurai peut-être accorder quelque jour
Les soins de ma grandeur et ceux de mon amour.
RACINE, Andromaque, I, 2.

6 J'appelle raisonnable celui qui accorde sa raison particulière avec la raison universelle (...)
FRANCE, le Petit Pierre, XXXIII
(→ Accommoder, cit. 17).

L'avorton avait su jusqu'à ce jour accorder admirablement une demi-intelligence et une demi-ambition.
GIRAUDOUX, Bella, VIII.

(Concret). Vx. Accorder des horloges.

♦ **4** Mus. **a** Vx (premier emploi). Faire aller des sons ensemble de manière à produire de la musique, et, par ext., jouer de (un instrument). — Par métaphore :

Adieu, vieille Forêt, le jouet de Zéphire,
Où premier j'accordai les langues de ma lyre.
RONSARD, Élégies, XXX.

**b** (XIV^e). Mod. Mettre (un ou plusieurs instruments) au même diapason. *Accorder un piano. Accorder les violons et les basses au ton du piano.* → **Accord, accordeur.** — Au p. p. *Piano mal accordé, désaccordé.*

*(Il)* grince des dents aux instruments mal accordés, aux orgues fausses, aux voix qui crient.
R. ROLLAND, Musiciens d'autrefois, p. 208.

Loc. fig. *Accordez vos flûtes, vos violons,* mettez-vous d'accord, convenez de ce que vous voulez faire.

Que nos violons, à l'Express ne soient plus toujours accordés, les gens s'en irritent, ou se scandalisent, ou font semblant.
F. MAURIAC, le Nouveau Bloc-notes, 1958-1960, p. 65.

Spécialt. Radio. Régler (un récepteur de radio) sur une fréquence. → **Accord** (III., 4.).

♦ **5** (XV^e). Gramm. Donner à (un élément linguistique) un aspect formel en rapport avec sa fonction ou avec la forme d'un élément dominant. *Il faut accorder* (ou *faire accorder*) *le verbe avec le sujet de la phrase.*

Le besoin d'accorder un verbe avec une énumération de sujets n'est pas plus impérieux pour Racine que je ne le sens en moi-même.
GIDE, Journal, 18 févr. 1934, Pl., p. 1198.

**II** (1170). *Accorder qqch. à qqn.* ♦ **1** Littér. ou style soutenu. Consentir à admettre, à reconnaître, à tenir pour vrai. *Accorder qqch. à qqn.* → **Concéder, convenir, reconnaître.** *Je vous accorde que j'ai eu tort.* → **Admettre, avouer, confesser.** *C'est un homme désagréable, je vous l'accorde.*

Puisque vous le voulez, j'accorde qu'il le fasse (...)
CORNEILLE, le Cid, IV, 5.

Oui, j'accorde qu'Auguste a droit de conserver
L'empire où sa vertu l'a fait seule arriver.
CORNEILLE, Cinna, II, 1.

Je suppose avec vous (ce qui pourtant est rare, ce qui pourtant choque toutes les lumières de la raison) mais n'importe, je vous accorde un instant que le crime puisse rendre heureux ici-bas le scélérat qui s'y abandonne.
SADE, Justine..., t. I, p. 54.

Mais je vous accorde qu'il vaut mieux être bête comme tout le monde que d'avoir de l'esprit comme personne.
FRANCE, Histoire comique, I.

♦ **2** Consentir à donner, à laisser ou à permettre; donner son accord à. *Accorder un crédit, un délai (à qqn).* → **Adjuger, allouer, impartir.** *Il lui a accordé une faveur.* → **Satisfaire.** *Accorder les honneurs de la guerre au vaincu; accorder sa confiance, son pardon. La demande est accordée.* → **Autoriser, permettre.**

Ni le moindre regard, le moindre mot enfin,
Ne lui fut accordé par ce cœur inhumain.
LA FONTAINE, Daphnis.

Qu'à chacun Jupiter accorde sa requête.
LA FONTAINE, Fables, VI, 11.

Mais d'où vient qu'au renard Ésope accorde un point?
LA FONTAINE, Fables, XI, 6.

Ces deux divinités n'accordent à nos vœux
Que des biens peu certains, qu'un plaisir peu tranquille.
LA FONTAINE, Philémon et Baucis.

Vx. Exaucer, satisfaire.

Tous vos désirs, Esther, vous seront accordés.
RACINE, Esther, III, 4.

Par ext. Laisser (qqn, qqch.) avoir, profiter de (qqch.). → **Donner.**

18 (...) Il ne faut rien accorder aux sens quand on veut leur refuser quelque chose.
ROUSSEAU, Julie ou la Nouvelle Héloïse, III, 18.

19 La chatte feint de l'oublier et ne lui accorde plus au jardin, la faveur d'un regard.
COLETTE, la Paix chez les bêtes, Automne.

(Au p. p.). Ellipt. (dans une réponse à une demande). *Accordé* pour : *c'est accordé. Puis-je obtenir un délai ? — Accordé.*

Loc. (XV^e^). *Il lui a accordé la main de sa fille,* il a consenti à la lui donner en mariage.

♦ **3** Vieilli (en parlant d'une femme). *Accorder ses faveurs* (à un homme) : se donner.

20 Les femmes s'attachent aux hommes par les faveurs qu'elles leur accordent; les hommes guérissent par ces mêmes faveurs. LA BRUYÈRE, les Caractères, III, 16.

♦ **4** Attribuer. *Accorder de l'importance, de la valeur (à qqch.).* → **Attacher.**

21 Il n'est pas de ces nerveux qui accordent à leurs impressions plus d'importance qu'elles n'en méritent.
J. ROMAINS, les Hommes de bonne volonté, t. V, p. 143.

◆ **S'ACCORDER** v. pron.

♦ **1** Se mettre, être d'accord. (Personnes). *Ils ne peuvent s'accorder; leurs caractères, leurs natures s'accordent mal. Ils ne s'accordent pas entre eux. Ils se disputent plus fréquemment qu'ils ne s'accordent. — S'accorder à dire :* se mettre d'accord pour dire. *Tous ses amis s'accordent à dire qu'il est très généreux.*

(Choses). *S'accorder (à..., avec...),* se concilier (avec). *Les deux témoignages s'accordent. Son ambition ne s'accorde pas avec sa paresse.*

22 Les nôtres *(dieux)* bien souvent s'accordent mal ensemble.
CORNEILLE, Polyeucte, IV, 6.

23 Réunissons trois cœurs qui n'ont pu s'accorder.
RACINE, Andromaque, V, 5.

24 Ils rapprocheront trois cœurs qui ne s'accordaient pas.
VOLTAIRE, Irène, V, 3.

25 Nos volontés ne s'accordaient pas avec les siennes.
A.-R. LESAGE, le Bachelier, I, 139.

26 Les historiens de la Révolution française s'accordent entre eux (...) précisément comme Danton s'accordait avec Robespierre.
A. MAUROIS, Études littéraires, t. I, p. 34.

27 La vérité s'accorde avec la renommée.
RACINE, Bajazet, I, 2.

28 Mon récit ne s'accorde guère avec ce que raconte cet auteur. BOSSUET, Hist., I, 7.

29 Une chose ridicule est une chose qui ne s'accorde pas aux manières et aux actions ordinaires de la vie.
MONTESQUIEU, Cahiers, p. 50.

30 Dans le mariage, pour bien vivre ensemble, il faut que la volonté d'un mari s'accorde avec celle de sa femme, et cela est difficile.
MARIVAUX, les Serments indiscrets, I, 5.

31 Nul ne veut le bien public que quand il s'accorde avec le sien. ROUSSEAU, Lettre à M. de Beaumont.

32 (...) leurs natures disparates semblaient un instant s'accorder. MARTIN DU GARD, les Thibault, VII, 38.

(Dans le contexte de la musique, du rythme) :

33 (...) et comme tous les instruments d'un orchestre s'accordent pour produire une note unique, toutes ces forces diverses de mon être, les intellectuelles, les sentimentales, les sensuelles, s'accordaient dans un cri aigu de désir.
Paul BOURGET, le Disciple, V.

34 Sur une route sonore s'accorde, puis se désaccorde pour s'accorder encore, le trot de deux chevaux attelés en paire.
COLETTE, l'Étoile Vesper, p. 218.

♦ **2** Gramm. Être en concordance. *Le verbe s'accorde avec son sujet.*

♦ **3** Se donner. *Il ne s'accorde jamais de répit, de repos.* → **Octroyer** (s'), **offrir** (s'). *S'accorder de l'importance.*

◆ **ACCORDÉ, ÉE** p. p. adj. Voir à l'article ci-dessus (II., 2.) et → **Accordé.**

CONTR. **Désaccorder; brouiller, désunir, diviser, troubler. — Dénier; opposer, refuser, rejeter, repousser. — Brouiller** (se), **disputer** (se), **fâcher** (se); **contraster, détonner, jurer, opposer** (s'), **trancher. — Interdire** (s'), **refuser** (se). ◊ DÉR. **Accord, accordable, accordage, accordailles, accordant, accordé, accordeur, accordoir.**

**ACCORDEUR** [akɔʀdœʀ] n. m. — 1324; de *accorder.*

**I** Vx. Dr. Celui qui concilie, réconcilie.

**II** Mus. ♦ **1** (1768). Professionnel qui accorde les instruments à cordes frappées (pianos), les orgues, etc. *Accordeur d'orgues; clef d'accordeur.* → **Accordoir.** *Elle est accordeur. Un accordeur aveugle. Le piano est désaccordé; il faut faire venir l'accordeur.*

Il y eut d'abord un silence, où le sifflet du marchand de tripes et la corne du tramway firent résonner l'air à des octaves différentes, comme un accordeur de piano aveugle. Puis peu à peu devinrent distincts les motifs entre-croisés auxquels de nouveaux s'ajoutaient.
PROUST, la Prisonnière, Pl., t. III, p. 136.

♦ **2** (1845). Vx. Instrument produisant les douze demi-tons de la gamme.

**ACCORDOIR** [akɔʀdwaʀ] n. m. — 1690; de *accorder.*

Techn. Instrument d'accordeur (de pianos, d'orgues).

1. **ACCORE** [akɔʀ] n. m. ou f. — 1671; *escore,* 1382; du moy. néerl. *schore,* néerl. mod. *schoor* «étai».

Pièce de bois utilisée pour caler un navire tiré au sec ou en construction, étai. *Les accores d'étrave, d'étambot. Les accores intermédiaires.*

REM. Les spécialistes (Jal, 1848, notamment) font le mot féminin.

DÉR. **Accorer.** ◊ HOM. **Accord,** 2. **accore, accort.**

2. **ACCORE** [akɔʀ] n. m. et adj. — 1544, adj.; n., 1753; *escore, écore,* 1606; du moy. néerl. *schore* «rivage escarpé», et *schor* «escarpé».

♦ **1** N. m. Vx. Contour d'un écueil. *Des accores dangereux près d'une côte. — Les accores d'une côte, d'un rivage.*

Et les rochers et les accores, 1
Et terre dure et sable mol,
Et les rochers et les accores,
Et les îles et les atolls (...)
Max ELSKAMP, le Navire, «Huit chansons reverdies».

♦ **2** Adj. Mar. En parlant d'une côte, d'un écueil, Qui plonge verticalement dans une mer subitement profonde. *Une côte accore, une île accore.*

Les naufragés revinrent alors, en suivant le revers opposé du promontoire, sur un sol également sablonneux et rocailleux. Toutefois, Pencroff observa que le littoral était plus accore, que le terrain montait, et il supposa qu'il devait rejoindre, par une rampe assez allongée, une haute côte dont le massif se profilait confusément dans l'ombre. 2
J. VERNE, l'Île mystérieuse, t. I, p. 28-29.

HOM. **Accord,** 1. **accore, accort.**

**ACCORER** [akɔʀe] v. tr. — 1687; *escorer,* 1382; de 1. *accore.*

♦ **1** Mar. Maintenir (un navire) au moyen d'accores. *Accorer un navire en cale sèche.*

♦ **2** Techn. Assujettir (une charge).

DÉR. **Accorage.**

**ACCORNÉ, ÉE** [akɔʀne] adj. — 1571; «muni de cornes», fin XIVe; de *corne.*

Blason. Se dit d'un animal (ou de sa tête) quand les cornes sont d'une autre couleur que le corps. *Tête de bœuf accornée d'or, d'argent.*

**ACCORT, ORTE** [akɔʀ, ɔʀt] adj. — Mil. XIVe, «avisé, adroit»; ital. *accorto.*

♦ **1** Vx. Avisé.

1 Nous avons depuis trente ou quarante ans emprunté plusieurs mots d'Italie, comme (...) accort pour advisé.
Étienne PASQUIER, Recherches de la France, VIII, 3.

Vx. (Personnes; actions). Adroit, habile.

2 Que son frère, ébloui par cette accorte feinte
De nos prétentions n'ait ni soupçon ni crainte.
CORNEILLE, la Veuve, V, 125.

♦ **2** Vx ou littér. (Personnes). Gracieux et vif. → **Agréable, aimable, avenant, engageant, enjoué, gracieux.** — *Des manières accortes.*

3 Figurez-vous la plus jolie petite mignonne, douce, tendre, accorte et fraîche, agaçant l'appétit.
BEAUMARCHAIS, le Barbier de Séville, II, 2.

4 (...) apte à l'amour, accort pendant l'amour comme sont les paysans jeunes, les ouvriers en fleur.
COLETTE, la Naissance du jour, p. 181.

REM. Cet adj. s'emploie surtout au féminin.

CONTR. **Disgracieux, lourd, rébarbatif.** ◊ DÉR. **Accortement, accortise.** — HOM. **Accord, 1. accore, 2. accore.**

**ACCORTEMENT** [akɔʀtəmɑ̃] adv. — Mil. XIVe; de *accort.*

Vx. D'une manière accorte (→ Accort, 1.); avec habileté.

Vous me jouez, mon frère, assez accortement :
La querelle est adroite et bien imaginée.
CORNEILLE, la Suite du Menteur, IV, 2.

**ACCORTISE** [akɔʀtiz] n. f. — 1578; de *accort.*

Vx. Vivacité gracieuse, humeur accorte. → **Amabilité, aménité, gentillesse.**

L'accortise italienne calma la vivacité française (...)
VOLTAIRE, le Siècle de Louis XIV, 37.

**ACCOSTABLE** [akɔstabl] adj. — Déb. XIIIe; «accessible (en parlant d'un inanimé)»; de *accoster.*

♦ **1** Que l'on peut accoster. *Quai, rivage accostable.* → **Accessible, abordable.**

♦ **2** Vx et fam. Se dit d'une personne qu'on peut facilement approcher.

Quelque nymphe peu accostable.
J.-F. REGNARD, la Foire Saint-Germain, II, 4.

CONTR. **Inabordable, inaccessible, inaccostable.** ◊ COMP. **Inaccostable.**

**ACCOSTAGE** [akɔstaʒ] n. m. — 1540; de *accoster.*

♦ **1** Mar. et cour. Manœuvre pour accoster; fait d'accoster. *Un accostage difficile.*

1 (...) un bonhomme (...) du bout de sa gaffe dirigeant l'accostage des rares caïques.
LOTI, les Désenchantées, XI.

2 Lors de l'accostage du bateau à Kowloon, Georges Marchat dort toujours, couché sur son volant. Les marins du bord qui s'occupent du débarquement des automobiles le secouent pour le réveiller (...)
A. ROBBE-GRILLET, la Maison de rendez-vous, p. 122.

Astronaut. Opération précédant l'amarrage de deux engins lors d'un rendez-vous spatial.

♦ **2** Techn. Mise en contact de deux pièces.

La presse est alors fermée, rapidement jusqu'à l'accostage, puis très lentement ensuite, afin d'assurer une bonne répartition de la résine. 3
J.-C. DESJEUX et J. DUFLOS, les Plastiques renforcés, p. 76.

♦ **3** Fam. Action d'accoster quelqu'un.

**ACCOSTANT, ANTE** [akɔstɑ̃, ɑ̃t] adj. — XVIIIe; du p. prés. de *accoster.*

Vx. Qui accoste facilement les gens. → **Liant.**

Termes était poli et accostant, mais à peine lui répondait-on en fuyant. SAINT-SIMON, Mémoires, IV, 62.

**ACCOSTER** [akɔste] v. tr. — 1155, *acoster a terre* «aborder», *s'acoster a* «se placer à côté de (qqn)»; de 1. *a-*, et de l'anc. franç. *coste* «côte; côté»; *s* intérieur sous l'infl. de l'anc. provençal *acostar.*

♦ **1** Vx. Se tenir à côté, avoir à ses côtés. *Être accosté de quelqu'un.*

*(Elle)* harangue ses gens (...) accostée du roy son fils. 1
Étienne PASQUIER, Recherches de la France, X, 2.

♦ **2** (1606). Vx. Aller près de (qqn). — Mod. Aborder de façon cavalière. *Être accosté par un inconnu.* → **Aborder; (fam.) accrocher, agrafer.**

*(Ils)* vous viennent accoster comme personnes ivres. 2
Mathurin RÉGNIER, Satires, II, V, 131.

Je voudrais l'accoster, s'il est en ma puissance, 3
Et tâcher de lier avec lui connaissance.
MOLIÈRE, l'École des maris, I, 5.

Spécialt. *Il accoste les jolies filles.* → **Draguer.**

♦ **3** Mar. et astronaut. S'approcher contre, se mettre bord à bord avec. → **Aborder, arriver** (I., A.), 2. **atterrir** (1.). *Accoster l'appontement, le wharf; le navire accoste la terre, le quai.* → **Afflanquer.**

Comme il était facile d'accoster la terre, ce matin-là (...) 3.
J. VERNE, l'Île mystérieuse, t. II, p. 577.

Fig. (Personnes). *Les marins accostent le navire.*

Absolt. *Le navire accoste.* — Par analogie :

Un des petits *(de la mésange)* se détache de l'arbre, vise un marronnier isolé sur la pelouse, tire sa ligne en voilier de race et accoste en triomphe. 4
COLETTE, Histoires pour Bel-Gazou, p. 81.

♦ **4** Techn. Approcher (deux pièces) jusqu'au contact. → Accostage, 2.

◆ **S'ACCOSTER** v. pron. Vx et fam. *S'accoster de (qqn).* Hanter, fréquenter (en mauvaise part). → **S'accointer.**

Je m'accostai d'un homme à lourde mine. 5
VOLTAIRE, le Pauvre Diable.

CONTR. **S'éloigner** (de), **s'écarter** (de), **éviter.** — **Appareiller, partir, quitter** (le port). **Lever** (l'ancre). ◊ DÉR. **Accostable, accostage, accostant.**

**ACCOT** [ako] n. m. — 1759, *acot;* déverbal de *accoter.*

Hortic. Écran de paille, de feuilles, de fumier froid, destiné à protéger des semis ou de jeunes plantes contre le gel.

**ACCOTEMENT** [akɔtmɑ̃] n. m. — 1611; «étai, support», 1552; de *accoter.*

Techn. Ce qui accote.

♦ **1** (1755). Espace compris entre la chaussée et le fossé, le ruisseau et la maison. → **Bas-côté, berme, trottoir.** *Accotements stabilisés,* suffisamment résistants pour autoriser le stationnement des véhicules. *Stationner sur l'accotement.*

♦ **2** (Ch. de fer). Partie du ballast située de chaque côté de la voie ferrée.

**ACCOTER** [akɔte] v. tr. — Déb. XIIe, intrans., «se coucher» (animaux); «s'étendre en s'appuyant sur les coudes», v. pron., fin XIIe; du bas lat. *accubitare,* de *cubitus* «coude» (→ Accouder), avec infl. de *accoster.*

♦ **1** Vx. Soutenir en appuyant. — Étayer. *Accoter une bouteille pour qu'elle ne se renverse pas. Accoter une colonne, une muraille.*

♦ **2** Mod. Appuyer d'un côté. *Accoter sa tête sur son fauteuil.*

◆ **S'ACCOTER** v. pron. S'appuyer sur le côté.

1 (...) un homme debout, qui s'accotait au comptoir.
Alphonse DAUDET, Lettres de mon moulin.

◆ **ACCOTÉ, ÉE** p. p. adj.

2 Puis il était resté seul (...) accoté à la porte d'entrée, guettant la fin de la rafale.
MARTIN DU GARD, les Thibault, VIII, 7.

Par métaphore :

3 Nos réciproques estimes se maintiennent en respect, l'une contre l'autre accotée.
GIDE, Paludes, *in* Romans, Pl., p. 99.

**DÉR. Accot, accotement, accotoir.**

**ACCOTOIR** [akɔtwaʀ] n. m. — 1560, *accotouer;* de *accoter.*

Technique.

♦ **1** Appui qui sert à s'accoter (accoudoir, dossier). *Les accotoirs d'un fauteuil.* → **Accoudoir, appui, bras** (de fauteuil). — Spécialt. Saillie d'un dossier où l'on peut appuyer sa tête.

♦ **2** Ce qui sert à étayer. *Les accotoirs d'un navire en cale sèche.* → **1. Accore, cale, étai, étançon.**

**ACCOUARDIR** [akwaʀdiʀ] v. tr. — 1209; p. p. adj., 1167; de 1. *a-* et *couard.*

Vx et rare. Rendre couard. — Pron. *S'accouardir,* devenir couard.

**ACCOUCHÉE** [akuʃe] n. f. — 1321; p. p. subst. de *accoucher.*

Femme qui vient d'accoucher. → **Mère.** *La chambre de l'accouchée. Elle était pâle comme une accouchée.*

Déjà la plus grande partie de sa pensée avait passé de son cerveau dans ses livres. Il était amaigri comme s'il avait été opéré d'eux (...) Il menait la vie végétative d'un convalescent, d'une accouchée (...)
PROUST, le Côté de Guermantes, Pl., t. II, p. 328.

Loc. Vx. *Être parée comme une accouchée,* très apprêtée. — *Les caquets de l'accouchée,* allusion aux conversations des femmes qui venaient rendre visite à l'accouchée.

**ACCOUCHEMENT** [akuʃmɑ̃] n. m. — XIIe; de *accoucher.*

**I** ♦ **1** Le fait d'accoucher; sortie de l'enfant du corps de sa mère. → **1. Couche, II.** (couches), **délivrance, délivre** (vieilli), **enfantement, gésine** (vx), **naissance** (cit. 4). *Accouchement naturel.* → **Parturition.** *Un accouchement facile* (→ **Eutocie**), *difficile, laborieux* (cit. 2; → **Dystocie**). *Accouchement spontané, accouchement provoqué. Accouchement à haut risque. Accouchement à terme. Accouchement avant terme, prématuré,* avant le terme prévu (→ **Prématuration;** avant la date de viabilité de l'enfant, → **Avortement, fausse couche).** *Les douleurs de l'accouchement.* → **Travail, tranchée** (tranchées utérines); **puerpéral.** *Présentation* du fœtus, lors de l'accouchement. Épisodes de l'accouchement : dilatation du col* (de l'utérus), *expulsion* (de l'enfant), *expulsion du placenta et des membranes* (→ **Délivrance).**

Les déclarations de naissance seront faites dans les trois jours de l'accouchement, à l'officier de l'état civil du lieu. 1
Code civil, art. 55.

Quant à la nièce, j'ignore si c'est à cause d'une maladie d'estomac, de nerfs, d'une phlébite, d'un accouchement prochain, récent ou manqué, qu'elle écoutait la musique étendue sans se bouger pour personne. 1.1
PROUST, le Temps retrouvé, Pl., t. III, p. 1025.

♦ **2** (1835). Opération médicale par laquelle on assiste la femme qui accouche. → **Obstétrique, tocologie.** *Ce médecin a fait des centaines d'accouchements.* → **Accoucheur, maïeuticien, sage-femme.** *Accouchement aux fers, au forceps; par césarienne*.*

Ô Jupiter, qui sus de ton cerveau, 2
Par un secret d'accouchement nouveau,
Tirer Pallas (...) LA FONTAINE, Fables, X, 6.

♦ **3** Méthode d'accouchement. *Accouchement psychoprophylactique*.* Loc. *Accouchement sans douleur,* entraînement psychosomatique pour supprimer la peur et diminuer les douleurs de l'accouchement.

**II** (XVIIe). Par métaphore (→ cit. 3) ou fig. Élaboration pénible, difficile. → **Maïeutique.** *L'accouchement de cet ouvrage a été laborieux.*

Je suis, quand j'écris, dans la situation d'un enfantement interminable, d'un travail puerpéral qui se contrarierait obstinément lui-même, et ne garderait que la souffrance de l'accouchement sans s'accorder la délivrance finale. 3
H.-F. AMIEL, Fragments d'un journal intime, p. 132.

**ACCOUCHER** [akuʃe] v. tr. — Fin XIIe, «se coucher», «s'aliter pour mettre un enfant au monde»; de 1. *a-,* et *coucher.*

**I** ♦ **1** Trans. ind. (Le sujet désigne une femme). *Accoucher de...,* donner naissance à (un enfant), donner le jour, la vie à (un enfant). → **Enfanter, engendrer, mettre** (au monde); **accouchement.** *Sa femme a accouché d'une fille, d'un garçon, de jumeaux;* (vieilli, littér. : aux. être) *elle est accouchée d'un garçon.*

(...) elles produisirent un petit chien mort, en publiant que la sultane en était accouchée. 0.1
A. GALLAND, les Mille et une Nuits, t. III, p. 445.

Absolt (→ cit. 1). *Elle accouchera dans un mois. Elle a accouché chez elle; à l'hôpital. Accoucher à terme. Accoucher avant terme* (→ **Prématuration,** et aussi **avortement, fausse couche).**

Le ciel vient de briser sa nouvelle alliance 1
Et la triste Émilie est morte en accouchant.
CORNEILLE, Sertorius, V, 3.

Par métaphore. (Sujet n. de chose) :

Une montagne en mal d'enfant 2
Jetait une clameur si haute
Que chacun au bruit accourant,
Crut qu'elle accoucherait sans faute
D'une cité plus grosse que Paris;
Elle accoucha d'une souris.
LA FONTAINE, Fables, V, 10.

Cf. *Parturiunt montes, nascetur ridiculus mus.*

Quoi! j'accouche d'un œuf! — D'un œuf? Oui, le voilà. 3
LA FONTAINE, Fables, VIII, 6.

♦ **2** Trans. dir (1671). Aider une femme à mettre (un enfant) au monde. *C'est ce chirurgien, cette sage-femme qui l'a accouchée.*

**II** (1654). Par métaphore ou fig. ♦ **1** Trans. ind. *Accoucher de...,* produire. → **Engendrer.**

Tous les événements sont produits les uns par les autres, je l'avoue; si le passé est accouché du présent, le présent accouche du futur. 4
VOLTAIRE, Dict. philosophique, Chaîne des événements.

Élaborer péniblement. → **Créer.** *Il a fini par accoucher d'un mauvais roman.* — Par métaphore du sens I. :

5 Hélas ! *(cette épigramme)* c'est un enfant tout nouveau-né, madame (...) c'est dans votre cour que j'en viens d'accoucher. MOLIÈRE, les Femmes savantes, III, 1.

6 Quand on a quelque chose dans le ventre on ne meurt pas avant d'avoir accouché.
FLAUBERT, Correspondance, p. 218.

REM. Même en emploi figuré (non métaphorique), le mot peut s'employer sans péjoration :

6.1 C'était l'ennemi, ce Michel-Ange qui enfantait dans le labeur, qui avait laissé la création la plus prodigieuse dont un artiste eût jamais accouché. ZOLA, Rome, p. 230.

♦ **2** Absolt. Fam. S'expliquer, parler. *Alors, ça vient, oui ? T'accouches ?* (Cf. Ça sort, ça vient).

7 Le roi insistant, il fallut bien accoucher, et Chamillart lui dit que (...) SAINT-SIMON, Mémoires, III, 252.

♦ **3** Trans. direct.

8 (...) toujours (...) quelque enseignement moral doit sortir, accouché par lui *(Profitendieu)*, des moindres enseignements de la vie ; il interprète et traduit tout selon son dogme.
GIDE, les Faux-monnayeurs, I, II, *in* Romans, Pl., p. 948.

◆ **S'ACCOUCHER** v. pron. (Rare). Au figuré :

9 (...) à travers temps et terres s'accouche des Je divers dont il fait les héros de ses cultes (...)
Hélène CIXOUS, Souffles, p. 31.

**DÉR. Accouchée, accouchement, accoucheur.**

**ACCOUCHEUR, EUSE** [akuʃœʀ, øz] n. — 1671, n. f., *accoucheuse* «sage-femme» ; *accoucheur,* n. m., 1677 ; de *accoucher.*

♦ **1** Personne qui fait des accouchements, aide les femmes à accoucher. → **Maïeuticien, sage-femme.** — Appos. *Médecin accoucheur.* → **Gynécologue, obstétricien.**

1 Il n'y a que les accoucheurs dont le rôle soit de voir naître des hommes. Tous les autres sont faits pour voir mourir.
GIRAUDOUX, Siegfried et le Limousin, p. 194.

2 (...) les armoires pleines de défroques que des paysannes à court d'argent avaient laissées en gage à l'accoucheuse (...)
M. YOURCENAR, le Coup de grâce, p. 220.

♦ **2** Fig. [a] Personne, chose qui amène quelqu'un à découvrir la vérité qui est en lui, à connaître ses facultés. *Un accoucheur d'esprits, de vocations.* [b] Personne, chose qui contribue à l'avènement de quelque chose.

3 Il est déplorable que la révolution française ait eu de si maladroits accoucheurs (...)
HUGO, Littérature et Philosophie mêlées, p. 117.

♦ **3** N. m. (appos.) ou adj. m. *Crapaud accoucheur,* batracien anoure *(Discoglossidés),* appelé scientifiquement *alyte obstetricans.* → **Alyte.**

4 L'on connaît les soins du mâle du Crapaud accoucheur pour la ponte de ses femelles. Au cours de l'amplexus, il accouche véritablement celles-ci en comprimant énergiquement leurs flancs, provoquant ainsi une expulsion brusque et sonore des chapelets d'œufs.
Jean GUIBÉ, les Batraciens, p. 72.

**ACCOUDEMENT** [akudmɑ̃] n. m. — 1611 ; «accoudoir», 1412 ; de *accouder.*

♦ **1** Le fait d'être appuyé sur le coude ; position d'une personne accoudée.

♦ **2** (1835). Milit. Alignement de fantassins placés coude à coude.

**ACCOUDER (S')** [akude] v. pron. — Fin XIIe ; de *acoter,* 1160 (→ Accoter) ; d'après *coude.*

S'appuyer avec le coude (sur, contre, à qqch.). *S'accouder sur une table, à une balustrade, à un parapet.*

Elle s'accouda, le menton dans la paume de sa belle main, comme oubliant notre présence. 0.1
VILLIERS DE L'ISLE-ADAM, Tribulat Bonhomet, p. 82.

◆ **ACCOUDÉ, ÉE** p. p. adj. *Être accoudé à, sur qqch. Nonchalamment accoudé.*

(...) deux hommes accoudés durant des heures à une table, une carte déployée sous leurs yeux. 1
SAINTE-BEUVE, Causeries du lundi, t. I, p. 142.

Elle se mettait à la fenêtre pour le voir partir, et elle restait accoudée sur le bord, entre deux pots de géranium. 2
FLAUBERT, Mme Bovary, I, V.

**DÉR. Accoudement, accoudoir.**

**ACCOUDOIR** [akudwaʀ] n. m. — XIVe ; de *accouder.*

♦ **1** Cour. Appui sur lequel on peut s'accouder. *L'accoudoir d'un fauteuil* (→ **Accotoir, bras**), *d'une portière d'automobile* (→ **Appui-bras**). *Accoudoir pliant* (d'une banquette).

Étienne appuya ses avant-bras sur les accoudoirs du fauteuil. H. TROYAT, la Tête sur les épaules, p. 121. 1

Les bras idem cassés angle droit au coude les avant-bras le long des accoudoirs longs juste assez bras et accoudoirs pour qu'au bout de ceux-ci s'appuient les poings lâchement serrés. 2
S. BECKETT, Pour finir encore, «Immobile», p. 44.

♦ **2** Techn. Balustrade à hauteur de coude. *Balcon à accoudoirs.*

**ACCOUER** [akwe] v. tr. — Fin XVIe ; «suivre le cerf», 1387 ; de l'anc. franç. *couer, coe,* du lat. *coda, cauda* «queue». → Queue.

Attacher (des chevaux) l'un à la queue de l'autre (par le licol), pour qu'ils se suivent. *Accouer des chevaux.* — Au p. p. *Chevaux accoués.*

**ACCOUPLAGE** [akuplaʒ] n. m. — 1580, «action de s'accoupler avec» ; de *accoupler.*

(1839). Techn. Le fait d'accoupler, de faire fonctionner ensemble (des mécanismes, etc.). *Accouplage de moteurs diesel.* → **Accouplement.**

**ACCOUPLE** [akupl] n. f. — Déb. XIVe, «lien» ; de *accoupler.*

Techn. (chasse). Lien avec lequel on accouple les chiens de chasse. → **Couple.**

**ACCOUPLÉ, ÉE** [akuple] adj. → **Accoupler.**

**ACCOUPLEMENT** [akuplәmɑ̃] n. m. — 1270, «conjonction d'astres» ; de *accoupler.*

♦ **1** (1538). Vx. Le fait de réunir, de mettre ensemble (par couples). *L'accouplement de bœufs pour la charrue.* — Mod. Techn. Le fait d'accoupler ; spécialt, association (d'organes mécaniques) permettant des mouvements relatifs entre eux. → **Accouplage.** *Barre, bielle d'accouplement. Accouplement de machines. Accouplement rigide, élastique. Accouplement à chaînes, à disque, à disque élastique, à engrenages, à grenouillère, à joint homocinétique, à manchon, à manchon expansible, à plateaux. Accouplement de compensation. Accouplement hydraulique.* — Archit. *Accouplement de colonnes. Accouplement de générateurs électriques,* association de plusieurs générateurs afin de disposer d'une plus grande puissance. *Accouplement en série, en parallèle, mixte.*

Fig. Rapprochement (d'éléments). *Un étrange accouplement de mots.* → **Assemblage, réunion.**

♦ **2** (Personnes). **a** (Déb. XVII^e). Vx. Mariage.

1 Tu menais le blond Hyménée,
Qui devait solennellement
De ce fatal accouplement
Célébrer l'heureuse journée.
F. DE MALHERBE, Poésies, «Ode au Grand Écuyer».

**b** (XVII^e). Mod. Conjonction du mâle et de la femelle d'une espèce animale. → **Appareillade** ou **appariade** (perdrix), **appariement** (oiseaux), **baudouinage** (baudets), **bélinage** (bélier et brebis), **bouquinage** (lièvre, lapin), **monte, remonte, saillie** (chevaux); **croisement, reproduction, sélection.**

2 Mais, si la fureur de ton impudicité te poussait, tu devais faire au moins comme les bêtes fauves qui se cachent dans leurs accouplements, et ne pas étaler ta honte jusque sous les yeux de ton père! FLAUBERT, Salammbô, XI.

Le fait de faire s'accoupler des animaux. *Accouplement raisonné,* avec des reproducteurs choisis.

**c** (XV^e). Union sexuelle. → **Coït, copulation.**

REM. En ce sens, le mot évoque la sexualité animale et est souvent employé en mauvaise part.

3 Ce sont les résultats de nos joyeux dîners d'amis, de nos soirs de gaîté, de ces heures où notre chair contente nous pousse aux accouplements d'aventure.
MAUPASSANT, Contes de la Bécasse, «Un fils».

4 Le mariage n'est pas un accouplement : c'est un établissement (...) A. MAUROIS, Terre promise, X.

**ACCOUPLER** [akuple] v. tr. — 1165; de 1. *a-*, et *couple.*

♦ **1** Joindre, réunir par deux. *Accoupler des bœufs à la charrue.*

1 J'ai, surtout pour les mariages, un talent merveilleux. Il n'est point de partis au monde que je ne trouve le moyen d'accoupler; et je crois, si je me l'étais mis en tête, que je marierais le Grand-Turc avec la république de Venise.
MOLIÈRE, l'Avare, II, 6.

Techn. Réunir par un accouplement (des choses, qui peuvent être plus de deux). *Accoupler deux roues par une bielle. Accoupler plusieurs générateurs électriques en série.*

♦ **2** Fig. **a** Réunir (deux personnes) en un couple. — Par extension :

2 Les âmes humaines veulent être accouplées pour valoir tout leur prix.
ROUSSEAU, Julie ou la Nouvelle Héloïse, Lettre XIII.

**b** Réunir (deux choses; souvent : qui jurent entre elles). *Accoupler deux mots, deux idées disparates.*

3 *(Mots)* qui hurlent d'effroi de se voir accouplés.
J.-B. ROUSSEAU, Épître, II, 2.

4 La prudence est peut-être moins une vertu que l'exercice d'un sens de l'esprit, s'il est possible d'accoupler ces deux mots.
BALZAC, Une ténébreuse affaire, Pl., t. VII, p. 554.

♦ **3** (1680). Procéder à l'accouplement de (un mâle et une femelle). *Accoupler une vache irlandaise et (à) un taureau anglais. Accoupler un chien-loup et une chienne.* → **Mâtiner.**

◆ **S'ACCOUPLER** v. pron. (XVI^e).

♦ **1** Par métaphore ou fig. Se rapprocher (en parlant de choses qui souvent s'opposent). — REM. La métaphore et l'évocation du sens sexuel sont plus ou moins nettes (→ cit. 5, 7).

5 Le siècle de Louis XV est une orgie de taverne, où la démence s'accouple au vice.
HUGO, Littérature et Philosophie mêlées, p. 76.

6 L'ombre à l'horreur s'accouple et le mauvais au pire.
HUGO, les Châtiments, III, 8, 1.

7 Le luth lascif s'accouple aux féroces cymbales.
HUGO, la Légende des siècles, XVIII, X.

♦ **2** **a** (Animaux). S'unir sexuellement. — Factitif (avec ellipse du pronom). *Faire accoupler deux boucs avec plusieurs brebis* (→ 1. Mulet, cit. 3). → 2. **Appareiller, apparier** (s'apparier; spécialt, oiseaux); **assortir** (une jument, en parlant de l'étalon); **baudouiner** (l'ânesse, en parlant du baudet); **béliner** (la brebis, en parlant du bélier); **bouquiner** (en parlant du lièvre et du lapin); **côcher** (la poule, en parlant du coq); **couvrir** (en parlant des animaux vivipares); **frayer** (féconder les œufs en parlant des poissons); **hurtebiller** (la brebis, en parlant du bélier); **jargauder** (l'oie, en parlant du jars); **jumeler; mâtiner** (une chienne de race différente du chien); **saillir; servir** (la jument, en parlant de l'étalon); **soumettre** (se soumettre la femelle).

La plupart des animaux qui s'accouplent ne goûtent de plaisir que par un seul sens, et dès que cet appétit est satisfait, tout est éteint (...) 8
VOLTAIRE, Dict. philosophique, Amour.

**b** (Personnes). Péj. S'unir sexuellement (de façon animale).

♦ **3** (Correspondant au sens 2., a du transitif). S'unir en un couple, en parlant de personnes; se marier ou se mettre à vivre maritalement.

(...) bientôt, elle s'adonna avec le sourd et s'accoupla avec lui de manière continue (...) On sut seulement, un jour, qu'ils vivaient ensemble comme mari et femme. 9
MAUPASSANT, les Bécasses, Pl., t. I, p. 568.

◆ **ACCOUPLÉ, ÉE** p. p. adj.

♦ **1** Uni, joint à un autre pour former un couple (→ ci-dessus, cit. 2, 3); uni sexuellement.

♦ **2** Techn. *Les roues accouplées d'une locomotive; des piles électriques accouplées.* — Archit. *Colonnes accouplées,* disposées par deux. — Sculpt. *Têtes accouplées,* adossées sur le même socle.

CONTR. **Désaccoupler.** ◇ DÉR. **Accouplage, accouple, accouplé, accouplement.**

**ACCOURCIE** [akuʀsi] n. f. — 1842; de *accourcir.*

Vx. Chemin qui accourcit. → **Raccourci** (mod.). *Prendre l'accourcie.*

**ACCOURCIR** [akuʀsiʀ] v. — 1162, *acorcir;* de 1. *a-*, et *court.*

Vieux ou littéraire.

♦ **1** V. tr. Rendre plus court. → **Raccourcir** (mod.). *Cette robe est trop longue, il faut l'accourcir. Accourcir son chemin.* → **Abréger, raccourcir.** — Au p. p. (→ cit. 2).

Le chemin étant long, et partant ennuyeux, 1
Pour l'accourcir ils disputèrent.
LA FONTAINE, Fables, IX, 14.

On m'y permet l'entrée *(de la prison),* et vous trouvant ici 2
Je trouve en même temps mon voyage accourci.
CORNEILLE, la Suite du Menteur, I, 1.

C'est le printemps rôti, qui accourcit l'herbe et les lances du blé. 3
COLETTE, l'Étoile Vesper, p. 15.

♦ **2** V. intr. *Les jours accourcissent.*

◆ **S'ACCOURCIR** v. pron. Devenir court ou plus court. *Ce tricot s'est accourci au lavage.* → **Rétrécir.** — Diminuer (de durée). *Les jours commencent à s'accourcir.*

CONTR. **Allonger. — Augmenter.** ◇ DÉR. **Accourcie, accourcissement.**

**ACCOURCISSEMENT** [akuʀsismɑ̃] n. m. — 1503; de *accourcir.*

Vieux ou littéraire.

♦ **1** Vx. Action de rendre plus court; diminution.

L'accourcissement de la queue du chien (...) 1
BUFFON, Hist. nat. des animaux, Dégénérescence des animaux.

♦ **2** Littér. Le fait de devenir plus court (durée).

2 Cependant, le soir surtout, on commençait à avoir conscience de l'accourcissement des jours.
LOTI, Pêcheur d'Islande, V, 4.

CONTR. **Allongement.**

**ACCOURIR** [akuʀiʀ] v. intr. [CONJUG.: *courir.*] — Mil. XI^e^; du lat. *accurere* «courir vers». → Courir.

Venir en courant, en se pressant. → **Arriver, surgir, survenir.** — REM. Aux temps composés, *accourir* se conjugue avec l'auxiliaire *être* (→ ci-dessous cit. 5) ou (vieilli) avec *avoir* : *«J'ai vite accouru. Ses amis ont accouru pour le féliciter de son succès»* (Académie). — *Nous avons accouru l'aider,* pour l'aider. *Il est accouru nous voir. J'accourais vous prier.* → Vapeur, cit. 7. *Accourir en foule.*

1 Un domestique accourt, l'avertit qu'à la porte
Deux hommes demandaient à le voir promptement.
LA FONTAINE, Fables, I, 14.

2 Une chauve-souris donna tête baissée
Dans un nid de belette; et sitôt qu'elle y fut,
L'autre, envers les souris de longtemps courroucée,
Pour la dévorer accourut.
LA FONTAINE, Fables, II, 5.

3 De bonheur pour ce loup, qui ne pouvait crier,
Près de là passe une cigogne.
Il lui fait signe, elle accourt.
LA FONTAINE, Fables, III, 9.

4 Une montagne en mal d'enfant
Jetait une clameur si haute
Que chacun au bruit accourant
Crut (...) LA FONTAINE, Fables, V, 10.

5 Vous m'êtes en dormant un peu triste apparu;
J'ai craint que ce fût vrai, je suis vite accouru.
LA FONTAINE, Fables, VIII, 11.

6 Et mon chat de crier, et le rat d'accourir.
LA FONTAINE, Fables, VIII, 22.

7 Viens me voir, disait-il *(Céphale),* chère déesse accours,
Je n'en puis plus, je meurs (...)
LA FONTAINE, les Filles de Minée.

8 Faites-moi chercher, et je serai trop heureuse d'accourir.
PROUST, À la recherche du temps perdu, t. I, p. 269.

Fig. (Sujet n. de chose). Arriver rapidement (cet emploi est souvent métaphorique de l'emploi «humain»; → cit. 12, Hugo).

9 Quand leur jeunesse *(des roses)* s'est montrée,
Leur vieillesse accourt à l'instant. BAÏF, les Roses.

10 La raison, le jugement, viennent lentement, les préjugés accourent en foule. ROUSSEAU, Émile, III.

11 (...) les flots accourent (...)
HUGO, Post-Scriptum de ma vie, p. 83.

12 La mort accourt avec la rumeur d'une foule.
HUGO, la Légende des siècles, «L'élégie des fléaux».

13 Par moments la tempête accourt, le ciel pâlit,
L'autan, bouleversant les flots de l'air, emplit
L'espace d'une écume affreuse de nuages.
HUGO, la Légende des siècles, LVIII, II.

CONTR. **Flâner, lambiner, tarder, traîner.**

**ACCOURSE** [akuʀs] n. f. — 1751; de *coursie,* XV^e^; de l'ital. dial. *corsia* «passage où l'on peut courir», ital. littér. *corsivo.* → Coursive.

Archit. Galerie extérieure qui fait communiquer des pièces, des appartements.

**ACCOUTREMENT** [akutʀəmɑ̃] n. m. — 1498; de *accoutrer.*

♦ **1** Habillement étrange, ridicule qui évoque un déguisement. → **Affublement, défroque, déguisement, équipage, tenue.** → Manouche, cit. 1. *Un accoutrement bizarre, grotesque, singulier. Un accoutrement de carnaval, de clown, de pitre.* — *Vêtement misérable. Un pauvre, un pitoyable accoutrement.* → **Haillons, hardes, nippes, oripeaux.**

Que signifie cet accoutrement? Qui êtes-vous pour venir parodier sous cette large perruque un homme que j'ai aimé? A. DE MUSSET, Fantasio, II, 1. 1

Il était déjà dix heures et demie et l'on commençait à arriver quand la porte s'étant ouverte, promenant sur l'assemblée un face-à-main plein de prétention s'avança une femme dont la figure étrange surmontant un accoutrement bizarre et plus fait pour figurer sur une toile dans un musée ou derrière la rampe dans une féerie causait au premier abord cette double impression répulsive qu'elle était ridiculement laide et qu'elle se croyait merveilleusement belle (...) PROUST, Jean Santeuil, Pl., p. 741. 1

♦ **2** Vx. Uniforme (de guerre, de chasse). *Un accoutrement de guerre.* — Mod. Équipement, uniforme (compliqué, incommode, ridicule).

L'équipement de l'homme est tout neuf. La photographie doit remonter au commencement de la guerre, à l'époque de la mobilisation générale (...) Le grand attirail de soldat en campagne paraît cependant indiquer, plutôt, qu'il s'agit vraiment du début de la guerre, car un fantassin en permission ne vient pas chez lui dans un accoutrement si peu commode, en temps normal.
A. ROBBE-GRILLET, Dans le labyrinthe, p. 67-68. 1

♦ **3** Vx. ou littér. Vêtements, ensemble de l'habillement. *De beaux accoutrements.*

(...) des jeunes gens posaient en leurs accoutrements de gravures de modes, avec des gants clairs, des bottes vernies. MAUPASSANT, la Femme de Paul, p. 10. 2

La médecine, à renier toute particularité d'accoutrement, perd un peu de son prestige et, nécessairement de son efficacité, erreur que la magistrature n'est pas encore près de commettre.
G. DUHAMEL, Chronique des Pasquier, III, 7. 3

Pierre Lagarde, important, pontifie et pérore. On ne voit que son délicieux accoutrement, avec la tache jaune de son écharpe — sur la terne grisaille de ses confrères.
Claude MAURIAC, le Temps immobile, p. 60. 4

**ACCOUTRER** [akutʀe] v. tr. — Fin XIII^e^, *acostrer, acoutrer* «mettre en place; disposer»; pron., «se vêtir», 1509; p.-ê. du lat. pop. **accosturare,* **acconsuturare* «rapprocher en cousant», de **co(n)sutura* «couture».

♦ **1** Vx. Vêtir, habiller. *Il était magnifiquement accoutré.*

♦ **2** (Fin XVII^e^). Mod. Péj. Vêtir d'une manière étrange ou ridicule. → **Affubler, déguiser, fagoter, ficeler, harnacher.** *Elle accoutre ridiculement ses enfants.* — Pron. *Il s'accoutre d'une manière grotesque.*

Vieilli. Vêtir de façon misérable.

*Accoutré, ée.* Passif et p. p. *Être accoutré de bizarres oripeaux. Accoutré en soldat d'opérette.*

(...) un piéton, accoutré à l'orientale. 1
FLAUBERT, Trois contes, «Saint Julien».

Absolt. *Accoutré,* mal habillé.

(...) deux des invitées étaient laides : on cherchait sur le visage d'Anne deux signes de laideur; deux autres étaient accoutrées : on examinait de plus près la robe d'Anne.
GIRAUDOUX, Simon le Pathétique, p. 154. 1

♦ **3** (1549). Fig. Vx. *Accoutrer qqn de coups.* Loc. *Accoutrer qqn de toutes pièces,* le maltraiter.

Le pèlerin vous lui froisse une épaule, 2
De horions laidement l'accoutra (...)
LA FONTAINE, Contes, I, 3.

Par ext. Dire du mal de (qqn).

DÉR. **Accoutrement.**

**ACCOUTUMANCE** [akutymɑ̃s] n. f. — 1160, *acostomance;* de *accoutumer.*

♦ **1** Le fait de s'habituer, de s'accoutumer (à qqch.), de se familiariser (avec qqch.). → **Coutume, habitude, usage.** *L'accoutumance de qqn à qqch. L'accoutumance à qqch., à la douleur, au malheur. L'accoutumance à supporter qqch.* → **Aguerrissement,**

**endurcissement.** *Une accoutumance rapide, lente.* — Absolt. *L'accoutumance.* → **Habitude.**

1 L'accoutumance ainsi nous rend tout familier;
Ce qui nous paraissait terrible et singulier
S'apprivoise avec notre vue (...)
LA FONTAINE, Fables, IV, 10.

2 La jeunesse change ses goûts par l'ardeur du sang, et la vieillesse conserve les siens par l'accoutumance.
LA ROCHEFOUCAULD, Maximes, 109.

3 Dans (...) mon accoutumance à la voir malade, je ne contenais en moi qu'à l'état virtuel le souvenir de ce qu'elle avait été.
PROUST, À la recherche du temps perdu, t. IX, p. 201.

4 Il y a certainement une accoutumance au malheur, un endurcissement ou mieux : l'habitude du retrait, certaine faculté de repliement, par quoi les natures non épanouies n'offrent aux coups du sort presque plus de surface sensible. GIDE, Journal, 7 nov. 1915.

Spécialt. Le fait de s'adapter à des situations nouvelles. → **Acclimatation, adaptation.**

♦ **2** Biol. Processus par lequel un être vivant devient de moins en moins sensible à l'action d'un agent. → **Immunisation, insensibilisation.** *L'accoutumance (humaine) à un poison. Accoutumance des insectes aux insecticides.* — État d'immunité qui en résulte. → **Mithridatisation.**

Spécialt. État dû à l'usage prolongé d'une drogue (désir de continuer, effets nuisibles, etc.). → **Dépendance, toxicomanie.**

CONTR. **Désaccoutumance. — Anaphylaxie, intolérance, sensibilisation.**

**ACCOUTUMÉ, ÉE** [akutyme] adj. — D. i. (après 1170); p. p. de *accoutumer.*

♦ **1** *Accoutumé à (qqn, qqch.),* habitué à (qqn, qqch.). *Il se tut, accoutumé à ses colères. Les yeux accoutumés à l'obscurité.*

♦ **2** Ordinaire, familier. → **Habituel.** *S'installer à sa place accoutumée.*

1 Ta portion accoutumée (...)
LA FONTAINE, Fables, VIII, 17.

2 Reprendre auprès de moi ta place accoutumée.
CORNEILLE, Cinna, V, 3.

3 L'aube éveille le nid à l'heure accoutumée.
HUGO, les Châtiments, IV, 10.

4 Il faisait sa promenade accoutumée par la ville.
FRANCE, l'Anneau d'améthyste, p. 85.

5 (...) toute chose excessive et hors de l'ordre accoutumé.
FRANCE, le Petit Pierre, XVI.

♦ **3** Loc. adv. *À l'accoutumée,* à l'ordinaire, comme de coutume. *Tout s'est passé comme à l'accoutumée.*

**ACCOUTUMER** [akutyme] v. tr. — 1170, au sens 2.; *acostumer* «s'habituer à qqch.», 1160; de 1. *a-*, et *coutume.*

♦ **1** Faire prendre l'habitude de... → **Acclimater, adapter, façonner** (littér.), **faire, familiariser, habituer, plier, rompre** (à). *Accoutumer (qqn) à qqch., à faire qqch. Accoutumer qqn à une règle. Accoutumer qqn à une drogue, à un poison.* → **Immuniser, mithridatiser.** *Nous l'avons accoutumé à écouter de la musique. Il n'a pas été accoutumé à travailler.* — (Sujet n. de chose). *Sa vie l'a accoutumé au danger.* → **Aguerrir, endurcir.**

1 Accoutumer nos cœurs à goûter son poison *(de l'amour).*
LA FONTAINE, les Filles de Minée, V, 31.

2 Savez-vous quel est le plus sûr moyen de rendre votre enfant misérable? C'est de l'accoutumer à tout obtenir.
ROUSSEAU, Émile, II.

♦ **2** (1177). Vx. *Avoir accoutumé une chose,* l'avoir prise comme habitude. — Vieilli ou littér. *Avoir accoutumé de faire qqch.,* en avoir l'habitude.

Mais ce cerf n'avait pas accoutumé de lire. 3
LA FONTAINE, Fables, VIII, 14.

Je n'ai point accoutumé de dissimuler mes défauts. 4
CORNEILLE, l'Examen d'Horace.

Je me trouvais à la messe dans un état bien différent de 5
celui où j'avais accoutumé d'être.
BOSSUET, Oraison funèbre d'Anne de Gonzague.

Nous avions tout lieu de croire qu'il était à la Bastille, où 6
il avait accoutumé de vivre.
FRANCE, les Opinions de J. Coignard, p. 353.

«*You're so magnetic*», «vous êtes si magnétique», avait-elle 6.1
accoutumé de dire, subissant son charme.
Paul MORAND, Bouddha vivant, p. 216.

Il avait si fort accoutumé de faire siennes les affirmations 7
de son patron (...)
MARTIN DU GARD, les Thibault, V, 1.

Dieu n'a pas accoutumé d'appeler une âme sur les hau- 8
teurs pour la rejeter dans les bas-fonds.
F. MAURIAC, la Pharisienne, II, p. 31.

(...) ma pitié, ou du moins cette sorte de malaise devant 9
la misère d'autrui, que nous avons accoutumé d'appeler
ainsi. F. MAURIAC, la Pharisienne, p. 156.

Au passif. *Être accoutumé à (qqch., faire qqch.),* avoir pris l'habitude de... (→ **Accoutumé**).

Leur troupe n'était pas encore accoutumée 10
À la tempête de sa voix (...)
LA FONTAINE, Fables, II, 19.

Et que pouvez-vous dire? Qu'une âme accoutumée aux 11
grandes actions Ne se peut abaisser à des submissions (...)
CORNEILLE, le Cid, II, 6.

De même pourriez-vous faire le bien, vous qui êtes accou- 12
tumés à faire le mal? BIBLE, Jérémie, XIII, 23.

J'étais accoutumé à ne plus la voir et son souvenir déjà 13
lointain s'effaçait peu à peu de mon cœur.
FRANCE, le Petit Pierre, XXX.

Pour accoutumé qu'il fût aux infortunes de la chair et de 14
l'âme (...)
G. DUHAMEL, Chronique des Pasquier, VII, 26.

◆ **S'ACCOUTUMER** v. pron. *S'accoutumer à,* s'habituer à. → **Adapter** (s'). *On s'accoutume à tout. Il s'accoutume à vivre à la campagne. S'accoutumer à des inconnus.* — Vieilli. *S'accoutumer avec,* se familiariser avec. *S'accoutumer avec le danger.*

Les deux enfants, malgré leur cœur frivole, 15
L'un avec l'autre aussi s'accoutumaient.
LA FONTAINE, Fables, X, 11.

Nous nous accoutumons à tout ce qui est à nous; les 16
mêmes biens ne conservent pas leur même prix, et ils
ne touchent pas également notre goût; nous changeons
imperceptiblement, sans remarquer notre changement.
LA ROCHEFOUCAULD, Réflexions, De l'Amour.

Savez-vous le pire de tout cela. c'est qu'on s'y habitue. Oui! 17
on s'y fait. On s'accoutume à se passer de Paris.
FLAUBERT, Correspondance, t. IV, p. 52.

Ce que la bouche s'accoutume à dire, le cœur s'accoutume 18
à le croire. BAUDELAIRE, Œuvres, t. II, p. 424.

Par malheur, si l'on s'accoutume à tout, on n'a pas encore 19
pu prendre l'habitude de ne point manger.
ZOLA, l'Assommoir, p. 211.

◆ **ACCOUTUMÉ, ÉE** p. p. adj. → **Accoutumé.**

CONTR. **Désaccoutumer, déshabituer.** ◊ DÉR. **Accoutumance, accoutumé.** — COMP. **Désaccoutumer, raccoutumer, réaccoutumer.**

**ACCOUVAGE** [akuvaʒ] n. m. — 1907; de *accouver.*

Agric. Technique qui consiste à provoquer et à contrôler l'éclosion des œufs en couveuse artificielle.

**ACCOUVER** [akuve] v. tr. — Déb. XIIIe; de 1. *a-*, et *couver.*

Techn. *Accouver une poule,* lui préparer un nid et des œufs pour qu'elle couve. — Par ext. Réaliser de façon artificielle l'incubation des œufs (→ **Accouvage**).

◆ **S'ACCOUVER** v. pron. Se mettre à couver.

◆ **ACCOUVÉ, ÉE** p. p. adj. (1611). Vieilli. Péj. Accroupi (comme une poule qui couve).

Jour et nuit, elle était assise, accouvée comme une vieille poule sur ses richesses (...)
BERNANOS, la Joie, *in* Œ. roman., Pl., p. 650.

DÉR. **Accouvage, accouveur.**

**ACCOUVEUR, EUSE** [akuvœʀ, øz] n. — Déb. XXe; de *accouver.*

Techn. Personne qui pratique l'accouvage (→ Aviculteur). — N. m. Entreprise pratiquant l'accouvage. *Les accouveurs industriels.*

**ACCRASSINER** [akʀasine] v. tr. — 1925, cit.; mot solognot, de 1. *a-,* et *crassiner* «bruiner, crachiner» (idée d'agacement liée à la pluie, selon T. L. F.), attesté par ailleurs (Normandie).

Dial. Ennuyer.

Tais-toi! dit-il rudement. Ne m'accrassine pas, Sandrine! Me voilà frais, avec celle-ci qui pleure encore!
M. GENEVOIX, Raboliot, p. 49.

**ACCRÉDITAIRE** [akʀeditɛʀ] adj. — D. i.; de *accréditer.*

Dr. internat. *État accréditaire,* auprès duquel un agent diplomatique est accrédité (s'oppose à *accréditant*).

**ACCRÉDITATION** [akʀeditasjɔ̃] n. f. — 1853, Lachâtre; de *accréditer.*

Admin. Action d'accréditer (un agent diplomatique) auprès d'un gouvernement étranger, au moyen de lettres de créance. *L'accréditation d'un ambassadeur auprès d'un chef d'État.*

Par ext. (Presse). *Accréditation de journalistes à participer à des épreuves sportives, des conférences de presse. Carte d'accréditation.*

**ACCRÉDITEMENT** [akʀeditmɑ̃] n. m. — XXe; de *accréditer.*

Comm., fin. Action d'accréditer (qqn); fait d'être accrédité. *L'accréditement d'un homme d'affaires auprès d'une banque.*

(...) ce sont les groupements qui demandent l'accréditement de ma banque de préférence à toute autre (...)
M. DRUON, la Chute des corps, III, III.

**ACCRÉDITER** [akʀedite] v. tr. — 1553; esp. *acreditar,* même sens, de *credito* «crédit», du lat. *creditum.* → Crédit.

♦ **1** *Accréditer quelqu'un.* [a] Vx. Mettre en crédit (qqn).

[b] Mod. Admin. Donner l'autorité nécessaire pour agir (en telle qualité). *Accréditer un ambassadeur auprès d'un chef d'État (par des lettres de créance*). Le gouvernement l'a accrédité comme son représentant auprès de l'O. N. U.* — Comm., fin. *La banque l'a accrédité auprès d'une agence étrangère,* a donné ordre de lui ouvrir un crédit. — *Accréditer un journaliste.* → **Accréditation.**

Par ext. Recommander (qqn) pour le faire accepter. *Il a écrit au directeur pour vous accréditer.* — (Passif). *Être accrédité,* jouir d'une bonne réputation. *Être accrédité auprès d'un banquier,* avoir un crédit, du crédit chez lui (→ ci-dessous, le p. p. adjectival).

1 Il n'y avait point (...) de médecin (...) plus accrédité que le docteur Sangrado. Il s'était mis en réputation dans le public par (...) A. R. LESAGE, Gil Blas, II, 3.

1.1 Le texte certifiait le caractère pacifique du porteur et, en l'accréditant, priait expressément qu'on lui accordât les égards et le traitement officiel réservés aux parlementaires de guerre. J. GRACQ, le Rivage des Syrtes, p. 246.

♦ **2** (1671). *Accréditer (qqch.),* rendre croyable, plausible, vraisemblable (qqch.). → **Autoriser, propager.** *Accréditer un faux bruit, une opinion, un système. Accréditer telle version des événements.* — (Passif et p. passé) :

Toute réponse à peu près plausible aux questions qu'il se pose et qu'il n'arrive pas à résoudre seul s'offre à lui comme un refuge, surtout si elle lui paraît accréditée par l'adhésion du grand nombre. 2
MARTIN DU GARD, les Thibault, VIII, 16.

Donner de l'autorité à... *Des journaux accréditent ce bruit, cette hypothèse.*

◆ **S'ACCRÉDITER** v. pron. Se propager, se répandre (en parlant d'un bruit, d'une rumeur). *Des calomnies, des nouvelles, des opinions s'accréditent.*

Le lendemain : «Les Étrusques lancent fausses nouvelles sur fausses nouvelles. Ne vont-ils pas maintenant jusqu'à parler de leur "victoire" de Malaparte?» Il convient que les journaux français insistent quotidiennement sur l'altération systématique de la vérité que pratiquent les Étrusques. Si on laisse courir des mensonges sans les démentir, ils risquent de s'accréditer. 3
R. QUENEAU, le Chiendent, p. 399.

◆ **ACCRÉDITÉ, ÉE** p. p. adj. et n.

♦ **1** (Personnes). Qui est en crédit. *Un représentant accrédité du gouvernement. Un écrivain, un savant accrédité auprès du public.*

♦ **2** (Choses). Qui est admis. *Des faits, des paroles accrédités. Une histoire accréditée, une opinion accréditée.*

♦ **3** N. Comm., fin. Personne qui bénéficie d'un accréditif. *Des accrédités.*

CONTR. **Discréditer.** ◇ DÉR. **Accréditaire, accréditation, accréditement, accréditeur, accréditif.**

**ACCRÉDITEUR, EUSE** [akʀeditœʀ, øz] n. — 1846; de *accréditer.*

Admin., fin. Personne qui donne sa garantie en faveur d'un tiers.

**ACCRÉDITIF, IVE** [akʀeditif, iv] adj. et n. m. — 1928; de *accréditer.*

Vx ou comm., finances.

♦ **1** Adj. (Choses). Qui accrédite (1.).

♦ **2** N. m. [a] Lettre par laquelle une banque ouvre au client un crédit auprès d'un correspondant (succursale, banque étrangère, etc.). *L'accréditif d'une société.* — Ce crédit lui-même. *Accréditif bancaire.* → **Crédit.**

[b] Pièce qui accrédite un journaliste. → **Accréditation.**

Je n'ai rien, bien entendu, contre les chroniqueuses judiciaires, cependant je sais que pour rendre compte des procès les places sont chères, que les femmes n'y accèdent qu'en cas de défaillance masculine. Il faut des accréditifs, des cartes, des tampons, montrer patte blanche.
Michèle PERREIN, Entre chienne et louve, p. 208.

**ACCRESCENT, ENTE** [akʀesɑ̃, ɑ̃t] adj. — 1842; du lat. *accrescens,* p. prés. de *accrescere* «grandir, s'accroître».

Bot. *Organes accrescents, parties accrescentes,* qui continuent de s'accroître après la fécondation.

**ACCRÊTÉ, ÉE** [akʀete] adj. — 1532; p. p. de l'anc. franç. *s'accrester* «lever la crête en signe d'orgueil (en parlant d'un coq)», de *crête.*

Vx ou littéraire.

♦ **1** Surmonté d'une crête, d'un panache. *Un chapeau accrêté d'une plume.*

♦ **2** (Personnes). Fier, hautain (comme un coq dont la crête se dresse).

**ACCRÉTION** [akʀesjɔ̃] n. f. — 1751 ; lat. médiéval *accretio* «action d'augmenter».

Didact. Processus d'agglomération (d'éléments matériels). *Accrétion de nuages, de planètes.* — Géol. *Accrétion continentale, tectonique.*

**ACCRO** [akʀo] adj. et n. — 1979 ; abrév. de *(être) accro(ché).*

Familier.

♦ **1** Dépendant* d'une drogue. *Elle est complètement accro à l'héroïne.* (→ aussi **Addiction**).

♦ **2** Passionné par (qqch.). → **Fana.** — N. *Les accros du jazz, des jeux vidéo.*

HOM. **Accroc.**

**ACCROC** [akʀo] n. m. — 1530, «crochet» ; de *accrocher.*

♦ **1** (1680). **a** (Concret). Déchirure faite par ce qui accroche. *Faire un accroc à sa veste. Raccommoder un accroc à son pantalon. Faire un accroc à un tapis de jeu, de billard. Le premier accroc coûte deux cents francs,* roman d'Elsa Triolet.

Je lui ai cherché au «Zélé» tous ses accrocs, ses moindres lacunes, je le réparais en «fonds de culotte» «surjeté» «rebordé», «plissé», ça dépendait des fissures (...)
CÉLINE, Mort à crédit, p. 421.

**b** (1763). Fig. Infraction. *Un accroc à la règle, au règlement.* Entorse, violation. — *C'est un accroc à sa réputation.* → **Souillure, tache.**

Gare les accrocs pour sa vertu !
J.-B. DE JUNQUIÈRES, Caquet-Bonbec, 1, *in* HATZFELD.

♦ **2** Difficulté qui arrête, incident qui a des conséquences malheureuses. *Tout s'est passé sans accroc.* → **Anicroche, complication, difficulté, embarras, empêchement, obstacle.** *Un petit accroc les a mis en retard.* → **Contretemps.**

(...) aucun accroc sérieux, durant ces cinq jours de marche.
GIDE, Voyage au Congo, *in* Souvenirs, Pl., p. 754.

Et si, dis-je encore, il vous arrive un tout petit accroc — trois fois rien : une panne de pneu — vous êtes, je pense excellente mécanicienne ?
G. DUHAMEL, Scènes de la vie future, VI.

**ACCROCHAGE** [akʀɔʃaʒ] n. m. — 1583 ; de *accrocher.*

**I** ♦ **1** Action d'accrocher ; fait d'être accroché. *L'accrochage d'un wagon. — Organes d'accrochage.* → **Crochet.**

Et de même que la main est l'organe d'accrochage qui permet à l'homme de s'ajuster selon ses besoins un marteau, une épée ou un stylo, de même son sexe est organe d'accrochage des parties sexuelles, plutôt que partie sexuelle lui-même.
M. TOURNIER, le Roi des Aulnes, p. 25.

*L'accrochage d'un tableau. — Disposition, présentation des tableaux dans une galerie, une exposition ; petite exposition. Un bel accrochage.*

♦ **2** Techn. **a** (1784). Débouché d'une galerie dans un puits de mine. *Traverser la salle de l'accrochage pour aller vers les galeries.*

**b** Métall. Dépôt qui s'accroche aux parois d'un haut fourneau et empêche les matières de descendre régulièrement. *Détruire l'accrochage.*

**c** Partie de la jante qui sert à maintenir le talon de l'enveloppe d'un pneumatique. → **Gouttière.**

♦ **3** Fam. Fait d'entrer en relation, en communication avec (qqn, qqch.). *L'accrochage d'une situation.*

♦ **4** Techn. (publicité). Élément destiné à retenir l'attention de l'acheteur éventuel. → **Accroche.** *L'accrochage publicitaire.*

Un dessin, un slogan, une phrase d'accrochage peuvent (...) 0.2
tenter, plaire, conquérir : il est rare qu'ils convainquent.
Bernard DE PLAS et Henri VERDIER, la Publicité, p. 43.

♦ **5** Fig. Liaison, enchaînement (d'éléments qui ont été accrochés, liés).

(...) le cliché ou accrochage banal de syllabes toutes prêtes 1
comme ténèbres et funèbres, rêve et brève (...)
CLAUDEL, Positions et Propositions, t. I, p. 35.

♦ **6** Techn (De *accrocher,* au fig.). Naissance d'une oscillation libre, gênante (en électrotechnique). — Passage à la vitesse synchrone (d'un moteur électrique).

**II** ♦ **1** Fait de s'accrocher. — Spécialt. Léger choc entre deux voitures. *Sur ces chaussées glissantes, il y a de nombreux accrochages.* → **Accident.**

♦ **2** Milit. Bref engagement. *Un accrochage entre deux patrouilles.* — Par ext. *Il y a eu des accrochages sans gravité entre les manifestants et le service d'ordre.*

Fam. Dispute.

Il *(Péguy)* eut des accrochages avec les catholiques et d'au- 2
tres, plus sérieux, avec les abonnés anti-cléricaux.
A. MAUROIS, Études littéraires, t. I, p. 228.

**ACCROCHE** [akʀɔʃ] n. f. — XVI^e ; déverbal de *accrocher.*

♦ **1** Vx. Agrafe, attache. — Fig. et vx. Difficulté qui empêche ou retarde l'exécution d'un projet, d'une affaire. → **Accroc.** *«Des accroches qui retarderont (...) notre payement»* (Furetière, 1690).

♦ **2** Mod. Publicité, journalisme. Élément (dessin, slogan, début de texte) destiné à accrocher l'attention. *Trouver une bonne accroche.* → **Accrochage** (I., 4.).

**ACCROCHE-** Premier élément de mots composés, du v. *accrocher.* Voir à l'ordre alphab., et cf. aussi : *accroche-casseroles* [akʀɔʃkasʀɔl] n. m., *accroche-couvercles* [akʀɔʃkuvɛʀkl] n. m., *accroche-tasses* [akʀɔʃtɑs] n. m.

**ACCROCHE-CŒUR** [akʀɔʃkœʀ] n. m. — 1837, «favoris» (argotique) ; de *accrocher,* et *coeur.*

♦ **1** Boucle de cheveux collés à plat sur la tempe. *Des accroche-cœurs,* ou, invar. (→ ci-dessous cit. 1, Zola), *des accroche-cœur.* → **Frisette, guiche.**

Elle l'appelait «ma chérie», et lui ramenait sur le front 1
deux accroche-cœur qui s'envolaient.
ZOLA, Son Excellence Eugène Rougon, t. II, p. 195.

(...) une brune du type abondant et familier, l'accroche- 2
cœur de la tempe collé à la salive.
Joseph PEYRÉ, Sang et Lumières, p. 338.

♦ **2** Argot anc. Favoris.

**ACCROCHEMENT** [akʀɔʃmɑ̃] n. m. — 1544 ; «fait d'empiéter sur les droits d'un autre», XIII^e ; de *accrocher.*

♦ **1** Vx. Action d'accrocher. → **Accrochage.** *L'accrochement de deux véhicules.*

J'agrippais au vol, je tordais les mains des bénisseurs, 1
celles des offrants, celles des trafiquants. Dans un grand
bruissement, dans un grand accrochement (...) je les tordais tous.
Henri MICHAUX, Face aux verrous, p. 230.

♦ **2** Fig. et littér. *Accrochement à...,* fait de se tenir fermement à (quelque chose).

Sans tomber dans des espérances mystiques, il est certain 2
que nous avons besoin d'un accrochement à une foi quelconque.
J.-R. BLOCH, Deux hommes se rencontrent, p. 35.

**ACCROCHE-PLATS** [akʀɔʃpla] n. m. — 1877; de *accrocher*, et *plat*.

Suspension, support, crochet pour fixer au mur un plat d'ornement. — REM. On écrit aussi *accroche-plat* (plur. *des accroche-plats*).

**ACCROCHER** [akʀɔʃe] v. tr. — 1165; de 1. *a-*, et *croc*.

**I** ♦ **1** (XVIe). Suspendre à un crochet. *Accrocher son manteau à une patère, à un portemanteau.*

1 Derrière la porte se trouvaient accrochés un manteau à petit collet, une bride, une casquette (...)
FLAUBERT, Mme Bovary, I, V.

Attacher avec un crochet. → **Fixer, suspendre.** *Accrocher un tableau, une pancarte au mur.* — Au p. p. *Un tableau bien, mal accroché.*

Loc. fig. Au p. p. *Avoir le cœur (l'estomac) bien accroché*, ne pas être sensible à des conditions de vie désagréables, avoir une grande résistance physique. *Pour faire ce métier-là, il faut vraiment avoir le cœur bien accroché.*

♦ **2** (Sujet n. de chose). Retenir, arrêter par qqch. de pointu. *Un clou a accroché son bas. Les épines qui accrochent ma jupe.* — (Passif). *Être accroché par un buisson épineux.*

2 Le buisson accrochait les passants à tous coups (...)
LA FONTAINE, XII, 7.

Factitif. (Sujet n. de personne). *J'ai accroché mon bas.* Spécialt. Heurter (un véhicule). *Prenez garde à ce camion, il va accrocher votre voiture. Sa voiture a accroché mon pare-chocs.* — Absolt. *On accroche souvent dans ces rues encombrées.*

3 D'un carrosse en tournant il accroche une roue,
Et du choc le renverse en un grand tas de boue.
BOILEAU, Satires, VI.

♦ **3** (Sujet n. de personne). **a** (Concret). Saisir, retenir au moyen d'un crochet. — Anciennt. *Accrocher un navire pour le prendre à l'abordage.* → **Aborder, crocher.**

**b** Arrêter qqn au passage. *Il nous a accrochés quand nous sommes sortis du café.*

3.1 En passant devant la boutique d'Hetzel, accroché par Silvestre, qui m'a fait entrer.
E. DELACROIX, Journal, 14 nov. 1853, t. II, p. 269.

**c** Milit. *Accrocher l'ennemi*, le retenir par son action et l'obliger à combattre. → **Immobiliser.** *Accrocher des forces ennemies.*

4 (...) pour empêcher la marquise de s'éloigner de lui, pour «l'accrocher», comme Robert disait des armées ennemies dont on veut forcer les effectifs à rester engagés sur un certain point.
PROUST, À la recherche du temps perdu, t. IX, p. 124.

**d** (1690). Vx. Arrêter, suspendre (qqch.) par des difficultés, des obstacles. *Accrocher une affaire, des biens.* → **Immobiliser.** — Au participe passé :

5 Notre procès demeura accroché jusqu'à l'hiver suivant
SAINT-SIMON, Mémoires, XV, Pl., t. I, p. 216.

**e** (Compl. n. de personne). Vx. Attirer à soi par adresse. → **Attraper.** *Accrocher un mari.*

6 Dans l'âme elle est du monde, et ses soins tentent tout Pour accrocher quelqu'un, sans en venir à bout. (...) Cependant un amant plairait fort à la dame, Et même pour Alceste elle a tendresse d'âme.
MOLIÈRE, le Misanthrope, III, 3.

♦ **4** (Sujet n. de personne ou de chose). **a** Parvenir à avoir avec soi, pour soi. → **Obtenir.** *Accrocher une bonne place, une situation, un emploi.* → **Décrocher.**

**b** *Accrocher un mot, une phrase, une idée*, les saisir, les comprendre au passage.

7 Son regard accroche une phrase au vol.
MARTIN DU GARD, les Thibault, V, 5.

**c** (Sujet et compl. n. de chose). Retenir, faire rester avec... *Accrocher la lumière, un reflet.*

La crépelure domptée de ses cheveux châtains se révélait, quand même, en petites ondes qui accrochaient la lumière, en vapeur dorée sur la nuque et près des oreilles. Elle avait un air toujours vaguement offensé, des narines courtes et veloutées qui faisaient penser à une biche. 7
COLETTE, la Maison de Claudine, p. 112.

♦ **5** Retenir l'attention, l'intérêt de (qqn). *Ce film accroche les spectateurs dès le début.* — Retenir. *Accrocher le regard de qqn. — Accrocher l'intérêt du client* (en publicité). → **Accrochage, accroche.** Absolt. *Cette publicité accroche.* → **Accrocheur.**

(...) j'aurais pu profiter de l'occasion pour m'échapper, le planter là, lui, son insistance accapareuse, ses photos (il me les fit voir par la suite) et ses questions. Mais il m'avait déjà séduit, ou plutôt accroché, ou intrigué, ou subjugué, je ne sais pas (...) 7
Claude SIMON, le Vent, p. 106.

**II** V. intr. ♦ **1** (Concret). S'accrocher, être accroché par qqch. *La plume accroche sur le papier.*

Cette main, ce papier, cette encre bleu-noir qui trace ses traits, ce bruit d'insecte qui ronge quand la plume accroche le long de l'écriture, sont infiniment et éternellement eux-mêmes. 7
J-M. G. LE CLÉZIO, l'Extase matérielle, p. 196.

♦ **2** Présenter des difficultés de fonctionnement, des accrocs. *La conférence a accroché sur un point délicat.*

♦ **3** Être accroché, s'établir (en parlant d'un contact). *Ça commence à accrocher.*

◆ **S'ACCROCHER** v. pron. (Du sens I.).

♦ **1** (Sens passif). *S'accrocher à...*, être suspendu ou retenu à un crochet. — Par métaphore :

Les idées ne s'accrochent pas au clou comme les épées. Quand le philosophe, quand le poète se repose, ses idées continuent de combattre. 8
HUGO, Post-Scriptum de ma vie, p. 6.

♦ **2** (Réfléchi). **a** Concret. (Personnes). Se tenir avec force. *S'accrocher des deux mains à qqch.* — (Choses). *Des arbustes s'accrochent à la falaise.*

La lumière douce de la lune s'accrochait aux étoiles pâles et aux herbes de la prairie.
A. MAUROIS, les Silences du colonel Bramble, p. 169.

Jacques montait pesamment, s'accrochant à la rampe (...)
MARTIN DU GARD, les Thibault, V, 7.

Une maison qui s'accrochait comme une gale fuligineuse au flanc de la montagne.
G. DUHAMEL, Chronique des Pasquier, III, IV.

Méfions-nous des noyés qui s'accrochent et qui nous noient.
COCTEAU, la Difficulté d'être, p. 212.

**b** Abstrait, par métaphore ou fig. (Sujet n. de personne). Se retenir à (qqch., une valeur, des biens).

Il y avait là tous les vagabonds nocturnes de Paris, des désœuvrés et des occupés, tous ceux qui, à partir de sept heures du soir, ne savent plus que faire et dînent au Cercle pour s'accrocher, grâce au hasard d'une rencontre, à quelque chose ou à quelqu'un.
MAUPASSANT, Fort comme la mort, I, III, p. 102.

Et pourtant, comme un naufragé à une épave, je m'accroche à mes souvenirs, je me cramponne à leur masse réelle (...)
Edmond JALOUX, Le reste est silence, p. 136.

Alors il s'accroche à ce qu'il possède.
A. MAUROIS, Un art de vivre, V, III.

Tenir à qqch. avec force, avec acharnement.

Ainsi nous tenons à tout, nous nous accrochons à tout (...)
ROUSSEAU, Émile, II.

**c** (Concret, mais fig.). Rester dans un lieu; refuser de partir de...

Les schismatiques étaient chassés du plateau, mais ils s'accrochaient avec l'énergie du désespoir aux pentes de la colline.
M. BARRÈS, la Colline inspirée, p. 203.

**d** (1684). Vx. *S'accrocher à qqn,* s'attacher à lui, à sa réussite, par intérêt.

**e** Fam. *S'accrocher à qqn,* l'importuner. *Il s'est accroché à moi, je n'arrivais pas à m'en débarrasser.* Sports. *S'accrocher à un concurrent* (→ ci-dessous, 3.).

**f** *S'accrocher à qqch.,* s'y intéresser durablement. *S'accrocher à une série d'émissions scientifiques.*

♦ **3** *S'accrocher,* ne pas céder, faire preuve d'énergie. → **Tenir.** *Ils s'accrochaient avec l'énergie du désespoir. Avec de telles conditions de vie, il faut s'accrocher pour ne pas tout abandonner.*

(1896, *in* Petiot). Sports. Ne pas se laisser distancer (par un concurrent, un adversaire). → **Agricher** (s').

♦ **4** *S'accrocher (avec qqn),* se disputer. → **Attraper** (s'). — Récipr. *Ils se sont durement accrochés.*

♦ **5** Fam. (Avec un compl.). *Se l'accrocher,* accrocher, serrer sa ceinture ; se priver. *S'accrocher une gamelle,* se passer, faire son deuil de qqch. *Tu peux toujours te l'accrocher.*

16 Si elle se marie, ils pourront se l'accrocher son héritage (...)
R. QUENEAU, le Dimanche de la vie, p. 13.

◆ **ACCROCHÉ, ÉE,** p. p. adj. *Objets accrochés.* — *Bien, mal accroché* (→ ci-dessus, I., 1.). — Par ext. Retenu, fixé.

17 Les poussières accrochées aux parois de verre du cendrier.
J.-M. G. LE CLÉZIO, l'Extase matérielle, p. 148.

18 Je voudrais bien pouvoir faire comme le chêne, et vivre pendant des siècles accroché au même bloc de terre, sans bouger, absolument sans bouger.
J.-M. G. LE CLÉZIO, l'Extase matérielle, p. 45.

CONTR. **Décrocher.** ◊ DÉR. **Accroc, accrochage, accroche, accrochement, accrocheur.** — COMP. **Accroche-cœur, accroche-plat.**

**ACCROCHEUR, EUSE** [akʀɔʃœʀ, øz] adj. et n. — 1635, « celui qui retarde (les procès) » ; de *accrocher.*

♦ **1** Qui accroche, retient. → **Tenace.** *C'est un bon vendeur, très accrocheur ; elle est accrocheuse.*

(1922, *in* Petiot). Sports, politique. Combatif. *Les joueurs, très accrocheurs, menaçaient constamment les buts.*

N. *Un accrocheur, une accrocheuse. Un bon joueur, doublé d'un accrocheur.* → **Battant.**

♦ **2** Qui retient l'attention (de façon grossière). *Un spectacle accrocheur. Une publicité accrocheuse.* → **Accrochage** (I., 4.).

1 Il n'éprouvait à son endroit que de l'indifférence, sauf que le son de sa voix accrocheuse lui donnait un rien sur les nerfs.
M. AYMÉ, Travelingue, p. 12.

♦ **3** Rare. Qui accroche (concrètement). — N. f. Dispositif pour accrocher.

2 J'ai même inventé (...) une accrocheuse automatique pour pendre le papier aux tringles du séchoir...
Alphonse DAUDET, Fromont jeune et Risler aîné, p. 186.

CONTR. **Indolent, nonchalant.**

**ACCROIRE** [akʀwaʀ] v. tr. [CONJUG. : seult à l'infinitif, précédé d'une forme des v. *faire* et, plus rarement, *laisser.*] — Déb. XII^e ; du lat. *accredere* « ajouter foi à qqch. » ; *faire accroire* s'est confondu avec *faire à croire.*

**FAIRE ACCROIRE, LAISSER ACCROIRE.**

♦ **1** Vx ou littér. *Faire accroire (qqch. à qqn),* faire croire ce qui n'est pas vrai ; tromper volontairement. *On ne lui fait pas accroire n'importe quoi.* — *Faire accroire à qqn,* lui mentir.

1 Quand on voudrait faire accroire une chose fausse (...)
PASCAL, les Provinciales, 9.

2 Il nous a voulu faire accroire qu'il était dans la maison et que nous en étions dehors (...)
MOLIÈRE, George Dandin, III, 12.

*Laisser accroire qqch. à qqn,* l'induire sciemment en erreur.

♦ **2** *En faire accroire (à qqn),* abuser de la crédulité (de qqn). → **Tromper** (cf. Faire avaler, monter le coup, fam.). — (Sujet n. de chose). Donner une impression fausse, tromper.

J'avais quitté le front depuis des mois ou des années. Dès 1916, j'avais su décrocher la blessure heureuse. Une blessure pas assez grave pour m'empêcher de vivre, assez grave pour en faire accroire — sournoise d'ailleurs et qui plus tard devait faire des siennes. 2.1
DRIEU LA ROCHELLE, la Comédie de Charleroi, p. 299.

♦ **3** *S'en faire, s'en laisser accroire,* se laisser tromper.

(...) et comme je ne redoute rien tant que de m'en laisser accroire (...) GIDE, Si le grain ne meurt, IX, p. 251. 3

Vx. *S'en faire accroire,* présumer trop de soi-même, s'attribuer un mérite qu'on n'a pas.

Un homme un peu content et qui s'en fait accroire, 4
Se voyant méprisé, rabat bien de sa gloire.
CORNEILLE, la Suite du Menteur, v. 1201.

Elle s'en fait accroire et prend des airs trop hauts. 5
BOURSAULT, les Mots à la mode, 1.

**ACCROISSEMENT** [akʀwasmɑ̃] n. m. — 1150 ; de *accroître.*

♦ **1** Vx. Fait de croître, de se développer (plantes, animaux) ; résultat de cette action. → **Croissance, développement.** *L'accroissement des plantes, des êtres vivants. L'accroissement de la taille, du poids d'un enfant.*

En nourrissant copieusement les animaux, on arrive à réduire la durée de la période d'accroissement, à obtenir des individus, et, avec le temps, des races précoces, sans nuire à l'accroissement total. 1
Omnium agricole, p. 10.

♦ **2** Fait de croître, d'augmenter (en durée, en nombre, en vitesse, en valeur, etc.). → **Augmentation, grossissement, progression, redoublement.** *L'accroissement de la vitesse,* l'accélération. *L'accroissement des richesses* (→ **Accumulation, multiplication**), *des affaires* (→ **Développement**). *L'accroissement du bien-être.* → **Élévation.** *Accroissement de la douleur.* → **Aggravation, recrudescence, redoublement.** *Les accroissements successifs d'un État.* — Fig. *L'accroissement de la vitalité.*

L'inégalité étant presque nulle dans l'état de nature, tire sa force et son accroissement du développement de nos facultés et des progrès de l'esprit humain (...) 2
ROUSSEAU, De l'inégalité parmi les hommes, II.

L'idée pour s'achever et trouver sa forme, a besoin des compléments et des accroissements que lui fournissent les esprits voisins. 3
TAINE, Philosophie de l'art, t. I, 2, 3.

Lorsque je rencontre un autre moi-même, il y a chez moi accroissement des forces ; il semblerait que les forces pareilles de l'un et l'autre s'ajoutent et que la sympathie (...) 4
LOTI, Aziyadé, III, p. 40.

(...) l'accroissement que la victoire donnera à leurs affaires. 5
FRANCE, la Vie en fleur, XX, p. 234.

♦ **3** (1239). Dr. *Droit d'accroissement,* droit par lequel une chose revient (en plus) à une personne, à un fonds.

Il y aura lieu à accroissement au profit des légataires, dans le cas où le legs sera fait à plusieurs conjointement. 6
Code civil, art. 1044.

Les atterrissements et accroissements qui se forment successivement et imperceptiblement aux fonds riverains d'un fleuve ou d'une rivière, s'appellent alluvion. 7
Code civil, art. 556 (cf. Atterrissement, alluvion, accession).

♦ **4** Math. Mesure algébrique de la variation (d'une quantité variable). *Accroissement d'une variable, d'une fonction.* → **Dérivée, différentielle** (n. f.). *Taux d'accroissement d'une fonction. Théorème des accroissements finis.*

CONTR. **Atrophie. — Diminution, perte, réduction.**

**ACCROÎTRE** [akʀwatʀ] v. tr. [CONJUG.: *croître*, sauf *accru.*] — XII^e, *acreiste* «croître»; du lat. *accrescere*, de *crescere* «croître».

♦ **1** (Fin XVI^e). Rendre plus grand, plus important (augmentation quantitative ou qualitative). → **Amplifier, développer, élargir.** *Accroître son domaine, ses terres, une propriété.* → **Agrandir.** *Accroître ses biens, sa fortune, son patrimoine, ses revenus.* → **Accumuler, arrondir.** *Accroître sa puissance.* → **Augmenter.** *Accroître sa réputation.* → **Étendre.** *Cette politique accroît le bien-être de la population.* → **Développer.** *Accroître la douleur de qqn.* → **Aggraver.** *Accroître une production, ses forces.* → **Fortifier, grossir.** *Ces discours accroissent les sentiments nationalistes.* → **Exacerber, exalter.**

1 Un jour le monde entier accroîtra sa richesse.
LA FONTAINE, Fables, VIII, 1.

2 *(Il)* Eût accru par ses pleurs le nombre des fontaines.
LA FONTAINE, les Filles de Minée, V.

3 (...) leur austérité sévère *(des pics des Alpes)* lui rappelle des malheurs de la vie ce qu'il en faut pour accroître la volupté présente.
STENDHAL, la Chartreuse de Parme, p. 42.

4 Adam Smith constate que c'est la division croissante du travail qui en accroît presque indéfiniment la productivité.
JAURÈS, Hist. socialiste..., t. V, p. 251.

5 Pour ma part, j'ai conscience d'avoir, selon mes moyens, accru ce patrimoine respectable.
MARTIN DU GARD, les Thibault, III, 5.

6 Les années qui précèdent l'âge mûr ne cessent d'accroître les ressources intérieures d'un écrivain.
J. ROMAINS, les Hommes de bonne volonté, t. I, p. 6.

Au participe passé :

7 L'aimé profite de son esclave et cherche, dans l'adoration qu'il suscite, le sentiment accru de son existence.
F. MAURIAC, Souffrances et Bonheur du chrétien, p. 170.

Vx ou littér. *Accroître qqn,* lui donner plus d'honneur, de pouvoir, d'existence.

7.1 J'étais un chef. Je voulais m'emparer de tous ces hommes autour de moi, m'en accroître, les accroître par moi et nous lancer tous en bloc, moi en pointe, à travers l'univers.
DRIEU LA ROCHELLE, la Comédie de Charleroi, p. 70.

♦ **2** Trans. ind. Dr. *Accroître à (qqn),* revenir au profit de (qqn); bénéficier du droit d'accroissement*.

8 La part du renonçant accroît à ses cohéritiers (...)
Code civil, art. 786.

◆ **S'ACCROÎTRE** v. pron.

♦ **1** Vx. Croître. *Les arbres s'accroissent.*

♦ **2** Mod. Aller en s'augmentant, devenir plus grand. → **Grandir, grossir.** *La population s'accroît régulièrement. La douleur s'accroît malgré les calmants.* → **Croître.** *S'accroître en beauté.* — Gagner en force, en vigueur, en étendue. *L'inquiétude, le trouble, l'angoisse s'accroissent. Plus il parlait, plus sa colère s'accroissait.*

9 Vous me connaissez mal, la même ardeur me brûle,
Et le désir s'accroît quand l'effet se recule.
CORNEILLE, Polyeucte, I, 1.

10 Cet amour s'est longtemps accru dans le silence.
RACINE, Mithridate, I, 1, v. 39.

11 Mon irritation, loin d'être passagère, s'accrut avec le temps.
BALZAC, M^me de La Canterie, Pl., t. VII, p. 283.

Puisque ce sombre orgueil s'accroît toujours et monte. 12
HUGO, la Légende des siècles, XIII.

Cette sensation de malaise (...) s'accrut soudain jusqu'à la détresse. 13
MARTIN DU GARD, les Thibault, IV, 12.

♦ **3** Littér. Gagner en élévation intellectuelle, développer sa personnalité. *S'accroître par, de (qqn, qqch.).* → ci-dessus, cit. 7.1.

Je veux apprendre — c'est-à-dire prendre, saisir — je veux m'accroître, peut-être parce que j'appartiens à une famille en pleine poussée de sève (...) Ce que je demande, c'est de la nourriture, de la substance. Je veux un enseignement. 14
G. DUHAMEL, Chronique des Pasquier, VI, p. 30.

CONTR. **Amoindrir, diminuer, réduire, restreindre.** ◊ DÉR. **Accroissement, accru, accrue.** — V. aussi **Accrescent.**

**ACCROUPIR (S')** [akʀupiʀ] v. pron. et tr. — Fin XII^e, «s'asseoir sur la croupe (en parlant des animaux)»; «s'asseoir sur les talons (en parlant des hommes)», 1384; de 1. *a-*, et *croupe.*

**I** V. pron. ♦ **1** (Concret). **a** (Personnes). S'asseoir les jambes repliées, sur les talons. *Il s'accroupit sur le tapis. S'accroupir en voûtant le dos. S'accroupir sous une table.* — (Sans compl.). *S'accroupir* (→ S'asseoir en tailleur*). — Loc. *S'accroupir à la turque.*

(Animaux). S'agenouiller ou se replier sur ses membres, ou s'asseoir sur l'arrière-train. *Faire s'accroupir un dromadaire.* → **Baraquer.** *Le chien s'accroupit, s'accroupit sur lui-même.* → **Pelotonner** (se). Passif. *Être accroupi.* — Au p. p. (→ ci-dessous).

On s'accroupit quand on veut lascher ses excremens à la campagne. 1
FURETIÈRE, Dict., art. *Accroupir.*

Chacune sur le cul au foyer s'accroupit. 2
Mathurin RÉGNIER, Satires, XI, 85.

Sur ce seuil formidable un dogue est accroupi. 3
HUGO, la Légende des siècles, XVIII, p. 119.

Ils s'accroupissent, adossés les uns aux autres. 4
HUGO, les Misérables, III, VIII, V.

Ils s'accroupirent, les coudes aux flancs, les fesses sur leurs talons, dans cette posture si habituelle aux mineurs, qu'ils la gardent même hors de la mine. 4.
ZOLA, Germinal, *in* Romans, Pl., p. 1169.

(Avec ellipse de *se*). *Faire accroupir un enfant, un animal.*

**b** Fig. ou littér. (Choses). *«Au milieu de l'eau, s'accroupit un gros rocher»* (Hugo, *le Rhin,* in T. L. F.).

♦ **2** (Abstrait). Littér. **a** (Personnes). Se vautrer; s'abrutir (cf. Zola, P. Borel, *in* T. L. F.).

**b** (Choses). Par métaphore. *«L'amourette n'est pas faite pour s'accroupir et s'abrutir»* (Hugo, *les Misérables*).

**II** V. tr. Rare. Mettre dans la position accroupie.

Elle posa sa fille (...) dans un angle de la cellule (...) Elle l'accroupit, l'arrangea soigneusement de manière que ni son pied ni sa main ne dépasse l'ombre (...) 4.
HUGO, Notre-Dame de Paris, *in* T. L. F.

Par métaphore. *«Il (...) accroupit les bons esprits au giron d'une femme»* (Pétrus Borel, *Champavert,* in T. L. F.).

◆ **ACCROUPI, IE** p. p. et adj.

♦ **1** (Concret; personnes). Pelotonné, assis sur ses talons. *«Vous serez au foyer une vieille accroupie (...)»* (Ronsard; → Dédain, cit. 1). *Des enfants accroupis regardaient la fourmilière. Être, se tenir, rester accroupi devant le feu. Accroupi les jambes croisées, les genoux au menton.* — (Animaux). *Un chien accroupi près du portail* (→ ci-dessus, cit. 3).

Il resta accroupi toute une nuit glaciale, pelotonné comme un vieux cloporte dans sa pelisse râpée. 5
LOTI, Aziyadé, II, 27.

Par métaphore. *«Mornes sphinx* (cit. 7) *sur l'énigme accroupis»* (Hugo).

Blason. Se dit d'un animal représenté assis.

Par ext. *Attitude, position, station accroupie.*

(Danse). *Pirouette accroupie.*

6 Je ne désigne sous ce nom *(station accroupie)* que les attitudes dans lesquelles les deux membres inférieurs entièrement fléchis ne reposent que par les pieds sur le sol.
P. RICHIER, Nouvelle anatomie artistique, t. III, p. 81.

(Arts). *La Vénus accroupie, de Vienne. Le Scribe accroupi, du Louvre.*

(Choses). Par métaphore. *Un «petit village accroupi au pied de la montagne»* (Gautier, *Voyage en Espagne*).

♦ **2** (Abstrait). Littér. et rare. Par métaphore. *«Faites lever votre âme aux vices accroupie»* (Hugo, *la Fin de Satan,* Pl., p. 824).

DÉR. **Accroupissement.**

**ACCROUPISSEMENT** [akʀupismɑ̃] n. m. — 1555; de *accroupir (s').*

♦ **1** Action de s'accroupir. *Un lent accroupissement.*

Je n'ai rien contre les cuvettes turques de la cour, dit-il. Elles répondent exactement à la défécation quotidienne du grand nombre, qui n'est peut-être pas profane tout de même, mais à coup sûr laïque (...) L'accroupissement qu'elles imposent est dans son inconfort plein d'une vertu d'humilité. C'est une manière d'agenouillement à rebours, les genoux pointant vers le ciel au lieu de piquer vers le sol. M. TOURNIER, le Roi des Aulnes, p. 65.

Position d'une personne, d'un animal accroupi.

♦ **2** Fait de s'humilier, de se prosterner. → **Prosternation.**

**ACCRU** [akʀy] n. m. — 1829; du p. p. de *accroître.*

Hortic. Rejeton produit par la racine d'un arbre.

HOM. **Accrue.**

**ACCRUE** [akʀy] n. f. — 1246; du p. p. de *accroître.*

Didact. ou technique.

**A** ♦ **1** Augmentation de la surface d'un terrain par la retraite des eaux. → **Accroissement, agrandissement.**

♦ **2** Extension d'un bois par les semis ou les rejets naturels.

**B** Pêche. Maille supplémentaire d'un filet ajoutée entre deux mailles du rang supérieur.

HOM. **Accru.**

**ACCUEIL** [akœj] n. m. — 1188; de *accueillir.*

♦ **1** Manière de recevoir qqn, de se comporter avec lui quand on le reçoit ou quand il arrive. → **Abord, traitement.** *L'accueil d'une personne par son hôte. Un accueil aimable, bienveillant, cordial, gracieux. Un accueil chaleureux, triomphal; froid, glaçant, glacial.* — Loc. *Faire bon, mauvais accueil à qqn.* — *Je vous remercie de l'accueil que vous m'avez réservé.* — *Des paroles d'accueil,* pour accueillir. → **Bienvenue.** — Fait d'être accueilli. *Il a reçu le meilleur (le plus mauvais) accueil.*

1 Je vous vis encore hier entretenir Valère,
Et l'accueil gracieux qu'il recevait de vous.
CORNEILLE, Horace, I, 2.

2 D'un favorable accueil honorons son passage.
RACINE, Alexandre, I, 2.

3 D'où vient ce sombre accueil et ces regards fâcheux?
RACINE, la Thébaïde, IV, 3.

4 Vous ne me dites rien? Quel accueil! Quelle glace!
RACINE, Britannicus, II, 6.

5 Je vous recommande (...) de lui faire enfin tout le meilleur accueil qu'il vous sera possible.
MOLIÈRE, l'Avare, III, 4.

Julien trouva chez M. le directeur l'accueil qui l'avait tant effrayé le jour de son entrée au séminaire. 5.1
STENDHAL, le Rouge et le Noir, I, XXVI.

Que chaque attente, en toi, ne soit même pas un désir, mais simplement une disposition de l'accueil. 6
GIDE, les Nourritures terrestres, p. 31.

(...) l'accueil que l'on me fit alors fut beaucoup plus aisé et naturel que celui de la veille. 6.1
Henri MICHAUX, Face aux verrous, p. 122.

Fig. *Faire, réserver un bon, un mauvais accueil à une idée, un film, un livre. Le public a fait un accueil enthousiaste à cette pièce.*

Le 24 février, j'avais, dans le même sens, écrit au général Weygand, en dépit du sort fâcheux auquel il m'avait voué et de l'accueil disgracieux qu'il avait fait à ma précédente missive. 7
Ch. DE GAULLE, Mémoires de guerre, t. I, p. 150.

Vx. *Faire accueil,* bon accueil.

♦ **2** (XX^e). **D'ACCUEIL :** prévu, organisé pour accueillir. *Bureau, centre, organisation d'accueil,* chargé de recevoir des voyageurs, des réfugiés, etc. *Maison d'accueil pour jeunes filles. Structure(s) d'accueil,* installations, organismes faits pour accueillir (qqn, qqch.), pour assurer divers services (d'ordre technique, social, etc.). *Les structures d'accueil de l'aéroport permettent d'assurer un véritable service public.* — *Hôtesse d'accueil.* → **Hôte.**

Le Parti communiste qui avait créé le Front de libération avec quelques officiers mutins, qui s'était vidé de sa substance pour donner vie à ce bureau d'accueil, à présent voyait sa créature lui échapper «des mains». 8
Régis DEBRAY, l'Indésirable, p. 65-66.

*Comité d'accueil :* groupe de personnes chargé d'accueillir officiellement une personnalité. *Un comité d'accueil attendait la championne à sa descente d'avion.* — Fig. Groupe de gens réunis pour conspuer, critiquer quelqu'un (notamment une personnalité, un ensemble de gens connus).

Ellipt. *Adressez-vous à l'accueil.*

♦ **3** Littér. *L'accueil d'un lieu, d'un milieu, d'un pays, d'une ville (à qqn),* la façon dont une personne y est reçue, acceptée.

Et bouche amère, oreilles sourdes, 9
Gros le cœur et l'âme si lourde;
En ce pays qui nous fut lent
D'accueil, de visage et d'accent (...)
Max ELSKAMP, In memoriam.

**ACCUEILLANT, ANTE** [akœjɑ̃, ɑ̃t] adj. — XIII^e; du p. prés. de *accueillir.*

♦ **1** Qui fait bon accueil. *Nous avons rencontré des gens très accueillants.* → **Aimable, cordial.** *Un hôte accueillant et généreux.* → **Hospitalier.** *Je l'ai trouvé assez accueillant.* → **Abordable, accessible.**

Il arrive chez les Morsom dans une humeur merveilleuse. La même soubrette lui ouvrit, il lui pinça joyeusement la taille et il entra dans le studio où quelques personnes s'affairaient autour du bar en buvant des coquetèles. Dominique vint vers lui accueillante charmante souriante minouchante.
R. QUENEAU, Loin de Rueil, p. 136.

Par ext. *Une oreille accueillante.* → **Propice.** *Des bras accueillants. Un esprit accueillant.* → **Ouvert.**

♦ **2** (Choses). D'un abord agréable. *Une ville accueillante.* — Où l'on est bien accueilli. *Auberge, maison accueillante.* → **Hospitalier.**

CONTR. **Froid, glacial, revêche.** — **Inhospitalier.**

**ACCUEILLIR** [akœjiʀ] v. tr. [CONJUG.: *cueillir.*] — 1080; var. *acoillir* «réunir, associer, adjoindre»; du lat. pop. **accoligere,* de *colligere* «cueillir».

♦ **1** (1292, «recevoir, admettre»; répandu XVII^e). Se comporter d'une certaine manière avec (une personne qui se présente). *Accueillir un ami chaleureusement. Je craignais de l'aborder, mais il m'a très bien accueilli* (→ Faire fête*; ouvrir, tendre les bras* à qqn). *Accueillir aimablement* (→ Faire bonne mine*, bon visage* à...). *Il l'a accueilli froidement* (→ Faire grise mine, mauvais visage).

1 Un d'entre eux, vénérable par ses cheveux blancs, m'accueillit fort honnêtement (...)
MONTESQUIEU, Lettres persanes, 57.

2 Étrangers, vous m'avez accueilli comme un frère,
Et fait asseoir dans vos banquets.
HUGO, Odes et Ballades, IV, 5.

Donner l'hospitalité à (qqn). → **Traiter.** *Il a accueilli tout le monde chez lui.* — (Sujet n. de chose). *Cet hospice accueille les indigents.*

2.1 Le docteur devait ensuite aller prendre chez soi de quoi donner les premiers soins au blessé, en attendant qu'un hôpital puisse l'accueillir (ce qui pouvait encore tarder un peu, dans la désorganisation générale).
A. ROBBE-GRILLET, Dans le labyrinthe, p. 200.

♦ **2** Prendre, recevoir (des paroles, des idées, des sentiments) d'une certaine manière. → **Accepter, agréer.** *Accueillir un blâme avec résignation. Il a accueilli la nouvelle avec enthousiasme.* — Spécialt. Bien accueillir; accepter, approuver. *Accueillir une idée, une hypothèse.* — Littér. *Accueillir qqn,* l'accepter affectivement (→ ci-dessous, cit. 3).

3 Lucien aime, il n'est pas repoussé, il ne sera jamais accueilli.
SAINTE-BEUVE, Causeries du lundi, Mme Récamier.

4 L'esprit n'accueille une idée qu'en lui donnant un corps, de là les comparaisons.
J. RENARD, Journal, 4 déc. 1887.

5 Assertions sans contrôle, et trop intéressées pour être accueillies de confiance (...)
JAURÈS, Hist. socialiste..., p. 336.

6 Je me suis juré mille fois d'accueillir avec sérénité peut-être même avec allégresse, en tous cas avec une vaillance lucide, ce qu'on nomme «les avertissements de l'âge».
G. DUHAMEL, Chronique des Pasquier, I, Introduction.

7 Ils ont accueilli sans pouffer de rire des mots comme «supervisionner» et «prorogation» (...)
G. DUHAMEL, Scènes de la vie future, III.

♦ **3** (D'un sens ancien, «assaillir»). Fig. Accompagner l'arrivée de (qqn), survenir d'une manière brutale. *En sortant du détroit, une effroyable tempête nous accueillit. Ils furent accueillis par des coups de fusil.* → **Saluer.**

8 Les applaudissements qui avaient accueilli son entrée s'apaisèrent vite. FRANCE, le Petit Pierre, XVI.

♦ **4** (Suivi d'une comparaison). Accepter, considérer (qqch.) d'une certaine manière.

9 Elle avait accueilli mon retour imprévu comme une bénédiction du ciel. LOTI, Mon frère Yves, LXXVII.

**CONTR. Chasser, écarter, éconduire, exclure, expulser, rejeter, repousser. — Décliner, refuser.** ◊ **DÉR. Accueil, accueillant.**

**ACCUL** [aky] n. m. — Av. 1300; de *acculer.*

♦ **1** Vieilli. Lieu sans issue, où l'on est acculé. → **Impasse.** *Être poussé dans un accul.*

♦ **2** Techn. (artill.). Butée constituée de piquets enfoncés en terre, pour arrêter le recul du canon.
(1561). Chasse. Fond du terrier où les renards, les blaireaux, etc. sont acculés par les chiens. *Le renard est à l'accul.*
Mar. Vx. Petite anse, crique pouvant servir d'abri à de petits bâtiments.

**HOM. Accus, acul.**

**ACCULÉE** [akyle] n. f. — 1848; on a employé *acculement,* 1677, dans ce sens; de *acculer.*

Mar. Mouvement vers l'arrière d'un bateau qui cule. *L'acculée d'un navire.* — Enfoncement de la poupe dans l'eau.
Loc. *Coup d'acculée.* → **Abattée, auloffée.**

Dans la machinerie, le chef criait qu'un paquet de mer, passé, au coup d'acculée, par la descente, venait de l'envahir. Roger VERCEL, Remorques, p. 59.

**ACCULEMENT** [akylmɑ̃] n. m. — 1677, «acculée»; de *acculer.*

**I** Mar. Courbure d'une varangue. — Syn. : *relevé de varangue.*

**II** Équit. Déséquilibre d'un cheval qui met trop de poids sur les membres postérieurs.

**ACCULER** [akyle] v. tr. — 1200, v. pron. : de 1. *a-,* et *cul.*

♦ **1** Pousser (qqn) dans un endroit où tout recul est impossible. → **Buter.** *Acculer l'ennemi à la mer, au fleuve. Acculer qqn contre un mur, dans un coin.* — Plus cour. au passif. *Être acculé à..., contre...*

*(Nous étions)* acculés au Rhin, tandis que les ennemis (...) 1
se faisaient apporter de loin tout ce qu'ils voulaient.
SAINT-SIMON, Mémoires, XVI, Pl., t. I, p. 240.

Ils allaient se trouver acculés au bord de la mer; et toutes 2
ces forces réunies les écraseraient.
FLAUBERT, Salammbô, XII.

Le taureau avait acculé Félicité contre une claire-voie. 3
FLAUBERT, Trois contes, «Un cœur simple».

Il se revit, non sans impatience, acculé dans le couloir 4
sous le regard tenace de Studler.
MARTIN DU GARD, les Thibault, IV, 13.

*Acculer un sanglier; acculer un renard dans son terrier.*
Au participe passé :

À la chasse, un jour, Adrets et ses officiers forcent un 4
ours dont la retraite est coupée par un précipice. Acculé, l'animal charge l'un des hommes, lequel tire, blesse l'ours et roule bientôt dans la neige avec lui.
M. TOURNIER, le Roi des Aulnes, p. 56.

Rare. Faire buter qqch. contre un mur, un trottoir. *Acculer une voiture contre un trottoir.*

♦ **2** (XIIIe). Fig. et vx. Pousser (qqn) dans ses derniers retranchements, ne lui laisser aucune possibilité de réagir, de répondre. — Mod. *Acculer qqn à qqch., à faire qqch.* → **Contraindre, forcer.** *Acculer qqn aux dernières extrémités.* — Passif et p. p. *Être acculé aux expédients* (→ Avoir l'épée* sur la gorge). *Être acculé à la faillite.*

Acculé, par la force des choses, devant l'hypothèse mena- 5
çante, il n'y a plus un seul gouvernement qui ne se dise (...)
MARTIN DU GARD, les Thibault, VII, 56.

Je les ai vite acculés à des attitudes évasives, à des silences 6
significatifs, à des demi-aveux.
MARTIN DU GARD, les Thibault, VIII, 15.

◆ **S'ACCULER** v. pron. S'appuyer contre qqch. pour pouvoir se défendre. *Le sanglier s'accula à un arbre et attendit les chiens.* — (Équit.). Se dit du cheval qui se cabre de telle sorte que sa croupe touche presque le sol.

**DÉR. Accul, acculée, acculement, acul.**

**ACCULTURATIF, IVE** [akyltyʀatif, iv] adj. — XXe; de *acculturation.*

Didact. Relatif à l'acculturation. *Fait, processus acculturatif. «L'idéologie acculturative des petits bourgeois urbains* (de Guinée)» (Jean Ziegler, *Main basse sur l'Afrique,* p. 208).

**ACCULTURATION** [akyltyʀasjɔ̃] n. f. — 1911; mot angl., *acculturation*, 1880; de *culture*, même orig. que le franç. *culture*.

Didactique.

♦ **1** Ethnol. Processus par lequel un groupe humain assimile tout ou partie des valeurs culturelles d'un autre groupe humain. *L'acculturation des Amérindiens aux États-Unis. Acculturation et déculturation.*

1 Une grande étude pourrait être entreprise sur la diffusion des traits de culture urbaine à la campagne. Certes, dans ce mouvement d'acculturation, les ruraux conservent certaines traditions particulières (...)

H. MENDRAS, cité par FOULQUIÉ, Voc. de la langue philosophique.

♦ **2** Sociol., psychol. Adaptation d'un individu à une culture étrangère avec laquelle il est en contact, ou à un nouveau milieu socio-culturel dans lequel il se trouve transplanté. *L'acculturation d'un immigré.*

2 Pas un stéréotype, pas un cliché sur les dangers de l'acculturation ne manquait au rendez-vous.

Pierre MERTENS, les Bons Offices, p. 234.

♦ **3** Psychol., psychiatrie. Adaptation d'un individu au milieu socio-culturel dans lequel il vit.

3 Les traumatismes de l'acculturation comprennent des frustrations d'ordre physiologique (alimentation, propreté), sexuel, des réactions à l'égard de l'autorité et des situations mettant en jeu un interdit. Ils sont à l'origine d'attitudes agressives ou compétitives, de conduites de démission, d'anomalies caractérielles.

Yves PÉLICIER, *in* A. POROT, Manuel alphabétique de psychiatrie, art. *Acculturation*, 1975.

DÉR. **Acculturatif, acculturer.**

**ACCULTURER** [akyltyʀe] v. tr. — XXe; de *acculturation*.

Didact. Adapter (qqn, un groupe) à une culture. → **Acculturation.** — Pron. *S'acculturer difficilement.* — Au p. p. *Des immigrés bien, mal acculturés.*

**ACCUMULATEUR** [akymylatœʀ] n. m. — 1860; «celui qui accumule», 1564; de *accumuler*.

♦ **1** Techn. et cour. Appareil qui emmagasine l'énergie électrique fournie par une réaction chimique et la restitue sous forme de courant. *La charge et la décharge d'un accumulateur. Batterie d'accumulateurs. La batterie d'accumulateurs d'une automobile.* → **Accus.** *Accumulateurs au plomb, au cadmium-nickel. Accumulateur à superconducteur ionique, à électrolyte solide. Capacité* d'un accumulateur, exprimée en ampères-heures (Ah).*

♦ **2** Techn. (lorsqu'il ne s'agit pas d'énergie électrique). *Accumulateur de chaleur,* appareil qui accumule de l'énergie thermique et la restitue ensuite. *Accumulateur cinétique d'énergie.* → **Volant.** *Accumulateur hydraulique.*

♦ **3** Inform. Registre de l'unité centrale (d'un ordinateur) où sont enregistrés les résultats des opérations.

♦ **4** Techn. Espace de stockage du minerai (dans une mine).

DÉR. **Accus.**

**ACCUMULATION** [akymylasjɔ̃] n. f. — 1336; de *accumuler*.

♦ **1** Action d'accumuler; fait d'être accumulé. *L'accumulation de (qqch.) par qqn. Une accumulation de capitaux, de richesses.* → **Accroissement, addition, capitalisation.** *L'accumulation des denrées, des marchandises dans un magasin.* → **Amoncellement, entassement.** *Une accumulation de provisions, de réserves. L'accumulation du matériel de guerre avant l'offensive.* — (Abstrait). *Une accumulation de preuves accablantes.* → **Amas, masse, quantité, tas.** — REM. De nombreux autres mots et métaphores expriment l'idée d'accumulation. → **Abondance, quantité; accaparement, cumul, thésaurisation; agglomération, agrégation, empilement, entassement; assemblage, collection, groupement, rassemblement, réunion; concentration, congestion, encombrement.**

Cette accumulation du travail par les hommes et la nature! G. DUHAMEL, Chronique des Pasquier, V, 7. 1

Bien que j'aie toujours très bien opéré, l'accumulation des stocks d'une part, la mévente d'autre part (...) 2

A. MAUROIS, Bernard Quesnay, XXIV, p. 156.

Le pécheur en soi est un mythe. Ce qui existe, c'est une accumulation de tendances méritées. 3

F. MAURIAC, Souffrances et Bonheur du chrétien, p. 50.

Zézé, l'autre boy et le marmiton (...) s'entassent fort inconfortablement au-dessus de l'accumulation des bagages, dans le camion. 4

GIDE, Voyage au Congo, *in* Souvenirs, Pl., p. 813.

Écon. *L'accumulation des biens, du capital.* — Absolument :

Le père de famille, autrement dit le mari ou l'époux, dans ces classes, dispose de l'argent; il alloue à sa femme les sommes nécessaires pour l'entretien de la famille; l'excédent, il le consacre à l'accumulation. S'il n'accumule pas, s'il n'épargne pas, s'il veut jouir au lieu d'investir, il entre en conflit avec sa conscience, sa famille et sa société. 5

Henri LEFEBVRE, la Vie quotidienne dans le monde moderne, p. 70.

♦ **2** Sc. (math.). *Point d'accumulation,* point dont tous les voisinages contiennent au moins un autre point.

(Géogr., géol.). Entassement de matériaux d'érosion. *Des accumulations de sédiments. L'accumulation fluvio-glaciaire. Surface d'accumulation.*

♦ **3** *Chauffage par accumulation,* chauffage qui emmagasine de la chaleur à certains moments et la restitue ensuite. *Poêle à accumulation.*

♦ **4** Rhét. Figure par laquelle on accumule dans une période un grand nombre de détails qui développent l'idée principale et la rendent plus frappante.

CONTR. **Désagrégation, dilapidation, dispersion, dissémination, dissipation, éparpillement.**

**ACCUMULER** [akymyle] v. tr. — 1327; du lat. *accumulare*.

♦ **1** (Compl. au plur. ou collectif). Mettre ensemble en grand nombre. → **Amonceler, empiler.** *Accumuler des notes.* → **Amasser, entasser.** *Il accumule les objets les plus hétéroclites.* → **Collectionner, grouper, rassembler.** *Accumuler de l'argent, des biens, des capitaux, des richesses.*

Accumuler (...) signifie en mettre jusqu'au comble, entasser et entasser encore; il marque une addition non interrompue, une abondance croissante. 1

LAFAYE, Dict. des synonymes, Amasser...

C'est une société de gens avares qui prennent toujours et ne rendent jamais; ils accumulent sans cesse des revenus pour acquérir des capitaux. 2

MONTESQUIEU, Lettres persanes, 118.

De longues années d'organisation et de paix ont permis aux Français d'accumuler des richesses. 3

J. BAINVILLE, Hist. de France, VI, p. 87.

Les puissants du moment accumulent les richesses avec le sentiment de travailler pour l'éternité. 4

G. DUHAMEL, le Temps de la recherche, IX, 22.

En ordonnant les notes qu'il accumule, il aurait la matière de plusieurs grands livres. 5

A. MAUROIS, Études littéraires, t. I, p. 23.

♦ **2** Absolt. Amasser des richesses (concrètes ou abstraites). → **Capitaliser** (fig.), **thésauriser.** *Il a passé sa vie à accumuler.*

6 Un homme accumulait. On sait que cette erreur
Va souvent jusqu'à la fureur.
(...) il entassait toujours.
LA FONTAINE, Fables, XII, 3.

7 On entasse, on accumule. Chaque jour va s'enrichissant l'héritage du genre humain.
MICHELET, la Femme, p. 324.

♦ **3** (Abstrait). Fig. Réunir en grand nombre. *Accumuler les honneurs. — Accumuler des preuves contre un inculpé.* → **Réunir.** *Accumuler erreur sur erreur.*

8 À force d'accumuler péché sur péché, rechute sur rechute, et d'augmenter par là chaque jour le poids de leur iniquité (...)
BOURDALOUE, cité par LAFAYE, Dict. des synonymes, *Accumuler...*

9 *(L'absence)* accumule des mondes d'indifférence sur des promesses de souvenirs éternels.
E. FROMENTIN, Dominique, II, p. 18.

10 Par instruction, ainsi, je peux accumuler en moi de lourds trésors, toute une encombrante richesse, une fortune, précieuse certes comme instrument, mais qui restera différente de moi jusqu'à la consommation des siècles.
GIDE, Prétextes, p. 15.

11 Si en ce moment j'accumule des trésors de patience et de bonnes volontés, je sais que ces crédits s'épuiseront.
A. MAUROIS, Terre promise, XLV, p. 317.

♦ **4** Spécialt. *Accumuler de l'énergie,* l'emmagasiner, la mettre en réserve. → **Accumulateur.**

◆ **S'ACCUMULER** v. pron. (Choses concrètes ou abstraites). S'entasser, se grouper. *Les denrées s'accumulent dans le magasin.* — (Abstrait). *Les années s'accumulent. Les charges s'accumulent contre l'accusé. Les obstacles s'accumulent.*

12 Il ne peut y avoir dans le cerveau une région où les souvenirs se figent et s'accumulent.
BERGSON, Matière et Mémoire, p. 134.

13 Il était sombre. Les mauvais présages s'accumulaient.
MARTIN DU GARD, les Thibault, VII, 55.

13.1 Un peu de neige s'est accumulée à la partie supérieure du dernier anneau saillant qui enserre la base élargie du réverbère, formant un cercle blanc au-dessus du cercle noir par lequel celui-ci repose sur le sol.
A. ROBBE-GRILLET, Dans le labyrinthe, p. 17.

◆ **ACCUMULÉ, ÉE** p. p. adj. *Objets accumulés, entassés. Neige accumulée. — Argent, richesses accumulé(es). — Erreurs accumulées. Difficultés accumulées.*

14 Cette passion, elle ne la porta sur personne jusqu'au jour où ces trésors accumulés de tendresse éclatèrent sur la tête de sa fille (...)
SAINTE-BEUVE, Causeries du lundi, Mme de Sévigné.

15 (...) ayant envie, tant il y a de tendresse accumulée dans son cœur, de pleurer, et aussi d'éclater de rire!
MARTIN DU GARD, les Thibault, I, 9.

CONTR. **Dépenser, dilapider, dispenser, disséminer, dissiper, éparpiller, gaspiller, prodiguer, répandre, semer.**
◇ DÉR. **Accumulateur, accumulation.**

**ACCUS** [aky] n. m. pl. — V. 1930; abrév. de *accumulateur.*

Fam. Accumulateurs. → **Batterie.** *Il faut recharger les accus.* — Fig. et fam. *Recharger les accus,* reconstituer ses forces.

J'ai laissé au bord du trottoir ma vieille Hotchkiss pour pouvoir filer à Meaux, chez un client, avant l'ouverture du garage. Quand j'actionne la tirette du démarreur, rien ne bouge : les accus sont à plat, sans doute vidés par le brouillard.
M. TOURNIER, le Roi des aulnes, p. 71.

HOM. **Accul, acul.**

**ACCUSABLE** [akyzabl] adj. — 1549; de *accuser.*

Qui peut être accusé. → **Incriminable.**

**ACCUSATEUR, TRICE** [akyzatœʀ, tʀis] n. et adj. — 1327; *accusatrice,* n. f., 1572; du lat. *accusator,* de *accusare.* → Accuser.

♦ **1** N. Personne qui accuse. → **Délateur, dénonciateur; calomniateur.**

Il cherche de grands mots, et vient ici se faire Au lieu d'arbitre, accusateur. LA FONTAINE, Fables, X, 1. 1

À Rome, l'injuste accusateur était noté d'infamie : on lui imprimait la lettre K sur le front. 2
MONTESQUIEU, l'Esprit des lois, XII, 20.

(1791). Hist. *Accusateur public,* magistrat chargé du ministère public, pendant la Révolution.

Je le dénonce aux honnêtes gens, et s'il faut, à l'accusateur public, non seulement comme un joueur d'habitude mais comme un chef de tripot. 3
Journal de la seconde législature, 24 oct. 1791, *in* WALTER, la Révolution franç. vue par ses journaux, p. 388.

♦ **2** Adj. Qui constitue ou dénote une accusation. *Des documents accusateurs. Un regard, un doigt accusateur. Des traces accusatrices.* → **Révélateur.**

CONTR. **Défenseur.**

**ACCUSATIF** [akyzatif] n. m. — XIIe; lat. *accusativus,* de *accusare* (→ Accuser), au sens de «faire paraître».

Gramm. Cas de la déclinaison (grecque, latine, etc.) qui marque le complément d'objet et certains compléments prépositionnels. *Mettre un nom, un adjectif à l'accusatif. L'accusatif pluriel.*

**ACCUSATION** [akyzasjɔ̃] n. f. — 1275; lat. *accusatio,* du supin de *accusare.* → Accuser.

**I** ♦ **1** Dr. Action en justice par laquelle on accuse qqn d'un crime. *Former, intenter, susciter une accusation contre qqn.*

Il arrive souvent dans les États populaires que les accusations sont publiques, et qu'il est permis à tout homme d'accuser qui il veut. 1
MONTESQUIEU, l'Esprit des lois, XII, 20.

*Le ministère public a pour rôle de soutenir l'accusation.* → **Action** (publique). *Abandon de l'accusation.* — Par métonymie. Le ministère public. *Les avocats de la défense réfutent les arguments de l'accusation.* Anciennt. *Acte d'accusation,* en cour d'assises, Exposé des faits délictueux imputés à l'accusé, de leur nature juridique et des circonstances pouvant aggraver ou diminuer la peine.

Dans tous les cas où le prévenu sera renvoyé à la cour d'assises, le procureur général sera tenu de rédiger un acte d'accusation. 2
L'acte d'accusation exposera : 1° la nature du délit qui forme la base de l'accusation; 2° le fait et toutes les circonstances qui peuvent aggraver ou diminuer la peine; le prévenu y sera dénommé et clairement désigné.
L'acte d'accusation sera terminé par le résumé suivant : En conséquence, N... est accusé d'avoir commis tel meurtre, tel vol, ou tel autre crime, avec telle et telle circonstance.
Ancien Code d'instruction criminelle, art. 241.

*(Le président)* ordonnera au greffier de lire l'arrêt de la cour d'appel portant renvoi à la cour d'assises, et l'acte d'accusation. 3
Ancien Code d'instruction criminelle, art. 313.

*Chefs d'accusation,* qualification de crime donnée aux faits reprochés à l'accusé. *Les principaux chefs (sujets) d'accusation. — Chambre d'accusation* (1959; auparavant, *Chambre des mises en accusation*) : chambre d'une cour d'appel ayant pour attributions principales de statuer sur les appels relevés contre les ordonnances des juges d'instruction et de prononcer la mise en accusation des inculpés devant la cour d'assises dans les cas où elle estime, après la clôture des informations, qu'il existe contre eux des charges suffisantes d'avoir commis des faits qualifiés crimes par la loi pénale.

♦ **2** Cour. Action de signaler comme coupable (qqn) ou comme répréhensible (qqch.). *Il ne supportait pas toutes ces accusations.* → **Attaque, critique, reproche.** *Des accusations malveillantes, fausses, mensongères.* → **Calomnie, dénigrement, diffamation, médisance.**

4 L'équité naturelle demande que le degré de preuve soit proportionné à la grandeur de l'accusation.
MONTESQUIEU, Défense de l'Esprit des lois, I, 1.

5 Moi enthousiaste? répéta Fabrice; étrange accusation! Je ne puis pas même être amoureux.
STENDHAL, la Chartreuse de Parme, VI.

6 C'est lui qui a porté l'accusation, c'est lui qui doit la retirer.
Paul BOURGET, Un divorce, VI.

7 Les réquisitoires posthumes sont plus faciles que l'accusation directe, contradictoire et face à face.
Louis BARTHOU, Danton, p. 112.

8 (...) on souffre davantage des accusations justifiées que de celles qu'on ne mérite point.
GIDE, Journal, 15 janv. 1908.

9 Elle n'ignorait rien des accusations qu'on avait colportées sur son compte.
MARTIN DU GARD, les Thibault, VII, XXV, 21.

♦ **3** Vx. Relig. cathol. Action par laquelle le pénitent fait l'aveu de ses péchés. → **Confession.**

10 Pécheurs qui mêlent à l'accusation de leurs fautes les maximes et le langage des passions.
MASSILLON, Confessions, 1.

**II** Rare. Action de mettre en évidence, d'accentuer qqch. → **Accusé** (II.). *L'accusation des traits d'un visage.*

CONTR. **Défense, plaidoirie, plaidoyer. — Apologie, défense, justification.** ◊ COMP. **Auto-accusation.**

**ACCUSATOIRE** [akyzatwaʀ] adj. — V. 1355; lat. *accusatorius.*

Dr. Relatif à l'accusation, qui la motive. — *Procédure accusatoire* (par opposition à *procédure inquisitoire*) : forme de procédure criminelle dans laquelle l'action est menée par l'initiative des particuliers et non par des autorités représentant la société.

**ACCUSÉ, ÉE** [akyze] n. et adj. — XIII^e; de *accuser.*

**I** ♦ **1** N. Personne à qui on impute une faute, un délit. — Dr. Inculpé qu'un arrêt de la Chambre d'accusation a renvoyé en cour d'assises. → aussi **Inculpé, prévenu.** *L'accusé bénéficie jusqu'au jugement de la présomption d'innocence. L'accusé s'est constitué prisonnier; a été livré à la justice. L'accusé a été confronté avec les témoins. L'accusé est jugé; est assisté par son avocat; a été acquitté; est condamné par contumace. L'avocat général requiert une lourde peine contre l'accusé. Le procès de l'accusé est instruit. Des charges accablantes pèsent contre l'accusé. Appréhender un accusé. Le banc des accusés. La défense de l'accusé.*

L'accusé comparaîtra libre, et seulement accompagné de gardes pour l'empêcher de s'évader.
Ancien Code d'instruction criminelle, art. 310.

Vous jurez et promettez devant Dieu et devant les hommes d'examiner avec l'attention la plus scrupuleuse les charges qui pèsent contre N...; de ne trahir ni les intérêts de l'accusé, ni ceux de la société qui l'accuse (...)
Ancien Code d'instruction criminelle, art. 312.

De récents procès, — où les accusés, appuyés d'un auditoire menaçant, avaient parlé de faire tout sauter.
VILLIERS DE L'ISLE ADAM, Tribulat Bonhomet, p. 30.

♦ **2** Loc. nominale. *Accusé de réception,* avis informant qu'une chose a été reçue.

**II** Adj. Qui est fortement marqué, accentué. *Des traits accusés. Un type, un profil accusé.*

De ces jeunes danseuses, plusieurs étaient remarquablement jolies, tout en ayant le type franchement accusé de leur race. Les tsiganes sont généralement attrayantes. 4
J. VERNE, Michel Strogoff, p. 108.

**ACCUSER** [akyze] v. tr. — 980; du lat. *accusare,* de *ad-* (*ac-*), *causa* (→ Cause), et élément verbal.

**I** ♦ **1** Dr. Déférer (une personne soupçonnée d'un crime) devant la cour d'assises. → **Accusation** (I.), **accusé** (I.); et aussi **impliquer, inculper, poursuivre.** *Il a été accusé de meurtre. Il avait été accusé injustement.*

Nul homme ne peut être accusé, arrêté ni détenu que dans les cas déterminés par la loi, et selon les formes qu'elle a prescrites. 1
Déclaration des droits de l'homme, 1789, art. VII.

Dès que l'animal est tué, le don de la parole est par les dieux pitoyables donné aux siens, afin qu'ils puissent accuser le meurtrier et soutenir l'accusation pendant le procès. 1.1
Henri MICHAUX, Face aux verrous, p. 152.

♦ **2** Signaler ou présenter (qqn) comme coupable (d'une faute, d'un défaut, d'une action blâmable, répréhensible). → **Attaquer, charger, dénoncer, dénigrer, diffamer, incriminer, vilipender** (→ Mettre sur le compte* de, faire le procès* de, jeter la pierre* à, rejeter une faute* sur). — *Accuser qqn de,* lui faire grief de. → **Taxer.** *Accuser qqn d'imposture. On l'accuse des pires méfaits, d'un crime, d'avoir tué sa femme; on l'en accuse. Il accuse son voisin d'avoir cassé les vitres. Je n'accuse personne; je ne vous accuse pas.* — Absolt. *Accuser sans raison* (→ ci-dessous, cit. 8). — Par ext. *On l'accuse d'être prétentieux, méprisant,* on lui reproche de...

Je n'accuse personne et vous tiens innocente. 2
CORNEILLE, Rodogune, V, 4.

D'un amour criminel Phèdre accuse Hippolyte! 3
RACINE, Phèdre, IV, 2.

Ne les accusons point; plaignons plutôt ces gens. 4
LA FONTAINE, Fables, X, 7.

Quelqu'un lui dit alors : «N'en accuse que toi». 5
LA FONTAINE, Fables, V, 18.

Qui veut noyer son chien l'accuse de la rage. 6
MOLIÈRE, les Femmes savantes, II, 5.

Les gens superficiels l'accusent de froideur. 7
BALZAC, la Recherche de l'absolu, Pl., t. IX, p. 475.

Soudain, tous furent d'accord sur ceci : que le monde accuse, soupçonne et calomnie avec une déplorable facilité. 8
MAUPASSANT, Fort comme la mort, éd. 1889, p. 129.

(...) il se défendit en l'accusant à son tour, elle, de l'avoir ainsi soupçonné. 9
MAUPASSANT, Fort comme la mort, éd. 1889, p. 234.

Il me sait tellement incapable de lui mentir, tellement incapable aussi d'accuser quelqu'un sans preuves! 10
Paul BOURGET, Un divorce, II, p. 84.

♦ **3** (1152). Blâmer (qqch.), arguer de la faute de (qqch.). → **Imputer** (à), **insinuer.** *Accuser un texte d'être obscur. Accuser les événements, le sort.*

Il accusait toujours les miroirs d'être faux. 11
LA FONTAINE, Fables, I, 11.

Vous avez bien sujet d'accuser la nature. 12
LA FONTAINE, Fables, I, 22.

On pense en être quitte en accusant son sort. 13
LA FONTAINE, Fables, V, 11.

L'intérêt, que l'on accuse de tous nos crimes. 14
LA ROCHEFOUCAULD, Maximes, 305.

♦ **4** Spécialt (relig. cathol.). *Accuser ses péchés,* les avouer. → **Confesser.**

**II** ♦ **1** (Mil. XVIᵉ, Montaigne). Sujet n. de chose. Servir de preuve, d'indice ; rendre manifeste. → **Indiquer, montrer.** *Ses vêtements accusaient son origine étrangère.* → **Révéler.** *Rien dans son comportement n'accusait son désarroi.*

15 Car je n'en doute point, cette jeune beauté
Garde en vain un secret qui trahit sa fierté,
Et son silence même, accusant sa noblesse
Nous dit qu'elle cache une illustre princesse.
RACINE, Iphigénie, I, 2.

16 L'innocent accusé d'espionnage
se trouble. Toute son attitude l'accuse,
et il tombe évanoui
entre les gardes municipaux.
COCTEAU, Discours du grand sommeil, 4.

(Sujet n. de personne). → **Marquer.** *Accuser la fatigue, son âge,* les laisser deviner, par l'aspect extérieur.

16.1 Blaud est un gros garçon bien en chair (...) il accuse quarante-deux ans, mais ne paraît pas son âge.
GIDE, Voyage au Congo, *in* Souvenirs, Pl., p. 774.

♦ **2** Loc. (1627, *accuser la réception de...*). *Accuser* (signaler) *réception,* donner avis qu'on a reçu. *Accuser réception d'une lettre, d'un colis.*

(1690). *Accuser son jeu* (aux cartes), le faire connaître.

Loc. (1927, *in* G. Petiot ; sports). **ACCUSER LE COUP :** laisser voir qu'un coup a durement touché.

Fam. *Accuser le coup,* et, absolt, *accuser* (1934) : montrer par ses réactions qu'on est affecté, moralement ou physiquement. *Après deux nuits blanches, il accusait nettement le coup.*

16.2 (...) Il s'esclaffa :
— Peur de qui, de quoi ? de Nane ? Tu vois la mignonnette
nous précipiter aux abîmes !
Geneviève lui répondit, soudain très dure :
— Tu la perdras et je le perdrai.
Il y eut un temps. Il dut accuser le coup.
Maurice CLAVEL, le Tiers des étoiles, p. 211.

♦ **3** (XVIIᵉ). Faire ressortir, faire sentir avec force. → **Accentuer, marquer.** *Accuser les différents points d'un exposé.* — Spécialt (arts). Faire ressortir un détail plastique. → **Dessiner, souligner.** *La lumière accusait les contours, les reliefs.*

17 La moindre ombre se remarque sur ces vêtements qui n'ont pas encore été salis, et leur vive blancheur en accuse toutes les taches.
BOSSUET, Oraison funèbre de Marie-Thérèse d'Autriche.

18 La pénombre en accusant les reliefs osseux, sculptait bizarrement le masque de Paterson.
MARTIN DU GARD, les Thibault, VII, 53.

19 Paris détruit les types que la province accuse.
F. MAURIAC, la Province, p. 13.

◆ **S'ACCUSER** v. pron.

♦ **1** (Personnes). S'avouer, se reconnaître coupable. *S'accuser d'un crime. — Il s'accuse de son ingratitude.* — Spécialt. *S'accuser de ses péchés* (relig. cathol.) :, se confesser. — Prov. *Qui s'excuse* s'accuse.*

20 Il est bon que chacun s'accuse ainsi que moi.
LA FONTAINE, Fables, VII, 1.

21 Il y a (...) des instants où je m'accuse d'égoïsme, où je me demande si ma place n'est pas auprès de vous.
Jules SANDEAU, Sacs et Parchemins, p. 37, *in* T. L. F.

22 À mesure qu'il parlait, il se sentait le cœur plus libre, cela le soulageait de s'accuser.
Alphonse DAUDET, Contes du lundi, « L'enfant espion ».

23 (...) il s'accusa, le samedi, en confession, « d'avoir formé des jugements téméraires sur la piété d'un saint évêque ».
RENAN, Souvenirs d'enfance..., Œ. compl., t. V, 1.

♦ **2** (Choses). Se marquer, être mis en relief. → **S'accentuer.** *Avec les années, son goût pour la boisson s'accusait.*

Les traits les plus marquants d'un caractère se forment et s'accusent avant qu'on en ait pris conscience.
GIDE, Si le grain ne meurt, VIII, p. 215.

CONTR. (Du I.) **Blanchir, décharger, défendre, disculper, innocenter, justifier, laver.** — (Du II.) **Atténuer, estomper.**
◈ DÉR. **Accusable, accusé.**

**ACE** [es; ejs] n. m. — 1928, *in* Petiot ; mot angl.

Tennis. Balle de service qui fait le point, l'adversaire n'ayant pu la toucher ou la contrôler.

**-ACÉ, -ACÉES** Élément, du lat. *-aceus* (et, pour *-acées,* de *-aceae,* fém. plur. de *-aceus*) « appartenant à », utilisé pour former les noms de familles, en botanique.

**ACELLULAIRE** [aselylɛʀ] adj. — XXᵉ ; de 1. *a-,* et *cellulaire.*

Biol. Qui n'est pas constitué de cellules au cloisonnement distinct. *Un système acellulaire.*

**ACÈNE** [asɛn] n. m. — 1964 ; autres sens au XIXᵉ ; grec *akaina* « aiguillon ».

Chim. Hydrocarbure de la série aromatique, polycyclique, dans lequel les noyaux benzéniques sont accolés linéairement. *Acènes à trois* (anthracène), *quatre* (naphtacène), *cinq noyaux et plus* (penta-, hexacène, etc.).

**ACENSE** [asɑ̃s] n. f. → **Accense** (2.).

**ACÉPHALE** [asefal] adj. et n. — 1375, fig., « sans chef » ; lat. *acephalus,* du grec *akephalos* « sans tête ». → -céphale.

♦ **1** Hist. Sans chef, sans tête. *Gouvernement acéphale.*

♦ **2** *Monstre acéphale, statue acéphale,* sans tête.

Ses énormes lionnes, aujourd'hui acéphales, mais toujours redoutables, se dressent sur un linteau dont les dimensions monstrueuses surprennent.
J. GREEN, La Terre est si belle, 1976-1978, 19 oct. 1976.

Fig. (plaisant) :

Narcense (...) apercevait une villa qui n'avait pas eu la force d'atteindre son premier étage et demeurait acéphale.
R. QUENEAU, le Chiendent, p. 66.

♦ **3** (1799). Zool. Dépourvu de tête. *Les métazoaires diplobastiques sont acéphales. Larve acéphale.*

N. m. pl. Vx. *Les acéphales,* les lamellibranches.

♦ **4** Métrique. (D'après le lat. *acephalus versus*). *Vers acéphale,* hexamètre qui a une brève à la place de la première longue.

DÉR. **Acéphalie.**

**ACÉPHALIE** [asefali] n. f. — 1823 ; de *acéphale.*

Didact. Absence partielle ou totale de tête.

**ACER** [asɛʀ] n. m. — XVIIIᵉ ; mot lat., *acer, aceres* « érable ».

Didact. Érable (n. scientifique). → **Acériné.**

DÉR. **Acériné.**

**ACÉRACÉ, ÉE, ÉES** [aseʀase] adj. et n. f. pl. → **Acériné, ée, ées.**

**ACÉRAGE** [aseʀaʒ] n. m. — 1866, *in* P. Larousse ; de *acérer.*

Techn. Opération qui consiste à souder un morceau d'acier à un outil (le plus souvent, pour former la partie taillante ou perforante : tranchant, pointe, mise, etc.).

**ACÉRAIN, AINE** [aseʀɛ̃, ɛn] adj. — 1579; *acerin* «épée en acier», XIIe-XIII[e]; de l'anc. franç. *acer* «acier». Vx ou littér. Qui tient de la nature de l'acier.

**ACERBE** [asɛʀb] adj. — 1195, sens 2.; lat. *acerbus.*

♦ **1** (1572). Didact. Aigre et âpre. → **Acide, mordicant** (vieilli), **vert.** *Des fruits verts acerbes. Une saveur, un goût acerbe.*

Littér. Qui provoque une sensation trop forte. *Des formes, des tons acerbes.*

1 Tu n'es que venin perfide et poison acerbe.
FRANCE, Thaïs, II, p. 202.

♦ **2** Fig. et cour. Qui cherche à blesser; qui critique avec méchanceté. *Une personne acerbe.* → **Acrimonieux, agressif, blessant, caustique, sarcastique.** *Un langage, un ton acerbe.* → **Incisif, mordant.** *Répondre d'une manière acerbe. Formuler des critiques acerbes.* → **Acéré, virulent.**

2 Martial en appela aux mânes de sa défunte mère (...) Acerbe, Félix exhorta l'un des joueurs à prendre une chambre à l'hôtel avec son adversaire (...)
Jean-Louis CURTIS, le Roseau pensant, p. 18.

CONTR. **Doux, suave. — Agréable, amène, bienveillant.** ◊ DÉR. **Acerbité.**

**ACERBITÉ** [asɛʀbite] n. f. — 1327, au fig.; concret, 1572; de *acerbe.*

Rare. Caractère de ce qui est acerbe. *L'acerbité des fruits sauvages.* — Fig. *L'acerbité de ses propos.*

CONTR. **Douceur.**

**ACÉRÉ, ÉE** [aseʀe] adj. — 1155, «garni d'acier»; de *acer,* forme anc. de *acier.*

♦ **1** Se dit d'un objet métallique que l'on a garni d'acier pour en rendre le tranchant plus affilé, la pointe plus aiguë. — (1562). Par ext. Dur et tranchant, pointu. *Une lame, une flèche acérée. Des griffes acérées. Des épines acérées.*

1 (...) un serpent qui le blessait au cœur de sa langue acérée et envenimée. VOLTAIRE, Zadig, VII.

Par métaphore :

1.1 (...) telle est la raison qui rend presqu'impossible la durée des associations criminelles, n'opposant que des pointes acérées aux intérêts des autres, tous doivent se réunir promptement pour en émousser l'aiguillon.
SADE, Justine..., t. I, p. 51.

♦ **2** Fig. Qui produit une sensation vive. *Des sons acérés, aigus.* → **Strident.** *Un froid acéré,* vif. → **Intense.**

2 Une rumeur aigre, aiguë, acérée, sifflante comme les ailes d'un moucheron. HUGO, Notre-Dame de Paris, I, 5.

3 De longs cris d'enfant montaient de la terre, atteignaient dans l'air le sifflement acéré des hirondelles.
COLETTE, la Chatte.

Qui laisse une impression vive. *Un regard acéré. Des paroles acérées.* → **Mordant.**

3.1 (...) quelqu'un l'écoutait *vraiment :* Mme Sarlat. Elle ne perdait pas un mot du discours et attachait sur la figure du discoureur un regard acéré et impénétrable.
Jean-Louis CURTIS, le Roseau pensant, p. 34.

3.2 Si je haussais les épaules en déclarant qu'aucun de ces jeux physiques ne tirait à conséquence, j'infligeais à son amour-propre la blessure la plus acérée, sous prétexte de calmer ses remords.
M. YOURCENAR, le Coup de grâce, p. 187-188.

♦ **3** (XVIe). Fig. Intentionnellement blessant, mordant. → **Acerbe, caustique, mordant.** *Les traits acérés de la raillerie. Une plume acérée. Un écrit d'un style acéré.*

4 Il put même y donner libre cours à ses qualités incisives, mordantes, acérées (...)
SAINTE-BEUVE, Causeries du lundi, Montalembert.

Par métaphore du sens 1. :

(...) son sarcasme aux dents acérées (...) 5
HUGO, Littérature et Philosophie mêlées, p. 115.

CONTR. **Émoussé. — Bienveillant, doux.**

**ACÉRENTOMON** [aseʀɑ̃tɔmɔ̃] n. m. — D. i. (XXe); de 2. *a-,* grec *kêr* «coeur, poitrine» et *entomon* «insecte». → Entomo-.

Zool. Insecte (Protoures, famille des *Acérentomonidés*) dépourvu de système respiratoire trachéen.

**ACÉRER** [aseʀe] v. tr. [CONJUG.: *céder.*] — 1348, var. *acherer;* de *acer,* forme anc. de *acier.* → Aciérer. Rare.

♦ **1** Métall. Souder de l'acier à (un instrument en fer) pour en rendre le tranchant plus affilé, la pointe plus aiguë. — Par ext. Rendre aigu, tranchant, aiguiser.

♦ **2** Fig. (Littér. et rare). *Acérer une épigramme. Acérer une douleur.* → **Acéré.**

CONTR. **Émousser.** ◊ DÉR. **Acérage.**

**ACÉRINÉ, ÉE, ÉES** [aseʀine] ou **ACÉRACÉ, ÉE, ÉES** [aseʀase] adj. et n. f. pl. — 1824, de Candolle, *acériné; acéracé,* 1841, *in* Cottez; du lat. *acer* «érable». Didactique.

♦ **1** Adj. Qui ressemble à l'érable.

♦ **2** N. f. pl. ACÉRACÉES ou (vieilli) ACÉRINÉES : famille de plantes phanérogames angiospermes, classe des dicotylédones dialypétales, dont les types principaux sont *acer platanoides* (érable plane; → **Érable**), *acer pseudoplatanus* (→ **Sycomore**), *acer negundo*, acer saccharinum* (érable à sucre).

Ils avaient même fabriqué du sucre, sans cannes ni betteraves, en recueillant cette liqueur que distille l'«acer saccharinum», sorte d'érable de la famille des acérinées, qui prospère sous toutes les zones moyennes, et dont l'île possédait un grand nombre (...)
J. VERNE, l'Île mystérieuse, t. I, p. 264.

**ACESCENCE** [asesɑ̃s] n. f. — 1735; de *acescent.*

Didact. Propriété, état d'un liquide acescent. *Acescence des vins,* maladie des vins piqués, due à des bactéries acétiques. → **Aigreur.**

**ACESCENT, ENTE** [asesɑ̃, ɑ̃t] adj. — 1735; du p. prés. du lat. *acescere* «devenir aigre».

Didact. Qui s'aigrit, devient aigre, acide. *Une bière acescente.*

DÉR. **Acescence.**

**ACÉT-, ACÉTO-** Élément, de *acét(ique),* qui signifie «acide acétique» ou «radical acétyle», et qui entre dans la composition de nombreux termes de chimie. → aussi **Acétyl-.**

Cet élément apparaît d'abord en français dans *acétate* (1787). Il est à distinguer de *acét-, acéti-* ou *acéto-* qui représente «vinaigre» (lat. *acetum*) dans certains mots venus du latin ou formés ultérieurement (ex. : *acétabule, acéteux, acétifier, acétomètre*...). Outre les mots traités ci-dessous, on peut citer : *acétobutyrate* [asetobytiʀat] n. m., ester mixte de la cellulose et des acides acétique et butyrique *(acétobutyrate de cellulose); acétonitrile* [asetonitʀil] (ou *nitrile acétique*), n. m. (solvant); *acétopropionate* [asetopʀɔpjɔnat] (de cellulose), n. m.

**ACÉTABULAIRE** [asetabylɛʀ] n. f. — 1834, Landais; *acétabule,* 1751, *Encyclopédie,* Diderot; lat. sav. *acetabularia,* dû à Lamouroux, de *acetabulum* (→ Acétabule), et *-aria* «-aire».

Bot. Algue verte *(Chlorophycées)* recouverte d'une carapace calcaire. — On dit plus souvent *acetabularia* [asetabylaʀja].

**ACÉTABULE** [asetabyl] n. f. — 1546, anat.; 1801, sens 1.; lat. *acetabulum* «vase à vinaigre», de *acetum* «vinaigre».

♦ **1** Antiq. Vase qui servait à contenir le vinaigre.

♦ **2** Anat. Cavité articulaire de l'os iliaque, dans laquelle se loge la tête du fémur. — On dit aussi *cavité cotyloïde.* → **Cotyle.**

Zool. Cavité qui reçoit la patte de derrière des insectes. — Organe en forme de coupe (hydraires, plathelminthes...). — REM. Dans ce sens, on emploie surtout la forme latine *acetabulum* [asetabylɔm].

♦ **3** Bot. Ensemble des sépales (d'une fleur). → **Calice.**

DÉR. V. **Acétabulaire.**

**ACÉTAL, ALS** [asetal] n. m. — 1840; all. *Azetal,* de *Azet-* «acét-», et *Al(kohol)* «alcool».

Chim. Nom générique des composés organiques (de formule $R-CH(OR')_2$, R notant un radical alcoyle) produits par l'action d'un alcool sur un aldéhyde ou un cétone. *Les acétals s'hydrolysent en milieu acide.*

Cour. Éthanal diéthylacétal ($CH_3-CH(OC_2H_5)_2$). *Résines d'acétal,* polymères obtenus à partir d'aldéhydes.

REM. Le mot a plusieurs dérivés (*acétaliser* [asetalize] v. tr.; d'où *acétalisation* [asetalizasjɔ̃] n. f.) et composés (*acétaldéhyde* [asetaldeid] n. m., ou *aldéhyde acétique*).

**ACÉTAMIDE** [asetamid] n. m. — 1847; all. *Azetamid.* → -acét(o), amide.

Chim. Amide de l'acide acétique (de formule $CH_3-CONH_2$).

**ACÉTATE** [asetat] n. m. — 1787; de *acét(ique),* et suff. *-ate.* → Acét-.

Chim. Sel ou ester de l'acide acétique, obtenu par la combinaison de l'acide acétique avec une base ou un alcool. *Acétate d'aluminium,* employé comme mordant. *Acétate de plomb* dit *sel de Saturne. Acétate basique de cuivre,* dit *vert de gris.* — *Acétate de morphine* (cit. 1). — *Acétate de cellulose* (ou *acétocellulose, acétylcellulose*) : ester acétique de la cellulose utilisé dans la production de fibres artificielles, de matières plastiques, de pellicules cinématographiques et de vernis. — REM. Souvent employé seul en ce sens. *Fils, fibres d'acétate.*

COMP. **Sous-acétate.**

**ACÉTEUX, EUSE** [asetø, øz] adj. — 1256; lat. médiéval *acetosus.*

Vx. Qui a le goût du vinaigre. → **Acétique.**

**ACÉTIFICATION** [asetifikasjɔ̃] n. f. — 1789, Lavoisier; du lat. *acet(um)* «vinaigre», et *-fication.* → Acétifier.

Chim. Action de transformer en vinaigre, en acide acétique. *Vinaigre préparé par l'acétification du vin, du cidre, de l'alcool.*

**ACÉTIFIER** [asetifje] v. tr. — 1843; du lat. *acet(um)* «vinaigre», et *-fier.*

Chim. Effectuer l'acétification de (un vin, un alcool, etc.).

DÉR. V. **Acétification.**

**ACÉTIMÈTRE** [asetimɛtʀ] ou **ACÉTOMÈTRE** [asetɔmɛtʀ] n. m. — 1834, *acétimètre; acétomètre,* 1853; du lat. *acet(um)* «vinaigre», et *-mètre.*

Chim., techn. Acidimètre servant à évaluer le degré de concentration du vinaigre.

**ACÉTINE** [asetin] n. f. — Av. 1855, *in* Littré et Robin; de *acét-,* et *-ine.*

Chim. Ester acétique d'un alcool ou d'un polyol.

**ACÉTIQUE** [asetik] adj. — 1787; du lat. *acetum* «vinaigre».

Chimie.

♦ **1** *Acide acétique,* acide du vinaigre ($CH_3CO_2H$), liquide corrosif, incolore, d'odeur suffocante, provenant de l'oxydation de l'alcool éthylique par un ferment *(Mycoderma aceti)* communément appelé *mère du vinaigre.* — *Anhydride acétique,* agent de l'acétylation. — *Esters acétiques.*

♦ **2** (1866). Qui a rapport au vinaigre, à l'acide acétique. *Fermentation acétique,* qui donne naissance au vinaigre. *Odeur acétique.*

♦ **3** Fig. et littér. Aigre. *Une voix acétique.*

DÉR. **Acétate.** ◊ COMP. V. **Acét(o)-.** → HOM. **Ascétique.**

**ACÉTO-** → **Acét-.**

**ACÉTOBACTER** [asetobaktɛʀ] n. m. invar. — V. 1950; lat. sav. *acetobacter,* de *aceto-,* et *-bacter.*

Chim. Bactérie qui transforme l'alcool en acide acétique par oxydation. *C'est un acétobacter* (Mycoderma aceti) *qui est responsable de la transformation du vin en vinaigre.*

**ACÉTOCELLULOSE** [asetoselyloz] n. f. — 1928, *Larousse du XX^e^ siècle;* de *acéto-,* et *cellulose.*

Chim. Acétate de cellulose (syn. : *acétylcellulose*). — On écrit aussi *acéto-cellulose.*

La principale application de l'acéto-cellulose est la fabrication des films cinématographiques, dits *non-flamme.* Ces films sont exclusivement employés pour faire les copies positives destinées à la projection dans tous les lieux publics; car, au début de la cinématographie, on avait enregistré de terribles catastrophes dues à l'incendie, dans les salles de spectacles, des bandes de celluloïd (...) 1
F. MEYER et L.-J. OLMER, le Papier, p. 109.

(...) on aimait bien le cinéma, toi et moi, mais pas pour les mêmes raisons. Matérialiste, quand tu disais film, tu pensais d'abord acétocellulose — le meilleur des combustibles pour mélanges incendiaires. 2
Régis DEBRAY, l'Indésirable, p. 167.

**ACÉTOL** [asetɔl] n. m. — 1897; «vinaigre ordinaire», 1845; de *acét(o)-,* et *-ol* «alcool».

Chim. Le plus simple des cétones-alcools ($CH_3COCH_2OH$).

**ACÉTOLYSE** [asetɔliz] n. f. — 1968, *in* Larousse; de *aceto-,* et *-lyse.* Cf. angl. *acetolysis,* mil. XX^e^.

Chim. Décomposition par l'action de l'acide acétique.

**ACÉTOMEL** [asetomɛl] n. m. — 1842; du lat. *acet(um)* «vinaigre», et *mel* «miel».

Didact. Sirop de miel et de vinaigre.

**ACÉTOMÈTRE** [asetɔmɛtʀ] n. m. → **Acétimètre.**

**ACÉTONE** [asetɔn] n. f. — 1833, Bussy; de *acét(o)-,* et suff. *-one* de *eupione, margarone,* devenu ensuite suff. spécifique des cétones.

Chim. Corps le plus simple du groupe des cétones ($CH_3COCH_3$), liquide incolore, d'odeur pénétrante, volatil et inflammable, utilisé comme solvant.

DÉR. et COMP. **Acétonémie, acétonurie; cétone.** REM. De nombreux autres composés sont attestés en chimie *(acétone-dicarboxylate,* n. m.; *acétonitrile,* n. m.; *acétonylacétone,* n. m.*)* et en médecine.

**ACÉTONÉMIE** [asetɔnemi] n. f. — 1885; de *acétone,* et *-émie.*

Méd. Présence (anormale, excessive) dans le sang d'acétone ou de cétones voisines (par ex., dans le diabète). → **Cétonémie.** *Vomissements dus à l'acétonémie infantile* (dits *acétonémiques*).

**ACÉTONURIE** [asetɔnyʀi] n. f. — 1885; de *acétone,* et *-urie.*

Méd. Présence d'acétone dans les urines (chez les diabétiques, les jeûneurs). → **Cétonurie.**

**ACÉTOPHÉNONE** [asetofenɔn] n. f. — 1880, Wurtz, *Suppl.*; de *acét(o)-, phén(yle),* et *-one,* suff. spécifique des cétones. → Benzophénone.

Chim. Cétone obtenue en faisant agir le chlorure d'acétyle sur le benzène, en présence de chlorure d'aluminium. *L'acétophénone possède des propriétés hypnotiques; elle est utilisée dans l'industrie des matières plastiques.*

**ACÉTOSELLE** [asetozɛl] n. f. — 1890; *acetosella,* 1846, Bescherelle; lat. sav. *(oxalis) acetosella,* Linné, diminutif de *acetosa,* adj. f., «aigre, acide».

Oxalide acide (aussi appelée *alléluia, pain de coucou, surelle...*).

**ACÉTYL-** Élément tiré de *acétyle,* entrant dans la formation de mots composés, en chimie, et indiquant la présence du radical $CH_3$–CO–. — Ex. : *acétylsalicylique.* — REM. *Acétyl-* est aujourd'hui employé de préférence à *acéto-.* Outre les mots traités ci-dessous, on peut signaler : *acétylacétique* [asetilasetik] adj. (acide acétylacétique $CH_3$–CO–$CH_2$–COOH); *acétylacétone* [asetilasetɔn] n. f.; *acétylase* [asetilaz] n. f.; *acétyldigitoxine* [asetildizitɔksin] n. f.

**ACÉTYLATION** [asetilasjɔ̃] n. f. — XX<sup></sup>e; cf. angl. *acetylation,* 1895; de *acétyler,* et *-ation.*

Chim. Opération qui consiste à introduire le radical acétyle dans une molécule, afin de produire des esters et des amides acétiques. → **Acétyler.**

La réaction d'acétylation qui débute dans tous les cas sur la fibre de cellulose sous sa forme solide initiale conduit à un gonflement progressif de la matière en cours d'estérification, au fur et à mesure de la fixation des groupes acétylés. Finalement, quand l'acétylation est suffisamment poussée, le dérivé formé se dissout dans le milieu réactionnel. M. CHÊNE et N. DRISCH, la Cellulose, p. 104.

**ACÉTYLCELLULOSE** [asetilselyloz] n. f. — 1928, *Larousse du XX<sup></sup>e siècle*; cf. angl. *acetylcellulose,* 1879; de *acétyl-,* et *cellulose.*

Chim. Acétate de cellulose (syn. : *acétocellulose*).

**ACÉTYLCHOLINE** [asetilkɔlin] n. f. — XXe; angl. *acetylcholine,* 1906; de *acétyl-,* et *choline.*

Biochim. Substance dérivée de la choline, médiateur chimique assurant la transmission de l'influx nerveux, notamment dans le système parasympathique et au niveau des fibres musculaires. *Libération d'acétylcholine.* → **Cholinergie.** — REM. Le comp. *acétylcholinestérase* [asetilkɔlinɛsteʀaz] n. f., désigne l'enzyme catalysant l'hydrolyse de l'acétylcholine en acide acétique et en choline.

**ACÉTYLCOENZYME** [asetilkoɑ̃zim] n. f. ou m. — Av. 1970; de *acétyl-,* et *coenzyme,* probablt par l'angl. (*in* Webster's, 1966).

Biochim. *Acétylcoenzyme A,* enzyme jouant un rôle essentiel dans le métabolisme des glucides, des lipides et de certains protides, au niveau cellulaire. *Dégradation d'acides gras saturés en molécules d'acétylcoenzyme A, mise en évidence par F. Lynen en 1951.*

**ACÉTYLE** [asetil] n. m. — 1853; de *acét-,* et *-yle,* du grec *hulê* «matière», marquant en chimie un radical.

Radical univalent de formule $CH_3$–CO–. — *Chlorure d'acétyle* ($CH_3$–CO–Cl) : agent d'acétylation.

DÉR. et COMP. **Acétylène, acétyler, acétylique.** — V. aussi **Acétyl-.**

**ACÉTYLÉ, ÉE** [asetile] adj. → **Acétyler.**

**ACÉTYLÈNE** [asetilɛn] n. m. — 1862, découvert en 1836; de *acétyle,* et *-ène.*

Chim. Hydrocarbure non saturé ($C_2H_2$ ; H–C≡C–H), gaz incolore, inflammable et toxique, produit par l'action de l'eau sur le carbure de calcium, utilisé dans les *lampes* et *chalumeaux à acétylène,* et surtout comme produit de départ pour de très nombreuses synthèses organiques. *Soudure à l'acétylène.*

La nuit s'était faite peu à peu, et, sur la rive, un phare d'acétylène, fixé au sommet d'un pieu, éclairait, à l'aide de son puissant réflecteur braqué avec soin, tous les détails de l'étonnante machine vers laquelle convergeaient tous les regards. 1
Raymond ROUSSEL, Impressions d'Afrique, p. 125.

(...) les deux égoutiers allumèrent leurs lampes afin d'éclairer le passage qui pouvait s'avérer dangereux. La lueur de l'acétylène dansa sur les parois luisantes. 2
Pierre GASCAR, les Bêtes, p. 106.

DÉR. **Acétylénique.** — V. **Acétylure.**

**ACÉTYLÉNIQUE** [asetilenik] adj. — 1890; de *acétylène.*

Chim. Dérivant de l'acétylène. *Hydrocarbure acétylénique.* → **Alcyne.**

**ACÉTYLER** [asetile] v. tr. — Av. 1880 (→ ci-dessous, cit. p. p. adj.); de *acétyle.*

Chim. Provoquer l'introduction du radical acétyle dans (une molécule, un composé). → **Acétylation.**

Il est possible d'acétyler faiblement la cellulose par action de l'acide acétique seul, soit à haute température, soit en présence de catalyseurs, mais cette réaction est limitée et l'estérification ne peut être totale.
M. CHÊNE et N. DRISCH, la Cellulose, p. 103-104.

◆ **ACÉTYLÉ, ÉE** p. p. adj. «*(...) un triglucose onze fois acétylé*» (Wurtz, *Suppl.,* art. *Cellulose*).

DÉR. **Acétylation.**

**ACÉTYLFORMIQUE** [asetilfɔʀmik] adj. — 1904, *Nouveau Larousse illustré,* art. *Pyruvique*; de *acétyl-,* et *formique.*

Chim. *Acide acétylformique,* acide pyruvique*.

**ACÉTYLIQUE** [asetilik] adj. — 1868, Wurtz, art. *Acétyle*; de *acétyle.*

Chim. Qui contient le radical acétyle. *Composés acétyliques.*

**ACÉTYLSALICYLIQUE** [asetilsalisilik] adj. — Fin XIXe; de *acétyl-,* et *salicylique.*

Chim. et pharm. *Acide acétylsalicylique,* aspirine.

**ACÉTYLURE** [asetilyʀ] n. m. — 1862, *Année sc. et industr.*; de *acétyl(ène),* et *-ure.*

Chim. Dérivé métallique (sel) de l'acétylène. *Acétylure de cuivre. Acétylure de calcium.*

**ACHAINE** [akɛn] n. m. Vx. → **Akène.**

**ACHALANDAGE** [aʃalɑ̃daʒ] n. m. — 1820; de *achalander.*

♦ **1** Vx. Ensemble des chalands (clients) d'un commerçant. *Vendre un fonds de commerce avec son, avec l'achalandage.* → **Clientèle, pratique.**

Dr., comm. Moyens propres à retenir la clientèle, à l'accroître.

♦ **2** Par ext. (Sens critiqué ; de *achalandé*). Ensemble des marchandises proposées à la clientèle par le commerçant. *Un achalandage propre à tenter le client. L'achalandage des grands magasins.*

**ACHALANDER** [aʃalɑ̃de] v. tr. — 1383; de 1. *a-*, et *chaland.*

♦ **1** Rare. Fournir de chalands, procurer des clients à.

1 L'autre femelle avait achalandé ce lieu.
LA FONTAINE, Fables, VII, 15.

2 (...) un cinéma public, en plein air, chargé d'achalander les cafés. GIDE, Journal, 19 août 1930.

REM. L'emploi du verbe est rare ; seul le p. p. *achalandé* est d'usage. *Une boutique bien achalandée.* — Rare. (Personnes). *Un vendeur achalandé,* qui a des clients.

2.1 Et Camille, elle aussi, bien qu'elle fût désignée naturellement comme une des vendeuses les plus achalandées, s'était obstinée à son ordinaire toilette (...)
ZOLA, Paris, t. I, p. 239.

♦ **2** Par ext. et littér. Où le public est nombreux (sans qu'il s'agisse de chalands).

3 En retrait des réunions achalandées, la saison normande devient un repos délicieux (...)
G. BAUËR, les Billets de Guermantes, sept. 1937, p. 184.

♦ **3** Cour. (Sens critiqué ; extension d'emploi naturelle, les magasins à nombreuse clientèle étant bien pourvus de marchandises, et le mot *chaland* n'étant plus compris). Fourni, approvisionné en marchandises (le plus souvent avec un adverbe indiquant l'abondance de l'approvisionnement, parfois sa pauvreté). *Un rayon bien achalandé.* → **Approvisionné, assorti, fourni** (Fournir, *supra* cit. 19). *La quincaillerie du coin est mal achalandée en grosse visserie.*

4 (...) l'épicerie Borange, trop distante de la maison pour que Françoise pût s'y fournir comme chez Camus, mais mieux achalandée comme papeterie et librairie (...)
PROUST, Du côté de chez Swann, Pl., t. I, p. 84.

DÉR. **Achalandage.**

**ACHARDS** [aʃaʀ] n. m. pl. — 1609, *achar;* du malais, d'orig. persane, «confit dans du vinaigre et du sel».
Condiment composé de fruits et de légumes émincés, fortement épicés, confits dans du vinaigre et conservés à l'huile. → **Pickles.** *D'origine indienne, les achards sont très employés en Grande-Bretagne, aux Antilles et en Asie du Sud-Est.* — REM. On écrit aussi *aschards.* La graphie *achars* (→ ci-dessous, cit. 1, Flaubert) n'est plus en usage.

1 Ils perfectionnèrent les achars de Mme Bordin, en épiçant le vinaigre avec du poivre (...)
FLAUBERT, Bouvard et Pécuchet, Pl., t. II, p. 714.

2 Entre les assiettes, entre les plats, sur le lit de rognures bleues, se trouvaient jetés des bocaux d'aschards, de coulis, de truffes conservées (...)
ZOLA, le Ventre de Paris, t. I, p. 56.

**ACHARNEMENT** [aʃaʀnəmɑ̃] n. m. — 1611; de *acharner.*

♦ **1** Littér. et rare. Action de s'acharner (sur une proie). *L'acharnement d'un carnassier sur, après sa proie.*

♦ **2** Ardeur furieuse dans la lutte (animaux, hommes). → **Furie, rage.** *Les deux chiens se battaient avec acharnement.* — Par ext. Animosité, haine tenace.

Jamais contre un pécheur ils n'ont d'acharnement 1
Ils attachent leur haine au péché seulement (...)
MOLIÈRE, Tartuffe, I, 5.

♦ **3** Persévérance, énergie dans l'effort, le travail. → **Obstination, opiniâtreté, ténacité.** — *Travailler avec acharnement.*

Rien ne résiste à un acharnement de fourmi. 2
HUGO, les Travailleurs de la mer, II, I, 9.

Il faut travailler avec acharnement, d'un coup, et sans que rien vous distraie ; c'est le vrai moyen de l'unité de l'œuvre. 3
GIDE, Journal, 8 mai 1890.

Pendant que s'accomplissait ce travail chimique, Cyrus Smith fit procéder à d'autres opérations. On y mettait plus que du zèle. C'était de l'acharnement. 4
J. VERNE, l'Île mystérieuse, t. I, p. 221.

Cet exemple ne sera pas toujours irrésistible, Gandhi l'a su et Nehru le sait. Il faut tenir compte de leur acharnement, égal à la ténacité britannique malgré l'éternelle pagaille de ces pays. 5
MALRAUX, Antimémoires, Folio, p. 361-362.

*Acharnement thérapeutique,* emploi systématique de tous les moyens thérapeutiques pour maintenir en vie un malade dans un état désespéré. *Refuser l'acharnement thérapeutique.*

CONTR. **Mollesse.**

**ACHARNER** [aʃaʀne] v. tr. — 1170; de 1. *a-*, et anc. franç. *charn* «chair».

♦ **1** (Chasse). Vx. Donner le goût de la chair à (des chiens, des oiseaux de chasse). — Lancer (un chien, un oiseau de chasse) à la poursuite du gibier. *On acharnait le faucon sur sa proie, au début de la chasse au lièvre.*

♦ **2** (XIVe). Fig. Vx. Rendre acharné; exciter contre. *Acharner le taureau contre les chevaux dans une corrida.*

Le premier sang versé rend sa fureur plus forte ; 1
Il l'amorce, il l'acharne (...)
CORNEILLE, Nicomède, V, 4.

♦ **3** Fig. Vx. Exciter l'appétit sexuel de (qqn).

On les leurre *(les femmes),* en somme, et acharne par tous moyens ; nous échauffons et incitons leur imagination sans cesse. MONTAIGNE, Essais, III, 5. 2

◆ **S'ACHARNER** v. pron. Mod. et cour.

♦ **1 S'ACHARNER SUR, APRÈS, CONTRE :** attaquer, poursuivre, combattre avec acharnement, opiniâtreté. *Ils s'acharnaient sur leur victime. Le chien s'acharne après le lièvre. Les journaux s'acharnaient contre l'ancien ministre.*

(...) L'ours s'acharne peu souvent 3
Sur un corps qui ne vit, ne meut ni ne respire.
LA FONTAINE, Fables, V, 20.

(...) le vautour s'acharnant sur le ver de terre. 4
HUGO (cf. Abattre, cit. 23).

(Sujet n. de chose abstraite). *La destinée, le malheur, la fatalité s'acharne contre lui.* → **Persécuter.**

Il lui semblait que la Providence s'acharnait à la poursuivre (...) FLAUBERT, Mme Bovary, III, VII. 5

Le vent s'était acharné après nous, et la mer ne décolérait pas. 6
Alphonse DAUDET, Lettres de mon moulin, «L'agonie de la Sémillante».

La guigne ne s'acharne que sur la bêtise. 7
J. RENARD, Journal, mai 1896.

♦ **2 S'ACHARNER À** (et l'inf.). Persévérer avec opiniâtreté, lutter avec ténacité. → **Entêter** (s'), **obstiner** (s'). *Il s'acharne à le convaincre. S'acharner au jeu.*

8 J'ai l'impression de frapper contre un mur. Le mur ne cède pas encore, mais, à force de m'y acharner (...)
MONTHERLANT, les Jeunes Filles, p. 187.

Absolt. *Il s'acharne,* il continue, il persévère avec acharnement. *Refusant de céder, il s'acharne sans espoir.* — (Choses). Littéraire :

.1 L'acte de la création ne s'arrête jamais. Il s'effectue ainsi, continuellement, dans la matière dure qui s'acharne.
J.-M. G. LE CLÉZIO, l'Extase matérielle, p. 17.

◆ **ACHARNÉ, ÉE** p. p. adj. (Passif).

♦ **1** Qui s'acharne, agit avec opiniâtreté. → **Enragé, entêté, furieux, tenace.** *Être acharné contre qqn. Être acharné à qqch., à faire qqch. Des chiens acharnés sur leur proie. Elle est acharnée à la discussion.*

*Acharné à* (et l'inf.). *«Des concupiscents* (cit. 2) *acharnés à jouir».*

9 Des soldats acharnés au meurtre.
RACINE, les Campagnes de Louis XIV.

.1 (...) les «bien-pensants» voulaient l'anéantissement des «intellectuels», et réciproquement. En ne se décidant pas pour moi, Zaza pactisait avec des adversaires acharnés à me détruire et je lui en voulus.
S. DE BEAUVOIR, Mémoires d'une jeune fille rangée, p. 287.

Absolt. *Un fumeur acharné.* → **Enragé.** *Être un défenseur acharné des libertés.* → **Opiniâtre.** *Un travailleur acharné.*

♦ **2** (Actions). Qui est mené avec opiniâtreté, avec acharnement. *Les deux pays menaient une guerre acharnée. La poursuite acharnée d'une solution.* → **Obstiné.** *Il a réussi grâce à un travail acharné. Une lutte, une résistance acharnée.*

0 (...) la guerre poétique ne paraît pas devoir être moins acharnée que la guerre sociale n'est furieuse.
HUGO, Odes et Ballades, Préface de 1824.

1 Matho était acharné ; chaque obstacle renforçait sa colère.
FLAUBERT, Salammbô, XIII.

CONTR. **Abandonner, laisser, renoncer** (à). ◊ DÉR. **Acharnement.**

**ACHAT** [aʃa] n. m. — 1164 ; de *achater,* var. anc. de *acheter.*

♦ **1** Action d'acheter. → **Acquisition.** *L'achat de qqch. par qqn. Faire l'achat de qqch.,* l'acheter. *Faire un achat de livres,* acheter plusieurs livres en même temps. *Achat au comptant, à crédit ; en gros, au détail. Achat à tempérament,* moyennant un paiement échelonné qui porte intérêt. *Achat à terme,* dont le paiement ne s'effectue que dans un temps déterminé. — Écon. *Groupement d'achat. Centrale* d'achat. Coopérative d'achat. Pouvoir* d'achat. Intention* d'achat. — Donner un ordre d'achat. Achat à la baisse,* opéré quand survient une baisse des prix. *Achat à la hausse,* opéré lorsque les circonstances laissent présumer une hausse des prix. → **Spéculation.** *Ordre d'achat,* bon de commande que transmet l'acheteur au fournisseur.

1 La loi répute actes de commerce : tout achat de denrées et marchandises pour les revendre (...)
Code de commerce, art. 632.

.1 (...) tout étant prévu, l'achat, la vente, le profit, les commerçants se trouvent avoir dix heures sur douze à employer en joyeuses parties (...)
BALZAC, Eugénie Grandet, éd. 1838, p. 28.

2 Si la quantité de marchandises a diminué alors que le franc augmentait, le pouvoir d'achat de chaque franc est moindre.
A. MAUROIS, Terre promise, XXXVII, p. 252.

3 Il y avait les traites harcelantes des achats dits à tempérament (...)
G. DUHAMEL, Chronique des Pasquier, II, 7.

♦ **2** (Souvent au plur.). Ce qu'on a acheté. → **Emplettes.** *Faire des achats. Il range tous ses achats dans le coffre de la voiture. Montrez-moi un peu vos achats.*

CONTR. **Cession, vente.** ◊ COMP. **Pré-achat, téléachat.** V. **Rachat.**

**ACHATINES** [akatin] ou **ACHATINIDÉS** [akatinide] n. m. pl. — D. i. (XXe) ; du lat. mod. *achatina.*

Zool. Famille de mollusques pulmonés terrestres (classe des gastéropodes) des zones tropicales, grands destructeurs de fruits et de végétaux. *Les achatines sont considérés comme comestibles.* — Au sing. *Un achatine.* — REM. On trouve aussi le mot au féminin :

L'Achatine mauritienne *(Achatina fulica),* bel animal à coquille de 10 à 12 cm de long est en effet du point de vue économique le plus dangereux des Mollusques terrestres et la menace qu'elle laisse planer sur les territoires qu'elle n'a point encore envahis est particulièrement redoutée.
André FRANC, *in* Encycl. Pl., Zoologie, t. I, p. 1108.

REM. À distinguer des *achatinellidés* [akatinellide] n. m. pl., mollusques pulmonés arboricoles des îles Hawaï.

**ACHE** [aʃ] n. f. — XIIe ; du lat. *apia,* plur. de *apium.*

Bot. Plante ombellifère, herbacée (dicotylédone et dialypétale), dont deux espèces sont cultivées comme alimentaires, le céleri-rave et le céleri à côtes. *Ache de montagne ; ache des marais* (céleri). *L'ache entre dans la composition du sirop des cinq racines apéritives* (asperge, fenouil, persil, petit liseron et ache). *Ache des montagnes.* → **Livèche.** *Ache d'eau,* sium.

Des vieillards mangeaient l'ache et immortels ne souffraient pas plus que les morts. Je me sentis libre, libre comme une fleur en sa saison (...)
APOLLINAIRE, Il y a, «Onirocritique», Pl., p. 373.

Blason. Ornement de couronne (de duc, comte, etc.). *Les feuilles d'ache d'une couronne.*

Archit. Élément décoratif dans l'architecture gothique.

HOM. **H, hache, hasch.**

**ACHÉE** [aʃe] n. f. ou **ACHET** [aʃɛ] n. m. — 1514 ; de l'anc. franç. *aeschier* «amorcer».

Régional. Lombric rouge, petit ver de terre utilisé comme appât. — Appât fixé à l'hameçon. — REM. On trouve aussi les formes *aiche, èche, esche* [ɛʃ], *laiche* [lɛʃ].

**ACHÉEN, ENNE** [akeɛ̃, ɛn] adj. et n. — 1740, Trévoux ; nom d'un des groupes ethniques les plus anciens de Grèce ; grec *akhaioi.*

Hist. Relatif à l'Achaïe ou Morée. Relatif à la Grèce. *La ligue achéenne,* confédération de douze cités de l'Achaïe, qui lutta contre la domination macédonienne, contre Sparte et contre les Romains (Ve-IIe siècle av. J.-C.).

N. *Les Achéens.* — *L'achéen,* dialecte grec parlé à l'époque mycénienne. — *Achéen récent,* variété de dorien parlée à l'époque classique en Achaïe.

**ACHÉMÉNIDE** [akemenid] adj. et n. — 1740, Trévoux, de *Achéménès.*

Hist. Relatif à la dynastie perse fondée par Cyrus Ier (550-330 av. J.-C.), à la civilisation perse de cette époque. *Les ruines achéménides de Persépolis. L'art achéménide.*

On trouve au musée de Téhéran, parmi les vestiges achéménides et les floraisons persanes, une statue grecque découverte à Persépolis, où la légende veut qu'elle ait été apportée par Xerxès.
MALRAUX, la Métamorphose des dieux, p. 53.

**ACHEMINEMENT** [aʃminmɑ̃] n. m. — 1454; de *acheminer.*

♦ **1** Action, manière de progresser vers un but; étape sur la voie qui mène à un but. → **Marche, préparation, progression.** — Vx. *Acheminement à. Le lent acheminement à la conscience* (→ ci-dessous, cit. 2). — Vx, absolt (→ ci-dessous, cit. 1).

1 Il n'y doit avoir qu'une action complète (...) mais elle ne peut le devenir que par plusieurs autres imparfaites, qui lui servent d'acheminements.
CORNEILLE, Disc. des trois unités.

2 Toutes ces conquêtes (...) n'ont été (...) qu'un acheminement aux grandes choses qu'il *(le roi)* fit l'année suivante.
RACINE, les Campagnes de Louis XIV.

Mod. *Un lent acheminement, un acheminement progressif vers... L'acheminement des hommes, de l'humanité vers le progrès, vers la destruction.*

3 Il n'y voyait plus goutte, et sa parole même s'embarrassait souvent.
Mais en même temps, tout au contraire, la somme de ses œuvres (...) avait pris dans le public une extraordinaire puissance d'expansion. Sans doute il arrive que c'est après sa mort seulement qu'un écrivain devient célèbre. Mais c'était en vie encore et durant son lent acheminement vers la mort non encore atteinte, qu'il assistait à celui de ses œuvres vers la Renommée.
PROUST, le Côté de Guermantes, Pl., t. II, p. 326.

♦ **2** (XIX^e). Action d'acheminer en vue d'un transport déterminé. *Acheminement de vivres, de troupes. L'acheminement du courrier, des colis.* → **Expédition.**

**ACHEMINER** [aʃmine] v. tr. — 1080; de 1. *a-*, et *chemin.*

♦ **1** Mettre (qqn, un groupe) dans le chemin, diriger (qqch.) vers un lieu déterminé. *Acheminer un colis, le courrier, des vivres, etc., vers Lyon. Acheminer un convoi, un train sur Marseille.* — (Sans compl. de destination). *Acheminer la correspondance.* → **Envoyer, parvenir** (faire).

♦ **2** (1606). Fig. (Sujet n. de chose). Mettre (qqn) dans la voie qui mène à un but, faire progresser vers un certain résultat. → **Amener.** — Vx. *Acheminer qqn à...* — Mod. *Les soucis l'acheminent vers la dépression, le désespoir.*

1 (...) j'ai regret qu'au trépas
Chaque moment de plaisir l'achemine.
LA FONTAINE, Contes, III, 2, «La mandragore».

(Sans compl. direct) :

2 (...) la réforme de 1860 (...) acheminait au régime parlementaire. J. BAINVILLE, Hist. de France, XX, p. 495.

◆ **S'ACHEMINER** v. pron.

♦ **1** Avancer, se diriger vers un lieu. → **Aller.** — Vx. *S'acheminer à un lieu.* — Mod. *S'acheminer vers un lieu. Ils s'acheminaient tranquillement vers le centre de la ville. Le navire s'acheminait vers le large.* (Sans compl. de destination). *S'acheminer par des sentiers creux* (cit. 14).

♦ **2** (Abstrait). Aller, se diriger (vers). — Vx. *S'acheminer à de grands destins.*

3 (...) s'achemine à grands pas à l'empire du monde.
CORNEILLE, Nicomède, V, 1.

(Sans compl. de destination) :

4 Il n'a point fait de conquêtes qu'il n'ait méditées longtemps (...) et où il ne se soit acheminé comme par degrés.
RACINE, les Campagnes de Louis XIV.

Mod. et littér. *S'acheminer vers... Il s'achemine lentement vers la guérison.*

5 Depuis ce coup fatal, le pouvoir d'Agrippine
Vers sa chute, à grands pas, chaque jour s'achemine.
RACINE, Britannicus, I, 1.

REM. *S'acheminer à...,* suivi de l'inf., est archaïque ou très littéraire.

(...) fille qui aime à rire s'achemine à pleurer. 6
HUGO, Notre-Dame de Paris, VI, 3.

Souvenir de fœtus : Je me décidai un jour à porter bouche. 7
Foutu ! Dans l'heure, je m'acheminai, irrésistiblement, vers le type bébé d'homme.
Henri MICHAUX, Face aux verrous, p. 44.

Nous avons cru que l'humanité, adulte, s'acheminait vers 8
une époque où la sagesse, la mesure, la tolérance s'apprêtaient enfin à régner sur le monde.
MARTIN DU GARD, les Thibault, VIII, 13.

DÉR. **Acheminement, achemineur.**

**ACHEMINEUR** [aʃminœʀ] n. m. — XX^e; de *acheminer.* Techn. ou littér. Personne qui est chargée d'acheminer, de conduire qqn, qqch. selon un itinéraire déterminé. — REM. (*Conducteur* ne peut s'employer à cause de ses autres emplois techniques : *conducteur de travaux,* etc.)

Le défilé des enfants devant les comptoirs était réglé comme un trajet parfait de manutention (...) Des achemineurs à brassards bleus mettaient les familles à la file, les enfants devant les parents (...)
Pierre HAMP, la Peine des hommes (Moteurs), p. 184.

**ACHÈNE** [akɛn] n. m. → **Akène.**

**ACHÉRON** [akeʀɔ̃] n. m. — Lat. *Acheron.*

Myth. (Nom propre). Fleuve des enfers, affluent du Styx. — Par ext. Les Enfers.

La peste (...) 1
Capable d'enrichir en un jour l'Achéron.
LA FONTAINE, Fables, VII, 1.

Pour chanter leurs combats, l'Achéron nous devrait rendre 2
Homère. LA FONTAINE, Fables, LX, Disc.

Et l'avare Achéron ne lâche point sa proie. 3
RACINE, Phèdre, II, 5.

**ACHÉRONTIA** [akeʀɔ̃tja] n. f. — 1816; *achérontie,* 1825; lat. sc., «papillon tête de mort», de *Achéron* «fleuve des enfers».

Zool. Genre d'insectes lépidoptères hétérocères de la famille des Sphingidés, qui a pour type le *Sphinx tête-de-mort* ou *atropos* (n. sc. *Acherontia atropos*).

**ACHETABLE** [aʃtabl] adj. — Fin XIV^e; de *acheter.*

Rare. Qu'on peut acheter; qui peut être acheté, acquis pour de l'argent.

Aucune chasse encore (...) n'avait donné à Jacqueline un 1
tel sentiment de régner, non seulement sur ce qui était achetable, les chiens, les hommes, mais sur tout le reste, sur le ciel, sur la plaine, sur la forêt et les libres animaux qui y couraient.
M. DRUON, la Chute des corps, I, IV, p. 43.

Tout individu est achetable. Il ne faut que savoir dans 2
quelle monnaie. Pour les uns c'est simplement l'argent, pour d'autres les femmes; puis viennent ceux qui ne sont sensibles qu'à l'honneur (...)
Pierre HAMP, la Peine des hommes (Moteurs), p. 250.

**ACHETER** [aʃte] v. tr. — X^e, *acheder; achater,* XII^e; du lat. pop. **accaptare,* de *captare* «chercher à prendre». → Capter.

♦ **1** Se procurer, obtenir (un bien, un droit) de qqn, que ce soit pour soi-même (*acheter qqch.;* → **Acquérir**) ou pour transmettre, remettre à autrui (*acheter* [qqch.] *à, pour* [qqn]; → **Offrir, procurer**), moyennant une somme d'argent.

(*Acheter pour soi*; s'oppose d'une part à *vendre*, d'autre part à *échanger*, à *voler*, *prendre*). *Acheter des marchandises, une voiture, une maison, des actions au comptant, comptant, à crédit, à tempérament. Commerçant qui achète des produits en gros* (grossiste), *au détail* (détaillant). *Monopoleur qui achète toutes les matières premières disponibles.* → **Accaparer.** *Enlever, se faire livrer les marchandises que l'on a achetées. Payer, régler au vendeur ce que l'on vient d'acheter. Tu as acheté ces billes? Non, je les ai échangées contre d'autres. Je vais acheter le journal. Il a acheté son manteau cher, trop cher, plus cher* (→ **Surenchérir**), *bon marché. Acheter qqch. après un long marchandage.* → **Marchander.** *Il vient d'acheter un Picasso à prix d'or. Acheter qqch. très cher, au poids de l'or; à vil prix; au prix du vendeur, sans discuter. Essayer une veste avant de l'acheter. Acheter un terrain sans le voir. Vous pouvez l'acheter de confiance.* — (Avec un compl. second, désignant la source). *Acheter un livre à un libraire, à un revendeur, à un brocanteur. Acheter un objet d'art à un antiquaire.* — Vx. *Acheter qqch. de qqn* (→ ci-dessous, cit. 3). — (Avec un compl. de lieu ou de manière). *Acheter qqch. dans un magasin, chez le pharmacien, au marché. Acheter qqch. par correspondance* (→ **Commander**), *de la main à la main. Il achète tous ses livres chez le même libraire.* → **Servir** (se).

Notre laitière ainsi troussée
Comptait déjà dans sa pensée
Tout le prix de son lait, en employait l'argent,
Achetait un cent d'œufs, faisait triple couvée (...)
LA FONTAINE, Fables, VII, 10.

*(Là cette femme)* Gagne de quoi donner un rang à son mari.
Elle achète un office, une maison aussi.
LA FONTAINE, Fables, VII, 15.

Un célèbre marchand l'achète *(Chloris, esclave)* du corsaire. Il l'emmène (...) LA FONTAINE, les Filles de Minée.

C'est un droit qu'à la porte on achète en entrant.
BOILEAU, l'Art poétique, v. 150.

Une ménagère n'achète pas une perdrix sans que les voisins ne demandent au mari si elle était cuite à point.
BALZAC, Eugénie Grandet, éd. 1838, p. 28.

N'achetez pas de voiture, ne possédez pas de maison, n'ayez pas de situation. Vivez dans le minimum. N'achetez jamais rien. Les objets sont gluants (...)
J.-M. G. LE CLÉZIO, l'Extase matérielle, p. 52.

Loc. *Acheter chat* en poche.*

(En spécifiant la somme, par un complément «interne»). *Il a acheté son complet mille francs, mille francs en billets.* — REM. On ne dit pas : *il a acheté cet objet une somme considérable* (→ Payer).

(Sans compl. direct). *Acheter et vendre.* → **Commercer, négocier, traiter.** *Acheter pour revendre. Acheter par chèque, par* (ou *avec une*) *carte de crédit. J'achète plutôt au marché, au supermarché qu'en boutiques. J'achète!* (fig. et fam. : d'accord!). — *Achetez français!*, des produits français (emploi critiqué). — Spécialt (bourse). *Passer un ordre d'achat.* → aussi **Ordonner.** *Acheter pour spéculer à la hausse.*

Les imbéciles vendent quand tout baisse, achètent quand tout hausse, et s'étonnent de se ruiner.
A. MAUROIS, Bernard Quesnay, XXV.

Par anal. et vx. *Acheter à la course, à la foire d'empoigne,* voler.

(*Acheter pour autrui*; ne s'oppose pas à *vendre* mais éventuellement à *refuser*). *Il a acheté une bicyclette à son fils, il lui a acheté une bicyclette.* → **Offrir** (à). *Sous l'ancien régime, les bourgeois achetaient des offices pour leurs fils* (vénalité des offices). *Acheter des fleurs pour une amie. Allez donc m'acheter des cigarettes; voici l'argent* (ou : *je vous rembourserai*).

Ayant aussi l'habitude de boire beaucoup d'eau-de-vie, souvent il *(M. Bovary père)* envoyait la servante au Lion d'or lui en acheter une bouteille, que l'on inscrivait au compte de son fils. FLAUBERT, Mme Bovary, II, III.

REM. Avec deux compléments, l'un désignant la source (le vendeur) l'autre le destinataire, on peut employer les prépositions *de* et *pour* (vieilli) — *il a acheté un livre ancien d'un bouquiniste pour son ami* —; *à* et *pour* — *à un bouquiniste pour...* —; mais non *à* et *à*, bien que *à* s'emploie pour les deux types de compléments lorsque chacun est seul — *il lui a acheté des livres* est ambigu : *il a acheté des livres à sa femme, il a acheté des livres au libraire.*

◆ **2** Fig. *Acheter qqn*, lui donner de l'argent pour obtenir qqch. de lui (contre sa conscience, contre la loi, etc.). *On l'a acheté; il s'est fait acheter (par...).* — Par ext. *Acheter les voix, les suffrages, le silence, l'adhésion de qqn.*

*(César)* se rendit maître des élections : consuls, préteurs, tribuns furent achetés au prix qu'ils mirent eux-mêmes. 6
MONTESQUIEU, Grandeur et Décadence des Romains, XI.

La justice est une si belle chose qu'on ne saurait trop l'acheter. 7
A. R. LESAGE, Crispin rival de son maître, 9.

◆ **3** Obtenir (exclusivement pour soi) au prix de, en échange de. — Vx. *Acheter la tranquillité de la résignation.*

Quel que soit le plaisir que cause la vengeance 8
C'est l'acheter trop cher que l'acheter d'un bien
Sans qui les autres ne sont rien.
LA FONTAINE, Fables, IV, 13.

*(Les hommes)* achetaient de son sang l'indulgence des dieux. LA FONTAINE, X, 1. 9

C'est acheter la paix du sang d'un malheureux. 10
RACINE, Andromaque, II, 4.

Mod. *Acheter la tranquillité au prix de la résignation* (→ ci-dessous, cit. 13). *Acheter la réussite, le succès, par des compromissions* (→ ci-dessous, cit. 12 et 14). *Acheter cher un avantage.*

Il acheta cher la gloire de les avoir délivrés. 11
RACINE, les Campagnes de Louis XIV.

Dans notre sexe on n'achète la liberté que par l'esclavage, et il faut commencer par être servante pour devenir sa maîtresse un jour. 12
ROUSSEAU, Julie ou la Nouvelle Héloïse, IV, 2.

(...) qu'il nous faut du malheur recevoir le baptême, Et qu'à ce triste prix tout doit être acheté. 13
A. DE MUSSET, Nuit d'octobre.

Chaque progrès dans l'art d'écrire ne s'achète que par l'abandon d'une complaisance. 14
GIDE, Journal, 28 oct. 1920, p. 684.

◆ **S'ACHETER** v. pron. (Réfl.). *Je me suis acheté une montre.* → **Offrir** (s'). — Fig. et fam. *Il s'est acheté une conduite*, il a adopté une conduite régulière, rangée, après avoir mené une vie agitée (selon les contextes : une vie de plaisirs; une vie en marge des lois).

(Passif). *Ce droit s'achète très cher.*

◆ **ACHETÉ, ÉE** p. p. adj. *On a saisi les biens du receleur : les objets achetés ont été mis sous séquestre, les objets volés rendus à leurs propriétaires. Marchandises achetées ou changées, troquées.* — Fig. *Suffrages achetés.* — *Tranquillité achetée trop cher.*

DÉR. **Achetable, acheteur.** — V. **Achat.** ◊ COMP. **Pré-acheter, racheter.**

**ACHÈTES** [akɛt] n. m. pl. — 1866; *achétides*, 1846; de 2. *a-*, et grec *khaitê* «soie».

Zool. Classe d'annélides dont les espèces sont dépourvues de soies. — Syn. : *hirudinées.* — Au sing. *Un achète.*

**ACHETEUR, EUSE** [aʃtœʀ, øz] n. et adj. — 1180, *achatiere*; nombreuses variantes jusqu'au XVIe; fém., 1701; de *acheter*.

♦ **1** Adj. et n. (Personnes physiques ou morales). Qui achète. *Des sociétés acheteuses de produits exotiques. — Un pays acheteur. —* N. *L'acheteur et le vendeur.* → **Acquéreur, client.** *Je ne suis pas acheteur,* je ne me propose pas d'acheter (la chose en question). → **Preneur.** *Les acheteurs d'un magasin.* → **Chaland; clientèle, pratique.** *Le dernier enchérisseur est l'acheteur. L'acheteur paie lui-même.* → **Payeur.**

REM. L'emploi du nom est plus fréquent que celui de l'adjectif. Le fém. *acheteuse,* comme terme non technique, est souvent employé de façon péjorative.

1 (...) c'est un lot de produits avariés qui n'a pu trouver acheteur sur le marché de Bordeaux.
GIDE, Voyage au Congo, *in* Souvenirs, Pl., p. 688.

2 De même elles *(les femmes)* sont acheteuses et consommatrices et marchandises et symboles de la marchandise (dans la publicité : le nu et le sourire).
Henri LEFEBVRE, la Vie quotidienne dans le monde moderne, p. 143.

Prov. *Il y a plus de fous acheteurs que de fous vendeurs,* le vendeur connaît mieux que l'acheteur les défauts de la chose qu'il vend.

♦ **2** N. (1801). Comm. Agent chargé d'effectuer les achats pour le compte d'un employeur. *Les acheteurs d'un grand magasin. —* → aussi **Commissionnaire.**

3 (...) veuillez bien lui retourner, avec votre commande, un morceau de l'étoffe marqué de son prix. Votre cachemire vous sera envoyé avec les garnitures choisies également par notre acheteuse (...)
MALLARMÉ, la Dernière Mode, Pl., p. 792.

Personne qui cherche à acquérir des valeurs boursières, en spéculant sur leur hausse.

CONTR. **Vendeur.**

**ACHEULÉEN, ÉENNE** [aʃøleɛ̃, eɛn] adj. et n. m. — 1869; de *Saint-Acheul,* localité de la Somme.

Didact. Qui se rapporte à la période intermédiaire entre l'époque chelléenne et l'époque moustérienne. *L'homme acheuléen. Période acheuléenne.*

(...) ces bifaces en pierre taillée caractéristiques de l'industrie dite acheuléenne (du nom de Saint-Acheul, faubourg d'Amiens, où ils ont été découverts).
Jean-Pierre CHANGEUX, l'Homme neuronal, p. 341.

N. m. *L'acheuléen,* cette période.

**ACHEVAGE** [aʃvaʒ] n. m. — 1842; de *achever.*

Techn. (poterie). Action d'achever un ouvrage de poterie. → **Finissage.**

**ACHEVÉ, ÉE** [aʃve] adj. et n. m. — 1538; du p. p. de *achever.*

**I** Adj. ♦ **1** Littér. À qui il ne manque plus rien, parfait en son genre. → **Accompli, complet.** *Une œuvre achevée; un modèle achevé* (→ Achèvement, cit. 2). «*Ridicule* (cit. 5.1) *achevé*» (Molière).

1 Le créancier et la corvée
Lui font d'un malheureux la peinture achevée.
LA FONTAINE, Fables, I, 16.

2 Il y a de belles choses qui ont plus d'éclat quand elles demeurent imparfaites que quand elles sont trop achevées. LA ROCHEFOUCAULD, Maximes, 627.

3 La France le vit alors accompli par ces derniers traits, et avec ce je ne sais quoi d'achevé, que les malheurs ajoutent aux grandes vertus.
BOSSUET, Oraison funèbre du prince de Condé.

4 Le je ne sais quoi d'achevé et d'attendri que donne le malheur lui manquait encore.
Émile FAGUET, Études littéraires, XVIIe s., «Mme de Sévigné».

♦ **2** Péj. (Vx). Qui est totalement (ce qui est exprimé par le déterminant). → **Consommé.** *Un sot achevé.* → **Fini.** *Sa remarque est d'un ridicule achevé.* → **Extrême.**

(...) jamais on n'a vu tyran plus achevé.
CORNEILLE, Pertharite, v. 1274.

Avec cela, bien loin de se faire un mérite des grandes richesses qu'il possédait il était d'une avarice achevée, jusqu'à se refuser à lui-même les choses nécessaires.
A. GALLAND, les Mille et une Nuits, t. II, p. 208.

♦ **3** Vx. (Personnes). À qui une passion a tourné la tête.

Il n'en faut point douter, elles sont achevées.
MOLIÈRE, les Précieuses ridicules, IV.

♦ **4** Vx. (Personnes). Ruiné.

Vienne encore un procès et je suis achevé.
CORNEILLE, le Menteur, II, 8.

**II** N. m. ♦ **1** Rare. Perfection d'une œuvre dans son genre. *Le sens du beau et de l'achevé.*

♦ **2** (Imprimerie). ACHEVÉ D'IMPRIMER : texte légal placé à la fin d'un volume, indiquant le nom et l'adresse de l'imprimeur, la date de la fin du tirage, le numéro et la date du dépôt légal.

CONTR. **Imparfait. — Inachevé, incomplet.**

**ACHÈVEMENT** [aʃɛvmɑ̃] n. m. — 1273; de *achever.*

♦ **1** Action d'achever (un ouvrage); état de ce qui est achevé. → **Aboutissement, conclusion, dénouement, fin.** *L'achèvement d'une construction par l'entrepreneur.* → **Finition.** *La route sera déviée jusqu'à l'achèvement des travaux.* → **Exécution, fin, terme.**

Dans les verbes, l'action complète, poussée jusqu'à l'achèvement, se marque par le préfixe par : parachever son œuvre.
F. BRUNOT, la Pensée et la Langue, XVI, II, p. 658.

♦ **2** (1611). Littér. État de perfection (d'une œuvre). → **Accomplissement.** *Son œuvre a atteint le dernier degré d'achèvement.* → **Épanouissement, perfection; parachèvement.**

Pour y voir clair, il faut remonter à la naissance de toute l'œuvre racinienne, la plus achevée qui existe dans notre littérature et qui atteint dans Phèdre son achèvement.
F. MAURIAC, Vie de Racine, VI, p. 107.

♦ **3** (1693). Vx. Ce qui complète le dénouement d'un ouvrage. *Conclure par la mort des personnages, c'est donner son achèvement à la pièce.* → **Couronnement.**

♦ **4** Chose, élément qui constitue un état final auquel tendait un processus. → **Aboutissement.**

D'ailleurs tous ces bruits sont liés à des mouvements, ils sont comme l'achèvement naturel des gestes qui ont la même qualité qu'eux.
A. ARTAUD, le Théâtre et son double, Idées/Gallimard, p. 88.

Il faut poursuivre les actes jusqu'à leur achèvement. Quel que soit leur point de départ la fin sera belle. C'est parce qu'elle n'est pas achevée qu'une action est infâme.
Jean GENET, Journal du voleur, p. 227.

CONTR. **Commencement, début, naissance. — Abandon, interruption. — Ébauche, esquisse.** ◊ COMP. **Inachèvement.**

**ACHEVER** [aʃve] v. tr. [CONJUG.: *lever.*] — 1080; de l'anc. franç. *a chief* «à bout».

♦ **1** Finir (une chose qu'on a commencée), généralement d'une façon satisfaisante, en menant à bonne fin. → **Terminer.** *Achever une entreprise.* → **Accomplir, exécuter.** *Il est mort sans avoir achevé son travail, sa tâche.* → **Finir** (→ Mener à bien, à terme; arriver au bout; conduire à sa fin; mettre la dernière main, mettre au net). — Vx. *Achever un dessein,* *un projet.* → **Parachever** (→ ci-dessous, cit. 7, Racine). — *Dire pour finir. En achevant ces mots, il se leva.* — Absolt. *Il acheva et sortit.* → **Conclure, taire** (se). → ci-dessous, cit. 4. — *Achever* (et compl. désignant un objet en cours d'élaboration). *Achever une table, une statue, un roman.*

1 (...) Laissons-les sans nous achever leurs querelles.
CORNEILLE, Rodogune, III, 5.

2 Laisse-les, je te prie, achever leur repas.
LA FONTAINE, Fables, XII, 13.

3 À peine il achevait ces mots
Que lui-même *(le moucheron)* il sonna la charge.
LA FONTAINE, Fables, II, 9.

4 Le maître du tonnerre *(Jupiter)*
Eut à peine achevé que chacun applaudit.
LA FONTAINE, Fables, XI, 2.

5 (...) Il faut qu'avec votre famille
Nous prenions dès demain chacun une faucille :
C'est là notre plus court, et nous achèverons
Notre moisson quand nous pourrons.
LA FONTAINE, Fables, IV, 22.

6 (...) agréez que ma muse
Achève un jour cette ébauche confuse.
LA FONTAINE, Fables, XII, 15.

7 Le dessein en est pris, je le veux achever.
RACINE, Andromaque, III, 1.

8 Allez : laissez aux Grecs achever leur ouvrage.
RACINE, Iphigénie.

9 Allons chez nous achever l'entretien.
MOLIÈRE, Amphitryon, I, 2.

10 Je n'ai jamais abandonné une affaire quand elle a valu la peine d'être achevée.
CHATEAUBRIAND, Mémoires d'outre-tombe, t. I, p. 98.

10.1 Le bredouillement affecté depuis si longtemps par le bonhomme et qui passait pour naturel (...) devint, en cette conjoncture, si fatigant pour les deux Cruchot, qu'en écoutant le vigneron, ils grimaçaient à leur insu, en faisant des efforts comme s'ils voulaient achever les mots dans lesquels il s'empêtrait à plaisir.
BALZAC, Eugénie Grandet, éd. 1838, p. 198-199.

Absolument :

11 (...) le genre vague qui esquisse sans achever.
B. CONSTANT, Journal intime, p. 179.

12 Car personne ici-bas ne termine et n'achève (...)
Tout commence en ce monde et tout finit ailleurs.
HUGO, la Tristesse d'Olympio.

Par ext. Donner sa forme définitive, son état définitif à (qqch.).

13 La politique des agrandissements (...) celle que Richelieu définira : «Achever le pré carré».
J. BAINVILLE, Hist. de France, X, p. 190.

(Sujet n. de chose) :

14 C'est à l'intelligence d'achever l'œuvre de l'intuition.
R. ROLLAND, Jean-Christophe, IV, p. 19.

**ACHEVER DE** (et l'inf.) : achever l'action de. *Il achève de se ruiner. Il a achevé de mettre de l'ordre dans ses affaires.* — (Sujet n. de chose). Apporter le dernier élément nécessaire pour que se réalise pleinement un état, un fait. *Ses reproches achevèrent de décourager son fils.*

(Le compl. désigne une durée). *Achever la soirée avec des amis, en allant danser.* — Spécialt. *Achever ses jours, une journée, sa vie,* les terminer, parvenir à leur terme. — *Achever de...* — Loc. *Achever de vivre.* → **Mourir.**

15 En achevant ces mots, il acheva de vivre.
LA FONTAINE, les Filles de Minée, V, 449.

16 Dans quelque coin du monde que j'achève ma vie, soyez sûr, Monseigneur, que je ferai continuellement des vœux pour vous.
VOLTAIRE, Au roi de Prusse, 26 août 1736.

17 Ils ne m'empêcheront pas de jouir de mon innocence, et d'achever mes jours en paix malgré eux.
ROUSSEAU, Rêveries..., 1re promenade.

Je veux achever ma journée. 18
A. CHÉNIER, la Jeune Captive.

♦ **2** Donner le coup de grâce à (qqn), frapper à mort. → **Abattre, tuer.** *Achever un blessé.*

Frapper à mort, donner le coup de grâce, tuer : 19
Et nos soldats trahis ne l'ont point achevé ?
CORNEILLE, Horace, III, 6.

Il ne faut jamais s'attaquer à ceux qu'on n'est pas sûr d'achever. 20
M. BARRÈS, Leurs figures, p. 106.

Ils achèveront le grand blessé, s'il alourdit l'avance d'une armée. 21
SAINT-EXUPÉRY, Pilote de guerre, XXVII, p. 238.

♦ **3** Fig. [a] (1614). Vx. Ruiner définitivement la santé, la fortune de (qqn). *Toutes ces calomnies l'ont achevé. Ce deuil l'a achevé, il ne s'en remettra pas.* → **Anéantir,** (fam.) **assommer.**

[b] Mod. Compléter un effet pénible, désagréable, par une cause supplémentaire. *Ça va l'achever, ça va être la goutte* d'eau qui fait déborder le vase.*

(...) ce qui l'acheva, ce fut d'apprendre que Daniel, en son nom, avait emprunté de l'argent à l'imprimeur. 22
Alphonse DAUDET, le Petit Chose, II, 13.

Et cet interrogatoire l'acheva, il ne put se contenir davantage. 22.1
ZOLA, Rome, p. 492.

Iron. Fatiguer à l'extrême. → **Anéantir.** *Ce gros repas nous a achevés, après toutes ces émotions. Son discours a duré trois heures ; ça m'a achevé.*

Entre deux chansons, applaudie, elle sourit vers la salle et quand l'Aumône comprit que c'était pour lui ça acheva de l'achever. 22.2
R. QUENEAU, Loin de Rueil, p. 132.

◆ **S'ACHEVER** v. pron.

♦ **1** (Choses ; temporel). Se terminer, prendre fin. *La fête s'achève.*

La vie s'achève que l'on a à peine ébauché son ouvrage. 23
LA BRUYÈRE, les Caractères, II, 9.

Sur la terre aujourd'hui notre destin s'achève. 24
HUGO, les Orientales, III, 4.

Le sommeil de l'enfance s'achève en oubli. 25
HUGO, l'Homme qui rit, I, III, VI.

Chaque vie doit s'achever et se résoudre, indépendante, et dépendante de tous, jusqu'à l'ultime fermeture qui l'accomplit et lui donne un *sens.* 25.1
J.-M. G. LE CLÉZIO, l'Extase matérielle, p. 183.

♦ **2** Rare. (Récipr.). Se compléter.

Ils s'achèvent ensemble, aucun d'eux n'est entier. 26
SULLY PRUDHOMME, la Patrie.

♦ **3** (Personnes). Rare. Achever sa vie.

(...) il n'est pas malade, il s'achève simplement, à bout de forces. 27
ZOLA, Paris, t. I, p. 18.

CONTR. **Attaquer, commencer, ébaucher, entamer, entreprendre, esquisser, se mettre à. — Abandonner, cesser, interrompre. — Échouer. — Continuer.** ◊ DÉR. et COMP. **Achevage, achevé, achèvement. Inachever, parachever.**

**ACHIGAN** [aʃigɑ̃] n. m. — 1683 ; mot algonquin, «celui qui se débat».

Régional (Canada). Désigne deux espèces de poissons originaires de l'Amérique du Nord, dont l'une est la *perche noire* ou *truitée.* → **Black-bass** (anglic.). — *Achigan à grande bouche, à petite bouche. Achigan de roche.*

**ACHILLE** [aʃil] n. pr. → **Tendon** (d'Achille).

**ACHILLÉE** [akile] n. f. — 1572 ; du lat. *achillea,* grec *akhilleios* «herbe d'Achille», avec laquelle Achille guérit Télèphe, blessé par lui.

Bot. Plante dicotylédone gamopétale de la famille des Composées radiées, appelée communément *saigne-nez* ou *herbe aux charpentiers, bouton-d'argent. Achillée mille-feuille. Achillée sternutatoire,* herbe à éternuer.

**DÉR. Achilléine.**

**ACHILLÉINE** [akilein] n. f. — 1866; de *achillée*, et suff. *-ine*.

Chim. Alcaloïde tiré de l'achillée mille-feuille qui a la propriété d'accélérer la coagulation du sang.

**ACHOLIE** [akɔli] n. f. — 1855, Encycl. Berthelot; du grec *akholia*, de *kholê* «bile».

Méd. Suppression ou diminution notable de la sécrétion biliaire. *Acholie pigmentaire*, absence de sécrétion des pigments biliaires.

**ACHONDROPLASE** [akɔ̃dʀoplaz] n. et adj. — 1905, in *Rev. gén. des sc.*, n° 5, p. 217; de *achondroplasie*.

Didact. Personne atteinte d'achondroplasie. *Des achondroplases.* — Adj. *Un nain achondroplase.*

**ACHONDROPLASIE** [akɔ̃dʀoplazi] n. f. — 1876; du grec *akhondros* «sans cartilage», et *-plasie*, pour *-plastie*.

Didact. Affection héréditaire et congénitale caractérisée par un arrêt de la croissance des os en longueur, et se manifestant par un nanisme dysharmonieux (grosse tête, cyphose de la colonne vertébrale, membres courts). → **Micromélie, nanisme.**

**DÉR. Achondroplase.**

**ACHOPPEMENT** [aʃɔpmɑ̃] n. m. — Déb. XIII^e, fig.; de *achopper*.

♦ **1** Vx ou littér. Ce qui fait buter du pied, achopper.

1 (...) Regarde d'où provient
L'achoppement qui te retient.
LA FONTAINE, Fables, VI, 18.

♦ **2** Fig. Vx ou littér. Obstacle contre lequel on bute, difficulté qu'on rencontre. → **Obstacle, traverse.**

2 Supprimer en soi l'idée de mérite; il y a là un grand achoppement pour l'esprit.
GIDE, les Nourritures terrestres, p. 18.

♦ **3** Loc. PIERRE D'ACHOPPEMENT. — Rare. Pierre contre laquelle on bute du pied. — Fig., vx. Occasion de faillir, de tomber dans l'erreur.

3 Ils ont choppé sur la pierre d'achoppement ainsi qu'il est écrit : Voici que je place dans Sion une pierre d'achoppement et une roche qui fait trébucher. Et qui a foi en lui ne sera pas confondu.
BIBLE, Épître de saint Paul aux Romains, IX, 32-33.

Mod. Écueil grave, difficulté. → **Obstacle.**

REM. La locution remplace aujourd'hui le mot *achoppement* employé seul.

4 Louis Philippe et Talleyrand ont réglé l'antique problème belge, cette «pierre d'achoppement de l'Europe», de la manière la plus satisfaisante pour tous.
J. BAINVILLE, Hist. de France, XIX, p. 460.

**ACHOPPER** [aʃɔpe] v. intr. — XII^e; de 1. *a-*, et *chopper* «buter».

♦ **1** Vx ou littér. Buter du pied contre un obstacle, trébucher. — Par métaphore :

1 Dieu garde si soigneusement ses serviteurs, qu'il ne les laissera pas achopper à une pierre.
CALVIN, Institution de la religion chrestienne, 150, *in* Littré.

♦ **2** Fig. Se trouver arrêté par une difficulté. *Achopper à un problème. Les négociateurs achoppaient sur un point mineur.*

2 (...) c'est là où tous *(les philosophes)* ont achoppé.
PASCAL, Pensées, II, 72.

♦ **S'ACHOPPER (À)** v. pron. *S'achopper à une difficulté.* — REM. Cet emploi, qui reste littéraire, semble plus vivant que *achopper*, intransitif.

3 Mon esprit s'achoppe à ce mot : conséquence.
GIDE, les Nouvelles Nourritures, p. 33.

4 Pour sauver la vie d'un malade en danger, il était capable de tenter n'importe quelle action téméraire, de courir personnellement n'importe quel risque; mais s'achopper ainsi à une situation sans issue, se sentir à ce point dépourvu de tout moyen d'action (...) cela était au-dessus de ses forces.
MARTIN DU GARD, les Thibault, IV, 12.

5 Quel est votre secret, à vous socialistes, pour que l'exécutif renforcé serve la démocratie et ne la perde pas? Sur ce point, comment interprétez-vous l'Histoire? Je m'y suis toujours achoppé, je l'avoue, moi qui n'ai jamais douté que rien de grand, ou simplement d'efficace, ne s'accomplit en politique qui ne soit conçu par un homme.
F. MAURIAC, Bloc-notes 1952-1957, p. 234.

**DÉR. Achoppement.**

**ACHORION** [akɔʀjɔ̃] n. m. — 1866, *in* P. Larousse; du grec *achôr* «gourme des enfants».

Didact. Champignon parasite qui détermine les dermatoses du cuir chevelu appelées *teignes* (favus ou teigne faveuse). → **Trichophyton.**

**ACHROMASIE** [akʀɔmazi] n. f. — 1866, *in* P. Larousse; de 2. *a-*, *chrom-*, du grec *khrôma* «couleur», et suff. *-ie*.

Didact. Perte des propriétés normales de coloration d'une cellule ou d'un tissu.

**ACHROMAT** [akʀɔmat] n. m. — Av. 1960; de *achromat(ique)*.

Techn. Objectif rendu achromatique par l'association de deux lentilles.

**ACHROMATE** [akʀɔmat] n. et adj. → **Achromatope.**

**ACHROMATINE** [akʀɔmatin] n. f. — XIX^e; de 2. *a-*, et grec *chrôma*, «couleur».

Biol. Substance du noyau des cellules ne prenant pas les réactifs colorants.

**ACHROMATIQUE** [akʀɔmatik] adj. — 1764; de 2. *a-*, et grec *khrôma* «couleur».

♦ **1** (Système optique). **a** Qui fait voir les images des objets sans franges irisées. *Lentilles, lunettes, verres achromatiques. Prisme achromatique. Objectif photographique achromatique* (achromat).

**b** Qui ne produit pas de sensation colorée. *Lumière achromatique*, lumière blanche.

♦ **2** (1899). Biol. Qui se colore mal par les colorants usuels. *Fuseau* achromatique.*

**CONTR. Chromatique, coloré.** ◊ **DÉR. Achromat, achromatiser, achromatisme, achrome.**

**ACHROMATISATION** [akʀɔmatizasjɔ̃] n. f. — 1865; de *achromatiser*.

Techn. (optique). Action de rendre (un système optique) achromatique.

**ACHROMATISER** [akʀɔmatize] v. tr. — 1823; de *achromatique*.

Techn. (optique). Rendre achromatique (un système optique). *Achromatiser un verre, une lentille.*

**DÉR. Achromatisation.**

**ACHROMATISME** [akʀɔmatism] n. m. — 1823, cit. ; de *achromatique.*

Techn. (optique). Propriété ou effet des systèmes optiques achromatiques.

On nomme achromatisme la destruction des couleurs étrangères que l'on aperçoit dans l'image d'un objet lorsqu'on le regarde à travers un verre lenticulaire.
LACAUX, *in* COURTIN, Encycl. mod., 1823 (*in* D. D. L., II, 15).

**ACHROMATOPE** [akʀɔmatɔp] ou **ACHROMATOPSIQUE** [akʀɔmatɔpsik] n. et adj. — 1904, in *Rev. gén. des sc.*, n° 5, p. 277 ; de *achromatopsie.*

Didact. Sujet atteint d'achromatopsie. *Un, une achromatopsique.* — Adj. *Un sujet achromatopsique.* — On dit aussi *achromate, monochromate.*

**ACHROMATOPSIE** [akʀɔmatɔpsi] n. f. — 1845, Nysten, *in* D. D. L. ; de 2. *a-*, grec *khrôma* «couleur», et *opsis* «vue».

Didact. Trouble de la vision, dû à une atteinte des cônes de la rétine, et qui empêche de distinguer les couleurs (dyschromatopsie). *Dans l'achromatopsie complète, totale, l'œil ne perçoit que le blanc, le noir et les teintes grises intermédiaires. Dans l'achromatopsie incomplète, partielle, la discrimination des différentes couleurs est impossible* (→ **Daltonisme**) *mais une sensation colorée* (monochromatique) *existe.*

DÉR. **Achromatope** ou **achromatopsique.**

**ACHROMATOPSIQUE** [akʀɔmatɔpsik] n. et adj. → **Achromatope.**

**ACHROME** [akʀom] adj. — 1866, *in* P. Larousse ; de *achromatique.*

Techn. (optique). Se dit d'une image présentant un échelonnement de valeurs neutres.

CONTR. **Monochrome.** ◊ DÉR. **Achromique.**

**ACHROMIE** [akʀɔmi] n. f. — 1865 ; de 2. *a-*, et grec *khrôma* «couleur».

Méd. Absence ou diminution de la pigmentation normale de la peau. → **Albinisme, dyschromie, leucodermie, vitiligo.**

**ACHROMIQUE** [akʀɔmik] adj. — 1866, *in* D. D. L. ; de *achrome.*

Méd. Sans couleur (en parlant de lésions). *Un nævus achromique.*

**ACHROMOBACTER** [akʀɔmobaktɛʀ] n. m. — Mil. XX<sup></sup>e (*in* Quillet, 1968) ; de 2. *a-*, *chromo-*, et *-bacter*, de *bacteria.* → Bactérie.

Sc. nat. Bactérie dont certaines espèces se développent dans les chairs avariées et y provoquent des phénomènes de luminescence. *Certains achromobacters sont responsables des altérations des produits alimentaires.*

**ACHRONIQUE** [akʀɔnik] adj. — D. i. ; de 2. *a-*, et *-chronique*, du grec *khronos.*

Didact. Qui ne tient pas compte du temps, de la durée.

HOM. **Acronyque.**

**ACHYLIE** [aʃili] n. f. — 1865 ; de 2. *a-*, et rad. de *chyle.*

Méd. Absence de sécrétion d'un suc digestif *(achylie gastrique, pancréatique)* ou du chyle, qui entraîne des troubles gastriques, intestinaux.

**ACICULAIRE** [asikylɛʀ] adj. — 1801 ; du lat. *acicula* «petite aiguille».

Didactique.

♦ **1** Minér. En forme d'aiguilles ou de baguettes. *Faciès aciculaire de certains silicates. Une structure aciculaire.*

♦ **2** (1845). Bot. *Feuilles aciculaires,* rigides et pointues, en forme d'aiguilles. *Les feuilles aciculaires du genévrier, du pin.*

**ACICULE** [asikyl] n. m. — 1838 ; lat. *acicula* «petite aiguille».

Didact. (zool.). Soie robuste soutenant les formations latérales (dites *paropodes*) des annélides polychètes.

**ACIDAGE** [asidaʒ] n. m. — Fin XIX<sup></sup>e ; de *acide.*

Techn. (textile). Traitement des fibres textiles par une substance acide.

**ACIDALIE** [asidali] n. f. — 1845 ; du lat. zool. *acidalia,* de *Acidalia,* appellation mythologique, surnom de Vénus.

Zool. Petit papillon nocturne *(Géométridés),* aux ailes peu colorées, commun en France.

**ACIDE** [asid] adj. et n. m. — 1545 ; lat. *acidus.*

**I** Adj. ♦ **1** Qui a une saveur piquante (comme les fruits verts, les verjus, le vinaigre, etc.). → 2. **Sur, vert.** *Un vin acide, une piquette acide.* → **Aigre.** *Une boisson légèrement acide.* → **Acidule** (vx), **acidulé, aigrelet, suret.** *Un fruit acide. Le citron est acide. — Un goût légèrement acide.*

(...) la sélection, mal qui nous vint de l'Amérique avec ses deux pommes, la rouge et la blanche, la rouge et son vigoureux cramoisi, son insipidité saine de légume cru — la blanche et son eau douce-acide, un peu plus personnelle. COLETTE, Gigi, «Flore et Pomone», p. 172. 1

♦ **2** (1842, Hugo, *in* P. Larousse). Vif, piquant. *Un froid acide.* → **Mordant.** *Une couleur acide.* — (Mus.). *Un son acide. Une instrumentation acide,* où dominent les notes aiguës.

Cette couleur irritante et maladive, aux splendeurs fictives, aux fièvres acides : l'orangé. 2
HUYSMANS, À rebours, p. 26.

Quelle lumière, quelle jeunesse impatiente exaltait toute cette journée ! (...) Une brise acide et pressée jetait sur le soleil une fumée de nuages rapides (...) 3
COLETTE, les Vrilles de la vigne, p. 36.

Par métonymie (en parlant de la sensation) :

Car le poète pareil à un instrument où l'on souffle
Entre sa cervelle et ses narines pour une conception pareille à l'acide conscience de l'odeur (...) 4
CLAUDEL, Cinq grandes odes, I, Les muses.

Abstrait. *Grâce, charme acide.* → **Piquant.**

♦ **3** (Lamartine, *in* P. Larousse). Fig. Aigre et désagréable (en parlant du discours). → **Acerbe, acrimonieux, aigre.** *Des pages acides. Une polémique acide. Une réflexion acide.* → 1. **Caustique, incisif.** *Des phrases un peu acides.*

Ces petits souvenirs-là, comme ils sont acides, irritants (...) 5
Leur vivacité d'évocation nous fait un peu lâches.
COLETTE, Gigi, «Flore et Pomone», p. 160.

(Personnes). *C'est un homme spirituel, mais un peu acide.*

(En parlant de la voix). *Une voix acide et désagréable. Un ton acide.* — REM. Ce sens réunit les valeurs du sens 1. et du sens 2.

(...) fallait-il qu'on la méprisât pour la traiter de la sorte ! Elle ne pouvait plus se taire maintenant. Elle n'en avait plus la force, elle n'en voyait plus le besoin ! Elle commença d'une voix acide, sifflante (...) 6
H. TROYAT, le Vivier, p. 97.

♦ **4** N. m. Par métaphore ou fig. *L'acide de son ironie,* le caractère désagréable de son ironie.

7 Vous excellez à distiller à la fois le suc et l'acide, à lécher et à mordre en même temps, comme les fauves.
MONTHERLANT, les Jeunes Filles, p. 240.

**À L'ACIDE.** *Tourner à l'acide,* devenir aigre. *Le vin tourne à l'acide.* — Fig. (paroles, ton, etc.). *Le ton montait et tournait à l'acide,* devenait désagréable, mordant.

Vx. *(Un, des acides).* Corps, liquide acide (au sens courant).

8 Il circule parmi les femmes une doctrine funeste, et qui fait périr chaque année bien des jeunes personnes, savoir : que les acides, et surtout le vinaigre, sont des préservatifs contre l'obésité. Sans doute, l'usage continu des acides fait maigrir, mais c'est en détruisant la fraîcheur, la santé et la vie (...)
A. BRILLAT-SAVARIN, Physiologie du goût, Danger des acides, t. II, p. 52.

**II** ♦ **1** Adj. (Av. 1690). Qui possède les propriétés des acides, est propre aux acides (au sens chimique ci-dessous). *Solution acide. Fermentation acide. La fonction acide. Réactions en milieu acide* (opposé à *basique*). *Roches acides,* abondantes en silice (plus de 65 %).

♦ **2** N. m. (1680 «substance qui a le goût de vinaigre»).
**a** Anciennt (hist. des sc.). Constituant chimique universel, antagoniste de l'alcali; selon Lavoisier, Corps oxygéné rougissant le tournesol.
**b** Mod. Tout corps capable de libérer des ions hydrogène ($H^+$), qui donne un sel avec une base et, en solution aqueuse, colore en rouge le papier de tournesol (pH inférieur à 7). *Acides forts (acide chlorhydrique, nitrique); acides faibles (acide acétique, borique). Acides ne renfermant pas d'oxygène* ou *hydracides (acide chlorhydrique, bromhydrique). Acides dont l'hydrogène est lié à un atome d'oxygène* ou *oxacides (acide acétique, phosphorique),* classés en *monoacides, diacides* (ou *biacides*), etc., selon le nombre d'ions hydrogène qu'ils contiennent. *Acide azotique monohydraté* (cit.). — Chimie organ. *Acides organiques,* qui possèdent dans leur molécule un ou plusieurs groupements carboxyles (COOH). *Acides gras,* acides organiques qui entrent dans la composition des graisses naturelles. → **Lipide.** *Acides aminés,* composés organiques comportant une fonction acide et une fonction amine, et qui forment par association les peptides et les protéines (syn. : *amino-acides*). — Biol. *Acides nucléiques,* acides organiques, constituants des noyaux cellulaires dont dépendent les caractères géniques des chromosomes. → **Désoxyribonucléique, ribonucléique.**

9 Les acides nucléiques sont des macromolécules résultant de la polymérisation linéaire de corps appelés «nucléotides». Ceux-ci sont constitués par l'association d'un sucre avec une base azotée d'une part, un radical phosphoryle d'autre part. La polymérisation a lieu par l'intermédiaire des groupements phosphoryles qui associent chaque résidu de sucre au précédent et au suivant, formant ainsi une chaîne «polynucléotidique».
Jacques MONOD, le Hasard et la Nécessité, p. 234.

*Acides aromatiques, éthyléniques*. — Les acides, corrosifs, attaquent certains corps. On appelle* eau-forte *l'acide nitrique,* esprit de sel *l'acide chlorhydrique,* vitriol *l'acide sulfurique.*

(Formant des composés). *Acide-alcool* (n. m.) : composé organique renfermant une ou plusieurs fonctions acide et une ou plusieurs fonctions alcool (ex. : *acide lactique, acide glycérique, acide citrique*). — *Acide aldéhyde* (n. m.) : composé organique renfermant une ou des fonctions acide et aldéhyde. — *Acide cétone* (n. m.) : composé organique renfermant une ou des fonctions acide et cétone. — *Acide phénol* (n. m.) : composé organique renfermant une ou des fonctions acide et phénol (ex. : *acide coumarique*). — REM. Ces mots prennent la marque du pluriel à chacun des deux éléments : *des acides cétones.*

**III** N. m. (V. 1965; d'après l'angl. *acid* «drogue»). Absolt. Argot. *L'acide,* l'acide lysergique diéthylamide (L. S. D.), hallucinogène. *Prendre de l'acide.* — (En composé). *Acide-partie* (d'après l'angl. *acid party*) : réunion où l'on prend du L. S. D.

CONTR. (Du I.) **Doux, sucré. — Aimable, mielleux, paterne. —** (Du II.) **Alcalin.** ◊ DÉR. et COMP. **Acidage, acidifère, acidifier, acidimètre, acidimétrie, acidogène, acido-alcalinité, acido-basique, acidograveur, acidophile, acido-résistance, acido-résistant, acidose. — V. Acidité, acidule.**

**ACIDIFÈRE** [asidifɛʀ] adj. — 1835; de *acide,* et *-fère.*
Géol. Qui contient des acides. *Roches acidifères.*

**ACIDIFIABLE** [asidifjabl] adj. — 1786; de *acidifier.*
Chim. Qui peut être converti en acide. *Base acidifiable.*

**ACIDIFIANT, ANTE** [asidifjɑ̃, ɑ̃t] adj. et n. m. — 1808, in Boiste; de *acidifier.*
Chim. Qui a la propriété d'acidifier. — N. m. :

Ces solutions (...) sont améliorées par des acidifiants.
Charles BOURGEOIS, Chimie de la beauté, p. 100.

**ACIDIFICATION** [asidifikasjɔ̃] n. f. — 1786; de *acidifier.*

♦ **1** Chim. Transformation en acide.

♦ **2** Géol. Injection d'acide chlorhydrique dans une couche calcaire pour faciliter un forage.

**ACIDIFIER** [asidifje] v. tr. — 1786; de *acide,* et *-fier.*
Chim. Transformer en acide, rendre acide. — Pron. *Matière qui s'acidifie,* devient acide.

◆ **ACIDIFIÉ, ÉE** p. p. adj. Spécialt. *Beurre acidifié.*

DÉR. **Acidifiable, acidifiant, acidification.**

**ACIDIMÈTRE** [asidimɛtʀ] n. m. — 1869; de *acide,* et *-mètre.*
Chim., techn. Instrument servant à l'acidimétrie.

**ACIDIMÉTRIE** [asidimetʀi] n. f. — 1841; de *acide,* et *-métrie.*
Chim. Détermination du titre d'une solution acide. *Mesurer l'acidimétrie du lait.*

**ACIDITÉ** [asidite] n. f. — 1545; du bas lat. *aciditas,* du lat. class. *acidus.*

♦ **1** Saveur acide. *L'acidité du citron, de l'oseille. «Une acidité adoucie»* (→ Tunisienne, cit.).

C'est (...) grâce à une certaine combinaison de sucre et d'acidité que les oranges et les mandarines acquièrent le maximum de leurs qualités gustatives.
Paul ROBERT, les Agrumes dans le monde, p. 60.

Fig. Caractère mordant. → **Causticité.** *L'acidité d'une remarque, d'un propos.* — Caractère piquant, excitant.

♦ **2** Chim. Qualité acide d'une substance; concentration en ions $H^+$, ou aptitude à en libérer. *L'acidité d'une solution aqueuse correspond à sa concentration ou à son activité en ions hydrogène* (pH). *L'acidité ou la basicité* (cit.) *d'un corps. — Acidité gastrique,* proportion d'acide chlorhydrique dans le suc gastrique. → **Hyperchlorhydrie.** — *L'acidité d'un sol.*

CONTR. **Alcalinité.**

**ACIDOGÈNE** [asidɔʒɛn] adj. — XX^e; de *acide,* et *-gène.*

Didact. Qui produit un acide, est générateur d'acides. *Enzymes acidogènes.*

**ACIDO-ALCALINITÉ** [asidoalkalinite] n. f. — D. i.; de *acide,* et *alcalinité.*

Chim. Qualité d'un milieu quant à son acidité et à son alcalinité (caractère basique).

**ACIDO-BASIQUE** [asidobazik] adj. — D. i.; de *acide,* et *basique.*

Physiol. *Équilibre acido-basique,* entre les acides et les bases présents dans l'organisme.

**ACIDOGRAVEUR** [asidogʀavœʀ] n. m. — 1955, *Dict. des métiers;* de *acide,* et *graveur.*

Techn. Ouvrier qui passe l'acide sur les clichés.

**ACIDOPHILE** [asidɔfil] adj. — 1897, cit.; de *acide,* et *-phile.*

Biol. Qui fixe les colorants acides, comme l'éosine. → **Éosinophile.** *Leucocytes acidophiles. Cellules acidophiles et cellules basophiles.*

(...) des cellules spéciales qui absorberaient les peptones et les transformeraient à leur intérieur en granules acidophiles. l'Année biologique 1897, p. 273.

COMP. **Thermoacidophile.**

**ACIDO-RÉSISTANCE** [asidoʀezistɑ̃s] n. f. — 1905, in *Rev. gén. des sc.,* n° 13, p. 622; de *acide,* et *résistance.*

Biol. Propriété des bacilles acido-résistants.

**ACIDO-RÉSISTANT, ANTE** [asidoʀezistɑ̃, ɑ̃t] adj. et n. m. — Attesté 1910, *Larousse mensuel;* de *acide-,* et *résistant.*

Biol. Se dit de la substance vivante (cellule, bacille) qui, après avoir été colorée à la fuchsine phéniquée, résiste à l'action décolorante de l'acide nitrique. *Le bacille de Koch est à la fois acido-résistant et alcoolo-résistant.* — N. m. *Les acido-résistants.*

**ACIDOSE** [asidoz] n. f. — 1909, Garnier et Delamare, *in* D.D.L.; de *acide,* et 2. *-ose.*

Méd. Trouble de l'équilibre entre les concentrations en acides et en bases de l'organisme avec prédominance de l'acidité, se manifestant par une augmentation de l'acidité du sang. *L'acidose peut être due à une production excessive d'acide* (*acidose métabolique d'apport,* comme dans le diabète), *à une élimination insuffisante des acides, soit par le rein (acidose métabolique rénale), soit par le poumon (acidose respiratoire ou gazeuse), ou encore à une perte excessive des bases* (diarrhées, vomissements, certaines maladies du rein). → **Alcalose.** *L'acidose diabétique. Acidose métabolique du diabète* ou *acidocétose.*

DÉR. **Acidosique.**

**ACIDOSIQUE** [asidozik] adj. — V. 1946; de *acidose.*

Méd. Relatif à l'acidose.

**ACIDULE** [asidyl] adj. — 1747; du lat. *acidulæ aquæ,* de *acidulus,* de *acidus.* → Acide.

Vx. Légèrement acide. *Des eaux acidules.*

REM. *Acidule* s'employait pour désigner une acidité naturelle *(eaux minérales acidules)* et s'opposait à *acidulé,* qui supposait une intervention humaine.

DÉR. **Aciduler.**

**ACIDULÉ, ÉE** [asidyle] adj. — 1863; de *aciduler.*

♦ **1** Légèrement acide. → **Aigrelet, suret.** *Un goût acidulé.*

Il y traînait *(dans cette pièce)* un arome acidulé de verveine, 1
de citronnelle (...)
MARTIN DU GARD, les Thibault, I, 4.

Je n'éprouvais que l'extrême besoin de me tremper dans 2
une eau très chaude, dans un bain acidulé, aromatique (...)
COLETTE, la Naissance du jour, p. 193.

Fig. *Une voix acidulée.*

♦ **2** Qu'on a acidulé. — Cour. *Des bonbons acidulés.*

La salle était pleine. Une chaleur étouffante pesait sur la 3
nuque des spectateurs. L'air sentait le bonbon acidulé et la transpiration recuite.
H. TROYAT, la Tête sur les épaules, p. 108.

**ACIDULER** [asidyle] v. tr. — 1721; de *acidule.*

Techn. Rendre légèrement acide. *Aciduler une tisane avec du citron.*

DÉR. **Acidulé.**

**ACIER** [asje] n. m. — XII^e; *acer,* 1080; du bas lat. **aciarium,* de *acies* «pointe (d'une arme, d'un instrument)».

♦ **1** Alliage de fer et de carbone (moins de 1,5 %) auquel on donne, par un traitement mécanique ou thermique, des propriétés variées (malléabilité, résistance). *L'acier acquiert par la trempe* une grande dureté. L'acier a plus de liant que le fer.* — *Acier doux* (jusqu'à 0,25 % de carbone), *dur* (de 0,60 à 0,70 %). *Acier natif, naturel. Aciers alliés, aciers spéciaux; acier chromé, acier au cobalt, au manganèse, au tungstène. Aciers martensitiques, ferritiques, austénitiques* (inoxydables). — *Acier Bessemer* (élaboré au convertisseur Bessemer), *Thomas* (au convertisseur Thomas), *Martin* (au four Martin). *Acier au creuset, à l'oxygène. Acier calmé* (désoxydé), *coulé, électrique, fondu, fritté, puddlé, soudé.* — *Acier ciselé, comprimé, étiré, filé, forgé, laminé, matricé, profilé, tréfilé. Acier martelé. Acier brillant, acier satiné.* — *Acier de cémentation, recuit, trempé.* — *Acier à aimant, acier à outil, acier à ressorts, à roulements; acier de construction; acier inoxydable,* renfermant du chrome et du nickel. *Acier rapide, à coupe rapide,* acier très dur, renfermant du chrome, du cobalt, du molybdène, du tungstène et du vanadium, utilisé pour la fabrication d'outils de coupe à grande vitesse. *Acier autotrempant. Acier de décolletage* (au plomb ou au soufre). *Acier indéformable.* — *Attremper, tremper, détremper, retremper l'acier; bleuir l'acier* (→ **Bleuissage**); *couler, fondre, recuire l'acier.* — *Utilisation de l'acier dans la construction* (ponts, immeubles), *dans les arts. Vaisselle, bijoux, meubles en acier. Immeuble en verre et acier.* — *Fabrication, affinage de l'acier* (par décarburation de la fonte). → **Métallurgie, sidérurgie; aciérie.**

Mais ce métal, ce n'était pas à l'état de fer pur qu'il pouvait 0.1
rendre de grands services, c'était surtout à l'état d'acier. Or, l'acier est une combinaison de fer et de charbon que l'on tire, soit de la fonte, en enlevant à celle-ci l'excès de charbon, soit du fer, en ajoutant à celui-ci le charbon qui lui manque. Le premier, obtenu par la décarburation de la fonte, donne l'acier naturel ou puddlé; le second, produit par la carburation du fer, donne l'acier de cémentation.
J. VERNE, l'Île mystérieuse, t. I, p. 201-202. Cf. aussi, dans *les 500 Millions de la Bégum,* le chapitre intitulé *«la Cité de l'acier».*

(...) tous ses petits instruments de coquetterie à manche 0.2
d'ivoire portant son chiffre coiffé d'une couronne. Ils étaient là, innombrables, jolis, différents, destinés à des besognes délicates et secrètes, les uns en acier, fins et coupants, de formes bizarres, comme des outils de chirurgie

pour opérer des bobos d'enfant (...)
MAUPASSANT, Fort comme la mort, II, II.

♦ **2** Par métonymie. *L'acier.* [a] Objet en acier.

0.3 Je ne suis devant votre question, comme devant les chevaucheuses de l'acier, qu'un passant qui se gare (...)
MALLARMÉ, Réponses à des enquêtes, Sur le costume féminin à bicyclette, Pl., p. 881.

[b] Industrie ou grand commerce de l'acier. → **Sidérurgie.** *Un roi de l'acier. Travailler dans l'acier.*

♦ **3** Vx ou littér. Arme d'acier (couteau, épée, glaive, poignard...).

1 (...) L'acier des bourreaux fut plus prompt à trancher.
CORNEILLE, Héraclius, v. 638.

2 J'ai senti tout à coup un homicide acier,
Que le traître en mon sein a plongé tout entier.
RACINE, Athalie, II, 5.

♦ **4 D'ACIER :** en acier, fait à l'aide du métal acier. *Une lame d'acier; des ressorts d'acier.* — Anciennt. *Poumon d'acier,* poumon artificiel.

3 *(Un serpent rencontra)* une lime d'acier (...)
Croyez-vous que vos dents impriment leurs outrages
Sur tant de beaux ouvrages?
Ils sont pour vous d'airain, d'acier, de diamant.
LA FONTAINE, Fables, V, 16.

Fig. Dur, résistant comme l'acier. *Des muscles, un jarret d'acier. «Le déchirement poli de ses griffes d'acier»* (→ Griffe, cit. 7.1, Balzac). *Un regard d'acier,* qui dénote de la fermeté. — Vieilli. *Un cœur d'acier,* dur, insensible.

4 Quoi! dans leur dureté ces cœurs d'acier s'obstinent.
CORNEILLE, Horace, III, 2.

5 Ah! jalouse entre les jalouses!
Si belle avec ce cœur d'acier!
HUGO, les Orientales, XII.

6 Une voix coupante comme une voix d'acier.
Ed. et J. DE GONCOURT, Journal, p. 164.

7 Ce n'est pas ma faute si mes maîtres m'avaient enseigné la logique, et, par leurs argumentations impitoyables, avaient fait de mon esprit un tranchant d'acier.
RENAN, Souvenirs d'enfance..., Œ. compl., t. V, 3.

♦ **5** (Emplois métaphoriques et fig.). Par compar. *Tranchant, coupant, dur, impitoyable comme l'acier.*

8 Il reprit aussitôt son air flambant, planta dans mes yeux deux yeux froids et brillants comme l'acier (...)
Alphonse DAUDET, le Petit Chose, XIII.

Par métaphore (symbole de dureté) :

9 Il est telle occasion où le verre ne se brise point sous le choc qui a rompu l'acier.
FRANCE, la Rôtisserie de la reine Pédauque, 1 t. VIII, p. 256.

♦ **6** *Bleu d'acier* ou *bleu acier,* qui a la couleur gris bleu de l'acier.

Par comparaison :

10 (...) trois lacs qui, sous le dur soleil d'orient, brillent comme des plaines d'acier.
MAUPASSANT, la Vie errante, p. 147.

DÉR. **Aciérer, aciéreux, aciérie, aciériste.** ◊ HOM. Formes du v. **Asseoir.**

**ACIÉRAGE** [asjeʀaʒ] n. m. — 1753; de *aciérer.*

Technique.

♦ **1** Vx. Transformation du fer en acier (par carburation dans un creuset).

REM. On a dit aussi *aciération.*

♦ **2** (1864). Mod. Opération consistant à recouvrir d'une couche d'acier la surface d'une plaque métallique (galvanoplastie) ou à donner à certains métaux la dureté de l'acier. *L'aciérage de l'aluminium.*

**ACIÉRATION** [asjeʀasjɔ̃] n. f. — 1793; de *aciérer.*

Techn. et vx. Syn. de *aciérage* (1.). → **Carburation, cémentation.**

**ACIÉRER** [asjeʀe] v. tr. [CONJUG.: *céder.*] — 1740; var. anc. *acérer;* de *acier.*

Technique.

♦ **1** Vx. Garnir d'acier par soudure (une arme, un outil de fer).

♦ **2** (1834). Vx. Convertir (le fer) en acier.

♦ **3** (1864). Mod. Procéder à l'aciérage (2.) de... *Aciérer des planches de cuivre.* — Au passif :

Enfin, l'extrême tranchant est aciéré plus fortement que toutes les autres parties; il doit l'être fortement, mais d'une manière bien délimitée, sinon une trop grande épaisseur de métal aciéré rendrait l'outil cassant, et le fil se briserait par éclats.
Gilbert SIMONDON, Du mode d'existence des objets techniques, p. 71-72.

◆ **ACIÉRÉ, ÉE** p. p. adj.

♦ **1** Qui contient de l'acier. — Vx. *«Un corps aciéré»* (Ed. et J. de Goncourt, *Journal,* in T. L. F.). — Mod. *Fonte aciérée. Fer aciéré,* à forte teneur en carbone (0,05 à 0,10 %).

♦ **2** Recouvert d'acier. *Planche aciérée. Cuivre aciéré* (en gravure).

DÉR. **Aciérage, aciération.**

**ACIÉREUX, EUSE** [asjeʀø, øz] adj. — 1842; de *acier.*

Techn. Qui est proche de l'acier par ses propriétés. *Fonte aciéreuse.*

**ACIÉRIE** [asjeʀi] n. f. — 1751; de *acier.*

♦ **1** Cour. Usine où l'on fabrique l'acier (syn. : *usine sidérurgique*). *Forges et aciéries. Aciérie utilisant les procédés à l'oxygène, la coulée continue. Grande, petite aciérie. Mini-aciérie. Parties d'une aciérie,* réception et stockage de la fonte, mélangeurs, convertisseurs à oxygène, halles de coulée, coulée continue, machine d'oxycoupage, démoulage, mise en lingots (lingotières), évacuation du laitier. *Station de pompage, de préparation de la chaux... d'une aciérie.*

♦ **2** Techn. Fabrication de l'acier. → **Sidérurgie.** *Aciérie électrique. Procédé d'aciérie. Aciérie Martin, Thomas.*

**ACIÉRISTE** [asjeʀist] n. — 1932; de *acier.*

Techn. Métallurgiste spécialiste de la fabrication de l'acier.

(...) les exigences toujours nouvelles de l'industrie mécanique ont conduit les aciéristes à conférer à certains aciers des qualités physiques et chimiques très particulières.
J. FERRY et R. CHATEL, l'Acier, p. 21.

**ACINACE** [asinas] n. m. — 1829, *acinacès;* grec *akinakês* (Hérodote), par le latin.

Didact. Poignard des Mèdes et des Perses.

**ACINE** [asin] n. m. → **Acinus.**

**ACINÈSE** [asinɛz] ou **ACINÉSIE** [asinezi], **AKINÉSIE** [akinezi] n. f. — 1814, *acinèse; acinésie,* 1877; du grec *akinesia* «immobilité».

Méd. Impossibilité pathologique de faire certains mouvements (sans que la force musculaire soit diminuée). *L'acinèse des schizophrènes. «Syndrome parkinsonien avec akinésie, hypertonie, tremblement»* (J. Delay, *Introduction à la médecine psychosomatique,* p. 70).

**ACINÈTE** [asinɛt] n. f. — 1845; du grec *akinesia* «immobilité», par le lat. sc. *acineta.*

Zool. (Vieilli). Genre de protozoaires ciliés, parasite, dont le corps logé dans une sorte de capsule est porté sur une tige. → **Acinétiens.**

**ACINÉTIENS** [asinesjɛ̃] n. m. pl. — 1872, *in* Littré; de *acinète.*

Zool. Ordre de protozoaires (embranchement des infusoires ciliés), parasites fixés par un pédoncule et qui, à l'état adulte, ont perdu leurs cils au profit de tentacules. — On a dit aussi *acinètes, acinétidés* [asinetide]. — Au sing. *Un acinétien.*

**ACINEUX, EUSE** [asinø, øz] adj. — 1842; du lat. *acinosus,* de *acinus.* → Acinus.

Didact. (anat., méd.). **a** Vx. En forme de grain de raisin. *Glande acineuse.* — On a dit *aciniforme* [asinifɔʀm] (1751).

**b** *Glande acineuse,* qui est formée de plusieurs *acini* (même lorsqu'elle n'a pas l'aspect de grains de raisin; comme le pancréas exocrine).

**ACINIER** [asinje] n. m. — 1842; provençal mod. *acinèr,* du provençal *acina* «baie d'aubépine», du lat. *acinus.* → Acinus.

Régional. Aubépine.

HOM. Formes du v. **assigner.**

**ACINUS** [asinys] n. m. — 1865; lat. sc., 1689; mot lat., «baie (fruit), grain de raisin».

♦ **1** Anat. Groupe de cellules à sécrétion exocrine formant une vésicule en communication par un canal avec l'extérieur. — Plur. *Des acini* [asini]. *Glandes à acini* (ou *acineuses*). — REM. La forme francisée *acine* [asin] est archaïque.

♦ **2** Bot. Baie (raisin, groseille, etc.).

**ACIPENSÉRIDÉS** [asipɛ̃seʀide] n. m. pl. — 1878; du lat. *acipenser,* nom d'un poisson mal déterminé, en lat. zool. «esturgeon».

Zool. Famille de poissons *(Chondrostéens)* renfermant le seul type esturgeon, parmi lesquels l'esturgeon commun *(Acipenser sturio)* et l'esturgeon géant d'Europe *(Huso huso),* qui produit le caviar. — Au sing. *Un acipenséridé.*

**ACLINIQUE** [aklinik] adj. — 1898; dér. sav. du grec *aklinês* «qui ne penche pas».

Didact. (sc.). *Lieu, point aclinique,* où l'inclinaison du champ magnétique terrestre est nulle. *Ligne aclinique,* reliant les points acliniques de la surface terrestre.

**ACLIQUER (S')** [aklike] v. pron. — 1896, Delesalle; de 1. *a-,* et *clique* «société de filous», 1752; cf. franç. *acliquer* (XVe) «posséder (une femme)».

Pop. et vx. Se mettre en ménage (notamment avec un proxénète). → **Maquer** (se).

**ACMÉ** [akme] n. m. ou f. — 1751; du grec *akmê* «partie aiguë d'un objet, pointe».

Didact. ou littéraire.

♦ **1** Méd. Phase (d'une maladie) où les symptômes sont au plus haut degré d'intensité. *La crise a maintenant atteint son acmé.*

♦ **2** (Av. 1930). Apogée, moment du plus grand développement (d'une doctrine, d'une philosophie, etc.). → **Apogée** (2.), **sommet.** *L'acmé d'une discussion, d'un dialogue.* — Philos. *L'acmé d'une doctrine.* — *Acmé psychologique,* point «adulte» de la vie humaine (cf. Ricœur, *Philosophie de la volonté*).

**ACMÉIDÉS** [akmeide] n. m. pl. — D. i. (XXe); du lat. mod. *acmea,* du grec, et *-idés.*

Zool. Famille de mollusques gastéropodes marins (sous-classe des *Prosobranches*) dont l'espèce *Acmea virginea* se rencontre dans la Manche et dans l'océan Atlantique. — Au sing. *Un acméidé.*

**ACNÉ** [akne] n. f. — 1816; angl. *acne,* du lat. sc. *acne* «couperose» (1812, Bateman), du lat. sav. *acne* (1763), du grec *aknê* (par faute de copiste), pour *akmê* «efflorescence».

Méd. Affection de la peau (dermatose) due à des lésions inflammatoires des follicules pilosébacés. *Acné érythémateuse, acné rosée* ou *rosacée* (*rosacée,* n. f.). → **Couperose.** *Acné miliaire récidivante* (ou *acné eczématique*) : éruption de papules rouge vif sur le visage. *Acné syphilitique,* éruption survenant au cours de la syphilis secondaire. *Acné médicamenteuse,* provoquée par l'ingestion de médicaments ou le contact de cosmétiques. *Acné bromique, acné iodique,* causée par le brome, l'iode. *Acné professionnelle,* due à certains produits qui provoquent l'obstruction des pores. *Acné chlorique, acné des hydrocarbures.*

Spécialt. *Acné* ou (cour.) *acné juvénile,* dite aussi *acné vulgaire, acné boutonneuse, acné des adolescents,* dermatose banale survenant à la puberté, caractérisée par l'apparition de comédons et de lésions inflammatoires de la peau (*acné pustuleuse, acné comédonienne* ou *ponctuée,* etc.). *L'acné juvénile est une complication fréquente de la séborrhée. Remède contre l'acné. Traitement local, traitement général de l'acné. Elle est désespérée parce qu'elle a de l'acné.* «*L'acné des collégiens*» (Prévert, *Paroles*).

DÉR. **Acnéique.** ◊ COMP. **Acnéiforme.**

**ACNÉIFORME** [akneifɔʀm] adj. — 1910; de *acné,* et *-forme.*

Méd. Qui est d'aspect semblable à celui de l'acné. *Les variétés acnéiformes de la variole.*

**ACNÉIQUE** [akneik] adj. et n. — 1858; de *acné,* et suff. *-ique.*

Médecine.

♦ **1** Relatif à l'acné.

♦ **2** Atteint d'acné. *Peau acnéique.* — (Personnes). *Un adolescent acnéique.* — N. *(Un, une acnéique).* Sujet atteint d'acné.

Cet homme lui plaisait. Vigoureux, direct, bien différent des banquiers libidineux, des polygraphes acnéiques et des viveurs fatigués qu'elle rencontrait chez sa tante.

Maurice DENUZIÈRE, Louisiane, p. 373.

**ACO** [ako] en loc. → **Comme** (I., 4. : comme aco); **quès aco.**

**ACOCHLIDIOIDÉS** [akɔklidjɔide] n. m. pl. — Mil. XXe; de 2. *a-,* et grec *kokhlidion* «coquille hélicoïdale».

Zool. Ordre de mollusques gastéropodes marins (sous-classe des *Opisthobranches*), de très petite taille, benthiques, que l'on rencontre dans presque toutes les mers. — Au sing. *Un acochlidioidé.*

**ACŒLIENS** [aseljɛ̃] n. m. pl. — D. i.; de 2. *a-, coel(ome),* et suff. sc. *-iens.*

Zool. Groupe de vers marins plathelminthes (classe des *Turbellariés*), caractérisés par l'absence de tube digestif. — Au sing. *Un acœlien.*

Le meilleur exemple de géotropisme est donné par un Acœlien *Convoluta roscoffensis;* à marée basse lorsque l'eau est calme, les *Convoluta* abondent à la surface (géotropisme négatif); dès que la mer monte elles s'enfoncent en profondeur (géotropisme positif).

Andrée TÉTRY, *in* Encycl. Pl., Zoologie, t. I, p. 557.

REM. On dit aussi *acœles* [aselɛs].

**ACŒLOMATES** [aselɔmat] n. m. pl. — 1890, *in* P. Larousse, *Deuxième Suppl., coelome;* d'abord en all., Haeckel; de 2. *a-*, *cœlome*, et suff. *-ate*.

Didact. (zool.). Animaux ne possédant pas de cœlome (cavité générale). *Les cœlentérés sont des acœlomates.* — Au sing. *Un acœlomate.*

Les diploblastiques, privés du troisième feuillet embryonnaire, le mésoderme, ne possèdent pas de cœlome, celui-ci provenant du mésoderme; ce sont des *acœlomates*.
Andrée TÉTRY, *in* Encycl. Pl., Zoologie, t. I, p. 432.

Appos. ou adj. *Vers acœlomates.*

CONTR. **Cœlomates.**

**ACOLYTAT** [akɔlita] n. m. — 1721; lat. médiéval *acolytatus*, de *acolythus*. → Acolyte.

Relig. cathol. Anciennt (av. 1972). Quatrième des ordres mineurs, dans la hiérarchie des ordres qui confèrent le sacerdoce.

**ACOLYTE** [akɔlit] n. — XIIe, n. m.; lat. ecclés. *acolythus*, du grec *akolouthos* «suivant, serviteur».

♦ **1** N. m. Relig. cathol. Anciennt (av. 1972). Clerc élevé à l'acolytat, dont la fonction est de servir à l'autel. → **Servant.** *Remplir les fonctions d'acolyte à une messe.*

♦ **2** N. (Av. 1750, Saint-Simon). Didact. ou littér. Serviteur, aide. → **Adjoint, auxiliaire.** — Vieilli ou régional (Belgique). *L'acolyte d'un magistrat, d'un juge.* → **Assesseur.** *L'huissier est venu avec un acolyte.* — REM. Dans les emplois récents, le mot est le plus souvent péjoratif (→ ci-dessous, 3.); il n'en allait pas de même au XIXe siècle.

Figure superbe; force et vérité; l'acolyte couronné de feuillage, qui soutient Achille au moment où il succombe (...)
E. DELACROIX, Journal, 27 janv. 1852, t. II, p. 73.

Au fém., rare. *Une acolyte* (cf. Balzac, Flaubert, *in* T. L. F.).

♦ **3** N. Mod., péj. (le plus souvent au plur.). Complice qui accompagne une personne. *Il était accompagné de ses acolytes.* → **Complice.** *L'assassin avait deux acolytes. Le tueur et ses acolytes.*

**ACOMAS** ou **ACOMAT** [akɔma] n. m. — 1658, *acomas; acomat*, 1835; orig. incert., p.-ê. mot caraïbe.

Bot. Arbre des Antilles dont le bois est utilisé en menuiserie et en charpenterie navale.

**ACOMPTE** [akɔ̃t] n. m. — 1771; *à compte*, 1740; de *compte*.

♦ **1** Paiement partiel à valoir sur une somme due, et qui doit être remboursé en cas de résiliation de l'acte (à la différence des *arrhes**). *Verser un acompte à qqn.* → **Avance, provision.** *Rembourser un acompte.*

REM. La graphie *à-compte* est archaïque.

Il n'a jamais exigé par Huissier le paiement d'aucune; il recevait les plus légers à-comptes; et souvent dans ses tournées, au lieu de recevoir, il prêtait à des Débiteurs, pour les aider à payer leurs tailles.
RESTIF DE LA BRETONNE, la Vie de mon père, p. 156.

Vx. *Payer une somme par acomptes.* → **Versement.** *Acompte provisionnel*, sommes versées par le contribuable en cours d'année, et déduites de la somme totale de l'impôt sur le revenu. → **Tiers** (provisionnel).

♦ **2** Fig. (fam.). Petit avantage, petit plaisir qu'on reçoit ou qu'on prend en attendant mieux.

**ACON** ou **ACCON** [akɔ̃] n. m. — 1650; mot poitevin, p.-ê. de l'anglo-saxon *naca* «barque».

Techn. (mar.) ou régional. **a** Chaland servant au chargement ou au déchargement des navires. → **Allège.**

**b** Petite embarcation plate, utilisée dans les bouchots, les moulières, pour se déplacer sur la vase (syn. : *pousse-pied*).

DÉR. **Aconage** ou **acconage, aconier** ou **acconier.**

**ACONAGE** ou **ACCONAGE** [akɔnaʒ] n. m. — 1900; de *acon*.

Techn. (mar.). **a** Déchargement ou chargement des navires au moyen d'acons; activité, métier, travail des aconiers.

**b** Régional (ports méditerranéens). Manutention de la cargaison, à bord d'un navire.

**ACÔNE** [akon] adj. — Mil. XXe; de 2. *a-*, et *cône*.

Zool. *Œil acône*, œil d'insecte dont l'apex, sans cône cristallin, n'est pas réfringent (tipules, quelques coléoptères, hémiptères).

**ACONIER** ou **ACCONIER** [akɔnje] n. m. — 1866; de *acon*.

Techn. (mar.) ou régional. Patron d'un acon. — Celui dont le métier est d'assurer l'embarquement ou le débarquement des marchandises, de les arrimer à bord d'un navire ou de les mettre en entrepôt.

**ACONIT** [akɔnit] n. m. — XVIe; *aconita*, XIIe, puis *aconite*, 1213; du lat. *aconitum*, du grec *akoniton*.

Bot. Plante vénéneuse *(Renonculacées)* dont les fleurs ont le pétale supérieur en forme de casque. — Syn. cour. : *casque de Minerve, (aconit) napel, tue-loup.* — *On utilise la teinture de racine d'aconit comme remède sédatif.* → **Aconitine.**

Plus pratique, Locuste s'adressait aux plantes, faisait bouillir une plante qui devait être l'aconit.
ZOLA, Rome, p. 494.

DÉR. **Aconitine.**

**ACONITINE** [akɔnitin] n. f. — 1840; de *aconit*.

Chim., pharm. Alcaloïde contenu dans la racine de l'aconit napel, utilisé comme analgésique et sédatif.

**ACONTIE** [akɔ̃ti] n. f. — 1842; *acontia*, 1834; lat. mod. *acontia* (1816), d'orig. inconnue.

♦ **1** Bot. Vx. Genre de champignons.

♦ **2** (1845; *acontia*, 1842). Zool. Vx. Papillon aux ailes noires et blanches.

♦ **3** (1893, E. Perrier, *in* T. L. F.). Zool. Mod. Filament urticant, très mobile, de certaines anémones de mer, qui leur sert à tuer les proies saisies.

**A CONTRARIO** [akɔ̃tʀaʀjo] loc. adv. — 1926; loc. du lat. scolast. et jurid., traduite auparavant «par la raison des contraires».

*Raisonnement a contrario*, qui, partant d'une opposition dans les hypothèses, conclut à une opposition dans les conséquences. *Le raisonnement a contrario n'est pas toujours valide, «car une conséquence vraie peut résulter d'un principe faux; et deux hypothèses contraires peuvent avoir toutes deux des conséquences communes»* (Lalande).

CONTR. V. **A pari** (raisonnement).

**ACOQUINANT, ANTE** [akɔkinɑ̃, ɑ̃t] adj. — 1762, Académie; p. prés. de *acoquiner.*

Vx. Qui acoquine, attache ou attire comme une mauvaise habitude. *Le feu est acoquinant. « Une vie acoquinante »* (Académie, 1835).

**ACOQUINEMENT** [akɔkinmɑ̃] n. m. — 1858; de *acoquiner.*

Vieilli. État de celui qui s'acoquine; liaison peu honorable. → **Concubinage, liaison;** (fam.) **collage.**

(...) il avait toujours mis une femme dans son intérieur et fini ses liaisons en acoquinements.
Ed. et J. DE GONCOURT, Manette Salomon, p. 140.

Fig. Attachement déshonorant ou malsain.

Comment avait-il pu se priver si longtemps de ce bonheur dans la crainte d'un acoquinement, d'une entrave quelconque? Alphonse DAUDET, Sapho, III.

**ACOQUINER** [akɔkine] v. tr. — 1530; de 1. *a,* et *coquin.*

♦ **1** Vx. Donner de mauvaises habitudes à (qqn). *Acoquiner qqn à qqch., à des habitudes, dans des habitudes* (langue classique).

Les femmes sont des animaux d'une nature bizarre, nous les gâtons par nos douceurs et je crois tout de bon que nous les verrions nous courir, sans tous ces respects et ces soumissions où les hommes les acoquinent.
MOLIÈRE, la Princesse d'Élide, III, 2.

♦ **2** Attacher (qqn), habituer de manière excessive, mauvaise. *« Et puis l'eau-forte m'amuserait, m'attacherait, m'acoquinerait. J'y passerai des jours et peut-être des nuits »* (Hugo, 1864, *in* T. L. F.).

Absolt. *« L'oisiveté acoquine »* (Académie, 1835).

◆ **S'ACOQUINER** v. pron.

♦ **1** Vx. *S'acoquiner (à, avec),* ou, absolt, *s'acoquiner,* vivre en concubinage. → (fam.) **Coller** (se). *Il s'est acoquiné avec une jeune femme.*

Rare. *S'acoquiner près de qqn, d'une femme.*

♦ **2** (1690). Mod. Se lier (à une personne que le locuteur considère comme peu recommandable), avoir de mauvaises fréquentations. → **Attacher.** *Il s'est acoquiné avec des voyous.*

(...) Michel-Charles ne tombera jamais dans l'erreur de s'acoquiner avec les libéraux, dont le « socialisme déguisé » est une menace pour les propriétaires. L'empire se garde à gauche. M. YOURCENAR, Archives du Nord, p. 193.

Vx. *S'acoquiner de qqn.*

♦ **3** Vx ou littér. *S'acoquiner à, dans* (un lieu), s'y tenir.

Figurez-vous que je m'étais bien acoquiné près du feu, pour vous écrire longuement (...)
BALZAC, Correspondance, 5 oct. 1833, t. I, p. 785.

Florent revint, s'acoquina à ce cabinet vitré, dans les silences de Robine, les emportements de Logro, les haines froides de Charvet.
ZOLA, le Ventre de Paris, t. I, p. 172.

On a contre elles *(les mouches)* qu'elles vont sur l'ordure et surtout qu'elles en reviennent. Ce qui les distingue des autres amateurs qui s'y acoquinent.
VALÉRY, Rhumbs, p. 24.

◆ **ACOQUINÉ, ÉE** p. p. *Acoquiné à :* attaché à (qqch., qqn, un lieu). → **Entiché.**

Mon Dieu! qu'à tes appas je suis acoquiné!
MOLIÈRE, le Dépit amoureux, IV, 4.

Par métaphore. Lié comme par un attachement.

Cette frénésie de l'invention verbale, je ne l'ai rencontrée qu'une fois, éblouissante et acoquinée à une gouaille de chauffeur parisien : chez Louis-Ferdinand Céline, vers 1935. MALRAUX, Antimémoires, Folio, p. 420.

Absolument :

(...) s'attardait rue Tourlaque, acoquiné et épuisé comme chez une maîtresse ZOLA, l'Œuvre, p. 317.

DÉR. **Acoquinant, acoquinement.**

**ACORE** [akɔʀ] n. m. — XVI<sup>e</sup>; du lat. d'orig. grecque *acorum.*

Plante aquatique *(Aracées)* à spadice vert entièrement couvert par la fleur, dont une espèce, l'*acore odorant,* est aussi appelée *lis des marais, iris jaune* ou *jonc odorant. L'acore est une plante à rhizome ramifié.*

HOM. **Accord, accore, accort.**

**ACOSMIQUE** [akɔsmik] adj. — 1945; de 1. *a-,* et *cosmique.*

Philos. Qui est sans relation avec le monde sensible en tant que réalité organisée; qui caractérise les réalités suprasensibles non régies par un ordre immuable. *Le sujet humain n'est pas un sujet acosmique.*

**ACOSMISME** [akɔsmism] n. m. — XIX<sup>e</sup>; all. *Akosmismus,* cf. angl. *acosmism,* 1847; de 2. *a-,* grec *kosmos* « monde », et suff. *-isme.*

Philos. Théorie qui nie la réalité du monde sensible.

Spécialt. *L'acosmisme de Spinoza,* système qui, selon Hegel, intègre l'idée de monde à celle de Dieu (et s'oppose à l'athéisme).

On a dit que le monde manquait dans Spinoza, dont le système serait un acosmisme. Mais c'est qu'on n'a pas fait attention que l'existence suppose l'essence. En sorte que Dieu est construit par la pensée, d'abord comme la perfection de l'Être. Et c'est ainsi qu'il se communique au monde, et fonde l'existence.
ALAIN, les Aventures du cœur, *in* les Passions et la Sagesse, Pl., p. 422-423.

**À-CÔTÉ** [akote] n. m. — 1917, *in* D. D. L.; substantivation de la loc. adv. *à côté.*

♦ **1** Point, problème accessoire. → **Détail.** *Ce n'est qu'un à-côté de la question. Des à-côtés.*

Pas d'à-côtés — pas de négligeable (...) 1
VALÉRY, Cahiers, Pl., t. 2, p. 51.

Il y eut ensuite le rituel bien connu et immuable : embrassades des joueurs, marée des supporters envahissant le terrain, coups de sifflets, slogans, refrains d'équipe et chants régionaux, petits drapeaux brandis et agités; mais Martial et Félix ne s'intéressaient pas à ces à-côtés purement folkloriques de la manifestation sportive. 2
Jean-Louis CURTIS, le Roseau pensant, p. 18-19.

♦ **2** Gain d'appoint. *Son patron le paie bien, sans compter qu'il se fait des à-côtés.*

**ACOTYLÉDONE** [akɔtiledɔn] adj. et n. f. pl. — 1773, n. f. pl.; de 2. *a-,* et *cotylédon.*

Botanique.

♦ **1** Vx. Plante sans cotylédons.

N. f. pl. *Les Acotylédones* (vx) : dans la classification de Jussieu, Plantes sans cotylédons mais portant des spores — bactéries, algues, champignons, fougères (correspondant aux *Cryptogames* du système de Linné). — REM. On a employé *agames (plantes agames)* et *acotylédonées* (1840).

♦ **2** Mod. Dont les cotylédons sont peu visibles. *Plantes acotylédones.*

**ACOUMÈTRE** [akumɛtʀ] n. m. — 1842; du grec *akouein* « entendre », et *-mètre.*

Vieilli. Appareil d'acoumétrie*.

DÉR. **Acoumétrie.**

**ACOUMÉTRIE** [akumetʀi] n. f. — Attesté 1935, *in* T. L. F.; de *acoumètre.*

Vieilli. Étude de l'acuité auditive, notamment par les techniques de l'audiométrie*.

**À-COUP** [aku] n. m. — 1835; de *à,* et *coup.*

♦ **1** Discontinuité de mouvement provoquant des secousses. → **Saccade, secousse, soubresaut.** *Il y a des à-coups dans le moteur.*

1 Cet équipage difficile à mener s'avance avec des à-coups, des arrêts, des sauts et des ruades.
LOTI, Figures et Choses..., V, p. 80.

♦ **2** Incident désagréable qui interrompt brusquement un processus. → **Accroc** (fam.), **anicroche, complication, ennui.** *Il a mené l'entreprise sans un à-coup. L'évolution a lieu sans à-coup, sans à-coups.*

1.1 Le scénario se déroule ensuite d'une façon mécanique, comme une machine bien huilée, bien rodée, chacun connaissant désormais son rôle avec exactitude et pouvant le jouer sans se tromper d'une seconde, sans un à-coup, sans le plus minime faux-pas qui risquerait de surprendre le partenaire.
A. ROBBE-GRILLET, la Maison de rendez-vous, p. 205.

1.2 C'est le type même de la maison où, paisibles et médiocres, des gens vieillissent sans à-coups.
R. QUENEAU, le Chiendent, p. 114.

1.3 Il arrivera, il en est sûr, mais lentement, sans à-coups.
J. RENARD, Journal, 1er mars 1890.

**PAR À-COUPS :** d'une façon irrégulière, intermittente. *Travailler par à-coups.* → **Accès** (par), **intervalles** (par).

2 Les choses éclatantes, on ne les fait généralement que par à-coups.
PROUST, À la recherche du temps perdu, t. XI, p. 53.

3 Repris le Temps immobile, avec l'impression habituelle (et chaque fois déçue) de m'y mettre enfin sérieusement. Sans doute est-il dans la nature même de ce travail de ne pouvoir être tenté que par à-coups et de loin en loin.
Claude MAURIAC, le Temps immobile, p. 145.

**ACOUPHÈNE** [akufɛn] n. m. — Av. 1953, *in* Quillet; du grec *akouein* «entendre», et *phainesthai* «paraître».

Méd. Sensation auditive anormale qui n'est pas provoquée par un son extérieur (bourdonnement, tintement d'oreille).

**-ACOUSIE** Élément isolé de *paracousie,* du grec *-akousis* «fait d'entendre», de *akouein* «entendre», qui sert à former des mots savants. — Ex. : *hyperacousie, presbyacousie.*

**ACOUSTICIEN, IENNE** [akustisjɛ̃, jɛn] n. — 1876; de *acoustique.*

Didact. Spécialiste de l'acoustique (théoricien [physicien] ou technicien). «*L'insonorisation des locaux destinés (...) à l'enregistrement a toujours posé de graves problèmes aux acousticiens*» (*Revue du son,* nº 160, p. 351). — Appos. *Ingénieur, architecte acousticien.*

**ACOUSTIQUE** [akustik] n. m. et f. et adj. — 1700; grec *akoustikos* «qui concerne l'ouïe».

**I** Adj. ♦ **1** **a** Qui concerne la fonction auditive. *Nerf acoustique,* ou, n. m., *l'acoustique,* nerf auditif. *Lésion de l'acoustique.*

**b** Qui facilite la perception des sons. *Cornet* acoustique. Tuyau, tube acoustique,* conduit qui porte le son d'un lieu à un autre. *Appareils acoustiques.* — *Vases acoustiques,* vases (de terre, de bronze) disposés dans les théâtres antiques pour augmenter le volume de la voix des acteurs.

1 Un tuyau acoustique perfectionné devait lui amener là-haut tous les bruits du rez-de-chaussée, jusqu'aux conversations des domestiques prenant le frais le soir sur le perron.
Alphonse DAUDET, Fromont jeune et Risler aîné, p. 128.

(...) à ma façon, plus absolue encore que celle de la Berma, de ne considérer, dès cet instant, salle, public, acteurs, pièce, et mon propre corps que comme un milieu acoustique n'ayant d'importance que dans la mesure où il était favorable aux inflexions de cette voix, je compris que les deux actrices que j'admirais depuis quelques minutes n'avaient aucune ressemblance avec celle que j'étais venu entendre.
PROUST, À l'ombre des jeunes filles en fleurs, Pl., t. I, p. 448-449.

*Guitare acoustique, basse* (contrebasse) *acoustique* (par oppos. à *électrique*).

♦ **2** (1866). Relatif au son, à sa propagation; du domaine de l'acoustique. *Les phénomènes acoustiques, les ondes acoustiques.* → **Sonore.** *Pression acoustique. Résistance acoustique d'un milieu. Flux d'énergie acoustique* (ou *puissance surfacique acoustique instantanée*) : quotient de la puissance acoustique (en watts) transmise à un instant donné à travers un élément de surface par l'aire de cet élément (en $m^2$). — *Filtre, filtration acoustique. Sonde acoustique. Mesures acoustiques en chambre* sourde.*

♦ **3** Qui étudie les sons, du point de vue physique, du point de vue de l'acoustique (II.). *Phonétique articulatoire et phonétique acoustique.*

♦ **4** Techn. Qui utilise les ondes sonores ou ultrasonores. *Microscope acoustique.*

**II** N. f. ♦ **1** Phys. Partie de la physique (en relation avec la physiologie, la psychologie et la musique) qui traite des sons et des ondes sonores (nature, production, propagation et réception des sons). *Un traité d'acoustique. Acoustique physique, physiologique, psychophysiologique.* → **Bioacoustique, catacoustique, électroacoustique; audiométrie.** *Acoustique sous-marine. Acoustique moléculaire,* étude de l'action des ondes sonores sur la matière, à l'échelle moléculaire — *Acoustique de la parole,* ou *acoustique,* en phonétique, Étude de la nature physique du message vocal, indépendamment de son émission et de sa réception (syn. : *phonétique acoustique*). — *Acoustique musicale.* — *Acoustique architecturale,* ensemble des techniques assurant une bonne propagation du son ainsi que l'isolation acoustique dans les constructions. — *Acoustique urbaine, acoustique de l'environnement.*

Étant un esprit cultivé, je me rends facilement le compte le plus clair de toutes choses : mais, — c'est singulier ! — j'ai beau m'expliquer, par exemple, en acoustique, — et même, en physique, à l'aide de deux extrêmes soudains du froid et du chaud, — le bruit du vent, — eh bien ! quand j'entends le Vent, j'ai peur.
VILLIERS DE L'ISLE-ADAM, Tribulat Bonhomet, p. 46.

Soit que le croisement des rues, l'interposition des maisons eût causé par réfraction cette erreur d'acoustique, soit qu'il soit très difficile de situer un son dont la place ne nous est pas connue (...)
PROUST, le Côté de Guermantes, Folio, p. 116.

♦ **2** (1898). **a** Cour. Qualité d'un local (salle de concert, théâtre) au point de vue de la propagation du son. *La bonne, la mauvaise acoustique d'une salle.*

**b** Rare. Qualité sonore d'un instrument. *L'acoustique d'une harpe, d'un piano.*

DÉR. **Acousticien, acoustiquement.** ◊ COMP. **Bioacoustique, catacoustique, électro-acoustique, hydroacoustique, infra-acoustique, ultracoustique.** — V. aussi **Acousto-optique.**

**ACOUSTIQUEMENT** [akustikmɑ̃] adv. — Attesté 1936; de *acoustique.*

Didact. Au point de vue acoustique; quant à l'acoustique. *Instrument, salle acoustiquement remarquable. Objet sonore acoustiquement et esthétiquement construit.*

**ACOUSTO-OPTIQUE** [akustoɔptik] adj. et n. f. — Après 1950 ; de *acoustique*, et *optique*.

Adj. Phys. Qui a trait à la fois aux phénomènes acoustiques et optiques. *Effets acousto-optiques.*

N. f. Partie de la physique qui étudie les interactions entre rayonnements lumineux et ondes acoustiques.

**ACQUA-TOFFANA** [akwatɔfana] n. f. — 1829 ; *Aqua Tophana*, 1823 ; de l'ital. *acqua* «eau», et du nom de Giula *Tofana*, qui avait inventé ce poison.

Didact. Poison, probablement à base d'acide arsénieux, qui fut célèbre en Italie aux XVI^e^ et XVII^e^ siècles.

**ACQUÉRANT, ANTE** [akeʀɑ̃, ɑ̃t] adj. — XIII^e^, adj. ; p. prés. de *acquérir*.

Dr. ou didact. Qui cherche à acquérir, qui acquiert. «*Passion acquérante*» (Ch. Renouvier, *in* T. L. F.).

**ACQUÉREUR** [akeʀœʀ] n. m. — 1385 ; de *acquérir*.

♦ **1** Personne qui acquiert (un bien) et, spécialt, qui acquiert des biens immeubles. → **Acheteur, cessionnaire, preneur.** *Chercher, trouver un acquéreur. L'acquéreur a versé un acompte, des arrhes. Il, elle s'est rendu(e) acquéreur de cette maison par adjudication. Se porter acquéreur d'un terrain. L'acquéreur est madame X.*

1 L'un d'eux se porte acquéreur de la totalité de la récolte, à raison de sept francs cinquante le kilo.
GIDE, Voyage au Congo, *in* Souvenirs, Pl., p. 718.

REM. *Acquéreur* n'a pas de féminin courant ; *acquéreuse* [akeʀøz] n'apparaît que dans de rares textes ; *acquéresse* [akeʀɛs], rare, appartient à la langue juridique (cf. *venderesse*).

2 Il commença par exposer froidement, avec cette clarté d'homme de loi qui lui était naturelle, qu'elles (...) étaient légitimes propriétaires du couvent ; qu'elles le tenaient de l'acquéresse (...)
M. BARRÈS, la Colline inspirée, p. 185-186, éd. Berger-Levrault, 1962 (*in* T. L. F.).

♦ **2** Rare. Personne qui acquiert (une chose abstraite ; un bien, un bénéfice moral, intellectuel, etc.). *Des chefs «acquéreurs d'une certaine célébrité»* (Chateaubriand, *in* T. L. F.).

CONTR. **Donateur, vendeur.**

**ACQUÉRIR** [akeʀiʀ] v. tr. [CONJUG. : *j'acquiers* [ʒakjɛʀ] *nous acquérons ; j'acquérais, nous acquérions ; j'acquis ; j'acquerrai, nous acquerrons ; acquiers* [akjɛʀ], *acquérons ; que j'acquière, que nous acquérions ; que j'acquisse, que nous acquissions* (rare) ; *acquérant ; acquis.*] — 1370 ; a remplacé *acquerre*, 1148 ; du lat. pop. **acquærere*, du lat. class. *acquirere*.

♦ **1** Dr. Devenir propriétaire de (un bien, un droit). *Acquérir un immeuble, des biens, une terre. Acquérir qqch. à titre gratuit.* → **Hériter, recueillir** (une succession), **recevoir** (une donation). *Acquérir une succession, un legs à titre universel ou à titre particulier.* — Au passif. *Les biens sont acquis.* — Pron. *Les biens s'acquièrent.*

1 La propriété des biens s'acquiert et se transmet par succession, par donation entre vifs ou testamentaire, et par l'effet des obligations. Code civil, art. 711.

2 La propriété s'acquiert aussi par accession ou incorporation, et par prescription. Code civil, art. 712.

3 La propriété est acquise de droit à l'acheteur à l'égard du vendeur, dès qu'on est convenu de la chose et du prix (...) Code civil, art. 1583.

*Acquérir une marchandise. Acquérir qqch. à titre onéreux.* → **Acheter.**

(*La coiffe*) avait été ou achetée de ses deniers, ou trouvée dans son coffre de mariage, ou reçue de quelque galant, tous bons moyens d'acquérir des dentelles. Mais de quelque façon qu'elle les eût acquises, je vois seulement qu'elle en jouissait (...) 4
FRANCE, les Opinions de J. Coignard, p. 265.

L'on peut acquérir les billets sur la place, moyennant tant pour cent. 5
BALZAC, Eugénie Grandet, éd. 1838, p. 203.

Au p. p. Loc. prov. *Bien mal acquis...* → 2. **Acquis.**

La richesse mal acquise, s'évanouit (...) 6
BIBLE, Proverbes, XIII, 11.

Loc. prov. (Vieux) :

On garde sans remords ce qu'on acquiert sans crimes. 7
CORNEILLE, Cinna, II, 1.

Absolt. *Le droit d'acquérir et de vendre.*

La peine d'acquérir, le soin de conserver, 8
Ôtent le prix à l'or, qu'on croit si nécessaire.
LA FONTAINE, Fables, X, 4.

Le plaisir d'avoir ne vaut pas la peine d'acquérir. 9
ROUSSEAU, les Confessions, I.

Trop d'occasions d'acquérir semblent diminuer la valeur de ce qu'on possède. 10
É. DE SENANCOUR, De l'amour, p. 111.

♦ **2** Arriver à posséder (un bien, une chose avantageuse). → **Gagner, obtenir.** *Acquérir un nom, de la gloire, l'estime publique, une réputation, la notoriété.*

On ne veut point perdre la vie, et on veut acquérir de la gloire (...) LA ROCHEFOUCAULD, Maximes, 221. 11

Il n'est pas si aisé de se faire un nom par un ouvrage parfait, que d'en faire valoir un médiocre par le nom qu'on s'est déjà acquis. LA BRUYÈRE, les Caractères, I, 4. 12

Moi, renoncer aux dons que je viens d'acquérir ? 13
LA FONTAINE, XII, 1.

Obtenir, commencer à avoir (une caractéristique psychique). *Acquérir une habitude.* → **Prendre.** *Acquérir de l'autorité, une personnalité, l'indépendance. Acquérir des défauts, des qualités, des connaissances. L'expérience qu'il a acquise,* (passif et p. p.) *qui a été acquise par lui, acquise par lui au cours de sa carrière.* → 2. **Acquis.**

C'est un splendide moment dans la vie des grands créateurs que celui où ils ont acquis leur autorité, affranchi leur génie en conservant encore la fougue et le charme de la jeunesse. 14
Édouard HERRIOT, la Vie de Beethoven, p. 129.

Elle a acquis une sorte de force, de sûreté d'elle-même qu'elle n'avait pas. A. MAUROIS, Climats, II, 18. 15

La conversation qui est le mode d'expression de l'amitié est une divagation superficielle qui ne nous donne rien à acquérir. 16
PROUST, À la recherche du temps perdu, t. V, p. 173.

Rien n'est jamais acquis une fois pour toutes avec les êtres, ni en amour, ni en amitié. 17
F. MAURIAC, la Pharisienne, XIII.

L'expérience acquise au long de la carrière m'a confirmé dans ce sentiment (...) 18
G. DUHAMEL, Discours aux nuages, I, p. 12.

Arriver à avoir, à obtenir, trouver. *Acquérir une preuve, une certitude. Il a acquis la conviction qu'on lui avait menti.* — *Acquérir la faveur de qqn*, s'attirer, se concilier sa faveur. *Il a acquis aisément les bonnes grâces des gens en place.*

Je me passai fort bien de certitude dès lors que j'acquis celle-ci, que l'esprit de l'homme ne peut en avoir. 19
GIDE, les Nouvelles Nourritures, p. 93.

Pron. Posséder une certaine qualité, le plus souvent par son action personnelle. *Il s'est acquis une bonne réputation.* — (Sens passif). *Une bonne habitude s'acquiert difficilement.*

♦ **3** (Sujet n. de chose). Arriver à avoir (une qualité). → **Prendre.** *Ce meuble a acquis de la valeur. Le fer acquiert les propriétés de l'aimant.*

19.1 Mais quand un froid très vif eut succédé à cette période humide, le bois, dont les fibres acquéraient la dureté du fer, devint extrêmement difficile à travailler, et, vers le 10 juin, il fallut définitivement abandonner la construction du bateau. J. VERNE, l'Île mystérieuse, t. II, p. 772.

Absolt et vx. *Ce vin acquiert,* s'améliore. → **Bonifier** (se).

♦ **4** *Acquérir qqch. à qqn,* procurer la possession, la disposition de (qqch.). → **Valoir.** *L'aisance que ses efforts lui ont acquise réjouit ses parents.*

20 Il n'est point de climat où mon amour fatale
N'ait acquis à mon nom la haine générale.
CORNEILLE, Médée, III, 3.

21 De trois amants que ses charmes lui acquirent successivement. LA BRUYÈRE, les Caractères, III, 81.

Pron. (Réfl. ind.). Obtenir pour soi, s'attirer, se concilier. *Il s'est acquis l'estime de tous ses collègues.*

♦ **5** Vx. *Acquérir qqn,* se l'attacher; (en parlant d'une femme) gagner son amour, sa main.

22 S'il me veut posséder, Auguste doit périr :
Sa tête est le seul prix dont il peut m'acquérir.
CORNEILLE, Cinna, I, 2.

Au passif. Mod. et littér. *Être acquis à quelqu'un.*

23 Asurez-vous sur moi, je vous suis toute acquise.
CORNEILLE, Sertorius, II, 1.

(Choses). *Son appui m'est acquis,* je peux compter sur lui.

24 M. Viot répondit que sa bienveillance m'était acquise et qu'il m'aiderait volontiers de ses conseils.
Alphonse DAUDET, le Petit Chose, V.

Pron. *S'acquérir qqn,* gagner les services de quelqu'un.

25 (...) il se mêla à la conversation d'une manière discrète, mais qui indiquait en même temps le désir de nouer relation (...) La tentation de s'acquérir des compagnons de route, désir qui poignait évidemment l'inconnu, me prit aussi, et je vis que Lanze n'y répugnait pas (...)
J.-A. DE GOBINEAU, les Pléiades, p. 14.

*S'acquérir qqch.,* en devenir propriétaire.

CONTR. **Céder, transmettre, vendre. — Perdre.** ◊ DÉR. **Acquérant, acquéreur, 1. acquis, 2. acquis.**

**ACQUÊT** [akɛ] n. m. — Fin XIIe; du lat. vulg. **acquæsitum,* p. p. substantivé de **acquærere.* → Acquérir.

♦ **1** Dr. Bien acquis par un des époux au cours de l'association conjugale, et qui fait partie de la masse commune, par opposition aux biens propres (→ **Propre**), qui en sont exclus. → **Conquêt.**

1 Tout bien, meuble ou immeuble est réputé acquêt de communauté, si l'on ne prouve qu'il est propre à l'un des époux par application d'une disposition de loi.
Code civil, art. 1402.

*Communauté réduite aux acquêts,* régime matrimonial légal. *De la communauté de meubles et acquêts* (section du Code civil).

2 Lorsque les époux conviennent qu'il y aura entre eux communauté de meubles et acquêts, l'actif commun comprend, outre les biens qui en feraient partie sous le régime de la communauté légale, les biens meubles dont les époux avaient la propriété ou la possession au jour du mariage ou qui leur sont échus depuis par succession ou libéralité, à moins que le donateur ou testateur n'ait stipulé le contraire. Code civil, art. 1498.

♦ **2** Vieilli. Ce que l'on a acquis. → **Acquisition, gain.** — Prov. *Il n'y a si bel acquêt que le don.*

3 Il y a des gens qui gagnent leur réputation par supercherie, mais la vôtre est un légitime acquêt.
GUEZ DE BALZAC, Lettres, V, 15.

4 La science est un acquêt de l'homme.
HUGO, Shakespeare, p. 35.

**ACQUIESÇANT, ANTE** [akjesɑ̃, ɑ̃t] adj. — Attesté déb. XXe (1913, Barrès); p. prés. de *acquiescer.*

Littér. Qui est disposé à acquiescer. *Un sourire acquiesçant.*

Entortillé dans ces lamentations, l'autre se tint bouche bée devant ce personnage inconnu, plein d'une acquiesçante douceur pour jaboter du bien absolu et de sa mission au sein de la révolution africaine (...)
Pierre GOMBERT, le Prix d'un taxi, p. 139.

**ACQUIESCEMENT** [akjɛsmɑ̃] n. m. — 1527; de *acquiescer.*

♦ **1** (XVIIe). Cour. Action d'acquiescer. *L'acquiescement de qqn, son acquiescement. On prit son silence pour un acquiescement.* → **Acceptation, accord, agrément, approbation, assentiment, consentement.** *Il hocha la tête en signe d'acquiescement. L'acquiescement de qqn à une opinion, à une requête.* → **Autorisation, permission.**

Mais comment ne se déclarer point, plutôt que de voir pris pour acquiescement le silence. 1
GIDE, Pages de journal, 1929-1932, p. 132.

(...) un hédonisme de complaisance, fait de facile acquiescement. GIDE, Si le grain ne meurt, II, 2, p. 362. 2

Spécialt. Adhésion qui engage sans restriction. *Acquiescement à la volonté de Dieu.* → **Soumission.**

♦ **2** Dr. Adhésion (d'une personne) à un acte fait, une demande formée, un jugement rendu contre elle. *L'acquiescement de qqn à qqch. Acquiescement pur et simple, exprès, facile, implicite, conditionnel. L'acquiescement au jugement implique renonciation aux voies de recours ouvertes par la loi.*

♦ **3** *Acquiescement à (qqch.),* acceptation de (qqch.).

La pression administrative, l'action des préfets, l'intimidation contribuaient pour une part à cette docilité du corps électoral. Pourtant l'acquiescement des masses rurales et de la bourgeoisie à ce régime dictatorial était spontané. 3
J. BAINVILLE, Hist. de France, t. II, p. 198.

CONTR. **Opposition, protestation, refus, résistance.**

**ACQUIESCER** [akjese] v. tr. ind. [CONJUG.: *placer.*] — XIVe; lat. *acquiescere,* au sens du franç. en lat. jurid. et religieux.

♦ **1** Dr. Donner son acquiescement (2.) à... *Acquiescer à un jugement, à la demande de la partie adverse.*

♦ **2** (XVIe). Cour. Donner son plein consentement à (qqch., qqn). → **Accepter, approuver, consentir, référer** (à). *Acquiescer aux vœux d'un ami. Acquiescer à un ordre.* → **Obéir, obtempérer.** *Il a acquiescé à tous ses désirs.* → **Conformer** (se), **souscrire.** *J'acquiesce à toutes vos décisions.* → **Adhérer, ranger** (se). — *Acquiescer à des opinions, des idées.* → **Adhérer, souscrire.**

Soit fait, dit l'autre; il faut à ton désir 1
Acquiescer, et te faire plaisir.
LA FONTAINE, Contes, II, 16.

Je puis au moins acquiescer à cette doctrine. 2
LA BRUYÈRE, les Caractères, XVI, 38.

Spécialt. Approuver (ce qui est dit, exprimé). — Absolt. *Il n'avait plus d'objections à formuler et acquiesça.* → **Approuver** (→ ci-dessous, cit. 4).

Mme de Guermantes, ravie de cette analyse de son caractère, l'écoutait d'un air modeste mais ne disait pas un mot, par scrupule d'acquiescer à l'éloge, surtout par peur de l'interrompre. 3
PROUST, À la recherche du temps perdu, t. IX, p. 104.

Elle acquiesce d'un signe de tête et ouvre la porte. 4
MARTIN DU GARD, les Thibault, IV, 7.

Il s'avisa seulement après coup que, en acquiesçant à ces paroles, il acceptait aussi l'échec de sa démarche. 5
MARTIN DU GARD, les Thibault, V, 1.

Accepter, répondre favorablement à... *Acquiescer à une demande, à une requête.* → **Consentir, vouloir** (vouloir bien); **autoriser, permettre, tolérer.**

6 M. Lionel et moi, nous acquiesçons à cette courtoise prière.
G. DUHAMEL, Scènes de la vie future, XI, p. 165.

♦ **3** Répondre de manière positive. *Il acquiesça en quelques mots.* — En incise. *Oui, acquiesça-t-elle.*

CONTR. **Opposer** (s'opposer à), **protester** (contre), **refuser, résister** (à). ◊ DÉR. **Acquiesçant, acquiescement.**

1. **ACQUIS** [aki] n. m. — 1595; p. p. subst. de *acquérir.*
Savoir acquis, expérience acquise, constituant une sorte de capital. *Avoir de l'acquis,* avoir de l'expérience. *Un acquis de savoir, de connaissances.*

Non seulement j'avais la confiance la plus absolue en Saint-Loup, en la loyauté de son amitié, et il l'avait trahie par ce qu'il avait dit à Bloch, mais il me semblait que, de plus, il eût dû être empêché de le faire par ses défauts autant que par ses qualités, par cet extraordinaire acquis d'éducation qui pouvait pousser la politesse jusqu'à un certain manque de franchise.
PROUST, le Côté de Guermantes, Pl., t. II, p. 399.

HOM. Formes du v. **acquérir, 2. acquis, acquit.**

2. **ACQUIS, ISE** [aki, iz] adj. — P. p. de *acquérir.*

♦ **1** Qui a été acquis par l'individu (par oppos. à ce qui a été transmis ou à ce qui est naturel). *Des connaissances difficilement acquises. Des biens acquis.* — (En emploi verbal). *Des biens acquis par qqn,* etc. (→ Acquérir, cit. 18).
Prov. *Bien mal acquis ne profite jamais.*
Biol. *Caractères acquis,* qui n'appartiennent pas au patrimoine chromosomique de l'individu, et apparaissent par adaptation au milieu.

(...) qu'elles surviennent «spontanément» ou qu'elles soient «induites artificiellement», les mutations apparaissent toujours au hasard. On ne trouve jamais aucune relation entre leur production et les conditions externes, aucune direction imprimée par le milieu. En excluant définitivement toute transmission de caractères acquis, l'analyse des mutations précise le rôle respectif de l'hérédité et du milieu dans la formation des êtres vivants.
François JACOB, la Logique du vivant, p. 242.

Par ext. (Phys.). *Vitesse* acquise.*

♦ **2** *Acquis à (qqn),* qui est reconnu comme lui appartenant, dont il peut disposer de façon définitive et sûre. *Droit acquis à qqn;* (cf. aussi les emplois verbaux passifs. → Acquérir, cit. 3). — Fig. (Personnes). *Je vous suis tout acquis,* entièrement dévoué (→ Acquérir, cit. 23 et 24). — Absolt. Reconnu sans contestation. *Si ce point est acquis, pourquoi continuer à discuter?* → **Établi.** *C'est acquis, c'est un fait acquis,* cela est incontestable, c'est certain.

♦ **3** *Acquis à* (une idée, un parti) : définitivement gagné, partisan de. *Il est maintenant acquis à notre cause.*

CONTR. **Héréditaire, inné, naturel. — Contesté, discuté. — Hostile.** ◊ HOM. Formes du v. **acquérir, 1. acquis, acquit.**

**ACQUISITIF, IVE** [akizitif, iv] adj. — XV^e; du bas lat. *acquisitivus,* du supin de *acquirere.* → Acquérir.

♦ **1** Dr. Qui appartient, équivaut à l'acquisition. *Prescription* acquisitive.*

♦ **2** Didact. Qui pousse à acquérir. *Des instincts, des mobiles acquisitifs.*

On existe dans un temps, dans un état, où l'on est seulement tenu de dépenser et de se dépenser. Les mobiles acquisitifs ne sont plus de mise, il faut dilapider et chacun gaspille à qui mieux mieux ses richesses, ses vivres, sa vigueur sexuelle ou musculaire.
Roger CAILLOIS, l'Homme et le Sacré, p. 161.

**ACQUISITION** [akizisjɔ̃] n. f. — 1283; du lat. *acquisitio,* d'abord «action d'augmenter», sens juridique en lat. médiéval; du lat. pop. *acquærere.* → Acquérir.

♦ **1** Action d'acquérir. *L'acquisition de qqch. par qqn.* — Cour. *Faire l'acquisition d'un terrain, d'une propriété.* → **Achat.** — Dr. *Acquisition* (de qqch.) *à titre universel,* portant sur l'universalité d'un patrimoine. *Acquisition à titre particulier,* portant sur un ou plusieurs objets déterminés. *Acquisition à titre gratuit, à titre onéreux. Modes d'acquisition de la propriété* (succession, prescription, etc.).
Didactique :

Dans tout le cours du temps, l'agression apparaît comme une technique fondamentalement liée à l'acquisition et chez le primitif son rôle de départ est dans la chasse où l'agression et l'acquisition alimentaire se confondent. 0.1
A. LEROI-GOURHAN, le Geste et la Parole, t. I, p. 236.

*(Une, des acquisitions).* Fait d'acquérir; bien acquis, acte(s) d'acquisition, de propriété. *Acquisitions et donations.*

Quand on est jeune, souvent on est pauvre : ou l'on n'a pas encore fait d'acquisitions, ou les successions ne sont pas échues. 1
LA BRUYÈRE, les Caractères, VI, 39.

♦ **2** (Abstrait). Fait d'acquérir, de commencer à avoir qqch. *L'acquisition d'un bien moral, d'une habitude. L'acquisition des connaissances. Faire en qqch., en qqn une bonne acquisition.*

Quelle grande acquisition avez-vous faite en cet homme illustre! 2
LA BRUYÈRE, Disc. de réception à l'Académie, 15 juin 1693.

(...) nous ne songeons guère aux acquisitions générales parce qu'elles se font sans qu'on y pense et même avant l'âge de raison. 3
ROUSSEAU, Émile, I, p. 41.

La liberté, où tant d'étourdis se trouvent portés du premier bond, fut pour moi une acquisition lente. 4
RENAN, Souvenirs d'enfance..., I, 1.

Spécialt. (Psychol.). Processus par lequel un fonctionnement est acquis. → **Apprentissage.**

♦ **3** Par métonymie. *(Une, des acquisitions).* Bien qui est acquis, résultat d'une acquisition. [a] (Au sens 1.). *Voici ma dernière acquisition. J'ai fait une bonne acquisition en achetant cette maison.* → **Achat.**
[b] (Au sens 2.) :

(...) la pensée de la mort naturelle est une acquisition tardive de la civilisation. 5
J. VUILLEMIN, Essai sur la signification de la mort, p. 148.

Qualité, caractère acquis. *Les acquisitions psychiques.*

♦ **4** (Emplois d'après l'angl.). Inform. Prélèvement de données destinées au traitement par ordinateur. *Temps d'acquisition.*
Astronaut. Première réception des signaux d'un véhicule spatial (après une recherche).
Milit. *Acquisition d'objectif,* opérations par lesquelles un objectif est identifié et situé avec précision.

CONTR. **Aliénation, cession, vente. — Perte.**

**ACQUISIVITÉ** [akizivite] n. f. — 1839, selon Dauzat; de *acquisitif,* pour **acquisitivité.*
Vx. Instinct d'acquisition, de possession. Possessivité.

L'acquisivité englobe le tact des filous et l'ardeur des commerçants.
FLAUBERT, Bouvard et Pécuchet, Pl., t. II, p. 158.

**ACQUIT** [aki] n. m. — XII^e; de *acquitter.*

♦ **1** Vx ou admin. Action d'acquitter (une somme d'argent, une dette). *L'acquit des impôts sur le revenu.*

♦ **2** Reconnaissance écrite d'un paiement. → **Décharge, quittance, quitus.** *N'oubliez pas de prendre votre acquit.* → 2. **Reçu.**

1 (...) après avoir signé (...) l'acquit de toutes vos dettes.
LA BRUYÈRE, les Caractères, XIV, 36.

**POUR ACQUIT,** formule qui, suivie de la date et de la signature du créancier, atteste que la facture, le billet, le chèque, le compte sur lequel elle figure, a bien été payé par le débiteur.

♦ **3** Loc. fig. **a** **PAR ACQUIT DE CONSCIENCE;** (vieilli) *pour l'acquit de sa conscience :* pour ne pas charger sa conscience, pour n'avoir rien à se reprocher.

2 Et j'ai dû lui laisser un peu de subsistance pour l'acquit de son âme et de ma conscience.
J.-F. REGNARD, le Légataire universel, IV, 7.

3 Stève était curieux de savoir ce qu'il allait faire. Il paraissait embarrassé, soucieux, remettait le veston, s'approchait du talus. Planté devant lui, il le fixait un bon moment, de haut en bas, puis, se penchant, il lui appliquait une gifle sur chaque joue, sans colère, comme par acquit de conscience.
G. SIMENON, Feux rouges, p. 71.

**b** Vieilli. **PAR MANIÈRE D'ACQUIT.** *Faire par manière d'acquit,* négligemment, par impossibilité de s'en dispenser.

4 Le boulanger, qui ne s'en était rapporté à mon jugement que par manière d'acquit et pour se divertir, fut extrêmement surpris de voir que j'avais si bien rencontré sans hésiter (...)
A. GALLAND, les Mille et une Nuits, t. III, p. 222.

CONTR. 1. **Acquis,** 2. **acquis.** ◊ COMP. **Acquit-à-caution.**

**ACQUIT-À-CAUTION** [aki(t)akosjɔ̃] n. m. — 1723; de *acquit, à,* et *caution.*

Dr. comm. Titre délivré (par l'administration des contributions indirectes ou des douanes), qui permet à des marchandises soumises à des droits de circuler en franchise (caution étant donnée que les droits seront acquittés au lieu de destination). → **Congé, laissez-passer, passavant.** *Des acquits-à-caution* [aki(z)akosjɔ̃].

**ACQUITTEMENT** [akitmɑ̃] n. m. — XIII^e; de *acquitter.*

♦ **1** Dr. ou vieilli. Action d'acquitter (une dette), d'exécuter (une obligation). → **Libération, paiement, règlement.** *L'acquittement des impôts.* — REM. Dans cet emploi, *acquittement* est de plus en plus souvent remplacé par *paiement.*

(...) l'acquittement des impositions, les réparations de ses bâtimens *(sic),* et les frais de ses exploitations.
BALZAC, Eugénie Grandet, éd. 1838, p. 39.

Action d'acquitter (un droit). — Fig. Vx. Action de s'acquitter (d'un devoir, d'une dette morale). *L'acquittement d'une dette, d'une obligation morale.*

♦ **2** (1725, attestation isolée; début XIX^e). Cour. Action d'acquitter (un accusé). *L'acquittement est prononcé par ordonnance du président.* → **Relaxe,** et aussi **absolution.**

Fig. Fait de décider la non culpabilité de qqn; jugement de non culpabilité.

CONTR. **Condamnation.**

**ACQUITTER** [akite] v. tr. — 1080; de 1. *a-,* et *quitte.*

**A** *Acquitter qqn.* ♦ **1** **ACQUITTER (qqn) DE (qqch.) :** rendre quitte, libérer (qqn) d'une dette, d'une obligation. *Ce dernier versement m'acquitte envers vous* (→ Prêter, cit. 8). — Fig. et littér. Libérer (qqn) d'une dette morale.

1 La mort, dit-on, nous acquitte de toutes nos obligations.
MONTAIGNE, I, 7.

2 Le juste paie ce qu'il ne doit pas et acquitte les pécheurs de ce qu'ils doivent.
BOSSUET, Discours sur l'Hist. universelle, II, 19.

Mais je ne prétends pas qu'un impuissant courroux 3
Dégage ma parole et m'acquitte envers vous.
RACINE, Britannicus, I, 3.

♦ **2** (Déb. XIX^e). Déclarer par arrêt (un accusé) non coupable. → **Absoudre, relaxer.** *L'accusé a bénéficié de circonstances atténuantes et a été acquitté.*

**B** *Acquitter qqch.* ♦ **1** (XX^e). Se rendre quitte, payer (ce qu'on doit). → **Régler.** *Acquitter une amende, une dépense, une dette. Il a acquitté tous les frais dûs. Acquitter des droits, un impôt, des intérêts.* → **Payer.**

(Il) N'en donna que le tiers, et dit fort franchement 4
Que Castor et Pollux acquittassent le reste.
LA FONTAINE, Fables, I, 14.

Dr., comm. Revêtir de la mention «pour acquit» et de sa signature, donner l'acquit de... *Acquitter une pièce* (établissant une dette). *Acquitter des billets, un chèque, une facture, une note, un titre.*

♦ **2** Fig. et littér. *Acquitter une promesse,* la remplir. *Acquitter sa parole,* la respecter. *Acquitter sa conscience,* accomplir ce que l'on croit devoir faire en conscience. *Acquitter une dette d'honneur, de reconnaissance; acquitter un bienfait, un vœu.*

Ma reconnaissance vous est due, j'en conviens, mais je ne l'acquitterai pas au prix d'un crime. 4
SADE, Justine..., t. I, p. 114.

♦ **S'ACQUITTER** v. pron. Se libérer (d'une obligation juridique ou morale). *S'acquitter d'une dette, d'un emprunt.* → **Se dégager** (de). *S'acquitter d'un vœu.* → **Accomplir.** — *S'acquitter de sa promesse, de sa parole, de ses engagements, d'un devoir,* y faire honneur. → **Satisfaire.** — (Sans compl. en *de*). *S'acquitter envers qqn.*

Tu ne te parjureras point, mais tu t'acquitteras envers le Seigneur de tes serments. 5
Évangile selon saint Matthieu, V. 33-34.

(...) nous ne payons pas parce qu'il est juste de nous acquitter, mais pour trouver plus facilement des gens qui nous prêtent. 6
LA ROCHEFOUCAULD, Maximes, 223.

Tous ceux qui s'acquittent des devoirs de la reconnaissance ne peuvent pas pour cela se flatter d'être reconnaissants. 7
LA ROCHEFOUCAULD, Maximes, 224.

Le trop grand empressement qu'on a de s'acquitter d'une obligation est une espèce d'ingratitude. 8
LA ROCHEFOUCAULD, Maximes, 226.

(...) Que feras-tu jamais 9
Qui te puisse acquitter d'un seul de ses bienfaits?
RACINE, Alexandre, V, 3.

Absolt. Payer sa dette. *Un créancier envers lequel il n'a pu s'acquitter.* — Fig. *S'acquitter,* se libérer d'une dette morale, d'un devoir.

L'ingratitude vient peut-être de l'impossibilité où l'on est de s'acquitter. 10
BALZAC, Physiologie du mariage, VII, Pl., t. X, p. 672.

*S'acquitter de (qqch.),* mener à bien (ce à quoi on s'est engagé, ce à quoi on est obligé). *S'acquitter d'une commission, d'une fonction. Il s'est bien acquitté de sa mission, il s'en est bien acquitté.*

Berthe dut se raidir pour s'acquitter de son service, mais l'attitude du premier lieutenant lui était odieuse et elle jeta plus qu'elle ne les déposa sur la nappe, le pain et le fromage (...) 11
Francis CARCO, les Belles Manières, p. 8.

♦ **ACQUITTÉ, ÉE** p. p. adj.

♦ **1** Qui a été payé. *Une dette acquittée.* Qui atteste le règlement (d'une somme, d'une dette). *Demander l'établissement d'une facture acquittée.*

♦ **2** Qui a été déclaré non coupable (par un tribunal). *Accusé acquitté.* — N. *Un acquitté, une acquittée.*

CONTR. **Condamner. — Faillir, manquer** (à). ◊ DÉR. **Acquit, acquittement.**

**ACRA** [akʀa] n. m. — D. i.; yoruba *akara,* en Afrique «beignet de haricots dits *niébés*».

Dans la cuisine créole, Boulette faite d'une pâte de farine et de poisson émietté ou de légumes écrasés, assaisonnés d'aromates, frite dans l'huile bouillante. *Acra de morue.* — Var. : *akra.*

Et une grosse femme (...) qui vend derrière (...) un réchaud à charbon de bois sur lequel elle a fait frire des akras de morue. Joseph ZOBEL, la Rue Cases-Nègres, p. 49.

**ACRASPÈDE** [akʀaspɛd] ou **ACRASPÉDOTE** [akʀaspedɔt] adj. et n. — 1885, Encycl. Berthelot; de 2. *a-,* et du grec *kraspedon* «paroi, ventre».

Didact. (zool.). Se dit des méduses sans vélum. → **Acalèphes.** «*Des méduses sans vélum ou acraspédotes, les Scyphoméduses ou Acalèphes*» (O. Tuzet, *in* Encycl. Pl., Zoologie, t. I, p. 486).

**ACRE** [akʀ] n. f. — 1170; angl. *acre,* rad. lat. *ager* «champ».

♦ **1** Ancienne mesure agraire qui valait en moyenne 52 ares. → **Arpent.**

Il brûla quelques acres de prairie sur la côte orientale de l'île un jour que le vent soufflait de l'ouest. M. TOURNIER, Vendredi..., p. 46.

♦ **2** Mesure agraire, dans les pays anglo-saxons, de 40,47 ares.

Au Canada, Mesure agraire valant 4 840 verges* carrées.

DÉR. V. **Acréage.**

**ÂCRE** [akʀ] adj. — 1606 (la date de 1334, parfois donnée, est due à une faute de lecture); du lat. *acer* «âpre».

♦ **1** Qui est très irritant au goût ou à l'odorat, au point de prendre à la gorge. *L'âcre fumée d'un incendie.* → **Irritant, piquant.** *La saveur âcre des citrons.* → **Amer, âpre.** *Odeur âcre.*

1 Une saveur âcre *(celle de l'arsenic)* qu'elle sentait dans sa bouche la réveilla. FLAUBERT, Mme Bovary, III, 8.

2 L'âcre fraîcheur de l'herbe et des feuilles profondes. HUGO, les Châtiments, «La force des choses».

3 Cette herbe *(le persil)* dont l'âcre parfum me chatouillait les narines. FRANCE, le Petit Pierre, VII.

3.1 Je sens l'odeur de sa sueur, l'odeur de ses cheveux, l'odeur âcre, puissante, mêlée de parfum, qui est l'odeur de la femelle de mon espèce. J.-M. G. LE CLÉZIO, l'Extase matérielle, p. 123.

Spécialt (anc., méd.). *Bile, humeur âcre.*

(Rare). Qui irrite l'ouïe. *Une voix à la sonorité âcre.* → **Acide, âpre.**

♦ **2** (1611). Fig. et littér. Qui a quelque chose d'irritant, de cuisant et de douloureux. *Une humeur, un ton âcre, des propos âcres.* → **Acerbe, acide, aigre, âpre, blessant.** *Une jalousie âcre.* → **Amer.** *Une douleur âcre.* → **Mordant.**

4 Je connus tout, y compris une douleur inattendue, très cuisante, et qui ressemblait beaucoup à l'âcre frisson de l'amour-propre blessé. E. FROMENTIN, Dominique, VII.

5 Le fait même que j'ai très délibérément donné à Eric von Lhomond un nom et des ancêtres français, peut-être pour pouvoir lui prêter cette âcre lucidité qui n'est pas spécialement une caractéristique germanique, s'oppose à l'interprétation qui consisterait à faire de ce personnage un portrait idéalisé. M. YOURCENAR, le Coup de grâce, p. 133.

Rare. (Personnes). Aigre, hargneux.

CONTR. **Doux, exquis, suave.** ◊ DÉR. **Âcrement, âcreté.**

**ACRÉ** [akʀe] interj. et n. m. — 1836, Vidocq; aphérèse de *sacré.*

Pop. et vieux.

♦ **1** Interj. *Acré!* (pour attirer l'attention, ou pour jurer). → Sacré nom de, crénom de...

♦ **2** N. m. Loc. *Il y a de l'acré,* du danger. — REM. Courteline (*le Train de 8 h 47,* p. 123) écrit *acret* dans cette expression, ce qui suppose une prononciation [akʀɛ]. — *Coup d'acré,* coup dur.

**ACRÉAGE** [akʀeaʒ] n. m. — XXe; francisation de l'angl. *acreage,* de *acre.*

Terrain exploité par la culture ou l'élevage et mesuré en acres, dans un pays anglo-saxon, ou encore au Canada.

(...) il fut plus d'une fois sur le point de voir ses acréages envahis, ses moissons incendiées, ses troupeaux dissipés (...) B. CENDRARS, l'Or, p. 109.

**ÂCREMENT** [akʀəmɑ̃] adv. — XIXe; de *âcre.*

Littéraire.

♦ **1** De façon mordante. *Répondre âcrement à une observation.*

♦ **2** De façon à provoquer une sensation d'âcreté. *Aspirer âcrement la fumée.* «*Il renifla âcrement*» (Drieu La Rochelle, *in* T. L. F.).

**ÂCRETÉ** [akʀəte] n. f. — Av. 1590; de *âcre.*

♦ **1** Caractère de ce qui est âcre. *L'âcreté d'un parfum. L'âcreté d'un vin, de la fumée.* — Vx. *L'âcreté des humeurs, de la bile.* → **Acrimonie.**

(...) je vous abandonne (...) à l'âcreté de votre bile (...) MOLIÈRE, le Malade imaginaire, III, 6. 1

Morel avait beau jouer merveilleusement, les sons que rendait son violon me parurent singulièrement perçants, presque criards. Cette âcreté plaisait et, comme dans certaines voix, on y sentait une sorte de qualité morale et de supériorité intellectuelle. PROUST, la Prisonnière, Pl., t. III, p. 257. 2

♦ **2** (1762; probablt de l'*âcreté* de la bile). Fig. *L'âcreté du caractère, de l'esprit, de l'humeur, du ton. Il répondit avec âcreté aux remarques qu'on lui faisait.* → **Acrimonie, amertume, âpreté.**

Littér. Manifestation de l'âcreté (du caractère, de l'esprit).

Ces «Lettres de Rome» ne sont d'ailleurs point sans mérite. Elles en valent d'autres, moins connues, mais rédigées dans le même esprit par des vaniteux déçus pour y décharger, à petits coups, leurs âcretés. BERNANOS, l'Imposture, I, Œ. roman., Pl., p. 313. 3

**ACRIDIDÉS** [akʀidide] n. m. pl. — 1842, *acridés;* du grec *akris, akridos* «sauterelle», et suff. *-idés.*

Zool. Famille d'acridiens comportant un nombre considérable d'espèces dans le monde entier, parmi lesquelles les criquets grégaires et migrateurs qui constituent, lors des grandes pullulations, un grave problème économique. — Au sing. *Un acridide.*

**ACRIDIEN, IENNE** [akʀidjɛ̃, jɛn] adj. et n. m. pl. — 1834; du grec *akris, akridos* «sauterelle».

Zoologie.

♦ **1** Adj. Qui est relatif au criquet. *Invasion acridienne, d'insectes acridiens.*

♦ **2** N. m. pl. Superfamille d'insectes orthoptères communément appelés *criquets. Lutte contre les acridiens.* → **Acrididés.** — Syn. : *acridoïdes* [akʀidɔid] n. m. pl. — Au sing. *Un acridien.*

Sous-ordre d'insectes orthoptères (normalement appelés *célifères*) qui comprend essentiellement les acridiens.

**ACRIDINE** [akʀidin] n. f. — 1877, *in* Littré, *Suppl.*; du lat. *acer, acris* «aigre», *id-*, de *acide*, et suff. *-ine*.

Chim. et techn. Base dérivant de l'anthracène (comme la pyridine du benzène). *L'acridine est un produit de distillation du goudron de houille; elle est utilisée en pharmacie et dans l'industrie des colorants* (ex. : *l'orangé d'acridine*).

**DÉR. Acridinique.**

**ACRIDINIQUE** [akʀidinik] adj. — Déb. XX<sup></sup>e; de *acridine*, et *-ique*.

Chim. Qui concerne l'acridine.

**ACRIDOÏDES** [akʀidɔid] n. m. pl. → **Acridien.**

**ACRILAN** [akʀilɑ̃] n. m. — V. 1960; mot angl., de *acrylic*, et suff. *-an*.

Techn. et comm. Fibre textile artificielle, obtenue par polymérisation d'un mélange de nitrile acrylique (85 %), d'acétate de vinyle, etc.

**ACRIMONIE** [akʀimɔni] n. f. — 1539; du lat. *acrimonia* «âcreté».

♦ **1** Méd. anc. Vx. Disposition à l'âcreté. *L'acrimonie du sang, des humeurs.*

♦ **2** (1801). Mod. Mauvaise humeur, aigreur, qui s'exprime par des propos acerbes ou hargneux. → **Aigreur, âpreté, hargne.** *Réclamer qqch. avec acrimonie. Il a répondu sans acrimonie à toutes les attaques.*

1 Elle souriait du coin des lèvres. Son regard était ironique et affectueux. Il constata avec acrimonie qu'elle s'obstinait à le prendre pour un enfant.

H. TROYAT, La tête sur les épaules, p. 192.

2 Je le dis sans acrimonie : ce journal est le plus régulièrement pillé de mes livres.

J. GREEN, Journal, Ce qui reste de jour, 16 janv. 1971.

**CONTR. Affabilité, aménité, bienveillance, douceur.** ◊ **DÉR. Acrimonieux.**

**ACRIMONIEUSEMENT** [akʀimɔnjøzmɑ̃] adv. — XIX<sup></sup>e; de *acrimonieux*.

Littér. D'une manière acrimonieuse.

**ACRIMONIEUX, EUSE** [akʀimɔnjø, øz] adj. — 1605; de *acrimonie*.

♦ **1** Méd. anc. Vx. Qui a de l'acrimonie (1.). *Un sang acrimonieux.* → **Âcre.**

♦ **2** (1801). Littér. Qui manifeste de l'acrimonie. *Un ton acrimonieux.* → **Acerbe, âcre, agressif, âpre, caustique.** *Des propos acrimonieux.* → **Aigre, blessant, hargneux, mordant.** *Un caractère acrimonieux.* → **Acariâtre.**

Les revenus que Noémi achemine trimestriellement vers son fils, accompagnés d'une lettre acrimonieuse, suffisent au jeune couple pour s'adonner à la passion du changement de place.

M. YOURCENAR, Archives du Nord, p. 313.

**CONTR. Affable, aimable, amène, bienveillant, doux.** ◊ **DÉR. Acrimonieusement.**

1. **ACRITIQUE** [akʀitik] adj. — 1842; cf. *acrisie*, 1814; de 2. *a-*, et *critique*.

Méd. Vx. Qui a lieu sans crise ou qui ne précède pas une crise.

**HOM. 2. Acritique.**

2. **ACRITIQUE** [akʀitik] adj. — 1842; de 2. *a-*, et *critique*.

Didactique.

♦ **1** Qui n'a pas été analysé de manière critique. *Dogme acritique.*

♦ **2** Non critique. *Position acritique.*

**HOM. 1. Acritique.**

**ACRO-** Élément, du grec *akros* «élevé, extrême», qui sert à former des mots savants, en médecine, embryologie, zoologie, botanique, soit formés en français, soit directement empruntés au grec. → **Acrobate.**

**ACROAMATIQUE** [akʀɔamatik] adj. — XVI<sup></sup>e; du grec *akroamatikos*, de *akroama* «leçon orale».

Didact. Se dit des parties de la philosophie (en particulier dans le système d'Aristote) qui se transmettaient oralement. → **Ésotérique.** *L'enseignement acroamatique d'Aristote.*

**ACROBATE** [akʀɔbat] n. — 1751, «danseur de corde»; du grec *akrobatos* «qui marche sur les extrémités (*akron*)».

♦ **1** [a] Artiste de cirque, de music-hall, qui exécute des exercices d'équilibre et de gymnastique, plus ou moins périlleux. → **Cascadeur, équilibriste, fil-de-fériste, funambule, saltimbanque, trapéziste.** *Un numéro d'acrobate. Une acrobate au trapèze. Acrobates sauteurs. Acrobates et jongleurs.* — Spécialt. Funambule. — Par ext. Personne qui fait preuve d'une très grande agilité. *C'est un vrai acrobate, il marche sur les mains et sait faire la roue.*

Jamais un acrobate 1
Ne tombe dans la cour.

COCTEAU, Poésies, «Pauvre Jean».

On n'irait pas à Médrano, décidément. Pourquoi ? À cause 2
des acrobates ? Tu sais, quand ils sont tout là-haut, là-haut, sur les appareils, prêts à faire un numéro très difficile, mais alors, très difficile (...) et ils se balancent, assis négligemment sur une barre d'acier, et ils s'élancent, l'orchestre s'arrête.

ARAGON, les Beaux Quartiers, p. 382.

(1901). Fam. et vieilli. Aide-déménageur, employé aux époques de presse.

[b] (1842). Fig. (Péj.). Spécialiste (auteur, orateur, etc.) qui cherche à étonner par son adresse, par sa virtuosité à jouer avec les difficultés. *«Jongleur de mots, acrobate d'idées»* (Daudet, *in* T. L. F.).

Je refuse à Viviani le titre de véritable orateur. C'est un 3
débagouleur prodigieux, un acrobate de la récitation.

J. ROMAINS, les Hommes de bonne volonté, t. V, p. 215.

Fam. Fantaisiste (sur le plan des idées, de l'expression, des activités). *Ce financier est un acrobate; un acrobate de la finance.*

♦ **2** (1820). Petit marsupial d'Australie (*Phalangéridés*), pourvu d'une membrane alaire qui l'aide à sauter de branche en branche (n. sc. : *acrobates pymœus*). — On dit aussi *souris volante, voltigeur* (en angl. *pigmy glider*).

**DÉR. Acrobatie, acrobatique, acrobatisme.**

**ACROBATIE** [akʀɔbasi] n. f. — 1853; de *acrobate*.

♦ **1** Technique de l'acrobate. *Apprendre les rudiments de l'acrobatie. Exercice d'acrobatie.*

L'acrobatie, les exercices d'équilibre, la danse matérialisent 0.1
dans une large mesure l'effort de soustraction aux chaînes opératoires normales, la recherche d'une création qui brise le cycle quotidien des positions dans l'espace.

A. LEROI-GOURHAN, le Geste et la Parole, t. II, p. 103.

*(Une, des acrobaties).* Exercice, tour d'acrobate (saut périlleux, marche sur les mains, voltige, etc.). *Faire des acrobaties. Une acrobatie difficile, réussie. Acrobaties aux agrès, aux barres, aux anneaux.* → aussi **Équilibre, saut, trapèze, voltige; cirque.** *Acrobaties comiques des clowns.* → **Clownerie, contorsion, dislocation.** — *Acrobatie au sol, au tapis* (gymnastique); *acrobatie au trapèze.*

(...) je cédai au besoin impérieux de faire une acrobatie, et, sautant sur les mains sans préambule, j'exécutais deux tours de clown devant l'assistance ahurie.
LOTI, Aziyadé, III, 53.

(1942, *in* Petiot; *acrobatie en vol,* 1928). *Acrobatie aérienne,* ensemble des manœuvres d'adresse exécutées en avion (looping, renversement, retournement, chute en vrille, tonneau, vol sur le dos). → **Voltige.**

♦ **2** Fig. Action ou manière d'être qui étonne en ce qu'elle dénote de l'adresse, de la virtuosité, une ingéniosité excessive. *Ce n'est plus du piano, c'est de l'acrobatie. — Acrobatie intellectuelle.* → aussi **Voltige.**

Chez ces Anglais, l'action est si bien déterminée par une éducation rigide que la clownerie verbale d'un Shaw reste une acrobatie inoffensive, dont le conservateur le plus réaliste se divertit sans scrupules.
A. MAUROIS, les Discours du Dr O'Grady, XIII, p. 140.

(...) il considère, à juste titre, ce jeu des idées comme une acrobatie spirituelle.
A. MAUROIS, les Discours du Dr O'Grady, XXI, p. 226.

*(Une, des acrobaties).* Activité, opération qui relève de cette manière d'être. *Acrobaties littéraires, rhétoriques, oratoires. Les acrobaties de la logique, du raisonnement.* → **Sophisme.**

**ACROBATIQUE** [akʀɔbatik] adj. — 1842; n., «machine pour monter les fardeaux», 1751; *acrovatique,* même sens, 1627; de *acrobate.*

♦ **1** Qui appartient à l'acrobatie, qui tient de l'acrobatie. *Des exercices acrobatiques. Spectacles acrobatiques d'un cirque.* — (Personnes). «*Troupe acrobatique*» (J. Verne, *le Tour du monde en 80 jours*).
Spécialt. *Danse acrobatique. Gymnastique acrobatique. Ski acrobatique.*
Par ext. *Le gardien de but a fait un arrêt acrobatique.*

♦ **2** (1842). Techn. et vx. *Machine acrobatique,* servant à soulever et à transporter en l'air des fardeaux.
Mod. *Coefficient acrobatique,* aptitude d'un avion à l'acrobatie, à la voltige aérienne.

♦ **3** (1894). Fig. Qui dénote une virtuosité extrême, périlleuse ou excessive. *Exercices de virtuosité acrobatiques, au piano. Vélocité acrobatique. La versification acrobatique des Grands Rhétoriqueurs.*

DÉR. **Acrobatiquement.**

**ACROBATIQUEMENT** [akʀɔbatikmɑ̃] adv. — D. i. (attesté XXe); de *acrobatique.*
À la manière d'un acrobate; d'une manière acrobatique.

Il réussit à s'arrêter acrobatiquement, saute à terre, se couche derrière son engin, sort son revolver et ouvre le feu.
Roger BORNICHE, Flic story, p. 101.

Fig. *Il joue acrobatiquement, mais sans grande expression.*

**ACROBATISME** [akʀɔbatism] n. m. — V. 1830, Balzac; de *acrobate.*
Rare. Activité d'acrobate. — Fig. *Acrobatisme littéraire, oratoire.* → **Acrobatie.**

**ACROCARPE** [akʀokaʀp] adj. et n. f. pl. — 1838; grec *akrokarpos,* de *akros* «extrême», et *karpos.* → -carpe.
Bot. Se dit des mousses dont les sporogones sont situées à l'extrémité des tiges.
N. f. pl. **LES ACROCARPES :** groupe de mousses présentant ce caractère.

**ACROCENTRIQUE** [akʀosɑ̃tʀik] adj. — D. i. (XXe); de *acro-,* et *centrique,* de *centre,* dans *centromère.*
Biol. *Chromosomes acrocentriques,* dans lesquels la position du centromère est subterminale.

**ACROCÉPHALE** [akʀosefal] adj. — 1865; de *acro-,* et *-céphale,* du grec *kephalê* «tête».
Méd. Atteint d'acrocéphalie.

DÉR. **Acrocéphalie.**

**ACROCÉPHALIE** [akʀosefali] n. f. — 1865; de *acrocéphale.*
Méd. Malformation crânienne donnant à la tête une forme en pain de sucre.

**ACROCHORDE** [akʀokɔʀd] n. m. — 1805, Cuvier; lat. sc. *acrochordus, acrochordon,* de *acrochordon* (les écailles étant composées de verrues).
Zool. Reptile ophidien (serpent) d'Asie (Insulinde), non venimeux, à écailles verruqueuses. — Vieilli. *Les Acrochordes.* → **Acrochordidés.**

DÉR. V. **Acrochordidés.**

**ACROCHORDIDÉS** [akʀokɔʀdide] n. m. pl. — D. i. (XXe); de *acrochorde* ou lat. *acrochordus,* et suff. *-idés.*
Zool. Famille de reptiles ophidiens (serpents) d'Asie du Sud-Est, non venimeux, purement aquatiques, à écailles juxtaposées. *Certains acrochordidés possèdent des écailles verruqueuses.* → **Acrochorde.** — Au sing. *Un acrochordidé.*

**ACROCHORDON** [akʀokɔʀdɔ̃] n. m. — Après 1550, Paré; mot lat. sc., du grec *akrokordon,* de *akros* «extrême», et *kordon* «corde», la verrue étant comparée à l'extrémité d'une corde.
Méd. Verrue produite par l'hypertrophie de glandes sébacées, notamment sur les paupières.

DÉR. **Acrochorde.**

**ACROCYANOSE** [akʀosjanoz] n. f. — 1896; de *acro-,* et *cyanose.*
Méd. Cyanose des extrémités (mains, pieds), occasionnelle (froid) ou chronique (troubles circulatoires).

**ACRODERMATITE** [akʀodɛʀmatit] n. f. — Mil. XXe; de *acro-,* et *dermatite.*
Méd. Dermatose siégeant aux extrémités des membres. *Acrodermatite chronique atrophiante.*

**ACRODONTE** [akʀɔdɔ̃t] adj. et n. m. — 1878; de *acro-,* et *-odonte.*
Zool. (reptiles). Dont les dents sont soudées au bord des mâchoires. *Reptiles acrodontes.* — N. m. *Un, des acrodontes.*

**ACROGÈNE** [akʀɔʒɛn] adj. et n. m. — 1842, en minéralogie; de *acro-,* et *-gène.*

♦ **1** Minéralogie. Se dit d'un cristal provenant du décroissement des bords d'un autre cristal.

♦ **2** Bot. Dont la tige s'accroît par le sommet (en parlant de végétaux cryptogames). — N. m. *Les acrogènes.*

**ACROLÉINE** [akʀɔlein] n. f. — 1866; du lat. *acer* «aigre, âcre», *olere* «avoir une odeur», et suff. *-ine.*

Chim. Aldéhyde éthylénique obtenu par déshydratation de la glycérine, liquide volatil, incolore, d'odeur âcre et suffocante. *Des vapeurs d'acroléine.*

**ACROMÉGALIE** [akʀomegali] n. f. — 1885; de *acro-*, et grec *megas, megalos* «grand».

Méd. Syndrome caractérisé par des troubles de la croissance, imputables à une altération de l'hypophyse : hypertrophie des extrémités (tête, mains, pieds) et diverses déformations morphologiques (gibbosités dites «en bosse de polichinelle»). → **Gigantisme** (acromégalique), **macrocéphalie, macroglossie.**

CONTR. **Nanisme** (hypophysaire). — V **Microcéphalie, micromélie.** ◊ DÉR. **Acromégalique.** ━ COMP. **Acromégalo-gigantisme.**

**ACROMÉGALIQUE** [akʀomegalik] adj. et n. — 1898; de *acromégalie.*

Méd. Relatif à l'acromégalie; qui est atteint d'acromégalie. *Gigantisme acromégalique.* — Par ext. *Main, faciès acromégalique.* — N. Personne atteinte d'acromégalie.

REM. La variante *acromégale* [akʀomegal] (attestée v. 1920) est rare, sauf comme nom.

DÉR. (De *acromégale*) **Acromégaloïde.**

**ACROMÉGALO-GIGANTISME** [akʀomegaloʒigɑ̃tism] n. m. — V. 1920, *Nouveau traité de médecine;* de *acromégal(ie)*, et *gigantisme.*

Méd. Gigantisme acromégalique.

**ACROMÉGALOÏDE** [akʀomegalɔid] adj. — 1946, Mounier; de *acromégal(e)*, et *-oïde.*

Méd. Qui présente certains des caractères de l'acromégalie.

**ACROMIAL, ALE, AUX** [akʀɔmjal, o] adj. — 1805, Cuvier (qui emploie aussi *acromien*); rad. de *acromion.*

Anat. Qui appartient à l'acromion.

**ACROMIO-** Élément de mots d'anatomie, tiré de *acromion* pour former des adjectifs (ex. : *acromio-claviculaire, acromio-iliaque, acromio-humérien*).

**ACROMION** [akʀɔmjɔ̃] n. m. — 1534, Rabelais; du grec *akrômion* «pointe de l'épaule».

Anat. Apophyse de l'omoplate s'articulant avec l'extrémité externe de la clavicule.

DÉR. V. **Acromial; acromio-.**

**ACRON** [akʀɔ̃] n. m. — 1960, *in* Larousse; du grec *akron* «extrémité». → Acro-.

Zool. Région céphalique primaire du corps des arthropodes, placée avant la bouche et portant le labre et les organes sensoriels.

**ACRONYCTE** [akʀɔnikt] n. f. — 1866, *in* P. Larousse; de *acro-*, et grec *nux, nuktos* «nuit».

Zool. Insecte lépidoptère, papillon nocturne *(Noctuidés)* dont la chenille est ornée de pinceaux de poils vivement colorés. *Les espèces d'acronyctes les plus répandues sont* cénobite *(panthea cenobita) et* psi *(acronycta psi).*

**ACRONYME** [akʀɔnim] n. m. — 1970; de l'angl. *acronym* «à prononciation syllabique», de *acro-*, et *-onym* «nom», d'après *homonym* (1943, *in* Oxford, Deuxième Suppl.).

Ling. Sigle prononçable comme un mot ordinaire; ex. : *adav : «a(vion à) d(écollage et) a(tterrissage) v(erticaux)». Acronymes anglais utilisés en français;* ex. : *algol «algo(rithmic) l(anguage)».*

DÉR. **Acronymique.**

**ACRONYMIQUE** [akʀɔnimik] adj. — V. 1970; de *acronyme.*

Ling. De l'acronyme. — REM. On trouve aussi *acronymie* [akʀɔnimi] n. f., «formation d'acronymes».

**ACRONYQUE** [akʀɔnik] adj. — 1690, écrit erronément *achronique;* grec *akronukos*, de *acro-*, et *nux, nuktos* «nuit».

Astron. Se dit d'un astre qui, à son coucher ou à son lever, se trouve du côté du ciel opposé au soleil.

HOM. **Achronique.**

**ACROPATHIE** [akʀɔpati] n. f. — Mil. XXe; de *acro-*, et *-pathie.*

Méd. Affection touchant les extrémités des membres. *Acropathie ulcéro-mutilante.*

**ACROPHOBIE** [akʀɔfɔbi] n. f. — 1899, Encycl. Berthelot, art. *Peur;* de *acro-*, et *phobie.*

Psychol., méd. Phobie des lieux élevés, souvent accompagnée de vertige.

**ACROPHONIE** [akʀɔfɔni] n. f. — Attesté 1928; cf. angl. *acrophony*, 1880; de *acro-*, et *-phonie.*

Ling. Attribution à un idéogramme de la valeur phonique de la lettre initiale (ou de la première syllabe) du terme qu'il permet de figurer. *Utilisation de l'acrophonie dans les hiéroglyphes.*

**ACROPODE** [akʀɔpɔd] n. m. — V. 1860, «côté supérieur du pied des oiseaux»; autre sens, 1846, Bescherelle; de *acro-*, et *-pode.*

Zool. Partie du squelette de la main ou du pied des vertébrés composée de cinq rayons articulés (doigts) comportant un nombre variable de phalanges (syn. : *phalangium*).

**ACROPODION** [akʀɔpɔdjɔ̃] n. m. — D. i. (mil. XXe); de *acro-*, et grec *podion* «pied». → -pode.

Didact. Point anthropométrique correspondant au point le plus saillant du pied.

**ACROPOLE** [akʀɔpɔl] n. f. — 1751; *acropolis*, 1552; du grec *akropolis* «ville haute».

Didactique.

♦ **1** Ville haute des anciennes cités grecques, comportant des fortifications et des sanctuaires. *L'acropole d'Athènes et le temple du Parthénon.* — Absolt. *L'Acropole*, l'acropole d'Athènes, citadelle ornée au Ve siècle de temples illustres. *Les propylées de l'Acropole.*

Quand je vis l'Acropole, j'eus la révélation du divin (...)

RENAN, Souvenirs d'enfance..., II, Prière sur l'Acropole.

♦ **2** Littér. Lieu élevé qui possède les caractéristiques d'un lieu fortifié ou sacré, qui peut servir de refuge.

L'acropole officielle outre les conceptions de la barbarie moderne les plus colossales (...) On a reproduit dans un goût d'énormité singulier toutes les merveilles classiques de l'architecture.

RIMBAUD, les Illuminations, «Villes».

2 Il n'est pas d'acropole que le flot de barbarie ne puisse atteindre, pas d'arche qu'il ne vienne à bout d'engloutir.
GIDE, Pages de journal, 10 sept. 1939.

3 Les acropoles inspirent souvent un recueillement orgueilleux et comblé, même la citadelle du Caire au-dessus de sa ville des morts, même la forteresse d'Alep avec ses jets d'eau taris; par sa proche domination du remous humain, toute acropole devient haut lieu.
MALRAUX, la Métamorphose des dieux, p. 81.

REM. Les Goncourt emploient le dér. *acropolien, ienne* [akʀɔpɔljɛ̃, jɛn] adj.

**ACROSOME** [akʀozom] n. m. — Attesté 1928, mais antérieur; de l'All. *akrosoma,* M. von Lenhossek, 1898; du grec *akro-* (→ Acro-), et *soma.*

Biol. Organite issu de l'appareil de Golgi, situé à l'extrémité antérieure du spermatozoïde et formant capuchon (syn. : *bouton* ou *coiffe céphalique, capuchon acrosomial*).

DÉR. Acrosomial.

**ACROSOMIAL, ALE, AUX** [akʀozomjal, o] adj. — Mil. XX^e; de *acrosome.*

Biol. De l'acrosome.

**ACROSTICHE** [akʀɔstiʃ] n. m. et adj. — 1582; grec *akrostikhos,* de *akros* «extrême» (→ Acro-), et *stikhos* «vers». → Hémistiche.

Didact. Poème ou strophe où les initiales de chaque vers, lues dans le sens vertical, composent un nom (auteur, dédicataire) ou un mot-clé. *Acrostiche double,* où le même mot se lit à l'initiale et à la finale des mots. *Acrostiche à l'hémistiche. Les envois de plusieurs ballades de Villon sont des acrostiches.*

1 Donnez-moi par écrit votre nom et surnom.
J'en veux faire un poème en forme d'acrostiche
Dans les deux bouts du vers, et dans chaque hémistiche.
MOLIÈRE, les Fâcheux, III, 2.

1 Ça, un poëte *(sic)*? Il serait refusé à un concours d'acrostiches!
J. RENARD, Journal, 24 nov. 1887.

Adj. Qui concerne une pièce de vers dite acrostiche, ou qui entre dans sa composition. *Des versets acrostiches.*

2 On fit des vers grecs acrostiches imputés à une sibylle.
VOLTAIRE, Philosophie, *in* LITTRÉ.

REM. Gide emploie le mot dans un sens aberrant, sans doute pour *acrotère :*

3 Industrieux, il excellait dans l'empirisme; il inventa même, pour accrocher ses éponges au mur, une petite patère acrostiche (...)
GIDE, le Prométhée mal enchaîné, *in* Romans, Pl., p. 337.

**ACROSTOLE** [akʀɔstɔl] n. m. — 1866, *in* P. Larousse; du grec *akros* «élevé», et *stolos* «ornement».

Didact. Partie surélevée de la poupe ou de la proue des navires (du XV^e au XVII^e siècle). *Ornements, sculptures de la proue.*

**ACROTÈRE** [akʀɔtɛʀ] n. m. — 1547; du lat. *acroteria* «supports saillants», du grec *akrôtêrion.*

Archit. [a] Socle placé aux extrémités ou au sommet d'un fronton pour servir de support à une statue ou à quelque autre ornement. — Cet ornement. *Des acrotères en terre cuite, en marbre.*

[b] Renfort d'une balustrade formant piédestal.

[c] Prolongement d'un mur de façade au-dessus d'une toiture en terrasse.

REM. On rencontre la variante *acrotérium* [akʀɔteʀjɔm] n. m.

**ACROTHORACIQUES** [akʀotɔʀasik] n. m. pl. — Mil. XX^e (*in* Larousse, 1960); de *acro-,* et *thoracique.*

Zool. Ordre de crustacés cirripèdes au nombre d'appendices thoraciques réduit, qui vivent dans des loges qu'ils creusent dans l'épaisseur des coquilles ou dans les coraux. — Au sing. *Un acrothoracique.*

**ACRYLATE** [akʀilat] n. m. — 1866; de *acrylique.*

Chim. Ester de l'acide acrylique. *Acrylates de vinyle.*

**ACRYLIQUE** [akʀilik] adj. et n. m. — 1865, *in* Littré-Robin; de *acryl-,* du lat. *acer* «aigre, acide», *-yle,* du grec *hulê* «bois», et *-ique.*

♦ **1** Chim. *Acide acrylique* (ou *propénoïque*) : acide gras éthylénique ($CH_2$=CH–$CO_2$H), liquide, incolore, d'odeur âcre, dont les esters sont polymérisables. — (XX^e). Se dit des composés qui en dérivent. *Esters acryliques. Polymères acryliques. Résines acryliques,* matières plastiques obtenues par polymérisation de monomères acryliques (ou méthacryliques*). *Les résines polyacryliques de monomères acryliques sont largement utilisées pour des revêtements spéciaux de tissus et de papiers peints, pour la production de similicuirs, de toiles cirées, de peinture, pour la fabrication de fibres textiles aux caractéristiques mécaniques élevées* (noms commerciaux : Orlon, Crylor, Acrilan...). *Les résines acryliques de monomères méthacryliques conduisent essentiellement au polyméthacrylate de méthyle, remarquable verre organique* (noms commerciaux : Plexiglas, Altuglas, Transacryl, Perspex, Lucite, Védril...).

♦ **2** (Après 1950). Techn. et comm. Se dit des produits obtenus à l'aide de composés de l'acide acrylique. *Feuille acrylique. Fibre acrylique.* — Comm. *Fourrure acrylique.*

La première résine acrylique fut connue en France vers 1938 (...) La guerre nous en priva, mais en 1945 vinrent d'Amérique et d'Angleterre des produits acryliques qui avaient été mis au point durant cette période. Ce sont des produits (...) d'aspect identique à la porcelaine, moins fragiles, mais d'une dureté moindre, élastiques mais risquant de se teinter un peu en bouche. 1
P.-L. ROUSSEAU, les Dents, p. 122-123.

N. m. *Une fourrure en acrylique. Les acryliques.*

Ces propriétés *(résistance, solidité, etc.)* ont valu aux fibres acryliques de nombreuses applications, en particulier dans le domaine de l'habillement pour la fabrication de lingerie, de blouses et de jupes (...) 2
Jean VÈNE, Caoutchoucs et Textiles synthétiques, p. 69.

DÉR. Acrylate. ◊ COMP. Méthacrylique, polyacrylique.

**ACTANCIEL, ELLE** [aktɑ̃sjɛl] adj. — 1966, A. J. Greimas; de *actant.*

Didact. Qui concerne les actants (2.) du récit. *Modèle actanciel.*

**ACTANT** [aktɑ̃] n. m. — Après 1950; du rad. de *action.* Didactique.

♦ **1** Ling. Agent de l'action, représenté par un substantif, qu'il soit ou non sujet grammatical. *Dans la phrase «La lumière attire les papillons», «la lumière» et «les papillons» désignent des actants.*

Les actants sont les êtres ou les choses, qui, à un titre quelconque et de quelque façon que ce soit (...) participent au procès. 1
TESNIÈRE, Syntaxe structurale, p. 102 (1959).

♦ **2** Dans une structure narrative, Élément récurrent, nommable (lexicalisable), qui correspond à l'une des fonctions du récit (sujet, objet, adjuvant, opposant...). *L'actant peut être un individu, un groupe, et même une abstraction, un objet.*

2 Après avoir défini le conte populaire comme un étalement, sur la ligne temporelle, de ses 31 fonctions, Propp se pose la question des actants, ou des *dramatis personæ*, comme il les appelle. Sa conception des actants est fonctionnelle : les personnages se définissent (...) par les «sphères d'action» auxquelles ils participent, ces sphères étant constituées par les faisceaux de fonctions qui leur sont attribués.
A. J. GREIMAS, Sémantique structurale, p. 174 (1966).

**DÉR. Actanciel.**

**ACTE** [akt] n. m. — 1338; du lat. *actum*, substantivation du p. p. de *agere* «faire». → Agir.

**I** Action. **A** (1534). ♦ **1** **a** Ensemble de mouvements adaptés à une fin, chez l'être vivant. *Actes réflexes, instinctifs, volontaires, involontaires. On distingue en physiologie l'acte conscient ou volontaire de l'acte réflexe, inconscient, involontaire, qui transforme une impression sensitive en acte moteur. Stimulus et acte-réponse.*

1 Pas un seul de nos actes, même les plus simples, qui ne s'accomplisse sans le concours du système nerveux.
Dr P. VALLERY-RADOT, Notre corps, p. 108.

*Acte conscient*, acte volontaire de caractère élémentaire (utilisation des cinq sens), à des fins de maîtrise mentale.

**b** Plus cour. Ensemble de mouvements, d'activités humaines coordonnés en fonction d'un résultat visé, considéré dans son aspect objectif plutôt que subjectif (opposé à *intention* et *parole*). → **Action**; et aussi **exécution, geste, intervention, mesure, réalisation.** — REM. Par rapport à *action*, *acte* conserve la trace de son sens physiologique et implique une plus grande simplicité; dans certains cas (emplois généraux), il peut néanmoins être synonyme de *action*. *On juge les hommes par leurs actes et non par leurs intentions. Un acte habile, maladroit, simple, complexe.* → **Action, démarche, entreprise, fait, geste.** *Actes aboutissant à un résultat. Acte longuement calculé, préparé, prémédité, réfléchi; acte impulsif, inattendu. Acte intéressé; acte gratuit** (cit. 6 et *supra*). *Acte héroïque; acte criminel. — Les actes et les motifs* (→ ci-dessous, cit. 4). *Les actes et les paroles, et les mots, et les intentions* (→ ci-dessous, cit. 2). — *En actes ou en intentions, en paroles. — Accomplir, faire un acte.*

2 Robespierre a dit hardiment qu'il n'avait rien fait au 2 septembre. En actes, rien, cela est vrai. Mais, en paroles, beaucoup, et ce jour-là, les paroles étaient des actes.
MICHELET, Hist. de la Révolution franç., I, p. 1045.

3 Il me semble parfois qu'écrire empêche de vivre, et qu'on peut s'exprimer mieux par des actes que par des mots.
GIDE, les Faux-monnayeurs, III, 5.

4 Il me paraît impossible de comprendre les actes des hommes sans se représenter leurs motifs.
Ch. SEIGNOBOS, Hist. sincère de la nation franç., p. VII.

5 Nos actes les plus sincères sont aussi les moins calculés; l'explication qu'on en cherche après coup reste vaine.
GIDE, Si le grain ne meurt, II, 2.

5.1 Il s'est dit : une action gratuite, comment faire? Et comprenez qu'il ne faut pas entendre par là une action qui ne se rapporte à rien, car sans cela... Non, mais gratuit : un acte qui n'est motivé par rien. Comprenez-vous? intérêt, passion, rien. L'acte désintéressé, né de soi; l'acte aussi sans but, donc sans maître. L'acte libre; l'Acte autochtone?
GIDE, le Prométhée mal enchaîné, I, *in* Romans, Pl., p. 305.

5.2 À ce propos, on peut se demander si les *actes* doivent définir les *choses* ou bien les choses et leurs combinaisons *observées* définir les *actes*. Le premier cas est celui précisément des mathématiques. Le second celui du langage ordinaire, et par conséquent des *connaissances*.
VALÉRY, Cahiers, Pl., t. II, p. 789.

Son acte n'a pas dû être prémédité. 6
MARTIN DU GARD, les Thibault, V, 4.

Il comprit que l'acte décisif, froidement accompli par lui la veille (...) MARTIN DU GARD, les Thibault, VI, 8. 7

Dans notre art théâtral, l'acteur feint d'agir, mais ses actes ne sont jamais que des gestes : sur la scène, rien que du théâtre, et cependant du théâtre honteux. Le Bunraku, lui (...) sépare l'acte du geste : il montre le geste, il laisse voir l'acte, il expose à la fois l'art et le travail. 7.
R. BARTHES, l'Empire des signes, p. 74.

J'appelle acte un mouvement volontaire, précédé par une intention, poursuivant un but. L'intention est de modifier ce qui est; parfois celui qui entreprend l'acte ne veut que se modifier lui-même. 7.
Jacques LAURENT, les Bêtises, p. 548.

Absolt. *La passivité et l'acte, le geste et l'acte.*

Mourir est passivité, mais se tuer est acte. 8
MALRAUX, la Condition humaine, p. 361.

**ACTE DE** (et nom) : acte inspiré par. → **Manifestation, fait.** *Acte de bonté, de bravoure, de courage, de cruauté, de folie. Acte d'amour. Acte d'hostilité, de malveillance, de vandalisme.*

Que venez-vous de faire? — Un acte de justice. 9
CORNEILLE, Horace, IV, 6.

Les premiers actes de vertu sont toujours les plus pénibles. 1
ROUSSEAU, Julie ou la Nouvelle Héloïse, t. I, III, 1.

Acte qui manifeste, ou est destiné à manifester (ce qu'exprime le nom). *Acte d'autorité*, par lequel on use de son autorité (pour se faire craindre, obéir). *L'acte d'autorité du chancelier Maupeou mata la rébellion des parlements. — Acte d'hostilité*, par lequel un gouvernement, un parti déclenche la guerre contre un autre. — *Acte de bonne volonté*, dont on s'acquitte pour prouver ses bonnes dispositions. *Acte de complaisance*, action à laquelle on n'est pas obligé, mais qu'on accomplit par bienveillance, facilité ou faiblesse. *Acte de soumission*, par lequel on manifeste son intention de se soumettre.

**FAIRE ACTE DE...** *Il a fait acte d'autorité, de bonne volonté. Faire acte de présence*, ne paraître qu'un instant dans un lieu pour satisfaire à un devoir ou par pure politesse; se trouver (dans un lieu, à une réunion) sans participer réellement à ce qui s'y fait.

*Passer aux actes*, de la conception d'un projet à son exécution (→ ci-dessous, 2., *passage à l'acte*).

Spécialt. *Acte médical*, intervention médicale ou chirurgicale. *Acte thérapeutique. — Acte militaire, acte de guerre. — Acte administratif.*

♦ **2** **a** **PASSAGE À L'ACTE.** Psychol., psychiatrie. Conduite impulsive, le plus souvent violente, par laquelle le sujet passe de la tendance, de l'intention, à la réalisation.

Un effet auquel il conviendra particulièrement de veiller est l'apparition de bouffées d'angoisse très pénibles pour le malade, pouvant le pousser à des passages à l'acte allant jusqu'au suicide (...) la médication n'a fait que lever l'inhibition qui contrôlait jusque-là l'anxiété. 10
A. POROT et L. ISRAËL, *in* POROT, Manuel alphabétique de psychiatrie, 1975, art. *Antidépresseurs.*

Psychan. *Passage à l'acte* (trad. de l'angl. *acting out*, équivalent de l'all. *Agieren*) : production d'un acte correspondant à des motivations inconscientes, mais révélateur de ces motivations.

Un mécanisme important est celui du «passage à l'acte» (acting out), très développé chez certains sujets qui semblent consacrer une ingéniosité inconsciente à actualiser, dramatiser dans la vie courante les besoins et les objets de leur drame inconscient, avec le but de satisfaire certains besoins ou de maîtriser des situations traumatiques. 10
Daniel LAGACHE, la Psychanalyse, p. 47 (1955).

REM. Dans les éditions plus récentes de son ouvrage, l'auteur écrit : «Un mécanisme important est celui de l'*agir* ou *agissement* (acting out), très développé...»

**b** (1921, S. Jankélévitch, trad. Freud, *in* D. D. L.). Psychan. **ACTE MANQUÉ :** phénomène incontrôlé de la conduite qui trahit l'élan intime, l'aspiration inconsciente vers l'accomplissement d'un acte que la conscience refuse. → **Lapsus.**

3 *L'acte manqué.* — (...) Freud y range les lapsus de la parole et de l'écriture, les fausses lectures et les fausses auditions, les oublis momentanés de noms propres et de projets, la perte momentanée d'un objet, les erreurs momentanées.
Daniel LAGACHE, la Psychanalyse, p. 48.

**c** Cour. *Acte sexuel;* absolt *l'acte* (→ La chose*).

4 (...) de mornes descriptions d'une sexualité minutieuse, scolaire et appliquée. Elles ne tiennent pourtant pas au sujet, car «l'acte», en 1944, n'était pas réglé autrement, ni ne comportait pas plus de variations que cent ans plus tôt ou dix ans plus tard.
F. MAURIAC, Bloc-notes, 1952-1957, p. 135.

Littér. *Acte solitaire,* la masturbation (→ Plaisir solitaire*).

5 (...) j'ai négligé, en peignant les délices du sommeil, de signaler l'état de l'insomniaque aux limites de la fatigue (...) Souvent le seul remède est dans l'acte solitaire parce que celui-ci permet en la dirigeant d'ordonner son imagination et apporte un surcroît de fatigue qui favorise l'évanouissement.
Jacques LAURENT, les Bêtises, p. 539.

**d** Ling. *Acte de parole* (angl. *Speech acts,* Searle, 1969), *de langage,* toute production (énonciation) d'un énoncé en situation (étudié par la pragmatique*).

♦ **3** Philos. État de ce qui existe en fait. *La puissance, virtualité ou tendance, c'est ce qui peut se produire ou être produit; l'acte étant ce qui est actuellement produit. Passer de la puissance à l'acte.*

6 (...) Mais c'est cette idée de virilité — notion exclusivement féminine — qu'il faudrait autopsier. Donc la virilité se mesure à la puissance sexuelle, et la puissance sexuelle consiste simplement à différer aussi longtemps que possible l'acte sexuel (...) Ce terme de puissance doit donc s'entendre dans son sens aristotélicien, comme le contraire de l'acte.
M. TOURNIER, le Roi des Aulnes, p. 17.

**EN ACTE,** opposé à *en puissance.*

♦ **4** Relig. Mouvement spirituel. *Acte de foi, de charité, d'espérance, d'humilité. — Acte de...* (avec un n. d'agent) :

11 Elle crut faire acte de repentante.
LA FONTAINE, Contes, IV, 9, «Diable en enfer».

Formule, prière exprimant ce mouvement. *Dire un acte de contrition.*

**B** ♦ **1** Dr. *Acte* ou *acte juridique,* manifestation de volonté qui produit des effets de droit. *Acte à titre onéreux. Acte conservatoire, exécutoire. Acte d'administration, de commerce. Acte arbitraire, illégal, nul; légal, valide. Acte administratif, législatif,* décision de l'autorité. — *Faire acte d'héritier,* exercer sa qualité d'héritier. *Faire acte de commerçant, de propriétaire.*

♦ **2** Pièce écrite qui constate un fait, une convention, une obligation. → **Certificat, document, titre;** et aussi **minute, original; ampliation, certificat, double;** 2. **avenant, constat, exploit, protêt; assignation, citation, notification; brevet, diplôme** (on dit aussi : *acte instrumentaire*). *Acte de vente, de donation, de partage.* → **Contrat, convention.** *Acte de dernière volonté.* → **Testament; codicille.** *Acte de notoriété*. Acte authentique, notarié* (cit.); *acte public, solennel. Acte sous seing privé, chirographaire. Acte synallagmatique. Acte confirmatif, déclaratoire, recognitif. Acte d'appel, de pourvoi. Contenu d'un acte.* → **Clause.** *Validité ou nullité d'un acte. Clauses, date, formules, intitulé, signature... d'un acte. Passer, dresser, libeller un acte. La minute, la copie d'un acte. Dater, signer, apostiller un acte. Collationner un acte. Ratifier un acte. Enregistrer, légaliser un acte. Casser, annuler un acte. — Acte de l'état civil. Acte de naissance, de mariage, de décès.*

Les actes de l'état civil énonceront l'année, le jour et l'heure 12
où ils seront reçus, les prénoms et nom de l'officier de l'état civil, les prénoms, noms, professions et domiciles de tous ceux qui y seront dénommés.
Code civil, art. 34.

*Acte de navigation.*

Vx. *Acte respectueux,* acte par lequel l'enfant majeur sollicitait le consentement de ses parents à son mariage.

Rare (et non technique). *Actes de droit constitutionnel, international.* → **Bill, bulle, capitulaire, charte, constitution, décret, loi.** *«L'acte final de la capitulation allemande...»* (Ch. de Gaulle, *Mémoires de guerre,* in T. L. F.).

Loc. **DEMANDER, DONNER ACTE** (d'une déclaration) : demander, accorder la constatation par écrit de. — **PRENDRE ACTE** (d'une chose), la faire constater légalement, et, par ext., en prendre bonne note (en vue d'une utilisation ultérieure).

Je prends acte, pour l'autre vie, de ma conduite en celle- 13
ci.
ROUSSEAU, Émile, IV.

**DONT ACTE** [dɔ̃takt], formule finale d'un acte; par ext., bonne note est prise de la chose.

En matière de mœurs, la bénédiction officielle lui est 13.1
donnée de haut : Michel-Charles, bon père de famille, se consacre exclusivement à sa femme et à ses enfants. Dont acte, avec les quelques restrictions qui conviennent toujours.
M. YOURCENAR, Archives du Nord, p. 192-193.

♦ **3** (Au plur.; lat. *acta*). Recueil de procès-verbaux. *Les actes des conciles, des martyrs. Les Actes des saints,* récits hagiographiques. *Les actes publics.* — *Les Actes des apôtres,* livre du Nouveau Testament où sont consignées les activités de saint Paul et de l'Église primitive. — Mémoires, communications (d'une société savante). *Les actes d'un congrès sur l'histoire du Mexique. Salle des actes,* salle de soutenance des thèses de doctorat, dans certaines universités. — *Publier les actes d'un colloque. Publication des actes.* — Ouvrage recueillant les actes. *Acheter les actes d'un congrès.*

**II** (1553; du lat. *actus*). ♦ **1** Chacune des grandes divisions d'une pièce de théâtre (souvent subdivisées en scènes dans le théâtre classique). *Une pièce en trois actes. L'acte deux du* Barbier de Séville.

Il est nécessaire que chaque acte laisse une attente de 14
quelque chose.
CORNEILLE, Disc. des trois unités.

(...) faisant de cet ouvrage 15
Une ample comédie à cent actes divers
Et dont la scène est l'univers.
LA FONTAINE, Fables, V, 1.

Pièce en un acte. *Les comédiens ont fort bien joué ce petit acte. — Deux actes, trois actes, etc.,* pièce en deux, trois actes, etc.

♦ **2** Fig. (Avec un adj. : *premier, dernier...*). Phase d'une action à péripéties. → **Épisode.** *Le dernier acte de sa vie, d'une affaire.*

DÉR. et COMP. **Acter. Entracte.** — V. **Actuaire, actuation.**
◊ HOM. Formes du v. **acter.**

**ACTÉE** [akte] n. f. — 1808; *actea,* 1751; du lat. *actæa* «actée en épi».

Bot. Plante vivace des bois *(Renonculacées),* à follicules ou à baies (vénéneuses, chez *l'actée en épi,* ou *actée épiée,* ou *herbe de saint Christophe*). *L'actée est utilisée en décoction comme insecticide.* → **Cimicaire.**

HOM. **Acter.**

**ACTÉON** [akteɔ̃] n. m. — 1842 ; du n. du héros mythologique métamorphosé en cerf.

Zoologie.

**I** Papillon, dit aussi *satyre-actéon.*

**II** (P.-ê. par altér. du grec *aktaios* «près du rivage»). Mollusque gastéropode marin *(Actéonidés)* répandu dans toutes les mers, et dont une espèce *(Acteon tornatilis)* se rencontre sur les côtes de France.

**ACTÉONIDÉS** [akteɔnide] n. m. pl. — Mil. XXe (*in* Larousse, 1960) ; de *actéon* (II.), et *-idés.*

Zool. Famille de gastéropodes marins de la sous-classe des opisthobranches (ordre des *Céphalaspidés,* anciennement ordre des *Tectibranches*). — Au sing. *Un actéonidé.*

**ACTÉONISER** [akteɔnize] v. tr. — 1622 ; de *Actéon,* héros mythologique qui fut transformé en cerf.

Vx (mot du voc. burlesque, au XVIIe). Cocufier, rendre cornard.

**ACTER** [akte] v. tr. — 1751 ; «dater (un acte juridique)», XIIIe ; de *acte,* dans *prendre acte.*

♦ **1** Dr. Noter, exprimer dans un acte juridique. *Acter une clause, un compromis.* — REM. **Abel Hermant (Lancelot) a considéré ce verbe comme un «néologisme pernicieux» (*le Temps,* 8 sept. 1938).**

♦ **2** Régional (Belgique). Prendre acte de. *Acter une décision.*

**HOM. Actée.**

**ACTEUR, TRICE** [aktœʀ, tʀis] n. — 1663 ; «auteur (d'un livre)», 1236 ; «personnage d'une pièce», début XVIIe ; du lat. *actor* «celui qui agit».

♦ **1** Personne qui joue des rôles, représente des personnages à la scène ou à l'écran de manière habituelle ou fréquente. → **Artiste,** (I., 3.), **comédien, interprète** (→ Planche, cit. 11). *Acteur dramatique*, tragique, comique.* → **Comédien, tragédien.** *Les acteurs répètent. Les acteurs se sont costumés, grimés, maquillés avant d'entrer en scène. La distribution* des rôles entre les acteurs.* → **Rôle.** *C'est cet acteur qui a créé le rôle à la Comédie française. L'acteur incarne un personnage. Le naturel d'un acteur. Cet acteur manque de métier, il a le trac, il déclame, il charge trop. Siffler un acteur. — Les gestes, les actes* (cit. 8) *de l'acteur.*

*Un acteur de la Comédie française.* → **Pensionnaire, sociétaire** (de la Comédie française). *Acteur, actrice célèbre.* → **Étoile, star, vedette.** *Acteurs modestes, acteurs de complément.* → **Bouche-trou, comparse, doublure, figurant, utilité.**

REM. *Acteur* est le mot le plus neutre pour désigner cette activité ; *comédien* est plus rare dans l'usage général, mais très courant dans le milieu des spectacles ; *artiste* est employé par des locuteurs moins cultivés (Cf. cependant la loc. *Entrée des artistes*). → aussi Cantatrice, chanteur, danseur ; chansonnier, comique ; bouffon, clown, mime ; diseur, improvisateur.

*Rôles d'acteurs.* → **Personnage ; confident, coquette, duègne, grime, ingénue, premier** (jeune premier, *supra* cit. 14), **marquis, matamore, mère-noble, père-noble, soubrette, suivante, valet.** *Termes péjoratifs désignant des acteurs.* → **Baladin, cabot, cabotin, ficelier (vx), histrion, ringard.**

1 Un de mes amis me mena l'autre jour dans la loge où se déshabillait une des principales actrices.
MONTESQUIEU, Lettres persanes, 28.

Les acteurs sont des artistes autant et plus que les autres (...) 2
BARBEY D'AUREVILLY, Théâtre contemporain, p. 137.

Un acteur n'est pas flatté d'être appelé un m'as-tu-vu, ou même un cabotin. 3
F. BRUNOT, la Pensée et la Langue, p. 581.

*(Ces êtres)* Truchement de peuples divers 4
Je les faisais servir d'acteurs dans mon ouvrage.
LA FONTAINE, Fables, XI, Epilogue.

Dans cent ans le monde subsistera encore en son entier : ce sera le même théâtre et les mêmes décorations, ce ne seront plus les mêmes acteurs (...) 5
LA BRUYÈRE, les Caractères, VIII, 99.

Elle me dit *(la Nature)* : «Je suis l'impassible théâtre 6
Que ne peut remuer le pied de ses acteurs».
A. DE VIGNY, les Destinées, «La maison du berger», 3.

Olivier se fâcha et fut amer. Il ne comprenait pas, vraiment, qu'on eût du goût pour un cabotin, pour cette perpétuelle représentation de types humains qui n'est jamais, pour cette illusoire personnification des hommes rêvés, pour ce mannequin nocturne et fardé qui joue tous les rôles à tant par soir. 6
— Vous êtes jaloux d'eux, dit la duchesse. Vous autres, hommes du monde et artistes, vous en voulez tous aux acteurs, parce qu'ils ont plus de succès que vous.
MAUPASSANT, Fort comme la mort, II, VI.

(...) tirant de sa poche un portefeuille avec l'allure d'un acteur du répertoire qui va jeter sa bourse à quelque valet (...) 7
MARTIN DU GARD, les Thibault, III, 1.

Antoine (...) s'avançait avec le naturel assuré d'un acteur qui fait son entrée, dans un rôle à succès qu'il possède bien. 8
MARTIN DU GARD, les Thibault, VII, 25.

Il y a un esprit de comédie entre les hommes (...) Un homme sous les feux croisés de cent spectateurs. Il donne la réplique qu'on attend. 9
Si vous vous fiez à lui pour un rôle de traître, il dépassera votre attente. Il sera artiste de trahison. Tout homme est artiste. Les vices sont effrayants par cette perfection de l'acteur (...)
Toute la tragédie du monde est jouée par des acteurs.
ALAIN, Propos, 27 avr. 1931, Dieux déguisés.

Mais le vrai théâtre parce qu'il bouge et parce qu'il se sert d'instruments vivants, continue à agiter des ombres où n'a cessé de trébucher la vie. L'acteur qui ne refait pas deux fois le même geste, mais qui fait des gestes, bouge, et certes il brutalise des formes, mais derrière ces formes, et par leur destruction, il rejoint ce qui survit aux formes et produit leur continuation. 1
A. ARTAUD, le Théâtre et son double, Préface, Idées/Gallimard, p. 16-17.

L'acteur occidental (naturaliste) n'est jamais beau ; son corps se veut d'essence physiologique, et non plastique : c'est une collection d'organes, une musculature de passions (...) bien que le corps de l'acteur soit construit selon une division des essences pulsionnelles, il emprunte à la physiologie l'alibi d'une unité organique, celle de la «vie» ; c'est l'acteur qui est ici marionnette (...) 1
R. BARTHES, l'Empire des signes, p. 75.

♦ **2** Fig. Personne qui joue un rôle important, prend une part active (dans une affaire, un ouvrage). → **Protagoniste** (→ ci-dessus, cit. 4 à 6). *Les acteurs et les témoins d'un drame.*

Personne qui intervient dans un domaine. *Les principaux acteurs de la politique chinoise.* «*(...) à l'homo economicus de la théorie économique classique se substitue un acteur économique plus concret et réaliste, doté de capacités cognitives limitées, disposant d'une information réduite, et se contentant de solutions satisfaisantes plutôt qu'optimales* (...)» (*Le Monde,* 4 mai 1999).

♦ **3** Didact. (narratologie). Unité distincte et active du discours narratif, susceptible d'individuation. *Les acteurs d'un récit, d'un conte populaire assument divers rôles. Acteurs et actants** (cf. A. J. Greimas, *Du Sens,* p. 255).

REM. Jules Renard a créé le diminutif péj. *acteureau* [aktœʀo].

12 Un acteureau me dit qu'il devait jouer un rôle dans une pièce de..., mais qu'il aurait fallu coucher avec lui, et qu'au premier attouchement de ce monsieur il lui aurait montré qu'il n'était pas de ces gens-là, lui!
J. RENARD, Journal, 27 oct. 1893.

CONTR. **Spectateur, témoin.** ◊ COMP. **Téléacteur.**

**ACTH** ou **A. C. T. H.** [aseteaʃ] — Abrév. de l'angl. *adrenocorticotropic hormone.*

Biol. Hormone du lobe antérieur de l'hypophyse, qui exerce une action morphologique et sécrétoire sur les glandes corticosurrénales. — Syn. : *hormone corticotrope, corticostimuline, corticotrophine.*

**ACTIF, IVE** [aktif, iv] adj. et n. m. — 1160; du lat. scolastique *activus,* du lat. class. *actum.* → Acte.

**I A** Qui agit (personnes), implique une activité (choses); par oppos. à *inactif.* ♦ **1** (Personnes). Qui agit. — REM. Dans cette valeur «ontologique», *actif* désigne, soit une caractéristique effective et non pas une tendance habituelle (→ ci-dessous, II.), soit une aptitude générale (il est alors opposé à *passif*). — *Il est actif, particulièrement actif, en ce moment. Elle est moins active depuis sa maladie.*

(Choses). *Perception active et passive* (cit. 1 et 2).

(Caractérisant une catégorie de personnes qui agissent). *Membre* actif.* — Anciennt. *Citoyen actif,* ayant le droit de vote.

Spécialt. Qui joue le rôle viril, dans une relation sexuelle. *Homosexuel actif.* — N. m. *Un actif* (opposé à *passif*).

(Collectivités) :

1 (...) plus nombreuse que la foule active, la foule desœuvrée couvrait la jetée.
Pierre LOUŸS, Aphrodite, II.

Spécialt (qualifiant un groupe humain capable d'une activité déterminée). Milit. *Armée active,* ou, n. f., *l'active* (opposée à *la réserve*). *Les officiers du cadre actif,* du cadre des officiers de carrière en service actif (opposés aux *cadres de réserve*). — Par ext. *Service actif,* partie du service national obligatoire. — Démogr. *Population active,* partie de la population d'un pays qui est capable d'activité. — Écon. *Classes actives,* qui sont caractérisées par leur rôle positif dans l'économie.

♦ **2** (Choses abstraites, situations, facultés...). **a** Cour. Qui implique de l'activité; qui fonctionne effectivement. *Pensée, vie active. Avoir, prendre une part active dans une entreprise, un projet, une lutte... «Mener une guerre active»* (Ch. de Gaulle), une guerre d'offensive. *«La médecine active, c'est-à-dire la thérapeutique»* (Cl. Bernard). *Résistance passive et active.* — Admin. *Service actif,* temps de service donnant droit à la retraite (→ aussi, ci-dessus, le sens militaire).

1.1 (...) que voulez-vous?
— Être employé d'une manière active.
— Mais quoi de plus actif qu'une intendance?
STENDHAL, Journal, 6 juin 1813.

Dr. *Servitudes* actives et passives. Vie active,* fraction de la vie où l'individu peut exercer une activité productrice.

Relig. *Vie active,* mode de vie des personnes qui vivent dans le monde (opposée à *vie contemplative*).

**b** Philos. ou didact. Qui agit effectivement *(cause active)* ou est capable d'agir *(principe actif).*

1.2 Je suis porté à ne concevoir cette âme nouménе que d'après le sentiment du moi, en ce cas, les modes actifs et la connaissance pourraient seuls lui être attribués; et tout ce qui est passif aurait un autre sujet d'attribution. C'est ainsi que l'entendaient les anciens philosophes quand ils disaient que l'âme pensante lit par l'intellect actif ce qui est dans l'âme sensitive ou dans l'intellect passif; ce dernier diffère essentiellement de l'autre en ce qu'il ne se réfléchit pas lui-même : l'âme pensante a seule l'immense supériorité d'apercevoir ou de réfléchir ses actes.
MAINE DE BIRAN, Journal, 1817, p. 28.

*Langage actif,* syn. rare de *langage d'action.*

L'idée d'une pièce faite de la scène directement, en se heurtant aux obstacles de la réalisation et de la scène impose la découverte d'un langage actif, actif et anarchique, où les délimitations habituelles des sentiments et des mots soient abandonnés. 1.3
A. ARTAUD, le Théâtre et son double, La mise en scène et la métaphysique (1931), Idées/Gallimard, p. 59.

**c** Sc. *État actif,* où un élément agit, fonctionne effectivement.

♦ **3** (Choses concrètes, phénomènes concrets). Rare en emploi général. Qui agit. *«Un air vif, actif, un petit vent sec»* (Goncourt).

Sc. *Élément, facteur actif dans un processus, une évolution.* — Chim. *Charbon actif,* activé. *Dépôt* actif. Métal actif,* qui se trouve sous une forme particulièrement apte aux opérations de catalyse. — *Un remède, un poison actif,* énergique, violent. → **Agissant.** — (Élément d'un circuit électronique). Qui produit une conversion d'énergie. *Courant actif; puissance active.*

Qui produit des radiations. → **Radioactif.** *Corps actif; isotope plus, moins actif...* — (En parlant des radiations elles-mêmes). *Radiations actives,* qui produisent une activation.

Écon., fin. *Capitaux actifs,* qui produisent des intérêts. → **Productif.** — *Marché actif,* où de nombreuses transactions ont lieu (→ Faible, cit. 30.1). *Un secteur actif de l'économie.*

♦ **4** Psychol. Qui réclame une participation active, effective.

Pédag. *Méthode active,* méthode d'enseignement faisant appel à l'activité et à l'initiative de l'élève.

Active (méthode). Système pédagogique qui consiste à utiliser des procédés qui permettent à l'enfant de satisfaire son besoin de chercher, de comparer, d'apprendre par lui-même, soit seul, soit en collaboration avec d'autres élèves. 1.4
Robert LAFON, Voc. de psychopédagogie, art. *Actif.*

(Psychothérapie). *Technique active.*

**B** (XVe). Gramm. Propre à exprimer que le sujet est considéré comme agissant. *Voix active. La voix active est celle que prennent les verbes lorsque le procès est considéré du point de vue de celui qui en est l'agent ou le siège* (cf. Wagner et Pinchon, *Grammaire du français classique et moderne,* § 254). *Conjugaison active,* ensemble des formes verbales de la voix active. — Vx. *Participe actif,* de sens actif. *Verbe actif.* → **Transitif.**

N. m. *L'actif,* la voix active. *«La plupart des verbes intransitifs ne se conjuguent qu'à l'actif»* (Académie).

**C** (XVIe). Dr., fin. ♦ **1** *Dettes actives* (par oppos. à *dettes passives*), celles dont on est créancier.

♦ **2** N. m. (1762). **a** **L'ACTIF** : l'ensemble des biens ou droits constituant un patrimoine ou une universalité juridique. *L'actif d'une succession, d'une communauté.*

*Actif circulant.* → **Capital** (capitaux circulants). — *Emploi des ressources figurant au passif. Sommes portées à l'actif d'un bilan. Excédent de l'actif sur le passif* (cit. 3). *Partage de l'actif. Actif net* (ou *situation nette*), résultat obtenu en soustrayant le passif de l'actif, représentant l'ensemble des capitaux appartenant en propre à l'entreprise.

**b** UN, DES ACTIFS : bien(s) et droit(s) constituant l'actif (ci-dessus, a.) : frais d'établissement, immobilisations*, valeurs d'exploitation (stocks), valeurs réalisables ou disponibles. *Actifs circulants, de roulement,* opposés à *actifs fixes, immobilisés. Actifs matériels, physiques,* opposés à *actifs immatériels* (*intellectuels,* etc.).

♦ **3** Loc. fig. *Avoir une chose à son actif,* la compter au nombre des choses qu'on a réalisées avec succès. — Iron. *Cette crapule a plusieurs méfaits à son actif.*

**II** (XVIIe; personnes). Qui aime à agir, à se dépenser en travaux, en entreprises. → **Entreprenant, remuant, travailleur.** *Un secrétaire très actif et efficace.* → **Dynamique, vif.** *C'est un garçon actif. Il n'est pas assez actif pour ce poste. Il est actif, mais il lui arrive de rester plusieurs jours sans rien faire.*

1.5 Pendant ces travaux, Harbert se distingua. Il était intelligent et actif, il comprenait vite, exécutait bien, et Cyrus Smith s'attachait de plus en plus à cet enfant.
J. VERNE, l'Île mystérieuse, p. 174.

Subst. *C'est un actif.* → 3. **Battant.**

2 Ah ! les hommes d'action ! les actifs ! comme ils se fatiguent pour ne rien faire et quelle bête de vanité que celle que l'on tire d'une turbulence stérile.
FLAUBERT, Correspondance, t. II, p. 177.

*Être actif en... ; dans* (un domaine).

3 Les hommes les plus actifs en amour sont ceux qui en parlent le moins.
Édouard HERRIOT, Vie de Beethoven, p. 273.

Caractér. Chez qui dominent les tendances, les dispositions à agir. — *Tempérament, caractère actif.* — N. m. *Les actifs primaires.*

CONTR. **Désœuvré, inactif, passif. — Paresseux.** ◇ DÉR. **Active, activement, activer, activisme.** V. **Activité.** ← COMP. **Interactif, suractif, tensio-actif.**

**ACTIN-, ACTINI-, ACTINO-** Élément, du grec *aktis, aktinos* «rayon», qui sert à former des mots savants en sciences naturelles, en physique, etc.

**ACTINAUXISME** [aktinoksism] n. m. — Av. 1953; de *actin-, aux-,* et *-isme.*
Didact. Ensemble des effets des rayonnements sur la croissance des végétaux.

**ACTINE** [aktin] n. f. — 1960 (un hom. désignant un genre de diptères (1866), vient probablt du grec *aktis, aktinos* «rayon»); f. dû à Szent-Györgyi, 1942; du rad. lat. de *actus* «mouvement», et *-ine.*
Biol. Protéine musculaire qui entre dans la constitution des myofibrilles, comme la myosine.

**ACTING OUT** [aktiŋawt] n. m. — 1952, *in* Höfler; expr. angl., de *to act out* «agir, faire un récit mimé de, jouer jusqu'au bout».
Anglic. Psychiatrie, psychan. → **Acte** (passage à l').

**ACTINI-** → **Actin-.**

**ACTINIAIRES** [aktinjɛʀ] n. m. pl. — 1838; de *actinie.*
Zool. Ordre d'animaux cœlentérés cnidaires de la classe des hexacoralliaires* (super-classe des *Anthozoaires*) comportant des genres solitaires sans squelette (comme l'actinie) et des genres coloniaux à squelette calcaire contribuant à édifier les récifs des coraux. — Au sing. *Un actiniaire.*

**ACTINIDE** [aktinid] n. m. — Après 1950; du grec *aktis, aktinos* «rayon» (→ Actin-), et suff. *-ide.*
Phys. Élément chimique radioactif dont le numéro atomique est compris entre 89 inclus (actinium) et 104 inclus (kourtchatovium). *Les actinides ont des périodes radioactives très différentes.*

**ACTINIE** [aktini] n. f. — 1792; du grec *aktis, aktinos* «rayon» (→ Actin-), et suff. *-ie.*
Zool. Animal marin (ordre des *Actiniaires*), polype de belle couleur à nombreuses tentacules, en nombre multiple de six, communément appelé *anémone de mer, ortie de mer,* et scientifiquement *anemonia sulcata.*

DÉR. **Actiniaires.**

**ACTINIFÈRE** [aktinifɛʀ] adj. — 1910, Marie Curie; de *actini-,* et *-fère.*
Phys. Vx. Radioactif.

**ACTINIFORME** [aktinifɔʀm] adj. — 1838; de *actini-,* et *-forme.*
Sc. nat. Qui a une forme rayonnée.

**ACTINIQUE** [aktinik] adj. — 1866; du grec *aktis, aktinos* «rayon». → Actin-.
Didactique.

♦ **1** Se dit de radiations qui ont la propriété (actinisme) d'exercer une action chimique sur certaines substances. *Des radiations thermiques et actiniques. Les rayons ultraviolets sont actiniques.*

♦ **2** Qui se rapporte ou est dû à la lumière. *Dermatite actinique,* coup de soleil.

DÉR. **Actiniquement.**

**ACTINIQUEMENT** [aktinikmɑ̃] adv. — 1909, *in* T. L. F.; de *actinique.*
Didact. Par des radiations actiniques.

**ACTINISATION** [aktinizasjɔ̃] n. f. — Après 1950; de *actin-,* et suff. *-isation.*
Techn. Traitement thermique (du lait) par rayons infrarouges et ultraviolets.

**ACTINISME** [aktinism] n. m. — 1877; du grec *aktis, aktinos* «rayon» (→ Actin-, actinique), et suff. *-isme.*
Phys. Propriété qu'ont certaines radiations d'être actiniques*.

**ACTINITE** [aktinit] n. f. — 1970; du grec *aktis, aktinos* «rayon» (→ Actin-), et suff. *-ite.*
Méd. Inflammation de la peau provoquée par les rayons solaires. — Syn. cour. : *coup de soleil.*

**ACTINIUM** [aktinjɔm] n. m. — 1881; mais le corps a été isolé en 1899-1900, Debierne; du grec *aktis, aktinos* «rayon». → Actin-.
Didact. (chim.). Corps simple (Ac) radioactif trouvé dans la pechblende (nº at. 89). *Actinium 227, actinium 228* (isotopes naturels).

DÉR. et COMP. **Protactinium.** V. **Actinon.**

**ACTINO-** → **Actin-.**

**ACTINOGRAPHE** [aktinɔgʀaf] n. m. — Après 1865; de *actino-,* et *-graphe.*
Didact., techn. Actinomètre enregistreur.

**ACTINOLITE** [aktinɔlit] n. f. → **Actinote.**

**ACTINOLOGIE** [aktinɔlɔʒi] n. f. — 1946, Quillet; «histoire des animaux rayonnés», 1866, *in* P. Larousse; de *actino-,* et *-logie.*
Didact. Science qui étudie les propriétés thérapeutiques des divers rayons (ultraviolets, infrarouges, etc.), et leur action biologique.

**ACTINOMÈTRE** [aktinɔmɛtʀ] n. m. — 1853; de *actino-*, et *-mètre*.

Phys. Instrument pour la mesure de l'intensité d'un rayonnement actinique (et, spécialt, de la lumière). *On distingue parmi les actinomètres les* pyrhéliomètres, *les* pyromètres (*ou* solarimètres) *et les* photomètres.

**ACTINOMÉTRIE** [aktinɔmetʀi] n. f. — 1877; de *actino-*, et *-métrie*.

Didact. Mesure de l'intensité ou de l'action des radiations, notamment des radiations solaires. *Actinométrie solaire.* → aussi **Radiométrie.** *Appareils d'actinométrie* (pyrhéliomètre, pyranomètre, etc.).

DÉR. **Actinométrique.**

**ACTINOMÉTRIQUE** [aktinɔmetʀik] adj. — 1877; de *actinométrie*.

Didact. De l'actinométrie. *Mesures actinométriques.*

**ACTINOMYCÈTE** [aktinomisɛt] n. m. — 1922; du grec *aktis, aktinos* «rayon», et *-mycète*.

Biol. Bactérie filamenteuse, ramifiée, ressemblant aux champignons microscopiques, et dont beaucoup d'espèces vivent dans l'humus en saprophytes. *Actinomycète du bœuf* (actinomyces bovis), *agent pathogène qui provoque un granulome du maxillaire.*

COMP. **Actinomycose.**

**ACTINOMYCOSE** [aktinomikoz] n. f. — 1885; en all., 1877; de *actino(mycète)* «champignon radié», et *mycose*.

Méd. Infection chronique causée par des bactéries appartenant au genre *Actinomyces*, qui atteint l'homme et les animaux (bovidés) et se caractérise par des lésions d'aspect tumoral, avec formation d'abcès de la peau et, plus rarement, des organes internes (poumon, tube digestif). *Actinomycose du bœuf* (transmissible à l'homme). *Actinomycose de l'homme* (causée par *actinomyces israeli*).

**ACTINOMYXIDIES** [aktinomiksidi] n. f. pl. — 1904, in *Rev. gén. des sc.*, nº 8, p. 418; de *actino-*, *myx-*, et *-idie*.

Biol. → **Sporozoaires.**

**ACTINON** [aktinɔ̃] n. m. — 1923 (→ Thoron, cit.); du rad. de *actinium*, et suff. *-on* de noms de gaz rares. → Argon.

Phys. nucl. Émanation de l'actinium (aussi appelée *radon 219*).

**ACTINOPHRYS** [aktinɔfʀis] n. m. — Déb. XXᵉ; *actinophryde*, 1846; de *actin(o)-*, et *ophrus* «sourcil».

Zool. Protozoaire actinopode de la classe des héliozoaires (ordre des *Actinophryidiens*), caractérisé par sa forme sphérique et son grand noyau central aux axopodes rayonnants. *Un actinophrys* (Actinophrys sol), *facilement récoltable dans les mares et les étangs, est l'un des héliozoaires les mieux connus.*

**ACTINOPODES** [aktinɔpɔd] n. m. pl. — Mil. XXᵉ; de *actino-*, et *-pode*.

Zool. Sous-embranchement de protozoaires caractérisé par l'allure rayonnante de leur système pseudopodial, et divisé en trois classes : acanthaires, radiolaires et héliozoaires. — Au sing. *Un actinopode.*

**ACTINOPTÉRYGIENS** [aktinopteʀiʒjɛ̃] n. m. pl. — Mil. XXᵉ; de *actino-*, et *-ptérygien*.

Zool. Sous-classe de poissons (classe des *Ostéichtyens*) à nageoires rayonnantes en éventail et à fentes branchiales recouvertes d'un opercule osseux, groupant la majorité des formes actuelles (15 000 espèces environ). — Au sing. *Un actinoptérygien.*

**ACTINOTE** [aktinɔt] n. f. — 1801; du grec *aktinotos* «radié».

Minér. Variété d'amphibole non alumineuse, d'un vert foncé vitreux. — On dit aussi : *actinolite* [aktinɔlit].

**ACTINOTHÉRAPIE** [aktinoteʀapi] n. f. — 1933, *in* Larousse; du grec *aktis, aktinos* «rayon», et *-thérapie*.

Didact. (méd.). Méthode thérapeutique utilisant des irradiations artificielles. *Utilisation des rayons lumineux, ultraviolets et infrarouges en actinothérapie. Traitement des tuberculoses pulmonaires et osseuses par l'actinothérapie.*

**ACTINOTRICHES** [aktinɔtʀiʃ] n. m. pl. — Mil. XXᵉ; de *actino-*, et *-triche*.

Zool. Ordre d'acariens à tégument externe biréfringent, comprenant trois sous-ordres : les actinédides, les sarcoptiformes (sarcoptes, acarus...) et les oribates. — Au sing. *Un actinotriche.*

**ACTINOTROPISME** [aktinotʀɔpism] n. m. — D. i.; du grec *aktis, aktinos* «rayon», et *tropos* «tour».

Bot. (Vx). Tendance des plantes à se tourner vers la lumière. → **Héliotropisme, phototropisme.**

1. **ACTION** [aksjɔ̃] n. f. — Début XIIᵉ, *acciun de grâce*; sens général, XIIIᵉ, d'abord en parlant des personnes; «manière d'agir», XIVᵉ; lat. *actio*, qui a le sens le plus général.

**I** ♦ **1** (Emploi général). Fait de produire un, des effets, de modifier des objets (choses, personnes) par son existence, sa présence, son fonctionnement, et, spécialt (en parlant des êtres humains) par une activité volontaire et coordonnée. *Avoir une action, de l'action sur...* → **Agir** (sur). *Cela n'a eu aucune action sur moi.*

(L'agent est une chose, une force). *Étudier l'action du soleil sur les plantes. L'action de l'eau sur le feu. L'action du remède se fait sentir.* → **Effet.** — **SOUS L'ACTION DE...** *Le mur s'est détérioré sous l'action du gel.* → **Cause** (à cause de). — *L'action du temps. Être soumis à l'action de...* — (En sc., → ci-dessous, 2., emplois spéciaux).

(...) L'action des pluies n'a pu que très lentement dés- 0.1
agréger ces sortes de châteaux forts ou de cathédrales aux murs quasi verticaux et durs comme de la brique.

GIDE, Voyage au Congo, *in* Souvenirs, Pl., p. 720.

(L'agent est un organisme). *L'action pathogène d'un virus, d'un parasite.*

(L'agent est une personne ou un groupe). *L'action d'une personne sur une autre. Être soumis à l'action de qqn, d'un esprit. L'action de la société sur les individus. Le changement d'orientation est dû à l'action personnelle du ministre.* → **Influence, intervention.** *L'action de la loi, du gouvernement.* → **Politique** (→ ci-dessous, I., 5.). — *Moyens d'action*, moyens d'agir.

(L'agent est une entité sociale ou morale, une abstraction). *L'action de la presse sur le public.* → **Influence.** *L'action d'une opinion nouvelle. C'est une idée originale, mais qui n'aura pas beaucoup d'action sur la société.* → **Efficace**, n. (vieilli), **efficacité.**

**En action** [ɑ̃naksjɔ̃] (loc. adv.) : en train d'agir, de produire des effets, de fonctionner en modifiant... → **Activité** (en). *Entrer en action. Mettre qqch. en action. Être, cesser d'être en action.*

REM. *Action de...* est le terme employé dans les définitions de dictionnaires pour désigner le substantif correspondant sémantiquement à un verbe (*substantif d'action;* → ci-dessous, 2., c.), qu'il soit ou non formellement apparenté à ce verbe. Ex. : *chant* «action de chanter»; *chute* «action de tomber». Le même substantif sert en général à exprimer l'action, le processus agissant et le ou les résultats (effets) de cette action. — Dans les définitions, on emploie aussi *fait* («le fait de...») lorsque l'action est conçue comme spontanée, non volontaire ou non humaine.

♦ **2** (Emplois spéciaux). **a** (L'agent est une force matérielle, une substance, etc.). Sc. (mécan.). Effort observable et mesurable qu'exerce un corps sur un autre corps; effet de cet effort. — Spécialt. (D'abord, *quantité d'action*). Double de l'énergie cinétique (1/2 mv2) du mobile par la durée (*t*) du trajet. — *Principe de moindre action* (principe d'optique, chez Fermat; de mécanique, chez Maupertuis), d'après lequel le mouvement de la matière se fait toujours de façon que l'action afférente au trajet soit minimale. — *Principe de l'opposition de l'action et de la réaction,* chez Newton.

Chim. *Loi d'action de masse,* fournissant l'expression quantitative de l'équilibre chimique. — *Action tampon.*

Phys. *Action des corpuscules, des radiations, des champs, etc.*

0.2 Les électrons tant positifs que négatifs, subiront ensuite une impulsion mécanique par l'action *de ces différents champs.* Dans la théorie ordinaire, le champ électromagnétique, dû au mouvement des électrons positifs, exerce, sur deux électrons de signe contraire et de même charge absolue, des actions égales, et de signe contraire.
Henri Poincaré, la Mécanique nouvelle, p. 14.

**b** Philos., théol. Exercice effectif d'un pouvoir, d'une puissance virtuelle, et, spécialt, de la force conçue comme primitive (nature, Dieu, etc.).

1 (...) entre ces mains *(de Dieu)* où tout est action, où tout est vie, rien ne s'affaiblit, ni ne se relâche, ni ne se ralentit jamais.
Bossuet, Oraison funèbre de Anne de Gonzague.

**c** Gramm. (Opposé à *état*). **D'action.** *Verbe d'action* (opposé à *verbe d'état*), verbe qui exprime une action (ex : *marcher, courir, manger*). — *Substantif d'action,* dérivé d'un verbe désignant l'action correspondante (ex. : *marche, course*), souvent par la suffixation *(-ation, -ement...).*

Vx. *Phrase d'action,* qui correspond à l'expression d'une activité.

♦ **3** (En parlant des humains). Déploiement d'énergie en vue d'une fin (par oppos. à *repos*). → **Activité, effort, travail.** *Être porté à l'action. — Aimer l'action,* être actif (II.).

*Avoir peur de l'action, fuir l'action. Il lui faut de l'action, il a besoin d'action. Avoir le goût, le génie de l'action. — Une philosophie de l'action. L'Action,* ouvrage de M. Blondel (1893). *«L'action dévore la pensée»* (Alain, *Propos,* 25 mars 1922, Le remords).

2 (...) toujours grand dans l'action et dans le repos (...)
Bossuet, Oraison funèbre du prince de Condé.

2.1 Autrefois, j'avais peur d'agir quand c'était dangereux. Aujourd'hui, j'ai peur de l'action, ou plutôt j'ai le goût de l'inaction. J. Renard, Journal, Pl., p. 1036.

3 L'action guérit cette sorte d'humeur, que nous appelons, selon les cas, impatience, timidité ou peur.
Alain, les Aventures du cœur, p. 57.

J'ai su quelquefois agir, mais l'intérêt de l'action, sauf lorsqu'elle s'élève à l'histoire, est dans ce qu'on fait et non dans ce qu'on dit. Malraux, Antimémoires, Folio, p. 10.

REM. L'action est parfois conçue comme un véritable milieu (*dans l'action; «au bord de l'action»,* Barrès, *in* T. L. F.); les systèmes d'opposition sont le repos, l'inaction, mais aussi le rêve, l'imagination; l'intention, le projet; l'activité intellectuelle, la pensée, l'abstraction; l'activité sentimentale...

L'intelligence doit vivifier l'action; sans elle, l'action est vaine. Mais sans l'action, comme l'intelligence est stérile!
Martin du Gard, Jean Barois, p. 223.

**D'action.** *Homme d'action,* qui aime l'action, qui est habitué à agir. *C'est une femme d'action, elle déteste les tergiversations.*

Les hommes d'action peuvent malaisément être sceptiques ou se retrancher dans un pessimisme tout négatif.
Émile Faguet, Études littéraires, XVIIe siècle.

*Liberté d'action,* possibilité d'agir sans contrainte. *Garder sa liberté d'action.*

*L'action,* opposée à l'intention, au dessein, au projet.

*(Il est une science)* de rectifier le mal de l'action Avec la pureté de notre intention. Molière, Tartuffe, IV, 5.

L'intention doit au moins faire excuser l'action.
d'Alembert, Lettre au roi de Prusse, 28 nov. 1777.

REM. *En action* ne se dit pas des personnes mais des contenus psychiques. *Mettre en action des conseils, des intentions, des projets. — Être en action.*

Mettez toutes les leçons des jeunes gens en action plutôt qu'en discours. Rousseau, Émile, IV.

Je le tenais sans cesse en action, marchant avec lui au soleil et à la pluie.
Bernardin de Saint-Pierre, Paul et Virginie, *in* Littré.

*À l'action. Il faut maintenant passer à l'action,* agir (cf. À l'acte). *Se refuser à l'action.*

On est, en général, peu porté à l'action dans le monde des professeurs. On y a besoin de calme et de paix.
Clémenceau, Vers la réparation, p. 102, *in* T. L. F.

*Vivre par l'action, dans l'action. Se jeter dans l'action.*

La femme vit par le sentiment, là où l'homme vit par l'action.
Balzac, Petites misères de la vie conjugale, Pl., t. X, p. 1004.

Ils se jettent alors dans l'action parce que la méditation n'a plus à leur narine qu'une odeur de cendre froide.
G. Duhamel, Chronique des Pasquier, III, 4.

(v. 1950; trad. de l'angl. *collective action*). Sociol. *Action collective, action de groupe,* action exprimant l'unité et les intérêts communs d'un groupe. *Action collective spontanée, par incitation. Action des «groupes latents fragmentés».* — REM. Cet emploi concerne aussi le sens 4. : *une action.*

Spécialt. *L'action,* opposée au langage, à la parole. (XVIIe-XVIIIe). Hist. de la philos. **Langage d'action :** ensemble de signes (gestes, cris, etc.) au moyen desquels on supplée à la parole, et dont le langage articulé était censé procéder (syn. rare : *langage actif*).

La parole, en succédant au langage d'action, en conserva le caractère. Cette nouvelle manière de communiquer nos pensées, ne pouvait être imaginée que sur le modèle de la première. Ainsi, pour tenir la place des mouvements violents du corps, la voix s'éleva et s'abaissa par des intervalles fort sensibles.
Condillac, Essai sur l'origine des connaissances humaines, p. 200.

♦ **4** (1223). *Une, des actions.* **a** Ce que fait quelqu'un et par quoi il réalise une intention ou une impulsion et, d'une façon générale, ce que l'on fait. → **Acte.** — REM. *Action* suppose en général un processus plus complexe que *acte; agissement* est péjoratif. → **Acte, agissement, fait, œuvre.** *Comprendre les mobiles, les motifs d'une action. Une action ne prouve rien* (→ Masse, cit. 14). *Les actions de qqn. Rendre compte de ses actions. Pensées, paroles ou actions. Il n'a pas apprécié la portée de son action. «La loi n'a le droit de défendre que les actions nuisibles à la société»* (*Déclaration des Droits de l'homme*).

(Qualifié par un adjectif antéposé, formant des syntagmes très stables). **BONNE ACTION :** action jugée comme positive dans un certain code moral ou religieux. → **B. A.** (→ Plein, cit. 13), 1. **porte** (cit. 27; et → ci-dessous, cit. 15, 18, 19, 20 et 21). — *Belle action* (vieilli) : action noble, conforme à un jugement positif de nature à la fois esthétique et éthique. — *Grande action* (vieilli), digne d'apporter la célébrité à son auteur. — **MAUVAISE ACTION.** → **Méfait.**

2 Il n'y a pas de véritable action sans volonté.
ROUSSEAU, Émile, IV.

1 Penser à Dieu est une action.
Joseph JOUBERT, Pensées, De la piété.

3 Les actions les plus décisives de notre vie, je veux dire : celles qui risquent le plus de décider de tout notre avenir, sont le plus souvent des actions inconsidérées.
GIDE, les Faux-monnayeurs, III, 15.

REM. Le nom *action* sert souvent de support à une évaluation morale et sociale, comme on l'a vu ci-dessus. *Grande, belle, noble action. Action désintéressée.*

4 Ces grandes et éclatantes actions qui éblouissent les yeux sont représentées par les politiques comme les effets de grands desseins, au lieu que ce sont d'ordinaire les effets de l'humeur et des passions.
LA ROCHEFOUCAULD, Maximes, 7.

5 L'intérêt que l'on accuse de tous nos crimes, mérite souvent d'être loué de nos bonnes actions.
LA ROCHEFOUCAULD, Maximes, 305.

6 Nous aurions souvent honte de nos plus belles actions, si le monde voyait tous les motifs qui les produisent.
LA ROCHEFOUCAULD, Maximes, 409.

7 Les belles actions cachées sont les plus estimables.
PASCAL, Pensées, II, 159.

8 La plupart des hommes sont plus capables de grandes actions que de bonnes.
MONTESQUIEU, Pensées diverses.

9 L'un des avantages des bonnes actions est d'élever l'âme et de la disposer à en faire de meilleures.
ROUSSEAU, les Confessions, I, 6.

0 Mirabeau, capable de tout pour de l'argent, même d'une bonne action. RIVAROL, Esprit de Rivarol.

1 Les bons mouvements ne sont rien s'ils ne deviennent de bonnes actions.
Joseph JOUBERT, Pensées, Des passions.

1 Une bonne action peut donc être une mauvaise action. Qui sauve le loup tue les brebis.
HUGO, Quatre-vingt-treize, III, II, VI.

(L'adj. étant postposé) :

2 Je ne nie pas qu'il y ait, de par le monde, des actions nobles, généreuses, et même désintéressées (...)
GIDE, les Faux-monnayeurs, II, 7.

Loc. *Action d'éclat.* → **Exploit, prouesse.**

Rare (en parlant d'animaux). *Un chardonneret «qui n'est jamais las, qui vit en l'air, qui a cent-vingt envies et fait soixante actions par minute...»* (Taine, *Thomas Graindorge,* in T. L. F.). — REM. Le mot *acte* semblerait plus normal.

**b** Spécialt. Phase délimitée d'une lutte armée, d'un combat. *«La célèbre action de Salamine»* (Chateaubriand). *Engager, entreprendre une action. L'action fut violente et rapide. La journée vit une suite d'actions locales.* → **Coup de main.**

1 *(La France)* a connu le sacrifice sanglant de la garnison de Langson en septembre 1940, l'énergique défense du Mékong en janvier 1941 contre les Siamois alliés du Japon, et la brillante action navale du 17 janvier 1941, *(où)* quelques navires auxiliaires français envoyèrent par le fond la flotte du Siam.
Ch. DE GAULLE, Mémoires de guerre, t. III, p. 488-489.

*Engager une action :* commencer les hostilités. — Vx, littér. Fait de guerre, bataille. *L'action fut chaude.*

On leur tua beaucoup de monde en cette action. 23
RACINE, le Siège de Namur.

Une action militaire de l'Autriche en Serbie était devenue quasi inévitable. 24
MARTIN DU GARD, les Thibault, VIII, 39.

L'état-major est vraiment un cerveau sans lequel aucune action des bataillons n'est possible. 24.1
A. MAUROIS, les Silences du colonel Bramble, p. 242.

Sports. (Par anal. de l'*action* (cit. 24) *militaire*). Manœuvre, opération au cours d'une compétition.

(...) Nollis vient de marquer pour Pommard le premier but de la rencontre à la suite d'une brillante action personnelle (...) René FALLET, le Triporteur, p. 370. 24.2

(1855, *in* Petiot). Sports. *Dans son action,* en fournissant un effort soutenu, mais dans ses possibilités. Loc. (en général au fig.). *Dans le feu* de l'action.*

**c** Relig (Premier emploi attesté du mot; lat. ecclés. *graciarum actes*). **ACTION DE GRÂCE(S) :** remerciement, témoignage de reconnaissance. *Chanter un cantique d'action de grâces, un Te Deum en action de grâces.*

**d** Équit. Geste, mouvement par lequel le cavalier agit sur sa monture. *Action des jambes, des mains.*

**e** Arts, littér. Ce qui correspond, dans la représentation artistique (mimesis; iconologie) ou dans la narration (diegesis), à l'action, à une action réelle.

L'action théâtrale (...) doit être annoncée et en quelque sorte étalée pour les spectateurs; et cela n'a point lieu pour les événements réels, que nul, peut-on dire, ne voit jamais. 24.3
ALAIN, Propos, 24 nov. 1923, «La tragédie».

♦ **5** **a** Ensemble des manifestations volontaires et coordonnées de l'activité d'un groupe social *(l'action);* opération spécifique réalisant cette activité pour un objectif déterminé *(une, des actions). L'action des pouvoirs publics, du gouvernement, n'a pas permis d'enrayer la crise. — L'action directe* (grèves, manifestations; terrorisme). → ci-dessous, cit. 24.4. *Groupe d'action directe. Des actions concertées. — Le plan, le programme d'action* (les buts) *d'un parti. Les métallurgistes ont décidé trois journées d'action. Comité d'action. — L'unité d'action,* entente de groupes divers pour présenter des revendications communes. — *L'action gouvernementale. Action politique, action syndicale. Action populaire, prolétarienne, révolutionnaire, sociale. Action de masse.*

Les terroristes ont décidé de ne plus intervenir que par l'«action directe», c'est-à-dire par les exécutions. 24.4
MALRAUX, les Conquérants, p. 126.

Il saute aux yeux que le clergé et que la jeunesse catholique, orientés chaque jour un peu plus vers l'action sociale, auraient dû détacher de la droite les masses croyantes (...) 24.5
F. MAURIAC, Bloc-notes 1952-1957, p. 55.

(Dans une dénomination). *Liste d'action populaire, paysanne. — L'Action française,* nom d'un mouvement politique français nationaliste et royaliste, antidreyfusard, antisémite et antisocialiste (d'abord nom d'un journal; → ci-dessous, d.).

**b** Loc. (Av. 1960; du sens milit. de *action*). **ACTION PSYCHOLOGIQUE :** propagande insidieuse, tendant à accréditer dans une population certaines idées politiques. *«Dans la guerre révolutionnaire, l'action militaire pure cède le pas à l'action psychologique,* *à la propagande»* (Yves Courrière, 1970, *in* P. Gilbert, 1971).

**c** (Milieu XX^e; de l'all. de Suisse *Aktion*). Régional (Suisse). Vente promotionnelle, surtout dans un supermarché. *Produit vendu en action, à un prix action.*

**d** Par métonymie. Association, organisation, comité, etc. (politique, professionnel, syndical, etc.) dont l'activité tend à modifier une situation. *L'action catholique, laïque.*

(Dans des titres d'organes politiques). *L'Action française,* journal royaliste et nationaliste (1908-1944).

**II** *(L'action).* ♦ **1** Vx (langue class.). Attitude, aspect général dans l'activité. → **Comportement, contenance.**

♦ **2** Vx. Animation, véhémence.

♦ **3** Vieilli ou littér. Manière de rendre un discours plus persuasif par les gestes, l'intonation. *Mettre de l'action dans son discours,* y mettre de l'ardeur, de l'enthousiasme. *Parler avec action, avec beaucoup d'action.*

25 Quel avantage n'a pas un discours prononcé sur un ouvrage qui est écrit! Les hommes sont les dupes de l'action et de la parole (...)
LA BRUYÈRE, les Caractères, XV, 27.

**EN ACTION.** *Corps, visage en action.*

26 Ils écoutaient en action, de l'oreille, de la bouche, de l'œil, des bras, des jambes.
FRANCE, Histoire comique, X, p. 176.

REM. Ce sens réalise l'opposition classique entre «langage» et «acte» que l'on retrouve dans *langage d'action* (→ ci-dessus, *supra* cit. 11.1).

Par métonymie. Vx. Discours public. → **Discours, plaidoirie, sermon.**

♦ **4** Équit. Allure brillante (d'un cheval). → **Brio.**

♦ **5** Danse. *Pas d'action,* scène de pantomime, dans un ballet.

♦ **6** Mus. Animation, brio. *Les orchestres italiens «ont du feu, du mouvement; beaucoup d'action et de verbe»* (A. Suarès, *Debussy,* in T. L. F.).

♦ **7** Arts. Disposition, notamment des personnages, qui convient aux intentions narratives d'une représentation iconique. *Ce tableau manque d'action.*

**III** (1260). Dr. Pouvoir légal de s'adresser à la justice, permettant à chacun de lui soumettre une prétention et à l'adversaire d'en discuter le bien-fondé (*Code de procéd. civ.,* art. 30); exercice de ce pouvoir. → **Demande, poursuite, recours.** *Action juridique, action judiciaire. Exercer, former, intenter une action contre qqn. Action personnelle, réelle,* par laquelle on demande la reconnaissance ou la protection d'un droit personnel, réel. *Action mobilière, immobilière,* par laquelle s'exerce un droit portant sur un meuble, un immeuble. *Action pétitoire*, possessoire*. Action paulienne*, indirecte** (ou *oblique*). *Action en nullité, en rescision* (action rescisoire), en résolution* (action résolutoire). Intenter une action en diffamation, en recherche de paternité. Action en répétition de l'indu, action «de in rem verso»* (→ Enrichissement* sans cause).

*Action civile,* exercée par la victime d'une infraction à la loi pénale en réparation d'un dommage. — *Action publique,* action mise en mouvement et exercée au nom de la société, par le ministère public, pour l'application des peines. → **Procédure.** — *Action administrative, commerciale, criminelle* (suivant le tribunal devant lequel elle est exercée). — *Action abusive,* intentée dans l'intention de nuire. *Action dilatoire,* visant, par des prétentions dénuées de fondement, à obtenir du juge des délais.

(Admin. judic.). Exercice du pouvoir de répression. *L'action de la justice. Soustraire qqn à l'action des lois, de la justice. Entraver l'action de la justice.*

**IV** (XVI^e; trad. du grec *praxis*). *Une action, l'action.* Suite de faits et d'actes constituant le sujet d'une œuvre dramatique ou narrative. → **Intrigue, scénario.** *Exposition, nœuds, péripéties, épisodes, dénouement d'une action tragique. Unité* d'action* (→ ci-dessous, cit. 27). *L'action du film se passe dans la forêt équatoriale.*

L'unité d'action consiste, dans la comédie, en l'unité d'intrigue. 2
CORNEILLE, Discours des trois unités.

Quelques pages encore, et soudain l'action semble se précipiter. 2
MARTIN DU GARD, les Thibault, V, 5.

Animation tenant aux faits et aux actes représentés ou racontés. *Ce roman d'aventures manque beaucoup trop d'action. Aimer les films d'action.*

Cinéma. *Actions parallèles,* alternance, obtenue par le montage, de deux actions dramatiquement liées (syn. : *montage alterné*).

CONTR. (Du I.) **Apathie, inaction, inertie.** ◊ DÉR. **Actionnalisme, actionner.** — V. **Actant.**

2. **ACTION** [aksjɔ̃] n. f. — 1669, Colbert; probablt de *action* «dette active», XVII^e, par le néerlandais *actie.*

Titre cessible et négociable représentant une fraction du capital social (dans une société anonyme en commandite par actions). → **Part, valeur.** *Actions et obligations* (→ Actionnaire, cit. 2, Zola). *Société par actions. Émettre des actions; une émission d'actions. Action nominative; action au porteur. Les rompus* (2.) *d'une action. Action de capital,* qui ouvre droit à une part de bénéfices. *Action de jouissance,* que les actionnaires remboursés par l'amortissement de l'action de capital reçoivent de la société (→ ci-dessous, cit. 1). *Action d'apport ou de fondation,* donnée aux fondateurs. *Action gratuite,* remise gratuitement aux actionnaires lors d'une augmentation de capital. *Une action cotée en Bourse. Les dividendes d'une action.* → **Coupon.** *La hausse, la baisse d'une action.*

Au fur et à mesure que je me rapprochais de la jeune fille et la connaissais davantage, cette connaissance se faisait par soustraction, chaque partie d'imagination et de désir étant remplacée par une notion qui valait infiniment moins, notion à laquelle il est vrai que venait s'ajouter une sorte d'équivalent, dans le domaine de la vie, de ce que les Sociétés financières donnent après le remboursement de l'action primitive, et qu'elles appellent action de jouissance. 1
PROUST, À l'ombre des jeunes filles en fleurs, Folio, p. 536.

Un des membres de son conseil d'administration, vieil ami de son père, l'avait plusieurs fois alerté : certains administrateurs n'attendaient que l'occasion de s'emparer de l'affaire (...) Un jour, le réveil fut brutal : deux administrateurs ayant réussi à acheter un gros paquet d'actions, Brasselier avait perdu à la fois sa majorité et son titre de président-directeur général. 2
René FLORIOT, La vérité tient à un fil, p. 12.

Loc. fig. *Ses actions montent, baissent,* sa réputation, son crédit s'accroît, diminue; il a plus, moins de chances de réussir.

DÉR. **Actionnaire.**

**ACTIONNAIRE** [aksjɔnɛʀ] n. — 1675; a supplanté *actioniste,* utilisé au XVIII^e (1730); de 2. *action.*

Propriétaire d'une ou de plusieurs actions dans une société commerciale ou (rarement) civile. → **Associé, porteur.** *L'assemblée des actionnaires.*

*Une grosse actionnaire de la société. Les actionnaires ont touché leur dividende. Les petits actionnaires.*

1 Il y a un proverbe qui dit :
Semez de la graine de maïs et il poussera des actionnaires.
Ch. PAUL DE KOCK, la Grande Ville, t. I, p. 90.

2 Vous ne savez pas ce que je voudrais, moi ? Ce serait qu'à la place de ces actions, ces cinquante mille actions que vous allez lancer, vous n'émettiez que des obligations. Oh ! Vous voyez que je suis très forte, depuis que je lis le code, je n'ignore plus qu'on ne joue pas sur une obligation, qu'un obligataire est un simple prêteur qui touche tant pour cent sur son prêt, sans être intéressé dans les bénéfices, tandis que l'actionnaire est un associé courant la chance des bénéfices et des pertes (...) ZOLA, l'Argent, p. 120.

Par métaphore. Associé, participant.

3 Le Français s'est toujours senti actionnaire d'une société dont chaque membre doit les comptes à tous les autres.
CLAUDEL, Positions et Propositions, p. 19.

DÉR. **Actionnariat.**

**ACTIONNALISME** [aksjɔnalism] n. m. — V. 1960, Alain Touraine ; de 1. *action, -al,* et *-isme.*

Didact. Sociologie du travail considéré comme une action collective où le groupe humain s'assume comme sujet dynamique. — Syn. : *analyse actionnaliste.*

**ACTIONNARIAT** [aksjɔnaʀja] n. m. — 1912, thèse, *in* Sirey ; de *actionnaire.*

Fait d'être actionnaire. Ensemble des actionnaires. — *Actionnariat ouvrier,* système de participation ouvrière au capital, aux résultats, et, éventuellement, à la gestion de l'entreprise.

**ACTIONNEMENT** [aksjɔnmɑ̃] n. m. — 1933, *in* Larousse ; de *actionner ;* en moy. franç. (1491), «action judiciaire».

Rare. Action d'actionner, mise en marche. *L'actionnement à distance d'une machine.*

**ACTIONNER** [aksjɔne] v. tr. — 1312 ; de 1. *action.*

♦ **1** Dr. Intenter une action contre (qqn), poursuivre (qqn) en justice. *«S'il ne paie pas, il faudra le faire actionner, l'actionner»* (Académie).

1 (...) s'il y a des dégâts, j'actionnerai la compagnie en dommages et intérêts.
A. ROBIDA, le Vingtième Siècle, p. 85.

♦ **2** (XVIe). Mettre en mouvement, faire fonctionner (un mécanisme, une machine). *Actionner le dispositif de départ d'un moteur. Actionner la manette, le levier.* — (Sujet n. de chose). Produire, transmettre le mouvement de. → **Entraîner.** *Cette machine est actionnée par un moteur électrique. L'eau actionne des turbines qui produisent de l'électricité.*

REM. Avec un sujet n. de personne, le verbe ne s'emploie que si le mécanisme est une machine simple (levier, manivelle) et exige un acte physique relativement important (on ne dit pas *actionner un bouton, une touche*).

♦ **3** Fam. Faire agir (une personne, une organisation) ; mettre en mouvement. → **Stimuler.**

2 Je vais actionner tout de suite le ministre des Chemins de fer, promit celui-ci. M. AYMÉ, Travelingue, p. 178.

♦ **4** Milit. Placer sous les ordres d'une autorité (surtout au passif : *un corps d'armée actionné par le général X*).

◆ **S'ACTIONNER** v. pron. (1819, *in* Boiste ; Balzac, 1830). Se mettre à agir, montrer de l'ardeur (dans une occupation). — (Passif). *Être actionné.*

CONTR. **Arrêter, immobiliser, paralyser.** ◊ DÉR. **Actionnement, actionneur.**

**ACTIONNEUR** [aksjɔnœʀ] n. m. — V. 1980 ; de *actionner.*

Techn. Appareil, organe d'un appareil agissant sur une machine de manière à modifier son état ou son comportement.

**ACTION PAINTING** [akʃənpɛntiŋ] n. m. — V. 1950 ; expr. anglo-américaine due à H. Rosenberg, à propos de Pollock.

Arts. Anglic. Technique de peinture abstraite mettant en évidence le geste, l'expression des impulsions du peintre (désigne surtout l'école américaine dite *expressionnisme abstrait,* à la suite de Jackson Pollock). → **Dripping, tachisme.**

**ACTIVABLE** [aktivabl] adj. — 1910, *in Larousse mensuel ;* de *activer.*

Didact. Susceptible d'une activation. *Substance activable. Le charbon est activable.*

**ACTIVANT, ANTE** [aktivɑ̃, ɑ̃t] adj. — 1903, in *Rev. gén. des sc.,* n° 7, p. 401 ; de *activer.*

Sc. Qui active (qqch.). *Sels activants. Pouvoir activant.* → **Activation.**

**ACTIVATEUR, TRICE** [aktivatœʀ, tʀis] n. m. et adj. — 1910 ; de *activer,* et *-ateur.*

♦ **1** Chim. Appareil au moyen duquel on pratique l'activation. *L'activateur contient la substance à activer, qu'on soumet à l'action d'une eau radioactive.* — Adj. *Dispositifs activateurs.*

♦ **2** Physiol. Vieilli. Substance propre à activer les réactions chimiques de l'organisme. *Activateurs de la combustion alimentaire et de la transformation des aliments en énergie.* → **Enzyme.**

Sans ces «activateurs» que sont les vitamines, la dislocation 1
des substances énergétiques absorbées, le dégagement de la chaleur que recèlent ces dernières à l'état potentiel, se font mal ou incomplètement.
S. GALLOT, les Vitamines, p. 76.

Mod. *Activateur enzymatique,* substance qui exalte plus ou moins spécifiquement l'activité d'une enzyme. — *Activateur embryonnaire,* substance favorisant la croissance d'une structure déterminée et participant à la différenciation cellulaire chez l'embryon. — *Activateurs du métabolisme,* substances propres à activer artificiellement les dépenses de l'organisme. *Les extraits thyroïdiens sont des activateurs du métabolisme.*

(Chir. dent.). Appareil propre à activer physiologiquement la mise en position normale des dents et des maxillaires. → **Monobloc.**

L'appareil (...) est un monobloc, appelé activateur ; il est 2
passif ou actif, selon qu'il possède ou non un vérin.
P.-L. ROUSSEAU, les Dents, p. 85.

♦ **3** Techn. Matière propre à activer la vulcanisation du caoutchouc, ou des élastomères analogues, à des fins industrielles. — Particule qui accroît la luminescence d'une substance.

**ACTIVATION** [aktivasjɔ̃] n. f. — 1904, in *Rev. gén. des sc.,* n° 2, p. 61 ; de *activer,* et suff. *-ation.*

♦ **1** Sc. [a] Chim. Opération qui consiste, par un accroissement d'énergie des atomes ou des molécules, à augmenter les propriétés physiques ou chimiques (d'une substance) pour accroître l'efficacité (de cette substance) ou pour (la) rendre plus apte à entrer en réaction. *Activation de l'ergostérol, du charbon. Activation enzymatique, activation d'une enzyme,* transformation d'un précurseur enzymatique en enzyme réellement active.

*La coagulation sanguine nécessite l'activation de la prothrombine en thrombine active.*

(...) Activation par un précurseur : l'enzyme est activé par un corps qui est un précurseur plus ou moins lointain de son substrat immédiat.

Jacques MONOD, le Hasard et la Nécessité, p. 89.

*Enzyme d'activation,* enzyme impliquée dans la synthèse des protéines.

[b] Phys. Fait de communiquer à un milieu des propriétés radioactives. *Activation neutronique. Analyse par activation,* détermination des éléments constitutifs d'un échantillon rendu radioactif.

[c] Biol. Première phase de la fécondation, qui suit la pénétration du spermatozoïde dans le gamète femelle, et au cours de laquelle celui-ci, devenu œuf, sort de son état d'inertie physiologique et augmente considérablement ses échanges avec le milieu extérieur. *L'activation de l'œuf.*

[d] Biol. Augmentation de l'excitabilité (d'une structure nerveuse).

♦ **2** Cour. Fait de rendre actif, de devenir actif. *L'activation des mouvements sociaux entraînée par la hausse du coût de la vie.*

**ACTIVE** [aktiv] n. f. — Probablt 1914-1918, cf. Barbusse, *le Feu ;* ellipse de *(armée) active.*

Armée active. *Servir dans l'active. Un officier d'active.*

L'active, naturellement, restera sous les drapeaux.

Denyse VAUTRIN, le Tourbillon des jours, t. II, p. 221.

CONTR. **Réserve.** ◊ HOM. **Active** (fém. de *actif*), formes du v. **activer.**

**ACTIVEMENT** [aktivmɑ̃] adv. — 1327 ; de *actif.*

[I] ♦ **1** En déployant une grande activité, avec beaucoup d'ardeur. *Il s'occupe activement, très activement de l'affaire. Pousser, poursuivre activement ses préparatifs.* → **Diligemment, efficacement.**

♦ **2** Gramm. Dans un sens actif. *Un verbe neutre pris activement.* — À la voix active. *Ce verbe ne se conjugue qu'activement.*

♦ **3** Didact. D'une manière active (s'oppose à *passivement*). *« La patience supporte activement ce qu'elle subit »* (P. Ricœur, *in* T. L. F.).

♦ **4** (Sujet n. de chose). Efficacement, d'une manière active.

[II] Dr. Quant à l'actif (d'un bilan, d'une personne, d'une entreprise).

**ACTIVER** [aktive] v. tr. — XV^e ; repris fin XVIII^e (cit. 1) ; de *actif.*

♦ **1** Rendre plus prompt, faire se réaliser plus rapidement, en augmentant l'activité. → **Accélérer, hâter, presser.** *Activer des travaux, des préparatifs.*

1 Encore un mot nouveau, dont il ne faut pourtant pas se plaindre, parce qu'il porte avec lui un sens précis et déterminé. On entend très bien ce que c'est que d'activer un travail (...) Mais depuis que les fautes sont personnelles, il n'est pas juste de chercher querelle au mot activer qui en lui-même est très expressif et qui ne demande pas mieux que de servir à des usages vraiment honorables.

COUSIN JACQUES, Dictionnaire des néologismes (*in* D. D. L., II, 11).

(Avec des n. de choses pour sujet et pour compl. ; emploi le plus correct) :

2 (...) une ronde qu'activent deux tambours et trois calebasses sonores, emplies de graines dures, et montées sur un manche court qui permet de les agiter rythmiquement.

GIDE, Voyage au Congo, *in* Souvenirs, Pl., p. 778.

(Sujet n. de personne) :

(...) M. Delure restera à Paris, comme notre Conseil auprès 3
du Ministère et des grandes Commissions, pour y suivre et activer les solutions qui nous intéressent (...)

L.-H. LYAUTEY, Paroles d'action, p. 300.

Techn. *Activer la fermentation d'un vin,* l'accélérer pour rendre le vin plus fort.

Absolt. (Fam.). *Allons, activons !,* pressons !

Soyez tranquille. On va trouver un coin. Allons, vous 4
autres, activez !

Fernand FOURNIER-AUBRY, Don Fernando, p. 207.

♦ **2** (Sujet n. de chose). Rendre plus vif, plus agissant. → **Aviver, stimuler.** *Le vent active l'incendie. La marche active la circulation du sang.*

Spécialt. Rendre plus vif (l'éclat d'une couleur, la sensation d'une odeur).

Décidément la couleur tête-de-nègre, le ton de sienne 5
crue de cette carapace salissait les reflets du tapis sans les activer ; les lueurs dominantes de l'argent étincelaient maintenant à peine, rompant avec les tons froids du zinc écorché, sur les bords de ce test dur et terne.

HUYSMANS, À rebours, p. 56.

♦ **3** (Sujet n. de personne ou de chose). [a] (Abstrait). Rendre plus vif, plus fort (un sentiment, un contenu de conscience). *Activer un remords, une envie, un désir, la haine.* → **Exciter, stimuler.**

Et puis, de plus en plus, d'heure en heure, elle activait en 6
lui l'évocation de l'autrefois ! Elle avait des rires, des gentillesses, des mouvements qui lui mettaient sur la bouche le goût des baisers donnés et rendus jadis ; elle faisait du passé lointain, dont il avait perdu la sensation précise, quelque chose de pareil à un présent rêvé ; elle brouillait les époques, les dates, les âges de son cœur, et rallumant des émotions refroidies, mêlait, sans qu'il s'en doutât, hier avec demain, le souvenir avec l'espérance.

MAUPASSANT, Fort comme la mort, II, II, p. 207.

[b] Psychol. Rendre actif (ce qui était latent).

La guérison apportée par une analyse terminée est-elle une 7
guérison définitive ? En principe, oui (...) Freud a cependant fait des réserves (1937) : il reste toujours possible que certains conflits inconscients n'aient pas été suffisamment activés, soit en raison des conditions de vie du patient, soit en raison des conditions particulières de la situation thérapeutique (...)

Daniel LAGACHE, la Psychanalyse, p. 94.

[c] Chim. Procéder à l'activation de. *Activer du charbon. Activer du caoutchouc pour le rendre plus apte à diverses utilisations.* — (1904, *in* T. L. F.). Phys. Rendre radioactif.

◆ **S'ACTIVER** v. pron. (1927). Réfl. Fam. Déployer une grande activité. → **Affairer** (s'). *Allons, active-toi !*

Des indigènes les reçoivent et s'activent avec de grands 8
cris.

GIDE, Voyage au Congo, *in* Souvenirs, Pl., p. 688.

◆ **ACTIVÉ, ÉE** p. p. adj. (Chim.). *Charbon activé,* dont les propriétés absorbantes sont très développées (syn. : *charbon actif*). *Augmentation (fugitive) de la réactivité chimique des molécules et atomes activés.*

CONTR. **Ralentir, retarder.** ◊ DÉR. **Activable, activant, activateur, activation, activeur.** ← COMP. **Suractiver.**

**ACTIVEUR** [aktivœʀ] n. m. — 1953 ; de *activer.*

Chim. Substance qui, ajoutée en faible quantité à un catalyseur, en augmente beaucoup l'activité. → **Promoteur.** *Dans l'industrie du caoutchouc, on utilise des activeurs pour accélérer la vulcanisation.*

**ACTIVISME** [aktivism] n. m. — 1906, sens 1. ; de *actif.*

♦ **1** Géol. Théorie qui explique l'état actuel des roches à partir du rôle des activités chimiques.

♦ **2** (1911). Philos. Attitude morale consistant à rechercher l'efficacité, les réalisations. *L'activisme est une forme de pragmatisme.*

1 *C'est* l'actualisme, *ou si l'on veut,* l'activisme que nous croyons justifié dans nos recherches morales.
F. RAUH, Études de morale, p. 204, *in* LALANDE.

2 La psychanalyse (...) débouche sur une phénoménologie existentielle, voire sur un activisme animé de charité.
Jacques LACAN, Écrits, p. 243.

♦ **3** (1916-1918). Polit. Mouvement des Flamingants partisans de l'action en faveur de la langue flamande, que soutenait l'occupant allemand (alors que les «passivistes» refusaient cette aide). — (Repris et répandu au moment du conflit algérien). Mouvement activiste.

3 Le comité central ne se réunissait plus depuis deux ans et, au sein du Bureau politique de la rue — les dirigeants en liberté, pour la plupart de jeunes suppléants des titulaires emprisonnés —; Armando était minoritaire. Acquis à l'activisme intransigeant du Comité militaire de district, ceux-ci laissaient faire, inconscients ou complices.
Régis DEBRAY, l'Indésirable, p. 62.

Par ext. Zèle intempestif. *«Des activismes agricoles plus redoutables que le laisser-aller», dans certains pays en voie de développement* le Monde, 19 juin 1966, *in* P. Gilbert, 1971).

**DÉR. Activiste.**

**ACTIVISTE** [aktivist] adj. et n. — 1916-1918; de *activisme.*

♦ **1** Partisan de l'activisme politique (d'abord employé en parlant des Flamingants; répandu v. 1955 en parlant des partisans extrémistes de l'Algérie française). → **Activisme.** *Politique activiste des ultras. «Les milieux activistes d'Alger»* (Mauriac, *le Nouveau Bloc-notes 1958-1960,* p. 250). — N. *Un, une activiste.*

1 Ou il *(le général de Gaulle)* mettra fin à la guerre d'Algérie et quel que soit le statut algérien, la démobilisation suivra, et la démocratie aura chance de revivre. Ou les «activistes» d'Alger l'en empêcheront.
F. MAURIAC, le Nouveau Bloc-notes 1958-1960, p. 76.

2 Le mythe de la France depuis Dunkerque jusqu'à Tamanrasset était né d'une enquête du Service psychologique de l'Armée, alors dans sa fraîche gloire. Pour les militaires activistes, pour les officiers des S. A. S. et même beaucoup de paras, il apportait la fraternisation.
MALRAUX, Antimémoires, Folio, p. 145.

Par ext. Défenseur actif d'une cause. *Les activistes de l'écologie.* — Extrémiste (spécialt, en parlant des membres d'organisations d'extrême-droite).

♦ **2** Philos. Relatif à l'activisme (1.).

3 J'ai dit un sacré actif : c'est *activiste* que nous avions alors choisi de dire, au moins entre nous, pour signifier que nous rêvions de quelque chose de plus que de la simple action.
Roger CAILLOIS, l'Homme et le Sacré, p. 4.

**ACTIVITÉ** [aktivite] n. f. — 1425; du lat. médiéval *activitas,* du lat. philos. *activus.* → Actif.

♦ **1** Vieilli. (Choses). Faculté d'agir, de produire un effet. *L'activité d'un acide, d'un médicament.* — Loc. vieillie. Phys. *Sphère d'activité,* espace dans lequel l'action d'un agent peut s'exercer. — Fig. Champ d'action; domaine, étendue des entreprises, des idées, des travaux dont une personne s'occupe. *Sa sphère d'activité est limitée.*

Mod. Sc. *Activité optique,* propriété que possèdent certains corps de faire tourner le plan de polarisation de la lumière. *Activité d'un corps chimique, d'une levure, d'un ferment.* — Géol. *Activité de l'érosion éolienne; activité volcanique.* — Physiol. *L'activité d'un organe, d'une glande, d'une sécrétion. Activité respiratoire, excrétrice. — Activité d'un virus, d'un agent pathogène.* → **Action** (I., 1.). — Éthologie. Ensemble des déplacements et mouvements (d'un animal). *Activité thématique comportementale* (1974, Gervet et Truc). *Mesure de l'activité.* → **Actographie.** — Phys. *Activité d'un rayonnement.* → **Radioactivité.**

*Activité nucléaire,* nombre de désintégrations spontanées qu'une substance radioactive subit par unité de temps et qui s'exprime en curies (Ci) ou en becquerels (Bq).

*Activité solaire :* ensemble de phénomènes de brève durée, changeant continuellement, souvent de manière explosive, se produisant à la surface solaire.

Spécialt. Grandeur qui se substitue à la concentration molaire dans certaines lois physiques, pour que celles-ci soient valables dans les cas réels.

♦ **2** (XVI^e; var. *activeté*). Qualité d'une personne active (II.). → **Dynamisme, énergie, vitalité, vivacité.** *C'est un homme d'une activité débordante. Dépenser, déployer de l'activité.*

Il admirait la force des couples qui visitent Venise avec une activité d'insectes. 0.1
COCTEAU, le Grand Écart, p. 22.

Spécialt (psychol., caractérologie). Tempérament actif.

Psychiatrie. *Activité générale,* ensemble des manifestations psychomotrices d'un sujet, envisagées à la fois dans leur puissance, leur cadence et leur efficience.

♦ **3** (XIX^e). Ensemble des actes coordonnés et des travaux de l'être humain (individus, groupes...); fraction spéciale de cet ensemble. *Les produits de l'activité humaine. Centre de l'activité de qqn,* lieu où il, elle l'exerce. *Activité économique,* portion de l'activité humaine employée à la production des biens et des services. *Rapport d'activité,* sur l'ensemble de l'action d'une organisation professionnelle, d'un parti, etc. *Taux d'activité,* pourcentage des personnes actives dans un échantillon de population. Psychol., biol. Ensemble des phénomènes psychiques et physiologiques correspondant aux actes de l'être vivant, relevant de la volonté, des tendances, de l'habitude, de l'instinct, etc.; série de phénomènes de cet ordre. *L'activité volontaire, réflexe, chez l'homme. Activité nerveuse supérieure,* celle de la région subcorticale et des grands hémisphères cérébraux. *Tous les phénomènes de conscience peuvent être considérés comme des manifestations de l'activité mentale.*

(...) la vie, telle du moins qu'elle se manifeste sur la terre, 1
je veux dire, cet état d'activité que présente la substance organisée dans les plantes et dans les animaux (...)
FRANCE, le Mannequin d'osier, p. 387.

S'il y a donc, comme on n'en saurait douter, une activité 1.1
sensitive, je la distinguerai de l'activité motrice à laquelle je donnerai exclusivement ce nom, parce qu'elle se manifeste à mon sens intime avec la plus grande clarté.
MAINE DE BIRAN, De l'influence de l'habitude sur la faculté de penser, p. 14.

*Une, des activités; l'activité* (et adj.). *Pratiquer une, l'activité sportive. Il n'a aucune activité intellectuelle. Les activités manuelles, culturelles, sportives. Activités d'éveil,* en pédagogie. *J'ignore tout de ses activités.* → **Occupation.** — *Les activités industrielles, commerciales* (d'un pays). *Cette industrie a développé ses activités à l'étranger.*

Au point de départ, dans l'essor commun d'une même 2
génération de jeunesse, il semble, à voir ces activités contemporaines qui se projettent diversement, qu'il va en résulter des différences inouïes.
SAINTE-BEUVE, Volupté, I.

Notre force (...) nous la devons au groupement social qui 3
nous rassemble, qui coordonne nos activités.
MARTIN DU GARD, les Thibault, VII, 61.

*Grande, forte, intense activité.* → **Boum** (fam.), **essor, prospérité.** *Période d'activité intense.* → **Presse** (→ Coup de feu). *Une intense activité diplomatique.* → **Ballet.**

(Dans le monde inorganique). *Activité tellurique, volcanique. — Un volcan en activité,* qui peut entrer en éruption (opposé à *volcan éteint*). *L'activité de l'érosion. Activité solaire.*

♦ **4** Situation d'une personne (spécialt, d'un fonctionnaire, d'un militaire) qui exerce son emploi, ses fonctions. *Les cadres d'activité de l'Armée* (par oppos. à *cadres de réserve*). — *Officier de réserve placé en situation d'activité* (quand les nécessités militaires exigent un renforcement des cadres). — **EN ACTIVITÉ :** en situation d'activité. *Ce professeur est toujours en activité.*

4 Le passage de l'activité à la retraite est, en effet, le temps critique de l'employé.
BALZAC, les Petits Bourgeois, Pl., t. VIII, p. 75.

COMP. **Actographie, sous-activité, suractivité.**

**ACTOGRAPHE** [aktɔgʀaf] n. m. → **Actographie.**

**ACTOGRAPHIE** [aktɔgʀafi] n. f. — V. 1980; de *act(ivité), -o-,* et *-graphie.*

Didact. (éthologie). Mesure et enregistrement de l'activité d'un organisme (au moyen de l'*actographe,* n. m.).

**ACTRICE** [aktʀis] n. f. → **Acteur.**

**ACTUAIRE** [aktɥɛʀ] n. — 1749; adj., «qui concerne les actes», 1327; de *acte,* sur le modèle de l'adj. lat. *actuarius,* de *actum.* → Acte.

**I** N. m. Antiq. À Rome, Scribe chargé de rédiger les procès-verbaux; comptable militaire.

**II** N. (1872; de l'angl. *actuary,* du lat. *actuarius*). Fin. Spécialiste de la statistique et du calcul des probabilités appliqués aux problèmes d'assurances, de prévoyance, d'amortissement.

(...) ma profession d'actuaire au service d'une Compagnie d'Assurances m'a accoutumé depuis des années aux calculs de probabilités et aux courbes en cloche (...)
Pierre DANINOS, Un certain Monsieur Blot, p. 18.

DÉR. **Actuariat, actuariel.**

**ACTUALISABLE** [aktɥalizabl] adj. — 1931; de *actualiser.*

Didact. Qui peut être actualisé; (philos.) qui peut passer de la puissance à l'acte.

**ACTUALISATEUR, TRICE** [aktɥalizatœʀ, tʀis] adj. et n. m. — 1932, Charles Bally; de *actualiser.*

Ling. Qui permet l'actualisation (2.). *La valeur actualisatrice de l'article.*

N. m. :

(...) lorsqu'un mot est repris par un synonyme : *le lynx ou loup cervier,* l'article n'est (...) pas employé dans le commentaire, car la même idée n'a nul besoin de recevoir un double actualisateur.
Marcel CRESSOT, le Style et ses techniques, p. 89.

REM. On dit aussi *actualisant* [aktɥalizɑ̃] adj.

**ACTUALISATION** [aktɥalizasjɔ̃] n. f. — 1834; de *actualiser.*

♦ **1** Philos. Passage de la puissance à l'acte (on a dit aussi *actuation,* 1877). — Passage de l'état virtuel à l'état réel. *L'actualisation des souvenirs.*

1 Le transfert est proprement l'actualisation, dans le champ psychanalytique, d'un problème inconscient dont les racines plongent dans l'enfance.
Daniel LAGACHE, la Psychanalyse, p. 90.

Ling (Angl. *actualization,* de *actual* «réel»). Opération propre au discours, par laquelle une unité de la langue (code) est insérée dans un discours (message) particulier. *Actualisation du nom commun,* notamment par l'article et par les «prédéterminants» du nom (qui l'actualisent sans le «déterminer» nécessairement).

(...) l'actualisation a pour fonction de faire passer la langue 2
dans la parole : c'est par l'actualisation modale qu'un ou plusieurs mots exprimant une représentation deviennent une phrase (la phrase est l'acte de parole par excellence); c'est aussi par l'actualisation que les signes de la langue peuvent devenir des termes de la phrase (...)
Charles BALLY, Linguistique générale et linguistique franç., § 119.

♦ **2** Écon. Valorisation (d'un bien, d'un revenu) à l'époque actuelle. *Taux d'actualisation.*

Méthode de calcul permettant de comparer des flux monétaires à des époques différentes; ce calcul. *L'actualisation permet de comparer des projets d'investissements à échéances différentes.*

♦ **3** Fait de mettre à jour. *L'actualisation d'un atlas, d'une encyclopédie, d'un ouvrage d'histoire contemporaine.*

**ACTUALISER** [aktɥalize] v. tr. — 1834, en philos.; chim., «rendre réel», 1634; de *actuel.*

♦ **1** Philos. Rendre actuel, faire passer de la puissance à l'acte. → **Réaliser.**

Le processus de la cure est décrit *(dans Freud)* de façon 1
extensive et le facteur «connaissance» y apparaît à chaque niveau : connaissance de l'inconscient, connaissance des résistances (...) connaissance du transfert où défenses et pulsions inconscientes viennent s'actualiser et s'offrir plus directement à nos prises.
J. LAPLANCHE, la Défense et l'Interdit, *in* la Nef, n° 31, p. 44.

(1922). Ling. Faire passer (un élément du langage) du système abstrait de la langue à la réalité observable de la parole (F. de Saussure), du discours.

Actualiser un concept, c'est l'identifier à une représentation 2
réelle du sujet parlant.
Charles BALLY, la Pensée et la Langue, Bulletin de la Société de linguistique de Paris, t. XXIII, p. 118 (1922).

♦ **2** Donner un caractère d'actualité à (une chose ancienne). *Actualiser le passé.*

Pron. *S'actualiser.*

Le passé tend à reconquérir son influence perdue en s'ac- 3
tualisant. H. BERGSON, Matière et Mémoire, p. 141.

En leur rendant leurs couleurs, en les retouchant pério- 4
diquement (il ne faut pas les refaire d'un coup complètement : on romprait la continuité), on rappelle à la vie les êtres qu'elles figurent *(les peintures rupestres) :* on les actualise, pour qu'ils assurent le retour de la saison des pluies, la multiplication des plantes et des animaux comestibles, le foisonnement des esprits-enfants qui rendent les femmes enceintes et garantissent la prospérité de la tribu.
Roger CAILLOIS, l'Homme et le Sacré, p. 138-139.

Moderniser. *Actualiser ses méthodes de travail.* — Pron. (1964). Se moderniser.

Mettre à jour. *Actualiser une encyclopédie, un ouvrage de géographie économique.*

♦ **3** Écon. Transformer en valeur actuelle (un patrimoine ancien, des revenus futurs). — Au p. p. *Le bénéfice actualisé d'une entreprise.* Calculer la valeur actuelle d'un flux monétaire escompté. → **Actualisation.** *Valeur actualisée.*

DÉR. **Actualisable, actualisateur, actualisation.** ◊ COMP. **Réactualiser.**

**ACTUALISME** [aktɥalism] n. m. — 1911; du lat. *actualis.*

♦ **1** Hist. de la philos. → 1. **Activisme** (cit. 1).

♦ **2** (Attesté 1918; angl. *actualism,* v. 1830, Lyell). Hist. des sc. Étude des phénomènes géologiques effectifs en tant que cause des évolutions (s'opposait à la théorie des cataclysmes).

**ACTUALITÉ** [aktɥalite] n. f. — 1253, *actuauté;* du rad. du lat. *actualis* au sens de «mise en application, en action»; sens 1., du lat. médiéval *actualitas,* de *actualis.* → Actuel.

♦ **1** Philos. Caractère de ce qui est actuel, de ce qui est en acte (et non en puissance); chose, réalité actuelle.

On peut assimiler ce rapport entre l'effort et le laisser-passer au rapport de l'actualité à la *potentialité,* tel que le révèle le champ d'attention. Husserl a fortement insisté sur le caractère universel de ce rapport : le flux du vécu, dit-il, ne peut être constitué de pures actualités (...)

Paul Ricœur, Philosophie de la volonté, 1949, p. 312, *in* T. L. F.

♦ **2** (1823). Cour. Caractère de ce qui est actuel, relatif aux choses qui intéressent l'époque contemporaine. *Le critique a rappelé l'actualité de Molière, dont les pièces nous concernent encore. Souligner l'actualité d'un problème.*

D'actualité. *Ce livre n'est plus d'actualité* (→ À la mode*).

♦ **3** Ensemble des événements actuels, des faits tout récents. *Les journalistes sont à l'affût de l'actualité. L'actualité politique, littéraire, sportive.*

L'actualité télévisée concerne le présent, déborde sur le proche avenir, héritière des quotidiens plutôt que du cinéma.

Malraux, l'Homme précaire et la Littérature, p. 207.

♦ **4** Au plur. Informations, nouvelles du moment (au cinéma; rarement à la télévision : → **Journal** [télévisé]). *Les actualités cinématographiques,* et, absolt, *les actualités* (ce type de film tend à disparaître, avec le développement de la télévision, où le mot n'est guère employé).

(...) C'est idiot, dit Sigismonde, il n'y avait pas la tévé dans ce temps-là. — Mettons, dit Yolande; mais regarde alors les actualités au cinéma; des fois on t'en repasse des vieilles. Tu vois alors le tsar Nicolas qui serre la main de Poincaré, les taxis de la Marne, Guillaume II, le Kronprinz, Verdun : c'est pas de l'histoire, ça? Pourtant ça a été des actualités.

R. Queneau, les Fleurs bleues, Folio, p. 63.

**ACTUARIAT** [aktɥaʀja] n. m. — XX^e (Larousse, 1948); de *actuaire.*

Admin. Fonction d'actuaire. *École d'actuariat.*

**ACTUARIEL, ELLE** [aktɥaʀjɛl] adj. — 1905, in *Rev. gén. des sc.,* n° 8, p. 393; de *actuaire.*

Écon. Relatif aux méthodes mathématiques des actuaires (II.). *Les calculs actuariels. Taux de rendement actuariel* ou *taux actuariel,* taux de rendement d'un capital, lorsque le remboursement et le paiement des intérêts sont assurés par des versements échelonnés dans le temps.

**ACTUATION** [aktɥasjɔ̃] n. f. — 1877; dér. sav. du lat. *actus* «acte».

Didact. → **Actualisation** (1.).

Le rôle essentiel de la psychothérapie est de faire appel à l'existence spirituelle, de la dégager de son emprisonnement apparent dans la facticité psycho-physique. Il s'agit de retrouver la spontanéité et le jeu d'actuation normale de la personne profonde.

Guy Palmade, la Psychothérapie, p. 55.

**ACTUEL, ELLE** [aktɥɛl] adj. — Après 1350, «actif, efficace», en parlant d'une personne; XVI^e, au sens mod.; du bas lat. *actualis* «agissant», spécialisé en lat. scolast., de *actum.* → Acte.

♦ **1** (XVI^e, Calvin : *la Providence de Dieu est actuelle...*). Philos. Qui est en acte, se réalise ou est réalisé (et non en puissance, virtuel). *L'être actuel du monde.* → **Effectif.** — Log. *Infini actuel.*

1 (...) Rien ne change à l'aspect total d'un corps, de quelque manière que la pensée le décompose, parce que ces diverses décompositions, ainsi qu'une infinité d'autres, sont déjà visibles dans l'image, quoique non réalisées : cette aperception actuelle, et non pas seulement virtuelle, de subdivision dans l'indivisé est précisément ce que nous appelons objectivité.

H. Bergson, Essai sur les données immédiates de la conscience, p. 73.

N. m. L'actuel (opposé au *virtuel,* au *potentiel*) : la réalisation (d'une possibilité), le phénomène (opposé à la qualité). *L'actuel, en matière de langage, correspond au message** (par rapport au code), *au discours** (par rapport à la langue), *à la performance** (par rapport à la compétence).

(XIX^e). Phys. *Énergie actuelle,* ou *cinétique* (opposé à *potentielle*), qui agit présentement. *Transformer une énergie potentielle en énergie actuelle.*

Psychan. *Névroses actuelles,* causées par un conflit récent (opposées par Freud aux psychonévroses).

♦ **2** (1541). Théol. *Péché actuel,* consistant en un acte personnel commis à un moment donné (opposé à *péché originel*). — *Grâce actuelle,* qui intervient dans un acte particulier (opposé à *grâce habituelle*). — *Expérience actuelle,* expérience du divin dont on bénéficie sans intermédiaire.

♦ **3** (1750; du sens médical premier «qui produit son effet en un moment», XVI^e). Cour. Qui existe, se passe au moment où l'on parle. → **Présent.** *À l'heure, à l'époque actuelle. Les événements actuels.* → **Contemporain.** *L'homme préhistorique et l'homme actuel. Regards sur le monde actuel,* œuvre de Valéry.

2 Ce même amour, nous le retrouvons bien, mais déplacé, ne pesant plus sur nous, satisfait de la sensation que lui accorde le présent et qui nous suffit, car de ce qui n'est pas actuel nous ne nous en soucions pas.

Proust, À l'ombre des jeunes filles en fleurs, Pl., t. I, p. 816.

(Relativement au présent d'une personne, d'une chose). *La situation actuelle de... Sa réussite actuelle et ses échecs passés.*

Spécialt (croisement entre l'emploi purement temporel et le sens 1.). Qui existe réellement, produit ses effets (à un moment de référence). *«Tous les sentiments vivants et actuels»* (Renan). *Une action, une efficacité actuelle mais transitoire.*

3 Mais qu'un bruit, qu'une odeur, déjà entendu ou respirée jadis, le soient de nouveau, à la fois dans le présent et dans le passé, réels sans être actuels, idéaux sans être abstraits, aussitôt l'essence permanente et habituellement cachée des choses se trouve libérée (...)

Proust, le Temps retrouvé, Pl., t. III, p. 872.

Qui est en activité (personnes). *Le directeur actuel.* — (Antéposé, emploi critiqué). *L'actuel premier ministre. L'actuel détenteur du titre a été défié par un boxeur italien.* — Qui a cours (valeurs). *Le cours actuel des changes.*

N. m. (moins cour. que le *présent*). *«S'en tenir au présent, à l'actuel»* (Michelet, *in* T. L. F.). *«C'est l'actuel qui compte»* (Céline).

♦ **4** Qui intéresse notre époque, se trouve au goût du jour. *Une œuvre toujours actuelle.* → **Moderne.** *Ce n'est pas très actuel.*

N. m. *S'en tenir à l'actuel, au présent. Vivre dans l'actuel.*

4 Essentiellement le rêve est *actuel.* Il comporte bien un passé et un futur, mais immédiatement convertibles en actuel, *en espèces.* Ce passé et ce futur ne résistent pas à leur présence. Elle en fait le présent – l'actuel.
VALÉRY, Cahiers, t. II, Pl., p. 93.

CONTR. **Potentiel, virtuel. – Ancien, antique, passé, vieux; démodé, suranné.** ◊ DÉR. **Actualiser, actuellement.**

**ACTUELLEMENT** [aktɥɛlmɑ̃] adv. — 1327; de *actuel.*

♦ **1** Philos. En acte, effectivement (opposé à *virtuellement*).

♦ **2** (XVe). Cour. Dans les circonstances actuelles, à l'heure actuelle. → **Aujourd'hui, maintenant, présent** (à), **présentement.** *Il est difficile actuellement de vous répondre sur ce point;* ou : *actuellement, il est difficile... La chose se passe actuellement. Actuellement, ou naguère, ou plus tard.* — (En incise ou antéposé). *Actuellement, nous ne pouvons pas vous engager.*

♦ **3** Vx. Réellement. *Je lui ai payé actuellement cette somme* (Académie). — REM. Ce sens archaïque serait sans doute senti aujourd'hui comme un anglicisme.

CONTR. **Virtuellement. – Anciennement, autrefois.**

**ACUITÉ** [akɥite] n. f. — Av. 1320; «saveur aigre», 1256; du bas lat. *acuitas,* du lat. *acutus* «aigu».

♦ **1** Vx ou didact. Qualité de ce qui est aigu. — Vx. *L'acuité d'un clou, d'une pointe.*

0.1 (...) ses dents, qui avaient l'acuité des dents de carnivores, faites pour ne plus broyer que de la chair crue.
J. VERNE, l'Île mystérieuse, t. II, p. 504.

Par ext. *L'acuité d'un parfum, du froid.* — (Mil. XVIIIe). Spécialt. Caractère aigu (d'un son). *L'acuité d'un son.*

0.2 (...) une sorte d'harmonie visuelle foudroyante, je veux dire dont l'acuité agit tout entière et se rassemble dans un seul regard.
A. ARTAUD, le Théâtre et son double, Œ. compl., t. IV, p. 40.

♦ **2** (1578, «intensité de la douleur, d'une sensation»). Degré de sensibilité (d'un sens). *L'acuité de l'odorat. L'acuité de l'ouïe.* — Finesse de sensibilité discriminative. *Acuité visuelle,* degré d'aptitude de l'œil à discriminer les détails spatiaux, s'exprimant comme l'inverse de l'angle sous lequel ils sont vus. *Une acuité de dix dixièmes correspond à une discrimination de détails vus à cinq mètres sous un angle d'une minute.*

♦ **3** (1832). Degré élevé de perspicacité (des facultés de l'esprit). *L'acuité de l'esprit, d'une observation.* → **Lucidité, pénétration.** *Il n'a guère d'acuité d'esprit.* Caractère aigu, intense (d'une sensation, d'un sentiment, etc.). *L'acuité du regard.* → **Finesse.** *L'acuité de la douleur.* → **Intensité.**

1 Marie restait là, immobile, percevant avec une espèce d'acuité douloureuse tous ces bruits déjà familiers (...)
LOTI, Mon frère Yves, LIV.

2 Mais les douleurs viscérales et les névralgies avaient dû retrouver toute leur acuité.
MARTIN DU GARD, les Thibault, VI, 6.

3 (...) les moindres incidents lui en apparaissaient avec une netteté vibrante, avec une acuité qui faisait de chacun d'eux quelque chose d'inoubliable.
J. ROMAINS, les Hommes de bonne volonté, 6 oct., p. 176.

♦ **4** Gravité (d'un problème, d'un conflit aigu). *L'acuité de la crise.*

**ACUL** [aky] n. m. — 1819; «fond d'un terrier, endroit où l'on accule le gibier», XVIe; de *acculer.*

Mar. Partie d'un parc à huîtres qui se trouve du côté de la mer.

HOM. **Accus, accul.**

**ACULÉ, ÉE** [akyle] adj. — 1845 (aussi *les aculées,* n. f. pl.); du lat. *aculeus* «aiguillon».

Zool. (vieilli). Qui porte un aiguillon. *Un insecte hyménoptère aculé ou porte-aiguillon. L'abeille, la guêpe sont des insectes aculés.* — REM. Le mot a un sens plus large que *aculéate* (→ Aculéates) et peut désigner des insectes térébrants.

**ACULÉATES** [akyleat] n. m. pl. — 1928; lat. mod. *aculeata,* 1885; lat. *aculeatus,* de *aculeus.* → Aculé.

Zool. Groupe d'hyménoptères apocrites* à ovipositeur transformé en aiguillon venimeux, quelquefois réduit ou atrophié, comprenant entre autres les superfamilles des *Formicoïdés* (→ **Fourmi**), des *Vespoïdés* (→ **Guêpe, frelon**) et des *Apoïdés* (→ **Abeille**). — On dit aussi *porte-aiguillons.* — Au sing. *Un aculéate.*

**ACULÉIFORME** [akyleifɔʀm] adj. — 1838; du lat. *aculeus* «aiguillon», et *-forme.*

Bot., zool. Se dit d'un organe en forme d'aiguillon.

**ACUMEN** [akymɛn] n. m. — 1837; du lat. *acumen* «pointe».

♦ **1** Bot. Prolongement à l'extrémité de certains organes foliacés.

♦ **2** Rare. Acuité, subtilité de l'esprit.

Au-dessus de l'armoire qui contient chaque legs se trouve le portrait du donataire. Jules-César Scaliger, avec ses armes, figure pointue, spirituelle et risible; évidemment un esprit dur, mais beaucoup d'acumen.
MICHELET, Journal, juil. 1837.

Philos. (chez Jankélévitch). Bref instant d'intensité maximale, dans l'activité intellectuelle, spirituelle.

**ACUMIN-, ACUMINI-** Élément de mots appartenant à l'hist. des sciences de la nature, du lat. *acumen, acuminis* «pointe».

Ex. : *acuminifère* [akyminifɛʀ] adj., «qui porte des appendices pointus»; *acuminifolié* [akyminifɔlje] adj. (1838), «qui a des feuilles acuminées».

**ACUMINÉ, ÉE** [akymine] adj. — 1808; du lat. *acumen* «pointe».

Bot., biol. Qui se termine en pointe. *Feuille acuminée; fruit acuminé. Un corps acuminé.*

REM. On rencontre (rarement) dans la langue de la biol. la forme verbale *s'acuminer* «prendre une forme pointue» (1920, *in* T. L. F.).

**ACUPUNCTEUR** ou **ACUPONCTEUR** [akypɔ̃ktœʀ] n. m. — 1829; var. *acuponctureur,* 1838, de *acuponcturer;* de *acupuncture.*

Spécialiste de l'acupuncture.

Mme Josette connaît l'adresse d'une foule de médecins, d'acupuncteurs, de voyantes.
F. MALLET-JORIS, la Maison de papier, p. 50.

Il a, un temps, été le disciple d'un mage russe qui soignait rhumes, ulcères et cancers avec des douches froides, puis acupuncteur.
Michel DÉON, Un taxi mauve, p. 189.

REM. Le fém. *acupunctrice* [akypɔ̃ktʀis] est normal et est enregistré dans le *G. D. E. Larousse* 1982, mais il semble qu'on dise *acupuncteur,* comme *docteur,* en parlant d'une femme. *Elle est acupuncteur.*

**ACUPUNCTURE** ou **ACUPONCTURE** [akypɔ̃ktyʀ] n. f. — 1765; lat. médical *acupunctura,* 1683; comp. du lat. *acus* «aiguille», et *punctura* «piqûre», mot didactique rare au XIXe, repris au XXe dans la langue courante.

Méd. et cour. Thérapeutique consistant dans l'introduction d'aiguilles métalliques (argent, or...) très fines en des points précis des tissus cutanés, où elles demeurent pendant un certain temps. *L'acupuncture chinoise. Analgésie par acupuncture.*

1 Il y a 380 points dans l'acupuncture chinoise, dont 73 principaux et qui servent à la thérapeutique courante.
A. ARTAUD, le Théâtre et son double, Idées/Gallimard, p. 204.

Rare. *(Une, des acupunctures).* Opération d'acupuncture; piqûre thérapeutique par une aiguille. *«Des Moxas, des Scarifications, des Acupunctures»* (Balzac, *Physiologie du mariage*). — Collectif. *Faire de l'acupuncture à qqn.*

2 Le docteur arrive, il lui fait de l'acupuncture.
Jean FERNIOT, Pierrot et Aline, p. 223.

DÉR. **Acupuncteur, acupuncturer.**

**ACUPUNCTURER** [akypɔ̃ktyʀe] v. tr. — 1834; de *acupuncture.*

Vieilli. Pratiquer l'acupuncture sur (qqn, une zone de l'épiderme).

**ACUT-, ACUTI-** Élément de composition d'adjectifs utilisés dans les sciences de la nature et signifiant «pointu, aigu». Ex. : *acuticaude* «à queue pointue», *acuticorne, acutiflore, acutifolié; acutilingue, acutilobé, acutirostre.*

**ACUTANGLE** [akytɑ̃gl] adj. — 1721; *angulus acutus,* 1671; du rad. du lat. *acutus* «aigu» (→ Acuti-), et de *angle.*

Didact. *Triangle acutangle,* dont les trois angles sont aigus.

**ACUTANGULÉ, ÉE** [akytɑ̃gyle] adj. — 1814; du lat. *acutus,* et *angulus.*

Bot. Qui présente un, des angles aigus (en parlant d'une partie d'une plante).

**ACUTESSE** [akytɛs] n. f. — 1834, Balzac, *in* T. L. F.; ital. *acutezza,* de *acuto* «aigu», lat. *acutus.*

Littér. et rare (mot de Balzac, *Eugénie Grandet*). Caractère, état de ce qui est aigu, pointu. → **Acuité** (1.).

**ACYANOPSIE** [asjanɔpsi] n. f. — 1838, mot créé par Goethe en all.; du grec *a-* (priv.), *kuanos* «bleu», et *opsis* «vue».

Didact. et rare. Incapacité à distinguer la couleur bleue. — Var. : *acyanoblepsie* [asjanoblɛpsi] n. f. (du grec *blepsis* «regard»).

**ACYCLIQUE** [asiklik] adj. — 1920-1924, *Nouveau traité de médecine, in* T. L. F.; de 2. *a-* (priv.), et *cyclique.*

Didactique.

♦ **1** Géol. Qui ne présente pas un caractère cyclique.

♦ **2** Chim. Se dit d'un composé organique à chaîne ouverte. *Carbures acycliques.*

♦ **3** Math. Se dit d'une structure algébrique qui ne possède pas de cycle.

CONTR. **Cyclique, périodique, récurrent.**

**ACYL-** → **Acyle.**

**ACYLATION** [asilasjɔ̃] n. f. — 1904, in *Rev. gén. des sc.,* n° 6, p. 321; de *ac(ide), -yl-,* et *-ation.*

Chim. Réaction permettant de remplacer un atome d'hydrogène d'un composé organique par un résidu acyle. → **Acyle.**

**ACYLE** [asil] n. m. — Mil. XX^e; de *ac(ide),* et suff. *-yle.*

Chim. Radical monovalent R–CO– des acides carboxyliques. — Par appos. *Groupement acyle.*

REM. Le mot s'emploie aussi en élément préfixal sous la forme *acyl-,* ex. : *acyl-phosphate,* n. m., et sert à former des dérivés : *acylium,* n. m. (cation $R{-}CO^{+}$); *acyloïne,* n. f.

**A. D.** Abrév. de *Anno Domini* «en l'an du Seigneur», formule latine et anglo-saxonne correspondant à la formule française «après Jésus-Christ».

**ADAB** [adab] n. f. — D. i. (attesté XX^e); mot arabe.

Didact. Dans la civilisation arabe classique, Ensemble des connaissances héritées de la tradition et nécessaires pour être un musulman accompli; culture et connaissances profanes et sociales (notamment nécessaires à l'accomplissement d'une fonction sociale).

**ADAC** [adak] n. m. — Av. 1973, in *la Clé des mots;* sigle.

Techn. Avion à décollage et atterrissage courts. — Équivalent recommandé de l'anglicisme *stol*.*

**ADACTYLE** [adaktil] adj. — 1846; de 2. *a-,* et *-dactyle.*

Didact. Qui est privé de doigts.

1\. **ADAGE** [adaʒ] n. m. — 1529; du lat. *adagium.*

Maxime pratique ou juridique, ancienne et populaire, qui énonce une vérité admise ou une règle d'action. → **Apophtegme, dicton, maxime, précepte, proverbe, sentence.** *Un vieil adage, un adage ancien. Un adage fameux, célèbre.*

Il entassait adage sur adage : 1
Il compilait, compilait, compilait (...)
VOLTAIRE, Satires, Le mondain.

De là est venu ce bel adage de morale, si rebattu par la 2
tourbe philosophesque : que les hommes sont partout les mêmes.
ROUSSEAU, De l'inégalité parmi les hommes, II.

Ce vieil adage reçut une nouvelle confirmation, que là 3
où l'incrédulité règne, la superstition s'est déjà ouvert une porte. NERVAL, la Bohème galante, Isis.

HOM. 2. **Adage.**

2\. **ADAGE** [adaʒ] n. m. — Déb. XX^e; adapt. de l'ital. *adagio.*

Danse. Pas et mouvements lents, exécutés adagio* (exercice ou partie d'un ballet). *Classe d'adage* (ou *de pas de deux*). *Adage acrobatique.* — Spécialt. Première partie du pas de deux.

HOM. 1. **Adage.**

**ADAGIO** [ada(d)ʒjo] adv. et n. m. — 1726; mot ital. «à son aise, doucement», de *ad,* et *agio* «aise», du franç. *aise* ou du provençal.

Musique.

♦ **1** Indication de mouvement lent (plus lent que *l'andante,* moins que le *largo*). Abrév. : *adgo. Le passage doit se jouer adagio.*

♦ **2** N. m. Morceau ou pièce musicale à exécuter dans ce tempo. *Des adagios. L'adagio de la sonate en ré majeur de Beethoven.*

*(Elle)* lui chantait en soupirant des adagios mélancoliques. 1
FLAUBERT, M^me Bovary, I, VII.

Les sombres adagios pleurent au milieu des sympho- 2
nies (...)
R. ROLLAND, Musiciens d'aujourd'hui, p. 141.

Le plur. est parfois invariable :

Les *vivace,* au théâtre de Quiquendone, flânaient comme 3
de véritables *adagio.* J. VERNE, le Docteur Ox, p. 47.

Fig. et littér. *«L'adagio d'une altière espérance»* (Charles du Bos, *in* T. L. F.).

**ADAM** [adɑ̃] n. m. — Mot hébreu «homme», désignant le premier homme, suivant la Genèse.

Nom propre entrant dans plusieurs locutions (notamment : *la côte d'Adam*), par allus. au texte biblique :

1 Le Seigneur Dieu forma donc l'homme du limon de la terre (...)
Et le Seigneur Dieu de la côte qu'il avait tirée d'Adam, forma la femme et l'amena à Adam (...)
Or Adam et sa femme étaient alors tous les deux nus, et ils n'en rougissaient point. BIBLE (SACY), Genèse, II.

2 Or Adam connut Ève sa femme, et elle conçut et enfanta Caïn (...) Elle enfanta de nouveau, et mit au monde son frère Abel. BIBLE (SACY), Genèse, IV.

Loc. *Ne connaître qqn ni d'Ève ni d'Adam,* ne pas le connaître du tout. — *Se croire sorti de la côte d'Adam :* avoir une grande prétention (→ De la cuisse* de Jupiter). — *La fourchette (le peigne) du Père Adam :* les doigts, lorsqu'on s'en sert pour saisir des aliments (lorsqu'on les passe dans sa chevelure pour se coiffer). *En costume, en habit d'Adam :* complètement nu.

(1544, *morceau d'Adam ;* 1644, *os d'Adam*). **POMME D'ADAM** : saillie du cou, formée par le cartilage thyroïde. → 1. **Pomme** (I., 2.).

*Un adam :* la représentation du personnage d'Adam. *Un adam et une ève du XVIe siècle, peints sur bois.*

DÉR. V. **Adamien, adamique, adamisme, adamite.**

**ADAMANTIN, INE** [adamɑ̃tɛ̃, in] adj. — 1509 ; «de diamant», 1504 ; lat. *adamantinus,* du grec *adamantinos* «dur comme l'acier», compris comme relatif à *diamant,* le grec *adamas, -antos* ayant les deux sens.

**I** ♦ **1** Littér. Qui a la dureté ou l'éclat du diamant.

**a** Extrêmement dur, dur comme l'acier. *Armure adamantine.*

**b** Éclatant, brillant comme un diamant, un cristal. *Éclat adamantin. «Trois plumes bleues adamantines»* (Paul Adam, *in* T. L. F.).

♦ **2** Fig. et littér. Qui a des qualités (morales, intellectuelles) correspondant aux qualités du diamant (éclat, dureté). *Un orgueil adamantin.*

**II** (1866). Physiol. De l'émail des dents ; relatif à l'émail des dents. *Les cellules adamantines.*

**ADAMANTOBLASTE** [adamɑ̃tɔblast] n. m. et adj. — 1898, Larousse ; du lat. *adamantinus,* et *-blaste.*

Biol. Cellule haute de l'épithélium interne du bourgeon dentaire, responsable de la production de l'émail.

**ADAMIEN, IENNE** [adamjɛ̃, jɛn] adj. et n. — 1666, *in* D. D. L. ; de *Adam.*

Didact. → **Adamite** (2.).

**ADAMIQUE** [adamik] adj. — 1654, «qui remonte à Adam» ; de *Adam.*

Didactique.

♦ **1** D'Adam, qui a rapport à Adam, propre à Adam. — Vx. *Période adamique,* primitive. *Race adamique :* descendance d'Adam.

♦ **2** Relatif à l'état d'Adam avant le péché. *L'innocence adamique.*

Par plais. *En costume adamique* (Gautier) : nu (syn. : *en costume d'Adam*).

♦ **3** (1700 ; d'un passage de la Genèse). Géol. *Terre adamique :* vase salée et gluante laissée par la mer au reflux.

**ADAMISME** [adamism] n. m. — 1866 ; de *Adam.*

Hist. des relig. Hérésie des Adamiens ou Adamites, hérétiques nudistes du IIe siècle, adversaires du mariage (mouvement repris en Bohème au XVe siècle).

**ADAMITE** [adamit] adj. et n. — 1666, n. m. pl., *in* D. D. L. ; de *Adam.*

♦ **1** Adj. Qui présente un aspect primitif, innocent, donné comme caractéristique du temps d'Adam. *«Vallées adamites, edens primitifs...»* (A. Bertrand, *Gaspard de la nuit*).

♦ **2** N. Hist. des relig. Membre d'une secte qui pratique l'adamisme. (On dit aussi *adamien*). → **Adamisme.**

Derrière eux sont les sectes subalternes qui subdivisent encore tous ces grands partis (...) les manichéens, les méthodistes, les adamites (...) et cent autres semblables.
C.-F. DE VOLNEY, les Ruines..., éd. Dugourd et Durand, p. 150, an VII (1791).

**AD APERTURAM LIBRI** [adapɛʀtyʀamlibʀi] loc. adv. — Mots latins, «à l'ouverture du livre».

Didact. et vx. À livre ouvert. *Traduire ad aperturam libri.*

**ADAPTABILITÉ** [adaptabilite] n. f. — 1932, *Journ. de physique, in* T. L. F. ; de *adaptable.*

État de ce qui est adaptable ; facilité d'adaptation. *Ce cépage présente une grande adaptabilité au milieu. L'adaptabilité d'un matériau à des usages variés.*

Ce fut passionnant de voir Marina scrutant les seize faciès les uns après les autres, moulant sur leurs mufles son propre visage, dont l'adaptabilité semblait infinie.
Vladimir VOLKOFF, le Retournement, p. 113.

Psychol. *Test d'adaptabilité.*

**ADAPTABLE** [adaptabl] adj. — 1775 ; de *adapter.*

Biol. et cour. Qui peut s'adapter, qu'on peut adapter. *Adaptable à qqch., à qqn.*

(...) Courtial était déjà presque célèbre dans le milieu des novateurs pour ses recherches originales, extrêmement audacieuses, sur le «chalet polyvalent», la demeure souple, extensible, adaptable à toutes les familles ! sous tous les climats (...)
CÉLINE, Mort à crédit, éd. Denoël et Steele, p. 442.

DÉR. **Adaptabilité.**

**ADAPTATEUR, TRICE** [adaptatœʀ, tʀis] n. — 1885, Encycl. Berthelot, art. *Adaptation ;* de *adaptation.*

♦ **1** Auteur d'une adaptation, au théâtre, au cinéma (1917), à la télévision. *C'est un adaptateur connu qui a porté à l'écran le roman de Flaubert, qui a tiré un scénario de..., qui a écrit les dialogues. L'adaptateur d'un récit, d'une nouvelle.*

Il y a une confusion sur les termes, venue de ce que, pour nous, et suivant le sens qu'on attribue généralement à ce terme de metteur en scène, celui-ci n'est qu'un artisan, un adaptateur, une sorte de traducteur éternellement voué à faire passer une œuvre dramatique d'un langage dans un autre (...)
A. ARTAUD, le Théâtre et son double, Idées/Gallimard, p. 181.

♦ **2** N. m. **a** (1948). Dispositif ou pièce mécanique, électrique, permettant d'adapter un appareil ou un mécanisme à un autre usage que celui qui était prévu initialement. *Le transformateur électrique est un adaptateur de tension d'intensité. Adaptateur d'impédance :* dispositif qui, dans une chaîne d'appareils électroniques, rend l'impédance de sortie d'un élément compatible avec l'impédance d'entrée du suivant. — REM. On dit aussi *adapteur* (de l'angl. *adapter*). *Adapteur de phase.*

**b** (Mil. xx^e^; *adapteur,* 1906). Dispositif d'un appareil photographique permettant de recevoir, suivant les besoins, divers supports.

COMP. **Coadaptateur.**

**ADAPTATIF, IVE** [adaptatif, iv] adj. — 1898, *la sélection adaptative,* in *Année sc. et industr.,* p. 157 ; de *adaptation.*

Didact. Qui produit ou facilite l'adaptation. *Valeur adaptative d'un mécanisme psychologique.*

1 L'influence des circonstances externes peut, selon Buffon, déterminer un changement avantageux pour l'animal (allongement du poil par le froid, etc.); mais, d'une façon générale, le milieu ne commande pas automatiquement le changement de forme qui favorise la vie dans ce milieu. En un mot, à la différence de la variation lamarckienne (...) la variation buffonienne n'est pas nécessairement adaptative.

Jean ROSTAND, Esquisse d'une histoire de la biologie, p. 62.

Spécialt (biol., méd.). Qui permet à l'organisme de s'adapter à la maladie, à une menace.

2 Comme nous le savons, les mécanismes adaptatifs qui nous protègent contre les microbes et les virus varient suivant chacun de nous.

Alexis CARREL, l'Homme, cet inconnu, p. 298.

**ADAPTATION** [adaptasjɔ̃] n. f. — 1501, au sens 2. ; lat. médiéval *adaptatio,* de *adaptare.* → Adapter.

♦ **1** (1866; angl. *adaptation,* de même orig. que le franç.). Biol. et cour. Appropriation* (d'un organisme) aux conditions internes et externes de l'existence (milieu*), permettant à cet organisme de durer et de se reproduire. → **Acclimatation, acclimatement; accommodat.** *L'adaptation d'animaux et de végétaux à des climats divers peut être obtenue par sélection ou par croisement d'espèces. La tendance de certains animaux à prendre la couleur dominante de leur milieu est une forme de l'adaptation.* → **Mimétisme.** *Adaptations individuatives* (réalisées dans l'individu sans participation volontaire), *éthologiques* (propres à un mode de vie donné).

ADAPTATION. Modification d'une fonction ou d'un organe ayant pour résultat de les mettre en accord avec tout ou partie de leur milieu, soit interne, soit externe.

LALANDE, Voc. de la philosophie, art. *Adaptation.*

Ici, le calao se nourrit des fruits du strychnos, l'arbre à strychnine. Les noyaux sont l'un des plus forts poisons qui existent. L'oiseau mange la pulpe, jamais le noyau. L'adaptation est bien plus mystérieuse que la survie des plus aptes; alors, à quoi est soumise cette nature semblable à un gigantesque caméléon?

MALRAUX, Antimémoires, Folio, p. 474.

Psychol. État de relation harmonieuse avec le milieu, dans lequel l'individu (animal ou humain) peut satisfaire la plupart de ses besoins et répondre aux demandes de ce milieu. *Faculté d'adaptation :* aptitude d'un individu à modifier sa structure ou son comportement pour répondre harmonieusement à de nouvelles conditions de vie, à de nouvelles situations.

Méd. *Syndrome d'adaptation, syndrome général d'adaptation :* ensemble des processus non spécifiques de défense de l'organisme à une agression quelconque (surmenage, choc, etc.). *Le syndrome d'adaptation comprend trois phases successives : phase d'alarme* (syndrome de choc puis de défense de l'organisme contre le choc); *phase de résistance* (adaptation de l'organisme); *phase d'épuisement* (aboutissant à la mort).

♦ **2** (1501). Action d'adapter ou de s'adapter; modification, transformation qui en résulte. → **Accord.** — *L'adaptation d'un enseignement aux besoins des élèves. Une adaptation facile, difficile.* → **Accoutumance, ajustement, appropriation.** *L'adaptation à une situation par l'habitude*.*

(...) plus l'être est faible, plus il répugne à l'étrange, au changement; car la plus légère idée nouvelle, la plus petite modification de régime nécessite de lui une vertu, un effort d'adaptation qu'il ne va peut-être pas pouvoir fournir. GIDE, Prétextes, p. 55. 2

Il y a des êtres limités, d'une beauté éclatante mais sans prolongement et, soyons francs, qu'on aurait tout lieu de mépriser s'ils ne nous offraient le spectacle d'une adaptation sans défaut à l'existence, d'une adéquation miraculeuse de leurs désirs et des choses à leur portée, de leurs paroles et des questions qu'on leur pose, de leurs capacités et de la profession qu'ils exercent. 3

M. TOURNIER, le Roi des Aulnes, p. 96.

♦ **3** *Adaptation visuelle :* ensemble des phénomènes permettant à l'œil de s'accoutumer à différentes conditions d'éclairage; état final obtenu. *Adaptation à la lumière, à l'obscurité.* — REM. Ne pas confondre avec *accommodation.*

*Adaptation auditive :* diminution passagère de la sensibilité auditive sur l'ensemble des fréquences audibles après application d'un son intense.

*Adaptation nerveuse :* réduction progressive de l'excitation d'un récepteur sensoriel engendrée par une stimulation persistante.

♦ **4** (1539, en rhétorique). Le fait d'adapter (4.), de transformer (une œuvre narrative) en conservant la substance narrative et en élaborant la forme convenable au genre choisi. *L'adaptation d'un roman à, pour le cinéma, la télévision.*

Absolt. *Une adaptation :* ce qui résulte de l'adaptation d'une œuvre à une autre forme. — (1885). Traduction* très libre d'une pièce de théâtre, comportant des modifications nombreuses. *Les adaptations shakespeariennes de Ducis.* — Transposition à la scène ou à l'écran d'une œuvre narrative. Les Possédés, *roman de Dostoïevski, adaptation de Camus.*

Mus. Arrangement ou transposition. *L'adaptation pour orgue d'une sonate pour cordes.* → aussi 1. **Réduction** (III., 5., b).

DÉR. **Adaptatif, adaptateur.** ◇ COMP. **Coadaptation, suradaptation.**

**ADAPTER** [adapte] v. tr. — 1270; du lat. *adaptare* «ajuster à», de *ad,* et *aptus* «apte».

♦ **1** Réunir (une chose) à (une autre), appliquer après ajustement. → **Ajuster, joindre, rattacher.** *Adapter un tuyau de caoutchouc à un robinet. — Adapter un embout à, sur un tuyau. Adapter qqch. dans...*

Léon, de la main droite, soulevait un long bout de boyau vide, dans l'extrémité duquel un entonnoir très évasé était adapté; et, de la main gauche, il enroulait le boudin autour d'un bassin, d'un plat rond de métal, à mesure que le charcutier emplissait l'entonnoir à grandes cuillerées. ZOLA, le Ventre de Paris, p. 692, *in* T. L. F. 1

♦ **2** Approprier (qqch., qqn) à (qqch., qqn) pour obtenir un ensemble cohérent, harmonieux. → **Accord** (mettre en), **accorder; adaptation.** *Il faut l'adapter à son travail, à la situation. Adapter sa pensée à un problème. Adapter son activité aux circonstances. Adapter un style aux goûts du temps.*

Conformer (un comportement, des idées) à une situation nouvelle. → **Aménager, approprier, arranger.** *Il adapte ses vues aux circonstances; sa pensée, ses réactions à la situation.*

♦ **3** Modifier (qqch.) pour rendre conforme à. *Adapter une coutume, un style aux goûts nationaux.*

♦ **4** (1885; 1912 pour le cinéma). Faire l'adaptation* de (une œuvre). *Adapter un roman de Balzac pour le cinéma, la télévision, au cinéma, à la télévision.* — (Sans compl. second). *Adapter une pièce, un roman.* Mus. Transformer (une œuvre musicale) afin qu'elle soit exécutée par un autre ou par d'autres instruments que celui ou ceux prévus à l'origine. *Adapter une pièce orchestrale pour le piano.*

◆ **S'ADAPTER** v. pron. (1405, *soi adapter à...*). *S'adapter à :* s'ajuster à, se mettre en harmonie avec (les circonstances, le milieu). *Cet élève s'était adapté à la vie du pensionnat. Les animaux s'adaptèrent aux nouvelles conditions climatiques.* → **Acclimater** (s'), **accommoder** (s'), **accoutumer** (s'), **habituer** (s'); **adaptabilité, adaptation.** *L'organisme doit s'adapter au milieu.*

2 L'art meurt-il jamais? Il se métamorphose, il s'adapte aux circonstances.
R. ROLLAND, Musiciens d'autrefois, p. 7.

3 Qui veut vivre doit s'adapter aux conditions nouvelles de la vie. R. ROLLAND, Musiciens d'aujourd'hui, p. 276.

(Compl. n. de personne). *S'adapter à qqn, à ses nouveaux collègues.*

(Sujet n. de chose). *Cet habillement ne s'adapte guère à la circonstance. L'économie doit s'adapter à la crise de l'énergie.*

Absolt. *Il faut savoir s'adapter,* être souple, être capable d'évoluer.

3.1 Tenez, moi, regardez comme je m'adapte, Ferdinand!... (Il s'en tapait sur le sternum.) Que demain la terre se mette par exemple à tourner dans l'autre sens. Eh bien moi? Je m'adapterai, Ferdinand! Et tout de suite encore! Et savez-vous comment, Ferdinand? Je dormirai un bon coup de douze heures en plus, et tout sera dit! Et voilà tout!
CÉLINE, Voyage au bout de la nuit, p. 515.

◆ **ADAPTÉ, ÉE** passif et p. p. adj.

♦ **1** Approprié. *Être (bien) adapté (à qqch.). Une mesure adaptée à la situation. Un organe adapté à sa fonction. Une musique adaptée aux paroles d'une chanson.*

4 Il semble que les pensées les mieux adaptées à l'univers des choses soient celles qui sont inscrites dans les corps vivants sous forme d'instincts ou d'habitudes.
A. MAUROIS, Un art de vivre, I, II.

Spécialt. Modifié (en vue d'un but précis).

5 Et je me serais si bien battu avec des armes du quinzième siècle. Ces armes étaient des outils, en effet, à peine dissimulés, à peine déguisés, à peine adaptés.
Ch. PÉGUY, Victor-Marie, comte Hugo, Œ. en prose, Pl., t. II, p. 674.

♦ **2** Habitué, accoutumé. *Des ouvriers mal adaptés à leurs conditions de travail.*

(Sans compl.). *Il est parfaitement adapté. Enfant adapté.* — N. (d'après *inadapté*). *Les adaptés.*

6 Une des raisons de son attachement pour Félix (il en avait pris conscience parce que sa femme le lui avait suggéré), c'était le fait que Félix fût moins intelligent, moins adapté que lui, et surtout qu'il eût moins bien «réussi».
Jean-Louis CURTIS, le Roseau pensant, p. 16.

CONTR. **Détacher, disjoindre, séparer.** — **Contraster, détonner, jurer, opposer** (s'). — (Du p. p.) **Inadapté.** ◇ DÉR. **Adaptable, adaptif.** – COMP. **Inadapté, sous-adapté, suradapté.**

**ADAPTIF, IVE** [adaptif, iv] adj. — 1931; de *adapter.*
Biol., bot., psychol. Qui est relatif à l'adaptation au milieu, en parlant d'une plante, d'un être vivant, etc. *Les fonctions adaptives; des réponses adaptives.*

**ADAPTOMÉTRIE** [adaptɔmetʀi] n. f. — Attesté mil. XXe; de *adapter, adaptation,* et *-métrie;* cf. angl. *adaptometer* (Nagel, 1917) «adaptomètre».
Physiol. Étude de la faculté de la rétine à passer de la vision diurne à la vision nocturne.

**ADAV** [adav] n. m. — 1976; sigle.
Techn. Avion à décollage et à atterrissage vertical. — Équivalent recommandé de l'anglic. *vtol**.

**ADDAX** [adaks] n. m. — 1846, Bescherelle; mot lat. *addax, -acis* (Pline).
Antilope à cornes annelées tordues en spirale (famille des Bovidés, sous-famille des Caprinés), dont une espèce *(addax nasomaculatus)* est particulièrement adaptée à la vie désertique.

**ADDENDA** [adɛ̃da] n. m. invar. — 1701; mot lat. «choses à ajouter», de *addere* «ajouter».
Didact. Notes additionnelles à la fin d'un ouvrage. → **Addition, appendice, complément, supplément.**
REM. On dit parfois *addendum* [adɛ̃dɔm] (sing. lat.) quand il n'y a qu'une note à ajouter.

**ADDICTIF, IVE** [adiktif, iv] adj. — V. 1980; de l'angl. *addict* «dépendant», *addiction* «dépendance», empr. au lat. *addictus,* de *ad-,* et *dicere* «dire».
Anglic. Qui crée, qui induit une dépendance. *Comportement addictif. La conduite addictive des alcooliques, des toxicomanes. «(...) les gens qui mangent sont très proches des toxicos. Certains obèses ont une conduite totalement addictive face à la nourriture»* (*Libération,* 19 oct. 1994, p. 28). → aussi **Compulsif.**

**ADDICTION** [adiksjɔ̃] n. f. — 1979; mot angl. «fait d'être dépendant, accoutumance», du bas lat. *addictus* «adonné à».
Anglic. Situation de dépendance à une substance nocive; comportement compulsif (→ **Compulsion**) qui en découle. *Addiction au tabac, à l'héroïne.* — Par ext. *L'addiction d'un adolescent aux jeux vidéo.*

**ADDISONIEN, IENNE** [adisɔnjɛ̃, jɛn] adj. — 1903, in *Rev. gén. des sc.,* n° 22, p. 1170; de *(maladie d') Addison.*
Méd. Relatif à la maladie d'Addison, affection des capsules surrénales (tuberculose, etc.) déterminant de graves symptômes (asthénie, hypotension, coloration bronzée de la peau). *Crise addisonienne :* insuffisance surrénale aiguë. — *Qui souffre de cette maladie.* — N. *Des addisoniens.*

**ADDISONISME** [adisɔnism] n. m. — V. 1920; de *Addison* (maladie d'). → Addisonien.
Méd. Syndrome alterné de la maladie d'Addison.

**ADDITIF, IVE** [aditif, iv] adj. et n. m. — 1840; du bas lat. *additivus* «qui se joint à», du rad. de *additio.*

♦ **1** Qui opère une addition; qui résulte d'une addition. — Géom. *Segments additifs,* dont la somme arithmétique est égale à une ligne de longueur finie.

Alg. *Notation additive,* qui utilise le signe + pour représenter une loi de composition interne (loi notée additivement, ou *loi additive*). → **Addition** (2.). *La notation additive est en général utilisée pour les lois commutatives. L'opérateur d'une loi additive est noté +, et son élément neutre 0 (zéro).* — *Groupe additif,* dont la loi de composition interne est notée additivement.

Ces trois grands types *(de structuration)* sont ceux de la composition additive ou atomistique (la société conçue comme une somme d'individus possédant déjà les caractères à expliquer) de l'émergence (...) et de la totalité relationnelle (...)
J. PIAGET, Épistémologie des sciences de l'homme, p. 56.

Techn. (photogr.). *Synthèse additive :* procédé de reproduction des couleurs par addition de trois flux chromatiques primaires. *La synthèse additive est utilisée notamment pour la télévision en couleurs.*

♦ **2** Qui s'ajoute. *Note additive. Feuillet additif.* → **Additionnel.**

N. m. (1946). Supplément, article additionnel. *Voter un additif à une loi de finances.*

♦ **3** N. m. Produit incorporé à une essence, à un lubrifiant, pour améliorer ses propriétés ou lui en conférer de nouvelles. → **Adjuvant.** — *Additif alimentaire :* substance non nutritive ajoutée à une denrée alimentaire pour des raisons de fabrication, de présentation ou de conservation. *Les additifs alimentaires peuvent être des colorants, des conservateurs, des agents de sapidité, d'aromatisation, de texture.*

DÉR. **Additivement, additivité.**

**ADDITION** [adisjɔ̃] n. f. — 1265; du lat. *additio* «chose ajoutée».

♦ **1** (Sens général). [a] (Concret). *L'addition de qqch. à qqch.; l'addition de plusieurs choses.* Action d'ajouter en incorporant (→ **Adjonction,** et aussi **admixtion);** action d'ajouter les uns aux autres des éléments de même nature; fait de s'ajouter. *Liqueur composée par addition d'un sirop à une eau-de-vie.* — Chim. *Composé d'addition,* formé par l'union de plusieurs molécules. — *Réaction d'addition :* réaction chimique dans laquelle un groupement se fixe sur un centre réactionnel. *Réactions d'addition et réactions de substitution. Additions nucléophiles, électrophiles, «radicalaires». Addition catalysée.*

[b] (Abstrait). *L'addition de plusieurs éléments, facteurs, raisons. L'addition d'un élément, d'une preuve au dossier.*

1 Il suffit, bien souvent, de l'addition d'une quantité de petits faits très simples et très naturels, chacun pris à part, pour obtenir un total monstrueux.

GIDE, les Faux-monnayeurs, I, IV.

*Altération d'un mot par addition* (métaplasme). *Addition d'une lettre à la fin d'un mot* (paragoge).

[c] *Une, des additions.* Chose ajoutée, élément incorporé. → **Ajout.**

Spécialt. Ce qui est ajouté à un texte. → **Addenda, ajout, annexe, appendice; augmentateur.** *Notes et additions. Préparer des additions à un texte pour une nouvelle édition.*

1 Les lois des Lombards reçurent plutôt des additions que des changements.

MONTESQUIEU, l'Esprit des lois, XXVIII, 1.

2 En attendant je suis obligé de travailler à des additions que je prépare pour une édition de Charles XII.

VOLTAIRE, Lettre à M. de Formont, sept. 1732.

REM. L'idée d'addition, d'ajout est exprimée en français par de nombreux mots grammaticaux : *avec, et, plus; aussi, encore, en outre, en sus, par-dessus le marché, par surcroît...*

♦ **2** (XVe). Opération, notée + (plys), par laquelle on ajoute des quantités arithmétiques ou algébriques les unes aux autres, et dont le résultat est une somme. → **Somme, total.** *L'addition est la première des quatre opérations fondamentales. Addition arithmétique, algébrique. Écrire, poser une addition. Faire, vérifier une addition. La multiplication est une addition abrégée.*

3 La forme mathématique de l'addition, c'est plus (+).

F. BRUNOT, la Pensée et la Langue, p. 126.

Math. (par anal. avec l'addition en arithm.). Loi de composition interne (généralement associative et commutative) notée par le signe + (→ **Additif,** 1.). *L'addition des matrices, des fonctions numériques. L'addition des nombres entiers est commutative, associative et possède un élément neutre : 0 (zéro). Le composé de deux termes* a *et* b *par une loi d'addition s'appelle la somme des termes* a *et* b *et se note* a + b.

Par ext. *Addition logique* (de deux concepts, de deux propositions). → **Somme** (logique).

Physiol. → **Sommation.** — Biol. *Addition latente :* addition des effets que produit sur un muscle, un nerf, une série de stimulations subliminaires très rapprochées (on dit aussi : *sommation latente*).

♦ **3** (1866). Cour. Note présentant le total des dépenses effectuées au restaurant (parfois au café). → **Compte, note; facture.** *Demander, faire, régler l'addition. Garçon, l'addition! Signer l'addition. Le moment de l'addition.* → fam. Le quart* d'heure de Rabelais, la douloureuse.

Par ext. *L'addition :* le prix à payer. → **Note.** *J'ai encore reçu une facture de plombier : l'addition est lourde.* — Figuré :

Qu'est-ce que vous voulez, la société se défend... Dans les affaires comme ça, on y met le prix, on ne regarde pas à l'addition et ça va coûter cher... 4

H.-G. CLOUZOT et J. FERRY, Quai des Orfèvres, 1947, *in* l'Avant-Scène, n° 29, p. 28.

CONTR. **Déduction, défalcation, retranchement, suppression. — Soustraction.** ◊ DÉR. **Additionnel, additionner.** ─ HOM. **Adition.**

**ADDITIONNEL, ELLE** [adisjɔnɛl] adj. — 1500 en dr.; sens général, 1723; de *addition.*

♦ **1** Qui s'ajoute ou doit s'ajouter. *Chapitre, jour additionnel.* → **Supplémentaire.** — *L'acte additionnel* (à la constitution de l'Empire). *Les députés ont voté un article additionnel à la loi.* → **Additif** (2., n. m.), et aussi **complémentaire; annexé.**

Spécialt (fin.). Ancienn. *Centimes additionnels :* surtaxe calculée sur le principal des impôts directs et perçue par les collectivités locales (commune, département). *Le conseil municipal a voté plusieurs centimes additionnels. — Des dépenses, des charges additionnelles.*

♦ **2** Sc. Qui est ajouté. *Sons additionnels,* en acoustique. *Lentille additionnelle d'un objectif photographique.*

**ADDITIONNEMENT** [adisjɔnmɑ̃] n. m. — 1891, Goncourt; de *additionner.*

Rare. Le fait d'additionner. → **Addition.**

**ADDITIONNER** [adisjɔne] v. tr. — Av. 1549; de *addition.*

♦ **1** [a] Vx. Augmenter (qqch.) par des additions. → **Ajouter** (à).

[b] Mod. Enrichir, modifier par addition d'un élément. *Additionner de jus de citron une tisane. Additionner d'eau le vin* (→ **Allonger, couper).** *Additionner une sauce d'épices.* — Passif et p. p. *Un sirop additionné de sucre.*

♦ **2** (1680). Faire l'addition de (plusieurs nombres ou quantités). → **Sommer, totaliser.** *Additionner des chiffres, des fractions. Additionner plusieurs sommes rapidement, de tête, avec une calculette.* — Fig. *Additionner des connaissances, des expériences,* les ajouter les unes aux autres.

1 Le désespoir est un compteur. Il tient à faire son total. Rien ne lui échappe. Il additionne tout, il ne fait pas grâce des centimes. HUGO, l'Homme qui rit, II, IX, II.

1.1 Il y avait quarante mille francs d'or, trois mille francs d'argent, et, dans un étui de fer-blanc, quarante-deux mille francs en billets de banque. Ils mirent deux bonnes heures pour additionner tout cela.
ZOLA, le Ventre de Paris, t. I, p. 79.

◆ **S'ADDITIONNER** v. pron. *S'additionner :* s'ajouter (les uns aux autres). *Les coups pleuvaient et s'additionnaient.*

2 Toutes les forces employées à bien faire concourent au même but, et s'additionnent.
MARTIN DU GARD, les Thibault, III, 5.

3 Mais à une certaine somme d'égoïsme qui existe chez la mère, un égoïsme différent, inhérent à la famille du père, vient s'ajouter, ce qui ne veut pas toujours dire s'additionner, ni même seulement servir de multiple, mais créer un égoïsme nouveau, infiniment plus puissant et redoutable. PROUST, la Fugitive, Pl., t. III, p. 585.

CONTR. **Déduire, défalquer, retrancher, soustraire.** ◊ DÉR. **Additionnement, additionneur, additionneuse.**

**ADDITIONNEUR** [adisjɔnœʀ] n. m. — V. 1970; de *additionner.*

Inform. Ensemble des organes qui réalisent les fonctions d'addition (somme de deux nombres binaires).

**ADDITIONNEUSE** [adisjɔnøz] n. f. — 1866; de *additionner.*

Techn. Vieilli. Machine capable d'effectuer des additions. — Adj. *Toutes les machines à calcul sont additionneuses.*

**ADDITIVEMENT** [aditivmɑ̃] adv. — 1955, Teilhard de Chardin; de *additif.*

Didact. De manière additive. — (Math.). *Loi de composition notée additivement,* selon la notation additive*.

**ADDITIVITÉ** [aditivite] n. f. — 1910, Valéry, *in* D. D. L.; de *additif.*

Didact. Propriété de certains éléments ou d'un ensemble de nombres ou grandeurs, de pouvoir s'ajouter ou se soustraire à d'autres. *L'additivité des connaissances.*

La connaissance est l'acte qui est donné, le seul, de la propriété d'additivité indéfinie — et spontanée. Et non seulement d'additivité, mais de productivité d'organisation de lui-même, et des choses.
VALÉRY, Cahiers, Pl., t. I, p. 976.

*Non-additivité* [nɔnaditivite]. «*Impuissance par non-additivité — non-conservation*» (Valéry, *Cahiers,* t. II, p. 155).

**ADDUCTEUR** [adyktœʀ] adj. m. et n. m. — 1690, au sens 1.; bas lat. *adductor,* de *adducere* «amener, conduire vers».

♦ **1** Anat. *Muscle adducteur,* qui produit un mouvement d'adduction. *Les muscles adducteurs des doigts.* — N. m. *L'adducteur de la mâchoire, du gros orteil. Les adducteurs de la jambe.*

♦ **2** Techn. (1898). Se dit d'un canal, d'un tube, qui conduit un liquide à un réservoir, d'un lieu à un autre. *Canal adducteur,* ou, n. m., *un adducteur :* canal d'adduction des eaux.

CONTR. **Abducteur.**

**ADDUCTIF, IVE** [adyktif, iv] adj. — 1842; de *adduction.*

Anat. Qui produit l'adduction.

Dans cet état pur, les mots sont semblables à des animalcules primitifs, à des protozoaires. Le substantif, noyau. L'adjectif, extension du substantif comme une membrane adductive.
J.-M. G. LE CLÉZIO, l'Extase matérielle, p. 30.

**ADDUCTION** [adyksjɔ̃] n. f. — 1541; du bas lat. *adductio* «action d'attirer», du lat. class. *adducere* «conduire». → Adduire.

♦ **1** Anat. Mouvement qui rapproche un membre du plan sagittal du corps. *Adduction de l'œil :* mouvement horizontal du globe oculaire dans un plan horizontal vers l'axe du corps (vers le nez).

Méd. *Adduction associée :* phénomène par lequel, si le mouvement d'adduction d'une jambe est empêché, il se produit dans l'autre membre, en cas d'hémiplégie.

♦ **2** (1890). Action de dériver les eaux d'un lieu pour les amener dans un autre. *L'adduction d'eau par captage des sources ou par dérivation des rivières. Travaux d'adduction (d'eau).*

♦ **3** Psychol. Attraction vers le stimulus extérieur (opposé à *abduction*).

♦ **4** Régional (Belgique). Colombophilie. Action d'adduire un jeune pigeon à son colombier.

DÉR. **Adductif.**

**ADDUIRE** [adɥiʀ] v. tr. — Fin X$^{e}$, *adducere,* 3$^{e}$ pers. du présent; *adduire,* XII$^{e}$; lat. tardif *adducere,* de *ad,* et *ducere* «conduire».

Vx (anc. franç.) ou régional. Conduire, amener. — Spécialt, régional (Belgique). Habituer (un pigeon) à regagner son colombier après le vol. — (Avec un compl. en *à*). *Adduire un jeune pigeon à son colombier.*

DÉR. V. **Adduction.**

**-ADE** Suff. empr. aux langues romanes méridionales; esp. *-ada,* provençal *-ado,* ital. *-ata;* en franç., s'adjoint à des verbes ou à des substantifs à partir du XV$^{e}$ siècle. Il sert à former des substantifs collectifs (sur une base nominale : *coton - cotonnade*) ou désignant le résultat d'une action (sur une base verbale : *rigoler - rigolade; se baigner - baignade*). Il a souvent une valeur péjorative, soulignée dans l'exemple suivant par le rapprochement avec le suffixe *-aille :*

Il nous a semblé qu'un naturalisme mêlé d'humanité pourrait désormais remplacer les antiquailles et les mythologiades (...) André RICHARD, la Critique d'art, p. 17.

**ADÉLIE** [adeli] n. m. — 1906, Charcot; de *(manchot de la terre) Adélie.*

Manchot d'une variété de la terre Adélie, au bec noir, au corps massif. — Appos. *Manchot adélie.*

**ADÉLOCORDÉS** [adelokɔʀde] n. m. pl. — D. i. (XX$^{e}$); du grec *adelos* «obscur, invisible», et *-cordé,* de *corde* ou *chorde,* lat. *chorda.*

Zool. Ancien groupement d'invertébrés marins deutérostomiens subdivisé en trois classes : entéropneustes, ptérobranches et pogonophores. — Au sing. *Un adélocordé.* — REM. On considère les pogonophores comme un embranchement distinct, les deux premières classes constituant, avec celle des graptolithes, l'embranchement des stomocordés. → Stomocordés.

**-ADELPHE, -ADELPHIE; ADELPH(O)-** Éléments, du grec *adelphos* «jumeau», formateurs d'adjectifs en botanique, en tératologie, qui expriment l'idée d'une réunion, normale (→ **Diadelphe, monadelphe, polyadelphe, triadelphe**) ou accidentelle (*déradelphe* [deʀadɛlf] : se dit d'un monstre composé de deux individus réunis par le cou), d'organes de même fonction, d'êtres de même espèce. — REM. La forme *adelphe,* présentée comme adj. par certains dict., à partir du Complément du dict. de l'Académie (1838-1842) ne semble pas attestée hors des composés *monadelphe,* etc.

**ADELPHIE** [adɛlfi] n. f. — 1842; de *adelph(o)-*.

Bot. Réunion des étamines par leurs filets, en faisceaux.

**ADELPHIQUE** [adɛlfik] adj. — Mil. XX^e^; angl. *adelphic,* du grec *adelphos* «jumeau; frère».

Anthrop. *Polyandrie adelphique,* où les époux d'une même femme sont frères. *Polygamie adelphique,* où les épouses d'un même homme sont sœurs.

**ADELPH(O)-** → **-adelphe.**

**ADELPHOPHAGIE** [adɛlfofaʒi] n. f. — V. 1900; du grec *adelphos* «de frère ou de soeur, qui va par couple», et *-phagie.*

Biologie.

♦ **1** Processus par lequel un seul embryon arrive à terme, après avoir absorbé la substance des autres embryons enfermés avec lui dans la même capsule. *L'adelphophagie est fréquente chez les prosobranches.*

♦ **2** (Sens large). Phénomène de croissance d'un ovocyte par absorption du contenu des ovogonies sœurs qui l'entourent.

**ADEMPTION** [adɑ̃psjɔ̃] n. f. — 1612; lat. *ademptio,* du supin de *adimere* «enlever».

Hist. du dr. Révocation d'un don, d'un legs.

**ADÉN-, ADÉNO-** Élément, du grec *adên* «glande», qui exprime un rapport avec le tissu glandulaire. Voir à l'ordre alphab., et aussi *adénalgie* [adenalʒi] n. f. (douleur des ganglions); *adéno-cutanéo-muqueux, euse* [adenokytaneomykø, øz] adj.; *adénogramme* [adenogʀam] n. m. (résultat de l'analyse cytologique du produit ponctionné d'un ganglion lymphatique); *adénohypophyse* [adenoipɔfiz] n. f. (partie endocrinienne de l'hypophyse).

**ADÉNECTOMIE** [adenɛktɔmi] n. f. — 1907, *Larousse mensuel;* de *adén-,* et *-ectomie.*

Didact. (chir.). Ablation des végétations adénoïdes*. — Syn. : *adénoïdectomie.* — Exérèse d'un ou plusieurs ganglions lymphatiques.

**ADÉNIE** [adeni] n. f. — 1865, Littré-Robin, de *adén-,* et suff. *-ie.*

Méd. Vieilli. Ensemble d'affections causées par la prolifération de tissu lymphoïde dans certains groupes ganglionnaires.

**ADÉNINE** [adenin] n. f. — Av. 1887, Kossel; de *adén-,* et *-ine.*

Chim., biol. Base azotée purique ($C_5H_5N_5$) intervenant dans la constitution des acides nucléiques et dans celle des composés énergétiques du métabolisme cellulaire. *L'adénine intervient dans la composition de l'adénosine.*

Dans l'ADN (acide désoxyribonucléique) on trouve quatre nucléotides qui diffèrent par la structure de la base azotée constituante. Ces quatre bases, appelées Adénine, Guanine, Cytosine et Thymine, sont notées en général A, G, C et T. Ce sont les lettres de l'alphabet génétique. Pour des raisons stériques l'Adénine (A) dans l'ADN tend à former spontanément une association non-covalente avec la Thymine (T) tandis que la Guanine (G) s'associe avec la Cytosine (C).

Jacques MONOD, le Hasard et la Nécessité, p. 234.

**ADÉNITE** [adenit] n. f. — 1833, Nysten, *in* D. D. L.; de *adén-,* et *-ite.*

Méd. Tuméfaction inflammatoire des ganglions lymphatiques. *Adénite aiguë, chronique. Adénite suppurée. Adénite inguinale, adénite généralisée...* (→ aussi **Bubon**).

Adoum s'est amené, clopinant, hier soir, longtemps après les autres, souffrant d'une adénite très apparente. Je crains un phlegmon et ne sais que faire, sinon application de compresses humides.

GIDE, Voyage au Congo, *in* Souvenirs, Pl., p. 786.

**ADÉNOCARCINOME** [adenokaʀsinom] n. m. — Av. 1929; de *adéno-,* et *carcinome.*

Pathol. Épithélioma dont la structure ressemble à celle d'une glande. Tumeur maligne résultant de l'envahissement par un carcinome d'un adénome voisin. *Adénocarcinome de la prostate. Adénocarcinome pulmonaire.* → Adénomatose.

**ADÉNOFIBROME** [adenofibʀom] n. m. — 1920, *in* T. L. F.; de *adéno-,* et *fibrome.*

Méd. Tumeur bénigne dans laquelle l'accroissement de l'épithélium glandulaire s'accompagne d'une prolifération conjonctive. *Adénofibrome du sein.*

**ADÉNOÏDE** [adenɔid] adj. — 1541; grec *adenoeidês,* de *adên* «glande» (→ Adén-), et *-eidês* (→ -oïde).

Méd. Qui a rapport au tissu ganglionnaire et à ses affections. → **Lymphoïde.** *Végétations adénoïdes :* tissu lymphoïde constituant l'amygdale pharyngienne, souvent hypertrophié chez l'enfant, ce qui nécessite une opération (→ **Adénectomie**).

DÉR. **Adénoïdien.**

**ADÉNOÏDIEN, IENNE** [adenɔidjɛ̃, jɛn] adj. — 1920, *in* T. L. F.; de *adénoïde.*

Méd. Relatif aux végétations adénoïdes; caractéristique de ces végétations. *Faciès adénoïdien.*

**ADÉNOMATEUX, EUSE** [adenomatø, øz] adj. — XX^e^, *hypertrophie adénomateuse,* évoquée en 1904, dans un texte de 1963, *in* T. L. F.; de *adénome.*

Méd. D'un adénome. *Tumeur adénomateuse, de nature adénomateuse. Excroissance adénomateuse.*

**ADÉNOMATOSE** [adenomatoz] n. f. — Mil. XX^e^; Cf. *adénolipomatose,* 1898, *in* Garnier-Delamare; de *adénome,* et *-(at)ose.*

Méd. Syndrome caractérisé par l'apparition d'adénomes. *Adénomatose polyendocrinienne. Adénomatose pulmonaire* (variété d'adénocarcinome).

**ADÉNOME** [adenom] n. m. — 1858, Nysten; du grec *adên* «glande», et suff. *-ome.*

Pathol. Tumeur bénigne qui se développe aux dépens d'une glande. *Adénomes sébacés de la face; adénome thyroïdien. Adénome prostatique.*

DÉR. **Adénomateux, adénomatose, adénomectomie.**

**ADÉNOMECTOMIE** [adenɔmɛktɔmi] n. f. — Mil. XX^e^ (*in* Larousse, 1960); de *adénome,* et *-ectomie.*

Méd. Ablation chirurgicale d'un adénome prostatique (appelée communément mais abusivement *prostatectomie*).

**ADÉNOPATHIE** [adenopati] n. f. — 1855, *in* D. D. L.; de *adéno-,* et *-pathie.*

Méd. Nom générique des diverses affections et lésions des ganglions lymphatiques (→ Adénite).

**ADÉNOSARCOME** [adenosaʀkom] n. m. — XX^e^ (*in* Larousse, 1933); de *adéno-,* et *sarcome.*

Méd. Adénome auquel s'associe une tumeur maligne des tissus conjonctifs, ou ayant subi une transformation cancéreuse de type sarcome.

**ADÉNOSINE** [adenozin] n. f. — V. 1960; de *adén(ine),* 1. *-ose,* et suff. *-ine.*

Chim., biol. Constituant important d'éléments cellulaires (acide ribonucléique, composés énergétiques) résultant de la combinaison de l'adénine avec un D-ribose. *Adénosine monophosphate* (AMN). *Adénosine diphosphate* (ADP). *Adénosine triphosphate* (ATP). — Appos. *Acide adénosine mono-, di-, tri-phosphorique.* — «*La décharge de calcium stimule l'hydrolyse de l'adénosine triphosphate* (ATP)» (*la Recherche,* mai 1981, p. 613). *Les dérivés de l'adénosine se trouvent surtout dans les mitochondries et dans le cytoplasme.*

**ADÉNOSTYLES** [adenostil] n. f. pl. — 1846, Bescherelle; de *adéno-,* et *style.*

Bot. Herbes vivaces montagnardes de haute taille *(Composacées)* aux feuilles amples et à fleurs roses. — Au sing. *Une adénostyle.*

**ADÉNOVIRUS** [adenoviʀys] n. m. — 1968; de *adéno-,* et *virus.*

Virus pathogène de certaines affections respiratoires humaines (nom générique). *Plusieurs adénovirus ont une activité cancérigène. Affection due à un adénovirus* ou *adénovirose* [adenoviʀoz] n. f.

**ADENT** [adɑ̃] n. m. — 1573; déverbal de *adenter.*

Techn. Assemblage à l'aide d'entailles sur les faces opposées de deux pièces de bois. → **Mortaise.**

**ADENTER** [adɑ̃te] v. tr. — XIV^e^; «mordre», XIII^e^; de 1. *a-, dent,* et suff. verbal.

Techn. Assembler (deux pièces de bois) par des adents.

DÉR. **Adent.**

**ADÉPHAGES** [adefaʒ] n. m. pl. — XX^e^; «carnassier», 1842; «malade atteint de fringale», 1835; du grec *adephagos* «vorace», de *hadên* «beaucoup», et *phagein* «manger». → -phage.

Zool. Sous-ordre d'insectes coléoptères comprenant huit familles courantes en Europe (cicindèles, carabes et les familles aquatiques gyrins et dytiques). — Au sing. *Un adéphage.*

**ADEPTE** [adɛpt] n. — 1630; du lat. des alchimistes *adeptus* «celui qui a atteint»; p. p. de *adipisci,* équivalent lat. de *mysta.*

♦ **1** Alchim. Alchimiste initié au grand œuvre.

Ce secret, que N... trouva, mais que R... et un million d'au- 1
tres cherchèrent toujours, est venu jusques à moi, et je me trouve aujourd'hui un heureux adepte.

MONTESQUIEU, Lettres persanes, 45.

(1723). Personne initiée à une doctrine ésotérique, aux secrets d'une science, d'un art. → **Affilié, fidèle, sectateur, tenant.**

On voit, en somme, se répandre, et presque se vulgariser, 1.1
au XVIII^e^ siècle, toutes les variétés normales ou dégénérescentes qu'engendre le désir d'en savoir plus qu'on ne peut savoir. Les adeptes se multiplient; l'initié foisonne; le charlatan abonde. Le rôle social et politique de l'occulte devient immense. VALÉRY, Variété V, p. 266.

♦ **2** (XIX^e^, probablt d'après l'angl.). Membre d'une secte, d'un groupe plus ou moins fermé. — Personne qui adopte une religion, une doctrine. → **Disciple, fidèle, partisan, prosélyte.** *Prêcher pour faire des adeptes. Un adepte convaincu, fervent, zélé* (→ **Zélateur**). *Être adepte, l'adepte d'un système. Nouvel adepte.* → **Recrue.**

Je me rappelai les rares adeptes de l'Église jacobine que 2
j'avais pu connaître.

RENAN, Souvenirs d'enfance..., Œ. compl., t. II.

Elle ne perdait aucune occasion de recruter des adeptes, 3
et, cramponnée au bras de Jacques, elle entreprit de le catéchiser. MARTIN DU GARD, les Thibault, VII, 43.

Personne qui pratique une certaine activité. → **Amateur.** *Les adeptes du ski se pressent sur les pistes. Cette nouvelle danse fait des adeptes parmi les jeunes.*

CONTR. **Adversaire, détracteur, ennemi, opposant.**

**ADÉQUAT, ATE** [adekwa, at] adj. — XIV^e^, repris 1736; du lat. *adæquatus* «rendu égal», p. p. de *adæquare,* de *ad,* et *æquare* «rendre égal».

♦ **1** Didact. Qui rend compte de son objet de manière exhaustive. *Conception adéquate de Dieu; idée, proposition adéquate.* — Philos. *Cause adéquate* (Spinoza), «dont on peut percevoir l'effet clairement et distinctement par elle-même». — *Notion adéquate* (Leibniz), «qui n'enveloppe rien qui ne soit expliqué». — *Nom adéquat à une idée.*

À propos des madrigaux ou épigrammes en question, dis- 1
lui bien que, d'après la doctrine de saint Thomas d'Aquin, universellement suivie par nous, les catholiques, Amour est le nom qui convient seul par excellence à la troisième personne de la Sainte Trinité; que par conséquent Amour ne peut pas remplacer le nom Dieu, et lui être, comme on dit, adéquat.

G. NOUVEAU, Lettre à Ernest Delahaye, 12 janv. 1909, Pl., p. 953.

♦ **2** Cour. Qui est exactement proportionné à son objet, ajusté à son but. → **Approprié, convenable, juste;** (vx) **idoine.** *Adéquat à...* — (Sans compl.). *Une bonne définition doit être adéquate, c'est-à-dire qu'elle doit convenir à l'objet défini tout entier et ne convenir qu'à lui seul* (Académie). *C'est l'expression adéquate, la réponse adéquate.* — Ling. *Grammaire* (générative) *fortement, faiblement adéquate.*

La lecture, c'est la nourriture. De là l'importance de l'école, 2
partout adéquate à la civilisation.

HUGO, Shakespeare, p. 34.

Le regard de Martial fit rapidement le tour de la table. 3
Émilie, sa belle-sœur, feignait d'écouter. Elle avait, du moins, l'expression adéquate de l'attention; en fait, elle devait être à mille lieues de là, songeant à ses enfants, à ses derniers achats, à son Club, à mille choses plus vagues.

Jean-Louis CURTIS, le Roseau pensant, p. 33.

CONTR. **Impropre, inadéquat, opposé.** ◊ DÉR. **Adéquatement.**

**ADÉQUATEMENT** [adekwatmɑ̃] adv. — 1889, cit. ; de *adéquat.*

Didact. ou littér. D'une manière adéquate. → **Convenablement, exactement, justement.**

(...) celles-là seules de nos idées qui nous appartiennent le moins sont adéquatement exprimables par des mots (...)
H. BERGSON, Essai sur les données immédiates de la conscience, p. 101.

**ADÉQUATION** [adekwasjɔ̃] n. f. — Av. 1861 ; bas lat. *adæquatio,* de *adæquare.* → Adéquat.

♦ **1** Didact. Rapport de convenance parfaite, équivalence. *L'adéquation de l'organe à la fonction.* → **Accord, convenance.** *Adéquation avec qqch. Une adéquation parfaite, rigoureuse. Adéquation de l'expression à l'idée, à l'intention.*

♦ **2** Opération par laquelle un élément est rendu adéquat à un autre.

Question ? Réponse. Simple travail d'adéquation qui implique tout l'optimisme de la conversation. Les pensées des deux interlocuteurs se poursuivent séparément. Le rapport momentané de ces pensées leur en impose pour une coïncidence même dans la contradiction.
A. ARTAUD, Bilboquet, Le dialogue en 1928, Œ. compl., t. I, p. 276.

**ADERNE** [adɛʀn] n. f. — Mil. XIXe ; p.-ê. du breton *darn* «division».

Techn. Compartiment d'un marais salant où la concentration en sel approche de la saturation.

**ADESSIF** [adesif] n. m. — XXe ; du lat. *adesse,* et *-if.*

Ling. Forme linguistique exprimant l'idée de proximité, de juxtaposition. — Appos. *Le cas adessif en finnois, en hongrois, en géorgien.*

**ADEXTRE** [adɛkstʀ] adj. — Mil. XIIIe, de *a,* et *destre, dextre* «droite».

Vx, ou par archaïsme. Habile, adroit.

**ADEXTRÉ, ÉE** [adɛkstʀe] adj. — 1080, *adestrer;* p. p. du verbe *adextrer* «conduire en donnant la main droite».

Blason. Accompagné à dextre (à droite pour l'écuyer, à gauche pour l'observateur) de... *Pal adextré d'une croix.*

**ADH** ou **A. D. H.** [adeaʃ] n. f. — Après 1950 ; sigle.
Hormone antidiurétique.

**ADHÉRENCE** [adeʀɑ̃s] n. f. — XIVe ; du bas lat. *adhærentia* «ce qui adhère», de *adhærens.* → Adhérent.

♦ **1** État d'une chose qui adhère, tient à une autre. *L'adhérence de l'écorce à l'arbre. L'adhérence des pneus au sol.* — (1907). *L'adhérence* (des roues, des pneus) *au freinage, à l'accélération. Une mauvaise adhérence provoque le patinage ou le dérapage des roues* (→ **Aquaplanage).**

Par métaphore :

Le bienfait a une adhérence visqueuse et répugnante qui vous ôte vos libres mouvements.
HUGO, l'Homme qui rit, II, I, X.

Fig. Accord de deux choses d'ordre différent. → **Convenance, union.**

La coquette et le pédant sont deux voisins. Leur adhérence est visible dans le fat.
HUGO, l'Homme qui rit, II, I, III.

Spécialt. [a] Méd. Réunion pathologique ou accidentelle de surfaces contiguës qui adhèrent entre elles. *Adhérence pleurale* (dans un pneumothorax). *Section des adhérences.*

[b] Bot. Soudure d'organes appartenant à des verticilles différents.

[c] Sports (alpin.). Appui, pression des pieds (sur une pente rocheuse) au cours de la progression (→ **Opposition).**

♦ **2** (XVe-XVIIe, «adhésion»). Fig. Rare. Attachement moral étroit (à des idées, une doctrine, à Dieu, etc.). *L'adhérence de l'esprit à une conviction. L'adhérence de deux choses.*

La foi est une adhérence de cœur à la vérité éternelle. 3
BOSSUET, Sermon sur la charité.

Le cœur se sature d'amour comme d'un sel divin qui le conserve ; de là l'incorruptible adhérence de ceux qui se sont aimés dès l'aube de la vie, et la fraîcheur des vieilles amours prolongées. 4
HUGO, l'Homme qui rit, II, III, IX.

Par métaphore. *Adhérence au passé, à la tradition...* (de qqn, des habitudes, des mœurs).

♦ **3** Math. Ensemble des points adhérents à une partie. *L'adhérence d'un sous-ensemble A* (notée $\bar{A}$) : . le plus petit ensemble fermé contenant A. → **Fermeture.**

CONTR. **Séparation ; désaccord, opposition.**

**ADHÉRENT, ENTE** [adeʀɑ̃, ɑ̃t] adj. et n. — 1331 ; du lat. *adhærens,* p. prés. de *adhærere.* → Adhérer.

♦ **1** Adj. (1680). Qui adhère, tient fortement à (autre chose). *Matière adhérente à la peau.* → **Collant.** *Des coquillages adhérents au rocher.*

Son regard étroit et velouté se fixait, se collait sur la passante, si adhérent, si corrosif, qu'il semblait qu'en se retirant il aurait dû arracher la peau. 1
PROUST, la Prisonnière, Pl., t. XI, p. 185.

Fig. Qui est fortement attaché (à une personne, une idée, une doctrine, etc.).

Bot. *Ovaire adhérent,* soudé au calice. — Techn. (ch. de fer). *Poids adhérent :* fraction du poids d'une locomotive dont on utilise l'adhérence.

♦ **2** N. (XIVe). Personne qui adhère à une doctrine, à une opinion. Membre d'une association, d'un parti. *Recruter des adhérents.* → **Adepte, membre, partisan.** *Carte d'adhérent :* carte d'une personne inscrite à une association, à un parti. *Nouveaux adhérents.*

Mais comment s'est formée l'armée populaire ? Et reformée, puisque parmi les 20 000 combattants arrivés à Yenan, 7 000 seulement venaient du Sud. On parle de propagande, mais la propagande fait des adhérents, elle ne fait pas des soldats (...) 2
MALRAUX, Antimémoires, Folio, p. 534.

♦ **3** Math. Adj. Relatif à l'adhérence (3.). *Point adhérent.* → **Fermé.**

CONTR. **Adversaire, ennemi, opposant.**

**ADHÉRER** [adeʀe] v. tr. ind. [CONJUG. : *céder.*] — XIVe ; *adhérer,* 1216 ; du lat. *adhærere,* de *ad,* et *hærere* «être fixé».

♦ **1** [a] (Sujet n. de chose). Tenir fortement par un contact étroit de la totalité ou de la plus grande partie de la surface. → **Coller, tenir.** *L'écorce adhère au bois. Adhérer à qqch. comme de la glu, comme de la poix,* (vx) *comme glu, comme poix.*

Au squelette calciné adhèrent encore des lambeaux de faux cuir (...) 1
G. DUHAMEL, Scènes de la vie future, VI.

[b] (Sujet n. de personne). Fig. Être en contact, s'unir étroitement.

Ils adhéraient l'un à l'autre par le regard. 2
MARTIN DU GARD, les Thibault, VI, 5.

♦ **2** (Sujet n. de personne). Abstrait. Se déclarer d'accord, partisan de (une idée, une doctrine, etc.). *Adhérer à une proposition.* → **Accepter, approuver, se rallier** (à). *Adhérer à une opinion.* → **Suivre.** *J'adhère à ce que vous dites.* → **Souscrire, tomber** (d'accord). — Absolt. *J'adhère :* je suis d'accord.

3 (...) le même conflit équivoque entre cet idéal internationaliste auquel on adhère théoriquement, et tous ces intérêts nationaux (...)
MARTIN DU GARD, les Thibault, VII, 71.

4 Sa révolte était éthique et sa démarche de générosité. Il n'adhérait pas à une cause. Il se donnait. Tout entier.
Édouard ELIET, Panorama de la littérature négro-africaine, p. 250.

S'inscrire à (une association, un parti dont on partage les vues). → **Affilier** (s'). *Il a adhéré au parti.*

5 Pour entrer au journal, il avait dû adhérer au parti communiste; c'était certes celui qui était le plus près de ses goûts, et il éprouvait une certaine fierté d'être membre du parti le plus avancé, surtout quand il songeait aux opinions politiques de son frère.
Marcel ARLAND, l'Ordre, p. 140, Gallimard 1930 (1929).

CONTR. **Décoller** (se), **détacher** (se), **séparer** (se). — **Décliner, refuser, rejeter.** — **Démissionner, quitter.** ◊ DÉR. (Du lat. *adhærere*) **Adhérent.**

**ADHÉSIF, IVE** [adezif, iv] adj. — 1478; repris XIXe; du rad. de *adhésion.*

♦ **1** (Concret). [a] Qui reste adhérent, colle après application. → **Collant.** *Papilles adhésives. Disques adhésifs* (de certains animaux). — Cour. *Papier, sparadrap, ruban adhésif, bande adhésive,* enduit(e) d'un produit qui le (la) fait adhérer sans humectage. → **Auto-adhésif, autocollant; collant** (n.), **scotch** (nom déposé).

N. m. *Un adhésif :* un tissu, un papier adhésif; une substance permettant de coller des surfaces. *Appliquer un adhésif sur une plaie,* un pansement adhésif. — Techn. Substance adhésive. *Adhésifs à l'eau, à solvant, sans solvant. Adhésifs organiques, semi-organiques.*

[b] Méd. *Inflammation adhésive,* provoquant une, des adhérences.

♦ **2** Fig. et littér. (Rare). Qui s'attache étroitement, adhère.

DÉR. **Adhésivité.** ◊ COMP. **Anti-adhésif, auto-adhésif.**

**ADHÉSION** [adezjɔ̃] n. f. — 1372; du lat. *adhæsio* «point de contact», du supin de *adhærere.* → Adhérer.

♦ **1** Vx. (Choses). Action d'adhérer. *Force d'adhésion.* → **Adhérence.**

1 Deux objets adhèrent en vertu de la force d'adhésion, et leur union qui en résulte est l'adhérence. Les parties d'un tout ont entre elles peu ou beaucoup d'adhérence, et, si on veut les disjoindre, il faut «une force assez grande pour surmonter la force d'adhésion qui les tient unies».
BUFFON, cité par LAFAYE. Dict. des synonymes, Adhérence.

Mod. (Phys.). Force qui s'oppose à la séparation de deux corps mis en contact (attraction intermoléculaire).

Par métaphore :

1.1 Tout ce qui ne va pas dans le sens de l'adhésion au réel n'est que remâchonnement de théories usées, abstraction, décollement. Il y a mille façons d'exprimer ce qui est, mais il n'y a qu'une raison de ne pas fuir.
J.-M. G. LE CLÉZIO, l'Extase matérielle, p. 141.

♦ **2** Approbation réfléchie. → **Accord, agrément, approbation, assentiment.** *Donner, refuser son adhésion à un projet, à une opinion.*

1.2 Les ordres de Votre Majesté vont être exécutés à l'instant, répondit le général Kissoff.
— Silence sur tout ceci!
Puis, ayant fait un signe de respectueuse adhésion, le général, après s'être incliné, se confondit d'abord dans la foule (...)
J. VERNE, Michel Strogoff, p. 6.

Acceptation du contenu d'une croyance.

Je crus d'une telle force d'adhésion, d'un tel soulèvement de tout mon être, d'une conviction si puissante, d'une telle certitude ne laissant place à aucune espèce de doute que (...) 2
CLAUDEL, cité par A. MAUROIS, Études littéraires, t. I, p. 190.

Loc. *En adhésion avec qqch.*

(...) en apparence je reste en adhésion avec l'extérieur, je participe. 3
J.-M. G. LE CLÉZIO, l'Extase matérielle, p. 25.

Dr. internat. Acceptation par un État des obligations que comporte un traité déjà conclu entre d'autres États. *L'adhésion d'un nouveau pays au traité d'Helsinski.*

Action d'adhérer, de s'inscrire (à une association, à un parti). *L'adhésion à un groupe.* — (Sans compl. en *à*). *Signer un bulletin d'adhésion pour devenir membre d'une société. Le parti a enregistré des adhésions massives.* — *Bulletin, formulaire d'adhésion.*

(...) des jeunes gens commencèrent à circuler dans l'assistance, distribuant des bulletins d'adhésion sur lesquels il ne restait qu'à apposer sa signature. 4
GIDE, les Faux-monnayeurs, *in* Romans, Pl., p. 1210.

Bulletin, formule d'adhésion. *Signer une adhésion.*

DÉR. V. **Adhésif.**

**ADHÉSIVITÉ** [adezivite] n. f. — 1853, Lachâtre; de *adhésif.*

♦ **1** Techn. Caractère de ce qui est adhésif. *L'adhésivité d'un métal, d'une surface, d'un humus.* — *Adhésivité d'une colle, de l'encre d'imprimerie; d'un bitume.*

♦ **2** Psychol. Tendance à ne pouvoir éloigner son esprit d'une pensée, d'une personne, d'un objet déterminé. → aussi **Agglutination, viscosité** (mentale). *L'adhésivité est un des traits caractéristiques des épileptiques, qui leur confère un «aspect collant et importun»* (P. Sivadon, *in* Piéron).

**AD HOC** [adɔk] loc. adj. invar. — 1765, en droit; loc. lat. «à cet effet».

♦ **1** Parfaitement qualifié, expert en la matière (souvent par plais. ou iron.). *C'est l'homme ad hoc.* — Dr. *Administrateur, curateur, tuteur ad hoc,* nommé pour une affaire donnée.

L'administrateur légal représentera le mineur dans tous les actes civils, sauf les cas dans lesquels la loi ou l'usage autorise les mineurs à agir eux-mêmes. Quand ses intérêts sont en opposition avec ceux du mineur, il doit faire nommer un administrateur ad hoc par le juge des tutelles. 1
Code civil, art. 389-3.

*Juge ad hoc,* nommé spécialement pour une affaire.

♦ **2** Destiné expressément à tel usage précis. *Fournir des arguments ad hoc.* — (Concret). *«Une boîte ad hoc».* → Adjudant, cit. 1.

J'ai revu chez M. de Geloes mon tableau du *Christ au tombeau* qu'il éclaire le soir avec un quinquet *ad hoc;* il ne m'a pas déplu. 2
E. DELACROIX, Journal 1823-1850, 16 févr. 1850.

HOM. **Haddock.**

**AD HOMINEM** [adɔminɛm] loc. adj. invar. — 1623; expr. lat. «vers l'homme».

Didact. *Argument ad hominem,* qui est dirigé contre la personne de l'adversaire et a une valeur toute particulière dans son cas (en lui opposant notamment ses actes ou ses déclarations).

**AD HONORES** [adɔnɔʀɛs] loc. adv. invar. — 1576 ; loc. lat. mod., *ad* «pour», *honores,* «les honneurs».

Didact. et vx. *Une fonction, un titre ad honores,* purement honorifique.

**ADIABATIQUE** [adjabatik] adj. — 1868, L. Folie, trad. de Clausius *Théorie de la chaleur;* en all. v. 1850 ; du grec *adiabatos* «qu'on ne peut traverser».

Phys. et météor. Se dit des transformations qui s'effectuent sans échange de chaleur avec l'extérieur. — Syn. : *adiathermane* (rare). *Détente adiabatique. Masse gazeuse en échange adiabatique.* — Relatif à une telle transformation. *Ligne adiabatique,* ou, n. f., *une adiabatique :* ligne conventionnelle représentant une telle transformation.

DÉR. **Adiabatiquement, adiabatisme.**

**ADIABATIQUEMENT** [adjabatikmɑ̃] adv. — 1875 ; de *adiabatique.*

Didact. (phys.). Sans perte ni gain de chaleur.

**ADIABATISME** [adjabatism] n. m. — 1875 ; de *adiabatique.*

Didact. État d'un système qui ne transmet ni ne reçoit aucune quantité de chaleur (système dit *adiabatique*). — REM. On trouve la var. *adiabatie,* n. f., chez H. Poincaré (1911).

**ADIALECTIQUE** [adjalɛktik] adj. — 1937, cf. Jankélévitch, *in* T. L. F. ; de 2. *a-,* et *dialectique.*

Didact. (philos.). Qui n'est pas dialectique.

**ADIANTE** [adjɑ̃t] n. m. — 1549 ; lat. sc. *adiantum* (1543), mot du lat. class. (Pline).

Bot. Fougère ornementale. → **Capillaire.** — REM. On trouve aussi la forme lat. *adiantum* [adjɑ̃tɔm]. — Nom courant : *cheveux de Vénus.*

**ADIAPHORE** [adjafɔʀ] adj. — 1838 ; grec *adiaphoros* «non différent ; indifférent», de *a-* priv., et *diaphoros.*

Didact. Qu'on peut admettre ou rejeter indifféremment.

**ADIAPHORÈSE** [adjafɔʀɛz] n. f. — 1846 ; de 2. *a-,* et grec *diaphorêsis* «transpiration». → Diaphorèse.

Pathol. Absence ou diminution de transpiration.

**ADIAPHORIE** [adjafɔʀi] n. f. — 1920, Goblot ; grec *adiaphoria* «indifférence», de *a-* priv., et *diaphoria* «différence».

Didact. État d'indifférence intellectuelle et morale.

**ADIATHERMANE** [adjatɛʀman] adj. — 1928 ; de 2. *a-,* et *diathermane.*

Phys. (Rare). Adiabatique.

**ADIEU** [adjø] interj. et n. m. — XIIe *(adeu);* pour *à Dieu,* réduction de la formule «je vous recommande à Dieu».

♦ **1** Interj. Formule dont on se sert en prenant congé de qqn qu'on ne doit pas revoir de quelque temps ou qu'on ne doit jamais revoir (opposé à *au revoir*).

Adieu, jusqu'au revoir. 1
MOLIÈRE, l'École des maris, II, 3.

Adieu : pour ce coup, ceci doit vous suffire. 2
Et je vous ai plus dit que je ne voulais dire.
MOLIÈRE, les Femmes savantes, I, 4.

Adieu donc, fi du plaisir 3
Que la crainte peut corrompre.
LA FONTAINE, Fables, I, 9.

Adieu ; je perds le temps ; laissez-moi travailler. 4
LA FONTAINE, Fables, IV, 3.

Adieu, je m'en retourne en mon séjour sauvage. 5
LA FONTAINE, Fables, IV, 13.

Il se leva. 5.1
— Adieu.
— Adieu, mon ami.
Il restait debout sans se décider à partir (...)
Il répéta «Adieu», en lui prenant les mains.
— Adieu, mon ami.
— Je vous aime.
Elle lui jeta un de ces sourires où une femme montre à un homme, en une seconde, tout ce qu'elle lui a donné.
Le cœur vibrant, il répéta pour la troisième fois :
— Adieu.
Et il partit.
MAUPASSANT, Fort comme la mort, éd. 1889, p. 134.

Spécialt. Pour prendre congé à jamais.

Mes chers enfants, dit-il, je vais où sont nos pères. Adieu... ! 6
LA FONTAINE, Fables, IV, 18.

Adieu ! mot qu'une larme humecte sur la lèvre ; 7
Mot qui finit la joie et qui tranche l'amour ;
Mot par qui le départ de délices nous sèvre ;
Mot que l'éternité doit effacer un jour.
LAMARTINE, Premières méditations, «Adieu à Graziella».

Adieu ! Je crois qu'en cette vie 8
Je ne te reverrai jamais.
A. DE MUSSET, Poésies nouvelles, «Adieu».

Et elle ajouta, soudain, avec une figure envahie d'un si subit effroi, et sur un ton si étrange que je ne pus m'empêcher de songer aux néfastes réflexions de Brignolles : «Au revoir, mes amis !... *ou adieu !*» 8.1
G. LEROUX, le Parfum de la dame en noir, p. 24.

Loc. fam. (Vieilli). *Sans adieu :* à bientôt.

Sans adieu, madame Potain... au revoir, madame Potain. 8.2
Henri MONNIER, Scènes populaires, t. I, p. 275.

Régional (Sud de la France). *Adieu :* bonjour ou au revoir.

♦ **2** (Emploi substantif). **DIRE ADIEU (à qqn),** prendre congé de lui. *Se dire adieu* (mutuellement). — Littér. (Le compl. désigne une chose humanisée ; → ci-dessous cit. 11.1).

Elle lui dit adieu, prend sa volée, et rit (...). 9
LA FONTAINE, Fables, IX, 20.

À ces mots, en pleurant ils se dirent adieu. 10
LA FONTAINE, Fables, IX, 2.

Ô toi qui sais aimer, réponds, amant d'Elvire, 11
Comprends-tu que l'on parte et qu'on se dise adieu ?
A. DE MUSSET, Lettre à Lamartine.

Jean alla dire adieu à la mer, puis il dit adieu à l'aubergiste, à la servante, la chargea de dire adieu au mousse qui l'avait si souvent conduit et qui, à cette heure, était à la pêche. 11.1
PROUST, Jean Santeuil, Pl., p. 382.

Fig. *Dire adieu à... :* abandonner, renoncer à (qqn, qqch.).

Tant que mon faible cœur, encore plein de jeunesse 12
À ses illusions n'aura pas dit adieu (...)
A. DE MUSSET, Poésies, «l'Espoir en Dieu».

À la jeunesse qui s'envole, 13
À la gloire, au plaisir frivole,
J'ai dit l'adieu fier de Caton.
HUGO, Odes et Ballades, V, XXI.

Formule par laquelle on marque qu'une chose est perdue pour soi.

Amour, amour, quand tu nous tiens, on peut bien dire : «Adieu prudence». 14
LA FONTAINE, Fables, IV, 1.

L'âge la fit déchoir ; adieu tous les amants. 15
LA FONTAINE, Fables, VII, 5.

Le lait tombe : adieu veau, vache, cochon, couvée. 16
LA FONTAINE, Fables, VII, 7.

Prov. *Adieu paniers, vendanges sont faites* (Rabelais, I, 27). — Au fig. L'affaire est perdue sans ressource, c'est une affaire terminée.

♦ **3** N. m. (1588). Fait de prendre congé, de se séparer de qqn (surtout au plur. : *des, les adieux*). *Le moment des adieux. Des adieux poignants. Faire ses adieux,* *des adieux émus. Brusquer, prolonger les adieux. Un éternel adieu,* marquant une séparation définitive.

17 (...) je sais ce qu'il en coûte de s'attacher à autrui et quelles fibres intimes sont déchirées par l'arrachement des adieux.
Edmond JALOUX, Fumées dans la campagne, II, p. 17.

Fait de se séparer (de qqch.). *L'adieu au bonheur, à l'espérance. L'Adieu aux armes* (trad. française d'un titre de Hemingway). — *Un discours d'adieu,* pour prendre congé.

Spécialt. Le fait de se séparer, de prendre congé. *Un adieu difficile. Les adieux* (de Napoléon) *de Fontainebleau* (représentés par un célèbre tableau d'H. Vernet).

**DÉR. Adieuser. — V. Adieu va.**

**ADIEUSER** [adjøze] v. tr. — 1900, Paul Fort; de *adieu.*

Rare. Dire adieu à (qqn); faire ses adieux à (qqn).

**ADIEU VA** [adjøva] ou **À DIEU VAT, À-DIEU-VAT** [adjøvat] loc. interj. — 1684; de *à, Dieu,* et impér. de *aller.*

♦ **1** Vx. (Mar.). Ancien commandement pour virer de bord vent devant (manœuvre particulièrement périlleuse qui justifiait cette formule solennelle), aujourd'hui remplacé par *vire! virez!* ou *envoie! envoyez!*

♦ **2** Mod. À la grâce de Dieu! Advienne que pourra!

Une radio réceptrice me permettrait de ne pas être asservi à mon chronomètre : je pourrais tous les jours savoir l'heure et vérifier ma montre, mais il me faut quelque chose de résistant. Or, les fonds sont bas :
«À Dieu vat», j'espère qu'à Casablanca, on me dépannera.
Alain BOMBARD, Naufragé volontaire, p. 149.

**AD INFINITUM** [adɛ̃finitɔm] loc. adv. — Mots lat., «vers l'infini».

Didact. À l'infini (dans un contexte scientifique).

Le contenu d'un sentiment semble pouvoir croître ad infinitum — mais sa structure le ramène et le réel (corps et univers) agit comme une pesanteur. L'âme est une tangente. VALÉRY, Cahiers, t. II, Pl., p. 471.

**ADIP-, ADIPO-** Premier élément, du lat. *adeps, adipis* «graisse», de mots didact. — Outre les mots traités ci-dessous, on peut signaler : *adipocellulose,* n. f.; *adipocire,* n. f.; *adipogenèse,* n. f.

**ADIPEUSEMENT** [adipøzmɑ̃] adv. — 1926; de *adipeux.*

Rare. D'une manière adipeuse. «*Le corps adipeusement oriental de Moïse*» (Giraudoux, *in* T. L. F.).

**ADIPEUX, EUSE** [adipø, øz] adj. — 1503; du lat. *adeps, adipis* «graisse», et suff. *-eux.*

♦ **1** Anat. et cour. Qui est de nature graisseuse. *Cellule adipeuse,* formée par une mince membrane protoplasmique remplie d'une matière grasse. *Tissu adipeux :* tissu conjonctif où prédominent les cellules adipeuses.

♦ **2** Cour. Gras. → **Empâté, gros.** *Un obèse adipeux. Une vieille femme adipeuse. — Un visage adipeux. Des cuisses adipeuses.*

*(Sa moustache)* donnait du relief à son visage adipeux et plat. MARTIN DU GARD, les Thibault, VII, 40.

Fig. et littér. *Un style adipeux et mou.*

**CONTR. Décharné, étique, maigre, sec, squelettique. ◊ DÉR. Adipeusement, adipose, adiposité. — V. Adipique.**

**ADIPIQUE** [adipik] adj. — 1865, Littré-Robin; du rad. de *adipeux.*

Chim. *Acide adipique :* diacide provenant de l'oxydation des corps gras par l'acide azotique. *Acide adipique. L'acide adipique, combiné par condensation avec l'hexaméthylène-diamine, donne les superpolyamides.*

**ADIPO-** → **Adip-.**

**ADIPOCYTE** [adipɔsit] n. m. — D. i.; de *adipo-,* et *-cyte.*

Biol. Cellule arrondie, d'un diamètre de 10 à 100 µm, contenant une vacuole lipidique et constitutive du tissu graisseux.

**ADIPOLYSE** [adipɔliz] n. f. — 1960; de *adipo-,* et *-lyse.*

Didact. Dissolution des graisses par hydrolyse. Syn. : *lipolyse.*

**ADIPOPEXIE** [adipɔpɛksi] n. f. — Début XXᵉ; de *adipo-,* et du grec *pêxis* «fixation».

Physiol. Fixation des graisses dans les tissus adipeux.

**ADIPOSE** [adipoz] n. f. — 1878; du rad. de *adipeux,* et suff. *-ose.*

Pathol. État morbide caractérisé par la surcharge graisseuse du tissu cellulaire. → **Obésité.**

**ADIPOSITÉ** [adipozite] n. f. — 1869; de *adipeux.*

Méd. et cour. Accumulation de graisse dans le tissu cellulaire sous-cutané, surtout lorsqu'elle est localisée dans une certaine région (hanches, fesses, etc.). → **Obésité.** *Une corpulence, un embonpoint sans adiposité. Adiposité due à un lipome.*

**CONTR. Cachexie, maigreur.**

**ADIPOSO-GÉNITAL, ALE, AUX** [adipozoʒenital, o] adj. — D. i.; du rad. de *adipeux,* et *génital.*

Méd. *Syndrome adiposo-génital,* associant l'obésité et l'insuffisance sexuelle.

**ADIPRÈNE** [adipʀɛn] n. m. — V. 1963; marque déposée; emprunté à l'américain.

Techn. Matière plastique ayant des propriétés voisines de celles du caoutchouc. *L'adiprène est un uréthane. «L'adiprène s'est particulièrement bien comporté dans les nombreuses applications qui, depuis 1963, ont fait appel à cette nouvelle matière»* (Ingénieurs et Techniciens, nº 200).

**ADIPSIE** [adipsi] n. f. — 1834; de 2. *a-,* et grec *dipsa* «soif».

Méd. Diminution ou perte complète de la soif.

**CONTR. Soif.**

**ADIRÉ, ÉE** [adiʀe] adj. — 1170; p. p. de l'anc. verbe *adirer,* de la loc. anç. franç. *a dire* «qui manque»; cf. *estre à dire* «manquer».

Dr. Vx. Égaré, perdu. *Une pièce adirée.*

**ADITION** [adisjɔ̃] n. f. — 1316; repris XVIᵉ; du lat. *aditio,* dans la loc. jur. *aditio hereditatis.*

Dr. rom. *Adition d'hérédité :* acceptation expresse d'une succession.

**HOM. Addition.**

**ADIVE** [adiv] n. m. — 1667; *adie,* 1553; *adit* «chacal», 1490; esp. *adive,* probablt de l'arabe *(')ăd-dī'b* «le chacal».

Rare. Chien sauvage d'Afrique, voisin du chacal.

**ADJA** [adʒa] n. f. — 1901; *jaja,* 1879; forme substantivée du romani *dja* «va!»; cf. esp. *najarse* «s'enfuir».

Argot, vx. *(Se) faire l'adja, les adjas :* s'enfuir. — Mod. **METTRE LES ADJAS (même sens).**

Jurez-moi sur l'honneur que c'est pas des cognes, et on met les adjas.

J. DUTOURD, Mémoires de Mary Watson, p. 113.

L'auto a mis les adjas, le portail s'est refermé.

SAN-ANTONIO, Ne mangez pas la consigne, p. 120.

**ADJACENT, ENTE** [adʒasɑ̃, ɑ̃t] adj. — 1314; du lat. *adjacens,* de *adjacere* «être situé auprès», de *ad,* et *jacere.*

♦ **1** Qui se trouve dans le voisinage immédiat. → **Attenant, contigu, proche, voisin.** *Terrain adjacent à un pré, à un bois. — Rues adjacentes, terres adjacentes.*

Édifice austère d'aspect, recueilli comme sa destination, avec le beau portail d'une église adjacente sur un des côtés, et, sur le derrière, des cours profondes et un jardin cerné de murs noirs et dont la hauteur ôtait tout espoir de les franchir.

LAMARTINE, les Confidences, éd. Lévy, p. 38.

*Adjacent à qqch.*

♦ **2** (1751). Géom. *Angles adjacents,* qui ont même sommet, un côté commun, et sont situés de part et d'autre de ce côté. — Par ext. *Polygones adjacents,* qui ont un ou plusieurs côtés (ou portions de côtés) communs.

♦ **3** Didact. (Abstrait). *La philosophie et les disciplines adjacentes.* → **Voisin.**

CONTR. **Distant, écarté, éloigné, lointain.**

**ADJECTIF, IVE** [adʒɛktif, iv] n. m. et adj. — 1365; du lat. gramm. *adjectivum (nomen)* «(nom) qui s'ajoute» (du supin de *adjacere;* → Adjacent), trad. du grec *épithéton* «ajouté à». → Épithète.

**I** N. m. Mot susceptible d'être adjoint directement *(épithète),* ou indirectement *(attribut),* par l'intermédiaire de quelques verbes (*être,* notamment) au substantif avec lequel il s'accorde, pour exprimer une qualité *(adjectif qualificatif)* ou un rapport *(adjectif déterminatif). Adjectif démonstratif, déterminatif, indéfini, interrogatif, numéral (cardinal, ordinal), possessif, qualificatif, relatif. Degré de signification des adjectifs* (positif, négatif, comparatif*, superlatif*). *Certains adjectifs prennent une signification différente selon qu'ils sont placés avant ou après le nom. Adjectifs pronoms,* susceptibles d'être employés comme adjectifs et comme pronoms (possessifs, démonstratifs, interrogatifs, relatifs, indéfinis, numéraux). *Adjectif substantivé, employé adverbialement. Adjectif verbal :* participe présent adjectivé. *Participe passé adjectif* (ici abrégé en *p. p. adj.*).

(...) le passage est naturel de l'emploi adjectif à l'emploi nominal du mot rose. Nom et adjectif ne sont autre chose que les deux aspects, en quelque sorte, d'une même réalité linguistique.

F. BRUNOT et Ch. BRUNEAU, Grammaire historique, p. 143.

**II** Adj. (1853; *nom adjectif,* XIVe). De la nature de l'adjectif, qui a une valeur d'adjectif. *Forme adjective. Locution adjective,* ayant valeur d'adjectif. *Emploi adjectif d'un participe passé.*

DÉR. **Adjectival, adjectivement, adjectiver.**

**ADJECTIVABLE** [adʒɛktivabl] adj. — 1891, Richepin; de *adjectiver.*

Ling., gramm. Qui peut être adjectivé.

**ADJECTIVAL, ALE, AUX** [adʒɛktival, o] adj. — Début XXe; de *adjectif.*

Ling., gramm. Qui est de la nature de l'adjectif. → **Adjectif** (II.). *Syntagme adjectival,* construit sur la base d'un adjectif (ex. : *difficile à admettre*).

**ADJECTIVATION** [adʒɛktivasjɔ̃] n. f. — XXe; de *adjectiver.*

Ling. Emploi adjectif (d'un subst.); transformation morphologique en adjectif. *L'adjectivation d'une base verbale au moyen du morphème* -able (dit *adjectivateur*).

**ADJECTIVEMENT** [adʒɛktivmɑ̃] adv. — XVe; de *adjectif.*

Ling. Avec la valeur d'un adjectif. *Un participe passé employé adjectivement.*

**ADJECTIVER** [adʒɛktive] v. tr. — 1801, Mercier; de *adjectif.*

Ling., gramm. Employer comme adjectif. *Adjectiver un participe présent.* — Au p. p. *Un participe adjectivé.*

DÉR. **Adjectivable, adjectivation.**

**ADJOINDRE** [adʒwɛ̃dʀ] v. tr. [CONJUG.: *joindre.*] — XIIe; *adjungeat,* VIIIe; du lat. *adjungere,* de *ad,* et *jungere.* → Joindre.

♦ **1 ADJOINDRE (qqn, un groupe) À (qqn, un groupe) :** associer (une personne) pour aider, pour contrôler. *On lui a adjoint un collaborateur.* → Adjoint, n.

(...) La Fayette se fie peu à ces gens-là. Il leur a adjoint un bataillon de garde soldée pour les surveiller. 1

MICHELET, Hist. de la Révolution franç., p. 707.

♦ **2** (XIXe; repris de l'anc. franç.). Joindre, ajouter (une chose à une autre). *Adjoindre un service à un autre, dans un ministère. Les anciens adjoignaient souvent un surnom à leur nom patronymique.* → **Ajouter, associer, attacher, unir.**

◆ **S'ADJOINDRE** v. pron. (réfl.). Ajouter (qqn) à soi, prendre pour associé, pour auxiliaire. → **Attacher (s'), prendre.**

La conscience éclaire donc de sa lueur, à tout moment, cette partie immédiate du passé qui, penchée sur l'avenir, travaille à le réaliser et à se l'adjoindre. 2

H. BERGSON, Matière et Mémoire, p. 163.

Pron. réfl. *Nous nous adjoindrons à cette entreprise. Il s'y est adjoint.*

◆ **ADJOINT, OINTE** p. p. adj. (choses). *Pièces adjointes.* — Littér. *«Les beaux sentiments adjoints ou connexes»* (Peguy, *in* T. L. F.).

Math. *Déterminant adjoint* (d'un déterminant). *Matrice adjointe. Fonction adjointe.* — Mus. *Tons adjoints.*

(Personnes). *Professeur adjoint, maire adjoint.* → **Adjoint,** n. *Directrice adjointe.*

N. m. Ling. *Adjoint :* constituant non indispensable d'une phrase. → **Expansion.**

CONTR. **Enlever, ôter, retirer. — Détacher, disjoindre, dissocier, séparer.** ◊ DÉR. **Adjoint,** n.

**ADJOINT, OINTE** [adʒwɛ̃, wɛ̃t] n. — 1337; subst. du p. p. de *adjoindre.*

Personne associée à une autre pour l'aider dans ses fonctions. → **Aide, assistant, auxiliaire, collaborateur, second, suppléant.**

1 Comme au milieu de tant de gens, Tityre ne pouvait suffire, il fut forcé de se choisir un adjoint, ce qui fit qu'on le nomma maire.
GIDE, le Prométhée mal enchaîné, Romans, Pl., p. 336.

2 À Bosangoa, M. Martin, adjoint des services civils, qui remplace momentanément M. Marcilhacy, l'administrateur en tournée, nous accueille.
GIDE, Voyage au Congo, *in* Souvenirs, Pl., p. 807.

Spécialt. **ADJOINT AU MAIRE** ou **ADJOINT** : conseiller municipal élu par le conseil pour assister le maire dans ses fonctions et au besoin le suppléer. *Le maire était accompagné du premier adjoint.* — Milit. *Adjoints de chancellerie :* officiers qui forment le personnel d'exécution des états-majors. — *Adjoints administratifs, techniques.* — *Adjoint d'enseignement :* fonctionnaire chargé d'un service mixte de surveillance et d'enseignement. — *La directrice et ses adjointes.*

Appos. *Le vicaire adjoint au curé. Un professeur adjoint.* — REM. Dans ces emplois, *adjoint* peut être considéré comme un adj. → Adjoindre, p. p.

CONTR. **Chef, titulaire.**

**ADJONCTIF, IVE** [adʒɔ̃ktif, iv] adj. — 1747, Girard; bas lat. *adjunctivus* (autre sens en gramm.), du supin de *adjungere* (→ Adjoindre) ou dér. de *adjoindre.*

Gramm. anc. Qui joue le rôle d'une incidente (interjection, apostrophe; incises).

**ADJONCTION** [adʒɔ̃ksjɔ̃] n. f. — XIVe; du lat. *adjunctio,* du supin de *adjungere.* → Adjoindre.

♦ **1** Action d'adjoindre (une personne, une chose à une autre). *Adjonction d'une aile à un bâtiment, d'un nom à une liste, de nouveaux électeurs à un corps électoral, d'une province à un pays.* → **Accession, addition, annexion, association, rattachement, réunion.** *Le parti a décidé l'adjonction de deux nouveaux membres au comité directeur.* — *Adjonction de colorants à un produit alimentaire.*

Si les Courvoisier donnaient un dîner de famille ou un dîner pour un prince, l'adjonction d'un homme d'esprit, d'un ami de leur fils, leur semblait une anomalie capable de produire le plus mauvais effet.
PROUST, le Côté de Guermantes, Pl., t. II, p. 468.

♦ **2** (1306, en dr.). Chose ajoutée à une autre. — Spécialt. *Ce texte ne diffère de l'autre que par quelques adjonctions.* → **Addition, ajoutage.**

CONTR. **Retranchement, soustraction, suppression.**

**ADJUDANT** [adʒydɑ̃] n. m. — 1776; *adjudan* «aide canonnier», 1671; de l'esp. *ayudante* «aide» puis «officier subalterne», de *ayudar* «aider».

**I** ♦ **1** Sous-officier qui, dans la hiérarchie des grades, est au-dessus du sergent-major et sert d'auxiliaire immédiat à l'officier responsable. → 2. **Juteux** (pop.); cf. en argot milit. adjupète, chien de quartier. — REM. Employé par un subordonné comme interpellatif, *adjudant* est précédé de *mon.*

1 Les livrets matricules sont conservés dans une boîte ad hoc. «Qu'est-ce que ça veut dire, ad hoc, mon adjudant? — En bois, qu'il répondait. Une boîte ad hoc, c'est une boîte en bois» (...) Roger VERCEL, Capitaine Conan, p. 31.

*Adjudant-chef :* sous-officier du grade le plus élevé (immédiatement supérieur à *adjudant*). *Oui, mon adjudant-chef!* — Loc. fam. *La femme de l'adjudant :* la salle de police.

REM. Sur *adjudant* et *juteux,* J. Perret forge un adjectif : *«les aspects les plus exquis du prestige adjuteux».*

♦ **2** Péj. *Un adjudant :* un chef autoritaire, borné et tatillon.

♦ **3** Hist. (En France). Officier adjoint à un autre. *Adjudant-major* (1883) : officier du grade de capitaine chargé d'assister ou de suppléer un officier supérieur. — *Adjudant général* (de 1790 à 1818) : colonel ou lieutenant-colonel adjoint d'un général. *Adjudant commandant.*

♦ **4** Littér. (au sens du lat. *adjuvare*). Aide.

À deux, ils *(les conducteurs de camion)* formaient équipe : le chauffeur et son adjudant, l'un au volant, l'autre perché sur le marchepied, guettant les obstacles (...)
Claude LÉVI-STRAUSS, Tristes tropiques, p. 176.

**II** (1826, *in* D. D. L.). Zool. Grand oiseau, variété de marabout*.

**ADJUDICATAIRE** [adʒydikatɛʀ] n. — 1430; du rad. de *adjudication.*

Dr. Personne à qui l'on adjuge qqch. dans une vente par adjudication ou dans une adjudication administrative. *Dans la vente par adjudication, le dernier enchérisseur doit être déclaré adjudicataire. Dans l'adjudication administrative, c'est le soumissionnaire qui a fait le plus fort rabais qui est déclaré adjudicataire.* → **Acheteur, acquéreur, poursuivant, saisissant.**

L'adjudication ne transmet à l'adjudicataire d'autres droits à la propriété que ceux appartenant au saisi.
Code de procédure civile, art. 717.

Ne peuvent se rendre adjudicataires, sous peine de nullité, ni par eux-mêmes, ni par personnes interposées :
Les tuteurs, des biens de ceux dont ils ont la tutelle;
Les mandataires, des biens qu'ils sont chargés de vendre (...) Code civil, art. 1596.

Le notaire conclut avec le jeune homme un marché d'or en lui persuadant qu'il y aurait des poursuites sans nombre à diriger contre les adjudicataires, avant de rentrer dans le prix des lots; qu'il valait mieux vendre à M. Grandet, homme solvable, et capable d'ailleurs de payer la terre en argent comptant.
BALZAC, Eugénie Grandet, éd. 1838, p. 46.

CONTR. **Adjudicateur.**

**ADJUDICATEUR, TRICE** [adʒydikatœʀ, tʀis] n. — 1823; du rad. de *adjudication.*

Dr. Personne qui adjuge, qui est chargée d'une adjudication. *Notaire, huissier, greffier adjudicateur.* → **Commissaire-priseur.**

CONTR. **Adjudicataire.**

**ADJUDICATIF, IVE** [adʒydikatif, iv] adj. — 1534; du rad. de *adjudication.*

Dr. Qui adjuge; relatif à l'adjudication. *Sentence adjudicative.*

**ADJUDICATION** [adʒydikasjɔ̃] n. f. — 1330; du lat. jur. *adjudicatio,* de *adjudicare.* → Adjuger.

Droit.

♦ **1** (Droit civil). Déclaration par laquelle le juge ou un officier public attribue au plus offrant un bien mis aux enchères. → **Enchère.** *Vente par adjudication :* vente aux enchères par autorité de justice de biens publics ou de biens appartenant à des incapables, à des copropriétaires, à des débiteurs saisis. *Adjudication volontaire, judiciaire, forcée.* → **Licitation, saisie.** *Les adjudications de meubles sont faites au plus offrant par commissaires-priseurs, notaires, huissiers ou greffiers qui en dressent procès-verbal. Les adjudications d'immeubles sont faites par jugement du tribunal, après publication d'un cahier des* *charges (indiquant notamment la mise à prix), sur enchères portées par ministère d'avoué devant l'un des juges du tribunal à l'audience des criées ou devant un notaire commis à cet effet.*

L'adjudication ne pourra être faite qu'après l'extinction de trois bougies allumées successivement.
Code de procédure civile, art. 706.

♦ **2** *Adjudication administrative :* marché passé avec publicité et concurrence entre l'administration et un particulier pour l'exécution de travaux publics ou pour des fournitures. *Adjudication sur soumissions cachetées à celui qui fait le plus fort rabais, après avoir accepté les conditions du cahier des charges, et, dans certains cas, déposé un cautionnement.*

CONTR. **Marché de gré à gré.** ◊ DÉR. **Adjudicataire, adjudicateur, adjudicatif.**

**ADJUGER** [adʒyʒe] v. tr. [CONJUG.: *bouger.*] — XII^e, *ajugier;* du lat. *adjudicare,* de *ad,* et *judicare.* → Juger.

♦ **1** Dr. et cour. Attribuer par un jugement en faveur d'une partie. *Le jugement a adjugé tous les biens à M. X.*

1 Et la guêpe adjugea le miel à leurs parties.
LA FONTAINE, Fables, I, 21.

2 La liquidation des dépens et frais sera faite, en matière sommaire, par le jugement qui les adjugera.
Code de procédure civile, art. 543.

Dr. (procéd.). *Adjuger au demandeur ses conclusions :* rendre un jugement conforme aux prétentions du demandeur.

♦ **2** (1659). Cour. Décerner. *Adjuger un prix.* → **Accorder, attribuer.** *Se faire adjuger qqch.*

Fam. Donner. *Adjuger à qqn la palme, la couronne. On lui a adjugé un superbe zéro.*

♦ **3** (XVII^e). Dr. Attribuer par autorité de justice la propriété d'un bien vendu par adjudication au plus offrant et dernier enchérisseur. *Adjuger une propriété, une maison à qqn.*

2.1 Le marteau du commissaire-priseur m'a adjugé le livre pour soixante-six francs.
NERVAL, les Filles du feu, Pl., t. III, p. 583.

**ADJUGÉ,** se dit, par ellipse, de la chose adjugée à l'encan. *Une fois, deux fois, adjugé!* — Par plais. *Personne ne veut la part de tarte qui reste? Une fois, deux fois, adjugé! Je la prends.*

♦ **4** Dr., admin. Concéder l'entreprise de travaux ou la fourniture de marchandises au soumissionnaire qui a fait le plus fort rabais. *Adjuger des travaux de réfection d'un bâtiment.*

◆ **S'ADJUGER** v. pron. S'approprier, s'emparer, d'une manière plus ou moins arbitraire. *S'adjuger la parole, la meilleure part, une bonne place.*

3 (...) que cette nation a le droit de s'adjuger ce qui est nécessaire pour arrondir certains contours (...)
RENAN, Discours et Conférences, Qu'est-ce qu'une nation?... → Nation.

◆ **ADJUGÉ, ÉE** p. p. adj. Qui a été adjugé. *Les biens adjugés.* — Absolt. *Adjugé!* (voir ci-dessus, 3.).

**ADJURATION** [adʒyʀasjɔ̃] n. f. — 1488; du lat. ecclés. *adjuratio,* du lat. class. *adjurare.*

♦ **1** Théol. Formule par laquelle on adjure Dieu (dans la religion catholique). *L'exorcisme est une des formes de l'adjuration.* → **Conjuration, obsécration.**

Ces ténèbres et ces soupirs, ces flammes de l'âtre et ces adjurations remplissent l'enfant du sentiment qui nous saisirait devant une assemblée infernale au fond des bois.
M. BARRÈS, la Colline inspirée, p. 305.

♦ **2** Demande au nom de Dieu, par un appel aux sentiments religieux. — Par ext., cour (mais style soutenu). Prière instante, supplication. → **Imploration, supplication.** *Il s'entêtait, malgré les adjurations de sa famille.*

**ADJURER** [adʒyʀe] v. tr. — XIII^e, *ajurer;* du lat. *adjurare,* de *ad,* et *jurare.* → Jurer.

♦ **1** Théol. S'adresser à (une puissance, Dieu) en prononçant une formule d'exorcisme, dans le rituel catholique. — Par ext. Sommer (un esprit, un démon, etc.).

Je t'adjure par la terre, par le feu! 1
Et par la fureur de la terre qui jaillit dans la forme du feu, comme sous une bouche qui suce, et qui est dans le vin que l'on boit, dans le chanvre et dans le pavot, et dans la frénésie qui remplit les devins et les sorcières, et dont je suis possédé! Je t'appelle, je t'appelle!
CLAUDEL, le Repos du septième jour, *in* Théâtre, Pl., t. I, p. 808.

♦ **2** Commander ou demander à (qqn), en adressant une adjuration. → **Implorer, prier, supplier.** *Je vous adjure d'avoir pitié de lui.*

J'adjure tout homme sincère de dire s'il ne sent pas au fond 2
de son âme qu'il y a dans le trafic de soi-même quelque chose de servile et de bas.
ROUSSEAU, Lettre à d'Alembert.

Je pense à Vandervelde. Il ressemblait à Mazarin, et était, 3
Jaurès mort, le plus grand orateur socialiste. «Vous savez, les hommes sont de curieuses bêtes. J'étais président de la Chambre. La fureur arrive, les pupitres claquent, j'adjure les députés — tout à fait en vain. J'impose une suspension de séance».
MALRAUX, Antimémoires, p. 455.

♦ **3** Vx ou littér. Prendre à témoin, de façon solennelle. → **Invoquer.**

Tombe aux pieds du vieillard, gémis, implore, presse, 4
Adjure cieux et mers, dieu, temple, autel, déesse (...)
A. CHENIER, Bucoliques, p. 133, *in* T. L. F.

**ADJUTEUR, TRICE** [adʒytœʀ, tʀis] n. — XII^e; du lat. *adjutor.* → Coadjuteur.

Littér. et rare. Aide; adjoint.

Spécialt. (Vx). Élève ayant une fonction d'aide, dans un pensionnat (Gyp, *in* T. L. F.).

**ADJUVANT** [adʒyvɑ̃] n. m. — 1834; adj., 1560, «qui aide, auxiliaire»; du lat. *adjuvans,* p. prés. de *adjuvare* «aider».

Didact., littér. ou technique.

♦ **1** Didact. Médicament, traitement auxiliaire, destiné à renforcer ou à compléter la médication principale. — Adj. *Une substance adjuvante.*

C'est une sorte d'angoisse dont ne pourra triompher le 1
sommeil sans adjuvants.
GIDE, Voyage au Congo, *in* Souvenirs, Pl., p. 849.

(1960). Techn. Produit que l'on ajoute à un matériau (par exemple, dans la fabrication des plastiques) en vue de le transformer. *Les «adjuvants de polymérisation»* (J.-C. Desjeux et J. Duflos, *les Plastiques renforcés,* p. 77). *Les adjuvants du béton* (par exemple, *antigels*). — Chim. → **Catalyseur.** — Additif. *Adjuvants de filtration* (en brasserie).

♦ **2** (XIX^e). Littér. Ce qui seconde l'action, la renforce. → **Auxiliaire, stimulant.** — Adj. *Des circonstances adjuvantes.*

*(Les moralistes)* pensent (...) qu'ils ont assez fait en prê- 2
chant la bonne parole et que l'exemple personnel n'est pas un adjuvant nécessaire à l'influence de leurs idées.
Pierre LOUŸS, les Aventures du roi Pausole, III.

REM. On a employé dans ce sens le latinisme *adjuventum* [adʒyvɛ̃tɔm] ou [adjuvɛ̃tum].

Je crois que l'observation est juste, tout humiliante qu'elle 3
est pour un grand nombre de beaux esprits, qui ont trouvé

dans la bouteille cet *adjuventum* du talent qui les a fait atteindre la crête escarpée de l'art.
E. DELACROIX, Journal 1850-1854, 21 juil. 1850.

N. m. Rôle d'aide, dans l'économie narrative. *L'adjuvant et l'opposant sont parmi les principaux actants* du récit.*

**ADJUVAT** [adʒyva] n. m. — 1875; du lat. *adjuvare* «aider, seconder».

Méd. Fonction d'aide d'anatomie ou de chirurgie.

**ADJUVER** [adʒyve] v. tr. — XIIIe; lat. *adjuvare.*

Littér. et rare. Aider (Huysmans, *in* T. L. F.).

**ADLÉRIEN, IENNE** [adleʀjɛ̃, jɛn] adj. — 1946, de *Adler,* médecin autrichien (1870-1937).

Didact. Qui concerne la psychanalyse d'Adler et de ses disciples. *Méthode adlérienne. — Un psychologue, un thérapeute adlérien.* — N. *Il s'est fait analyser par un adlérien.*

*La théâtro-thérapie* (...) R. Dreikurs *(Chicago Medical School)* a par exemple mis au point une psychothérapie de groupe dans une perspective adlérienne, tandis qu'en France des efforts sont développés à partir d'un arrière-plan psychanalytique.
Guy PALMADE, la Psychothérapie, p. 104.

**ADLÉRISME** [adleʀism] n. m. — 1946; de *Adler,* et *-isme;* → Adlérien.

Didact. Doctrine psychologique adlérienne. Psychanalyse adlérienne.

**AD LIBITUM** [adlibitɔm] loc. adv. — 1771; du lat. *ad* «à», et *libitum,* participe substantivé de *libere* «plaire».

À volonté, au choix.

Sous la douche (...) ils respectent un code rituel établi superstitieusement : savonnage de l'anus, du sexe, du ventre, des aisselles, du cou, dans cet ordre, pour le reste ad libitum. Jacques LAURENT, les Bêtises, p. 313.

Mus. (abrév. : *ad lib.*). Au gré de l'exécutant. *Jouer ad lib.* : improviser librement.

**AD LIMINA** [adlimina] loc. adj. — Mots lat., «au seuil», dans *ad limina apostolorum* «au seuil (des tombes) des apôtres».

Relig. *Visite ad limina :* voyage que les évêques de l'Église romaine doivent faire tous les cinq ans au Vatican pour rendre compte de leur administration.

**AD LITEM** [adlitɛm] loc. adj. — 1866; mots lat., «pour un procès».

Dr. En vue d'un procès. *Mandat ad litem,* limité au seul procès en cause.

**AD LITTERAM** [adliteʀam] loc. adv. — XVIe; mots, lat., «à la lettre».

Didact. *Citer ad litteram,* littéralement.

**AD MAJOREM DEI GLORIAM** [admaʒɔʀɛmdeiglɔʀjam] loc. lat.

Relig. (devise des Jésuites). «*Pour la plus grande gloire de Dieu*». — Abrév. : *A. M. D. G.*

**ADMETTRE** (admɛtʀ] v. tr. [CONJUG.: *mettre.*] — XVe; *amettre,* XIIIe, sens divers en anc. franç.; du lat. *admittere,* de *ad,* et *mittere.*

♦ **1** [a] Recevoir (qqn), laisser entrer, permettre à (qqn) d'accéder quelque part, d'être avec (d'autres), de faire partie d'un groupe. → **Accueillir, agréer, introduire, recevoir.** *Admettre qqn chez soi, à sa table, dans une société. Admettre un fidèle à la communion de l'Église.* — (Passif et p. p.). *Il a été difficilement admis chez son directeur. Le public est admis dans les salles à partir de neuf heures. N'allez pas chez lui sans prévenir : vous n'y serez pas admis.* — (Sans compl. de «lieu»). *Être admis,* reçu, et, fig., accepté, bien accueilli.

Le voilà donc admis, soulagé, bien reçu. 1
LA FONTAINE, Fables, IV, 12.

(...) je ne crains point le blâme 2
D'avoir admis chez vous un profane, Madame (...)
MOLIÈRE, les Femmes savantes, III, 3.

Dans aucun parti on ne fait difficulté d'admettre un voleur, s'il a du gosier et de l'estomac (...) 3
M. BARRÈS, Leurs figures, p. 19.

*Admettre qqn, un candidat à un examen, un concours,* lui conférer un grade, un titre, le déclarer apte à exercer certaines fonctions (souvent : d'enseignement ou d'administration). *Il a été admis troisième à l'agrégation d'histoire. — Être admis,* reçu.

Fig. *Admettre qqn parmi ses amis, dans sa famille.*

*(Cet homme)* ils l'admettent dans leur familiarité. 4
LA BRUYÈRE, les Caractères, XIII, 6.

*Admettre qqn à...* (et inf.), l'autoriser* à...

[b] Par ext. *Admettre un pays dans une fédération, une association d'États, dans le Marché commun.*

♦ **2** Dr. *Admettre qqn à... :* permettre à (qqn) de... *Admettre qqn à se justifier, l'admettre à ses preuves justificatives, à prouver,* etc. — Admin. *Admettre qqn à faire valoir ses droits à la retraite.*

♦ **3** Considérer (qqch.) comme acceptable par l'esprit (par un jugement de réalité ou de valeur). *Admettre une requête. Admettre les raisons, les excuses de qqn* (→ **Excuser, pardonner**). — Au p. p. *C'est une chose communément admise.*

Il avait su faire admettre par l'université, non seulement ses cours (...) MARTIN DU GARD, les Thibault, V, 10. 5

Tenir pour valable, recevable.

(...) comme il n'avait plus rien à perdre, il admettait tous les moyens (...) 6
BALZAC, les Petits Bourgeois, Pl., t. VII, p. 127.

Accepter en tant que croyance. «*Lorsqu'on admet l'incarnation (...)*» (Chateaubriand). *Admettre un dogme, un mystère. Admettre ou refuser, ou rejeter qqch.*

Spécialt. Accepter à titre de simple hypothèse qu'on retient provisoirement. → **Supposer.** *Admettre qqch., une idée. — Admettre que...,* et indicatif *(J'admets que tu as raison)* ou subjonctif *(J'admets que tu aies raison). En admettant que...,* et subjonctif.

Les grands croient être seuls parfaits, n'admettent qu'à peine dans les autres hommes la droiture d'esprit, l'habileté, la délicatesse. 7
LA BRUYÈRE, les Caractères, IX, 19.

Il admet à priori que tu te trompes. 8
A. MAUROIS, Bernard Quesnay, IX, 60.

D'abord cela est contestable. En admettant que cela soit vrai «en gros» (...) 9
A. MAUROIS, Études littéraires, I, p. 36.

*Admettre qqch. comme vrai, comme possible, comme vraisemblable... «Il faut admettre tout comme possible, mais il faut tout vérifier»* (Claude Bernard).

♦ **4** Reconnaître ou consentir à reconnaître pour vrai, véritable. *C'est vrai, il est vrai, je l'admets, je vous l'accorde... Admettre un raisonnement. Admettre que... Il est communément admis que...* → **Accepter, accorder, avouer, concéder, consentir, reconnaître.** — *Admettre le bien fondé de qqch.* → **Adopter, approuver, souscrire** (à).

Par là, votre personne auguste 10
N'admettra jamais rien en soi

De ridicule ni d'injuste. LA FONTAINE, Fables, XI, 5.

Que rien ne soit admis qui ne soit humainement vérifiable. N'acceptons que le visible et le tangible.
HUGO, Post-Scriptum de ma vie, p. 67.

C'est lui *(le lecteur)* dont le sentiment admettra ou rejettera certains faits, décidera ce qui est histoire et ce qui ne l'est point. VALÉRY, Regards sur le monde actuel, p. 16.

Tous les peuples primitifs ont admis que le fou est habité par un démon.
A. MAUROIS, les Silences du colonel Bramble, XIX.

Pop. (construit avec *à*) :

Bien sûr, vous me direz, le pouvoir d'achat des masses se trouve diminué. Ce que j'ai donné aux ouvriers d'un côté, je leur enlève de l'autre. Bon. Je vous l'admets.
M. AYMÉ, Travelingue, p. 255.

♦ **5** (Surtout en phrase négative). [a] Accepter, permettre. *Il n'admet pas la discussion, la contradiction.* → **Tolérer.** *Ne pas admettre que...* (et subjonctif).

Il s'irritait peu à peu contre la comtesse, n'admettait point qu'elle osât le soupçonner d'une pareille vilenie (...)
MAUPASSANT, Fort comme la mort, p. 245.

Je n'admets pas que rien me nuise ; je veux que tout me serve au contraire. J'entends tourner tout à profit.
GIDE, Journal, 24 mars 1906.

Quand j'ordonne d'urgence un traitement que je juge opportun, je n'admets pas qu'on le discute.
MARTIN DU GARD, les Thibault, VII, 61.

[b] (Sujet n. de chose). Autoriser, permettre. → **Souffrir, supporter.** *Sur un ton qui n'admettait pas de réplique. Cette affaire n'admet aucun retard.*

Ce haut rang n'admet point un homme sans honneur.
CORNEILLE, le Cid, I, 4.

L'hymen chez les Romains n'admet qu'une Romaine.
RACINE, Bérénice, I, 5.

[c] Inclure ; être apte à recevoir, à comprendre, à contenir. — (Sujet n. de chose). *Cette règle n'admet aucune exception.* → **Souffrir.** *Ce texte admet plusieurs interprétations.* → **Comporter.** — (Sujet n. de personne). *Admettre une idée, une image, un sentiment* (en soi).

Ainsi, à chacun des moments de sa durée, le nom de Guermantes, considéré comme un ensemble de tous les noms qu'il admettait en lui (...)
PROUST, À la recherche du temps perdu, t. XV, p. 136.

♦ **6** Dr. Déclarer recevable en justice. *La chambre a admis le pourvoi.*

L'acte de confirmation ou ratification d'une obligation contre laquelle la loi admet l'action en nullité ou en rescision, n'est valable que lorsqu'on y trouve la substance de cette obligation, la mention du motif de l'action en rescision, et l'intention de réparer le vice sur lequel cette action est fondée. Code civil, art. 1338.

♦ **7** (XIX^e). Laisser entrer, pouvoir contenir. — Surtout au passif. *Les gaz sont admis dans le cylindre.*

◆ **S'ADMETTRE** v. pron. (Passif). *C'est une chose qui ne s'admet pas aisément.*
(Récipr.). *Il faut s'admettre l'un l'autre.*

◆ **ADMIS, ISE** p. p. adj.

♦ **1** (Personnes). → ci-dessus, 1. — N. *Les admis et les refusés.*

♦ **2** (Choses abstraites). *Axiomes, principes admis. Idée généralement admise. Principe connu et admis. Emploi admis d'un mot, construction admise,* permise, considérée comme correcte.

CONTR. **Chasser, éconduire, éliminer, exclure, expulser, recaler** (fam.), **refouler, refuser, rejeter, renvoyer, repousser. — Contester, discuter, douter, nier.**

**ADMINICULE** [adminikyl] n. m. — 1555 ; lat. *adminiculum* «auxiliaire, appui», d'abord «étai, soutien».

♦ **1** Vx. Appui, moyen auxiliaire. — Dr. Élément, commencement de preuve.

♦ **2** (1740). Attribut, ornement d'une figure de médaille.

♦ **3** Bot. (Du sens originel du lat. «étai, échalas»). Ensemble des éléments de soutien d'une plante.

**ADMINISTRANT, ANTE** [administʀɑ̃, ɑ̃t] adj. — 1825, *in* T. L. F. ; de *administrer.*

Didact. Qui a pouvoir d'administrer ; qui a une autorité pour administrer. — N. (Vx). Administrateur.

**ADMINISTRATEUR, TRICE** [administʀatœʀ, tʀis] n. — XII^e ; du lat. *administrator,* de *administrare.* → Administrer.

♦ **1** Personne chargée de l'administration d'un bien, d'un patrimoine.

Dr. *Administrateur légal,* chargé, d'après la loi, d'administrer le patrimoine d'un incapable (mineur, interdit, autrefois femme mariée...). → **Curateur, tuteur.** *Administrateur ad hoc.* → **Ad hoc.**

Si l'autorité parentale est exercée en commun par les deux parents, le père est l'administrateur légal. Dans les autres cas, l'administration légale appartient à celui des parents qui exerce l'autorité parentale. 1
Code civil, art. 385.
REM. L'ancien texte (avant la loi du 4 juin 1970) portait : «Lorsque le père est déchu de l'administration, la mère devient de droit administratrice en ses lieu et place (...)».

*Administrateur judiciaire, administrateur provisoire :* personne qui est chargée par la justice d'administrer une succession, une société. → **Liquidateur.**

*Administrateur de société,* chargé de gérer les affaires sociales, dans une société anonyme. — *Administrateur de biens, d'affaires privées.* → **Directeur, fondé de pouvoir, gérant, intendant, régisseur.** — *Administrateur de la Comédie-Française,* qui préside le comité d'administration de la Comédie-Française.

Absolt. Qui a les qualités requises par les tâches d'administration. *Aux qualités de l'homme d'État, il joint celles d'un administrateur. Un grand administrateur. C'est une excellente administratrice.*

Si grands qu'ils aient été, Cambon et Carnot ont été des administrateurs, non des gouvernants. 2
JAURÈS, Hist. socialiste..., t. VIII, p. 178.

♦ **2** (Titre de certains fonctionnaires). *Administrateur d'un service, d'un établissement public, d'une concession, d'une régie.* → **Agent, fonctionnaire.** — Vx. *Administrateur colonial.*

Fin. Personne chargée de préparer le recouvrement de l'impôt, par opposition au *comptable,* qui est chargé d'effectuer son recouvrement.

♦ **3** Membre d'un conseil d'administration. *Dans une société anonyme, les administrateurs, nommés par les actionnaires, composent le conseil d'administration ; ils sont rémunérés par des jetons de présence et par une part des bénéfices réalisés. Administrateur délégué.* — REM. Le masc. et le fém. sont en concurrence, en parlant d'une femme. *Elle est administrateur.*

COMP. **Sous-administrateur.**

**ADMINISTRATIF, IVE** [administʀatif, iv] adj. — 1789 ; du rad. de *administration.*

♦ **1** Relatif, propre à l'administration (surtout au sens 2.). *Les autorités administratives. Acte administratif,* émanant de ces autorités. *Décision administrative* (→ **Arrêté, décret, règlement**). *Autorité administrative. Carrière administrative* (→ **Fonction,**

**fonctionnaire).** *Division, circonscription, organisation administrative. Comptes administratifs. Droit* administratif. Contentieux administratif. Police administrative et police judiciaire. Tribunaux administratifs. Filière, hiérarchie administrative. Régime, système administratif.* → **Officiel, public, réglementaire.**

*La langue administrative, le style administratif. Fonction administrative* (dans une entreprise).

Péj. Qui fait un mauvais usage, qui abuse des règles administratives. → **Bureaucratique.** *Le formalisme administratif. L'incurie, la lenteur, la routine administrative. — Les chinoiseries, les tracasseries administratives.*

1 Pourtant, deux heures se passèrent en palabres administratives avant qu'ordre nous fût donné d'aller enfin sur le quai rejoindre nos bagages.
G. DUHAMEL, Scènes de la vie future, I, p. 35.

2 Je dirais même que nous passons beaucoup plus de temps en paperasseries administratives qu'en enquêtes proprement dites.
G. SIMENON, les Mémoires de Maigret, p. 164.

(Personnes; actes humains). Qui manifeste les habitudes propres à l'administration. *Une attitude très administrative.*

3 Quand Leclerc n'osait plus parler son langage particulier, il ne devenait pas simple, il devenait administratif.
MALRAUX, l'Espoir, Pl., p. 669.

♦ **2** Chargé de tâches d'administration. *Directeur administratif. Personnel administratif. Travailleurs administratifs et travailleurs productifs d'une entreprise.*

N. m. [a] Membre du personnel d'administration. *Les administratifs.*

[b] Service administratif (d'une entreprise).

4 On se côtoyait avec la technique et l'administratif, mais les trois ordres affectaient de ne pas se voir dans les couloirs.
Jacqueline MONSIGNY, le Miroir aux pingouins, p. 210.

[c] Collectif. *L'administratif et le judiciaire.*

**DÉR. Administrativement.**

**ADMINISTRATION** [administʀasjɔ̃] n. f. — Après 1250; *aministracion,* v. 1200; du lat. *administratio,* de *administrare.* → Administrer.

♦ **1** Dr. civ. Action de gérer (un bien, un ensemble de biens). *Confier l'administration de ses biens à un fondé de pouvoir.* → **Conduite, direction, gérance, gestion.**

1 (...) personnes capables de conseiller les rois, et de les aider dans l'administration de leurs affaires.
LA BRUYÈRE, les Caractères, IX, 22.

2 La société a le droit de demander compte à tout agent public de son administration.
Déclaration des droits de l'homme, 1789, art. 15.

*Administration légale* (des biens du mineur, des incapables). → **Administrateur** (légal). — *Conseil* d'administration* (d'une société).

Cour. Action ou manière de gérer (des affaires privées ou publiques).

2.1 Combien me plaît cet homme modeste, dont l'œuvre admirable montre ce que pourrait obtenir une administration intelligente et suivie.
GIDE, Voyage au Congo, *in* Souvenirs, Pl., p. 714.

♦ **2** (Sens précisé fin XVIIIe : 1794, *administration publique*). Fonction consistant à assurer l'application des lois et la marche des services publics conformément aux directives gouvernementales; ensemble des services et agents chargés de cette fonction. *L'administration centrale française.* → **Conseil** (d'État), **ministère, présidence** (de la République). *Attaché d'administration centrale. Administration départementale.* → **Conseil** (général), **préfecture.** *Administration locale.* → **Commune, mairie.**

Absolt. *L'administration, l'administration publique,* considérée comme une entité distincte du gouvernement et des particuliers (administrés*). *Entrer dans l'administration.* → Position, cit. 14. *Les cadres, les rouages de l'administration.* → **Agent, fonction** (publique), **fonctionnaire.** — (En France). *École normale d'administration (E. N. A.),* formant depuis 1945 les fonctionnaires administratifs supérieurs.

(...) l'ordre abstrait ne saisit rien et ne range rien que ses propres symboles. C'est ainsi que l'administration conduit ses folies raisonnables.
ALAIN, Propos, 18 févr. 1933, Folies d'administration.

(1793). *Une, des administrations.* Service public, ensemble des fonctionnaires qui en sont chargés. *Les services, les bureaux d'une administration. L'administration des Finances, des Impôts, du Trésor public.* → **Finances, fisc.** *L'administration des Douanes, de l'Enregistrement, des Domaines et du Timbre, des Eaux et Forêts, des P. T. T., des Ponts et Chaussées* (voir ces termes).

Nous n'avons point d'État. Nous avons des administrations.
FRANCE, l'Anneau d'améthyste, p. 93.

L'administration de la Société, se substituant aux innombrables administrations de l'État, va réaliser d'abord d'immenses économies en supprimant tous les rouages inutiles.
A. ROBIDA, le Vingtième Siècle, p. 320.

♦ **3** (XVIIe). Didact. Action de conférer (un sacrement), d'administrer (un médicament), de fournir (une preuve). *L'administration d'un médicament à un malade par le médecin.*

Une pareille prétention ne peut entraîner que deux attitudes : ou la suspension de toute affirmation jusqu'à l'administration de la preuve, ou l'affirmation de tout ce qui, dans l'Histoire, semble voué au succès. La force en premier lieu.
CAMUS, l'Homme révolté, p. 185.

**DÉR.** V. **Administratif.** ◊ **COMP. Sous-administration.**

**ADMINISTRATIVEMENT** [administʀativmɑ̃] adv. — 1802; de *administratif.*

D'une manière administrative, par voie administrative. *Cette affaire a été réglée administrativement. Politiquement et administrativement.*

**ADMINISTRÉ, ÉE** [administʀe] n. — 1796; de *administrer.*

Personne soumise à une autorité administrative. *Ce maire jouit de la confiance de ses administrés.*

Messieurs et chers administrés, dit le sous-préfet de sa voix de cérémonie.
Alphonse DAUDET, Ballades en prose, II, le Sous-préfet aux champs.

Un de ses administrés l'accompagne *(le chef)* qui, lorsque nous l'avons invité à s'asseoir, s'accroupit à terre, aux pieds du chef (...)
GIDE, Voyage au Congo, *in* Souvenirs, Pl., p. 842.

**COMP. Sous-administré.**

**ADMINISTRER** [administʀe] v. tr. — XIIe, *aministrer;* var. *amenistrer,* en anc. franç.; du lat. *administrare* «servir», de *ad,* et *minister.* → Ministre.

♦ **1** Gérer (qqch.) en faisant valoir, en défendant des intérêts. *Administrer les biens d'un mineur, d'un incapable...* → **Administrateur** (légal).

Le mari administre seul les biens de la communauté, sauf à répondre des fautes qu'il aurait commises dans sa gestion.
Code civil, art 1421.

♦ **2** Assurer l'administration de (un pays, une circonscription) en exerçant des fonctions de direction et de contrôle (qui ne sont ni d'ordre législatif ni d'ordre gouvernemental). *Administrer un pays, une population, une grande ville.* → **Conduire, diriger, mener; gérer.** *Le maire administre la commune.* — Absolt. «*Administrer c'est : Organiser, prévoir, commander, coordonner, contrôler*» (Fayol).

1 Observez au demeurant, que nous, Russes, avons reconnu le Comité polonais de la libération nationale, que ce Comité gouverne et administre la Pologne à mesure que l'ennemi en est chassé par nos troupes (...)
Ch. DE GAULLE, Mémoires de guerre, t. III, le Salut.

♦ **3** (Déb. XIII^e, «fournir, livrer»). [a] Conférer (un sacrement). *Administrer le baptême à un enfant.*
Par ext. Administrer l'extrême-onction à... *Administrer un moribond.*

2 Lorsque le curé de la paroisse vint l'administrer, ses yeux, morts en apparence depuis quelques heures, se ranimèrent à la vue de la croix (...)
BALZAC, Eugénie Grandet, éd. 1838, p. 332.

[b] Faire prendre (un remède). *Administrer un médicament, un remède à un malade.* → **Donner.** *Pas étonnant qu'il soit abruti, avec toutes les drogues qu'on lui a administrées!*

2 Il leur administre une foule de remèdes fantaisistes qui finiront bien par faire effet, c'est-à-dire par déterminer quelque maladie véritable.
G. DUHAMEL, Chronique des Pasquier, VI, I, t. III, p. 272.

♦ **4** Dr. Produire (une preuve) en justice; fournir (la preuve de qqch.). → **Apporter.**

♦ **5** Fam. [a] (XIX^e). Donner, flanquer (des coups).

3 (...) j'aurais donné cent francs (...) pour pouvoir administrer une pile n'importe à qui.
FLAUBERT, Correspondance, t. I, p. 56.

4 Si jamais ça se savait qu'est-ce qu'on m'administrerait comme pâtée. R. QUENEAU, Loin de Rueil, p. 50.

[b] Donner, délivrer. «*Tu veux nous administrer du Strauss?*» (Romain Rolland).

**DÉR. Administrant, administré.**

## ADMIRABLE [admirabl] adj. — 1160, au sens mod. (2.); du lat. *admirabilis,* de *admirari.* → Admirer.

♦ **1** (1546). Vx ou littér. Étonnant, surprenant (sens dominant jusqu'au XVIII^e s.).

1 C'est une chose admirable que tous les grands hommes ont toujours du caprice.
MOLIÈRE, le Médecin malgré lui, I, 4.

Qui choque par sa manière inattendue. *Il est admirable, celui-là, avec ses grands principes! Ah, ça, c'est admirable!*

♦ **2** Mod. D'une beauté, d'une qualité digne d'admiration. → **Beau, incomparable, merveilleux, parfait.** *Son livre est admirable, c'est un texte admirable. Un admirable travail.*

REM. En épithète, l'adj. est antéposé *(un admirable poème)* ou postposé *(un poème admirable),* sans que l'on puisse donner de règle ou même de tendance analysable. *Une œuvre admirable. Un «admirable jardin»* (Zola).

2 Les portraits de Saint-Simon écrits par lui sans qu'il s'admire sans doute, sont admirables (...)
PROUST, À la recherche du temps perdu, t. V, p. 8.

3 Le visage est laid, mais le torse admirable.
GIDE, Voyage au Congo, *in* Souvenirs, Pl. p. 712.

(Sur le plan moral) :

4 Un martyre sans palmes, sans attente de récompense et, ce pourquoi, d'autant plus admirable.
GIDE, Feuillets d'automne, Deux interviews imaginaires, p. 248.

Par ext. → **Excellent, exceptionnel, remarquable.** *C'est une matinée admirable, une admirable matinée.*

REM. Le mot a souvent des emplois excessifs dans l'usage mondain, et peut être rapporté ironiquement.

Non content de rire, d'applaudir aux paroles de Séryeuse, pourtant bien anodines, Anne le proclamait sublime, merveilleux, admirable, et répétait ses phrases à sa femme. Cette dernière singularité n'était pas ce qui dérangeait le moins Séryeuse. 5
R. RADIGUET, le Bal du comte d'Orgel, p. 64.

**CONTR. Affreux, effroyable, horrible, laid, repoussant, répugnant.** ◊ **DÉR. Admirablement.**

## ADMIRABLEMENT [admirabləmɑ̃] adv. — 1422; de *admirable.*

♦ **1** D'une manière admirable. *Une femme admirablement belle.* → **Merveilleusement, parfaitement.** *Elle joue admirablement du violon. Un travail admirablement exécuté, réussi. Il écrit admirablement. Il parle admirablement de...*

L'expression au XVII^e siècle est d'une justesse, d'une exactitude merveilleuse, admirablement ajustée à la pensée. 1
Émile FAGUET, XVII^e s., p. 384.

Comment Wagner ne comprendrait-il pas admirablement le caractère sacré, divin du mythe, lui qui est à la fois poète et critique? 2
BAUDELAIRE, Œuvres, t. II, p. 495.

*(Barrès)* Très soucieux de sa personne et toujours admirablement vêtu, avec tout à la fois une grande élégance et une sorte de négligence apprêtée. 3
GIDE, Feuillets d'automne, L'enseignement de Poussin, p. 190.

*(Ils)* veulent se rendre compte par eux-mêmes du texte admirablement retors (...) si peu aisé à suivre, le plus souvent impossible. 4
Henri MICHAUX, Face aux verrous, p. 47.

♦ **2** Superlatif de *très bien. Nous sommes admirablement installés. Ils s'entendent admirablement.*

## ADMIRANT, ANTE [admirɑ̃, ɑ̃t] adj. — XVII^e; p. prés. de *admirer.*

Littér. Qui est en admiration, exprime l'admiration. → **Admiratif.**

Marie et Anaïs, ravies, essayent les leurs *(diadèmes)* au milieu d'un cercle admirant de gosses; moi, je ne dis rien, mais j'emporte mon ustensile à la maison où je le démolis commodément. COLETTE, Claudine à l'école, p. 268.

Rare. *Être admirant de qqch., de qqn.* → **Admirateur.**

## ADMIRATEUR, TRICE [admiratœr, tris] n. — 1537; du lat. *admirator,* du supin de *admirare.* → Admirer.

Personne qui admire (une personne, une œuvre). *Les admirateurs, les admiratrices d'un homme, d'une femme célèbre.* → **Enthousiaste** (n.). *Cet écrivain a des admirateurs et des disciples passionnés.*

La vanité est si ancrée dans le cœur de l'homme qu'un soldat, un goujat, un cuisinier, un crocheteur se vante et veut avoir des admirateurs. 1
PASCAL, Pensées, II, 150.

*(Racine)* a trouvé en Boileau cet admirateur à la fois passionné, lucide, exigeant, dont nul écrivain ne se passe sans dommage. F. MAURIAC, la Vie de Racine, IV, p. 52. 2

(En parlant de relations affectives, érotiques). Souvent iron. *Il reçoit des lettres de ses admiratrices. Elle a un cortège d'admirateurs.*

**CONTR. Critique, dénigreur, détracteur, ennemi.**

## ADMIRATIF, IVE [admiratif, iv] adj. — 1370; du bas lat. *admirativus,* du lat. class. *admirare.* → Admirer.

♦ **1** Qui exprime son admiration, est porté à l'admiration (devant qqn, un spectacle). *Ses amies la regardaient, admiratives. Être admiratif devant une œuvre, une personnalité. Étonné et admiratif.*

1 (...) ceux qui sont aveuglément curieux (...) deviennent peu à peu si admiratifs, que des choses de nulle importance ne sont pas moins capables de les arrêter que celles dont la recherche est plus utile.
DESCARTES, les Passions de l'âme, II, 78.

2 Aux regards de l'assistance admirative (...)
A.-R. LESAGE, Gil Blas, II, 9.

♦ **2** (XV^e). Qui marque l'admiration. → **Émerveillé.** *Un air, un ton admiratif. Des gestes admiratifs.* Vx. *Point admiratif.* → **Exclamatif.**

**CONTR.** **Dédaigneux, méprisant, moqueur, railleur.** ◊ **DÉR.** **Admirativement.**

**ADMIRATION** [admiʀasjɔ̃] n. f. — 1209; *ammiration,* mil. XII^e; du lat. *admiratio* «étonnement», du supin de *admirare.* → Admirer.

♦ **1** (V. 1320). Vx. Étonnement, surprise devant qqch. d'extraordinaire ou d'imprévu.

1 L'admiration est une subite surprise de l'âme, qui fait qu'elle se porte à considérer avec attention les objets qui lui semblent rares et extraordinaires.
DESCARTES, les Passions de l'âme, II, 70.

2 Je ne sors pas d'admiration et d'étonnement à la vue de certains personnages (...)
LA BRUYÈRE, les Caractères, III, 42.

2.1 (...) il faut entendre que le mot d'admiration est pris dans le sens ancien, qui le rapproche d'étonnement; mais il s'agit ici de l'étonnement intellectuel et non point du choc de la surprise. Descartes connaît les effets de ce choc, qui sont vifs, et qui rendent d'abord presque invincibles les moindres passions (...)
ALAIN, Descartes, *in* les Passions et la Sagesse, Pl., p. 983.

♦ **2** Mod. Sentiment de joie et d'épanouissement devant ce qu'on juge beau ou grand. → **Éblouissement, émerveillement, engouement, enthousiasme, extase, ravissement.** *Avoir de l'admiration pour qqn ou pour qqch. Être plein, pâmé, pénétré, ravi, rempli, saisi, transporté d'admiration. Éprouver, nourrir, professer, ressentir de l'admiration pour qqn, pour qqch. Pleurer d'admiration. Exciter, forcer, provoquer, soulever l'admiration. Cette découverte fait l'admiration du monde scientifique. Être digne d'admiration. Parler de qqn avec admiration. Considérer, regarder avec admiration.* → **Admirativement.** — *Être dans l'admiration. Être en admiration devant qqn.* — Vx. *Être ravi en admiration* (→ ci-dessous, cit. 3).

3 Bouche béante (...) comme ravis en admiration.
D'AUBIGNÉ, Sancy, II, 3.

4 Il y a dans l'admiration on ne sait quoi de fortifiant qui dignifie et grandit l'intelligence.
HUGO, Post-Scriptum de ma vie, p. 27.

4.1 D'une façon discrète et continue, elle fit couler l'éloge sur lui; elle le berça d'admiration et l'enveloppa de compliments, afin que, partout ailleurs, il trouvât l'amitié et même la tendresse un peu froides et incomplètes, afin que si d'autres l'aimaient aussi, il finît par s'apercevoir qu'aucune ne le comprenait comme elle.
MAUPASSANT, Fort comme la mort, I, I.

5 L'amour suppose une admiration absurde et sans réserves pour l'objet aimé.
A. MAUROIS, les Discours du D^r O'Grady, III, 37.

5.1 Pourquoi me souvenir de César, pourquoi m'intéresser à Nehru, à Mao? Mais enfin, l'une des plus hautes qualités d'un homme qui n'est pas un animal, c'est d'être capable d'admiration. Si vous préférez admirer Gandhi plutôt que Nehru, je n'ai pas d'objection.
MALRAUX, Antimémoires, Folio, p. 427-428.

Philos. (chez Kant). Satisfaction esthétique, sentiment d'«étonnement, qui ne cesse pas avec la disparition de la nouveauté».

♦ **3** *(Une, des admirations).* Objet de ce sentiment. *On tient à ses anciennes admirations.*

Les hommes, ces Narcisses, se mirent toujours un peu eux-mêmes dans les admirations qu'ils ont. 6
BARBEY D'AUREVILLY, Philosophes et Écrivains religieux, p. 243.

**CONTR.** **Critique, dédain, dénigrement, mépris, moquerie, raillerie. — Exécration, horreur.**

**ADMIRATIVEMENT** [admiʀativmɑ̃] adv. — 1866, *in* P. Larousse; de *admiratif.*

Avec admiration. *Il la regardait admirativement.*

**ADMIRER** [admiʀe] v. tr. — 1360, *amirer;* du lat. *admirari* «s'étonner», de *ad,* et *mirari.*

♦ **1** Vx. Considérer, constater, voir avec étonnement; trouver étrange, singulier. *Admirer qqch., qqn. Admirer que qqn ait fait, ait pu faire qqch.*

J'admire, Madame, comme le Ciel a pu former deux âmes aussi semblables en tout que les nôtres. 1
MOLIÈRE, la Princesse d'Élide, IV, 1.

♦ **2** (1566). Mod. Considérer avec un sentiment d'approbation et de plaisir (ce dont on reconnaît la valeur, la supériorité); avoir de l'admiration* pour (ce qui est beau, grand). → **Célébrer, émerveiller** (s'), **engouer** (s'), **enthousiasmer** (s'), **extasier** (s'). *Il admire ce musicien, il le porte aux nues*. Admirer la nature, le beau. Il l'admire au point de ne jurer* que par lui, ne voir que par ses yeux.*

Absolt. *Il ne sait pas admirer* (→ ci-dessous, cit. 6).

Nous aimons toujours ceux qui nous admirent, et nous n'aimons pas toujours ceux que nous admirons. 2
LA ROCHEFOUCAULD, Maximes, 294.

Nous ne louons d'ordinaire de bon cœur que ceux qui nous admirent. 3
LA ROCHEFOUCAULD, Maximes, 356.

Un sot trouve toujours un plus sot qui l'admire. 4
BOILEAU, l'Art poétique, I.

Admirons les grands maîtres, ne les imitons pas. 5
HUGO, Odes et Ballades, Préface de 1826.

Les méchants envient et haïssent; c'est leur manière d'admirer. 6
HUGO, Post-Scriptum de ma vie, p. 13.

Je n'admire jamais tant la beauté que lorsqu'elle ne sait plus qu'elle est belle. 7
GIDE, les Nouvelles Nourritures, p. 36.

*Admirer que... J'admire qu'il ait réussi aussi vite. «J'admire encore que ma mère m'ait laissé faire»* (Gide, *Si le grain ne meurt,* Pl., p. 440). *Admirez comment il s'y prend!*

*Admirer de* (et infinitif) :

Ce léger brouillard des jeunes feuilles, ils admiraient de le découvrir un beau matin (...) 7
ALAIN, Propos, 1^er juin 1929, l'Histoire éternelle.

Pron. *S'admirer* (soi-même, réciproquement).

(...) loué, exalté, et porté jusqu'aux cieux par de certaines gens qui se sont promis de s'admirer réciproquement. 8
LA BRUYÈRE, les Caractères, I, 24.

♦ **3** Iron. (Du sens 1.). Trouver étrange, constater avec étonnement. *J'admire la méchanceté de sa conduite. J'admire qu'il ose encore... Je t'admire de supporter cet imbécile.*

**CONTR.** **Abhorrer, critiquer, dédaigner, dénigrer, déprécier, mépriser, moquer, railler.** ◊ **DÉR.** **Admirant.** — V. (Du lat. *admirari*) **Admirable, admirateur, admiratif, admiration.**

**ADMISSIBILITÉ** [admisibilite] n. f. — 1789; de *admissible.*

♦ **1** État d'une personne ou d'une chose admissible. *L'admissibilité de tous les citoyens aux emplois publics.* → **Recevabilité.**

♦ **2** (Fin XIX^e). *Admissibilité aux épreuves orales* (supposant que l'on a satisfait à des épreuves préalables).

Résultat de la première épreuve d'un examen ou d'un concours. *Liste d'admissibilité. Admissibilité après l'épreuve écrite.*

À l'époque, l'écrit ne donnait pas directement accès à l'admissibilité mais à un palier intermédiaire dit de sous-admissibilité, et le concours comportait donc deux oraux, qu'on passait l'un et l'autre à Paris, l'un d'admissibilité, consacré uniquement aux mathématiques, et l'autre d'admission.

Raymond ABELLIO, Ma dernière mémoire, t. I, p. 192.

♦ **3** (1829, *in* T. L. F.). Didact. Le fait d'être admissible (1.).

COMP. **Sous-admissibilité.**

**ADMISSIBLE** [admisibl] adj. — 1453; du lat. médiéval *admissibilis*, de *admissus*, p. p. de *admittere*. → Admettre.

♦ **1** Qui peut être admis, accepté intellectuellement, psychologiquement. → **Acceptable.** [a] Didact. Que l'esprit peut accepter. *Des idées, des hypothèses admissibles et vraisemblables.* → **Plausible, possible.** *Preuve, raison, explication admissible.* → **Recevable.** *Son excuse est admissible. — Proposition admissible.*

Voyez si ces petits changements que je vous envoie sont admissibles. VOLTAIRE, Lettres, 11 avr. 1761.

Cyrus Smith avait donné cette explication, qui était admissible sans doute. Mais était-il bien convaincu de la justesse de cette explication? On n'oserait l'affirmer.

J. VERNE, l'Île mystérieuse, t. I, p. 311.

[b] (Souvent négatif). Cour. Supportable, tolérable. *Son attitude est à peine admissible. Cela n'est pas admissible. Il n'est pas admissible que vous arriviez en retard.* → **Inadmissible.**

[c] Dr. Qui, étant conforme aux règles du droit, peut être accepté. *Action, récusation admissible.*

♦ **2** (XVIe). Qui peut être admis (à un emploi, une fonction, dans un groupe, un milieu...).

(...) tous les citoyens étant égaux à ses yeux, sont également admissibles à toutes dignités, places et emplois publics (...)

Déclaration des droits de l'homme, 1789, art. 6.

(1885). Spécialt. Admis à subir les dernières épreuves d'un examen, d'un concours (après correction des premières épreuves, de l'écrit). *Être admissible au baccalauréat.* — Absolt. *Elle est, elle n'est pas admissible.* — N. *La liste des admissibles.*

Le lendemain, je me dirigeai vers la Sorbonne le cœur battant; à la porte, je rencontrai Sartre : j'étais admissible ainsi que Nizan et lui. Herbaud avait échoué.

S. DE BEAUVOIR, Mémoires d'une jeune fille rangée, p. 377-378.

CONTR. **Inacceptable. — Inadmissible, irrecevable. — Ajourné, recalé** (fam.), **refusé.** ◊ DÉR. **Admissibilité.** — COMP. **Sous-admissible.**

**ADMISSION** [admisjɔ̃] n. f. — 1539; du lat. *admissio*, de *admittere*. → Admettre.

♦ **1** [a] Action d'admettre (qqn); fait d'être admis (dans une société, à un examen, à un concours, à un emploi...). → **Entrée, introduction, réception.** *L'admission de qqn à un poste, à une fonction; son admission dans un groupe. J'ai envoyé au président du club ma demande d'admission. Carte d'admission. Un jury d'admission.*

Des admissions faciles, d'hommes ardents, impatients, avaient renouvelé le club *(des jacobins).*

MICHELET, Hist. de la Révolution franç., t. I, p. 510.

Spécialt. *Admission dans une école. Admission à un examen, un concours. Admission sur concours.*

L'admission dans les écoles spéciales était assujettie à certaines conditions (...) 2

RENAN, Questions contemporaines, *in* Œ. compl., t. I, p. 80.

Dr. *Admission au travail. Âge légal d'admission au travail.*

[b] Spécialt. *L'admission d'un pays dans une communauté. L'admission de la Grande-Bretagne au, dans le Marché commun. Demande d'admission.*

♦ **2** (XVIIIe). Choses. [a] Dr. Action d'admettre en justice. *Admission, arrêt d'admission de pourvoi.*

Immédiatement après l'admission de la demande en divorce, sur le rapport du juge commis, le commissaire du gouvernement entendu, le tribunal statuera au fond. 3

Code civil, 1804, art. 247.

REM. Le texte actuel du Code ne comporte plus cette terminologie.

[b] Douanes. *Admission temporaire* : faculté d'introduire des marchandises étrangères en franchise des droits de douane sous la condition de les exporter après les avoir transformées. → **Acquit-à-caution.**

[c] Bourse. *L'admission d'une valeur, d'une action à la Bourse, en Bourse, à la cote.*

♦ **3** (Mil. XIXe). Fait de laisser entrer (un fluide) dans un lieu, dans un contenant. *Régler l'admission de la vapeur.* — (1904, in *Rev. gén. des sc.*, n° 10, p. 513). Spécialt. Entrée des gaz dans le cylindre, constituant le premier temps du cycle d'un moteur à explosion. *Soupape d'admission; orifice d'admission. Avance à l'admission.*

♦ **4** (Aux sens 3. et 4. de *admettre*). Didact. Le fait d'admettre intellectuellement, d'accepter (qqch.). *L'admission d'une vérité. «L'admission de l'idée d'espace»* (Victor Cousin, *in* T. L. F.). *«L'admission d'une conscience de l'éternel»* (Merleau-Ponty, *in* T. L. F.).

CONTR. **Ajournement, élimination, exclusion, refus, rejet, renvoi.**

**ADMITTANCE** [admitɑ̃s] n. f. — 1926, *in* Höfler; mot angl., du lat. *admittere* «admettre».

Phys. Grandeur inverse de l'impédance totale d'un circuit électrique ou de l'impédance équivalente d'un conducteur inséré dans un circuit de courant alternatif. *L'unité d'admittance est le siemens,* symb. *S* (ou le *mho*). — *Admittance complexe. Admittance acoustique,* inverse de l'impédance acoustique.

**ADMITTATUR** [admitatyʀ] n. m. — D. i.; mot lat., «qu'il soit admis».

Relig. Certificat que l'évêque donne au prêtre pour lui permettre de célébrer la messe hors du diocèse. — Syn. : *celebret. Recevoir l'admittatur de l'évêque.*

**ADMIXTION** [admikstjɔ̃] n. f. — XVIe, Paré; du lat. *admixtio*, de *ad*, et *mixtio*.

Didact. Addition avec mélange.

**ADMONESTATION** [admɔnɛstasjɔ̃] n. f. — 1260, *amonestation*; repris XIXe (1837); de *admonester*.

Littér. ou style soutenu. Action d'admonester. → **Admonition, avertissement, gronderie, leçon, mercuriale, objurgation, réprimande, semonce; (fam.) engueulade, savon.** *Une admonestation sévère. Faire une admonestation à qqn.*

*(Il)* tâchera de sévir, mais trop tard; ses admonestations, ses menaces, ses réprimandes, achèvent d'indisposer contre lui les élèves. 1

GIDE, les Faux-monnayeurs, III, 15.

2 Il fit asseoir l'enfant *(... et)* il prononça une brève admonestation, affectueuse et ferme à la fois (...)
MARTIN DU GARD, les Thibault, Pl., t. I, p. 760.

Spécialt (dr.). Le fait d'admonester (1.), en parlant du juge.

**CONTR. Compliment, congratulation, félicitation.**

**ADMONESTER** [admɔnɛste] v. tr. — Mil. XIIe, *amonester; amonester qqn à* (et inf.), 1275; autres sens et autres constructions en anc. franç.; également *monester,* anc. franç.; orig. obscure, p.-ê. d'un lat. pop. **admonestare,* ou du lat. *admonere,* de *ad-,* et *monere* «avertir» (→ Moniteur, monument), au p. p. *admonitus,* avec infl. possible du lat. *molestus* et (Guiraud) de *administrare.*

♦ **1** Vx. (En parlant du juge ou d'une autorité). Faire une remontrance à (un délinquant) en l'avertissant qu'il sera condamné s'il récidive. *Le juge s'est contenté d'admonester le prévenu.*

1 Le garde se contentait d'admonester les coupables, et dénonçait aux parents ceux-là seuls qui étaient coutumiers de laisser aller leurs vaches en maraude.
M. AYMÉ, la Jument verte, p. 148.

♦ **2** Littér. ou style soutenu. Adresser un avertissement, une remontrance sévère à (qqn). → **Avertir, chapitrer, gronder, morigéner, réprimander, semoncer, sermonner, tancer;** (fam.) **engueuler, houspiller.** *Admonester un enfant.*

2 J'étais écœuré par ce spectacle, les trépignements de joie, la cruauté de ces enfants, leurs rires devant les soubresauts d'agonie des lézards. Allais-je m'approcher ? les admonester, leur dire que ces lézards ne faisaient aucun mal mais rendaient service au contraire, leur faire honte de leur lâcheté... ?
GIDE, Journal, 4 avr. 1936.

**CONTR. Complimenter, congratuler, féliciter.** ◇ **DÉR. Admonestation.**

**ADMONITEUR, TRICE** [admɔnitœʀ, tʀis] n. — 1761; terme de relig., 1609; du lat. *admonitor.* → Admonester.

Vx. Personne qui admoneste. — Fig. *«La religion est un admoniteur sévère»* (Chateaubriand, *in* Littré).

**ADMONITION** [admɔnisjɔ̃] n. f. — XIIe, *amonition;* du lat. ecclés. et jurid. *admonitio* «avertissement, leçon», de *admonere,* de *ad-,* et *monere.* → Admonester.

♦ **1** Littér. Action d'avertir, avertissement.

(...) car je n'étais que trop enclin à regimber contre les admonitions maternelles.
GIDE, Si le grain ne meurt, II, 2.

♦ **2** Rare. Avertissement par une prémonition* (cf. Péguy, Valéry, *in* T. L. F.).

♦ **3** Spécialt (dr., relig.). Admonestation* (de l'autorité judiciaire ou ecclésiastique, par ex., avant un décret d'excommunication).

**ADN** ou **A. D. N.** [adeɛn] n. m. — Mil. XXe; sigle.

Biol. Abrév. Acide désoxyribonucléique* (→ Adénine, cit.). — Syn. (anglic. déconseillé) : *D. N. A.* ou *DNA* [deɛna] (pour *desoxyribonucleic acid*).

On observe qu'au moment de la *mitose* la quantité d'ADN dans la cellule mère double par rapport à l'état normal.
A. GOUDOT-PIERROT, Cybernétique et Biologie, p. 17.

**ADNÉ, ÉE** [adne] adj. — 1796, *in* T. L. F.; du lat. *adnatus* «qui est né, a poussé sur», de *ad,* et *natus* «né».

Bot. Qui est soudé, adhère (à une autre partie, un autre organe).

**ADNOMINAL, ALE, AUX** [adnɔminal, o] adj. — Déb. XXe; du lat. *ad* «auprès de», et de l'adj. *nominal.*

Ling. Se dit d'un cas ou d'un complément régi par un nom. *Complément adnominal.*

**AD NUTUM** [adnytɔm] loc. adv. — D. i.; loc. latine «au moindre signe de tête».

Dr. De manière immédiate, sans formalités (d'une décision). *Révocation ad nutum d'un fonctionnaire de rang élevé.*

**ADO** [ado] n. → **Adolescent.**

**ADOBE** [adɔb] n. m. — 1868, cit.; esp. *adobe* «brique d'argile crue».

Brique à base d'argile mêlée d'un liant (paille, par ex. ), obtenue par séchage au soleil.

Cette casucha, construite par les Indiens, était faite d'«adobes», espèces de briques cuites au soleil.
J. VERNE, les Enfants du capitaine Grant, I, p. 108 (1868).

**ADOLESCENCE** [adɔlesɑ̃s] n. f. — Fin XIIIe; du lat. *adolescentia,* de *adolescens.* → Adolescent.

♦ **1** Âge qui suit la puberté et précède l'âge adulte (environ de 12 à 18 ans chez les filles, 14 à 20 ans chez les garçons). *«Dans le langage ordinaire, l'adolescence désigne de préférence la première partie de la jeunesse»* (Littré).

Elle avait cette grâce fugitive de l'allure qui marque la plus délicate des transitions, l'adolescence, les deux crépuscules mêlés, le commencement d'une femme dans la fin d'un enfant.
HUGO, les Travailleurs de la mer, I, I, 1.

Hermès, dieu de l'adolescence, était aussi le dieu du crépuscule.
MONTHERLANT, la Relève du matin, I, p. 130.

(1680, *l'adolescence du monde*). Par métaphore. *«L'adolescence de la révolution»* (Malraux). → **Enfance, jeunesse.**

REM. Le mot se rencontre rarement à propos d'êtres vivants non humains (cf. Pesquidoux, *in* T. L. F.).

♦ **2** (1845). Par métonymie. *L'adolescence :* les adolescents. *Livres pour la jeunesse et l'adolescence.*

**COMP. Préadolescence.**

**ADOLESCENT, ENTE** [adɔlesɑ̃, ɑ̃t] n. et adj. — 1327; au fém., XVe; lat. *adolescens,* de *adolescere* «grandir». → Adulte.

♦ **1** N. Jeune garçon, jeune fille à l'âge de l'adolescence. → **Jeune** (jeune homme*, jeune fille*), **jouvenceau** (vx). *«L'adolescent oblique»* (cit. 4.1).

C'est avec des adolescents qui durent un assez grand nombre d'années que la vie fait ses vieillards.
PROUST, À la recherche du temps perdu, t. XV, p. 85.

Il se laissa tomber sur un banc, et aspirant la sueur fraîche des pelouses arrosées, il se sentit assailli par toutes les attentes passionnées qui font de l'âme des adolescents le canevas incohérent d'un infini roman d'amour.
MAUPASSANT, Fort comme la mort, II, IV.

L'adolescent est l'être qui blâme, qui s'indigne, qui méprise.
ALAIN, Hegel, *in* les Passions et la Sagesse, Pl., p. 1030.

Toutes les hideurs de la virilité — cette crasse velue, cette teinte cadavérique des chairs adultes, ces joues râpeuses, ce sexe d'âne démesuré, informe et puant — fondent ensemble sur le petit prince jeté à bas de son trône. Le voilà devenu un chien maigre, voûté et boutonneux, l'œil fuyant, buvant avec avidité les ordures du cinéma et du music-hall, bref un adolescent.
M. TOURNIER, le Roi des Aulnes.

**ADO,** abrév. fam. (v. 1970). *Un, une ado. «Il est frappant d'abord que les trois choses mises par les ados au premier plan de leurs préoccupations soient la liberté (55 %), l'intérêt du métier (50 %), le bonheur familial (44 %)»* (*le Nouvel Obs.,* 16 oct. 1978, p. 70).

♦ **2** Adj. [a] (Personnes).

Sur sa face d'ébène brillait une intelligence précoce dont la flamme étonnait chez ce garçon à peine adolescent.
Raymond ROUSSEL, Impressions d'Afrique, p. 173.

[b] Qui est propre aux adolescents. *L'organisme adolescent.* → **Nubile, pubère.** *Des cœurs adolescents.* Rare (en parlant d'un animal). → **Jeune.**

[c] Qui n'a pas achevé sa formation, qui est au début de son évolution. *Une nation adolescente.*

[d] (En parlant d'une plante). Qui ne porte pas encore de fruits. *Une vigne adolescente.*

COMP. **Préadolescent.**

**ADOLORÉ, ÉE** [adɔlɔʀe] adj. — 1554, Ronsard, de 1. *a-*, et lat. *dolor* «douleur»; repris XX^e (1929, Giono), du provençal *adolorir*, du lat. *dolor*.

Rare (ou régional : provençalisme). Dolent, triste.

**ADONC, ADONCQUES** [adɔ̃k] adv. — 1170, *aidunc;* de *à*, et *donc*.

Vx ou par archaïsme. Alors, puis.

Adoncques, beau cousin, de Mars et d'Esculape,
Vois Jupiter là-haut pour toi mettre la nappe!
Germain NOUVEAU, Ça, ma muse, chantons, Pl., p. 695.

**ADONIDE** [adɔnid] n. f. — 1838; de 2. *adonis*.

Bot. → 2. **Adonis.** *Adonide estivale, automnale.*

Tout le matin, paysage d'une intense monotonie. Clématites en graines — renoncules ou adonides (avant la floraison) et pivoines en bouton (comme auprès d'Andrinople).
GIDE, Voyage au Congo, *in* Souvenirs, Pl., p. 798.

**ADONIEN, IENNE** [adɔnjɛ̃, jɛn] ou **ADONIQUE** [adɔnik] adj. et n. m. — XVI^e, *adonien; adonique*, XVII^e; du lat. *adonius*.

Didactique.

♦ **1** (Métrique antique). Qui est composé d'un dactyle et d'un spondée.

Un hymne guerrier en strophes saphiques et adoniques fut trouvé moins mauvais.
RENAN, Souvenirs d'enfance..., III.

♦ **2** (Mil. XVI^e; de *Adonis*). Vx. D'Adonis.

1. **ADONIS** [adɔnis] n. m. — 1715; de *Adonis*, héros mythologique célèbre par sa beauté.

♦ **1** Statue représentant Adonis. — Par ext. (souvent iron.). Jeune homme d'une grande beauté. *Se prendre pour un adonis.* → **Apollon** (II.).

♦ **2** (1839). Beau papillon diurne du genre lycène.

HOM. 2. **Adonis.**

2. **ADONIS** [adɔnis] n. f. — 1615; de *Adonis*, dont le sang, quand il fut tué à la chasse, aurait, selon la légende, teinté cette fleur.

Bot. Plante dicotylédone *(Renonculacées)*, appelée aussi adonide*, dont une variété, à fleurs rouges avec une tache noire à la base des pétales, a reçu le nom de *adonis gouttes de sang. L'adonis contient un hétéroside utilisé pour son action cardiotonique :* l'adonidoside.

DÉR. **Adonide.** ◇ HOM. 1. **Adonis.**

**ADONISER** [adɔnize] v. tr. — 1552; de *Adonis*. → 1. Adonis.

Vx. Parer avec un soin extrême, chercher à embellir.

Quand d'un bonnet sa tête elle adonise (...)
RONSARD, les Amours, I, 94.

◆ **S'ADONISER** v. pron. (Fin XVII^e). Vx. ou littér. Se parer de manière à paraître plus jeune.

Je ne sais rien de moins intéressant qu'un homme qui se mire et qui s'adonise. 2
SAINTE-BEUVE, Causeries du lundi, t. I, p. 67.

**ADONNER** [adɔne] v. intr. — XII^e, pron.; «se présenter dans une direction», v. 1140; «tendre vers un lieu» et trans., fin XII^e; du lat. pop. **addonare*, de *ad*, et *donare*. → Donner.

♦ **1** V. tr. Vx. *Adonner qqn à...*, le consacrer à...

♦ **2** (1687). Mar. (en parlant du vent). Tourner dans un sens favorable à la marche du navire. *La brise adonne.* — Contr. : *refuser*.

♦ **3** En franç. du Canada. *Adonner à qqn*, lui convenir.

◆ **S'ADONNER (À...)** v. pron.

♦ **1** (1164). Cour. Se livrer avec ardeur à (une activité, une pratique). → **Appliquer** (s'), **attacher** (s'), **consacrer** (se consacrer à), **donner** (se donner à). *S'adonner à son métier. S'adonner à la lecture, à l'étude, à la musique, à un travail. Il s'adonne entièrement à...* → Il tourne* toutes ses pensées, son activité vers... — Vieilli. *S'adonner à* (et inf.). *Il s'adonne à peindre.* (Passif et p. p.). *Être adonné à son travail.*

Troupe aux arts de Pallas dès l'enfance adonnée (...) 1
LA FONTAINE, les Filles de Minée, V, 2.

Elle s'était adonnée passionnément à l'étude. 2
LOTI, les Désenchantées, I, 2.

Péj. S'abandonner à (un penchant), céder à (un vice). → **Livrer** (se). *S'adonner à la boisson, au jeu. Il s'adonnait à tous les vices.* — (Passif et p. p.). *Être adonné au jeu.*

Littér. Se laisser aller à... *S'adonner au désespoir, au chagrin.*

♦ **2** Vx. *S'adonner à un lieu*, le fréquenter.

♦ **3** Régional. Se donner, s'unir (à qqn). *S'adonner avec qqn.* → Accoupler, cit. 9.

CONTR. **Abandonner, délaisser, détourner** (se détourner de), **écarter** (s'écarter de).

**ADOPTABLE** [adɔptabl] adj. — 1866; de *adopter*.

Qui peut être adopté. *Des enfants adoptables.*

Les autres catégories d'enfants adoptables : les orphelins sans famille, et les enfants dont les parents ont été déchus de leurs droits, ne représentent aujourd'hui qu'un très faible pourcentage des enfants adoptés; nous en parlerons ultérieurement. 1
C. LAUNAY, M. SOULE et S. VEIL, l'Adoption, données médicales, psychologiques et sociales, p. 27.

(Au sens I., 2. de *adopter*) :

Un jour, peut-être, je serai une gosse propre adoptable par le clan, je pourrai prêter mon lit à Julien, je retrouverai mon nom. 2
A. SARRAZIN, l'Astragale, p. 245.

**ADOPTANT, ANTE** [adɔptɑ̃, ɑ̃t] n. et adj. — 1728; de *adopter*.

Dr. Qui adopte qqn légalement.

L'adoption confère le nom de l'adoptant à l'adopté. 1
Code civil (1802), art. 351.

REM. Cette phrase a disparu du Code, qui porte (art. 354) : «La transcription énonce le jour, l'heure et le lieu de naissance, le sexe de l'enfant ainsi que ses prénoms (...) les prénoms, noms, date et lieu de naissance, profession et domicile du ou des adoptants».

(...) l'adoptante expira deux ans plus tard (...) 2
Robert PINGET, Graal flibuste, p. 23.

**ADOPTER** [adɔpte] v. tr. — XIVe; du lat. jurid. *adoptare,* de *ad,* et *optare* «choisir».

**I** ♦ **1** Dr. et cour. Choisir (qqn) pour fils ou pour fille en remplissant les conditions prévues par la loi. → **Adoption.** *Ils ont adopté un orphelin, un petit Cambodgien.*

1 Nul époux ne peut adopter ou être adopté qu'avec le consentement de l'autre époux (...)
Code civil (1802), art. 347.
REM. Cette phrase a disparu du Code; l'article 347 énumère les cas où un enfant peut être adopté.

♦ **2** (XVIIe). Cour. Traiter (qqn; un animal) comme l'un des siens, reconnaître comme apparenté d'esprit, de goût. *Le petit groupe l'avait vite adopté.*

2 (...) lorsqu'on met les petits de la draine dans le nid de la litorne, celle-ci les adopte, les nourrit et les élève comme siens (...) BUFFON, Hist. nat. des oiseaux, La litorne.

3 Elle avait été très vite adoptée par le monde de savants et de médecins dans lequel ses amis l'avaient fait pénétrer.
A. MAUROIS, Climats, p. 67.

3.1 Il connut bientôt la «bande» de Lemordant, une vingtaine d'étudiants qui portaient presque tous le béret de velours. Ils tenaient leurs assises au premier étage de la brasserie *Polder* où ils jouaient au bridge et au billard. Lucien allait souvent les y retrouver et bientôt il comprit qu'ils l'avaient adopté, car il était toujours reçu aux cris de : «Voilà le plus beau!» ou «C'est notre Fleurier national!»
SARTRE, le Mur, l'Enfance d'un chef.

**II** ♦ **1** (XVIIIe; av. 1350, au p. p. substantivé). Fig. Accepter et faire sien (une opinion, un point de vue). *Adopter une opinion, un projet.* → **Accepter, accord** (être d'accord), **admettre, approuver, choisir, opter** (pour).

4 (...) l'âpreté avec laquelle il soutenait les opinions philosophiques et théologiques qu'il avait une fois adoptées.
M. BARRÈS, la Colline inspirée, p. 24.

♦ **2** Choisir de préférence ou prendre par imitation. → **Embrasser, suivre.** *Adopter une religion, une méthode, des doctrines. — Adopter une mode. Adopter un ton qui n'est pas naturel.* → **Employer.** *Adopter un langage, des mots nouveaux.*

5 Cette formule parut heureuse et tout le monde l'adopta.
G. DUHAMEL, Chronique des Pasquier, V, 7.

6 J'en suis venue à adopter pour un temps le langage et les coutumes de la Turquie. LOTI, Aziyadé, XXIV.

Littér. (Choses). Intégrer d'une manière harmonieuse. → **Prendre.**

7 L'horizon, la ville, l'averse adoptaient la couleur des nuages chargés d'une eau intarissable.
COLETTE, la Chatte, p. 99.

♦ **3** Spécialt. Approuver par un vote. → **Entériner, ratifier.** *L'Assemblée a adopté le projet de loi, la motion.*

8 (...) la crainte de heurter les Anglo-saxons, qui était pour les «politiques» une seconde nature, détourna l'Assemblée d'adopter sur ce point la motion catégorique que j'aurais souhaitée.
Ch. DE GAULLE, Mémoires de guerre, t. II, p. 155.

◆ **ADOPTÉ, ÉE** p. p. adj. *Enfants adoptés* (→ Adoptable, cit. 1). — N. (1863). *Un adopté, une adoptée :* personne qui a été légalement adoptée (opposé à *adoptant*).

CONTR. **Abandonner. — Refuser, rejeter, repousser, renvoyer. — Combattre.** ◊ DÉR. et COMP. **Adoptable, adoptant. Désadopter.**

**ADOPTIF, IVE** [adɔptif, iv] adj. — XIIe; du lat. jurid. *adoptivus,* de *adoptare.* → Adopter.

♦ **1** Qui est par adoption, résulte d'une adoption. *Père, fils adoptif; mère, fille adoptive. Famille adoptive.* — Dr. *Légitimation* adoptive.*

♦ **2** Qui a été l'objet d'un choix. *C'est sa patrie adoptive* (ou *d'adoption*).

**ADOPTION** [adɔpsjɔ̃] n. f. — XIIIe; du lat. jurid. *adoptio,* de *adoptare.* → Adopter.

♦ **1** Dr. Action d'adopter (qqn), acte juridique qui crée entre deux personnes (l'*adoptant* et l'*adopté*) des rapports analogues à ceux qui résultent de la filiation légitime. *Adoption plénière* (rupture des liens avec la famille d'origine) et *adoption simple* (laissant subsister des liens avec la famille d'origine). → aussi **Légitimation.** — *Un frère, un enfant d'adoption,* adopté.

L'adoption ne peut avoir lieu que s'il y a de justes motifs et si elle présente des avantages pour l'adopté.
Code civil, art 343.
REM. Ancienne rédaction, remplacée (loi du 22 déc. 1976) par : «L'adoption peut être demandée après cinq ans de mariage par deux époux non séparés de corps (...)».

(1681). Cour. **D'ADOPTION :** qu'on a adopté, qu'on reconnaît pour sien. *La France est devenue sa patrie d'adoption. Esprit d'adoption.*

♦ **2** (1798). Action d'adopter (qqch. qu'on approuve, qu'on décide de suivre). → **Choix.** — *L'adoption d'une méthode, d'une doctrine par qqn. Il refusait l'adoption des techniques nouvelles. L'Angleterre s'est prononcée pour l'adoption du système métrique.* → **Usage.**

Spécialt. Le fait d'adopter (II., 3.) un texte. *L'adoption d'un projet de loi.* → **Ratification, sanction, vote.** *L'Assemblée a voté l'adoption du budget.*

CONTR. **Abandon. — Refus, rejet, renvoi.**

**ADORABLE** [adɔʀabl] adj. — XIVe; du bas lat. *adorabilis,* du lat. class. *adorare.* → Adorer.

♦ **1** Relig. et vx. (En parlant de la divinité). Digne d'être adoré. *Dieu adorable! L'adorable bonté de Dieu. — Les adorables mystères de la foi.*

Que le Seigneur est bon! (...)
Jeune peuple, courez à ce maître adorable.
RACINE, Esther, III, 9.

♦ **2** (1611). Digne d'être aimé passionnément. → **Admirable, merveilleux, parfait.**

Mais j'aime tout de bon l'adorable Henriette.
MOLIÈRE, les Femmes savantes, III, 1.

Mes excellents, adorables, amoureux, gentils, chers petits saltimbanques, le père Bilboquet *(Balzac lui-même)* donne sa démission (...)
BALZAC, Correspondance, 18 oct. 1846, t. II, p. 287.

Tu sembles une note adorable ajoutée
Au concert qu'ici-bas l'âme écoute enchantée.
HUGO, la Légende des siècles, XXXIX.

Un jeune homme (...) devient amoureux d'une jeune fille absolument belle, plus que belle, adorable, aussi gracieuse, aussi charmante, aussi bonne, aussi tendre que jolie.
MAUPASSANT, Un cas de divorce, Pl., t. II, p. 777.

Ne parvenant pas à nommer la spécialité de son désir pour l'être aimé, le sujet amoureux aboutit à ce mot un peu bête : *adorable!*
R. BARTHES, Fragments d'un discours amoureux, p. 25 (→ aussi Adorer, cit. 13).

Par exagér. Extrêmement aimable et gracieux. → **Avenant, charmant, délicieux, exquis, ravissant.** *Elle portait un adorable petit chapeau, un petit chapeau adorable. Un adorable jardin. C'est un adorable petit chien. Tout cela est adorable! C'est adorable!* — REM. Il semble que, dans cet emploi hyperbolique, l'adj. soit plutôt antéposé.

Il y eut une hésitation. On se réveillait. Était-ce fini? Puis, les compliments éclatèrent. Adorable! Un talent supérieur!
— Mademoiselle est vraiment une artiste de premier ordre, dit Octave, dérangé dans ses observations. Jamais personne ne m'a fait un pareil plaisir.
ZOLA, Pot-Bouille, p. 51.

(Personnes). Tout à fait charmant. *Il, elle est adorable.*

♦ **3** Littér. ou précieux. Qui flatte les sens d'une manière exquise. *Assister à un spectacle adorable. La vitrine était fort bien arrangée, adorable. Il respirait l'adorable odeur des lilas, «l'odeur adorable du moka»* (F. de Miomandre, *in* T. L. F.).

4 D'adorables senteurs d'orangers et de thuyas montent de la plaine.
Alphonse DAUDET, Lettres de mon moulin, «Miliana».

CONTR. **Détestable, exécrable, haïssable, laid, odieux, répugnant.** ◊ DÉR. **Adorablement.**

**ADORABLEMENT** [adɔʀabləmɑ̃] adv. — 1822; de *adorable.*

D'une manière adorable (rare au sens fort). → **Admirablement, délicieusement, joliment.** *Elle était adorablement belle, jolie. Un compliment adorablement tourné. Vous êtes adorablement naïf. «Elle est adorablement capricieuse»* (Balzac). *Elle habille ses enfants adorablement.*

1 Habillé tantôt (...) allé chez A... qui m'a trouvé *adorablement mis,* ce qui me fait presque autant de plaisir que de me trouver spirituel.
BARBEY D'AUREVILLY, Premier memorandum, p. 280.

2 Ce conte si adorablement léger, avec l'extraordinaire musique de ses paysages irréels et de ses automnes de pays des merveilles, cache sous tant de grâce le drame encore irrésolu de Nodier.
A. BÉGUIN, l'Âme romantique et le Rêve, p. 342.

CONTR. **Affreusement, effroyablement.**

**ADORAL, ALE, AUX** [adɔʀal, o] adj. — 1893, E. Perrier; de *ad-*, et lat. *oralis.* → Oral.

Zool. Se dit des franges de cils vibratiles voisines du péristome (orifice buccal) de certains infusoires et qui entretiennent un courant d'eau destiné à attirer les proies. *Membranelles adorales.*

**ADORANT, ANTE** [adɔʀɑ̃, ɑ̃t] adj. — 1883, Daudet; de *adorer.*

♦ **1** Littér. Qui exprime l'adoration, qui consiste en une adoration (sentiments, expression).

1 Arsène hésitait à se croire amoureux. Il ne retrouvait jamais la ferveur adorante de son enfance.
M. AYMÉ, la Vouivre, p. 66.

2 Voir le gentil Legay, qui la regarderait avec des yeux adorants (...)
J. DUTOURD, les Horreurs de l'amour, p. 633.

(Personnes). → **Adorateur.**

3 (...) elle reprit sa place à gauche de Mme Ancelin aussi exaltée, aussi adorante que tout à l'heure, en perpétuel état de grâce.
Alphonse DAUDET, l'Immortel, p. 215.

♦ **2** Archéol. Syn. de *orant.*

**ADORATEUR, TRICE** [adɔʀatœʀ, tʀis] n. et adj. — 1420, *adourateur;* du lat. ecclés. *adorator,* de *adorare.* → Adorer; cf. *aourour, aoreor* en anc. franç. (1298).

♦ **1** Relig. Personne qui adore, rend un culte (à une divinité). → **Fidèle.** *Les adorateurs du vrai Dieu. Les adorateurs du feu.* → **Ignicole;** et aussi **-lâtre.**

1 D'adorateurs zélés à peine un petit nombre (...)
RACINE, Athalie, I, 1.

2 Mais ne refusez pas votre indulgence au moine patient, vivant au fond de sa cellule, humble adorateur de la *Rosa mundi,* de Marie, belle image de tout le sexe, la femme du moine, la seconde Eva des chrétiens (...)
BALZAC, Eugénie Grandet, éd. 1838, p. 383.

Paganel fut donc invité à commencer sans retard ses tours de mnémotechnie. 2.1
«Mnémosyne! s'écria-t-il, déesse de la mémoire, mère des chastes muses, inspire ton fidèle et fervent adorateur!»
J. VERNE, les Enfants du capitaine Grant, t. II, p. 41.

♦ **2** Par hyperb. Admirateur fervent, fidèle. → **Adulateur, courtisan, flatteur, thuriféraire.** *Un adorateur de la forme.*

(...) ces adulateurs à outrance, ces flatteurs insipides (...) 3
ces lâches courtisanes de la faveur, ces perfides adorateurs de la fortune, qui vous encensent dans la prospérité et vous accablent dans la disgrâce?
MOLIÈRE, l'Impromptu de Versailles, IV.

N. m. Spécialt. Qui aime une femme, lui fait la cour. → **Amoureux, galant.** *Elle traîne à sa suite une foule d'adorateurs.*

(...) l'on peut pour époux refuser un mérite 4
Que pour adorateur on veut bien à sa suite.
MOLIÈRE, les Femmes savantes, I, 1.

♦ **3** Adj. Rare. Qui adore. *Peuple adorateur. Pratiques adoratrices.*

Les flots toujours nouveaux d'un peuple adorateur 5
Qu'attire sur ses pas *(la reine...)*
RACINE, Bérénice, I, 3.

**ADORATIF, IVE** [adɔʀatif, iv] adj. — 1503, relig.; du rad. de *adorateur, adoration.*

♦ **1** Relig. Qui a les caractères de l'adoration. *Culte adoratif.*

♦ **2** Littér. Porté à adorer. → **Admiratif.**

Et mon âme toujours plus adorative devenait de jour en jour plus silencieuse.
GIDE, Journal, 15 mars 1893.

**ADORATION** [adɔʀasjɔ̃] n. f. — XIVe; lat. *adoratio,* de *adorare.* → Adorer.

♦ **1** Culte rendu à Dieu, à une divinité, à des saints, à des choses sacrées. *L'adoration de Dieu par les fidèles. L'adoration des Mages,* par les Mages (→ Adorer, cit. 4). *Adoration de Dieu, d'un dieu, de la déesse Raison. Adoration des idoles* (→ **Idolâtrie**), *des images* (→ **Iconolâtrie**). → **-lâtrie; culte.** *L'adoration des reliques des saints.* → **Vénération.**

Absolt. Culte rendu à Dieu, à une divinité. *Gestes, marques d'adoration.* → **Agenouillement, baisement, extase, génuflexion, prière, prosternation** ou **prosternement, révérence;** et aussi **dévotion.** *Attitude d'adoration.*

L'adoration religieuse, c'est une reconnaissance en Dieu de la plus haute souveraineté, et en nous de la profonde dépendance. 1
(...) la pureté d'intention, le recueillement en soi-même et la ferveur : trois qualités principales de l'adoration spirituelle.
BOSSUET, Sermon sur le culte dû à Dieu.

(...) l'adoration est à la fois un acte intellectuel par lequel l'homme reconnaît une puissance supérieure, et un acte d'amour par lequel il s'adresse à sa bonté. 1.1
Émile BURNOUF, la Science des religions, p. 191.

(Motif iconographique chrétien). *Adoration des bergers, des Mages.*

Office liturgique, acte des fidèles adorant la Croix ou le Saint-Sacrement.

L'adoration qu'ils *(les catholiques)* rendent à l'Eucharistie (...) 2
PASCAL, les Provinciales, 16.

♦ **2** Spécialt. Cérémonie de l'Église catholique au cours de laquelle les cardinaux vont rendre honneur au pape nouvellement élu.

Il *(le pape)* reçut l'adoration du sacré collège. 3
RETZ, Mémoires, année 1655.

♦ **3** Par hyperb. Culte passionné qu'on a pour qqn ou pour qqch.; admiration très vive et sans réserve.

→ **Admiration, dévotion, idolâtrie, passion, vénération.** *Il voue à sa femme une adoration presque mystique. Un sentiment d'adoration respectueuse. Passion muée* (cit. 7) *en adoration. — Aimer qqn jusqu'à l'adoration,* (vx) *à l'adoration.*

4 Son respect pour elle allait d'ailleurs jusqu'à l'adoration.
BALZAC, Illusions perdues, Pl., t. IV, p. 527.

5 La petitesse d'un esprit se mesure à la petitesse de son adoration ou de son blasphème.
GIDE, Journal, 1er févr. 1902.

*En adoration. Il est en adoration devant elle.*

♦ **4** (Vx). Au plur. Acte d'adoration, hommage. → **Adulation, encens, flatterie.**

6 Ne jamais recevoir que des hommages et des adorations de tout le monde.
MOLIÈRE, la Princesse d'Élide, II, 4.

CONTR. **Blasphème, malédiction. — Dédain, exécration, haine, mépris, répugnance, répulsion.**

**ADORER** [adɔʀe] v. tr. — Fin Xe; du lat. *adorare,* de *ad,* et *orare* «prier».

♦ **1** Rendre un culte (théol. : un culte de latrie) à (Dieu, une divinité, un symbole divin). *Adorer l'auteur de la nature. Adorer Dieu.* → **Révérer, vénérer.** — Absolt. *Nous prions et nous adorons.*

1 Oui, je viens dans son temple adorer l'Éternel.
RACINE, Athalie, I, 1.

2 Toute la nature veut honorer Dieu, et adorer son principe autant qu'elle en est capable.
BOSSUET, Sermon sur le culte dû à Dieu.

3 Dieu veut être adoré en esprit et en vérité : ce devoir est de toutes les religions, de tous les pays, de tous les hommes.
ROUSSEAU, Émile, IV.

4 *(Les mages)* trouvèrent l'enfant avec Marie, sa mère, et se prosternant, ils l'adorèrent.
Évangile selon saint Matthieu, II, 11.

(En parlant de cultes précis). Par métonymie. *Adorer la Croix.*

Par anal. Rendre un culte à (des créatures, des choses déifiées, divinisées). *Adorer les idoles.* → **Idolâtrer.** *Adorer le soleil* (au fig.) : flatter le pouvoir naissant. — *Adorer le veau d'or* (au fig.) : rendre un culte à l'argent, aduler, courtiser, flatter les riches, se prosterner devant eux.

5 Un baudet, chargé de reliques,
S'imagina qu'on l'adorait.
Dans ce penser il se carrait,
Recevant comme siens l'encens et les cantiques.
LA FONTAINE, Fables, V, 14.

♦ **2** Par hyperb. Avoir un culte passionné pour (qqn, qqch.). *Adorer sa mère, ses parents.* → **Admirer, aimer, honorer, idolâtrer.** *Il adorait l'Empereur.* — Éprouver un amour passionné pour (qqn). → **Aimer.** — (Construit avec un attribut : → ci-dessous, cit. 9).

6 (...) leur flamme est mutuelle :
Il adore Émilie, il est adoré d'elle.
CORNEILLE, Cinna, III, 5.

7 C'est peu de dire aimer, Elvire : je l'adore.
CORNEILLE, le Cid, III, 3.

8 C'est une femme qui mérite d'être adorée.
MOLIÈRE, George Dandin, II, 8.

9 Et le peuple inégal à l'endroit des tyrans,
S'il les déteste morts, les adore vivants.
CORNEILLE, Cinna, II, 3.

10 Ils adorent la main qui les tient enchaînés.
RACINE, Britannicus, IV, 4.

11 La gloire de la femme n'est-elle pas de faire adorer ce qui paraît un défaut en elle?
BALZAC, la Recherche de l'absolu, Pl., t. IX.

12 Jeune homme on te maudit, on t'adore vieillard!
HUGO, les Rayons et les Ombres, XXXIV.

*Est adorable ce qui est adorable.* Ou encore : je t'adore, parce que tu es adorable, je t'aime parce que je t'aime. Ce qui clôt ainsi le langage amoureux, c'est cela même qui l'a institué : la fascination. 1
R. BARTHES, Fragments d'un discours amoureux, p. 28.

(Passif). *Être adoré par... :* être l'objet d'une adoration. *Être adoré de :* être aimé extrêmement de. *Les rois de Perse étaient adorés par leurs sujets. «Ce père est adoré de ses enfants»* (Académie).

♦ **3** Fam. Avoir un goût très vif pour (qqch.). *Il adore la musique. Elle a toujours adoré les animaux.*

Quant à Mademoiselle Clémence, la repasseuse, elle se conduisait comme elle l'entendait, mais on ne pouvait pas dire, elle adorait les animaux, elle possédait un cœur d'or. 1
ZOLA, l'Assommoir, Pl., t. II, p. 427.

(Avec une proposition complément) :

J'adore aussi quand vous vous promenez, détaché soudain de tout, mais souriant encore (...) 1
GIRAUDOUX, Simon le Pathétique, p. 112.

Fam. Superlatif de *aimer. Les choux à la crème, moi, j'adore ça.*

Absolt. *Les vacances à la montagne, moi, j'adore!* → **Aimer.**

◆ **S'ADORER** v. pron. (Réfl.). Être en adoration de soi. *Cet homme s'adore* (→ **Narcissisme).**

(Récipr.). S'aimer follement l'un l'autre. *Ces deux jeunes gens s'adorent.*

Tu as fait une sottise, mon brave : on n'épouse jamais sa maîtresse. Tu ignores la vie; un jour tu comprendras ta faute, tu te souviendras de mes paroles. Ces sortes de mariages sont exquis, mais ils tournent toujours mal : on s'adore pendant quelques années et l'on se déteste le restant de ses jours. 1
ZOLA, Madeleine Férat, 1868, p. 142.

◆ **ADORÉ, ÉE** p. p. adj. (surtout aux sens 2. et 3.). *L'être adoré.*

N. (appellatif). *«Il lui disait : "Mathilde, ma chérie, mon adorée, mon amie, mon ange" (...)»* (Maupassant, *in* T. L. F.).

CONTR. **Blasphémer, maudire. — Abhorrer, détester, exécrer, haïr, mépriser.** ◊ DÉR. **Adorant.**

**ADORNER** [adɔʀne] v. tr. — XIVe; réfection de l'anc. franç. *aorner,* 1160, d'après le lat. *adornare* «orner»; repris par archaïsme au XIXe.

Vx. Orner, parer avec recherche. — Mod. (le mot est marqué et s'emploie normalement avec une intention plaisante ou ironique; il apparaît autrement comme emphatique et prétentieux). *«L'authentique avant-garde, celle qui adorne de séductions inédites la robuste charpente de la réalité (...)»* (*Libération,* 26 nov. 1964).

◆ **S'ADORNER** v. pron. (à valeur passive). Vx ou littér. Être garni d'ornements recherchés.

On le fit asseoir près de la cheminée dont l'énorme hotte s'adornait d'une coquette dentelle de papier rose et s'égayait d'une débandade de souvenirs, photo de mariage, croix de fer sur lit de velours grenat, bouquet de lavande séché (...) M. TOURNIER, le Roi des Aulnes, p. 191.

◆ **ADORNÉ, ÉE** p. p. adj. (mêmes valeurs stylistiques que l'actif). *Un visage adorné d'un gros nez rouge.*

**ADOS** [ado] n. m. — 1697; «soutien, appui», déb. XIIe; de *adosser.*

Hortic. Talus de terre rapportée, adossé ordinairement contre un mur et bien exposé au soleil pour la culture de primeurs ou de plantes de repiquage. → 3. **Billon.** — Par ext. Talus le long d'un fossé. *Les ados d'un fossé.*

Bande de terre élevée par la charrue de part et d'autre du sillon.

Elles *(les montagnes)* paraissent destinées à abriter, dans leurs vallées petites et fréquentes, leurs végétaux du souffle des vents, qui sont violents dans ces contrées élevées. C'est sur leurs ados et au fond de leurs fossés que se plaisent la rhubarbe au large feuillage (...)
BERNARDIN DE SAINT-PIERRE, Harmonies de la nature, p. 218.

**HOM. Ado.**

**ADOSSÉ, ÉE** [adose] adj. → **Adosser.**

**ADOSSEMENT** [adosmɑ̃] n. m. — 1432; de *adosser.*

♦ **1** État de ce qui est adossé. *L'adossement d'une maison à un coteau, contre un coteau. Adossement d'un mur contre un autre mur. Mur d'adossement,* contre lequel on appuie une construction. → **Avant-mur, contre-mur; appui, soutien.**

♦ **2** Agric. Paille, fumier, etc. placé contre une couche pour la protéger du gel. → aussi **Ados.**

♦ **3** Blason, arts. Position de deux figures adossées (opposé à *affrontement*).

♦ **4** (1836, *in* D. D. L.). Méd. Connexion de deux membranes qui s'appliquent l'une à l'autre par des faces opposées.

**ADOSSER** [adose] v. tr. — Mil. XIIe; de 1. *a-*, et *dos.*

♦ **1** Appuyer* en mettant le dos, la face postérieure contre. *Adosser un malade, un enfant à, contre qqch.* — (Avec un compl. «interne») :

L'infirme adosse son râble
En trébuchant, aux piliers.
HUGO, Chansons des rues et des bois, II, III, 2.

♦ **2** Mettre, placer contre. *Un petit bâtiment qu'on adossera au mur.* → Appentis. *Adosser une chaise à un mur.*

♦ **S'ADOSSER** v. pron.

♦ **1** (Réfl.). Appuyer son dos (contre qqch.), se mettre (contre qqch.). *S'adosser contre un mur, à une porte.*

(...) et, s'adossant contre une palissade, il pleura.
MARTIN DU GARD, les Thibault, III, 14.

♦ **2** (Passif). Être appuyé contre. *La maison s'adossait au rocher.*

(...) un petit village de la côte normande qui s'adosse à une forêt et qui descend doucement vers une plage de sable (...) FRANCE, le Livre de mon ami, II, 11.

(...) un banc de pierre qui s'adossait à la maison.
G. DUHAMEL, Chronique des Pasquier, V, 26.

Par métaphore et littér. Se servir de qqch. comme d'un appui.

Singuliers savants, singulière science. Au lieu de faire appel au moins à quelques sciences, à quelque science qui ait au moins quelque parenté avec eux, ou plutôt dont la matière ait au moins quelque parenté avec la leur, au lieu de s'appuyer, de s'adosser par exemple à la botanique, à l'anatomie et à la physiologie végétales (...)
Ch. PÉGUY, Victor-Marie, comte Hugo, Pl., t. II, p. 815.

♦ **ADOSSÉ, ÉE** p. p. adj.

♦ **1** *Adossé à... :* qui a le dos appuyé contre (qqch.). *Il restait immobile, adossé à un arbre.* — Absolt. Qui a le dos appuyé contre le dossier d'un siège.

En se penchant un peu en arrière, il voyait, derrière le dos de Solange, la jeune femme qui était assise à côté d'elle; adossée dans son fauteuil, elle écoutait, bouche entrouverte et les yeux clos.
MONTHERLANT, les Jeunes Filles, *in* Romans, Pl., p. 1040.

Par comparaison :

L'homme est adossé à la mort comme le causeur à la cheminée. VALÉRY, Cahiers, t. II, Pl., p. 1397. 6

♦ **2** (En parlant d'une construction). Appuyé contre (un mur, une construction, un rocher, etc.). *Une grange adossée au bâtiment principal.*

Par ext. *Une maison adossée à la colline. Une plage adossée à la falaise.*

Fig. Placé contre, de manière à ne pouvoir bouger. *Un pays adossé à la mer.*

♦ **3** (Plur.). Placés l'un contre l'autre. *Des maisons adossées.*

(1611). Blason. Placés dos à dos. *Deux lions adossés.* — Contr. : *affronté.*

(1762). Arts. Se dit de sujets représentés dos à dos, de profil.

**DÉR. Ados, adossement.**

**ADOUBEMENT** [adubmɑ̃] n. m. — XIIe; de *adouber.*

♦ **1** Hist. Cérémonie médiévale au cours de laquelle le jeune noble était fait chevalier, recevait des armes et un équipement.

Mais ce ne sont là que des présents du *Caballo* à l'élite de l'élite — équivalents de la remise de l'épée, au moment de l'adoubement du preux, avant son embarquement pour le Saint-Sépulcre, chez l'Infidèle.
Régis DEBRAY, l'Indésirable, p. 154-155.

♦ **2** L'équipement du nouveau chevalier. — Archéol. Pièces défensives protégeant l'homme de guerre, au Moyen Âge, «avant l'apparition de l'armure» (Leloir).

**ADOUBER** [adube] v. tr. — 1080; probablt du francique *dubban* «frapper», parce que le futur chevalier recevait de son parrain un coup sur la nuque.

♦ **1** Armer (qqn) chevalier, au moyen âge, en le frappant du plat de l'épée; préparer, revêtir d'armes pour la cérémonie de l'adoubement. *Se faire adouber par son suzerain.*

Quand Bayard adoube François Ier, Tristan et Perceval sont morts. L'imaginaire des foules chrétiennes tombe en poudre, Don Quichotte y effacera le roi Artur.
MALRAUX, l'Homme précaire et la Littérature, p. 57.

♦ **2** Vx (évolution de sens par «équiper», «préparer»). Arranger, préparer.

Mar. Réparer (remplacé par *radouber*).

♦ **3** (1752). Par ext. Remettre en place une pièce déplacée par accident, aux échecs. *J'adoube,* formule par laquelle on avertit l'adversaire que le déplacement que l'on opère n'est pas un coup, mais la remise en place d'une pièce dérangée accidentellement (parfois employé abusivt dans les parties d'amateurs pour avertir que l'on déplace une pièce provisoirement, sans jouer le coup).

♦ **ADOUBÉ, ÉE** p. p. adj. *Chevalier fraîchement adoubé.*

N. m. *L'adoubeur* (cit.) *et l'adoubé.*

**DÉR. Adoubement, adoubeur.**

**ADOUBEUR** [adubœʀ] n. m. — Après 1150; de *adouber.*

Hist. médiévale. Celui qui adoube.

Au cours de cette cérémonie *(l'adoubement),* le jeune chevalier recevait ses armes d'un membre de son lignage ou d'un seigneur éminent (...) Après quoi, l'adoubeur donnait à l'adoubé une grande gifle ou un coup violent sur l'épaule (...) J. LE GOFF, le Moyen Âge, p. 42.

**ADOUCIR** [adusiʀ] v. tr. — XIIe; de 1. *a-*, et *doux*.

♦ **1** Rendre plus doux, moins désagréable (ce qui est aigre, amer, piquant, salé, dur, fort...). → **Atténuer, dulcifier, édulcorer, lénifier, mitiger, modérer, tempérer.** *Adoucir l'acidité du citron avec du sucre.* → **Sucrer.** *Adoucir le jour par un rideau de voile.* → **Tamiser.** *Adoucir le ton.* → **Baisser.** *La pluie adoucit la température.* → **Attiédir.** *L'érosion a adouci la pente.* → **Réduire.** *Les vents du sud adoucissent la température.* → **Tempérer.** *Des produits pour adoucir la peau.*

1 Frère, dit un renard adoucissant sa voix (...)
LA FONTAINE, Fables, II, 15. (→ Voix).

2 Une prise de petit lait (...) pour adoucir, lénifier, tempérer et rafraîchir le sang de Monsieur (...)
MOLIÈRE, le Malade imaginaire, I, 1.

Techn. Ôter les aspérités de, polir. *Adoucir une glace avec l'émeri, le bois avec la prêle, la fonte avec l'oxyde de fer.* → **Adoucissage.**

*Adoucir l'eau,* réduire sa dureté en éliminant, en particulier, le calcaire qu'elle contient.

*Adoucir l'essence,* la rendre inodore, moins corrosive.

♦ **2** (Abstrait). Rendre moins pénible, moins désagréable à supporter. → **Affaiblir, amortir, émousser, estomper, panser.** *Adoucir les misères des pauvres, le sort d'un prisonnier.* → **Alléger.** *Adoucir un mal* (→ **Soulager**), *un chagrin* (→ **Consoler**), *une douleur* (→ **Apaiser, calmer, endormir**). *Le temps adoucit toute peine.* → **Guérir.** *Le sommeil adoucissait ses traits.*

3 Rien n'adoucissait la plaie de mon cœur.
FENELON, Télémaque, 4.

3.1 Cet espoir me console, il adoucit mes chagrins, il apaise mes plaintes, il me fortifie dans la détresse, et me fait braver tous les maux qu'il plaira à Dieu de m'envoyer.
SADE, Justine..., t. I, p. 36.

4 (...) il arrive que *(l'humilité)* épargne les affres de l'humiliation ou du moins qu'elle en adoucisse l'amertume.
BERNANOS, les Grands Cimetières sous la lune, p. 260.

Apaiser. → **Amadouer, désarmer.** *On essayait d'adoucir sa mauvaise humeur.* — Loc. prov. *La musique adoucit les mœurs.* → **Pacifier, policer.** *La musique* (cit. 7) *adoucit un cœur. Il a adouci ses critiques.* → **Atténuer.** *Tenter d'adoucir la colère de qqn.* — (Compl. n. de personne). → ci-dessous cit. 7 et 8.

5 Son courroux ne peut être adouci.
MOLIÈRE, le Dépit amoureux, III, 9.

6 Il est bon de pacifier et d'adoucir toujours les choses.
MOLIÈRE, le Sicilien, XVII.

7 Il emploie les paroles les plus flatteuses pour adoucir ceux qui se plaignent de lui, et qui sont aigris par les injures qu'ils en ont reçues.
LA BRUYÈRE, les Caractères de Théophraste, I.

8 C'est elle *(la poésie)* qui a adouci les hommes farouches.
FÉNELON, Lettre à l'Académie, 5.

9 Elle désarmait les colères, elle adoucissait les aspérités.
SAINTE-BEUVE, Causeries du lundi, t. I, p. 133.

10 Ce qu'il y a de certain dans la mort est un peu adouci par ce qui est incertain.
LA BRUYÈRE, les Caractères, XI, 38.

(Le compl. désigne un fait de langage). Mettre plus de douceur dans... → **Corriger, estomper, tempérer.** *Adoucir ses expressions. L'euphémisme adoucit ce que le mot propre a de choquant.*

11 Du moindre sens impur, la liberté l'outrage,
Si la pudeur des mots n'en adoucit l'image.
BOILEAU, l'Art poétique, II.

Donner à... une expression plus douce.

12 Ses cheveux (...) l'embellissaient encore, en adoucissant ce que son visage avait d'un peu fier et de presque dur.
Alphonse DAUDET, le Petit Chose, II, 10.

*Adoucir les coloris, les teintes, les contours,* atténuer ce qu'ils ont de trop prononcé, de trop tranchant; estomper; ménager les gradations.

Un assez épais brouillard adoucissait les tons des verdures et limitait heureusement la vue.
GIDE, Voyage au Congo, *in* Souvenirs, Pl., p. 778.

♦ **3** Techn. Rendre doux* (un métal, un alliage) en lui redonnant par recuit la malléabilité qu'il a perdue par l'écrouissage ou par la trempe. — *Adoucir l'or,* le purifier (pour qu'il soit plus facile à travailler).

◆ **S'ADOUCIR** v. pron. Devenir plus doux, plus supportable. *La température s'est adoucie. Son visage s'adoucit. Il ne voulait rien entendre, mais il a fini par s'adoucir.* → **Radoucir** (se).

Les gouvernements sont comme les vins qui se dépouillent et s'adoucissent avec le temps.
FRANCE, les Opinions de J. Coignard, 1 t. VIII, p. 358.

◆ **ADOUCI, IE** p. p. adj. *Des tons adoucis, des teintes adoucies. Voix subitement adoucie.*

N. m. Techn. *L'adouci* : l'adoucissage* des glaces, du marbre. — *Rectification de l'arête d'une marche d'escalier.*

CONTR. **Aggraver, aigrir, courroucer, exciter, impatienter, irriter. — Exagérer.** ◊ DÉR. **Adoucissage, adoucissant, adoucissement, adoucisseur.** ← COMP. **Radoucir** (se).

**ADOUCISSAGE** [adusisaʒ] n. m. — 1723, au sens 2.; de *adoucir.*

♦ **1** (1842). Opération consistant à polir (une glace, une pierre taillée, un marbre, certains métaux) de façon à réaliser une surface unie.

♦ **2** Textile. Traitement destiné à éclaircir les couleurs.

♦ **3** Métall. Rare. Opération qui consiste à adoucir la fonte. → **Adoucissement.**

**ADOUCISSANT, ANTE** [adusisɑ̃, ɑ̃t] adj. et n. m. — 1698; de *adoucir.*

♦ **1** Pharm. Qui adoucit, diminue la douleur ou l'irritation. *Une crème adoucissante. Les propriétés adoucissantes du cold-cream.* — N. m. *Un adoucissant.* → **Baume, lénitif.**

♦ **2** N. m. Techn. Substance utilisée pour l'adoucissement. *L'émeri est un adoucissant.* — *Adoucissants pour le lavage des tissus.* → **Assouplissant.**

♦ **3** Adj. Fig. *Une lumière adoucissante.*

CONTR. **Excitant, irritant.**

**ADOUCISSEMENT** [adusismɑ̃] n. m. — Déb. XVe; de *adoucir.*

♦ **1** Action d'adoucir; résultat de cette action. → **Atténuation, diminution.** *On s'attend à un adoucissement de la température.*

Il a un mouvement de tête, et je ne sais quel adoucissement dans les yeux, dont il n'oublie pas de s'embellir.
LA BRUYÈRE, les Caractères, XIII, 14.

Spécialt. *Adoucissement de l'eau,* élimination des sels (de calcium, fer, etc.) qui la rendent dure. *Adoucissement de l'essence, des lampants* : procédé de raffinage consistant à transformer les mercaptans en produits moins malodorants.

Techn. → **Adoucissage.**

Phonét. Passage d'un son, d'un phonème, de «fort» à «doux» (ex. : *s* [s] *z* [z]). — Syn. : *lénition.*

♦ **2** Fig. Action de rendre plus supportable ; résultat de cette action. → **Allègement, consolation.** *L'adoucissement du chagrin, d'une peine, du sort. Des paroles d'adoucissement. Les remèdes n'apportaient aucun adoucissement à ses douleurs.* → **Apaisement, soulagement.**

2 Ils ne trouvent aucun adoucissement à leur esclavage.
BOSSUET, Disc. sur l'Hist. universelle, II, 21.

3 (*Je crois*) que les progrès de l'industrie déterminent à la longue quelque adoucissement dans les mœurs.
FRANCE, M. Bergeret à Paris, XVII.

*Une loi récente apporte un adoucissement aux conditions de vie des prisonniers.* → **Atténuation, correction.** *L'euphémisme est un adoucissement du mot propre.*

4 Cette vérité veut quelque adoucissement.
MOLIÈRE, les Femmes savantes, IV, 3.

5 J'ai eu beau (...) mettre en plusieurs endroits des adoucissements, et retrancher avec soin tout ce que j'ai jugé capable de fournir l'ombre d'un prétexte (...)
MOLIÈRE, Tartuffe, Deuxième placet au Roi.

♦ **3** Techn. Purification par recuit. *L'adoucissement de la fonte.*

♦ **4** Archit., décoration. Rattachement progressif d'un ornement anguleux, saillant, à une surface.

**CONTR.** **Aggravation, aigrissement, augmentation, exacerbation, excitation, irritation.** — **Refroidissement** (de la température). — **Exagération, renforcement** (de l'expression).

**ADOUCISSEUR, EUSE** [adusisœʀ, øz] n. et adj. — Fin XVIIIe ; de *adoucir.*

Technique.

♦ **1** Ouvrier qui pratique l'adoucissage. *Adoucisseur de pièces d'horlogerie :* ouvrier qui effectue le prépolissage.

♦ **2** N. m. (V. 1960). Techn. Appareil servant à adoucir l'eau.

♦ **3** Adj. Rare. Qui adoucit.

**ADOUÉ, ÉE** [adwe] adj. — 1611, «attaché» ; *s'adouer,* fin XIVe, «s'accoupler» (perdrix) ; de l'anc. franç. *a dou* «à deux», et suff. *-é.*

♦ **1** Chasse. *Perdrix adouée,* accouplée, appariée.

♦ **2** (Attesté XIXe). Régional (Ouest de la France). Se dit de personnes qui forment un couple, et, spécialt, qui vivent en concubinage.

**ADOXA** [adɔksa] n. f. — 1866 ; *adoxe,* 1846, Bescherelle ; lat. sav., de 2. *a-* priv., et *doxa* «gloire», à cause du peu d'éclat de ses fleurs.

Bot. Plante indigène, vivace *(Caprifoliacées),* dite *herbe musquée* ou *moschatelline.*

**ADOXUS** [adɔksys] n. m. — D. i. ; lat. zool., lat. class. «inconnu, humble».

Zool. Insecte coléoptère *(Chrysomélidés)* nuisible à la vigne *(Adoxus vitis).* — Syn. : *eumolpe, gribouri.*

**ADP** ou **A. D. P.** [adepe] n. m. — XXe ; sigle.

Biol. Adénosine-diphosphate. — Acide adénosine-diphosphorique.

**AD PATRES** [adpatʀɛs] loc. adv. — 1569, *in* D. D. L. ; mots lat. «vers les pères, les ancêtres».

(Dans des loc.). *Aller ad patres :* mourir. — Fam. *Envoyer ad patres :* faire mourir, tuer. *Son médecin l'a envoyé ad patres.*

**ADRAGANT, ANTE** [adʀagɑ̃, ɑ̃t] adj. et n. f. — 1560 ; *dragant,* 1458 ; altér. de *tragacanthe* (XVIe), du lat. *tragacantha,* grec *tragakantha,* de *tragos* «bouc», et *acantha* «épine».

*Gomme adragante* (ou *gomme d'adragante*) : gomme qui exsude d'arbrisseaux du genre astragale, utilisée comme excipient en pharmacie, pour l'apprêt des tissus, en confiserie pour donner du corps à une pâte. — N. f. *L'adragante.*

**DÉR.** **Adragantine.**

**ADRAGANTINE** [adʀagɑ̃tin] n. f. — 1836, *adragantine ;* de *adragant.*

Chim. Vx. Principe de la gomme adragante.

**AD REFERENDUM** [adʀefeʀɛ̃dɔm] loc. adv. — Mots lat., «sous réserve, sous condition d'en référer».

Dr. Sous réserve. «*Arrangement conclu ad referendum*» (*le Monde,* 27 sept. 1974, p. 1).

**AD REM** [adʀɛm] loc. adv. et adj. — 1752 ; mots lat., «à la chose».

Didact. *Répondre ad rem,* exactement sur l'objet dont il s'agit, catégoriquement. — Adj. Direct, sans détour. *Un argument ad rem.*

Ce raisonnement parut si fort, si lumineux, si ad rem (...)
P.L. COURIER, Œ., p. 679, *in* LITTRÉ.

**ADRÉNALINE** [adʀenalin] n. f. — Déb. XXe ; angl. *adrenalin,* 1901 ; de *ad* (→ 1. *a-*), et *ren* «rein».

Méd., biochim. Hormone sécrétée essentiellement par la glande médullo-surrénale, qui agit comme vasoconstricteur sur la circulation périphérique, comme régulateur de la musculature lisse (action comparable à celle de l'excitation du système orthosympathique) et comme hormone d'urgence dans diverses agressions (→ **Stress**). «*L'adrénaline jouit de propriétés vaso-constrictrices et hypertensives*» (Binet). *Les émotions violentes* (peur, colère...) *s'accompagnent d'une décharge d'adrénaline.*

Darteau était hypertendu, se surmenait, ne suivait aucun régime, persuadé que son tempérament exceptionnel le rendait invulnérable à la maladie. C'était par amitié beaucoup plus que par nécessité qu'il voyait Firtel qui essayait de le sermonner. «Te rends-tu compte que chaque colère que tu piques, c'est l'injection d'adrénaline qui peut très bien provoquer un infarctus ?»
R. FLORIOT, La vérité tient à un fil, p. 97.

Fig. *Poussée d'adrénaline :* brusque manifestation d'une émotion (colère, peur, stress).

**DÉR.** et **COMP.** **Adrénalinémie, adrénalinique.** — **V. Adréno-.**

**ADRÉNALINÉMIE** [adʀenalinemi] n. f. — V. 1920 ; de *adrénaline,* et suff. *-émie.*

Méd. Présence d'adrénaline dans le sang. *Une lésion artérielle par adrénalinémie.*

**ADRÉNALINIQUE** [adʀenalinik] adj. — V. 1920 ; de *adrénaline,* et suff. *-ique.*

Physiol. Qui se rapporte à l'adrénaline. *Sécrétion adrénalinique.*

C'est à CANNON qu'est due la découverte d'une hypersécrétion adrénalinique d'origine émotionnelle (...)
Jean DELAY, Introd. à la médecine psychosomatique, Notes et observations, p. 60.

**ADRÉNERGIE** [adʀenɛʀʒi] n. f. — Av. 1959, *in* Garnier et Delamare ; de *adrén(aline),* et *-ergie,* d'après *adrénergique.*

Physiol. «Libération d'hormones adrénaliniques à partir de deux systèmes différenciés : la médullo-surrénale et les fibres post-ganglionnaires du système orthosympathique» (Guy Duchesnay, *in* Manuila). *Adrénergie et cholinergie.*

**ADRÉNERGIQUE** [adʀenɛʀʒik] adj. — 1952, cit.; angl. *adrenergic*, H.H. Dale, 1934, de *adren(alin)* «adrénaline», et du grec *ergon* «travail»; → -ergie.

Physiol. Qui agit par l'intermédiaire de l'adrénaline ou d'une substance analogue; qui est stimulé par l'adrénaline ou une substance semblable. *Nerfs adrénergiques et nerfs cholinergiques. Récepteurs adrénergiques :* récepteurs* sensibles à l'action des catécholamines. *Récepteurs adrénergiques* α (ou *alpha-adrénergiques,* ou *alpha-récepteurs*), dont dépendent presque tous les effets excitateurs de la stimulation sympathique (vasoconstriction, tachycardie...). *Récepteurs adrénergiques* β (ou *bêta-adrénergiques,* ou *bêta-récepteurs*), responsables de presque tous les effets inhibiteurs de la stimulation sympathique (vasodilatation, relâchement des muscles bronchiques, utérin...). → aussi **Alphamimétique, bêtamimétique, sympathicomimétique.**

(...) les fibres sympathiques post-ganglionnaires en libèrent *(de l'adrénaline)* : c'est le médiateur chimique des *relais adrénergiques.*

R. KEHL, les Glandes endocrines, p. 108.

**ADRÉNO-** Premier élément de mots sav. (méd., physiol.), signifiant «de l'adrénaline» (ex. : *adrénostérone* [adʀenosteʀɔn] n. f.; *adrénothérapie* [adʀeno teʀapi] n. f.).

**ADRÉNOLYTIQUE** [adʀenɔlitik] adj. et n. m. — Mil. XX^e (*in* Larousse, 1960); du rad. de *adrénaline,* et *-lytique.*

Chim., biol. Se dit d'une substance diminuant ou supprimant l'action de l'adrénaline sur les récepteurs adrénergiques*. — N. m. *L'adrénolytique* α (ou *alphabloquant*), β (ou *bêtabloquant*).

**ADRESSABLE** [adʀesabl] adj. — V. 1960 (*in* Larousse, 1968); de 1. *adresser.*

Inform. Se dit d'une mémoire dont l'organisation et les moyens d'accès sont conçus pour que l'on atteigne directement la seule information recherchée. → 1. Adresse, 5., c. *«Dans un ordinateur traditionnel, chaque emplacement, position ou section de la mémoire est numéroté afin que les informations enregistrées puissent être aisément localisées par la machine. On dit que les données contenues dans la mémoire sont adressables. Toutes ces adresses sont regroupées dans un coin de la mémoire, ce qui occupe de la place»* (*Science et Vie,* déc. 1973, p. 110).

**ADRESSAGE** [adʀesaʒ] n. m. — 1968; de 1. *adresser.*

♦ **1** Inform. Procédé par lequel est définie l'adresse (1. Adresse, 5.) d'une donnée sur un support. *Adressage direct,* dans lequel la zone réservée dans une instruction à l'adresse est effectivement prise dans la mémoire comme adresse de l'information (syn. : *adressage absolu*). *Adressage indirect. Adressage par base et déplacement* (le contenu de la zone réservée pour l'adresse dans l'instruction — «déplacement» — est ajouté à un contenu dit «registre de base»). *Adressage indexé.*

♦ **2** Comm. Création ou exploitation d'une adresse, d'un fichier d'adresses.

♦ **3** Didact. (ling.). Manière de ranger des éléments sous une adresse.

1. **ADRESSE** [adʀɛs] n. f. — 1547; *adrece* «droit chemin, direction», XIII^e; d'où «voie, moyen» et «indication, renseignement», XV^e; le sens 1. se dégage au XVII^e; de 1. *adresser.*

♦ **1** (Av. 1690). Indication de la personne à qui il faut s'adresser ou du lieu où il faut aller, envoyer (→ **Destination**); description plus ou moins codifiée du lieu de résidence (de qqn). *Adresse postale. L'adresse comporte le pays, la ville ou l'agglomération, la voie* (rue, boulevard...), *un numéro, un code postal, etc. Mettre l'adresse du destinataire sur une lettre, une enveloppe. Cette adresse est mal libellée.* → **Suscription.** *Changer d'adresse,* de lieu de résidence. *Il est parti, mais il a laissé sa nouvelle adresse. Parti sans laisser d'adresse. Je ne connais pas sa nouvelle adresse. C'est la bonne adresse, une fausse adresse. Cahier, livre d'adresses. Adresse télégraphique,* réduite, pour l'envoi des télégrammes. *— Fichier d'adresses informatisé.*

Dès que cette nouvelle résolution fut arrêtée, elle donna au cocher son adresse, et rentra chez elle (...) 0

MAUPASSANT, Fort comme la mort, I, I, p. 41.

— Madame, j'ai justement une affaire magnifique à proposer à Vladimir Féodorovitch et je vous serais fort reconnaissant si vous pouviez me donner son adresse! 0
— Son adresse? Eh! Monsieur! c'est ici, son adresse, et dans tous les bars chics du quartier! c'est là qu'il se fait envoyer sa correspondance...

G. LEROUX, Rouletabille chez Krupp, p. 61.

La dame est partie. Et sans même laisser d'adresse (...) 1

G. DUHAMEL, Chronique des Pasquier, II, 26.

Ses rêves agités par la réalité toujours présente le firent retrouver le forgeron Avril qui faisait des adresses, qui faisait des adresses sans fin, et toujours la même adresse. M^me Sarah Bernhardt, villa Pain-Béni, aux Îles-d'Or (...) 1

ARAGON, les Beaux Quartiers, p. 388.

Le lieu lui-même. *Il s'est rendu, il est allé à l'adresse indiquée. Il m'a donné une bonne adresse,* l'adresse d'un bon restaurant, d'un bon fournisseur, etc.

*Une bonne adresse,* où la rue , le quartier sont considérés comme bons, dans une hiérarchie de valeurs sociales.

♦ **2** (Sens plus général, plus ancien, mais senti aujourd'hui comme une extension du sens 1.). Loc. *Se tromper d'adresse,* de destination ou de destinataire.

Tes lunettes sont myopes, juge plein de grâce : tu te trompes d'adresse dans ton compliment. 1

A. DE MUSSET, les Caprices de Marianne, II, 1.

*Aller, arriver à son adresse :* atteindre sa destination. *Ces critiques sont bien arrivées à leur adresse.*

Si les convicts étaient gîtés dans un endroit de l'île, si cet endroit nous était connu, et s'il ne s'agissait que de les en débusquer, je comprendrais une attaque directe. Mais n'y a-t-il pas lieu de craindre, au contraire, qu'ils ne soient assurés de tirer le premier coup de feu? 1
— Eh, Monsieur Cyrus, s'écria Pencroff, une balle ne va pas toujours à son adresse!

J. VERNE, l'Île mystérieuse, p. 494.

Fig. et fam. *À l'adresse de :* à l'endroit de, à l'intention de. *C'est un compliment à votre adresse.* — Vx. *Pour l'adresse de...*

Voici pour votre adresse une assez rude touche. 2

CORNEILLE, le Menteur, V, 3.

♦ **3** (1633, Th. Renaudot). Anciennt. **BUREAU D'ADRESSES,** qui fournissait des renseignements. — Fig. et vieilli. *Cet homme est un vrai bureau d'adresses,* il est renseigné sur tout ce qui se passe.

♦ **4** (1687, «requête au roi d'Angleterre»; angl. *address,* du franç., employé pour la vie politique française en 1789 : *adresse au roi, à la nation*). Expression des vœux et des sentiments d'une assemblée politique, adressée au souverain. *L'adresse des 221 en* *réponse au discours du trône de Charles X. Le Parlement anglais répond par une adresse au discours de la couronne.* → Résolution, cit. 5. *Une adresse de félicitations.* → **Manifeste.**

3 (...) c'est en vain que la Garde nationale avignonoise *(sic)* a présenté à l'Assemblée nationale une adresse, où elle manifeste la résolution de combattre jusqu'à la mort pour la défense des frontières de l'Empire françois (...)
ROBESPIERRE, Discours, Sur la pétition du peuple avignonois, t. VI, p. 592.

4 De la part d'X-Collectiviste, nous allâmes, Beaurepaire et moi, rue Victor-Massé, au siège du *Populaire*, apporter à Paul Faure une adresse de sympathie.
Raymond ABELLIO, Ma dernière mémoire, t. II, p. 116.

♦ **5** (Mil. XX^e; repris à l'angl. *address*). **a** Techn. Signe (mot, formule) sous lequel est classée une information. *Mettre en adresse une information,* la classer sous un signe tel qu'on puisse la retrouver. — *Les mots, expressions, abréviations, signes classés dans un ordre convenu et donnant lieu à un article, dans un dictionnaire, sont des adresses* (syn. : *entrée*).

**b** Imprim. Partie inférieure d'un titre comprenant le nom et l'adresse de l'éditeur, la date et le lieu de publication.

**c** Inform. Expression numérique ou littérale représentant un emplacement de mémoire dans un ordinateur et permettant d'y retrouver une information. *Relations entre adresses.* → **Instruction.** *Définition de l'adresse d'une donnée.* → **Adressage.** — *Mettre une donnée, une information en adresse* (adresser). *Mise en adresse.*

**d** Code alphanumérique qui permet d'identifier un correspondant et d'échanger des messages sur un réseau télématique.

♦ **6** Didact. Fait de s'adresser à qqn (dans la loc. *termes d'adresse*); spécialt (ethnol.), termes utilisés entre parents.

Ling. Élément du langage (mot, syntagme) qui sert à s'adresser à qqn.

DÉR. 2. **Adresser, adressier.** ◊ COMP. **Sous-adresse.**

2. **ADRESSE** [adʀɛs] n. f. — 1547; de l'anc. franç. *adrece* «bonne direction» (→ 1. Adresse et 3. Adresse), avec infl. de *adroit.*

Qualité d'une personne adroite. → **Art** (I., 1.), **dextérité, habileté, industrie, savoir-faire, souplesse**; et aussi **main** (main sûre, main de maître, tour de main).

**Adresse** et **dextérité** expriment de la facilité dans l'exécution, une certaine **habileté** de main. La ressemblance est très grande entre ces deux mots. L'**adresse** et la **dextérité** emploient les moyens fournis par l'**industrie** ou le **savoir-faire,** et agissent conformément aux vues, aux idées de l'**habileté** et aux règles de l'**art.** Elles consistent à bien opérer, soit au propre, soit au figuré. C'est un talent tout relatif à l'action, et non pas à la théorie, à des règles, à l'invention des moyens. Un prestidigitateur, un archer, un praticien, un négociateur doivent montrer de l'**adresse** ou de la **dextérité** (...)
L'idée propre de l'**adresse,** c'est la justesse, c'est de faire comme, où et quand il faut, c'est de n'employer que la quantité de force et de mouvement nécessaire.
LAFAYE, Dict. des synonymes, Habileté...

♦ **1** Qualité physique d'une personne qui fait les mouvements les mieux adaptés à la réussite d'une opération (jeu, travail, exercice). → **Agilité, dextérité, habileté.** *L'adresse d'un jongleur, d'un joueur de basket. Il utilise ces outils, ces instruments avec une adresse remarquable. Acquérir de l'adresse. Son adresse aux billes, au ballon. Son adresse à faire qqch.* — Absolt. *Avoir de l'adresse. Manquer d'adresse.*

(Il) éprouvait son adresse et sa force à jeter
Ces morceaux de métal (...)
LA FONTAINE, Fables, XII, 3.

(...) des exercices qui leur donnaient de l'adresse, laquelle n'est autre chose qu'une juste dispensation des forces que l'on a. 3
MONTESQUIEU, Grandeur et Décadence des Romains, II.

(...) il ne dépensait plus maladroitement ses forces, une adresse lui était venue (...) 4
ZOLA, Germinal, t. I, p. 56.

(...) une adresse de singe à se rattraper des mains, des pieds (...) 5
ZOLA, Germinal, t. I, p. 304.

*Jeux* d'adresse* : jeux exigeant de l'adresse. — *Tour d'adresse* : exercice exigeant l'habileté, la souplesse des mains, et produisant un effet remarquable (illusion, etc.). → **Escamotage, jonglerie, passe-passe, prestidigitation, truc.**

(...) je me signalais déjà par cent tours d'adresse jolis. 6
MOLIÈRE, les Fourberies de Scapin, I, 2.

Spécialt. Mise en œuvre de qualités propres à une activité artistique. *Adresse du pinceau,* touches adroites. *Adresse à (qqch., faire qqch.). Ce croquis est exécuté avec une grande adresse.*

(...) l'admirable chose que le «métier», le «sens artiste», la science des procédés du style, l'adresse à arranger les mots, l'art de la composition ! (...) Il n'est guère de poète plus détaché de son œuvre, plus purement orfèvre que M. François Coppée (...) 6.1
Jules LEMAITRE, les Contemporains, 1885, p. 91, *in* T. L. F.

♦ **2** Qualité d'une personne qui sait s'y prendre, manœuvrer comme il faut pour obtenir un résultat. → **Art, diplomatie, doigté, finesse, habileté, industrie, ingéniosité, ruse, subtilité, talent.** *Il a eu l'adresse de refuser la polémique. Il emploie toute son adresse pour le convaincre. Avoir, acquérir de l'adresse. Réussir par adresse, par son adresse.* — Loc. (Vieilli). *User d'adresse.*

Si votre esprit plein de souplesse, 7
Par éloquence et par adresse,
Peut adoucir les cœurs et détourner ce coup.
LA FONTAINE, Fables, VIII, 4.

Adresse, force et ruse, et tromperie 8
Tout est permis en matière d'amour.
LA FONTAINE, Contes, I, 2.

Que ne sait point ourdir une langue traîtresse 9
Par sa pernicieuse adresse ?
LA FONTAINE, Contes, III, 6.

(...) et nous avons ici des gens d'une adresse ! 10
BEAUMARCHAIS, le Barbier de Séville, II, 9.

Sa grande adresse est de paraître me ménager en me diffamant et de donner encore à sa perfidie l'air de la générosité. 11
ROUSSEAU, les Confessions, X.

C'est (...) l'effet d'un peu d'adresse et de beaucoup de patience, une affaire de *métier,* comme dit M. de Lévis. 11.1
STENDHAL, Journal (1813), Pl., p. 1253.

(...) elle est d'une adresse à désespérer un diplomate. 12
BALZAC, la Peau de chagrin, Pl., t. IX, p. 101.

(En parlant d'un animal) :

Le voyant *(le petit chien)* habile à tromper, ingénieux à dérober, fécond en friponneries, et forcé que l'on était d'admirer l'esprit et l'adresse avec lesquels il jouait ces mauvais tours (...) 13
FRANCE, le Petit Pierre, XXXVI.

(Choses). *L'adresse de sa démarche, de ses procédés, de sa dialectique. Ce discours est d'une remarquable adresse politique.*

♦ **3** (Souvent au plur.). Vieilli ou littér. Ensemble de moyens mis en œuvre pour obtenir un résultat. → **Doigté, manœuvre, ruse.** *Toutes ses adresses ont échoué.*

CONTR. **Gaucherie, inaptitude, inhabileté, maladresse.**

3. **ADRESSE** [adʀɛs] n. f. — V. 1175, Chrétien de Troyes; déverbal de *adresser* «diriger», même mot que 1. *adresse.*

Vx. (anc. franç.) ou régional. Raccourci; sentier formant raccourci.

1. **ADRESSER** [adʀese] v. tr. — Déb. XVe; *adrecier,* XIIe; «dresser, redresser» et aussi «diriger» en anc. franç. et jusqu'au XVIIe; de 1. *a-,* et *dresser.*

♦ **1** Vx. Diriger (qqn, qqch.) vers un but. *Adresser ses pas quelque part, vers une personne, vers un lieu,* se diriger.

1 Mais votre frère Attale adresse ici ses pas.
CORNEILLE, Nicomède, I, 1.

♦ **2** (XVIe). Littér. Envoyer en direction de qqn. *Il a paré le coup qui lui était adressé* (→ **Appliquer, porter**).

♦ **3** Cour. Faire parvenir à l'adresse de qqn. → **Envoyer, expédier.** *Je n'ai pas reçu la dernière lettre que vous m'avez adressée.*

2 Vois cet homme qui passe; il a de quoi payer
Adresse-lui tes dons, ils auront leur salaire.
LA FONTAINE, Fables, XII, 22.

Spécialt. *Adresser (une lettre, un colis) poste restante,* l'expédier en indiquant comme lieu de destination : poste restante. — *Adresser (un paquet) franco,* l'expédier sans frais pour le destinataire.

Spécialt. Envoyer en dédiant (un ouvrage). → **Dédier.** *Il a adressé son dernier livre à quelques amis.*

2.1 Maurras y exposait la doctrine devant Bainville, Dimier, Montesquiou, Vaugeois, et même Souday, qui n'était pas ennemi de ces conversations, qui les écoutait comme on essaye un jour un pernod, et à qui Maurras adressait ses livres avec des dédicaces chaudement tournées (...)
Léon-Paul FARGUE, le Piéton de Paris, p. 159.

♦ **4** Diriger (qqn) vers la personne qui convient. *Le médecin m'a adressé à un spécialiste. Il m'a adressé son protégé en me le recommandant chaudement.* — Au p. p. Vx. *Être bien adressé,* vivement recommandé.

3 On sait assez que le destin
Adresse là les gens quand il veut qu'on enrage.
LA FONTAINE, Fables, VI, 18.

4 On nous a adressés à vous (...) et nous venons implorer votre aide. MOLIÈRE, le Médecin malgré lui, I, 5.

♦ **5** Émettre (des paroles) en direction de qqn. *Je ne vous ai pas adressé la parole.* → **Parler.** *Adresser une question à qqn,* l'interroger. → **Poser.** *Adresser des compliments, des reproches, des vœux... à qqn.* → **Transmettre.** *Adresser des injures à qqn,* l'insulter. → **Proférer.** *Je vous adresse toutes mes excuses. Ils se sont adressé des mots très durs.*

5 Il entend la bergère adressant ces paroles
Au doux zéphir (...) LA FONTAINE, Fables, I, 17.

6 Il ne m'a pas trouvé assez bien faite pour m'adresser ses vœux. MOLIÈRE, la Princesse d'Élide, V, 2.

7 (...) le reproche qu'on m'adresse de porter atteinte à la religion. RENAN, Vie de Jésus, Avertissement.

7.1 Le duché d'Aumale a été longtemps dans notre famille avant d'entrer dans la maison de France, expliquait M. de Charlus à M. de Cambremer, devant Morel ébahi et auquel, à vrai dire, toute cette dissertation était sinon adressée du moins destinée.
PROUST, Sodome et Gomorrhe, Pl., t. II, p. 951.

Fig. *Il lui adresse un regard furtif.* → **Jeter.** *Elle adressa aux spectateurs son plus beau sourire. — Ils s'adressèrent un salut réciproque.*

♦ **6** Vx. Envoyer, tirer (un projectile). — Absolt. Tirer. *Il adresse bien.* — Fig. *Adresser une flèche* (→ ci-dessus, 5.). → **Décocher.**

◆ **S'ADRESSER** v. pron.

♦ **1** (Réfléchi). Aller trouver directement qqn. → **Parler** (à), **demander** (à), **recours** (avoir recours à), **tourner** (se tourner vers). *Il vaut mieux s'adresser à Dieu qu'à ses saints. Je ne peux pas vous renseigner, adressez-vous à la concierge.*

Vous voulez de l'argent, ô mesdames les eaux 8
Dit-il, adressez-vous, je vous prie, à quelque autre.
Ma foi, vous n'aurez pas le nôtre.
LA FONTAINE, Fables, IV, 2.

Maison fermée. Un mur. Personne, sauf un chien sur le mur. Pour louer, s'adresser au chien. Il vous recevra. 8
J. RENARD, Journal, 1906, *in* T. L. F.

♦ **2** (Passif). Être adressé, destiné à, concerner directement. *Ce livre s'adresse à un large public.*

C'est à vous, s'il vous plaît, que ce discours s'adresse. 9
MOLIÈRE, le Misanthrope, I, 2.

Ceci s'adresse à vous, esprits du dernier ordre. 1
LA FONTAINE, Fables, V, 16.

C'est comme un ordre (...) qui vient de nulle part et qui ne s'adresse à personne, car il n'est jamais vraiment exprimé. 1
J.-M. G. LE CLÉZIO, l'Extase matérielle, p. 19.

♦ **3** Fig. (Réfléchi). Faire appel à, parler. → **Toucher.**

(...) l'écrivain *(Lamennais)* s'adresse au cœur par toutes les tendresses, à l'esprit par tous les artifices, à l'âme par tous les enthousiasmes. 1
HUGO, Littérature et Philosophie mêlées, p. 68.

(...) l'artiste s'adresse à la sensibilité, non à l'intelligence. 1
Henri LICHTENBERGER, Richard Wagner, p. 107.

Le plus urgent me paraît être de déterminer en quoi consiste ce langage physique, ce langage matériel et solide par lequel le théâtre peut se différencier de la parole? Il consiste dans tout ce qui occupe la scène, dans tout ce qui peut se manifester et s'exprimer matériellement sur une scène, et qui s'adresse d'abord aux sens au lieu de s'adresser d'abord à l'esprit comme le langage de la parole. 1
A. ARTAUD, le Théâtre et son double, Idées/Gallimard, p. 54.

CONTR. **Recevoir.** ◇ DÉR. **Adressable, adressage,** 1. **adresse,** 3. **adresse.**

2. **ADRESSER** [adʀese] v. tr. — V. 1960; de 1. *adresse.*

Munir (un message, une lettre) d'une adresse. — Absolt. *Machine à adresser.*

**ADRESSIER** [adʀesje] n. m. — 1922, *in* Larousse; de 1. *adresse.*

Comm., publicité. Professionnel qui tient, organise et gère un fichier d'adresses (publicité, vente par lettres).

**ADRET** [adʀɛ] n. m. — 1927, géogr.; mot dial. du Sud-Est, de l'anc. provençal *adrech,* var. de *adroit,* n. m., «endroit, bon côté»; de *droit.*

Régional ou didact. (géogr.). Versant exposé au soleil, en pays montagneux.

Sous nos latitudes, où l'insolation varie grandement selon l'orientation des versants, le contraste des conditions climatiques est très accusé au cours d'une même journée, ou encore d'une saison à l'autre, et bien entendu, selon le versant, d'où la distinction entre l'«endroit» ou «adret» et l'«envers» ou «ubac» (qui tient également à une différence dans le régime des précipitations). 1
Jacques GUILLERME, la Vie en haute altitude, p. 31.

(...) il était monté au sommet de l'ubac, alors il se laissa dégringoler avec allégresse du côté de l'adret et il parvint à la combe. Thyde MONNIER, Filles du feu, p. 66. 2

CONTR. **Ubac.**

**ADRÉZARACH** [adʀezaʀak] n. m. → **Azédarac.**

**ADRIATIQUE** [adʀijatik] adj. — Déb. XVIe; lat. *Hadriaticum, Adriaticum (mare).*

De l'Adriatique, mer annexe de la Méditerranée, entre l'Italie et la péninsule balkanique. *«Le golfe adriatique»* (Lamartine). *Les flots adriatiques.*

Caractéristique de cette région. *«Venise est adriatique»* (Michelet).

**ADROGATION** [adʀɔgasjɔ̃] n. f. — 1701; anc. franç. *arrogacion*, XIIIe-XVe; lat. *adrogatio*, de *adrogare*, de *ad*, et *rogare*.

Dr. rom. Adoption d'une personne maîtresse d'elle-même (adoption *sui juris*). — On emploie aussi le verbe *adroger* (conjug. *bouger*).

**ADROIT, OITE** [adʀwa, wat] adj. — XIIe; de 1. *a-*, et *droit*.

Qui parvient aisément au but, qui dispose des meilleures attitudes pour parvenir à un résultat. → **Apte, bon** (à), **habile**; 2. **adresse**; cf. Savoir s'y prendre.

1 **Adroit**, c'est-à-dire **droit à**, qui va droit au but, qui ne tournoie pas, qui ne s'égare ou ne s'écarte pas.
LAFAYE, Dict. des synonymes, Adresse..., p. 645.

2 Au lieu qu'on est **habile** dans toute une affaire compliquée ou dans tout un ordre d'affaires, on n'est **adroit** que dans un acte simple ou particulier (...)
**Adroit** est (...) moins général qu'**habile** (...) **Adroit** est comme le diminutif d'habile (...)
LAFAYE, Dict. des synonymes, Capable, habile... p. 419.

3 Un homme adroit n'est pas nécessairement habile; un homme habile est nécessairement adroit (...)
LITTRÉ, Dict., art. *Adroit*.

♦ **1** Qui a de l'adresse dans ses activités physiques. → **Agile, exercé, leste, preste, rompu, souple.** *Il est adroit à cet exercice, à exercer cette activité. C'est un enfant adroit de ses mains. Elle est adroite comme une fée.* → **Doigt** (avoir des doigts de fée). *Un tireur, un ouvrier adroit. Il n'est pas très adroit. Il est adroit comme un singe.*

1 Je n'en avais pas moins pour le nouvel écrivain l'admiration d'un enfant gauche et à qui on donne zéro pour la gymnastique, devant un autre enfant plus adroit.
PROUST, le Côté de Guermantes, Pl., t. II, p. 327.

♦ **2** Qui se conduit, manœuvre avec adresse. → **Dégourdi** (fam.), **délié, diplomate, entendu, expérimenté, expert, fin, habile, industrieux, ingénieux, insinuant, intelligent, politique, rusé, subtil.** *C'est un négociateur adroit. Il a été très adroit dans cette affaire. Adroit en affaire. — Il est adroit à obtenir, pour obtenir ce qu'il veut. Un escroc remarquablement adroit.*

4 Un esprit adroit, facile, insinuant, sait éviter et surmonter les difficultés, il se plie à ce qu'il veut.
LA ROCHEFOUCAULD, Réflexions diverses, 16.

Qui parvient facilement à mettre en œuvre une technique. *C'est un graveur adroit.* — Péj. Qui a seulement de la technique. *Un peintre plus adroit qu'inspiré.*

1 Une scène d'amour, Josette s'y retrouvait un peu mieux; elle avait une bonne diction; son visage, sa voix étaient vraiment émouvants : qui sait ce qu'un metteur en scène adroit arriverait à tirer d'elle?
S. DE BEAUVOIR, les Mandarins, p. 274.

2 Mais où cet homme veut-il en venir (...)? Cette préparation adroite dure depuis un siècle, et rien ne paraît. Il faut qu'il se méfie bien de moi! Il est plus adroit que tous les autres, dont en quinze jours on devine si bien le but secret.
STENDHAL, le Rouge et le Noir, I, XXVIII.

♦ **3** (XVIIe). Qui marque de l'adresse. *Un geste adroit. Un procédé, un moyen, un stratagème, un tour adroit. Une préparation adroite* (→ ci-dessus, cit. 4.2). *Il fit une réponse adroite pour ne gêner personne. Il serait adroit de ne pas lui exposer tous les faits. Ce n'est pas très adroit de sa part.*

5 Par cette adroite repartie
Elle sauva deux fois sa vie.
LA FONTAINE, Fables, II, 5.

6 (...) sa sœur devait lui répondre avec d'adroits ménagements.
MICHELET, Hist. de la Révolution franç., t. I, p. 770.

CONTR. **Gauche, inapte, lourd, lourdaud, maladroit, manchot.** ◊ DÉR. **Adroitement.**

**ADROITEMENT** [adʀwatmɑ̃] adv. — XIIe; de *adroit*.

D'une manière adroite.

♦ **1** Avec adresse (→ 2. **Adresse**, 1.). *Il enfila adroitement l'aiguille. Travailler adroitement.*

(...) il a descendu la marche du seuil, avec précaution, 1
portant adroitement sa part du fardeau, suivi par la jeune femme, plus embarrassée, cherchant à maintenir le soldat dans la position qu'elle jugeait la moins défavorable (...)
A. ROBBE-GRILLET, Dans le labyrinthe, p. 200.

♦ **2** Habilement, astucieusement. *L'avocat présenta adroitement la défense de son client. Il s'est tiré adroitement d'affaire. Il faudrait vous ménager adroitement une porte de sortie. Cacher adroitement son jeu.*

(...) je sais tirer adroitement mon épingle du jeu (...) 2
MOLIÈRE, l'Avare, II, 1.

Il se remettait au travail, mais cinq minutes ne s'étaient 3
pas écoulées sans qu'elle lui posât une question pour le ramener adroitement au seul sujet qui les occupât.
MAUPASSANT, Fort comme la mort, I, I, éd. 1889, p. 36.

CONTR. **Maladroitement.**

**ADSCRIT** [adskʀi] adj. — XVIe; *ascript*, XVe; du lat. *adscriptus*.

Didact. Écrit à côté. *Iota adscrit.*

**ADSORBABLE** [atsɔʀbabl] adj. — V. 1920; de *adsorber*.

Sc. Susceptible d'être adsorbé. *Des substances adsorbables.* — REM. On emploie aussi le dér. *adsorbabilité*.

**ADSORBANT, ANTE** [atsɔʀbɑ̃, ɑ̃t] adj. — 1931, *in* T. L. F.; p. prés. de *adsorber*.

Sc. Qui est propre à adsorber, réalise l'adsorption. *Substance adsorbante. Poudre absorbante et adsorbante.* — N. m. *Un adsorbant. Le charbon de bois, l'alumine activée, le gel de silice sont des adsorbants. Adsorbant liquide, solide.*

**ADSORBAT** [atsɔʀba] n. m. — V. 1960; de *adsorber*, et suff. *-at*.

Didact. Substance gazeuse, liquide, en solution ou en suspension, dont les molécules sont retenues à la surface d'un adsorbant.

**ADSORBER** [atsɔʀbe] v. tr. — Av. 1907, *Larousse mensuel*; du lat. *ad*, et *sorbere* «avaler», d'après *absorber*.

Didact. (sc. ou techn.). En parlant d'un corps matériel, d'une substance. Joindre à soi (des molécules d'un corps ou ce corps); retenir, fixer par adsorption. «*Le kaolin et autres formes de colloïde argileux adsorbent les protéines et les entraînent*» (J. Carles, *la Chimie du vin*, p. 80). — P. p. adj. *Adsorbé, ée.*

DÉR. **Adsorbable, adsorbant, adsorbat.** ◊ COMP. **Adsorboluminescence.** — (Du p. p.) **Diadsorbé.**

**ADSORBOLUMINESCENCE** [atsɔʀbolyminesɑ̃s] n. f. — V. 1966-1967; de *adsorb(er)*, et *luminescence*.

Phys. Phénomène d'émission de radiations lumineuses lors de l'adsorption de certains gaz par certains solides.

**ADSORPTION** [atsɔʀpsjɔ̃] n. f. — 1904, *in Rev. gén. des sc.*, no 23, p. 1079; du lat. *ad* «sur», et rad. de *absorption*.

Sc. Rétention à la surface d'un solide ou d'un liquide (dit *adsorbant*) des molécules d'un gaz ou d'une substance en solution ou en suspension.

Les autres *(dilutions homéopathiques)* sont de l'*inconnu numéroté* du fait des phénomènes d'adsorption (adhérence persistante des éléments dissous aux parois du flacon unique) et du mélange inévitable, en proportions inconnues, dans chaque dilution successive, de fractions des dilutions précédentes (...)
Pierre VANNIER, l'Homéopathie, p. 121.

CONTR. **Désorption.**

**ADSTRAT** [atstʀa] n. m. — Mil. xxe; du lat. *ad,* d'après *substrat.*

Ling. Ensemble de faits linguistiques concordants qui apparaissent sur un territoire dans plusieurs systèmes linguistiques, et qui correspondent à des échanges d'influences. *Adstrat et superstrat.*

**ADULAIRE** [adylɛʀ] n. m. — 1838; de l'ital. *adularia,* du lat. *Adulas,* nom du Saint-Gothard (mont Adule).

Minéralogie. Feldspath blanchâtre, nacré, dit *pierre de lune.*

**ADULATEUR, TRICE** [adylatœʀ, tʀis] n. et adj. — 1370; au fém., 1718; du lat. *adulator,* de *adulare.* → Aduler.

♦ **1** N. Littér. Personne qui flatte bassement, servilement. → **Flatteur; caudataire, courtisan, flagorneur, génuflecteur** (rare), **louangeur, obséquieux.** *Une cour d'adulateurs empressés, serviles. Son adulatrice.*

1 Les **adulateurs** sont les **flatteurs** des grands, et particulièrement des rois, les **flatteurs** de cour (...) le nom d'adulateur se donne à tout ce qu'il y a de plus odieux parmi les **flatteurs,** au flatteur bas, vil, lâche, servile, impudent (...)
LAFAYE, Dict. des synonymes, Flatteur... p. 612.

2 Ne soyez à la cour, si vous voulez y plaire
Ni fade adulateur, ni parleur trop sincère.
LA FONTAINE, Fables, VII, 7.

3 D'un tyran soupçonneux pâles adulateurs (...)
BOILEAU, l'Art poétique, II.

♦ **2** Adj. (1740). Rare. *Langage adulateur. Phrases adulatrices.*

4 Cet homme (...) qui mendiait dans des dédicaces adulatrices l'aumône des riches financiers du temps pour payer ses faiblesses (...)
LAMARTINE, Premières méditations, Préface.

CONTR. **Censeur, critique.**

**ADULATIF, IVE** [adylatif, iv] adj. — 1547; de *aduler.* Rare. Qui adule. → **Adulateur.** *Un discours adulatif.*

**ADULATION** [adylasjɔ̃] n. f. — XIIe; lat. *adulatio,* de *adulare.* → Aduler.

Vieilli ou littér. Action d'aduler. *L'adulation de qqn pour qqch., pour qqn. L'adulation de qqch. par qqn. «Une lâche adulation de leur puissance* (des tyrans)*»* (Volney, *in* T. L. F.). *Être porté à l'adulation.* → **Flagornerie.** *Une adulation hypocrite. Son adulation pour sa femme est excessive.*

1 **Adulation** diffère de **flatterie** parce que le premier appartient au langage relevé, et que le second est de l'usage commun; puis parce que **adulation** emporte une idée de servilité et de fausseté qui n'est pas dans **flatterie.**
LITTRÉ, Dict., art. *Adulation.*

REM. En réalité, le mot n'est pas toujours péjoratif. Ce type d'emploi, comme pour *aduler,* semble dater du milieu du XIXe s. → Aduler (2.).

2 J'avais le bonheur d'avoir affaire à un adversaire pour lequel mon cœur plein d'estime pouvait, sans adulation, la lui témoigner; c'est ce que je fis avec assez de succès, mais toujours avec dignité.
ROUSSEAU, les Confessions, VIII.

(Au plur.). Manifestations de l'action d'aduler. *De basses adulations.* → **Flatterie.** — (Sans idée péj.). *«Les adulations à sa beauté, à son esprit»* (Goncourt).

3 Elle voulait un grand amour, elle se mit à le combler d'adulations et de caresses. Elle lui envoyait des fleurs; elle lui fit une chaise en tapisserie; elle lui donna un porte-cigares, une écritoire, mille petites choses d'un usage quotidien, pour qu'il n'eût pas une action indépendante de son souvenir.
FLAUBERT, l'Éducation sentimentale, t. II, p. 219, *in* T. L. F.

CONTR. **Blâme, critique, répréhension. — V. Franchise.**

**ADULER** [adyle] v. tr. — Fin XIVe; lat. *adulari* «flatter», en parlant des animaux.

Littér. ou style soutenu.

♦ **1** Flatter bassement, servilement. → **Flatter; caresser, courtiser, encenser, flagorner, louanger.** *On adule les puissants.*

1 Quoi! vous adulez bassement le souverain pendant sa vie, et vous l'insultez cruellement après sa mort!
DIDEROT, Claude et Néron, II, 94, *in* T. L. F.

♦ **2** (Mil. XIXe). Par ext. Combler de louanges, de témoignages d'admiration. → **Choyer, encenser, fêter.** *Cette mère adule ses enfants.* — Au participe passé :

2 (...) un être absolument privilégié, recherché, adulé par la société la plus choisie (...)
PROUST, À la recherche du temps perdu, t. IX, p. 122.

♦ **3** Admirer (surtout passif). *Dès le début de sa carrière, cette actrice fut adulée.*

◆ **ADULÉ, ÉE** p. p. adj. *Un personnage adulé* (→ ci-dessus, cit. 2). *Des enfants adulés. Un virtuose adulé.*

CONTR. **Censurer, critiquer, reprendre. — Honnir.** ◊ **DÉR. Adulatif.**

**ADULTAT** [adylta] n. m. — 1977, cit.; de *adult(e),* et suff. d'état *-at.*

Rare. État d'adulte.

La sagesse est altération, mûrissement, mue.
C'est pourquoi à la limite un adulte ne saurait être sage. Si l'adultat correspond à une période étale succédant à l'enfance, il signifie débrayage par rapport à la durée.
M. TOURNIER, le Vent Paraclet, p. 282 (1977).

**ADULTE** [adylt] adj. et n. — 1394; lat. *adultus,* p. p. de *adolescere* «se développer, grandir». → Adolescent.

**I** Adj. ♦ **1** (En parlant d'un être vivant). Qui est parvenu au terme de sa croissance*. *Un animal adulte. Des lionceaux et un lion adulte. Individus jeunes et adultes.* — (Rare). *Plante adulte.*

♦ **2** Spécialt (dans l'espèce humaine). Qui a dépassé l'âge de l'adolescence et n'est pas parvenu à la sénescence, à la vieillesse. *Ses enfants sont déjà adultes. Devenir adulte. Un jeune homme à peine adulte.*

1 Un siècle d'enfants qui veut tirer sur un siècle d'adultes, la grande difficulté, c'est de se mettre en position de tir. Mais le terrible vient après : le tir commencé, plus un jeune qui ne passe «adulte».
Henri MICHAUX, Face aux verrous, p. 63.

*Âge adulte.* → **Mûr.**

2 Le métabolisme de base présente, chez l'Homme, un maximum à la fin de la première année de la vie, puis décroît jusqu'à l'âge adulte, en offrant cependant une légère recrudescence au moment de la puberté.
Marcel ABELOOS, *in* Encycl. Pl., Biologie, p. 636.

♦ **3** Propre aux personnes adultes. *Des activités adultes.*

Voyez plutôt : seul au milieu des adultes, j'étais un adulte en miniature, et j'avais des lectures adultes; cela sonne faux, déjà, puisque, dans le même instant, je demeurais un enfant. SARTRE, les Mots, p. 54-55.

♦ **4** Par ext. *Être adulte,* se dit d'une personne (d'âge adulte) qui a une psychologie d'adulte (opposé à *enfant, infantile*), qui supporte l'indépendance, la frustration, est capable de décider, d'assumer des responsabilités, etc. *Réagissez, au lieu de gémir; vous ne serez donc jamais adulte!* — N. (même emploi) :

Allons, un peu de courage, il est temps d'aborder la vie en adultes... Pousse-le donc un peu à travailler, à avoir un peu plus d'ambition...
N. SARRAUTE, le Planétarium, p. 64.

(En parlant des sentiments, du comportement). *Un amour sérieux et adulte.*

♦ **5** Fig. Parvenu à son plein développement. *L'informatique parvient maintenant à l'âge adulte, devient adulte. Une économie adulte.*

**II** N. ♦ **1** Didact. Être vivant, organisme adulte. *Les insectes supérieurs naissent sous une forme différente de celle de l'adulte* (→ **Imago**) : *la larve.*

L'hyperplasie est toujours active, au début de l'ontogenèse. Chez certains Métazoaires, les divisions cellulaires cessent définitivement, dans la plupart des tissus, à un stade précoce du développement. La croissance du corps est alors l'image agrandie de la croissance cellulaire. L'adulte est constitué par des cellules en nombre relativement restreint et fixe chez tous les individus de la même espèce (...) Les faits de cet ordre sont assez exceptionnels.
Marcel ABELOOS, *in* Encycl. Pl., Biologie, p. 626.

♦ **2** Cour. Être humain qui a terminé sa croissance, entre l'adolescence et la vieillesse. *De jeunes adultes. Pour qu'un homme devienne enfin un adulte.* → Oblatif, cit.

Spécialt et plus cour. (opposé à *enfant,* à *adolescent,* à *mineur*). *Un spectacle réservé aux adultes* (ou *interdit aux mineurs, aux moins de 18 ans...*). → **Majeur.** *Film pour adultes,* déconseillé ou interdit aux enfants, aux adolescents, en général pour des raisons de morale sexuelle (→ Pour public averti). — *Cours d'adultes,* pour les personnes ayant dépassé l'âge scolaire. *Pédagogie pour les adultes.*

On ne saurait mesurer l'indifférence des enfants à l'égard des adultes, même de ceux auxquels ils paraissent le plus étroitement liés. F. MAURIAC, la Pharisienne, V.

CONTR. **Adolescent, jeune, petit; sénile, vieux. — Adolescent, enfant, jeune** (n.). ◈ DÉR. **Adultat, adultisme.**

**ADULTÉRATEUR, TRICE** [adylteʀatœʀ, tʀis] n. et adj. — Mil. XVI^e, Rabelais; lat. *adulterator,* de *adulterare.* → Adultérer.

Didact. Qui adultère (qqch.); falsificateur.

**ADULTÉRATION** [adylteʀasjɔ̃] n. f. — 1374; du lat. *adulteratio,* de *adulterare.* → Adultérer.

Vx ou didact. (littér.). Action d'adultérer (2. et 3.), résultat de cette action. *L'adultération des monnaies, des médicaments.* → **Falsification.** — *L'adultération des mœurs, des habitudes sociales. — Une, des adultérations.*

1. **ADULTÈRE** [adyltɛʀ] adj. — XII^e, *adulteire;* du lat. *adulter.* → Adultérer.

♦ **1** (Surtout dans un contexte juridique ou religieux). Qui viole la foi conjugale, commet un adultère (2. Adultère). *Un époux adultère. La femme adultère de la Bible* (Bible, Proverbes, VII). → **Fornicateur, infidèle.**

Alors elle se rappela les héroïnes des livres qu'elle avait lus, et la légion lyrique de ces femmes adultères se mit à chanter dans sa mémoire (...)
FLAUBERT, M^me Bovary, II, IX.

Par ext. *Un amour, un commerce adultère.*

Je verrai le témoin de ma flamme adultère (...) 2
RACINE, Phèdre, III, 3.

Rare. Qui est né d'un adultère. → **Adultérin.** *Un fils adultère.*

N. Personne adultère. *Un, une adultère.*

Moïse nous a ordonné dans la loi de lapider les adultères. 3
*(Jésus)* leur dit : Que celui d'entre vous qui est sans péché, lui jette la première pierre.
BIBLE, Évangile selon saint Jean, VIII, v. 5-7.

♦ **2** Relig. et vx. Qui viole la foi religieuse. → **Idolâtre, impie.**

La nation chérie a violé sa foi (...) 4
Pour rendre à d'autres dieux un honneur adultère.
RACINE, Esther, I, 4.

♦ **3** Vieilli et didact. Qui constitue un mélange impur*. *Un assemblage, un mélange adultère.*

Cette terre est en ruines; ses montagnes s'effritent en pier- 5
railles, la pensée y est toute pleine d'éléments syriaques et d'hellénisme adultère, des débris qui se sont échappés des grands temples antiques du soleil.
M. BARRÈS, Mes cahiers, 1913-1914, t. X, p. 379.

CONTR. **Fidèle, pur.**

2. **ADULTÈRE** [adyltɛʀ] n. m. — Fin XII^e; du lat. *adulterium.*

♦ **1** Rapport sexuel volontaire d'une personne mariée avec un autre que son conjoint. — REM. Le mot, sans être exclusivement juridique ou religieux, suppose des jugements sociaux étroitement soumis à une morale sexuelle, religieuse (→ Fornication). — *Adultère du mari, de la femme.* → **Infidélité, trahison, tromperie.** — Dr. *Adultère double :* relations sexuelles entre deux personnes mariées (à d'autres). *Délit d'adultère.* → **Commerce** (adultérin). — *Commettre un adultère.* → **Cocufier** (fam.), **coiffer, trahir, tromper** (son conjoint); **infidélité** (→ fam. et vx. Braconner sur les terres d'autrui, pondre au nid de qqn; littér. et vx souiller le lit nuptial). *Commettre des adultères fréquents. «Vous me parlez toujours d'inceste* (cit. 1) *et d'adultère»* (Racine). *«Emma retrouvait dans l'adultère toutes les platitudes* (cit. 3) *du mariage»* (Flaubert).

Vous avez appris qu'il a été dit : Tu ne commettras point 1
d'adultère. Et moi, je vous dis : Quiconque regarde une femme avec convoitise a déjà commis l'adultère avec elle, dans son cœur.
BIBLE, Évangile selon saint Matthieu, V, 27-28.

Le mari pourra demander le divorce pour cause d'adultère 2
de sa femme. Code civil, anc. art. 229.

La femme pourra demander le divorce pour cause d'adul- 3
tère de son mari. Code civil, anc. art. 230.

L'adultère de la femme ne pourra être dénoncé que par 4
le mari (...) Code pénal, anc. art. 336.

La femme convaincue d'adultère subira la peine de l'em- 5
prisonnement pendant trois mois au moins et deux ans au plus (...) Code pénal, anc. art. 337.

Le complice de la femme adultère sera puni de l'emprison- 6
nement pendant le même espace de temps, et, en outre, d'une amende (...) Code pénal, anc. art. 338.

Le mari qui aura entretenu une concubine dans la maison 7
conjugale, et qui aura été convaincu sur la plainte de la femme, sera puni d'une amende (...)
Code pénal, anc. art. 339.

L'adultère et l'inceste en étaient les plus doux *(blasphèmes).* 7.1
CORNEILLE, Polyeucte, III, 2.

Il y a des pays où la faiblesse d'une jeune amante est 8
un crime irrémissible, quoique l'adultère d'une femme y porte le doux nom de galanterie.
ROUSSEAU, Julie ou la Nouvelle Héloïse, IV, 13.

Allons! ce ne pouvait être *elle* que le lieutenant avait voulu 9
flétrir d'une accusation d'adultère.
VILLIERS DE L'ISLE-ADAM, Tribulat Bonhomet, p. 61.

10 La frivolité des liaisons, des amours, des adultères bourgeois m'écœurait.
S. DE BEAUVOIR, Mémoires d'une jeune fille rangée, p. 189.

Par métaphore. *« Le mariage et l'adultère des couleurs »* (Huysmans, *in* T. L. F.).

♦ **2** Relig. (sens de la Bible). Acte d'idolâtrie.

CONTR. **Fidélité, respect** (de la foi conjugale).

**ADULTÉRER** [adylteʀe] v. tr. [CONJUG.: *céder*.] — 1350, « commettre un adultère »; du lat. *adulterare* « falsifier », d'où « corrompre une femme mariée ».

♦ **1** (1450). Vx. Inciter (une personne mariée) à l'adultère*.

♦ **2** (1751). Mod. Altérer la pureté de (qqch.), falsifier, gâter. *Adultérer des médicaments.* → **Altérer.** *Adultérer des monnaies* (par des alliages qui dépassent le taux légal).

1 (...) ils en vinrent à soupçonner les fraudes dans toutes les denrées alimentaires.
Ils chicanaient le boulanger sur la couleur de son pain. Ils se firent un ennemi de l'épicier, en lui soutenant qu'il adultérait ses chocolats.
FLAUBERT, Bouvard et Pécuchet, I, II.

♦ **3** (Abstrait). Rendre moins pur.

2 Beauté de ce tissage où même la matière première est indigène et que rien ne vient adultérer.
GIDE, Voyage au Congo, *in* Souvenirs, Pl., p. 823.

3 (...) ce n'est là que l'ambition furieuse et aveugle d'un conquérant qui élargit son empire, sans se demander si les nouveaux peuples soumis ne vont pas désorganiser son ancien peuple, jusque-là fidèle, l'adultérer, lui apporter la contagion de toutes les erreurs. ZOLA, Rome, p. 690.

◆ **ADULTÉRÉ, ÉE** p. p. adj. *Monnaies adultérées.*

**ADULTÉRIN, INE** [adylteʀɛ̃, in] adj. — 1327; du lat. *adulterinus,* de *adulterare.* → Adultérer.

♦ **1** Dr. Qui est né d'un adultère. *Enfant adultérin.* — Qui a rapport à l'adultère. *Commerce adultérin; rapports adultérins.*

1 (...) la nature a marqué l'infidélité des femmes par des signes certains : outre que les enfants adultérins de la femme sont nécessairement au mari et à la charge du mari, au lieu que les enfants adultérins du mari ne sont pas à la femme ni à la charge de la femme.
MONTESQUIEU, l'Esprit des lois, XXVI, 8.

2 *(La)* reconnaissance ne pourra avoir lieu au profit des enfants nés d'un commerce incestueux ou adultérin sous réserve des dispositions de l'article 331.
Code civil, anc. art. 335.
REM. L'expression a disparu du Code; cet article est remplacé par : « La reconnaissance d'un enfant naturel... »

3 Geneviève était fille et mère adultérine, divorcée, défroquée, et pas mal d'autres choses encore.
GIRAUDOUX, Siegfried et le Limousin, p. 56.

N. *« Les adultérins ne peuvent jamais être reconnus »* (Académie, 1936).

♦ **2** Par ext. (Agric.). *Variété adultérine :* plante provenant de l'ovule d'une espèce, fécondé par le pollen d'une autre.

CONTR. **Légitime.**

**ADULTISME** [adyltism] n. m. — V. 1960; de *adulte,* et suff. *-isme.*

Didact. (psychol.). Caractère du comportement adulte.

CONTR. **Infantilisme.** ◊ COMP. **Suradultisme.**

**ADUSTE** [adyst] adj. — XIIe; lat. *adustus,* de *adurere* « brûler ».

Vx ou littér. Brûlé, hâlé par le soleil, le vent.

C'était un jeune homme aux tempes pâles dans son visage aduste comme chez ceux habitués au port de la casquette à longue visière en usage à bord des locomotives pour protéger les yeux des escarbilles, aux joues creuses, aux traits tirés. B. CENDRARS, Bourlinguer, 1948, p. 277.

Anciennt. Se disait des humeurs du corps dans certaines maladies.

Les hommes alimentés de carnage et abreuvés de liqueurs fortes ont tous un sang aigri et aduste (...)
VOLTAIRE, la Princesse de Babylone.

**ADUSTION** [adystjɔ̃] n. f. — 1314, lat. *adustio,* du supin de *adurere* « brûler ». → Aduste.

Didact. et vx. Cautérisation par le feu.

**AD USUM** [adyzɔm] loc. adv. — Mil. XIXe (1866, *in* P. Larousse); mots lat. « suivant l'usage ».

Dr. Suivant la coutume.

**AD USUM DELPHINI** [adyzɔmdɛlfini] loc. adj. — 1866; loc. lat. « à l'usage du dauphin ».

Didact. Se dit des éditions expurgées des classiques latins que Louis XIV fit imprimer à l'usage du dauphin.

Par ext. Iron. Se dit d'un texte expurgé.

**AD VALOREM** [advalɔʀɛm] loc. adj. — 1866; loc. lat. « selon la valeur ».

*Droits ad valorem :* droits de douane perçus d'après la valeur des marchandises. — Contr. : *droits spécifiques.*

**ADVECTION** [advɛksjɔ̃] n. f. — Mil. XXe; lat. *advectio* « transport », du supin de *advehere,* de *ad,* et *vehere.*

Didactique.

♦ **1** Transfert des propriétés d'une masse d'air par déplacement, notamment dans le plan horizontal. *Advection et convection. « Ces termes* (quadratiques) *"d'advection" qui déterminent des interactions mutuelles entre les différentes échelles de mouvement, et permettent en particulier à l'énergie cinétique (...) de diffuser dans toutes les échelles spatiales et de constituer ainsi un spectre continu (...) »* (*Courrier du C. N. R. S.,* no 17, juil. 1975). — *Brouillard d'advection. « Le brouillard d'advection résulte de la condensation survenant dans une masse d'air chaud et humide qui passe sur une surface froide »* (*Nouveau cours de navigation des Glénans,* p. 401).

♦ **2** Processus de transport des propriétés d'une eau résultant de son mouvement moyen, horizontal ou vertical.

**ADVENANT, ANTE** [advənɑ̃, ɑ̃t] adj. — D. i.; p. prés. de *advenir.*

♦ **1** Dr. Qui, dans une succession, revient comme un droit à qqn. *Domaine advenant. Part advenante d'une succession.*

♦ **2** Didact. Qui advient, arrive. *Événement advenant.* — Dr. *Le décès advenant de l'un des époux.*

**ADVENIR** [advəniʀ] v. intr. [CONJUG.: *venir;* **employé à l'inf. et aux troisièmes personnes.**] — 1209; réfection de l'anc. franç. *avenir,* forme encore usuelle au XVIe et que l'on trouve encore dans le Code civil en 1804; du lat. *advenire* « arriver », de *ad,* et *venire.*

♦ **1** Archaïsme littér. *Advenir à faire qqch.,* réussir à.

♦ **2** Mod. (D'un événement). Arriver par accident, par surprise, se passer, se produire, survenir. → **Arriver.** *Advenir à qqn,* lui advenir. *Il advint, il est advenu que... Quoi qu'il advienne, qu'il advînt.*

1 Cependant il advint qu'au sortir des forêts
Ce lion fut pris dans des rets (...)
LA FONTAINE, Fables, II, 12.

2 Je dirai : «J'étais là; telle chose m'advint».
LA FONTAINE, Fables, IX, 2.

1 Messieurs : je ne suis à Paris que depuis à peine deux heures. Rien encore n'a pu m'advenir — que votre inappréciable rencontre.
GIDE, le Prométhée mal enchaîné, *in* Romans, Pl., p. 313.

2 Mais après, aussitôt après, quoi qu'il advînt, elle partirait!
MARTIN DU GARD, les Thibault, III, 7.

REM. *Il advint que* est suivi de l'indicatif (réalité d'un fait) ou du subjonctif (possibilité d'un fait). *Il advint qu'elle dut rester alitée.*

3 Il advient le plus souvent que l'on ne prête à autrui que les sentiments dont l'on est soi-même capable (...)
GIDE, Pages de journal, p. 113.

4 Calé dans le coin droit, côté face, du compartiment, je fume une cigarette en lisant, Dieu me pardonne! en lisant *le Populaire.* Le coin droit, côté face, parce que c'est la place réservée à Folcoche, lorsqu'il advient d'aventure que nous prenions le tortillard d'Angers.
Hervé BAZIN, Vipère au poing, p. 201.

*Que va-t-il advenir de lui?*

5 Ce qu'il allait advenir de moi intéressait furieusement une part sans valeur de moi-même, comme la volonté d'échapper à l'eau lorsqu'on se noie.
MALRAUX, Antimémoires, Folio, p. 235.

Loc. prov. *Advienne que pourra :* qu'il en résulte ceci ou cela (j'en accepte toutes les conséquences). Cf. À-dieu-vat, à la grâce de Dieu. — Prov. *Fais ce que dois, advienne que pourra :* il faut faire son devoir quoi qu'il en résulte.

REM. Le p. prés. s'emploie encore dans la langue du droit. → Advenant.

♦ **ADVENU, UE** p. p. adj. Didact., rare. Qui est arrivé, s'est produit. «*Un avenir déjà advenu*» (Merleau-Ponty, *in* T. L. F.).

Spécialt (mystique). Entré dans le monde (âme, esprit) en s'unissant à un corps.

N. «*Le nouvel advenu*» (Claudel) : Jésus. — N. m. *L'advenu :* ce qui advient.

→ aussi **Avenu** (non avenu).

**ADVENTICE** [advɑ̃tis] adj. et n. f. — 1767; *adventif,* dr., 1751; *adventis, aventis,* XIIe; du lat. *adventicius* «qui s'ajoute, supplémentaire», de *advenire.* → Adventif.

**I** Adj. ♦ **1** Philos. (idées). Qui n'est pas inné, qui vient des sens. → **Extérieur.**

1 M. de Bonald semble vouloir concilier ces deux opinions opposées. Il accorde exclusivement au langage plus qu'aucun nominaliste, il donne la priorité aux signes et cependant il admet les idées innées : ces idées ne sont rien elles-mêmes sans les signes du langage articulé qui les fécondent ou les manifestent. Il suit de ce point de vue que tout vient du dehors à l'esprit ou lui est adventice.
MAINE DE BIRAN, Journal, 1819, p. 237.

♦ **2** Bot. Qui pousse dans les terres de culture sans y avoir été semé. *Plantes adventices :* mauvaises herbes.

Qui est étranger et introduit dans une nouvelle contrée. *Des cultures adventices.*

♦ **3** Méd. (maladies). Qui n'a pas son origine dans la constitution héréditaire. — *Tissu adventice,* surajouté et non fonctionnel.

♦ **4** (XIXe). Fig. et cour. (style soutenu). Qui ne fait pas partie naturellement de la chose, qui s'ajoute accessoirement. → **Accessoire, secondaire, supplémentaire.** *On écartera toutes les données adventices pour résoudre le problème. Circonstances adventices et secondaires.*

(...) elle avait encombré sa vie de maintes préoccupations adventices, de sorte que l'idée du devoir, souvent, se brésillait chez elle en un tas de menues obligations. 2
GIDE, Si le grain ne meurt, p. 166.

**II** N. f. Anat. Tunique conjonctive externe d'un vaisseau ou d'un conduit. *Adventice artérielle. L'adventice de l'œsophage.*

CONTR. **Factice, inné. — Essentiel, fondamental, principal.**

**ADVENTIF, IVE** [advɑ̃tif, iv] adj. — XVIe; *aventif,* XIIe; lat. *adventicius* (→ Adventice), avec substitution de suffixe.

Vx ou didactique.

♦ **1** Vx. (Dr.). Qui ne vient pas par succession directe. *Des biens adventifs. La dot adventive.*

♦ **2** (1853). Bot. Qui pousse sur un point où l'on ne trouve pas d'organe de même nature. *Des racines adventives, des bourgeons adventifs* (ou, plus rarement, *adventices*).

Qui naît à partir de la division sans fécondation de certaines cellules. *Des embryons adventifs.*

♦ **3** (1886, A. de Lapparent). Géol. *Cône adventif :* cône volcanique annexe qui s'édifie sur la pente d'un volcan à partir d'un centre d'éruption secondaire.

**ADVENTISTE** [advɑ̃tist] n. — 1894, *in* Höfler; angl. des États-Unis *adventist* (William Miller, v. 1831), de *advent* «avènement»; du lat. *adventus.*

Membre d'un mouvement religieux évangélique, né aux États-Unis, qui attend un second avènement du Messie annoncé par les Écritures. *Les adventistes se reposent le jour du sabbat* (samedi).

Adj. *L'Église adventiste du septième jour.*

**ADVERBAL, ALE, AUX** [advɛʀbal, o] adj. — Av. 1933, *Lexique* de Marouzeau.

Ling. Qui concerne le verbe dans son rapport avec un terme autre que le sujet ou l'objet (langues finno-ougriennes).

Se dit d'un élément qui dépend du verbe, lui est lié. — REM. Ne pas confondre avec *adverbial.*

**ADVERBE** [advɛʀb] n. m. — XVe; *averbe,* 1236; du lat. *adverbium,* de *ad,* et *verbum.*

Mot invariable ajoutant une détermination à un verbe, un adjectif, un adverbe ou une phrase *(adverbe de phrase).*

Étymologiquement, l'ad-verbe est l'adjectif du verbe. L'adverbe de manière qualifie une action (il frappe énergiquement) comme l'adjectif qualifie un nom (Pierre est énergique). Mais ce n'est pas là le seul rôle de l'adverbe : ses emplois sont très complexes. L'adverbe modifie non seulement un verbe, mais aussi un adjectif ou un autre adverbe. 1
F. BRUNOT et Ch. BRUNEAU, Grammaire historique, p. 561.

Les adverbes de manière sont extrêmement nombreux (...) ils sont constitués au moyen de la désinence -ment qui s'attache au féminin des adjectifs. 2
F. BRUNOT et Ch. BRUNEAU, Grammaire historique, p. 568.

*Classification traditionnelle (sémantique) des adverbes. Adverbes de manière, adverbes en* -ment (→ **1.-ment** et aussi les adjectifs employés comme adverbes : **fort, haut,** etc.) : ainsi, aussi, autant, bien, cahin-caha (loc. adv.), comme, comment, ensemble, exprès, gratis, ibidem, mais (aussi conj.), mal, même, mie (vx), mieux, optime (lat., «très

bien»), pis, plutôt, pourquoi, quasi, quasiment, que (corrélatif d'adverbes), surtout, vau-l'eau (loc. adv.), volontiers.
*Adverbes de quantité :* assez, aussi, autant, beaucoup, combien, davantage, encore, environ, force, guère, même, moins, moult (vx), peine (à), peu, plus, presque, prou (vx), que, quelque, si, tant, tellement, tout, très, trop.
*Adverbes de lieu :* ailleurs, alentour, autour (adverbial), çà, céans (vx), ci (vx), deçà, dedans, dehors, delà, derrière (aussi prép.), dessous, dessus, devant, en, hors, ici, là, loin, où, partout, part (nulle), près, y.
*Adverbes de temps :* alors, après, à présent, aujourd'hui, auparavant, aussitôt, autrefois, avant, bientôt, cependant, d'abord, déjà, demain, depuis, derechef (vx), désormais, dorénavant, encore, enfin, ensuite, hier, incontinent, jadis, jamais, longtemps, lors, maintenant, naguère, onc ou onques (vx), res (vx), parfois, puis, quand, quelquefois, sitôt, soudain, souvent, sur-le-champ, tantôt, tard, tôt, toujours, tout (tout de suite, tout à l'heure, tout à coup). — Du lat. : primo, secundo, tertio, quarto, quinto, sexto..., ultimo.
*Adverbes d'affirmation :* assurément, certainement, certes, oui, parfaitement, sans doute, volontiers, vraiment...
*Adverbes de doute :* apparemment, peut-être, probablement, sans doute, toutefois, voire, vraisemblablement.
*Adverbes de négation :* ne, nenni (vx), non, nullement, pas, point.

**ADVERBIAL, ALE, AUX** [advɛʀbjal, o] adj. — 1550; du bas lat. *adverbialis,* de *adverbium.* → Adverbe.
Ling. Qui a le caractère de l'adverbe. — *Locution adverbiale,* équivalant à un adverbe. *Un grand nombre de locutions adverbiales sont construites avec la préposition* à (côte à côte, à reculons, à tue-tête). — *Emploi adverbial d'un adjectif :* procédé par lequel on substitue un adjectif à l'adverbe. — *Syntagme adverbial,* formé à partir d'un adverbe (ex. : *très vite*).
DÉR. **Adverbialement, adverbialiser.**

**ADVERBIALEMENT** [advɛʀbjalmɑ̃] adv. — XVe; de *adverbial.*
Ling. Avec la valeur d'un adverbe. *Un adjectif pris adverbialement.*

**ADVERBIALISATEUR** [advɛʀbjalizatœʀ] n. m. et adj. — V. 1960; de *adverbialiser.*
Ling. Élément, morphème qui transforme un adjectif en adverbe. *Le suffixe* -ment *est un adverbialisateur.* — Adj. *Suffixe adverbialisateur.*

**ADVERBIALISER** [advɛʀbjalize] v. tr. — Av. 1834; de *adverbial.*
Ling. Rendre adverbial; employer comme adverbe. — Au p. p. *Adjectif adverbialisé.*
DÉR. **Adverbialisateur.**

**ADVERSAIRE** [advɛʀsɛʀ] n. — XIIe; a remplacé la forme *aversier;* fém., XIXe; du lat. *adversarius.*
Personne qui est opposée à une autre (dans un combat, un conflit, une compétition, une discussion, une joute, un match, un procès...). → **Antagoniste, compétiteur, concurrent, contradicteur, contraire, émule, ennemi, rival.** *L'adversaire de qqn, son adversaire. Un rude adversaire. Un adversaire acharné qu'on rencontre toujours sur son chemin. Vaincre, écraser, clouer son adversaire. Ménager l'adversaire.*

Qui se hasarderait contre un tel adversaire? 1
CORNEILLE, le Cid, IV, 5.

Mais comme il s'est vu seul contre trois adversaires (...) 2
CORNEILLE, Horace, III, 6.

(...) mes plus dangereux et plus grands adversaires, 3
Sitôt qu'ils sont vaincus, ne sont plus que mes frères.
CORNEILLE, Pompée, 917.

L'amour des beaux esprits, qui chez vous m'est contraire 4
Ne pouvait m'opposer un moins noble adversaire.
MOLIÈRE, les Femmes savantes, IV, 2.

Dans une discussion, je suis toujours du côté de l'adversaire. 5
GIDE, cité par MAUROIS, Études littéraires, t. I, p. 58.

Un remaniement des équipes les rassembla dans la même partie, d'abord en adversaires, puis en partenaires. 6
MARTIN DU GARD, les Thibault, III, 6.

Sur le champ de bataille, exactement comme sur le stade, les hommes qui se battent sont les joueurs de deux équipes rivales : ils ne sont pas des ennemis, ils sont des adversaires. 7
MARTIN DU GARD, les Thibault, VIII, 40.

Mon père avait consumé toute l'année 1906 en joutes oratoires contre un propriétaire vindicatif. Pourvu d'un adversaire à sa mesure, mon père s'était surpassé. 8
G. DUHAMEL, Chronique des Pasquier, V, 5.

Les hommes avaient des forces en trop. Il leur faut lutter maintenant, oublieux de leurs véritables adversaires, ayant affaire à des ombres (...) 9
Henri MICHAUX, Face aux verrous, p. 100.

REM. *Adversaire* peut s'employer au masc. en parlant d'une femme. *Cette femme est un dangereux adversaire.*
Spécialt (droit). La partie adverse*.
Personne hostile à (une doctrine, une pratique). *Les adversaires du cléricalisme. Adversaires et partisans d'une politique. C'est un adversaire déclaré, acharné, irréductible, redoutable du gouvernement.*
Adj. (Rare). *«Ces sangs qui s'étaient crus adversaires»* (Malraux).
CONTR. **Allié, ami, auxiliaire, champion, collaborateur, complice, défenseur, partenaire, partisan.**

**ADVERSATIF, IVE** [advɛʀsatif, iv] adj. — 1550, *aversatif;* du bas lat. *adversativus.*
Ling. Qui marque une opposition. *Conjonction adversative* (ex. : *mais*). *Proposition adversative.*

**ADVERSE** [advɛʀs] adj. — XVe; *averse,* 1080, *Chanson de Roland;* du lat. *adversus.*

♦ **1** Littér. Qui s'oppose, tend à s'opposer. → **Contraire, hostile, opposé.** *Chose, personne adverse à qqn, à qqch.* **a** Vx. (Personnes). *«Les hommes qui m'avaient été d'abord adverses sont devenus mes amis»* (Chateaubriand, *Mémoires d'outre-tombe,* in T. L. F.).

Vous voyez devant vous mon adverse partie. 1
RACINE, les Plaideurs, II, 9.

**b** Littér. (Choses). *Les circonstances nous sont adverses.*
(Sans compl. en *à*). *Une volonté adverse. Des circonstances adverses.* — Plus cour. (au plur.). *Des idées, des partis adverses,* opposé(e)s entre elles (eux).

La France est divisée en deux blocs adverses, et ceux qui, comme moi, se trouvent entre les deux n'ont plus qu'à choir dans le vide. 2
G. DUHAMEL, Chronique des Pasquier, VIII, 13.

De là vient qu'en ce moment, les étendards des idéologies adverses : libérale, marxiste, hitlérienne, flottent dans le ciel des batailles (...) 3
Ch. DE GAULLE, Mémoires de guerre, t. III, p. 93.

♦ **2** Dr. *La partie adverse :* la personne contre laquelle on plaide (→ aussi cit. 1, ci-dessus). → **Adversaire.** — *L'avocat adverse,* qui plaide pour la partie adverse.
CONTR. **Allié, ami. — Favorable, propice.**

**ADVERSITÉ** [advɛʀsite] n. f. — 1145; du lat. ecclés. *adversitas*, de *adversus*. → Adverse.

a Vx. Littér. Fortune adverse, sort contraire, fâcheux. *Les épreuves de l'adversité.* → **Fatalité.**

b Mod. État, situation de celui qui éprouve des revers, subit les rigueurs du sort. *Tomber dans l'adversité.* → **Détresse, disgrâce, infortune, malchance, malheur.** *L'adversité l'a jeté dans la misère, dans le désespoir.*

1 **Adversité** (...) exprime un état dans lequel on a le sort contre soi ou pour adversaire, on est aux prises avec lui; ce qui le caractérise singulièrement, c'est l'idée d'une lutte, et de la manière dont on la soutient (...)
LAFAYE, Dict. des synonymes, Adversité.

2 (...) famille auguste, mais malheureuse (...) poussée jusqu'aux dernières épreuves de l'adversité.
LA BRUYÈRE, Disc. de réception à l'Académie.

3 L'adversité est pour moi ce qu'était la terre pour Antée : je reprends des forces dans le sein de ma mère.
CHATEAUBRIAND, Mémoires d'outre-tombe, I, II.

4 On résiste à l'adversité mieux qu'à la prospérité. On se tire de la mauvaise fortune plus entier que de la bonne. HUGO, l'Homme qui rit, II, V, V.

5 (...) le premier mouvement d'abattement passé, il avait repris contenance. Il s'était roidi contre l'adversité.
HUGO, Notre-Dame de Paris, I, V.

*(Une, des adversités).* Épreuve, événement malheureux. → **Accident, coup** (du sort), **malheur, obstacle, tribulation.** *Connaître toutes les adversités.*

CONTR. **Bonheur, chance, félicité, fortune, prospérité.**

**ADVERTANCE** [advɛʀtɑ̃s] n. f. — XIV^e^, «fait de porter attention», dér. sav. du lat. *advertere*, ou lat. relig. *advertentia*, de *advertere*.

Vx ou théol. Attention que le pécheur porte à son acte en le commettant. → **Conscience** (claire).

Archaïsme littér. Lucidité, vigilance (cf. Huysmans, A. Billy, *in* T. L. F.).

CONTR. **Inadvertance.**

**AD VITAM ÆTERNAM** [advitametɛʀnam] loc. adv. — 1866; mots lat. «pour la vie éternelle».

Fam. Pour toujours, à perpétuité. *On ne va pas rester ici ad vitam æternam!*

REM. On dit parfois familièrement *advitam* [advitam]. *Je ne vais pas t'attendre advitam!*

**ADYNAMIE** [adinami] n. f. — 1782; du grec *a-*, privatif, et *dunamis* «force».

Méd. Extrême faiblesse musculaire accompagnant certaines maladies, notamment les maladies fébriles. → **Abattement, accablement, affaissement, anéantissement, asthénie, débilité, dépression, langueur, prostration.** *Un état d'adynamie profonde.* — Par analogie :

Le rêve est une veille d'où les forces sont absentes. Adynamie illustrée. VALÉRY, Cahiers, Pl., t. II, p. 136.

Méd. *Adynamie épisodique héréditaire* (ou *maladie, adynamie de Gamstorp, paralysie périodique familiale*) : maladie héréditaire se traduisant par des accès de paralysie.

CONTR. **Énergie, force, vigueur, vitalité.** ◊ DÉR. **Adynamique.**

**ADYNAMIQUE** [adinamik] adj. — 1803, *in* D. D. L.; de *adynamie*.

♦ **1** Méd. Relatif à l'adynamie. *État adynamique. Fièvre adynamique.*

♦ **2** Philos. Sans énergie, sans efficacité.

CONTR. **Dynamogène, fortifiant, reconstituant, tonique.**

**ADYTON** [aditɔn] ou **ADYTUM** [aditɔm] n. m. — 1840; du lat. *adytum* «partie la plus secrète d'un lieu sacré».

Antiq. Chambre secrète d'un temple, située au-dessous du sol, où seuls les prêtres étaient admis.

1. **AÈDE** [aɛd] n. m. — 1841; du grec *aoidos* «chanteur».

Didact. Poète épique qui, souvent, chantait et récitait ses œuvres (dans la Grèce ancienne).

Tel est l'art de l'aède, qui est comme la mémoire des guer- 1
riers. L'orateur et le poète sont soumis à cette condition de se conformer à une sorte de modèle de leur parole; sans quoi on entend mal ce qu'ils disent.
ALAIN, Propos, 1923, p. 482, *in* T. L. F.

Par ext. Poète oral dont le style rappelle celui des aèdes grecs. — Poète qui présente ses œuvres dans un lieu public (dans les cultures orales).

J'ai vu les aèdes dans leur couverture, leur bras d'aveugle 2
étendu pour appeler les morts!
MALRAUX, Antimémoires, Folio, p. 421.

Fig. et littér. *Un aède du sentiment national.*

HOM. 2. **Aède.**

2. **AÈDE** [aɛd] n. m. — 1818; p.-ê. du grec *aêdês* «désagréable» ou jeu de mot sur 1. *aède*, à cause du bourdonnement.

Zool. *Aèdes* (n. m. pl.) : moustiques de diverses espèces, parmi lesquelles *aedes aegypti* et *aedes simpsoni*, insectes vecteurs de la fièvre jaune, diptères nématocères de la famille des culicidés. — Au sing. *Un aède.*

HOM. 1. **Aède.**

**ÆGAGRE** [egagʀ] n. f. — 1834; du grec *aigagros* «chèvre sauvage».

Zool. Chèvre d'Asie *(Caprus ægagrus)*, appelée aussi *chèvre sauvage* et considérée comme l'ancêtre de la chèvre domestique.

**ÆGAGROPILE** [egagʀɔpil] n. m. → **Égagropile.**

**ÆGERIDÉS** [eʒeʀide] n. m. pl. — D. i. (attesté mil. XX^e^ dans les dict. généraux, du lat. mod. *ægeria*); orig. incert., p.-ê. du lat. *æger* «malade; douloureux» ou de *Ægeria*, pour *Egeria*, nom d'une nymphe.

Zool. Famille de lépidoptères remarquables par leur mimétisme qui les fait ressembler aux hyménoptères. — Au sing. *Un ægeridé (ægeria apiformis* ou *sésie du peuplier) mime le frelon de façon étonnante.*

**ÆGILOPS** [eʒilɔps] n. m. — 1546; du grec *aix, aigos* «chèvre», et *opsis* «vue».

Didactique.

♦ **1** Bot. Plante *(Graminées)*, proche de l'avoine et du froment, dite communément *œil de chèvre.*

♦ **2** (1575). Méd. Ulcère qui se forme à l'angle interne de l'œil.

**ÆGIPAN** [eʒipɑ̃] n. m. — 1673; du grec *Aigipan*, de *aix, aigos* «chèvre», et *Pan*, dieu des bergers. REM. On trouve aussi les formes *ægypan, aigipan, aigypan, égipan, égypan.*

Myth. Divinité antique dont le corps tient à la fois de l'homme et de la chèvre (cornes, pieds). → **Faune, satyre;** → aussi Capricorne.

Plusieurs Faunes et Ægipans, assemblés pour des fêtes et 1
des jeux qui leur sont particuliers, rencontrent la Bergère. Ils écoutent ses plaintes, et forment un spectacle très divertissant.
MOLIÈRE, le Malade imaginaire, Autre prologue (jeu de scène).

2 Laissant pendre sa flûte au bout de son bras nu,
L'aigipan, renversé sur le rameau qui ploie,
Rêve, les yeux mi-clos, avec un air de joie,
Qu'il surprend l'oréade en son antre inconnu.

LECONTE DE LISLE, Poèmes antiques, «Paysage», p. 232.

3 Les satyres et les pyraustes
Les égypans les feux follets
Et les destins damnés ou faustes (...)

APOLLINAIRE, Alcools, «La Chanson du mal aimé», p. 27.

Fig. et littér. Personne à l'aspect grotesque ou répugnant.

4 Des chiffonniers en lambeaux, des bouchers, tabliers sanglants aux cuisses (...) cheminaient aux portières; d'autres ægipans noirs étaient grimpés sur l'impériale (...)

CHATEAUBRIAND, Mémoires d'outre-tombe, t. I, p. 220.

5 La bedaine au galop, les yeux paillards, le gros père exultait. Il fit verser le champagne destiné aux femmes, le champagne qui mousse rose, et il appliqua ses vieilles lèvres d'ægypan sur les bras de ses voisines.

HUYSMANS, Marthe, p. 106.

**ÆGOPODE** [egɔpɔd] n. f. ou **ÆGOPODIUM** [egɔpɔdjɔm] n. m. — 1839, Boiste, *Suppl.*; lat. sc. *ægopodium*, du grec *aix, aigos* «chèvre», et *pous, podos* «pied». → Pode.

Bot. Plante ombellifère à fleur blanche ou rose, médicinale, appelée aussi *podagraire, herbe aux goutteux, pied de chèvre.*

**ÆGOSOME** ou **ÉGOSOME** [egozom] n. m. — 1845; lat. zool. *ægosoma*, du grec *aix, aigos* «chèvre», et *sôma* «corps».

Zool. Insecte coléoptère *(Cérambycidés* ou *Longicornes)* à antennes rugueuses, dont la larve vit dans le bois des arbres non résineux.

**ÆGYPAN** [eʒipɑ̃] n. m. → **Ægipan.**

**ÆGYPIIDÉS** [eʒipiide] n. m. pl. → **Vautour.**

**ÆLODICON** [elɔdikɔ̃] n. m. — 1845, *aélodicon*; all. *Äolodikon*, v. 1818.

Mus. Vx. Instrument à languettes d'acier que fait vibrer un courant d'air continu. → Æoline.

**ÆOLINE** [eɔlin] n. f. — 1856; all. *Äoline* (1816), du grec *Aiolos* «Éole», et suff. *-ine.*

Mus. Petit orgue à clavier et languettes métalliques, que fait vibrer un courant d'air. → **Ælodicon.** — Nom d'un jeu d'orgue.

**ÆOLIPYLE** [eɔlipil] n. m. → **Éolipile.**

**ÆOLIS** [eɔlis] n. m. — 1823; lat. zool. *Æolidia*, 1798, Cuvier; du grec *aiolos* «aux reflets changeants».

Zool. Mollusque marin *(Nudibranches)* dont le dos porte des végétations de couleur changeante (ex. : l'*Æolis papillosa* de la Manche).

**ÆPYCÉROTINÉS** [episeʀɔtine] n. m. pl. — D. i. (mil. XXe); de *æpyceros*, du grec *aipus* «haut», *keras* «corne», et suff. *-inés.*

Zool. Sous-famille de bovidés voisins de la gazelle comprenant la seule espèce Impala *(Æpyceros melampus).*

**ÆPYORNIS** [epjɔʀnis] n. m. — 1851, Geoffroy Saint-Hilaire; mot du lat. zool., du grec *aipus* «escarpé, haut», et *ornis* «oiseau».

Zool. Oiseau fossile de très grande taille (formant un genre de la sous-classe des Ratites), découvert à Madagascar. *Absolument dépourvu de la faculté de voler, l'æpyornis possède une morphologie qui rappelle celle de l'autruche.*

**AÉR-** → **Aéro-.**

**AÉRAGE** [aeʀaʒ] n. m. — 1758, *airage*; de *aérer.*

♦ **1** Vx. Renouvellement de l'air dans un espace clos. → **Aération.**

Mar. *Manche d'aérage*, destinée à aérer les cales.

♦ **2** Mod. Circulation de l'air, renouvelé et réfrigéré, dans les galeries souterraines. → **Ventilation.** *Aérage naturel. Circuit d'aérage. Châssis, porte, galerie, cheminée d'aérage. Aérage montant, descendant. L'aérage des mines se fait au moyen de ventilateurs.*

Un ventilateur à bras fonctionnait bien, mais l'aérage s'établissait mal, on retira à trois reprises des haveurs évanouis, que l'asphyxie étranglait.

ZOLA, Germinal, Pl., t. III, p. 1366.

**AÉRATEUR** [aeʀatœʀ] n. m. — 1866, adj.; de *aérer.*

♦ **1** Appareil servant à l'aération. → **Climatiseur, ventilateur.** *Aérateur à lames mobiles, à pales, à ailettes.*

♦ **2** Agric. Instrument servant à aérer les racines des plantes.

♦ **3** Techn. Instrument (à pales, à turbine) servant à accroître l'oxygénation d'un liquide.

**AÉRATION** [aeʀɑsjɔ̃] n. f. — 1836; de *aérer.*

♦ **1** Action d'aérer (une pièce, un espace clos); son résultat. *L'aération d'un tunnel, d'une galerie de mine.* → **Aérage.** *Le manque d'aération abîmait les meubles. Tuyau d'aération*, servant à l'aération.

Libre et léger, il parcourut des galeries étroitement sinueuses, où jamais aucun scaphandrier n'eût osé risquer son tube d'aération. 1

Raymond ROUSSEL, Impressions d'Afrique, p. 350.

Par ext. *L'aération des poumons.*

♦ **2** Par ext. Action de prendre l'air, de s'aérer.

Il lui faut de l'air plus fondamentalement encore que du mouvement, mais l'aération exige une vie mouvementée, et toutes les conditions qui favorisent le travail cardio-pulmonaire (...) 2

E. MOUNIER, Traité du caractère, p. 186.

♦ **3** Techn. Pénétration d'air. — Agric. *Les labours fréquents permettent une bonne aération des sols.* → **Aérateur** (2.). — Construction. *Aération (de solive)*, vide réservé sur les trois faces verticales d'une extrémité de solive, dans un mur en maçonnerie. (1972). *Aération des eaux*, introduction d'air qui en améliore les qualités ou en facilite le traitement.

♦ **4** Fig. Action de ménager de l'espace, de la lumière (dans un tableau), d'introduire un rythme ample, moins serré (dans une œuvre, un récit). → **Aérer** (4.).

Peut-être sera-t-il soulagé de n'avoir pas à contempler une fois de plus dans un livre un monde laborieusement rétréci aux dimensions d'un homme. Peut-être éprouvera-t-il peu à peu un sentiment d'aération, de diversité imprévisible, de «libre parcours». 3

J. ROMAINS, les Hommes de bonne volonté, Préface, 1932, p. 17.

**AÉRAULIQUE** [aeʀolik] n. f. et adj. — Mil. XX$^{e}$; du lat. *aer* «air», et du grec *aulos* «flûte, tuyau». → Hydraulique.

♦ **1** N. f. Phys. Étude de l'écoulement des gaz dans les conduits.

♦ **2** Adj. Relatif à l'écoulement des gaz, à l'aéraulique. *Résistance aéraulique* (dans les galeries de mines).

**AÉRER** [aeʀe] v. tr. [CONJUG.: *céder.*] — 1398; *airer, airier,* en anc. franç.; du lat. *aer* «air».

♦ **1** Faire entrer de l'air dans (un lieu clos), renouveler l'air dans... → **Ventiler.** *Dès que la réunion sera terminée, il faudra aérer cette pièce. Laissez la porte ouverte pour aérer la chambre.* — Absolt. *Ouvrir les fenêtres pour aérer.*

1 Cette pièce unique était, d'ailleurs, plus facile à réchauffer, car la glace et l'humidité trouvaient moins de coins pour s'y blottir. Il fut également plus aisé de l'aérer convenablement, au moyen de manches en toile qui s'ouvraient au dehors.
J. VERNE, un Hivernage dans les glaces, p. 262.

Exposer à l'air. *Aérer la literie, un lit.* — Spécialt. *Aérer une serre,* en changer l'air.

♦ **2** Par ext. Faire prendre l'air, promener. *Aérer un malade.* → ci-dessous S'aérer.

♦ **3** (Fin XIX$^{e}$). Rendre moins touffu, moins dense. *Aérer des plantes,* les espacer. — Passif et participe passé :

2 Et les bois eux-mêmes, aménagés, aérés de larges clairières, semblaient déborder de plus de sève.
ZOLA, Fécondité, 1899, p. 604, *in* T. L. F.

♦ **4** Par métaphore et fig. Introduire de la légèreté dans (qqch.). — Renouveler (la vie, l'esprit) en introduisant de la fantaisie, de l'imprévu, etc.

1 Quand Clubin se trouva seul, son antre s'ouvrit. Il eut un instant de délices, il aéra son âme.
HUGO, les Travailleurs de la mer, I, VI, VII.

2 Que deviendrais-je sans le rire? Il me purge de mes dégoûts. Il m'aère.
COCTEAU, la Difficulté d'être, p. 186.

3 Mais de temps en temps je parvenais, en faisant passer tel ou tel courant d'idées au travers de mon chagrin, à renouveler, à aérer un peu l'atmosphère viciée de mon cœur. PROUST, Albertine disparue, Folio, p. 448.

Assainir, rendre «respirable». *Sa plaisanterie vient à point pour aérer l'atmosphère.*

(1879). Clarifier (un exposé, des idées) en supprimant les digressions, en coupant par des intervalles. *Vous auriez dû aérer un peu votre exposé. Aérer un devoir.*

4 Ne m'en veuillez pas trop, si je n'ai pas «aéré» les deux pauvresses. J'ai bien corrigé l'épreuve, mais sur l'épreuve isolée je n'ai pas vu l'effet déplorable qui s'est produit, lorsque l'article s'est montré dans le corps du journal.
P. HEUSY, Lettre à Vallès, 5 déc. 1879, *in* D. D. L., II, 6.

◆ **S'AÉRER** v. pron.

♦ **1** Prendre l'air, en sortant d'un lieu clos, en allant se promener, en quittant la ville pour la campagne.

5 Vous en parlez trop à votre aise, vous (...) à qui, vrai ou faux, tout profite... Ah! tenez, j'ai besoin de m'aérer. Penché sur la portière il toucha du bout de sa canne l'épaule du cocher et fit arrêter la voiture.
GIDE, les Caves du Vatican, *in* Romans, Pl., p. 864.

♦ **2** Fig. Changer d'air, partir en laissant ses habitudes.

6 Mais elle croyait qu'il était de son devoir de l'inciter, de temps à autre, à «s'aérer», qu'il était sage de lui faire de ces petits cadeaux de solitude, parce que les hommes, contrairement aux femmes, ont besoin de se retrouver, ne fût-ce qu'une fois par an, tout seuls en face d'eux-mêmes (...)
J. DUTOURD, les Horreurs de l'amour, p. 478.

(...) ça te ferait du bien (...) Tu es trop désœuvrée, trop confinée; tu as besoin de t'aérer un peu. 7
Hervé BAZIN, Qui j'ose aimer, XIII, p. 112.

♦ **3** Devenir plus léger.

Le lecteur d'un poème l'illustre forcément. Il boit à la source. Ce soir, sa voix a un autre son, la chevelure qu'il aime s'aère ou s'alourdit. 8
ÉLUARD, Donner à voir, 1939, p. 76.

◆ **AÉRÉ, ÉE** p. p. adj. (XVI$^{e}$).

♦ **1** Où l'air circule, se renouvelle aisément. *Une pièce bien aérée.*

Il fait terriblement chaud, humide, orageux. On étouffe. La salle à manger est heureusement très aérée. 9
GIDE, Voyage au Congo, *in* Souvenirs, Pl., p. 707.

Où existent des espaces qui favorisent la circulation de l'air (et, éventuellement, de la lumière).

Nous dînons en face d'un jardin à l'italienne assez beau mais insuffisamment aéré; le feuillage trop luxuriant estompe le dessin des allées (...) 10
J. GREEN, Journal, 26 juil. 1940.

Où l'air est sain. *Centres aérés et préventoriums.* → **Aérium.**

♦ **2** Fig. Qui a un aspect clair, net, précis. *On suivait facilement son intervention bien aérée.*

♦ **3** Littér. Léger (comme l'air).

La jeunesse d'Allan a été entourée certainement d'une prodigalité de luxe, de ce luxe aéré, capricieux, un peu irréel, qui doit s'accommoder de continuels déplacements, d'une vie de voyages, de palaces (...) 11
J. GRACQ, Un beau ténébreux, p. 49.

CONTR. **Confiner, enfermer, renfermer. — Vicier.** — (Du p. p.) **Fermé, renfermé.** ◊ DÉR. **Aérage, aérateur, aération.** — COMP. **Désaérer.**

**AÉRIANISTE** [aeʀjanist] adj. et n. — V. 1975; de *(droit) aérien,* d'après *juriste, civiliste,* etc.

Dr. Relatif au droit aérien. — N. Spécialiste du droit aérien.

**AÉRICOLE** [aeʀikɔl] adj. — 1853, La Châtre; du lat. *aer* «air», et *-cole.*

Bot. Se dit de certaines plantes épiphytes (opposé à *terricole*).

**AÉRIEN, IENNE** [aeʀjɛ̃, jɛn] adj. — XII$^{e}$; du lat. *aer* «air».

**I** De l'air. ♦ **1** Vx. Qui est formé d'air, gazeux. → **Éthéré.** *L'espace aérien. Un souffle aérien. Courants aériens* (→ ci-dessous, 4.). *«Les Anges prennent un corps aérien»* (Furetière). — *Esprits aériens,* qui sont de la nature de l'air ou vivent dans l'air. → **Ange, génie, sylphe.**

♦ **2** Fig. et mod. Léger, vaporeux comme l'air. → **Immatériel.** *Une beauté aérienne. Une musique d'une grâce aérienne.* — Élancé. *Une jeune fille à la démarche, à la taille aérienne.*

M$^{me}$ de Beaumont (...) était d'une grâce infinie. Son esprit était prompt (...) sa forme déliée et aérienne. 1
SAINTE-BEUVE, Causeries du lundi, t. I, p. 164.

Qui s'élève avec légèreté. *Une flèche gothique aérienne.*

♦ **3** (XVI$^{e}$). Qui est à l'air libre. **a** Qui vit, se développe dans l'air. Poét. et vx. *Le peuple aérien :* les oiseaux.

**b** Mod. Qui est à l'air libre (opposé à *souterrain*). *Métro aérien.* — Bot. *Des racines aériennes. Végétaux aériens.*

(...) sans un étrange îlot de pandanus aux racines aériennes (...) rien ne rappellerait ici qu'on est presque au cœur de l'Afrique. 2
GIDE, Voyage au Congo, *in* Souvenirs, Pl., p. 717.

♦ **4** (XIXe). De l'air, de l'atmosphère. *Les mouvements aériens.*

Qui se produit, se fait dans l'air, par air. *Météore, phénomène aérien.*

Qui est suspendu en l'air. *Câble, pont aérien.*

(1937, *in* Petiot). **Spécialt (alpinisme).** Se dit de l'escalade d'une paroi qui domine un très grand vide.

**Télécommunications.** *Télégraphe* aérien. Circuit aérien :* circuit téléphonique ou télégraphique par poteaux.

**N. m.** (V. 1970). **Radiodiffusion.** Antenne.

**II** (Fin XIXe; → cit. 3). Relatif, propre à l'aviation, assuré par l'aviation. *Transports aériens, navigation aérienne, lignes aériennes. Flotte aérienne; gare aérienne* (syntagmes attestés av. 1900 chez Robida, → cit. 4, ci-dessous). *Le droit aérien règle l'usage de l'espace aérien.* → **Aérianiste.** *Accident aérien. Catastrophe aérienne.* — *Pont* (cit. 15) *aérien :* liaison presque continue effectuée par avions avec un lieu que l'on ne peut atteindre par d'autres moyens. *Après le tremblement de terre, on dut ravitailler les populations par un pont aérien.* — *Photographie aérienne.*

3 Mon passage dans les principales villes d'Allemagne avait été brillamment marqué par des ascensions aérostatiques; mais, jusqu'à ce jour, aucun habitant de la Confédération ne m'avait accompagné dans ma nacelle, et les belles expériences faites à Paris par MM. Green, Eugène Godard et Poitevin n'avaient encore pu décider les graves Allemands à tenter les routes aériennes.
J. VERNE, Un drame dans les airs, p. 177.

4 Dès onze heures du matin, tout Paris fut en l'air, ce qui n'est pas une métaphore; tous les véhicules aériens (...) volèrent dans tous les sens (...) C'était par milliers qu'on les comptait (...) Les grandes lignes d'omnibus aéronefs, aéroflèches, ballonnières, etc., avaient pour ce jour-là distrait une partie de leur matériel (...)
A. ROBIDA, le Vingtième Siècle, p. 234 (1883).

**Milit.** *Forces aériennes :* aviation militaire. *Région, unité aérienne. Base aérienne. Défense aérienne du territoire (D. A. T.). Attaque aérienne. Un bombardement aérien.*

**CONTR. Grossier, lourd. — Aquatique, souterrain, terrestre.**
◈ **DÉR. Aériennement.** → **COMP. Anti-aérien.**

**AÉRIENNEMENT** [aeʀjɛnmɑ̃] adv. — 1557, «dans l'air»; de *aérien.*

**Rare.**

**I** D'une manière aérienne (I., 2.), légère. «*Une tenture plus délicate et aériennement élaborée*» (Gautier, *in* T. L. F.).

**II** Par la voie des airs, la voie aérienne (II.).

(...) elle prit un aérocab et donna l'ordre au mécanicien de la conduire aux endroits intéressants. Elle visita — aériennement — le Prado, les musées, le Palais-Royal, avec un petit crochet de quelques lieues vers Tolède.
A. ROBIDA, le Vingtième Siècle, p. 184 (1883).

**AÉRIFÈRE** [aeʀifɛʀ] adj. — 1808; du lat. *aer* «air», et *-fère.*

**Physiol.** Qui amène l'air. *Conduits aérifères,* qui portent l'air aux poumons (bouche, fosses nasales, etc.).

**AÉRIFORME** [aeʀifɔʀm] adj. — 1780; du lat. *aer* «air», et *-forme.*

**Chim. Vx.** Qui a les propriétés de l'air. *Fluide, gaz aériforme.*

**AÉRIUM** [aeʀjɔm] n. m. — 1928; du lat. *aerius* «de l'air, aérien», d'après *sanatorium.*

Établissement de repos, de vie au bon air, pour les convalescents, les enfants menacés de tuberculose. → **Préventorium.** — **Syn.** : *centre aéré.*

Je ramène Vincent de l'aérium de Besançon, où il a dû passer six mois.
F. MALLET-JORIS, la Maison de papier, p. 88.

**AÉRO** [aeʀo] n. m. — Pendant la guerre de 1914-1918; abrév. de *aéroplane.*

**Vx.** Aéroplane, avion. «*Qu'est-ce que vous foutiez dans cet aéro?*» (Martin du Gard, *les Thibault,* Pl., p. 733).

**AÉRO-** Élément, tiré du grec *aero-,* de *aêr, aeros* «air», désignant soit l'atmosphère, soit la navigation aérienne, l'aviation.

**a** (Air). Désigne des techniques, des instruments pour l'étude de l'air (*aérologie,* etc.). — Désigne des appareils fonctionnant à l'air (*aéroscaphe,* etc.). — Forme des mots de biol., sc. nat. et médecine *(aérocolie, aérothérapie, aérobie...).* — Forme des adj. *(aérodynamique*...).*

**b** (Aéronautique et aviation). Désigne des objets se mouvant dans l'air *(aéronef, aérostat)* ou signifie «aérien (II.)» (*aérogare,* etc.). — **REM.** La vogue de la navigation aérienne, sous forme d'anticipation (fin XIXe) puis de réalité, a amené de nombreuses créations lexicales qui n'ont pas toutes vécu.

L'arrivée d'un train (...) avait rapidement mis au complet une douzaine des aéronefs stationnés au-dessus de la gare et fait s'envoler, avec un plein chargement, tout un essaim de légers aérocabs, de véloces, de chaloupes, d'éclairs et de tartanes de charge pour les bagages, ces lourdes gabares ailées. A. ROBIDA, le Vingtième Siècle, p. 2. (1883).

On trouve dans le même ouvrage *aéroberline* (p. 98), *aérofiacre* (p. 37), *aéroflèche* (p. 234; → Aérien, cit. 4), *aéroyacht* (p. 345).

**c** Autres composés (littér.) :

Aérogyne, pigeon vole!
Rêve, allège le dormeur lourd.
COCTEAU, «Miss Aérogyne, femme volante», Vocabulaire (1922).

**AÉROBIC** [aeʀɔbik] n. f. — 1981; angl. des États-Unis *aerobics,* 1969, *the New Yorker,* de l'adj. *aerobic,* de *aero-* (→ Aéro-), et grec *bios* «vie». → Aérobie.

**Anglic.** Gymnastique qui oxygène les tissus — et est censée modeler le corps (cf. l'anglicisme *body building,* employé dans le même jargon à la mode) — par des mouvements rapides effectués en musique.

**AÉROBIE** [aeʀɔbi] adj. et n. m. — 1875, in *Année sc. et industr.,* p. 239; de *aéro-,* et *-bie.*

**Didact. ou technique.**

♦ **1** Adj. **a** Se dit de micro-organismes qui ne peuvent se développer qu'en présence d'air ou d'oxygène libre. *Beaucoup de moisissures sont aérobies.*
**b** (V. 1960; francisation de l'angl. *aerobee*). **Techn.** Se dit des propulseurs qui ont besoin de l'oxygène de l'air pour fonctionner. *Réacteur, fusée aérobie.*

♦ **2** N. m. **Biol.** Organisme qui ne peut se développer qu'en présence d'air ou d'oxygène libre. *Le bacille du charbon est un aérobie.*

**REM.** Le dér. *aérobique,* adj., est attesté. → Aérobiose.

**CONTR. et COMP. Anaérobie.**

**AÉROBIOLOGIE** [aeʀobjɔlɔʒi] n. f. — D. i. (v. 1975?); de *aéro-,* et *biologie.*

**Didact., techn.** Étude des organismes vivant en suspension dans l'atmosphère (plancton aérien).

**AÉROBIOSE** [aeRɔbjoz] n. f. — 1920; de *aéro-*, et grec *bios* «vie».

Didact. Vie dans un milieu contenant de l'air ou de l'oxygène libre. «*(...) les cellules disposent de deux cycles de fonctionnement différents; le cycle* anaérobique *où les échanges métaboliques s'effectuent en l'absence d'oxygène libre, et le cycle* aérobique *au cours duquel l'oxygène est directement "brûlé" par la cellule pour ses opérations métaboliques. Les tissus ne "choisissent" pas totalement un cycle plutôt que l'autre. Ils fonctionnent selon un rapport variable anaérobiose/aérobiose déterminé par tout un ensemble de conditions hormonales, nutritives, etc.*» (*Science et Vie*, p. 73, juil. 1973).

CONTR. **Anaérobiose.**

**AÉROBUS** [aeRobys] n. m. — XXe; de *aéro-*, et *bus.*

Vx. Grand avion de transport, «bus aérien» (cf. le nom propre *Airbus*).

Le «Jet» qui nous emmène est un aérobus de grande capacité, il est bondé de voyageurs, et ceux-ci ne ressemblent en rien à ceux que j'ai connus jadis.

R. FRISON-ROCHE, Nahanni, p. 14.

**AÉRO-CLUB** [aeRoklœb] n. m. — 1898, *Aéro-club de France*; de *aéro-*, et *club.*

Centre de formation pour les pilotes de l'aviation civile. *Des aéro-clubs.*

Michelin donne lecture de l'article premier, dont les termes essentiels, suggérés par Clément Ader, se conserveront tels sur le premier imprimé, au commencement de 1898. Article 1 : «Il est fondé à Paris, sous le nom d'Aéro-Club, une Société d'Encouragement à la locomotion aérienne sous toutes ses formes et dans toutes ses applications».

E. AIMÉ, le Tourisme en ballon sphérique, Joies du sport, 1932, *in* Petiot.

REM. On trouve chez Robida *(le Vingtième Siècle)* le pseudo-anglicisme *aeronautic-club* (p. 237).

**AÉROCOLIE** [aeRokɔli] n. f. — 1926; de *aéro-*, *côlon*, et suff. *-ie.*

Méd. Accumulation d'air dans le côlon.

**AÉROCONDENSEUR** [aeRokɔ̃dɑ̃sœR] n. m. — 1890; de *aéro-*, et *condenseur.*

Techn. Condenseur dont le fonctionnement est assuré par la circulation d'un courant d'air. «*Les aérocondenseurs, appelés aussi tours de réfrigération sèches, font ainsi faire à l'air un travail de refroidissement qui est habituellement confié à l'eau, dans les "tours humides"*» (*le Nouvel Obs.*, 31 janv. 1977, p. 30).

**AÉROCYSTE** [aeRosist] n. m. — Mil. XIXe (1866, P. Larousse); de *aéro-*, et *-cyste.*

Bot. Vésicule ou ampoule remplie de gaz, située dans le thalle de certaines algues et servant de flotteur. — Syn. : *sac aérifère.*

**AÉRODROME** [aeRodRom; aeRɔdRom] n. m. — 1903, *in* Petiot; 1896, «machine volante»; une première fois en 1868, La Landelle, dans une anticipation; de *aéro-*, et *-drome*, du grec *dromos* «course».

Terrain d'envol et d'atterrissage pour avions. *Hangars, pistes balisées, tarmac* d'un aérodrome. L'aérodrome et les installations de l'aéroport. Aérodrome de dégagement, de secours.*

1 Jeune attaché d'ambassade, j'étais chargé d'aller chercher, sur le premier et récent aérodrome, à Hendon, un message de bienvenue que l'ambassadeur d'Angleterre à Paris (...) envoyait, par la voie incertaine des airs, à son collègue français de Londres, Paul Cambon.

Paul MORAND, Londres, p. 52.

Sur l'aérodrome, sont posés les petits avions pour les îles, 2
comme étaient jadis rassemblés dans le port les bateaux de cabotage.

MALRAUX, Antimémoires, Folio, p. 478.

(...) les balises rouges se rapprochent et je sens le choc des 3
roues qui touchent la piste. Nous attendions notre tour, simplement : à chaque minute il y a un avion qui se pose sur l'aérodrome de La Guardia *(à New York).*

S. DE BEAUVOIR, l'Amérique au jour le jour, p. 13.

Par ext. Aéroport*.

**AÉRODYNAMICIEN, IENNE** [aeRodinamisjɛ̃, jɛn] n. — Mil. XXe (a remplacé *aérodynamiste*); de *aérodynamique.*

Didact. Spécialiste de l'aérodynamique (I.).

**AÉRODYNAMIQUE** [aeRodinamik] n. f. et adj. — 1842; de *aéro-*, et *dynamique.*

**I** N. f. Partie de la physique qui étudie les phénomènes accompagnant tout mouvement relatif entre un corps et l'air où il baigne. *Aérodynamique théorique, expérimentale* (→ Aérotechnique).

**II** Adj. ♦ **1** (1852, *in* D. D. L.). Sc. Relatif à l'aérodynamique et à ses études. *Laboratoire, soufflerie aérodynamique.*

♦ **2** Cour. Conforme aux lois de l'aérodynamique. *Profil aérodynamique*, conçu pour réduire le plus possible la résistance de l'air. *Frein aérodynamique* (ou *aérofrein*). *Carrosserie d'automobile aérodynamique* (→ aussi **Becquet**). *Lignes aérodynamiques*, profilées.

Nous avons beau être habitués aux trains «aérodynami- 1
ques» et aux immeubles de trente étages : ces monstres, qui poussaient comme des arbres au lieu de naître des cerveaux, ces bêtes de plusieurs tonnes descendent au fond de l'émotion et secouent fortement nos vieilles peurs éparses (...)

Léon-Paul FARGUE, le Piéton de Paris, p. 127.

REM. Le terme, dans son sens courant, a été refusé par certains puristes.

Ce terme *(aérodynamique)* ne veut absolument rien dire, 2
et il est d'un pédantisme effarant (...) Cela n'empêchera pas le mot de faire, j'en suis sûr, une brillante carrière.

A. THÉRIVE, Querelles de langage, t. III, p. 167-168.

DÉR. et COMP. **Aérodynamicien, aérodynamisme. Magnétoaérodynamique.**

**AÉRODYNAMISME** [aeRodinamism] n. m. — XXe (Queneau, *Pierrot mon ami*, 1942); de *aérodynamique.*

Caractère aérodynamique (d'un véhicule, d'un avion).

Par plais. (en parlant des formes humaines) :

Sa femme, bien plus jeune que lui et pas trop mal encore, grasse et la fesse d'un aérodynamisme assez provocant, essuyait la vaisselle.

René FALLET, le Triporteur, p. 81.

**AÉRODYNE** [aeRɔdin] n. m. — Av. 1928; de *aéro-*, et *-dyne.*

Didact. Appareil volant plus lourd que l'air (→ **Aéronef**).

(1926, Giraudoux, *Bella*). Appareil qui s'élève en l'air, dans un manège de foire.

**AÉROÉLASTICITÉ** [aeRoelastisite] n. f. — D. i.; de *aéro-*, et *élasticité.*

Didact., techn. Ensemble des phénomènes concernant les rapports entre les forces aérodynamiques agissant sur un système élastique et les déformations qui en résultent au sein des structures de ce système.

**AÉROEMBOLISME** ou **AÉRO-EMBOLISME** [aeʀoɑ̃bɔlism] n. m. — XX^e (1953, Quillet); de *aéro-, embolie,* et suff. *-isme.*

Didact. Présence de fines bulles d'azote dans le sang et les tissus.

L'utilisation des inhalateurs ne se limite pas à assurer à l'aéronaute un appoint d'oxygène indispensable en altitude, mais encore, à effectuer avant l'envol une «dénitrogénation»; cette pratique, d'abord instituée comme thérapeutique du «mal des plongeurs», consiste en une inhalation d'oxygène pur, lequel déplace une partie de l'azote dissous dans les tissus en l'éliminant sans formation de bulles; ce procédé est très efficace dans la prévention des accidents de l'«aéro-embolisme» (...)
Jacques GUILLERME, la Vie en haute altitude, p. 118.

**AÉROFREIN** [aeʀofʀɛ̃; aeʀɔfʀɛ̃] n. m. — Mil. XX^e (1960, *in* Larousse); de *aéro-,* et *frein.*

Techn. Frein aérodynamique. *Décélération d'un avion qui va atterrir due à l'action des aérofreins.*

**AÉROGARE** [aeʀogaʀ; aeʀɔgaʀ] n. f. — 1933; de *aéro-,* et *gare.*

Ensemble des bâtiments d'un aéroport* réservés aux voyageurs et aux marchandises. → **Aéroplace** (vx). — Gare desservant un aéroport, dans une grande ville (cf. l'anglic. *terminal*). *L'aérogare des Invalides, à Paris.*

1 L'aérogare était un grand bâtiment rond, peu accueillant mais entièrement vitré et d'où l'on embrassait ce beau paysage insolite.
S. DE BEAUVOIR, Tout compte fait, p. 281.

2 Le grand avion, après avoir atteint le bout de la piste, se rapprochait de l'aérogare.
Michel DÉON, les Poneys sauvages, p. 443.

**AÉROGASTRIE** [aeʀogastʀi] n. f. — 1866; de *aéro-,* et *-gastrie.*

Méd. Présence d'air dans l'estomac, entraînant des troubles digestifs.

**AÉROGEL** [aeʀoʒɛl; aeʀɔʒɛl] n. m. — 1931; de *aéro-,* et *gel.*

Didact. (chim.). Substance à l'état colloïdal.

**AÉROGLISSEUR** [aeʀoglisœʀ] n. m. — V. 1965; de *aéro-,* et *glisser.*

Véhicule dont la sustentation est assurée par un coussin d'air qui maintient sa masse en équilibre à une faible distance de la surface sur laquelle il est amené à se déplacer. *On distingue les aéroglisseurs marins* (→ **Naviplane**), *les aéroglisseurs terrestres* (→ **Terraplane**) *et les aéroglisseurs guidés* (→ **Aérotrain**). — Spécialt. Aéroglisseur marin. → **Hovercraft, hydroglisseur.** *«Le caractère amphibie de l'aéroglisseur lui permet de débarquer ses passagers sur n'importe quelle plage»* (*l'Express,* 8-14 juil. 1968).

**AÉROGRAMME** [aeʀɔgʀam] n. m. — Mil. XX^e; de *aéro-,* et grec *gramma* «écriture».

Lettre expédiée par avion, affranchie à un tarif forfaitaire pour n'importe quelle destination.

**AÉROGRAPHE** [aeʀɔgʀaf] n. m. — 1923; «celui qui étudie les propriétés de l'air», 1834; de *aéro-,* et *-graphe.*

Techn. Pulvérisateur à air comprimé dont on se sert pour projeter de la couleur ou de l'encre.

(...) le procédé le plus commode pour vernir les grandes surfaces consiste à se servir de l'aérographe, appelé vulgairement pistolet. C'est un vaporisateur dans lequel de l'air comprimé pulvérise le liquide en un fin brouillard sur la surface.
F. MEYER et L.-J. OLMER, le Papier et les Dérivés de la cellulose, p. 115.

REM. Le mot *aérographe* désigne le plus souvent ce pulvérisateur lorsqu'il est employé dans les professions artistiques (dessin d'art, dessin publicitaire, etc.). L'appareil fonctionnant selon le même principe, mais plus puissant et assurant un gros débit, utilisé en peinture industrielle (tôlerie automobile, bâtiment, etc.) est plutôt appelé *pistolet.* → Pistolet.

**AÉROGRAPHIE** [aeʀɔgʀafi] n. f. — 1752; de *aéro-,* et suff. *graphie.* → -graphe.

Vx. Description de l'air.

**AÉROLITHE** ou **AÉROLITE** [aeʀɔlit] n. m. — 1806, *in* Cottez; de *aéro-,* et *-lithe.*

Masse minérale qui tombe du ciel. → **Bolide, étoile** (débris d'étoile filante), **météore.** — Par compar. *Arriver, tomber comme un aérolithe,* de manière brusque, remarquable et imprévisible.

Shakespeare qui, au premier coup d'œil, semble une merveille tombée du ciel et comme un aérolithe arrivé d'un autre monde (...) 1
TAINE, Philosophie de l'art, t. I, p. 5.

Les étoiles, les planètes mortes, les aérolithes pouvaient à tout instant franchir la barrière mauve et s'aplatir sur la terre, forant des cratères de six cents kilomètres de large. 2
J.-M. G. LE CLÉZIO, le Déluge, p. 242.

Fig. (en parlant d'une personne, d'un événement, etc., surprenants). → ci-dessus, cit. 1, par comparaison.

DÉR. **Aérolithique.**

**AÉROLITHIQUE** [aeʀɔlitik] adj. — V. 1852; de *aérolithe.*

Didact. Relatif aux aérolithes. *Une pierre aérolithique.*

**AÉROLOGIE** [aeʀɔlɔʒi] n. f. — 1696; de *aéro-,* et grec *logos* «discours». → -logie.

Didact. Partie de la physique qui traite des hautes couches de l'atmosphère (notamment par des sondages aérologiques).

DÉR. **Aérologique.**

**AÉROLOGIQUE** [aeʀɔlɔʒik] adj. — 1843, Landais; de *aérologi(e),* et suff. *-ique.*

Sc. Qui se rapporte à l'aérologie. *Sondages aérologiques. «Procédés aérologiques dont l'objet est l'étude de la haute atmosphère»* (*Grand Mémento encyclopédique Larousse,* 1937, t. II, p. 276).

**AÉROMANCIE** [aeʀɔmɑ̃si] n. f. — XVI^e; *aerimancie,* XIV^e; du lat. *aeromantia,* du grec *aero-* «air», et *manteia* «divination». → -mancie.

Didact. Divination par l'examen des phénomènes aériens.

DÉR. **Aéromancien.**

**AÉROMANCIEN, IENNE** [aeʀɔmɑ̃sjɛ̃, jɛn] adj. et n. — Mil. XVI^e, A. Paré; de *aéromancie.*

Didact. De l'aéromancie. — N. Devin qui pratique l'aéromancie.

**AÉROMARITIME** [aeʀomaʀitim] adj. — 1904, Marchis, *in* T. L. F.; de *aéro-,* et *maritime.*

Relatif à la fois aux transports aériens et aux transports maritimes. *Compagnie aéromaritime* (cf. n. f. *l'Aéromaritime*).

**AÉROMÈTRE** [aeʀɔmɛtʀ] n. m. — 1762; de *aéro-,* et grec *metron* «mesure».

Sc. Vieilli. Instrument qui sert à mesurer la densité de l'air. (Ne pas confondre avec *aréomètre*).

DÉR. **Aérométrie.**

**AÉROMÉTRIE** [aeʀɔmetʀi] n. f. — 1712; all. *Aerometrie,* Wolf; → Aéro-, et -métrie.

Phys. Vx. Science qui a pour objet la constitution physique et les effets mécaniques de l'air.

**AÉROMOBILE** [aeʀomɔbil] adj. — 1969; de *aéro-,* et *mobile.*

Milit. Qui est transporté par voie aérienne (en parlant de troupes, de matériel militaire). *«Les éléments de la première division aéromobile américaine* (...) *Cette division comprend* (...) *cent cinquante hélicoptères»* (*le Monde,* 14 sept. 1965). → **Aéroporté.**

**AÉROMODÉLISME** [aeʀomɔdelism] n. m. — 1942, *in* Petiot; de *aéro-,* et *modélisme.*

Techn. Technique de la construction et du vol des modèles réduits d'avions.

**AÉROMODÉLISTE** [aeʀomɔdelist] n. — 1942, *in* Petiot; de *aéro-,* et *modéliste.*

Personne qui pratique l'aéromodélisme.

**AÉROMOTEUR** [aeʀomɔtœʀ] n. m. — 1853; de *aéro-,* et *moteur.*

Techn. Moteur actionné par l'air, le vent. → **Éolienne.** — REM. Le mot semble avoir surtout été utilisé en Afrique du Nord.

**AÉRONAUTE** [aeʀonot] n. — 1783; de *aéro-,* et *-naute.*

Personne qui voyage en aérostat, qui pilote un aérostat.

Un zeppelin s'était abattu à Lunéville. Les détails manquaient encore. Les aéronautes prétendaient que c'était le vent. Naturellement.

ARAGON, les Beaux Quartiers, p. 282.

**AÉRONAUTIQUE** [aeʀonotik] adj. et n. f. — 1783; de *aéro-,* et *-nautique.*

♦ **1** Adj. Qui a rapport à la navigation aérienne. *Base aéronautique. Constructions, industries aéronautiques. Société aéronautique.*

♦ **2** N. f. (1835). Science de la navigation aérienne et de la technique aéronautique (en particulier, de la construction des appareils de locomotion aérienne). *Aéronautique civile, militaire.* → **Aviation.** *Aéronautique navale :* ensemble des moyens aéronautiques dont dispose la marine. → **Aéronavale.**

L'aéronautique navale emploie des appareils embarqués (bâtiments de ligne, porte-avions, croiseurs, avisos coloniaux) et des escadrilles de chasse, bombardement, torpillage, exploration et surveillance dont les bases sont à terre.

Robert GRUSS, Petit Dict. de marine, art. *Aéronautique.*

**AÉRONAVAL, ALE, ALS** [aeʀonaval] adj. et n. f. — 1861; de *aéro-,* et *naval.*

♦ **1** Vx. Relatif à la navigation aérienne. → **Aéronautique.** *Une machine aéronavale. «Musée aéronaval»* (La Landelle, 1863, *in* Guilbert).

♦ **2** Mod. Qui appartient à la fois à l'aviation et à la marine. *Forces aéronavales* (→ Aéroterrestre).

♦ **3** N. f. (1956). En général écrit avec un A majuscule. Ensemble des formations et installations aériennes de la marine militaire française. Syn. : *aéronautique navale. La flotte de l'Aéronavale. Élève-pilote de l'Aéronavale.*

Plusieurs flottilles d'aéronavale opéraient dans les mêmes parages.

Ch. DE GAULLE, Mémoires de guerre, t. III, p. 135.

**AÉRONEF** [aeʀɔnɛf] n. m. — 1844; de *aéro-,* et *nef* «navire».

♦ **1** Vx. Machine volante plus lourde que l'air, propulsée par des ailes battantes ou tournantes. — Au fém. Vx. :

L'aéronef, comme une gigantesque hirondelle, se laissa 1
glisser sur les couches de l'air en décrivant une courbe et descendit en une minute à la hauteur du bureau; là, sans secousse (...) elle s'arrêta net.

A. ROBIDA, le Vingtième Siècle, p. 6 (1883).

→ Aérostat, cit. 2.

♦ **2** (Déb. XX$^e$). Didact., admin. Tout appareil capable de se déplacer dans les airs. → **Avion, ballon, dirigeable; aérodyne, aérostat.** *Loi (française) du 5 juillet 1972 sur les actes accomplis à bord des aéronefs.*

L'exploitant d'un aéronef est responsable de plein droit des 2
dommages causés par les évolutions de l'aéronef (...)

Loi du 31 mai 1924 relative à la navigation aérienne, art. 53.

Spécialt. Vaisseau* spatial. → **Astronef.**

(...) la tunique du Christ était sans couture, comme les 3
aéronefs de la science-fiction sont d'un métal sans relais.

R. BARTHES, Mythologies, p. 151.

**AÉRONOMIE** [aeʀɔnɔmi] n. f. — 1954; de *aéro-,* et *-nomie.*

Didact. Étude des propriétés physiques et chimiques des couches supérieures de l'atmosphère, où les phénomènes de dissociation et d'ionisation sont importants. *Aéronomie physique, chimique.* REM. L'adj. dérivé *aéronomique* [aeʀɔnɔmik] est attesté.

**AÉROPATHIE** [aeʀɔpati] n. f. — 1970; de *aéro-,* et *-pathie.*

Pathol. Affection provoquée par des changements de pression atmosphérique ou par des changements de pression entre deux milieux (eau et air). *Le mal de l'air, la maladie des caissons* relèvent de l'aéropathie.*

**AÉROPHAGIE** [aeʀɔfaʒi] n. f. — 1891; de *aéro-,* et grec *phagein* «manger». → -phage.

Pathol. Absorption d'air par déglutition dans les voies digestives, qui peut provoquer la dilatation de l'œsophage ou de l'estomac. → **Aérogastrie;** et aussi **aérocolie.** *«L'aérophagie pathologique se manifeste par des éructations en salve, des vomissements, et par l'exacerbation de la dyspepsie»* (Garnier et Delamare).

Lina Beillans, atteinte d'aérophagie, elle ne peut ni parler, ni voir, ni se coucher, ni s'asseoir. Elle passe sa vie debout, comme une stylite (...) dans des souffrances affreuses *(qui)* atteignent tous ses organes.

CLAUDEL, Journal, 4, 5 et 6 juin 1927, Pl., t. I, p. 774.

**AÉROPHOBIE** [aeʀɔfɔbi] n. f. — 1751; de *aéro-,* et *phobie.*

Pathol. Phobie de l'air, des courants d'air. *Une crise d'aérophobie.* — REM. *Aérophobe,* n. (1752) et adj. (1833) est également attesté.

**AÉROPHONE** [aeʀɔfɔn] n. m. — 1834; *aerophoni,* lat. mod. 1818, famille d'oiseaux; de *aéro-* (sens a.) et *-phone.*

♦ **1** Vx. Harmonium alimenté par l'air.

♦ **2** Au plur. Didact. Instruments de musique où l'air en circulation produit le son. Syn. cour. : *instruments à vent.*

**AÉROPHORE** [aeʀɔfɔʀ] adj. et n. m. — 1834; de *aéro-*, et *-phore*.

♦ **1** Adj. Zool., bot. Qui transporte de l'air. *Des vaisseaux aérophores.*

♦ **2** N. m. (1866). Techn. Appareil utilisé pour renouveler l'air dans les milieux viciés.

**AÉROPLACE** [aeʀɔplas] n. f. — 1928, *in* Saint-Exupéry, *Courrier-Sud*, p. 53; de *aéro-*, et *place*.

Anciennt. (Hist. de l'aviat.). Organisme d'une compagnie de navigation aérienne qui organisait les vols sur un terrain d'aviation (cf. Saint-Exupéry, *Courrier-Sud*, p. 53, 55; *Vol de nuit*). *Chef d'aéroplace.*

Dès le 25 décembre 1918 (...) le tronçon Toulouse-Barcelone était un fait acquis. On établit fiévreusement les aéroplaces de Malaga, d'Alicante, de Tanger. Le 9 mars 1919, un avion faisait la première liaison commerciale France-Maroc. J. KESSEL, Vent de sable, p. 8.

**AÉROPLANE** [aeʀɔplan] n. m. — 1855, *in* L. Guilbert; repris v. 1885; recule devant *avion* à partir de 1918-1920; de *aéro-*, et du rad. de *planer*.

Vx ou par plais. Appareil de locomotion aérienne qui prend appui sur l'air au moyen de ses surfaces planes. → **Avion.**

1 Il faisait beau... Un aéroplane tournait... Des oiseaux volaient... Mais pourquoi dire tout cela? GIRAUDOUX, Simon le pathétique, p. 182.

2 Les aéroplanes que j'avais vus quelques heures plus tôt faire comme des insectes des taches brunes sur le soir bleu, passaient maintenant dans la nuit qu'approfondissait encore l'extinction partielle des réverbères, comme de lumineux brûlots. PROUST, le Temps retrouvé, Pl., t. III, p. 801.

3 (...) le mot *avion* est resté français, exclusivement français. Mais dans nos frontières, il a vaincu *aéroplane* (...) A. THÉRIVE, Querelles de langage, t. II, p. 140.

Adj. *Des appareils aéroplanes.*

Abrév. (Vx). → **Aéro** (n. masculin).

**AÉROPORT** [aeʀɔpɔʀ] n. m. — 1922; *aéro-*, et *port*.

Ensemble d'installations (aérodrome, aérogare, ateliers) nécessaires au trafic aérien intéressant une ville ou une région. → **Aérodrome, aérogare.** *L'aéroport d'Orly, l'aéroport Charles-de-Gaulle de Roissy. Les grands aéroports américains. Un petit aéroport. Aéroport international. Les aéroports de New York. Les pistes, les bâtiments, les ateliers, les zones de passagers, de fret... d'un aéroport.*

Les villes, les aéroports, les ponts, les voies ferrées, les canaux, les tunnels, les pylônes électriques, on pouvait les aimer ou ne pas les aimer, ça n'avait pas d'importance (...) J.-M. G. LE CLÉZIO, les Géants, p. 211.

DÉR. **Aéroportuaire.** ◊ COMP. V. **Altiport.**

**AÉROPORTÉ, ÉE** [aeʀɔpɔʀte] adj. — 1928, *in* Larousse; de *aéro-*, et *porté*.

♦ **1** Milit. et cour. Transporté par voie aérienne (avion, planeur, hélicoptère). → **Héliporté, aéromobile.** *Troupes, divisions aéroportées.*

1 Les autres militaires jalousent les unités aéroportées. Jean LARTÉGUY, les Centurions, p. 367.

REM. On trouve parfois la forme *aérotransporté, ée* (1957).

♦ **2** Où des troupes aéroportées sont engagées. *Une opération aéroportée.*

2 La France et l'Angleterre déclenchèrent une opération aéroportée sur les rives du canal. Paul RIBEAUD, le Paria, p. 65.

**AÉROPORTUAIRE** [aeʀɔpɔʀtɥɛʀ] adj. — V. 1970; de *aéroport*, d'après *portuaire*.

Techn. Qui concerne un aéroport, fait partie d'un aéroport. *Capacité aéroportuaire.* — Relatif aux aéroports. *« Paris III, nouvel aéroport qui viendra compléter l'équipement aéroportuaire de la métropole parisienne avant la fin du siècle »* (*Science et Vie*, nº 594, p. 107).

**AÉROPOSTAL, ALE, AUX** [aeʀɔpɔstal, o] adj. — 1927; de *aéro-*, et *postal*.

Relatif à la poste aérienne. *Compagnie générale aéropostale* (1927-1933).

Guillaumet faisait le service aéro-postal de X à Y. GIDE, Journal, 31 mars 1931. 1

N. f. *L'Aéropostale*, pour *Compagnie générale aéropostale*, service de liaison aérienne pour le transport du courrier. Cf. Saint-Exupéry, *Terre des hommes.*

Édouard Serre, polytechnicien et aviateur de guerre, faisait partie de la direction de l'Aéropostale. C'était le nom qu'avait pris la compagnie Latécoère absorbée en 1928 par le groupe financier qu'animait Marcel Bouilloux-Laffont. J. KESSEL, Tous n'étaient pas des anges, p. 562. 2

*Courrier-Sud* s'est tourné en grande partie dans le Sud marocain. C'était évidemment l'histoire d'un pilote de l'Aéropostale dont l'avion tombait dans le désert. F. GIROUD, Si je mens, p. 38. 3

**AÉROSCAPHE** [aeʀɔskaf] n. m. — 1859, Hugo, *la Légende des siècles, Plein ciel*; de *aéro-*, et du grec *skaphê* « barque ».

Vx. Appareil de navigation aérienne. → **Aéroplane, avion.**

Un jour la navigation aérienne servie par les air-navires que nous nommons, par manie du grec, aéroscaphes (...) HUGO, les Travailleurs de la mer, p. 345.

**AÉROSCOPE** [aeʀɔskɔp] n. m. — 1865; de *aéro-*, et *-scope*.

Phys. Appareil servant à mesurer la quantité de poussière contenue dans l'air.

**AÉROSOL** [aeʀɔsɔl] n. m. — 1928; de *aéro-*, et *sol* « solution ».

♦ **1** Méd. Suspension très fine de particules solides ou liquides dans un gaz; système réalisant cette suspension. *Les aérosols servent à diffuser certains médicaments* (aérosolthérapie). *Aérosol de pénicilline. Aérosol insecticide.* — Système analogue, dans la nature. *Aérosol atmosphérique.*

(...) lorsque la lave, très riche en gaz, mais sans force explosive élevée, s'échappant par une fracture, s'étale comme une mousse ou comme un *aérosol* de particules de roc fondu dans les gaz chauds (...) H. TAZIEFF, Histoire de volcans, p. 56. 1

♦ **2** Cour. Projection d'une préparation réduite en brouillard par aérosol (→ **Atomiseur, nébuliseur**). *Bombe à aérosol* : emballage spécial permettant de projeter des produits (crèmes, laques pour les cheveux, etc.). *Des « solutions alcooliques de laques (...) que l'on applique sur la chevelure au moyen de flacons nébuliseurs ou de "bombes" à aérosols »* (Ch. Bourgeois, *Chimie de la beauté*, p. 103).

Appos. *Une bombe aérosol.*

Par ext. Bombe à aérosol. *Acheter un aérosol.*

Mais ceux d'en bas, foules de Lourdes sur les plages, comment ne voient-ils pas derrière eux le monstre, ses crocs, ses mâchoires, et ses naseaux énormes humant l'encens des aérosols de bronzage? Maurice CLAVEL, le Tiers des étoiles, p. 199. 2

**AÉROSONDAGE** [aeʀosɔ̃daʒ] n. m. — 1953, Quillet; de *aéro-*, et *sondage*.

Techn. Sondage par ballon des hautes régions de l'atmosphère.

**AÉROSPATIAL, ALE, AUX** [aeʀospasjal, o] adj. et n. f. — V. 1960; de *aéro-*, et *spatial*.

Didact., techn. Qui concerne à la fois les techniques de l'aviation et des voyages dans l'espace extra-terrestre (→ **Spatial**). *L'industrie aérospatiale. Véhicules aérospatiaux*, tenant de l'avion et de la fusée.

N. f. *L'aérospatiale* : les techniques aérospatiales. *«Un ingénieur britannique de l'aérospatiale»* (*Libération*, 11 nov. 1964).

**AÉROSPHÈRE** [aeʀɔsfɛʀ] n. f. — 1834; de *aéro-*, et *sphère*.

Phys. Vx. Atmosphère* (en tant que formée d'air).

**AÉROSTAT** [aeʀɔsta] n. m. — 1783; de *aéro-*, et grec *statos* «qui se tient».

Didact. Ballon fixe (ballon captif, ballon d'observation, saucisse, ballon-sonde) ou libre (dirigeable, zeppelin), qu'il soit gonflé d'air échauffé (montgolfière) ou d'un gaz plus léger que l'air, au moyen duquel il peut s'élever dans l'atmosphère (s'oppose à *aérodyne*). *Les frères Montgolfier effectuèrent les premières ascensions en aérostat en 1783. La nacelle* (cit. 3, J. Verne) *d'un aérostat.*

1 Faites des chemins de fer et des télégraphes, traversez en un clin d'œil les terres et les mers, mais dirigez les passions comme vous dirigez les aérostats!

E. DELACROIX, Journal 1850-1854, 22 mai 1853, t. II, p. 209.

2 Une animation extraordinaire régnait autour de ces ballons monstres (...) des ingénieurs de l'administration, en aéronefs, faisaient une dernière inspection de la coque et de toutes les manœuvres des énormes aérostats. C'était un va-et-vient formidable entre les ballons et la terre.

A. ROBIDA, le Vingtième Siècle, p. 188.

3 L'aérostat, poisson volant
Parfois s'offre blanc au nuage.

Max JACOB, le Cornet à dés, p. 64.

DÉR. **Aérostation, aérostatique, aérostier.**

**AÉROSTATION** [aeʀɔstasjɔ̃] n. f. — 1784; de *aérostat*.

Vx. Étude, technique et manœuvre des aérostats.

Hist. *L'Aérostation*, ancienne subdivision de l'aviation militaire (supprimée en 1940).

**AÉROSTATIQUE** [aeʀɔstatik] adj. et n. f. — 1783; de *aérostat*.

**I** ♦ **1** Adj. Qui se rapporte à l'aérostation. *Ballon aérostatique. Les Mémoires sur la machine aérostatique* (J. et E. Montgolfier). *Des observations aérostatiques.*

♦ **2** N. f. Science des aérostats (fixes ou libres).

**II** N. f. (1784). Phys. Théorie de l'équilibre de l'air et des gaz à l'état de repos.

**AÉROSTIER** [aeʀɔstje] n. m. — 1794; pour *aérostatier*, de *aérostat*.

Hist. milit. Observateur à bord d'un aérostat.

C'est à cette bataille *(Fleurus)* que Coutelle, par l'ordre du gouvernement, organisa une compagnie d'aérostiers. Au siège de Maubeuge, le général Jourdan retira de tels services de ce nouveau mode d'observation, que deux fois par jour, et avec le général lui-même, Coutelle s'élevait dans les airs. J. VERNE, Un drame dans les airs, p. 196.

Pilote d'un aérostat.

**AÉROTECHNIQUE** [aeʀotɛknik] n. f. et adj. — 1960; de *aéro-*, et *technique*.

Technique.

♦ **1** N. f. Technique ayant pour objet l'application des lois de l'aérodynamique à la conception et à la construction d'engins destinés à la navigation aérienne.

♦ **2** Adj. De cette technique, qui a trait à cette technique.

**AÉROTERRESTRE** [aeʀotɛʀɛstʀ] adj. — 1957, P. Billotte *in* T. L. F.; de *aéro-*, et *terrestre*.

Milit. Se dit d'une formation militaire composée d'éléments des armées de terre et de l'air opérant conjointement, et placée sous un commandement unique. → Aéronaval (2.).

**AÉROTHÉRAPIE** [aeʀoteʀapi] n. f. — 1865; de *aéro-*, et *-thérapie*.

Méd. Vieilli. Traitement de diverses maladies (spécialt, du poumon) par des cures au grand air, à la montagne ou au bord de la mer.

**AÉROTHERME** [aeʀotɛʀm] adj. et n. m. — 1865; de *aéro-*, et *-therme*.

Didactique.

♦ **1** Adj. et n. m. Qui est chauffé par circulation d'air chaud. *Un four aérotherme.*

♦ **2** N. m. Appareil de chauffage par air chaud. *Aérotherme à turbines.*

**AÉROTHERMIQUE** [aeʀotɛʀmik] adj. — 1899; de *aéro-*, et *-thermique*.

Techn. Qui a rapport à la fois à l'aéronautique et à la thermodynamique.

**AÉROTHERMODYNAMIQUE** [aeʀotɛʀmɔdinamik] adj. — Mil. xxe (*in* Larousse, 1960); de *aéro-*, et *thermodynamique*.

Didact. Science qui traite des phénomènes thermiques provoqués par les écoulements de fluides (aérodynamiques) à grande vitesse.

**AÉROTRAIN** [aeʀɔtʀɛ̃] n. m. — 1965; de *aéro-*, et *train*.

Véhicule circulant sur un coussin d'air comprimé (→ Aéroglisseur) le long d'une voie formée d'un seul rail. *Les Japonais «préparent un train encore plus révolutionnaire que notre aérotrain Bertin»* (*Science et Vie*, No 592, p. 42). *Un aérotrain peut être propulsé par un moteur électrique linéaire, un turbopropulseur ou un turboréacteur.*

(...) l'aéro-train, conçu par l'ingénieur Jean Bertin et vigoureusement défendu par la délégation à l'Aménagement du Territoire (...) Glissant sur un rail de béton, soutenu par un coussin d'air, propulsé par une hélice, ou même un jour, si l'on veut, par des fusées, l'engin expérimental, en vraie grandeur, a dépassé 300 km-h, l'hiver dernier. Une seule ligne est prévue actuellement, entre Orléans et Paris. La vitesse moyenne sera de l'ordre de 250 km-h, ce qui ne lui assurera pas un avantage décisif sur le turbo-rail.

l'Express, 10-16 juil. 1967.

**AÉROTRANSPORT** [aeʀotʀɑ̃spɔʀ] n. m. — V. 1960 (Général Beaufre, 1964 *in* T. L. F.); de *aérotransporté*. → Aéroporté, d'après *transport*.

Milit. Transport de troupes par voie aérienne.

**AÉROTRANSPORTÉ, ÉE** [aeʀotʀɑ̃spɔʀte] adj. → **Aéroporté.**

**AÉROTROPISME** [aeʀotʀɔpism] n. m. — 1907, *Nouveau Larousse illustré, Suppl.*; de *aéro-*, et *tropisme.*

Sc. nat. Réaction d'orientation d'un végétal ou d'un animal fixé, par rapport à la direction d'une source d'air.

**ÆSCHNE** [ɛʃn] n. f. — 1885; *æshna,* 1805, Cuvier; *æschne,* 1809; du lat. sc. *æschna,* 1775; orig. inconnue.

Zool. Grande libellule *(Æschnidés)* à abdomen cylindrique, brun ou bleu, nommée couramment *grande demoiselle.*

DÉR. **Æschnidés.**

**ÆSCHNIDÉS** [ɛʃnide] n. m. pl. — XX^e; de *æschne,* et suff. *-idés.*

Zool. Famille d'insectes odonates (sous-ordre des anisoptères) comprenant les plus grandes libellules (anax et æschnes).

**ÆSTHÉSIOMÈTRE** [ɛstezjɔmɛtʀ] n. m. → **Esthésiomètre.**

**ÆSTHETASC** [ɛstetask] n. m. — Mil. XX^e; comp. sav. du grec *aisthêsis* «sensation», et d'un élément *-asc.*

Zool. Organe olfactif propre aux crustacés aquatiques constitué d'une rangée de poils portés par les antennules.

Une paire d'antennules natatoires (...) comprenant en principe un grand nombre d'articles et de poils sensoriels *(æsthetasc).*

Claude DELAMARE-DEBOUTTEVILLE, Crustacés, *in* Encycl. Pl., Zoologie, t. II, p. 359.

**ÆTHÉOGAME** [eteɔgam] adj. et n. m. — Av. 1820, Palisot; de *æthéo-,* élément sav., grec *aêthês* «inaccoutumé», et *-game.*

Bot. (vx). S'est dit des plantes dont la reproduction, mal connue, était cependant supposée bisexuelle (état dit *æthéogamie* [eteɔgami], n. f., chez de Candolle).

**ÆTHIA** [etja] n. m. — D. i. (attesté mil. XX^e, *in* Larousse 1960); lat. mod. d'orig. obscure (du grec).

Petit macareux du Pacifique Nord (famille des Alcidés).

**ÆTHUSE** [etyz] n. f. — 1834; *éthuse,* 1819; lat. bot. *æthusa,* grec *aithousa* «ardente».

Bot. Plante âcre et toxique *(Ombelliféracées),* appelée aussi *petite ciguë, faux persil, ache des chiens.* → **Ciguë.** — REM. On emploie aussi la forme latine *æthusa.*

**AÉTITE** [aetit] n. f. — 1546; *échites,* XII^e; lat. *ætites,* mot grec «(pierre) d'aigle», qu'on prétendait se trouver dans les aires.

Minér. Variété d'oxyde de fer hydraté, apprécié autrefois pour ses vertus thérapeutiques supposées.

**AÉTOBATIDÉS** [aetobatide] n. m. pl. — Mil. XX^e, comp. sav. du grec *aetos* «aigle» et aussi «raie», *batis, idos* «raie épineuse», suff. *-idés.*

Famille de poissons sélaciens (ordre des Rajiformes). — On dit aussi *myliobatidés*; type principal : *aetobatus* (ou *myliobatis* ou *mourine* ou *terre*).

**AFANAF** [afanaf] ou **AFNAF** [afnaf] adv. — Av. 1914, argot du milieu français à Londres (selon Simonin) ou argot milit. (Esnault); de l'angl. *half and half.*

Argot anc. Moitié-moitié. → **Fifty-fifty.** — On écrit aussi *hafanaf, hafnaf,* et on dit également *naf-naf,* par un jeu de mot plaisant sur le nom du personnage du dessin animé de Walt Disney *les Trois petits cochons.*

**A. F. A. T.** [afat] n. f. — V. 1945; initiales de *Auxiliaire Féminin de l'Armée de Terre.*

Femme servant dans l'armée de terre. *Une A. F. A. T., une afat, des afats.*

Moi dit-elle (...) J'étais trop jeune pour entrer dans la Résistance (...) Plus tard, il m'eût paru ridicule de devenir A. F. A. T.

Roger VAILLAND, Bon pied, bon œil, p. 38.

**AFFABILITÉ** [afabilite] n. f. — 1270; du lat. *affabilitas,* de *affabilis.* → Affable.

Caractère, manières affables. → **Amabilité, aménité, bienveillance, bonté, civilité, courtoisie, douceur, grâce** (bonne), **obligeance, politesse, urbanité.** *Une affabilité charmante, exquise, délicieuse, une grande affabilité.* «*Une affabilité majestueuse*» (Proust), *cordiale* (J. Romains), *condescendante* (S. de Beauvoir). *Il parlait avec beaucoup d'affabilité. Il reçut les invités avec une extrême affabilité. L'affabilité de qqn, d'un hôte. Son affabilité à l'égard de..., envers... — L'affabilité des manières, d'un accueil, des propos.*

L'affabilité part plutôt du cœur, et en marque une dispo- 1
sition contraire à la fierté et à la dureté.

LAFAYE, Dict. des synonymes, Honnête..., Affable.

Cette douceur pleine de charmes dont vous daignez tem- 2
pérer la fierté des grands titres que vous portez, cette bonté toute obligeante, cette affabilité généreuse que vous faites paraître pour tout le monde (...)

MOLIÈRE, Épître à Madeleine.

L'air de dignité de ce respectable vieillard me rendit plus 3
touchante l'affabilité de son accueil.

ROUSSEAU, les Confessions, t. III.

Rare. *(Une, des affabilités).* Parole, action affable. → **Amabilité, politesse.** *Ses affabilités n'avaient pas l'air sincère.*

Il n'ose pas m'enlever la sienne *(son estime).* Il a pour moi 4
des affabilités protectrices (...)

GIDE, Paludes, *in* Romans, Pl., p. 99.

CONTR. **Arrogance, brusquerie, brutalité, dureté, fierté, hauteur.**

**AFFABLE** [afabl] adj. — 1367; lat. *affabilis* «à qui on peut parler», de *affari* «parler à».

(Personnes). À qui il est facile de parler, qui accueille avec bonté et douceur ceux qui s'adressent à lui. → **Accessible** (cit. 2), **accueillant, agréable, aimable, amène, bienveillant, bon, civil, courtois, doux, engageant, gracieux, liant, obligeant, poli.** — *Une personne affable. Il est affable avec nous, affable pour tous. Être affable envers, à l'égard de (qqn). Affable dans ses manières, sans excès. Se montrer très affable. Être affable par caractère.*

Lui (...) affable et sans orgueil, 1
À l'un tendait la main, flattait l'autre de l'œil (...)

RACINE, Athalie, V, 1.

(Comportement, manières). *Caractère, humeur affable. C'est un homme d'un abord affable, aux manières affables. Une politesse affable.*

Par nature, elle était aimante, secourable, affable (...) 2

G. SAND, Histoire de ma vie, t. I, p. 64, *in* T. L. F.

Attendu qu'un grand nez est proprement l'indice 3
D'un homme affable, bon, courtois, spirituel (...)

Edmond ROSTAND, Cyrano de Bergerac, I, 4.

(...) Saint-Loup était loin d'avoir l'originalité quelquefois 4
profonde de son oncle. Mais il était aussi affable et charmant de caractère que l'autre était soupçonneux et jaloux. Et il était resté charmant et rose comme à Balbec, sous tous ses cheveux d'or.

PROUST, le Temps retrouvé, Pl., t. III, p. 761.

(Paroles). *Des paroles affables. Une conversation affable. Répondre à qqn de manière affable, d'un ton affable.*

CONTR. **Abrupt, altier, arrogant, bougon, bourru, brusque, brutal, désagréable, dur, hautain, impoli.** ◊ DÉR. **Affablement.** V. **Affabilité.**

**AFFABLEMENT** [afabləmɑ̃] adv. — 1532; de *affable.*

De manière affable; avec affabilité. → **Aimablement, gracieusement.** «*Rémy Parrottin me souriait affablement*» (Sartre). *Il s'informa affablement de ma santé. Dire, répondre affablement. Accueillir, saluer, traiter qqn très affablement.*

Monsieur Lacase, dit-il assez affablement, j'ai rapporté de Pont-l'Évêque quelques journaux (...)
GIDE, Isabelle, *in* Romans, Pl., IV, p. 634.

CONTR. **Abruptement, brusquement, brutalement, impoliment.**

**AFFABULATEUR, TRICE** [afabylatœʀ, tʀis] adj. — XX^e; de *affabuler.*

Littér. Qui affabule.

(...) la mémoire des profondeurs qui est aussi affabulatrice que les autres. Jacques LAURENT, les Bêtises, p. 533.

**AFFABULATION** [afabylasjɔ̃] n. f. — 1798; bas lat. *affabulatio,* du lat. class. *fabula.* → Fable.

♦ **1** Vx et rare. Moralité d'une fable, partie qui en indique le sens moral.

♦ **2** (1863). Arrangement de faits constituant la trame d'un roman, d'une œuvre d'imagination. → **Narration, récit, trame.** *Affabulation mythique, littéraire.*

1 En dépit du grotesque de l'affabulation, un tel personnage ne manque pas d'une certaine richesse dramatique (...)
R. BARTHES, Mythologies, p. 181.

2 De plus en plus, actuellement, on tend vers une expression unique de l'art, qui doit être quelque chose comme une approche de la conscience humaine. L'affabulation se risque vers la science, et la science retrouve les mythes.
J.-M. G. LE CLÉZIO, l'Extase matérielle, p. 74.

*L'affabulation d'un rêve.*

♦ **3** Psychan., psychol. → **Fabulation.**

3 L'adulte reprend les jouets de l'enfant, mais il n'a plus l'instinct de jeu et d'affabulation qui leur donnait leur sens originel. M. TOURNIER, le Roi des Aulnes, p. 309.

*(Une, des affabulations).* Récit, invention de quelqu'un qui affabule.

4 (...) qu'il s'embrouille dans ses affabulations, qu'il jette aux orties son identité pour en ramasser une autre (...) voilà un train d'enfer qu'il ne faudrait surtout pas ralentir.
Alain BOSQUET, les Bonnes Intentions, p. 91.

DÉR. **Affabuler.**

**AFFABULER** [afabyle] v. — 1926; de *affabulation.*

♦ **1** V. tr. Composer les épisodes, le récit de (une œuvre de fiction).

1 Si j'avais plus d'imagination, j'affabulerais des intrigues; je les provoque, observe les acteurs, puis travaille sous leur dictée.
GIDE, les Faux-monnayeurs, *in* Romans, Pl., p. 1022.

♦ **2** V. intr. Fabuler. *Action d'affabuler.* → **Affabulation.**

2 Être vivant est une chose sérieuse. Je la prends à cœur. Je ne veux pas qu'on déguise, qu'on affabule. Si l'on fait ce voyage, il ne faut pas que ce soit en «touriste».
J.-M. G. LE CLÉZIO, l'Extase matérielle, p. 31.

**AFFACTURAGE** [afaktyʀaʒ] n. m. — 1973; de 2. *facture.*

Techn. Gestion des créances d'une entreprise par un organisme de contentieux extérieur à elle (→ **Factor**). — Recomm. off. pour remplacer l'anglic. *factoring.*

**AFFADIR** [afadiʀ] v. tr. — 1226; de 1. *a-,* et *fade.*

♦ **1** Vx. Causer à (qqn, son cœur) du dégoût par une sensation de fadeur. → **Écœurer.**

Comme il y a de bonnes viandes qui affadissent le cœur, il y a un mérite fade, et des personnes qui dégoûtent avec des qualités bonnes et estimables. 1
LA ROCHEFOUCAULD, Maximes, 155, variante.

La tarte à la crème m'a affadi le cœur, et j'ai pensé vomir au potage. 2
MOLIÈRE, Critique de l'École des femmes, III.

Fig. Inspirer de la répugnance à (qqn). → **Fatiguer, lasser.**

Ces gens (...) l'affadissaient, 3
L'endormaient en contant leur flamme;
Ils déplaisaient tous à la dame.
LA FONTAINE, Contes, XIII, «Le petit chien».

♦ **2** (XVI^e). Mod. [a] (Concret). Rendre fade, insipide. *Affadir une sauce, un ragoût, en y mêlant quelque chose de trop doux* (Académie).

[b] (Abstrait). Littér. Rendre fade ou plus fade. → **Affaiblir, décolorer, édulcorer.** *La sensiblerie des personnages affadit le sujet.* — Vx. *Affadir la volonté, le courage.* → **Énerver** (vx), **amollir.**

Je gâtai ma pièce *(Œdipe),* pour leur plaire, en affadissant par des sentiments de tendresse un sujet qui les comporte si peu. 4
VOLTAIRE, Lettre au P. Porée sur «Œdipe», 7 janv. 1729.

Un été orageux sévit, charriant tous les énervements, affadissant toutes les volontés (...) 5
HUYSMANS, En route, p. 101.

◆ **S'AFFADIR** v. pron.

♦ **1** (Concret). Devenir fade, insipide.

♦ **2** (Abstrait). Devenir fade, faible; perdre son originalité.

De Molière oublié le sel s'est affadi 6
VOLTAIRE, Épîtres, CL, *in* LITTRÉ.

Au p. p. Qui s'est affadi.

J'ai songé à vous, — à vous, jeune ami, affadi là-bas dans vos plaisirs (...) SAINTE-BEUVE, Volupté, 16. 7

*(Voltaire)* écrivain d'un âge énervé et affadi (...) 8
HUGO, Littérature et Philosophie mêlées, p. 62.

◆ **AFFADI, IE** p. p. adj. Fade, douceâtre. *Une odeur affadie.* — Rendu, devenu fade.

Ils avaient pour professeurs des hommes brillants d'intelligence qui leur livraient la connaissance dans son intacte splendeur. Mes vieilles institutrices ne me la communiquaient qu'expurgée, affadie, défraîchie. On me nourrissait d'ersatz et on me retenait en cage. 9
S. DE BEAUVOIR, Mémoires d'une jeune fille rangée, p. 123.

CONTR. **Assaisonner, pimenter, relever. — Raffermir.** ◊ DÉR. **Affadissant, affadissement.**

**AFFADISSANT, ANTE** [afadisɑ̃, ɑ̃t] adj. — 1611; de *affadir.*

Vieilli.

♦ **1** Qui affadit, écœure. *Cuisine affadissante.* — Qui produit une sensation désagréable d'écœurement. → **Écœurant.**

Pendant les derniers jours de la traversée, le temps fut assez mauvais. Le vent devint très fort. Fixé dans la partie du nord-ouest, il contraria la marche du paquebot. Le *Rangoon,* trop instable, roula considérablement, et les passagers furent en droit de garder rancune à ces longues lames affadissantes que le vent soulevait du large. 1
J. VERNE, le Tour du monde en 80 jours, p. 143.

♦ **2** Qui amollit.

On vit que pour être heureux après des siècles de sensations affadissantes, il fallait aimer la patrie d'un amour réel et chercher les actions héroïques. 2
STENDHAL, la Chartreuse de Parme, I.

CONTR. **Appétissant. — Exaltant, excitant.**

**AFFADISSEMENT** [afadismɑ̃] n. m. — 1578; de *affadir*.

Action d'affadir, résultat de cette action.

♦ **1** Action de rendre fade. *L'affadissement d'une sauce.*

♦ **2** Vx. Sensation de fadeur, dégoût, écœurement. *Affadissement de cœur.*

1 (...) toute l'amertume de l'existence lui semblait servie sur son assiette, et, à la fumée du bouilli, il montait du fond de son âme comme d'autres bouffées d'affadissement.
FLAUBERT, Mme Bovary, I, IX.

♦ **3** Littér. ou vieilli. Affaiblissement, amollissement (notamment en art). *L'affadissement de la tragédie classique au XVIIIe siècle.*

2 Nous sortons de l'amour avec un abattement de l'âme, un affadissement de tout l'être, une prostration du désir, une tristesse vague, informulée, sans bornes.
Ed. et J. DE GONCOURT, Journal, août 1855, *in* T. L. F.

CONTR. **Assaisonnement. — Exaltation, excitation.**

**AFFAIBLIR** [afeblir] v. tr. — Déb. XIIe; de 1. *a-, faible,* et suff. verbal.

♦ **1** (Sujet en général n. de chose). Rendre physiquement faible, moins fort. → **Diminuer, débiliter.** *Ce long jeûne l'a affaibli.* → **Abattre, épuiser, miner.** *Affaiblir le corps, les forces physiques.*

1 La vieillesse languissante et ennemie viendra rider ton visage, courber ton corps, affaiblir tes membres (...)
FÉNELON, Télémaque, XIX.

2 Un corps débile affaiblit l'âme. ROUSSEAU, Émile, I.

Au passif et p. p. *Être affaibli par les privations, le jeûne... Être très affaibli.*

3 De telles passions dévastent l'âme; et quand l'âme est déjà affaiblie par la maladie, comme l'était celle de Beethoven, elles risquent de la ruiner.
R. ROLLAND, Vie de Beethoven, p. 20.

3.1 Ils roulèrent ainsi en face des côtes, emportés par une rafale, ramenés par la marée, ayant achevé leurs quelques provisions, sans une bouchée de pain. Cela dura trois jours.
— Trois jours! s'écria la charcutière stupéfaite, trois jours sans manger!
— Oui, trois jours sans manger. Quand le vent d'est les poussa enfin à terre, l'un d'eux était si affaibli, qu'il resta sur le sable toute une matinée. Il mourut le soir. Son compagnon avait vainement essayé de lui faire mâcher des feuilles d'arbre.
ZOLA, le Ventre de Paris, t. I, p. 136-137.

Rendre plus faible aux sens, diminuer l'intensité de (sensations). → **Amortir, atténuer, modérer.** *L'alcool affaiblit les sensations.* → **Éteindre, user.** *Affaiblir la sensibilité. «Son grand âge avait affaibli la sonorité de sa voix»* (Proust, *la Fugitive,* Pl., p. 631). — *Affaiblir un sentiment.*

4 Le temps qui fortifie les amitiés, affaiblit l'amour.
LA BRUYÈRE, les Caractères, IV, 4.

5 Les sens usés sans avoir joui, l'esprit affaibli sans avoir produit rien de bon, et blasé sans avoir rien goûté (...)
D'ALEMBERT, cité par LITTRÉ, art. *Usé.*

♦ **2** Amoindrir la force, l'énergie de (qqch.). *Affaiblir les qualités d'une race animale.* → **Abâtardir, appauvrir.** — *Priver moralement d'une partie de sa force.* → **Diminuer.** *Affaiblir la volonté, le courage de qqn.* → **Amollir, briser, décourager.** *Affaiblir qqn dans sa volonté.*

6 Les mariages entre parents qui peuvent affaiblir les faibles et les faire dégénérer, fortifient, au contraire, les forts.
MICHELET, la Femme, p. 228.

7 C'est une grande question de savoir si la civilisation n'affaiblit pas chez les hommes le courage en même temps que la férocité.
FRANCE, l'Anneau d'améthyste, p. 228.

On lui reproche *(à notre littérature)* son raffinement et d'avoir travaillé à affaiblir plutôt qu'à galvaniser nos énergies (...)
GIDE, Pages de journal, II, 6, 1940.

Par anal. (Polit., milit.) Amoindrir l'efficacité de (une autorité, une puissance). → **Ébranler, ruiner.** *Affaiblir une armée, une politique. Le scandale a affaibli l'autorité du ministère.* → **Saper.** — *Affaiblir les lois.*

Les lois inutiles affaiblissent les nécessaires.
MONTESQUIEU, Cahiers, p. 99.

Passif et p. p. *Un pays affaibli.*

*(Napoléon III)* n'avait réussi à la fin qu'à nous laisser seuls et affaiblis en face de l'Allemagne organisée (...)
J. BAINVILLE, Hist. de France, XX.

♦ **3** (Le compl. désigne un signe, une qualité expressive). Priver d'une partie de son énergie, de sa valeur expressive, de son efficacité. → **Adoucir, atténuer, édulcorer.** *Les modifications successives ont affaibli le texte. Affaiblir une expression, un trait. Affaiblir les couleurs, les teintes d'un tableau.*

On affaiblit toujours tout ce qu'on exagère.
LA HARPE, Mélanie, I, 1.

(Mus). *Affaiblir un accord :* le modifier en introduisant un son qui n'entre pas dans cet accord.

♦ **4** Techn. (Fin.). *Affaiblir une monnaie :* en diminuer le poids, le titre, la valeur.

◆ **S'AFFAIBLIR** v. pron.

♦ **1** (Domaine humain). Devenir physiquement ou intellectuellement faible. — (Choses). *Sa vue s'affaiblit.* → **Baisser, décliner.** — (Personnes). *Malgré les soins, il s'affaiblissait.* → **Dépérir, faiblir.** *Sa mémoire s'affaiblit.* → **Vaciller.** *Son esprit s'affaiblit de jour en jour.*

Il s'affaiblissait, il se courbait davantage vers la terre qui semblait le rappeler à elle. ZOLA, la Terre, I, p. 215.

♦ **2** (Domaine non humain). Perdre de son intensité, de son efficacité. *Le soir venu, les bruits de la rue s'affaiblissaient.* → **Diminuer, faiblir.** *Le rideau s'ouvrit, la lumière s'affaiblit sur la scène.* → **Décroître.** — *Les besoins s'affaiblissent avec le temps.* → **Baisser.** *Le sens de cette expression s'est affaibli.* → **Atténuer.**

Mais quand le nœud social commence à se relâcher et l'État à s'affaiblir (...)
ROUSSEAU, Du contrat social, IV, 1.

On dit qu'en vieillissant nos sensations s'affaiblissent. Peut-être, mais elles s'accompagnent de l'écho de sensations plus anciennes, comme ces grandes chanteuses un peu vieilles dont un chœur invisible renforce la voix affaiblie.
PROUST, Jean Santeuil, Pl., p. 476.

(...) Le sens primitif s'affaiblit par la diffusion de l'expression (...) F. BRUNOT, la Pensée et la Langue, XVII, 2.

◆ **AFFAIBLI, IE** passif, p. p. adj. (V. 1170). Voir ci-dessus, cit. 3, 3.1; 5; 10. *Malade affaibli. Voix affaiblie.* — *Armée affaiblie.*

N. *Un affaibli. «La sueur nocturne des affaiblis»* (Montherlant).

CONTR. **Affermir, consolider, fortifier, galvaniser, raffermir, réconforter, relever, renforcer. — Augmenter, exagérer, grossir. — Corroborer.** ◈ DÉR. **Affaiblissant, affaiblissement, affaiblisseur.**

**AFFAIBLISSANT, ANTE** [afeblisɑ̃, ɑ̃t] adj. — 1690; p. prés. de *affaiblir.*

Littéraire ou style écrit. Qui affaiblit.

♦ **1** Qui rend physiquement faible, plus faible. *Une maladie affaiblissante.* → **Débilitant, déprimant, épuisant, exténuant, fatigant.**

(...) ceux qui prétendaient que son régime affaiblissant finirait par la tuer.
PROUST, Du côté de chez Swann, Pl., t. I, p. 153.

♦ **2** Qui enlève de la force morale, de l'efficacité. → **Amollissant.**

CONTR. **Fortifiant, réconfortant.**

**AFFAIBLISSEMENT** [afeblismɑ̃] n. m. — 1290; de *affaiblir.*

♦ **1** Amoindrissement (de la force physique), perte d'intensité (d'une sensation, d'un sens, d'une faculté). → **Altération, atténuation.** *Un affaiblissement général. Il s'inquiète de l'affaiblissement de sa vue.* → **Baisse, diminution.** *Tout le monde remarquait l'affaiblissement de sa santé.* → **Décadence, déclin, dégradation; asthénie.** *L'affaiblissement de la voix.* → **Fatigue.** *L'affaiblissement de la sensibilité.* → **Épuisement.** — *L'affaiblissement de qqn. L'affaiblissement graduel, progressif, rapide du malade. Un état de grand affaiblissement.*

Par ext. (Polit., milit.). Diminution de la puissance. → **Décadence, déclin.** *L'affaiblissement de l'État, d'une armée, de l'autorité.* → **Dépérissement.**

1 (...) l'affaiblissement de l'esprit politique chez une nation.
RENAN, Réflexions sur l'état des esprits en 1849, III.

2 Satisfaite de l'affaiblissement de la Russie, l'Angleterre se détachait déjà de nous.
J. BAINVILLE, Hist. de France, XX.

Écon. *Affaiblissement d'une monnaie :* diminution de son poids ou de son titre. Par ext. Diminution de sa valeur d'échange par rapport aux autres monnaies.

♦ **2** Diminution des capacités intellectuelles, des forces morales. *L'affaiblissement de l'intelligence, des facultés intellectuelles.* → **Déclin.** *L'affaiblissement de la mémoire.* → **Défaillance.** — *L'affaiblissement (psychique, intellectuel) de qqn.* — Psychol., psychiatrie. *Affaiblissement intellectuel :* diminution irréversible du potentiel intellectuel. → aussi **Ralentissement** (psychique).

3 On ne confondra pas avec les états d'affaiblissement intellectuel vrai certains états qui peuvent en prendre le masque : les états d'inhibition d'origine affective, mélancolique ou émotive (...)
(...) l'usage réserve ce terme d'affaiblissement intellectuel aux seuls états de déficit irréversibles; aussi ne range-t-on pas généralement sous ce vocable les états d'affaiblissement et de dissolution transitoires et curables (...)
A. POROT et Ch. BARDENAT, Manuel alphabétique de psychiatrie, 1952, art. *Affaiblissement intellectuel.*

4 Les prolétaires se montraient de plus en plus débiles d'esprit. L'affaiblissement continu de leurs facultés intellectuelles n'était pas dû seulement à leur genre de vie; il résultait aussi d'une sélection méthodique opérée par les patrons.
FRANCE, l'Île des pingouins *in* 1 t. XVIII, p. 404.

♦ **3** Spécialt. *Affaiblissement de sens :* modification du sens d'un mot, la nouvelle signification étant atténuée par rapport à la première. — *Affaiblissement de la rime :* appauvrissement.

♦ **4** Sc., technique. [a] Phonét. Vx. Apophonie. — Mod. Passage (d'une consonne) à une articulation qui exige moins d'effort.

[b] Mus. Atténuation de l'effet tonal (d'un accord), par rapport à l'accord «parfait».

[c] Diminution de l'intensité (d'une épreuve photographique).

[d] Techn. Diminution du rendement. *Affaiblissement d'une chaudière.*

[e] Phys. Diminution progressive d'une puissance (acoustique, électrique, magnétique, etc.) exprimée dans l'espace par rapport à un point initial et à un point final.

**AFFAIBLISSEUR, EUSE** [afeblisœʀ, øz] adj. — Déb. XXe; de *affaiblir.*

♦ **1** Techn. [a] (Photogr.). Se dit d'une solution, d'un bain qui permet de diminuer l'opacité d'un cliché (provoquée par un excès de pose ou de développement). — N. *Un affaiblisseur.*

[b] Dispositif introduisant un affaiblissement déterminé dans un circuit électronique.

♦ **2** (1935, Gide, *les Nouvelles Nourritures*). Littér. et rare. Personne qui affaiblit, diminue la force, la vigueur (d'autrui, de la société).

**AFFAIRE** [afɛʀ] n. f. — V. 1150, n. m.; *l'affaire de qqn* «ce qui le concerne», v. 1155; XVe, n. f.; de *à,* et *faire.*

[I] ♦ **1** Ce que qqn doit faire, a à faire, ce qui l'occupe ou le concerne. → **Activité, occupation.** *Il s'occupe d'une affaire grave. Vous savez que c'est une affaire importante, urgente. Il espère que ce sera une affaire sans conséquence. Une affaire embarrassante. Une affaire strictement personnelle* (cit. 3). — *L'affaire, les affaires de qqn :* celle(s) dont il s'occupe, qui le concerne(nt). *Vaquer à ses affaires.*

Tâche de t'en tirer et fais tous tes efforts, 1
Car pour moi j'ai certaine affaire
Qui ne me permet pas d'arrêter en chemin.
LA FONTAINE, Fables, III, 5.

Les tiens et toi pouvez vaquer 2
Sans nulle crainte à vos affaires.
LA FONTAINE, Fables, II, 15.

Cliton n'a jamais eu, toute sa vie, que deux affaires qui est de dîner le matin et de souper le soir. 3
LA BRUYÈRE, les Caractères, XI, 122.

♦ **2** *Affaire de... :* affaire où (qqch.) est en jeu. → **Question.** *Une affaire d'intérêt, d'argent, de gros sous. Une affaire de galanterie, de plaisir.* → **Histoire, intrigue.** — Vx. *Affaire d'amour :* aventure galante. — Absolt et vx. *Une affaire :* une affaire galante (→ ci-dessous, cit. 11). — Littér. *Affaire d'honneur* ou, absolt, *affaire :* question qui engage l'honneur. → **Duel.**

Absolt. *L'affaire :* ce dont il est question. *Le temps ne fait rien à l'affaire :* le temps importe peu.

*Votre, son affaire; cette affaire; l'affaire :* l'affaire dont il est question.

Sire, j'en ai trop dit, mais l'affaire vous touche. 4
CORNEILLE, Horace, V, 3.

Croit-il être le seul qui ne soit pas content 5
N'ai-je en l'esprit que son affaire?
LA FONTAINE, Fables, VI, 11.

Pour venir à notre affaire, 6
Mes contes, à son avis,
Sont obscurs (...) LA FONTAINE, Fables, VIII, 13.

Si quelque affaire t'importe, 7
Ne la fais point par procureur.
LA FONTAINE, Fables, XI, 3.

Voyons un peu votre affaire. 8
MOLIÈRE, le Bourgeois gentilhomme, I, 2.

Je ne veux point aujourd'hui d'autres affaires que de plaisir. 9
MOLIÈRE, le Sicilien, XIX.

Il veut qu'on le consulte sur toutes les affaires d'esprit. 10
MOLIÈRE, Critique de l'École des femmes, V.

(...) qu'aux dernières faveurs on ne pousse l'affaire 11
MOLIÈRE, Tartuffe, IV, 5.

REM. Comme on le voit à ces exemples, la langue classique emploie également le mot, absolument ou qualifié, pour les questions d'intérêt (emploi resté moderne) et pour les questions sentimentales et galantes (ce dernier usage étant devenu archaïque).

♦ **3** *(L'affaire de qqn, son affaire).* Ce qui intéresse particulièrement qqn, lui convient. *J'ai là votre affaire, vous en serez satisfait.* — *C'est mon* (*ton, son,* etc.) *affaire,* et, au plur., *ce sont mes affaires :* cela ne regarde que moi (toi, lui, etc.).

Je m'en tais, et ne veux leur causer nul ennui *(aux plagiaires) :* 12
Ce ne sont pas là mes affaires.
LA FONTAINE, Fables, IV, 9.

13 Les doctes entretiens ne sont pas mon affaire.
MOLIÈRE, les Femmes savantes, III, 4.

14 (...) le reste ne nous regarde point, c'est l'affaire des autres.
LA BRUYÈRE, les Caractères, II, 9.

15 Je n'entre point dans la politique (...) La politique n'est pas mon affaire. VOLTAIRE, À Frédéric, nov. 1769.

16 (...) si papa se refuse à rembourser cet emprunt, après tout c'est son affaire (...)
G. DUHAMEL, Chronique des Pasquier, I, 11.

17 Mais le langage est notre affaire à tous, quel que soit notre état. G. DUHAMEL, Discours aux nuages, p. 13.

(Vx). *Être l'affaire de qqn :* lui convenir (→ ci-dessous, III., 2., Faire l'affaire).

18 Mais le moindre grain de mil
Serait bien mieux mon affaire.
LA FONTAINE, Fables, I, 20.

19 (...) Ce choix plus conforme était mieux votre affaire.
MOLIÈRE, le Misanthrope, I, 1.

*Être à son affaire :* être occupé (ou pouvoir s'occuper) à qqch. qu'on aime, qui convient. *Quand il y a un civet de lièvre à accommoder, il est à son affaire !*

Loc. fam. *Je lui ferai son affaire, je vais lui régler son affaire :* je lui réserve le traitement qui lui convient (c.-à-d. : je le corrigerai ; ou, je le tuerai). → **Compte** (régler son). — Vieilli. *Avoir son affaire.*

19.1 On a fendu la tête à M. Rousserand. Il a son affaire.
Louise MICHEL, la Misère, t. I, p. 55 (1881).

Loc. *J'en fais mon affaire :* je m'en occuperai moi-même.

19.2 Pour ce qui regarde sa femme, j'en fais mon affaire.
A. GALLAND, les Mille et une Nuits, t. III, p. 57.

Fam. (dans des expressions). *L'affaire de qqn, son affaire :* ce qui le concerne, ce qui lui arrive.

19.3 — Oh ! une migraine atroce ! répétait-elle à madame Désagneaux. Vous voyez, je n'ai pas encore ma pauvre tête à moi... C'est le voyage qui me donne ça. Tous les ans, je suis sûre de mon affaire. ZOLA, Lourdes, p. 218.

♦ **4** Suite d'événements dont il est question. — Au plur. *Les affaires de qqn, ses affaires :* ses activités, ce qui lui importe. *S'occuper, se mêler de ses propres affaires, des affaires d'autrui.* (→ ci-dessous, II.).

20 Ah, morbleu ! mêlez-vous, Monsieur, de vos affaires (...)
Et ne prenez souci que de votre intérêt.
MOLIÈRE, le Misanthrope, IV, 2.

21 Par nature, il aimait à se mêler des affaires d'autrui, ce qui était bien une forme d'indiscrétion.
J. ROMAINS, les Hommes de bonne volonté, VII, p. 245.

22 Je ne te questionne pas pour m'immiscer dans tes affaires,
MARTIN DU GARD, les Thibault, V, 7.

23 Occupez-vous de mes affaires, je m'en rapporte à vous.
MARTIN DU GARD, les Thibault, III, 6.

Spécialt. Ce qui occupe de façon embarrassante. → **Problème, question.** *L'affaire du salut est la plus importante pour un chrétien.* — Loc. Vieilli. *C'est, ce n'est pas l'affaire.* → **Question.**

24 On mit près du but, les enjeux
Savoir quoi, ce n'est pas l'affaire
Ni de quel juge l'on convint.
LA FONTAINE, Fables, VI, 10.

25 Ce n'est pas là l'affaire. MOLIÈRE, l'Avare, V, 2.

Loc. *Cela ne change, ne fait rien à l'affaire. Le temps ne fait rien à l'affaire.*

26 Voyons, Monsieur, le temps ne fait rien à l'affaire.
MOLIÈRE, le Misanthrope, I, 2.

27 Tous ces raisonnements ne changent rien à l'affaire.
MOLIÈRE, Tartuffe, I, 1.

Loc. (avec une valeur abstraite «chose dont il est question»). *C'est une affaire entendue.*

27.1 J'écrirais, c'était une affaire entendue ; je devais le connaître assez pour ne pas redouter qu'il contrariât mes désirs. SARTRE, les Mots, p. 129.

*C'est une autre affaire,* une question toute différente.

28 (...) si vous le voulez (...) Mais si vous ne le vouliez pas, ce serait peut-être une autre affaire.
MOLIÈRE, Dom Juan, I, 2.

*L'affaire, une affaire de...* (et nom) : une question qui concerne, est liée à... *C'est une affaire de savoir-vivre, d'habileté, de tact :* il y faut... *C'est une affaire de patience :* il ne faut pas être pressé. — Loc. *C'est affaire de...* (Temps). *C'est l'affaire d'un moment, d'une minute, d'une seconde :* ce sera réglé en un moment... (Employé pour désigner la brièveté). *C'est une affaire de quelques heures. «Son trépas est une affaire d'heures»* (G. Leroux).
(Peut s'employer pour désigner une durée importante). *C'est une affaire de temps, de plusieurs années.* Cf. C'est une affaire de patience, ci-dessus.

29 La foi de beaucoup d'hommes est une affaire de géographie. ROUSSEAU, Émile, IV.

30 Ce fut l'affaire d'une seconde ; je ne me serais jamais cru tant de vigueur.
Alphonse DAUDET, le Petit Chose, I, 9.

(Sans article). *Affaire de...*

31 La véritable grandeur n'est point affaire de dimensions absolues, c'est l'effet de proportions heureuses.
G. DUHAMEL, Scènes de la vie future, VII.

*C'est affaire* (vieilli), *c'est une affaire pour X, entre X et Y...*

32 — Et pour les chevaux, demanda La Guillaumette.
— Ne vous inquiétez pas de ça ; c'est affaire entre l'intendance et la Compagnie.
COURTELINE, le Train de 8 h 47, V, p. 57 (1888).

Ce dont il est question (dans une discussion, un litige, etc.). Suite d'événements formant une unité narrative (récit, etc.). → **Chose, circonstance, occasion.**

32.1 En toute affaire, ils ne font que songer
Au moyen d'exercer leur langue.
LA FONTAINE, Fables, I, 19.

33 Devant son tribunal l'escarbot comparut
Fit sa plainte et conta l'affaire.
LA FONTAINE, Fables, II, 8.

34 L'oiseau de Jupiter enlevant un mouton
Un corbeau, témoin de l'affaire
En voulut sur l'heure autant faire.
LA FONTAINE, Fables, II, 16.

35 Le roi des animaux se mit un jour en tête
De giboyer. Il célébrait sa fête (...)
Pour réussir en cette affaire.
Il se servit du ministère
De l'âne à la voix de Stentor.
LA FONTAINE, Fables, II, 19.

36 Celui qui le premier a pu l'apercevoir *(l'huître)*
En sera le gobeur ; l'autre le verra faire
— Si par là on juge l'affaire,
Reprit son compagnon, j'ai l'œil bon, Dieu merci.
LA FONTAINE, Fables, IX, 9.

37 Le trop d'expédients peut gâter une affaire.
LA FONTAINE, Fables, IX, 14.

38 (...) Ulysse en fit autant.
On ne s'attendait guère
De voir Ulysse en cette affaire.
LA FONTAINE, Fables, X, 2.

39 La vérité de l'affaire est qu'on n'y gagne rien de bon.
MOLIÈRE, George Dandin, II, 1.

Vx. Objet, but.

40 Comme l'affaire de la comédie est de représenter en général tous les défauts des hommes (...)
MOLIÈRE, l'Impromptu de Versailles, III.

♦ **5** Ensemble de faits ou de possibilités constituant une préoccupation, un souci. → **Difficulté, complication, embarras, ennui.**

41 L'autre *(enseignement est)* qu'aux grands périls tel a pu se soustraire
Qui périt pour la moindre affaire.
LA FONTAINE, Fables, II, 9.

(Dans quelques expr.). Ce qui peut présenter des dangers. *Il s'est bien sorti d'affaire. Se tirer d'affaire.* — **Hors d'affaire.** *Il est maintenant hors d'affaire.*

2 Quand on pense sortir d'une mauvaise affaire.
On s'enfonce encore plus avant.
LA FONTAINE, Fables, V, 6.

3 Se tirer en Gascon d'une semblable affaire
Est le mieux : il sut donc dissimuler sa peur.
LA FONTAINE, Fables, VIII, 10.

4 Le médecin (...) le tira d'affaire en trois semaines.
RACINE, Lettres.

5 Donnez cet argent-là à cet homme-ci, vous voilà hors d'affaire. MOLIÈRE, les Fourberies de Scapin, II, 5.

1 Au cours des années, sans armes, on a dû se défendre de tant de pièges, de chausse-trappes (...) On a vécu comme on a pu, chacun se tire d'affaire à sa manière; il n'y a ni bien, ni mal.
Suzanne PROU, la Terrasse des Bernardini, p. 130.

*(Une, des affaires).* Des choses ennuyeuses, compliquées. *S'il continue, il va s'attirer des affaires.* → **Ennui, histoire.** *Susciter des affaires à qqn,* des difficultés. *Se mettre une affaire sur les bras :* s'attirer des ennuis. *Une fâcheuse, malheureuse, méchante, sale affaire :* un gros ennui. *Cette affaire prend une vilaine couleur, sent mauvais,* tourne mal.

6 Vous vous attirerez quelque méchante affaire.
MOLIÈRE, Tartuffe, I, 5.

7 Vous voilà sur les bras une fâcheuse affaire.
MOLIÈRE, le Misanthrope, I, 3.

.1 Besançon est rempli de mauvais sujets, me dit-elle, je crains pour vous, monsieur. S'il vous arrivait quelque mauvaise affaire, ayez recours à moi (...)
STENDHAL, le Rouge et le Noir, XXVI, Pl., t. I, p. 391.

Loc. *Ce n'est pas une petite affaire, c'est toute une affaire :* ce n'est pas chose facile. *Ce n'est pas une affaire :* ce n'est pas difficile.

8 Bien adresser *(choisir)* n'est pas petite affaire.
LA FONTAINE, Fables, I, 17.

9 S'il ne tient qu'à cela pour être votre gendre, je me ferai médecin, apothicaire même, si vous voulez. Ce n'est pas une affaire que cela.
MOLIÈRE, le Malade imaginaire, III, 14.

Loc. *La belle affaire (que cela)! :* quelle importance! peu importe!

50 Eh bien, oui, il y a des indigents, la belle affaire! Ils étoffent le bonheur des opulents.
HUGO, l'Homme qui rit, II, II, 11.

♦ **6** (Mil. XVII^e). Ensemble de faits envisagés comme un tout, créant une situation compliquée, où diverses personnes, divers intérêts sont aux prises. *C'est une affaire délicate, difficile, embrouillée, épineuse, qui n'est pas claire. N'en faites pas une affaire d'État* (au fig.), une affaire très importante, très grave. *Je refuse de me charger de cette affaire. Prendre l'affaire en main. Se mettre une affaire compliquée sur les bras. Un avocat a dû s'entremettre, intervenir dans cette affaire. Il a tout fait pour arranger l'affaire.* → **Démêlé, différend, querelle.** *Il faut tirer cette affaire au clair. Vider une affaire. Quelle affaire!* → **Histoire.**

51 Vous avez bien d'autres affaires
À démêler que les débats
Du lapin et de la belette.
LA FONTAINE, Fables, VIII, 4.

52 C'est une affaire entre le Ciel et moi.
MOLIÈRE, Dom Juan, I, 2.

53 Voilà dans cette affaire un accommodement.
MOLIÈRE, les Femmes savantes, V, 3.

*Étouffer une affaire dans l'œuf*.*

Spécialt (dans le domaine politique). Événement souvent de nature juridique (→ ci-dessous, 9.), ayant des conséquences sociales, politiques. *L'affaire du collier. L'affaire Stavisky.* → **Scandale.** *L'affaire des piastres. L'affaire des fuites.*

Toute l'affaire des fuites tient dans deux répliques échangées hier. F. MAURIAC, Bloc-notes 1952-1957, p. 230. 53.1

Trois problèmes urgents, le Maroc (les caïds), l'affaire Finaly, l'affaire Rosenberg. 53.2
F. MAURIAC, Bloc-notes 1952-1957, p. 31.

Absolt. *L'Affaire :* l'affaire Dreyfus.

Événement, crime posant une énigme policière. *L'affaire de la rue X* (→ ci-dessous, 9.).

♦ **7** Marché conclu ou à conclure avec qqn; ensemble d'opérations financières, commerciales (→ ci-dessous, II., A., 3.). → **Convention, marché, spéculation, transaction.** *C'est une bonne affaire, une affaire excellente, une affaire d'or,* un marché avantageux. *Il a fait une mauvaise affaire. Je vous propose une affaire, une grosse affaire. Une petite affaire sans aucun risque. Une affaire honnête, malhonnête. — Faire, traiter une affaire. Conclure, régler, terminer une affaire; réussir, manquer, rater une affaire. L'affaire est dans le sac*.* — Loc. *Faire affaire avec qqn.* → **Traiter.**

(...) d'autres marchands ambulants, dont les petites voitures étaient chargées de statuettes et de gravures pieuses, réalisaient des affaires d'or. ZOLA, Lourdes, p. 200. 53.3

Et voilà comment on rate une affaire magnifique! Est-ce que vous n'auriez pas dû vous méfier plus tôt? Alors, vous admettez que cette affaire tombe à l'eau? 53.4
M. PAGNOL, Topaze, II, 5.

Eh bien, il viendra quelqu'un, car vous allez traiter vous-même une affaire. Comme c'est la première, je l'ai choisie facile, et comme vous faites toujours une gueule d'enterrement, je l'ai choisie gaie. M. PAGNOL, Topaze, III, 2. 53.5

Toute affaire que l'on me propose est mauvaise, car si elle était bonne, on ne me la proposerait pas. 54
A. MAUROIS, Bernard Quesnay, II, 11.

(...) ça n'est pas autre chose qu'une «affaire»; une «combine» de vaste envergure. 55
MARTIN DU GARD, les Thibault, VII, 40.

Absolt. *Une affaire :* une bonne affaire; un achat avantageux. *Tu as vu ces soldes : c'est une affaire!*

Loc. *C'est une affaire faite :* vous pouvez y compter.

Pardieu! s'écria Quenu, tu coucheras chez nous, tu mangeras chez nous, et nous allons t'acheter le nécessaire. C'est une affaire entendue... Tu sais bien que nous ne te laisserons pas sur le pavé, que diable! 55.1
ZOLA, le Ventre de Paris, t. I, p. 90.

Collectivt (au sens où l'on emploie *les affaires* → ci-dessous, II., A., 1.).

(...) un dimanche, jour où il n'y avait ni Bourse ni affaire (...) BALZAC, Ferragus, p. 77, *in* T. L. F. 55.2

♦ **8** Entreprise commerciale ou industrielle. → **Entreprise, société.** *Il est à la tête d'une petite, d'une grosse affaire. Administrer, conduire, gérer, lancer une affaire. Il est intéressé dans une affaire. Après la mort de son père, il a pris l'affaire familiale en main. Il s'occupe d'une grosse affaire d'importation. Après cet échec, il s'est retiré de son affaire. Son affaire va bien, mal, marche bien, mal.*

Mais, mon cher ami, si je ne m'intéressais pas à vous, je ne vous aurais pas confié la direction d'une affaire aussi importante. M. PAGNOL, Topaze, III, 2. 55.3

♦ **9** (1690, Furetière). Procès, litige, objet d'un débat judiciaire. *Affaire contentieuse. Affaire civile, commerciale, correctionnelle, criminelle. Impliquer qqn dans une affaire* (→ **Accusation).**

*Instruire, poursuivre une affaire. Saisir le tribunal d'une affaire. Juger une affaire. Plaider une affaire. Gagner, perdre une affaire.* — Fam. *Son affaire est claire :* son compte est bon.

Orante plaide depuis dix ans entiers en règlement de juges pour une affaire juste, capitale, et où il y va de toute sa fortune. LA BRUYÈRE, les Caractères, XIV, 41. 56

REM. La valeur juridique est impliquée dans de nombreux emplois du mot → ci-dessus, 4. (cit. 33, 36, etc.), et 6.

♦ **10** (1694). Vieilli. Action de guerre, engagement militaire. → **Action, combat.** *«Murat engagea une affaire devant Mojaïsk»* (Chateaubriand, *Mémoires d'outre-tombe,* t. II, p. 433, *in* T. L. F.). *L'affaire a été chaude.* Par ext. Événement diplomatique qui met la paix en question. *L'affaire d'Agadir.*

♦ **11** Fam. (euphémisme vieilli). Grossesse; fœtus (d'une femme enceinte) [cf. Zola, *Pot-Bouille*].

**II** (Seult au plur.). → aussi ci-dessus, cit. 20 à 23 : *les affaires de qqn.* **A** ♦ **1** (1508). Ensemble des occupations et activités d'intérêt public. — (1777). *Les affaires étrangères* [afɛʀzetʀɑ̃ʒɛʀ].

56.1 Les Affaires Étrangères sont tous les intérêts possibles qu'un Souverain, une République, ou autre Corps politique quelconque peut avoir à traiter ou à discuter avec les autres Puissances de l'Univers.
ROBINET, Dict. universel, *in* D. D. L., II, 11 (1777).

(En France). *Ministère des Affaires étrangères* (remplacé par : *des Relations extérieures* de mai 1981 à mars 1986). (Au Québec). *Ministère des Affaires intergouvernementales.*

*Les affaires politiques, publiques de l'État. Les affaires françaises* (dans un contexte international). — *Chargé* d'affaires. Service des affaires indigènes* (anciennt). *Il s'occupe depuis toujours des affaires communales. Le cabinet se charge d'expédier les affaires courantes*. Les affaires temporelles et les affaires spirituelles.*

57 Les affaires d'un État sont d'une étendue que l'esprit d'un homme n'embrasse point.
FRANCE, les Opinions de J. Coignard, p. 381.

♦ **2** Situation matérielle d'un particulier. *Les affaires privées, domestiques. Je suis bien, mal dans mes affaires,* dans une bonne, une mauvaise situation. *Mettre de l'ordre dans ses affaires. Arranger, régler ses affaires.*

57.1 J'espère, ma chère mère, que nos affaires seront en assez bon état, malgré tous les malheurs, pour que je puisse, mes travaux aidant, te continuer (...) la petite pension que je te fais actuellement.
BALZAC, Lettre du 26 oct. 1848, *in* Correspondance, t. II, p. 337 (1876).

♦ **3** (1788). Ensemble d'affaires (I., 7.); activités économiques, notamment dans leurs conséquences financières et commerciales. → **Économie, finance; business, commerce.** *Le mouvement, le courant, le train des affaires. La prospérité ou la crise, la stagnation des affaires. Les affaires sont calmes, reprennent.* — (1800). *Être dans les affaires. Faire des affaires. Se retirer des affaires. Être arrangeant, coulant, dur en affaires. Parler, discuter affaires avec un client. Avoir l'esprit, le génie des affaires.*

**D'AFFAIRES.** *Agences, cabinets, agent d'affaires,* qui se chargent de conseiller les placements ou de gérer les biens de leurs clients. *Bureau d'affaires. Centre d'affaires. Homme d'affaires; femme d'affaires :* homme, femme qui traite des affaires commerciales, financières, etc. *Brasseur d'affaires. Relations d'affaires.* Prov. *Les affaires sont les affaires :* il ne faut pas en affaires s'embarrasser de sentiments, de scrupules (titre d'une pièce de O. Mirbeau). — REM. L'expression *femme d'affaires* apparaît au XVIIIe s., mais avec un sens plus large qu'aujourd'hui.

57.2 Affaires : À Paris et à Versailles, il y a des femmes encore jeunes, qui ne font autre chose que de courir chez les ministres, chez les magistrats, chez tous les gens en place, dans tous les bureaux. Les gens grossiers les appellent intrigantes et courtières; mais chez les gens polis, elles sont connues sous le nom de femmes d'affaires.
CLÉMENT, Petit Dict. de la cour et de la ville, 1788, *in* D. D. L., II, 11.

Les affaires? C'est bien simple, c'est l'argent des autres. 5
DUMAS fils, la Question d'argent, II, 7.

Je sais bien, mon cher Florent, reprit Lisa, que vous n'êtes pas revenu pour nous réclamer ce qui vous appartient. Seulement, les affaires sont les affaires; il vaut mieux en finir tout de suite... les économies de votre oncle se montaient à quatre-vingt-cinq mille francs. J'ai donc porté à votre compte quarante-deux mille cinq cents francs. Les voici. 5
ZOLA, le Ventre de Paris, t. I, p. 87-88.

Comme on dit, les affaires reprirent. 5
J. BAINVILLE, Hist. de France, X.

En ce temps-là qui n'est pas fort lointain *(vers 1890),* on ne disait pas encore «les affaires» avec l'accent spécial qu'on y met aujourd'hui. On disait, de façon plus modeste et plus précise, «le commerce». 6
G. DUHAMEL, Chronique des Pasquier, I, 11.

L'homme d'affaires, c'est un hybride du danseur et du calculateur. 6
VALÉRY, Rhumbs, p. 29.

Oui. M. Topaze a un très joli chapeau de professeur, mais, maintenant, il lui faut un feutre d'homme d'affaires. 6
M. PAGNOL, Topaze, II, 1.

*Voyage d'affaires; repas d'affaires,* fait à l'occasion des affaires. Loc. *Faire des affaires :* réaliser des profits — *Chiffre d'affaires.* → **Chiffre,** I., 2.

Loc. *Être en affaires,* en train de faire des affaires, dans une négociation, une discussion d'affaires.

— Enfin, te voilà! 6
— Chavarot... tu es venu ce matin... Excuse-moi... j'étais en affaires...
E. LABICHE, les Petites Mains, II, 5.

♦ **4** Fam. État dans le développement d'une intrigue, d'une aventure amoureuse. *Où en sont les affaires? Cela fera avancer mes affaires. Je ne suis pas au courant de ses affaires.*

Les bas amusements de ces sortes d'affaires. 6
MOLIÈRE, les Femmes savantes, I, 1.

C'est un admirable moyen d'avancer ses affaires, et l'on ne tarde guère à profiter du chagrin et de la colère que donnent à l'esprit d'une femme la contrainte et la servitude. 6
MOLIÈRE, le Sicilien, VI.

**B** (XIXe; déjà attesté en anc. franç., 1215). ♦ **1** Objets ou effets personnels. *Cet enfant range soigneusement ses affaires. Il a soin de ses affaires.*

(...) il considérait avidement toutes ces affaires de femme étalées autour de lui : les jupons de basin, les fichus, les collerettes, et les pantalons à coulisse (...) 6
FLAUBERT, Mme Bovary, II, XII.

— Qu'est-ce qu'il y a dans ton paquet? répète l'enfant au lieu de répondre, et sans détourner les yeux de la porte entrebâillée. 6
— Je t'ai dit déjà : des affaires.
— Quelles affaires?
— Des affaires à moi.
A. ROBBE-GRILLET, Dans le labyrinthe, p. 45.

♦ **2** Objets nombreux et complexes. *Une machine compliquée avec des leviers, des manettes, un tas d'affaires.* → **Machin, truc.**

**C** Fam. Par euphém. Plur. *Les* (*ses,* etc.) *affaires.* ♦ **1** Les règles. *Elle a eu ses affaires.*

C'était un soldat à la con. Quand son cafard le tenait il était plus emmerdant qu'une femme qui a ses affaires. Il avait la migraine, broyait du noir, était franchement insupportable et faisait de la neurasthénie aiguë. Encore un hystérique. 64
B. CENDRARS, la Main coupée, *in* Œ. compl., t. X, p. 19.

À sa mort, debout, elle bave du sang. Elle donne l'impression qu'elle a de toute part ses affaires (...) 64
J. RENARD, Journal, 2 nov. 1901.

♦ **2** Vx. Besoins naturels. *Faire ses affaires. Chaise d'affaires :* chaise percée.

**III** Loc. ♦ **1** Avec le v. *avoir.* (1172, *avoir affaire de... :* avoir besoin...). **Avoir affaire.** — Vx. *Avoir affaire :* avoir qqch. à faire, une occupation, un intérêt.

65 Nul animal n'avait affaire
Dans les lieux que l'ours habitait (...)
La Fontaine, Fables, III, 5.

Mod. *Avoir affaire à qqn :* avoir à traiter, à discuter avec qqn, être en contact avec qqn. *Il a eu affaire à forte partie**. — *Avoir affaire avec qqn :* avoir à traiter quelque question avec qqn. Littér. *Avoir affaire en qqn à* (l'honnête homme, l'ami, etc.) : s'adresser à qqn en tant que... — *Avoir affaire à qqch.*

66 Et s'il avait affaire à quelque maladroit (...)
Corneille, Polyeucte, V, 1.

67 L'homme à qui nous avons affaire n'est pas des plus fins de ce monde. Molière, l'Amour médecin, III, 3.

68 (...) j'ai affaire en vous à un galant homme.
Loti, les Désenchantées, V, 70.

68.1 — Vous êtes une grossière, dit la belle Normande. Si jamais je remets les pieds ici, par exemple!
— Allez donc, allez donc, dit la belle Lisa. On sait bien à qui on a affaire.
Zola, le Ventre de Paris, t. I, p. 116.

Loc. mod. *Vous aurez affaire à moi* (si vous faites cela) : formule de menace, → vous aurez de mes nouvelles*.

69 Et quiconque rira de lui aura affaire à moi.
Molière, Monsieur de Pourceaugnac, I, 3.

Vieilli. *Avoir affaire avec (qqn).*

70 Ceux avec qui ils ont affaire tous les jours (...)
Fénelon, Télémaque, XXIII.

Vx. *Avoir affaire de... :* avoir des relations, un intérêt dans... *J'ai bien affaire de cela :* je n'en ai nul besoin. — *Avoir affaire de...* (et infinitif).

71 Quelqu'un aurait-il jamais cru
Qu'un lion d'un rat eût affaire?
La Fontaine, Fables, II, 11.

72 La République a bien affaire
Des gens qui ne dépensent rien!
La Fontaine, Fables, VIII, 19.

73 Qu'ai-je affaire d'aller me tuer pour des gens dont (...)
Montesquieu, Lettres persanes, 11.

Vieilli. *N'avoir d'autre affaire que de se divertir,* rien d'autre à faire.

(Vx ou pop.). *Avoir l'affaire de qqn,* ce qui lui convient. *J'ai votre affaire,* ce qu'il vous faut.

74 J'ai votre affaire ici.
Molière, les Fourberies de Scapin, II, 8.

75 Qu'elle entre en danse; et,
S'il est nécessaire
Je m'offrirai de lui tenir le pied :
Vouliez *(que vous le vouliez)* ou non, elle aura son affaire.
La Fontaine, Contes, III, 3, «les Rémois».

♦ **2** Avec le v. *faire. Faire affaire avec qqn :* se mettre d'accord avec lui. → **Conclure, convenir, traiter, régler.** — *L'affaire va se faire. L'affaire est faite.*

76 A-t-elle consenti? L'affaire est-elle faite?
Molière, les Femmes savantes, II, 9.

77 Ils se tapèrent dans la main, crachèrent de côté pour indiquer que l'affaire était faite.
Maupassant, Clair de lune, Légende du Mont St Michel.

*C'est une affaire faite, finie :* il n'y a plus à y revenir. — Iron. *Votre affaire est faite :* elle est manquée, vous n'avez plus rien à espérer.

REM. Lorsque le mot est au plur., il s'agit aujourd'hui du sens II., A., et notamment des affaires d'argent. Il en allait autrement dans la langue classique ou *faire ses affaires* (comme *faire son affaire*) a un sens plus large qu'aujourd'hui.

78 Le Ciel ne m'a point fait, en me donnant le jour,
Une âme compatible avec l'air de la Cour;
Je ne me trouve point les vertus nécessaires
Pour y bien réussir et faire mes affaires (...)
Molière, le Misanthrope, III, 5.

Iron. *Faire de belles affaires :* obtenir des effets fâcheux, malheureux.

Vous avez fait de belles affaires avec vos beaux sentiments. 79
Molière, le Bourgeois gentilhomme, III, 13.

Loc. mod. *Faire toute une affaire, se faire toute une affaire de qqch. :* s'en exagérer l'importance. → **Monde** (tout un), et, pop., **plat** (tout un).

*Faire son affaire de qqch. :* en faire son occupation; se charger de l'affaire d'autrui comme de la sienne propre. *J'en fais mon affaire :* j'en réponds.

L'enfance n'aime rien; celle du jeune dieu 80
Faisait sa principale affaire
Des doux soins d'aimer et de plaire.
La Fontaine, Fables, XI, 2.

Du plaisir faisons notre affaire. 81
Molière, la Pastorale comique, XV.

REM. Comme ci-dessus pour les cit. 78, 79, la langue classique employait aussi le plur. dans ce sens.

Faire ses propres affaires de tous les soucis qu'il *(le maître)* peut prendre. Molière, le Sicilien, I. 82

*Faire l'affaire :* convenir. *Faire l'affaire de qqn, faire son affaire.*

C'est moi qui ferai votre affaire mieux que personne. 83
Molière, les Précieuses ridicules, IX.

♦ **3** Loc. prov. (Vieilli). *Point d'affaire* (ou *point d'affaires*) : nullement, en aucune façon.

(...) de la bienveillance en paroles, et de l'amitié tant qu'il vous plaira, mais de l'argent, point d'affaires. 84
Molière, l'Avare, II, 4.

DÉR. **Affairé, affairisme, affairiste.**

**AFFAIRÉ, ÉE** [afeʀe] adj. — 1584; av. 1573, «qui a besoin d'argent»; de *affaire.*

Qui est (ou paraît) surchargé d'affaires, de besogne, d'occupations. → **Actif, occupé.** *C'est un homme toujours affairé. Des gens affairés. Il est assez, très affairé.* — Qui indique l'affairement. *Avoir l'air affairé, un ton affairé et important. Une vie active et affairée.*

*(Un homme)* Qui vous jette en passant un coup d'œil égaré, 1
Et, sans aucune affaire, est toujours affairé.
Molière, le Misanthrope, II, 4.

(Animaux) :

(...) ces braves chiens de berger, tout affairés après leurs bêtes et ne voyant qu'elles dans le mas. 2
Alphonse Daudet, Lettres de mon moulin, I.

*Être affairé à qqch., à faire qqch. Elle était affairée à sa cuisine.* — Vieilli. *Être affairé de qqch.,* occupé et préoccupé par...

N. Rare. *Un affairé.*

CONTR. **Désœuvré, inoccupé, oisif, serein.** ◊ DÉR. **Affairement, affairer** (s'), **affaireux.**

**AFFAIREMENT** [afɛʀmɑ̃] n. m. — 1865; attestation isolée au XIIe; de *affairé.*

♦ **1** État, comportement d'une personne affairée, qui s'agite. → **Agitation, occupation.** *Vivre dans un continuel affairement. L'affairement de qqn (à qqch., à un travail).*

Je ne puis appeler travail cet affairement... 1
Gide, Journal, 4 oct. 1928.

Odieux affairement de ma cervelle. Un essaim de menues occupations harcelantes autant que des mouches, dont on ne peut se délivrer qu'elles ne vous aient pompé la cervelle. 2
Gide, Journal, 23 janv. 1932.

Par ext. *L'affairement des abeilles.*

Littér. (Choses). « *L'affairement de ces vagues pressées* » (J. Gracq, *Un beau ténébreux*, in T. L. F.).

♦ **2** Spécialt. Mouvement (de personnes, de véhicules...) qui s'affairent. *Un affairement de la foule et des voitures.*

♦ **3** (Dans le domaine psychique, intellectuel) :

3 L'absence devient une pratique active, un affairement (qui m'empêche de rien faire d'autre); il y a création d'une fiction aux rôles multiples (doutes, reproches, désirs, mélancolies).

R. BARTHES, Fragments d'un discours amoureux, p. 22.

CONTR. **Désœuvrement, oisiveté, sérénité.**

**AFFAIRER (S')** [afeʀe] v. pron. — 1876; de *affairé*.

S'agiter beaucoup, s'occuper activement, s'empresser autour de qqn. → **Coche** (faire la mouche du). *Il s'affairait auprès de ses invités. S'affairer autour des fourneaux. S'affairer aux tables de travail, aux établis... — S'affairer à qqch.* (n. d'action), *à faire qqch.* — Vieilli. *S'affairer de quelque chose.*

Je portais une robe écossaise, dont j'avais cousu moi-même les ourlets, mais neuve, et taillée à ma mesure; compulsant des catalogues, allant, venant, m'affairant, il me semblait que j'étais charmante à voir.

S. DE BEAUVOIR, Mémoires d'une jeune fille rangée, p. 171.

**AFFAIREUX, EUSE** [afɛʀø, øz] adj. — 1580, Montaigne; de *affairé*.

Vx. Affairé (vie); très absorbant (travail).

**AFFAIRISME** [afeʀism] n. m. — 1928; de *affaire* (II., A., 3.).

Tendance à ne s'occuper que d'affaires particulièrement lucratives à base de spéculation; activités des affairistes.

1 Le malheur de la Société des Moteurs venait de ce qu'elle était une affaire encore plus qu'un métier. Les compagnons savaient les fluctuations des titres en Bourse. Les journaux ouvriers publiaient le bilan. Si bien que les hommes fussent payés il leur restait le chagrin d'être une matière en jeu dans une grande spéculation. Ils se révoltaient contre l'affairisme. Réclamant la nationalisation de l'usine ils revendiquaient une dignité.

Pierre HAMP, la Peine des hommes (Moteurs), p. 263.

2 (...) le journal de Murraille lui permettait de s'exprimer sans détours sur la question. Ça changeait de la presse pourrie d'avant-guerre. Bien sûr, Murraille avait un penchant pour l'affairisme et la facilité et il était certainement «demi-juif», mais bientôt «on éliminerait» Murraille au profit d'une équipe de «purs».

Patrick MODIANO, les Boulevards de ceinture, p. 165.

**AFFAIRISTE** [afeʀist] n. et adj. — 1928; de *affaire* (II., A., 3.).

♦ **1** N. Faiseur d'affaires, spéculateur sans scrupule, à l'affût d'affaires malhonnêtes. → **Combinard.** « *Une clique de politiciens tarés, d'affairistes sans honneur* » (Ch. de Gaulle, *Mémoires de guerre*).

1 Comparés à lui, nos démagogues français (ou anglais) font figure de petits affairistes.

MARTIN DU GARD, les Thibault, VIII, 16.

REM. Le fém. semble rare.

♦ **2** Adj. *Un milieu affairiste; une époque affairiste.*

2 (...) comment accommoder l'indolence orientale à ce siècle affairiste, où il faut travailler si dur pour gagner son salaire?

Jean-Louis CURTIS, le Roseau pensant, p. 268.

3 Marié et établi en Belgique en 1911, Michel s'installa dans ce Bruxelles affairiste et mondain où la passion d'acquérir et le snobisme du nom et du titre sévissent comme nulle part ailleurs.

M. YOURCENAR, Archives du Nord, p. 298.

**AFFAISSEMENT** [afɛsmɑ̃] n. m. — 1538; de *affaisser*.

♦ **1** [a] Fait de s'affaisser. → **Éboulement, écroulement, effondrement.** *L'affaissement du sol s'accentuait, plusieurs maisons s'écroulaient. À la suite de l'affaissement de la route, la circulation a été détournée.*

État de ce qui est affaissé. → **Dépression, tassement.** *Un affaissement de la route empêche d'accéder en voiture au village.*

Spécialt. Géomorphol. Abaissement lent du sol sous l'effet de mouvements tectoniques. — Techn. *Essai d'affaissement* (du béton).

[b] État de ce qui ne peut plus se soutenir; le fait de s'affaisser; position affaissée. *L'affaissement du corps. L'affaissement des herbes sous le vent.*

(...) de ces plis, de ces affaissements (...) qu'apporte au corps le sommeil.

GIRAUDOUX, les Aventures de Jérôme Bardini, p. 127.

*L'affaissement d'un organe, des joues, des chairs.* Absolt. « *Un peu d'affaissement aux joues* » (Alain-Fournier, *le Grand Meaulnes*).

♦ **2** Abattement (des forces physiques ou morales). *L'affaissement de son énergie, de ses forces. J'ai trouvé ce malade dans un grand affaissement.* → **Accablement, affaiblissement, avachissement, langueur, prostration.**

CONTR. **Élévation, soulèvement. — Énergie, entrain, exaltation.**

**AFFAISSER** [afese] v. tr. — 1529; *affaicher*, 1250; de *à*, et *faix*.

♦ **1** Faire plier, baisser de niveau sous le poids. *Cette charge a affaissé le plancher. Les grandes pluies affaissent les terres.* → **Tasser.**

♦ **2** Diminuer les forces physiques ou morales. → **Abattre, accabler, déprimer.** *L'âge n'a pas affaissé son esprit.* → **Affaiblir, amoindrir.**

◆ **S'AFFAISSER** v. pron. (Fin XII^e). Plus courant.

♦ **1** Plier, baisser de niveau sous un poids ou une pression. → **Ébouler** (s'), **effondrer** (s'). *Le sol s'est affaissé brusquement. Le toit risque de s'affaisser.* — Au participe passé :

(...) le délabrement des façades tassées, affaissées sur elles-mêmes (...) Paul BOURGET, Un divorce, I, 1.

S'abaisser, baisser.

♦ **2** (En parlant du corps humain). Se laisser tomber en pliant sur les jambes. → **Abattre** (s'), **écrouler** (s'), **effondrer** (s'). *Il s'approcha du fauteuil et s'affaissa.* — (Parties du corps). *Sa tête s'affaissait sur le côté, sur l'appuie-tête.*

Elle était si faible qu'elle ne pouvait tenir dans sa chaise, et s'affaissait et coulait jusqu'à terre.

M^me^ DE SÉVIGNÉ, 292.

Elle s'affaissa, plus assommée qu'elle n'eût été par un coup de massue. FLAUBERT, M^me^ Bovary, III.

La suppliante (...) perdit connaissance et s'affaissa comme une morte toute blême.

LOTI, les Désenchantées, X, p. 89.

Un coup attardé partit tout seul, après les autres. La vieille ne tomba point. Elle s'affaissa comme si on lui eût fauché les jambes.

MAUPASSANT, la Mère sauvage, Pl., t. II, p. 239.

Se relâcher. *Ses jambes s'affaissèrent.*

♦ **3** Fig. et littér. S'affaiblir. *Rome s'est affaissée sous le poids de sa grandeur.* — Décliner. *L'esprit de ce vieillard s'affaisse de jour en jour.*

Mon âme, offusquée, obstruée par mes organes, s'affaisse de jour en jour. ROUSSEAU, Rêveries..., 8.

(Personnes). Perdre sa force, sa vitalité, son énergie.

◆ **AFFAISSÉ, ÉE** p. p. adj. *Toit affaissé. Mur à demi affaissé. Des façades affaissées* (→ ci-dessus, cit. 1). *Blés affaissés par l'averse.* — (Parties du corps). *Épaules affaissées,* tombantes. *Joues, bajoues affaissées. Un corps affaissé.*

Il était assis, ou plutôt affaissé dans un grand fauteuil, les bras pendants, les jambes allongées et molles (...)
MAUPASSANT, la Peur, Pl., t. II, p. 960.

(Abstrait). Abattu, accablé, sans énergie.

CONTR. **Élever, redresser, relever, soulever, tenir. — Redresser** (se), **tenir** (se). ◊ DÉR. **Affaissement.**

**AFFAITAGE** [afɛtaʒ] ou **AFFAITEMENT** [afɛtmɑ̃] n. m. — 1337, *afetage* «tannage»; *afetement* «arrangement», 1160; de *afaiter, affaiter**.

♦ **1** (1180, *affaitement*; 1690, *affaitage*). Anciennt. Dressage (des faucons) pour la chasse.

♦ **2** (XIXe, *affaitement*). Techn. Façonnage des cuirs.

**AFFAITER** [afete] v. tr. — 1180, «dresser (un chien pour la chasse)»; *afaitier* «arranger, préparer», déb. XIIe; du lat. pop. **affactare* «mettre en état», de *factare,* fréquentatif de *facere* «faire».

♦ **1** Anciennt. Apprivoiser, dresser le faucon, les oiseaux de proie.

Un maître, y démontrait à son élève l'art de dresser les chiens et d'affaiter les faucons (...)
FLAUBERT, Trois contes, «Légende de Saint-Julien l'Hospitalier».

REM. Le dér. *affaiteur* est attesté (*afaiteur,* XIIe).

♦ **2** (XIIIe). Vx et techn. Façonner (le cuir).

DÉR. **Affaitage** ou **affaitement.**

**AFFALEMENT** [afalmɑ̃] n. m. — 1857; de *s'affaler.*

Action de s'affaler, état d'une personne (ou d'une partie du corps) qui s'est affalée. → **Affaissement, avachissement.**

*(Il)* ne répond au petit homme du cabinet des estampes que par l'affalement de son grand corps (...)
Ed. et J. DE GONCOURT, Journal, janv. 1875.

Par métaphore. Abattement (moral).

**AFFALER** [afale] v. tr. — 1610 au sens 1.; du néerl. *afhalen* «faire descendre (un cordage)» (→ Haler), sens attesté en franç. en 1687.

♦ **1** Mar. Pousser vers la côte, en parlant du vent, faire échouer. *Le vent affale le navire vers la côte. — Se faire affaler vers la côte,* (passif) *être affalé vers, sur des écueils.*

♦ **2** (1687). Mar. Faire descendre (un cordage dans sa poulie, un chalut à l'eau, une voile). → **Haler, trévirer.** — Absolt. *Affalez!* — (XIXe). Argot mar. *Affaler qqn :* le faire descendre.

♦ **3** Argot anc. *Affaler qqn :* le faire tomber.

◆ **S'AFFALER** v. pron.

♦ **1** Mar. Vx. Être porté vers la côte, s'échouer. *Le bateau s'est affalé sous le vent.*

♦ **2** (Personnes). **a** (1831, E. Sue, *in* T. L. F.). Mar. Vx. Se laisser glisser (le long d'un cordage). *Le matelot s'est affalé le long du cordage. S'affaler par une échelle.*

**b** (1872, Goncourt). Cour. Se laisser tomber. → **Affaisser** (s'), **avachir** (s'), **vautrer** (se). *Il s'affala lourdement dans un fauteuil, sur un lit. S'affaler à genoux, à plat ventre, de tout son long.*

1 Il était assis ou plutôt affalé dans un fauteuil, les bras pendants, les jambes mortes.
G. DUHAMEL, Chronique des Pasquier, X, 15.

Ayrton s'affala avec précaution dans l'entrepont, jonché de nombreux dormeurs, que l'ivresse, plus que le sommeil, tenait appesantis. 2
J. VERNE, l'Île mystérieuse, t. II, p. 620 (1874).

Notre char mal camouflé (comme les autres), nous nous affalâmes dans la paille d'une grange. 3
MALRAUX, Antimémoires, Folio, p. 318.

(Choses). Tomber. *L'édifice s'est affalé.*

♦ **3** Argot. Parler, avouer (après un effondrement physique ou moral). → **Allonger** (s'). *Après une nuit d'interrogatoire, il s'est affalé.*

◆ **AFFALÉ, ÉE** p. p. adj. *Navire affalé. Barque affalée. — Des gens affalés, vautrés.* — Affaissé. *Une chair, des joues affalées.*

CONTR. **Redresser** (se), **relever** (se). ◊ DÉR. **Affalement.**

**AFFAMANT, ANTE** [afamɑ̃, ɑ̃t] adj. — 1843, La Châtre; de *affamer.*
Littéraire.

♦ **1** Qui affame, donne une faim extrême. *Un régime affamant.*

♦ **2** Fig. Qui rend insatiable. *Des plaisirs affamants.*

(...) la foi est partie avec l'espérance de ne pas crever de faim sous une République dont l'affamante ignominie décourage jusqu'aux souteneurs austères qui lui ont livré le plus bel empire du monde.
Léon BLOY, le Désespéré, p. 238.

**AFFAMÉ, ÉE** [afame] adj. — XIIe; p. p. de *affamer.*

♦ **1** Qui a faim, est pressé par la faim. *Un mendiant, un naufragé affamé. — Un loup, un chien affamé.* — Par ext. *Estomac, ventre affamé.* — Loc. prov. *Ventre affamé n'a pas (point) d'oreilles :* celui qui a faim (ou qui est dans le besoin) n'écoute pas (→ Ventre, I., 4.).

Ventre affamé n'a point d'oreilles. 1
LA FONTAINE, Fables, IX, 18.

Par exagér. Qui éprouve de la faim, de l'appétit. *Les enfants sont affamés. La multitude affamée* (→ Nature, cit. 42).

Nous arrivâmes à son auberge affamés et fourbus. 2
GIDE, Si le grain ne meurt, II, 1.

Par ext. Famélique. *Un air affamé.*

(...) le corps sec et la mine affamée. 3
BOILEAU, Satires, I.

N. *Un affamé, une affamée. Se jeter sur la nourriture comme un affamé.* → **Vorace.**

L'effroyable misère des campagnes avait rabattu de toutes parts des troupeaux d'affamés sur Paris, la famine le peuplait. 4
MICHELET, Hist. de la Révolution franç., p. 140.

Par comparaison :

Comme tes lettres sont gentilles! Je les ai dévorées comme un affamé. FLAUBERT, Correspondance, t. I, p. 298. 5

♦ **2** Techn. *Un sol affamé,* qui ne retient pas l'eau. *Terre affamée,* qui a perdu ses substances fertilisantes. → **Épuisé.** — *Bloc (de pierre, de bois) affamé,* de dimension insuffisante.

♦ **3** Fig. et littér. Avide. → **Altéré, assoiffé.** *Un homme affamé d'argent, de vengeance.*

Tigre affamé de sang (...) CORNEILLE, Horace, IV, 5. 6

REM. Corneille a remplacé le mot par *altéré.*

(...) des vautours affamés de carnage (...) 7
MOLIÈRE, le Misanthrope, I, 1.

Ce cœur nourri de sang, et de guerre affamé (...) 8
RACINE, Mithridate, II, 3.

Vous imaginez-vous, monsieur Oronte, qu'un homme comme moi soit si affamé de femme? — Vous imaginez-vous, monsieur de Pourceaugnac, qu'une fille comme la mienne soit si affamée de mari? 9
MOLIÈRE, Monsieur de Pourceaugnac, II, 5.

Passionné (de), qui désire ardemment. → **Ardent, insatiable.** *Être affamé d'amour, de justice. — Être affamé de* (et inf.). — (Sans compl.). Vx. *Une passion affamée.*

10 Je suis (...) affamé de bien faire et travailler comme quatre bœufs. RABELAIS, Quart Livre, 24.

11 (...) un amour affamé ne se nourrit point de sermons. ROUSSEAU, Julie ou la Nouvelle Héloïse, I, 45.

12 *(Un homme)* continuellement affamé d'un idéal qu'il n'atteint jamais. FLAUBERT, Correspondance, t. I, p. 355.

N. *Un affamé, une affamée d'amour.* — Absolt. Personne avide.

CONTR. **Assouvi, comblé, rassasié, repu, satisfait.**

**AFFAMER** [afame] v. tr. — XII^e; du lat. pop. **affamare*, de *ad-* (→ 1. A-), et *fames* «faim».

♦ **1** Réduire à la faim, par la privation de nourriture, de vivres. *Affamer un prisonnier, des assiégés. Napoléon espérait par le blocus affamer l'Angleterre. Affamer une ville, un peuple. — Affamer à mort,* jusqu'à la mort.

1 Quand Porsenna les affamait *(les Romains)* dans leurs murailles (...) BOSSUET, Disc. sur l'Hist. universelle, III, 6.

2 Robespierre, le 26 ventôse an II — 16 mars 1794, tonnait aux Jacobins contre ceux qui, en détruisant le commerce, voulaient affamer le peuple. BRUNOT, Hist. de la langue franç., t. IX, II, p. 1177.

(Par exagér.). Donner beaucoup d'appétit à... *L'air vif de la montagne nous a affamés.*

♦ **2** (Compl. n. de choses). [a] Par métaphore. *«La diète affame la maladie»* (adage).

[b] Fig. Techn. *Affamer un arbre :* réduire l'apport de nourriture pour empêcher le développement trop important du bois.

Dégrossir à l'excès (une pièce, un bloc).

♦ **3** Fig. Priver, ne pas satisfaire les besoins de... *Affamer l'esprit, l'intelligence. — Affamer qqn d'amour.* → Affamé.

◆ **S'AFFAMER** v. pron.

♦ **1** Se priver de nourriture jusqu'à être affamé. *S'affamer en faisant la grève de la faim.*

♦ **2** Fig. Devenir plus avide.

3 (...) l'obscénité ne se tarit pas et (...) la luxure s'affame à mesure qu'on l'alimente. HUYSMANS, En route, p. 85.

◆ **AFFAMÉ, ÉE** p. p. adj. Voir à l'ordre alphabétique.

CONTR. **Alimenter, assouvir, rassasier, repaître, satisfaire.**
◈ DÉR. **Affamant, affamé, affameur.**

**AFFAMEUR, EUSE** [afamœʀ, øz] n. et adj. — V. 1790; de *affamer*.

♦ **1** N. Personne qui réduit (le peuple) à la faim, à la misère, au dénuement. → **Accapareur.**

1 Tout agioteur est un affameur. Sur ce point de vue, les lois doivent le punir. Agioter sur les denrées de première nécessité, c'est attenter à la vie de son semblable. MERCIER, Mon dictionnaire (v. 1790), *in* D. D. L., II, 11.

2 Un autre mot plus sévère encore *(qu'accapareur)* fut lancé *(sous la Convention)* celui d'«affameur» (...) «Affameur du peuple» (...) fait à partir de cette date *(1794)* partie du vocabulaire. On y comparera «grugeur». BRUNOT, Hist. de la langue franç., t. IX, II, p. 1177.

♦ **2** Adj. Qui excite la faim.

Les voilà repartis sur la route affameuse. Dans la poussière, dans la boue, dans la faim. Dans l'avenir, dans la détresse, dans l'anxiété de l'avenir. Ch. PÉGUY, le Mystère de la charité de Jeanne d'Arc, *in* Œ. poétiques, Pl., p. 20.

**AFFANEUR** [afanœʀ] n. m. — 1389; du v. régional (Lyonnais) *affaner*, var. de *ahaner* «travailler avec effort».

Régional et vx. Ouvrier travaillant à la journée. → **Journalier.**

**AFFÉAGER** [afeaʒe] v. tr. — 1580, «donner en fief»; de 1. *a-*, et anc. franç. *féage*.

Hist. Céder une partie des terres d'un fief en l'aliénant ou en la cédant (sous-inféodation). — Le dér. *afféagement* [afeaʒmɑ̃] n. m. est attesté (1580).

**AFFECT** [afɛkt] n. m. — 1908, *in* D. D. L.; all. *Affekt*, lat. *affectus* «état, disposition de l'âme»; cf. l'anc. franç. *affecte*, 1180 (encore au XVI^e «état, disposition»), de même origine.

Psychol. État affectif élémentaire. *On classe les affects en intéressants, agréables, désagréables. Réaction (d'attention, de recherche, de fuite) à un affect. Affect perturbateur du sommeil.*

Un affect refoulé et fort et qui ne peut accéder à la conscience sans provoquer une réaction d'angoisse trouverait pour s'exprimer clandestinement un subterfuge corporel tout aussi symbolique que les fantasmes oniriques. Jean DELAY, Introd. à la médecine psychosomatique, p. 31.

Le hasard réunit tout d'un coup dans ce café quelques amis : tout un paquet d'affects. La situation est chargée; bien que j'y sois engagé et même en souffre, je la vis comme une scène. R. BARTHES, Fragments d'un discours amoureux, p. 145.

(All. *Affekt*, spécialisé en 1895, Breuer et Freud). Psychan. «(...) tout état affectif, pénible ou agréable, vague ou qualifié, qu'il se présente sous la forme d'une décharge massive ou comme tonalité générale». *«Selon Freud, toute pulsion s'exprime dans les deux registres de l'affect et de la représentation*. L'affect est l'expression qualitative de la quantité d'énergie pulsionnelle et de ses variations»* (Laplanche et Pontalis).

**AFFECTABLE** [afɛktabl] adj. — 1866; de 1. *affecter*.

♦ **1** Qui peut être affecté (à un usage, à un emploi). — (Personnes). *Ils n'ont pas la formation requise pour être affectables à ces emplois de bureau.* — (Choses). *Un bâtiment affectable au stockage des grains. «Les locaux affectables à la même destination»* (Viollet-le-Duc, *in* T. L. F.).

♦ **2** Dr. Qui peut être hypothéqué. *Des biens affectables.*

**AFFECTATAIRE** [afɛktatɛʀ] n. — 1877; de 1. *affecter*.

Dr. Personne qui bénéficie d'une affectation de biens, de services.

La direction commandait, chaque semaine, un nombre déterminé de «services». Et le syndicat désignait, sans appel, ceux qui, selon la formule du président du tribunal de grande instance de Paris, étaient des «affectataires de services». Le journal relevait alors sur les bordereaux d'atelier, les noms des bénéficiaires ainsi que les sommes à verser. le Monde, p. 11, 23 févr. 1977.

1. **AFFECTATION** [afɛktasjɔ̃] n. f. — 1413; du lat. médiéval *affectatus* «destiné, affecté». → 1. Affecter.

♦ **1** Destination (à un usage déterminé). *Disposer d'une somme dont il reste à décider l'affectation.*

*Décréter l'affectation d'un immeuble à un service public.* → **Attribution, destination, imputation.** *L'affectation des ressources. L'affectation de moyens à une administration, à une armée.*

Techn. Aménagement d'une exploitation forestière; division d'exploitation (d'une forêt).

♦ **2** (1928; d'abord milit.). Désignation (de personnes) à une unité militaire, à un poste, à une fonction. → **Nomination.** *Il attend son affectation à une unité du génie, à une formation aérienne. Affectation spéciale :* mobilisation d'un réserviste dans une activité d'ordre économique ou administratif. *Affectation de défense :* affectation dans un emploi civil d'un citoyen assujetti au service national, mais non soumis aux obligations du service militaire. *Affectation légale :* affectation administrative qu'une décision de la loi rend obligatoire.

Par métonymie. Lieu où l'on exerce une fonction; poste où qqn est affecté. *Sa nouvelle affectation. Rejoindre son affectation,* le poste auquel on a été affecté.

Par métaphore :

(...) littérateurs, philosophes, cinéastes, scientifiques, techniciens, tous, ils ont leur monde. Un système et une affectation. Tous, sclérosés, vieillis, ayant construit leur armure et s'y mouvant à l'aise.

J.-M. G. LE CLÉZIO, l'Extase matérielle, p. 101.

♦ **3** Math. Action d'affecter (→ 3. Affecter, 3.), de donner à une variable une valeur, un indice.

CONTR. **Désaffection** (d'un édifice). — **Déplacement, mutation.** ◊ HOM. 2. **Affectation.**

2. **AFFECTATION** [afɛktasjɔ̃] n. f. — 1541; du lat. *affectatio* «recherche, poursuite de», du supin de *affectare.* → 2. affecter.

**I** Vx. (Langue class.). Vif désir, fait de rechercher pardessus tout (qqch.). *L'affectation de faire qqch.*

1 Cette affectation que quelques-uns ont de plaire à tout le monde (...)

LA BRUYÈRE, les Caractères de Théophraste, V.

**II** ♦ **1** (Mil. XVII^e). Action d'adopter (une manière d'être ou d'agir) de façon ostentatoire, et seulement en apparence. → **Comédie, étalage, exagération, hypocrisie, imitation, simulation.** *Une affectation de sensibilité. Avoir une affectation de douceur.* → **Chattemite** (faire la). *Affectation de bravoure.* → **Fanfaronnade, forfanterie.** *Affectation de piété.* → **Pharisaïsme, tartuferie.** *Affectation de vertu.* → **Pruderie.** *Affectation de gravité, d'importance.* → **Emphase, grandiloquence, montre, ostentation, parade, prétention.** *Affectation de savoir, de connaissances...* → **Cuistrerie, pédanterie, pédantisme.**

2 Il a du bon et du louable, qu'il offusque par l'affectation du grand ou du merveilleux.

LA BRUYÈRE, les Caractères, XI, 141.

3 Cette affectation d'un grave intérieur (...)
À quoi bon (...) cette mine modeste
Et ce sage dehors que dément tout le reste?

MOLIÈRE, le Misanthrope, III, 4.

1 (...) un indéfinissable fonds de vulgarité qu'il *(Montherlant)* dissimule sous une feinte goujaterie et une affectation de dehors cyniques (...) GIDE, Journal, 11 avr. 1948.

4 On n'échappe pas au ridicule par une affectation de gravité.

BERNANOS, les Grands Cimetières sous la lune, p. 217.

*Une affectation de délicatesse, d'élégance dans l'allure, l'attitude* (→ **Afféterie, chichi** (fam.), **contorsion, girie, minauderie, mine, snobisme**), *dans le langage, le style* (→ **Préciosité**).

*(Une, des affectations).* Manières affectées.

(...) il considérait parfois cette grosse tête d'Hubert comme une petite tête frivole. Ce qui l'agaçait par-dessus tout, chez lui, c'était le goût affiché des belles relations, un certain usage du monde, l'accent gratin, les affectations du langage, un contentement de soi qui éclatait dans chaque réplique. 4.1

Jean-Louis CURTIS, le Roseau pensant, p. 25-26.

♦ **2** Absolt. Manque de sincérité et de naturel. → **Apprêt, pose, recherche.** *L'affectation dans les manières. Faire qqch. avec, sans affectation.*

L'affectation dans le geste, dans le parler et dans les manières est souvent une suite de l'oisiveté ou de l'indifférence; et il semble qu'un grand attachement ou de sérieuses affaires jettent l'homme dans son naturel. 5

LA BRUYÈRE, les Caractères, XI, 146.

Celui qui (...) agit simplement, naturellement, sans aucun tour, sans nulle singularité, sans faste, sans affectation (...) 6

LA BRUYÈRE, les Caractères, IX, 146.

Il a eu naturellement (...) ce qu'on n'a point par l'étude et par l'affectation, par les mots graves ou sentencieux. 7

LA BRUYÈRE, Discours de réception à l'Académie, 15 juin 1693.

Je parle sans affectation — On le voit bien, madame, et que tout est naturel en vous. 8

MOLIÈRE, Critique de l'École des femmes, III.

Ce n'est que jeu de mots, qu'affectation pure 9
Et ce n'est point ainsi que parle la nature.

MOLIÈRE, le Misanthrope, I, 2.

CONTR. **Aisance, naturel, simplicité, sincérité.** ◊ HOM. 1. **Affectation.**

1. **AFFECTÉ, ÉE** [afɛkte] adj. et n. → 1. **Affecter.**

2. **AFFECTÉ, ÉE** [afɛkte] adj. → 2. **Affecter.**

3. **AFFECTÉ, ÉE** [afɛkte] adj. → 3. **Affecter.**

1. **AFFECTER** [afɛkte] v. tr. — 1551; du lat. médiéval *affectatus* (→ 1. Affectation), latinisation probable de l'anc. franç. *afaitier* «arranger, disposer»; du lat. *afficere,* d'où, par le supin *affectum, *affectare* (différent du verbe classique *affectare*).

♦ **1** Appliquer à un certain usage. → **Attribuer, consacrer, destiner** (à). *Affecter un édifice à un service public, une résidence à qqn. Affecter un immeuble à une hypothèque, une somme d'argent à l'extinction d'une dette.* → **Imputer** (sur). — Au participe passé :

Il fallait donc qu'elle eût un séjour affecté. 1

LA FONTAINE, Fables, VI, 20.

♦ **2** (1928; → 1. Affectation). Admin. (surtout milit.). Désigner une personne pour remplir une fonction, occuper un poste. → **Désigner, nommer.** *Affecter qqn à un poste, à une fonction, à une unité.*

Oh, il sait se débrouiller! Il s'est fait affecter à la météo (...) 2

MARTIN DU GARD, les Thibault, VIII, 10.

♦ **3** Ranger (dans une classe, une espèce). *Affecter une plante à telle espèce.* → **Classer.**

◆ **AFFECTÉ, ÉE** p. p. adj. *Les sommes déjà affectées et les sommes encore disponibles. — Les personnes affectées à ce poste.*

N. *Les affectés. Affecté spécial :* homme mobilisable, attaché à un emploi civil en cas de guerre.

CONTR. **Désaffecter.** — (De 2.) **Déplacer, muter.** ◊ DÉR. **Affectable, affectataire.** — V. 1. **Affectation.** — HOM. 2. **Affecter,** 3. **affecter.**

2. **AFFECTER** [afɛkte] v. tr. — XIV^e; du lat. *affectare* «chercher à atteindre, poursuivre, ambitionner», d'où «chercher à paraître, feindre».

♦ **1** Vx. Rechercher avec ambition, aspirer à.

L'empire de la mer que leur république affectait. 1

BOSSUET, Disc. sur l'Hist. universelle, I, 8.

♦ **2** (XVIII^e). Mod. (Sujet n. de chose). Avoir une disposition à prendre telle ou telle forme. *Le sel marin affecte la forme cubique. Cette maladie affecte des formes bizarres.*

♦ **3** Vx. Avoir une prédilection excessive pour; prendre, par ostentation ou singularité (une manière d'être, d'agir, de parler, qui n'est pas naturelle). *Affecter de grands airs* :* faire l'important. → **Plastronner, pontifier.** *Affecter un genre :* se donner un genre, jouer à. → **Composer** (se), **étudier** (s'). *Il affectait un air froid et distant.*

2 Elle affecte toujours un ton de voix languissant et niais (...)
MOLIÈRE, Critique de l'École des femmes, II.

3 La plupart de ceux qui affectent ce langage savent bien eux-mêmes qu'il est ridicule.
MOLIÈRE, Critique de l'École des femmes, I.

4 Leur sévérité mystérieuse et leurs grimaces affectées (...) Les mines qu'elles affectèrent durant toute la pièce (...)
MOLIÈRE, Critique de l'École des femmes, III.

5 (...) tout homme bien sage
Doit faire des habits ainsi que du langage,
N'y rien trop affecter, et sans empressement
Suivre ce que l'usage y fait de changement (...)
MOLIÈRE, l'École des maris, I, 1.

Pratiquer avec ostentation.

6 Il y a autant de faiblesses à fuir la mode qu'à l'affecter.
LA BRUYÈRE, les Caractères, XIII, 11.

**AFFECTER DE...** (et l'inf.).

**a** Vx. Chercher à...

7 Je serai fort ravi qu'on ne vous trouve point si belle, et vous m'obligerez de n'affecter point tant de la *(le)* paraître à d'autres yeux. MOLIÈRE, le Sicilien, VI.

**b** Mod. Prendre les apparences de...

8 On n'est jamais si ridicule par les qualités que l'on a que par celles que l'on affecte d'avoir.
LA ROCHEFOUCAULD, Maximes, 289.

9 Il affectait (...) de paraître insensible, quoiqu'il ne fût que trop amoureux (...)
MOLIÈRE, la Princesse d'Élide, II, Argum.

10 Et tout en mâchant sa douleur il affectait de garder une attitude insouciante et amusée (...)
M. BARRÈS, Un jardin sur l'Oronte, p. 214.

♦ **4** Feindre ou exagérer (un sentiment, une qualité). → **Afficher, simuler.** *Affecter la compassion :* prendre un air affligé.

11 Quoique très ému lui-même, il affecta jusqu'au dernier moment la plus grande gaieté.
Alphonse DAUDET, le Petit Chose, II, 9.

12 (...) assez pervers pour affecter les dehors d'une tendresse qu'il n'éprouvait pas. FRANCE, le Petit Pierre, XXXIV.

◆ **AFFECTÉ, ÉE** p. p. adj. Qui a de l'affectation. *Air affecté, manière affectée.* → **Affété** (vx), **apprêté, compassé, composé, contraint, étudié, factice, faux, feint, forcé, maniéré, outré, précieux, prétentieux, recherché.** *Il est d'une douceur affectée.* → **Doucereux, emmiellé** (vx), **mielleux.** *Une personne affectée, qui a des mines affectées.* → **Bégueule, collet** (monté), **façonnier, grimacier, minaudier, pimbêche, poseur, précieux.** *Avoir une pudeur affectée.* → **Prude, pudibond.** *Le savoir affecté d'un cuistre, d'un pédant. Un langage, un style, un ton affecté.* → **Contourné, entortillé, maniéré, précieux.**

13 La simplicité affectée est une imposture délicate.
LA ROCHEFOUCAULD, Maximes, 289.

14 L'ignorance vaut mieux qu'un savoir affecté.
BOILEAU, Épîtres, IX, v. 101.

15 Une parole vaine et pleine d'ornements affectés (...)
FÉNELON, Lettre à l'Académie, 4.

16 La fausse délicatesse de goût et de complexion n'est telle que parce qu'elle est feinte ou affectée.
LA BRUYÈRE, les Caractères, XI, 144.

17 (...) il a ce jargon de politesse doucereuse, pateline, et évidemment affectée qui caractérise nos gens de lettres (...)
STENDHAL, Journal, 21 mai 1813, Œ. intimes, Pl., t. I, p. 1259.

CONTR. (Du p. p.) **Aisé, naturel, simple, sincère.** ◊ HOM. 1. **Affecter,** 3. **affecter.**

3. **AFFECTER** [afɛkte] v. tr. — XV^e; du lat. *affectus.* → Affect.

♦ **1** Exercer une action sur, toucher (qqn) par une impression, une action sur (l'organisme, le psychisme). *Tout ce qui affecte notre sensibilité.* — Agir sur (quelque chose).

1 *(L'esprit de dictature)* n'affecte pas seulement les choses de la politique.
G. DUHAMEL, Discours aux nuages, p. 50.

2 Un feu trop ardent, un trop grand bruit, une odeur trop forte (...) nous blessent et nous affectent désagréablement.
BUFFON, Introd. à l'hist. nat. de l'homme.

Méd. Exercer une action nuisible sur (un organe, l'organisme). → **Affaiblir, altérer, attaquer, atteindre.** *Usez modérément de ce remède : il affecte le cœur.* Au passif. *Être affecté d'une maladie,* atteint, touché.

3 Notre malade (...) est attaqué, affecté, possédé, travaillé de cette sorte de fièvre (...) Lesquels signes le dénotent très affecté de cette maladie.
MOLIÈRE, Monsieur de Pourceaugnac, I, 8.

♦ **2** Exercer une action sur la sensibilité de (qqn). → **Émouvoir, impressionner, toucher.** *Les émotions qui l'affectent.* Spécialt. Affliger, frapper. *Cette nouvelle, ce deuil, la mort de son frère l'a beaucoup affecté.* — Au passif :

4 J'appellerai un sage un homme qui ne serait affecté dans la vie que par la souffrance physique.
Ed. et J. DE GONCOURT, Journal, t. I, p. 286.

5 Je devrais écrire à présent de quel cœur j'écoutais les déclarations du docteur et quelle prise j'offrais à l'alarme. Je ne me souviens pas d'en avoir été très affecté; soit que la mort ne m'effrayât pas beaucoup (...)
GIDE, Si le grain ne meurt, II, I.

Pron. S'affliger, souffrir. *Il s'affectait de toutes les injustices.*

♦ **3** (XVIII^e). Math. *Affecter... de... :* modifier (une quantité) en la dotant de (un signe, un coefficient). *Affecter un nombre d'un exposant. Un nombre négatif est un nombre affecté du signe –.*

◆ **S'AFFECTER** v. pron. Réfl. (Personnes). *S'affecter de qqch. :* y être sensible. *S'affecter des malheurs d'autrui.*

◆ **AFFECTÉ, ÉE** p. p. adj. Qui a reçu un effet physique, une impression. *La partie affectée de l'organisme. Organes affectés. «Mon estomac est affecté»* (Maine de Biran, *in* T. L. F.). — *Un homme profondément affecté.*

CONTR. (Du p. p.) **Indifférent.** ◊ DÉR. **Affectibilité.** — HOM. 1. **Affecter,** 2. **affecter.**

**AFFECTIBILITÉ** [afɛktibilite] n. f. — 1816, Maine de Biran, *in* T. L. F.; du rad. de 3. *affect(er),* avec le suff. de *(sens)ibilité.*

Didact. Disposition à être affecté, à ressentir.

Il *(le chef de cabinet de Briand)* se montre plein d'affection, d'affectibilité; mais on sent toujours qu'il n'a pas beaucoup à dépenser. GIDE, Journal, 1^er janv. 1907.

**AFFECTIF, IVE** [afɛktif, iv] adj. — 1452, *l'affective* «la faculté d'affection, le coeur»; bas lat. *affectivus,* de *affectus* «sentiment», du supin de *afficere.* → 1. Affecter.

**A** ♦ **1** Vx. Affectueux, sensible; touchant. *Un homme affectif.* → **Affectueux.** — *Qui marque l'affection. Des paroles affectives.*

♦ **2** (1762). Psychol. et cour. Qui concerne les états de plaisir ou de douleur (simples : affects, sensations; ou complexes : émotions, passions, sentiments). *Phénomènes affectifs. États affectifs. Réactions affectives. Ton affectif :* humeur résultant à un

moment donné de l'ensemble des réactions affectives élémentaires (ex. : euphorie, tristesse, indifférence). *Tendances affectives.* → **Inclination, passion.** *Mémoire affective. Blocage affectif. Difficultés affectives. Ce qu'il y a d'affectif en lui s'oppose aux réactions intellectuelles, rationnelles. Langage affectif,* qui exprime, révèle les sentiments, les états affectifs de celui qui parle. *Valeur affective des mots :* valeur qu'on y attache en dehors de leur signification. — Vx. *Mots affectifs* (ou *émotifs*), dont le sémantisme concerne les affects, la sensibilité.
Cour. *La vie affective :* les sentiments, les plaisirs et douleurs d'ordre moral (s'oppose à *vie active, intellectuelle,* etc.).

1 Les premières sensations des enfants sont purement affectives ; ils n'aperçoivent que le plaisir et la douleur (...)
ROUSSEAU, Émile, I.

2 Le monde affectif, pour lui, se limite à sa personne qui est douillette, irritable, susceptible de certains sentiments et de certaines passions ou émotions comme la rancune, le mépris, la haine, la colère.
G. DUHAMEL, Chronique des Pasquier, VI, 25.

Relig. Qui ne relève que de la sensibilité. *Une prière affective. Dévotion affective.*

♦ **3** (Personnes). Chez qui l'affectivité domine. *Il est plus affectif qu'actif.*

**B** (XVe-XVIe). ♦ **1** Didact. et vx. Qui suscite une réaction consciente. *La puissance affective.*
Philos., psychol. *Sensation affective et sensation représentative. Éléments affectif, représentatif et déterminatif des actes, chez l'homme* (Renouvier, *Essai de critique générale*).

♦ **2** Ling. Vx. Dont l'objet est affecté par l'action. *Verbes affectifs* (s'opposant à *effectif*).

CONTR. **Intellectuel, mental, représentatif.** — V. aussi **Objectif, raisonnable ; indifférent.** ◊ DÉR. **Affectivement, affectivité.** — COMP. **Psychoaffectif.**

**AFFECTION** [afɛksjɔ̃] n. f. — 1190 ; du lat. *affectio,* du supin de *afficere.* → 1. Affecter.

**A** ♦ **1** Littér. État affectif, état psychique accompagné de plaisir ou de douleur. → **Affect, émotion, sentiment.** *Les affections d'amour, de jalousie, de tristesse. Des passions et des affections de l'âme,* titre V des *Pensées,* de Joubert. *Opposer les actions et les affections.* → **Passion.** *« Les affections d'amour, de haine, de jalousie (...) de regret, de joie et de tristesse »* (Alain, *Propos,* Pl., p. 295).

1 La haine même peut être une affection louable, quand elle n'est causée en nous que par le vif amour du bien.
Joseph JOUBERT, Pensées, V, 2.

1 (...) elle lui dit avec une philosophie très-au dessus de son âge (...) qu'il était possible de trouver en soi-même des sensations physiques d'une assez piquante volupté pour éteindre toutes les affections morales dont le choc pourrait être douloureux (...) SADE, Justine..., t. I, p. 9.

♦ **2** (1546, Rabelais, *in* Arveiller). **a** Cour. Sentiment tendre qui attache, lie une personne à une autre ; sentiment positif, qui affecte une personne vis-à-vis d'une autre. → **Amitié, attachement, tendresse.** *L'affection de qqn pour qqn. Tendre affection. Affection intense, vive, touchante. La chaleur de votre affection m'a réconforté. Affection maternelle, paternelle, filiale, fraternelle, conjugale,* de la mère, du père, etc. → **Amour, piété.** *Sentiment d'affection. Un baiser, une caresse, un sourire, un ton d'affection. Avoir, éprouver, ressentir de l'affection pour, à l'égard de qqn.* — Loc. *Prendre qqn en affection* (→ ci-dessous, cit. 8, Rousseau). *Se prendre d'affection pour qqn. — Une affection réciproque nous lie, nous unit, l'un à l'autre.* → **Penchant.** *Avoir de la constance dans ses affections.*

Je donnai par devoir à son affection *(de Polyeucte)* 2
Tout ce que l'autre *(Sévère)* avait par inclination.
CORNEILLE, Polyeucte, I, 3.

L'affection ou la haine changent la justice de face. 3
PASCAL, Pensées, II, 82.

Cinq ou six coups de bâton (...) ne font que ragaillardir 4
l'affection (...) MOLIÈRE, le Médecin malgré lui, I, 2.

L'affection maternelle est un sentiment plus fort que celui 5
de la crainte, et plus profond que celui de l'amour, puisque cette affection l'emporte sur les deux dans le cœur d'une mère. BUFFON, Hist. nat. des oiseaux.

On aime sa mère presque sans le savoir, sans le sentir, 6
car cela est naturel comme de vivre ; et on ne s'aperçoit de toute la profondeur des racines de cet amour qu'au moment de la séparation dernière. Aucune autre affection n'est comparable à celle-là, car toutes les autres sont de rencontre, et celle-là est de naissance ; toutes les autres nous sont apportées plus tard par les hasards de l'existence, et celle-là vit depuis notre premier jour dans notre sang même.
MAUPASSANT, Fort comme la mort, éd. 1889, p. 156-157.

Quand l'affection est mutuelle à un même degré, c'est 7
l'union la plus étroite, c'est le plus parfait accord qui puisse régner entre deux êtres sensibles ; c'est enfin, s'il est permis de le dire, la transfusion et la coexistence de deux âmes.
MARMONTEL, Œ. compl., t. XVI, p. 448.

Il n'y a point d'âme si vile et de cœur si barbare qui ne 8
soit susceptible de quelque sorte d'attachement. L'un de ces deux bandits (...) me prit en affection.
ROUSSEAU, les Confessions, II.

On éprouve pour ceux qui l'inspirent *(le respect)* une espèce 9
d'affection tendre (...) Joseph JOUBERT, Pensées, V.

Toutes les affections de celle-ci s'étaient concentrées dans 10
son fils aîné.
CHATEAUBRIAND, Mémoires d'outre-tombe, t. I, I.

*(Il)* s'aperçut (...) que l'homme avait besoin d'affections, que 11
la vie sans tendresse et sans amour n'était qu'un rouage sec, criard et déchirant.
HUGO, Notre-Dame de Paris, IV, II.

Il y a place pour toutes les affections dans le cœur comme 12
pour toutes les étoiles dans le ciel.
HUGO, Post-scriptum de ma vie, Tas de pierres, VI.

(...) il faut absolument que j'aime quelqu'un ; j'ai soif d'af- 13
fection. LOTI, les Désenchantées, IV, 28.

Affection plus touchante encore quand l'âge est venu (...) 14
sans refroidir la jeunesse du cœur.
ROLLAND, Vie de Beethoven, p. 7.

Le langage de l'affection chérit des formes qui expriment 15
la tendresse. Comme elle dit à son enfant : **ma petite chérie,** la mère dit aussi : **donne ta menotte, tends-moi ton peton,** etc...
F. BRUNOT, la Pensée et la Langue, XVI, 2, p. 657.

Par métonymie. Personne objet de l'affection :

Élevée d'abord à Paris chez ses parents, Annette 15.1
était devenue l'affection dernière et passionnée de sa grand'mère (...)
MAUPASSANT, Fort comme la mort, éd. 1889, p. 12.

*Termes d'affection.* → **Hypocoristique.** — REM. Les termes d'affection, très nombreux, sont très souvent précédés des possessifs *mon, ma, mes.* → **Petit, petiot ; agneau, aimé, âme, ami, amour, ange ; beau, belle, bellot, biche, bichette, bichon, bien-aimé, bijou, biquet, bon, bon ami, bonhomme** (petit), **branche** (vieille branche), **caille, charmante, chat, chatte, cher, chéri, chevrette, chou, coco, cocotte, cœur, crotte, enfant, fille, fils, gros, joli, joujou, lapin, m'amie, m'amour, mie, mignon, mimi, minet, moineau, oiseau, poule, poulet, poulette, poulot, poupée, poupoule, prince, princesse, puce, rat, raton, roi, reine, tourterelle, trésor, vieux...**

**b** Vx ou littér. Attachement à quelque chose. *Il a son art en affection. Il se porte à cette étude par affection* (Académie). → **Goût, prédilection.**

♦ **3** Méd. **a** (1539). Vx. Processus morbide considéré dans ses manifestations actuelles (plutôt que dans ses causes).

**b** Mod. Processus morbide organique ou fonctionnel. → **Anomalie, dysfonctionnement, lésion, maladie, syndrome.** *Affection aiguë, chronique; bénigne, grave. Affection idiopathique, symptomatique. Affection hystérique.*

16 Des oppressions, de la toux, une fièvre continuelle et des marbrures aux pommettes décelaient quelque affection profonde.

FLAUBERT, Trois contes, «Un cœur simple».

**B** Vx. Manière dont une chose, une personne est affectée, modifiée. *«Les affections particulières des courbes»* (Chasles, 1837, *in* T. L. F.). – Modification de nature phonétique. – Le fait d'être affecté, pour un organisme. *«Une odeur, comme une saveur, est une affection du sujet sentant»* (Cournot, 1851, *in* T. L. F.).

CONTR. **Antipathie, aversion, désaffection, détachement, éloignement, exécration, froideur, haine, hostilité, indifférence, inimitié, refroidissement.** ◊ DÉR. **Affectionner.** – V. **Affectueux.**

**AFFECTIONNÉMENT** [afɛksjɔnemɑ̃] adv. — 1541; de *affectionné.*

Rare. Avec affection.

**AFFECTIONNER** [afɛksjɔne] v. tr. — XIVe; de *affection.*

♦ **1** Vieilli. Avoir de l'affection, de l'attachement pour (qqn, qqch.). → **Aimer, chérir.**

0.1 Ne trouvez-vous pas que Mlle Hubert (...) m'affectionne déjà trop à cause du service que je lui ai rendu?

MARIVAUX, le Paysan parvenu, II, *in* Romans, Pl., p. 621.

1 Il affectionne beaucoup, lui, cette chaumière et cette vieille grand'mère, qui le gâte avec adoration.

LOTI, Mon frère Yves, CI.

Avoir du goût, une préférence, une prédilection pour (qqch.). *Elle affectionne particulièrement la littérature romanesque. Il affectionne les vêtements de sport.*

1.1 Le type de femme que semble affectionner particulièrement notre artiste est celui de la seconde moitié du siècle dernier.

P. KLOSSOWSKI, la Révocation de l'Édit de Nantes, p. 10.

♦ **2** Vx. (Sujet n. de chose). Attacher, intéresser (qqn) à qqn ou à qqch. *Cette gentillesse l'affectionnait à lui.*

◆ **S'AFFECTIONNER (À)** v. pron.

♦ **1** (Réfl.). Vieilli. S'attacher à, prendre en affection qqn ou qqch. *S'affectionner à des habitudes.*

2 Nous nous affectionnons de plus en plus aux personnes à qui nous faisons du bien.

LA BRUYÈRE, les Caractères, IV, 68.

3 Nous sommes bien près de nous consoler quand nous nous affectionnons aux gens qui nous consolent.

MARIVAUX, la Vie de Marianne, VIII.

♦ **2** (Récipr.). *Ils s'affectionnent beaucoup.*

◆ **AFFECTIONNÉ, ÉE** p. p. adj.

♦ **1** Vx. Qui a de l'affection pour quelqu'un.

4 Je l'aurais cru le plus affectionné de vos amis.

MOLIÈRE, Monsieur de Pourceaugnac, II, 4.

Vieilli. *Affectionné à quelqu'un.*

5 L'esclave, qui lui était fort affectionné, tâcha de le consoler.

A. GALLAND, les Mille et une Nuits, t. II, p. 55.

Dans les formules de fin de lettre, au sens de «attaché par l'affection, dévoué». Vx. *Votre affectionné serviteur.* – Mod. *Votre affectionné, votre fille affectionnée.*

♦ **2** Mod. Qui est plein d'affection. → **Affectueux.** *«Un homme honnête, courageux et affectionné»* (A. Dumas père, *le Comte de Monte-Cristo,* in T. L. F.).

♦ **3** Aimé, préféré. *C'est une de ses plaisanteries affectionnées.*

CONTR. **Abhorrer, désaffectionner** (se), **détacher** (se), **détester, exécrer, haïr, jalouser.** ◊ DÉR. (De *affectionné*) **Affectionnément.**

**AFFECTIVEMENT** [afɛktivmɑ̃] adv. — 1616, François de Sales; de *affectif.*

Quant à l'affectivité; sur le plan affectif. *Être affectivement et intellectuellement mûr, adulte. S'intéresser affectivement à quelqu'un.*

Le soleil et la pluie ne sont ni gais ni tristes, l'humeur ne dépend que des fonctions organiques élémentaires, le monde est affectivement neutre.

MERLEAU-PONTY, Phénoménologie de la perception, p. 183.

**AFFECTIVITÉ** [afɛktivite] n. f. — 1865; de *affectif.*

♦ **1** Didact. Ensemble ou caractère des phénomènes affectifs; ensemble des sentiments, des émotions, des affects. → **Sensibilité.** *L'analyse de l'affectivité par les philosophes* (cf. par ex. Merleau-Ponty, *Phénoménologie de la perception,* p. 180 *sqq.*).

Que l'analyse vienne à surprendre sa faiblesse, il conviendra de ne pas se payer du recours à l'affectivité, Mottabou de l'incapacité dialectique qui, avec le verbe *intellectualiser,* dont l'acception péjorative fait de cette incapacité mérite, resteront dans l'histoire de la langue les stigmates de notre obtusion à l'endroit du sujet.

J. LACAN, Écrits, p. 249.

♦ **2** Plus cour. Aptitude à être affecté de plaisir ou de douleur. → **Sensibilité.** *L'affectivité de qqn. Il est d'une affectivité extrême, excessive. Une affectivité à fleur de peau.*

Il s'est épris de Gise, simplement parce qu'il avait de l'affectivité sans emploi.

MARTIN DU GARD, les Thibault, t. V, p. 5.

**AFFECTIVO-MOTEUR, TRICE** [afɛktivomɔtœʀ, tʀis] adj. — 1946, Mounier, *in* T. L. F.; de *affectif,* et *moteur.*

Didact. Qui concerne les rapports entre la motricité et l'affectivité (et leurs troubles). *Difficultés affectivo-motrices.*

**AFFECTUEUSEMENT** [afɛktɥøzmɑ̃] adv. — Fin XIIIe; de *affectueux.*

D'une manière affectueuse. → **Tendrement.** *Sa mère le regardait affectueusement. Consoler qqn, lui parler affectueusement. Il était affectueusement attentif.*

(...) il le traite avec une bonté affectueusement protectrice, et un peu dédaigneuse; il le regarde comme un enfant qu'il faut guider.

R. ROLLAND, Musiciens d'aujourd'hui, p. 115.

(Dans une formule de lettre). *Bien affectueusement. Je vous embrasse affectueusement.*

CONTR. **Durement, froidement, sévèrement.**

**AFFECTUEUX, EUSE** [afɛktɥø, øz] adj. — 1347, bas lat. *affectuosus,* de *affectus,* de *afficere.* → Affection.

Qui montre de l'affection, est plein d'affection. → **Aimant, cordial.** *Un ami affectueux. C'est un enfant affectueux, très sensible. Un aîné affectueux et bienveillant. Être affectueux avec qqn, pour qqn.* – *Une physionomie affectueuse et douce. Un air affectueux et tendre. Sourire affectueux.* – *Un caractère affectueux. Sentiments affectueux. Des paroles, des pensées affectueuses.* → **Bon, doux, tendre.** *Il lui a dit mille choses affectueuses.* → **Gentil.**

Ses yeux rayonnent d'affectueuse douceur. 1

MICHELET, la Femme, p. 374.

L'amour est chez eux *(les peuples de race bretonne)* un sentiment tendre, profond, affectueux, bien plus qu'une passion.
RENAN, Souvenirs d'enfance..., I, Broyeur de lin.

(...) je me suis souvent persuadé que les pires gredins sont ceux auxquels les sourires affectueux ont manqué.
GIDE, Si le grain ne meurt, III.

Sa voix a retrouvé son affectueux ton d'excuse. De quoi ? Je sais qu'il est très courageux. On dirait qu'il s'excuse de sa vie — de la vie.
MALRAUX, Antimémoires, Folio, p. 439.

(Dans des formules épistolaires). *Affectueux souvenirs. Transmettez-lui mon plus affectueux souvenir.*

REM. L'antéposition, normale dans ce contexte, est en général stylistique ; → ci-dessus, cit. 4.

Littér. (Choses). Qui semble entourer les humains d'affection. → **Chaleureux.** *«Et le dénombrement des blés affectueux»* (Péguy). *Un endroit, un toit affectueux,* accueillant.

CONTR. **Dur, froid, haineux; malveillant, sévère.** ◊ DÉR. **Affectueusement, affectuosité.**

**AFFECTUOSITÉ** [afɛktɥozite] n. f. — 1315, «affection, attachement»; de *affectueux.*

Littér. Disposition à aimer, à ressentir de l'affection. → **Sensibilité.** — REM. Le mot est caractéristique de l'écriture «artiste».

C'est vraiment un triomphe pour une religion d'avoir amené une femme, cette faiblesse, ce délicat appareil nerveux, à la victoire de dégoûts de cette nature, d'avoir amené l'affectuosité d'une créature distinguée à appartenir tout entière à d'abjects et sordides misérables qui souffrent. Ed. et J. DE GONCOURT, Journal, t. I, p. 275.

Peu à peu il se dépouille de l'affectuosité, il se déshumanise ; les autres commencent à ne plus compter pour lui (...) Ed. et J. DE GONCOURT, Journal, t. III, p. 246.

Vieilli. *(Une, des affectuosités).* Témoignage d'affection.

CONTR. **Dureté, inhumanité, sécheresse.**

**AFFENAGE** [afənaʒ] n. m. — 1838; du v. anc. ou dial. *affener.* → Affener.

Agric. Action d'affener. *Mettre des bestiaux à l'affenage.*

**AFFENER** [afəne] v. tr. [CONJUG.: *lever.*] — 1242, «faucher (le foin)»; 1546, *affené* «rempli de foin»; de l'anc. franç. *fener* «faucher».

Régional, agric. Donner du fourrage à (une bête). *Affener les bestiaux.*

(...) dès que le cheval fut affené et attelé,
ALAIN-FOURNIER, le Grand Meaulnes, p. 196.

DÉR. **Affenoir.** — V. **Affenage.**

**AFFENOIR** [afənwaʀ] n. m. — Attesté 1877 (Littré), probablt antérieur; de *affener.*

Vx. Syn. de *abat-foin.*

**AFFÉRENCE** [afeʀɑ̃s] n. f. — Mil. XX^e; de 2. *afférent;* av. 1481, *afférence* «rapport d'un bien», de 1. *afférent.*

Didact. Caractère de ce qui est afférent (2. Afférent); ce qui est afférent. « *l'état de veille procède de l'activité tonique d'un appareil (...) sous-cortical (...) entretenue par des facteurs humoraux et des afférences somatiques transmises au cortex.»* (A. Porot et Y. Pélicier, *in* Porot, *Manuel alphabétique de psychiatrie,* art. *Sommeil*).

CONTR. **Efférence.**

1. **AFFÉRENT, ENTE** [afeʀɑ̃, ɑ̃t] adj. — XVII^e; altér. de l'anc. franç. *aférant, auferant,* XII^e, de *aférir,* impers. *il afiert* «il convient», lat. *affert* «cela apporte, contribue», de *afferre.*

**AFFÉRENT À** *(qqch.;* dr., *qqn).*

♦ **1** Vieilli. Qui se rapporte à. *Renseignements afférents à une affaire* (Académie). — (Avec le pronom *y*). *Je vous transmets le dossier et la totalité des documents y afférents.* — REM. Cette construction constitue un archaïsme par rapport au système actuel de la langue, qui requiert normalement avec le pronom *y* un participe présent *(les pièces y figurant).* Bien que rare, elle reste cependant usitée au masculin.

♦ **2** Dr. Qui revient à. *La part afférente à (d') un héritier dans le partage d'un bien indivis ou d'une succession.*

2. **AFFÉRENT, ENTE** [afeʀɑ̃, ɑ̃t] adj. — 1814-1820, Nysten; du lat. *afferens,* de *afferre* «apporter».

Didactique.

♦ **1** Anat., physiol. Qui va, qui amène de la périphérie vers le centre. — Qui amène à un organe. *Vaisseaux afférents :* vaisseaux lymphatiques qui apportent aux ganglions les liquides absorbés. *Nerf afférent* (nerf sensitif). *Afférent à... :* qui amène à (un organe). *Vaisseau afférent au poumon. Nerf afférent au cervelet.*

♦ **2** (Abstrait). *Processus psychologiques afférents.*

CONTR. **Efférent.** ◊ DÉR. **Afférence; déafférentation, désafférentation.**

**AFFERMAGE** [afɛʀmaʒ] n. m. — 1845; «engagement d'un serviteur pour un temps déterminé», 1489; de *affermer.*

♦ **1** Location d'un bien rural moyennant paiement d'un fermage. → **Afferme** (vx), **amodiation, location.** — Somme correspondant à ce fermage.

♦ **2** Location (d'emplacements, de pages de journaux) en vue d'affichages publicitaires.

Anciennt. Concession de taxes ou impôts moyennant redevance forfaitaire. *L'affermage des gabelles aux Fermiers généraux, sous l'Ancien Régime.*

**AFFERME** [afɛʀm] n. f. — 1313; de *affermer.*

Vx. Affermage. → **Amodiation.**

**AFFERMER** [afɛʀme] v. tr. — 1260; de *à,* et *ferme.*

♦ **1** [a] Donner à ferme (un bien rural, un emplacement, une page de journal). *Affermer une terre.* → **Amodier, louer.** *Ce journal afferme sa publicité à une agence.*

[b] Dr. (Anciennt). Concéder (le droit de percevoir des impôts, des taxes). *Sous l'Ancien Régime, le gouvernement affermait la perception des impôts, certains droits, certains privilèges.* — Par métaphore. *«Il* (Bonaparte) *mit les cimetières en régie et afferma nos funérailles»* (Chateaubriand, *in* T. L. F.).

Par métonymie. *Affermer l'impôt. Affermer les jeux.*

♦ **2** Prendre à ferme (un bien rural et, anciennt, l'impôt). → **Louer.** *Affermer des terres.*

Pron. (vieilli). *Ce domaine s'est affermé,* a été donné (ou pris) à ferme.

◆ **AFFERMÉ, ÉE** p. p. adj. *Biens affermés. Terrains vendus ou affermés.*

DÉR. **Affermage, afferme.** ◊ COMP. **Sous-affermer.**

**AFFERMIR** [afɛʀmiʀ] v. tr. — 1372; de *à*, et *ferme*, adjectif.

♦ **1** [a] (Concret). Rare. Rendre ferme, plus stable. *Affermir un mur, un édifice.* → **Asseoir, assurer, consolider, étayer.** — Techn. *Affermir un terrain* : le rendre plus consistant pour éviter des tassements.

0.1 On entassa des pierres sur la plate-forme des tours, et les maisons qui touchaient immédiatement au rempart furent barrées avec du sable pour l'affermir et augmenter son épaisseur.
FLAUBERT, Salammbô, t. II, p. 78, *in* T. L. F.

[b] Cour. Rendre plus consistant, plus dur. → **Raffermir.** *La gymnastique affermit les muscles. — Affermir sa voix.*

1 Faites hum ! comme quelqu'un qui désire affermir sa voix.
G. DUHAMEL, Chronique des Pasquier, VIII, 3.

[c] *Affermir son trait, un dessin.*

♦ **2** (Abstrait). Rendre plus assuré, plus fort. → **Assurer, confirmer, fortifier.** *Affermir la santé, l'âme, la volonté, le bonheur de qqn. Affermir l'autorité, le crédit de l'État.* → **Consolider.** *Affermir un roi sur son trône. Cela n'a fait que l'affermir dans ses résolutions, dans ses desseins.* → **Renforcer.** *Les épreuves l'ont affermi contre les coups du sort. Il a affermi ses convictions, ses opinions.* → **Ancrer** (dans une opinion). — Au passif et p. p. *Les convictions sont affermies par l'expérience, sont affermies.*

REM. *Affermir* semble plus littér. que *raffermir*, mais les distinctions sémantiques entre les deux verbes sont faibles.

2 On affermit ce qui est faible : on raffermit ce qui chancelle ou est ébranlé ; on confirme ce qui est fort, ce dont on augmente encore la force (...) On affermit, on raffermit, on confirme un sentiment, ou quelqu'un dans un sentiment.
LAFAYE, Dict. des synonymes, Affermir.

3 Enfin notre bonheur est-il bien affermi ?
CORNEILLE, Horace, I, 3.

4 (...) mes rigueurs ne font qu'affermir ton amour.
RACINE, Alexandre, IV, 3.

5 Ce même Bajazet, sur le trône affermi (...)
RACINE, Bajazet, I, 1.

6 (...) il s'en trouve à qui l'habitude des moindres périls affermit le courage (...)
LA ROCHEFOUCAULD, Maximes, 215.

7 La sympathie, l'accord des âmes affermit en eux le sentiment qu'avait produit l'habitude.
ROUSSEAU, les Confessions, I.

8 L'amour peut énerver l'âme, ou l'affermir.
É. DE SENANCOUR, De l'amour, p. 19.

9 Elle ne croyait pas avoir à affermir une position qu'elle jugeait inébranlable.
PROUST, À la recherche du temps perdu, t. XV, p. 175.

◆ **S'AFFERMIR** v. pron. Devenir plus stable ou plus ferme, au propre et au figuré. — (Concret). *S'affermir en selle, sur les étriers. S'affermir dans une position. Sa santé commence à s'affermir.* — (Personnes). Abstrait. *Il s'affermit dans la résolution de ne rien céder.* — Polit. *Le gouvernement ne s'est pas affermi.*

10 *(Il)* se cala sur le divan avec le mouvement du cavalier qui s'affermit en selle.
COLETTE, la Naissance du jour, p. 162.

11 (...) son cœur s'affermit au lieu de s'ébranler.
CORNEILLE, Polyeucte, III, 4.

12 (...) ce cœur infatigable
Qui semble s'affermir sous le faix qui l'accable.
RACINE, Mithridate, III, 1.

13 Tandis que les succès sur le front russe se confirment et s'affermissent (...) GIDE, Journal, 31 déc. 1942.

◆ **AFFERMI, IE** passif, p. p. adj. (→ ci-dessus, cit. 3 et 5.). *Un mur consolidé et affermi. — Un bras affermi, mal affermi. Une voix à peine affermie. — Conviction, foi affermie. Situation politique, paix affermie.*

CONTR. **Affaiblir, amollir, attendrir, débiliter, délabrer, ébranler, énerver, mollir, ruiner.** ◊ DÉR. **Affermissement.**

**AFFERMISSEMENT** [afɛʀmismɑ̃] n. m. — 1551 ; de *affermir.*

♦ **1** Action d'affermir. *L'affermissement des muscles, des tissus. L'affermissement de la voix.*
État de ce qui est affermi.

♦ **2** (Abstrait). Amélioration, consolidation, raffermissement. *L'affermissement de la santé. Affermissement de l'État, de l'autorité, du pouvoir. — L'affermissement de l'esprit, «de la situation spirituelle»* (Nizan), *de la personnalité.*

*(La France)* ne voit pas que le seul progrès désirable consiste dans l'amélioration des âmes, l'affermissement des caractères, l'élévation des esprits.
RENAN, Œ. compl., t. I, p. 57.

CONTR. **Affaiblissement, amollissement, délabrement, ébranlement, ruine.**

**AFFÉTÉ, ÉE** [afete] adj. — XVe ; p. p. de l'anc. v. *afaitier* (→ Affaiter) «arranger, disposer», repris sous l'infl. de l'ital. *affetato.* → 1. Affecter.

Vx. Qui est plein d'afféterie, qui marque l'afféterie. *Un jeune homme affété.*

Si quelque autre, affétée en sa douce malice,
Gouverne son œillade avec de l'artifice (...)
Mathurin RÉGNIER, Satires, VII.

(1559). Actions, comportement, caractère. *Des manières affétées. Un style affété.* → **Affecté, artificiel, maniéré, mignard, précieux.**

(...) un babil affété (...) CORNEILLE, Mélite, I, 4.

Je laisse aux doucereux ce langage affété (...)
BOILEAU, Satires, IX.

Mod. et littéraire :

*Santa Maria Novella* (...) Fresques affétées, et déjà en pleine fioriture, mais de grâce exquise, à la chapelle de droite du chœur. Elles sont de Filippino Lippi.
GIDE, Journal, 19 déc. 1895.

CONTR. **Naturel, simple.** ◊ DÉR. **Afféterie.**

**AFFÉTERIE** [afetʀi] ou **AFFÈTERIE** [afɛtʀi] n. f. — V. 1500 ; de *affété.*

Vx. Abus du gracieux, de l'affecté dans les manières ou dans le langage. → **Affectation, mièvrerie, mignardise, préciosité.** *S'exprimer, se vêtir avec afféterie. Un sourire plein d'afféterie (affèterie).*

Pour venir à ses fins, l'amoureuse Nérie (...)
Eut recours aux regards remplis d'afféterie (...)
LA FONTAINE, Contes, III, 4.

*(Une, des afféteries).* Façon d'agir, manières affectées. → **Minauderie, pose.**

Ne confondez point les minauderies, la grimace, les petits coins de bouche relevés, les petits becs pincés, et mille autres puériles afféteries avec la grâce, moins encore avec l'expression. DIDEROT, Essai sur la peinture.

— Ah ! j'aimerais mieux ne vous avoir jamais vue, s'écria d'Artagnan avec cette brutalité naïve que les femmes préfèrent souvent aux afféteries de la politesse, parce qu'elle découvre le fond de la pensée et qu'elle prouve que le sentiment l'emporte sur la raison.
DUMAS, les Trois Mousquetaires, t. I, p. 148.

Mod. et littér. Affectation, maniérisme, en matière artistique, littéraire.

Raffinement, excès d'esprit, afféterie, gongorisme, c'est tout cela qu'on a jeté à la tête de Shakespeare (...)
HUGO, William Shakespeare, p. 65.

Je n'ai gardé souvenir que du dégoût qu'elle me causait avec la distinction de son allure, son élégance et son afféterie. GIDE, Si le grain ne meurt, II, 1.

CONTR. **Aisance, naturel, simplicité.**

**AFFETTUOSO** [afetɥozo, af(f)etwozo] adv. — 1768, Rousseau, écrit *Affectuoso;* mot ital., «affectueusement».

Mus. Avec une grâce expressive, avec émotion et douceur. — On écrit aussi *affetuoso.*

**AFFEURAGE** [afœʀaʒ] n. m. → **Afforage.**

**AFFICHAGE** [afiʃaʒ] n. m. — 1792; de 1. *afficher.*

♦ **1** Action d'afficher (au sens propre). *L'Assemblée a voté l'affichage de ce discours. — Colonne, panneau d'affichage. Entreprise d'affichage.* → **Publicité.** *Tableau d'affichage :* spécialt (sur un hippodrome, un stade) tableau où s'inscrivent les résultats.

Inform. Présentation de données, de résultats. *Affichage analogique.*

Techn. *Affichage à cristaux liquides :* affichage visible à la lumière ambiante (sans émission de lumière propre), utilisant les propriétés optiques de liquides organiques. *Affichage à cristaux liquides d'une montre, d'une calculatrice de poche.* — (1973; industr. pétrolière). Publication des prix du pétrole brut et des produits finis.

♦ **2** Fig. (péj.). Exhibition peu discrète. → **Étalage.** *L'affichage prétentieux de ses connaissances.*

COMP. **Téléaffichage.**

1. **AFFICHE** [afiʃ] n. f. — 1427, «annonce au public écrite»; 1716, «feuille périodique d'avis»; les contextes modernes se développent après 1830; de 1. *afficher.*

**I** ♦ **1** Feuille écrite ou imprimée que l'on applique contre un mur, un panneau..., pour annoncer qqch. au public. → **Annonce, avis, placard, proclamation.** *La publicité par affiches. Une affiche publicitaire. Les affiches blanches de la mobilisation. Les affiches de la propagande politique, électorale. Affiches judiciaires* (apposées en vertu de jugements), *légales* (électorales, de recrutement, etc.), *publicitaires* (illustrées). *L'affiche d'un spectacle, d'un film. Collection d'affiches* (→ 3. **Poster** (anglic.)). — Vx. *Affiche-réclame. La vente a été annoncée par voie d'affiches. — Apposer, coller, placarder une affiche. Couvrir les murs d'affiches. Colleur, poseur d'affiches. L'échelle, le pinceau à long manche, la colle du poseur d'affiches. Les affiches des colonnes Morris, à Paris. Un panneau couvert, tapissé d'affiches.* — Spécialt. Affiche publicitaire. *Les affiches du métro. Une campagne par affiches.* → **Affichage.**

L'affiche bariolée se reproduit à plusieurs dizaines d'exemplaires, collés côte à côte tout au long du couloir de correspondance.

A. ROBBE-GRILLET, Projet pour une révolution à New York, p. 28-29.

Une affiche administrative était fixée au tableau noir réservé aux annonces officielles des ventes publiques. Une vente était annoncée pour la fin du mois.

B. CENDRARS, Bourlinguer, p. 74.

(...) à chaque interstice libre entre deux rues, sur chaque façade, sur les tréteaux autour des marchés de poissons (...) l'alphabet de la nouvelle race, les affiches. Affiches pour les aliments, tous pourvus de noms chimiques, comme si l'Allemand ne connaissait plus la nourriture animale et végétale (...) Affiches pour la beauté, aussi fréquentes et plus larges que la publicité chez nous des sardines Amieux, et presque toutes consacrées entre Freysing et Munich à l'embellissement du nez (...)

GIRAUDOUX, Siegfried et le Limousin, p. 76.

Vx. *Homme-affiche.* → **Homme-affiche, homme-sandwich.**

Spécialt. Annonce affichée d'un spectacle; son contenu : liste des acteurs, des auteurs, etc. *Une très belle affiche.* → aussi **Distribution. TÊTE D'AFFICHE :** nom de l'acteur inscrit en tête d'affiche. *Une tête d'affiche :* l'acteur lui-même. → **Vedette.** — Par ext. Le fait d'être joué. *La pièce est restée six mois à l'affiche. Retirer une pièce de l'affiche. Tenir l'affiche :* avoir de nombreuses représentations.

Par ext. (Collectif). L'art graphique de l'affiche (→ Affichiste, cit.). *Salon de l'affiche. Les maîtres de l'affiche.* → **Affichiste.** — *Le support publicitaire que constitue l'affichage. Préférer l'affiche à la radio, à la presse.*

♦ **2** Fig. (vx). Action de faire parade, de manifester publiquement son opinion. → **Affectation, ostentation.** *Il poursuivait ses travaux, sans affiche.* — Loc. *Faire affiche de ses opinions,* les manifester.

**II** Argot (déverbal de *s'afficher* ou métaphore du sens I.). Personne qui affiche sa nature (cf. Proust, *le Temps retrouvé,* Pl., p. 787, *in* Cellard et Rey, à propos d'un homosexuel affiché).

DÉR. et COMP. **Affichette, affichiste. Homme-affiche, porte-affiche.**

2. **AFFICHE** [afiʃ] n. f. — V. 1200, «épingle»; mil. XIVe, «piquet de bois»; de *afficher,* au sens ancien de «ficher» (→ 2. Afficher).

Vx. Objet pointu, destiné à être piqué, «fiché». — Spécialt. Pièce de bijouterie destinée à être piquée (agrafe, broche, fibule, etc.).

Techn. (pêche). Fiche pour fixer un verveux sous l'eau. — Perche.

1. **AFFICHER** [afiʃe] v. tr. — XVIe, Carloix, *afficher un édit;* «déclarer fermement», 1080; de *à,* et *ficher.*

♦ **1** Annoncer, faire connaître par voie d'affiches ou par un tableau d'affichage (le compl. désigne le texte ou l'objet de ce qui est annoncé). → **Placarder.** *Afficher une vente aux enchères, un mariage. Afficher un règlement, un acte, une proclamation, un décret, un programme politique, une annonce publicitaire, une pétition, un slogan. On afficha les rapports de la course. Afficher un programme, une pétition, une proclamation.* — Rare. *Afficher que... :* annoncer (par affiche) que...

Plusieurs chercheront à vous persuader que vous êtes vraiment libres, parce qu'ils auront écrit sur une feuille de papier le mot de liberté, et l'auront affiché à tous les carrefours. 1

F. DE LAMENNAIS, Paroles d'un croyant, XX.

Un groupe de Français intelligents, en ce temps tout pratique, devrait afficher ce programme, aux prochaines élections. Ed. et J. DE GONCOURT, Journal, t. IV, p. 1190. 1.1

(Le compl. désigne le support matériel du texte). *Afficher une pancarte, des placards.*

Ellipt. Décrire par affiche. «*Notre mobilier, saisi par lui, sera sans doute affiché demain*» (Balzac, *Splendeur et Misères des courtisanes*). *Afficher un produit moins cher que le concurrent.*

*Afficher le titre d'un film :* l'annoncer. *Afficher un spectacle, une pièce de théâtre.*

*Afficher le prix d'une marchandise.* → **Indiquer.**

Absolt. Apposer des affiches. *Défense d'afficher. Vous pouvez afficher sur ce panneau.*

Le singe avec le léopard 2
Gagnaient de l'argent à la foire
Ils affichaient chacun à part.

LA FONTAINE, Fables, IX, 3.

(1974). Inform. Présenter (les résultats d'un traitement) en inscrivant sur un visuel. → **Visualiser.**

♦ **2** Fig. **a** (1690). Vx. Dire, publier partout.

[b] (1740). Montrer publiquement, faire étalage ou profession (de), affecter (tel sentiment, telle attitude). *Afficher un titre, des prétentions. Afficher des sentiments nobles, du respect pour qqn, de la fierté. Afficher publiquement des idées scandaleuses, bizarres.*

2.1 (...) il semble que le degré de son avilissement et de sa corruption devienne la mesure des sentiments que l'on ose afficher pour elle. SADE, Justine..., t. I, p. 15.

3 Waldeck, qui est un peu artiste (...) affiche dans toutes ses occupations la nonchalance et, envers tous les hommes, le mépris. M. BARRÈS, Leurs figures, p. 237.

4 Pourquoi affiche-t-elle, sur les hommes et sur la vie, un pessimisme pénétrant, mais destructeur? A. MAUROIS, Terre promise, XXXIX.

*Afficher qqn :* rendre ostensible la liaison qu'on a ou qu'on affecte d'avoir avec qqn. *Afficher un amant, une maîtresse. Afficher une femme* (comme étant sa maîtresse). *Afficher une liaison.*

5 (...) un monde où les femmes les plus brillantes affichaient des amants moins respectables que celui-ci (...) PROUST, À la recherche du temps perdu, t. VII, p. 8.

◆ **S'AFFICHER** v. pron.

[a] (Valeur passive). Être affiché. *Tout cela se disait et s'affichait.*

[b] (Réfl.). Se montrer ostensiblement. *Il s'affiche avec des gens peu recommandables.* — Se montrer avec une personne avec qui on paraît avoir des relations amoureuses, une liaison. Absolt. *Elle s'affiche.* → **Compromettre** (se). *Ils s'affichent partout* (d'un couple).

5.1 Diane s'affichait avec un jeune diplomate cubain, il avait vu une charmante photo du couple à une première de ballets dans un journal. F. SAGAN, la Chamade, p. 162.

Vx. *S'afficher pour savant* (Académie). — Littér. *Il, elle s'affiche matérialiste, mystique, esprit fort.*

Absolt. S'étaler sans pudeur, sans souci des convenances.

6 Car cette débauche *(sous le Directoire),* loin de se cacher, — trait assez commun aux nouveaux riches de toutes les époques, — s'affiche et s'étale. Louis MADELIN, Hist. du Consulat et de l'Empire, t. II, p. 16.

◆ **AFFICHÉ, ÉE** p. p. adj.

♦ **1** *Proclamation affichée. — Prix affiché.*

♦ **2** Vx (personnes). Qui a acquis une mauvaise réputation (notamment en matière de mœurs, de sexualité). «*Une créature affichée*» (Goncourt, *Germinie Lacerteux*).

♦ **3** Montré publiquement; exhibé. «*Un parti-pris bien affiché de légèreté*» (J. Romains, *in* T. L. F.). *Des opinions affichées. Une liaison affichée.*

CONTR. **Cacher, dissimuler.** ◊ DÉR. **Affichage, 1. affiche, afficheur.**

2. **AFFICHER** [afiʃe] v. tr. — 1797, en cordonnerie; de l'anc. franç. *afficher* «ficher», v. 1160, «accrocher», 1180; de 1. *a-*, et *ficher.*

Techn. Vx. [a] Amincir (un pieu) par l'extrémité (pour le ficher en terre).

[b] Couper les parties de cuir qui dépassent de la forme.

**AFFICHETTE** [afiʃɛt] n. f. — 1867; de 1. *affiche;* un homonyme, fin XIIe, correspond à 2. *affiche.*

Petite affiche. *Des tracts et des affichettes.*

1 Le journal imprimait des faire-part, des affichettes, des menus et des cartes. Michel DÉON, le Jeune Homme vert, p. 225.

Souvent il rencontrait un nouveau visage, Borello, un élève de l'École normale d'instituteurs, qui était surpris alors qu'il collait des affichettes écrites de sa main. Max GALLO, la Baie des anges, p. 201.

**AFFICHEUR, EUSE** [afiʃœʀ, øz] n. — 1680, au masc.; de 1. *afficher.*

♦ **1** Personne qui pose des affiches. [a] Professionnel chargé de la pose et de la conservation des affiches sur les emplacements réservés. Syn. plus cour. : *colleur d'affiches.* — Le fém. *afficheuse* n'est pas attesté.

Les afficheurs étaient en train d'apposer partout une énergique proclamation du Comité central général. A. ROBIDA, le Vingtième Siècle, p. 266.

[b] Personne, entreprise pour laquelle sont posées des affiches. *Les afficheurs qui louent des emplacements.*

♦ **2** N. m. Techn. (électronique). Organe d'affichage. *Des afficheurs à cristaux liquides.*

**AFFICHISTE** [afiʃist] n. — 1904, C. Mauclair, *in* T. L. F.; «publiciste, libelliste», 1789, Beaumarchais; *affichier,* 1866; de 1. *affiche.*

Dessinateur publicitaire spécialisé dans la création des affiches.

(...) la France se place aux premiers rangs dans le domaine de l'affiche. Nos affichistes sont souvent à la fois des artistes et des publicitaires, et le plaisir que l'on éprouve à contempler leurs travaux n'est pas seulement celui des yeux (...) Comment ne pas mentionner Cassandre, Capiello, Carlu, Paul Colin, Picart-Ledoux, Loupot, Francis Bernard et tant d'autres, auteurs d'affiches telles que : Étoile du Nord, Monsavon (...) B. DE PLAS et H. VERNIER, la Publicité, p. 67.

**AFFICIONADO** [afisjɔnado] n. m. → **Aficionado.**

**AFFIDAVIT** [afidavit] n. m. — 1773; empr. angl., 3e pers. du parfait de l'ind. du lat. médiéval *affidare,* proprt «il a fait foi, il a attesté».

Dr. Déclaration faite par le porteur étranger de certaines valeurs mobilières, qui lui permet d'être affranchi, dans le pays qui reçoit cette déclaration, des impôts dont ces valeurs sont déjà frappées dans son pays d'origine.

**AFFIDÉ, ÉE** [afide] adj. et n. — 1567; ital. *affidato,* p. p. du lat. médiéval *affidare* «promettre» (cf. *affier,* du XIIe au XVIe), rad. *fides* «foi». → Fier.

♦ **1** Vx. À qui on peut se fier, se confier. *Affidé à quelqu'un.*

Je cherche (...) un homme qui nous soit affidé, pour jouer un personnage dont j'ai besoin. MOLIÈRE, les Fourberies de Scapin, I, 5.

N. Confident; agent secret. — Conspirateur, espion.

♦ **2** (1622, *in* D. D. L.). Didact. (hist.), ou littér. Qui se prête en agent sûr à un mauvais coup. — N. *Un de ses affidés,* de ses agents ou complices prêts à tout. → **Acolyte, complice.**

C'était sous le vêtement d'un tsigane, mêlé à la troupe de Sangarre, qu'Ivan Ogareff avait pu quitter la province de Nijni-Novgorod, où il était allé chercher, parmi les étrangers si nombreux que la foire avait amenés de l'Asie centrale, les affidés qu'il voulait associer à l'accomplissement de son œuvre maudite. Sangarre et ses tsiganes, véritables espions à sa solde, lui étaient absolument dévoués. J. VERNE, Michel Strogoff, p. 206.

(...) le chef des Brigades rouges est dans la cage des accusés à Turin et donne hautement raison à ses affidés encore libres. J. GREEN, Journal, 19 avr. 1978, la Terre est si belle.

DÉR. **Affider** (s').

**AFFIDER (S')** [afide] v. pron. — 1694; de *affidé*.

Vx ou didact. (En général péj.). *S'affider qqn :* en faire son affidé — *S'affider à qqn :* s'attacher à sa cause.

**AFFILAGE** [afilaʒ] n. m. — 1846; de *affiler*.

Techn. Action d'affiler (un instrument, un outil), de donner du fil. → **Affûtage, aiguisage, émorfilage, émoulage, repassage.** — On dit aussi *affilement* [afilmɑ̃].

**AFFILÉE (D')** [dafile] loc. adv. — 1853; de *affiler* «planter en ligne, aligner», 1671, de *file*.

À la file, de suite, sans interruption. → **Suite** (de). *Il a débité plusieurs histoires d'affilée.*

L'alouette chante une heure d'affilée sans s'interrompre d'une demi-seconde.
J. MICHELET, l'Oiseau, p. 103, *in* T. L. F.

Abrév. pop. **D'AFFILE, D'AFILE** [dafil] (1901).

2 C'est moi qui déconne tu vois... Ton besoin, c'est dix heures d'afile (...) CÉLINE, Mort à crédit, p. 695.

Var. Régional ou littér. **À L'AFFILÉE** [alafile] : à la suite, à la file.

**AFFILER** [afile] v. tr. — Fin XII^e; lat. pop. **affilare*, de *filum* «fil (de l'épée)». → Fil.

**I** ♦ **1** Donner le fil (à), aiguiser le tranchant de (un instrument, un outil) en émorfilant. *Affiler un couteau, un rasoir.* → **Aiguiser, affûter, émorfiler, émoudre.** *Le faucheur affile sa faux. Affiler des couteaux à la meule.* — Absolt. *Pierre à affiler.*

(...) le barbier, pour mener à perfection son ouvrage, étalait à nouveau sur le visage déjà rasé une mousse onctueuse et, du clair d'un second rasoir qu'il affilait au creux de sa main droite, raffinait.
GIDE, les Caves du Vatican, *in* Romans, Pl., p. 798.

Rendre plus pointu. → **Appointir.**

♦ **2** Fig. Rendre plus aigu, plus pénétrant (une chose abstraite, un sentiment, un organe, etc.).

Le glaive qui a tranché les jours de la reine est encore levé sur nos têtes; nos péchés en ont affilé le tranchant fatal (...)
BOSSUET, Oraison funèbre de Marie-Thérèse d'Autriche.

*Affiler sa langue.* → ci-dessous, Avoir la langue bien affilée.

**II** Techn. Rendre mince comme des fils. → **Amincir.** *Affiler un lingot d'or :* le faire passer dans une filière pour l'étirer en forme de fil.

◆ **AFFILÉ, ÉE** p. p. adj.

♦ **1** Tranchant, aiguisé. *Un couteau* (cit. 1) *bien, très affilé. Une lame affilée comme un rasoir.* — Par ext. *Un tranchant affilé.* — Par métaphore :

(...) effrayée de découvrir qu'un muscle perd sa vigueur, un désir sa force, une douleur la trempe affilée de son tranchant (...) COLETTE, la Naissance du jour, p. 6.

Pointu. *Le bec affilé d'un oiseau. — Un nez affilé.*

Par anal. Littéraire :

La marquise Guy de Ruy — une vieille mécontente, aux yeux bleus, froids et affilés, mais moins froids que son cœur et moins affilés que son esprit.
BARBEY D'AUREVILLY, les Diaboliques, «Le plus bel amour de Don Juan».

Abstrait (en parlant d'un sentiment, d'une partie du corps, etc.). Pénétrant, vif. *Une intelligence affilée.* → **Aigu, incisif.**

♦ **2** Loc. *Avoir la langue (bien) affilée, avoir le caquet bien affilé :* être très bavard. (Se dit surtout d'une personne médisante, perfide).

Vous avez le caquet bien affilé pour une paysanne.
MOLIÈRE, le Bourgeois gentilhomme, III, 3.

Loc. Par métonymie (personnes). *Être bien affilé, bien affilé du bec* (Nerval, L. Bloy, *in* T. L. F.).

REM. L'emploi du verbe, dans ce contexte, est archaïque.

Les uns affilent leurs langues de serpent. 4
FLÉCHIER, Sermon, I, 331, *in* LITTRÉ.

♦ **3** Régional (Canada). *Être mal affilé contre qqn :* être mal disposé envers quelqu'un.

CONTR. **Émousser.** ◊ DÉR. **Affilage, affileur, affiloir, affiloire.**

**AFFILEUR** [afilœʀ] n. m. — 1611; de *affiler*.

Techn. Celui qui affile des outils, des couteaux. → **Aiguiseur.** — REM. Le fém. *affileuse* est virtuel.

**AFFILIATION** [afiljasjɔ̃] n. f. — 1762; «adoption», 1560; du lat. médiéval jurid. *affiliatio*, de *filius* «fils».

♦ **1** Action d'affilier, de s'affilier; fait d'être affilié. *L'affiliation de qqn à un groupe. Demander son affiliation à une association, à un groupement, à un parti politique.* → **Adhésion.** *Le club local a demandé son affiliation à la Fédération.* → **Rattachement.** *À quand remonte son affiliation à cette Société ?* → **Admission, entrée.**

Spécialt. Rattachement (d'une personne) à un organisme de Sécurité Sociale, à une caisse...

♦ **2** Rapport, association entre groupes affiliés. *Il y a affiliation entre ces loges maçonniques.*

♦ **3** Fig. et littér. Adhésion spirituelle (Claudel, *in* T. L. F.); dépendance (en général).

Enfin, il est un outil. Il est une cellule. Il va pouvoir servir, il va pouvoir croire. L'au-delà, qu'il soit métaphysique ou qu'il soit social, ramène l'homme dans cette situation d'*affiliation* qui est une sécurité.
J.-M. G. LE CLÉZIO, l'Extase matérielle, p. 181.

**AFFILIER** [afilje] v. tr. — 1701, relig.; «adopter», XIV^e, sens du lat. médiéval *affiliare*, de *filius* «fils».

♦ **1** Faire entrer (une association, un groupe) dans un groupement plus grand, rattacher à une société mère. → **Incorporer.** *Affilier une association à une fédération, à une union nationale.*

(Le sujet désigne une association). Faire entrer (qqn) dans son sein.

Toutes organisations de résistance, quel que soit leur 0.1
caractère, autres que les trois grands mouvements groupés par le comité de coordination, devront être invitées à affilier leurs adhérents à l'un de ces mouvements (...)
Ch. DE GAULLE, Mémoires de guerre, t. II, p. 376.

♦ **2** Par ext. Admettre (qqn) comme membre. *Affilier qqn à une société secrète, à un parti, à une bande, à un groupe. Se laisser, se faire affilier à un parti.*

V. pron. (1791). *S'affilier à une société, à un parti :* en devenir membre. → **Adhérer, enrôler** (s'), **inscrire** (s').

(Récipr.). Rare. *S'affilier entre soi.*

Passif et p. p. *Être affilié à une organisation.*

Ils formaient, à Genève, un vaste groupement de jeunes 1
révolutionnaires sans ressources, plus ou moins affiliés aux organisations existantes.
MARTIN DU GARD, les Thibault, VII, 1.

Quelle est son étiquette? À quel parti est-il affilié? 2
A. MAUROIS, Études littéraires, t. II, p. 280.

♦ **3** Fig. et littér. Associer, réunir intimement. *«Ils affilièrent en un indestructible accord les cathédrales et les saintes»* (Huysmans, *En route,* p. 12, *in* T. L. F.). — (Passif). *«Être affilié à l'amour»* (Baudelaire, *Maximes,* Œuvres, Pl., p. 624).

◆ **AFFILIÉ, ÉE** p. p. adj. *Les associations affiliées à la fédération. — Les membres affiliés.*

N. Personne qui appartient à un groupement, une organisation. → **Adhérent, membre.** *Cette société compte une centaine d'affiliés.*

Spécialt. *Les affiliés d'une société secrète, d'une conspiration.* → **Affidé, complice, conspirateur.**

**AFFILOIR** [afilwaʀ] n. m. — 1829; de *affiler*, a remplacé *affiloire*.

Techn. Instrument servant à affiler. *Affiloir de boucher, pour les couteaux.* → **Fusil.**

HOM. **Affiloire.**

**AFFILOIRE** [afilwaʀ] n. f. — 1610, «aiguisoir»; de *affiler*.

Technique, ancien.

♦ **1** Affiloir, pierre à affiler.

♦ **2** (1834). Au plur. Assortiment de pierres à aiguiser (qu'utilisaient les menuisiers).

HOM. **Affiloir.**

**AFFIN, INE** [afɛ̃, in] adj. — XIIe, «voisin, pareil, parent», jusqu'au XVIe; repris mil. XIXe; lat. *affinis*.

♦ **1** Didact. [a] Adj. Qui présente une affinité. Ling. *Langues affines.* — Biol. *Formes affines :* espèces voisines présentant des ressemblances.

Mus. *Accords affins.*

[b] N. (Vx). *Les affins :* parents alliés (Chateaubriand, *le Génie du christianisme*).

♦ **2** Math. → **Affine.**

**AFFINAGE** [afinaʒ] n. m. — 1390; 1752, syn. de *affinement*; de *affiner*.

Action d'affiner.

♦ **1** Purification par élimination d'éléments étrangers. → **Raffinage.** *L'affinage des métaux. L'affinage de la fonte,* par lequel on transforme la fonte en fer. → **Décarburation.** *Affinage du grain* (d'un métal). *Affinage des monnaies, du salpêtre. — Affinage du verre,* par élimination des bulles.

Absolt (le sens spécial dépendant du contexte). *Procéder à l'affinage. Affinage et puddlage.*

♦ **2** (XVIIIe). Dernière façon qu'on donne à un produit. → **Finissage.** *Affinage des draps, du lin, du chanvre,* etc. *Affinage de la bière.*

Spécialt. Achèvement de la maturation des fromages. *Une cave d'affinage.* — Opération consistant à faire séjourner les huîtres dans des bassins spéciaux (→ **Claire**) pour en améliorer le goût.

♦ **3** (1752). Vx. Affinement. *«L'affinage du style»* (S. Mercier, *Néologie,* 1801).

**AFFINE** [afin] adj. — XXe; fém. de *affin, affine*.

Math. Qui conserve invariantes, par des correspondances linéaires, les transformations dans le plan ou dans l'espace. *Propriétés affines. Transformations affines.* → **Linéaire.** *Espace affine :* ensemble A attaché à un espace vectoriel E sur un corps commutatif. *Plan affine, droite affine. Repère* affine. Application affine* (algèbre), d'un espace affine A à un espace affine B. *Fonction affine. Groupe affine* (ensemble des automorphismes d'un espace affine). *Variétés linéaires affines. Géométrie affine :* étude des espaces affines et des variétés linéaires affines.

**AFFINEMENT** [afinmɑ̃] n. m. — 1576; «action de tromper par finesse», 1532; de *affiner*.

♦ **1** Techn. (Vx). Action d'affiner ou résultat de cette action. → **Affinage.**

♦ **2** (1580). Abstrait. Action de rendre plus délicat, plus fin, plus exact. *L'affinement du goût, des mœurs.* — (Des sens). *L'affinement de l'oreille, du sens auditif.*

Je lui retrouvai de nouveau, dans toute la sémillante frivolité dont il fit preuve devant ce harem qui semblait presque l'intimider, ces hochements de taille et de tête, ces affinements du regard qui m'avaient frappé le soir de sa première entrée à la Raspelière (...)

PROUST, le Temps retrouvé, Pl., t. III, p. 824.

♦ **3** (Concret). Fait de rendre ou de devenir plus fin. *L'affinement d'une pointe. L'affinement de l'archet vers l'extrémité.* → **Finesse.** — Spécialt. *L'affinement du corps, de la ligne.* → **Amincissement.**

**AFFINER** [afine] v. tr. — 1223; de *à*, et *fin*.

[I] (V. 1510). Vx ou régional. Tromper en usant de finesse. → Jouer au plus fin.

*(Mitis)* Pour la seconde fois les trompe et les affine (...)

LA FONTAINE, Fables, III, 18.

REM. Le mot semble encore usuel au début du XIXe s., par ex. dans le Berry (G. Sand).

[II] Mod. ♦ **1** Rendre plus fin en diminuant l'épaisseur, la grosseur de. *Affiner des épingles, des clous :* les rendre plus pointus. — *Affiner le chanvre, le lin :* en refendre les fibres pour qu'ils soient plus déliés.

Agric. *Affiner la terre :* la rendre plus meuble (par des labours répétés).

Techn. *Affiner un mur :* l'amincir.

♦ **2** (1285). Purifier en éliminant les éléments étrangers, procéder à l'affinage de. → **Épurer purifier.** *Affiner un métal, le verre, le ciment. Affiner le sucre.* → **Raffiner.**

Absolt. *Four à affiner.*

♦ **3** Rendre fini par une dernière façon. *Affiner un drap* (par un dernier tondage). *Affiner le lin, le chanvre à l'affinoir.*

Spécialt. *Affiner les fromages :* en achever la maturation. — (Sujet n. de chose). *Le temps, la cave affine les fromages* (Académie, 1878). — *Affiner les huîtres :* procéder à leur affinage.

Techn. En reliure. *Affiner le carton, les cartons :* renforcer les mors des cartons de reliure de manière à les rendre plus fermes.

♦ **4** Fig. et cour. Rendre plus délicat, plus délié, plus raffiné, plus subtil. *Affiner l'esprit, le goût, les manières de qqn.* → **Perfectionner, civiliser, polir, raffiner.** *La lecture a affiné son jugement, sa sensibilité. Affiner son style. «Affiner, assouplir (...) les procédures de la comptabilisation»* (François Perroux, *in* T. L. F.).

*Affiner les sens, l'oreille, le regard,* rendre plus aigu. *«L'acuité de son regard que la souffrance affinait»* (Romain Rolland, *Jean-Christophe,* in T. L. F.).

(Compl. n. de personne). Rendre plus fin, plus subtil. *La souffrance l'a affiné.*

Absolt. *«C'est elle* (la conscience) *qui éduque, qui affine, qui sensibilise»* (Le Clézio, *l'Extase matérielle,* p. 71).

◆ **S'AFFINER** v. pron. *L'or s'affine à la coupelle. Une branche qui s'affine à l'extrémité,* qui devient fine. — Devenir plus fin (abstrait). *Cette personne s'est affinée, elle a pris de la distinction.*

Le goût étant le sens de l'agréable, il s'affine dans la souffrance.

FRANCE, la Vie en fleur, XVII.

Est-ce qu'une pensée, d'un individu à l'autre, d'un siècle à l'autre s'affine ? Elle change, cela est sûr, elle s'adapte. Mais progresse-t-elle ?
J.-M. G. LE CLÉZIO, l'Extase matérielle, p. 88.

◆ **AFFINÉ, ÉE** p. p. adj. *Métaux affinés, fer affiné. Huîtres affinées en claire*. — Sensibilité affinée.*

Ensuite le maître lui-même, avec son toucher prodigieusement affiné par la cécité, procéda au minutieux examen des touffes, enregistrant soigneusement dans son souvenir telle particularité créée par la disposition des feuilles ou par l'écartement des piquants.
Raymond ROUSSEL, Impressions d'Afrique, p. 334.

CONTR. **Épaissir, alourdir.** ◊ DÉR. **Affinage, affinement, affinerie, affineur, affinoir.**

**AFFINERIE** [afinʀi] n. f. — 1552 ; de *affiner.*

Vieux.

♦ **1** Lieu, atelier où l'on affine les métaux. *Porter l'or à l'affinerie. — Affinerie électrolytique* (1885, *in* T. L. F.).

♦ **2** Vx. Métal affiné. *«Acheter, employer (...) un quintal d'affinerie»* (Bescherelle).

**AFFINEUR, EUSE** [afinœʀ, øz] n. — XIVe ; de *affiner.*

**I** Vx ou régional (de *affiner,* I.), *in* G. Sand, *les Maîtres sonneurs.* Celui qui trompe. *Une affineuse :* une enjôleuse.

**II** Techn. Professionnel chargé de l'affinage (des métaux, du verre, du fromage). Par appos. *Ouvrier affineur.*

Adj. *Un filtre affineur. Cylindres affineurs.*

**AFFINITAIRE** [afinitɛʀ] adj. — 1869, en chim. ; de *affinité.*

♦ **1** Hist. de la chim. *Nombres affinitaires,* exprimant la relation entre volume atomique et propriétés électro-chimiques (Avogadro).

♦ **2** Sports. Associé (en parlant de groupes sportifs). *Fédérations affinitaires* (1934, *in* Petiot).

**AFFINITÉ** [afinite] n. f. — Fin XIIIe ; «voisinage», XIIe ; du lat. *affinitas* «voisinage, parenté par alliance».

♦ **1** Dr. (Vieilli). En parlant des personnes. Parenté par alliance, degré de proximité que le mariage fait acquérir avec la famille du conjoint. → **Parenté.** *Le degré de consanguinité ou d'affinité.*

L'église (...) a fini par déclarer empêchements dirimants de mariage tous les degrés d'affinité correspondant aux degrés de parenté où le mariage est défendu.
CHATEAUBRIAND, le Génie du christianisme, I, I, X.

*Affinité spirituelle :* celle qui est contractée dans le baptême entre les parrains et les marraines et les personnes dont ils ont tenu les enfants (→ **Compérage**) ; et aussi entre les parrains et les marraines et leurs filleuls ou filleules.

♦ **2** Fig. Conformité (entre des choses). *Affinité naturelle d'idées. Affinité de doctrines.* → **Analogie, parenté.**

(...) il n'y a certes aucune affinité ni aucun rapport, au moins que je puisse comprendre, entre cette émotion de l'estomac et le désir de manger (...)
DESCARTES, Méditations, 6.

M. de Saint-Martin avait cru trouver dans Atala certain argot dont je ne me doutais pas, et qui lui prouvait une affinité de doctrines avec moi.
CHATEAUBRIAND, Mémoires d'outre-tombe, II, III.

♦ **3** (XIVe). Rapport de conformité, de ressemblance ; harmonie de goûts, de sentiments, etc. (entre personnes). → **Accord, attirance, inclination, sympathie.** *L'affinité d'une personne pour, envers une autre personne, de deux personnes entre elles. — L'affinité de leurs caractères, de leurs goûts les a poussés à vivre ensemble.*

(...) les liens sympathiques, les affinités mystérieuses qui, 4
en certains moments, m'unissent si étroitement avec tout ce qui est aimable et beau (...)
LOTI, Aziyadé, XL.

Il y a de véritables affinités, entre vous et certaines suites 5
de sons, entre vous et certaines couleurs éclatantes (...)
LOTI, Aziyadé, XL.

Certains rêves de tendresse partagée, toujours flottants en 6
nous, s'allient volontiers, par une sorte d'affinité, au souvenir (...) d'une femme avec qui nous avons eu du plaisir.
PROUST, À la recherche du temps perdu, p. 234.

Loc. *Et plus si affinités :* formule employée dans les petites annonces de rencontres des journaux, des magazines. *«Des boîtes où jeunes minets branchés, lesbiennes ou garçons ecstasyés* (qui absorbent de l'ecstasy) *peuvent s'oublier et se perdre, rentrer en transe techno et draguer jusqu'au petit matin. Voire plus si affinités»* (*Libération,* 11 nov. 1995, p. 12).

REM. L'expression s'emploie hors du contexte initial, souvent ironiquement.

Loc. *Affinités électives.* → ci-dessous, 4., par métaphore.

Littér. (entre une personne et une chose abstraite) :

Nous ne nous sentons d'affinités qu'avec la vie. Elle est un 6.1
peu médiocre et avare. Et, si nous n'aimons qu'elle, nous ne la provoquons pas : nous la laissons venir à nous, et, bien des jours de suite, elle ne vient pas. Tant pis !
J. RENARD, Journal, 21 janv. 1898.

♦ **4** (XVIIe). **a** Chim. (lat. alchim. *affinitas,* XIIIe). Vx. Propriété de deux corps de s'unir entre eux par l'intermédiaire de leurs particules semblables.

Mod. (XVIIIe). Tendance que présentent deux ou plusieurs substances à se combiner chimiquement. *Les affinités chimiques peuvent s'exprimer par des fonctions thermodynamiques. L'affinité de l'hémoglobine pour l'oxygène.*

(Par métaphore). *Les Affinités électives,* roman de Goethe.

On comprend que des affinités électives aient uni Proust 7
à Ruskin.
A. MAUROIS, À la recherche de Marcel Proust, IV, II, p. 108.

Force mesurable qui, dans un composé, maintient les atomes en liaison.

**b** (XIXe). Biol. (lat. sc. *affinitas*). Ressemblance entre individus, entre espèces, servant de base aux classifications. — Faculté que possèdent des espèces différentes de présenter des copulations pouvant conduire à des fécondations et à des hybrides viables. *Affinités sexuelles, physiologiques. Affinité chromosomique :* faculté d'appariement des chromosomes chez un hybride.

**c** (1885). Math. Correspondance entre les points de deux plans qui transforme les droites parallèles de l'un en droites parallèles de l'autre. — Application d'un coefficient multiplicateur à l'ordonnée de tous les points d'un plan. *Affinité orthogonale.*

**d** Ling. Fait de présenter des analogies de structure, indépendamment de la parenté génétique.

DÉR. **Affinitaire.**

**AFFINOIR** [afinwaʀ] n. m. — 1680 ; «lieu où l'on affinait les métaux», XVIe ; de *affiner.*

Techn. Peigne à affiner le lin et le chanvre.

**AFFIQUET** [afikɛ] n. m. — XIIe, forme normanno-picarde, dimin. de *affique,* var. de *affiche* «agrafe, ornement». → 2. Affiche.

Familier.

♦ **1** (Surtout au plur.). [a] Petit bijou ou objet de parure agrafé aux vêtements. → **Affûtiaux; colifichet, fanfreluche, ornement.**

1 Aussi je les compare à ces femmes jolies
Qui par les affiquets se rendent embellies (...)
Mathurin RÉGNIER, Satires, IX.

2 Toutefois, on put la voir un beau matin à l'église, en robe blanche à beaucoup de volants, avec de riches affiquets, un gros bouquet au sein, une couronne d'oranger très délicate au front, et des souliers d'un satin si pâle que celles qui la virent s'avancer ainsi au milieu des bancs jusqu'à l'autel en restèrent émerveillées pour la vie.
Germain NOUVEAU, la Sourieuse, Pl., p. 437.

[b] Littér. et par plais. Ornement d'un goût douteux. *«Le vilain affiquet dit "faux cul"»* (Colette, *le Képi*, in T. L. F.).

♦ **2** (Vx ou régional; au sing.). Porte-aiguille à tricoter que les femmes fixaient à leur ceinture.

Mod. Petit instrument servant à empêcher les mailles d'un tricot interrompu de glisser des aiguilles.

♦ **3** Fig. et rare. Ornement (dans quelque domaine que ce soit).

**AFFIRMABLE** [afiʀmabl] adj. — 1907, Bergson; de *affirmer.*

Rare. Qui peut être affirmé (surtout négatif).

CONTR. **Niable.**

**AFFIRMANT, ANTE** [afiʀmɑ̃, ɑ̃t] adj. — 1865, Hugo *in* T. L. F.; p. prés. de *affirmer.*

Rare. Qui affirme.

N. (Dr.). Personne qui affirme un acte, en atteste l'exactitude.

**AFFIRMATEUR, TRICE** [afiʀmatœʀ, tʀis] adj. et n. — 1876, Littré, *Suppl.*; de *affirmation.*

Adj. Rare. Qui affirme.

N. Personne qui affirme (qqch.). *L'affirmateur de cette thèse.*

1 Ce pauvre Socrate n'avait qu'un démon prohibiteur; le mien est un grand affirmateur, le mien est un démon d'action (...) BAUDELAIRE, le Spleen de Paris, XLIX.

2 Celui qui se tue est le grand affirmateur du *présent.* Je veux me tuer dans un instant «absolu», le seul qui triomphera absolument de l'avenir, qui ne passera pas et ne sera pas dépassé. M. BLANCHOT, l'Espace littéraire, p. 126.

CONTR. **Négateur.**

**AFFIRMATIF, IVE** [afiʀmatif, iv] adj. et adv. — XIII^e; du bas lat. *affirmativus,* du supin de *affirmare.* → Affirmer.

[I] Adj. ♦ **1** Qui constitue, exprime une affirmation. *Parler d'un ton affirmatif. Il eut un geste affirmatif. Parole, déclaration affirmative. Une expression affirmative.*

1 De toutes les réponses affirmatives, la plus simple est oui.
F. BRUNOT, la Pensée et la Langue, p. 493.

2 Il ne répondit que par un léger signe affirmatif.
ZOLA, le Docteur Pascal, p. 294.

Dr. Qui énonce catégoriquement (par oui ou par non). *Déclaration affirmative.*

3 Pour que le saisissant puisse se payer sur le droit saisi-arrêté, il faut qu'il sache si et sous quelles modalités le tiers saisi se trouve être débiteur du saisi. La *procédure* en *déclaration* affirmative sert à cette fin.
Nouveau répertoire de droit, t. IV, p. 230.

♦ **2** (Personnes). Qui affirme. *Elle a été très affirmative, elle ne viendra pas.* — Qui est porté à affirmer, affirme avec audace, sans hésitation. → **Péremptoire.**

4 Je les trouvai tous fiers, affirmatifs, dogmatiques, même dans leur scepticisme prétendu.
ROUSSEAU, Émile, IV.

Qui affirme sa personnalité. *«M^me Bertrand, solide, affirmative et décidée...»* (Gide, *in* T. L. F.). — (Choses). Qui s'affirme. *Des œuvres affirmatives d'elles-mêmes. Une volonté affirmative.*

♦ **3** Qui constitue, exprime une affirmation dans la forme (notamment, log., ling.). *Proposition affirmative* (ni négative ni interrogative). *Jugement affirmatif.* — Vx. *Mode affirmatif,* ou, n. m., *l'affirmatif* : l'indicatif.

Toute proposition à laquelle rien ne donne le caractère d'une question, et où il n'y a aucune négation, est affirmative. F. BRUNOT, la Pensée et la Langue, p. 493.

N. m. (XVI^e). Vx. Mot affirmatif.

Nous avons nos affirmatifs préférés, dont souvent nous abusons; c'est un défaut à surveiller.
F. BRUNOT, la Pensée et la Langue, p. 493.

N. f. (1283). Vx. *Une affirmative* : réponse affirmative → **Affirmation.** — Mod. *Répondre par l'affirmative* : répondre oui. *Dans le débat, un orateur soutint l'affirmative, et l'autre la négative. Se prononcer pour l'affirmative.*

Il parie encore pour l'affirmative.
LA BRUYÈRE, les Caractères, X, 11.

[II] Adv. (XX^e). T. de transmissions. Oui. *M'entendez-vous? — Affirmatif. «(...) un peu comme le "oui" des pilotes et des militaires qui, d'être exprimé par "affirmatif", garde on ne sait quoi de viril et d'efficace, tout en interdisant toute confusion possible avec un autre "phonème" qui ressemblerait à "oui"»* (*le Nouvel Obs.,* 30 oct. 1972, p. 88).

Jo, tu es sûr de ce que tu dis? Le conducteur abandonne bien son volant pour aider les convoyeurs à embarquer le pognon? demande Loutrel à Attia. — Affirmatif, Pierre.
Roger BORNICHE, le Gang, p. 119.

CONTR. **Négatif.** ◊ DÉR. **Affirmativement.**

**AFFIRMATION** [afiʀmasjɔ̃] n. f. — Av. 1275, *affirmacion*; du lat. *affirmatio,* du supin de *affirmare.* → Affirmer.

♦ **1** Acte par lequel on affirme, on donne pour vrai un jugement (qu'il soit, dans la forme, affirmatif ou négatif); la chose affirmée, le jugement énoncé. *J'avais besoin de votre affirmation pour croire ce fait* (Académie). → **Assurance, attestation, déclaration.** *En dépit de vos affirmations, je n'en crois rien.* → **Allégation, assertion.** *Une affirmation discutable. L'affirmation de qqch. (par qqn). Des affirmations absolues, massives, péremptoires.*

Il est prudent parfois, il est de bon ton toujours d'atténuer certaines affirmations positives ou négatives. En certains cas, on ne répond pas par un si, qui risque de choquer autant que de surprendre, ni par un non. On les atténue : **Vous n'irez pas à cette réunion?** Que si! Mais si!
F. BRUNOT, la Pensée et la Langue, p. 105.

REM. On atténue ou renforce une affirmation par diverses formules. → Oui, certes, en vérité*, si, sans doute*.

On introduit des verbes qui insistent sur l'affirmation : **Je t'assure, nous vous certifions que : Tu penses bien que...** — La langue populaire a fait de **je te crois** une formule à cet usage : **Je te crois qu'il a gagné de l'argent.** De nombreux adjectifs se construisent, à cet effet, avec le verbe **être : il est évident, sûr, certain, avéré, manifeste, clair, acquis, établi, reconnu (...) qu'elle a toujours fait son devoir (...)**
A noter aussi les expressions : **c'est que; le fait est que... Bien sûr que... Point de doute que (...)**
F. BRUNOT, la Pensée et la Langue, p. 500-501.

Pensée exprimée avec force et assurance; vérité assumée et affirmée. *Affirmations contradictoires. Les grandes affirmations du marxisme.*

Dr. *Affirmation de compte, de créance* : déclaration par laquelle on certifie l'exactitude, la réalité d'un compte, d'une créance.

*L'affirmation. Un ton d'affirmation.* → **Affirmatif.** *«L'homme vit d'affirmation plus encore que de pain»* (*les Misérables,* Hugo, *in* T. L. F.).

♦ **2** (Par opposition à *négation,* à *interrogation*). *L'affirmation :* caractère d'une proposition dans laquelle la relation énoncée est donnée pour réelle et positive; cette proposition. *L'affirmation et la négation* (cit. 2, Bergson). Ling. *Adverbes d'affirmation. Formule d'affirmation. Modes d'affirmation.*

L'affirmation peut résulter de la présence de deux négations : Non que Maupassant, dans sa jeunesse surtout, n'ait connu ce féroce plaisir des mystifications funèbres.
F. BRUNOT, la Pensée et la Langue, p. 493.

*(Une, des affirmations).* Proposition affirmative (log.), énoncé affirmatif (ling.).

♦ **3** Action, manière d'affirmer, de manifester de façon indiscutable (une qualité). *L'affirmation d'une amitié, de son originalité. Avec ce nouveau livre, on assiste à l'affirmation de sa personnalité.* → **Démonstration, expression, manifestation, preuve, témoignage.** *L'affirmation de soi.*

Certainement, c'est dans la parfaite *abnégation* que l'individualisme triomphe, et le *renoncement à soi* est le sommet de l'affirmation. C'est par la *préférence de soi,* tout au contraire, que le Malin nous embauche et nous asservit.
GIDE, Journal, 16 févr. 1916.

♦ **4** Didact. Action de mettre en relief (une forme, une couleur, des contours). *L'affirmation des lignes, des volumes par l'éclairage.*

CONTR. **Doute, question. — Démenti, négation.** ◊ DÉR. **Affirmateur.**

**AFFIRMATIVE** [afiʀmativ] n. f. → **Affirmatif.**

**AFFIRMATIVEMENT** [afiʀmativmɑ̃] adv. — V. 1460, «fermement»; de *affirmatif.*

♦ **1** (1636). Vieilli. D'une manière affirmative, dogmatique, avec assurance.

♦ **2** Par l'affirmative, en disant oui. *Il a répondu affirmativement.*

Allumerons-nous un feu afin de signaler notre présence sur cette côte?
C'était là une grave question, et pourtant, quelques pressentiments qu'eût gardés l'ingénieur, elle fut résolue affirmativement. J. VERNE, l'Île mystérieuse, t. II, p. 604.

Didact. *Raisonner affirmativement. Donner affirmativement une hypothèse, une probabilité.*

CONTR. **Négativement.**

**AFFIRMER** [afiʀme] v. tr. — XIII^e^; du lat. *affirmare* «affermir, consolider, affirmer».

♦ **1** Donner pour vrai, énoncer (un jugement) comme vrai. → **Arguer, garantir, proclamer, répondre** (de qqch.). *Affirmer qqch. avec énergie.* cf. Donner sa tête à couper, mettre sa main au feu. *Affirmer une chose.* → **Prétendre.** — (Le compl. désigne un objet logique). *Affirmer une opinion, une certitude. Je l'affirme sur l'honneur.* → **Jurer.** *J'affirme la réalité des faits. — Affirmer que... J'affirme que les choses se sont passées ainsi.* → **Attester, certifier.** *J'affirme que non (que si).* → **Dire, soutenir.** — *Affirmer* (et l'inf.). *J'affirme l'avoir rencontré ce jour-là.* → **Assurer, déclarer.**

On affirme d'un ton **ferme,** et en donnant pour certain (...) Affirmer suppose quelque chose d'évident dont on est convaincu ou dont on veut convaincre.
LAFAYE, Dict. des synonymes, Affirmer...

Si je n'affirme pas davantage, c'est que je crois l'insinuation plus efficace. GIDE, Pages de journal, 1929-1932.

(...) tant qu'on n'a pas vu de ses yeux, on n'a le droit de rien affirmer. F. MAURIAC, la Pharisienne, VI.

Absolt. Formuler nettement une vérité (→ ci-dessus, cit. 2), une conviction.

(...) c'est la bouteille à l'encre. On ne peut affirmer. On peut tout supposer. 4
J. ROMAINS, les Hommes de bonne volonté, t. VII, p. 237.

Chaque créancier *(du failli)* après que sa créance aura été vérifiée, sera tenu d'affirmer, entre les mains du juge-commissaire, que la dite créance est sincère et véritable. 5
Code de commerce, art. 497.

♦ **2** (Par opposition à *nier*). Exprimer qu'une chose est, ou est telle. Absolt. *Toute proposition affirme ou nie* (Académie).

L'Église affirme, la raison nie. Entre le oui du prêtre et le non de l'homme, il n'y a plus que Dieu qui puisse placer son mot. 6
HUGO, Littérature et Philosophie mêlées, p. 51.

(...) cette voix cachée qui simultanément affirmait et niait (...) 6.1
J.-M. G. LE CLÉZIO, l'Extase matérielle, p. 189.

*Affirmer Dieu. Affirmer une chose. Affirmer que...* (même construction qu'au sens 1.).

♦ **3** Manifester de façon indiscutable. → **Confirmer, démontrer, extérioriser, prouver.** *Il affirme son originalité.* → **Exprimer, montrer.** — *Rendre plus certain, plus ferme.* → **Consolider.**

(...) ils éprouvent le besoin de cimenter leur amitié avec eux, de l'affirmer par mille témoignages aimables. 7
LOTI, Figures et Choses..., XIX, IV.

(...) le sens primitif s'affaiblit par la diffusion de l'expression, et (...) il a besoin d'être affirmé. 8
F. BRUNOT, la Pensée et la Langue, p. 683.

(...) ce désir d'affirmer sa personnalité, sans lequel il n'est point de littérature (...) 9
Julien BENDA, la France byzantine, p. 165.

(...) une patience infinie, une incessante étude lui ont donné le droit d'affirmer désormais son originalité. 10
Édouard HERRIOT, la Vie de Beethoven, p. 69.

Pron. Se manifester nettement. *Son talent s'affirme.* → **Poser** (se). *Il s'affirme comme écrivain.*

La personnalité ne s'affirme jamais plus qu'en se renonçant (...) GIDE, Journal, 12 août 1933. 11

Martial n'avait jamais pu supporter, chez son beau-frère, cette façon de s'affirmer, de s'arroger la parole à table, par exemple, sans paraître avoir le moindre doute sur l'intérêt de ses propos et l'attention qu'ils devaient nécessairement susciter chez les auditeurs. 12
Jean-Louis CURTIS, le Roseau pensant, p. 33.

Vous les entendez : ce sont des rires moqueurs. C'est évident et c'est très bien. Il est bon à leur âge de s'affirmer contre nous, je trouve ça très sain. 13
N. SARRAUTE, Vous les entendez?, p. 204.

♦ **4** Rendre plus net (des contours, des traits, une forme). *Affirmer une forme, des contours.* → **Dessiner, souligner.**

Pron. *Les contours s'affirment.*

♦ **5** (Compl. concret). Littér. (latinisme). Affermir (Claudel, *l'Échange, in* T. L. F.).

◆ **AFFIRMÉ, ÉE** p. p. adj.

♦ **1** Présenté comme vrai, authentique. *Fait affirmé. Vérité affirmée.*

N. m. (Philos.). *L'affirmation et l'affirmé :* l'opération par laquelle on affirme et ce qui est ainsi affirmé.

♦ **2** Qui s'affirme, s'impose avec force. *Une personnalité affirmée, peu affirmée. Autorité affirmée.*

♦ **3** Rendu plus net, plus visible. *Contours très affirmés. Couleur affirmée.*

Il n'avait presque pas changé; les rides du front étaient plus profondes qu'autrefois, le menton plus affirmé (...) 14
S. DE BEAUVOIR, les Mandarins, p. 248.

CONTR. **Dédire (se), démentir, désavouer, rétracter (se). — Contester, contredire, nier. — Affaiblir. — Cacher, dissimuler, taire.** ◊ DÉR. **Affirmable, affirmant.**

**AFFIXAL, ALE, AUX** [afiksal, o] adj. — 1872; de 1. *affixe.*

Didact. Relatif aux affixes. *Éléments affixaux,* préfixaux et suffixaux.

**AFFIXATION** [afiksasjɔ̃] n. f. — Mil. XX^e; de 1. *affixe.*

Didact. Procédé de création de mots par adjonction d'affixes à des mots bases.

1. **AFFIXE** [afiks] n. m. — 1584; du lat. *affixus,* de *affigere* «attacher à».

Didact. (ling.). Élément susceptible d'être incorporé à un mot, avant, dans ou après le radical (préfixe, infixe, suffixe) pour en modifier le sens ou la fonction.

Adj. Qui se fixe au radical d'un mot pour en modifier le sens. *Particule affixe.*

DÉR. **Affixal, affixation, affixé.** ◊ HOM. 2. **Affixe.**

2. **AFFIXE** [afiks] n. f. — 1885; lat. *affixus.* → 1. Affixe.

Math. Nombre complexe représentant un point du plan.

HOM. 1. **Affixe.**

**AFFIXÉ, ÉE** [afikse] adj. — 1852; de 1. *affixe.*

Didact. (ling.). Employé comme affixe. Ir- *et* -able *sont des éléments affixés dans* irrecevable.

**AFFLANQUER** [aflɑ̃ke] v. tr. — 1924; de 1. *a-,* et *flanc,* d'après *accoster,* etc.

Rare. Se mettre contre, au flanc de... *«Le navire, sur le point d'afflanquer le quai...»* (Gide, 1924, *in* T. L. F.).

**AFFLATION** [aflasjɔ̃] n. f. — XV^e, «souffle»; lat. *afflatio,* de *afflare* «souffler».

Didact. et rare. Souffle de vent (Hugo, *in* T. L. F.).

**AFFLEURAGE** [aflœʀaʒ] n. m. — 1782; de *affleurer.*

Techn. Opération qui consiste à ramener à fleur de cuve la pâte destinée à la fabrication du papier.

(Industrie du bois). Action de couper la partie du panneau stratifié qui dépasse du support après collage.

**AFFLEUREMENT** [aflœʀmɑ̃] n. m. — 1593; de *affleurer.*

♦ **1** Action d'affleurer, de mettre de niveau.

♦ **2** État de ce qui affleure, fait d'apparaître à la surface du sol. *L'affleurement d'un filon.* → **Mine.** — *Affleurement de couches géologiques. Point d'affleurement.*

0.1 (...) C'est la terre plus fraîche au cœur des fougeraies, l'affleurement des grands fossiles aux marnes ruisselantes (...) SAINT-JOHN PERSE, Exil, «Pluies».

Lieu où qqch. affleure.

1 (...) l'affleurement bleuâtre des veines microscopiques qui serpentent sous l'épiderme.
TAINE, Philosophie de l'art, I, I, III.

♦ **3** Fig. Émergence.

2 On n'y rencontre guère (*dans les* Conversations avec Goethe *d'Eckermann*) de jaillissements sublimes, inattendus; mais c'est un affleurement continu d'une sagesse souriante; assez semblable, somme toute, à celle de Montaigne. GIDE, Journal, 17 mai 1940.

**AFFLEURER** [aflœʀe] v. tr. et intr. — 1397; de *à fleur de...*

**I** Techn. et rare (sujet n. de personne). ♦ **1** Vx. Mettre (qqch.) de niveau. *Affleurer le plâtre.*

♦ **2** Mettre au même niveau (deux surfaces, deux choses contiguës). *Affleurer les battants d'une armoire. Affleurer au grattoir les joints d'un parquet.*

♦ **3** **a** *Affleurer la pâte* (à papier) : délayer les grumeaux, les soufflures de la pâte et les ramener à fleur de cuve.

**b** Mélanger (des grains, des farines).

**II** (XVI^e). Techn. et cour. Arriver, être au niveau de (qqch.). ♦ **1** (Concret). **a** Trans. dir. (Techn.). *Affleurer qqch. :* arriver au même niveau que... *Les panneaux qui affleurent le bâti. Affleurer le niveau de qqch.* — Par ext. Être tout contre. → **Effleurer.** *«Le bord de sa jupe affleurait le gravier»* (Colette).

**b** Trans. ind. (Littér.). *Affleurer à... «La mer de nuages affleurait au ras de la fenêtre»* (Montherlant, *in* T. L. F.). — Toucher à... *Le roc affleurait à l'entrée de la maison.*

**c** Spécialt (plus cour.). Trans. dir. *Affleurer le sol, le niveau du sol. La rivière affleure ses bords,* est près de déborder. *«Les gradins du théâtre d'Éphèse affleuraient le sol de la colline»* (Renan). *Ici, le granit affleure le sol.*

**d** Intrans. ou absolt. *Le toit affleure, affleure à peine,* atteint le niveau du mur, ne déborde pas. — Spécialt. Atteindre le niveau du sol (terrains). *La roche, le roc affleure par endroits.*

(Le sujet désigne un liquide). Monter jusqu'à la surface. *La crème affleure (sur le lait).*

**e** (XVI^e). Vx. Sujet au plur. Être au même niveau (→ ci-dessus, I., 2.). *Ces montants affleurent bien,* sont jointifs.

♦ **2** V. intr. (Abstrait). Littér. ou style soutenu. Se manifester en apparaissant, en transparaissant (malgré la présence d'une autre chose qui cache, recouvre...). → **Émerger, percer, sortir.** *Le doute, la colère commençait à affleurer en lui, à affleurer sur son visage. Le sadisme affleure par instants sous la bonhomie. Les sentiments inavoués qui affleurent dans son style. Sentiments qui affleurent à la surface, à la conscience.*

Notre «moi» est fait de la superposition de nos états successifs. Mais cette superposition n'est pas immuable comme la stratification d'une montagne. Perpétuellement des soulèvements font affleurer à la surface des couches anciennes.
PROUST, À la recherche du temps perdu, p. 158.

Quand je pensais à elle, aucun souvenir vif ne revenant affleurer à mon attention, j'avais seulement devant les yeux les lettres de son nom.
PROUST, les Plaisirs et les Jours, XVII.

(...) la beauté de cette poésie serait inconcevable sans une sensualité sous-jacente qui, de temps à autre, affleure.
A. MAUROIS, Terre promise, XXXI.

CONTR. **Pénétrer, enfoncer (s').** ◊ DÉR. **Affleurage, affleurement.**

**AFFLICTIF, IVE** [afliktif, iv] adj. — 1501; «qui frappe, qui afflige», 1374; du lat. *afflictum,* supin de *affligere* «frapper». → Affliger.

♦ **1** Vx. Qui afflige.

J'étais plus fâché de déplaire que d'être puni, et le signe du mécontentement m'était plus cruel que la peine afflictive.
ROUSSEAU, les Confessions, I.

♦ **2** Dr. *Peine afflictive,* qui punit le criminel corporellement (par oppos. à *peine infamante*).

2 Les peines en matières criminelles sont ou afflictives et infamantes, ou seulement infamantes.
Les peines afflictives et infamantes sont :
1° La mort; 2° Les travaux forcés à perpétuité; 3° La déportation; 4° Les travaux forcés à temps; 5° La détention; 6° La réclusion. Code pénal, art. 6 et 7.

**AFFLICTION** [afliksjɔ̃] n. f. — V. 1050; du bas lat. *afflictio*, de *affligere*. → Affliger.

♦ **1** Littér. Peine profonde, abattement à la suite d'un événement pénible, d'un grave revers. → **Abattement, chagrin, déchirement, désolation, tourment.** *L'événement le plongea dans une grande, une profonde affliction.* → **Désespoir, détresse, tristesse.** *Être dans l'affliction. Jeter qqn dans une profonde affliction. L'affliction de qqn, son affliction. Prendre part à l'affliction de qqn.* → **Deuil, peine.**

1 **Affliction,** du latin **affligere,** frapper, renverser, est le nom d'une peine produite par le vent de l'adversité qui abat l'édifice de notre bonheur, par un revers de fortune, par une catastrophe, par la perte d'une personne qui nous est chère. De plus, l'affliction éclate; elle se manifeste par le deuil, par des pleurs et des gémissements (...)
LAFAYE, Dict. des synonymes, V. Consolation.

2 Certains compliments de consolation
Qui sont surcroît d'affliction.
LA FONTAINE, Fables, VIII, 14.

3 Dieu, qui voyez mon trouble et mon affliction (...)
RACINE, Athalie, V, 7.

4 Si de tous les hommes les uns mouraient, les autres non, ce serait une désolante affliction que de mourir.
LA BRUYÈRE, les Caractères, XI, 43.

1 (...) le roi mon oncle, au lieu de témoigner de l'affliction en voyant le prince son fils dans un état si affreux, lui cracha au visage (...)
A. GALLAND, les Mille et une Nuits, t. I, p. 120.

(Contexte relig.). Douleur provoquée par une épreuve envoyée par Dieu.

♦ **2** Littér. *(Une, des afflictions).* Souvent au plur. *Des afflictions :* des épreuves qui provoquent une peine profonde. → **Épreuve, catastrophe, malheur, tribulation, vicissitude.** *Vivre dans les afflictions.*

5 Dans mes afflictions, dans toutes mes traverses et tous les chagrins inséparables de la misère humaine (...)
BOURDALOUE, Pensées, t. I, p. 413.

CONTR. **Allégresse, contentement, joie, jubilation, plaisir, ravissement, réjouissance, satisfaction. — Consolation, soulagement.**

**AFFLIGEABLE** [afliʒabl] adj. — 1833, Petrus Borel, *in* T. L. F.; de *affliger*.

Rare. Qui peut être affligé.

**AFFLIGEANT, ANTE** [afliʒɑ̃, ɑ̃t] adj. — 1578; p. prés. de *affliger*.

♦ **1** Qui afflige, frappe douloureusement. → **Douloureux, funeste.** *Une nouvelle affligeante.* → **Attristant.** *Il est affligeant* (pour qqn) *de voir comme il se conduit.* → **Malheureux, triste.**

1 Vous me voyez, Monsieur, dit-elle au saint Ecclésiastique (...) Oui, vous me voyez dans une position bien affligeante pour une jeune fille; j'ai perdu mon père et ma mère (...)
SADE, Justine..., t. I, p. 10.

♦ **2** Pénible, difficilement supportable en raison de sa faible valeur. → **Lamentable, navrant.** *C'est un spectacle vraiment affligeant. Son discours était d'une banalité affligeante.* → **Désolant.**

2 Il revécut minute par minute son entretien avec Hubert. Ce qui se dégageait de cet entretien (et cela, malgré les doutes qu'on pouvait avoir, qu'il convenait d'avoir, sur la perspicacité du beau-frère), c'était une image affligeante de lui-même.
Jean-Louis CURTIS, le Roseau pensant, p. 153.

N. m. *L'affligeant de l'affaire, c'est...*

CONTR. **Divertissant, gai, heureux.**

**AFFLIGER** [afliʒe] v. tr. [CONJUG.: *bouger.*] — 1120; du lat. *affligere* «frapper, accabler, abattre».

♦ **1** Littér. (en parlant d'accidents, d'événements malheureux, de calamités, d'infirmités, de maladies, etc.). Frapper durement, accabler (qqn). → **Atteindre, frapper.** *Le sort, le malheur qui l'afflige.*

Il accusait les dieux, et trouvait fort étrange 1
Que le sort à tel point le voulût affliger.
LA FONTAINE, Fables, XII, 13.

Vx. (Le compl. désigne le corps, une partie du corps) :

L'on s'insinue auprès de tous les hommes (...) en compatissant aux infirmités qui affligent leur corps (...) 2
LA BRUYÈRE, les Caractères, XI, 109.

(...) un accident bien pire, 3
Qui m'afflige un endroit que je ne veux pas dire.
MOLIÈRE, Sganarelle, 7.

Loc. *Affliger qqn d'un mal. — Affliger qqn de qqch. :* le lui imposer.

La guerre est le plus grand des maux dont les dieux affligent les hommes. FÉNELON, Télémaque, IX. 4

Le sujet désigne une abstraction :

Les scandales et les troubles intestins affligèrent Rome et son Église. VOLTAIRE, Essai sur les mœurs, XXXV. 5

Les maux qui affligent la terre ne viennent pas de Dieu, car Dieu est amour, et tout ce qu'il a fait est bon; ils viennent de Satan. 6
F. DE LAMENNAIS, Paroles d'un croyant, XXXIV.

Par ext. *Affliger qqn (de...) :* pourvoir (d'une qualité fâcheuse). → **Infliger.**

(...) il n'ignorait pas que la nature l'avait affligé d'une croupe de houri, qui se dandinait de droite et de gauche dès qu'il pressait le pas (...) 7
MARTIN DU GARD, les Thibault, III, II.

Passif et p. p. *(Être) affligé de qqch., de qqn :* en être accablé, devoir le supporter. *Il était affligé d'une bronchite chronique. Le malheureux est affligé d'une famille extrêmement possessive.*

Ce thé, il l'a sucré seulement (les quatre morceaux fournis suffisant à peine à trois tasses), et il l'a gardé pur de lait, liquide pour lequel il ressent un dégoût qu'il a su faire partager à Sergine, quoiqu'elle n'ait pas été affligée comme lui d'un père roux de tout le système pileux et qui se délectait à des trempettes dans de grands bols de café au lait. 7.1
A. PIEYRE DE MANDIARGUES, la Marge, p. 117.

Mais Christophe était affligé d'un besoin de sincérité gênant, qui lui inspirait des scrupules à tout propos. 8
R. ROLLAND, Jean-Christophe, II, I.

Iron. Être nanti d'un bien gênant. → **Doter, nantir.** *Le voilà affligé d'un gros héritage.*

♦ **2** Vx. Mortifier (son corps).

Vous pouvez réparer, en affligeant votre chair, vos voluptés criminelles. 9
MASSILLON, Carême, Vocation, *in* LITTRÉ.

Catherine, malgré ses continuelles infirmités affligeait son corps par des austérités continuelles. 10
RACINE, Épitaphe de C. F. de Bretagne.

♦ **3** Attrister profondément, causer de l'affliction à (qqn). → **Abattre** (moralement), **accabler, attrister, contrister, désoler, navrer** (→ Fendre, percer le cœur). *Ce malheur l'a profondément affligé.* → **Désespérer.** *La nouvelle de son départ l'affligea.* → **Chagriner, peiner.** — (Sujet n. de personne). *Son fils l'afflige par sa conduite.*

(Contexte relig.). Accabler (qqn) pour humilier (→ cit. 12).

Au passif. (→ cit. 11, 12, 14). *Être affligé de...* (et l'inf.), *de ce que...* (et l'indic.), *que...* (et le subj.). *Il est affligé d'être traité ainsi, de ce qu'on le traite ainsi, qu'on puisse ainsi le traiter.*

L'Éternel se repentit d'avoir fait l'homme sur la terre, et il fut affligé en son cœur. BIBLE, Genèse, VI, 6. 11

Heureux ceux qui sont affligés, car ils seront consolés. 12
BIBLE, Évangile selon saint Matthieu, V, 4.

13 Peu de chose nous console parce que peu de chose nous afflige. PASCAL, Pensées, II, 136.

14 On perd quelquefois des personnes qu'on regrette plus qu'on n'en est affligé; et d'autres dont on est affligé, et qu'on ne regrette guère. LA ROCHEFOUCAULD, Maximes, 355.

15 Je ne peux jeter les yeux sur ce qui me touche et m'entoure sans y trouver toujours quelque sujet de dédain qui m'indigne, ou de douleur qui m'afflige. ROUSSEAU, Rêveries..., I.

16 J'ai le sentiment que vous souffrez, qu'il est arrivé, depuis que je vous ai quittée, quelque chose qui vous afflige. G. DUHAMEL, Chronique des Pasquier, IV, VII.

◆ **S'AFFLIGER** v. pron.

Éprouver, témoigner de l'affliction. *Inutile de vous affliger pour cela. S'affliger de quelque chose.*

17 L'infortuné mari, sans cesse s'affligeant,
Eût accru par ses pleurs le nombre des fontaines (...)
LA FONTAINE, les Filles de Minée.

◆ **AFFLIGÉ, ÉE** p. p. adj.

Qui manifeste de l'affliction. → **Abattu, chagriné, désespéré.** *Une mère affligée. — Il restait immobile, l'air affligé.*

N. (Littér.). Personne qui est dans l'affliction. *Consoler les affligés.*

18 Il est généreux de se ranger du côté des affligés. MOLIÈRE, la Critique de l'École des femmes, VI.

CONTR. **Adoucir, consoler, réconforter, soulager. — Contenter, ravir, réjouir. — Jubiler.** ◈ DÉR. **Affligeable, affligeant.** — (Du latin *affligere*) V. **Afflictif, affliction.**

**AFFLOUAGE** [afluaʒ] n. m. — 1863; de *afflouer.*

Mar., vx. Action d'afflouer (un navire).

**AFFLOUER** [aflue] v. tr. — 1773, «se remettre à flot»; du normand *flouée* «marée».

Mar., vx. Remettre à flot un navire échoué. → **Renflouer.**

DÉR. **Afflouage.**

**AFFLUENCE** [aflyɑ̃s] n. f. — 1393, «grande abondance de choses»; du lat. *affluentia,* de *affluere.* → Affluer.

Action d'affluer.

♦ **1** (1647). Vx. Écoulement abondant (d'un liquide, des eaux). *L'affluence des eaux fit déborder la rivière. L'affluence des humeurs.* → **Afflux, arrivée, flot.**

Techn. *Tube, réservoir d'affluence.*

Par anal. Arrivée en grande quantité. *Affluence de bateaux dans un port.*

♦ **2** (1393). Littér. Grande abondance, grande quantité (de biens). → **Abondance, débordement, profusion.**

1 Ôtez-nous de ces biens l'affluence importune. LA FONTAINE, Fables, VII, 6.

1.1 Il est cruel sans doute d'avoir à peindre une foule de malheurs accablant la femme douce et sensible, qui respecte le mieux la vertu, et d'une autre part l'affluence des prospérités sur ceux qui écrasent ou mortifient cette même femme. SADE, Justine..., t. I, p. 6.

♦ **3** (1443). Mod. Réunion d'une foule de personnes qui se portent au même endroit. → **Concours, multitude, presse.** *Une affluence de toutes sortes de gens. Cette réunion a attiré une grande affluence. L'affluence des clients était telle que les employés étaient débordés. Évitez de prendre votre voiture aux heures d'affluence.*

2 C'est l'affluence des hôtes qui détruit l'hospitalité. ROUSSEAU, Émile, V.

CONTR. **Absence, disette, indigence, insuffisance, manque.**

**AFFLUENT, ENTE** [aflyɑ̃, ɑ̃t] adj. et n. m. — 1539, adj.; lat. *affluens,* de *affluere.* → Affluer.

**I** Adj. ♦ **1** Méd. Qui afflue vers quelque partie du corps. *Sérosité, salive affluente.*

♦ **2** (1690). Vieilli. (En parlant d'un cours d'eau). Qui se jette dans un autre. *La Seine et les rivières affluentes. Sources affluentes. Un ruisseau affluent. — Cours d'eau affluent à un autre. Des «rivières affluentes dans d'autres»* (Destutt de Tracy *in* T. L. F.).

**II** N. m. ♦ **1** (1835; «gens qui arrivent en grand nombre», 1374; «confluent», 1751). Cours d'eau qui se jette dans un autre. *Les affluents de la Seine. Réunion d'un affluent et du cours d'eau principal.* → **Confluent.** *Le fleuve, ses affluents et sous-affluents* (→ **Bassin).**

Ces deux ruisseaux, changés plus bas en rivières par l'absorption de quelques affluents, se formaient de toutes les eaux de la montagne et déterminaient ainsi la fertilité de sa portion méridionale. J. VERNE, l'Île mystérieuse, t. II, p. 759.

Par compar. ou métaphore littér. (en parlant de ce qui vient grossir un flux). *Idée nouvelle, sentiment récent qui vient renforcer, grossir comme un affluent* (un courant d'idées, un état...).

♦ **2** Élément qui conduit un flux et se rattache à un élément plus important. Anat. *Les affluents d'une artère, d'un sinus.*

♦ **3** Rue, voie qui se joint à une voie plus importante. *Les affluents du boulevard.*

COMP. **Sous-affluent.**

**AFFLUER** [aflye] v. intr. — 1375; *affluer en qqch.* «en avoir en abondance», 1180; lat. *affluere* «couler vers».

♦ **1** (1690). Couler en abondance vers, aboutir à, se déverser dans. *Les fleuves affluent vers la mer. La Saône afflue dans le Rhône.* — (Plus cour.). *Le sang afflue au cerveau.*

Par anal. Littér. *Air, courant d'air, lumière qui afflue. Le jour affluant dans la pièce.*

♦ **2** Fig. Arriver en grand nombre (choses); se porter en foule (personnes) vers. → **Converger, déferler.** — REM. Le sujet est au plur. ou implique un sens collectif. *Affluer quelque part, dans un lieu, y affluer. La multitude, la foule afflue; les candidats, les abonnés affluent. L'argent afflue; les capitaux affluent.*

Tout afflue à Paris. ROUSSEAU, Émile, V. 1

Toutes sortes d'intrépides affluèrent sous son drapeau, et il se composa une armée. 2
FLAUBERT, Trois contes, «Légende de Saint Julien l'Hospitalier», II.

La foule continue d'affluer. 3
LOTI, Mme Chrysanthème, XXXIV.

Des nuées de piétons affluaient par les rues, et grossissaient sans trêve le flot mouvant. 4
MARTIN DU GARD, les Thibault, VII, 53.

(Abstractions). *Les idées qui affluent. La vie, l'élan vital afflue. Les paroles affluaient sur ses lèvres. — Affluer à qqn; en qqn... :*

(...) les circonstances d'une matinée qui était effacée de ma mémoire, mais qui y reparaissaient tout à coup : voilà ce qui m'afflua, comme un flot de pensées, au cerveau ! 5
BARBEY D'AUREVILLY, les Diaboliques, «Dessous de cartes», III.

CONTR. **Refluer. S'éloigner, partir.** ◈ DÉR. (Du latin *affluere*). V. **Affluence, affluent, afflux.**

**AFFLUX** [afly] n. m. — 1611 ; lat. médiéval *affluxus,* de *affluere.* → Affluer.

♦ **1** Méd. Fait d'affluer tout à coup, vers une partie du corps. *L'afflux du sang au cerveau.* → **Congestion.** *Afflux sanguin.*

Arrivée subite (de liquides) vers un point, dans un lieu. *L'afflux de l'eau, des eaux* (peut s'opposer à *reflux*).

Phys. Flux dirigé vers un point ; mouvement des charges électriques vers un point. *Afflux cathodique.*

♦ **2** Fig. Arrivée massive (de personnes). → **Affluence, arrivée, flot, flux.** *Il y a eu un afflux de visiteurs. L'afflux des réfugiés dans un pays.* — (Choses). *Afflux de marchandises, de devises, d'argent.*

Aucun afflux d'argent qui ne fût aussitôt absorbé par les dettes. GIDE, Dostoïevsky, p. 15.

(Choses abstraites). « *Une espèce d'afflux d'idées et de formules* » (Goncourt). « *Un afflux soudain et extraordinaire de l'illusion et de l'enthousiasme* » (Taine).

REM. Les emplois s'appuient soit sur la métaphore de l'afflux des eaux, soit sur l'image de l'afflux du sang (notamment avec l'article indéfini et un compl. au sing., comme dans l'ex. de Taine).

**AFFOLAGE** [afɔlaʒ] n. m. — 1842 ; au XVe, « folie » ; de *affoler.*

Bot., hortic. État d'une plante qui présente des anomalies génétiques. — Spécialt. *Affolage des anémones :* anomalie qui les fait se développer en feuilles, sans fleurir.

**AFFOLANT, ANTE** [afɔlɑ̃, ɑ̃t] adj. — Fin XVIIe ; de *affoler.*

♦ **1** Qui affole, trouble au plus haut point. → **Bouleversant, troublant.** *Il écouta cette nouvelle affolante sans broncher. Une beauté affolante.*

(...) l'affolant mystère de la vie.
MAUPASSANT, la Vie errante, la Sicile.

Le doute était plus affolant encore que la certitude.
R. ROLLAND, Jean-Christophe, IX.

La merveille est qu'une sensation de richesse, de fantaisie, de généreuse prodigalité se dégage de ce spectacle réglé avec une minutie et une conscience affolantes.
A. ARTAUD, le Théâtre et son double, Sur le théâtre balinais, Idées/Gallimard, p. 83.

Spécialt. Très excitant sensuellement, érotiquement (personnes, situations). → **Affriolant, excitant.**

Donc, il y avait une reine ! Affolante, avec son diadème de corail, c'était la dernière descendante des rois chams, et les Sedangs ont été vassaux des Chams.
MALRAUX, Antimémoires, Folio, p. 423.

♦ **2** Fam. Très inquiétant, effrayant. *La vie augmente tous les jours, c'est affolant.*

(En emploi négatif). *Ça n'a rien d'affolant,* de remarquable. *Le spectacle n'est pas affolant,* pas passionnant.

Je conçois qu'il ne soit pas affolant d'intérêt pour un architecte d'avoir quelques cloisons à abattre dans une vieille bâtisse.
J. ROMAINS, les Hommes de bonne volonté, t. XXII, p. 14.

CONTR. **Indifférent, neutre.**

**AFFOLEMENT** [afɔlmɑ̃] n. m. — XIIIe ; de *affoler.*

♦ **1** État d'une personne affolée ; fait de s'affoler. → **Effroi, égarement, inquiétude, terreur.** *L'affolement de qqn. Dans son affolement, elle a tout oublié.* → **Agitation, bouleversement, désarroi.** *Être pris d'un affolement complet, être dans un complet affolement. Il a fait cela dans un moment d'affolement.*

— *L'affolement de qqch.,* produit par qqch. « *Sans fureur de revanche, sans affolement de vanité* » (De Gaulle, *in* T. L. F.).

(...) à travers l'affolement d'une vie imbécile (...) 1
COURTELINE, le Train de 8 h 47, p. 52.

Il avait l'affolement du joueur qui perd chaque partie et 2
qui voit arriver avec effroi l'heure de la dernière.
Edmond JALOUX, le Dernier Jour de la création, XIII.

(Collectif). *L'affolement d'une armée en déroute.* — Comportement d'un groupe affolé. *L'affolement bruyant, tumultueux de la Bourse après un krach financier.* → **Désordre, trouble.** *Allons, pas d'affolement !*

(Animaux). *L'affolement des fourmis, d'une fourmilière dérangée.*

Par ext. Hâte, précipitation ; action précipitée. « *Un affolement de talons dans l'escalier* » (H. Bazin).

Régional. Passion extrême (G. Sand, *la Petite Fadette*). « *Ce Renaud que j'aime à l'affolement* » (Colette, *in* T. L. F.), à la folie.

Autrefois, en certaines heures de tendre affolement, il 2.1
avait souffert d'une façon cruelle de ne pouvoir la prendre et la garder avec lui (...)
MAUPASSANT, Fort comme la mort, éd. 1889, p. 121.

♦ **2** Phys. Variations de la boussole affolée.

Par métaphore :

Puis j'étais irrésistiblement ramené vers elle par ma 3
pensée, et ces orientations alternatives, cet affolement de la boussole intérieure persistèrent quand je fus rentré (...)
PROUST, À la recherche du temps perdu, t. III, p. 196.

Techn. *Affolement de l'hélice d'un bateau* (quand elle émerge). *Affolement des soupapes d'un moteur.*

CONTR. **Calme, sérénité, tranquillité.**

**AFFOLER** [afɔle] v. tr. — 1174, « rendre fou » ; aussi XIIe, « blesser gravement », puis « nuire », en anc. franç. ; ce sens a vieilli au XVIIe (Furetière) ; de *fol.* → Fou.

♦ **1** Rendre comme fou, sous l'effet d'une émotion violente, faire perdre la tête à (qqn). *Affoler qqn d'amour, d'admiration* (→ **Enflammer, passionner**), *de peur, de terreur* (→ **Effrayer, épouvanter, terrifier**). *Affoler quelqu'un par..., de...* (→ ci-dessous, cit. 2). → **Bouleverser, égarer, troubler.** — (Sans compl. second). *La peur l'affole.*

Spécialt. Rendre éperdu d'amour, de désir.

Je fus coquette, séduisante, comme auprès d'un homme, 1
caressante et perfide. J'affolai cet enfant.
MAUPASSANT, Clair de lune, p. 152.

Elle le verrait de nouveau, à ses pieds, éperdu de désir, 2
s'approchant d'elle, l'affolant de ses regards, de son souffle, de ses caresses. Paul BOURGET, Un divorce, V.

Sujet nom de chose :

(...) certaine femme dont la vue m'affole (...) 3
HUYSMANS, En route, p. 155.

*(La civilisation)* affole les Européens... elle les rend inca- 4
pables de paix et même de vie intérieure.
R. ROLLAND, Mahatma Gandhi, p. 45.

Absolt. *Une peur qui angoisse, affole.*

♦ **2** Rendre fou d'inquiétude, d'angoisse, plonger dans l'affolement. → **Effrayer, épouvanter, terrifier.** *L'obscurité prolongée commençait à affoler le public. Il se laisse affoler par ses obligations.* → **Déboussoler, désorienter.** — Au passif. *Elle était un peu affolée par le travail qui restait à faire.*

♦ **3** (1863, de *affolé,* 3.). Phys. *Affoler une boussole :* en faire dévier l'aiguille aimantée de façon irrégulière. *Un coup de foudre qui frappa le bâtiment affola la boussole* (Littré, *Additif,* 1872). *Une tempête magnétique affole le compas du navire.*

♦ **4** Techn. Rendre libre (une partie de mécanisme) de manière à permettre une mise au repos ou à déterminer un mouvement excessif. *Affoler un embrayage.* → ci-dessous, S'affoler.

Par extension :

4.1 Le mouvement est facile à affoler. L'équilibre est facile à détruire.

J.-M. G. LE CLÉZIO, l'Extase matérielle, p. 154.

◆ **S'AFFOLER** v. pron.

♦ **1** Devenir comme fou, perdre la tête par affolement (rare au sens fort; surtout au sens 2 de *affoler*). *Restez calmes, ne vous affolez pas. S'affoler à cause de qqch., par qqch., de qqch.* (littér.), *pour qqch. — Son esprit s'affole.* — (Concret). *Son cœur s'affole.*

4.2 Mais au lieu de s'affoler sous la douleur qu'elle attendait et dont elle redoutait l'atteinte, son cœur, au sortir de cette catastrophe, restait calme et paisible; il battait lentement, doucement, après cette chute dont son âme était accablée, et ne semblait point prendre part à l'effarement de son esprit.

MAUPASSANT, Fort comme la mort, éd. 1889, p. 39.

Littér. (Sujet n. de chose : sentiment, passion) :

5 Et sa jalousie s'affola de l'incertitude de l'événement (...)

PROUST, les Plaisirs et les Jours, Pl., p. 160.

Vx. S'éprendre (de quelqu'un). *Il s'est affolé de cette femme.*

Par ext. (au sens atténué). *(Ne) t'affole pas !* → **Paniquer** (se). — Fam. Se dépêcher. — REM. On trouve aussi, dans ce sens, un emploi intrans. : *«Sans affoler comme des rats...»* (argot de l'X, *in* T. L. F.).

♦ **2** Techn. (en parlant d'un instrument de mesure, d'une mécanique). Se dérégler. *La boussole s'affole.* — REM. La forme intrans. *(la boussole, le compas affole)* est également attestée au XIX^e^ s.

S'emballer. *«L'hélice s'affolait hors des flots»* (J. Verne). — *La machine, l'arbre de transmission s'affole.*

◆ **AFFOLÉ, ÉE** p. p. adj.

♦ **1** Vx ou régional. *Être affolé de quelqu'un :* en être amoureux. → **Aimer, raffoler.**

6 Vous ne sauriez croire comme elle est affolée de ce Léandre.

MOLIÈRE, le Médecin malgré lui, III, 7. → Assoté.

♦ **2** Rendu comme fou sous l'effet d'une émotion violente (peur, sentiment d'être débordé, dépassé). → **Effaré, épouvanté.** *Affolé de douleur, de peur. Affolé par le danger.* — (Sans compl.). *Des otages affolés.*

7 Elle me regardait, effarée, affolée, épouvantée, n'osant pas crier de peur du scandale.

MAUPASSANT, les Contes de la Bécasse, p. 232.

8 Mais allez donc faire entendre raison à des gens affolés.

MAUPASSANT, Clair de lune, p. 82.

9 (...) les propriétaires paysans affolés par le spectre rouge.

JAURÈS, Hist. socialiste..., t. I, p. 21.

*Un air affolé. Un visage complètement affolé. Des gestes affolés.*

10 Comme dans le cas d'une collision dans les ténèbres, de nouveaux cris risquaient alors d'ameuter une seconde fois toute la maison, faisant détaler des ombres vers la cage de l'escalier et jaillir des figures affolées dans l'entrebâillement des portes, cou tendu, œil anxieux, bouche qui s'ouvre déjà pour hurler (...)

A. ROBBE-GRILLET, Dans le labyrinthe, p. 61.

Par ext. *Imagination affolée.* (Sens affaibli). Très agité; qui a perdu la maîtrise de soi. *Il y a une telle presse dans le restaurant que le personnel est affolé.*

♦ **3** (1690). *Boussole, aiguille affolée,* qui subit des déviations subites et irrégulières (variations brusques du champ magnétique). *Hélice affolée. — Embrayage affolé.*

♦ **4** N. Littér. Personne affolée. *Essayez de calmer tous les affolés.*

CONTR. **Calmer, rasséréner, rassurer, tranquilliser.** — Du p. p. **Calme, rassuré, serein, tranquille.** ◊ DÉR. **Affolage, affolant, affolement, affoleuse.**

**AFFOLEUSE** [afɔløz] n. f. — Mil. XX^e^; de *affoler.*

Fam. Jeune fille, ou jeune femme qui se plaît à susciter le désir par sa mise, sa conduite. → **Allumeuse.**

**AFFOLIR** [afɔliʀ] v. intr. — 1694; *affollir* «rendre fou», 1535; de 1. *a-*, et *fol, fou.*

Vx (ou archaïsme littér., rare). Devenir fou.

**AFFORAGE** [afɔʀaʒ] ou **AFFEURAGE** [afœʀaʒ] n. m. — 1253; lat. médiéval *afforagium* ou dér. de l'anc. franç. (picard) *aforer* «estimer», de 1. *a-*, et *fuer.* → Fur.

Dr. féod. Taxe due au seigneur pour le débit de certaines boissons. — Tarif fixé par autorité.

**AFFORESTAGE** [afɔʀɛstaʒ] n. m. — 1406; de *afforester.*

Vx. Droit d'usage, de pâture des bêtes, dans une forêt.

**AFFORESTATION** [afɔʀɛstasjɔ̃] n. f. — 1908; de *forêt*, d'après *afforester* (1216).

Rare. Plantation (d'un terrain) en forêt. → **Boisement.** *«Les mesures propres à arrêter la déforestation et à poursuivre l'afforestation de toutes les terres incultes disponibles (...)»* (*la Nature,* Suppl. au n° 1718, p. 175; 28 avr. 1908).

CONTR. **Déforestation.**

**AFFOUAGE** [afwaʒ] n. m. — 1256, *affoage,* de l'anc. verbe *affouer* «faire du feu, fournir du chauffage», du lat. *focus* «foyer, feu». → Feu.

♦ **1** Dr. Droit de prendre du bois de chauffage dans une forêt communale; répartition de ce bois, part de ce bois qui revient à chacun des bénéficiaires (ou *affouagistes*).

À l'autre bout de la cour se dressaient les hautes portes de la grange où dormaient les bûches de l'affouage, les pommes de terre et les bicyclettes de l'été.

M. TOURNIER, le Vent Paraclet, p. 13.

♦ **2** (1492, *effouage*). Redevance liée à ce droit.

DÉR. **Affouager,** adj. et v.; **affouagiste.**

1. **AFFOUAGER, ÈRE** [afwaʒe, ɛʀ] adj. — Av. 1845; de *affouage.*

Dr. Qui a rapport à l'affouage. *Coupe affouagère.*

N. Personne, collectivité qui jouit du droit d'affouage.

2. **AFFOUAGER** [afwaʒe] v. tr. — 1378, *effuager* «prendre du bois de chauffage»; de *affouage.*

Droit ou régional.

♦ **1** Déterminer dans une forêt (la partie réservée à l'affouage).

♦ **2** Établir la liste (des bénéficiaires de l'affouage — les *affouagistes*).

**AFFOUAGISTE** [afwaʒist] n. m. — 1845; de *affouage.*

Dr. Bénéficiaire de l'affouage.

**AFFOUILLABLE** [afujabl] adj. — 1865; de *affouiller.*
Susceptible de s'affouiller. «*Les mineurs californiens amènent sur les terrains affouillables, à des niveaux élevés, des dérivations abondantes...*» (*Année sc. et industr.* 1865, p. 430).

**AFFOUILLEMENT** [afujmɑ̃] n. m. — 1835; de *affouiller.*
Didact. (géogr., agric.). Action de creusement des eaux, due à la butée des courants sur une rive, aux remous et tourbillons sur les piles de pont, les jetées, etc.; dégradation causée par les eaux aux ouvrages d'art (piles de pont, quais...). *Les affouillements s'opposent à l'alluvionnement, aux atterrissements.* → aussi **Ablation.**

De là un bizarre martellement des falaises, et l'affouillement profond de la côte.
HUGO, l'Archipel de la Manche, VI.

Par ext. *L'affouillement de la terre, du sol par le ruissellement.* «*L'affouillement des obus*» (Barbusse), produit par les obus.

**AFFOUILLER** [afuje] v. tr. — 1835; de *à,* et *fouiller.*
♦ **1** Didact. Creuser par affouillement (en parlant des eaux). → **Dégrader, éroder, fouiller, miner, raviner, ronger, saper.** *La mer affouille la base des falaises. Les eaux affouillent le sol.*
Pron. Se creuser. *Les bords de la rivière s'affouillent.*
Par anal. «*La sculpture profondément l'affouille* (le bois) *et le transfigure*» (Claudel, *in* T. L. F.).
♦ **2** Par métaphore. Littér. et rare. (Claudel, *in* T. L. F.). Creuser, approfondir. *Affouiller une idée, un thème.* → **Fouiller.**
◆ **AFFOUILLÉ, ÉE** p. p. adj. *Falaises affouillées à la base.*
DÉR. **Affouillable, affouillement.**

**AFFOURAGEMENT** ou **AFFOURRAGEMENT** [afuʀaʒmɑ̃] n. m. — 1627; de *affourager.*
Technique (agriculture).
♦ **1** Action d'affourager.
♦ **2** Par métonymie. Fourrage.

**AFFOURAGER** ou **AFFOURRAGER** [afuʀaʒe] v. tr. — 1393; de *à,* et *fourrage.*
Techn. (agric.). Fournir de fourrage. *Affourager les vaches.* — Au p. p. *Bestiaux affouragés.*
DÉR. **Affouragement.**

**AFFOURCHE** [afuʀʃ] n. f. — Fin XVII^e; de *affourcher.*
Mar. Action d'affourcher un navire. (On a tendance à employer *affourchage,* n. m.). — Ce qui sert à affourcher un navire. *Ancre d'affourche :* la seconde ancre employée pour affourcher un navire. *Câble d'affourche :* câble de l'ancre d'affourche. *Émerillon d'affourche :* anneau qui empêche la torsion des chaînes d'ancre.

N'ayant que deux ancres d'affourche, l'une à tribord, l'autre à bâbord, le navire ne pouvait affourcher en patte d'oie, ce qui le désarmait un peu devant certains vents.
HUGO, les Travailleurs de la mer, p. 102.

**AFFOURCHER** [afuʀʃe] v. tr. — 1670; XII^e, «disposer en fourche, écarter les jambes»; de *à,* et *fourche.*
♦ **1** Mar. Mouiller sur deux ancres (anc. et rare : trois ou plus) dont les chaînes ou les câbles sont disposés en V (forment une *fourche*). *Affourcher un navire,* ou, absolt, *affourcher. Affourcher en patte d'oie :* mouiller sur trois ancres en patte d'oie. → Affourche, cit. — Passif et p. p. *Le navire est affourché, affourché sur ses ancres.*

Gilliatt, au moyen de ses deux ancres, affourcha la panse. 1
HUGO, les Travailleurs de la mer, II, II, VI.

Il fallut suspendre les travaux de sauvetage. Du reste, il n'y 1.1
avait pas à craindre que la carcasse du brick fût entraînée par la mer, car elle était déjà enlisée, et aussi solidement fixée que si elle eût été affourchée sur ses ancres.
J. VERNE, l'Île mystérieuse, t. II, p. 652.

*Affourcher les ancres* (même sens).
♦ **2** (Déb. XVII^e). Vx. Placer à califourchon. Au participe passé :

Un villageois sur son âne affourché (...) 2
J.-B. ROUSSEAU, le Capricieux, Préface.

♦ **3** Techn. Joindre par une languette et une rainure (deux pièces de bois). — REM. Dans ce sens, on parle aussi d'*affourchement.*
◆ **AFFOURCHÉ, ÉE** p. p. adj. *Navire affourché (sur ses ancres),* à l'ancre. — Fig. et fam. (Argot anc.). *Affourché sur ses ancres :* planté sur ses jambes; immobile, qui refuse de travailler.
DÉR. **Affourche.**

**AFFOURRAGEMENT** [afuʀaʒmɑ̃] n. m.; **AFFOURRAGER** [afuʀaʒe] v. tr. → **Affouragement, affourager.**

**AFFRAÎCHIE** [afʀeʃi] n. f. — 1863; de *à,* et *fraîchir.*
Mar. Accroissement de la force du vent.
CONTR. **Accalmie.**

**AFFRANCHI, IE** [afʀɑ̃ʃi] adj. et n. — 1640, n.; de *affranchir.*
♦ **1** Qui a été affranchi. *Esclave, serf affranchi.*
N. À Rome, Esclave affranchi *(libertinus). Un affranchi, une affranchie.*

Jamais un affranchi n'est qu'un esclave infâme; 1
Bien qu'il change d'état, il ne change point d'âme (...)
CORNEILLE, Cinna, IV, 6.

Sous Néron, on demanda au Sénat qu'il fût permis aux 2
patrons de remettre en servitude les affranchis ingrats (...)
MONTESQUIEU, l'Esprit des lois, XV, 18.

♦ **2** Qui s'est intellectuellement libéré des préjugés, des traditions. *Un individu affranchi des modes de pensée de son temps. Une femme affranchie. Jeunesse affranchie.* — N. *Elle joue à l'affranchie.*

Aussi fit-il de ses élèves des citoyens de l'humanité, des 3
affranchis, des initiés de la raison pure. C'est un état dont quelques hommes par siècle sont dignes.
M. BARRÈS, les Déracinés, p. 37 (1897).

♦ **3** (1821). Argot, vieilli. Qui vit en marge des lois, qui est du milieu.

Les plus jeunes posent aux gars «affranchis» avec leur 4
pantalon à pattes d'éléphant, leur foulard tordu sur leur nuque rasée. Eugène DABIT, Hôtel du Nord, p. 50.

N. m. (Mod.). *Un affranchi :* une personne qui mène une vie libre, hors de la morale courante.

(...) il y a plus de caves qui montent au bagne que d'af- 5
franchis. Henri CHARRIÈRE, Papillon, p. 41.

REM. L'emploi substantif permet d'opposer deux aspects de l'«affranchissement» : morale sexuelle pour les femmes (emplois féminins du sens 2.), morale juridique et policière pour les hommes (sens 3.).

**AFFRANCHIR** [afʀɑ̃ʃiʀ] v. tr. — XIII^e; de *à,* et *franc.*
**I** ♦ **1** Rendre civilement libre, de condition libre (un esclave, un serf). *Affranchir qqn de l'esclavage.* → **Libérer.** — (Sans compl. second). *Affranchir un esclave. Il a été affranchi.* → **Affranchi.**

1 Auguste (...) fit des lois pour empêcher qu'on n'affranchît trop d'esclaves (...)
MONTESQUIEU, Grandeur et Décadence des Romains, 13.

♦ **2** *Affranchir* (qqn, qqch.) *de* (qqch.). Rendre indépendant, tirer d'une situation d'asservissement. → **Briser** (les fers, les liens, le joug...), **délivrer, émanciper.** *Affranchir un pays, un peuple, de la tyrannie, de la dépendance.* — Par ext. *Affranchir les consciences des fausses contraintes, d'une morale factice.*

2 Et d'un si rude joug affranchissons ces lieux.
CORNEILLE, Nicomède, IV, 6.

3 On affranchit Néron de la loi conjugale.
RACINE, Britannicus, III, 3.

4 Pour elle, l'union libre est la vraie formule de la vie conjugale, celle qui affranchira l'homme et la femme, non pas de la moralité, mais du mensonge.
Paul BOURGET, Un divorce, VI.

(Sans compl. second).

5 (...) la guerre contre l'Autriche pour affranchir la nationalité italienne tournait court et tournait mal.
J. BAINVILLE, Hist. de France, XX.

*Affranchir quelqu'un de quelqu'un,* de son pouvoir.

(Fin XIIIe). Vx. Exempter d'une taxe. *Affranchir qqn d'un impôt, d'une taxe, d'une redevance, d'une servitude.* → **Décharger, dégrever, exempter, exonérer.**

♦ **3** (XVIe). Sujet n. de personne ou, plus souvent, n. de chose. Délivrer (qqn) de tout ce qui gêne psychologiquement : peine, mal, etc. → **Libérer.** *Affranchir qqn des devoirs, des nécessités. Affranchir l'homme de la douleur, de la mort.* — Passif et p. p. → cit. 10, 11. *L'assurance d'être affranchis des misères de la vie* (→ 1. Mourir, cit. 6).

6 Le savoir mourir nous affranchit de toute sujétion et contrainte. MONTAIGNE, Essais, I, 20.

7 (...) pouvoir d'un péril affranchir ce qu'on aime.
MOLIÈRE, la Princesse d'Élide, I, 3.

8 (...) ma vue est pour elle un supplice,
Et sans doute il vaut mieux que je l'en affranchisse.
MOLIÈRE, Tartuffe, II, 4.

9 (...) vous affranchir de trouble et de souci.
MOLIÈRE, Amphitryon, III, 9.

10 *(Ces jeunes gens)* se trouvent affranchis de la passion des femmes dans un âge où l'on commence ailleurs à la sentir.
LA BRUYÈRE, les Caractères, VIII, 74.

11 Une minute affranchie de l'ordre du temps a recréé en nous pour la sentir l'homme affranchi de l'ordre du temps.
PROUST, À la recherche du temps perdu, t. XV, p. 15.

12 Épicure affranchit les âmes des vaines terreurs.
FRANCE, les Opinions de Jérôme Coignard, p. 315.

13 M. de Cordouan m'affranchissait de la situation inférieure où me mettait mon âge et me rendait l'égalité humaine.
Edmond JALOUX, Fumées dans la campagne, III.

♦ **4** Rendre (qqch.) indépendant (de...). *Affranchir la science des préjugés.*

♦ **5** (1837). Argot et fam. **a** Initier au métier de voleur, apprendre à vivre en marge des lois.

**b** Fam. Rendre affranchi ; spécialt, mettre au courant (en fournissant des renseignements). → **Informer, renseigner.**

13.1 (...) avant de nous séparer, je crois bon de t'informer que le mot de passe entre les divers éléments qui travaillent avec nous dans le secteur, est «Avignon et Chambéry» (...) Demain quelqu'un ira te voir de ma part pour t'affranchir plus complètement.
Francis CARCO, les Belles Manières, p. 37.

13.2 (...) chauffeur de nuit, ça rapporte, et puis c'est intéressant, t'as pas idée, on en voit des choses, tu apprends la vie, je te le dis, c'est ça qui vous affranchit le bonhomme.
Robert MERLE, Week-end à Zuydcoote, p. 19.

Tu prétends que Gilbert était ton ami... Bon... Et toi, tu as une réputation solide dans le milieu. Comment se fait-il qu'on ne t'ait pas affranchi ? Pourquoi Gilbert ne t'a-t-il pas dit avec qui il a fait le coup ?
J.-P. MELVILLE, Dialogue du film le Doulos, 1963, *in* l'Avant-scène, n° 24, p. 31.

**c** Vx. *Affranchir une fille,* lui faire perdre sa virginité.

**II** Emplois spéciaux. (Compl. n. de chose concrète ou d'animal). ♦ **1** (1802). Rendre (une lettre, un envoi postal) exempt de taxe pour le destinataire (en payant soi-même le timbre). → **Timbrer.** *Ne pas affranchir suffisamment une lettre.* — Au p. p. *Une lettre insuffisamment affranchie* (→ Pèse-lettre, cit.).

♦ **2** Techn., mar. Pomper l'eau dans (un lieu) jusqu'à épuisement ; mettre à sec en pompant.

(...) nos douze pompes capables de noyer votre incendie ou d'affranchir vos cales (...)
Roger VERCEL, Remorques, p. 17.

Hortic. Enterrer le bourrelet de greffe (d'un arbre).

Techn. Sectionner (une bille de bois abattue) pour éliminer la partie inutilisable.

Vétér. *Affranchir un animal :* le châtrer.

♦ **3** (1877). Cour. *Affranchir une carte :* la rendre maîtresse en faisant tomber les cartes supérieures.

**III** (1583 ; → Franchir). Équit. *Affranchir un fossé :* le franchir en sautant.

◆ **S'AFFRANCHIR** v. pron. Se rendre libre. → **Débarrasser** (se), **délivrer** (se), **émanciper** (s'), **libérer** (se); **briser, rompre** (ses liens), **rejeter, secouer** (un joug), **soustraire** (se). *S'affranchir d'un joug, d'un pouvoir. S'affranchir des illusions, des préjugés.*

Ils croyaient s'affranchir *(en)* suivant leurs passions :
Ils étaient esclaves d'eux-mêmes.
LA FONTAINE, Fables, XII, 1.

Et pour s'en affranchir *(de la tyrannie)* tout s'appelle vertu.
CORNEILLE, Cinna, II, 1.

Tu voudras t'affranchir du joug de mes bienfaits.
RACINE, Britannicus, V, 6.

(...) c'est le plus petit nombre qui s'est affranchi des traditions (...) LOTI, Jérusalem, VII.

Un homme ne s'affranchit pas plus du passé de l'humanité qu'il ne se libère de son propre corps.
A. MAUROIS, Un art de vivre, I, 8.

Hortic. (d'un sujet provenant d'une greffe). Pousser, vivre sur ses racines.

◆ **AFFRANCHI, IE** p. p. adj. (Au sens I.). → **Affranchi** adj. et n. — (Au sens II.). *Lettre affranchie, non affranchie.* → ci-dessus, II.

CONTR. **Asservir, assujettir, astreindre, contraindre, forcer, grever, imposer, obliger, soumettre, subjuguer, tyranniser.**
◈ DÉR. **Affranchi, affranchissable, affranchissant, affranchissement, affranchisseur.**

**AFFRANCHISSABLE** [afʀɑ̃ʃisabl] adj. — 1866 ; de *affranchir,* II.

Qui peut ou doit être affranchi (II., 1.). *Cette lettre est affranchissable.*

**AFFRANCHISSANT, ANTE** [afʀɑ̃ʃisɑ̃, ɑ̃t] adj. — 1831, cit. ; p. prés. de *affranchir.*

Littér. et rare. Qui affranchit (I.).

Par sa puissance affranchissante, il *(le catholicisme)* délivre l'homme du joug de l'homme.
F. DE LAMENNAIS, l'Avenir, p. 337 (1831), *in* T. L. F.

**AFFRANCHISSEMENT** [afʀɑ̃ʃismɑ̃] n. m. — 1276, en dr. (sens I., 4.); de *affranchir.*

**I** ♦ **1** (1611). Action de rendre libre, de conférer la qualité d'homme libre. *Affranchissement d'un esclave, d'un serf.* → **Émancipation, manumission.**

Les diverses lois et les sénatus-consultes qu'on fit à Rome pour et contre les esclaves, tantôt pour gêner, tantôt pour faciliter les affranchissements (...)
MONTESQUIEU, l'Esprit des lois, XV, 18.

♦ **2** Action de rendre politiquement indépendant. *L'affranchissement des villes* (sous la féodalité; → **Franchise).** *L'affranchissement d'un peuple du joug étranger, de l'oppression étrangère.* → **Délivrance, libération.** *L'affranchissement d'une nation.*

♦ **3** Fig. Délivrance de ce qui gêne, entrave (physiquement ou moralement). → **Libération.** *L'affranchissement de la femme, des noirs. — L'affranchissement* (de qqn) *d'une autorité.*

(...) la seule chose qui importe, c'est-à-dire l'affranchissement et le progrès de l'esprit humain.
RENAN, Souvenirs d'enfance..., Préface.

Pour le XVIIIe siècle, Fénelon est une manière de philosophe sensible et humanitaire, apôtre de la tolérance, ami du peuple, terreur du despotisme, martyr de la liberté, précurseur de l'affranchissement des esprits (...)
Émile FAGUET, XVIIe s., Études littéraires, p. 446.

♦ **4** Vx. Action de libérer de ce qui grève (impôt, taxe, droit, redevance, servitude). *L'affranchissement d'une terre. L'affranchissement d'un port :* l'action de le déclarer port franc. → **Décharge, dégrèvement, exemption, exonération.**

**II** ♦ **1** (1835; de I., 4.). *Affranchissement d'une lettre, d'un paquet :* acquit de la taxe postale par apposition du timbre. *Demander le tarif d'affranchissement, des affranchissements, les affranchissements pour un pays étranger.*

♦ **2** Techn. Action d'affranchir (II., 2.); son résultat. — Électr. Transformation d'un défaut fluctuant en défaut «franc», pour mieux le déceler. *Dispositif d'affranchissement.*

CONTR. **Asservissement, assujettissement, soumission. — Captivité, contrainte, esclavage, joug, servitude, tyrannie.**

**AFFRANCHISSEUR** [afʀɑ̃ʃisœʀ] n. m. — 1588; de *affranchir.*

♦ **1** Rare. Celui qui affranchit. → **Émancipateur, libérateur.**

♦ **2** Spécialt et vx. Celui qui châtre les animaux (→ **Affranchir,** II., 2.).

**AFFRES** [afʀ] n. f. plur. — 1460; probablt de l'anc. provençal *affre* «effroi, épouvante», p.-ê. d'un gotique **aifrs* «terrible» ou doublet de *efferer,* var. de *effarer,* de *exferare,* selon P. Guiraud.

♦ **1** Vx. Effroi.

♦ **2** Vieilli ou littér. Angoisse accompagnant la douleur, l'épouvante, la peur. → **Tourment.** *Les affres de la mort, de l'agonie :* angoisse qui accompagne l'agonie.

(...) après les affres de la mort, elle ressentit toutes les horreurs de l'enfer.
BOSSUET, Oraison funèbre d'Anne de Gonzague.

*Les affres de la torture, de la douleur, de la faim.*

(...) des mères et des enfants se trouveraient bientôt exposés aux affres de la faim.
A. MAUROIS, Bernard Quesnay, XVIII.

*(L'humilité épargne)* les affres de l'humiliation (...)
BERNANOS, les Grands Cimetières sous la lune, p. 260.

Par ext. Angoisse née d'inquiétudes intellectuelles, morales, psychologiques. *Les affres du désespoir, du doute. Les affres de l'amour :* les tourments provoqués par l'amour.

Il n'avait pas encore tourné la tête que le son grêle et sac- 4
cadé du grelot déchirait de nouveau son oreille et le rejetait avec toutes les affres du doute dans une nouvelle course à travers les bois.
L. PERGAUD, De Goupil à Margot, p. 41.

Cependant une foule que les catastrophes de chemin de 5
fer font trembler, qui connaît les tremblements de terre, la peste, la révolution, la guerre; qui est sensible aux affres désordonnées de l'amour, peut atteindre à toutes ces hautes notions et ne demande qu'à en prendre conscience, mais à condition qu'on sache lui parler son propre langage (...)
A. ARTAUD, le Théâtre et son double, En finir avec les chefs-d'œuvres, Idées/Gallimard, p. 114.

Loc. *Être dans les affres de...*

REM. L'emploi au singulier est limité au domaine littéraire, notamment poétique.

Néanmoins, — je suis forcé de l'avouer, — je suis sujet à un 6
mal héréditaire qui bafoue, depuis longtemps, les efforts de ma raison et de ma volonté ! Il consiste en une *Appréhension,* une ANXIÉTÉ sans motif précis, une AFFRE, en un mot, qui me prend comme une crise, me fait savourer toute l'amertume d'une inquiétude brusque et infernale, — et cela, le plus souvent, à propos de futilités dérisoires !
VILLIERS DE L'ISLE-ADAM, Tribulat Bonhomet, p. 46.

*(La ville)* 7
Victorieuse, elle absorbe la terre
Vaincue, elle est l'affre de l'univers.
VERHAEREN, les Villes tentaculaires, p. 1116.

DÉR. **Affreux.**

**AFFRÈTEMENT** [afʀɛtmɑ̃] n. m. — 1584; «équipement», 1366; de *affréter.*

Contrat par lequel un fréteur s'engage, moyennant rémunération, à mettre son navire ou son avion à la disposition d'un affréteur, pour le transport de marchandises ou de personnes. *Affrètement à temps, au voyage. Contrat d'affrètement.* → **Charte-partie, nolisement.** — *Affrètement d'un avion.* → **Charter** (anglic.).

**AFFRÉTER** [afʀete] v. tr. [CONJUG.: *céder.*] — 1639; «équiper un navire», 1322; de *à,* et *fret.*

Prendre (un navire, un avion, un moyen de transport collectif) en location. → **Noliser.** — REM. *Fréter* désigne l'opération complémentaire, mais on rencontre aussi *affréter,* par confusion, au sens de «offrir en location». → Louer, qui a les deux valeurs.

Quelques survivants, parmi les plus riches, s'entendirent secrètement entre eux et affrétèrent un navire pour fuir la cité où la mort triomphait.
Jean D'ORMESSON, la Gloire de l'Empire, t. II, p. 389.

◆ **AFFRÉTÉ, ÉE** p. p. adj. *Avion affrété* (anglic. : *charter*). → **Nolisé.**

DÉR. **Affrètement, affréteur.** ◊ COMP. **Sous-affréter.**

**AFFRÉTEUR** [afʀetœʀ] n. m. — 1678; de *affréter.*

Personne, entreprise qui prend (un navire) en location à l'armateur, au capitaine. → **Fréteur.** — Par ext. *L'affréteur d'un avion, d'un autocar.*

REM. Le fém. *affréteuse* est virtuel, notamment en emploi adj. : *la compagnie affréteuse.*

**AFFREUSEMENT** [afʀøzmɑ̃] adv. — 1538; de *affreux.*

♦ **1** D'une manière affreuse, particulièrement effrayante ou révoltante. → **Horriblement.** (Rare). *Parler affreusement.*

Je crains fort de vous voir comme un géant grandir, 1
Et tout votre visage affreusement laidir.
MOLIÈRE, l'Étourdi, II, 5.

D'une manière insupportable, pénible. *Souffrir affreusement.*

(1611). De manière à inspirer le dégoût. *Il est affreusement laid, défiguré.*

♦ **2** (1701, emploi critiqué : «Il est extrêmement gros, il est horriblement laid, plutôt que, il est *affreusement gros,* il est *affreusement laid*», Furetière). Extrêmement, terriblement. *Un plat affreusement salé. Je suis affreusement en retard. Ça coûte affreusement cher.*

2 Son visage était affreusement pâle.
Jacques DE LACRETELLE, Silbermann, p. 139.

3 *(Léonard)* est affreusement ivre et, monté sur le pont du Brabant, fait d'abord un raffut de tous les diables (...)
GIDE, Voyage au Congo, *in* Souvenirs, Pl., p. 701.

**AFFREUX, EUSE** [afrø, øz] adj. — Av. 1520, d'un paysage sauvage ; 1539 au sens mod. ; de *affres.*

♦ **1** Qui inspire ou est propre à inspirer de l'effroi, de l'horreur, de la terreur. → **Abominable, atroce, effroyable, ignoble, monstrueux, terrible.** *On entendit brusquement des cris affreux.* → **Effrayant.** *Un cauchemar affreux l'a réveillé.* → **Épouvantable, horrible.** — *Qui fait beaucoup souffrir. Douleur, torture affreuse.* — (Antéposé). *D'affreux hurlements. D'affreuses douleurs.*

1 Mais je n'ai plus trouvé qu'un horrible mélange
D'os et de chair meurtris, et traînés dans la fange,
Des lambeaux pleins de sang, et des membres affreux
Que des chiens dévorants se disputaient entre eux.
RACINE, Athalie, II, 5.

2 (...) du crime affreux dont la honte me suit (...)
RACINE, Phèdre, IV, 6.

3 (...) ce qu'elle *(la mort)* a d'affreux et de terrible.
LA ROCHEFOUCAULD, Maximes, 504.

4 L'affreux baiser de la mort l'effleurait.
HUGO, Quatre-vingt-treize, III.

5 Je n'aimais qu'elle au monde, et vivre un jour sans elle
Me semblait un destin plus affreux que la mort.
MUSSET, Poésies nouvelles, «Nuit d'octobre».

5.1 Merci pour votre lettre ! J'ai tant besoin de savoir que vous m'aimez ! Je viens de passer par des jours affreux. J'ai cru vraiment que la douleur allait me tuer à mon tour (...)
MAUPASSANT, Fort comme la mort, éd. 1889, p. 161.

6 *(La joie d'être)* délivrés du plus affreux cauchemar, après avoir vécu quelques mois dans l'effroi et l'horreur.
LOTI, Suprêmes visions d'Orient, p. 204.

7 Le peu de vin que j'avais pris me causait d'affreuses douleurs d'estomac.
BERNANOS, Journal d'un curé de campagne, Pl., p. 1055.

♦ **2** Qui repousse, dégoûte (laideur). → **Horrible.** *Une affreuse laideur.* — (1690). Personnes. Qui est d'une laideur repoussante. → **Difforme, hideux, laid, monstrueux, repoussant.** — *Un visage, un corps affreux.*

8 L'or même à la laideur donne un teint de beauté :
Mais tout devient affreux avec la pauvreté.
BOILEAU, Satires, VIII.

9 Le blanc et le rouge les rend *(les femmes)* affreuses et dégoûtantes (...) LA BRUYÈRE, les Caractères, III, 6.

Par exagér. Déplaisant à voir. *Tu es affreux, avec cette cravate ! Il porte une affreuse petite moustache. Une affreuse petite robe.* → **Moche.** *Ce film est affreux. Il a un style affreux.*

10 Une affreuse barbe de chèvre (...) lui pendait au menton.
MARTIN DU GARD, les Thibault, IV, 3.

♦ **3** (1712, «cruel, méchant»). Qui inspire une extrême réprobation morale. → **Détestable, horrible.** *Attentat, crime affreux.* → **Odieux.** — *C'est une chose affreuse à voir, à entendre...*

11 Ah ! sortez, sortez au contraire, lui dit-on avec une véritable colère. Que m'importent les hommes ? C'est Dieu qui voit l'affreuse scène que vous me faites et qui m'en punira.
STENDHAL, le Rouge et le Noir, XXX, Pl., p. 422.

(Personnes). *Un affreux dictateur, tyran, despote. «Ô le pharisien ! l'affreux prêtre !»* (L. Bloy, *Journal,* in T. L. F.).

Par exagér. (pour exprimer un reproche mondain, badin, sentimental...).

Ne cherchez pas à vous justifier, monsieur, votre conduite à mon égard est affreuse, vous me compromettez journellement, vos assiduités auprès de moi ont été déjà remarquées, je suis très mécontente (...)
Henri MONNIER, Scènes populaires, la Grande dame, p. 223 (1835).

(Personnes). *Ah ! l'affreux bonhomme, l'affreux type.* — Loc. fam. *C'est un affreux jojo*.*

♦ **4** Par exagér. Très mauvais ; qui cause du désagrément, de l'ennui. → **Désagréable, détestable, ennuyeux, mauvais, pénible, triste.** *Le chemin devient affreux, après la forêt. Il fait un temps affreux.* — Fam. *Il fait affreux, aujourd'hui. — C'est affreux, le monde qu'il y a. C'est affreux ce que les gens sont bêtes.*

Il fait affreux. Pluie et vent mêlés (...)
VALÉRY, Cahiers, t. II, Pl., p. 1294.

Très intense ; extrême. *J'ai un besoin affreux de boire, j'ai une faim affreuse.* → **Terrible.**

N. m. *L'affreux, c'est que...*

L'affreux de la vie à la campagne, c'est d'être livré sans recours à la pluie, à la boue, à la neige, à la nuit.
F. MAURIAC, la Province, p. 32.

♦ **5** N. [a] *Un affreux :* un homme laid, désagréable, odieux. — REM. Ne semble guère usité au fém., au moins dans la langue écrite.

Une fille jaillit d'une autre table, plaquant deux gros affreux, et vint s'asseoir à la nôtre, pressant les mains de Pierre. «Tu es là ! disait-elle. — Oui, pour deux jours. — Alors moi aussi ! — Alors trois jours, dit Pierre. — Formidable ! Je prends une chambre ?» Et lui, l'air outragé : «Tu me ferais ça ? — Oh, tu es chic ! dit-elle. — Mais eux ?» dit Pierre, désignant les deux affreux.
Maurice CLAVEL, le Tiers des étoiles, p. 52.

[b] (V. 1960, surnom appliqué dans les milieux de l'O. N. U. et par les journalistes). Fam. Volontaire étranger, mercenaire au service d'une armée, en Afrique. «*Les* affreux *prennent l'offensive contre Stanleyville*» (*Libération,* 21 nov. 1964). «*L'aventure katangaise (...) comptera parmi les plus extravagantes de notre siècle. N'y a-t-on pas vu (...) deux cents mercenaires européens recrutés par Tschombé tenir en échec à maintes reprises 20 000 hommes des Nations Unies (...) Ces mercenaires — les "affreux", comme on les surnomma — font désormais partie d'une certaine mythologie de la guerre moderne*» (*le Figaro littéraire,* p. 1, 9 mars 1963, *in* D. D. L.).

[c] Fam. (en apostrophe). *Eh ! toi, l'affreux !*

CONTR. **Agréable, beau, bon, charmant, doux, plaisant.**
◊ DÉR. **Affreusement.**

**AFFRIANDANT, ANTE** [afʀijɑ̃dɑ̃, ɑ̃t] adj. — Attesté mil. XIXe ; p. prés. de *affriander.*

Rare. Qui affriande. *Un mets affriandant.* — Fig. «*L'attrait affriandant du fruit défendu*» (E. Sue, *les Mystères de Paris,* in T. L. F.).

Pénétrer dans la maison de la rue du Chien, dont les habitants passaient pour scandaleusement riches, était donc une perspective affriandante pour le troupeau des vestes grises. Il n'y eut qu'une voix pour une visite domiciliaire. On se leva en tumulte pour y courir.
Louise MICHEL, la Misère, t. I, p. 196.

**AFFRIANDER** [afʀijɑ̃de] v. tr. — XIVe ; de *à,* et *friand.*

Vieux ou littéraire.

♦ **1** Vx. Exciter l'appétit, attirer par l'appât. → **Abecquer** (techn.), **allécher, appâter.** *On affriande les* *oiseaux, les poissons avec de l'appât.* — Techn. (fauconn.) *Affriander l'oiseau :* le faire revenir sur le leurre.

Régional. Exciter l'appétit de (qqn). — Sujet n. de chose. «*Le boudin surtout l'affriandait*» (H. Pourrat, *in* T. L. F.).

♦ **2** (Abstrait). Vx ou littér. Exciter le désir de (qqn). → **Affrioler, attirer, séduire.** «*Les amusements qui affriandent le plus les provinciaux*» (Balzac, *in* T. L. F.). — *Affriander la curiosité de quelqu'un.*

◆ **AFFRIANDÉ, ÉE** p. p. adj. *Oiseau affriandé.* — Fig. Excité, émoustillé. — Vx. Affamé.

Enfin d'autres événements m'ôtèrent les charmants souvenirs de Mme Basile, et dans peu je l'oubliai si bien, qu'aussi simple et aussi novice qu'auparavant je ne restai pas même affriandé de jolies femmes.
ROUSSEAU, les Confessions, II, V.

CONTR. **Dégoûter, repousser.**

**AFFRIOLANT, ANTE** [afʀijɔlɑ̃, ɑ̃t] adj. — 1808; de *affrioler.*

Fig. Qui affriole, est excitant. → **Attirant, désirable, séduisant.** «*Cette femme est un démon (...) elle est si vicieuse, si affriolante*» (Balzac, *la Cousine Bette*). — *Un déshabillé affriolant. Un minois affriolant* (Académie). *Ce n'est pas un spectacle très affriolant.* → **Agréable, attirant.**

Rare. *Un plat affriolant,* qui excite l'appétit. → **Appétissant, ragoûtant.**

REM. Le mot donne lieu à des emplois ironiques :

François Mauriac, avec une gentille ironie (où perce du respect et tout le prestige qu'ont les savants à ses yeux), met Jean Rostand sur le chapitre des crapauds et promet que des ordres seront donnés à Malagar pour en prendre le plus possible. Mais, hélas! depuis ces dernières années de sécheresse, on ne voit presque plus de ces énormes bêtes aux affriolantes pustules.
Claude MAURIAC, le Temps immobile, p. 190.

CONTR. **Dégoûtant, repoussant, répugnant.**

**AFFRIOLER** [afʀijɔle] v. tr. — 1530; du moy. franç. *frioler* «frire» et, au fig., «brûler de désir», dér. de *frire.*

♦ **1** Vx. Exciter l'appétit de (qqn) par un mets appétissant, une boisson délicate. *Être affriolé par l'odeur d'un plat.* → **Affriander.**

Par plaisanterie :

1 Petit chien je t'affriolais
Avec du sucre et mes mollets.
MALLARMÉ, Vers de circonstance, «Sur des galets d'Honfleur», Pl., p. 174.

♦ **2** Fig. Vieilli. Exciter le désir de, intéresser vivement. → **Allécher, attirer, séduire.** *Elle avait un charme qui affriolait ses admirateurs. Il était affriolé par l'idée de ce voyage.*

2 Cependant on filait rapidement. John Bunsby avait bon espoir. Plusieurs fois, il dit à Mr. Fogg qu'on arriverait en temps voulu à Shangaï. Mr. Fogg répondit simplement qu'il y comptait. D'ailleurs, tout l'équipage de la petite goélette y mettait du zèle.
La prime affriolait ces braves gens.
J. VERNE, le Tour du monde en 80 jours, p. 177.

DÉR. **Affriolant.**

**AFFRIQUÉE** [afʀike] adj. f. — Fin XIXe; 1587, dans un autre sens; lat. *affricare* «frotter contre».

Phonét. Se dit de consonnes produites par la réalisation d'une occlusive, puis d'une fricative au même point d'articulation et presque en même temps (ex. : *ts* ou *dz,* en anc. franç.). — N. f. *Une affriquée.*

**AFFRONT** [afʀɔ̃] n. m. — V. 1560; «tromperie», 1588; de *affronter.*

♦ **1** Vieilli ou style soutenu. Offense faite publiquement avec la volonté de marquer du mépris et de déshonorer ou d'humilier. → **Avanie, camouflet, humiliation, injure, insulte, mortification, nasarde** (vx), **offense, outrage, soufflet** (fig.). *Un cruel, mortel, sensible, sanglant affront; un affront terrible, sanglant. Un affront éclatant, public. Faire un affront à qqn. Recevoir, essuyer, subir un affront :* être insulté, humilié en public. *Souffrir, supporter, avaler, boire* (cit. 34), *dévorer un affront sans rien dire.* → Avaler des couleuvres. *Rougir d'un affront. S'en retourner avec sa courte honte* après l'affront. Ne pouvoir digérer un affront :* en garder rancune. *Laver, punir, réparer un affront :* en tirer vengeance. *Pardonner* (cit. 21) *un affront. Vous ne me ferez pas l'affront de refuser mon invitation.* — Par plais., vx (en parlant d'un corps) → ci-dessous, cit. 3.

De si mortels affronts ne se réparent point. 1
CORNEILLE, le Cid, II, 3.

Quiconque ne sait pas dévorer un affront. 2
RACINE, Esther, III, 1.

(...) me faire un affront si sensible aux épaules. 3
MOLIÈRE, l'Étourdi, II, 7.

Je vous demande raison de l'affront qui m'a été fait. 4
MOLIÈRE, George Dandin, I, 6.

(...) punir sur-le-champ l'affront que tu me fais. 5
MOLIÈRE, le Dépit amoureux, III, 10.

Vous venez me faire des affronts devant tout le monde. 6
MOLIÈRE, le Bourgeois gentilhomme, IV, 2.

Il faut que je boive l'affront. 7
MOLIÈRE, les Précieuses ridicules, 18.

(...) laver mon affront au sang d'un scélérat. 8
MOLIÈRE, Amphitryon, III, 5.

Plus mon rang a d'éclat, plus l'affront est sanglant. 9
MOLIÈRE, Psyché, Prologue.

Ces cheveux, qui du fer n'ont pas subi l'affront. 10
HUGO, les Orientales, XVIII.

Ni mon âme ni mon visage ne sont faits à supporter 10.1
les affronts, la froideur, le dédain qui attendent l'homme ruiné, le fils du failli!
BALZAC, Eugénie Grandet, éd. 1838, p. 223.

Il avait peur de ces affronts passés, mais non des affronts 10.2
à venir, car les maux que le raisonnement prévoit comme inévitables, l'espérance en recule si loin la venue qu'à de si grandes distances ils ne semblent plus effrayants mais comme irréels. PROUST, Jean Santeuil, Pl., p. 847.

♦ **2** [a] (1640, cit. 11). Vx. Honte, déshonneur éprouvés par une personne qui subit un affront.

(...) Pleurez l'irréparable affront 11
Que sa fuite honteuse imprime à notre front.
CORNEILLE, Horace, III, 6.

(...) le scandaleux affront 12
Qu'une femme mal née imprime sur ton front.
MOLIÈRE, Sganarelle, 9.

Loc. *Faire affront à qqn de sa conduite :* lui en faire honte, la lui reprocher publiquement. — Vieilli. *Avoir l'affront de qqch. :* échouer de manière humiliante en ce qui concerne cette chose. — Vx. *Rester en affront.*

[b] Échec humiliant. *Le général ne supportait pas l'affront de la retraite.* — (Dans un contexte politique). *L'affront de Fachoda.*

♦ **3** Par métaphore, littér. *L'affront, les affronts du temps, de l'âge.* → **Outrage, ravage.**

CONTR. **Compliment, éloge, encens, louange.**

**AFFRONTABLE** [afʀɔ̃tabl] adj. — 1866; de *affronter.*

Rare. Qui peut être affronté. *Un danger affrontable.*

C'était à coup sûr une horrible attaque... La fin du système!... Un cataclysme pas affrontable...
CÉLINE, Mort à crédit, p. 588.

**AFFRONTEMENT** [afʀɔ̃tmɑ̃] n. m. — Av. 1540; 1587, en contexte militaire; de *affronter.*

♦ **1** Le fait de s'affronter. *L'affrontement de deux adversaires, de deux armées. L'affrontement de deux volontés, de deux idéologies. Des affrontements violents, sanglants.*

1 (...) ils opposaient Hegel à Marx, et (...) notre époque continue à vivre cet affrontement.
Henri LEFEBVRE, la Vie quotidienne dans le monde moderne, p. 111.

♦ **2** Le fait d'affronter (qqch. ou qqn). *L'affrontement des difficultés par qqn. Il ne craint pas l'affrontement des obstacles. L'affrontement du danger par un homme courageux. L'affrontement de l'adversaire, à un adversaire.*

2 Le personnel affrontement d'un fréquent péril donne à son livre *(Saint-Exupéry)* une saveur authentique et inimitable.
GIDE, Préface à Vol de nuit, de Saint-Exupéry.

3 Les affrontements, le désespoir ou l'angoisse n'ont pas tant de force que la cohésion et le sens de la survie.
J.-M. G. LE CLÉZIO, l'Extase matérielle, p. 93.

♦ **3** Techn. (blason, arts). Disposition de deux sujets placés symétriquement et qui se font face.

4 (...) une formule que la Perse n'a pas inventée, mais dont elle a fixé la forme définitive : l'affrontement ou l'adossement, répétition symétrique d'un même sujet.
Michèle BEAULIEU, les Tissus d'art, p. 11.

♦ **4** (1846). Méd. Action de mettre de niveau, de front. *L'affrontement des lèvres de la plaie.*

**AFFRONTER** [afʀɔ̃te] v. tr. — Déb. XIIIe; «abattre en frappant sur le front», 1160; aussi «couvrir de honte» en moy. franç.; «tromper» au XVIe; de *à,* et *front.*

**I** ♦ **1** Aller hardiment au devant de (un adversaire, un danger). *Les troupes affrontent l'ennemi.* → **Attaquer, braver, face** (faire). *Il affronta courageusement ses détracteurs.* → **Défier.** *Affronter ses supérieurs, ses parents.* → **Braver.** — *Affronter une difficulté, un problème, un risque. Affronter la mort, son destin. Affronter une idée, un sujet nouveau et difficile.*

1 Va d'un roi redoutable affronter la présence.
RACINE, Esther, I, 4.

2 La croyance qu'on pourra revenir vivant du combat aide à affronter la mort.
PROUST, À la recherche du temps perdu, t. VI, p. 149.

3 Il en est de la vieillesse comme de la mort; quelques-uns les affrontent avec indifférence, non pas parce qu'ils ont plus de courage que les autres, mais parce qu'ils ont moins d'imagination.
PROUST, À la recherche du temps perdu, t. XV, p. 86.

4 Il se sentait sans courage pour (...) affronter une fois de plus l'odeur de mangeaille, le service bruyant.
MARTIN DU GARD, les Thibault, VIII, 1.

5 (...) l'homme isolé (...) se prépare à affronter, au temps du retour, le jugement de la honte.
A. MAUROIS, Études littéraires, t. I, p. 174.

Absolt. *S'affirmer, c'est affronter,* faire front.

Aborder (une chose concrète qui correspond à une difficulté). *Affronter la montagne, le désert. Après une nuit de repos, ils affrontèrent la paroi Nord.*

♦ **2** (Déb. XVIe). Fig. Mettre face à face. *Affronter des doctrines. Affronter des musiciens, des écrivains, des peintres... :* les mettre en concurrence (pour les comparer).

♦ **3** (XVIe). **a** Opposer «front à front», face à face. *Le peintre a affronté deux figures animales.*

**b** Techn. *Affronter deux pièces de bois :* les mettre de niveau. → **Aligner, niveler.**

**c** (1835). Méd. *Affronter les bords d'une plaie :* les mettre en contact pour faciliter la circulation.

**II** Vx (dès le XVIIe). Tromper. → Affronterie, affronteur.

◆ **S'AFFRONTER** v. pron. (Récipr.) Se heurter dans un combat. → **Attaquer** (s'), **combattre** (se). *Les deux groupes s'affrontent.*

Ainsi la guerre était déclarée. Deux chefs se sont jeté le gant. Voilà que s'affrontent deux puissances (...) 6
M. BARRÈS, la Colline inspirée, p. 136.

L'immense être humain appelé France (...) s'était affronté en une gigantesque querelle collective avec cet autre immense conglomérat d'individus qu'est l'Allemagne. 7
PROUST, À la recherche du temps perdu, t. XIV, p. 94.

Fig. Être en compétition, en lutte. *Des arguments s'affrontent.*

Deux thèses s'affrontaient, toujours les mêmes. 8
MARTIN DU GARD, les Thibault, VII, 52.

Réfl. *S'affronter à (qqch.),* se heurter. *S'affronter à un obstacle, à une résistance. S'affronter avec un adversaire, à un adversaire.*

◆ **AFFRONTÉ, ÉE** p. p. adj. *Armée affrontée à l'ennemi.* «*Des gens affrontés dans une querelle...*» (Proust). — *Difficultés affrontées.*

(Au sens 3.). Blason. *Animaux affrontés,* figurés front à front. *Têtes affrontées.*

Techn. *Pièces affrontées.* N. m. *L'affronté :* l'affleurement.

CONTR. **Dérober** (se), **esquiver, éviter, fuir.** — **Accorder** (s'). ◈ DÉR. **Affront, affrontable, affrontement, affronterie, affronteur.**

**AFFRONTERIE** [afʀɔ̃tʀi] n. f. — Après 1535; de *affronter,* II.

Vx. Action de tromper impudemment.

**AFFRONTEUR, EUSE** [afʀɔ̃tœʀ, øz] n. — 1536, «imposteur»; de *affronter.*

**I** (De *affronter,* I.). ♦ **1** (1589). Mod., littér. Celui, celle qui affronte.

Ce poulain sauvage, affronteur de gouffres, ne cassa pas son licol et resta dans le brancard.
Léon BLOY, le Désespéré, p. 37.

♦ **2** Techn. Instrument qui permet d'affronter (3.) les lèvres d'une plaie. *Affronteur linéaire.*

**II** (1536; de *affronter,* II.). Vx. Personne qui trompe impudemment. → **Imposteur.**

Littér. et rare. Insolent (Léon Daudet, *in* T. L. F.).

**AFFRUITER** v. ou **AFFRUITER (S')** [afʀɥite] v. pron. — 1284; XIIe, *s'afruiter* «être fructueux»; de *à,* et *fruit.*

**I** V. tr. Vx. Faire porter des fruits à (une terre) en plantant.

**II** V. pron. et intr. (1863, pron.). Mod. Techn. (arbor.). Se mettre à produire des fruits. *Cet arbre a affruité, s'est affruité cette année.*

**AFFUBLEMENT** [afybləmɑ̃] n. m. — XIIIe; de *affubler.* Rare ou littéraire.

♦ **1** Ajustement singulier, bizarre ou ridicule. → **Accoutrement.**

(...) ce qu'il y a d'étrange dans l'affublement c'est la chose même; elle n'est point faite pour être portée par celui qui en est couvert. 1
LAFAYE, Dict. des synonymes, Vêtu..., Affublé.

Que signifie cet affublement? c'est une vraie mascarade. 2
LITTRÉ, Dict., art. *Affublement.*

♦ **2** Fig. Ce qui déguise la réalité.

Sous l'affublement des grands mots, des panaches, des parades de théâtre avec des épées de fer-blanc et des casques en carton, on retrouvait toujours l'incurable futilité 3

d'un Sardou, l'intrépide vaudevilliste, qui jouait guignol avec l'histoire.
R. ROLLAND, Jean-Christophe, la Foire sur la place, p. 713.

**AFFUBLER** [afyble] v. tr. — 1080, «vêtir»; du lat. pop. **affibulare* «agrafer», puis «vêtir», de *fibula* «agrafe».

♦ **1** Vx (langue class.). Vêtir.

Toutes deux bien seules et bien affublées (...)
SAINT-SIMON, *in* HATZFELD.

♦ **2** (1666). *Affubler qqn de... Habiller bizarrement, ridiculement, comme si on déguisait.* → **Accoutrer, déguiser, fagoter** (fam.), **travestir.** *On avait affublé l'enfant d'un costume d'adulte ridicule.* — (Sans compl. second). *Elle affuble ses enfants.*

On m'avait affublé d'un chapeau haut de forme que j'avais brossé à rebrousse-poil et qui se dressait comme une menace sur ma tête. J. VALLÈS, l'Enfant, p. 52.

Nous sommes pareils à ces singes que l'on affuble d'une robe ou d'un pantalon et qui nous parodient gravement (...)
Edmond JALOUX, le Jeune Homme au masque, p. 232.

(...) les chefs ont enfin un costume et ne sont plus ridiculement affublés de dépouilles européennes. Ils portent le boubou des Bornouans ou des Haoussas, bleu ou blanc, orné de broderies.
GIDE, Voyage au Congo, *in* Souvenirs, Pl., p. 772.

♦ **3** Fig. *Affubler... de...* Donner à qqn un attribut, un nom, un qualificatif qui ne convient pas. *Affubler qqn d'un nom, d'un faux nom, d'un sobriquet. Affubler qqn d'épithètes ridicules.*

À peine se reconnaîtraient-ils *(les hommes illustres)* dans le héros qu'on affuble de leur nom.
F. MAURIAC, la Vie de Jean Racine, p. 3.

◆ **S'AFFUBLER** v. pron. *S'affubler de... :* se vêtir de façon bizarre avec... *Il s'était affublé d'un costume excentrique.*

Rul, très éprise de parure, fut aussitôt fascinée par ce corset rouge et ces épingles d'or dont elle rêvait de s'affubler.
Raymond ROUSSEL, Impressions d'Afrique, p. 245.

Par métaphore :

(...) il est souvent nécessaire d'arracher aux âmes ce masque de fausse humilité dont elles s'affublent.
F. MAURIAC, la Pharisienne, V.

Fig. *S'affubler d'un nom, d'un titre :* s'en parer de façon ridicule.

(1690). *S'affubler de quelqu'un :* l'avoir toujours avec soi. — Au passif. *Il est toujours affublé de cet olibrius.*

◆ **AFFUBLÉ, ÉE** p. p. adj. *Il est ridiculement affublé. — Affublé d'un nom grotesque.*

DÉR. **Affublement.**

**AFFURE** ou **AFUR** [afyʀ] n. m. et f. — 1744, *affure; afur,* 1821; de *affurer.*

Argot.

♦ **1** Vx. Gain, bénéfice.

♦ **2** Mod. Opération qui procure un bénéfice; affaire.

Tu écouteras n'importe quoi! tu n'as rien à faire au fond... Mais moi, tu comprends mon ami, ça n'est pas du tout le même afur... Ah! pas du tout le même *point de vue!...* J'ai un souci moi... CÉLINE, Mort à crédit, p. 437.

Vingt mille francs par mois, quand j'étais mannequin, je les gagnais rien qu'avec l'affure des toilettes.
M. AYMÉ, le Chemin des écoliers, p. 124.

REM. L'extension de sens (syn. de *affaire*) et la terminaison en *-ure* conduisent à un emploi au féminin.

J'sais pas non plus, confesse Paulo (...) mais à juger par ce qu'il m'a refilé, il a dû faire une affure coquette (...) plusieurs centaines de sacs!
Albert SIMONIN, Hotu soit qui mal y pense, p. 59-60.

**AFFURER** [afyʀe] v. tr. — 1596; de l'anc. franç. *furer* «voler», du bas lat. *furare,* lat. class. *furari* «voler».

Argot.

♦ **1** Vx. Voler.

♦ **2** Mod. Gagner (de l'argent) au jeu, etc.

Les femmes à Pierrot qu'on se trompe pas, avec tous leurs vices et machins, si elles affurent trois Livres par jour! c'est le bout du monde! CÉLINE, Guignol's band, p. 62.

Par antiphrase. *Affurer des coups :* en recevoir.

♦ **3** Atteindre (un âge). *Il affurait cinquante piges.*

♦ **4** *Affurer de...,* recevoir (A. Simonin, *in* T. L. F.).

DÉR. **Affure.**

**AFFUSION** [afyzjɔ̃] n. f. — 1546; lat. *affusio,* de *affundere* «verser sur».

♦ **1** Méd. (Vieilli). Procédé d'hydrothérapie qui consiste à verser de l'eau (froide ou chaude) en nappe sur une partie du corps. *Ordonner des douches avec affusion chaude sur le foie.* → **Ablution, aspersion, bain, douche.** *Affusion froide. Des affusions d'eau glacée.* — REM. Le mot est bien attesté jusqu'à la fin du XIXe siècle.

Liturgie. Fait de verser l'eau du baptême.

♦ **2** Par métaphore, littér. Fait de verser de manière bénéfique.

Ha! toute l'affusion du dieu salubre sur nos faces (...)
SAINT-JOHN PERSE, Exil, «Pluies».

**AFFÛT** [afy] n. m. — 1458; *affeul,* au sens II., 1445; de *affûter,* I. «se mettre en position».

**I** ♦ **1** (1638). Poste pour attendre le gibier. *Choisir un bon affût.*

(1638). *À l'affût :* en se plaçant à un affût.

♦ **2** Moment où l'on guette le gibier, à la chasse. *Pendant l'affût. Un long affût. Prendre l'affût, se mettre à l'affût.*

À l'heure de l'affût (...) 1
Au bord de quelque bois sur un arbre je grimpe (...)
LA FONTAINE, Fables, X, 14.

L'espère! Quel joli nom pour désigner l'affût, l'attente du chasseur embusqué, et ces heures indécises où tout attend, espère, hésite encore entre le jour et la nuit. L'affût du matin un peu avant le lever du soleil, l'affût du soir au crépuscule. 2
Alphonse DAUDET, Lettres de mon moulin, «En Camargue», III.

(...) depuis la terrasse de sa maison, où couché à plat ventre, il m'arrive de prendre l'affût avec Edwige, les soirs d'été, ce ne sont pas les étoiles que nous regardons tandis qu'oncle Charles croit que nous arrosons ses géraniums. 2.1
Claude MAURIAC, le Dîner en ville, p. 277.

♦ **3** Loc. **À L'AFFÛT.** *(Être) à l'affût :* (être) en train de guetter (sa proie).

Son inertie trompeuse était celle d'une araignée à l'affût. 3
MARTIN DU GARD, les Thibault, III, 5.

Fig. *Être à l'affût de :* guetter l'occasion de saisir ou de faire. → **Aguets** (être aux), **épier.** *C'est un affairiste toujours à l'affût d'affaires malhonnêtes.*

À l'affût de tous les vents de la mode et de la publicité, il ne négligeait rien de ce qui avait la faveur du moment. 4
RENAN, Souvenirs d'enfance..., III, 2.

Il lisait énormément et se tenait à l'affût de toutes les idées neuves (...) R. ROLLAND, Jean-Christophe, II, p. 999. 5

**II** ♦ **1** Bâti servant à supporter, pointer et déplacer un canon. *Un affût de canon. Affût de campagne, d'obusier, de mortier, de siège, de place et de côte. Affût de marine. Affût automoteur chenillé.*

♦ **2** Support (de divers appareils). *L'affût d'un télescope. — Affût d'un marteau perforateur.*

**III** Techn. Fil, tranchant de ce qui est affûté. → **Affûtage,** II. «*L'affût des outils ordinaires*» (*in* Littré *Suppl.*).

**AFFÛTAGE** [afytaʒ] n. m. — 1421, *afustaige* «mise en batterie»; → Affût, II.; de *affûter,* II. et III.

**I** Techn. Action d'affûter (II.) ♦ **1** Vx. Action de disposer. — (1752). Spécialt. Façon donnée à un vieux chapeau. — Ajustage à un fût (d'un outil). *Support d'affûtage.*

♦ **2** Par métonymie, vx. Assortiment des outils formés d'un fût et d'une partie métallique ajustée.

(1680). Mod. Assortiment des outils nécessaires à une technique. *L'affûtage d'un menuisier, d'un maçon.*

♦ **3** Techn. Rémunération spécifique à un corps de métier. *Salaire d'affûtage, taux d'affûtage.*

**II** (1752). Techn. et cour. Action d'affûter (III.); son résultat (→ **Affût**). *L'affûtage d'un outil, d'une lame à la meule.* → **Aiguisage, émoulage, repassage.** *Dispositif d'affûtage.*

**AFFÛTER** [afyte] v. tr. — Fin XII^e, *s'afuster* «s'appuyer», «se mettre en position»; de *à,* et *fût* «pièce de bois».

**I** Vx. ♦ **1** Poster derrière un arbre. — (XIV^e). Par ext. (vieilli). Chasser à l'affût. *Affûter des canards.*

1 (...) il m'arrive souvent d'affûter les ramiers, en lisière de notre bois, sous les grands chênes qui bordent la route.
BERNANOS, M. Ouine, *in* Œ. roman., Pl., p. 1371.

Pron. *S'affûter :* se tenir, chasser à l'affût. → **Affût.**

♦ **2** (1411). Disposer, mettre en batterie. *Affûter un canon.*

**II** ♦ **1** Vx. Disposer, ajuster (un outil). Spécialt. Ajuster un outil à son fût.

♦ **2** (1906, *in* Petiot). Sports. Préparer soigneusement (un cheval) afin qu'il soit en pleine forme pour une course.

**III** (1680). Cour. Aiguiser (un outil tranchant) en reconstituant le profil de coupe. → **Affiler, aiguiser, émoudre, repasser.** *Affûter une lame, des couteaux, des scies. Une meule à affûter.*

Par ext. *Affûter un crayon,* en refaire la pointe. → **Appointer, tailler.**

Par métaphore et fam. *Affûter ses crochets, ses meules* (*in* Bruant) : s'apprêter à manger.

Fig. *Affûter ses phrases, des arguments.* → **Aiguiser.**

◆ **S'AFFÛTER** v. pron. Fig. Devenir plus perçant, en parlant du regard.

2 Alexandre Kozlov fronça les sourcils et son regard s'affûta.
H. TROYAT, les Eygletière, p. 140.

◆ **AFFÛTÉ, ÉE** p. p. adj.

♦ **1** (Au sens I.). Vx. *Un canon bien affûté.*

♦ **2** (Au sens II.). Vx. *Affûté de... :* muni de...

♦ **3** (Au sens III.). Mod. *Couteau affûté.* → **Aiguisé, tranchant.**

Fig. Fin, aigu (esprit); rusé. «*Un caractère (...) pénétrant, inquisiteur et affûté à un point inimaginable*» (B. Cendrars, *Bourlinguer*).

CONTR. Émousser. ◊ DÉR. **Affût, affûtage, affûteur, affûtiaux, affûtoir.**

**AFFÛTEUR, EUSE** [afytœʀ, øz] n. — Fin XV^e, «celui qui pointe un canon» (→ Affût); de *affûter.*

**I** (1700). Vx. Chasseur à l'affût.

REM. On trouve chez Bernanos, dans ce sens, la forme régionale *affutieux* (Œuvres romanesques, Appendices, «La pitié du Chouan», Pl., p. 1743).

**II** (1897; Affûter, III.). Techn. Personne spécialisée dans l'affûtage (II.) des outils. → **Aiguiseur, émouleur, rémouleur, repasseur.** *Affûteur-outilleur.*

N. m. Lime conique utilisée pour redresser les scies.

N. f. (V. 1920). Machine destinée à l'affûtage des tranchants de certains outils. *Affûteuse mécanique. La meule d'une affûteuse.*

**AFFÛTIAUX** [afytjo] n. m. pl. — 1680; de *affûter* «disposer».

♦ **1** Fam. Menus objets de parure. → **Affiquet, colifichet, fanfreluche.**

♦ **2** Vieilli ou régional. Objets, outils.

**AFFÛTOIR** [afytwaʀ] n. m. — 1890; de *affûter.*

Vx. Instrument servant à affûter. → **Affûteur.**

**AFGHAN, ANE** [afgɑ̃, an] adj. et n. — 1813, *in* D. D. L.; mot persan.

De l'Afghanistan. *Unité monétaire afghane : afghani,* n. m. — N. *Les Afghans.*

N. m. *L'afghan :* la langue afghane (*pachto,* n. m.), du groupe iranien oriental.

**AFICIONADO** ou **AFFICIONADO, OS** [afisjɔnado, o(s)] n. m. — 1831, in *Revue des Deux Mondes;* mot esp., de *afición* «goût, passion», parfois employé en français en terme de tauromachie.

♦ **1** Amateur de courses de taureaux (→ Tauromachique, cit.).

(...) nous n'eûmes rien de plus pressé que d'envoyer Manuel, notre domestique de place, *aficionado* et tauromaquiste consommé, nous prendre des billets pour la prochaine course aux taureaux.
Th. GAUTIER, Voyage en Espagne, IV, p. 48.

Enfin! s'exclamait le jeune homme, c'est la sortie en triomphe des Arènes; les aficionados me font conduire à travers les rues.
A. BLONDIN, Un singe en hiver, p. 20.

♦ **2** (Fin XIX^e, répandu XX^e). Amateur fervent (d'un auteur, d'un spectacle). *Les aficionados du football.* «*Les "Afficionados" de l'automobile considèrent généralement la boîte automatique comme une régression...*» (L. Armand, *Réalités,* p. 5, août 1966).

**AFIN DE** [afɛ̃də] loc. prép., **AFIN QUE** [afɛ̃kə] loc. conj. — Deuxième moitié XIII^e, *affin que...*; XIV^e, *à fin de, que,* jusqu'au XVII^e; de *à,* et *fin* «but poursuivi».

Marque l'intention ou le but.

♦ **1** AFIN DE, suivi de l'inf. → **Pour, but** (dans le), **vue** (en vue de). *Prendre les mesures nécessaires, des mesures afin de réussir.*

(...) afin d'en venir au dessein que j'ai pris.
LA FONTAINE, Fables, IV, 11.

*(La passion)* De se rendre savante afin d'être savante.
MOLIÈRE, les Femmes savantes, I, 3.

(...) la pensée où les mots doivent dormir longtemps encore, afin d'éclore nouveaux et purs.
MALLARMÉ, Correspondance, 1869, p. 300, *in* T. L. F.

REM. Le sujet du verbe principal et celui de l'inf. peuvent être différents. «*Ils me payèrent afin de les distraire*» (Gide, *in* T. L. F.), pour que je les distraye.

♦ **2** AFIN QUE, suivi d'un verbe au subj. → **Pour** (que). — (Sujets différents). *Je fais cela afin que tu sois content.*

3 Afin qu'il fût plus frais et de meilleur débit (...)
LA FONTAINE, Fables, III, 1.

4 S'il en faut faire autant afin que l'on me flatte (...)
LA FONTAINE, Fables, IV, 5.

5 (...) afin que les belettes
En conçussent plus de peur (...)
LA FONTAINE, Fables, IV, 6.

1 Je tirai de toutes mes forces sur tous les fils qui tramaient cet instant afin que de l'événement parfaitement tendu surgît une rythmique beauté.
Hélène CIXOUS, Souffles, p. 177.

REM. Les deux sujets peuvent être identiques (pour des raisons stylistiques).

2 J'y mêlai *(mes applaudissements)* afin que, par reconnaissance, la Berma se surpassant, je fusse certain de l'avoir entendue dans un de ses meilleurs jours.
PROUST, À l'ombre des jeunes filles en fleurs, Pl., t. I, p. 450.

**AFIN DE... ET QUE.**

3 Le marchand fait des montres pour donner de la marchandise ce qu'il y a de pire; il a le cati et les faux jours afin d'en cacher les défauts, et qu'elle paraisse bonne (...)
LA BRUYÈRE, les Caractères, VI, 43.

**AFLATOXINE** [aflatɔksin] n. f. — V. 1970; de *A(spergillus) fla(vus),* et *toxine.*

Biol. Toxine hydrocarbonée sécrétée par un champignon *(Aspergillus flavus),* contaminant fréquemment les arachides et considérée comme carcinogène.

**AFNOR** [afnɔʀ] n. f. et adj. — 1926, date de création de l'organisation; sigle.

N. propre. Association Française de Normalisation. — En appos. ou adj. invar. *Les normes Afnor.*

**AFOCAL, ALE, AUX** [afɔkal, o] adj. — Mil. XXe; de 2. *a-,* et *focal.*

Didact. Relatif à une lentille ou à un système optique centré dont les foyers sont rejetés à l'infini.

**A FORTIORI** [afɔʀsjɔʀi] loc. adv. — 1834; lat. scolast. *a fortiori (causa)* «par une raison plus forte».

Didact. En concluant du plus au moins, de la vérité d'une proposition à la vérité d'une autre pour laquelle la raison invoquée s'applique encore mieux. *Raisonnement a fortiori.* → **Raison** (à plus forte).

Plus cour. (en tête de proposition). *La météo hésite à donner des prévisions pour la semaine; a fortiori, elle ne peut dire quel temps il fera le mois prochain.*

**AFRICAIN, AINE** [afʀikɛ̃, ɛn] adj. et n. — XVIe; *Affrican,* subst., 1080; lat. *africanus.*

♦ **1** De l'Afrique, et, spécialt, de l'Afrique noire (on dit en général *nord-africain, sud-africain,* pour les autres régions). *Le continent africain. L'économie africaine. L'Est, l'Ouest africain. Tribus, ethnies africaines. Langues africaines* (ou *négro-africaines*). *Musique africaine.* — N. *Les Africains* : les habitants de l'Afrique.

1 (...) ma bienfaitrice donna un bal dont ses petits-fils furent le prétexte, mais dont le véritable motif était de me montrer fort à mon avantage dans un quadrille des quatre parties du monde où je dois représenter l'Afrique. On consulta les voyageurs, on feuilleta des livres de costumes, on lut des ouvrages savants sur la musique africaine (...)
Claudine DE DURAS, Ourika, p. 34.

REM. En parlant des personnes et de leurs activités, *africain* désigne presque toujours l'Afrique noire (→ aussi Nord-africain, sud-africain); en revanche, *africain* peut qualifier les choses de toute l'Afrique : *le ciel africain, la végétation africaine, les oasis africaines.*

Par ext. Propre aux Noirs d'origine africaine.

Le plus ancien poète des États-Unis est une négresse, Philis Wheatley (...). Il y a d'autres essais de poésie africaine : des nègres de la Virginie (...) avaient composé une ronde (...) 2
CHATEAUBRIAND, Mémoires d'outre-tombe, t. I, p. 350, *in* T. L. F.

Par ext. Qui a lieu en Afrique, concerne l'Afrique. *Les questions africaines. Ethnographie, linguistique africaine.* → **Africanisme.** — Subst. (N. m.). Surnom de personnes ayant vécu, combattu... en Afrique. *Scipion l'Africain. Lyautey l'Africain.*

N. m. Vx. Soldat des anciens régiments coloniaux dits «bataillons* d'Afrique» (→ Bat' d'Af'), stationnés principalement en Afrique du Nord. *«C'est nous les Africains qui revenons de loin»* (chanson).

♦ **2** Qui évoque l'Afrique ou ses habitants. *«Le côté "africain" (de l'Italie)»* (Larbaud, *in* T. L. F.). *«Dechartre (...) l'air africain avec son teint bistré»* (A. France, *le Lys rouge,* in T. L. F.).

DÉR. **Africanisation, africaniser, africaniste, africanité.** V. **Africanisme.** ◊ COMP. **Asiatico-africain, centrafricain, eurafricain, interafricain, négro-africain, nord-africain, panafricain, sud-africain.** V. **Africanthrope, africano-,** et aussi **afro-.**

**AFRICANISATION** [afʀikanizasjɔ̃] n. f. — V. 1965; de *africain.*

Fait de rendre africain; remplacement des fonctionnaires et cadres européens par des Africains, dans les pays d'Afrique noire devenus indépendants.

Force publique *(congolaise)* vous étiez commandés par des Belges : Armée nationale vous exigez d'être commandés par des nationaux. Quoi de plus naturel? Et nous n'avons pu hésiter un instant devant cette mesure d'africanisation radicale que parce que notre bonne volonté était mise en échec par le mauvais vouloir et les préjugés du général Massens. 1
Aimé CÉSAIRE, Une saison au Congo, VIII, p. 38.

Fait de prendre un caractère africain.

Les noirs ont assimilé sans s'abolir (...) Ni la période coloniale (...) ni l'envahissement par la civilisation du XXe siècle n'ont aboli cette originalité africaine. Le processus d'adaptation, d'africanisation, se poursuit sous nos yeux. 2
Hubert DESCHAMPS, l'Afrique noire précoloniale, p. 120.

**AFRICANISER** [afʀikanize] v. tr. — 1931, → cit.; répandu v. 1960; de *africain.*

Rendre africain; remplacer les fonctionnaires et les cadres européens par des Africains, dans les pays d'Afrique noire devenus indépendants.

♦ **S'AFRICANISER** v. pron. Prendre un caractère africain.

N'y a-t-il pas d'autre vie que la vie moderne et européenne, une autre culture? Et pourquoi ne dirions-nous pas : il faut nous africaniser à l'ancienne? ou bien nous *ancianiser* à l'africaine?
J.-R. BLOCH, Destin du siècle, p. 277, *in* T. L. F. (1931).

**AFRICANISME** [afʀikanism] n. m. — 1752, Trévoux, sens 1., a. (cf. angl. *africanism,* 1641, Milton); du lat. *africanus* «africain».

Didactique.

♦ **1** Particularisme linguistique propre à l'Afrique.

[a] Tournure, manière de s'exprimer propre au latin d'Afrique du Nord (l'*Africa* des Anciens). *Les africanismes de saint Augustin.*

[b] Particularité linguistique, notamment lexicale, d'une langue européenne parlée en Afrique (le français, etc.). *«Groupe de recherches sur les africanismes»* (au Zaïre, 1972).

♦ **2** Étude des langues et civilisations africaines. → **Africaniste.**

**AFRICANISTE** [afʀikanist] n. — 1908, *Encyclopédie Universelle;* de *africain.*

Didact. Spécialiste des langues et civilisations africaines. *Une africaniste de renom.* — Adj. *École africaniste. Ethnologues, linguistes africanistes.*

**AFRICANITÉ** [afʀikanite] n. f. — XX$^{e}$; de *africain.*

Didact. Caractère africain spécifique — ne se dit guère que de l'Afrique noire (→ **Négritude**) et en parlant de faits culturels.

**AFRICANO-** Élément de mots composés, tiré du rad. de *africain.* → **Afro-.** Ex. : *africanologue* (*le Nouvel Obs.,* 19 juin 1975); *africanophobe* (Céline, *Voyage au bout de la nuit,* p. 225).

**AFRICANTHROPE** [afʀikɑ̃tʀɔp] n. m. — 1938-1940; du rad. de *africain,* et *-anthrope.*

Paléont. Fossile de préhominien découvert en Afrique orientale.

En même temps que le Pithécanthrope et le Sinanthrope vivaient certainement (...) d'autres Hominiens (...) De ceux-ci nous ne possédons encore, malheureusement, que des restes insuffisants (...) en Afrique orientale, le crâne mal conservé de l'Africanthrope.
TEILHARD DE CHARDIN, le Phénomène humain, p. 217 (1938-1940).

**AFRIKAANS** ou **AFRIKANS** [afʀikɑ̃s] n. m. et adj. — 1952; mot néerlandais, «africain».

Parler néerlandais d'Afrique du Sud (langue officielle de ce pays, avec l'anglais). — Adj. *Le néerlandais afrikaans.*

Ils refusaient d'accepter comme langue obligatoire de l'enseignement secondaire la langue des dominateurs, l'afrikaans. Jean ZIEGLER, Main basse sur l'Afrique, p. 9.

**AFRIKANER** [afʀikanɛʀ] ou **AFRIKANDER** [afʀikɑ̃dɛʀ] n. et adj. — Fin XIX$^{e}$, *afrikaner; afrikander,* 1890, *in* D. D. L.; néerl. d'Afrique du Sud *Afrikaander,* de *afrikaansch* «africain». → Afrikaans.

Individu de race blanche, d'origine néerlandaise, citoyen de l'Afrique du Sud.

Adj. Relatif à la souche néerlandaise des citoyens de l'Afrique du Sud. *La culture afrikaner. La langue afrikander.* → **Afrikaans.**

L'Afrique du Sud est gouvernée depuis 1948 par une minorité blanche d'origine afrikaner. Cette société afrikaner, née de l'émigration, est hantée par une double vision apocalyptique : comme toute société esclavagiste, elle vit dans la crainte quasi pathologique de ceux dont elle nie l'existence.
Jean ZIEGLER, Main basse sur l'Afrique, p. 154.

**AFRITE** [afʀit] n. m. — Av. 1717, Galland, trad. des *Mille et une Nuits;* arabe *'ifrît.*

Vx. Génie subalterne de la légende arabe (employé au XIX$^{e}$ s. : Balzac, Nerval). — Var. de *efrit**.

1 En disant ces douloureuses paroles, il appela un afrite qui attisait un brasier, et lui ordonna d'enlever la princesse Carathis du palais de Samarah, et de la lui amener.
William BECKFORD, Vathek, p. 216.

2 (...) les Turcs prétendent que les djinns, les goules et les afrites tiennent leur sabbat dans ce palais lugubre, et y secouent joyeusement leurs ailes de chauve-souris, mouillées des pleurs de la voûte.
Th. GAUTIER, Constantinople, p. 310.

**AFRO** [afʀo] adj. invar. — 1971, *à l'afro, in* D. D. L.; mot angl. des États-Unis, abrév. de *afro-american.* → Afro-.

Se dit d'une coupe de cheveux crépus ou frisés formant une boule volumineuse autour du visage.*«Une coiffure hippy vaguement afro»* (*le Nouvel Obs.,* 11 sept. 1972).

**À L'AFRO** loc. adj. et adv. *«Une tignasse à l'afro»* (Bertrand Blier, *les Valseuses,* p. 322). *Des «cheveux crépus coiffés à l'afro»* (*l'Express,* 18 sept. 1972).

(...) des cheveux frisés à l'afro.
V. LESTIENNE, l'Amant de poche, p. 106.

**AFRO-** Élément, du lat. *afer, afri* «africain», indiquant l'origine africaine, et qui s'emploie pour former des adjectifs et des substantifs. → **Africano-.** Voir ci-dessous à l'ordre alphab. — REM. On peut mentionner d'autres composés, comme *afro-portugais, afro-équatorial.*

**AFRO-AMÉRICAIN, AINE** [afʀoameʀikɛ̃, ɛn] adj. — 1933; cf. *africo-américain,* 1826, *in* D. D. L.; de *afro-,* et *américain.*

Qui est d'origine africaine, aux États-Unis. *La musique afro-américaine.* — N. *«Le mouvement révolutionnaire des Afro-Américains»* (*le Nouvel Obs.,* 21 août 1972).

**AFRO-ASIATIQUE** [afʀoazjatik] adj. — 1937, Céline; de *afro-,* et *asiatique.*

Commun à l'Afrique et à l'Asie du point de vue politique. *Le groupe afro-asiatique à l'O. N. U. Les nations afro-asiatiques. La conférence afro-asiatique de Bandung.* — N. *Les Afro-Asiatiques.*

REM. On parle aussi d'*afro-asiatisme,* n. m. → Tiers-mondisme.

**AFRO-BRÉSILIEN, IENNE** [afʀobʀeziljɛ̃, jɛn] adj. — Mil. XX$^{e}$; de *afro-,* et *brésilien.*

Didact. Qui est d'origine africaine, dans la société brésilienne. *La population afro-brésilienne de Salvador.* — N. *Les Afro-Brésiliens.*

**AFRO-CUBAIN, AINE** [afʀokybɛ̃, ɛn] adj. — Mil. XX$^{e}$; de *afro-,* et *cubain,* d'après l'angl. des États-Unis *afro-cuban.*

Qui est d'origine africaine, à Cuba. *Le folklore afro-cubain. La population afro-cubaine.* — N. *Les Afro-Cubains.*

Spécialt. *Musique afro-cubaine.* — N. m. *«(...) une session audacieuse et inhabituelle qui regroupe solistes sud-américain et français, sous la direction du pianiste-trompettiste-percussionniste-flûtiste-chanteur Juan Carlos Caceres. C'est l'afro-cubain revu par le pop»* (*l'Express,* p. 9, 24-30 juil. 1972, Ph. Adler).

**AFRO-LATIN, INE** [afʀolatɛ̃, in] adj. — V. 1970; de *afro-,* et *latin.*

Rare. Qui est d'origine africaine, en Amérique latine (Brésil, Caraïbes). *«Les rythmes afro-latins intégrés au discours pop...»* (*le Nouvel Obs.,* 10 juil. 1972).

**AFTER-SHAVE** [aftɛʀʃɛv] adj. et n. m. invar. — 1959, *in* Höfler; mot angl., de *after* «après», et *shave,* de *to shave* «raser».

Se dit de produits que les hommes appliquent sur leur visage après s'être rasés. *Lotion after-shave.* — N. m. (1960). *Des flacons d'after-shave. Des after-shave.* — Francisation : → **Après-rasage.**

— C'est des types à belles manières et à dents blanches qui savent causer, et qui se collent de l'*after-shave* sur la peau après s'être rasés.
S. DE BEAUVOIR, les Belles Images, p. 96.

(...) les effluves d'un after-shave de qualité émanaient de ses joues roses minutieusement rabotées au rasoir mécanique. Vladimir VOLKOFF, le Retournement, p. 123.

**AFUR** [afyʀ] n. m. → **Affure.**

**Ag** [aʒe] Symbole chimique de l'*argent.*

1. **AGA** [aga] interj. — 1458; *awar* et *agar,* v. 1285; impér. du v. *agarder,* v. 1180, du germanique **wardôn.* → Regarder; garder.

Vx ou régional. Vois, regarde! — Employé comme particule explétive, comme cri d'appel, etc. (Vendômois, Touraine).

2. **AGA** ou **AGHA** [aga] n. m. — 1535, mot turc «chef, seigneur», d'abord «vieillard».

Hist. **a** Officier de la cour du sultan, dans l'ancienne Turquie. — Vx. *L'aga des janissaires :* leur général en chef. *L'aga des eunuques.*

**b** En Algérie (sous l'administration turque, puis française), Chef placé au-dessus du caïd. → **Bachaga.** *Des agas.*

**c** *Aga Khan,* titre du chef spirituel des musulmans ismaéliens.

**AGAÇANT, ANTE** [agasɑ̃, ɑ̃t] adj. — 1530; XVIIIe, appliqué aux personnes; de *agacer.*

Qui agace.

♦ **1** Qui irrite légèrement, provoque l'impatience. *Un crissement, un grincement agaçant. Un petit bruit agaçant. Sensation agaçante.*

♦ **2** Qui agace (2.). *Une personne agaçante.* → **Énervant, insupportable, irritant;** (fam.) **crispant, embêtant, enquiquinant, horripilant.** *Il est gentil, mais un peu agaçant. Vous êtes vraiment agaçant, avec vos remarques! Il a des manières agaçantes. Une gentillesse excessive, presque agaçante.*

Ces jeunes Bergotte — le futur écrivain et ses frères et sœurs — n'étaient sans doute pas supérieurs, au contraire, à des jeunes gens plus fins, plus spirituels, qui trouvaient les Bergotte bien *bruyants,* voire un peu *vulgaires,* agaçants dans leurs plaisanteries qui caractérisaient le «genre» moitié prétentieux, moitié bêta, de la maison.

PROUST, À l'ombre des jeunes filles en fleurs, Pl., t. I, p. 554.

*Il est agaçant de... Rien n'est si agaçant que...* — Subst. *L'agaçant, dans cette affaire, c'est...*

Par ext. *Ce roman, ce film est agaçant.*

♦ **3** Littér. Qui excite, cherche à séduire. → **Aguichant, provocant;** et aussi **agacer,** 3.

(...) devenant aussi avare de regards agaçants que j'en avais jusqu'alors été prodigue.

A. R. LESAGE, Gil Blas, VII, 7.

(...) la coquetterie agaçante de la femme a des délicatesses exquises (...)

R. ROLLAND, Musiciens d'aujourd'hui, p. 192.

CONTR. **Apaisant, calmant.**

**AGACE** ou **AGASSE** [agas] n. f. — XIe, var. *agache;* p.-ê. de l'anc. haut all., du gotique **agatja;* le mot est très ancien en provençal. → Agassin.

♦ **1** Régional. Pie.

Ce qu'en fait de babil y savait notre agasse.

LA FONTAINE, Fables, XII, 11.

♦ **2** Mar. Vx. *Nid d'agasse.* → **Nid** (nid de pie).

DÉR. V. **Agacer.**

**AGACEMENT** [agasmɑ̃] n. m. — 1549; *agassement,* XVe; de *agacer.*

♦ **1** Sensation désagréable, irritation, légère douleur (produite par l'action d'une substance acide sur les dents, d'un bruit sur l'oreille, etc.). → **Énervement, irritation.** *Être sensible à l'agacement d'un fruit vert. Un agacement nerveux.*

(...) sa goutte le rendait nerveux et, quand il n'avait personne d'autre à qui témoigner son agacement, c'est à la duchesse qu'il le manifestait. 1

PROUST, À la recherche du temps perdu, t. XIII, II, 205.

♦ **2** Fig. Irritation morale qui provoque de l'impatience. → **Désagrément, énervement, exaspération, impatience, irritation.** *Toutes les nouvelles qui lui parvenaient lui causaient de l'agacement. Il finit par manifester son agacement. Un état d'agacement et d'impatience. Geste d'agacement.*

Plus tard, j'éprouvai une sorte d'agacement à voir la réputation exagérée d'Auguste Comte, érigé en grand homme de premier ordre (...) 2

RENAN, Souvenirs d'enfance..., Séminaire d'Issy, IV, 182.

Peut-être percevrait-il l'agacement de Christophe, dont le premier mouvement était toujours d'impatience, lorsqu'il voyait paraître à la porte la figure barbue (...) 3

R. ROLLAND, Jean-Christophe, Dans la maison, II, p. 1000.

Au plur. Contrariétés, ennuis légers. → **Ennui.** *Les mille agacements de la vie quotidienne. De petits agacements sans gravité.*

Les mille agacements, les mille vétilles dont nous souffrons beaucoup plus que d'une grande blessure (...) 4

Hervé BAZIN, Vipère au poing, p. 228, *in* T.L.F.

♦ **3** Vieilli. Action d'agacer (3. ou 4.).

CONTR. **Apaisement, calme, tranquillité.**

**AGACER** [agase] v. tr. [CONJUG.: *placer.*] — 1530; *agacier,* «importuner», v. 1180; croisement de l'anc. franç. *aacier* «agacer», et de *agacer* «crier comme une *agace,* une pie» (→ Agace); *aacier* semble dérivé du lat. pop. **adaciare* (pour **adacidare*), du lat. *acidus* (→ Acide).

♦ **1** Causer une légère irritation nerveuse à. *Le citron agace les dents. Cette musique agace les nerfs, m'agace les nerfs.* → **Énerver, irriter.**

Pourquoi dites-vous ce proverbe dans le pays d'Israël : Les pères ont mangé des raisins verts, et les dents des enfants en ont été agacées? BIBLE, Ézéchiel, XVIII, 2. 1

La population, de plus en plus inquiète, et qu'agaçait, comme les mouches, cette température d'orage, ne quittait plus la rue. 2

MARTIN DU GARD, les Thibault, VII, 67, 243.

Vx. Toucher de manière répétée. *Agacer les cordes d'une guitare.*

♦ **2** (XVIIe). Par ext. Mettre (qqn) dans un état d'agacement. → Porter sur les nerfs à. — (Sujet n. de personne ou de chose). *Tous ces bavardages l'agacent.* → **Énerver, irriter.** *Ne l'agace pas, laisse-le donc tranquille.* → **Asticoter, embêter, exciter; enquiquiner** (fam.). *Il commence à m'agacer, celui-là!* → **Énerver.** *Ce film m'agace. Ça m'agace.* — Loc. fam. (Vieilli). *Agacer le système à qqn* (Flaubert, *Correspondance*).

(...) agacé cependant de l'entendre soutenir une erreur avec tant de certitude et de suffisance. 3

PROUST, À la recherche du temps perdu, t. IX, II, 122.

(...) ce débat futile m'agaçait, d'autant plus que j'avais fini par connaître, aussi bien que les deux parties, les arguments en présence. 4

A. MAUROIS, les Discours du Dr O'Grady, II, p. 14.

Passif et p. p. *Être agacé par, de* (littér.) *qqch., qqn.*

Pron. *S'agacer de qqch. :* s'irriter, éprouver une sensation désagréable.

Ces troubles légers persistèrent jusqu'à l'été : ils m'épuisaient, je m'en agaçais (...) SARTRE, les Mots, p. 181. 4.1

♦ **3** Vieilli. Troubler sexuellement par des excitations légères, éveiller le désir de... → **Aguicher, taquiner; agacerie.** Par ext. *Agacer le désir.* — REM. Le mot, encore courant dans la littérature du XIX^e s., ne s'applique qu'à l'action érotique de la femme sur l'homme.

5 Elle agaça mon maître : il répondit pour rire à ses minauderies. A. R. LESAGE, Turcaret, I, 2.

6 En jouant avec ces passions humaines qu'elle ne voulait que charmer et qu'elle irritait plus qu'elle ne croyait, elle ressemblait à la plus jeune des Grâces qui se serait amusée à atteler des lions et à les agacer. SAINTE-BEUVE, Causeries du lundi, t. I, M^me Récamier, p. 130.

♦ **4** Vieilli. Causer une légère excitation à. → **Piquer.** *Agacer qqn intellectuellement. Cela agaçait sa curiosité.* — REM. Avec un compl. n. de personne, cet emploi n'est plus compris, du fait de la fréquence du sens 2.

◆ **AGACÉ, ÉE** p. p. adj. *Nerfs agacés. Dents agacées.* — (Au sens 2.). Cour. *Se sentir agacé,* irrité, nerveux. — *Geste agacé. Visage crispé, agacé. Un regard agacé. — Vanité agacée.*

DÉR. **Agaçant, agacement, agacerie, agaceur.**

**AGACERIE** [agasʀi] n. f. — 1671 ; de *agacer.*

♦ **1** Vieilli ou littér., par plais. Souvent au plur. Manières (paroles, regards, etc.) par lesquelles on cherche à attirer l'attention, à aguicher (s'emploie surtout en parlant des femmes). → **Avance, coquetterie, minauderie.** *Faire des agaceries à qqn.* — Au sing., rare. *Une agacerie. — L'agacerie* (collectif). → ci-dessous, cit. 2.

1 Pour M^lle Giraud, qui me faisait toutes sortes d'agaceries, on ne peut rien ajouter à l'aversion que j'avais pour elle. ROUSSEAU, les Confessions, t. I, IV, 181.

2 J'ai déjà remarqué que les refus de simagrée et d'agacerie sont communs à presque toutes les femelles, même parmi les animaux, et même quand elles sont plus disposées à se rendre ; il faut n'avoir jamais observé leur manège pour disconvenir de cela. ROUSSEAU, Émile, V.

3 Quand je les regardais, elles détournaient la tête ; mais si, à mon tour, je faisais semblant de ne pas les voir, elles attiraient mon attention par quelques agaceries. FRANCE, le Petit Pierre, XIII, p. 180.

4 (...) les Bacchantes suivaient le cortège du Dieu en se livrant à la joie la plus tumultueuse et la plus effrénée, en répondant aux agaceries libertines des satyres. Francis DE MIOMANDRE, Danse, p. 9.

♦ **2** Vx. Agacement (Balzac, *in* T. L. F.).

**AGACEUR** [agasœʀ] n. m. — 1661, « celui qui irrite » ; de *agacer.*

(Mil. XIX^e, E. Sue, *in* Littré, *Suppl.*). Zootechn. Mâle placé près d'une femelle pour la disposer à l'accouplement.

**AGACIN** [agasɛ̃] n. m. → **Agassin.**

**AGADA** [agada] n. f. — 1869, Renan.

Var. de *hagada**.

DÉR. **Agadiste.**

**AGADISTE** [agadist] n. m. — 1869, Renan ; de *agada* « hagada ».

Prédicateur populaire juif enseignant d'après la hagada.

**AGAILLARDI, IE** [agajaʀdi] adj. — 1306 ; de *a-,* et *gaillard ;* le verbe *agaillardir* est mal attesté.

Vx. Qui est rendu gaillard, alerte, gai (Huysmans, *Là-bas*).

**AGALACTIE** [agalakti] ou **AGALAXIE** [agalaksi] n. f. — 1803 ; de 2. *a-,* et *gala, galactos* « lait ». → Galactagogue.

Didact. Absence de lait, de sécrétion lactée chez la mère, après l'accouchement.

REM. En méd. vétérinaire, on écrit plutôt *agalaxie.*

**AGALMATOLITHE** [agalmatɔlit] n. f. — 1857 ; du grec *agalma, -athos* « ornement », et *lithos* « pierre ». → -lithe.

Didact. (minér.). Talc rose ou vert, minéral qui était utilisé en sculpture ornementale, en Extrême-Orient. Syn. : *pierre de lard. Un magot chinois en agalmatolithe.*

**AGAME** [agam] adj. et n. m. — 1805, Cuvier ; de 2. *a-,* et *-game,* de *gamos* « mariage ».

♦ **1** Adj. et n. [a] (1809, Lamarck). Bot. Se dit des plantes qui n'ont ni étamine ni pistil, telles que les champignons et les algues. → **Asexué ; -game.** *Plantes agames.* — N. *Les agames.*

[b] Zool. Se dit d'un animal (notamment d'un insecte) parthénogénétique.

♦ **2** N. m. Zool. Genre de reptiles sauriens servant de type à la famille des Agamidés, auquel appartient notamment l'*agame ocellé (Agama stellio),* commun dans les ruines antiques (en Grèce, en Égypte ; on l'appelle aussi : *agame des pyramides*).

♦ **3** Littér. et par plais. Non marié, célibataire — N. m. *« L'agame misogyne »* (Amiel, *Journal,* in T. L. F.).

**AGAMÈTE** [agamɛt] n. f. — 1970 ; de 2. *a-,* et *gamète.*

Biol. Cellule reproductrice asexuée (opposée à *gamète*). → **Agame.**

**AGAMI** [agami] n. m. — 1664, *agamy ;* mot indien des Caraïbes de la Guyane.

Zool. Oiseau de l'ordre des Gruiformes (ancienn. Échassiers), grue originaire d'Amérique du Sud, scientifiquement appelé *psophia,* et vulgairement *oiseau-trompette* à cause du cri particulier du mâle (famille des *Psophiidés*). *L'agami est apprivoisable. Des agamis.*

HOM. **Agamie.**

**AGAMIDÉS** [agamide] n. m. pl. — 1838, *agamides ;* de *agame,* et suff. *-idés.*

Zool. Famille de reptiles (sous-ordre des sauriens) de l'Ancien Monde, voisins des iguanes américains, qui comprend les genres agame, dragon, moloch, uromastix. — Au sing. *Un agamidé.*

**AGAMIE** [agami] n. f. — 1814 ; de 2. *a-,* et *-gamie.*

(V. 1960). Biol. Reproduction asexuée (par bourgeonnement, scissiparité ou formation de spores).

Bot. État des plantes agames.

HOM. **Agami.**

**AGAMMAGLOBULINÉMIE** [agam(m)aglɔbylinemi] n. f. — V. 1970 ; de 2. *a-, gammaglobuline,* et *-émie.*

Méd. Absence ou insuffisance de gammaglobulines sériques, entraînant une immunité humorale faible.

**AGAPANTHE** [agapɑ̃t] n. f. — 1812 ; lat. sav. *agapantha,* du grec *agapan* « aimer », et *-anthe.*

Bot. Plante monocotylédone *(Liliacées),* appelée aussi *tubéreuse bleue.*

REM. Ne pas confondre avec *agapanthie,* n. f., nom d'un coléoptère (1845, Bescherelle).

**AGAPE** [agap] n. f. — 1574 ; lat. ecclés. *agape* « repas fraternel », du grec *agapê,* proprt « affection ».

♦ **1** Hist. ecclés. Repas en commun des premiers chrétiens.

L'agape suit la communion sainte. CHATEAUBRIAND, les Martyrs, XIV.

Au plur. *La ferveur des agapes.*

REM. Le mot se rencontre aussi dans le contexte de l'antiquité grecque (Montherlant, *les Bestiaires,* Pl., p. 570).

♦ **2** N. f. pl. Vx. Repas entre convives unis par un sentiment de fraternité. *Des agapes fraternelles.* → **Banquet.**

Mod. (au plur.). Plais. Festin.

(...) il est souvent difficile de trouver un parfait maître queux. Ce sont de véritables agapes auxquelles vous nous avez conviés là.

PROUST, À l'ombre des jeunes filles en fleurs, Pl., t. I, p. 458.

Vx (au singulier) :

(...) le vin coulait dans les rues, les tables y étaient dressées, et les vivres en commun. Tout le monde ensemble, mangea le soir cette agape.

MICHELET, Hist. de la révolution franç., t. I, p. 407.

**AGAPÈTES** [agapɛt] n. pl. — 1694; lat. chrét. *agapeta,* grec *agapethos* «bien aimé», de *agapan* «aimer».

Didactique (histoire des religions).

♦ **1** N. f. pl. Femmes vierges qui vivaient avec les premiers chrétiens (apôtres et leurs successeurs), s'occupant de leur vie matérielle.

♦ **2** N. m. Membre d'une secte gnostique de la fin du IVe siècle.

**AGAR-AGAR** [agaʀagaʀ] n. m. — 1865; mot malais.

Substance mucilagineuse extraite de certaines algues. → **Gélose.** Syn. : *algue de Java, mousse du Japon, de Ceylan,* etc. — REM. La forme *agar* se rencontre seule.

**AGARIC** [agaʀik] n. m. — 1256; lat. *agaricum* (qui semble s'appliquer surtout à l'agaric de l'olivier), grec *agarikon.*

Champignon à chapeau et à lamelles (nom collectif). Spécialt. *Agaric* (ou *psalliote*) *champêtre,* ou *champignon de couche,* dit aussi *champignon de Paris, champignon rosé, pratelle,* etc. *Agaric annulaire* ou *tête de méduse* (vénéneux). *Agaric des bois. Agaric boule de neige. Agaric bulbeux* ou *amanite phalloïde* (vénéneux; mortel). *Agaric délicieux,* à chapeau en entonnoir (comestible). *Agaric élevé.* → **Coulemelle.** *Agaric faux mousseron* ou mousseron d'automne* (comestible). *Agaric moucheté :* amanite* tue-mouche ou *fausse oronge* (vénéneux). *Agaric mousseron,* ou *agaric odorant* (comestible). *Agaric de l'olivier,* phosphorescent. *Agaric oronge* (comestible). *Agaric palomet* ou *russule** (régional : *blavet*). *Agaric sanguin* (vénéneux). *Agaric soufré* (vénéneux).

Par comparaison.

Entre les contre-forts élevés par Amurat III pour soutenir les murailles ébranlées aux secousses des tremblements de terre, se sont accrochés, comme des agarics dans les nervures d'un chêne, des tombeaux, des écoles, des bains, des boutiques, des échoppes.

Th. GAUTIER, Constantinople, p. 268.

REM. Le nom s'est appliqué et s'applique encore abusivement à d'autres polypores : *Agaric blanc, agaric des pharmaciens, du mélèze :* parasite du mélèze. — *Faux agaric,* (1791) *agaric des chirurgiens, agaric astringent,* (1810) *agaric blanc :* polypore du chêne, du mélèze, utilisé aux XVIIIe et XIXe siècles comme hémostatique et comme combustible remplaçant l'amadou.

Le puissant agaric, qui du sang épanché
Arrête les ruisseaux, et dont le sein fidèle
Du caillou pétillant recueille l'étincelle (...)

DELILLE, l'Homme des champs, p. 118.

(1694). Fig. et vx. Chim. *Agaric minéral :* carbonate de calcium friable et spongieux.

DÉR. **Agaricacées, agaricales.**

**AGARICACÉES** [agaʀikase] n. f. pl. — 1928; *agaricinées,* 1845; de *agaric,* et suff. botanique.

Bot. Famille de champignons basidiomycètes caractérisés par des lamelles colorées et la présence d'un anneau, et ayant pour type le genre *agaric. Les Agaricacées comprennent les amanites, les cortinaires, les pleurotes.* — Au sing. *Une agaricacée.*

L'hyménium des Agaricacées se trouve sur les lamelles ou lames. Les formes les plus simples de ce genre présentent seulement un chapeau glabre et des lamelles. Ces dernières jouent un très grand rôle pour la détermination des espèces.

J. E. et M. LANGE, A. DUPERREX et L. HANSEN, Guide des champignons, p. 13.

**AGARICALES** [agaʀikal] n. f. pl. — V. 1960; de *agaric.*

Bot. Ordre de champignons basidiomycètes comprenant, outre les Agaricacées, les Hygrophoracées et les Russulacées (lactaire, russule...). — Au sing. *Une agaricale.*

**AGASSE** [agas] n. f. → **Agace.**

**AGASSIN** ou **AGACIN** [agasɛ̃] n. m. — 1605; *agaçon,* 1557; dér. de *agace* «pie», *oeil agacin,* du lat. *oculus pullinus* «œil de poule».

♦ **1** Vx ou régional. Cor au pied.

♦ **2** Agric. Œil de vigne placé au bas d'une branche et ne donnant jamais de grappe.

**AGATE** [agat] n. f. — XIIIe; *acate,* XIIe, *agathe,* XIIIe; lat. *achates,* du grec *akhatês.*

**I** ♦ **1** Calcédoine à structure rubanée ou veinée dont les zones diversement colorées sont formées le plus souvent de cornaline, de jaspe, d'améthyste, de cristal de roche. → **Calcédoine.** *L'agate aux couches successives, parallèles et plates porte le nom d'onyx; on en fait des camées. Agate arborisée* ou *herborisée. Agate mousseuse* ou *nébuleuse (agate opaline). Agate obsidienne, jaspée, œillée, rubanée. Agate onyx* (→ **Niccolo).** *Agate bleue, noire, pourpre, verte. Polissage des agates. Objet en agate. Coupe d'agate.*

(...) quelquefois, sans y penser, quand on regardait sa figure ponctuée de petits points bruns et où flottaient seulement deux taches plus bleues, c'était comme on eût fait d'un œuf de chardonneret, souvent comme d'une agate *opaline* travaillée et polie à deux places seulement (...) 1

PROUST, À l'ombre des jeunes filles en fleurs, Pl., t. I, p. 946.

Objet d'art en agate. *Les agates antiques.*

♦ **2** Bille d'agate ou de verre marbré, diversement coloré, plus grosse que les billes ordinaires, utilisée par les enfants dans leurs jeux.

Nous aurons amassé avarement un trésor de pièces fausses comme ces billes, ces «agates» qu'enfant j'imaginais très précieuses. 2

F. MAURIAC, Bloc-notes 1952-1957, p. 27.

♦ **3** Cristal ou verre marbré imitant l'agate.

♦ **4** Fig. *D'agate :* qui présente l'aspect, la couleur de l'agate. *Des yeux d'agate.*

**II** (1651). Variété de tulipe. *Agathe royale.*

REM. La graphie *agathe* est ancienne et provient du lat. médiéval *agatha* (confusion avec grec *agathê* ou infl. de *hyacinthus*); on la trouve chez plusieurs écrivains (P. Adam, Fr. Jammes, A. France, *in* T. L. F.); mais l'Académie et la plupart des textes ne connaissent que *agate*.

DÉR. **Agaté, agathée, agatiser.** ◊ COMP. **Agatifère.**

**AGATÉ, ÉE** [agate] adj. — 1838; de *agate*.

Minér. (vx). Qui contient de l'agate. *Jaspe agaté.*

HOM. **Agathée.**

**AGATHE** [agat] n. f. → **Agate** (II. et rem.).

**AGATHÉE** [agate] n. f. — 1845; *agathie*, 1842; de *agathe*, autre graphie de *agate*.

Bot. Plante à fleurs bleues cultivée comme arbrisseau ornemental *(Composacées). Agathée céleste.*

HOM. **Agaté.**

**AGATHINE** [agatin] n. f. — 1805, Cuvier; lat. sc. *achatina* (Lamarck qui écrit *agatine*), du grec *akhatês*. → Agate.

Zool. (vx). Mollusque gastéropode à coquille allongée et irisée. — Var. graphique : *agatine.*

**AGATI** [agati] n. m. — 1814, Bernardin de Saint-Pierre; lat. bot. *agati*, mot de l'Inde.

Bot. Arbuste à fleurs rouges, lilas ou jaunes *(Légumineuses Papilionacées)* des régions tropicales.

**AGATIFÈRE** [agatifɛʀ] adj. — 1838; de *agate*, et *-fère*.

Minér. Qui contient de l'agate. *Roche agatifère.*

**AGATINE** [agatin] n. f. → **Agathine.**

**AGATISATION** [agatizasjɔ̃] n. f. — 1871, Goncourt; de *agatiser*.

Minér. Transformation en agate. — Techn. Opération qui consiste à donner l'apparence de l'agate à un objet, une substance.

**AGATISER** [agatize] v. tr. — 1781 en emploi passif (var. *agathisé*, 1783, *in* D. D. L.); emploi actif, 1813; de *agate*.

Didact. Rendre semblable à l'agate; transformer en agate (I., 1.).

1 On a trouvé (...) une très grande quantité de bois pétrifié (...) considérablement piqué de vers qui, après avoir sillonné entre l'écorce et le bois, traversent toute l'épaisseur du morceau, et y sont agatisés.

Journal de physique, avr. 1781, p. 300, *in* BUFFON, Hist. nat. des minéraux, VII, éd. Sanson, p. 158.

Pron. Prendre l'aspect de l'agate. Se changer en agate (d'un minéral).

◆ **AGATISÉ, ÉE** p. p. adj.

♦ **1** Didact. ou littér. Qui a le poli, le nuancé de l'agate.

2 (...) l'opulence des parois et la somptuosité des tentures semblaient s'évaporer et se volatiliser dans un air agatisé par tous les reflets des porphyres et des jaspes.

Ed. et J. DE GONCOURT, Mme Gervaisais, p. 85.

♦ **2** Didact. (minér.). Qui a été changé en agate. *Bois agatisé.*

DÉR. **Agatisation.**

**AGAVE** [agav] n. m. — 1769; *agavé*, 1778, Lamarck; lat. sc. *agave*, de *Agave*, nom mythologique, du grec *agauê* «l'admirable».

Plante d'origine mexicaine, très décorative *(Amaryllidacées)*, aux feuilles vastes et charnues, dont le suc donne une boisson fermentée (*pulque*, et, distillée, *mescal*), et les feuilles des fibres textiles *(sisal, tampico). La hampe des agaves. Fleurs d'agave. Les vers de l'agave sont comestibles* (et appréciés au Mexique). *Alcool d'agave.* → **Pulque.** — *La floraison de l'agave met fin à l'existence de la plante.*

La route courait entre des agaves, des figuiers de Barbarie aux gris bleuâtres de choux.

MONTHERLANT, les Bestiaires, éd. L. de Poche, p. 72.

(...) je serai, perché sur la hampe de l'agave,
la grive qui lance au trop patient paysan
son cri moqueur :
«Pioche nègre! Pioche nègre!» (...)

Aimé CÉSAIRE, Une tempête, p. 84

**AGE** [aʒ] n. m. — 1801, *in* Brunot; forme dial. (Poitou, Berry) de l'anc. franç. *haie* (v. 1290), d'un francique **hagja*.

Pièce horizontale, dite aussi *flèche, haie* ou *perche*, qui forme la charpente de la charrue (→ **Charrue**) et se prolonge par les mancherons.

**-AGE** Suff. (du lat. *aticus*), qui a formé quelques adjectifs *(sauvage, volage)* et de nombreux noms (noms d'actions, noms exprimant le sujet, l'objet, le lieu de l'action : *assemblage, dallage*).

**-age,** suffixe populaire (...) tend à prendre une valeur vulgaire ou péjorative **(bavardage, commérage, tripotage...)** sauf dans quelques mots comme **badinage, marivaudage** (...) il a cessé d'être créateur de collectifs tels que **feuillage, ramage,** ensemble de rameaux.

A. DAUZAT, Grammaire raisonnée de la langue française, p. 68.

**ÂGE** [ɑʒ] n. m. — XVIIe; *eage*, 1080; *aage* jusqu'au XVIe; du lat. pop. **ætaticum*, du lat. class. *ætas, ætatis*.

**I** Vx. Vie. *Un long âge :* une longue vie. → **Existence.**

Il n'est rien de quoi je me soie dès toujours plus entretenu que des imaginations de la mort : voire en la saison la plus licencieuse de mon âge (...)

MONTAIGNE, Essais, I XX.

Heureux qui, comme Ulysse, a fait un beau voyage,
Ou comme celui-là qui conquit la toison,
Et puis est retourné, plein d'usage et raison,
Vivre entre ses parents le reste de son âge!

DU BELLAY, les Regrets, XXXI.

Et qu'un long âge apprête aux hommes généreux,
Au bout de leur carrière, un destin malheureux!

CORNEILLE, le Cid, II, 8.

REM. Cet emploi se rencontre encore au début du XIXe siècle.

Vx (sauf dans certaines expressions). Vie humaine considérée dans sa durée. *Un âge d'homme :* durée de la vie d'un homme. → **Génération, temps.**

Ce vieillard qui a vécu trois âges d'homme (...)

FÉNELON, Télémaque, XV.

Loc. mod. littér. *Les progrès de l'âge. Printemps, automne, crépuscule de l'âge.* — Cour. *Il est dans (à) la fleur* de l'âge.* → **Jeunesse.** — *Être dans la force de l'âge.* → **Maturité.** Vieilli. *La maturité* (cit. 3) *de l'âge. Le déclin, le penchant* (vx) *de l'âge :* la fin de la vie. → **Vieillesse.**

Hé bien! Qu'est-ce que cela, soixante ans? (...) C'est la fleur de l'âge cela, et vous entrez maintenant dans la belle saison de l'homme. MOLIÈRE, l'Avare, II, 5.

Un Français, jeune homme en 1789, était en 1814 dans la force de l'âge.

J. BAINVILLE, Hist. de France, XVIII, 428.

7 Il n'y a guère de personnes qui, dans le premier penchant de l'âge, ne fassent connaître par où leur corps et leur esprit doivent défaillir.
LA ROCHEFOUCAULD, Maximes, 222.

**II** Portion déterminée de la vie (d'un être humain). **EN ÂGE.** *Avancer en âge :* vieillir. ♦ **1** Temps écoulé depuis qu'une personne est en vie. *Quel âge a-t-elle ? — Elle a vingt ans, elle est dans sa vingtième année.* → **An, année.** *Atteindre un certain âge, arriver, parvenir à tel âge. L'âge de quarante, cinquante... ans.* → **Quadragénaire, quinquagénaire, sexagénaire, septuagénaire, octogénaire, nonagénaire, centenaire.** *Avoir le même âge que qqn. Cacher son âge. Dire son âge. Les rides accusent son âge. — Il ne paraît, il ne porte pas son âge; on ne lui donnerait pas son âge :* il paraît plus jeune qu'il n'est. *Bien porter son âge, paraître son âge,* l'âge qu'on a. *Sa figure n'a pas d'âge, est sans âge,* n'indique pas l'âge qu'il a. — (Avec pour). *Cet enfant est avancé pour son âge.* (Avec en). *Être avancé en âge.* (Avec à). *À mon âge, à notre âge.*

8 Le sorcier en fit *(de la souris)* une fille
De l'âge de quinze ans. LA FONTAINE, Fables, IX, 7.

9 Et quel âge avez-vous ? Vous avez bon visage.
RACINE, les Plaideurs, I, 7.

0 Il est vrai qu'à son âge il surprend quelquefois.
MOLIÈRE, Mélicerte, I, 4.

1 Je me trouve un peu avancé en âge pour elle.
MOLIÈRE, le Mariage forcé, 14.

2 Certes, vous vous targuez d'un bien faible avantage,
Et vous faites sonner terriblement votre âge.
MOLIÈRE, le Misanthrope, III, 4.

3 Celui qui continue de cacher son âge pense enfin lui-même être aussi jeune qu'il veut le faire croire aux autres.
LA BRUYÈRE, les Caractères, XIV, 4.

4 L'empereur Charles VI mourut au mois d'octobre 1740, à l'âge de cinquante-cinq ans.
VOLTAIRE, Louis XIV, 5.

5 Jamais une femme ne peut ressentir d'amitié pour une autre femme du même âge qu'elle.
STENDHAL, Lamiel, p. 587.

6 (...) une femme n'a que l'âge qu'elle paraît avoir.
BALZAC, les Petits Bourgeois, Pl., t. VII, p. 115.

1 Et Alcide Jolivet lui ayant demandé, une fois, quel pouvait être l'âge de la jeune Livonienne :
«Quelle jeune Livonienne ? répondit-il le plus sérieusement du monde, en fermant à demi les yeux.
— Eh parbleu ! la sœur de Nicolas Korpanoff !
— C'est sa sœur ?
— Non, sa grand-mère ! répliqua Alcide Jolivet, démonté par tant d'indifférence. Quel âge lui donnez-vous ?
— Si je l'avais vu naître, je le saurais ! » répondit simplement Harry Blount, en homme qui ne voulait pas s'engager.
J. VERNE, Michel Strogoff, p. 171.

2 Avant Zelten, j'avais eu des amis, mais qui alternaient tous dans cet ordre : un homme mûr, un tout jeune homme. Jamais un homme de mon âge.
GIRAUDOUX, Siegfried et le Limousin, p. 61.

Loc. prov. *On a l'âge (avoir l'âge) de ses artères :* l'âge réel, physiologique, dépend de l'état des artères.

7 On a souvent dit qu'un être humain a l'âge, non de son acte de naissance, mais de ses artères, de ses articulations.
A. MAUROIS, Un art de vivre, V, IV, p. 214.

*N'avoir pas d'âge; être sans âge :* ne pas vieillir.

L'amour n'a point d'âge; il est toujours naissant.
PASCAL, Disc. sur les passions de l'amour, p. 127.

Les cheveux blancs ne font pas la vieillesse, et le cœur de l'homme n'a pas d'âge.
A. DE MUSSET, André del Sarto, II, 2.

**D'ÂGE.** *Doyen d'âge :* le membre le plus âgé d'une assemblée. *Président d'âge :* celui qui préside une assemblée parce qu'il est le plus âgé. *Bénéfice de l'âge :* avantage accordé au plus âgé. *Il a été élu au bénéfice de l'âge.*

Démogr. *Pyramide des âges.* → **Pyramide.** *Classe, groupe d'âge :* ensemble des individus dont l'âge est compris entre deux limites.

(Êtres vivants, choses concrètes). *Course pour chevaux de tout âge. Reconnaître l'âge d'un arbre, d'un vin. Âge d'un bois :* temps écoulé depuis la dernière coupe. *L'âge d'un bâtiment.*

*L'âge du monde :* le temps écoulé depuis la création. — *L'âge de la lune :* le temps écoulé depuis que la lune est renouvelée. → **Épacte.**

Géol. *Âge d'un terrain géologique. Âge radioactif :* âge d'un objet géologique calculé d'après la mesure de sa composition isotopique.

♦ **2** Période de la vie allant approximativement d'un âge (II., 1.) à un autre. *Les différents âges de la vie.* → **Époque, heure, période, saison** (littér.). *Chaque âge a ses plaisirs.* Loc. prov. *Cela n'est plus de mon, de son âge :* j'en ai, il (elle) en a passé l'âge (→ ci-dessous, 4.).

Nous arrivons tout nouveaux aux divers âges de la vie, et nous y manquons souvent d'expérience, malgré le nombre des années. LA ROCHEFOUCAULD, Maximes, 405. 20

Chaque âge a ses plaisirs, son esprit et ses mœurs. 21
BOILEAU, l'Art poétique, III, 374.

Dans l'âge où l'on est aimable 22
Rien n'est si beau que d'aimer.
MOLIÈRE, la Princesse d'Élide, Prologue.

Qui n'a pas l'esprit de son âge 23
De son âge a tout le malheur.
VOLTAIRE, Stances, XV.

Si vous voulez que j'aime encore, 24
Rendez-moi l'âge des amours ;
Au crépuscule de mes jours
Rejoignez, s'il se peut, l'aurore.
VOLTAIRE, Stances, XV.

Vx. *L'âge du berceau. Le bas âge.* — Mod. *Un enfant en bas âge* [ɑbazaʒ], tout jeune.

Un chat contemporain d'un fort jeune moineau 25
Fut logé près de lui dès l'âge du berceau.
LA FONTAINE, Fables, XII, 2.

Comme ils se connaissaient tous deux dès leur bas âge, 26
Une longue habitude en paix les maintenait.
LA FONTAINE, Fables, XII, 2.

Comm. *Premier âge, deuxième âge,* se dit des aliments lactés diététiques pour nourrissons; de la naissance à l'âge de quatre mois révolus *(premier âge);* et de quatre mois à un an *(deuxième âge). Lait, bouillie premier âge.*

*L'âge innocent, l'âge tendre :* enfance et adolescence. → **Enfance.**

Dans un âge si tendre (...) 27
Cet âge est innocent. Son ingénuité
N'altère point encor la simple vérité.
RACINE, Athalie, II, 7.

Dès mon âge le plus tendre, la raison exerça sur moi un puissant empire. 28
FRANCE, le Petit Pierre, XXXIII, 234.

De nouveaux cinéastes ont surgi, d'âge tendre — mais il n'y a que l'âge en eux qui soit tendre. Et déjà ils chassent les aînés dans la force de l'âge. 28.1
F. MAURIAC, le Nouveau Bloc-notes 1958-1960, p. 225.

Avec un démonstratif :

Mais un fripon d'enfant (cet âge est sans pitié) 29
Prit sa fronde, et du coup tua plus d'à moitié
La volatile malheureuse.
LA FONTAINE, Fables, IX, 2.

(1675, Mme de Sévigné). *Âge de raison :* celui où l'on prend conscience de la portée de ses actes (vers sept ans).

*Âge ingrat, âge bête* (fam.) : celui de la formation du jeune homme, de la jeune fille. → **Puberté.** *Il, elle est dans l'âge ingrat; c'est l'âge ingrat.*

*Jeune âge, bel âge, âge des plaisirs.* → **Adolescence, jeunesse.** (*Bel âge* s'est dit aussi, ironiquement, pour *âge avancé.*)

30 Le jeune homme, inquiet, ardent, plein de courage
À peine se sentit des bouillons d'un tel âge
Qu'il soupira pour ce plaisir.
LA FONTAINE, Fables, VIII, 16.

31 Je pense, Madame Jourdain, que vous avez eu bien des amants dans votre jeune âge.
MOLIÈRE, le Bourgeois Gentilhomme, III, 5.

32 (...) nous ne serons plus dans le bel âge d'en jouir.
MOLIÈRE, l'Avare, I, 2.

33 Est-on sage,
Est-on sage,
Dans le bel âge,
De n'aimer pas? MOLIÈRE, Psyché, Prologue.

34 Souviens-toi que ce bel âge n'est qu'une fleur qui sera presque aussitôt séchée qu'éclose.
FÉNELON, Télémaque, XIX.

34.1 (...) il n'y a pas grand miracle qu'on se soutienne encore à mon âge.
– Il est vrai, dit le président en badinant, que Mlle Habert rend le bel âge bien court, et que la vieillesse ne vient pas de si bonne heure; mais laissons la discussion des âges.
MARIVAUX, le Paysan parvenu, III, *in* Romans, Pl., p. 671.

*Âge nubile,* auquel on est en état de se marier. → **Nubilité.**

*Âge viril :* âge d'homme fait. *Âge adulte, âge mûr* (cit. 4) : le milieu de la vie. → **Maturité, verdeur, vigueur.** *Un homme dans l'âge mûr* (→ **Virilité**).

35 Pensons que comme nous soupirons présentement pour la florissante jeunesse qui n'est plus et ne reviendra point, la caducité suivra, qui nous fera regretter l'âge viril où nous sommes encore, et que nous n'estimons pas assez.
LA BRUYÈRE, les Caractères, XI, 39.

36 Les années qui précèdent l'âge mûr (...)
J. ROMAINS, les Hommes de bonne volonté, t. I, p. VI. (→ Accroître, cit. 6).

*Être entre deux âges,* entre la maturité et la vieillesse, ni jeune, ni vieux. *Moyen âge* (vx) [mwajɛnaʒ]; mod. *âge moyen :* âge adulte, entre jeunesse et vieillesse.

37 Un homme de moyen âge,
Et tirant sur le grison,
Jugea qu'il était saison,
De songer au mariage. LA FONTAINE, Fables, I, 17.

38 Elle était entre deux âges, d'une figure fort noble.
ROUSSEAU, les Confessions, II.

*Âge critique, climatérique* (vx) : chez la femme, âge de la ménopause. — Loc. (1842). *Retour d'âge :* ensemble des phénomènes physiologiques qui accompagnent la ménopause.

Loc. *Âge canonique.* → **Canonique.**

*Une personne d'un âge avancé,* âgée ou très âgée. — *Être d'un certain âge :* ne plus être jeune, sans paraître précisément avoir tel ou tel âge. «*Un certain âge est un âge trop certain*» (Littré).

39 Les jeunes femmes qui ne veulent point paraître coquettes, et les hommes d'un âge avancé qui ne veulent pas être ridicules, ne doivent jamais parler de l'amour comme d'une chose où ils puissent avoir part.
LA ROCHEFOUCAULD, Maximes, 418.

40 La dévotion vient à quelques-uns, et surtout aux femmes, comme une passion, ou comme le faible d'un certain âge.
LA BRUYÈRE, les Caractères, III, 43.

40.1 Avec toutes les précautions oratoires voulues en semblable occurrence, il fut naturellement question de nos maîtresses. Jeunes tous deux, nous n'en étions encore, l'un et l'autre, qu'à *la femme d'un certain âge,* c'est-à-dire à la femme qui se trouve entre trente-cinq et quarante ans.
BALZAC, le Message, éd. 1834, p. 5.

*Le troisième âge :* la période qui se situe approximativement entre 65 et 75 ans (euphém. pour *vieillesse*). *Le quatrième âge :* la vieillesse, au-delà de 75 ans.

*Âge caduc, décrépit, grand âge.* → **Caducité, sénilité, vieillesse.**

Biol. (pédiatrie). *Âge chronologique. Âge osseux* (lié aux points d'ossification); *âge statural* (lié à la taille). — *Âge biologique* (depuis la conception; opposé à l'*âge légal* pour l'espèce humaine). — *Âge des animaux, des plantes.*

Psychol. *Âge mental.* → **Mental** (cit. 2, 3, 4).

Par anal. Stade du développement (d'une technique, d'une institution, etc.). → **Génération.** *Le troisième âge des ordinateurs.*

♦ **3** Absolt. **L'ÂGE :** l'âge avancé, la vieillesse. *L'âge courbait sa taille. Être vieux avant l'âge. Un homme d'âge* (vx), âgé. *Être dans, sur l'âge,* près de la vieillesse. → **Vieillard, vieux.** *Les injures, les outrages, les infirmités de l'âge.*

Le malheureux lion, languissant, triste et morne
Peut à peine rugir, par l'âge estropié.
LA FONTAINE, Fables, III, 14.

L'âge la fit déchoir *(la belle)*; adieu tous les amants.
LA FONTAINE, Fables, VII, 5.

Cela, c'est l'âge : le temps qui s'évanouit, les semaines qui se télescopent, qui entrent les unes dans les autres comme des express qui se tamponnent.
J. GREEN, Journal, Vers l'invisible, 6 déc. 1965, p. 455.

– C'est ennuyeux. Dès qu'on m'interrompt, je ne retrouve plus le fil de mon discours.
– C'est l'âge, monsieur.
– Oui, c'est l'âge, l'âge qui grandit. C'est comme un animal, l'âge, monsieur. C'est un animal qui grandit, qui grandit, qui grandit encore et qui finit par vous dévorer tout vivant.
R. QUENEAU, les Derniers Jours, p. 195.

REM. Certains emplois déterminés, notamment par un démonstratif, ont la même valeur sémantique absolue, mais *âge* y a le sens relatif.

La Mort avait raison
Je voudrais qu'à cet âge *(cent ans)*
On sortît de la vie ainsi que d'un banquet.
LA FONTAINE, Fables, VIII, 1.

Passe encore de bâtir, mais planter à cet âge!
LA FONTAINE, Fables, XI, 8.

Loc. métaphorique. *Le froid, les glaces de l'âge.*

Quand l'âge dans mes nerfs a fait couler sa glace (...)
CORNEILLE, le Cid, I, 3.

Mais, hélas! Quand l'âge nous glace,
Nos beaux jours ne reviennent jamais.
MOLIÈRE, la Pastorale comique, 15.

Loc. *Sur l'âge :* qui commence à vieillir. — Vx. *Le retour de l'âge.* → ci-dessus Retour d'âge, *infra* cit. 38.

Quelque femme un peu sur l'âge (...)
MOLIÈRE, l'Avare, IV, 1.

Celles qui, étant sur le retour de l'âge (...)
MOLIÈRE, Critique de l'École des femmes, 5.

Le fer ne connaîtra ni le sexe ni l'âge (...)
RACINE, Esther, I, 3.

Ce vice *(l'avarice)* est plutôt l'effet de l'âge (...)
LA BRUYÈRE, les Caractères, XI, 113.

(...) c'est un triomphe de plus pour une femme qui, traînant à son char un Nestor, croit montrer que les glaces de l'âge ne garantissent point des feux qu'elle inspire.
ROUSSEAU, Du contrat social, Lettre à d'Alembert.

Voyant l'âge blanchir ses cheveux courts et rudes.
J.-M. DE HÉRÉDIA, les Trophées, «Jouvence».

Il est possible que certaines (...) données, fort peu étudiées, agissent sur notre esprit autant que sur notre corps; l'âge, par exemple, qui n'est pas une déchéance, comme on le croit depuis si longtemps, mais une indifférence, avec tout ce que l'indifférence nous impose (...)
— Mon cher Méry, j'ai demandé à Alain, immobilisé par l'arthrite au fond de sa voiture, ce que l'âge signifiait, à son avis. Il s'est mis en colère. Pourtant, je crois que vous avez raison; bien que faire intervenir l'âge me paraisse une rationalisation, ce qui ne me plaît pas. La question est : comment devenons-nous ce que nous sommes?
MALRAUX, Antimémoires, Folio, p. 458.

Loc. *Être d'un autre âge,* à la fois d'un âge plus avancé et appartenir à une autre époque (→ ci-dessous, III.).

4 (...) rien de plus choquant que de voir l'homme d'un autre âge dissimuler ses allures et prendre les modes des jeunes gens. RENAN, Souvenirs d'enfance..., IV, I, p. 161.

Vx, absolt (langue class.). Jeune âge, jeunesse.

5 Vous perdez le respect; mais je pardonne à l'âge (...) CORNEILLE, le Cid, II, 6.

♦ **4** Loc. *Avant l'âge. Être mûr avant l'âge,* avant l'âge où on l'est normalement.

6 Octave semblait misanthrope avant l'âge. STENDHAL, Armance, *in* Romans, t. I, Pl., p. 536.

Vx. *Devancer l'âge de qqn :* se manifester avant l'âge normal.

7 Et déjà son esprit a devancé son âge. RACINE, Athalie, I, 2.

8 Le mérite chez eux devance l'âge. LA BRUYÈRE, les Caractères, II, 33.

*Être d'âge à, en âge de; avoir l'âge de :* avoir l'âge requis pour faire telle chose, remplir telle fonction. *Ce garçon est en âge de se marier.*

9 (...) Elle n'est point d'âge à lui donner ce nom. MOLIÈRE, Tartuffe, I, 2.

0 N'êtes-vous pas en âge d'être mariée? MOLIÈRE, l'Amour médecin, I, 4.

1 Ils assemblent les hommes en âge de combattre. FÉNELON, Télémaque, X.

*Âge légal,* prescrit par la loi pour avoir certaines capacités. → **Capacité, citoyenneté, majorité.** *Âge préscolaire :* période qui précède celle de la scolarité obligatoire. *Âge scolaire,* auquel l'enfant est soumis aux obligations scolaires.

*Âge de la retraite,* auquel on quitte la vie active, suivant les dispositions légales ou conventionnelles.

*Dispense d'âge :* autorisation de faire telle chose avant l'âge prescrit. *Il a obtenu une dispense d'âge pour se présenter au concours. Limite d'âge,* en deçà ou au delà duquel les règlements interdisent certaines choses. *Ce fonctionnaire est atteint par la limite d'âge.*

*Avoir passé, dépassé l'âge de. J'ai passé l'âge de m'occuper de cela :* je ne suis plus à l'âge où l'on s'en occupe. — Vieilli. *Être hors d'âge de :* ne plus avoir un âge qui permette de. *Une femme hors d'âge d'avoir des enfants* (Académie).

*Hors d'âge. Un vêtement, une automobile hors d'âge,* démodé, usé. *Cheval hors d'âge,* qui n'a plus aux dents les marques qui permettent de reconnaître l'âge des chevaux. — *Cognac, armagnac hors d'âge,* très vieux.

**III** (1267). Grande période de l'histoire. → **Époque, ère, temps.** ♦ **1** (Au plur.). Succession des siècles. *Le cours, le courant des âges. À travers les âges. Du fond des âges.*

2 Ne pourrons-nous jamais sur l'océan des âges
Jeter l'ancre un seul jour?
LAMARTINE, Premières méditations, «le Lac».

♦ **2** Myth. *Les quatre âges (l'âge d'or, d'argent, d'airain, de fer) :* périodes en lesquelles les Anciens divisaient l'histoire du monde.

Fig. **ÂGE D'OR :** temps heureux, époque prospère, favorable. → **Bonheur, prospérité.** *L'âge d'or de l'art roman :* l'époque de son plus grand éclat.

3 Et comme on se sentait là au milieu d'un monde heureux, resté presque à l'âge d'or (...) LOTI, les Désenchantées, XIII, 105.

1 Le mythe permanent de l'âge d'or conduisait à conclure à une dépopulation continue depuis l'Antiquité. Montesquieu partage cette crainte, dans les *Lettres persanes.* A. SAUVY, Croissance zéro?, p. 28.

Fig. et vx. *Âge de fer :* temps dur, époque de calamités.

♦ **3** Grande division de la préhistoire. *Les âges préhistoriques, les premiers âges de l'humanité. L'âge de la pierre, l'âge de pierre* (→ **Paléolithique, mésolithique, néolithique**), *l'âge du bronze, du fer,* époque où les outils, les armes, étaient en pierre, en bronze, en fer.

♦ **4** Loc. **MOYEN ÂGE** [mwajɛnaʒ] : époque qui va de la chute de l'Empire romain d'Occident, en 476, à la prise de Constantinople, en 1453. — *L'âge atomique :* l'époque caractérisée par la découverte de l'énergie nucléaire.

REM. Ces loc. sont isolées : on dit *l'antiquité* (et non *l'âge antique* ou *ancien*) et les *temps* modernes. Moyen âge* est probablement un calque de l'anglais *middle age* (→ Moyen), mais le syntagme *moyen âge* s'employait au sens d'«âge moyen».

Vx. *Les vieux âges :* les âges d'autrefois, le temps de nos ancêtres.

Cette grande roideur des vertus des vieux âges. 64
MOLIÈRE, le Misanthrope, I, 1.

Mod. *Notre âge, l'âge actuel :* l'époque actuelle, notre siècle.

Nul dans notre âge aveugle et vain de ses sciences, 65
Ne sait plier les deux genoux!
HUGO, Odes et Ballades, p. 340.

*Être de son âge,* de son temps. → ci-dessus, cit. 23.

Loc. adv. **D'ÂGE EN ÂGE :** de siècle en siècle; de génération en génération.

**DÉR. Âgé, âgisme.** ◊ **COMP. Anti-âge.**

**ÂGÉ, ÉE** [aʒe] adj. — XVIIe; *aagé,* XIVe; 1283, «majeur»; de *âge.*

♦ **1** Qui a tel ou tel âge. *Il est âgé de dix-sept ans, il n'est pas encore majeur.* → **Majeur, mineur.** *Le plus âgé des enfants.* → **Aîné, premier-né, vieux.** *Mon frère est moins âgé que moi; il est plus jeune.* → **Cadet, jeune (et aussi petit), puîné.**

REM. *Âgé de...* s'emploie peu pour qualifier le très jeune âge : *il est âgé de six mois* est habituellement remplacé par *il a six mois.*

(Choses). *Un vin âgé de six ans.*

♦ **2** (1370, *aagey* «adulte»). Absolt. Qui a un grand âge. → **Vieux.** *Une personne âgée. Les personnes âgées :* les vieillards. *Il est très âgé, si âgé qu'il ne peut plus vivre seul.*

**CONTR. Jeune.**

**AGÉLÈNE** [aʒelɛn] n. f. — 1805; lat. sc. *agelenus,* du grec *akhêlê* «troupeau».

Zool. Araignée de grande taille (type des *Agélénidés*) qui tisse de vastes toiles en forme d'entonnoir. *Une espèce d'agélènes* (Agelena labyrinthica) *est commune dans les prés et les haies de l'Europe tempérée.*

**DÉR. Agélénidés.**

**AGÉLÉNIDÉS** [aʒelenide] n. m. pl. — D. i. (XXe); de *agélène.*

Zool. Famille d'arachnides (ordre des *Aranéides*) répandus dans tout l'hémisphère nord et comprenant un grand nombre d'espèces parmi lesquelles l'araignée domestique *(Tegenaria domestica)* qui tisse sa toile dans les angles des maisons et dans les caves. — Au sing. *Un agélénidé.*

**AGENAIS, AISE** [aʒ(ə)nɛ, ɛz] adj. et n. — Attesté mil. XIXe; de *Agen*.

De la ville d'Agen. — N. *Un Agenais, une Agenaise :* une personne qui habite cette ville ou qui en est originaire.

**AGENCE** [aʒɑ̃s] n. f. — 1653; de l'ital. *agenzia*, de *agente* «agent».

♦ **1** Vx. Emploi d'agent. *«L'agence générale du clergé est fort recherchée»* (Furetière).

♦ **2** (1835). Vx. Administration confiée à un ou plusieurs agents. *L'agence du trésor public* (Académie, 1835).

Mod. Nom d'organismes internationaux ou nationaux chargés de coordonner des moyens. *Agence internationale de l'énergie atomique. Agence européenne de productivité. Agence de coopération culturelle et technique.*

(En France). *Agence nationale pour l'emploi (A. N. P. E.),* chargée de la prospection des emplois disponibles et du placement des travailleurs. — *Agence d'urbanisme.*

♦ **3** (V. 1840, *agence Havas*). [a] Établissement commercial servant essentiellement d'intermédiaire (entre certains organes d'exécution et les particuliers). → **Bureau.** *Agence matrimoniale* (cit. 1). *Agence de publicité. Agence théâtrale* ou *de théâtre,* qui vend des billets de théâtre. *Agence de tourisme, de voyages. Agence de renseignements, de location.* — Vieilli. *Agence de police, policière :* services d'un détective privé. — *Agence de placement* (cit. 3). → **Bureau.**

1 C'est très brusquement que vous avez décidé ce voyage (...) et ce n'est que mardi matin (...) que vous avez téléphoné à l'un de vos clients, Jean Durieu, le directeur de l'agence de voyage Durieu.
Michel BUTOR, la Modification, p. 30.

2 Tu avais envie d'être seule et envie de province. Comme tu simplifies toujours, tu ouvres le Bottin des professions à Agences. Tu prends le premier encadré de noir, tu demandes une maison de campagne pour un mois.
F. SAGAN, les Merveilleux Nuages, V, p. 71.

*Agence-conseil* (en publicité), *agence publicitaire :* organisme réalisant des campagnes publicitaires, des études de marché, etc., pour des entreprises clientes.

*Agence d'affaires :* entreprise privée effectuant des opérations juridiques de nature commerciale.

3 Eh bien, mon cher Topaze, asseyez-vous. Je vais ouvrir une nouvelle agence d'affaires. Et comme je suis débordé de travail, il me faut un homme de confiance. L'agence portera son nom, et il en sera, en somme, le véritable directeur.
PAGNOL, Topaze, II, p. 109.

4 Parce que j'ai l'intention de garder ce bureau pour travailler à mon compte. Désormais, cette agence m'appartient, les bénéfices qu'elle produit sont à moi. S'il m'arrive encore de traiter des affaires avec vous, je veux bien vous abandonner une commission de six pour cent (...)
PAGNOL, Topaze, IV, p. 183.

[b] Cour. Succursale bancaire. *Ouvrir un compte dans une agence. Chèque de dépannage obtenu dans une autre agence de la même banque. Directeur, sous-directeur d'agence.*

[c] Cour. Organisme recueillant et centralisant les informations *(agence d'information)* pour les communiquer à ses abonnés, et notamment aux entreprises de presse *(agence de presse).* → **Agencier.** *Agence nationale. Agence locale. Agence mondiale. L'agence Havas, l'agence française de presse* (A. F. P.), *l'agence Reuter, l'agence Tass. Agence d'informations télégraphiques; agence de textes* (d'articles); *agence photographique* (selon la nature des éléments proposés aux journaux). — *Dépêche d'agence.*

[d] Techn. Bureau local d'une compagnie de navigation. — Service de coordination des transports ferroviaires, dans un secteur limité.

[e] Par ext. (Emplois non techniques).

C'est toute la raison d'être de cette revue, que Robert a dirigée durant quatre ans (...) Sous des dehors d'impartialité ce n'était qu'une sorte d'agence d'entraide, de complaisances réciproques. 5
GIDE, l'École des femmes, 5 juil. 1914, *in* Romans, Pl., p. 1283.

♦ **4** Bureaux, locaux d'un établissement dénommé agence (3.). *Se rendre à l'agence. L'agence est fermée.*

DÉR. **Agencier.**

**AGENCEMENT** [aʒɑ̃smɑ̃] n. m. — XIIe; de *agencer.*

Action d'agencer; son résultat.

♦ **1** Vx. Ornement. → **Agencer,** 1.

C'est un bel et grand agencement sans doute que le grec et latin, mais on l'achète trop cher. 1
MONTAIGNE, Essais, I, 26.

♦ **2** Action, manière d'agencer (2.), de combiner des éléments; arrangement résultant d'une combinaison. → **Ajustement, arrangement, combinaison, composition, disposition, distribution.** *L'agencement d'un appartement.* → **Aménagement.** *Elle a engagé des travaux pour modifier l'agencement du magasin.* → **Ordonnance.**

L'appareil entier, remarquable au point de vue agencement et huilage, fonctionnait avec une perfection silencieuse donnant l'impression d'une pure merveille mécanique. 1
Raymond ROUSSEL, Impressions d'Afrique, p. 131.

♦ **3** Spécialt. Action de disposer de façon harmonieuse différents éléments (d'un tableau, d'un texte, etc.). *L'agencement des mots dans la phrase.* → **Enchaînement, liaison.** *L'agencement des groupes, des figures, des draperies dans un tableau.* → **Arrangement, combinaison, disposition, organisation.**

De groupes contrastés un noble agencement. 2
MOLIÈRE, la Gloire du Val-de-Grâce, 74.

Cette scène, par suite de l'art instinctif qui a présidé à la rédaction des synoptiques et qui les fait souvent obéir dans l'agencement du récit à des raisons de convenance ou d'effet, a été placée à la dernière nuit de Jésus et au moment de son arrestation. 3
RENAN, Vie de Jésus, XXIII, p. 320.

Est comique tout arrangement d'actes et d'événements qui nous donne, insérées l'une dans l'autre, l'illusion de la vie et la sensation nette d'un agencement mécanique. 4
H. BERGSON, le Rire, p. 69.

♦ **4** *(Un, des agencements).* Installation.

L'ancien rez-de-chaussée (...) avait été aménagé en laboratoires munis de tous les agencements modernes. 5
MARTIN DU GARD, les Thibault, VII, XIV, 169.

CONTR. **Dérangement, désordre, désorganisation, perturbation.**

**AGENCER** [aʒɑ̃se] v. tr. [CONJUG.: *placer.*] — XIIe; de l'anc. adj. *gent, gente* «noble, beau», du lat. *genitus* «né», d'où «bien né» en lat. médiéval; *agencier* (XIIe-XVIe) «embellir, parer» et sens moderne.

♦ **1** Vx. Rendre gracieux, enjoliver, embellir, parer. *Agencer la mariée* (Académie, 1835).

J'accommodais ma grâce, agençais mon visage; 1
Un jaloux soin de plaire excitait mon courage (...)
Mathurin RÉGNIER, Dial., *in* LITTRÉ.

Pron. (Vx). Se parer.

Ma foi, les beaux habits servent bien à la mine, 2
On a beau s'agencer, et faire les doux yeux,
Quand on est bien parée, on en est toujours mieux.
Mathurin RÉGNIER, Satires, XIII.

♦ **2** Disposer en combinant (des éléments), organiser (un ensemble) par une combinaison d'éléments. → **Ajuster, aménager, arranger, combiner, disposer, ordonner, organiser.** *Agencer avec art les mots d'une phrase, les scènes d'une pièce de théâtre, les personnages d'un tableau.*

Pouvez-vous voir toutes les inventions dont la machine de l'homme est composée sans admirer de quelle façon cela est agencé l'un dans l'autre ?

MOLIÈRE, Dom Juan, III, 1.

(...) à notre époque, il y a des tâches plus urgentes que d'agencer des mots de façon harmonieuse (...)

PROUST, À l'ombre des jeunes filles en fleurs, Pl., t. I, p. 473 (c'est M. de Norpois, le diplomate, qui parle).

◆ **S'AGENCER** v. pron.

♦ **1** Être disposé de façon harmonieuse. *Les pièces du puzzle s'agençaient parfaitement. Les grandes masses du tableau s'agencent harmonieusement.*

Une langue se compose de mots, qui s'agencent en phrases.

A. DAUZAT, le Génie de la langue française, p. 61.

♦ **2** Vx. (Personnes). S'ajuster, s'arranger. → ci-dessus, cit. 2 (encore chez Balzac, *Eugénie Grandet*).

♦ **3** (Souvent péj.). Combiner de façon adroite pour tromper. → **Arranger, manigancer** (fam.). *Agencer une escroquerie.*

◆ **AGENCÉ, ÉE** p. p. adj. *Un vaudeville bien agencé. — Mensonge bien agencé.* — Vx. (Personnes). Habillé, arrangé.

CONTR. **Bouleverser, déranger, désorganiser; désordre** (mettre en). ◊ DÉR. **Agencement, agenceur.**

**AGENCEUR, EUSE** [aʒɑ̃sœʀ, øz] n. — XVIe; de *agencer.*

Rare. Personne qui agence (qqch.). *Un agenceur de mots.*

**AGENCIER** [aʒɑ̃sje] n. m. — V. 1965; 1935, Léon Daudet, «celui qui agence une action», attestation isolée; de *agence.*

Journaliste d'une agence de presse. *«Que serait le journalisme (...) sans les "agenciers", les rédacteurs d'agence de presse»* (*le Nouvel Obs.*, p. 67, 4 déc. 1978).

**AGENDA** [aʒɛ̃da] n. m. — 1535, «livre de comptes d'une ville»; du bas lat. *agenda* «choses à faire», spécialt «office», en lat. médiéval, d'où *agende,* fin XIIIe, en ce sens; de la loc. ecclés. *agenda diei* «registre des offices du jour».

Carnet contenant un feuillet pour chaque jour, sur lequel on note ce qu'on a à faire (→ **Calendrier**). *Des agendas. Consulter son agenda.* → **Carnet, mémento.** *Agenda de poche. — Agenda électronique.* → **Organiseur.**

Par ext. Contenu d'un agenda : journal, prescriptions au jour le jour. *Tenir un agenda.*

Il obéit exactement, et suivit un agenda que sa Mère lui remit, pour les affaires de la maison.

RESTIF DE LA BRETONNE, la Vie de mon père, p. 97.

Tenir un agenda ; écrire pour chaque jour ce que je devrai faire dans la semaine, c'est diriger sagement ses heures.

GIDE, Paludes, *in* Romans, Pl., p. 96.

**AGÉNÉSIE** [aʒenezi] n. f. — 1814; de 2. *a-*, et *-génésie,* du grec *genesis* «génération».

♦ **1** Physiol. Incapacité d'engendrer due à la malformation des organes reproducteurs. → **Impuissance, stérilité.**

♦ **2** Biol. Arrêt de développement (d'un embryon, d'un organisme) entraînant une atrophie, une anomalie; cette anomalie. *«L'agénésie folliculaire donne l'anodontie (pas de dents) ou l'oligodontie (le manque de certaines dents)»* (P.-L. Rousseau, *les Dents,* p. 57). → Oligodontie, cit.

♦ **3** (Broca). Croisement dont les produits sont inféconds (entre eux et avec des individus de l'une ou l'autre race mère). Syn. : *hybridité agénésique.*

DÉR. **Agénésique.** ◊ COMP. **Psychagénésie.**

**AGÉNÉSIQUE** [aʒenezik] adj. — 1877, Littré, *Suppl.*; de *agénésie.*

Didact. Qui ne permet pas d'engendrer. *Anomalie agénésique. Hybridité agénésique.* → **Agénésie** (3.).

**AGÉNITALISME** [aʒenitalism] n. m. — V. 1920, in *Nouveau Traité de Médecine,* de 2. *a-*, *génital,* et *-isme.*

Méd. Absence des glandes génitales (testicules ou ovaires ; → **Anorchidie, anovarie**) ou de leurs sécrétions hormonales.

**AGENOUILLEMENT** [aʒ(ə)nujmɑ̃] n. m. — XIVe, Jean de Vignay, puis XVIe (cit. 1); rare av. mil. XIXe; de *s'agenouiller.*

♦ **1** Action de s'agenouiller, position d'une personne à genoux. *Un agenouillement devant l'autel.* → **Génuflexion.** — Par métaphore → cit. 2.

Si par le mot agenouillement l'apôtre signifiait la vraie adoration que rendent les fidèles à Dieu (...) 1

CALVIN, Institution de la religion chrétienne.

L'anxiété, c'est un conseil d'agenouillement. 2

HUGO, les Travailleurs de la mer, p. 146.

Il dépendait de lui de prendre une attitude pieuse, et ainsi qu'il arrive, la piété fut en lui le fruit de l'agenouillement. 3

F. MAURIAC, la Vie de Jean Racine, VIII, 156.

Fig. Attitude de soumission, action de se soumettre (à qqn ou à qqch.). Ferveur dépourvue de toute réserve critique. *Cet agenouillement de l'esprit devant l'amour.*

En dépit de sa liberté d'esprit de lettré, il *(Sainte-Beuve)* a toujours sacrifié, et servilement souvent, à la considération du nom de l'écrivain, de l'historien, de l'orateur, du causeur même. Il n'a pas un jugement dégagé de l'agenouillement devant la politique à la façon du nôtre (...) 4

Ed. et J. DE GONCOURT, Journal, t. II, p. 72.

Péj. Soumission servile. *«Sa déférence servile pour les gens riches, son agenouillement devant le succès»* (Goncourt, *Journal,* in T. L. F.).

♦ **2** Ski. Flexion des genoux qui accompagne l'avancée et évite la tendance au décollage.

La rotation du corps (dans le *Christiania*) est précédée d'un *appel* (...) et s'accompagne d'un *agenouillement* ou accentuation de l'avancée par fléchissement des genoux. 5

Jean DAUVEN, Technique du sport, p. 118.

REM. Au sens 1., Rimbaud emploie *agenouillage* (in *les Illuminations,* Génie).

**AGENOUILLER** [aʒ(ə)nuje] v. pron. et tr. — XIe; de *à,* et *genou.*

**I** V. pron. **S'AGENOUILLER.** ♦ **1** Se mettre à genoux dans une attitude de prière ou de soumission (→ **Genou** : fléchir le genou, mettre un genou en terre). *S'agenouiller pour prier, pour adorer, en signe d'humilité.* → **Prosterner** (se).

Philémon reconnut ce miracle évident : 1
Baucis n'en fit pas moins : tous deux s'agenouillèrent (...)

LA FONTAINE, Appendice aux fables, IV, 75.

Tombe, agenouille-toi, créature insensée : 2
Ton âme est immortelle, et la mort va venir.

A. DE MUSSET, Lettre à Lamartine, p. 107.

3 L'homme (...) s'abat, s'agenouille, se prosterne (...)
HUGO, les Travailleurs de la mer, III, II, V.

3.1 L'aller fut silencieux et recueilli, la pensée de la morte oppressant les âmes. Sur la tombe, les deux femmes s'agenouillèrent et prièrent longtemps.
MAUPASSANT, Fort comme la mort, éd. 1889, p. 202.

3.2 Lorsqu'un navire est en détresse, ceux qui s'agenouillent et entonnent des cantiques adressent des prières et des supplications au Très-Haut (...)
GIDE, Feuillets d'automne, «Deux interviews imaginaires», p. 248-249.

Au participe passé :

4 (...) Ô vils flatteurs agenouillés dans l'ombre (...)
HUGO, les Années funestes, p. 19.

5 Nous restâmes là un moment, agenouillés. Le patron priait à haute voix (...)
Alphonse DAUDET, Lettres de mon moulin, IX, 87.

♦ **2** Fig. et littér. *S'agenouiller devant le pouvoir,* se soumettre, s'humilier. — Au p. p. *Des peuples agenouillés.*

♦ **3** Se mettre à genoux. *Il s'agenouilla pour ôter les mauvaises herbes.*

6 Il l'aida à fermer une valise trop pleine et dut s'agenouiller dessus, de tout son poids, tandis qu'elle s'accroupissait sur le tapis pour tourner la clef.
MARTIN DU GARD, les Thibault, III, 14.
→ Accroupir.

♦ **4** En tour factitif, avec ellipse du pronom :

7 Ô ville, tu feras agenouiller l'histoire.
HUGO, l'Année terrible, p. 17.

**II** V. tr. ♦ **1** Mettre (qqn) à genoux. *Il le frappa et l'agenouilla sans douceur.*

Faire mettre à genoux. *Agenouiller un enfant pour qu'il prie, l'«agenouiller à prier»* (Goncourt).

♦ **2** Fig. et littér. Assujettir (qqn, qqch.) en humiliant. → Mettre à genoux*. *Agenouiller un peuple, des minorités.* → **Opprimer.**

◆ **AGENOUILLÉ, ÉE** p. p. adj. Mis à genoux; qui s'est mis à genoux. *Des fidèles, des communiants agenouillés.* (Animaux). *Un chameau agenouillé.*

Fig. *Un peuple agenouillé, un pays agenouillé,* humilié. → **Prosterné; couché.**

N. *Un, une agenouillée.* — N. f. (1886, *in* Larchey). Prostituée (métaphore analogue à celle de *horizontale,* pour préciser une position érotique).

DÉR. **Agenouillement, agenouilloir.**

**AGENOUILLOIR** [aʒ(ə)nujwaʀ] n. m. — 1552; de *s'agenouiller.*

Petit prie-Dieu; partie du prie-Dieu sur laquelle on s'agenouille. *L'agenouilloir d'un prie-Dieu.* — Planche d'un banc d'église, servant d'appui aux genoux.

Dans le chœur même de l'église de Soye, existait un banc réservé aux Moressée, aux agenouilloirs capitonnés, aux armoiries sculptées sur les montants.
Georges BORGEAUD, le Voyage à l'étranger, I, p. 77.

**AGENT, ENTE** [aʒɑ̃, ɑ̃t] n. — 1337, *agent à...* et l'inf.; 1370, en philos., comme adj.; du lat. scolast. *agens,* subst. du p. prés. de *agere* «agir, faire».

**I** N. m. ♦ **1** L'être qui agit (opposé au *patient,* qui subit l'action). → **Âme, cause, ferment, instrument, moteur.** *L'agent et le patient.*

1 Suis cet agent fatal de tes mauvais destins,
Qui peut-être te livre aux mains des assassins.
CORNEILLE, Polyeucte, I, 3.

Gramm. *Complément d'agent :* complément d'un verbe passif introduit en français par *par* (cit. 54) ou *de,* désignant l'auteur de l'action.

♦ **2** (XVII^e). Didact. Ce qui agit, opère; force, corps, substance intervenant dans la production de certains phénomènes. → **Cause, facteur, origine, principe; force, moyen, ressort** (vieilli)... *Agents naturels :* forces, éléments de la nature (air, eau, feu). *Cette peinture résiste à l'action des agents naturels. Agents atmosphériques :* phénomènes atmosphériques (pluie, vent, etc.). *Agents physiques, chimiques. Agent anesthésique, thérapeutique. Agent pathogène,* qui provoque une maladie. *Agent de sapidité, agent de texture* (ajouté à un produit alimentaire). — Biol. *Agent mutagène :* facteur physique ou chimique qui permet de provoquer des mutations.

(...) Je parle, je chemine,
Je sens en moi certain agent;
Tout obéit dans ma machine
À ce principe intelligent.
LA FONTAINE, Fables, IX, Disc., 155.

*(L'Argent)* Serait dans notre affaire un sûr et fort agent :
Mais, ce ressort manquant, il faut user d'un autre.
MOLIÈRE, l'Étourdi, I, 4.

Spécialt. Principe actif (d'un détergent, etc.). *Agents de surface.*

Milit. *L'arme nucléaire représente un agent de dissuasion*.*

Écon. *Agent économique* (unité dans la comptabilité nationale).

Philos. Ce qui exerce une action, par sa nature même (opposé à *patient,* comme *action* à *passion*). *L'agent raisonnable, l'agent moral...* — (Chez Aristote). *L'intellect agent :* la fonction par laquelle l'intelligence dégage les idées, les formes abstraites des données de l'expérience.

Je considère que tout ce qui se fait ou qui arrive de nouveau est généralement appelé par les philosophes une passion au regard du sujet auquel il arrive, et une action au regard de celui qui fait qu'il arrive, en sorte que, bien que l'agent et le patient soient souvent fort différents (...)
DESCARTES, les Passions de l'âme, I, 1.

**II** N. m. et (rare) f. (1332, attestation isolée, «celui qui est chargé des affaires de qqn»; 1578, Estienne, «chargé de mission diplomatique», emprunt à l'ital. *agente;* du lat. juridique et médiéval *agens,* accusatif *agentem,* «celui qui fait, s'occupe de», de *agere.* → Agent, I.).

♦ **1** Personne chargée des affaires et des intérêts d'un individu, d'un groupe ou d'un pays, pour le compte desquels elle agit. → **Auxiliaire, émissaire, intendant, intermédiaire, représentant.** *Un agent de l'étranger.* — (1800). Vx. *Agent d'entreprise :* «celui qui fait la besogne pour les autres» *(Dict. néologique de Cousin Jacques).*

(...) Rome à ses agents donne un pouvoir bien large.
CORNEILLE, Nicomède, III, 3.

Ils avaient des comptoirs, des facteurs, des agents
Non moins soigneux qu'intelligents (...)
LA FONTAINE, Fables, XII, 7, 5.

(...) En vain ils les cherchèrent
Dans un coin, où d'abord leurs agents les cachèrent (...)
LA FONTAINE, Fables, XII, 8, 31.

(...) la notion anglo-saxonne de l'État expression de la communauté, de l'État agent et serviteur du citoyen qui lui a délégué ses pouvoirs.
André SIEGFRIED, l'Âme des peuples, p. 38.

(1800, *in* D. D. L.). Anciennt. *Agent du clergé :* ecclésiastique qui avait soin des affaires du clergé.

Dr. *Agent d'autorité, agent de gestion.*

*Agent d'exécution :* celui qui exécute quelque chose sur l'ordre et pour le compte d'autrui.

*Agent provocateur :* celui qui excite à la violence, soit pour provoquer des troubles, soit pour découvrir des factieux et les faire prendre sur le fait. → **Agitateur, indicateur.**

9 On murmurait que c'était la police consulaire qui, par des agents provocateurs, avait fallacieusement attiré tous ces pauvres gens dans un guet-apens, pour les perdre (...)
Louis MADELIN, Hist. du Consulat et de l'Empire, t. V, p. 125.

♦ **2** (XVIe, *agent de change*). Employé de services publics ou d'entreprises privées, généralement appelé à servir d'intermédiaire entre la direction et les usagers. → **Commis, courtier, employé, gérant, intermédiaire, mandataire.** *L'agent d'un comité, d'une compagnie, d'une société. Cette société exportatrice a, emploie de nombreux agents dans ce pays. Un agent des pompes funèbres.* — *Agent artistique,* procurant des engagements aux artistes moyennant rémunération. *Agent littéraire :* intermédiaire entre auteurs et éditeurs. *L'agent littéraire d'un écrivain.* — REM. Le mot s'emploie surtout dans des syntagmes où il est qualifié par un adj. ou un compl. de nom.

[a] (Administration, État, collectivités). *«Les agents civils, militaires ou religieux du gouvernement»* (Volnay, *les Ruines*). *Agent de l'Administration, de l'État, des Services publics. Agent public, administratif.* → **Fonctionnaire.** *Agent de bureau. Les agents du fisc, des contributions, des perceptions.*

La société a le droit de demander compte à tout agent public de son administration.
Déclaration des Droits de l'Homme, art. 15.

*Agent forestier, des Ponts et Chaussées.* — *Agent d'études administratives, agent d'exploitation; agent de matériel, des installations, des lignes...* (P. T. T.). — *Agent civil* (dans des administrations dépendant de l'armée : *agent civil des industries navales*). *Agent technique.* — *Agent de service.*

(Industrie). **AGENT DE MAÎTRISE :** technicien ayant une fonction de maîtrise, d'encadrement. → **Contremaître.**

(Diplomatie). **AGENT DIPLOMATIQUE,** chargé de représenter un chef d'État ou un État (auprès d'un chef d'État étranger, dans une assemblée à l'étranger, etc.). → **Ambassadeur, légat.** — *Agent consulaire :* particulier chargé de remplir les fonctions consulaires dans une ville où il n'est pas nécessaire de nommer un consul en titre, compte tenu du nombre peu élevé de nationaux du pays représenté.

[b] (Police ou activités analogues). *Agent de la force publique.* → **Gendarme, garde-champêtre.** *Outrage* (cit. 6) *à un agent de la force publique.*

(1797). **AGENT DE POLICE,** et, absolt, **AGENT** (cour.) : gardien de la paix, sergent de ville (vieilli). → (fam.) **Cogne, bourre, flic;** → Perquisition, cit. 2. *Les agents qui règlent la circulation. Le képi, le bâton blanc des agents parisiens. Monsieur l'agent, pouvez-vous me dire où est la rue Pergolèse? Si vous refusez de me payer, je vais appeler un agent, les agents.*

(...) au coin des rues, des pelotons d'agents formaient de noirs essaims autour des autobus (...)
MARTIN DU GARD, les Thibault, VII, 47, 280.

La police impuissante, s'était contentée de protéger le Palais Royal, le Parc et les Ministères, par un quadruple cordon d'agents (...)
MARTIN DU GARD, les Thibault, VII, 53, 62.

Anciennt. *Agents cyclistes.* → argot Hirondelle, roulette (vaches à roulettes). — *Agent de la sûreté. Agent des mœurs.* → argot Condé. *Agent de la police judiciaire.* → **Inspecteur.**

REM. Au XIXe s., les *agents* ne sont pas armés de l'épée et sont en civil, à l'opposé des *sergents de ville* (→ Poucette, cit. 2, Hugo). Aujourd'hui, on ne parle d'*agent* qu'à propos des gardiens de la paix en uniforme. —Les mots étrangers désignant les homologues de *l'agent* français (→ Alguazil, carabinier, constable, policeman...) sont généralement traduits par *policier.*
Le fém. *agente* semble inusité. On dit plutôt *une policière.*

**AGENT SECRET** ou **AGENT.** → **Espion.** *Notre agent à la Havane,* titre français d'un roman de Graham Greene. *Une agente secrète.*

**AGENT DOUBLE,** qui sert deux adversaires, en trahissant l'un au profit de l'autre.

**AGENT PROVOCATEUR,** → ci-dessus, cit. 9.

[c] (Armée). **AGENT DE LIAISON,** chargé d'assurer la liaison entre des unités combattantes, en transmettant les communications de l'une à l'autre.

**AGENT DE TRANSMISSION,** chargé de porter des messages.

[d] (Domaine des affaires, du commerce, de la finance; 1800, *agent des finances,* de Napoléon en Italie).

**AGENT D'AFFAIRES :** celui qui se charge habituellement, moyennant une rétribution, des affaires des particuliers, et, spécialement, des opérations d'achat, de vente ou de location d'immeubles. → **Courtier, intermédiaire, mandataire.** *Elle est agent* (ou *agente*) *d'affaires.*

**AGENT D'ASSURANCES.** → **Assurance.**

**AGENT COMMERCIAL,** qui agit pour le compte d'un commettant auquel il est lié par un mandat commercial.

**AGENT DE PUBLICITÉ,** chargé de l'organisation d'une campagne de publicité.

**AGENT COMPTABLE.** → **Comptable.**

**AGENT EN DOUANE :** commerçant qui se charge pour le compte d'autrui des formalités douanières relatives à l'expédition ou à la réception des marchandises. → **Transitaire.**

**AGENT MARITIME :** représentant de l'armateur dans les ports; commerçant qui s'occupe de commission ou de consignation des marchandises. → **Commissionnaire, consignataire.**

Fin. **AGENT DE CHANGE :** personne ayant le statut d'officier ministériel et ayant le monopole de la négociation des valeurs mobilières admises à la cote officielle de la Bourse. *Office d'agent de change. Parquet des agents de change. Chambre syndicale de la compagnie des agents de change, présidée par le Syndic. Commis d'agent de change. Courtage des agents de change.* → **Bourse.** → aussi **Broker** (anglic.), **coulissier, courtier, remisier.** *Une agente de change.*

Les agents de change (...) ont seuls le droit de faire les négociations des effets publics et autres susceptibles d'être cotés; de faire pour le compte d'autrui les négociations des lettres de change ou billets, et de tous papiers commerçables, et d'en constater le cours. 13
Code de commerce, art. 6.

Les agents de change et les gros coulissiers s'employaient auprès du gouvernement afin d'obtenir un moratoire (...) 14
MARTIN DU GARD, les Thibault, VII, 55, 85.

Le premier acte de la Chambre, a été de créer un certain nombre de charges nouvelles d'agentes de change. 15
A. ROBIDA, le Vingtième Siècle, p. 300.
(Un autre ex., p. 19 de ce roman d'anticipation antiféministe).

REM. Dans tous les contextes professionnels, on employait *agent* en parlant des femmes. Mais *agente* s'est employé pendant la Révolution (Camille Desmoulins, Babeuf) pour désigner les «agents de l'étranger» lorsqu'il s'agissait de femmes (→ Agente). La féminisation des noms de métiers et fonctions fait d'*agente* la forme normale au féminin (ex. : *une agente immobilière, une agente technique*).

CONTR. **Commettant, mandant. — Employeur, client.** ◈ DÉR. **Agente.** → COMP. **Sous-agent.**

**AGENTE** [aʒɑ̃t] n. f. — Fin XVIII^e, *in* D. D. L.; de *agent.*

Littér. ou vx. Femme qui est l'agent (1.) de (qqn, un groupe). *Je découvris que, dans cette intrigue, elle était la principale agente* (Académie). «*Les complices, les agentes de la déchéance*» (Huysmans, *in* T. L. F.).

**AGER** [aʒɛʀ; aʒɛʀ] n. m. — D. i. (XX^e); mot latin, «champ».

♦ **1** Géogr. Terres cultivées et entretenues (opposé à *saltus*).

♦ **2** Hist. romaine. Campagne cultivée.

À ces *castella*, pour reprendre une expression de Sidoine Apollinaire, s'opposent les *villæ* disséminées dans l'*ager*.

Georges Duby, Guerriers et Paysans, VII-XII^e siècle, p. 29.

**AGÉRATE** [aʒeʀat] ou **AGERATUM** [aʒeʀatɔm] n. m. — 1751, *agérate;* *ageratum,* 1752; 1556, *ageraton;* lat. *ageraton,* d'origine grecque.

Plante buissonnante *(Composacées)* appelée aussi *célestine,* que l'on cultive dans les jardins des régions tempérées pour ses fleurs d'un bleu mauve.

**AGER PUBLICUM** [agɛʀpyblikɔm] n. m. — Mots latins.

Dr. rom. Domaine public.

**AGGIORNAMENTO** [adʒɔʀnamɛnto; aʒjɔʀnamɛnto] n. m. — V. 1962; mot ital., «mise à jour».

Didact. Adaptation de la tradition de l'Église catholique, et, par ext., d'autres Églises ou religions, à l'évolution du monde contemporain. «(L') *esprit nouveau est caractérisé par un mot qui a fait fortune et dont le sens s'est peu à peu précisé, l'"aggiornamento"; on peut traduire : une révision de vie impliquant examen de conscience du catholicisme, prise de conscience de l'Église dans un esprit positif d'intelligence sympathique, de compréhension charitable pour l'homme et l'histoire*» (*le Monde,* 23 déc. 1965, *in* P. Gilbert).

Par ext. Adaptation au progrès. → **Réforme.** *L'aggiornamento d'une méthode d'action, d'une tactique syndicale, de la politique étrangère.*

**AGGLO** [aglo] n. m. → **Aggloméré.**

**AGGLOMÉRANT, ANTE** [aglɔmeʀɑ̃, ɑ̃t] adj. et n. m. — 1866, *in* P. Larousse, art. *Agglutinant;* p. prés. de *agglomérer.*

♦ **1** Adj. Qui agglomère, réunit en un aggloméré. → **Conglomérant.** *Substances agglomérantes.* Ling. *Langues agglomérantes.* → **Agglutinant.**

♦ **2** N. m. Produit qui permet de lier les éléments d'un agrégat (fabrication des agglomérés, des boulets). — «*À l'arsenal sont stockés des agglomérants, c'est-à-dire de la sciure de bois, qui permettent de coaguler le mazout en surface*» (*le Monde,* 27 oct. 1970).

Produit qui sert à l'enrobage des particules de pigments d'une peinture. → **Agglutinant, liant.**

**AGGLOMÉRAT** [aglɔmeʀa] n. m. — 1823, cit. ci-dessous; de *agglomérer.*

♦ **1** Minér. Masse de substances minérales agglomérées. → **Agrégat, conglomérat.** *Aggloméré volcanique.*

Les agglomérats diffèrent des agrégats en ce qu'ils présentent la réunion de plusieurs substances formées à diverses époques et longtemps séparées, qu'un ciment quartzeux ou calcaire déposé par les eaux a resserrées en masses plus ou moins considérables; tels sont les grès (...) les poudingues et les brèches. 1

Bory de Saint-Vincent, *in* Courtin, Encycl. mod., I, 1823 (*in* D. D. L., II, 15).

Et quoiqu'elle *(l'onde)* n'agisse pas en profondeur, et ne pénètre qu'à peine le très fin et très serré aggloméré, la très mince quoique très active adhérence du liquide provoque à sa surface une modification sensible. 2

Francis Ponge, le Parti pris des choses, «le Galet», p. 100.

Biol., chim. Amas de substances naturellement agglomérées. *Un agglomérat de cellules, d'atomes.* Techn. Ensemble de substances artificiellement agglomérées. *Un agglomérat de liège et de cuir.*

♦ **2** Fig. Ensemble plus ou moins hétéroclite de personnes ou d'objets. → **Agrégat, bloc.** *Un agglomérat d'instruments. — Cette société, cette famille n'est qu'un agglomérat de personnalités sans unité.*

**AGGLOMÉRATION** [aglɔmeʀasjɔ̃] n. f. — 1762; du lat. médiéval *agglomeratio* «accumulation». → Agglomérer.

♦ **1** *L'agglomération, une agglomération de...* **a** Vx. Fait de s'agglomérer naturellement. *Une agglomération de sables, de pierres, de terres.* → **Accrétion, agglomérat, agglutination, agrégation, amas, assemblage, entassement.**

Toutefois, la verdure ne manquait pas à droite, en arrière du pan coupé. On distinguait facilement la masse confuse de grands arbres, dont l'agglomération se prolongeait au-delà des limites du regard. Cette verdure réjouissait l'œil, vivement attristé par les âpres lignes du parement de granit. J. Verne, l'Île mystérieuse, t. I, p. 34. 1

**b** Techn. Fabrication des agglomérés; préparation de minerais que l'on agglomère. *Agglomération sur grille.*

*L'agglomération.* La première de ces opérations, l'agglomération, est déjà pratiquée depuis de longues années. Elle permet de donner une valeur marchande aux fines et au poussier transformés en briquettes employées pour la chauffe industrielle ou en boulets employés pour les usages domestiques. 2

Jean Romeuf, le Charbon, p. 78.

♦ **2** (Déb. XIX^e). Didact. *(Une, des agglomérations).* Union, association intime; entassement (d'individus, d'animaux). → **Groupement, réunion.** *Des agglomérations d'animaux.* → **Banc, bande, colonie, compagnie, essaim, harde, harpaille, meute, peloton, ruche, troupe, troupeau, vol.** *Une agglomération de peuplades, de peuples, d'hommes.*

La nation française est plus hétérogène qu'aucune autre nation d'Europe; c'est en vérité une agglomération internationale de peuples. 3

Ch. Seignobos, Hist. sincère de la nation franç., p. 3.

Amas, entassement hétérogène (de choses).

C'est le morceau le plus extraordinaire, le plus important de toute cette agglomération d'ouvrages défensifs. Les murs y sont plus épais que partout ailleurs et plus hauts. 4

G. Leroux, le Parfum de la dame en noir, p. 102.

♦ **3** (1861, *in* D. D. L.) Cour. Concentration (d'habitations), formant une unité. → **Bourg, bourgade, ensemble, hameau, localité, village, ville.** *Une petite agglomération de fermes, de maisons. Agglomération rurale. Agglomération d'habitations de fortune* (→ **Bidonville; favela**). — (Sans adj. ni compl.). *Une grande agglomération. La liste des agglomérations importantes.*

Nous avons pénétré dans un de ces enclos, minuscule agglomération de quatre à six huttes, subdivision du

grand village.
GIDE, Voyage au Congo, *in* Souvenirs, Pl., p. 783.

6 (...) les leçons de tant d'autres pays neufs, où ont surgi, au hasard, des agglomérations dont la hideur et l'inconfort sont aujourd'hui irréparables, ne doivent pas être perdues.
L.-H. LYAUTEY, Paroles d'action, p. 116.

7 L'agglomération du XIX^e siècle et les monstres urbains qui survivent encore sous l'effet de l'éclatement démographique correspondent à une crise dont le déclenchement est sans doute dû à une refonte complète des valeurs sociales et économiques, mais dont l'agent direct se situe au niveau des transports.
A. LEROI-GOURHAN, Le Geste et la Parole, t. II, p. 181.

Ensemble constitué par une ville et ses faubourgs ou sa banlieue. *L'agglomération lyonnaise. Il s'est installé dans l'agglomération parisienne.*

CONTR. **Désagrégation, dispersion, dissémination, dissociation, éparpillement, pulvérisation, séparation.**

**AGGLOMÉRÉ** [aglɔmeʀe] n. m. — 1866; du p. p. de *agglomérer.*

♦ **1** Matière combustible (sciure de bois, poussière de charbon...) agglomérée, utilisée pour le chauffage. *Aggloméré de charbon :* poussier de houille, de coke, fines particules de tourbe, etc., agglutinés au moyen d'un liant (brai de goudron, pétrole), comprimés dans un moule, et servant de combustible. (On dit aussi *charbon moulé*). *Aggloméré moulé en boulets, en briquettes...*
*Aggloméré de minerai,* constitué de fines particules de minerai.

♦ **2** (1899). Matériau de construction et de travaux publics de forme régulière, obtenu par un mélange de matières diverses (sables, cailloux, scories, déchets végétaux, bois, liège, paille, etc.) agrégées avec un liant et comprimées. *Aggloméré de liège. Panneau d'aggloméré. Piste en aggloméré. Outre le béton armé, l'industrie moderne offre une grande variété d'agglomérés.* → **Béton, brique, contreplaqué, fibro-ciment, hourdis, liège, panneau, parpaing, plâtre** (carreaux de), **staff, stuc.**

(...) le bec électrique du boulevard Wilson (...) qui éclairait la petite maison aux frêles murailles d'aggloméré où il demeurait.
M. AYMÉ, le Passe-muraille, p. 175.

REM. On trouve aussi la forme abrégée *agglo* (1933). *Des agglos creux.*

♦ **3** Géol. Vx. Roche formée par agglomération.

**AGGLOMÉRER** [aglɔmeʀe] v. tr. [CONJUG.: *céder.*] — V. 1790, pron.; du lat. *agglomerare* «réunir en pelote», de *glomus, glomeris* «pelote».

♦ **1** Rare. Masser en un tout compact. *La richesse du sol a aggloméré les hommes dans cette contrée. Les vents agglomérèrent les sables en dunes.* → **Agglutiner, agréger, assembler, entasser, rassembler.**
*Agglomérer un élément à un ensemble. «En y agglomérant* (au problème) *d'autres données»* (Bachelard, *in* T. L. F.).

1 Pendant ce temps, ils agglomèrent les villes; ce qu'ils appellent les villes, puisqu'il n'y a pas d'autre nom pour la chose innommable.
Édouard GLISSANT, le Quatrième Siècle, *in* Littératures de langue franç. hors de France, p. 184.

♦ **2** Techn. Unir en un bloc cohérent (diverses matières à l'état de fragments ou de poudre), en utilisant un liant.

◆ **S'AGGLOMÉRER** v. pron. Se réunir en un tout cohérent, compact. *Les hommes s'agglomérèrent dans de grandes villes. S'agglomérer en..., par... (masses, groupes). S'agglomérer à, autour de qqch.*

Les grains de sable de mes doutes s'agglomérèrent et devinrent un bloc. 2
RENAN, Souvenirs d'enfance..., p. 224.

Une boule de neige, détachée des Alpes, va toujours se grossissant et s'agglomérant jusqu'à ce qu'enfin elle devienne un torrent qui inonde les plaines. Telle est l'image de la puissance exclusive. 3
Sébastien MERCIER, Mon dictionnaire (v. 1790), *in* D. D. L., II, 11.

Abstrait :

C'était le parcours des choses multiples qu'on ne peut pas résoudre à l'unique, le courant impérieux, divers, impalpable, des événements qui se succédaient pour rien, qui s'agglomeraient sans prouver, qui se formaient sans dessein, et qui ne disaient jamais rien. 4
J.-M. G. LE CLÉZIO, l'Extase matérielle, p. 12.

◆ **AGGLOMÉRÉ, ÉE** p. p. adj. *Sciure de bois, panneaux agglomérés.* → **Aggloméré,** n. m. — *Habitat aggloméré. Villages agglomérés. Maisons agglomérées.* → **Agglomération.**

CONTR. **Désagréger, disperser, disséminer, dissocier, éparpiller, parsemer, pulvériser, séparer.** ◊ DÉR. **Agglomérant, agglomérat, aggloméré.**

**AGGLUTINABILITÉ** [aglytinabilite] n. f. — 1920, in *Nouveau Traité de médecine;* de *agglutinable.*

Méd. Aptitude à être agglutiné, à s'agglutiner.

**AGGLUTINABLE** [aglytinabl] adj. — Mil. XVI^e, Paré; de *agglutiner.*

Méd. Qui peut être agglutiné ou s'agglutiner. *Des substances agglutinables.*

DÉR. **Agglutinabilité.**

**AGGLUTINANT, ANTE** [aglytinɑ̃, ɑ̃t] adj. — XVI^e; de *agglutiner.*

♦ **1** Propre à agglutiner, à recoller. *Propriétés agglutinantes. Substances agglutinantes.* → **Adhésif; agglutinatif.** — N. m. *Un agglutinant :* une substance qui possède la propriété d'agglutiner. → **Liant.**
Biol. Qui provoque l'agglutination des germes, des bactéries. *Sérum agglutinant.*

♦ **2** (1863). Ling. *Langues agglutinantes,* dans lesquelles les rapports grammaticaux sont marqués par l'agglutination.

Le *tamoul* est une langue agglutinante. On soude tout ce qu'on peut. De trois mots, un seul.
Henri MICHAUX, Un barbare en Asie, p. 120.

**AGGLUTINAT** [aglytina] n. m. — V. 1920; de *agglutiner,* et suff. *-at.*

Didact. Ensemble d'éléments agglutinés. *Un agglutinat de micro-organismes.*

**AGGLUTINATIF, IVE** [aglytinatif, iv] adj. — Mil. XVI^e; de *agglutiner.*

♦ **1** Adj. **a** Méd. Vx. Se dit des substances qui adhèrent fortement à la peau et préservent les plaies. *Emplâtre agglutinatif. Bandelette agglutinative.* → **Adhésif.**
**b** (1904, in *Rev. gén. des sc.,* n° 2, p. 105). Biol. Qui détermine, cause l'agglutination. *Propriété agglutinative.*
**c** Ling. Qui provient de l'agglutination d'éléments.

♦ **2** N. m. Méd. (vieilli). *Un agglutinatif. Le taffetas d'Angleterre était un agglutinatif.* → **Agglutinant.**

**AGGLUTINATION** [aglytinasjɔ̃] n. f. — 1537; du bas lat. *agglutinatio,* de *agglutinare.* → Agglutiner.

Action d'agglutiner, fait de s'agglutiner.

♦ **1** Méd. (Vx). *Agglutination d'une plaie* : recollement de parties séparées accidentellement. → **Recollement.**

(1903, in *Rev. gén. des sc.*, n° 16, p. 853). Biol. Immobilisation, réunion et sédimentation des germes d'une culture en présence d'agglutinines. → **Agglutinement.** — Phénomène analogue observé sur les hématies. *Agglutination des hématies.* → **Agglomérat.**

♦ **2** (1857). Ling. Addition aux mots-bases (ou *thèmes*) d'affixes, exprimant des rapports grammaticaux. — Réunion d'éléments phonétiques appartenant à des morphèmes différents en un seul élément morphologique (ex. : *l'ierre,* devenu *lierre*).

1 La grande singularité de la langue basque (...) c'est l'amalgame qui a lieu dans le verbe auxiliaire, qui combine dans un même mot le verbe, le pronom et le régime ou même les régimes. Il serait intéressant de découvrir la loi qui régit cette agglutination, pour parler comme les Allemands.
MÉRIMÉE, Correspondance générale, 8, p. 272 (1857), *in* D. D. L., II, 10.

♦ **3** Fig., littér. Ensemble (d'individus, d'objets) formant une unité. → **Agglomération.**

2 (...) une de ces agglomérations ou plutôt agglutinations, ou encore archipels de toits comme on en voit de la fenêtre d'un rapide, dériver lentement sur les vertes campagnes (...)
Claude SIMON, le Vent, p. 73.

Souvent péj. *Une agglutination d'affairistes et de courtiers marrons réunis par le seul appât du gain.*

♦ **4** Psychol., psychiatrie. Viscosité mentale observée chez les épileptiques. → aussi **Adhésivité.**

CONTR. **Dispersion, dissémination, dissociation, éparpillement, séparation.**

**AGGLUTINEMENT** [aglytinmɑ̃] n. m. — 1611; de *agglutiner.*

Didact. ou littéraire. Fait d'agglutiner, de s'agglutiner; son résultat. → **Agglutination.**

♦ **1** Didact. (Biol., méd.). Fait de provoquer l'agglutination*.

♦ **2** Fig. Agglutination; fait de s'agglutiner, de coller (Proust *in* T. L. F.).

**AGGLUTINER** [aglytine] v. tr. — XVI^e; «réunir», XIV^e; lat. *agglutinare* «coller à», de *ad,* et *gluten, glutinis* «colle, glu».

♦ **1** Coller ensemble, unir (deux ou plusieurs choses) de manière à former une masse compacte, une chose unique. → **Agglomérer, coller, lier, réunir.** *Ce sérum agglutine les germes.*

1 De gros sables qui furent saisis et agglutinés par la pâte d'argile (...)
BUFFON, *in* LITTRÉ, art. *Saisir.*

♦ **2** Fig., péj. (en parlant d'êtres humains).

1.1 J'avais dit, écrit, proclamé depuis 1933, que les empires coloniaux ne survivraient pas à une guerre européenne. Je ne croyais pas à Bao-Daï, moins encore aux colons. Je connaissais la servilité qui, en Cochinchine comme ailleurs, agglutine les intermédiaires autour des colonisateurs.
MALRAUX, Antimémoires, Folio, p. 122.

♦ **3** Spécialt, méd. *Agglutiner les lèvres d'une plaie,* les recoller. — Ling. Joindre par agglutination.

◆ **S'AGGLUTINER** v. pron. Se joindre pour former un tout cohérent, une masse compacte. *Les bords d'une plaie s'agglutinent,* adhèrent l'un à l'autre. → **Cicatriser** (se), **fermer** (se), **recoller** (se). *Certains microbes s'agglutinent en présence de sérums contenant des agglutinines. Les globules rouges possédant des agglutinogènes s'agglutinent en présence d'un sérum contenant des agglutinines correspondantes.*

(Personnes). *Les passants s'agglutinaient devant la vitrine.*

(Abstraction) :

2 Je note cette sensation avec une minutie qui ne paraîtrait à d'autres que littéraire, mais je sais parfaitement que c'est autour de cela que s'agglutinera le souvenir.
GIDE, Journal, 3 juin 1905.

◆ **AGGLUTINÉ, ÉE** p. p. adj. *Masses de bactéries agglutinées. Foule agglutinée.* — Ling. *Forme agglutinée.*

CONTR. **Disperser, dissocier, séparer.** ◇ DÉR. **Agglutinable, agglutinant, agglutinatif, agglutinine.** — COMP. V. **Agglutinogène.**

**AGGLUTININE** [aglytinin] n. f. — 1903, in *Rev. gén. des sc.*, n° 2, p. 60; de *agglutiner.*

Substance spécifique *(anticorps)* qui apparaît dans certains sérums, et provoque l'agglutination soit de certains microbes soit des globules rouges, qui renferment l'agglutinogène correspondant (groupes sanguins). *Il y a incompatibilité entre deux sangs mis en présence, quand l'agglutinine contenue dans le sérum du récepteur agglutine les globules rouges du donneur. Le sérum sanguin des récepteurs universels ne contient pas d'agglutinine.* → **Agglutinogène.**

**AGGLUTINOGÈNE** [aglytinɔʒɛn] n. m. — 1945, *in* D. D. L.; 1904, adj. «propre à agglutiner», in *Rev. gén. des sc.*, n° 2, p. 104; du rad. de *agglutin(er),* et *-gène.*

Physiol. Substance (antigène) située à la surface des globules rouges, et qui provoque leur agglutination en présence de sérum contenant l'anticorps (agglutinine*) correspondant (cette réaction sert à déterminer les groupes sanguins). *Il n'y a pas d'agglutinogène dans les hématies des donneurs de sang universels.*

**AGGRAVANT, ANTE** [agʀavɑ̃, ɑ̃t] adj. — 1690, *excommunication aggravante* (→ Aggravation, 1.); «qui alourdit», XVI^e; p. prés. de *aggraver.*

♦ **1** Qui aggrave, rend le cas plus grave. *Circonstances aggravantes,* qui augmentent la gravité du délit. *Le fait qu'un attentat à la pudeur a été commis sur la personne d'un enfant constitue une circonstance aggravante. Cause aggravante.*

(...) ils se mirent d'accord pour condamner, mais sans excès; pour reconnaître la culpabilité, sans circonstances atténuantes, mais dépouillée également des circonstances aggravantes. Celles-ci pendaient au bout de ces questions : le vol a-t-il été commis la nuit? ... à plusieurs? ... dans un édifice habité? ... avec fausses clefs ou effraction?
GIDE, Souvenirs de la Cour d'Assises, *in* Journal, t. II, Pl., p. 624.

♦ **2** Méd. Qui aggrave (un mal).

CONTR. **Atténuant** (circonstances atténuantes).

**AGGRAVATION** [agʀavasjɔ̃] n. f. — XIV^e; du bas lat. *aggravatio,* spécialisé en lat. ecclés., du lat. class. *aggravare.* → Aggraver.

♦ **1** Anciennt. Second avertissement (fulmination) d'excommunication. — REM. Le terme *aggrave,* n. f., s'est substitué à *aggravation,* en ce sens, au XIX^e s.

♦ **2** (1835, *aggravation de peine*). Dr. Augmentation (de la peine); particularité qui aggrave (le délit, le crime). → **Aggravant** (circonstances aggravantes); **accroissement.** *«Puni d'une aggravation de cinq ans»* (Hugo, *les Misérables*).

♦ **3** (1845). Cour. Fait de s'aggraver, d'empirer. → **Exacerbation, exaspération, progression.** *L'aggravation d'un mal, d'une maladie.* → **Progrès, recrudescence,**

**redoublement.** — Méd. *Aggravation médicamenteuse, aggravation homéopathique.* — *Aggravation de l'état du malade.* → **Complication.** *Le gouvernement prend des mesures pour enrayer l'aggravation de la situation financière. L'aggravation d'un chagrin, d'une douleur, d'une peine.*

Il décrivait dans leur réalité inexorable, les crises successives, les rémissions de plus en plus brèves, les rechutes chaque fois plus sérieuses. Il rendait sensible, évidente, l'aggravation régulière, ininterrompue, irrémédiable. Et il lui semblait suivre de seconde en seconde, sur le visage décomposé de son vieil ami, la progression d'une anxiété clairvoyante, l'élaboration graduelle du diagnostic fatal.
MARTIN DU GARD, les Thibault, VIII, 14, 132.

♦ **4** Mus. Fugue où le sujet est reproduit avec des valeurs doublées.

CONTR. **Adoucissement, allégement, atténuation, commutation** (de peine), **diminution, rémission, soulagement. — Amélioration, guérison.**

**AGGRAVE** [agʀav] n. f. — 1665; déverbal de *aggraver.*
Relig. Aggravation (1.).

**AGGRAVÉE** [agʀave] n. f. — 1853; de l'anc. adj. *agravé* (XVe) «endolori par le gravier», du rad. de *gravier.*
Vétér. Inflammation du pied chez les animaux (surtout les chiens) qui ont trop marché sur un sol caillouteux. — On dit aussi *engravée* [ɑ̃gʀave].

**AGGRAVEMENT** [agʀavmɑ̃] n. m. — 1547; de *aggraver.*
Rare. Aggravation.

1. **AGGRAVER** [agʀave] v. tr. — XIVe; «alourdir, fatiguer, charger», XIe à XVIIe; lat. *aggravare,* de *gravis* «lourd, pesant».

♦ **1** Vx (langue class.). Rendre plus pesant. *Aggraver un fardeau.* → **Appesantir.** — Par métaphore (littér.). *Aggraver un poids moral.*

1 Un corps qui nous aggrave et nous baisse vers la terre.
PASCAL, Pensées, *in* P. LAROUSSE.

Vx ou littér. *Aggraver (qqch., qqn) de...,* charger de... — Au p. p. :

1 L'aile d'un phalène grésille sur la flamme de la lampe et l'éteint presque. Accoudée à la fenêtre basse, je respire l'odeur humaine, aggravée de fleur morte et de pétrole, qui offense le jardin.
COLETTE, la Maison de Claudine, p. 111 (1922).

♦ **2** (Abstrait). Rendre plus lourd, plus pénible à porter. *Aggraver les charges de l'État, les impôts.* → **Alourdir, augmenter, charger, grever, surcharger.** *Aggraver les impôts d'une taxe supplémentaire.*

2 (...) ces bâtisseurs dont toutes les «découvertes» n'ont abouti qu'à alourdir la dette et, pour faire face aux charges de l'emprunt, à aggraver l'impôt, ce qui n'a pas empêché le déficit de s'élargir (...)
Louis MADELIN, De Brumaire à Marengo, XI, p. 157.

Rendre plus pénible à supporter, plus misérable. *Aggraver le sort des malheureux.*

3 À quoi bon aggraver notre sort par la haine ?
HUGO, l'Année terrible, p. 61.

♦ **3** (XIe). Rendre plus douloureux. *Aggraver un mal, une maladie, une souffrance. L'imprudence a aggravé son mal.* → **Accroître, augmenter, compliquer, empirer, exacerber, exaspérer, redoubler.** *Aggraver l'état, les douleurs de qqn. Aggraver un mal par..., de..., en...* (et participe présent).

1 Elle laissa Pons confus, en proie à des remords, admirant le dévouement criard de sa garde-malade, se faisant des reproches, et ne sentant pas le mal horrible par lequel il venait d'aggraver sa maladie en tombant ainsi sur les dalles de la salle à manger.
BALZAC, le Cousin Pons, Pl., t. VI, p. 657.

Fig. *Aggraver une injustice, un tourment.*

Le vide mortel de ces heures sans projets aggravait à tel point sa détresse (...) 4
MARTIN DU GARD, les Thibault, III, 14, 103.

Rendre plus mauvais. *La crise économique aggrave la situation du pays.*

♦ **4** (1340). Rendre plus grave, plus condamnable. *Les circonstances aggravent son crime, sa faute, ses péchés, ses torts. L'âge de la victime aggrave la culpabilité de ce criminel.* → **Ajouter, augmenter, grandir, grossir.**

Les effrayés se sentent dans leur tort d'avoir été effrayés. 5
Ils s'imaginent avoir surpris un secret, ils craignent d'aggraver leur position (...)
HUGO, les Travailleurs de la mer, p. 45.

C'était mon tour à présent de me sentir une brebis galeuse. 5.1
Ce qui aggravait mon cas, c'est que je dissimulais : j'allais à la messe, je communiais. J'avalais l'hostie avec indifférence, et pourtant je savais que, selon les croyants, je commettais un sacrilège.
S. DE BEAUVOIR, Mémoires d'une jeune fille rangée, p. 140.

(1690). *Aggraver (une peine),* la rendre plus lourde. *Aggraver un châtiment, une condamnation. Aggraver la peine de* (un élément supplémentaire). (Relig.). Prononcer une aggrave* (→ **Aggravation, 1.**).

♦ **5** Rendre plus fort, plus violent. → **Exciter, irriter, renforcer.** *Les mesures ont aggravé le mécontentement.*

Malseigne, provocant et imprudent, qui aggrava les 6
colères.
JAURÈS, Hist. socialiste de la Révolution franç., II, p. 208.

◆ **S'AGGRAVER** v. pron. Devenir plus grave. *Le mal s'est aggravé. L'épidémie, la situation s'est aggravée.* → **Empirer, progresser.** — *S'aggraver de qqch. Son mal s'aggrave d'une dépression.*

Dès que la nuit vient, les affections s'aggravent, les dou- 7
leurs assoupies se réveillent, la fièvre qui dormait se ranime, les ordures ressuscitent et les plaies ressaignent.
HUYSMANS, En route, p. 73.

Il sentait que la Commune, contre laquelle il avait mené 8
*(Danton)* une dure bataille, lui en gardait une rancune qui s'aggravait de méfiance (...)
Louis BARTHOU, Danton, p. 39.

◆ **AGGRAVÉ, ÉE** p. p. adj. *Sort aggravé.* — *Peine, condamnation aggravée.* — *Crise, situation aggravée.*

CONTR. **Adoucir, alléger, atténuer, calmer, consoler, diminuer, soulager.** — **Améliorer, guérir.** — **Excuser** (une faute). ◈ DÉR. **Aggravant, aggrave, aggravement.** — HOM. 2. **Aggraver.**

2. **AGGRAVER** [agʀave] v. tr. — 1549, au p. p.; de *a-,* et *grave* «gravier» (pris collectivt).
Mar. Vx. S'échouer, aller à la côte, à la grève (en parlant d'un navire).
HOM. 1. **Aggraver.**

**AGHA** [aga] n. m. → 2. **Aga.**

**AGILE** [aʒil] adj. — XIVe; lat. *agilis,* de *agere.* → Agir.
Qui a une grande facilité à agir, à se mouvoir.

♦ **1** Qui a de l'aisance, de la rapidité, de la souplesse dans l'exécution de ses mouvements. *Il, elle est agile comme une anguille, un cabri, un cerf, un chamois, un chat, un singe, un tigre. Il est moins agile qu'autrefois. Animal agile.* — Qui manifeste de l'agilité. → **Alerte, leste, preste, prompt, rapide, souple, vif.** *Corps, pas, main agile. Doigts agiles d'un pianiste. Des mains agiles au travail. Geste, mouvement agile. Démarche agile.*

1 Légère et court vêtue, elle allait à grands pas,
Ayant mis ce jour-là, pour être plus agile,
Cotillon simple et souliers plats.
LA FONTAINE, Fables, VII, 10.

2 Dans le moment qu'ils tenaient ces propos,
Le Lion sort, et vient d'un pas agile.
LA FONTAINE, Fables, VI, 2.

3 Au sortir d'un terrier, deux chiens aux pieds agiles
L'étranglèrent du premier bond.
LA FONTAINE, Fables, IX, 14.

4 La bohémienne dansait (...) agile, légère, joyeuse, et ne sentant pas le poids du regard redoutable qui tombait à plomb sur sa tête.
HUGO, Notre-Dame de Paris, VII, 2, 237.

5 (...) agile comme une anguille, il s'est faufilé dans la cohue (...)
MARTIN DU GARD, les Thibault, VII, 85, 184.

(Abstraction). *Une force agile.*

Qui se meut avec aisance. *La voix agile d'un chanteur.* → **Souple.**

(Sujet n. de chose). Littér. Qui se meut avec vivacité. *L'onde agile. Un vent agile. — Mécanisme agile. «Une petite auto agile et rapide»* (Elsa Triolet).

(Avec un compl. en *à*). *Agile à faire quelque chose. Agile au travail, aux exercices du corps.* — (En *de*). *Agile de corps et d'esprit.*

♦ **2** Fig. Prompt dans les opérations intellectuelles. *Un esprit, une pensée agile.* → **Prompt, vif.** *Pensée, verve agile. Cerveau agile. — Une conversation agile.* → **Délié.** *Il se lança dans une improvisation agile.* → **Alerte.**

6 Il *(l'amour)* rend agile à tout l'âme la plus pesante.
MOLIÈRE, l'École des femmes, III, 4.

7 *(Mme de Sévigné)* a raconté tout un siècle avec la plus libre belle humeur (...) sans que jamais un trait méchant tombât de cette plume agile et débridée.
Émile FAGUET, Études littéraires, XVIIe s., p. 373.

CONTR. **Engourdi, gauche, gourd, lent, lourd, mou, pesant.**
◊ DÉR. **Agilement, agileté.**

**AGILEMENT** [aʒilmɑ̃] adv. — Fin XIVe; de *agile.*

Avec agilité. *Grimper, sauter agilement.* → **Alertement.** *Lancer agilement un fardeau à qqn.*

Fig., littér. *Penser, discuter agilement.*

**AGILETÉ** [aʒilte] n. f. — Av. 1852, en Suisse; de *agile,* d'après *habileté.*

Régional, incorrect. Agilité. — REM. Le mot s'entend fréquemment; il est attesté chez Proust (*À la recherche du temps perdu,* Pl., t. I, p. 484).

**AGILITÉ** [aʒilite] n. f. — XIVe; du lat. *agilitas, -atis* «facilité à se mouvoir», de *agilis.* → Agile.

♦ **1** Qualité d'une personne agile, grande facilité à se mouvoir. → **Aisance, légèreté, prestesse, promptitude, rapidité.** *On admirait l'extrême agilité de l'acrobate. Agilité* (de qqn) *dans les mouvements.* — (Membres, parties du corps). *L'agilité du corps, des jambes. L'agilité des doigts.* → **Souplesse.** *L'agilité des yeux.* → **Vivacité.**

1 Le modèle de la force jointe à l'agilité.
BUFFON, Hist. nat. des animaux, le Lion.

1.1 Julien vit qu'il fallait monter à l'échelle lui-même, son agilité le servit bien. Il se chargea de diriger les tapissiers de la ville. L'abbé Chas enchanté le regardait voltiger d'échelle en échelle.
STENDHAL, le Rouge et le Noir, XXVIII, *in* Romans, Pl., p. 397.

2 (...) de jeunes figures animées de vaillance se hissaient le long du mur avec une agilité et une malice toutes simiesques.
M. BARRÈS, la Colline inspirée, p. 173.

*L'agilité d'un animal. Il montait à la corde avec l'agilité d'un singe, avec une agilité de singe.*

Inutile de dire que, depuis la fermeture complète du plateau, maître Jup *(un singe)* avait été mis en liberté. Il ne quittait plus ses maîtres et ne manifestait aucune envie de s'échapper. C'était un animal doux, très vigoureux pourtant, et d'une agilité surprenante. Ah! quand il s'agissait d'escalader l'échelle de Granite-house, nul n'eût pu rivaliser avec lui. 2.
J. VERNE, l'Île mystérieuse, t. I, p. 394-395.

*L'agilité des mouvements, de l'essor.*

(Avec un compl. en *de...*). *Avoir l'agilité de suivre qqn, de faire un mouvement.*

Par ext. *L'agilité «des herbes»* (J. Gracq), *des branches :* l'impression de mouvement et de légèreté.

Spécialt (mus.). Rapidité et souplesse. *L'agilité de la voix, d'une clarinette. Agilité d'une exécution pianistique.*

♦ **2** Fig. Promptitude dans les opérations intellectuelles. → **Aisance, promptitude, rapidité, souplesse, vivacité.** *Agilité d'esprit. Il fallait une grande agilité intellectuelle pour suivre la démonstration.*

La logique a certainement assoupli les esprits; elle leur a donné une agilité qu'ils n'avaient pas (...) 3
A. MAUROIS, Un art de vivre, I, IV, 17.

Je ne crois pas que rien au monde soit comparable à l'agilité avec laquelle les femmes oublient ce qui fut tout pour elles. 4
FRANCE, Pierre Nozière, II, p. 149.

CONTR. **Gaucherie, lenteur, lourdeur, mollesse.**

1. **AGIO** [aʒjo] n. m. — 1679; ital. *aggio* (XIVe), probablt de *agio* «aise».

♦ **1** Plus-value ou prime d'une monnaie métallique sur une autre ou sur le papier-monnaie. → **Différence.** — Par ext. Bénéfice réalisé sur les transactions monétaires.

(...) l'agio incroyable de la période directoriale et la contrebande de guerre ont scandaleusement enrichi ce groupe des parvenus de la spéculation (...) 1
Louis MADELIN, Hist. du Consulat et de l'Empire, t. III, p. 105.

♦ **2** Fin. Commission retenue par le banquier sur les effets présentés à l'escompte ou à l'encaissement. *Intérêt et agios.*

♦ **3** Spéculation frauduleuse sur les effets publics. → **Agiotage, spéculation.**

À quoi bon donner trente ans de sa vie, pour gagner un pauvre million, lorsque, en une heure, par une simple opération de bourse, on peut le mettre dans sa poche? Dès lors, il s'était désintéressé peu à peu de sa maison qui marchait par la force acquise; il ne vivait plus que dans l'espoir d'un coup d'agio triomphant (...) 2
ZOLA, l'Argent, p. 108, *in* T. L. F.

(...) il avait gagné les trois premiers millions, d'abord dans l'agio sur les biens nationaux, plus tard comme fournisseur des armées impériales. 2
ZOLA, Paris, t. I, p. 27 (1898).

REM. On trouvait aussi autrefois la graphie *agiot.*

Il y trouva cet honnête vieillard dans une grande affliction : il avait été ruiné par l'agiot. 3
RESTIF DE LA BRETONNE, la Vie de mon père, p. 170.

DÉR. **Agioter.** ◊ HOM. 2. **Agio.**

2. **AGIO** [aʒjo] n. m. — XIIIe, *agiez* «ornements, colifichets»; *agios* «babioles, reliques», 1562; «cérémonies», XVe.

Vx (en usage au XVIe-XVIIe), puis régional (XVIIIe-XIXe). Façons, manières. → **Simagrée.**

*Agios* (Faire des) n'est pas français. On l'emploie pour signifier, Faire des révérences, des façons, des cérémonies, des minauderies.
C'est dans le même sens et aussi improprement que l'on dit, faire des *Atis,* des *Gyries.*
J.-F. MICHEL, Dict. d'expressions vicieuses (1807).

On écrivait aussi *agiaux.*

HOM. 1. **Agio.**

**A GIORNO** [adʒɔʀno; aʒjɔʀno] adv. → **Giorno (a).**

**AGIOTAGE** [aʒjɔtaʒ] n. m. — Déb. XVIII^e (1710 ou 1715); de *agioter.*

Fin. Spéculation malhonnête ou illicite sur le cours des monnaies, des valeurs ou des marchandises. → **Spéculation; 1. agio, coup, jeu** (de bourse). *S'enrichir, se ruiner à l'agiotage.*

(...) tous ont le vague espoir de sortir brusquement de l'abîme grâce à quelque coup d'agiotage.
G. DUHAMEL, Scènes de la vie future, XV, p. 234.

**AGIOTER** [aʒjɔte] v. intr. — Déb. XVIII^e; de *agio.*

Fin. Se livrer à l'agiotage. *Faire fortune en agiotant à la Bourse.* → **Spéculer.** *Agioter à la Bourse. Agioter sur certaines valeurs.*

DÉR. **Agiotage, agioteur.**

**AGIOTEUR, EUSE** [aʒjɔtœʀ, øz] n. — Déb. XVIII^e (1710); de *agioter.*

Fin. Personne qui pratique l'agiotage. → **Spéculateur, trafiquant.** «*Tout agioteur est un affameur* (cit. 1)» (L.-S. Mercier).

1 Les usuriers qui avaient gagné gros à trafiquer les papiers du roi, on appelait ces gens-là des agioteurs.
SAINT-SIMON, *in* LITTRÉ.

.1 (...) une manufacture de produits, exploitée par les grands bras d'une machine, et laissant la meilleure partie de son produit dans les mains impures et athées des agioteurs.
E. DELACROIX, Journal 1850-1854, 6 mai 1853.

.2 Aussi fallait-il l'entendre parler du fameux Naudet, avec le dédain des millions que remuait cet agioteur, des millions qui lui retomberaient sur le nez, disait-il.
ZOLA, l'Œuvre, p. 278.

Hist. fin. Nom donné aux personnes qui faisaient le commerce des effets publics, au XVIII^e siècle.

2 Les imprécations contre les agioteurs, dits aussi «agiotateurs» (...) ne cessèrent *(sous la Révolution)* de pleuvoir comme grêle dans les Assemblées et dans les clubs.
BRUNOT, Hist. de la langue franç., t. IX, II, p. 1080.

3 Désordre dans la Société, société de parvenus, de «nouveaux riches» tout à la jouissance du bien mal ou trop vite acquis, d'agioteurs au luxe fiévreux, de femmes sans pudeur et d'hommes sans honneur (...)
Louis MADELIN, Hist. du Consulat et de l'Empire, t. III, p. 37.

**AGIR** [aʒiʀ] v. — 1450; du lat. *agere* «pousser; agir».

**I** V. intransitif. **A** (Emploi général). ♦ **1** Faire qqch., avoir une activité qui transforme ce qui est. → **Entreprendre, exécuter, opérer; acte, action.** *Il y a un temps pour agir et un temps pour se reposer.* → **Dépenser** (se), **travailler.** *Il lui faut toujours une occupation, il ne peut rester sans agir.* → **Occuper** (s'). *Elle avait perdu tout courage pour agir.* → Neurasthénie, cit. 1. *Agir seul, agir ensemble, en commun.* — (Le sujet désigne une partie de l'être animé; → cit. 2).

1 Nous sommes nés pour agir (...) Je veux qu'on agisse (...) et que la mort me trouve plantant mes choux (...)
MONTAIGNE, Essais, I, 20.

2 Ainsi dit, ainsi fait. Les mains cessent de prendre,
Les bras d'agir, les jambes de marcher.
LA FONTAINE, Fables, III, 2.

3 La mouche, en ce commun besoin,
Se plaint qu'elle agit seule et qu'elle a tout le soin (...)
LA FONTAINE, Fables, VI, 9.

4 Ainsi, chacun en son endroit
S'entremet, agit et travaille.
LA FONTAINE, Fables, XII, 15.

Pour connaître les hommes, il faut les voir agir. 5
ROUSSEAU, Émile, IV.

Vivre, c'est agir. FRANCE, le Jardin d'Épicure, p. 93. 6

Ce n'est pas être pour un homme que de ne pas agir. 7
CLAUDEL, Feuilles de saints, «L'architecte».

Chose remarquable et trop peu remarquée, ce n'est point la pensée qui nous délivre des passions, mais c'est plutôt l'action qui nous délivre. On ne pense point quand on veut; mais, quand des actions sont assez familières, quand les muscles sont dressés et assouplis par gymnastique, on agit comme on veut. 7.1
ALAIN, Propos, 16 mars 1922, Gymnastique.

Spécialt (par oppos. à *penser, méditer, parler, délibérer*). Manifester sa volonté par des actes, passer à l'exécution d'une décision, prendre des initiatives. *Le moment est venu d'agir. Il n'est plus temps de réfléchir, il faut maintenant agir. Vous avez toute liberté pour agir, mais cessez de tergiverser.* → **Entreprendre, exécuter.** *Agir, c'est oser* (cit. 15).

Il faut se décider, agir et se taire. 8
B. CONSTANT, Journal intime, p. 177.

L'impuissant croit volontiers l'impossible; hors d'état d'agir lui-même, il s'imagine que le hasard, l'imprévu, l'inconnu agiront pour lui. 9
MICHELET, Hist. de la Révolution franç., t. I, p. 245.

N'ayant pas la force d'agir, ils dissertent. 10
JAURÈS, Hist. socialiste, t. I, p. 22.

Le besoin de croire est une partie du besoin d'agir, parce qu'il en est la condition. 11
Émile FAGUET, Études littéraires, XVII^e s., p. 195.

Agir est autre chose que parler, même avec éloquence, et que penser, même avec ingéniosité. 12
PROUST, À la recherche du temps perdu, t. XII, p. 37.

L'intelligence ne mène qu'à l'inaction. C'est la foi qui donne à l'homme l'élan qu'il faut pour agir, et l'entêtement qu'il faut pour persévérer. 13
MARTIN DU GARD, les Thibault, VII, 69.

*Raison d'agir.*

Les victoires trop complètes brûlent l'âme des vainqueurs; leur première ivresse tombée, elles brisent le ressort de la volonté, elles lui enlèvent sa raison d'agir. 14
R. ROLLAND, Voyage musical au pays du passé, p. 25.

♦ **2** Se comporter dans l'action (de telle ou telle manière). *Manière ou façon d'agir* : comportement, conduite. *Agir bien, agir mal.* → **Comporter** (se), **conduire** (se). *Agir librement, en toute liberté, de son plein gré, de son propre mouvement, de propos délibéré. Agir sans se préoccuper des autres* (cf. En faire à sa tête). *Continuer à agir* (cf. Aller de l'avant). *Il refusera d'agir sous la contrainte. Elle a agi à l'instigation de ses parents. Agir selon le cas; en conséquence. Agir avec circonspection, avec discernement, à bon escient. Agir à l'aveuglette, à la hâte, à la légère, inconsidérément. Agir par calcul. Agir conformément à* ou *à l'encontre de ses principes. Ils ont agi chacun de leur côté. Agir de concert, dans le même sens.* → **Collaborer.** *Agir en sens inverse. Vous n'auriez pas dû agir contre lui, contre votre conscience.* → **Opposer** (s'opposer à...). *Il a agi à la légère. Tout nous prouve que vous agissez par calcul. Ce n'est pas en agissant de force, d'autorité que vous le convaincrez.* → **Employer, user.** — *Agir en...*, en se comportant comme... *Il n'a pas agi en ami.* — *Agir comme... J'agis ici comme mandataire de M. X.* — *Ils ont agi comme des idiots.*

Je me suis souvent dit, voyant de quelle sorte 15
L'homme agit, et qu'il se comporte
En mille occasions comme les animaux (...)
LA FONTAINE, Fables, X, 14.

Il faut agir de force avec de tels esprits. 16
CORNEILLE, Héraclius, I, 1.

Agissez donc enfin, Madame, en souveraine. 17
CORNEILLE, Don Sanche, III, 4.

18 Quiconque est loup, agisse en loup.
LA FONTAINE, Fables, III, 3.

19 Agir en galant homme (...)
MOLIÈRE, le Bourgeois gentilhomme, III, 16, et IV, 1.

20 Il me semble qu'on n'agit point comme vous faites.
MOLIÈRE, l'Amour médecin, I, 3.

21 De vos façons d'agir je suis mal satisfait.
MOLIÈRE, le Misanthrope, II, 1.

22 L'usage a préféré (...) façons de faire à manières de faire, et manières d'agir à façons d'agir.
LA BRUYÈRE, les Caractères, XIV, 73.
N. B. L'usage contemporain n'enregistre plus cette préférence.

23 Vous voulez bien que je vous fasse une petite critique sur un mot de votre dernière lettre. «Il en a agi avec toute la politesse du monde; il faut dire : il en a usé. On ne dit point : il en a bien agi, et c'est une mauvaise façon de parler».
RACINE, Lettre à Jean-Baptiste Racine, 19 sept. 1698.

24 Hommes ou femmes, ce ne sont pas les plus bêtes qui agissent le plus bêtement.
FRANCE, Histoire comique, I.

*Besoin, volonté; façon, manière, difficulté, raison d'agir. Les raisons d'agir. La faculté d'agir.*

*Agir (de telle manière), avec, à l'égard de..., envers qqn.* → **Traiter, user** (en user avec). *Agir bien, mal, incorrectement avec qqn.*

♦ **3** Intervenir, s'employer. *Il a toujours prétendu agir au nom de l'État. Agir au nom d'un parti, d'une cause. — Je vous demande d'agir auprès des autorités en faveur* (ou *pour*) *cet homme.* → **Adresser, entremettre** (s').

25 Ils servent à l'envi la passion d'un homme
Qui n'agit que pour soi, feignant d'agir pour Rome.
CORNEILLE, Cinna, III, 1.

26 *(Un moyen)* De faire agir pour toi son crédit et le mien.
CORNEILLE, Cinna, I, 4.

27 Agissez auprès de votre frère, et servez-vous de l'amitié qui est entre vous deux pour le jeter dans nos intérêts.
MOLIÈRE, l'Avare, I, 1.

*Avoir pouvoir, procuration d'agir au nom de qqn.* → **Représenter.**

*Agir sur qqn.* → **Influencer, influer** (sur).

♦ **4** (Sujet n. de chose : abstraction, chose concrète). Produire un effet, une impression, exercer une action, une influence réelle. → **Impressionner, opérer; agent.** *Les médicaments agissent peu, mal, efficacement. La passion, le sentiment qui agit en lui. Ses convictions agissent sur son comportement. — Laisser agir qqn. Il faut laisser agir le temps, la nature,* ne pas intervenir.

28 D'où vient donc que son influence
Agit différemment sur ces deux-ci?
LA FONTAINE, Fables, VIII, 16.

29 La foi qui n'agit point, est-ce une foi sincère?
RACINE, Athalie, I, 1.

30 La foi a cela de particulier que, disparue, elle agit encore.
RENAN, Souvenirs d'enfance..., I.

31 Laissez longtemps agir la nature, avant de vous mêler d'agir à sa place, de peur de contrarier ses opérations.
ROUSSEAU, Émile, II.

32 Elle avait conscience que sa volonté n'avait pas cessé d'agir sur son destin, et que sa réussite était bien son œuvre.
MARTIN DU GARD, les Thibault, VII, 13.

33 (...) ces empoisonnements qui n'agissent qu'au bout d'un certain temps.
PROUST, À la recherche du temps perdu, t. IX, p. 252.

Absolt. Se manifester, opérer de façon efficace. *Ce médicament n'agira plus si vous en prenez trop souvent,* perdra son efficacité.

♦ **5** FAIRE AGIR : mettre en action, en activité, en mouvement, en œuvre (une personne ou une chose). → **Mouvoir, pousser.** *L'ambition le fait agir.* → **Animer, mener.** *C'est l'intérêt qui le fait agir,* qui le pousse. → **Conduire.** *Faire agir une influence, une force. Faire agir un acide sur une substance.*

Il ne veut point sur lui faire agir sa justice. 3
CORNEILLE, Polyeucte, III, 2.

**B** Dr. Prendre l'initiative de soumettre une prétention, d'attaquer quelqu'un devant un tribunal. → 1. **Ester.** *Agir en justice.* → **Demandeur.** *Agir contre qqn* (→ **Défendeur**). → **Poursuivre.**

*Agir d'office,* sans être requis, de par sa charge.

**II** Trans. Littér. Faire agir (→ Agissable, cit.). *Ce qui agit un être. «(...) nous-mêmes aujourd'hui (...) ne sommes pas au fait de ce qui agit Michaux (...)»* (*le Magazine littéraire,* p. 9, févr. 1974).

(Au passif). ÊTRE AGI (philos.) : subir une influence par laquelle le comportement que l'on a est entièrement motivé. — N. m. *L'agi,* ce qui est du domaine de l'acte.

Je traîne en moi comme un fardeau le souci d'écrire ce livre. En vérité je suis *agi.* Même si rien, absolument, ne répondait à l'idée que j'ai d'interlocuteurs (ou de lecteurs) nécessaires, l'idée seule agirait en moi. 3
Georges BATAILLE, l'Expérience intérieure, p. 82.

À l'esprit en mal de notions qui s'est d'abord nourri de telles apparences, à propos de la pierre la nature apparaîtra enfin, sous un jour peut-être trop simple, comme une montre dont le principe est fait de roues qui tournent à de très inégales vitesses, quoiqu'elles soient agies par un unique moteur. 3
Francis PONGE, le Parti pris des choses, «Le galet».

(...) je n'en veux ni à ses seins, ni à ses cuisses moelleuses, ni à aucune visible et nue partie, mais au secret du ventre, aux viscères, à ce qui la remplit, aux organes qui l'agissent (...) 3
Hélène CIXOUS, Souffles, p. 69.

**III** S'AGIR. Pron. impers. (XVI$^e$; calqué sur le lat.). IL S'AGIT DE... *(il s'est agi de...).* ♦ **1** Marquant ce qui est en question, en cause, abordé ou intéressé en l'occurrence. → **Question.** *Il s'agit dans ce livre des origines de la Révolution. C'est de vous, de votre situation qu'il s'agit dans sa lettre. De quoi s'agit-il? Il ne s'agit pas de cela :* ce n'est pas là notre propos. *Il s'est agi de cette affaire dans le Conseil* (Académie).

C'était bien de chansons qu'alors il s'agissait. 3
LA FONTAINE, Fables, VII, 9.

*Il s'agit de...* (et inf.). *Quand il s'agit de se mettre à table, il est toujours le premier.*

«Nous et l'ennemi», pense le chef militaire; «Nous et le destin du monde», pense le chef historique. Au second, le général de Gaulle devait son esprit; au premier, la plupart de ses méthodes. Sans doute eût-il volontiers repris à son compte le fameux «De quoi s'agit-il?» du maréchal Foch. 3
MALRAUX, Antimémoires, Folio, p. 157.

♦ **2** Marquant ce qui est désormais le point important, le devoir à suivre. → **Importe** (il). *Il s'agit maintenant d'être sérieux. Il ne s'agit plus de discourir, il faut agir. Il s'agira, il s'agirait de réfléchir.* — Fam. *Il s'agit que vous le retrouviez, et rapidement!,* il faut que...

Je sens bien que sans vous je ne saurais plus vivre, 3
Que mon cœur de moi-même est prêt de s'éloigner;
Mais il ne s'agit plus de vivre, il faut régner.
RACINE, Bérénice, IV, 5.

Trouver une bonne formule ne suffit pas, il s'agit de n'en plus sortir. 3
GIDE, Dostoïevsky, p. 52.

♦ **3** Loc. prép. Vx. S'AGISSANT DE... : quand il s'agit de..., puisqu'il s'agit de...

La même retenue devenait impossible à conserver, s'agissant d'accusations énormes portées contre lui. 3
SAINT-SIMON, Mémoires, *in* LITTRÉ.

♦ **4** Dr. *Dont s'agit :* dont il s'agit.

**IV** N. m. Philos. **L'AGIR :** faculté d'agir, l'exercice de cette faculté.

39 Ce qui plaît surtout au citadin dans la campagne, c'est qu'il y va ; l'agir porte le désirer.
ALAIN, Propos, 10 avr. 1923, Que le bonheur est généreux.

40 La foi est libératrice car elle n'est pas seulement un surcroît de sens, elle est (...) un surcroît d'agir.
Roger GARAUDY, Parole d'homme, p. 249.

CONTR. **Abstenir (s'). — Balancer, délibérer, hésiter...** ◊ DÉR. **Agissant, agissements.**

**ÂGISME** [aʒism] n. m. — 1985; de *âge,* par anal. avec *racisme.*

Discrimination envers toute personne âgée. «*Et si* (les vieux) *ne trouvent pas leur mot pour exprimer la discrimination dont ils sont l'objet, les pouvoirs publics leur en conseillent un : "l'âgisme"*» (*le Monde,* 6 juil. 1985, p. 7).

CONTR. **Jeunisme.**

**AGISSABLE** [aʒisabl] adj. — Attesté XX^e; de *agir* II., v. transitif.

Littér., rare. Qui peut être agi.

Tout ce qui dans la veille était apparent, était *agi* — cela est de nouveau agissable dans le sommeil.
VALÉRY, Cahiers, Pl., t. II, p. 23.

**AGISSANT, ANTE** [aʒisɑ̃, ɑ̃t] adj. — 1584; p. prés. de *agir.*

Littéraire ou style soutenu.

♦ **1** Qui agit effectivement, qui opère avec efficacité. → **Actif, effectif, manifeste.** *Cause, force agissante. Principes agissants. Réalité, vérité agissante. Foi, intelligence agissante.*

1 Actif annonce plutôt une activité intérieure, et agissant une activité qui se produit au dehors et se manifeste par des mouvements ou des résultats apparents.
LAFAYE, Dict. des synonymes, Actif.

2 Leurs conseils *(des morts)* qui sont encore vivants et agissants en nous. PASCAL, cité par LITTRÉ.

3 (...) les fruits d'une foi vive et agissante (...)
BOURDALOUE, Pensées sur l'inutilité des œuvres sans la foi.

4 Point d'autre appui pour moi dans votre cœur que de simples souhaits (...) point de secourable bonté, point d'affection agissante ? MOLIÈRE, l'Avare, IV, 1.

5 Il a vraiment l'amour passionné du peuple, une ardente et agissante pitié pour la misère, pour l'ignorance et pour le vice (...) JAURÈS, Hist. socialiste, t. V, p. 67.

6 (...) le mieux était de laisser les trônes à leurs possesseurs en s'assurant, mieux que leur neutralité, une amitié agissante ; ensuite on verrait.
Louis MADELIN, l'Ascension de Bonaparte, VII, p. 97.

*Un remède agissant,* efficace. → **Efficient, opérant.** — Vx. *Médecine agissante* (par opposition à *médecine expectante*), qui emploie des remèdes énergiques. *Des intérêts économiques très agissants,* dont l'activité se manifeste. → **Influent.**

♦ **2** (Personnes). **a** Didact. *Le sujet agissant.*

7 L'être agissant (...) agit effectivement, il produit des effets qui indiquent visiblement son activité.
LAFAYE, Dict. des synonymes, Actif.

8 Il s'est montré dans les plus grands embarras autant paisible (...) qu'agissant et infatigable.
BOSSUET, Oraison funèbre du P. Bourgoing.

9 Notre maître Simon (...) homme agissant et plein de zèle (...) MOLIÈRE, l'Avare, II, 1.

**b** Vieilli. Qui est actif, énergique. → **Allant, entreprenant.**

10 Certains soirs, dit-on, elle si gaie, si agissante, tombait à un grand accablement.
ZOLA, Lourdes, p. 277 (1894).

**c** N. m. Didact. *L'agissant :* ce qui agit. → **Agent.**

CONTR. **Inactif, inefficace, insuffisant ; faible.**

**AGISSEMENTS** [aʒismɑ̃] n. m. pl. — 1794; de *agir.*

♦ **1** Ensemble d'actions et de procédés blâmables pour parvenir à un but. *Des agissements suspects.* → **Combine** (fam.), **intrigue, machination, manège, manigance** (fam.), **manœuvre, menée, micmac** (fam.), **pratique.**

Elle *(l'Angleterre)* avait (...) encouragé les agissements de l'agence royaliste de Jersey jetant des agitateurs en Bretagne, et quoique pays protestant, favorisé, par haine du gouvernement français, les évêques qui avaient refusé de démissionner lors du Concordat.
Louis MADELIN, Hist. du Consulat et de l'Empire, t. IV, p. 281.

Dr. *Des agissements frauduleux.*

♦ **2** (Sans valeur péj.). Vx. Activités. «*Les théories et les agissements des pacificateurs*» (G. Sorel, *in* T. L. F.).

REM. On rencontre (rarement) le sing. : *un agissement.* «*Le tranquille agissement des cervelles*» (Huysmans, *À rebours*).

**AGITABLE** [aʒitabl] adj. — 1580; repris XIX^e; de *agiter.*

Qui peut être agité. Spécialt. *La question n'est pas agitable ici.*

**AGITANT, ANTE** [aʒitɑ̃, ɑ̃t] adj. — Av. 1847, Ballanche, *in* P. Larousse; de *agiter.*

♦ **1** Rare. Qui agite (l'esprit, l'âme). → **Troublant** (cour.). *Une vie agitante.* → Agité.

(...) ce que peut sans doute présenter de plus agitant la considération du devenir humain (...)
A. BRETON, l'Amour fou, V, p. 112.

♦ **2** Méd. Qui provoque un tremblement. Vx. *Paralysie agitante :* maladie de Parkinson.

**AGITATEUR, TRICE** [aʒitatœʀ, tʀis] n. et adj. — 1792, *in* D. D. L., «cocher» (1520), sens du lat. *agitator;* «représentant de l'armée parlementaire anglaise», 1687 (empr. angl. *agitator* 1647, de *to agitate* même orig. que le franç.); de *agiter.*

**I** N. ♦ **1** Personne qui crée ou entretient l'agitation politique ou sociale. → **Excitateur, factieux, meneur, séditieux, trublion** (fam.). *Des agitateurs provoquèrent des heurts avec la police. Les agitateurs royalistes de la Vendée.*

Robespierre a dit aux Jacobins, le 28 avril 1792 : «Vous n'avez sur eux d'autre avantage que d'avoir inventé le terme d'agitateur apparemment parce que l'autre (factieux) est usé». 1
BRUNOT, Hist. de la langue franç., t. IX, p. 801.

(...) les derniers agitateurs cherchaient dans ces inquiétudes un espoir de sédition. 2
Louis MADELIN, Hist. du Consulat et de l'Empire, t. IV, p. 139.

— Qu'allez-vous faire ? 3
— Essayer de servir dans les sections d'agitatrices.
MALRAUX, la Condition humaine, Pl., p. 427.

♦ **2** (1863). Techn. Instrument, dispositif servant à agiter des liquides, à brasser des mélanges. *Agitateur à ailettes. Agitateur à bras. Agitateur mélangeur. Agitateur hélicoïdal. Agitateur magnétique.* — Spécialt. Élément du semoir (agric.). — Dispositif utilisé dans la réfrigération des liquides. — En brasserie, Dispositif qui sert à dégermer le malt ; dispositif qui brasse le mélange en cuve.

Chim. Baguette de verre à bouts arrondis (servant à remuer un liquide et à d'autres usages). *Acheter des agitateurs et des éprouvettes pour un laboratoire.*

**II** Adj. Littér. Qui agite, remue, brasse. «*Le vent des Cordillères, agitateur des grandes vagues et des grandes forêts*» (Hugo, *les Travailleurs de la mer*, in T. L. F.).

Rare (des personnes). *Un homme agité et agitateur.*

REM. On trouve dans le *Journal* des Goncourt la variante *agiteur*, donnée comme populaire (un jeune homme se dit *«agiteur de bottes» :* il est chargé d'agiter des bottes pour faire croire aux clients récalcitrants d'un bordel que «les maquereaux descendent», *Journal*, nov. 1856).

**AGITATION** [aʒitasjɔ̃] n. f. — 1355; du lat. *agitatio*, de *agitare*. → Agiter.

**A** Concret. ♦ **1** État de ce qui est agité, parcouru de mouvements irréguliers en divers sens. → **Trouble, turbulence.** *L'agitation de l'air.* → **Vibration.** *L'agitation des eaux, de la mer.* → **Bouillonnement, remous, tourbillonnement.** *Les agitations de la surface.*

1 Là, le bruit des vagues et l'agitation de l'eau, fixant mes sens et chassant de mon âme toute autre agitation, la plongeaient dans une rêverie délicieuse (...)
ROUSSEAU, Rêveries..., 5e promenade.

1.1 Le quai, jamais reposé de l'agitation de la mer, était sombre et humide (...)
Henri MICHAUX, Face aux verrous, p. 240.

Rare. Mouvement (du corps). → **Mouvement, trémoussement.**

2 Une agitation de corps immodeste pour une fille.
FÉNELON, De l'éducation des filles.

Mouvement collectif de personnes, de l'entourage, de la foule, de la rue. → **Affairement, animation, grouillement, remous, remue-ménage.** *L'agitation d'une salle de rédaction de journal. Une agitation confuse, brouillonne, inefficace, stérile.* → **Affolement.** *Il y eut une grande agitation dans la salle quand l'orateur entra. Au départ du paquebot, l'agitation de la foule était à son comble.* — Par compar. *Une agitation de fourmilière, de ruche.*

3 Les habitants avaient l'agitation d'une ruche inquiétée.
HUGO, Quatre-vingt-treize, IV, I.

4 Pour faire quelque chose dans ce chien de Paris, il faut avoir l'esprit tendu à économiser les minutes; la journée se passe en agitations imbéciles.
FLAUBERT, Correspondance, t. IV, p. 267.

5 (...) cette agitation courte et violente de minuit qui secoue les boulevards à la sortie des théâtres.
MAUPASSANT, Fort comme la mort, p. 332.

6 Les mouvements déréglés, l'agitation effrénée, ne sont pas plus nécessaires au bonheur de l'enfant grandi que le chaos des sensations confuses ne l'a été au nourrisson.
MICHELET, la Femme, p. 114.

6.1 Pénétré de cette idée que la foule pense d'abord avec ses sens (...) le Théâtre de la Cruauté se propose de recourir au spectacle de masses; de rechercher dans l'agitation de masses importantes, mais jetées l'une contre l'autre et convulsées, un peu de cette poésie qui est dans les fêtes et dans les foules (...)
A. ARTAUD, le Théâtre et son double, Idées/Gallimard, p. 129.

♦ **2** Rare. Le fait d'agiter (qqch.). *L'agitation d'un mélange (par qqn). «Le bras dans l'agitation de l'éventail»* (J. Péladan, *in* T. L. F.).

♦ **3** Spécialt (phys.). *Agitation magnétique :* variations irrégulières du champ magnétique terrestre. — *Agitation brownienne* (ou *moléculaire*) : mouvement brownien*. — *Agitation thermique :* mouvement des molécules, des atomes, provoqué par la chaleur.

**B** Abstrait et concret. ♦ **1** (1640). État d'une personne en proie à des émotions et à des impulsions, qui ne peut rester immobile, calme, en repos. → **Fièvre, nervosité.** *Être dans un état d'agitation extrême, dans une grande agitation. Agitation de l'âme, des esprits.* → **Affres, anxiété, désarroi.** *Son agitation croissait avec l'attente.* → **Inquiétude, tourment.** *Se laisser aller à l'agitation. — (Une, des agitations). Les agitations de l'existence.* → **Vicissitude.**

Vous n'aviez point tantôt ces agitations; 7
Vous paraissiez plus ferme en vos intentions;
Vous ne sentiez au cœur ni remords ni reproche.
CORNEILLE, Cinna, III, 2.

Que de soucis flottants, que de confus nuages (...) 8
Mille agitations, que mes troubles produisent,
Dans mon cœur ébranlé, tour à tour détruisent.
CORNEILLE, Polyeucte, III, 1.

(...) ils croient chercher sincèrement le repos, et ne cherchent en effet que l'agitation. 9
PASCAL, Pensées, II, 138.

Le calme ou l'agitation de notre humeur ne dépend pas tant de ce qui nous arrive de plus considérable dans la vie, que d'un arrangement commode ou désagréable de petites choses qui arrivent tous les jours. 10
LA ROCHEFOUCAULD, Maximes, 488.

(...) mais tout décèle à mon cœur attentif vos agitations secrètes. 11
ROUSSEAU, Julie ou la Nouvelle Héloïse, I, III.

Il est dans la nature de toutes les âmes (...) qu'un sentiment de calme succède à une agitation violente (...) 12
BALZAC, Un épisode sous la Terreur, Pl., t. VII, p. 433.

Un peu calmé par l'air vif et froid de la nuit, Jacques Ferraud, espérant combattre son agitation intérieure par la précipitation de sa marche, s'enfonça dans les allées boueuses de son jardin. 12.1
Eugène SUE, les Mystères de Paris, III, XXV, p. 308.

À mes jours d'agitation succédaient des jours de torpeur. 13
FRANCE, la Vie en fleur, XI, 156.

(...) j'augmentais mon agitation en me prêchant un calme qui était l'acceptation de mon infortune. 14
PROUST, À la recherche du temps perdu, t. I, 1, p. 49.

Antoine, qui sentait une sourde agitation le gagner, s'embusqua dans un silence hostile. 15
MARTIN DU GARD, les Thibault, IV, XII.

Certains aiment en amour l'agitation comme ils aiment en mer la tempête. 16
A. MAUROIS, Un art de vivre, II, IV.

Psychiatrie. Manifestation extérieure, physique et motrice, d'un état d'excitation. *Conduite d'agitation. Agitation psychomotrice. Accès d'agitation associé à un épisode délirant. Agitation sénile.*

♦ **2** (1606). Mécontentement d'ordre politique et social se traduisant par des manifestations, des revendications, des troubles. → **Bouillonnement, effervescence, fermentation, fièvre, insurrection, mouvement, remous, sédition, trouble.** *Agitation populaire. Le gouvernement tente de calmer l'agitation. Faire de l'agitation.* → **Agitateur.**

Qu'est-ce donc qui les a poussés? Quelle force, quel transport (...) a causé ces agitations et ces violences? 17
BOSSUET, Oraison funèbre de Henriette-Anne d'Angleterre.

(...) car ce vide est un volcan, dont on ne saurait sans imprudence perdre de vue un moment ni les agitations souterraines, ni les prochaines éruptions. 18
Louis BARTHOU, Mirabeau, p. 241.

A la mort de Charles V, la France était bien près de retomber dans les agitations. 19
J. BAINVILLE, Hist. de France, VI, 103.

(...) l'agitation ouvrière avait été enrayée aussitôt par une intervention énergique de la police. 20
MARTIN DU GARD, les Thibault, VII, XXVIII.

La paix s'était faite à nouveau, cette indifférence générale qui succède tôt ou tard à nos agitations. 21
Edmond JALOUX, les Visiteurs, XXVIII, 219.

Spécialt. *Agitation et propagande politique* (→ Agit-prop).

CONTR. **Calme, immobilité, paix, quiétude, repos, sérénité, silence, torpeur, tranquillité.**

**AGITATO** [aʒitato] adv. et n. m. — 1791 ; mot ital. «agité».

♦ **1** Adv. (indication musicale). Avec un caractère passionné, tourmenté. (Abrév. : *ag, agit*). *Allegro agitato.*

♦ **2** N. m. Mouvement agité ; morceau composé dans ce mouvement. *Jouer un agitato.*

**AGITER** [aʒite] v. tr. — XIIIe ; du lat. *agitare,* fréquentatif de *agere* «pousser». → Agir.

♦ **1** Remuer en divers sens, en déterminant des mouvements irréguliers et assez vifs. *Agiter un mouchoir en signe d'adieu.* → **Remuer, secouer.** *Le vent agite la mer ; les flots agitent le navire.* → **Balancer, ballotter, soulever.**

1 Les vents impétueux agissent, pour ainsi dire, par caprice, ils se précipitent avec fureur et agitent la mer.
BUFFON, Histoire naturelle, 2e disc.

2 Pas un souffle de vent n'agitait les arbres, l'air était tiède et embaumé.
A. DE MUSSET, la Confession d'un enfant du siècle, III, X.

3 Le vent agitait ses cheveux rebelles.
F. MAURIAC, le Nœud de vipères, p. 85.

4 Soudain un long soubresaut agita son pauvre corps des pieds à la tête.
Alphonse DAUDET, le Petit Chose, II, V, p. 377.

Remuer pour brasser, pour mélanger un liquide. *Agiter avant de s'en servir* (indication sur un flacon, etc.).
*Agiter une épée au-dessus de sa tête.* → **Brandir.** *Il ne cessait d'agiter la tête* (→ **Branler** (vx), **dodeliner**), *les bras, les jambes* (→ **Balancer, brandiller** (vx), **gesticuler, gigoter**). *Le chien agitait sa queue.* → **Frétiller.**

4.1 «Tu ne sais pas l'heure ?» dit-il en reprenant sa position initiale, contre la colonne de fonte.
Le gamin agite la tête, plusieurs fois, de gauche à droite et de droite à gauche.
A. ROBBE-GRILLET, Dans le labyrinthe, p. 46.

Fam. *Agiter les gambettes :* remuer les jambes, d'où : danser. *Les agiter* (agiter les jambes) : s'en aller rapidement.

♦ **2** (Sujet n. de chose). Troubler (qqn, et, par ext., une communauté, une ville...) en déterminant un état d'agitation. → **Bouleverser, exciter, inquiéter, préoccuper, tourmenter, tracasser.** *La dernière scène agitait toujours les spectateurs.* → **Émouvoir.** *Cette querelle entre les deux amis l'agite beaucoup.* → **Bouleverser, remuer, retourner** (fam.), **travailler.** *Cette conversation agite son esprit.* → **Troubler.** *L'argument, irréfutable, l'agita profondément.* → **Ébranler.** *Le trouble, les sentiments violents qui l'agitaient.*

5 L'image de l'offrant lui revient, et sa fuite
Tâche à me déguiser le trouble qui l'agite.
MOLIÈRE, le Dépit amoureux, III, 5.

6 Les passions les plus violentes nous laissent quelquefois du relâche, mais la vanité nous agite toujours.
LA ROCHEFOUCAULD, Maximes, 443.

7 Le plus pressant intérêt d'une femme (...) celui qui l'agite davantage, est moins de persuader qu'elle aime, que de s'assurer si elle est aimée.
LA BRUYÈRE, les Caractères, III, 72.

8 Son image me suivit le jour, m'obséda la nuit, m'agita partout. HUGO, la Légende des siècles, XV, II.

9 Elles *(mes sensations)* me tourmentent, m'agitent sans cesse, et tout se réunit pour me déchirer l'âme.
HUGO, Littérature et Philosophie mêlées, p. 95.

10 Tout ce qui agite puissamment notre organisme nous donne une conscience intime de notre existence.
BALZAC, Physiologie du mariage, Pl., t. X, p. 882.

11 Cette lutte intérieure, qui ne laissait pas que d'agiter Paris (...)
MICHELET, Hist. de la Révolution franç., t. I, p. 830.

La terreur des conflits futurs agitait si fortement les nerfs de cette femme. Paul BOURGET, Un divorce, I. 12

Au passif. *Être agité par la passion.* → ci-dessous, cit. 25.

Encore une fois je fus agité tout entier par la curiosité douloureuse de savoir ce qu'elle avait pu faire. 13
PROUST, À la recherche du temps perdu, t. IX, II, p. 253.

♦ **3** (1797). Exciter à la révolte (une ville, une société, un groupe, etc.). *Agiter le peuple,* le pousser à la révolte, à la violence. → **Agitateur** (1.). **ameuter, soulever.**

♦ **4** (XVIIe). Fig. Examiner et débattre (une question, un problème) à plusieurs. *Nous avons largement agité la question.* → **Discuter, traiter.**

Je voudrais bien agiter à fond cette matière. 14
MOLIÈRE, le Mariage forcé, III.

On dit agiter une question, et l'on dit agiter le peuple. 14.1
Avouons de bonne foi qu'on n'a jamais mieux réussi à faire ces deux besognes à la fois que depuis la Révolution. Car agiter une question n'est pas la décider.
Cousin JACQUES, Dict. des néologismes, *in* D. D. L., II, 11.

◆ **S'AGITER** v. pron.

♦ **1** (Choses). Remuer, être remué, avec de nombreux mouvements, généralement rapides. → aussi **Frémir, frissonner, osciller, trembler, trépider.** *Une sonnette s'agitait par instants.*
*Les draps qui séchaient s'agitaient faiblement. L'étoffe s'agitait au vent avec force.* → **Flotter ; claquer.** *Les feuilles s'agitent.* → **Frémir, frissonner.** *La mer, l'eau commence à s'agiter.* → **Clapoter.**

(...) on voyait, à plus de cinq mètres de profondeur je pense, d'abondantes plantes d'eau s'agiter au-dessous d'un pont sinueux (...) 14.2
GIDE, Voyage au Congo, *in* Souvenirs, Pl., p. 748.

♦ **2** (Personnes). Se remuer, aller en tous sens. *Il ne peut tenir en place, il s'agite continuellement.* → **Démener** (se). *Arrête de t'agiter comme ça !* → **Énerver** (s'), **exciter** (s'). *Il s'agite beaucoup, mais sans résultat.* Cf. Brasser de l'air. *Le restaurant était plein, les garçons s'agitaient.* → **Affairer** (s'), **empresser** (s'). — (Animaux). *Ce cheval s'agite.* → **Ébrouer** (s'), **piaffer.**

Je m'agite, je cours, languissante, abattue (...) 15
RACINE, Bérénice, IV, 1.

(Parties du corps). *Ses bras, ses jambes s'agitaient sans cesse.*

Ses lèvres s'agitent pour former des paroles. 16
FÉNELON, Télémaque, XIV.

S'étant assis par terre, à la turque, il saisit le soulier et l'enleva ; et le pied, sorti de sa gaine de cuir, s'agita comme une petite bête remuante, surprise d'être laissée libre. 16.1
MAUPASSANT, Fort comme la mort, I, I, éd. 1889, p. 14.

♦ **3** (Personnes ; collectivités). Être troublé moralement, manifester son excitation, son instabilité. *Elle s'agitait en attendant la réponse. Le peuple s'agite.*

L'homme s'agite mais Dieu le mène. 17
FÉNELON, Sermon de l'Épiphanie... (1685).

Car toujours l'homme s'agite et Dieu le mène. 18
PROUST, À la recherche du temps perdu, t. XII, II, p. 112.

On s'agite, on lutte, on espère, quand une seule chose est précieuse. Pierre LOUŸS, Aphrodite, IV, 5. 19

♦ **4** Vieilli (sens passif). Être mis en discussion (dans un groupe). → **Débattre** (se), **discuter** (se).

Il est informé de tout ce qui s'agite dans le Conseil (...) 20
MOLIÈRE, la Comtesse d'Escarbagnas, I.

◆ **AGITÉ, ÉE** passif, p. p. adj. et nom.

♦ **1** En proie à l'agitation. *Une mer agitée.* → **Houleux.** → ci-dessous, cit. 22. — *Son sommeil est agité.* → **Inquiet.** *Cet enfant est toujours agité.* → **Instable, nerveux, remuant.** — *À le voir, on ne croirait pas qu'il a eu une vie agitée.* → **Fiévreux, mouvementé, tourmenté.** *Les esprits étaient agités, en effervescence. Elle marchait de long en large, agitée par cette discussion.* → **Anxieux, bouleversé.** — (Passif. → ci-dessous, cit. 25, et p. p.). *Agité de passions, par les passions.* → ci-dessous, cit. 21, 23, 24.

21 De mille soins divers l'alouette agitée
S'en va chercher pâture, avertit ses enfants
D'être toujours au guet et faire sentinelle.
LA FONTAINE, Fables, IV, 22.

22 La rivière devint tout d'un coup agitée.
LA FONTAINE, Fables, VI, 17.

23 L'animal se sent agité
De mouvements que le vulgaire appelle
Tristesse, joie, amour, plaisir, douleur cruelle
Ou quelque autre de ces états.
LA FONTAINE, IX, Discours à Mme de la Sablière.

24 Quand on a le cœur encore agité par les restes d'une passion, on est plus près d'en prendre une nouvelle que quand on est entièrement guéri.
LA ROCHEFOUCAULD, Maximes, 484.

25 J'ai été tellement agité, ballotté, tiraillé par les passions d'autrui (...) ROUSSEAU, Rêveries..., 10e promenade.

26 Au terme d'une vie agitée et pleine de traverses, je goûterai le repos. FRANCE, le Petit Pierre, XXII, p. 155.

27 Ces pensées le torturaient, par cette fin d'après-midi obscure de février, où, fiévreux, agité, il attendait Maud chez lui. Marcel PRÉVOST, les Demi-vierges, I, 4, 25.

♦ **2** N. Personne sujette à des mouvements trop nerveux. — Loc. argotique. *Un agité du bocal* (expression utilisée par Céline pour le titre d'un pamphlet contre Sartre).

28 J'avais, en face de moi, depuis hier soir, un de ces types impossibles qui se rongent les ongles, qui se grattent, qui remuent tout le temps, qui parlent tout haut, enfin un de ces agités que ton père n'aurait pas manqué d'apostropher (...)
G. DUHAMEL, Chronique des Pasquier, VIII, p. 214-215.

29 Un soir, au moment des questions, une sorte d'agité lui demanda d'une façon abrupte s'il connaissait la température de fusion de l'or. Il ne fallait s'étonner de rien; un député doit tout savoir.
Raymond ABELLIO, Ma dernière mémoire, t. II, p. 238.

(V. 1890). Méd. Malade mental sujet à des mouvements désordonnés et violents (→ **Agitation).** *Le pavillon des agités, dans un hôpital psychiatrique.*

CONTR. **Apaiser, calmer, pacifier, tranquilliser. — Arrêter, immobiliser. — Reposer** (se). — **Calme, impassible, pacifique, paisible, serein, tranquille.** ◈ DÉR. **Agitable, agitant, agitateur.**

**AGIT-PROP** [aʒitpʀɔp] n. f. — XXe; calque du russe lui-même du franç. *agit(ation), et prop(agande).*

Agitation et propagande politique (de nature marxiste). *«En France, le film faisait peur à ceux qui avaient peur du Front populaire et il fut longtemps interdit. Tourné en plusieurs étapes autour d'une vraie paysanne (...) il évoque, dans un esprit proche des films d'agit-prop des années 1920, les démêlés des paysans avec les propriétaires et aussi avec les fonctionnaires du Parti, ce que Staline n'appréciа guère»* (*le Nouvel Obs.*, 11 nov. 1972, p. 25).

Doucet sortait de l'école des cadres communistes de Bobigny. C'est lui que j'ai dépeint sous les traits de Renaud dans mon premier roman *Heureux les Pacifiques.* Je fis avec lui mes classes d'*agit-prop.*
Raymond ABELLIO, Ma dernière mémoire, t. II, p. 231.

**AGLASPIDES** [aglaspid] n. m. pl. — 1866, P. Larousse, du grec *aglaos* «brillant», et *-aspide.*

Zool. Ordre de Chélicérates marins, xyphosures fossiles du cambrien, ressemblant aux limules. — Au sing. *Un aglaspide.*

**AGLOBULIE** [aglɔbyli] n. f. — D. i. (XXe); de *a-* priv., et *globule.*

Didact. (physiol., pathol.). Diminution du nombre total des globules rouges. *L'hématimètre a décelé de l'aglobulie.* → **Anémie.**

**AGLOMÉRULAIRE** [aglɔmeʀylɛʀ] adj. — V. 1970; de 2. *a-, glomérule,* et suff. *-aire.*

Zool. *Reins aglomérulaires :* reins des poissons téléostéens qui n'ont pas de glomérules artériels et dont les néphrons sont réduits à un tubule.

**AGLOSSE** [aglɔs] n. m. et adj. — 1834, Landais; grec *aglôssos,* de *a-* priv., et *glôssa* «langue».

Didactique (zoologie).

♦ **1** N. m. Lépidoptère de la famille des Nocturnes, sans trompe ou à trompe rudimentaire.

Ce genre *(Aglosse)* ne renferme que deux espèces (...) L'une est l'*Aglosse de la graisse* (...) dont la chenille se nourrit principalement de beurre et de lard, et qui, d'après Linné, pénètre quelquefois dans les intestins de l'homme; l'autre est l'*Aglosse cuivrée* (...) dont Réaumur a décrit la chenille sous le nom de Fausse-Teigne des cuirs (...) 1
C. D'ORBIGNY, Dict. universel d'hist. nat., t. I, p. 198 (1841).

♦ **2** Adj. Privé de langue. — N. m. pl. Ancien sous-ordre de batraciens dépourvus de langue (constituant la famille des Pipidés).

La langue qui est absente chez les Anoures aglosses (Pipidés) ... Jean GUIBÉ, les Batraciens, p. 30. 2

CONTR. **Phanéroglosse.**

**AGLYCONE** [aglikɔn] ou **AGLUCONE** [aglykɔn] n. f. — 1953, Quillet,; all. *Aglykon,* 1925; de *a-* priv. (→ 2. *a*), *glyc(o)-,* et suff. *one.*

Chim. Composé non glucidique entrant dans la composition des glucosides*, des hétérosides*.

**AGLYPHE** [aglif] adj. et n. m. — 1865; de 2. *a-,* et *gluphê* «sillon».

Didact. (zool.). Se dit de reptiles dont les glandes venimeuses ne débouchent pas au niveau des dents. *La couleuvre, le boa, le python sont des serpents aglyphes.*

**AGMA** [agma] n. m. — 1946; mot grec, même sens.

Didact. (ling.). En grec, Nasale gutturale notée par un double gamma.

**AGNAT** [agna] n. m. — 1697; lat. *agnatus.*

Dr. rom. et anciennt. Chacun des parents unis par les liens de l'agnation. → **Agnation.** *Agnats et cognats*.*

Il est attesté par tous les jurisconsultes anciens que deux hommes ne pouvaient être agnats entre eux que si, en remontant de mâle en mâle, ils se trouvaient avoir des ancêtres communs.
FUSTEL DE COULANGES, la Cité antique, II, 5.

Héritier, successeur à la couronne par privilège de masculinité.

DÉR. **Agnatique.**

**AGNATHE** [agnat] adj. et n. — 1805; de 2. *a-,* et *-gnathe.*

Didactique.

♦ **1** Adj. Zool. Qui n'a pas de mâchoire, de mandibule.

♦ **2** N. m. (Souvent au plur.). Insecte dont les organes buccaux sont rudimentaires (terme générique).

N. m. pl. Zool. Unité systématique (considérée souvent comme une classe) de vertébrés aquatiques, primitifs, dépourvus de mâchoires (opposé à *gnasthostomes**). *Les Agnathes actuels ne comptent que des Cyclostomes** (→ **Lamproie, myxine**). *Les Ostracodermes, agnathes fossiles.*

En premier lieu apparaissent les Agnathes, organismes à allure de Poissons, mais assez différents de ceux que nous considérons communément comme tels : leur bouche ne comporte pas de mâchoires (...)
Raymond HOVASSE, Problèmes de l'évolution, *in* Encycl., Pl., Biologie, p. 1555.

**AGNATION** [agnasjɔ̃] n. f. — 1539; lat. *agnatio*, de *agnatis*. → Agnat.

Dr. rom. Parenté par les mâles, qui unit au *pater familias* et entre eux tous ceux qui sont soumis à sa puissance familiale ou y seraient soumis, si l'ancêtre mâle vivait encore. → **Cognation.**

Tandis que jadis la seule parenté légitime était celle que créait la descendance masculine ou agnatio, elle comprend maintenant (au second siècle de notre ère) la cognatio, ou parenté par les femmes, et déborde le domaine des justes noces.
J. CARCOPINO, la Vie quotidienne à Rome..., p. 97.

**AGNATIQUE** [agnatik] adj. — Av. 1735; de *agnat*.

Dr. rom. Relatif à l'agnation. *Parenté, famille, succession, lien agnatique.*

**AGNEAU** [aɲo] n. m. — XIIe, *agnel, aignel*, du bas lat. *agnellus*, dimin. de *agnus*.

♦ **1** Petit de la brebis et du bélier, notamment lorsqu'il s'agit d'un mâle. → Agnelle. *Pendant la deuxième année de sa vie, l'agneau devient* antenais (→ **Mouton**). *Des agneaux* (mâles et/ou femelles).

1 Un agneau se désaltérait
Dans le courant d'une onde pure.
LA FONTAINE, Fables, I, 10, 3.

2 Les genêts sont en fleur, l'agneau paît les prés verts (...)
HUGO, les Châtiments, VI, 5.

1 On se sert au Siam de la docilité du tigre à écouter ses instincts cruels pour l'attirer sur un agneau bêlant au-dessus d'une fosse profonde où il périra ensuite (...)
Henri MICHAUX, Face aux verrous, p. 53-54.

*Agneau pascal*, immolé par les Israélites tous les ans, à la pâque*. *Fête de l'agneau pascal* (vx) : fête de Pâques.

Par compar. *Il est doux comme un agneau, c'est un agneau :* c'est un homme d'un caractère très doux, très pacifique. *Être innocent comme l'agneau qui vient de naître.* — Par ext. *Ce chien, ce cheval est doux comme un agneau.*

3 J'oppose quelquefois, par une double image,
Le vice à la vertu, la sottise au bon sens,
Les agneaux aux loups ravissants.
LA FONTAINE, Fables, V, I, 23.

4 Et lions au combat, ils *(les chrétiens)* meurent en agneaux.
CORNEILLE, Polyeucte, IV, 6.

5 Un moment a changé ce courage inflexible.
Le lion rugissant est un agneau paisible.
RACINE, Esther, II, 8.

6 Les agneaux paissent en paix, tandis que les loups se dévorent entre eux.
FRANCE, la Rôtisserie de la reine Pédauque, p. 21.

1 À l'égard des peuples du Maghreb, on a parfois le sentiment qu'une once d'amitié vraie pèse plus lourd qu'un massacre à base de mépris. Oh ! ils ne sont pas des agneaux, eux non plus. Jusqu'où va leur cruauté et qu'elle peut être atroce, nous le savons.
F. MAURIAC, le Nouveau Bloc-notes 1958-1960, p. 26.

Relig. *L'Agneau de Dieu, l'Agneau mystique :* Jésus-Christ (en tant que victime sans tache).

(...) l'Agneau qui ôte le péché du monde, 7
BOSSUET, Oraison funèbre de Marie-Thérèse d'Autriche.

Rien n'empêche de supposer que le sorcier de la préhistoire, devant l'image d'un bison percé de flèches, a ressenti à de certains moments la même angoisse et la même ferveur que tel chrétien devant l'Agneau sacrifié. 8
M. YOURCENAR, Archives du Nord, p. 21.

♦ **2** Par ext. Chair de l'agneau. *Manger de l'agneau, de l'agneau de lait, des côtelettes, un quartier, un gigot, un baron d'agneau. De la fraise, de la cervelle, des ris d'agneau. Un navarin d'agneau.* Cuis. *Épigramme d'agneau :* blanquette de poitrine et de côtelettes. Fourrure d'agneau *(agneau des Indes, de Toscane, rasé).* → **Astrakan ; breitschwanz.** *Un manteau, des gants d'agneau.*

♦ **3** (1871, Zola). (Fig.). Loc. fam. *Mes agneaux :* mes petits amis.

Eh bien, alors, vas-y, toi, dit Phiphi à Georges. 9
— Oh ! il a la frousse ! il a la frousse ! (...)
— Mes agneaux, si vous ne voulez pas, autant le dire tout de suite. Je ne suis pas embarrassé pour trouver d'autres types qui auront plus de culot que vous.
GIDE, les Faux-monnayeurs, III, V, *in* Romans, Pl., p. 1145.

DÉR. (De *agnel*) **Agneler, agnelet, agnelin, agnelle.**

**AGNEL** [aɲɛl] n. m. — Déb. XIIe, «jeune agneau» ; anc. forme — ainsi que *aignel* — de *agneau*.

(XIIe-XVe). Didact. (numism.). Monnaie d'or ancienne à l'effigie d'un agneau, portant la formule liturgique : *Agnus Dei...*

HOM. **Agnelle.**

**AGNELAGE** [aɲ(ə)laʒ] n. m. — 1840; de *agneler*.

Didact. Naissance des agneaux, des agnelles dans un troupeau de brebis. *Époque de l'agnelage.* — Mise bas, parturition de la brebis. *L'agnelage s'est opéré sans difficulté.* — REM. On trouvait aussi la forme *agnèlement* (1842, Académie, *Complément*).

**AGNÈLEMENT** [aɲɛlmɑ̃] n. m. → **Agnelage.**

**AGNELER** [aɲ(ə)le] v. intr. [CONJUG.: *geler*.] — XIIe, Marie de France ; de *agnel*, forme ancienne de *agneau**.

Didact. Mettre bas, en parlant de la brebis. *«Cette brebis agnèlera bientôt, elle agnèle»* (Académie, 1932).

DÉR. **Agnelage.**

**AGNELET** [aɲ(ə)lɛ] n. m. — 1177; de *agnel*, anc. forme de *agneau**.

♦ **1** Vx ou littér. Petit agneau.

Thibaut l'agnelet passera 1
Sans qu'à la broche je le mette (...)
LA FONTAINE, Fables, X, 5.

♦ **2** (1356). Vx. Monnaie qui valait la moitié d'un agnel*.

(Hypocoristique). Agnel, agneau.

Oh ! petits agnels, soupirait le bon vieillard, oh ! mes chers agnelets. 2
FRANCE, les Contes de Jacques Tournebroche, p. 42.

**AGNELIN, INE** [aɲ(ə)lɛ̃, in] n. m. et adj. — XIIIe; av. 1200, *piax* (peaux) *d'aingnelins;* de *agnel,* anc. forme de *agneau.*

♦ **1** N. m. Techn. *Agnelin :* peau d'agneau mégissée avec sa laine.

♦ **2** Adj. Rare. *Agnelin, -ine :* d'agneau. *Laine agneline.* → **Agneline.** *Cuir agnelin.*

DÉR. **Agneline.**

**AGNELINE** [aɲ(ə)lin] n. f. — XIIIe; de *agnelin.*

Techn. Laine d'un agneau tondu pour la première fois.

Nuit extraordinaire passée au creux de cette laine plus tendre, mais non moins musquée que de l'agneline brute ! Bien entendu, je n'ai pas dormi une seconde. L'odeur de suint d'enfants m'est vite montée à la tête, et m'a jeté dans une ébriété heureuse.

M. TOURNIER, le Roi des Aulnes, p. 346.

**AGNELLE** [aɲɛl] n. f. — Datation : → Agneau; fém. de *agnel,* anc. forme de *agneau.*

Agneau femelle. → Brebis, cit. 2. — Par compar. *Elle est douce comme une agnelle.* — Par métaphore, fig. *C'est une agnelle sans défense.*

**AGNÈS** [aɲɛs] n. f. — 1740, l'attestation de Mme de Sévigné est douteuse; de *Agnès,* nom d'un personnage de *l'École des Femmes* de Molière (1662).

Vx. Jeune fille innocente et ingénue. *C'est une Agnès.*

Mon Agnès fut ravie d'être de cette partie (...) Elle a dix-neuf ans, mon Agnès, et n'est pas si simple que je pensais.

Mme DE SÉVIGNÉ, 813, 25 mai 1680.

REM. Si, comme l'indique M. Gérard-Gailly, éditeur des *Lettres,* il s'agit du nom d'une servante de Mme de Sévigné à Nantes, le sens figuré est à ramener à 1740 (Académie); mais il est possible que Mme de Sévigné ait pensé au personnage moliéresque.

**AGNOSIE** [agnozi] n. f. — 1915; empr. all. (1891); «ignorance», 1838; du grec *agnôsia* «ignorance».

Psychol., psychiatrie. Trouble qui empêche de reconnaître les objets, sans altération apparente des sensations. → Apraxie, cit. *Agnosies visuelles, auditives, tactiles.* → **Acalculie, alexie, amusie, asomatognosie, asymbolie, surdité** (psychique, tonale, verbale).

Certains malades sont incapables de reconnaître par le toucher seul la forme et la nature des objets. Cette impuissance a été excellemment décrite par Freud sous le nom d'agnosie, par Wernicke et Meynert qui la baptisèrent asymbolie.

P. VOIVENEL, *in* Mercure de France, nº 417, 1er sept. 1915 (*in* D. D. L., II, 12).

DÉR. **Agnosique.**

**AGNOSIQUE** [agnozik] adj. — XXe (1937, *in* T. L. F.); de *agnosie.*

Méd. De l'agnosie. — Adj. et n. Atteint d'agnosie. *Un agnosique.*

**AGNOSTÉROL** [agnosteʀɔl] n. m. — Av. 1973; du lat. *agnus* «agneau, mouton», et *stérol.*

Chim. Stérol présent dans la graisse de la laine (suint) et qui, contrairement aux autres zoostérols, possède trente atomes de carbone.

**AGNOSTICISME** [agnɔstisism] n. m. — 1884; angl. *agnosticism,* dér. de *agnostic.* → Agnostique.

Didact. Doctrine qui considère que l'absolu est inaccessible à notre connaissance, ou écarte les spéculations métaphysiques comme inutiles. → **Positivisme.**

Mon surplus de science sur la vie (sur la vie moins unie, 1
moins simple que je ne l'avais cru d'abord) aboutissait provisoirement à l'agnosticisme.

PROUST, À la recherche du temps perdu, t. VII, p. 229.

«Le sens métaphysique, a-t-il avoué un jour, est chez moi 2
comme aboli.» Et ce n'était pas assez dire. Un petit nombre de ceux qui lui ressemblent ont su s'arracher aux douceurs d'un spiritualisme nuancé pour atteindre aux rivages plus amers de l'agnosticisme.

BERNANOS, l'Imposture, *in* Œ. roman., Pl., p. 443.

(...) il fallait, naturellement, que l'on en vienne à évoquer 3
Dieu, non pas même irrespectueusement : avec une familiarité gênante, sur un ton de désinvolture encore moins plaisant lorsque, en réponse à l'agnosticisme honnêtement déclaré de Roland, une Mrs Osborn ou un Gilles Bellecroix, font comme en se jouant leurs professions de foi.

Claude MAURIAC, le Dîner en ville, p. 271.

REM. Le terme est souvent employé, par ext., comme synonyme de *relativisme, scepticisme, libre-pensée.*

**AGNOSTIQUE** [agnɔstik] adj. et n. — 1884; angl. *agnostic* (1869), tiré par Thomas Henry Huxley du grec *agnôstos* «inconnu, inconnaissable».

Didactique.

♦ **1** Relatif à l'agnosticisme. *Les doctrines agnostiques. Gyp définissait l'*Action française *comme «un catholicisme agnostique».*

♦ **2** Adj. et n. Qui professe l'agnosticisme, le scepticisme par impossibilité ou refus de croire sans possibilité de vérification. *Il est agnostique, mais non pas athée*. Un spiritualiste agnostique.*

Il était agnostique, comme on dit dans le monde pour ne pas employer le terme odieux de libre penseur.

FRANCE, la Révolte des anges, *in* T. L. F.

N. (1909). *Les croyants et les agnostiques. Les agnostiques et les athées. Une agnostique. Georges Duhamel se disait un «agnostique chrétien».*

**AGNUS-CASTUS** [agnyskastys] n. m. — 1456; lat. des naturalistes; du lat. *agnos,* mot grec désignant l'arbuste, et lat. *castus* «chaste», traduit du grec *hagnos* «chaste», confondu avec *agnos.*

Plante méditerranéenne *(Vitex agnus-castus),* du genre vitex *(Verbénacées),* appelée aussi *gattilier, agneau-chaste, petit poivre, poivre sauvage, poivre des moines, arbre au poivre* ou *faux-poivrier. L'agnus-castus passait chez les Anciens pour anaphrodisiaque et ses fleurs étaient l'emblème de la chasteté.*

**AGNUS DEI** [agnysdei] ou **AGNUS** [agnys] n. m. — 1360; mots lat. «agneau de Dieu».

♦ **1** (Le plus souvent *agnus*). Médaille portant l'Agneau mystique, bénite par le pape. — Par ext. Petite image de piété.

♦ **2** (1732; le plus souvent *agnus dei*). Prière de la messe (*Agnus Dei, qui tollis peccata mundi, miserere nobis* «Agneau de Dieu, qui effaces les péchés du monde, aie pitié de nous») commençant par ces mots répétés trois fois, après le mélange des saintes espèces. — Moment où l'officiant récite cette prière. *Pendant l'agnus dei.*

**-AGOGIE** → **-agogue.**

**AGOGIQUE** [agɔʒik] adj. et n. f. — 1897, d'Indy; all. *Agogik* (1884, Hugo Riemann), du grec *agogê*, déjà empr. en franç. : *agogé*, n. f., 1838.

Mus. Qui modifie le tempo de manière transitoire. *Un rallentendo agogique.* — N. f. *L'agogique :* les modifications passagères du mouvement (accélérations, ralentissements, interruptions).

**-AGOGUE, -AGOGIE** Éléments savants, du grec *-agôgos, -agôgia,* rad. *agôgê* «action de transporter, de conduire», correspondant à l'idée de «conduire vers», et, par ext., d'«initier», et entrant dans des comp. tirés du grec ou formés en français. → **Anagogie, andragogie, démagogie, démagogue, mystagogie, mystagogue, pédagogie, pédagogue, synagogue.**

En méd., *-agogue* exprime l'idée d'«action régularisatrice» (ex. : *cholagogue, emménagogue, sialagogue...*).

**AGONAL, ALE, AUX** [agɔnal, o] adj. et **AGONALES** [agɔnal] n. f. pl. — 1509; du bas lat. *agonalis* «relatif aux jeux de compétition», du rad. grec *agon.* Didactique.

♦ **1** Adj. Hist. Relatif aux jeux publics de l'Antiquité. — (Mil. XX^e). Psychol. Qui concerne certains jeux de compétition.

(...) une forme de duel et de guerre, forme agonale qui n'est jamais celle d'une violence ou d'un rapport de forces, mais celle d'un jeu guerrier.
J. BAUDRILLARD, De la séduction, p. 154.

♦ **2** N. f. pl. (1701). Antiq. Fêtes que célébraient les Romains en l'honneur de Janus (janvier), Mars (mars), Vejovis (mai) et des divinités infernales (décembre).

1. **AGONE** [agɔn] n. m. — 1751, *agon;* du lat. *agona,* du grec *agon* «assemblée», et, par ext., «lutte, jeux publics». Antiq. Fêtes romaines qui comprenaient des luttes athlétiques et des concours artistiques. *Agone actiaque,* pour commémorer la bataille d'Actium.
HOM. 2. **Agone.**

2. **AGONE** [agɔn] n. m. — 1834; p.-ê. de 1. *agone* à cause de sa cuirasse, ou de *a-,* et *gonia* «sans ongles». Zool. Insecte coléoptère *(Carabidés),* carnassier, qui vit sous les pierres ou près des eaux.
HOM. 1. **Agone.**

**AGONIE** [agɔni] n. f. — 1546, Rabelais; *aigoine* «angoisse», XII^e; du lat. ecclés. *agonia* «angoisse»; du grec *agônia* «lutte, angoisse».

♦ **1** Vx ou littér. Angoisse, très grande souffrance morale. → **Crainte, détresse, tourment.**

1 Qui a appris aux évangélistes les qualités d'une âme parfaitement héroïque, pour la peindre si parfaitement en Jésus-Christ? Pourquoi le font-ils faible dans son agonie? (...) Ils le font donc capable de crainte, avant que la nécessité de mourir soit arrivée, et ensuite tout fort.
PASCAL, Pensées, XII, 800.

2 C'était la détresse d'une agonie morale, arrivée à un période aigu, et qui, soudain, se résolut dans une détermination violente. Paul BOURGET, Un divorce, I, 3.

1 Me faire des compliments et s'attendre ensuite que je me lève pour remercier est pour moi une très grande épreuve, une sorte d'agonie si l'on donne à ce mot d'agonie son sens original, qui est celui d'une lutte.
J. GREEN, Journal, Ce qui reste de jour, 30 juil. 1970.

♦ **2** Dernière lutte (d'un être vivant) contre la mort. → **Mort** (article de la, portes de la), **extrémité** (dernière), **fin.** — Loc. (Vx). *L'agonie de la mort.* — Mod. *Être à l'agonie, entrer en agonie. Râles, souffrances, sueurs, convulsions, hoquets de l'agonie. Une agonie douloureuse, interminable. Une lente, longue agonie. La cloche sonna l'agonie.* → **Glas.** → Psalmodier, cit. 1. — (Méd.). *L'agonie est caractérisée par un affaiblissement de la circulation et une irrigation cérébrale insuffisante.*

(...) ceux qu'on voit défaillants de faiblesse en l'agonie de la mort (...) MONTAIGNE, Essais, II, 6. 3

Bientôt après, elle entra dans l'agonie. 4
RACINE, Port-Royal, II.

Je voudrais (...) que vous fussiez abandonné de tous les médecins, désespéré, à l'agonie. 5
MOLIÈRE, le Médecin malgré lui, III, 10.

Un glas de cloche ressemble à un râle d'homme. Annonce d'agonie. HUGO, l'Homme qui rit, II, VI, IV. 6

Toute la vie est un secret, une sorte de parenthèse énigmatique entre la naissance et l'agonie, entre l'œil qui s'ouvre et l'œil qui se ferme. HUGO, Shakespeare, p. 29. 7

(...) sa chère main toute moite des sueurs de l'agonie. 8
Alphonse DAUDET, le Petit Chose, II, XV, 377.

Durée de cet état. *Une brève, une longue agonie.* Par ext., littér. (en particulier, domaine de la passion). *Une agonie de plaisir, de volupté.*

La volupté singe la mort; cette fausse agonie, ce faux dernier hoquet, ces corps étendus, immobiles et comme frappés de plaisir. 9
F. MAURIAC, Souffrances et Bonheur du chrétien, p. 100.

♦ **3** (V. 1780, *in* Wartburg). Fig. et littér. Déclin précédant la fin. → **Décadence, déclin.** *L'agonie d'un État, d'une entreprise.* → **Chute, fin.** *L'agonie du jour.* → **Crépuscule.**

Rien ne demeure plus des jours (...) qu'empourpraient les agonies solaires de l'automne. 10
Francis JAMMES, le Roman du lièvre, p. 127.

DÉR. **Agonique.**

1. **AGONIQUE** [agɔnik] adj. et n. — 1878; de *agonie.* Didact., rare. Qui est relatif à l'agonie. *Les manifestations agoniques. «Pour ces trois malades arrivés à la période presque agonique, il y eut trois guérisons» (Journal de médecine et de chirurgie pratiques,* p. 63, XLIX, 1878).

N. Personne à l'agonie. *Un, une agonique.* → **Agonisant** (cour.).
HOM. 2. **Agonique.**

2. **AGONIQUE** [agɔnik] adj. — Mil. XX^e; de 2. *a-,* grec *gônia* «angle», et suff. *-ique.*
Didact. Se dit des lignes de la surface terrestre joignant les pôles géographiques aux pôles magnétiques et le long desquelles la déclinaison est nulle.
HOM. 1. **Agonique.**

**AGONIR** [agɔniʀ] v. tr. — Conjug. (théorique) *finir.* — 1754, *in* D. D. L.; altér. probable, d'après *agonie,* de l'anc. franç. *ahon(n)ir,* XII^e, «déshonorer, insulter» (→ Honnir), croisé avec *agoniser* par le sens 2.

♦ **1** Rare. Injurier, insulter. *Il s'est fait agonir.*

Puis il s'amusa de la soudaine apparition d'une petite silhouette qui courait à travers les genévriers en agonisant les vaches. 1
Claude MICHELET, Des grives aux loups, p. 333.

♦ **2** Cour. Accabler. *Agonir qqn d'injures.* — Inus. *Il l'agonissait d'injures, de reproches, de sottises.*

— Qu'est-ce que vous lui aviez donc dit? demanda la vieille, toute frétillante, enchantée d'apprendre que les deux femmes s'étaient disputées. 2
— Moi! mais rien du tout! pas ça, tenez! (...) J'étais entrée très poliment la prévenir que je prendrais du boudin demain soir, et alors elle m'a agonie de sottises (...)
ZOLA, le Ventre de Paris, t. I, p. 119.

REM. On trouve souvent une confusion entre *agonir* et *agoniser (il l'agonisait d'injures).* → 2. Agoniser. Certains auteurs jouent sur la confusion possible entre les deux verbes pour représenter la langue parlée. — Du fait des hésitations sur la conjugaison, *agonir* est en réalité un défectif, employé au présent de l'indicatif, aux temps composés et à l'infinitif, parfois au futur et au conditionnel, presque jamais à l'imparfait.

**AGONISANT, ANTE** [agɔnizɑ̃, ɑ̃t] adj. et n. — 1587; de *agoniser.*

♦ **1** Adj. Qui est à l'agonie. *Je l'ai trouvée agonisante.* (XIXe, J. de Maistre, *in* P. Larousse). Fig. Qui s'éteint, qui approche de sa fin. *La lumière agonisante. Une civilisation agonisante.* → **Mourant.**

1 Un de ces jets de clarté qu'exhalent par instants les foyers agonisants et qu'on pourrait appeler des sanglots de lumière, jaillit de la torche et illumina toute la salle.
HUGO, Quatre-vingt-treize, III, IV, XIV.

♦ **2** N. (1680). Personne qui est à l'agonie. *Le prêtre administra l'extrême-onction à l'agonisant.* → **Moribond, mourant.** *Dire les prières des agonisants.*

2 (...) ses pauvres mains se traînaient sur les draps, avec ce geste hideux et doux des agonisants qui semblent vouloir déjà se recouvrir du suaire.
FLAUBERT, Mme Bovary, III, VIII.

3 D'une voix retentissante, le prêtre commence la prière des agonisants.
Alphonse DAUDET, Lettres de mon moulin, «L'agonie de la Sémillante».

4 — Moi aussi, j'ai été de corvée d'agonie, dit l'Espagnol. Il n'y a pas grand-chose à dire à un agonisant. Vous avez vos paroles, padre, mais les miens n'auraient plus voulu les entendre.
MALRAUX, Antimémoires, Folio, p. 632.

1. **AGONISER** [agɔnize] v. intr. — Fin XVIe; «combattre», XIVe; du lat. ecclés. *agonizare,* du grec *agônizesthai* «lutter, faire effort».

♦ **1** Être à l'agonie. *Le malade agonise.* → **Éteindre** (s'), **passer.** *Le malade avait perdu conscience, il agonisait. Il agonise, il va bientôt expirer, mourir.*

1 La justification de la guerre peut prendre la forme d'une haute pensée; mais devant un soldat qui agonise sous vos yeux, elle s'écroule.
MONTHERLANT, la Relève du matin, p. 11.

1.1 Cependant sa grand'mère, qui croupissait dans la chambre du fond, vieillit tellement qu'elle en agonisa. Cela dura deux jours, car elle avait l'âme chevillée au corps, comme disait le père Tuquedenne. De temps en temps, Vincent allait voir comment cela se passait : la vieille continuait à râler et à tirer sur ses draps.
R. QUENEAU, les Derniers Jours, p. 114.

♦ **2** (1701). Fig. et littér. Décliner, toucher à sa fin. → **Effondrer** (s'). *Des illusions qui agonisent.* — Plus cour. *Parti, groupe, pays... en train d'agoniser.*

2 L'art n'a plus que la peau sur les os. Il agonise misérablement. HUGO, Notre-Dame de Paris, V, II.

3 Depuis longtemps déjà l'Empire romain agonisait. En mourant il laissait une confusion épouvantable.
J. BAINVILLE, Hist. de France, I, 19.

Concret. Par métaphore :

4 Le feu agonisait dans le foyer, sous la cendre noire des lettres; deux bougies s'éteignirent; un meuble craqua.
MAUPASSANT, Fort comme la mort, éd. 1889, p. 352.

CONTR. **Naître, renaître.** ◊ DÉR. **Agonisant.** — HOM. **2. Agoniser.**

2. **AGONISER** [agɔnize] v. tr. — Mil. XVIIIe, Vadé; réfection de *agonir;* cf. *agoniser sa goule* «fermer sa gueule, se taire» en 1757 (Brunot).

Fam. (et condamné par la norme). Agonir. — REM. Non seulement le verbe s'entend et se lit chez des auteurs reflétant la langue parlée, mais on le trouve chez des écrivains sans caractère «populaire».

Elle est piétée dans une pose de défi, agonisant d'injures officiers et soldats. 1
Ed. et J. DE GONCOURT, Journal, mai 1871.

Elle est culottée, celle-là, dit Turandot. La vlà qui m'agonise maintenant. 2
R. QUENEAU, Zazie dans le métro, Folio, p. 177.

HOM. 1. **Agoniser.**

**AGONISTE** [agɔnist] adj. et n. m. — 1764; du lat. ecclés. *agonista* «qui combat dans les jeux».

♦ **1** N. m. Antiq. Gymnaste grec. — Didact. *Samson agoniste.*

♦ **2** Adj. et n. m. Physiol. *Muscle agoniste,* qui concourt à l'exécution d'un mouvement (opposé à *antagoniste*). → **Congénère.** — N. m. *Un agoniste.*

♦ **3** N. m. Substance dont l'interaction avec un récepteur engendre un stimulus qui produit un effet dans un sens déterminé. *«Ces agonistes s'avèrent des bloqueurs extrêmement puissants de la fonction testiculaire...»* (*le Monde,* 11 août 1982, p. 10). — Adj. Produit par un agoniste.

**AGONISTIQUE** [agɔnistik] n. f. et adj. — 1732; du lat. ecclés. *agonisticus* «qui lutte»; du grec *agônistikos, agônistikê* «combat», de *agon.*

Didactique.

♦ **1** Antiq. grecque. Partie de la gymnastique qui préparait les athlètes au combat.

Adj. Relatif à l'agonistique, à l'art du combat. *Des jeux agonistiques.*

La relation agonistique entre pairs ne remet jamais en cause le statut réciproque privilégié des partenaires. Et ceux-ci peuvent bien arriver à une transaction nulle, tous les enjeux peuvent s'abolir, l'essentiel est de préserver l'enchantement réciproque, et l'arbitraire de la Règle qui le fonde. J. BAUDRILLARD, De la séduction, p. 186-187.

♦ **2** Adj. (Philos.). Qui concerne la lutte, en particulier la lutte pour la vie.

**AGONOTHÈTE** [agɔnɔtɛt] n. m. — 1751; du grec *agônothetês.*

Antiq. grecque. Président des jeux publics.

**AGORA** [agɔʀa] n. f. — 1831; mot grec.

♦ **1** Antiq. grecque. Grande place publique, analogue au *forum* des Romains, avec boutiques, tribunaux, etc., et où siégeait l'assemblée du peuple.

♦ **2** (V. 1975). Espace aménagé pour la circulation piétonnière, comportant des services administratifs (préfecture, tribunaux, etc.) et des boutiques, dans un ensemble urbain moderne. → **Forum, parvis.** — REM. Dans ce sens, le mot a d'abord été employé à propos de la ville nouvelle d'Évry, dans la région parisienne. Il reste d'un emploi rare comme nom commun.

**AGORANOME** [agɔʀanɔm] n. m. — 1611; grec *agoranomos,* de *agora* (→ Agora), et *nomos.*

Didact. Magistrat chargé de l'organisation et de la police des marchés, dans la Grèce antique.

**AGORAPHOBE** [agɔʀafɔb] adj. et n. — 1896, Ribot; de *agoraphobie.*

Didact. Qui est atteint d'agoraphobie. (On trouve aussi *agoraphobique*). — N. *Un, une agoraphobe.*

Évidemment, il était agoraphobe (...) il aimerait une voiture, à la condition (...) qu'on en pût fermer les fenêtres; mieux, qu'il n'y eût pas de vitres du tout (...)
Christiane ROCHEFORT, le Repos du guerrier, I, IV, p. 93.

**AGORAPHOBIE** [agɔʀafɔbi] n. f. — 1865; du grec *agora* «place», et *-phobie**.

Didact. (psychiatrie). Appréhension, accompagnée d'angoisse et de vertige, devant certains espaces à traverser (places, rues, ponts...).

La forme évoquée et la présence réelle et tutélaire aideront l'artiste intimidé à franchir sans agoraphobie l'espace creusé d'abîmes qui va de l'antichambre au petit salon.
PROUST, À la recherche du temps perdu, t. X, p. 58.

**DÉR.** Agoraphobe.

**AGOUANT, ANTE** [agwɑ̃, ɑ̃t] adj. — Attesté fin XIXe; mais très antérieur; p. prés. du v. *agouer*, du rad. *goba* «gorge», au sens de «tousser, s'étrangler». Cf. *S'agouer* «se dégoûter» (XVIe).

Régional.

♦ **1** Insupportable, énervant (Genevoix, *in* T. L. F.).

♦ **2** (1900, Colette). *Femme agouante*, qui inspire le désir, qui «agace».

**AGOUTI** [aguti] n. m. — 1758; *agoutin*, 1556; var. *acouti, acouty*, XVIIe; du guarani, langue du Brésil, *acouti*.

♦ **1** Zool. Petit mammifère rongeur des Antilles et de l'Amérique du Sud *(Dasyproctidés)* qui ressemble au lièvre.

Des citoyens de l'Union ne pouvaient hésiter à donner à ces rongeurs le nom qui leur convenait. C'étaient des «maras», sorte d'agoutis, un peu plus grands que leurs congénères des contrées tropicales, véritables lapins d'Amérique, aux longues oreilles, aux mâchoires armées sur chaque côté de cinq molaires, ce qui les distingue précisément des agoutis. J. VERNE, l'Île mystérieuse, t. I, p. 156.

♦ **2** (Franç. d'Afrique). Rongeur à la chair comestible, appelé scientifiquement *aulacode*.

**AGOYATE** [agɔjat] n. m. — 1854, E. About, *in* T. L. F.; grec mod. *agogiatis (agoyatis)* «guide», de *agogê* «conduire». → -agogue, -agogie.

(Au XIXe). Vx. En Grèce, Guide conduisant des voyageurs (cf. Barrès, *le Voyage de Sparte*).

**AGPAÏTE** [agpait] n. f. — Mil. XXe; de *Agpa*, localité du Sud du Groenland, et suff. *-ite*, probablt par l'angl. *agpaite* (*in* Webster, 1934).

Minéralogie. Roche contenant des minéraux très alcalins (coefficient d'*agpaïcité*, n. f.), et où les minéraux ferromagnésiens se sont cristallisés après les feldspaths.

**AGRAFAGE** [agʀafaʒ] n. m. — 1853, La Châtre; de *agrafer*.

♦ **1** Action d'agrafer, de poser des agrafes. *L'agrafage des bouchons de champagne.*

♦ **2** Chir. Ostéosynthèse à l'aide d'agrafes.

♦ **3** Assemblage par agrafes. *Atelier d'agrafage dans une fabrique d'emballages.*

Techn. Assemblage de pièces métalliques à l'aide de replis façonnés sur les bords.

**AGRAFE** [agʀaf] n. f. — 1421; de *a*, et anc. franç. *grap(p)e, gruf(f)e*, du germanique **krappa* «crochet».

**I** ♦ **1** Attache formée d'un crochet qui passe dans une boucle, un anneau appelé *porte* et qui sert à joindre les bords d'un vêtement, fixer un bijou, fermer une ceinture, retenir un manteau... *La chlamyde des Grecs était retenue par une agrafe sur l'épaule droite.* Bijou servant d'agrafe. *Une agrafe de diamants*, enrichie de diamants. → **Attache, broche, fermail, fermoir, fibule.**

Et dépouillant soudain la pourpre tyrienne 1
Que tient sur son épaule une agrafe d'argent,
Il l'attache lui-même à l'auguste indigent.
André CHÉNIER, le Mendiant, *in* Œ. poétiques, t. I, p. 13.

(...) les deux agrafes de sa tunique, soulevaient un peu ses 2
seins, les rapprochaient l'un de l'autre (...)
FLAUBERT, Salammbô, XI, 220.

*L'agrafe d'un stylo.*

♦ **2** Cour. Fil ou lamelle métallique recourbés servant à assembler des emballages, des papiers. *Agrafes de bureau* (→ **Trombone**). *Agrafes posées à l'aide d'une agrafeuse.*

♦ **3** Chir. Petit crochet ou petite lame en métal recourbée aux deux bouts, servant à fermer une plaie ou une incision, ou destiné à réunir deux parties d'un os fracturé. *Pince à agrafe. On lui a posé deux agrafes. Enlever des agrafes. — Agrafes de Dujarier, de Michel.*

**II** (1701). ♦ **1** Archit. Crampon de fer reliant des pierres, les assises d'un mur, les claveaux d'un arc, pour empêcher qu'ils ne se désunissent. *Agrafes coudées, agrafes en queue d'aronde*.*

Techn. Pièce métallique qui retient, assujettit. → **Tirant.** *Agrafes montées à l'extrémité d'une traverse de rails.*

Spécialt. Dispositif en fil de fer fixant le bouchon d'une bouteille de boisson gazeuse. *Agrafe d'une bouteille de champagne.* → **Muselet.**

♦ **2** Ornement sculpté, en forme de console ou de mascaron, qui semble unir la clef d'un arc aux moulures de l'archivolte.

Techn. Bande fixée à un volet et servant à le maintenir contre la croisée.

♦ **3** (Dans des syntagmes). Le fait de retenir, d'agrafer. *Bande d'agrafe. Patte d'agrafe* (maintenant les feuilles de zinc d'un toit sur les voliges).

**AGRAFER** [agʀafe] v. tr. — 1546; de *a-*, et anc. franç. *grafer* «accrocher» (→ Agrafe), ou du moy. franç. *agraper*, de *grape* (→ Grappin).

**I** (Compl. n. de chose). ♦ **1** Attacher avec une agrafe. *Agrafer un vêtement, une robe. Elle n'arrive pas à agrafer son soutien-gorge.* → **Accrocher.** *Agrafer un collier, une chaînette. — Agrafer un bijou à un chemisier, sur un chemisier.*

Fam. (langue parlée). *Agrafez-moi* (pour *agrafez mon vêtement*). Pron. (Sens passif). *Cette chaîne s'agrafe à un crochet*, est agrafée. *Bijou qui s'agrafe au corsage.*

♦ **2** (Le sujet désigne la pièce qui attache). *La pièce qui agrafe une extrémité du fil de perle à l'autre.*

Techn. *Pattes métalliques qui agrafent deux éléments, un élément à un autre. Cet élément est rivé, soudé, celui-ci est agrafé.*

Les plafonds en lattis sont simplement agrafés aux char- 1
pentes (...) Paul MORAND, New York, p. 37.

**II** (1833). Fam. (Compl. n. de personne). Prendre au collet, arrêter. *Il s'est fait agrafer par les flics.* → **Épingler.**

2 Ils se jettent dans le tas comme des fardeaux, et c'est des colosses et ça rebondit... Ils agrafent les plus truculents, les mieux hurleurs, les plus chlass... Ils les basculent dans le fourgon, complètement retournés...
CÉLINE, Mort à crédit, p. 252.

Fam. *Agrafer quelqu'un,* le retenir pour lui parler. → **Accoster.**

3 À quoi que l'caporal pense de nous faire claquer du bec ? Le v'là. J'vais l'agrafer. Eh ! caporal, à quoi qu'tu penses d'pas nous faire croûter ?
H. BARBUSSE, le Feu, t. II, II, XX.

◆ **AGRAFÉ, ÉE** p. p. adj. Fermé, assujetti par une, par des agrafes. *Cape agrafée. — Feuilles de métal agrafées, rivées ou soudées. Emballage de carton agrafé,* assemblé par agrafage.

CONTR. **Dégrafer.** ◇ DÉR. **Agrafage, agrafeur, agrafure.**

**AGRAFEUR, EUSE** [agʀafœʀ, øz] n. — 1909, n. m. ; de *agrafer.*

♦ **1** N. Spécialt. Ouvrier, ouvrière qui agrafe, qui fixe des agrafes. *Agrafeur de bouteilles. — Agrafeur sur métaux. Emballeur-agrafeur.*

♦ **2** N. f. (1912). Machine pour poser les agrafes (sur les bouteilles de boissons gazeuses et les emballages, en particulier). *L'atelier des agrafeuses.* — Petit instrument actionné à la main, utilisé pour agrafer des feuilles de papier. *Agrafeuse de bureau. Mettre, remettre des agrafes dans une agrafeuse.*

**AGRAFURE** [agʀafyʀ] n. f. — 1928, techn. ; de *agrafer.*

Techn. Assemblage obtenu par des agrafes (II.). — Couverture en zinc à agrafes. — Assemblage des pièces métalliques par agrafage* (3.).

**AGRAINAGE** [agʀɛnaʒ] n. m. — 1914 ; de *agrainer.*

Agric. Action d'agrainer (des animaux). *L'agrainage des faisans.*

1 L'endroit était secret, sauvage, loin des allées, des sentiers d'agrainage.
M. GENEVOIX, Raboliot, p. 237.

2 (...) les lourdes dépenses de la garde, de l'élevage, de l'agrainage, des cultures de chasse.
Paul VIALAR, les Invités de la chasse, p. 5.

**AGRAINER** [agʀene] v. tr. — XIVᵉ ; « rapporter, produire », v. 1220 ; de 1. *a-, graine,* et suff. verbal.

Agric. Nourrir de graines (les animaux). *Agrainer des chevaux.*

(1834). Spécialt. Attirer (le gibier) en répandant des graines. *Agrainer de blé les faisans.* — Au p. p. *Faisans agrainés de millet.*

DÉR. **Agrainage.**

**AGRAIRE** [agʀɛʀ] adj. — 1355 ; du lat. *agrarius,* de *ager, agri* « champ ».

♦ **1** Qui a pour objet le partage, la propriété des terres. Hist. *Loi agraire :* dans l'Antiquité romaine, Loi qui organisait le partage des terres du domaine public, et, par ext., loi ayant pour objet la redistribution des terres ou leur mode d'acquisition. — *Réforme agraire :* nouvelle répartition des terres avec dépossession des grands propriétaires (en pays socialistes, décolonisés, etc.). — *Droit agraire,* qui régit la propriété agricole. *Socialisme agraire.*

Le mot de socialisme agraire est encore un de ces termes qui ont servi à désigner des systèmes très différents, et dont certains n'ont rien de proprement socialiste (...) : ceux par exemple qui tendent au partage des grands domaines et à la multiplication des petites propriétés, et qui, si souvent au cours de l'histoire, ont fait leur réapparition, et rallié les foules paysannes autour d'un mot d'ordre de *loi agraire,* depuis les Gracques jusqu'à la Révolution française.
René GONNARD, Hist. des doctrines économiques, p. 537.

♦ **2** (1863). Qui concerne la surface des terres. *Les mesures, les unités agraires. L'are est l'unité de mesure pour les surfaces agraires.*

DÉR. **Agrarien.**

**AGRAMMATICAL, ALE, AUX** [agʀamatikal, o] adj. — V. 1960 ; de 2. *a-,* et *grammatical.*

Ling. Qui n'est pas grammatical, conforme aux règles de la grammaire. *Phrase agrammaticale* (ex. : *toi venir bientôt*). *Phrase agrammaticale et inacceptable, agrammaticale et asémantique.*

CONTR. **Grammatical.** ◇ DÉR. **Agrammaticalité.**

**AGRAMMATICALITÉ** [agʀamatikalite] n. f. — V. 1960 ; de *agrammatical.*

Ling. Caractère agrammatical (d'une phrase, d'un énoncé).

CONTR. **Grammaticalité.**

**AGRAMMATIQUE** [agʀamatik] adj. — Av. 1960 ; de *agrammatisme.*

Didact. (psychiatrie). Caractérisé par l'agrammatisme.

Anne O... (...) lorsqu'elle n'était pas mutique (...) s'exprimait dans un jargon agrammatique, composé de plusieurs langues, car elle avait radicalement oublié sa langue maternelle.
Roland JACCARD, la Folie, p. 77.

**AGRAMMATISME** [agʀamatism] n. m. — 1884, Littré, *Dict. de médecine, in* D. D. L. ; aussi le sens de « agrammaticalité », 1933 ; du grec *agrammatos* « illettré », de *a-* priv. (→ 2. *a-*), et *grammatos,* de *gramma* « lettre ».

Didact. (psychiatrie). Forme d'aphasie*, trouble de l'agencement syntactique des mots. (On dit aussi *dysgrammatisme*). → **Détresse** (verbale), **paragrammatisme.**

DÉR. **Agrammatique.**

**AGRANDIR** [agʀɑ̃diʀ] v. tr. — 1265 ; de 1. *a-, grand,* et suff. verbal.

♦ **1** Rendre plus grand, plus spacieux en augmentant les dimensions. → **Allonger, amplifier, augmenter, élargir, étendre, grossir.** *Il a agrandi sa maison en construisant un appentis. Le développement de l'industrie a agrandi les villes. Il cherche à agrandir son domaine. Les annexions ont considérablement agrandi la Prusse. Agrandir un pays par la conquête, par des négociations. L'atropine agrandit la pupille.* → **Dilater.** *Agrandir une maison d'un étage.* → **Surélever.** *Agrandir une ouverture.* → **Évaser.**

**Augmenter** et **accroître** sont plus relatifs à la quantité arithmétique ; **agrandir** et **étendre** le sont uniquement à la quantité géométrique, **grossir** et **enfler** à la quantité physique (...) **Agrandir** c'est changer en plus ce qui est petit, donner du large à ce qui est étroit, resserré, embrasser plus d'espace dans tous les sens, rendre plus vaste ou plus spacieux. 1
LAFAYE, Dict. des synonymes, Augmenter...

Spécialt. *Agrandir une photographie :* obtenir une épreuve plus grande d'un cliché.

(Abstrait). *Il agrandit le cercle, la sphère de ses idées, de ses connaissances.* → **Élargir, étendre.** *Agrandir ses prétentions.* → **Enfler.**

♦ **2** (Sujet n. de chose). Faire paraître plus grand. *Les miroirs agrandissaient la pièce. Ce costume noir l'agrandit. L'imagination agrandit les choses.* → **Grossir.**

♦ **3** Rendre plus puissant, plus important. → **Fortifier.** *Il a agrandi son entreprise.* → **Développer.** *Le malheur agrandit l'homme.* → **Élever, ennoblir, grandir.** — *Traiter avec ampleur. C'est un esprit généreux qui agrandit tous les sujets qu'il traite. Agrandir un thème musical.* — *Agrandir une question, un récit.* → **Amplifier, gonfler.**

2 La sagesse que je dois louer dans ce discours n'est pas celle qui élève les hommes et qui agrandit les maisons *(les familles).*
BOSSUET, Oraison funèbre de Michel Le Tellier.

3 La lecture agrandit l'âme (...) VOLTAIRE, l'Ingénu, II.

4 Ceux-ci l'ont peint comme ils le concevaient, et souvent, en croyant l'agrandir, l'ont en réalité amoindri.
RENAN, Vie de Jésus, XXVIII.

5 En aimant les autres hommes, il *(l'homme)* agrandit sa pensée (...) É. DE SENANCOUR, De l'amour..., p. 7.

6 Corneille, comme tous les grands hommes de lettres, est un écho qui agrandit la voix.
Émile FAGUET, XVIIe s., Études littéraires, p. 168.

7 Nous nous mentons peut-être à nous-mêmes quand nous majorons l'homme (ou la femme) que nous aimons, mais ce mensonge a pour objet, et pour effet, de nous agrandir.
A. MAUROIS, À la recherche de Marcel Proust, VII, VII.

◆ **S'AGRANDIR** v. pron. Devenir plus grand ; étendre son domaine. *La ville s'est agrandie depuis la guerre. Il essaie de s'agrandir,* d'agrandir son domaine, sa maison. *Pays, puissance, force politique qui s'agrandit.* — Fam. *Nous voudrions nous agrandir* (en changeant d'appartement). — *Ses yeux s'agrandissaient,* se dilataient. — (Au moral). Littér. Se développer, intellectuellement ou moralement.

8 Avant de s'agrandir au dehors, il faut s'affermir au dedans. HUGO, Post-Scriptum de ma vie, p. 13.

9 L'intelligence et le cœur sont deux régions sympathiques et parallèles ; l'une ne s'élargit pas sans que l'autre s'agrandisse ; l'une ne se hausse pas sans que l'autre s'élève.
HUGO, Post-Scriptum de ma vie, p. 6.

Vieilli. Devenir plus aisé (situation financière ; cf. Balzac, *Correspondance, in* T. L. F.).

◆ **AGRANDI, IE** p. p. et adj. *Domaine agrandi. Cliché agrandi, photo agrandie.* → **Agrandissement.**

10 C'était un changement considérable que l'apparition d'une Prusse agrandie, fortifiée, qui cessait d'avoir l'Autriche pour contrepoids et qui dominait désormais les pays germaniques. J. BAINVILLE, Hist. de France, XX, 499.

11 Prise de panique, la jeune fille regardait le vieillard d'un œil agrandi, qui acheva de le terrifier.
MARTIN DU GARD, les Thibault, V, II, p. 248.

CONTR. **Amoindrir, borner, diminuer, limiter, rapetisser, réduire, restreindre.** ◊ DÉR. **Agrandissement, agrandisseur.**

**AGRANDISSANT, ANTE** [agʀɑ̃disɑ̃, ɑ̃t] adj. — 1800, J. Joubert, *in* D. D. L. ; p. prés. de *agrandir.*

Qui agrandit, semble agrandir.

**AGRANDISSEMENT** [agʀɑ̃dismɑ̃] n. m. — 1502 ; de *agrandir.*

♦ **1** Action d'agrandir ; résultat de cette action. → **Accroissement, élargissement.** *L'agrandissement d'une maison, d'un domaine.* → **Extension.** *Agrandissements territoriaux d'un pays.* — *L'agrandissement d'une ouverture.* → **Évasement.** — *Magasin fermé pour cause d'agrandissement. L'agrandissement d'un dessin, d'une gravure.*

Spécialt. Opération photographique consistant à tirer d'un cliché une épreuve agrandie. *Faire de l'agrandissement photo.* Épreuve agrandie. *Il a obtenu de beaux agrandissements.*

C'est un agrandissement d'une photo parue dans les journaux de l'époque. Elle est ressemblante. 0.1
R. QUENEAU, Pierrot mon ami, p. 151.

Rare. *Agrandissement d'une esquisse en tableau. Agrandissement d'un thème musical.*

Par métonymie. Objet qui constitue en plus grand la réplique, la copie fidèle d'un autre. *Cette statue est l'agrandissement exact du modèle en terre cuite.*

♦ **2** Accroissement en puissance, en importance (au delà du gain en surface). → **Croissance, élévation, extension.** *L'agrandissement d'un État, d'une entreprise. L'agrandissement des richesses.* — Absolt (cit. 2).

(...) l'agrandissement prodigieux de la république romaine (...) MONTESQUIEU, Lettres persanes, 131. 1

(...) la maladie de l'ambition et la fièvre de l'agrandissement. 2
FUSTEL DE COULANGES, Questions contemporaines, p. 85.

Il *(Saint-Louis)* est, je crois, le premier roi de France qui ait pris des mesures contre l'agrandissement exagéré des richesses du clergé. 3
FUSTEL DE COULANGES, Leçons à l'Impératrice..., p. 168.

Littér. Enrichissement, augmentation (des valeurs intellectuelles, morales). *L'agrandissement «du genre humain»* (Hugo), *«de la pensée»* (Zola), *«de nos perspectives»* (Valéry). → **Élévation, ennoblissement, enrichissement.**

CONTR. **Amoindrissement, diminution, limitation, rapetissement, réduction, restriction.**

**AGRANDISSEUR** [agʀɑ̃disœʀ] n. m. — 1800, *in* D. D. L. ; de *agrandir.*

Photogr. Appareil employé pour les agrandissements.

Il y a de la messe noire tout de même dans les manipulations auxquelles on soumet impunément cette émanation si personnelle d'autrui, son image, comme il y a du tabernacle dans l'agrandisseur, de l'enfer dans la lumière sanglante où l'on baigne, de l'alchimie dans les bacs de révélateur, d'arrêt et de fixage où l'on jette successivement les épreuves impressionnées.
M. TOURNIER, le Roi des Aulnes, p. 119.

**AGRANULAIRE** [agʀanylɛʀ] adj. — Après 1950 ; de 2. *a-,* et *granulaire.*

Didact. *Cortex agranulaire :* cortex où les couches granulaires sont atrophiées.

**AGRANULOCYTOSE** [agʀanylositoz] n. f. — 1922 ; de 2. *a-,* lat. *granulum* «petit grain», *-cyte,* et *-ose.*

Pathol. Disparition ou diminution importante du nombre des globules blancs polynucléaires du sang, due le plus souvent, soit à une intoxication ou à une allergie médicamenteuse, soit aux radiations ionisantes.

**AGRAPE** [agʀap] n. f. — 1295, «crampon» ; «agrafe», 1325 ; «fermoir de livre», XVe ; de *agraper,* comp. de l'anc. franç. *graper* «saisir», lui-même de *grappe* «crampon» (→ Grappin) ; anc. germ. **Krappa* «crochet».

Technique.

♦ **1** Anciennt. Fermoir de métal. — Fer de lance émoussé, pour les joutes.

♦ **2** (1877). Pic de métal, de forme pyramidale, employé au XIXe siècle dans les houillères.

REM. On écrit aussi *agrappe.*

**AGRAPHIE** [agʀafi] n. f. — 1865; de 2. *a-*, et *graphie*, du grec *graphein* «écrire».

Didact. (psychiatrie). Perte de la capacité d'écrire, par lésion des centres nerveux de l'écriture, généralement associée à d'autres troubles (apraxie, agnosie, aphasie). → **Aphasie** (graphique). *Agraphie et alexie.*

Même un paralysé, atteint d'agraphie après une attaque et réduit à regarder les caractères comme un dessin, sans savoir les lire aurait compris que (...)
PROUST, À la recherche du temps perdu, t. X, II, 106.

REM. L'adj. dér. *agraphique* est également attesté.

**AGRARIEN, IENNE** [agʀaʀjɛ̃, jɛn] n. et adj. — 1796; *agrairien*, 1790; de *agraire*.

♦ **1** Qui a rapport aux lois agraires. *Partage agrarien.*

Hist. écon. Partisan des lois agraires; du partage des terres entre ceux qui les cultivent.

Le «système agraire» trouva pourtant ses représentants *(sous la Révolution)*, les «agrairiens» : «Analysez Robespierre, dit Babeuf, vous le trouverez aussi "agrairien" en dernier résultat».
BRUNOT, Hist. de la langue franç., t. IX, p. 706.

♦ **2** (1885; all. *Agrarier*). Appellation politique de partis qui se proposent de défendre les intérêts des propriétaires fonciers. *L'ancien parti agrarien allemand.*

**AGRARISME** [agʀaʀism] n. m. — Après 1950; dér. sav. du rad. de *agraire*, et suff. *-isme*.

Didact. Doctrine socio-économique accordant une grande importance à l'agriculture et à la société rurale, considérées comme des ensembles spécifiques au sein de la société et de l'économie globales.

**AGRAVITATION** [agʀavitasjɔ̃] n. f. — V. 1960; de 2. *a-*, et *gravitation*.

Didact., techn. Suppression des effets de la gravitation, et notamment de la pesanteur (→ **Apesanteur**); état où les effets de la gravitation sont supprimés. *«Le cosmonaute, à son premier départ dans l'espace, n'aura donc connu que de très brefs instants d'apesanteur, alors qu'il va vivre plusieurs jours en agravitation»* (*Science et Vie*, nº 593, p. 56).

REM. On trouve aussi *agravité* [agʀavite] n. f.

**AGRÉABILITÉ** [agʀeabilite] n. f. — 1862, Sainte-Beuve; de *agréable*.

Rare. Caractère de ce qui est agréable. → **Agrément** (d'une personne).

**AGRÉABLE** [agʀeabl] adj. — XIIᵉ; de 1. *agréer*.

♦ **1** Vx ou littér. Qui agrée* (à qqn), qui est au gré*, à la convenance (de qqn), convient et satisfait. → **Bon, convenable.** — REM. Les emplois classiques du mot sont aujourd'hui compris au sens moderne «plaisant, qui fait plaisir»; voir ci-dessous 2., b.

1 L'ébattement pourrait nous en être agréable :
Vous plaît-il de l'avoir?
LA FONTAINE, Fables, VI, III.

2 Un homme vit une couleuvre
Ah! méchante, dit-il, je m'en vais faire une œuvre
Agréable à tout l'univers. LA FONTAINE, Fables, X, I.

3 *(Un)* roi doit se rendre agréable à ses sujets.
RACINE, Livres annotés.

Loc. (1538). *Avoir quelque chose pour agréable :* tenir pour bon ou convenable, trouver bon. *Avoir pour agréable que...* (et subjonctif).

(...) Je vous supplierai d'avoir pour agréable (...) 4
*(Que je)* ne me pende pas pour cela (...)
MOLIÈRE, le Misanthrope, I, 1.

Le croyant se réjouit de ses ulcères; il a pour agréables 5
les injustices et les violences de ses ennemis; ses fautes même et ses crimes ne lui ôtent pas l'espérance.
FRANCE, le Jardin d'Épicure, p. 52.

♦ **2** Mod. et cour. Qui plaît, éveille l'affectivité, et, spécialt, qui correspond à ou qui détermine des sensations, des émotions, des pensées chargées d'un plaisir lié au bien-être. → **Charmant, plaisant.**

[a] Emploi sans complément. (Choses sensibles et sensations). *Un objet, un tableau, un bibelot agréable.* → **Beau, joli.** *Une musique agréable.* → **Harmonieux, mélodieux.** *Une odeur agréable.* → **Aromatique, suave.** *Un mets, un goût agréable.* → **Bon; appétissant, délectable, délicat, délicieux, exquis, savoureux.** *Un vin agréable, moelleux, gouleyant. Une boisson agréable. Une température, un temps agréable. Une agréable fraîcheur, tiédeur. — Une maison, une pièce agréable, très agréable.* → **Commode, confortable.** *Son jardin n'est pas si agréable que le vôtre. Un chemin agréable* (→ par métaphore ci-dessous cit. 7). — (Activités). *Une agréable promenade. Une baignade agréable. Le repas a été très agréable. Soirée agréable.* → **Charmant, sympathique.** *Spectacle, lecture agréable.* → **Attachant, attrayant.** *Un film agréable et gai, amusant, captivant. Des compliments très agréables.* → **Flatteur.** *Une conversation agréable et brillante*. — Être en agréable compagnie.*

(Personnes; caractéristiques humaines). *Un homme, une femme agréable, de caractère, d'humeur agréable, d'un commerce agréable.* → **Charmant, plaisant, sympathique; accommodant, affable, amène, avenant, gentil, sociable.** *Un hôte agréable.* → **Accueillant.** *Avoir un caractère gai et agréable.* → **Gracieux, joyeux...** *Il est agréable en société, dans la conversation* (→ ci-dessous, cit. 6). *Un compagnon, un convive agréable. Il n'est pas très agréable avec les dames.* → **Galant, prévenant.**

*Une personne agréable physiquement.* → **Attirant, charmant, joli, séduisant.** *Il est assez agréable de sa personne* (→ ci-dessous, cit. 14). *Elle n'est pas belle, mais très agréable. Agréable de corps, d'esprit* (→ ci-dessous, cit. 16). *On la trouve agréable. — Un physique agréable. Un visage agréable.* — REM. Sans compl., l'adj. concerne plutôt les agréments esthétiques et sociaux, que l'attirance érotique (→ Attirant).

(États, abstractions, sentiments...). *Un caractère, une humeur agréable. Une vie, un séjour agréable.* → **Doré, doux, enchanteur, facile.** *Ce qui est agréable* (→ ci-dessous, cit. 9). *Une situation peu agréable. Sentiments agréables. Couler des jours agréables.* → **Heureux, riant.** *Rechercher les choses agréables.* → **Agrément.** *Une pensée, un rêve, une rêverie agréable* (→ ci-dessous, cit. 10, 17). *D'agréables illusions, d'agréables mensonges* (→ ci-dessous, cit. 11). → **Enchanteur, enivrant.** — *C'est agréable, très, drôlement agréable.* → fam. **Chic, chouette, sympa; poil** (au poil). — (Au négatif). *Ce n'est pas agréable.* → **Désagréable.**

REM. À la différence des autres adjectifs évaluatifs où la subjectivité (individuelle et sociale) est masquée (→ Beau, bon, excellent, etc.), *agréable* est, par sa formation même, relatif à une appréciation. Cependant, alors que *sensation, odeur... agréable* correspond à une qualification subjective, l'adjectif, qualifiant des choses ou des personnes, tend à prendre un contenu pseudo-objectif, comme *beau* ou *bon*. La subjectivité réapparaît dès que l'adjectif a un complément (ci-dessous, b.).

Une des choses qui fait que l'on trouve si peu de gens qui paraissent raisonnables et agréables dans la conversation, c'est qu'il n'y a presque personne qui ne pense plutôt à ce qu'il veut dire qu'à répondre précisément à ce qu'on lui dit (...) LA ROCHEFOUCAULD, Maximes, 139.

L'espérance, toute trompeuse qu'elle est, sert au moins à nous mener à la fin de la vie par un chemin agréable.
LA ROCHEFOUCAULD, Maximes, 168.

Ses bonnes qualités, ses manières engageantes, son humeur agréable, son naturel doux et condescendant (...)
BOURDALOUE, Pensées, t. II, p. 228, *in* LITTRÉ.

(...) une manière de vivre où l'on cherche beaucoup moins ce qui est vertueux et honnête que ce qui est agréable.
LA BRUYÈRE, les Caractères de Théophraste.

Sur cette agréable pensée
Un heurt survient, adieu le char.
LA FONTAINE, Fables, VII, X.

Amusez les rois par des songes
Flattez-les, payez-les d'agréables mensonges.
LA FONTAINE, Fables, VIII, XIV.

Certaine fille un peu trop fière
Prétendait trouver un mari
Jeune, bien fait et beau, d'agréable manière (...)
LA FONTAINE, Fables, VII, V.

Belle et d'agréable humeur.
MOLIÈRE, le Bourgeois gentilhomme, III, 5.

(...) un grand jeune garçon bien fait (...) agréable de sa personne (...) MOLIÈRE, le Malade imaginaire, I, 5.

Pour moi, je tiens que cette passion est la plus agréable affaire de la vie; qu'il est nécessaire d'aimer pour vivre heureusement, et que tous les plaisirs sont fades, s'il ne s'y mêle un peu d'amour.
MOLIÈRE, la Princesse d'Élide, I, 1.

Des femmes agréables de corps et d'esprit.
FÉNELON, Télémaque, CIV.

Cette jeune personne était à l'âge où l'on se caresse les sens avec des rêves agréables et flatteurs.
R. ROLLAND, Jean-Christophe, t. II, p. 140.

Son fils (...) est un aimable homme, il a du trait; il sait causer. Il est agréable, très agréable; oh! pour agréable, il l'est sans contredit; mais... aucun esprit de conduite.
BALZAC, la Duchesse de Langeais, p. 320, *in* T. L. F.

**b** **AGRÉABLE À...** (le compl. désignant l'organe, le sens, la personne qui éprouve l'agrément). *Cela ne m'est pas très agréable. Une nouvelle agréable à tous. — Plat, mets agréable au goût, plus agréable à la vue qu'au goût. Couleur agréable à l'œil. Tissu agréable au toucher.*

L'esprit s'attache par paresse et par constance à ce qui lui est facile ou agréable (...)
LA ROCHEFOUCAULD, Maximes, 482.

Je suppose que ça ne vous est pas agréable, l'idée que les communistes vont ouvrir une campagne contre vous? — Non, ça ne m'est pas agréable, dit Robert.
S. DE BEAUVOIR, les Mandarins, p. 194.

(En parlant d'une personne). *Agréable à qqn :* qui se comporte de manière à plaire. *J'ai fait cela pour être agréable à vos amis, pour vous être agréable.*

Adoré de ses élèves, M. Dupanloup n'était pas toujours agréable à ses collaborateurs.
RENAN, Souvenirs d'enfance..., p. 179, *in* T. L. F.

Spécialt. *Sacrifice agréable à Dieu, à la divinité.*

**c** **AGRÉABLE À** (et verbe à l'inf.). *Chose agréable à entendre. Texte agréable à lire. Pays, ville, rue... agréable à habiter. Voilà qui n'est pas très agréable à entendre.*

**d** (Impers.; 1606). *Il est agréable de...* (et inf.); *il est agréable à quelqu'un de..., que...* (et subj.). — *Ce serait agréable de faire ce voyage. Est-ce qu'il vous serait agréable d'y aller? Vous serait-il agréable que nous dînions ensemble?*

**e** Subst. *Il n'y a rien d'agréable à cela. Il a quelque chose d'agréable à vous dire.*
N. m. (1658). *L'agréable. Joindre l'utile* à l'agréable.*

Faire et non subir, tel est le fond de l'agréable. 18
ALAIN, Propos sur le bonheur, p. 141.

♦ **3** N. (1720). Personne agréable (vx en emploi libre : *«un agréable de province»*, Goncourt). Loc. *Faire l'agréable :* chercher à plaire, à se rendre agréable. *Faire l'agréable auprès d'une femme,* lui faire la cour. → **Galant, empressé; cœur** (joli cœur).

CONTR. **Désagréable. — Contrariant, déplaisant, difficile, disgracieux, fâcheux, importun, malplaisant, malsonnant, odieux, pénible, rebutant, sec, sévère.** ◊ DÉR. **Agréabilité, agréablement.**

**AGRÉABLEMENT** [agʀeabləmɑ̃] adv. — XIVe; «volontiers», 1720; de *agréable.*

D'une manière agréable. *Passer la journée agréablement. Parler, écrire, plaisanter agréablement. Jouer agréablement du violon. Chanter agréablement mais en amateur. — Être agréablement installé. Nous avons été agréablement surpris. — Un film agréablement satirique.*

(...) nous achevions de déjeuner au même poste et aussi agréablement que la veille.
GIDE, Voyage au Congo, *in* Souvenirs, Pl., p. 717.

Vx. *Être agréablement quelque part.* → **Bien.**

CONTR. **Désagréablement.**

**AGRÉATION** [agʀeasjɔ̃] n. f. — 1806, Poyart; de 1. *agréer.*

En Belgique, Agrément donné à un acte administratif; reconnaissance officielle de cet acte. *Un arrêté portant agréation des règles de sécurité fixées dans un établissement. Conditions d'agréation d'un diplôme. Commission d'agréation.*

**AGRÉÉ** [agʀee] n. m. — 1829; du p. p. de 1. *agréer.*

Dr. Personne agréée par un tribunal de commerce à l'effet d'y représenter les parties. *Tout agréé près le tribunal de commerce qui n'est ni avocat ni avoué dans sa circonscription judiciaire doit être muni d'une procuration spéciale de son client, si celui-ci ne comparaît pas en personne. Un agréé auprès du Tribunal de X. «Agréé du tribunal de commerce»* (Balzac). — Absolt. *«Les huissiers, les agréés, les agents d'affaire...»* (A. Daudet, *Tartarin de Tarascon*).

1. **AGRÉER** [agʀee] v. — Déb. XIIe; de 1. *a-*, et *gré.*

♦ **1** V. tr. indir. (se conjugue avec *avoir*). Littér. *Agréer à qqn,* être à son gré, à sa convenance. → **Accommoder.** *Les dispositions que vous avez prises m'agréent tout à fait.* → **Convenir; affaire** (faire l'affaire). — Vieilli. *Quelqu'un agrée à quelqu'un. Il a tout fait pour vous agréer,* pour vous être agréable. → **Plaire** (→ ci-dessous, cit. 2, 5, 7). — Absolt. Vx. *Le don d'agréer,* de plaire. *La chose agréa, n'agréa pas.* — (Impers.). *Il ne m'agrée pas que vous partiez seul :* il ne me plaît pas que..., il ne m'est pas agréable* (1.) que...

On ne peut nier que cette méthode-ci agrée tout autrement 1
au monde que (...) PASCAL, les Provinciales, 9.

Et si de t'agréer je n'emporte le prix, 2
J'aurai du moins l'honneur de l'avoir entrepris.
LA FONTAINE, Dédicace des fables, À Mgr le Dauphin.

Peu de gens que le Ciel chérit et gratifie 3
Ont le don d'agréer infus avec la vie.
LA FONTAINE, Fables, IV, 5.

*(Ma comédie)* a eu le bonheur d'agréer aux augustes personnes à qui particulièrement je m'efforce de plaire. 4
MOLIÈRE, l'Impromptu de Versailles, 3.

5 Un amant qui vous agrée.
MOLIÈRE, Monsieur de Pourceaugnac, I, 1.

6 Tout est sujet à leur censure (...) On ne sait plus quelle morale leur fournir qui leur agrée.
LA BRUYÈRE, Disc. de réception à l'Académie.

7 Il *(l'homme mort)* est puant, il est en horreur; il n'a plus rien qui agrée : il est foulé aux pieds dans un cimetière (...)
RENAN, Souvenirs d'enfance..., IV, p. 154.

7.1 Il espérait, grâce aux excuses loyales qu'il lui réservait, se faire un ami d'Athos, dont l'air grand seigneur et la mine austère lui agréaient fort.
DUMAS, les Trois Mousquetaires, t. I, p. 66.

7.2 J'ai horreur des repas solitaires, et le système des tables à trois m'agrée, car à deux l'on pourrait se disputer (...)
GIDE, le Prométhée mal enchaîné, *in* Romans, Pl., p. 307.

♦ **2** V. tr. dir. Trouver (qqch., qqn) à son gré, à sa convenance; trouver bon, recevoir favorablement (qqch., qqn). → **Acquiescer, approuver, goûter.** *Il l'a agréé pour mari de sa fille.* → **Accepter, admettre.** — *Le chef du personnel a agréé sa demande.* → **Accueillir, recevoir.** — *Faire agréer qqch. par qqn. Agréer qqn, l'agréer comme, pour... Se faire agréer par qqn. Être agréé par qqn.*

8 Jean Lapin pour juge l'agrée *(Raminagrobis).*
LA FONTAINE, Fables, VII, 16.

9 Agréez seulement le don que je vous fais
Des derniers efforts de ma muse.
LA FONTAINE, Fables, XII, 23 (à Madame Hervay).

10 (...) Son retour aujourd'hui
M'empêche d'agréer un autre époux que lui.
MOLIÈRE, Sganarelle, 21.

REM. C'est le père de la jeune fille *(Célie)* qui parle.

11 Il agrée ses soins; il reçoit ses visites.
LA BRUYÈRE, les Caractères, III, 75.

12 Il refuse plus de femmes qu'il n'en agrée.
LA BRUYÈRE, les Caractères, III, 33.

13 Il se chargea, comme allié de ma famille, de faire agréer la demande du jeune Orsini, qui voulait m'épouser.
A. DE MUSSET, les Caprices de Marianne, I, 2.

13.1 Irkoutsk était le véritable objectif d'Ivan Ogareff. Le plan de ce traître était de se faire agréer du grand-duc sous un faux nom, de capter sa confiance et, l'heure venue, de livrer aux Tartares la ville et le grand-duc lui-même.
J. VERNE, Michel Strogoff, p. 198-199.

14 La pensée abstraite fatigue l'homme, parce que l'homme n'est pas un pur esprit. En touchant ses yeux par des images, ses oreilles par des harmonies, on lui agrée : on lui fait agréer, du même coup, les idées qu'on exprime. La couleur et le son font passer le sens avec eux.
Gustave LANSON, l'Art de la prose, p. 74.

14.1 À huit ans, je rêvais encore d'être agréé comme plante.
Henri MICHAUX, Face aux verrous, p. 43.

Spécialt. (Formules de politesse qu'on emploie en terminant une lettre). *Agréez, veuillez agréer mes civilités, mes hommages, mes respects,* etc.

Littér. *Agréez que* (et subj.) : trouvez bon que... → **Permettre.**

15 Ô vous Iris, qui savez tout charmer,
(...) agréez que ma muse
Achève un jour cette ébauche confuse.
LA FONTAINE, Fables, XII, 15.

16 Mesdames, agréez que je vous présente ce gentilhomme-ci.
MOLIÈRE, les Précieuses ridicules, 12.

♦ **3** Dr. Admettre (qqn) en fournissant son agrément. *Être agréé pour un marché.*

◆ **AGRÉÉ, ÉE** p. p. adj. Qui a été accepté, qui a plu. — Spécialt. Qui a reçu l'agrément de l'autorité. *Intermédiaires agréés* (par l'Office des changes). *Cliniques agréées.* → **Conventionné.** — *Huissier agréé.* → **Agréé,** n. *Avocat, défenseur agréé d'une association.*

CONTR. **Déplaire. — Décliner, récuser, refuser, rejeter, repousser.** ◊ DÉR. **Agréable, agréation, agréé, agrément.** — HOM. 2. **Agréer.**

## 2. AGRÉER [agʀee] v. tr. — 1621; *aggreer,* XVIe; *agreier,* v. 1170 en anglo-normand; de l'anc. nordique *greida* «mettre en ordre, préparer».

Mar. (vx). Équiper un navire de ses agrès. → **Gréer.**

REM. *Agréer* a été évincé par *gréer;* il est encore attesté dans des textes littéraires.

(...) celui qui vaque, avec les gens de peu, sur les chantiers et sur les cales désertées par la foule, après le lancement d'une grande coque de trois ans; celui qui a pour profession d'agréer les navires (...)
SAINT-JOHN PERSE, Exil, p. 183.

DÉR. **Agréeur.** ◊ HOM. 1. **Agréer.**

## AGRÉEUR, EUSE [agʀeœʀ, øz] n. — 1643; de 2. *agréer.*

♦ **1** N. m. Mar. (vx). Celui qui agrée (2. Agréer); gréeur.

♦ **2** N. m. Techn. Tailleur de pierres qui effectue des retouches.

♦ **3** Comm. Personne qui est chargée d'agréer les produits après avoir constaté leur conformité aux normes.

## AGRÉG ou AGRÈG [agʀɛg] n. f. → **Agrégation** (2., C.; cit. 3).

## AGRÉGAT [agʀega] n. m. — 1756; *aggregat,* 1556; du lat. *aggregatum,* supin de *aggregare* «réunir». → Agréger.

Didactique ou littéraire.

♦ **1** Assemblage hétérogène de substances ou éléments qui adhèrent solidement entre eux. → **Agglomérat, agrégation.** *Les roches sont des agrégats composés de minéraux. — Agrégats cellulaires.*

J'ai déjà eu l'occasion de rappeler que les protéines globulaires se présentent souvent sous forme d'agrégats contenant un nombre fini de sous-unités chimiquement identiques.
Jacques MONOD, le Hasard et la Nécessité, p. 112.

Spécialt. Pédol. Assemblage élémentaire entre les particules minérales et les matières colloïdales d'un sol.

Abusivt. Matériaux (gravier, pierraille, sable, etc.) destinés à la confection des mortiers et bétons. — REM. Ces matériaux sont aussi nommés *granulat.*

Fig. Assemblage sans unité (de choses abstraites).

La vision n'est «qu'un agrégat de raisonnements».
A. MAUROIS, À la recherche de Marcel Proust, IV, IV.

Agrégats — Tout souvenir peut être regardé comme agrégat occasionnel, qui a pour limite son occasion primitive même.
VALÉRY, Cahiers, Pl., t. II, p. 59.

Ling. Composé formé d'éléments (mots ou morphèmes) juxtaposés.

♦ **2** (1751). **a** Hist. des sc. Somme, total.

**b** (1965). Total, grandeur caractéristique qu'on établit à partir des données comptables (spécialt, en parlant des comptes de la nation). *«Les agrégats tirés de la comptabilité nationale (...) ont les défauts de toute grandeur monétaire. Leur évaluation en francs constants ne peut être faite qu'en employant des techniques difficiles»* (Jean-Paul Courthéoux, *la Politique des revenus,* p. 52).

♦ **3** Philos. Chez Leibniz, Ensemble de monades, forme réelle pour l'esprit.

## AGRÉGATIF, IVE [agʀegatif, iv] adj. et n. — XIVe; de *agréger.*

♦ **1** Adj. Formé par agrégation. Écon. *Méthode agrégative,* qui consiste à rassembler les diverses données relatives à un phénomène économique.

*Indices agrégatifs* (statist.). — *Ling. Composés agrégatifs :* agrégats.

♦ **2** N. (V. 1930). Étudiant, étudiante préparant l'agrégation. *Un agrégatif de grammaire.*

1 Il connaissait à Normale des agrégatifs de philosophie vivement anti-allemands, entre autres Cuzin et Desanti qui s'intéressaient à la fois à la phénoménologie et au marxisme. S. DE BEAUVOIR, la Force de l'âge, p. 495.

2 Qui est-ce qui m'a raconté qu'il était tombé une fois sur une agrégative d'allemand ? Lacoste, je crois.
Jean-Louis CURTIS, le Roseau pensant, p. 57.

3 C'est à peu près ça, dit celui-ci en continuant de lire, sauf que je ne suis pas agrégé, mais agrégatif.
Cecil SAINT-LAURENT, les Passagers pour Alger, p. 14.

**AGRÉGATION** [agʀegasjɔ̃] n. f. — 1375 ; du bas lat. *aggregatio,* de *aggregare.* → Agréger.

♦ **1** [a] Action d'agréger ou de s'agréger ; son résultat. *L'agrégation d'éléments. Tendance à l'agrégation, force d'agrégation.* — Spécialt. (Minéralogie ou phys.). Assemblage de parties assez fortement cohérentes pour opposer un certain obstacle à leur séparation. → **Agglomérat, agglomération, agrégat, assemblage.** — *L'agrégation des plaquettes sanguines (agrégation plaquettaire).*

Par ext. Rassemblement plus ou moins homogène (d'êtres, de choses). *Une agrégation d'hommes.* → **Agglomération, association.** *Une vaste agrégation de véhicules, de maisons.*

1 Une grande agrégation d'hommes, saine d'esprit et chaude de cœur, crée une conscience morale qui s'appelle une nation.
RENAN, Discours et Conférences, Qu'est-ce qu'une nation ?, *in* Œ. compl., t. III, p. 906.

2 (...) les zones tempérées, dans une époque plus ou moins éloignée, ne seront pas plus habitables que ne le sont actuellement les régions polaires. Donc, les populations d'hommes, comme les agrégations d'animaux, reflueront vers les latitudes plus directement soumises à l'influence solaire. J. VERNE, l'Île mystérieuse, t. I, p. 276.

Spécialt. Écologie. Regroupement sur un territoire limité, d'individus d'une même espèce.

Écon. polit., statist. Constitution d'agrégats*.

Mus. Sons simultanés ne formant pas un accord* (dans l'harmonie tonale classique).

[b] Techn. (Ce qui agrège). Matériau fin fait de sable et de déchets de carrière, servant à la confection du macadam.

♦ **2** (Personnes). [a] (XVII^e). Vx. Admission à une famille noble, à une compagnie ; spécialt, rattachement de professeurs à la faculté de droit.

[b] (1766). Hist. Admission à titre de professeur suppléant. — Concours de recrutement des professeurs de lycée (fin XVIII^e-déb. XIX^e).

[c] (1821). Mod. Admission sur concours au titre d'agrégé ; ce concours, ce titre lui-même (abrév. fam. *agrég* ou *agrèg* [agʀɛg]). *Se présenter, réussir à l'agrégation des lettres, de sciences naturelles. L'agrèg de philo. — L'agrégation de droit, de médecine.*

3 — Tu parles ! J'ai un ancien copain de Fac qu'est assistant à Toulouse. Après son agrég de géographie, il s'est lancé dans la recherche, comme tu dis.
Yanny HUREAUX, la Prof, p. 237.

CONTR. **Désagrégation.**

**AGRÉGÉ, ÉE** [agʀeʒe] n. et adj. — 1740 ; du p. p. de *agréger.*

[I] N. ♦ **1** Vx. Docteur en droit attaché après concours à la Faculté, et chargé de préparer les étudiants (sans être professeur). — (1766). Professeur suppléant.

♦ **2** (1821). Mod. Personne déclarée apte, après avoir passé le concours de l'agrégation, à être titulaire d'un poste de professeur de lycée ou de certaines facultés (droit, sciences économiques, médecine, pharmacie). *Un agrégé, une agrégée. Agrégé des lettres, de grammaire. La Société des agrégés de l'Université. Le prof est capésien, mais pas agrégé. — Un agrégé de droit.* — Adj. *Un professeur agrégé. Il est normalien d'Ulm, mais pas agrégé.*

Encore heureux s'il arrive à décrocher un poste quelconque, il n'est pas agrégé, sa thèse, je ne sais pas ce qu'elle vaudra... s'il parvient à obtenir un poste de suppléant, de lecteur, ce sera encore beau... 1
N. SARRAUTE, le Planétarium, p. 274.

(Au Canada). *Professeur agrégé,* attaché à une université.

[II] Adj. (→ **Agréger**). ♦ **1** Composé d'éléments rassemblés en un tout homogène. *Roches agrégées,* composées de matériaux divers. — Bot. *Espèce agrégée,* dont les éléments sont assemblés en petits groupes. *Organes agrégés,* agglomérés sur une petite surface.

♦ **2** Réuni (avec d'autres) dans une agrégation.

(...) la moitié de son visage était devenue une sorte de pierre, de granit sans doute, dure et friable à la fois, parcourue de veinules gorgées de bleu, où chaque élément semblait tenir agrégé à cause d'un chant rauque et strident, un cri de douleur et de rage. 2
J.-M. G. LE CLÉZIO, la Fièvre, p. 73.

**AGRÉGER** [agʀeʒe] v. tr. [CONJUG. : *céder* et *bouger.*] — XV^e ; « amasser (des biens) », XIII^e ; lat. *aggregare* « joindre, rassembler » ; de 1. *a-,* et *grex, gregis* « troupe, groupe ».

♦ **1** (Surtout au pron. et au p. p.). Réunir en un tout (des parties matérielles, des molécules, des particules). *Force qui agrège, tend à agréger des éléments, à les agréger les uns aux autres. — Les molécules s'agrègent en métaux, les grains de sable quartzifère en grès.* → **Agglomérer, agglutiner, assembler.**

♦ **2** (1549). *Agréger à... :* joindre (qqn) à (un corps, une communauté, une compagnie, une société). → **Adjoindre, admettre, affilier, associer, attacher, incorporer, réunir, unir.** *Agréger quelqu'un à un groupe, une société. Agréger des gens très différents.* — Passif et p. p. (→ Agrégé). *Être agrégé à un parti.*

Nul artisan n'est agrégé à aucune société (...) sans faire son chef-d'œuvre. 1
LA BRUYÈRE, Disc. de réception à l'Académie.

Vous savez que notre petit groupe de jeunes filles de Balbec a toujours été la cellule sociale qui a exercé sur moi le plus grand prestige, auquel j'ai été le plus heureux d'être un jour agrégé. 2
PROUST, À la recherche du temps perdu, t. XIII, p. 68.

(...) dans l'espoir de débaucher quelques éléments intéressants du petit clan et de les agréger à son propre salon (...) 3
PROUST, À la recherche du temps perdu, t. IX, p. 185.

La dissémination d'une partie des membres de la maisonnée, le mouvement inverse qui lui agrège temporairement une forte proportion de la jeunesse aristocratique (...) 3.1
Georges DUBY, Guerriers et Paysans, VII-XII^e siècles, p. 47.

Pron. Se joindre (à un groupe, à une société).

(...) s'agréger, être un rouage parmi d'autres rouages (...) 4
MARTIN DU GARD, les Thibault, III, 1.

(...) elle affectait de s'agréger aux grandes personnes. 5
R. QUENEAU, Loin de Rueil, p. 48.

Alors que les communisants retrouvaient leur foulée en s'agrégeant à un parti qui commençait à parler de de Gaulle comme de Kerenski, les non-communistes tâtonnaient (...) MALRAUX, Antimémoires, Folio, p. 119. 6

◆ **AGRÉGÉ, ÉE** p. p. adj. → **Agrégé.**

CONTR. **Désagréger, dissocier. — Désunir, disjoindre, séparer.** ◊ DÉR. **Agrégatif, agrégé.**

**AGRÉMANISTE** [agʀemanist] ou **AGRÉMENTISTE** [agʀemɑ̃tist] n. — XX^e; *agréministe,* 1782; *agriministe,* 1766; de *agrément.*

Techn. Ouvrier, ouvrière qui dispose les ornements sur les articles de passementerie.

**AGRÉMENT** [agʀemɑ̃] n. m. — 1465; de 1. *agréer.*

♦ **1** Vx ou rare, sauf dans quelques emplois (syntagmes figés). Action d'agréer, approbation, et, spécialt, approbation émanant d'une autorité. → **Acceptation, acquiescement, adhésion.** *Demander, solliciter, obtenir l'agrément de qqn. Donner, refuser son agrément. La maison a été vendue avec l'agrément de tous les héritiers.* → **Consentement.** *Il voulait obtenir l'agrément du ministre, soumettre la chose à son agrément.* → **Approbation.** *Nous ne pouvons commencer les travaux sans votre agrément.* → **Accord, autorisation.**

1 (...) pour appuyer votre consentement,
Mon frère, il n'est pas mal d'avoir son agrément, *(celui de votre femme).* MOLIÈRE, les Femmes savantes, II, 4.

Dr. Adhésion expresse ou tacite donnée par un tiers à un acte juridique et donnant effet à celui-ci. *Il a sous-loué l'appartement avec l'agrément du propriétaire.* — Dr. *Clause d'agrément* (approbation préalable pour certains actes juridiques). Écon. *Lettre d'agrément :* document administratif invitant une entreprise, sur sa demande, à entreprendre une fabrication. — Fin. *Clause d'agrément* (pour l'entrée de nouveaux actionnaires, dans certaines sociétés de capitaux). — *Certificat d'agrément* (navigation). — *Agrément fiscal :* accord pour un allégement fiscal à certaines entreprises.

♦ **2** Vieilli ou littér. Qualité qui rend quelqu'un ou quelque chose agréable. → **Aisance, attrait, charme, grâce, séduction.** Vx. *Avoir de l'agrément* (personnes). — Vx. Au plur. Manières agréables, charme (→ ci-dessous, cit. 5 et 6).

2 On peut dire de l'agrément, séparé de la beauté, que c'est une symétrie dont on ne sait point les règles, et un rapport secret des traits ensemble, et des traits avec les couleurs, et avec l'air de la personne.
LA ROCHEFOUCAULD, Maximes, 240.

3 L'agrément est arbitraire : la beauté est quelque chose de plus réel et de plus indépendant du goût et de l'opinion.
LA BRUYÈRE, les Caractères, III, 11.

4 Sa compagne, ou je meure !, a beaucoup d'agrément.
CORNEILLE, le Menteur, V, 4.

5 Son art de plaire, et de n'y penser pas,
Ses agréments, à qui tout rend hommage.
LA FONTAINE, Fables, XII, 15.

6 (...) les grâces de sa personne et les agréments de son esprit (...) RACINE, Épitaphe de C. F. de Bretagne.

REM. Ce sens n'est moderne qu'en parlant de choses concrètes, notamment des cieux agréables. *L'agrément d'une ville d'eau, d'une région.*

7 C'était une de ces tristes rues de province, sans magasins, sans animation d'aucune sorte, ni caractère, ni agrément.
GIDE, Si le grain ne meurt, I, IV, 96.

7.1 Ces caractères, Sigismond leur trouve de l'agrément, oui, comme à des bonjours (ou, mieux, à des bonsoirs) que lui adresserait la grande ville catalane ; il les observe avec gentillesse.
A. PIEYRE DE MANDIARGUES, la Marge, p. 99.

Plus cour. (au plur.). *La situation n'a pas beaucoup d'agréments. Les agréments de la table, du voyage.* → **Plaisirs.** *Les agréments de la vie,* les choses qui la rendent agréable, commode ou facile. → **Amusement, bien-être, bonheur, commodité, distraction, divertissement, joie, plaisir.**

Ce qui est certain, c'est qu'avec tous ses agréments et tous ses charmes, le monde n'a rien de comparable à ces saintes délices et à ces joies secrètes que la religion nous fait goûter. BOURDALOUE, Pensées, *in* Littré. 8

Pop. *Avoir de l'agrément,* du plaisir. *Je te souhaite bien de l'agrément* (souvent ironique).

♦ **3 ... D'AGRÉMENT :** destiné au plaisir (dans certaines expressions). Vieilli. *Arts d'agrément :* arts mineurs cultivés pour le simple plaisir, pratiqués en amateur (dessin, musique, broderie). *Au XIX^e siècle, les jeunes filles des familles aisées pratiquaient les arts d'agrément.* — *Propriété d'agrément* (par opposition à *propriété de rapport*). — *Jardin d'agrément* (par opposition à *jardin potager*). *Arbre, plantes d'agrément.* — *Voyage d'agrément* (par opposition à *voyage d'affaires*).

Tityre et Angèle commencèrent de cultiver ensemble avec succès différents beaux-arts d'agrément (...) 9
GIDE, le Prométhée mal enchaîné, *in* Romans, Pl., p. 337.

Si nous en sommes venus à n'attribuer à l'art qu'une valeur d'agrément et de repos et à le faire tenir dans une utilisation purement formelle des formes, dans l'harmonie de certains rapports extérieurs, cela n'entache en rien sa valeur expressive profonde (...) 10
A. ARTAUD, le Théâtre et son double, p. 105.

♦ **4** (Le plus souvent au plur.). **a** Vx. Accessoires destinés à orner (un vêtement, un meuble, etc.). → **Enjolivement, garniture, ornement.** *Les agréments d'une robe* (→ **Passementerie.**)

**b** (1706). Mus. et chant. *Agréments* ou *notes d'agrément.* → **Fioriture.** *Agréments mélodiques :* accents, arpègements, cadences, chutes, gruppetti, etc.

Vx. Divertissement (musique, danse) qui accompagne une comédie.

**c** (Emploi général). Ornement du style.

J'ajoute que les raffinements et les agréments laborieux que les poètes avaient introduits dans l'art des vers depuis 1850 environ, l'obligation de séparer plus qu'on ne l'avait jamais fait l'excitation et l'intention initiales de l'exécution, me disposaient à considérer les lettres sous cet aspect. 11
VALÉRY, Variété V, p. 88.

CONTR. **Refus, désapprobation, blâme. — Défaut, désagrément, ennui, souci.** ◊ DÉR. **Agrémaniste** ou **agrémentiste, agrémenter.**

**AGRÉMENTATION** [agʀemɑ̃tasjɔ̃] n. f. — 1875, Goncourt; de *agrémenter.*

Rare. Action d'agrémenter (qqch.).

**AGRÉMENTER** [agʀemɑ̃te] v. tr. — 1801; de *agrément.*

Améliorer par un, des agréments, rendre moins monotone par l'addition d'ornements ou d'éléments de variété. → **Orner, décorer, embellir, parer.** *Il agrémenta sa conférence d'anecdotes.* → **Émailler, enjoliver, relever.** — *Ce dictionnaire est agrémenté de nombreuses citations.* → **Enrichir, garnir.**

(...) en habits et vestes de soie feuille morte, rose tendre, bleu céleste, agrémentés de broderies et galonnés d'or, les hommes sont aussi parés que les femmes. 12
TAINE, les Origines de la France contemporaine, t. I, p. 160.

Du sable, presque uniquement agrémenté par cette étrange plante gris-vert dont enfin je puis voir le fruit : un beignet énorme, bivalve, tenant suspendu en son centre (...) 13
GIDE, Voyage au Congo, *in* Souvenirs, Pl., p. 833.

Iron. (le plus souvent au passif ou au p. p.). *Agrémenter de (qqch. de désagréable)* : accompagner de... *Il ne put s'empêcher d'agrémenter sa présentation de plaisanteries méchantes. Être agrémenté de..., par...* (qqch.).

Sa résistance rendait les insistances plus vives et plus narquoises; les objurgations des parents s'y mêlaient, agrémentées de quelques claques, quand l'esprit de révolte soufflait trop impertinemment.
R. ROLLAND, Jean-Christophe, Antoinette, p. 842.

◆ **S'AGRÉMENTER** v. pron. Iron. «*Les informations s'embellissaient (...), s'agrémentaient de contresens*» (R. Rolland, *in* T. L. F.).

◆ **AGRÉMENTÉ, ÉE** p. p. adj. Voir ci-dessus.

CONTR. **Déparer, enlaidir, gâter.** ◇ DÉR. **Agrémentation.**

**AGRÉMENTISTE** [agʀemɑ̃tist] n. → **Agrémaniste.**

**AGRÉMINISTE** [agʀeminist] n. Vx. → **Agrémaniste.**

**AGRÈS** [agʀɛ] n. m. pl. — 1491, *aggrais; agreie, agrei* «équipement», 1120; de l'anc. v. *agreier, agréer.* → 2. Agréer, et gréer.

♦ **1** [a] Mar. (Vx, littér.). Éléments nécessaires à la manœuvre d'un navire : cordages et manœuvres (gréement courant), vergues et voiles. *Agrès et apparaux* (cit. 1, 2, 3). — Par ext. Tout ce qui n'est pas la coque, les mâts, les munitions ou les armes : outre le gréement, le gouvernail, les ancres, les avirons et autres objets de rechange en voiles, cordages... — REM. R. Gruss (*Petit Dict. de mar.*, 2e éd.) donne *agrès* comme synonyme de *gréement* entendu dans un sens très large. → Gréement.

(...) et la rafale avait beau souffler, faire gémir les agrès, secouer et inonder la barque (...)
Alphonse DAUDET, Lettres de mon moulin, «Les douaniers», p. 98.

De ses fenêtres au premier étage on apercevait les gréements, tout «l'Indian-Dock», les premières voiles, les agrès, les clippers d'Avril, les long-courriers d'Australie...
CÉLINE, Guignol's band, p. 181.

[b] Par anal. Matériel de manœuvre (d'un aérostat). *Les agrès d'un ballon, d'un aérostat.*

♦ **2** Appareils qui garnissent un portique de gymnastique (anneaux, balançoire ou escarpolette, corde lisse ou à nœuds, échelles, perches, trapèze). *Exercices aux agrès, au sol. Les agrès d'un portique.*

(...) je ne trouvai d'abord que les agrès et m'en dégoûtai facilement : les gestes qu'ils me commandaient étaient mécaniques, bornés comme ceux d'une profession, sans rien de l'initiative qui anoblit tous les sports.
Jean PRÉVOST, Plaisirs des sports, p. 20.

♦ **3** Techn. (artill.). Accessoires de manœuvre. — Accessoires de manutention, en chemin de fer.

**AGRESSANT, ANTE** [agesɑ̃, ɑ̃t] adj. — 1445, Godefroy, *paroles agressantes;* p. prés. de *agresser.*

Rare. Qui agresse, attaque l'organisme (en parlant d'une substance, d'un produit). *Substances chimiques agressantes* (→ **Corrosif, irritant).**

**AGRESSER** [agʀese] v. tr. — Attesté 1375; courant du XIVe au XVIe, puis repris 1892, Guérin (réattesté isolément en 1845 chez Richard de Radonvilliers); du rad. lat. de *agresseur, agression,* 1.; le mot a été fortement critiqué. → Agression, cit. 2.

♦ **1** Commettre une agression sur (qqn). → **Assaillir.** *Deux individus l'ont agressé la nuit dernière.* Par ext. Soumettre (qqn) à des violences verbales, à un choc nerveux, causer une vive surprise à...

Tes lèvres s'écartent sur tes dents bien carrées, alors 1
quelque chose m'agresse à partir de toute ta personne tandis que je vois ce que tu es en train de faire (...)
Monique WITTIG, le Corps lesbien, p. 153.

(Compl. n. de chose). Heurter. *Je ne sais pas «aller à bicyclette autrement qu'en agressant les bancs»* (Montherlant, *les Lépreuses,* in T. L. F.).

♦ **2** (Sujet n. de chose). Constituer un facteur d'agression sur. *Maladie qui agresse le physique, le mental d'un individu.* → **Attaquer.** *Les conditions de vie difficiles qui nous agressent.* → **Atteindre, stresser** (anglic.). *La publicité agresse les habitants des pays industrialisés.*

REM. Comme pour *agressif* et *agression,* cet emploi relève de l'influence de l'anglais.

◆ **AGRESSÉ, ÉE** p. p. adj.

♦ **1** *Passant agressé dans une rue déserte.* — Par métaphore (littér.) :

(...) une de ces espèces de robes violentes, non pas agres- 2
sives mais en quelque sorte agressées, c'est-à-dire dont la fragilité, l'inconsistance, les dimensions exiguës donnaient l'impression qu'on en avait déjà arraché la moitié et que le peu qui restait encore ne tenait guère que par quelque chose comme un fil (...)
Claude SIMON, la Route des Flandres, p. 125.

N. *L'agressé* (par opposition à *l'agresseur*) : la personne qui est agressée. — Rare. *Une agressée.*

♦ **2** Psychan. *Être, se sentir agressé,* du fait de la confrontation réelle ou supposée avec une personne, une situation, etc., ressentie psychologiquement comme une menace.

N. *L'agressé :* la personne agressée dans ses fonctions physiques ou mentales.

(...) on *a* une fracture ou une rougeole, on *est* un goutteux 3
ou un psychasthénique. Mais dans la plupart des cas, les symptômes qui dépendent de la nature de l'agression et ceux qui dépendent de la nature de l'agressé s'intriquent étroitement (...)
Jean DELAY, Introd. à la médecine psychosomatique, Notes et observations, p. 44.

**AGRESSEUR** [agʀesœʀ] n. m. — 1495; *aggresseur,* 1404; bas lat. *aggressor,* du supin du lat. class. *aggredi* «attaquer». → Agression.

♦ **1** Personne qui attaque sans avoir été provoquée, qui commet une agression. → **Assaillant, attaquant, offenseur, provocateur.** *Elle a pu reconnaître son agresseur. Les agresseurs étaient masqués.*

On a tué ton père, il était l'agresseur (...) 1
CORNEILLE, le Cid, IV, 5.

Et du moins l'un des deux sera juste agresseur, 2
Ou pour venger sa femme, ou pour venger sa sœur.
CORNEILLE, Horace, II, 6.

M. Arnauld n'était point l'agresseur dans cette dispute. 3
RACINE, Hist. de Port-Royal.

♦ **2** Dr. internat. État qui commet une agression. *On a proposé que l'État qui ne respecterait pas la procédure internationale soit réputé agresseur.* Adj. *Un État agresseur.*

♦ **3** (Au sens extensif de *agresser*). Personne, chose qui soumet d'autres personnes à une agression psychologique, verbale, etc. *L'agresseur et l'agressé.*

REM. Un fém. *agresseuse* serait normal, tant dans l'emploi adj. *(les puissances agresseuses)* que subst.; mais la tendance est d'employer le masc. : *l'agresseur était une femme.*

CONTR. **Défenseur, protecteur. — Offensé.**

**AGRESSIF, IVE** [agʀesif, iv] adj. — Av. 1793, milit. : *le plan agressif de l'ennemi;* sens mod. déb. XIX^e (1836, Balzac); du rad. lat. de agression.

♦ **1** Qui tient de l'agression, qui a le caractère d'une agression, qui marque la volonté d'attaquer sans ménagement. → **Menaçant, violent.** *Il répondit d'un air agressif. Des paroles agressives. Il a prononcé un discours agressif.*

1 Déruchette avait le regard indolent, et agressif sans le savoir. Elle ne connaissait peut-être pas le sens du mot amour, et elle rendait volontiers les gens amoureux d'elle.
HUGO, les Travailleurs de la mer, 1, II, I, p. 59 (1866).

1.1 Ces soucis de père de famille commençaient à lui singulièrement déplaire. Et tout à l'heure, rencontre de Théo, d'Alberte et de Mme Pigeonnier; peut-être même de Catherine. Agressif, il préféra se retourner contre Pierre.
R. QUENEAU, le Chiendent, p. 193.

Provocant, provocateur; qui est destiné à, ou de nature à produire un effet d'agression sur qqn (soit d'hostilité, soit de séduction).

2 Elle était coquette, cependant, d'une coquetterie agressive et prudente qui ne s'avançait jamais trop loin.
MAUPASSANT, Fort comme la mort, I, I, p. 26.

3 Tout génie, si l'on veut, délire (...) Celui de beaucoup d'artistes allemands contemporains est agressif; il a un caractère d'antagonisme destructeur.
R. ROLLAND, Musiciens d'aujourd'hui, p. 140.

4 La guerre n'a pas abattu son élégance agressive *(de Paule);* elle portait une longue jupe de soie aux reflets violets, et à ses oreilles des grappes d'améthystes.
S. DE BEAUVOIR, les Mandarins, p. 31.

♦ **2** (Personnes). Qui a tendance à attaquer, à rechercher la lutte. → **Batailleur, belliqueux, combatif.** *Il s'est montré agressif sans motif.*

5 *(Elle)* criait sa foi, dans les salons orthodoxes avec un courage agressif.
A. MAUROIS, le Cercle de famille, III, 11.

6 Jean Barois devenu un militant de l'anticléricalisme, prêche une libre pensée agressive.
A. MAUROIS, Études littéraires, t. II, Martin du Gard, p. 174.

7 Puis les choses s'animèrent, les joueurs devinrent vraiment agressifs, le moment des politesses était passé. Alors, Martial et Félix perdirent peu à peu toute réserve.
Jean-Louis CURTIS, le Roseau pensant, p. 17

8 (...) il y a au centre du continent une Allemagne, tantôt envahissante et tantôt envahie, à la fois plastique et agressive, sans laquelle bien évidemment aucune construction politique continentale durable n'est possible.
André SIEGFRIED, l'Âme des peuples, V, 1.

♦ **3** (Choses concrètes). Qui agresse, provoque. *Une couleur agressive.* → **Vif, violent.** *Un rouge à lèvres agressif.* → **Provoquant.**

9 (...) une moustache retroussée au fer, agressive (...)
MARTIN DU GARD, les Thibault, IV, 6, p. 154

10 Les cheveux étaient coupés court, le cou robuste bien que léger, la poitrine agressive.
A. MAUROIS, Terre promise, XLIII, 296.

♦ **4** (Angl. *agressive* «dynamique, actif et efficace»). Anglic. *Un vendeur, un démarcheur agressif. Il n'est pas assez agressif pour réussir.* → **Accrocheur, combatif.**

♦ **5** (XX^e; 1946, *in* T. L. F.). Psychol., psychan. Qui se rapporte à l'instinct d'agression. *Pulsions agressives et pulsions sexuelles.*

11 Dans sa théorie des instincts, FREUD admet deux forces instinctives fondamentales : l'une de vie, l'autre de mort; l'instinct sexuel représente le premier; les impulsions agressives par leurs tendances destructrices représentent le second. Ces deux instincts en se combinant ou se contrariant produisent tous les phénomènes de la vie.
A. POROT, Manuel alphabétique de psychiatrie, art. *Agression, agressivité.*

N. m. *Un agressif* (plus rarement, *une agressive*) : une personne dont la conduite est déterminée par des pulsions agressives.

CONTR. **Apaisant, bienveillant, doux, humble, inoffensif, modéré, modeste, paisible.** ◊ DÉR. **Agressivement, agressivité.**

**AGRESSION** [agʀesjɔ̃] n. f. — V. 1395, «attaque»; lat. *agressio* «attaque».

♦ **1** Dr. pén. Attaque contre les personnes ou les biens protégés par la loi pénale. — Dr. internat. Attaque armée d'un État contre un autre, non justifiée par la légitime défense. *L'agression hitlérienne contre la Pologne. Condamnation des guerres d'agression. Politique d'agression et de violence, ou politique défensive.*

♦ **2** Attaque violente contre une personne. *Agression nocturne. Il a été victime d'une agression. Une agression à main armée.* → **Attentat, hold-up**; fam. **casse.** *Agression suivie de violences, de viol.*

On a dit que l'agression est une attaque inattendue, sans raison, sans provocation (...) Attaque porte simplement l'idée sur un combat, une lutte qui commence d'un côté; mais l'agression porte l'idée sur l'acte premier qui est la cause du conflit. Il est possible que celui qui attaque ne soit pas l'agresseur, l'agression pouvant consister en toute autre chose qu'une attaque. Attaque est l'acte, le fait; agression est l'acte, le fait considéré moralement et pour savoir à qui est le premier tort.
LITTRÉ, Dict., art. *Agression.*

Un lecteur (...) nous demande si le verbe agresser (**attaquer,** ou plus exactement **attaquer soudain, brutalement,** comme dans une agression nocturne) est tolérable (...) L'usage d'**agresser** est inutile, et dénote une maladresse chez les journalistes qui l'emploient; car ils ne trouvent plus **assaillir** dans leur mémoire (...)
A. THÉRIVE, Querelles de langage, t. III, p. 165.

Par ext. Paroles, comportement qui visent à blesser moralement. *«Cette critique est une véritable agression»* (Académie).

Quand toute ma force enveloppait mes enfants, m'écrivait-elle, pouvais-je l'employer contre monsieur de Mortsauf et pouvais-je me défendre de ses agressions en me défendant contre la mort?
BALZAC, le Lys dans la vallée, Pl., t. VIII, p. 943.

Psychol. *Les agressions de la vie urbaine.* → **Stress** (anglic.). *La publicité est pour lui une agression insupportable.*

♦ **3** (Angl. *aggression*). Psychophysiol. Attaque de l'intégrité des fonctions physiques ou mentales de l'individu, par un agent externe générateur de maladie (→ Agresser, cit. 3). → **Stress.**

(...) des agressions microbiennes provoquées par des germes insensibles aux nouveaux médicaments.
V. VIC-DUPONT, la Maladie infectieuse, p. 87.

Psychan. *Instinct, pulsion d'agression* (all. *Agressionstrieb*) : instinct fondamental de l'être vivant, lié (selon les uns) à la destruction (pulsion de mort) ou (selon les autres) à l'affirmation de soi.

(...) les psychologues ne sont pas toujours d'accord sur le sens à donner à ce mot *(agression);* les uns le réservent aux actes de caractère hostile, destructeur, malfaisant; les autres l'appliquent à toutes les tendances actives, tournées vers l'extérieur, affirmatives de soi, possessives et constructives.
A. POROT, Manuel alphabétique de psychiatrie, art. *Agression, agressivité.*

*Agression tournée contre soi-même.* → **Masochisme.** *Agression exercée contre autrui.* → **Sadisme.**

(Êtres vivants, en général). Interaction entre animaux qui s'affrontent; attitude d'un animal qui cherche à attaquer, à repousser ou à détruire un autre animal (de même espèce ou d'espèce différente). *Instinct* (ou «sous-instinct») *d'agression. L'étude de l'agression est l'un des sujets essentiels de l'éthologie.* → aussi **agressivité.**

♦ **4** (Choses). Action violemment nuisible (contre le milieu naturel). → **Nuisance, pollution.** *L'agression du milieu par les altéragènes.* — Techn. Action physique observée lors d'une collision entre véhicules (écrasements, torsions...). *Agression de rigidité, agression de structure.*

CONTR. **Défense, protection, résistance.** ◊ COMP. **Non-agression.**

**AGRESSIVEMENT** [agʀesivmɑ̃] adv. — 1846, Bescherelle; de *agressif.*

♦ **1** Avec agressivité. → **Violemment.** *Se comporter agressivement. Il a répondu agressivement à son père.*

Je lui parlai agressivement des barbares, et il me surprit en refusant de faire chorus; orphelin de père, il s'entendait parfaitement avec sa mère et sa sœur et ne partageait pas mon horreur des «foyers clos».

S. DE BEAUVOIR, Mémoires d'une jeune fille rangée, p. 244.

♦ **2** De manière excessive et hostile ou provocante. *Il est agressivement bien habillé.*

**AGRESSIVITÉ** [agʀesivite] n. f. — 1873, Goncourt; de *agressif.*

♦ **1** Caractère agressif. → **Combativité, malveillance, violence.** *On a discuté ses propositions et il a aussitôt fait preuve d'agressivité.* — (Animaux). Tendance aux comportements, aux conduites d'agression. *L'agressivité d'un animal. Agressivité et comportement d'apaisement*.*

Je m'affectais péniblement au retentissement de certaines sonorités nouvelles que je distinguais dans sa voix; une sorte d'agressivité, qui me força de penser (...) que Pauline prenait son parti beaucoup moins facilement qu'elle ne le disait (...)

GIDE, les Faux-monnayeurs, III, 10, p. 406.

(...) Il gardait à leur égard une méfiance, un ressentiment, une agressivité de plébéien en transfert de classe.

A. MAUROIS, Études littéraires, t. I, Péguy, p. 234.

♦ **2** (Anglic. → Agressif, 4.). *L'agressivité d'un vendeur, d'un candidat aux élections,* comportement combatif.

♦ **3** Psychol., psychan. Manifestation de l'instinct d'agression. *Agressivité anormale relevant d'un traitement psychanalytique ou psychothérapique. Agressivité chez l'enfant :* réaction d'opposition à l'autorité ou à la tyrannie de l'entourage.

On peut la définir *(l'agressivité chez l'adulte) :* la disposition à l'attaque rencontrée chez tous les sujets en état d'hostilité active.

A. POROT, Manuel alphabétique de psychiatrie, art. *Agression, agressivité.*

La querelle Freud/Adler, récemment ressuscitée par Lorenz qui se croit (à tort) d'accord avec Freud, repose sur une première confusion entre *agressivité* et *combativité.* Adler et Lorenz ont décrit un grand *instinct de vie* exerçant son pouvoir structurant sur les territoires, les groupes, les pulsions mêmes : c'est la combativité. Freud, au contraire, sous le mot agressivité, a toujours étudié une fonction destructrice œuvrant, silencieuse, derrière la grande clameur de la vie (...)

Denise VAN CANEGHEM, Agressivité et Combativité, p. 19.

*Agressivité et frustration. Sublimation, compensation de l'agressivité.*

♦ **4** (Choses). Pouvoir d'agression contre le milieu; spécialt, pouvoir corrosif.

CONTR. **Douceur, bienveillance, humilité, modération.**

**AGRESTE** [agʀɛst] adj. — V. 1220; n. m. «paysan», 1210; lat. *agrestis,* de *ager* «champ».

Vieux, littéraire ou technique.

♦ **1** Qui a rapport aux champs, à la campagne. *Vie agreste. Un site agreste.* → **Champêtre, pastoral, rural.**

Agreste n'est pas synonyme de champêtre. Agreste emporte avec lui l'idée de sauvage; champêtre, l'idée de la culture et des agréments qui l'accompagnent. 1

LITTRÉ, Dict., art. *Agreste.*

Myth. *Divinités agrestes.*

♦ **2** Vx. Qui n'est pas cultivé, qui croît spontanément. *Plantes agrestes. Fruits agrestes.*

♦ **3** Vx ou littér. Qui a un caractère de rusticité sauvage, manque de civilité. — *Solitude agreste. Mœurs, manières agrestes.* → **Abrupt, grossier, inculte; rude, rustique, sauvage.**

Tous les étrangers ne sont pas barbares, et tous nos compatriotes ne sont pas civilisés : de même toute campagne n'est pas agreste et toute ville n'est pas polie (...) 2

LA BRUYÈRE, les Caractères, XII, 22.

Voyez ces plages désertes, ces tristes contrées où l'homme n'a jamais résidé (...) ce sont des végétaux agrestes, des herbes dures, épineuses. 3

BUFFON, *in* LAFAYE, Suppl., Champêtre..., agreste.

Ce lieu est charmant, il est vrai, mais agreste et abandonné; je n'y vois pas de travail humain. 4

ROUSSEAU, *in* LAFAYE, Suppl., Champêtre..., agreste.

J'écoute, je marche vers le bruit, je me hâte, le sentier s'élargit un peu, j'aperçois enfin quelques haies, et bientôt après le Couvent; rien de plus agreste que cette solitude, aucune habitation ne l'avoisinait, la plus prochaine était à six lieues, et des bois immenses entouraient la maison de toutes parts. 5

SADE, Justine..., t. I, p. 137.

CONTR. (De 1.) **Urbain.** — (De 3.) **Civilisé, cultivé, poli, policé.**

**AGRI** [agʀi] n. — D. i. (XX^e); de *(école d') agri(culture).*

Argot des écoles et fam. *Une agri :* une école d'agriculture. — *Un, une agri :* un, une élève, un ancien, une ancienne élève d'une école d'agriculture. *Les agri* (ou *agris*) *et les agro*.*

**AGRICHAGE** [agʀiʃaʒ] n. m. — 1893, Goncourt; de *agricher.*

Régional ou argot anc. Arrestation (Bruant, 1901). — Fig., vx. Accrochage, empoignade.

**AGRICHER** [agʀiʃe] v. tr. — XIX^e; mot dial. (Ouest) «agripper», du francique **grîpjan* «saisir». → Gripper.

Régional ou argot (vx). Saisir brutalement; arrêter (cf. *Frères-je-t'agriche* «agents de police», 1883, *in* Esnault).

Pron. (1901, *in* Petiot). Sports (vieilli). S'accrocher (à un concurrent, etc.). *Il s'est agriché au peloton.*

DÉR. **Agrichage, agricheur.**

**AGRICHEUR, EUSE** [agʀiʃœʀ, øz] n. et adj. — 1901, Bruant; de *agricher.*

Argot.

♦ **1** N. (Vx). Voleur, escroc.

♦ **2** Adj. (Sports, 1920). Qui est combatif, tenace. *Un boxeur agricheur.* → **Accrocheur, combatif.**

**AGRICOLE** [agʀikɔl] adj. — 1765; n. m. «cultivateur», 1361; lat. *agricola* «laboureur», de *ager* «champ», et *colere* «cultiver».

♦ **1** Qui pratique l'agriculture. *«La France est un pays agricole»* (*Encyclopédie,* 1765). *«Il faut que la France reste agricole»* (Talleyrand, cité par Michelet). *Colonie, population, communauté agricole. Peuple, nation plus agricole qu'industrielle. L'Europe agricole* (dite *Europe verte**).

Vx (avec un nom de personne). «*Les habitants, industrieux, agricoles et actifs*» (Lamartine). → **Agriculteur.**

♦ **2** Relatif à l'agriculture; de l'agriculture. → **Rural** (→ Appeler, cit. 30.1). — (Activités). *Travaux, opérations agricoles* (→ ci-dessous, le vocabulaire du domaine). *Exploitation agricole d'une terre. Industrie agricole,* qui traite des produits de l'agriculture (industries alimentaires, textiles naturels, etc.). → ci-dessous, liste. *La propriété agricole.* — *Économie agricole,* caractérisée par l'agriculture ou par la prépondérance de l'agriculture. *Travail agricole; développement agricole. La vie agricole,* rurale. *Le génie agricole du terroir. Les traditions agricoles. Activités agricoles et pastorales**. — *Les questions agricoles. La crise agricole. Risques agricoles; calamités* agricoles.*

1 — Votre mari va bien?
— Très bien, il doit même parler à la Chambre en ce moment.
— Ah! Sur quoi donc?
— Sans doute sur les betteraves ou les huiles de colza, comme toujours.
Son mari, le comte de Guilleroy, député de l'Eure, s'était fait une spécialité de toutes les questions agricoles.

MAUPASSANT, Fort comme la mort, éd. 1889, I, I, p. 8.

2 Mais voici survenir la période de prospérité agricole. Les paysans qui, jusque-là, buvaient de l'eau toute l'année, exception faite de la fête patronale et des cérémonies de famille, s'accordent à la saison d'été une ration quotidienne de «picolo» et gardent à demeure une petite provision.

Émile GUILLAUMIN, le Syndicat de Baugignoux, p. 105.

*Le marathon* (2.) *agricole* : les discussions pour la fixation des prix agricoles (dans la Communauté économique européenne).

(Lieux, organisations). *Plaine agricole. Riches terroirs agricoles. La surface agricole.* — *Entreprise, exploitation agricole.* «*Les vastes hangars agricoles*» (Mauriac).

(Matériel, gestion, organisation). *Machine agricole, appareils agricoles, outillage agricole* (→ ci-dessous). — *Économie, gestion agricole. Calendrier agricole. Législation agricole. Crédit agricole.* — *La science agricole, les recherches agricoles.* → **Agronomie, agronomique,** et le préf. **agro-.** *Botanique, hydraulique agricole. Géologie agricole.* → **Agrologie.** *Enseignement, institut, lycée agricole. Techniques agricoles. Centre d'études techniques agricoles. Expérimentation, station agricole. Bail, comptabilité agricole. Crédit, warrant agricole. Assurances agricoles. Comices*, concours, expositions, foires agricoles.*

(Production). *Production agricole. Produits, denrées, marchandises agricoles,* qui proviennent de l'activité agricole. — *Prix agricoles,* concernant ces produits.

(Personnes). *Ingénieur agricole* (le sens n'étant plus : «qui pratique l'agriculture» comme en 1., mais «qui est spécialisé dans le domaine agricole»). → **Agronome.** — *Exploitant agricole. Fédération, syndicat d'exploitants agricoles.* — *Ouvrier agricole.* → ci-dessous. — *Syndicat, coopérative, association agricole,* d'agriculteurs.

3 (...) dans la conversation, plus d'un heurt, chaque fois, se produisait, accusant les différences profondes de compréhension et de conception.
Souvent, à propos de quelque grève, ou à propos des syndicats de journaliers agricoles récemment fondés, j'approuvais le mouvement ouvrier et stigmatisais la rapacité, l'égoïsme des patrons et des bourgeois.

Émile GUILLAUMIN, le Syndicat de Baugignoux, p. 37.

*Ordre du mérite agricole* : ordre des personnes ayant contribué aux progrès de l'agriculture, et à qui une décoration est décernée par le ministère de l'Agriculture (en France).

*Termes désignant des produits agricoles.* → **Alcool, bière, bois, cacao, café, caoutchouc, céréale, cidre, épice, fourrage, fruit, légume, oléagineux, sucre, tabac, textile, tubercule, vin.** — **Graisse, lait, miel, œuf, viande.**

*Les industries agricoles.* → **Brasserie, cidrerie, confiturerie, conserverie, distillerie, féculerie, huilerie, meunerie, sucrerie, vinaigrerie.**

*L'outillage agricole* (appareils, instruments aratoires, outils, machines agricoles). → **Aplatisseur, araire** (charrue), **arracheur, arracheuse, arrosoir, autoclave, bâche, balai, balance, baratte, bascule, batteuse, bêche, bident, billonneuse, binette, binot, botteleuse, brabant** (charrue), **brise-mottes, brouette, broyeur, buttoir** (charrue), **canne-plantoir, chariot, charrette, charrue, cisailles, civière** (à fumier), **cognée, concasseur, coupe-foin, coupe-racines, couteau** (à foin), **crible, croc, crochet, croissant, croskill** (rouleau), **cultivateur, défonceuse, déchaumeuse, déchausseur, décolleteuse, démarieuse, déplantoir, distributeur** (d'engrais), **ébranchoir, échelle, échenilloir, écrémeuse, écroûteuse** (houe), **effeuilleuse, égrappoir, égrenoir, élévateur, engrangeur, engreneuse, essanveuse, étrape, extirpateur, faneuse, faucard, faucheuse, faucille, faux, filtre, fléau, fouloir, fourche, fourragère, hache-paille, haquet, herse, hotte, houe, hoyau, laveur, liens, lieuse, locomobile, malaxeur, manège, moissonneuse** (lieuse, batteuse), **monosoc, moteur, moulin, noria, pal, panier, pelle, pesticide, pic, pioche, plantoir, playon, polysoc** (charrue), **pompe, poudreuse, presse** (à fourrage), **pressoir, pulvérisateur, pulvériseur, rabot, racloir, racloire, rasette, râteau, ratissoire, rouleau, sape, sarcloir, scarificateur, sécateur, semoir, serfouette, serpe, sonde, soufreuse, tarare, tombereau, tonne, tonneau, tourne-oreille** (charrue), **tournée** (pioche), **tracteur, tracteur-navette, traîneau, treuil, trident, trieur, trieuse, trisoc** (charrue), **tuyau** (de drainage; d'irrigation), **van, versoir** (charrue), **voiture.** → aussi **hydraulique,** et à **ferme,** les bâtiments, constructions, magasins agricoles.

*Les travaux, les opérations agricoles.* → **Culture; amendement** (engrais), **ameublissement, arpentage, arrachage, arrosage, assainissement, bassinage, battage, bêchage, binage, bornage, bottelage, buttage, chaulage, colmatage, cueillette, curage, débroussement, décavaillonnage, déchaumage, défoncement, défrichement, dépiquage, dessèchement, destruction** (des mauvaises herbes, des parasites), **déterrage, dry-farming, écimage, éclaircissage, écobuage, effanage, égrenage, emballage, emblavage, émottage, enfouissement** (des engrais), **ensachage, ensemencement, ensilage, entrecueillette, épandage, épierrement, essartement, façon, fanage, faucardement, fauchage, fenaison, fertilisation, forçage, fumure, harnachement, hersage, hortillonnage, irrigation, jardinage, jarovisation, javelage, labour, labourage, marcottage, marnage, moisson, nivellement, percolation, plâtrage, plombage, ploutrage, pralinage, raclage, râtelage, ratissage, récolte, repiquage, rouissage, roulage, sarclage, scarifiage, séchage, semailles, semis, serfouissage, sondage, soufrage, sous-solage, sulfatage, terrage, vannage.** → à **Arboriculture, horticulture, sylviculture, viticulture,** etc., les termes propres aux diverses cultures. → aussi **Élevage.**

*Les travailleurs agricoles.* → **Aoûteron, berger, brassier, bûcheron, charretier, domestique, garde, gardien, jardinier, journalier, ouvrier, tâcheron, valet** (vx). La nature des cultures ou des travaux qualifie l'ouvrier : **betteravier, moissonneur,** etc.

**AGRICULTEUR, TRICE** [agʀikyltœʀ, tʀis] n. — 1495; du lat. *agricultor* «laboureur», de *ager* «champ», et dér. de *colere.* → Agricole.

Personne qui cultive la terre, se livre à l'agriculture. *Cet agriculteur exploite deux cents hectares. L'augmentation du revenu des agriculteurs.* → **Cultivateur, éleveur, exploitant** (agricole), **fermier, laboureur, métayer, paysan, producteur** (de blé, etc.); **apiculteur, arboriculteur, aviculteur, horticulteur, maraîcher, pisciculteur, sériciculteur, sylviculteur, viticulteur; colon, planteur.** *Il veut devenir agriculteur. Paysans* et agriculteurs. Centre national des jeunes agriculteurs* (C. N. J. A.), organisme professionnel français.

REM. Au sens précis d'*agricole* et d'*agriculture,* le mot exclut les activités d'élevage; au sens large, il les inclut.

Qui donc pourvoit à nos besoins? Qui donc fournit à notre subsistance? N'est-ce pas l'agriculteur? L'agriculteur, Messieurs, qui, ensemençant d'une main laborieuse les sillons féconds des campagnes, fait naître le blé, lequel broyé est mis en poudre au moyen d'ingénieux appareils, en sort sous le nom de farine, et, de là, transporté dans les cités, est bientôt rendu chez le boulanger, qui en confectionne un aliment pour le pauvre comme pour le riche. N'est-ce pas l'agriculteur encore qui engraisse, pour nos vêtements, ses abondants troupeaux dans les pâturages? Car comment nous vêtirions-nous, car comment nous nourririons-nous sans l'agriculteur?

FLAUBERT, Mme Bovary, II, VIII.

REM. Le texte est celui d'un discours officiel aux Comices.

L'agriculteur est une espèce de mineur, qui extrait lui aussi le charbon sous forme de bois, d'amidon, de sucre, de nectar, de parfum; seulement au lieu d'aller chercher le charbon et ses composés à cinq cents mètres sous la terre, il l'extrait de l'air par d'autres procédés, qui sont culture, labour, ensemencement, arrosages.

ALAIN, Propos, 7 juin 1922, Propriétés.

REM. Le fém. *agricultrice* est rare au sens d'«exploitant agricole»; la tendance semble être de dire : *Mme X est agriculteur.*

**AGRICULTURE** [agʀikyltyʀ] n. f. — Fin XIIIe; du lat. *agricultura.* → Agricole.

♦ **1** Culture, travail de la terre; par ext., production des plantes et des animaux utiles fournissant les denrées alimentaires et les matières premières d'autres industries. → **Culture; apiculture, arboriculture, aviculture, horticulture, pisciculture, sériciculture, sylviculture, viticulture; élevage; primaire** (secteur primaire). *Le régime juridique en agriculture.* → **Faire-valoir, fermage, métayage, propriété.** *Les travaux et les produits de l'agriculture.* → **Agricole.** *L'agriculture d'aujourd'hui.* → Monoculture, cit. 2.

Le premier et le plus respectable de tous les arts *(techniques)* est l'agriculture (...)

ROUSSEAU, Émile, III, p. 216 (→ Métier, cit. 8).

L'agriculture alimente l'industrie, et l'industrie enrichit l'agriculture.

FUSTEL DE COULANGES, Leçons à l'Impératrice, p. 15.

Un vieux mot réédité ce soir, mais vraiment drôle, un mot sur la Vénus de Milo, dénommée maintenant la déesse de l'Agriculture, l'agriculture manquant de bras.

Ed. et J. DE GONCOURT, Journal, févr. 1890, p. 1134.

*D'agriculture. Chambre d'agriculture, société d'agriculture. Académie d'agriculture.*

Les affaires agricoles (d'un pays). *Ministère, budget de l'Agriculture. — L'Agriculture :* le ministère de l'Agriculture.

Par métonymie. Ensemble des agriculteurs et des exploitations agricoles. *L'agriculture française, italienne, chinoise se réorganise.*

Techniques agricoles. *Méthodes d'agriculture. Une agriculture archaïque, moderne.*

♦ **2** Type d'activité et d'organisation sociale où la culture de la terre est prépondérante.

♦ **3** Discipline qui étudie et enseigne les techniques agricoles, l'économie agricole. → **Agronomie; agro-** (et comp.). *Traité d'agriculture. École d'agriculture.* → **Agri** (fam.).

**AGRIER** [agʀije] n. m. — 1283; du bas lat. *agrarium,* de *ager.*

Hist. Droit en nature, prélèvement d'une partie de la récolte au profit du suzerain. → **Champart.**

**AGRIFFER** [agʀife] v. tr. — 1671; *agriffer* «égratigner», 1391; de *à,* et *griffe.*

Vx ou régional. Prendre avec les griffes. — Argot. *Agriffer qqn,* l'appréhender, l'arrêter. → fam. **Agrafer, épingler.**

◆ **S'AGRIFFER** v. pron.

♦ **1** S'attacher avec les griffes. *Le chat s'agriffa à la tapisserie.* → **Accrocher** (s').

♦ **2** S'attacher, s'accrocher (avec les mains, etc.). → **Agripper** (s').

Cela s'agriffait, plongeait, remontait dans le culbutis meurtrier... Puis tout disparut dans les gueules du torrent engloutisseur.

Félix Antoine SAVARD, Menaud, maître-draveur, *in* Littératures de langue française hors de France, p. 449.

**AGRILE** [agʀil] ou **AGRILUS** [agʀilys] n. m. — 1853; lat. zool. *agrilus,* de *ager, agri* «champ».

Zool. Insecte coléoptère *(Buprestidés),* de petite taille, d'un vert métallique, dont les larves vivent sous l'écorce des arbres non résineux ou les tiges de plantes herbacées. *L'agrile s'attaque à la vigne et au poirier et peut être très nuisible.*

**AGRION** [agʀijɔ̃] n. m. — 1823; lat. zool. *agrion,* 1775; du grec *agrios,* neutre *agrion* «sauvage».

Insecte zygoptère (ordre des *Odonates*), espèce de petite libellule au corps fin et coloré qui, au repos, tient ses ailes dressées verticalement et que l'on nomme communément *demoiselle* (type des *agrionidés*).

**AGRIONIDÉS** [agʀijɔnide] n. m. pl. — Fin XIXe (in *Nouveau Larousse illustré*); du lat. sc. *agrio,* grec *agrios* (→ Agrion), et suff. sc. *-idés.*

Zool. Famille d'insectes odonates (sous-ordre des *Zygoptères*), au vol lourd, vivant près de l'eau. — Au sing. *Un agrionidé.*

1. **AGRIOTE** [agʀijɔt] n. m. — Mil. XIXe; du grec *agrios* «sauvage».

Zool. Insecte coléoptère *(Élatéridés),* dont la larve communément appelée *taupin des Moissons,* dévore les racines des céréales. (Une autre variété de larve, appelée *ver fil de fer,* est également nuisible aux céréales).

2. **AGRIOTE** ou **AGRIOTTE** [agʀijɔt] n. f. — XVIe; anc. provençal *agriota,* de *agre* «acide au goût», lat. *acer, acris* «aigre». → Griotte.

Bot. et régional. Merise à la saveur aigre. → **Griotte.** *Agriotes à l'eau de vie.*

**AGRIOTYPE** [agʀijɔtip] n. m. — 1846, Bescherelle; du grec *agrios* «sauvage», et *-type.*

Zool. Insecte hémiptère térébrant, noir et aquatique, type d'une famille *(Agriotypidés),* dont la larve est parasite de celle des phryganes.

**AGRIPAUME** [agʀipom] n. f. — 1549; du lat. sc. du XVI^e *agria palma,* du lat. *agrius,* grec *agrios* «sauvage», et *palma.*

Bot. Plante dicotylédone *(Labiées)* de nos régions, scientifiquement appelée *Leonurus cardiaca,* herbacée, vivace, à fleurs pourpres ou blanches, dont une variété est un faux marrube.

**AGRIPPANT, ANTE** [agʀipɑ̃, ɑ̃t] adj. — Attesté XIX^e (1883, Daudet); p. prés. de *agripper.*

Qui agrippe, peut agripper. *Les serres agrippantes d'un rapace.*

**AGRIPPEMENT** [agʀipmɑ̃] n. m. — 1929, P. Morand; de *agripper.*

Action d'agripper, de s'agripper.

Ils sont toujours là, enlacés et immobiles, sa main à lui arrêtée maintenant sur ses hanches à elle pour toujours, tandis qu'elle, elle, elle, les mains retenant ses épaules, arrêtées dans son agrippement, sa bouche contre sa bouche, elle le dévore.
M. DURAS, Dix heures et demie du soir en été, p. 50.

Psychol. Réflexe du nouveau-né qui ferme la main sur tout objet sous l'influence d'une stimulation tactile de la paume.

**AGRIPPER** [agʀipe] v. tr. — XV^e; «arracher», v. 1200; de *à,* et *gripper* «saisir, accrocher» (→ Agricher).

♦ **1** Prendre, saisir en serrant (pour s'accrocher). *Le bébé agrippe tout ce qu'il peut attraper.* → **Attraper; accrocher.** *Agripper la poignée, la rampe. Agripper la main de qqn. — Agripper qqn par la main, par le revers de la veste.*

1 Puis il revenait, agrippait Laurent par un des boutons de sa blouse et grognait : Je ne suis pas sûr que tu m'écoutes, Pasquier.
G. DUHAMEL, Chronique des Pasquier, VIII, 7.

(Choses). Accrocher.

2 Au passage les branches de groseilliers sauvages nous agrippaient par la manche.
ALAIN-FOURNIER, le Grand Meaulnes, p. 259.

♦ **2** (1752). Argot anc. Dérober avec adresse.

♦ **3** Fig. et littér. Saisir violemment (d'un sentiment).

◆ **S'AGRIPPER** v. pron. (1721). Cour. S'attacher, s'accrocher à... → **Cramponner** (se). *S'agripper à qqch., à qqn.*

3 (...) elle jette ses bras comme des tentacules. Ah, cette fois, il a compris. Elle s'agrippe, se soulève, se presse contre lui, sanglote.
MARTIN DU GARD, les Thibault, Pl., V, V, p. 1186.

4 Il s'agrippe d'une main au bord de la carlingue, il cherche à se redresser pour regarder dehors.
MARTIN DU GARD, les Thibault, VII, 84, p. 152.

5 Les six personnages en vestes longues et redingotes qui se tiennent debout devant le comptoir, sous l'œil du patron dont le corps massif, courbé vers eux, s'agrippe des deux mains, bras écartés, au rebord intérieur de celui-ci (...)
A. ROBBE-GRILLET, Dans le labyrinthe, p. 110.

(Déb. XVIII^e, Saint-Simon). Fig. *S'agripper au passé, à ses souvenirs. Un souvenir qui s'agrippe à la mémoire.*

6 (...) quand l'heure de l'inévitable départ aura sonné, notre mépris pour ceux qui s'agrippent vainement à l'existence éclatera dans ce beau chant : ah ! que dignement nous avons vécu ! CAMUS, l'Homme révolté, p. 48.

CONTR. **Lâcher, détacher** (se). ◇ DÉR. **Agrippement, agrippeur.**

**AGRIPPEUR, EUSE** [agʀipœʀ, øz] adj. et n. — 1505, «voleur»; adj., 1883; de *agripper.*

Rare.

♦ **1** Adj. Qui saisit avec force et avidité. *Mains agrippeuses.*

♦ **2** N. (Pop., vx). Voleur, filou.

**AGRO** [agʀo] n. — D. i. (XX^e); du nom de l'Institut national agronomique.

Argot des écoles et fam. En loc. *Préparer agro ; faire agro :* préparer le concours d'entrée à l'Institut national agronomique (grande école délivrant le diplôme d'ingénieur agronome); être élève de cette école. — (En emploi libre). *Un agro, une agro :* un, une élève, un ancien, une ancienne élève de cette école, ou un, une élève d'une classe préparatoire au concours d'entrée. — Plur. *Des agro* ou *des agros. Les cyrards, les flottards, les agro et les X* (cit. 8). *Les pistons* (cit. 2.1) *conspuaient les agros. Les agro et les agri.*

**AGRO-** Élément, du grec *agros* «champ», utilisé pour l'agriculture. → **Agrochimie, agrologie, agronome, agronomie,** etc.

On peut citer en outre : *agroclimatologie,* n. f. : climatologie agricole; *agro-industriel, elle, els,* adj.; *agrométéorologie,* n. f.; *agrosystème,* n. m. : écosystème en milieu agricole.

**AGROALIMENTAIRE** [agʀoalimɑ̃tɛʀ] adj. — V. 1960, écrit *agro-alimentaire;* de *agro-,* et *alimentaire.*

Didact., comm. Relatif à la transformation par l'industrie des produits agricoles destinés à l'alimentation (lait et dérivés, viandes, produits de la mer, fruits et légumes, oléagineux comestibles, sucre, céréales, boissons, produits tropicaux...). *Le commerce agroalimentaire. Les différents secteurs agroalimentaires. — Société, groupe agroalimentaire,* d'industrie agricole destinée à l'alimentation (ex. : conserveries, laiterie industrielle...). *Complexe agroalimentaire. «En 1996, le groupe agroalimentaire avait déclaré vouloir se recentrer autour de trois pôles d'activité : les produits frais, les biscuits et l'eau»* (*Le Monde,* 21 mars 2000, p. 24).

N. m. *L'agroalimentaire :* l'ensemble des activités économiques agroalimentaires.

REM. On écrit aussi *agro-alimentaire.*

**AGROBIOLOGIE** [agʀobjɔlɔʒi] n. f. — 1948, *in* D. D. L.; de *agro-,* et *biologie.*

Didact. Ensemble des recherches biologiques applicables à l'agriculture. Spécialt. Agronomie basée sur l'amélioration naturelle des processus biologiques, en l'absence de produits chimiques de synthèse. *«L'agrobiologie part du principe — strictement écologique — que le parasite est un élément de la nature»* (*Sciences et Avenir,* p. 4, mai 1978).

DÉR. **Agrobiologique.**

**AGROBIOLOGIQUE** [agʀobjɔlɔʒik] adj. — V. 1960; de *agrobiologie.*

Didact. De l'agrobiologie. → aussi **Écologique.**

**AGROBIOLOGISTE** [agʀobjɔlɔʒist] n. — 1948, *in* D. D. L.; de *agro-,* et *biologiste.*

Didact. Spécialiste de l'agrobiologie; agriculteur pratiquant l'agrobiologie. *«Les agrobiologistes, loin d'être des retardataires en théorie, puisqu'ils se fondent sur les conceptions scientifiques les plus récentes (...) ne le sont pas davantage en pratique puisqu'ils tirent leur profit des innovations génétiques et du machinisme»* (*Sciences et Avenir,* p. 4-5, mai 1978).

**AGROCHIMIE** [agʀoʃimi] n. f. — V. 1958; de *agro-*, et *chimie.*

Didact. Chimie agronomique.

**DÉR. Agrochimique.**

**AGROCHIMIQUE** [agʀoʃimik] adj. — V. 1958; de *agrochimie.*

Didact. Relatif à l'agrochimie.

**AGROGÉOLOGIE** [agʀoʒeɔlɔʒi] n. f. — 1928; de *agro-*, et *géologie.*

Didact. Étude scientifique des applications des données de la géologie à l'agriculture. → **Agropédologie.**

**AGRO-INDUSTRIE** [agʀoɛ̃dystʀi] n. f. — V. 1985; de *agro-*, et *industrie.*

Ensemble des industries qui sont en rapport avec l'agriculture (matériel agricole, engrais, agroalimentaire). *«(...) la montée en puissance de l'agro-industrie»* (*le Monde,* 29 sept. 1988, p. 13).

**DÉR. Agro-industriel.**

**AGRO-INDUSTRIEL, ELLE** [agʀoɛ̃dystʀijɛl] adj. — Après 1985; de *agro-industrie.*

Relatif à l'agro-industrie. *La fabrication des engrais est un important secteur agro-industriel. Activités agro-industrielles.*

**AGROLOGIE** [agʀɔlɔʒi] n. f. — 1836; de *agro-*, et *-logie.*

Vx. Science des terrains dans leur rapport avec l'agriculture. → **Agriculture, agronomie, pédologie.**

**DÉR. Agrologique.**

**AGROLOGIQUE** [agʀɔlɔʒik] adj. — 1836; de *agrologie.*

Vx. Qui a rapport à l'agrologie. *Analyse agrologique.*

**AGRONOME** [agʀɔnɔm] n. — Av. 1787; au XIVe, Oresme, trad. du grec; grec *agronomos* (de *agros,* et *nomos* → -nome), puis lat. médiéval *agronomus.*

Spécialiste de l'agronomie. *Ingénieur agronome :* en France, Diplômé d'une école supérieure d'agronomie. *Un agronome, une agronome.* — Argot des écoles et fam. → **Agro.**

«— Croyez-vous qu'il faille, pour être agronome, avoir soi-même labouré la terre ou engraissé des volailles ? Mais il faut connaître plutôt la constitution des substances dont il s'agit, les gisements géologiques, les actions atmosphériques, la qualité des terrains, des minéraux, des eaux, la densité des différents corps et leur capillarité !»

FLAUBERT, Mme Bovary, Pl., t. I, p. 153.

Ainsi un paysan peut se moquer d'un agronome; non que le paysan sache ou seulement soupçonne pourquoi l'engrais chimique, ou le nouvel assolement, ou un labourage plus profond n'ont point donné ce qu'on attendait; seulement, par une longue pratique, il a réglé toutes les actions de culture sur des petites différences qu'il ne connaît point mais dont pourtant il tient compte, et que l'agronome ne peut pas même soupçonner.

ALAIN, les Idées et les Âges, *in* les Passions et la Sagesse, Pl., p. 292.

**AGRONOMIE** [agʀɔnɔmi] n. f. — 1798; au XIVe, Oresme, charge de magistrat grec dit *agronome.* → Agronome.

Étude scientifique des problèmes (physiques, chimiques, biologiques) que pose la pratique de l'agriculture. → **Agrobiologie, agrochimie, agrogéologie, agropharmacie, agropédologie.** *Agronomie tropicale.*

**DÉR. Agronomique.** ◊ **COMP. Radioagronomie.**

**AGRONOMIQUE** [agʀɔnɔmik] adj. — Fin XVIIIe; de *agronomie.*

Qui a rapport à l'agronomie. *Station agronomique, centre de recherches agronomiques. L'art, les techniques agronomiques. Les grandes exploitations agricoles sont de véritables usines agronomiques. Études agronomiques. — Institut national agronomique :* établissement français d'enseignement supérieur de l'agronomie. → **Agro.**

**AGROPASTORAL, ALE** [agʀopastɔʀal] adj. — V. 1965; de *agro-*, et *pastoral.*

Didact. Qui se livre à l'agriculture et à l'élevage. *Des sociétés agropastorales. Ethnies agropastorales d'Afrique.*

**AGROPÉDOLOGIE** [agʀopedɔlɔʒi] n. f. — V. 1970; de *agro-*, et *pédologie.*

Didact. Étude scientifique de l'application des données de la pédologie à l'agriculture. → aussi Agrogéologie.

**AGROPHARMACIE** [agʀofaʀmasi] n. f. — V. 1965; de *agro-*, et *pharmacie.*

Didact. Science qui a pour objet l'étude des produits destinés à la protection ou à l'amélioration de la production agricole.

**AGROSTEMMA** [agʀostema; agʀostɛmma] n. f. — 1834, *agrostemme;* lat. bot. *agro-stemma,* Linné, du grec *agros* (→ Agro-), et *stemma* «couronne».

Bot. Plante *(Caryophyllacées)* dont une variété est la nielle des blés *(lychnis).*

**DÉR. Agrostemmine.**

**AGROSTEMMINE** [agʀostemin; agʀostɛmmin] n. f. — 1865; de *agrostemme.* → Agrostemma.

Chim. Alcaloïde extrait de l'agrostemma.

**AGROSTIDE** [agʀɔstid] n. f. — 1816; dér. sav. du lat. *agrostis,* et suff. *-ide.*

Agrostis (→ Prairie, cit. 1.1).

**AGROSTIS** [agʀɔstis] n. m. — 1809; lat. *agrostis,* grec *agrôstis* «chiendent».

Bot. Plante monocotylédone *(Graminées)* que ses élégantes inflorescences finement ramifiées font également appeler *jouet des vents, plumettes. L'agrostis constitue un excellent fourrage. — Faux agrostis :* l'antinorie.

**AGROTIS** [agʀɔtis] n. m. — 1834, Landais, var. *agrostis, agrostide;* lat. zool. *agrotis,* du grec *agrotês* «campagnard».

Zool. Noctuelle à ailes brunâtres *(Lépidoptères, Noctuidés),* dont la chenille (ver gris) s'attaque aux céréales.

**AGROTOURISME** [agʀotuʀism] n. m. — 1977; de *agro-*, et *tourisme.*

Tourisme qui se pratique en zone rurale (gîtes, chambres d'hôtes, camping à la ferme...).

**AGROUPEMENT** [agʀupmɑ̃] n. m. — 1824, J. Joubert; de *agrouper.*

Vx, rare. Réunion de ce qui est agroupé.

**AGROUPER** [agʀupe] v. tr. — 1669; de 1. *a-*, et *grouper*.

Vx. Disposer en groupe. — Pron. «*Le peuple s'agroupe*» (Bescherelle). — Au p. p. :

Les contrastes savants des membres agroupés.
MOLIÈRE, le Val de Grâce.

DÉR. **Agroupement.**

**AGRUME** [agʀym] n. m. — 1859, cit.; *agrumi*, 1739; de l'ital. *agrume*, du lat. médiéval *acrumen* «substance de saveur aigre»; cf. anc. franç. *aigrum* «légume ou fruit à saveur acide». → Âcre.

♦ **1** N. m. pl. **AGRUMES** : nom collectif des oranges, mandarines, citrons, pamplemousses (auxquels on peut joindre les autres fruits du genre *citrus* de la famille des *Aurantiacées*). Par ext. Les arbres qui portent ces fruits.

1 Nous nous arrêterons un peu plus sur les espèces du genre *citrus* qu'on peut nommer, toutes ensemble, *agrumes* d'un nom collectif italien.
DUCHARTRE, *in* Encycl. pratique de l'agriculteur, t. I, colonne 574 (Didot 1859).

Au sing. Plante ou espèce de plantes de ce genre. *L'orange est l'agrume le plus répandu.*

2 Le mot «agrume» a été accueilli récemment par l'Académie française (1940)... Nous disposions pour désigner les orangers doux et amers, les mandariniers, les citronniers, les cédratiers, les pomélos, les pamplemoussiers, les limes acides (...) et leurs fruits du terme «citrus» qui s'applique aux végétaux d'un genre déterminé de la famille botanique des Aurantiacées, terme que la plupart des peuples du monde emploient couramment.
«Citrus» nous eût donné «citriculture» et «citricole» (...) sans l'emploi (...) des vocables «agrumes», «agrumiculture», «agrumicole» qui ont, aujourd'hui, reçu droit de cité et consécration officielle.
Paul ROBERT, les Agrumes dans le monde, Introduction.

♦ **2** N. m. sing. Prune de l'espèce dont on fait les pruneaux d'Agen.

COMP. **Agrumiculteur, agrumiculture.**

**AGRUMICULTEUR, TRICE** [agʀymikyltœʀ, tʀis] n. — XX$^{e}$ (v. 1930-1935); de *agrume*, et *-culteur* (agriculteur, etc.).

Agric. Personne qui cultive et produit des agrumes pour les commercialiser. → Agrume, cit. 2.

**AGRUMICULTURE** [agʀymikyltyʀ] n. f. — 1938; de *agrume*, et *culture*.

Agric. Culture des agrumes. *Comité consultatif de l'agrumiculture* (1938).

**AGRYPNIE** [agʀipni] n. f. — 1771; lat. méd. *agrypnia*, mot grec, de *agreo* «je chasse», et *hupnos* «le sommeil».

♦ **1** Méd. Vx. Insomnie. (Proust met le mot dans la bouche d'un médecin : *À l'ombre des jeunes filles en fleurs*, 1918).

♦ **2** Zool. Insecte nocturne, variété de phrygane.

**AGUACATE** [agwakate] n. m. — 1640; *accoiates*, 1599; mot esp. (1541), du nahuatl *ahuacatl*.

Rare. Variété d'avocat d'Amérique centrale; son fruit.

**AGUARDIENTE** [agwaʀdjɛnte] n. f. — 1853, cit.; mot esp., de *agua* «eau», et *ardiente* «ardente».

Eau-de-vie, en Amérique centrale, en Amérique du Sud (et, vx, en Espagne).

1 Cette boisson toute locale me fit penser aux petits verres d'aguardiente que je buvais il y a douze ans sur la route de Grenade à Malaga.
Th. GAUTIER, Constantinople, p. 54 (1853).

2 Il a tellement bu de whisky (...) de gin, d'eau-de-vie, de rhum (...) d'aguardiente avec tous les enfants perdus retour de l'intérieur, qu'il est un des hommes les mieux renseignés sur les territoires légendaires de l'Ouest.
B. CENDRARS, l'Or, p. 37.

**AGUERRIR** [ageʀiʀ] v. tr. — 1535; de *à*, et *guerre*.

♦ **1** Accoutumer (qqn) aux fatigues et aux dangers de la guerre. → **Entraîner, préparer.** *Aguerrir quelqu'un, des troupes.*

Il avait aguerri ses troupes dès longtemps par de continuels exercices.
RACINE, les Campagnes de Louis XIV.

♦ **2** Fig. Accoutumer (qqn) aux choses pénibles. → **Affermir, cuirasser, endurcir, tremper.** *La vie au grand air l'a aguerri. — Aguerrir qqn à, contre... Aguerrir qqn à la douleur. La vie dans la montagne l'a aguerri au* (ou *contre le*) *froid. Aguerrir son âme contre les découragements.*

◆ **S'AGUERRIR** v. pron. Vieilli ou littér. S'accoutumer, se faire aux exigences de la guerre. → **Endurcir** (s'). *Les troupes se sont aguerries au feu.*

Fig. S'accoutumer aux épreuves (physiques ou morales). *Il n'est pas encore fait à la critique, il s'y aguerrira.*

Nous allons donc faire de toi un maître d'étude... En commençant, on ne te mettra pas dans une grande baraque... Je vais t'envoyer dans un collège communal... Là tu feras ton apprentissage d'homme, tu t'aguerriras au métier...
Alphonse DAUDET, le Petit Chose, p. 47 (1868).

◆ **AGUERRI, IE** p. p. adj.

♦ **1** Accoutumé aux dangers, aux rigueurs de la guerre. → **Endurci.**

Une troupe aguerrie est celle qui a acquis à la fois prudence et indifférence.
Henri FAUCONNIER, Malaisie, p. 14.

♦ **2** Accoutumé aux souffrances (physiques ou morales). → **Éprouvé,** 1. **fort.** *Un homme aguerri. Il n'est pas assez aguerri.*

Elle considérait toute vie humaine comme un dur combat pour lequel il fallait être aguerri.
A. MAUROIS, Climats, II, II, p. 156.

(Avec un compl.). *Aguerri à..., contre...* (V. 1795, *in* D. D. L.). Fig. *Aguerri dans une discipline,* expert. *Aguerri pour les combats de la vie.*

CONTR. **Affaiblir, amollir. — Faible, inexpérimenté, nouveau, novice.** ◊ DÉR. **Aguerrissement.**

**AGUERRISSEMENT** [ageʀismɑ̃] n. m. — 1552; de *aguerrir*.

Vieilli. Action d'aguerrir, de s'aguerrir; état de ce qui est aguerri. *L'aguerrissement d'une troupe, d'un individu.*

**AGUET** [agɛ] n. m. — XI$^{e}$; anc. franç. *agait*, de *agaiter*. → Guetter.

♦ **1** Vx. Action de guetter; surveillance, guet. «*Un aguet fiévreux*» (P. Bourget, *in* T. L. F.). — Au plur. *Les aguets de quelqu'un.*

*(Cette bonté de mœurs)* Exposée aux aguets de rusés séducteurs.
MOLIÈRE, l'École des Femmes, II, 5.

♦ **2** (1636). Loc. adv. Mod. **AUX AGUETS.** [a] En position de guetteur, d'observateur en éveil et sur ses gardes. *Une troupe aux aguets. Se tenir aux aguets.* → **Affût** (à l').

[b] Attentif, pour surveiller, dissimuler. *Il s'immobilisa, l'oreille aux aguets. Rester l'œil aux aguets.*

(...) chacun semble aux aguets comme un faucon dans son nid.
MÉRIMÉE, Colomba, III.

(...) ces servantes ou esclaves jour et nuit aux aguets, suivant l'usage (...) comme autant de chiens de garde familiers et indiscrets.
LOTI, les Désenchantées, III, 28.

**c** Sur ses gardes. → **Méfiant, vigilant.** *Être aux aguets.*

À moins (...) qu'elle ne me surprenne debout, aux aguets sur un monde endormi (...)
COLETTE, la Naissance du jour, p. 8.

Ici à Ceylan, les bêtes sont aimées, l'eau est franciscaine. Comparée à cette foule, toute autre est aux aguets.
MALRAUX, Antimémoires, Folio, p. 268.

**AGUEUSIE** [agøzi] n. f. — 1897, *agueustie*, 1836; de 2. *a-*, et grec *geusis* «goût».

Psychol. Absence de sensibilité gustative (congénitale ou acquise).

**AGUI** [agi] n. m. — 1776; de *aguier* «conduire», XIIIe; anc. francique *wîtan*. → Guider.

Mar. Cordage terminé par un nœud, dit *nœud d'agui* (ou nœud de chaise). *L'agui était employé pour hisser un charpentier, un calfat, et le maintenir.*

**AGUICHAGE** [agiʃaʒ] n. m. — 1890, P. Bourget; de *aguicher*.

♦ **1** Rare. Action d'aguicher quelqu'un.

♦ **2** Techn. (pêche). Le fait d'attirer le poisson et de l'inciter à mordre.

**AGUICHANT, ANTE** [agiʃɑ̃, ɑ̃t] adj. — Après 1850; de *aguicher*.

Qui aguiche par ses attitudes ou par ses charmes naturels. *Une fille aguichante.* → **Aguicheur, provocant, séduisant.** — *Un décolleté aguichant. Un comportement aguichant.* → **Agaçant** (spécialt), **excitant.**

REM. Se dit surtout en parlant d'une femme, de ses manières, de son habillement.

**AGUICHE** [agiʃ] n. f. — 1982; déverbal de *aguicher*.

Énigme destinée à susciter et à maintenir l'attention du public, dans la phase initiale d'une campagne de publicité. *L'aguiche ne mentionne ni nom de marque ni nom de produit.*

**AGUICHER** [agiʃe] v. tr. — 1881; argot «exciter contre, agacer», 1842, E. Sue; de l'anc. franç. *aguichier*, p.-ê. de *guiche* «courroie», par l'intermédiaire de formes et de sens dialectaux, ou var. de *aiguiser*, ou de *agacher*, var. de *agacer*, avec infl. possible de *guiche* (1876) «accroche-coeur» (Guiraud).

♦ **1** Vx. Exciter, provoquer. *Aguicher un animal. Aguicher qqn contre qqn*, l'exciter, le monter contre.

— C'est ma sœur, mais qu'elle ne recommence pas à m'aguicher, ou je te la flanque dehors!
ZOLA, la Terre, p. 267, *in* T.L.F.

♦ **2** Mod. Attirer érotiquement par des agaceries, des provocations, des coquetteries. → **Agacer, allécher.**

Entre le dessinateur et la pierreuse des boulevards extérieurs, frôlant le passant qu'elle aguiche (...)
Le Temps, 13 déc. 1904, «Exposition de Toulouse-Lautrec».

REM. Le sujet, selon la conception dominante des rapports érotiques, est le plus souvent une femme.

♦ **3** Par ext. Attirer, allécher. *Aguicher les clients, les acheteurs.*

◆ **S'AGUICHER** v. pron.

♦ **1** (1881, Richepin). Vx. Se quereller.

♦ **2** Mod. S'attirer réciproquement par de petites provocations.

DÉR. **Aguichage, aguichant, aguiche, aguicherie, aguicheur.**

**AGUICHERIE** [agiʃʀi] n. f. — 1911, *in* T.L.F.; de *aguicher*.

Fam., vieilli. Action, manœuvre servant à aguicher. → **Aguichage.** «*Quelques aguicheries impudiques*» (Paul Margueritte, *in* T.L.F., 1918).

**AGUICHEUR, EUSE** [agiʃœʀ, øz] n. et adj. — 1896; de *aguicher*.

♦ **1** N. Celui, celle qui aguiche. *C'est une aguicheuse, une petite aguicheuse.*

♦ **2** Adj. → **Aguichant, enjôleur**; et aussi **agouant, alliciant.**

Cette odeur frôleuse qui est l'odeur même du Sud, aguicheuse et cruelle, lascive, inoubliable. 1
Camara LAYE, le Regard du roi, p. 135.

Luce me voit partie, complètement absente, et me tire par la manche avec son sourire le plus aguicheur. 2
COLETTE, Claudine à l'école, p. 226.

**AGUILANEUF** [agilanœf] n. m. — D. i.; de *au gui* l'an neuf*.

Folklore. Rite social par lequel les enfants, avant le nouvel an, vont solliciter des cadeaux, de l'argent en chantant des chansons appropriées. — Syn. régionaux : *guillaneu, guillanée, aguignettes*, etc.

**AH** [a] interj. — XVIe; *a*, 1050; lat. *a(h)*; onomatopée.

♦ **1** Interjection expressive, marquant un sentiment vif (joie, douleur, admiration, haine, etc.).

Ah! n'attendrissez point ici mes sentiments (...) 1
CORNEILLE, Horace, II, 8.

Ah! laisse à ma fureur le temps de croître encore. 2
RACINE, Andromaque, II, 1.

Ah! permettez, de grâce, 3
Que pour l'amour du grec, Monsieur, on vous embrasse!
MOLIÈRE, les Femmes savantes, III, 2.

♦ **2** Interjection d'insistance, de renforcement.

Ah! doucement : je n'aime pas les patineurs. 4
MOLIÈRE, George Dandin, II, 1.

♦ **3** Souvent redoublé. Marque la surprise, la perplexité. *Ah! Ah! c'est ennuyeux.*

♦ **4** Sert à transcrire le rire. *Ah! Ah! Elle est bien bonne!* → **Hi.**

Te voilà payé de ta raillerie. Ah! Ah! Ah! Ah! Ah! 5
MOLIÈRE, la Critique de l'École des femmes, VI.

♦ **5** (En loc. exclamative). Fam. Sert à marquer l'étonnement, l'indignation *(Ah bien!)*, le mécontentement *(Ah ça!)*, l'agacement *(Ah, là là!)*, l'affliction *(Ah mon Dieu!)*, la colère *(Ah! nom de Dieu, ah, bon Dieu!)*. — *Ah oui, ah non*, servent à appuyer une affirmation, une négation.

AH! LA! LA! LA! LA! LA! LA! Prolonge la pensée de l'interlocuteur et montre que ses soucis sont les vôtres. 6
Pierre DANINOS, Un certain Monsieur Blot, p. 231.

Il faut introduire les moyens de l'art dans la vie, mon b'bon, non pour en faire de l'art, ah! *bon Dieu* non! mais pour en faire davantage de la vie. Pas un mot! 7
MALRAUX, la Condition humaine, p. 399.

N. m. *Pousser des ah et des oh.*

HOM. **A, à, ha.**

**AHAN** [aɑ̃] n. m. — Xe; dér. probablt, comme l'anc. provençal *afan* et l'ital. *affano* «peine, souci», du lat. pop. **afannare* «se donner de la peine», de *afannæ* «sottises, choses embrouillées».

♦ **1** Vx ou archaïsme littér. Effort pénible, souffrances. — Loc. *Suer d'ahan. À grand ahan* : avec un effort grand et pénible.

Au fond de la forêt sauvage, à grand ahan, comme des bêtes traquées, ils errent, et rarement osent revenir le soir au gîte de la veille. J. BÉDIER, Tristan et Iseut, IX, 95. 1

2 Laissez au repos vos Francs ! En ce pays sept ans vous êtes restés ; ils y ont beaucoup enduré de peines, beaucoup d'ahan. J. BÉDIER, Chanson de Roland, XIX, 23.

3 Passeur passe jusqu'au trépas
Les bacs toujours s'en vont et viennent (...)
D'ahan les passeurs les déchaînent
Il faut passer il faut passer
APOLLINAIRE, le Guetteur mélancolique, « Les bacs », Pl., p. 537.

4 J'écris sans trop de difficulté ; mais j'ai du mal à me convaincre que ce que j'écris sans plus d'ahan ni de transport puisse valoir quelque chose.
GIDE, Journal, 7 août 1931.

♦ **2** (1798). Littér. Respiration bruyante accompagnant l'effort. → **Ahaner, 2.**

5 Chaque fois qu'un des pieds touche le sol, le buste s'incline en avant tandis que l'air sort des poumons en produisant un sourd ahan, qui semble accompagner quelque travail pénible de bûcheron avec sa cognée ou de laboureur avec sa houe à bras.
A. ROBBE-GRILLET, Projet pour une révolution à New York, p. 39.

DÉR. **Ahaner.**

**AHANANT, ANTE** [aanɑ̃, ɑ̃t] adj. — XXe ; p. prés. de *ahaner.*

Rare. Qui ahane, peine en s'essoufflant. → **Haletant.**

**AHANEMENT** [aanmɑ̃] n. m. — 1901 ; de *ahaner.*

Littér. Le fait d'ahaner (2.) ; respiration pénible et bruyante. → **Ahan** (2.), **halètement** (M. Druon, H. Bazin, *in* T. L. F.).

**AHANER** [aane] v. intr. — Mil. XIe, pron. ; de *ahan.*

♦ **1** Vx. Faire de grands efforts, peiner. — REM. La graphie *ahanner* est archaïque.

1 Cependant que j'ahanne,
À mon blé, que je vanne (...)
DU BELLAY, Jeux rustiques, « D'un vanneur de blé ».

2 Ce n'est pas assez de lui raidir l'âme *à l'enfant);* il lui faut aussi raidir les muscles (...) Je sais combien ahanne la mienne en compagnie d'un corps si tendre.
MONTAIGNE, Essais, I, XXVI.

♦ **2** (1798). Littér. Respirer bruyamment sous l'effort.

3 Debout devant la glace, il fit quelques exercices. Toute la carcasse se mit à craquer d'une façon sinistre. Au bout de trois minutes, épuisé, ahanant, il s'arrêta.
Jean-Louis CURTIS, le Roseau pensant.

Par métaphore, fig. Fournir un effort très pénible.

DÉR. **Ahanant, ahanement.**

**AHEURTEMENT** [aœʀtəmɑ̃] n. m. — Mil. XIIe ; de *aheurter.*

Vx. Action de s'aheurter ; attachement opiniâtre à un sentiment, à une opinion. → **Entêtement, obstination, opiniâtreté.**

Je doute fort qu'une simplicité, accompagnée d'un tel aheurtement et de tant d'opiniâtreté, doive être traitée de bonne foi.
BOURDALOUE, Pensées, t. II, p. 353, *in* LITTRÉ.

REM. Au XIXe s., le mot est attesté chez Sainte-Beuve.

**AHEURTER** [aœʀte] v. tr. — Mil. XIIe ; de *à,* et *heurter.*

Vx. Heurter (qqch.) ; arrêter devant un obstacle. — Au passif. *Être aheurté* (à qqch., à qqn).

1 Il y a des obscurités *(dans le christianisme)* sans cela on ne serait pas aheurté à Jésus-Christ.
PASCAL, Pensées, *in* T. L. F.

◆ **S'AHEURTER** v. pron. *S'aheurter à une opinion, à une résolution,* s'y arrêter, s'y tenir avec opiniâtreté. *« C'est un homme qui s'aheurte tellement à ce qu'il s'est mis une fois dans la tête qu'on ne le fait jamais revenir »* (Académie). → **Entêter** (s'), **obstiner** (s'), **opiniâtrer** (s'). *S'aheurter sur un point...* (Sainte-Beuve, *in* T. L. F.).

(...) Votre belle-mère avait envie que je vous fisse religieuse (...) et de tout temps elle a été aheurtée à cela.
MOLIÈRE, le Malade imaginaire, I, 5.

Vx ou littér. Se heurter (à, contre un obstacle, une difficulté).

REM. Le mot, quoique rare, est encore attesté au XXe s. (Gide, J. Green, *in* T. L. F.) ; il est très littéraire.

DÉR. **Aheurtement.**

**AHI** [ai] interj. — XIIe ; onomatopée.

Vx. Exclamation exprimant la douleur. → **Aïe !**

Ahi ! ahi ! à l'aide ! au meurtre, au secours ! on m'assomme !
MOLIÈRE, l'Étourdi, II, 7.

HOM. 1. **Aï,** 2. **aï,** 3. **aï** ; p. p. du v. **haïr.**

**AHIMSA** [aimsa] n. m. — Attesté 1930 (→ cit. ci-dessous) ; mot sanscrit *ahimsā* « non-nuisance ».

Didact. Principe de la religion brahmanique, selon lequel la vie sous toutes ses formes doit être respectée (aucun animal, même nuisible, ne doit être tué).

Par ext. Principe de non-violence. → **Non-violence.**

Ses parents *(de Gandhi)* appartenaient à l'école Jaïn de l'Hindouisme, dont l'un des grands principes est *l'Ahimsâ* (*A* : privatif, *Himsâ,* faire du mal. Non-injure à toute vie. Non-violence [...]), qu'il devait victorieusement affirmer dans le monde.
R. ROLLAND, Mahatma Gandhi, p. 12 (1930).

**AHO** [aho ; ao] interj. — 1833, Balzac ; combinaison de *ah !,* et de *ho !*

Rare. Interjection servant à attirer l'attention. → **Hé, ho.**

**AHONTER** [aɔ̃te] v. tr. — V. 1188 ; de 1. *a-,* et *honte.*

Vx. Couvrir (qqn) de honte. → **Honnir.**

**AHOU** [au] interj. — Attesté XIXe ; de *ah !,* et *hou !*

Onomatopée exprimant la douleur.

REM. Répétée *(ahou ahou...),* cette graphie note un bâillement (Feydeau), un aboiement (Colette ; sous la forme *âhoup,* Labiche, *Deux merles blancs,* I, 4).

**A-HUMAIN, AINE** [aymɛ̃, ɛn] adj. — V. 1920 ; de 2. *a-,* et *humain,* d'après *inhumain.*

Qui n'a rien d'humain. — REM. Ce mot littéraire s'emploie parfois pour éviter *inhumain,* qui signifie aussi « cruel ». *« Cet il-ne-savait-quoi d'inhumain, ou plutôt d'a-humain... »* (Cl. Simon, *le Vent,* p. 187).

**AHURIR** [ayʀiʀ] v. tr. — XVe ; *ahuri* « qui a une chevelure hérissée », 1270 ; de *hure* « tête hérissée ». → Ébouriffer, fig.

♦ **1** Jeter (qqn) dans le trouble, dans la stupéfaction. *Vous ahurissez cet enfant avec, par, de vos questions.* → **Abasourdir, ébahir, éberluer, étonner, surprendre.**

Le destin nous ahurit par une prolixité de souffrances insupportables. Après cela on s'étonne que les vieilles gens rabâchent. HUGO, l'Homme qui rit, Conclusion, II.

♦ **2** Faire perdre la tête à (qqn). → **Confondre, déconcerter, décontenancer, démonter, dérouter, effarer, troubler.**

Il y aurait de quoi me conduire à Charenton si je n'avais pas la tête forte. D'ailleurs, c'est mon but (secret) : ahurir tellement le lecteur qu'il en *devienne fou.*
FLAUBERT, Correspondance, 1878, p. 175, *in* T. L. F.

Rendre stupide. → **Abêtir, abrutir, hébéter.**

◆ **S'AHURIR** v. pron. Devenir ahuri, se troubler jusqu'à perdre le sens.

S'abrutir. *Il s'ahurit de travail.*

◆ **AHURI, IE** p. p. adj. et nom.

♦ **1** Qui manifeste un étonnement ou un trouble allant jusqu'à l'hébétude. → **Étonné; interdit, pantois, stupéfait.** *Il était ahuri. Air ahuri, mine ahurie. — Elle était encore tout ahurie de l'événement. Être, rester ahuri de peur, d'émotion.* — Spécialt (valeur passive). *Être ahuri de corvées, d'ordres et de contrordres.*

Ahuri indique encore, d'après ses origines, les marques physiques de l'étonnement.
A. DAUZAT, Études de linguistique franç., p. 13.

Il y avait des gens ahuris qui sortaient des maisons, qui y rentraient, qui sortaient encore et qui erraient dans la bagarre, éperdus.
HUGO, Quatre-vingt-treize, III, II, III.

Pour moi qui n'ai rien tant à cœur que d'y voir clair, je reste ahuri devant l'épaisseur de mensonge où peut se complaire un dévot.
GIDE, les Faux-monnayeurs, I, XII, p. 138.

♦ **2** Qui manifeste une hébétude, un abrutissement habituel. → **Abruti, hébété, idiot, stupide.** *Deux types complètement ahuris qui ricanaient bêtement. — Un esprit, un cerveau ahuri. — Un air ahuri.*

♦ **3** Littér. Empreint d'ahurissement. *Bêtise, ignorance ahurie.*

♦ **4** N. *Un ahuri, une ahurie* : une personne qui exprime un étonnement stupide. *Avoir l'air d'un ahuri.*

Personne stupide. → **Abruti.** *Quel ahuri !*

Je me pris ainsi d'une fausse passion pour une charmante ahurie qui avait si bien lu la presse du cœur (...)
CAMUS, la Chute, p. 116.

CONTR. **Rasséréner, rassurer, tranquilliser.** ◈ DÉR. **Ahurissant, ahurissement.**

**AHURISSANT, ANTE** [ayʀisɑ̃, ɑ̃t] adj. — Fin XIXe; de *ahurir.*

♦ **1** Qui ahurit. → **Étonnant, stupéfiant.** *Une nouvelle ahurissante.*

Devant le gîte d'étape de Moussareu, ahurissant tam-tam; d'abord à la clarté de photophores tenus à bras tendus par nos boys; puis au clair de la pleine lune (...) Je n'ai rien vu de plus déconcertant, de plus sauvage.
GIDE, Voyage au Congo, *in* Souvenirs, Pl., p. 273.

♦ **2** Rare. Qui cause l'ahurissement. *Une vie ahurissante.* — Scandaleux, excessif. *Il a un culot ahurissant. Un personnage bizarre, ahurissant, ahurissant de prétention.* → **Confondant.** *C'est ahurissant, absurde.* → **Insensé.**

**AHURISSEMENT** [ayʀismɑ̃] n. m. — 1853; de *ahurir.*

♦ **1** État d'une personne ahurie. → **Étonnement; ébahissement, effarement, stupéfaction, trouble.** *Un ahurissement total, complet.* → **Abrutissement, stupeur.** *L'ahurissement de qqn, son ahurissement devant qqch.*

Le regard, volontiers étonné, exprimait à cet instant l'ahurissement à demi somnambulique d'un géomètre que la chimère du calcul vient d'emporter à mille lieues sur ses puissantes ailes.
Paul BOURGET, Un divorce, I, p. 8.

Je vous écris dans tout l'ahurissement d'une première lecture. Pardonnez-moi mes bêtises si elles sont trop fortes.
FLAUBERT, Correspondance, 1861, p. 436, *in* T. L. F.

Rare. *L'ahurissement de qqch.*, que cause qqch. (Zola, *in* T. L. F.).

♦ **2** Rare. Action d'ahurir (qqn), d'inspirer une extrême surprise ou un grand trouble.

CONTR. **Calme, sérénité, tranquillité.**

1. **AÏ** [ai] n. m. — 1765; empr. au tupi, langue indigène du Brésil; autre forme au XVIe, *haüt, haüthi,* puis *hay* (1578).

Zool. Mammifère édenté *(Bradypodidés),* qui vit en Amérique du Sud (n. sc. *Bradypus tridactylus;* → **Bradype**). → **Paresseux.**

(...) le remuement de la cervelle et du corps aussi durs pour nous que pour l'aï, qui passe une journée à se dérouler de son arbre (...) 1
Ed. et J. DE GONCOURT, Journal, t. I, p. 193.

Et d'autres espèces d'animaux précieux (...) aïs mous, lents, noués comme des chenilles à la branche qu'ils défeuillent, tournant leurs cous de caoutchouc dans une torsion quasi complète de droite à gauche et vice versa, avec leurs grands fronts et leur mâchoire en bec, leurs yeux ahuris, gorgés de gelure brillante (...) 2
P. GRAINVILLE, les Flamboyants, p. 43.

HOM. **Ahi,** 2. **aï,** 3. **aï**; p. p. du v. **haïr.**

2. **AÏ** [ai] n. m. — 1863; p.-ê. d'après *aïe.*

Méd. Inflammation aiguë des gaines tendineuses du poignet. *L'aï provoque une vive douleur.* → **Synovite** (crépitante).

HOM. **Ahi,** 1. **aï,** 3. **aï**; p. p. du v. **haïr.**

3. **AÏ** [ai] n. m. — 1829, Béranger; *vin d'Aÿ,* 1736, Voltaire; nom d'une commune de Champagne, écrit aujourd'hui *Ay, Aÿ.*

Vin de Champagne d'Ay. — Var. graphiques : *ay, aÿ.*

HOM. **Ahi**; 1. **aï,** 2. **aï**; p. p. du verbe **haïr.**

**AICHE** [ɛʃ] n. f. → **Esche.**

**AIDABLE** [ɛdabl] adj. — 1863; en anc. et moy. franç. (dès le XIIe), «qui peut aider»; de *aider.*

Rare. Qui peut être aidé.

**AIDANT, ANTE** [ɛdɑ̃, ɑ̃t] n. — P. prés. de *aider.*

Régional (Belgique). Aide (d'un médecin, etc.). → **Assistant.** *Une aidante médicale.*

1. **AIDE** [ɛd] n. f. — 1268; *aiudha,* 842; de *aider.*

**I** Action d'aider. ♦ **1** Action, fait d'intervenir en faveur d'une personne en joignant ses efforts aux siens. → **Conseil, contribution, main** (coup de main). *L'aide de qqn à qqn. Son aide a été efficace. J'ai besoin de votre aide.* → **Appui, assistance, concours.** *Demander, recevoir de l'aide (de qqn).* → **Secours, soutien.** *Faire qqch. avec, grâce à l'aide de qqn. Il n'aurait rien pu faire sans aide.* → **Renfort.** *Accorder, apporter, prêter son aide à qqn.* → **Collaboration.** *Aide financière, pécuniaire, morale. — À l'aide. Appeler qqn à l'aide. Venir à l'aide de qqn.*

L'aide des dieux a fait que nous le conservons (...) 1
LA FONTAINE, Philémon et Baucis, 42.

Il nageait quelque peu, mais il fallait de l'aide. 2
LA FONTAINE, Fables, IV, 11.

*(L'oiseau)* Du monarque des dieux enfin implore l'aide. 3
LA FONTAINE, Fables, II, 8.

En vain nous appelons mille gens à notre aide. 4
LA FONTAINE, Fables, XI, 1.

Bon droit a besoin d'aide. 5
MOLIÈRE, la Comtesse d'Escarbagnas, 5.

Un artiste ne peut attendre aucune aide de ses pairs. 6
COCTEAU, la Difficulté d'être, De la beauté, p. 225.

7 (...) Une procuration que je lui avais extorquée avec l'aide d'un notaire de Beauvais (...)
MARTIN DU GARD, les Thibault, VIII, XXV.

8 Il est vrai qu'alors c'était moi qui me sentais tomber : je cherchais une aide, un appui, une main fraternelle.
BERNANOS, Un mauvais rêve, éd. 1948, p. 917.

Loc. hist. (féodalité). *Accorder aide et protection, porter aide et appui à quelqu'un.*

Exclam. *À l'aide!* : au secours! *Ahi* (cit.), *à l'aide!*

Loc. *Venir en aide à qqn, aux malheureux.* → **Aider, assister.**

Vx. *Dieu vous soit en aide!* → À vos souhaits*!

9 *(Avoir un mari)* Ne fût-ce que pour l'heur d'avoir qui vous salue
D'un *Dieu vous soit en aide!* alors qu'on éternue.
MOLIÈRE, Sganarelle, 2.

♦ **2** Spécialt. Secours financier, économique (à des personnes sans ressources, âgées, infirmes). *Donner aide* (vieilli), *une aide aux malheureux.* → **Aider.** *Il ne peut subsister sans cette aide.* → **Aumône, bienfait, charité, facilité, faveur, grâce, protection, secours, subside.**

10 (...) je vous puis donner aide en ce besoin (...)
LA FONTAINE, Contes, «Le faiseur d'oreilles...».

*Aide sociale* (1953; anciennt *assistance*), réglementée par l'État dans le cadre départemental. *Bureau* d'aide sociale. Aide sociale à la famille, aux personnes âgées, aux handicapés. — Aide médicale. Admission à l'aide sociale. — Aide aux mères.*

*Aide judiciaire :* faculté accordée aux personnes ayant de faibles revenus d'obtenir l'assistance d'un avocat ou des auxiliaires de justice nécessaires à un procès gratuitement ou selon leurs ressources (anciennt *assistance* judiciaire*).

*Aide au développement :* assistance (économique, financière, technique) fournie par les pays développés à ceux qui le sont moins. *Comité d'aide au développement de l'O. C. D. E. Fournir une aide technique à un pays. Aide à l'exportation.*

Milit. *Service de l'aide technique.*

REM. *Aide* a remplacé *assistance* dans de nombreux syntagmes de la langue administrative.

♦ **3** Techn. (aéronautique). *Aide à la navigation,* fournie par les appareils et installations qui transmettent à l'appareil ses coordonnées (appareils appelés aussi *aides;* → ci-dessous, II., 3.). *Aide au sol :* assistance fournie aux appareils en vol (par le personnel terrestre).

Milit. *Aide mutuelle* (entre armées de nations différentes) : soutien logistique échangé.

♦ **4** Loc. prép. **AVEC L'AIDE DE...** *Avec l'aide de collaborateurs. Avec l'aide de Dieu...* **À L'AIDE DE... :** en se servant de, au moyen de... → **Avec, grâce** (à), **moyen** (au moyen de). *Marcher à l'aide d'une canne, de béquilles. Ouvrir à l'aide d'un passe-partout.*

11 À l'aide de cette machine
De ce lieu-ci je sortirai. LA FONTAINE, Fables, III, 5.

12 On interroge sur le moyen, l'instrument, à l'aide de : **comment, avec quoi, à l'aide de quel outil, par quel moyen?** F. BRUNOT, la Pensée et la Langue, p. 666.

**SANS L'AIDE DE... :** sans le moyen de... *Il a résolu le problème sans l'aide du corrigé.*

**II** (Au plur.). **AIDES :** choses qui aident. ♦ **1** (XIII^e). Hist. Féod. Contributions, prestations dues au seigneur pour l'aider à faire face à de grosses dépenses, en certaines circonstances. — Sous l'Ancien Régime. Impôts indirects perçus sur la circulation et la vente de certaines marchandises, notamment sur les boissons. *La Cour des aides :* la cour souveraine à laquelle appartenait le contentieux suprême en matière d'impositions (de 1355 à 1790).

♦ **2** Équit. Moyens par lesquels le cavalier agit sur son cheval, particulièrement l'action des mains et des jambes. *Aides supérieures* (mains, rênes, mors), *inférieures* (assiette, jambes, éperons), *accessoires* (voix, cravache). *Ce cheval répond bien aux aides.*

♦ **3** Techn. *Aides à la navigation (aérienne)* [appareils]. → ci-dessus, I., 3.

♦ **4** Sarments soutenant un cep de vigne.

CONTR. **Abandon, contrariété, empêchement, entrave, gêne, obstacle, paralysie, préjudice, trahison.** ◊ HOM. **2. Aide.**

2. **AIDE** [ɛd] n. — XIII^e, n. f.; n. m. et f., XVI^e; de *aider.*

♦ **1** Personne qui en aide une autre dans une opération et travaille sous ses ordres. → **Adjoint, assistant, auxiliaire, second;** et aussi (littér.) **adjudant** (I., 4.), **adjuteur, auxiliateur.** *Les aides du bourreau* (cit. 1.2).

REM. Se joint souvent par un trait d'union au nom du professionnel qui emploie un aide : *aide-anesthésiste, aide-chimiste, aide-comptable.* → **Aide-.**

*Un aide de laboratoire, de bureau, de cuisine.* — *Aide familiale* ou *maternelle :* femme s'occupant des enfants et du ménage en cas d'empêchement de la mère. *Aide familiale rurale. — Aide-infirmier. Aide-soignante,* remplissant le rôle de l'aide-infirmier.

Angèle et Jeanne-Luce sont «placées» à Béthidort, l'une comme vendeuse chez le libraire, l'autre comme aide-soignante à l'hôpital.
Yanny HUREAUX, la Prof, p. 196.

♦ **2** (1800). Milit. **AIDE DE CAMP :** anciennt, Officier attaché au service personnel d'un chef militaire *(officier d'ordonnance).*

COMP. **Sous-aide.** ◊ HOM. **1. Aide.**

**AIDE-** Élément, tiré de *aider* ou de 2. *aide,* servant à former des composés désignant des choses (→ **Aide-mémoire, aide-ouïe**) et surtout des personnes. Ex. : *aide-anatomiste* (1805, Cuvier), *aide-bibliothécaire, aide-bourreau* (XVIII^e), *aide-comptable, aide-électricien, aide-géomètre, aide-infirmier, aide-jardinier, aide-lingère, aide-maçon, aide-magasinier, aide-major* (1680); *aide-mécanicien, aide-sage-femme, aide-soignante* (→ 2. **Aide,** cit.). Ces comp. peuvent être n. m. ou n. f.

**AIDEAU** [ɛdo] n. m. — 1731; de *aider.*

Techn. Pièce de bois appuyée sur les ridelles d'une charrette pour soutenir la charge à l'avant.

**AIDE-MAJOR** [ɛdmaʒɔʀ] n. m. — XVIII^e; de *aide-* ou *aider,* et *major.*

(Av. 1776). Hist. Officier chargé de seconder le major d'un corps de troupe.

**AIDE-MÉMOIRE** [ɛdmemwaʀ] n. m. invar. — 1853; de *aider,* et *mémoire.*

Abrégé destiné à soulager la mémoire de l'étudiant en ne lui présentant que l'essentiel des connaissances à assimiler. — Par ext. Notes destinées à rappeler les points principaux d'une question.

J'ai reçu votre télégramme concernant le «parti de la libération». J'ai reçu aussi sur cette question, de la part du gouvernement de Londres, un aide-mémoire qui m'a fait réfléchir.
Ch. DE GAULLE, Mémoires de guerre, t. I, p. 614.

Fig. *L'odorat, ce mystérieux aide-mémoire.* → Revivre, cit. 5.

**AIDE-OUÏE** [ɛdwi] n. m. invar. — 1964; de *aider,* et 1. *ouïe.*

Appareil servant à améliorer la perception des sons, chez les personnes atteintes de troubles auditifs. *« Le plus perfectionné des aide-ouïe électroniques à transistors »* (*le Monde,* 8 oct. 1964, *in* D. D. L.). *Porter un aide-ouïe derrière l'oreille gauche.*

**AIDER** [ede; ɛde] v. tr. — xe, *aidier;* du lat. *adjutare.*

**I** Tr. dir. ♦ **1** Appuyer (qqn) en apportant son aide; contribuer à l'action de (qqn). → **Concourir** (à), **conforter, étayer, faciliter, faire** (qqch. pour qqn), **favoriser, obliger, participer** (à, avec), **patronner, protéger, réconforter, renforcer, repêcher, servir, soulager; aide;** → Donner, prêter la main* à, prêter main forte à; faire la courte échelle* à; venir à l'aide*, à la rescousse*, au secours* de; faire, jouer le jeu* de. *Aider qqn. J'accepte, je refuse de l'aider. La voisine venait l'aider pour les repas. — Aider qqn à* (et l'inf.). *On l'aide à sortir d'embarras. — Aider qqn pour monter en voiture. Son père l'a aidé dans ses affaires.* → **Appuyer, assister.** — *Aider qqn de..., par... Je serais heureux que vous m'aidiez de vos conseils.* → **Épauler, seconder, soutenir.** *Aider qqn par son influence. Aidez-moi!* → **Secourir;** → Tendre la main* (à qqn), une main* secourable, la perche*. — Pron. *S'aider.* → **Entraider** (s'), → ci-dessous, cit. 8. — (Le compl. est un nom de chose). *Aider la mémoire, la nature* (cit. 40). → ci-dessous, cit. 6. — *Le ciel nous a aidés.* Prov. → ci-dessous, cit. 5.

Il appelle la mort; elle vient sans tarder
Lui demande ce qu'il faut faire
C'est, dit-il, afin de m'aider
À recharger ce bois; tu ne tarderas guère.
LA FONTAINE, Fables, I, 16.

Ces blés sont mûrs, dit-il, allez chez nos amis
Les prier que chacun, apportant sa faucille,
Nous vienne aider demain dès la pointe du jour.
LA FONTAINE, Fables, IV, 22.

Vous assister? que peut-il faire,
Que de prier le ciel qu'il vous aide en ceci?
LA FONTAINE, Fables, VII, 3.

Viens m'aider à sortir du piège où l'ignorance
M'a fait tomber (...) LA FONTAINE, Fables, VIII, 22.

Hercule veut qu'on se remue,
Puis il aide les gens. Regarde d'où provient
L'achoppement qui te retient (...)
Prends ton pic, et me romps ce caillou qui te nuit.
Comble-moi cette ornière. As-tu fait? Oui, dit l'homme.
— Or bien je vais t'aider, dit la voix (...)
Lors la voix : « Tu vois comme
Tes chevaux aisément se sont tirés de là.
Aide-toi, le ciel t'aidera ».
LA FONTAINE, Fables, VI, 18.

Lorsqu'un médecin vous parle d'aider, de secourir, de soulager la nature (...)
MOLIÈRE, le Malade imaginaire, III, 3.

Les curés de Rouen écrivirent aussitôt à ceux de Paris, pour les aider de leurs lumières et de leur crédit.
RACINE, Port-Royal.

Aidons-nous mutuellement,
La charge de nos maux en sera plus légère.
FLORIAN, Fables, I, 20.

En quels lieux sommes-nous? Aidez mes faibles yeux.
VOLTAIRE, Zaïre, II, 3.

Je me confessais... Je venais à vous... Je venais vous dire comme une honnête femme à un honnête homme : j'ai peur de moi... Je me sens faible... Mes forces s'en vont... L'abîme est là... Aidez-moi... Secourez-moi... Sauvez-moi! Vous, mon secours, vous, mon aide... Vous, mon mari!...
Ed. et J. DE GONCOURT, Charles Demailly, p. 335.

*(Il)* répondit que sa bienveillance m'était acquise et qu'il m'aiderait volontiers de ses conseils.
Alphonse DAUDET, le Petit Chose, Gagne ta vie, p. 58.

Je ne me sentais guère à mon aise, et Barrès n'aidait guère à s'épanouir et à se manifester des personnalités différentes de la sienne. 10.1
GIDE, Feuilles d'automne, L'enseignement de Poussin, p. 191.

(...) je lui tendis la main droite pour l'aider à se relever, comme pour lui faire passer un gué (...) 11
GIRAUDOUX, Bella, III, p. 71.

Spécialt. *Aider qqn financièrement,* lui donner, lui allouer, lui prêter... de l'argent.

*Se faire aider* (avec les différentes nuances du verbe).

Tu prends l'habitude de te faire aider et de te reposer sur les autres, au lieu de donner un effort personnel. 11.1
GIDE, les Faux-monnayeurs, *in* Romans, Pl., I, p. 946.

♦ **2** Absolt. Prêter son concours. → **Servir.** *Il a toujours envie de rendre service, d'aider.*

(Sujet n. de chose). Favoriser, faciliter (qqch.).

L'imagination aide beaucoup l'intelligence. 12
BOSSUET, Traité de la connaissance de Dieu..., I, 11.

Si rien ne peut m'aider, il faut donc que je meure. 13
MOLIÈRE, le Dépit amoureux, IV, 1.

Prov. **DIEU AIDANT :** avec l'aide de Dieu.

— Mon oncle, s'écria Marie en tombant dans les bras de Jean Cornbutte. 13.1
— Marie! Dieu aidant, je te ramènerai ton fiancé!
J. VERNE, Un hivernage dans les glaces, p. 230.

*Le temps, l'expérience aidant :* le temps, l'expérience y contribuant.

(...) la fatigue aidant, je ne pus dormir ma nuit. 14
FRANCE, le Crime de S. Bonnard, La bûche, p. 315.

Tout ce qui a eu lieu en nous, ne fût-ce qu'une fois, peut reparaître, le temps y aidant, la volonté s'y taisant. 15
GIDE, Littérature et Morale, *in* Journal, t. I, Pl., p. 87.

**II** V. tr. ind. ♦ **1** Vx ou régional. **AIDER À (qqn).** *« Aidez-lui à soulever ce fardeau »* (Académie). *« Les petits garçons aidaient au père »* (About, *in* T. L. F.). — *Aider à quelqu'un à faire quelque chose.*

*(Elle se plaint)* Qu'aucun n'aide aux chevaux à se tirer d'affaire. LA FONTAINE, Fables, VII, 3. 16

(...) pendant que le chirurgien lui aidait à se rhabiller (...) 17
MARIVAUX, le Paysan parvenu, V.

REM. Selon l'Académie, *aider à quelqu'un,* d'un emploi plus restreint qu'*aider quelqu'un,* ne pourrait exprimer qu'une aide (matérielle ou physique) de caractère momentané. Cette distinction ne semble guère utilisée. — En revanche *aider à quelqu'un* reste régionalement vivant.

♦ **2 AIDER À (qqch.).** *Son patronage aidera au succès de l'affaire. La campagne publicitaire a aidé au succès du livre.* → **Contribuer** (à), **faciliter, favoriser, permettre.**

Le meuble et l'équipage aidaient fort à la chose (...) 18
LA FONTAINE, Fables, VII, 15.

*(La garde)* se tenant cachée, aide à mon stratagème (...) 19
CORNEILLE, le Cid, IV, 3.

(...) Nous avons cru que la virtuosité des âmes basses pouvait aider au triomphe des causes nobles (...) 20
SAINT-EXUPÉRY, Pilote de guerre, p. 202.

Loc. littér. **AIDER À LA LETTRE :** suppléer à ce qui manque dans un texte, et, par ext., interpréter un texte.

Alors, en examinant avec soin son extrait de baptême, dans l'original, il reconnut que l'L étoit formé de telle manière qu'il pouvoit hardiment passer pour un D : on n'oseroit pas affirmer que l'astucieux maître d'école n'ait pas un peu aidé à la lettre. 20.1
BALZAC, Annette et le Criminel, t. III, p. 18, *in* T. L. F.

◆ **S'AIDER** v. pron.

♦ **1 S'AIDER DE** : se servir de, tirer parti de (quelque chose qui n'est pas à proprement parler un instrument). *J'ai dû m'aider d'un dictionnaire pour traduire ce texte.*

*Il s'aide des pieds et des mains pour grimper. S'aider de tout* (→ Faire feu* de tout bois).

21 *(Un loup)* Crut qu'il fallait s'aider de la peau du renard (...)
LA FONTAINE, Fables, III, 3.

21.1 Dans ce monde hermétique, il n'y a rien qui vienne vous faire rire du destin. On ne peut s'aider de rien. Le doute règne partout.
J.-M. G. LE CLÉZIO, l'Extase matérielle, p. 50.

Rare. *S'aider à quelque chose.*

21.2 Allait-elle, s'aidant aux meubles comme une convalescente, faire ainsi le tour de la pièce ?
GIRAUDOUX, Simon le pathétique, p. 73.

♦ **2** Absolt. Vieilli. Faire soi-même tout ce qui est nécessaire pour réussir une entreprise, se sortir d'une situation difficile.

21.3 La magicienne continuait de feindre que l'accès de fièvre dont elle était attaquée la tourmentait de manière qu'elle ne pouvait s'aider elle-même.
A. GALLAND, les Mille et une Nuits, t. III, p. 415.

Loc. prov. *Aide-toi, le Ciel t'aidera* (→ ci-dessus, cit. 5) : efforce-toi d'abord toi-même, la Providence t'aidera ensuite.

22 (...) le docteur et ses amis n'avaient pas perdu de vue la maxime : Aide-toi le ciel t'aidera ! et ils ne voulaient compter que sur eux-mêmes.
J. VERNE, les Cinq Cents Millions de la Bégum, p. 173.

♦ **3** (Récipr.). S'entraider. *Ils s'aident pour tous les travaux, ils s'aident l'un l'autre. S'aider mutuellement* (→ ci-dessus, cit. 8).

◆ **AIDÉ, ÉE** passif et p. p. *Une maîtresse de maison bien, mal aidée. On n'est pas aidés !* — Fig., fam. *Il n'est pas aidé :* il est médiocre, laid.

**DÉR.** **Aidable, aidant, aide, aideau, aideur.** ◊ **COMP.** **Aide-mémoire, aide-ouïe. Entraider** (s').

**AIDEUR** [ɛdœʀ] n. m. — XII^e^, *aidieres; edeor,* XIII^e^; de *aider.*

Rare. Celui qui aide. *Villèle était «un grand aideur d'affaires»* (Chateaubriand, *Mémoires d'outre-tombe, in* T. L. F.). — Le fém. *aideuse* [ɛdøz] est virtuel.

**-AIE** Suffixe servant à former, sur un radical substantif désignant un végétal, un nom féminin désignant une plantation, etc. (ex. : *cerisaie, bananeraie*).

**AÏE** [aj] interj. — 1473 ; *ahi,* XII^e^ ; onomatopée.

Interjection qui exprime la douleur, et, par ext., une surprise désagréable, un ennui. *Aïe ! je ne m'attendais pas à ce qu'il arrive maintenant.*

«Ces ânes-là, avec leurs drogues, ils m'ont... Aïe, ma jambe !... Ils m'ont... Ils m'ont démoli l'estomac !... Aïe !» La douleur était si soudaine et si aiguë, qu'en un instant elle disloqua tous les traits de son visage.
MARTIN DU GARD, les Thibault, t. III, IV, II.

**REM.** La variante *ahi !* est archaïque.

**HOM.** **Ail, haïe.**

**AÏET** [ajɛ(t)] n. m. — 1881, A. Daudet ; provençal mod. *aïet, alhet* «plant d'aïl», de *alh.* → Ail.

Régional (Provence).

♦ **1** Jeune plant d'ail qui peut se manger vert.

♦ **2** Mayonnaise à l'ail.

**AÏEUL, EULE** [ajœl] n. — XII^e^ ; du lat. pop. **aviolus, aviola,* du lat. class. *avus, avia.*

**I** ♦ **1** (Plur. *aïeuls, aïeules* [ajœl]). Vx ou littér. Grand-père, grand-mère. *Aïeul paternel :* le père du père. *Aïeul maternel :* le père de la mère. *Aïeule paternelle, aïeule maternelle. Les aïeuls :* le grand-père et la grand-mère, *ou* le grand-père paternel et le grand-père maternel. *Il a encore ses deux aïeuls.* → **Ascendant, grands-parents,** et les comp. **bisaïeul, trisaïeul.** *«Quand on parle des degrés plus éloignés, on dit quatrième aïeul, cinquième aïeul,* etc.*»* (Académie).

Ils *(ces hommes rares)* n'ont ni aïeuls ni descendants : ils composent seuls toute leur race.
LA BRUYÈRE, les Caractères, II, 22.

(...) faire entrer dans toutes les conversations ses aïeuls paternels et maternels (...)
LA BRUYÈRE, les Caractères, VIII, 20.

(...) cette disposition (...) qui passe des aïeuls par les pères dans leurs descendants (...)
LA BRUYÈRE, les Caractères, IX, 41.

♦ **2** Fig. Précurseur ; celui ou ce qui est à l'origine de quelque chose, d'une famille spirituelle.

Ces monceaux (...) que le Nil arrose, sont les restes des villes opulentes, dont s'enorgueillissait l'antique royaume d'Éthiopie. Voilà les débris de sa métropole, *Thèbes aux cent palais,* l'aïeule des cités, monument d'un destin bizarre. VOLNEY, les Ruines..., éd. Desenne, p. 26.

Je revenais par ces chemins d'où l'on aperçoit la mer, et où autrefois, avant qu'elle apparût entre les branches, je fermais les yeux pour bien penser que ce que j'allais voir, c'était bien la plaintive aïeule de la terre (...)
PROUST, Sodome et Gomorrhe, Pl., t. II, p. 1012.

**II** **AÏEUX** [ajø] n. m. pl. ♦ **1** Littér. **a** Ceux de qui l'on descend, ou ceux qui ont vécu dans les siècles passés. → **Ancêtre, père** (nos pères) ; → par plais. Aves* et ataves.

On ne suit pas toujours ses aïeux ni son père.
LA FONTAINE, Fables, VIII, 24.

Quelque autre te dira d'une plus forte voix
Les faits de tes aïeux et les vertus des rois.
LA FONTAINE, Fables, Dédicace à M^gr^ le Dauphin.

*(Le médecin Tant-pis soutenait)* que le gisant irait voir ses aïeux. LA FONTAINE, Fables, V, 12.

Les mortels sont égaux. Ce n'est pas leur naissance,
C'est la seule vertu qui fait leur différence,
C'est elle qui met l'homme au rang des demi-dieux,
Et qui sert son pays n'a pas besoin d'aïeux.
VOLTAIRE, Éryphile, III, 20.

Le premier qui fut roi fut un soldat heureux ;
Qui sert bien son pays n'a pas besoin d'aïeux.
VOLTAIRE, Mérope, I, 3.

Nos bons aïeux vivaient dans l'ignorance.
VOLTAIRE, le Mondain.

Par ext. Ancêtres d'une ville, d'un peuple, etc. *Nos aïeux avaient des coutumes qui nous surprennent.*

Vx. *Les aïeules :* les femmes des siècles passés (→ **Mère**).

Mais qui m'assurera qu'en ce long cercle d'ans,
À leurs fameux époux vos aïeules fidèles,
Aux douceurs des galants furent toujours rebelles ?
BOILEAU, Satires, 5.

**b** Fig. Précurseur, personne qui est à l'origine de quelque chose.

Ducis, pour certains accents religieux, grandioses et doux, est un parent de Chateaubriand, de même qu'il est un de nos pères et de nos aïeux en rêverie.
SAINTE-BEUVE, Nouveaux lundis, 1863-1896, éd. Calmann-Lévy, 1888, p. 365, *in* T. L. F.

♦ **2** Loc. fam. (Exclam.). *Mes aïeux !,* s'emploie pour souligner l'importance, le caractère exceptionnel de quelque chose.

Mais si vous aviez fréquenté comme moi le pou de vêtement, celui-là, mes enfants, alors celui-là, mes aïeux, il n'y a pas moyen de s'en débarrasser.
R. QUENEAU, Loin de Rueil, p. 20.

**CONTR.** **Descendant, fils, fille** (fig.), **petit-fils, petite-fille.**

**AIGAGE** [ɛgaʒ] n. m. → **Aiguage.**

**AIGIPAN** [eʒipɑ̃] n. m. → **Ægipan.**

**AIGLE** [ɛgl] n. m. et f. — XIIe; du lat. *aquila;* probablt par l'anc. provençal *aigla.*

**I** N. m. ♦ **1** Oiseau rapace diurne (*Falconidés,* ordre des *Falconiformes*) scientifiquement appelé *aquila,* à la vue perçante, au bec crochu, au torse emplumé jusqu'aux doigts, et aux serres puissantes. *L'aigle royal* (brun rouge) *peut atteindre trois mètres d'envergure. L'aigle impérial se distingue par sa nuque d'un blanc sale. Le grand aigle criard a un plumage foncé avec des taches plus claires. L'aigle bâtit son aire dans des lieux inaccessibles. L'aigle trompette ou glatit. En poésie, l'aigle est dit roi des oiseaux, oiseau de Jupiter,* etc.

Les uns ont la grandeur et la force en partage;
Le faucon est léger, l'aigle plein de courage (...)
LA FONTAINE, Fables, II, 17.

Le vautour s'en allait le lier, quand des nues
Fond à son tour un aigle aux ailes étendues.
LA FONTAINE, Fables, IX, 2.

L'aigle, c'est le génie! oiseau de la tempête
Qui des monts les plus hauts cherche le plus haut faîte (...)
HUGO, Odes et Ballades, IV, XVII.

L'aigle ouvrit son œil fauve où l'âpre éclair palpite (...)
HUGO, la Légende des siècles, III, «Le titan», VI.

La pensée tantôt chemine avec la sourde lenteur de la taupe, tantôt s'élance du vol de l'aigle.
FRANCE, les Opinions de J. Coignard, p. 431.

(Qualifié). Se dit d'oiseaux rapaces diurnes *(Falconidés)* voisins de l'aigle. *Aigle Jean le Blanc.* → **Circaète.** *Aigle de mer.* → **Frégate.** *Aigle pêcheur.* → **Pygargue;** aussi **harpie, spizaète, uraète.**

Par compar. *Des yeux d'aigle :* une vue perçante. *Avoir un regard d'aigle, un (coup d') œil d'aigle,* une grande pénétration d'esprit.

*Nez d'aigle* ou *en bec d'aigle,* aquilin ou busqué.

Le nez en bec d'aigle, et bien coupant, exprime toujours quelque dureté impérieuse; et cela suppose quelque relation vraie entre les traits et le caractère (...)
ALAIN, Propos, 4 févr. 1912, Nez.

Loc. *Bois d'aigle :* bois d'aloès *(Aquilaria agallocha).*

Loc. Vx. *Crier comme un aigle,* d'une voix aiguë et perçante.

De quoi parliez-vous donc tous si haut dans la chambre?
J'ai entendu quelqu'un qui criait comme un aigle.
MARIVAUX, le Paysan parvenu, II, Pl., p. 618.

♦ **2** *C'est un aigle,* un esprit supérieur, un génie. → **Phénix.**

Le plus médiocre jésuite est un aigle chez eux *(les Malabares).*
VOLTAIRE, Lettre au Roi de Prusse, *in* LITTRÉ.

Plus cour. *Ce n'est pas un aigle :* il n'est pas très intelligent.

— C'est que je vais vous dire, on m'a assuré qu'elle me croit tout à fait idiot.
— Cela, je ne le crois pas : Oriane n'est pas un aigle, mais elle n'est tout de même pas stupide.
PROUST, le Côté de Guermantes, Folio, p. 120.

♦ **3** Par ext. Figure représentant un aigle. *L'aigle noir, l'aigle rouge de Prusse; l'aigle blanc de Pologne,* anciennes décorations. *Ordre de l'aigle blanc.* — *Grand-aigle :* grand-croix de la Légion d'honneur, sous l'Empire.

Pupitre d'église représentant un aigle aux ailes étendues.

*Grand, petit aigle :* dénomination de formats de papier (75 × 106 cm, 70 × 94 cm). — Ellipt. *Une carte marine grand aigle,* imprimée sur format grand aigle.

Monnaie d'or des États-Unis portant un aigle au revers (10 dollars). *Double aigle* (20 dollars). *Demi-aigle* (5 dollars).

Vous pouvez tirer bon parti du nom de la maison. Sous 6.2
la condition de payer toutes les dettes, dont voici l'état complet, dit-il en montrant une feuille de papier grand-aigle chargée de chiffres (...)
STENDHAL, Lucien Leuwen, II, LXVIII, *in* Romans, Pl., t. I, p. 1380.

♦ **4** (Surnom donné à divers personnages historiques). *L'aigle de Patmos :* l'évangéliste saint Jean, symbolisé dans l'iconographie par un aigle. *L'aigle de Meaux :* Bossuet. — Absolt. *L'Aigle :* Napoléon Ier.

Le grand aigle tombant de l'empire céleste, 7
Sème sa trace au loin de son plumage épars.
HUGO, Odes et Ballades, I, II, IV.

♦ **5** Minéralogie. *Pierre d'aigle* (ou *aétite*) : variété d'oxyde ferrique hydraté.

♦ **6** Bot. Fougère du genre *Pteris* (dont le pétiole présente sur la section l'aspect d'un aigle), aux feuilles grandes et divisées, très commune dans les bois et sur les coteaux.

**II** N. f. ♦ **1** Femelle de l'aigle. «*L'aigle est furieuse quand on lui ravit ses aiglons*» (Académie).

♦ **2** Par ext. Figure héraldique représentant un aigle. *Il porte sur le tout d'azur à l'aigle éployée d'argent.*

Un corps de vieillard, maigre telle une aigle de blason, et 7.1
son cou pousse tout seul, dressant en l'air une tête hérissée, aiguë, au rictus ignoble.
J.-M. G. LE CLÉZIO, la Fièvre, p. 200.

Enseigne militaire en forme d'aigle. *L'aigle romaine, les aigles romaines :* les enseignes des légions romaines.

*(Voyant)* Parmi ses étendards porter l'aigle romaine. 8
RACINE, Mithridate, V, 4.

*L'aigle impériale de France. Les armes de l'Empire français étaient une aigle tenant un foudre dans ses serres.* — *L'aigle à deux têtes,* emblème de l'Empire austro-hongrois (titre d'une pièce de J. Cocteau).

DÉR. **Aiglette, aiglon.** — V. **Aiglure.**

**AIGLEDON** [ɛglədɔ̃] n. m. — 1791, altér., d'après *aigle,* de *egrodon, aigredon,* qui a donné *édredon*.*

Pop., vx. Duvet d'eider. → **Édredon.**

**AIGLEFIN** [ɛgləfɛ̃] n. m. → **Églefin.**

**AIGLETTE** [ɛglɛt] n. f. — 1280; cf. *aiglet* «aiglon», XIIIe; de *aigle.*

Blason. → **Alérion.**

**AIGLON, ONNE** [ɛglɔ̃, ɔn] n. — 1546; de *aigle.*

♦ **1** Le petit de l'aigle. *Une aigle, un couple d'aigles et des aiglons. Des aiglons au nid. Un jeune aiglon.* — REM. Le fém. est rare (Barbey d'Aurevilly, Giono, L.-P. Fargue («*(des) yeux d'aiglonne*»), *in* T. L. F.).

Souvent, des vents jaloux jouet involontaire,
L'aiglon suspend son vol, à peine déployé (...)
HUGO, Odes et Ballades, L, II, X.

♦ **2** Fig. et littér. Enfant, adolescent, adolescente qui promet de devenir un génie, un aigle (2.).

N. m. *L'Aiglon :* Napoléon II, duc de Reichstadt, fils de Napoléon Ier (l'Aigle). *L'Aiglon,* drame d'Edmond Rostand.

♦ **3** N. m. Blason. → **Alérion.**

**AIGLURE** [eglyʀ; ɛglyʀ] n. f. — 1611, *haglure;* p.-ê. du rad. de *aigle.*

Vx (fauconn.). Tache rousse du plumage. *Les aiglures d'un faucon.*

**AIGO BOULIDO** [ɛgobulido] n. f. → **Aigue boulide.**

**AIGRE** [ɛgʀ] adj. — XIIe; du lat. pop. *acrum, acrus,* lat. class. *acer, acris* «aigu, âcre, aigre, acide».

♦ **1** Qui est d'une acidité désagréable (ou anormale) au goût ou à l'odorat. *Goût aigre, aigre au goût. Saveur, odeur aigre. — Fruit aigre.* → **Acerbe, acide, piquant, vert.** — *Cerises aigres :* griottes.

Spécialt. Devenu acide en se corrompant. *Vin aigre.* → **Acide, acescent, piqué.** *Lait aigre.* → **Tourné.**

1 Comparaison des abeilles qui tirent le meilleur miel des fleurs les plus aigres.
RACINE, Livres annotés, Plutarque.

N. m. Saveur, odeur aigre. *Le vin sent l'aigre. Le lait tourne à l'aigre.* — Fig. (Vx). *Il y a encore de l'aigre dans l'air :* le temps ne s'est pas encore adouci.

Techn. (vitic.). Maladie du vin, due au *Mycoderma aceti. L'ouillage permet d'éviter l'aigre.*

♦ **2** Aigu, criard, perçant. *Un son aigre. On entendait sa voix aigre.* → **Strident.**

2 (...) et de toute cette foule effervescente s'échappait, comme la vapeur de la fournaise, une rumeur aigre, aiguë, acérée, sifflante, comme les ailes d'un moucheron.
HUGO, Notre-Dame de Paris I, V.

3 Sa voix aigre sonnait comme une calebasse (...)
HUGO, les Châtiments, L, II, 30.

4 (...) sa petite voix aigre devint sifflante.
MAUPASSANT, la Femme de Paul, p. 16.

5 (...) la voix aigre des cornemuses.
LOTI, Mon frère Yves, XCV.

Vif, froid au point de saisir, de piquer. → **Cuisant, glacé, glacial, piquant, saisissant.** *Un vent, une bise aigre. Un froid aigre.* — Littér. (D'un lieu; → ci-dessous, cit. 7).

6 L'aigre vent du nord-ouest soufflait.
HUGO, l'Homme qui rit, I, I, 3.

7 Vous qui l'avez suivi dans cette thébaïde,
Sur cette grève nue, aigre, isolée et vide (...)
HUGO, les Contemplations, LV, 6.

8 À des périodes de voluptueuse tiédeur, succédèrent d'aigres bourrasques (...)
Edmond JALOUX, Fumées dans la campagne, XX, p. 165.

9 (...) un aigre printemps teintait de violet le jardin trop soigné.
F. MAURIAC, l'Enfant chargé de chaînes, p. 208.

♦ **3** (En parlant des personnes, des sentiments). Fig.

**a** Vx. Violent; violent et pénible.

10 Tout ce que la passion peut inspirer de plus violent et de plus aigre. RACINE, les Campagnes de Louis XIV.

**b** (Sentiments; paroles; personnes). Plein d'aigreur. *Caractère, humeur, ton aigre. Des paroles aigres.* → **Acerbe, acide, âcre, acrimonieux, agressif, amer, âpre, cassant, malveillant, mordant, piquant, sec, sévère.** *Être aigre comme verjus* (loc. vieillie). → **Acariâtre, atrabilaire, revêche.**

11 Vos fréquentes leçons et vos aigres censures (...)
MOLIÈRE, le Misanthrope, III, 4.

12 *(Je vous vois)* Dans vos discours chagrins plus aigre et plus mordant
Qu'une femme en furie, ou Gautier en plaidant.
BOILEAU, Satires, 9.

13 Il n'y a guère de gens plus aigres que ceux qui sont doux par intérêt. VAUVENARGUES, Maximes, 55.

14 Tous, presque tous, royalistes, à cette époque, et pourtant fort aigres pour le Roi.
MICHELET, Hist. de la révolution franç., Pl., t. I, p. 465.

15 (...) cette malveillante susceptibilité qui entourait d'une ceinture aigre et glaciale sa vraie nature plus chaleureuse et meilleure.
PROUST, À la recherche du temps perdu, t. XI, I, 72.

(...) Cette tyrannie de maître d'école, ce ton criard, ces discussions, oiseuses, cet ergotage aigre et puéril (...)
R. ROLLAND, Jean-Christophe, p. 342.

N. m. (Vieilli). *Parler entre l'aigre et le doux,* d'un ton mi-acerbe mi-bienveillant. → **Aigre-doux.**

*(Femme)* qui vous parle entre l'aigre et le doux, et dont l'entretien a je ne sais quoi de sec, de froid (...)
MARIVAUX, le Legs, 3.

Mod. *La discussion tourne à l'aigre,* s'envenime, dégénère en propos blessants.

♦ **4** Peint. *Couleurs aigres,* mal accordées. *Tons aigres :* tons qui ne sont pas fondus.

Gravure. *Fer, cuivre aigre,* non malléable, sec, cassant.

CONTR. **Doux, douceâtre, mielleux, sucré. — Agréable, délicieux, exquis, suave.** ◊ DÉR. **Aigrelet, aigrement, aigret, aigreur, aigrir.** — COMP. **Aigre-de-cèdre, aigre-doux.**

**AIGRE-DE-CÈDRE** [ɛgʀədəsɛdʀ] n. m. — 1643; de *aigre,* et *cèdre* «fruit du cédratier».

Vx, techn. Boisson composée d'orangeade mêlée de citron, sucrée au miel et aromatisée par un zeste de cédrat.

REM. On trouve aussi *aigre-de-limon* (1798, de *aigre,* et *limon* «citron d'une espèce très acide»); *aigre-de-bigarade* (1798; de *aigre,* et *bigarade* «orange aigre, fruit du bigaradier»).

**AIGRE-DOUCEUR** [ɛgʀədusœʀ] n. f. — 1574, repris XXe, G. Duhamel; de *aigre-doux.*

Rare, littér. Caractère aigre-doux.

**AIGRE-DOUX, DOUCE** [ɛgʀədu, dus] adj. — 1541; création poétique de la Pléiade, due à Baïf; cf. du Bellay, *Défense et illustration de la langue française,* 11, 12; de *aigre,* et *doux.*

♦ **1** Qui a un goût mêlé d'aigre et de doux. *Saveur aigre-douce. Des oranges aigres-douces, des fruits aigres-doux. Porc à la sauce aigre-douce de la cuisine extrême-orientale.*

Spécialt. *Cidre aigre-doux :* vieux cidre passé sur un marc nouveau pour adoucir son aigreur.

♦ **2** Fig. Dont la douceur est feinte et laisse percer l'aigreur. *Humeur aigre-douce. Ton aigre-doux* (→ Optimisme, cit. 3). *Paroles aigres-douces. Style aigre-doux. Il nous a fait quelques remarques aigres-douces.* → **Acide.**

(D'une situation) :

J'y ai revu Thiers : entrevue aigre-douce.
E. DELACROIX, Journal 1823-1850, 11 févr. 1849.

DÉR. **Aigre-douceur.**

1. **AIGREFIN** [ɛgʀəfɛ̃] n. m. — 1670; probablt de l'anc. v. *agriffer* «saisir, voler», *esgriffer* «égratigner», de *griffe,* avec influence des adj. *aigre* et *fin.*

Personne qui emploie l'artifice, la fourberie, la ruse pour gruger, tromper, voler. → **Chevalier** (d'industrie), **escroc, filou, voleur.** *Il a eu affaire à un aigrefin adroit qui l'a dépouillé de ses biens. Cette femme est un aigrefin, un véritable escroc.*

(...) vous retomberiez, après moi, dans les filets de quelque aigrefin qui vous grugerait jusqu'au dernier de mes centimes. MARTIN DU GARD, les Thibault, V, I, p. 242.

Adj. (Rare). *«Notre maintien même devient aigrefin»* (Joubert, *in* T. L. F.).

REM. On a écrit *aigre-fin :*

(...) je suis sûre maintenant qu'il a laissé surprendre à cet aigre-fin de laquais les espérances qu'il nourrit à mon égard. Louise MICHEL, la Misère, t. II, p. 312.

HOM. 2. **Aigrefin.**

2. **AIGREFIN** [ɛgʀəfɛ̃] n. m. — XIV^e; altér. de *églefin*, d'après *aigre*.

Églefin (poisson).

Pêle-mêle, au hasard du coup de filet, les algues profondes, où dort la vie mystérieuse des grandes eaux, avaient tout livré : les cabillauds, les aigrefins, les carrelets, les plies, les limandes (...)

ZOLA, le Ventre de Paris, t. I, p. 148.

HOM. 1. **Aigrefin.**

**AIGRELET, ETTE** [ɛgʀəlɛ, ɛt] adj. — 1554; de *aigre*.

♦ **1** Légèrement aigre. *Saveur aigrelette.* → **Aigre,** 2. **sur.** *Il apprécie peu ces petits vins aigrelets* (→ **Piquette, reginglard).** *La sauce avait un goût aigrelet.* → **Aigre-doux, suret.**

Par ext. *Une voix aigrelette,* fluette, aux intonations aiguës. *Une odeur aigrelette,* légèrement acide.

Littér. *Un vent, un froid aigrelet.*

♦ **2** Fig. Qui dénote la mauvaise humeur. *Elle répondit d'un ton aigrelet. Des paroles aigrelettes.* → **Aigre-doux.** *Des propos aigrelets.* → **Impertinent, piquant.**

— Vous vous êtes assez vengée des propos aigrelets de la princesse, qui n'étaient que de la faiblesse, par l'impertinence de votre sortie.

STENDHAL, la Chartreuse de Parme, p. 413-414.

**AIGREMENT** [ɛgʀəmɑ̃] adv. — XII^e; de *aigre*.

♦ **1** Rare. Avec un son aigre.

Il n'y a pas un marmot qui ne connaisse la girouette de M. Bonnard. Elle est rouillée et grince aigrement au vent.

FRANCE, le Crime de S. Bonnard, Jeanne Alexandre, p. 506.

Avec aigreur. *« Le printemps de Combray qui piquait encore aigrement avec toutes les aiguilles du givre »* (Proust, *Du côté de chez Swann,* Pl., p. 386).

♦ **2** Fig. Avec aigreur. *Écrire, parler, répondre aigrement. Il lui reprocha aigrement son attitude.*

Bonaparte l'avait (...) accablé de félicitations et d'éloges, mais Moreau n'en était pas moins rentré aigrement mécontent.

Louis MADELIN, Hist. du Consulat et de l'Empire, t. IV, p. 143.

**AIGREMOINE** [ɛgʀəmwan] n. f. — XIII^e; altér., d'après *aigre*, de *agremoine*, du lat. *agrimonia,* déformation de *argimonia, argemonia,* du grec *argemônê* « sorte de pavot ».

Bot. Plante herbacée, vivace, indigène *(Rosacées),* à fleurs jaunes en épis, que l'on trouve dans les prés et les bois. *L'aigremoine est employée comme astringent. Une tisane d'aigremoine.*

**AIGRET, ETTE** [ɛgʀɛ, ɛt] adj. et n. m. — Déb. XIII^e; n. m., jusqu'au XVII^e, « verjus »; de *aigre*.

♦ **1** Vx. Qui est un peu aigre. *Saveur aigrette; fruit aigret.* → **Aigrelet** (mod.).

N. m. Vx. Saveur aigre.

(...) je m'en allay vers luy, et m'enquis s'il vouloit troquer son citron contre mes dragées. Il s'y accorda, aymant mieux le doux que l'aigret.

SOREL, Hist. comique de Francion, III, 191 (1623), *in* D. D. L., II, 14.

♦ **2** N. m. Spécialt. *L'aigret :* le verjus.

**AIGRETÉ, ÉE** [ɛgʀəte] adj. → **Aigretté.**

**AIGRETTE** [ɛgʀɛt] n. f. — Mil. XIV^e, *égreste;* provençal *aigreta,* de *aigron,* forme dial. de *héron.*

**I** Oiseau ciconiiforme *(Ardéidés),* scientifiquement appelé *egretta,* dont les plumes (aigrettes ou crosses) sont très recherchées. *L'aigrette blanche est appelée* Grand héron blanc; *l'aigrette garzette,* Petit héron blanc *ou* Garzette.

Il ne caressera pas les céladons verdâtres, ni les jarres gris perdrix de la dynastie Koryo, comme ne le caresseront ni l'aile du héron ni l'aile de l'aigrette. 0.1

Alain BOSQUET, les Bonnes Intentions, p. 124.

**II** Par métonymie. ♦ **1** (1611). Faisceau de plumes surmontant la tête de certains oiseaux (duc, héron, hibou, etc.). *L'aigrette du paon.* → **Plume.**

L'amour avive l'éclat de ses couleurs et son aigrette *(du paon)* tremble comme une lyre. 1

J. RENARD, Histoires naturelles, p. 21.

♦ **2** (1532). Bouquet de plumes servant d'ornement à une coiffure féminine, à un casque, à un dais, à la tête d'un cheval, etc. → **Panache, plumet.**

Mais, les seigneurs sur leur tête 2
Ayant chacun un plumail,
Des cornes ou des aigrettes (...)

LA FONTAINE, Fables, IV, 6.

Cette tête coiffée d'un turban à aigrette. 3

VOLTAIRE, Lettre à l'Impératrice de Russie, févr. 1769.

— Il y a aussi les autres coiffures à l'aspect sacerdotal, en forme de tiares, et surmontées d'aigrettes de fleurs raides, dont les couleurs s'opposent deux par deux et se marient étrangement. 3.1

A. ARTAUD, le Théâtre et son double, p. 71.

Pompon (de crin, etc.) en forme d'aigrette. *L'aigrette d'un shako.*

♦ **3** Par anal. Bouquet de diamants, de perles en forme d'aigrette. *Une aigrette de diamants.*

Féofar montait son cheval favori, qui portait sur la tête une aigrette de diamant. L'émir avait conservé son costume de guerre. 3.2

J. VERNE, Michel Strogoff, p. 324.

*Aigrette de verre :* ornement composé de fils de verre droits et fins.

(...) dans son poil se jouait le vague et pâle arc-en-ciel qu'emprisonnent les aigrettes de verre filé. 4

COLETTE, la Paix chez les bêtes, p. 228.

♦ **4** (Formes comparées à une aigrette). Techn. *Aigrette d'eau :* petit jet d'eau présentant la forme d'une aigrette.

*Aigrette de fumée :* petite colonne de fumée.

*Aigrette d'étincelles, de flammes :* gerbe qui, par sa forme, évoque une aigrette.

Dans le clair-obscur de l'atelier, la poussière blonde s'envolait de son outil, comme une aigrette d'étincelles sous les fers d'un cheval au galop (...) 5

FLAUBERT, M^me Bovary, IV, 7.

♦ **5** (1694). Bot. Faisceau de poils ou de soies dont sont munis certains akènes ou graines, permettant leur transport par le vent. *L'aigrette du chardon.*

(...) mes regards obstinément fouillent l'épaisseur des joncs, des roseaux dont les hampes sèches et les aigrettes fanées de l'an passé suspendent une sorte de nuage roux au-dessus des fraîches lances vertes. 6

GIDE, Journal, 9 mai 1914.

♦ **6** (1755). Phys. Phénomène lumineux, accompagné d'un bruissement caractéristique, qui se produit à la surface d'un corps porté à un potentiel électrique élevé, dans un milieu gazeux. → **Étincelle.**

DÉR. **Aigretté.**

**AIGRETTÉ, ÉE** [egʀete] ou **AIGRETÉ, ÉE** [ɛgʀəte] adj. — 1694; de *aigrette.*

Bot. Pourvu d'une aigrette. *Semences aigrettées.*

Graines ailées, aigrettées, duvetées, enveloppées de gourmandise et en appelant à l'oiseau! de quelle ingéniosité fait preuve chaque plante pour éparpiller le plus loin possible d'elle sa descendance!
GIDE, Journal, 17 juin 1910.

Zool. *Oiseau aigretté.*

**AIGREUR** [ɛgʀœʀ] n. f. — XIVe; de *aigre.*

♦ **1** Qualité de ce qui est aigre. *L'aigreur du lait tourné. Ce vin a de l'aigreur, un peu d'aigreur.* → **Acidité.**

1 L'aigreur est souvent (...) le résultat d'une altération, comme ce qui arrive au lait et au vin, par exemple, quand ils tournent.
LAFAYE, Dict. des synonymes, Aigre, acide...

Vx. *Aigreur de la bile* (dans la médecine des humeurs).* → ci-dessous, au fig., le sens 3. et la cit. 8.

♦ **2** (Au plur.). *Aigreurs (d'estomac) :* sensation d'acidité dans la région épigastrique accompagnant une régurgitation, une éructation. → **Hyperchlorhydrie; acidité.** *Le bicarbonate de soude combat les aigreurs.*

♦ **3** (XVIe). Fig. Disposition d'esprit et d'humeur qui porte à blesser les autres par des actions ou des paroles offensantes. → **Âcreté, acrimonie, amertume, animosité, irritation, pique, rancœur, rancune, ressentiment.** *L'aigreur d'une remarque, d'une réplique. L'aigreur de son caractère. Répondre avec aigreur et colère, et dépit. Je n'y mets aucune aigreur. Avoir de l'aigreur à l'égard de qqn, pour qqch.;* (vx) *à qqch.* (→ ci-dessous, cit. 4).

2 Ce qui nous donne tant d'aigreur contre ceux qui nous font des finesses, c'est qu'ils croient être plus habiles que nous. LA ROCHEFOUCAULD, Maximes, 350.

3 Il n'y a que les personnes qui ont de la fermeté qui puissent avoir une véritable douceur : celles qui paraissent douces n'ont d'ordinaire que de la faiblesse; qui se convertit aisément en aigreur.
LA ROCHEFOUCAULD, Maximes, 479.

4 (...) l'aigreur de la dame à ces sortes d'outrages (...)
MOLIÈRE, l'École des maris, I, 6.

5 Je ne m'attendais pas à cette repartie,
Madame, et je vois bien, par ce qu'elle a d'aigreur,
Que mon sincère avis vous a blessé au cœur.
MOLIÈRE, le Misanthrope, III, 4.

6 *(Je vous demande)* de répondre sans nulle aigreur aux choses que je pourrai vous dire.
MOLIÈRE, le Malade imaginaire, III, 3.

7 Je ne garde pour lui, Monsieur, aucune aigreur;
Je lui pardonne tout (...) MOLIÈRE, Tartuffe, IV, 1.

8 *(Sa morale)* sur l'aigreur de sa bile opère comme rien.
MOLIÈRE, les Femmes savantes, II, 9.

9 Cependant des lettres s'échangeaient entre les adversaires du Consul, chargées d'amères ironies. Julie Talma se distinguait par ses railleries acérées (...) On citerait vingt témoignages de l'aigreur exaspérée qui s'exprimait en des ricanements analogues.
Louis MADELIN, Hist. du Consulat et de l'Empire, t. IV, p. 138.

10 L'aigreur empreinte sur son visage suffirait pour faire tourner une vendange (...)
Francis PONGE, le Parti pris des choses, p. 112-113.

CONTR. **Douceur, calme, suavité. — Aménité. — Apaisement, paix.**

1. **AIGRI, IE** [egʀi; ɛgʀi] adj. → **Aigrir.**

2. **AIGRI** [egʀi; ɛgʀi] n. f. — 1705, *agrie* ou *accori; akori,* 1686; *accorin,* 1625; à rapprocher de *cauri.*

Franç. d'Algérie. *Perle* ou *pierre d'aigri :* hydrozoaire (corail) d'un bleu-vert translucide, dont on faisait des grains de collier, objet autrefois d'un commerce actif sur la côte du Bénin. — REM. On écrit aussi *aigris.*

HOM. 1. **Aigri.**

**AIGRIN** [ɛgʀɛ̃] n. m. — 1527; *aigrun,* XIe; du lat. **acrumen,* du lat. pop. *acrum* «aigre», du lat. class. *acer, acris.*

Bot. Jeune pommier ou poirier à fruits aigres. — REM. On trouve aussi les formes *égrain* et *égrin.*

**AIGRIOTTE** [ɛgʀijɔt] n. f. — Var. de *agriotte* (1597), anc. provençal *agriota.* → 2. Agriote.

Régional. → **Griotte.**

**AIGRIR** [egʀiʀ; ɛgʀiʀ] v. — Déb. XIIIe, Gautier de Coincy, comme v. intr., par métaphore, le sens trans. est indirectement attesté par le p. p. *aigri* «qui brûle (en parlant du soleil)», XIIe; de *aigre,* aux sens propre et figuré.

[I] V. tr. ♦ **1** (Concret). [a] Rendre aigre (le sujet est en général un nom de chose, désignant un agent naturel). *La chaleur aigrit le lait,* le fait tourner. *Aigrir le vin.*

Il met des cafards dans la farine! Il met des vers dans le bœuf salé! Il boit l'eau! Il aigrit le vin!
CLAUDEL, le Livre de Christophe Colomb, *in* 1 Pl., p. 1162.

[b] (Au sens 2. de *aigre*). Rendre plus âpre, plus piquant (sujet n. d'agent naturel).

Une avancée de froid aigrissait le fond de l'air.
J. GIONO, le Grand Troupeau, p. 191, *in* T. L. F.

[c] (Au sens 4., de *aigre*). *Aigrir la fonte* (Nerval, *in* T. L. F.).

♦ **2** (Abstrait). [a] (Langue class. ou littér.). Rendre plus pénible (une douleur), plus vif, plus aigu (un sentiment désagréable ou dangereux). *Aigrir la colère, le dépit, le ressentiment de qqn.* → **Exciter.** *«L'amour déçu qui aigrit toute tristesse»* (Bernanos). *Aigrir un mal, une douleur.* → **Aggraver, attiser, aviver, envenimer, exaspérer, irriter.**

La douleur est injuste, et toutes les raisons
Qui ne la flattent point aigrissent ses soupçons.
RACINE, Britannicus, I, 3.

Pourquoi venir encore aigrir mon désespoir.
RACINE, Britannicus, I, 3.

Ceux même dont ma gloire aigrit l'ambition.
RACINE, Iphigénie, II, 1.

REM. Même avec un compl. n. de personne, le mot a une valeur très différente de son emploi moderne (ci-dessous, b.), dans ces contextes classiques.

Vous voyez à quel point sa haine m'est cruelle (...)
Mais sans doute, Seigneur, ma présence l'aigrit,
Et mon éloignement remettra son esprit.
CORNEILLE, Nicomède, IV, 2.

Je n'ai trouvé que pleurs mêlés d'emportements.
Sa misère l'aigrit (...) RACINE, Andromaque, II, 5.

Vx. Rendre plus amer, plus aigre (ce qui est exprimé, dit).

Seigneur, trop d'amertume aigrirait vos reproches.
Je sais jusqu'où s'emporte un amant irrité (...)
RACINE, Iphigénie, III, 7.

Vieilli. *Aigrir qqn contre qqn, sur le compte de qqn.* → **Fâcher, indisposer, irriter.**

Dans mes terres, avec mes vassaux, je n'ai jamais voulu souffrir que l'on m'aigrit sur le compte de quelqu'un.
MONTESQUIEU, Cahiers, p. 7.

[b] Mod. *Aigrir qqn,* le rendre plein d'aigreur (3.).

REM. Le verbe correspond alors plutôt à *amer* qu'à *aigre*; la valeur dominante du mot passe de la tristesse (→ ci-dessous, cit. 10) à l'amertume désagréable pour les autres; l'effet métaphorique (du sens 1.) est plus net qu'au sens 2., a. — *Les échecs l'ont aigri, il est devenu cynique, hargneux.*

Dans l'amertume de sa mésaventure dramatique, tout ce qui lui rappelait la fête du jour l'aigrissait et faisait saigner sa plaie. HUGO, Notre-Dame de Paris, t. I, p. 90.

(...) cette persécution qui a assombri toute mon adolescence n'a eu pour résultat que d'attrister mon caractère sans le mûrir, et de l'aigrir un peu.
Valery LARBAUD, Journal, févr. 1935, p. 60, *in* T. L. F.

c Absolt (littér., rare). «*Une telle cérémonie aigrissait au lieu d'adoucir*» (Las Cases, *le Mémorial de Sainte-Hélène*, in T. L. F.).

**II** V. intr. Devenir aigre.

(Concret). *Le vin peut aigrir dans un tonneau malpropre. Le lait a aigri.* → **Tourner.**

L'odeur de la tinette se mêle aux exhalaisons d'un reste de soupe qui aigrit dans une écuelle.
MARTIN DU GARD, Vieille France, XXV, Pl., t. I, p. 1096.

(Abstrait). Rare. *Son caractère aigrit peu à peu,* s'aigrit.

◆ **S'AIGRIR** v. pron. (Du sens I.). Devenir aigre.

♦ **1** *Le vin, le lait s'aigrit.* — Anc. méd. *La bile s'aigrit.*

Vous savez que sa bile assez souvent s'aigrit.
MOLIÈRE, l'Étourdi, I, 2.

Tout s'aigrit dans un vase aigre.
MICHELET, Hist. de la Révolution franç., t. II, p. 218.

♦ **2** Abstrait. a Vx ou littér. Devenir plus pénible, plus douloureux (sentiments). «*Le mécontentement s'aigrit*» (Barbusse).

b (Personnes). Vx ou littér. S'irriter (occasionnellement). → **Fâcher** (se), **piquer** (se).

Et d'une raillerie a-t-on lieu de s'aigrir?
MOLIÈRE, Amphitryon, II, 6.

Sans sujet contre moi voulez-vous vous aigrir,
Et me reprochez-vous (...)
MOLIÈRE, les Fâcheux, II, 5.

c Mod. (Personnes, sentiments). Devenir «aigre», amer, irritable ou facilement agressif. *Il s'aigrit, son caractère s'aigrit.*

(...) toute la tendresse qui le jetait vers elle s'aigrit soudain et fit naître en lui cette sorte de bizarre animosité passionnée que devient l'amour quand la jalousie le fouette.
MAUPASSANT, Fort comme la mort, p. 307.

◆ **AIGRI, IE** p. p. adj. (Du sens I.).

♦ **1** *Lait aigri.* → **Tourné.** *Du petit-lait un peu aigri. Vin aigri.* → Vinaigre.

Les humeurs sont fort aigries.
MOLIÈRE, le Médecin malgré lui, III, 6.

♦ **2** Fig. (avec les nuances historiques de *aigrir* et de *s'aigrir*). Qui est devenu aigre (3.). Vx. → **Acrimonieux, furieux.**

J'étais aigri, fâché, désespéré contre elle.
MOLIÈRE, l'École des femmes, IV, 1.

Mod. Devenu, rendu amer, agressif, hargneux. *Un raté aigri.*

De mon côté j'étais aigri; la maladie m'avait rendu nerveux et irritable (...)
Alphonse DAUDET, le Petit Chose, I, IX, III.

(...) ils se prétendaient victimes de leur dévouement à la République et à ses principes (...) Dans ce milieu aigri, Bonaparte était honni (...)
Louis MADELIN, Hist. du Consulat et de l'Empire, t. IV, p. 142.

En ce pays qui nous a pris
Pleins d'amertume et de soucis,
Aigris de haines et de doutes
Et pieds tout saignants de la route (...)
Max ELSKAMP, In memoriam.

N. *C'est un aigri. Une aigrie qui se venge de sa médiocrité en médisances, en ragots.*

CONTR. **Adoucir, apaiser, consoler, radoucir.** ◈ DÉR. **Aigrissement.**

**AIGRISSEMENT** [egʀismɑ̃] n. m. — 1560, Pasquier; de *aigrir.*

♦ **1** (Concret). Le fait d'aigrir, de s'aigrir. *L'aigrissement du lait.*

♦ **2** Fig. *L'aigrissement de leurs relations.*

**AIGU, UË** [egy] adj. — XIIIe; *agu, agud,* 1080; du lat. *acutus,* ou **acūūtus* (Guiraud).

♦ **1** Qui se termine en pointe ou en tranchant. → **Acéré, perçant, pointu.** *Une flèche aiguë. Un croc, un crochet aigu. Ce couteau a une lame très aiguë.* → **Affilé, affûté, aiguisé, tranchant.** *Le perroquet a un bec aigu. Fendre du bois avec des coins de fer très aigus.*

Pour qu'une chose soit **aiguë**, il faut qu'elle soit très **pointue** et par conséquent propre à pénétrer : **une flèche aiguë.** 1
LAFAYE, Dict. des synonymes, Suppl., *Pointu, aigu.*

(Objets non destinés à compter, à percer). → **Effilé, fin.** *La flèche aiguë d'une tour. Pignon aigu. — Un nez, un visage aigu.* → **Anguleux.** — *Feuilles aiguës...* → **Acéré, aciculaire** (aiguille), **aculéiforme, acuminé** (bot.), **lancéolé** (bot.), **piquant, saillant, subulé** (bot.).

(...) une jambe allongée au bord du lit brillait et le pied aigu la terminait en pointe d'épée. 2
FRANCE, Histoire comique, VI, p. 86.

Géom. *Angle aigu,* plus petit que l'angle droit (opposé à *obtus*). → **Angle, acutangle.**

♦ **2** (Son). D'une fréquence élevée, en haut de l'échelle des sons. *Cri aigu, ton aigu, voix aiguë.* → **Aigre, clair, criard, déchirant, flûté, glapissant, grinçant, nasal, nasillard, perçant, pointu, strident, suraigu.** *Une voix aiguë, de clairon, de crécelle, de fausset.*

Une rumeur aigre, aiguë, acérée (...) 3
HUGO, Notre-Dame de Paris, I, V (→ Aigre, cit. 2).

C'étaient des voix innombrables, aiguës ou graves, de tous les timbres imaginables, des sifflements, des cris, des appels (...) MAUPASSANT, la Vie errante, p. 203. 4

Le trémolo aigu des grillons. 5
R. ROLLAND, Jean-Christophe, t. I, p. 178.

Il prenait une voix de tête, des tons aigus, nasillards, martelés, solennels, des trémolos, des bêlements, de grands gestes vastes et tremblotants, comme des battements d'ailes : il jouait Mounet-Sully. 6
R. ROLLAND, Jean-Christophe, t. I, p. 762.

(...) sa voix trébuchante psalmodiait, sur une seule note aiguë : Quel péché! 7
MARTIN DU GARD, les Thibault, t. I, p. 135.

Mus. Se dit des sons très élevés de l'échelle musicale. *Note aiguë.* — N. m. *L'aigu :* le registre supérieur d'un instrument ou d'une voix. *Passer du grave à l'aigu.*

*(Le rossignol)* Saute du grave à l'aigu (...) 8
CHATEAUBRIAND, le Génie du christianisme, I, 5, 5.

Gramm. *Accent aigu* [aksɑ̃tegy], *qui marque l'é fermé* [e].

♦ **3** Qui perçoit vite et nettement (regard).

On reconnaît son crâne renflé, son regard noir, mobile, dardé, aigu. 9
Georges LECOMTE, Ma traversée, p. 460.

Par métaphore. *Jeter un regard aigu sur la situation politique* (→ ci-dessous, 5.).

♦ **4** (Douleur, souffrance physique ou morale). Intense et pénétrant. → **Cuisant, déchirant, piquant, vif, violent.** *Une douleur aiguë et intolérable.*

10 (...) Ni la goutte la plus douloureuse, ni la colique la plus aiguë ne sauraient lui arracher une plainte (...)
LA BRUYÈRE, les Caractères, XI, 3.

11 Ce qui rend les douleurs de la honte et de la jalousie si aiguës, c'est que la vanité ne peut servir à les supporter.
LA ROCHEFOUCAULD, Maximes, 446.

12 La douleur était si soudaine, et si aiguë, qu'en un instant elle disloqua tous les traits de son visage.
MARTIN DU GARD, les Thibault, IV, II, p. 124.

Méd. *Affection, maladie aiguë* (par oppos. à *chronique*) : maladie grave à évolution rapide, qui se termine en peu de temps. — *Le moment le plus aigu d'une maladie.* → **Crise, paroxysme.**

13 Il fallait laisser le temps de disparaître aux symptômes qui ne pouvaient aller qu'en s'atténuant si je n'apprenais rien de nouveau, mais qui étaient encore trop aigus pour ne pas rendre plus douloureuse, plus difficile, une opération de rupture, reconnue maintenant inévitable, mais nullement urgente, et qu'il valait mieux pratiquer «à froid».
PROUST, À la recherche du temps perdu, t. XII, p. 3.

♦ **5** Fig. Particulièrement vif et pénétrant (dans le domaine de l'esprit ou des manifestations humaines). *Un sens aigu des réalités.* → **Incisif, mordant, perçant, pénétrant, profond, subtil** (cit. 2). *Un esprit aigu et rapide. Une vision aiguë des choses.*

14 (...) une puissance incroyable d'ironie, qui glisse et coule un trait effilé et aigu dans la phrase la plus unie et la plus simple.
Émile FAGUET, XVII^e s., Études littéraires, p. 200.

15 (...) l'intelligence parisienne elle-même, aiguë, fiévreuse, toujours en mouvement, avide de connaître, prompte à se lasser, excellant à saisir aujourd'hui les grands côtés d'une œuvre, et demain ses défauts (...)
R. ROLLAND, Musiciens d'aujourd'hui, p. 212.

16 Je n'ai jamais cru que la grandeur d'un ensemble, l'ampleur d'une synthèse pussent dispenser de la vue aiguë et infiniment particulière du détail.
J. ROMAINS, les Hommes de bonne volonté, 6 octobre, p. 20.

Littér. Qui fait un effet vif, intense (avec une valeur voisine de 5. : *regard aigu*).

17 Elle est si belle le soir dans le hall de l'hôtel que tous les hommes en sont fous
Son sourire le plus aigu est pour moi car je sais rire comme les abeilles sauvages de son pays.
B. CENDRARS, Poésies, «Sud-Américaines», IV.

CONTR. **Émoussé, épointé, mousse. — Droit** (angle), **obtus. — Grave** (son), **sourd. — Grave** (accent). **— Sourd** (douleur). **— Chronique** (maladie). **— Balourd** (esprit). ◊ DÉR. **Aigûment.** → COMP. **Suraigu.**

**AIGUADE** [ɛgad]; régional [ɛgwad] n. f. — 1552; *egade*, 1541; provençal *aigada*, de *aiga* «eau».

♦ **1** Vx ou littér. Approvisionnement d'eau pour un navire. — Loc. *Faire aiguade.* → **Aiguer.**

1 Dans la chaloupe s'amoncelaient des tonnelets, destinés à renouveler l'aiguade du navire, et à l'arrière on voyait, debout, le chapeau de paille incliné sur une barbe noire, un homme botté et armé, le commandant, sans doute.
M. TOURNIER, Vendredi..., p. 234.

♦ **2** Par ext. Lieu où l'on va chercher de l'eau douce pour l'approvisionnement d'un navire.

2 Il était évident que l'île Lincoln se trouvait en dehors des routes suivies, et même qu'elle était inconnue — ce que prouvaient les cartes, d'ailleurs —, car à défaut d'un port, son aiguade aurait dû attirer les bâtiments désireux de renouveler leur provision d'eau.
J. VERNE, l'Île mystérieuse, t. II, p. 568-569 (1874).

**AIGUAGE** ou **AIGAGE** [ɛgaʒ] n. m. — 1771; «étendue d'eau», XII^e; de *aigue* «eau».

Dr. (Vx). Droit de conduire de l'eau, au moyen d'un tuyau, à travers le terrain d'autrui.

REM. On trouvait aussi la forme *aiguerie* [ɛg(ə)ʀi] (1857).

**AIGUAIL** [ɛgaj]; régional [ɛgɥaj] n. m. — 1540; mot du sud de la Loire, dér. de *egue, aigue* «eau».

Régional (entre Loire et Gironde). Rosée qui demeure sur les feuilles ou sur les herbes.

Ma fille, à quelle fin
Voulez-vous aujourd'hui vous lever si matin?
Le soleil n'a pas bu l'aiguail de la prairie.
H. DE RACAN, les Bergeries..., I, 3.

**AIGUAYER** [egeje]; régional [egɥeje] v. tr. [CONJUG.: *balayer.*] — 1740; *esgaier*, 1600; de *aigue;* du provençal *aiga* «eau».

Vx. Tremper dans l'eau. *Aiguayer un cheval.* — *Aiguayer du linge,* le laver et le remuer quelque temps dans l'eau avant de le tordre.

**AIGUE BOULIDE** [ɛgbulid] n. f. — D. i.; francisation du provençal *aigo boulido* «eau bouillie».

Régional. Potage fait essentiellement de gousses d'ail bouillies dans l'eau.

**AIGUE-MARINE** [ɛgmaʀin] n. f. — 1578; de *aigue*, du provençal *aiga* «eau».

Pierre fine de la même composition que l'émeraude (→ **Béryl**), mais d'une couleur bleuâtre semblable à celle de l'eau de mer et probablement due à la présence de fer. *Des aigues-marines.* On dit aussi *une aigue.*

Il se décida enfin pour des minéraux dont les reflets devaient s'alterner : pour l'hyacinthe de Compostelle, rouge acajou; l'aigue marine, vert glauque; le rubis-balais, rose vinaigre; le rubis de Sudermanie, ardoise pâle.
HUYSMANS, À rebours, p. 60 (1884).

Par compar. *D'aigue-marine* : de la couleur de l'aigue-marine. *Une nuance d'aigue-marine. Des yeux d'aigue-marine.*

N. m. Couleur d'aigue-marine. *Un aigue-marine très clair jaspé de vert sombre.*

**AIGUER** [ege]; régional [egɥe] v. intr. — XIV^e, «arroser, tremper»; provençal, de *aiga* «eau». → Aiguade.

Régional. S'approvisionner en eau, en parlant d'un navire. Syn. : *faire aiguade.*

Cette couverture de ruisseau, sur la côte d'Asie, où, venus aiguer, ils étaient demeurés trois saisons.
J. GIONO, Naissance de l'Odyssée, p. 16.

REM. Le mot s'est employé (1912, *in* D. D. L.) au sens de «se poser sur l'eau (d'un aéronef)». → Amerrir.

**AIGUERIE** [ɛg(ə)ʀi] n. f. → **Aiguage.**

**AIGUIÈRE** [ɛgjɛʀ] n. f. — XIV^e; provençal *aiguiera*, du lat. pop. **aquaria.*

Littér. ou t. technique d'histoire. Vase à anse et à bec où l'on met de l'eau (pour l'ablution des mains, la toilette, ou pour boire). *Une aiguière avec son bassin.*

Une belle esclave verse de l'eau d'une aiguière d'or sur un bassin d'argent (...) FÉNELON, Télémaque, XXI.

C'était une vaste salle à manger comme en témoignaient de hauts dressoirs en chêne sculpté, où luisaient vaguement des blocs d'orfèvrerie : aiguières, salières, boîtes à épices, hanaps, vases à panses renflées, grands plats d'argent ou de vermeil (...)
Th. GAUTIER, le Capitaine Fracasse, 1863, p. 378, *in* T. L. F.

Blason. *Aiguières affrontées.*

DÉR. **Aiguiérée.**

**AIGUIÉRÉE** [egjeʀe] n. f. — Av. 1648, Voiture; de *aiguière*.

Rare. Contenu d'une aiguière. *Une aiguiérée d'eau.*

**AIGUILLADE** [egɥijad] n. f. — 1400; provençal *agulhada*.

Régional. Gaule armée d'un aiguillon, servant à piquer les bœufs. → **Aiguillon.**

**AIGUILLAGE** [egɥijaʒ] n. m. — 1869, *in* D.D.L.; de *aiguiller*.

**A** ◆ **1** Manœuvre des aiguilles sur une voie ferrée. → **Aiguille.** *Erreur d'aiguillage. Poste, cabine d'aiguillage. Levier d'aiguillage. Aiguillage automatique.*

◆ **2** (1931). Appareil permettant les branchements ou les changements de voie (dit aussi *aiguille* [I., 8.]). → **Bretelle** (II., 1.). — Syn. techn. : *branchement de voie, appareil de voie.*

Le wagon se faisait déjà cahoter par les aiguillages de la banlieue parisienne.
MARTIN DU GARD, les Thibault, VI, 14.

Par ext. Appareil qui permet de diriger le déroulement d'une opération en dirigeant un mouvement sur plusieurs voies alternatives. *Aiguillage mécanique. — Aiguillage électronique.*

◆ **3** Par métonymie. Ensemble des rails, des voies aiguillées. *Le train est sur l'aiguillage.*

Nous ne quittons pas notre wagon des yeux. Six hommes le poussent. Ils passent et repassent devant nous, changent d'aiguillage et de voies.
B. CENDRARS, Moravagine, *in* Œ. compl., t. IV, p. 173.

Par métaphore :

Quelqu'un s'en va de moi, je ne suis plus quelqu'un
Mais un lieu de passage où des choses se pensent
Toutes seules, nouant et rompant leurs convois
Dont le poids bronche aux aiguillages et j'écoute
Ces trains mal accrochés qui cahotent sans doute.
Robert VIVIER, Embrun de l'âge, «Des nuits et des jours».

◆ **4** Par métaphore. Fait d'aiguiller des mouvements, des objets en mouvement.

**B** ◆ **1** Fig. Action d'orienter (des idées, des phénomènes, des personnes) dans un sens déterminé; cette orientation. *Mauvais aiguillage :* mauvaise orientation. *Erreur d'aiguillage :* erreur d'appréciation, de jugement, d'orientation, etc.

Je viens de relire *la Prisonnière* de Bourdet, dont le premier acte tout au moins présente de si grandes analogies avec la pièce de Martin Du Gard. Même informulable mystère, même aiguillage sur de fausses pistes par suite d'une incompréhension soigneusement ménagée devant une proposition insoupçonnée, insoupçonnable, inadmissible. GIDE, Journal, 1er nov. 1931.

Ce qui désagrège un couple finit par le souder encore davantage. Les difficultés qui éloignent finissent par rapprocher ou alors, ce n'était pas un couple. Deux malheureux qui ont fait une erreur d'aiguillage et qui se sont trouvés ensemble... R. GARY, Clair de femme, p. 60.

◆ **2** Le fait de diriger, de se diriger d'une certaine manière (en parlant d'un mobile, d'un fluide...). *L'aiguillage de l'influx nerveux, d'un courant électrique.*

*Aiguillage aérien* (rare). → **Aiguilleur** (du ciel).

**AIGUILLAT** [egɥija] n. m. — 1558; du provençal *agulhat*, du lat. *aculeatus* «qui a des aiguillons».

Poisson sélacien *(Squalidés),* scientifiquement appelé *squalus, spinax* ou *acanthias,* et communément *sagre. L'aiguillat est un chien de mer. Aiguillat commun* (Acanthias vulgaris). *Le foie de l'aiguillat fournit «l'huile de foie de requin».*

**AIGUILLE** [egɥij] n. f. — XVe; *aguille*, 1177; du bas lat. *acucula*, dimin. du lat. class. *acus*, cf. provençal *agulha*. → Aigu.

**I** ◆ **1** Petite tige d'acier, pointue à une extrémité *(pointe)* et percée à l'autre *(tête)* d'un trou *(œil* ou *chas)* où peut passer le fil pour coudre. *Fabrication des aiguilles* (→ ci-dessous). *Aiguille à coudre, à broder, à repriser, à tapisserie. Aiguille droite, courbe. Aiguille de machine à coudre. Aiguille d'emballeur, de bourrelier, de relieur, de voilier...* → **Carrelet.** — *Travail à l'aiguille. Point à l'aiguille. — Enfiler, désenfiler, manier, tenir une aiguille. Pousser l'aiguille avec un dé, une paumelle. Tirer l'aiguille.* → **Coudre.** *Étui à aiguilles.* → **Aiguillier, porte-aiguilles.** *Ficher des aiguilles sur une pelote.* — Collectivt. *Tenir, manier l'aiguille :* faire des travaux de couture (ci-dessous, cit. 2, 5).

(...) un dé, du fil et des aiguilles, 1
Dont elles travaillaient au trousseau de leurs filles.
MOLIÈRE, les Femmes savantes, II, 7.

L'aiguille et l'épée ne sauraient être maniées par les mêmes mains. ROUSSEAU, Émile, III. 2

(...) elle chantait à demi-voix, tout en poussant son aiguille. FLAUBERT, Mme Bovary, I, VI. 3

La première semaine de janvier fut consacrée à la confection du linge nécessaire à la colonie. Les aiguilles trouvées dans la caisse fonctionnèrent entre des doigts vigoureux, sinon délicats, et on peut affirmer que ce qui fut cousu le fut solidement. J. VERNE, l'Île mystérieuse, t. I, p. 400. 3.1

Les petites mains brunes faisaient courir l'aiguille à travers le linon. FRANCE, Les dieux ont soif, p. 26. 4

*(Le prêtre)* faisait du ravaudage pour épargner de la peine à sa vieille servante et par un goût de manier l'aiguille. FRANCE, le Mannequin d'osier, p. 255. 5

L'aiguille de la couturière picore comme une poule minutieuse. J. RENARD, Journal, juin 1896, p. 229. 6

Suzanne mouilla le fil entre ses lèvres, prit l'aiguille et l'enfila. G. DUHAMEL, Chronique des Pasquier, VII, 19. 7

Même Cécile, en son jeune âge, savait tenir une aiguille. G. DUHAMEL, Chronique des Pasquier, VII, 19. 8

Madame Raymond Pasquier portait toujours une dizaine d'aiguilles piquées dans le tissu de son corsage. G. DUHAMEL, Chronique des Pasquier, VII, 19. 9

(...) l'un de ces objets *(des faux seins)* a été criblé de multiples aiguilles de diverses grosseurs, pour montrer que l'on peut s'en servir aussi comme pelote à épingle. A. ROBBE-GRILLET, Projet pour une révolution à New York, p. 54. 9.1

*Fabrication des aiguilles :* façonnage, calibrage du fil d'acier, découpage, dressage, empointage, blanchissage, estampage, perçage du chas, cassage, trempe, meulage, polissage, triage (ou tallage), bronzage de la tête, drillage du chas.

◆ **2** (1690). *Aiguille à tricoter* ou *aiguille :* tige de métal ou de matière plastique (autrefois aussi de bois, d'os), soit empointée aux deux extrémités, soit à pointe et à tête. → **Broche.** — (Collectif). *Dentelle à l'aiguille.* → **Crochet.**

(...) la chère aveugle a tellement l'habitude des longues aiguilles qu'elle tricote aussi bien que du temps de ses yeux. Alphonse DAUDET, le Petit Chose, II, 16. 10

Il s'était assis et regardait avec un air de dédain le tricot gris en grosse laine qu'elles confectionnaient vivement au moyen de longues aiguilles en bois. MAUPASSANT, Fort comme la mort, éd. 1889, p. 123. 10.1

*Aiguille à passer.* → **Passe-lacet.** — *Aiguille à piquer un dessin.* → **Piquoir.**

◆ **3** (Domaine médical). *Aiguilles hypodermiques :* aiguilles tubulées que l'on ajuste à l'extrémité des seringues à injection. *Aiguille à suture avec porte-aiguille,* pour recoudre les lèvres d'une plaie.

*Aiguille à vaccin. Aiguilles spéciales.* → **Acupuncture, électropuncture** (ou *galvanopuncture*), **ignipuncture.** *Aiguilles d'acupuncture* (fines, triangulaires, intradermiques).

10.2 Une seringue à injections hypodermiques dont il tient dans la main gauche le corps cylindrique gradué, terminé par une fine aiguille creuse, la pointe dirigée vers le haut.
A. ROBBE-GRILLET, Projet pour une révolution à New York, p. 89.

♦ **4** Techn. (cuis.). *Aiguille à larder,* qui sert à larder ou à piquer la viande. → **Lardoire.** *Aiguille à brider, à piquer.*

♦ **5** Loc. fig. (de *aiguille,* 1.). **DE FIL EN AIGUILLE :** en passant d'une chose à une autre.

11 De propos en propos, et de fil en aiguille,
Se laissant emporter au flux de ses discours.
Mathurin RÉGNIER, Satires, XIII.

12 Et, pour conter tout de fil en aiguille (...)
LA FONTAINE, Aveux, *in* LITTRÉ.

*Disputer sur la pointe d'une aiguille,* (vx) *sur des pointes d'aiguille :* élever une contestation sur une subtilité, une vétille.

*Chercher une aiguille dans une botte de foin, dans une meule de foin,* (vieilli) *dans la rivière :* chercher une chose difficile ou impossible à trouver.

13 (...) l'art ayant été pour moi ce qu'est une aiguille dans une meule de foin.
Aloysius BERTRAND, Gaspard de la nuit, p. 10.

13.1 (...) et soudainement Montmartre lui apparaît plus vaste encore qu'il ne l'a laissé entendre à Hans, puis seconde évidence, la recherche qu'il a accepté d'entreprendre, lui semble fort s'apparenter à celle d'une aiguille dans une botte de foin.
Albert SIMONIN, Hotu soit qui mal y pense, p. 55.

Vieilli. *On le ferait passer par le trou d'une aiguille,* se dit d'un homme très timide ou poltron.

(Par allusion à l'Évangile, cit. ci-dessous). *Vouloir faire passer un chameau par le trou d'une aiguille :* vouloir réaliser une chose impossible.

14 Je vous le dis, il est plus aisé pour un chameau d'entrer par le trou d'une aiguille, que pour un riche d'entrer dans le royaume de Dieu.
BIBLE, Évangile selon saint Matthieu, XIX, 24.
REM. La traduction donne lieu à controverses; on a interprété autrement par «câble».

♦ **6** Tige ou lame métallique terminée en pointe et servant à indiquer qqch. (mais ne servant pas à percer). — (1567). *Les aiguilles d'une horloge, d'une pendule, d'une montre,* petites tiges qui tournent sur le cadran de manière à indiquer l'heure *(petite aiguille),* et la division de l'heure *(grande aiguille).* → Allumer, cit. 0.1. — Loc. *Dans le sens des aiguilles d'une montre* (cit. 5). *Aiguille de cadran solaire.* → **Style.** — (1208). *Aiguille aimantée (d'une boussole) :* lame d'acier qui tourne sur un pivot et dont une extrémité se dirige vers le nord. *Aiguilles astatiques du galvanomètre. Aiguille d'un appareil enregistreur* (baromètre, altimètre, etc.). — (1690). *L'aiguille d'une balance.* → **Index.** — *Aiguille de paratonnerre :* tige métallique effilée par laquelle s'écoule l'électricité de la foudre.

14.1 Altimètre : 1850; mais je savais ce qu'il faut penser de la précision des altimètres. 1600 déjà; l'aiguille gigotait comme le cadran de la boussole tout à l'heure.
MALRAUX, Antimémoires, Folio, p. 97-98.

14.2 (...) l'horloge pneumatique du carrefour indiquant neuf heures du soir, puis la grande aiguille sautant brusquement à neuf heures deux, ce qui le fit, dit-il, comme se réveiller, prenant conscience du temps qui s'était écoulé depuis qu'il était là (...)
Claude SIMON, le Palace, p. 42.

(1880). Anciennt. *Aiguille de gramophone, de phonographe, de phono* (remplacée par le saphir). — Loc. fig. Fam. *Être vacciné avec une aiguille de phono :* être très bavard.

J'avais trouvé un gramophone dans le village abandonné. Garnéro, qui était bricoleur, en avait changé le ressort pour faire durer son action plus longtemps sans avoir besoin de le remonter et placé un dispositif ingénieux, je crois une simple vis d'Archimède, contre lequel l'aiguille venait buter à fin de course et reprenait automatiquement sa position première pour une deuxième, une troisième audition.
B. CENDRARS, la Main coupée, *in* Œ. compl., t. X, p. 111.

♦ **7** (1866). *Aiguille de fusil* (remplacée par le percuteur), qui produisait la déflagration. *Fusil à aiguille.*

♦ **8** (1819). Techn. (ch. de fer). Portion de rails mobiles, articulée en un point fixe, dont le déplacement, opéré par un levier à main ou par commandes électriques, permet de faire passer le matériel roulant d'une voie ferrée sur une autre. → **Aiguillage** (plus courant).

♦ **9** Instrument d'acier au bout duquel on manie l'opium pour en faire une boule, avant de le fumer.

♦ **10** Phys. Élément cylindrique allongé, de très petit diamètre, contenant un combustible nucléaire. *Aiguille de radium, d'uranium.*

♦ **11** *En aiguille :* très pointu. — Par compar. *Comme une aiguille :* effilé, aigu.

**II** Par anal. ♦ **1** (1863, Littré; autres sens en bot., 1771). Bot. Feuille aciculaire* (de certains conifères). *Des aiguilles de pin, de sapin.*

(...) des sentiers inégaux tout glissants d'aiguilles sèches.
Alphonse DAUDET, Sapho, VI.

Au bord de la mer, il y a toujours ces arbres un peu maigres, brûlés par le sel et par le soleil, au feuillage fait de milliers de petites aiguilles gris-bleu.
J.-M. G. LE CLÉZIO, Désert, p. 134.

♦ **2** (1505, «poisson effilé»). Nom usuel de plusieurs coquilles pointues (turritelle, cérite, etc.) et de plusieurs poissons très allongés comme l'orphie (→ **Aiguillette,** 6.) ou bécassine de mer. *Aiguille de mer :* le syngnathe.

♦ **3** [a] Appendice pointu. → **Aiguillon, épine.** *Les acanthoptérygiens ont leurs nageoires munies d'aiguilles.*

[b] (1863, Littré). Biol. et minéralogie. Cristaux aciculaires. — Cour. *De fines aiguilles de glace.*

♦ **4** (V. 1790, Saussure). Géogr., cour. Sommet de montagne en pointe aiguë. *L'aiguille du Pic du Midi.* → **Bec, dent, pic, piton.**

Géol. Roche pointue.

(...) une roche (...) déchiquetée, creusée de grottes, avec des arcs, des aiguilles et des escarpements pareils à ceux des falaises marines.
GIDE, Si le grain ne meurt, I, 2.

♦ **5** (Fin XIIe). Monument, partie de monument terminé en pointe au sommet. *Aiguille de clocher.* → **Flèche.** — (1588). Vx. *L'aiguille de Louksor.* → **Obélisque, pyramide.**

Médine aux mille tours, d'aiguilles hérissée,
Avec ses flèches d'or, ses kiosques brillants,
Est comme un bataillon arrêté dans les plaines (...)
HUGO, Ballade, XV.

♦ **6** Appos. *Talon aiguille :* talon de chaussure de femme, de forme très effilée.

En fait Salomé, bien reconnaissable au piquetage de ses talons aiguilles, est rentrée à six heures (...)
Hervé BAZIN, Cri de la chouette, p. 121.

Var., rare : *talon en aiguille.*

(...) des pieds menus, montés sur de hauts talons en aiguille (...)

A. ROBBE-GRILLET, la Maison de rendez-vous, p. 47.

DÉR. **Aiguillée, aiguiller, aiguillerie, aiguillette, aiguillier, aiguillot.**

**AIGUILLÉE** [egɥije] n. f. — 1229; de *aiguille.*

♦ **1** Étendue de fil de la longueur convenable pour travailler à l'aiguille.

(...) je te lis une page, je couds une aiguillée.

A. DE MUSSET, Barberine.

Dix aiguillées de fil métallique, pareillement gris, servant au solide amarrage des précieux disques, formaient en plein milieu, sur chaque fine plaque rectangulaire, un fouillis de multiples croisements terminés par un gros nœud d'arrêt dû aux doigts exercés de quelque habile ouvrière.

Raymond ROUSSEL, Impressions d'Afrique, p. 63.

Longueur du travail de couture effectué à l'aide de ce fil. *Coudre une aiguillée.*

♦ **2** Rare. Piqûre d'aiguille (dans une étoffe).

**AIGUILLER** [egɥije] v. tr. — Fin XII^e^, «piquer avec une aiguille»; de *aiguille.*

♦ **1** (1771). Techn. *Aiguiller la soie,* la nettoyer avec des aiguilles quand elle est sur le dévidoir.

♦ **2** (1853). Faire passer (un train, un wagon...) d'une voie sur une autre en manœuvrant les aiguilles. *Ce wagon a été mal aiguillé au triage.*

Cour. Faire suivre un itinéraire déterminé à (qqch.).

Souvent au passif et au participe passé.

Mademoiselle de Nontrusac passe à son patron les communications téléphoniques aiguillées sur l'appareil directorial par la standardiste (...)

Robert PINGET, Graal flibuste, p. 58.

♦ **3** Fig. Diriger vers qqch., orienter. *Aiguiller une discussion,* l'orienter dans le sens que l'on souhaite. — (1922). Compl. n. de personne. *Aiguiller un jeune homme vers une profession,* le diriger vers cette profession. → **Diriger, orienter.** Pron. *S'aiguiller dans une voie nouvelle.*

Quand Olga sortit du lycée, ses parents eurent grand souci de l'aiguiller sur un chemin *normal.*

S. DE BEAUVOIR, la Force de l'âge, p. 236.

♦ **4** Inform. Diriger un processus par un choix entre deux ou plusieurs directions. → **Aiguilleur,** 2.

DÉR. **Aiguillage, aiguilleur.**

**AIGUILLERIE** [egɥijʀi] n. f. — 1329; de *aiguille.*

Vx. Fabrique d'aiguilles.

**AIGUILLETAGE** [egɥijtaʒ] n. m. — 1835; de *aiguilleter.*

♦ **1** Mar. (Vx). Action d'aiguilleter (au moyen d'une aiguillette); résultat de cette action.

♦ **2** Techn. Fabrication des étoffes par emmêlement des fibres textiles au moyen d'aiguilles barbelées.

**AIGUILLETÉ, ÉE** [egɥijte] adj. — V. 1965; de *aiguilleter.*

Se dit d'un tapis, d'une moquette dont le procédé de fabrication est l'aiguilletage (2.) de matières textiles, liées entre elles par des procédés physiques ou chimiques. *Un velours aiguilleté.* — N. m. *L'aiguilleté.* → **Aiguilleter** (4.).

**AIGUILLETER** [egɥijte] v. tr. [CONJUG. : *jeter.*] — 1549; de *aiguillette.*

Vieux ou technique.

♦ **1** Vx. Garnir de ferrets. *Aiguilleter des lacets.*

♦ **2** Ancienn. *Aiguilleter un pourpoint,* l'attacher aux chausses avec des aiguillettes.

♦ **3** (1798). Mar. (Vx). Lier avec l'aiguillette (3.) deux objets qui ne se croisent pas ou ne se touchent pas. *Aiguilleter une poulie à un piton.* → **Amarrer.**

♦ **4** Techn. Fabriquer (du feutre) en fixant à l'aide d'aiguilles à crochets des touffes de matière textile dans un soubassement de tissu grossier.

DÉR. **Aiguilletage, aiguilleté.**

**AIGUILLETIER, IÈRE** [egɥijtje, jɛʀ] n. — 1412; de *aiguillette.*

Ancienn. Ouvrier, ouvrière fabriquant les aiguillettes ou les lacets.

**AIGUILLETTE** [egɥijɛt] n. f. — 1180, «petite aiguille (d'une boussole)»; de *aiguille.*

♦ **1** (1376). Ancienn. Cordon ferré par les deux bouts qui servait à attacher le haut-de-chausses au pourpoint. — Par ext. Ornement des chausses (touffes de rubans, cordons ferrés). *Des aiguillettes de soie.*

Elle sera charmée de votre haut-de-chausses, attaché au 1
pourpoint avec des aiguillettes (...) et un amant aiguilleté sera pour elle un ragoût merveilleux.

MOLIÈRE, l'Avare, II, 5.

(...) des chausses à aiguillettes. 2

LA BRUYÈRE, les Caractères, XIII, 2.

Loc. fig. (Vx). *Courir l'aiguillette :* rechercher les hommes, en parlant d'une femme (s'opposait à *courir le jupon,* en parlant d'un homme).

Si Nature ne leur eût arrosé le front d'un peu de honte, 3
vous les verriez comme forcenées courir l'aiguillette (...)

RABELAIS, le Tiers Livre, 32.

Loc. **NOUER L'AIGUILLETTE :** faire un maléfice qu'on supposait capable de rendre un homme impuissant.

*(La mélancolie)* enlève l'appétit, le goût, noue les aiguil- 4
lettes, éteint les lampes et même le soleil (...)

J. GIONO, le Hussard sur le toit, p. 370.

♦ **2** (XVI^e^). Cordonnet, s'attachant à l'épaule et qui fait partie de l'uniforme de certains corps militaires. → **Fourragère.**

(...) je me mettais en grande tenue, — toutes aiguillettes 5
dehors, — et l'ennui fuyait devant mon hausse-col!

BARBEY D'AUREVILLY, les Diaboliques, p. 38.

♦ **3** Mar. Petit cordage qui sert à lier ensemble deux objets. → **Aiguilleter,** 3.

♦ **4** (1392; en parlant du mouton). Cuis. *Aiguillettes de volaille, de gibier :* morceaux de peau ou de chair coupés en long.

Morceau de la croupe du bœuf, partie du romsteck. *Une aiguillette de romsteck* (ou *aiguillette*). *Aiguillette baronne* (ou *baronne,* n. f.).

♦ **5** Petite aiguille (de montagne).

Des aiguillettes étranges, acérées, se tordent dans une sup- 6
plication désespérée sur la crête, en lame de scie (...) les gens d'ici les nomment les Flammes de Pierre.

R. FRISON-ROCHE, Premier de cordée, p. 44.

♦ **6** (1393). Orphie (poisson). → **Aiguille** (II., 2.). — (En franç. d'Afrique). Poisson de mer à corps effilé, ou muni d'un rostre en pointe.

DÉR. **Aiguilleter, aiguilletier.**

**AIGUILLEUR** [egɥijœʀ] n. m. — 1845; de *aiguiller.*

♦ **1** Cour. Agent chargé du service et de l'entretien d'un poste d'aiguillage. *Poste, cabine d'aiguilleur.*

L'aiguilleur monte dans sa vigie et fait se choquer les fils de fer devant nous. Un bruit grandissant descend du nord. Bientôt un train entre en gare.
B. CENDRARS, Moravagine, *in* Œ. compl., t. IV, p. 173.

(V. 1964). Par ext. **AIGUILLEUR DU CIEL :** contrôleur de la navigation aérienne. *Une grève des aiguilleurs du ciel perturbera demain l'horaire des vols au départ de Roissy.*

Fig. Personne ou chose qui aiguille, dirige un choix.

♦ **2** Inform. Paramètre à plusieurs valeurs (numériques ou symboliques) qui permet d'orienter les recherches de la machine vers différentes séries d'opérations en fonction de ces valeurs.

**AIGUILLIER, IÈRE** [egɥije, jɛʀ] n. — XIIe; n. f., 1313; de *aiguille.*

♦ **1** Vx. Personne qui fabrique des aiguilles.

♦ **2** N. m. Vx. Étui à aiguilles. → **Étui, trousse.**

HOM. **Aiguillée, aiguiller.**

**AIGUILLON** [egɥijɔ̃] n. m. — XIIIe; *aguillun,* mil. XIe; du lat. médiéval *aculo, -onis,* lat. class. *aculeus.* → Aiguille.

♦ **1** Long bâton muni d'une pointe de fer servant à piquer les bœufs pour les stimuler. → **Aiguillade.**

1 (...) qu'un bœuf, pressé de l'aiguillon,
Traçât à pas tardifs un pénible sillon.
BOILEAU, Épîtres, III.

2 Landry laissa son aiguillon accoté au frontal de ses bœufs.
G. SAND, la Petite Fadette, XXIX.

Ce qui pique, aiguillonne un animal. *Faire sentir l'aiguillon au cheval.* → **Éperon.**

3 Un Dieu qui d'aiguillons pressait leur flanc poudreux.
RACINE, Phèdre, V, 6.

♦ **2** (XIIe). Par métaphore ou fig. Ce qui excite, anime, encourage, incite à agir. *L'émulation est un aiguillon à la vertu. «L'intérêt est le seul aiguillon qui puisse le faire agir»* (Académie). → **Encouragement; excitant, stimulant; fouet** (coup de).

4 L'amour, l'aiguillon tout puissant de nos activités humaines!
MICHELET, la Femme, p. 122.

5 (...) l'art qui ne sent point dans sa chair l'aiguillon de la tâche journalière, l'art qui n'a point besoin de gagner son pain, perd le meilleur de sa force et de sa réalité.
R. ROLLAND, Jean-Christophe, t. VIII.

Relig. et littér. (langage de l'Écriture) ou vieilli. *L'aiguillon, les aiguillons de la chair, du désir :* les tentations, ce qui tourmente de façon cuisante.

6 (...) épuisés par le jeûne, se roulant sur un lit d'épines, les anachorètes se sentaient percés jusqu'aux moelles des aiguillons du désir charnel.
FRANCE, les Opinions de J. Coignard, p. 472.

♦ **3** (1567). Dard effilé et rétractile, portant généralement une glande à venin, à l'extrémité de l'abdomen de certains hyménoptères (guêpe, abeille). *L'aiguillon est une arme de défense pour l'abeille et la guêpe.* → **Dard.** *Insecte muni d'un aiguillon* (ou *porte-aiguillon*). → **Aculé.**

Par métaphore. Caractère douloureux (d'une sensation); sensation douloureuse, cuisante. → **Piqûre.**

7 L'aiguillon de la chaleur, comme un trait de guêpe, irrite.
MICHELET, la Femme, p. 372.

♦ **4** (1771). Piquant qui adhère à l'écorce (par opposition à ceux qui sont produits par les corps ligneux; → **Épine**). *Les aiguillons de l'acacia, du rosier, de la ronce. Une plante sans aiguillon ni épines.* → **Inerme.**

Zool. Appendice piquant. → **Aiguille.** «*Les boucles ou aiguillons dont sont armées diverses espèces de raies*» (Cuvier, *in* T. L. F.). *Aiguillons des nageoires de requins.*

DÉR. **Aiguillonner, aiguillonnier.**

**AIGUILLONNEMENT** [egɥijɔnmɑ̃] n. m. — XIIe; de *aiguillonner.*

Rare. Action d'aiguillonner; résultat de cette action. *L'aiguillonnement des bœufs.*

**AIGUILLONNER** [egɥijɔne] v. tr. — 1160, au fig., le sens 1. n'est attesté qu'au XVIe; de *aiguillon.*

♦ **1** (1551). Piquer avec l'aiguillon (1.). *Aiguillonner les bœufs.* — Par ext. :

Les mulets, que l'on aiguillonnait avec la pointe des glaives (...)
FLAUBERT, Salammbô, t. I, p. 25, *in* T. L. F.

♦ **2** Fig., cour. Animer, stimuler, aviver (un désir, une passion...). *Aiguillonner l'appétit de qqn.* → **Aiguiser.** — (Compl. n. de personne). *Aiguillonner qqn pour le faire agir.* → **Encourager, éperonner, exciter, inciter, piquer** (au vif), **pousser** (à), **presser, provoquer, tourmenter.**

Les deux propos, libres sans indécence,
Aiguillonnaient leur vive impatience.
VOLTAIRE, *in* LAFAYE, Dict. des synonymes, Exciter... aiguillonner...

*(Une ardente faim)* l'aiguillonne (...)
André CHÉNIER, Mendiant, in LITTRÉ.

(...) le désir physique, cette belle fatalité qui aiguillonne le monde et centuple ses énergies (...)
MICHELET, la Femme, p. 10.

(...) l'amour-propre de la Nation qu'ils s'appliquent à aiguillonner.
JAURÈS, Hist. socialiste..., t. III, p. 126.

◆ **S'AIGUILLONNER** v. pron. S'exciter, s'encourager (réfl. ou réciproque).

(...) ils mettent en commun leurs inventions et leurs recherches; ils s'aiguillonnent les uns les autres; par les lectures, le théâtre et les conversations de toute espèce (...)
TAINE, Philosophie de l'art, II, IV.

Quand nous sommes ensemble, nous nous moquons toujours de quelqu'un (...) Nos aimables natures s'aiguillonnent l'une par l'autre (...)
BARBEY D'AUREVILLY, Premier mémorandum, p. 177.

◆ **AIGUILLONNÉ, ÉE** p. p. adj.

♦ **1** Vx. Pourvu d'aiguillons. *Insecte aiguillonné. Plante aiguillonnée.*

♦ **2** Fig. Avivé, stimulé. *Un courage aiguillonné.*

CONTR. **Calmer, freiner, refréner.** ◊ DÉR. **Aiguillonnement.**

**AIGUILLONNIER** [egɥijɔnje] n. m. — 1845; de *aiguillon.*

Insecte coléoptère *(Cérambycidés),* scientifiquement appelé *calamobius,* qui s'attaque aux céréales, en particulier au blé dont il ronge le chaume et fait tomber l'épi, ne laissant que la tige en forme d'aiguillon. → **Saperde.**

**AIGUILLOT** [egɥijo] n. m. — 1556; de *aiguille.*

Mar. Partie mâle d'une ferrure de gouvernail, servant de pivot au mouvement de celui-ci (par oppos. à *femelot,* partie femelle).

**AIGUISAGE** [egizaʒ] ou, rare [egɥizaʒ] n. m. — 1467; de *aiguiser.*

Techn. Action d'aiguiser (un outil, un instrument tranchant). *L'aiguisage d'un couteau, d'une scie, d'un rasoir.* → **Affûtage, émoulage.** *Angle d'aiguisage,* que fait le tranchant d'un outil avec l'horizontale.

**AIGUISEMENT** [egizmɑ̃] ou, rare [egɥizmɑ̃] n. m. — 1172, au fig.; XIIIe, au sens concret de «fait d'être aiguisé» («action d'aiguiser», 1530); de *aiguiser*.

Vieilli.

♦ **1** Action d'aiguiser (→ **Aiguisage**); état de ce qui est aiguisé. *«Ce bruit d'autrefois : l'aiguisement d'une faux»* (F. Mauriac).

♦ **2** Fig. Action de rendre plus aigu (un sentiment, etc.).

**AIGUISER** [egize] ou, vieilli [egɥize] v. tr. — XIIIe; *aguisier*, 1080; du lat. pop. **acutiare*, bas lat. *acutare*, dér. du lat. class. *acutus* «aigu».

♦ **1** Rendre tranchant (un outil, un instrument, une arme). *Aiguiser un couteau.* → **Affiler, affûter, émorfiler, émoudre, repasser.** — *Fusil, meule, pierre à aiguiser. Le faucheur portait la pierre à aiguiser dans un coffin attaché à sa ceinture. — Aiguiser un rasoir en cuir, des lames sur une meule, sur une machine à repasser.* — Par ext. *Aiguiser la pointe d'une arme blanche* (→ ci-dessous, cit. 2). — *Aiguiser une arme, un fer* (vx) *contre qqn* : se préparer au combat, s'armer.

(...) le fer qu'ils aiguisent contre elle *(Troie).*
RACINE, Iphigénie, IV, 1.

Tandis que des couteaux ils aiguisaient les pointes (...)
HUGO, la Légende des siècles, LIV, «Vision de Dante».

(...) des groupes d'hommes à peine vêtus, levés pour la guerre, à moitié armés, à moitié sauvages, aiguisaient leurs yatagans sur les pierres (...)
LOTI, Aziyadé, V, 2.

Loc. *Aiguiser ses couteaux, ses armes* : se préparer au combat.

C'est la pierre sur laquelle on va aiguiser ses couteaux.
VOLTAIRE, Lettres, 9 juin 1760.

*Aiguiser sa plume* : se préparer à polémiquer par écrit.

♦ **2** (En parlant des animaux). *L'oiseau aiguise son bec. Mettre un os de seiche dans la cage d'un oiseau pour qu'il s'y aiguise le bec. Le sanglier aiguise ses défenses contre un arbre.*

Il *(le coq)* aiguisait son bec, battait l'air et ses flancs (...)
LA FONTAINE, Fables, VII, 13.

Le lion aiguisait ses dents et ses griffes, attendant le moment favorable. FÉNELON, Télémaque, XVIII.

Par métaphore :

Stendhal n'a jamais été pour moi une nourriture; mais j'y reviens toujours. C'est mon os de seiche; j'y aiguise mon bec. GIDE, Journal, 8 déc. 1907.

Fig. *Aiguiser les langues*, les préparer à médire.

♦ **3** Fig. Rendre plus vif. → **Aiguillonner, aviver, exciter, stimuler.**

(XVe). *Aiguiser l'appétit* (au propre et au fig.) : exciter l'appétit, ou (fig.) la convoitise.

*(les «magnificences» d'une réception)*
C'est un plaisir de nonne. Au reste, leur beauté
Aiguisait l'appétit aussi de son côté.
LA FONTAINE, Contes, «Le tableau», IV, 16.

♦ **4** Rendre plus perceptible (un son). *La pureté de l'atmosphère aiguisait les sons.*

♦ **5** (Av. 1215, *aiguiser la raison*). Accroître le fonctionnement de (un sens), rendre plus pénétrant (un sentiment). *Aiguiser l'ouïe, la perspicacité de quelqu'un.*

Et ce besoin de s'envoler, l'amour, leur amour exalté, le jetait en eux, harcelant, incessant, douloureux. Et tout, autour d'eux, aiguisait ce désir de leur âme.
MAUPASSANT, Mont-Oriol, I, VIII, p. 177-178.

Tout à coup, avec une finesse d'ouïe que l'inquiétude avait aiguisée, elle entendit son fils qui montait l'escalier.
FRANCE, Les dieux ont soif, p. 191.

Non, c'était une nature de paysan, d'écorce assez rude, 10
mais il avait une conscience de prêtre, et, à l'égard de Léopold, depuis des années, un remords affinait, aiguisait son sentiment.
M. BARRÈS, la Colline inspirée, p. 274.

*Aiguiser l'esprit, l'intelligence* : rendre l'esprit plus prompt, plus pénétrant, plus subtil. → **Délier.** *Aiguiser son goût.*

L'amour ne sait-il pas l'art d'aiguiser les esprits? 11
MOLIÈRE, l'École des femmes, III, 4.

(...) nulle race n'a été si bien dotée par la nature et il 12
semble que toutes les circonstances se soient assemblées pour délier leur intelligence et aiguiser leurs facultés.
TAINE, Philosophie de l'art, t. II, IV, I, p. 97.

♦ **6** Affiner, polir. *Aiguiser son style.* → **Affûter, travailler.**

Cela est aiguisé *(la conversation de Sainte-Beuve)*, menu, 13
pointu, c'est une pluie de petites phrases qui peignent à la longue, et par la superposition et l'amoncellement.
Ed. et J. DE GONCOURT, Journal, p. 56.

Ce cabinet de travail, où le maître de conférence aiguisait 14
ses fines pensées d'humaniste.
FRANCE, le Mannequin d'osier, p. 225.

Lui, qui d'ordinaire, écrit avec une facilité parfaite, il 15
revient sur toutes les phrases, il les aiguise, il les affûte.
G. DUHAMEL, Chronique des Pasquier, VI, X.

♦ **7** Vieilli, littér. *Aiguiser une épigramme*, en rendre le trait plus mordant, plus piquant.

Et n'allez pas toujours d'une pointe frivole 16
Aiguiser par la queue une épigramme folle.
BOILEAU, l'Art poétique, II.

◆ **S'AIGUISER** v. pron.

♦ **1** Devenir pointu, aigu. *Cet outil s'aiguise en pointe.* — Devenir vif.

Le froid s'aiguisait avec le crépuscule, les mousses gelées 17
craquaient sous les pas.
ZOLA, Germinal, p. 1376, *in* T. L. F.

♦ **2** Fig. Devenir pénétrant, subtil. *Son ouïe s'aiguise.* Devenir aigu. *Certains troubles latents ou chroniques s'aiguisent brusquement.*

◆ **AIGUISÉ, ÉE** p. p. adj. *Lame aiguisée.* — Par ext. Très pointu. *Des épines, des roseaux aiguisés. Bec aiguisé.*

Fig. *Appétit aiguisé.*

Blason. *Pièces aiguisées*, dont l'extrémité peut être aiguë.

N. m. Littér. *L'aiguisé d'une lame, d'une faux.*

CONTR. **Ébrécher, émousser, épointer.** ◊ DÉR. **Aiguisage, aiguisement, aiguiseur, aiguisoir.**

**AIGUISEUR, EUSE** [egizœʀ, øz] ou, rare [egɥizœʀ, øz] adj. et n. — Déb. XIVe; de *aiguiser*.

♦ **1** Adj. Qui aiguise. *Un cylindre, un tambour aiguiseur* (industr. textile).

♦ **2** N. Ouvrier, ouvrière qui procède à l'aiguisage (des couteaux, des outils, etc.). *Une meule d'aiguiseur. Un aiguiseur de couteaux.* → **Affileur, affûteur, émouleur, rémouleur, repasseur.**

**AIGUISOIR** [egizwaʀ] ou, rare [egɥizwaʀ] n. m. — 1468; de *aiguiser*.

Techn. Outil, appareil servant à aiguiser. *Aiguisoir électrique. Aguisoir de boucher.* → **Fusil.**

Le vent le flagelle, siffle à ses oreilles avec la stridence du couteau sur l'aiguisoir.
MARTIN DU GARD, les Thibault, VII, LXXXIV, p. 148.

**AIGÛMENT** [egymɑ̃] adv. — 1268, fig.; de *aigu.* Rare (littéraire, stylistique).

♦ **1** De manière aiguë (sons). «*Crisser aigûment*» (L. Pergaud).

♦ **2** Fig. «*Ne pas comprendre assez aigûment*» (Lettre de Valéry à Gide, *in* T. L. F.).

Durant plusieurs mois ensuite, je m'acharnai afin d'obtenir à partir de cela une *poésie* qui surprenne sans doute d'abord le lecteur aussi vivement ou aigûment que la Note, mais enfin surtout qui le *convainque;* qui se soutînt par tant de côtés que le lecteur critique enfin renonce, et admire.
Francis PONGE, le Parti pris des choses, p. 143.

**AIGYPAN** [eʒipɑ̃] n. m. → **Ægipan.**

**AÏKIDO** [ajkido] n. m. — 1961, *in* Petiot; mot jap. «la voie de la paix».

Art martial d'origine japonaise, fondé sur la neutralisation de la force antagoniste par des mouvements de rotation du corps, et l'utilisation de clés aux articulations. «*L'aïkido, créé par le Japonais Morihei Ueshiba, est une technique de défense pure, qui consiste à détourner l'attaque de l'adversaire par des prises de mains appliquées de manière circulaire*» (*l'Express,* 23-29 juin 1977, p. 77).

**AIL** [aj], plur. **AILS** [aj] ou **AULX** [o] n. m. — XII^e; lat. *allium.*

♦ **1** [a] Plante monocotylédone *(Liliacées),* scientifiquement appelée *allium sativum,* dont le bulbe arrondi *(tête)* est formé de caïeux *(gousses)* réunis sous une enveloppe commune. *Des plants d'ail. Tête, gousse* (1. Gousse, cit.) *d'ail.* — Rare au plur. «*Il y a des aulx cultivés et des aulx sauvages*» (Académie).

[b] Fruit (gousse) de cette plante, à goût caractéristique. *L'ail est employé dans de nombreux assaisonnements. Sauce à l'ail.* → **Aillade, ailloli.** *Mayonnaise à l'ail. Potage à l'ail.* → **Aigue boulide.** *Ajouter une pointe d'ail à un gigot.* Fig. *C'est la pointe* (cit. 26) *d'ail qui relève la saveur d'un quartier.* — *Beurre d'ail. Croûte de pain frottée à l'ail.* → **Chapon.** — *On utilise l'ail en médecine comme vermifuge et comme régulateur de la tension artérielle.*

1 «Des croûtons de pain vieux frottés d'oignon ou d'ail, arrosés d'une goutte d'huile d'olive bien fruitée, voilà dont je ne me lasserais pas», pense-t-il.
A. PIEYRE DE MANDIARGUES, la Marge, p. 151.

♦ **2** Bot. Genre *(allium)* auquel appartiennent l'ail proprement dit, la ciboule, la ciboulette, la civette, l'échalote, le moly *(ail doré),* l'oignon, le poireau, la rocambole. → **Alliacé.** — *Ail à toupet, ail des chiens :* muscari.

♦ **3** Loc. fig. *Sentir, puer l'ail;* (vieilli) *être à l'ail :* être savoureux mais un peu vulgaire.

2 (...) il fait sombre dans le grenier, et nous nous attardons à des images qui nous font rire, des Albert Guillaume, d'un raide! Tout d'un coup nous sursautons, car quelqu'un ouvre la porte en demandant d'un ton à l'ail : «hé! qui peut faire cet infernal tapage dans l'escalier?»
COLETTE, Claudine à l'école, p. 24-25.

REM. Le pluriel *aulx* est de moins en moins usité; on emploie la forme *ails* (à la façon des botanistes) ou on garde le mot au singulier (cf. cependant Goncourt, Colette, *in* T. L. F.).

HOM. **Aïe, haïe.** ◇ DÉR. **Aillée, ailler.** — (Du lat. *allium*) **Alliacée, alliaire, allyle.** — V. **Aillade, ailloli.**

**-AIL** Suffixe (productif dans le passé) servant à former sur une base verbale des noms désignant un objet utilitaire *(éventail, gouvernail)* et sur une base nominale des collectifs *(bétail).*

**AILANTE** [ɛlɑ̃t] n. m. — 1845; *ailanthe,* 1788; du lat. bot. *ailanthus,* d'un mot malais, de *ai* «arbre», et (p.-ê.) *lan'to* «ail» (aux Moluques).

♦ **1** Arbre *(Simarubacées),* d'origine asiatique, acclimaté et cultivé en France comme arbre ornemental sous le nom de *vernis du Japon. Une variété d'ailante* (Cynthia) *nourrit la chenille d'un lépidoptère, l'*Attacus Cynthia (bombyx de l'ailante), *qui fournit une soie semblable à celle du bombyx du mûrier* (ver à soie).

♦ **2** Lépidoptère appelé aussi *bombyx de l'ailante* (au sens 1.).

Il y a des papillons fantaisistes, l'ailante (c'est un papillon de ver à soie) qui vient se tuer contre les vitrines des Champs-Élysées, jamais contre une lampe électrique (...)
MALRAUX, Antimémoires, Folio, p. 473.

**AILE** [ɛl] n. f. — XV^e; *ele,* XII^e; du lat. *ala.*

[I] Chacun des organes du vol chez les oiseaux (une paire), les chauve-souris (une paire), les insectes (généralement deux paires : balanciers, élytres). Spécialt. Aile d'oiseau (membre). *De l'aile.* → **Alaire,** et aussi **ptér(o)-, -ptère.** [A] Organe du vol.

♦ **1** [a] (Oiseaux). *Les oiseaux longipennes* (→ **-penne**) *ont les ailes longues, les brévipennes des ailes courtes. Le manchot n'a que des moignons d'ailes. L'articulation extérieure de l'aile.* → **Fouet.** *Distance entre les deux pointes des ailes déployées.* → **Envergure.** «*Ses ailes de géant l'empêchent de marcher*» (→ Albatros, cit. 1, Baudelaire). *Les plumes de l'aile.* → **Penne, rémige.** — *Ouvrir, étendre, déployer les ailes. S'envoler d'un coup d'aile. Battement d'aile. Partir à tire-d'aile.* → **Tire-d'aile.** *Couper les ailes d'un oiseau* (→ **Éjointer, rogner).** *Traîner de l'aile.*

Je suis oiseau; voyez mes ailes :
(...) Je suis souris : vivent les rats!
LA FONTAINE, Fables, II, 5.

(...) un aigle aux ailes étendues.
LA FONTAINE, Fables, IX, 2.

Elle fait la blessée, et va traînant de l'aile (...)
LA FONTAINE, Fables, IX, 20, Discours à M^me de La Sablière.

Si mes vers avaient des ailes,
Des ailes comme l'oiseau.
HUGO, les Contemplations, II, 2.

Balançant ses longs bras étendus comme les ailes dépenaillées d'un grand oiseau malade (...)
FRANCE, Thaïs, p. 252.

(...) et c'est alors un pays d'ailes
aux hirondelles,
Flandre des tours
et de naïf et bon séjour;
et c'est alors un pays d'ailes
et tout d'amour.
Alors c'est un pays d'en haut.
Max ELSKAMP, Enluminures.

Un dernier ébrouement d'ailes s'apaisa dans les arbres chargés d'oiseaux.
F. MAURIAC, Génitrix, p. 74.

Loc. Fauconn. *Monter sur l'aile :* s'incliner sur une aile et s'élever par le mouvement de l'autre.

[b] (Autres animaux). *Ailes d'insectes.* → **Balancier, élytre.** *L'aile du papillon.* → Alaire, cit.

(...) d'innombrables libellules aux ailes de verre, nacrées et frémissantes, grandes comme des oiseaux-mouches.
MAUPASSANT, la Vie errante, p. 127.

Membrane des extrémités du membre supérieur, chez certains mammifères. *Les ailes des chiroptères* (→ **Chauve-souris).**

[c] Figuration d'une aile, dans la représentation d'êtres allégoriques, imaginaires. *Les ailes des anges. Les ailes d'un dragon.* — Fig. Ce qui permet de voler (symboliquement), de planer, d'aller haut, loin, vite. *Les ailes de la Victoire, de la Gloire, de l'Amour,*

*de la Paix, de la Fortune, du Temps, des Vents. Mercure a des ailes aux pieds* (→ **Caducée**). Poét. *L'aile de la nuit, de l'incendie. Les ailes du rêve. Les ailes de la pensée.* → **Ailé**, cit. 2.

Sur les ailes du temps la tristesse s'envole.
LA FONTAINE, Fables, VII, 21.

*(Dieu)* Qui vole sur l'aile des vents.
RACINE, Esther, I, 5.

Et sur les nations nubiles,
S'ouvrent dans l'azur, immobiles,
Les vastes ailes de la paix!
HUGO, les Châtiments, «Lux», I.

Et tes frémissantes ailes *(du lutin)*
Ont un bruit doux comme un chant!
HUGO, Ballades, IV, p. 323.

(...) et la gloire ouvrant ses ailes toutes grandes
Au-dessus de ces jeunes fronts!
HUGO, les Châtiments, p. 14.

Sa pensée est sans aile et son cœur est sans flamme.
HUGO, Odes, IV, 9.

Déjà l'incendie, hydre immense,
Lève son aile sombre et ses langues de feu.
HUGO, Odes, IV, 15.

Pour aller jusqu'aux cieux il vous fallait des ailes,
Vous aviez le désir, la foi vous a manqué.
A. DE MUSSET, l'Espoir en Dieu.

La nuit tombe, vous frôle en passant de son aile noire tout humide.
Alphonse DAUDET, Lettres de mon moulin, «En Camargue», p. 239.

**d** Membrane formant parachute (de quelques mammifères : écureuil volant, galéopithèque ; et de reptiles : dragon* volant); nageoire (des exocets, ou *poissons volants*).

**e** Par compar. (en parlant de ce que l'on compare à une aile).

Et ses beaux petits bras ont des mouvements d'aile.
HUGO, la Légende des siècles, XVIII, «La toilette d'Isora».

♦ **2** Par métaphore. Littér. Élément physiquement comparable à une aile et auquel on attribue la fonction de vol (déplacement rapide, élévation, etc.). *Les ailes des vaisseaux :* les voiles. — Par ext. Ce qui fait se déplacer dans l'air. *Les ailes du télégraphe* (vx).

Fig. Principe qui élève. *«La pesanteur fait descendre, l'aile fait monter»* (S. Weil).

**SUR L'AILE, SUR LES AILES DE...** : en se déplaçant rapidement grâce à... *«Une réponse vint sur les ailes d'une voix...»* (J. Malègue, *in* T. L. F.).

*Les ailes de...* (suivi d'un nom abstrait) : ce qu'il y a d'actif, de léger, de dynamique dans... *Les ailes de l'ambition, de l'amour, de l'esprit, de la fantaisie, du génie, de l'imagination, de la passion, du rêve. — L'amour, la pensée... a des ailes. — Sur les ailes de...*

*Les ailes du temps* (symbole de l'écoulement rapide du temps).

*Coup d'aile :* mouvement vif, élévation.

♦ **3** Loc. fig. *Avoir des ailes :* aller très vite. — *Donner, prêter* (rare) *des ailes à qqn. La peur donne des ailes,* fait courir rapidement.

Il ne va pas, il court, il semble avoir des ailes.
LA FONTAINE, Fables, XII, I, 7.

La crainte me prêta des ailes pour fuir (...)
A. R. LESAGE, Gil Blas, X, 10.

**BATTRE DE L'AILE,** *d'une aile, des ailes, ne battre plus que d'une aile* (se dit concrètement d'un oiseau blessé) : être mal en point, voir son activité ralentie, compromise.

À partir de ce moment la fabrique ne battit plus que d'une aile (...)
Alphonse DAUDET, le Petit Chose, I, I.

**DANS L'AILE.** *En avoir un coup dans l'aile :* être en mauvaise posture, perdre de sa force (personnes ; choses); être ivre (personnes).

Vieilli. *En avoir dans l'aile :* être amoureuse (Mérimée, *in* T. L. F.). (De même). *En donner dans l'aile à qqn,* le séduire.

Mod. *Avoir du plomb dans l'aile* (comme un oiseau atteint par le chasseur) : être gravement atteint.

L'aérostat ne se soulevait plus qu'à demi, comme un oiseau qui a du plomb dans l'aile. 19.1
J. VERNE, l'Île mystérieuse, t. I, p. 10.

L'idéal démocratique a du plomb dans l'aile. 20
MARTIN DU GARD, les Thibault, VIII, XIII, p. 124.

(Vieilli). **SE BRÛLER LES AILES** (comme un papillon à une flamme) *:* perdre son crédit, sa réputation dans quelque mésaventure (personnes). — Dans un sens analogue. *S'arracher, se casser les ailes. Laisser une aile, ses ailes.*

Vieilli. *Tirer une plume de l'aile à qqn :* lui arracher quelque concession, lui extorquer de l'argent.

**ROGNER LES AILES** (au propre : d'un oiseau, pour l'empêcher de s'envoler). Fig. (vieilli). *Rogner, couper, casser les ailes à qqn :* lui retrancher de son autorité, de ses moyens d'action, de ses profits.

Si je ne vous fais pas aussi bonne chère que je voudrais, c'est la faute de Monsieur votre intendant, qui m'a rogné les ailes avec les ciseaux de son économie. 21
MOLIÈRE, l'Avare, V, 2.

Vx. *Tirer de l'aile :* fuir (à tire-d'aile). — *Gagner de l'aile* (même sens ; cf. G. Clemenceau, *in* T. L. F.).

Vieilli. *Traîner l'aile :* être en difficulté.

Mod. **VOLER DE SES PROPRES AILES** [dəsepʀɔpʀəzɛl] : être en état de se passer d'aide étrangère. *Vouloir voler de ses propres ailes :* se rendre indépendant.

♦ **4** Loc. **SOUS L'AILE, SOUS LES AILES DE...** : sous la protection, la sauvegarde de... *Être, s'abriter, vivre sous l'aile de qqn. Mettre, prendre sous son aile. — Couver, couvrir qqn de ses ailes.*

Sa mère encor la tenait sous son aile. 22
LA FONTAINE, Contes, «Aveux».

Sous l'aile du Seigneur dans le temple élevé. 23
RACINE, Athalie, I, 2.

Un ange du Seigneur, sous son aile sacrée, 24
A donc conduit vos pas et caché votre entrée?
RACINE, Esther, I, 3.

Alors il put, sous l'aile de l'amour, rêver et réaliser à loisir les chefs-d'œuvre de sa pensée (...) 25
R. ROLLAND, la Vie de Tolstoï, p. 61.

♦ **5** *Aile de...* (et nom d'animal) : d'une couleur caractéristique des ailes de... *Cheveux aile de corbeau. Aile de mouche :* gris.

(...) l'étudiant se rappelant seulement alors le chauffeur dingue, sa chevelure aile de corbeau, cosmétiquée et luisante (...) 25.1
Claude SIMON, le Palace, p. 91.

**B** ♦ **1** Partie charnue (d'une volaille) comprenant tout le membre qui porte l'aile. *Préférez-vous l'aile ou la cuisse? Aile de volaille, de poulet, de perdrix, de bécasse. Le haut, le bas, le bout de l'aile.*

(...) une aile de poulet aspergée de Saint-Émilion... 26
Alphonse DAUDET, le Petit Chose, II, XVI.

Loc. fig. (Vx). *Tirer* (cit. 34), *rapporter pied ou aile de qqn,* en tirer un avantage.

♦ **2** Grande nageoire pectorale (d'un poisson). *Les ailes de l'exocet. Manger une aile de raie aux câpres.*

**II** Par anal. (de forme, de position, de fonction). ♦ **1** (1680, «les meuniers disent les volans...», Richelet). Chacun des châssis garnis de toile d'un moulin à vent. *Les ailes d'un moulin* (cit. 1) *à vent.*

Les ailes vibraient toujours, mais la meule tournait à vide. 27
Alphonse DAUDET, Lettres de mon moulin, «Le secret de Maître Cornille».

Loc. fig. Imprim. *Imposition en aile de moulin,* par deux pages disposées dans les angles opposés du châssis.

Fig. Vx. *Aile de moulin :* gros nœud ornemental d'un chapeau de femme (sous la Restauration).

Par anal. Pale*, branche (d'une hélice).

♦ **2** (Fin XIXe). Chacun des plans de sustentation (d'un avion, d'un aéronef). → **Extrados, intrados.** *Étude des profils des ailes. Aile en flèche, en delta, aile soufflée. Longerons, nervures, revêtement d'une aile. Aile à surface variable.* → Géométrie* variable.

*Aile volante :* avion sans ailerons, consistant principalement en une voilure triangulaire comportant ou non un fuselage central.

*Aile libre, aile volante, aile delta,* ou, absolt, *aile (une aile) :* engin de vol* libre consistant en une voilure de fin tissu, tendue sur une armature légère pourvue d'un harnais pour le pilote (parfois de deux : pilote et un passager). → **Deltaplane** (marque).

Loc. *Virage sur l'aile,* pris avec une forte inclinaison sur le côté. → Fuselage, cit. 1.

27.1 C'est nécessairement «sur l'aile» que se fait un virage ; non point sur les ailes, mais sur une aile spécialement.
GIDE, Journal, 17 oct. 1941.

Par ext. (style journalistique). *Les Ailes :* l'aviation, les aviateurs. *Les Ailes françaises* (cf. *Les Ailes brisées,* association de solidarité et d'entraide des anciens aviateurs mutilés de guerre).

**III** Par ext. Chacune des deux parties latérales, des deux éléments latéraux (de diverses choses). **A** (Choses naturelles et artificielles). ♦ **1** (1546). Cour. *Les ailes du nez :* les moitiés inférieures des faces latérales du nez.

28 (...) et faisant vibrer les ailes de son nez nervurées de fibrilles rouges.
PROUST, À la recherche du temps perdu, t. III, p. 58.

Rare. *Les ailes des narines.*

29 *(Jeanne)* avait, sur l'aile gauche de la narine, un petit grain de beauté. MAUPASSANT, Une vie, p. 5.

Anat. Partie latérale (de régions du cerveau). *Ailes blanches, aile grise du tronc cérébral.*

Partie latérale, symétrique (d'organes osseux : os, apophyses). *Les ailes du sphénoïde.*

♦ **2** (XIVe, «côté d'un entrepont»). Archit. et cour. Partie latérale d'une construction (opposé au *corps de logis*). *Les ailes d'un château. L'aile droite, gauche; l'aile nord, sud.*

30 Souffrez qu'à mon logis j'ajoute encore une aile.
LA FONTAINE, Fables, VIII, 1.

Spécialt. Bas-côté. — (Art antique). Rangée de colonnes sur le côté d'un temple (grec *ptera* «aile»). Dans un théâtre, Chacun des espaces de part et d'autre de la scène, où s'opèrent les mouvements des décors, où circulent les gens de service, etc.

(Dans une fortification). Défense latérale.

Techn. (constr.). *Ailes d'un pont :* murs soutenant les berges, pour protéger les culées. — *Ailes d'une chaussée :* côtés en pente, de part et d'autre des pavés centraux (dits *tas*).

*Aile de cheminée :* partie du mur dossier, sur les côtés de la cheminée. *Aile de lucarne. — Mur en aile,* en jonction continue, sans angle vif.

♦ **3** (1902). Cour. Partie de la carrosserie enveloppant les roues (d'une automobile) et affectant une forme courbe. *Il a embouti son aile avant droite.* → **Garde-boue.** *Les ailes ont disparu de la plupart des carrosseries modernes.*

Il y eut deux taxis dont les ailes s'accrochèrent et un autre qui attrapa une contravention pour une raison futile.
R. QUENEAU, le Chiendent, p. 41.

Par ext. Partie d'une carrosserie située au-dessus des roues (sans que la forme en soit distincte ou caractéristique).

♦ **4** Bot. (parfois cour.). Chacun des deux petits pétales latéraux de la corolle des papilionacées. *Les ailes des pois de senteur.*

Expansion membraneuse des samares, des diakènes, permettant leur transport par le vent.

Branches des arbres en espalier situées de part et d'autre des mères branches.

*Ailes d'artichaut :* têtes secondaires, dites aussi *poivrades,* qui se développent sur la tige au-dessous de la tête principale.

♦ **5** Géol. Flanc (d'un pli).

♦ **6** Bord latéral (d'un chapeau, d'une coiffure). *Un feutre à larges ailes. Les ailes d'une cornette*. Aile flottante d'une coiffe.*

♦ **7** Techn. (horlogerie). *Ailes d'un pignon :* les dents. — Agric. Partie latérale (d'un soc de charrue). — Serrur. Côté (d'un fer à charnière). — *Aile de poutre :* renforcement aux extrémités de l'âme.

L'aile d'une charrue, grand oiseau blessé que les chevaux traînent sur le flanc. (Jammes a parlé de l'aile de la charrue.) J. RENARD, Journal, 9 févr. 1906. 3

Dans les tours de menuisier, de cordier, Pièce transversale (triangle, planche en croix) servant à divers usages.

♦ **8** Archéol. Évasement des parties extérieures (des genouillères et cubitières d'une armure). — Expansion saillante (de quelques armes : lances, masses d'armes).

♦ **9** Techn. Partie latérale (d'un fer profilé, d'une cornière) [opposé à *âme*].

♦ **10** Mar. **a** *Aile de dérive :* semelle immergée, fixée par une cheville à la préceinte, et diminuant la dérive de certains navires (notamment à fond plat). Syn. : *semelle de dérive, dérive.*

**b** *Ailes de la cale :* parties latérales. — *Aile de passerelle.*

♦ **11** Loc. AILE DE (et nom d'animal).

AILE DE PIGEON.

**a** Danse. Saut en hauteur avec battement de jambes. *Faire les ailes de pigeon.*

Il vit presque aussitôt arriver Vladimir qui, en l'apercevant, se mit, selon sa coutume d'autrefois, quand il voulait marquer sa joie, à sauter comme une danseuse de théâtre, et à esquisser avec ses longues jambes, ce qu'on appelle, en chorégraphie vulgaire, une «aile de pigeon». 3
G. LEROUX, Rouletabille chez Krupp, p. 63.

**b** Mar. Petite voile triangulaire gréée en haut d'un mât (en place de *papillon,* lequel est carré).

**c** Coiffure ancienne où les cheveux frisés étaient disposés en deux ailes.

AILE DE MOUCHE. Techn. **a** Pièce (métallique, etc.) comportant deux parties s'écartant l'une de l'autre à la manière des ailes d'une mouche. Spécialt. Clou de cette forme.

**b** Mouvement, mécanique d'une sonnette.

**B** (Formations humaines). ♦ **1** (Av. 1307, *ele,* Guillaume Guiart). Partie latérale (d'une armée en ordre de bataille). → **Flanc.** *Aile gauche, droite. Tactique de l'enveloppement par les ailes.*

(...) un ruisseau fangeux et assez profond, qui constituait, 3 en avant de l'aile gauche, une première défense.
Louis MADELIN, Hist. du Consulat et de l'Empire, t. III, p. 263.

**AILE MARCHANTE :** partie la plus éloignée du pivot, dans le mouvement de conversion d'une troupe. — Par ext. Minorité active et progressiste. *L'aile marchante de l'Église.*
Hist. Dans l'armée romaine, Contingent allié qui encadrait les citoyens. Spécialt. Unité de cavalerie flanquant la cohorte.
Jeux. Côté de l'échiquier, dans la stratégie du jeu d'échecs.

♦ **2** Polit. Groupement ou partie d'un groupement caractérisé par rapport à un centre. *Aile gauche (droite) d'un parti :* minorité dont l'orientation progressiste (conservatrice) est la plus marquée dans ce parti.

♦ **3** (1900, *in* Petiot). Sports. Gauche et droite de l'attaque d'une équipe (opposé au *centre*). — *Changement d'aile,* par déplacement rapide du ballon d'une aile à l'autre. — En appos., désignant des joueurs placés à une des ailes (→ **Ailier**). *Demi-aile* (au football); *trois-quarts aile* (au rugby; → 1. trois-quarts, cit.).

**DÉR.** **Ailer, aileron, ailier.** — (Du latin *ala*) V. **Ailé.** ◊ **HOM.** **Ale, elle.**

**AILÉ, ÉE** [ele] adj. — XV^e; *alé,* XII^e; du lat. *alatus,* de *ala.* → Aile.

♦ **1** [a] Pourvu d'ailes (lorsque l'espèce, l'animal ne l'est pas toujours). *Les fourmis mâles sont généralement ailées. Insectes ailés et insectes aptères.*

1 Des animaux ailés, bourdonnants, un peu longs,
De couleur fort tannée, et tels que les abeilles (...)
LA FONTAINE, Fables, I, 21, 8.

2 (...) ce parasite ailé
Que nous avons mouche appelé.
LA FONTAINE, Fables, VIII, 10.

1 Nous les *(nos porteurs)* avons vus également se jeter sur les termites ailés qu'attire par essaims notre lampe-phare, et les croquer aussitôt sans même les plumer de leurs énormes ailes.
GIDE, Voyage au Congo, *in* Souvenirs, Pl., p. 755.

Blason. Se dit d'une pièce qui a des ailes contre nature. *Un lion ailé.*
Mythol. *Le cheval ailé :* Pégase. *Le petit dieu ailé :* l'Amour. *Le messager ailé :* Mercure.
Par métaphore :

3 Deux êtres sont en nous : l'un ailé, l'autre immonde,
L'un montant vers Dieu (...)
HUGO, la Légende des siècles, XLIV, 2.

[b] Bot. et cour. Pourvu d'expansions qui rappellent la forme d'une aile. *Les diakènes ailés de quelques ombellifères. Fleur, feuille ailée. — Graine ailée,* dont le testa s'élargit en une sorte de membrane. *Les graines ailées du cyprès.*
[c] Rare. Muni d'ailes. *Un engin ailé.*
(V. 1960). Astronaut. *Satellite ailé :* satellite artificiel muni de petites ailes permettant l'atterrissage lors du retour de l'engin sur la Terre.

♦ **2** Fig. Qui semble avoir des ailes, par son caractère aérien ou immatériel. *Un esprit ailé. Des mots ailés.* — (Concret). *Une «chaleur légère, ailée»* (Maupassant).

1 Rien ne plaît davantage à certains esprits français, raisonnables, peu ailés, esprits poitrinaires à gilet de flanelle, que cette régularité tout extérieure qui indigne si fort les gens d'imagination.
FLAUBERT, Correspondance, 354, 9 déc. 1852.

4 L'Arabe a dans l'esprit quelque chose d'ailé et nul parmi les peuples civilisés n'est plus profondément engagé dans la matière.
E. FROMENTIN, Une année dans le Sahel, p. 73.

5 Il lui semblait parfois qu'il s'était envolé un jour, les mains tendues, et qu'il avait pu étreindre à plein bras le rêve ailé et magnifique qui plane toujours sur nos espérances.
MAUPASSANT, Fort comme la mort, I, 1, p. 49.

♦ **3** Archit. (rare). Pourvu d'ailes latérales. *Un grand château ailé.*

**AILER** [ele] v. tr. — XIX^e; au sens propre, XVI^e; de *aile* ou de *ailé.*

Donner des ailes à..., rendre ailé; rendre enthousiaste. → **Exalter.**

Le vœu que j'avais fait de lui donner tout l'amour de ma vie ailait mon cœur où foisonnait la joie (...) 1
GIDE, Si le grain ne meurt, I, V.

J'ouvre les doigts, dans sa trace je fonds j'ouvre les bras l'air m'aile, je m'étire au-delà de mon corps. 2
Hélène CIXOUS, Souffles, p. 106.

REM. Le verbe est plus cour. au passif et au p. p. → Ailé, 2.
Littér., rare. Donner un appendice en forme d'aile à... *«Chaque cil ailant chaque œil...»* (Hélène Cixous, *Souffles,* p. 116).

**AILERON** [ɛlʀɔ̃] n. m. — XVI^e; *aleron,* 1393 au sens 1., a.; dér. de *aile.*

♦ **1** [a] Extrémité de l'aile (d'un oiseau).

Deux énormes pennes non garnies et n'ayant que la tige centrale, partent de l'aileron, presque perpendiculairement au reste des plumes. 1
GIDE, Voyage au Congo, *in* Souvenirs, Pl., p. 822-823.

[b] (1495). Nageoire de forme triangulaire (de quelques poissons). *Ailerons de carpe, de requin.*
[c] Cuis. Extrémité de l'aile (d'une volaille). *Un aileron de dinde. Une fricassée d'ailerons.* — Nageoire comestible. *Potage chinois aux ailerons de requin.*
[d] Par compar. *Manches en ailerons.* → ci-dessous, 5.

♦ **2** Élément latéral; petite aile (III.); extrémité d'une aile (II.). — (1690). *Ailerons d'un moulin à eau :* planches qui garnissent les aubes et sur lesquelles tombe l'eau.
Mar. (Vx). Panneau amovible servant à augmenter la surface d'un gouvernail. — Pièce prolongeant la quille et formant plan de dérive.
Volet articulé placé à l'arrière de l'aile (d'un avion). *Les ailerons, commandés par le manche à balai, servent à virer. Ailerons à fente, de courbure.*

♦ **3** (1456). Archit. Contrefort caractéristique du style baroque, en forme de console renversée. *Ailerons de lucarne.*

♦ **4** Anat. Lame fibreuse. *Ailerons de la rotule.*

♦ **5** (XIV^e, «bande de tissu ajoutée»). Manche très courte sur le dessus de l'épaule.

♦ **6** (1842). Argot. Bras ou main.

Après la cérémonie, Croquignol (...) organisa le cortège. En tête, bien entendu, figuraient les nouveaux époux. Derrière eux, venaient Croquignol offrant son aileron à M^me Lafutaille (...) 2
L. FORTON, les Aventures des Pieds-Nickelés, *in* l'Épatant, 1909, p. 50.

**AILETTAGE** [ɛletaʒ] n. m. — V. 1950; de *ailette.*
Techn. Ensemble des ailettes destinées à augmenter la surface de transmission de chaleur ou de refroidissement (de certains appareils). *Des ailettages de turbines.*

**AILETTE** [ɛlɛt] n. f. — XII^e; *alete, elette;* divers sens avant les sens mod.; de *aile.*

♦ **1** Vx ou littér. [a] Petite aile. — *Les ailettes des graines de pissenlit.* → **Aigrette.**

0.1 Certes, quand on dit que le Créateur a mis cette ailette à la graine du tilleul pour que le vent puisse l'emporter au loin et en terrain découvert, on n'explique rien par là ; non plus en disant qu'il a donné des ailes aux oiseaux afin qu'ils puissent voler (...) Car il est pourtant vrai que l'ailette de la graine sert bien à la semer quelque part où elle sera mieux qu'à l'ombre d'un gros arbre (...)

ALAIN, Des fins, *in* les Passions et la Sagesse, Pl., p. 1132-1133.

**b** Partie latérale (de certaines coiffes). → **Aile.**

♦ **2** Techn. **a** (1564). Archit. Petite aile ajoutée au corps principal d'un bâtiment.

**b** (1866). Chacune des lames métalliques fixées à un projectile pour l'équilibrer, constituant son empennage. *Obus de mortier à ailettes. Bombe, grenade, torpille à ailettes.*

*Vis, écrou à ailettes,* papillon.

(Autom.). Élément stabilisateur horizontal pour haute vitesse.

♦ **3** Lame saillante destinée à augmenter la surface de transmission de chaleur d'un tuyau, d'un tube. *Radiateur à ailettes* (de refroidissement) *d'une automobile.*

1 Alors apparaissent des structures particulières que l'on peut nommer, pour chaque unité constituante, des structures de défense : la culasse du moteur thermique à combustion interne se hérisse d'ailettes de refroidissement, particulièrement développées dans la région des soupapes, soumise à des échanges thermiques intenses et à des pressions élevées. Ces ailettes de refroidissement, dans les premiers moteurs, sont comme ajoutées de l'extérieur au cylindre et à la culasse théoriques, géométriquement cylindriques ; elles ne remplissent qu'une seule fonction, celle du refroidissement.

Gilbert SIMONDON, Du mode d'existence des objets techniques, p. 22 (1969).

Chacune des pièces métalliques incurvées disposées sur les stators et rotors des compresseurs et des turbines, servant à modifier le sens de l'écoulement de l'air pendant la rotation. → **Aube.**

Petite branche (d'une hélice). *Les ailettes d'un ventilateur.*

2 Les jambes et les pieds nus, les deux petits organisent des barrages, détournent un bras du ruisseau, créent des lacs sur lesquels ils lancent des bateaux de papier. Sous une chute habilement ménagée, tournent quatre ailettes de bois montées par eux, comme un minuscule moulin.

DANIEL-ROPS, Mort, où est ta victoire ?, p. 258.

**DÉR. Ailettage.**

**AILIER** [elje] n. m. — 1905, *in* Petiot ; de *aile.*

♦ **1** Sport (football). Chacun des deux avants situés à l'extrême droite et à l'extrême gauche. *Ailier droit, gauche. L'ailier se rabat, centre.*

1 Le trois-quarts centre enfin passe à l'ailier avec la balle, les regards et les espérances de l'équipe. L'homme galope en levant haut les talons ; il crochette et passe son premier adversaire, mais ralenti, le voilà atteint, fauché par l'ailier adverse, et toute l'équipe l'entend faire vlac.

Jean PRÉVOST, Plaisirs des sports, p. 128.

2 (...) notre ailier, s'étant claqué un muscle, fut relayé à son poste par un pilier réputé plus lourd (...) qui se mit à vivre (...) comme un ailier, dont il avait l'âme, sous sa robuste écorce. A. BLONDIN, Monsieur Jadis, p. 208.

♦ **2** Aviat. Avion de chasse situé en retrait par rapport à celui du chef d'escadrille, dans une patrouille.

Par ext. Le pilote de cet avion.

**AILLADE** [ajad] n. f. — 1534, Rabelais ; provençal *alhada,* de *alh,* lat. *al(l)ium* « ail ».

Régional.

♦ **1** Apprêt, sauce à l'ail ; on dit aussi *sauce à l'ail. Éclanches à l'aillade* (Rabelais, IV, 59). — Appos. *Sauce aillade. — Aillade de Toulouse :* ailloli* aux noix broyées. — *Pain à l'aillade.* → le sens 2.

♦ **2** Tranche de pain grillée, frottée d'ail et arrosée d'huile d'olive. → **Aillée.**

**-AILLE** Élément de substantifs collectifs à valeur péjorative, formés à partir d'une base substantive *(canaille, marmaille, valetaille),* ou, plus rarement, d'une base verbale *(boustifaille).* — REM. Le suffixe fonctionne assez librement :

(...) toute l'infâme oligarchie des prêtres, des robins, des sous-robins, et même de l'officiaille, à la tête de laquelle mon frère voulait se mettre (...)

NERVAL, les Illuminés, III, V, Pl., t. II, p. 1116.

Les cars de police se rangèrent le long du trottoir près de la porte d'entrée et Pradonet prit un plaisir morose à suivre les évolutions du guet, et sa fine stratégie, dispersant la manifestaille.

R. QUENEAU, Pierrot mon ami, éd. L. de Poche, p. 94.

**AILLÉE** [aje] n. f. — XIIIe ; de *ail.*

Régional (Cuis.). Croûton de pain frotté d'ail (→ **Aillade**), recouvert ensuite de fromage ou de beurre.

**-AILLER** Suffixe fréquentatif et péjoratif qui a servi à former de nombreux verbes de la langue familière ou populaire, à partir de bases verbales. Ex. : *criailler, disputailler, toussailler.*

REM. Ce suffixe est très productif.

(...) il a plu à Basin pendant un an de me trompailler avec elle.

PROUST, le Côté de Guermantes, Pl., t. II, p. 493.

Tu les imagines venant parloter et complotailler avec une ou deux douzaines de pékins (...)

J. ROMAINS, les Hommes de bonne volonté, t. XXIV, p. 229.

Le tréponème, à l'heure qu'il était, leur limaillait déjà les artères (...)

CÉLINE, Voyage au bout de la nuit, p. 109.

**AILLER** [aje] v. tr. — 1928, *Larousse du XXe siècle ;* de *ail.*

Garnir, frotter d'ail (du pain) ; piquer d'ail (un gigot). *Ailler un croûton.* — Au p. p. *Croûton aillé.* → **Aillée.**

**AILLEURS** [ajœʀ] adv. et n. m. — XIIe ; *ailurs,* 1050 ; probablt lat. pop. **aliore (loco),* compar. du class. *alio,* avec *s* adverbial.

**A** ♦ **1** Dans un autre lieu (que celui où l'on est ou dont on parle). *Allons ailleurs, nous sommes mal ici. Chercher ailleurs. L'accusé était ailleurs au moment du crime. Regarder ailleurs. Je n'ai vu cela nulle part ailleurs,* en aucun autre endroit. *Partout ailleurs,* en tout autre endroit. — *Ailleurs,* recueil poétique de H. Michaux.

Vous savez que nul n'est prophète
En son pays : cherchons notre aventure ailleurs.

LA FONTAINE, Fables, VII, 12.

Il lui suffisait de se dire : je ne serai plus ici ; je serai ailleurs. Ailleurs : c'était un mot encore plus beau que les plus beaux noms.

S. DE BEAUVOIR, les Mandarins, p. 11.

Il *(le chien)* a installé contre moi les deux phares fauves de ses iris, et sans faire un mouvement, il m'a forcé à reculer, à baisser la tête, à regarder ailleurs. Il m'a dévisagé, il m'a vaincu. J.-M. G. LE CLÉZIO, l'Extase matérielle, p. 95.

*Ailleurs que...* (quelque part). *Il est ailleurs que chez lui.*

Ne souhaite pas, Nathanael, trouver Dieu ailleurs que partout. GIDE, les Nourritures terrestres, p. 19.

♦ **2** (Déb. XIIIe, «autrement»). *Il est ailleurs, son esprit est ailleurs :* il rêve, il est distrait. → **Absent.** *Avoir la tête, l'esprit, la cervelle ailleurs.*

Vx. *Aimer ailleurs :* aimer une autre personne.

J'aime ailleurs, c'est en vain qu'un faux espoir vous flatte.
CORNEILLE, la Suite du Menteur, V, 5.

Car enfin il vous hait; son âme ailleurs éprise (...)
RACINE, Andromaque, II, 2.

Dans un contexte religieux, pour désigner l'au-delà.

Allez, lui dit-elle, ma fille, espérez en Dieu, confiez-vous de tout votre cœur en sa bonté infinie, et ne vous laissez point abattre : nous nous reverrons ailleurs, où les hommes n'auront plus le pouvoir de nous séparer.
SAINTE-BEUVE, Port-Royal, t. IV, 1859, *in* T. L. F.

♦ **3** Spécialt (en parlant des ouvrages de l'esprit). Dans un autre passage, dans un autre livre. *J'ai étudié ailleurs que chez Montesquieu les causes de la décadence de Rome,* chez un autre écrivain.

(Dans un même texte). *Nous avons vu ailleurs que...* plus haut ou plus bas, plus loin.

(...) l'esprit, qu'il *(Corneille)* avait sublime, auquel il a été redevable de certains vers, les plus heureux qu'on ait jamais lus ailleurs (...)
LA BRUYÈRE, les Caractères, I, 54.

**B** (Précédé d'une prép.). ♦ **1** (1174, *d'aillors*). **... D'AILLEURS :** d'un autre endroit. *Des émigrants venus d'ailleurs,* d'un autre pays. *Ces idées viennent d'ailleurs,* d'une autre source, d'une autre personne, etc. — REM. Dans l'usage publicitaire, évoque l'exotisme, ou même une origine (mythique) extraterrestre.

Sont-ils gais ou tristes? On ne saurait dire, ils parlent *d'ailleurs.*
J. GREEN, Journal, 8 nov. 1961, Vers l'invisible.

(1160, *par ailleurs*). Rare. **PAR AILLEURS :** par une autre voie. *La voie dont vous vous servez pour vos lettres n'est pas sûre, il faut les faire parvenir par ailleurs* (Académie).

*Nous savons par ailleurs que vous étiez absent,* par une autre voie.

(Avec pour). *Ce n'est pas pour ici, c'est pour ailleurs.*

♦ **2** (Avant 1650; → cit. 7). Loc. adv. Fig. **D'AILLEURS,** marquant que l'esprit envisage un autre aspect des choses, introduisant donc une restriction ou une nuance nouvelle. → **Côté** (d'un autre), **part** (d'autre), **reste** (du).

Décie excusera l'amitié d'un beau-père;
Et d'ailleurs Polyeucte est d'un sang qu'on révère.
CORNEILLE, Polyeucte, III, 5.

Père injuste, cruel, mais d'ailleurs malheureux.
RACINE, Mithridate, II, 6.

Je songe à ce «d'ailleurs» qui s'efforce de lier ensemble, par un estimable et curieux souci d'ordre, des idées qui n'ont entre elles aucune relation normale.
G. DUHAMEL, Discours aux nuages, I.

**PAR AILLEURS :** d'un autre côté, pour une autre raison, d'une autre façon. *Cette ville me déplaisait et, par ailleurs, le climat ne me convenait pas. Cette tentative avait échoué, mais nous devions réussir par ailleurs.*

Elle *(Odette)* souhaitait qu'il cultivât des relations si utiles, mais elle était par ailleurs portée à les croire peu chic, depuis qu'elle avait vu passer dans la rue la marquise de Villeparisis en robe de laine noire, avec un bonnet à brides.
PROUST, Du côté de chez Swann, p. 225, *in* T. L. F.

**C** N. m. *L'ailleurs* (rare et littér.) : le lieu où l'on n'est pas, où l'on ne se tient pas (opposé à *l'ici*), avec ce qu'il comporte de connaissances nouvelles et d'enseignement.

L'art reste sur la lancée du transcendantalisme. Peu importe ce que soit cet ailleurs, mais il leur faut un «ailleurs». 11
J.-M. G. LE CLÉZIO, l'Extase matérielle, p. 139.

Dix minutes plus tard, grimpés sur la terrasse et respirant à pleins poumons la puissante odeur de kérosène qui devient aujourd'hui le parfum des ailleurs, nous vîmes la Caravelle, crachant deux filets gris, se cabrer sur la piste (...) Hervé BAZIN, Cri de la chouette, p. 142. 12

Il en usait de même avec elle si elle lui paraissait sombre ou ailleurs, cet ailleurs qui le tourmentait tant. 13
René FALLET, Y a-t-il un docteur dans la salle?, p. 201.

Au plur. *«Aucune envolée, aucun élan vers les ailleurs»* (Huysmans).

**D** Rare en fonction d'adjectif :

Elle cherche ses intonations en dedans, et sa physionomie prend un air «ailleurs»; puis, brusquement, la phrase saute dehors, accentuée comme il faut. 14
J. RENARD, Journal, 22 févr. 1897.

**AILLOLI** [ajɔli] n. m. → **Aïoli.**

**AILUROPE** [elyʀɔp] n. m. — XXe ; abrév. de *ailuropode* (fin XIXe); lat. mod. *ailuropodus,* du grec *ailouros* «chat», et *pous, podus* «pied»; d'abord *ailure* (*in* Bescherelle, 1846).

Mammifère carnivore *(Ursidés),* communément appelé *ours du père David* et aussi *panda géant,* qui vit dans les montagnes du Tibet. → **Panda.**

**AIMABLE** [ɛmabl] adj. — XIVe ; *amable,* v. 1165; du lat. *amabilis* (→ Amabilité), de *amare.* → Aimer.

♦ **1** (Personnes). Vx (ou archaïsme littér.). Digne d'être aimé. → **Adorable, agréable, attirant, charmant, estimable, séduisant, sympathique.** — *Être aimable à qqn.* → **Cher** (→ ci-dessous, cit. 4).

Le plus dangereux ridicule des vieilles personnes qui ont été aimables, c'est d'oublier qu'elles ne le sont plus. 1
LA ROCHEFOUCAULD, Maximes, 408.

Je ne puis refuser mon cœur à tout ce que je vois d'aimable; et dès qu'un beau visage me le demande, si j'en avais dix mille, je les donnerais tous. 2
MOLIÈRE, Dom Juan, I, 2.

Dans l'âge où l'on est aimable 3
Rien n'est si beau que d'aimer.
MOLIÈRE, la Princesse d'Élide, Prologue.

*(L'âne de la fable)* Qui, pour se rendre plus aimable 4
Et plus cher à son maître, alla le caresser.
LA FONTAINE, Fables, IV, 5.

Est-il rien de plus naturel que d'aimer ce qui est aimable? 5
MARIVAUX, Arlequin poli par l'amour, 1.

Rien ne rend si aimable que de se croire aimé. 6
MARIVAUX, le Paysan parvenu, II, p. 81.

La beauté passe, on le sait. Claire peut se transformer en d'autres femmes encore aimables et il y a un charme dans ce déclin. J. CHARDONNE, Claire, p. 8. 6.1

REM. Certains emplois sont intermédiaires entre ce sens et l'emploi moderne (sens 2.). — *Se rendre aimable.* → **Agréable.**

N'ai-je pas de la bonté, de la franchise, du courage! Ne suis-je pas aimable en société? 7
Mme DE STAËL, Corinne, I, 3.

(Choses). Littér. ou vieilli. Agréable, qui plaît. *La vertu est aimable.* → **Estimable.**

Rien n'est beau que le vrai : le vrai seul est aimable. 8
BOILEAU, Épîtres, IX.

Corrompant de vos mœurs l'aimable pureté. 9
RACINE, Athalie, IV, 3.

J'ai souvent dit le mal dans toute sa turpitude; j'ai rarement dit le bien dans tout ce qu'il eut d'aimable (...) 10
ROUSSEAU, Rêveries..., 4e promenade.

Le vrai seul est aimable, a dit Boileau; le vrai ne change pas, mais sa forme change, par cela même qu'elle doit être aimable. 10.1
A. DE MUSSET, Lettres de Dupuis et Cotonet, 1836-1837, *in* T. L. F.

11 Il y a des heures aimables et des moments exquis, je ne le nie point.
FRANCE, M. Bergeret à Paris, 1 t. VII, p. 333.

♦ **2** (Ce sens semble se dégager à la fin du XVIII^e^. → ci-dessus, cit. 7). Qui cherche à faire plaisir, dont le commerce est agréable. → **Abordable, accort** (vx), **accueillant, attentionné, bienveillant, doux, gracieux, plaisant, poli, sociable.** *Il est aimable avec tout le monde.* → **Affable, charmant, courtois, prévenant.** *Aimable à l'égard de..., pour... (qqn). Je vous remercie, vous êtes très aimable.* → **Accommodant, complaisant, obligeant.** *Il, elle s'est montré(e) très aimable avec nous. Il n'est pas aimable.* — Loc. iron. *Aimable comme une porte de prison :* très désagréable. — (Actes, paroles...). *Avoir l'air aimable. Un caractère aimable, peu aimable. J'ai reçu votre aimable lettre.* → **Gentil.** *Il nous a accueillis de la façon la plus aimable.* → **Avenant.** *Un geste aimable de sa part. C'est une aimable attention.*

12 Passepartout était un brave garçon, de physionomie aimable, aux lèvres un peu saillantes, toujours prêtes à goûter ou à caresser, un être doux et serviable (...)
J. VERNE, le Tour du monde en 80 jours, p. 6, *in* T. L. F.

13 Où qu'on le rencontrât il *(le baron)* avait l'air aimable et enjoué.
Francis CARCO, Montmartre à vingt ans, p. 244.

14 Et cette parole forte et aimable à la fois, qui imposait en même temps qu'elle charmait, qui donc s'en trouvait doué dans mon entourage?
Jacques DE LACRETELLE, Silbermann, p. 37, *in* T. L. F.

15 Je l'observerai *(Henriette)*, elle m'observera, nous serons aimables.
— Tu seras aimable.
— Nous serons aimables tous les deux.
Michel BUTOR, la Modification, p. 148.

(Dans des formules de politesse). *Vous seriez bien aimable de venir me voir tel jour. Comme c'est aimable à vous d'être venu me voir.*

(Ellipt.). *Bien aimable!*

Fam. *C'est une aimable plaisanterie, je suppose? :* ce n'est pas très sérieux. — Iron. *Il a eu l'aimable idée de nous escroquer.*

Spécialt (vieilli). Qui s'abandonne facilement.

16 Puisque vous n'avez pas de fortune, comprenez donc que vous devez prendre les hommes par autre chose. On est aimable, on a des yeux tendres, on oublie sa main, on permet les enfantillages, sans en avoir l'air; enfin, on pêche un mari (...)
ZOLA, Pot-Bouille, 1882, p. 36, *in* T. L. F.

♦ **3** (Choses). Qui procure de l'agrément, du plaisir. → **Agréable, charmant.** *Une vie aimable et douce. Passer d'aimables moments.* → **Délicat, exquis.** — (Lieux). *Ville aimable et gaie.* → **Joli, plaisant.** *Un aimable petit studio.* → **Coquet.** — Spécialt. Accueillant.

17 Nous déménageons dans deux jours (...) il s'en faudra de beaucoup que la maison soit aussi aimable que je la voudrais pour t'accueillir. Tu me prouveras que l'accueil des êtres t'importe plus que l'accueil du lieu.
GIDE, Correspondance avec Francis Jammes, 1893-1938, p. 233.

18 Un aimable soleil colorait de sa tiède lumière les pousses des arbres.
Francis CARCO, Montmartre à vingt ans, p. 136.

*Aimable à...* (et infinitif).

19 Son trot *(d'un poulain)*, d'une élasticité surprenante, était aimable à regarder. GIDE, l'Immoraliste, p. 126.

♦ **4** N. Littér. Personne aimable. — N. m. Régional. Bon ami.

20 Mariette lui donna de l'eau dans le creux de sa paume, et Lucie dut en faire autant à son aimable.
Henri POURRAT, Gaspard des montagnes, Le pavillon des amourettes, 1930, p. 270.

*Faire l'aimable :* affecter l'amabilité, s'efforcer de plaire.

Quant au baron, sa réalité me paraissait problématique, bien qu'il fît avec moi l'aimable, et le sucré.
GIDE, Isabelle, p. 618, *in* T. L. F.

CONTR. **Abominable, abrupt, antipathique, arrogant, blessant, désagréable, détestable, exécrable, haïssable, hargneux, insupportable, odieux, rébarbatif, revêche, sec.**
◊ DÉR. **Aimablement.**

**AIMABLEMENT** [ɛmabləmɑ̃] adv. — 1322; de *aimable.*

♦ **1** D'une manière aimable, de façon agréable. *Il m'a reçu très aimablement. Sourire très aimablement. Vous essaierez de lui répondre aimablement. Il «s'est montré aimablement empressé»* (Amiel, *in* T. L. F.).

♦ **2** Vx ou littér. *Un coin «situé fort aimablement sur la montagne, avec une vue attrayante»* (P. Loti, *in* T. L. F.).

**AIMANCE** [ɛmɑ̃s] n. f. — Av. 1940; t. dû à E. Pichon, de *aimer,* et *-ance.* → Tendance.

Didact. (psychol., psychan.). Tendance psychologique expressive du désir et du besoin d'aimer. — REM. Ce terme, dans l'usage moderne, a été abandonné pour *libido**. *Objet d'aimance. «Organes sexuels, ou d'aimance»* (A. Porot, *Manuel de psychiatrie,* 1952, art. *Libido*).

L'aimance qui était d'abord captative, jalouse et cruelle, apprend à se donner en laissant aux êtres et aux objets leur indépendance. L'amour désintéressé sera désormais possible.
E. MOUNIER, la Relation sexuelle, *in* D^r^ WILLY, la Sexualité, t. I, p. 32.

1. **AIMANT, ANTE** [ɛmɑ̃, ɑ̃t] adj. — Fin XVII^e^; de *aimer.*
Qui est porté à aimer. *Un naturel aimant. Une nature, une personne aimante.* → **Affectueux, câlin, caressant, doux, sensible, tendre;** et aussi **amoureux.** *Cœur aimant.* — Par ext. (rare). *Des «yeux aimants»* (Maupassant). *Un «rire aimant»* (Sainte-Beuve).

Trop sensible, trop aimante, trop facile à émouvoir.
FRANCE, le Petit Pierre, I.

Tout en pleurant, elle songeait que Laurent était un cœur aimant et généreux; lui seul se souvenait de son fils, lui seul en parlait encore d'une voix tremblante et émue.
ZOLA, Thérèse Raquin, p. 121.

Vx. Qui aime (effectivement, à un moment donné).

CONTR. **Froid, insensible, sec.** ◊ HOM. 2. **Aimant.**

2. **AIMANT** [ɛmɑ̃] n. m. — XVI^e^; *aiemant,* XII^e^; aussi «diamant, acier», anc. franç. et XVI^e^; du lat. pop. **adimas,* lat. class. *adamas, adamantis,* mot grec, «fer, diamant», pris par les lapidaires médiévaux au sens de *magnes* «aimant».

♦ **1** Vieilli. *Aimant, aimant naturel ou* (mod.) *pierre d'aimant :* oxyde de fer ou magnétite qui a la propriété d'attirer le fer et certains autres métaux, de créer un champ magnétique. *Vertu attractive de l'aimant. L'aimant induit du magnétisme dans le fer.* → **Induction, magnétisme.** *Le bismuth est repoussé par l'aimant.* → **Diamagnétique** (corps).

C'était ce minerai oxydulé qui, se rencontrant en masses confuses d'un gris foncé, donne une poussière noire, cristallise en octaèdres réguliers, fournit les aimants naturels, et sert à fabriquer en Europe ces fers de première qualité, dont la Suède et la Norvège sont si abondamment pourvues. J. VERNE, l'Île mystérieuse, XV.

♦ **2** (1751). Corps magnétique, auquel ont été communiquées les propriétés de l'aimant naturel. → **Aimantation, aimanter** (aiguille aimantée), **boussole,**

**électro-aimant.** *Les deux pôles d'un aimant :* les deux parties extrêmes d'un aimant. *Répulsion de l'aimant :* propriété d'un aimant d'en repousser un autre. *Armer un aimant,* l'envelopper d'une plaque de fer doux pour en conserver ou en augmenter la puissance. *Armature ou armure d'un aimant :* cette plaque de fer doux. *Masse, champ, moment magnétique d'un aimant. Aimant temporaire* (opposé à *aimant permanent*) : corps ferromagnétique qui perd sa polarité quand le champ magnétique extérieur est supprimé.

Par métaphore :

Je n'avais plus peur des femmes. Ma peur venait autrefois de ce que je les croyais rares et périssables. Mais je savais, depuis la guerre, que c'est dans le corps de l'homme, infiniment plus fragile, que se logent tous les aimants qui attirent le plomb, le fer, l'acier mortel.
GIRAUDOUX, Siegfried et le Limousin, p. 162.

Vx. Aiguille aimantée de la boussole. *La déviation de l'aimant.*

♦ **3** Par compar., métaphore ou fig. et littér. Ce qui attire ou attache fortement. → **Attraction, attrait.**

(...) sa conscience est là, rien ne dément
Cette boussole ayant l'idéal pour aimant.
HUGO, l'Année terrible, mai 1871, VI.

À mesure que s'en allait cette Léopoldine *(le bateau qui emporte son mari),* Gaud, comme attirée par un aimant, suivait à pied le long des falaises.
LOTI, Pêcheur d'Islande, V, II, p. 276.

(...) le garçon et la fille évoluent, avec une grâce rythmée, comme liés ensemble par quelque invisible aimant.
LOTI, Ramuntcho, V.

DÉR. **Aimanter, aimantin.** ◊ HOM. **1. Aimant.**

**AIMANTATION** [ɛmɑ̃tasjɔ̃] n. f. — V. 1750; de *aimanter.*

♦ **1** Action d'aimanter; résultat de cette action. *Aimantation par contact ou par friction avec un aimant, par le magnétisme terrestre, par l'électricité* (→ **Électromagnétisme, induction**), *par champ magnétique. Aimantation des corps ferromagnétiques après suppression du champ magnétisant.* → **Rémanence.** *Aimantation rémanente.* → **Hystérésis.** *Aimantation temporaire.*

Grandeur caractéristique d'un milieu magnétique (moment magnétique par unité de volume). — Syn. : *intensité d'aimantation.*

♦ **2** (XIXe : 1859, Michelet *in* T. L. F.). Fig., littér. Force d'attraction, attirance.

Et une sorte d'aimantation attire et retient si inséparablement les uns auprès des autres certains caractères de physionomie et de mentalité que quand la nature introduit ainsi une personne dans un nouveau corps, elle ne la mutile pas trop.
PROUST, À l'ombre des jeunes filles en fleurs, Pl., t. I, p. 685.

CONTR. **Désaimantation.**

**AIMANTER** [ɛmɑ̃te] v. tr. — 1386; de *aimant.*

Communiquer à (un métal) la propriété de l'aimant. *Aimanter une barre d'acier. Aimanter l'aiguille d'une boussole.*

Pron. *Substances qui s'aimantent,* qui prennent les propriétés de l'aimant. → **Diamagnétique, ferromagnétique, paramagnétique.**

♦ **AIMANTÉ, ÉE** p. p. adj.

♦ **1** Qui possède les propriétés de l'aimant. *Un barreau aimanté. L'aiguille aimantée de la boussole se tourne vers le nord.* → **Polarité.** *L'aiguille aimantée se trouve constamment dans le plan du méridien magnétique.*

♦ **2** Fig. Qui subit (ou possède) une force attractive irrésistible.

J'atteins l'âge où paraissent les Mémoires des hommes que l'on a connus. Et je suis, comme vous, déconcerté de voir ces vies... aimantées par des raisons d'être si différentes : l'action, l'art, les femmes, l'ambition, la foi...
MALRAUX, Antimémoires, Folio, p. 457.

CONTR. et COMP. **Désaimanter.** ◊ DÉR. **Aimantation.**

**AIMANTIN, INE** [ɛmɑ̃tɛ̃, in] adj. — 1661; 1552, «dur comme l'acier»; de *aimant.*

Rare. Qui aimante. — Fig., littér. Qui attire comme un aimant.

**AIMER** [eme] v. tr. — Xe; inf. *amer* jusqu'au XVe; du lat. *amare.*

**I** ♦ **1** Avoir un sentiment d'adoration, d'attachement pour (un être physique ou moral). → **Adorer, idolâtrer, vénérer.** *Aimer Dieu. — Aimer son prochain, ses semblables, l'humanité. Aimer qqn comme son frère, comme soi-même, de tout son cœur.*

Vous aimerez le Seigneur, votre Dieu de tout votre cœur, 1
de toute votre âme, et de toutes vos forces.
BIBLE (SACY), Deutéronome, VI, 10.

Tu aimeras ton prochain comme toi-même. 2
BIBLE, Évangile selon saint Matthieu, XXII, 39.

Vous avez appris qu'il a été dit : Tu aimeras ton proche, 3
et tu haïras ton ennemi. Et moi, je vous dis : Aimez vos ennemis et priez pour ceux qui vous persécutent (...) Si, en effet, vous aimez ceux qui vous aiment, quelle récompense méritez-vous?
BIBLE (CRAMPON), Évangile selon saint Matthieu, V, 43-46.

Il constata que généralement il n'était pas méchant, qu'il 4
était pitoyable, au contraire, sensible aux maux d'autrui, en sympathie avec les malheureux, qu'il aimait ses semblables (...)
FRANCE, le Mannequin d'osier, 1 t. XI, p. 423.

Absolt (relig.). *Aimer.*

C'est pourquoi, je te le dis, ses nombreux péchés lui sont 5
pardonnés, parce qu'elle a beaucoup aimé; mais celui à qui l'on pardonne peu, aime peu.
BIBLE, Évangile selon saint Luc, VII, 47.

Oh! si vous saviez ce que c'est qu'aimer! 6
Vous dites que vous aimez, et beaucoup de vos frères manquent de pain pour soutenir leur vie (...) Vous dites que vous aimez vos frères : et que feriez-vous donc si vous les haïssiez?
F. DE LAMENNAIS, Paroles d'un croyant, XV, p. 72-73.

*Aimer sa patrie, son pays, la liberté, la justice.*

REM. Dans cet emploi, le verbe n'est pas qualifié par un adverbe.

♦ **2** Éprouver de l'affection, de l'amitié, de la tendresse, de la sympathie pour (qqn). → **Affectionner, chérir** (→ Porter dans son cœur*). **a** (Non qualifié). *C'est un vieil ami que j'aime. Aimer ses parents, ses enfants. Aimer un ami, l'aimer comme un frère, l'aimer cordialement* (→ **Amitié**).

J'aimais un fils plus que ma vie; 7
Je n'ai que lui; que dis-je? Hélas! Je ne l'ai plus.
LA FONTAINE, Fables, IX, 1.

Si on me presse de dire pourquoi je l'aimais *(La Boétie),* 8
je sens que cela ne se peut exprimer qu'en répondant : «Parce que c'était lui, parce que c'était moi.»
MONTAIGNE, Essais, I, 27.

Un songe, un rien, tout lui fait peur 9
Quand il s'agit de ce qu'il aime.
LA FONTAINE, Fables, VIII, 11.

A dater de ce cadeau, elle aima le peintre, comme aiment 9.1
les enfants, de cette amitié animale et caressante qui les rend si gentils et si capteurs des âmes.
MAUPASSANT, Fort comme la mort, I, I, éd. 1889, p. 25.

*Aimer qqn :* avoir de l'estime, de la sympathie pour lui. — Dans cet emploi la langue mod. emploie plutôt *aimer bien.* → **Estimer** (et → fam. Gober, avoir à la bonne). → **Sympathie.**

10 Nous aimons toujours ceux qui nous admirent, et nous n'aimons pas toujours ceux que nous admirons.
LA ROCHEFOUCAULD, Maximes, 294.

11 Cet homme si fidèle aux particuliers, si redoutable à l'État, d'un caractère si haut qu'on ne pouvait ni l'estimer, ni le craindre, ni l'aimer, ni le haïr à demi (...)
BOSSUET, Oraison funèbre de Michel Le Tellier.

Prov. *Qui m'aime me suive.*

**b** (Qualifié). **AIMER BIEN.** *C'est qqn que j'aime bien.* — Prov. *Qui aime bien châtie* bien.*

*Aimer beaucoup. — Aimer qqn cordialement, affectueusement. Il l'aime comme un frère.*

♦ **3** Éprouver de l'amour, de la passion amoureuse pour (qqn). → **Adorer; amoureux,** et les loc. fam. **béguin** (avoir le), **peau** (avoir dans la), **pincer** (en pincer pour).

**a** (Non qualifié). *Aimer qqn, commencer à l'aimer. Aimer qqn et en être aimé.*

12 Non, elle *(Mme Récamier)* n'a jamais aimé de passion et de flamme; mais cet immense besoin d'aimer que porte en elle toute âme tendre se changeait pour elle en un infini besoin de plaire, ou mieux d'être aimée (...)
SAINTE-BEUVE, Causeries du lundi, t. I, p. 125.

13 Si on croit aimer sa maîtresse pour l'amour d'elle, on est bien trompé. LA ROCHEFOUCAULD, Maximes, 374.

14 Plus on aime une maîtresse, et plus on est près de la haïr.
LA ROCHEFOUCAULD, Maximes, 111.

15 Lui qui me fut si cher, et qui m'a pu trahir!
Ah! je l'ai trop aimé pour ne le point haïr.
RACINE, Andromaque, II, 1.

16 Je t'aimais inconstant, qu'aurais-je fait fidèle?
RACINE, Andromaque, IV, 5.

17 Qu'il est dur de haïr ceux qu'on voudrait aimer.
VOLTAIRE, Mahomet, III, 1.

18 Je n'aimais qu'elle au monde, et vivre un jour sans elle
Me semblait un destin plus affreux que la mort.
A. DE MUSSET, Poésies nouvelles, «La nuit d'octobre».

19 Si je vous le disais pourtant que je vous aime!
Qui sait, brune aux yeux bleus, ce que vous en diriez?
A. DE MUSSET, Poésies nouvelles, «À Ninon».

20 (...) Et de ce long silence entendre enfin sortir
Ce mot qui retentit jusque dans le ciel même,
Ce mot, le mot des dieux et des hommes : Je t'aime!
LAMARTINE, Nouvelles méditations, «Le poète mourant».

21 Je t'aime, je suis fou, je n'en peux plus, c'est trop;
Ton nom est dans mon cœur comme dans un grelot,
Et comme tout le temps, Roxane, je frissonne,
Tout le temps le grelot s'agite, et le nom sonne!
Edmond ROSTAND, Cyrano de Bergerac, III, 6.

22 Je fais souvent ce rêve étrange et pénétrant
D'une femme inconnue, et que j'aime, et qui m'aime,
Et qui n'est chaque fois, ni tout à fait la même
Ni tout à fait une autre, et m'aime et me comprend.
VERLAINE, Poèmes saturniens, VI, «Mon rêve familier».

*Aimer les hommes, les femmes :* être sexuellement attiré par les hommes, par les femmes.

22.1 Gilberte disait-elle cela pour me cacher qu'elle-même, selon ce qu'Albertine m'avait dit, aimait les femmes, et avait fait à Albertine des propositions?
PROUST, le Temps retrouvé, Pl., t. III, p. 707.

Vieilli (langue class.). *Ce qu'on aime :* la personne qu'on aime. → L'objet* aimé.

23 On a peine à haïr ce qu'on a bien aimé
Et le feu mal éteint est bientôt rallumé.
CORNEILLE, Sertorius, I, 3.

24 L'on veut faire tout le bonheur, ou si cela ne se peut ainsi, tout le malheur de ce qu'on aime.
LA BRUYÈRE, les Caractères, IV, 39.

Est-il rien de plus naturel que d'aimer ce qui est aimable?
MARIVAUX, Arlequin poli par l'amour, I.

Un homme passionné voit toutes les perfections dans ce qu'il aime. STENDHAL, De l'amour, II, p. 44.

**b** (Qualifié). *Aimer qqn de toute son âme, de tout son cœur, de toutes ses forces, chèrement, tendrement, ardemment, éperdument, passionnément, à la folie, à la fureur, comme ses yeux, comme la prunelle de ses yeux, plus que soi-même, plus que le jour, plus que sa vie.*

O vous, Iris, qui savez tout charmer,
Qui savez plaire en un degré suprême,
Vous que l'on aime à l'égal de soi-même (...)
LA FONTAINE, Fables, XII, 15.

Je l'ai aimée à la folie. Je crois que nous ne sommes jamais parvenus à nous aimer à la sagesse.
Claude ROY, Nous, p. 36.

REM. Pour éviter l'ambiguïté avec d'autres valeurs du mot, on emploie : *aimer d'amour, de passion* (→ ci-dessus cit. 12). — *Aimer bien, aimer beaucoup,* s'opposent à *aimer,* dans ce sens et relèvent du sens 2., quand le compl. est un nom de personne.

«Je vous aime» est autrement fort que «je vous aime beaucoup», qui ne convient qu'à l'affection courante, voire banale. Absolue, la passion appelle un absolu grammatical.
A. DAUZAT, Études de linguistique franç., p. 17.

**c** Absolt. Être amoureux. *Aimer. Le besoin d'aimer. Le bonheur d'aimer. Le mal d'aimer.*

L'on demande s'il faut aimer. Cela ne se doit point demander : on le doit sentir.
PASCAL, Disc. sur les passions de l'amour, éd. Brunschvicg, p. 122.

Les femmes croient souvent aimer, encore qu'elles n'aiment pas. LA ROCHEFOUCAULD, Maximes, 227.

On veut haïr et on veut aimer, mais on aime encore quand on hait, et on hait encore quand on aime.
LA ROCHEFOUCAULD, Réflexions diverses, «De l'incertitude».

Aimez, aimez; tout le reste n'est rien.
LA FONTAINE, Psyché, I.

Et vivre sans aimer n'est pas proprement vivre.
MOLIÈRE, la Princesse d'Élide, II, 1.

C'est une chose très différente que d'aimer ou que de jouir; la preuve en est qu'on aime tous les jours sans jouir et qu'on jouit encore plus souvent sans aimer.
SADE, Justine..., t. I, p. 193.

Aimons donc, aimons donc! de l'heure fugitive,
Hâtons-nous, jouissons!
LAMARTINE, Premières méditations poétiques, «le Lac».

De l'heure qu'elle aima, l'univers fut amour.
LAMARTINE, Harmonies poétiques, «Le premier regret».

Aimer, c'est se donner corps et âme, ou pour mieux dire, C'est faire un seul être de deux.
A. DE MUSSET, la Confession d'un enfant du siècle, I, 5.

Aimer, c'est avoir du plaisir à voir, toucher, sentir par tous les sens, et d'aussi près que possible, un objet aimable et qui nous aime. STENDHAL, De l'amour, II.

Aimer, c'est avoir pour but le bonheur d'un autre, se subordonner à lui, s'employer et se dévouer à son bien.
TAINE, Philosophie de l'art, V, III, II.

Aimer, c'est savourer, aux bras d'un être cher,
La quantité de ciel que Dieu mit dans la chair.
HUGO, la Légende des siècles, XXXVI, XXII.

Loc. *Le temps d'aimer :* le temps, l'âge des amours.

Ah! si mon cœur osait encore se renflammer!
(...) Ai-je passé le temps d'aimer?
LA FONTAINE, Fables, IX, 2.

*Aimer plus. Aimer moins. Aimer trop. Aimer toujours. Aimer encore.*

Plus on juge, moins on aime.
BALZAC, Physiologie du mariage, VIII, Pl., t. X, p. 682.

M'accuser, — justes dieux! —
De n'aimer plus... quand j'aime plus!
Edmond ROSTAND, Cyrano de Bergerac, III, 6.

Une femme inconstante est celle qui n'aime plus; une légère, celle qui déjà en aime un autre; une volage, celle qui ne sait si elle aime et ce qu'elle aime; une indifférente, celle qui n'aime rien.
LA BRUYÈRE, les Caractères, III, 24.

**d** Spécialt. Accomplir l'acte sexuel avec (qqn). *Se laisser, se faire aimer.* → aussi ci-dessous, cit. 71, 72 et *infra*.

Elle était donc couchée et se laissait aimer,
Et du haut du divan elle souriait d'aise.
BAUDELAIRE, les Fleurs du mal, «Les épaves», VI.

♦ **4** *N'aimer que soi.* → **Égoïsme.** → ci-dessous S'aimer.

La nature de l'amour-propre et de ce moi humain est de n'aimer que soi et de ne considérer que soi.
PASCAL, Pensées, II, 100 (éd. Brunschwicg), → Amour-propre, cit. 2.

Il y a les hommes qui n'aiment qu'eux-mêmes; et ceux-ci sont les hommes de haine, car n'aimer que soi, c'est haïr les autres.
F. DE LAMENNAIS, Paroles d'un croyant, XXXIV.

**II** ♦ **1** Avoir du goût pour (qqch.). *Il aime, il aime bien, il aime beaucoup la lecture.* → **Affectionner, goûter, passionner** (se passionner pour...). *Cet enfant aime la nature.* → **Intéresser** (s'). *Aimer l'étude, la musique, un tableau.* → **Plaisir** (prendre, trouver plaisir à). *Elle aime le luxe.* → **Raffoler** (de). *Aimer un endroit. Aimer le danger, le risque, la vitesse.*

Pour plaire aux autres, il faut parler de ce qu'ils aiment, et de ce qui les touche.
LA ROCHEFOUCAULD, Réflexions diverses, 4, variante.

J'aime le luxe et même la mollesse,
Tous les plaisirs, les arts de toute espèce,
La propreté, le goût, les ornements.
VOLTAIRE, Satires, «Le mondain».

Je ne peux pas dire que j'aime le danger, mais j'aime la vie hasardeuse. GIDE, l'Immoraliste, p. 154.

Alors j'ai tort d'essayer d'aimer Racine? demanda anxieusement Jean. — Racine est un assez vilain coco, dit M. Rustinlor en fronçant ses sourcils olympiens, et d'ailleurs on a toujours tort d'essayer d'aimer : on aime ou on n'aime pas. PROUST, Jean Santeuil, Pl., p. 239.

*Ne pas aimer, ne pas beaucoup aimer qqch.* (par litote, détester).

*Aimer quelque chose en (dans) quelqu'un*, apprécier. *Ce que j'aime dans cette œuvre, chez Queneau...*

Ma mère était ainsi, j'aimais en elle le même effacement et c'est elle que j'ai toujours voulu rejoindre. Il y a huit ans, je ne peux pas dire qu'elle soit morte. Elle s'est seulement effacée un peu plus que d'habitude, et, quand je me suis retourné, elle n'était plus là.
CAMUS, la Peste, p. 1444, *in* T. L. F.

Trouver bon au goût, être amateur de, friand de (une nourriture). *Il aime (beaucoup) les fruits de mer.* → **Amateur** (être amateur de...). *Vous aimez le poisson? Beaucoup. Je n'aime pas beaucoup, pas tant que ça le foie gras. J'aime mieux le bordeaux que le beaujolais.* — Par métonymie. *Je n'aime pas ce restaurant*, sa cuisine.

♦ **2** (Suivi de l'inf.). Trouver agréable, être content de, se plaire à. *Il aimait marcher dans la forêt. J'aime assez, j'aime bien, j'aime beaucoup, je n'aime pas bricoler.*

J'aimais sortir avec mon père (...)
GIDE, Si le grain ne meurt, p. 17.

Littér. **AIMER À** (suivi de l'inf.) : se plaire à.

«Mais non, monsieur, mais non! Le verbe aimer, suivi d'un infinitif, demande la préposition.» Mon père se mit à sourire, de ce sourire féroce qui nous jetait dans l'épouvante. «Avec ou sans préposition, c'est un verbe, mademoiselle, que vous n'auriez pas été fâchée de conjuguer au moins une fois si l'on vous y avait aidée.»
G. DUHAMEL, Chronique des Pasquier, I, XIV, p. 168.

On n'aime point à voir ceux à qui l'on doit tant. 51
CORNEILLE, Nicomède, II, 1.

J'aime à voir que du moins vous vous rendiez justice. 52
RACINE, Andromaque, IV, 5.

Il y a des lieux que l'on admire : il y en a d'autres qui touchent, et où l'on aimerait à vivre. 53
LA BRUYÈRE, les Caractères, IV, 82.

Je n'aime point à déranger ceux qui prient, madame, dit gravement Felton; ne vous dérangez donc pas pour moi, je vous en conjure. 53.1
DUMAS, les Trois Mousquetaires, t. II, p. 611.

Mais cette femme est une belle imbécile. Elle n'a pas une idée. J'aimerais à coucher avec elle si elle était muette. 53.2
J. RENARD, Journal, 5 sept. 1889.

*J'aime à croire, à penser* : je veux croire, j'espère. *J'aime à croire qu'après une pareille leçon, il ne recommencera pas.*

(En parlant des choses). *Cet arbuste aime à être arrosé* (Académie). → **Demander.**

Nous sourions de la vieille formule culinaire (...) : «Le canard aime à être cuit à l'étouffée». La transposition de valeur est ici flagrante : l'agrément est pour le consommateur, non pour le canard. 54
A. DAUZAT, Études de linguistique franç., p. 18.

Vieilli ou littér. *Aimer de...* : aimer ou aimer à...

Je n'aime pas de pleurer. 55
RACINE, Remarques sur l'Odyssée.

Pourquoi pour la justice ai-je aimé de souffrir? 56
LAMARTINE, Mort de Socrate, *in* LITTRÉ.

Je n'ai pas trop envie de voyager en ce moment, dit-il, c'est dommage pour ces petits chevaux-là, j'aurais bien aimé de vous les montrer. 56.1
M. DURAS, les Petits Chevaux de Tarquinia, p. 255.

*Aimer que...* (suivi du subj.) : trouver bon, avoir pour agréable.

Avec j'aime, le subjonctif est (...) de règle : j'aime que les choses soient à leur place (Zola, Rêve, 112). 57
F. BRUNOT, la Pensée et la Langue, p. 551.

(...) J'aime que souvent aux questions qu'on fait 58
Elle sache ignorer les choses qu'elle sait.
MOLIÈRE, les Femmes savantes, I, 3.

*J'aimerais qu'il vînt.* → **Désirer, souhaiter.**

Savoir gré :

Aimez qu'on vous conseille et non pas qu'on vous loue. 59
BOILEAU, l'Art poétique, I.

REM. On trouve, fam., la forme *aimer quand* : *j'aime quand tu me parles comme ça.*

♦ **3 AIMER MIEUX** : préférer* (d'une préférence affective plus que rationnelle). *J'aime mieux son premier livre. J'aimerais mieux la mort, j'aimerais mieux mourir! J'aime mieux ne pas y penser.*

Votre prince vous dit un jour 60
Qu'il aimait mieux un trait d'amour
Que quatre pages de louanges.
LA FONTAINE, Fables, XII, 23.

Fam. *Vous viendrez nous voir, j'aime mieux ça, à cause de mon travail.*

Absolt. *Si vous aimez mieux* (sous-entendu : une autre façon de dire, de s'exprimer).

Vers onze heures du soir, les femmes se retirèrent dans leurs chambres; les hommes restèrent à fumer en buvant, ou à boire en fumant, si vous aimez mieux. 60.1
MAUPASSANT, Ma femme, Pl., t. I, p. 668.

*Aimer mieux...*, suivi de deux inf. en comparaison. *J'aimerais mieux mourir que de faire une si mauvaise action* (Académie). *Il aime mieux jouer que travailler.*

Quoiqu'à peine à mes maux je puisse résister, 61
J'aime mieux les souffrir que de les mériter.
CORNEILLE, Horace, I, 2.

*Aimer mieux que...* (et subj.). *J'aime mieux qu'il vienne. J'aime mieux qu'ils s'entendent que de les voir poursuivre ce conflit.*

*Aimer mieux :* aimer plus, davantage.

62 Ne fais point d'autre crime, et j'atteste les Dieux
Qu'au lieu de t'en haïr, je t'en aimerai mieux.
CORNEILLE, Horace, II, 5.

63 Il n'y a rien que les hommes aiment mieux à conserver et qu'ils ménagent moins, que leur propre vie.
LA BRUYÈRE, les Caractères, XI, 34.

AIMER AUTANT. *J'aime autant qu'il ne vienne pas,* j'aime mieux.

(Négatif). *Ne pas aimer... Il n'aime pas les histoires, les complications.* — Loc. fig. *Ne pas aimer se salir**.

◆ **S'AIMER** v. pron.

♦ **1** (Réfl.). Être attaché à soi, être amoureux de soi (→ **Égoïsme, narcissisme).**

64 Narcisse s'aima. Pour ce crime les Dieux le changèrent en fleur. Cette fleur donne la migraine et son oignon ne fait même pas pleurer. COCTEAU, le Grand Écart, p. 65.

Se plaire, se trouver bien. *Je ne m'aime pas beaucoup dans cette robe.*

65 — Pourquoi me chasses-tu ? — Pourquoi fuis-tu mes pas ?
— Tu me plais loin de moi. — Je m'aime où tu n'es pas.
MOLIÈRE, Mélicerte, I, 1.

♦ **2** (Récipr.). Être mutuellement attachés par l'affection, l'amour. *Nous nous aimons beaucoup, ma sœur et moi. Ils s'aiment d'amour.*

66 Si vous vous aimez, craignez de lui déplaire.
CORNEILLE, Nicomède, III, 2.

67 Deux pigeons s'aimaient d'amour tendre.
LA FONTAINE, Fables, IX, 2, 1.

68 Tous deux dignes de plaire, ils s'aimèrent sans peine (...)
LA FONTAINE, les Filles de Minée.

69 On s'aime à mesure qu'on se connaît mieux, qu'on a vécu ensemble et beaucoup joui l'un de l'autre.
MICHELET, la Femme, p. 292.

70 Deux êtres que dans l'ombre unit un saint mystère
Passent en s'aimant sur la terre.
Comme deux exilés du ciel !
HUGO, Odes et Ballades, IV, 2.

70.1 Ils ont fait du mariage un lent apprentissage de l'amour, ils sont arrivés à s'aimer beaucoup, et à me le dire.
GIDE, Paludes, *in* Romans, Pl., p. 106.

Par euphém. Accomplir l'union sexuelle.

SE FAIRE AIMER : faire qu'on soit aimé. — REM. Le verbe est ici transitif.

71 Le ciel joignit, en sa personne,
Ce qui sait se faire estimer
À ce qui sait se faire aimer.
LA FONTAINE, Fables, XII, 12.

72 Ne pourrait-on découvrir l'art de se faire aimer de sa femme ? LA BRUYÈRE, les Caractères, III, 80.

Loc. fam. (au sens sexuel ; → ci-dessus, I., 3., d.). *Va te faire aimer !* → **Voir** (*supra* cit. 12.1).

◆ **AIMÉ, ÉE** passif et p. p. adj., et n.

♦ **1** ÊTRE AIMÉ. *Aimer et être aimé. Être aimé(e) de, par qqn. Elle a été mal aimée.*

73 Il n'est rien de plus naturel ni de plus trompeur que de croire qu'on est aimé.
LA ROCHEFOUCAULD, Réflexions et maximes, 557.

*Être aimé des dieux.* → **Favorisé.**

74 Chacun cria miracle ; on doubla le salaire
Que méritaient les vers d'un homme aimé des dieux.
LA FONTAINE, Fables, I, 14.

75 Ou faut-il croire, hélas ! ce que disaient nos pères,
Que lorsqu'on meurt si jeune on est aimé des dieux !
A. DE MUSSET, Poésies nouvelles, « À la Malibran », XIV.

♦ **2** P. p. adj. *L'être, l'objet aimé. La femme aimée, la plus aimée.*

76 Une maîtresse aimée est si près d'une sœur !
A. DE MUSSET, Poésies nouvelles, « Namouna », LIII.

*Endroit aimé. Saison aimée. Des lieux si aimés. Aimé de, par... Les acteurs aimés du public. Bien aimé.* → **Bien-aimé.** *Mal aimé. Enfant mal aimé.*

N. *L'aimé, l'aimée :* la personne aimée. → **Bien-aimé**(e). — (En appellatif). *Mon aimée.* → **Adoré.**

*Les Mal-aimés,* roman de F. Mauriac (1945).

CONTR. **Abhorrer, abominer, détester, exécrer, haïr.** ◊ DÉR. **Aimance,** 1. **aimant, aimeur, aimoir.**

**AIMEUR, EUSE** [ɛmœʀ, øz] n. et adj. — 1857, Goncourt ; de *aimer.*

Rare, iron. Personne qui aime (qqn ou qqch.). « *Un aimeur de Sarah Bernhardt* » (Goncourt). *Les* « *aimeurs du peuple* » (Goncourt).

Adj. *Être aimeur, aimeuse* (Colette).

**AIMOIR** [ɛmwaʀ] n. m. — 1890, P. Bourget ; de *aimer.*

Rare et iron. Lieu propice aux amours (Cf. Colette, Montherlant, *in* T. L. F.). → **Baisodrome** (fam.).

1. **-AIN, -AINE** Suffixe à l'aide duquel sont formés des noms et des adjectifs indiquant l'origine. Ex. : *Américain, Romain.*

2. **-AIN, -AINE** Suffixe collectif servant à former des noms à partir de numéros. Ex. : *dizain,* n. m. ; *dizaine, trentaine...* n. f.

1. **AINE** [ɛn] n. f. — Fin XIIe ; du lat. **inguinem,* accus. pop. du class. *inguen, inguinis.*

♦ **1** Partie du corps entre le haut de la cuisse et le bas-ventre. *Le pli de l'aine sépare la cuisse de l'abdomen ; il descend obliquement de l'extrémité du flanc au pubis, et il suit la direction de l'arcade crurale à laquelle il est rattaché par un ligament qui en maintient la constance* (P. Richer, *Nouvelle anatomie artistique,* t. II, p. 297). *Ganglions de l'aine. Hernie à l'aine* (→ **Inguinal).** *Avoir un bubon dans l'aine.*

Par instants, la douleur monte des pieds, traverse les jambes, le long des os et des muscles, jusqu'à l'aine.
J.-M. G. LE CLÉZIO, Désert, p. 204.

Par ext. Pli de l'aine.

♦ **2** (1751). Techn. *Aine et demi-aine :* morceau de peau de mouton qui joint une éclisse et une têtière dans un soufflet d'orgue.

HOM. 2. **Aine, haine, N.**

2. **AINE** [ɛn] n. f. — 1723 ; orig. obscure ; p.-ê. de *aisne, asne* (v. 1200) « rafle de raisin », du lat. *acinus,* ou *acina* « grain de raisin, baie ».

Baguette sur laquelle on enfile les harengs à fumer. — REM. On trouve aussi les formes *ainette* [ɛnɛt] et *alinette* [alinɛt].

HOM. 1. **Aine, haine, N.**

**-AINE** Suff. de noms féminins. → 2. **-ain.**

**AÎNÉ, ÉE** [ene] adj. et n. — XIIe *aisné ; ainzné,* mil. XIIe ; de l'anc. franç. *ainz* « avant » (→ Ains), du lat. pop. **antius,* comparatif de *ante,* et de *né* (→ Puîné).

**I** Adj. (1174). ♦ **1** Qui est né le premier (par rapport aux autres enfants, aux frères et sœurs). → **Premier-né.** *Fils aîné, fille aînée. Frère aîné, sœur aînée.* — (Après un n. propre). *M. Dupont aîné.*

Fig. (Anciennt). *Le fils aîné de l'Église :* titre donné autrefois au roi de France. *La fille aînée des rois de France :* l'Université. *La fille aînée de l'Église :* la France.

Au dehors, la France devenait la première des puissances catholiques, la «fille aînée de l'Église» et c'était une promesse d'influence et d'expansion.
J. BAINVILLE, Hist. de France, III.

Par métaphore :

La division des riches et des pauvres, ça doit répondre à quelque grande loi universelle. Un riche, aux yeux de l'Église, c'est le protecteur du pauvre, son frère aîné, quoi!
BERNANOS, Journal d'un curé de campagne, *in* Œ. roman., Pl., p. 1122.

♦ **2** Qui descend de l'aîné. *La branche aînée d'une famille.* — Vx. *Monarchie aînée.*

♦ **3** Fig. Qui est à l'origine d'autres groupements humains, qui a un rôle essentiel dans l'évolution d'un mouvement, d'un groupe.

Une perspective s'ouvre ainsi sur la collaboration comportant le minimum d'inégalité, ou plus précisément admettant des inégalités requises et justifiées du point de vue de l'intérêt commun du pays aîné et du pays à croissance retardée.
F. PERROUX, l'Économie du XX<sup>e</sup> siècle, 1964, p. 266-267, *in* T. L. F.

**II** N. (Mil. XII<sup>e</sup>). ♦ **1** Frère ou sœur plus âgé(e) qu'un autre enfant. → **Premier-né.** *L'aîné des frères, l'aînée des sœurs.* — Absolt. *L'aîné, l'aînée. L'aîné et les puînés*.*

(...) elle respectait les volontés de ce fils, de cet aîné qui avait presque rang de chef de famille (...)
LOTI, Pêcheur d'Islande, II, 4.

Il *(Joseph Bonaparte)* était l'**Aîné;** dans une famille d'Ancien Régime, l'**Aîné**, cela comptait et, dans une famille corse, plus qu'en aucune autre.
Louis MADELIN, Hist. du Consulat et de l'Empire, IV, p. 240.

*L'aîné de qqn :* enfant plus âgé (qu'un autre, sans être le premier-né). *Il est mon aîné, j'ai deux ans de moins que lui, mais je suis l'aîné de ma sœur; elle est plus jeune que moi.*

Par ext. Toute personne plus âgée qu'une autre.

Les coups qu'il m'est arrivé de porter à tels de nos aînés, me sont aujourd'hui rendus par tels de mes cadets.
G. DUHAMEL, le Temps de la recherche, XIV.

♦ **2** Littér. Personne qui en a devancé d'autres (dans la vie, dans la connaissance d'un art, d'une science, etc.). *Ils le traitaient en aîné.*

Ne vous suis-je pas frère autant que père? Je suis votre aîné dans la vie. Je vous conseille, c'est tout simple. Mais tout ce qui est à moi est à vous, chers enfants.
HUGO, Correspondance, 1852, p. 89, *in* T. L. F.

♦ **3** Ceux qui précèdent dans le temps. *Nos aînés :* nos ancêtres, nos devanciers.

**CONTR. Benjamin, cadet, puîné.** ◊ **DÉR. Aînesse.**

**AÎNESSE** [ɛnɛs] n. f. — 1283; de *aîné.*

♦ **1** Vieilli. Priorité d'âge entre frères et sœurs.

Frédie, malgré ses dix-huit mois d'aînesse – ça compte, à cet âge! – et malgré d'analogues tourments, n'était ni plus avancé ni plus riche d'audace.
Hervé BAZIN, Vipère au poing, 1948, p. 245, *in* T. L. F.

Hist. *Droit d'aînesse* ou *aînesse :* droit de primogéniture, avantageant considérablement l'aîné dans une succession.

*(Esaü)* vendit son droit d'aînesse *(à Jacob).*
Et ainsi ayant pris du pain et ce plat de lentilles, il mangea et but, et s'en alla, se mettant peu en peine de ce qu'il avait vendu son droit d'aînesse.
BIBLE (SACY), Genèse, XXV, 33-34.

L'invention des arts étant un droit d'aînesse, 2
Nous devons l'apologue à l'ancienne Grèce.
LA FONTAINE, Fables, III, 1.

♦ **2** Fig., littér. Primauté en expérience, en âge.

Vingt ans l'espace à peine d'une enfance et n'est-ce 3
Pas sa pénitence atroce pour notre aînesse
Que de revoir après vingt ans les tout petits
D'alors les innocents avec nous repartis (...)
ARAGON, le Crève-cœur, «Vingt ans après», 1941, p. 10, *in* T. L. F.

**AINETTE** [ɛnɛt] n. f. → 2. **Aine.**

**AÏNO** [aino] ou **AÏNOU** [ainu] n. — XIX<sup>e</sup>; de *ainu* «homme» dans les parlers aïnos.

Groupe humain du Japon septentrional et de quelques îles proches, représentant des populations autochtones, antérieures aux Japonais. — N. m. *Aïno* ou *aïnou :* langue parlée par les Aïnos. — Adj. Relatif aux Aïnos.

**AINS** [ɛ̃s] conj. — XII<sup>e</sup>; qualifié de «vieux» depuis le XVII<sup>e</sup>; lat. **antius,* comparatif de *ante* «avant».

Archaïsme littér. Mais, cependant. *«Ains au contraire...»* (Stendhal, *in* T. L. F.).

**COMP.** V. **Aîné.**

**AINSI** [ɛ̃si] adv. — XIII<sup>e</sup>; *einsi,* 1080; *ensi,* mil. XI<sup>e</sup>; comp. de *si,* lat. *sic,* et d'un premier élément incertain, selon Guiraud *ains* «mais» (lat. *antius sic*) «de cette manière plutôt que de toute autre».

♦ **1** Adv. de manière. De cette façon, de cette manière, de la sorte (comme cela a été dit ou comme on va dire). *Ainsi parlait Zarathoustra* (titre français d'un ouvrage de Nietzsche). *Voilà l'homme, il est ainsi. Vous auriez tort d'agir ainsi. C'est ainsi et pas autrement* (→ Comme ça).

Mais ne crois pas qu'ainsi jamais je t'appartienne (...) 1
CORNEILLE, Cinna, III, 4.

Racan commence ainsi (...) 2
LA FONTAINE, Fables, III, 1; X, 1.

*(Il entend dans la nue)* Une voix qui lui parle ainsi (...) 3
LA FONTAINE, Fables, VI, 18.

(...) insulter ainsi notre ami! 4
LA FONTAINE, Fables, XII, 2.

Eh quoi! Charger ainsi cette pauvre bourrique! 5
LA FONTAINE, Fables, III, 1.

Pilpay conte qu'ainsi la chose s'est passée. 6
LA FONTAINE, Fables, III, 2.

Ainsi dit, ainsi fait (...) LA FONTAINE, Fables, III, 2. 7

Ainsi finit la comédie. LA FONTAINE, Fables, IV, 5. 8

(...) le sort ainsi le veut. 9
LA FONTAINE, Fables, «Les filles de Minée», 312.

Je soutiens qu'il en est ainsi 10
De votre empereur et du nôtre.
LA FONTAINE, Fables, I, 12.

Ainsi, toujours poussés vers de nouveaux rivages, 11
Dans la nuit éternelle emportés sans retour (...)
LAMARTINE, Premières méditations poétiques, «Le lac».

**AINSI SOIT-IL!** : formule optative qui termine les prières, ou, par ext., terminant un discours (pour marquer qu'il n'y a pas à revenir sur ce qui a été dit ou fait).

C'est la ritournelle des prières des fidèles; et toutes les fois qu'on a mis en avant, soit dans les journaux, soit dans les sociétés, quelques idées de bonheur, avec le moindre espoir de les voir se réaliser, tout le monde répétait à l'envi, avec un profond soupir : Ainsi soit-il. 11.1
Cousin JACQUES, Dict. des néologismes, *in* D. D. L., II, 11.

*S'il en est ainsi, puisqu'il en est ainsi :* cela étant, si les choses sont comme cela. — Vx. *Puisqu'il est ainsi* (même sens).

12 Puisqu'il est ainsi, je vous conjure (...)
MOLIÈRE, l'Avare, V, 3.

Ellipt. **AINSI DE...** *Ainsi des autres choses, ainsi du reste, ainsi de, ainsi de tout :* il en est ainsi des autres choses...

12.1 Le pouvoir est, en quelque sorte, le cœur d'un État. Or, dans toutes ses créations, la nature a resserré le principe vital, pour lui donner plus de ressort : ainsi du corps politique.
BALZAC, le Médecin de campagne, 1833, p. 152, *in* T. L. F.

**POUR AINSI DIRE :** pour ainsi parler (formule servant à préparer, à atténuer l'expression qu'on va employer). (Introduisant une conclusion). Comme vous venez de le voir, cela étant, par conséquent.

13 Ainsi dans les dangers qui nous suivent en croupe,
Le doux parler ne nuit de rien.
LA FONTAINE, Fables, III, 12.

14 Ainsi tout est vain en l'homme.
BOSSUET, Oraison funèbre de Henriette-Anne d'Angleterre.

*C'est ainsi que :* voilà comment (renvoie toujours à ce qui a été dit).

*Ainsi,* pour *c'est ainsi que :*

15 Ainsi on s'embrouille, ainsi on s'entête, ainsi les hommes prévenus vont devant eux avec une aveugle détermination.
BOSSUET, Hist. des variations, XIV, *in* LITTRÉ.

*Ainsi donc* (renforcement).

16 Ainsi donc à leurs vœux vous me sacrifiez ?
MOLIÈRE, les Femmes savantes, V, 4.

**AINSI DE SUITE :** locution indiquant que tous les faits se produisent, se produiront de la même manière. *Et ainsi de suite* (en fin d'énumération).

16.1 On allait se coucher, le lendemain on se levait, ainsi tous les jours les jours faisaient la queue les uns derrière les autres, le lundi qui pousse le mardi qui pousse le mercredi et ainsi de suite les saisons.
J. PRÉVERT, Paroles, 1946, p. 33, *in* T. L. F.

Littér. *Par ainsi :* ainsi. → 1. Par, cit. 46-47.

*Ainsi* (suivi d'un subj. optatif) : formule de souhait.

17 Ainsi puisse sous toi trembler la terre entière !
RACINE, Esther, III, 3.

♦ **2** Adv. de comparaison. De la même façon, de la même manière. *Comme..., ainsi...; de même que..., ainsi; ainsi..., ainsi :* termes de comparaison.

18 Comme une colonne, dont la masse solide paraît le plus ferme appui d'un temple ruineux *(menaçant ruine)* ainsi la reine se montre le ferme soutien de l'État (...)
BOSSUET, Oraison funèbre de Henriette-Anne d'Angleterre.

♦ **3 AINSI QUE.** Loc. conjonctive.

[a] De cette façon, de cette manière que, comme cela que.

19 Est-ce ainsi que l'on traite les gens faits comme moi ?
LA FONTAINE, Fables, IV, 16.

20 C'est ainsi qu'il instruit les princes, non seulement par des discours et par des paroles, mais encore par des effets et par des exemples.
BOSSUET, Oraison funèbre de Henriette-Anne d'Angleterre.

[b] De la même façon que, comme.

21 (...) il est bon que chacun s'accuse ainsi que moi (...)
LA FONTAINE, Fables, VII, 1.

22 L'onde était transparente ainsi qu'aux plus beaux jours.
LA FONTAINE, Fables, VII, 5.

23 *(Je voudrais qu')* On sortît de la vie ainsi que d'un banquet (...)
LA FONTAINE, Fables, VIII, 1.

[c] (Affaibli en conj. de coord.). Et, tout comme.

(...) la candeur du juge ainsi que son mérite (...)
LA FONTAINE, Fables, X, 9.

♦ **4** (V. 1200 ; jusqu'au XVIII[e]). Vx. **AINSI QUE... :** de même que... ; au moment où... *Ainsi que j'arrivois, ainsi qu'il sortoit* (Académie, 1718).

**AÏOLI** [ajɔli] n. m. — 1744 ; provençal *aioli,* de *ai* « ail », et *oli* « huile ».
Cuis. Mets provençal, mayonnaise épaisse à l'ail pilé. — REM. On trouve aussi la forme *ailloli. Morue à l'ailloli, à l'aïoli.*

1. **AIR** [ɛʀ] n. m. — 1119 ; lat. *aer.* → Aéro-.

[I] ♦ **1** Phys., chim. et cour. Mélange gazeux de composition constante à l'état pur (en volume et à la surface terrestre, 21 % d'oxygène, 78 % d'azote, et gaz rares en très petite quantité : 1 % d'argon, hélium, krypton, néon, xénon), souvent chargé d'impuretés (acide carbonique, vapeur d'eau, traces d'hydrogène et d'ozone), et dont la masse forme l'atmosphère. → **Atmosphère.** *L'air était pour les Anciens l'un des quatre éléments avec la terre, l'eau et le feu. Les hautes régions de l'air.* → **Éther.** *Pesanteur de l'air et pression atmosphérique.* → **Baromètre.** *Température de l'air.* → **Thermomètre.** *État hygrométrique de l'air.* → **Psychromètre, hygromètre.** *Analyse volumétrique de l'air.* → **Eudiomètre.** *Air comprimé*. Air liquide*. — Air chaud, séchoir à air chaud.* — Techn. *Coussin d'air :* couche d'air insufflée à la base d'un véhicule terrestre (→ **Aérotrain**) ou marin (→ **Aéroglisseur**), et qui lui permet de se maintenir au-dessus du sol ou de l'eau. — *Poids, masse de l'air.* — Loc. *Les plus lourds que l'air :* les engins aériens mécaniques (opposé à : *plus légers que l'air,* les ballons). → **Aérodyne, aérostat.**

**...D'AIR.** *Appel* d'air. Bulle* d'air. Colonne* d'air. Couche d'air. Les couches d'air respirable. — Courant d'air.* → ci-dessous, 5.

Le vent de la course n'était plus, comme au début, l'obstacle auquel je m'appuyais de tout mon poids, il était devenu un couloir vertigineux, un vide entre deux colonnes d'air brassées à une vitesse foudroyante. Je les sentais rouler à ma droite et à ma gauche, pareilles à deux murailles liquides, et lorsque j'essayais d'écarter le bras, il était plaqué à mon flanc par une force irrésistible.
BERNANOS, Journal d'un curé de campagne, *in* Œ. roman., Pl., p. 1213.

♦ **2** Cour. Fluide gazeux constituant l'atmosphère et que respirent les êtres vivants. *L'air est froid, glacé, vif; doux, tiède, chaud, brûlant, ... humide, sec. « L'air tiède et le soleil... »* (→ 2. Air, cit. 14.1). *L'air est bon, sain, salubre, pur, léger, limpide, transparent. Le bon air :* l'air pur — *Air mauvais, confiné, étouffé, irrespirable, raréfié, renfermé, impur, malsain, corrompu, empoisonné, infecté, vicié, fétide. Mauvais air. Air des montagnes, de la mer. L'air marin. L'air du large. L'air, le bon air de la campagne. L'air du pays natal, l'air natal :* l'air du pays où l'on est né. *Aspirer, humer, respirer l'air, le bon air.*

Je sais trop que je dois au bien de votre empire
Et le sang qui m'anime, et l'air que je respire.
CORNEILLE, le Cid, IV, 3.

Votre voix, je l'entends ; votre air je le respire (...)
A. DE MUSSET, À Ninon.

(...) l'air était tiède et embaumé.
A. DE MUSSET, la Confession d'un enfant du siècle (→ Agiter, cit. 2).

Ils aspiraient à pleins poumons la fraîcheur de l'air.
FLAUBERT, Salammbô, VII.

L'air est pur, la route est large,
Le clairon sonne la charge (...)
Paul DÉROULÈDE, les Chants du soldat, «Le clairon».

La neige qui couvrait la terre sous la lumière rousse du ciel, rendait l'air muet et sourd.
FRANCE, la Rôtisserie de la reine Pédauque, p. 51.

(...) respirant à pleine poitrine le bon air vif et piquant des beaux jours d'hiver. LOTI, Aziyadé, IV, XXXI.

L'air avait pris une limpidité absolue, comme s'il était raréfié, raréfié jusqu'au vide. LOTI, Ramuntcho, IV.

Tel qui veut se griser d'air pur, s'enivrer sur les hauteurs, n'arrive qu'à s'enrhumer.
J. RENARD, Journal, 26 sept. 1908.

Le souffle frais qui faisait bruire les feuillages de l'avenue sembla venir attaquer l'air vicié de la chambre.
MARTIN DU GARD, les Thibault, I, 5.

**PLEIN AIR** : espace ouvert, air du dehors. — *Le plein-air* : endroit où l'on pratique un sport en plein air. — *Sports, activités pratiqués en plein-air. Une séance de plein-air.*

*L'air libre* : milieu non clos — *À l'air libre.* → **Dehors.** Loc. *Le fond* de l'air. — D'air. Un bol* d'air.*

♦ **3** (Dans un espace clos). *L'air d'une pièce, d'une chambre. On respire ici un air confiné. Régler la température, l'humidité de l'air. Conditionnement* d'air.*

**AIR CONDITIONNÉ,** n. m. (d'après l'angl.) : air qui est amené à une température et à un degré hygrométrique déterminé.

Sur les plateaux, on prévoit des installations pour l'air conditionné, des aspirateurs, et des souffleurs (...)
LO DUCA, Technique du cinéma, p. 11.

Installation par laquelle on amène l'air conditionné à un local. *Avoir l'air conditionné.*

On devrait se cotiser (...) pour lui installer l'air conditionné dans la cabine. J. CAU, la Pitié de Dieu, p. 23.

♦ **4** Loc. verbales (où *air* a la valeur de «milieu extérieur, non protégé»). [a] **PRENDRE L'AIR.** *Aller prendre l'air* : aller se promener, respirer le grand air.

Il doit mener à Auteuil sa fille (...) pour lui faire prendre l'air. RACINE, Lettres.

**CHANGER D'AIR** : se transporter dans un lieu où l'on respire un autre air. *J'ai besoin de changer d'air : je pars en voyage.*

*Donner de l'air,* aérer, et, absolt, De l'air. → **Éventer, ventiler.**

Fam. *Pomper l'air à qqn.* → **Pomper.** — *Il ne manque pas d'air* : il a du culot.

[b] *À l'air* : exposé au dehors, non recouvert. *Se promener les fesses à l'air, le cul à l'air.* → Le derrière au vent*. *Mettre tout à l'air.*

Il ne peut plus se contenir, l'état le plus indécent manifeste sa flamme; il ne craint pas de mettre tout à l'air (...)
SADE, Justine..., t. I, p. 109.

♦ **5** (1275, «vent»). [a] Ce fluide en mouvement. *Mouvement, agitation, circulation de l'air.* → **Agiter** (cit. 2 et 3). *Il y a de l'air, il fait de l'air.* → **Brise, vent.**

Les parfums chargent l'air d'un odorant nuage (...)
HUGO, Odes et Ballades, IV, 11.

Une bouffée d'air brûlant s'échappa de l'ouverture sombre (...)
Th. GAUTIER, le Roman de la momie, Prologue.

Des souffles frais du dehors, des caresses d'air qui passaient sur les visages (...)
MAUPASSANT, Clair de lune, «L'enfant».

[b] Ce fluide, en tant que milieu acoustique. *Remplir, faire résonner, retentir, trembler, vibrer l'air,* en parlant des sons, des bruits, des cris.

*(Les chiens)* Remplirent l'air de cris (...)
LA FONTAINE, Fables, XII, 23.

[c] **...D'AIR.** *Courant d'air* : air en mouvement entre deux ouvertures opposées. → **Courant** (cit. 7 à 9 et *supra*). — Loc. fig. → **Courant.**

Un courant d'air traversa la salle, éparpilla les détritus. 16
MARTIN DU GARD, les Thibault, III, 14.

*Bouffée d'air, souffle d'air.* — *Coup d'air* : fluxion ou douleur causée par l'air, un courant d'air. *Trou d'air.* → **Trou.**

[d] Loc. fam.

Fam. *Allez, de l'air !* : va-t'en, fiche le camp (fais de l'air, un courant d'air, en filant).

Fam. *Brasser*, remuer de l'air.* → Faire du vent*.

♦ **6** Espace rempli par ce fluide au-dessus de la terre; milieu aérien. *Battre l'air. Les oiseaux battent l'air de leurs ailes. Fendre l'air. S'élever en l'air.* → **Ciel** (entre ciel et terre). *Planer dans l'air. Descendre du haut des airs.*

Vive la gent qui fend les airs ! 17
LA FONTAINE, Fables, II, 5.

Une sorte de bras dont il s'élève en l'air 18
Comme pour prendre sa volée (...)
LA FONTAINE, Fables, VI, 5.

Nous vous voiturerons par l'air en Amérique. 19
LA FONTAINE, Fables, X, 2.

**EN L'AIR** : vers le haut. *Tirer un coup de fusil en l'air, tirer en l'air,* sans diriger son coup, de manière à ne pas atteindre. — *Regarder en l'air.* — *Sauter en l'air* : → aussi ci-dessous, II., 6. — (Avec jeu de mots sur le sens 7.) :

Dès onze heures du matin, tout Paris fut en l'air (...) tous les véhicules aériens de la ville et des faubourgs (...) volèrent dans tous les sens. 19.1
A. ROBIDA, le Vingtième Siècle, p. 234 (roman d'anticipation; 1883).

♦ **7** Le milieu aérien (où se déplacent aérostats et avions). *La conquête de l'air. Routes de l'air. Armée de l'air* : ensemble des forces aériennes. *Baptême* de l'air.* — **PRENDRE L'AIR.** *L'avion a pris l'air,* a décollé. → **Envoler** (s').

*Missile air-air, air-sol,* tiré d'un engin aérien sur une cible aérienne, terrestre.

Par ext. *L'air* : l'aviation, les transports aériens. *Le Ministère de l'air. Un héros de l'air.* — *Les métiers de l'air. Hôtesse* de l'air. Mal de l'air* : malaises qui apparaissent chez certains passagers. — *Par air* : par les transports aériens (→ Par avion). *Envoyer un colis par air.*

*Médecine de l'air,* qui étudie les problèmes biologiques posés par le vol, notamment à haute altitude.

*Air,* dans les noms de compagnies aériennes. *Air Afrique, Air Canada, Air France, Air Inter...*

♦ **8** **DE L'AIR, DES AIRS,** loc. poét. *Les habitants de l'air* : les oiseaux. *La Reine* (ou *le roi*) *des airs* : l'aigle. *La fille de l'air* : l'abeille et, par dérision, la mouche. *Esprits, génies de l'air* : elfe, sylphe. *Puissances de l'air* : démons.

Je vais faire la guerre aux habitants de l'air. 20
BOILEAU, Épîtres, 6.

L'Aigle, reine des airs (...) 21
LA FONTAINE, Fables, XII, 11.

Qu'un vil et rampant animal 22
À la fille de l'air ose se dire égal.
LA FONTAINE, Fables, IV, 3.

Je suis l'enfant de l'air, un sylphe (...) 23
HUGO, Ballades, II.

[II] Fig. ♦ **1** Souffle, haleine, émanation. *Prendre l'air du feu, un air de feu* : s'approcher du feu, en goûter la chaleur comme en passant.

♦ **2** Espace, distance (dans des loc.). *Se donner de l'air* : se libérer de certaines contraintes. — Fam. *Prendre l'air, se donner* ou *se pousser de l'air* (vieilli), *se déguiser en courant d'air :* prendre la fuite. — *Donner de l'air à qqn,* le libérer.

23.1 Gare aux particuliers qu'ont de la *braise!* si on a *donné de l'air* à Lesorne *(s'il est en liberté).*
Louise MICHEL, la Misère, III, p. 511.

*Il faudrait mettre un peu d'air dans cette composition, dans ce tableau,* un peu d'espace entre les objets, les dégager. → **Dégager, détacher, distinguer** (les plans); **aérer; blanchir** (en t. d'imprim.).

♦ **3** Loc. *Vivre de l'air du temps :* n'avoir aucune ressource.

♦ **4** Ce qui entoure; atmosphère, ambiance. — Vx. *L'air de la cour, de la ville, des salons.* — Loc. *Prendre l'air du bureau :* s'informer de ce qui s'y passe, de l'esprit qui y règne, des dispositions des uns et des autres. → **Influence, milieu** (→ Prendre la température*). — Vx. *Porter le mauvais air quelque part :* y porter la contagion.

24 L'air de la cour a donné à son ridicule de nouveaux agréments.
MOLIÈRE, la Comtesse d'Escarbagnas, 1.

25 L'air précieux (...) s'est aussi répandu dans les provinces, et nos donzelles ridicules en ont humé leur bonne part.
MOLIÈRE, les Précieuses ridicules, 1.

26 L'air de cour est contagieux (...)
LA BRUYÈRE, les Caractères, VIII, 14.

♦ **5 DANS L'AIR,** se dit des idées qui se répandent, des mouvements, des actions qui se préparent.

27 Ces idées ne s'enseignaient à aucune école; mais elles étaient dans l'air, et l'âme du jeune réformateur en fut de bonne heure pénétrée.
RENAN, Vie de Jésus, IV, p. 120.

Loc. *Il y a de l'orage dans l'air :* l'atmosphère est menaçante, les esprits sont excités. *Il y a qqch. dans l'air,* qqch. qui se prépare.

28 Il y avait de la bagarre dans l'air cette nuit.
MARTIN DU GARD, les Thibault, VII, 43.

28.1 — Mais comme l'aurait-on su? demanda Michel Strogoff, que ces nouvelles, plus ou moins véridiques, intéressaient directement.
— Eh! comment on sait toutes ces choses, répondit Alcide Jolivet. C'est dans l'air.
J. VERNE, Michel Strogoff, p. 155-156.

♦ **6** Loc. adv. (→ une autre valeur, ci-dessus, I., 6.). **... EN L'AIR.** En parlant des personnes. *Tête en l'air :* étourdi. → Dans les nuages.

Loc. *Mettre en l'air :* déranger, mettre en désordre. *Cette nouvelle mit toutes les têtes, tout le monde en l'air.* — En désordre, sens dessus dessous. *Il a mis toute la pièce en l'air en cherchant ce papier. Mettre tout en l'air* (→ **Bouleversement**). — En parlant des choses sans réalité, sans fondement : *Contes en l'air. Offres, menaces, paroles, projets, promesses en l'air,* peu sérieux. *Parler en l'air,* sans fondement. → **Faux, fictif, imaginaire, inutile.**

29 Et si d'une offre en l'air votre âme encor frappée
Veut bien s'embarrasser du refus de Pompée (...)
CORNEILLE, Sertorius, IV, 2.

30 Que sert de pousser des soupirs superflus
Qui se perdent en l'air, et que tu n'entends plus?
RACINE, Alexandre, IV, 1.

31 Tous les personnages qu'il *(Molière)* représente sont des personnages en l'air.
MOLIÈRE, l'Impromptu de Versailles, IV.

32 Sur des soupçons en l'air je m'irais alarmer!
MOLIÈRE, le Dépit amoureux, I, 1.

33 Prétendront-ils m'amuser par des contes en l'air?
MOLIÈRE, les Fourberies de Scapin, I, 4.

34 «Voyons! voyons! Serrons la question de près! Ne restons pas en l'air».
BERNANOS, l'Imposture, *in* Œ. roman., Pl., p. 450.

35 Afin d'éviter de traiter de l'esprit d'observation trop en l'air, disons, en suivant cette idée si naturelle des trois principaux métiers, qu'il y a bien trois méthodes d'observer.
ALAIN, De l'observation, *in* les Passions et la Sagesse, Pl., p. 1118.

Loin de soi. Fam. *Je vais envoyer, flanquer tout ça en l'air,* jeter tout ça, m'en débarrasser. — Fam. *Flanquer, ficher, foutre qqch. en l'air.* → **Rejeter, renverser.** *Il a tout foutu en l'air. Il voulait tout foutre en l'air.* → Envoyer promener*. — Ellipt. *Le ministère est en l'air,* renversé.

Tais-toi, ou je fous la table en l'air. 3
J. RENARD, Journal, 16 mars 1903.

Sans abri, sans appui, sans soutien. *L'aile droite de l'armée est en l'air.*

Loc. verb. (argot). *S'envoyer en l'air :* avoir des relations érotiques et éprouver du plaisir. → **Jouir.** Loc. *Une partie de jambes* en l'air.*

Je ne m'apercevais pas que Jean-Louis venait de faire l'amour avec la malheureuse Anne d'Autriche tourmentée par le vilain cardinal, tandis que Denise s'envoyait en l'air avec le zouave du général Dourakine. 3
J.-L. BORY, Ma moitié d'orange, p. 25.

Fam. et régional (personnes). *En l'air :* dans un état d'agitation. *Elle est toujours en l'air.* — Subst. (nom masculin) :

Elle avait été habituée par son père à ce perpétuel «en l'air» de la vie de commerce (...) 3
Alphonse DAUDET, Fromont jeune et Risler aîné, p. 98.

**CONTR. Vide.** ◊ **DÉR. Airage.** — **COMP. Air bus.** — **HOM. R** (lettre); 2. **air,** 3. **air; aire; ère; erre, errent** (du v. **errer**); **ers** (plante); **haire;** 1. **hère,** 2. **hère.**

2. **AIR** [ɛʀ] n. m. — 1580; de l'emploi fig. «atmosphère, ambiance», de 1. *air,* avec infl. de l'anc. franç. *aire.* → 3. Air.

Manière d'être extérieure (d'une personne).

♦ **1** Façon, manière de se comporter, de se conduire. → **Allure, comportement, façon, genre, manière.** *Avoir, prendre un air, un certain air.*

(...) Mais de l'air qu'on s'y prend, 1
On fait connaître assez que notre cœur se rend (...)
MOLIÈRE, Tartuffe, IV, 5.
REM. On dirait aujourd'hui : *dont on s'y prend.*

*(Lucile)* m'a parlé d'un air à m'ôter tout soupçon. 2
MOLIÈRE, le Dépit amoureux, III, 8.

*Dire, faire qqch. d'un air...*

Il faut voir de quel air il dit cela : gagner honorablement sa vie! 3
Alphonse DAUDET, le Petit Chose, I, IV.

*Avoir un (certain) air, un air de...* → **Allure, apparence, aspect, attitude, caractère, contenance, dehors, démarche, maintien, port, visage;** fam. **gueule.** *Avoir un air absent, pensif, étourdi, indifférent; attentif, interrogateur. Un air affecté, hypocrite; simple, franc. Air agréable, aimable, gracieux; désagréable, froid, moqueur. Air bête, ridicule; intelligent, vif. Air bon, honnête; mauvais, méchant; brusque, dur, provocant. Air calme, doux, tendre. Air gai, joyeux, heureux; triste, grave, fâché, maladif. Un air fier, prétentieux; honteux, modeste. Un petit air innocent. Un air jeune, un air de jeunesse* (→ ci-dessous, 2.). *Air naïf; soupçonneux. Air noble; grossier. Air résolu; timide.* (Voir ces mots, auxquels sont rattachés synonymes et analogues).

Il y a une élévation qui ne dépend point de la fortune : c'est un certain air qui nous distingue et qui semble nous destiner aux grandes choses. 4
LA ROCHEFOUCAULD, Maximes, 399.

*(Vous)* considérerez, en regardant votre air, 5
Que l'on n'est pas aveugle et qu'un homme est de chair.
MOLIÈRE, Tartuffe, III, 3.

Cet air pincé de la bouche lui donne un petit air sucré. 6
DIDEROT, Salon de 1765.

(...) il avait l'air indifférent du sauvage.
CHATEAUBRIAND, Mémoires d'outre-tombe, t. II, I, L, VIII.

(...) avec son air bourru, c'était le meilleur homme du monde, Alphonse DAUDET, le Petit Chose, I, 2.

Et tout le temps que je parlais, c'étaient entre eux des hochements de tête, de petits rires fins, des clignements d'yeux, des airs entendus (...)
Alphonse DAUDET, Lettres de mon moulin, XII, p. 120.

Sa figure est bonne et franche; ses yeux regardent bien en face; rien de ce qu'on est convenu d'appeler **l'air jésuite.**
LOTI, Figures et choses..., À Loyola, p. 71.

Mise sans beaucoup de soins (...) l'air un peu souillonnette (...) R. ROLLAND, Jean-Christophe, t. III, 2.

Sa robe noire, étroite, la faisait très mince, lui donnait l'air tout jeune, un air grave pourtant que démentait sa tête souriante, toute éclairée par ses cheveux blonds.
MAUPASSANT, Fort comme la mort, I, I, éd. 1889, p. 20.

♦ **2** Apparence expressive plus ou moins durable, manifestée par le visage, la voix, les gestes, etc. → **Expression, mine, physionomie.**

[a] *Un air de... Un air d'audace, de componction, de doute, d'extravagance, de fête, de grandeur, de jeunesse, de lassitude, de résolution, de sérénité, de sévérité, de surprise, de vérité...*

Vous puis-je offrir mes vers et leurs grâces légères?
S'ils osent quelquefois prendre un air de grandeur (...)
LA FONTAINE, Fables, VIII, 4.

Un certain air d'audace et de gaieté dans le regard contrastait avec cette apparence maladive.
MÉRIMÉE, Arsène Guillo, I.

Un petit air de doute et de mélancolie,
Vous le savez, Ninon vous rend bien plus jolie (...)
A. DE MUSSET, Poésies nouvelles, «À Ninon».

L'air tiède et le soleil donnaient aux hommes des airs de fête, aux femmes des airs d'amour, faisaient cabrioler les gamins et les marmitons blancs (...)
MAUPASSANT, Fort comme la mort, I, III, éd. 1889, p. 90.

Elle dépose son ouvrage sur la table, à côté de la grosse pelote noire, et demeure immobile, à le dévisager en silence, avec un air d'attente, ou d'anxiété, ou de peur.
A. ROBBE-GRILLET, Dans le labyrinthe, p. 194.

[b] (Qualifié par un adj.). *Un air honnête, fermé,* etc. (→ ci-dessus, 1.). *Un air bizarre. Un air tout pensif* (cit. 3).

Loc. *Avoir (un) grand air,* un air de distinction, de majesté, de noblesse. — Vx. *Une personne de (du) grand air.*

La duchesse de Bourgogne avait un grand air, une taille noble (...) VOLTAIRE, Louis XIV, 27, *in* LITTRÉ.

Madame de Coislin était une femme du plus grand air.
CHATEAUBRIAND, Mémoires d'outre-tombe, t. II, II, L, IV.

Vx (langue class.). **BEL AIR :** bon ton, manière du beau* monde. *Le bel air des choses. Les gens du bel air.*

Souvenez-vous bien, vous, de venir (...) là, avec cet air qu'on nomme le bel air, peignant votre perruque, et grondant une petite chanson entre vos dents.
MOLIÈRE, l'Impromptu de Versailles, III.

Cela me fait honte de vous ouïr parler de la sorte, et vous devriez un peu vous faire apprendre le bel air des choses.
MOLIÈRE, les Précieuses ridicules, 4.

Le bel air ne messied pas toujours, et un certain goût de bien dire ne gâte pas une femme.
FRANCE, le Jardin d'Épicure, p. 194.

Vieilli. **BON AIR :** allure élégante, distinguée. *Avoir bon air, très bon air, le meilleur air (du monde, qui soit, etc.).*

Qu'il est bien fait! qu'il a bon air!
MOLIÈRE, Monsieur de Pourceaugnac, II, 6.

*(Ne trouves-tu pas)* qu'il a l'air le meilleur du monde?
MOLIÈRE, le Malade imaginaire, I, 4.

Fam. *Il a l'air comme il faut,* convenable, correct, honnête.

(...) cortèges interminables de messieurs et de dames sur leur trente et un, l'air très comme il faut.
ZOLA, l'Assommoir, t. I, p. 83.

*Un air inquiétant, étrange.* → fam. **Genre; dégaine.** — Fam. *Un drôle d'air.*

Loc. verb. *Prendre l'air de... :* affecter la forme (de...).

Quelques moments après, leur corps et leur visage 23
Prennent l'air et les traits d'animaux différents.
LA FONTAINE, Fables, XII, 1.

♦ **3** (Au plur.). Apparence. *Prendre, se donner des airs, de grands airs, des airs d'importance, de supériorité...* → **Affecter; affectation, embarras** (faire des). *Il se donne des airs d'aristocrate, de martyr.*

Avec cela, on fait le fier, on se donne des airs. 24
VOLTAIRE, l'Homme aux 40 écus.

(...) je voulais dominer en toutes choses. C'est pourquoi 24.1
je prenais des airs, je mettais mes coquetteries à montrer mon habileté physique plutôt que mes dons intellectuels.
CAMUS, la Chute, p. 65.

Fam. *Avoir, prendre des airs penchés :* affecter certaines attitudes pour se rendre intéressant.

Fam. (jeu sur le sing. et le plur.). *Il a un air d'en avoir deux, un air sur deux airs,* un drôle d'air.

♦ **4 AVOIR L'AIR... :** présenter tel aspect. *Il avait l'air content. Après le spectacle, elle avait l'air heureux.*

Loc. verb. (entraînant l'accord de l'attribut). → **Paraître.** *Vous avez l'air très réservée. Cette boutique a l'air fermée.*

(...) la place était vacante, et la petite l'a prise sans diffi- 24.2
culté, elle se forme, elle commence (...) à avoir l'air plus fine et moins ahurie, dans le monde.
STENDHAL, Journal, 4 avr. 1813, Pl., p. 1253.

(...) Pilou a l'air furieuse. Ce que je dis ne fait pas bonne 24.3
impression. Peut-être ferais-je mieux de me taire (...)
Claude MAURIAC, le Dîner en ville, p. 42.

On n'entend pas non plus le moindre son : ni pas, ni 24.4
murmures étouffés, ni chocs d'ustensiles. Toute la maison a l'air inhabitée.
A. ROBBE-GRILLET, Dans le labyrinthe, p. 58.

Cette locution verbale était encore en voie de composi- 25
tion quand l'âge de l'analyse a commencé. D'où deux tendances, l'une tout instinctive, à considérer **avoir l'air** comme l'équivalent des verbes **sembler, paraître,** l'autre où l'on décompose, et où par suite on accorde avec **air.** Les uns disent : **Cette femme a l'air bonne,** les autres : **a l'air bon.** Dans cet exemple, rien qui choque. Mais, qu'on considère des phrases où il ne peut plus être question d'un **air,**impossible de conserver le masculin. C'est un contresens que de dire : **cette doctoresse a réellement l'air savant,**ou **cette poire a l'air bon.**
F. BRUNOT, la Pensée et la Langue, p. 624.

*N'avoir l'air de rien :* avoir l'air insignifiant, sans valeur, facile (mais être réellement tout autre chose).

Du dehors, la maison n'avait l'air de rien. 26
Alphonse DAUDET, Tartarin de Tarascon, p. 5.

(Personnes). *L'air de rien :* sans rien manifester (de ses intentions). → **Mine** (de rien). *Un air de rien qui ne trompe personne :* un air indifférent, sans intentions précises.

Maman, qui se vante d'avoir des antennes, s'arrête pour 26.1
observer, d'un air de rien gros comme une maison, espérant passer inaperçue avec son manteau bleu ciel, son canotier rouge et ses diamants.
Benoîte et Flora GROULT, Journal à quatre mains, p. 27.

(Avec *de* et l'inf.). *Avoir l'air de s'intéresser à qqch., de travailler... Donner l'air :* faire paraître; donner l'impression que...

(...) les innombrables minarets qui ont l'air de pointer vers 27
les étoiles. LOTI, Suprêmes visions d'Orient, p. 137.

Elle avait une façon de se tenir un peu penchée en avant 28
qui lui donnait toujours l'air d'accourir vers un ami, d'offrir à tout venant la vivacité animale de son sourire.
MARTIN DU GARD, les Thibault, II, XI.

*Se donner, prendre l'air, un air sévère, l'air de...* (et inf.) : affecter, faire semblant d'être sévère.

(...) pour parer mon discours et me donner l'air d'habile 29
homme. MOLIÈRE, le Médecin malgré lui, III, 1.

Ressemblance. *Avoir des airs de qqn. Avoir un faux air de qqn.*

30 Vous avez un peu l'air de Mme de Sottenville.
Mme DE SÉVIGNÉ, *in* LITTRÉ.

31 Je le maintiens prodige, et tel que d'une fable
Il a l'air et les traits, encor que véritable.
LA FONTAINE, Fables, XI, 9.

*Ils ont un air de famille :* ils se ressemblent; ils semblent être des proches parents.

♦ **5** Peint. *Air de tête :* attitude, maintien de la tête, dans une représentation picturale.

32 Les nobles airs de tête amplement variés.
MOLIÈRE, la Gloire du Val de Grâce.

♦ **6** Manège. Allures du cheval. *Airs bas, airs relevés.*

**HOM.** V. 1. **Air.**

3. **AIR** [ɛʀ] n. m. — 1578; ital. *aria* (mil. XVIe dans ce sens), extension du sens de «manière» (→ 2. Air); de l'anc. franç. *aire* «espèce, sorte», du lat. *aer.* → 1. Air.

♦ **1** Morceau de musique composé pour une seule voix, accompagné de paroles. → **Mélodie.** *Fredonner, siffler l'air d'une chanson à la mode. Il apprend facilement tous les airs nouveaux. Air gai, triste. Air entraînant, monotone. Air d'opéra* (→ **Aria; cavatine**), *de vaudeville. Le grand air* (d'une scène d'opéra). *Air de bravoure. Air d'église. Air populaire. Air ancien, nouveau, connu, air à la mode. Apprendre l'air d'une chanson. Composer, écrire, chanter, jouer, rabâcher un air. Un petit air à la mode. L'air et les paroles.*

1 Il faut, Monsieur, que l'air soit accommodé aux paroles.
MOLIÈRE, le Bourgeois gentilhomme, I, 2.

2 Une telle a fait des paroles sur un tel air (...) Je veux vous dire l'air que j'ai fait dessus.
MOLIÈRE, les Précieuses ridicules, 9.

3 Il rejeta sa cigarette, siffla un air qui courait les rues (...)
MAUPASSANT, Fort comme la mort, p. 5.

4 Deux négresses esclaves (...) se chantaient des airs de leur pays (...) LOTI, les Désenchantées, I, 2.

5 Ils étaient comme ces abonnés de l'Opéra qui se garderaient de porter un jugement sur une nouvelle cantatrice avant de l'avoir entendue dans le grand air du premier acte. Jean-Louis CURTIS, le Roseau pensant, p. 17.

Loc. *Ce n'est pas l'air, vous n'êtes pas dans l'air :* vous ne chantez pas juste, vous détonnez.

Fig. *Je connais des paroles sur cet air là :* j'ai déjà entendu les mêmes allégations, les mêmes excuses.

Loc. prov. *C'est l'air qui fait la chanson :* c'est le ton qui fait le sens des paroles. — Par ext. *L'air et la chanson :* l'apparence et la réalité. *En avoir l'air et la chanson :* être réellement ce qu'on paraît.

♦ **2** Le chant et les paroles ensemble. → **Chanson, chant.** *Un air à boire :* une chanson faite pour être chantée à table. → **Bachique.** *Écouter des airs d'autrefois, de vieux airs des provinces.*

♦ **3** Mélodie accompagnée à l'orchestre. *Air de violon, de flûte. Air de danse, de ballet. Un petit air guilleret joué à la flûte.* → **Musique.** *Variations sur un air. Nous avons passé la soirée à écouter des airs de jazz.*

Mus. *Air de cour :* air d'écriture polyphonique écrit pour la voix, ou la voix et le luth (jusqu'à la fin du XVIe siècle); air galant d'un genre précieux.

♦ **4** Loc. fam. *Jouer toujours le même air :* rabâcher. — Argot. *En jouer un air* (pour *jouer un air de flûtes,* de jambes) : s'enfuir.

**HOM.** V. 1. **Air.**

**AIRAGE** [ɛʀaʒ] n. m. — 1546; de 1. *air.*

Techn. Galerie d'aération dans les mines (→ **Aérage**).

**AIRAIN** [ɛʀɛ̃] n. m. — XVIe; *arain,* XIIe; du lat. pop. **aramen,* du bas lat. *aeramen,* du lat. class. *aes, aeris* «bronze», accusatif *aerem.*

Vieux ou littéraire.

♦ **1** Alliage de cuivre et d'étain. → **Bronze.** *Statue d'airain. Chars d'airain. Graver une inscription sur l'airain.*

Le fer et l'airain n'étant plus polis par les Cyclopes, com- 1
mençaient à se rouiller. FÉNELON, Télémaque, II.

Qui me donnera le burin que Job désirait pour graver sur 2
l'airain et sur le marbre cette parole sortie de sa bouche (...)
BOSSUET, Oraison funèbre de Michel Le Tellier.

Prov. Vx. *Les injures s'inscrivent sur l'airain et les bienfaits sur le sable :* on se souvient toujours des injures et on oublie facilement les bienfaits.

♦ **2** Poét. Objet fait d'airain; spécialt, canon (cit. 1, 2); cloche.

Mais l'airain menaçant frémit de toutes parts. 3
RACINE, Athalie, IV, 5.

Jentends l'airain tonnant de ce peuple barbare. 4
VOLTAIRE, Alzire, II, 6.

La matière (du canon, de la cloche).

Le marteau qui se soulevait et retombait sur l'airain était 5
le seul être vivant avec moi dans ces régions.
CHATEAUBRIAND, Mémoires d'outre-tombe, t. II, LVIII.

C'est l'angélus qui sonne là, très près, au-dessus de nous, 6
dans le clocher; et l'air s'emplit de vibrations d'airain.
LOTI, Mon frère Yves, XCIX.

♦ **3 ... D'AIRAIN.** Myth. *Siècle, âge d'airain :* le siècle intermédiaire entre le siècle d'argent et le siècle de fer. — Fig. *Un siècle d'airain :* un temps de calamité.

Loc. littér. (vieilli). *Bras d'airain,* fort. *Cœur d'airain, loi d'airain,* impitoyable. *Front d'airain :* attitude inébranlable. *Mur d'airain,* infranchissable.

Croyez-vous que vos dents impriment leurs outrages 7
Sur tant de beaux ouvrages?
Ils sont pour vous d'airain, d'acier, de diamant.
LA FONTAINE, Fables, V, 16.

(...) un cœur d'airain (...) RACINE, Esther, III, 1. 8

(...) un style d'airain (...) 9
LA BRUYÈRE, Disc. à l'Acad., 15 juin 1693.

*Un ciel d'airain :* un ciel sans nuage, un temps sec, aride.

Les sables, les déserts qu'un ciel d'airain calcine. 1
HUGO, les Châtiments, V, 11.

*La loi d'airain :* nom donné par Lassalle à la loi qui réduit, en régime capitaliste, le salaire de l'ouvrier au minimum vital.

**HOM.** Erhin.

**AIRBAG** [ɛʀbag] n. m. — 1992; empr. à l'angl. *airbag,* nom déposé, de l'angl. *air* «1. air» et *bag* «1. sac».

Anglicisme.

♦ **1** Équipement de sécurité d'un véhicule, formé d'un coussin qui se gonfle en cas de choc pour protéger le conducteur et le passager avant. *Airbag conducteur et airbag passager. Voiture équipée d'airbags.* — Recomm. off. : *coussin* gonflable de sécurité.*

♦ **2** Fig. et fam. Sein (de femme), poitrine. *Elle a de sacrés airbags !*

REM. Dans cet emploi, le mot est généralement au pluriel. La métaphore est liée à la texture, à la douceur et à la forme des coussins d'air.

**AIRBUS** [ɛʀbys] n. m. — 1966; de 1. *air*, et *-bus*, d'après les comp. de formation anglaise.

Grand avion de transport pour passagers (n. propre d'un type d'avion franco-allemand).

On a aussi écrit *air-bus*.

**AIRE** [ɛʀ] n. f. — V. 1170 au sens A., 1.; *eira* en anc. provençal, XIIe; sens A., 3., du lat. *ager*; du lat. *area*.

**A** Surface plane. ♦ **1** (Fin XIIe). Agric. Surface qu'on a unie et préparée pour y battre des grains. *Aire d'une grange. La propagation du battage à la machine a réduit considérablement l'importance des aires dans les fermes* (Omnium agricole).

On dansait devant la grille de la ferme sur une esplanade en forme d'aire, entourée de grands arbres (...)
E. FROMENTIN, Dominique, I.

Il y avait encore cinq à six maisons séparées de la petite agglomération, mais il suffit de quelques pas vers elles pour faire lever des nuages d'oiseaux qui encombraient leurs seuils, leurs fenêtres et leurs aires.
J. GIONO, le Hussard sur le toit, p. 45.

♦ **2** Techn. (malterie). Surface horizontale du germoir sur laquelle est déposé le grain.

♦ **3** (1086). Surface plane sur laquelle les grands oiseaux de proie bâtissent leur nid. — Par ext. Le nid. *L'aire d'un aigle, d'un vautour.*

Qui des sommets d'Athos franchit l'horrible cime,
Suspend aux flancs des monts son aire sur l'abîme (...)
LAMARTINE, Premières méditations poétiques, II, «L'homme».

La cave du lion est effrayante, et l'aire
De l'aigle a je ne sais quel aspect de colère.
HUGO, la Légende des siècles, XX, «Elciis».

♦ **4** Techn. (archit., etc.). *Aire d'une maison* : espace compris entre les murs. *Aire d'un plancher* : enduit de maçonnerie sur lequel on pose le plancher ou le carrelage. *Aire de plâtre* : enduit fait sur le lattis des planchers. — *Aire d'un bassin* : massif de ciment, de terre glaise, de chaux, de cailloux... dont on fait le fond d'un bassin. — *Aire d'un pont* : partie supérieure d'un pont.

♦ **5** *Aire d'un marais salant* : petit bassin. → **Œillet.**

♦ **6** Géol. *Aires continentales* : anciennes plates-formes stables sur lesquelles se sont déposées les roches sédimentaires.

♦ **7** Aviat. et cour. *Aire d'atterrissage* : surface de terrain destinée à l'atterrissage et au décollage des avions. *Aires de manœuvre* : zones sur lesquelles les avions peuvent se mouvoir (*aires de stationnement* : chemins de roulement, pistes). — Astronaut. *Aire de lancement* : plate-forme où sont réunis les équipements qui assurent la construction et le lancement d'un engin spatial.

♦ **8** *Aire de repos* : espace aménagé en bordure d'une autoroute pour permettre aux automobilistes de faire une halte sans gêner la circulation. (On dit aussi, au Canada, *halte routière*, le mot *aire* étant un calque de l'angl. *area*).

**B** ♦ **1** (XIIIe). Géom. Portion limitée (d'une surface), nombre qui la mesure. → **Superficie.** *L'aire d'un triangle, d'un carré, d'une sphère. Calculer l'aire d'une figure plane.*

Astron. *Loi des aires*, selon laquelle le rayon vecteur qui joint le Soleil à une planète balaie des aires égales en des temps égaux. *Méthode des aires* : procédé astrogéodésique. *La méthode des aires et la méthode des arcs de méridien.*

♦ **2** *Aire du vent* : trente-deuxième partie de l'horizon. → **Rhumb.** *Il y a trente-deux aires de vent indiquées sur la rose des vents.*

Mais les vents de toute aire nous ont fait, hors de route, 4
errer sur cet immense abîme de la mer.
Victor BÉRARD, Trad. de l'Odyssée.

C'était une modification favorable, et la *Tankadère* fit de 5
nouveau route sur cette mer démontée, dont les lames se heurtaient alors à celles que provoquait la nouvelle aire du vent.
J. VERNE, le Tour du monde en 80 jours, p. 182.

Loc. Mar. (vx). *Prendre aire* (d'un bateau) : entrer en mouvement. → Navire, cit. 5.

**C** Sc. ♦ **1** Région plus ou moins étendue (occupée par certains êtres), lieu (d'activités, de phénomènes). → **Champ, domaine, zone.** — *Aire linguistique*, propre à un fait ou à un ensemble de faits linguistiques. — Sc. nat. *Aire de répartition de la vigne, des forêts. Aire de répartition d'une espèce animale* (dite *aire spécifique*). *Aire de distribution* (d'un genre, d'une espèce, d'une famille végétale). (D'après l'angl. *area*). Didact. (sc. sociales). *Aires culturelles* : zone géographique où une culture se répand, s'établit.

Dans une même perspective, l'anthropologie a d'abord 6
tenté de déterminer les «aires» des cultures et les séquences culturelles en considérant les critères technico-économiques, les éléments de civilisation et les formes des structures politiques.
G. BALANDIER, *in* le Monde, 10 janv. 1968.

♦ **2** (Acoust.). *Aire d'audition* : zone comprise entre les courbes des seuils d'audition intolérable aux diverses fréquences audibles, relevée sur un audiogramme. *Aire d'audition normale.*

♦ **3** Anat. Région anatomique. → **Zone.** *Aire striée* : champ strié*. *Aire rétinienne. Aires cérébrales* : zones différenciées du cortex cérébral sur le plan fonctionnel. *Aires psychomotrices, psychosensorielles, linguistiques, gnosiques*, du cerveau.* *Aire germinative, embryonnaire* : portion du germe où l'ectoderme épaissi marque l'emplacement du futur embryon. — Anat. *Aire du téton* : aréole.

Phys. *Aire de diffusion, aire de ralentissement* (d'un neutron).

DÉR. **Airée, airer.** — (Du latin *area*) V. **Airial.** ◊ HOM. **R** (lettre). — **1. Air, 2. air, 3. air; ère; erre, errent** (du v. errer); **ers; haire; 1. hère, 2. hère.**

1. **-AIRE** Suffixe, du lat. *-aris*, formant des adjectifs et des noms de valeur numérale *(centenaire, millénaire...)* et des adjectifs *(égalitaire, forfaitaire...)*.

2. **-AIRE** Suffixe, doublet sav. de *-ier*, formant des noms d'agents *(fonctionnaire, destinataire, disquaire, parlementaire)* et des noms de choses *(glossaire, sanctuaire)*.

**AIREDALE** [ɛʀdɛl] n. m. — 1900, *in* Höfler; mot angl., abrév. de *Airedale terrier* (1880), de *Airedale*, nom de la vallée *(dale)* de *l'Aire*.

Chien terrier à poil dur, à corps court et musclé.

En fait de colley, c'était plutôt un Airedale : ça ne se 1
ressemble pas, peut-être qu'elle avait changé de clebs entre-temps (...)
ARAGON, Blanche..., I, III, p. 54.

Une femme sortit de l'immeuble. Elle tenait un airedale 2
en laisse. L'airedale est un grand chien, mais moins que le bullmastif. Cet airedale-ci faisait soixante centimètres, et c'était un mâle.
J.-P. MANCHETTE, Trois hommes à abattre, XI, p. 77.

**AIRÉE** [ɛʀe] n. f. — XIIIe; v. 1200, *areie* «aire»; de *aire*.

♦ **1** Vx. Quantité de gerbes mise sur l'aire en une seule fois.

♦ **2** Techn. Quantité de pâte à pétrir.

**AIRELLE** [ɛʀɛl] n. f. — 1592; cévenol *airelo,* du provençal *aire,* du lat. *atra,* fém. de *ater* «noir» (→ 2. Âtre).

♦ **1** Arbrisseau de la famille des Vacciniées *(Vaccinium)* portant de petites baies comestibles. *Airelle vigne du Mont-Ida,* aux fruits rouges. *Airelle myrtille,* aux fruits d'un noir bleuâtre. → **Myrtille.** *Baies d'airelles :* airelles (au sens 2.). — REM. J. Romains (*les Copains,* p. 275) emploie dans ce sens *airellier.*

♦ **2** Baie de cet arbrisseau (notamment, de l'airelle myrtille; → **Myrtille**). *Les airelles, acidulées et parfumées, se mangent crues ou confites. Confiture d'airelles.*

REM. On dit aussi, selon les régions, *abrêtier* ou *abrêtnoir, bleuet* (Canada), *brimbelle, luce, lucet, moret, myrtille, raisin des bois,* etc. Seuls les mots *airelle* et *myrtille* sont connus de la majorité des francophones (sauf au Canada, où l'on dit *bleuet*).

**AIRER** [eʀe] v. tr. — 1465; de l'anc. franç. *aairier,* de *aire.*

Techn. (fauconn.). Faire son nid, en parlant des grands oiseaux de proie.

**-AIRES** Élément de mots de sciences naturelles, utilisé dans les taxinomies. → aussi **-zoaires.**

**AIRIAL** [ɛʀjal] n. m. — 1455, *eyral;* anc. provençal *airal,* 1377; du lat. *arealis* «relatif à l'aire», du lat. *area.*

Régional. En Provence, Espace libre autour d'une maison; cour de ferme.

Quatre nuits de rang, elle eut des insomnies. Elle se levait vers trois heures du matin et se couchait dans l'herbe de l'airial, à côté du chêne abattu.
Christine DE RIVOYRE, la Visite, *in* le Figaro littéraire, 9-15 sept. 1968.

**AIRURE** [ɛʀyʀ] n. f. — 1838; cf. au XIIIe *areüre* «labourage»; du lat. *aratura,* de *arare* «labourer».

Techn. Extrémité d'un filon, d'une veine de charbon, d'un minerai.

**AIS** [ɛ] n. m. — 1160; du lat. *axis,* en lat. class. *assis.*

♦ **1** Vx ou littér. Planche ou planchette de bois.

1 *(Eschyle)* Sur les ais d'un théâtre en public exhaussé,
Fit paraître l'acteur d'un brodequin chaussé.
BOILEAU, l'Art poétique, 3.

2 Mon oncle, soyez sûr que je ne partirai
Qu'après vous avoir vu bien cloué, bien muré
Dans quatre ais de sapin reposer à votre aise.
J.-F. REGNARD, le Légataire universel, III, 2.

3 Toujours pauvre, vêtu en paysan, couchant sur un ais au lieu de lit (...) SAINTE-BEUVE, Volupté, XXII.

Anciennt. Au jeu de paume. *Cloison d'ais :* ais maçonné dans le mur du côté du service. — *Coup d'ais,* où la balle est envoyée contre la cloison d'ais.

Techn. [a] Vx (jusqu'au XIXe). Table de boucher.

[b] Planche de bois, plateau de bois sur lesquels on disposait les caractères, les garnitures, etc. en imprimerie.

♦ **2** (1395). Mod. Techn. Planchette de bois (recouverte d'étoffe, de peau), utilisée pour les plats des reliures médiévales.

DÉR. 2. **Aisseau.** — V. **Aisselier.** ◊ HOM. **Aie, aies, ait, aient** (du v. *avoir*). — **Haie, hais, hait** (du v. *haïr*). — **Es, est** (du v. *être*). — **Eh.**

**-AIS, -AISE** Élément suffixal indiquant l'origine (ex. : *anglais, français, japonais*). → **-ois.**

**AISANCE** [ɛzɑ̃s] n. f. — 1283; lat. *adjacentia* «régions adjacentes, environs», de *adjacere* (→ Adjacent); d'où en lat. médiéval «dépendances territoriales, commodités».

[I] Au plur. ♦ **1** (Vx, sauf dans certaines expr.). Dépendances d'une maison. — Agréments, commodités.

Ils n'avaient pas besoin de toutes les petites aisances dont nous ne savons nous passer aujourd'hui; ils mettaient leur luxe dans la possession du beau, non du bien-être. 1
TAINE, Philosophie de l'art, II, IV.

♦ **2** Dr. *Aisances de voirie :* droits des riverains sur la voie publique (droits d'accès, de vue, de jour, etc.).

♦ **3** Cour. **LIEUX, CABINET D'AISANCE** ou **D'AISANCES :** lieu aménagé pour la satisfaction des besoins naturels. → **Buen-retiro** (vieilli), **cabinet, commodités, latrines.**

On m'ouvrit une porte : les cabinets d'aisance, eux, étaient demeurés intacts, avec leur boiserie surannée. 1
Claude MAURIAC, le Temps immobile, p. 393.

*Fosse d'aisances.* → **Fosse.**

[II] Au sing. (XIIIe, *aiesance* «commodité, liberté d'usage»).

♦ **1** (1606). Liberté de corps et d'esprit, absence de gêne dans l'action. *Faire qqch. avec aisance. Porter un fardeau avec aisance.* → **Facilité.** *Aisance dans l'allure, l'attitude, les manières, le langage. Tous ses mouvements ont de l'aisance. Recevoir qqn avec aisance et naturel.* → Décoration, cit. 5.1. *Il parle de tout avec aisance.* → **Agilité, assurance, désinvolture, grâce, naturel, souplesse.**

Antoine remarqua de nouveau l'aisance rythmée de son pas, qui lui donnait l'air de danser dès qu'elle se déplaçait. 2
MARTIN DU GARD, les Thibault, III, IV.

(...) la majesté du plus beau Romain, d'un Auguste, d'un Trajan, ne me sembla que pose auprès de l'aisance, de la noblesse simple de ces citoyens fiers et tranquilles. 3
RENAN, Souvenirs d'enfance..., II, 1.

(...) un gentilhomme, avant la Révolution, avait, pour saluer, prendre du tabac, écouter, l'aisance et la grâce cavalière que nous retrouvons dans les gravures et dans les portraits. TAINE, Philosophie de l'art, IV, III, 2. 4

Il y a des tours qui ont une concision incroyable sans jamais cesser d'être clairs, des raccourcis d'une prodigieuse aisance. 5
Émile FAGUET, XVIIe s., Études littéraires, La Fontaine, p. 256.

(...) selon sa coutume il passe de plain-pied, avec une parfaite aisance, de ses mysticités aux préoccupations les plus plates. M. BARRÈS, la Colline inspirée, p. 58. 6

Il faudrait imaginer une façon de partir pleine d'aisance, qui atténuerait l'impression laissée par le récent malentendu. 6
A. ROBBE-GRILLET, Dans le labyrinthe, p. 72.

*Aisance à...* (et inf.).

Leur aisance à s'exprimer en français surprenait André Lhéry autant que leur audace apeurée. 7
LOTI, les Désenchantées, II, 6.

♦ **2** Vx. Liberté, jeu (des choses).

Dès qu'il ne me reste plus aucun vêtement, on me lie à l'arbre par une corde qui prend le long de mes reins, me laissant les bras libres pour que puisse me défendre de mon mieux, et par l'aisance qu'on laisse à la corde je puis avancer et reculer d'environ six pieds. 7
SADE, Justine..., t. I, p. 96.

♦ **3** (Mil. XVe). Cour. État de fortune qui permet de se procurer les commodités de la vie. → **Aise, abondance, bien-être.** *Il a connu des difficultés financières mais a maintenant une certaine aisance. Ils vivent dans l'aisance sans être vraiment riches, sans atteindre à l'opulence.*

*(L'aisance)* fait qu'on jouit amplement de tout ce qui est nécessaire pour rendre la vie agréable; de sorte que, ce qui suffit pour vous mettre à votre aise, ne suffirait pas pour 8

vous mettre dans l'aisance. L'artisan qui a de quoi vivre honnêtement est à son aise; l'homme riche et opulent est dans l'aisance.
LAFAYE, Dict. des synonymes, Aisance...

Il y avait un air d'aisance partout dans la maison (...)
LOTI, Pêcheur d'Islande, II, 11.

Gagner de l'argent vous gâtait l'argent, parler d'argent, c'était mal élevé. Mon père passait pour être «à son aise»; cette aisance venait de ce qu'il n'avait pas de besoins; «il est plus facile de se passer des choses que de perdre son temps à les acquérir», aimait-il à répéter.
Paul MORAND, Venises, p. 19.

*Aisance monétaire, budgétaire.*

CONTR. **Difficulté, gêne, peine. — Gaucherie, lourdeur, affectation, contrainte, embarras. — Dénuement, indigence, misère, pauvreté.**

**AISE** [ɛz] n. f. et adj. — XIIe; *aiise* «espace vide à côté de quelqu'un», XIe, en judéo-français; lat. pop. **adjacens*, subst. du p. prés. class. de *adjacere* «être adjacent, voisin». → Adjacent.

**I** N. f. ♦ **1** Vx ou littér. en emploi libre : *l'aise de qqn, son aise.* État commode, agréable, absence de gêne, liberté de mouvement. → **Aisance, confort, liberté.**

L'argent est bon, mais l'aise meilleure. Et l'aise en voyage, c'est tout. FLAUBERT, Correspondance, t. III, p. 22.

(1170, *a eise*). Mod. et cour. **À L'AISE, À SON (mon...) AISE.**

**a** (Concret). *Être, se mettre à son aise, bien à son aise pour faire quelque chose,* dans un costume, dans une position convenable, confortable.

Il faut l'habiller large pour qu'un enfant soit à son aise.
Mme DE MAINTENON, Lettre à d'Aubigné, 7 sept. 1683.

Puis je venais m'asseoir près de sa chaise
Pour lui parler le soir plus à mon aise.
HUGO, les Contemplations, I, XI.

*Mettez-vous à l'aise, à votre aise :* débarrassez-vous des vêtements, des objets qui vous gênent.

*Être à l'aise,* commodément installé. *Le voilà à son aise, bien carré dans son fauteuil. On n'est pas très à l'aise dans cette petite voiture.*

(...) Est-ce la mode
Que baudet aille à l'aise et meunier s'incommode?
LA FONTAINE, Fables, III, 1.

Croyez-vous donc qu'on soit à l'aise dans cette armoire?
HUGO, Hernani, I, 2.

**b** (Fig.). *Être à l'aise :* n'éprouver aucune gêne, aucun embarras (→ **Assurance).**

Lui, si parfaitement à l'aise, en toute circonstance, lui si fier et si vindicatif, il avait soudain l'air humble et embarrassé. G. DUHAMEL, Chronique des Pasquier, II, II.

Comme les êtres les plus droits peuvent vivre à l'aise dans le mensonge!
MARTIN DU GARD, les Thibault, III, IX.

Vieilli. *N'être pas à son aise, être mal à son aise :* se sentir gêné, contraint, embarrassé ou indisposé.

Il arrive en toilette des dimanches, mal à son aise dans cette atmosphère lugubre.
FLAUBERT, Trois contes, «Un cœur simple».

Mod. *Mal à l'aise :* contraint, embarrassé, gêné.

Fig. *Mettre qqn à l'aise, à son aise :* dissiper l'embarras, la gêne, la timidité, l'appréhension, les scrupules... chez qqn.

Le prêtre l'écoutait, le mettait à son aise (...) jamais une indiscrète censure ne venait arrêter son babil et resserrer son cœur (...) ROUSSEAU, Émile, IV.

Pour mettre sa vanité à l'aise il avait pris l'habitude salutaire de ne pas compter ses défaites, mais seulement ses succès. STENDHAL, Lamiel, p. 580.

*Faire qqch. à son aise,* suivant sa convenance, en toute liberté, à loisir, comme et autant qu'il plaît.

Vous jouirez à votre aise du plaisir de sa vue, et vos yeux 11
auront tout le temps de se satisfaire.
MOLIÈRE, le Bourgeois gentilhomme, III, 6.

Que tantôt Marinette endure qu'à son aise 12
Jodelet par plaisir la caresse et la baise (...)
MOLIÈRE, le Dépit amoureux, I, 1.

Nous pourrons rire à l'aise, et prendre du bon temps. 13
BOILEAU, Épîtres, I.

Ellipt. Vieilli ou style soutenu. *À votre aise :* à votre convenance, à votre gré. *À votre aise!, n'en parlons plus, faites ce qui vous plaira.*

Monsieur, vous vous moquez!... À votre aise! Au revoir (...) 13.1
E. LABICHE, les Petites Mains, II, 14.

Loc. *En prendre à son aise :* ne pas se donner de peine pour faire qqch., ne faire que ce qui plaît. En user librement avec, ne pas se gêner. *Vous en prenez à votre aise avec les règlements.*

*En parler à son aise,* sans connaître les difficultés, sans éprouver les peines d'autrui.

Vous en parlez fort à votre aise, et le métier de plaisant 14
n'est pas comme celui d'astrologue.
MOLIÈRE, les Amants magnifiques, I, 1.

Mon Dieu, vous en parlez, mon frère, bien à l'aise, 15
Et vous ne savez pas comme le bruit me pèse.
MOLIÈRE, les Femmes savantes, II, 9.

N. B. Ces deux loc., fam. dans la langue classique, appartiennent aujourd'hui à une langue châtiée.

**c** Spécialt. *Être à son aise,* dans une situation de fortune modeste, mais heureuse. → **Aisance.**

*(Se peut-il)* que tu ne sois bien à ton aise? — Je suis dans 16
la plus grande nécessité du monde.
MOLIÈRE, Dom Juan, III, 2.

Et il eut la surprise de reconnaître madame Théodore et 16.1
la petite Céline, toutes les deux proprement vêtues, l'air à leur aise. ZOLA, Paris, t. II, p. 220.

**d** Fam. Mod. *À l'aise :* avec facilité, sans effort. *Il court le cent mètres en 11 secondes, à l'aise.*

♦ **2** (Dans quelques expr.). Plur. **AISES** (avec un possessif). Les commodités de la vie. *Aimer ses aises. Prendre ses aises.* → **Bien-être, confort.**

Les aises de la vie, l'abondance, le calme d'une grande 17
prospérité font que les princes ont de la joie de reste pour vivre (...) LA BRUYÈRE, les Caractères, IX, 27.

À la première station, deux des manilleurs descendirent 17.1
en grommelant terriblement, avec d'horribles yeux de lapins de choux fâchés. La petite demoiselle, suçotant son doigt, descendit également. Le militaire en civil prit ses aises et se cura les dents avec l'ongle de l'index (...)
R. QUENEAU, le Chiendent, p. 17.

♦ **3 L'AISE** (dans : ... *d'aise*). Sentiment agréable causé par la présence ou la possession d'un bien. → **Contentement, félicité, joie.** *Combler, remplir qqn d'aise.*

Si bien que ce pêcheur, d'aise tout transporté, 18
Avait couru chercher ce fils si fort vanté.
CORNEILLE, Don Sanche, V, 7.

Il *(l'enfant)* fuit, il vient, il parle, il pleure, il saute d'aise. 19
Mathurin RÉGNIER, Satires, 5, 125.

Je sens d'aise mon cœur tressaillir par avance. 20
MOLIÈRE, les Femmes savantes, III, 2.

Que vous me comblez d'aise! 21
MOLIÈRE, Tartuffe, II, 4.

(...) ne voulant plus rentrer, tant ils avaient d'aise d'être 22
ensemble. G. SAND, la Petite Fadette, II.

Il la regardait avec ravissement, comme on regarde une 23
aurore, comme on écoute de la musique, avec des tressaillements d'aise.
MAUPASSANT, Fort comme la mort, p. 218.

**II** Adj. (XIIe). Vx (langue class.) ou littér. Qui éprouve de l'aise, de la joie. → **Content.** (Aujourd'hui toujours précédé d'un intensif, *bien, tout,* etc.). *Je suis bien aise de vous avoir rencontré. Nous en sommes bien aises. J'en suis aise au dernier point.*

24 Vous chantiez ? J'en suis fort aise ;
Eh bien ! dansez maintenant.
LA FONTAINE, Fables, I, 1.

25 La faim le prit ; il fut tout heureux et tout aise
De rencontrer un limaçon.
LA FONTAINE, Fables, VII, 5.

26 Cela signifie *(faire la cour à une femme)* que cette femme vous plaît, et qu'on est bien aise de le lui dire.
A. DE MUSSET, Il faut qu'une porte soit ouverte ou fermée, p. 439.

27 Je serais assez aise d'avoir le droit de vie et de mort, pour ne pas en user (...)
RENAN, Souvenirs d'enfance..., VI, 4.

CONTR. (Du sens I.) **Embarras, gêne, malaise, misère, pauvreté. — Chagrin, déplaisir.** — (Du sens II.) **Chagrin, mécontent, triste.**

**AISÉ, ÉE** [eze] adj. — 1170 au sens 5. ; fin XIII^e, « content, satisfait » ; p. p. de l'anc. franç. *aisier, eisier* « mettre, se mettre à l'aise, faciliter, devenir facile ».

♦ **1** Vx (langue class.). Où l'on est à l'aise. → **Ample, commode, large.** *Un habit aisé, des souliers aisés* (Académie).

♦ **2** Vieilli ou littér. Qui est à l'aise, n'éprouve aucune gêne dans les mouvements. *Une taille aisée.* → **Dégagé, libre, souple.**

1 Elle *(sa taille)* est aisée et bien prise.
MOLIÈRE, le Bourgeois gentilhomme, III, 9.

♦ **3** Mod. Qui n'a rien d'affecté, de gêné, de contraint (en parlant de l'air, des manières, du langage, du style...). → **Coulant** (style), **désinvolte, naturel, simple.**

2 Je voudrais que vous eussiez pu entendre de quelle manière aisée (...) il m'a bien voulu raconter (...)
RACINE, Lettres.

3 (...) un ton aisé, doux, simple, harmonieux.
BOILEAU, l'Art poétique, III, 277.

4 J'admirais leur air libre et aisé (...)
A.-R. LESAGE, Gil Blas, III, 4.

5 Lui seul des vers aisés possède le talent.
MOLIÈRE, les Femmes savantes, III, 2.

6 (...) il (...) prêtait à ses connaissances ainsi glanées un tour aisé, clair et bon enfant, qui les rendait faciles à comprendre comme des fabliaux scientifiques.
MAUPASSANT, Fort comme la mort, p. 63.

Fig., vx. Qui pousse trop loin l'absence de gêne. *Une morale aisée,* peu sévère, relâchée. → **Accommodant.**

♦ **4** Spécialt (personnes). Qui vit à l'aise. *Un bourgeois aisé, une personne aisée, très aisée.* → **Fortuné, riche ; aisance.** — *Les classes aisées,* qui vivent dans l'aisance.

6.1 Un petit nombre d'hommes des classes aisées et privilégiées, dévore la subsistance d'une grande multitude (...) pendant ce temps, les hommes et les femmes de la classe pauvre, à qui on enlève journellement une partie considérable du fruit de leurs travaux, sont affaiblis par une fatigue excessive, languissent dans la misère, et sont vieux avant le temps.
A.-L.-C. DESTUTT DE TRACY, Commentaire sur l'Esprit des lois de Montesquieu, 1807, p. 379, *in* T. L. F.

♦ **5** Littér. Qui se fait avec aise, sans peine. → **Facile.** *C'est une tâche aisée, simple* et aisée.*

7 Tout ce qui n'est pas aisé, ils *(les lâches conseillers)* le nomment impossible.
GUEZ DE BALZAC, De la cour, 5^e discours.

8 Le maître étant absent, ce lui fut chose aisée.
LA FONTAINE, Fables, VII, 16.

9 — Mais on dit qu'aux auteurs la critique est utile.
— La critique est aisée, et l'art est difficile.
Ph. DESTOUCHES, le Glorieux, II, 5.

**AISÉ À :** facile à.

10 Il s'appelle Sganarelle (...) il est aisé à connaître.
MOLIÈRE, le Médecin malgré lui, I, 4.

Vieilli. *Cet homme n'est pas aisé,* est d'une humeur difficile. *Cet homme est aisé à vivre :* il est d'un commerce facile, doux.

*Cela vous est bien aisé à dire.* → **Aise** (vous en parlez à votre aise).

Impers. (Mod.). *Il est aisé de...* (suivi de l'inf.). *Il est aisé de critiquer.*

11 (...) il est plus aisé d'être sage pour les autres que de l'être pour soi-même.
LA ROCHEFOUCAULD, Maximes, 132.

12 Il n'est pas si aisé de se faire un nom (...)
LA BRUYÈRE, les Caractères, I, 4 (→ Acquérir, cit. 12).

CONTR. **Incommode. — Affecté, gêné... — Pauvre. — Difficile, compliqué, malaisé, pénible. — Impossible.** ◊ DÉR. **Aisément.**

**AISÉMENT** [ezemɑ̃] adv. — XII^e ; de *aisé.*

Style soutenu. D'une manière aisée, avec aisance. → **Facilement, naturellement, simplement, volontiers.** *Faire quelque chose aisément. On s'en persuade aisément. Réussir très aisément.*

1 Et chacun croit fort aisément
Ce qu'il craint et ce qu'il désire.
LA FONTAINE, Fables, XI, 6.

2 Nous oublions aisément nos fautes lorsqu'elles ne sont sues que de nous.
LA ROCHEFOUCAULD, Maximes, 196.

3 Ce que l'on conçoit bien s'énonce clairement,
Et les mots pour le dire arrivent aisément.
BOILEAU, l'Art poétique, I, 153.

4 Je pardonne aisément par la raison que je ne sais pas haïr.
MONTESQUIEU, Cahiers, p. 6.

5 Sans doute la pensée ne peut pas se dégager aisément des liens que lui a faits l'habitude.
FUSTEL DE COULANGES, la Cité antique, p. 421.

CONTR. **Difficilement, malaisément, péniblement.**

**-AISON** Suff., du lat. *-sio, -sionis,* qui a formé de nombreux noms avant d'être éliminé par le suffixe *-ation* (*comparaison, démangeaison, fenaison,* etc.).
Exemple littéraire de ce suffixe pour former des substantifs verbaux :

(...) la plantaison de la tête sur les épaules par l'intermédiaire, par le ministère de la nuque (...)
Ch. PÉGUY, la République..., p. 266.

**AISSANTE** [ɛsɑ̃t] n. f. → **Essente.**

1. **AISSEAU** [ɛso] n. m. → **Aissette.**

2. **AISSEAU** [ɛso] n. m. — Mil. XIV^e ; de *ais.*

Techn. Rare. Planche mince utilisée pour couvrir certaines constructions. → **Bardeau, essente.**

**AISSELIER** [ɛsəlje] n. m. — V. 1170 ; de l'anc. franç. *aissele* « planche », dimin. de *ais.*

Techn. Pièce de charpente qui sert à fortifier l'assemblage de deux autres pièces, en général entre une pièce verticale ou oblique et une pièce horizontale. *Aisselier courbe.*

Pièce transversale renforçant le fond d'un tonneau.

**AISSELLE** [ɛsɛl] n. f. — 1204 ; *asaile,* v. 1130 ; du lat. pop. **axella,* lat. class. *axilla.*

♦ **1** Cavité qui se trouve sous le bras à la jonction de celui-ci avec l'épaule. *Creux de l'aisselle.* → **Axillaire** (région), **dessous** (de bras), **gousset.** *Entrer dans l'eau jusqu'aux aisselles. Les poils des aisselles.*

1 À eux deux, ils ont soulevé le corps, l'homme le tenant par les cuisses et la femme par les épaules, sous les aisselles.
A. ROBBE-GRILLET, Dans le labyrinthe, p. 200.

*Tambour* (tam-tam) d'aisselle,* que le musicien tient entre le bras et le flanc. → **Ganga.**

♦ **2** Didact. ou techn. [a] (XVII^e). Bot. Angle aigu que forme une feuille avec la partie terminale de la tige.

[b] Angle aigu que forme un élément de base avec un élément long et mince. *L'aisselle d'une ancre.*

[c] Partie faible d'une peau (correspondant à une patte de l'animal).

♦ **3** Fig., littér. et rare. Lieu caché, intime; abri (Colette, J. Romains, *in* T. L. F.).

**AISSETTE** [ɛsɛt] n. f. ou **AISSEAU** [ɛso] n. m. — 1389; dér. de l'anc. franç. *aisse* «hache» du lat. *ascia.*

Techn. Marteau à tête ronde d'un côté et à tranchant de l'autre dont se sert le couvreur. Hachette de tonnelier. Syn. : *asse, asseau, assette, esse, essette.*

HOM. (De *aisseau*) 2. **Aisseau.**

**AISY** [ezi, ɛzi] n. m. — 1838; *lasy,* 1628; mot régional du Jura, etc., cf. anc. franç. *aisil,* du lat. *acetum* «vinaigre».

Régional ou techn. (fromagerie). Petit-lait qu'on a laissé aigrir. — *Cendré d'aisy :* fromage de lait de vache, fermenté, à pâte molle, affiné à la cendre.

REM. On écrit parfois *aizy.*

**AÎTRE** [ɛtʀ] n. m. — 1080, *Chanson de Roland,* au sens 2.; du lat. *atrium* «pièce principale de la maison romaine». → Atrium.

♦ **1** (1170). Vx. Passage devant une église, servant de parvis, de cour. *L'aître Notre-Dame, à Rouen.* — Par ext. Cour, enclos de couvent.

♦ **2** Vx ou régional. Terrain libre près d'une église, servant de cimetière; galerie couverte entourant un cimetière.

♦ **3** **AÎTRES.** N. m. plur. Littér. Disposition des diverses parties (d'une habitation). «*Les aîtres de sa maison*» (F. de Miomandre).

1 «Or, les circonstances du crime semblent prouver que son auteur, s'il ne connaissait les aîtres, devait avoir été très exactement renseigné. Par qui?»
BERNANOS, Un crime, Œ. roman., Pl., p. 773 (1935).

Par ext. Surface (d'une habitation, de ses dépendances). *Examiner les aîtres.*

2 On se sent à l'abri de tout, dans ces aîtres familiers (...)
R. DORGELÈS, les Croix de bois, p. 123, *in* T. L. F.

REM. 1. On trouve chez Huysmans un emploi métaphorique : *ses (propres) aîtres* : «son intimité» (*En route, l'Oblat, in* T. L. F.). 2. La forme *êtres* est archaïque. → **Êtres.**

HOM. **Être** (v. et n. m.), **êtres, hêtre.**

**AIXOIS, OISE** [ɛkswa, waz] adj. et n. — 1866, P. Larousse; de *Aix.*

D'Aix-en-Provence (ne se dit pas des autres villes appelées Aix).

**AIZOACÉES** [ɛzɔase] n. f. pl. — Après 1950; du grec *aeizôon* «joubarbe».

Bot. Famille de plantes dicotylédones des régions arides, petites herbes à fleurs hermaphrodites, à pétales colorés. — Au sing. *Le* tetragonia *est une aizoacée.*

**AJAX** [aʒaks] n. m. — 1855, George Sand; 1771, «danse furieuse, évoquant la colère d'Ajax»; de *Ajax,* héros homérique.

Didact., vx. Guerrier intrépide, fougueux.

**AJISTE** [aʒist] n. — 1948; des initiales *A. J. :* auberges de la jeunesse.

Membre de l'association des auberges* de la jeunesse.

Adj. Relatif aux auberges de la jeunesse. *Mouvement ajiste. L'esprit ajiste.*

**AJOINTER** [aʒwɛ̃te] v. tr. — 1838; 1202, fig. «joindre, appliquer»; de *à,* et *joint.*

Techn. ou régional. Joindre par les extrémités, bout à bout. *Ajointer des tuyaux, des planches.* → **Aboucher, abouter.**

Il se résigna à ajointer les pièces par mortaises et tenons, en taillant ces derniers en queues-d'aronde pour plus de solidité.
M. TOURNIER, Vendredi..., p. 29.

**AJONC** [aʒɔ̃] n. m. — 1389, par attract. de *jonc; ajou,* XIII^e; *agon,* 1280; mot berrichon d'orig. probablt prélatine.

Plante légumineuse (*Papilionacées;* n. sc. : *ulex*) dont la principale espèce, l'*ajonc d'Europe* dit *ajonc* (ou *jonc*) *marin, jomarin, jonc épineux, landier, vigneau...,* est un arbrisseau épineux, commun dans les terrains arides non calcaires (landes). *L'ajonc broyé constitue un excellent fourrage. Les ajoncs en fleurs.*

(...) des champs de genêts et d'ajoncs resplendissent de leurs fleurs qu'on prendrait pour des papillons d'or. 1
CHATEAUBRIAND, Mémoires d'outre-tombe, t. I, II.

(...) il lui sembla reconnaître et se rappeler : les ajoncs, les éternels ajoncs marins des sentiers et des falaises, qui ne jaunissent jamais dans le pays de Paimpol. 2
LOTI, Pêcheur d'Islande, I, 3.

(...) la caresse des fougères, le frottement des brandes (sinon la griffure des ajoncs). 3
Claude MAURIAC, le Temps immobile, p. 401.

**AJOUPA** [aʒupa] n. m. — 1640; 1614, *aioupaue;* mot tupi, *aiupaue.*

Géogr. ou régional (Antilles). Petite hutte de forme élevée, recouverte de branches et de feuilles.

Après plusieurs circuits entre les rangées irrégulières d'ajoupas qui encombraient le camp, nous parvînmes à l'entrée d'une grotte (...) HUGO, Bug-Jargal, p. 71-72.

**AJOUR** [aʒuʀ] n. m. — 1866; de *ajourer.*

Technique.

♦ **1** Archit. Ouverture qui laisse passer le jour. → **Ajourage.**

♦ **2** Jour à l'intérieur d'un motif de broderie. → **Jour.**

Elle les fauchait à pleine vitrine, elle essayait pas de se cacher, elle s'est recouverte de guipures, des mantilles entières, d'assez de chasubles pour recouvrir vingt curés... Elle se grandissait à mesure dans les frou-frous et les ajours...
CÉLINE, Mort à crédit, *in* Romans, t. I, Pl., p. 575.

**AJOURAGE** [aʒuʀaʒ] n. m. — Déb. XX^e (1903, Loti); de *ajourer.*

♦ **1** Archit. Action d'ajourer; résultat de cette action. — REM. Ce terme semble plus fréquemment employé qu'*ajour* en architecture.

♦ **2** Techn. Procédé de découpage de la pâte céramique pour réaliser un décor dit «ajouré» comportant des vides ou des parties translucides («grains de riz» de la porcelaine chinoise).

**AJOURÉ, ÉE** [aʒuʀe] adj. — 1644; de *à,* et *jour.*

♦ **1** Blason. *Pièce ajourée,* dont l'ouverture laisse voir l'émail du champ. → **Fenestré.**

♦ **2** (Fin XVIII^e^). Cour. Percé, orné de jours. *Balustrade ajourée.*

Des boiseries sans aucune peinture ni vernis, mais ajourées avec une capricieuse mignardise, très finement menuisées (...) LOTI, Mme Chrysanthème, XXXV.

*Broderie, dentelle ajourée. Fonds, grilles, points ajourés.*

**CONTR. Plein ; aveugle.**

**AJOURER** [aʒuʀe] v. tr. — Fin XIX^e^ (1891, Rodenbach, au pron. et fig. ; 1895, Huysmans) ; de *ajouré.*

Percer d'ouvertures, de jours (un ouvrage d'architecture, un linge, etc.) de caractère ornemental. *Ajourer un napperon.* — (Sujet n. de chose). Constituer un ensemble ajouré :

1 (...) leur parfum s'étendait aussi onctueux, aussi délimité en sa forme que si j'eusse été devant l'autel de la vierge, et les fleurs, aussi parées, tenaient chacune d'un air distrait son étincelant bouquet d'étamines, fines et rayonnantes nervures de style flamboyant comme celles qui à l'église ajouraient la rampe du jubé ou les meneaux du vitrail...
PROUST, Du côté de chez Swann, Pl. t. I, p. 138.

V. pron. Littér.

2 Est-ce pour toi pour moi que je pense l'amour
Mon semblable tes yeux sont sources de lumière
Tu t'ajoures tu t'ensoleilles
ÉLUARD, Fresque, III, Pl., t. I, p. 1205.

**DÉR. Ajour, ajourage.**

**AJOURNABLE** [aʒuʀnabl] adj. — 1845 ; de *ajourner.*

Rare. Qui peut être ajourné. *Décision ajournable.*

**AJOURNEMENT** [aʒuʀnəmɑ̃] n. m. — Mil. XIII^e^ ; « lever du jour », fin XII^e^ ; de *ajourner.*

Action d'ajourner.

♦ **1** Dr. anc. (le terme a disparu du Code de procédure civile). Assignation à comparaître à jour fixe devant le tribunal civil. *Exploit d'ajournement :* exploit d'huissier par lequel la partie adverse était invitée à comparaître, à tel jour, devant le tribunal. → **Assignation, citation.**

♦ **2** (1751 ; *adjournement,* 1672 ; angl. *adjournment ;* au XVIII^e^ dans des contextes politiques anglais puis américains ; 1790, Mirabeau, en contexte français). Renvoi à une date ultérieure, ou à un temps indéterminé. → **Remise, renvoi.** *L'ajournement d'un procès, d'un mariage, d'une discussion, d'un projet. Le ministre a demandé l'ajournement du débat. Ajournement des Chambres :* suspension de la session des Chambres par le gouvernement pour un temps indéterminé.

Spécialt. Renvoi d'un conscrit *(ajournement d'incorporation)* à une nouvelle séance du conseil de révision, d'un candidat à une nouvelle session d'examen.

♦ **3** Fait de remettre à plus tard les décisions, d'atermoyer. → **Atermoiement, procrastination, retard, temporisation.** *D'ajournement en ajournement, le projet est à peu près abandonné. Ajournement indéfini :* fin de non-recevoir.

(...) peut-être cette habitude, vieille de tant d'années, de l'ajournement perpétuel, de ce que M. de Charlus flétrissait sous le nom de procrastination (...)
PROUST, À la recherche du temps perdu, t. XI, I, p. 105.

**CONTR. Admission.**

**AJOURNER** [aʒuʀne] v. tr. — XIII^e^ ; « faire jour », 1080 ; de *a-* et *jour* (anc. forme *jorn*).

♦ **1** Dr. anc. Assigner à comparaître par l'ajournement* (1.).

♦ **2** (1775 ; *adjourner* 1672 ; angl. *to adjourn* → Ajournement ; au XVIII^e^ en contexte angl. et amér.). Remettre à un autre jour ou à un temps indéterminé. → **Différer, reculer** (la date), **renvoyer.** *Le gouvernement a préféré ajourner le débat. Ajourner un procès.*

Gambetta craignait les élections qui pouvaient être à la fois hostiles à la République et favorables à la paix. On prit donc le parti de les ajourner. 1
J. BAINVILLE, Hist. de France, XXI.

(1794, Beaumarchais). Remettre, retarder (une décision, l'exécution d'un projet, etc.). *La nouvelle ajourna leur séparation.*

(...) il *(Bonaparte)* n'avait pu se décider à sacrifier entièrement le rêve d'Orient. J'ai dit qu'il en ajournait seulement la réalisation. 2
Louis MADELIN, Hist. du Consulat et de l'Empire, t. VI, p. 272.

Littér. *Ajourner de...* (et inf.). *Il ajournait de partir.*

Il ajournait sans cesse de montrer à Solange l'album de photos, de lui parler de son fils. 2
MONTHERLANT, les Lépreuses, in Romans, Pl., p. 1413.

Absolt. Remettre une décision, les décisions à plus tard. → **Atermoyer, temporiser.**

Quand le fanatique pense, ne vous mettez pas en travers. Socrate ajournait. Montaigne ajournait. Descartes ajournait. En Descartes la méthode enfin se montre ; l'ordre paraît. « Avant de connaître telle chose, je dois connaître d'abord telle autre chose, plus simple. » 2
ALAIN, Propos, 24 janv. 1928, Le fanatisme.

♦ **3** (Compl. n. de personne). *Ajourner un conscrit,* le renvoyer à une séance ultérieure du conseil de révision. — *Ajourner un candidat :* le renvoyer à une autre session d'examen. → **Éliminer, refuser ; coller** (fam.), **recaler** (fam.).

A propos... Toi, en cas de guerre ?... Tu as été ajourné, n'est-ce pas ? Mais... si on mobilisait ? 3
MARTIN DU GARD, les Thibault, VII, XXXX.

◆ **AJOURNÉ, ÉE** p. p. adj. *Procès ajourné. Décision ajournée.*

Renvoyé à un conseil de révision ultérieur, en parlant d'un appelé du service national. — N. *Un réformé temporaire est un ajourné. Les ajournés et les exemptés.*

Renvoyé à une session ultérieure en parlant d'un candidat à un examen, à un concours. *Candidat ajourné à un an.* — N. *Les admissibles et les ajournés.*

**CONTR. Admettre, recevoir. — V. Admis, admissible.** ◇ **DÉR. Ajournable, ajournement.**

**AJOUT** [aʒu] n. m. — 1895 ; de *ajouter.*

♦ **1** Élément ajouté (à l'original, au plan primitif...). → **Addition, adjonction, ajoute** (régional), **ajouté.** *Manuscrits, épreuves surchargés d'ajouts.* → **Ajouté.** *L'édifice a été gâté par des ajouts.* → **Ajoutage, ajouture** (régional). *Faire des ajouts à...*

La ligne était pour lui *(Angelico)* par trop subordonnée à la figure (...) et la couleur un ajout, un remplissage de formes.
GIDE, Journal, Feuilles de route, 16 déc. 1895.

Spécialt. Addition à un texte en cours de composition.

♦ **2** Action d'ajouter. *Cette confiture est sans ajout de sucre. Jus de fruits sans ajout de colorants ni de conservateurs.* → **Addition, adjonction.**

**AJOUTAGE** [aʒutaʒ] n. m. — 1752 ; de *ajouter.*

Arts. Chose ajoutée à une autre. → **About, addition, adjonction, ajoutement, allonge, joint, raccord, rallonge.**

Ce n'est pas encore ce style uni de porphyre sans un interstice, sans un ajoutage.
PROUST, Contre Sainte-Beuve, p. 300, *in* D. D. L., II, 7.

CONTR. **Retranchement, suppression.**

**AJOUTE** [aʒut] n. f. — 1799 (mais antérieur : il s'agit alors d'une critique de ce belgicisme); déverbal de *ajouter.*

Régional (Belgique). Ajout* (à un texte, un vêtement, etc.). → **Ajoutage, ajouté, ajoutement; addition, supplément.**

**AJOUTÉ** [aʒute] n. m. — 1845, *in* Wartburg; p. p. de *ajouter.*

Vieilli. (imprim.). Ce que l'auteur ajoute à un texte après la correction d'épreuves. *Le bon à tirer est donné, l'imprimeur n'acceptera pas vos ajoutés.* → **Addition, ajout, correction.**

CONTR. **Retranchement, suppression.**

**AJOUTEMENT** [aʒutmɑ̃] n. m. — XIVe, Machaut; *ajostement* «accord», au XIIe; de *ajouter.*

Rare. Ajout* (à un texte). Syn. : *ajoutage.*

**AJOUTER** [aʒute] v. tr. — XIIe; «mettre auprès, réunir», 1080; d'abord *ajoster, ajuster;* de l'anc. franç. *joste* «auprès», du lat. *juxta.* → Jouter.

♦ **1** *Ajouter* (qqch.) *à :* mettre en plus ou à côté de. *Ajouter une chose à une autre.* → **Adjoindre, augmenter, compléter, joindre, unir.** *Ajouter un nombre à un autre.* → **Additionner.** *Vous ajouterez une rallonge à la table* (→ **Allonger**). *Ajouter de l'eau à son vin.* → **Additionner; couper, étendre** (de...). *Ajouter un produit, une substance à un(e) autre* (→ **Additif, adjuvant**). *Ajouter des additions, un addendum à un manuscrit* (→ **Ajout, ajouté**). *Il a dû ajouter un chapitre à son ouvrage.* → **Insérer, intercaler.** *Ajouter des éléments nouveaux à un texte en le corrigeant, en le retouchant. Ajouter qqch. pour compléter.* → **Parfaire, suppléer; apporter** (le complément, le surplus). *Ajouter des ornements à une décoration.* → **Embellir, enrichir, orner.** *C'est ce qu'il raconte, mais il y ajoute du sien :* il amplifie, il grossit l'histoire. → **Enchérir, exagérer.**

Fig. Considérer en outre. *Ajoutez à cela son mauvais caractère.*

V. tr. ind. (sans compl. direct). Augmenter, accroître. *En intervenant, il ajoute à la pagaille* (→ ci-dessous cit. 2, 5, 6, 9).

1 La sévérité des femmes est un ajustement et un fard qu'elles ajoutent à leur beauté.
LA ROCHEFOUCAULD, *in* Pierre LAROUSSE, art. *Ajustement.*

2 *(L'ours)* Glosa sur l'éléphant; dit qu'on pourrait encor
Ajouter à sa queue, ôter à ses oreilles.
LA FONTAINE, Fables, I, 7.

3 Il voulut ajouter la parole aux habits.
LA FONTAINE, Fables, III, 3.

4 Souffrez qu'à mon logis j'ajoute encore une aile.
LA FONTAINE, Fables, VIII, 1.

5 Si j'osais ajouter au mot de l'interprète.
LA FONTAINE, Fables, X, 4.

6 — La sottise dans l'un se fait voir toute pure.
— Et l'étude dans l'autre ajoute à la nature.
MOLIÈRE, les Femmes savantes, IV, 3.

7 Est-ce ainsi qu'au parjure on ajoute l'outrage (...)
RACINE, Iphigénie, IV, 6.

8 Ajoutez cette grâce à tant d'autres bontés (...)
RACINE, Bajazet, V, 4.

9 La crainte ajoute à nos peines, comme les désirs ajoutent à nos plaisirs. MONTESQUIEU, Cahiers, p. 28.

Peignez-moi exactement une de vos journées, sans rien ajouter ni retrancher par vanité. 10
STENDHAL, Souvenirs d'égotisme, p. 289.

L'homme a toujours voulu ajouter quelque chose à Dieu. L'homme retouche la création, parfois en bien, parfois en mal. HUGO, l'Homme qui rit, I, II, II. 11

Absolument :

Ajoutez quelquefois, et souvent effacez. 12
BOILEAU, l'Art poétique, I.

♦ **2** Spécialt. *Ajouter qqch. :* dire en plus. *Permettez-moi d'ajouter un mot. Ajouter une parole, un dernier mot.* → **Dire.** *Il ajouta :... J'ajouterai, ajoutons, ajoutez que... Inutile d'ajouter que...*

Eh bien ! ajouta-t-il (...) LA FONTAINE, Fables, V, 20. 13

Qu'ajouterai-je davantage ? 14
LA BRUYÈRE, les Caractères, XII, 56.

♦ **3** Loc. (XIIe). **AJOUTER FOI À (qqch., qqn) :** accorder créance à. → **Croire.** *Il ne faut pas lui ajouter foi légèrement* (Académie).

A ces discours trompeurs le monde ajoute foi. 15
BOILEAU, Satires, II.

Et celles *(les vérités)* qu'on vante, sans y ajouter foi. 16
BEAUMARCHAIS, le Mariage de Figaro, IV, 1.

◆ **S'AJOUTER** v. pron. Se joindre, en grossissant, en aggravant, en renforçant. *Cet appoint s'ajoute à son salaire. Le charme s'ajoute à sa beauté.* → **Accompagner, compléter.** *Pour comble de malheur, une nouvelle complication vient s'ajouter à nos difficultés.* → **Greffer** (se). *Ces renforts viendront s'ajouter à nos troupes.* → **Grossir, renforcer.** *Les deux sommes doivent s'ajouter.*

◆ **AJOUTÉ, ÉE** p. p. adj. *Éléments ajoutés. Deux mots ajoutés.*

Loc. *Taxe à la valeur* ajoutée* (T. V. A.).

CONTR. **Déduire, défalquer, diminuer, enlever, ôter, retirer, retrancher, soustraire, supprimer.** ◊ DÉR. **Ajout, ajoutage, ajoute, ajouté, ajoutement, ajoutoir, ajouture.** – COMP. **Rajouter, surajouter.**

**AJOUTOIR** [aʒutwaʀ] n. m. — 1739; de *ajouter.*

Vx. Ajutage.

**AJOUTURE** [aʒutyʀ] n. f. — 1852; de *ajouter.*

Régional. Élément ajouté (au propre ou au fig.). → **Ajout.**

Au lieu de s'être faite à petites économies, avec des matériaux disparates, par ajoutures et flanquements de fortune, elle *(la maison)* était d'une seule venue.
M. AYMÉ, la Vouivre, p. 23.

**AJUST** [aʒyt] n. m. → **Ajut.**

**AJUSTABLE** [aʒystabl] adj. — 1892; de *ajuster.*

Que l'on peut ajuster. — Dr. *Formule ajustable :* contrat d'assurance dont la forme permet de faire varier le montant des sommes assurées. — Électron. *Condensateur ajustable,* réglable par déplacement d'une lame conductrice mobile devant une lame fixe.

**AJUSTAGE** [aʒystaʒ] n. m. — 1350; de *ajuster.*

♦ **1** Techn. et cour. Action d'ajuster; résultat de cette action. Série d'opérations d'usinage ou de finissage à la main de pièces mécaniques, destinée à donner à une pièce la dimension exacte que requiert son ajustement à une autre (→ **Alésage, brunissage, grattage, limage, marbrage, montage, polissage, rodage, taraudage).** *Un ajustage précis, rigoureux.*

Si l'eau montait à n'importe quelle hauteur dans les corps de pompe, la technique du fontainier suffirait : plus grande serait la hauteur à atteindre, plus parfaits devraient être la construction du corps de pompe, l'ajustage des tubulures, le rodage des clapets.

Gilbert SIMONDON, Du mode d'existence des objets techniques, p. 205.

Par métaphore, fig. *Un ajustage d'idées, d'éléments...* → **Ajuster.**

♦ **2** Techn. Mise à l'épaisseur des lames métalliques devant fournir les flans monétaires, pour obtenir le poids légal. *Ajustage des flans, des monnaies.*

♦ **3** (1676). Vx. → **Ajutage.**

**AJUSTEMENT** [aʒystəmɑ̃] n. m. — 1328, *adjutement*, admin.; 1611 au sens 1.; de *ajuster*.

♦ **1** Action d'ajuster une chose à une autre, ou plusieurs choses ensemble. → **Accommodation, accord, adaptation, rapport.**

Techn. Fait d'être ajusté; degré de serrage ou de jeu entre deux pièces assemblées (mâle et femelle). *Ajustement bloqué, glissant, libre, serré, tournant. Des entailles d'ajustement.*

♦ **2** (1611). Fig. Adaptation, mise en rapport (pour faire que les diverses parties d'un ensemble constituent un tout agréable). *L'ajustement des mots dans un texte.*

1 (...) le choix, l'ajustement et la mise en rapport des termes,

G. DUHAMEL, Discours aux nuages, I.

*L'ajustement d'une maison.* → **Agencement, arrangement, disposition.**

Par ext. (Souvent au plur.). Accommodement, moyen de conciliation. *Chercher, trouver des ajustements dans une affaire.* → **Conciliation, entente** (terrain d'entente).

2 Un amant suit sans doute une utile méthode,
S'il fait qu'à notre humeur la sienne s'accommode;
Et cent devoirs font moins que ces ajustements
Qui font croire en deux cœurs les mêmes sentiments.

MOLIÈRE, Dom Garcie, IV, 6.

♦ **3** (1659). Vx. Arrangement de la toilette, de la coiffure. → **Habillement, mise, parure, toilette.** — Par ext. (vx). La parure elle-même. *Des ajustements de femme.*

3 Quiconque à son mari veut plaire seulement,
Ma bru, n'a pas besoin de tant d'ajustement.

MOLIÈRE, Tartuffe, I, 1.

4 Je ne comprends pas comment un mari qui s'abandonne à son humeur (...) qui est trop négligé dans son ajustement (...) peut espérer de défendre le cœur d'une jeune femme contre les entreprises de son galant, qui emploie la parure et la magnificence (...)

LA BRUYÈRE, les Caractères, III, 74.

5 Théognis est recherché dans son ajustement, et il sort paré comme une femme (...)

LA BRUYÈRE, les Caractères, IX, 48.

6 Et la dernière main que met à sa beauté
Une femme allant en conquête,
C'est un ajustement des mouches emprunté.

LA FONTAINE, Fables, IV, 3.

♦ **4** Psychol. *Méthode d'ajustement*, pour déterminer la variation minimale du stimulus qui entraîne une modification discriminante de la sensation.

Statist. Procédé statistique consistant à éliminer les irrégularités constatées dans des tracés ou des indices, pour faire apparaître plus clairement la tendance générale. *Ajustement de séries statistiques à une loi de probabilité. Ajustement graphique, ajustement par lissage... L'ajustement permet la représentation de la loi de variation du phénomène étudié.*

1. **AJUSTER** [aʒyste] v. tr. — 1260 «rendre conformes (des poids, des mesures, des monnaies)» → ci-dessous, B., 1.; de *a-*, et *juste*.

**A** ♦ **1** (1480; emplois techn. de *ajuster à...* XVIIIe). Mettre en état d'être joint à (qqch.) par une adaptation, par un ajustage. **AJUSTER (qqch.) À, AVEC, SUR...** *Ajuster un couvercle à une boîte, un châssis à une fenêtre, un tuyau à un robinet, un manche à un outil. Ajuster un embout sur un tuyau, au bout d'un tuyau. Ajuster un vêtement aux mesures de quelqu'un. Ajuster des fers aux sabots d'un cheval. On a fait ajuster à sa taille les vêtements de son frère aîné.* → **Adapter, appliquer** (exactement).

Absolt. Techn. Façonner des métaux d'après un plan (→ **Ajusteur**). *Ajuster à frottement dur.*

♦ **2** (XVIe). Fig. Mettre en accord, en conformité avec. *Ajuster un air sur des paroles. Il ajuste la morale avec ses goûts. Il veut ajuster les faits à sa théorie.* → **Accommoder, accorder, adapter, conformer.**

Il sait bien ajuster ses yeux à ses paroles 1

CORNEILLE, la Galerie du Palais.

*(Ces gens)* Qui savent ajuster leur zèle avec leurs vices. 2

MOLIÈRE, Tartuffe, I, 5.

L'expression au XVIIe siècle est d'une justesse, d'une exactitude merveilleuse, admirablement ajustée à la pensée. 3

Émile FAGUET, XVIIe s., p. 384.

**B** Rendre juste, plus juste. ♦ **1** (1260; premier sens attesté). Mettre aux dimensions convenables, rendre conforme à un étalon. *Ajuster un flan, une pièce de monnaie*, la rendre conforme au poids légal. → **Ajustage**, 2. — *Ajuster une balance.* — (1680). *Ajuster les rênes d'un cheval.* → **Égaliser.** *Ajuster les deux branches d'une paire de ciseaux.* → **Entabler.** — (Avec un compl. prépositionnel). *Ajuster deux pièces l'une sur l'autre.*

Techn. Mettre en état de fonctionner. *Ajuster une pièce, une machine.* → **Ajustage.**

♦ **2** **a** Vieilli. *Ajuster son coup de fusil* (de manière qu'il soit juste), *ajuster son fusil pour tirer, viser juste.*

**b** Mod. Viser avec une arme à feu. *Ajuster un lièvre. Ajuster bien.* → **Viser.** — REM. Le verbe ne s'emploierait plus en parlant d'armes blanches :

Un chien de cour l'arrête; épieux et fourches-fières 4
L'ajustent de toutes manières.

LA FONTAINE, Fables, IV, 16.

Les grives, de retour des prés, fusent avec rapidité entre les chênes. Il *(le chasseur)* les ajuste pour se faire l'œil. 5

J. RENARD, Poil de Carotte, p. 82.

*Ajuster qqn*, le viser, tirer sur lui.

(...) un endroit où l'on vous assassinait sans qu'on ait le temps de faire ouf, les types tranquillement installés comme au tir forain derrière une haie ou un buisson et prenant tout leur temps pour vous ajuster, le vrai casse-pipe en somme (...) 5.

Claude SIMON, la Route des Flandres, p. 13.

Loc. fig. *Ajuster son coup :* bien combiner son coup. → **Calculer.**

♦ **3** Fig. (vx). Arranger une chose de manière qu'elle paraisse juste.

Bien qu'au moins mal qu'il pût il ajustât l'histoire, 6
Le loup fut un sot de le croire.

LA FONTAINE, Fables, XI, 6.

♦ **4** (1659). Vx. Mettre (une chose) dans un état convenable, selon ses goûts. *Ajuster sa maison, sa chambre. Vous avez bien ajusté votre cabinet de travail.* → **Agencer, arranger, disposer, embellir, ordonner.** *Ajuster sa toilette, sa parure, sa coiffure... :* se parer.

Je voudrais bien savoir de quelle façon on pourrait l'ajuster pour le rendre plaisant. 7

MOLIÈRE, l'Impromptu de Versailles, 5.

8 Ajustons un peu nos cheveux au moins, et soutenons notre réputation. MOLIÈRE, les Précieuses ridicules, 7.

*Ajuster son air, son maintien, son visage,* l'arranger pour la circonstance. → **Affecter, composer.**

9 (...) il n'est pas hors de sa maison qu'il a déjà ajusté ses yeux et son visage, afin que ce soit une chose faite quand il sera dans le public.
LA BRUYÈRE, les Caractères, IX, 48.

**C** Vieilli. Mettre (plusieurs choses) en accord, en conformité, en harmonie. *Ajuster deux pièces (ensemble).* → **Assembler, joindre, jumeler, monter.** — (1670). Vx. *Ajuster des instruments de musique,* les mettre au ton. → **Accorder (mod).** — Loc. fig. (Vieilli). *Ajustez vos flûtes :* mettez-vous d'accord avec vous-même, ou mettez-vous d'accord ensemble. → **Accorder.**

10 Prenez, Bergers, vos Musettes,
Ajustez vos chalumeaux (...)
MOLIÈRE, le Grand Divertissement royal.

*Ajuster des textes, des principes qui paraissent se contredire. Ajuster un différend.* → **Concilier.**

11 Nous avons ajusté si bien les intérêts (...)
MOLIÈRE, le Dépit amoureux, V, 4.

12 (...) veux-tu, Marquis, pour ajuster nos vœux,
Que nous tombions d'accord d'une chose tous deux.
MOLIÈRE, le Misanthrope, III, 1.

13 Conciliez un auteur original, ajustez ses principes, tirez vous-même les conclusions.
LA BRUYÈRE, les Caractères, XIV, 72 (→ Accorder).

(Vieilli). *Ajuster deux personnes l'une avec l'autre, les ajuster ensemble :* les concilier. *Il n'y a pas moyen de les ajuster, leurs points de vue sont inconciliables.* — *Ajuster une querelle,* la terminer à l'amiable.

◆ **S'AJUSTER** v. pron.

♦ **1** (XVI^e). S'adapter. *Ces deux pièces s'ajustent bien. Cet habit s'ajuste bien à la taille.* → **Aller, adapter** (s'), **appliquer** (s'), **coïncider, coller, emboîter** (s'), **mouler.**

13.1 L'histoire de la pensée humaine est, pour les neuf dixièmes, l'histoire d'un vain jeu de cubes où les pièces ne cessent d'aller et venir, usées, abîmées, truquées, s'ajustant mal. J.-M. G. LE CLÉZIO, l'Extase matérielle, p. 111.

♦ **2** Vx. Se mettre d'accord avec. → **Accommoder** (s'), **conformer (se), entendre** (s'entendre avec).

14 Suivons, suivons l'exemple, ajustons-nous au temps.
MOLIÈRE, Psyché, I, 1.

Littér. Être d'accord, en accord avec. → **Accorder** (s'accorder à), **cadrer** (avec).

15 Cela s'ajuste assez mal (...) au dessein que vous avez pris.
MOLIÈRE, le Sicilien, 7.

16 Il est souvent plus court et plus utile de cadrer aux autres que de faire que les autres s'ajustent à nous.
LA BRUYÈRE, les Caractères, V, 48.

(1680). Vx. Disposer avec soin les objets de son habillement, de sa coiffure. → **Parer** (se).

17 Il se lava à grande eau fraîche, s'ajusta mieux, avec une certaine coquetterie (...) LOTI, Mon frère Yves, LXXX.

Se mettre en posture convenable.

18 Et trouvant un lieu propre à dormir d'un bon somme,
J'essayais ma posture, et m'ajustant bientôt,
Prenais déjà mon ton pour ronfler comme il faut (...)
MOLIÈRE, la Princesse d'Élide, I, 2.

◆ **AJUSTÉ, ÉE** p. p. adj.

♦ **1** *Être ajusté,* visé. *Un coup bien ajusté.*

18.1 Ajusté des deux côtés par des milliers de fusils, de pistolets et de carabines, depuis la Bastille jusqu'à la rue de Richelieu, il n'avait pas été atteint,
BARBEY D'AUREVILLY, les Diaboliques, «Le rideau cramoisi».

♦ **2** Spécialt. *Un vêtement ajusté, bien ajusté,* qui dessine bien les formes. → **Collant, serré.**

Fig., iron. Arrangé, accommodé.

Vous l'avez voulu; vous l'avez voulu, George Dandin, vous l'avez voulu; cela vous sied fort bien, et vous voilà ajusté comme il faut : vous avez justement ce que vous méritez. 19
MOLIÈRE, George Dandin, I, 9.

♦ **3** Vx. *Des cartes ajustées,* arrangées pour tricher au jeu.

CONTR. **Déranger, désajuster.** ◇ DÉR. **Ajustable, ajustage, ajustement, ajusteur, ajustoir, ajusture, ajutage, ajutoir.** → COMP. **Rajuster, réajuster.**

2. **AJUSTER** [aʒyste] ou **AJUTER** [aʒyte] v. tr. — 1702; *avuster,* 1687; de *à,* et *juste.*

Mar. Joindre en faisant un ajut (ou ajust). *Ajuster deux filets.*

DÉR. **Ajut.**

**AJUSTEUR** [aʒystœʀ] n. m. — XVI^e, «celui qui ajuste les monnaies»; sens mod. au XIX^e, d'abord en horlogerie, puis (1845) syn. de *monteur;* de 1. *ajuster.*

Ouvrier qui trace et façonne des métaux d'après un plan, qui réalise des pièces mécaniques afin qu'elles s'ajustent parfaitement dans l'assemblage, le montage. *L'outillage de l'ajusteur* (→ **Alésoir, grattoir, lime, perceuse, tampon...**). *Travail de l'ajusteur.* → **Ajustage.** *Il est ajusteur chez Renault. Ajusteur mécanicien. Ajusteur outilleur,* spécialisé dans les mises au point de calibres, moules, outillages de fabrication. *Ajusteur de précision.* — Appos. *Ouvrier ajusteur.*

(...) le fils aîné en bleu de mécanicien, affairé au réglage de ses moteurs, vif et intelligent comme un ouvrier ajusteur (...) Roger VAILLAND, Drôle de jeu, p. 139.

**AJUSTOIR** [aʒystwaʀ] n. m. — 1676; de 1. *ajuster.*

Techn. (vx). Petite balance pour ajuster les monnaies. → **Trébuchet.**

**AJUSTURE** [aʒystyʀ] n. f. — 1757; de 1. *ajuster.*

Techn. Concavité donnée au fer à cheval pour qu'il s'adapte au pied de l'animal.

**AJUT** [aʒyt] n. m. — 1751, *ajuste;* 1687, *avuste; ahuste,* XVII^e; de 2. *ajuster.*

Mar. (dans des expr.). Le fait de joindre, d'ajuster. *Faire ajut, un ajut (entre deux cordages),* les relier par un nœud. → 2. **Ajuster.** *Nœud d'ajut,* servant à joindre deux cordages (ex. : le nœud plat, le nœud de plein poing). — Spécialt. Le nœud de vache, constitué de deux demi-clefs inversées (nœud plat mal exécuté).

Un bateau moderne n'est à vrai dire qu'un parallélépipède rectangle plus ou moins long, auquel on raboute, tant bien que mal, un avant et un arrière (...) L'art de l'ingénieur naval se réduit aujourd'hui au calcul plus ou moins heureux qu'il fera de cet avant d'ajust.
J.-R. BLOCH, Sur un cargo, p. 159.

On écrit parfois encore *ajust.*

**AJUTAGE** [aʒytaʒ] ou **AJUTOIR** [aʒytwaʀ] n. m. — 1701, var. de *ajustage* (1676 dans ce sens); *ajustoir,* 1700; de 1. *ajuster.*

Techn. Petit tuyau que l'on ajuste à l'orifice d'écoulement d'un liquide ou d'un gaz pour en régulariser le débit. *L'ajutage d'un tuyau d'arrosage. Ajutage à tête d'arrosoir. Ajutage pour le bec de gaz. Changer, remplacer l'ajutage. Ajutage cylindrique rentrant,* dit *ajutage de Borda.* — *Ajutage en mince paroi,* percé dans une paroi amincie.

*Ajutage chirurgical* (en caoutchouc, plastique).

**AJUTER** [aʒyte] v. tr. → 2. **Ajuster.**

**AKAN** [akɑ̃] n. m. — Attesté XX^e; mot de cette langue.
Didact. Langue africaine du groupe kwa (branche centrale) parlée au Ghāna et dans l'Est de la Côte d'Ivoire. (Dialectes : twi, fante...) *«Pourvu d'une orthographe, d'une littérature et d'une presse, l'akan sert, parmi d'autres, de langue d'enseignement au niveau primaire au Ghana»* (G. Hérault, in *les Langues du monde...*, t. I, p. 140).

**AKASSA** [akasa] n. m. — D. i.; mot d'une langue africaine.
En Afrique noire, Pâte de maïs cuite à l'eau (on dit aussi *pâte de maïs*).

On achetait des gâteaux, des beignets, des boules d'akassa (...). Il y avait des vendeuses de pâtes de maïs et de sauces diverses (...)
D'après Olympe BHÊLY-QUÉNUM, Un piège sans fin, *in* Pages africaines, II, p. 26 (Hatier).

**AKÈNE** [akɛn] n. m. — 1802; de 2. *a-*, et grec *khainein* «entrouvrir».
Bot. Fruit indéhiscent dont les parois sont distinctes de l'unique graine qu'il renferme. *Akènes de la renoncule, du rosier. Le fruit du chêne, du hêtre, est un akène.* → **Faîne, gland.** *Les graminées ont un akène particulier, dont la graine est soudée à la paroi du fruit.* → **Caryopse.**
REM. On trouve aussi, rarement, les formes archaïques *achaine* et *achène* [akɛn].
COMP. **Diakène, polyakène.**

**AKINÉSIE** [akinezi] n. f. → **Acinèse.**

**AKKADIEN, IENNE** [akadjɛ̃, jɛn] adj. et n. m. — 1878, *accadien*; de *Akkad,* nom hébreu d'une ville de Mésopotamie.
Hist. Du pays d'Akkad, région de la Mésopotamie centrale (au nord de Sumer). *L'art akkadien.* — N. m. *L'akkadien,* la plus ancienne des langues sémitiques (sémitique oriental).
HOM. **Acadien.**

**AKO** [ako] n. m. — D. i. (XX^e); mot d'une langue africaine.
Bot. Techn. Arbre d'Afrique tropicale (n. sc. : *antiaris*) fournissant un bois clair. — Ce bois, employé en menuiserie, placage, caisserie.

**AKRA** [akʀa] n. m. → **Acra.**

**AKSAK** [aksak] n. m. — Mil. XX^e; mot turc, «boiteux».
Mus. Rythme de danse à deux temps irréguliers.

**AKVAVIT** ou **AQUAVIT** [akwavit] n. m. — 1923; mot suédois, «eau *(akva)*-de-vie».
Eau-de-vie scandinave, le plus souvent parfumée (anisée, etc.). *Un verre d'akvavit avec les hors-d'œuvre.*

1 On ne servit à boire que du lait et une bière non fermentée. D'un sac à éponges, je sortis sournoisement l'acquavit *(sic)* norvégien.
Paul MORAND, Ouvert la nuit, La nuit nordique, p. 185.

2 J'allai à «La Lune rousse» avec Rirette Nizan et nous achevâmes la soirée en buvant de l'akvavit aux «Vikings».
S. DE BEAUVOIR, la Force de l'âge, p. 58.

Écrit *aquavit :*

3 Mais liqueurs au choix
Lors comme la chair,
Aquavit danois,
Anis grec amer (...)
Max ELSKAMP, la Rue Saint-Paul.

**Al** [aɛl] Symbole chimique de l'aluminium.

**AL-** ou **EL-** Élément, provenant de l'article défini arabe, par lequel commencent un grand nombre de mots français empruntés à l'arabe : *alcoran, alcade, alcool, alcôve, algèbre,* etc.

1. **-AL** Suffixe servant à former des adjectifs : *gouvernemental, magistral, spectral, théâtral...* (fém. *-ale,* plur. masc. *-aux,* plur. fém. *-ales*).
REM. Certains dérivés sont propres aux vocab. techn. — Ex. : (ling.) *adverbial, suffixal;* (méd.) *discal, stomacal.*

2. **-AL** Suffixe servant à former des noms de composés chimiques, et qui indique la présence de la fonction aldéhyde dans la molécule.

**ALABANDINE** [alabɑ̃din] n. f. — 1845; *alemandine,* 1160 (→ Almandin); de *Alabanda,* ancienne ville d'Asie Mineure d'où les Anciens tiraient cette pierre.
Minér. Sulfure de manganèse naturel. On dit aussi *alabandite.* — Variété de grenat d'un rouge foncé que les lapidaires classent entre le rubis et l'améthyste. Syn. : *rubis spinelle.*

**ALABASTRE** [alabastʀ] n. — 1845; du lat. *alabastrum.* → Albâtre.

♦ **1** N. f. → **Alabastrite.**

♦ **2** N. m. Hist., archéol. Vase à parfums, fabriqué en albâtre gypseux, ou *alabastrite,* utilisé pour la toilette et certaines cérémonies, dans l'Antiquité. → Aryballe, cit.
REM. On trouve aussi les formes *alabastron* [alabastʀɔ̃], *alabaster* [alabastɛʀ].

**ALABASTRIN, INE** [alabastʀɛ̃, in] adj. — 1842; dér. sav. du lat. *alabastrum.* → Albâtre.
Minér. De la nature de l'albâtre. — Fig., littér. D'albâtre. *«Une transparence alabastrine»* (Gautier, *in* T. L. F.).

**ALABASTRITE** [alabastʀit] n. f. — 1771; lat. *alabastrites,* du grec *alabastron.* → Albâtre.
Minér. Variété de gypse ou sulfate de calcium naturel, appelée aussi *albâtre gypseux,* que l'on extrait notamment près de Volterra (en Toscane). *L'alabastrite ou* faux albâtre, *moins diaphane, moins dure, ne prenant pas un aussi beau poli que l'albâtre proprement dit, sert à la fabrication de petits objets : vases à parfums* (→ **Alabastre**), *statuettes* (→ **Albâtre**).
On dit aussi *alabastre* [alabastʀ].

**ALÂCHIR** [alɑʃiʀ] v. intr. — Fin XII^e «lâcher», de 1. *a-,* et *lâcher* (anc. franç. *laschier*).
Vx ou régional. Rendre mou, lâche. → **Amollir, aveulir.** — (1606). V. pron. *S'alâchir :* tomber en faiblesse.

**ALACRITÉ** [alakʀite] n. f. — 1542; «joie, allégresse», 1495; lat. *alacritas* «vivacité», de *alacer, alacris.* → Allègre.
Littér. (ou style soutenu). Gaieté d'humeur, enjouement, vivacité. *L'alacrité de qqn, d'un caractère.*

(...) cette alacrité de l'âme, qui nous permet de résister si aisément aux premiers efforts de la tristesse. 1
PRÉVOST-PARADOL *in* Pierre LAROUSSE.

Si l'on décidait de changer sa vie, il fallait commencer par le plus urgent : la discipline physique, l'observance du régime le moins nocif possible. Il fallait retrouver l'alacrité corporelle et mentale de la jeunesse, dissiper la lourdeur de ces nourritures trop riches, trop abondantes, qui avaient fatigué tous ses organes. 2
Jean-Louis CURTIS, le Roseau pensant, p. 165.

(Choses). Caractère vif.

3 (...) un vent audacieux, rapide, plein d'alacrité qui l'avait obligée à se réveiller (...)
F. SAGAN, la Chamade, p. 120.

CONTR. **Mélancolie, tristesse.**

**ALAIN** [alɛ̃] n. m. — 1338; probablt esp. *alano, alán,* d'orig. obscure; Sainéan proposait *chien allant.*

Vx ou vénerie. Chien courant, dogue utilisé pour la chasse au loup et au sanglier.

Apposition :

Huit dogues alains, bêtes formidables qui sautent au ventre des cavaliers et n'ont pas peur des loups.
FLAUBERT, Trois contes, «La légende de saint Julien l'Hospitalier».

**ALAIRE** [alɛʀ] adj. — 1827; lat. *alarius,* de *ala.* → Aile.

Didact. Qui appartient, est relatif à l'aile (d'un animal; de l'avion). *Plumes alaires. Membrane alaire des chauves-souris. — Surface alaire :* surface des ailes d'un avion; *charge* alaire.*

Que la décoration alaire du papillon ait une valeur mimétique est d'un tout autre ordre que l'adéquation de son aile au déplacement aérien; cette dernière est réductible en formules mécaniques et a valeur de loi physique, les taches de l'aile appartiennent au domaine mouvant du style, si même, pour une certaine durée dans l'histoire des espèces, elles répondent, par raison darwinienne, à une fonction protectrice.
A. LEROI-GOURHAN, le Geste et la Parole, t. II, p. 122.

**ALAISE** [alɛz] n. f. → **Alèse.**

**ALAMBIC** [alɑ̃bik] n. m. — 1265; arabe *(')āl-, 'ānbīq;* du grec *ambix* «vase».

♦ **1** Appareil de distillation, de forme variable, composé d'une chaudière *(cucurbite),* où l'on place les matières à distiller, d'un couvercle *(chapiteau)* qui reçoit les vapeurs et les dirige dans une cuve d'eau froide *(réfrigérant)* par un gros tuyau incliné, terminé par un tube en spirale *(serpentin),* et enfin d'un récipient où l'on recueille le produit distillé. *Distiller l'alcool avec un alambic.* → **Distillation.** *Les alambics des bouilleurs de cru. Alambic de cuivre, de terre, de verre. Grand alambic.* → **Athanor** (alchim.). *Bec, col, panse, voûte d'un alambic. Déflegmateur* ou *rectificateur d'un alambic. Carafe à col d'alambic,* à goulot recourbé. *Cornues* et alambics.*

♦ **2** Loc. Vieilli. *Passer une affaire à l'alambic, par l'alambic,* l'examiner minutieusement. — *Ce raisonnement est tiré à l'alambic,* il est trop subtil. → **Subtilité.**

1 Un froid sermon passé par l'alambic.
J.-B. ROUSSEAU, Esprit, II, 3.

2 Les raisonnements en étaient tellement tirés à l'alambic qu'ils l'impatientèrent (...)
SAINT-SIMON, Mémoires, t. VIII, 346.

Littér. Par métaphore du sens 1. :

3 *(Le style)* traverse en pleine liberté tous les alambics de la grammaire. HUGO, Post-Scriptum de ma vie, p. 24.

DÉR. **Alambiquer.**

**ALAMBIQUAGE** [alɑ̃bikaʒ] n. m. — Av. 1847, Fr. Soulié, *in* P. Larousse; de *alambiqué.*

Littéraire.

♦ **1** Caractère de ce qui est alambiqué. → **Complication.**

♦ **2** *(Un, des alambiquages).* Ce qui est alambiqué.

Que d'alambiquages, que de petites intentions les modernes auraient prodigués sur ce sujet!
E. DELACROIX, Journal 1850-1854, 26 janv. 1852.

**ALAMBIQUER** [alɑ̃bike] v. tr. — 1552, métaphoriquement; sens concret, 1559; de *alambic.*

**I** Vx (jusqu'au XVIIe). Distiller au moyen de l'alambic; produire en distillant.

À force de le manier, remuer, alambiquer, il en avait composé un électuaire. la Satire Ménippée, début. 1

Vx. Élaborer, produire par un processus chimique.

— Au passif :

La quintessence du mûrier (...) est (...) alambiquée par le ver, qui la convertit en soie. 2
O. DE SERRES, Théâtre d'agriculture, V, 16.

**II** ♦ **1** (Déb. XVIIe, Larivey). Vx ou littér. (Le compl. désigne une personne, une faculté). Faire agir (l'esprit, etc.) d'une manière péniblement compliquée. *Alambiquer l'esprit, le sentiment.* Pron. *Son cerveau, son esprit s'alambique à...,* se tourmente, se torture à...

Son cerveau s'alambique à chercher (...) 3
MALHERBE, Ode à la Reine, variante.

(Réfl. indirect). *S'alambiquer l'esprit, le cerveau.* → **Torturer** (se).

Jamais je ne me suis alambiqué le cerveau à lire en Ronsard, Baïf et autres (...) 3.1
P. LARIVEY, le Laquais, II, 2, *in* HUGUET.

Pron. (Personnes). Vx. Se tourmenter, se donner de l'embarras, de la peine.

Sans nous alambiquer, servons-nous en; qu'importe? 4
MOLIÈRE, l'Étourdi, IV, 1.

♦ **2** Rendre compliqué par excès de recherche. *Alambiquer son style, ses raisonnements.* — Pron. *Depuis quelque temps, son style a tendance à s'alambiquer.*

Intrans. (ou absolt). Analyser, raisonner, parler, écrire de manière trop subtile et compliquée. *«Hâtez-vous, vous tronquez, retenez-vous, vous alambiquez...»* (Flaubert, *Souvenirs,* in T. L. F.).

◆ **ALAMBIQUÉ, ÉE** p. p. adj. (1688, Bossuet, → cit. 4.1).

Plus cour. que le verbe. (En parlant d'une œuvre littéraire, d'un discours). Trop compliqué, trop subtil sans nécessité. → **Compliqué, contourné, tarabiscoté.** *Expressions, métaphores, tournures alambiquées. Une rhétorique alambiquée.*

(Personnes). Qui parle, écrit de manière alambiquée.

Mais ils n'ont pas parlé plus nettement qu'ils s'égarent dans des discours alambiqués (...) 4.1
BOSSUET, Hist. des variations, 11.

*(Corneille)* n'est obscur, guindé, alambiqué (...) que quand il n'est pas soutenu par la force de son sujet. 5
VOLTAIRE, Commentaires sur Suréna, Préface.

J'en conclus que la véritable Elvire aurait peine à se reconnaître dans les pages alambiquées du roman panthéiste de M. de Lamartine. 6
SAINTE-BEUVE, Causeries du lundi, t. I, 29 oct. 1849.

C'est un esprit des plus confus, alambiqué, ce que nos pères appelaient un diseur de phébus et qui rend encore plus déplaisantes, par sa façon de les énoncer, les choses qu'il dit. 7
PROUST, À la recherche du temps perdu, t. III, p. 60.

Quand il me parlait, je sentais qu'il châtiait son langage, mais le résultat était déplorable. Il utilisait des formules de plus en plus alambiquées, se perdait en circonlocutions, et avait sans cesse l'air de s'excuser ou de devancer un reproche. 8
Patrick MODIANO, les Boulevards de ceinture, p. 82.

(D'un raisonnement). Compliqué et tortueux. *Des thèses, des hypothèses alambiquées.* → **Biscornu, quintessencié.**

(En général). *Des manières, des politesses alambiquées. Un code, une étiquette très alambiqués.*

DÉR. **Alambiqueur.** — (De *alambiqué*) **Alambiquage.**

**ALAMBIQUEUR, EUSE** [alɑ̃bikœʀ, øz] n. — 1747; «distillateur», emploi isolé, 1605; de *alambiquer.*

Vx. Personne qui raffine, qui subtilise à l'excès. → **Abstracteur** (abstracteur de quintessence); et aussi **alambiqué** (esprit).

(Avec un compl.). Personne qui alambique (qqch.). Alambiqueurs d'arguments.
FRÉDÉRIC II, Lettre à Voltaire, 24 avr. 1747.

**ALANDIER** [alɑ̃dje] n. m. — 1838, de *a-,* et *landier.*

Techn. Bouche ou foyer des fours servant à la cuisson des céramiques. *Fours à alandiers.*

**ALANE** [alan] n. m. — Mil. XX^e; de *al(uminium),* et suff. *-ane.*

Chim. Hydrure d'aluminium.

**ALANGUIR** [alɑ̃giʀ] v. tr. — 1539, au passif : ... *qui étaient alanguis de soif; s'alanguir,* XVI^e; de *à,* et *languir.*

♦ **1** Vieilli. Rendre languissant. *Sa maladie l'a tout alangui.* → **Abattre, affaiblir, fatiguer.**

1 (...) cette sorte de paresse qui souvent l'alanguissait *(Danton)* et qui ne lui permettait guère que des accès d'énergie et de brusques réveils.
JAURÈS, Hist. socialiste..., t. VIII, p. 248.

♦ **2** Rendre langoureux; remplir de langueur.

2 (...) ton chant m'énerve, m'alanguit, et me ferait tourner la tête comme un parfum trop fort (...)
Th. GAUTIER, le Roman de la momie, I.

◆ **S'ALANGUIR** v. pron. Devenir languissant, perdre de sa force, de son énergie.

3 (...) on la vit bientôt s'alanguir, perdre sa vigueur de pensée et de parole (...)
Georges LECOMTE, Ma traversée, p. 273.

3.1 Mon serpent resta d'abord inerte. Puis il souleva sa tête et, avec une vivacité effrayante que je ne lui connaissais pas, se déploya pour s'alanguir près du seau au-dessus duquel son cou se balança d'un mouvement lent et mou, régulier, pareil à celui que la houle imprime à un bateau.
Jacques LAURENT, les Bêtises, p. 172.

Devenir langoureux.

4 (...) quand elle lui prenait le bras, elle se laissait aller à s'alanguir, à trébucher, pour lui mieux manifester sa confiance, son abandon, son amour.
G. DUHAMEL, Chronique des Pasquier, V, 9.

◆ **ALANGUI, IE** p. p. adj.

♦ **1** Vx. Affaibli, privé de force, de vigueur. → **Languissant.** — *Alangui de...* (par la fatigue, la fièvre...).

5 (...) son corps alangui par la fièvre.
LAMARTINE, Jocelyn, IV.

Par métaphore. *Un rythme alangui.* → **Lent.** *Une musique alanguie. «Un petit train alangui»* (Gracq, *in* T. L. F.).

6 (...) une sorte de marche funèbre alanguie, féminine, chrétienne.
R. ROLLAND, Musiciens d'aujourd'hui, p. 171.

♦ **2** Empreint de langueur. *Des regards alanguis.* → **Langoureux, languissant; amoureux, tendre.**

CONTR. **Affermir, raffermir.** ◊ DÉR. **Alanguissant, alanguissement.**

**ALANGUISSANT, ANTE** [alɑ̃gisɑ̃, ɑ̃t] adj. — XIX^e; p. prés. de *alanguir.*

Rare. Qui alanguit, emplit de langueur. *«... les alanguissantes mélodies de Mendelssohn...»* (P. Bourget, *in* T. L. F.).

**ALANGUISSEMENT** [alɑ̃gismɑ̃] n. m. — 1562, en méd.; repris au XVIII^e — inusité au XVII^e; de *alanguir.*

♦ **1** Vx. Action de s'alanguir. État d'une personne rendue languissante. *Cette femme est tombée dans un grand alanguissement.* → **Abattement.** — Par ext. *Alanguissement du corps, de l'esprit.* → **Amollissement, fatigue, relâchement.**

(...) un tiède alanguissement énerve toutes mes facultés; 1
l'esprit de vie s'éteint en moi par degrés...
ROUSSEAU, Rêveries..., 2^e promenade.

♦ **2** Mod., littér. État de langueur provoqué par le sentiment, la rêverie.

Pourquoi ce demi-voile jeté sur le monde? Pourquoi ces 2
frissons de cœur, cette émotion de l'âme, cet alanguissement de la chair?
MAUPASSANT, Clair de lune, I, p. 15.

(...) la fameuse Sainte Thérèse du Bernin, — grande dame 3
autant que sainte, évanouie d'amour et défaillante d'un alanguissement tel qu'en aucune alcôve il n'en est de plus voluptueux.
M. BARRÈS, Du sang..., éd. 1893, p. 135.

CONTR. **Force, vigueur. — Froideur.**

**ALANINE** [alanin] n. f. — 1866, P. Larousse; de *al(déhyde),* et suff. *-ine.*

Chim. Acide aminé naturel, présent dans la plupart des matières protéiques. *L'alanine de formule* $CH_3-CH(NH_2)-CO_2H$, *joue un rôle biologique important. Alanine active. Alanine racémique. «Le glycocolle et son homologue supérieur l'alanine»* (J. Vène, *les Plastiques,* p. 67).

COMP. **Phénylalanine.**

**ALAOUITE** [alawit] adj. et n. — Attesté XX^e; de l'arabe *'alawī* «descendants de Ali».

Hist. Relatif aux Alaouites (Alawites), dynastie fondatrice du royaume du Maroc. *Le royaume alaouite :* le Maroc.

**ALAPIN** [alapɛ̃] n. m. — Attesté XX^e (*in* Larousse, 1928); du lat. *alapa,* plante herbacée.

Techn. Teinture employée dans l'impression de certains tissus, notamment de l'indienne. — Appos. *Teinture alapin.*

**ALARGUER** [alaʀge] v. intr. — 1420, pron.; ital. *allargare,* du lat. *largus* «large».

Marine. Vieux.

♦ **1** Aller, se mettre au large, s'éloigner de la côte ou d'un navire. → Gagner le large.

♦ **2** Laisser porter, manœuvrer de façon que le vent devienne plus *largue.*

**ALARIA** [alaʀja] n. m. ou f. — 1838, *alarie;* lat. *alarius,* de *ala.*

♦ **1** Paléont. Gastéropode fossile en forme d'aile, des terrains jurassiques et crétacés.

♦ **2** (1845). Bot. Algue brune *(Phéophycées; laminariées)* dont une espèce est comestible.

**ALARMANT, ANTE** [alaʀmɑ̃, ɑ̃t] adj. — Attesté 1766, probablt antérieur; p. prés. de *alarmer.*

Qui alarme ou qui est de nature à causer une vive inquiétude. — (Nouvelles, discours). *Des bruits alarmants. Une nouvelle alarmante.*

Ses conversations, plus alarmantes que rassurantes, ten- 1
daient toutes à m'engager à la retraite.
ROUSSEAU, les Confessions, t. III, L, XI, p. 125.

Sophie faisait encore circuler d'autres bruits particulière- 2
ment alarmants pour les Strélitz.
MÉRIMÉE, Hist. du règne de Pierre le Grand, p. 2.

Savoir ce que l'on affronte est alarmant, mais l'ignorer est 3
terrible.
HUGO, l'Homme qui rit, I, I, II, I.

(Événements, faits, situations). Qui fait craindre quelque chose, présente du danger. → **Dangereux.** *La situation est très alarmante.* → **Inquiétant, tragique.** *Le recul des troupes est alarmant. — Son état est alarmant.*

(Signes). *Des symptômes, des indices alarmants de crise.* Vieilli. «*Une expression alarmante de passion et de faiblesse*» (Chateaubriand, *René*). → **Inquiétant.**

Mon manque de mémoire pour ce qui est l'histoire, et n'intéresse pas mon objet, est incroyable, presque alarmant. Je puis lire le même livre d'histoire tous les deux ans, avec le même plaisir.
STENDHAL, Journal, 24 sept. 1813, p. 1278.

CONTR. **Rassurant.**

**ALARME** [alaʀm] n. f. — Déb. XIVe; comme cri d'appel, écrit *à l'arme* au XVIe, au sens propre :

Courez-y tous et à l'arme sonnez!
RABELAIS, Gargantua, I, 2.

1470 comme n.; ital. *all'arme* «aux armes»; la forme française aurait été *as (aus, aux) armes.*

♦ **1** Interj. Vx. *Alarme!* : aux armes! «*Les Hollandais, sabrés par la cavalerie française, criaient : alarme!*» (Hugo, *les Misérables*).

♦ **2** Signal pour appeler, faire courir aux armes, annoncer l'approche de l'ennemi. *Une alarme. — Donner, sonner l'alarme. Le guetteur sonna l'alarme.* Par anal. *Le chien donna l'alarme par ses aboiements. Les cris des oies* (du Capitole) *réveillèrent les Romains et donnèrent l'alarme.*

Il entend déjà sonner le beffroi des villes, et crier à l'alarme.
LA BRUYÈRE, les Caractères, X, 11.

**D'ALARME.** *Tour, poste d'alarme. Batterie, canon d'alarme.*

Par ext. Signal pour avertir d'un danger. — **D'ALARME.** *Pousser un cri d'alarme* : Au feu! À moi! Au secours! — *Cloche* (→ **Tocsin**), *feux, flotteur* (de chaudière à vapeur), *sifflet, signal*, sirène, sonnerie, sonnette* d'alarme. Poste d'alarme. Appareil d'alarme automatique, pour la navigation.* → **Auto-alarme.** *Dispositif d'alarme électronique.*

Par métonymie. Dispositif d'alarme. *Faire monter une alarme sonore sur la vitrine d'un magasin.*

Spécialt. **SIGNAL D'ALARME** : dispositif mis à la portée des voyageurs d'un train pour provoquer, en cas de danger, l'arrêt immédiat.

**CRI D'ALARME,** qui avertit d'un danger.

♦ **3** Réaction de défense de l'organisme. «*Une alarme musculaire*» (Alain, *in* T. L. F.). — (Animaux). Réaction à un stimulus lié à la perception d'un danger. *Réactions d'alarme chez les poissons, les insectes.*

♦ **4** Loc. (Vieilli). Trouble causé par l'approche de l'ennemi. *Jeter, mettre, répandre l'alarme au camp.* — Loc. fig. *L'alarme est au camp,* se dit de quelque chose qui met tout d'un coup plusieurs personnes en émoi. → **Alerte, émoi, émotion, éveil.**

Tout le monde prend l'alarme, et la capitale du royaume est en effroi.
VOLTAIRE, Lettres, 74.

*(Ma présence)* Effraie aussi les gens, je mets l'alarme au camp!
LA FONTAINE, Fables, II, 14.

Vx ou littér. (en emploi libre).

Il rugit : on se cache, on tremble à l'environ;
Et cette alarme universelle
Est l'ouvrage d'un moucheron.
LA FONTAINE, Fables, II, 9.

Sur l'alarme, état violent, moins supportable que la guerre en action, repose toute l'ancienne politique qui réclame toujours, plus ou moins ouvertement, un mandat en blanc et le secret d'État.
ALAIN, Deux politiques, *in* les Passions et la Sagesse, Pl., p. 663.

Mod. *Jeter, donner, sonner l'alarme.* → **Alerter.** *Répandre l'alarme. Vivre en état d'alarme.*

Après que le milan, manifeste voleur, 6
Eut répandu l'alarme en tout le voisinage (...)
LA FONTAINE, Fables, IX, 18.

♦ **5** Vieilli ou littér. Trouble causé par l'idée de l'approche d'un danger. → **Appréhension, crainte, effroi, épouvante, frayeur, frousse** (fam.), **inquiétude, peur, souci, terreur.** *Une chaude, une vive alarme. Fausse alarme.* → **Alerte.** *Avoir un moment, une seconde d'alarme.* — Au plur. (plus cour.). *Vivre dans des alarmes continuelles.*

Le sommeil quitta son logis, 7
Il eut pour hôtes les soucis,
Les soupçons, les alarmes vaines.
LA FONTAINE, Fables, VIII, 2.

Tout au monde est mêlé d'amertume et de charmes. 8
La guerre a ses douceurs, l'hymen a ses alarmes.
LA FONTAINE, Fables, III, 1.

Remettez-vous, Monsieur, d'une alarme si chaude. 9
MOLIÈRE, Tartuffe, V, 7.

Le Prince a cru l'avis, et son amour séduit, 10
Sur une fausse alarme, a fait tout ce grand bruit
MOLIÈRE, Dom Garcie, IV, I.

Bientôt j'irai dormir d'un sommeil sans alarmes. 11
HUGO, Odes et Ballades, L, V, Ode 4.

♦ **6** Loc. adv. Vx ou littér. **EN ALARME** : dans une inquiétude vigilante. Fig. *Tenir la pudeur en alarme.* → **Émoi, éveil.**

Un de nos deux amis sort du lit en alarme. 12
LA FONTAINE, Fables, VIII, 11.

Ne me suis point, si ton cœur en alarmes 13
Prévoit qu'il ne pourra commander à tes larmes.
RACINE, Andromaque, IV, 1.

CONTR. **Calme, paix, repos, tranquillité.** ◇ DÉR. **Alarmer.** — COMP. **Auto-alarme.**

**ALARMER** [alaʀme] v. tr. — V. 1620, d'Aubigné; de *alarme.*

♦ **1** Vieilli. Donner l'alarme, appeler aux armes.

(...) d'autres disaient que si l'on tirait un coup de fusil sans tuer quelque chose, le gouverneur les mettrait tous en prison pour avoir alarmé la garnison inutilement. 0.1
STENDHAL, la Chartreuse de Parme, p. 365.

♦ **2** Troubler par l'imminence d'un danger réel ou apparent (cour. au passif). *Le lièvre est alarmé au moindre bruit. Cette nouvelle alarma toute la population. Il ne faut pas que son état de santé vous alarme.* → **Effaroucher, effrayer, émouvoir, inquiéter.** *Alarmer l'opinion.*

Vous aviez un juste sujet de vous alarmer; mais vos soupçons se trouvent dissipés (...) 1
MOLIÈRE, George Dandin, II, 8.

Le peuple était très justement alarmé d'une fuite possible du Roi (...) 2
MICHELET, Hist. de la Révolution franç., t. I, p. 544.

♦ **3** (Mil. XVIIe, par métaphore). Vx. (Le compl. est un n. abstrait). *Alarmer la pudeur de qqn.* → **Effaroucher, offenser.** *Alarmer les désirs.* → **Émoi** (mettre en), **éveiller, remuer.**

Si, du son hardi de ses rimes cyniques, 3
Il n'alarmait souvent les oreilles pudiques (...)
BOILEAU, l'Art poétique, 2.

Oui, je ne pus souffrir d'abord de les voir si bien ensemble; le dépit alarma mes désirs (...) 4
MOLIÈRE, Dom Juan, I, 2 (→ Allumer, cit. 9).

Troubler en excitant. «*Alarmer sa vanité pour exciter sa jalousie*» (Hugo, *in* T. L. F.).

◆ **S'ALARMER** v. pron. (1641). S'inquiéter, prendre peur devant un danger (objectif ou subjectif, réel ou supposé). *S'alarmer pour qqn, s'alarmer de qqch. Il ne faut pas s'en alarmer outre mesure. Il s'alarme sans cesse et sans raison. Une mère s'alarme facilement. Je ne m'alarme plus pour si peu de chose.*

5 Et ce cœur tant de fois dans la guerre éprouvé
S'alarme d'un péril qu'une femme a rêvé!
CORNEILLE, Polyeucte, I, 1 (1641).

6 Vous voilà bien embarrassés tous deux pour une bagatelle.
C'est bien là de quoi se tant alarmer.
MOLIÈRE, les Fourberies de Scapin, I, 2.

7 Ma mère réprima un frémissement, car d'une sensibilité plus prompte que mon père, elle s'alarmait pour lui de ce qui ne devait le contrarier qu'un instant après. Les désagréments qui lui arrivaient étaient perçus d'abord par elle comme ces mauvaises nouvelles de France qui sont connues plus tôt à l'étranger que chez nous.
PROUST, À l'ombre des jeunes filles en fleurs, Pl., t. I, p. 465.

Par ext. Vieilli. *L'amitié, la pudeur s'alarme.* → **Effaroucher** (s').

◆ **ALARMÉ, ÉE** p. p. adj. *Population alarmée. — (Être) alarmé de qqch.* → **Inquiété.** — *Tendresse, pudeur alarmée. — Voix, expression alarmée. Air, ton, regard alarmé.*

**CONTR. Calmer, rassurer, tranquilliser.** ◊ **DÉR. Alarmant, alarmiste.**

**ALARMISME** [alaʀmism] n. m. — 1956, de Gaulle; de *alarmiste.*

Tendance à répandre l'inquiétude en étant alarmiste.

**ALARMISTE** [alaʀmist] n. et adj. — Fin XVIII$^e$ → ci-dessous cit. 1 (titre d'un vaudeville en 1794); de *alarme.*

♦ **1** N. Personne qui incite à l'inquiétude, qui répand l'alarme de manière systématique (et plus ou moins excessive ou injustifiée). → **Pessimiste.**

1 Alarmiste : celui qui répand l'alarme. Ce mot fut créé pour désigner et frapper de terreur, à une certaine époque, tous ceux dont la prudence et le patriotisme éclairé s'élevant contre d'extravagantes mesures, osaient en prédire de funestes effets, qui seraient suivis d'une réaction plus funeste encore.
MERCIER, Mon dictionnaire (v. 1790), *in* D. D. L., II, 11.

Vx. Personne qui annonce un danger réel imminent (Renan, *in* T. L. F.).

♦ **2** Adj. Qui incite intentionnellement à l'inquiétude. *Être alarmiste. Ce médecin est un peu alarmiste.* → **Pessimiste.** — *Déclaration, journal alarmiste. — Ton alarmiste.*

2 Soudain, la causerie (générale quoique intime), sur on ne sait trop quelle interruption, devint alarmiste. Et, quand le café parut, le mot sonore par excellence, et cependant de syllabes si moelleuses, le mot «dynamite» (horreur!) fut prononcé.
VILLIERS DE L'ISLE ADAM, Tribulat Bonhomet, p. 30.

**CONTR. Optimiste, rassurant.** ◊ **DÉR. Alarmisme.**

**ALASTRIM** [alastʀim] n. m. — Av. 1920; port. du Brésil *alastrim,* de *alastrar* «joncher, couvrir».

Méd. Forme mineure de la variole (*variole blanche* ou *variole mineure*), observée dans les régions subtropicales.

**A LATERE** [alateʀe] loc. adj. — D. i. (attesté mil. XIX$^e$, trad. de Walter Scott, Thiers, *in* P. Larousse); mots lat. «de l'entourage».

Relig. *Cardinal a Latere :* envoyé du pape qui le représente personnellement en mission temporaire.

**ALATERNE** [alatɛʀn] n. m. — 1551; lat. *alaternus* «nerprun».

Bot. Arbrisseau, nerprun* à feuilles persistantes d'un vert sombre, luisantes, dentelées sur les bords. «*Des lauriers, des alaternes, des fusains...* (dans un jardin)» (Goncourt, *Journal,* janv. 1872).

**ALAUDIDÉS** [alodide] n. m. pl. — 1846, Bescherelle; du lat. *alauda* «alouette», et suff. *-idés.*

Zool. Famille de passereaux ayant pour type l'alouette. → **Alouette, calandre, calandrelle, cochevis, lulu, otocoris, sirli.**

**ALBACORE** [albakɔʀ] n. m. — V. 1525; esp. d'Amérique *albacora* (attesté un peu plus tard) ou port. *albecora,* d'orig. incert.; semble provenir de l'arabe du Maroc *al bakūra* «jeune thon», de l'arabe *bākûr* «précoce».

Pêche. Poisson du genre thon, dit *thon à nageoires jaunes, thon blanc.* → Germon.

**ALBAIN, AINE** [albɛ̃, ɛn] adj. et n. — 1725, Trévoux; de *Albe,* lat. *Alba* (longa).

♦ **1** Hist. D'Albe, ville d'Italie antique près de laquelle fut fondée Rome. *La région albaine. — Jeux albains,* célébrés à Albe, puis à Rome, en l'honneur de Minerve. — *Montalbains,* surplombant le site d'Albe.

N. *Un Albain; les Albains et les Volsques.*

La race romaine était étrangement mêlée. Le fond principal était latin et originaire d'Albe; mais ces Albains eux-mêmes, suivant des traditions qu'aucune critique ne nous autorise à rejeter, se composaient de deux populations associées et non confondues (...) Ces Albains, mélange de deux races, fondèrent Rome.
FUSTEL DE COULANGES, la Cité antique, p. 473-474.

♦ **2** Vx. Albanais.

**ALBANAIS, AISE** [albanɛ, ɛz] adj. et n. — 1552; 1512, Lemaire de Belges, pour désigner une race de chevaux; de *Albania* «Albanie», nom donné en lat. médiéval à l'ancienne Épire.

♦ **1** De l'Albanie. Syn. : *albanien* (vx). *La population, l'économie albanaise. Le communisme albanais. — Costume albanais traditionnel.*

N. m. (1619, *in* D. D. L.). *L'albanais :* langue indo-européenne parlée en Albanie, rameau isolé descendant peut-être de l'ancien illyrien.

♦ **2** N. m. Vx. Chapeau de feutre relevé devant et orné d'un panache (vers 1600).

**ALBANIEN, IENNE** [albanjɛ̃, jɛn] adj. et n. — 1455; de *Albanie.*

Vx. Syn. anc. de *Albanais.*

1. **ALBARELLE** [albaʀɛl] n. f. — 1845; ital. *albarello,* de *albaro* «peuplier».

Bot. Champignon comestible «qui croît sur le châtaignier et le peuplier blanc» (Bescherelle). Syn. : *pholiote du peuplier.*

2. **ALBARELLE** [albaʀɛl] n. f. — 1560; de l'ital. *albarello* (→ 1. Albarelle), de *albaro* «peuplier», du lat. pop. *albarus,* de *albus* «blanc»; les vases étaient d'abord faits de bois de peuplier.

Techn. Vase cylindrique en faïence utilisé dans les pharmacies. Syn. : *cornet de pharmacie.*

**ALBÂTRE** [albɑtʀ] n. m. — Fin XIVe, *albastre; aubastre,* v. 1165, plusieurs variantes (→ Alabastre) jusqu'au XVIe; du lat. *alabastrum,* de *alabaster,* du grec *alabastros* «albâtre; vase d'albâtre».

♦ **1** Roche naturelle formée de carbonate de calcium ou calcite *(albâtre calcaire)* ou de sulfate de calcium ou gypse *(albâtre gypseux),* de couleur variable (blanchâtre à roux) unie ou veinée, translucide, et servant à fabriquer des objets ornementaux. *D'albâtre.* → **Alabastrin.** *Carrière d'albâtre. Albâtre calcaire,* plus résistant que l'*albâtre gypseux* ou *albâtre blanc (vulgaire).* — Spécialt. Albâtre calcaire. *Albâtre véritable. Albâtre algérien, albâtre fleuri* (à taches), *albâtre gris, albâtre égyptien, oriental, albâtre onyx, albâtre rubané. — Faux albâtre :* l'albâtre gypseux. → **Alabastre, alabastrite.** — *Mausolée, groupe funéraire, statue, colonne d'albâtre, en albâtre. Vase* (→ **Alabastre**), *pendule, lampe, coupe, urne d'albâtre.* — Par compar. (désignant la blancheur; → ci-dessous, le sens 3.). *Blanc comme l'albâtre, d'albâtre.*

1 Ses jambes sont des colonnes d'albâtre,
Posées sur des bases d'or pur.
BIBLE (CRAMPON), le Cantique des Cantiques, V, 15.

2 Mes marches d'émeraude et mes parvis d'albâtre,
Mes colonnes de marbre ont les dieux pour sculpteurs.
A. DE VIGNY, la Maison du berger.

1 Vu la citadelle et la mosquée de Méhémet-Ali. D'un goût baroque (XVIIe ou XVIIIe siècle italien), mais d'un grand luxe. L'immense cour en arcades, tout entière en albâtre oriental, la fontaine aux ablutions en albâtre, le grand dallage en marbre blanc. L'intérieur du temple, en albâtre aussi, d'une extrême somptuosité.
E. FROMENTIN, Voyage en Égypte, p. 152.

3 (...) quatre vases d'albâtre oriental du galbe le plus élégant et le plus pur.
Th. GAUTIER, le Roman de la momie, Prologue.

1 Il habitait, rue Saint-Denis, un logement où personne ne pénétrait (...) Les parquets cirés étaient garantis par des chemins de toile verte; il y avait des housses et une pendule d'albâtre à colonnes.
ZOLA, le Ventre de Paris, t. I, p. 165 (1875).

♦ **2** (1442, *alabastre* «vase d'albâtre»). *Un albâtre :* un objet en albâtre. *Des albâtres anciens.*

2 Ainsi, le dessin frisé de Villard de Honnecourt et celui de nos albâtres envahiront-ils tout le menu peuple des ivoires et se perdront-ils dans la grande calligraphie du tuyauté gothique. MALRAUX, les Voix du silence, p. 153-155.

♦ **3** Vieilli. Éclatante blancheur. *Cou, épaules, sein, teint d'albâtre. — L'albâtre de son sein, de sa gorge...*

4 Les trésors de sa gorge d'albâtre.
LA FONTAINE, Adonis.

5 *(Dieu)* se plut à pétrir d'incarnat et d'albâtre
Les charmes arrondis du sein de Pompadour.
VOLTAIRE, Épîtres, 75, *in* LITTRÉ.

6 (...) de ses flancs l'albâtre ardent et pur.
André CHÉNIER, Élégies, «La lampe».

REM. 1. Il s'agit en général de la blancheur de la peau féminine (→ Lis), mais on rencontre la métaphore appliquée à d'autres objets :

7 (...) la neige éblouissante change la campagne en d'immenses paysages d'albâtre (...)
Eugène SUE, les Mystères de Paris, t. III, p. 2, *in* T. L. F.

2. Barbey d'Aurevilly transforme *d'albâtre* en adj. : *albâtréen, enne. «Une lune albâtréenne et un ciel de taffetas bleu» (Premier mémorandum,* p. 31, 1836).

DÉR. **Albâtrier.**

**ALBÂTRIER** [albɑtʀije] n. m. — 1877; de *albâtre.*

Techn. Commerçant ou sculpteur d'albâtre. — REM. Le fém. *albâtrière* est virtuel.

**ALBATROS** [albatʀos] n. m. — 1751, *in* Höfler; *albatross,* 1748; *alcatras,* 1666; angl. *albatross,* d'abord *albitros* (1681); orig. incert.; on présume une altér. d'après *albus* «blanc», de *alcatraz*.*

Oiseau palmipède marin *(Procellariiformes)* de grande taille. → **Alcatraz,** 2. (vx). → Pétrel, cit. 1. *L'albatros, le plus grand des oiseaux de mer, peut atteindre 4 mètres d'envergure; il est très vorace; son plumage est blanchâtre ou gris (albatros fuligineux) son bec crochu; il vit souvent en colonies importantes.*

Souvent, pour s'amuser, les hommes d'équipage 1
Prennent des albatros, vastes oiseaux des mers (...)
BAUDELAIRE, les Fleurs du Mal, Spleen et Idéal, II, L'albatros.

(...) et les gros albatros lourds, d'une teinte sale, avec leur air bête de mouton, avec leurs ailes rigides et immenses, fendant l'air, piaulant après nous. 2
LOTI, Mon frère Yves, XIII.

Mais, le 30 juin, capture fut faite, non sans peine, d'un albatros qu'un coup de fusil d'Harbert avait légèrement blessé à la patte. C'était un magnifique oiseau de la famille de ces grands voiliers, dont les ailes étendues mesurent dix pieds d'envergure, et qui peuvent traverser des mers aussi larges que le Pacifique. 3
J. VERNE, l'Île mystérieuse, t. II, p. 456.

L'albatros vole sans bouger les ailes comme par une espèce d'ondulation musculaire. 4
CLAUDEL, Journal, 20 févr. 1927.

**ALBE** [alb] adj. et n. — XIIIe, comme adj. et subst. (1271); lat. *albus.*

Littér., vx. (En général avant le nom). Blanc. *D'albes fleurs de lys.* → aussi **Albescent.** — Fig. *«L'albe et candide vérité»* (A. France, *in* T. L. F.). → **Candide.**

REM. Le mot, repris au XIXe siècle, est familier dans le vocabulaire «artiste» et donne lieu à critiques, plaisanteries et pastiches un peu plus tard.

Bientôt, il n'y put tenir, et, un beau jour, sur une albe et spacieuse feuille de papier ministre, il adressa une pétition à M. Carnot, président de la République française.
A. ALLAIS, Œuvres anthumes, Pas de bile !, Une pétition, *in* D. D. L., II, 14.

**ALBÉDO** [albedo] n. m. — 1902, *Année sc. et industr.* 1901, p. 7; d'abord en angl., 1859; bas lat. *albedo* «blancheur» de *albus* «blanc».

Didact. Fraction diffusée ou réfléchie par un corps de l'énergie de rayonnement incidente. *Un corps noir possède un albédo nul. Albédos variables des sols terrestres. La neige a un albédo de l'ordre de 80 %.* — Spécialt. (Astron.). *Mesure des albédos des planètes.*

Par anal. Phys. nucl. *Albédo du réflecteur de neutrons d'un réacteur nucléaire.*

**ALBÈNE** [albɛn] n. m. — 1936; nom déposé du lat. *albus.*

Techn. Tissu mat et épais d'acétate de cellulose (textile artificiel).

Un spectacle fut celui de l'entrée d'une dame âgée et belle, les cheveux oxygénés, en robe de cretonne imprimée, au col et aux parements piqués d'albène.
R. SABATIER, les Fillettes chantantes, p. 123.

**ALBERGE** [albɛʀʒ] n. f. — 1546, Rabelais; catalan *alberge* (1539); cf. esp. *alberchiga,* altér. mozarabe du lat. *persicum* «pêche», avec l'article arabe.

Rare. Fruit de l'albergier, comparable à la pêche et à l'abricot. — Syn. cour. : *pêche* abricot.*

DÉR. **Albergier.**

**ALBERGIER** [albɛʀʒje] n. m. — 1557; de *alberge.*

Rare. Espèce d'abricotier qui donne l'alberge.

**ALBERTINE** [albɛʀtin] n. f. — 1651, *in* D. D. L.; du nom propre *Albert*.

Bot., hortic. Tulipe d'un gris clair ou blanc à panaches de traits pourpres.

**ALBERTYPIE** [albɛʀtipi] n. f. — 1874; de Joseph *Albert*, nom d'un photographe allemand, et *-typie*.

Techn. (vx). Procédé d'impression phototypique (→ **Phototypie**) permettant de reproduire les clichés photographiques sur plaques de verre.

**ALBESCENT, ENTE** [albesɑ̃, ɑ̃t] adj. — 1854, Goncourt; lat. *albescens, entis*.

Littér. rare. Qui tend vers le blanc (→ **Albe**).

**ALBI-** Élément de mots de zoologie, de botanique, etc., du lat. *albus* «blanc» (ex. : *albicaude, albicorne, albimane, albipenne, albirostre...*).

**ALBIEN, IENNE** [albjɛ̃, jɛn] adj. et n. m. — 1843, Alcide d'Orbigny, *in* E. Haug; de *Alba* «aube» à cause du département de l'*Aube*.

Didact. (géol.). Se dit d'un étage du Crétacé moyen (Mésocrétacé). — N. m. L'Albien (on disait aussi *le Gault*).

**ALBIFICATION** [albifikasjɔ̃] n. f. — XIVe; dér. sav. du lat. *albus* «blanc».

Alchim. Opération ayant pour objet de rendre blanc (un métal à transmuer).

**ALBIGEOIS, OISE** [albiʒwa, waz] adj. et n. — Déb. XIIIe; de *Albiga*, nom lat. d'*Albi*.

D'Albi. *Une ancienne famille albigeoise.* — N. *Un, les Albigeois.* — (1223). Hist. relig. *Les Albigeois :* fraction de la secte des Cathares, contre lesquels le pape Innocent III fit prêcher la croisade au XIIIe siècle. → **Cathare.** *La croisade contre les Albigeois.*

Par ext. Relatif aux Albigeois. *L'hérésie, la secte albigeoise.*

**ALBINISME** [albinism] n. m. — 1838; de *albinos*, et suff. *-isme*.

♦ **1** Méd. Anomalie congénitale résultant de l'absence partielle ou totale de pigment — par défaut du métabolisme de la mélanine —, et qui se manifeste par la décoloration de la peau, du système pileux et de l'iris. → **Achromie, dyschromie.** *Albinisme total (généralisé), partiel. Albinisme ophtalmique* (de l'œil). — *Albinisme humain.* — *Albinisme des lapins, des souris.*

♦ **2** Bot. Absence de chlorophylle dans certaines régions de la feuille (→ aussi **Chlorose**).

CONTR. **Hyperchromie.**

**ALBINOS** [albinos] adj. et n. — 1665; esp. *albino*, empr. au plur., de *albo*, du lat. *albus* «blanc».

♦ **1** Adj. (Rare). Affecté de l'absence de pigment dite *albinisme**. *Des individus, des hommes, des enfants albinos. Un noir albinos* (vx : nègre blanc → ci-dessous, cit. 1).

0.1 Il entre aussi, par la porte sans serrure, sans loquet, une femme albinos, à peau translucide, aux yeux rouges, aux lèvres comme rodées. Elle est maigre, osseuse. Elle me parle en russe, obstinément, sans s'inquiéter d'être comprise. Roger VERCEL, Capitaine Conan, p. 226-227.

Plus cour. (Animaux). *Souris, lapin albinos.*

Bot. *Feuilles albinos,* sans chlorophylle. → **Albinisme,** 2.

♦ **2** N. Personne atteinte d'albinisme. *Une albinos. La plupart des albinos ont des parents normalement pigmentés, mais porteurs d'un gène récessif. Les albinos ont les yeux tellement sensibles qu'ils ne peuvent supporter la lumière du jour.*

Ces hommes blafards (...) on les connaît (...) à l'isthme d'Amérique sous le nom d'albinos (...) On les a aussi appelés nègres-blancs.
BUFFON, Hist. nat., L'homme.

Un drôle de petit homme, un nain à cheveux blancs, un albinos. MARTIN DU GARD, les Thibault, VII, XLIII.

Animal albinos.

Six pachydermes blancs, avec cet air offusqué, hostile et ébloui des albinos, faisaient craquer sous leurs dents la canne à sucre.
Paul MORAND, Bouddha vivant, p. 24.

♦ **3** N. m. Fam. *L'albinos :* le double blanc, aux dominos.

DÉR. **Albinisme.**

**ALBITE** [albit] n. f. — 1822, *Dict. d'hist. nat.* de Bory de Saint-Vincent; nom donné par Gahn et Berzelius en 1814; du lat. *albus* «blanc», et suff. *-ite*.

Minér. Feldspath de teinte pâle, aux macles fines non croisées, formant des cristaux laiteux et opaques.

**ALBIZZIA** [albidzja] n. f. — Attesté fin XIXe, probablt antérieur; de F. Degli *Albizzi*, qui ramena la plante de Constantinople en 1749.

Bot. Arbre des régions chaudes, légumineuse de la famille des Mimosacées.

(...) j'avais deviné le nom de ces arbres : albizzias et cela m'enchantait, j'avais eu droit à des albizzias sur l'airial de mon enfance landaise, à des magnolias également.
Christine DE RIVOYRE, le Voyage à l'envers, p. 78.

**ALBOCHE** [albɔʃ] adj. et n. — 1860 à Nancy, selon Esnault; de *allemand*, et *(ca)boche*; la forme *boche* en vient. → Boche, étym.

Argot, fam., vx. Péj. Allemand, allemande. → **Boche.**

Dans chaque Allemand il y a un Alboche qui se réveille. Vous ne paraissez pas les connaître. Il vous demanderait du café chaud, et puis quoi encore, des petits pains et du beurre, et il vous jouerait une vilaine musique.
B. CENDRARS, la Main coupée, *in* Œ. compl., t. X, p. 181.

**ALBRAQUE** [albʀak] n. f. — 1905, Haton de la Goupillière; mot des mineurs, p.-ê. d'orig. flamande.

Techn. Galerie spéciale creusée pour absorber un excès d'eau, dans une mine.

On appelle (...) *albraques* des galeries spéciales que l'on est obligé de creuser pour servir de réservoir quand le puisard est insuffisant ou quand un arrêt des pompes nécessite une longue réparation : il s'agit de ne pas noyer la mine (...) Michel CAZIN, les Mines, p. 111.

**ALBUGINÉ, ÉE** [albyʒine] adj. et n. f. — 1377; du lat. *albugo, albuginis* «taie», de *albus* «blanc».

♦ **1** Adj. Didact. De couleur blanchâtre. → **Albugineux.** — Vx. *Fibre albuginée :* fibre blanchâtre des ligaments, tendons... — *Humeur albuginée* (de l'œil). *Membrane, tunique albuginée de l'œil.* → **Sclérotique.** *Membranes albuginées du derme.* — Mod. *La tunique albuginée des testicules.*

♦ **2** N. f. (1805, Cuvier, *in* T. L. F.). Anat. **ALBUGINÉE :** membrane conjonctive qui enveloppe le testicule.

**ALBUGINEUX, EUSE** [albyʒinø, øz] adj. — 1377, *albugeneux;* de *albugine* (→ Albugo).

Méd. Qui est blanchâtre. *Membrane albugineuse.*

**ALBUGO** [albygo] ou **ALBUGINE** [albyʒin] n. f. — Mil. XIVe; lat. *albugo, albuginis,* de *albus* «blanc».

**I** Méd. ♦ **1** Tache blanche altérant le tissu de la cornée.

♦ **2** Tache blanche des ongles, due à un trouble de la nutrition.

**II** (XXe). Géol. Marne calcaire blanchâtre.

**ALBUM** [albɔm] n. m. — 1704; sous la forme *album amicorum,* 1662, ci-dessous, cit. 1; lat. *album* «tableau blanc», de *albus* «blanc».

**I** ♦ **1** Vieilli. Livre à pages blanches destiné à recevoir, soit des autographes ou des pensées de diverses personnes, soit les notes de son possesseur. → **Registre.** *Album de voyage.* → **Carnet.** *Écrire ses impressions, ses pensées sur un album. Faire inscrire un autographe à un écrivain sur son album.* → Livre* d'or. *Les jeunes filles, à l'époque romantique, possédaient souvent un album.*

1 Ils *(les gens de lettres allemands)* se munissent (...) d'un livre blanc bien relié, qu'on nomme «album amicorum», et ne manquent pas d'aller visiter tous les savants des lieux où ils passent, et de le leur présenter, afin qu'ils y mettent leur nom.

SAINT-ÉVREMOND, Sir Politick would be, III, 2 (1662).

1 La *Marchesa* m'a dit, en jouant, de lui écrire des vers sur son album. Voici ce que j'ai écrit :
«Vous voulez donc que sur la blanche page,
Fruits d'un arbre flétri soient écrits quelques vers?
Oh! pourquoi votre cœur n'a-t-il pas pour image
Ces candides feuillets à mes regrets ouverts!...»

BARBEY D'AUREVILLY, Premier mémorandum, 1838, p. 209.

♦ **2** (V. 1800). Cahier, livre cartonné ou relié contenant (ou destiné à contenir) une collection de dessins, de gravures, de photographies, etc. → **Collection, classeur, recueil.** *Feuilleter des albums d'images, de cartes postales, de photographies. Album de vignettes, de gravures.* → **Keepsake.** — Vx. *Album de plantes.* → **Herbier.**

Spécialt. *Album de souvenirs.* — Fig. :

2 Il n'existe pas *(en Inde)* de sacre de Napoléon, de canons du croiseur *Avrora* en train de chercher de leurs gros doigts la cible du Palais d'Hiver, dans le monde de la *Bhagavad Gîtâ.* La vie de Nehru prêtait peu à l'album. La légende semblait déjà liée à Gandi, depuis la Marche pour le Sel jusqu'à l'assassinat.

MALRAUX, Antimémoires, Folio, p. 215.

♦ **3** Ouvrage imprimé, de format relativement grand et où prédominent les illustrations. *Album de reproductions. Album de bandes dessinées, de B. D. Des albums d'enfants. Les albums de Töpffer, de Christophe. Un album de photos de Brassaï.*

2 (...) j'avais apporté un album lithographié qui représentait plusieurs vues de Suisse.

A. DE MUSSET, la Confession d'un enfant du siècle, V, 3.

♦ **4** (1958 «disque accompagnant un livre-album pour enfants»; cf. angl. *album,* 1958 «réunion de disques»). Enregistrement constitué d'un ou plusieurs disques réunis sous la même jaquette (pochette simple, double...). → aussi **Coffret.** *Le dernier album des Beatles. Enregistrer un nouvel album. Consacrer un album à des lieder de Mahler. Album simple* (ou, ellipt, *un simple*). — Abusivt. Jaquette contenant un disque. *Double album.*

**II** (1823; sens étym., mais plus tardif). Hist. Tableau blanchi au plâtre, destiné à l'affichage des avis officiels, dans l'Antiquité latine. *Album des juges, des décurions, du préteur. Album sénatorial :* liste hiérarchique des sénateurs romains.

**ALBUMEN** [albymɛn] n. m. — Av. 1808, Boiste; du bas lat. *albumen* (IVe) «blanc d'oeuf» et «taie sur l'œil», du lat. class. *albus* «blanc».

♦ **1** Blanc d'œuf, dissolution aqueuse d'albumine qui entoure le jaune, et forme les réserves nutritives de l'embryon.

♦ **2** Bot. Réserve alimentaire qui, dans certaines graines, entoure l'embryon et nourrit la plantule pendant la germination. Syn. (vx) : *endosperme. Albumen corné,* à réserve de cellulose. *Albumen farineux,* à amidon. *Albumen oléagineux. Les graines dépourvues d'albumen sont dites* exalbuminées.

(...) en ce que cette vie, les souvenirs de ses tristesses, de ses joies, formaient une réserve pareille à cet albumen qui est logé dans l'ovule des plantes et dans lequel celui-ci puise sa nourriture pour se transformer en graine, en ce temps où on ignore encore que l'embryon d'une plante se développe, lequel est pourtant le lieu de phénomènes chimiques et respiratoires secrets mais très actifs.

PROUST, le Temps retrouvé, Pl., t. III, p. 899.

DÉR. **Albuminé.** — (Du latin *albumen*) **Albumine, albumineux.**

**ALBUMINASE** [albyminaz] n. f. — V. 1920, *Traité de médecine* de Widal, Teissier et Roger; de *albumine,* et *-ase.*

Biol. Enzyme agissant sur les albumines.

**ALBUMINATE** [albyminat] n. f. — 1865, Littré-Robin; de *albumine,* et *-ate.*

Chim., biol. Combinaison d'albumine et de sels (ou d'oxydes) métalliques. *Albuminates alcalins.*

**ALBUMINE** [albymin] n. f. — 1792, *Encyclopédie méthodique;* du bas lat. *albumen* (→ Albumen), du lat. class. *albus* «blanc» d'après *suc albumineux,* employé dès 1736.

♦ **1** Biol., chim. Matière organique appartenant au groupe des *albumines* (→ ci-dessous REM.), identifiée d'abord dans le blanc d'œuf. — Mod. Substance du groupe des holoprotéines (→ **Protéine**), formée de carbone, d'azote, d'oxygène et d'hydrogène, coagulable à la chaleur, et se rencontrant en abondance dans les organismes vivants. *Les albumines se rencontrent dans les organismes animaux* (sérum sanguin, lait, œuf, muscles, etc.) *et dans certains végétaux* (pois, haricots, blé). *La caséine, constituant des albumines du lait. Apparition, excès d'albumine dans les urines.* → **Albuminurie,** et ci-dessous, 2. *Doser l'albumine* (des urines, du sang) *à l'albuminimètre.*

(...) ils *(Bouvard et Pécuchet)* éprouvaient une sorte d'humiliation à l'idée que leur individu contenait du phosphore comme les allumettes, de l'albumine comme les blancs d'œufs, du gaz hydrogène comme les réverbères. 1

FLAUBERT, Bouvard et Pécuchet, III.

(...) des œufs *(de tortue)* parfaitement sphériques, à coque blanche et dure, et dont l'albumine a la propriété de ne point se coaguler comme celle des œufs d'oiseaux. 2

J. VERNE, l'Île mystérieuse, t. I, p. 405.

Abusivt. Protéine soluble.

REM. *Albumine* s'est longtemps employé au sing. pour désigner collectivement toutes les protéines coagulables indispensables à la nutrition; on distingue aujourd'hui divers types d'albumines : *lactalbumine* (du lait), *sérumalbumine* (du sérum sanguin), *myalbumine* (des muscles) *ovalbumine* (du blanc d'œuf)..., elles-mêmes subdivisables.

Méd. Solution albumineuse employée comme adoucissant, contrepoison.

Photogr. (anciennt). Solution albuminée employée pour enduire le papier de tirage. — Imprim. *Procédé à l'albumine* (en offset).

♦ **2** Cour. Albuminurie. *Avoir de l'albumine. Régime pour l'albumine.* — Par métonymie. «*Les gastralgiques, les lumbagos (...), les albumines (...)*» → Râleux, cit. 2, Céline.

3 — Mais j'ai aussi un peu d'albumine.
— Vous ne devriez pas le savoir. Vous avez ce que j'ai décrit sous le nom d'albumine mentale. Nous avons tous eu, au cours d'une indisposition, notre petite crise d'albumine que notre médecin s'est empressé de rendre durable en nous la signalant.

PROUST, le Côté de Guermantes, Pl., t. II, p. 303.

**DÉR. et COMP. Albuminase, albuminate, albuminémie, albuminifère, albuminimètre, albuminique, albumino-, albuminoïde, albuminose, albuminurie. Ovalbumine.** — V. aussi **Albumineux, albumose.**

**ALBUMINÉ, ÉE** [albymine] adj. — 1814, Nysten; de *albumen.*

Bot. Pourvu d'albumen. *Graine albuminée.*

**CONTR. Exalbuminé.**

**ALBUMINÉMIE** [albyminemi] n. f. — 1926, in *Nouveau traité de médecine*; de *albumine,* et *-émie.*

Méd. Présence ou taux d'albumine dans le sang. *L'albuminémie normale est de 36 à 56 grammes par litre.* — Abusivt. Excès d'albumine dans le sang.

**ALBUMINEUX, EUSE** [albyminø, øz] adj. — 1736 (parfois daté par erreur de 1666 : il s'agit d'une attestation d'*albugineux*); du bas lat. *albumen, -inis.*

♦ **1** Biol. Qui contient de l'albumine; qui est de la nature de l'albumine. *Liquide albumineux, solution albumineuse. Substance albumineuse.* → **Albuminique.**

Méd. *Solution, eau albumineuse :* solution de blanc d'œuf et d'eau, utilisée comme adoucissant, contrepoison. Syn. : *albumine.*

1 *(La plaie)* œil crevé certes, ne laissant filtrer qu'un regard mort, mais saignant à peine, transsudant, comme son humeur vitrée, un filet de lymphe qui forme une lente coulée albumineuse le long du mollet et jusque sur la chaussette tassée.

M. TOURNIER, le Roi des Aulnes, p. 117.

Par métaphore :

2 Dans le ciel désastré par son rayonnement, le Grand Luminaire Halluciné flotte comme une goutte gigantesque et glaireuse. (...) Dans la blancheur albumineuse de vagues figures se dessinent pour disparaître (...)

M. TOURNIER, Vendredi..., p. 230.

♦ **2** Méd. (1905, in *Rev. gén. des sc.,* n° 16, p. 743). Relatif à l'albumine (2.), à l'albuminurie. → **Albuminurique.** *Néphrite albumineuse.* — «*Son teint albumineux était plus blanchâtre que de coutume*» (Martin du Gard, *les Thibault, in* T. L. F.).

**ALBUMINIFÈRE** [albyminifɛʀ] adj. — 1893, E. Perrier, *in* T. L. F.; de *albumine,* et suff. *-fère.*

Biol. Qui produit de l'albumine, une albumine. *La «région albuminifère de l'œuf»* (E. Perrier).

**ALBUMINIMÈTRE** [albyminimɛtʀ] ou **ALBUMINOMÈTRE** [albyminɔmɛtʀ] n. m. — 1849, A. Becquerel, *in* D. D. L. (albumini-); de *albumine,* et suff. *-mètre.*

Pharm., méd. Appareil servant à doser l'albumine d'un liquide physiologique (sérum sanguin, urine).

**ALBUMINIQUE** [albyminik] adj. — V. 1950; de *albumine,* et suff. *-ique.*

Biol. Relatif aux albumines; formé d'albumine. → **Albumineux,** 1.

**ALBUMINO-** Élément de mots de chimie, de biologie, de médecine, etc., signifiant «formé d'albumine (et de...)» — *albumino-cellulosique, -gélatineux* (vx), *etc.* — ou «concernant l'albumine» (*albuminoréaction,* n. f.).

**ALBUMINOÏDE** [albyminɔid] adj. et n. m. — 1857, adj.; de *albumine,* et *-oïde.*

Didactique (biologie).

♦ **1** Adj. (Vieilli). Analogue à l'albumine. «*Une mince pellicule albuminoïde*» (Bergson).

Vieilli. *Substance, matière albuminoïde,* protéique.

Quant aux substances albuminoïdes, ou protéines, elles sont les plus compliquées de toutes celles qui existent sur terre. Dans leur molécule, il entre essentiellement du carbone, de l'oxygène, de l'hydrogène et de l'azote, mais ces quatre corps y figurent chacun par des milliers d'atomes, disposés en édifices d'une architecture grandiose.

Jean ROSTAND, la Vie et ses problèmes, 1939, p. 19.

♦ **2** N. m. Protéide.

**DÉR. Albuminoïdique.**

**ALBUMINOÏDIQUE** [albyminɔidik] adj. — V. 1920; de *albuminoïde.*

Chim. Relatif aux albuminoïdes.

**ALBUMINOSE** [albyminoz] n. f. — 1857; du rad. de *albumine,* et 2. *-ose.*

Vx. → **Albumose.**

En raison des antécédents spécifiques du malade et de l'existence d'une lymphocytose avec notable albuminose du liquide céphalo-rachidien, nous instituons le traitement spécifique intensif (...)

B. CENDRARS, Moravagine, *in* Œ. compl., t. IV, p. 256-257.

**ALBUMINURIE** [albyminyʀi] n. f. — 1838; de *albumine,* et *-urie.*

Méd. Présence d'albumine dans les urines. → **Albumine,** 2.

**DÉR. Albuminurique.**

**ALBUMINURIQUE** [albyminyʀik] adj. — 1857; de *albuminurie.*

Médecine.

♦ **1** Relatif à l'albuminurie. *Néphrite albuminurique.* → **Albumineux,** 2.

♦ **2** Atteint d'albuminurie. *Il est, il se croit albuminurique.*

Moi, Madame, je ne me crois pas comme vous albumi- 1
nurique, je n'ai pas la peur nerveuse de la nourriture, du grand air, mais je ne peux pas m'endormir sans m'être relevé plus de vingt fois pour voir si ma porte est fermée.

PROUST, le Côté de Guermantes, Pl., t. II, p. 306.

N. *Un, une albuminurique.*

N'est-ce pas encore, par une véritable inanition, qu'arrive 2
la mort chez (...) les albuminuriques qui perdent tous les jours une quantité considérable d'un principe immédiat, si nécessaire à la nutrition?

Ed. MONNERET, Traité de pathologie générale, I, p. 277, *in* D. D. L., II, 8.

**ALBUMOSE** [albymoz] n. f. — 1898, *Nouveau Larousse illustré*; du rad. de *albumine,* et 2. *-ose.* → Albuminose.

Didact. Polypeptide produit par l'hydrolyse incomplète d'une protéine. Syn. (vx) : *albuminose.*

**COMP. Albumosurie.**

**ALBUMOSURIE** [albymozyʀi] n. f. — 1838; de *albumos(e),* et *-urie.*

Méd. Présence dans les urines d'albumose (symptôme d'affections osseuses).

**ALBUPLAST** [albyplast] n. m. — XX$^e$; marque déposée, du lat. *albus* «blanc», et *plast,* de *plastique.*

Adhésif (de cette marque) pour maintenir en place un pansement, une compresse.

REM. On trouve ausi la graphie *albuplaste.* → Catéchumène, cit. 2.

**ALCADE** [alkad] n. m. — 1576; *arcade,* 1323; esp. *alcalde* (voir ce mot); arabe *(')ăl qāḍi* «le juge». → Cadi.

♦ **1** Hist. Juge, magistrat à fonctions judiciaires, administratives, municipales, dans les pays de langue espagnole (Espagne, Amérique latine) ou sous administration espagnole. *Un «alcade de la noblesse de Bourgogne»,* in *le Moniteur,* 1789. *Dignité d'alcade.* → **Alcadie.** *Alcade de village. «Juge-alcade»* (Hugo). *Alcade de cour :* magistrat qui recevait les appels des juges locaux. *L'Alcade de Zalamea,* comédie de Lope de Vega et comédie de Calderón.

L'alcade et les autres chefs indigènes étaient habillés comme les Espagnols.
B. CENDRARS, l'Or, *in* Œ. compl., t. II, p. 166.

♦ **2** Mod. En Espagne, Magistrat municipal (équivalent du *maire*). Var. : *alcalde**.

DÉR. **Alcadie.**

**ALCADIE** [alkadi] n. f. — 1721; de *alcade.*

Hist. Dignité, charge d'alcade. Résidence, territoire d'un alcade.

**ALCAÏQUE** [alkaik] adj. — 1577; lat. *alcaïus.*

Didact. Vers et mètre grec, attribués au poète Alcée et adoptés par les lyriques latins. *Vers alcaïque,* de neuf, dix ou onze syllabes. *Strophe alcaïque* (ou, subst., *un alcaïque*), formée des trois sortes de vers alcaïques.

**ALCALDE** [alkald] n. m. — 1576, *l'alcalde de Saint-Sébastien;* mot esp., «maire».

Rare. → **Alcade.**

À ce moment-là, tout le village accourait. Tout le monde. C'était comme une fête. Il y avait la musique, il y avait l'alcalde, et la garde civile aussi.
H.-F. REY, les Pianos mécaniques, p.187 (1962).

**ALCALESCENCE** [alkalesɑ̃s] n. f. — 1771; de *alcalescent.*

Chim. anc. État, propriété des substances alcalescentes.

**ALCALESCENT, ENTE** [alkalesɑ̃, ɑ̃t] adj. — 1735, Quesnay; du rad. de *alcalin.*

Chim. anc. Qui a ou prend des propriétés alcalines.

DÉR. **Alcalescence.**

**ALCALI** [alkali] n. m. — 1363, au sens 1., *alkali,* 1509; arabe *(')ăl-qīly* «soude».

♦ **1** Vx. Cendres de plantes marines dont on extrayait la soude.

♦ **2** (Av. 1690). Chim. Nom générique des bases, et spécialement des sels basiques que donnent avec l'oxygène des métaux dits alcalins. — Vx. *Alcalis fixes* (potasse et soude); *alcalis végétal* (potasse), *minéral* (soude). *Alcalis caustiques* (soude, potasse), *alcalis doux* (carbonate de sodium, de potassium). — Mod. (n. sc.). *Alcali volatil* (ammoniaque).

♦ **3** Comm. Ammoniaque (solution); par ext., se dit de certains sels d'ammonium à propriétés basiques (hydroxyde, carbonate).

Alors une forte odeur d'évier me pinçait les narines, me lardait de pointes d'alcali. J'avais le nez verni. Je me dressais hagard sur ma couche. J'aurais voulu mourir.
B. CENDRARS, Moravagine, *in* Œ. compl., t. IV, p. 98.

DÉR. et COMP. **Alcalifiant, alcalimètre, alcalimétrie, alcalin, alcaliser, alcaloïde, alcalose.** — V. **Alcaptone; alcalino-.**

**ALCALICELLULOSE** [alkaliselyloz] n. f. — Après 1950; de *alcali-,* et *cellulose.*

Chim., techn. Produit résultant de l'action d'une base alcaline sur la cellulose.

**ALCALIFIANT, ANTE** [alkalifjɑ̃, ɑ̃t] adj. — 1824, *in* D. D. L.; de *alcali,* et du rad. lat. *facere* «faire».

Chim. anc. Qui peut provoquer une manifestation alcaline*.

**ALCALIMÈTRE** [alkalimɛtʀ] n. m. — 1823, *in* D. D. L., l'invention date de 1804; de *alcali,* et *-mètre.*

Chim. (vx). Appareil servant à doser la quantité d'alcali (1.) dans une «soude» ou «potasse» du commerce. — Mod. Appareil servant à déterminer le poids d'anhydride carbonique dans un produit carbonaté.

**ALCALIMÉTRIE** [alkalimetʀi] n. f. — 1853; de *alcali,* et *-métrie.*

Chim. Détermination du titre d'une solution alcaline par dosage volumétrique.

DÉR. **Alcalimétrique.**

**ALCALIMÉTRIQUE** [alkalimetʀik] adj. — Mil. XIX$^e$ (*in* P. Larousse); de *alcalimétrie.*

Chim. De l'alcalimétrie. *Titre alcalimétrique,* évaluant l'alcalinité (d'une eau), exprimée en degrés *(titre alcalimétrique simple)* ou non.

**ALCALIN, INE** [alkalɛ̃, in] adj. et n. m. — 1691; de *alcali.*

♦ **1** Adj. Qui appartient, a rapport aux alcalis, et, par ext., qui a les propriétés d'une base (→ **Basique).** *«Réactifs... acides, neutres, alcalins»* (Plantefol). *Solution alcaline. Métaux alcalins,* qui, combinés avec l'oxygène, produisent des alcalis (→ **Cæsium, francium, lithium, potassium, rubidium, sodium).** *Terres alcalines :* oxydes des métaux alcalino-terreux. *Roches alcalines,* contenant plus de 10 % de potasse et de soude. — *Sol alcalin,* de pH supérieur à 7,5. — *Médicament alcalin,* ou, ellipt, *un alcalin,* antiacide (ex. : *bicarbonate de soude*).

Chaque soir, leurs lèvres saignantes cherchaient la fraîcheur des puits, la boue saumâtre des rivières alcalines.
J.-M. G. LE CLÉZIO, Désert, p. 410.

Par ext. *Réaction alcaline, faiblement, fortement alcaline.*

Biol. *Réserve* alcaline :* ensemble des constituants du sang qui peuvent neutraliser les acides.

Cour. Qui contient de l'alcali (2.). *Lessives alcalines.* — Par ext. *Odeur alcaline.*

♦ **2** N. m. Pharm., vx. Médicament contenant un alcali ou un sel alcalin.

DÉR. et COMP. **Alcaliniser, alcalinité, alcalino-terreux.** — V. **Alcalescent.**

**ALCALINISANT, ANTE** [alkalinizɑ̃, ɑ̃t] adj. — V. 1920; de *alcaliniser.*
Chim. Qui rend alcalin. — REM. On dit aussi *alcalisant.*

**ALCALINISATION** [alkalinizasjɔ̃] n. f. — 1891, *in* D. D. L.; de *alcaliniser.*
Chim. Fait de rendre alcalin; son résultat (syn. : *alcalinité*). — REM. On dit aussi *alcalisation* [alkalizasjɔ̃].

**ALCALINISER** [alkalinize] v. tr. — 1890; *alcaliser,* 1610; de *alcalin.*
Chim. Rendre alcalin; douer de propriétés alcalines. → **Alcaliser** (vx).
DÉR. **Alcalinisant, alcalinisation.**

**ALCALINITÉ** [alkalinite] n. f. — 1834; de *alcalin.*
Chim. État alcalin; propriété alcaline. → aussi **Alcalinisation.** — Proportion en produits alcalins. *Alcalinité du sang, alcalinité sanguine.* → **Alcalose.**
COMP. **Acido-alcalinité.**

**ALCALINO-, ALCALIN-** Élément servant à former des composés en chimie, avec la valeur de «qui a les propriétés des alcalis et de...». Ex. : *alcalino-organique,* adj.; *alcalino-terreux.* — Aussi avec la valeur de «des alcalis». Ex. : *alcalinothérapie,* n. f. (emploi des sels alcalins : bicarbonate de soude, etc.).

**ALCALINO-TERREUX, EUSE** [alkalinotɛʀø, øz] adj. — 1845; de *terres alcalines.*
Chim. *Métaux alcalino-terreux :* métaux fortement basiques qui comprennent le calcium, le baryum, le strontium et le radium.

**ALCALISER** [alkalize] v. tr. — 1628; de *alcali.*
Chimie.
♦ **1** Vx. Rendre alcalin. → **Alcaliniser.** — Pron. *S'alcaliser.*
♦ **2** (1690). Hist. de la chim. Dégager la partie alcaline de (un sel) en éliminant la partie acide.

**ALCALOÏDE** [alkalɔid] n. m. — 1827; *alcalide,* 1823; de *alcali,* et *-oïde,* ainsi dénommés à cause de leur réaction alcaline, opposée à des réactions acides.
Substance organique basique contenant du carbone, de l'hydrogène, au moins un atome d'azote dans la molécule et souvent un quatrième élément, comme l'oxygène. *Les alcaloïdes ont une puissante action physiologique* (toxique ou thérapeutique : morphine, strychnine, etc.). *Malgré l'étymologie du terme, certains alcaloïdes ont une réaction neutre.*
*Alcaloïdes végétaux,* formant une grande partie des principes actifs de certains médicaments. *Alcaloïdes liquides, volatils, non oxygénés.* → **Cicutine** (conine ou conicine), **nicotine, spartéine.** *Alcaloïdes solides, non volatils et oxygénés.* → **Aconitine, agrostemmine, aniline, atropine, brucine, caféine, cinchonine, cocaïne, codéine, colchicine, curarine, digitaline, émétine, éphédrine, ergotinine, ésérine, fumarine, hydrastine, hyoscyamine, lobéline, morphine, muscarine, narcéine, narcotine, papavérine, pelletiérine, physostigmine, picrotoxine, pilocarpine, pipérine, quinidine, quinine, ricinine, rosaniline, scopolamine, strychnine, thébaïne, théine, théobromine, toluidine, tropine, tyramine, vératrine** (ou cévadine), **yohimbine.** *Alcaloïdes naturels, de synthèse.*
*Alcaloïdes animaux.* → **Leucomaïne, ptomaïne.**

Je tirai de mon sac un petit flacon! — Une goutte de cet alcaloïde, pensai-je, distendrait la pupille? (...) — Mais je rejetai encore cette idée : le solutum en question ne pouvait s'appliquer avec fruit sur un cadavre.
VILLIERS DE L'ISLE-ADAM, Tribulat Bonhomet, p. 168.

Le banquet (...) dura quarante-huit heures. Il y fut bu quatre hectolitres d'un vin blanc de Nord, bon marché et âcre, mais riche en alcaloïdes qui excitent au plus haut point les nerfs moteurs, et près d'un hectolitre de marc.
Roger VAILLAND, 325 000 francs, p. 74.

DÉR. **Alcaloïdique, alcaloïdisme.**

**ALCALOÏDIQUE** [alkalɔidik] adj. — 1879; de *alcaloïde.*
Chim. Relatif aux alcaloïdes; qui a la nature, les propriétés des alcaloïdes. *Sels, substances alcaloïdiques.*

**ALCALOÏDISME** [alkalɔidism] n. m. — 1891; de *alcaloïde.*
Méd., physiol. Intoxication par les alcaloïdes.

Un Végétarien professe une horreur invincible pour l'alcoolisme, le morphinisme, et tous les alcaloïdismes en général : sa doctrine et son régime suffisent à exciter comme il faut son cerveau et ses facultés.
E. BONNEFOY, le Végétarisme, Avant-propos, 4 (1891), *in* D. D. L. II, 14.

REM. Le même auteur emploie *alcaloïdé* [alkalɔide] «intoxiqué par les alcaloïdes».

**ALCALOSE** [alkaloz] n. f. — 1926, *in* D. D. L.; de *alcali.*
Pathol. Trouble de l'équilibre entre les acides et les bases de l'organisme (sang), avec prédominance de l'alcalinité, consécutif à une perte excessive d'acides ou à la rétention de bases à la suite d'un apport excessif (*alcalose métabolique* ou *non gazeuse*), ou encore à l'élimination excessive d'acides. → **Acidose.**

**ALCANCIE** [alkɑ̃si] n. f. — 1897; esp. *alcancía* (1604), de l'arabe dial. *al kanziyā,* de *kanz* «trésor».
Didact. Boule de terre cuite, creuse, contenant une substance odoriférante.

Les chevaucheurs nous jetèrent dans l'avenir
Les alcancies pleines de cendre ou bien de fleurs (...)
APOLLINAIRE, Alcools, «Le larron», 1913, p. 93.

**ALCANE** [alkan] n. m. — Mil. XX^e^ (1960, Larousse); du rad. de *alc(ool),* et suff. *-ane.*
Chim. (souvent au plur.). Hydrocarbure aliphatique saturé de formule $C_nH_{2n+2}$. *Les alcanes, autrefois appelés* paraffines, *étaient rattachés formellement au méthane et comprennent, outre ce dernier, l'éthane, le propane, le butane. Alcanes, alcènes et alcynes. «On sait (...) que les micro-organismes consomment assez vite — donc dégradent — les alcanes normaux (fractions les moins toxiques du pétrole) mais ne s'attaquent que très lentement aux fractions les plus toxiques (naphtalènes et série aromatique)»* (*Sciences et Avenir,* mars 1975, p. 215).

**ALCAPTONE** [alkaptɔn] n. f. — 1805, mais antérieur, voir le comp.; de *alca(li),* et du rad. lat. *captare* «prendre» (ou grec *aptô*).
Chim., physiol. Produit amorphe résultant de la décomposition partielle de la phénylalanine, de la tyrosine.
COMP. **Alcaptonurie.**

**ALCAPTONURIE** [alkaptɔnyʀi] n. f. — 1859, Boedecker, selon Garnier-Delamare; de *alcapton(e),* et *-urie.*
Méd. Présence d'alcaptone dans les urines.

**ALCARAZAS** [alkaʀazas] n. m. — 1798; esp. *alcarraza* (XVI^e); *carraço* en 1330; arabe *(')ăl kūrrāz* «cruche».

Vase de terre poreuse *(boucaro),* dans lequel les liquides se rafraîchissent par évaporation. → Gargoulette.

Je rafraîchis ma main à la panse de l'alcarazas blanc, brodé comme un melon, qui sue sur la table.
COLETTE, la Vagabonde, III.

(...) l'eau jaune et saumâtre, charriant la rouille des vieux aqueducs, me fit regretter les gargoulettes d'Alger et les alcarrazas de Grenade.
Th. GAUTIER, Constantinople, p. 87.

REM. 1. Le mot s'est employé au fém. 2. Le mot étant souvent utilisé au plur. *(des alcarazas),* on rencontre un sing. francisé *alcaraza* (Montherlant, *les Bestiaires,* p. 543). 3. La graphie *alcarraza* est conforme à l'étymologie.

**ALCATRAZ** [alkatʀaz] n. m. — 1556; *alcatrace, in* D. D. L., 1575; donné comme mot indien du Mexique, en esp. au XVI^e; en réalité du portugais, empr. à l'arabe *al jattas.*

♦ **1** Rare. Pélican d'Amérique. Var. : *alcatraze, alcatrace... «Les alcatrazes grands comme des oies»* (Hugo, *le Rhin,* in T. L. F.).

♦ **2** (1610). Vx. Albatros.

**ALCAZAR** [alkazaʀ] n. m. — 1866; *alcaçar,* 1669; mot esp. (1069), de l'arabe *al qasr,* lui-même issu du lat. *castrum.*

♦ **1** Palais fortifié d'origine arabe, en Espagne. *Un alcazar. L'alcazar de Tolède.*

♦ **2** (V. 1860-1914; d'abord comme nom propre). Vx. Café-concert décoré dans un style pastichant l'architecture mauresque.

1 Avec ses zouaves en ribote, ses alcazars bourrés d'officiers, et son éternel bruit de sabres traînant sous les arcades, cet Alger-là lui semblait insupportable et laid comme un corps de garde d'Occident.
Alphonse DAUDET, Tartarin de Tarascon, 1872, p. 94.

2 En déblayant les ruines du faubourg Poissonnière exproprié pour la création d'un nouveau quartier à deux étages — terrien et aérien — on a mis à jour des substructions arabes, quelques arcades mauresques assez bien conservées et une grande pierre portant l'inscription ALCAZAR en caractères français. Paris a donc possédé un castel arabe comme Tolède, Cordoue, Séville et les cités soumises à la domination des califes! Les archéologues les plus éminents sont d'accord là-dessus (...)
A. ROBIDA, le Vingtième Siècle, p. 204 (roman d'anticipation).

REM. Le mot se rencontre encore comme dénomination d'établissements.

**ALCÉDINIDÉS** [alsedinide] n. m. pl. — 1866, P. Larousse; de *alcedo, -inis* «martin-pêcheur».

Zool. Famille d'oiseaux coraciadiformes (passereaux syndactyles) dont les types principaux sont le martin-pêcheur ou *alcedo* [alsedo],] le martin-chasseur, le céryle. — Au sing. *Un alcédinidé.*

**ALCÉE** [alse] n. f. — 1735; lat. *alcea.*

Mauve sauvage *(Malvacées). Alcée rose* (syn. : *passe-rose, rose trémière*), *alcée de Chine, alcée à feuilles de figuier.*

**ALCELAPHUS** [alselafys] n. m. — XX^e; lat mod., du grec *alkê* «élan», et *élaphos* «cerf».

Zool. Nom scientifique du bubale.

**ALCÈNE** [alsɛn] n. m. — Av. 1960; de *alc(ool),* et suff. chim. *-ène.*

Chim. (souvent au plur.). Hydrocarbure le plus souvent acyclique appartenant à un groupe de formule générale $C_nH_{2n}$' encore appelé *carbure éthylénique* ou *oléfine,* et qui possède la double liaison, dite *éthylénique. L'éthylène est un alcène. Alcanes, alcènes et alcynes.*

**ALCES** [alsɛs] n. m. — D. i.; du grec *alkê.*

Zool. Nom scientifique de l'élan.

**ALCHÉMILLE** [alkemij] n. f. — 1611; lat. médiéval *alchemilla,* du même rad. que *alchimie.*

Bot. Herbe vivace à fleurs apétales, communément appelée *pied de lion, manteau de dame,* et dont les sommités sont employées comme astringentes *(Rosacées).*

**ALCHIMIE** [alʃimi] n. f. — 1275, *alkimie,* var. *arquemie;* lat. médiéval *alcheimia,* v. 1140; arabe *(')ăl-kīmĭyā'* «pierre philosophale», passé aussi en esp. (mil. XIII^e), en catalan (R. Lull, 1295); le mot arabe vient, soit du copte *chame* «noir», d'où «Égyptien», ceux-ci étant renommés comme alchimistes, soit du grec tardif *khêmia* «magie noire», de même orig., soit du grec *khumeia* «mélange», de *khumos* «jus». → Alchémille.

♦ **1** Ensemble de connaissances et de techniques plus ou moins ésotériques, portant sur les substances naturelles, leur action et leur essence, en rapport avec l'homme et le macrocosme, et visant à modifier ces substances, notamment pour obtenir la conversion ou transmutation de tous métaux en «métaux nobles» (→ **Pierre** [philosophale], **œuvre** [grand œuvre]) et pour obtenir une substance capable de guérir tous les maux (→ **Baume, élixir, panacée**). *L'alchimie fut longtemps considérée comme la science par excellence.* → **Art** (grand art). *Caractère ésotérique de l'alchimie.* → **Archimagie, hermétisme, magie.** *L'alchimie repose sur la croyance en l'existence d'un principe vital* (→ **Archée, vif-argent**), *représenté dans de nombreuses substances* (→ **Arcane, quintessence**). *Pratiques, ustensiles d'alchimie. Vocabulaire de l'alchimie.* → **Chrysopée, cohobation, sublimation, transmutation**; et aussi **alambic, athanor, œuf** (des sages), **cornue, magistère, menstrue, salamandre.** *Se mêler d'alchimie.* → Panacée, cit. 1. — *L'alchimie est à l'origine de la chimie. Caractère symbolique de l'alchimie.*

Il pourra venir tel temps où un livre de chimie compromettra autant son propriétaire que le faisait un livre d'alchimie au moyen âge. 1
RENAN, Dialogues philosophiques, III, «Rêves».

Or ces conflits que le Cosmos en ébullition nous offre d'une manière philosophiquement altérée et impure, l'alchimie nous les propose dans toute leur intellectualité rigoureuse, puisqu'elle nous permet de réatteindre au sublime, *mais avec drame,* après un pilonnage minutieux et exacerbé de toute forme insuffisamment affinée, insuffisamment mûre, puisqu'il est dans le principe même de l'alchimie de ne permettre à l'esprit de prendre son élan qu'après être passé par toutes les canalisations, tous les soubassements de la matière existante, et avoir refait ce travail en double dans les limbes incandescents de l'avenir. 1.1
A. ARTAUD, le Théâtre et son double, Le théâtre alchimique, Idées/Gallimard, p. 76.

♦ **2** (*Faulse alquemie* «tromperie», 1547; sens mod., XIX^e). Fig. Transformation de nature mystérieuse; processus naturel modifiant profondément, en général de manière positive, qqch. ou qqn. → **Chimie.** — (Concret). *L'alchimie du ver à soie, de l'abeille. L'alchimie de la nature au printemps.* — (Abstrait). *Une délicate alchimie intellectuelle, morale.*

*Pratiques d'«alchimie mentale»* (A. Breton). — Arts. *L'alchimie des grands peintres.* → **Chimie** (fig.). *«L'alchimie du verbe»* (Rimbaud) :

1.2 La vieillerie poétique avait une bonne part dans mon alchimie du verbe.
Je m'habituai à l'hallucination simple : je voyais très franchement une mosquée à la place d'une usine, une école de tambours faite par des anges, des calèches sur les routes du ciel, un salon au fond d'un lac (...)
RIMBAUD, Une saison en enfer, «Délires», p. 230.

Péjor. Raffinement, subtilité excessive.

2 Je crains tant que parmi notre alchimie exquise
Le vrai du sentiment ne se volatilise.
Edmond ROSTAND, Cyrano de Bergerac, III, 6.

DÉR. **Alchimique, alchimiste.**

**ALCHIMIQUE** [alʃimik] adj. — Après 1350, *alquimique* «factice»; sens mod., 1547; de *alchimie.*

♦ **1** Relatif à l'alchimie. *Science alchimique et herméneutique. Symboles, livres alchimiques. Doctrines alchimiques et symboliques. Opérations, recherches alchimiques.*

Tous les vrais alchimistes savent que le symbole alchimique est un mirage comme le théâtre est un mirage. Et cette perpétuelle allusion aux choses et au principe du théâtre que l'on trouve dans à peu près tous les livres alchimiques, doit être entendue comme le sentiment (dont les alchimistes avaient la plus extrême conscience) de l'identité qui existe entre le plan sur lequel évoluent les personnages, les objets, les images, et d'une manière générale tout ce qui constitue la *réalité virtuelle* du théâtre, et le plan purement supposé et illusoire sur lequel évoluent les symboles de l'alchimie.
A. ARTAUD, le Théâtre et son double, Le théâtre alchimique, Idées/Gallimard, p. 73.

♦ **2** Qui évoque un aspect de l'alchimie (1.) ou la transformation mystérieuse des substances (→ Alchimie, 2.). *La poursuite alchimique de la matière.*

**ALCHIMISTE** [alʃimist] n. — V. 1370, *alkemiste; alchymiste,* Rabelais, 1532; de *alchimie.*

♦ **1** Personne qui s'occupait d'alchimie. → (vx) **Adepte, alambiqueur, souffleur; archimagie.** — REM. Le féminin *une alchimiste* est absent des documentations consultées. — *Pour trouver la pierre philosophale et faire de l'or, les alchimistes soufflaient dans leurs fourneaux, brûlaient la matière, la calcinaient, la sublimaient. Le dogme des alchimistes, affirmant que l'or* (cit. 7) *domptait les maux. — Élixir des alchimistes :* magistère. — *Poudre des alchimistes* (poudre de projection). *Laboratoire d'alchimiste.*

1 Et enfin pour les mauvaises doctrines, je pensais déjà connaître assez ce qu'elles valaient, pour n'être plus sujet à être trompé ni par les promesses d'un alchimiste, ni par les prédictions d'un astrologue (...)
DESCARTES, Discours de la méthode, I.

2 Les alchimistes tâchent à profiter de la passion qu'on a pour les richesses, en promettant des montagnes d'or à ceux qui les écoutent (...)
MOLIÈRE, l'Amour médecin, III, 1.

3 (...) Werner, archevêque de Cologne, loge et entretient de 1380 à 1418 des alchimistes qui ne font pas d'or, mais qui trouvent, en cheminant vers la pierre philosophale, plusieurs des grandes lois de la chimie.
HUGO, le Rhin, p. 118.

3.1 L'avare voulait rester seul comme un alchimiste à son fourneau.
BALZAC, Eugénie Grandet, éd. 1838, p. 112-113.

♦ **2** Personne qui recherche un secret inaccessible par des opérations plus ou moins mystérieuses. → **Alchimie,** 2. — (Concret). *Les artistes, les grands peintres sont des alchimistes de la couleur.* — (Abstrait). *Un alchimiste de la pensée.*

M. Mikimoto, qui apprit aux huîtres à imiter les perles, se place parmi les plus grands alchimistes de l'histoire.
YÉFIME, le Japon, p. 8.

REM. **Le féminin n'est signalé par aucun dictionnaire et semble rare; il serait toutefois normal dans ce sens.** *Une grande alchimiste des sons, des mots.*

♦ **3** Adj. Rare. Propre aux alchimistes (Baudelaire, *in* T. L. F.). — Par ext. Alchimique (de manière active).

De toute façon, tenir un journal est une entreprise dangereuse parce qu'alchimiste. Elle modifie son auteur par deux brèches. Jacques LAURENT, les Bêtises, p. 396.

**ALCIBIADE** [alsibjad] n. m. — 1840, Vigny; du nom du général athénien.

Vx. Personne dont le caractère allie de grandes qualités à divers défauts (prétention, arrivisme...).

**ALCIDE** [alsid] n. m. — 1838, en sc. nat.; nom propre, l'un des noms d'Hercule.

**I** Zool. Papillon. — Coléoptère *(Curculionidés)* d'Afrique et d'Asie. — Scarabée des Indes.

**II** (1840, *in* D. D. L.). Vx. Homme très robuste et courageux. — Spécialt. Lutteur de foire. → **Hercule.**

(...) à part le maître d'école *(surnom d'un personnage)* qui mangerait trois alcides à son déjeuner, personne jusqu'à cette heure (...) ne pouvait se vanter de m'avoir mis le pied sur la tête. Eugène SUE, les Mystères de Paris, I, 5.

**ALCIDÉS** [alside] n. m. pl. — 1845; du rad. de *alcyon,* et suff. zool. *-idés.*

Zool. Famille d'oiseaux alciformes *(Palmipèdes),* dont les types principaux sont le guillemot, le macareux, le mergule, le pingouin. *Les alcidés sont également appelés* alques [alk]. — Au sing. *Un alcidé.*

**ALCIFORMES** [alsifɔʀm] n. m. pl. — XIX^e^; du rad. de *alcyon,* et *-forme.*

Zool. Ordre d'oiseaux *(Palmipèdes)* essentiellement pélagiques, ne venant à terre que pour nicher. *Les alciformes comprennent deux familles :* les alcidés ou alques et les sphéniscidés. — Au sing. *Un alciforme.*

**ALCIOPE** [alsjɔp] n. f. — 1845, en bot.; av. 1907, zool., Bergson; du grec *alkê* «force», et *-ope* «oeil».

Zool. Annélide polychète de la famille des *alciopidés;* «animaux nageant à la surface de la mer, incolores et transparents; leurs yeux sont en général fort grands et avec certaines taches brunes sur chaque segment ce sont les seules parties colorées du corps» (H. Bergson, *l'Évolution créatrice,* 1907, p. 97, *in* T. L. F.). Syn. : *alciopidé,* n. m.

**ALCOOL** [alkɔl] n. m. — 1586, *alcohol,;* sens mod., 1612; lat. mod. *alkohol* «substance produite par une distillation totale»; mil. XVI^e^, Paré, «médicament (antimoine) pulvérisé»; arabe *(')ăl-kŭḥl* «antimoine pulvérisé». → Kohl.

**I** Techn. et cour. ♦ **1** Liquide incolore, volatil, inflammable, obtenu par la distillation du vin, et, par ext., des boissons et jus fermentés. Syn. : *esprit-de-vin, alcool* (II.) *éthylique. La fermentation des moûts sous l'action des levures alcooliques dédouble les sucres en alcool et en gaz carbonique.* → **Alcoolification, fermentation.** *Ajouter de l'alcool au moût.* → **Mutage, vinage.** *Après fermentation des moûts, l'alcool est obtenu par distillation en alambic.* → **Bouilleur** (de cru). *À la sortie de l'appareil distillatoire, l'alcool contient des impuretés* (→ **Flegme**) *qui peuvent être éliminées par rectification* (déflegmation). *Alcool absolu,* anhydride. *Alcool rectifié,* qui a subi une seconde distillation. *Alcool rectifié à 60°, 90°. Alcool* *à 90. Degré, concentration, titre d'un alcool.* → **Alcoomètre, alcoométrie, œnomètre, œnométrie.** *Mélanger des alcools à différents degrés de concentration.* → **Déshydratation.**

*Alcools naturels,* obtenus par distillation du vin, des marcs, cidres, poirés, fruits (cerises, merises...). → **Eau-de-vie, esprit, liqueur, spiritueux.**

*Alcools d'industrie, alcools industriels,* obtenus par distillation des moûts sucrés de betteraves, cannes à sucre (mélasses), grains (maïs, sorgho...), pommes de terre, topinambours... *Dans la fabrication de l'alcool de grains ou de tubercules, l'amidon est transformé en moût sucré* (→ **Saccharification, maltage**), *que l'on distille après l'avoir fait fermenter au moyen d'un levain.* → **Fermentation.** *La rectification de l'alcool industriel élimine les flegmes* (→ **Furfurol, fusel**).

*Alcool absolu, déshydraté,* titrant pratiquement 100 %.

*Alcool dénaturé,* rendu impropre à la consommation de bouche au moyen d'un dénaturant (méthylène, alcool méthylique, benzique, etc.), et réservé aux emplois industriels.

*Alcool camphré*.*

Absolt. *L'alcool. L'alcool entre dans la fabrication des explosifs* (→ **Fulminate, coton-poudre** ...), *des produits chimiques et pharmaceutiques* (→ **Alcoolat, camphre, chloral, chloroforme, collodion, élixir, éther, éthylène, teinture**...), *des vernis* (vernis à l'alcool), *des thermomètres* (thermomètres à alcool), *de la soie artificielle, etc. En thérapeutique, l'alcool est utilisé comme antiseptique, excitant (frictions à l'alcool).*

♦ **2** (1834, *alcohol*). Absolt et cour. *Alcool* (ou *alcool de bouche, alcool bon goût,* vieilli) : boisson alcoolique forte ; toute eau-de-vie ou spiritueux *(un alcool)* ; ensemble des boissons alcoolisées, en général à l'exclusion du vin, de la bière, du cidre *(l'alcool).* → **Eau-de-vie, liqueur, spiritueux ;** fam. **bistouille, casse-pattes** (vieilli), **casse-poitrine** (vx), **cric** (régional), **gnole, goutte, pousse-café, rikiki** (vieilli), **rincette, schnick, tord-boyaux.** *Boire de l'alcool, trop d'alcool ; excès, habitude de l'alcool, des alcools.* → **Alcoolisme.** Loc. *Noyer son chagrin* dans l'alcool.*

Spécialt. *Les alcools :* les eaux-de-vie et spiritueux (à l'exclusion des autres boissons alcooliques). *Alcools blancs :* eaux-de-vie de fruits, incolores. → **Abricotine, framboise, kirsch, mirabelle, poire, quetsche.** *Alcool de vin, de marc, de raisins.* → **Marc.** *Alcool de fruits, de prune* (→ **Prune**), *de baies... Alcools de grains.* → **Akvavit, genièvre, gin, vodka ; schnaps ; whisky.** *Boire un petit verre d'alcool après le repas.* → **Digestif, pousse-café ; verre** (un petit verre). *Arroser* son café d'alcool.* → **Arrosé** (3., 4.). *Vins et alcools. Négociant en alcools. Importateur d'alcools.*

Loc. *Alcool de menthe*.*

Par métonymie. *Un alcool :* un verre d'alcool. *Un café et un petit alcool, s'il-vous-plaît !*

♦ **3** Au sing. *L'alcool :* l'élément alcoolique des boissons alcoolisées (vin, bière, alcools), excitant physiologique. *Effets de l'alcool.* → **Enivrer** (s'), **soûler** (se) ; ivresse ; soûlerie. *La prohibition* de l'alcool, aux États-Unis. « L'alcool tue ». Boire de l'alcool ; beuverie d'alcool. Il ne supporte pas, il ne tient pas l'alcool. L'alcool lui est absolument interdit. Boissons, bière sans alcool. Taux d'alcool dans le sang.* → **Alcoolémie, alcootest.**

1 (...) dans ce Brest abâtardi et pourri, l'alcool semblait suinter des murs avec l'humidité malsaine.

LOTI, Mon frère Yves, LVIII.

Ils saluent une fois encore, par une large beuverie d'alcool, le très probable triomphe du champion de la prohibition. 2

G. DUHAMEL, Scènes de la vie future, IX.

(...) l'atmosphère saturée de chaleur, de poussière, de relents d'alcool. 3

MARTIN DU GARD, les Thibault, III, II.

Et l'alcool, qu'est-ce que vous en faites, de l'alcool ? Oh ! pas celui que vous avez bu, naturellement. Celui qu'on a bu pour vous, bien avant que vous ne veniez au monde. 3.1

BERNANOS, le Journal d'un curé de campagne, Romans, Pl., p. 1091-1092.

L'alcool et l'opium constituent de profonds modificateurs de l'individualité psychique. L'alcool peut engendrer non seulement des ivresses, des délires aigus et des délires chroniques à type de délire de persécution ou de psychose hallucinatoire, mais des troubles du caractère avec irascibilité, jalousie morbide, perversions sexuelles, impulsions criminelles, et même la démence, affaiblissement global, progressif et irrémédiable des facultés mentales. Aucun exemple plus que celui-là n'est propre à démontrer le rôle des influences physiques sur le psychisme. 3.2

Jean DELAY, la Psychophysiologie humaine, p. 94.

(Dans des loc.). Alcoolisme. *Tomber, sombrer dans l'alcool. Les ravages de l'alcool.*

Par métaphore. Ce qui enivre comme l'alcool. *Alcools,* recueil poétique d'Apollinaire.

L'action violente est un alcool. L'intelligence qui y a goûté a bien de la peine ensuite à s'en déshabituer (...) 4

R. ROLLAND, Jean-Christophe, éd. Ollendorf, t. X, p. 47.

**II** Chim. ♦ **1** (1835). *Alcool méthylique* ou *méthanol* (voir ci-dessous), utilisé comme combustible. — Cour. *Alcool à brûler :* mélange d'éthanol et de méthanol impur (méthylène), destiné à l'usage domestique. — *Réchaud, lampe à alcool. Moteur à alcool.* — *Alcool solidifié,* servant de combustible.

♦ **2** (D'abord appliqué à l'alcool éthylique et à l'« esprit-de-bois » ou alcool méthylique, 1835 ; le concept se généralise ensuite). Corps organique possédant le groupement hydroxyle (—OH) non lié directement à un noyau aromatique (à la différence des phénols) et pouvant être considéré comme un dérivé d'hydrocarbure (par substitution du groupe -OH à un atome d'hydrogène lié à un carbone n'appartenant pas à un cycle aromatique). *Alcool éthylique :* l'alcool (au sens I.) ; *alcool méthylique* (→ ci-dessus II., 1.). *Alcools allylique, amylique, butylique, propylique, terpénique, vinylique* (voir ces mots).

*Groupes d'alcools :* le méthanol, les *alcools primaires* (qui donnent par oxydation un aldéhyde et un acide), les *alcools secondaires* (qui donnent par oxydation un cétone), les *alcools tertiaires* (qui ne donnent que des acides, sans aldéhyde ni cétone). *Alcools polyvalents* ou *polyalcools : dialcool* ou *diol* (alcool divalent), dont le *glycol* est le type ; *trialcool* ou *triol* (alcool trivalent), dont la *glycérine* est le type ; *tétralcool* (alcool tétravalent), etc.

Vieilli. *Alcools aromatiques* (de la série aromatique).

DÉR. et COMP. **Alcoolase, alcoolat, alcoolate, alcoolé, alcoolémie, alcoolification, alcoolique, alcooliser, alcoolisme, alcoolorésistant, alcoolyse, alcoomètre, alcootest.** — V. aussi **Alcane, alcène, alcoolo-, alcoyle, alcyne, aldéhyde, aldol.**

**ALCOOL-, ALCOOLO-** Premier élément de mots (sc. et cour.) tiré de *alcool.* Voir à l'ordre alphabétique.

**ALCOOLASE** [alkɔlaz] n. f. — 1934, *in* T. L. F. ; de *alcool,* et *-ase.*

Chim. Diastase alcoolique qui transforme le glucose en alcool (II., 2.) et acide carbonique. → **Zymase.**

**ALCOOLAT** [alkɔla] n. m. — 1824, Nysten, *in* D. D. L.; 1823, *alcoholat, in* D. D. L.; de *alcool.*
Chimie.
♦ **1** Pharm. Médicament liquide obtenu par distillation de l'alcool (éthylique) pur ou additionné d'eau sur des substances aromatiques (plantes fraîches ou desséchées). *Alcoolat de citron, alcoolat* (ou baume) *de fioravanti, de mélisse* (eau), *de menthe.* → **Esprit** (esprit parfumé).
♦ **2** Solution d'essence aromatique dans de l'alcool (non distillée en présence d'alcool).
DÉR. **Alcoolature.**

**ALCOOLATE** [alkɔlat] n. m. — 1838; de *alcool,* et suff. *-ate.*
Chim. Sel résultant de la substitution d'un métal (d'un ion métallique) à l'hydrogène (à un proton du groupe OH) dans la fonction alcool (II., 2.).

**ALCOOLATURE** [alkɔlatyʀ] n. f. — 1838; de *alcoolat.*
Chim. Médicament liquide obtenu par macération d'alcool (I., 1.) et de plantes fraîches en parties égales. *Alcoolature d'aconit.*

**ALCOOLÉ** [alkɔle] n. m. — 1833, Nysten, *in* D. D. L.; de *alcool.*
Pharm. Médicament dont l'alcool (éthylique) est l'excipient. → **Baume, élixir, teinture.**

**ALCOOLÉMIE** [alkɔlemi] n. f. — 1938, Garnier et Delamare; de *alcool,* et suff. *-émie.*
Méd. Taux d'alcool (éthylique) dans le sang. — REM. Le mot tend à devenir courant avec la généralisation de l'alcootest.

**ALCOOLIFICATION** [alkɔlifikasjɔ̃] n. f. — 1845; de *alcool,* et du lat. *fieri* «devenir».
Chim. Fermentation alcoolique. → **Alcoolisation,** 1.

**ALCOOLIQUE** [alkɔlik] adj. et n. — 1789; de *alcool.*
♦ **1** Vieilli. Qui contient de l'alcool (I., 1.). *Liqueur, liquide, mélange alcoolique. Teinture alcoolique.* → **Alcoolé.** — Mod. *Boissons alcooliques.* → **Alcoolisé.** Rare. *«Une odeur alcoolique, un parfum d'absinthe»* (Goncourt), d'alcool.
♦ **2** Chim. Relatif à l'alcool (II.), notamment à l'alcool éthylique (Alcool, I., 1.). *Ferments alcooliques. Fermentation alcoolique,* par laquelle le glucose se dédouble en anhydride carbonique et en alcool.
♦ **3** (1859). Cour. Relatif, propre à l'alcoolisme. *Excès alcooliques. Crise alcoolique. Délire alcoolique.* — Par ext. Littér. Qui dénote l'alcoolisme, l'ivresse. *Un «ton patibulaire, alcoolique et faubourien»* (Alain-Fournier, *Lettre à J. Rivière,* in T. L. F.). *Un «patriotisme alcoolique»* (Maupassant, *in* T. L. F.).

1 Dans ces habitudes d'ivrognerie invétérée, je vois le dernier effort de l'âme cherchant à échapper à un abîme de misères. Dans ces excès alcooliques répétés je vois la recherche de l'oubli.
A. ROBIDA, le Vingtième Siècle, p. 107.

♦ **4** (1868). Plus cour. (Personnes). Qui boit de l'alcool en excès et de manière habituelle. → **Ivrogne; alcoolo** (fam.). *Il est devenu peu à peu alcoolique. Un clochard alcoolique. Rendre qqn alcoolique.* → **Alcooliser.** — *Une famille alcoolique. — Ascendance alcoolique.*
N. (1868, *in* D. D. L. : *Journal de médecine*). Personne atteinte d'alcoolisme chronique. *Un alcoolique notoire, invétéré. Elle boit beaucoup occasionnellement, mais ce n'est pas une alcoolique. Désintoxiquer un alcoolique. D'anciens alcooliques qui font de la propagande anti-alcoolique. Les Alcooliques anonymes**.

Je suis semblable à un alcoolique profond, invétéré, atavique, qui n'aurait jamais connu d'autre boisson qu'un petit cidre doux et baptisé, et auquel on ferait boire tout à coup, sans limite, un tord-boyaux à 70°.
M. TOURNIER, le Roi des Aulnes, p. 346-347.

CONTR. **Sobre.** ◊ DÉR. **Alcooliquement.** — V. **Alcoolo.** ➝ COMP. **Anti-alcoolique.**

**ALCOOLIQUEMENT** [alkɔlikmɑ̃] adv. — Av. 1934; de *alcoolique.*
De manière alcoolique.
♦ **1** Chim. De manière à obtenir de l'alcool (→ Alcoolique, 2.). *Fermenter alcooliquement.*
♦ **2** Rare. Par alcoolisme. *Un homme «épaissi et alcooliquement heureux»* (Colette, *in* T. L. F.).

**ALCOOLISABLE** [alkɔlizabl] adj. — 1866; de *alcooliser.*
Chim. Qui peut être converti en alcool (II., 2.).

**ALCOOLISATION** [alkɔlizasjɔ̃] n. f. — 1834; «pulvérisation», 1706; de *alcooliser.*
♦ **1** Chim. Transformation en alcool (II.). Syn. : *alcoolification.*
♦ **2** Action de mêler de l'alcool (I., 1.) à une boisson.
♦ **3** Imprégnation de l'organisme en alcool (I., 1.). — Méd. *Alcoolisation d'un nerf* : injection d'alcool dans un nerf (comme traitement d'une névralgie).

**ALCOOLISER** [alkɔlize] v. tr. — 1620; a signifié aussi (1701) «pulvériser, subtiliser» (→ Alcool, étym.); de *alcool.*
♦ **1** Chim. Convertir en alcool (II., 2.).
♦ **2** Additionner d'alcool éthylique. *Alcooliser un vin.* → **Viner.**
♦ **3** Pron. (1880, cit.). Abuser des boissons alcooliques, s'enivrer.

Elle se dédommageait sur la boisson, et but tant d'eau-de-vie qu'elle acheva promptement de s'alcooliser.
FLAUBERT, Bouvard et Pécuchet, 1 Pl., t. II, VIII, p. 895.

Trans. (Fin XIXe). *Ses petits apéritifs et digestifs quotidiens finiront par l'alcooliser complètement.* — (Sujet n. de personne). Inciter (qqn) à l'alcoolisme; faire boire de l'alcool à (qqn).

(...) elle lui avait conté comment, dans une chambre d'hôtel, Milou l'avait réduite à sa volonté, comment, au bord de la mer, il avait régulièrement alcoolisé Micheline pour arriver à ses fins (...)
M. AYMÉ, Travelingue, p. 223.

◆ **ALCOOLISÉ, ÉE** p. p. adj. (Au sens 2.). *Vin alcoolisé,* auquel on a ajouté de l'alcool.
(1834, Balzac). Qui contient de l'alcool. *Boisson alcoolisée.* → **Alcoolique** (1.). *Bière très alcoolisée* (au sens 3.).
(Personnes). Qui a bu trop d'alcool. — (Choses). Qui témoigne de l'ivresse de qqn.

La maison indiquée ne m'offrit qu'une taverne entr'ouverte, où ayant pénétré, je me vis au milieu d'une troupe de buveurs, gens du peuple, l'œil alcoolisé et les pommettes rubicondes.
F. WEY, les Anglais chez eux, 260 (1857), *in* D. D. L.

DÉR. **Alcoolisable, alcoolisation.** ◊ HOM. **Alcoolyser.**

**ALCOOLISME** [alkɔlism] n. m. — Après 1852, → cit. ; de *alcool.*

Abus des boissons alcooliques déterminant un ensemble de troubles morbides; ces troubles. *Alcoolisme aigu.* → **Ivresse.** *Alcoolisme chronique,* ou (cour.) *alcoolisme,* résultant de la consommation habituelle d'alcool. → **Alcoolomanie** (didact.), **éthylisme, œnilisme** (méd.), **ivrognerie** (cour.); **absinthisme** (vx). *L'alcoolisme de qqn, son alcoolisme.*

Le mot d'alcoolisme a été introduit dans la langue médicale vers 1852 par un médecin suédois, M. Magnus Huss, pour résumer l'ensemble des symptômes pathologiques qu'entraîne l'abus de l'alcool.

A. DASTRE, Revue des Deux Mondes, 15, mars 1874, *in* LITTRÉ, Suppl.

(1861, distingué de l'*absinthisme*). Absolt. *L'alcoolisme :* le fait de consommer habituellement de l'alcool et de s'en intoxiquer, dans un groupe social. *Combattre, lutter contre l'alcoolisme, le fléau social de l'alcoolisme. Propagande contre l'alcoolisme.* → **Anti-alcoolique.** *« En France, l'alcoolisme est un des grands pourvoyeurs des services et des hôpitaux psychiatriques... »* (A. Porot, *Manuel de psychiatrie,* 1975, art. *Alcoolisme*).

COMP. **Anti-alcoolisme.**

**ALCOOLO** [alkɔlo] adj. et n. — V. 1970; de *alcool(ique),* et suff. fam. *-o.*

Fam. (langage des jeunes). Alcoolique. *« À quinze ans, j'étais complètement alcoolo. La défonce ? Quand il y en a. Mais on ne court pas après »* (Un lycéen, in *le Nouvel Obs.,* 16 oct. 1978, p. 68). *Des vieux alcoolos.*

**ALCOOLOGIE** [alkɔlɔʒi] n. f. — 1974; de *alcoo(l),* et *-logie.*

Méd. Discipline médicale qui traite des troubles liés à l'alcoolisme et vise à la mise en œuvre de leur prévention. *La consultation d'alcoologie d'un hôpital, d'un dispensaire.*

DÉR. **Alcoologue.**

**ALCOOLOGUE** [alkɔlɔg] n. — 1974; de *alcoologie.*

Méd. Médecin spécialiste des troubles liés à l'alcoolisme. *Elle est alcoologue dans un hôpital parisien.*

**ALCOOLOMANIE** [alkɔlɔmani] n. f. — Av. 1928; de *alcool,* et *-manie.*

Didact. (méd., psychiatrie). Besoin continuel d'alcool entraîné par l'accoutumance.

**ALCOOLO-RÉSISTANT, ANTE** [alkɔlɔʀezistɑ̃, ɑ̃t] adj. — 1922, *in* D. D. L. ; de *alcool,* et *résistant.*

Biol. Se dit des micro-organismes qui, colorés par la fuchsine, ne sont pas décolorés par l'alcool (→ Acido-résistant).

**ALCOOLTEST** [alkɔltɛst] n. m. → **Alcootest.**

**ALCOOLYSE** [alkɔliz] n. f. — Déb. XX^e (→ Alcoolyser); de *alcoo(l),* et *-lyse.*

Chim. Séparation des éléments d'un glycéride ou d'un ester par l'action de l'éthanol. *Alcoolyse des corps gras.*

DÉR. **Alcoolyser.**

**ALCOOLYSER** [alkɔlize] v. tr. — 1907, *Larousse mensuel ;* de *alcoolyse.*

Chim. Faire l'alcoolyse de (un corps). *Alcoolyser un glycéride.*

HOM. **Alcooliser.**

**ALCOOMÈTRE** [alkomɛtʀ; alkɔmɛtʀ] n. m. — 1809; pour *alcoolomètre,* de *alcool,* et *-mètre.*

Chim., techn. Densimètre gradué en pourcentage (degrés) d'alcool, destiné à mesurer la teneur des liquides en alcool éthylique. → **Aréomètre, densimètre, ébulliomètre, œnomètre, pèse-alcool, pèse-liqueur.**

Var. rare : *alcoolmètre* [alkɔlmɛtʀ] n. m.

DÉR. **Alcoométrie.**

**ALCOOMÉTRIE** [alkɔmetʀi] n. f. — XIX^e (*in* Littré); de *alcoomètre.*

Chim. Techniques permettant la détermination de la richesse en alcool éthylique des liquides alcooliques (vins, liqueurs).

DÉR. **Alcoométrique.**

**ALCOOMÉTRIQUE** [alkɔmetʀik] adj. — XIX^e; de *alcoométrie.*

Chim. De l'alcoométrie.

**ALCOOTEST** [alkotɛst; alkɔtɛst] n. m. — 1960, *in* Höfler, marque déposée ; de *alcool,* et *test.*

Courant.

♦ **1** Appareil qui sert à mesurer l'alcoolémie. *« Il faut acheter les appareils, les alcootests nécessaires pour dépister les automobilistes en état d'imprégnation alcoolique »* (*le Monde,* 2 nov. 1969).

♦ **2** Épreuve permettant d'estimer la présence d'alcool (éthylique) dans l'air expiré par une personne et par conséquent la probabilité d'une intoxication alcoolique. *Faire subir une épreuve d'alcootest à un automobiliste responsable d'un accident corporel.* — Var. : *alcooltest* [alkɔltɛst]. *« L'invitation qui lui était faite* (à un automobiliste) *de souffler dans les ballons d'alcooltest »* (*Science et Vie,* n° 593).

REM. 1. On rencontre aussi la forme *alcotest,* marque déposée en Allemagne (1953), puis internationalement (1961). 2. L'Administration propose de remplacer ce terme déposé par ***éthylotest*** (Comité d'étude des termes médicaux, 1982) ou par ***éthylomètre.***

**ALCORAN** [alkɔʀɑ̃] n. m. — XIV^e; arabe *qūr'ān,* propr^t « la lecture ».

Vieux.

♦ **1** Livre sacré des musulmans, contenant la loi de Mahomet. → **Coran.**

Je lis la Bible autant que l'Alcoran. 1

BOILEAU, le Lutrin, 4.

La loi du prophète, contenue dans le Coran.

♦ **2** Fig. et vx. Chose à laquelle on n'entend rien.

Cent discours (...) À quoi l'on ne comprend 2
Non plus qu'à de l'algèbre ou bien à l'Alcoran.

J.-F. REGNARD, Ménechmes, II, 3.

**ALCÔVE** [alkov] n. f. — 1646, Boisrobert (→ cit. 0.1); esp. *alcoba* « pesage public » (1202), puis « dôme, coupole » (v. 1280); sens mod. déb. XVI^e; arabe *(')ăl qŭbbăh* « coupole », puis « petite chambre contiguë » (XIV^e).

♦ **1** Enfoncement ménagé dans une chambre pour un ou plusieurs lits, qu'on peut fermer dans la journée. *Alcôve fermée de rideaux. Lit clos dans une alcôve.* — REM. Le mot s'est introduit dans le vocabulaire précieux, au XVII^e s. (cit. 1 et 2), d'où le sens 2.

Quoi ! Pourroit elle, estant si bien en Cour, 0.1
Perdre avec nous un seul moment du jour
Et nous chercher, après s'estre trouvée
Dedans l'Alcove en la chambre privée ?

BOISROBERT, Épître à M^me de Motteville, 2, 235, *in* D. D. L. (1646).

1 Ne vous étonnez pas de ce mot d'alcôve ; c'est une invention moderne. LA FONTAINE, Psyché, I.

2 Dans le réduit obscur d'une alcôve enfoncée
S'élève un lit de plume à grands frais amassée.
BOILEAU, le Lutrin, I.

♦ **2** Hist. de la littér. Partie de la chambre où les Précieuses recevaient et tenaient salon littéraire. → **Ruelle.** *Tenir alcôve.* — Salon littéraire confidentiel.

REM. Dans ce sens, le mot a eu un dérivé (1660, Somaize) : *alcôviste,* n. m., «bel esprit fréquentant les alcôves».

♦ **3** Spécialt et absolt. *(L'alcôve, d'alcôve).* Lieu des rapports amoureux, érotiques. → **Lit.** *Les histoires, les indiscrétions, les secrets de l'alcôve. Secrets d'alcôve. Dans la pénombre de l'alcôve.*

3 Britannicus est une tragédie bourgeoise, une intrigue de cour, une comédie d'alcôve se terminant en drame de Zola. Émile FAGUET, XVII^e^ s., Études littéraires, p. 313.

Vieilli. *Une alcôve :* le lieu où une femme reçoit des hommes. *L'alcôve d'une demi-mondaine.* — REM. Le mot, dans cet emploi, est plus ou moins lié à la réprobation bourgeoise envers les «femmes de mauvaise vie» et à un mode de vie «fin de siècle».

**ALCOXYLE** [alkɔksil] n. m. — Après 1950 ; du rad. de *alcane,* et du suff. de *hydroxyle.*

Chim. Radical RO- qui se trouve dans les dérivés d'alcools de formule ROH (un préfixe *alcoxy-* indique la présence de ce radical dans un corps).

**ALCOYLANT** [alkɔilɑ̃] n. m. — Après 1950 ; de *alcoyle.*

Méd. Substance possédant plusieurs chaînes d'alcoyle *(alkyle)* et dénaturant les nucléoprotéines, utilisée dans la chimiothérapie du cancer.

**ALCOYLATION** [alkɔilasjɔ̃] ou **ALKYLATION** [alkilasjɔ̃] n. f. — Av. 1929 ; du rad. de *alcoyle,* de *alkyle,* et suff. *-ation.*

Chim. Substitution d'un radical alcoyle *(alkyle)* à un atome d'hydrogène. *Alcoylation (alkylation) du benzène.* — Spécialt. → **Alkylation.**

(...) l'*alcoylation,* remplacement d'un groupe OH ou NH, par un radical hydrocarboné (...)
Jean BECK, le Goudron de houille, p. 87.

**ALCOYLE** [alkɔil] ou **ALKYLE** [alkil] n. m. — 1904, *alkyle,* in *Rev. gén. des sc.,* n^o^ 21, p. 983, de *alkali,* var. de *alcali,* et *-yle ; alcoyle* de *alco(ol),* et *-yle ;* de *alcool,* ou *alcane,* et *-yle.*

Chim. Radical univalent provenant d'un hydrocarbure aliphatique saturé (alcane), auquel on a soustrait un atome d'hydrogène sur la chaîne latérale (→ Aryle). → **Alkyl-.** En appos. *Radical alcoyle* ou *alkyle* (symb. *R*).

DÉR. (Du même rad.) **Alcoylation** ou **alkylation.**

**ALCOYLER** [alkɔile] ou **ALKYLER** [alkile] v. tr. — 1898 ; de *alcoyle, alkyle,* formé d'après *alkali,* autre graphie de *alcali,* et du suff. *-yle.*

Chim. Procéder à l'alkylation de (un corps).

DÉR. **Alkylation.**

**ALCYNE** [alsin] n. m. — 1960 ; de *alc(ool),* et de *(acét)y(lè)ne.*

Chim. Type d'hydrocarbure, généralement aliphatique, de formule $C_nH_{2n-2}$ et qui possède la liaison triple ou acétylénique. Syn. : *hydrocarbure acétylénique. Les alcanes, les alcènes et les alcynes. L'acétylène est un alcyne.*

**ALCYON** [alsjɔ̃] n. m. — Après 1250 ; lat. *alcyon,* grec *alkuon.*

♦ **1** Oiseau mythique dont la rencontre était considérée par les Grecs comme un heureux présage, parce que, disait-on, la mer demeure calme quand l'alcyon fait son nid. *L'alcyon a tour à tour été identifié avec le martin-pêcheur, le goéland, le pétrel.*

Pleurez, doux alcyons ! Ô vous, oiseaux sacrés,
Oiseaux chers à Thétis, doux alcyons, pleurez !
André CHÉNIER, la Jeune Tarentine.

(...) une grande fleur blanche, duvetée comme une aile, descendait du front de la princesse le long d'une de ses joues dont elle suivait l'inflexion avec une souplesse coquette, amoureuse et vivante, et semblait l'enfermer à demi comme un œuf rose dans la douceur d'un nid d'alcyon. PROUST, le Côté de Guermantes, Folio, p. 48.

Blason. Oiseau aquatique.

Littér. Oiseau de mer (sans précision quant à l'espèce).

♦ **2** (1711 ; *alcyonium,* 1690). Zool. Animal de l'ordre des cnidaires *(Alcyonaires)* semblable à un tronc portant des branches courtes et épaisses évoquant l'aspect d'une main humaine. *Les pêcheurs donnent à l'alcyon le nom de* doigts de noyé, main de mer (→ 1. **Céryle).**

DÉR. **Alcyonaires, alcyonien.**

**ALCYONAIRES** [alsjɔnɛʀ] n. m. pl. — 1845 ; de *alcyon.*

Ordre de cnidaires à huit tentacules, comprenant notamment l'alcyon (2.) et le corail. — Au sing. *Un alcyonaire.*

(...) les bouquets absolus offerts du fond des mers par les alcyonaires, les madrépores.
A. BRETON, l'Amour fou, p. 19.

**ALCYONIEN, IENNE** [alsjɔnjɛ̃, jɛn] adj. — XVI^e^ ; de *alcyon.*

Qui a rapport à l'alcyon.

(1694). Fig. *Jours alcyoniens :* période de calme de la mer (sept jours avant et sept jours après le solstice d'hiver), pendant laquelle on dit que l'alcyon fait son nid.

Par ext. Littér. Qui est comme la mer pendant les jours alcyoniens (→ **Calme, serein).**

(...) les évolutions de mon intelligence me semblaient aussi infatigables que les cieux, et cependant toutes les inquiétudes étaient aplanies par un calme alcyonien ; c'était une tranquillité qui semblait le résultat (...) de l'antagonisme majestueux de forces égales et puissantes (...)
BAUDELAIRE, les Paradis artificiels, «Un mangeur d'opium», III, Trad. de DE QUINCEY, Pl., p. 499.

On trouve aussi *alcyonique* [alsjɔnik]. *«Un temps alcyonique»* (P. Bourget, *Outre-mer,* t. I, p. 18).

**ALDE** [ald] n. m. — Attesté 1842 ; de *Alde Manuce.*

Didact. Ouvrage publié par Alde Manuce et ses descendants, célèbres imprimeurs vénitiens. → **Aldin.**

**ALDÉE** [alde] n. f. — 1598, *in* D. D. L. ; port. *aldeia* «village», 1134 ; arabe *(')ăl-dăy'h* «village».

Vx. Village d'autochtones, dans les possessions européennes d'Asie Mineure (Palestine), des Indes (XVII^e^-XVIII^e^ siècles), d'Afrique, d'Amérique du Sud.

REM. Le mot est parfois repris sous la forme portugaise *aldeia* par les géographes, pour désigner des villages indiens du Brésil.

**ALDÉHYDE** [aldeid] n. m. — 1845 ; all. *Aldehyd*, 1835, abrév. de *alcool dehydrogenatum* «alcool déshydrogéné».

♦ **1** Chim. Nom générique (suff. : *-al* ; → Bromal, citral...) des composés organiques renfermant un groupement $-\mathrm{CH{=}O}$, obtenus par oxydation ou déshydrogénation d'un alcool primaire. *Aldéhyde formique* (→ **Formol**), *aldéhyde benzoïque* (→ **Benzaldéhyde**). *Aldéhyde éthylénique* (ex. : *acroléine*). *Aldéhydes aromatiques, aldéhydes terpéniques.* — Appos. *Fonction aldéhyde*, caractérisée par le groupement $-\mathrm{CH{=}O}$. *Les fonctions aldéhyde et cétone* ont le même groupement fonctionnel* (groupement carbonyle* $\mathrm{C{=}O}$) *et diffèrent par l'environnement de ce groupe.*
(En composition). *Aldéhyde-alcool* : composé renfermant une ou plusieurs fonctions aldéhyde et une ou plusieurs fonctions alcool. *Les oses et l'aldol* sont des aldéhydes-alcool. Aldéhyde-phénol* : composé renfermant une ou plusieurs fonctions aldéhyde et une ou plusieurs fonctions phénol.

♦ **2** *L'aldéhyde acétique* (ou *acétaldéhyde, éthanal*) : liquide volatil, d'odeur vive, provenant de l'alcool (éthylique) par enlèvement d'hydrogène.

DÉR. **Aldéhydé, aldéhydique.** — V. **Aldol, aldose, aldostérone.** ◊ COMP. **Benzaldéhyde, métaldéhyde.** V. **Alanine.**

**ALDÉHYDÉ, ÉE** [aldeide] adj. — Mil. XIX$^{e}$ ; de *aldéhyde*.

Chim., techn. Obtenu à partir d'aldéhyde. *Parfums aldéhydés.*

**ALDÉHYDIQUE** [aldeidik] adj. — 1846 ; de *aldéhyde*, et suff. *-ique*.

Chim. Relatif au genre aldéhyde. *Fonction aldéhydique. Chaîne aldéhydique.*

**AL DENTE** [aldɛnte] adv. — Mil. XX$^{e}$ (terme diffusé par la «nouvelle cuisine») ; mots italiens «à la dent».

*Pâtes al dente*, peu cuites et qui restent un peu fermes sous la dent. *J'aime les spaghettis al dente.* — Par anal. *Haricots verts al dente.* — Par ext. *Cuisson al dente.*

**ALDERMAN** [aldɛʀman] n. m. — Déb. XIII$^{e}$, une première fois en 1137 ; anc. angl. *ealdorman, aldorman*, de *ealdor* «chef, ancien» (angl. mod. *elder* «aîné»), et *man* «homme».

Hist. et didact. En Angleterre, Officier municipal élu, chargé de fonctions judiciaires de simple police. — Au plur. : *des aldermans* [aldɛʀman], *des aldermen* [aldɛʀmɛn].

Après avoir été élu par les Hommes Libres, les Liverymen, par l'intermédiaire de deux aldermen (sorte de conseillers municipaux et de juges de paix), le Lord Maire va traverser sa bonne ville.
Paul MORAND, Londres, 1933, p. 251.

**ALDIN, INE** [aldɛ̃, in] adj. — 1529, *lettre aldine* ; lat. érudit *aldinus*, de *Aldus (Manucius)*, nom latinisé de *Aldo (Manuzio)*, Alde Manuce, éponyme de la célèbre famille des Aldes, imprimeurs vénitiens des XV$^{e}$ et XVI$^{e}$. → Alde, n. m.

Didact. Des Aldes, relatif aux Aldes. *Caractères aldins*, dont le plus remarquable est l'italique. *Les éditions aldines.*

**ALDOL** [aldɔl] n. m. — 1872, cit. ; de *ald(éhyde)*, et *(alco)ol*.

Chimie.
♦ **1** Produit d'autocondensation de l'aldéhyde (2.) acétique. *L'aldol est un aldéhyde-alcool.*

L'aldol est un produit de condensation de l'aldéhyde (...) Ce corps est l'aldéhyde-alcool ou *aldol*.
L. FIGUIER, l'Année scientifique et industrielle, 1873, p. 220 (1872).

♦ **2** Par ext. Syn. de *aldéhyde*-alcool.*

**ALDOSE** [aldoz] n. m. — 1904, in *Rev. gén. des sc.*, n° 14, p. 707 ; de *ald(éhyde)*, et suff. *-ose*.

Chim. Ose renfermant une fonction aldéhyde. *Le glucose et le ribose sont des aldoses.*

**ALDOSTÉRONE** [aldosteʀɔn] n. f. — Après 1953 ; de *ald(éhyde), -o-, stér(o)-*, et suff. *-one*.

Chim., biol. L'une des hormones sécrétées par la cortico-surrénale, qui exerce son action sur le métabolisme minéral (rétention du sodium et élimination du potassium).

**ALDROVANDE** [aldʀɔvɑ̃d] ou **ALDROVANDIA** [aldʀɔvɑ̃dja] n. f. — 1846, Bescherelle ; du nom de *Aldrovandi*, 1522-1607, à qui la plante a été dédiée par Giuseppe Monti.

Plante dicotylédone *(Droséracées)* qui pousse dans les étangs, les mares, et flotte à la surface de l'eau.

**ALE** [ɛl] n. f. — 1825 ; *aile*, av. 1701 ; *alle*, 1558 ; angl. *ale* (v. 940). REM. *Ale* se rencontre en anc. franç. (XIII$^{e}$), empr. plutôt au néerl. *aal, ale* qu'à l'anglais.

Bière anglaise blonde, fabriquée avec du malt peu torréfié, et peu amère (opposé à *bitter*). — On emploie aussi l'emprunt *pale ale*. — *Une pinte d'ale. Ale, stout et porter.* — Plur. *ales*.

HOM. **Aile, elle.**

**ALÉA** [alea] n. m. — 1852, Dict. de La Châtre ; du lat. *alea* «jeu de dés, hasard».

♦ **1** Vx. Chance, hasard. *L'aléa d'une entreprise.*

Pendant les premiers jours qui suivirent le départ du 1
gentleman *(Philéas Fogg)*, d'importantes affaires s'étaient engagées sur l'«aléa» de son entreprise.
J. VERNE, le Tour du monde en 80 jours, p. 33.

(...) un accident vulgaire que l'aléa d'une soulographie per- 2
pétuelle rendait très plausible.
Léon BLOY, la Femme pauvre, p. 49.

♦ **2** (Surtout au plur. *les aléas*, 1922, *in* T. L. F.). Mod. Événement imprévisible, tour imprévisible que peuvent prendre les événements. → **Hasard.** *Il faut compter avec les aléas de l'examen. Les aléas que comporte la situation. Les aléas du métier.* — Rare au sing. → **Risque.**

C'est le seul but des appels auxquels je préside lorsque 3
l'Alei est absent, et qui ont lieu le soir dans la cour fermée. Je les ai ordonnés selon ma double exigence de rigueur et d'aléa.
M. TOURNIER, le Roi des Aulnes, p. 341.

Math. *Aléa numérique* : variable aléatoire.

DÉR. (Du latin *alea*) **Aléatoire.**

**ALEA JACTA EST** [aleaʒaktaɛst] Locution latine signifiant : «le sort en est jeté», «les dés sont jetés», des paroles attribuées à César franchissant le Rubicon (Suétone, *Caesar*, 32 : *Jacta alea esto* : que le sort en soit jeté).

(Souvent par plais.). S'emploie pour commenter une décision hardie, après des hésitations. *Allez ! on y va ! alea jacta est.*

**ALEATICO** [aleatiko] n. m. — Av. 1798, Casanova; mot ital., nom d'un cépage, p.-ê. de *aliädga*, var. régionale (Émilie), de *lugliatica (uva)* «(raisin) de juillet», cf. ital. *luglio* «juillet».

Vx. Vin muscat de Toscane.

**ALÉATOIRE** [aleatwaʀ] adj. et n. m. — 1596; lat. *aleatorius*, de *alea*. → Aléa.

♦ **1** Dr. *Contrat aléatoire*, où les parties stipulent une chance de gain ou se garantissent contre une chance de perte en prévision d'un événement incertain (pari, loterie).

♦ **2** (1837, Balzac). Que rend incertain, dans l'avenir, l'intervention du hasard. → **Hasardeux, problématique.** *Son succès est bien aléatoire. Événement aléatoire et imprévisible.*

1 C'est un jeu *(le mariage)*, le plus aléatoire de tous, disait-il, qui n'est excusable que par la valeur, le nombre, l'ardeur et la sincérité des illusions qu'on y engage (...)
E. FROMENTIN, Dominique, II.

1.1 (...) la mince ligne noire, qui, demeurant dans la pénombre hors du cercle de lumière et à une distance de quatre ou cinq mètres, est d'observation très aléatoire : un court segment de droite, d'abord, long de moins d'un centimètre, suivi d'une série d'ondulations rapides, elles-mêmes festonnées... mais la vue se brouille à vouloir en préciser les contours (...)
A. ROBBE-GRILLET, Dans le labyrinthe, p. 220.

Nom masculin :

2 Dans toute aventure de ce genre, on se lance dans l'aléatoire, et rien ne sert de dire ensuite : «Je n'avais pas voulu cela»; car c'est cela précisément qu'il importait de prévoir.
GIDE, Journal, 29 août 1933.

♦ **3** Log., math. *Grandeur aléatoire, élément aléatoire*, qui peut prendre l'une des valeurs d'un ensemble défini de valeurs, selon une loi de probabilité (→ **Stochastique**). *Variable aléatoire* : application d'un ensemble (dit univers) muni d'une probabilité vers l'ensemble des nombres réels (syn. : *aléa numérique*). *Variable aléatoire continue, variable aléatoire discrète. Fonction aléatoire* : variable aléatoire dont la loi de probabilité varie selon une autre grandeur (en général le temps). *Distribution aléatoire d'éléments*, selon une loi de probabilité. *Nombre aléatoire*, dont chaque chiffre est obtenu par tirage au sort à égalité de chances. *Erreur aléatoire*, qui provient de la nature aléatoire d'un échantillonnage.

♦ **4** Qui provient du hasard. «*Des opinions aléatoires, oscillantes, éphémères...*» (L. Daudet, *in* T. L. F.).

♦ **5** (V. 1955; terme critiqué : «*le terme aléatoire (...) utilisé à la place d'improvisation, est un abus pur...*» (Xénakis)). *Musique aléatoire*, dont la conception ou l'exécution sont fondées sur l'intervention partielle du hasard. «*Tous les procédés de notre époque, y compris le sérialisme et la musique aléatoire...*» (*le Monde*, 17 févr. 1977, p. 14).

*Œuvre aléatoire* (en littérature), faisant place au choix du lecteur (voir les théories de l'Oulipo et les œuvres de Queneau, notamment).

CONTR. **Certain.** ◊ DÉR. **Aléatoirement.**

**ALÉATOIREMENT** [aleatwaʀmɑ̃] adv. — 1829; de *aléatoire*.

De manière aléatoire, incertaine ou conforme aux probabilités.

L'homme ne gouverne pas son imagination comme son esprit, mais aléatoirement, comme sa sexualité.
MALRAUX, l'Homme précaire et la Littérature, p. 191.

**ALÉCITHE** [alesit] adj. — Fin XIXe (in *Nouveau Larousse illustré*); de 2. *a-*, et *-lécithe*.

Biol. Œuf (II.) ne renfermant qu'une très petite réserve nutritive (la nourriture provenant de l'organisme maternel). *Les mammifères ont des œufs alécithes.*

**ALECTOR** [alɛktɔʀ] n. m. — 1750; lat. zool. *alectoris*, du grec *alektôr* «coq».

Zool. Oiseau gallinacé d'Amérique à large queue arrondie. → **Hocco.**

Quelques jours après, Herbert s'empara d'un couple de gallinacés à queue arrondie et faite de longues pennes, de magnifiques «alectors», qui ne tardèrent pas à s'apprivoiser.
J. VERNE, l'Île mystérieuse, t. I, p. 395.

**ALECTR-** Élément tiré du grec *alektruôn* «coq; gallinacé» et qui entre dans la composition de quelques mots : *alectrimorphe*, adj. (1842), «qui ressemble à une poule»; *alectryomancie* ou *alectromancie*, n. f. (1842), «divination à l'aide de grains picorés par un coq», etc.

**ALÉMANIQUE** [alemanik] adj. et n. m. — 1838; bas lat. *alamanicus* ou *alammanicus*, de *Aleman(n)i*, les *Alamans*, tribu germanique installée en Souabe et en Suisse. → Allemand.

Propre à la Suisse de langue allemande (dite *Suisse alémanique*). *L'amman, magistrat en Suisse alémanique.* — N. m. *L'alémanique*, parler du haut allemand.

**ALENÇON** [alɑ̃sɔ̃] n. m. — 1866, Pommier; de *dentelle* (ou *point*) *d'Alençon*.

Dentelle à l'aiguille, faite de fils de lin, aux dessins complexes et fins. *Un napperon en alençon.*

C'était Mme Guibal qui aurait préféré les volants de vieil alençon en tablier seulement.
— Mais, ma chère, disait Mme de Boves, le tablier en était couvert aussi. Jamais je n'ai rien vu de plus riche.
— Tiens! Vous me donnez une idée, reprenait Mme Desforges. J'ai déjà quelques mètres d'alençon (...) Il faut que j'en cherche pour une garniture.
ZOLA, Au Bonheur des dames, t. I, p. 89.

**ALÊNE** (vieilli) ou **ALÈNE** [alɛn] n. f. — V. 1180, *alesne* «stylet»; p.-ê. du germanique *alisna* (cf. all. *ahle*), ou du lat. *licinus* «courbé vers le haut» (Guiraud).

♦ **1** (V. 1200). Poinçon emmanché de fer ou d'acier servant à percer, à coudre le cuir. *Une alène de bourrelier, de cordonnier, de sellier. Les alènes sont plates, rondes ou carrées. Pointu comme une alène.* → **Aléné.** — Loc. Vx. *Manier l'alêne* : être cordonnier.

Baba Moustafa était assis sur son siège, l'alêne à la main, prêt à travailler de son métier.
A. GALLAND, les Mille et une Nuits, t. III, p. 283.

Préhist. *Alènes en os, en pierre.*

Techn. Élément de machine-outil utilisé dans la fabrication des chaussures pour percer, coudre le cuir.

♦ **2** [a] (1835). Par compar. Bot. *Feuilles, style en alène.* → **Subulé.**

[b] (1558). Appos. *Raie alène*, à museau pointu. Syn. : *raie aiguille.* — N. f., dans ce sens : *une alêne.*

[c] (1842). Coquille du genre buccin.

DÉR. **Aléné, alénier.** ◊ HOM. **Allène, haleine.**

**ALÉNÉ, ÉE** [alene] adj. — 1808; de *alêne*.

♦ **1** Pointu comme une alêne.

♦ **2** Bot. Subulé.

**ALÉNIER, IÈRE** [alenje, jɛʀ] n. — 1798; *allesnier,* XVI^e; de *alêne.*

Vx. Personne qui fabrique, vend des alênes.

**ALÉNOIS** [alenwa] adj. m. — 1539; altér. de *orlenois* «d'Orléans», XIII^e; du bas lat. *Aurelianensis (urbs).*

*Cresson alénois.* → **Cresson.** — N. m. *De l'alénois.*

**ALENTIR** [alɑ̃tiʀ] v. tr. — XII^e; de *à,* et suff. verbal *lent.*

Vx ou littér. Rendre plus lent. → **Ralentir.**

Et notre passion alentissant son cours,
Après ces bonnes nuits, donne de mauvais jours.
MOLIÈRE, l'Étourdi, IV, 4.

La mélancolie douce du crépuscule alentissait les paroles (...) MAUPASSANT, Boule de suif, XII.

Fig. *«Alentir son intelligence»* (Sartre).

◆ **S'ALENTIR** v. pron. Vieilli. Diminuer.

(...) chaque jour sa vigueur s'alentit.
CORNEILLE, l'Imitation de J.-C., I, 732.

Fig. *«Mon émoi s'alentit, comme la marche du soleil (...) se fait plus lente»* (Gide, *les Nourritures terrestres, in* T. L. F.).

◆ **ALENTI, IE** p. p. adj. *Pas alenti. Démarche alentie et langoureuse.* — Mus. *Mouvement alenti. — Une intelligence alentie.*

REM. Le mot a vieilli vers la fin du XVII^e s., et *ralentir* l'a progressivement remplacé; cependant les écrivains, à partir du romantisme, le font renaître pour son euphonie, considérée comme adéquate au sens. L'emploi de *alenti* serait affecté dans la langue courante.

Je ne sais pas exactement ce que signifie ce substantif assez rare *(vénusté),* mais cette chair luisante et ferme, ces gestes de danse alentis par l'étreinte de l'eau, cette grâce naturelle et gaie l'appellent irrésistiblement sur mes lèvres.
M. TOURNIER, Vendredi..., p. 228.

DÉR. **Alentissement.**

**ALENTISSEMENT** [alɑ̃tismɑ̃] n. m. — 1350; de *alentir.*

Vx ou littér. Action d'alentir, de s'alentir. → **Ralentissement** (cour.).

**ALENTOUR** ou **À L'ENTOUR** [alɑ̃tuʀ] adv. et n. — 1395; de *à, l',* et *entour.*

**I** Aux environs, dans l'espace qui est autour, à la ronde. *Tourner, rôder alentour. Tout alentour. Il regarda alentour.*

Les plaisirs nonchalants folâtrent alentour.
BOILEAU, le Lutrin, 2.

Aucune branche de verdure au-dessus de leur tête, ni alentour, rien que le ciel immense (...)
LOTI, Pêcheur d'Islande, IV, 1.

**D'ALENTOUR** : des environs. *Les bois d'alentour* (Académie).

(...) Le nouveau loup y court,
Et répand la terreur dans les lieux d'alentour.
LA FONTAINE, Fables, XII, 9.

(Sans *de*). *Le pays alentour.*

**À L'ENTOUR.** *Tourner, rôder à l'entour* (Académie).

Ils promenaient à l'entour leurs gros yeux ivres pour dévorer par la vue ce qu'ils ne pouvaient prendre.
FLAUBERT, Salammbô, I.

Loc. prép. **À L'ENTOUR DE....** *Les rues à l'entour de chez vous, à l'entour du square.* — REM. Vieilli lorsqu'il ne s'agit pas de l'entourage topographique. → Autour (de).

Le malheureux lion se déchire lui-même,
Fait résonner sa queue à l'entour de ses flancs.
LA FONTAINE, Fables, II, 9.

Une douleur minuscule (...) s'était installée sur ses paupières et à l'entour de ses yeux.
MONTHERLANT, les Célibataires, p. 227.

**II** N. m. pl. (1766). **ALENTOURS.** ♦ **1** Lieux circonvoisins. → **Abords, environs, proximité, voisinage.** *Les alentours sont sordides, pittoresques... Les alentours du parc sont luxueux. — Aux alentours :* alentour, à l'entour. *Nous nous promènerons aux alentours de chez lui.*

Personne aux alentours si ce n'est un couple paisible (...) 7
MARTIN DU GARD, les Thibault, V, V.

REM. On rencontre rarement le sing. : *l'alentour* (Huysmans, Giono, *in* T. L. F.).

♦ **2** Vieilli. Personnes qui sont autour de quelqu'un, vivent familièrement ou sont en liaison avec lui. → **Entourage.**

Ses alentours savaient déjà de quelle façon servile il fallait 8
s'y prendre pour lui plaire (...)
M^me DE STAËL, Considérations... sur la Révolution franç., IV, 5.

♦ **3** Ce qui entoure (une chose), s'y rapporte. *Les alentours d'un sujet, d'une question.* — (Dans le temps). *Les alentours de 1830.*

CONTR. V. **Loin** (au loin), **lointain** (dans le).

**ALÉOUTE** [aleut] ou **ALÉOUTIEN, IENNE** [aleusjɛ̃, jɛn] adj. et n. — 1838, *les (îles) Aléoutiennes;* de *Aléoutes,* mot de la langue locale *(Aleut).*

♦ **1** Relatif à l'archipel qui s'étend entre l'Alaska et le Kamtchatka. *Les îles aléoutiennes, aléoutes. Chasseurs et pêcheurs aléoutiens.* — N. *Un Aléoutien, une Aléoutienne; un, une Aléoute :* un habitant, une habitante, ou une personne qui est originaire de ces îles, de race eskimo.

♦ **2** (XX^e). *Langues aléoutes,* ou, n. m., *l'aléoute :* les parlers inuit (eskimos) des îles Aléoutiennes.

**ALEPH** [alɛf] n. m. — 1751; mot hébreu.

♦ **1** Ling. Première lettre de l'alphabet hébraïque.

♦ **2** Math. Nombre cardinal caractérisant la puissance d'un ensemble infini. → **Puissance, transfini.**

**ALÉPIN, INE** [alepɛ̃, in] adj. et n. — 1828, *galles alépines* «noix de galle d'Alep»; de *Alep.* → Alépine.

Didact. D'Alep, ville syrienne.

**ALÉPINE** [alepin] n. f. — 1819, Boiste; selon Wartburg, XVII^e; de *Hălăb,* la ville d'*Alep,* en Syrie. → Alépin, adj.

Rare. Tissu de soie et de laine.

**ALÉRION** [aleʀjɔ̃] n. m. — 1581; «grand aigle», 1131; p.-ê. du francique **adalaro* (cf. all. *Adler*), p.-ê. avec infl. du lat. *alarius,* de *ala* «aile».

♦ **1** Blason. Petite aigle figurée sans bec ni pattes. *Les alérions des armes de Lorraine.*

♦ **2** Littér. et vx. Aigle. — Surnom de Pégase.

♦ **3** (1767). Rare. Martinet noir (oiseau).

1. **ALERTE** [alɛʀt] loc. interj. et n. f. — Mil. XVI^e, *à l'herte,* loc. adv. (Rabelais, *Pantagruel,* IV, 8), puis *à l'airte* (Montaigne) «sur ses gardes» (→ Alarme, étym.); ital. *all'erta* «sur ses gardes», de *erta* «hauteur, position dominante», de *erto* «escarpé», de *ergere* «dresser», lat. *erigere.* → Ériger.

**I** Loc. interj. Debout! Soyez sur vos gardes! *Alerte, soldats! Voici l'ennemi.* → **Alarme.**

Alerte, cet homme peut nous échapper à tous les 1
moments (...) RETZ, *in* LITTRÉ.

Par ext. Attention !

**II** N. f. (XVIII^e, cit. 2). ♦ **1** Appel à la vigilance, avertissement d'être sur ses gardes. → **Alarme.** *Donner l'alerte au camp :* donner l'alarme. *Sonner la sirène d'alerte, sonner l'alerte* (en cas de bombardements aériens, d'attaques aériennes).

(En cas de guerre). Signal avertissant les forces armées de se tenir prêtes à intervenir, ou la population d'une attaque. *Les sentinelles, les avant-postes ont donné l'alerte. Alerte aérienne, alerte aux gaz, aux blindés.* — (XX^e). Plus cour. Signal avertissant la population d'une attaque aérienne; ensemble des dispositifs pris durant le danger. *Les sirènes d'alerte.*

Temps pendant lequel le danger est effectif. *Se réfugier dans les caves pendant l'alerte. L'alerte a duré deux heures. Fin d'alerte.* — Milit. *Délai d'alerte :* temps compris entre le signal d'alerte et l'intervention possible d'une unité.

Spécialt. Demande d'intervention et d'assistance; signal qui déclenche cette intervention, cette assistance (après un drame, un sinistre). *Les pompiers et police secours arrivèrent dix minutes après l'alerte. Dispositif d'alerte.*

Par ext. Signal de danger (en général). *À la première alerte, ils s'enfuient.*

2 *(La souris)* ne sort de son trou que pour chercher à vivre (...) y rentre à la première alerte (...)

BUFFON, Hist. nat. des animaux, «Souris».

3 Vous savez que les perdreaux vont par bandes et nichent ensemble aux creux des sillons, pour s'enlever à la moindre alerte (...)

Alphonse DAUDET, Contes du lundi, II, «Les émotions d'un perdreau rouge».

♦ **2** État de mise en défense, d'éveil, pour parer au danger, à une situation critique. Loc. *État d'alerte.* — *Être en alerte, en état d'alerte.* → Sur ses gardes*, sur le qui*-vive.

Fig. (sans idée de danger). *L'esprit, l'intelligence en alerte,* en état de réagir, de fonctionner rapidement.

♦ **3** Menace très sensible d'une situation critique, dangereuse (→ **Avertissement, danger**); réaction d'inquiétude, émotion devant une telle menace (→ **Émoi, émotion, frayeur, peur**). *Une petite alerte sans gravité. Une fausse alerte,* qui ne correspond à aucun danger réel. *L'alerte fut vive, chaude, grave, sérieuse.* — *L'alerte de la crise de Berlin, de la guerre de Corée,* la menace (de conflit).

4 (...) il n'y aura pas de guerre (...) Seulement, l'alerte sera peut-être chaude (...)

MARTIN DU GARD, les Thibault, VII, XXXVI.

Loc. cour. *À la moindre alerte.*

4.1 (...) ici, c'est le nid de l'araignée, l'endroit où, à la moindre alerte, elle se précipite en se laissant couler le long du fil maître.

J.-M. G. LE CLÉZIO, l'Extase matérielle, p. 117.

Littér. Appréhension du danger. *Vivre dans une alerte perpétuelle.* → **Anxiété.**

DÉR. 2. **Alerte, alerter.**

2. **ALERTE** [alɛʀt] adj. — XVI^e; de 1. *alerte,* n. f.

♦ **1** Vx. Qui est en éveil, qui se tient sur ses gardes. → **Vigilant.**

(...) notre chat vit de loin
Son rat qui se tenait alerte et sur ses gardes.

LA FONTAINE, Fables, VIII, 22.

♦ **2** (V. 1690, La Bruyère). Vx. Qui est habile, prompt à agir, à saisir les occasions. *Être alerte à faire qqch., pour ses intérêts.* — *«Un homme plus alerte que lui avait obtenu la place»* (Académie, 1835).

Quand je vois (...) auprès des grands (...) de ces hommes alertes, empressés (...)

LA BRUYÈRE, Les Caractères, 13.

♦ **3** Mod. Vif et agile. → **Agile, fringant, ingambe, leste, vif.** *Un garçon alerte et amusant.* — *Avoir des jambes alertes.*

Spécialt. Vif et leste, malgré l'âge, l'embonpoint ou toute cause d'impotence. *Un petit vieillard alerte; une petite vieille alerte et gaie. Je ne suis plus très alerte.*

Je trouvai un petit vieux, frétillant, sec, tout en nerfs, alerte et gai comme une abeille.

Alphonse DAUDET, le Petit Chose, II, II.

♦ **4** (Abstrait). → **Éveillé, fringant, rapide, vif.** *Un esprit alerte. Une pensée alerte et souple.*

*Écrire d'une plume alerte, dessiner d'un crayon alerte.* — *«Ces aquarelles si alertes et si vives»* (Huysmans). *Style alerte. Une petite musique alerte, guillerette.*

CONTR. **Endormi, engourdi, inactif, indolent, inerte, langoureux, lourd, mou, paresseux.** ◊ DÉR. **Alertement.**

**ALERTEMENT** [alɛʀtəmɑ̃] adv. — 1858, cit.; de *alerte.*

D'une manière alerte (3., 4.). → **Agilement, lestement, vivement.** *«Alertement (...) elle se mit en route»* (Daudet, *in* Larousse). — *Son roman est mené alertement.*

La cloche de l'église alertement tintait (...)

LECONTE DE LISLE, Poèmes barbares, «le Manchy» (1858).

**ALERTER** [alɛʀte] v. tr. — 1918; au p. p., 1836, Stendhal, *Lucien Leuwen,* chap. 45; de 1. *alerte.*

♦ **1** (Sujet n. de personne). Avertir en cas de danger (et, par ext., dans le cas d'une difficulté) pour que des mesures soient prises. *Alerter qqn, les responsables.* — *Alerter qqn sur qqch., à propos de qqch., dès que qqch. se produit. Il faut alerter les autorités, la justice, la police.* — Par ext. *Alertez-moi dès que vous aurez la décision de la direction.* → **Prévenir.**

(...) l'administrateur Rémy, que nous avons alerté et qui va tout aussitôt procéder à une enquête.

GIDE, Journal, 27 janv. 1938.

Mettre en garde. *Alerter qqn contre qqch. Alerter le public.*

Milit. (surtout au passif). Donner l'alerte à (une formation militaire, des civils en danger). *Toutes les divisions devront être alertées vingt-quatre heures avant l'attaque,* mises en alerte. — *Alerter l'ennemi :* donner l'éveil.

♦ **2** (Sujet n. de chose). Signaler à (qqn), faire pressentir à (qqn) un danger, une menace... *Des cris, un bruit lointain nous alertèrent. Il ne faut pas alerter l'ennemi.* — *«Quel est le signe qui vient alerter mon instinct avant de frapper ma conscience?»* (Saint-Exupéry).

♦ **3** (Sans idée de danger). → **Informer, prévenir.**

◆ **S'ALERTER** v. pron. (récipr.). *Ils ont décidé de s'alerter au moindre danger.*

◆ **ALERTÉ, ÉE** p. p. adj. (1836). Averti d'un danger, d'un risque. *Armée alertée.*

Mis en garde.

Par ext. Rendu attentif; prévenu. *Le directeur, alerté, prit des mesures. Alerté par téléphone.*

Rare. En alerte. *Esprit alerté.*

**ALÉSAGE** [alezaʒ] n. m. — 1813; de *aléser.*
Technique.
♦ **1** [a] Opération consistant à parachever, en en calibrant exactement les dimensions, les trous qui traversent une pièce mécanique. *Alésage à la main (à l'alésoir), à la machine (aléseuse). Barre, broche d'alésage d'une machine à aléser (aléseuse).* — Syn. (rare) : *alèsement.*
[b] *Alésage d'un puits de pétrole.* → Aléseur, 2., b. — (Mines). *Machine de creusement par alésage montant* (creusement des puits, cheminées...).
♦ **2** [a] (Spécialisation du sens 1., a.). Usinage des cylindres d'un moteur à explosion.
[b] Par métonymie. Diamètre intérieur d'un cylindre. *Augmenter l'alésage.* Par ext. Section intérieure d'un cylindre; valeur numérique (surface) mesurant cette section. *Le produit de l'alésage par la course* et par le nombre de cylindres donne la cylindrée.*
♦ **3** Trou dans le centre du disque (d'une roue).

**ALÈSE** [alɛz] n. f. — 1419, *aleize; l'alaize,* coupure fautive de *la laize.* → Laize.
REM. On écrit aussi *alaise* ou *alèze.*
♦ **1** Pièce de tissu (drap, lé de toile, tissu éponge...) ou de papier, souvent doublée d'une feuille imperméable, que l'on place sur ou sous le drap de dessous du lit d'un enfant, d'un malade, pour protéger le matelas. *Alèse jetable.*
♦ **2** Techn. [a] Menuis. Planche emboîtée dans une autre pour l'élargir.
[b] Hortic. Lien d'osier, de jonc ou de paille que l'on fixe à l'extrémité d'une jeune branche pour lui faire prendre une position déterminée.
HOM. **Aise** (à l'aise). — **Allaise.**

**ALÉSÉ, ÉE** [aleze] adj. — 1671; *aleessé,* 1559; var. *alisé;* de l'anc. franç. *alaisier.* → Aléser.
Blason (qualifiant une pièce honorable). Diminué de longueur (ne touchant pas les bords de l'écu). — Var. graphiques : *alézé, ée; alaisé, ée.*
HOM. **Aléser.**

**ALÈSEMENT** [alɛzmɑ̃] n. m. — 1901; de *aléser.*
Rare. Action d'aléser. → **Alésage.**
Par la simple suppression des rayures du canon, la portée est ramenée à une distance raisonnable et qui permet un tir juste; il est en même temps meurtrier, car l'on dispose, grâce à cet alèsement, d'un plus fort calibre.
A. JARRY, Spéculations, «Les fusils transformés», Œ. compl., t. VII, p. 41.

**ALÉSER** [aleze] v. tr. [CONJUG.: *céder.*] — 1671, «aplanir les bords (lés) de (une monnaie)»; sens mod., 1689; spécialisation de l'anc. franç. *alaisier* «élargir», du lat. pop. **allatiare,* du lat. class. *latus* «large».
Techn. Procéder à l'alésage de (une pièce métallique creusée d'un trou généralement cylindrique). → **Calibrer, fraiser, percer, rectifier, tourner.** *Machine* (aléseuse), *outil* (alésoir) *à aléser.* — (1697). *Aléser le tube d'un canon.*
Au p. p. *Cylindre alésé. Canon alésé à tel calibre.*
DÉR. **Alésage, alèsement, aléseur, aléseuse, alésoir, alésure.** — V. **Alésé.** ◊ COMP. **Réaléser.** — HOM. **Alésé.**

**ALÉSEUR** [alezœʀ] n. m. — XX[e] (1927, *foret aléseur, in* T. L. F.); de *aléser.*
♦ **1** Ouvrier spécialiste de l'alésage. — REM. Dans ce sens, le fém. *aléseuse* [alezøz] est virtuel.
♦ **2** [a] Appos. *Foret aléseur,* servant à aléser.
[b] Outil utilisé pour calibrer et régulariser un puits de forage pétrolier avant le tubage. *Aléseur stabilisateur.*

**ALÉSEUSE** [alezøz] n. f. — 1924; de *aléser.*
Techn. Machine-outil servant à l'alésage. *Aléseuse horizontale, verticale. Banc, table, chariot, porte-broche, barre d'alésage d'une aléseuse. Aléseuse-fraiseuse.*

**ALÉSOIR** [alezwaʀ] n. m. — 1671; de *aléser.*
Techn. Outil pour aléser à la main. *Alésoir ébaucheur, finisseur.*
COMP. **Porte-alésoir.**

**ALESTER** [alɛste] ou **ALESTIR** [alɛstiʀ] v. tr. — 1609; de *à,* et *leste.*
Mar. Vx. Rendre plus léger, plus leste (un navire) en enlevant ce qui l'encombre. → **Alléger, dégager.**

**ALÉSURE** [alezyʀ] n. f. — 1751; de *aléser.*
Techn. *Alésures :* parcelles métalliques provenant de l'alésage. — Au sing. (plus rare). *Une alésure;* (collectif) *de l'alésure.*

**ALÈTE** [alɛt] n. m. — 1690; lat. *haliaetus,* grec *haliaetos* «aigle de mer».
Rare (faucon.). Faucon d'Asie. — Oiseau de proie dressé à chasser la perdrix, aux Indes.
HOM. **Alette;** formes du v. **haleter.**

**ALÉTHIQUE** [aletik] adj. — D. i. (attesté mil. XXe), cf. *aléthologie, in* Bescherelle, 1846; du grec *alêthês* «réel, vrai», et suff. *-ique.*
Log. *Modalités aléthiques :* modalités logiques selon lesquelles les propositions sont considérées comme vraies-fausses, possibles-impossibles, nécessaires-contingentes.

**ALETTE** [alɛt] n. f. — 1676; du lat. *ala* «aile», et suff. *-ette.*
Archit. Panneau (petite aile) d'un pied-droit. — Bord dépassant d'un trumeau.
Alette, sont les costez d'un trumeau qui est entre deux arcades, quand il y a dans le milieu du mesme trumeau une colonne, ou un pilastre, c'est-à-dire qu'on appelle Alette ce qui reste et qui paroist du trumeau entre le vuide de l'arc, et la colonne ou pilastre.
FÉLIBIEN, Des principes de l'architecture, p. 466 (1676) *in* I. G. L. F.
HOM. V. **Alète.**

**ALEUCÉMIQUE** [aløsemik] adj. — 1897, *in* D. D. L.; de 2. *a-,* et *leucémique.*
Méd. Qui ne s'accompagne pas d'une multiplication pathologique des globules blancs. *Leucémie aleucémique,* caractérisée seulement par la formule leucocytaire (et non par la prolifération anarchique des globules blancs).

**ALEUR-, ALEURO-** Élément de mots didactiques, tiré du grec *aleuron* «farine». Ex. : *aleurographe* [alœʀɔgʀaf] n. m., «appareil enregistreur de la teneur des farines en gluten»; *aleuromancie* [alœʀɔmɑ̃si] n. f., «divination par la farine».

**ALEURITE** [alœʀit] n. f. — 1822, Bory de Saint-Vincent, *in* D. D. L. : lat. bot. *aleurites,* du grec *aleuron* «farine». → Aleur-.
Plante oléagineuse *(Euphorbiacées)* d'Extrême-Orient, dont une espèce est le bancoulier, l'autre l'arbre à huile (ou *abrasin*). *L'aleurite était utilisée comme purgatif.*

**ALEURODE** [alœʀɔd] n. m. — 1898; *aleyrodes* (Latreille), 1796; grec *aleurôdês* «qui ressemble à de la farine». → Aleur-, aleuro-.

Puceron sauteur, dont certaines espèces vivent fixées sur la chélidoine et le chou à l'état larvaire (famille des *Aleurodidés* [alœʀɔdide], insectes homoptères sternorhynques).

**ALEURONE** [alœʀɔn] n. f. — 1865; grec *aleuron* «farine». → Aleur-, aleuro-.

Bot. Réserve azotée des graines; assise protéique de l'albumen. *Dans le grain de blé, l'aleurone forme la plus grande partie du gluten. L'aleurone des légumes secs* (haricots, lentilles, pois) *est souvent appelée* légumine. *Cellules à aleurone. Grains d'aleurone.*

**ALEVIN** [alvɛ̃] n. m. — V. 1220; du lat. pop. **adlevimen*, de **adlevamen*, du lat. class. *allevare* «alléger, soulager», de *levis* «léger», pris en lat. pop. au sens de *elevare* «élever, nourrir»; cf. ital. *alleare*.

Jeune poisson destiné au peuplement des rivières et des étangs. → **Nourrain.** *Pêcher des alevins. Rejeter des alevins à l'eau. Peupler d'alevins un étang.* → **Aleviner.**

Je tirai d'une serviette de cuir le carnet de toile cirée sur lequel, je l'ai dit, j'avais l'intention de déposer les alevins, si possible les brochets, du marais intérieur, mais la manie de la perfection était un bien mauvais hameçon au bout de mes lignes.

Georges BORGEAUD, le Voyage à l'étranger, I, p. 30.

Zool. Larve de poisson. *Alevin vésiculé,* possédant encore un sac vitellin.

Sing., collectif. *De l'alevin. Il est interdit de pêcher de l'alevin.*

DÉR. **Aleviner, alevinier.**

**ALEVINAGE** [alvinaʒ] n. m. — 1690; de *aleviner*.

Peuplement ou repeuplement (des eaux) en poissons au moyen d'alevins. *Les pisciculteurs procèdent à l'alevinage des étangs.*

**ALEVINER** [alvine] v. — 1344, *éleviner*; 1386, *alviner*, 1386; de *alevin*.

♦ **1** Peupler d'alevins. → **Empoissonner.**

♦ **2** Intrans. Déposer son frai (le sujet désigne une femelle de poisson). → **Frayer.**

DÉR. **Alevinage.**

**ALEVINIER** [alvinje] n. m. ou **ALEVINIÈRE** [alvinjɛʀ] n. f. — 1721, *alevinier; alevinière*, 1700; de *alevin*.

Techn. Étang, vivier où l'on élève des alevins.

**ALEXANDRA** [alɛksɑ̃dʀa] n. m. — XXe; nom propre.

Cocktail fait de crème de cacao (pour un tiers) et de cognac (pour deux tiers) et nappé de crème fraîche. — Plur. : *des alexandras.* Parfois considéré comme invar. : *des alexandra.*

Nous buvions avec éclectisme (...) des baccardi[1], des alexandra, des martini (...)

S. DE BEAUVOIR, la Force de l'âge, p. 21 (1960).

1. Marque de rhum.

1. **ALEXANDRIN, INE** [alɛksɑ̃dʀɛ̃, in] adj. et n. — 1080; lat. *alexandrinus*, de *Alexandria* «Alexandrie».

**A** Adj. ♦ **1** D'Alexandrie et de la civilisation hellénistique dont cette ville fut le centre. *Poètes alexandrins* (Callimaque, Hérondas, Théocrite), érudits et raffinés. *Philosophie néo-platonicienne alexandrine. Art alexandrin,* généralement expressionniste (bas-reliefs, mosaïques). — Propre à l'art alexandrin.

(...) des formes alexandrines se maintinrent sans peine jusqu'à la cour de Ménandre et ne se maintiendront pas moins sous les rois indoscythes (...) Mais elles nous semblent toujours avoir transformé un art indien ou bactrien, parce qu'elles se développèrent en Asie Centrale, et peut-être parce que nous oublions la date relativement tardive de la prédication bouddhique dans ces régions.

MALRAUX, les Voix du silence, p. 148.

(...) en levant très haut leurs belles coupes de verre d'importation rhénane et de facture alexandrine, chargés de bijoux barbares, et goûtant tout ensemble leur luxe rude et leur danger.

M. YOURCENAR, Archives du Nord, p. 27.

♦ **2** D'une subtilité excessive. → **Alambiqué.** «*Les discussions alexandrines*» (Sartre).

**B** N. *Un Alexandrin, une Alexandrine :* un habitant, une habitante d'Alexandrie. — N. m. Poète, philosophe, artiste alexandrin. *Étudier les grands alexandrins.*

DÉR. **Alexandrinisme**

2. **ALEXANDRIN** [alɛksɑ̃dʀɛ̃] adj. et n. m. — 1432, *rime alexandrine*; de *li romans d'Alexandre*, poème du XIIe en vers de douze syllabes.

*Un vers alexandrin,* ou, n. m., *un alexandrin,* vers français de douze syllabes. *Du XVIe au XIXe siècle, l'histoire de l'alexandrin se confond presque avec celle de la poésie française. Poème, tragédie en alexandrins. Des alexandrins ronflants.*

Il venait de trouver le premier vers : Mon âme a son mystère, ma vie a son secret, mais, en comptant sur ses doigts, il s'aperçut que son alexandrin marchait sur treize pieds; il chercha un synonyme de mystère. Énigme, non, Cacher, bien; mais le substantif correspondant? Se taire, pas mal. Mon âme se tait, non. Ça ne marchait pas. De nouveau, il calcula sur ses doigts combien de pieds faisaient : Mon âme a son mystère, ma vie a son secret. Il y en avait bien treize.

R. QUENEAU, le Chiendent, p. 202.

**ALEXANDRINISME** [alɛksɑ̃dʀinism] n. m. — 1838; de *Alexandrin*.

Didactique.

♦ **1** Philos. Doctrine néo-platonicienne de l'école d'Alexandrie (IIIe-VIe siècle). *L'alexandrinisme de Plotin, de Porphyre.*

♦ **2** Style de la littérature grecque à l'époque alexandrine.

Car, enfin, Alexandrie n'est pas Byzance et sa thèse *(de Julien Benda)* veut démontrer que la littérature actuelle est pur alexandrinisme — alors que le titre de l'ouvrage reprend l'injuste épithète «byzantine». La réhabilitation de Byzance n'est plus à faire (...)

R. QUENEAU, Bâtons, chiffres et lettres, p. 204.

Style de l'art alexandrin.

(...) le style des antiques : c'était celui qui unissait l'alexandrinisme aux copies romaines de quelques grandes œuvres athéniennes, dont il était radicalement différent. Si le pauvre Michel-Ange fut bouleversé par le *Laocoon*, il n'avait jamais vu, et ne vit jamais, une figure du Parthénon...

MALRAUX, les Voix du silence, p. 70.

**ALEXANDRITE** [alɛksɑ̃dʀit] n. f. — 1886; de *Alexandre Ier*, tsar de Russie.

Minér. Pierre précieuse *(chrysobéryl)* dont la couleur varie selon l'éclairage (verte à la lumière naturelle, rouge à la lumière artificielle).

**ALEXIE** [alɛksi] n. f. — 1882, *in* D. D. L. (dans une trad. de Westphal); de l'allemand, du grec *a-* privatif (→ 2. A-), et *lexis*, de *legein* «lire».

Didact. (psychiatrie). Incapacité de reconnaître à la lecture les éléments du langage (mots, etc.). Syn. : *cécité verbale. Les alexies sont des agnosies* visuelles en corrélation avec la pensée symbolique. Alexie optique pure,* sans agraphie ni troubles proprement aphasiques. *Alexie sous-corticale,* causée par une lésion de cette zone. *Alexies et aphasies*.*
→ aussi **Paralexie.**

DÉR. **Alexique.**

**ALEXINE** [alɛksin] n. f. — 1903, in *Rev. gén. des sc.*, n° 3, p. 161 ; all. *Alexin,* 1889 (Hans Buchner), du grec *alexein* «repousser».

Méd., biol. Vieilli. Complément (4.).

L'*alexine,* ou complément, a pu être considérée comme possédant isolément un pouvoir antibactérien ; en fait (...) son action est dépendante de la présence d'une sensibilisatrice spécifique.
V. VIC-DUPONT, la Maladie infectieuse, p. 55.

**ALEXIPHARMACEUTIQUE** [alɛksifaʀmasøtik] adj. — 1838 ; de *alexipharmaque,* d'après *pharmaceutique.*

Rare. Méd., pharm. anc. *Collection alexipharmaceutique :* recueil des traités grecs anciens de pharmacologie.

**ALEXIPHARMAQUE** [alɛksifaʀmak] adj. et n. — Av. 1590, Paré ; lat. *alexipharmacon* (Pline), de *alexein* «repousser», et *pharmakon* «poison».

Méd., pharm. (Anciennt). Capable d'éliminer un principe de maladie ou de combattre l'effet d'un poison. → **Alexitère.** *Remède alexipharmaque.*

N. m. → **Antidote.** Fig. *«Les vertus d'alexipharmaque, d'antidote* (d'un sacrifice)*»* (Huysmans, *Là-bas*).

COMP. **Alexipharmaceutique.**

**ALEXIQUE** [alɛksik] adj. et n. — XX^e ; de *alexie.*

Didact. De l'alexie. — Adj. et n. Atteint d'alexie.

**ALEXITÈRE** [alɛksitɛʀ] adj. et n. — Av. 1590, Paré ; grec *alexêterion* (Hippocrate).

Méd. et pharm. (Anciennt). Qui agit comme un contrepoison, un antidote. → **Alexipharmaque.** *«Sa réputation* (de la Rauwolfia) *de plante "alexitère" se répandit (...)»* (*Sciences et Avenir,* n° 379, sept. 1978).

**ALEZAN, ANE** [alzɑ̃, an] adj. — 1534, Rabelais ; esp. *alazan ;* mot d'orig. arabe, de *'ăz'ăr* propri «renard», d'où «à la robe brun-roux».

De couleur fauve, tirant sur le roux, en parlant d'un cheval, de sa robe. *Un cheval alezan. Une jument alezane. — Poil alezan, robe alezane.*

N. m. Cheval de couleur alezan.

Par Saint-Gille, viens-nous-en,
Mon agile Alezan (...)
HUGO, Ballades, XII.

Par appos. *Couleur alezan,* ou, n. m., *alezan,* d'une couleur fauve. — REM. Lorsque *alezan* qualifiant la couleur est lui-même qualifié par un adj., il reste invar. en genre : *une jument alezane ;* mais : *une jument alezan brûlé, alezan moreau, alezan clair, alezan doré.*

**ALÈZE** [alɛz] n. f. → **Alèse.**

**ALFA** [alfa] n. m. — 1848 ; *brinne* (brin) *d'auffe,* 1680 ; arabe *ḥalfā'* empr. en provençal : *elfa* (XIV^e), d'où *aufa,* et franç. *auffe,* repris par l'arabe d'Algérie (Daumas).

♦ **1** Graminée dont les feuilles servent de matière première en sparterie et en papeterie. *L'alfa est cultivé dans le sud de l'Espagne, en Afrique du Nord. Champs d'alfa. Les hauts plateaux, zone de l'alfa. Mer d'alfa.*

L'alfa est une plante utile : il sert de nourriture aux chevaux ; on en fait en Orient des ouvrages de sparterie, et, dans le Sahara, des nattes, des chapeaux, des gamelles, des pots à contenir le lait et l'eau, de larges plats pour servir les fruits, etc. Sur pied, il sert de retraite au gibier : lièvres, lapins, gangas. 1
E. FROMENTIN, Un été dans le Sahara, p. 52.

*Nattes, tapis, panier d'alfa.*

Lorsque la laine devenait semblable à une mousse légère, comme un prestidigitateur, d'un seul coup de raquette, elle transformait toute la laine en un petit rouleau superbe qui allait augmenter la pyramide de rouleaux disposés délicatement sur un panier d'alfa. 2
Ali BOUMAHDI, le Village des asphodèles, *in* Littératures de langue française hors de France, p. 410.

♦ **2** (XX^e). *Papier alfa :* papier de qualité, léger et fin, fabriqué à partir d'une pâte d'alfa. *Papier d'alfa* (vieilli). — Absolt. *Alfa. Exemplaire numéroté sur alfa. Alfa cellulose.*

♦ **3** Loc. fam. (vieilli). Cheveux. *Il a plus d'alfa sur le ciboulot, sur le caillou :* il est chauve.

HOM. **Alpha.** ◊ DÉR. **Alfatier.**

**ALFANGE** [alfɑ̃ʒ] n. m. — 1615, *in* D. D. L. ; esp. *alfange ;* arabe *(')ăl-hăndjař* «le coutelas, le sabre». → Kandjar.

Vx. Cimeterre arabe.

Contre nous de pied ferme ils tirent leurs alfanges,
De notre sang au leur font d'horribles mélanges.
CORNEILLE, le Cid, IV, 3.

**ALFATIER, IÈRE** [alfatje, jɛʀ] n. m. et adj. — 1884, n. m. ; de *alfa.*

♦ **1** N. m. Ouvrier qui récolte l'alfa. — Récoltant, commerçant d'alfa.

Une autre cause peut-être à cette campagne est la présence sur les hauts plateaux des alfatiers espagnols.
MAUPASSANT, Au soleil, IX, 26, *in* D. D. L.

♦ **2** Adj. (1908). Relatif à l'alfa. *Industrie alfatière.*

**ALFÉNIDE** [alfenid] n. m. — 1853 ; du nom des inventeurs, les chimistes *Halphen.*

Maillechort argenté, servant à la fabrication des couverts. — REM. Le mot semble surtout en usage dans les années 1870 et 1880 (Gobineau, Goncourt, Rimbaud, *in* T. L. F.).

**ALGACÉ, ÉE** [algase] adj. — 1842 ; de *algue,* et suff. *-acé.*

Bot. Semblable aux algues (2.). *Plantes algacées.*

**ALGAL, ALE, AUX** [algal, o] adj. — Mil. XX^e ; angl. *algal,* ou de *algue,* et suff. *-al.*

Bot. Relatif aux algues. *La cellule algale est eucaryote. Peuplements algaux.* — REM. On rencontre la graphie : *algual* (ex. : *Science et Vie,* juin 1973).

**ALGALI** [algali] n. m. → **Argali.**

**ALGANON** [alganɔ̃] n. m. — 1721 ; du provençal mod., bas lat. *arganum,* de *organum* «instrument». → Organeau.

Vx. Chaîne mise au cou des galériens autorisés à circuler hors du bagne.

**ALGARADE** [algaʀad] n. f. — 1549; «mouvement brusque», v. 1530; «joute navale; combat simulé», 1502; esp. *algarada,* v. 1300; arabe *(')ăl-gārāh* «attaque à main armée».

♦ **1** Vx. Attaque brusque, incursion militaire.

1 Nous l'attaquons, nous lui ravissons sa féconde province du Nil, sans déclaration de guerre, comme des Algériens qui, dans une de leurs algarades, se seraient emparés de Marseille et de la Provence.
CHATEAUBRIAND, Mémoires d'outre-tombe, III, L, II.

♦ **2** (1548). Mod. Vive sortie, insulte brusque, inattendue contre qqn. *Faire une algarade à qqn.* → **Querelle, scène.** *Une brève, une violente algarade.*

2 Le duc de Noailles ne pouvait plus souffrir les algarades et les scènes que je lui faisais essuyer.
SAINT-SIMON, *in* LITTRÉ.

3 (...) tout fait que j'étais alors aux fureurs de mon père, à ses éclats justiciers, à ses tonnantes algarades.
G. DUHAMEL, le Temps de la recherche, II.

*Avoir une algarade avec qqn. Ils ont eu une algarade,* une querelle.

**ALGAROTH** [algaʀɔt] n. m. — 1690, *algarot, in* Furetière; *algeroth,* 1732; ital. *algarotto,* du nom de Vittorio *Algarotto,* médecin véronais du XVIe siècle.

Chim. et pharm. anc. Oxychlorure d'antimoine. *La poudre d'algaroth est émétique et purgative.*

**ALGAZELLE** [algazɛl] n. f. — 1782; *algazel,* 1764; arabe *al-ghazâl.* → Gazelle.

Zool. (vx). Grande antilope blanche d'Afrique. — N. sc. : *oryx tao.*

**ALGÈBRE** [alʒɛbʀ] n. f. — Fin XIVe, *«un jeu nommé algèbre lequel se fait par arismetique»;* lat. médiéval *algebra;* de l'arabe *(')ăl-djăbr* «contrainte, réduction», dans le titre d'un ouvrage de Al-Khawarizmi, IXe.

**I** ♦ **1** Théorie des opérations portant sur des nombres réels (positifs, négatifs) ou complexes, et résolution des équations, avec substitution de symboles (lettres) aux valeurs numériques et de la formule générale au calcul numérique particulier (→ **Analyse**); par ext. (mod.), partie de la mathématique ayant pour objet, à partir d'axiomes, l'étude des lois de composition* et des relations définies sur un ou plusieurs ensembles* et qui déterminent ainsi une structure* *(structure algébrique)* [→ **Axiomatique; groupe; anneau, corps, espace, idéal**]. Vx. *Algèbre numérique* (ou *algèbre vulgaire*), où seule la quantité cherchée est exprimée par une lettre. — *Algèbre linéaire, multilinéaire,* qui est à l'origine de la théorie des matrices* et des tenseurs*. *Algèbre des polynômes.* — *Algèbre de Boole* (→ **Booléen**) : type d'algèbre possédant les opérations de réunion, intersection et complémentation, qui établit des relations logiques binaires *(l'algèbre de Boole est utilisée dans le calcul automatique.* → **Informatique**). *Algèbre logique :* algèbre de Boole appliquée à l'étude des propositions (→ **Logistique**). *«L'algèbre est une langue bien faite et c'est la seule»* (Condillac). *«La science qu'on appelle algèbre»* (→ Moins, cit. 45, Stendhal).

1 De l'algèbre qui procède tout entière du dynamisme de l'intelligence, Descartes disait qu'elle est «la clé de toutes les autres sciences».
Léon BRUNSCHVICG, Descartes, p. 61.

2 Je pose que : la Science mathématique, dégagée de ses applications telles que la géométrie, l'arithmétique écrite, etc., et réduite à l'algèbre, c'est-à-dire à l'analyse des transformations d'un être purement différentiel, composé d'éléments homogènes — est le plus fidèle document des propriétés de groupement, de disjonction et de variation de l'esprit.
VALÉRY, Journal de bord, I, 36, *in* Cahiers, Pl., t. I, p. 775

(...) les jeux de l'algèbre, qui ne rendent jamais que ce qu'on leur donne.
ALAIN, Propos, 13 juin 1923, Les valeurs Einstein cotées en bourse.

Puisqu'une machine à compter est possible, une machine à raisonner est possible. Et l'algèbre est déjà une sorte de machine à raisonner; vous tournez la manivelle, et vous obtenez sans fatigue un résultat auquel la pensée n'arriverait qu'avec des peines infinies. L'algèbre ressemble à un tunnel; vous passez sous la montagne, sans vous occuper des villages et des chemins tournants; vous êtes de l'autre côté et vous n'avez rien vu (...) l'algèbre a passé là-dessus *(le monde de la géométrie)* comme un vent du désert (...) ALAIN, Propos, 5 sept. 1927, Algèbre.

*Termes d'algèbre élémentaire.* → **Calcul, coefficient, combinaison, déterminant, discriminant, égalité, identité, équation, expression, fonction, formule, grandeur, inconnue, indétermination, inégalité, intégrale, nombre, -nôme** (monôme, binôme, trinôme, polynôme), **opération, problème, quantité, racine, radical, rapport, signe, substitution, symbole, terme, valeur, variable.**

Vieilli. Ouvrage traitant de cette science. *Acheter, lire une algèbre.*

♦ **2** Spécialt. Math. Étude d'une structure algébrique donnée; étude d'un ou plusieurs ensembles munis d'une ou plusieurs structures algébriques (→ ci-dessus, 1.).

*Algèbre sur (un corps commutatif) K,* ou *K-algèbre :* ensemble muni de deux lois de composition internes (+ et ×) et d'une loi externe (.), possédant une structure d'espace vectoriel pour les lois + et ., et où la loi × est distributive par rapport à la loi +. *Si la loi × est associative, l'algèbre est dite associative et possède une structure d'anneau pour ses deux lois internes.* — *Algèbre unitaire,* dont la multiplication interne possède un élément neutre.

**II** ♦ **1** Cour. Chose difficile à comprendre, domaine inaccessible à l'esprit. *C'est de l'algèbre pour moi* (→ **Chinois, hébreu**). Vx. *L'algèbre ou l'Alcoran* (cit. 2).

♦ **2** (XIXe). Littér. Analyse rationnelle, esprit d'abstraction et de généralisation. *«Cette algèbre rapide qu'on appelle l'esprit du jeu»* (Sainte-Beuve). *Une «algèbre des valeurs morales»* (Jouhandeau).

DÉR. **Algébrique, algébriser, algébriste.**

**ALGÉBRICITÉ** [alʒebʀisite] n. f. — Mil. XXe; de *algébrique.*

Didact. Caractère algébrique (d'une entité, d'un calcul, d'une opération...).

**ALGÉBRICO-** Premier élément de mots (adjectifs) savants, signifiant «algébrique et...». Ex. : *algébrico-géométrique* (Bourbaki); *algébrico-topologique.*

Or, on aperçoit d'emblée que si le structuralisme est plus adéquat aux faits que les deux autres positions, celles de Frazer et de Lévy-Bruhl (...) ce n'est nullement parce qu'il se borne à copier les données d'observation : c'est au contraire parce qu'il intègre les faits et des systèmes algébrico-logiques qui en épousent les contours sans les déformer tout en les rendant assimilables selon des modes généraux d'explication.
J. PIAGET, Épistémologie des sciences de l'homme, p. 58.

Nous avons déjà noté la nature profondément atomistique des conceptions associationnistes initiales, tandis que les vues actuelles sur le conditionnement témoignent, comme on l'a vu, d'un structuralisme cybernétique ou même algébrico-probabiliste.

J. PIAGET, Épistémologie des sciences de l'homme, p. 163.

**ALGÉBRIQUE** [alʒebʀik] adj. — 1740; *algébraïque*, 1585; *algébratique*, 1556, *in* D. D. L.; de *algèbre*.

♦ **1** Relatif à l'algèbre; qui s'effectue par l'algèbre. *Calcul algébrique. Expression* algébrique. Équation* algébrique. Opération* (cit. 4) *algébrique. — Fonction algébrique :* fonction explicite ne contenant que les *opérations algébriques* (addition, soustraction, multiplication, division, élévation à une puissance, extraction d'une racine). — *Nombre algébrique :* nombre complexe racine d'un polynôme rationnel non nul (opposé à *nombre transcendant*). *Valeur algébrique. Somme algébrique :* suite d'additions et de soustractions portant sur des *nombres* (ou des *expressions*) *algébriques*.

Les chiffres et les caractères algébriques sont donc de vrais signes directs des idées; et l'arithmétique et l'algèbre forment une vraie langue ou portion de langue qui s'adresse à la vue.

DESTUTT DE TRACY, Éléments d'idéologie, Idéologie proprement dite, 1801, p. 335-336, *in* T. L. F.

(...) quatre phrases exactes autant que des formules algébriques lui servaient habituellement à embrasser, à résoudre toutes les difficultés de la vie et du commerce :
*Je ne sais pas.*
*Je ne puis pas.*
*Je ne veux pas.*
*Nous verrons cela.*

BALZAC, Eugénie Grandet, éd. 1838, p. 39-40.

(Au sens mod. d'*algèbre*; → Algèbre I., 1. et 2.). *Structure algébrique* (d'un ensemble), caractérisant un ensemble muni d'une ou plusieurs lois de composition internes, et de relations (distributivité, etc.) entre ses lois de composition externes éventuelles. *Ensemble algébrique,* muni d'une structure algébrique (anneau, corps, etc.). → **Algèbre,** I., 2. *Élément algébrique* (caractérise certains éléments d'une algèbre E sur un corps commutatif K). *Extension algébrique.*

♦ **2** Rare. Qui a un caractère rigoureux, mathématique et abstrait. → **Mathématique** (fig.).

Péj. et vx. Obscur, incompréhensible. «*Sa langue algébrique* (de Kant)» (Vigny, *in* T. L. F.).

DÉR. **Algébricité, algébriquement, algébroïde.** ◊ COMP. **Algébrico-.**

**ALGÉBRIQUEMENT** [alʒebʀikmɑ̃] adv. — 1782; de *algébrique.*

♦ **1** Par l'algèbre; d'une manière algébrique. *Notion formulée algébriquement.* — (Au sens de l'algèbre moderne). *Corps commutatif algébriquement clos.*

♦ **2** Rare. *Raisonner algébriquement,* avec rigueur. → **Mathématiquement.**

**ALGÉBRISATION** [alʒebʀizasjɔ̃] n. f. — Mil. XX^e; de *algébriser.*

Didact. Tendance à employer les concepts et les méthodes de l'algèbre (à l'intérieur des mathématiques). *L'algébrisation des mathématiques au* XVII^e *siècle. L'algébrisation de la topologie.*

**ALGÉBRISER** [alʒebʀize] v. — 1752; de *algèbre.*

♦ **1** Vx. Faire de l'algèbre, des mathématiques.

♦ **2** V. tr. [a] (XX^e). Donner un caractère algébrique à... *Algébriser la topologie.* — Pron. *Plusieurs domaines des mathématiques tendent à s'algébriser.*

[b] (Au sens fig. d'*algèbre*). Rendre formel, précis.

(...) ses propres pensées empruntant souvent leur accroissement et leur être définitif aux extra-logiques formules, dont la voyante illettrée s'efforçait d'algébriser, pour lui, ses indéterminables aperceptions.

Léon BLOY, le Désespéré, p. 234.

DÉR. **Algébrisation.**

**ALGÉBRISTE** [alʒebʀist] n. — Fin XVI^e, Scaliger; de *algèbre.*

Mathématicien, mathématicienne qui se consacre spécialement à l'algèbre. *Les algébristes modernes.*

Par compar. ou fig. Personne qui utilise un langage formel.

Les condillaciens définissaient la langue une algèbre, et Beyle voulut écrire (...) comme un algébriste.

Paul BOURGET, Essais de psychologie contemporaine, p. 215, *in* T. L. F.

**ALGÉBROÏDE** [alʒebʀɔid] adj. — 1905, in *Rev. gén. des sc.,* n° 21, p. 960; de *algébr(ique),* et *-oïde.*

Didact. (math.). Relatif aux fonctions de variables complexes.

**ALGÉRIANISATION** [alʒeʀjanizasjɔ̃] n. f. — V. 1960; de *algérien,* par le v. *algérianiser.*

Le fait de donner un caractère purement algérien à (une institution, etc.), et, spécialt, de remplacer les anciens cadres et fonctionnaires européens par des Algériens. → **Africanisation, arabisation.**

**ALGÉRIANISER** [alʒeʀjanize] v. tr. — V. 1960; de *algérien.*

Rendre algérien. *Algérianiser les institutions, l'enseignement* (→ **Arabiser**). — REM. On rencontre le verbe *algériser* et son dér. *algérisation* au sens de : «rendre politiquement semblable à l'Algérie», notamment en parlant de l'influence de la situation algérienne sur la France, avant l'indépendance de l'Algérie.

DÉR. **Algérianisation.**

**ALGÉRIEN, ENNE** [alʒeʀjɛ̃, ɛn] adj. — 1721, Trévoux; de *Algérie,* de l'arabe *al Djazaïr.*

Relatif à l'Algérie. *L'Atlas, le Sahara algérien. Populations algériennes,* arabes, berbères (kabyles). — REM. On parle de *Français d'Algérie* et guère de *Français algériens,* l'adj. étant, même au temps de l'Algérie française, réservé aux autochtones. *Chef, notable algérien.* → **Agha, bachaga, caïd.** *Réception chez un chef algérien.* → **Diffa.** *Nomades algériens. Ville algérienne, village algérien.* → **Casbah, douar, ksar.** *Histoire algérienne. Troupes algériennes pendant la période française.* → **Goum, tirailleur** (tirailleurs algériens), **turco, zouave.** *Le conflit algérien.* Syn. : *guerre d'Algérie. L'activisme* (3.), *les ultras, le terrorisme pendant le conflit algérien. — Travailleur algérien en France* (→ **Immigré**).

N. *Un Algérien, une Algérienne :* un habitant, une habitante ou une personne qui est originaire d'Algérie. *Les Algériens.*

(1890, *in* D. D. L.). *L'arabe algérien,* ou, n. m. *l'algérien :* l'arabe dialectal parlé en Algérie.

DÉR. **Algérianiser.**

**ALGÉRO-** Élément de mots composés, signifiant «de l'Algérie». Ex. : *algéro-provençal* [alʒeʀopʀɔvɑ̃sal] adj. m. sing. (*le bassin algéro-provençal,* en géographie).

**ALGÉROIS, OISE** [alʒeʀwa, waz] adj. et n. — 1898; de *Alger.*

De la ville d'Alger. *L'agglomération algéroise.*

Elle espérait découvrir dans le courrier une missive d'André Lebreuil, cet étudiant algérois de vingt-quatre ans, qui, l'été précédent, lui avait fait une cour assidue.
H. TROYAT, Tendre et violente Élisabeth, p. 370.

N. *Les Algérois* : les habitants d'Alger. N. m. *L'Algérois* : la région d'Alger.

**ALGÉSI-** Élément de mots didactiques, du grec *algêsis* «souffrance». → **-algie, 1. algo.** Ex. : *algésie, algésimètre, algésiogène.*

**ALGÉSIE** [alʒezi] n. f. — XX^e^; du grec *algêsis* «douleur».

Méd. Sensibilité à la douleur, et, par ext., exagération des perceptions sensorielles (tactiles, auditives, etc.) qui deviennent de ce fait douloureuses.

COMP. **Thermo-algésie.**

**ALGÉSIMÈTRE** [alʒezimɛtʀ] n. m. — 1886, Encycl. Berthelot; de *algési-*, et *-mètre.*

Didact. Appareil permettant de mesurer l'intensité de l'excitation nécessaire pour faire naître une impression douloureuse.

**ALGÉSIOGÈNE** [alʒezjɔʒɛn] adj. — XX^e^; de *algési-*, et *-gène.*

Didact. Qui provoque la douleur. *Cause algésiogène.*

**ALGICIDE** [alʒisid] adj. et n. m. — 1974; de *algue*, et *-cide.*

Didact. Qui détruit les algues et empêche leur prolifération. *Le pouvoir algicide d'une peinture pour bateaux.*

N. m. Produit destiné à détruire les algues. *Un puissant algicide.*

**ALGIDE** [alʒid] adj. — 1812; lat. *algidus* «froid».

♦ **1** Méd. Accompagné d'algidité, de refroidissement. *Fièvre algide. Période algide du choléra. Sueur algide.*

1 (...) y en avait encore un entre la vie et la mort – à la période algide d'ailleurs – dans le petit hameau de Montfroc, à une lieue là-bas derrière ces rochers; il m'a claqué dans les doigts ce matin.
J. GIONO, le Hussard sur le toit, p. 49.

♦ **2** Rare (latinisme). Froid, glacial. «*La fraîche haleine des eaux algides*» (Chateaubriand, *Mémoires d'outre-tombe*, in T. L. F.).

2 La Princesse reste rigide;
Et, passant sur son front algide,
Tous les ouragans des effrois
Lancent au ciel ses cheveux droits.
A. JARRY, les Minutes de sable mémorial, Pl., p. 203.

DÉR. **Algidité.**

**ALGIDITÉ** [alʒidite] n. f. — 1836, *Journal de médecine et de chirurgie pratiques*, in D. D. L.; de *algide.*

Méd. Refroidissement (objectif) avec sensation de froid et tendance au collapsus.

**ALGIE** [alʒi] n. f. — 1800, Boiste; du rad. du grec *algos.* → -algie.

Méd. Douleur le plus souvent diffuse, sans relation définie avec une cause organique.

Psychopathologie :

Tantôt cette peur est précise, systématisée (...) dans ce cas les agitations émotionnelles sont systématisées et ont reçu le nom d'algies (...)
Pierre JANET, les Obsessions et la Psychasthénie, 1903, p. 182, *in* T. L. F.

DÉR. **Algique.**

**-ALGIE** Élément de composition, du grec *-algia*, rad. *algos* «douleur». → **Algési-, 1. algo-.** Ex. : *analgie, antalgique, cardialgie, céphalalgie, coxalgie, encéphalalgie, entéralgie, épigastralgie, gastralgie, hépatalgie, néphralgie, névralgie, nostalgie, odontalgie, ostéalgie, otalgie, rhinalgie, tarsalgie, urétéralgie.*

**ALGINATE** [alʒinat] n. m. — XX^e^; de *algine*, et suff. *-ate.*

Chim. et techn. Sel de l'acide alginique, utilisé notamment dans l'industrie alimentaire, dans l'industrie textile. *Laines à l'alginate. Utilisation des fils d'alginate dans la fabrication des fils sans torsion.*

Les corps les plus employés comme stabilisants sont (...) les alginates extraits de certaines algues contenant des acides voisins de la pectine.
Charles BOURGEOIS, Chimie de la beauté, p. 79.

**ALGINE** [alʒin] n. f. — 1887, *Année sc. et industr.*; de *alg(ue)*, et suff. *-ine.*

Chim. et techn. Substance azotée visqueuse que l'on trouve dans les algues, les plantes marines. *L'algine est un colloïde de nature protéique, très peu soluble dans l'eau.*

DÉR. **Alginate, alginique.**

**ALGINIQUE** [alʒinik] adj. — Fin XIX^e^; de *algine.*

Chim. et techn. *Acide alginique*, dont le sel de sodium *(alginate)* se trouve dans les algues brunes.

Certaines algues, une fois desséchées, renferment jusqu'à 40 % d'acide alginique dont les sels peuvent être filés sous forme de rayonne.
Charles MARTIN, la Laine, p. 114.

**ALGIQUE** [alʒik] adj. et n. — 1912, *in* D. D. L.; 1903, subst., Janet; de *algie.*

Didact. Relatif à la douleur physique. *Les phénomènes algiques. Fièvre algique*, résultant d'une excitation douloureuse.

*Malade algique*, souffrant d'une algie (spécialement en psychopathologie). — N. (1963). *Un algique, une algique.*

1. **ALGO-** Élément de mots savants, du grec *algos* «douleur». Ex. : *algomanie*, n. f. → ci-dessous **Algophilie, algophobie.** — → aussi **Algési-, -algie.** — On peut signaler encore : *algognosie*, n. f. [algo gnozi] «prise de conscience d'une douleur».

2. **ALGO-** Élément de mots savants, tiré du latin *alga* (→ Algue). → **Algoculture, algologie, algothérapie** et → Algacé, algal; → aussi **Phyco-.**

**ALGOCULTURE** [algokyltyʀ] n. f. — 1972; de *2. algo-*, et *-culture.*

Techn. Culture d'algues.

**ALGOL** [algɔl] n. m. — 1957; mot-valise fait en angl. de *algo(rithmic) l(anguage)* «langage algorithmique».

Inform. Langage international de programmation destiné à l'écriture des algorithmes (calcul numérique) indépendamment de tout contexte concret (→ **Cobol, fortran).**

Il existerait, pour chaque type de machine, un programme permettant de traduire toute solution écrite en ce langage universel en un programme écrit dans la langue de la machine en question. Des travaux préliminaires ont permis, au cours d'une conférence tenue à Zurich en mai 1958, de jeter les bases d'un tel langage : *Algol* (algorithmic language) qui se veut être aussi proche que possible du symbolisme mathématique usuel et pourrait être utilisé tel quel dans les publications pour expliquer la manière de résoudre un problème.
Sciences et Avenir, n° 3, sept.-oct. 1959, p. 16.

**ALGOLOGIE** [algɔlɔʒi] n. f. — 1838; de *algue* (→ 2. Algo-), et *-logie*.

Bot. Partie de la botanique qui étudie les algues. Syn. : *phycologie. «Algologie... Mot hybride qui ne doit pas être plus conservé que celui d'Algologue»* (C. Montagne, in *Dictionnaire universel d'histoire naturelle*, 1841).

DÉR. **Algologique.**

**ALGOLOGIQUE** [algɔlɔʒik] adj. — 1838; de *algologie*.

Bot. De l'algologie. → **Phycologique.**

**ALGOLOGUE** [algɔlɔg] n. — 1838; de *algue* (→ 2. Algo-), et *-logue*.

Bot. Spécialiste des algues. Syn. : *phycologue*. — REM. On rencontre aussi la forme *algologiste* [algɔlɔʒist] n.

**ALGONKIEN, IENNE** [algɔ̃kjɛ̃, jɛn] adj. et n. m. — 1899, Encycl. Berthelot; angl. *Algonkian*, 1890, aux États-Unis (Powell); de *Algonquin*. → Algonquin.

Didact. (géol.). Se dit de l'étage situé à la limite inférieure du système cambrien. — N. m. *L'Algonkien.* → **Infracambrien, éocambrien.**

**ALGONQUIN, INE** ou **ALGONKIN, INE** [algɔ̃kɛ̃, in] adj. et n. — 1752, Trévoux; angl. *algonkian*, altér. de *algoumequin* (1605), du toponyme indien *algumakin* «lieu où l'on pêche au harpon *(algum)*».

♦ **1** Qui appartient à la tribu indienne du Canada portant ce nom, et qui était, avec les Hurons et les Iroquois, l'une des trois «nations» se partageant le pouvoir avant l'arrivée des Français, puis des Anglais. *La nation algonquine. Les tribus algonquines. Coutumes algonquines.* N. *Les Algonquins, les Algonkins.*

Après eux parurent les Algonquins, reste d'une nation, autrefois si puissante, et qu'après trois siècles de guerre les Iroquois avoient presque exterminés. Leur langue, devenue la langue polie du désert, comme celle des Grecs et des Romains dans l'ancien monde, attestoit leur grandeur passée.

CHATEAUBRIAND, les Natchez, 1826, p. 415, *in* T. L. F.

*Langues algonquines,* ou, n. m. *l'algonquin* (ou *algonkin*).

♦ **2** (XIXe). Fig et vx. Individu d'apparence sauvage et bizarre. → **Huron.**

**ALGOPAREUNIE** [algopaʀøni] n. f. — 1970, Manuila; de 1. *algo-*, et du rad. du grec *pareunos* «compagne ou compagnon de lit».

→ **Dyspareunie.**

**ALGOPHILIE** [algofili] n. f. — XXe; de 1. *algo-*, et *-philie* «goût de».

Psychol., psychiatrie. Perversion qui consiste à rechercher la douleur physique, sans composantes érotiques (à la différence du *masochisme*).

**ALGOPHOBIE** [algofɔbi] n. f. — 1922, *in* D. D. L.; de 1. *algo-*, et *phobie*.

Psychol., psychiatrie. Crainte obsédante de la douleur physique.

**ALGORITHME** [algɔʀitm] n. m. — 1554; *algorisme*, XIIIe; *augorisme*, v. 1230, «calcul en chiffres arabes»; au XVIe, «arithmétique»; anc. esp. *alguarismo*, lat. médiéval *algorithmus*, nom latinisé du grand mathématicien arabe surnommé *(')āl-hūwārizmī (Al-Khawarizmi*, → Algèbre) pris comme nom commun, également sous la forme *algorismus*.

Didactique.

♦ **1** Hist. des sc. Système de numérotation décimale (emprunté aux Arabes).

Vx. Règles de l'arithmétique élémentaire.

Règles opératoires intervenant dans une des opérations de l'arithmétique. *L'algorithme de la division.*

♦ **2** Mod. Ensemble des règles opératoires propres à un calcul. → Mathématique, cit. 0.2. *Algorithmes du calcul intégral, des puissances, etc. Algorithme d'Euclide* (ou *du plus grand commun diviseur*). *Algorithme infinitésimal de Leibniz.*

Par ext. Suite de règles formelles explicitée par une représentation de type mathématique et correspondant à un enchaînement nécessaire; cette représentation mathématique. *Construction mentale à base d'algorithmes. Les algorithmes de la logique formelle.* — Inform. Calcul, enchaînement des actions nécessaires à l'accomplissement d'une tâche. → **Automate.** *Langage destiné aux algorithmes.* → **Algol.**

Intuitivement, un algorithme est un ensemble de règles qui permet de réaliser mécaniquement toute opération particulière correspondant à un type d'opération. On peut encore dire que c'est une procédure mécanique qui, appliquée à une certaine classe de symboles (symboles d'entrée), fournit, éventuellement, un symbole de *sortie* (...)
*a*) Un algorithme est un ensemble d'instructions de *taille finie* (...)
*b*)Un opérateur (humain, mécanique, optique, etc., ou électronique) réagit aux instructions et effectue le calcul.
*c*)Des dispositifs (papier et crayon, roues dentées, mémoires magnétiques, etc.) permettent d'effectuer, de stocker et de retrouver les différentes étapes du calcul.
*d*) *Les processus sont essentiellement discrets* (...)
*e*) La suite des opérations élémentaires à effectuer est *parfaitement déterminée* (...)

M. GROSS et A. LENTIN, Notions sur les grammaires formelles, p. 43-44.

DÉR. **Algorithmique.**

**ALGORITHMIQUE** [algɔʀitmik] adj. — 1815, H. Wronski, *in* D. D. L.; de *algorithme*.

♦ **1** Hist. des sc. Relatif aux algorithmes (1.). → **Mathématique.**

♦ **2** Mod. Qui utilise des algorithmes. *Problème algorithmique. Procédés algorithmiques de la cybernétique. Logique algorithmique* : logique formelle (logistique) utilisant des algorithmes.

Un problème demeure philosophique tant qu'il n'est traité que spéculativement et, comme on l'a vu (section II) il devient scientifique sitôt qu'on parvient à le délimiter d'une manière suffisante pour que des méthodes de vérification, expérimentales, statistiques ou algorithmiques, permettent de réaliser quant à ses solutions un certain accord des esprits par convergence, non pas des opinions ou croyances, mais des recherches techniques ainsi précisées.

J. PIAGET, Épistémologie des sciences de l'homme, p. 90.

DÉR. **Algorithmiquement.**

**ALGORITHMIQUEMENT** [algɔʀitmikmɑ̃] adv. — 1905; de *algorithmique*.

Didact. Par des algorithmes (2.).

**ALGOTHÉRAPIE** [algɔteʀapi] n. f. — XXe; de *algue* (→ 2. Algo-), et *thérapie*.

Méd. Traitement médical par les algues marines. *Ce centre de thalassothérapie pratique l'algothérapie.*

**ALGUAZIL** [algazil] n. m. — 1581; *alguacil*, aux Pays-Bas, 1555; *alguazille*, XVIᵉ; esp. *alguacil*, arabe *(')ăl-wăzīr*, proprt «celui qui est chargé d'un fardeau, ou aide un autre à le porter», d'où «celui qui aide le prince à supporter le poids des affaires». → Vizir.

♦ **1** Hist. Fonctionnaire subalterne de la police (agent de police) ou de la justice, en Espagne et dans les colonies espagnoles.

1 En sortant de chez le cardinal, il fut arrêté par un alguazil, et conduit à la tour de Ségovie, où il a été longtemps prisonnier. A. R. LESAGE, Gil Blas, VIII, 6.

♦ **2** (1690; *alguazille* «huissier», 1581). Vx. Littér. et par plais. Agent de justice ou de police. *Il est tombé dans les griffes des alguazils.*

2 Je trouvai en arrivant des alguazils et un commissaire de police qui instrumentaient.
CHATEAUBRIAND, Mémoires d'outre-tombe, III, VIII.

**ALGUE** [alg] n. f. — 1551, *herbe alga; alge*, 1584; le mot est défini comme «herbe marine» ou «maritime», jusqu'au XIXᵉ, encore chez Wailly, 1818; du lat. *alga*.

♦ **1** Cour. Plante aquatique, de forme filamenteuse ou rubanée. *Algues marines.* → **Goémon, varech.** *Algues d'eau douce.* — Spécialt. Algue marine.

1 Pêle-mêle, au hasard du coup de filet, les algues profondes, où dort la vie mystérieuse des grandes eaux, avaient tout livré : les cabillauds, les aigrefins (...)
ZOLA, le Ventre de Paris, t. I, p. 148.

2 Nous regardons avec effroi les poulpes des profondeurs
Et parmi les algues nagent les poissons images du Sauveur
APOLLINAIRE, Alcools, p. 12.

3 (...) comme la marée descendante délivre, pour quelques heures, l'odeur des varechs et des algues.
A. MAUROIS, B. Quesnay, XXX.

♦ **2** (Du lat. *algae* : ordre de la classe des «acotylédones»; notion dégagée au XVIIIᵉ Bot. Plante cryptogame cellulaire (uni- ou pluri-cellulaire), eucaryote, dont la classe forme avec les champignons et les lichens l'embranchement des thallophytes proprement dits. → **Thallophytes.** *Relatif aux algues.* → **Algal ; 2. algo-, phyco-.** *Les algues sont pourvues de chlorophylle, souvent masquée par un pigment qui leur donne une coloration brune, jaune ou rouge, ou olivâtre; leur appareil végétatif est un thalle*, microscopique ou de grande dimension, libre et soutenu à la surface de l'eau par des flotteurs* (→ **Aérocyste**) *ou fixé par des crampons sur le fond, s'étendant en filaments ou en longs rubans, se ramifiant, prenant l'apparence de feuilles et même d'arbustes. Les algues se reproduisent par spores et par œufs. Symbiose de l'algue et du champignon.* → **Lichen.** *Algue fossile.* → **Diatomite, tripoli.** — *L'alaria, algue comestible.*

*Algues vertes* (ou Chlorophycées) : Cladophorées, Confervacées, Conjuguées, Protococcacées, Siphonées, Siphonocladées, Volvocacées. — *Algues brunes* (ou Phéophycées ou Phycoïdées) : Cryptomonadées, Diatomées, Dictyotées, Fucacées, Péridiniées, Phéosporées. — *Algues rouges* (ou Floridées ou Rhodophycées) : Bangiacées, Cryptonémiacées, Gigartinacées, Némaliacées, Rhodyméniacées. — *Algues jaunes :* Xanthophycées.

Vx. *Algues bleues :* les Cyanophycées (qui constituaient avec les Bactériacées la division des Protophytes*).

4 En général elle *(la neige)* est rosée, mais par suite de l'abondance des algues unicellulaires par places, elle tourne au rouge écarlate (...)
J.-B. CHARCOT, le «Pourquoi pas?» dans l'Antarctique, 1908-1910, p. 173, *in* T. L. F.

REM. *Algues*, au sens botanique, inclut la plupart des végétaux appelés traditionnellement *algue* (1.), mais en comprend d'autres, comme les algues aériennes *(Chlorococcum)* des troncs d'arbres et des murailles, recevant le vent pluvial et abritées du soleil.

DÉR. et COMP. **Algacé, algal, algine, algueux.** — V. 2. **Algo-.**

**ALGUEUX, EUSE** [algø, øz] adj. — 1890, A. Daudet; de *algue*.

Rare. Couvert d'algues; qui a l'aspect d'une algue marine.

**ALHAGI** [alagi] n. m. — 1717; arabe *(')ăl-ḥadj.*

Bot. Arbrisseau de la famille des Légumineuses, qui croît en Asie Mineure. *L'alhagi passe pour avoir donné la manne dont les Hébreux se nourrirent dans le désert.*

**ALHAMBRA** [alɑ̃bʀa] n. m. — 1831, Hugo; du nom propre, arabe *al hamrā* «la forteresse» du palais des rois de Grenade.

Vieilli. Palais magnifique de style oriental ou évoquant l'Orient.

1 Ce sont des alhambras, de hautes cathédrales
Des Babels, dans la rue enfonçant leurs spirales (...)
HUGO, les Feuilles d'automne, XXVII.

(...) nous faisons involontairement de tout sérail un alhambra (... ce) qui est fort loin de la réalité. 2
Th. GAUTIER, Constantinople, p. 72.

REM. On trouve chez les Goncourt le dérivé *alhambresque* [alɑ̃bʀɛsk] adj. : *«Un arc de triomphe, de ce caractère alhambresque qui est le style spécial de la pâtisserie»* (Ed. et J. de Goncourt, *Manette Salomon*, p. 71, 1867).

**ALI-** Élément de mots sc., du lat. *ala* «aile». → **Alifère, aliforme.**

1. **ALIAS** [aljas] adv. — XVᵉ; mot lat. «une autre fois, autrement».

Autrement appelé (de tel ou tel nom). *Jacques Collin, alias Vautrin, alias Carlos Herrera.*

2. **ALIAS** [aljas] n. m. — V. 1995; angl. des États-Unis *alias*, du lat. → 1. Alias.

Anglic. Inform. Fichier utilisé comme raccourci pour accéder à un autre fichier appelé *original.*

**ALIBI** [alibi] n. m. — 1394; mot lat. *alibi* «ailleurs».

♦ **1** Dr. et cour. Le fait de s'être trouvé, au moment même de l'infraction, ailleurs que dans le lieu où a été commis le crime ou le délit dont on est accusé. *Invoquer, établir, fournir, prouver un alibi. Des alibis. Inventer un alibi pour disculper qqn. Un alibi sérieux, solide, en fer, en béton* (fam.). *Vérifier un alibi.*

L'alibi est prouvé invinciblement (...) 1
VOLTAIRE, Lettres, 4 sept. 1769.

Justement une de leurs amies habitait aux environs et s'engageait à fournir un alibi très acceptable, en affirmant mordicus les avoir retenues toute la journée. 2
LOTI, les Désenchantées, V, p. 34.

♦ **2** (Mil. XVᵉ-XVIᵉ, «diversion, ruse»; repris XIXᵉ comme fig. de 1.). Circonstance, activité permettant de se disculper, de faire diversion, de suggérer une explication, un mobile inexact. *S'assurer, chercher, se fabriquer un alibi. Sa déclaration d'intentions n'est qu'un alibi.* → **Justification.**

*(Elle)* dit le plus grand bien de la charcutière (...) Puis, contente de cet alibi moral, enchantée d'avoir soufflé sur l'ardente bataille qu'elle flairait (...) 3
ZOLA, le Ventre de Paris, t. I, p. 121.

Les idées n'étaient que les impulsions des masques passionnels, qui se réalisent en détériorant les idées, qui n'étaient que les alibis des impulsions.
IONESCO, Journal en miettes, p. 239.

On ne se suicide pas parce que la vie est absurde, ou parce qu'on est abandonné. Ces raisons-là viennent après, elles sont les alibis de la destruction et du déséquilibre.
J.-M. G. LE CLÉZIO, l'Extase matérielle, p. 93.

En parlant d'une personne ou d'une chose :

Le général savait que les Français avaient accepté la défaite. Il savait qu'ils avaient accepté Pétain. Et je crois qu'il savait, depuis l'enthousiasme de la Libération, qu'il était l'alibi de millions d'hommes. Dans la Résistance, la France reconnaissait ce qu'elle aurait voulu être, plus que ce qu'elle avait été.
MALRAUX, Antimémoires, Folio, p. 142.

**ALIBILE** [alibil] adj. — 1808; lat. *alibilis,* du v. *alere* «nourrir».

Physiol. (vx). Qui est propre à la nutrition. → **Assimilable.** *Les aliments contiennent, outre la partie alibile, une substance non alibile ou excrémentielle* (Littré).

DÉR. **Alibilité.**

**ALIBILITÉ** [alibilite] n. f. — 1825; de *alibile.*

Physiol. (vx). Caractère alibile; qualité nutritive.

**ALIBORON** [alibɔʀɔ̃] n. m. — 1440, nom propre, *maistre Aliboron;* anc. franç. *aliboron;* p.-ê. altér. de *hellebore,* lat. *helleborus* (→ Ellébore), plante considérée comme un remède universel; surnom donné aux médecins; d'autres explications évoquent le nom d'un philosophe, notamment l'Arabe *al Biruni,* appliqué à «celui qui tranche du philosophe».

♦ **1** (xvᵉ). Vx. Ignorant prétentieux. *C'est un aliboron, un maître Aliboron* (ou *un Aliboron*).

Un maître Aliboron qu'on employait à tout faire.
BRANTÔME, V, 148.

♦ **2** (1654, Sarrasin; popularisé par La Fontaine). Âne, baudet.

Arrive un troisième larron
Qui saisit maître Aliboron (...)
LA FONTAINE, Fables, I, 13.

(...) on tirait l'âne par la queue jusqu'aux vagues il était attaché à un anneau du mur il frottait sa couenne contre les moellons rugueux et suçait des pointes d'ortie aliboron cueille son chardon (...)
Tony DUVERT, Paysage de fantaisie, p. 155.

(...) ces ânes étaient harnachés de bâts, de têtières et de croupières agrémentés de dessins en petits coquillages de différentes couleurs et n'avaient pas la mine piteuse de nos pauvres aliborons qui se sentent plaisantés.
Th. GAUTIER, Constantinople, p. 52.

Fig. Imbécile. → **Âne** (fig.).

**ALIBOUFIER** [alibufje] n. m. — 1783; du provençal *aliboufié.*

Régional. Plante qui produit le benjoin. → **Styrax** (officinal).

**ALICAMENT** [alikamɑ̃] n. m. — 1996; mot-valise, de *ali(ment),* et *(médi)cament.*

Didact. Aliment dont la composition explicitement formulée implique un effet actif sur la santé du consommateur. *Les yaourts au bifidus et les boissons énergétiques pour les sportifs sont des alicaments. «(...) les cocktails survitaminés, les "alicaments" (aliments enrichis), les boissons énergisantes» (le Point, 23 mai 1998, p. 90).*

**ALICANTE** [alikɑ̃t] n. m. — V. 1650-1660, *Alicant;* de *Alicante,* ville d'Espagne.

Vx. Vin liquoreux récolté à Alicante (Espagne), dans le midi de la France, en Algérie. *«Le xérès, l'alicante et le rancio»* (A. Reybaud, *in* T. L. F.). — Cépage appelé aussi *grenache.* — *Alicante bouschet* (nom d'un cépage).

**ALICYCLIQUE** [alisiklik] adj. — Mil. xxᵉ; de *ali(phatique),* et *cyclique.*

Chim. *Composé alicyclique :* composé organique renfermant une chaîne fermée non aromatique.

**ALIDADE** [alidad] n. f. — 1415, Fusoris, *Traité de l'astrolabe;* var., 1544, *alhidada* et *alidada* (Rabelais); lat. médiéval *alidada, alhidada;* de l'arabe *(')ăl ĭḍādăh.*

Didact. Règle de topographie, mobile autour d'un point fixe, portant un instrument de visée (pinnules ou lunette), qui sert à déterminer une direction ou mesurer un angle.

Cet instrument, composé de deux équerres (→ **Pinnule**) munies de fenêtres et mobiles sur un cercle, et utilisé en navigation, en astronomie. *Alidade à pivot central. Alidade nivélatrice* (à pinnules); *alidade holométrique* (à lunette). *L'alidade d'un astrolabe, d'un théodolite.*

Pour y régler sur le cadran
De je ne sais quel astrolabe
Sa course syllabe à syllabe
L'esprit au fond du ciel trop grand
S'égare faute d'alidade (...)
ARAGON, le Fou d'Elsa, p. 134.

Milit. *Alidade de pointage.*

Partie mobile d'un théodolite*.

**ALIÉNABILITÉ** [aljenabilite] n. f. — 1795, Babeuf; de *aliénable.*

Dr. Qualité juridique d'un bien aliénable.

CONTR. **Inaliénabilité.**

**ALIÉNABLE** [aljenabl] adj. — 1523; de *aliéner.*

Dr. Qui peut être aliéné. *Un droit aliénable. Immeubles déclarés aliénables, non aliénables.*

CONTR. **Inaliénable.** ◊ DÉR. **Aliénabilité.**

**ALIÉNANT, ANTE** [aljenɑ̃, ɑ̃t] adj. — 1943, Sartre; de *aliéner,* 4.

Didact. Qui aliène (4.), retire à l'individu la libre disposition de lui-même. → 2. **Aliénateur.** *«Les incertitudes nées de l'utilisation aliénante (...) des sciences et des techniques»* (*l'Express,* 12 août 1968).

(...) il s'inquiétait de l'attention que Madeleine portait aux moindres mouvements de ses humeurs et de ses pensées, du souci qu'elle prenait de sa carrière, des soins qu'elle donnait à ce qu'il avait de grand. Il la suspectait de folie de propreté, de désir de dominer. De sorte que c'est ce qu'il avait en lui d'aliénant qui feignait de veiller sur sa vertu et sa liberté.
L. PAUWELS, l'Amour monstre, p. 168.

**ALIÉNATAIRE** [aljenatɛʀ] n. — 1509; de *aliéner,* 1.

Dr. Personne en faveur de qui l'on aliène (1.) une propriété, une rente, etc.

1. **ALIÉNATEUR, TRICE** [aljenatœʀ, tʀis] n. — 1596; du lat. jurid. *alienator,* de *alienare.* → Aliéner.

Dr. Personne qui aliène, qui transmet par aliénation (opposé à *aliénataire*).

HOM. 2. **Aliénateur.**

2. **ALIÉNATEUR, TRICE** [aljenatœʀ, tʀis] adj. — XXe; de *aliéner*, 4.

Didact. (philos.). Qui aliène (4.). → **Aliénant.** *Les «sciences de l'homme, dans la méthodologie desquelles elle* (la phénoménologie) *dénonce le danger aliénateur d'un objectivisme intégral»* (A. Hesnard, *in* Porot, *Manuel alphabétique de psychiatrie*, 1975, p. 502 b).

HOM. 1. **Aliénateur.**

**ALIÉNATION** [aljenasjɔ̃] n. f. — 1265, en dr.; du lat. *alienatio*, de *alienare*. → Aliéner.

♦ **1** [a] Dr. Action d'aliéner une propriété ou un droit, à titre gratuit (donation, legs) ou à titre onéreux (vente, échange). *L'aliénation d'un domaine, d'une terre, d'un patrimoine. Aliénation volontaire, aliénation forcée. Aliénation à titre particulier ou à titre universel. Aliénation à fonds perdu* (moyennant une rente viagère). → **Cession, donation, échange, legs, transfert, vente.**

[b] Perte ou abandon d'un bien naturel. *Accepter l'aliénation de sa liberté, de son indépendance.*

♦ **2** (1541, «désaccord, hostilité»). Didact. ou littér. Le fait de devenir comme étranger à qqn, à qqch. *L'aliénation du sens national.*

1 (...) Les partis ne désiraient pas moins que lui une bataille, mais parce qu'ils espéraient en voir sortir une défaite — ce qui nous paraît aujourd'hui affreuse aliénation du sens national.

Louis MADELIN, Hist. du Consulat et de l'Empire, t. III, XVI.

*L'aliénation des sentiments, des esprits.* → **Aversion, éloignement.**

Vx. *L'aliénation de qqn* (à, vis-à-vis de qqn) : son hostilité, sa froideur.

2 L'aliénation de Monseigneur grossièrement marquée *(à son fils).* SAINT-SIMON, Mémoires, IX, 213.

♦ **3** (XIVe, *aliénation d'entendement*). Le fait de devenir comme étranger à soi-même, de perdre la raison. *Aliénation d'esprit.* Absolt. *Un moment d'aliénation.* → **Folie; aberration, confusion** (mentale), **délire, démence, dérangement** (d'esprit), **déséquilibre** (mental), **divagation, égarement** (de l'esprit), **extravagance, excentricité, frénésie, incohérence, trouble** (mental), **vésanie**; et aussi **-manie,** et **-phobie.**

3 Il se déconcerte, il s'étourdit; c'est une courte aliénation.

LA BRUYÈRE, les Caractères, 8.

4 Est-ce songe? est-ce ivrognerie,
Aliénation d'esprit?
Ou méchante plaisanterie?

MOLIÈRE, Amphitryon, II, 1.

(1811). *Aliénation* ou *aliénation mentale* (→ Plat, cit. 17) : dérèglement permanent ou passager des facultés intellectuelles; désordre mental qui met le sujet dans l'impossibilité de mener une vie sociale normale.

4.1 (...) les mots «aliénation mentale» et «aliéné» n'ont pas disparu (...) ils sont restés termes légaux sur le terrain administratif et judiciaire et s'emploient dans les cas où des mesures d'internement, de protection ou d'assistance spéciale s'imposent (...)

A. POROT, Manuel alphabétique de psychiatrie, 1952, art. *Aliénation mentale.*

Littér. (au sens étymologique) :

5 (...) ce bienfaisant accès d'aliénation mentale qu'est le sommeil.

PROUST, À la recherche du temps perdu, t. VI, p. 107.

Vx. Ensemble des maladies mentales. → **Psychiatrie.**

♦ **4** (XXe). Philos. (pour traduire l'all. *Entfremdung*, utilisé par Hegel et par Marx).

REM. Même lorsqu'il est appliqué à la philosophie ancienne (→ ci-dessous cit. 6, Lefebvre), le mot est en fait un emploi extensif de la valeur marxiste. Dans le *Dictionnaire de Lalande* (Première éd., 1926), cet emploi, chez Mounier, est encore considéré comme une métaphore du sens juridique, et le concept n'est pas analysé. L'emploi d'*aliénation* provient des traductions et commentaires de Marx.

État de l'homme qui est en partie privé de son humanité par suite des conditions sociales, et d'abord économiques.

*(Marx)* montre que l'aliénation de l'homme ne se définit pas religieusement, métaphysiquement ou moralement. Au contraire, les métaphysiques, les religions et les morales contribuaient à aliéner l'homme, à l'arracher à soi-même, à le détourner de sa conscience véritable et de ses véritables problèmes. L'aliénation de l'homme n'est pas théorique et idéale (...) elle est aussi et surtout pratique, et se découvre dans tous les domaines de la vie pratique.

(...) Sur ce plan réel, elle se manifeste par le fait que les hommes sont livrés à des forces hostiles, qui cependant ne sont que les produits de leur activité, mais retournés contre eux et les emportant vers des destins inhumains, — crises, guerres, convulsions de toutes sortes.

Henri LEFEBVRE, le Marxisme, p. 39-41.

Nous ne voulons pas dire que l'aliénation économique n'existe pas; mais il se peut que la cause première d'aliénation soit dans le travail à titre essentiel, et que l'aliénation décrite par Marx ne soit que l'une des modalités de cette aliénation : la notion d'aliénation mérite d'être généralisée, afin que l'on puisse situer l'aspect économique de l'aliénation; selon cette doctrine, l'aliénation économique serait déjà au niveau des superstructures, et supposerait un fondement plus implicite, qui est l'aliénation essentielle à la situation de l'être individuel dans le travail.

Gilbert SIMONDON, Du mode d'existence des objets techniques, p. 249.

(Mil. XXe). Par ext. (emploi assez vague, à la mode chez certains intellectuels). Tout processus par lequel l'être humain est rendu comme étranger à lui-même, et perd la conscience claire de ses rapports avec l'Autre. *L'aliénation de la femme.*

Je redoute l'aliénation intellectuelle qui lâche la proie du monde concret pour l'ombre du discours.

G. GUSDORF, *in* la Table ronde, juin 1959, p. 22.

Si la foi religieuse est une «aliénation», du moins nous préserve-t-elle de toutes les autres. Quel contemplatif catholique a jamais eu recours aux stupéfiants?

F. MAURIAC, le Nouveau Bloc-notes 1958-1960, p. 207.

Dans toute doctrine philosophique, Déchéance d'un principe, considéré comme pur, appliqué à l'homme, l'humain étant défini a priori (raison, conscience). *L'aliénation est le passage au concret impur.*

Métaphysique et religion apportèrent (...) une théorie de l'*aliénation.* Pour un métaphysicien comme PLATON, la vie, la nature, la matière, sont «l'*autre*» de la pure idée (de la Connaissance), c'est-à-dire sa déchéance.

Henri LEFEBVRE, le Marxisme, p. 37.

CONTR. (Du sens 1.) **Acquisition, annexion, appropriation; conservation.** — (Du 2.) **Possession.** — (Du 3.) **Raison, sens** (bon sens); **équilibre.**

**ALIÉNER** [aljene] v. tr. — 1265, en dr., du lat. *alienare* «rendre autre, étranger», de *alienus* «autre».

♦ **1** [a] Dr. Céder par aliénation (1.); transférer à un autre (une propriété, un droit). *Aliéner un domaine, une rente, une terre à qqn* (l'aliénataire). *Aliéner un bien à fonds perdu,* moyennant une rente viagère, de sorte que le capital est perdu pour les héritiers. → **Céder, disposer** (de), **donner, vendre.**

Aliéner, c'est donner ou vendre.

ROUSSEAU, Du contrat social, IV.

**b** Fig. Perdre (un droit naturel). *Aliéner ses droits. Aliéner sa liberté, son indépendance :* perdre sa liberté. → **Perdre.**

Un ordre de la nation ne peut pas plus que la nation elle-même aliéner sa liberté.
MIRABEAU, Discours du 30 janv. 1789.

J'écrivais ce livre au moment où, par le mariage, je venais de fixer ma vie; où j'aliénais volontairement une liberté que (...)
GIDE, les Nourritures terrestres, p. 7 (Préface de l'éd. de 1927).

♦ **2** (1355). Fig. Éloigner de soi, rendre étranger, hostile. *Cela lui avait aliéné la sympathie de ses collègues.*

Par là il aliène les esprits des peuples.
BOSSUET, Disc. sur l'Hist. universelle, I, 11.

Peut-on laisser aliéner des cœurs qu'on peut gagner à si bas prix? MASSILLON, Humanité des grands, I.

Vx. *Aliéner* (qqn, qqch.) *de...* → **Éloigner.**

Le moindre doute aurait suffi pour irriter toutes les villes impériales, et pour les aliéner entièrement de la France.
RACINE, Notes historiques.

Toutes ces réflexions aliénèrent enfin mon cœur de cette femme, au point de ne pouvoir plus la voir sans dédain.
ROUSSEAU, les Confessions, t. II, IX.

♦ **3** (XIVe). Vx. Faire perdre l'esprit, la raison à (qqn); rendre fou. *Aliéner qqn; aliéner sa raison. Cette maladie lui a aliéné l'esprit.* → **Déranger, égarer, troubler.**

♦ **4** Philos. Transformer par une aliénation (4.).

Le groupe social de solidarité fonctionnelle, comme la communauté de travail, ne met en relation que les êtres individués. Pour cette raison, il les localise et les aliène d'une manière nécessaire, même en dehors de toute modalité économique telle que celle que décrit Marx sous le nom de capitalisme : on pourrait définir une aliénation pré-capitaliste essentielle au travail en tant que travail.
Gilbert SIMONDON, Du mode d'existence des objets techniques, p. 248.

◆ **S'ALIÉNER** v. pron. (Passif; choses). Dr. Se transmettre par aliénation. — Vx. Devenir mentalement aliéné, fou.

(Sens 2.). *S'aliéner qqch. ou qqn :* perdre, éloigner de soi (une personne, ses sentiments). *Il s'est aliéné l'estime de ses compagnons.*

(Sens 4.). Se soumettre à une aliénation (4.). — *S'aliéner à qqn,* s'en rendre l'esclave.

◆ **ALIÉNÉ, ÉE** p. p. adj. et n.

♦ **1** Adj. (Choses). Cédé par aliénation (1.). *Bien, patrimoine aliéné.*

(Personnes). Altéré dans sa personnalité; privé d'une caractéristique essentielle par l'aliénation (2. ou 4.). *«Aliéné de mon propre destin»* (J. Romains, *in* T. L. F.). *Être, se sentir aliéné, exploité. Prolétaires aliénés.*

JE SUIS LIMITÉ et aliéné, les autres sont limités et aliénés et toute action, toute révolution, toute littérature ne sont que des oublis momentanés de l'aliénation, non pas des remèdes à l'aliénation. Tout cela ne peut aboutir qu'à un réveil encore plus lucide, donc encore plus désespéré.
IONESCO, Journal en miettes, p. 29.

♦ **2** (XVIe, Amyot : *sens aliéné*). Adj. et n. (Personnes). Vieilli. Atteint d'aliénation mentale, de folie. — *Esprit aliéné.*

3 Ils ont les yeux égarés et l'esprit aliéné.
LA BRUYÈRE, les Caractères, VIII, 61.

1 (...) la plus grande faute qu'on puisse commettre à l'égard d'un fou, c'est de lui faire voir qu'on le croit fou. Sans doute la plupart des maladies mentales s'aggravent par l'opinion du spectateur. Car le plus grand mal chez un fou, c'est qu'il se croit fou, j'entends isolé, étranger, «aliéné», qui veut dire étranger, différent des autres. On le repousse et il se retire.
ALAIN, Propos, 19 août 1913, Magie et Parole.

N. Personne atteinte d'aliénation mentale. → **Fou** (vx, en méd.); spécialt, personne à l'égard de qui, pour des raisons psychiatriques, le groupe social prévoit et impose des mesures administratives et judiciaires (allant de la surveillance à l'internement). *Interdiction, internement d'un aliéné. Loi de 1838 sur les aliénés.*

Exactement comme les aliénés : pas un fou qui ne se targue d'être incompris! 9
MARTIN DU GARD, les Thibault, VII, p. 69.

Anciennt. *Asile, maison d'aliénés :* hôpital, clinique psychiatrique. → Fam. Maison de fous*.

DÉR. **Aliénable, aliénant, aliénataire,** 2. **aliénateur.** — (De *aliéné*) **Aliéniste.** — (Du latin *alienare*) 1. **Aliénateur, aliénation.**

**ALIÉNISME** [aljenism] n. m. — 1833, Du Camp; de *aliéniste.*

Anciennt. Partie de la médecine qui traite de l'aliénation mentale. → **Psychiatrie.**

Durant le XIXe siècle, âge d'or de l'aliénisme, les psychiatres vont chercher l'explication dernière des désordres de la conduite, de l'affectivité et de la pensée dans des causes physiques (...) Ce mouvement aboutit, avec le psychiatre allemand Kraepelin (...) à une classification systématique qui est restée longtemps à la base de la psychiatrie.
Roland JACCARD, la Folie, p. 19-20.

**ALIÉNISTE** [aljenist] adj. et n. — Av. 1847, Balzac; de *aliéné.*

Anciennt (mais le mot s'emploie encore). Relatif à l'aliénation mentale, à l'aliénisme; qui s'occupe de l'aliénation mentale. *Un médecin aliéniste.* — N. (1891, Huysmans). *Un, une aliéniste :* un, une psychiatre s'occupant de malades internés, d'aliénés.

Je crus d'abord qu'il la faisait ainsi parler littérature parce 1
que, lui, la médecine l'ennuyait, peut-être aussi pour faire montre de sa largeur d'esprit, et même, dans un but plus thérapeutique, pour rendre confiance à la malade, lui montrer qu'il n'était pas inquiet, la distraire de son état. Mais, depuis, j'ai compris que, surtout remarquable comme aliéniste et pour ses études sur le cerveau, il avait voulu se rendre compte par ses questions si la mémoire de ma grand'mère était bien intacte.
PROUST, le Côté de Guermantes, Folio, p. 363.

Il y a, dans la fréquentation des fous, un subtil vertige. 2
Les véritables aliénistes ne sont pas, ne peuvent être des hommes de froide raison.
G. DUHAMEL, Chronique des Pasquier, III, 9.

Le lendemain, il alla consulter un médecin aliéniste qui 3
ne put rien dire de précis, sinon qu'il ne demandait pas mieux que de l'enfermer.
M. AYMÉ, Maison basse, p. 56.

REM. On a formé sur ce mot l'adj. *antialiéniste :* «(...) en même temps que se développe la psychiatrie et que s'édifient des établissements consacrés exclusivement au traitement des aliénés (...) se manifeste souterrainement un courant "antialiéniste" (...)» (Roland Jaccard, *la Folie,* p. 20). → Antipsychiatrie.

DÉR. et COMP. **Aliénisme; antialiéniste** (ci-dessus).

**ALIFÈRE** [alifɛʀ] adj. — 1845; du lat. *ala* «aile», et *ferre* «porter».

Didact. Qui porte des ailes. *Insecte alifère.*

CONTR. **Aptère.**

**ALIFORME** [alifɔʀm] adj. — 1845; du lat. *ala* «aile», et de *forme.*

Didact. Qui est en forme d'aile. *Appendices aliformes.*

**ALIGNAGE** [aliɲaʒ] n. m. — 1908; de *aligner.*

Techn. Division d'un bloc en parties parallèles (plaquettes), dans les ardoisières. *Alignage de la pierre, du schiste.*

**ALIGNEMENT** [aliɲmɑ̃] n. m. — 1428 ; «démarcation entre propriétés», 1410 ; au sens spécial (dr.), 1387 ; de *aligner.*

**I** ♦ **1** Fait d'aligner, de disposer, de ranger en ligne droite. — (Actif). *S'occuper de l'alignement de ses champs. Procéder à l'alignement d'objets, de personnes. Rectifier* (cit. 1) *un alignement.* — (Passif). Fait d'être aligné ; disposition de choses alignées. → **Ligne.** *Rompre, interrompre l'alignement des façades, des maisons.* Loc. *Être à l'alignement de qqch.,* être aligné sur... *Sortir de l'alignement.*

1 La façade de briques était juste à l'alignement de la rue, ou de la route plutôt. FLAUBERT, Mme Bovary, I, VI.

1.1 L'alignement de ses prés et des fossés *jouxtant la route,* ses plantations de peupliers en Loire, et les travaux d'hiver dans ses clos et à Froidfond l'occupèrent exclusivement. BALZAC, Eugénie Grandet, éd. 1838, p. 249.

**a** Emplois spéciaux. Fait d'aligner au moyen de repères, selon un tracé ; ce tracé. *Prendre, marquer des alignements au moyen d'une alidade à pinnules, d'un cordeau, de jalons, perches, piquets, repères.* → **Piquetage.**

2 André se dirigeait au moyen d'alignements, pris par lui autrefois, pour retrouver la demeure de celle qu'il avait appelée «Medjé» (...) LOTI, les Désenchantées, II, V.

Astron. *Méthode des alignements :* repérage de la position d'un corps céleste par le tracé de lignes idéales.

Mar. Ligne joignant deux amers* qui se profilent exactement l'un derrière l'autre par rapport à un point d'observation. *Être sur l'alignement de* (un amer) *par* (un autre).

**b** Dr. Fixation, par l'Administration, des limites des voies publiques ; ligne ainsi fixée. *Maisons frappées d'alignement. Plan, arrêté d'alignement. Demander, obtenir un alignement, l'alignement* (d'une construction, d'une propriété). *Maison sur l'alignement, à l'alignement, hors de l'alignement.*

2.1 (...) l'homme, qui se sent soudain à découvert, se recule insensiblement vers l'encoignure d'une façade en décrochement, celle du numéro *789 bis,* dont le crépi est peint en bleu vif.
Cette maison comporte trois étages comme toutes ses voisines (qui constituent, un mètre environ plus en avant, l'alignement général de la rue). A. ROBBE-GRILLET, Projet pour une révolution à New York, p. 14.

**c** Typogr. Le fait de disposer les caractères en plomb sur une ligne, à la fonte. *Alignement horizontal, vertical.*

**d** *Alignement des pales* (d'un hélicoptère) : contrôle et réglage des pales de manière qu'elles se trouvent toutes dans le plan de rotation.

♦ **2** (Personnes). Action de s'aligner ; position de personnes (notamment de soldats) alignées. *Régler l'alignement sur le guide. Se mettre à l'alignement. Sortir de l'alignement. Rectifier l'alignement.* — Exclam. *À droite, à gauche, sur le centre alignement !*

Ordre des troupes. *«Attaquant et manœuvrant l'ennemi qui résiste, sans aucun souci d'alignement»* (Foch, *Mémoires,* in T. L. F.).

♦ **3** (Abstrait). Conformité stricte (surtout dans : *à, dans l'alignement*). *Mettre les individus à l'alignement,* leur imposer une uniformité de caractères, de conditions. → **Nivellement.** *Être dans l'alignement.*

3 Paris nous impose un uniforme ; il nous met, comme ses maisons, à l'alignement ; il estompe les caractères, nous réduit tous à un type commun. F. MAURIAC, la Province, p. 13.

♦ **4** Fait d'aligner (4.) sur, de s'aligner (3.) sur (qqch. ou qqn). *L'alignement d'un parti sur la politique du gouvernement. L'alignement d'un pays sur une grande puissance.* — (Sans compl.). *Une politique d'alignement et de conformisme, de soumission. Alignement monétaire :* fixation d'un nouveau cours des changes en fonction du pouvoir d'achat relatif de deux ou plusieurs monnaies (→ **Dévaluation, réévaluation).**

♦ **5** Radio. Réglage des circuits d'amplification d'un récepteur sur une fréquence donnée.

**II** ♦ **1** Rangée de choses alignées (→ **Ligne).** *Un bel alignement de casseroles.*

(1899, A. France). Spécialt. Rangée de pierres dressées. *Les alignements de Carnac :* les rangées de menhirs sur des lignes parallèles, à Carnac (Morbihan).

Les plus connus des alignements de menhirs se situent en Bretagne, mais il en existe dans d'autres régions, notamment en Angleterre, dans les Indes, au Thibet et, en France... *(dans de nombreux départements)* Toutefois, les alignements de ces diverses régions sont loin d'avoir le caractère grandiose des monuments bretons, en particulier de ceux de Carnac.
Les alignements de Carnac, de réputation mondiale, se développent sur une longueur totale de près de 4 km et comptent 2 934 menhirs. Actuellement, ils se composent de trois alignements successifs, le Ménec, Kermario et Kerlescan. Fernand NIEL, Dolmens et Menhirs, p. 11.

♦ **2** Rare. Ligne droite. → **Ligne.** *Suivre l'alignement d'une rue. «L'alignement qui joint ces deux points (...)»* (Las Cases).

Spécialt, ch. de fer. Portion de voie en ligne droite. — Typogr. Éléments typographiques disposés verticalement sur une même ligne. *Alignement au fer à gauche, au fer à droite.*

REM. Dans ce sens, *alignement* est le plus souvent compris comme le résultat d'une action ou d'une disposition ; → ci-dessus I., 1.

COMP. **Non-alignement, réalignement.**

**ALIGNER** [aliɲe] v. tr. — XIIe ; *aliner* (des navires), 1202 ; 1427, «tracer des lignes pour mesurer», 1427 ; de 1. *a-,* et *ligne.*

♦ **1** Rendre (une ligne) droite ou plus droite ; disposer (plusieurs éléments) selon une ligne droite. Syn. : *mettre en ligne* (droite). *Aligner des cailloux sur le sable. Aligner des plants. Aligner des constructions. Aligner les maisons,* les construire le long d'une voie de sorte que les façades forment une ligne continue (→ **Alignement).** *Rue où les maisons sont alignées.* Par métonymie. *Aligner une rue.*

Les maisons, au lieu d'être alignées, sont dispersées sans symétrie et sans ordre (...) ROUSSEAU, Lettres, 20 janv. 1763.
Ces longues baraques en planches, alignées sur le sol battu, sec et dur de décembre. Alphonse DAUDET, Contes du Lundi, p. 173.

(Êtres vivants). *Aligner des soldats, des troupes.* — (1845, *aligner une flotte*). Par ext. Mettre en ligne de bataille ; disposer de, pour le combat. *«Aligner des forces de campagne comparables à celles dont la France disposait (...)»* (De Gaulle).

(Signes). *Aligner des chiffres au tableau* (fig. et fam. : écrire des chiffres nombreux). *Aligner des points, des ronds.*

Par ext. Présenter selon un alignement (le sujet désigne un lieu, un ensemble). *Les quais «alignaient leurs constructions basses»* (Zola). *Le parc, les allées alignant leurs arbres, leurs parterres.*

♦ **2** (Déb. XVIIIe). Écrire, tracer (des signes) selon un ordre (l'écriture disposant les signes — dans nos cultures — selon une ligne horizontale). *Aligner des mots, des phrases,* en inscrire un grand nombre à la suite (souvent péj.). *Il aligne des vers.* «*Il veut écrire, aligner des phrases, mettre de beaux* qui *et de beaux* que» (Goncourt).

Exprimer à la suite, avec ordre, minutie ou recherche (souvent péj. : ordre apparent, minutie excessive). *Il alignait interminablement les arguments, les statistiques, les chiffres de production, pour nous convaincre. Aligner des références, des noms.* → **Donner, dresser** (une liste), **fournir, présenter.**

Ou bien je lui tiens tête, et je rage ; ou bien je reste coi devant les arguments qu'il aligne en bon ordre, et je me tais. MARTIN DU GARD, les Thibault, III, I.

♦ **3** Fournir ou présenter en grand nombre (des éléments semblables).

Les portraits d'aïeux, naïvement peints, l'un en cuirasse, un autre en justaucorps, celui-ci poudré en officier des gardes françaises, celui-là en colonel de la Restauration, alignaient sur les murs la collection des Guilleroy passés, en des cadres vieux dont la dorure tombait.
MAUPASSANT, Fort comme la mort, éd. 1889, p. 173.

Nous autres, Français, en tant que Latins ou Méditerranéens, nous avons plus de 2000 ans derrière nous. L'Anglais ne peut pas, de loin, aligner autant de siècles, et il est de ce fait plus proche que nous de la nature, plus proche aussi de la barbarie primitive.
André SIEGFRIED, l'Âme des peuples, IV, 1.

Fam. *Les aligner* (les fonds, les billets) : donner de l'argent, payer. *Il faudra bien qu'il les aligne.*

♦ **4** *Aligner qqch. sur... :* mettre sur la même ligne que...

Je suis obligé d'aller faire aligner le fossé de mes prés sur la route. Je serai revenu à midi, pour le second déjeûner ; après quoi, je causerai avec mon neveu de ses affaires.
BALZAC, Eugénie Grandet, éd. 1838, p. 144.

REM. Lorsque le premier compl. est au plur. *(les jockeys alignent les chevaux sur la ligne de départ)* le sens est celui de «mettre en ligne» (→ ci-dessus 1.).

Fig. *Aligner une monnaie sur une autre, sur l'or,* en déterminer le cours par rapport à...

Rendre conforme à... *Aligner sa politique, ses opinions sur celle, sur ceux de qqn.*

◆ **S'ALIGNER** v. pron.

♦ **1** Se mettre, être disposé en ligne droite. *Les casseroles s'alignaient par taille décroissante.*

Contre le lambris, peint en blanc, s'alignaient huit chaises d'acajou.
FLAUBERT, Trois contes, «Un cœur simple», I.

(Personnes). *Alignez-vous ! Les groupes s'alignaient. Les visiteurs s'alignaient en formant une longue file.* — Personnes, animaux. (1906, *in* Petiot). Sports. *S'aligner pour le départ* (chevaux, coureurs).

♦ **2** [a] (Sujet au sing.). Se mettre (être mis) sur la même ligne (que d'autres). *S'aligner sur les autres, dans le rang.*

Vieux soldat discipliné, j'accourais donc pour m'aligner dans le rang, et marcher sous mes capitaines.
CHATEAUBRIAND, Mémoires d'outre-tombe, IV, 2.

[b] Vx. Se mettre face à face (plur.), face à qqn (sing.) pour un duel.

[c] Mod. Affronter à plusieurs une compétition (contre un adversaire). *S'aligner contre l'équipe adverse. Inutile de s'aligner dans ces conditions.*

Après les vacances de Noël, on avait eu quatre départs... des mômes qu'étaient pas revenus... Le collège il serait plus montrable avec son «football», même si on laissait jouer Jonkind... ça pouvait plus exister... Avec huit morveux seulement c'était pas la peine qu'on s'aligne... on se faisait sûrement écraser (...)
CÉLINE, Mort à crédit, 1936, p. 286.

Loc. fam. *Il peut (tu peux, etc.) toujours s'aligner :* il sera battu, il n'est pas de force. *Pour le poker, en maths, tu peux toujours t'aligner,* tu n'es pas aussi fort, pas assez fort.

Oh ! tu peux t'aligner, dit Paradis qui faisait grand cas de Pierrot sans toutefois étendre son admiration au-delà 8
du domaine des jeux de billes à un franc, où, il est vrai, l'autre excellait.
R. QUENEAU, Pierrot mon ami, éd. L. de Poche, p. 8.

♦ **3** *S'aligner sur qqn, qqch.,* s'y conformer.

*S'aligner sur* (un parti, un gouvernement...) : se conformer fidèlement à la ligne politique définie par ce parti, ce gouvernement... *Parti refusant de s'aligner sur l'un ou l'autre des deux blocs* (politique dite de «*non-alignement*»).

◆ **ALIGNÉ, ÉE** p. p. adj. (Mil. XII^e).

♦ **1** Rendu droit (→ **Rectiligne**). *Des rues très larges et bien alignées.* → Tiré au cordeau. — Fig. *Un esprit* «*aligné comme un jardin français*» (Maupassant). → **Ordonné.**

♦ **2** Rangé en ligne droite (au plur.). → ci-dessus cit. 1, 2. *Instruments alignés contre un mur.*

Les lampes bleues brûlent toujours, suspendues au plafond. Il y en a trois, alignées suivant le grand axe de la 9
salle. A. ROBBE-GRILLET, Dans le labyrinthe, p. 119.

Par ext. (emploi extensif et contestable). Rangé en ligne (non droite), ou selon un ordre géométrique. *Têtes* «*concentriquement alignées*» (Martin du Gard). «*Bâtiments alignés en carré*» (Van Der Meersch). *Bois aligné :* bois de sciage dont les éléments sont rassemblés de manière à former une section rectangulaire. → **Avivé.**

♦ **3** (Abstrait). *Mots, phrases aligné(e)s.*

Rare. Rangé, ordonné (personnes, vie...).

CONTR. **Désordre** (mettre en), **forjeter, retrait** (mettre en), **saillie** (mettre en). — V. aussi **Avancer, reculer.** ◊ DÉR. **Alignage, alignement, aligneur, alignoir.** → COMP. **Réaligner.**

**ALIGNEUR, EUSE** [aliɲœʀ, øz] n. — 1842 ; de *aligner.*

Rare. Personne qui aligne.

♦ **1** *Aligneur de... :* celui qui aligne (des mots, des phrases).

*4 août.* Entre Ronsard et André Chénier (et encore, André Chénier !...) on cherche en vain un poëte. Je ne dis pas : un rimeur, un versificateur, un aligneur de mots, mais un poëte. Pas un ! J. RENARD, Journal, 4 août 1887.

♦ **2** Techn. Personne qui fait un alignement.

**ALIGNOIR** [aliɲwaʀ] n. m. — 1410 ; de *aligner.*

Techn. Outil en forme de coin employé par le carrier pour fendre les blocs d'ardoises.

**ALIGNOLE** [aliɲɔl] n. m. — 1769, *alignolle,* de *lignole,* attesté 1544 ; provençal mod. *alignolo, lignolo,* du lat. *lineola,* de *linea.* → Ligne.

Techn. (pêche) et régional. Filet en nappe qui se pose horizontalement près de la surface de l'eau.

**ALIGOT** [aligo] n. m. — 1846 dial. «ragoût de volaille», 1879 au sens actuel, en Aveyron ; rouergat *oligot, aligouot,* même orig. que 1. *haricot* «ragoût».

Plat du Rouergue et d'Auvergne à base de purée de pommes de terre et de tomme fraîche (tomme de Laguiole) ou de fourme, mélangées à chaud.

Ici, on réclame encore l'aligot, qui est une purée fromagère, familiale, rustique. Une purée bien beurrée, de patates et de tomme fraîche, que la paysanne prépare sur le fourneau, à la minute de la servir, afin qu'elle «file» plus long et plus gras que des spaghetti.
L'Express, 25 avr. 1986, p. 234.

Aligot sucré (tomme fraîche de Planèze, ail, pommes de terre, flambé au rhum).
Érik ORSENNA, l'Exposition coloniale, p. 143.

**ALIGOTÉ** [aligɔte] n. m. — 1907; *alligotet*, 1866; anc. franç. *harigoter* «déchirer», du germ. *hariôn, même sens. → Haricot.

Cépage blanc de Bourgogne. — Vin produit par ce cépage. *Bourgogne aligoté*, et, n. m., *une bouteille d'aligoté. Apéritif fait d'aligoté et de cassis.* → **Kir.**

**ALII (ET)** [ɛtalii] loc. → **Et alii.**

**ALIMENT** [alimɑ̃] n. m. — 1120 au sens abstrait «ce qui nourrit l'esprit», sens 1., fin XIVe; du lat. *alimentum*, de *alere* «nourrir».

♦ **1** Substance qui nourrit, sert ou peut servir à la nutrition d'un être vivant. *Les aliments fournissent la nourriture de l'homme et la pâture des animaux.* → **Comestible, denrée, nourriture, pâture, vivres; ingesta** (didact.). *Consommer, manger, prendre des aliments. Les aliments du repas.* → **Mets.** *Tomber d'inanition faute d'aliments. Aliments liquides.* → **Boisson, brouet, soupe.** *Aliments d'origine végétale ou animale. Les chimistes classent les aliments en trois grandes catégories :* protides, lipides, glucides (sucres et amidons, hydrates de carbone). *Valeur énergétique des aliments* (→ **Calorie**). *Aliments naturels*, composés d'*aliments simples* (minéraux ou organiques). *Aliment complet*, qui contient tous les éléments nécessaires à l'organisme. *Le lait est un aliment complet. Un aliment riche en vitamines. Aliments nourrissants, nutritifs, substantiels. Aliments diététiques. Aliments qui réparent les forces.* → **Analeptique, reconstituant.** *Aliments pour enfants, pour sportifs.* — (1873). *Aliment d'épargne :* aliment auquel on attribue le pouvoir d'épargner une part des forces nécessaires pour accomplir un effort (café, cola, kola...). — *Aliments débilitants. Aliments frais, crus. Préparer, cuire, cuisiner, conserver des aliments.* → **Cuisine; cuisson, conserve.** *Aliments gras ou maigres. Aliments échauffants ou rafraîchissants. Assimilation, digestion des aliments :* → **Alibile, animalisation, chyle, chyme, digestion, élaboration, ingestion, nutriment, nutrition.** *Aliment digeste, indigeste; léger, lourd. Aliment épais, qui cale l'estomac.* → fam. **Cataplasme, emplâtre, étouffe-chrétien; bourrer** (II., 3.).

1 Leur intempérance (...) change en poisons mortels les aliments destinés à conserver la vie (...) Les aliments qui flattent trop le goût et qui font manger au delà du besoin, empoisonnent au lieu de nourrir.
FÉNELON, Télémaque, XIII.

2 Les aliments sont divisés en deux grands groupes, suivant qu'ils agissent par leur qualité ou leur quantité. Les premiers sont appelés plastiques : ce sont les graisses, sucres et viandes à égalité de pouvoir calorifique; ils sont interchangeables. Les seconds sont appelés dynamiques : ce sont les vitamines et certains protides : tryptophane, arginine. Ils agissent par leur constitution chimique et sont indispensables et irremplaçables.
Alain BOMBARD, Naufragé volontaire, note 1, p. 64.

Au plur. (1690). Dr. **ALIMENTS :** moyens d'existence nécessaires à une personne et exigibles par elle, de certains tiers; frais d'entretien et de subsistance d'une personne dans le besoin. → **Alimentaire** (pension).

3 Les enfants doivent des aliments à leurs père et mère ou autres ascendants qui sont dans le besoin. La succession de l'époux prédécédé en doit, dans le même cas, à l'époux survivant (...) La pension alimentaire est prélevée sur l'hérédité (...) Code civil, art. 205.

♦ **2** (Déb. XIIIe : *pur alemenz de cuer*). Abstrait. Ce qui sert à nourrir l'âme, l'esprit. «*L'Eucharistie est l'aliment de nos âmes*» (Bourdaloue).

*(La jalousie)* C'est des maladies d'esprit celle à qui plus de choses servent d'aliment, et moins de choses de remède.
MONTAIGNE, Essais, III, 5.

Le génie meurt, faute d'aliments.
R. ROLLAND, Musiciens d'aujourd'hui, p. 30.

Ce qui sert à entretenir qqch.

Fournir un aliment à des curiosités encore indistinctes (...)
GIDE, les Faux-monnayeurs, I, 12.

Littér. (sans article). *Donner aliment à...* → **Nourrir** (fig.).

DÉR. **Alimenter.** — (Du latin *alimentum*) V. **Alimentaire.**
◈ COMP. **Suraliment.**

**ALIMENTAIRE** [alimɑ̃tɛʀ] adj. — 1580; du lat. *alimentarius*, de *alimentum*. → Aliment.

♦ **1** [a] Qui peut servir d'aliment. *Denrées, produits alimentaires.* — Loc. *Pâtes* alimentaires.* — Par ext. *Industries alimentaires.* → **Agro-alimentaire.**
[b] Relatif à l'alimentation. *Ration alimentaire; équilibre alimentaire. Ration alimentaire et besoins nutritionnels*. Régime alimentaire. Bol* alimentaire. Masse alimentaire. — Canal, cavité, sac, tube alimentaire.* — (En parlant de troubles). *Intolérances, difficultés alimentaires*, de l'alimentation.
[c] Qui concerne un aliment. *Additif* alimentaire.*

♦ **2** (1690; n. m., 1606, «celui qui reçoit des aliments»). Dr. Qui a rapport aux aliments. *Obligation alimentaire*, de fournir les aliments. — *Pension alimentaire*, servie à une personne qui en a besoin, en vertu d'un accord amiable ou d'un jugement (lequel peut accorder, en attendant, une *provision alimentaire*). → **Aliment,** cit. 3.

♦ **3** (1905, Maurras). Péj. Se dit d'un travail, d'une occupation dont la seule fonction est de nourrir son homme. *Des savants, des artistes font des besognes alimentaires qui leur permettent de vivre tout en poursuivant leurs recherches. Un boulot purement alimentaire.*

Baryton (...) se demandait en conscience s'il arriverait jamais à se débarrasser des familles, de leur sujétion, des mille platitudes répugnantes de la psychiatrie alimentaire, de son état en somme.
CÉLINE, Voyage au bout de la nuit, p. 384.

♦ **4** (Après 1850). Techn. Qui contribue à un système d'alimentation (2.). *Piston, soupape alimentaire.*

DÉR. **Alimentarité.** ◈ COMP. **Agro-alimentaire.**

**ALIMENTARITÉ** [alimɑ̃taʀite] n. f. — 1960; de *alimentaire*.

Rare et littér. Caractère de ce qui constitue, produit des aliments.

Ce qui est merveilleux dans le pré : cette élémentarité (acquise; exquise aussi) et aussi — mais c'est autre chose — cette alimentarité, comme on fait hacher sa viande chez le boucher.
Francis PONGE, la Fabrique du pré, p. 213, *in* D. D. L., II, 7.

**ALIMENTATEUR, TRICE** [alimɑ̃tatœʀ, tʀis] ou **ALIMENTEUR, TRICE** [alimɑ̃tœʀ, tʀis] adj. et n. m. — 1866, Larousse, *alimentateur; alimenteur*, 1908; de *alimentation*, et de *alimenter*.

Techn. Qui alimente, pourvoit (en combustible, énergie, munitions, etc.). *Mécanisme alimentateur d'une mitrailleuse.* — N. m. *Alimentateur d'antenne. Alimenteur automatique.*

REM. On a proposé de remplacer l'anglicisme *feeder** (dans certains emplois) par *alimenteur*.

**ALIMENTATION** [alimɑ̃tasjɔ̃] n. f. — 1412; de *alimenter.*

♦ **1** Action d'alimenter, de s'alimenter. *L'alimentation d'un enfant, d'un malade. Alimentation par goutte à goutte. Le pain, les graines de légumineuses, les légumes, les fruits, la chair des animaux (viande), le lait, l'eau et les boissons fermentées constituent la base de l'alimentation humaine.* → **Régime** (alimentaire), **diététique.** *Alimentation végétale.* → **Fruitarisme, végétalisme, végétarisme.** *Science de l'alimentation.* → **Trophologie ;** et aussi **cuisine, gastronomie.** — Méd. *Alimentation artificielle :* administration de substances nutritives à un sujet qui ne peut pas (ou ne veut pas) s'alimenter lui-même. → **Gavage, lavement** (alimentaire), **perfusion.**

Par ext. Approvisionnement en aliments. *L'alimentation des troupes.* → **Ravitaillement.** — *Carte, tickets d'alimentation,* pour le rationnement des denrées alimentaires. — *Les industries de l'alimentation.* → **Alimentaire** (→ ci-dessous 3.).

1 (...) un garagiste qui trafiquait, rencontré dans un bar. Il se trouvait que cet homme avait besoin de faire porter très vite à Cannes une valise pleine de fausses cartes d'alimentation (...) Jacques LAURENT, les Bêtises, p. 31.

♦ **2** Action d'alimenter (2.), de fournir. [a] *Alimentation en... L'alimentation d'une ville en eau potable. — L'alimentation d'une usine en matières premières.*

[b] Techn. *Alimentation d'une chaudière à vapeur, d'un moteur* (en combustible).

Absolt. *Circuit, conduites d'alimentation.*

[c] Spécialt. Action d'approvisionner. — Opération par laquelle les munitions sont amenées dans la chambre d'une arme à feu. *Mécanisme d'alimentation.* — Approvisionnement en eau. *Alimentation en retour, par surpression.* — Action de fournir le courant électrique à un circuit. *Boîte, ligne d'alimentation. Tension d'alimentation.* — Introduction du papier dans le dispositif d'impression, de reproduction (d'une machine).

[d] Par métonymie. Organe qui sert à l'alimentation (conduites qui amènent la matière à mouler dans une presse à matières plastiques, etc.). *L'alimentation est en panne.*

♦ **3** Ce qui alimente; ensemble des produits alimentaires (surtout dans : *d'alimentation*). *Boutique, commerce, magasin d'alimentation.*

Par ext. Industries alimentaires. *Travailler dans l'alimentation.*

2 — (...) une vingtaine de mille francs. Avec cette somme, on peut se faire une place très honorable dans l'alimentation. MALRAUX, la Condition humaine, *in* Romans, Pl., p. 137.

♦ **4** Fig. et littér. Action d'alimenter (3.); ce qui alimente, entretient. *«Son esprit fatigué réclamait une nouvelle alimentation»* (Proust, *in* T. L. F.).

**DÉR. Alimentateur.** ◊ **COMP. Auto-alimentation, sous-alimentation, suralimentation.**

**ALIMENTER** [alimɑ̃te] v. tr. — XIVe; de *aliment.*

♦ **1** Fournir (qqn, un être vivant) en aliments; procurer des aliments à... → **Nourrir, sustenter.** *Alimenter un enfant, un malade à la cuiller. Alimenter un bébé au sein, au biberon.* → **Nourrir** (spécialt).

Par ext. Fournir une certaine alimentation à (qqn), en la lui donnant, en lui permettant de l'obtenir, etc. *Il faut alimenter légèrement le malade. — Alimenter qqn en, avec qqch. Il faut l'alimenter en légumes, en bouillons, avec des bouillons.*

(Le compl. désigne une communauté). *Alimenter des réfugiés, les alimenter en vivres et en eau. Alimenter les Français en sucre.*

♦ **2** (XIVe; repris XIXe). Fournir en éléments nécessaires au bon fonctionnement. → **Approvisionner, pourvoir.** *Alimenter en papier une machine à imprimer, à photocopier.* — (Éléments assimilés à des aliments, ou aliments). *Alimenter un marché. Alimenter... en... Alimenter une ville en eau potable.* — (Éléments fournis naturellement; sujet n. de chose). *La source qui alimente cet étang, cette rivière.*

1 Le Jourdain (...) depuis des millénaires, alimente ce réservoir. LOTI, Jérusalem, 15.

(Matières premières). → **Alimentation.** *Alimenter une chaudière, une machine, un moteur. Alimenter en minerai plusieurs usines.*

♦ **3** Entretenir en fournissant ce qui fait fonctionner, continuer. → **Entretenir, fournir, nourrir** (fig.). *L'amour, la haine alimente le génie de cet écrivain. Cette nouvelle alimente les conversations. Alimenter la chronique.*

2 (...) un accès de froide colère alimenté par les rapports de son ministère. CHATEAUBRIAND, Mémoires d'outre-tombe, II, III.

3 Son éloquence, infatigablement alimentée de faits (...) Ch. PÉGUY, Œ. compl., t. XI, p. 57.

4 Après avoir traîné la pouille pendant quelque temps, mon père finit par adopter un métier, le travail de la cire. Il alimentait de son art les exhibitions foraines et les musées d'anatomie. R. QUENEAU, Pierrot mon ami, éd. L. de Poche, p. 54.

♦ **S'ALIMENTER** v. pron. (Réfl.). Se nourrir, prendre des aliments. → **Manger, soutenir** (se), **sustenter** (se). *Le malade a recommencé à s'alimenter. Il refuse de s'alimenter* (→ **Anorexie, anorexique).**

Par ext. *S'alimenter en, de qqch. :* se procurer les éléments nécessaires à la nourriture, et, fig., à l'existence, au fonctionnement.

(Concret). *Cette industrie s'alimente de, en matières premières importées.* — (Abstrait). *La conversation s'alimentait de lieux communs; les lieux communs dont s'alimentait la conversation.*

5 (...) elle acceptait. Elle vivrait en ne s'alimentant que d'orgueil. MONTHERLANT, le Songe, 1922, p. 100.

**CONTR. Détruire, étouffer, mourir** (faire). — **Diète** (faire la), **jeûner, mourir** (d'inanition). ◊ **DÉR. Alimentation.** ⁃ **COMP. Sous-alimenter, suralimenter.**

**ALINÉA** [alinea] n. m. — Mil. XVIIe, Guez de Balzac; cf. fin XVIIe, *mettre a linéa* «passer à la ligne»; du lat. *a linea* «en s'écartant de la ligne» : locution autrefois employée, en dictant, pour indiquer qu'il fallait aller à la ligne.

♦ **1** Séparation entre la phrase terminée et la phrase nouvelle, celle-ci étant commencée en retrait, à la ligne suivante, après un petit intervalle laissé en blanc. Typogr. *Alinéa rentrant, saillant; alinéa aligné. — Faire un alinéa.* → **Ligne** (passer à la).

♦ **2** (1789, *in* D. D. L.). Passage compris entre deux alinéas. *Les articles du Code civil sont divisés en alinéas. Couper un paragraphe en plusieurs alinéas. Un long alinéa.*

**DÉR. Alinéaire, alinéatiser** ou **alinéater.**

**ALINÉAIRE** [alineɛʀ] adj. — 1842; de *alinéa.*

Didact. et rare. Qui concerne le début (ou la fin) d'un alinéa.

**ALINÉATISER** [alineatize] ou **ALINÉATER** [alineate] v. tr. — 1879, *alinéatiser; alinéater,* 1888, Goncourt ; de *alinéa.*

Didact. et rare. Diviser en alinéas (un texte, en typographie).

**ALINETTE** [alinɛt] n. f. → 2. **Aine.**

**ALIOS** [aljos] n. m. — 1840, Landais ; mot gascon, du rad. de *lie, liais.*

Géol. Grès organique et ferrugineux constituant un des horizons du podzol des Landes.

DÉR. **Aliotique.**

**ALIOTIQUE** [aljɔtik] adj. — 1877 ; de *alios.*

Géol. Formé d'alios ; qui a les caractères de l'alios. *Un sous-sol aliotique.*

**ALIPHATIQUE** [alifatik] adj. — 1903, in *Rev. gén. des sc.*, n° 12, p. 686 ; du grec *aleiphar, aleiphatos* «graisse».

Chim. Se dit des corps gras à chaîne ouverte (série grasse).

À température ordinaire, elles *(les résines renforcées)* supportent l'action de solutions salines et résistent très bien aux hydrocarbures aliphatiques et à certains solvants aromatiques et chlorés.

J.-C. DESJEUX et J. DUFLOS, les Plastiques renforcés, p. 56.

COMP. V. **Alicyclique.**

**ALIQUANTE** [alikɑ̃t] adj. f. — 1752 ; *aliquanta,* 1653 ; du lat. *aliquanta,* fém. de *aliquantus,* «en certaine quantité».

Math. Se dit d'une partie qui n'est pas contenue un nombre exact de fois dans un tout. *Deux est une partie aliquante de neuf.*

CONTR. **Aliquote.**

**ALIQUOTE** [alikɔt ; alikwɔt] adj. f. — 1484 ; du lat. *aliquot* «un certain nombre de».

♦ **1** Math. Se dit des parties contenues un nombre exact de fois dans un tout. *1, 2, 3 sont les parties aliquotes de 6. Le pouce est une partie aliquote du pied.* — N. f. (1762). *5 est l'aliquote de 20.*

♦ **2** (Mil. XVIIIe). Mus. *Parties aliquotes :* divisions qui se forment dans une corde, un corps mis en vibration, et qui produisent les harmoniques du son principal. — N. f. :

Cette dix-septième est produite par une aliquote de la corde entière, savoir la cinquième partie.

ROUSSEAU, Dict. de musique, Dix-septième.

CONTR. **Aliquante.**

**ALISE** ou **ALIZE** [aliz] n. f. — V. 1200 ; *alie,* 1153 ; probablt gaulois **alisia* ou d'une autre langue préromane (F. e. w.) ou **alika,* plutôt que du germanique **aliza,* qui doit être un empr. anc. au gaulois ; P. Guiraud y voit l'anc. adj. *lis, alis* «lisse, poli», du lat. *lixare.*

Fruit de l'alisier, d'un goût légèrement acidulé. *Eau-de-vie d'alises. «Alise veuve de caresses (...)»* (Éluard, *Blason des fleurs et des fruits,* Œ. compl., t. I, Pl., p. 1085).

DÉR. **Alisier.**

**ALISIER** ou **ALIZIER** [alizje] n. m. — 1235 ; *alier,* v. 1180 ; de *alise.*

Arbre de la famille des Rosacées (nom sc. : *aria*), variété de sorbier qui produit des alises et dont le bois est recherché en ébénisterie. *Alisier blanc.* → **Allouchier.**

(...) l'odeur aigre des sèves que la chaleur faisait éclater dans des fentes le long des troncs des alisiers sauvages. 1

J. GIONO, le Hussard sur le toit, p. 21.

Une seule lune brille à l'heure où je t'attends sous le grand alisier. Les fleurs blanches de l'arbre sont éclairées en plein par sa lumière violette. 2

Monique WITTIG, le Corps lesbien, p. 178.

**ALISMA** [alisma] ou **ALISME** [alism] n. m. — 1704, *alisma ; alisme,* 1842 ; du grec *alisma* «plantain d'eau».

Bot. Plante monocotylédone *(Alismacées)* qui croît dans les fossés, mares, marais et ruisseaux et dont la variété la plus commune est le *plantain d'eau.*

DÉR. **Alismacées.**

**ALISMACÉES** [alismase] n. f. pl. — 1815, Lamarck et Candolle, *in* D. D. L. ; de *alisma,* et suff. *-acées.*

Bot. Famille de plantes phanérogames, monocotylédones, de l'ordre des Fluviales, dont les types principaux sont la *fléchière* ou *flèche d'eau* (sagittaire), le *flûteau* ou *plantain d'eau* (alisma), et le *damasonium.* — Au sing. *Une alismacée.*

**ALITEMENT** [alitmɑ̃] n. m. — 1549 ; de *aliter.*

Fait de prendre le lit ; séjour forcé au lit (en parlant d'un malade). *Depuis son alitement, il semble aller mieux. Un long alitement imposé par la maladie.*

**ALITER** [alite] v. tr. — Fin XIIe, pron. ; v. tr., 1218 ; de 1. *a-* (lat. *ad*), et *lit.*

♦ **1** Faire prendre le lit à (qqn), forcer à se tenir au lit. *Cette maladie l'a alité pendant un mois. Cet infirme est alité depuis de nombreuses années.* → **Grabataire.** — (Sujet n. de personne). Faire mettre au lit. *Le médecin l'a alité pour quelques jours.*

♦ **2** (1827 ; en techn., 1481). Techn. (pêche). Disposer par couches, par lits (des poissons). *Aliter des anchois en caque.* → Encaquer.

◆ **S'ALITER** v. pron. Se mettre au lit, garder le lit par suite d'affaiblissement ou de maladie. → **Coucher** (se). *Il a dû s'aliter hier, se sentant fiévreux.*

◆ **ALITÉ, ÉE** p. p. adj. Qui est au lit, qui doit garder le lit pendant une période assez longue. *Malade, opéré alité. Vieillard infirme et alité.* → **Grabataire.** *Elle est souvent malade et alitée.* — N. *Les alités d'un hôpital. Aider un alité.*

«Allons, allons, du calme, grand-père», dit le gardien chef en s'efforçant de remettre Lulu dans son lit.
Mais la crise ne faisait que commencer (...) Il était inimaginable que ce corps décharné (...) pût retrouver autant de force. Quelques-uns des autres alités tournèrent les yeux vers lui (...)

M. DRUON, les Grandes Familles, VI, V, p. 380.

DÉR. **Alitement.**

**ALITURGIQUE** [alityʀʒik] adj. — 1752 ; de 2. *a-,* et *liturgique.*

Liturgie. Se dit des jours qui n'ont pas d'office particulier.

**ALIZARI** [alizaʀi] n. m. — 1805 ; *lizari,* 1761, *in* D. D. L. ; esp. *alizari ;* de l'arabe *'al 'āṣārāh* «suc, jus».

Comm. (vx). Racine de garance.

DÉR. **Alizarine.**

**ALIZARINE** [alizaʀin] n. f. — 1839; de *alizari.*

Chim., techn. Matière colorante rouge que l'on extrayait autrefois de l'alizari et que l'on obtient aujourd'hui par synthèse.

**ALIZÉ** [alize] adj. et n. m. — 1678; *alisée,* 1643; anc. franç. *alis,* var. de *lisse.*

*Vent alizé,* ou, n. m., *l'alizé :* vent régulier soufflant toute l'année de l'Est, sur la partie orientale du Pacifique et de l'Atlantique, entre les parallèles 30° N et 30° S.

1 Entre les tropiques, un merveilleux soir où l'alizé austral soufflait avec sa plus exquise douceur.
LOTI, Matelot, XXIV.

2 Ils allaient conquérir le fabuleux métal (...)
Et les vents alizés inclinaient leurs antennes
Aux bords mystérieux du monde Occidental.
J.-M. DE HEREDIA, les Trophées, «Les conquérants».

3 Quand vous arriviez dans les alizés, de Madère jusqu'au Cap-Vert, c'est là que vous pouviez dire que vous étiez tombés dans le bon coin! Vous filiez vent sous vergue, sans presque manœuvrer.
Roger VERCEL, Remorques, 1935, p. 58.

4 (...) quand pesaient sur nous ces vents alizés, toujours en marche. SAINT-EXUPÉRY, Terre des hommes, p. 90.

Par comparaison :

5 Il y a des passions semblables aux vents alizés, qui prennent les gens à certaine hauteur.
STENDHAL, Journal, 16 avr. 1813, Pl., p. 1258.

CONTR. **Contre-alizé.** ◊ DÉR. **Alizéen.**

**ALIZÉEN, ENNE** [alizeɛ̃, ɛn] adj. — V. 1575, Amadis Jamin; de *alizé.*

Didact. Relatif aux alizés; où soufflent les alizés. *Contrées alizéennes.*

**ALKALI** [alkali] n. m. → **Alcali.**

**ALKÉKENGE** [alkekɑ̃ʒ] n. m. — 1694; *alquequange,* 1555; *alkacange,* XVe; de l'arabe *(')ăl-kākăndj.*

Bot. Plante vivace *(Solanacées)* du genre *physalis**, à fleurs jaunes, à fruit orange ornemental, communément appelée *amour en cage, coqueret*. Les baies rouges d'alkékenge sont employées pour colorer le beurre.*

(Sido aimait) même le coqueret-alkékenge, encore qu'elle accusât sa fleur, veinée de rouge sur pulpe rose, de lui rappeler un mou de veau frais (...)
COLETTE, Sido, p. 25-26, *in* T. L. F.

**ALKERMÈS** [alkɛʀmɛs] n. m. — 1575; «kermès», 1546; esp. *alkermes;* de l'arabe *(')ăl-qĭrmĭz* proprt «le kermès». → Kermès.

♦ **1** Vx. Médicament extrait du kermès, qui servait autrefois de stomachique. → **Kermès.**

♦ **2** Anciennt. Liqueur colorée avec le kermès, à base de cannelle et de girofle, avec addition d'aromates divers.

**ALKYD** ou **ALKYDE** [alkid] n. m. — XXe; de *alkyl-,* et suff. *-ide.*

Chim. Résine synthétique obtenue par condensation d'un polyalcool avec un polyacide. *Les alkyds sont des polyesters. Mélangés à un monoacide gras, les alkyds deviennent solubles dans les solvants organiques.* — Appos. *Résine alkyde.*

**ALKYL-** Préfixe employé en chimie, et désignant un produit obtenu par *alkylation,* ou *alkyle.* → **Alcoyle.** Ex. : *alkylaryl* (avec le rad. *aryl*); *alkylbenzène; alkylsulfate.*

**ALKYLATION** [alkilasjɔ̃] n. f. — 1959; de *alkyler.*

Chim. → **Alcoylation** — Spécialt. Techn. (pétrole). Combinaison d'une oléfine et d'un hydrocarbure de la série aromatique, en présence d'un catalyseur. *L'alkylation est un procédé de synthèse très employé.* (Le produit est un *alkylat* [alkila] n. m.).

**ALKYLE** [alkil] n. m. → **Alcoyle.**

**ALKYLER** [alkile] v. tr. → **Alcoyler.**

**ALLA...** Élément de loc. italiennes (loc. adv. et adj.) employées en musique : *alla breve*, alla francese* («à la française»), *alla militare*, alla polacca* («à la polonaise»), *alla turca*.*

**ALLABLE** [alabl] adj. — 1355, Bersuire; de *aller.*

Vx ou régional. Par où on peut passer. *Chemin, route allable.* → **Praticable** (un seul exemple, québécois, in T. L. F.).

**ALLA BREVE** [a(l)labʀeve] loc. adv. et adj. — 1837; mots ital. «brièvement et rapidement», mot à mot «à la brève».

Mus. anc. *Mesure alla breve :* mesure à deux temps correspondant à la note carrée, valant quatre blanches et appelée *brève* dans la musique médiévale.

**ALLACHE** [alaʃ] n. f. — 1901, Musette (écrivain algérois); esp. *alache* «préparation de poisson», 1505; mot mozarabe, du lat. *allec* «reste de saumure de poisson».

Régional (franç. d'Algérie). Poisson de la Méditerranée, voisin de la sardine.

**ALLAISE** [alɛz] n. f. — 1803; du lat. pop. **latus* «large». → Laize.

Amas temporaire de sable apporté dans une rivière par le courant ou par une crue. → **Alluvion.**

HOM. **Alaise.** V. **Aise (à l'aise).**

**ALLAITANTE** [alɛtɑ̃t] adj. f. — 1863, Littré; du p. prés. de *allaiter.*

Rare. Qui allaite. *Les femmes allaitantes. — Femelle allaitante.* → **Allaite.**

**ALLAITE** [alɛt] adj. f. — XXe; *allaites* «mamelles de la louve», 1834; de *allaiter.*

T. de chasse. Se dit d'une femelle de mammifère qui allaite des petits. → **Allaitante.** *«L'abattage inconsidéré d'une hase allaite ou prête à mettre bas»* (revue *la Chasse,* no 229, p. 30).

**ALLAITEMENT** [alɛtmɑ̃] n. m. — 1375; de *allaiter.*

Action d'allaiter, alimentation en lait du nourrisson jusqu'au sevrage. *Allaitement maternel, artificiel.* → **Tétée.** *Allaitement mixte,* au sein et au biberon. *Prime d'allaitement.*

**ALLAITER** [alete] v. tr. — XIIe, *alaitier;* du bas lat. *allactare,* de *lactus.* → Lait.

♦ **1** Nourrir de son lait (un nourrisson, un petit); donner le sein à. *Une chienne allaitant ses petits.*

Et de son propre lait Euterpe m'allaita. 1
RONSARD, Élégies, XXX.

Non contentes d'avoir cessé d'allaiter leurs enfants, les 2
femmes cessent d'en vouloir faire; la conséquence est naturelle. ROUSSEAU, Émile, I.

Absolument :

2.1 Nombre d'entre elles *(les femmes)* allaitaient tout en travaillant.
GIDE, Voyage au Congo, *in* Souvenirs, Pl., p. 739.

♦ **2** Par métaphore (rare). Nourrir, fortifier.

3 L'esprit allaite, l'intelligence est une mamelle.
HUGO, Quatre-vingt-treize, p. 46.

4 L'Église (...) est le haras divin et le dispensaire céleste des âmes ; c'est elle qui les allaite, qui les élève, qui les panse (...) HUYSMANS, En route, p. 40.

CONTR. **Sevrer.** ◊ DÉR. **Allaitante, allaite, allaitement.**

**ALLAMANDA** [alamɑ̃da] n. f. — XVIII^e ; plante dédiée par Linné à *Allamand,* naturaliste suisse.

Bot. Plante dicotylédone *(Apocynacées),* arbre ou arbrisseau exotique, généralement grimpant, aux fleurs jaunes, qui pousse en Amérique tropicale.

**ALLA MILITARE** [a(l)lamilitaʀe] loc. adv. et adj. — D. i. ; mots italiens.

Mus. D'une manière militaire (indication de mouvement et d'exécution précédant un air à caractère martial).

**ALLANT, ANTE** [alɑ̃, ɑ̃t] adj. et n. m. — XII^e, n. m. pl. ; adj., v. 1390 ; p. prés. de *aller.*

♦ **1** Adj. Littér. Qui marche facilement ou avec plaisir, qui fait preuve d'activité. → **Actif, vif ; allègre.** *Une personne fort allante. Il est encore très allant, malgré son âge.*

1 La bonne Troche (...) est toujours la bonté même, et allante et venante. M^me DE SÉVIGNÉ, 526.

1.1 Il pousse de petits cris séniles d'excitation, de satisfaction (...) je vais vous surprendre, je suis plus jeune, plus fort et allant que vous ne croyez (...)
N. SARRAUTE, Vous les entendez ?, p. 86.

♦ **2** N. m. pl. ALLANTS ET VENANTS : personnes qui vont et viennent.

2 (...) une maudite auberge, des allants et venants, un vacarme d'enfer. P.-L. COURIER, Lettres, *in* LITTRÉ.

2.1 (...) la distraction que donnent dans un milieu de réunion les tumultes, les dérangements occasionnés par les allants et venants (...)
E. DELACROIX, Journal, 11 mars 1849.

2.2 J'arrivai à l'entrée du bois. Et exactement au premier tronc d'arbre, mes transes commencèrent (...) J'avançais : je croisais des allants et venants. Soldats, officiers (...)
DRIEU LA ROCHELLE, la Comédie de Charleroi, p. 313.

♦ **3** N. m. (1923). Ardeur de celui qui va de l'avant, ose entreprendre. → **Entrain.** *Avoir, manifester, montrer de l'allant. Être plein d'allant. Avec allant.*

3 Desaix n'était pas un exécutant sourd et aveugle ; soldat intelligent et averti, plein d'initiative et d'allant, il savait qu'aucun ordre ne vaut contre ce que Foch appellera « la demande des circonstances ».
Louis MADELIN, Hist. du Consulat et de l'Empire, t. III, XX.

4 Les modernistes et les sportifs, qui, dans leur optimisme plein de confiance et d'allant, sont enclins à trouver les mœurs et les goûts de notre époque préférables à ceux de toutes les autres, disent volontiers (...)
Georges LECOMTE, Ma traversée, p. 109.

CONTR. **Mollesse.**

**ALLANTOÏDE** [alɑ̃tɔid] n. f. — 1541 ; adapt. du grec *allantoeidês* « en forme de boyau », de *allas, allantos* « boyau, saucisse », et *-eidês* (→ -oïde).

Embryol. Membrane enveloppant l'embryon des vertébrés, constituée par un diverticule du tube intestinal primitif, qui remplit la fonction de respiration et qui, chez certains mammifères *(Équidés),* constitue un réservoir d'urine. *« Les Amphibiens et Batraciens actuels (...) Vertébrés à développement embryonnaire marqué par l'absence d'amnios et d'allantoïde »* (J. Guibé, *les Amphibiens,* in *Encyclopédie,* Pl., *Zoologie,* t. IV, p. 3).
Adj. *La membrane allantoïde.*

DÉR. **Allantoïdiens.**

**ALLANTOÏDIENS** [alɑ̃tɔidjɛ̃] n. m. pl. — V. 1814 comme adj., Nysten ; de *allantoïde.*

Didact. (zool.). Animaux dont l'embryon possède une allantoïde (reptiles, oiseaux, mammifères). — Au sing. *Un allantoïdien.*

CONTR. et COMP. **Anallantoïdiens.**

**ALLATIF** [alatif] n. m. — XX^e (1961, Marouzeau) ; lat. **allativus,* de *affero* « porter vers », sur le modèle de *ablativus.*

Ling. Cas qui, dans certaines langues (turc, langues finno-ougriennes) indique l'objet vers quoi tend une action. *L'allatif désigne une notion opposée à celle de l'ablatif.*

**ALLA TURCA** [al(l)atuʀka] loc. adv. et adj. — D. i. ; mots italiens « à la turque ».

Mus. À la manière turque, selon un rythme qui évoque l'Orient. *La célèbre « marche turque » de la sonate en* la *pour piano, de Mozart, est un rondo* alla turca.

**ALLÉCHANT, ANTE** [aleʃɑ̃, ɑ̃t] adj. — 1495 ; p. prés. de *allécher.*

♦ **1** Qui allèche, qui fait espérer un plaisir. *Une odeur alléchante.* → **Appétissant.**

♦ **2** Fig. Qui séduit, éveille des espérances. *Une proposition alléchante.* → **Attirant, attrayant, engageant, tentant.**

(...) je ne pouvais décemment m'abstenir de m'asseoir à cet immense banquet, annoncé par les plus alléchantes fanfares de presse. 1
Georges LECOMTE, Ma traversée, p. 309.

Pourquoi je n'ai pas restitué le panneau ? (...) parce que j'ai une chance, ainsi, d'être envoyé en prison, idée alléchante, d'une certaine manière. CAMUS, la Chute, p. 151. 2

CONTR. **Repoussant.**

**ALLÈCHEMENT** [alɛʃmɑ̃] n. m. — 1295 ; de *allécher.*

♦ **1** Rare. Action d'allécher.

♦ **2** Fig. Ce qui allèche, attire. *Les allèchements de la volupté, du monde, de la fortune...* → **Amorce, appât, attrait, séduction.** *« Devant cet allèchement du succès... »* (Balzac, *la Cousine Bette*).

♦ **3** (1866). Arts (rare). Soins apportés à l'achèvement d'une gravure ou d'une sculpture « léchée ».

**ALLÉCHER** [aleʃe] v. tr. [CONJUG. : *céder.*] — V. 1175, au sens 2. ; du lat. pop. **allecticare,* lat. class. *allectare* « attirer ».

♦ **1** Attirer en flattant les sens (le goût, l'odorat), par la promesse d'un plaisir, notamment gustatif. → **Appâter.**

Maître Renard, par l'odeur alléché, 1
Lui tint à peu près ce langage.
LA FONTAINE, Fables, I, 2.

« Ils n'ont qu'à aller ailleurs », disait M^me Laudet qui ne faisait rien pour allécher le client, lui rendant plutôt l'entrée de la ferme difficile et écartant tous ceux pour qui leurs prétentions à l'absinthe (...) lui inspiraient une méfiance qu'elle exprimait longuement à ses vieux clients (...) 1
PROUST, Jean Santeuil, Pl., p. 352.

♦ **2** Fig. Attirer, tenter. *Allécher qqn par de belles promesses.* → **Aguicher, gagner, séduire.** *Être alléché par des espoirs trompeurs.*

◆ **ALLÉCHÉ, ÉE** p. p. adj. *Des convives alléchés. — Clients alléchés par la publicité.*

2 Enfant encore, et livré à moi-même, alléché par des caresses, séduit par la vanité, leurré par l'espérance, forcé par la nécessité, je (...)
ROUSSEAU, Rêveries..., 3e promenade.

**CONTR. Écœurer, éloigner, repousser.** ◈ **DÉR. Alléchant, allèchement.**

**ALLÉE** [ale] n. f. — 1160, au sens I.; de *aller.*

**I** Vx. Action d'aller (opposé à *venue*). *L'allée et la venue de qqn quelque part.*

1 Monsieur Purgon m'a dit de me promener le matin dans ma chambre, douze allées et douze venues.
MOLIÈRE, le Malade imaginaire, II, 2.

2 Faire huit cents lieues d'allée et de venue à mon âge (...)
VOLTAIRE, Lettres, 19 mai 1750.

Au plur. Mod. **ALLÉES ET VENUES** : déplacements de personnes qui vont et viennent. *Être sans arrêt dérangé par les allées et venues des enfants.* Fig. Démarches nombreuses (que l'on fait pour une affaire). → **Course.** *Perdre son temps en allées et venues.*

**II** ♦ **1** (XIIIe). Mod. et cour. Chemin bordé d'arbres, de massifs, de verdure (dans un jardin, une forêt). *Allée principale, latérale* (contre-allée), *transversale... Tracer, compasser des allées dans un parc. Ratisser, sabler une allée. Allée cavalière**.

3 Une allée sablée circulant parmi des bosquets d'arbustes, des groupes d'arbres et des tapis de gazon.
CHATEAUBRIAND, Mémoires d'outre-tombe, IV, 2.

(Dans une ville). Promenade plantée d'arbres. → **Avenue, cours, mail.**

Chemin bordé de figures sculptées. *L'allée principale d'Angkor.*

♦ **2** Vieilli. (Dans un lieu couvert). Couloir, passage. *Allées d'une église* : nef et bas-côtés. — (1848, Flaubert). Loc. mod. (archéol.). **ALLÉE COUVERTE** : dolmens rangés en couloir. *Les allées couvertes de Bagneux, à Saumur.*

♦ **3** Techn. Portion parallèle au front de taille, entre deux buttes dans un chantier d'exploitation (mine ou carrière). *Allée d'abattage, de foudroyage, de circulation.*

**HOM. Aller, 2. haler, hâler.**

**ALLÉGATION** [a(l)legasjɔ̃] n. f. — 1235; du lat. jurid. *allegatio,* de *allegare.* → Alléguer.

♦ **1** Didact. (dr.) ou littér. Citation qu'on fait de quelque texte autorisé pour s'en prévaloir; affirmation étayée sur un texte.

1 Les juges ne purent prononcer que suivant les allégations; ils condamnèrent le lieutenant général Lally (...)
VOLTAIRE, le Siècle de Louis XIV, XV, 34.

2 La première audience fut levée sur cette audacieuse allégation, qui surprit les jurés et donna l'avantage à la défense.
BALZAC, Une ténébreuse affaire (...), Pl., t. VII, p. 603.

♦ **2** Cour. Affirmation. *Il faudra prouver vos allégations.*

1 Passepartout lui expliqua la situation. Mr Fogg, cet honnête et courageux gentleman, auquel elle devait la vie, était arrêté comme voleur. La jeune femme protesta contre une telle allégation, son cœur s'indigna (...)
J. VERNE, le Tour du monde en 80 jours, p. 309.

(Avec un compl.). *L'allégation de qqch.* : le fait de mettre en avant, d'alléguer (qqch.).

3 L'allégation du mariage n'est pas excuse légitime contre l'amour.
STENDHAL, De l'amour, Code d'amour du XIIe s.

**CONTR. Négation, réfutation.**

**ALLÈGE** [alɛʒ] n. f. — 1463; *allége;* de *alléger.*

♦ **1** Mar. Embarcation qui suit un navire pour le charger ou le décharger en rade ou dans un port.

Une marine de près de deux cents vaisseaux en comptant les allèges. 1
VOLTAIRE, Fragments sur l'histoire, p. 22.

— Allons, dis-le. Oui ou non est-ce de l'artillerie? 2
— On ne sait pas. Des camions bâchés.
— Naturellement qu'ils sont bâchés. Mais c'est-y des allèges de pontonniers ou des prolonges d'artillerie?
B. CENDRARS, la Main coupée, *in* Œ. compl., t. X, p. 175.

Vx (ch. de fer). Tender.

♦ **2** (1690). Archit. Mur d'appui construit dans la partie inférieure d'une fenêtre, pour porter l'appui (II., 1.). *Allège de fenêtre.*

**ALLÉGEABLE** [aleʒabl] adj. — XVe, «qui peut être soulagé»; de *alléger.*

Rare. Qui peut être allégé.

1. **ALLÉGEANCE** [a(l)leʒɑ̃s] n. f. — 1165; de *alléger.*

♦ **1** Vx ou littér. Allègement (d'une peine). → **Adoucissement, consolation, soulagement.**

Enfin mon père est mort, j'en demande vengeance, 1
Plus pour votre intérêt que pour mon allégeance.
CORNEILLE, le Cid, II, 8.

Et quand ses déplaisirs prendront quelque allégeance (...) 2
MOLIÈRE, l'Étourdi, II, 3.

Elle goûte, ce soir, la même allégeance qu'à ses réveils 3
d'alors : à peine un peu de trouble parce que (...)
F. MAURIAC, Thérèse Desqueyroux, II.

♦ **2** (1931; de l'angl., de l'anc. franç.). Mar. Handicap de temps imposé à des yachts dans les régates, pour égaliser les chances des concurrents.

2. **ALLÉGEANCE** [a(l)leʒɑ̃s] n. f. — 1704; *allegeance,* 1669; *alligeance,* 1651; angl. *allegiance,* de l'anc. franç. *li(e)jance,* de *lige.*

♦ **1** Hist. Fidélité, vassalité (de l'homme lige). *Serment d'allégeance,* de fidélité au suzerain, au roi. — Soumission (à qqn). *Refuser toute allégeance.*

Seuls le cheikh et ses fils, et ceux de la Goudfia sont restés dans l'enceinte du tombeau, tandis que les hommes nobles venaient leur donner acte d'allégeance.
J.-M. G. LE CLÉZIO, Désert, p. 231.

♦ **2** (1928). Dr. Obligation de fidélité et d'obéissance à une nation; nationalité. *Allégeance perpétuelle. Double allégeance* : double nationalité (nationalité d'origine et nationalité acquise après naturalisation dans un pays étranger).

♦ **3** (Abstrait). Fidélité et soumission. *«Des allégeances de parti»* (Maurois). — *Faire allégeance à un groupe, à une chapelle.*

**ALLÈGEMENT** ou **ALLÉGEMENT** [a(l)lɛʒmɑ̃] n. m. — 1177, *alegemant,* fig.; de *alléger.*

REM. L'Académie n'a admis la graphie *allègement* qu'en 1975; auparavant, elle écrivait *allégement.*

♦ **1** (1271, en marine). Diminution de poids, de charge. *Donner allègement* (ou *de l'allègement*) *à un bateau, à un plancher. Ce pilier recevra l'allègement nécessaire.*

Procédé par lequel le skieur décharge les skis de son poids (par flexion ou par suspension).

♦ **2** (1271, finances). Fig. Fait ou moyen d'alléger (ce qui constitue une charge trop lourde à supporter). *Demander l'allègement des programmes scolaires. Espérer un allègement fiscal, un allègement des impôts.* → **Diminution, dégrèvement.**

♦ **3** (1177). Littér. Adoucissement, soulagement. *L'allègement des misères humaines.* → 1. **Allégeance, atténuation, consolation.**

1 Ce n'est qu'un plus long terme à nos inquiétudes;
Et tout l'allégement qu'il en faut espérer,
C'est de pleurer plus tard ceux qu'il faudra pleurer.
CORNEILLE, Horace, III, 3.

2 La vie est en soi quelque chose de si triste, qu'elle n'est pas supportable sans de grands allégements.
FLAUBERT, Correspondance, t. IV.

3 (...) le besoin que j'éprouve d'apporter de l'allégement aux autres pour jouir sans honte de ma propre paix.
G. DUHAMEL, le Temps de la recherche, VII.

CONTR. **Alourdissement, aggravation, appesantissement, charge, écrasement, surcharge.**

**ALLÉGER** [a(l)leʒe] v. tr. [CONJUG.: *céder,* et *bouger.*] — Av. 1150, *alejer,* en dr., sens 2.; v. 1170, *alegier; aleger,* XIIIe; bas lat. *alleviare,* de *levis* «léger».

♦ **1** (D'abord pron., 1165). Rendre moins lourd. *Alléger un bateau.* → **Délester.** *Alléger une pièce de bois ou de métal.* → **Allégir.** — (Mar.). *Alléger un cordage,* en diminuer la tension (pour faciliter une manœuvre). — *Alléger* (qqch. ou qqn) *de...,* le débarrasser de, le soulager de (une partie de son poids, d'une charge). *Alléger un bateau d'une partie de son lest. Alléger sa valise des objets superflus.* — Passif et p. p. *Être allégé de...*

1 Il ôta sa buffleterie, quitta son habit; ainsi allégé de l'inutile (...) HUGO, Quatre-vingt-treize, IV, X.

Fam. *Alléger qqn de sa bourse, de son portefeuille,* lui dérober son argent. → **Délester, soulager.**

Équit. *Alléger un cheval,* le rendre plus léger sur le devant, en portant son corps en arrière, en tendant les rênes. Syn. : *allégir.*

Absolt. En chorégraphie, Contracter tous les muscles pour se préparer à une élévation (un saut, un élan ...).

Agric. *Alléger un sol, un terrain...,* les ameublir.

Cuis. *Alléger une sauce,* la rendre moins épaisse.

♦ **2** Rendre moins pesant, moins pénible; soulager d'une partie d'une charge. *Alléger les charges publiques. Alléger la charge des contribuables.* → **Dégrever.** — *Alléger le budget de certaines charges.*

♦ **3** (Abstrait). Calmer, adoucir (un souci, un chagrin, une douleur). → **Apaiser, atténuer, consoler, diminuer, soulager;** 1. **allégeance, allègement,** 3. *Alléger l'angoisse, la douleur, la peine de qqn.* — (Sujet n. de chose). *La consolation qui allège les souffrances.* — *Alléger le travail de qqn. Alléger qqn d'un travail.* — Passif et p. p. *Être allégé d'un poids.*

2 Je n'avais plus de souci sur moi-même; d'autres s'étaient chargés de ce soin. Ainsi je marchais légèrement, allégé de ce poids (...) ROUSSEAU, les Confessions, I, L, II.

3 Les pavés sur lesquels il avait tant de fois (...) porté ses pas appesantis par la tristesse ou la fatigue, allégés par un peu de joie ou d'amusement (...)
FRANCE, l'Anneau d'améthyste, p. 266.

4 L'homme qui marche est miraculeusement allégé par le jeu des muscles.
G. DUHAMEL, le Temps de la recherche, X.

*Alléger son style.* → **Aérer.**

◆ **S'ALLÉGER** v. pron. *Sa valise s'est allégée de plusieurs gros livres.*

Fig. *Son style s'est allégé.*

(Abstrait). *Sa tristesse s'est un peu allégée. «Son cœur s'allégea d'une angoisse mortelle»* (R. Rolland, *in* T. L. F.).

◆ **ALLÉGÉ, ÉE** p. p. adj.

♦ **1** Rendu plus léger. *Bateau allégé. Sac allégé.* — *Sol, terrain allégé,* moins lourd.

*Impôts allégés. Budget allégé,* moins important.

*Douleur allégée,* moins vive, moins forte.

♦ **2** (1980). Se dit d'un aliment dont la teneur normale en lipides a été réduite. *Beurre allégé. Pour maigrir, elle ne mange que des plats allégés.* → **Light** (anglic.).

N. m. Aliment allégé. *Régime hypocalorique à base d'allégés.*

CONTR. **Alourdir, aggraver, appesantir, charger, écraser, grever, lester, surcharger.** ◇ DÉR. **Allégeable, allège,** 1. **allégeance, allégement.** — V. **Allégir.**

**ALLÉGIR** [a(l)leʒiʀ] v. tr. — Déb. XIIIe, fig.; forme dial. de *alléger.*

♦ **1** (1771). Techn. Rendre plus léger en amincissant, en diminuant le volume, l'épaisseur. *Allégir une poutre, une planche.* → **Amenuiser, diminuer, élégir.**

♦ **2** (1751). Équit. *Allégir un cheval.* → **Alléger.**

**ALLÉGORIE** [a(l)legɔʀi] n. f. — 1118; du lat. *allegoria,* d'orig. grecque.

♦ **1** (En littér.). Narration mettant en œuvre des éléments concrets, de manière cohérente (selon une isotopie*), chaque élément correspondant métaphoriquement à un contenu de nature différente, en général abstrait. → **Métaphore, symbole.**

1 L'allégorie n'est souvent qu'une métaphore continuée par une suite de traits, qui doivent commencer et finir avec la phrase, comme dans cette phrase de Bossuet : Cette jeune plante, ainsi arrosée des eaux du ciel, ne fut pas longtemps sans porter des fruits.
Antoine ALBALAT, l'Art d'écrire, p. 277.

2 Car vous entendez bien, que la pomme qui tenta la pitoyable Ève n'était point le fruit d'un pommier et que c'est là une allégorie dont je vous ai révélé le sens.
FRANCE, la Rôtisserie de la reine Pédauque, p. 118.

Œuvre littéraire qui utilise ce mode d'expression. Le Roman de la Rose *est une belle et longue allégorie de l'amour. Étudier l'allégorie médiévale, classique.*

3 Quant au traitement formel, au soin et à la cohérence, l'allégorie de Furetière est supérieure à celles de la plupart de ses concurrents (sauf peut-être Sarrasin et De Pure); l'auteur se meut avec une rare habileté dans les deux plans parallèles que requiert ce système. Il sait accrocher à des mots à double entente son transparent romanesque, qui laisse à merveille apparaître, mais sans lui-même s'effacer, le fond significatif de la toile.
On est frappé par le savoir-faire de l'auteur dans ce système sémiotique très riche, où le critique s'exprime non seulement par la signification seconde, mais par les rapports entre l'image allégorique et son correspondant suggéré, par la mise en œuvre de cette image (première critique du «roman»), par la suggestion plastique, enfin par une sémantique lexicale élaborée, qui manifeste déjà un goût pour l'analyse du contenu des mots.
Alain REY, Antoine Furetière..., Préface au Dict. de FURETIÈRE, p. 31.

♦ **2** (Dans les arts plastiques). Œuvre dont chaque élément évoque symboliquement les aspects d'une idée. *Peindre des allégories.* La Marseillaise *de Rude est une vigoureuse allégorie.* — *Ce film est une allégorie.*

CONTR. **Matérialité, réalité, vérité.** ◇ DÉR. **Allégoriser, allégorisme, allégoriste.**

**ALLÉGORIQUE** [a(l)legɔʀik] adj. — V. 1470; bas lat. *allegoricus* du lat. *allegoria.* → Allégorie.

Qui appartient à l'allégorie, repose sur des allégories. → **Métaphorique, symbolique.** *Roman, peinture, figure allégorique. Genre allégorique.*

Par ext. Qui correspond à une allégorie, véhicule une allégorie.

1 Je ne saurais souffrir le mélange des êtres allégoriques et réels. DIDEROT, Essai sur la peinture, 5.

2 La *Nouvelle allégorique* de Furetière est formellement analogue à bien des textes précieux, et les formules qu'il utilisait, portraits allégoriques, image topographique d'un espace imaginaire, faisaient forcément penser au *Grand Cyrus* (terminé en 1653) et à la *Clélie* de Madeleine de Scudéry, ornée de la célèbre carte du Tendre.
Cependant, le genre allégorique est plus large et plus varié; il investit la plupart des poèmes héroïques, et bon nombre de romans, au moyen de la figure allégorique. Il s'agit d'un procédé fondamental, lié à la conception du monde du Moyen Âge et du XVIe siècle, issu des doctrines herméneutiques, prolongé jusqu'au XVIIe siècle et au-delà.
Alain REY, Antoine Furetière..., Préface au Dict. de FURETIÈRE, p. 31.

*Explication, sens allégorique,* qui recourt à l'allégorie. — *Méthode allégorique d'exégèse biblique.*

CONTR. **Réel, matériel, vrai. — Littéral** (sens). ◊ DÉR. **Allégoriquement.**

**ALLÉGORIQUEMENT** [a(l)legɔʀikmɑ̃] adv. — 1488; de *allégorique,* et suff. *-ment.*

Dans un sens allégorique, d'une manière allégorique. *Ce passage des mystiques doit s'entendre allégoriquement et non littéralement.*

1 Il dit allégoriquement qu'il est bon dans une tempête d'avoir deux ancres pour assurer un vaisseau.
RACINE, Remarques sur les Olympiques de Pindare.

2 Un conte du marquis de Sade où l'érotisme sera transposé, figuré allégoriquement et habillé, dans le sens d'une extériorisation violente de la cruauté, et d'une dissimulation du reste.
A. ARTAUD, le Théâtre et son double, Idées/Gallimard, p. 151.

3 (...) tout en haut, solitaire et presque invisible dans la nuit, le personnage d'airain debout sur son piédestal de mers et de continents (représentés allégoriquement par les figures de marbre ou de bronze au pied du monument, et, une deuxième fois, en réduction, sur la mappemonde)...
Claude SIMON, le Palace, p. 69.

CONTR. **Littéralement.**

**ALLÉGORISATION** [a(l)legɔʀizasjɔ̃] n. f. — 1804, B. Constant, *in* T. L. F.; de *allégoriser.*

Didact. Explication allégorique; représentation sous forme allégorique.

**ALLÉGORISER** [a(l)legɔʀize] v. tr. — 1578; p. p. *allégorisé,* 1404; de *allégorie.*

Littéraire ou didactique.

♦ **1** Expliquer allégoriquement (qqch.). *Les Pères de l'Église ont allégorisé presque tout l'Ancien Testament* (Académie).

♦ **2** Représenter (des choses, des notions abstraites) de manière allégorique.

Mais nous avions oublié la littérature peu à peu disparue qu'elle *(l'Académie)* avait accueillie à bras ouverts et qu'allégorise le rival de Flaubert en 1857 : Octave Feuillet.
MALRAUX, l'Homme précaire et la Littérature, p. 10.

Absolt. S'exprimer par allégories. *Allégoriser abusivement dans un poème.*

DÉR. **Allégorisation, allégoriseur.**

**ALLÉGORISEUR** [a(l)legɔʀizœʀ] n. m. — V. 1550; de *allégoriser.*

Vx. Celui qui subtilise pour chercher des allégories, qui emploie partout des allégories.

**ALLÉGORISME** [a(l)legɔʀism] n. m. — 1827, *in* D. D. L.; de *allégorie.*

Didact. Emploi systématique de l'allégorie, en littérature, en art. «*Un froid allégorisme*» (Renan).

**ALLÉGORISTE** [a(l)legɔʀist] n. m. — 1578; lat. chrét. *allegorista,* de *allegoria.* → Allégorie.

Didactique.

♦ **1** Celui qui explique un auteur, un texte dans un sens allégorique. *Origène, saint Augustin sont de grands allégoristes.*

♦ **2** (De *allégorie*). Auteur, artiste qui emploie souvent ou systématiquement l'allégorie **(souvent péj.).**

REM. **Le fém.,** *une allégoriste,* **est virtuel.**

**ALLÈGRE** [a(l)lɛgʀ] adj. — XVe; *(h)aliegre,* XIIe; *alegre,* v. 1130; du lat. *alacer,* par l'interm. de formes pop. → Alacrité.

Plein d'entrain, vif. *Un personnage allègre. Se sentir allègre.* → **Alerte, allant, enjoué, gai, guilleret, joyeux, léger, leste.** — *Un caractère allègre.* — *Marcher d'un pas allègre. Une démarche allègre.*

(...) la santé forte et allègre, jusque bien avant en mon âge, 1
rarement troublée par les maladies.
MONTAIGNE, Essais, II, XVII.

Pour s'échapper de nous, Dieu sait s'il est allègre. 2
RACINE, les Plaideurs, I, 1.

Le paysan est vieux, l'attelage exténué; un seul être est 3
allègre et ingambe dans cette scène (...)
G. SAND, la Mare au diable, I.

(...) l'âme légère, allègre, éprise de jolies formes et d'élé- 4
gances mondaines (...)
R. ROLLAND, Musiciens d'autrefois, p. 99.

CONTR. **Abattu, chagrin, indolent, lent, maladif, mélancolique, triste.** ◊ DÉR. **Allégrement, allégresse.**

**ALLÉGREMENT** ou **ALLÈGREMENT** [a(l)lɛgʀəmɑ̃] adv. — 1252, *alegrament;* de *allègre.*

REM. **La graphie** *allègrement* **est admise par l'Académie depuis 1975.**

♦ **1** D'une manière allègre, avec entrain. → **Vivement.** *Marcher allègrement (allégrement). La voiture aborde allègrement la côte.*

Nous continuâmes notre voyage aussi allégrement que 1
nous l'avions commencé.
ROUSSEAU, les Confessions, III.

Mardi dernier, de même, j'étais «brillant». Je veux dire que 2
mes idées circulaient allégrement dans ma tête (...)
GIDE, Journal, 5 févr. 1902.

Tandis qu'il s'engageait allégrement dans la ruelle obscure, 3
un souffle généreux le souleva de nouveau (...)
MARTIN DU GARD, les Thibault, II, I.

*Porter allègrement son âge :* jouir d'une bonne santé et d'une grande vigueur dans un âge avancé.

♦ **2** Fam. et par plais. Avec un entrain qui suppose une certaine légèreté ou inconscience. *Il nous a allègrement ruinés.*

CONTR. **Indolemment, lentement, paresseusement.**

**ALLÉGRESSE** [a(l)legʀɛs] n. f. — XIIIe, *alegrece;* de *allègre.*

♦ **1** (V. 1550, Rabelais). Vx. Agilité, vigueur. → **Verdeur, vivacité.**

*(Je)* suis fils d'un père très dispos et d'une allégresse qui 1
lui dura jusqu'à son extrême vieillesse.
MONTAIGNE, Essais, II, XVII.

♦ **2** Joie très vive qui se manifeste publiquement, souvent collectivement. → **Enthousiasme, exultation, gaieté, jubilation, liesse.** *Sauter d'allégresse. Pousser des cris d'allégresse. Manifester une bruyante allégresse. Au milieu de l'allégresse générale. Jour d'allégresse. Chant d'allégresse.* → **Alléluia.**

2 Ceux qui sèment dans les larmes
Moissonneront dans l'allégresse.
BIBLE, Psaumes, CXXVI, 5.

3 Jamais nous ne goûtons de parfaite allégresse :
Nos plus heureux succès sont mêlés de tristesse (...)
CORNEILLE, le Cid, III, 5.

4 Aux noces d'un tyran tout le peuple en liesse
Noyait son souci dans les pots.
Ésope seul trouvait que les gens étaient sots
De témoigner tant d'allégresse.
LA FONTAINE, Fables, VI, 12.

5 Cependant on vous voit une morne tristesse,
Alors que dans vos yeux doit briller l'allégresse.
MOLIÈRE, l'Étourdi, V, 2.

6 Vous allez voir l'allégresse publique
Se répandre jusqu'ici.
MOLIÈRE, la Princesse d'Élide, V, 4.

Théol. *Les sept allégresses de la Vierge :* les circonstances heureuses de sa vie célébrées par des prières.

♦ **3** (Plus rare). Joie profonde, éprouvée intérieurement. → **Bonheur, félicité, transport, vitalité.** *Ressentir une ardente allégresse.*

♦ **4** Littéraire (Choses) :

7 À ce moment, Marie et Pierre rentraient, ravis de leur promenade, causant, riant, rapportant avec eux l'allégresse du clair soleil (...) ZOLA, Paris, t. II, p. 112.

CONTR. **Abattement, affliction, chagrin, consternation, tristesse.**

**ALLÉGRETTO** [a(l)legʀeto; a(l)legʀetto] adv. et n. m. — 1703; mot ital., dimin. de *allegro.*

Adv. D'un mouvement un peu vif, gai, gracieux, entre l'*andante* et l'*allégro.*

N. m. Air ou morceau d'un mouvement un peu vif. *Jouer un allégretto, des allégrettos.* Abrév. : *alltt*º.

(...) les inquiétudes qu'exprime l'allégretto *(du IIe quatuor),* ce trouble d'une âme anxieuse cherchant à se délivrer de tourments physiques et moraux.
Édouard HERRIOT, la Vie de Beethoven, p. 214.

REM. Lorsqu'il s'agit de l'indication de tempo (adv.), on emploie plutôt la graphie *allegretto,* sans accent.

**ALLEGRO** ou **ALLÉGRO** [a(l)legʀo] adv. et n. m. — 1703; mot ital. «vif».

Adv. D'un mouvement gai, vif (moins rapide que *presto;* opposé à *adagio,* à *andante*). Abrév. : *all*º. *Allégro* (ou *allegro*) *vivace, appassionato, agitato..., allegro con brio, con moto...*

N. m. Morceau d'un mouvement vif. — Premier morceau d'une sonate ou d'une symphonie joué dans ce mouvement. *Des allégros.*

1 Un allégro sombre et terrible.
ROUSSEAU, Fragments d'observations sur l'Alceste..., 1774.

2 Le motif en notes détachées, par lequel débute l'allégro *(de la 4e symphonie)* n'est qu'un canevas sur lequel l'auteur répand ensuite d'autres mélodies plus réelles
BERLIOZ, Beethoven, p. 31.

DÉR. (De l'italien) **Allégretto.**

**ALLÉGUER** [a(l)lege] v. tr. [CONJUG.: *céder.*] — 1393; *alléguier,* 1278; *auleguer,* 1273; du lat. *allegare,* spécialisé en lat. juridique.

♦ **1** Citer comme autorité, pour sa justification. *Alléguer un texte de loi, un auteur. Alléguer un précédent notoire.* → **Invoquer, référer** (se référer à).

0.1 Ici, quoique le marchand accusé vit bien que les deux marchands experts venaient de prononcer sa condamnation, il ne laissa pas néanmoins de vouloir alléguer quelque chose pour se justifier (...)
A. GALLAND, les Mille et une Nuits, t. III, p. 323.

♦ **2** (XVIIe). Mettre en avant, invoquer pour se justifier, s'excuser. → **Arguer** (de), **avancer, exciper** (de), **invoquer, objecter, opposer, prétexter, prévaloir** (se prévaloir de), **produire.** *Alléguer de mauvaises raisons. Alléguer que...* (et l'indic.). → **Prétendre.**

Les uns alléguant toujours que la liberté excessive se détruit enfin elle-même.
BOSSUET, Disc. sur l'Hist. universelle, III, 6.

L'autre aussitôt de s'excuser,
Alléguant un grand rhume (...)
LA FONTAINE, Fables, VII, 7.

Jean Lapin allégua la coutume et l'usage.
LA FONTAINE, Fables, VII, 16.

Alléguez la beauté, la vertu, la jeunesse,
La mort ravit tout sans pudeur.
LA FONTAINE, Fables, VIII, 3.

Vx. *Alléguer qqch. à qqn,* lui donner comme raison, comme excuse...

Alléguer l'impossible aux rois, c'est un abus.
LA FONTAINE, Fables, VIII, 3.

Tu m'allègues le sort; prétends-tu par ta foi
Me leurrer (...) LA FONTAINE, Fables, X, 11.

♦ **3** Didact. Affirmer; poser comme vrai.

C'est faire dépendre la *valeur de vérité* (laquelle valeur est une valeur d'émotion et de motion ou action) de l'effet produit par celui qui allègue. Il me fait produire l'*énergie* nécessaire pour que la chose qu'il allègue prenne puissance d'excitation d'action.
VALÉRY, Cahiers, Pl., t. II, p. 658.

CONTR. **Réfuter. — Nier.** ◊ DÉR. **Allégation.**

**ALLÈLE** [a(l)lɛl] n. m. — 1936; abrév. de *allélomorphe.*

Biol. Gène allélomorphe. — REM. On emploie aussi le dér. *allélique* [a(l)lelik] adj.

**ALLÉLO-** Élément de mots savants, du grec *allêlo-* même sens, qui signifie «l'un l'autre, l'un et l'autre (en relation de réciprocité)».

**ALLÉLOGÈNE** [a(l)lelɔʒɛn] adj. — 1938, Vandel; de *allélo-,* et *-gène.*

Biol. Qui donne, suivant les pontes, une descendance soit entièrement mâle, soit entièrement femelle (→ Amphogène, cit.). *Femelle allélogène.*

**ALLÉLOMORPHE** [a(l)lelɔmɔʀf] adj. — 1903, in *Rev. gén. des sc.,* nº 3, p. 158; du grec *allêlo-,* marquant la réciprocité, et *-morphe.*

Biol. Se dit de caractères opposés dans leurs effets quoique leur fonction soit la même. *Gènes allélomorphes :* gènes de même fonction et d'action dissemblable occupant la même place dans une même paire de chromosomes. → **Allèle.**

**ALLÉLOTROPE** [a(l)lelɔtʀɔp] adj. et n. m. — 1960; du grec *allêlo-* (→ Allélomorphe), et *tropein* «changer».

Chim. Se dit d'un mélange en équilibre des deux formes d'un composé.

**ALLÉLUIA** [a(l)leluja] n. m. — XVIIe, fig.; *alleluie,* 1223; lat. ecclés., de l'hébreu «louez Yahweh».

♦ **1** Cri de louange et d'allégresse fréquent dans les psaumes, adopté par l'Église dans sa liturgie, surtout au temps pascal. *Entonner l'alléluia. Chanter des alléluias.*

Louez Dieu dans son sanctuaire (...) Que tout ce qui respire loue l'Éternel! Louez l'Éternel! (Alléluia).
BIBLE, Psaumes, CL, 1-6.

Un alléluia éternel (...) dont on entend retentir la céleste Jérusalem (...)
BOSSUET, Disc. sur l'Hist. universelle, II, 19.

Spécialt. Court verset précédé et suivi de ce mot, chanté avant l'évangile.

Poét. Chant de joie, de louange.

3 La résurrection des antiques fut plus trouble qu'on ne l'a cru. Il y a du fantôme dans ces ressuscitées. On les admire. Elles vont effacer les formes gothiques, mais par ce qu'en feront les vivants, car l'immense alléluia de la Renaissance est poussé devant un peuple aveugle : les antiques n'ont ni âme ni regard.
MALRAUX, l'Homme précaire et la Littérature, p. 55.

♦ **2** (Fin XIVe). Régional. Oxalis ou oxalide (plante qui fleurit vers Pâques), appelée aussi *pain de coucou, surelle, acétoselle...*

**ALLEMAND, ANDE** [almɑ̃, ɑ̃d] adj. et n. — XIIIe, *alemand; aleman,* 1080; du lat. *Alama(n)ni, Alema(n)ni,* les *Alamans,* confédération de peuples germaniques.

De l'Allemagne. → **Germanique**; (péj. et vx) **teuton, tudesque.** *Le peuple allemand. Le génie allemand. La littérature allemande. Le romantisme allemand. La musique allemande.*

1 À l'opposé de la France (...) aux lignes gommées par d'infinis dégradés, l'Allemagne continentale (...) était le pays du dessin appuyé, simplifié, stylisé (...) Le facteur allemand, engoncé dans son bel uniforme, coïncidait sans bavure avec son personnage. Et de même la ménagère allemande, l'écolier allemand, le ramoneur allemand, l'homme d'affaires allemand (...)
M. TOURNIER, le Roi des Aulnes, p. 192.

Loc. *Berger* allemand* (race de chiens).

N. *Un Allemand, une Allemande.* → **Germain, teuton** (→ péj. Boche, cit. 2, chleu, fridolin, frisé, fritz). — Loc. *Querelle* d'Allemand.*

Loc. *À l'allemande :* à la manière allemande.

2 On mange alors toute la bande
Pète et rit pendant le diner
Puis s'attendrit à l'allemande
Avant d'aller assassiner (...)
APOLLINAIRE, Alcools, p. 124.

REM. Les fréquentes connotations et équivalents péjoratifs, en français proviennent à l'évidence du souvenir des conflits, et tendent à s'atténuer.

*La langue allemande,* ou, n. m., *l'allemand :* langue du groupe germanique occidental, comprenant le *haut allemand* (devenu, depuis Luther, l'allemand classique) et le *bas allemand* (représenté aujourd'hui par divers parlers de la plaine de l'Allemagne du Nord). *Parler allemand, l'allemand. L'allemand est parlé en Allemagne, en Autriche, en Suisse, dans quelques régions des Pays-Bas, en Russie* (Allemands de la Volga)... Fam. et vx. *C'est de l'allemand, du haut allemand :* on n'y comprend rien.

3 Tu sais, je me méfie : il n'y a que : *Ia* que je sais en allemand et que je dis bien ... Le reste de la langue, vaut mieux ne pas en parler!...
G. LEROUX, Rouletabille chez Krupp, p. 159.

Qui appartient à la culture allemande. *Des Suisses allemands.* → **Alémanique.**

DÉR. **Allemande.** ◊ COMP. **Anti-allemand, est-allemand, ouest-allemand. — Alboche** (vx).

**ALLEMANDE** [almɑ̃d] n. f. — V. 1515; substantivation de *allemand, ande.*

Ancienn. Danse à quatre ou à deux temps, en honneur à la cour de Louis XIV. Air sur lequel on exécute cette danse.

Mus. Première pièce de la suite instrumentale.

*(L'Allemande)* était répandue chez nous dès le XVIe siècle, et les Allemands, sans se douter de son histoire, nous l'ont empruntée.
Les musiciens ont tiré un rythme de l'Allemande des pièces instrumentales qui, en tête des Suites de Danses écrites au XVIIe et au XVIIIe siècles, se sont peu à peu transformées en premier morceau d'une Sonate ou d'une Symphonie. Initiation à la musique, p. 368.

**ALLÈNE** [alɛn] n. m. — 1890; pour *allylène.* → Allyle.

Chim. Hydrocarbure gazeux de formule
$H_2C{=}C{=}CH_2$.

Syn. : *propadiène.*

DÉR. **Allénique.** ◊ HOM. **Alêne, haleine.**

**ALLÉNIQUE** [al(l)enik] adj. — D. i. (mil. XXe); de *allène.*

Chim. Qui ressemble à l'allène, qui a rapport à l'allène. *Composés alléniques. Hydrocarbures alléniques* (voisins des alcènes).

1. **ALLER** [ale] v. [CONJUG.: *je vais* (pop. et rural : *je vas*), *tu vas, il va, nous allons, vous allez, ils vont; j'allais; j'allai; je suis allé; j'irai; j'irais; va, allons, allez; que j'aille, que tu ailles, qu'il aille, que nous allions, que vous alliez, qu'ils aillent; que j'allasse; allant, allé, e.*] — XIe, *aler, alare,* VIIIe; réduction mal expliquée du lat. *ambulare,* syn. de *ire* «aller» dans la langue familière ou (Guiraud) dér. de **alare,* de *ala* «aile» («aller vite, filer»), mais cette hypothèse n'est pas corroborée; futur et conditionnel, du lat. *ire; vais, vas, va, vont,* du lat. *vadere.*

**I** V. intr. **A** (Marquant le mouvement, la locomotion).

♦ **1** Se déplacer (le plus souvent avec un adv. de «manière»). *Allons à pied.* → **Marcher; cheminer, promener** (se). *Aller en voiture.* → **Rouler.** *Il sait maintenant aller à bicyclette. Aller vite* (→ ci-dessous, cit. 69.1). — *À cette heure-ci, on va plus vite en métro qu'en voiture.* → **Circuler, transporter** (se). *Aller lentement. Aller à fond de train, comme le vent.* → **Courir, filer, gazer, galoper, voler** (fig.).

Il va, vêtu d'une façon extravagante (...) 1
MOLIÈRE, le Médecin malgré lui, I, 4.

Se déplacer à une allure normale.

Il ne va pas, il court, il semble avoir des ailes. 2
LA FONTAINE, Fables, XII, 1.

Vx (avec un compl. de manière en *de*). Loc. (chasse). *Aller d'assurance* (1.).

**ALLER ET VENIR :** faire les cent pas, marcher de long en large. → **Allée** (allées et venues), **navette** (faire la navette).

Elle *(la mouche)* s'en attribue uniquement la gloire 3
Va, vient, fait l'empressée (...)
LA FONTAINE, Fables, VII, 9.

Elle allait et venait dans un gai rayon d'or (...) 4
HUGO, la Légende des siècles, XVIII, Fabrice, 14.

Elle va, elle vient, elle se promène. Elle fait comme elle 5
veut (...) COLETTE, l'Étoile Vesper, p. 129.

Encore ruisselant, il se mit à aller et venir par la chambre. 6
MARTIN DU GARD, les Thibault, II, 12.

Spécialt. Marcher.

Légère et court vêtue, elle allait à grands pas (...) 7
LA FONTAINE, Fables, VII, 10.

Je vais, je ne sais où. Je vais, je suis heureux; 7.1
C'est fête et joie en ma poitrine;
Que m'importent droits et doctrines,
Le caillou sonne et luit sous mes talons poudreux (...)
VERHAEREN, les Forces tumultueuses, «Un matin».

À l'impér. (formule de congédiement). Vieilli. *Allez! Va!* → ci-dessous Allez en paix (cit. 69), et allez-vous en!

(Avec un compl. de destination). *Aller à...* → **Rendre** (se). *Je pense aller à Paris la semaine prochaine. Nous irons à la campagne. Allez au théâtre, au cinéma. Aller en Italie, dans un pays... Aller chez qqn.* — (Compl. sous-entendu). *Quand pouvez-vous y aller?*

Je vais, lui dit ce prince, à Rome. 8
BOILEAU, Épîtres, I.

Des députés du peuple rat 9
S'en vinrent demander quelque aumône légère
Ils allaient en terre étrangère
Chercher quelque secours contre le peuple chat (...)
LA FONTAINE, Fables, VII, 3.

10 Je sais une secrète issue
Par où, sans qu'on le voie, et sans être aperçue
De Cédron avec lui *(Éliacin)* traversant le torrent,
J'irai dans le désert où jadis en pleurant
Et cherchant comme nous son salut dans la fuite
David d'un fils rebelle évita la poursuite.
RACINE, Athalie, III, 6.

11 Ne faites point languir une si juste envie
Allez. Et nous, Madame, allons chez Octavie.
RACINE, Britannicus, V, 2.

12 Où pensez-vous aller ? Au temple, où l'on m'appelle.
CORNEILLE, Polyeucte, II, 6.

12.1 Elle s'arrêta.
– Je suis fatiguée, dit-elle.
– Allons, essayez encore ! reprit-il. Du courage !
Puis, cent pas plus loin, elle s'arrêta de nouveau (...)
– Où allons-nous donc ?
FLAUBERT, Mme Bovary, II, IX.

12.2 Léon, deux fois par jour, allait de son étude au *Lion d'or*. Emma, de loin, l'entendait venir.
FLAUBERT, Mme Bovary, II, IV.

12.3 Écoute, j'ai quitté la maison (...) Je ne sais pas encore où j'irai.
GIDE, les Faux-monnayeurs, *in* Romans, Pl., p. 936.

*Aller dans (un lieu, une direction, un sens), aller vers...* → **Diriger** (se); **acheminer** (s'). *À partir de cet endroit, vous irez plus vers la gauche, vous irez dans une autre direction.* → **Dévier, obliquer.** *Aller par ... (un endroit). Aller de côté et d'autre* (→ **Fluctuer, osciller**). *Aller dans tous les sens. Allez-y par ici, par là.*

(Suivi d'un adv. de lieu). *Aller près, tout près.* → **Près.** *Aller loin.* → **Loin.** Fig. *Il ira loin*. Vous allez trop loin*. — Où va-t-il ? Il va loin, il va là-bas. Ils vont çà et là, sans but,* dans des directions non précisées et variables.

Loc. **QUI VA LÀ ?**, formule par laquelle un veilleur, une sentinelle, interpelle une personne inconnue, ou par laquelle on signale une présence inquiétante.

13 Qui va là ? MOLIÈRE, George Dandin, III, 3.

13.1 «Holà ! dit une voix dans la nuit. Qui va là ?»
BERNANOS, Une nuit, *in* Œ. roman., Pl., p. 23.

*Aller dans sa chambre. Aller du rez-de-chaussée au premier :* monter. *Allons au salon, à (dans) la cuisine, dans la salle à manger.*

Spécialt. *Aller aux cabinets, à la selle, au petit coin* (fam.), *aux chiottes... —* Par ext. et euphém. Uriner ; déféquer. Absolt et vx. (langue classique). *Aller :*

14 Une bonne médecine composée pour hâter d'aller.
MOLIÈRE, le Malade imaginaire, I, 1.

REM. *Aller*, dans ce sens, passe de la spécialisation du sens spatial (se rendre dans le lieu affecté aux besoins intimes) à une métonymie sensible dans les loc. anciennes *aller par haut* (vomir), *aller par bas* (déféquer) qui font sans doute référence au mouvement des excrétions.

15 *(Il)* choisit le temps du repas (...) pour dire qu'ayant pris médecine depuis deux jours, il est allé par haut et par bas (...)
LA BRUYÈRE, les Caractères de Théophraste, XX.

*Aller chez qqn, chez le docteur, le coiffeur. Aller à, jusqu'à qqn,* s'adresser à lui. → aussi ci-dessous, cit. 25.

REM. *Aller à...*, suivi d'un nom de personne, est soit archaïque, soit régional ou populaire. *Aller au docteur, au coiffeur.* → À.

Loc. Régional. *Aller aux femmes. —* Vulg. *Aller aux putes.*

15.1 – Es-tu allé aux femmes dernièrement ?
– Pourquoi tu demandes ça ?
– Des fois ça aide d'aller aux femmes quand on est tanné.
Jean-Yves SOUCY, Un dieu chasseur, p. 19.

*Aller à l'épicerie, au marché, au supermarché. Aller au spectacle, au cinéma.*

*Aller de...en...*

Elle offre d'avertir de tout ce qui se passe,
Sautant, allant de place en place.
LA FONTAINE, Fables, XII, 11.

Je vais de fleur en fleur (...)
LA FONTAINE, Disc. à Mme de la Sablière, 17.

*Aller par, de par le monde.* Loc. *Aller par monts et par vaux :* voyager.

Il lui prit aussi envie de voyager et d'aller par le monde (...)
LA FONTAINE, la Vie d'Ésope.

Il allait par monts et par vaux, cherchant périls et aventures, il traversait d'antiques forêts, de vastes bruyères, de profondes solitudes.
CHATEAUBRIAND, le Génie du christianisme, IV, V, 4.

*Aller à travers champs, à travers bois.* → **Traverser, passer** (par).

*Aller devant, en avant. Aller devant qqn* (→ **Précéder**), *derrière qqn* (→ **Suivre**). *Allez devant, je vous rejoindrai. Aller devant soi.*

(...) il allait devant lui, à grands pas, comme un conquérant.
MARTIN DU GARD, les Thibault, III, I.

*Aller au devant de, à la rencontre de (qqn).*

(Avec un adv. de manière). *Aller droit, tout droit. Aller tout de travers. Aller droit* devant soi.*

– Comme tu vas, bon Dieu ! ne peux-tu marcher droit ?
– Et comme vous allez vous-même ! dit la fille (...)
Veut-on que j'aille droit quand on y va tortu ?
LA FONTAINE, Fables, XII, 10.

♦ **2** Sans idée concrète de marche ; avec un compl. de but, introduit par *à* ou *en*.

(Le compl. désigne une activité). *Je vais à mon travail, à la chasse. Aller au combat, à la guerre.*

L'ours allait à la chasse, apportait du gibier (...)
LA FONTAINE, Fables, VIII, 10.

*Aller en... Aller en pèlerinage, en ambassade, en conquête... «Malbrough s'en va-t'en guerre»* (chanson).

Une sultane de renom (...)
S'en allait en pèlerinage.
LA FONTAINE, Fables, VIII, 15.

Et la dernière main que met à sa beauté
Une femme allant en conquête (...)
LA FONTAINE, Fables, IV, 3.

*Aller à...* (Le compl. désigne une chose recherchée). Fam. *Aller au bois, à l'eau :* se pourvoir de bois, d'eau. *Aller aux fraises. Aller à l'esturgeon* (→ Foëne, cit.). — Loc. *Aller aux asperges** (6.). *— Aller aux provisions.* — REM. *Aller au marché*, où le compl. désigne un lieu, n'est pas familier.

*Aller aux nouvelles, aux informations, aux renseignements.* → **Informer** (s').

Vx ou régional (le compl. désigne une personne). *Aller au ministre* (→ ci-dessus). → **Adresser** (s').

Et je vais de ce pas au Prince pour lui dire (...)
MOLIÈRE, la Princesse d'Élide, I, 3.

Loc. (le sujet désigne un cheval). *Aller à la botte :* chercher à mordre le cavalier à la jambe.

♦ **3** (Avec un sujet n. de chose, dans le même sens).

**a** (Objet mobile). *Une voiture qui va vite.* → **Rouler.** *L'autobus va jusqu'à la Porte Champerret.*

**b** (Voie, espace). *La forêt va depuis le village (du village) jusqu'à la rivière.* → **Étendre** (s'). *Ce sentier va jusqu'au village.* → **Aboutir.**

Prov. *Tous les chemins vont* (ou *mènent*) *à Rome :* il y a divers moyens pour atteindre un but.

**c** Vx. Être adressé, destiné. → **Concerner, intéresser.**

Mais si c'est une femme à qui va ce billet (...)
MOLIÈRE, le Misanthrope, IV, 3.

Ce n'est qu'à l'esprit seul que vont tous les transports (...)
MOLIÈRE, les Femmes savantes, IV, 2.

[d] Être fait, préparé dans tel but. *Ce verre va au feu :* il a été fabriqué pour résister au feu. *Cette étoffe va à la lessive.*

[e] Tendre à, viser à..., finir par, consister à... (→ aussi ci-dessous, 7.).

8 Rien peut-il vous offenser, quand tout ne va qu'à des choses honnêtes comme le mariage?
MOLIÈRE, le Malade imaginaire, III, 11.

9 J'entends à demi-mot où va la raillerie (...)
MOLIÈRE, Sganarelle, 6.

0 Je ne vois pas encore où ceci veut aller.
MOLIÈRE, les Fourberies de Scapin, I, 2.

Loc. *La pièce est allée aux nues*. Cette entreprise est allée à l'échec. Votre lettre m'est allée au cœur,* m'a touché(e) vivement. *Cette musique m'est allée à l'âme.* → **Émouvoir, toucher.**

[f] Prov. *Tant va la cruche à l'eau qu'à la fin elle se casse :* à force de braver un danger, on finit par succomber.

♦ **4** (Suivi d'un inf. de but). [a] (Choses humaines). Vx. *Aller à, n'aller qu'à :* avoir pour objet de, n'avoir pour objet que de...

1 (...) Sa fureur ne va qu'à briser nos autels (...)
CORNEILLE, Polyeucte, I, 3.

2 Ses projets seulement vont à se contenter;
Et pourvu qu'il arrive au but qu'il se propose (...)
MOLIÈRE, le Dépit amoureux, II, 1.

[b] Mod. (Personnes). Commencer à... (faire qqch. qui implique un mouvement); se déplacer pour... *Aller se promener. Aller voir, chercher, trouver (qqn, qqch.).*

3 Il alla se cacher au fond de sa retraite (...)
LA FONTAINE, Fables, VII, 13.

4 Toux deux au Styx allèrent boire;
Tous deux, à nager malheureux,
Allèrent traverser, au séjour ténébreux,
Bien d'autres fleuves que les nôtres.
LA FONTAINE, Fables, VIII, 23.

1 Je sens un immense besoin d'aérer un peu mes pensées — et d'aller retrouver mon cher Olivier (...)
GIDE, les Faux-monnayeurs, *in* Romans, Pl., p. 934.

REM. *Aller*, à l'impératif, suivi de l'infinitif, met en relief l'action à accomplir. → aussi Va-t'en (et l'inf.) ci-dessous II., 3.

5 Va trouver de ma part l'ambassadeur romain (...)
CORNEILLE, Nicomède, I, 4.

Vieux :

6 Va marcher sur leurs pas où l'honneur te convie (...)
CORNEILLE, Cinna, I, 3.

(Dans des formules de renvoi ou d'insulte). *Va te promener! Allez vous faire foutre! Va voir là-bas si j'y suis.*

[c] (En tour négatif, pour déconseiller vivement). *N'allez pas vous imaginer, n'allez surtout pas croire...*

7 Par de nouveaux refus n'allez point l'irriter (...)
RACINE, Mithridate, IV, 2.

[d] Spécialt. (L'infinitif complément désigne une action désapprouvée). *Il est allé se mettre dans une situation ridicule, impossible. Qu'est-ce que tu es allé dire là?* (il ne fallait pas le dire).

♦ **5** (En fonction d'auxiliaire de temps, marquant un futur prochain, suivi de l'infinitif). Être sur le point de (au présent). *Il va arriver d'un moment à l'autre. On va vous l'apporter.*

8 Vient-il? — N'en doutez point, Madame, il va venir.
RACINE, Bérénice, IV, 2.

9 ZAÏRE. — Ne craignez plus : votre ennemie expire.
ATALIDE. — Roxane?
ZAÏRE. — Et ce qui va bien plus vous étonner,
Orcan lui-même, Orcan vient de l'assassiner.
RACINE, Bajazet, V, 10.

Je vais m'asseoir parmi les Dieux dans le soleil! 40
LECONTE DE LISLE, Poèmes barbares, «Cœur de Hialmar».

— Ta mère n'est pas rentrée? 40.1
— Non, pas encore.
C'est absurde. Elle allait rentrer si tard qu'il n'aurait pas le temps de lui parler avant le dîner.
GIDE, les Faux-monnayeurs, *in* Romans, Pl., p. 946.

(Au conditionnel présent, avec valeur d'éventualité, de conditionnel). *Tu irais le lui dire en face?*

(...) Quoi? vous iriez dire à la vieille Émilie 41
Qu'à son âge il sied mal de faire la jolie (...)
MOLIÈRE, le Misanthrope, I, 1.

À l'imparfait, indiquant le futur dans le passé accompli ou qui a été sur le point d'être accompli.

L'idée qu'il allait partir, que je ne le verrais plus (...) 42
Alphonse DAUDET, Contes du lundi, «La dernière classe».

Va vite à ta place, mon petit Frantz, nous allions commencer sans toi (...) 43
Alphonse DAUDET, Contes du lundi, «La dernière classe».

J'ai vu le moment où le traité allait être signé séance tenante (...) FLAUBERT, Correspondance, IV, 9. 44

Le siècle de la philosophie décidément allait régénérer le monde. 45
SAINTE-BEUVE, Causeries du lundi, t. VII, 325.
V. Devoir.

♦ **6** En fonction d'auxiliaire d'aspect, marquant la progression, suivi d'un p. prés. (gérondif). *L'inquiétude allait croissant. Son mal va en empirant.* — Vieux :

Mais plutôt qu'elle *(votre Majesté)* considère 46
Que je me vas désaltérant
Dans le courant
Plus de vingt pas au-dessous d'elle (...)
LA FONTAINE, Fables, I, 10.
(On dirait aujourd'hui : *je me désaltère,* ou *je suis en train de me désaltérer*).

Comme le nombre d'œufs, grâce à la renommée, 47
De bouche en bouche allait croissant (...)
LA FONTAINE, Fables, VIII, 6.

Il faut convenir que les mœurs vont se dépravant de jour en jour (...) HUGO, le Dernier Jour d'un condamné. 48

♦ **7** Vx. **ALLER À** (suivi de l'inf.). → **Tendre** (à).

Et, dès 1797, un «Empire français» — sans empereur — allait à se construire et la guerre de défense à se muer en guerre d'agrandissement, puis en guerre d'hégémonie. 49
Louis MADELIN, Hist. du Consulat et de l'Empire, t. III, p. 54.

**ALLER À, JUSQU'À (qqch.).** → **Atteindre, arriver, parvenir** (à).

À quel orgueil, fripon, vous vois-je aller? 50
MOLIÈRE, Mélicerte, II, 5.

(...) Et ne t'apprenne où va le courroux d'une femme. 51
MOLIÈRE, Amphitryon, II, 3.

Un homme accumulait. 52
On sait que cette erreur va souvent jusqu'à la fureur.
LA FONTAINE, Fables, XII, 3.

Et les choses n'iront que jusqu'où vous voudrez (...) 53
MOLIÈRE, Tartuffe, IV, 5.

*Aller jusqu'à...* (et l'inf.).

(...) l'on ne peut aller jusqu'à vous satisfaire. 54
Qu'aux dernières faveurs on ne pousse l'affaire?
MOLIÈRE, Tartuffe, IV, 5.

La folie de celui-ci (...) va parfois jusqu'à vouloir être battu (...) MOLIÈRE, le Médecin malgré lui, I, 4. 55

*Aller loin, aussi loin...*

La vertu n'irait pas si loin si la vanité ne lui tenait compagnie. LA ROCHEFOUCAULD, Maximes, 200. 56

♦ **8** NE PAS ALLER SANS (telle conséquence, telle cause, tel accompagnement). *Son amabilité ne va pas sans hypocrisie.* → **Exclure** (n'exclut pas...).

Nos plaisirs les plus doux ne vont point sans tristesse (...) 57
CORNEILLE, Horace, V, 1.

58 De pareils changements ne vont point sans miracle.
CORNEILLE, Polyeucte, V, 6.

59 Cette gentillesse *(chez Alphonse Daudet)* n'allait pas sans fougue ni révolte contre la fourberie et la bassesse.
Georges LECOMTE, Ma traversée, p. 271.

♦ **9 Y ALLER DE.** *Y aller de son reste* (au jeu). → **Vatout.** *J'y vais de cent francs,* en misant cent francs. — Par ext. *J'ai dû y aller de toutes mes économies,* engager, risquer mes économies. Fam. *Il y est allé de sa chanson :* il a apporté sa chanson à titre de contribution (à la fête).

59.1 Allez-y donc de votre histoire, dit Pradonet, vous voyez bien que ça lui ferait plaisir de l'entendre.
R. QUENEAU, Pierrot mon ami, éd. L. de Poche, p. 35.

(En tour impersonnel). *Il y va de notre vie :* ce qui est en jeu, c'est notre vie.

60 Il y va d'être heureux toute sa vie (...)
MOLIÈRE, *in* P. LAROUSSE.

♦ **10** Fam. **Y ALLER :** s'en aller, partir, se décider à partir. *On y va ? On y va ! Allons-y !* (au sens de «commencer à agir», → ci-dessous B., 1.).

♦ **11** Pop. ou régional. **ALLER POUR** (et l'inf.) : se disposer à..., commencer à (faire qqch.). → **Apprêter** (s').

60.1 En haut une femme en noir, une rose rouge à la main. Elle va pour descendre.
J. GREEN, Journal, La terre est si belle, 9 févr. 1978.

**B** Marquant une évolution ou un fonctionnement. ♦ **1** (Exprimant la manière d'agir, de se comporter). *Aller (doucement, vite, de telle ou telle manière) en besogne.*

**Y ALLER.** *N'y pas aller de main* morte. Y aller de bon cœur*. Ne pas y aller par quatre chemins*. Y aller fort*.* → **Exagérer.** *Il y va fort. Aller contre la volonté de qqn. Aller jusqu'au bout* (cit. 39.1 et 39.3); *aller jusqu'au bout* (cit. 39) *de ses idées.* — REM. Les emplois sans *y* semblent archaïques sauf dans quelques expressions (→ ci-dessous cit. 67, 68).

61 (...) il *(le mal)* chemine, et rinforzando, de bouche en bouche, il va le diable (...)
BEAUMARCHAIS, V. Calomnie.

62 Tubleu ! comme vous y allez !
MOLIÈRE, George Dandin, III, 3.

63 Quoi ? Vous voulez aller avec cette vitesse (...)
MOLIÈRE, Tartuffe, IV, 5.

64 Ma femme, allons tout doucement, s'il vous plaît (...)
MOLIÈRE, le Médecin malgré lui, I, 1.

65 (...) n'y allant pas, comme il disait lui-même, par quatre chemins, il prescrivit l'émétique, afin de dégager complètement l'estomac. FLAUBERT, Mme Bovary, III, VIII.

66 L'amour-propre est si habile en ses calculs secrets, que, tout en faisant la critique de soi-même, on est suspect de ne pas y aller de franc jeu.
RENAN, Souvenirs d'enfance..., VI, 5.

67 Quand on veut aller droit au but, il faut regarder droit devant soi.
R. ROLLAND, Jean-Christophe, t. IX, p. 105.

68 Je vous ménage un châtiment exemplaire, si vous allez contre ma volonté. A. DE MUSSET, Fantasio, I, 2.

À l'impératif, comme formule de congédiement à la fois au sens spatial et dans ce sens :

69 *(Jésus)* dit à la femme : «Ta foi t'a sauvée, va en paix».
BIBLE, Évangile selon saint Luc, VII, 50.

REM. Avec un adv. de manière, le sens B. et le sens concret (I., A.) sont sentis comme quasi identiques :

69.1 Tenez : quand je marche, il me semble à moi que je vais encore assez vite; mais, dans la rue, à présent tous les gens me dépassent.
(...) c'est comme pour les leçons que je donne : les élèves trouvent que mon enseignement les retarde; elles veulent aller plus vite que moi.
GIDE, les Faux-monnayeurs, *in* Romans, Pl., t. I, p. 1025.

**Y ALLER** (avec un adv. ou un mot en fonction adverbiale). Fam. *Y aller mou* (1. Mou, cit. 23), *mollo* (cit. 2) : être prudent, agir avec circonspection. *Vas-y doucement ! Vas-y mou ! Y aller franco,* directement, vivement.

Les affaires en or, je les regarde passer et je vis sur mon capital. 6
Mes économies, elles ne sont pas lourdes, mais j'y vais modeste.
M. AYMÉ, le Vin de Paris, «L'indifférent», p. 12.

*Vas-y, allez-y !,* exhortation à avancer, s'engager dans l'action. Fam. *Vas-y toto ! Vas-y petit !*

(...) les plus emportés participaient à l'action en encourageant le pasteur de la voix et du geste. 6
— Vas-y, toto, au buffet ! s'écria un matelot. Au buffet.
M. AYMÉ, le Vin de Paris, «La fosse aux péchés», p. 144.

*Allons-y ! :* commençons (à agir). *Et allons-y gaiement !* Fam. (pour l'euphonie). *Allons-y, Alonzo !*

♦ **2** (Choses). Fonctionner, évoluer. *Le courant fait aller la roue du moulin. Ça va tout seul,* facilement. Loc. fam. *Ça (y) va, à la manœuvre ! :* ça marche bien.

(...) tout alla de façon 7
Qu'il ne vit plus aucun poisson (...)
LA FONTAINE, Fables, VII, 5.

Ainsi va la routine de souffrir, comme va l'habitude de la maladresse amoureuse (...) 7
COLETTE, la Naissance du jour, p. 17.

Se trouver amené à tel ou tel état d'une évolution. — (Avec un adv.). *Les affaires vont bien. Tout va mal, de mal en pis. Ça va bien, ça ira mieux, moins bien. Les choses vont vite.* — (Sans adv.). *Ça peut aller.*

Tout est bien, tout va bien, tout va le mieux qu'il soit possible. VOLTAIRE, Candide, XXIII. 7

Attendez, cela ne va pas comme cela. J'ai amené des gens pour vous habiller en cadence. 7
MOLIÈRE, le Bourgeois gentilhomme, II, 5.

Je crois que je serai mieux sans robe (...) Non; redonnez-la moi, cela ira mieux. 7
MOLIÈRE, le Bourgeois gentilhomme, I, 2.

*Cela va de soi :* cela en découle nécessairement, c'est évident. *Cela va sans dire*.*

Fam. *Ça va, les affaires ? Comment ça va, ton travail ?*

— Eh bien, mon petit, ça va-t-il comme vous voulez, ce canal de Suez ? 7
Alphonse DAUDET, Fromont jeune et Risler aîné, p. 205.

REM. 1. La construction *il en va, il n'en va pas de même* (→ ci-dessous, cit. 93 à 95) emploie *aller* avec cette même valeur. 2. Les tours fam. *ça va, ça peut aller...* s'emploient aussi en parlant des personnes (→ ci-dessous, 4.).

♦ **3** Par ext. Être adapté, convenir (à qqch., à qqn). *Aller à qqn. Une couleur qui ne va pas à son teint, avec son teint. Ce costume lui va bien, mal.* Loc. *Ça lui va comme un gant*,* très bien.

(...) ce n'est pas que vous me déplaisiez personnellement (...) au contraire, vous m'allez. 7
E. LABICHE, la Chasse aux corbeaux, I, 5.

Fig. *L'indignation lui va bien.* → **Seoir** (lui sied).

La colère allait bien à cet homme *(Mirabeau),* comme la tempête à l'océan. 7
HUGO, Littérature et Philosophie mêlées, p. 115.

Iron. *Ça te va bien, de parler ainsi ! :* ce n'est vraiment pas le discours qui convient à ton personnage !

Delphine le regarda d'un air surpris. Qu'est-ce qui lui prenait ? Ça lui allait bien, de poser au moraliste ! 7
Jean-Louis CURTIS, le Roseau pensant, p. 210.

Fig. *Aller (bien) avec, aller (bien) ensemble.* → **Accorder** (s'), **cadrer, concorder.**

Cette cohabitation dans une même personne de deux entités qui ne vont guère ensemble se faisait chez lui sans collision trop sensible (...)

RENAN, Souvenirs d'enfance..., V, 1.

*Ça me va :* ça me convient, ça me plaît. Absolt. *Est-ce que ça vous va ? :* est-ce satisfaisant ?

Fam. *Ça va, ça va comme ça,* marque la limite de l'acceptation. → **Bon** (c'est).

(...) quand elles eurent bien vu qu'il n'y avait rien à voir pour elles hormis des pommiers inclinés dans le sens du vent, des champs de trèfle ceints de talus épineux, succédant à des champs de patates aussi méchamment clos, elles décidèrent que, bon, ça allait comme ça, cette campagne-là (...)

Hervé BAZIN, Cri de la chouette, p. 230.

Loc. *Cela va comme il plaît à Dieu :* c'est une affaire dont on ne prend aucun soin, qu'on laisse à l'abandon.

Spécialt (aux jeux de hasard). *Rien ne va plus ! :* les jeux sont faits, on ne peut plus miser.

♦ **4** (Personnes). Être dans tel ou tel état de santé (physique ou moral). → **Porter** (se). *Comment allez-vous ? Je vais bien, mieux, de mieux en mieux. Il ne va pas fort.*

Si vous lui demandiez : «Comment allez-vous ?» et que ce fût une simple formule, il vous répondait : «Vous êtes bien aimable, bien, je vous remercie.» Mais si, ayant par exemple l'air fatigué, vous lui demandiez avec intérêt : «Comment allez-vous, monsieur le duc ?» et qu'il ne voulût pas être désagréable, néanmoins, afin de vous faire renoncer de suite à ce fatal projet des personnalités, il répondait vivement pour brouiller tout de suite les cartes : «Jolie soirée ; je suis charmé de vous voir.»

PROUST, Jean Santeuil, Pl., p. 708.

(Avec *ça :* même sens). *Ça va ?* → Fam. (vieilli) Ça biche, ça gaze. *Ça ne va pas mal.*

Fam. *Ça va pas, ça va pas la tête ? :* vous êtes fou ?

Série de gros plans alternés.
MONSEIGNEUR. Tes fou, pourquoi ?
GÉO, blasé. Si y s'amenaient maintenant, toute manière, on serait marron.
MONSEIGNEUR, se touchant la tête. Ça va pas, non ?

J. BECKER et J. GIOVANNI, le Trou, *in* l'Avant-Scène, nº 13, p. 19-20.

Il se demandait si c'était faisable, en moto. (...) Et Singapour ? Zouzou protestait. Des pays chauds ? Ça va pas ? Non, il fallait se dépayser, aller au Nord, Hong-Kong, le Japon.

Claude COURCHAY, La vie finira bien par commencer, p. 235.

♦ **5** (À l'impératif). *Va, allons, allez !,* interjection servant à attirer l'attention, à stimuler. *Il n'en saura rien, va ! Allons, du calme ! Allons, allons, ce n'est rien. Allez, vous ne le regretterez pas !*

Va, je ne te hais point. CORNEILLE, le Cid, III, 4.

(...) Allez, ne craignez rien (...)

LA FONTAINE, Fables, VIII, 6.

Allez, vous vous moquez des gens (...)

MOLIÈRE, George Dandin, III, 7.

Allons, vite, ôte-toi de mes yeux, vilaine (...)

MOLIÈRE, le Bourgeois gentilhomme, III, 8.

— La voici... oui (...) mais comment lui demander ça ?...
(Il tousse.) Hum ! hum !
— Tousse, va !... si tu crois que je vais te répondre (...)

E. LABICHE, Frisette, 12.

C'est qu'il la connaissait bien, allez ! Il savait qu'on pouvait l'amuser avec des bijoux, non la retenir, et que le jour où elle s'ennuierait...

Alphonse DAUDET, Fromont jeune et Risler aîné, p. 198.

*Allons donc !,* sert à nier, à contredire.

Allons donc ! je vous dis que j'ai de bonnes raisons pour savoir que cela ne se peut pas.

A. DE MUSSET, Lorenzaccio, IV, 10.

Par *Allons donc !* non seulement vous donnez votre complet assentiment au parleur, mais vous renforcez son sentiment du bon droit. Ex. : «*Et vous croyez que je vais me laisser faire ? — Allons donc !* (...)»

Pierre DANINOS, Un certain Monsieur Blot, p. 237.

*Allez donc !*

— Vous êtes une grossière, dit la belle Normande. Si jamais je remets les pieds ici, par exemple ! 81.2
— Allez donc, allez donc, dit la belle Lisa. On sait bien à qui on a affaire.

ZOLA, le Ventre de Paris, t. I, p. 116.

*Et allez donc !,* formule d'encouragement ironique.

REM. *Allons !, allez !* ne correspondent plus à des formes verbales (première et deuxième pers. du plur.). On peut dire : *allez ! dépêche-toi ! ; allons, viens ici ! Allez France ! Allez les verts* (encouragement à une équipe sportive).

♦ **6** **a** **LAISSER ALLER :** ne pas empêcher d'aller, ne pas retenir. → **Permettre.** *Laisser aller qqn, qqch.* — (Avec un compl.). *Laisser qqn aller son chemin.* → cit. 83.

Laisser aller tes soupirs, laisse couler tes larmes. 82

CORNEILLE, Héraclius, III, 3.

(...) il *(le lièvre)* laisse la tortue 83
Aller son train de sénateur.

LA FONTAINE, Fables, VI, 10.

— Vous me ferez plaisir de demeurer (...) — Non (...) 84
Laissez-moi vite aller (...)

MOLIÈRE, Dom Juan, IV, 6.

Laisser évoluer sans intervenir. *Laisser aller ses affaires,* les négliger. → Abandonner à son sort.

Il faut prendre le parti de laisser aller les choses et les 85
hommes (...)

D'ALEMBERT, Lettre du roi de Prusse, 8 nov. 1771.

Absolument :

Il suffirait de si peu (...) pour faire revenir la conscience. 85.1
Et pourtant je ne fais rien. Je laisse aller.

J.-M. G. LE CLÉZIO, l'Extase matérielle, p. 122.

Par anal. *Se laisser aller :* renoncer à diriger sa vie, s'abandonner, se décourager. — Spécialt (vx). Se donner, s'abandonner (accepter des relations sexuelles). — *Se laisser aller à...*

Alors cette femme se laissa aller. 86

RACINE, Remarques sur l'Odyssée.

(...) ne vous point laisser aller à la tentation de (...) 87

RACINE, Lettres.

Il faut donc se laisser aller à la destinée (...) 88

MOLIÈRE, les Précieuses ridicules, Préface.

(...) Elles se laissaient aller dans un fauteuil, dont la mol- 89
lesse et la profondeur invitaient au repos (...)

MARIVAUX, le Paysan parvenu, I.

Elle était faible (...) elle se laissait aller où on la poussait (...) 90

ZOLA, l'Assommoir, t. I, p. 57.

**b** **FAIRE ALLER :** faire marcher, actionner. *Il s'entend à faire aller son monde.*

Faire aller son ménage, avoir l'œil sur ses gens (...) 91

MOLIÈRE, les Femmes savantes, II, 7.

(Compl. n. de personne). Régional (Belgique). *Faire aller qqn :* se moquer de lui en lui faisant croire des choses fausses. → Faire marcher.

Spécialt (sujet n. de chose). *Faire aller qqn à la selle**, et, absolt, *faire aller.*

Monsieur, on m'a dit que vous aviez des remèdes admi- 92
rables pour faire aller à la selle (...)

MOLIÈRE, l'Amour médecin, III, 5.

Fam. *On fait aller !* (en réponse à une question du type : *ça va ?*). *Quand ça ne va pas fort, il faut bien faire aller !*

Alors, mon bon Louis, comment cela va-t-il ? 92.1
— On fait aller, M. de Pierville.

G. CESBRON, Voici le temps des imposteurs, p. 45.

♦ **7** **EN ALLER** (en tour impersonnel). *Il n'en va pas de même :* les choses ne se passent pas de la même façon, le cas n'est pas le même. *Il n'en va pas de même de... Il en va tout autrement de..., dans le cas de...* → **Être** (il en est...).

93 Il n'en va pas ainsi du combat de Don Sanche.
CORNEILLE, Examen du Cid.

94 Il n'en alla pas de même de l'armée navale de France.
RACINE, les Campagnes de Louis XIV.

95 Il en irait bien mieux
Si tout se gouvernait par ses ordres pieux.
MOLIÈRE, Tartuffe, I, 1.

**II** V. pron. (XII^e). **S'EN ALLER.** ♦ **1** Partir du lieu où l'on est. — (Avec un compl. de destination). *Je m'en vais au marché, à la pêche.*

96 Je m'en vais au bois (...)
MOLIÈRE, le Médecin malgré lui, I, 2.

97 Montés sur même char, *(ils)* s'en allaient à la foire.
LA FONTAINE, Fables, VIII, 12.

98 Chez le marchand tout droit il s'en alla (...)
LA FONTAINE, Fables, VIII, 18.

99 Puis il s'en va vers sa retraite.
LA FONTAINE, Fables, VIII, 22.

100 Tenez, la Cour vous donne à chacun une écaille
Sans dépens, et qu'en paix chacun chez soi s'en aille.
LA FONTAINE, Fables, IX, 9.

En parlant des choses :

101 Les obus s'en allaient sur la ville à toute volée (...)
Alphonse DAUDET, Contes du lundi, «La bataille du Père-Lachaise».

Absolt. → **Partir.** *Il s'en ira bientôt. Ne t'en va pas! Va-t'en!* (→ Fiche, fous le camp!). *Va-t'en au diable!*

102 Va-t'en, chétif insecte, excrément de la terre.
LA FONTAINE, Fables, II, 9.

103 Il s'en allait, et moi je restais; et il me semble que la condition de ceux qui restent est toujours plus triste que celle des personnes qui s'en vont. S'en aller, c'est un mouvement qui dissipe, et rien ne distrait les personnes qui demeurent. MARIVAUX, la Vie de Marianne, V.

103.1 — Il est quatre heures, dit la duchesse, je suis très fatiguée et j'ai envie de m'en aller.
La comtesse reprit :
— Je m'en vais aussi, je n'en puis plus.
MAUPASSANT, Fort comme la mort, éd. 1889, I, IV.

103.2 Laisse-moi... va-t'en... disait-il à Sigismond, j'ai besoin d'être seul (...)
Alphonse DAUDET, Fromont jeune et Risler aîné, p. 373.

Par euphém. Quitter ce monde, mourir.

104 Jean s'en alla comme il était venu (...)
LA FONTAINE, Épitaphe d'un paresseux.

104.1 À midi, le vieux n'était pas mort. Les gens de journée loués pour le repiquage des cossarts vinrent en groupe considérer l'ancien qui tardait à s'en aller.
MAUPASSANT, le Vieux, Pl., t. I, p. 1134.

104.2 Je dois dire que *(enfant)* l'idée de la mort n'était pas liée, je crois, à l'idée du temps. Car les gens qui mouraient, c'était encore des gens qui «s'en allaient», qui n'attendaient pas leur mort, mais s'éloignaient. On s'éloigne. C'est de l'espace, ce n'est pas du temps.
IONESCO, Journal en miettes, p. 35.

♦ **2** Quitter, partir de (un lieu). *Je m'en irai de la maison vers huit heures. Va-t'en d'ici!*

Littér. *S'en aller de... (qqn, qqch.)* : s'en séparer.

104.3 Je m'en irai moi-même de vous, de tout, dans quelques jours.
M. JOUHANDEAU, la Jeunesse de Théophile, p. 233.

♦ **3** (Suivi de l'inf.). *S'en aller faire qqch.* : aller (en partant).

105 Un mort s'en allait tristement
S'emparer de son dernier gîte;
Un curé s'en allait gaiement
Enterrer ce mort au plus vite.
LA FONTAINE, Fables, VII, 11.

(En fonction d'auxiliaire de temps, au sens de *aller*, mais aujourd'hui seulement à la 1^re personne du présent). — REM. Cette construction est plus marquée (archaïque ou régionale) que *aller* employé seul, suivi de l'infinitif. *Je m'en vais acheter du pain.*

Ah! méchante, dit-il, je m'en vais faire une œuvre
Agréable à tout l'univers.
LA FONTAINE, Fables, X, 1.

Une vieille chanson que je m'en vais vous dire (...)
MOLIÈRE, le Misanthrope, I, 2.

Fam. → ci-dessus I., A., 4, REM. *Va-t'en voir là-bas si j'y suis!* (formule de congédiement ironique).

Va-t'en voir un peu ce que fait ma fille.
MOLIÈRE, le Médecin malgré lui, III, 4.

♦ **4** Littér. (en fonction d'auxiliaire d'aspect, suivi du gérondif, au sens de *aller*). *«Cette musique mystérieuse et qui s'en va déclinant»* (Barrès).

♦ **5** (Choses). Disparaître. *Les taches d'encre s'en vont avec ce produit.* → **Dissiper** (se), **effacer** (se), **passer,** etc. — *S'en aller en...* → **Partir.** — (Abstrait). S'affaiblir, s'user (2.). *Sa volonté s'en va peu à peu.*

La peau de ses mains s'en va en lambeaux (...)
RACINE, Remarques sur l'Odyssée.

Le temps s'en va, le temps s'en va, Madame,
Las! le temps non, mais nous nous en allons (...)
RONSARD, Pièces retranchées.

C'était pitié de voir la vie s'en aller de notre maison comme d'un corps malade, lentement, tous les jours un peu plus.
Alphonse DAUDET, le Petit Chose, I, 1.

Tous ses projets de rester à bord s'en étaient allés au vent (...) LOTI, Matelot, XXXI.

♦ **6** (Factitif, avec ellipse de *se*). **FAIRE EN ALLER.** *Un produit pour faire en aller les taches.* → **Partir.**

Vous ne voulez pas faire en aller cet homme-là?
MOLIÈRE, l'Impromptu de Versailles, II.

Ulysse se lave et fait en aller toute l'écume et toutes les ordures de la mer.
RACINE, Remarques sur l'Odyssée.

REM. L'ellipse du pronom personnel peut se faire après un infinitif autre que *faire* :

Si on s'écoutait, on n'aurait pas presse de vous voir en aller. Mais quand on est d'une vie, ce n'est pas d'avoir un pied dans une autre. M. AYMÉ, la Vouivre, p. 202.

REM. Aux temps composés, *s'en aller* se conjugue normalement en *il s'en est allé, nous nous en sommes allés,* etc. Mais le verbe est senti comme un véritable composé, ce que marque la graphie de cet exemple, qui tente de transcrire le sentiment d'une locutrice «populaire» (en 1835) : «*je me suis* enallé» (H. Monnier, *Scènes populaires,* p. 21). Aujourd'hui, la forme *il s'en est allé* est quelque peu académique; *il s'est en allé, nous nous sommes en allés* (et plutôt : *on s'est en allé*) parfois considérés comme fautifs, sont usuels, au moins dans la langue parlée.

Il y en a beaucoup qui se sont en allés, quitte à revenir quand cela ne serait plus si chaud.
Henri MONNIER, Scènes populaires, p. 21 (1835).

*En allé* p. p. adj. *«Je me souviens des heures en allées»* (Gide).

REM. *Être allé,* en concurrence avec *avoir été.* On emploie, surtout dans le langage familier *j'ai été, j'avais été, j'aurais été...* pour *je suis allé, j'étais allé, je serais allé.* La langue familière emploie aux temps composés *être* avec l'auxiliaire *être.* → Être.

— (...) moi aussi je suis allé là où vous avez été.
ALAIN-FOURNIER, le Grand Meaulnes, p. 154.

Au procès Dominici, le président interrogeait ainsi l'accusé : «Et ensuite vous êtes allé à la rivière?» Et le vieux de grommeler : «Allée? Allée? Y a pas d'allée, monsieur le président, je le sais bien : j'y suis été».
P. VIANSSON-PONTÉ, «Au fil de la semaine», *in* le Monde, 1^er oct. 1978.

**III** (En emploi trans., avec un «complément interne»). Au sens I., 1. *Aller son chemin*, sa route* (rare). Loc. *Aller son petit bonhomme de chemin.*

Elle ira son chemin, distraite et sans entendre
Ce murmure d'amour élevé sur ses pas.
A.-F. ARVERS, Sonnet.

Vx ou techn. (Le compl. désigne l'allure). *Aller l'amble, aller l'aubin* (→ **Aubiner**), se dit d'un cheval.

◆ **ALLÉ, ÉE** p. p. Rare. Qui est allé, s'en est allé (quelque part, d'une certaine manière).

7 Puis, sur terre, les gens heureux,
Les gens de mon pays, tous ceux
Allés par un, allés par deux,
Rire à la vie aux lointains bleus (...)
Max ELSKAMP, Six chansons du pauvre homme.

CONTR. **Venir, revenir** (de). — **Arrêter** (s'). — **Déplaire.** ◊ DÉR. **Allable, allant, allée,** 2. **aller, allure.** 2. **Va.** → COMP. **Suraller.** V. **Préalable.**

2. **ALLER** [ale] n. m. — V. 1190, *aler*; substantivation de 1. *aller*.

♦ **1** Fait d'aller, trajet fait en allant à un endroit déterminé (opposé à *retour*). *L'aller a été plus facile que le retour. J'ai pris pour l'aller, à l'aller le train du matin.* — Spécialt. Billet de chemin de fer valable pour l'aller. *Un aller, un aller simple pour Paris. Un aller (et) retour* [ale(e)ʀtuʀ] : billet double comportant un coupon de retour. *Des allers.*

(V. 1895, *in* Petiot). Sports. *Match aller et match retour.*

Vx et littér. *L'aller et le venir.*

Une brise passant et se retirant à travers les saules s'accordait avec l'aller et le venir de la vague.
CHATEAUBRIAND, les Mémoires d'outre-tombe, IV, 2.

Prov. (vx). *Au long aller, petit fardeau pèse :* à la longue, une charge légère devient lourde, pénible.

♦ **2** Loc. fam. **ALLER ET RETOUR :** paire de gifles. *Il lui a flanqué un de ces allers et retours!*

♦ **3** Évolution des choses, dans l'expression *au pis aller.* → 2. **Pis.**

HOM. **Allée.** ◊ CONTR. **Retour.**

**ALLERGÈNE** [alɛʀʒɛn] n. m. et adj. — 1922; de *allergie,* et *-gène.*

Méd. Substance déterminant l'allergie et les troubles qui y sont associés. — Adj. Qui détermine ou favorise l'allergie. → **Antigène,** 2. — On dit aussi *allergénique* [alɛʀʒenik].

COMP. **Pneumallergène.**

**ALLERGIDE** [alɛʀʒid] n. f. — Mil. XX^e; de *allergie,* et suff. *-ide.*

Méd. Manifestation cutanée (lésion secondaire) d'une allergie.

**ALLERGIE** [alɛʀʒi] n. f. — 1909; all. *Allergie,* 1906, du grec *allos* «autre, différent», et *-ergeia* ou *-ergia* «action, efficacité», de *ergon* «oeuvre».

♦ **1** Méd. et cour. Modification des réactions d'un organisme à un agent pathogène, lorsque cet organisme a été l'objet d'une atteinte antérieure par le même agent. *La notion d'allergie réunit celles d'immunité et d'anaphylaxie. Allergie respiratoire, cutanée. Allergie humorale; tissulaire. Allergie aux pollens,* provoquée par les pollens. *Allergie au vent* (anémopathie). *Allergie psychique,* dans laquelle le sujet répond par des troubles psychiques à l'atteinte pathogène, physique ou psychique, à laquelle il est sensibilisé. → **Psychallergie.**

1 (...) Clément von Pirquet, pédiatre viennois, proposa, en 1906, le terme *«allergie».* Pour lui, le terme «allergie» devait englober l'ensemble des phénomènes d'*hypersensibilité* (...) Pour exprimer ce concept général de *réactivité altérée (écrit von Pirquet),* je propose le terme *allergie* (...)
Cette définition, volontairement vague, du mot *allergie* explique la fortune qu'a connue ce mot. Les cliniciens l'ont adopté avec empressement, et son domaine s'étend chaque jour davantage. L'allergie est une des modalités de la réaction immunologique.
Bernard HALPERN, l'Allergie, p. 6-7.

Par ext. Étude scientifique et thérapeutique des phénomènes allergiques. → **Allergologie.**

L'allergie, branche de l'immunologie, a emprunté ses techniques et sa terminologie à celle-ci. 2
Bernard HALPERN, l'Allergie, p. 10.

♦ **2** Fig. Hostilité instinctive, impossibilité d'apprécier ou de supporter (qqch.). → **Antipathie** (2.). *Il a une allergie complète à la musique.* → **Allergique.** *«À vous de juger si votre allergie au fisc justifie un tel sacrifice...»* (*l'Express,* 23 sept. 1983).

CONTR. **Anergie.** ◊ DÉR. et COMP. **Allergène, allergide, allergique, allergisant, allergologie, anallergique, anallergisant, anergie, antiallergique, psychallergie, trophallergie.**

**ALLERGIQUE** [alɛʀʒik] adj. et n. — 1920; de *allergie,* ou de l'adj. all. *allergisch,* 1906, de *allergie.* → Allergie.

♦ **1** Propre à l'allergie. *Phénomènes allergiques.*

Personnes. (Construit avec *à*). Qui réagit en manifestant une allergie à (une substance). *Être allergique au blanc d'œuf, aux poussières, au pollen.* — N. *Un, une allergique.*

*Allergie.* — Il est devenu très bien porté d'être allergique 1
à certaines choses — pollen, chats, compote, pénicilline — qu'on se contentait autrefois de ne pouvoir supporter.
Pierre DANINOS, le Jacassin, p. 114.

♦ **2** Fig. Qui est réfractaire à, qui supporte mal (qqch.). *Il est allergique à la musique moderne, aux maths. «D'ordinaire allergique aux interviews* (le dessinateur Sempé), *se demandant toujours (...) pourquoi on le chatouille sur son humour...»* (*les Nouvelles littéraires,* n° 2900, 12 oct. 1983).

Il était allergique à la chlorophylle, le verdoiement de ces 2
pâturages l'excédait, il ne le tolérait qu'à condition de l'oublier.
S. DE BEAUVOIR, la Force de l'âge, p. 17.

CONTR. **Anergique.**

**ALLERGISANT, ANTE** [alɛʀʒizɑ̃, ɑ̃t] adj. et n. m. — V. 1920; de *allergie.*

Didact. (chim., méd.). Qui provoque ou risque de provoquer des phénomènes d'allergie. *«Un parfum aussi peu allergisant que possible»* (Ch. Bourgeois, *Chimie de la beauté,* p. 94). *Hypothèse d'une action allergisante de certains chocs émotifs violents.* — N. m. *Un allergisant,* un produit allergisant.

CONTR. **Anergisant.** ◊ DÉR. V. **Allergisation.**

**ALLERGISATION** [alɛʀʒizasjɔ̃] n. f. — Mil. XX^e; du rad. de *allergisant.*

Méd. Sensibilisation provoquée par l'introduction d'allergènes dans l'organisme.

**ALLERGOLOGIE** [alɛʀgɔlɔʒi] n. f. — 1958; de *allergie,* et *-logie.*

Méd. Étude et thérapeutique des allergies.

DÉR. **Allergologue** ou **allergologiste.**

**ALLERGOLOGUE** [alɛʀgɔlɔg] ou **ALLERGOLOGISTE** [alɛʀgɔlɔʒist] n. — V. 1965; de *allergologie.*

Didact. (méd.). Spécialiste des questions d'allergie. *«Les réactions désagréables parfois consécutives au traitement effectué par l'allergologue»* (D^r Leboscot, *Qu'est-ce que l'homéopathie?,* in *Guérir,* oct. 1967). — Appos. *Un médecin allergologue.*

**ALLESTHÉSIE** [a(l)lɛstezi] n. f. — 1952, Porot; *alloesthésie,* 1890, Larousse; de *all(o)-,* et *-esthésie.*

Méd. Trouble de la somatognosie* caractérisé par la localisation de la sensation en un point situé du côté opposé, symétrique à celui qui a été soumis à une stimulation. → **Allochirie.** — REM. On dit aussi *alloesthésie* [a(l)loɛstezi] n. f.

**ALLEU** [alø] n. m. — 1131, *alloeuf; aloe*, v. 1080; p.-ê. du francique **al-ôd* «totale propriété», ou (Littré) du germanique *hlot, lot* «sort».

Dr. féod. Domaine héréditaire conservé en toute propriété, libre et franc de toute redevance (par opposition aux *fiefs, censives* et *tenures féodales*). *Franc-alleu.*

(...) près de Saint-Gall, par exemple, au IXe siècle, ou près de Cluny au Xe, se manifeste la vitalité de multiples alleux, de biens entièrement dégagés de toute domination seigneuriale, dont l'étendue correspond aux besoins et aux facultés de travail d'un ménage paysan (...)
Georges DUBY, Guerriers et Paysans, VII-XIIe s., p. 104.

CONTR. **Fief, tenure.** ◈ DÉR. **Alleutier.** — V. **Allodial.**

**ALLEUTIER** [aløtje] n. m. — 1534; de *alleu.*

Dr. féod. Propriétaire d'un alleu. *L'alleutier était un homme libre, ne relevant de personne.*

CONTR. **Vassal, tenancier.**

**ALLEVASSE** [alvas] n. f. — Av. 1879, André Theuriet; du wallon *à lavasse* «à flots», de *laver.*

Régional. Forte averse.

**ALLEZ** [ale] interj.

Impératif de aller. → **Aller.**

**ALLIABLE** [aljabl] adj. — V. 1560; de *allier.*

Qui peut être allié. → **Compatible.** *Substances alliables les unes aux autres.*

CONTR. **Inalliable, incompatible.**

**ALLIACÉ, ÉE** [aljase] adj. — 1802; du lat. *alium, allium* «ail», et suff. *-acé.*

**I** ♦ **1** Qui tient de l'ail, propre à l'ail. *Odeur alliacée. Plantes alliacées.*

♦ **2** Qui contient de l'ail.

(...) un plat d'anguilles de la Laguna morta grillées au bois, arrosées d'un beurre alliacé.
Paul MORAND, Venises, p. 44.

**II** N. f. pl. (1838). **ALLIACÉES :** plantes herbacées (*Liliacées*) dont le type est l'ail. — Au sing. *Une alliacée.*

**ALLIAGE** [aljaʒ] n. m. — 1515; *alleage*, 1507; de *allier.*

♦ **1** **a** Action d'allier, de combiner un métal avec un ou plusieurs autres. *L'alliage du cobalt avec le cuivre le rend ductile.*

**b** Fig. (vx). Action de concilier deux choses différentes.

♦ **2** Par métonymie et cour. Produit métallique obtenu en incorporant à un métal un ou plusieurs éléments. → **Allié** (4. : métaux alliés). *Alliages ferreux, cuivreux, légers* (à base d'aluminium), *de nickel, de métaux précieux. Alliage d'aluminium et de silicium.* → **Alpax.** *Alliage obtenu par fusion, cémentation, frittage, dépôt électrolytique. Alliages réfractaires. Alliage de frottement, de décolletage. Alliage fusible,* à bas point de fusion. *Alliages spéciaux. Alliage ultra-léger au magnésium, alliage léger à l'aluminium, alliage lourd, au tungstène. Traitement d'un alliage à l'étain.* → **Aloyage.**

*Alliage d'imprimerie* (plomb, antimoine, étain). → **Plomb.**

Techn. (abusif, mais cour.). Mélange de polymères à propriétés définies. *Alliage rigide, flexible (de polymères).*

Par métaphore ou fig. Mélange peu harmonieux. *L'homme est un alliage de qualités et de défauts.*

♦ **3** Vx. Métal ou élément combiné avec un métal de base.

Par métaphore :

On dégagea l'or pur de tout cet alliage, et l'Église parvint 1
par degrés à l'état où nous la voyons aujourd'hui.
VOLTAIRE, Essai sur les mœurs, Introd. 32.

♦ **4** Fig. Élément ajouté; apport qui rend impur.

Cet amour est donc faux, puisqu'il souffre tant d'alliage? 2
ROUSSEAU, Rêveries..., 4e promenade.

M. Richard C. Lionel est ce qu'on nomme, en ce pays, un 3
créole, c'est-à-dire qu'il descend des colons français, sans le moindre alliage de sang coloré.
G. DUHAMEL, Scènes de la vie future, XI.

CONTR. **Affinage, liquation, ressuage.**

**ALLIAIRE** [aljɛʀ] n. f. —1572; *alliare*, 1543; du lat. *allium* «ail».

Bot. Plante dicotylédone de la famille des Crucifères, à fleurs blanches, dégageant une forte odeur d'ail quand on froisse ses feuilles. *Alliaire officinale.*

**ALLIANCE** [aljɑ̃s] n. f. — Fin XIe, *aliance;* de *allier*, et suff. *-ance.*

**I** ♦ **1** Union contractée par engagement mutuel.

Relig. Pacte entre les Hébreux et Yahweh *(ancienne alliance),* fondement de la religion juive; pacte entre Dieu et tous ceux qui reconnaissent le sacrifice du Christ *(nouvelle alliance),* fondement du christianisme. — *L'Arche* d'alliance.*

Dieu dit encore à Noë : Ce sera là le signe de l'alliance 1
que j'ai faite avec toute chair qui est sur la terre (...)
BIBLE (SACY), Genèse, IX, 17.

J'affermirai mon alliance avec vous *(Abraham),* et après 2
vous, avec votre race dans la suite de leurs générations, par un pacte éternel (...)
BIBLE (SACY), Genèse, XVII, 7.

Si donc vous écoutez ma voix et si vous gardez mon 3
alliance (...) BIBLE (SACY), Exode, XIX, 5.

Car ceci est mon sang, le sang de la nouvelle alliance, qui 4
sera répandu pour plusieurs, en rémission des péchés.
BIBLE (SACY), Évangile selon saint Matthieu, XXVI, 28.

Ces différentes conduites de Dieu dans l'ancienne et dans 5
la nouvelle alliance.
BOSSUET, Éminence de la dignité des pauvres, I.

Union de deux puissances qui s'engagent par un traité *(traité, pacte* [cit. 2] *d'alliance),* à se porter mutuellement secours en cas de guerre. → **Coalition, entente, ligue, pacte.** *Alliance défensive et offensive. Conclure, contracter, rompre une alliance. Le renversement* des alliances. La Sainte*-Alliance. La Triple-Alliance* (ou *Triplice*). *L'alliance entre la France et l'Angleterre.* → Paix, cit. 17. — *Alliance atlantique* (I., 2.). — *Alliance conclue entre l'Allemagne nazie et ses alliés.* → **Axe** (6.).

(...) il noua avec une dizaine de princes allemands l'al- 6
liance connue sous le nom de Ligue du Rhin qui suffisait à paralyser l'Empire.
J. BAINVILLE, Hist. de France, XII, p. 218.

Par anal. Alliance entre partis politiques. Appellation de diverses associations. *L'Alliance française.*

♦ **2** (XIIIe). Vx. Lien juridique existant entre un époux et le parent de son conjoint (et, par ext., entre les familles de l'un et de l'autre parent). → **Parenté.** — Loc. mod. **PAR ALLIANCE :** qui provient d'un mariage et non pas de la consanguinité (d'une parenté). *Le neveu par alliance de qqn. Parents* (cit. 8, 9) *par alliance.*

7 Mme de La Fayette doit être parfaitement contente d'avoir mis son fils dans une si grande et si honorable alliance.
Mme DE SÉVIGNÉ, Lettres, 28 déc. 1689.

8 (...) jamais une famille estimée et honorée comme la mienne ne voudrait faire alliance avec la famille Fadet.
G. SAND, la Petite Fadette, XXVIII.

Vx. *Anneau d'alliance :* alliance (II., 1.).

Ethnol. *Alliance à plaisanterie.* → **Plaisanterie,** cit. 7.1.

♦ **3** Union, accord. *«Les alliances d'intérêts contraires ont peu de durée»* (Balzac).

9 Entre Bacchus et le sacré vallon
Toujours on vit une étroite alliance.
LA FONTAINE, Quinquina, 2.

10 Partout ailleurs nous trouverions des exemples semblables de l'alliance et de l'harmonie intime qui s'établit entre l'artiste et ses contemporains.
TAINE, Philosophie de l'art., I, I.

Combinaison d'éléments différents. → **Amalgame, association.** *Alliance de..., entre...* (plusieurs éléments). *Alliance d'une chose à, avec une autre. Une alliance rare, réussie; homogène, hétéroclite.*

11 (...) ignorant et sot sont termes synonymes.
L'alliance est plus grande entre pédant et sot.
MOLIÈRE, les Femmes savantes, IV, 3.

12 Par la plus monstrueuse alliance vous voulez joindre ensemble, dans un même sujet, la piété et la cupidité.
BOURDALOUE, *in* LAFAYE, Dict. des synonymes, Rapport, union...

13 (...) il était homme du monde et homme de lettres *(B. Constant),* alliance rare, assemblage exquis (...)
A. DE VIGNY, Journal d'un poète, p. 53.

*Alliance de mots :* rapprochement (le plus souvent inhabituel) de mots. *Une bizarre alliance de mots. Alliance de mots contradictoires.* → **Oxymoron.**

14 (...) l'écrivain (...) les enchaînera *(deux objets différents)* par le lien indescriptible d'une alliance de mots.
PROUST, À la recherche du temps perdu, t. XV, p. 36.

♦ **4** Sc. nat. Bot. Groupe d'associations végétales.

Pédol. *Alliance de sols.*

**II** Par métonymie. (Objets concrets). ♦ **1** (1611). Anneau nuptial, symbole de l'union. *Porter (une) alliance. Le prêtre bénit les alliances (des époux). Acheter une alliance en or.*

15 Il enlevait les bagues une à une; et comme l'alliance, un fil d'or, tombait à son tour, il murmura en souriant :
– La loi. Saluons.
– Bête, dit-elle, un peu froissée.
MAUPASSANT, Fort comme la mort, éd. 1889, p. 15.

♦ **2** Équit. Lanière courte portant à ses extrémités des anneaux de métal où l'on passe les rênes.

DÉR. **Alliancé.**

**ALLIANCÉ, ÉE** [aljɑ̃se] adj. — Av. 1922, Proust; de *alliance.*

Fam. Uni par une alliance. — REM. Proust met à plusieurs reprises, le mot dans la bouche de Françoise, lui conférant donc le statut de dérivé populaire, employé en parlant des alliances politiques des *Alliés,* en 1914-1918, et suppose un verbe *alliancer* (les formes correctes *s'allier* et *allié* ayant acquis un autre statut).

**ALLICIANT, ANTE** [alisjɑ̃, ɑ̃t] adj. — Av. 1866, Barbey d'Aurevilly, dér. sav. du lat. *allicio, allicere* «séduire».

Très littér. et rare. Qui séduit, aguiche. → **Aguichant, excitant.**

1 Une suite d'images qu'un alliciant programme intitule le coucher de la mariée.
GIDE, *in* LAROUSSE.

2 (...) la silhouette alliciante n'en persistait pas moins à danser sur le mur.
Félix VALLOTTON, Corbehaut, p. 176.

REM. Le mot est attesté chez Richepin (1886), Fargue *(le Piéton de Paris),* etc., mais reste rare; *alliciance,* n. f., n'est attesté que chez Richepin.

**ALLIÉ, ÉE** [alje] adj. et n. — 1536; *alliet,* 1316; de *allier.*

♦ **1** Uni par un traité d'alliance. *Les pays alliés.* — N. *Les alliés de qqn. Soutenir ses alliés. «L'Allemagne était indirectement lésée dans la personne de son alliée l'Autriche»* (Bainville).

Hist. et cour. **a** Les puissances qui s'opposèrent à Napoléon Ier et à la France et envahirent la France pour restaurer les Bourbons.

**b** *Les Alliés :* les pays alliés contre l'Allemagne au cours des deux guerres mondiales du XXe siècle. *Le débarquement des Alliés. Les Alliés et les Associés* (3.).

Adj. Des Alliés, en 1914-1918, et en 1943-1945. *Le haut commandement allié. Offensive, stratégie alliée. Opérations alliées. «Les gouvernements alliés»* (Joffre). *«Des bombardements alliés»* (de Gaulle).

♦ **2** N. Personne qui apporte à une autre son appui, prend son parti. → **Ami, auxiliaire.** *J'ai trouvé en lui un allié. Se faire de qqn un allié, une alliée.* — Par ext. *Certaines espèces animales sont les alliées de l'homme.*

♦ **3** (1539). Uni par alliance. *Une famille alliée aux Bourbons.*

N. *Les alliés :* les personnes unies par alliance. *Les parents et alliés.*

En ligne directe, le mariage est prohibé entre tous les ascendants et descendants légitimes ou naturels, et les alliés dans la même ligne. 1
Code civil, art. 161.

Quant à ceux dont c'est la fonction de nous aimer, je veux dire les parents, les alliés (quelle expression!), c'est une autre chanson. Ils ont le mot qu'il faut, eux, mais c'est plutôt le mot qui fait balle; ils téléphonent comme on tire à la carabine. Et ils visent juste. Ah! les Bazaine! 2
CAMUS, la Chute, p. 39.

♦ **4** Techn. Uni par un alliage (métaux). *Métaux alliés. Argent allié de cuivre.*

CONTR. (1. et 2.) **Ennemi, opposé.** ◊ HOM. **Hallier.**

**ALLIER** [alje] v. tr. — V. 1100, *s'alier;* lat. *alligare.*

♦ **1** (Surtout pron.). Unir par une alliance. *C'est l'intérêt qui a allié ces deux pays.* → **Associer, coaliser, liguer, unir.** *Allier qqn à (et, avec) qqn. Allier, s'allier par (en raison de) qqch. Ils se sont alliés en vue de, pour... S'allier par l'apparentement électoral.* → **Apparenter** (s').

Que l'Orient contre elle à l'Occident s'allie. 1
CORNEILLE, Horace, IV, 5.

Il ne put empêcher que l'Empereur, l'Empire et l'Espagne ne s'alliassent avec la Hollande. 2
VOLTAIRE, le Siècle de Louis XIV, II.

(...) et plus il affirmait, avec une chaleur d'avocat qui plaide, avec une animation de suspect qui soutient sa cause, plus elle l'approuvait du regard et du geste, comme s'ils se fussent alliés pour se soutenir contre un danger, pour se défendre contre une opinion menaçante et fausse. 2.1
MAUPASSANT, Fort comme la mort, éd. 1889, p. 96.

Dr. Unir (des personnes, des familles) par un mariage. → **Apparenter.**

S'allier, comme j'ai fait, à la maison d'un gentilhomme! 3
MOLIÈRE, George Dandin, I, 1.

Le Déshonneur d'un nom à qui le mien s'allie. 4
RACINE, Iphigénie, III, 3.

(...) Le sang de César ne se doit allier 5
Qu'à ceux à qui César le veut bien confier.
RACINE, Britannicus, I, 2.

5.1 (...) M. Grandet de Paris a de hautes prétentions pour son fils (...); il renie les Grandet de Saumur, et prétend s'allier à quelque famille ducale par la grâce de Napoléon.
BALZAC, Eugénie Grandet, éd. 1838, p. 46.

♦ **2** (XIIᵉ). Combiner (des métaux, un métal avec un autre) dans un alliage. *Allier l'or et l'argent, avec l'argent.*

Fig. Associer (des éléments dissemblables). → **Concilier, joindre, marier, mêler.**

(Sujet n. de personne ou n. de chose). Présenter ensemble (plusieurs éléments). *Allier le luxe au bon goût. Son costume alliait des matières, des couleurs hétéroclites.*

6 (...) allier les passions avec les règles saintes.
MASSILLON, Carême, Salut.

7 (...) on comprendra sans peine une de mes prétendues contradictions, celle d'allier une avarice presque sordide avec le plus grand mépris pour l'argent.
ROUSSEAU, les Confessions, I, I.

♦ **S'ALLIER** v. pron. (Réfl.). S'associer, se combiner.

8 La dévotion, chez elles *(les femmes),* s'allie avec l'amour, avec la politique, avec la cruauté même.
VOLTAIRE, le Siècle de Louis XIV, 4.

(Récipr.). → ci-dessus, 1.

♦ **ALLIÉ, ÉE** p. p. → **Allié.**

CONTR. **Brouiller, désunir, disjoindre, séparer.** ◊ DÉR. et COMP. **Alliable, alliage, alliance, allié. Mésallier. Rallier.** — V. **Aloi, aloyage.** — HOM. **Allié, hallier.**

**ALLIER** ou **HALLIER** [alje] n. m. — 1416; lat. pop. *alarium, d'ala,* «aile».

Techn. (chasse). Filet tendu sur deux perches pour capturer les oiseaux, notamment les cailles, les perdrix. → **Filet.**

**ALLIGATOR** [aligatɔʀ] n. m. — 1663; angl. *alligator;* altér. de l'esp. *el lagarto* «le lézard».

Reptile crocodilien *(Alligatorinés)* d'Amérique du Nord, moins grand que le crocodile, au museau large et court. → **Caïman.**

Le jeune Alligator est le seul de la famille dont l'aire de répartition soit située en bonne partie dans la zone tempérée; aussi ses représentants hivernent-ils durant la saison froide dans de profonds terriers.
Ch. et H. SAINT GIRONS, les Reptiles, *in* Encycl. Pl., Zoologie, t. IV, p. 233.

DÉR. **Alligatorinés.**

**ALLIGATORINÉS** [aligatɔʀine] n. m. pl. — D. i. (XXᵉ); de *alligator,* et suff. *-inés.*

Zool. Reptiles crocodiliens, distincts des crocodiles vrais par un museau plus court et plus large et par certains caractères de leur dentition. *À l'exception d'une espèce chinoise, les alligatorinés vivent tous en Amérique du Nord* (alligators*) *et du Sud* (caïmans*).

**ALLITÉRATIF, IVE** [a(l)liteʀatif, iv] adj. — Mil. XIXᵉ; de *allitération.*

Rhét. De l'allitération. *Procédés allitératifs.*

Dans le Mallarmé III — (*La Chevelure vol,* etc.) la *construction* du vers par le mot —, du mot par le vers — par enchaînement allitératif de syllabes, *en présence* d'une puissance ou possibilité d'idées-images familières à l'auteur (...) VALÉRY, Cahiers, t. II, Pl., p. 1126.

**ALLITÉRATION** [a(l)liteʀasjɔ̃] n. f. — 1751; angl. *alliteration,* du lat. *littera* «lettre».

Rhét. Répétition des consonnes (notamment des consonnes initiales) dans une suite de mots rapprochés; par ext., répétition des mêmes phonèmes ou groupes de phonèmes (ex. : «*Les souffles de la nuit flottaient sur Galgala*» [Hugo, *Booz endormi*]). *L'allitération, procédé stylistique fréquent en poésie. Allitération excessive, cacophonique* (→ **Cacophonie).** *Allitérations et assonances*. On recourt fréquemment à l'allitération dans le style publicitaire, le slogan.*

Par métaphore. Rapprochement d'éléments qui se répondent. «*Cette allitération perpétuelle entre l'eau* (...) *et le verre*» (Proust).

DÉR. **Allitérer, allitératif.**

**ALLITÉRER** [a(l)liteʀe] v. tr. [CONJUG.: *céder.*] — 1866; de *allitération.*

Littér. Employer le procédé de l'allitération dans (une œuvre). — Au p. p. *Un sonnet allitéré.*

**ALLÔ** [alo] interj. — 1880; *hallo,* 1881; anglo-américain *hallo, hello,* onomatopée.

Interjection servant d'appel dans les communications téléphoniques. *Allô, qui est à l'appareil? Allô, allô, ne coupez pas!* — On écrit aussi *allo.*

**ALLO-** Élément de composition, du grec *allo-,* de *allos* «autre», servant à former des mots savants, en biologie, en médecine, en physique et chimie, en sciences naturelles (zoologie, botanique), et dans les sciences humaines (linguistique, sociologie). Voir à l'ordre alphabétique.

On trouve en science et en technique de nombreux autres dérivés, comme *alloanticorps,* n. m., «anticorps produit entre individus différents de la même espèce» et *alloagglutinine,* n. f.; *allocortex,* n. m., «cortex cérébral primitif, à couches cellulaires peu différenciées»; *allopolyploïde,* n. m.; *allotriophagie,* n. f., «ingestion de matières non comestibles».

**ALLOBARBITAL** [a(l)lobaʀbital] n. m. — XXᵉ; de *allo-, barbit(urique),* et suff. *-al.*

Pharm. Médicament barbiturique à action hypnotique rapide, administré par la bouche.

**ALLOCATAIRE** [a(l)lɔkatɛʀ] n. — 1917; du rad. de *allocation.*

Admin. Bénéficiaire d'une allocation. *Statut d'allocataire. Les allocataires d'une Caisse d'allocations familiales.* → **Prestataire,** 2. *Numéro d'allocataire.*

**ALLOCATION** [a(l)lɔkasjɔ̃] n. f. — 1516; *allocacion* «inscription, enregistrement», 1478; lat. médiéval *allocatio,* de *allocare.* → Allouer.

♦ **1** Fait d'allouer; somme allouée, prestation en argent. *Voyageur qui demande une allocation de devises.*

Spécialt. Prestation en argent consentie par la Sécurité sociale (en France) ou par un organisme similaire à différents titres de la législation sociale, pour faire face à un besoin. *Allocations familiales.* → **Prestation.** *Allocations de maternité, de logement. Allocation de chômage, allocation d'Aide publique* (versée par l'État aux chômeurs). *Toucher, percevoir son allocation, ses allocations.* — Fam. *Allocation logement, allocation chômage. — Caisse d'allocations familiales.*

Par métonymie, au plur. *Allocations familiales :* organisme qui verse ces prestations. *S'inscrire aux Allocations.*

Abrév. fam. (1916) : *alloc.* — *Les allocs* : les allocations familiales. *Toucher les allocs.* «*Pas de sécu... pas d'allocs*» (Victoria Thérame, *Hosto-blues*, p. 46).

Écon. *Allocation de ressources.*

♦ **2** Inform. Répartition des ressources d'un système entre ses utilisateurs. *Allocation dynamique, statique* (dont les critères sont définis a priori). → 2. **Alloué.**

**ALLOCENTRIQUE** [a(l)losɑ̃tʀik] adj. — Mil. XXe; de *allocentrisme.*

Psychol. Qui considère autrui comme principal centre d'intérêt. *Personnalité allocentrique.*

CONTR. **Égocentrique, égoïste, égotiste.**

**ALLOCENTRISME** [a(l)losɑ̃tʀism] n. m. — 1951; de *allo-* «autre», d'après *égocentrisme.*

Psychol. Attitude psychologique qui consiste à considérer les autres comme centre d'intérêt (opposé à *égocentrisme**).

CONTR. **Égocentrisme, égoïsme, égotisme.** ◊ DÉR. **Allocentrique, allocentriste.**

**ALLOCENTRISTE** [a(l)losɑ̃tʀist] adj. et n. — Mil. XXe; de *allocentrisme.*

Psychol. Qui adopte une attitude allocentrique; qui concerne l'allocentrisme.

**ALLOCHIRIE** [a(l)lokiʀi] n. f. — 1865; de *allo-*, et *-chirie*, du grec *kheir, kheiros* «main».

Didact. (méd., psychol., psychiatrie). Trouble de la sensation, dans lequel le sujet rapporte une sensation reçue en un point du corps à un autre point symétrique (par ex. : d'une main à l'autre). → **Alloesthésie.** *L'allochirie est une perturbation de la somatognosie**.

**ALLOCHTONE** [a(l)lɔktɔn] adj. — 1907, Larousse (F. E. W.); de *allo-*, et *-chtone*, d'après *autochtone.*

Didact. (sc. nat., géol.). Qui provient d'un endroit différent, a été transporté. *Les ophiolites* «*se sont mises en place par action tectonique. Elles sont donc allochtones*» (*la Recherche*, n° 42, févr. 1974, p. 179). → aussi Allogène.

CONTR. **Autochtone.** ◊ DÉR. **Allochtonie.**

**ALLOCHTONIE** [a(l)lɔktɔni] n. f. — 1945; de *allochtone.*

Didact. Caractère d'une roche allochtone.

**ALLOCUTAIRE** [a(l)lɔkytɛʀ] n. — XXe (1936, *le Français moderne*, 5, 17); du rad. de *allocution*, et suff. *-aire.*

Ling. Personne qui reçoit le message du locuteur. → **Récepteur.** *Le locuteur et l'allocutaire.* → **Interlocuteur.** *Communication entre locuteur et allocutaire* (→ **Allocution**, 3.).

(...) l'allocution du sujet y *(dans l'analyse)* comporte un allocutaire, autrement dit que le locuteur s'y constitue comme inter-subjectivité. J. LACAN, Écrits, p. 258.

**ALLOCUTION** [a(l)lɔkysjɔ̃] n. f. — 1705; attestation isolée, XII[e]; lat. *allocutio*, de *alloqui* «haranguer», de *loqui* «parler».

♦ **1** [a] Harangue (d'un chef) aux troupes. *Les allocutions et les proclamations de Bonaparte.*

[b] (1752). Numism. Médaille représentant un chef haranguant ses soldats.

♦ **2** (1825). Cour. Discours* familier et bref adressé par une personnalité, dans une circonstance particulière et à un public précis. → **Adresse**; fam. **laïus, speech.** *Prononcer, faire une allocution. Une allocution radiophonique, télévisée, radiotélévisée du chef de l'État.*

L'autre raison était sans doute qu'à la façon des chefs d'État 1
dans leurs allocutions il pensait que ses moindres paroles étaient attendues, écoutées, commentées et ne voulait pas se compromettre. PROUST, Jean Santeuil, Pl., p. 709.

♦ **3** Ling. Communication entre un locuteur et un allocutaire (cit.); acte de parole d'un locuteur.

Je suis coincé entre deux temps, le temps de la référence et 2
le temps de l'allocution : tu es parti (de quoi je me plains), tu es là (puisque je m'adresse à toi). Je sais alors ce qu'est le présent, ce temps difficile : un pur morceau d'angoisse. R. BARTHES, Fragments d'un discours amoureux, p. 22.

DÉR. **Allocutionner.** — V. **Allocutaire.**

**ALLOCUTIONNER** [a(l)lɔkysjɔne] v. tr. — 1902; de *allocution.*

Par plais. Faire une allocution (2.) à (qqn). → **Discourir.**

(...) la solennité extraordinaire avec laquelle il *(le barman)* allocutionne ses clients, solennité qui ne serait comparable qu'à celle du Marc Antoine de Shakespeare prononçant le classique discours sur la tombe de César. A. JARRY, le Surmâle, III, Œ. compl., t. III, p. 137.

**ALLODIAL, ALE, AUX** [a(l)lɔdjal, o] adj. — 1463; lat. médiéval *allodialis.* → Alleu.

Dr. féod. Qui est tenu en franc-alleu. *Biens allodiaux. Terres allodiales.*

DÉR. **Allodialité.**

**ALLODIALITÉ** [a(l)lɔdjalite] n. f. — 1590; de *allodial.*

Dr. féod. Qualité d'un bien allodial. *L'allodialité d'une terre.*

**ALLOESTHÉSIE** [a(l)loɛstezi] n. f. → **Allesthésie.**

**ALLOGAME** [a(l)lɔgam] adj. — Mil. XXe; de *allo-*, et *-game.*

Biol. Qui est caractérisé par l'allogamie. *Plantes allogames* (opposé à *autogame*).

**ALLOGAMIE** [a(l)lɔgami] n. f. — 1951; de *allo-*, et *-gamie.*

Sc. Mode de reproduction sexuée par des gamètes provenant d'individus différents. Spécialt, bot. Pollinisation par le stigmate d'une autre fleur (éventuellement, d'une fleur du même pied).

**ALLOGÈNE** [a(l)lɔʒɛn] adj. — Av. 1887; grec *allo-*, et *-gène.*

♦ **1** Anthrop. D'une origine différente de celle de la population autochtone, et installé tardivement dans le pays. *Éléments allogènes. Populations allogènes.*

Les Slaves constituent donc le noyau de ce peuple, avec un fort apport tartare, mais il y a de nombreux allogènes : les juifs d'une part, les Baltes allemands et luthériens (...) André SIEGFRIED, l'Âme des peuples, IV, II, p. 144.

♦ **2** Hydrogr. Qualifie un cours d'eau issu d'une région lui imprimant certains caractères qu'il conserve durant la traversée d'une région différente.

CONTR. **Autochtone, indigène.** ◊ HOM. **Halogène.**

**ALLOGRAPHE** [a(l)lɔgʀaf] adj. et n. m. — Mil. XX$^{e}$; de *allo-*, et *graphe*.

Ling. Qui correspond à des graphies différentes, à des variantes graphiques (dans la notation d'un même son). *O, au, eau, oh, haut, aulx, sont des allographes* (du même son). *Allographes et homophones* (opposé à *homographes* et *allophones*).

CONTR. **Homographe.**

**ALLOGREFFE** [alɔgʀɛf] n. f. — 1972; de *allo-*, et *greffe*.

Médecine.

♦ **1** Vx. Greffe provenant d'un sujet de même espèce, mais à formule génétique différente.

♦ **2** Mod. Greffe pratiquée sur un individu à partir d'un greffon (dit *allogreffon* [alɔgʀɛfɔ̃] n. m.) prélevé sur un autre individu. — S'oppose à *autogreffe*.

**ALLOLALIE** [a(l)lɔlali] n. f. — Mil. XX$^{e}$; de *allo-*, et grec *lalein* «parler».

Méd. Trouble de la parole dû à une atteinte du système nerveux central (et non des organes de la phonation).

**ALLOMÉTRIE** [a(l)lɔmetʀi] n. f. — Mil. XX$^{e}$ (*in* Larousse, 1960); de *allo-*, et *-métrie*.

Biol. Croissance d'un organe ou d'une partie du corps évaluée par rapport à d'autres organes ou parties, ou par rapport à la croissance totale, chez un même individu ou chez des individus de races ou d'espèces différentes; évaluation, mesure de cette croissance.

**ALLOMORPHE** [a(l)lɔmɔʀf] adj. et n. m. — Mil. XX$^{e}$; de *allo-*, et *-morphe*.

♦ **1** Ling. Se dit des éléments signifiants minimaux qui réalisent un même morphème*. Ex. : *av-* (avoir, avais...) et *aur-* (j'aurai, il aura...) du verbe *avoir; peux* et *puis* (pouvoir).

♦ **2** Chim. Qui présente un caractère d'allomorphie*.

DÉR. **Allomorphisme.**

**ALLOMORPHIE** [a(l)lɔmɔʀfi] n. f. — Mil. XX$^{e}$; de *allo-*, et grec *morphê* «forme».

Caractère de ce qui est allomorphe.

♦ **1** Biol. Passage (d'un organisme) au cours du développement par des formes très différentes.

♦ **2** Chim. Particularités (de certaines substances) de se présenter sous des formes cristallines différentes sans changement de la composition chimique.

**ALLOMORPHISME** [a(l)lɔmɔʀfism] n. m. — Mil. XX$^{e}$; de *allomorphe* (1.).

Ling. Caractère allomorphe (d'éléments).

**ALLONGE** [alɔ̃ʒ] n. f. — XIII$^{e}$, *alonghe;* déverbal de *allonger*.

♦ **1** Techn. Pièce servant à allonger. → **Rallonge.**

(1541). Mar. Pièce de construction ou de mâture qui en prolonge une autre. *Le guibre, ou allonge d'étrave.*

(1680). Techn. (bouch.). Crochet métallique utilisé pour suspendre la viande.

(1752). Comm. *Allonge d'un effet de commerce :* bande de papier que l'on y colle pour permettre de nouveaux endossements.

(1762). Chim. Récipient de forme allongée, destiné à y condenser une substance. *Allonge de verre.*

(Dans des comp.). *Bague-allonge, tube-allonge* (d'un objectif photographique).

♦ **2** Sports. [a] (1893, *in* Petiot). En escrime, Coup porté par extension afin de toucher aussi loin que le peut le tireur.

[b] (1897, *in* Petiot). Longueur des bras d'un boxeur. *Il a une bonne, une forte allonge.*

Je vais arbitrer, dit Albert. 1
Jacques faisait 70 kilos et son adversaire 67 mais celui-ci avait une allonge supérieure et il n'eut pas de mal à placer quelques directs au coffre.
R. QUENEAU, Loin de Rueil, p. 59.

C'est donc une page d'histoire qui se déroule sur le ring. 2
Et le coriace Oranais (...) défend contre Pérez (un Algérois) une manière de vivre et l'orgueil d'une province. La vérité oblige à dire qu'Amar mène mal sa discussion. Son plaidoyer a un vice de forme : il manque d'allonge. Celui du puncheur algérois, au contraire, a la longueur voulue.
CAMUS, l'Été, *in* Essais, Pl., p. 822.

♦ **3** Fig. et vx. Supplément. → (mod.) **Rallonge.**

C'est une petite allonge à mon voyage. 3
M$^{me}$ DE SÉVIGNÉ, Lettres, 280.

COMP. **Rallonge.**

**ALLONGÉ, ÉE** [alɔ̃ʒe] adj. et n. — 1539; p. p. de *allonger*.

♦ **1** Étendu de tout son long. *Se reposer, à demi allongé dans l'herbe. Rester allongé. Des malades, des convalescents allongés.* — (Choses). Littér. *Une ville allongée le long d'un ample golfe.*

♦ **2** Étendu en longueur de façon caractéristique. *Ellipsoïde allongé,* engendré par la rotation d'une ellipse autour de son grand axe (opposé à *ellipsoïde aplati*). *Un crâne allongé* (opposé à *aplati, court*...).

Vous avez vu, chez les artistes florentins, le type allongé, 1
élancé, musculeux (...)
TAINE, Philosophie de l'art, t. II, V, 2, 5.

Ses traits amaigris, sa face allongée (...) 2
Alphonse DAUDET, le Petit Chose, II, 14.

Loc. fig. *Une figure, une mine allongée,* qui traduit la déception, dépitée. → **Long.**

Le maintien interdit et la mine allongée. 3
J.-F. REGNARD, le Légataire universel, I, 3.

♦ **3** N. Personne couchée.

Quant à la paix où s'assoupit Bettina, ses éternels silences 4
d'allongée, cette patience de cuisson ( : les bains de soleil), quelles colères la traversent ? Rêve-t-elle, Bettina ? Oui, sûrement.
François NOURISSIER, le Maître de maison, p. 157.

Pop. et vx. *Les allongés :* les morts. Loc. *Le boulevard des allongés :* le cimetière. *Être aux allongés :* être enterré.

CONTR. **Raccourci.**

**ALLONGEABLE** [alɔ̃ʒabl] adj. — Déb. XV$^{e}$; de *allonger*.

Qui peut s'allonger, être allongé. *Des pseudopodes allongeables et rétractiles.*

**ALLONGEMENT** [alɔ̃ʒmɑ̃] n. m. — 1224; *alongemens,* 1209; de *allonger*.

♦ **1** Fait de s'allonger, de devenir ou d'être rendu plus long. *L'allongement de la tige d'une plante.* → **Développement, extension.** *Allongement d'une substance souple.* → **Affinement, élongation, étirage.**

Les courroies de transmission, par suite d'une souple élas- 1
ticité se prêtaient à ces continuelles alternatives d'allongement et de contraction.
Raymond ROUSSEL, Impressions d'Afrique, p. 131.

Enfin, à sept heures, dans la laideur des lieux, l'épuise- 2
ment de tous et l'allongement des ombres, c'en est fini (...)
François NOURISSIER, le Maître de maison, p. 88.

Spécialt. Propriété qu'ont les métaux de s'allonger quand ils sont soumis à une traction. → **Étirage.**

Par extension :

3 (...) de quoi y ai-je profité, je vous prie, que d'un allongement de nom, et au lieu de George Dandin, d'avoir reçu par vous le titre de «Monsieur de la Dandinière»?
MOLIÈRE, George Dandin, I, 4.

Fait de s'allonger, d'être couché.

4 On parle d'allongement aux gens et ils voient tout de suite un corps étendu. S. BECKETT, Premier amour, p. 21.

♦ **2** Forme allongée. *L'allongement de l'aile d'un avion,* son effilement dans le sens de l'envergure. *Allongement géométrique.*

♦ **3** Fait de s'accroître (dans la durée); son résultat. *L'allongement des vacances scolaires. L'allongement des jours devient perceptible.*

5 J'aimais ce temps de l'année, non pour la sève et les éclosions printanières — loin de là — mais pour l'allongement chaque jour plus sensible de la durée du jour (...)
Maurice CLAVEL, le Tiers des étoiles, p. 22.

Spécialt (phonét.). Accroissement de durée (d'un phonème réalisé).

CONTR. **Raccourcissement.**

**ALLONGER** [alɔ̃ʒe] v. [CONJUG.: *bouger.*] — V. 1160, *alonger;* de 1. *a-, long,* et suff. verbal.

**I** V. tr. ♦ **1** Rendre plus long, augmenter la longueur de. *Allonger une jupe de quelques centimètres. Allonger une rue.* → **Prolonger.** *Allonger un texte.* → **Développer.** — *Allonger une sauce,* l'augmenter de volume par addition d'eau, de bouillon (opposé à *réduire*). Loc. fig. *Allonger la sauce :* délayer ce qu'on écrit. *Il a rajouté cela pour allonger la sauce, mais c'est sans intérêt.*

♦ **2** (Sujet n. de chose). Faire paraître plus long, plus pénible.

1 (...) Sidrac, à qui l'âge allonge le chemin.
BOILEAU, le Lutrin, I.

Faire paraître allongé, plus mince. *«Son visage qu'allongeait un reste de cheveux dressés en brosse»* (R. Martin du Gard). *Cette veste à rayures verticales allonge sa silhouette, l'allonge.* → **Grandir.**

♦ **3** Étendre (un membre), déployer. *Allonger le (son) cou, les bras, la main vers qqch.,* les tendre pour prendre, ou montrer qqch.

2 Là-dessus maître rat (...) allonge un peu le cou.
LA FONTAINE, Fables, VIII.

3 Un sourire inexprimable allongea ses paupières bleues (...)
Pierre LOUŸS, Aphrodite, I, 5.

*Allonger le pas :* presser la marche en faisant des pas plus longs. — Spécialt (sports). *Allonger la foulée*.* (1717, Richelet). Escrime. *Allonger une botte*.* → **Pousser.**

Fam. Donner (un coup) en étendant la main, la jambe. *Je vais t'allonger une gifle.* → **Ficher, flanquer.**

4 Mais si je lui disais ces choses, il m'allongerait un direct du droit auquel il m'apprit d'ailleurs à répondre par un crochet du gauche.
A. MAUROIS, les Discours du Dr O' Grady, XIII.

Fam. Étendre à terre (un adversaire). *Il l'a allongé au tapis.*

Tendre, verser (de l'argent). *Il va falloir les allonger* (les sous) : il va falloir payer.

1 (...) Et radins! (...) pour qu'ils allongent seulement vingt ronds de mieux, comme cadeau aux dames, stop!
Francis CARCO, les Belles Manières, p. 63.

2 (...) il faut être crétin à la puissance absolue pour allonger cinquante francs au Serbe.
Jean FOLLONIER, la Sommelière, p. 36.

♦ **4** Accroître en durée. *Allonger une entrevue. Allonger ses vacances.* → **Prolonger.** — *Donner l'impression d'une plus grande durée.*

La vie est courte, mais l'ennui l'allonge. 5
J. RENARD, Journal, 5 mars 1906.

Vieilli. *Allonger une conversation, une discussion,* la faire durer.

Pour allonger un entretien qui m'amusait (...) 6
MARIVAUX, le Paysan parvenu, 3.

**II** V. intr. Devenir plus long (dans le temps ou dans l'espace). *Les jours commencent à allonger. Il grandit beaucoup en ce moment : il allonge et mincit. «Ses cheveux allongèrent»* (F. Mallet-Joris, *la Maison de papier,* p. 88).

◆ **S'ALLONGER** v. pron.

♦ **1** (Sens passif). Devenir ou paraître plus long.

**a** (Dans l'espace).

Il maigrit, sa taille s'allongea (...) 7
FLAUBERT, Mme Bovary, I, I.

Les ombres des peupliers s'allongeaient sur la berge (...) 8
FRANCE, la Rôtisserie de la reine Pédauque, p. 252.

**b** (Dans le temps). → **Durer.**

Là les heures, pour moi, s'allongeaient dans l'attente. 9
C. DELAVIGNE, le Paria, II, 5.

Leurs entretiens s'allongeaient comme les crépuscules. 10
LOTI, Matelot, p. 36.

**c** Spécialt. *Le tir ennemi s'allonge,* devient plus long.

♦ **2** (Sens réfléchi). **a** S'étendre complètement. → De tout son long*. *Je vais m'allonger un peu* (sur le lit). → **Coucher** (se).

Fam. Tomber par terre. → **Étaler** (s').

Accepter des relations sexuelles (se dit d'une femme).

**b** Fig. et pop. Avouer (dans un interrogatoire). → **Affaler** (s'), **table** (se mettre à).

Vous ne vous imaginez tout de même pas que je vais m'allonger comme ça : à la demande. 11
R. QUENEAU, Zazie dans le métro, Folio, p. 157-158.

Tas fait des conneries? demanda gentiment le sergent au prisonnier. Tu sais, si je peux te donner un conseil, tu ferais mieux de t'allonger. 12
Jean LARTÉGUY, les Prétoriens, p. 635.

◆ **ALLONGÉ, ÉE** p. p. adj. → **Allongé,** adj.

CONTR. **Abréger, accourcir, contracter, écourter, raccourcir, resserrer, rogner. — Plier, replier** (les jambes). ◊ DÉR. **Allonge, allongé, allongeable, allongement, allongeur.** ➝ COMP. **Rallonger.**

**ALLONGEUR, EUSE** [alɔ̃ʒœʀ, øz] adj. et n. — 1608, «celui qui allonge le bras pour porter une estocade»; de *allonger.*

Rare. Qui allonge.

Du manoir au port, ils avaient pris par les venelles allongeuses, lui couvert de fer brinquebalant (...) elle, douce, flexible, fleurie de châles et de l'enfant gras et rose comme une grosse rose charnue née de leur amour!
J. GIONO, Naissance de l'Odyssée, p. 43.

**ALLONS** [alɔ̃] interj.

Impératif du verbe *aller.* → **Aller.**

**ALLONYME** [a(l)lɔnim] adj. — 1803, Boiste *in* F. e. w.; grec *allos* «autre», et *onuma* «nom».

Didact. Qui est publié sous le nom d'une autre personne (réelle, par oppos. à *pseudonyme**). *Livre allonyme.* — N. m. *Un allonyme :* celui qui publie un ouvrage sous le nom d'un autre. → **-onyme** (suff.); et aussi **nègre.**

**ALLOPATHE** [a(l)lɔpat] adj. et n. — 1834; *allopathiste*, 1833; en all. *Allopath*, 1810; de *allopathie*.

Méd. Qui traite par l'allopathie. *Médecin allopathe.* — Vieilli. *Méthode allopathe.* → **Allopathique.**

N. Médecin allopathe. *Consulter un, une allopathe.*

CONTR. **Homéopathe.**

**ALLOPATHIE** [a(l)lɔpati] n. f. — V. 1800 (in *Académie, Compl.*, 1836); all. *Allopathie*, déb. XIXe, d'après *homéopathie*; de *allo-*, et *-pathie.*

(Pour les homéopathes). Médecine classique. — REM. Le mot est beaucoup plus rare que *homéopathie.*

CONTR. **Homéopathie.** ◊ DÉR. **Allopathe, allopathique.**

**ALLOPATHIQUE** [a(l)lɔpatik] adj. — 1833; de *allopathie.*

Méd. Relatif à l'allopathie. *Méthode, doctrine allopathique.*

CONTR. **Homéopathique.**

**ALLOPATRIQUE** [a(l)lɔpatʀik] adj. — XXe (*in* Larousse, 1960); de *allo-*, et grec *patra* «lieu d'origine, patrie».

Biol. Se dit d'espèces, de races, etc. qui ont des distributions géographiques dans des zones bien déterminées, exclusives les unes par rapport aux autres.

**ALLOPHANE** [a(l)lɔfan] n. f. — 1822, *in* F. e. w.; de *allo-*, et *-phane.*

Minéralogie. Silicate d'aluminium hydraté naturel.

DÉR. **Allophanique.**

**ALLOPHANIQUE** [a(l)lɔfanik] adj. — 1866; de *allophane.*

Chim. *Acide allophanique* : acide non isolé de formule $NH_2$–CO–NH–$CO_2$H. — *Ester allophanique* : ester de cet acide, dit *allophanate*, n. m. (1866).

**ALLOPHONE** [a(l)lɔfɔn] n. et adj. — Mil. XXe; de *allo-*, et *-phone.*

Didactique (linguistique).

♦ **1** Personne dont la langue maternelle est une langue étrangère, dans la communauté où elle se trouve. *Enseigner le français à des allophones.*

Adj. *Des étudiants allophones.*

♦ **2** Variante combinatoire d'un phonème. *Les allophones du R français sont le r grasseyé et le r roulé.*

♦ **3** Formes phonétiquement différentes et correspondant à la même identité graphique. *Allophones et homographes.*

**ALLOPHYLE** [a(l)lɔfil] adj. et n. — V. 1812, Boiste; de *allo-*, et grec *phulê* «peuple, tribu».

Didact. et vx. Qui appartient à un autre groupe humain (que le groupe considéré). — N. *Les Hellènes et les allophyles.*

**ALLOPSYCHÉ** [a(l)lopsiʃe] n. f. — D. i. (mil. XXe); de *allo-*, et grec *psukhê* «âme sensitive».

Psychol. Conscience qu'un individu a du monde extérieur.

**ALLOSOME** [a(l)lozom] n. m. — Mil. XXe (*in* Larousse, 1960); de *allo-*, et *(chromo)some.*

Biol. Chromosome sexuel. Syn. : *gonosome, hétérochromosome* (opposé à *autosome*).

**ALLOSTÉRIE** [a(l)lɔsteʀi] n. f. — Av. 1975, Larousse; de *allo-*, et *-stérie* (→ Stéréo-).

Chim. biol. Propriété qu'ont certaines protéines de subir un changement de structure spatiale sous l'influence de petites molécules qui agissent en des endroits spécifiques de la molécule protéinique. *L'allostérie intervient dans les processus physiologiques d'inhibition ou d'activation de divers enzymes.* → Allostérique.

DÉR. **Allostérique.**

**ALLOSTÉRIQUE** [a(l)lɔsteʀik] adj. — V. 1970; de *allostérie.*

Biol. Relatif à l'allostérie. *Effecteur allostérique. Interactions allostériques.*

Qui possède la propriété d'allostérie. *Enzyme allostérique.*

Parmi ces protéines régulatrices, les mieux connues aujourd'hui sont des enzymes dits «allostériques». Ces enzymes constituent une classe particulière, en raison des propriétés qui les distinguent des enzymes «classiques». Comme ces derniers, les enzymes allostériques reconnaissent en s'y associant un substrat spécifique, et activent sa conversion en produits. Mais en outre, ces enzymes ont la propriété de reconnaître électivement un ou plusieurs *autres* composés dont l'association (stéréospécifique) avec la protéine a pour effet de modifier, c'est-à-dire, selon les cas, d'*accroître* ou d'*inhiber son activité à l'égard du substrat.*

Jacques MONOD, le Hasard et la Nécessité, p. 88.

**ALLOTIR** [alɔtiʀ] v. tr. — 1611; *aloter*, 1304; de 1. *a-*, et *lot.*

Droit.

♦ **1** Répartir (qqch.) en lots de copartageants. → **Lotir** (1.). *Allotir une terre, une propriété.*

♦ **2** Répartir des lots à (des personnes). → **Lotir** (2.). *Allotir des héritiers.* — Au p. p. *Héritiers allotis.*

DÉR. **Allotissement.**

**ALLOTISSEMENT** [alɔtismɑ̃] n. m. — 1866 (*allotement*, 1577, de *alloter*; → Allotir); de *allotir.*

♦ **1** Dr. Répartition en lots en vue d'un partage. → **Lotissement** (1.). *L'allotissement d'une propriété.*

♦ **2** Techn. Groupement de marchandises en lots destinés à faciliter leur manipulation et leur traitement.

**ALLOTROPIE** [a(l)lɔtʀɔpi] n. f. — 1855; mot créé par Berzelius, en suédois v. 1830; de *allo-*, et *-tropie.*

Chim. Phénomène de structure en vertu duquel un corps simple (ou, par ext., un corps composé → **Polymorphisme,** 2.) peut se présenter sous plusieurs formes physiques différentes.

DÉR. **Allotropique.**

**ALLOTROPIQUE** [a(l)lɔtʀɔpik] adj. — 1856, *Année sc. et industr.*, 1857, p. 202; de *allotropie.*

Chim. Qui appartient à l'allotropie. *Variétés, états, formes allotropiques d'un corps simple ou composé. Formes allotropiques du phosphore* (à l'état cristallisé : phosphore blanc et phosphore rouge), *du carbone cristallisé* (diamant, graphite).

**ALLOTYPE** [a(l)lɔtip] n. m. — Mil. XXe (1974, in *la Clé des mots*); de *allo-*, et *-type.*

Biol. Se dit de cellules dont les protéines ont une spécificité antigénique variable dans une même espèce.

**ALLOUABLE** [alwabl] adj. — XIIIe, «légitime»; «que l'on peut prendre en ligne de compte», 1586; de *allouer.*
Rare. Qui peut être accordé. *Dépense allouable.*

**ALLOUCHIER** ou **ALOUCHIER** [aluʃje] n. m. — 1787, *allouchier* «dans quelques provinces», selon F. e. w.; *alouchier,* 1809; de *allouche, alouche,* var. régionales (Est, Nord-Est) de *alise*,* de la même racine **al-,* avec suff. probable *-ucia* au lieu de *-ika.*
Régional. Alisier.

1. **ALLOUÉ** [alwe] n. m. — XIIIe, *aloat;* de *allouer.*
♦ **1** Vx. Ouvrier qui, à la fin de son apprentissage, continuait à travailler chez son patron.
♦ **2** (1264, «fondé de pouvoir»). Dr. anc. Second juge de certaines juridictions.
HOM. 2. **Alloué**; formes du v. **allouer.**

2. **ALLOUÉ, ÉE** [alwe] adj. — V. 1970; p. p. de *allouer.*
Inform. *Mémoire dynamiquement allouée, statiquement allouée,* qui a subi une allocation* dynamique, statique.
HOM. 1. **Alloué**; formes du v. **allouer.**

**ALLOUER** [alwe] v. tr. — 1491, «attribuer, accorder» (valeur plus générale qu'aujourd'hui); aussi «concéder en paroles», 1585; dès 1305, *alower* «considérer comme légitime»; anc. franç. *aloer* «mettre, placer», v. 1040; du lat. pop. **allocare,* de *locus* «place». → Louer.
Attribuer (qqch., une somme) de façon officielle. → **Accorder, approuver, attribuer, avancer, concéder, donner, doter, gratifier, octroyer.** *Allouer à qqn une pension, une indemnité, un crédit. — Allouer tant d'hommes pour une opération de police. Allouer du matériel.*

(...) si jamais vous reprochez à un savant qui fait quelque honneur à son pays de ne pas gagner la faible somme que l'État lui alloue (...)
RENAN, Questions contemporaines, Œ. compl., t. I, p. 175.

Iron. Accorder avec condescendance ou parcimonie. *«Une pastille de menthe était allouée à chacune»* (Daniel-Rops, *in* T. L. F.).
◆ **ALLOUÉ, ÉE** p. p. adj. (1491). *Temps alloué pour effectuer un travail.*
CONTR. **Refuser.** ◇ DÉR. **Allouable,** 1. **alloué,** 2. **alloué.** — V. **Allocation.** ↞ HOM. 1. **Alloué,** 2. **alloué.**

**ALLOUVI** [aluvi] adj. et n. → **Alouvi.**

**ALLOUVIR** [aluviʀ] v. tr. → **Alouvir.**

**ALLOXANE** [alɔksan] n. m. — 1858; all. *Alloxan,* 1838, Liebig et Wöller; de *(All)antoïn, (Ox)alsaüre* «acide oxalique», et suff. chim. *-ane.*
Chim. Uréide de l'acide mésoxalique, corps blanc soluble dans l'eau. — REM. On écrit aussi *alloxanne.*

**ALLUCHON** [alyʃɔ̃] ou **ALICHON** [aliʃɔ̃] ou **ALOCHON** [alɔʃɔ̃] n. m. — 1425, au sens 1. (sur une roue de moulin); *halichon* «planche» fin XIIIe; dimin. dial. de *aile.* Cf. *aleron* «aileron».
♦ **1** Techn. Dent d'engrenage adaptable à une roue à denture amovible.
♦ **2** (1676). Régional. Aube d'un moulin à eau.

**ALLUDER** [alyde] v. tr. ind. — Fin XVe; du lat. *alludere* «plaisanter».
Rare. *Alluder à... :* faire allusion à. *Alluder à qqch.*

**ALLUMABLE** [alymabl] adj. — Attesté 1886, L. Bloy; de *allumer.*
Qui peut s'allumer, être allumé.

**ALLUMAGE** [alymaʒ] n. m. — 1845; de *allumer.*
♦ **1** Action d'allumer (un foyer), d'enflammer. → **Allumement** (littér.). *Le concierge était chargé de l'allumage des poêles. L'allumage d'un feu, d'un incendie.*
Par ext. *Allumage d'une fusée de feu d'artifice.* Cf. Mise à feu. *Composition d'allumage* (dite parfois *poudre allumante*). — Début de la réaction chimique qui doit produire les gaz de combustion assurant la propulsion (d'une fusée, etc.).
♦ **2** (1866). Inflammation du mélange gazeux provenant du carburateur d'un moteur à explosion (→ **Allumeur,** II.). *Allumage par batterie d'accumulateurs. Bougies d'allumage. Allumage par magnéto. Allumage électronique. Allumage jumelé* ou *double allumage. Panne d'allumage. Avance, retard à l'allumage :* dispositif permettant au gaz de s'enflammer au moment le plus favorable.
Loc. fig. (Fam.). *Avoir de l'avance, du retard à l'allumage,* de l'avance, du retard sur le temps prévu pour dire, comprendre, faire (une chose).

Tantôt le débit s'arrête et le malade a soudain l'impression que les idées n'arrivent plus, que sa «tête est vide» (...) Tantôt au contraire le débit augmente et s'accélère, devient incoercible. Suivant l'expression d'un de nos malades, il y a de «l'avance à l'allumage» et la volonté est impuissante à endiguer un flot d'idées qui empêche alors l'attention de se fixer. H. BARUK, Psychoses et Névroses, p. 67. 1

Par métonymie. Ensemble des organes assurant l'opération d'allumage (batterie, bobine, transformatrice, allumeur et bougies). *Régler, remplacer l'allumage.*

J'ai tout un nettoyage et un réglage à faire du côté du carburateur. Je regarderai les bougies. L'allumage aussi est à régler. 2
J. ROMAINS, les Hommes de bonne volonté, XXVII, XXI.

♦ **3** Action d'allumer (une source lumineuse). *L'allumage des codes est obligatoire par temps de brouillard. Allumage de phares antibrouillards. Dispositif d'allumage.* — Par métonymie. Dispositif servant à l'allumage. *L'allumage de cette lampe est à réparer.*

À l'intérieur du hall, il trouve sans peine le bouton de la minuterie qui commande l'allumage dans l'escalier (...) 3
A. ROBBE-GRILLET, la Maison de rendez-vous, p. 113.

CONTR. **Extinction.** ◇ COMP. **Auto-allumage.**

**ALLUME** [alym] n. m. — 1783, *alume;* déverbal de *allumer.*
Vx. Petit morceau de bois allumé, utilisé pour éclairer l'intérieur d'un four, pour allumer un feu. *«Allumes phosphoriques»* (Giono, *in* T. L. F.). — Var. anc. (et régionale) : *allumi.*

**ALLUME-CIGARE** [alymsigaʀ] n. m. — 1922; de *allume(r),* et *cigare.*
Petit instrument à résistance électrique (disposé le plus souvent sur le tableau de bord d'un véhicule automobile), servant à allumer les cigares, les cigarettes, etc. — Au plur. *Des allume-cigares.*

Il a son auto avec un allume-cigare électrique dont il est très fier (...) 1
H. DAVRAY, *in* le Mercure de France, 15 déc. 1922, à propos de «Babbitt», de S. Lewis (*in* D. D. L., II, 15).

REM. Le comp. *allume-cigarette* (1922, Proust), ou *allume-cigarettes,* semble moins usité.

2 Je poussais le bouton de l'allume-cigarettes.
Christine DE RIVOYRE, le Voyage à l'envers, p. 109.

**ALLUME-FEU** [alymfø] n. m. invar. — 1866; de *allume(r),* et *feu.*
Petite bûche enduite de résine utilisée pour allumer un feu, ou pour apporter le feu jusqu'à une pipe, etc. → **Ligot.**

**ALLUME-GAZ** [alymgaz] n. m. invar. — 1891, *in* D. D. L.; de *allume(r),* et *gaz.*
Briquet servant à allumer le gaz (aux brûleurs d'un réchaud, d'une cuisinière). *Allume-gaz électrique.*

1 (...) la barque du temps avance à côté des choses : le gant éponge effiloché et mouillé, la poubelle avec sa doublure de papier, la cuvette et son cercle de crasse, la pomme de terre éclatée, l'allume-gaz à côté du mégot.
Violette LEDUC, la Bâtarde, p. 452.

2 (...) l'éphémère lueur du briquet, de l'allume-gaz, du feu follet ou, au mieux, de la foudre.
René FALLET, le Triporteur, p. 123.

**ALLUMELLE** [alymɛl] n. f. — 1808, Boiste; de *allumer.*
Techn. Fourneau de charbonnier, pour fabriquer le charbon de bois. → aussi **Alumelle.**
HOM. **Alumelle.**

**ALLUMEMENT** [alymmɑ̃] n. m. — 1564; *alumement* «clarté», 1148; de *allumer.*
Littér. Action d'allumer. → **Allumage.**

**ALLUME-PIPE** [alympip] n. m. — 1975; de *allume(r),* et *pipe.*
Briquet spécial conçu pour la pipe.

**ALLUMER** [alyme] v. tr. — 1080; lat. pop. **alluminare,* de *luminare* «éclairer», de *lumen* «lumière».

♦ **1** Enflammer; mettre le feu à. *Allumer le gaz. Allumer un bûcher. Allumer une cigarette, du bois.*

0.1 Il marchait, s'asseyait, repartait, allumait des cigarettes et les jetait aussitôt; et il regardait à tout instant l'aiguille de sa pendule, allant vers l'heure ordinaire d'une façon lente et immuable.
MAUPASSANT, Fort comme la mort, I, I, éd. 1889, p. 32.

*Allumer qqch. à qqch. «Il prit la cigarette, l'alluma au briquet»* (Genevoix). — Par métonymie. *Allumer le poêle, une pipe.*
Par ext. *Allumer le feu*, du feu.* — Mar. *Allumer les feux :* mettre le feu au charbon des chaudières pour appareiller. — *Allumer un incendie.*

0.2 Et bien plus tard, rentré à la maison, avant de me coucher, je regardais de ma haute fenêtre l'incendie que j'avais allumé.
S. BECKETT, Nouvelles, «La fin», p. 111.

♦ **2** Spécialt. Mettre le feu à (qqch.) en vue d'éclairer. *Allumer les bougies. Allumer un flambeau.*
Par métaphore (avec infl. du sens 3.). *Allumer le regard.*

0.3 Le dîner passa tout entier sans le regard que je guettais, que j'attendais, que je voulais allumer au mien, et qui ne s'alluma pas.
BARBEY D'AUREVILLY, les Diaboliques, «Le rideau cramoisi».

♦ **3** (XII^e, «éclairer qqn»; «éclairer qqch.», XIII^e). Rendre lumineux (sans flamme extérieure). → **Éclairer.** *Allumer une lampe, ses phares. Allumer un lampadaire, une applique, un plafonnier. «Dans ma chambre d'hôtel j'allumais toutes les lumières»* (Duhamel). — Fam. *Allumer l'électricité. Allumer la lumière* (emploi critiqué, mais cour.). → Donner* de la lumière.

Le repas terminé, on alluma la lampe, et la veillée commença. 1
Alphonse DAUDET, le Petit Chose, I, III.

«Quoi, vous êtes dans le noir ! Il fallait allumer l'électricité.» 1.
À ces mots la lumière se fait dans le corridor, une lumière jaune qui tombe d'une ampoule nue suspendue au bout de son fil (...)
A. ROBBE-GRILLET, Dans le labyrinthe, p. 61.

Absolt. *Vous voulez bien allumer? Je vais allumer dans l'entrée.* — Par métaphore :

La nuit allumait ses premières étoiles dans le ciel. 2
FRANCE, la Rôtisserie de la reine Pédauque, Œ., t. VIII, p. 106.

Par métonymie. *Allumer une pièce.* — Surtout passif et p. p. *Le salon est encore allumé, tu as oublié d'éteindre.* — (Sujet n. de chose) :

La ville mauve en bas allumait peu à peu ses devantures. 3
ARAGON, le Roman inachevé, p. 22.

♦ **4** Faire briller; rendre plus lumineux. *Le soleil couchant allumait les vitres de la véranda.*
Faire briller; donner de l'animation à. *Allumer le regard.*

(...) vous avez vu quelle ardente colère 4
Allumait de ce roi le visage sévère.
RACINE, Esther, II, 9.

♦ **5** Par ext. Faire fonctionner (un appareil électrique qui n'est pas destiné à l'éclairage).

Elle (...) se retourna sur elle-même et, d'un geste décent, alluma la radio. 4.
M. DURAS, Moderato cantabile, p. 50-51.

Antoine avait allumé le pick-up et assis par terre écoutait, sans l'entendre, un concerto de Beethoven. 4.
F. SAGAN, la Chamade, p. 115.

♦ **6** (V. 1240). Abstrait. (Littér.). Exciter, éveiller de façon soudaine. → **Animer, attiser, enflammer, susciter.** *Allumer la colère, les passions, les désirs, l'ambition, l'espoir.* — Par métaphore du sens 1. (vx). *Allumer des feux, les feux de l'amour* (→ ci-dessous, cit. 7, 8).
Provoquer, déclencher brusquement. *Allumer la guerre, la discorde, une dispute. «Ces livres qui allument les polémiques des partis»* (Goncourt). — REM. Cet emploi, très courant dans la langue classique, devient rare au XIX^e s.; il est aujourd'hui littéraire.

Ils allument contre eux une implacable haine (...) 5
CORNEILLE, Pompée, IV, 3.

Votre amour contre nous allume trop de haine (...) 6
RACINE, Andromaque, I, 4.

Vous allumez un feu qui ne pourra s'éteindre (...) 7
RACINE, Britannicus, IV, 3.

Brûlé de plus de feux que je n'en allumai (...) 8
RACINE, Andromaque, I, 4.

Oui, je ne pus souffrir de les voir si bien ensemble; le dépit alluma mes désirs (...) 9
MOLIÈRE, Dom Juan, I, 2.

Par métaphore ou fig. *Allumer* (un feu..., une passion...) *dans..., en (qqn).*

(...) il *(Rubens)* a allumé dans les yeux une flamme sauvage de convoitise effrénée (...) 1
TAINE, Philosophie de l'art, I, I.

Elle *(Thaïs)* avait allumé le désir dans ses veines (...) 1
FRANCE, Thaïs, I, p. 12.

Fam. (Compl. n. de personne). Séduire, exciter le désir de (qqn).

*(Femme)* qui fait la froide pour allumer d'autant celui qui la poursuit (...) 1
MALHERBE, Trad. SÉNÈQUE, Bienfaits.

(...) le récit avait inspiré à Nane, beaucoup moins belle qu'Ida, le sentiment qu'elle pouvait m'allumer sans risques ! 1
Maurice CLAVEL, le Tiers des étoiles, p. 237.

Absolt., vx. Provoquer l'enthousiasme du public (L. Reybaud, 1842, *in* T. L. F.).

♦ **7** Vieilli ou littér. Mettre en mouvement, agiter excessivement, irriter. *Allumer la bile, les humeurs, le sang de qqn* (vx, au sens physiologique).

13 Le chocolat vous allume une fièvre continue (...)
Mme DE SÉVIGNÉ, Lettres, 145.

.1 (...) l'âme damnée des chouans et des prêtres, qui lui avaient allumé le sang, qui l'avaient fanatisée et rendue folle (...)
BARBEY D'AUREVILLY, les Diaboliques, «À un dîner d'athées».

◆ **S'ALLUMER** v. pron.

♦ **1** Prendre feu, s'enflammer. *L'amadou, le bois sec s'allument aisément. Des allumettes* (cit. 1.1) *qui s'allument mal, ne s'allument pas. S'allumer comme une traînée de poudre.*

Prov. *Il n'est bois si vert qu'il ne s'allume :* il n'est rien de si difficile qu'on ne puisse en venir à bout.

♦ **2** [a] Devenir lumineux. *Le phare s'allume.* — Littér. *Les fenêtres s'allumaient* (→ ci-dessous, cit. 17).

[b] Devenir ardent, brillant. *Ses yeux s'allument.* — Fig. *Ses désirs s'allument.* — Se déclencher. *Une nouvelle guerre risque de s'allumer.*

14 Les yeux s'allument et s'éteignent dans un même moment (...)
PASCAL, Disc. sur les passions de l'amour.

15 L'amour (...) si impétueux dans les animaux, mais s'allumant et s'éteignant tour à tour avec les saisons (...)
RIVAROL, Disc. préliminaire au Nouveau dict. de la langue française.

16 Une sorte de sourire s'allumait dans les yeux bleu pâle (...)
G. DUHAMEL, Chronique des Pasquier, VIII, XIX.

17 La page blanche s'alluma sous le rayon qui fendait l'ombre et jeta son reflet au plafond comme un miroir.
COLETTE, la Naissance du jour, p. 119.

◆ **ALLUMÉ, ÉE** p. p. et adj. **A** Au p. p. (verbal) :

18 Deux coqs vivaient en paix; une poule survint,
Et voilà la guerre allumée.
LA FONTAINE, Fables, VII, 13.

**B** Adj. ♦ **1** *Lampe allumée.* Fam. *Électricité allumée.* — Par ext. *La radio est restée allumée.*

.1 (...) le couloir était allumé mais désert, et presque aussitôt il s'éteignit, la cage de l'escalier encore allumée toutefois, la lueur venant se heurter au coude que faisait le couloir se réfléchissant, éclairant faiblement jusqu'à lui le mur ripoliné et la série des portes fermées (...)
Claude SIMON, le Palace, p. 141.

♦ **2** Rouge et luisant. *Un teint allumé.* → **Enluminé.**

19 Si les femmes étaient telles naturellement (...) qu'elles eussent le visage aussi allumé et aussi plombé qu'elles se le font par le rouge (...)
LA BRUYÈRE, les Caractères, III, 6.

♦ **3** [a] (Sentiments, états affectifs). Excité. *Passions, imaginations allumées.*

20 Si mon sang allumé me demande des femmes, mon cœur ému me demande encore plus de l'amour.
ROUSSEAU, les Confessions, I, I.

21 Tout mon sang, allumé sous cette prise, se précipita de mon cœur dans cette main (...)
BARBEY D'AUREVILLY, les Diaboliques, «Le rideau cramoisi».

[b] Fig. et fam. (Personnes). Excité, agité, exalté. *Il est un peu allumé.* → **Fou.** — N. *Qu'est-ce que c'est que cette allumée?*

♦ **4** Blason. D'un émail différent du reste, ou particulier.

CONTR. **Apaiser, éteindre, étouffer, souffler** (une bougie).
◊ DÉR. **Allumage, allumelle, allumement, allumette, allumeur, allumoir.** — COMP. **Allume-cigare, allume-feu, allume-gaz, allume-pipe.** — **Rallumer.**

**ALLUMETTE** [alymɛt] n. f. — 1213, *alumete;* de *allumer.*

♦ **1** [a] Ancienn. Petite bûchette servant à recueillir et transmettre une flamme.

(XIXe; *allumettes phosphoriques,* 1845). Mod. Brin de bois, de carton, de cire imprégné à une extrémité d'un produit susceptible de s'enflammer par friction, et destiné à transmettre du feu. → fam. ou argotique Alouf, bûche, craquante, flambante, soufrante (vx). *Allumettes de cuisine. Allumettes de sûreté* (dites d'abord *suédoises*), nécessitant un frottoir spécial. *Allumette soufrée. Allumette chimique, phosphorée. Une boîte, une pochette d'allumettes. Le frottoir d'une boîte d'allumettes. Allumer, enflammer, frotter, gratter une allumette. Brûler, flamber comme une allumette. Allumette tison,* contenant du phosphore et de la sciure (on écrit aussi : *allumette-tison*). *La Petite Marchande d'allumettes,* conte d'Andersen.

«Une allumette! s'écria Pencroff! Ah! c'est comme si nous en avions une cargaison tout entière!» 0.1
Il prit l'allumette, et, suivi de ses compagnons, il regagna les Cheminées.
Ce petit morceau de bois, que dans les pays habités on prodigue avec tant d'indifférence, et dont la valeur est nulle, il fallait ici s'en servir avec une extrême précaution. Le marin s'assura qu'il était bien sec. Puis, cela fait :
«Il faudrait du papier, dit-il».
J. VERNE, l'Île mystérieuse, t. I, p. 59.

(...) il dépensait un stère de bois, et lésinait sur une allumette. 1
R. ROLLAND, Jean-Christophe, p. 847.

Il n'y a qu'à voir le mot «françaises» sur une boîte d'allumettes, pour savoir qu'elles ne s'allumeront pas. 1.1
MONTHERLANT, le Démon du bien, p. 139.

Aux allumettes, bien connues, mais chères et difficiles à obtenir, l'Indien préfère toujours la rotation ou la friction de deux pièces tendres de bois de palmito. 1.2
Claude LÉVI-STRAUSS, Tristes tropiques, p. 132.

Après cela, Radicz sort sa boîte d'allumettes. Il dit que c'est pour fumer, mais en réalité ce n'est pas fumer qu'il aime; ce qui lui plaît, c'est brûler les allumettes. Quand il a un peu d'argent à lui, Radicz va dans un bureau de tabac et il achète une grosse boîte d'allumettes, sur laquelle on voit une gitane qui danse. Il va s'asseoir dans un coin tranquille, et il gratte ses allumettes, l'une après l'autre. Il fait ça très vite, juste pour le plaisir de voir la petite tête rouge qui s'embrase en faisant son bruit de fusée, et ensuite la belle flamme orange qui danse au bout du petit bâton de bois, à l'abri dans le creux de ses mains. 1.3
J.-M. G. LE CLÉZIO, Désert, p. 227-228.

REM. Pour désigner les *allumettes* au sens moderne, lorsqu'on employait encore le mot à propos des bûchettes à allumer le feu, on employait les syntagmes : *allumette chimique, phosphorique...,* le petit bois pour allumer s'appelant parfois *allumette amorphe.*

(...) c'est un enfant, un enfant qu'on a laissé seul, et qui va se brûler avec des allumettes chimiques (...) Il y a son ange gardien qui est là, qui lui prend les allumettes chimiques et qui lui donne des allumettes amorphes (...) 1.4
Ed. et J. DE GONCOURT, Manette Salomon, p. 203.

(Vieilli). *Allumette-bougie :* mèche enduite de cire, de stéarine, pour l'éclairage.

Ils allument des allumettes-bougies pour regarder les sculptures du banc-d'œuvre. 1.5
J. RENARD, Journal, 15 oct. 1906.

Fam. *Avoir les jambes, les membres comme des allumettes,* longs et minces.

Me voyant comme une allumette 2
Et le corps fait comme un squelette (...)
VOITURE, Réponse à M. Arnaud.

[b] Fig. et vieilli. Ce qui enflamme, excite. → **Brandon, tison.**

[c] Par ext. Petit morceau de bois long et mince. *Il a marché sur la boîte, qui a été réduite en allumettes.*

♦ **2** (1739; cf. 1379, *allumettes de veau*). [a] Gâteau sec allongé, en pâte feuilletée, généralement recouvert d'un glaçage au sucre.

[b] *Allumette au fromage :* petit rectangle de pâte feuilletée imprégnée de fromage.

c Appos. *Pommes allumettes* (ou *allumettes*) : frites coupées très finement.

DÉR. **Allumettier.** ◊ COMP. **Porte-allumettes.**

**ALLUMETTIER, IÈRE** [alymetje, jɛʀ] n. — 1532; de *allumette.*

Fabricant d'allumettes; personne employée à la fabrication des allumettes.

**ALLUMEUR, EUSE** [alymœʀ, øz] n. — 1374; de *allumer.*

I (Personnes). ♦ **1** Anciennt. Personne chargée de l'allumage et de l'extinction des appareils d'éclairage public. — Loc. *L'allumeur de réverbères. Allumeuse de réverbères.*

1 L'allumeur de réverbères est un être à part (...) presque toujours imprégné d'huile de la tête aux pieds.
(...) l'allumeur de réverbères fait sa besogne fort tranquillement et sans jamais s'occuper de ce qui se passe autour de lui.
(...) Pauvre homme! que deviendra-t-il quand le gaz aura tué tous les réverbères?
Ch. PAUL DE KOCK, la Grande Ville, t. I, p. 46 (1842).

2 À cette époque il n'y avait point de becs de gaz dans les rues de Paris. À la nuit tombante on y allumait des réverbères placés de distance en distance, lesquels montaient et descendaient au moyen d'une corde qui traversait la rue de part en part et qui s'ajustait dans la rainure d'une potence. Le tourniquet où se dévidait cette corde était scellé au-dessous de la lanterne dans une petite armoire de fer dont l'allumeur avait la clef, et la corde elle-même était protégée jusqu'à une certaine hauteur par un étui de métal.
HUGO, les Misérables, II, V, V.

3 La cinquième planète était très curieuse. C'était la plus petite de toutes. Il y avait là juste assez de place pour loger un réverbère et un allumeur de réverbères. Le petit prince ne parvenait pas à s'expliquer à quoi pouvaient servir, quelque part dans le ciel, sur une planète sans maison, ni population, un réverbère et un allumeur de réverbères.
SAINT-EXUPÉRY, le Petit Prince, XIV, p. 49.

4 (...) l'allumeur des becs de gaz fait surgir soudain sous vos yeux l'étude du notaire ou la statue de Chapelain (...)
GIRAUDOUX, Juliette au pays des hommes, p. 218.

♦ **2** Rare. Personne qui excite, «allume» les sentiments. «*Un allumeur de foule*» (Goncourt). — Spécialt, vx. Compère chargé d'attirer le client, de faire monter les prix, aux enchères.

Au fém. UNE ALLUMEUSE : une femme qui aime à susciter le désir masculin. → **Affoleuse.**

5 La femme est faite pour être arrivée, et rivée; l'homme est fait pour entreprendre, et se détacher : elle commence à aimer, quand, lui, il a fini; on parle d'allumeuses, que ne parle-t-on le plus souvent d'allumeurs! L'homme prend et rejette; la femme se donne, et on ne reprend pas, ou on reprend mal, ce qu'on a une fois donné.
MONTHERLANT, les Jeunes Filles, 1936, p. 1010, *in* T. L. F.

II N. m. ♦ **1** (1872; «bougie d'allumage», 1863). Partie de l'allumage, rassemblant dans un boîtier les dispositifs d'avance à l'allumage, de rupture et de distribution du courant aux bougies. → **Delco** (n. déposé).

♦ **2** Dispositif automatique d'inflammation ou de mise à feu. *L'allumeur d'un brûleur. Allumeur automatique. Allumeur à haute tension. Allumeur extincteur.*

**ALLUMI** [alymi] n. m. → **Allume.**

**ALLUMOIR** [alymwaʀ] n. m. — 1841; attestation isolée, 1380, «éclair d'orage»; de *allumer.*

Anciennt. Appareil portant une flamme et servant à allumer des bougies, des cigarettes, etc. → **Briquet; allume-cigare.**

CONTR. **Éteignoir.**

**ALLURAL, ALE** [alyʀal] adj. — 1939, M. Aymé; de *allure.*

Rare. Qui a beaucoup d'allure. — REM. Le plur. *alluraux,* quoique normal dans le système de la langue, n'est pas attesté dans notre documentation.

Mais son esprit, ses toilettes, son talent. Elle était très allurale, votre femme, général! Et puis, elle arrivait de Paris!
J. ANOUILH, la Valse des toréadors, II, p. 138.

**ALLURE** [alyʀ] n. f. — 1170, *aleure; alure,* 1174; de *aller.*

♦ **1** a Vitesse de déplacement, de progression (au cours d'une action, d'un mouvement, d'une activité, d'un déplacement...). → **Cadence.** *Allure lente ou rapide. Accélérer, forcer, précipiter, ralentir, maintenir son allure. L'allure d'un ouvrier au travail.* — (Avec *à*...). *Rouler à faible allure, à vive allure, à toute allure* (→ **Vitesse**). *À cette allure, la réunion ne sera pas finie avant demain matin.* → **Train.**

À trois heures, il défilait à l'allure d'un chasseur à pied dans la gare de Melun (...) 1
MARTIN DU GARD, les Thibault, VII, p. 72.

En revanche j'ai dû être de loin parmi les coureurs les plus rapides que la terre ait jamais portés, sur une courte distance, cinq ou dix mètres, une seconde et j'étais rendu. Mais je ne pouvais pas tenir à cette allure, non pas faute de souffle, c'était mental, tout est mental, chimères. 1.
S. BECKETT, Têtes mortes, p. 15.

b Manière d'aller, de se déplacer. → **Démarche, marche, pas.** *Allure légère, lourde, pesante. L'aisance de son allure.* «*L'allure noble qu'on appelle un pas d'ambassadeur*» (Balzac).

(XIIe). Spécialt. *Les allures du cheval. Allures naturelles* (pas, trot, galop), *défectueuses* (amble, aubin, traquenard), *acquises* (par le dressage : pas d'école, passage, etc.).

c Fam. Manière dont les choses évoluent. Loc. *À l'allure où vont les choses :* de la façon dont elles changent (rapidement)...

d (1873, J. Verne). Mar. Direction que suit un navire par rapport à celle du vent. *Allures de près, de largue, de vent arrière. Allures portantes. Allures de sauvegarde.* → 1. **Cape** (3. : être à la cape), **fuite.** *Les allures et les amures** (2.).

e Techn. (Sans idée de vitesse). Manière dont s'effectue un cycle de chauffage, de refroidissement.

♦ **2** a (1532). Manière de se tenir, de se comporter; caractère général de l'apparence d'une personne (jugée d'après des critères culturels). → **Air, apparence, aspect, extérieur, ligne, silhouette, touche** (fam.), **tournure.** *Avoir belle allure, l'allure toujours jeune.*

Il affectait en vain de prendre l'allure des petits-maîtres; c'était une très mauvaise copie de ces excellents originaux (...) A. R. LESAGE, Gil Blas, III, 4. 2

J'ai le plus grand mal à ne pas être trop courtois, et même un peu plat devant un chef musulman; la noblesse de son allure, du moindre de ses gestes m'en impose plus que les titres les plus ronflants. 2.
GIDE, Voyage au Congo, *in* Souvenirs, Pl., p. 826.

Absolt. *Avoir de l'allure,* de la distinction, de la noblesse dans le maintien (→ Avoir de la branche*, de la classe*...).

Un terme, le terme «d'allure», court-il tout à coup de bouche en bouche, en 1730? vite, ce sont des éventails et des rubans *à l'allure,* si goûtés qu'on les porte même pendant le deuil pris à la cour pour la mort du roi de Sardaigne. 2.
Ed. et J. DE GONCOURT, la Femme au XVIIIe siècle, II, p. 58.

Régional (Wallonie). *Avoir de l'allure,* «du savoir-faire, de l'ordre dans son activité ménagère ou manuelle» (Hanse, qui condamne l'expression).

**b** Fig. (Surtout au plur.). Manière de se comporter. *Liberté d'allures. Allure affectée, altière, désinvolte, digne, grave, légère, posée...* → **Air, attitude; comportement, conduite, façon.** *Avoir une vilaine allure* (→ Marquer* mal).

3 Malgré la chaleur et la diète, je me sens si bien remis de mon indisposition (...) que, demain, je reprends mes anciennes allures et mes travaux nocturnes, moyennant le café bien entendu.
BALZAC, Correspondance, 30 juil. 1846, t. II, p. 264-265 (1876).

3 (...) je me défie toujours des allures des gens paresseux.
Mme DE SÉVIGNÉ, 566.

4 (...) l'allure d'un acteur du répertoire qui va jeter sa bourse à quelque valet.
MARTIN DU GARD, les Thibault, III, 1.

Absolt. *Avoir des allures,* des allures singulières, suspectes.

Spécialt., (vx). *Des allures :* des manières trop libres. *Une jeune fille qui prend des allures.*

♦ **3** Fam. Apparence générale (d'une chose). *Elle a une drôle d'allure, cette maison. Cette affaire prend mauvaise allure.* → **Tournure.**

5 La Société procède comme l'océan, elle reprend son niveau, son allure après un désastre, et en efface la trace par le mouvement de ses intérêts dévorants.
BALZAC, Une ténébreuse affaire, Pl., t. VII, p. 616.

6 *(Notre langue n'a pas)* les mignardises de la langue italienne, son allure est plus mâle.
RIVAROL, Disc. sur l'universalité de la langue franç.

7 Venez voir... mais c'est affreux... ça gâche tout... regardez l'allure que ça a là-dessus, cette poignée de porte et cette plaque de propreté (...)
N. SARRAUTE, le Planétarium, p. 15.

*Ça a de l'allure, beaucoup d'allure. Son bouquin, sa réaction n'a aucune allure.*

DÉR. **Allural, alluré.**

**ALLURÉ, ÉE** [alyʀe] adj. — XXe (1941, *in* T. L. F.); de *allure.*

Fam. (Personnes ou choses). Qui a de l'allure, du chic. → **Chic** (adj.). *Elle est très allurée.*

Mais non, madame (...) Je vous assure que nous savons nous adapter à toutes les tailles et à toutes les silhouettes. Je vous verrais très bien dans un fourreau très alluré (...) Il partait du fourreau, puis peu à peu il l'enrichissait de fronces, de godets, de panneaux.
P. GUTH, le Naïf sous les drapeaux, III, IV, p. 167.

**ALLUSIF, IVE** [a(l)lyzif, iv] adj. — 1770; du rad. de *allusion.*

♦ **1** Qui contient une allusion. *Phrase allusive.* → **Allusionnel** (rare).

1 (...) sans pourtant jamais aborder (...) des questions intellectuelles ou littéraires autrement que de façon allusive et rapide. (Nous détestons l'un et l'autre les gens qui «expliquent le coup». Nous savons tout de suite de quoi il s'agit, comprenons et coupons court).
Claude MAURIAC, le Temps immobile, p. 241.

♦ **2** (D'une personne). Qui parle par allusions. *Vous êtes beaucoup trop allusif.* → **Indirect.**

2 (...) plutôt étendu! *(Montmartre)* (Puis allusif, il précise :) Y a même deux cimetières... c'est vous dire!
Albert SIMONIN, Hotu soit qui mal y pense, p. 44.

♦ **3** Qui procède par allusion, est de la nature de l'allusion. → **Allusionniste** (rare).

3 Sa raison d'être *(de la peinture représentative)* consiste à transmettre une information. Elle comprend notamment les emblèmes (...) et les gravures hermétiques où sont traduits en image les arcanes de l'alchimie. Ces compositions *allusives* demeurent totalement mystérieuses pour qui ne possède pas la clé de leur langage.
Roger CAILLOIS, Esthétique généralisée, II, p. 34.

Les affaires dont s'occupe la justice sont par définition déjà des échecs puisqu'elles n'ont pas su demeurer inaperçues. Mais leur nombre infime — une douzaine par an — trahit leur caractère purement symbolique, allusif, juste ce qu'il faut pour donner à croire qu'on se conforme à un principe, celui du respect de la vie. 4
M. TOURNIER, le Roi des Aulnes, p. 57.

Long visage maigre, avec quelque chose de charmant, d'infantile, de jeune dans la courbe des joues, et aussi quelque chose d'obstinément allusif, de spécieux et d'introverti dans ce sourire tout en vanité abstraite. 5
DRIEU LA ROCHELLE, la Comédie de Charleroi, p. 14.

CONTR. **Direct, franc.** ◊ DÉR. **Allusivement.**

**ALLUSION** [a(l)lyzjɔ̃] n. f. — 1558, *infra,* Bonaventure des Périers; bas lat. *allusio* «jeu», du supin de *alludere* «jouer», du rad. de *ludus.* → Ludique.

♦ **1** Vx. Jeu de mots, badinage. *Allusion de mots* (*in* Littré). *«Pensant, par ces allusions, le divertir de son propos»* (Bonaventure des Périers, *in* D. D. L.).

Pointes et allusions verbales (...) 1
MONTAIGNE, Essais, III, 5.

♦ **2** (1671). Dans quelques tournures. Manière d'éveiller l'idée d'une personne ou d'une chose sans en faire expressément mention. → **Sous-entendu; allusif.** *Parler par allusions. Faire allusion à qqch, qqn.* → **Alluder** (rare). *À qui, à quoi faites-vous allusion?*

Discours, énoncé utilisant ce procédé. *Une allusion historique, littéraire, mythologique. Une allusion transparente, claire, directe. Une allusion voilée. Comprendre, saisir une allusion. «Les allusions personnelles sont interdites»* (Maurois), les allusions qui ont trait à la personne des gens. → **Personnalité.** *L'allusion m'échappe. Allusions perfides, offensantes. Allusion blessante.*

Benserade (...) faisait (...) des allusions délicates et piquantes aux caractères des personnes (...) 2
VOLTAIRE, le Siècle de Louis XIV, 25.

La conversation britannique est un jeu, comme le cricket ou la boxe : les allusions personnelles sont interdites comme les coups au-dessous de la ceinture (...) 2.1
A. MAUROIS, les Silences du colonel Bramble, p. 60.

(...) une confidence, un souvenir, une simple allusion ouvrait des perspectives insoupçonnées où son regard se perdait de nouveau. 3
MARTIN DU GARD, les Thibault, III, II.

(...) je commençai, non sans détours, non sans réticences et allusions mystérieuses, je commençai d'expliquer notre famille, nos secrets (...) 4
G. DUHAMEL, Chronique des Pasquier, II, III.

(...) en guettant dans un cours d'histoire ou de français l'allusion fugitive à ce qui m'importait au premier chef, je commençais à me constituer une culture en marge (...) 5
M. TOURNIER, le Roi des Aulnes, p. 18.

DÉR. **Allusionnel, allusionner, allusionniste.** — V. **Allusif.**

**ALLUSIONNEL, ELLE** [a(l)lyzjɔnɛl] adj. — 1867, *infra;* de *allusion.*

Rare. Qui procède par allusion. → **Allusif.** *«Détails allégoriques et allusionnels»* (Baudelaire, *Curiosités esthétiques*).

**ALLUSIONNER** [a(l)lyzjɔne] v. intr. — 1801; de *allusion.*

Rare. Faire des allusions. *Cet auteur allusionne fréquemment.*

*Allusionner à (qqn, qqch.) :* faire allusion à.

J'allusionnais lors, et cela de très près,
À la défense par ces mains de tel corsage (...)
VERLAINE, Élégies, VI.

**ALLUSIONNISTE** [a(l)lyzjɔnist] adj. et n. — 1900; de *allusion*.

Rare. Qui procède par allusions. → **Allusif.** «*Discours allusionnistes*» (Barrès, *in* T. L. F.).

N. «*Tout allusionniste habituel est un grand rêveur*» (L. Daudet, *in* T. L. F.).

**ALLUSIVEMENT** [a(l)lyzivmɑ̃] adv. — XX$^e$; de *allusif*.

D'une manière allusive. *Il en a parlé allusivement*, par allusion.

CONTR. **Directement, ouvertement.**

**ALLUVIAL, ALE, AUX** [a(l)lyvjal, o] adj. — 1802, in *Voyage dans l'intérieur de l'Afrique*, trad. F. Horneman; on a employé au XIX$^e$ *alluvien, ienne* (1838); de *alluvion*.

Produit ou constitué par des alluvions. → **Alluvionnaire.** *Plaine, zone, vallée alluviale. Terrains alluviaux. Dépôt alluvial. Sol alluvial.*

**ALLUVION** [a(l)lyvjɔ̃] n. f. — 1690, «alluvionnement»; «inondation», 1527; lat. *alluvio*, de *alluere* «baigner», de *luere*. → Diluer, diluvium.

♦ **1** (1815). Au plur. Dépôts (cailloux, graviers, sables, boues) provenant d'un transport par les eaux courantes (colluvions, formations fluviatiles, sédiments). *Alluvions anciennes, récentes. Les crues apportent des alluvions. La vallée du Nil est fertilisée par les alluvions du fleuve.* → **Boue, limon, lœss, sédiment.** *Les deltas sont formés d'alluvions. Terrains d'alluvion.* → **Palus** (régional). *Alluvions anciennes.* → **Diluvium.** *Alluvions caillouteuses des cônes de déjection. Alluvions sablonneuses.* → **Allaise.** *Alluvions artificielles. Alluvions lacustres, marines, lagunaires, fluviatiles.*

1 Considérons (...) les Pays-Bas, par exemple. Leur caractère essentiel est d'être formés par des alluvions, c'est-à-dire par les grands dépôts de terre que les fleuves charrient et répandent à leurs embouchures.

TAINE, Philosophie de l'art, I, I.

♦ **2** (1690). Vieilli. Alluvionnement. — Dr. Accroissement de terrain par alluvionnement (opposé à *avulsion*). → Accroissement, cit. 7.

2 L'alluvion profite au propriétaire riverain, soit qu'il s'agisse d'un fleuve ou d'une rivière navigable, flottable ou non (...)

Code civil, art. 556.

♦ **3** Par métaphore (d'abord du sens 2., puis du sens 1.). Vieilli au sing. «*C'était une alluvion de l'ancien régime et de l'ancienne société déposée par la Révolution sur ce bord de la Saône*» (Lamartine, *in* T. L. F.).

3 Chaque flot du temps superpose son alluvion, chaque race dépose sa couche sur le monument, chaque individu apporte sa pierre.

HUGO, Notre-Dame de Paris, III, 1.

Mod. Au plur. ou dans : ... *d'alluvion. Les alluvions successives, les couches d'alluvion d'une théorie, d'un processus historique.*

REM. Il arrive que le mot soit erronément considéré comme un masculin.

DÉR. **Alluvial, alluvionnaire, alluvionnement, alluvionner.**

**ALLUVIONNAIRE** [a(l)lyvjɔnɛʀ] adj. — V. 1844; de *alluvion*.

♦ **1** Formé par des alluvions. → **Alluvial.** *Dépôts alluvionnaires. Vallée alluvionnaire.*

1 La plantation de Rolain domine le fleuve Sanggor à l'endroit où il fait une grande courbe pour déboucher dans la plaine alluvionnaire.

Henri FAUCONNIER, Malaisie, p. 18.

2 Les cotonniers sortaient déjà des sillons. Avec leurs feuilles pétiolées vert tendre, ils ressemblaient, bien alignés jusqu'à l'horizon, à de minuscules pieds de vigne, étirant sous le sol alluvionnaire leurs longues et fines racines.

Maurice DENUZIÈRE, Louisiane, p. 72.

♦ **2** Contenu dans des alluvions. *Pépites, minerais alluvionnaires.*

**ALLUVIONNEMENT** [a(l)lyvjɔnmɑ̃] n. m. — 1877; de *alluvion*.

Didact. Formation d'alluvions (résultant de la diminution de la pente et de la vitesse du cours d'eau). *Zones d'alluvionnement.*

**ALLUVIONNER** [a(l)lyvjɔne] v. — 1908, en emploi passif, *in* D. D. L.; de *alluvion*.

Géographie.

♦ **1** V. intr. Déposer des alluvions.

♦ **2** V. tr. Faire s'étendre en apportant des alluvions. *Le fleuve alluvionne la rive.*

**ALLYLE** [alil] n. m. — 1855, Nysten; du lat. *alium, allium* «ail», et suff. *-yle*, du grec *hulê* «substance».

Chim. Radical non saturé univalent

$$(CH_2{=}CH{-}CH_2{-})$$

présent dans de nombreux esters (découvert dans les *sulfures d'allyle* de l'essence d'ail). *Acétate, bromure d'allyle.* → aussi **Allène.**

DÉR. **Allylique.**

**ALLYLÈNE** [alilɛn] n. m. → **Allène.**

**ALLYLIQUE** [alilik] adj. — 1865; de *allyle*.

Chim. Qui renferme le radical allyle. — *Transposition allylique*, affectant un homologue du radical allyle. — *Alcools allyliques* (ou *propénols*), obtenus par hydrolyse du chlorure d'allyle (corps importants en chimie industrielle).

**ALMADIN** [almadɛ̃] n. m., **ALMADINE** [almadin] n. f. → **Almandin, almandine.**

**ALMAGESTE** [almaʒɛst] n. m. — Av. 1280; arabe *al magisti* «le grand oeuvre», du grec *megistos* «très grand».

Didact. Dans l'Antiquité, Collection, recueil d'observations astronomiques. *L'almageste de Ptolémée.*

Ce système *(de Ptolémée)* a subsisté pendant quatorze siècles; aujourd'hui même qu'il est entièrement détruit, l'Almageste, considéré comme le dépôt des anciennes observations, est un des plus précieux monuments de l'antiquité. 1

LAPLACE, Exposition du système du monde, V, 2, *in* LITTRÉ.

(...) celui qui tient commerce, en ville, de très grands livres : almagestes, portulans et bestiaires (...) 2

SAINT-JOHN PERSE, Exil, V, p. 175.

**ALMA MATER** [almamatɛʀ] n. f. sing. — 1890, in *le Tour du monde*; mots lat. «mère nourricière». → Alme.

(Souvent par plais.). L'Université.

L'université. On dit toujours : «une fabrique de chômeurs». Elle a mauvaise presse, l'alma mater de nos grands-parents (...)

G. PETTIJEAN, *in* le Nouvel Obs., 19 juin 1978.

**ALMANACH** [almana] n. m. — 1375; *anemallat*, 1328; *almenach*, 1303; lat. médiéval *almanachus*; arabe *(')ăl-mănāh*, probablt du syriaque *l-manhaï* «l'an prochain» (rad. *ma-* «lune, mois»).

♦ **1** Calendrier accompagné d'observations astronomiques, de prévisions météorologiques, de conseils pratiques relatifs aux travaux à faire selon la saison. → **Agenda.** *Les anciens almanachs illustrés.* — *L'Almanach des Muses*, titre d'un recueil poétique périodique. — *Almanach de poche.*

1 (...) le ciel et les étoiles que le jeune homme considérait avec beaucoup de plaisir et de curiosité; il allait chercher dans les almanachs tout ce qu'ils rapportaient sur ce sujet (...) FONTENELLE, Hartsœker, *in* LITTRÉ.

1.1 Je pensai m'évanouir un jour, dans le train de Limoges, en feuilletant l'almanach Hachette : j'étais tombé sur une gravure à faire dresser les cheveux (...)
SARTRE, les Mots, p. 125.

♦ **2** (XVIe). Vx (au plur.). Pronostics, prévisions. *Faire des almanachs. — Faiseur d'almanachs,* ou, ellipt, *un almanach :* personne qui fait des pronostics.

2 Vous êtes un très bon almanach : vous avez prévu (...) tout ce qui est arrivé.
Mme DE SÉVIGNÉ, À Bussy, 6 août 1675.

♦ **3** (1690). Nom d'annuaires ou de publications ayant vaguement pour base le calendrier. *L'almanach de Gotha :* annuaire généalogique et diplomatique. *L'Almanach Vermot,* célèbre pour ses plaisanteries. *L'Almanach du marin breton :* recueil de tables de marées, de renseignements à l'usage des marins. *Almanach politique. Almanach publicitaire.*
*Plaisanteries, vers d'almanach,* faciles, populaires, mauvais. → Vers de mirliton*. *Morale, vérité d'almanach.*
Fig. *Cet homme est un véritable almanach :* il abonde en renseignements de toute sorte. → **Encyclopédie.**

3 *(Sieur Clubin)* abondait en renseignements; il était alphabet et almanach; il était étiage et tarif (...)
HUGO, les Travailleurs de la mer, I, V, I.

**ALMANDIN** [almɑ̃dɛ̃] ou **ALMADIN** [almadɛ̃] n. m.; **ALMANDINE** [almɑ̃din] ou **ALMADINE** [almadin] n. f. — 1816, *almandin, in* D. D. L.; *almandine,* XVIIe; var. de *alabandine.*
Minér. Variété de grenat alumino-ferreux. → **Alabandine.**

**ALMASILICIUM** [almasilisjɔm] n. m. — 1948; abrév. de *al(uminium), ma(gnésium),* et *silicium.*
Techn. Alliage léger d'aluminium, magnésium et silicium. *Une variété d'almasilicium est employée pour la confection des câbles électriques* sous le nom d' *almélec* [almelɛk] (nom déposé).

**ALME** [alm] adj. — 1532, repris XIXe, Proudhon; du lat. *almus* «nourricier». → Alma mater.
Archaïsme littér. Nourricier, bienfaisant (Verlaine, Moréas l'emploient).

**ALMÉE** [alme] n. f. — 1785; arabe vulg. *'ālm,* arabe class. *'ālimăh,* proprt «savante».
Didact. et littér. Danseuse égyptienne. «*Il y avait quatre femmes danseuses et chanteuses, almées — le mot almée veut dire savante, bas-bleu (...)*» (Flaubert).

1 Mais, ce qui était remarquable, ce dont fut frappé Alcide Jolivet, c'est que ces Persanes se montrèrent plutôt indolentes que fougueuses. La furia leur manquait, et, par le genre de leurs danses comme par l'exécution, elles rappelaient plutôt les bayadères calmes et décentes de l'Inde que les almées passionnées de l'Égypte.
J. VERNE, Michel Strogoff, p. 335.

2 Sur les coussins vêtus d'étoffes imprimées,
Dans des poses d'almées
Voluptueusement fument les bien-aimées.
G. NOUVEAU, Sonnets du Liban, «Smala», Pl., p. 547.

3 (...) de jeunes garçons costumés en almées, exécutaient des danses lascives (...) LOTI, Aziyadé, III, XVI.

**ALMÉLEC** [almelɛk] n. m. → **Almasilicium.**

**ALMICANTARAT** [almikɑ̃taʀa] n. m. — 1660; *almicantarah,* 1546; arabe *'ăl-mŭqănṭărāt* «l'astrolabe».
Didact. Cercle de la sphère céleste, parallèle à l'horizon.

**ALNICO** [alniko] n. m. — Après 1950; de *al(uminium), ni(ckel),* et *co(balt).*
Techn. Alliage de fer, de nickel (10 à 25 %), d'aluminium (8 à 12 %), en général additionné de cobalt, de titane, et de cuivre.

**ALOÈS** [alɔɛs] n. m. — 1160, *le Roman de Troie;* également *aloé,* XIIe-XIIIe; lat. *aloe,* mot grec qui désigne plusieurs plantes.

♦ **1** Plante des régions chaudes désertiques *(Liliacées),* cultivée comme plante grasse, aux feuilles charnues, contenant un suc amer.

À droite, le vieux fort turc, s'élève au milieu d'un fourré d'aloès pareil à des faisceaux de sabres brisés (...) 1
E. FROMENTIN, Une année dans le Sahel, p. 37.

♦ **2** *Aloès médicinal :* suc concentré de l'aloès, purgatif très amer. → **Chicotin.** *Pilules d'aloès.* → **Aloétique.**

♦ **3** *Bois d'aloès* ou (1512) *aloës :* bois odoriférant exotique, fourni par un arbre du genre *Aquilaria* (famille des *Thymélacées*).

En sa main tenoit un sceptre fait d'un bois nommé d'Aloës, 2
qui vient de Paradis terrestre.
J. LEMAIRE DE BELGES, Illustrations, I, 1512, *in* D. D. L., II, 4.

DÉR. **Aloétique, aloïne.**

**ALOÉTIQUE** [alɔetik] adj. — XVIe; de *aloès.*
Didact. (pharm.). Qui contient du suc d'aloès. *Pilules aloétiques.*

**ALOGIE** [alɔʒi] n. f. — 1868, Broca; de 2. *a-,* et *logie.*
Psychiatrie. Incapacité de s'exprimer par la parole due à une déficience mentale ou à un état de confusion.

**ALOGIQUE** [alɔʒik] adj. — 1564, «déraisonnable»; «qui n'a pas besoin d'être démontré», Académie, 1838; de 2. *a-,* et 2. *logique.*
(1902; all. *alogisch*). Didact. (philos.). Étranger aux déterminations de la logique.

ALOGIQUE. — Utile pour désigner ce qui n'a pu être encore 1
introduit par la réflexion dans les cadres de *notre* logique, ce mot ne saurait avoir une valeur définitive et stable; car, en réalité, rien dans la nature ou dans l'esprit n'est étranger aux déterminations qui font du réel et du pensé un *solidum quid* (...) Il y a de l'*illogique,* en ce sens que les contraires sont du même genre; il n'y a, au fond, point d'*alogique.*
M. BLONDEL, *in* LALANDE, Voc. de la philosophie, art. *Alogique.*

Le ça est formé par l'ensemble des tendances primitives, 2
des instincts élémentaires. Il est actif, exigeant, alogique et sexuel. Guy PALMADE, la Psychothérapie, p. 67.

La plasticité de ce public à des formes de pensée alogiques 3
et hypnotiques suggère qu'il existe dans ce groupe social, ce que l'on pourrait appeler une situation d'aventure.
R. BARTHES, Mythologies, p. 101.

N. m. *L'alogique.*

CONTR. **Logique.**

**ALOI** [alwa] n. m. — 1268; de l'anc. franç. *aloier,* var. de *allier.*

♦ **1** Vx. Alliage. — Mod. Techn. Titre légal (d'une monnaie, d'un article d'orfèvrerie). → **Aloyage** (vx). *Vérifier l'aloi d'une monnaie.* Par métaphore, → cit. 3, ci-dessous. — Loc. cour. *De bon aloi.*

0.1 Mes amis, vous voyez cette caisse d'or, elle contient trois cent mille nobles à la rose en or, en monnaie polonaise et de bon aloi. A. JARRY, Ubu roi, Pl., p. 367.

♦ **2** Loc. fig. **DE BON, DE MAUVAIS ALOI :** de bonne, de mauvaise qualité; qui mérite, ne mérite pas l'estime. *De meilleur, d'excellent aloi.* [a] Vieilli (choses concrètes). *Marchandise de bon, de mauvais aloi.*

1 Non : cette marchandise est de trop bon aloi;
Ce n'est point là gibier à des gens comme moi (...)
CORNEILLE, le Menteur, I, 1.

[b] Vx (personnes). *De bon, de mauvais, de bas aloi :* de condition sociale bonne, mauvaise, basse.

2 Deux villageois avaient chacun chez soi
Forte femelle et d'assez bon aloi
Pour telles gens qui n'y raffinent guère.
LA FONTAINE, Contes, «Les troqueurs».

[c] Mod. (abstractions). *Succès de bon aloi. Gaîté de bon aloi.*

2.1 Mais c'est vrai que c'était une erreur de ta part d'employer ce mot... Même chez vous «goût» est de mauvais aloi (...) N. SARRAUTE, Vous les entendez?, p. 167.

♦ **3** (Par métaphore de 1.). Littér. *L'aloi de qqch. :* sa valeur réelle.

3 Le monde se contente de grimaces, il se paie de ce qu'il donne, sans en vérifier l'aloi (...)
BALZAC, la Recherche de l'absolu, Pl., t. IX, p. 577.

**ALOÏNE** [alɔin] n. f. — 1838; de *aloès.*

Didact. Substance purgative (glucoside) contenue dans certains aloès.

**ALOPÉCIE** [alɔpesi] n. f. — 1538; *allopécie,* 1505; *alopicie, alopice,* XIVe; lat. *alopecia,* grec *alôpekia,* de *alôpêx* «renard», à cause de la chute annuelle des poils de cet animal.

Méd. Chute temporaire des cheveux ou des poils, partielle ou totale. → **Atrichie, pelade.** *Alopécie des teigneux. Alopécie circonscrite. Alopécie séborrhéique* (ou *diffuse progressive*). — Teigne.

Alopécie vient du mot grec alopex (...) parce que les malades ont chute de poil comme renards (...) L'alopécie (...) dite vulgairement la pelade (...)
Ambroise PARÉ, Introd. 21, *in* LITTRÉ.

Abusivt. Calvitie.

**DÉR. Alopécique.**

**ALOPÉCIQUE** [alɔpesik] adj. et n. — 1866, *in* P. Larousse; de *alopécie.*

Méd. Relatif à l'alopécie. — Adj. et n. Atteint d'alopécie. — *Un, une alopécique.*

**ALOPIAS** [alɔpjas] n. m. — D. i.; lat. mod., du grec *alôpêx, alôpekos* «renard».

Zool. Requin *(Lamnidés)* à très longue nageoire caudale. Syn. : *renard de mer.*

**ALORS** [alɔʀ] adv.; **ALORS QUE** [alɔʀkə] loc. conj. — XIIe; de *à,* et *lors.*

**I** Adv. ♦ **1** À ce moment-là, à cette époque-là. → **Adonc** (vx). *La France était alors en guerre contre l'Angleterre. Il alluma la lumière : je vis alors la pièce; alors, je distinguai... Qu'avez-vous fait alors? Alors seulement, alors enfin il put se décider. Quand... alors...* (→ ci-dessous, cit. 3). *C'est alors que...*

1 Que vouliez-vous qu'il fît contre trois? Qu'il mourût,
Ou qu'un beau désespoir alors le secourût.
CORNEILLE, Horace, III, 6.

2 Mais quand vous avez fait ce charmant *quoi qu'on die* (...)
Et pensiez-vous alors y mettre tant d'esprit?
MOLIÈRE, les Femmes savantes, III, 2.

Quand tout est fini et que nous ne savons plus que faire de notre loisir, alors nous consacrons à quelques pratiques languissantes de religion ces moments de rebut. 3
MASSILLON, Carême, Emploi du temps.

Alors seulement, un peu remis de ma frayeur, je remarquai que (...) 4
Alphonse DAUDET, Contes du lundi, «La dernière classe».

À ce moment-là, dans le passé. *Elle vivait alors chez ses parents.* — Ellipt. *Son grand-père, alors en pleine activité,* qui était alors...

*D'alors :* de ce moment, de cette époque-là. *Cela date d'alors. La mode, les idées d'alors.*

Les gens d'alors étaient d'autres gens que les nôtres. 5
LA FONTAINE, Contes, «La coupe enchantée».

Rare. *Dès alors, il était connu.*

Loc. (fam.). *Alors comme alors :* quand on sera dans ce temps-là, dans ces circonstances, on verra ce qu'il faudra faire, on se tirera d'affaire comme on pourra.

(...) Alors comme alors : 6
Pour vous on emploiera toutes sortes d'efforts.
MOLIÈRE, le Dépit amoureux, I, 2.

*Jusqu'alors :* jusqu'à ce temps-là, jusqu'à ce moment-là. Vx. *Jusques alors.*

Ces vieilles bandes qu'on n'avait pu rompre jusqu'alors (...) 7
BOSSUET, Oraison funèbre du prince de Condé.

(...) fondre une partie de cette glace qui avait résisté jusques alors à toutes les ardeurs de l'amour. 8
MOLIÈRE, la Princesse d'Élide, II, Argument.

♦ **2** (1271). Exprimant un rapport logique. Dans ce cas. *Alors, j'abandonne. Alors, n'en parlons plus. Oh! alors, je ne dis plus rien. Vous êtes allé au Japon? Alors (mais alors) vous connaissez Kyoto! — Alors?,* s'emploie pour demander ce qu'il faut faire, ce qui va arriver dans le cas présent. — *Et alors?,* s'emploie aussi pour refuser une objection. — Fam. *Non, mais alors!,* exprime l'indignation.

Dans ses relations avec l'équipage, il lui suffisait le plus souvent d'un mot pour stimuler les lenteurs, presser l'exécution d'un ordre, s'enquérir de son exécution; il disait : «Alors?». Roger VERCEL, Remorques, p. 33. 8.

Exclamatif. *Ça alors!,* exprime l'étonnement. *Chic, chouette alors!*

**II** Loc. conj. (1167, *a l'ore que*). **ALORS QUE.** ♦ **1** (Temporel). Vieilli. Lorsque. *«Belle Philis, on désespère Alors qu'on espère toujours»* (Molière). *Alors même que...*

Il dit qu'il m'aime encore alors qu'il m'assassine. 9
CORNEILLE, Horace, II, 5.

(...) qui vous salue 10
D'un *Dieu vous soit en aide!* alors qu'on éternue (...)
MOLIÈRE, Sganarelle, 2.

♦ **2** (1422). Adversatif. À un moment où au contraire..., tandis que, au lieu que. *Il fait bon chez vous, alors que chez moi on gèle. On fait les jupes courtes, alors qu'on les faisait longues l'an dernier. On n'a que des discours alors qu'il faudrait des actes.*

Cependant on vous voit une morne tristesse, 11
Alors que dans vos yeux doit briller l'allégresse.
MOLIÈRE, l'Étourdi, V, 2.

**ALOSE** [aloz] n. f. — Fin XIIe; bas lat. *alausa,* d'orig. gauloise.

Poisson marin *(Clupéidés)* des régions tempérées et froides voisin du hareng, migrateur, qui remonte les rivières au printemps pour frayer. *Échelles à alose,* analogues aux échelles à saumon. — *Grande alose,* ou *alose commune. Petite alose, ou alose feinte. Alose savoureuse :* espèce d'alose du Canada. — *Alose grillée, au four.*

Le baryton, avec qui on soupa le soir même chez Dubern, s'avéra un convive charmant, ardent sur l'alose (...) 1
A. BLONDIN, Monsieur Jadis, p. 100.

Loc. fam. (vieilli). *Muet comme une alose.* → Comme une carpe*.

2 Jamais il ne cause davantage, répondit-elle ; il est venu ici, la semaine dernière, deux voyageurs en drap, des garçons pleins d'esprit qui contaient, le soir, un tas de farces que j'en pleurais de rire ; eh bien, il restait là, comme une alose, sans dire un mot. FLAUBERT, Mme Bovary, II, I.

DÉR. **Alosier** ou **alosière.**

**ALOSIER** [alozje] n. m. ou **ALOSIÈRE** [alozjɛʀ] n. f. — 1842 ; de *alose.*

Techn. Filet (senne) à aloses.

**ALOUATE** [alwat] n. m. — 1741, en appos., cit. *infra* ; d'un mot caraïbe de la Guyane.

Singe hurleur de l'Amérique centrale, au pelage roux.

Ce singe alouate est un animal sauvage, rouge bai, fort gros, qui fait un bruit effroyable.
BARRÈRE, Essais sur l'hist. nat. de la France, p. 150 (1741), cité par BUFFON.

On écrit parfois *alouatte.*

**ALOUCHE** [aluʃ] n. m., **ALOUCHIER** [aluʃje] n. m. → **Allouchier.**

**ALOUETTE** [alwɛt] n. f. — 1611 ; *aloete, aloete,* fin XIIe ; dimin. de l'anc. franç. *aloe,* du lat. *alauda,* d'orig. gauloise.

♦ **1** Petit passereau des champs, au plumage grisâtre ou brunâtre. → **1. Calandre, calandrelle, cochevis, 2. hausse-col, mauviette.** *L'alouette niche à terre dans les céréales. L'alouette monte verticalement dans le ciel. L'alouette babille, chante, gringotte, grisolle, tirelire. — La chasse aux alouettes. Filet à alouettes.* → **Ridée.** — *Pâté d'alouette.* — Loc. *Un cheval (et) une alouette :* une proportion très inégale (comme dans le pâté vendu, dit-on, pour «mi-cheval mi-alouette» par un commerçant peu scrupuleux, et qui était en réalité confectionné à raison d'une alouette pour un cheval). — Loc. *S'éveiller, se lever au chant de l'alouette,* de très grand matin. *Prendre des alouettes au miroir.*

1 La gentille alouette, avec son tire l'ire,
Tire l'ire à l'iré *(enlève la colère au coléreux),* et, tire-lirant, tire
Vers la voûte du ciel. DU BARTAS.

2 Les alouettes font leur nid
Dans les blés quand ils sont en herbe (...)
LA FONTAINE, Fables, IV, 22.

3 Marie, levez-vous, ma jeune paresseuse,
Jà la gaie alouette au ciel a fredonné (...)
RONSARD, Second livre des amours, «Amours de Marie», XIX.

4 Un manant au miroir prenait des oisillons.
Le fantôme brillant attire une alouette.
LA FONTAINE, VI, 15.

4.1 Madame Quenu, coupez-moi douze bardes, mais bien minces, n'est-ce pas ? pour des alouettes... C'est Jules qu'a voulu manger des alouettes (...)
ZOLA, le Ventre de Paris, t. I, p. 107.

(1694). Vx. *Terres à alouettes :* terres sablonneuses.

Loc. mod. *Miroir aux alouettes.* → **Miroir** (cit. 4.2). — Var. : *piège d'alouette* (Hugo, *Ruy Blas*).

5 Honneur ! Patrie ! Droit ! Civilisation ! (...) Et derrière ces miroirs à alouettes, qu'est-ce qu'il y a ?
MARTIN DU GARD, les Thibault, VII, 57.

Allus. *«Alouette, gentille alouette ; alouette, je te plumerai (...)»,* chanson à couplets accumulatifs, où il est successivement question de plumer la tête, le bec, les pattes, etc. de l'oiseau.

Prov. *Si le ciel tombait, il y aurait bien des alouettes prises,* se dit d'une supposition absurde. — Loc. prov. *Il attend que les alouettes lui tombent toutes rôties dans le bec, lui tombent toutes rôties :* il ne veut pas se donner la moindre peine.

Il parle trop de mon grand pouvoir, il doit croire que les alouettes me tombent toutes rôties, que j'ai autant de voix que je veux (...) 6
PROUST, le Côté de Guermantes, Folio, p. 310.

(Qualifié, désignant des espèces). *Alouette des champs. — Alouette lulu, percheuse, petite alouette.* → **Lulu.**

♦ **2** [a] Loc. fig. *Pied d'alouette :* dauphinelle (plante).

Les bâtons fleuris de pieds d'alouette énormes, perdus dans la frisure des feuilles (...) 7
ZOLA, la Faute de l'abbé Mouret, II, VII, p. 185.

[b] (Désignant d'autres animaux). *Alouette de mer.* → **Bécasseau** (bécasseau variable).

♦ **3** *Alouette sans tête :* paupiette (de veau, etc.).

♦ **4** Nom d'un modèle d'hélicoptère français, à rotor articulé. *Le sauvetage a été effectué à l'aide d'une Alouette* (ou *d'un hélicoptère Alouette*).

**ALOURDIR** [aluʀdiʀ] v. tr. — Fin XIIe, rare av. XVIIe ; concurrencé jusqu'au XVIIe par *grever,* et par la présence de paronymes (*alorder* «étourdir», *eslorder*) ; de 1. *a-,* et *lourd.*

♦ **1** (Sujet n. de chose). Rendre (qqch.) lourd, plus lourd. → **Charger, surcharger.** *La pluie avait alourdi son manteau. — Les bagages alourdissent la voiture.*

Ces grosses poulies (...) alourdissaient beaucoup le gréement de la Belle-Rose. LOTI, Mon frère Yves, 80. 1

Par ext. Rendre pesant, moins alerte. → **Appesantir.** *L'âge alourdit ses pas. Ce temps m'alourdit.* → **Accabler.** *Sa tête, son esprit était alourdi par le sommeil.* → **Engourdir.**

L'âge commençait de l'alourdir. 2
G. DUHAMEL, Chronique des Pasquier, V, 5.

Absolument :

Il y a deux expériences, l'une qui alourdit et l'autre qui allège. ALAIN, Propos sur le bonheur, p. 83. 3

Rendre plus massif, plus épais. *L'âge, l'embonpoint qui alourdit sa silhouette.* — Passif et p. p. *Les traits alourdis par l'âge.*

♦ **2** Fig. (Sujet n. de personne ou de chose). Rendre plus difficile à supporter. → **Augmenter, aggraver.** *Alourdir les charges, la dette de l'État, les impôts.* Donner un caractère pesant, embarrassé à. *Cette tournure alourdit la phrase.*

♦ **3** Techn. (sports, etc.). Rendre plus lourd (un terrain). *Les orages ont alourdi la piste.*

◆ **S'ALOURDIR** v. pron. Devenir lourd, plus lourd. *Ma tête s'alourdit. Son esprit s'alourdissait.* → **Engourdir** (s'), **épaissir** (s').

Selon que l'âme aimante, humble, bonne, sereine, 4
Aspire à la lumière et tend vers l'idéal,
Ou s'alourdit, immonde, au poids croissant du mal (...)
HUGO, les Contemplations, VI, XXVI.

Le silence s'alourdissait, une éternité encore parut se prolonger (...) ZOLA, Germinal, t. II, p. 62. 5

(...) la bourse «s'alourdissait» au commencement d'août ; on s'estimait heureux d'y soutenir le cours à 61 (...) 6
Louis MADELIN, Hist. du Consulat et de l'Empire, t. V.

◆ **ALOURDI, IE** p. p. adj. *Un pas alourdi. Tête alourdie par le vin.* → **Pesant, appesanti, engourdi.**

C'était sa tête alourdie de sommeil qui s'appuyait contre moi (...) 7
Alphonse DAUDET, Lettres de mon moulin, «Étoiles».

Rendu plus lourd (d'un terrain). *Piste alourdie.*

CONTR. **Alléger, décharger, soulager.** ◈ DÉR. **Alourdissant, alourdissement.**

**ALOURDISSANT, ANTE** [aluʀdisɑ̃, ɑ̃t] adj. — D. i.; p. prés. de *alourdir.*

Qui alourdit. *Une chaleur alourdissante.* → **Lourd, accablant.** «*Le petit déjeuner, qui me semble épais et alourdissant*» (J. Romains).

**ALOURDISSEMENT** [aluʀdismɑ̃] n. m. — 1414, attestation isolée; repris mil. XIXe; de *alourdir.*

♦ **1** Fait de s'alourdir, état de ce qui est alourdi. *L'alourdissement d'une charge* (rare). — Par ext. → **Appesantissement, lourdeur.** *Éprouver une sensation d'alourdissement après un bon repas.*

1 (...) la vie, métaphysiquement parlant et parce qu'elle admet l'étendue, l'épaisseur, l'alourdissement et la matière, admet, par conséquence directe, le mal.
A. ARTAUD, le Théâtre et son double, Idées/Gallimard, p. 173.

♦ **2** Fig. *Alourdissement d'une dette. L'alourdissement de ses soucis.*

2 (...) en dernière analyse, vertus et vices, démocratie et finance, tout retombe en alourdissement sur le dos du contribuable. Ch. PÉGUY, Notre patrie, p. 29.

*Alourdissement d'un esprit. Alourdissement de l'atmosphère.*

CONTR. **Allègement; légèreté.**

**ALOUVI** ou **ALLOUVI** [aluvi] adj. et n. — 1342; de 1. *a-,* et *loup.*

Vieux ou rare.

♦ **1** Affamé; qui a une faim de loup.

♦ **2** Fig. Animé d'une ardeur violente. — Subst. (rare au fém.). «*Les forcenés, les allouvis*» (L. Cladel, *in* T. L. F.).

DÉR. **Alouvir.**

**ALOUVIR** ou **ALLOUVIR** [aluviʀ] v. tr. — Attesté XXe; de *alouvi.*

Rare et littér. Rendre alouvi. → **Affamer.**

Celui-là me donne survie
Si le nom d'Elsa fait qu'il tremble
Si le mot d'amour l'alouvit
Je renais dans qui me ressemble
ARAGON, le Fou d'Elsa, p. 102 (1963).

**ALOYAGE** [alwajaʒ] n. m. — 1723; de *aloyer,* var. de *allier.* → Aloi.

Techn. Vx. Fait de donner l'aloi (1.) à (un métal, l'or). — Mod. Opération par laquelle on traite (un alliage) à l'étain (pour le rendre moins fusible).

**ALOYAU** [alwajo] n. m. — 1611; *allouyaux,* 1393; probablt de l'anc. franç. *aloe, aloel* «alouette», éliminé plus tard par le dér. *alouette*; ou encore (Guiraud) de *aloyer,* forme anc. de *allier.*

Région lombaire du bœuf, s'étendant de l'avant-dernière côte à la partie antérieure du bassin, renfermant le filet, le romsteck et le contre-filet. *Un morceau dans l'aloyau, d'aloyau.*

*Un aloyau :* un morceau dans l'aloyau.

C'était sous le hangar de la charretterie que la table était dressée. Il y avait dessus quatre aloyaux, six fricassées de poulets (...) FLAUBERT, Mme Bovary, I, IV.

**ALPACA** [alpaka] n. m. → **Alpaga.**

**ALPACCA** [alpaka] n. m. — D. i.; formation comparable à celle de *alpax,* autre alliage d'aluminium (v. ci-dessous), probablt avec un jeu de mots inexpliqué sur l'esp. *alpaca* (→ Alpaga).

Techn. Alliage de cuivre (60 %), de zinc (22 %) et de nickel (18 %), sorte de maillechort de façonnage et d'argentage aisés, utilisé notamment en orfèvrerie et en coutellerie.

**ALPAGA** [alpaga] n. m. — 1834; *alpaque,* 1716; *alpaca,* 1739; *alpace,* 1579; esp. *alpaca,* mot quichua ou aymara.

♦ **1** Mammifère ruminant, voisin du lama et de la vigogne, domestiqué en Amérique du Sud, remarquable par la laine fine et longue de sa toison. *Laine d'alpaga.*

♦ **2** (1808). Tissu mixte, autrefois à base de laine d'alpaga, aujourd'hui de soie et de laine en torsion grenadine. *Veste d'alpaga, en alpaga. Manteau d'alpaga,* et, par métonymie, *un alpaga.*

Il avait l'air, avec sa petite tête aux yeux ronds, sa jaquette d'alpaga dont les basques flottaient derrière lui, d'une pie dont on a rogné les ailes. 1
MARTIN DU GARD, les Thibault, t. II, p. 133.

Je me cache dans tes linons, dans tes boas, j'erre dans tes dentelles et tes alpagas, je me raidis dans tes guimpes (...) 2
Violette LEDUC, la Folie en tête, p. 236.

REM. Dans les deux sens, on rencontre la var. (forme espagnole) *alpaca* [alpaka]] n. m.

DÉR. (Du 2.) **Alpague.**

**ALPAGE** [alpaʒ] n. m. — 1661; *arpaige* «transfert des troupeaux vers les alpages», 1546; mot du Dauphiné; de *Alpes,* par le verbe dialectal *alper,* attesté plus tard. → Alper.

♦ **1** Pâturage de haute montagne. → **Alpe** (2.). *Exploitant d'un alpage,* ou *alpagiste* [alpaʒist] n.

Dans ma copie, je n'ai évidemment pas évoqué une course folle parmi l'alpage, les fleurs, le bourdonnement des abeilles. Yanny HUREAUX, la Prof, p. 11.

♦ **2** Saison passée par un troupeau sur l'alpage. *Pendant l'alpage.*

♦ **3** Régional (premier sens attesté). Fait de conduire le bétail en montagne pour l'été.

**ALPAGUE** [alpag] n. f. — 1869, *alpag',* Esnault; apocope de *alpaga,* au sens de «vêtement, manteau».

Argot. Manteau, veste.

Gérard, mon frère, ne le tue pas. Recharge sur ton épaule l'inhumain fardeau de l'humaine faiblesse, files-y des bâffes, accroche-le par l'alpague et secoue-le à lui décrocher les intérieurs, sois patient en un mot.
Georges ARNAUD, le Salaire de la peur, p. 151.

**ALPAGUER** [alpage] v. tr. — 1935, Esnault; de *alpag'.* → Alpague.

Argot. Appréhender, arrêter. → (pop.) **Épingler.**

Tout en roulant, je pensais à l'équipe d'Angelo, éparpillée dans tout Paris et qui n'allait pas être facile à regrouper. Il me fallait les alpaguer un à un, en tête à tête, pour qu'ils me crachent ce qu'ils savaient sur notre compte, à Riton et à moi. 1
Albert SIMONIN, Touchez pas au grisbi, p. 103.

(...) m'ayant alpagué, *(les hommes de police-secours)* m'introduisirent à Beaujon — hôpital, hélas ! désaffecté (...) 2
A. BLONDIN, Monsieur Jadis, p. 48.

Par ext. Mettre la main sur, s'emparer de, saisir (qqn, qqch.).

Ça fait que le lendemain je plongeais dans la Marne, avec les potes (...) pour alpaguer le cul des péniches et nous faire tirer jusqu'à l'île d'Amour. 3
CAVANNA, les Ritals, p. 210.

**ALPARGATE** [alpaʀgat] ou **ALPARGATA** [alpaʀgata] n. f. — 1723; mot esp. *alpargata,* de l'hispano-arabe *(al) pargât,* de l'esp. *abarca,* d'orig. préromane — le mot existe aussi en basque.

Rare. Chaussure de corde, de toile des paysans espagnols. → **Espadrille.**

**ALPAX** [alpaks] n. m. invar. — 1920; de *Al,* symbole chim. de l'aluminium, et lat. *pax* «paix», avec jeu de mots sur le nom de l'inventeur Aladar Pacz.

Techn. Alliage d'aluminium* et de silicium affiné (13 %), l'alliage d'aluminium le plus courant.

**ALPE** [alp] n. f. — 1405, Christine de Pisan, *in* D. D. L.; de *Alpes,* lat. *Alpes,* d'orig. celtique.

♦ **1** Vx ou littér. Haute montagne.

1 Comme j'avais perdu la véridique reine
Surgie de l'alpe avec un ventre nu.

P.-J. JOUVE, Diadème, I, p. 28, *in* D. D. L., II, 7.

♦ **2** Régional. Pâturage des Alpes. → **Alpage** (1.). *Les troupeaux sont dans l'alpe. Estiver les troupeaux dans l'alpe.* → **Alper** (régional).

2 (...) ce n'est pas brin à brin que la nature nous montre la bruyère sur l'alpe ou à la bordure de nos bois.

ALAIN, Propos, Pl., t. I, p. 510.

Spécialt (avec une graphie suisse alémanique) :

3 Un naturel qui grimpe avec nous nous donne des détails curieux sur la nomenclature des différentes sortes de pâturages que nous avons sous les yeux. Nous sommes sur une *Alp;* c'est la première région des herbages, répartie entre des propriétaires, et où le foin se coupe et se récolte. Au dessus sont les *Montagnes* (...) où l'on envoie les bestiaux se nourrir sur les fonds (...)

Rodolphe TÖPFFER, Voyages en zigzag, 1838, 14e et 15e journées, p. 133.

DÉR. V. **Alper.**

**ALPENSTOCK** [alpɛnstɔk] n. m. — 1866; mot. all., «bâton *(Stock)* des Alpes *(Alpen)*».

Vieilli. Bâton* ferré pour les excursions en montagne. → aussi **Piolet.**

1 Et sans plus s'occuper des deux parentes qui, munies de leurs alpenstocks, allaient faire l'ascension dans la nuit (...)

PROUST, Sodome et Gomorrhe, Pl., t. II, p. 725.

2 (...) nous avions en main ce bâton qu'on appelle «alpenstock», dont elle usait pour la première fois. Quand il fallut franchir un assez long espace de pente raide couverte de neige, les guides et moi fîmes de vains efforts pour l'amener à tenir l'alpenstock comme il fallait.

GIDE, Et nunc manet in te, *in* Souvenirs, Pl., p. 1136-1137.

**ALPER** [alpe] v. intr. — 1659, Vaud; de *alpe* ou de *Alpes,* nom géographique.

Régional (Suisse). Conduire le bétail dans les pâturages de montagne pour y passer l'été. → **Alpage, alpe.**

CONTR. **Désalper.**

**ALPESTRE** [alpɛstʀ] adj. — 1550; ital. *alpestre,* XIIIe; lat médiéval *alpestris,* de *Alpes.*

Propre aux Alpes. *Les paysages alpestres.* → **Alpin.** — (1834). Bot. *Plantes alpestres,* qui vivent normalement dans les régions moyennes des montagnes (autour de 1 000 mètres). → aussi **Alpin** (2.).

**ALPHA** [alfa] n. m. et adj. invar. — XIIe, *alfa;* mot grec. → Alphabet.

**I** N. m. ♦ **1** Nom de la première lettre (α) de l'alphabet grec. *Alpha privatif,* qui donne, dans les composés grecs, une valeur négative (correspond au *a-* privatif latin).

Loc. fig. (Expression de l'Apocalypse, en parlant de Dieu). *L'alpha et l'oméga :* le commencement et la fin.

Je suis l'alpha et l'oméga, le premier et le dernier, le commencement et la fin (...) 1

BIBLE (CRAMPON), Apocalypse de saint Jean, XXII, 13.

Être beau, tel était le premier et le dernier mot, l'alpha et l'oméga d'un catéchisme que nous ne connaissons plus guère aujourd'hui. 2

E. FROMENTIN, Une année dans le Sahel, p. 218.

De ce nouveau langage la grammaire est encore à trouver. Le geste en est la matière et la tête; et si l'on veut l'alpha et l'oméga. 3

A. ARTAUD, le Théâtre et son double, Lettre sur le langage, Idées/Gallimard, p. 167.

Fig. (d'après le roman d'anticipation de A. Huxley, *le Meilleur des mondes*). Être supérieur, personne faisant partie de la classe dominante d'une société (aussi adj.; opposé à *lambda*). *«La tendance à dominer son semblable — à devenir un alpha — est un instinct vieux, lui aussi, de centaines de millions d'années»* (*le Figaro,* 10 nov. 1973, in *la Clé des mots*).

♦ **2** Didact. (signe conventionnel pour «premier»). Nom donné à l'étoile choisie comme première d'une constellation. *Alpha* (ou *l'alpha*) *du Lion, du Centaure.*

Indice d'un premier engin spatial (de l'année, d'une série).

**II** Adj. invar. ♦ **1** Phys. (En appos.). *Particule* α, *particule alpha :* particule émise par certains corps radioactifs, identique au noyau de l'atome d'hélium. → **Hélion.** *Rayons, rayonnement* α; *rayons alpha :* flux de particules α. → aussi **Bêta, gamma.**

♦ **2** Didact. (pour distinguer le premier terme d'une série). **a** Chim. Indique la première variété allotropique d'un corps. *Soufre* α *:* soufre cristallisé octaédrique. — (Dans la nomenclature des composés organiques). → **Alpha-.**

**b** Physiol. *Récepteur adrénergique* alpha.*

♦ **3** (1930, H. Berger, en all.). Neurophysiol. *Rythme* α, *rythme alpha :* en électroencéphalographie, Rythme cérébral d'une fréquence de 8 à 13 cycles par seconde et d'une amplitude avoisinant 50 microvolts, qui s'observe sur les régions pariéto-temporo-occipitales, principalement pendant les périodes de repos sensoriel et mental. *Toute stimulation sensorielle entraîne une interruption* (réaction d'arrêt) *du rythme alpha. Fréquence, ondes* α, *ondes alpha.*

COMP. V. **Alpha-récepteur.** ◊ HOM. **Alfa.**

**ALPHA-** Élément de noms de chimie (→ **Alpha**) servant à indiquer, dans la formule d'un composé organique, un premier groupement contigu à un autre *(alphanaphtol, alpha-sulfonate).*

**ALPHA-ADRÉNERGIQUE** [alfaadʀenɛʀʒik] adj. → **Adrénergique.**

**ALPHABET** [alfabɛ] n. m. — V. 1140; *alphabete,* 1393; bas lat. *alphabetum,* grec *alpha,* et *bêta,* nom des deux premières lettres grecques.

♦ **1** Système de signes graphiques (lettres) servant à la transcription des sons (consonnes, voyelles) d'une langue; série des lettres, rangées dans un ordre traditionnel. → aussi **Syllabaire.** *Les Phéniciens ont établi le premier modèle d'alphabet. Les lettres de l'alphabet. Aleph, première lettre de l'alphabet hébraïque. Savoir son alphabet. Apprendre l'alphabet russe, grec, arabe. Transcription d'un alphabet dans un autre.* → **Translittération.**

REM. Employé absolument, *alphabet* fait en général référence à l'alphabet latin (ou romain) utilisé en français et dans de nombreuses langues (indo-européennes et notées plus tard).

*Alphabet phonétique :* système de signes conventionnels servant à noter d'une manière uniforme les phonèmes des diverses langues.

0.1 Armée de l'alphabet, la pensée classique et moderne possède plus qu'un moyen de conserver en mémoire le compte exact de ses acquisitions progressives dans les différents domaines de son activité, elle dispose d'un outil par lequel le symbole pensé subit la même notation dans la parole et dans le geste.

A. LEROI-GOURHAN, le Geste et la Parole, t. I, p. 293.

*Alphabets,* poèmes de Georges Pérec (de onze vers comptant onze lettres dont les dix plus fréquentes en français).

(XVII^e). Liste des noms des lettres. *Réciter l'alphabet.*

(Av. 1630, d'Aubigné). Système de signes, de symboles mis en rapport avec les signes de la langue, notamment les signes graphiques (langage subrogé). *Alphabet des aveugles.* → **Braille.** *Alphabet des sourds-muets. Alphabet morse,* pour les communications à distance. → **Télégraphie.**

Loc. fig. *N'en être qu'à l'alphabet :* n'en être qu'aux premiers éléments d'une science. → **Abc, b.a.-ba.** — Vieilli. «*L'alphabet de la science*» (Victor Cousin), les rudiments.

Par métaphore :

0.2 Mais aucun génie ne s'est encore présenté, depuis six mille ans, pour déchiffrer l'alphabet symbolique de la Création (...) Léon BLOY, la Femme pauvre, 1897, p. 69.

(1680). Spécialt. *Alphabet de relieur :* série de fers portant les lettres. — *Alphabet de brodeur.*

(1662). Mus. Système de représentation des sons par lettres.

Math., inform. Ensemble de signes à partir desquels est construit un langage*, par juxtaposition selon des règles précises. *Langage engendré par une grammaire formelle sur un alphabet.*

Système de signes non langagiers. *Un alphabet de signes* (→ Visuel, cit. 3).

♦ **2** (1547). Livre à l'usage des enfants contenant les premiers éléments de la lecture (lettres, syllabes, mots). → **Abécédaire, syllabaire.** *Apprendre à lire dans un alphabet.*

0.3 Il apprit ses lettres avec la verve parisienne d'un enfant des rues. Les images de l'alphabet l'amusaient extraordinairement.

ZOLA, le Ventre de Paris, t. I, p. 191 (1875).

1 J'ai lu dans l'alphabet d'amour
Qu'un galant près d'une personne
N'a toujours le temps comme il veut :
Qu'il le prenne donc comme il peut (...)

LA FONTAINE, Contes, «Nicaise».

(1738). Vx. Dictionnaire alphabétique.

2 Un alphabet de pédantesques rimes (...)

VOLTAIRE, Lettres en vers et en prose, à M. de Formont, 1738.

3 (...) il était alphabet et almanach (...)

HUGO, les Travailleurs de la mer, I, V, 1 (→ Almanach, cit. 3).

DÉR. **Alphabétaire, alphabétique, alphabétiser, alphabétisme.** ◊ COMP. **Alphanumérique.** — V. **Analphabète.**

**ALPHABÉTAIRE** [alfabetɛʀ] adj. — 1838; de *alphabet.*

Vx. Alphabétique. *Classement, méthode alphabétaire.*

**ALPHABÈTE** [alfabɛt] n. et adj. — 1965; d'après *analphabète.*

Rare. Personne qui sait lire et écrire.

À une époque où tout alphabète s'improvise littérateur, j'ai quelques raisons de me méfier.

C. SINGER, les Cahiers d'une hypocrite, p. 13, *in* D. D. L., II, 7.

CONTR. **Analphabète.**

**ALPHABÉTICO-MÉTHODIQUE** [alfabetikomeṭɔdik] adj. — 1939; de *alphabétique,* et *méthodique.*

Didact. Se dit d'un classement par ordre alphabétique de domaines.

**ALPHABÉTIQUE** [alfabetik] adj. — XV^e; de *alphabet.*

♦ **1** Qui repose sur l'alphabet, est propre à l'alphabet. → **Alphabétaire (vx).** *Écritures* alphabétiques,* basées sur la transcription phonétique des éléments les plus simples. *Écritures alphabétiques, écritures syllabiques, et écritures idéographiques. Ordre alphabétique :* ordre des lettres d'un alphabet; classement d'éléments de langue (mots, etc.) selon cet ordre, en commençant par la première lettre *(ordre alphabétique direct)* ou par la dernière *(ordre alphabétique inverse). Mettre en ordre alphabétique.* → **Alphabétiser.**

Les documents de la sagesse humaine étaient rangés par ordre alphabétique dans l'Encyclopédie. 1

CHATEAUBRIAND, le Génie du christianisme, I, I.

L'écriture alphabétique fit tomber en désuétude les peintures hiéroglyphiques (...) 2

VOLNEY, Ruines, XXII, *in* HATZFELD.

D'un alphabet. *Caractère alphabétique.*

♦ **2** Qui est dans l'ordre alphabétique. *Index alphabétique. Table alphabétique des matières. Dictionnaires alphabétiques et dictionnaires thématiques, conceptuels, systématiques. Ordre alphabétique et méthodique.* → **Alphabético-méthodique.**

DÉR. **Alphabétiquement.** ◊ COMP. **Alphabético-méthodique.**

**ALPHABÉTIQUEMENT** [alfabetikmɑ̃] adv. — 1655; de *alphabétique.*

Dans l'ordre alphabétique. *Classer, ranger alphabétiquement des noms, des mots.*

**ALPHABÉTISATION** [alfabetizasjɔ̃] n. f. — 1913, Valéry, «mise en alphabet»; de *alphabétiser.*

♦ **1** Mise en ordre alphabétique.

♦ **2** (Av. 1959). Enseignement de l'écriture et de la lecture aux éléments analphabètes d'une population (ou à des personnes ne connaissant pas un alphabet donné). *L'alphabétisation des travailleurs immigrés. L'alphabétisation des régions rurales andines. Campagne d'alphabétisation et de scolarisation. Cours d'alphabétisation.*

Pendant une courte période, qui dure encore sur son déclin, la perspective d'une alphabétisation planétaire est apparue comme l'équivalent de la promotion sociale et intellectuelle. 1

A. LEROI-GOURHAN, le Geste et la Parole, t. II, p. 260-261.

Elle s'était inscrite au service d'alphabétisation des adultes. 2

Conrad DETREZ, l'Herbe à brûler, p. 183.

**ALPHABÉTISER** [alfabetize] v. tr. — 1853, La Châtre, au sens 1.; de *alphabet.*

♦ **1** Ranger par ordre alphabétique. — Au p. p. *Liste alphabétisée.*

♦ **2** (Mil. XX^e). Apprendre à lire et à écrire à (un groupe social partiellement analphabète ou ignorant une écriture). *Alphabétiser un pays, un peuple, des populations analphabètes, illettrées.*

Des cellules, des sections et des fédérations sont créées. Les agents parcourent la savane, la brousse, la côte, vont jusque dans les docks, les usines, les dépôts pour discuter avec les travailleurs et les aider à prendre conscience de leur situation. Ils les suivent (...) le soir, après le travail, et s'entretiennent avec leurs familles, alphabétisent les enfants.

Jean ZIEGLER, Main basse sur l'Afrique, p. 88.

◆ **S'ALPHABÉTISER** v. pron. Didact. Adopter une écriture alphabétique. *Langue qui s'alphabétise.* — (Personnes). Apprendre un alphabet, une écriture.

◆ **ALPHABÉTISÉ, ÉE** p. p. adj. (Cour. en franç. d'Afrique). *Région totalement alphabétisée. Enfants alphabétisés, à demi, mal alphabétisés.* — N. *Les alphabétisés.*

DÉR. **Alphabétisation, alphabétiseur.**

**ALPHABÉTISEUR, EUSE** [alfabetizœʀ, øz] n. et adj. — D. i. (mil. XX^e); de *alphabétiser.*

N. Didact. Personne qui s'occupe d'alphabétisation. — Adj. *Agents alphabétiseurs d'une organisation internationale.*

**ALPHABÉTISME** [alfabetism] n. m. — 1868; de *alphabet.*

Didact. Système d'écritures reposant sur un alphabet (opposé à *écriture idéographique,* à *écriture syllabique*).

**ALPHABLOQUANT, ANTE** [alfablɔkɑ̃, ɑ̃t] adj. et n. m. — Av. 1972, *in* Garnier et Delamare; de *alpha(récepteur),* et p. prés. de *bloquer.*

Méd., physiol. Qui inhibe les récepteurs adrénergiques* alpha. (On dit, on écrit aussi *alpha-inhibiteur, alphalytique alpha-bloquant*).

CONTR. **Alphastimulant.**

**ALPHAGLOBULINE** [alfaglɔbylin] n. f. — Après 1950; de *alpha-,* et *globuline.*

Chim., biol. Globuline plasmatique caractérisée par une valeur de pH égale à 8, 6 (on écrit aussi *alpha-globuline* et *α-globuline*).

**ALPHA-INHIBITEUR, TRICE** [alfainibitœʀ, tʀis] adj. — Av. 1972, *in* Garnier et Delamare; de *alpha(récepteur),* et *inhibiteur.*

Méd., physiol. → **Alphabloquant.**

**ALPHALYTIQUE** [alfalitik] adj. — Av. 1972, *in* Garnier et Delamare; de *alpha(récepteur),* et *-lytique.*

Méd., physiol. → **Alphabloquant.**

**ALPHAMIMÉTIQUE** [alfamimetik] adj. et n. m. — Av. 1972, *in* Garnier et Delamare; de *alpha(récepteur),* et *mimétique.*

Méd., physiol. Qui imite l'action des récepteurs adrénergiques* alpha; qui les stimule. — N. m. *Un alphamimétique.*

REM. On écrit aussi *alpha-mimétique.*

**ALPHANUMÉRIQUE** [alfanymeʀik] adj. — 1947; de *alpha(bet),* et *numérique.*

Didact. Qui comprend, comporte ou utilise les lettres d'un alphabet et des chiffres. *Classement, symbolisation alpha-numérique. Affichage, données alphanumériques. — Caractère alphanumérique :* lettre ou chiffre. *Références alphanumériques d'un disque, d'une disquette,* en informatique.

**ALPHARÉCEPTEUR** [alfaʀesɛptœʀ] n. m. → **Adrénergique** (récepteur alpha-adrénergique).

**ALPHASTIMULANT, ANTE** [alfastimylɑ̃, ɑ̃t] adj. et n. m. — Av. 1972, *in* Garnier et Delamare; de *alpha(récepteur),* et *stimulant.*

Méd., physiol. Qui excite les récepteurs adrénergiques* alpha. — N. m. *La noradrénaline est un alphastimulant.*

REM. On écrit aussi : *alpha-stimulant.*

CONTR. **Alphabloquant.**

**ALPHATHÉRAPIE** [alfateʀapi] n. f. — Av. 1960; de *alpha,* dans *(rayons) alpha,* et *-thérapie.* → Bêtathérapie.

Méd. Utilisation thérapeutique des rayons alpha.

**ALPHONSE** [alfɔ̃s] n. m. — 1860; d'après la pièce de A. Dumas, *Monsieur Alphonse,* prénom masc. usuel dans les classes sociales concernées, au XIX^e.

Pop. et vx. Souteneur. → **Jules** (2.), **maquereau.**

REM. Un dérivé *alphonsisme* [alfɔ̃sism] n. m., «proxénétisme», est attesté à la fin du XIX^e s. (1882).

**ALPICOLE** [alpikɔl] adj. — 1838; de *Alpes,* et *-cole.*

Didact. Qui croît, qui vit dans les Alpes. *Plantes alpicoles.* → **Alpin, alpestre.**

**ALPIGÈNE** [alpiʒɛn] adj. — 1838; de *Alpes,* et *-gène.*

Bot. Vx. Qui croît en haute montagne. → **Alpicole.**

**ALPIN, INE** [alpɛ̃, in] adj. — Déb. XIII^e; *alpique,* 1838; lat. *alpinus,* de *Alpes* «Alpes».

♦ **1** Des Alpes. → **Alpestre.** *La chaîne alpine. Relief alpin. Chalet alpin. Les populations alpines.* — N. *Un Alpin, les Alpins. — Troupes alpines, chasseurs alpins :* unités militaires françaises chargées de la défense des Alpes, spécialisées dans la guerre de montagne. — N. m. *Les Alpins :* les chasseurs alpins. — *Chèvre alpine :* race de chèvre originaire des Alpes. — *Race alpine :* race blanche, installée en Europe à l'âge de la pierre polie, brachycéphale et de petite taille.

(1930). *Ski alpin,* combinant la descente* et le slalom* (opposé à *ski nordique :* saut et fond).

♦ **2** (1779). *Plantes alpines,* qui vivent normalement en haute montagne (plus de 1 200 à 1 500 mètres, plus haut que les plantes alpestres*).

(...) comme ces plantes alpines dont la racine est plongée 1
dans les glaces éternelles (...)

CHATEAUBRIAND, le Génie du christianisme IV, II, 7.

♦ **3** (1874). D'alpinisme. *Club alpin. Le club alpin français* (→ Cafiste).

À cette époque, où l'on grimpait avec un matériel primitif 2
et notamment des chaussures à clous, la technique et plus encore la mentalité alpine étaient bien différentes de celles d'aujourd'hui.

Lionel TERRAY, les Conquérants de l'inutile, p. 27.

DÉR. **Alpinisme, alpiniste.** ◊ COMP. **Cisalpin, subalpin, transalpin.**

**ALPINISME** [alpinism] n. m. — 1876; de *alpin,* et *-isme.*

Sport des ascensions en montagne, et, spécialt, ce sport, pratiqué dans les Alpes. → **Andinisme, dolomitisme, himalayisme, pyrénéisme; ascension, escalade, grimpée, montagne** (2.), **varappe.** *Techniques de l'alpinisme.* → **Adhérence, appui, opposition, prise; ancrage, assurage, assurance, coincement, escarpolette, glissade, pendule, ramasse, ramonage, rappel,**

**traversée, tyrolienne, verrou.** *Une passionnée d'alpinisme. Faire de l'alpinisme.* → **Ascensionner, escalader, grimper.**

1 – Je veux bien te laisser pratiquer tous les sports, sauf la motocyclette et l'alpinisme.
Comme je lui demandais ce que signifiait ce dernier mot, elle ajouta :
– C'est un sport stupide qui consiste à grimper les rochers avec les mains, les pieds, et les dents ! (...)
Lionel TERRAY, les Conquérants de l'inutile, p. 13.

2 Dans Havelock Ellis, cette notation étrange :
«L'alpinisme est une forme d'auto-érotisme».
J. GREEN, Vers l'invisible, 11 août 1961.

**ALPINISTE** [alpinist] n. — 1874; de *alpin,* et *-iste.*

Personne qui pratique l'alpinisme. → **Ascensionniste, escaladeur, glaciériste, grimpeur, rochassier, varappeur.** *Alpiniste qui en assure un autre.* → **Assureur** (4.). *Groupe d'alpinistes.* → **Caravane, cordée.** *Alpinistes accompagnés de guides, de porteurs, de sherpas. Le matériel de l'alpiniste.* → **Alpenstock** (anciennt), **baudrier,** 1. **broche, coinceur, corde, crampon, échelle, étrier, gollot, jumar, marteau-piolet, mousqueton, piolet** (cit. 1), **piton, rucksack, sac.** *Pas de l'alpiniste :* pas de marche en demi-flexion, adapté à l'inclinaison de la pente et au rythme de la respiration. *La vitesse de marche de l'alpiniste s'évalue en mètres d'élévation. Alpiniste qui fait une course en montagne, une première, une première en solitaire, une hivernale. — Les alpinistes ont escaladé une cheminée, un dièdre, une face, un gendarme, une paroi. Les alpinistes ont dû s'arrêter pour se reposer sur une épaule, un replat, un toit. L'alpiniste a atteint l'antécime puis le sommet où il élève un cairn, un steinmann, un champignon. — Elle est bonne alpiniste. Alpinistes morts en montagne après avoir dévissé, déroché* (I.).

Au commencement de 1880, le célèbre alpiniste et ascensionniste M. E. Whymper a gravi la plus haute montagne de l'Équateur, le Chimborazo.
L. FIGUIER, l'Année scientifique et industrielle 1881, p. 310 (1880).

**ALPISTE** [alpist] n. m. — 1660; esp. *alpista,* mot des Canaries.

Graminée dont l'espèce la plus connue, l'*alpiste des Canaries,* est cultivée pour ses graines qui servent à la nourriture des oiseaux.

**ALQUES** [alk] n. m. pl. — 1805, Cuvier.

Zool. Vx. → **Alcidés.** — Au sing. *Un alque.*

**ALQUIFOUX** [alkifu] n. m. — 1697; esp. *alquifol* «sulfure d'antimoine»; de l'arabe *ăl-kŭhl* «collyre d'antimoine».

Chim. et techn. Sulfure de plomb pulvérulent (ou galène) obtenu par broyage de sable quartzeux et d'argile, et utilisé notamment pour vernir et imperméabiliser les céramiques.

**ALSACE** [alzas] n. m. — XX^e; de *vin d'Alsace.*

Vin d'Alsace (généralement blanc). *Un verre d'alsace. Un excellent alsace.*

**ALSACIEN, IENNE** [alzasjɛ̃, jɛn] adj. et n. — 1752; du lat. *Alsacia* (VIII^e) «l'Alsace», all. *Elsass.*

De l'Alsace. *La plaine alsacienne. L'art alsacien. La littérature alsacienne d'expression française et allemande. Le folklore alsacien. Brasserie alsacienne. Tarte alsacienne.* — REM. L'adj. est en concurrence avec *d'Alsace* (vins d'Alsace). — N. *Les Alsaciens. Costume régional d'Alsacienne.* — Loc. *À l'alsacienne. Choucroute à l'alsacienne. — Être nattée* (cit. 1) *à l'alsacienne. Dialecte, parler alsacien.* — N. m. *L'alsacien :* ensemble des parlers germaniques dialectaux d'Alsace (et parfois de Lorraine) en majorité bas-alémaniques (franconien au nord, haut-alémanique dans l'extrême-sud). *Parler alsacien; répondre en alsacien. Le pasteur a fait le sermon en alsacien.*

Adj. et n. En comp. *Alsacien-lorrain, aine* [alzasjɛ̃lɔʀɛ̃, ɛn] : relatif à l'Alsace-Lorraine (entité groupant les territoires annexés par l'Allemagne de 1871 à 1918). — N. *Les Alsaciens-Lorrains.*

**ALSE** [als] n. f. — 1842, Hugo, *le Rhin, in* T. L. F.; du grec *alsêcdes* «hôte des bois; nymphe».

Littér. et rare. Nymphe des bois.

**ALSINE** [alsin] n. f. — 1546, *in* D. D. L.; mot grec.

Bot. ou régional. Plante dont une espèce est appelée *morgeline ou spergule.*

DÉR. **Alsinées.**

**ALSINÉES** [alsine] n. f. pl. — 1838; de *alsine.*

Bot. Vx. Famille de plantes ressemblant à l'alsine. → **Caryophyllacées.** — Au sing. *Une alsinée.*

**ALSOPHILA** [alsɔfila] n. m. ou **ALSOPHILE** [alsɔfil] n. f. — 1866; du grec *alsos* «bois», et *-phile.*

Bot. Fougère arborescente *(Cyathéacées)* des régions chaudes.

**ALSTONIA** [alstɔnja] n. m. — XX^e; d'abord *alstone* (1846), *alstonie;* du nom propre *Alston.*

Arbre exotique *(Apocynacées)* des régions chaudes de l'Asie et de l'Océanie, dont l'écorce est employée comme fébrifuge.

**ALSTRŒMÈRE** [alstʀɔmɛʀ] ou **ALSTROEMÉRIE** [alstʀɔmeʀi] n. f. — 1832, *altroémerie;* lat. bot. *alstroemeria,* du nom du botaniste suédois *Alströmer.*

Bot. Plante monocotylédone *(Amaryllidacées),* vivace, originaire de l'Amérique du Sud, qui est cultivée pour la beauté de ses fleurs.

(...) je vois la plante : quarante à cinquante centimètres de haut; port de l'alstrœmère; graine semblable (...) pentagonale ainsi que la fleur.
GIDE, le Retour du Tchad, VIII, *in* Souvenirs, Pl., p. 999.

**ALTAÏQUE** [altaik] adj. — Av. 1866; de *Altaï,* montagnes d'Asie centrale.

Didact. De l'Altaï. *La chaîne, le relief altaïque. Populations altaïques.* — Spécialt (ling.). Relatif aux langues turque, mongole et toungouze. *Langue d'origine altaïque.*

COMP. **Ouralo-altaïque.**

**ALTAÏTE** [altait] n. f. — 1869, Würtz; de *Altaï,* et suff. *-(i)te.*

Minér. Tellure naturel de plomb.

**ALTÉRABILITÉ** [alteʀabilite] n. f. — 1786, Fourcroy; de *altérable.*

Didact. Caractère de ce qui est susceptible d'altération. *L'altérabilité d'un produit chimique. — L'altérabilité d'un sentiment, de l'humeur.*

CONTR. **Inaltérabilité.**

**ALTÉRABLE** [alteʀabl] adj. — 1361, d'une personne; 1390, en parlant des choses; lat. médiéval *alterabilis,* du bas lat. *alterare.* → Altérer.

Didact. ou style soutenu. Qui peut s'altérer. → **Corruptible, fragile.** *Métaux, denrées altérables.* → **Attaquable** (2.).

Fig. «*Une bonne humeur, difficilement altérable*» (Renan). *Sentiments altérables.* → **Instable, variable.**

CONTR. **Inaltérable** (plus courant). ◊ DÉR. **Altérabilité.**

**ALTÉRAGÈNE** [alteʀaʒɛn] adj. — Après 1950; du rad. de *altérer, altération,* et *-gène.*

Biol. Qui peut provoquer des altérations dans les cellules vivantes. *Agents altéragènes.* — N. m. *Un altéragène.*

**ALTÉRANT, ANTE** [alteʀɑ̃, ɑ̃t] adj. — XVIe; de *altérer.*

♦ **1** Qui donne soif. *Nourriture altérante. Chaleur altérante.*

1 Il avait fait très chaud dans le jour, une chaleur lourde, desséchante, altérante; et le capitaine buvait sans y songer (...)

MAUPASSANT, la Confession, Pl., t. II, p. 219.

♦ **2** (1700). Qui provoque une altération, une modification. *Remède altérant.* → **Altératif.** — N. m. Vx. *Un altérant.*

**ALTÉRATEUR, TRICE** [alteʀatœʀ, tʀis] adj. — XVIe; de *altérer.*

Didact. Qui altère, dégrade. → **Altérant, altératif.** *Causes, conditions altératrices et destructrices.*

N. Vx. *Un altérateur.* → **Falsificateur.** «*Vous êtes taxés d'être des altérateurs et des plagiaires*» (Volney, *les Ruines,* p. 208, *in* T. L. F.).

**ALTÉRATIF, IVE** [alteʀatif, iv] adj. — 1370, sens général; lat. médiéval *alterativus,* de *alterare.* → Altérer.

Didactique.

♦ **1** (XVIe). Méd., pharm. Qui exerce son action en modifiant le fonctionnement de l'organisme, et, spécialt, en agissant sur le métabolisme. *Médicament altératif.* → **Altérant.** — N. m. *Un altératif.*

♦ **2** Mus. *Signe altératif,* indiquant une altération (→ **Bémol, dièse**).

**ALTÉRATION** [alteʀasjɔ̃] n. f. — V. 1260; bas lat. *alteratio,* du supin de *alterare.* → Altérer.

**I** ♦ **1** Changement, modification en mal par rapport à un état normal *(l'altération de qqch.);* élément altéré, défaut *(une, des altérations).* → **Dégradation, détérioration.** *L'altération de qqch. par une cause, un agent, une force. Notre amitié n'a subi aucune altération. Altération légère, extrême. Ce manuscrit a subi de nombreuses altérations. L'altération d'une marchandise en voyage ou en magasin.* → **Décomposition, détérioration, pourriture, putréfaction.** *Des altérations graves.* → **Avarie, dégât, tare.** *L'altération des couleurs d'une étoffe, d'un tableau. Altération de la santé.* → **Affaiblissement, désordre, maladie.** *Altération des tissus vivants par ulcération. Altération de l'éclat du teint.* → **Flétrissure.** *Altération du goût, de l'odorat.* → **Corruption, dépravation, perversion.** — (Dans l'ordre psychologique, moral). Littér. *Altération du caractère, de l'humeur. L'altération des sentiments. Altération d'un ordre.* → **Dérangement, ébranlement.** *L'altération profonde des mœurs.*

1 Pour réparer (...) dans un climat qui vous était salutaire l'altération que celui d'Édimbourg a faite à votre santé.

ROUSSEAU, Lettre à Milord Maréchal, 25 mars 1764.

(...) ce sens *(l'odorat)* qui, plus directement en rapport que 2
les autres avec le système cérébral, doit causer par ses altérations d'invisibles ébranlements aux organes de la pensée.

BALZAC, Études philosophiques, Pl., t. X, p. 371.

Autour de ces étroits passages, la surface blanche est 2.1
presque partout restée vierge; de menues altérations se sont néanmoins produites çà et là, telle la zone arrondie que les grosses chaussures du soldat ont piétinée, contre le réverbère.

A. ROBBE-GRILLET, Dans le labyrinthe, p. 41.

Psychol., psychan. *Altération du moi :* ensemble des facteurs qui limitent les possibilités d'adaptation du moi.

*Altération des traits, du visage.* → **Bouleversement, décomposition, déformation.** *Une altération de la voix.* → **Trouble.**

À mesure qu'il approcha de moi, je fus frappée de l'alté- 3
ration de son visage; ses joues étaient dévalées et livides, ses yeux âpres, son teint pâli et brouillé.

CHATEAUBRIAND, Mémoires d'outre-tombe, t. II, II, LV, II, p. 287.

(...) j'avais devant moi maintenant un visage étrange, 3.1
défiguré non par la peur, mais par une panique plus profonde, plus intérieure. Oui, j'ai l'expérience d'une certaine altération des traits assez semblable, seulement je ne l'avais observée jusqu'alors que sur des faces d'agonisants et je lui attribuais, naturellement, une cause banale, physique. Les médecins parlent volontiers du «masque de l'agonie».

BERNANOS, Journal d'un curé de campagne, *in* Romans, Pl., p. 1135.

*L'altération des conditions de vie, de l'environnement. — Une profonde altération de la vie politique, de l'atmosphère politique.* → **Dégradation.**

♦ **2** Dr. Modification qui a pour objet de fausser le sens, la destination ou la valeur d'une chose et d'où résulte un préjudice. → **Falsification.** *La contrefaçon* (imitation frauduleuse) *et l'altération* (modification mécanique ou chimique) *des monnaies* (Code pénal). — *Altération de la vérité dans un écrit :* faux en écriture. *Altération de liquides ou de marchandises.*

♦ **3** (Rare, sauf emplois spéciaux). **a** Changement, modification, sans dégradation. *Les mots subissent des altérations de sens au cours des âges.*

Saint-Loup employait à tout propos ce mot de «faire» pour 4
«avoir l'air», parce que la langue parlée, comme la langue écrite, éprouve de temps en temps le besoin de ces altérations de sens des mots, de ces raffinements d'expression.

PROUST, À la recherche du temps perdu, t. VI, p. 86.

**b** Mus. Signe modifiant la hauteur de la note devant laquelle il est placé. → **Bécarre, bémol, dièse; altératif.** *Altération accidentelle.*

**c** Géol. Transformation des roches, due à des facteurs chimiques et biologiques, responsable, avec la désagrégation, de la formation des sols. Spécialt. Destruction par désagrégation ou décomposition chimique. *Altération météorique.*

**II** Rare. Fait d'être altéré, d'avoir très soif.

**ALTERCATION** [altɛʀkasjɔ̃] n. f. — XVIe; «débat, désaccord», 1289; lat. *altercatio* du supin de *altercari* «disputer».

Échange bref et brutal de propos vifs, de répliques désobligeantes. → **Chicane, démêlé, différend, discussion, dispute, empoignade, prise** (de bec, fam.), **querelle.** *Violente, vive altercation. Petite, légère altercation. Une altercation entre deux personnes. Avoir une altercation avec qqn. Leur dispute dégénérait en altercation.*

L'ennemi est aussi à nos portes, et nous nous déchirons 1
les uns les autres. Toutes nos altercations tuent-elles un

Prussien ?
DANTON, cité par Louis BARTHOU, Danton, p. 366.

2 (...) les conférences diplomatiques n'avaient conduit qu'à des altercations violentes (...)
MÉRIMÉE, Hist. du règne de Pierre le Grand, p. 32.

3 Sa main quitta son veston, s'accrocha au revers de celui du pasteur comme s'il eût voulu le secouer; celui-ci posa la main sur la sienne. Ils restaient ainsi, au milieu du trottoir, immobiles, comme prêts à lutter; un passant s'arrêta (...) et il crut à une altercation.
MALRAUX, la Condition humaine, Pl., p. 303.

**ALTER EGO** [alterego] n. m. — 1844; mots lat., «un second moi-même».

Personne de confiance qu'on peut charger de tout faire à sa place. → **Bras** (droit).

1 Dumay, devenu l'alter ego de l'armateur, apprit en peu de temps la tenue des livres.
BALZAC, cité par P. LAROUSSE (1886).

Fam. *Mon (son...) alter ego :* un autre moi-même, un ami inséparable.

2 Et en même temps que je faisais ce nouveau progrès de déshumanisation, mon alter ego accomplissait avec la création d'une rizière l'œuvre humaine la plus ambitieuse de son règne sur Spéranza.
M. TOURNIER, Vendredi..., p. 134.

Personne qui effectue la même tâche, a la même fonction (que qqn).

3 (...) son alter ego, le camarade auquel Lucas a confié la même tâche de couverture qu'à lui.
Régis DEBRAY, l'Indésirable, p. 39.

Hist. Vice-roi, vice-président (par rapport au souverain, au président), en Espagne et dans le royaume des Deux-Siciles.

**ALTÉRER** [altere] v. tr. [CONJUG.: *céder.*] — 1370, Oresme; «troubler, affecter», 1578; bas lat. *alterare* «rendre autre», de *alter* «autre».

**I** ♦ **1** **a** (1690, en chimie). Didact. Provoquer l'altération sans dégradation de (qqch.). → **Modifier, transformer.** *Les eaux d'infiltration altèrent le feldspath des granits et le transforment en kaolin.*

Pron. *Les minéraux riches en fer s'altèrent rapidement.*

**b** Mus. *Altérer une note :* l'élever ou l'abaisser par un dièse (diéser), un bémol (bémoliser) ou un bécarre. Par ext. *Altérer un accord, un intervalle.*

0.1 Je lui demandais ce que voulaient dire les expressions : cassation, altérer les sensibles, flûte obligée (...)
Violette LEDUC, la Bâtarde, p. 131.

(En parlant du temps). Vieilli. Faire vieillir. — Pronominal :

1 Toute chose en vivant avec l'âge s'altère.
Mathurin RÉGNIER, Satires, V, vers 113.

♦ **2** Cour. Changer en mal. → **Corrompre, dégrader, détériorer, endommager, gâter.** *La chaleur altère les denrées périssables.* → **Pourrir, putréfier.** *L'humidité altère le fer.* → **Attaquer, ronger, rouiller.** *Le soleil altère les couleurs.* → **Flétrir, ternir.** — *Les abus altèrent la santé.* → **Affaiblir, affecter, déranger, détraquer, ruiner.** *Altérer le sang.* → **Empoisonner, vicier.** — (Abstrait). *Altérer le goût, la pureté, les mœurs...* → **Abâtardir, appauvrir, avilir, corrompre, dégénérer** (faire), **dépraver, pervertir.** *La crainte, la culpabilité altérait son plaisir.* → **Empoisonner.** *Rien ne peut altérer notre amitié, nos sentiments.* → **Affaiblir, atteindre, atténuer, diminuer, ébranler.** *L'âge a altéré ses facultés. Altérer et aigrir le caractère de qqn. Altérer profondément la personnalité.* → **Aliéner.** — Au passif. *Son plaisir était à peine altéré par... Sa tranquillité est altérée par les événements.*

Mais, la diverse nourriture *(éducation)* 2
Fortifiant en l'un cette heureuse nature,
En l'autre l'altérant (...)
LA FONTAINE, Fables, VIII, 24.

(...) Rien ne peut pour vous altérer mon estime. 3
MOLIÈRE, l'École des maris, III, 8.

(...) une pitié douce et paisible qui n'altère en rien leur immuable félicité. FÉNELON, Télémaque, XIV. 4

Des interprétations qui en altéraient la pureté (...) 5
MASSILLON, Évid.

De peur que la passion n'altère ou ne corrompe le jugement. PASCAL, les Provinciales, 14. 6

Avant que les préjugés et les institutions humaines aient altéré nos penchants naturels (...) 7
ROUSSEAU, Émile, II.

L'angélique douceur que madame de Rênal devait à son caractère et à son bonheur actuel n'était un peu altérée que quand elle venait à songer à sa femme de chambre Élisa. STENDHAL, le Rouge et le Noir, I, VIII. 7.

V. pron. (1680). *Les matières organiques s'altèrent.* → **Décomposer** (se), **pourrir** (v. intr.). *Les tissus se sont altérés autour de la plaie.* → **Ulcérer** (s'). *Le lait s'altère en tournant*. Le vin débouché s'altère à l'air.* → **Éventer** (s'), **aigrir** (s').

Fig. *Les sentiments s'altèrent avec le temps.*

(...) je ne suis pas de ceux dont les sentiments s'altèrent dans l'absence et le silence. 8
SAINTE-BEUVE, Correspondance, t. I, p. 264.

(...) vous voyez la sculpture s'altérer profondément. Les bustes impériaux ou consulaires perdent leur sérénité et leur noblesse (...) 9
TAINE, Philosophie de l'art, t. II, III, II, 1.

REM. Les emplois contemporains du verbe concernent plutôt la modification matérielle, notamment celle des matières organiques; les emplois abstraits sont le plus souvent métaphoriques des premiers :

(...) l'amour humain s'altère, se corrompt et meurt dès que les amants prétendent renoncer au martyre d'être séparés. 10
F. MAURIAC, Souffrances et bonheur du chrétien, p. 126.

♦ **3** Fig. (Le sujet désigne une souffrance, une émotion...). *Altérer les traits, le visage, la voix de qqn.* → **Bouleverser, décomposer, troubler.** — Pron. *Sa voix s'altère.*

Monsieur, votre visage en un moment s'altère. 11
MOLIÈRE, l'Étourdi, II, 2.

Leurs figures s'étaient rapidement altérées comme si un même mal les avait pris et ses yeux à lui exprimaient cette vague angoisse des mourants, de ceux qui sont pris de maladie, de ceux en qui va se faire un grand changement, pendant que la paix de la mort ou la résignation à la maladie fait effort mais n'a pas encore pu entrer en eux. 11
PROUST, Jean Santeuil, Pl., p. 811.

Au p. p. *Visage altéré.*

Elle était si émue, qu'elle pouvait à peine marcher. Elle m'a dit d'une voix altérée (...) 12
CHATEAUBRIAND, Mémoires d'outre-tombe, t. II, VIII, p. 100.

♦ **4** Changer dans le dessein de tromper. → **Adultérer, contrefaire, dénaturer, falsifier, fausser, frelater, maquiller, sophistiquer, truquer.** *Altérer les monnaies* (→ **Altération**). *Déformer* la pensée de qqn de manière à l'altérer.*

*Altérer un texte, un récit.* → **Défigurer, estropier, mutiler, tronquer.** Par métonymie. *Altérer un auteur.*

Après avoir altéré Saint Grégoire, l'auteur affecte (...) 13
BOSSUET, Préface, *in* LITTRÉ.

*Altérer la vérité, les faits.* → **Déguiser, truquer.**

Cet âge est innocent; son ingénuité 14
N'altère pas encore la simple vérité.
RACINE, Athalie, II, 7.

P. p. adj. (Av. 1450). *Roche, substance altérée,* modifiée. — *Note altérée :* dièze ou bémol. — *Denrées altérées. Sentiments altérés.* — *Voix altérée* (→ cidessus, cit. 12). — *Texte altéré.*

**II** (XVe, pron. ; «troubler, mettre hors de soi», déb. XVe ; l'évolution de sens est déjà attestée en lat. médiéval, où *alterativus* signifie «qui donne soif». → Altératif). Par ext. Exciter la soif de. → **Soif** (donner). *La promenade m'a altéré.*

Absolt. *Les plats trop salés altèrent.*

◆ **ALTÉRÉ, ÉE** passif et p. p. adj.

♦ **1** Du sens I., voir à l'article.

♦ **2** *Être toujours altéré :* avoir toujours soif, et, par plais. : aimer à boire. *Gorge altérée, gosier altéré.*

5 Buvons toute cette eau ; notre gorge altérée
En viendra bien à bout.
LA FONTAINE, Fables, VIII, 25.

Subst. Vx. «*De pauvres alterez...*» (Rabelais, *Pantagruel,* XI, 1).

♦ **3** *Être altéré de.* → **Assoiffé, avide.** Par métaphore (littér.). *Altéré de sang.*

6 Du sang de l'innocence est-il donc altéré ?
RACINE, Iphigénie, IV, 4.

7 Tigre altéré de sang qui me défend les larmes.
CORNEILLE, Horace, IV, 5.

8 Si l'on doit le nom d'homme à qui n'a rien d'humain,
À ce tigre altéré de tout le sang romain.
CORNEILLE, Cinna, I, 3.

Fig. *Être altéré d'amour, de gloire.*

9 Claire, altérée de gloire et de souffrance, aurait voulu partir pour le front, comme infirmière (...)
A. MAUROIS, Terre promise, XII.

CONTR. (Du I.) **Conserver, maintenir. — Améliorer, assainir, fortifier, rectifier, rétablir.** — (Du II.) **Apaiser, désaltérer.**
◈ DÉR. **Altérable, altérant, altérateur.** — V. (Du lat.) **Altératif, altération.** — COMP. **Désaltérer.**

**ALTÉRITÉ** [alteʀite] n. f. — 1697 ; «changement», 1270 ; bas lat. *alteritas,* de *alter* «autre».

Philos. Fait d'être un autre, caractère de ce qui est autre. «*L'amour ne détruit pas l'altérité*» (G. Madiner, *in Foulquié et Saint-Jean*).

1 L'âme ne connaît pas elle-même sa distinction, ou, comme parle cet auteur *(Ruysbroek)* son altérité.
BOSSUET, État d'oraison, I, 1, *in* LITTRÉ.

2 (...) la mythologie occidentale attribue au monde communiste l'altérité même d'une planète : l'U. R. S. S. est un monde intermédiaire entre la Terre et Mars.
R. BARTHES, Mythologies, p. 42.

3 Car c'est l'un des traits constants de toute mythologie petite-bourgeoise, que cette impuissance à imaginer l'Autre. L'altérité est le concept le plus antipathique au «bon sens». R. BARTHES, Mythologies, p. 44.

4 Si le groupe se sent en état d'altérité par rapport à l'un de ses membres, il en fait sa victime.
Jacques LAURENT, les Bêtises, p. 398.

CONTR. **Identité.**

**ALTERNANCE** [altɛʀnɑ̃s] n. f. — 1830 ; d'autres formes ont précédé le mot : *alternement,* 1866 ; *alternacion,* XIVe (attesté chez Péguy) → Alternation ; de *alternant,* ou de *alterner.*

♦ **1** Succession répétée, dans l'espace ou dans le temps, qui fait réapparaître tour à tour, dans un ordre régulier, les éléments d'une série. *Alternance de bancs de sables et d'argile. Alternance des piliers et des colonnes dans une église. Alternance des motifs d'ornementation. — En alternance (avec). La racine présente des faisceaux ligneux en alternance avec des faisceaux libériens.* → **Alterne** (structure). — *L'alternance des saisons, du beau et du mauvais temps ; l'alternance des jours et des nuits* (→ Rythme, cit. 4.1). *Lasser* (cit. 37) *par des alternances d'excitation et de dépression. L'alternance des cultures.* → **Alternat, rotation.**

1 (...) l'alternance d'un soleil toujours chaud avec des nuits toujours pures. LOTI, Mon frère Yves, LXXXII.

(...) pour des affections cutanées, on arrive à des résultats 2
inespérés par l'alternance des traitements.
MARTIN DU GARD, les Thibault, V, p. 2.

Absolt. *Préférer l'alternance à la continuité.*

Spécialt, géol. Superposition (des couches de terrain stratifiées).

Méd. *Alternance des pulsations du cœur.* → **Alternant** (pouls). — *Alternances morbides* (en homéopathie). Succession alternée des rimes masculines et féminines.

Biol. *Alternance des générations,* d'une génération asexuée et d'une génération sexuée.

*Formation en alternance,* à l'école et en entreprise.

♦ **2** Ling. Variation subie par un phonème ou un groupe de phonèmes dans un système morphologique donné. *Alternance vocalique* (ex. : en angl. *to begin - I began*). → **Apophonie.** *Alternance consonantique.*

♦ **3** Phys. Demi-période d'un phénomène sinusoïdal (alternatif). — Demi-oscillation d'un balancier.

♦ **4** Spécialt. Succession au pouvoir d'une majorité et d'une opposition (devenue majoritaire), dans un système parlementaire. *L'alternance démocratique.*

CONTR. **Continuité.**

1. **ALTERNANT, ANTE** [altɛʀnɑ̃, ɑ̃t] adj. — 1519 ; lat. *alternans,* de *alternare.* → Alterner.

Didact. ou sc. Qui alterne. — (Au plur.). Qui se succèdent et se remplacent régulièrement. *Cultures alternantes.* — (Au sing.). Qui fait alterner deux ou plusieurs éléments. «*La belle action alternante de ces grands peuples* (l'Angleterre et la France)» (Michelet, *in* T. L. F.).

Biol. *Générations alternantes.* → **Alternance.**

Méd. *Pouls alternant :* arythmie caractérisée par la succession régulière d'une pulsation normale et d'une pulsation faible.

*Matelas alternant :* matelas alternatif.

Psychiatrie. *Personnalité alternante* (dans les dédoublements de personnalité).

CONTR. **Continu.** ◈ DÉR. **Alternance,** 2. **alternant** (n.).

2. **ALTERNANT** [altɛʀnɑ̃] n. m. — D. i. ; attesté 1932, cit. ; subst. de l'adj. *alternant.*

Techn. Ouvrier qui alterne avec un autre (pour conduire une machine, etc.).

L'aléseur Rasseigne demandait à changer de service. Ses deux alternants d'équipe ne lui adressaient plus la parole.
Pierre HAMP, la Peine des hommes (Moteurs), p. 153 (1932).

**ALTERNANTHÉRA** [altɛʀnɑ̃teʀa] n. f. — 1845, *alternanthère,* Bescherelle ; mot lat. sav. (alors écrit sans accent) ; du rad. de *alterner,* et *anthera* (→ Anthère) ; *alternante,* 1808, Boiste, de *alterner.*

Bot. Plante vivace *(Amarantacées)* originaire des régions tropicales, herbe naine et touffue, à feuillage diversement coloré et panaché, que l'on cultive en bordures et mosaïque de jardins.

**ALTERNAT** [altɛʀna] n. m. — 1791, Gautier, *Dict. de la Constitution, in* D. D. L. ; de *alterner.*

Didactique.

♦ **1** Droit d'occuper tour à tour le premier rang (pour des États, des villes).

♦ **2** Rotation (des cultures). → **Alternance.**

♦ **3** Techn. *À l'alternat :* qui se fait selon deux directions opposées, alternativement. *Ligne de chemin de fer exploitée à l'alternat.*

♦ **4** Dr. internat. Régime juridique dans lequel plusieurs pouvoirs, puissances, etc., bénéficient à tour de rôle d'un droit ou remplissent une charge, exercent une prééminence, etc.

**ALTERNATEUR** [altɛʀnatœʀ] n. m. — 1892, ex. ci-dessous; de *alternatif.*

Génératrice de courants alternatifs. «*La force électromotrice de l'alternateur, multipliée par la bobine d'induction*» (*l'Année sc. et industr.* 1893 [1892], p. 111). *Alternateur à turbine.* → **Turbo-alternateur.** *Diode, rotor, stator d'un alternateur.*

**ALTERNATIF, IVE** [altɛʀnatif, iv] adj. — 1375; dér. du lat. *alternatum,* supin de *alternare.* → Alterner.

[I] ♦ **1** Qui présente une alternance. → **Périodique, successif.** *Chants alternatifs,* dans lesquels deux chanteurs ou deux groupes de chanteurs se répondent. → **Alterner** (p. p. adj.).

1 Cela devient alternatif, sa goutte en fièvre ou sa fièvre en goutte (...) Mme DE SÉVIGNÉ, 1239.

(1403). Dr. Qui est exercé à tour de rôle. *Droit alternatif. Charge alternative. Présidence alternative.*

♦ **2** (XVIIIe). *Mouvement alternatif :* mouvement régulier qui a lieu dans un sens puis dans l'autre. *Mouvement alternatif de la marée, de l'onde, du pendule, d'un piston dans un corps de pompe...* → **Allée** (allée et venue), **balancement, battement, flux** (et reflux), **oscillation, palpitation, pulsation, va-et-vient.** *Le mouvement de bascule*, un bercement*, le mouvement de la houle, des vagues et des objets flottants* (→ **Roulis, tangage**) *sont des mouvements alternatifs. Mouvements alternatifs du cœur.* → **Diastole, systole.** *Soulèvement et abaissement alternatifs du thorax dans la respiration. Rythme* d'un mouvement alternatif régulier.*

2 (...) le gémissement alternatif de la mer (...) LAMARTINE, Graziella, III, 13.

3 Le choc alternatif des rames devenait très distinct (...) HUGO, les Travailleurs de la mer, p. 57.

4 (...) des girouettes sans cesse agitées qui indiquaient le mouvement de l'air et le retour alternatif de certaines influences. E. FROMENTIN, Dominique, III.

Franç. de Belgique. *Stationnement alternatif.* → **Alterner** (p. p. adj.).

♦ **3** (Fin XIXe). *Courant alternatif,* dont l'intensité varie selon une sinusoïde (opposé à *continu*). *Fréquence d'un courant alternatif.*

♦ **4** Méd. *Matelas alternatif* (ou *alternant*) : matelas pneumatique à boudins qui se gonflent et se dégonflent alternativement, prévenant ainsi la formation d'escarres chez les alités immobiles.

[II] ♦ **1** (1718). Log. Qui énonce deux assertions dont une seule est vraie. *Proposition alternative.* → **Alternative.**

5 Pour pouvoir interroger le sort, il faut une question alternative *(M'aimera/M'aimera pas),* un objet susceptible d'une variation simple *(Tombera/Tombera pas)* et une force extérieure (divinité, hasard, vent) qui marque l'un des pôles de la variation. Je pose toujours la même question (serai-je aimé?), et cette question est alternative : *tout ou rien;* je ne conçois pas que les choses mûrissent, soient soustraites à l'à-propos du désir. Je ne suis pas dialectique. R. BARTHES, Fragments d'un discours amoureux, p. 195.

♦ **2** Dr. *Obligation alternative,* offrant un choix exclusif entre deux prestations.

♦ **3** Emploi critiqué. Qui constitue une solution de remplacement. → **Alternative,** 3. *Des «peines alternatives à l'emprisonnement»* (*le Matin,* 20 déc. 1985). *Médecines, technologies alternatives.* → Parallèle, doux (I., B., 2.). *Réseaux alternatifs* (→ Phatique, cit.).

CONTR. **Continu, simultané.** ◊ DÉR. **Alternateur, alternative, alternativement.**

**ALTERNATION** [altɛʀnasjɔ̃] n. f. — XIVe, *alternacion;* lat. *alternatio,* du supin de *alternare.* → Alterner.

♦ **1** Vx. Alternance.

♦ **2** (1767, Rousseau). Mus. Alternance (de deux sons voisins).

1. **ALTERNATIVE** [altɛʀnativ] n. f. — 1401, *par alternative; de alternatif.*

♦ **1** [a] Vx (au sing.). Alternance. «*L'alternative du jour et de la nuit*» (Brillat-Savarin).

[b] Mod. (au plur.). Phénomènes ou états opposés se succédant régulièrement. *Des alternatives de chaud et de froid. Passer par des alternatives de prospérité et de misère, de plaisir et de peine.* → **Changement, variation, vicissitude; flux, reflux** (flux et reflux); **haut, bas** (haut et bas). *Des alternatives de vents d'est et d'ouest.* → **Intercurrence.**

(...) on ne peut connaître son caractère et surtout l'influence qu'on a sur lui, qu'autant qu'on a passé par beaucoup d'alternatives de joie et de malheur. 1
STENDHAL, Souvenirs d'égotisme, p. 198.

Puis ce furent des insomnies, des alternatives de colère et d'espoir, d'exaltation et d'abattement. 2
FLAUBERT, Bouvard et Pécuchet, I.

Nous traverserons encore bien des alternatives d'anarchie et de despotisme avant de trouver le repos en ce juste milieu (...) 3
RENAN, Souvenirs d'enfance..., Préface, p. 18 (la Démocratie).

♦ **2** (1680). Obligation alternative; situation dans laquelle il n'est que deux partis possibles. *Se soumettre ou se démettre, telle fut l'alternative offerte à Mac-Mahon par Gambetta.* → **Choix, dilemme, option.** *Donner, laisser, offrir, proposer une alternative à qqn,* deux solutions au choix. *Placer qqn devant une alternative. Se trouver dans une fâcheuse alternative* (→ Être entre l'enclume et le marteau). *Être embarrassé sur l'alternative. Il n'y a pas d'alternative :* un seul parti est possible.

Vous jugez bien que dans l'alternative qu'elle me proposait je n'avais qu'un parti à prendre (...) 4
FONTENELLE, Candaule, Gygès, *in* LITTRÉ.

Tout peuple qui n'a, par sa position, que l'alternative entre le commerce ou la guerre, est faible en lui-même. 5
ROUSSEAU, Du contrat social, II, X.

J'allais être dans l'alternative d'écrire des niaiseries ou de faire d'immortelles découvertes. 6
BALZAC, Théorie de la démarche, p. 20.

La conversation de Valéry me met dans cette *affreuse* alternative : ou bien trouver absurde ce qu'il dit, ou bien trouver absurde ce que je fais. 7
GIDE, Journal, 9 févr. 1907.

(...) nous demanderons à l'histoire de la science qu'elle nous mette en garde contre le péril des fallacieuses *alternatives.* Chaque fois que nous entendrons dire : de deux choses l'une, empressons-nous de penser que, de deux choses, c'est vraisemblablement une troisième. 8
Jean ROSTAND, Esquisse d'une histoire de la biologie, p. 239.

♦ **3** (Déb. XXe; angl. *alternative*). L'une des deux possibilités d'une alternative (2.).

Entre les actes d'une volonté consciente, réfléchie, et le pur phénomène instinctif, il y a une distance qui laisse place à bien des états intermédiaires, et nos linguistes auraient bien mal profité des leçons de la philosophie contemporaine s'ils continuaient à nous imposer le choix entre les deux alternatives de ce dilemme. 9
Michel BRÉAL, Essai de sémantique, p. 6.

Emploi critiqué. Solution de remplacement. *Il n'y a pas d'alternative* (compris comme : il n'y a pas d'autre solution). *Les alternatives écologiques au nucléaire* (→ **Alternatif**, II., 3.).

♦ **4** Log. Système de deux propositions dont l'une est vraie et l'autre fausse, nécessairement.

(Log.). Opérateur *(connectif binaire)* d'une proposition complexe correspondant à «ou» au sens de «l'un ou l'autre exclusivement» (symb. *W*), par lequel la proposition complexe n'est vraie que si une seule proposition élémentaire est vraie. *L'alternative est une non-équivalence.*

2. **ALTERNATIVE** [altɛʀnativ] n. f. — 1899, *in* Petiot; esp. *alternativa*, même orig. que le franç. (→ 1. Alternative; alternatif).

Taurom. Cérémonie donnant au jeune novillero le droit d'alterner dans les courses avec les matadors. *Recevoir l'alternative.*

Plus qu'un taureau à tuer, et sa journée était finie. C'était l'avantage d'être le premier à combattre, le plus ancien à avoir reçu l'alternative.
Joseph PEYRÉ, Sang et Lumières, éd. L. de Poche, p. 384.

**ALTERNATIVEMENT** [altɛʀnativmɑ̃] adv. — 1355; de *alternatif.*

En alternant; tour à tour. → **Successivement.** *Présider une assemblée alternativement*, l'un après l'autre, à tour de rôle. *Travailler alternativement de jour et de nuit, en se relayant*. Pencher alternativement de côté et d'autre en se balançant, en se dandinant, en chancelant. Regarder alternativement à droite et à gauche.* — Techn. → **Alternat** (3.; à l'alternat).

1 La nature donne alternativement à la femme une force particulière qui l'aide à souffrir, et une faiblesse qui lui conseille la résignation.
BALZAC, les Marana, Pl., t. IX, p. 824.

2 Il passe alternativement par des crises de prières et de négation (...) R. ROLLAND, Vie de Tolstoï, p. 80.

3 (...) si j'avais voulu isoler l'idée qui était liée (...) à ma souffrance, ç'aurait été alternativement, d'une part le doute sur les dispositions dans lesquelles elle était partie, avec ou sans esprit de retour, d'autre part les moyens de la ramener. PROUST, Albertine disparue, Folio, p. 25.

4 Il aperçoit à peine, sortant et rentrant à tour de rôle au bas de la capote, les deux chaussures noires qui avancent et reculent sur la neige, alternativement.
A. ROBBE-GRILLET, Dans le labyrinthe, p. 93.

CONTR. **Continûment, simultanément; temps** (en même temps).

**ALTERNE** [altɛʀn] adj. — V. 1350; lat. *alternus*, de *alternatum*, supin de *alternare.*

♦ **1** Sc. Qui présente une alternance d'ordre spatial (seult dans des emplois spéciaux).

(1701). Bot. *Disposition alterne*, des feuilles ou des rameaux de chaque côté de la tige à des hauteurs différentes. *Structure alterne*, de la racine (faisceaux ligneux et libériens). → **Alternance** (1.). — *Feuilles, rameaux alternes* (s'oppose à *opposé* et à *superposé*).

(1668). Géom. *Angles alternes*, formés par deux droites avec les côtés opposés de la sécante (*internes*, pour ceux qui sont entre les deux droites; *externes*, pour ceux qui sont en dehors).

Méd. *Hémiplégie alterne* (provoquant la paralysie des membres du côté opposé aux centres et aux voies lésés). — Vieilli. *Folie alterne* : forme de psychose maniaco-dépressive.

♦ **2** Didact. Qui est différent et complémentaire.

Quand un indigène meurt, le village organise une chasse collective, confiée à la partie alterne de celle du défunt (...)
Claude LÉVI-STRAUSS, Tristes tropiques, p. 201.

**ALTERNER** [altɛʀne] v. — 1549; *alterner avec* «exercer une fonction tour à tour», 1710; lat. *alternare.*

**I** V. intr. Se succéder (dans le temps ou l'espace) en alternance. *Ces deux fonctionnaires alternent tous les mois.* → **Remplacer** (se), **relayer** (se). *Le rouge et le vert alternent. Des voix, des chants qui alternent et se répondent. — Les plages alternent avec les calanques.*

Et le mal dans ma bouche avec le bien alterne (...) 1
HUGO, la Légende des siècles, I, III, I.

Un plateau où alternaient des pâturages et des champs en 2
labour. FLAUBERT, Trois contes, «Un cœur simple».

Les marécages alternaient avec des prairies, les saules 3
blanchâtres avec les peupliers jaunissants.
E. FROMENTIN, Dominique, IV.

(...) des vents violents alternant avec des calmes plats (...) 4
E. FROMENTIN, Dominique, III.

Sur la droite du corridor comme sur la gauche donnent 5
des portes latérales, à intervalles égaux et alternant de façon régulière, une à droite, une à gauche, une à droite, etc. A. ROBBE-GRILLET, Dans le labyrinthe, p. 180.

**II** V. tr. (1776; mais le p. p. implique une valeur trans. dès le XVIe). Faire succéder alternativement (les cultures) par rotation. → **Assolement.**

◆ **ALTERNÉ, ÉE** p. p. adj. (1544; une attestation isolée au XIIIe, «changé», représente probablt une confusion avec *altéré*). (Au plur.). Qui alternent. *Vers alternés, strophes alternées. Rimes alternées*, croisées. — *Chants alternés.* → **Alternatif.** *Les antiennes, psaumes alternés.*

(...) la bonne vieille ne songea plus qu'à se rappeler les 6
fêtes pompeuses de ses noces. Elle retrouva même dans sa mémoire les chants alternés, d'usage alors, qui se répondaient d'un bout à l'autre de la table nuptiale (...)
NERVAL, les Filles du feu, p. 35.

Blason. *Émaux alternés.* — Techn. *Joints alternés.*

(Au sing.). Qui correspond à une alternance. *Circulation alternée. Stationnement unilatéral alterné.* → **Alternatif** (Belgique).

Géol. *Structure alternée* (des sédiments).

Math. *Série alternée*, dont les termes, à partir d'un certain rang, sont alternativement positifs et négatifs.

Ethnol. *Résidence alternée* : mode de résidence en fonction duquel un couple et ses enfants habitent alternativement près du groupe de l'époux *(résidence virilocale)* et près du groupe de l'épouse *(résidence uxorilocale).*

DÉR. **Alternat.** — V. **alternatif.**

**ALTÉROCENTRISME** [alteʀosɑ̃tʀism] n. m. — 1946, Mounier; du lat. *alter* «autre», et *(égo)centrisme.*

Didact. Tendance à ne considérer le monde qu'en fonction d'autrui.

CONTR. **Égocentrisme.**

**ALTESSE** [altɛs] n. f. — 1560; *altese*, italianisme, 1500; ital. *altezza*, de *alto* «haut»; du lat. *altus.*

♦ **1** Titre d'honneur donné aux princes et princesses du sang. *Son Altesse royale le prince de... — Altesse sérénissime* : titre d'honneur réservé aux princes du sang (branches collatérales). Par abrév. : *S. A. le prince de...* — Fam. *Traiter d'altesse, donner de l'altesse à qqn*, lui donner ce titre pour le flatter.

Monseigneur, à cette heure que je suis loin de Votre 1
Altesse (...) VOITURE, Lettres, 140, *in* HATZFELD.

Ma foi, s'il va jusqu'à l'altesse, il aura toute la bourse (...) 2
MOLIÈRE, le Bourgeois gentilhomme, II, 5.

(Appellatif). *Oui, Altesse. Oui, votre Altesse.*

♦ **2** Personne qui porte ce titre. *Je vais au palais d'une altesse. «Entre deux altesses sans beauté et l'ambassadrice d'Espagne»* (Proust).

♦ **3** Régional (Belgique). Variété de prune, dite aussi *prune de Monsieur.*

**ALTHÆA** [altea] n. m. — XV^e, *altea, altee ;* mot latin.

Bot. Nom de certaines guimauves et de la rose trémière.

Spécialt. Alcée.

**ALTIER, IÈRE** [altje, jɛʀ] adj. — 1578; ital. *altiero,* de *alto* «haut», du lat. *altus.*

♦ **1** Vx. → **Élevé, haut.** *Les monts altiers* (compris aujourd'hui comme métaphore du 2., valeur déjà perceptible dans la langue class. → ci-dessous, cit. 3).

♦ **2** (1611). Mod. (mais style soutenu ou par plais.) Qui a ou qui marque la hauteur, l'orgueil propre aux situations sociales dominantes. *Un personnage altier. Caractère altier. Humeur altière. Allure, démarche altière.* → **Fier, hautain, noble, orgueilleux.**

1 Don Diègue est trop altier et je connais mon père (...)
CORNEILLE, le Cid, II, 3.

2 Victorieux de cent peuples altiers (...)
BOILEAU, Épîtres, 4.

3 Lève, Jérusalem, lève ta tête altière !
RACINE, Athalie, III, 7.

4 Cet air altier et noble (...)
BEAUMARCHAIS, le Barbier de Séville, I, 2.

4.1 C'était un trait de cette nature altière : elle ne reprenait pas l'aumône refusée par un pauvre.
M. YOURCENAR, le Coup de grâce, p. 169.

Par métaphore. Dont la hauteur évoque un sentiment d'humilité chez l'homme. *Pics altiers, cimes altières.* — REM. Avant l'emploi fig. (XVII^e s.) *altier* ne signifie concrètement que «élevé», mais le mot est luimême noble.

5 Je vois les altières futaies,
De qui les arbres verdoyants
Dessous leurs grands bras ondoyants
Cachent les buissons et les haies (...)
RACINE, Poésies diverses, Ode II, «Le paysage en gros».

Péj. Arrogant, dédaigneux, méprisant avec hauteur.

6 La tyrannie altière, atroce, inexorable,
Est le vaste échafaud de l'homme misérable (...)
HUGO, la Légende des siècles, «Rois et peuples», XX, 2.

DÉR. **Altièrement.**

**ALTIÈREMENT** [altjɛʀmɑ̃] adv. — 1620; de *altier.*

Littér. De façon altière.

C'était un grand vieillard très sec, droit comme un mât de vaisseau, qui tenait altièrement tête à la vieillesse.
BARBEY D'AUREVILLY, les Diaboliques, «À un diner d'athées».

**ALTIMÈTRE** [altimɛtʀ] n. m. — 1808; *échelle altimètre,* 1562; lat. médiéval *altimeter,* de *altus* «haut».

Vx. Ancien instrument d'altimétrie.

(1922). Mod. Appareil indiquant l'altitude du lieu où l'on se trouve. *L'altimètre d'un avion. Altimètre portatif d'alpiniste. Altimètre enregistreur,* fonctionnant suivant le principe du baromètre. → **Barographe.**

Je connaissais la manœuvre : tomber, profiter du poids de la chute pour crever l'orage et tenter de rétablir la position près du sol. Altimètre : 1850; mais je savais ce qu'il faut penser de la précision des altimètres.
MALRAUX, Antimémoires, Folio, p. 97.

DÉR. **Altimétrie.**

**ALTIMÉTRIE** [altimetʀi] n. f. — 1690; de *altimètre.*

Didact. Méthode géométrique de mesure des altitudes. — Méthode de représentation du relief, en cartographie; ensemble des signes qui, sur une carte, représentent le relief (courbes de niveau, etc.).

DÉR. **Altimétrique.**

**ALTIMÉTRIQUE** [altimetʀik] adj. — 1840; de *altimétrie.*

Didact. Relatif à l'altimétrie. *Variation altimétrique de la pression. Sonde altimétrique d'un avion.*

(...) au voisinage des massifs montagneux, la variation altimétrique de la température est tout à fait irrégulière, car l'orientation des versants, la nature du sol et de la végétation, le régime local des vents, l'enneigement enfin, influencent, non seulement le niveau thermique moyen, mais encore les variations diurnes.
Jacques GUILLERME, la Vie en haute altitude, p. 15.

**ALTIPORT** [altipɔʀ] n. m. — V. 1960; de *alti(tude),* et *(aéro)port.*

Petit terrain d'atterrissage en haute montagne (utilisé par les skieurs, les alpinistes, et pour les transports commerciaux). *Les altiports des grandes stations de sports d'hiver.*

**ALTISE** [altiz] n. f. — 1789; *altique,* 1845; lat. zool. *haltica,* du grec *haltikos* «bon sauteur».

Zool., agric. Insecte coléoptère *(Chrysomélidés)* sauteur, qui cause des dégâts dans les vignes et les potagers. Syn. : *puce de terre. Altise du chou, de la vigne.* → **Gribouri.**

**ALTISSIME** [altisim] adj. — XII^e; usité jusqu'au XVI^e; repris XIX^e; lat. *altissimus,* superl. de *altus* «haut», avec infl. de l'ital. *altissimo.*

Littér. Très haut.

♦ **1** (Souvent iron.). Très noble, très respectable.

Il ne reste plus que l'Art (...) c'est l'unique refuge pour 1
quelques âmes *altissimes* condamnées à traîner leur souffrante carcasse dans les charogneux carrefours du monde.
Léon BLOY, le Désespéré, p. 31.

♦ **2** Concret ou par métaphore :

Le vent s'est enfui quelque part, on ne sait où, erre au 2
fond des immenses déserts, des solitudes altissimes où sont venus l'un après l'autre mourir les échos de ses galops sauvages.
BERNANOS, Monsieur Ouine, *in* Œ. roman., Pl., p. 1434.

**ALTISTE** [altist] n. — 1877; «choriste contralto», 1834, *in* D. D. L.; de *alto.*

Mus. Joueur d'alto (2.). *Altiste qui joue en orchestre, en quatuor. Elle est altiste et violoniste.* Syn. : *alto* (2., b).

M. Viguier, l'habile altiste solo de l'Opéra.
Eugène GAUTHIER, Journal officiel, 15 mai 1877, *in* LITTRÉ, Suppl.

**ALTITUDE** [altityd] n. f. — 1845; «hauteur», 1485; lat. *altitudo,* de *altus* «haut».

Élévation verticale (d'un point, d'un lieu) par rapport au niveau de la mer. *Altitude relative :* élévation (d'un point) par rapport à un autre. *Détermination des altitudes* (opérations de nivellement). *Altitude d'une montagne, d'un sommet, d'une localité. Mesure des altitudes; représentation de l'altitude sur les cartes.* → **Altimétrie, hypsométrie.** *Saint-Véran, commune la plus haute de France, est à 2 046 mètres d'altitude. Haute altitude. À basse altitude. Altitude de vol d'un avion. Mesure de l'altitude.*

*Altitude pression* (mesurée à l'altimètre barométrique); *altitude-densité*. *Altitude-cabine :* altitude (fictive) correspondant à la pression régnant dans la cabine d'un avion pressurisé.

Comme pour la neige d'ailleurs, le degré de blancheur des cheveux semblait en général comme un signe de la profondeur du temps vécu, comme ces sommets montagneux qui, même apparaissant aux yeux sur la même ligne que d'autres, révèlent pourtant le niveau de leur altitude au degré de leur neigeuse blancheur (...)
PROUST, le Temps retrouvé, Pl., t. III, p. 940.

Spécialt. Grande altitude. *Mal d'altitude :* troubles ressentis en haute montagne, en avion. — *En altitude :* à une altitude élevée. *Aéroport en altitude.* → **Altiport.** — *L'avion prend de l'altitude.*

On cabre pour sauver son altitude, l'avion perd sa vitesse et devient mou : on s'enfonce toujours.
SAINT-EXUPÉRY, Terre des hommes, p. 46.

Nous en étions arrivés à consulter davantage les baromètres, les thermomètres, comme si nous faisions quelque ascension et tentions de battre un record d'altitude.
GIRAUDOUX, Bella, VII.

Par métaphore (avec infl. du sens ancien de «hauteur») :

(...) il existe une altitude des relations où la reconnaissance comme la pitié perdent leur sens.
SAINT-EXUPÉRY, Terre des hommes, p. 201.

DÉR. **Altitudinal.**

**ALTITUDINAL, ALE, AUX** [altitydinal, o] adj. — 1866; de *altitude*.

Didact. Qui appartient, a rapport à l'altitude. *La limite altitudinale de la culture de la vigne.*

REM. On rencontre aussi la forme *altitudinaire* [altitydinɛʀ] (1870; «haut», 1550). *Froid altitudinaire.*

**ALTO** [alto] n. — 1771; mot ital., «haut».

Musique.

♦ **1** N. m. Voix de contralto. *Elle a un superbe alto.* — N. f. Contralto (chanteuse). *La partie d'alto. Une alto lyrique.*

♦ **2** [a] N. m. (1808; d'abord appelé *quinte* ou *haute-contre de violon*, puis *alto de viole*, *alto viole*). Instrument de la famille des violons, d'une quinte plus grave et un peu plus grand. *Jouer de l'alto.*

[b] N. Personne qui joue de cet instrument. *Les altos de l'orchestre.* → **Altiste.** *Une alto.*

♦ **3** En appos. *Saxophone, clarinette alto. Flûte alto.* — N. m. *Ce saxophoniste joue à la fois de l'alto et du ténor. L'alto de Charlie Parker.* — N. Saxophoniste qui joue de l'alto.

N. m. Vx. Saxhorn alto.

DÉR. **Altiste.** ◊ COMP. **Contralto.**

**ALTOCUMULUS** [altokymylys] n. m. — 1890; du lat. *altus* «haut», et *cumulus*.

Didact. (météor.). Nuage de l'étage moyen (2 000-6 000 m), formant une couche de lamelles ou de flocons assez réguliers disposés en files ou en groupes. *«Quelques bandes d'altocumulus»* (*l'Année sc. et industr.* 1889 [éd. 1890], p. 64).

Le ciel se couvre de nuages hauts : cirrus se transformant en cirro-cumulus, nuages ravissants qui ressemblent à des vaguelettes sur un lac et ne donnent pas d'ombre, à l'encontre des alto-cumulus qui font penser à un troupeau de moutons, mais donnent une certaine ombre et peuvent cacher le soleil.
Bernard MOITESSIER, Cap Horn à la voile, p. 234.

**ALTOSTRATUS** [altostʀatys] n. m. — 1891; du lat. *altus* «haut», et *stratus*.

Didact. (météor.). Nuage moyen (2 000-6 000 m), ressemblant au cirro-stratus, mais formant un voile plus épais et plus sombre.

**ALTRUICIDE** [altʀɥisid] adj. et n. → **Autruicide.**

**ALTRUISME** [altʀɥism] n. m. — V. 1830, A. Comte (ou l'un de ses professeurs), d'abord didact., répandu par Comte; de *autrui*, d'après le lat. *alter* «autre», et pour correspondre à *égoïsme*.

Disposition à s'intéresser et à se dévouer à autrui. *Il n'agit pas par altruisme, mais par calcul.* — Philos. Doctrine considérant le dévouement à autrui comme la règle idéale de la moralité.

Pour les utilitariens, l'altruisme est l'amour d'autrui pour soi; pour les positivistes, c'est l'amour d'autrui pour autrui. 1
GOBLOT, *in* LALANDE, Voc. de la philosophie, art. *Altruisme.*

(...) il a cette charité froide qu'on nomme l'altruisme. Il n'est pas humain parce qu'il n'est pas sensuel. 2
FRANCE, le Lys rouge, p. 63.

Il y a une ivresse d'altruisme qu'on peut étudier dans la Révolution française et dans l'Église primitive, et ces crises de fraternité répondent à un besoin aussi violent que la faim, la soif et l'amour. 3
A. MAUROIS, les Discours du Dr O'Grady, IV, p. 42.

CONTR. **Égoïsme.** ◊ DÉR. **Altruiste.**

**ALTRUISTE** [altʀɥist] adj. — 1852, A. Comte, *Catéchisme positiviste;* d'abord didact. (philos.); de *altruisme*.

Empreint d'altruisme, propre à l'altruisme. *Des sentiments altruistes. Activités altruistes. Morale altruiste.* — N. *C'est un, une altruiste.*

Les sentiments altruistes consistent à vouloir du bien à autrui, et peuvent nous pousser à sacrifier notre propre bien à celui d'autrui. 1
GOBLOT, *in* LALANDE, Voc. de la philosophie, art. *Altruisme.*

(...) les sentiments altruistes, toujours naturels, et source de plaisirs pour tous quand ils sont satisfaits, sont aussi naturellement faibles, et exigent pour se développer assez une éducation et des conditions favorables. 2
ALAIN, Abrégés pour les aveugles, *in* les Passions et la Sagesse, Pl., p. 830.

**ALTUGLAS** [altyglas] n. m. — 1958; marque déposée de *Altu(lor)* du nom de la société Alsthom Ugilor, et de l'all. *Glass* «verre».

Matière synthétique (polyméthacrylate de méthyle) translucide ou teintée, très résistante (abusivt écrit *altuglass*). → **Plexiglas.** *Table, porte en altuglas. Altuglas fumé.*

Récemment, elle a inventé une intéressante technique de peinture sur altuglass et polyester, mais sans abandonner la peinture à l'huile.
S. DE BEAUVOIR, Tout compte fait, p. 55.

**ALU** [aly] n. m. — 1947, *in* D. D. L.; abrév. de *aluminium*.

Fam. Aluminium. *Cadre de vélo en alu. Câble alu-acier* (âme en fils d'acier entourée de brins d'aluminium).

Le bidon d'alu se balançait vraiment au bout du bras intact. Hervé BAZIN, l'Huile sur le feu, p. 274.

**ALUCHROMIE** [alykʀɔmi] n. f. — 1974; de *alu(minium)*, et *-chromie*.

Techn., arts. Application et fixation de teintures sur plaque d'aluminium anodisé.

DÉR. **Aluchromiste.**

**ALUCHROMISTE** [alykʀɔmist] n. — XXe; de *aluchromie*.

Techn., arts. Artiste pratiquant l'aluchromie.

**ALUCITE** [alysit] n. f. — 1777, *Encyclopédie, Suppl.*, art. *Lépidoptère*; lat. zool. *alucita*, bas lat. *alucita* «moucheron».

Petit papillon aux ailes fendues et plumeuses. — *Alucite des céréales*, dit aussi *teigne des blés*.

(...) les papillons reviennent d'un long voyage. Les morios bruns et jaunes (...) les modestes alucites gris jaune, les neigeux bombyx (...)

Monique WITTIG, le Corps lesbien, p. 1.

**ALUDE** [alyd] ou **ALUTE** [alyt] n. f. — 1635; provençal *aluda*, du lat. *aluta* «cuir (préparé avec de l'alun)».

Techn. Basane colorée employée en reliure pour couvrir les livres. *Alude verte.*

**ALUDEL** [alydɛl] n. m. — 1545; *alutel*, 1275; esp. *aludel*, de l'arabe *ăl-ŭtāl* «récipient à sublimation».

Hist. de la chim. Assemblage de pots s'emboîtant les uns dans les autres de manière à former un tuyau, surmonté d'un chapiteau, et qui servait autrefois pour différentes sublimations.

Ah, si tu nous voyais, Timoleo et moi, au milieu des athanors et des aludels, des pélicans et des matras, des cornues et des alambics (...)

R. QUENEAU, les Fleurs bleues, p. 163.

**ALUETTE** [alɥɛt] n. f. — D. i.; p.-ê. du moy. franç. *luettes*, nom d'un jeu.

Régional (Ouest). Jeu de cartes à 48 cartes réparties entre les 4 enseignes du tarot, et qui se joue en utilisant un code gestuel pour faire connaître le jeu au partenaire.

**ALUMELLE** ou **ALLUMELLE** [alymɛl] n. f. — 1458, *alumelle; allumelle*, 1452; *alemele*, 1155; lat. *lamella* «petite lame», avec infl. de *allumelle, allumette*.

♦ **1** Vx. Lame (de couteau ou d'épée) longue et mince. — (XVI^e-XVIII^e). Fig. Membre viril.

♦ **2** (1723). Techn. Outil d'acier en biseau servant à planer le bois (le buis), ou l'ivoire. — Plane qu'on appelle aussi *couteau à deux manches*.

♦ **3** Mar. Lame de fer qui garnit la mortaise du gouvernail, d'un cabestan, etc., pour empêcher l'usure.

HOM. **Allumelle.**

**ALUMINAGE** [alyminaʒ] n. m. — 1890; de *aluminer*, et *-age*.

Techn. Mordançage (d'une étoffe) par dépôt d'alumine. — REM. Ne pas confondre avec *aluminiage*.

**ALUMINAIRE** [alyminɛʀ] adj. — 1838; de *alumine*, et *-aire*.

Minér. Se dit des pierres volcaniques qui contiennent de l'alun.

**ALUMINATE** [alyminat] n. m. — 1838; de *alumine*, et *-ate*.

♦ **1** Chim. Sel où l'alumine joue le rôle d'anhydride d'acide; anion oxygéné de l'aluminium. *Aluminates colorés*, utilisés comme pigments des couleurs céramiques. *Aluminate de calcium.*

♦ **2** (1845). Minér. Minéral constitué par un sel d'alumine.

**ALUMINE** [alymin] n. f. — 1782, Guyton de Morveau; lat. *alumen, -inis* «alun».

Oxyde (*alumine anhydre* $Al_2O_2$) ou hydroxyde $Al(OH)_3$ d'aluminium. *L'alumine (anhydre), colorée ou non par des oxydes métalliques, constitue plusieurs pierres précieuses.* → **Améthyste, rubis, saphir, topaze.** *Alumine cristallisée.* → **Corindon.** *Alumine hydratée*, présente dans la bauxite, d'où on l'extrait industriellement. *Alumine colorée en noir par un oxyde de fer.* → **Émeri.** *Fluorure double d'alumine et de sodium.* → **Cryolithe.** *Silicates d'alumine.* → **Albite, disthène, feldspath, kaolin, lapis-lazuli, tourmaline.** *Sulfates d'alumine.* → **Alun, alunite.** *L'alumine gélatineuse reprend les colorants* (cochenille, alizarine) *en dissolution dans l'eau et les fixe; elle est utilisée comme mordant en teinturerie.* → **Aluminage.** — *Alumine colorée et séchée, utilisée en peinture.* → **Laque.**

Il me parle de l'alumine. En la broyant avec tous les tons possibles, on obtient un transparent qui en fait une laque.

E. DELACROIX, Journal 1850-1854, 18 sept. 1850.

DÉR. et COMP. **Aluminaire, aluminate, aluminer, aluminerie, aluminifère, aluminique.** V. **Alumino-.**

**ALUMINER** [alymine] v. tr. — 1845; de *alumine*, ou du lat. *alumen, -inis*, et suff. verbal.

♦ **1** Vx. Combiner avec l'alumine.

♦ **2** (1959). Mod. Techn. [a] Combiner avec l'aluminium.

[b] Recouvrir (un métal) d'aluminium. → **Aluminiage.**

◆ **ALUMINÉ, ÉE** p. p. adj. *Réflecteur aluminé* (d'un appareil d'optique astronomique).

DÉR. **Aluminage.**

**ALUMINERIE** [alyminʀi] n. f. — Av. 1898; de *alumine*, et *-erie*.

Technique ou commerce.

♦ **1** Usine qui fabrique l'aluminium. — Magasin où l'on vend des objets (casseroles, ustensiles de cuisine, etc.) d'aluminium.

♦ **2** Fabrique d'alun.

**ALUMINEUX, EUSE** [alyminø, øz] adj. — 1478; du lat. *aluminosus* «qui contient de l'alun», de *alumen, -inis*. → Alumine.

Chimie.

♦ **1** (1478). Vx. Mêlé d'alun.

♦ **2** (1814). Mod. Qui contient de l'alumine ou un autre composé de l'aluminium. *Minéraux, ciments alumineux.*

**ALUMINIAGE** [alyminjaʒ] n. m. — 1948; de *alumini(um)*, et *-age*.

Techn. Procédé de protection du fer, de l'acier, de la fonte par une couche d'aluminium. → aussi **Calorisation; métallisation.** *Aluminiage sous vide.* — REM. Ne pas confondre avec *aluminage* (l'aluminage des étoffes).

**ALUMINICO-** Élément, de *aluminique*, servant à former des composés dans le domaine de la chimie. — REM. Les comp. se sont employés au XIX^e s. Ex. : *aluminico-ammonique*, adj. (1842); *aluminico-calcique* (1842), *aluminico-potassique* (1842).

**ALUMINIÈRE** [alyminjɛʀ] n. f. — 1838; dér. du lat. *alumen, -inis* «alun», et *-ière*.

Techn. Vx. Mine d'alun. → **Alunière.**

**ALUMINIFÈRE** [alyminifɛʀ] adj. — V. 1815; de *alumine*, et *-fère*.

Minér. Qui contient de l'alumine. *Quartz aluminifère.*

**ALUMINIQUE** [alyminik] adj. — 1838; de *alumine*, et *-ique*.

Chim., vx. (En parlant d'un sel). Qui résulte de l'action d'un acide sur l'alumine. → **Aluminico-**.

**ALUMINITE** [alyminit] n. f. — 1838; probablt de l'all. *Aluminit*, de *aluminium*.

Minér. Sulfate d'aluminium naturel.

**ALUMINIUM** [alyminjɔm] n. m. — 1819; *aluminon*, 1813, trad. de Davy; de l'angl. *aluminium* (1812, H. Davy), de l'angl. *alumina* «terre d'alun», du lat. *alumen, -inis*; H. Davy avait découvert ce corps en 1808.

Chim. et cour. Métal blanc, léger, malléable, bon conducteur de l'électricité, très abondant dans la nature sous forme oxydée, et généralement tiré de la bauxite (environ 8 % de la lithosphère). Symb. *Al*; nº at. 13; masse at. 26,98; dens. 2,7. *L'aluminium est, après le fer, le métal le plus employé dans l'industrie sous forme d'alliages légers (alpax, duralumin...). Qui contient de l'aluminium.* → **Alumineux** (2.). *Production de l'aluminium par électrolyse de l'alumine dissoute dans la cryolithe. Composés naturels de l'aluminium.* → **Alumine, aluminite, alunogène, bauxite.** — Abrév. fam. → **Alu.**

1 De l'autre côté du corridor passe la grande raffinerie de pétrole avec sa flamme et les ampoules qui décorent, comme des arbres de Noël, ses hautes tours d'aluminium.
Michel BUTOR, la Modification, p. 228.

*Alliages d'aluminium* : avec le cuivre *(bronze d'aluminium)*, le cuivre, le magnésium et le manganèse (→ **Duralumin**), avec le fer et le silicium (→ **Ferro-alliage**), avec le magnésium et le tungstène (→ **Partinium**)... → aussi **Almasilicium.** *Minium d'aluminium* : pigment rouge obtenu à partir de la bauxite.

*Usages de l'aluminium* : construction aéronautique, automobile, électrique, mécanique; quincaillerie (ustensiles ménagers, casseroles). *Casserole en aluminium. Papier d'aluminium. Rouleau d'aluminium.* → **Alumiphane.** *Des bijoux en aluminium.* → Parisien, cit. 2. — *Cémentation par l'aluminium.* → **Aluminiage; calorisation,** et aussi **aluminer.** *Teinture sur plaque d'aluminium anodisé.* → **Aluchromie.**

REM. C'est après 1850 que l'*aluminium* est devenu un métal industriel; auparavant, le mot a les connotations de «métal précieux».

2 Les cartes de visite, imprimées en or sur aluminium, pleuvent dans la boîte des hôtels.
J. VERNE, l'Île à hélice, p. 316.

DÉR. **Aluminiage.** ◊ COMP. **Aluchromie, alumiphane. Ammonal. Cupro-aluminium, ferro-aluminium.** V. **Alumino-.**

**ALUMINO-, ALUMO-** Élément signifiant «formé d'alumine» ou «d'aluminium» et servant à former des composés dans le domaine de la chimie, de la minéralogie et de la technologie. → **Aluminothermie.** Ex. : *aluminochlorure*, n. m.; *aluminosilicate*, n. m.; *alumocalcite*, n. m.

**ALUMINOTHERMIE** [alyminotɛʀmi] n. f. — 1900, in *l'Année sc. et industr.* 1901, p. 97; de *alumino-*, et *-thermie*.

Chim. Production de hautes températures utilisant la réaction de l'aluminium en poudre sur divers oxydes métalliques. → **Thermite.** *Procédé analogue à l'aluminothermie utilisant le zirconium comme réducteur.* → **Zircothermie.**

**ALUMIPHANE** [alymifan] n. m. — Mil. XXᵉ; nom déposé, de *alumi(nium)*, et *-phane*.

Techn. Aluminium façonné en pellicule très mince.

**ALUMNAT** [alymna] n. m. — 1900; dér. sav. du lat. *alumnus* «disciple».

Didact. Établissement secondaire, dans certaines congrégations religieuses. → **Juvénat.**

**ALUMO-** → **Alumino-.**

**ALUN** [alœ̃] n. m. — 1148; du lat. *alumen, -inis*. → Alumineux (1.).

♦ **1** Sulfate double de potassium et d'aluminium hydraté, utilisé en teinture, mégisserie, médecine (astringent et caustique). *L'alun est tiré en partie de l'alunite**.

♦ **2** Sulfate double. *Alun commun, alun de potassium* : l'alun (au sens 1.) — *Alun de fer, de chrome.*

DÉR. et COMP. **Alunation, alundum, aluner, alunerie, alumineux, alunière, alunite. Alunifère, alunogène.** — (Du lat. *alumen*) V. **Alumine, alumineux, aluminière.**

**ALUNAGE** [alynaʒ] n. m. — 1808; de *aluner*, et *-age*.

Techn. Action d'aluner. → **Alunation** (vx). — Mordançage des tissus avec l'alun ou le sulfate d'aluminium. — Photogr. Trempage des clichés dans une solution d'alun pour en durcir la gélatine.

**ALUNATION** [alynasjɔ̃] n. f. — 1823; de *alun*, et *-ation*.

♦ **1** Chim. Procédé par lequel on forme l'alun.

♦ **2** Techn. Vx. Syn. de *alunage*.

**ALUNDUM** [alœdɔm] n. m. — XXᵉ; de *alun*.

Techn. Abrasif obtenu par déshydratation de la bauxite au four électrique.

**ALUNER** [alyne] v. tr. — 1532, *alluner*; de *alun*, et suff. verbal.

♦ **1** (1532). Techn. Imprégner d'alun. *Aluner les étoffes, les clichés photographiques.* → **Alunage.** *Aluner le papier*, pour l'empêcher de boire.

♦ **2** Pharm. Ajouter de l'alun à (une substance) dans un but thérapeutique.

◆ **ALUNÉ, ÉE** p. p. adj.

♦ **1** Imprégné d'alun. *Papier aluné.*

♦ **2** Auquel on a ajouté de l'alun. *Vin aluné.*

DÉR. **Alunage.**

**ALUNERIE** [alynʀi] n. f. — Av. 1866; dér. de *alun*, et *-erie*.

Techn. → **Alunière.**

**ALUNEUX, EUSE** [alynø, øz] adj. — XVᵉ; de *alun*, et *-eux*.

Didact. Qui contient naturellement de l'alun. *Terrain aluneux.*

**ALUNIÈRE** [alynjɛʀ] n. f. — 1783; *alumière*, 1702; de *alun*, et *-ière*.

Didact., techn. Mine d'alun. — Fabrique d'alun. Syn. : *aluminière* (vx), *alunerie*.

**ALUNIFÈRE** [alynifɛʀ] adj. — 1855, Bescherelle; de *alun,* et *-fère.*

Didact. Qui contient de l'alun. *Schiste alunifère.*

**ALUNIR** [alyniʀ] v. intr. — 1921, *in* D. D. L. (→ Alunissage); de 1. *a-, lun(e),* et suff. verbal, d'après *atterrir,* où *terre* est pris non plus dans le sens de «rivage», ou de «sol» opposé à *mer,* puis à *air,* mais dans le sens de «planète Terre».

Aborder sur la Lune, prendre contact avec la Lune.

1 Considérons donc le projectile lorsqu'il commence à tomber librement vers la Lune. À partir de cet instant et jusqu'à ce qu'il ait atterri ou plutôt aluni (...) il se comportera exactement comme notre ascenseur, — je devrais dire notre descenseur, — de tout à l'heure.

Ch. NORDMANN, *in* Revue des Deux Mondes, 15 août 1923.

2 Nous dégagerons un parachute qu'on avait imaginé pour permettre, lors d'un futur voyage interplanétaire, d'alunir, je veux dire d'aborder sur la Lune.

P. REBOUX, Patapon, p. 39 (cité par Maurice RAT).

REM. Ce verbe et son dérivé n'ont pas été admis par l'Académie française, qui recommande *atterrir* et *atterrissage.*

DÉR. **Alunissage.**

**ALUNISSAGE** [alynisaʒ] n. m. — 1923; du rad. du p. prés. de *alunir,* et *-age.*

Fait d'alunir.

1 Quant au moteur à réaction — basé en somme sur le système de la fusée d'artifice — qu'on a proposé plus récemment pour pousser un véhicule jusqu'à la Lune, il échappe à cet inconvénient rédhibitoire, mais il soulève d'autres difficultés, et laisse intact le problème de l'*alunissage* (comment dire autrement ?).

Ch. NORDMANN, le Royaume des cieux, p. 15 (1923).

2 L'image mobile n'est pas seulement image, car *Match* ou *Life* ne remplace nullement la télévision en grève. Même pour l'actualité. Quel reportage, quelle photo, rivaliserait avec un alunissage, avec un hold-up télévisé, qui changent en commentaires tout ce qui traite d'eux ?

MALRAUX, l'Homme précaire et la Littérature, p. 206.

REM. L'Académie française n'admet pas ce terme, et recommande l'emploi de *atterrissage.*

**ALUNITE** [alynit] n. f. — 1824; de *alun,* et *-ite.*

Minér. Sulfate basique double hydraté d'aluminium et de potassium, d'où l'on tire l'alun du commerce. *Gisements d'alunite des terrains volcaniques.*

**ALUNOGÈNE** [alynɔʒɛn] n. m. — 1845; de *alun,* et *-gène.*

Minér. Sulfate d'aluminium naturel, sel blanc de saveur acerbe, trouvé surtout dans les solfatares.

**ALUTACÉ, ÉE** [alytase] adj. — 1855, Bescherelle; dér. du lat. *aluta* «cuir».

Didact. Qui présente un aspect chagriné et coloré (comme le cuir), en parlant des téguments de certains insectes.

**ALUTE** [alyt] n. f. → **Alude.**

**ALVÉO-** → **Alvéolo-.**

**ALVÉOGRAPHE** [alveɔgʀaf] n. m. — Après 1950 (appareil créé par Chopin); de *alvéo-,* et *-graphe.*

Techn. Appareil à insufflation d'air, destiné à déterminer le comportement mécanique d'une pâte de farine.

**ALVÉOLAIRE** [alveɔlɛʀ] adj. — 1751; de *alvéol(e),* et *-aire.*

♦ **1** [a] Anat. Qui appartient aux alvéoles dentaires, les concerne. *Arcade alvéolaire. Pyorrhée alvéolaire. Point alvéolaire.* → **Prosthion.**

Qui appartient aux alvéoles pulmonaires. *Air alvéolaire.*

[b] Phonét. *Consonne alvéolaire,* ou *apico-alvéolaire,* se dit d'une consonne articulée avec la pointe de la langue contre les alvéoles ou s'en approchant. Par ext. *Articulation alvéolaire,* au niveau des alvéoles. — N. f. *Une alvéolaire* (Marouzeau, 1951), ou *une apico-alvéolaire :* une consonne alvéolaire.

♦ **2** Géol. *Structure alvéolaire :* structure d'une roche qui présente de petits creux, des alvéoles.

Par métaphore. Qui présente des éléments comparés à des alvéoles.

**ALVÉOLE** [alveɔl] n. m. (vieilli) ou f. — XVI^e, au sens 2.; *alveolle,* 1519; du lat. *alveolus,* dim. de *alveus* «cavité, auge».

REM. Le masc. est académique, normal jusqu'au déb. du XX^e s., quelque peu affecté en franç. contemporain; le fém. n'est considéré comme fautif que par certains puristes; de grands écrivains — Cocteau, Malraux (*in* Grevisse) — l'emploient.

♦ **1** (1690). Petite cellule hexagonale où l'abeille dépose ses œufs et son miel. *Les abeilles, frelons et guêpes construisent des alvéoles réguliers* (ou *régulières*). → **Cellule.** *Les alvéoles de la ruche.*

*(Ces constructions)* ont des alvéoles comme un guêpier, des tanières comme une ménagerie (...)

HUGO, les Travailleurs de la mer, II, I, XI.

Petite cavité.

(...) elle *(la mouche-maçonne)* a complètement muré une araignée dans l'alvéole de terre où elle l'avait forcée d'entrer.

GIDE, Voyage au Congo, *in* Souvenirs, Pl., p. 770.

«*Ce cabinet* (cit. 6) *de travail qui était comme une alvéole vide*» (Martin du Gard).

♦ **2** (Fin XVI^e). Anat. *Alvéoles dentaires :* cavités au bord des maxillaires où sont implantées les racines des dents.

(1885). *Alvéoles pulmonaires :* culs-de-sac terminaux des subdivisions bronchiques. → **Cavité.** *Affaissement des alvéoles pulmonaires.* → **Atélectasie.** *Inflammation des alvéoles.* → **Alvéolite.**

♦ **3** (Fin XIX^e). Cavité ou dépression d'une roche. «*Les alvéoles observées sur les grès de l'Arizona*» (Haug).

Mais ce qui retint Robinson plus que toute autre chose, ce fut un alvéole profond de cinq pieds environ qu'il découvrit dans le coin le plus reculé de la crypte.

M. TOURNIER, Vendredi..., p. 105-106.

♦ **4** (1690). Bot. Loge formée par les carpelles soudés du pistil de certaines plantes. → **Locule, loculaire** (fruit).

♦ **5** Cavité. «*La grille qui vacillait dans son alvéole rouillé*» (Hugo). *Alvéoles dans une paroi, un mur. — Plateau à alvéoles pour emballer les œufs.* → **Alvéolé.**

DÉR. et COMP. **Alvéolaire, alvéolé, alvéoline, alvéolite, alvéolyse.** — V. **Alvéolo-.**

**ALVÉOLÉ, ÉE** [alveɔle] adj. — 1834; de *alvéole.*

♦ **1** Bot., zool. Qui est pourvu d'alvéoles.

♦ **2** Qui présente des alvéoles (fig.), des enfoncements, des creux réguliers. *Matelas, coussins en caoutchouc alvéolé. Carton alvéolé* (→ **Gaufré**). *Métal alvéolé,* utilisé en construction aéronautique.

Colin s'assit sur un tabouret au siège capitonné de caoutchouc alvéolé (...)

Boris VIAN, l'Écume des jours, I, p. 14.

**ALVÉOLINE** [alveɔlin] n. f. — 1845; de *alvéol(e)*, et *-ine*.

Zool. Foraminifère caractérisé par une coquille ayant l'apparence de la porcelaine, rare à l'époque actuelle, mais abondant dans les terrains tertiaires.

**ALVÉOLITE** [alveɔlit] n. f. — 1896, *in* D. D. L.; de *alvéole*, et *-ite*.

Méd. Inflammation des alvéoles pulmonaires ou des alvéoles dentaires.

**ALVÉOLO-** ou **ALVÉO-** Élément signifiant «d'un alvéole», et servant à former quelques composés savants dans le domaine de la chirurgie, de l'anatomie. Ex. : *alvéolo-capillaire*, adj., «des alvéoles pulmonaires et des capillaires»; *alvéolo-* ou *alvéolo-dentaire*, adj. (1926); *alvéolo-labial*, n. m. (XIX^e, *in* Larousse).

**ALVÉOLYSE** [alveɔliz] n. f. — XX^e; de *alvéo(le)*, et *-lyse*.

Didact. (méd.). Pyorrhée alvéolo-dentaire. → Paradontose (cit.).

**ALVIN, INE** [alvɛ̃, in] adj. — 1795, Cullen, *Éléments de méd. pratique*, t. II, p. 429; lat. *alvinus*, de *alvus* «ventre».

Méd. (Rare). Qui se rapporte au ventre, aux intestins; qui en provient. *Évacuations alvines. Flux alvin.* → **Diarrhée.**

**ALYSSE** [alis] n. f. ou **ALYSSON** [alisɔ̃] n. m. — 1583, *alysse*; *alysson*, 1542; grec *alusson* «plante qui préserve de la rage», de 2. *a-* (priv.), et *lussa* «rage».

Bot. Plante dicotylédone *(Crucifères)* à fleurs blanches ou jaunes, cultivée dans les jardins pour orner les bordures, les corbeilles, les plates-bandes ou les rocailles. *Alysse à fleurs blanches* ou *gazon de Marie.* → **Arabette, corbeille** (d'argent). *Alysse à fleurs jaunes :* corbeille d'or. — *Faux-alysson* [foza lisɔ̃] (alyssoïde) : 'hélianthème. — REM. On emploie aussi la forme latinisée *alyssum* [alisɔm].

**ALYTE** [alit] ou **ALYTES** [alitɛs] n. m. — 1838; grec *alutos* «qu'on ne peut dénouer».

Zool. Batracien appelé *crapaud accoucheur**, qui porte, enroulé autour de ses pattes postérieures, un chapelet d'œufs pondus par la femelle, et qui les surveille jusqu'à leur éclosion. — N. sc. *Alytes obstetricans*. — On écrit aussi *alytès* [alitɛs].

Parfois les têtards ont une taille supérieure à celle des adultes *(Pelobates, Pelodytes)*, cette disposition atteint un très haut degré chez l'Alyte dont le têtard mesure 170 mm pour un adulte de 70 mm.

Jean GUIBÉ, les Batraciens, p. 21.

**ALZHEIMER** [alzajmɛʀ] n. m. — 1988; de *maladie d'Alzheimer*, nom d'un médecin allemand.

Méd. Affection neurologique caractérisée par une altération intellectuelle progressive et irréversible (démence sénile). *«Mais pour les maladies dégénératives comme l'alzheimer ou le parkinson, on ne connaît pas encore assez bien les mécanismes en jeu»* (*le Nouvel Obs.*, 1^er^ déc. 1994, p. 94).

**A. M.** [eɛm] loc. adv. — Abrév. anglaise de la locution latine *ante meridiem* «avant midi».

Anglic. (opposé à *p. m. : post meridiem*). Avant midi (employé dans les pays où les heures sont comptées jusqu'à douze). *L'avion part à 8 heures a. m.*, à 8 heures du matin.

**AMABILE** [amabile] adv. — 1776; ital. *amabile*, du lat. *amabilis* «aimable».

Mus. Terme indiquant que l'exécution (d'une pièce musicale) doit avoir un caractère doux, aimable.

**AMABILISER** [amabilize] v. tr. — 1773; du lat. *amabilis* «aimable», et *-iser*.

Rare. Rendre aimable (*in* Mercier, 1801). — Pron. *S'amabiliser :* devenir aimable (la Varende, *in* T. L. F.).

**AMABILITÉ** [amabilite] n. f. — 1683; lat. *amabilitas*, de *amabilis* (→ Aimable); la forme moderne a été précédée et concurrencée (au sens 1.) par *aimableté*, dér. de *aimable*, et par *aimabilité* (1676, M^me^ de Sévigné) :

Je suis persuadée de toute l'aimabilité de la belle Roche- 1
bonne. M^me^ DE SÉVIGNÉ, Lettre du 7 oct. 1676.

♦ **1** Vx ou littér. Qualité d'une personne qui mérite d'être aimée. → Aimable (1.).

Spécialt. (Dans les relations amoureuses). *« Voir un objet très aimable ne suffit pas; au contraire, l'extrême amabilité décourage les âmes tendres (...)»* (Stendhal, *De l'amour*, *in* T. L. F.).

L'amabilité d'un être que nous n'aimons plus et qui semble 2
encore excessive à notre indifférence, eût peut-être été bien
loin de suffire à notre amour.
PROUST, À l'ombre des jeunes filles en fleurs, Pl., t. I, p. 629.

Vx. Caractère de ce qui doit être aimé. *«Réconcilier les gens du monde par l'onction et l'amabilité de la religion»* (Sainte-Beuve, *Port-Royal*, *in* T. L. F.).

Relig. Vieilli (en parlant de Dieu). *La souveraine amabilité de Dieu :* son caractère «souverainement aimable».

♦ **2** Mod. [a] Qualité d'une personne affable, aimable (2.), qui s'efforce de plaire ou se comporte de manière à plaire. → **Affabilité, bienveillance, gentillesse, grâce** (bonne grâce), **obligeance.** *L'amabilité de qqn. Il est plein d'amabilité, d'une grande amabilité. Il manque d'amabilité. Il était en veine d'amabilité. — Auriez-vous l'amabilité de, voudriez-vous nous faire l'amabilité de venir dîner?*

Ai plus causé qu'à l'ordinaire, ce qui m'a valu un compli- 3
ment d'amabilité de la maîtresse de maison.
BARBEY D'AUREVILLY, Premier mémorandum, p. 167.

(Collectivt). *L'amabilité d'un milieu. «L'exacte valeur du langage (...) de l'amabilité aristocratique»* (cit. 4, Proust).

(En parlant des actes, du comportement). *L'amabilité, l'extrême amabilité de votre accueil. L'amabilité d'un salut, d'une invitation. Un sourire sans amabilité. «L'amabilité forcée du sourire de la marchande»* (Paul Bourget, *in* T. L. F.). *L'amabilité de ses paroles, de sa lettre.*

M. Duroc salua les deux jeunes gens avec l'amabilité heu- 4
reuse qui implique le sentiment de sa propre supériorité
et de la reconnaissance respectueuse de ceux vis-à-vis desquels elle condescend avec souplesse.
PROUST, Jean Santeuil, Pl., p. 438.

[b] *(Une, des amabilités).* Acte, comportement qui marque le désir de plaire ou l'aptitude à plaire. *Faire, dire des amabilités à qqn. Faire assaut d'amabilités. Faire des amabilités, mille amabilités.* → **Attention, délicatesse, douceur, gentillesse, politesse, prévenance.**

Vieilli. Acte, comportement d'une personne qui désire se faire aimer. *Les «amabilités et* (les) *faveurs de la femme»* (Goncourt, *in* T. L. F.).

CONTR. **Brusquerie, brutalité, grossièreté, maussaderie, rudesse, sauvagerie.**

**AMADE** [amad] n. f. — 1690, Furetière; *hamete, hamede,* fin XIV^e; de l'anc. franç. régional (Lille) *hamede* «barre, barrière», par réfection d'après le suff. *-ade.*

Blason (en général au plur.). Ensemble de trois lignes parallèles qui traversent l'écu sans toucher les bords.

**AMADELPHE** [amadɛlf] adj. — 1838; du grec *ama* «ensemble», et *adelphos* «frère».

♦ **1** Bot. (vieilli). *Plantes amadelphes :* plantes qui vivent en groupe.

♦ **2** (V. 1890). Par ext. Vx et rare. Enfants de la même mère.

**AMADINE** [amadin] n. f. — 1827; p.-ê. du grec *ama* «ensemble» (→ Amadelphe), et de *dinos* «tournoiement».

Oiseau passereau originaire d'Afrique, de petite taille, au plumage brun fauve avec collier rouge, ce qui lui a valu le nom de *cou coupé.* → **Bengali.**

DÉR. **Amadinidés.**

**AMADINIDÉS** [amadinide] n. m. pl. — Mil. XIX^e; de *amadine.*

Zool. Famille d'oiseaux passeriformes exotiques, de petite taille, à gros bec et à plumage varié, de couleurs vives. *Types principaux d'amadinidés :* amadine, bengali, lagonosticta (ou sénégali), padda, spermeste, taeniopyga. *Les Amadinidés sont désignés communément sous le nom général de bengali.* — Au sing. *Un amadinidé.*

**AMADIS** [amadis] n. m. — 1611; de *Amadis,* du lat. *amare* «aimer», nom du héros du roman d'aventures espagnol *Amadis da Gaula.*

Vieux ou archaïsme littéraire.

♦ **1** (Par référence à *Amadis des Gaules*). Homme chevaleresque et séduisant.

Les filles dans leur cœur aiment cet Amadis.
HUGO, la Légende des siècles, «Le Cid exilé».

♦ **2** (1694). Vx. Manche serrée qui se boutonne sur le poignet; forme de cette manche. *Une manche en amadis.*
(1824). Gants de femme.

**AMADOU** [amadu] n. m. — 1723; *amadoue,* 1628, «amorce» (→ Amadouer, étym.); cf. le provençal *amadou,* proprt «amoureux»; s'est dit d'abord de l'amadouvier lui-même, à cause de la facilité avec laquelle il s'enflamme.

♦ **1** Substance spongieuse provenant de plusieurs champignons, en particulier de l'amadouvier. *L'amadou prend feu facilement au contact d'une étincelle et brûle lentement. Brûler comme de l'amadou.*

Le retour fut marqué par un incident heureux, la découverte que fit l'ingénieur d'une substance propre à remplacer l'amadou. On sait que cette chair spongieuse et veloutée provient d'un certain champignon du genre polypore. Convenablement préparée, elle est extrêmement inflammable, surtout quand elle a été préalablement saturée de poudre à canon ou bouillie dans une dissolution de nitrate ou de chlorate de potasse. Mais, jusqu'alors, on n'avait trouvé aucun de ces polypores, ni même aucune de ces morilles qui peuvent les remplacer.
J. VERNE, l'Île mystérieuse, t. I, p. 170-171.

♦ **2** Cette substance préparée (séchée) pour divers usages. *Sec comme de l'amadou. Mèche d'amadou :* mèche noire faite de cette substance et utilisée pour allumer le feu. *L'amadou des anciens briquets*.*

Par ext. Régional, vieilli. Matière inflammable utilisée pour allumer le feu.

♦ **3** Loc. fig. *Être d'amadou, prendre feu comme de l'amadou :* être prompt à s'emporter, à s'enflammer — *Cœur d'amadou,* qui s'enflamme promptement.

♦ **4** (Av. 1850, Chateaubriand). Pharm., chir. Amadou traité pour arrêter les hémorragies. *Amadou des chirurgiens, tampon d'amadou.*

DÉR. **Amadouer,** 2. **amadoueur, amadouvier.**

**AMADOUAGE** [amadwaʒ] n. m. — 1822; de *amadouer,* et *-age.*

Argot anc. (probablt régional). Mariage.

**AMADOUEMENT** [amadumɑ̃] n. m. — 1539; de *amadouer,* et *-ment.*

Vx et rare. Action d'amadouer; flatterie, cajolerie. *«Contenter le peuple par amadouement de paroles»* (E. Pasquier, *Lettres,* 1586, *in* Huguet).

**AMADOUER** [amadwe] v. tr. — 1539; de *amadou,* proprt «frotter avec l'amadou» (Rabelais, 1546), d'où, en argot «amorcer, éveiller la pitié (des dupes)».

♦ **1** (1539). Fam. Flatter (une personne qui était hostile ou réservée) par de belles paroles, des manières insinuantes, pour se la rendre favorable, obtenir ce qu'on attend d'elle. → **Adoucir, cajoler, caresser** (vx), **embabouiner** (vx), **enjôler, entortiller, flagorner, pateliner** (vx), **peloter** (fam. et vieilli), **persuader.** *Amadouer qqn par de belles paroles. Il essaye d'amadouer le propriétaire pour obtenir un délai. Il veut l'amadouer par, au moyen de quelques flatteries. — Amadouer un animal, un chat.* → **Flatter.** — Au p. p. (→ cit. 1).

Glorieux de me voir si hautement loué, 1
Je devins aussi fier qu'un chat amadoué (...)
Mathurin RÉGNIER, Satires, VIII.

Il l'amadoue, elle le flatte (...) 2
LA FONTAINE, Fables, II, 18.

Qu'on est aisément amadoué par ces diantres d'animaux-là! 3
MOLIÈRE, le Bourgeois gentilhomme, III, 10.

Mme de Soubise amadoua et intimida si bien Châteauneuf, qu'elle lui fit écrire sur ses registres (...) 4
SAINT-SIMON, 58, 222, *in* LITTRÉ.

Enfin, il *(M^r Grandet)* prit son parti, revint à Saumur à l'heure du dîner, résolu de plier devant Eugénie, de la cajoler, de l'amadouer afin de pouvoir mourir royalement et de tenir jusqu'au dernier soupir les rênes de ses millions (...) 4
BALZAC, Eugénie Grandet, éd. 1838, p. 316.

(...) des paroles aimables et persuasives comme en ont au lycée les vétérans, au régiment les anciens pour un bleu qu'on veut amadouer afin de pouvoir s'en saisir, à seules fins alors de le chatouiller et de lui faire des brimades quand il ne pourra plus s'échapper. 5
PROUST, À la recherche du temps perdu, t. X, p. 51.

(...) elle sent qu'il est préférable (...) de se moquer un peu d'elle-même avec eux pour les amadouer, les désarmer (...) 6
N. SARRAUTE, le Planétarium, p. 14.

♦ **2** Argot. Vx. Marier. → **Amadouage.**

◆ **S'AMADOUER** v. pron.

♦ **1** S'adoucir, s'apaiser, devenir moins hostile ou moins réservé. *Il finira bien par s'amadouer.*

♦ **2** (1849). Argot anc. Se grimer pour éveiller la pitié, en parlant d'un mendiant. — Se marier.

◆ **AMADOUÉ, ÉE** p. p. adj. *Enfant amadoué. — Chat amadoué* (→ ci-dessus, cit. 1).

DÉR. **Amadouage, amadouement,** 1. **amadoueur.**

1. **AMADOUEUR, EUSE** [amadwœʀ, øz] adj. et n. — 1539; dér. de *amadouer.*

**I** Adj. Rare. Qui flatte, amadoue ou essaie d'amadouer.

**II** N. (1539). Fam. et rare. Personne qui amadoue, qui flatte.

**HOM.** 2. **Amadoueur.**

2. **AMADOUEUR** [amadwœʀ] n. m. — 1782; de *amadou,* et suff. *-eur.*

Vx. Personne qui fabrique de l'amadou.

**HOM.** 1. **Amadoueur.**

**AMADOUVIER** [amaduvje] n. m. — 1775; de *amadou,* et *-ier.*

Bot. Champignon de la famille des polypores *(Polyporacées)* qui pousse sur les arbres feuillus (chêne, frêne, peuplier, saule, hêtre) et d'où l'on extrait l'amadou. — En appos. *Agaric amadouvier :* variété de ce champignon.

**AMAGNÉTIQUE** [amaɲetik] adj. — 1974; de 2. *a,* et *magnétique.*

Sc. Qui ne possède pas de propriété magnétique; magnétiquement neutre. *Corps amagnétique.*

**CONTR. Magnétique.**

**AMAIGRIR** [amegʀiʀ] v. — V. 1200, *amagrir; amesgrir,* 1236; de 1. *a-, maigre,* et *-ir.*

**I** V. tr. ♦ **1** Rendre maigre. *Le régime qu'il suit l'a beaucoup amaigri.* Absolt. *Le jeûne amaigrit.* → **Creuser, dessécher.**

1 Bien qu'il soit infiniment sensible à la misère et aux plaintes de son peuple, il n'a pu néanmoins s'empêcher de l'amaigrir. GUEZ DE BALZAC, le Prince, XVII.

1 Il en arrivait sans doute à cette phase du vagabondage où la nourriture amaigrit.
GIRAUDOUX, les Aventures de Jérôme Bardini, p. 131.

Fig. Accabler, appauvrir, épuiser, ruiner. *«Le travail de réflexion amaigrit les idées»* (Alain, *Propos,* Pl., p. 1143).

♦ **2** Agric. *Amaigrir un terrain :* l'épuiser, le rendre improductif, stérile. *On dit que le lin et l'avoine amaigrissent les champs.* → **Appauvrir, épuiser.**

2 Le cheval et la plupart des autres animaux amaigrissent en peu d'années les meilleures prairies (...)
BUFFON, Hist. nat. des animaux, Le bœuf.

♦ **3** Techn. Diminuer le pouvoir liant de (un ciment), la plasticité de (une argile, une pâte). *Amaigrir une pâte argileuse.*
*Amaigrir une pierre, une pièce de charpente, une poutre,* en diminuer l'épaisseur. Arts. *Amaigrir un muscle.* → **Amoindrir, diminuer.**

**II** V. intr. Rare. Devenir maigre. → **Maigrir** (→ ci-dessous, S'amaigrir).

◆ **S'AMAIGRIR** v. pron.

♦ **1** Devenir maigre. *Il s'amaigrit de jour en jour.* → **Maigrir.** *S'amaigrir légèrement.* → **Amincir** (s'), **mincir.**

3 Pour m'aller amaigrir avec un tel chagrin!
MOLIÈRE, le Dépit amoureux, I, 2.

Faire paraître maigre. *La barbe amaigrit son visage.*

♦ **2** Par ext. Sculpt. Diminuer de volume, se réduire en séchant, en parlant d'un modèle en terre glaise. *Cette sculpture s'est amaigrie.*

◆ **AMAIGRI, IE** p. p. adj. Rendu maigre. *Joues amaigries. Visage amaigri.* → **Creusé, défait, émacié, maigre.**

Là, consul jeune et fier, amaigri par des veilles. 4
HUGO, les Orientales, XI.

(...) un corps souffreteux, amaigri, languissant, exténué, 5
est plus faible (...)
TAINE, Philosophie de l'art, t. II, V, III, 4.

Ses traits amaigris, sa face allongée, la pâleur de ses joues, 6
la transparence maladive de ses mains (...)
Alphonse DAUDET, le Petit Chose, II, 14.

C'est seulement un visage fatigué, plutôt maigre, encore 7
amaigri par une barbe qui n'a pas été rasée depuis plusieurs jours. Cette maigreur, ces ombres qui accusent les traits, sans pour cela mettre en relief la moindre particularité notable, font cependant ressortir l'éclat des yeux largement ouverts.
A. ROBBE-GRILLET, Dans le labyrinthe, p. 29.

**CONTR. Engraisser, épaissir, grossir. — Florissant.** ◊ **DÉR. Amaigrissant. — V. Amaigrissement**

**AMAIGRISSANT, ANTE** [amegʀisɑ̃, ɑ̃t] adj. et n. m. — 1542; p. prés. de *amaigrir.*

♦ **1** Adj. Qui fait maigrir. *Elle suit un régime amaigrissant. Produit amaigrissant, traitement amaigrissant.*

♦ **2** Techn. Se dit d'une substance qui diminue la plasticité d'une argile ou d'une pâte céramique.

♦ **3** N. m. Médicament utilisé pour faire maigrir. *Le danger des amaigrissants.*

**AMAIGRISSEMENT** [amegʀismɑ̃] n. m. — V. 1300, *amesgrissement;* du rad. du p. prés. de l'anc. franç. *amesgrir.* → Amaigrir.

Fait d'amaigrir, de s'amaigrir.

♦ **1** Diminution de poids, souvent due à la maladie ou aux privations; état d'une personne qui devient maigre. → (méd.) **Atrophie, cachexie, consomption, dépérissement, dessèchement, émaciation, étisie, maigreur, marasme, tabescence.** *L'amaigrissement aboutit à la maigreur*. Cure d'amaigrissement, un amaigrissement local, généralisé. Léger amaigrissement après un régime.* → **Amincissement.** *Un amaigrissement progressif; brutal. Un amaigrissement de dix kilos.* → **Perte.**

Dans la salle illuminée du restaurant, l'amaigrissement, la mauvaise mine d'Antoine, le frappèrent davantage encore.
MARTIN DU GARD, les Thibault, VIII, 5.

♦ **2** Techn. Diminution de l'épaisseur (d'une pièce de bois ou de fer).

♦ **3** Fig. Appauvrissement. *«L'amaigrissement de la sensualité moderne»* (J. Gracq, *in* T. L. F.).

**CONTR. Engraissement.**

**AMALGAMANT, ANTE** [amalgamɑ̃, ɑ̃t] adj. — D. i.; p. prés. de *amalgamer.*

Adj. Ling. *Langues amalgamantes :* langues flexionnelles*

**AMALGAMATION** [amalgamasjɔ̃] n. f. — 1620, in *le Français moderne; amalgation,* 1641; lat. médiéval *amalgamatio* «action de mêler un métal avec du mercure», du supin de *amalgamare.* → Amalgamer.

Action d'amalgamer, résultat de cette action.

♦ **1** Chim., techn. Opération métallurgique consistant à combiner le mercure avec un autre métal, ou à extraire l'or et l'argent de certains minerais au moyen du mercure. *Procédé d'amalgamation.*

♦ **2** (1904, in *Rev. gén. des sc.,* nº 16, p. 790). Fig. Rare. Réunion, fusion.

**AMALGAME** [amalgam] n. m. — 1431 ; lat. médiéval *amalgama ;* probablt arabe *ʹăl-mŭlğăm,* même sens.

♦ **1** Chim. Alliage du mercure et d'un autre métal. → **Alliage.** *L'amalgame d'étain était autrefois employé à l'étamage des glaces.* → **Tain.** *Amalgame d'argent, argenture à l'amalgame d'argent.* — Par ext. (usage non scientifique ; rare). Alliage (quelconque). Absolt. Mélange métallique servant à l'obturation des dents, fait d'argent-mercure, et éventuellement, d'autres métaux comme l'or, le cuivre, le zinc, l'étain. *Obturer une carie avec de l'amalgame.*

♦ **2** [a] Mélange d'ingrédients (en cuisine).

[b] Techn. (imprim.). *Tirer en amalgame :* tirer des impressions différentes en même temps, sur le même support et avec la même machine.

♦ **3** Fig. [a] Milit. Fusion (d'unités militaires de provenance et de formation différentes).

0.1 Le général de Gaulle voulait l'amalgame de toutes les unités combattantes avec l'armée régulière, contre la Wehrmacht : armée ou police, la défense de la nation n'appartenait qu'à l'État.

MALRAUX, Antimémoires, Folio, p. 117.

[b] Polit. Fusion artificielle, à des fins électorales, de formations politiques différentes, dont le programme d'action présente des points communs.

[c] Procédé employé pour déconsidérer un adversaire, en le mêlant indûment à un autre groupe. *On a reproché aux communistes de pratiquer l'amalgame en incluant tous leurs adversaires dans un ensemble qualifié de fasciste, de réactionnaire.*

♦ **4** Fig. Mélange hétérogène de personnes ou de choses, de nature, d'espèce différente. → **Alliance, combinaison, confusion, mélange, rapprochement, réunion, union.** *Un amalgame de gens les moins faits pour être réunis. Un singulier amalgame de timidité et de hardiesse. Un amalgame de plusieurs langues, de divers procédés.*

1 Le plaisant et le tendre sont difficiles à allier ; cet amalgame est le grand œuvre (...)

VOLTAIRE, Lettres, 5 juin 1744.

2 L'amalgame et la superposition de toutes ces extravagances diverses (...)

HUGO, Notre-Dame de Paris, V, 2.

Rare (choses concrètes) :

3 Le ciel s'élargissait progressivement vers le zénith, et des nuages immenses se dessinèrent soudain, grâce à un amalgame de soies grises finement assorties depuis les tons les plus transparents jusqu'aux nuances les plus fuligineuses.

Raymond ROUSSEL, Impressions d'Afrique, p. 134.

♦ **5** Linguistique :

4 Dans lat. *malorum* «des pommes», *-orum* sert de signifiant aux deux signifiés «génitif» et «pluriel» sans qu'on puisse préciser ce qui correspond au génitif et ce qui correspond au pluriel. Dans tous ces cas, on dira que des signifiants différents sont **amalgamés.**
On peut voir dans l'amalgame un aspect particulier d'un phénomène plus général qui consiste, pour un signifié, à se manifester, selon le contexte morphologique, sous des formes variables : en français, le signifié «aller» se manifeste, selon les contextes, sous des formes /al/, /va/, /i/, /i-ra/ ou /aj/ *(aille).*

A. MARTINET, Éléments de linguistique générale, p. 102-103.

DÉR. V. **Amalgamer.**

**AMALGAMER** [amalgame] v. tr. — XIVe ; du lat. médiéval *amalgamare* «fondre du métal avec du mercure», de *amalgama.* → Amalgame.

**A** *(Amalgamer une, des choses).* ♦ **1** Chim. Allier, combiner (un métal) avec le mercure. → **Amalgame.** *Amalgamer l'or.* Par ext. (impropre en sc. et techn.). Mêler en un alliage. → **Allier.**

♦ **2** Mélanger (des ingrédients de nature très différente). *Amalgamer des fruits écrasés, des blancs d'œufs et du sucre.*

♦ **3** Fig. Rapprocher, unir (des choses abstraites). *Amalgamer divers procédés. Amalgamer la force et l'habileté.*

(...) il forgeait et amalgamait si habilement dans sa parole sa passion personnelle et la passion de tous (...)

HUGO, Littérature et Philosophie mêlées, Mirabeau.

♦ **4** Ling. → Amalgame, cit. 4, Martinet.

**B** *(Amalgamer des personnes, des groupes humains).* ♦ **1** Littér. Associer. «*Amalgamer (...) des factions inconciliables*» (Las Cases).

♦ **2** Milit. Réunir (des unités militaires de provenance et de formation différentes) dans le même corps d'armée.

**C** *Amalgamer (qqch. ou qqn) à, avec.* — Fig. et fam. Mêler à, incorporer à. *Amalgamer le beurre à la pâte, les œufs à la farine. Amalgamer des idées nouvelles avec des idées anciennes* (Académie). → **Allier, combiner, confondre, fondre, mélanger, mêler, rapprocher, réunir, unir.** *Amalgamer un groupe social à la communauté, à des groupes différents.*

◆ **S'AMALGAMER** v. pron.

♦ **1** Se mêler (en parlant de substances concrètes). — (Métaux). Former un amalgame.

♦ **2** Fig. Se mêler, s'unir, fusionner. *Deux caractères qui s'amalgament difficilement. S'amalgamer ensemble. — S'amalgamer avec qqch., à qqch.*

Je ne sais quelle métaphysique de Platon s'amalgame avec la secte nazaréenne (...)

VOLTAIRE, Philosophie, II, 69.

La civilisation et la nature semblent ne s'être pas encore bien amalgamées ensemble.

Mme DE STAËL, De l'Allemagne, I, II.

(...) toutes les inquiétudes éprouvées depuis mon enfance (...) à l'appel de l'angoisse nouvelle, avaient accouru la renforcer, s'amalgamer à elle en une masse homogène qui m'étouffait.

PROUST, À la recherche du temps perdu, t. XIII, I, 14.

◆ **AMALGAMÉ, ÉE** p. p. adj.

♦ **1** Uni en amalgame ; mélangé. *Éléments amalgamés.* — Ling. → Amalgame, cit. 4, Martinet.

♦ **2** Fig. *Amalgamé à, avec quelque chose* rapproché, uni.

Deux mois de plus, et j'eusse été remplir une brèche ouverte dans nos rangs par l'artillerie alliée, et je serais peut-être à l'heure qu'il est paisiblement amalgamé à la terre française, aux vins de France, aux mûres que vont cueillir les enfants français.

M. YOURCENAR, le Coup de grâce, p. 146.

DÉR. **Amalgamant, amalgameur.**

**AMALGAMEUR** [amalgamœʀ] n. m. — 1845 ; de *amalgamer,* et *-eur.*

Rare. Personne qui amalgame (des choses, des personnes). — Chim. Ouvrier qui fait l'amalgame ou le vérifie.

REM. Le fém. *amalgameuse* est virtuel.

**AMAN** [amɑ̃] n. m. — 1731 ; arabe *amān* «sécurité, protection», interj. correspondant à «grâce», «merci».

♦ **1** En pays musulman. [a] Interjection par laquelle on demande grâce.

L'autre *(un janissaire)* lui demanda pardon en criant aman.

VOLTAIRE, Hist. de Charles XII, VI.

[b] Octroi de la vie sauve à un ennemi ou un rebelle vaincu. *Obtenir l'aman :* avoir la vie sauve. *Demander l'aman :* demander grâce, faire sa soumission. — *Accorder l'aman.* → **Amnistie.**

Les Touaregs sabrés par la garde nationale demandent l'aman. A. ROBIDA, le Vingtième Siècle, p. 213.

(...) il faudrait admettre que la droite française, cette mule butée, pût accepter tout à coup de faire un pas, et puis un autre, elle qui n'a jamais au fond envisagé d'autre issue que le F. L. N. contraint par la force à demander l'aman (...)
F. MAURIAC, le Nouveau Bloc-notes 1958-1960, p. 35.

♦ **2** Fig. (en général par plais.). Grâce, pardon.

— Ma tante, vous ne m'en avez pas voulu de ma plaisanterie de l'autre jour au sujet de la reine de Suède ? Je viens vous demander l'aman.
PROUST, le Côté de Guermantes, Pl., t. I, p. 230.

**HOM.** **Amant, amman.**

**AMANDAIE** [amɑ̃dɛ] n. f. — 1600; de *amand(e),* et *-aie.*

Rare. Lieu planté d'amandiers. → **Plantation.** Var. : *amanderaie* (1931, Giono, *le Grand Troupeau*).

**AMANDE** [amɑ̃d] n. f. — V. 1270; *alemande,* fin XII^e; dér. régressif du bas lat. *amandula,* altér. du lat. *amygdala* «fruit de l'amandier».

[I] ♦ **1** Drupe oblongue de l'amandier, dont la graine comestible est riche en huile. *Amandes douces, amandes amères. Amandes à coque tendre ou dure. Les coques d'amandes sont recouvertes d'une enveloppe verte.* → **Écale.** — *Amandes fraîches, sèches. Les amandes douces sont consommées comme dessert; employées en pâtisserie et en confiserie. Amandes lissées.* → **Dragée.** *Amandes à pralines ou pralinées.* → **Praline.** *Biscuits, gâteaux aux amandes; crème, pâte d'amandes.* → **Amandine** (3.), **croquante, frangipane, halva, massepain, nougat, touron.** *Sirop aux amandes.* → **Orgeat** (sirop d').

*Amandes salées,* pour l'apéritif. *Mélange d'amandes et de fruits secs.* → **Mendiant.** — *Lait d'amandes :* émulsion utilisée pour la toilette. → **Amandé.** *Huile d'amande douce* (collectif) ou *d'amandes douces :* huile de toilette. → **Cold-cream.** *Sirop, savon d'amandes.* → **Amygdalin.** *L'amande amère, produite par l'amandier non greffé, est utilisée en médecine.* → **Amarine.** — Par comparaison :

(...) le brillant jeune homme qui semblait encore poser devant tout Paris, sans timidité comme sans bravade, le regardant de ses beaux yeux allongés et blancs comme une amande fraîche, des yeux plus capables de contenir une pensée qu'en ayant pour le moment aucune, comme un bassin profond mais vide (...)
PROUST, Jean Santeuil, Pl., p. 675.

♦ **2** EN AMANDE : en forme d'amande. → **Amandé, amandin, amygdale, amygdaloïde.** *Des yeux en amande, taillés en amande,* allongés, fendus.

(...) les yeux grands et coupés en amande.
CHATEAUBRIAND, Itinéraire..., II, 192.

*Objets préhistoriques en amande;* ellipt, *amande. Amande de silex.*

♦ **3** (1897, *in* D. D. L.). En appos. (invar.) *Vert amande :* de la couleur vert tendre qui évoque la coque de l'amande fraîche. *Des robes vert amande.*

Des journaux de mode jonchaient, autour d'elle, la couverture de satin vert amande.
H. TROYAT, la Tête sur les épaules, p. 142.

♦ **4** (1393). Graine contenue dans un noyau. *Amandes d'aveline* (noisette). *L'amande de la cerise. L'amande de l'abricot est amère. Amande de l'anacardier* (anacarde), *du cacaoyer, du coco* (coprah)... *Des «amandes de pin pignon»* (J. Verne). *Amande de la pomme de pin.* → **Pignolat** (dragée). — *Il faut casser le noyau d'un fruit pour en extraire l'amande.* → **Énucléation.**

(Franç. d'Afrique). Fruit du badamier, dit *amandier de Cayenne* (I. F. A.).

♦ **5** *Amande de terre :* rhizome du souchet comestible. → **Souchet.**

♦ **6** Régional. *Amande de mer.* → **Peigne, pétoncle.**

[II] (Par anal. de forme ; → ci-dessus, I., 2.). ♦ **1** (1866). Archit. Encadrement elliptique autour de la représentation du Christ, notamment sur le tympan des églises romanes. → **Mandorle.**

♦ **2** Techn. Cristal taillé en amande.

♦ **3** (1857, *in* T. L. F.). «Partie ovale qui occupe le milieu de la garde d'épée».

[III] Fig. et littér. Ce qui est le meilleur, l'essentiel. *«Les tâtonnements de mon esprit cherchant l'amande, le fruit, l'essentiel (...)»* (M. Barrès, *in* T. L. F.).

**DÉR.** **Amandaie, amandé, amandier, amandin, amandine.** — V. aussi les dér. de **amygdale.** ◊ **HOM.** **Amende.** — Formes du v. **amender.**

**AMANDÉ** [amɑ̃de] adj. et n. m. — 1510, adj.; n. m., 1590; *alemandé,* XIV^e; de *amand(e),* et *-é.*

♦ **1** Adj. [a] Qui contient un extrait d'amandes. *Lait amandé.*

[b] En forme d'amande, en amande. → **Amandin.**

(...) un nez grec (...) des yeux aveuglants, longs, amandés, lourds de cils, puis une ligne de lèvres et de menton tracée comme par miracle.
Jacques LAURENT, les Bêtises, p. 208.

♦ **2** N. m. (1580). Boisson préparée avec du lait et des amandes broyées et passées. — Syn. : *lait d'amandes.*

**HOM.** Formes du v. **amender.**

**AMANDERAIE** [amɑ̃dʀɛ] n. f. → **Amandaie.**

**AMANDIER** [amɑ̃dje] n. m. — 1372; *alemandier,* v. 1150; de *amande.*

♦ **1** Arbre originaire d'Asie, de la famille des *Rosacées,* scientifiquement appelé *amygdalus,* à fleurs blanches ou rosées, et qui produit les amandes. *Plantation d'amandiers.* → **Amandaie.** *Greffer un pêcher sur amandier. Les amandiers en fleurs.*

(...) la poésie est semblable à l'amandier : ses fleurs sont parfumées et ses fruits sont amers.
Aloysius BERTRAND, Gaspard de la nuit, p. 8.

♦ **2** (Franç. d'Afrique). Nom de plusieurs arbres ornementaux, notamment du badamier* (syn. : *amandier de Cayenne,* I. F. .A.).

**AMANDIN, INE** [amɑ̃dɛ̃, in] adj. — 1898; de *amand(e),* et *-in.*

Littéraire.

♦ **1** Qui a la forme d'une amande. *Une «belle et amandine figure»* (La Varende, *in* T. L. F.). → **Amandé.**

♦ **2** Qui contient des amandes. *Tarte, tartelette amandine.* → **Amandine.**

**HOM.** (Du fém.) **Amandine.**

**AMANDINE** [amɑ̃din] n. f. — 1834, *in* D. D. L.; de *amand(e),* et *-ine.*

♦ **1** Techn., comm. Crème à l'amande (cosmétique).

♦ **2** Techn., comm. Gelée faite d'huile d'amandes douces et de sucre.

♦ **3** Plus cour. Petit gâteau frais aux amandes.

HOM. Fém. de **amandin,** adj.

**AMANITE** [amanit] n. f. — 1611; grec *amanitês,* nom d'un champignon mal déterminé.

Champignon à lame *(Agaricinées)* caractérisé par une volve à la base du pied, très commun dans les forêts de la zone tempérée, et comportant plusieurs espèces. *Amanites comestibles : amanite des Césars* (oronge vraie); *amanite ovoïde* (oronge blanche ou coucoumelle blanche ou boule de neige); *amanite élevée, amanite rougeâtre,* appelée aussi *golmotte, golmelle* ou *golmette. Amanites vénéneuses : amanite tue-mouche* (fausse oronge) qui renferme un alcaloïde très toxique (→ **Muscarine**); *amanite phalloïde* (oronge phalloïde) qui contient un poison mortel (→ **Phalline**); *amanite panthère* (fausse golmotte); *amanite porphyre* (non comestible); *amanite printanière* (oronge ciguë blanche, mortelle); *amanite vireuse* (mortelle). *Toxine des amanites.* → **Amatoxine.**

DÉR. **Amanitine.** ◊ COMP. **Amatoxine.**

**AMANITINE** [amanitin] n. f. — D. i. (XX^e); de *amanit(e),* et *-ine.*

Chim. Substance protidique toxique (polypeptide cyclique formé de cinq amatoxines) contenue dans l'amanite phalloïde.

**AMANT, ANTE** [amɑ̃, ɑ̃t] n. — V. 1160; p. prés. subst. de *amer,* anc. forme de *aimer.*

**A** N. m. et f. Vx ou littér. ♦ **1** (V. 1160). Vx (langue class.; jusqu'au XVIII^e). Personne qui aime d'amour et qui est aimée, sans avoir, en général, de relations physiques avec l'autre. → ci-dessous Amante, cit. 16. *Corneille oppose l'amant, qui aime et est aimé, à l'amoureux*, qui aime sans être payé de retour : Rodrigue est l'amant, Don Sanche est l'amoureux de Chimène, dans* le Cid. → **Bien-aimé, soupirant.** *Un amant passionné* (cit. 6, Molière).

1 Tant qu'ils ne sont qu'amants, nous sommes souveraines,
Et jusqu'à la conquête ils nous traitent de reines.
CORNEILLE, Polyeucte, I, 3.

2 Un amant fait sa cour où s'attache son cœur,
Il veut de tout le monde y gagner la faveur;
Et pour n'avoir personne à sa flamme contraire,
Jusqu'au chien du logis il s'efforce de plaire.
MOLIÈRE, les Femmes savantes, I, 3.

Loc. (plais.). *Amant transi,* glacé par la timidité (mod. : *amoureux transi*).

3 Plus ma vive imagination m'enflammait le sang, plus j'avais l'air d'un amant transi (...)
ROUSSEAU, les Confessions, I.

REM. Le sens de «fiancé, soupirant» est aujourd'hui usuel en franç. d'Afrique (I. F. A.).

♦ **2** Littér. Personne qui aime une chose avec passion. *Un amant de la nature, de la vérité. Les amants des muses :* les poètes. — Rare au fém.; on dirait : *une amoureuse de la nature.*

4 Mon père! le poëte est fidèle aux guerriers.
Des honneurs immortels il revêt la victoire;
Il chante sur leur vie et l'amant de la gloire
Comme toutes les fleurs aime tous les lauriers.
HUGO, Odes et Ballades, II, IV, 1.

5 Ses pères avaient été les jaloux amants des pins et de la vigne. F. MAURIAC, Génitrix, p. 365.

♦ **3** Relig. *L'amant, l'amant mystique :* Dieu, le Christ. — Au fém. *Amante :* femme qui voue son amour à Dieu.

♦ **4** Par métaphore :

(...) un ballet de papillons palpitait comme la chaleur. Quand l'aimée se posait sur une branche, autour d'elle l'amant tournoyait, et chaque fois qu'il s'approchait davantage, l'aimée frémissait dans ses ailes (...) Ils s'enfuirent et, tandis qu'elle volait, rythmiquement il la bouclait de son vol.
MONTHERLANT, Encore un instant de bonheur, 1934, p. 720, *in* T. L. F.

**B** N. m. (V. 1670; cette valeur se dégage progressivement du sens A.). Mod. ♦ **1** Homme qui a des relations sexuelles avec une femme avec laquelle il n'est pas marié. → (vieilli) **Galant;** fam. et pop. **ami, bon-ami, homme, jules, mec, type.** *Elle a pris un amant. Avoir un amant. Son premier amant.* — REM. Dans ce sens, le féminin est *maîtresse.*

*Amant de cœur :* amant qui est aimé pour lui-même. *Amant en titre :* amant privilégié. *Amant de passage* (1. Passage, cit. 6), passager. — *Le mari, la femme et l'amant, trio traditionnel du théâtre de boulevard.*

Toute femme, en prenant un amant, tient plus de compte de la manière dont les autres femmes voient cet homme que de la manière dont elle le voit elle-même.
CHAMFORT, Maximes...

L'amant trop aimé de sa maîtresse semble l'aimer moins, et vice versa. CHAMFORT, Maximes...

*(Juliette dit)* qu'il fallait bien se garder de croire que ce fût le mariage qui rendît une jeune fille heureuse; que captive sous les loix de l'hymen, elle avait, avec beaucoup d'humeur à souffrir, une très-légère dose de plaisirs à attendre; au lieu que, livrées au libertinage, elles pourraient toujours se garantir de l'humeur des amans, ou s'en consoler par leur nombre. SADE, Justine..., I, p. 9-10.

Il est plus facile d'être amant que mari par la raison qu'il est plus difficile d'avoir de l'esprit tous les jours que de dire de jolies choses de temps en temps.
BALZAC, la Physiologie du mariage. Pl., t. X, p. 650.

Mais enfin, dit l'Amour se masquant en paradoxe, qu'est-ce qu'un amant? C'est un instrument auquel on se frotte pour avoir du plaisir. M. Cuvier me disait : «votre chat ne vous caresse pas, il se caresse à vous».
STENDHAL, Lucien Leuwen, t. III, 1836, p. 383.

Nous ne sommes le plus souvent que des prétextes, et combien d'amants pourraient dire de leur maîtresse ce que Rivarol disait de sa chatte : qu'elle ne les caresse pas, mais qu'elle se caresse à eux! (...) Il fallait quelqu'un à cette femme. Je passais. Elle m'a pris (...)
Paul BOURGET, Nouveaux essais de psychologie contemporaine, p. 56.

(...) il y avait entre eux comme le cadavre de leur perversité, un ragoût de bassesse, qui le faisait rire et s'exciter lui-même de ce rôle d'amant de cœur, oublieux de tout l'argent qu'il donnait. ZOLA, l'Œuvre, p. 364.

JUPITER
Pourquoi ne veux-tu pas d'amant?
ALCMÈNE
Parce que l'amant est toujours plus près de l'amour que de l'aimée. Parce que je ne supporte ma joie que sans limites, mon plaisir que sans réticence, mon abandon que sans bornes. Parce que je ne veux pas d'esclave et que je ne veux pas de maître. Parce qu'il est mal élevé de tromper son mari, fût-ce avec lui-même.
GIRAUDOUX, Amphitryon 38, I, 6.

♦ **2** Spécialt. Homme, en tant que partenaire sexuel. *Son mari est un piètre amant. C'est un amant exceptionnel, expérimenté.* (Plur.). **LES AMANTS.** **a** Vx (langue class.). Un homme et une femme qui s'aiment (qu'ils aient ou non des relations sexuelles).

Télamon pour Chloris avait l'âme embrasée,
Chloris pour Télamon brûlait de son côté (...)
Ces amants, quoique épris d'un désir mutuel,
N'osaient au blond Hymen sacrifier encor.
LA FONTAINE, Contes, «les Filles de Minée».

Amants, heureux amants (...) LA FONTAINE, Fables, IX, 2.

Je ne puis voir deux amants soupirer l'un pour l'autre, qu'il ne me prenne une tendresse charitable, et un désir ardent de soulager les maux qu'ils souffrent.
MOLIÈRE, l'Amour médecin, III, 3.

Fi! ne me parlez point, pour être vrais amants,
De ces gens qui pour nous n'ont nuls emportements,
De ces tièdes galants (...)
MOLIÈRE, les Fâcheux, II, 4.

Les amants ne pouvaient ni vivre ni mourir l'un sans l'autre. Séparés, ce n'était pas la vie, ni la mort, mais la vie et la mort à la fois. J. BÉDIER, Tristan et Iseult, XV.

**b** Mod. Homme et femme qui ont des relations sexuelles sans être mariés. — En attribut. *Ils sont (ne sont pas) amants.*

**C** AMANTE n. f. Vx. ♦ **1** Celle qui aime un homme et en est aimée. *Ma douce amante.* → **Bien-aimée, dulcinée, femme, maîtresse**; (fam.) **amie, bonne-amie.** *Amante abandonnée.* → (littér. et vx) **Ariane.**

Ah! fallait-il en croire une amante insensée?
RACINE, Andromaque, V, 3.

Ne désespérez point une amante en furie.
RACINE, Bajazet, II, 1.

Amante ne se prend jamais comme maîtresse en mauvaise part, dans le sens de concubine, de femme qui a avec un homme un commerce de galanterie.
LAFAYE, Dict. des synonymes, Suppl., Amante.

♦ **2** Vieilli ou littér. Maîtresse. → Passif, cit. 6.

(...) chez ces simples, il y a le sentiment, le respect inné de la majesté de l'épouse; un abîme la sépare de l'amante, chose de plaisir, à qui, dans un sourire de dédain, on a l'air ensuite de rejeter les baisers de la nuit.
LOTI, Pêcheur d'Islande, p. 270.

Mais cette absence d'espérance précise dans la personne retournait ses pensées sur la satisfaction qu'il y a à aimer : il jouissait plus de son amour que de son amante.
PROUST, Jean Santeuil, Pl., p. 747.

**HOM.** (Du masc.) **Aman, amman.**

**AMARANTACÉ, ÉE, ÉES** [amaʀɑ̃tase] adj. et n. f. pl. — 1808; de *amarant(e),* et *-acé, -acées.*

Botanique.

♦ **1** Adj. (1838). Qui ressemble à l'amarante.

♦ **2** N. f. plur. (1808). Famille de plantes dicotylédones apétales, dont le type est l'amarante. — Au sing. *Une amarantacée.*

**AMARANTE** [amaʀɑ̃t] n. f. et adj. — 1680; *amaranthe,* après 1550; *amarantha,* 1544; lat. *amarantus.*

♦ **1** N. f. Plante ornementale aux nombreuses fleurs d'un rouge pourpre velouté, en grappes. *Amarante crête-de-coq* (ou *Passe-velours*) : célosie de Linné. *Amarante queue-de-renard. Amarante épineuse* (n. sc. : *Amaranthus spinosus*) de Linné, appelée *épinard épineux.*

Au-delà des jardins historiques, des pavillons de marbre noir et des héronnières, un immense et banal verger s'étendait sur le bronze rouge des champs d'amarantes.
MALRAUX, Antimémoires, Folio, p. 114.

La fleur elle-même. *L'amarante était, chez les Anciens, le symbole de l'immortalité.* — Loc. métaphorique. (Vx). *Couronné d'amarante :* immortalisé.

Ta louange dans mes vers
D'amarante couronnée (...)
MALHERBE, II, 2, *in* LITTRÉ.

Colorant naturel extrait de cette plante.
*Bois d'amarante :* acajou de Cayenne, employé en ébénisterie.

♦ **2** Adj. invar. (1694). Qui est de la couleur de l'amarante. *Étoffe, velours amarante.*

Ne dis plus qu'il *(ce beau carrosse)* est amarante :
Dis plutôt qu'il est de ma rente (...)
MOLIÈRE, les Femmes savantes, III, 2 (sonnet de l'abbé COTIN, mis par Molière dans la bouche de Trissotin).

Au-dessus du soubassement de marbre jaune veiné de laque, un seul rang de tribunes mettait, d'une colonne à l'autre, des bouts de rampe de velours amarante (...) 3
ZOLA, Son Excellence Eugène Rougon, t. I, p. 4.

**DÉR. Amarantacé, amarantine.**

**AMARANTINE** [amaʀɑ̃tin] n. f. — 1755; de *amarant(e),* et *-ine.*

Bot. Plante ornementale *(Amarantacées),* aux fleurs d'un rouge vif.

**AMARELLE** [amaʀɛl] n. f. — XIIe, *amarele;* probablt du lat. médiéval *amarella, amarellum* «cerise aigre, griotte».

Bot. Plante tonique de la famille des *gentianées.* → **Gentiane.** Syn. : *gentianelle.*

**AMARESCENT, ENTE** [amaʀesɑ̃, ɑ̃t] adj. — 1838; du p. prés. du lat. *amarescere* «devenir amer», de *amarus.* → Amer.

Vieilli. Qui a un goût légèrement amer.

**AMAREYEUR, EUSE** [amaʀɛjœʀ, øz] n. — 1838, *amareilleur;* de 1. *a-,* et *marée.*

Techn. Ouvrier, ouvrière qui travaille dans les parcs à huîtres. → **Ostréiculteur.**

**AMARIL, ILE** [amaʀil] adj. — 1841, *in* D.D.L.; esp. *(febre) amarilla* «fièvre jaune», de *amarillo* «jaune».

Méd. Relatif à la fièvre jaune (ou *typhus amaril*). *Virus amaril.*

**DÉR.** V. **Amarilique.** ◊ **COMP. Antiamaril.**

**AMARILIQUE** [amaʀilik] n. — XXe (1920, *in* T.L.F.); de *amaril,* ou esp. *amarilico* «relatif à la fièvre jaune».

Méd. Malade atteint de la fièvre jaune.

**AMARINAGE** [amaʀinaʒ] n. m. — 1835; de *amariner,* et *-age.*

Marine.

♦ **1** Vx. Action d'amariner un navire capturé à l'ennemi.

♦ **2** Mod. Fait de s'amariner. *L'amarinage se fait en général au bout de quelques jours de mer.*

**AMARINE** [amaʀin] n. f. — 1641-1642; du lat. *amarus* «amer», et suff. *-ine.*

♦ **1** (1641-1642). Régional. Saule-osier.

♦ **2** (Av. 1853). Chim. Substance amère et toxique qu'on extrait de l'huile d'amandes amères.

**AMARINER** [amaʀine] v. tr. — 1246; de l'anc. provençal *amarinar* «équiper un navire», de *marina* «mer».

Marine.

♦ **1** **a** (1246). Vx. Équiper (un navire) de matelots.

**b** (Av. 1646). Mod. Faire occuper par un équipage (un navire pris à l'ennemi).

♦ **2** (1789). **a** Rare. Habituer à la mer, aux manœuvres sur mer, à la vie à bord, au métier de marin. *Amariner un mousse.* — Au p. p. *Équipage, matelot amariné.*

**b** Spécialt (plus cour.). Faire perdre la sensibilité au mal de mer. *Les premiers jours de la croisière vous amarineront.*

◆ **S'AMARINER** v. pron. S'habituer à la mer. — Spécialt. Perdre la sensibilité au mal de mer. *Vous ne tarderez pas à vous amariner.*

**DÉR. Amarinage.**

**AMARNIEN, IENNE** [amaʀnjɛ̃, jɛn] adj. — Mil. XX^e; de *(Tell-el-)Amarna,* capitale de l'Égypte sous Aménophis IV.

Didact. Du règne d'Aménophis IV. *La période amarnienne.* — De l'art propre au règne d'Aménophis IV. *Style amarnien.*

**AMARO** [amaʀo] n. m. — Mil. XX^e; mot ital., «amer».

Apéritif italien alcoolisé, parfumé par des substances amères. → **Amer,** n. m. — Plur. francisé : *des amaros.*

**AMARRAGE** [amaʀaʒ] n. m. — 1573, t. de marine «gros cordage»; 1., de *amarre,* et *-age* (désignant un ensemble d'objets de même espèce); 2., 3. et 4. de *amarrer,* et *-age,* désignant une action.

♦ **1** (1636). Techn. Union de deux amarres par un cordage plus petit qui fait plusieurs tours symétriques et qui est appelé *ligne d'amarrage,* ou, par ext., au moyen d'une pièce de bois ou de métal (cheville, cabillot, taquet). *Amarrage plat. Amarrage en étrive. Amarrage croisé.* → **Bridure, cheville, jarretière, liure, raban.** *Serrer ferme un amarrage.* → **Souquer.** *Amarrage en, à la portugaise.*

Par ext. Fixation de deux objets par un lien souple. — REM. Ne pas confondre avec *arrimage.*

♦ **2** (1678). Mar. Action, manière d'amarrer (un navire) dans un port, une rade... à l'aide d'ancres, de câbles, de chaînes, d'amarres. *L'amarrage d'un navire à* (un quai, etc.). *Amarrage à couple* (le long d'un autre navire). *Boucle, bouée, coffre, bitte d'amarrage.*

Position du navire amarré. *Quitter l'amarrage.*

♦ **3** Action de maintenir un dirigeable à une certaine distance du sol, en l'attachant à un mât.

♦ **4** Opération d'assemblage dans l'espace entre engins spatiaux. → **Arrimage,** 2.

CONTR. **Désamarrage; démarrage.**

**AMARRE** [amaʀ] n. f. — 1636; *amare,* 1386; de *amarrer.*

♦ **1** (XIV^e). **a** Câble, cordage ou chaîne servant à retenir un navire, un ballon, à l'attacher à un point fixe. → **Amarrage; aussière, câble, cordage.** *Un navire sur ses amarres,* à l'ancre. — *Doubler les amarres d'un bateau. Le navire a cassé, rompu ses amarres. Couler bas sous ses amarres :* couler bas étant à l'ancre. — *Jeter, lancer une amarre à une embarcation.* → **Porte-amarre.** *Filer une amarre :* la laisser glisser. *Larguer l'amarre, les amarres :* lâcher les cordages au départ du navire. *Larguez les amarres!* (ordre précédant le départ).

1 (...) j'entendais notre barque danser au pied des roches en faisant crier son amarre.
Alphonse DAUDET, Lettres de mon moulin, p. 95.

2 Ces amarres que les marins se lancent d'une barque à l'autre et qui retombent dix fois à l'eau avant d'être saisies au vol (...)
MARTIN DU GARD, les Thibault, VII, p. 24.

2.1 Chaque fois que le navire accoste, quatre énormes nègres, deux à l'avant, deux à l'arrière, plongent et gagnent la rive pour y fixer les amarres.
GIDE, Voyage au Congo, *in* Souvenirs, Pl., p. 698.

**b** (1636). Cordage attachant des objets dans un navire.

♦ **2** Par métaphore ou fig. Attache, lien.

3 La religion morte, les liens familiaux desserrés, l'homme tranquille qui naissait, vivait, mourait sur place, n'a plus d'amarres : il dérive. F. MAURIAC, la Province, p. 31.

4 Non, c'était fini, fini : les amarres étaient bien rompues. Pourquoi renouer?
MARTIN DU GARD, les Thibault, VII, p. 61.

DÉR. et COMP. **Amarrage** (1.). **Lance-amarres.**

**AMARRER** [amaʀe] v. tr. — XIV^e; du moy. néerl. *aenmarren* «attacher», de *marren,* même sens.

♦ **1** Mar. Attacher, retenir (un bateau) avec une amarre. *Amarrer un navire en rade, à quai. Amarrer une embarcation au rivage. Amarrer un vaisseau de manière à ce qu'il présente son travers.* — Absolt. *Amarrer solidement.* → **Assurer.** *Amarrer autour d'une bitte* (bitter).

Par anal. *Amarrer un ballon. — Amarrer un engin spatial à une station orbitale.*

♦ **2** Attacher, fixer, lier (un cordage, une chaîne) sur une bitte, un cabillot, un taquet, un autre cordage. *Amarrer une chaîne à la manille, l'extrémité d'un câble à l'organeau d'une ancre.* → **Étalinguer.** *Amarrer avec une aiguillette* (→ **Aiguilleter,** 3.).

♦ **3** Attacher (un objet, une personne) avec des cordages. *Amarrer des caisses avec une corde.* → **Arrimer,** 2. — Pron. *S'amarrer pour travailler dans la mâture.*

♦ **4** Fig. Attacher, lier, retenir.

Son existence qu'aucun lien n'amarra plus partit à la dérive; il erra (...) HUYSMANS, En route, p. 24.

◆ **AMARRÉ, ÉE** p. p. adj.

♦ **1** Mar. Attaché, retenu par une amarre.

Petit sentier, presque au bord du fleuve; crique ombragée, où une grande pirogue est amarrée.
GIDE, Voyage au Congo, *in* Souvenirs, Pl., p. 691.

Par métaphore :

Une longue jonque de nuages (...) amarrée au ras de l'horizon, retardait seule le premier feu de l'aurore.
COLETTE, la Naissance du jour, p. 191.

♦ **2** Attaché à un navire, sur le pont d'un navire au moyen d'une amarre (1., b.).

(...) la caronade mal amarrée avait reculé et brisé sa chaîne, et s'était mise à errer formidablement dans l'entrepont. HUGO, Quatre-vingt-treize, I, II, 4.

♦ **3** Fig. Attaché, lié, retenu.

Deux êtres humains amarrés l'un près de l'autre sont comme deux vaisseaux secoués par les vagues, ces coques se heurtent et gémissent.
A. MAUROIS, Climats, p. 269.

CONTR. **Démarrer, désamarrer.** ◇ DÉR. **Amarrage** (2.), **amarre, amarreur.**

**AMARREUR, EUSE** [amaʀœʀ, øz] n. — XX^e; de *amarrer.*

Personne qui amarre, est chargée d'amarrer. *Amarreuse de cannes à sucre.*

(...) qu'ils ne se privaient pas plus que les commandeurs d'antan, de renverser, derrière une pile de cannes, la ramasseuse ou l'amarreuse qui leur plaisait...
Roger VERCEL, l'Île des revenants, p. 219.

**AMARYLLIDACÉES** [amaʀilidase] n. f. pl. — 1845; de *amaryllis,* et *-acées.*

Bot. Famille de plantes monocotylédones, bulbeuses, herbacées, à ovaire infère, vivaces, aux grandes fleurs solitaires ou groupées en ombelle simple. — *Types principaux d'amaryllidacées :* agave, alstrœmère, amaryllis, ataccia, beschorneria, bonhomme (ou faux-narcisse), clivia, coucou (narcisse sauvage), crinum, galanthe, griffinia, hæmanthe, henequen, hippeastrum, imantophyllum (clivia), jonquille, leucoium, lis mathiole, narcisse, nivéole, pancratium, perce-neige, polyanthes, sprekelia (ou lis Saint Jacques), sternbergie, tacca, tazetta, tubéreuse, vallota, zéphyranthes. — Au sing. *Une amaryllidacée.*

**AMARYLLIS** [amaʀilis] n. f. — 1771, *amarillis*; de *Amaryllis*, n. propre, bergère chantée par Virgile.

♦ **1** Bot. Genre de plantes monocotylédones *(Amaryllidacées)*, bulbeuses, vivaces, ornementales, à fleurs rouges, roses ou saumon, jaunes ou blanches, éclatantes et parfois odorantes *(Amaryllis belladona)*. *Certaines amaryllis portent les noms de* sprekelia (lis ou croix Saint Jacques), crinum, griffinia. — *Amaryllis jaune :* faux safran.

(...) et dans ces grandes salles blanches, grises, couleur de plomb, il y avait pour nous d'immenses amaryllis orange qu'une femme brune, vêtue de blanc comme une infirmière, arrangeait.
François-Marie BANIER, la Tête la première, p. 87.

♦ **2** Zool. Papillon diurne qui vit sur la piloselle.

DÉR. **Amaryllidacées.**

**AMAS** [ama] n. m. — Fin XIV^e, *faire son amas* «lever des troupes»; déverbal de *amasser*.

♦ **1** (XVI^e). Vieilli. Action d'amasser.

(...) biens dont l'amas ne lui a coûté aucune peine.
BOSSUET, Ambition, *in* LITTRÉ.

♦ **2** (1530). Réunion d'objets provenant de diverses origines, généralement par apports successifs, et formant une masse imprécise. → **Accumulation, agglomération, agrégat, amoncellement, assemblage, collection, concentration, masse, mélange, monceau, rassemblement, tas.** *Un amas de marchandises. Amas de sable, de terre, de pierres.* → **Agglomération, alluvion, atterrissement, banc, bloc, cailloutis, concrétion, déblai, dépôt.** *Amas de neige* (→ **Banc, congère).** *Amas de boue. Amas de ruines, de choses abattues.* → **Abattis, débris, décombres.** *Amas confus de choses culbutées* (→ **Culbutis).** *Amas d'objets entassés les uns sur les autres.* → **Échafaudage, entassement, monceau, montagne, pile, pyramide, tas.** *Un amas de bagages et d'instruments encombrants.* → **Attirail.** *Amas de choses mises pêle-mêle.* → 1. **Aria** (vx), **fatras; vrac** (en). — (En parlant de liquides, de vapeurs). *Un amas de nuages, de cumulus. Des amas de sang, de sérosités.* → **Collection.**

(...) d'un amas confus des vapeurs de la nuit.
CORNEILLE, Polyeucte, I, 1.

Pourquoi ne voir dans la pyramide de Chéops qu'un amas de pierres et un squelette?
CHATEAUBRIAND, Itinéraire... VI.

Sous cet amas de décombres fumants (...)
R. ROLLAND, Jean-Christophe, t. II, p. 57.

Le peintre, qui crayonnait des esquisses, cherchant toujours un sujet nouveau, relut le billet de la comtesse, puis ouvrant le tiroir d'un secrétaire, il l'y déposa sur un amas d'autres lettres entassées là depuis le début de leur liaison.
MAUPASSANT, Fort comme la mort, éd. 1889, p. 84.

Cet amas horrible de papier noirci qui moisit obscurément chez les bouquinistes (...)
FRANCE, les Opinions de J. Coignard, Œ., t. VIII, p. 310.

Un amas de paperasses (...) encombrait la table, laissant à peine assez de place pour écrire.
MARTIN DU GARD, les Thibault, VII, 14.

Dans la partie qui longe le bord du trottoir, les traces sont espacées et déformées par la course, un petit amas de neige ayant été tassé vers l'arrière par le mouvement du soulier (...)
A. ROBBE-GRILLET, Dans le labyrinthe, p. 51.

REM. De nombreux substantifs désignant des choses amassées correspondent à des réalités qui ne seraient pas normalement appelées *amas* (→ Amasser). Ex. : *bourre* (poils amassés); *agglomération, bloc, pâté* (maisons); *liasse, pile* (feuilles); *meule* (foin).

(1524). Péj. (Personnes). Rassemblement. *Un grand amas de peuple.* → **Affluence, attroupement, concours, foule, rassemblement, réunion.** *Un amas de gens peu recommandables.* → **Assemblage, collection, ramas** (vx), **ramassis.**

Si c'est un sénat qu'un amas de bannis (...) 6
CORNEILLE, Sertorius, III, 2.

Cet amas confus d'aventuriers (...) 7
ROLLIN, Histoire romaine, I, II, 2.

Régional (Canada). Rassemblement. *Un amas de troupes.*

♦ **3** (Abstrait). Réunion (de nombreux éléments) en un tout indistinct. *Un amas de connaissances, de matériaux. Un amas de bêtises, d'inepties. Cet ouvrage n'est qu'un amas de citations.* → **Compilation.** — Vieilli. *Faire amas de...* → **Accumuler, amasser.**

En faisant amas de plusieurs expériences (...) 8
DESCARTES, Discours de la méthode, *in* LITTRÉ.

Et tout ce vain amas de superstitions (...) 9
RACINE, Athalie, II, 4.

Cet amas monstrueux de crimes. 10
MASSILLON, Avent, *in* LITTRÉ.

Amas d'épithètes, mauvaises louanges : ce sont les faits qui louent, et la manière de les raconter. 11
LA BRUYÈRE, les Caractères I, 13.

Quand on s'aime, ce qui est exquis, ce sont les silences. Il se fait des amas d'amour, qui éclatent ensuite doucement. 12
HUGO, l'Homme qui rit, p. 148.

Il se cherchait à travers l'amas de sentiments acquis, que l'éducation impose à l'enfant comme une seconde nature. 13
R. ROLLAND, Jean-Christophe, t. II, p. 57.

♦ **4** Astron. *Amas d'étoiles, amas stellaire, amas :* groupe stable d'étoiles liées physiquement; nébulosité apparente qu'un instrument puissant permet de résoudre en des milliers d'étoiles, avec une partie centrale condensée. *Amas globulaire :* amas de forte densité, de forme approximativement sphérique. *Amas ouvert,* de faible densité relative. — *Amas solaire :* ensemble des étoiles voisines du Soleil.

♦ **5** Gisement minier étendu dans les trois dimensions. → **Gisement, gîte.**

CONTR. **Désagrégation, dilapidation, dispersion, dissémination, dissipation, éparpillement.** ◊ COMP. **Superamas.**

**AMASSE** [amas] n. f. — Mil. XIV^e; de *amasser*.

Régional (Landes). Action de recueillir la résine (→ **Ramassage).** Résultat de cette action, résine recueillie.

**AMASSEMENT** [amasmɑ̃] n. m. — XII^e; de *amasser*, et *-ement*.

Rare, littér. (Goncourt, *in* T. L. F.). Action d'amasser; résultat de cette action, objets amassés. → **Amas.** *Un amassement d'objets.*

**AMASSER** [amase] v. tr. — 1160; de 1. *a-*, *masse*, et suff. verbal.

♦ **1** (1160). Avec un compl. au plur. ou à sens collectif. Réunir en quantité considérable, par additions successives, en un tout indifférencié. → **Accumuler, agglomérer, amonceler, assembler, collectionner, englober, entasser, grouper, masser, ramasser, rassembler, recueillir, réunir.** *Amasser des matériaux. Amasser des provisions. Amasser en grande quantité des marchandises, des réserves.* → **Accaparer, accumuler, emmagasiner, empiler, réserve** (mettre en). *Amasser un gros butin. Amasser des pierres, du bois sur un chantier. Amasser des objets pour une collection.* — Spécialt. Réunir, rassembler en une masse. *Amasser la pâte.*

0.1 *(Dantès)* replaça la dalle, amassa sur la dalle des pierres de différentes grosseurs.
DUMAS, le Comte de Monte-Cristo, t. I, p. 297, *in* T. L. F.

(1165). Spécialt. *Amasser de l'argent, du bien, des richesses. Amasser un pécule* (cit. 3). — Absolt. → cit. 3, 4. *Amasser sou à sou.* → **Capitaliser, économiser.** *Ne faire qu'amasser.* → **Thésauriser** (→ fam. Faire son beurre*).

1 Un pince-maille avait tant amassé,
Qu'il ne savait où loger sa finance.
LA FONTAINE, Fables, X, 5.

2 N'as-tu pas honte (...) de faire une honteuse dissipation du bien que tes parents t'ont amassé avec tant de sueurs?
MOLIÈRE, l'Avare, II, 2.

3 La vieillesse chagrine incessamment amasse,
Garde non pas pour soi les trésors qu'elle entasse (...)
BOILEAU, l'Art poétique, III.

4 Les François travaillent pour amasser et dépenser soudain. Il semble, disais-je, qu'ils aient une main avare et une autre prodigue.
MONTESQUIEU, Cahiers, p. 174.

4.1 – Faut-il beaucoup de temps pour amasser un million? lui demanda-t-elle.
BALZAC, Eugénie Grandet, éd. 1838, p. 166.

5 Il faut au moins cent écus pour entrer en ménage, et je dois travailler cinq ou six ans pour les amasser.
G. SAND, la Mare au diable, VIII, 73.

6 Les richesses ne sont belles à amasser que pour les dépenser facilement ensuite.
GIDE, Journal, 9 févr. 1902.

(V. 1165). Compl. n. de personne. *Amasser des spectateurs. Amasser la foule. Amasser des troupes.* → **Assembler, attrouper, rassembler, réunir.**

(Sujet n. de chose). Prov. *Pierre qui roule n'amasse pas mousse.* → 1. Mousse, cit. 4 et 5.

(En parlant de phénomènes météorologiques). Former par concentration. *Fumées, vapeurs qui amassent des nuées.*

♦ **2** Rassembler, recueillir en grande quantité (des éléments intellectuels ou abstraits). *Amasser des connaissances, des documents, des matériaux pour un ouvrage. Amasser des preuves.* → **Rassembler, recueillir, réunir.** — *Amasser des extraits, pour en faire un livre.* → **Compiler.** Poét. *Amasser sur sa tête les malédictions du ciel.* → **Attirer.**

7 Amasser contre vous des volumes d'injures.
BOILEAU, Satires, 9.

(Avec un compl. au sing.). *Amasser une réserve de forces.*

8 Il faut, quand on est en bonne santé, amasser du courage pour les défaillances futures.
FLAUBERT, Correspondance, t. III, p. 134.

9 Il amassait, en lui-même, par la continuité de son effort et de sa méditation, une réserve d'énergie égale à la hardiesse de son dessein. Jules LEMAITRE, les Rois, p. 122.

◆ **S'AMASSER** v. pron. S'entasser, se rassembler en grand nombre. *Les eaux pluviales s'amassent dans les réservoirs, les citernes. Les livres s'amassaient sur le bureau.* — (Personnes). *La foule, le peuple s'amassait autour de lui.*

10 Et ce qu'on voit de peuple autour d'eux s'amasser (...)
CORNEILLE, Othon, IV, 7, *in* LITTRÉ.

11 C'étaient des brigands sans loi et sans discipline, qui s'amassaient sur les frontières de Russie.
RACINE, Notes historiques, XXXII.

◆ **AMASSÉ, ÉE** p. p. adj. *Matériaux amassés.*

12 Vous cachez les trésors par David amassés.
RACINE, Athalie, I, 1.

13 Toutes les provisions de guerre et de bouche amassées par les ennemis pour la campagne (...)
VOLTAIRE, le Siècle de Louis XIV, 23.

Le lourd monument (...) montrait au public amassé devant lui sa façade pompeuse et blanchâtre (...)
MAUPASSANT, Fort comme la mort, I, VI.

CONTR. **Désagréger, disperser, disséminer, éparpiller, parsemer, répandre, semer.** — **Dépenser, dilapider, dissiper, gaspiller, prodiguer.** ◊ DÉR. **Amas, amasse, amassement, amassette, amasseur.** ➝ COMP. **Ramasser.**

**AMASSETTE** [amasɛt] n. f. — 1600; de *amasser,* et *-ette.*

Technique.

♦ **1** (1600). Peint. Outil (lame de couteau flexible) du broyeur de couleurs, employé également par les peintres pour amasser la pâte.

♦ **2** (1838). Pâtiss. Outil à lame plate utilisé pour amasser la pâte. → **Coupe-pâte.**

**AMASSEUR, EUSE** [amasœʀ, øz] n. — 1350; *amassierre,* 1223; de *amasser,* et *-eur.*

Rare. Personne qui amasse. *Un amasseur d'argent, d'écus.* → **Thésauriseur.**

Jupiter (...) l'amasseur de nuées (...)
GUEZ DE BALZAC, Dissertation critique, I, *in* HATZFELD.

CONTR. **Dilapidateur, dissipateur.**

**AMATELOTAGE** [amatlɔtaʒ] n. m. — 1835; de *amateloter,* et *-age.*

Mar. Vx. Action d'amateloter.

**AMATELOTER** [amatlɔte] v. tr. — 1643; de 1. *a-, matelot,* et *-er.*

Mar. Vx. Classer deux à deux les matelots d'un équipage pour qu'ils s'aident mutuellement ou se remplacent à tour de rôle dans un même service (le *quart*).

DÉR. **Amatelotage.**

**AMATEUR, TRICE** [amatœʀ, tʀis] n. — 1488; lat. *amator* «celui qui aime», de *amare.* → Aimer.

♦ **1** (1504). **AMATEUR DE... :** personne qui aime, cultive, recherche (certaines choses, certaines activités). *Un amateur de jardinage* (La Fontaine, *Fables,* IV, 4). *Un amateur de beau langage. Il, elle est amateur de peinture, de sculpture, de musique, de nouveautés, de curiosités. Un amateur de corridas.* → **Aficionado.** — *Amateur de bonne cuisine, de mets délicats.* → **Friand, gastronome, gourmand, gourmet.**

1 Un fanfaron amateur de la chasse (...)
LA FONTAINE, Fables, VI, 2.

2 Profanes amateurs de spectacles frivoles (...)
RACINE, Esther, Prologue.

3 J'ai parlé avec quelque étendue des ruines d'Athènes, parce qu'après tout elles ne sont bien connues que des amateurs des arts (...)
CHATEAUBRIAND, Itinéraire de Paris à Jérusalem, VI.

3.1 L'amateur de la vie fait du monde sa famille, comme l'amateur du beau sexe compose sa famille de toutes les beautés (...) comme l'amateur de tableaux vit dans une société enchantée de rêves peints sur toile.
BAUDELAIRE, Curiosités esthétiques, Pl., p. 333.

4 (...) un gourmet, un amateur de raffinements gastronomiques.
G. DUHAMEL, le Temps de la recherche, VIII, p. 110.

Littér. *Amateur d'âmes* (Barrès, 1898).

En valeur d'adj., placé après un nom et sans déterminant. — (Personnes). *«Ce bon campagnard, amateur de vin, de la bonne chère et de fraîches paysannes...»* (Stendhal, *Vie d'Henry Brulard*). *«Un Grec amateur des arts»* (Mme de Staël, *in* T. L. F.). — (Collectivités). *«La classe parisienne amateur des plaisirs champêtres»* (Raban, *in* T. L. F.).

Spécialt. *Amateur d'art :* collectionneur averti d'objets d'art. *Mme X est un amateur d'art.* — *Amateur* (même sens). *La collection d'un amateur* (d'objets d'arts, de livres rares, etc.). → **Collectionneur.** *Un amateur éclairé.*

De sorte que, si tu sais lire l'histoire militaire, ce qui est récit confus pour le commun des lecteurs est pour toi un enchaînement aussi rationnel qu'un tableau pour l'amateur qui sait regarder ce que le personnage porte sur lui, tient dans les mains, tandis que le visiteur ahuri des musées se laisse étourdir et migrainer par de vagues couleurs. PROUST, le Côté de Guermantes, Folio, p. 133.

REM. Dans ce sens comme au sens 2., la valeur originelle du mot (qui *aime*, a de la passion pour...) s'est progressivement effacée.

(...) car les âmes créées pour admirer les grandes œuvres ont la faculté sublime des vrais amants; ils éprouvent autant de plaisir aujourd'hui qu'hier, ils ne se lassent jamais, et les chefs-d'œuvre sont, heureusement, toujours jeunes. Aussi l'objet tenu si paternellement devait-il être une de ces trouvailles que l'on emporte, avec quel amour! Amateurs, vous le savez!

BALZAC, le Cousin Pons, p. 10.

Spécialt. Acheteur éventuel (d'une œuvre d'art, d'une marchandise). *Cette pièce n'a pas encore trouvé d'amateur, un amateur.*

Loc. fam. *Je ne suis pas amateur :* je ne suis pas acheteur; cela ne m'intéresse pas.

Loc. fam. *Avec une telle dot, elle ne manquera pas d'amateurs.* → **Prétendant.**

Loc. fam. *Avis* aux amateurs! :* avis à ceux que ça intéresse, qui en veulent. *Il y a encore trois bouteilles de champagne : avis aux amateurs!* — Iron. *Si quelqu'un veut recevoir mon poing dans la figure, qu'il le dise : avis aux amateurs!*

♦ **2** (1762). Absolt. Personne qui cultive un art, une science pour son seul plaisir (et non par profession). *Un talent d'amateur. Un amateur très doué.* — En fonction d'adj. *Un musicien amateur. Peintre amateur* (→ Peintre du dimanche*). *Il est très amateur.*

5 L'amateur est celui dont la personnalité vivante ne sera jamais recouverte par le métier (...) L'amateur sera souvent considéré par son époque comme un écrivain mineur.

A. MAUROIS, Études littéraires, t. II, Jacques de Lacretelle, p. 207.

Spécialt. Comédien, comédienne non professionnel(le). *Une troupe d'amateurs.*

(Dans d'autres domaines). Non professionnel. (En fonction d'adj.). *Radio, sans-filiste amateur. Il (elle) n'est qu'amateur, mais c'est un bon (une bonne) paléontologue. Des astronomes amateurs.*

♦ **3** (1859, *in* Petiot; dès 1833, Mérimée, à propos des toreros). Sports. Athlète, joueur qui pratique un sport sans recevoir de rémunération directe (opposé à *professionnel*). *Un amateur.* — En fonction d'adj. *Cycliste amateur. Elle est championne amateur.*

♦ **4** Vieilli. Apprenti non rémunéré (dans certaines professions). — Appos. ou adj. *Clerc amateur :* clerc travaillant chez un notaire pour apprendre le métier, et sans être rémunéré.

♦ **5** (1845, Bescherelle). Péj. Personne qui exerce une activité de façon négligente ou fantaisiste. → **Dilettante.** *Travailler en amateur. C'est du travail d'amateur.*

Si la philosophie, si la science, si l'art, si la littérature n'étaient qu'un agréable passe-temps, un jeu pour les oisifs, un ornement de luxe, une fantaisie d'amateur (...) 6

RENAN, Réflexions sur l'état des esprits (1849), *in* Œ. compl., t. I, p. 217.

À une frivolité consciente et voulue (il aime par intermittences, les courses, le jeu, le monde), à la nonchalance de l'amateur, il joint un profond sérieux (...) 7

A. MAUROIS, Études littéraires, t. II, Jacques de Lacretelle, p. 219.

Oui, au début, c'est ce qu'il était... un amateur qui barbouille des toiles le dimanche comme on pêche à la ligne. 8

SARTRE, l'Âge de raison, VI, 82.

En fonction d'adj. *Un philosophe amateur. Des «chrétiens amateurs»* (Claudel).

REM. 1. *Amateur* peut se dire aussi des femmes. *Elle est grand amateur de musique.* Toutefois, *amatrice* tend à s'imposer comme la forme usuelle.
2. En fonction d'adj., *amateur* est invariable en genre. *Une championne amateur.*

DÉR. et COMP. **Amateurisme. Radioamateur.**

**AMATEURISME** [amatœʀism] n. m. — 1892, cit. 1; de *amateur;* p.-ê. angl. *amateurism,* 1882 en sports, 1868 dans un contexte plus général.

♦ **1** Vx. Qualité d'une personne qui aime, recherche certaines choses.

♦ **2** Sport. Condition de l'amateur (définie par un statut).

Après n'avoir eu que des professionnels, dans le sens anglais du mot, on a fait quelques tentatives vers l'amateurisme en 1889. 1

B. DE SAUNIER, le Cyclisme, p. 367 (1892).

♦ **3** Cour. Caractère d'un travail exercé en amateur, souvent avec moins de qualification qu'un professionnel.

Péj. Caractère d'un travail d'amateur (négligé, non fini, incomplet, etc.). → **Dilettantisme.** — Attitude de dilettante.

— Je n'étais pas plus communiste que je ne suis hitlérien aujourd'hui. 2
— C'est vrai, plaisanta l'ingénieur, j'oubliais votre indifférence bienveillante... Non, disons plutôt votre amateurisme enthousiaste. M. AYMÉ, Uranus, p. 65.

Quand on a des desseins grandioses, on se donne les moyens de les exécuter. L'amateurisme et l'humilité ne mènent à rien. 3

Alain BOSQUET, les Bonnes Intentions, p. 97.

1. **AMATHIE** [amati] n. f. — 1814 au sens 1.; grec *Amatheia,* nom d'une des Néréides.

Zoologie.

♦ **1** Polypier appelé aussi *sertulaire.*

♦ **2** (1866). Papillon nocturne proche du phalène.

♦ **3** (1870). Crustacé *(Décapodes brachyoures)* qu'on trouve sur les bords de la Méditerranée, et dont la carapace est armée de longues pointes.

HOM. 2. **Amathie, amati.**

2. **AMATHIE** [amati] n. f. — 1957, Jankélévitch; grec *amathia* «ignorance».

Philos. (Rare). Ignorance pressentie comme provisoire.

HOM. 1. **Amathie, amati.**

**AMATI** [amati] n. m. — 1838; nom d'une famille de luthiers de Crémone.

Mus. Violon de la fabrique des Amati. *Un Amati, des Amatis.* — REM. Le mot s'écrit avec ou sans majuscule à l'initiale.

HOM. 1. **Amathie,** 2. **amathie.**

**AMATIR** [amatiʀ] v. tr. — 1676; sens abstraits «abattre, affliger, flétrir» en anc. franç. (1202); de 1. *a-*, et *matir*, dér. de l'adj. *mat*.
Technique.

♦ **1** Orfèvrerie. Rendre mat, terne; ôter le poli de... (→ **Dépolir**). *Amatir l'or, l'argent.*

Points qu'on adoucit, affaiblit, amatit (...)
DIDEROT, Salon de 1763, Graveurs, *in* HATZFELD.

♦ **2** (1751). *Amatir des pièces de monnaie*, en blanchir le flan.

◆ **AMATI, IE** p. p. adj. *Flans de monnaies amatis* (Bescherelle). — *Or, argent amati.*

**AMATIVITÉ** [amativite] n. f. — 1836; lat. médiéval *amativus* «qui aime, ami de, disposé à l'amour».
Psychol. (Vx). Besoin d'aimer, en tant qu'instinct de procréation.
REM. Le mot vient du vocabulaire de la phrénologie; quelques auteurs du XIXe s. l'emploient (Verlaine, *in* T. L. F.), le plus souvent en référence à celle-ci.

**AMATOXINE** [amatɔksin] n. f. — Mil. XXe; de *ama(nite)*, et *toxine*.
Pharm. Toxine des amanites*. *«Les amatoxines (...) qui sont mortelles à retardement»* (*le Monde*, 9 mai 1973).

**AMAUROBIUS** [amɔʀɔbjys] n. m. — D. i.; mot lat. mod., du grec *amaurobios* «qui vit *(bios)* dans l'obscurité».
Zool. Araignée à pattes courtes, brune et rousse, qui vit dans les lieux obscurs (type d'une famille).

**AMAUROSE** [amɔʀoz] n. f. — 1690, Furetière; *amafrose*, 1611; *amaphrose*, 1590; grec *amaurôsis* «obscurcissement, affaiblissement de la vue».
Méd. Perte totale, généralement soudaine, de la vue, sans lésions décelables de l'œil même, ni troubles fonctionnels de son système optique (→ **Amblyopie, cécité**). *L'amaurose peut être d'origine toxique, nerveuse ou congénitale.*

1 Le 30 novembre, le malade accuse une amaurose complète.
«Je suis dans la nuit profonde», nous dit-il.
B. CENDRARS, Moravagine, *in* Œ. compl., t. IV, p. 258.

Par métonymie :

2 Donne, ô Mort, ton sommeil aux sombres amauroses,
Et que l'aube et ses coqs ne sauraient déchirer (...)
Germain NOUVEAU, Premiers poèmes, «Les hôtesses», Pl., p. 376.

Par métaphore. *«Amaurose spirituelle»* (Huysmans) : aveuglement.
DÉR. V. **Amaurotique.**

**AMAUROTIQUE** [amɔʀɔtik] adj. et n. — 1833, *in* D. D. L.; grec *amaurôtikos* «propre à obscurcir», de *amaurôsis*. → Amaurose.
Méd. Qui concerne l'amaurose. *Amblyopie amaurotique.* — Psychiatrie. *Idiotie amaurotique* : maladie congénitale qui se caractérise, chez l'enfant, par une cécité due à des lésions rétiniennes avec absence de développement intellectuel et, chez l'adulte, par une régression intellectuelle, sans troubles visuels. *«Les idioties amaurotiques (...) sont dues à une accumulation de gangliosides dans les cellules ganglionnaires aux divers étages du système nerveux»* (Porot, *Manuel alphab. de psychiatrie*, 1975, art. *Amaurotique*).
Atteint d'amaurose. — N. *Un, une amaurotique.*

1. **AMAZONE** [amazon] n. f. — Déb. XVe; *amasoine*, v. 1247; mot lat. plur. *Amazones*, femmes guerrières d'Asie Mineure; l'étym. parfois donnée dans l'Antiquité (de *a-* priv., et *mazos* «sein» → cit. 1) est plutôt issue de la légende selon laquelle ces guerrières se coupaient le sein droit pour mieux tirer à l'arc, que d'une analyse philologique; le nom propre est d'orig. obscure, celui du fleuve d'Amérique du Sud vient de la mythologie.

♦ **1** Myth. grecque. (Au plur.). Femmes guerrières qui vivaient sans hommes, et qui n'en admettaient pas parmi elles.

*(Les Amazones)*, race fabuleuse de femmes guerrières (...) pour se faciliter le tir de l'arc, se brûlaient la mamelle droite, d'où leur nom, qui signifie privées d'une mamelle.
H. AUBERT, Dict. de mythologie classique, p. 13.

Ce fils qu'une Amazone a porté dans son flanc,
Cet Hippolyte (...) RACINE, Phèdre, I, 3.

♦ **2** (1608). Vx. Femme d'un courage mâle et guerrier.

Au lieu de trouver sa sœur écrasée par le chagrin, elle voyait renaître sa rivale toute chargée d'armes, prête à la lutte, impitoyable comme une amazone, belle comme une nymphe chasseresse.
Edmond JALOUX, les Visiteurs, XXV, p. 192.

♦ **3** Littér. Femme qui a des allures, des goûts virils.

Pour moi, je n'ai jamais constaté (...) qu'un homme normal ait été parfaitement heureux avec une Amazone.
A. MAUROIS, Un art de vivre, II, I, p. 55.

♦ **4** (V. 1610, selon Bloch-Wartburg). Femme qui monte à cheval. → **Cavalière, écuyère.** — Loc. *Monter en amazone* : s'asseoir sur la selle avec les deux jambes pendantes du même côté. → contr. **Califourchon** (à).

(...) elle s'assit, en amazone, sur les bras du fauteuil tournant (...) MARTIN DU GARD, les Thibault, VII, XIII.

REM. R. Töpffer emploie (et probablt forge) le verbe *amazoner* «monter en amazone» : *«Heureusement qu'aucune des deux* (dames) *n'amazone en ce moment, car la selle vient à tourner»* (*Voyages en zigzags*, 1840, Chamounix, p. 216).

*Habit, tenue d'amazone* : ensemble porté par une cavalière montant en amazone. *Jupe d'amazone.*
(1824). Jupe longue et ample que portent les femmes qui montent à cheval en amazone. *«L'amazone relevée sur le bras»* (Daudet).

Rougon leva vivement la tête. Elle riait dans le chaud soleil de juin. Son amazone de drap gros bleu, dont elle avait rejeté la longue traîne sur son bras gauche, la faisait plus grande (...)
ZOLA, Son Excellence Eugène Rougon, t. I, p. 127.

Elle se lève. Debout, les bras tombants, sa fine silhouette hardie domine le large paysage. Dans son amazone noire, elle a l'air de rassembler toutes les ombres grandissantes, et dans ses yeux, toute la lumière qui, à l'occident, va périr.
BERNANOS, Appendice à la tombe refermée, Œ. roman., Pl., p. 1763.

♦ **5** (Du sens 1.). Hist. de l'Afrique. Femme guerrière de la garde personnelle des rois d'Abomey.

♦ **6** Fam. Prostituée qui racole en voiture.

— Moi, je me suis toujours plus ou moins expliquée, avant Tonin, déjà je marchais en amazone avec une copine voiturée. On faisait la porte Maillot, en lisière du Bois. Si je vous disais, Maman, autrefois, travaillait dans la galanterie. SAN-ANTONIO, J'ai essayé : on peut!, p. 43.

DÉR. 1. **Amazonien.**

2. **AMAZONE** [amazon] n. m. ou f. — 1755; de *Amazone*, fleuve d'Amérique du Sud.
Zool. Perroquet à plumage vert (jaune et vert aux ailes), originaire du bassin de l'Amazone. *Un* ou *une amazone.* — Par appos. *Perroquets amazones.*

1. **AMAZONIEN, IENNE** [amazɔnjɛ̃, jɛn; amazonjɛ̃, jɛn] adj. — 1571, *Hippolyte amazonien;* XIII^e, n. f. pl., «amazones»; var. *amazonique,* 1575; de 1. *amazone.*

Didactique et vieux.

♦ **1** De la région du fleuve Thermodon, en Asie Mineure. — (1838). *Montagnes amazoniennes.*

♦ **2** (1588, Montaigne). Des Amazones (→ 1. Amazone).

2. **AMAZONIEN, IENNE** [amazɔnjɛ̃, jɛn; amazonjɛ̃, jɛn] adj. — XX^e; de *Amazone,* fleuve d'Amérique du Sud; esp. et port. *Amazonas,* par allus. aux Amazones de la mythologie. → 1. Amazone.

De l'Amazone, fleuve d'Amérique du Sud, et de sa région (Amazonie). *Le bassin amazonien. Le réseau hydrographique amazonien. Tribus amazoniennes d'Indiens. — Route amazonienne,* transamazonienne.

Vue du dehors, la forêt amazonienne semble un amas de bulles figées, un entassement vertical de boursouflures vertes; on dirait qu'un trouble pathologique a uniformément affligé le paysage fluvial.
Claude LÉVI-STRAUSS, Tristes tropiques, p. 306.

Allus. aux têtes réduites par les Indiens amazoniens.

Les vacances, l'air de la Loire, selon elle, ne lui avaient rien valu. Elle se ratatinait. Elle n'offrait plus, sous la masse de ses cheveux blanc-jaune, qu'une réduction amazonienne, une petite tête aux yeux cousus de sommeil.
Hervé BAZIN, Au nom du fils, p. 68.

Qui rappelle l'Amazonie. *Climat amazonien,* chaud et humide.

**AMAZONITE** [amazɔnit; amazonit] n. f. — Av. 1898; de *Amazone,* fleuve d'Amérique du Sud (→ 2. Amazonien), et *-ite.*

Minér. Pierre fine et d'ornementation, constituée par du feldspath, vert clair à vert bleuté, presque opaque.

**AMBACTE** [ɑ̃bakt] n. m. — 1878; lat. *ambactus,* gaulois **ambactos* «serviteur».

Hist. Guerrier gaulois attaché à un chef. — Féod. Client.

**AMBAGES** [ɑ̃baʒ] n. f. pl. — V. 1355; lat. *ambages* «détours».

Rare. Paroles embarrassées, détours dans l'expression. → **Circonlocution, détour, équivoque.**

1 (...) aucune affaire n'exigea, plus que celle dont il s'agissait, l'emploi de la surdité, du bredouillement, et des ambages les plus incompréhensibles dans lesquels Grandet eût jamais enveloppé ses idées.
BALZAC, Eugénie Grandet, éd. 1838, p. 200.

2 Elle le remerciait d'avoir risqué sa vie pour elle; Frédéric ne comprit pas d'abord ce qu'elle voulait dire; enfin, après beaucoup d'ambages, elle implorait de lui, en invoquant son amitié, se fiant à sa délicatesse, à deux genoux, disait-elle, vu la nécessité pressante, et comme on demande du pain, un petit secours de cinq cents francs.
FLAUBERT, l'Éducation sentimentale, II, V.

3 Je veux, que voulez-vous, par lentes ambages, décrire dans l'air toute ma pensée.
Francis PONGE, le Parti pris des choses, p. 134.

Cour. (dans des expr. négatives). *Pas tant d'ambages!* **SANS AMBAGES** : sans détours, sans s'embarrasser de circonlocutions. → **Catégoriquement, franchement.** *Parler sans ambages. «Sans retard ni ambages»* (Artaud) : sans détour, sans hésitation.

1 Point d'ambages, de circonlocution (...)
MOLIÈRE, le Mariage forcé, 4.

2 Mais, je suis médecin, laissez-moi vous parler sans ambages.
MARTIN DU GARD, les Thibault, IV, p. 9.

3 Il faut l'attaquer sans ambages, sans délai, délibérément.
GIDE, Journal, 12 mars 1906.

CONTR. **Clarté, franchise, netteté.**

**AMBARVALES** [ɑ̃baʀval] ou **AMBARVALIES** [ɑ̃baʀvali] n. f. plur. — 1599, adj.; lat. *ambarvalis,* adj. substantivé, *hostia ambarvalis* «victime promenée autour des champs».

Antiq. rom. Fêtes célébrées chaque année à Rome et dans plusieurs villes d'Italie pour obtenir la protection des dieux sur les récoltes et détourner les fureurs de Mars.

**AMBASSADE** [ɑ̃basad] n. f. — 1387; *ambaxade,* v. 1355; *enbasee, ambaxee, ambasce,* 1299; de l'ital. *ambasciata,* anc. provençal *ambayassada* (fin XIV^e), de *ambaissa,* du lat. médiéval *ambactia,* mot gotique, d'orig. gauloise **ambactos,* du rad. *amb-* «aller».

♦ **1** Députation auprès d'un souverain ou d'un gouvernement étranger. → **Mission.** *Envoyer une ambassade auprès d'un souverain, dans un pays. Recevoir une ambassade. Une ambassade extraordinaire. — Envoyer qqn en ambassade.*

De par le roi des animaux, 1
Qui dans son antre était malade,
Fut fait savoir à ses vassaux
Que chaque espèce en ambassade
Envoyât gens le visiter.
LA FONTAINE, Fables, VI, 14.

L'erreur alla si loin qu'Abdère députa 2
Vers Hippocrate, et l'invita,
Par lettres et par ambassade,
À venir rétablir la raison du malade.
LA FONTAINE, Fables, VIII, 26.

Voilà donc le succès qu'aura votre ambassade. 3
RACINE, Andromaque, III, 1.

De secrètes ambassades l'avaient assuré des Gaulois 4
d'Italie (...)
BOSSUET, Disc. sur l'hist. universelle, I, 8.

*L'ambassade de Chateaubriand à Rome,* sa mission comme ambassadeur*. *Pendant son ambassade.*

♦ **2** Représentation permanente d'un État auprès d'un État étranger (dans la capitale). *Élever une légation au rang d'ambassade. L'ambassade de France à Londres, à Pékin, L'ambassade du Canada et la délégation* générale du Québec à Paris. L'ambassade d'Allemagne fédérale à Paris, en France, à Bruxelles, à Berne. Le personnel, les diplomates, le cuisinier, les chauffeurs... de l'ambassade. Une ambassade importante. — (...) d'ambassade. Attaché d'ambassade* : agent* diplomatique chargé de diverses fonctions dans une ambassade. *Secrétaires d'ambassade :* secrétaires attachés à un ambassadeur, remplaçant celui-ci en cas d'absence et chargés en permanence de diverses tâches diplomatiques. *Premier, second secrétaire d'ambassade.*

Résidence d'un ambassadeur; lieu où les services d'une ambassade sont situés. *Écrire à l'ambassade de France au Danemark par la valise diplomatique. L'ambassade est située dans ce quartier.*

Personnel d'une ambassade. *Toute l'ambassade était en émoi.*

♦ **3** Fam. Commission importante, message entre particuliers. *S'acquitter, se charger d'une ambassade auprès de qqn. Envoyer qqn en ambassade. Aller en ambassade auprès de qqn.* Iron. *J'ai fait une belle ambassade* : ma mission n'a pas été heureuse.

Juste ciel! j'ai fait une belle ambassade! 5
MOLIÈRE, Amphitryon, I, 2.

Groupe de personnes chargées d'un message. *Une ambassade de quatre ou cinq personnes est venue le trouver.*

**AMBASSADEUR** [ɑ̃basadœʀ] n. m. — 1366; *embassator,* déb. XIVe; ital. *ambasciatore,* anc. provençal *ambayssador,* de *ambayssada.* → Ambassade.

♦ **1** Envoyé d'un État auprès d'un État étranger. → **Agent, envoyé, légat.** *Ambassadeur extraordinaire,* chargé d'une mission occasionnelle, temporaire. → **Plénipotentiaire.** *Ambassadeur ordinaire,* chargé d'une mission permanente. *Ambassadeur itinérant :* personnalité envoyée par un dirigeant politique auprès de gouvernements étrangers. — *Les Ambassadeurs,* célèbre tableau de Holbein. *Les Ambassadeurs (The ambassadors),* roman de Henry James.

1 Le rang d'ambassadeur doit être respecté (...)
CORNEILLE, Nicomède, I, 4.

2 Tout petit prince a des ambassadeurs (...)
LA FONTAINE, Fables, I, 3.

♦ **2** Spécialt. Représentant permanent d'un État auprès d'un État étranger, le plus élevé dans la hiérarchie diplomatique. → aussi **Ambassadrice.** *Son Excellence l'ambassadeur de France aux États-Unis, à Washington. Ambassadeur du Souverain Pontife.* → **Nonce.** *Nommer un ambassadeur. Accréditer un ambassadeur. Le cérémonial de la réception d'un ambassadeur. L'introducteur des ambassadeurs à l'audience du chef de l'État. L'ambassadeur d'Italie a présenté ses lettres de créance à l'Élysée. Rappeler un ambassadeur. L'ambassadeur a demandé ses passeports.* → **Récréance** (lettres de).

REM. Malgré l'existence de la forme féminine *ambassadrice* — qui signifie aussi «épouse d'un ambassadeur» —, *ambassadeur* est souvent employé à propos d'une femme : *Mme X, ambassadeur de France. Elle a été nommée ambassadeur.*

♦ **3** Loc. fig. *Un pas d'ambassadeur :* une allure grave, compassée.

3 L'allure noble qu'on appelle ironiquement un pas d'ambassadeur. BALZAC, Gambara, Pl., t. IX, p. 416.

♦ **4** [a] (1584). Personne chargée d'un message, d'une mission. → **Émissaire.**

4 Ce monsieur le vicomte a bien choisi son monde, que de te prendre pour son ambassadeur (...)
MOLIÈRE, George Dandin, II, 1.

[b] Rare. Ce qui annonce la venue (de qqch.). → aussi **Ambassadrice.**

5 *8 décembre.* — Ce jour qui devait être comme tous les jours que Dieu fait, avec un soleil triomphant au sommet d'un ciel bleu, ce jour est en réalité un jour vêtu de noir (...) un messager de deuil, un des ambassadeurs voilés et masqués que le destin nous envoie avec je ne sais quelles terribles lettres de créance dans les mains.
J. GREEN, Journal, 1941, *in* T. L. F.

♦ **5** Personne qui représente à l'étranger (une activité, une caractéristique de son pays). *Un ambassadeur de la chanson, du théâtre français. «Un ambassadeur de la pensée française»* (Sartre). — *Les grands couturiers et les jeunes créateurs, ambassadeurs de la mode.*

REM. Aux sens (4. et 5., on emploie normalement *ambassadrice* (3., 4.) en parlant d'une femme.

DÉR. **Ambassadorial.**

**AMBASSADORIAL, IALE, IAUX** [ɑ̃basadɔʀjal, jo] adj. — Av. 1785; du rad. de *ambassadeur,* et *-ial,* sur le modèle de *directorial.*

Vx. Qui a rapport à l'ambassade, à l'ambassadeur.

**AMBASSADRICE** [ɑ̃basadʀis] n. f. — 1694; *embasciatrice,* fin XVIe, de l'ital. *embasciatrice,* fém. de *ambasciatore.* → Ambassadeur.

♦ **1** Femme chargée d'une ambassade, représentant un État auprès d'un État étranger. *Son Excellence l'ambassadrice de Finlande. Elle a été nommée ambassadrice.*

(...) l'ambassadrice de Bornéo un peu jaune aux lumières, 1
malgré sa poudre de riz.
A. ROBIDA, le Vingtième Siècle, p. 60 (roman d'anticipation, publié v. 1900).

REM. Le mot est en concurrence avec *ambassadeur* (2.).

♦ **2** Épouse d'un ambassadeur. *Madame l'ambassadrice recevra jeudi prochain. L'ambassadeur et l'ambassadrice de Belgique viennent d'arriver.*

♦ **3** Femme chargée d'un message (→ **Ambassadeur,** 4., a.).

La princesse lui fit sentir qu'elle était indignée que son 2
frère lui dépêchât une telle ambassadrice (...)
VOLTAIRE, le Siècle de Louis XIV, 3.

♦ **4** [a] *Les ambassadrices de l'art, du goût, de la mode française. Ce furent nos meilleures ambassadrices à l'étranger.* → **Ambassadeur,** 5.

[b] Ce qui annonce la venue (de qqch.). → **Ambassadeur,** 4., b.

LA PIETÀ d'Avignon, qui entre au Louvre comme si le 3
destin déléguait le plus grand des ancêtres de Cézanne mourant pour y préparer sa place, y entre en ambassadrice du monde qui va opposer à l'invincible puissance du temps, une invincible communion.
MALRAUX, la Métamorphose des dieux, p. 34.

**AMBATCH** [ɑ̃batʃ] n. m. — 1877; mot d'Afrique tropicale; cf. angl. *ambach, ambash.*

Grand roseau des bords du Nil et du Congo, fournissant un bois léger.

Les indigènes qui passent continuellement d'une île à l'autre, emploient pour traverser les bahrs de lac, des soliveaux de ce bois extra léger d'ambatch sur lesquels ils se couchent (...)
GIDE, Voyage au Congo, *in* Souvenirs, Pl., p. 836.

**AMBE** [ɑ̃b] n. m. — 1762; ital. *ambo;* lat. *ambo* «les deux».

Vx ou techn. Combinaison de deux numéros pris et sortis ensemble à une loterie. *Gagner un ambe. Avoir un ambe.* Sortie de deux numéros placés sur la même ligne horizontale, au jeu de loto. → **Ambesas.**

**AMBESAS** [ɑ̃b(ə)zas] n. m. — 1174; anc. franç. *ambes* «deux», et *as.*

Jeux, anciennt. Coup de dés qui amène deux as, au trictrac. → **Bezet.**

DÉR. **Bezet.**

**AMBI-, AMBO-** Élément, du lat. *ambo,* dérivé de l'ancienne préposition *am,* signifiant «double, des deux côtés, tous les deux», et aussi «autour, de part et d'autre», et servant à former des adj. et des subst. (→ **Amphi-**). → Ambidextre, ambivalence, ambivalent. Ex. : *ambigène,* adj.; *ambitendance,* n. f. (1938); *ambosexuel,* adj. (1963); *ambotrace,* n. m. (1842), «instrument propre à écrire deux signes à la fois».

**AMBIANCE** [ɑ̃bjɑ̃s] n. f. — 1885, Villiers de l'Isle-Adam; de *ambiant,* et *-ance;* le mot a été critiqué par les puristes (Cf. Abel Hermant, *Chroniques de Lancelot,* t. II, 1938).

♦ **1** (1885). Psychol. et cour. Atmosphère (matérielle, intellectuelle, morale) qui environne une personne, une collectivité. → **Milieu** (matériel, intellectuel, moral); **atmosphère, climat, décor, entourage, environnement.** *Telle ou telle ambiance peut améliorer ou déformer un caractère* (Académie). *Les êtres sont plus ou moins sensibles à l'ambiance dans laquelle* *ils vivent. Il avait l'impression d'une ambiance hostile. Ambiance familiale.*

Il va falloir attendre dans cette chambre, ou bien errer dans les rues; au milieu d'ambiances indifférentes ou hostiles, être sombre et seul (...)
LOTI, Figures et Choses..., 6 déc. 1894.

C'est par l'ambiance qu'une femme, belle, ardente (...) agit sur le poète, l'artiste, le savant, le philosophe, l'homme d'action (...) Cette émanation subtile de l'ambiance (...) qui est certainement, avec le regard, l'initium de l'imprégnation amoureuse.
Léon DAUDET, la Femme et l'Amour, II, p. 49.

(...) son décorateur avait raison, tout dépend de l'ambiance, tant de choses entrent en jeu (...) ce beau chêne, ce mur, ce rideau, ces meubles, ces bibelots (...)
N. SARRAUTE, le Planétarium, p. 11.

Bien que ses scrupules de femme d'ordre lui fissent trouver incongru, et peut-être blâmable, le caprice d'un médianoche, surtout arrosé de champagne, elle accueillait avec gratitude tout ce qui contribuait à la bonne entente familiale, au maintien d'une «ambiance» heureuse.
Jean-Louis CURTIS, le Roseau pensant, p. 75.

Loc. *Mettre qqn dans l'ambiance :* l'aider à s'insérer dans un certain milieu.

Atmosphère particulière à une réunion. Spécialt. *Il y a de l'ambiance, ce soir :* l'atmosphère est gaie (sens mélioratif usuel en franç. d'Afrique, où le mot signifie aussi «fête, amusement» : *aller à une ambiance*, I. F. A.).

(...) le moment était mal choisi, l'ambiance n'était pas bonne, l'assistance composée d'éléments disparates, souvent hostiles, de ceux qu'on ne peut jamais séduire, gagner (...) N. SARRAUTE, le Planétarium, p. 33.

♦ **2** Cin., télév. «Atmosphère de la réalisation ou de la projection d'un film» (Giraud, 1956).

*Ambiance sonore :* ensemble des bruitages.

(1934). *Lumière, éclairage d'ambiance :* éclairage général diffus d'un champ de prise de vue, évitant toute ombre forte (opposé à *éclairage ponctuel*).

Caractéristiques sonores (d'une chambre d'enregistrement). *Ambiance sèche* (d'une chambre non capitonnée).

♦ **3** Ensemble des caractères d'un environnement à un moment et en un lieu donnés, notamment dans leurs effets psychologiques. *Soigner l'ambiance. Musique d'ambiance.* — Spécialt. (en parlant d'un éclairage). Effets psychophysiologiques d'un environnement lumineux. *Ambiance lumineuse.*

Le propriétaire *(du bar)* ayant déclaré aux décorateurs qu'il ne payerait que ce qu'il fallait pour avoir une ambiance, il avait obtenu en effet une ambiance énorme. Nul n'aurait pu dire et nul ne demandait de quoi était faite l'ambiance, c'était une ambiance au sens absolu du mot, et remplissant à souhait son vrai rôle qui est de plonger la clientèle dans l'état d'hébétude agréable et de dépaysement vasouillard qui la pousse à la consommation.
Jacques PERRET, Objets perdus.

Iron. *Ambiance !*, se dit d'une situation qui crée une ambiance morale détestable.

♦ **4** Mus. *Ambiance modale, tonale.*

♦ **5** Arts. Dans une œuvre (peinture, etc.), entourage du sujet principal.

COMP. **Ambiophonie** (marque déposée).

**AMBIANT, ANTE** [ɑ̃bjɑ̃, ɑ̃t] adj. — 1835; *ambiens*, 1515; lat. *ambiens*, de *ambire* «entourer, aller autour».

♦ **1** Phys. et cour. Qui circule, va autour (en parlant d'un fluide); qui entoure, enveloppe, environne. *Air, fluide ambiant. Atmosphère, température ambiante. L'espace, le milieu ambiant. Les conditions ambiantes,* du milieu.

1 L'air ambiant et pur semblait s'être adouci.
LAMARTINE, Jocelyn, IV, 147.

♦ **2** (1835, G. Sand). Fig. *Idées, influences ambiantes :* celles du milieu intellectuel ou moral dans lequel on vit. *L'hostilité ambiante.*

Quant au XIXe siècle, à ses idées neuves en histoire et 2
en littérature, déjà professées par tant de bouches éloquentes, c'était ce que mes excellents maîtres ignoraient le plus. On ne vit jamais un isolement plus complet de l'air ambiant (...) RENAN, Souvenirs d'enfance..., III, 1.

Enivré de ces rumeurs, soulevé par cet enthousiasme 3
ambiant, le bon Numa ne tenait plus en place.
Alphonse DAUDET, Numa Roumestan, I.

DÉR. **Ambiance, ambiantal.**

**AMBIANTAL, ALE, AUX** [ɑ̃bjɑ̃tal, o] adj. — XXe; de *ambiant*, et suff. *-al*.

Biol. Relatif au milieu ambiant, où se développe une plante. → **Écologique** (qui remplace avantageusement ce mot mal formé et peu évocateur, en raison du sens usuel de *ambiance*). *«Le parasite se trouve en mesure d'adapter sa biologie aux conditions (...) ambiantales qu'il rencontre»* (L. Levadoux, *la Vigne et sa culture*, p. 60).

**AMBIDEXTRE** [ɑ̃bidɛkstʀ] adj. et n. — 1547; bas lat. de *ambo* «deux», et *dexter* «droit».

♦ **1** Didact., littér. Qui se sert des deux mains avec une égale facilité. *Un escrimeur ambidextre. Une femme ambidextre. Un champion de tennis ambidextre. Il, elle est ambidextre.*

Hermagoras vous révélera que Nembrot était gaucher et Sésostris ambidextre.
LA BRUYÈRE, les Caractères, 5.

N. *Un, une ambidextre.*

♦ **2** Par métaphore. Qui peut user également de plusieurs moyens, qui manifeste de la duplicité, de l'ambiguïté (Stendhal, L. Bloy, *in* T. L. F.).

CONTR. **Droitier, gaucher.** ◊ DÉR. **Ambidextrie.**

**AMBIDEXTRIE** [ɑ̃bidɛkstʀi] n. f. — 1837; de *ambidextre*.

Didact. Aptitude à se servir des deux mains avec une facilité égale. — Var. Vx. *Ambidextérité*, n. f. (1842); *ambidextralité*, n. f.

**AMBIÉQUAL, ALE** [ɑ̃biekwal] adj. et n. — Av. 1951 (*in* Piéron); all. *ambiequal*, Rorschach, av. 1922; de *ambi-* «deux à la fois», et *æqualis* «égal».

Psychol. Qui est à un degré égal extratensif et introversif. — *Type mental ambiéqual.* — N. *Une ambiéquale.*

**AMBIGU, UË** ou **ÜE** [ɑ̃bigy] adj. et n. m. — 1495; du lat. *ambiguus* «douteux, à double entente, équivoque».

**I** Adj. ♦ **1** Qui présente deux ou plusieurs sens possibles, dont l'interprétation est incertaine. — (En parlant de l'expression, du langage). *Langage ambigu.* → **Énigmatique, obscur.** *Réponse ambiguë*, ou *ambigüe* (décision de l'Académie, 1975). *Il s'est contenté d'une réponse ambiguë. Le terme est ambigu.* → **Amphibologique, douteux, équivoque, flottant, incertain, indécis, louche** (vx), **oblique** (vx).

Mais surtout leur prête beau jeu le parler obscur, ambigu 1
et fantastique du jargon prophétique, auquel leurs auteurs ne donnent aucun sens clair, afin que la postérité y en puisse appliquer de tel qu'il lui plaira.
MONTAIGNE, Essais, I, 11.

C'est à quoi *(bien faire accroire une chose fausse)* sert admi- 2
rablement notre doctrine des équivoques, par laquelle il est permis d'user de termes ambigus, en les faisant entendre en un autre sens qu'on ne les entend soi-même (...) PASCAL, les Provinciales, 9.

Ces hérétiques cachaient leur venin sous des paroles ambi- 3
guës. BOSSUET, Disc. sur l'hist. universelle, I, 11.

(En parlant de signes non linguistiques). *Geste ambigu. Signal ambigu. Sa conduite est très ambiguë. Sourire, regard ambigu.*

3.1 (...) elle *(la femme)* est debout, le corps assez rigide, mais la tête détournée et les bras esquissant un mouvement ambigu d'adieu, ou de dédain, ou d'expectative : la main gauche à peine écartée du corps, à la hauteur de la hanche, et la droite levée jusqu'au niveau des yeux, le coude à demi plié et les doigts étendus, disjoints, comme si elle s'appuyait à une paroi de verre. À trois mètres environ dans la direction que cette main semble condamner — ou craindre — (...)
A. ROBBE-GRILLET, la Maison de rendez-vous, p. 26.

Log. *Proposition ambiguë.* — Math. *Théorème ambigu.*

Ling. Se dit d'un élément de discours qui peut être interprété de diverses façons. → **Ambiguïté.** *Un mot polysémique* cesse le plus souvent d'être ambigu grâce au contexte.* → **Désambiguïsation.** *Phrase ambiguë de par sa structure superficielle.*

♦ **2** Qui réunit deux qualités opposées, participe de deux natures différentes.

4 Ce sont gens sans parole et sans foi, et semblables à cet animal amphibie de la fable se tenant dans un état ambigu entre les poissons et les oiseaux.
PASCAL, *in* Pierre LAROUSSE.

5 Aristote a dit que le phoque était d'une nature ambiguë et moyenne entre les animaux aquatiques et terrestres.
BUFFON, Hist. nat. des animaux, Le phoque.

6 (...) Un caractère ambigu, un mélange de vertus et de vices, un contraste perpétuel de bons sentiments et d'actions mauvaises.
Abbé PRÉVOST, Manon Lescaut, Avis de l'auteur.

Incertain, dont la nature est équivoque (souvent péj.). *Une beauté ambiguë. Un personnage ambigu. Son rôle dans cette affaire est assez ambigu.*

Philos. Mal déterminé; qui semble participer de natures contraires et appeler des jugements contradictoires. → **Ambivalent.** *«Dire que l'existence est ambiguë, c'est poser que le sens n'en est jamais fixé»* (S. de Beauvoir).

♦ **3** Sc. nat. Se dit d'un organe dont la forme ou la disposition n'est pas bien déterminée. *Cloison ambiguë, corolle ambiguë.*

♦ **4** Ling. *Voyelle ambiguë :* dans l'alphabet grec ancien, Voyelle pouvant être brève ou longue.

**II** N. m. Vx ou spécialt. ♦ **1** Situation peu claire. → **Ambiguïté.** *«Cet ambigu où vous vivez depuis 1830»* (Proudhon, *in* T. L. F.). *Elle déteste l'ambigu, l'équivoque.*

♦ **2** *Un ambigu de... et de... :* un mélange (de choses de natures différentes).

7 C'est dans son caractère, une espèce parfaite,
Un ambigu nouveau de prude et de coquette (...)
J.-F. REGNARD, le Joueur, I, 6.

8 (...) c'est un ambigu de précieuse et de coquette que leur personne. MOLIÈRE, les Précieuses ridicules, I.

9 (...) ce langage qui était un ambigu précieux des choses de l'art et du monde.
PROUST, À la recherche du temps perdu, t. XII, p. 92.

Cuis. Repas froid où l'on servait à la fois les viandes et le dessert.

Cout. *Broder en ambigu,* en mélangeant des motifs différents.

Mus. Pièce de nature hybride. *«Ariettes, ambigus ou romances»* (Sainte-Beuve).

Anciennt. *Ambigu comique :* pièce de théâtre mêlant plusieurs genres dramatiques. *Le théâtre de l'Ambigu,* à Paris.

♦ **3** Hist. des sc. (chez Fourier). Être, espèce constituant une transition entre deux classes.

♦ **4** Méd. (Vieilli). Individu dont le sexe ne peut être déterminé par l'examen des organes génitaux. → **Hermaphrodite.** — Psychiatrie. Individu dont le comportement laisse incertaine l'identité sexuelle. → **Transsexuel.**

CONTR. (Du sens 1.) **Catégorique, clair, net, précis. — Monosémique. Ambigument.**

**AMBIGUÏTÉ** ou **AMBIGÜITÉ** [ɑ̃bigɥite] n. f. — 1270; du lat. *ambiguitas,* de *ambiguus.* → Ambigu.
REM. La graphie *ambigüité* est admise par l'Académie depuis 1975.

♦ **1** (Langage). Caractère de ce qui est ambigu, susceptible de diverses interprétations. *Ambiguïté (ambigüité) d'un mot, d'une phrase, d'une explication, d'un ordre.* → **Amphibologie, équivoque, incertitude, obscurité; sens** (double sens). *Cette énigme provient d'une ambiguïté volontaire. Expliquer, montrer qqch. sans aucune ambiguïté.*

Comme si la profession de foi laissait une ambiguïté dans la créances des fidèles (...)
PASCAL, les Provinciales, 16.

Il n'y a ni ambiguïté ni équivoque (...)
BOURDALOUE, Pardon des injures, I.

*(Une, des ambiguïtés).* Expression ambiguë. *«Quantité d'incorrections, d'ambiguïtés»* (Gide).

Ling., log. Possibilité d'interprétations multiples pour une seule forme. *Levée d'ambigüité par le contexte :* fait de cesser d'être ambigu, pour un mot pris dans un contexte. → **Désambiguïser.**

♦ **2** Par ext. Caractère ambigu (d'un acte, d'un comportement). → **Ambigu** (vx), **ambivalence.** *L'ambiguïté de son comportement.*

*(Une, des ambiguïtés).* Acte, comportement ambigu. *«Vous avez pour moi des côtés fuyants, des ambiguïtés où je me perds»* (Flaubert, *in* T. L. F.).

♦ **3** Philos. Caractère de ce qui est philosophiquement ambigu. → **Ambivalence, qualité.**

CONTR. **Clarté, netteté, précision.**

**AMBIGUMENT** [ɑ̃bigymɑ̃] adv. — 1538, *ambiguement;* de *ambigu,* et *-ment.*

D'une manière ambiguë. *Répondre ambigument. — Agir ambigument.*

L'Église anglicane parle ambigument (...)
BOSSUET, Hist. des Variations, 15.

Il sait encore mieux parler ambigument, d'une manière enveloppée, user de tours ou de mots équivoques, qu'il peut faire valoir ou diminuer dans les occasions et selon ses intérêts. LA BRUYÈRE, les Caractères, X, 12.

CONTR. **Catégoriquement, clairement, nettement, précisément.**

**AMBIOPHONIE** [ɑ̃bjofɔni] n. f. — Av. 1972, marque déposée; de *ambiance,* et *-phonie.*

Comm. Ambiance sonore créée par une stéréophonie augmentée par la réverbération des sons (au moyen d'enceintes placées derrière l'auditeur). «"Tétraphonie *coûteuse ou simple* ambiophonie *par division de la* stéréo *classique?", se demandent les réalistes, qui n'ont pas toujours les moyens de leurs exigences...»* (*le Nouvel Obs.,* 7 mars 1977, p. 67).

DÉR. **Ambiophonique.**

**AMBIOPHONIQUE** [ɑ̃bjofɔnik] adj. — V. 1970; de *ambiophonie.*

Comm. De l'ambiophonie. *«Le symbole adopté par Grundig pour qualifier son procédé ambiophonique»* (*Hi-Fi Stéréo,* 29 juin 1972).

**AMBIPARE** [ɑ̃bipaʀ] adj. — D. i. (mil. XX^e); de *ambi-*, et *-pare*.

Bot. Se dit d'un bourgeon qui contient à la fois des feuilles et des fleurs.

**AMBISEXUÉ, ÉE** [ɑ̃bisɛksɥe] adj. — Av. 1970; de *ambi-*, et *sexué*.

Rare.

♦ **1** Biol. → **Bisexué.**

♦ **2** Psychol. Se dit d'un individu dont le comportement reflète à la fois des tendances de type masculin et de type féminin.

**AMBITENDANCE** [ɑ̃bitɑ̃dɑ̃s] n. f. — 1957, *in* D.D.L.; de *ambi-*, et *tendance*.

Psychol. «Complexe formé de deux besoins exactement opposés» (Piéron, 1973).

**AMBITIEUSEMENT** [ɑ̃bisjøzmɑ̃] adv. — XIV^e; de *ambitieux*, et *-ment*.

Avec ambition. D'une manière qui annonce de l'ambition, de la prétention. *Rechercher ambitieusement les honneurs* (Académie). *Il en conclut bien ambitieusement qu'il était déjà célèbre.*

1 (...) vouloir ambitieusement étaler les études de la loi de Dieu.
FLÉCHIER, Panégyriques.

2 Car, épinglant ici un feuillet supplémentaire, je bâtirais mon livre, je n'ose pas dire ambitieusement comme une cathédrale, mais tout simplement comme une robe.
PROUST, le Temps retrouvé, Pl., t. III, p. 1033.

**AMBITIEUX, EUSE** [ɑ̃bisjø, øz] adj. et n. — XIII^e; lat. *ambitiosus*, de *ambitio*. → Ambition.

♦ **1** (Personnes). Qui a de l'ambition, désire passionnément réussir. *Un homme ambitieux. Elle est assez ambitieuse pour tout sacrifier à sa carrière. Il est très ambitieux, mais il ne réussit guère.*

1 Les honneurs sont vendus aux plus ambitieux (...)
CORNEILLE, Cinna, II, 1.

1 Que de bruit, cependant, avait fait dans l'univers ce «Duce» ambitieux, audacieux, orgueilleux, cet homme d'État aux larges visées et aux gestes dramatiques, cet orateur entraînant et excessif. Il avait saisi l'Italie quand elle glissait à l'anarchie.
Ch. DE GAULLE, Mémoires de guerre, t. III, p. 172.

Vieilli. *Ambitieux de :* qui a un grand désir de. *Être ambitieux d'honneurs, du pouvoir* — (Et l'inf.). *Être ambitieux de vaincre. Ambitieux de paraître, de se distinguer.*

2 Ils *(les saints)* sont ambitieux de plus nobles richesses (...)
Louis RACINE, la Religion, III, *in* LITTRÉ.

3 Ambitieux de vaincre et non de discourir.
Louis RACINE, la Religion, V, *in* LITTRÉ.

N. (Souvent péj.). *Un ambitieux, une ambitieuse :* personne qui a de l'ambition (→ Amoureux, cit. 13.2). *Les intrigants* et les ambitieux.* L'ambitieux sacrifie tout pour arriver à ses fins. → **Arriviste.**

4 Le principe le plus ordinaire qui fait agir l'ambitieux, est la présomption de sa propre suffisance.
BOURDALOUE, Ambition.

1 (...) son avarice s'était accrue comme s'accroissent toutes les passions persistantes de l'homme. Suivant une observation faite sur les avares, sur les ambitieux, sur tous les gens dont la vie a été consacrée à une idée dominante, son sentiment avait affectionné plus particulièrement un symbole de sa passion.
BALZAC, Eugénie Grandet, éd. 1838, p. 315-316.

5 L'ambitieux court toujours après quelque chose où il croit qu'il trouvera un bonheur rare (...)
(ALAIN, Propos sur le bonheur.

1 L'AMBITIEUX prend les pouvoirs comme fin, et les adore en tous ses actes.
(ALAIN, Mars ou la Guerre jugée, *in* les Passions et la Sagesse, Pl., p. 606.

♦ **2** (Réalités psychologiques). *C'est un caractère ambitieux.* — Vieilli. *Il a l'humeur ambitieuse. Les cœurs ambitieux, les âmes ambitieuses.* — Qui marque, annonce de l'ambition. *Désirs, espoirs, projets, souhaits, vœux ambitieux. Une entreprise trop ambitieuse. Une politique ambitieuse.* → **Téméraire.**

Combien le trône tente un cœur ambitieux ! 6
RACINE, Bajazet, V, 4.

*(L'ode)* Élevant jusqu'au ciel son vol ambitieux. 7
BOILEAU, l'Art poétique, II.

(...) Plus l'âme est ambitieuse et délicate, plus les rêves s'éloignent du possible. 8
BAUDELAIRE, le Spleen de Paris, «L'invitation au voyage».

Qui marque, annonce trop d'ambition. → **Présomptueux, prétentieux.** *Il faut renoncer à cet ambitieux projet. Si le mot n'est pas trop ambitieux.*

♦ **3** Vieilli et littér. Qui cherche à éblouir. *Ornements, style ambitieux. Une traduction ambitieuse.* → **Affecté, pompeux, prétentieux, recherché.**

Il réprime des mots l'ambitieuse emphase (...) 9
BOILEAU, l'Art poétique, I.

Vous voulez qu'on évite un soin trop curieux 10
Et des vains ornements l'effort ambitieux.
LA FONTAINE, Fables, V, 1.

La véritable éloquence n'a rien d'enflé ni d'ambitieux. 11
FÉNELON, Dialogues sur l'éloquence, II.

Vx (en parlant des choses). *Des «monuments ambitieux»* (Michelet).

(...) les princes verront les chaumes préférés 12
Au faîte ambitieux de leurs palais dorés.
CORNEILLE, l'Imitation de J.-C., 2373.

CONTR. **Désintéressé, humble, indifférent, modeste, simple.**
◊ DÉR. **Ambitieusement.**

**AMBITION** [ɑ̃bisjɔ̃] n. f. — 1279; du lat. *ambitio*, d'abord «démarche pour solliciter des suffrages», de *amb-* «autour», et *ire* «aller».

♦ **1** *(L'ambition, l'ambition de qqn).* Désir intense d'obtenir les biens qui peuvent flatter l'amour-propre (pouvoir, honneurs, réussite sociale). → L'appétit*, la faim*... des honneurs. *Avoir de l'ambition. Être plein, animé, dévoré, torturé... d'ambition ; brûler d'ambition. Un cœur rongé d'ambition* (→ Enfer, cit. 18). *Être poussé par l'ambition. Une ambition démesurée, dévorante, effrénée, insatiable, sans borne, sans limite. C'est l'ambition qui le fait agir. Délire de l'ambition.* → **Mégalomanie.** *L'ambition de qqn. Assouvir son ambition. Il manque d'ambition. Passer trois ou quatre heures par jour à ces platitudes* (cit. 4) *d'ambition.*

L'ambition, qui est une faim d'honneurs (...) 1
Pierre CHARRON, Sagesse, I, 21.

J'ai de l'ambition, et, soit vice ou vertu (...) 2
Mon cœur sous son fardeau veut bien être abattu (...)
CORNEILLE, Pompée, II, 1.

L'ambition déplaît quand elle est assouvie, 3
D'une contraire ardeur son ardeur est suivie.
CORNEILLE, Cinna, II, 1.

On passe souvent de l'amour à l'ambition, mais on ne revient guère de l'ambition à l'amour. 4
LA ROCHEFOUCAULD, Maximes, 490.

Les hommes commencent par l'amour, finissent par l'ambition, et ne se trouvent souvent dans une assiette plus tranquille que lorsqu'ils meurent. 5
LA BRUYÈRE, les Caractères, IV, 76.

Qu'une vie est heureuse quand elle commence par l'amour et finit par l'ambition ! Si j'avais à en choisir une, je prendrais celle-là. 6
PASCAL, Disc. sur les passions de l'amour.

L'ambition ardente exile les plaisirs dès la jeunesse pour gouverner seule. 7
VAUVENARGUES, Maximes, 16, éd. Somogy.

8 Un homme passionné de l'ambition doit être ou excessivement injuste ou furieusement présomptueux : injuste s'il recherche des honneurs dont il se croit indigne, présomptueux s'il se persuade en être digne (...)
BOURDALOUE, Ambition.

9 J'avais prévu ma chute en montant sur le faîte.
Je m'y suis trop complu ; mais qui n'a dans la tête
Un petit grain d'ambition ?
LA FONTAINE, Fables, X, 9.

10 (...) un homme n'est pas malheureux parce qu'il a de l'ambition ; mais parce qu'il en est dévoré.
MONTESQUIEU, Cahiers, p. 19.

11 J'ai l'ambition qu'il faut pour me faire prendre part aux choses de la vie (...) MONTESQUIEU, Cahiers, p. 3.

11.1 L'ancien tonnelier rongé d'ambition cherchait, disaient-ils, pour gendre quelque pair de France, à qui deux cent mille livres de rente feraient accepter tous les tonneaux passés, présents et futurs des Grandet.
BALZAC, Eugénie Grandet, éd. 1838, p. 44.

11.2 — Entre, général, dit le czar d'une voix brève, et dis-moi tout ce que tu sais d'Ivan Ogareff.
— C'est un homme extrêmement dangereux, Sire, répondit le grand maître de police.
— Il avait rang de colonel ?
— Oui, Sire.
— C'était un officier intelligent ?
— Très intelligent, mais impossible à maîtriser, et d'une ambition effrénée qui ne reculait devant rien.
J. VERNE, Michel Strogoff, p. 18-19.

11.3 Je ne renonce pas à l'ambition. C'est un feu qui brûle en moi, à l'étouffée, mais qui brûle toujours.
J. RENARD, Journal, 1er janv. 1897.

12 Éperonné d'une ambition toute neuve (...)
G. DUHAMEL, Chronique des Pasquier, III, V.

13 (...) le prurit de l'ambition.
A. MAUROIS, Études littéraires, t. II, p. 218.

♦ **2** Qualifié. *(Une, des ambitions).* Désir ardent de réussite, dans l'ordre intellectuel, moral. → **Aspiration, idéal.** *Avoir une grande ambition. Une grande, une généreuse, une noble ambition. Des ambitions artistiques, littéraires. — Les ambitions de qqn. Être le martyr* (cit. 7) *de ses ambitions.*

14 Une noble ambition est un sentiment utile à la société, lorsqu'il se dirige bien.
MONTESQUIEU, Cahiers, p. 269.

15 Les magnifiques ambitions font faire les grandes choses.
HUGO, Littérature et Philosophie mêlées, But.

16 L'ambition littéraire est, de toutes celles qui tourmentent le cœur des hommes, la plus répandue, la moins timide et la plus prompte à se découvrir.
G. DUHAMEL, Discours aux nuages, p. 12.

♦ **3** *(Une, des ambitions).* Désir, souhait quant à l'avenir personnel. *Il n'a qu'une ambition dans la vie : c'est de... L'ambition de...* (et inf.). *Avoir l'ambition d'accomplir telle ou telle chose.* → **But, désir, dessein, prétention, visée, vue.** — *Mettre, borner toute son ambition à (qqch., faire qqch.).* — Par métonymie. Objet de l'ambition de qqn. → ci-dessous, cit. 17.

17 Ce grand nom *(Rome)* deviendra l'ambition des rois.
CORNEILLE, Horace, III, 5.

18 Un soupir, un regard, un mot de votre bouche,
Voilà l'ambition d'un cœur comme le mien.
RACINE, Bérénice, II, 4.

19 Toute mon ambition maintenant est de fuir les embêtements (...) FLAUBERT, Correspondance, t. IV, p. 125.

♦ **4** Escr. *Tirer d'ambition,* avec ardeur.

**CONTR.** **Désintéressement, indifférence, humilité, modestie.**
◊ **DÉR.** **Ambitionner.** — (Du lat. *ambitio*) V. **Ambitieux.**

**AMBITIONNER** [ɑ̃bisjɔne] v. — Av. 1630 ; de *ambition.*
REM. Sans être vieux ni exclusivement littéraire, le verbe est moins courant que *ambition* et *ambitieux* ; il appartient surtout à l'usage soutenu.

♦ **1** V. tr. Rechercher avec ou par ambition. *Ambitionner les honneurs, les premières places, la popularité...* → **Aspirer** (à), **briguer, convoiter, désirer ; prétendre** (à), **viser** (à). *« J'ai ambitionné vos suffrages »* (Proudhon, *in* T. L. F.).

(...) il avait brigué le titre de roi, qu'il ambitionnait comme lui. FLAUBERT, Trois contes, « Hérodias », p. 176.

*Ambitionner de...* (et inf.) : désirer, souhaiter vivement de. *Ce que j'ambitionne le plus, c'est l'honneur de vous servir, c'est de pouvoir vous rendre quelque service* (Académie).

(...) Mon cœur n'ambitionnera
Que d'être auprès de vous tout ce qu'il vous plaira (...)
MOLIÈRE, l'Étourdi, V, 3.

La duchesse de Mazarin, à qui l'on ambitionnait de plaire (...) VOLTAIRE, le Siècle de Louis XIV, 32.

♦ **2** V. intr. Régional (Canada). Mettre trop d'ardeur (à faire qqch.). — Prendre plus que son dû.

**CONTR.** **Dédaigner, mépriser, négliger.**

1. **AMBITUS** [ɑ̃bitys] n. m. — 1751 ; lat. médiéval *ambitus,* p. p. de *ambire* « entourer », de *amb-* « autour », et *ire* « aller ». → Ambition.

Mus. anc. Étendue d'un ton, du grave à l'aigu. Registre (d'un instrument). — Étendue maximale d'une mélodie caractéristique de son mode. Ordre des modulations, dans une fugue.

**HOM.** 2. **Ambitus.**

2. **AMBITUS** [ɑ̃bitys] n. m. — 1143 ; lat. médiéval *ambitus,* spécialisé au sens de « espace entourant un tombeau ; enceinte d'une abbaye ».
Histoire.

♦ **1** Espace consacré autour d'une église, au Moyen Âge. *L'ambitus servait de lieu d'asile.*

♦ **2** Archéol. Dans les tombeaux souterrains grecs et romains, petite niche qui recevait une urne.

**HOM.** 1. **Ambitus.**

**AMBIVALENCE** [ɑ̃bivalɑ̃s] n. f. — 1911 ; all. *Ambivalenz,* du lat. *ambo-* « tous les deux », et *valentia* « puissance, valeur ».

♦ **1** (1911). Psychol., psychiatrie, psychan. Caractère de ce qui comporte deux composantes de sens contraire. *Ambivalence affective :* état de conscience comportant des dispositions affectives contraires. *Son ambivalence entraîne un comportement ambigu* (→ **Ambiguïté**).

La commodité de la vie du lendemain telle qu'elle était préalablement définie, le souci de ne pas avoir à attenter à l'existence morale de l'être irréprochable qui avait vécu les jours précédents auprès de moi, joints à la nouveauté et au caractère irrésistible de l'attrait que je subissais (« le pour et le contre ») me maintenaient dans un état d'ambivalence des plus pénibles. 1
A. BRETON, l'Amour fou, IV, p. 85.

Entre elle et son mari, des scènes éclataient (...) Elle avait beaucoup de rancune à son égard, mais il l'attirait : comment ressentait-elle cette ambivalence (...) 2
S. DE BEAUVOIR, la Force de l'âge, I, III.

♦ **2** (1936). Caractère de ce qui se présente sous deux aspects, sans qu'il y ait nécessairement opposition (mais généralement, avec ambiguïté*).

L'ambivalence de l'histoire peut être constatée dans le développement de l'Empire romain. 3
Jacques MARITAIN, Pour une philosophie de l'histoire, p. 67.

**AMBIVALENT, ENTE** [ɑ̃bivalɑ̃, ɑ̃t] adj. — 1924, trad. de Freud, *Totem et Tabou ;* all. *ambivalent*, de *ambi-*, du lat. *ambo* «tous les deux», et du p. prés. du lat. *valere* «valoir».

♦ **1** Psychol. et psychan. Qui comporte deux éléments contraires. *«Le mot “sacer” est ambivalent : sacré et maudit»* (J. Pucelle, *in* Foulquié).

1 (...) nous sommes tous plus ou moins ambivalents, n'est-ce pas. Il y a une espèce de bisexualité latente. Tu n'as jamais lu Jung, bien sûr, mais Jung a établi qu'il y avait en chaque être humain un principe masculin, Animus, et un principe féminin, Anima, l'un beaucoup plus développé que l'autre selon le sexe et les individus.
Jean-Louis CURTIS, le Roseau pensant, p. 206.

♦ **2** Qui est fait de deux éléments peu compatibles, peut recevoir deux ou plusieurs interprétations. → **Ambigu.**

2 Ce qui n'est que vécu est ambivalent ; il y a en moi (...) des bonheurs faux où je ne suis pas tout entier.
MERLEAU-PONTY, Phénoménologie de la perception, p. 343.

**AMBLANT, ANTE** [ɑ̃blɑ̃, ɑ̃t] adj. — 1833, E. Quinet ; p. prés. de *ambler*.
Rare. Qui va l'amble. *Cheval amblant.*

**AMBLE** [ɑ̃bl] n. m. sing. — Mil. XIIIe ; de *ambler*.
Allure d'un quadrupède (chameau, girafe, etc.) qui se déplace en levant en même temps les deux jambes du même côté. → **Allure, cheval.** *Aller, trotter l'amble. Allonger l'amble. L'amble, considéré aujourd'hui comme une allure défectueuse, était autrefois apprécié chez les montures réservées aux dames. Jument qui va l'amble.* → **Haquenée.** *Amble rompu.* → **Traquenard.** *Le pas de la girafe, du chameau, de l'ours est un amble.*

1 Le petit cheval trottait l'amble (...)
FLAUBERT, Mme Bovary, I.

2 (...) sa mule, mise en train par la musique, prenait un petit amble sautillant (...)
Alphonse DAUDET, Lettres de mon moulin, «La mule du Pape», p. 62.

3 Le cheval, que Nicolas ne frappait jamais, allait l'amble.
J. VERNE, Michel Strogoff, p. 357.

Plus cour. *Aller, courir à l'amble. «Courir au trot et à l'amble»* (Flaubert, *Correspondance*). Figuré :

4 Elle marche en s'appuyant toute sur la jambe qui touche terre, en souriant d'un seul coin des lèvres, alternativement, comme si tout son être allait l'amble (...)
GIRAUDOUX, Provinciales, p. 120.

Fig. et vx. *Aller l'amble, aller à l'amble,* à une allure modérée. → Au petit trot*.

CONTR. **Aubin, entrepas, galop, pas, trot.**

**AMBLER** [ɑ̃ble] v. intr. — 1165 ; de l'anç. provençal *amblar*, du lat. *ambulare* «se promener».
Équit. Aller l'amble. *Trotteur distancé pour avoir amblé.*

DÉR. **Amblant, amble, ambleur.**

**AMBLEUR, EUSE** [ɑ̃blœʀ, øz] adj. — V. 1165 ; de *ambler*, et *-eur*.
Équit. Qui va l'amble. Var. *Amblier* (1838). *Cheval ambleur. Mule ambleuse.*
*Cerf ambleur :* cerf dont la trace du pied de derrière dépasse celle du pied de devant.

**AMBLY-** Élément (grec *amblu-*, de *amblus* «émoussé, affaibli»), servant à former des mots savants dans le domaine de la zoologie, de la minéralogie et de la médecine. Voir à l'ordre alphab., et, en outre : *amblyptère*, n. m. (1841) et adj. (1859) ; *amblycéphales*, n. m. (*in* P. Larousse) ; Minér. : *amblygone*, adj. ; *amblygonite*, n. f. (1905) ou n. m. (*in* P. Larousse).

**AMBLYOPE** [ɑ̃blijɔp] adj. et n. — 1838 ; grec *ambluôpos* «dont la vue est faible», de *amblu-* (→ Ambly-) et *-ôpos* (→ -ope).

♦ **1** Méd. Atteint d'amblyopie. — N. *Un, une amblyope :* une personne atteinte d'amblyopie.

♦ **2** Zool. Qui a les yeux très petits, qui ne voit pas, ou voit très peu. *Un animal amblyope.* — N. m. *Les amblyopes.*

**AMBLYOPIE** [ɑ̃blijɔpi] n. f. — 1611 ; lat. sav. *amblyopia* (mil. Ve), grec *ambluôpia*, de *ambluôpos*. → Amblyope.
Didact. Affaiblissement de la vue, sans lésion organique apparente (intoxications, état psychopathique, certains strabismes). → **Amaurose, cécité.** *Atteint d'amblyopie.* → **Amblyope.**

Cette amblyopie n'est pas telle cependant qu'elle empêche le malade de se promener et de reconnaître les personnes qui l'entourent. La lecture est difficile et seuls les gros caractères sont identifiés.
B. CENDRARS, Moravagine, *in* Œ. compl., t. IV, p. 256.

**AMBLYOPSIS** [ɑ̃blijɔpsis] n. m. — 1896, *Nouveau Larousse illustré ;* de *ambly-*, et *opsis* «vue».
Zool. Poisson des eaux souterraines dont les yeux sont cachés sous la peau.

Quant au protée, ce batracien aveugle et cavernicole (à ne pas confondre avec l'amblyopsis, non moins aveugle et cavernicole, mais qui est un poisson)...
R. QUENEAU, Bâtons, chiffres et lettres, p. 147.

**AMBLYORNIS** [ɑ̃blijɔʀnis] n. m. — 1888 ; de *ambly-*, et grec *ornis* «oiseau».
Zool. Oiseau à huppe *(Paradiséidés)* dont le mâle construit un abri devant lequel il dispose divers objets de couleur vive, pour la parade sexuelle (le nid est construit ailleurs).

**AMBLYOSCOPE** [ɑ̃blijɔskɔp] n. m. — 1970 ; de *amblyo(pie)*, et suff. *-scope*.
Opt. Appareil servant à l'examen complet de la vision binoculaire et à l'évaluation d'une amblyopie.

**AMBLYPODES** [ɑ̃blipɔd] n. m. pl. — 1890, *in* D. D. L. ; de *ambly-*, et *-pode*.
Zool. Mammifères fossiles dont les doigts se terminent par des sabots. — Au sing. *Un amblypode.*

À côté de pachydermes archaïques, à cerveau dérisoirement petit, tels que les Amblypodes, les Tarsidés (Anaptomorphidés) de l'Éocène inférieur apparaissent pareils à de petits hommes.
TEILHARD DE CHARDIN, l'Apparition de l'homme, 1923, p. 59, *in* D. D. L., II, 3.

**AMBLYRHYNQUE** [ɑ̃bliʀɛ̃k] n. m. — 1855, Bescherelle ; du grec *amblus* «obtus» (→ Ambly-), et *runkhos* «museau, groin».
Zool. Reptile du genre iguane*, des îles Galapagos, se nourrissant d'algues.

**AMBLYSTOME** [ɑ̃blistom] n. m. — 1871, in *l'Année sc. et industr.* 1872, p. 230 ; de *ambly-*, et *stoma* «bouche».
Zool. Amphibien urodèle du Mexique, sorte de salamandre appelée *axolotl* à l'état larvaire.

L'un *l'axolotl)* veut bien devenir adulte chez lui, et amblystome, mais, en captivité, rien à faire, il se reproduit bien qu'insuffisamment développé.
R. QUENEAU, Bâtons, chiffres et lettres, p. 147.

**AMBO-** → **Ambi-**.

**AMBOINE** [ãbwan] n. m. — Av. 1921, Giraudoux; lat. sc. *amboina*, du malais *ambun*, nom d'une des îles de l'archipel des Moluques.

Bois précieux de teinte claire, provenant des Moluques. *L'amboine est employé en ébénisterie. Table d'amboine.* — On dit aussi *bois d'amboine.*

(...) les yeux fixés sur des pendules en bois d'argent, des armoires en amboine, des consoles en acajou d'or.

GIRAUDOUX, Églantine, p. 34.

**AMBON** [ãbɔ̃] n. m. — 1740; du grec byzantin *ambôn* «chaire», en grec classique «bordure».

Didact. (archéol.) Tribune placée à l'entrée du chœur des basiliques chrétiennes, qui servait aux lectures liturgiques (épître, évangile), ainsi qu'à la prédication. *Le jubé et la chaire ont remplacé l'ambon. Ambons disposés de part et d'autre du chancel**.

Les basiliques une fois transformées en églises, il ne fut pas difficile d'adapter les cérémonies religieuses à la disposition du local (...) En avant de l'autel, à droite et à gauche, on plaça dans le chœur deux petites chaires que l'on appela *ambons*, et dans lesquelles on venait lire l'épître et l'évangile.

Arcis DE CAUMONT, Cours d'antiquités monumentales, t. IV, p. 54-55 (1831).

**AMBRE** [ãbʀ] n. m. — V. 1200; du lat. médiéval *ambar, ambra*; arabe *'ănbăr* «ambre gris».

**I** ♦ **1** *Ambre gris*, ou *ambre* : substance ayant la consistance de la cire, une couleur cendrée souvent parsemée de taches jaunes et noirâtres, une odeur très forte analogue à celle du musc, provenant des concrétions intestinales des cachalots qui, rejetées, flottent à la surface des mers tropicales (océan Indien). *L'ambre aurait pour origine la matière noire* (sépia) *sécrétée par les céphalopodes dont les cachalots se nourrissent. L'ambre gris est utilisé en parfumerie.* → **Ambréine.**

♦ **2** Parfum préparé avec l'ambre gris. *Parfumé d'ambre.* → **Ambré.**

1 Il est des parfums (...)
Ayant l'expansion des choses infinies,
Comme l'ambre, le musc, le benjoin et l'encens,
Qui chantent les transports de l'esprit et des sens.

BAUDELAIRE, les Fleurs du mal, IV, «Correspondances».

♦ **3** Loc. (Vieilli). *Fin, fine comme l'ambre*, se dit d'une personne subtile, pénétrante.

2 Fin comme l'ambre, rusé voleur (...)

FLORIAN, Don Quichotte, I, 2.

♦ **4** Par anal. Vx. *Ambre blanc* : blanc de baleine, spermaceti (provenant de la tête des cétacés).

**II** ♦ **1** *Ambre jaune* ou *ambre* : résine fossile d'origine végétale, substance dure, transparente, translucide ou opaque, parfois rouge, plus souvent jaune de miel ou blanc jaunâtre, soluble seulement dans un mélange d'alcool et d'essence de térébenthine, fusible vers 255°, combustible, s'électrisant par frottement. → **Succin.** *L'ambre se travaille au tour, se taille pour donner des perles (colliers, chapelets), des pendentifs, des tuyaux de pipes, des fume-cigarette, des manches (couteaux, poignards, etc.); on l'utilise également en orfèvrerie, en tabletterie, et dans la préparation des vernis. Collier d'ambre. Fume-cigarette à bout d'ambre. La mer Baltique arrache de l'ambre aux terrains qu'elle bat et le rejette sur les côtes.* → **Herpes** (marines). — *Résines synthétiques imitant l'ambre.* → **Agatite, bakélite, carbolite, formite.**

(...) les boules d'ambre ancien *d'un collier)* qui avaient la forme de mirabelles, et aussi leur couleur : ce jaune assombri, mi-opaque, mi-transparent, des mirabelles trop mûres. Machinalement, il roulait le collier entre ses doigts et l'ambre devenait tiède (...)

MARTIN DU GARD, les Thibault, Épilogue, 1940, p. 794.

♦ **2** La couleur jaune doré à jaune rougeâtre de l'ambre.

Belle, oh! belle, les bras, la gorge, les épaules, d'un ambre fin, solide, sans tache ni fêlure.

Alphonse DAUDET, Sapho, III, p. 18.

Le vin, qui brillait dans son verre ainsi que de l'ambre liquide (...)

FRANCE, l'Orme du mail, Œ., t. XI, p. 184.

On emploie dans le même sens *couleur d'ambre* (où *ambre* a son sens propre). → Ambré.

Un vin de sable trop chaleureux couleur d'ambre (...)

COLETTE, la Naissance du jour, p. 12.

DÉR. **Ambré, ambréine, ambrer, ambrette, ambrin.**

**AMBRÉ, ÉE** [ãbʀe] adj. — 1651, en cuisine; de *ambre.*

♦ **1** Rare. Parfumé à l'ambre gris. *«Chocolat ambré»* (Brillat-Savarin). — Qui a le parfum de l'ambre gris. *Eau de Cologne, eau de lavande ambrée.*

Oh! si j'étais capitaine
Ou sultane,
Je prendrais des bains ambrés.

HUGO, les Orientales, XIX.

Qui rappelle le parfum de l'ambre gris. *Effet ambré d'un parfum.*

♦ **2** Plus cour. Qui a les teintes dorées de l'ambre (II.) jaune. *Couleur ambrée. Un teint ambré. Rossolis* (liqueur) *ambré. Un marbre ambré. Tons ambrés.*

(...) des melons ambrés au cœur de l'hiver (...)

ROUSSEAU, Émile, IV.

La grande lumière éclairait son profil; un de ses bandeaux noirs descendait trop bas, et les petits frisons de sa nuque se collaient à sa peau ambrée, moite de sueur.

FLAUBERT, Bouvard et Pécuchet, X.

Lu à la fenêtre ouverte et sous le rayon *ambré* deux ou trois Contes de La Fontaine.

BARBEY D'AUREVILLY, Premier mémorandum, p. 264.

(...) la transparence ambrée du vin.

MARTIN DU GARD, les Thibault, t. V, p. 206.

HOM. **Ambrer.**

**AMBRÉINE** [ãbʀein] n. f. — 1838; de *ambre.*

Chim. Alcool de la série terpénique, constituant principal de l'ambre gris.

**AMBRER** [ãbʀe] v. tr. — 1801, Mercier, mais sans doute antérieur (→ Ambré); de *ambre*, et *-er*.

♦ **1** Parfumer avec de l'ambre gris. *Ambrer de l'eau de Cologne. Ambrer des gants.*

♦ **2** (1872, Zola, *in* T. L. F.). Littér. Donner à (qqch.) une teinte ambrée, une couleur d'ambre (jaune).

Une gaze fine ambre la transparence du jour.

J.-R. BLOCH, la Nuit kurde, p. 79.

◆ **S'AMBRER** v. pron.

♦ **1** Vx. Se parfumer avec de l'ambre gris.

♦ **2** Littér. Prendre une teinte ambrée, une couleur d'ambre jaune (→ Ambre, II.).

HOM. **Ambré.**

**AMBRETTE** [ãbʀɛt] n. f. — 1671; *amblete*, XIIIe; de *ambre*, et *-ette*.

♦ **1** (1671). Graine d'une espèce d'hibiscus, exhalant une forte odeur d'ambre gris. → **Ketmie.**

(1694). *Poire d'ambrette :* poire dont le parfum rappelle celui de l'ambre gris.

♦ **2** (1845). Zool. Mollusque gastéropode (genre *Succinea*), ayant une coquille allongée et vivant sur les plantes aquatiques.

**AMBRIN, INE** [ɑ̃bʀɛ̃, in] adj. — 1209; de *ambre,* et *-in.*

Didact. et rare. Qui est de la nature de l'ambre; qui a la couleur de l'ambre.

DÉR. **Ambrine.**

**AMBRINE** [ɑ̃bʀin] n. f. — 1845; de *ambrin.*

♦ **1** Bot. Plante aromatique *(Chénopodiacées). L'ambroisie*, ou* thé du Mexique *est une ambrine.*

♦ **2** Méd. Préparation à base de vaseline, de paraffine et d'antiseptiques utilisée pour soigner les brûlures.

**AMBROISIE** [ɑ̃bʀwazi] n. f. — 1544; *ambrosie,* 1546; *ambroise,* 1480; lat. *ambrosia,* du grec *ambrosia* «nourriture des immortels».

♦ **1** (1525). Myth. Nourriture des dieux de l'Olympe, source d'immortalité. → **Nectar.** *L'ambroisie, «neuf fois plus douce que le miel». Le nectar et l'ambroisie. L'ambroisie, parfum des Immortels.*

1 En baisant Vénus avec tendresse, il *(Jupiter)* répandit une odeur d'ambroisie dont l'Olympe fut parfumé.
FÉNELON, Télémaque, 8.

2 *(Les dieux grecs)* boivent le nectar et mangent l'ambroisie, pendant que les Muses «chantent avec leurs belles voix».
TAINE, Philosophie de l'art, t. II, p. 122.

♦ **2** Fig. et littér. Nourriture exquise, suave. *C'est de l'ambroisie.*

3 Elle *(la poésie)* est un reste d'ambroisie
Qu'aux mortels ont laissé les dieux.
BÉRANGER, Sciences.

4 Soyez bénies pour avoir fait couler de vos lèvres divines, comme le miel et l'ambroisie, les vers d'Esther, de Phèdre et d'Iphigénie. FRANCE, le Petit Pierre, p. 34.

♦ **3** (1771). Bot. Plante aromatique du genre Ambrine *(Chénopodiacées)* utilisée en infusions (thé du Mexique). — Syn. : *ambrosia, ambroisier, ambroisine.*

Par ext. Parfum tiré de cette plante.

DÉR. 1. **Ambroisien.**

1. **AMBROISIEN, IENNE** [ɑ̃bʀwazjɛ̃, jɛn] adj. — 1504; de *ambroisie,* et *-ien.*

Didactique et vieux.

♦ **1** Qui ressemble à l'ambroisie*, nourriture des dieux. *«Nourriture délicate, exquise, ambroisienne»* (Gautier).

♦ **2** Qui répand une odeur d'ambroisie. → **Ambrosiaque.** — Dans ce sens, on trouve aussi *ambrosien* [ɑ̃bʀozjɛ̃], du lat. *ambrosia* «ambroisie».

2. **AMBROISIEN, IENNE** [ɑ̃bʀwazjɛ̃, jɛn] adj. → 1. **Ambrosien.**

**AMBROSIACÉES** [ɑ̃bʀozjase] n. f. pl. — 1838; du lat. *ambrosia* (→ Ambroisie), et *-acées.*

Bot. Famille de plantes phanérogames angiospermes (classe des *dicotylédones gamopétales*), ne comprenant guère que le type *xanthium* ou *lampourde* ou *glouteron.* — Au sing. *Une ambrosiacée.*

**AMBROSIAQUE** [ɑ̃bʀozjak] adj. — 1836; du lat. *ambrosia* (→ Ambroisie), et *-aque.*

Hist. des sc. S'est dit des odeurs aromatiques voisines de celle de la plante ambroisie* (chez Linné).

1. **AMBROSIEN, IENNE** [ɑ̃bʀozjɛ̃, jɛn] adj. — 1704; du lat. *ambrosianus* «d'Ambroise (évêque de Milan)», de *Ambrosius.*

Relig. De saint Ambroise, évêque de Milan; dont l'origine remonte à saint Ambroise. *Chant, rite ambrosien* (ou *milanais*). *Messe ambrosienne,* selon le rite de l'Église de Milan. — *Bibliothèque ambrosienne,* fondée à Milan en 1609.

REM. On rencontre aussi la forme francisée *ambroisien* [ɑ̃bʀwazjɛ̃].

2. **AMBROSIEN, IENNE** [ɑ̃bʀozjɛ̃, jɛn] adj. → 1. **Ambroisien** (2.).

**AMBUBAÏES** [ɑ̃bybaj] n. f. pl. — 1751; du lat. *ambubaia,* syrien *abbūbaj* «joueur de flûte».

Antiq. Courtisanes musiciennes et danseuses, d'origine orientale, qui participaient aux fêtes romaines.

**AMBULACRAIRE** [ɑ̃bylakʀɛʀ] adj. — Av. 1837, date d'attestation de l'angl. *ambulacraire,* empr. au franç.; de *ambulacre.*

Zool. Relatif aux ambulacres. *Tubes ambulacraires des Échinodermes. «La première ébauche du système ambulacraire»* (M. Caullery, *l'Embryologie,* p. 72, n° 68). *Plaques ambulacraires. Aires ambulacraires. Trous ambulacraires.*

**AMBULACRE** [ɑ̃bylakʀ] n. m. — 1501, «lieu pour la promenade», → sens 2.; du lat. *ambulacrum* «promenade, avenue».

♦ **1** (1838). Zool. Rangée de saillies que forment, autour de la bouche des Échinodermes, les tentacules rétractiles qui constituent leurs organes de locomotion. *Les ambulacres, rétractiles, sortent des trous ambulacraires disposés sur cinq aires ambulacraires.*

Partie terminale de la patte, chez les Acariens. *Ambulacre composé* (comportant un prétarse).

♦ **2** Hortic. (par anal. de forme). Lieu planté d'arbres en rangées régulières.

DÉR. **Ambulacraire.**

**AMBULANCE** [ɑ̃bylɑ̃s] n. f. — 1752; du rad. de *ambulant,* et suff. *-ance.*

**I** Vx ou hist. Emploi, fonction d'un commis obligé de se transporter sur des points divers. → **Ambulant.** *Il obtint une ambulance dans les Domaines* (Académie).

**II** Anciennt. Hôpital ambulant. ♦ **1** (1792). Formation sanitaire mobile des armées en campagne, chargée de donner les premiers soins aux malades et aux blessés. → **Infirmerie, poste** (de secours), **train** (sanitaire). *Transporter les blessés à l'ambulance. L'ambulance de la division, l'ambulance divisionnaire. — Ambulance chirurgicale :* service de chirurgie installé près du front. → **Antenne** (4.). — *Ambulance volante :* service sanitaire qui se rendait sur les lieux du combat pour donner les premiers soins aux blessés et les évacuer.

Il avait été longtemps promené sur divers brancards, avec des temps d'arrêt dans des ambulances. 1
LOTI, Pêcheur d'Islande, III, p. 141.

2 (...) des ambulances qui étaient dirigées par des médecins militaires de vingt-huit ou trente ans!

MARTIN DU GARD, les Thibault, t. IX, XIII, p. 119.

♦ **2** Établissement hospitalier civil, temporaire, où sont donnés les premiers soins aux blessés et aux malades, dans les situations d'urgence (catastrophe naturelle, épidémie...).

♦ **3** ...*d'ambulance :* appartenant à une ambulance (militaire ou civile). *Matériel d'ambulance :* brancards, matériel médical et chirurgical, voitures... *Voiture d'ambulance* (d'où le sens III.).

3 (...) une voiture d'ambulance dont le timbre clair tintait sans arrêt (...)

MARTIN DU GARD, les Thibault, t. VII, LXIII, p. 202.

**III** Mod. et cour. Véhicule médical. ♦ **1** (Av. 1864, Erckmann-Chatrian, *in* T. L. F.). Voiture appartenant à un service d'ambulance. *«Le colonel, ayant appris qu'une ambulance automobile allait à Ypres (...)»* (Maurois). *Les ambulances chirurgicales de la guerre de 14-18* (→ **Autochir**).

♦ **2** (1891, *ambulance urbaine;* → ci-dessous, cit. 4). Véhicule (aujourd'hui, automobile) aménagé pour le transport des malades ou des blessés. *Chauffeur, conducteur d'ambulance.* → **Ambulancier.** *Être conduit, transporté en ambulance à l'hôpital, à la clinique. Une ambulance l'a emmené d'urgence. Ambulance munie d'un matériel de réanimation.*

4 L'œuvre des ambulances urbaines, qui a pour président M. Jules Simon, et pour vice-présidents MM. Mézières et Henri Monod, directeur de l'Assistance publique, est spécialement destinée à porter secours, dans le plus bref délai possible, à toutes les victimes d'accidents, ou de maladies subites, survenus dans les endroits dépourvus de secours sur place (...) Aujourd'hui les ambulances urbaines sont connues et adoptées en quelque sorte par le Parisien, dont l'oreille est habituée au son de cette cloche qu'il entend tinter à coups précipités, et qui reconnaît la voiture marron, aux croix de Genève peintes sur les vitres blanches, qu'il voit défiler comme une vision, devant lui, au grand trot du cheval.

la Science illustrée, 1891, II, p. 244.

En appos. (Vieilli). *Voiture ambulance.*

5 Le temps que la voiture ambulance arrive, l'horloge marquera trois heures.

Roger VAILLAND, 325 000 francs, p. 230.

Loc. fig. et fam. *On ne tire pas sur une ambulance :* on ne s'acharne pas sur qqn que le sort a déjà beaucoup éprouvé.

DÉR. **Ambulancier.**

**AMBULANCIER, IÈRE** [ɑ̃bylɑ̃sje, jɛʀ] n. et adj. — 1877; de *ambulance,* et *-ier.*

**I** N. ♦ **1** Anciennt. Personne qui est attachée au service d'une ambulance (II.). → **Brancardier, infirmier.**

Je revenais dans l'auto des estafettes, portant des piles et d'autres accessoires lorsque nous offrîmes une place à une sorte d'ambulancier, qui sentait l'auxiliaire et le séminariste.

ALAIN, Souvenirs de guerre, *in* les Passions et la Sagesse, Pl., p. 474.

♦ **2** (XX^e^). Mod. Conducteur d'ambulance (III.).

**II** Adj. (Rare). Qui concerne les hôpitaux ambulants (→ Ambulance, II.) ou les ambulances (III.). *Service ambulancier.*

**AMBULANT, ANTE** [ɑ̃bylɑ̃, ɑ̃t] adj. et n. — 1558; de *ambulans,* p. prés. de *ambulare* «se déplacer».

**I** Adj. ♦ **1** Vx. Qui n'est pas fixe, ne demeure ou ne reste pas dans un même lieu, se déplace fréquemment. → **Mobile.** *Vie ambulante.* → **Errant, itinérant, nomade.** *«Troupeaux ambulants»* (Lamartine).

Ces Scythes qui traînaient sur des chariots leurs familles toujours ambulantes. 1

BOSSUET, Seconde instruction pastorale, Promesses de l'Église.

Loc. fig. et fam. *Cadavre, squelette ambulant.* → **Cadavre.** — (Dans une invective, l'adj. servant à évoquer le caractère «humain» du syntagme). *Va donc, eh, potiche ambulante!*

♦ **2** Mod. (Spécialt). Qui se déplace pour exercer à divers endroits son activité professionnelle. → **Itinérant.** *Comédiens, musiciens ambulants :* troupe d'artistes qui vont jouer de ville en ville. *Marchand** (cit. 4) *ambulant.* → **Colporteur.**

♦ **3** Anciennt. (Admin.). *Commis, contrôleur, receveur ambulant :* celui que son emploi amène à se déplacer dans le rayon de sa circonscription (→ **Ambulance,** I.).

Mod. *Service ambulant,* chargé du tri dans les wagons postaux. *Courrier ambulant.* → ci-dessous, Ambulant, n. (II., 2.).

♦ **4** *Hôpital ambulant.* → **Ambulance,** II.

♦ **5** Méd. Se dit d'affections qui s'étendent ou qui apparaissent successivement à différents endroits du corps. → **Ambulatoire,** 2., **erratique.** *Érésipèle ambulant.*

**II** N. (Vx ou littér.) *Un ambulant, une ambulante.* ♦ **1** Personne qui n'a pas de domicile fixe. → **Nomade, vagabond.**

♦ **2** Personne qui se déplace pour exercer à divers endroits son activité professionnelle. *Un ambulant de foire.* — Distillateur qui transportait son matériel.

(1838). Anciennt. (Admin.). Commis qui se déplaçait pour vérifier qu'on ne fraudait pas les droits du roi.

Grâce à cette toilette de Gascon, j'espérais ne pas être pris pour l'ambulant de la sous-préfecture (...) 2

BALZAC, le Message, éd. 1834, p. 13.

(1892). Mod. (Postes). Employé des postes qui effectue le tri dans les wagons postaux.

♦ **3** N. f. (Argot anc.) Voleuse allant de maison en maison pour vendre des objets. Prostituée qui racole. → **Raccrocheuse, racoleuse.**

De ces liaisons, de ce libertinage, beaucoup de filles descendaient au métier du vice. Elles tombaient à quelque taudis de la rue Maubuée ou de la rue Pierre-au-Lard. Elles hasardaient un : *Chit! Chit!* à la fenêtre d'une rue obscure. Elles devenaient, dans le crépuscule, ce que le siècle appelait «des *ambulantes*». 2

Ed. et J. DE GONCOURT, la Femme au XVIII^e^ siècle, t. II, p. 15.

CONTR. **Fixe, immobile, sédentaire, stable, stationnaire.**
◊ DÉR. V. **Ambulance.**

**AMBULATION** [ɑ̃bylasjɔ̃] n. f. — XVI^e^; *ambulacion,* 1370; du lat. *ambulatio,* de *ambulare.*

Littér., rare. Marche, manière de marcher.

(De *ambulatoire,* II., 4.). Progression, locomotion (des animaux).

(...) l'ambulation des Annélides est réduite à la coordination des mouvements simples de séries d'articles à la motricité invariable.

A. LEROI-GOURHAN, le Geste et la Parole, t. II, p. 55.

REM. On a proposé ce mot pour remplacer l'anglic. *travelling**.

**AMBULATOIRE** [ɑ̃bylatwaʀ] adj. — 1497; du lat. *ambulatorius* «qui se déplace» (en parlant d'un inanimé); de *ambulare.*

**I** Qui se déplace (au propre ou au fig.). ♦ **1** (1497). Admin. (Anciennt). Qui n'a pas de siège fixe. *Juridiction, tribunal ambulatoire.*
*École ambulatoire :* école temporaire, mobile, qui se déplaçait selon les besoins.

♦ **2** Méd. Se dit d'une maladie qui affecte des points variables de l'organisme. — Qui a une évolution irrégulière. *Scarlatine ambulatoire.* → **Erratique.**

♦ **3** (1690). Fig. et littér. (Vx). Qui varie fréquemment. → **Changeant, mobile, variable.**

La volonté de l'homme est bien ambulatoire !
J.-F. REGNARD, le Distrait, V, 10.

**II** Qui concerne la marche, la déambulation. ♦ **1** Littér. De la marche ; propre à la marche.

(...) je trouve le moyen de faire encore quelques kilomètres, emporté par une sorte de lyrisme ambulatoire, une ivresse de santé (...)
GIDE, Voyage au Congo, *in* Souvenirs, Pl., p. 793.

Les changements de paysage me raffermirent ; ils satisfaisaient ma manie ambulatoire.
Jacques LAURENT, les Bêtises, p. 162.

Méd. *Automatisme ambulatoire* (→ **Somnambulisme**).

♦ **2** Méd. Qui concerne la déambulation, la marche. *Troubles ambulatoires.*

♦ **3** Méd. Qui laisse au malade la possibilité de se déplacer, de mener une vie active. *Traitement ambulatoire :* traitement régulier en dehors d'un service hospitalier. «*Le malade sera transféré pour hospitalisation (...) ou traité de façon ambulatoire*» (F. Cloutier, *la Santé mentale,* p. 82, n° 1223). *Soins ambulatoires* (traitements biologiques ou psychothérapiques, rééducations, etc.).

♦ **4** Zool. Se dit d'organes qui servent exclusivement à la locomotion. *Appendices, pattes ambulatoires* (par opposition aux *pattes-mâchoires*).

Je n'osais m'approcher de cette colonne immobile ; et, quand même j'aurais eu à ma disposition les pattes ambulatoires de plus de trois mille crabes (je ne parle même pas de celles qui servent à la préhension et à la mastication des aliments), je serais encore resté à la même place (...)
LAUTRÉAMONT, les Chants de Maldoror, 1869, p. 289, *in* T. L. F.

**-AMBULE** Élément final de substantifs et d'adjectifs, du lat. *ambulare* «marcher». → **Funambule, noctambule, préambule, somnambule.**

**AMBULER** [ɑ̃byle] v. intr. — XV^e ; du lat. *ambulare* «marcher».
Littér. et rare (Huysmans, *in* T. L. F.). Se promener, sans hâte et sans but. → **Déambuler.**

**AMBURBIAL, ALE, ALES** [ɑ̃byʀbjal] adj. et n. f. plur. — 1599 ; du bas lat. *amburbialis,* de *amburbium,* du rad. de *ambulare.*
Antiquité romaine.

♦ **1** Adj. Qui concerne les processions autour de la ville et les fêtes de purification dites *amburbiales* (→ ci-dessous, sens 2.). *Rite amburbial.*

♦ **2** N. f. plur. (1845). *Les amburbiales,* fêtes célébrées par des processions autour de Rome et des sacrifices de victimes pour purifier la ville et conjurer la colère des dieux.

**ÂME** [am] n. f. — 1181 ; du lat. *anima* «souffle».

**I** ♦ **1** (Av. 1630). Hist. de la philos. Principe de la vie végétative et sensitive ; cause qui anime les êtres. → **Animer, animisme ; esprit, force, vie.** *L'âme, conçue comme un souffle* (→ **Air, émanation, éther, souffle**), *une flamme... Aristote distinguait* l'âme végétative *ou* nutritive, *commune aux animaux et aux végétaux,* l'âme sensitive, *principe de la sensation et de la sensibilité chez les animaux,* l'âme pensante, *principe de la pensée humaine. — L'âme du monde,* principe qui, suivant les stoïciens, vivifie le monde. — *Âme universelle,* dans l'hindouisme. → **Atma.**

Nous appelons âme ce qui anime. Nous n'en savons guère davantage, grâce aux bornes de notre intelligence. Les trois quarts du genre humain ne vont pas plus loin, et ne s'embarrassent pas de l'être pensant ; l'autre quart cherche ; personne n'a trouvé ni ne trouvera. 1
VOLTAIRE, Dict. philosophique, Âme, XI.

Les Grecs distinguaient trois sortes d'âmes : psukhê, qui signifiait l'âme sensitive, l'âme des sens (...) pneuma, le souffle qui donnait la vie et le mouvement à toute la machine, et que nous avons traduit par spiritus, esprit, mot vague auquel on a donné mille acceptions différentes ; et enfin nous, l'intelligence. 2
VOLTAIRE, Questions sur l'Encyclopédie, Âme.

Qui sait si l'âme des enfants des hommes monte en haut, et si l'âme des bêtes descend en bas ? 3
BIBLE (SACY), l'Ecclésiaste, III, 21.

*(L'école aristotélicienne)* leur donne *(aux animaux)* une âme sensitive distincte du corps (...) 4
BOSSUET, Traité de la connaissance de Dieu, V, 13.

(...) il n'y en a point *(d'erreur)* qui éloigne plutôt *(plus)* les esprits faibles du droit chemin de la vertu, que d'imaginer que l'âme des bêtes soit de même nature que la nôtre, et que par conséquent nous n'avons rien à craindre ni à espérer après cette vie, non plus que les mouches et les fourmis ; au lieu que lorsqu'on sait combien elles diffèrent, on comprend beaucoup mieux les raisons qui prouvent que la nôtre est d'une nature entièrement indépendante du corps, et par conséquent qu'elle n'est point sujette à mourir avec lui (...) 5
DESCARTES, Discours de la méthode, V.

*(Ils disent)* que la bête est une machine ; 6
Qu'en elle tout se fait sans choix et par ressorts :
Nul sentiment, point d'âme, en elle tout est corps.
LA FONTAINE, Disc. à M^me de La Sablière, IX.

Tout prend un corps, une âme, un esprit, un visage. 7
BOILEAU, l'Art poétique, III.

Psychisme prêté aux choses. → **Animisme.** *Âme des choses.* → **Panthéisme.**

Objets inanimés, avez-vous donc une âme 8
Qui s'attache à notre âme et la force d'aimer ?
LAMARTINE, Milly.

Fig. et littér. Ce qui donne l'illusion, l'impression de la vie. *Phidias donne de l'âme au marbre.*

♦ **2** (Personnes ou caractère humain). Ce qui donne le mouvement, dirige. *Il était l'âme du complot.* → **Agent, moteur.**

Les passions qui doivent être l'âme de la tragédie (...) 9
CORNEILLE, Examen de Nicomède.

Ma passion pour vous, généreuse et solide, 10
A la vertu pour âme, et la raison pour guide (...)
CORNEILLE, Pulchérie, I, 1.

J'étais de ce grand corps l'âme toute puissante. 11
RACINE, Britannicus, I, 1.

Cette œuvre-là, c'est Ausonius qui en est l'âme. 11.1
Alain BOSQUET, les Bonnes Intentions, p. 163-164.

♦ **3** Relig. Principe spirituel de l'homme, conçu (notamment par le christianisme) comme séparable du corps, immortel et jugé par Dieu. → **Essence, étincelle** (divine), **feu.** *Sauver, perdre son âme. Âme damnée. Âme en peine. Prier pour l'âme, le repos de l'âme de qqn. Dieu ait son âme ! Vendre son âme au diable.*

Prétendent-ils nous avoir bien réjoui de nous dire (...) que notre âme n'est qu'un peu de vent et de fumée (...) 12
PASCAL, Pensées.

Elle *(l'âme qui a oublié Dieu)* dit : je suis une vapeur, je suis un souffle, je suis un air délié ou un feu subtil (...) 13
BOSSUET, Sermon pour M^lle La Vallière.

14 L'âme est un être immatériel; mais certainement vous ne concevez pas ce que c'est que cet être immatériel.
VOLTAIRE, Dict. philosophique, Âme.

15 Qu'appelez-vous donc votre âme? (...) un pouvoir à vous inconnu de sentir, de penser.
VOLTAIRE, Dict. philosophique, Âme.

16 Tout ce qui est très spirituel, et où l'âme a vraiment part, ramène à Dieu, à la piété. L'âme ne peut se mouvoir, s'éveiller, ouvrir les yeux, sans sentir Dieu. On sent Dieu avec l'âme, comme on sent l'air avec le corps.
Joseph JOUBERT, Pensées, I, 5.

17 C'est ce souffle divin qui fait tout l'homme : aimer en apprend plus sur les mystères de l'âme que la métaphysique la plus subtile.
Mme DE STAËL, De l'Allemagne, III, 2.

17.1 Je me suis levé, j'ai bu un verre d'eau, et j'ai prié jusqu'à l'aube. C'était comme un grand murmure de l'âme. Cela me faisait penser à l'immense rumeur des feuillages qui précède le lever du jour. Quel jour va se lever en moi? Dieu me fait-il grâce?
BERNANOS, Journal d'un curé de campagne, *in* Romans, Pl., p. 1283.

17.2 Je me rappelle à ce propos une vieille blague sur l'âme des femmes. Question, Les femmes ont-elles une âme? Réponse, Oui. Question, Pourquoi? Réponse, Afin qu'elles puissent être damnées. Très amusant.
S. BECKETT, Molloy, p. 186.

17.3 La grande beauté religieuse, c'est d'avoir accordé à chacun de nous une ÂME. N'importe la personne qui la porte en elle, n'importe sa conduite morale, son intelligence, sa sensibilité. Elle peut être laide, belle, riche ou pauvre, sainte ou païenne. Ça ne fait rien. Elle a une ÂME. Étrange présence cachée, ombre mystérieuse qui est coulée dans le corps, qui vit derrière le visage et les yeux, et qu'on ne voit pas. Ombre de respect, signe de reconnaissance de l'espèce humaine, signe de Dieu dans chaque corps.
J.-M. G. LE CLÉZIO, l'Extase matérielle, p. 88.

♦ **4** (1181). Philos. et cour. Principe de la sensibilité et de la pensée chez l'homme (opposé au *corps*), dans le spiritualisme. → **Esprit, spiritualisme.** *L'âme et le corps.*

18 *(L'âme)* est d'une nature qui n'a aucun rapport à l'étendue ni aux dimensions ou aux propriétés de la matière dont le corps est composé (...)
DESCARTES, les Passions de l'âme, I, 30.

19 Qu'il y a une petite glande dans le cerveau en laquelle l'âme exerce ses fonctions plus particulièrement que dans les autres parties (...)
Comment on connaît que cette glande est le principal siège de l'âme.
DESCARTES, les Passions de l'âme, I, 31 et 32.

20 Nous sommes composés de deux natures opposées et de divers genre, d'âme et de corps. Car il est impossible que la partie qui raisonne en nous soit autre que spirituelle (...)
PASCAL, Pensées, II, 72.

21 Parce que mon corps sans mon âme ne ferait pas le corps d'un homme, donc mon âme unie à quelque matière que ce soit, fera mon corps. PASCAL, Pensées, VII, 512.

22 (...) de beaux corps hôtes d'une belle âme (...)
LA FONTAINE, Fables, VII, 2.

23 Une âme guerrière est maîtresse du corps qu'elle anime.
BOSSUET, Oraison funèbre du prince de Condé.

24 Mon âme est à l'étroit dans sa vaste prison
Il me faut un séjour qui n'ait pas d'horizon.
LAMARTINE, Méditations, I, 34.

25 Le corps humain pourrait bien n'être qu'une apparence. Il cache notre réalité (...) La réalité, c'est l'âme.
HUGO, les Travailleurs de la mer, p. 58.

26 L'âme, disait-il, est la substance; le corps, l'apparence. Les mots l'expriment d'eux-mêmes.
FRANCE, le Petit Pierre, I, 9.

26.1 (...) je vis le profil de la bouche de Paulo. Je songeais à son âme qui ne peut être mieux définie que par cette comparaison : on dit l'âme d'un canon, qui est la paroi, moins que la paroi même, intérieure du canon. C'est cette chose qui n'existe plus, c'est le vide brillant, acéré et glacial qui limite la colonne d'air et le tube d'acier, le vide et le métal – pire : le vide et le froid du métal. L'âme de Paulo était sensible par sa bouche entr'ouverte et ses yeux vides.
Jean GENET, Pompes funèbres, p. 20.

(...) ce que nous appelons notre âme n'étant peut-être après tout que cette lourdeur, cette masse inerte et pesante que nous traînons comme un lest de peur de chavirer et faute de quoi nous serions sans doute comme ces navires trop peu chargés, ivres et ingouvernables dans la tempêtueuse immensité (...) Claude SIMON, le Vent, p. 64.

Mais vous avez subi quelque chose qui n'a existé ni en Russie, ni en Algérie, ni en Italie, quelque chose qui me semble tenir à la nature même du nazisme. Il s'est agi de vous faire perdre l'âme, au sens où l'on dit : perdre la raison. (Que signifie : âme?).
MALRAUX, Antimémoires, Folio, p. 623.

♦ **5** Loc. (où *âme* a les sens 3. et 4.). Fig. *Corps et âme :* tout entier. *Se donner à qqn corps et âme.*

Aimer, c'est se donner corps et âme.
A. DE MUSSET, la Confession d'un enfant du siècle, I, 5.

*Être comme un corps sans âme :* être abattu, sans volonté, sans résolution. *C'est un corps sans âme,* se dit de celui qui a perdu une personne qui lui était chère, et aussi d'une armée, d'un parti sans animateur.

Elle errait comme un corps sans âme.
ZOLA, la Terre, II, p. 175.

Fig. *Avoir l'âme chevillée au corps, dans le corps,* une grande résistance vitale.
*De toute son âme.* → **Cœur.**

♦ **6** Dans un contexte religieux, notamment chrétien (→ ci-dessus, 3.). *Immatérialité, immortalité, préexistence, survivance de l'âme.* → **Vie** (future). *L'âme immortelle.*

L'immortalité de l'âme est une chose qui nous importe si fort (...) PASCAL, Pensées, III, 194.

Quand l'union du corps et de l'âme est rompue, je conçois que l'un peut se dissoudre, et l'autre se conserver.
ROUSSEAU, Émile, 4.

Tes os dans le cercueil vont tomber en poussière,
Ta mémoire, ton nom, ta gloire vont périr,
Mais non pas ton amour, si ton amour t'est chère :
Ton âme est immortelle et va s'en souvenir.
A. DE MUSSET, Lettre à Lamartine (→ Agenouiller, cit. 2).

L'hypothèse de la survivance des âmes qui est celle de la plupart des religions paraît à Bergson la plus vraisemblable.
A. MAUROIS, Études littéraires, t. I, Bergson, p. 167.

Loc. (où *âme* symbolise religieusement la vie). → **Vie.** *Rendre l'âme :* mourir, trépasser.

La nuit assiégea ses prunelles,
Et son âme étendant les ailes,
Fut toute prête à s'envoler.
MALHERBE, V, 20, *in* LITTRÉ.

Il *(La Rochefoucauld)* a rendu l'âme entre les mains de M. de Condom. Mme DE SÉVIGNÉ, 791.

Vx. *Arracher l'âme à qqn :* le tuer. Fig. *Parler à un avare de vous aider de son argent, c'est lui arracher l'âme* (Académie).

Qu'à ce monstre à l'instant l'âme soit arrachée.
RACINE, Esther, III, 6.

Essuyez des pleurs qui m'arrachent l'âme.
ROUSSEAU, Julie ou la Nouvelle Héloïse, III, 2.

♦ **7 L'ÂME,** séparée du corps après la mort; personne morte en tant qu'âme. → **Esprit, mânes, ombre.** *Évoquer, invoquer les âmes des morts. Les âmes des trépassés. Mercure psychopompe, conducteur des âmes dans l'autre monde. Les pythagoriciens croyaient à la transmigration des âmes* (→ **Métempsycose).** *Selon les Égyptiens, l'âme était pesée, jugée après la mort.* → **Psychostasie.** *Régénération de l'âme par le baptême. Prier pour l'âme, pour le salut de l'âme de qqn. Dieu veuille avoir son âme. Que Dieu ait son âme. Les âmes bienheureuses. Les âmes des damnés* (→ ci-dessous, Âme damnée).

La vie n'est qu'une occasion de rencontre; c'est après la vie qu'est la jonction. Les corps n'ont que l'embrassement,

les âmes ont l'étreinte.
HUGO, Post-Scriptum de ma vie, p. 83.

Les âmes vont s'aimer au-dessus de la mort.
HUGO, la Légende des siècles, p. 82.

Dans une perspective panthéiste. *«Arbres, roseaux, rochers, tout vit! tout est plein d'âmes»* (→ Vivre, cit. 25, Hugo; et aussi ci-dessus, cit. 8).

Loc. *Les âmes du purgatoire.*

Quel intérêt plus grand pour vous que de contribuer à la délivrance d'une âme du purgatoire?
BOURDALOUE, Commémoration des morts.

**ÂME EN PEINE.** [a] *Les âmes en peine,* qui erraient au bord du Styx, faute de sépulture; les âmes livrées aux peines de l'enfer ou du purgatoire. — Fig. *Être comme une âme en peine :* être en proie à l'inquiétude, etc. *Errer comme une âme en peine.*

(...) trois pauvres âmes en peine, qui ont besoin de votre amitié.
LOTI, les Désenchantées, II, 6.

— On ne sait plus que manger. Quand l'après-midi arrive, je suis comme une âme en peine pour mon dîner (...) Puis, je n'ai envie de rien (...)
ZOLA, le Ventre de Paris, t. I, p. 105.

[b] Nom donné à un oiseau.

Les eaux bouillonnantes se brisaient sous le soleil en millions de paillettes d'argent, rasées par des essaims d'oiseaux blancs et noirs, désignés sous le nom poétique d'*âmes en peine,* à cause de leur inquiétude perpétuelle; on les voit filer sur le Bosphore par vols de deux ou trois cents, les pattes dans l'eau, les ailes dans l'air, avec une rapidité extraordinaire, comme s'ils poursuivaient une proie invisible, ce qui les fait appeler *chasse-vent.*
Th. GAUTIER, Constantinople, p. 143.

**ÂME DAMNÉE.** *Être l'âme damnée de qqn :* être prêt à tout pour lui obéir, être l'aveugle instrument de ses volontés, quoique en soi-même on les condamne comme immorales ou criminelles. *C'est son âme damnée.*

*Donner, vendre son âme au diable, au démon :* faire un pacte avec le diable à qui l'on abandonne son âme pour des avantages terrestres. *On croyait que les sorciers donnaient leur âme à Satan, et recevaient, en échange, une puissance surnaturelle.* Faust *est la plus célèbre de ces légendes où un homme donne son âme au diable.*

**II** **A** Vx en sc. ♦ **1** Ensemble des fonctions psychiques et des états de conscience; la personne, l'être, l'individualité, le *moi.* → **Conscience, esprit, personnalité, personne.**

(...) Je connus de là que j'étais une substance dont toute l'essence ou la nature n'est que de penser, et qui pour être n'a besoin d'aucun lieu ni ne dépend d'aucune chose matérielle; en sorte que ce moi, c'est-à-dire l'âme, par laquelle je suis ce que je suis, est entièrement distincte du corps (...)
DESCARTES, Discours de la méthode, IV.

42 L'idée d'âme a été pendant longtemps et reste encore en partie la forme populaire de l'idée de personnalité.
É. DURKHEIM, les Formes élémentaires de la vie religieuse, p. 386.

43 (...) l'âme est d'une part ce qu'il y a de meilleur et de plus profond en nous-mêmes, la partie éminente de notre être; et pourtant, c'est aussi un hôte de passage qui nous est venu du dehors, qui vit en nous une existence distincte de celle du corps et qui doit reprendre un jour sa complète indépendance.
É. DURKHEIM, les Formes élémentaires de la vie religieuse, p. 356.

♦ **2** Littér. et cour. Ce qu'il y a de plus profond dans l'être humain. → **Dedans, fond, intérieur, intime, mystère, secret.** *Il lisait dans son âme. Épancher, découvrir, livrer son âme.*

44 On se sent à ces vers, jusques au fond de l'âme,
Couler je ne sais quoi qui fait que l'on se pâme (...)
MOLIÈRE, les Femmes savantes, III, 2.

45 Je lis jusqu'au fond de votre âme.
Ph. DESTOUCHES, le Glorieux, II, 14.

Ma vie réelle, celle de mon âme, l'histoire de mes sentiments les plus secrets. 46
ROUSSEAU, Lettre à Milord Maréchal.

Mon âme a son secret, ma vie a son mystère (...) 47
A.-F. ARVERS, Sonnet.

Quels sont les étrangers qui auraient pu pénétrer le mystère de son âme? 48
LOTI, les Désenchantées, II, 7.

Les hommes livrent leur âme, comme les femmes leur corps, par zones successives et bien défendues. 49
A. MAUROIS, Climats, p. 13-14.

♦ **3** Principe des sentiments et des passions de la vie affective et mentale. *Les Passions de l'âme* (Descartes). — *Les mouvements** (cit. 31, 32, 33) *de l'âme. Mouvement de l'âme vers l'idéal.* → **Amour, anagogie, aspiration, élan, élancement, envolée, idéalisme.** *Mouvement de l'âme vers qqch.* → **Désir, inclination.** *Transports de l'âme.* → **Admiration, ardeur, attendrissement, enthousiasme, exaltation, extase, joie, ravissement.** *État mystique de l'âme.* → **Contemplation, inspiration.** *Plaisir, béatitude, contentement, jouissance de l'âme. Paix de l'âme.* → **Ataraxie, sérénité.** *Agitations de l'âme.* → **Émotion, inquiétude, passion, trouble.** *Remuer l'âme, être ému jusqu'au fond de l'âme.* → **Cœur.** *Faire vibrer l'âme.* → **Émouvoir, vibrer.** *Blesser, chavirer, déchirer, ébranler, percer l'âme de qqn.*

REM. La plupart de ces emplois sont vieillis, sauf dans un contexte religieux, mystique, spiritualiste ou moral. On ne parle plus d'*étude de l'âme* mais de *psychologie* ni de *maladie de l'âme* mais de *psychose.*

Je sais qu'en vous voyant, un tendre souvenir 50
Peut m'arracher du cœur quelque indigne soupir;
Que je verrai mon âme en secret déchirée
Revoler vers le bien dont elle est séparée.
RACINE, Mithridate, II, 6.

Hélas! de quel coup me percez-vous l'âme lorsque vous parlez de vous retirer, et avec combien de chagrins m'allez vous laisser maintenant? 51
MOLIÈRE, George Dandin, III, 5.

La paix de l'âme consiste dans le mépris de tout ce qui peut la troubler (...) 52
ROUSSEAU, Émile, 4.

Le péché, c'est ce qui obscurcit l'âme, c'est ce qui s'oppose à sa joie. 53
GIDE, la Symphonie pastorale, p. 107.

Et cette peur du péché, torture que peut seule comprendre une âme catholique, bouleverse en ce moment l'âme douce de Clara. 54
Francis JAMMES, le Roman du lièvre, Clara, I.

De telles passions dévastent l'âme (...) 55
R. ROLLAND, Vie de Beethoven, p. 20.

(...) cette électrisation de l'âme qui est la passion. 56
H. BERGSON, le Rire, III.

Loc. *Jusqu'au fond de l'âme.* → **Cœur.** — *Avoir la mort dans l'âme.* → 1. **Mort** (cit. 42). — *Avoir du vague à l'âme.* → **Vague.**

**ÉTAT D'ÂME :** sentiment que l'on éprouve, impression que l'on ressent.

Quand nous éprouvons de l'amour ou de la haine, quand nous nous sentons joyeux ou tristes (...) le plus souvent, nous n'apercevons de notre état d'âme que son déploiement extérieur (...) Toute poésie exprime des états d'âme. 57
H. BERGSON, le Rire, III.

Spécialt. Réaction affective considérée comme hors de propos, déplacée. *Dans sa situation, il ne peut pas se permettre d'avoir des états d'âme.*

♦ **4** Vx. Expression de la personnalité profonde. *S'exprimer, réciter avec âme, avec beaucoup d'âme.* → **Émotion, expression.**

(...) un air de Vierge, de grands yeux bleus, pleins d'âme et d'intérêt. 57.1
SADE, Justine..., t. I, p. 7 (1791).

**B** ♦ **1** (XVIe). Vieilli, sauf dans des syntagmes figés. Principe de la vie morale, conscience morale. *Fermeté d'âme.* — Cour. *Force d'âme.* → **Audace, caractère, constance, énergie, trempe, valeur, vigueur, volonté.** *Une âme forte, une âme de bronze. Forger une âme.*

*Fortifier, retremper une âme. Une âme de héros.* → **Héroïsme.** *Grandeur** *d'âme.* → **Bonté, magnanimité, noblesse** (→ Noirceur, cit. 4). *Il, elle a fait preuve d'une grandeur d'âme admirable. Une âme bien née. Une belle âme. Une grande âme. Une âme noble, sainte, vertueuse. Une âme pure, transparente. Les yeux sont le miroir de l'âme. Une âme simple, enfantine, naïve. Douceur, égalité d'âme. Une âme sensible, tendre. La paix de l'âme.* — REM. La distinction entre ce type d'emploi et les valeurs religieuses (ci-dessus, I.) est parfois impossible (→ ci-dessous, cit. 64 et 70).

58 Je suis jeune, il est vrai, mais aux âmes bien nées,
La valeur n'attend pas le nombre des années.
CORNEILLE, le Cid, II, 2.

59 Il faut ici montrer la grandeur de votre âme.
RACINE, Bérénice, III, 3.

60 Une grande âme est au-dessus de l'injure, de l'injustice, de la douleur, de la moquerie.
LA BRUYÈRE, les Caractères, II.

61 Ah ! Quel étrange amour ! et que les belles âmes
Sont bien loin de brûler de ces terrestres flammes !
MOLIÈRE, les Femmes savantes, IV, 2.

62 Contre de pareils coups l'âme se fortifie
Du solide secours de la philosophie.
MOLIÈRE, les Femmes savantes, IV, 2.

63 Cette secousse ne trouble point l'âme de ce grand homme qu'on appelle Catherine *(de Russie).*
VOLTAIRE, Lettres, 26 févr. 1769.

64 *(Ils ont tous besoin)* De retremper leur âme aux sources de la foi. A. DE VIGNY, Trappiste.

65 Son âme était transparente et pure comme son teint, sereine comme son regard.
FRANCE, le Petit Pierre, XXXII, p. 229.

66 Une âme tendre comme la sienne a besoin de quelqu'un vers qui porter en offrande sa noblesse et sa pureté.
GIDE, les Faux-monnayeurs, III, XVII, p. 480.

Iron. *Les bonnes âmes.*

67 La bonne âme ! Vous verrez que nous aurons encore tort.
MARIVAUX, la Double Méprise, 19.

*Avoir de l'âme,* un cœur noble, sensible, généreux. *Chanter, parler avec son âme. De toute son âme :* de tout son cœur, de toutes ses forces.

68 Le peuple n'a guère d'esprit et les grands n'ont point d'âme.
LA BRUYÈRE, les Caractères, IX, 25.

69 Je vous demande pardon de toute mon âme.
MOLIÈRE, le Médecin malgré lui, I, 5.

70 Ayez pour les affligés de ces paroles de l'âme qui tempèrent l'amertume des pleurs.
F. DE LAMENNAIS, le Livre du peuple, 11.

Loc. *Sur mon âme* (vx) : sur ma conscience, sur mon honneur.
*En mon âme et conscience.* → **Conscience.**

♦ **2** *Une âme* (et qualitatif) : une personne dont l'âme est... *Une âme faible, sans volonté, irrésolue, incertaine, pusillanime.*

71 La fatalité, c'est l'excuse des âmes sans volonté.
R. ROLLAND, Au-dessus de la mêlée, p. 6.

71.1 En ce pays, las ! où nous fûmes,
En ce pays où nous vécûmes,
Âmes lasses, désabusées,
Portant comme croix nos pensées (...)
MAX ELSKAMP, In memoriam.

*Une âme basse, noire, perverse, sale, servile, vénale, vile.* — Vx. *Une âme de boue. Une âme de valet, de laquais.*

72 Il y a des âmes sales, pétries de boue et d'ordure, éprises du gain et de l'intérêt, comme les belles âmes le sont de la gloire et de la vertu.
LA BRUYÈRE, les Caractères, I, 264.

73 J'ai l'habit d'un laquais et vous en avez l'âme.
HUGO, Ruy Blas, V, 3.

74 Nous avons cru que la virtuosité des âmes basses pouvait aider au triomphe des causes nobles (...)
SAINT-EXUPÉRY, Pilote de guerre, p. 202.

Loc. *Les âmes mortes** (titre français d'un roman de Gogol).

Spécialt et vx (qualifié par un adj. ethnique).

Il est bien d'une âme espagnole.
LA FONTAINE, Fables, IX, 15.

♦ **3** (Av. 1695). Par anal. État de conscience commun aux membres d'un groupe. *Âme collective. Âme d'un peuple, d'une race. Cluny est l'âme de ce Moyen-Âge mobile* (→ Pèlerinage, cit. 2). *« Une nation est une âme »* (Renan).

(...) l'âme finissante de cette race (...) LOTI, Ramuntcho, I, I.

♦ **4** (1633). Qualifié par un compl. ou avec un possessif. Terme d'affection, de tendresse (où *âme* correspond soit à la qualité de la personne, soit à la personne elle-même).

Adieu, Cléanthis, ma chère âme (...)
MOLIÈRE, Amphitryon, I, 4.

Toi, l'âme de ma vie (...) VOLTAIRE, Alzire, II, 3.

♦ **5** (1177). Dans quelques emplois. Être vivant doté d'une âme ; être humain. *Une ville de plus de cent mille âmes.*

En y comptant les femmes, vous trouverez près de vingt millions d'âmes (...) VOLTAIRE, Hist. de Russie, I, 2.

*Ne pas trouver (voir, rencontrer...) une âme* (vieilli), *une âme vivante* (vx) : ne trouver (voir, rencontrer...) personne. — Mod. *Il n'y avait pas, on ne voyait pas âme qui vive* (→ 2. Outre, cit. 6).

Je fus bien surpris de ne pas trouver une âme chez M. de Luxembourg (...)
SAINT-SIMON, Mémoires, XI, 128, *in* LITTRÉ.

Il n'est âme vivante qui ne pèche en ceci.
LA FONTAINE, Fables, IX, 11.

On n'apercevait âme qui vive dans la plaine un peu nue et désolée qui s'étendait alentour.
LOTI, les Désenchantées, X, XXXIV, p. 196.

Sur le quai, comme dans les rues qui y conduisaient, il n'y avait pas âme qui vive (...)
A. ROBBE-GRILLET, la Maison de rendez-vous, p. 128.

Loc. *Avoir charge d'âme :* avoir la responsabilité d'une personne, notamment sur le plan moral.

**III** Concret. Qualité essentielle ou partie centrale, vitale (d'une chose). ♦ **1** Blason. Légende qui explique la figure (corps) d'une devise. *« La devise avait pour corps un arbre abattu, entouré d'un lierre, et pour âme ces paroles : je meurs où je m'attache »* (Académie, 1835).

♦ **2** (1430, *âme d'un moulin*). Techn. Partie centrale, vitale. → **Centre, noyau.** *L'âme d'un rail, d'une poutre.* — (1676). *L'âme d'une statue :* le massif sur lequel on applique la terre.

(1797, mar.). Spécialt. Partie centrale d'un câble. *Âme massive. Âme câblée, toronnée. Entourer l'âme de torons.*

Partie centrale rigide (d'un panneau stratifié) ; feuille centrale (d'un contreplaqué).

Feuille de carton (recouverte de feuilles de papier).

Bâton autour duquel était monté le tabac cordé.

*L'âme d'un fagot :* les branches formant le milieu du fagot.

Noyau d'un gland décoratif, en passementerie.

♦ **3** (1611). Plus cour. Partie évidée d'une arme à feu, où se place et se déplace le projectile. *L'âme d'un canon, d'un fusil.*

Trou conique garni de poudre, dans le corps d'une fusée pyrotechnique.

Par métaphore. «*Seuls les fusils ont des âmes*» (Camus). → aussi ci-dessus, cit. 26.1.

♦ **4** (1680). Pièce de bois maintenant l'écartement convenable entre la table et le fond d'un instrument à cordes. *L'âme d'un violon, d'une contrebasse. Âme de violon en épicéa.*

3 Le luthier pose, avance ou recule l'Âme d'un violon sous le chevalet, dans l'intérieur des deux tables de l'instrument; un chétif morceau de bois de plus ou de moins lui donne ou lui ôte une âme harmonieuse.

VOLTAIRE, Questions sur l'Encyclopédie, art. Âme.

♦ **5** (1771). Morceau de cuir formant soupape, grâce auquel l'air pénètre dans un soufflet.

♦ **6** Loc. techn. *N'avoir que l'âme*, se dit d'une étoffe sans «corps», sans consistance.

CONTR. V. **Corps.** ◊ DÉR. (Du lat. *anima*) V. **Animation, animelles, animer, animique, animisme, animiste.**

**AMÉ, ÉE** [ame] adj. et n. — Terme d'anc. franç. repris en 1718; p. p. adj. de l'anc. franç. *amer* «aimer».

♦ **1** Adj. Aimé (terme utilisé autrefois dans la chancellerie). *Féal* et amé.*

♦ **2** N. (Vx). Ami, partisan.

**AMÉBÉE, AMŒBÉE** [amebe] adj. — 1752; du lat. *amoebeus.*

(1752). Didact. et rare. Poét. (grecque et lat.). Se dit d'un chant où deux interlocuteurs se répondent par des couplets d'égale longueur.

1 Ensemble vous avez fait l'éloge de cette place, de cette fontaine (...) chants amoebées, parlant pour la première fois entre vous des monuments de Rome (...)

Michel BUTOR, la Modification, 1957, p. 100.

2 Un poète de Pomposa, malheureusement anonyme, lui consacra en latin les vers traduits par Ronsard dans le chant amébée des quatrains de l'*Hymne de l'Empereur Alexis.*

J. D'ORMESSON, la Gloire de l'Empire, t. II, p. 481.

(1842). *Pied amébée :* pied de cinq syllabes, les deux premières étant longues, les deux suivantes brèves et la dernière longue.

**AMÉLANCHE** [amelɑ̃ʃ] n. f. — 1721; empr. au provençal mod. *amelenco, amelanco,* provençal anc. *abelanco,* d'orig. incert., p.-ê. mot gaulois **aball* «pomme», et *inca* «petite».

Fruit de l'amélanchier.

**AMÉLANCHIER** [amelɑ̃ʃje] n. m. — 1549; adaptation du provençal mod. *amélanquier,* de *amelanco.* → Amélanche.

Arbuste des montagnes *(Rosacées)* aux fruits noirs comestibles (→ **Amélanche).** *L'amélanchier pousse dans les endroits rocailleux. Petites feuilles dentées des amélanchiers.*

(...) les feuillages d'automne, des frênes, des hêtres, des érables, des amélanchiers, des ormes, des rouvres, des bouleaux, des trembles, des sycomores, des mélèzes et des sapins (...)

J. GIONO, Un roi sans divertissement, p. 37 (1947).

**AMÈLE** [amɛl] adj. et n. — XXe; de 2. *a-*, et grec *melos* «membre».

Pathol. Privé de membres. *Monstre amèle.* → **Amélie.**

**AMÉLIE** [ameli] n. f. — XXe; de 2. *a-*, et grec *melos* «membre». → Amèle.

Pathol. Monstruosité caractérisée par l'absence des membres supérieurs et inférieurs.

**AMÉLIORABLE** [ameljɔʀabl] adj. — 1804, Constant; de *améliorer,* et *-able.*

Qui peut être amélioré. → **Perfectible.** *Terrain améliorable. Ce résultat est assez bon, mais encore améliorable.*

**AMÉLIORANT, ANTE** [ameljɔʀɑ̃, ɑ̃t] adj. et n. — 1844, Sainte-Beuve; de *améliorer.*

♦ **1** Qui est capable d'améliorer qqn ou qqch. *Influence améliorante.*

♦ **2** Spécialt. Qui améliore le sol, en lui rendant sa fertilité ou en augmentant son rendement, notamment par un apport d'azote. *Culture améliorante,* qui accroît la fécondité du sol. *Les fèves sont des plantes améliorantes, utilisées comme engrais vert.*

♦ **3** N. m. *Un améliorant :* une substance destinée à faire lever la pâte plus rapidement. «*Il est important de noter qu'aucun améliorant et aucun conservateur ne sont ajoutés aux préparations infantiles*» (*les Aliments-sécurité,* in *Guérir,* oct. 1967).

**AMÉLIORATEUR, TRICE** [ameljɔʀatœʀ, tʀis] adj. et n. m. — 1866; de *améliorer,* et *-ateur.*

♦ **1** Adj. (1866). Qui améliore.

♦ **2** N. m. (1949, *in* M. Galliot). *Un améliorateur :* un produit qui améliore. *Un améliorateur d'essence.*

**AMÉLIORATION** [ameljɔʀasjɔ̃] n. f. — 1421; de l'anc. franç. *ameillorer* «améliorer» (d'après lat. *melior*), et *-ation.*

♦ **1** Action de rendre meilleur, de changer en mieux *(l'amélioration de qqch., une amélioration);* fait de devenir meilleur, plus satisfaisant *(une, des améliorations).* → **Changement** (en mieux), **mieux** (n. m.), **perfectionnement, progrès.** *L'amélioration de qqch., dans qqch. Amélioration des qualités d'un produit. L'homme est une machine susceptible d'améliorations.* → Perfectibilité, cit. 2. *Légère, nette amélioration du temps.* → **Éclaircie, embellie.** *Aucune amélioration du temps en perspective. Amélioration de l'environnement :* mise en œuvre de moyens pour augmenter sa qualité. *Amélioration de la santé.* → **Affermissement, rétablissement.** *Amélioration d'un travail.* → **Correction, retouche, révision.** *Amélioration des lois, des mœurs.* → **Amendement, réforme, rénovation.** *Amélioration du sort des affligés.* → **Adoucissement.** *Amélioration dans la situation, la position de qqn.* → **Avancement.** *L'amélioration des relations entre personnes, entre pays.* → **Détente.** *Il s'est produit une amélioration dans les relations de ces deux pays. Apporter, faire, opérer, réaliser une amélioration. — L'amélioration morale, spirituelle, intellectuelle de...*

Je tâcherais de deviner la distance où nous sommes encore 1
de l'accomplissement total de l'Évangile, en supputant le nombre des maux détruits et des améliorations opérées dans les dix-huit siècles écoulés (...)

CHATEAUBRIAND, Mémoires d'outre-tombe, t. II, p. 209.

Cette impression de progrès inspirait l'optimisme et justi- 2
fiait l'espoir d'une amélioration plus rapide.

Ch. SEIGNOBOS, Hist. sincère de la nation franç., p. 234.

(...) inventions humaines qui tendent à l'amélioration de 3
la vie individuelle et sociale.

G. DUHAMEL, Scènes de la vie future, XII, p. 198.

L'amélioration par la souffrance est une supposition chré- 4
tienne et je ne suis pas chrétien.

Ch. PÉGUY, Œ., t. XI, p. 106 à 108.

♦ **2** Agric. Action d'améliorer (un sol). → **Améliorant; abonnissement, amendement, bonification.**

♦ **3** (1510). Dr. (au plur.). Ensemble de travaux ou de dépenses faits sur un bien et lui procurant une plus-value. → **Plus-value.** *Améliorations faites sur un immeuble par une personne tenue de le restituer.* → **Impense.** *Améliorations nécessaires, utiles, voluptuaires. Faire des améliorations dans une maison, un château, un jardin...* → **Embellissement, réparation, restauration.**

5 (...) toutes les réparations et améliorations qu'il aura faites au fond. Code civil, art. 1634.

6 (...) toutes les améliorations survenues à l'immeuble hypothéqué. Code civil, art. 2133.

CONTR. **Adultération, aggravation, avarie, corruption, déclin, dégénération, dégénérescence, dégradation, dépravation, détérioration, endommagement, perversion, pervertissement.**

**AMÉLIORER** [ameljɔʀe] v. tr. — 1154, *ameillorer,* de *à,* et *meillor* «meilleur» (du lat. *melior,* même sens), refait en *améliorer* (1507) d'après le lat. *melior.*

♦ **1** Rendre meilleur, plus satisfaisant, changer, transformer en mieux. *Améliorer un produit. Améliorer un mécanisme, un moteur.* → **Perfectionner.** — *Améliorer le fonctionnement, l'organisation de qqch. Améliorer l'ordinaire* (la nourriture, à la caserne). *Améliorer sa santé* (surtout au passif ou au pron.). → **Affermir, développer, fortifier, rétablir.** *Améliorer un travail, un texte, une traduction.* → **Corriger, retoucher, réviser, revoir.** *Améliorer les mœurs.* → **Amender, épurer, réformer, régénérer, rénover.** *Améliorer le sort de qqn.* → **Adoucir.** *Améliorer les relations entre des personnes, des peuples.* → **Détendre.** *Le service de ce restaurant pourrait facilement être amélioré. Améliorer les routes, les télécommunications.*

1 (...) instruire le peuple, c'est l'améliorer; éclairer le peuple c'est le moraliser; lettrer le peuple, c'est le civiliser.
HUGO, Littérature et Philosophie mêlées, p. 54.

2 Ils *(les hommes)* ont toujours cherché à améliorer leur état.
FRANCE, le Crime de S. Bonnard, p. 427.

3 Tirer le profit le meilleur de ce qui est; s'ingénier à l'améliorer plutôt que de chercher à le changer.
GIDE, Journal, 4 juil. 1933.

*Améliorer une loi par des amendements.* → **Amender.**

(Morale). *Vouloir améliorer la société, l'homme, le peuple. Améliorer sa conduite.*

Vx. *Améliorer un métal,* l'épurer.

♦ **2** Agric. Rendre (un sol) plus fertile. *Améliorer une terre.* → **Amender, bonifier, fertiliser.**

♦ **3** Apporter des améliorations à (un lieu, une maison); augmenter la valeur d'un bien, d'un immeuble. → **Embellir, réparer, restaurer.**

◆ **S'AMÉLIORER** v. pron. Devenir meilleur. → **Mieux** (aller de mieux en mieux). *Sa santé s'améliore. Les relations se sont améliorées. Le temps s'améliore.* → **Éclaircir** (s'), **embellir.** *Ce vin s'améliore avec les années.* → **Abonnir** (s'), **bonifier** (se), **faire** (se). *La situation commence à s'améliorer; ne s'est pas améliorée.*

4 (...) ces hommes, à mesure que leur sort s'améliorait, sentaient plus amèrement ce qu'il leur restait d'inégalité.
FUSTEL DE COULANGES, la Cité antique, p. 313.

(Personnes). *Il ne s'est pas amélioré avec l'âge. S'améliorer intellectuellement, moralement.*

◆ **AMÉLIORÉ, ÉE** p. p. adj. (de *améliorer*). Devenu meilleur. *Des hommes améliorés par l'éducation. Terres améliorées.* → **Amendé.**

CONTR. **Abâtardir, adultérer, aggraver, avarier, corrompre, décliner, dégénérer, dégrader, dépraver, détériorer, empirer, endommager, gâter, pervertir, vicier.** ◊ DÉR. **Améliorable, améliorant, améliorateur.** — V. **Amélioration, améliorissement.**

**AMÉLIORISSEMENT** [ameljɔʀismɑ̃] n. m. — 1721; du p. prés. soit de *améliorir* «améliorer (une terre)», soit d'un croisement entre *ameillorer* «améliorer» et *emmeilleurir,* et *-ment.*

Hist. (Rare). Amélioration matérielle que devait faire dans sa commanderie un commandeur de l'ordre de Malte pour pouvoir en obtenir une meilleure.

**AMEN** [amɛn] interj. et n. m. invar. — 1138; lat. ecclés. *amen;* de l'hébreu *amen* «vraiment, assurément».

♦ **1** (1138). Relig. chrét. Mot hébraïque traduit ordinairement par «ainsi soit-il» et qui termine la plupart des prières de l'Église. — N. m. *Un amen, des amen.*

Un amen éternel dont on entend retentir la céleste Jérusalem (...) 1
BOSSUET, Disc. sur l'histoire universelle, II, 19.

Le prélat fait l'action de grâce; l'assistant répond amen. 2
CHATEAUBRIAND, le Génie du christianisme, t. I, I, 8.

♦ **2** Loc. fig. *Dire, répondre amen à tout ce qu'on dit, tout ce qu'on fait.* → **Accord** (être d'), **approuver, consentir.**

J'ai été ravie que vous ayez dit amen sur toutes les bagatelles que je vous mandais (...) 3
Mme DE SÉVIGNÉ, VIII, 523.

Pour la directrice aussi c'est parfait, les auxiliaires. Elle en fait ce qu'elle veut. Toi, si tu n'as pas envie de t'occuper du socio-culturel, tu peux l'envoyer promener, mais moi, je suis bien obligée de lui répondre Amen. 4
Yanny HUREAUX, la Prof, p. 158.

(1587). Fam. et vx. *Jusqu'à amen :* jusqu'à la fin.

HOM. **Amène,** formes du v. **amener.**

**AMENAGE** [amnaʒ] n. m. — 1283, «action d'amener, d'apporter»; 1366 en t. de mar., «frais de manutention»; de *amener,* et *-age.*

Technique.

♦ **1** Transport d'objets d'un point à un autre. — Opération consistant à faire parvenir à une machine-outil la matière à travailler. «*Certains dispositifs réalisent un amenage totalement automatique*» (J.-C. Reggiani, *Industries et Commerce du bois,* p. 77).

♦ **2** Dispositif d'amenage.

**AMÉNAGEABLE** [amenaʒabl] adj. — 1960; de *aménager,* et *-able.*

Qui peut être aménagé. *Une camionnette aménageable en caravane. Grenier aménageable.*

**AMÉNAGEMENT** [amenaʒmɑ̃] n. m. — 1327, *amesnagement* «construction, réparation en bois»; de *aménager.*

♦ **1** (1669). Cour. Action, manière d'aménager, de disposer; résultat de cette action. *L'aménagement d'une maison, d'une usine.* → **Agencement, arrangement, disposition, distribution, ordonnance, ordre, organisation.**

Au plur. *Aménagements intérieurs :* équipements destinés aux occupants d'une maison, aux passagers d'un bateau, d'une voiture.

♦ **2** (1771). Sylv. Réglementation des coupes, de l'exploitation des forêts. *Aménagement d'un bois, d'une forêt* (→ **Aménagiste**).

(...) l'usufruitier est tenu d'observer l'ordre et la quotité des coupes, conformément à l'aménagement ou à l'usage constant des propriétaires (...) Code civil, art. 590. 1

♦ **3** Admin., écon. Organisation globale de l'espace, destinée à satisfaire les besoins des populations intéressées en mettant en place les équipements nécessaires et en valorisant les ressources naturelles. *Aménagement du territoire*. Aménagement régional, rural, urbain. Plan d'aménagement régional, rural, urbain* (→ **Aménageur,** 2.). *Secteur en voie d'aménagement.*

L'aménagement du territoire poursuit systématiquement la concentration meurtrière, par le double effet de la vanité et d'erreurs de comptabilité (...)

A. SAUVY, Croissance zéro ?, p. 254.

♦ **4** Action d'adapter, de modifier qqch. pour le rendre plus efficace, plus adéquat. *Aménagement des horaires de travail.*

(...) il fallait lutter contre le froid, l'humidité, les intempéries, s'inquiéter par nécessité d'un aménagement plus confortable de l'existence journalière.

André SIEGFRIED, l'Âme des peuples, Conclusion, I, p. 197.

Dr. Dispositions particulières, réserves ou modifications dans un texte (→ **Amendement**). *Aménagements fiscaux* : modifications apportées à la répartition des charges fiscales.

Techn. (inform.). Opérations destinées à améliorer l'utilisation du matériel informatique (et non à résoudre un problème particulier).

CONTR. **Bouleversement, dérangement, désorganisation.**

**AMÉNAGER** [amenaʒe] v. tr. [CONJUG.: *bouger.*] — 1327, «pourvoir de bois pour construire ou réparer»; «loger», fin XIIe; sens mod. au XVe; de 1. *a-*, et moyen franç. *mesnagier* «ménager», de *mesnage* «bois de construction; ustensiles de bois», au XIVe notamment.

♦ **1** Disposer, distribuer et préparer méthodiquement (une construction, un espace organisé par l'homme) en vue d'un usage déterminé. *Aménager un magasin, une maison, un navire.* → **Agencer, arranger, disposer, distribuer, ordonner.** — *Aménager... en... Il a aménagé le billard en bibliothèque. Faire aménager une écurie en salle de jeu.* — Par ext. Organiser (un lieu, un espace, un milieu).

(...) le monde peut être autre (...) selon que nous l'aménageons et gouvernons.

ALAIN, les Aventures du cœur, p. 55.

Il y avait, près de la serre, un emplacement aménagé pour le tennis.

Valery LARBAUD, Fermina Marquez, IV, p. 27.

Au passif :

Les rez-de-chaussée étaient aménagés en immenses ateliers, fermés par des vitrages (...)

ZOLA, l'Assommoir, t. I, p. 55.

Vx ou régional. Installer, préparer en vue d'une utilisation (une chose concrète). *Aménager un piège.*

♦ **2** (1460). Régler l'aménagement de (une forêt). *Aménager un bois, une forêt,* en régler les coupes. → **Réglementer, régler.** — Techn. *Aménager un arbre,* le débiter en bois de charpente, ou autrement (chauffage). → **Couper, débiter, diviser.**

♦ **3** Équiper en vue d'une exploitation. *Aménager un fleuve, un terrain.* — Organiser (un espace) par l'aménagement (3.). *Aménager l'environnement, une zone, un secteur.*

Techn. *Aménager les eaux,* les distribuer de façon rationnelle.

♦ **4** Adapter pour rendre plus efficace, plus adéquat. *Aménager les horaires. Aménager une institution. La formule n'est pas mauvaise, mais elle doit être aménagée. «Aménager les transitions nécessaires»* (F. Perroux, *l'Économie du XXe siècle,* in T. L. F.).

◆ **AMÉNAGÉ, ÉE** p. p. adj. *Hangar aménagé en... Maison bien aménagée. L'un des communs est resté tel quel, l'autre est aménagé.*
*Forêt aménagée. — Terrain, espace aménagé. Secteur aménagé. — Horaires aménagés.*

CONTR. **Bouleverser, déranger, désorganiser.** ◇ DÉR. et COMP. **Aménageable, aménagement, aménageur, aménagiste. Réaménager.**

**AMÉNAGEUR, EUSE** [amenaʒœʀ, øz] n. — 1906, J. et J. Tharaud; de *aménager.*

♦ **1** Rare. Personne qui aménage (un lieu).

Fig. et littéraire :

L'habitude ! aménageuse habile mais bien lente, et qui commence par laisser souffrir notre esprit pendant des semaines dans une installation provisoire (...)

PROUST, Du côté de chez Swann, Pl., t. I, p. 8.

♦ **2** (V. 1960-70). Spécialiste de l'aménagement (3.). *«L'écologiste et l'aménageur doivent travailler en communauté d'esprit, en équipe intégrée»* (*Science et Vie,* no 116, p. 19).

**AMÉNAGISTE** [amenaʒist] n. — 1876, *in* Littré, *Suppl.*; de *aménager,* et *-iste.*

Techn. Spécialiste de l'aménagement* des forêts. — *Personne qui s'occupe de l'aménagement d'un fonds d'eau pour la pisciculture.* — Par appos. *Pisciculteur aménagiste.*

1. **AMENDABLE** [amɑ̃dabl] adj. — 1690; de *amender.*

♦ **1** Agric. Qui peut être amendé, corrigé. *Sol, terre amendable.*

♦ **2** Polit. Qui peut être modifié par un amendement. *Projet de loi amendable.*

HOM. 2. **Amendable.**

2. **AMENDABLE** [amɑ̃dabl] adj. — 1369, *amandable*; de *amender,* au sens ancien de «soumettre à l'amende».

♦ **1** Vx ou régional. Qui est passible d'une amende.

♦ **2** Dr. anc. *Crime amendable,* dont le châtiment pouvait être commué en une peine pécuniaire.

HOM. 1. **Amendable.**

**AMENDE** [amɑ̃d] n. f. — V. 1270; *amande,* v. 1173; de *amender,* déb. XIIe, «condamner à une amende», spécialisation de sens du lat. *emendare.*

♦ **1** (V. 1270). Dr. et cour. Peine pécuniaire prononcée en matière civile, pénale ou fiscale, consistant dans le paiement d'une somme d'argent au Trésor public. *Amende pénale* (criminelle; correctionnelle; de simple police). → **Contravention.** *Amende fiscale (amende forfaitaire, amende de composition). Amende civile. Amende de fol appel, de tierce opposition, de requête civile, de prise à partie, de cassation. Amende par jour de retard.* → **Astreinte.** *Amende arbitraire,* qui est laissée à l'appréciation du juge. *Encourir une amende. Être passible d'une amende.* → 2. **Amendable** (1.). *Condamné à une amende. Frapper qqn d'une amende. Infliger une amende à qqn.*
*Prononcer une amende (contre qqn). Obligé sous peine d'amende. Payer une amende.*

Les peines en matière correctionnelle sont (...) 3o L'amende. 1

Code pénal, art. 9.

Les peines de police sont (...) L'amende (...) 2

Code pénal, art. 464.

Tous deux vous paierez l'amende (...) 3

LA FONTAINE, Fables, II, 3.

Prov. *Les battus paient l'amende :* ceux qui devraient être dédommagés sont, au contraire, condamnés.

4 Hé quoi donc ? Les battus, ma foi, paieront l'amende !
RACINE, les Plaideurs, II, 4.

Par ext. Sanction pécuniaire infligée à qqn.
Fam. *Vous serez (mis) à l'amende,* se dit pour menacer de quelque punition légère ou fictive. → **Gage.**
(1928, Lacassagne). Spécialt. Somme d'argent versée par un souteneur à un autre souteneur, sanctionnant une incorrection, ou acquittant la cession d'une fille. — (Mil. XX^e). Somme exigée indûment, par la contrainte. → **Racket.** *Mettre des commerçants à l'amende.*

♦ **2 AMENDE HONORABLE.** [a] Anciennt. Peine infamante infligée aux criminels qui devaient avouer publiquement leurs crimes et en demander pardon. → **Réparation** (publique).

5 Son arrêt qui était de faire amende honorable devant Notre-Dame (...) M^me DE SÉVIGNÉ, 296, *in* LITTRÉ.

[b] Mod., cour. Fig. *Faire amende honorable :* demander pardon et faire des excuses publiquement. *Faire amende honorable d'un affront, de ses infidélités, de son passé, d'un tort.*

6 Va, va-t'en faire amende honorable au Parnasse
D'avoir fait à tes vers estropier Horace.
MOLIÈRE, les Femmes savantes, III, 5.

7 (...) elle s'abaissa jusqu'à lui faire, en ma présence, amende honorable. F. MAURIAC, la Pharisienne, V, p. 78.

[c] Relig. cathol. Prière de réparation (pour le pardon des injures, des blasphèmes, des sacrilèges).
HOM. **Amande.**

**AMENDEMENT** [amɑ̃dmɑ̃] n. m. — 1174; de *amender,* et 2. *-ment.*
Action d'amender; résultat de cette action.

♦ **1** Vx. Fait d'amender (→ **Amélioration, correction; mieux** (n. m.), **progrès**) ou de s'amender (→ **Résipiscence**).

1 Ceux qui récidivent, sans qu'on y voie aucun amendement (...) PASCAL, les Provinciales, 10.

Méd. Vx. Diminution de l'intensité des symptômes d'une maladie.

♦ **2** (1467). Mod. Opération visant à améliorer les propriétés physiques d'un sol. *L'amendement des terres par l'ameublissement, le chaulage, la fertilisation, la fumure, le marnage, le plâtrage. Procéder à l'amendement d'un champ.* — Substance incorporée au sol à cet effet. → **Engrais, fumure.** «*L'addition d'amendements à un sol compact contribue à le rendre plus meuble*» (*Omnium agricole*). *Les matières organiques sont à la fois des amendements et des engrais.* — *Principaux amendements.* → **Chaux, compost, craie, écume** (résidus de sucrerie), **falun, fumier, glaise, maërl, marne, plâtre, tangue.**

♦ **3** (1778). Polit. Modification proposée à un texte soumis à une assemblée délibérante, et destinée à l'améliorer. *Amendement à la constitution.* → **Modification, réforme, révision.** *Adopter, voter un amendement.* — *Droit d'amendement :* droit de proposer des amendements reconnu aux membres d'une assemblée.

2 Le 30 janvier 1875, à une seule voix de majorité, l'amendement Wallon, qui prononçait le nom de République, qui l'inscrivait officiellement dans les lois, était adopté.
J. BAINVILLE, Hist. de France, XXI, p. 521.

3 (...) toutes les fois qu'il a été question de réviser le Code (...) on a dû s'en tenir à de modestes amendements, à de légères retouches, se contenter de combler quelques lacunes, de faire quelques additions.
Louis MADELIN, Hist. du Consulat et de l'Empire, t. IV, p. 206.

Dr. anc. Modification d'un jugement.
COMP. **Sous-amendement.**

**AMENDER** [amɑ̃de] v. — 1174; du lat. *emendare* «corriger, améliorer», de *e-*, et *mendum* «faute, défaut»; «punir en frappant d'une amende; réparer (un méfait)», déb. XII^e. → Amende.

[I] V. tr. ♦ **1** Rendre meilleur. → **Améliorer, changer** (en mieux), **corriger.** *Amender qqn, sa conscience.* → **Réformer; résipiscence** (amener à).

(...) aucune correction n'amenderait ta conscience (...)
G. SAND, la Mare au diable, XIV.

Il y a certains mauvais sujets que rien n'amende (...)
GIDE, les Faux-monnayeurs, III, 1.

(1174). *Amender un texte.* → **Corriger.**
Rare. *Amender une chose en une autre.* «*L'esclavage fut amendé en servage*» (Jaurès, *in* T. L. F.).
Prov. Vx. *Cela n'amendera pas votre marché :* cela n'améliorera pas votre situation.

Ce meurtre n'amenda nullement leur marché (...)
C'est ainsi que le plus souvent,
Quand on pense sortir d'une mauvaise affaire,
On s'enfonce encor plus avant.
LA FONTAINE, Fables, V, 6.

Méd. Vx. Diminuer la gravité de (un symptôme).

♦ **2** (1690). Agric. Améliorer par des amendements, rendre plus fertile. *Amender une terre.* → **Amendement; ameublir, chauler, fertiliser, fumer, glaiser, marner, plâtrer.**

♦ **3** (1784; angl. *to amend,* lui-même du franç. *amender,* spécialisé en dr. constit.). Polit. Modifier par amendement. *Amender un projet, une proposition de loi, la constitution.* → **Amendement; réformer, réviser.**

[II] V. intr. (XII^e, «s'amender»). Vx. ♦ **1** Améliorer ses revenus (Michelet, *in* T. L. F.).

♦ **2** Se porter mieux. *Ce malade n'a point amendé...* (Académie, 1798).

♦ **3** (1565). Diminuer de prix. *Cela fit amender le vin* (Académie, 1835).

◆ **S'AMENDER** v. pron.

♦ **1** (Personnes). S'améliorer, se corriger. *Il refuse de s'amender. On ne peut forcer qqn à s'amender.* — Prov. *Mal vit qui ne s'amende :* c'est faire un mauvais usage de sa vie que de ne pas se corriger.

Et *(je)* disais à part moi : Mal vit qui ne s'amende.
Mathurin RÉGNIER, Satires, XIII.

Mais elle se rangera et s'amendera comme les autres.
G. SAND, la Petite Fadette, XXIV.

— J'ai bu hier, plus aujourd'hui.
— C'est le résultat de tout un passé de débauches.
— Je vous ai promis de m'amender, vous le savez bien, car moi, j'écoute les conseils d'amis comme vous. Je ne m'en sens pas humilié, au contraire.
IONESCO, Rhinocéros, II, 2.

(Choses). Rare. → **Arranger** (s').

♦ **2** Agric. Devenir plus fertile. *Ce terrain s'est amendé.*

♦ **3** Méd. (en parlant du symptôme d'une maladie). Vx. Devenir moins violent.

◆ **AMENDÉ, ÉE** p. p. adj.

♦ **1** Amélioré, corrigé. *Un délinquant amendé.*

Libéraux et royalistes inclinaient au gouvernement absolu, amendé par les mœurs (...)
CHATEAUBRIAND, Mémoires d'outre-tombe, t. IV, p. 38.

♦ **2** Agric. Rendu fertile. *Terrain amendé.*

♦ **3** Polit. Modifié par un amendement. *Projet de loi amendé.*

**CONTR. Corrompre, détériorer, gâter, pervertir, vicier.** ◊ **DÉR.** 1. **Amendable,** 2. **amendable, amende, amendement, amendeur.**

**AMENDEUR** [amɑ̃dœʀ] n. m. — 1414; de *amender,* et *-eur.*

Vx. Celui qui amende (améliore moralement ou fertilise le sol).

**AMÈNE** [amɛn] adj. — Fin XV^e; du lat. *amoenus* «agréable».

♦ **1** Rare. Agréable, plein d'aménité. *Paysage amène.* *«L'amène climat de Pau»* (Gide).

(...) grâce à ses brises voluptueuses et à ses flots amènes, elle *(Venise)* garde un charme (...)
CHATEAUBRIAND, Mémoires d'outre-tombe, IV, 6, t. VI, p. 165.

Les maisons lui paraissent amènes, dans ce quartier qu'il affectionne, entre la République et la Bastille.
Alain BOSQUET, les Bonnes Intentions, p. 105.

♦ **2** (Au sens moral). Agréable, avenant. *Caractère amène. Paroles, propos amènes. Un ton amène.* → **Affable, agréable, aimable, charmant, courtois, doux, gracieux, poli.** — (Souvent en contexte négatif). *Il n'est pas trop amène* (iron. : il est très désagréable). *Un ton, une réponse peu amène.*

(...) Mme Alphonse Daudet, qui aimait passionnément la littérature, se mêlait à ses entretiens par des remarques judicieuses et d'amènes propos.
Georges LECOMTE, Ma traversée, p. 271.

**CONTR. Acariâtre, acerbe, acrimonieux, aigre, amer, brusque, brutal, désagréable, dur, maussade.** ◊ **DÉR. Amènement.** ← **HOM. Amen,** formes du v. **amener.**

**AMENÉE** [amne] n. f. — XIV^e, repris 1866; de *amener.*

Techn. Action d'amener l'eau. *Canal, conduite, tuyaux d'amenée. «Les difficultés d'amenée d'une drague au placer»* (C. Ratel, *in* T. L. F.).

Tirer un câble de 22 millimètres d'épaisseur de Grimentz à 2 212 mètres, à dos de mulet et à dos d'homme, n'est pas une sinécure. L'amenée d'eau du Roc d'Orzival à l'alpage non plus.
Symphorien ALA, Tip... Top... Anniviers, p. 103.

**AMÈNEMENT** [amɛnmɑ̃] adv. — 1518; de *amène,* et *-ment.*

Rare. D'une manière amène.

**AMENER** [amne] v. tr. [CONJUG.: *mener.*] — 1080, *Chanson de Roland; amenar,* X^e; de 1. *a-,* et *mener.*

**A** ♦ **1** Faire aller (qqn) avec soi vers un lieu, un point d'arrivée, ou auprès d'une personne. → **Conduire, mener.** — REM. *Emmener** est relatif au point de départ.

(Avec un compl. de lieu, introduit par *à, dans, chez,* etc.). *Amener qqn, un enfant dans, en un lieu, quelque part. Il la prit par la main et l'amena sur la scène, près de moi. Amenez-le chez moi. Je l'amènerai avec moi chez vous. — Amener qqn à qqn. Amenez-le moi immédiatement. «Monsieur Gobseck, je vous amène un de mes plus intimes amis»* (Balzac). — *Amener qqn au spectacle, au cinéma, au théâtre,* l'y conduire (alors que *emmener au spectacle* suppose que la personne sujet du verbe reste avec l'accompagné). *Je vous amènerai en voiture jusqu'à la gare.*

(...) comme les Guilleroy passaient presque la moitié de leur vie en ce domaine où les appelaient sans cesse des intérêts de toute sorte, agricoles et électoraux, on avait fini par ne plus amener à Paris que de temps en temps la fillette, qui préférait d'ailleurs la vie libre et remuante de la campagne à la vie cloîtrée de la ville.
MAUPASSANT, Fort comme la mort, éd. 1889, p. 12.

REM. 1. Le complément peut désigner un animal.

Que l'on m'amène un âne, un âne renforcé, 1
Je le rendrai maître passé,
Et veux qu'il porte la soutane.
LA FONTAINE, Fables, VI, 19.

2. *Amener* est en concurrence avec *conduire* dans plusieurs emplois.

(...) tandis que la Fortune prenait soin d'amener son marchand à bon port. LA FONTAINE, Fables, VII, 14. 2

(Avec un adv.). *Amène ton ami ici. Je l'ai amené là-bas.*

(Sans compl. de lieu). Faire aller (qqn) au lieu que le locuteur détermine (où il est, qu'il désigne). *Je viens de l'amener. Amenez-le immédiatement.*

(Sujet n. de chose). *La voiture qui l'a amené le remmènera. Qu'est-ce qui vous amène ici?,* vous fait venir.

Savez-vous ce qui m'amène? 3
MOLIÈRE, les Femmes savantes, II, 2.

Mais venons au sujet qui m'amène en ces lieux. 4
MOLIÈRE, les Femmes savantes, II, 2.

Loc. *Quel bon vent* vous amène?,* formule de bienvenue (adressée à qqn dont l'arrivée n'était pas attendue).

En deux enjambées, le voilà près de moi. Il pose les deux mains sur mes épaules et n'ose pas m'embrasser. Je n'ose pas non plus. Les deux mains se retirent et mes épaules deviennent très froides. Il détourne la tête, s'approche du fourneau, s'empare du tisonnier et, sur un ton que je n'aime pas : 4.1
— Quel bon vent t'amène?
Pierre MOUSTIERS, la Mort du pantin, p. 198.

Absolt. Loc. *Mandat d'amener :* ordre de comparaître devant un juge. → **Mandat.**

♦ **2** (1361). Faire venir (qqch.) à une destination. → **Acheminer, apporter, conduire, distribuer, quérir.** *Amener des fruits exotiques à Paris par avion. Amener de l'eau quelque part, dans un lieu* (spécialt, au moyen de conduites). *Amener l'électricité jusqu'au village.* — (Sans compl. de lieu). → ci-dessous, cit. 5.

Il amène toutes choses pour la cérémonie. 5
MOLIÈRE, le Bourgeois gentilhomme, IV, 3.

L'eau amenée de tous côtés par des canaux (...) 6
LOTI, Jérusalem, XV.

*(La fontaine)* que les Romains avaient captée et amenée jusqu'à Nîmes par l'aqueduc fameux du Pont du Gard. 7
GIDE, Si le grain ne meurt, II.

REM. L'emploi familier de *amener* avec un compl. n. de chose est généralement critiqué (→ Apporter), sauf dans quelques contextes (→ ci-dessus). *J'ai amené mes livres, mes disques.*

♦ **3** (V. 1200). Fig. **AMENER (qqn) À... :** conduire, entraîner petit à petit (à quelque acte ou état). *Amener qqn à ses idées, à une opinion, à la foi, à un sentiment...,* faire qu'il l'adopte. → **Conduire, mener** (fig.); et aussi **attirer, conquérir, convaincre.** *Amener à composition, à raison, à résipiscence.* → **Réduire.**

(...) sans vouloir amener les autres à notre goût et à nos sentiments. LA BRUYÈRE, les Caractères, I, 2. 8

À quel excès d'amour m'avez-vous amenée! 9
RACINE, Bérénice, IV, 5.

(Suivi d'un infinitif). *Amener qqn à faire une chose, à prendre un parti.* → **Conduire, déterminer, pousser.** *Amener qqn à se rendre.* → **Engager, entraîner.** *Amener qqn à comprendre qqch., à savoir :* éclairer, informer.

Le meilleur moyen pour amener autrui à partager notre conviction n'est pas toujours de proclamer celle-ci. 10
GIDE, Journal, 2 oct. 1927.

Et avant que j'aie pu en rire avec lui, il s'arrange, en racontant l'histoire, de manière à tourner en décision préméditée ce que les circonstances l'ont amené à faire. 11
GIDE, Journal, 7 janv. 1902.

12 Il fallait cependant amener l'Autriche (...) à adhérer à ce beau plan.
Louis MADELIN, Hist. du Consulat et de l'Empire, t. V, p. 240.

13 Passant maintenant à l'étude du milieu géographique, nous sommes amenés à constater aussitôt que (...)
André SIEGFRIED, l'Âme des peuples, IV, I, p. 85.

**B** (Sans compl. prépositionnel; le compl. direct désigne une chose ou un animal assimilé à une chose). ♦ **1** Faire venir, tirer à soi. → **Tirer.** *Pêcheur qui amène son filet. Laisser un brochet s'épuiser pour l'amener plus facilement.*

Loc. fig. *Amener (toute) la couverture (à soi)* : s'emparer de tous les profits aux dépens des autres.

♦ **2** (1529). Mar. Faire descendre en tirant à soi. → **Abaisser.** *Amener une embarcation. Amener les voiles.* → **Affaler.** *Amener les couleurs, amener un pavillon.* → **Baisser.**

14 Enfin, nous amenâmes la voile (...)
CHATEAUBRIAND, Itinéraire..., II, 18.

15 C'était un bateau de pêche, et dès qu'il avait gagné le large, on amenait les voiles (...)
E. FROMENTIN, Dominique, XI.

Absolt. *Amenez!*, ordre d'amener (les voiles, un pavillon...).

♦ **3** Jeux. Faire sortir (tel point) d'un coup de dés, à la loterie, etc. *Amener une paire. Amener un bon, un mauvais numéro.*

♦ **4** Fig. Introduire, faire adopter, mettre en usage. *Amener une mode, un usage* (quelque part).
Donner occasion à, faire venir.

16 *(Elle)* pressentit qu'une crise de larmes était proche et, afin d'amener une diversion (...)
LOTI, les Désenchantées, II.

(Avec un compl. en *sur*). *Amener le débat, la discussion, la conversation sur un sujet, un problème... Amener un dénouement avec art. Il a très bien amené cette comparaison.* → **Ménager, préparer, présenter.** *Amener un accord, une dissonance, un effet... Cette comparaison est amenée de trop loin,* elle est trop recherchée, elle n'est pas naturelle (→ ci-dessous, Amené).

**C** (Sujet et compl. direct n. de chose). Avoir pour suite assez proche (sans qu'il s'agisse d'une conséquence nécessaire). → **Attirer, causer, entraîner, occasionner, produire, provoquer, susciter, traîner** (avec, après soi). *L'automne a amené des intempéries. — Amener des conséquences pour qqn. Amener des ennuis à qqn.*

17 Chaque jour amène son pain.
LA FONTAINE, Fables, VIII, 2.

18 Une méchante vie amène une méchante mort.
MOLIÈRE, Dom Juan, I, 2.

19 (...) ça pourrait t'amener du désagrément (...)
G. SAND, la Mare au diable, IV.

20 (...) Cette influence profonde qui amena dans mon être une complète transformation.
RENAN, Souvenirs d'enfance..., III, 3.

21 La vertu n'amène pas le bonheur (...)
HUGO, les Travailleurs de la mer, III, 3.

◆ **S'AMENER** v. pron. (Réfl.). Fam. Arriver, venir (en parlant de personnes, ou, plus rarement, de choses mobiles). → **Ramener** (se). *Amène-toi! viens! Amène-toi ici!*

22 (...) du rivage s'amènent deux grandes barques pleines de Croumens.
GIDE, Voyage au Congo, *in* Souvenirs, Pl., p. 686.

23 Fais-moi le plaisir de t'occuper de ton service. Il est sept heures; les clients vont s'amener.
Francis CARCO, les Belles Manières, p. 25.

24 Il s'assoit et frappe sur la table. Dans le fond, on grogne; puis une femme assez immense s'amène.
R. QUENEAU, le Chiendent, p. 48.

— Amenez-vous en vitesse! Le type nous embarque.
R. QUENEAU, Zazie dans le métro, Folio, p. 111.

Puis nous allâmes dîner, avec nos «dames», chez Jean Galtier-Boissière où René Lefèvre, que je n'avais pas revu depuis le temps de la zone libre, à Nice, s'amenait en voiture.
Francis CARCO, Ombres vivantes, p. 207.

◆ **AMENÉ, ÉE** p. p. adj. et n. m.

♦ **1** Qui a été amené comme une suite naturelle. *Dénouement bien amené. La fin est mal amenée.*

♦ **2** N. m. Dr. anc. Loc. *Un amené sans scandale* : un mandat d'amener (→ ci-dessus, A., 1.).

CONTR. **Emmener, ramener, remmener. — Arborer** (le pavillon); **hisser** (la voile). ◈ DÉR. **Amenage, amenée, ameneur.** → COMP. **Ramener.**

**AMENEUR** [amnœʀ] n. m. — V. 1280; de *amener,* et *-eur.*

♦ **1** Rare. Celui qui mène (des marchandises) d'un endroit à un autre.

♦ **2** (XXᵉ; 1933, *in* T. L. F.). Mécan. Pièce servant à conduire une chose dans un mécanisme (spécialt, pièce de la trémie d'une machine agricole).

**AMÉNITÉ** [amenite] n. f. — 1358; du lat. *amoenitas,* de *amœnus.* → Amène.

Caractère de ce qui est amène*.

♦ **1** (1358). Vx. Agrément, charme, douceur (d'un lieu, d'un paysage).

L'aménité des rivages *(de la Grèce).*
CHATEAUBRIAND, les Martyrs, 4.

♦ **2** (1740). Mod. (En parlant d'une personne, de ses qualités, de son langage). Amabilité pleine de charme, douceur accompagnée de grâce et de politesse. → **Affabilité, amabilité, charme, douceur, grâce, politesse.** *Aménité du caractère, des manières, des mœurs. L'aménité de qqn. Être plein d'aménité* (→ Melliflue, cit. 1). *Traiter qqn sans aménité,* durement.

L'aménité de ses manières, toutes les habitudes de sa vie, le soin qu'il prenait de sa personne, son ancienne réputation de force et d'adresse, d'homme d'épée et de cheval, avaient fait un cortège de petites notoriétés à sa célébrité croissante.
MAUPASSANT, Fort comme la mort, éd. 889, p. 3.

(...) sa supériorité *(de Paul Valéry)* incontestable et son rayonnement, que sait tempérer l'aménité la plus exquise.
GIDE, Journal, 5 mai 1942.

On ne m'avait pas dit combien vous étiez bonne; la princesse l'ignorait, ou peut-être la bonté n'était pour elle qu'une qualité superflue : elle pensait que l'aménité suffit.
M. YOURCENAR, Alexis, p. 91.

(Mil. XIXᵉ). Par antiphrase. Plur. *Dire, échanger des aménités,* des injures, des paroles amènes, blessantes, violentes. → **Invective.**

REM. L'emploi de *aménités* au plur. pour désigner des éléments de confort est, comme *facilités,* un américanisme *(amenities).*

CONTR. **Acariâtreté, acerbité, acrimonie, aigreur, amertume, brusquerie, brutalité, dureté, humeur, maussaderie.**

**AMENOKAL** [amenɔkal] n. m. — 1919; du berbère *amenôkal* ou *amanôkal* «sultan».

Ethnol. Titre porté par le chef de la famille des Imanân, la plus noble des Touareg.

**AMÉNORRHÉE** [amenɔʀe] n. f. — 1795, trad. Cullen; de 2. *a-,* grec *mèn* «mois», et *rhoia* «courant» (de *rhein* «couler»). → -rrhée.

Méd. Absence totale du flux menstruel chez une femme en âge d'être réglée. *Aménorrhée normale de la grossesse, de la lactation. Aménorrhée pathologique.*

CONTR. **Hyperménorrhée, ménorragie, polyménorrhée.**

**AMENTACÉES** [amɑ̃tase] n. f. pl. — 1789, Jussieu; du lat. *amentum* «courroie, cordon», et *-acé(es).*

Bot. (Vx). Famille de plantes comprenant les arbres à chatons. → **Amentifère.**

**AMENTIFÈRE** [amɑ̃tifɛʀ] adj. et n. f. — 1863; du lat. *amentum* «courroie, cordon», et *-fère.*

Botanique.

♦ **1** Se dit des plantes à inflorescences en cordons ou chatons (fagacées, juglandacées, salicacées). — Ex. : *noisetier, charme, noyer...*

♦ **2** N. f. pl. *Les amentifères,* famille de plantes dont les fleurs sont disposées en cordons ou chatons. — Au sing. *Une amentifère.*

**AMENTIFORME** [amɑ̃tifɔʀm] adj. — 1898; du lat. *amentum* «courroie, cordon», et *forme.*

Sc. nat. En forme de chaton.

**AMENUISEMENT** [amənɥizmɑ̃] n. m. — Déb. XIIIe, abstrait; concret, 1248; de *amenuiser.*

♦ **1** Action d'amenuiser, fait de s'amenuiser; résultat de cette action. → **Amincissement, minceur, ténuité.**

(...) les choses les plus épaisses ne s'abordent pas sans subir quelque amenuisement (...)
Francis PONGE, le Parti pris des choses, p. 36.

♦ **2** Fig. Fait de diminuer, de se dégrader. *L'amenuisement de sa personnalité. L'amenuisement du niveau, des conditions de vie. L'amenuisement progressif de son influence.*

*(Il)* jouissait d'un sens artistique des plus fins. Il poussait même la finesse jusqu'à la ténuité; en regard de l'amenuisement de sa pensée, la vôtre vous paraissait épaisse et vulgaire.
GIDE, Si le grain ne meurt, X, *in* Souvenirs, Pl., p. 544.

CONTR. **Épaississement.**

**AMENUISER** [amənɥize] v. tr. — Déb. XIIe; de 1. *a-*, et anc. franç. *menuiser, menuisier* «couper en morceaux, diminuer».

♦ **1** Vx ou techn. Rendre plus menu, plus fin, plus mince. → **Amincir, apetisser** (vx), **rapetisser.** *Amenuiser une planche, une poutre.* → **Allégir.** *Amenuiser un bâton, une cheville.* → **Aiguiser.**

Il en coupa la longueur d'une toise, qu'il donna à ses compagnons pour l'amenuiser par le bout.
RACINE, Remarques sur l'Odyssée.

Littér. Donner une apparence de minceur à (qqch.).

La masse ciselée de sa chevelure blonde amenuisait sa figure de perle (...)
Edmond JALOUX, le Jeune Homme au masque, II, p. 36.

♦ **2** Fig. Rendre moins important. *«Sans un apport de l'extérieur, il risquerait d'amenuiser mortellement sa substance»* (Gide).

◆ **S'AMENUISER** v. pron.

♦ **1** Devenir plus menu, plus petit. *«Les pignons (...) s'amenuisent en flèches aiguës»* (P. Morand, *in* T. L. F.). *S'amenuiser dans la mémoire, dans le souvenir.*

Le cœur se dilate au-dedans, quand il s'apetisse et s'amenuise au-dehors (...)
BOSSUET, Traité de la connaissance de Dieu..., II, 3.

Mon aventure avec Stilitano reculait dans mon esprit. Luimême s'amenuisait, il n'était qu'un point brillant, d'une pureté merveilleuse.
Jean GENET, Journal du voleur, p. 81.

«Qu'est-ce que vous attendez?», puis il cessa tout à fait de l'écouter, de l'entendre (c'est-à-dire cette partie de lui-même qui diminuait, rapetissait, s'amenuisait à toute vitesse, n'avait plus maintenant que les dimensions et la voix dérisoire d'une minuscule poupée costumée en singe, une liliputienne *(sic)* et noire mandragore furibonde, jeteuse de sorts et malfaisante). 3.2
Claude SIMON, le Palace, p. 183.

♦ **2** Fig. Diminuer de valeur, d'importance, de force. *Les effectifs se sont amenuisés. «La valeur des immeubles s'amenuisera»* (J. Romains). *Les délais accordés s'amenuisent.*

◆ **AMENUISÉ, ÉE** p. p. adj. (V. 1190).

♦ **1** Rendu mince, menu. *Support amenuisé du haut, renflé du bas. — Un corps tout amenuisé.* → **Décharné, maigre, menu, mince.**

M. de Salines semblait tout mince et comme amenuisé dans son vêtement de drap noir qui faisait ressortir la pâleur anormale de son visage et le bleu délavé de ses yeux froids (...) 4
Edmond JALOUX, les Visiteurs, XXXI, p. 157.

♦ **2** Fig. Dont l'importance a diminué. *Activité amenuisée.*

CONTR. **Épaissir.** ◇ DÉR. **Amenuisement.**

1. **AMER, ÈRE** [amɛʀ] adj. et n. m. — 1174; fig., «pénible», v. 1150; du lat. *amarus,* employé au propre et au figuré.

**I** Adj. ♦ **1** Qui produit au goût une sensation d'âpreté caractéristique, souvent désagréable (par exemple, la bile), parfois stimulante (l'écorce de citron, la gentiane). → **Acide, âcre, âpre.** *Goût amer. Saveur amère.* → **Amertume.** *Suc amer. Amer comme l'absinthe, l'aloès...* (→ ci-dessous, II.). *Amer comme du fiel* (→ **Bile**), *comme du chicotin. Adoucir une boisson amère en la sucrant. Confitures d'oranges amères. — Goût à la fois doux et amer,* doux-amer (vieilli). → aussi **Amarescent, amérin.**

Par métonymie. *Avoir la bouche amère :* sentir dans la bouche un goût d'amertume, d'âcreté.

Poét. ou iron. Salé. *L'onde amère :* la mer. *Les flots amers.* → **Saumâtre.**

Car les lèvres de l'étrangère distillent le miel, et son palais est plus doux que l'huile. Mais à la fin elle est amère comme l'absinthe, aiguë comme un glaive à deux tranchants. 1
BIBLE, Proverbes, V, 3-4.

Le navire glissant sur les gouffres amers (...) 2
BAUDELAIRE, les Fleurs du mal, Spleen et idéal, «L'albatros».

La chambre se trouvait au deuxième étage; la fenêtre de cette chambre donnait sur les toits; en se penchant à droite, on pouvait apercevoir l'onde amère (comme qui dirait l'élément salé). 2.1
R. QUENEAU, le Chiendent, p. 204-205.

Par métaphore. *Larmes amères* (compris au sens 2., ci-dessous).

Par anal. Littér. *Un parfum amer.*

♦ **2** Fig. Qui est cause d'affliction, de chagrin, de tristesse. → **Affligeant, cruel, cuisant, désagréable, désolant, douloureux, mélancolique, morose, pénible, sombre, triste.** *Regrets, souvenirs amers. Une amère déconvenue, une amère déception. Douleur amère. L'amère réalité. Une joie amère* (→ ci-dessous, cit. 10), *un plaisir amer.*

(Par métaphore, qualifiant des noms concrets pris au figuré; → 1., ci-dessus). *Coupe amère.* → **Calice.** *Larmes amères. —* Fam. *La pilule est amère.* → **Avaler.**

Ô triste jalousie! Ô passion amère! 3
LA FONTAINE, les Filles de Minée, 253.

Cependant mon destin à ce point est amer 4
Que plus elle mérite et moins je dois l'aimer.
CORNEILLE, Agésilas, V, 5.

5 Il versait des larmes amères.
FÉNELON, Télémaque, 21.

6 Ce bonheur amer que la crainte empoisonne.
Casimir DELAVIGNE, Paris, I, 2, *in* LITTRÉ.

7 Souvent, las d'être esclave et de boire la lie
De ce calice amer que l'on nomme la vie (...)
Las du mépris des sots qui suit la pauvreté,
Je regarde la tombe, asile souhaité.
André CHÉNIER, Élégies, «Ô nécessité dure».

8 Ne buvez point à la coupe du crime : au fond est l'amère détresse et l'angoisse de la mort.
F. DE LAMENNAIS, Paroles d'un croyant, X.

9 (...) la vengeance (...) ce fruit amer et délicieux qui mûrit si tard. HUGO, Bug Jargal, p. 10.

10 (...) une espèce de joie amère et dédaigneuse vint s'épanouir sur la face morose du Cyclope.
HUGO, Notre-Dame de Paris, I, 5.

11 Sombre, immobile, avare, il rit d'un rire amer.
HUGO, les Orientales, VII.

11.1 (...) si vous voulez rendre mes derniers momens *(sic)* moins amers, et alléger mes douleurs, rendez vos bonnes grâces à notre fille!
BALZAC, Eugénie Grandet, éd. 1838, p. 305.

12 Ces larmes de vieillard qui sont particulièrement amères, et lentes à couler du fond de leur source tarie.
LOTI, Matelot, V.

13 L'impuissance à servir ce qu'on aime est la plus amère des déceptions. COLETTE, l'Étoile Vesper, p. 103.

14 Les deux gigolos (...) ne touchent pas aux nourritures, pas même du bout des dents, tout occupés qu'ils sont d'avaler l'amère couleuvre.
G. DUHAMEL, Scènes de la vie future, IX, p. 151.

Fam. *Il est d'une bêtise amère :* il est très bête (→ Bête à pleurer).

Qui exprime l'amertume, une tristesse amère. *Expression amère. Sourire, rire amer* (→ Rire jaune; et ci-dessus, cit. 11).

♦ **3** (Expression par le langage). Qui exprime de l'acrimonie, de l'aigreur, de l'animosité et, parfois, de l'injustice, de la dureté. → **Amertume** (3.). *Raillerie amère. Critiques, paroles amères. Il m'a fait d'amers reproches* (→ Récriminer, cit. 2). *Ironie amère.* → **Âcre, acrimonieux, aigre, âpre, blessant, désagréable, fielleux, mordant, offensant, piquant, rude, sarcastique, sévère.** — (Personnes). *Il est très amer, ses paroles sont amères.*

15 Parler et offenser, pour de certaines gens, est précisément la même chose. Ils sont piquants et amers; leur style est mêlé de fiel et d'absinthe : la raillerie, l'injure, l'insulte leur découlent des lèvres comme leur salive.
LA BRUYÈRE, les Caractères, V, 27.

16 Cette amère ironie du malheur (...)
Mme DE STAËL, Corinne, XVII, 4.

**II** N. m. ♦ **1** Ce qui est amer. → **Amertume.** *L'amer et le doux.*

♦ **2** Fiel (de quelques animaux). *L'amer de bœuf. L'amer d'une carpe, d'un brochet.*

♦ **3** Mod. Liqueur obtenue par infusion d'herbes ou d'écorces amères, tonique et apéritive (gentiane, quinquina, noix vomique). → **Amaro** (italianisme); **absinthe, aloès, armoise, bitter, camomille, cascarille, centaurée, chicorée, chicotin, colombo, coloquinte, genièvre, gentiane, germandrée, houblon, menthe, pavot, quassia-amara, quinquina, rhubarbe, romarin, sauge, semen-contra, simaruba, tanaisie...** *Amer au citron* (traduction normalisée au Québec de l'angl. *bitter lemon*).

17 C'est une simple maladie; — je suis un angoisseux. Je me suis traité par les douches, le quinquina, les purgatifs, les amers et l'hydrothérapie (...)
VILLIERS DE L'ISLE-ADAM, Tribulat Bonhomet, p. 47 (1887).

♦ **4** Littér. Personnage qui exprime de l'amertume. *«Les amers, qui récriminaient (...)»* (F. Ambrière, *in* T. L. F.).

Les *amers*, les amers spéciaux que fait la peinture, ceux-là qu'enrage et qu'exaspère cette carrière qui n'a que ces deux extrêmes : la misère anonyme, le néant de celui qui n'arrive pas, ou une fortune soudaine, énorme, tous les bonheurs de gloire de celui qui arrive, les amers, tout ce monde d'avenirs aigris, de jeunes talents grisés de compliments d'amis et ne gagnant pas un sou.
Ed. et J. DE GONCOURT, Manette Salomon, p. 159.

CONTR. **Doux, sucré. — Agréable, délicieux, heureux, suave. — Affectueux, aimable, amène, amical, bienveillant.** ◊ DÉR. **Amèrement, amérin, amérisant.** — HOM. 2. **Amer.**

2. **AMER** [amɛʀ] n. m. — 1683; du normand *merc* «borne de séparation», de l'anc. nordique *merki* «signe distinctif».

Mar. (En général au plur., mais le sing. est bien attesté; → ci-dessous, cit. 2 et 3). Objet fixe et très apparent (→ **Marque**) pouvant servir de point de repère aux navigateurs qui sont en vue de terre : clocher, phare, sémaphore, signal, tour, etc. (→ Navigateur, cit. 1). *Amers terrestres. Alignement de deux amers. Relever des amers pour faire un point. «Ne sont vraiment sûrs que les amers officiels, rocher blanchi, phare, pyramide, qui sont signalés dans les livres, soigneusement entretenus (...)»* (*Cours de navigation des Glénans*, p. 604). *Amers artificiels* (pylônes blancs, etc.).

Une trentaine de pirates, dispersés dans les haubans, ne perdaient pas un des mouvements du canot et relevaient certains amers qui devaient leur permettre d'atterrir sans danger. J. VERNE, l'Île mystérieuse, t. II, p. 630.

(...) phare solaire, signal, connivence; son nom et son emplacement figurent sur tous les livres de navigation du monde. C'est un amer. C'est un petit moulin à vent.
J.-R. BLOCH, Sur un cargo, p. 35.

Celui qui peint l'amer au front des plus hauts caps,
Celui qui marque d'une croix blanche la face des récifs (...)
SAINT-JOHN PERSE, Amers (1953).

REM. Une forme aberrante *amet*, au sing., a existé au XVIIIe s.

HOM. 1. **Amer.**

**AMÈREMENT** [amɛʀmɑ̃] adv. — 1174; *amarement*, Xe; de 1. *amer*, et *-ment*.

♦ **1** Avec amertume (2.), d'une manière amère* (1. Amer, I., 2.). → **Cruellement, douloureusement, mélancoliquement, péniblement, tristement.** *Critiquer, se plaindre, réfléchir, regretter, se repentir, ricaner amèrement. Pleurer, sangloter amèrement.*

Elle s'est prise à pleurer amèrement.
MOLIÈRE, l'Amour médecin, I, 6.

(...) il n'en était pas un qui, en rentrant chez lui, ne sentît amèrement le vide de son existence.
A. DE MUSSET, la Confession d'un enfant du siècle, I, 1.

Boris regrettait amèrement de n'y être pas allé (...)
SARTRE, l'Âge de raison, II.

♦ **2** D'une manière amère* (1. Amer, I., 3.). *Parler amèrement de qqch. Il se plaint amèrement de votre silence.* → **Acrimonieusement, aigrement, désagréablement, fielleusement, rudement, sarcastiquement.**

**AMÉRICAIN, AINE** [amerikɛ̃, ɛn] adj. et n. — 1576, *ameriquain; amérique*, adj., 1556; de *Amérique*, et *-ain*.

**I** **A** ♦ **1** **a** Vx. Propre, relatif à l'Amérique ou à ses habitants autochtones (avant l'arrivée des Européens). *Les «sauvages américains»* (au XVIe, du Brésil; aux XVIIIe-XIXe, Indiens d'Amérique du Nord). → **Amérindien, indien.**

N. *Un Américain; les Américains.* «*Ces Américains se peignent le corps en noir et en bleu*» (*Voyage de La Pérouse,* in T. L. F.).

**b** Mod. *Le continent américain :* l'Amérique.

Ling. *Langues américaines :* langues parlées par les autochtones du continent américain (de l'Amérique du Nord, du Mexique et de l'Amérique centrale [Caraïbes], de l'Amérique du Sud). → **Américanisme** (3.).

♦ **2** Loc. mod. (Du sens 1., a.). *Avoir l'œil américain :* découvrir du premier coup d'œil, sans avoir l'air de regarder (par allusion aux Indiens à la vue perçante). — REM. L'expression, pourtant très vivante, n'est plus bien comprise de nos jours.

1 J'ai vu ça, moi, du premier coup, en entrant. J'ai l'œil américain. FLAUBERT, Mme Bovary, III, III.

♦ **3** Qui provient d'Amérique du Nord ou du Sud. *L'importation des vignes américaines en Europe.*

**B** N. (qualifié). Habitant de l'Amérique (généralement d'origine non autochtone : européen, asiatique). *Les Américains du Nord :* les Canadiens et les Américains (au sens II.). *Les Américains du Sud* (désignés par les adj. dérivés des noms de pays) : les Argentins, les Chiliens, les Brésiliens, etc.

Adj. et n. (non qualifié). Rare. *Il ne faut pas oublier que les Brésiliens, les Québécois sont américains, sont des Américains.* — REM. Cet emploi est rare, du fait de la fréquence du sens II.

**II** (Déb. XIXe ; nom, 1783). ♦ **1** Adj. Des États-Unis d'Amérique (à l'exclusion des autres nations du continent américain). → **États-unien.** *La politique, l'économie américaine. La littérature américaine est de langue anglaise. Les institutions américaines. Le présidentialisme américain. Le cinéma américain. La musique populaire américaine* (blues, spirituals, jazz, folk...). *Les Noirs américains.*

2 Deux heures suffisaient à visiter cette ville *(Ogden)* absolument américaine et, comme telle, bâtie sur le patron de toutes les villes de l'Union, vastes échiquiers à longues lignes froides, avec «la tristesse lugubre des angles droits» (...)
J. VERNE, le Tour du monde en 80 jours, p. 240.

*Voitures, cigarettes américaines* (n. f., *une américaine*). *Une belle américaine* (voiture). *Fumer des américaines* (cigarettes).

3 Serge alluma une cigarette qu'il passa à Nadine.
«C'est des américaines? dit Daniel.
— Non, des espagnoles noires».
H.-F. REY, les Pianos mécaniques, p. 18.

Loc. Cin. *Plan américain :* plan à mi-corps, intermédiaire entre le gros plan et le plan général. *Nuit américaine :* effet produit par une scène tournée de jour où la nuit est évoquée par un effet optique. *Vedette américaine :* artiste de music-hall, chanteur qui passe sur scène immédiatement avant la vedette principale.

*Coup-de-poing* américain. Bar américain* (en France) : bar ouvert le soir et dans les heures tardives de l'après-midi, où l'on sert habituellement des cocktails et qui, à la différence du café français traditionnel, ne comporte ni terrasse ni baies vitrées largement ouvertes sur l'extérieur.

Régional (Belgique). *Filet américain :* viande (filet) de bœuf, hachée, assaisonnée, consommée crue (on dit en France *steak tartare**). → aussi **Cannibale** (3.). — N. m. *Un américain.*

Loc. (1852, *in* D. D. L.). **À L'AMÉRICAINE :** à la manière des États-Unis. — (1841). *Vol à l'américaine :* vol faisant intervenir un compère (à l'origine, donné comme un riche Américain). — Cuis. *Garniture à l'américaine. Homard à l'américaine,* cuit dans une sauteuse avec tomates, échalotes, oignons, vin blanc, etc. (→ À l'armoricaine).

Une New-Yorkaise était incertaine 3.1
Sur la façon de cuire le homard.
— Si nous remettions la chose à plus tard
Disait le homard à l'américaine.
Raoul PONCHON, cité *in* Dict. de l'Académie des gastronomes.

(1904, *in* Petiot). *Course à l'américaine,* ou, n. f. (1927), *américaine :* course cycliste sur piste opposant des équipes de deux coureurs qui se relaient. — *Enchères à l'américaine,* où chaque enchérisseur paie immédiatement la différence entre sa surenchère et l'enchère précédente. — Imprim. *Suite à l'américaine :* continuation d'un article de journal sur une autre page sans rappel du titre. *Mise en pages à l'américaine* (illustrations, gros titres...).

(...) lorsque nous voulons atteindre un résultat avec l'activité la plus intense, nos instructions aboutissent toujours à cette formule : *Travaillez à l'américaine.* 4
L.-H. LYAUTEY, Paroles d'action, p. 310.

Par ext. *Études américaines,* qui concernent les États-Unis (à distinguer de *américaniste**).

♦ **2** N. (1784, Vivan Denon, *Lettre à Vergennes,* citée par J. Cellard). Personne qui habite les États-Unis d'Amérique ou qui en est originaire. → **Yankee** (vieilli); pop. **amerlo, ricain** (cf. esp. du Mexique *gringo*). *Le mythe de l'Américain dans la littérature française. Un Américain de couleur :* un Noir américain.

L'Américain est un être positif, vain de sa force industrielle, et un peu jaloux de l'ancien continent. 5
BAUDELAIRE, Edgar Poe, sa vie et ses ouvrages, Pl., p. 1015.

♦ **3** N. m. *L'américain :* les parlers anglais des États-Unis (pour le Canada, on dit *l'anglais canadien, l'anglo-canadien*). — Adj. *Syntaxe américaine. Les mots américains.* → **Américanisme.**

DÉR. **Américaniser, américaniste.** — V. **Amerlo.** ◊ COMP. **Afro-américain, antiaméricain, négro-américain, panaméricain, proaméricain** (V. Pro-). — V. **Américano-.**

**AMÉRICANISATION** [amerikanizasjɔ̃] n. f. — 1867, Goncourt; de *américaniser,* et *-ation.*

Action d'américaniser, fait de s'américaniser, de rendre semblable aux États-Unis d'Amérique. *L'américanisation rapide des immigrés, dans le «melting pot».* → **Assimilation.**

L'Exposition universelle, le dernier coup au passé : l'américanisation de la France, l'industrie primant l'art, la batteuse à vapeur rognant la place du tableau, les pots de chambre à couvert et les statues à l'air : en un mot la Fédération de la Matière. 1
Ed. et J. DE GONCOURT, Journal, 16 janv. 1867.

Nous ne devenons pas Américains. Nous ne restons pas Français. Nous devenons ce que les Français croient que sont les Américains. Car les facteurs de résistance, la vraie (...) à l'américanisation, ne sont pas ceux qu'exaltent les intellectuels de gauche et de droite, conservateurs des cathédrales de pierre ou d'idées, qu'ils n'ont ni bâties ni inventées. l'Express, 24-30 juil. 1967. 2

Récemment, j'ai rencontré une journaliste japonaise. Je la complimentais sur les progrès économiques de son pays. Elle me répondit : «Oui, chez nous, c'est l'américanisation.» Je lui demandai : «Que signifie, au juste, l'américanisation pour une personne telle que vous?» Elle me répondit : «C'est simple; ça veut dire : jeter. Plus on jette, plus on est américain.» Emmanuel BERL, le Virage, p. 52. 3

**AMÉRICANISER** [amerikanize] v. tr. — 1855, Baudelaire; de *américain.*

Donner, faire prendre le caractère américain (des États-Unis) à... *Américaniser un peuple, une civilisation,* lui donner les caractères d'efficacité économique, de confort matériel, d'urbanisation, de technicité considérés comme propres aux États-Unis (souvent péj.).

1 La mécanique nous aura tellement américanisés, le progrès aura si bien atrophié en nous toute la partie spirituelle que rien, parmi les rêveries sanguinaires (...) des utopistes, ne pourra être comparé à ces résultats positifs.
BAUDELAIRE, Fusées, XXII.

◆ **S'AMÉRICANISER** v. pron. (1866). Adopter, prendre les manières, les mœurs des États-Unis. *Ces Français, ces Italiens se sont bien vite américanisés.*

2 Il y a là déseuropéanisation d'un monde qui s'asiatise ou s'américanise.
André SIEGFRIED, l'Âme des peuples, II, p. 18.

3 De même que nous nous plaignons de voir s'américaniser nos meilleures maisons, de même on entend les newyorkais *(sic)* regretter que leurs hôtels d'autrefois (...) aient disparu pour faire place à des caravansérails cosmopolites.
Paul MORAND, New York, p. 138.

4 Il ne peut pas dépouiller sa peau de grand patron aux airs dégagés en qui s'américanise le sérieux bourgeois.
Hervé BAZIN, Cri de la chouette, p. 15.

5 (...) il s'était américanisé et uniformément durci.
S. DE BEAUVOIR, Tout compte fait, p. 93.

◆ **AMÉRICANISÉ, ÉE** p. p. adj. Qui a pris le caractère américain, qui a adopté les manières, les mœurs américaines (des États-Unis).

DÉR. **Américanisation.**

**AMÉRICANISME** [ameʀikanism] n. m. — 1866; angl. *americanism* (1781), de *american.* → Américain.

♦ **1** Vx. Admiration, imitation du mode de vie, de la civilisation des États-Unis. *L'américanisme a succédé, en France, à l'anglomanie* (Académie).

Le monde marche vers une sorte d'américanisme, qui blesse nos idées raffinées, mais qui, une fois les crises de l'heure actuelle passées, pourra bien n'être pas plus mauvais que l'ancien régime pour la seule chose qui importe, c'est-à-dire l'affranchissement et le progrès de l'esprit humain.
RENAN, Souvenirs d'enfance..., Préface, p. 13.

REM. Cette valeur reste vivante dans *anti-américanisme.*

♦ **2** (1866). Idiotisme américain (par rapport à l'anglais). *Les américanismes et les briticismes* d'un dictionnaire anglais.*

Emprunt (du français, etc.) à l'anglais des États-Unis. → **Anglicisme.** *«Stock-car» est un américanisme* (en français). *«Spin», «quark» sont des américanismes scientifiques internationaux.*

♦ **3** (1875). Ensemble des études ethnographiques, archéologiques, linguistiques, etc., consacrées au continent américain, à ses civilisations autochtones (précolombiennes, indiennes). → **Américain** (I., A., 1.).

COMP. **Anti-américanisme.**

**AMÉRICANISTE** [ameʀikanist] adj. et n. — 1866; de *américain,* et *-iste.*

♦ **1** Adj. Didact. Qui concerne l'américanisme (3.), l'étude du continent américain, de son histoire, des groupes humains qui y vivent, de leurs langues, etc. *Études américanistes.* — (Personnes). *Ethnologue, linguiste américaniste,* qui étudie les Indiens d'Amérique, leurs langues, etc.

1 (...) cette atmosphère passionnée qui imprègne toute recherche américaniste, que ce soit sur le plan archéologique ou ethnographique.
Claude LÉVI-STRAUSS, Tristes tropiques, p. 224.

2 (...) un collègue américaniste, plein de récits de cabotages en voilier le long des côtes sud-américaines.
Claude LÉVI-STRAUSS, Tristes tropiques, p. 23.

♦ **2** N. (1875). *Un, une américaniste,* spécialiste (ethnologue, archéologue, linguiste) du continent américain, de ses civilisations autochtones. *Une célèbre américaniste.*

**AMÉRICANO** [ameʀikano] n. m. — Mil. XX^e^; marque déposée, esp. *americano* «américain».

Cocktail composé en général de gin, de vermouth et d'un apéritif amer (campari, marque déposée ). *Un américano.*

Se trouver assise devant un professeur de Faculté, le regarder tourner les glaçons dans l'Américano, tirer avec ses doigts les arêtes de la truite aux amandes; l'entendre parler du temps... tout cela déconcerte.
Yanny HUREAUX, la Prof, p. 141.

**AMÉRICANO-** Élément servant à former de nombreux adjectifs et substantifs exprimant un rapport entre les États-Unis d'Amérique et un autre pays (ex. : *américano-anglais* [→ **Anglo-américain**], *américano-canadien, américano-japonais, américano-soviétique*), ou signifiant, devant un élément suffixal, «de, quant à l'Amérique» (États-Unis). — Ex. : *américanomanie* [ameʀikanɔmani] n. f. (1857), et les mots ci-dessous.

**AMÉRICANOPHILE** [ameʀikanɔfil] adj. — 1959, Queneau; de *américano-,* et *-phile.*

Qui a, qui marque de la sympathie pour les Américains. — Dér. : *américanophilie* [ameʀikanɔfili] n. f.

(...) Frau Schlag a cru que son mari était américanophile.
Pierre NORD, Miss Péril jaune, p. 420.

CONTR. **Américanophobe.**

**AMÉRICANOPHOBE** [ameʀikanɔfɔb] adj. — XX^e^; de *américano-,* et *-phobe.*

Qui déteste les Américains. Dér. : *américanophobie* [ameʀikanɔfɔbi] n. f.

(...) il était le chef incontesté de l'aile droite fermement conservatrice et patriote, et plus ou moins secrètement américanophobe.
Pierre NORD, Miss Péril jaune, p. 377.

CONTR. **Américanophile.**

**AMÉRICIUM** [ameʀisjɔm] n. m. — 1948; angl. *americium,* 1945, Seaborg; formé sur *America* par anal. avec le nom de l'élément homologue *europium.*

Chim. Élément transuranien artificiel (symb. *Am;* n° at. 95; dens. 13,67), obtenu depuis 1944 dans des réacteurs nucléaires.

**AMÉRIN, INE** [ameʀɛ̃, in] adj. — 1551; de 1. *amer,* et *-in.*

Archaïsme littér. Légèrement amer.

**AMÉRINDIEN, IENNE** [ameʀɛ̃djɛ̃, jɛn] adj. et n. — 1930; de l'anglo-amér. *amerindian* (1897), de *American Indian* «Indien américain».

Relatif aux autochtones (Indiens) d'Amérique. *Langues amérindiennes.* → **Américain** (I., 1.). — N. *Les Amérindiens.* — Au sing. *Un Amérindien.*

REM. Le mot s'est imposé à cause de la difficulté à employer *américain,* plus cour. au sens «des États-Unis». Certains (notamment au Canada) incluent dans ce concept les Inuit (Esquimaux).

**AMÉRISANT** [ameʀizɑ̃] n. m. — 1972, in *la Clé des mots;* de 1. *amer.*

Techn. Produit chimique destiné à donner une saveur amère. → **Additif.** «*Le pouvoir amérisant de ces extraits* (de houblon) *est leur qualité principale*» (*Voc. de la brasserie-malterie,* art. *Houblon,* in *Banque des mots,* 13).

**AMERLO, AMERLOT** [amɛʀlo] ou **AMERLOQUE** [amɛʀlɔk] n. et adj. — 1936; déformation argotique de *américain*, et suff. pop. *-o, -ot, -oque*.

Pop. Américain. — REM. On rencontre aussi la graphie *amerlaud*.

Tu regrettes que la guerre soit finie?
— Elle n'est pas finie, dit Boris. Les Anglais se battent; avant six mois les Amerloques seront dans le coup.
SARTRE, la Mort dans l'âme, p. 179.

Parce que cet Amerlaud veut nous interdire d'ouvrir la bouche contre l'Amérique.
S. DE BEAUVOIR, les Mandarins, p. 128.

— Et vous, dans votre belle sécurité morale, avec votre bonne conscience de parfait Amerloque, vous allez pouvoir me juger (...)
Christine ARNOTHY, Un type merveilleux, p. 268.

Adjectif :

Évidemment, reprit Poirier, c'est des belles filles, mais la vamp amerloque a plus de chien.
Vladimir VOLKOFF, le Retournement, p. 99.

**AMERRIR** [ameʀiʀ] v. intr. — 1912; admis par l'Académie, 1932; de 1. *a-*, *mer*, et *-ir*, par anal. avec *atterrir*.

Aéron. Se poser à la surface de l'eau (hydravion, cabine spatiale). → aussi **Aiguer, aquatir.**

DÉR. **Amerrissage.**

**AMERRISSAGE** [ameʀisaʒ] n. m. — 1912; de *amerrir*, et *-age*.

Action d'amerrir. *L'amerrissage est très difficile par mer houleuse* (Académie). *Amerrissage d'un hydravion.*

*Amerrissage forcé :* amerrissage accidentel d'un aéronef en cas d'urgence ou de détresse.

**AMERS** [amɛʀ] n. m. pl. → **2. Amer.**

**AMERTUME** [amɛʀtym] n. f. — 1165, au fig. (sens 2.); du lat. *amaritudinem*, accusatif de *amaritudo* «amertume», de *amarus*. → 1. Amer.

♦ **1** (1267). Saveur amère. *L'amertume de l'absinthe, de l'aloès. La légère amertume des scaroles. Sentir de l'amertume. Un goût d'amertume.*

Maladie des vins, qui les rend amers (→ ci-dessous, cit. 8, par comparaison).

♦ **2** (1165). Fig. Sentiment durable de tristesse mêlée de rancœur, lié à une humiliation, une déception, une injustice du sort. → **Affliction, chagrin, découragement, dégoût, dépit, déplaisir, douleur, humiliation, mélancolie, peine, tourment, tristesse.** *L'amertume du regret, d'une déception. Ressentir de l'amertume, l'amertume de... Remplir qqn d'amertume. Adoucir, atténuer, tempérer l'amertume d'un échec.* → **Consoler.** — Au plur. *Les amertumes de la déception. — L'amertume de ses pleurs. Vie pleine d'amertume.* — Loc. *Coupe d'amertume. Cœur gonflé d'amertume.* → **Orgueil** (cit. 10).

1 Envoyez-moi son frère, et nous laissez ici.
Sa douleur sera grande, à ce que je présume;
Mais j'en saurai sur l'heure adoucir l'amertume.
CORNEILLE, Rodogune, IV, 4.

2 (...) l'absence jette une certaine amertume qui serre le cœur. Mme DE SÉVIGNÉ, 433.

3 (...) pour fortifier mon cœur et mon esprit contre les amertumes de la vie (...) Mme DE SÉVIGNÉ, 593.

4 Tout au monde est mêlé d'amertume et de charmes.
LA FONTAINE, Fables, III, 1.

5 Ces paroles de l'âme qui tempèrent l'amertume des pleurs.
F. DE LAMENNAIS, le Livre du peuple, 11.

6 La vie de Shakespeare fut très mêlée d'amertume. Il vécut perpétuellement insulté. HUGO, Shakespeare, p. 16.

Dans l'amertume de sa mésaventure dramatique, tout ce qui lui rappelait la fête du jour l'aigrissait et faisait saigner sa plaie. HUGO, Notre-Dame de Paris, t. I, p. 90. 7

(...) une délectation infinie l'envahissait, plaisir tout mêlé d'amertume comme ces vins mal faits qui sentent la résine. FLAUBERT, Mme Bovary, III, XI. 8

(...) il n'eut pas la force de se plaindre, la coupe d'amertume était remplie. 9
FLAUBERT, Bouvard et Pécuchet, I.

*(Certaines perfidies du sort)* nous laissent à l'âme comme une traînée de tristesse, un goût d'amertume, une sensation de désenchantement (...) 10
MAUPASSANT, les Contes de la Bécasse, «Menuet».

(...) je pensais, plein d'amertume : «Pourquoi suis-je sur la terre?» Alphonse DAUDET, le Petit Chose, II, 14. 11

L'amertume de ses désillusions, le désespoir des jours perdus, des espérances ruinées, de la volonté brisée, se reflètent dans les sombres œuvres de la période suivante (...) R. ROLLAND, Michel-Ange, p. 76. 12

Juliette commençait à s'ennuyer. Le coin de sa bouche s'abaissa. Je détestai cela, qui me faisait penser qu'elle aura un jour la lèvre marquée du pli de l'amertume. 12.1
Roger VAILLAND, 325 000 francs, p. 170.

*L'amertume de qqn,* le, les sentiments d'amertume qu'il (elle) ressent. *Son amertume était grande.*

♦ **3** Caractère amer, offensant, mordant (de l'expression par le langage). → **Acariâtreté, âcreté, acrimonie, aigreur, animosité, âpreté, fiel, ironie.** *L'amertume de ses railleries, de ses sarcasmes.*

Seigneur, trop d'amertume aigrirait vos reproches. 13
RACINE, Iphigénie, III, 7.

Au plur. Littér. *Être abreuvé* (cit. 7) *d'amertumes.*

CONTR. **Douceur. — Amabilité, aménité, amitié, bienveillance, suavité.** ◈ DÉR. **Amertumer.**

**AMERTUMER** [amɛʀtyme] v. tr. — V. 1890; reprise littér. de l'anc. v. *amertumer* «rendre amer» (1350), *s'amertumer* «ressentir de l'amertume» (XIIIe), de *amertume*, et suff. verbal.

Littér. et rare. Rendre amer* (1. Amer, I., 2.), plus amer. *«Amertumer les regrets»* (L. Bloy, *in* T. L. F.). Pron. *S'amertumer :* devenir amer (cf. J. Renard, *in* T. L. F.).

Au passé :

L'art du maquilleur transformait en moue amertumée la bouche vulgaire et les prémices de pattes-d'oie.
Michel DÉON, les Vingt Ans du jeune homme vert, p. 120.

**AMÉTABOLE** [ametabɔl] adj. et n. m. — D. i.; de 2. *a-*, et 2. *métabole*.

Zool. Dont le cycle évolutif ne comporte pas de métamorphoses, en parlant d'un insecte. — N. m. *Un amétabole. Les amétaboles.*

Chez les Insectes Aptérygotes dépourvus d'ailes, le jeune est à peu près identique à l'adulte à part la taille et le développement des organes génitaux. Les métamorphoses n'existent pas. Ce sont des *Insectes amétaboles* ou *homomorphes.*
Andrée TÉTRY, Insectes, *in* Encycl. Pl., Zoologie, t. 2, p. 559.

**AMÉTALLIQUE** [ametalik] adj. — Mil. XXe; de 2. *a-*, et *métallique*.

Écon. *Système amétallique :* système monétaire ne se référant à aucun étalon métallique (opposé à *métallisme*). *Le système amétallique est actuellement adopté presque universellement.*

**AMÉTHYSTE** [ametist] n. f. — 1808, in Boiste; réfection graphique de *ametiste*, 1080; du lat. *amethystus*; grec *amethystos* «pierre qui préserve de l'ivresse», de 2. *a-*, et *methuein* «s'enivrer».

Pierre semi-précieuse de couleur violette, variété de cristal de roche, considérée dans l'antiquité comme un antidote de l'ivresse. *L'anneau pastoral des évêques porte une améthyste* (→ ci-dessous, cit. 2). — *Améthyste orientale.* → **Corindon.**

1 L'améthyste est une pierre très convenable, ce semble, à orner l'anneau pastoral. Aussi la nomme-t-on pierre d'évêque (...) Elle exprime dans la symbolique chrétienne la modestie et l'humilité.
FRANCE, l'Anneau d'améthyste, p. 74.

2 Mgr Espelette éleva vers le ciel ses petites mains blondes, où l'améthyste jeta son double éclair.
BERNANOS, l'Imposture, *in* Œ. roman., Pl., p. 394.

En appos. ou adj. (1895, *in* D. D. L.). *Violet améthyste* (colorant), d'un violet intense. *Une robe améthyste.* — N. m. *L'améthyste,* cette couleur. — *Oiseau-mouche améthyste :* oiseau-mouche répandu en Amazonie et dont le plumage rappelle l'améthyste par sa couleur. — *Chardon améthyste* ou, n. m., *améthyste :* chardon (à fleurs violettes).

**AMÉTROPE** [ametʀɔp] adj. — 1865; du grec *ametros* «disproportionné», et *-ôpos* (→ -ope).

Méd. Qui est atteint d'amétropie.

CONTR. **Emmétrope.** ◊ DÉR. **Amétropie.**

**AMÉTROPIE** [ametʀɔpi] n. f. — 1865; de *amétrope.*

Méd. Défaut dans la structure optique de l'œil (insuffisance de réfraction) ayant pour conséquence l'astigmatisme, l'hypermétropie ou la myopie.

CONTR. **Emmétropie.**

**AMEUBLEMENT** [amœbləmɑ̃] n. m. — 1585; de l'anc. v. *ameubler* (mil. XVIe), de 1. *a-, meuble,* et *-ment.*

♦ **1** Rare. Action de meubler. *L'ameublement d'un logement.* → **Aménagement.** *Commencer, terminer l'ameublement d'un appartement.* — *D'ameublement :* destiné à meubler. *Tissus d'ameublement.*

1 Rabatteur du baron, il lui avait procuré pour quinze millions d'objets d'art et d'ameublement.
FRANCE, M. Bergeret à Paris, p. 507.

♦ **2** (1585). Cour. Ensemble des meubles et des objets d'un logement, considéré dans son agencement. → **Décoration, meuble, mobilier.** *Un riche ameublement. Un ameublement modeste.*

2 Un divan très bas et des coussins qui traînent à terre composent à peu près tout l'ameublement de cette chambre (...)
LOTI, Aziyadé, XXV.

(En parlant d'un local quelconque). *L'ameublement d'une église, d'un baptistère...*

♦ **3** Industrie, commerce des objets destinés à meubler. → **Meuble.** *Travailler dans l'ameublement. L'ameublement et l'industrie du bois.*

1. **AMEUBLIR** [amœbliʀ] v. tr. — XVIe; de 1. *a-, meuble* (adj.), et suff. verbal *-ir.*

Agric. Rendre meuble, diviser (la terre) pour la rendre plus fine, plus légère, plus perméable. *Ameublir le sol, avec une houe, une charrue, une herse...* → **Amender, biner, herser, labourer.**

◆ **AMEUBLI, IE** p. p. adj. (En parlant d'un sol). Qui a été ameubli.

Ils étaient sur la limite d'un champ soigneusement ameubli : un cheval que l'on conduisait à la main traînait un large coffre monté sur trois roues. Sept coutres, disposés en bas, ouvraient parallèlement des raies fines, dans lesquelles le grain tombait par des tuyaux descendant jusqu'au sol.
FLAUBERT, Bouvard et Pécuchet, II.

DÉR. 1. **Ameublissement.** ◊ HOM. 2. **Ameublir.**

2. **AMEUBLIR** [amœbliʀ] v. tr. — 1409; de 1. *a-, meuble* (n. m.), et suff. verbal *-ir.*

Dr. Faire entrer dans la communauté (des immeubles propres à un des époux), ce qui conduit à traiter ces immeubles comme des meubles. → 2. **Ameublissement; mobiliser.**

L'époux a déclaré ameublir et mettre en communauté un tel immeuble (...) Code civil, ancien art. 1506.

L'époux qui a ameubli un héritage (...)
Code civil, ancien art. 1509.

◆ **AMEUBLI, IE** p. p. adj. Dr. Qui a été ameubli. *Immeuble ameubli.*

DÉR. 2. **Ameublissement.** ◊ HOM. 1. **Ameublir.**

1. **AMEUBLISSEMENT** [amœblismɑ̃] n. m. — 1835; de 1. *ameublir,* et *-ment.*

Agric. Action d'ameublir une terre. → **Amendement, binage, façon, hersage, labour, roulage.**

HOM. 2. **Ameublissement.**

2. **AMEUBLISSEMENT** [amœblismɑ̃] n. m. — 1603; de 2. *ameublir,* et *-ment.*

Dr. Convention matrimoniale consistant à ameublir des immeubles. → **Mobilisation.** *Clause d'ameublissement. Ameublissement déterminé ou indéterminé.*

Lorsque les époux ou l'un d'eux font entrer en communauté tout ou partie de leurs immeubles présents ou futurs, cette clause s'appelle ameublissement.
Code civil, ancien art. 1505.

HOM. 1. **Ameublissement.**

**AMEULONNER** [amølɔne] v. tr. — 1808, *in* Boiste; de 1. *a-, meule,* et *-er.*

Agric. Rare. Mettre en meule (les foins coupés, les pailles) pour les conserver.

**AMEUTEMENT** [amøtmɑ̃] n. m. — 1636; de *ameuter.*

Vieilli ou technique.

♦ **1** (1636). Vén. Action d'ameuter (des chiens de chasse); résultat de cette action.

♦ **2** (XVIIe). Action d'ameuter (des personnes) dans une intention de soulèvement ou de manifestation hostile.

**AMEUTER** [amøte] v. tr. — 1375; de 1. *a-, meute,* et *-er.*

♦ **1** Vén. Assembler les chiens en meute pour chasser. *Ameuter les chiens.*

♦ **2** (Déb. XVIIe, en emploi pronominal). Attrouper dans une intention de soulèvement ou de manifestation hostile. *Ameuter la foule contre qqn. Ameuter tout le voisinage.* → **Attrouper, liguer, rassembler; déchaîner, exciter, soulever.**

(...) on avait commencé d'ameuter le peuple par des pratiques souterraines.
ROUSSEAU, les Confessions, t. III, XII.

Je ris de ces peuples avilis qui, se laissant ameuter par des ligueurs, osent parler de liberté sans même en avoir l'idée et, le cœur plein de tous les vices des esclaves, s'imaginent que, pour être libres, il suffit d'être des mutins.
ROUSSEAU, Du contrat social, Politique, VI.

Contre un succès qui nous gêne, on ameute la foule, puis on implore le magistrat. HUGO, l'Homme qui rit.

Par ext. Cour. Alerter et inquiéter (un groupe de personnes) par un bruit inhabituel, une agitation anormale. *Si tu continues à crier comme ça, tu vas ameuter tout le quartier.*

Comme dans le cas d'une collision dans les ténèbres, de nouveaux cris risquaient alors d'ameuter une seconde fois toute la maison, faisant détaler des ombres vers la cage

de l'escalier et jaillir des figures affolées dans l'entrebâillement des portes, cou tendu, œil anxieux, bouche qui s'ouvre déjà pour hurler (...)
A. ROBBE-GRILLET, Dans le labyrinthe, p. 61.

◆ **S'AMEUTER** v. pron. (V. 1618). Se rassembler, se masser pour manifester, protester, se soulever. → **Mutiner** (se).

4 La foule s'ameutait autour du Balzac *(de Rodin).*
Georges LECOMTE, Ma traversée, p. 220.

**CONTR.** **Apaiser, calmer, disperser, pacifier, réprimer.**
◊ **DÉR.** **Ameutement.**

**AMHARIQUE** [amaʀik] n. m. — 1763; *Amarig,* 1672, *in* D. D. L.; cf. le lat. sav. *amharicus,* 1698; de *Amhara,* province centrale de l'Éthiopie.

Didact. Langue sémitique du groupe éthiopien parlée dans la majeure partie du haut plateau abyssin.

**AMHERSTIA** [amɛʀstja] n. m. — 1855, *amhertie,* Bescherelle; dédié à Lady *Amherst.*

Bot. Plante dicotylédone *(Légumineuses Césalpiniacées),* arbre de l'Inde à très grandes fleurs rouges disposées en grappes volumineuses, rehaussées d'amples bractées également rouges.

**AMI, IE** [ami] n. et adj. — V. 1170; du lat. *amicus, amica.*

**I** N. ◆ **1** Celui, celle qui est lié(e) d'amitié avec (une autre personne), ou qui est l'objet de l'amitié de qqn. → Fam. **Copain, pote, poteau;** argot anc. **aminche.** *L'ami de qqn, son ami. Elle est mon amie et je suis le sien. Un ami affectueux, cordial, éprouvé, fidèle, intime, sincère, sûr, véritable. Un bon ami, un ami cher. Mon ami Paul. Mon ami M. X. C'est mon ami depuis longtemps, c'est un vieil ami. Un ancien ami perdu de vue. J'ai retrouvé un ancien ami. Nous sommes restés bons amis* (→ On, cit. 16). *Un de mes vieux amis. Un faux ami. Il est, c'est mon ami, mon meilleur ami. Le meilleur de mes amis. C'est une amie. Aidez-nous puisque vous êtes une amie. Vous pouvez parler devant lui : c'est un ami. — Un ami, une amie d'enfance, de toujours,* dont l'amitié est ancienne. *Une nouvelle amie.* — Fam. *C'est un ami à moi. — Il est de mes amis. Un mien ami. Un couple, une paire d'amis. De bons, de grands amis. Se quitter bons amis* (→ Pinte, cit. 1). *Des amis inséparables* (→ fam. Comme cochons, comme cul et chemise; comme l'ombre et le corps). *Être des amis à toute épreuve, jusqu'à la mort. Avoir, compter beaucoup d'amis. Se faire un ami de qqn. Il n'a pas d'amis. Nous étions entre amis. Nous resterons entre amies : pas d'hommes! Se faire des amis. Prendre qqn pour ami. Cultiver, conserver, fréquenter ses amis. Se brouiller avec ses amis. Perdre ses amis.*

**EN AMI.** *Traiter qqn en ami.* → **Amicoter** (iron.). *Il ne lui a pas parlé en ami. — Cette façon d'agir n'est pas d'un ami. Ce père veut être l'ami de ses enfants.*

1 L'ami aime en tout temps; dans le malheur il devient un frère.
BIBLE, Proverbes, XVII, 17.

2 Le pauvre est odieux même à son ami, mais les amis du riche sont nombreux.
BIBLE, Proverbes, XIV, 20.

3 Qu'un ami véritable est une douce chose!
Il cherche vos besoins au fond de votre cœur;
Il vous épargne la pudeur
De les lui découvrir vous-même.
LA FONTAINE, Fables, VIII, 11.

4 Chacun se dit ami; mais fou qui s'y repose :
Rien n'est plus commun que ce nom,
Rien n'est plus rare que la chose.
LA FONTAINE, Fables, IV, 17.

5 Rien n'est si dangereux qu'un ignorant ami :
Mieux vaudrait un sage ennemi.
LA FONTAINE, Fables, VIII, 10.

Il n'est meilleur ami ni parent que soi-même. 6
LA FONTAINE, Fables, IV, 22.

Un sien ami, voyant ses somptueux repas, 7
Lui dit : «Et d'où vient donc un si bon ordinaire? (...)»
LA FONTAINE, Fables, VII, 14.

Les voilà bons amis avant que d'arriver. 8
LA FONTAINE, Fables, VIII, 10.

Proposez-vous d'avoir le lion pour ami (...) 9
LA FONTAINE, Fables, XI, 1.

Entre amis il ne faut jamais qu'on s'abandonne 10
Aux traits d'un courroux sérieux.
LA FONTAINE, Fables, XII, 2.

Volontiers, lui dit-il, car avec mes amis 11
Je ne fais point cérémonie (...)
LA FONTAINE, Fables, I, 18.

Oui, puisque je retrouve un ami si fidèle. 12
RACINE, Andromaque, I, 1.

Soyons amis, Cinna, c'est moi qui t'en convie. 13
CORNEILLE, Cinna, V, 3.

— C'est un homme dont la vie... 14
— Arrêtez, Monsieur, s'il vous plaît; il est un peu de mes amis, et ce serait à moi une espèce de lâcheté que d'en ouïr dire du mal.
MOLIÈRE, Dom Juan, III, 3.

Et tâchez, comme en vous il prend grande créance 15
De le dissuader de cette autre alliance.
— Oui-dà — Conseillez-lui de différer un peu
Et rendez en ami ce service à mon feu.
MOLIÈRE, l'École des femmes, V, 6.

Le sort fait les parents, le choix fait les amis. 16
DELILLE, Malheur et Pitié, Chant I.

Il faut ne choisir pour épouse que la femme qu'on choisirait pour ami, si elle était homme! 17
Joseph JOUBERT, Pensées, VIII, 9.

Garantissez-moi de mes amis, écrivait Gourville proscrit et fugitif. Je saurai bien me défendre de mes ennemis. 18
SÉNAC DE MEILHAN, Considération sur l'esprit et les mœurs, De l'amitié.

Un frère est un ami donné par la nature. 19
G. LEGOUVÉ, la Mort d'Abel, III, 3.

Pythagore a dit le premier : Mon ami est un autre moi-même. N'est-ce pas dire : Aime ton prochain comme toi-même. 19.1
A. DE VIGNY, le Journal d'un poète, 1835, p. 1037.

Un ami ressemble à un habit. Il faut le quitter avant qu'il ne soit usé. Sans cela, c'est lui qui nous quitte. 19.2
J. RENARD, Journal, 15 nov. 1888.

(...) le docteur, ton ami, il est gentil, n'est-ce pas? (...) je ne veux rien dire contre lui, puisque c'est un ami à toi... 19.3
CÉLINE, Voyage au bout de la nuit, Pl., p. 502.

Loc. **D'AMI** (ami au masc. ayant un sens affaibli). *Chambre d'ami, d'amis,* réservée aux invités. — *Un conseil* d'ami. — Prix* d'ami.*

*L'ami, l'amie, les amis de la maison :* la, les personnes qui sont reçues dans l'intimité de la maison.

Il fut bientôt admis dans l'intérieur de la famille et regardé comme un des amis de la maison. 20
Mme DE GENLIS, les Veillées du château, t. III, p. 59.

Loc. vieillies. (Au masc.). *Ami de cour,* celui qui n'a que de fausses apparences d'amitié.

Allons, ferme, poussez mes bons amis de cour. 21
MOLIÈRE, le Misanthrope, II, 5.

*Ami de tout le monde, du genre humain* (lat. Amicus humani generis) : ami de tous et de personne.

Qui va là? Heu! ma peur à chaque pas s'accroît! 22
Messieurs, ami de tout le monde.
MOLIÈRE, Amphitryon, I, 1.

Je refuse d'un cœur la vaste complaisance 23
Qui ne fait de mérite aucune différence;
Je veux qu'on me distingue; et pour le trancher net,
L'ami du genre humain n'est point du tout mon fait.
MOLIÈRE, le Misanthrope, I, 1.

*Ami commun* (à plusieurs autres personnes). *Une amie commune.*

— Rémi Vierron? s'écria Hubert. Yvette dîne avec Rémi Vierron? 23.1

– Oui, dit Martial. Qu'est-ce que tu crois ? Notre fille a de belles relations.
– Où l'a-t-elle rencontré ?
– Chez des amis communs, dit Martial négligemment (...)
Jean-Louis CURTIS, le Roseau pensant, p. 41.

(Valeur affaiblie). → **Camarade, compagnon, connaissance**; fam. **copain.** *Ami d'enfance, de collège, de régiment. Une amie de pension, d'école. Ami de débauche, de jeu. Une réunion, un cercle, un comité, un club d'amis.*

Emplois appellatifs. *Mon cher ami, ma chère amie,* termes d'affection ou de politesse. *Mes chers amis,* en s'adressant à de simples camarades. — *Mon pauvre* ami, ma pauvre amie. Pauvre ami !*

(Appellatif purement social, mondain). *Cher ami.* — (Dans une lettre). *Cher Monsieur et ami. Monsieur le Président et cher ami. Chère amie.*

(Rural ou affecté). *M'amie.* — (Par fausse coupe). *Ma petite mie.*

(Fam.). *Mon ami, mes amis,* termes d'affection, d'amitié avec des égaux (vieilli) ou de familiarité avec des personnes que l'on juge inférieures. — *L'ami, eh l'ami !,* interpellation familière (vieillie ou iron.), souvent hautaine (→ Mon brave). *Mon petit ami, mon jeune ami,* formule condescendante ou ironique (sauf quand on s'adresse à un enfant). — REM. Dans ces emplois, le fém. est rare.

24 Eh ! mon ami, tire-moi de danger.
LA FONTAINE, Fables, I, 19.

24.1 «Mais puisque vous voulez vivre au corral, nous prendrons les dispositions nécessaires pour que vous y soyez convenablement installé.
– N'importe comment, j'y serai toujours bien.
– Mon ami, répondit Cyrus Smith, qui insistait à dessein sur cette cordiale appellation, vous nous laisserez juger de ce que nous devons faire à cet égard !
– Merci, monsieur», répondit l'inconnu en se retirant.
J. VERNE, l'Île mystérieuse, t. II, p. 542.

*Mes amis Ah, mes amis !* (interjection, sans contenu précis). *Eh bien, mes petits amis... !* (→ Mes agneaux, mes cocos).

24.2 Quelle aventure, mes amis.
Violette LEDUC, la Folie en tête, p. 521.

Par archaïsme (pour évoquer le Moyen Âge). *Beau doux ami* (d'une femme à un homme ; formule courante en ancien français où le mot a un sens très fort, affectif et érotique).

Employé seul, ou devant un nom propre, en apostrophe (usage quelque peu affecté). *Bonjour, ami ! Ami Untel, asseyez-vous près de moi. «Ami Untel, Ami Untel Bois donc ton verre Et surtout ne le renverse pas»* (chanson à boire).

*L'ami* (suivi d'un nom de personne), présente le nom d'un homme sympathiquement connu des interlocuteurs. *À cinq heures tapant, voilà l'ami Louis qui arrive...* (semble rare au fém.). *«Avec l'ami bidasse»* (chanson).

(Dans une raison sociale : café, restaurant...). *L'Ami Jules. Le Rendez-vous des amis.*

Loc. prov. *Au besoin on connaît l'ami. — Un ami est un autre soi-même.* → **Alter ego.** *Les amis de nos amis sont nos amis. — Ami jusqu'aux autels*. — Ami jusqu'à la bourse,* jusqu'au moment où l'on a besoin de son aide pécuniaire. — *Ami au prêter, ennemi au rendu. — Mieux vaut donner à un ennemi qu'emprunter* (prêter) *à un ami. — Les bons comptes font les bons amis. — Ami de Platon, mais plus encore de la vérité* (lat. Amicus Plato, sed magis amica veritas). — *«Les amis de l'heure présente Ont le naturel du melon : il faut en essayer cinquante Avant d'en trouver un de bon (...)».* → ci-dessus, cit. 3, 5, 6, 16, 17, 18, 19 et 19.1.

Loc. fam. **AMI-AMI.** *Être ami-ami :* manifester ses bonnes intentions, sa bonne foi (dans une tractation, un marché à conclure...), par une attitude apparemment sans arrière-pensée, à la loyale (→ Être copain-copain...). — *Faire ami-ami :* faire la paix avec qqn après une attitude hostile, une dispute ou faire des démonstrations d'affection. *Ils ont l'air de faire ami-ami, mais ils restent chacun sur ses gardes.*

Par ext. Littér. *Être l'ami de soi-même.*

REM. 1. Sans constituer un sens distinct, de nombreux emplois de *ami* mettent en valeur l'opposition entre l'amitié véritable et les relations sociales ou mondaines désignées par ce terme.

Dans le monde, disait M., vous avez trois sortes d'amis : 2
vos amis qui vous aiment ; vos amis qui ne se soucient pas de vous, et vos amis qui vous haïssent.
CHAMFORT, Caractères et Anecdotes, 1794, p. 147.

2. Dans la plupart des emplois, *ami* concerne des relations affectives distinctes de l'amour érotique (et parfois opposées). Le mot peut cependant s'employer pour désigner les relations d'amitié purement sentimentales dans une relation amoureuse. Il y a alors parfois ambiguïté avec le sens 2., sauf lorsqu'on oppose *ami, amie* et *amant, amante,* et *amoureux, euse.*

(...) on dit que la vieillesse, changeant nos organes, nous 2
rend incapables d'aimer ; pour moi, je n'en crois rien. Votre maîtresse, devenue votre amie intime, vous donne d'autres plaisirs, les plaisirs de la vieillesse. C'est une fleur qui après avoir été rose le matin, dans la saison des fleurs, se change en un fruit délicieux le soir, quand les roses ne sont plus de saison.
STENDHAL, De l'amour, 1822, p. 238-239.

Alors il devint amoureux tout à fait, un amoureux que son 2
intimité avec le mari rendait discret, timide, embarrassé. Mme Souris crut qu'il ne pensait plus à elle avec des idées entreprenantes et devint franchement son amie. Cela dura neuf ans. MAUPASSANT, le Vengeur, Pl., t. I, p. 910.

♦ **2** Par euphém. Personne qui a avec une autre personne des relations érotiques, sexuelles. → **Amant, maîtresse.** *Il a une amie. Elle est venue avec son ami. Elle a un ami. C'est sa tendre amie.* — REM. Selon les emplois, le mot peut être du style soutenu («synonyme noble ou mondain de *amant,* maîtresse», selon T. L. F.) ou familier, sinon populaire. Les usages stylistiques sont dans la première situation, alors que les emplois lexicalisés, où le mot peut permuter avec *amant, maîtresse,* sont aujourd'hui familiers ou populaires, en tout cas socialement marqués.

– (...) l'honneur d'un galant homme est d'avoir des maîtresses 2
– (...) si pour haïr le change et vivre sans amie
Un homme tel que lui tombe dans l'infamie,
Je le tiens glorieux d'être infâme à ce prix (...)
CORNEILLE, l'Illusion, V, 2.

Quand l'amie en prenant la place de l'amante, 2
Laisse son bien-aimé regarder dans son cœur (...)
A. DE MUSSET, la Coupe et les Lèvres, II, 3.

**BON AMI, BONNE AMIE.** [a] Vieilli ou régional. Fiancé, fiancée. → **Promis.**

On la nomme ma bonne amie dans le canton ; mais ne 2
croyez pas que ce surnom, en usage ici pour désigner une future épouse, puisse couvrir ou autoriser la moindre médisance.
BALZAC, le Médecin de campagne, Pl., t. VIII, p. 407.

[b] Mod. et fam. Amant, maîtresse.

Cela parut drôle, et l'on pensa définitivement qu'elle devait 2
être sa bonne amie. FLAUBERT, Mme Bovary, II, V.

REM. Rurale ou populaire au XIXe s. («comme disent les cuisinières», écrit Flaubert), l'expression est devenue (au sens b.) familière et plus ou moins ironique dans l'usage bourgeois.

**PETIT AMI, PETITE AMIE :** amant, maîtresse (avec l'idée d'amourette sans grande importance, ou de passade). *Il a plusieurs petites amies.*

Vous ne savez pas donner un baiser mieux que ça ? Pourtant quand vous êtes avec vos petites amies ? Il est vrai qu'avec ses petites amies, c'est lui qui prend les initiatives. Ici, il se laisse faire. Il veut être convenable.
J. ROMAINS, les Hommes de bonne volonté, 6 oct. 1932, p. 296.

**AMI, AMIE DE CŒUR** (vieilli) : personne aimée, fiancé(e).

(En parlant de relations homosexuelles). *Il est parti en vacances avec son ami* (cf. Proust, *la Prisonnière,* Pl., p. 217).

♦ **3** Personne qui est bien disposée, qui a de la sympathie (envers une autre, envers une collectivité). → **Allié, amé** (vx), **partisan.** *Je viens en ami et non en ennemi. Ce sont des amis de la France,* des francophiles. *Nos amis et alliés. Nos amis belges, nos amis d'outre-Quiévrain ; nos amis britanniques ; nos amis du Québec. Nos amis français. Les amis du gouvernement. Les amis de notre parti, de notre société.*

(1789). *L'ami du peuple,* surnom de Marat.

3 Par nos lois, prose et vers, tout nous sera soumis ;
Nul n'aura de l'esprit hors nous et nos amis.
MOLIÈRE, les Femmes savantes, III, 2.

Loc. fam. (D'après *ennemi public*). *L'ami public numéro 1,* se dit d'une personnalité sympathique au public (acteur comique, etc.).

(1790). Fig. Partisan, défenseur très attaché (à une cause). *La société des amis de la Constitution :* les Jacobins.

Spécialt. *Les amis politiques* (de qqn, d'un parti). *Les amis du ministre, du président de l'Assemblée.*

♦ **4** (XVI^e). Personne qui a de l'attachement, du goût, du penchant, pour (qqch.). → **Aimer** ; et aussi **phil-, -phile.** *Ami de la sagesse.* → **Philosophe.** *Ami des livres.* → **Bibliophile.**

♦ **5** (En parlant d'un animal). *Le chien, le cheval... est l'ami de l'homme.*

(Choses abstraites). Au plur. Liés, apparentés. — (Attribut) :

Le mensonge et les vers de tout temps sont amis.
LA FONTAINE, Fables, II, 1.

**II** Adj. ♦ **1 AMI DE... :** qui a de l'affection (pour qqn), du goût, du penchant (pour qqch.). *Il est fort ami de ses aises.* → **Aimer, amateur.**

Par ext. *La bourgeoisie est amie de l'ordre,* aime l'ordre.

Ami de la vertu plutôt que vertueux.
BOILEAU, Épîtres, X.

*Il est très ami de X. Elle a l'air très amie avec lui.*

Littér. *Être ami de soi-même,* en paix avec soi-même.

♦ **2** → **Allié** (→ ci-dessus, I., 3.). *Ce pays est plutôt ami de la France. Peuples, pays amis. Troupes amies.*

Toutes les fois, tyran, qu'on se laisse adopter,
On veut une maison illustre autant qu'amie,
On cherche de la gloire et non de l'infamie (...)
CORNEILLE, Héraclius, V, 3.

♦ **3** Absolt et au plur. Littér. Se dit de choses qui vont bien ensemble, s'allient. *Couleurs amies.* → **Assorti.**

♦ **4** (Sans compl.). D'un ami, digne d'amis. → **Affectueux, amical, bienveillant.** *Une main amie. Un visage, un regard ami.*

On aime avoir quelqu'un à qui on parle de ses projets. Une oreille amie, (un cœur ami), une entente, une audience amie. On ne le fait pas seulement pour se donner du courage. Et de la consolation.
Ch. PÉGUY, Victor-Marie, Comte Hugo, 1910, p. 698.

♦ **5** Par ext. Littér. → **Favorable, propice** (à).

À la fin je triomphe et les destins amis 32
M'ont donné le succès que je m'étais promis.
CORNEILLE, Mélite, IV, 5.

Ce repos si fort ami des yeux. 33
MOLIÈRE, la Gloire du Val-de-Grâce, 78.

♦ **6 FAUX AMI :** mot d'une langue qui présente une ressemblance trompeuse avec un mot d'une autre langue sans avoir le même sens. *Le français* prétendre *et l'anglais* to pretend : *« faire semblant », sont des faux amis.*

CONTR. **Adversaire, antagoniste, ennemi, rival. — Adverse, hostile, malveillant, nuisible.** ◊ DÉR. **Amiète.** — V. **Amiable, amical, amicoter, amitié.** ◆ HOM. **Amict, amie, ammi.**

**AMIABLE** [amjabl] adj. — V. 1040 ; du bas lat. *amicabilis,* de *amicus.* → Ami.

♦ **1** (V. 1040). Vx. Aimable, doux, gracieux. *Paroles amiables.* — (Personnes). *« Un amiable et naturel berger »* (Péguy, *in* T. L. F.).

♦ **2** (1401). Dr. Qui agit ou qui a lieu par les voies de la conciliation, sans procédure judiciaire. *Partage, transaction, vente, liquidation amiable. Constat amiable :* constat d'accident de la circulation, qui peut être établi d'un commun accord par les parties concernées, quand il n'y a pas de dommage corporel. — *Entente amiable. Solution, procédé amiable.*

Dr. (procédure civile). *Amiable compositeur :* arbitre chargé par convention des parties (→ **Compromis**) d'arranger un différend en équité, sans être tenu de décider d'après les règles du droit. → **Arbitre.** — Vx. *Médiateur amiable.*

L'arbitre choisi est un médiateur amiable et non un juge de rigueur. FÉNELON, Télémaque, XXIII. 1

Les arbitres et tiers arbitres décideront d'après les règles du droit, à moins que le compromis ne leur donne pouvoir de prononcer comme amiables compositeurs. 2
Code de procédure civile, art. 1019.

♦ **3** Loc. adv. Cour. **À L'AMIABLE :** par voie de conciliation, sans procès, de gré à gré. → **Arbitrage, compromis.** *Traiter une affaire, un différend à l'amiable. Le baron et la baronne s'étaient séparés* (cit. 8) *à l'amiable. Un arrangement à l'amiable serait préférable. Vente à l'amiable,* de gré à gré (par oppos. à *vente faite par voie de justice* ou *par voie d'enchères*). — *Traiter à l'amiable.*

Dans le procès que je soutiens (malgré moi, car j'ai tout tenté pour en sortir à l'amiable). 3
P. L. COURIER, Mémoires pour procès, Pl., p. 223.

DÉR. **Amiablement.**

**AMIABLEMENT** [amjabləmɑ̃] adv. — Déb. XII^e ; de *amiable,* et *-ment.*

Dr. D'une manière amiable, à l'amiable. *Terminer une affaire, régler un litige amiablement.*

**AMIANTE** [amjɑ̃t] n. m. — 1555 ; du grec *amiantos* « incorruptible », de 2. *a-,* et *miainein* « corrompre ».

Minér. et cour. Variété d'asbeste ; fibres extraites de ce minéral, insensibles à l'action d'un foyer ordinaire, ne fondant qu'au chalumeau, et assez souples pour pouvoir être tissées. → **Asbeste.** *L'amiante est aphlogistique et calorifuge. Amiante utilisé pour le tissage d'étoffes incombustibles, la garniture de freins d'automobiles, la garniture des organes de machines à vapeur, la fabrication d'ardoises artificielles* (→ **Fibrociment**), *de carton, etc. Fils, plaque d'amiante. Les fibres d'amiante sont dangereuses et peuvent provoquer de graves maladies. Maladie* *professionnelle due à l'amiante.* → **Asbestose.** *Débarrasser des locaux de l'amiante utilisé lors de leur construction.* → **Désamianter.**

Puis Roméo, courant au brasier, sortit des flammes un fil d'amiante, dont l'extrémité dépassait sur le rebord du récipient de métal.

Raymond ROUSSEL, Impressions d'Afrique, p. 155.

Tissu incombustible ou isolant composé de fibres d'amiante et éventuellement d'autres fibres textiles.

**DÉR. Amianté. ◊ COMP. Amiante-ciment. Désamianter.**

**AMIANTÉ, ÉE** [amjɑ̃te] adj. — 1925, *in* T.L.F.; de *amiante.*

Techn. Qui contient de l'amiante ; qui est composé en partie d'amiante. *Cellulose amiantée.*

**AMIANTE-CIMENT** [amjɑ̃tsimɑ̃] n. m. — 1955, in *Larousse mensuel*; de *amiante*, et *ciment.*

Constr. Matériau léger et dur, ignifuge et isolant, composé de ciment et de fibres d'amiante, et utilisé dans la fabrication d'éléments de couverture, de plaques pour revêtements, cloisonnements et plafonnages, de canalisations, etc. *Plaques, ardoises, tuyaux en amiante-ciment.* → **Fibrociment** (marque déposée).

**AMIAULER** [amjole] v. tr. — 1869; *amioler*, 1851, en Picardie; probablt de l'anc. franç. *amiaule*, de *amiable.*

Régional (Bretagne, Canada). Tromper par de belles paroles.

**AMIBE** [amib] n. f. — 1822, *in* D.D.L.; lat. zool. *amiba*, 1824, ou *amoeba*, du grec *ameibein* «changer, alterner».

Zool. et cour. Protozoaire des eaux douces et salées, qui se déplace à l'aide de pseudopodes, pourvu d'un noyau et se reproduisant par division indirecte. *Il existe de nombreuses espèces d'amibes, dont certaines vivent en parasites de l'homme.*

Comandon et Fonbrune (...) arrivent à pratiquer l'ablation du noyau chez une amibe, et à lui greffer un noyau sain ; même, ils sectionnent un bacille en trois ou quatre tronçons réguliers.

Jean ROSTAND, Esquisse d'une histoire de la biologie, p. 233.

Cour. *Il a des amibes,* de l'amibiase. *Ne buvez pas d'eau non bouillie : attention aux amibes !*

**DÉR. Amibien, amiboïde, amiboïsme. ◊ COMP.** V. **Amœbi-.**

**AMIBIASE** [amibjaz] n. f. — 1909, *in* D.D.L.; de *amibien.*

Méd. Maladie parasitaire due à des amibes, caractérisée surtout par la dysenterie, et compliquée souvent d'abcès (foie, poumons, reins). *Traitement de l'amibiase.* → **Anti-amibien.**

Il fit une scène effroyable à Berthe-nom-de-dieu, parce qu'elle achetait des glaces à un marchand ambulant, et qu'elle allait encore attraper une amibiase et qui est-ce qui paierait ?

Claude COURCHAY, La vie finira bien par commencer, p. 243.

**DÉR. Amibiasique.**

**AMIBIASIQUE** [amibjazik] adj. et n. — V. 1920, *Nouveau Traité de médecine*; de *amibiase.*

Médecine.

♦ **1** Adj. Qui a rapport à l'amibiase.

♦ **2** N. Personne atteinte d'amibiase. — Syn. : *amibien* (2., b.).

**AMIBIEN, IENNE** [amibjɛ̃, jɛn] adj. et n. — 1853; de *amibe*, et *-ien.*

♦ **1** Zool. [a] Adj. (1878, *in* D.D.L.). Relatif aux amibes. *Mouvements amibiens* ou *amiboïdes.*

[b] N. m. pl. *Les amibiens,* sous-classe des rhizopodes, comprenant les amibes proprement dites *(amibes nues)* et les amibes dites *à coquille.* — Au sing. *Un amibien.*

♦ **2** Pathol. [a] Adj. Causé par les amibes. *Dysenterie amibienne.* → **Amibiase.** — Psychiatrie. *Syndrome neuro-psychique amibien :* ensemble de troubles psychiques curables, dépressifs ou phobiques, dus à une amibiase.

[b] N. Rare, sauf en méd. *(Un amibien, une amibienne).* Personne atteinte d'une affection amibienne. — Syn. : *amibiasique.*

**DÉR. Amibiase. ◊ COMP. Anti-amibien.**

**AMIBOÏDE** [amibɔid] adj. et n. — 1865; de *amibe*, et *-oïde.*

♦ **1** Adj. Biol. Qui ressemble ou est analogue aux amibes. *Mouvements amiboïdes,* semblables à ceux des amibes, qui se déplacent par émission de pseudopodes. — Littéraire :

Cette île est semblable à du corail mou, amiboïde et protoplasmique : ses arbres différaient peu du geste de limaçons qui nous auraient fait les cornes.

A. JARRY, Gestes et Opinions du docteur Faustroll, Pl., p. 681.

♦ **2** N. m. pl. Zool. *Les amiboïdes.* → **Amibien** (1., b.).

**AMIBOÏSME** [amibɔism] n. m. — 1928; de *amibe*, et *-isme.*

Biol. Faculté qu'ont certaines cellules de se déplacer à la manière des amibes.

**AMICAL, ALE, AUX** [amikal, o] adj. et n. f. — 1735, cit. 1; du lat. *amicalis*, de *amicus.* → Ami.

♦ **1** Empreint d'amitié, qui marque de l'amitié. → **Cordial, sympathique.** *Air, ton amical. Conseils amicaux. Paroles amicales. Entretenir des relations amicales avec qqn.* → **Affectueux.** *Accueil amical. Éprouver des sentiments amicaux pour une personne.* → **Amitié.** *Un geste, un mouvement amical et bienveillant, de bienveillance amicale. Il lui donna une petite tape amicale sur l'épaule. — Un visage, un regard très amical.*

(...) dans la conversation, cette demoiselle se tournait souvent de mon côté d'un air amical et familier. 1

MARIVAUX, le Paysan parvenu, II, *in* Romans, Pl., p. 628.

(Dans les formules de politesse). *Amical souvenir. Recevez mes salutations amicales, très amicales.*

Merci, mon cher ami, de ton bon et amical souvenir. 2

LAMARTINE, Correspondance, 1836, p. 227, *in* T.L.F.

Littér. De la nature de l'amitié. *L'amour amical et l'amour passion.*

♦ **2** (Personnes). [a] Qui parle, se comporte avec amitié, avec sympathie. *Il a été familier et amical avec nous, simple et amical. Elle a été plus, moins amicale que d'habitude. Être amical avec, envers, à l'égard de qqn.*

Il a été aussi amical et aussi ouvert avec moi que le permet son caractère froid (...) STENDHAL, Journal, p. 142. 3

(Groupe). *Un cercle, un voisinage amical.*

(Actes, comportements). *Un geste amical. Ce n'est pas très amical de sa part.*

b Qui témoigne souvent ou habituellement de l'amitié envers autrui. *C'est un homme bon et amical.*

♦ **3** Littér. (En parlant d'un animal, d'une chose personnifiée). *Les rayons amicaux du soleil. Un lieu, un logement accueillant et amical.*

4 Dans l'ombre plus épaisse ils se hâtaient en silence. Lui flattait le garrot de la bourrique et même, s'étant penché, il l'embrassa. La bête approuvait de ses longues oreilles amicales (...)

M. BARRÈS, Sous l'œil des Barbares, 1888, p. 83, *in* T. L. F.

♦ **4** Qui réunit des amis. *Une réunion, une petite soirée amicale,* d'amis. *Association amicale,* ou, n. f., *une amicale :* une association de personnes ayant une même profession, une même activité. *Amicale des anciens élèves de l'école de... Il a assisté à la réunion de l'amicale.*

5 La Résistance avait été une mobilisation de l'énergie française; elle devait d'abord le redevenir, sous peine de n'être plus qu'une amicale d'anciens combattants.

MALRAUX, Antimémoires, Folio, p. 120.

6 Les ex-héros, sans auditoire, se réunirent en amicales à initiales pour s'étonner entre eux (...)

Henri CALET, la Belle Lurette, p. 145.

CONTR. **Antipathique, froid, hostile, inamical, malveillant.**
◈ DÉR. **Amicalement, amicalité.**

**AMICALEMENT** [amikalmɑ̃] adv. — 1745; de *amical,* et *-ment.*

D'une manière amicale. → **Amiteusement** (vx). *Traiter qqn amicalement. Causer amicalement avec qqn. Arranger une affaire amicalement.* → **Amiable** (à l'). *Il a été amicalement franc avec nous.*

1 Vous m'y avez rencontré et traité fort amicalement (...)

SAINTE-BEUVE, Correspondance, t. II, p. 125.

(Dans les formules de politesse). *Amicalement vôtre.*

2 Voulez-vous, je vous prie, présenter à Madame Redon mes bien respectueux hommages et transmettre à Arï la poignée de main que vous donne amicalement (...)

Francis JAMMES, Lettre à Odilon Redon, 20 janv. 1907, p. 274.

CONTR. **Froidement, sèchement.**

**AMICALITÉ** [amikalite] n. f. — 1871, Goncourt; de *amical,* et *-ité.*

Rare, littér. Caractère de ce qui est amical.

**AMICOTER** [amikɔte] v. tr. — 1922, Léon Daudet; du lat. *amicus,* et *-oter.*

Fam. Traiter comme un ami.

**AMICROBIEN, IENNE** [amikʀɔbjɛ̃, jɛn] adj. — 1897, *in* D. D. L.; de 2. *a-,* et *microbien.*

Méd., biologie.

♦ **1** Qui ne contient pas de microbes. → **Aseptique;** et aussi **abiotique.**

♦ **2** Qui n'est pas causé par des microbes.

**AMICT** [ami] n. m. — V. 1165, *émit,* sens 2.; *ami,* XIIIe, réfection graphique d'après le latin, du lat. ecclés. *amictus* «manteau, vêtement».

♦ **1** Antiq. rom. Vêtement de dessus.

♦ **2** Liturg. cathol. Linge blanc, de forme rectangulaire, que le prêtre met sur ses épaules, avant de revêtir l'aube et les ornements sacrés, pour dire la messe.

Le vieil archiprêtre, ses cheveux plus blancs que l'amict, tout courbé sous le poids de la vraie croix, dirigeait à travers les nefs et les chapelles la procession.

M. JOUHANDEAU, la Jeunesse de Théophile, p. 152.

HOM. **Ami, amie, ammi.**

**AMIDAÏSME** [amidaism] n. m. → **Amidisme.**

**AMIDE** [amid] n. m. — 1845; du rad. de *ammoniac,* et *-ide.*

Chim. Nom générique de composés organiques dérivant de l'ammoniac ou d'une amine* par substitution de radicaux acides à l'hydrogène. — REM. Le mot a aussi été féminin. — *À chaque acide correspond un amide. Les amides sont obtenus par substitution du radical R-CO-* (radical *acyle*) *à l'hydrogène, dans les molécules d'ammoniac ou d'une amine. Amides primaires* ou *monoacylamides.*

DÉR. et COMP. **Amidé, amidine, amidogène, amidopyrine.**

**AMIDÉ, ÉE** [amide] adj. — Fin XIXe; de *amide.*

Chim. Qui possède la fonction amide.

**AMIDINE** [amidin] n. f. — 1838; de *amide,* et *-ine.*

Chimie.

♦ **1** «Partie hydrolysée de l'empois d'amidon» (Duval, *Dict. de chimie*).

♦ **2** Composé résultant de la substitution à l'oxygène des amides du radical =NH. *Les amidines* (ou *benzimidazols*).

**AMIDISME** [amidism] n. m. — 1928, *amidaïsme;* de *Amida,* nom japonais du bouddha Amitâbha, «lumière infinie».

Didact. (hist. des relig.). Culte du bouddha Amida, qui était vénéré en Chine et au Japon.

REM. Le mot est encore souvent employé sous sa première forme, *amidaïsme* [amidaism].

Reste l'hypothèse d'un événement spirituel.
La terre n'a pas connu la naissance d'une grande religion depuis l'Islam. Comment ne pas tenir néanmoins pour des événements, le franciscanisme et la Réforme en Europe, l'amidisme en Extrême-Orient, qui convertirent les hommes par millions?

MALRAUX, l'Homme précaire et la Littérature, p. 322.

**AMIDOGÈNE** [amidɔʒɛn] n. m. — 1898; du rad. de *amide,* et *-gène.*

Chim. Radical univalent $-NH_2$. *Introduction du radical amidogène dans une molécule organique.* → **Amination.**

**AMIDOL** [amidɔl] n. m. — D. i.; du rad. de *amidon* (dans les noms de ses comp. chimiques), et suff. *-ol.*

Chim. Chlorhydrate de diamidophénol, utilisé en photographie comme réducteur.

**AMIDOLIQUE** [amidɔlik] adj. et n. m. — 1844; formé sur un lat. mod. *amidolum* (?), croisement du lat. class. *amylum* et du lat. médiéval *amidum* (→ Amidon), et suff. *-ique.*

Pharmacol. Vx. Qui est à base d'amidon. — N. m. *Un amidolique.*

**AMIDON** [amidɔ̃] n. m. — XIIIe, *in* Arveiller; du lat. médiéval *amidum;* lat. class. *amylum,* grec *amylon* «qui n'est pas moulu», de *mylê* «meule».

♦ **1** Chim. et cour. Glucide de poids moléculaire élevé (constitué par l'union de nombreuses molécules de glucose), emmagasiné par les organes de réserve des végétaux (blé, maïs, pomme de terre, riz) sous forme de granules qui, broyés avec de l'eau chaude, fournissent un empois. → **Fécule.** *Amidon en grains, en poudre. L'amidon est une poudre blanche insoluble dans l'eau froide; dans de l'eau à 80 °C, il forme une masse gélatineuse.*

*Chauffé à 160 °C, l'amidon donne de la dextrine, soluble dans l'eau ; traité par l'acide chlorhydrique, il donne le glucose. L'amylase transforme l'amidon en maltose. Amidon animal.* → **Glycogène.** *L'amidon est extrait industriellement du blé, du riz, du maïs, par une opération qui le dégage du gluten. L'amidon sert à l'apprêt et à l'empesage du linge, à la fabrication de poudres de toilette* (poudre de riz), *comme émollient en thérapeutique* (bains, cataplasmes, lavements).

♦ **2** Cour. *L'amidon,* chauffé et utilisé comme empois. *Colle d'amidon. Empeser à l'amidon.* → **Amidonner.**

Gervaise pourtant venait de commencer un bonnet appartenant à madame Boche, qu'elle voulait soigner. Elle avait préparé de l'amidon cuit pour le remettre à neuf. Elle promenait doucement, dans le fond de la coiffe, le polonais, un petit fer arrondi des deux bouts.
ZOLA, l'Assommoir, t. I, p. 177.

**DÉR. Amidonner, amidonnerie, amidonnier, amidonnière. — V. Amidol, amidolique, amyl(o)-.**

**AMIDONNAGE** [amidɔnaʒ] n. m. — 1877 ; de *amidonner.*

Action d'amidonner ; son résultat. → **Empesage.** *Amidonnage d'un col de chemise.*

**AMIDONNER** [amidɔne] v. tr. — 1581 ; de *amidon.*

Enduire, imprégner d'amidon. *Amidonner un col, du linge.* → **Empeser.** — Par métaphore :

1 (...) j'amidonne mes doutes intérieurs pour en faire un beau plastron trompeur.
J.-R. BLOCH, Deux hommes se rencontrent, p. 103.

♦ **S'AMIDONNER** v. pron. (Vieilli).

[a] (En parlant du linge). Être amidonné.

[b] Vx. Se mettre de l'amidon sur les cheveux, le visage ; se poudrer.

♦ **AMIDONNÉ, ÉE** p. p. adj. Imprégné d'amidon. *Col amidonné.* → **Dur.** *Chemise amidonnée.*

Fig. Raide, ennuyeux, apprêté.

2 Après ma conférence, je mangeai du homard entre deux messieurs amidonnés et c'est si fatigant de s'ennuyer qu'en rentrant à l'hôtel je montai directement me coucher.
S. DE BEAUVOIR, les Mandarins, p. 302.

**DÉR. Amidonnage.**

**AMIDONNERIE** [amidɔnʀi] n. f. — 1789 ; de *amidon,* et *-erie.*

Techn. Usine de production d'amidon. — Syn. (Vx) : *amidonnière.*

**AMIDONNIER, IÈRE** [amidɔnje, jɛʀ] n. — 1680 ; de *amidon,* et *-ier.*

Technique.

♦ **1** N. m. Variété de blé cultivée dans les régions montagneuses de l'Europe centrale.

♦ **2** N. Ouvrier, ouvrière procédant aux différentes opérations de la fabrication de l'amidon.

Personne (industriel, commerçant) qui produit ou qui vend de l'amidon.

**AMIDONNIÈRE** [amidɔnjɛʀ] n. f. — 1866 ; de *amidon,* et *-ière.*

Techn. et vx. Amidonnerie.

**AMIDOPYRINE** [amidopiʀin] n. f. — 1960 ; de *amide, pyro-,* et suff. *-ine.*

Pharm., méd. Médicament fébrifuge et analgésique.

**AMIDOSTOME** [amidostom] n. m. — Déb. XXe (*in* Larousse, 1928) ; lat. sav. *amidostomum,* du grec *amid-* (thème de *amis* «pot de chambre»), et lat. *-stomum.* (→ *-stome*).

Zool. et agric. (élevage). Animal némathelminthe *(Nématodes),* parasite des oies domestiques ou sauvages.

**AMIE** [ami] n. f. — 1834, Landais ; du grec *amia* «espèce de thon».

Zool. Poisson ganoïde, seul type de la famille des *Amiidés.*

**HOM. Ami, amict, ammi.**

**AMIÈTE, AMIETTE** [amjɛt] n. f. — Fin XIIe ; de *ami,* et *-ette.*

Vx ou hist. Petite amie. — Spécialement :

Des filles, en grand nombre (...) suivaient l'armée ; chacun avait la sienne ; on les nommait les amiètes.
FRANCE, Vie de Jeanne d'Arc, 1908, p. 83, *in* T. L. F.

**AMIGNARDER** [amiɲaʀde], **AMIGNONNER** [amiɲɔne], **AMIGNOTER** ou **AMIGNOTTER** [amiɲɔte] v. tr. — 1545, *amignarder ; amignonner,* 1507 ; *amignoter,* v. 1223 ; de 1. *a-,* et *mignarder* «parer» ; de *mignon* ou de l'anc. franç. *mignot* «mignon», et *-er.* → Mignoter.

Vx ou régional. Traiter (qqn) avec tendresse ; flatter.

Que dire encore de mes félicités ? Qu'elles ne s'amignardent pas. Hervé BAZIN, Au nom du fils, p. 124. 1

REM. On trouve chez Maurice Genevoix la var. *amignouter* [amiɲute].

Les panaches roux *(des écureuils)* ondulent et valsent, on a envie de valser à son tour, ou bien, comme celui-ci qui se cache dans un coin d'ombre, d'entraîner sa galante à l'écart, de l'amignouter gentiment. 2
M. GENEVOIX, Raboliot, p. 95.

**AMIMIE** [amimi] n. f. — XXe ; de 2. *a-,* grec *mimos* «mime», et suff. *-ie.*

Méd. Perte des facultés d'expression ou de compréhension par la mimique et les gestes, ou de l'une et de l'autre à la fois.

**AMIN** [amin] n. m. — 1838 ; mot arabe d'Algérie.

Magistrat de Kabylie, chargé de fonctions municipales, civiles et judiciaires.

**HOM. Amine.**

**AMINATION** [aminasjɔ̃] n. f. — XXe ; de *amine,* et suff. *-ation.*

Chim. Introduction du radical amidogène $-NH_2$ dans la molécule d'un composé organique.

(...) la culture *in vitro* permet de déterminer les besoins en éléments minéraux et organiques des divers tissus et de réaliser ainsi des milieux de culture synthétiques (...) certains des 8 acides aminés essentiels peuvent être remplacés par le céto-acide correspondant. L'amination qui se réalise apparaît comme la seule séquence de biosynthèse que la cellule est capable de réaliser. 1
Jean VERNE et Simone HÉBERT, la Culture de tissus, p. 64.

Si on réalise l'amination de l'acide fumarique par les moyens de la chimie organique, on obtient un mélange des deux isomères optiques de l'acide aspartique. 2
Jacques MONOD, le Hasard et la Nécessité, p. 81.

**AMINCIR** [amɛ̃siʀ] v. tr. — XIIe, *amencir;* repris 1690; de 1. *a-, mince,* et *-ir.*

♦ **1** Rendre plus mince. **a** (Compl. n. de chose). Diminuer, réduire l'épaisseur de... *Amincir une pièce de bois, une planche, une poutre trop épaisse.* → **Allégir, amaigrir, démaigrir, délarder, menuiser** (vx). *Amincir des lingots.* → **Dégrosser.** *Amincir une corne pour faire un peigne.* → **Planeter.** *Amincir qqch. comme un fil.* → **Effiler.**

**b** (Compl. n. de personne; sujet n. de chose). *Son régime l'a aminci.*

♦ **2** Faire paraître plus mince. *Ce vêtement vous amincit.* → **Affiner.**

1 Sa robe noire dont les draperies s'élargissaient en éventail, l'amincissait, la rendait plus grande.
FLAUBERT, Mme Bovary, III, III.

1 Son embonpoint l'attriste, mais elle vient de trouver une couturière qui l'amincit avec des robes très étudiées.
Robert PINGET, Graal flibuste, p. 59.

♦ **3** Intrans. Fam. *Elle a aminci.* → **Mincir.**

◆ **S'AMINCIR** v. pron. Devenir plus mince. *Cette lame s'est amincie en passant au laminoir. Sa taille s'est amincie.* → **Affiner** (s'), **diminuer, maigrir.**

— Par métaphore :

2 *(Il)* n'avait pas résisté à l'action de laminoir que produit la filière administrative, où l'on s'amincit en raison de son étendue.
BALZAC, les Petits Bourgeois, Pl., t. VII, p. 93.

Littér. Devenir plus fin. → **Effilocher** (s').

3 Peu à peu elles *(les brumes)* s'amincissent, semblent fondre. MAUPASSANT, la Vie errante, III.

Par métaphore :

4 Pourtant, il se peut que le mur de séparation se soit quelque peu aminci entre nous. Du reste je me suis senti en bienveillance toute la journée et pour tout le monde.
H.-F. AMIEL, Journal intime, 1866, p. 501, *in* T. L. F.

◆ **AMINCI, IE** p. p. adj. et n. m. Devenu plus mince. *Visage aminci. — Étoffe amincie par l'usure.* → **Élimé, usé.** *Un timbre, un manuscrit aminci perd de sa valeur.*

N. m. Techn. Partie d'un objet rendue plus mince. *L'aminci d'un fusil.*

CONTR. **Élargir, épaissir, grossir.** ◊ DÉR. **Amincissant, amincissement, amincisseur.**

**AMINCISSANT, ANTE** [amɛ̃sisɑ̃, ɑ̃t] adj. — 1845, Richard de Radonvilliers; du p. prés. de *amincir.*

♦ **1** Qui fait mincir. *Crème amincissante pour le corps.* → **Amaigrissant.**

♦ **2** Qui amincit, donne l'air plus mince. *Ce pantalon noir est amincissant.*

**AMINCISSEMENT** [amɛ̃sismɑ̃] n. m. — XVIIIe; de *amincir.*

♦ **1** Action d'amincir, de diminuer d'épaisseur; état de ce qui est aminci. *L'amincissement d'une lame de couteau qui passe sur la meule. L'amincissement de la taille. Amincissement local, généralisé.*

Pour devenir aussi svelte qu'Annette, elle continuait à ne point boire, et l'amincissement réel de sa taille lui rendait en effet sa tournure de jeune fille, tellement que, de dos, on les distinguait à peine (...)
MAUPASSANT, Fort comme la mort, éd. 1889, I, IV, p. 150.

Techn. Diminution plus ou moins légère de l'épaisseur du papier (d'un timbre, d'un manuscrit...) en un ou plusieurs endroits.

♦ **2** Fait de paraître plus mince, d'être plus mince (à certains endroits). — Endroit plus mince. *«Ce qu'il y a dans les plans d'un visage de méplats, de petites protubérances, d'amincissements»* (Goncourt, *in* T. L. F.).

CONTR. **Élargissement, épaississement.**

**AMINCISSEUR, EUSE** [amɛ̃sisœʀ, øz] n. — 1866; de *amincir.*

♦ **1** Rare. Personne qui amincit (qqch.).

♦ **2** N. m. Techn. Appareil utilisé pour rendre (une personne) plus mince.

**AMINE** [amin] n. f. — 1865, *in* Wurtz; du rad. de *ammoniac,* et *-ine.*

Chim. Nom générique des composés obtenus par substitution de radicaux hydrocarbonés univalents à l'hydrogène de l'ammoniac. *Amines de réveil.* → **Amphétamine.** *Utilisation des amines comme catalyseurs, solvants, médicaments. Amines cérébrales,* ou, plus souvent, *(mono)amines biogènes :* substances (noradrénaline, dopamine, sérotonine...) présentes dans le système nerveux, remplissant les fonctions de neuromédiateur, caractérisées chimiquement par leur fonction amine.

En appos. *Fonction amine.*

DÉR. **Amination, aminé.** ◊ COMP. **Amphétamine.** — V. **Amino-.** → HOM. **Amin.**

**AMINÉ, ÉE** [amine] adj. — 1903, in *Rev. gén. des sc.,* n° 9, p. 503; de *amine.*

Chim. *Acide aminé :* corps possédant les deux fonctions amine et acide, constituant essentiel des protéines (on dit aussi *aminoacide,* n. m.).

(...) l'organisme humain (...) a besoin de certains protides déterminés. Certains, appelés acides aminés, doivent exister effectivement et rien ne peut leur être substitué; ce sont les aliments que les médecins appellent plastiques. Ils existent au nombre de dix. 1
Alain BOMBARD, Naufragé volontaire, p. 28.

Les protéines sont de très grosses molécules, de poids moléculaire variant de 10 000 à 1 000 000 ou plus. Ces macromolécules sont constituées par la polymérisation séquentielle de composés de poids moléculaire environ 100, appartenant à la classe des «acides aminés». 2
Jacques MONOD, le Hasard et la Nécessité, p. 69.

Les constituants universels que sont les nucléotides d'une part, les acides aminés de l'autre, sont l'équivalent logique d'un alphabet dans lequel serait écrite la structure, donc les fonctions associatives spécifiques des protéines. 3
Jacques MONOD, le Hasard et la Nécessité, p. 138.

*Groupements aminés :* substances complexes comportant des amines ou des acides aminés, présentes dans les vitamines, les antibiotiques, les protéines, etc.

HOM. **Amminé, amminées.**

**AMINO-** Élément (parfois déformé en *amido-*) qui indique la présence de la fonction amine* dans un composé, et qui a donné naissance à de nombreux mots en chimie organique. — Ex. : *aminoalcool* [aminoalkɔl] (1904, in *Rev. gén. des sc.,* n° 18, p. 851) n. m. : corps possédant les fonctions amine et alcool; *aminophénol* [aminofenɔl] n. m. : composé possédant les fonctions amine et phénol... → aussi **Amino-acide, aminophylline, aminoplaste.**

**AMINO-ACIDE** [aminoasid] n. m. — 1903, in *Rev. gén. des sc.,* n° 8, p. 456; de *amino-,* et *acide.*

Chim. Acide aminé*. — On écrit aussi *aminoacide.*

Les protéines sont des macromolécules constituées par la polymérisation linéaire de corps appelés «amino-acides».
Jacques MONOD, le Hasard et la Nécessité, p. 229.

**AMINOPHYLLINE** [aminofilin] n. f. — XXe; de *amino-*, et *(théo)phylline.*

Pharmacol. Médicament dérivé de la théophylline, prescrit comme vasodilatateur (angine de poitrine) et bronchodilatateur (asthme).

**AMINOPLASTE** [aminoplast] n. m. — 1949; de *amino-*, et *plastique.*

Chim. Nom générique de matières plastiques (résines synthétiques) obtenues par réaction de condensation entre l'urée et le formol.

Les «aminoplastes» ont d'excellentes propriétés électriques (...) et sont très difficilement inflammables.
J.-C. DESJEUX et J. DUFLOS, les Plastiques renforcés, p. 22.

**AMIRAL, ALE, AUX** [amiʀal, o] n. et adj. — 1200; *amiralt,* 1080, *Chanson de Roland;* de l'arabe *'âmīr* «chef», et (p.-ê.) *ăl-'ălī* «très grand».

**I** ♦ **1** Ancienn (anc. franç.). Émir, chef. — Chef de la flotte sarrasine.

♦ **2** (Déb. XIIIe). Hist. Commandant d'une force navale; dignité équivalente à celle de maréchal. *L'amiral de Guyenne, de Provence, de Bretagne, de Normandie. L'amiral, le grand amiral :* le chef suprême des forces navales.

1 Dans ce pays-ci il est bon de tuer de temps en temps un amiral pour encourager les autres.
VOLTAIRE, Candide, XXII.

♦ **3** Mod. Officier du grade le plus élevé dans la marine, grade correspondant à celui de général d'armée. → **Contre-amiral, vice-amiral.** *Monsieur l'amiral.*

Titre donné aux amiraux, contre-amiraux, vice-amiraux. *Oui, amiral.*

Au fém. *Madame l'amirale X :* la femme de l'amiral X.

**II** Adj. *Vaisseau, navire amiral,* le vaisseau ayant à son bord un amiral, le chef d'une formation navale, et, par ext., le principal vaisseau d'une flotte. *La galère, la frégate amirale. L'amiral de la flotte n'est généralement pas le commandant du navire amiral.*

2 L'incendie, attaquant la frégate amirale,
Déroule autour des mâts son ardente spirale.
HUGO, les Orientales, V.

REM. On trouve aussi, avec le trait d'union : *bateau-, bâtiment-, navire-, vaisseau-amiral.*

3 À Cronstadt, l'affaire se déclenche à neuf heures et demie. Ce sont les torpilleurs *T 501* et *T 513* qui ouvrent le feu. Ils torpillent à bout portant l'énorme dreadnought *Tsarévitch,* vaisseau-amiral.
B. CENDRARS, Moravagine, *in* Œ. compl., t. IV, p. 153.

N. m. Vx. *L'amiral :* le navire amiral.

DÉR. **Amiralat, amirauté.** ◊ COMP. **Contre-amiral, vice-amiral.**

**AMIRALAT** [amiʀala] n. m. — 1845, Bescherelle; de *amiral,* et *-at.*

Didact. Dignité d'amiral. → **Amirauté** (3.).

**AMIRAUTÉ** [amiʀote] n. f. — V. 1605; *ameirauté,* 1260-1344; de *amiral.*

♦ **1** Ancienn. Dignité d'amiral de France. — Juridiction exercée par l'amiral.

♦ **2** (1824). Mod. Corps des amiraux, haut commandement de la marine; siège de ce commandement. (Calque de l'angl. *Admirality*). *Premier lord de l'Amirauté :* ministre de la Marine britannique.

♦ **3** Admin. Dignité d'amiral. → **Amiralat.** *Accéder à l'amirauté, à la vice-amirauté.*

**AMISSIBILITÉ** [amisibilite] n. f. — XVIIe; de *amissible,* et *-ité.*

(1845). Théol., dr. Qualité de ce qui est amissible.

**AMISSIBLE** [amisibl] adj. — 1704; du lat. chrét. *amissibilis.*

(1845). Théol., dr. Qui peut être perdu. *La grâce, la justice amissible.*

DÉR. **Amissibilité.**

**AMISSION** [amisjɔ̃] n. f. — 1230; du lat. *amissio* «perte».

♦ **1** Théol. Perte. *L'amission de la grâce.*

♦ **2** Dr. Peine pécuniaire prononcée en justice.

**AMITALOCAL, ALE, AUX** [amitalɔkal, o] adj. — Mil. XXe; du lat. *amita* «tante», et *-local,* d'après *patri-, matrilocal.*

Anthrop. Se dit du type de résidence* des couples, lorsqu'elle est déterminée par la résidence de la sœur du père de l'épouse. → **Avunculocal.** *Résidence amitalocale.*

**AMITAT** [amita] n. m. — 1936; du lat. *amita* «sœur du père», et *-at,* par l'angl. (Lowie et Murdock).

Anthrop. Statut de la sœur du père de l'épouse (dans les sociétés à résidence amitalocale, en particulier).

**AMITEUSEMENT** [amitøzmɑ̃] ou **AMITIEUSEMENT** [amitjøzmɑ̃] adv. — 1849, *amiteusement; amitieusement,* 1875; de *amiteux, amitieux,* et *-ment.*

Vx ou régional (Belgique). Avec amitié, d'une façon amiteuse*.

**AMITEUX, EUSE** [amitø, øz] ou **AMITIEUX, IEUSE** [amitjø, jøz] adj. — 1849, *amiteux; amitieux,* 1853, G. Sand, dial.; de *amitié,* et *-eux.*

Régional et familier.

♦ **1** (Cour. en Belgique). Aimable, gentil. *Ce petit chien est amiteux, amitieux.* → **Affectueux.**

♦ **2** Fertile; qui produit sans que l'on ait à apporter beaucoup de soin aux cultures, en parlant de la terre. *Sol gras et amiteux.*

Le jardinier Sébron, une voix de tonnerre poli; vous hèle d'un bonjour à cent cinquante pas. Ancien dragon, épaules énormes; déteste les fleurs. «Oh, Monsieur, la terre n'est pas amiteuse cette année!»
Ed. et J. DE GONCOURT, Journal, mai 1854, p. 135, *in* T. L. F.

DÉR. **Amiteusement** ou **amitieusement.**

**AMITIÉ** [amitje] n. f. — V. 1590; *amistet,* mil. XIe; lat. *amicitatem,* accusatif de *amicitas;* du lat. class. *amicitia,* de *amicus.* → Ami.

**A** ♦ **1** Sentiment d'affection ou de sympathie d'une personne pour une autre, ou entre deux personnes (→ **Ami**), qui ne se fonde ni sur la parenté, ni sur l'attrait sexuel; relations qui en résultent. → **Affection, attachement, camaraderie, inclination, liaison, sentiment, sympathie, tendresse, union.** *De l'amitié.* → **Amical.** *L'amitié et l'amour.* → **Amour.**

En l'amitié de quoi *(dont)* je parle, elles *(les âmes)* se mêlent 1
et *(se)* confondent l'une en l'autre d'un mélange si universel qu'elles effacent et ne retrouvent plus la couture qui les a jointes. Si on me presse de dire pourquoi je l'aimais (...)
MONTAIGNE, Essais, I, 27 (→ Aimer, cit. 8).

2 Mais enfin l'amitié n'est pas du même rang,
Et n'a point les effets de l'amour ni du sang.
CORNEILLE, Horace, III, 5.

3 L'amour et l'amitié s'excluent l'un l'autre.
LA BRUYÈRE, les Caractères, IV, 7.

4 L'amour naît brusquement, sans autre réflexion, par tempérament ou par faiblesse : un trait de beauté nous fixe, nous détermine. L'amitié au contraire se forme peu à peu, avec le temps, par la pratique, par un long commerce. Combien d'esprit, de bonté de cœur, d'attachement, de services et de complaisance dans les amis, pour faire en plusieurs années bien moins que ne fait quelquefois en un moment un beau visage ou une belle main!
LA BRUYÈRE, les Caractères, IV, 3.

5 Le temps, qui fortifie les amitiés, affaiblit l'amour.
LA BRUYÈRE, les Caractères, IV, 4.

6 Ce que les hommes ont nommé amitié n'est qu'une société, qu'un ménagement réciproque d'intérêts, et qu'un échange de bons offices; ce n'est enfin qu'un commerce où l'amour-propre se propose toujours quelque chose à gagner.
LA ROCHEFOUCAULD, Maximes, 83.

7 Quelque rare que soit le véritable amour, il l'est encore moins que la véritable amitié.
LA ROCHEFOUCAULD, Maximes, 473.

8 L'attachement peut se passer de retour, jamais l'amitié.
ROUSSEAU, Émile, IV.

1 Amitié, mariage de deux êtres qui ne peuvent pas coucher ensemble. J. RENARD, Journal, 5 oct. 1892.

2 Et bien loin de me croire malheureux de cette vie sans amis, sans causerie, comme il est arrivé aux plus grands de le croire, je me rendais compte que les forces d'exaltation qui se dépensent dans l'amitié sont une sorte de porte-à-faux visant une amitié particulière qui ne mène à rien et se détournant d'une vérité vers laquelle elles étaient capables de nous conduire.
PROUST, le Temps retrouvé, Pl., t. III, p. 987.

3 L'amitié n'étant pas un instinct, mais un art, et un art qui réclame un contrôle continu, beaucoup d'incrédules lui cherchent des mobiles analogues à ceux qui les animent. Des intérêts sexuels ou des intérêts d'argent.
COCTEAU, Journal d'un inconnu, p. 192.

*Une amitié, l'amitié...* (dans un contexte précisé). *L'amitié de qqn pour qqn, son amitié pour qqn. L'amitié de qqn* (sans compl. second), celle qu'il (ou elle) porte (au locuteur, à une personne de référence). — *Une amitié, l'amitié* (de qqn) : le sentiment amical d'une personne pour une autre. *Elle ne lui rend pas son amitié. Il a mon amitié. «Cette amitié animale et caressante»* (→ Aimer, cit. 9.1, Maupassant).

9 L'amitié d'un grand homme est un bienfait des dieux.
VOLTAIRE, Œdipe, I, 1.

.1 Y a-t-il rien de plus doux que d'être sûr de l'amitié de quelqu'un? J'étais sûr de la sienne, absolument sûr. Et même cette amitié (...) me touchait plus que n'aurait dû faire une bienveillance ordinaire (...)
MARIVAUX, le Paysan parvenu, II, *in* Romans, Pl., p. 623.

*L'amitié réciproque, partagée de deux personnes. Une amitié :* les sentiments amicaux de chacun des amis pour l'autre; la relation qui en résulte (ex. : *une amitié partagée, durable, l'histoire d'une amitié, une longue amitié*). *Une amitié affectueuse, chaleureuse* (→ **Chaleur**), *cordiale. Une amitié étroite, fraternelle, touchante, véritable. Franche, grande, sincère amitié. Une amitié désintéressée. Une amitié intéressée.* — (En parlant de la relation dans le temps). *Ferme, constante, fidèle, solide, inébranlable amitié. Une vieille amitié. Une amitié qui résiste à toutes les épreuves. Une amitié à la vie, à la mort.*

.2 Si ton ami boite du pied droit, boite du gauche, pour que votre amitié reste dans un équilibre harmonieux.
J. RENARD, Journal, 10 mai 1906.

*L'estime et l'amitié, et les amitiés.*

10 L'estime n'exclut pas nécessairement l'amitié, mais il semble rare qu'elle contribue à la faire naître.
MARTIN DU GARD, les Thibault, VI, 10.

*Amitié entre homme et femme. Amitié amoureuse* (cit. 10.2), *tendre. Amitié pure, respectueuse. Amitié conduite par l'amour* (→ 1. Pouvoir, cit. 23). *Amitié entre époux.*

Ce qui fait que la plupart des femmes sont peu touchées de l'amitié, c'est qu'elle est fade quand on a senti de l'amour. 11
LA ROCHEFOUCAULD, Maximes, 440.

L'amitié peut subsister entre des gens de différents sexes, exempte même de toute grossièreté. Une femme cependant regarde toujours un homme comme un homme; et réciproquement un homme regarde une femme comme une femme. Cette liaison n'est ni passion, ni amitié pure; elle fait une classe à part. 12
LA BRUYÈRE, les Caractères, IV, 2.

Entre homme et femme, l'amitié est un des plus délicats commerces qui se puissent concevoir. 13
Edmond JALOUX, le Jeune Homme au masque, p. 131.

L'amitié entre homme et femme est délicate, c'est encore une manière d'amour. La jalousie s'y déguise. 14
COCTEAU, la Difficulté d'être, De l'amitié, p. 84.

Alors, pendant quelques mois, elle eut ce qu'elle avait toujours souhaité : l'amitié amoureuse, attentive mais respectueuse, d'un homme qu'elle admirait. 15
A. MAUROIS, Terre promise, XXXIII.

(...) un homme n'aime pas l'amitié d'une femme dont il n'aime pas l'amour. 15.1
MONTHERLANT, Pitié pour les femmes, p. 54

*D'amitié. Une preuve d'amitié. Un geste d'amitié.* → **Amical.** *En signe d'amitié. Déclarations, paroles d'amitié* (→ ci-dessous, cit. 25). *Marque* (cit. 15) *d'amitié.* — *Aimer* qqn d'amitié,* sous la forme de l'amitié (→ ci-dessous, cit. 23). *Se lier d'amitié avec qqn. Se prendre d'amitié pour qqn.* — (Dans des syntagmes verbaux). Vx. *Faire amitié avec qqn,* établir une amitié avec lui (→ Faire l'amour). *Prendre amitié pour qqn* (→ ci-dessous, cit. 17). *Avoir, éprouver de l'amitié pour qqn; porter, vouer de l'amitié à qqn. Gagner l'amitié de qqn. Prendre qqn en amitié. L'amitié dont vous m'honorez. Jurer amitié, promettre son amitié. Protester de son amitié. Répondre à l'amitié de qqn. Conserver, cultiver, entretenir, fortifier, cimenter l'amitié, une amitié. Leur amitié se relâche. Perdre, trahir une amitié. Renoncer à une amitié. Rompre une amitié. Nouer* (cit. 7), *renouer une amitié* (→ Ragaillardir, cit. 1, Molière).

*Commerce, rapports, relations d'amitié. Partager le pain et le sel de l'amitié. Déclaration, démonstrations, marques, protestations d'amitié. Les plaisirs et les devoirs de l'amitié.*

Oui, Monsieur, je veux faire amitié avec vous, et lier ensemble un petit commerce de visites et de divertissements. 16
MOLIÈRE, le Mariage forcé, 12.

Apprenez que le capitaine de ce vaisseau (...) prit amitié pour moi; qu'il me fit élever comme son propre fils. 17
MOLIÈRE, l'Avare, V, 5.

N'appréhendez-vous pas que je ne sois d'humeur 18
À dire à mon mari cette galante ardeur,
Et que le prompt avis d'un amour de la sorte
Ne pût bien altérer l'amitié qu'il vous porte.
MOLIÈRE, Tartuffe, III, 3.

Monsieur, l'amitié qui me lie à Monsieur votre frère me fait prendre intérêt à tout ce qui vous touche. 19
MOLIÈRE, les Femmes savantes, V, 4.

Je lui vouai dès lors une amitié sincère. 20
RACINE, la Thébaïde, II, 1.

Les amitiés renouées demandent plus de soins que celles qui n'ont jamais été rompues. 21
LA ROCHEFOUCAULD, Maximes, 560.

Sensible à l'amitié, il la cultivait avec soin, mais il la voulait modérée; il en chérissait les liens, il en aurait redouté la chaîne. 22
MARMONTEL, Mémoires, XI.

Si je ne vous aimais que d'amitié j'avoue que je ne vous aimerais pas tant qu'elle. 23
VOLTAIRE, Lettres, 23.

M... me disait : «J'ai renoncé à l'amitié de deux hommes : l'un, parce qu'il ne m'a jamais parlé de lui; l'autre, parce 24

qu'il ne m'a jamais parlé de moi.»
CHAMFORT, Maximes et Pensées.

25 (...) des déclarations d'amitié, des serrements de main, des embrassades (...)
CHATEAUBRIAND, Mémoires, III, 2.

Prov. *Les petits présents entretiennent l'amitié.*

*Faire qqch. par amitié pour qqn. Je vous dis ceci en toute amitié. — (Une, des amitiés). Amitié particulière :* liaison de caractère passionnel entre personnes du même sexe (cf. le titre du roman de Roger Peyrefitte, *les Amitiés particulières ;* → ci-dessous, cit. 25.2). — *Les amitiés masculines* (d'un homme).

25.1 Une bonne grosse fille réjouie, vigoureuse et indisciplinée comme moi, avec laquelle je m'entends très bien, autant que l'on peut s'entendre au Sacré-Cœur, où l'on n'admet pas — et on a bien raison — ce que l'on appelle «des amitiés particulières».
GYP, Souvenirs d'une petite fille, 1928, t. II, p. 307, *in* T. L. F.

25.2 L'amitié qui nous fut si chère est entre tes mains, après avoir été entre les miennes. (...) Elle fait que déjà nous vivons ensemble, quoique séparés. Sache-le, si tu voulais l'ignorer encore : notre amitié s'appelle l'amour.
Roger PEYREFITTE, les Amitiés particulières, p. 412-413.

25.3 Hier, visite d'un religieux (...) Il me parle aussi des amitiés particulières dans l'ordre. On appelle cela des crises affectives : «Cela passe ou cela dure, peu importe, c'est ainsi, mon fils.» Ainsi leur parle-t-on.
J. GREEN, Journal, Ce qui reste de jour, 4 nov. 1967, p. 45.

Relations affectives (d'un animal) avec les êtres humains.

♦ **2** Relations amicales entre nations. *Traité d'amitié.* → **Accord, entente, intelligence** (bonne). *L'amitié entre nos deux pays. — «La patrie, c'est bien la grande amitié qui contient toutes les autres»* (Michelet).

♦ **3** Vieilli. Marque d'affection, témoignage de bienveillance. → **Bienveillance, bonté, sympathie.** *Le ministre l'a reçu avec amitié.* → **Amicalement.**

Fam. *Faire l'amitié de...,* terme de politesse amicale. *Faites-moi l'amitié de vous occuper de cette affaire,* ayez la bonté, la complaisance, l'obligeance, faites-moi la faveur, rendez-moi le service de... *J'espère que vous me ferez l'amitié de venir.*

26 Nous vous serons obligées de la dernière obligation, si vous nous faites cette amitié.
MOLIÈRE, les Précieuses ridicules, 9.

♦ **4** [a] Sentiment affectueux, amical (à l'égard d'un objet non humain). *L'amitié* (d'une personne) *pour un animal. L'amitié pour un lieu, un paysage... «Le plaisir de Paris, l'amitié pour Paris»* (Brasillach, *Corneille,* in T. L. F.). *Amitié pour une œuvre, un livre...*

[b] Littér. Situation protectrice.

26.1 Assis dans l'amitié de mes genoux.
SAINT-JOHN PERSE, Éloges.

**B** Plur. Paroles obligeantes, témoignage d'affection. *Faire mille amitiés.* → **Amabilité, compliment.** *Vous lui ferez, vous lui direz mes amitiés :* dites-lui de ma part bien des choses affectueuses.

27 Il vient de nous quitter en nous faisant mille sortes d'amitiés.
Mme DE SÉVIGNÉ, 217.

28 Mme du P..., qui vous fait mille amitiés.
Mme DE SÉVIGNÉ, 15.

Dans les formules de politesse :

29 Toutes mes amitiés, et mes hommages aux pieds de Madame.
MALLARMÉ, Lettre à Odilon Redon, 1er janv. 1888, p. 134.

CONTR. **Antipathie, aversion, désunion, discorde, dissentiment, éloignement, haine, hostilité, inimitié.** ◊ DÉR. **Amiteux** ou **amitieux.**

**AMITIEUX ; AMITIEUSEMENT** → **Amiteux, amiteusement.**

**AMITOSE** [amitoz] n. f. — 1889 ; de 2. *a-,* et *mitose.*

Biol. Division du noyau d'une cellule par simple clivage, sans répartition manifeste des chromosomes, et, souvent, sans division de la cellule. → **Mitose.**

DÉR. **Amitotique.**

**AMITOTIQUE** [amitɔtik] adj. — 1897, cit. ; du rad. de *amitose,* et *-ique,* sur le modèle de *abiotique.*

Biol. Qui se rapporte à l'amitose.

Une grande cellule (...) qui (certainement de façon amitotique) est l'origine des spermatogonies.
A. LABBÉ, Compte rendu de Erlanger, *in* l'Année biologique 1897, p. 97 (1899).

REM. On relève la var. (vieillie) *amitosique* [amitɔzik] adj. (1897, in *l'Année biologique,* p. 39).

**AMMAN** [amɑ̃] n. m. — 1119 ; du néerl. *amman, ampman, ambtman, amptman* «personne qui gouverne».

Titre donné à certains magistrats locaux, dans certaines régions de Suisse alémanique. — Syn. : *landamman.* — Hist. Magistrat municipal en Wallonie, au Moyen Âge.

HOM. **Aman, amant.**

**AMMEISTRE** [amɛstʀ] n. m. — 1482, *ammeister ; ammestre,* 1752 ; du moy. haut all. *Ammeister,* contraction de *Ambahtmeister* «maire (de Strasbourg)».

Hist. Titre donné aux échevins de la ville de Strasbourg et de certaines villes allemandes.

**AMMI** [ami] n. m. — 1545 ; grec *ammi.*

Bot. Plante dicotylédone *(Ombellifères),* herbacée, annuelle, appelée aussi *visnage, herbe aux curedents.*

DÉR. **Amminé, amminées.** ◊ HOM. **Ami, amict, amie.**

**AMMINÉ, ÉE** [amine] adj. — 1838 ; de *ammi.*

Didact. Qui ressemble à l'ammi.

HOM. **Aminé, amminées.**

**AMMINÉES** [amine] n. f. pl. — Mil. XIXe ; de *ammi.*

Bot. Tribu de la famille des Ombellifères qui a pour type le genre *ammi.* — Au sing. *Une amminée.*

HOM. **Aminé, amminé.**

**AMMOCÈTE** [amɔsɛt] n. m. — 1838 ; du grec *ammos* «sable», et *koitê* «couche».

Zool. Larve de la lamproie. — Syn. : *lamprillon.*

**AMMODYTE** [amɔdit] n. m. ou f. — 1611 ; grec *ammodutês* «sorte de serpent qui se plonge dans le sable», de *ammos* «sable», et *duein* «entrer dans».

Zoologie.

♦ **1** Vipère de l'Europe orientale et du Proche-Orient. — Appos. ou adj. *Vipère ammodyte.*

♦ **2** Poisson sans nageoires pelviennes ni vessie natatoire vivant dans le sable des mers froides et tempérées, et appelé, selon les variétés, *lançon, équille, cicerelle, anguille de sable.*

REM. Le genre du mot est incertain : Littré et le T. L. F. le considèrent comme masculin.

DÉR. **Ammodytidés.**

**AMMODYTIDÉS** [amɔditide] n. m. pl. — XIXe; de *ammodyte*, et *-idés*.

Zool. Famille de poissons téléostéens, de petites dimensions, au corps effilé, cylindrique comme celui d'une anguille. *Les ammodytidés sont des poissons fouisseurs dits* poissons de sable *parce qu'ils vivent sur les fonds littoraux sableux. Le principal type des ammodytidés est l'*ammodyte. — Au sing. *Un ammodytidé.*

**AMMONACÉ, ÉE, ÉES** [amɔnase] ou **AMMONÉ, ÉE, ÉES** [amɔne] adj. et n. f. pl. — 1838; de *(corne d')Ammon* (→ 1. Ammonite).

Vieux.

♦ **1** Adj. Paléont. Qui ressemble à une ammonite. → **Ammonoïde.**

♦ **2** N. f. pl. *Les ammonacées,* ordre des mollusques céphalopodes dont le type est l'ammonite (→ 1. Ammonite). — Au sing. *Une ammonacée.*

**AMMONAL** [amɔnal] n. m. — 1909; de *ammon(ium),* et *al(uminium).*

Techn. Mélange de nitrate d'ammonium et d'aluminium, utilisé pour la fabrication des explosifs. *Des ammonals.*

1. **AMMONÉEN, ÉENNE** [amɔneɛ̃, eɛn] adj. — 1752; de *Ammon,* nom du dieu de Thèbes, et *-éen.*

Didact. Se dit de l'écriture des livres trouvés par Sanchoniathon dans les temples d'Égypte.

2. **AMMONÉEN, ÉENNE** [amɔneɛ̃, eɛn] adj. — 1838; de *(corne d')Ammon.* → 1. Ammonite.

Géol. Se dit des terrains secondaires qui contiennent un nombre important d'ammonites (→ 1. Ammonite).

**AMMONIAC** [amɔnjak] adj. et n. m. — 1575, *gomme ammoniac; sal armoniac,* XIVe, «chlorure d'ammonium», dit aussi *armonial* (1359); lat. *ammoniacum,* adj. (Pline), grec *ammoniakon,* cette gomme étant recueillie en Libye, non loin du temple de Zeus *Ammon.*

♦ **1** Vx. *Sel ammoniac :* chlorure d'ammonium.
*Gomme ammoniac* ou *ammoniaque :* résine produite par le dorème, plante orientale, d'odeur forte et piquante.

♦ **2** Adj. et n. m. (1787, Guyton de Morveau). Chim. et techn. *Gaz ammoniac,* ou, n. m., *l'ammoniac :* combinaison gazeuse d'azote et d'hydrogène ($NH_3$), gaz à odeur piquante, très soluble, facilement liquéfiable, issu à l'état naturel de la décomposition des matières organiques azotées (eaux ammoniacales des cokeries et usines à gaz), de la fermentation des eaux de vidange et de la décomposition de la cyanamide. *Préparé industriellement par synthèse, l'ammoniac est utilisé en particulier pour la préparation des sels ammoniacaux* (engrais : *chlorhydrate, sulfate, nitrate, phosphate d'ammoniac*), *de l'ammoniaque, de la soude.*

(Anglic.). → **Crude ammoniac.**

DÉR. **Ammoniacal, ammoniaque, ammoniation, ammoniure, ammoniurie.** — V. **Amide, amine, ammonisation.** ◊ COMP. V. **Ammoniaco-, ammonitrate.** ← HOM. **Ammoniaque.**

**AMMONIACAL, ALE, AUX** [amɔnjakal, o] adj. et n. m. pl. — 1748; de *ammoniac.*

♦ **1** Adj. Qui est relatif à l'ammoniac. *Odeur ammoniacale.*

(...) il serait là *(dans l'urinoir),* solitaire et secoué de spasmes, dans la puanteur ammoniacale, l'âcre odeur d'excréments, de cigare refroidi et de désinfectant.

Claude SIMON, le Palace, p. 184.

Qui contient de l'ammoniac. *Sel ammoniacal. Eau ammoniacale. Terre ammoniacale.* → **Terramare.** *Azote ammoniacal.*

♦ **2** N. m. pl. Méd. *Les ammoniacaux,* médicaments excitants formés par l'ammoniac et ses principales combinaisons salines (carbonate, chlorhydrate, sulfate, acétate...).

COMP. **Cupro-ammoniacal.**

**AMMONIACO-, AMMONICO-, AMMONI(O)-** Éléments servant à former des mots composés dans le domaine de la chimie et indiquant la présence d'ammoniac. — Ex. : *ammoniacomagnésien* [amɔnjakomaɲezjɛ̃] adj. (1814, Nysten); *ammonio-mercurique* [amɔnjomɛʀkyʀik] adj. (1892); *ammoniémie* [amɔnjemi] n. f. (1873). → aussi **Ammoniure, ammoniurie.**

**AMMONIAQUE** [amɔnjak] n. f. — XIXe; de *ammoniac.*

♦ **1** Cour. Solution aqueuse d'ammoniac. — Syn. : *alcali volatil. L'ammoniaque est utilisée pour le dégraissage des étoffes, et, en thérapeutique, comme cautérisant.*

♦ **2** Ammoniac.

DÉR. et COMP. **Ammoniaqué.** — V. **Ammonitrate, ammonium.** ◊ HOM. **Ammoniac.**

**AMMONIAQUÉ, ÉE** [amɔnjake] adj. — 1838; de *ammoniaque.*

♦ **1** Dont l'odeur rappelle celle de l'ammoniac.

♦ **2** Cour. Qui contient de l'ammoniaque. *Nettoyant ménager ammoniaqué.*

**AMMONIATION** [amɔnjasjɔ̃] n. f. — 1973, in *la Clé des mots;* de *ammoniac,* et *-ation.*

Chim. Opération consistant à introduire de l'ammoniac (ou une solution azotée) dans un produit.

**AMMONIE** [amɔni] n. f. — 1797; lat. zool. *ammonia,* de *(corne d')Ammon.* → 1. Ammonite.

Paléont. Mollusque fossile *(Céphalopodes)* à coquille enroulée et cloisonnée.

**AMMONIOTÉLIQUE** [amɔnjotelik] adj. — 1935; de *ammonio-,* et grec *telikos* «qui a rapport à la fin».

Zool. Se dit d'un animal dont l'acide urique se dégrade jusqu'à la formation d'ammoniaque. *Les crustacés et certains invertébrés marins sont des animaux ammoniotéliques, sont ammoniotéliques.* → **Uricotélique, urotélique.**

**AMMONISATION** [amɔnizasjɔ̃] n. f. — 1894, in *Année sc. et industr.* 1895, p. 432; du rad. de *ammoniac,* et *-isation.*

Chim. Transformation de la matière organique azotée en composé ammoniacal, sous l'influence de micro-organismes. — On dit aussi *ammonification* [amɔnifikasjɔ̃]. → **Nitrification.**

1. **AMMONITE** [amɔnit] n. f. — 1752; en lat. zool., 1732; du lat. *Ammonis cornu* «corne d'Ammon», de *Ammon, Hammon,* dieu égyptien, «nom de Jupiter chez les Libyens» (Gaffiot), représenté sous la forme d'un bélier.

Paléont. Mollusque céphalopode fossile à coquille enroulée, très abondant dans les terrains secondaires (dits terrains ammonéens). → aussi **Ammonacé; ammonoïde.** — Par ext. Mollusque céphalopode fossile appartenant à la sous-classe des ammonoïdés.

(...) dans la roche deux ammonites aux involutions inégalement compliquées, attestant à leur manière un écart de quelques dizaines de millénaires (...)
Claude LÉVI-STRAUSS, Tristes tropiques, p. 43.

DÉR. **V. Ammonacé, 2. ammonéen, ammonie, ammonoïde.**
◈ HOM. **2. Ammonite.**

2. **AMMONITE** [amɔnit] n. et adj. — 1826; du lat. *Ammonites,* de *Ammon,* nom du fils de Loth.

Hist. anc. *Les Ammonites,* peuple issu d'Ammon et établi sur les plateaux à l'est du Jourdain. — Adj. *Un roi ammonite.*

HOM. **1. Ammonite.**

**AMMONITRATE** [amɔnitʀat] ou **AMMONITRE** [amɔnitʀ] n. m. — Mil. XX^e (1954, *in* T. L. F.); du rad. de *ammoniaque* ou de *ammonium,* et *nitrate.*

Techn., chim. Engrais chimique à base de nitrate d'ammonium et de carbonate de calcium.

**AMMONIUM** [amɔnjɔm] n. m. — 1814; mot angl. (H. Davy), du rad. de *ammoniaque,* et *-ium.*

Chim. Radical univalent $NH_4$ (cation) jouant le rôle de métal alcalin dans les sels ammoniacaux. *L'ammonium provient de l'addition d'un proton à une molécule d'ammoniac.*

COMP. **V. Ammonal, ammonitrate.**

**AMMONIURE** [amɔnjyʀ] n. m. — 1846, *in* Bescherelle; de *ammoniac,* et *-ure.*

Chim. Corps résultant de la combinaison d'oxydes avec l'ammoniac.

**AMMONIURIE** [amɔnjyʀi] n. f. — 1898, *in Nouveau Larousse illustré;* de *ammoniac,* et *-urie.*

Méd. Élimination d'ammoniac par les urines.

**AMMONOÏDE** [amɔnɔid] adj. et n. m. — 1838; de *(corne d')Ammon* (→ 1. Ammonite), et *-oïde.*

♦ **1** Adj. Paléont. Qui ressemble aux ammonites. → **Ammonacé.**

♦ **2** N. m. pl. *Ammonoïdes.* → **Ammonoïdés.**

DÉR. **Ammonoïdés.**

**AMMONOÏDÉS** [amɔnɔide] n. m. pl. — 1886; de *ammonoïde.*

Paléont. Sous-classe de mollusques céphalopodes fossiles comprenant les ammonites et des groupes voisins (plus anciens), tels que les cératites. — Au sing. *Un ammonoïdé.* — On dit aussi *ammonoïdes,* n. m. pl.

**AMMOPHILE** [amɔfil] n. f. et adj. — 1829, n. m.; du lat. zool. *ammophila,* du grec *ammos* «sable», et *-phile.*

♦ **1** N. f. Zool. Insecte hyménoptère, arénicole, chasseur de chenilles, qu'il paralyse pour en nourrir ses larves.

♦ **2** N. f. Bot. Graminée qui pousse dans les terres sablonneuses.

♦ **3** Adj. Se dit d'un animal ou d'un végétal qui vit de préférence dans le sable. → **Arénicole.** *Plantes ammophiles.*

**AMNÉSIE** [amnezi] n. f. — 1771; du grec *amnêsia,* de 2. *a-,* et *mnêsis* «mémoire».

Méd. et cour. Perte totale ou partielle de la mémoire. → **Amnésique, amnestique.** *L'oubli* (cit. 4) *ne doit pas être confondu avec l'amnésie. Amnésie de fixation* (ou *antérograde**), *de conservation* (ou *rétrograde*). *Amnésie hystérique* (à causes affectives). *Amnésies neurologiques* (aphasies, apraxies et agnosies). — *Amnésie des noms propres,* portant sur les noms propres.

C'est à son mystère que Siegfried doit sa popularité. Celui 1
que l'Allemagne regarde comme son sauveur, celui qui prétend la personnifier lui est né soudain voilà six ans dans une gare de triage, sans mémoire, sans papiers et sans bagages (...) Son amnésie a donné à ton Siegfried tous les passés, toutes les noblesses (...)
GIRAUDOUX, Siegfried et le Limousin, I, 2.

Littér. Perte de la mémoire, oubli.

Notre corps oublie comme notre âme; c'est peut-être ce 2
qui explique, chez certains d'entre nous, les renouvellements d'innocence. Je m'efforçais d'oublier; j'oubliais presque. Puis, cette amnésie m'épouvantait. Mes souvenirs, me paraissant toujours incomplets, me suppliciaient davantage. Je me jetais sur eux pour les revivre. Je me désespérais qu'ils pâlissent.
M. YOURCENAR, Alexis, p. 78.

DÉR. **Amnésique.**

**AMNÉSIQUE** [amnezik] adj. et n. — 1843, Lordat, *in* D. D. L.; de *amnésie,* et *-ique.*

♦ **1** Adj. Méd. et cour. Atteint d'amnésie. *Il est devenu amnésique à la suite d'un accident.*

(...) brusquement, le 23 octobre, le sujet tombe dans un 1
sommeil profond, d'où il est impossible de le tirer. Cette crise de narcolepsie, qui dure cinq heures environ, laisse au réveil le sujet amnésique et étonné.
B. CENDRARS, Moravagine, Œ. compl., t. IV, p. 257.

Qui a rapport à l'amnésie. *Symptômes amnésiques. Aphasie* amnésique.*

♦ **2** N. (1874). *Un, une amnésique,* personne frappée d'amnésie.

(...) je pensais de nouveau : «c'est grand-mère, je suis son 2
petit-fils», comme un amnésique retrouve son nom (...)
PROUST, Sodome et Gomorrhe, Pl., t. II, p. 776.

**AMNESTIQUE** [amnɛstik] adj. et n. m. — 1838; du rad. du grec *amnêsteo* «oublier», ou de *amnêstia* «oubli» (→ Amnistie), et *-ique.*

Rare. (Médecine).

♦ **1** Adj. Qui provoque l'amnésie.

♦ **2** N. m. (1838). Ce qui provoque l'amnésie (substance vénéneuse, accident cérébral).

**AMNICOLE** [amnikɔl] adj. — 1846, *in* Bescherelle; du lat. *amnis* «rivière», et *colere* «habiter».

Didact. (sc. nat.). Qui pousse ou vit sur le bord des rivières. *Plantes amnicoles.*

**AMNIOCENTÈSE** [amnjosɛ̃tɛz] n. f. — 1970; de *amnios,* et *-centèse.*

Méd. Prélèvement par ponction du liquide amniotique, permettant différents examens de dépistage des maladies du fœtus (maladies génétiques, en particulier). *Procéder à une amniocentèse en vue de l'établissement d'un caryotype*.*

**AMNIO-CHORION** [amnjokɔʀjɔ̃] n. m. — 1893, E. Perrier, *in* T. L. F.; de *amnios,* et *chorion.*

Anat. Membrane entourant le fœtus, formée par l'amnios et le chorion.

**AMNIOS** [amnjɔs] n. m. — 1541; grec *amnion.*

♦ **1** Anat. Annexe embryonnaire enveloppant l'embryon des vertébrés dits *amniotes* (mammifères, oiseaux, reptiles), et qui contient le liquide amniotique (poche des eaux).

Il *(l'enfant)* était moins à l'étroit, moins gêné, moins comprimé dans l'amnios qu'il n'est dans ses langes.
ROUSSEAU, Émile, I.

♦ **2** Bot. «Portion du sac embryonnaire ou ovule proprement dit des plantes, qui reste autour de l'embryon végétal après que celui-ci s'est formé...» (Littré-Robin, 1865).

DÉR. et COMP. **Amniocentèse, amnio-chorion, amnioscopie, amniote, amniotique, anamnien.**

**AMNIOSCOPIE** [amnjoskɔpi] n. f. — 1962; de *amnios,* et *-scopie.*

Méd. Examen du liquide amniotique par endoscopie.

**AMNIOTE** [amnjɔt] adj. et n. m. — 1886, Encycl. Berthelot, art. *Allantoïde;* de *amnios.*

Zool. Se dit des vertébrés pourvus d'amnios.

CONTR. **Anamnien** ou **anamniote.**

**AMNIOTIQUE** [amnjɔtik] adj. — 1814; de *amnios,* ou lat. sc. *amnioticus,* du grec *amnion.* → Amnios.

Anat., physiol. Qui appartient à l'amnios. *La cavité amniotique est remplie de liquide amniotique* (liquide séreux, exsudé de ses parois, où baigne le fœtus). → **Amnios.** *Prélèvement de liquide amniotique.* → **Amniocentèse.**

**AMNISTIABLE** [amnistjabl] adj. — 1866; de *amnistier,* et *-able.*

Dr. Qu'on peut amnistier. *Crime amnistiable.*

**AMNISTIANT, ANTE** [amnistjɑ̃, ɑ̃t] adj. — 1879; p. prés. de *amnistier.*

Dr. Qui amnistie. *Grâce amnistiante :* grâce accordée par le chef de l'État dans les conditions spéciales prévues par une loi d'amnistie et ayant par là les effets de l'amnistie.

**AMNISTIE** [amnisti] n. f. — 1546, *amnestie;* du grec *amnêstia,* de *amnêstos* «oublié».

Dr. et cour. Acte du pouvoir législatif prescrivant l'oubli officiel d'une ou de plusieurs catégories d'infractions et annulant leurs conséquences pénales. *Loi d'amnistie. L'amnistie ne peut être accordée que par une loi* (à la différence de la grâce*, mesure de clémence accordée par le chef de l'État).

1 Elle *(la France)* est fatiguée, exaspérée d'entendre constamment se reproduire ces débats sur l'amnistie (...)
GAMBETTA, Disc. à la Chambre, 21 juin 1880.

(1548). Littér. Pardon général.

2 Jésus-Christ envoie ses disciples par tout l'univers pour y publier la paix, l'amnistie, l'abolition générale de tous les péchés (...)
BOSSUET, Paix obtenue et annoncée par J.-C., 3.

DÉR. **Amnistier.**

**AMNISTIER** [amnistje] v. tr. — 1795; de *amnistie.*

♦ **1** Faire bénéficier d'une amnistie (des délinquants ou des délits). Supprimer (les effets d'une mesure de justice) par l'amnistie.

Mˡˡᵉ Simone Chamboisseau a déjà eu affaire à la justice : trois mois avec sursis et cent francs d'amende pour violences à agent. 1
— C'est vieux, cette condamnation?
— Ça remonte à quatre ans. C'est amnistié si elle a payé l'amende, mais c'est tout de même symptomatique.
René FLORIOT, La vérité tient à un fil, p. 65-66.

♦ **2** Littér. Pardonner, excuser.

Ô rois, ses attentats amnistiaient les vôtres (...) 2
HUGO, la Légende des siècles, «Vision de Dante».

◆ **S'AMNISTIER** v. pron. (Passif). Rare. Être amnistié. *Ces condamnations s'amnistient du fait de la loi votée il y a deux ans.*

(Réfl.). Fig. Se pardonner. *S'amnistier d'une faute.*

◆ **AMNISTIÉ, ÉE** p. p. adj. (1839, *in* Boiste). Qui a bénéficié de l'amnistie.

N. (1843, Landais). *Un amnistié, une amnistiée,* personne qui a bénéficié de l'amnistie. *Les amnistiés rentrèrent dans le pays.*

DÉR. **Amnistiable, amnistiant.**

**AMOCHAGE** [amɔʃaʒ] n. m. — XXᵉ; de *amocher.*

Fam. Action d'amocher; état de ce qui est amoché.

**AMOCHER** [amɔʃe] v. tr. — 1867; de 1. *a-,* et 1. *moche* «écheveau de fil non tordu, vendu en gros paquet»; le sens premier serait «arranger grossièrement» d'où «défigurer».

♦ **1** Fam. (Compl. n. de personne). Frapper sur (qqn) de manière à blesser, à défigurer. → **Abîmer.** *Le challenger l'a sérieusement amoché. Se faire amocher.*

♦ **2** (Compl. n. de chose). Détériorer, abîmer. *Il a amoché sa belle voiture.*

La salle de bains a été installée par un locataire, autrefois. 1
Ça n'est pas tout ce qu'il y a de moderne. L'émail de la baignoire est amoché par endroits.
J. ROMAINS, les Hommes de bonne volonté, t. XXIV, p. 97.

◆ **S'AMOCHER** v. pron.

♦ **1** Devenir laid, enlaidir. → **Amochir** (s').

♦ **2** (Récipr.). Se blesser, se donner des coups.

♦ **3** (Choses). Se détériorer, s'abîmer.

◆ **AMOCHÉ, ÉE** p. p. adj.

♦ **1** Qui est blessé, qui a reçu des coups. *Il a gagné le match, mais il est plutôt amoché.*

(...) la pluie des punitions parut se détourner de ma tête; 2
les grands qui m'avaient rudoyé reparaissaient le lendemain mystérieusement amochés.
M. TOURNIER, le Roi des Aulnes, p. 37.

Par ext. Atteint par la maladie, l'âge, etc.

— Tu me trouves amoché, n'est-ce pas? — Non, maigri. 3
MARTIN DU GARD, les Thibault, VIII, 3.

N. (1903). *Un amoché, une amochée.*

♦ **2** Fam. Détérioré, abîmé.

Bientôt les hommes regrettèrent la chambre bétonnée, car 4
en plein air, ils étaient la proie des moindres frémissements du fer. Aussi bientôt ils revinrent à leur tanière amochée.
DRIEU LA ROCHELLE, la Comédie de Charleroi, p. 255.

DÉR. **Amochage.**

**AMOCHIR** [amɔʃiʀ] v. tr. — 1921; de 1. *a-,* 2. *moche,* et *-ir.* → Amocher.

Fam. Rendre moche, laid. *Cette coiffure l'amochit.* — Passif. *Je l'ai trouvée bien amochie.*

◆ **S'AMOCHIR** v. pron. Devenir moche. *Il s'amochit, à boire comme ça.*

**AMODIABLE** [amɔdjabl] adj. — 1932, Académie; de *amodier*, et *-able*.

Dr. Qu'on peut amodier. *Terre amodiable.*

**AMODIATAIRE** [amɔdjatɛʀ] n. — 1513; de *amodiateur*, et suff. *-aire*.

Dr. Personne qui cède une terre à ferme (opposé à *amodiateur*).

Spécialt (mines). Personne à laquelle le concessionnaire d'une mine en amodie l'exploitation.

**AMODIATEUR, TRICE** [amɔdjatœʀ, tʀis] n. — 1416; *admoidiator*, 1381; de *amodier*.

Dr. Personne qui prend une terre à ferme, moyennant une prestation (opposé à *amodiataire*). *Il s'est rendu amodiateur de telle terre* (Académie). → **Fermier, locataire.**

Spécialt. Propriétaire qui cède une terre par amodiation.

DÉR. **Amodiataire.**

**AMODIATION** [amɔdjasjɔ̃] n. f. — 1419; du lat. médiéval *admodiatio* «action de donner à ferme», du supin de *admodiare*. → Amodier.

Dr. Location d'une terre moyennant une prestation périodique, en nature ou en argent (versée par l'*amodiataire* à l'*amodiateur*).

Spécialt. Convention par laquelle le concessionnaire d'une mine en remet l'exploitation à un tiers moyennant redevance. — Syn. : *cession d'intérêt.*

**AMODIER** [amɔdje] v. tr. — 1283; du lat. médiéval *admodiare* «affermer moyennant une redevance en nature», de *modius* «boisseau».

Dr. Louer (une terre, une mine) par un contrat d'amodiation. → **Affermer.** *Amodier sa terre pour tant de blé ou tant d'argent.*

Spécialt (mines). Remettre l'exploitation de (une mine) par amodiation.

DÉR. **Amodiable, amodiateur.**

**AMŒBI-, AMŒBO-** Éléments signifiant un rapport avec l'amibe et servant à former des mots composés savants dans le domaine de la zoologie. — Ex. : *amœbocytes* [amebɔsit] n. m. pl. (1904, in *Rev. gén. des sc.*, n° 12, p. 601); *amoeboïde* [amebɔid] adj. (1903, in *Rev. gén. des sc.*, n° 16, p. 847; → Amiboïde).

**AMOINDRIR** [amwɛ̃dʀiʀ] v. tr. — 1340; *amanrir*, XIIe; de 1. *a-*, et *meure, manre*, puis *moindre*.

Diminuer (la force, la valeur, l'importance); diminuer l'importance de (qqch.). → **Réduire.** *L'éloignement amoindrit les objets.* → **Apetisser, rapetisser.** *Amoindrir les forces de qqn.* → **Affaiblir, user.** *L'excuse amoindrit l'offense.* → **Atténuer.** *Amoindrir l'autorité de qqn.* → **Abaisser, affaiblir, mutiler, rabaisser, restreindre.** *Amoindrir un sentiment.*

1 La jouissance du bonheur amoindrira toujours le bonheur. BALZAC, Massimila Doni, Pl., t. IX, p. 334.

2 *(Il n'entre pas)* dans la pensée de l'auteur d'amoindrir la haute valeur de l'enseignement historique.
HUGO, la Légende des siècles, Préface.

Spécialt. Diminuer l'importance de (qqn, qqch.) dans le discours.

3 *(Son caractère)* loin d'avoir été embelli par ses biographes, a été rapetissé par eux (...) Souvent, en croyant l'agrandir, *(ils)* l'ont en réalité amoindri.
RENAN, Vie de Jésus, XXVIII.

Au passif :

(...) les grandes âmes solitaires, dont les impressions ne sont pas amoindries par le contact de la réalité.
R. ROLLAND, Beethoven, p. 25.

Rendre plus faible (une personne). → **Diminuer.** *La maladie l'a amoindri.* — Spécialt. Faire baisser les qualités intellectuelles de (qqn).

◆ **S'AMOINDRIR** v. pron. Devenir moindre. → **Décroître, rapetisser.**

Le Tamaulipas n'était plus qu'une corne noire s'amoindrissant à l'horizon (...)
HUGO, les Travailleurs de la mer, I, V, 8.

*Sa fortune s'est amoindrie. Sa sensibilité s'amoindrissait.*

◆ **AMOINDRI, IE** p. p. adj. *Force amoindrie. Autorité amoindrie.*

Les choses aussi doivent y être encore, un peu plus usées, un peu amoindries encore, beaucoup à la même place que du temps de leur indifférence.
S. BECKETT, Textes pour rien, p. 123.

CONTR. **Accroître, agrandir, amplifier, augmenter, étendre, grandir, grossir.** ◊ DÉR. **Amoindrissant, amoindrissement.**

**AMOINDRISSANT, ANTE** [amwɛ̃dʀisɑ̃, ɑ̃t] adj. — D. i. (attesté XXe); p. prés. de *amoindrir*.

Qui amoindrit, affaiblit ou dévalorise. «*Des détails* (qu'ils) *pourraient croire amoindrissants*» (Proust).

Combien de fois, après la parution d'un livre de Simenon, mes collègues ne m'ont-ils pas, l'air goguenard, regardé entrer dans mon bureau !
Je lisais dans leurs yeux qu'ils pensaient :
«Tiens ! Voilà Dieu le Père !»
C'est pourquoi je tiens tant à ce mot de fonctionnaire, que d'autres jugent amoindrissant.
G. SIMENON, les Mémoires de Maigret, p. 172.

**AMOINDRISSEMENT** [amwɛ̃dʀismɑ̃] n. m. — XVe; *amanrissement*, XIIe; de *amoindrir*.

Action d'amoindrir; résultat de cette action. → **Diminution, réduction.** *L'amoindrissement du territoire. L'amoindrissement des facultés.* → **Affaiblissement, décroissance.**

Pour ne pas avouer l'amoindrissement de territoire et de puissance que nous devons à Bonaparte, la génération actuelle se console en se figurant que ce qu'il nous a retranché en force, il nous l'a rendu en illustration. 1
CHATEAUBRIAND, Mémoires d'outre-tombe, t. IV, p. 63.

L'Ourque passant par tous les degrés de l'amoindrissement s'enfonça dans l'horizon (...) 2
HUGO, l'Homme qui rit, I, I, 3.

CONTR. **Accroissement, agrandissement, amplification, augmentation, exagération, extension, grossissement.**

**AMOK** [amɔk] n. m. — 1832, *amoc*; *amock*, 1806; *courir un muck*, 1808, «être en proie à l'amok» (*in* D. D. L.); mot malais, par l'anglais.

Didact. (anthrop.). Forme de folie homicide observée chez les Malais, qui ne touche que les hommes.

Cette frénésie qu'on appelle amok (...) Cette frénésie n'est pas de la folie, c'est un délire lucide, qui sait utiliser toutes les ressources de la ruse. 1
Henri FAUCONNIER, Malaisie, p. 288.

N. m. Homme qui est en proie à cette frénésie. — Adj. *Fumeur d'opium amok.*

Aussitôt, le cri : «Amok !» et une fuite éperdue. Car on sait que l'amok, dès qu'il a vu le sang couler, n'épargnera personne, ni amis, ni enfants, ni parents. On sait aussi qu'une force surnaturelle l'anime. 2
Henri FAUCONNIER, Malaisie, p. 286.

**AMOLLIE** [amɔli] n. f. — XX^e; de *amollir.*

Mar. État du vent qui mollit; de la mer qui s'apaise.

D'ailleurs la mer l'occupait tout entier depuis quelques minutes. Il la connaissait trop pour ne pas deviner qu'elle préparait un de ses sales coups. Il s'en apercevait à une amollie trop brusque (...)
Roger VERCEL, Remorques, p. 101.

**AMOLLIR** [amɔliʀ] v. tr. — V. 1170, sens 2.; intrans., «se ramollir», fin XIII^e; de *mol* «mou».

♦ **1** Rendre mou, moins ferme. *L'asphalte était amolli par la chaleur.* → **Ramollir.** *La chaleur amollit la cire. Faire passer une étoffe à la vapeur pour l'amollir.* → **Bruir.**

Un petit clystère (...) pour amollir, humecter, et rafraîchir les entrailles de Monsieur.
MOLIÈRE, le Malade imaginaire, I, 1.

Les femmes tapent avec un bâton sur les fruits du palmier doum afin d'amollir la pulpe ligneuse que l'on chique comme du bétel.
GIDE, Voyage au Congo, *in* Souvenirs, Pl., p. 827.

J'étais le plus fort moralement, mais physiquement aussi, car la peur et la honte amollissaient ses muscles.
Jean GENET, Miracle de la rose, p. 374.

Par ext. Donner une sensation d'amollissement, de faiblesse dans (les membres, le corps).

L'émotion amollit ses jambes.
MARTIN DU GARD, les Thibault, I, 1.

♦ **2** Fig. (Vieilli). Diminuer dans son énergie, dans sa résistance. → **Affaiblir, alanguir, efféminer, énerver** (vx). *Amollir le courage, la volonté, les nerfs. La chaleur amollit hommes et bêtes.*

(...) l'étude des sciences est bien plus propre à amollir et efféminer les courages qu'à les affermir et les animer.
ROUSSEAU, Disc. sur les sciences et les arts.

Voulez-vous gouverner aisément les hommes *(dit un tyran),* amollissez-les par la volupté.
F. DE LAMENNAIS, Paroles d'un croyant, XIII.

Absolt. *La paresse amollit.*

◆ **S'AMOLLIR** v. pron.

♦ **1** Devenir mou, plus mou.

Et bientôt, machinalement, accablé par la morne journée et la perspective d'un triste lendemain, je portai à mes lèvres une cuillerée du thé où j'avais laissé s'amollir un morceau de madeleine.
PROUST, Du côté de chez Swann, Pl., t. I, p. 45.

Mais au moment qu'en pensée je vais le pénétrer, ma verge s'amollit, mon corps débande, mon esprit flotte.
Jean GENET, Miracle de la rose, p. 103.

♦ **2** Vx ou régional (Canada). Devenir plus clément, plus faible (en parlant du temps, des éléments). *Le temps s'amollit. Le vent s'amollit.* → **Faiblir, mollir.**

♦ **3** (Personnes). Se laisser aller à l'oisiveté, à la mollesse. → **Acagnarder** (s'), **anonchalir** (s').

5 (...) s'amollir dans les délices et dans l'oisiveté.
FÉNELON, Télémaque, III.

Un grand sommeil m'engourdit depuis mon lever jusqu'au soir (...) lentement je perds l'habitude de l'effort (...) tout s'amollit dans cette facilité de l'existence.
GIDE, Journal, 1^er sep. 1905.

Vieilli ou littér. Perdre de sa fermeté, de son courage. → **Faiblir, fléchir.**

7 — Courage! ils s'amollissent.
CORNEILLE, Horace, II, 6.

3 En est-il entre vous dont le courage s'amollisse?
Louis MADELIN, Hist. du Consulat et de l'Empire, t. II, 5.

◆ **AMOLLI, IE** p. p. adj. Devenu mou. *Terre amollie.* — (Personnes) :

9 *(Dans ce climat)* l'homme n'est pas accablé ou amolli par la chaleur excessive, ni raidi et figé par la rigueur du froid.
TAINE, Philosophie de l'art, II, IV, 1.

(...) ces gens amollis par des mœurs avocassières. 10
M. BARRÈS, Leurs figures, p. 108.

CONTR. **Affermir, durcir, endurcir, fortifier, raffermir, raidir.** ◊ DÉR. **Amollie, amollissant, amollissement.**

**AMOLLISSANT, ANTE** [amɔlisɑ̃, ɑ̃t] adj. — 1425; de *amollir.*

Qui amollit, ôte l'énergie. → **Affaiblissant, énervant.** *Climat amollissant. Plaisirs amollissants. Délices amollissantes.*

Sur cette terre amollissante et tiède *(la Tunisie)...*
MAUPASSANT, la Vie errante, «Vers Kairouan».

CONTR. **Exaltant, fortifiant, tonique, vivifiant.**

**AMOLLISSEMENT** [amɔlismɑ̃] n. m. — 1539; de *amollir.*

♦ **1** Action d'amollir, état de ce qui est amolli. *L'amollissement de la cire, de la pâte, des chairs, des tissus...*

♦ **2** (Surtout au fig.). Littér. → **Affaiblissement, relâchement.** — Vieilli. *L'amollissement du courage, de l'énergie. — Vivre dans l'amollissement. L'amollissement d'un peuple.*

L'amollissement général qui est probablement le produit du progrès des jouissances.
E. DELACROIX, Journal, 2 sept. 1854, p. 27.

CONTR. **Affermissement, durcissement, endurcissement, induration, raffermissement, raidissement, solidification. — Dureté.**

**AMOME** [amɔm] n. m. — 1213; du lat. *amomum,* grec *amômon.*

Rare. Cardamome de Malabar ou de Madagascar, dont les graines aromatiques sont utilisées en parfumerie. *Variété d'amome employée comme poivre :* poivre de Guinée (*ou* graine de paradis). → **Maniguette.**

Par ext. *Amome des jardins* (Solanées), ou *pommier d'amour.*

**AMONCELAGE** [amɔ̃slaʒ] n. m. → **Amonceler** (dér.).

**AMONCELER** [amɔ̃sle] v. tr. [CONJUG.: *appeler.*] — 1125; de *moncel* «monceau».

♦ **1** Réunir en monceau, en tas. → **Entasser.** *Amonceler des gerbes. Amonceler des choses les unes sur les autres.* → **Empiler, superposer.** *Les vents amoncellent les nuages, les sables, la neige...* → **Accumuler, agglomérer, amasser.**

Pronominal :

Ils *(les nuages)* s'amoncelaient au couchant, du côté de Rouen, et roulaient vite leurs volutes noires. 1
FLAUBERT, M^me Bovary, II, VI.

♦ **2** Fig. Réunir en grande quantité. → **Accumuler.** *Il amoncelait de la nourriture chez lui.* — Pron. *Les papiers s'amoncelaient sur son bureau.*

(Abstrait). *Amonceler des richesses, les preuves, les citations.*

Rouler des idées, amonceler des évidences, étager des principes (...) HUGO, Shakespeare. 2

Pron. *Les menaces s'amoncelaient au-dessus de sa tête.*

CONTR. **Disperser, disséminer, dissiper, éparpiller.** ◊ DÉR. **Amoncellement. — Amoncelage,** n. m. (1795, Babeuf, *in* D. D. L.) «amoncellement» (rare).

**AMONCELLEMENT** [amɔ̃sɛlmɑ̃] n. m. — XII^e, repris XIX^e; de *amonceler.*

Entassement, accumulation. *L'amoncellement des sables à l'embouchure des rivières. Amoncellement de papiers, d'épluchures...* → **Agglomération; amas, échafaudage, monceau, montagne, pile, tas.**

1 L'amoncellement étincelant des coquillages faisait sous la lame, à de certains endroits, d'ineffables irradiations (...)
HUGO, les Travailleurs de la mer, p. 102.

1.1 Au delà, confusément, le long du carreau, des amoncellements vagues moutonnaient. Au milieu de la chaussée, de grands profils grisâtres de tombereaux barraient la rue (...)
ZOLA, le Ventre de Paris, t. I, p. 13.

2 (...) les vapeurs, retombées sur l'horizon, s'y tassaient en amoncellements de ouates grises (...)
LOTI, Pêcheur d'Islande, I, 6.

2.1 À l'abri d'un amoncellement de caisses, éclairés par une lanterne-tempête, trois grands nègres autour d'une table jouent aux dés (...)
GIDE, Voyage au Congo, *in* Souvenirs, Pl., p. 699.

2.2 Mais, sur le dessin, tant d'autres vêtements sont accrochés avec celui-là, accumulés les uns par-dessus les autres, qu'il est difficile de distinguer quoi que ce soit dans l'amoncellement.
A. ROBBE-GRILLET, Dans le labyrinthe, p. 219.

Fig. *Un amoncellement de richesses.*

3 (...) le déblayage d'un amoncellement de correspondance.
GIDE, Journal, 21 sept. 1917.

CONTR. **Dispersion, dissémination, dissipation, éparpillement. — Déblaiement, dégagement.**

**AMONT** [amɔ̃] n. m. — XVII^e; *amunt,* adv., «vers le haut», 1080; pour *à mont* «vers la montagne».

♦ **1** Partie d'un cours d'eau comprise entre un point considéré et la source. *En allant vers l'amont. Le pays d'amont. D'amont en aval.*

Ski. Partie plus élevée, sur une pente. — Adj. invar. Qui est situé plus haut (que l'autre ski, qu'une autre partie du ski), par rapport à la pente. *Dans la trace* directe en traversée «les pentes rudes se montent latéralement, en escalier, en faisant sur le côté un pas avec le ski amont, puis en rapprochant de lui le ski aval (...)»* (J. Dauven, *Technique du sport,* p. 117, n° 63, 1948).

Loc. adv. EN AMONT. *Les prés en amont.* — Loc. prép. EN AMONT DE... : au-dessus de (tel point d'un cours d'eau). *En amont du pont, de la ville. Telle ville est en amont de telle autre.*

L'Onham, en amont des rapides, étend une grande nappe paisible (...) Décidément, il est aussi large que la Seine (...) au moins.
GIDE, Voyage au Congo, *in* Souvenirs, Pl., p. 806.

Par ext. *Vent d'amont :* vent venant de l'intérieur des terres, sur certaines côtes.

♦ **2** Fig. Ce qui vient avant le point considéré, dans un processus technique ou économique. *Les produits d'amont.*

♦ **3** Vx ou régional. Adv. et prép. En amont (de). *«Je portais mes regards amont, sur le rivage...»* (Chateaubriand).

CONTR. **Aval.**

**AMONTILLA** [amɔ̃tija] ou **AMONTILLADO** [amɔ̃tijado] n. m. — 1857; mot esp., de *Montilla,* ville où est fait ce vin.

Vin blanc espagnol, chargé en alcool, proche du xérès, et très apprécié au XIX^e siècle. *La Barrique d'amontillado,* conte d'E. Poe (traduit par Baudelaire).

**AMORAL, ALE, AUX** [amɔʀal, o] adj. — 1885, cit. 1; de 2. *a-,* et *moral.*

Qui est moralement neutre, étranger au domaine de la moralité. *Activité amorale. Un être amoral.*

Les lois de la nature (...) sont immorales, ou si l'on veut, a-morales, précisément parce qu'elles sont nécessaires.
GUYAU, Esquisse d'une morale sans obligation ni sanction, éd. 1885, p. 102, *in* LALANDE, Voc. de la philosophie.

(Personnes). Qui est immoral par défaut de sens moral. *Il est complètement amoral et asocial.*

Nom :

L'immoral va contre la morale, avec une conscience plus ou moins claire de ce qu'il fait; l'amoral n'a même pas conscience de l'existence de jugements moraux (...)
L. BRUNSCHVICG, *in* LALANDE, Voc. de la philosophie, art. *Amoral.*

CONTR. **Moral.** ◇ DÉR. **Amoralisme, amoraliste, amoralité.**

**AMORALISME** [amɔʀalism] n. m. — 1905; de *amoral.*

Conception philosophique de la vie étrangère à toute considération de valeur morale. *Le Moralisme de Kant et l'Amoralisme contemporain,* œuvre de A. Fouillée, 1905.

Attitude d'un être amoral. *Il est d'un amoralisme total.*

Rare. (Choses). Caractère amoral.

Amoralisme étonnant de la langue qui vous lie, qu'on méprise et qui vous fait atteindre la jouissance de l'autonomie. Amoralisme de ce qu'il y a d'individuel dans ma phrase, et morale pour les ensembles.
J.-M. G. LE CLÉZIO, l'Extase matérielle, p. 25.

**AMORALISTE** [amɔʀalist] n. — 1912; de *amoral,* sur *moraliste.*

Littér. Auteur, penseur qui adopte une attitude d'indifférence vis-à-vis des valeurs morales. → **Amoralisme.**

(...) ces jeunes taupes femelles, dont parle le notoire amoraliste *(Gourmont),* qui fuient devant le mâle (...)
B. CENDRARS, Bourlinguer, p. 325.

REM. L'homonyme *amoraliste,* du lat. *amor* «amour», au sens de «qui aime Dieu» (1790, Mercier), n'a pas vécu.

**AMORALITÉ** [amɔʀalite] n. f. — 1885, Guyau; de *amoral.*

♦ **1** Didact. Caractère de ce qui est étranger à la morale. *«L'amoralité de la nature»* (Guyau).

♦ **2** Vx. Immoralité. *L'amoralité d'un individu.*

CONTR. **Moralité.**

**AMORÇAGE** [amɔʀsaʒ] n. m. — 1838; de *amorcer.*

♦ **1** Techn. Action ou manière d'amorcer. *L'amorçage d'une cartouche, d'un obus.*

Début (d'une réaction chimique; notamment, d'une réaction violente : détonation, déflagration ou combustion); déclenchement (d'une telle réaction) par un dispositif approprié. *Amorçage de la combustion dans le moteur Diesel. Amorçage d'une polymérisation au moyen d'un réactif spécial* (→ **Amorceur**).

Fait de permettre, par une action initiale, le fonctionnement continu et régulier de... *L'amorçage d'une pompe, d'un siphon. Amorçage d'une tuyère.*

Électr. Génération du régime variable précédant l'établissement en régime permanent. *Procédé d'amorçage.*

♦ **2** Fait de garnir d'un appât. *L'amorçage d'une ligne de pêche, d'un hameçon.*

♦ **3** Fig. Fait d'amorcer (un processus). → **Amorce** (II., 5.). *L'amorçage d'une évolution économique. Amorçage difficile.*

COMP. **Auto-amorçage.**

**AMORCE** [amɔʀs] n. f. — XIIIe, *amorse,* n. f.; 1559, aussi *amorche; de amors,* p. p. de l'anc. franç. *amordre,* de *mordre.*

**I** ♦ **1** Pêche. (Vx). Appât. → **Leurre, mouche.** *Mettre une amorce à l'hameçon.* → **Esche.** — (Mod.). Produit jeté dans l'eau pour amorcer le poisson. *Le blé, le pain, le sang, les vers blancs servent d'amorces. Prendre des poissons, des oiseaux avec des amorces,* (collectif) *avec de l'amorce. Jeter une amorce d'œufs de morue* (→ **Rogue**) *dans l'eau pour attirer les sardines.*

Chasse. Produit disséminé pour attirer le gibier dans le piège.

♦ **2** Fig. (Vx). Ce qui attire, séduit. → **Appât, attrait, leurre.** — REM. Le sens est encore attesté au XIXe s. (Balzac, Baudelaire); au XXe s., il est plutôt métaphorique (du sens 1.).

Il *(l'amour)* entre avec douceur, puis il règne par force;
Et quand l'âme une fois a goûté son amorce (...)
CORNEILLE, Horace, III, 4.

Sans flatter leurs désirs, sans leur jeter d'amorce (...)
CORNEILLE, Rodogune, III, 3.

Sa grâce et sa vertu sont de douces amorces (...)
MOLIÈRE, l'Étourdi, III, 2.

Craignez d'un vain plaisir les trompeuses amorces.
BOILEAU, l'Art poétique, I.

(Mil. XIXe). Vx. Coup d'œil aguichant.

**II** ♦ **1** (1616). Petite masse de matière détonante servant à provoquer l'explosion d'une charge de poudre ou d'explosif; dispositif de mise à feu. → **Détonateur.** *Amorce fulminante d'une capsule. Percuteur* (cit. 1) *d'une amorce. Brûler, enflammer une amorce. Amorce mouillée, qui ne part pas, qui rate.*

S'agit-il d'exercer Émile au bruit d'une arme à feu, je brûle d'abord une amorce dans un pistolet.
ROUSSEAU, Émile, I.

Restait la question d'inflammation de la substance explosive. Ordinairement, la nitroglycérine s'enflamme au moyen d'amorces de fulminate qui, en éclatant, déterminent l'explosion. Il faut, en effet, un choc pour provoquer l'explosion, et, allumée simplement, cette substance brûlerait sans éclater.
J. VERNE, l'Île mystérieuse, t. I, p. 229.

Loc. (Vieilli). *Sans brûler une amorce :* sans tirer un coup de feu.

Puységur eut la gloire de l'occupation de toutes les places espagnoles des Pays-Bas sans brûler une amorce.
SAINT-SIMON, *in* LITTRÉ.

Petite charge détonante, enfermée dans une capsule, et capable de détoner par pression pour faire du bruit. → **Capsule, pétard.** *Amorces pour pistolets d'enfants. Pistolet à amorces.*

♦ **2** Techn. Substance, quantité d'une substance permettant de mettre en route un phénomène.

Spécialt. *Amorce d'une réaction chimique.*

Quantité d'eau qu'on verse dans une pompe, dans un siphon, pour l'amorcer.

♦ **3** (1866). Élément qui sert de début, qui amorce qqch. — Spécialt. Premier tronçon d'une route, d'une voie ferrée (servant d'indication pour les travaux à venir).

7 La jetée s'étend devant lui comme l'amorce d'une route inachevée, qui aurait entrepris de traverser la mer.
Pierre LOUŸS, Aphrodite, IV, 1.

Archit. Pierres d'attente formant saillie en prévision d'une construction ultérieure. → **Harpe.** Commencement d'une construction qui doit être achevée plus tard.

(1945). Ruban coloré qu'on colle à l'extrémité d'un film ou d'une bande magnétique pour protéger le pourtour extérieur du rouleau (on dit aussi *bande-amorce*).

On apprendra (...) pour ces montages élémentaires, à se servir des ciseaux, du scotch et des amorces de différentes couleurs. 7.1
P. SCHAEFFER, la Musique concrète, p. 45.

Inform. Partie d'un programme qui entraîne l'apparition d'instructions suivantes.

♦ **4** (1913, *l'amorce et l'amorce des temps futurs,* Péguy, *in* T. L. F.). Fig. Manière d'entamer, de commencer. → **Commencement, début, ébauche.** *Cette rencontre pourrait être l'amorce d'une négociation véritable. — L'amorce d'un développement, d'une œuvre.*

Il y a un vif plaisir d'intelligence à entrevoir, dans une analogie, l'amorce d'une loi. 8
A. MAUROIS, À la recherche de Marcel Proust, VI, 3.

Spécialt. Début en première page d'un journal d'un article continué à l'intérieur.

♦ **5** Rare. Fait d'amorcer une réaction, un phénomène. → **Amorçage** (3.).

Pour vider une cuve dans une autre par un tuyau de caoutchouc, une simple amorce suffit. 9
COCTEAU, les Enfants terribles, éd. Fayard, 1929, p. 138.

CONTR. **Achèvement, conclusion, réalisation, terminaison.**
◈ DÉR. **Amorcer.**

**AMORCER** [amɔʀse] v. tr. [CONJUG.: *placer.*] — XIVe, *amorser; de amorce.*

**I** ♦ **1** Pêche. Garnir d'un appât. → **Appâter.** *Amorcer l'hameçon, la ligne.*

Attirer (le poisson, le gibier) en répandant des amorces. *Amorcer des poissons avec des vers, des oiseaux avec des graines.* — Absolt. *Amorcer avec du blé.*

Par ext. *Amorcer l'eau :* jeter de l'amorce dans l'eau.

Quand le pêcheur amorce l'eau, le poisson vient. 1
ROUSSEAU, Émile, IV.

♦ **2** Fig. (Vx.) Attirer, séduire. *Amorcer qqn par la flatterie, par l'espoir d'un gain, d'une récompense...* → **Allécher.**

(...) loin de m'arrêter, cet obstacle m'amorce. 2
ROTROU, Antigone, III, 5.

**II** ♦ **1** (Fin XVe). Garnir d'une amorce (une charge explosive, une arme). *Amorcer un pistolet.*

♦ **2** Mettre en route (un processus, un fonctionnement). — (Concret). Techn. *Amorcer une pompe,* la mettre en état de fonctionner, en en remplissant d'eau le corps. *Amorcer un siphon.*

(1680). Commencer à percer (un trou, une ouverture). *Amorcer un trou à la vrille.* — Commencer à percer (une voie), exécuter l'amorce de (une route, etc.).

*(Ils)* firent tracer la route, qui, s'amorçant à La Boissière sur celle de Caen à Lisieux, vint desservir Blancmesnil (...) 3
GIDE, Si le grain ne meurt, III, p. 73.

♦ **3** (Abstrait). Entamer, ébaucher (un mouvement). *Amorcer une manœuvre. Amorcer un geste. «Si j'amorce une vrille (...)»* (Saint-Exupéry).

Ouvrir la voie à, mettre en train. → **Commencer, entamer.**

Devant le mutisme de Jacques, Antoine se découragea : impossible d'amorcer aucune conversation. 4
MARTIN DU GARD, les Thibault, V, 7.

Il ne pouvait qu'essayer, tenter, poser quelques jalons, amorcer des négociations, esquisser des gestes, ébaucher des projets. 5
Louis MADELIN, Hist. du Consulat et de l'Empire, t. III, I.

◆ **S'AMORCER** v. pron. Commencer, débuter. *Une baisse des cours s'amorce. « Un dialogue s'était amorcé »* (*le Monde,* 1er févr. 1964).

6 Je suis loin de prétendre que tous les mariages s'amorçaient et se décidaient ainsi, selon cette formule.
Georges LECOMTE, Ma traversée, p. 111.

CONTR. **Désamorcer. — Écarter, éloigner, repousser. — Achever, clore, conclure, poursuivre, terminer. — Éluder. — Interrompre.** ◊ DÉR. **Amorçage, amorceur, amorçoir.**

**AMORCEUR** [amɔʀsœʀ] n. m. — XXe (*in* Larousse, 1933) ; « personne qui amorce (une arme) », fin XVIe, d'Aubigné ; de *amorcer.*

Technique.

♦ **1** Dispositif servant à amorcer une pompe.

♦ **2** Chir. Instrument chirurgical utilisé au début de certaines interventions.

♦ **3** Chim. Substance susceptible d'amorcer une réaction (réaction de polymérisation, en particulier).

**AMORÇOIR** [amɔʀswaʀ] n. m. — 1584 ; de *amorcer.*

♦ **1** Vx. Dispositif pour amorcer une arme à feu. (1680). Vx. Ébauchoir.

♦ **2** (1922). Pêche. Boîte permettant de déposer l'amorce au fond de l'eau.

**AMORDANCER** [amɔʀdɑ̃se] v. tr. — 1898 ; de 1. *a-,* et *mordant.* → Mordancer.

Techn. Traiter (une étoffe) par un mordant. → **Mordancer.**

**AMOROSO** [amɔʀozo] adv. — 1768, Rousseau ; mot ital., « amoureusement ».

Mus. Indication de nuance : « avec tendresse ».

**AMORPHA** [amɔʀfa] n. f. — D. i. ; lat. sav., fém. de *amorphus,* grec *amorphos.*

Bot. Arbuste originaire d'Amérique du Nord *(Légumineuses)* à fleurs d'un bleu violacé, dont une variété est appelée *faux indigo. On extrait une teinture du rhizome de l'amorpha.*

**AMORPHE** [amɔʀf] adj. — 1784 ; du grec *amorphos,* de 2. *a-,* et *morphos* « forme ». → -morphe.

♦ **1** Minér. Qui n'a pas de forme cristallisée ou dont la structure propre n'est pas décelable par l'observateur sans instruments. *État amorphe* (opposé à *cristallin*). *Les roches volcaniques dites vitreuses sont amorphes. Phosphore amorphe.*

Sc. Dont les éléments, particules, atomes, n'offrent pas une structure régulière décelable.

♦ **2** Fig. et littér. Qui paraît sans structure, sans organisation perceptible. *Un texte amorphe.* → **Mou.**

1 (...) les neuf ans (neuf ans !) qui se sont écoulés depuis la Libération (...) se présentent sous mon regard de façon amorphe, imprécise, fuyante.
Claude MAURIAC, le Temps immobile, p. 76.

(1896). Personnes. (Caractér.). Dont la personnalité est inconsistante.

Nom :

2 Les amorphes sont légion (...) Ils ne sont pas une voix, mais un écho. Ils sont ceci ou cela, au gré des circonstances.
Th. RIBOT, la Psychologie des sentiments, XII, p. 386 (1896).

♦ **3** Cour. Sans personnalité, sans énergie. → **Apathique, inconsistant, mou.** *La masse amorphe. Ce garçon est complètement amorphe.*

Ils sont condamnés. Regardez-les : de père en fils, on les voit se débiliter, devenir de plus en plus amorphes, inexistants, incapables de participer à quelque effort neuf !
MARTIN DU GARD, Jean Barois, Pl., t. I, p. 333.

Que d'épaves, de loques, d'êtres frénétiques ou amorphes (...) Georges LECOMTE, Ma traversée, p. 288.

*Un style amorphe.*

CONTR. **Énergique, vif.** ◊ DÉR. **Amorphie, amorphisme.** ➝ COMP. **Amorphophallus.**

**AMORPHIE** [amɔʀfi] n. f. — 1855, *in* Nysten ; de *amorphe.*

Didact. et rare. Absence de forme, de structure déterminée. → **Amorphisme.**

**AMORPHISME** [amɔʀfism] n. m. — 1897 ; en politique, 1876 ; de *amorphe.*

♦ **1** Didact. État d'un corps amorphe.

♦ **2** Méd. *Amorphisme des dents :* modification de la forme des dents (en tricorne, en cheville, en hache...). *L'amorphisme des dents est le plus souvent d'origine syphilitique.*

♦ **3** Littér. Caractère d'une personne amorphe.

**AMORPHOGNOSIE** [amɔʀfognozi] n. f. — 1928, Révész, *in* Piéron ; de 2. *a-, morpho-,* et *-gnosie.*

(1935, selon Delay). Méd., psychol. Incapacité de reconnaître les formes, par déficience des perceptions spatiales. → **Astéréognosie.**

CONTR. **Morphognosie.**

**AMORPHOPHALLUS** [amɔʀfofa(l)lys] n. m. — 1886 ; *amorphophalle,* 1845 ; de *amorphe,* et *phallus.*

Bot. Plante exotique *(Aroïdes)* à rhizome tubéreux portant deux bourgeons (de l'un sort l'inflorescence, de l'autre une unique feuille pétiolée de grande taille), et dont les fleurs exhalent une odeur repoussante.

Un fromager énorme, au monstrueux empattement, que l'on contourne ; de dessous le tronc, jaillit une source. Près du fromager, un amorphophallus violet pourpré, sur une tige épineuse de plus d'un mètre.
GIDE, Voyage au Congo, *in* Souvenirs, Pl., p. 691.

**AMORTI** [amɔʀti] n. m., **AMORTIE** [amɔʀti] n. f. → **Amortir** (p. p. adj.).

**AMORTIR** [amɔʀtiʀ] v. tr. — V. 1190 ; du lat. pop. **admortire,* de *mortus.* → Mort.

**I** ♦ **1** Vx. Rendre comme mort. → **Paralyser.**

Quelquefois on trouve les vipères si surprises de froid qu'elles demeurent toutes amorties et immobiles, comme si elles étaient gelées. Ambroise PARÉ, *in* LITTRÉ. 1

♦ **2** Vx ou régional. *Amortir le feu,* le rendre moins vif. *Ce feu est trop ardent, il faut y jeter de l'eau pour l'amortir* (Académie). *« Ne laissez pas amortir le feu, les enfants ! »* (L. Hémon, *Maria Chapdelaine*).

Techn. *Amortir de la chaux vive,* l'éteindre, en l'écrasant, pour en faire du mortier.

♦ **3** Intrans. Mar. *La mer amortit,* se rapproche des mortes-eaux (→ ci-dessous, S'amortir).

**II** Mod. ♦ **1** Rendre moins violent, atténuer l'effet de... → **Affaiblir, diminuer, réduire.** *Tampons destinés à amortir un choc, les coups. Il est tombé sur un massif qui a amorti sa chute. — Amortir un bruit.* → **Assourdir, étouffer.** *Un tapis épais amortissait le bruit des pas. Les brise-lames, les digues amortissent la violence des vagues.*

La terre roussâtre comme de la poudre de tabac, amortissait le bruit des pas. FLAUBERT, Mme Bovary, II, IX. 2

*Amortir la lumière, une couleur. Un store amortissait le jour.* — Techn. Atténuer. *Amortir les bruits de fonctionnement, les effets, les secousses, les efforts transversaux* (d'un mécanisme). — Spécialt. Diminuer progressivement l'amplitude de... *L'air amortit l'oscillation d'une corde.*

Pron. «*Le bruit des roues ferrées qui s'amortissait sur la terre*» (Flaubert). *Les vibrations, les oscillations s'amortissent. — La mer s'amortit* (→ ci-dessus, I., 3.).

Techn. Rendre moins dur, en soumettant à une macération. *Amortir une viande, le cuir.* → **Attendrir.**

♦ **2** Fig. Rendre moins vif. → **Calmer, émousser.** *Amortir l'ardeur de la jeunesse. Amortir les passions.* → **Attiédir.** *Amortir la sensibilité. Le temps amortit toute peine.* «*L'abattement* (cit. 1) *amortit la douleur*».

3 On peut, par politique, en prendre le parti *(de la pruderie)* Quand de nos jeunes ans l'éclat est amorti.
MOLIÈRE, le Misanthrope, III, 4.

4 Mille choses que le temps devrait avoir amorties.
M^me^ DE SÉVIGNÉ, *in* LITTRÉ.

5 *(Cet état très calme)* amortissant toutes les passions qui portent au loin nos craintes et nos espérances (...) me laissait jouir sans inquiétude et sans trouble du peu de jours qui m'étaient laissés.
ROUSSEAU, les Confessions, t. II, VI.

6 (...) la sensibilité, n'étant plus amortie par l'habitude, reçoit des moindres chocs des impressions si vives qu'elles (...)
PROUST, À la recherche du temps perdu, t. X, p. 218.

Pron. *Son enthousiasme s'est vite amorti.*

7 (...) je savais que dans la fréquentation constante mon amour s'amortissait et que la séparation l'exaltait (...)
PROUST, la Fugitive, p. 249, *in* T. L. F.

Vx. (Compl. n. de personne). Diminuer l'originalité, l'éclat de (cf. Musset, *in* T. L. F.).

♦ **3** (XV^e^). Éteindre (une dette) par amortissement financier. *Amortir une dette, un emprunt.*

8 Malgré l'épargne où vivait Bovary, il était loin de pouvoir amortir ses anciennes dettes.
FLAUBERT, M^me^ Bovary, III, 11.

Reconstituer par voie d'amortissement (le capital d'un bien investi). *Amortir un matériel, un outillage.* — (Surtout passif et p. p.). *Immeuble complètement amorti.*

9 (...) il faut aussi prévoir la détérioration de l'outillage, afin de l'entretenir et de le renouveler en l'amortissant.
André SIEGFRIED, l'Âme des peuples, p. 212.

*Amortir une action,* en rembourser le capital nominal à l'actionnaire et remplacer cette action par une action de jouissance. — (Mil. XIX^e^). Maintenir en état (un capital quelconque) par des mesures d'amortissement (industriel).

Pron. *Les rentes perpétuelles de l'État s'amortissent par le rachat des titres.*

◆ **AMORTI, IE** p. p. adj. et n. m. et f. **A** P. p. adj. ♦ **1** Qui a perdu sa vivacité, son enthousiasme.

1 Il se lia peu avec les hommes. Ils étaient passablement amortis. Leur ambition se bornait à l'échelon suivant.
Claude COURCHAY, La vie finira bien par commencer, p. 3.

♦ **2** Atténué, affaibli. *Un choc amorti. Des bruits amortis. Couleurs amorties,* dont on a affaibli l'intensité. — *Ondes* amorties.*

10 Les premiers bruits de la rue (...) me parvenaient amortis et déviés par l'humidité ou vibrants comme des flèches dans l'aire résonnante et vide d'un matin spacieux, glacial et pur (...)
PROUST, À la recherche du temps perdu, t. XI, p. 9.

Le fond de la salle était à peine visible, perdu dans une buée bleuâtre faite de la fumée des cigarettes, de l'humidité de la saison, de toutes les haleines qui se mêlaient dans la lueur amortie des lampes. 11
G. DUHAMEL, le Voyage de P. Périot, II, p. 37.

Une heure, deux heures passaient (...) Mais tout à coup, du même pas amorti, poussant doucement la barrière (...) Jérôme revenait. 12
GIRAUDOUX, les Aventures de Jérôme Bardini, p. 117.

Quant au bruit des pas éventuels, amorti par la neige fraîche, il ne pourrait pas traverser, à une telle altitude, un tel éloignement, les persiennes de fer, les vitres, les épais rideaux de velours. 13
A. ROBBE-GRILLET, Dans le labyrinthe, p. 78-79.

(Au sens II., 3.). → ci-dessus. — *Titre amorti,* dont le remboursement est venu à échéance.

♦ **3** *Balle amortie,* lancée en amortissant le coup (→ ci-dessous, Amorti, n. m.; amortie, n. f.).

**B** N. ♦ **1** N. m. Sports. **AMORTI.** — (Football). Manière de frapper le ballon, la balle en amortissant le coup; coup ainsi exécuté. *Faire un amorti de la poitrine.* — (Ski). «Action de freiner dans un virage l'écrasement produit par la force centrifuge» (Petiot).

♦ **2** N. m. ou f. Fam. et vieilli (à la mode v. 1950-70). Homme ou femme d'âge mûr. *Les amortis et les croulants.*

♦ **3** N. f. (1933). *Une amortie :* une balle amortie (au tennis).

CONTR. **Amplifier, attiser, augmenter, aviver, déchaîner, échauffer, embraser, enflammer, envenimer, exagérer, exalter, exciter, irriter, provoquer, réchauffer, stimuler, surexciter.** ◇ DÉR. **Amortissable, amortissant, amortissement, amortisseur.**

**AMORTISSABLE** [amɔʀtisabl] adj. — 1611; *admortissable,* 1465; de *amortir.*

Qui peut être amorti. → **Amortir** (II., 3.). *Dette, emprunt amortissable. Un matériel amortissable en dix ans. Cette rente n'est pas amortissable.*

**AMORTISSANT, ANTE** [amɔʀtisɑ̃, ɑ̃t] adj. — 1834, *in* T. L. F.; de *amortir.*

Rare. Qui amortit (II.), adoucit, calme.

**AMORTISSEMENT** [amɔʀtismɑ̃] n. m. — 1263, sens 1.; de *amortir.*

♦ **1** Anciennt. *Droit d'amortissement* ou *amortissement :* droit payé au suzerain par l'Église et, d'une façon générale, par les gens de mainmorte, qui acquéraient un bien devenant bien de mainmorte. *L'Église étant personne perpétuelle qui aliène peu ou jamais, l'amortissement indemnisait le seigneur de la perte des droits normaux de mutation.*

♦ **2** (XV^e^). Vx. Affaiblissement graduel. *L'amortissement des passions.* → **Attiédissement.** *L'amortissement des haines.* → **Apaisement.**

Techn. *Amortissement du cuir, de la viande.*

(XX^e^). Action, manière d'amortir, de réduire l'effet. *Amortissement d'un choc.* — Phys. Diminution progressive d'amplitude (dans un mouvement oscillatoire). *L'amortissement des oscillations, des vibrations. Un oscillateur à faible amortissement.*

♦ **3** (V. 1400). Archit. Couronnement d'un édifice, d'un ouvrage, qui va en se réduisant progressivement. *Le pinacle sert d'amortissement à un contrefort.*

♦ **4** (1604). Fin. *Amortissement financier :* extinction graduelle d'une dette. *L'amortissement de la dette publique. Amortissement d'un emprunt. Caisse d'amortissement,* destinée à l'amortissement de la dette publique. — *Amortissement des actions d'une société,* fait de les amortir.

(Mil. XIXe). Fin. Imputation en comptabilité des sommes nécessaires au maintien en état du capital (capital-espèces, capital-outil, capital-mobilier, etc.) dont on constate qu'il est déprécié, usé, périmé. — Cour. *L'amortissement d'une voiture, d'un réfrigérateur.*

**AMORTISSEUR, EUSE** [amɔʀtisœʀ, øz] n. m. et adj. — 1894, Cosmos, *in* D. D. L.; attestation isolée, 1269, «personne qui amortit un bien»; de *amortir.*

♦ **1** N. m. Dispositif destiné à amortir la violence d'un choc, la trépidation d'une machine, l'intensité d'un son. *Amortisseurs d'avion,* atténuant les chocs à l'atterrissage. *Amortisseur de parachute. Amortisseur de roulis d'un navire.* → **Antiroulis** (dispositif). *Amortisseur de tangage, de lacet d'un aéronef. Amortisseur à fluide. Amortisseurs de suspension d'une automobile.*

(1906). Cour. Absolt. *Changer les amortisseurs de sa voiture. «L'amortisseur que vient d'inventer le commandant Krebs, directeur technique des établissements Panhard et Levassor»* (in *Année sc. et industr.,* 1907 [1906], p. 258).

♦ **2** Adj. Qui amortit. *Système amortisseur. «Couches de sables amortisseurs»* (H. Le Masson, *in* T. L. F.). — *Organe, ressort amortisseur de choc.*

**AMOUILLER** [amuje] v. intr. — 1835, J. Beugnot, *in* D. D. L.; p.-ê. de *mouiller.*

Techn. (élevage). Être prête à vêler (en parlant d'une vache). — P. prés. adj. *Vache amouillante.*

**AMOUR** [amuʀ] n. m. — 842, *amur; amour,* XIIe, sous l'infl. du provençal; du lat. *amor.*

Disposition favorable de l'affectivité et de la volonté à l'égard de ce qui est senti ou reconnu comme bon, comme objet de désir ou comme susceptible de satisfaire un besoin affectif (besoin diversifié selon l'objet qui l'inspire). → **Affect, affection, attachement, inclination, passion, pulsion, tendance.**

**I** ♦ **1** Disposition à vouloir le bien d'une entité humanisée (Dieu, le prochain, l'humanité, la patrie) et à se dévouer à elle. *L'amour de l'homme pour Dieu* (répondant, dans la mystique chrétienne, à *l'amour de Dieu* pour les hommes). → **Adoration, charité, dévotion, piété.** *Amour céleste, mystique, spirituel. Doctrine du pur amour.* — REM. Le syntagme *amour de Dieu,* hors contexte, est ambigu («amour pour Dieu» ou «amour que Dieu porte aux hommes»). Il en va de même pour *amour divin.* — Loc. *Dieu est amour, tout amour* (→ ci-dessous, cit. 2).

1 L'amour pour Dieu seul, considéré en lui-même et sans aucun mélange de motif intéressé, ni de crainte, ni d'espérance, est le pur amour ou la parfaite charité.
FÉNELON, Maximes des saints.

2 Dieu est amour (...) la loi de Dieu est une loi d'amour.
F. DE LAMENNAIS, Paroles d'un croyant, 34-36.

2.1 Les goûts frivoles m'ont quitté. Plus besoin de dévouement ni d'amour divin. Je ne regrette pas le siècle des cœurs sensibles. RIMBAUD, Une saison en enfer, p. 33.

3 Cette délectation de l'amour divin (...)
F. MAURIAC, la Pharisienne, 13.

3.1 L'amour de son Dieu, chez le sacristain, se fait amour de l'allumage des cierges.
SAINT-EXUPÉRY, Pilote de guerre, p. 46.

Loc. (1172). *Pour l'amour de Dieu :* par amour pour Dieu, sans motif intéressé. *Laissez-moi, pour l'amour de Dieu!,* je vous en supplie. → **Grâce** (de grâce).

Par anal. *Pour l'amour de l'humanité.*

Je te veux donner un louis d'or, et je te le donne pour l'amour de l'humanité. MOLIÈRE, Dom Juan, III, 2. 4

(1755, J.-J. Rousseau, *in* D. D. L.). *Amour de la patrie.* → **Patriotisme.** *L'amour de son pays.* — Vx. *Amour patriotique.*

Amour sacré de la patrie, 5
Conduis, soutiens nos bras vengeurs (...)
ROUGET DE LISLE, la Marseillaise.

*L'amour du prochain, d'autrui.* → **Altruisme, dévouement, fraternité, philanthropie** (→ Aimer, cit. 2, 3 et 4). *L'amour de l'humanité* (→ ci-dessus, cit. 4).

Absolt. Attitude positive, altruiste dans les relations entre humains. *Une société dure, sans amour.*

Vx. *L'amour du prince, du souverain pour ses sujets. L'amour des sujets pour le prince.*

La miséricorde, qui est la même chose que la clémence, fait l'amour des sujets qui est le plus puissant corps de garde à la personne du Prince. 5.1
HUGO, Notre-Dame de Paris, 1832, p. 505.

♦ **2** Affection (souvent considérée comme naturelle) entre les membres d'une famille. *L'amour maternel* (cit. 1 et 3), *paternel, filial, fraternel, sororal,* de la mère, du père (envers les enfants), d'un enfant ou des enfants (envers les parents), d'un frère ou des frères (envers les frères ou sœurs), d'une sœur ou des sœurs (envers les sœurs ou frères). *L'amour de la mère, du père (pour leurs enfants).* — (En parlant d'un sentiment particulier). *L'amour de sa mère, de son père est chez lui plus fort que tout,* son amour pour sa mère, pour son père. *«Oh! l'amour d'une mère! (...)»* (cit. 8, Hugo).

Entre la mère et l'enfant l'union est d'abord intime; la séparation, après cette vie rigoureusement commune, n'est jamais que d'apparence; l'amour maternel est le plus éminent des sentiments égoïstes, ou, pour dire autrement, le plus énergique des sentiments altruistes, comme Comte l'a montré (...) ALAIN, Propos, 29 août 1921, Famille. 5.2

Par anal. (Souvent vieilli ou littér.). Affection, bienveillance affectueuse. *S'occuper d'un enfant avec amour. Faire qqch. par amour,* par générosité, sans intérêt.

Loc. fam. *La cote d'amour,* bienveillance due à une faveur arbitraire.

REM. Dans ces emplois (1. et 2.), le mot correspond à l'un des aspects de l'amour, au sens général, distingués par la tradition chrétienne (→ ci-dessous, cit. 6 et 16).

(...) on distingue communément deux sortes d'amour, l'une desquelles est nommée amour de bienveillance, c'est-à-dire qui incite à vouloir du bien à ce qu'on aime; l'autre (...) 6
DESCARTES, les Passions de l'âme, I, 81.

♦ **3** (1172). Inclination pour un objet individualisé, le plus souvent à caractère passionnel, fondée sur l'instinct sexuel mais entraînant des comportements variés.

REM. 1. Dans cet emploi, *amour* est souvent employé absolt, sans qualification; d'autre part, lorsque le mot *amour* est employé de cette manière, il est généralt compris dans ce sens.

L'amour est un tyran qui n'épargne personne. 7
CORNEILLE, le Cid, I, 2.

L'amour n'est qu'un plaisir, l'honneur est un devoir. 8
CORNEILLE, le Cid, III, 6.

Mais, si vous connaissez l'amour et ses ardeurs (...) 9
Souvent je ne sais quoi, qu'on ne peut exprimer,
Nous surprend, nous emporte, et nous force d'aimer.
CORNEILLE, Médée, II, 5 (→ aussi Rodogune, I, 3).

Qui voudra connaître à plein la vanité de l'homme n'a qu'à considérer les causes et les effets de l'amour. La cause en est un je ne sais quoi (Corneille) et les effets en sont effroyables. Ce je ne sais quoi, si peu de chose qu'on ne peut le reconnaître, remue toute la terre, les princes, les armées, le monde entier. 10

Le nez de Cléopâtre : s'il eût été plus court, toute la face de la terre aurait changé. PASCAL, Pensées, II, 162.

1 Il est difficile de définir l'amour : ce qu'on en peut dire est que, dans l'âme, c'est une passion de régner; dans les esprits, c'est une sympathie; et dans le corps, ce n'est qu'une envie cachée et délicate de posséder ce que l'on aime après beaucoup de mystère.
LA ROCHEFOUCAULD, Maximes, 68.

2 Il y a tant de sortes d'amour que l'on ne sait à qui s'adresser pour le définir. On nomme hardiment amour un caprice de quelques jours, une liaison sans attachement, un sentiment sans estime, des simagrées de sigisbée, une froide habitude, une fantaisie romanesque, un goût suivi d'un prompt dégoût : on donne ce nom à mille chimères.
VOLTAIRE, Questions sur l'Encyclopédie.

3 L'amour, tel qu'il existe dans la société, n'est que l'échange de deux fantaisies et le contact de deux épidermes (...)
CHAMFORT, Maximes.

4 L'amour (...) n'est que le roman du cœur : c'est le plaisir qui en est l'histoire.
BEAUMARCHAIS, le Mariage de Figaro, V, 7.

1 – Arthur, l'amour c'est l'infini mis à la portée des caniches et j'ai ma dignité moi! que je lui réponds.
CÉLINE, Voyage au bout de la nuit, Pl., p. 12.

2 La langue (le vocabulaire) a posé depuis longtemps l'équivalence de l'amour et de la guerre : dans les deux cas, il s'agit de *conquérir*, de *ravir*, de *capturer*, etc. Chaque fois qu'un sujet «tombe» amoureux, il reconduit un peu du temps archaïque où les hommes devaient enlever les femmes (pour assurer l'exogamie) : tout amoureux qui reçoit le coup de foudre a quelque chose d'une Sabine (ou de n'importe laquelle des Enlevées célèbres).
R. BARTHES, Fragments d'un discours amoureux, p. 223.

(Dans des syntagmes, formant un terme spécifiant la nature d'un type d'amour). *L'amour-passion :* la passion amoureuse, l'amour (au sens 3., opposé aux autres formes : sens 1., 2.). *L'amour physique :* les aspects érotiques, sexuels de l'amour (→ ci-dessous).

5 Il y a quatre amours différents :
1. L'amour-passion (...)
2. L'amour-goût (...)
3. L'amour physique (...)
4. L'amour de vanité. STENDHAL, De l'amour, I.

1 L'amour vous rend mauvais, c'est un fait certain. Mais de quel amour s'agissait-il, au juste? De l'amour-passion? Je ne le crois pas. Car c'est bien l'amour-passion le satyriaque, n'est-ce pas? Ou est-ce que je confonds avec une autre variété? Il y en a tellement, n'est-ce pas? Toutes plus belles les unes que les autres, n'est-ce pas? L'amour platonique, par exemple, en voilà un autre qui me revient à l'instant. C'est désintéressé. Peut-être que je l'aimais d'un amour platonique? J'ai du mal à le croire.
S. BECKETT, Premier amour, p. 28-29.

2. Dans la tradition chrétienne, *amour de concupiscence* correspond à ce sens de *amour*, par oppos. à *amour de bienveillance* (sens 1. et 2.).

6 (...) l'autre est nommée amour de concupiscence, c'est-à-dire qui fait désirer la chose qu'on aime.
DESCARTES, les Passions de l'âme, I, 81.

3. *Amour*, au sens 3., est parfois pris dans un sens large, englobant les manifestations (plus ou moins humanisées) de la sexualité chez les animaux supérieurs.

7 L'amour (...) si impétueux dans les animaux, mais s'allumant et s'éteignant tour à tour avec les saisons (...)
RIVAROL, Disc. préliminaire du Nouveau Dict. de la langue franç.

(Dans des syntagmes où le mot *amour* n'est pas qualifié).
**a** Loc. (Fin XVI^e). **FAIRE L'AMOUR.** — Vx. Faire la cour. *Faire l'amour à une femme.*

8 Ah! lâche, fais l'amour, et renonce à l'Empire.
RACINE, Bérénice, IV, 4.

(V. 1650, chez les burlesques). Mod. Avoir des rapports sexuels. → **Coïter; baiser** (fam.), **coucher** (avec). *Aimer faire l'amour. Faire l'amour avec qqn, à qqn.* — REM. Ce sens existe dès le XVII^e s., mais coexiste avec l'emploi ancien jusqu'au XIX^e s.; la cit. de Beaumarchais ci-dessous est volontairement ambiguë.

Boire sans soif et faire l'amour en tout temps, madame, il n'y a que cela qui nous distingue des autres bêtes. 19
BEAUMARCHAIS, le Mariage de Figaro, II, 21.

L'amour? je le fais souvent, mais je n'en parle jamais (...) 20
PROUST, À la recherche du temps perdu, t. VII, p. 21.

C'était le cœur de l'été quand, sur les toits chauds, les chats faisaient l'amour sur leurs femelles tremblantes comme des femmes. L'amour avec des cris d'amour. 20.1
Henri CALET, la Belle Lurette, p. 36.

Au dortoir, chaque couple s'enroula sur son hamac, se réchauffa, fit et défit l'amour. 20.2
Jean GENET, Miracle de la rose, p. 96.

(...) le céramiste m'avait bien fait l'amour (...) 20.3
Jacques LAURENT, les Bêtises, p. 487.

On n'ose pas aller jusqu'à dire que Laure et Thérèse faisaient l'amour ensemble : nul ne saurait l'affirmer. Mais elles vivaient comme deux chattes, se frottant l'une à l'autre voluptueusement, et la compagnie de l'autre était devenue indispensable à chacune. 20.4
Suzanne PROU, la Terrasse des Bernardini, p. 141.

**b** Loc. prov. *L'amour est fort comme la mort* (allus. biblique).

Que ton amour a de charme, ma sœur fiancée! 21
Combien ton amour est meilleur que le vin,
Et l'odeur de tes parfums, que tous les aromates! (...)
Car l'amour est fort comme la mort (...)
Les grandes eaux ne sauraient éteindre l'amour,
Et les fleuves ne le submergeraient pas.
BIBLE, Cantique des cantiques, IV, 10; VIII, 6-7.

REM. La première partie de la citation illustre le sens 5.

Prov. *La jalousie est la sœur de l'amour. — L'amour fait passer le temps, et le temps fait passer l'amour. — Heureux au jeu, malheureux en amour. — L'amour est aveugle.*

**c** (Dans d'autres syntagmes, où *amour* n'est pas qualifié ou a une qualification non déterminante : *le véritable amour...*). *Avoir, éprouver, ressentir de l'amour pour...* — Vieilli. *Concevoir de l'amour pour qqn.* → **Amouracher** (s'), **attacher** (s'attacher à), **embraser** (s'), **énamourer** (s'), **enflammer** (s'), **éprendre** (s'). *Être affolé, enivré, féru* (vx), *fou, ivre, transporté d'amour. L'amour lui tourne la tête. Brûler, frémir, languir, mourir, soupirer d'amour* (→ N'avoir d'yeux que pour qqn, porter qqn dans son cœur, et, fam., en tenir, en pincer pour qqn, avoir qqn dans le sang, dans la peau). *Donner, inspirer de l'amour à qqn. Éveiller, exciter, faire naître l'amour chez qqn* (→ fam. Embéguiner, enjuponner). *La passion* (cit. 20) *est le pressentiment de l'amour. S'abandonner à l'amour. Résister à l'amour. Parler d'amour. Entourer qqn d'amour.* → **Baiser, cajolerie, câlinerie, caresse...** (→ fam. Manger, boire des yeux). *L'amour naît, croît, s'accroît, grandit* (→ **Cristallisation**); *dure, subsiste; s'attiédit, décline, s'éteint, s'évanouit, passe, meurt. Détruire l'amour chez qqn.*

REM. Dans les citations qui suivent, *amour*, même pris absolt, évoque une ou des situations amoureuses concrètes.

Il est du véritable amour comme de l'apparition des esprits; tout le monde en parle, mais peu de gens en ont vu. 22
LA ROCHEFOUCAULD, Maximes, 76.

La plus juste comparaison qu'on puisse faire de l'amour, c'est celle de la fièvre (...) 23
LA ROCHEFOUCAULD, Maximes supprimées, 638.

L'amour, toujours, n'attend pas la raison. 24
RACINE, Britannicus, II, 1.

Amour, amour, quand tu nous tiens 25
On peut bien dire : «Adieu prudence!»
LA FONTAINE, Fables, IV, 1.

Plus d'amour, partant plus de joie. 26
LA FONTAINE, Fables, VII, 1.

27 Plaisir d'amour ne dure qu'un moment,
Chagrin d'amour dure toute la vie.
FLORIAN, Romance.

28 Ôtez l'amour-propre de l'amour (...)
CHAMFORT, Maximes (→ Amour-propre, cit. 4).

29 Mon âme a son secret, ma vie a son mystère :
Un amour éternel en un moment conçu.
ARVERS, Sonnet.

30 On ne badine pas avec l'amour.
A. DE MUSSET (Titre d'une comédie).

31 Mais toi, rien ne t'efface, amour! toi qui nous charmes (...)
Jeune homme, on te maudit, on t'adore vieillard.
HUGO, la Tristesse d'Olympio.

32 L'amour est un art, comme la musique.
Pierre LOUŸS, Aphrodite, I.

33 L'amour rend inventif (...)
MOLIÈRE, l'École des maris, I, 6.

34 (...) l'Amour est un grand maître.
MOLIÈRE, l'École des femmes, III, 4.

34.1 Non, l'amour est une fièvre heureuse. Rien ne reste quand il est passé. STENDHAL, Journal, 25 sept. 1813.

34.2 Ne me regarde pas ainsi, toi, ma pensée!
Toi que j'aime à jamais, ma sœur d'élection,
Quand même tu serais une embûche dressée
Et le commencement de ma perdition!
Delphine secouant sa crinière tragique,
Et comme trépignant sur le trépied de fer,
L'œil fatal, répondit d'une voix despotique :
— «Qui donc devant l'amour ose parler d'enfer?»
BAUDELAIRE, les Fleurs du mal, III, «Delphine et Hippolyte».

34.3 Il comprenait maintenant qu'accepter d'entraîner l'être qu'on aime dans la mort est peut-être la forme totale de l'amour, celle qui ne peut pas être dépassée.
MALRAUX, la Condition humaine, *in* Romans, Pl., p. 172.

Loc. prov. *Vivre* d'amour et d'eau fraîche.*

**... DE L'AMOUR.** *Le sentiment, les passions de l'amour. Beauté, misère de l'amour. Les Horreurs de l'amour,* roman de J. Dutourd. *Charmes, délices, enivrement, illusions, ivresse, joies, élans, épanchements, langage, mystères; joug, lacs, servage; traits de l'amour. — Les symptômes de l'amour* (→ Masochisme, cit. 0.1).

**... D'AMOUR.** *Baiser, chant, déclaration, lettre, plaisirs, rêve, serment d'amour. Chagrin d'amour* (→ Monocle, cit. 1), *peine d'amour. Roman, histoire d'amour. — Philtre** (cit. 3) *d'amour. Cour d'amour* (→ ci-dessous, e., Amour courtois). — *Mariage* (cit. 18 et 19) *d'amour* (opposé à *d'intérêt, de convenance,* etc.).

34.4 Un mariage d'amour, c'est-à-dire fait par amour, y serait considéré comme une preuve de vice.
PROUST, Jean Santeuil, Pl., p. 877.

Loc. fam. *Gueule* d'amour,* propre à inspirer l'amour.

Loc. *En amour :* dans une relation amoureuse.

34.5 (...) en amour, posséder n'est rien, c'est jouir qui fait tout (...) STENDHAL, De l'amour, 1822, p. 106-107.

Loc. fam. *Un remède à l'amour :* une personne rebutante, laide.

[d] (Qualifié par un adjectif déterminant). *Amour physique et amour chaste. Amour platonique* (cit. 2; et → ci-dessus, cit. 15.1). *Amour hétérosexuel, homosexuel. L'amour grec,* homosexuel. *Amour saphique. Amour conjugal, légitime.* → **Hymen, hyménée, mariage.** *Amour illégitime.* → **Concubinage, liaison.** *Amour libre,* hors de l'institution sociale du mariage*. *Militer pour l'amour libre.* → **Union** (libre).

[e] Hist. *L'amour courtois :* l'ensemble des attitudes et des idées médiévales concernant l'amour de l'homme (du chevalier) pour la dame; la mystique et la symbolique qui en dépendent (cf. en langue d'oc, *la fine amor*).

♦ **4** Par euphém. (ou dans l'expr. *amour physique*). [a] Relations sexuelles humaines. *«L'amour, c'est le physique* (1. Physique, cit. 6), *c'est l'attrait charnel (...)»* — Vieilli. *L'acte d'amour :* l'acte sexuel. *Plaisirs, voluptés, délices de l'amour.* → **Érotique; éroto-.** *Il, elle est porté(e) aux plaisirs de l'amour.* → **Amoureux, lascif, voluptueux** (→ fam. Porté sur la chose*). *Combats, jeux, luttes de l'amour.*

J'éprouvais, en dehors du plaisir physique et très réel que me procurait l'amour, une sorte de plaisir intellectuel à y penser. Les mots «faire l'amour» ont une séduction à eux (...) F. SAGAN, Bonjour tristesse, p. 137.

Relations sexuelles hors mariage. — Loc. *Un enfant de l'amour.*

*Amour vénal :* prostitution. — Loc. *Marchande d'amour :* prostituée. — Littéraire :

C'est filles anglaises
Occupées à boire,
Vêtant pour aimer
Des maillots de moire,
Dans le jour qui pèse
Dehors et si lourd,
Dans le soir d'été
Qui vendent l'amour.
Max ELSKAMP, la Rue Saint-Paul.

[b] (1606). Sexualité (animale). → ci-dessus, cit. 17 et REM. — Loc. *Femelle en amour,* en chaleur.

♦ **5** Sentiment amoureux porté par une personne à une autre; sentiment réciproque ou partagé; relations qui en résultent. [a] *L'amour de qqn pour qqn; l'amour entre deux personnes; un, des amours.* — REM. Comme *amitié,* le mot est souvent ambigu; seul le contexte permet de distinguer la valeur exacte du mot; en particulier l'opposition entre «sentiment» et «relation».

*Un amour ardent, délirant, impétueux, insatiable, irrésistible, passionné* (cit. 11), *violent.* → **Ardeur, attachement, feu, fièvre, flamme, folie, idolâtrie, inclination, ivresse, maladie, passion, penchant, sentiment;** (fam.) **béguin, pépin.** *Un fatal amour. — Un amour angélique, céleste, chaste, discret, idéal, innocent, pieux, platonique, pudique, pur, respectueux, sentimental, séraphique, spirituel. Amour chevaleresque, mystique. Amour romanesque. Un amour raisonnable, tranquille. Amour absolu, complet, parfait. Un grand, tendre, véritable amour. Amour mutuel, partagé, réciproque. Amour subit.* → **Coup** (de foudre), **engouement.** *Amour durable, fort, solide, éternel, immortel. Amour déçu; amour malheureux* (→ Pragmatique, cit. 1). *Un amour coupable, criminel, impur.* → **Adultère, inceste; débauche, libertinage.** *Un amour pervers, contre nature. Un, des amours homosexuels.*

Et là, autre abîme! Je sondais de la pensée les amours contre-nature qui devaient germer, éclater là; les jalousies, les passions (...) Amours lesbiennes, compagnonnages de couvent compliqués de prison (...) 35
Ed. et J. DE GONCOURT, Journal, oct. 1862.

REM. La plupart des syntagmes signalés ici peuvent s'employer au sens b. ci-dessous.

*L'amour d'une femme pour un homme,* son amour pour lui. *L'amour d'un homme et d'une femme; leur amour. Vivre un grand amour, un amour partagé. Leur amour est passionné, violent...* (→ ci-dessus, les adj. les plus courants). *Leur grand amour.*

Il n'avait plus, comme autrefois, de ces mots si doux qui la faisaient pleurer, ni de ces véhémentes caresses qui la rendaient folle; si bien que leur grand amour, où elle vivait plongée, parut se diminuer sous elle, comme l'eau d'un fleuve qui s'absorberait dans son lit, et elle aperçut la vase. FLAUBERT, Mme Bovary, II, IX. 36

Fam. ou iron. (Au fém., d'après le pluriel).

Ah! la grande amour, ça vient, on ne sait pas quand, on ne sait pas comment, et qui mieux est, on ne sait pas pour 37

qui... Alors ce ne sont plus que clairs de lune, gondoles, ivresses éthérées, âmes sœurs et fleurs bleues.
R. QUENEAU, Pierrot mon ami, éd. L. de Poche, p. 71.

(Au sing., avec une valeur collective). *L'amour du chevalier pour sa dame* (→ ci-dessus, 3., e., Amour courtois).

Prov. *Froides mains, chaudes amours. — Il n'y a point de belles prisons, ni de laides amours.*

**b** Relations entre des personnes qui s'aiment. — *(Un, des amours).* Liaison, aventure amoureuse. *Un amour de jeunesse. Amour unique. Autre, second amour. Un amour malheureux, heureux, idyllique. Amour éphémère, inconstant, passager.* → 1. **Amourette, aventure, badinage, bagatelle, bluette, caprice, coquetterie, fantaisie, fleurette, flirt, galanterie, hussarde** (amour à la), **intrigue, liaison, passade...** *Les amours célèbres. Les amours de Louis XIV. — Des amours ancillaires* (cit. 2 et 3). — *Un amour de Swann,* roman de M. Proust.

(Souvent au plur.). *Comment vont tes amours ? À vos amours !,* formule de souhait.

REM. Dans cette acception (sens a. «sentiment», comme sens b. «relations»), *amours* au plur. est employé surtout au masc. de nos jours, mais le fém., assez littéraire, reste vivant (→ ci-dessous, cit. 35, 37, 38.1 et 38.3; et cf. des syntagmes comme *premières amours*).

35 (...) le plaisir des amours printanières.
LA FONTAINE, Fables, IV, 22.

36 Mais non pas ton amour, si ton amour t'est chère (...)
A. DE MUSSET, Lettre à Lamartine (cf. Âme, cit. 31).

37 Et l'on revient toujours
À ses premières amours.
Ch.-G. ÉTIENNE, Joconde, III, 1.

38 Souris à tes premiers amours.
A. DE MUSSET, la Nuit d'octobre.

38.1 — Mais le vert paradis des amours enfantines,
L'innocent paradis, plein de plaisirs furtifs,
Est-il déjà plus loin que l'Inde et que la Chine?
BAUDELAIRE, les Fleurs du mal, LXII, «Mœsta et Errabunda».

38.2 À la fin de leur vie, les amants illustres qui coururent les routes, George Sand et Musset, et Chopin, Liszt, Mme d'Agoult, peut-être ne se souvenaient-ils plus que de chamailleries dans de tristes chambres d'hôtel. Combien peu d'amours trouvent en elles-mêmes assez de force pour demeurer sédentaires! Et c'est pourquoi l'amour conjugal, qui persiste à travers mille vicissitudes, me paraît être le plus beau des miracles.
F. MAURIAC, Journal, t. I, 1934, p. 25.

38.3 Et dans mon hamac, je m'endormais dans ses bras et j'y continuais des amours dans la fatigue de celles auxquelles je venais de me livrer.
Jean GENET, Miracle de la rose, p. 154.

♦ **6** (Fin XIIe). Personne aimée. *Tu es mon amour. Son premier amour est maintenant un homme âgé.*

38.4 Je suis le souverain d'Égypte
Sa sœur-épouse son armée
Si tu n'es pas l'amour unique.
APOLLINAIRE, Alcools, p. 19.

38.5 Bulkaen! Entre tant d'autres amours, qu'avez-vous été? Un amour bref puisque je ne vous ai vu que douze jours.
Jean GENET, Miracle de la rose, p. 304.

Par ext. Objet d'une passion très vive (→ ci-dessus, sens 1.).

39 Albe, mon cher pays et mon premier amour.
CORNEILLE, Horace, I, 1.

40 Un jeune lis, l'amour de la nature.
RACINE, Athalie, II, 9.

En appellatif. *Mon amour.* — Vieilli. *Cher amour.*

41 Cher amour, épanche ta douleur.
LAMARTINE, Méditations, II, 10.

Poét. (au pluriel) :

Enfant, rêve encore! 42
Dors, ô mes amours!
HUGO, les Feuilles d'automne, 20.

Vx. *M'amour.*

Par ext. Fam. Personne aimable (dans quelques formules). *Vous seriez un amour si... :* vous seriez très gentil de... *Cet enfant est un amour* (→ ci-dessous, 8.).

♦ **7** (1680). Personnification mythologique de l'amour (I., 3.). → **Cupidon, putto** (arts). *L'Amour avec son arc et son carquois.* — REM. Dans ce sens, le plur. est masculin. *Peindre des Amours, des petits Amours.*

Tout est mystère dans l'amour, 43
Ses flèches, son carquois, son flambeau, son enfance.
LA FONTAINE, Fables, XII, 14.

(...) l'amour et la raison n'est qu'une même chose (...) Les poètes n'ont donc pas eu raison de nous dépeindre l'amour comme un aveugle; il faut lui ôter son bandeau. 44
PASCAL, Disc. sur les passions de l'amour.

L'Amour est assis sur le crâne 44.1
De l'Humanité,
Et sur ce trône le profane,
Au rire effronté,
Souffle gaiement des bulles rondes (...)
BAUDELAIRE, les Fleurs du mal, CXVII, «L'amour et le crâne».

Au Louvre avec un ami pour regarder les objets égyptiens et grecs, toutes ces merveilleuses choses (...) les petits dieux cynocéphales, et du côté des Grecs, les amours couleur de pêche, ailés, dodus, volant à côté des victoires, toutes ces figurines de terre cuite si vivantes qu'on croit les voir bouger (...) 44.2
J. GREEN, Journal, Ce qui reste de jour, 28 mars 1968.

Par compar. *Elle est jolie comme un amour.*

— Allons, bon voyage! leur dit-il, heureux mortels que vous êtes! 44.3
Puis, s'adressant à Emma, qui portait une robe de soie bleue à quatre falbalas :
— Je vous trouve jolie comme un Amour! Vous allez *faire florès* à Rouen. FLAUBERT, Mme Bovary, II, XIV.

♦ **8** Par métonymie. Chose ou personne aimable, adorable. *C'est un amour. Un amour d'enfant.*

(...) jolie comme tu es. Sais-tu que tu es devenue un amour? Marcel PRÉVOST, les Demi-vierges, I, 2. 45

(Choses). Fam. *Un amour de petit chapeau :* un très joli petit chapeau.

**II** (1623). ♦ **1** Attachement désintéressé et profond à (qqch., une valeur). *L'amour du bien, de la justice, de la vérité. Avoir l'amour de son métier. Faire une chose avec amour,* avec le soin, le souci de perfection de celui qui aime son travail.

Il me dit aussi quelques mots de ses casses, de son travail dehors, de l'amour qu'il lui portait (...) 45.1
Jean GENET, Miracle de la rose, p. 90.

♦ **2** Goût très vif pour (une chose, une activité qui procure du plaisir). → **Passion.** *L'amour de la nature, de la campagne, de la musique. L'amour du gain, des voyages, du sport.*

Si l'amour des grandeurs, la soif de commander (...) 46
RACINE, Athalie, III, 3.

L'amour qui nous attache aux beautés éternelles 47
N'étouffe pas en nous l'amour des temporelles (...)
MOLIÈRE, Tartuffe, III, 3.

L'honnêteté des femmes est souvent l'amour de leur réputation et de leur repos. 48
LA ROCHEFOUCAULD, Maximes, 205.

Même cet amour pour une phrase musicale sembla un instant devoir amorcer chez Swann la possibilité d'une sorte de rajeunissement. 48.1
PROUST, Du côté de chez Swann, éd. L. de Poche, p. 251.

*Pour l'amour de qqch.* : par considération, par égard, par admiration pour.

49 Que pour l'amour du grec, Monsieur, on vous embrasse.
MOLIÈRE, les Femmes savantes, III, 3.

♦ **3** Rare. *L'amour de soi, de soi-même.* → **Amour-propre, égoïsme, narcissisme.**

50 L'amour de soi-même est un sentiment naturel qui porte tout animal à veiller à sa propre conservation, et qui, dirigé dans l'homme par la raison et modifié par la pitié, produit l'humanité et la vertu. L'amour-propre n'est qu'un sentiment relatif, factice, et né dans la société, qui porte chaque individu à faire plus de cas de soi que de tout autre, qui inspire aux hommes tous les maux qu'ils se font mutuellement, et qui est la véritable source de l'honneur.
ROUSSEAU, De l'inégalité parmi les hommes, Note.

**III** Loc. fig. ♦ **1** *Amour en cage.* → **Alkékenge.**
*Puits* d'amour* (gâteau).
*Pomme* d'amour* (calque de l'ital., du provençal).
*Pommier d'amour.* → **Amome** (des jardins).

♦ **2** *D'amour* (calque de l'ital.), se dit d'instruments de musique. *Viole* d'amour* (1730). *Hautbois d'amour.*

CONTR. **Abomination, animosité, antipathie, aversion, désaffection, détestation, éloignement, exécration, haine, horreur, indifférence, inimitié, malveillance, mésintelligence, prévention, rancune, ressentiment.** ◊ DÉR. **Amourer, 1. amourette.** — V. **Amouracher, amoureux.** — COMP. **Amour-propre.** — **Énamourer.** — V. **Aphro-, éroto-** (préfixes).

**AMOURACHER** [amuʀaʃe] v. tr. — 1530, *amourescher;* de l'ital. *(inn)amoracciarsi,* de *amoraccio,* dér. péj. de *amore* «amour».

Vx. Rendre (qqn) amoureux. *«Tu serais bien étonné de savoir ce qui les amourache»* (Balzac, *in* T. L. F.). *Quelques œillades l'amourachèrent de cette comédienne* (Littré).

◆ **S'AMOURACHER** v. pron. (1551; aussi *s'amourescher,* 1558). Moderne.

♦ **1** Péj. Tomber amoureux (de qqn). → **Énamourer** (s'), **éprendre** (s'); et aussi (fam.) **coiffer** (se), **embéguiner** (s'), **enjuponner** (s'), **enticher** (s'), **toquer** (se toquer de). *Il s'est amouraché d'une petite actrice.*

1 (...) Un jeune fou dont elle s'amourache.
MOLIÈRE, l'École des femmes, 1032.

2 Elle s'est amourachée d'un grand benêt de vingt-cinq ans (...) Mme DE SÉVIGNÉ, *in* LITTRÉ.

3 En s'amourachant de Victurnien, la duchesse s'était résolue à jouer ce rôle d'Agnès romantique (...)
BALZAC, le Cabinet des antiques.

4 (...) cet homme tranquille, cet homme pratique lui avait échappé. Il s'était amouraché de Lucile (...)
F. SAGAN, la Chamade, p. 27.

♦ **2** *S'amouracher de* (qqch.) : être pris d'un engouement subit pour. *Il s'est amouraché des sciences occultes.* → **Enticher** (s'), **infatuer** (s'infatuer de).

**AMOURER** [amuʀe] v. tr. — V. 1119, v. pron., «devenir amoureux»; repris XIXe; de *amour.*

♦ **1** (Langage enfantin). Rare. Aimer.

1 Un joli mot d'un petit garçon à une grande fillette, affectionnée par lui : «Je t'amoure!»
Ed. et J. DE GONCOURT, Journal, 1889, p. 1016, *in* T. L. F.

♦ **2** (Pron.). Rare, littér. *S'amourer de :* tomber amoureux de. — Absolument :

2 Et la nature cruelle entoure
De son insulte ce faux palais
De tes noces brèves; s'amoure
Le vieil instinct qui sort défait.
Pierre Jean JOUVE, Diadème, p. 105, *in* D. D. L., II, 7.

1. **AMOURETTE** [amuʀɛt] n. f. — XIIe, *amorette;* de *amour.*

Amour passager, sans conséquence. → **Béguin, caprice, flirt.** *Ce n'est qu'une amourette. «Une jeune fille qui n'ait pas eu déjà une amourette quelconque, en tout bien tout honneur»* (Romains).

Faire une folie et se marier par amourette (...) 1
LA BRUYÈRE, les Caractères, XIV, 33.

Et les rossignols nouveaux 2
De leurs douces amourettes
Parlent aux tendres rameaux.
MOLIÈRE, le Grand Divertissement royal.

HOM. 2. **Amourette, amourettes.**

2. **AMOURETTE** [amuʀɛt] n. f. — 1531; altér., sous l'infl. de *amour,* de l'anc. franç. *amarouste,* du lat. pop **amarusta,* bas lat. *amalusta* «camomille». → Maroute.

♦ **1** Régional. Nom de plantes des champs (muguet, brize, etc.). → Prairie, cit. 1.1.

♦ **2** (1808; orig. inconnue). *Bois d'amourette :* bois d'un acacia d'origine exotique, utilisé en marqueterie.

HOM. 1. **Amourette, amourettes.**

**AMOURETTES** [amuʀɛt] n. f. pl. — 1771; de l'anc. provençal *amoretas* «testicules du coq», de *amor* «amour».

Cuis. Morceaux de moelle épinière de veau (de bœuf, de mouton), servis comme garniture.

HOM. 1. **Amourette,** 2. **amourette.**

**AMOUREUSEMENT** [amuʀøzmɑ̃] adv. — XIIIe; de *amoureux.*

♦ **1** Avec amour, tendrement. *Il lui parlait amoureusement. Elle caressa amoureusement la tête de son fils.*

Elle faisait fondre chacun en larmes, en se jetant amoureusement sur le corps de cette mourante, qu'elle appelait sa chère mère (...) 1
MOLIÈRE, les Fourberies de Scapin, I, 2.

Spécialt. Avec amour (I., 3.), passion amoureuse.

(...) sur ce même banc (...) où autrefois Léon la regardait si amoureusement (...) FLAUBERT, Mme Bovary, II, X. 2

Par ext. D'une manière qui suggère de l'affection.

Voyant son maître en joie, il *(l'âne)* s'en vient lourdement, 3
Lève une corne toute usée,
La lui porte au menton fort amoureusement.
LA FONTAINE, Fables, IV, 5.

♦ **2** Avec amour, avec un soin tout particulier. *Les objets d'art qu'il avait amoureusement rangés dans ses vitrines. Il cultive amoureusement quelques rangs de salades et de tomates.*

Il lisait les histoires qui, à l'époque, correspondent de nos jours aux aventures de Tarzan. Le héros en est amoureusement dessiné. Tous ses soins l'artiste les accorda à l'imposante musculature de ce chevalier, presque toujours nu ou vêtu d'obscène façon. 4
Jean GENET, Journal du voleur, p. 66.

REM. Cet exemple joue sur le sens 1., pris érotiquement.

CONTR. **Froidement, haineusement, négligemment.**

**AMOUREUX, EUSE** [amuʀø, øz] adj. et n. — Fin XIIe, *amorous; amoros* «aimable», v. 1150; du lat. vulg. *amorosus,* de *amor* (→ Amour), avec infl. de *amour.*

**I** Adj. ♦ **1** Qui éprouve de l'amour, qui aime. → **Épris.** *Être amoureux, éperdument, follement, passionnément amoureux (de qqn). Être amoureux comme un fou.* → **Affolé, entiché, fou;** (vx) **assoter** (p. p.), **sot** (de); (fam.) **chipé, mordu, pincé.** *Devenir, tomber amoureux.* → **Amouracher** (s'), **éprendre** (s'). *Femme amoureuse. Il est amoureux de vous, de sa femme. Amoureux l'un de l'autre.*

1 Un mari fort amoureux,
Fort amoureux de sa femme (...)
LA FONTAINE, Fables, IX, 15.

2 À mesure que l'on a plus d'esprit, l'on trouve plus de beautés originales; mais il ne faut pas être amoureux; car quand l'on aime, l'on n'en trouve qu'une.
PASCAL, Disc. sur les passions de l'amour.

3 À force de parler d'amour, l'on devient amoureux (...)
PASCAL, Disc. sur les passions de l'amour.

4 Il y a des gens qui n'auraient jamais été amoureux, s'ils n'avaient jamais entendu parler de l'amour.
LA ROCHEFOUCAULD, Réflexions et maximes, 136.

5 Un honnête homme peut être amoureux comme un fou, mais non pas comme un sot.
LA ROCHEFOUCAULD, Maximes, 353.

6 Un jeune homme de cette ville est éperdument amoureux de vous (...)
A. DE MUSSET, les Caprices de Marianne, I, I.

7 (...) ver de terre amoureux d'une étoile.
HUGO, Ruy Blas, II, 2.

1 Autrefois on rêvait de posséder le cœur de la femme dont on était amoureux; plus tard, sentir qu'on possède le cœur d'une femme peut suffire à vous en rendre amoureux.
PROUST, Du côté de chez Swann, éd. L. de Poche, p. 235.

8 *Aimer* et *être amoureux* ont des rapports difficiles : car, s'il est vrai qu'*être amoureux* ne ressemble à rien d'autre (une goutte d'*être-amoureux* diluée dans une vague relation amicale la colore vivement, la fait incomparable : je sais *tout de suite* que dans mon rapport à X..., Y..., si prudemment que je me retienne, il y a de l'*être-amoureux*), il est vrai aussi que, dans l'*être-amoureux*, il y a de l'*aimer :* je veux saisir, farouchement, mais aussi je sais donner, activement.
R. BARTHES, Fragments d'un discours amoureux, p. 149.

Prov. *Il est amoureux des onze mille vierges,* de toutes les femmes. *Il serait amoureux d'une chienne, d'une chèvre coiffée,* de n'importe qui.

9 – Ce sera un autre gaillard que son père. Elle entendait par là que... je serais amoureux des cent mille vierges.
FRANCE, le Livre de mon ami, II, 3.

*Amoureux de son propre corps. Il est amoureux de tes yeux.*

1 Narcisse devint amoureux de son image; il ne la quitta pas des yeux, et mourut de cette illusion même qui l'avait charmé. E. FROMENTIN, Dominique, VI.

2 Son père (...) avait profité de ses avantages personnels pour saisir au passage une dot de soixante mille francs qui s'offrait en la fille d'un marchand bonnetier, devenue amoureuse de sa tournure.
FLAUBERT, Mme Bovary, I, I.

Par ext. Qualifiant le corps ou l'une de ses parties. *Lèvres, mains amoureuses. Des corps amoureux.* — Porté à l'amour (physique, surtout). *Un tempérament amoureux. Elle est amoureuse comme une chatte.* → **Ardent, lascif, voluptueux.** *Un peuple de tempérament amoureux.*

3 On dit qu'il y a des nations plus amoureuses les unes que les autres.
PASCAL, Disc. sur les passions de l'amour.

♦ **2** (Mil. XIIIe). Propre à l'amour, qui marque de l'amour. *La vie amoureuse de X. Ardeur, frénésie, passion amoureuse. Désirs, regards amoureux. Philtre amoureux. Fragments d'un discours amoureux,* de R. Barthes. *Billets amoureux,* d'amour. *Relation amoureuse. Amitié amoureuse. Le Dépit amoureux,* comédie de Molière.

0 (...) je souhaiterais qu'il y eût d'autres mondes pour y pouvoir étendre mes conquêtes amoureuses.
MOLIÈRE, Dom Juan, I, 2.

1 Elle se leva pour partir. Il la saisit au poignet. Elle s'arrêta. Puis, l'ayant considéré quelques minutes d'un œil amoureux et tout humide, elle dit vivement :
– Ah! tenez, n'en parlons plus... Où sont les chevaux? Retournons. FLAUBERT, Mme Bovary, II, IX.

Puis des mois s'écoulèrent, et puis des années qui desserrèrent à peine le lien qui unissait l'un à l'autre la comtesse de Guilleroy et le peintre Olivier Bertin. Ce n'était plus chez lui l'exaltation des premiers temps, mais une affectation calmée, profonde, une sorte d'amitié amoureuse dont il avait pris l'habitude. 10.2
MAUPASSANT, Fort comme la mort, éd. 1889, p. 52.

Sur le mur de la cellule de punition, je viens de lire les graffiti amoureux, presque tous adressés à des femmes (...) 10.3
Jean GENET, Miracle de la rose, p. 69.

Qui concerne l'amour physique. → **Érotique, sexuel.** *Plaisirs amoureux. Étreinte amoureuse. Son expérience amoureuse. Désir amoureux.*

(...) je tiens mon esprit avidement tendu vers la vision des plus attrayants détails de son corps. Je suis obligé d'inventer les attitudes amoureuses qu'il avait. Il m'y faut un grand courage car je sais qu'il est mort, et que ce soir je viole un mort. 10.4
Jean GENET, Miracle de la rose, p. 102.

♦ **3** (1569). Qui a un goût très vif pour (qqch.). → **Amateur, fanatique, féru, fervent, fou, passionné.** *Être amoureux de la gloire, de la liberté. Amoureux de l'art.*

J'estimais fort l'éloquence, et j'étais amoureux de la poésie. 11
DESCARTES, Discours de la méthode, I, 9.

Tu me dis que tu deviens de plus en plus amoureux de la nature; moi, j'en deviens effréné. 12
FLAUBERT, Correspondance, t. I, p. 89.

Pour l'enfant, amoureux de contes et d'estampes, 12.1
L'univers est égal à son vaste appétit.
BAUDELAIRE, les Fleurs du mal, CXXVI, «Le voyage».

**II** N. (XIIIe, «dévot, fidèle»). ♦ **1** Personne qui aime (d'amour). → **Adorateur, amant** (vx), **ami** (petit ami), **flirt, galant, soupirant.** *Un amoureux transi. Une amoureuse passionnée. Amoureux conquérant. Le beau ténébreux, type d'amoureux des romans de chevalerie. Les grandes amoureuses. Amoureux éconduit, bafoué. Amoureux jaloux. Une ponctualité* (cit. 1) *d'amoureux.*

*Les deux amoureux se tenaient par la main.* → **Tourtereau.** *Un rendez-vous d'amoureux. Bonjour, les amoureux! «Les amoureux qui s'bécottent* (cit.) *sur les bancs publics»* (Brassens).

Cela est dit dans *la Tempête,* espèce de féerie où l'esprit Ariel déchaîne les vents et la mer selon sa fantaisie. Il y a plus d'une idée dans ce conte de nourrice. On y voit deux amoureux qui sont comme hors du monde et perdus dans leur rêve; leur ivresse gagne jusqu'aux spectateurs; et les choses se passent dans la pièce justement comme les amoureux les imaginent; tout doit finir bien; l'esprit est roi du monde. 13
ALAIN, Propos, 7 nov. 1908, La Tempête.

Car ceux qui sont amoureux croient avoir un plaisir désintéressé à voir les gens qui connaissent l'amour, à parler de l'amour. Mais c'est dans l'espoir d'y retrouver leur amour à eux. Dès que ce qu'on dit de l'amour ne peut leur convenir, ils ne s'y plaisent plus. Et un amoureux sera moins heureux de causer de l'amour avec Stendhal que de sa maîtresse avec son porteur d'eau. 13.1
PROUST, Jean Santeuil, Pl., p. 779.

(...) l'amoureux ne cessera jamais de donner la vie à d'autres; il les voudra libres et courant autour de lui; au lieu que l'ambitieux dévorera toujours les autres, s'instruisant d'eux plus qu'il ne les instruit (...) 13.2
ALAIN, les Aventures du cœur, *in* les Passions et la Sagesse, Pl., p. 385.

♦ **2** (Au masc.). **a** (1636). Vx (langue class.). Homme qui aime sans être aimé (opposé à *amant*).

**b** Fam. Homme, généralement jeune, qui fait ouvertement la cour à une femme, en étant accepté.

(...) je me fais présenter à elle comme son amoureux attitré (...) G. SAND, la Petite Fadette, XX. 14

15 Car j'ai un amoureux. Je ne trouve à lui donner que ce nom passé de mode ; il n'est ni mon amant, ni mon flirt, ni mon patito (...) c'est mon amoureux.
COLETTE, la Vagabonde, p. 85.

♦ **3** (1771). Spécialt (théâtre). *Jouer les amoureux, les amoureuses.* → **Premier** (jeune).

CONTR. **Froid, indifférent. — Détaché. — Ennemi.** ◊ DÉR. **Amoureusement.**

**AMOUR-PROPRE** [amuʀpʀɔpʀ] n. m. — 1521, *Correspondance* de Marguerite d'Angoulême, *in* D. D. L. ; de *amour,* et *propre.*

♦ **1** Vx. Attachement exclusif à sa propre personne, à sa conservation et son développement. → **Égoïsme.** *Amour-propre et amour* (cit. 50) *de soi-même.*

1 L'amour-propre est l'amour de soi-même et de toutes choses pour soi ; il rend les hommes idolâtres d'eux-mêmes, et les rendrait les tyrans des autres, si la fortune leur en donnait les moyens. Il ne se repose jamais hors de soi et ne s'arrête dans les sujets étrangers que comme les abeilles sur les fleurs, pour en tirer ce qui lui est propre.
LA ROCHEFOUCAULD, Maximes, 563 (1665).

(Cf. Flatter, flatteur, habile, orgueil, *in* Maximes, 582, 2, 4, 228).

2 La nature de l'amour-propre et de ce moi humain est de n'aimer que soi et de ne considérer que soi.
PASCAL, Pensées, II, 100.

Spécialt. Attachement à ses passions causant un obstacle au progrès spirituel.

♦ **2** (1639-1641, *in* D. D. L.). Sentiment vif de la dignité et de la valeur personnelle, qui fait qu'un être souffre d'être mésestimé et désire s'imposer à l'estime d'autrui. → **Fierté.** *La susceptibilité d'un amour-propre chatouilleux. Flatter, ménager ; blesser, écorcher, froisser, piquer l'amour-propre. Être vexé dans son amour-propre. Blessure, piqûre* (cit. 9) *d'amour-propre.* → **Humiliation, mortification, pique, vexation.** *Satisfaction d'amour-propre. Avoir trop d'amour-propre. Mettre son amour-propre à (faire qqch.). Leurs amours-propres en ont souffert.*

3 Nous n'avons pas assez d'amour-propre pour dédaigner le mépris d'autrui. VAUVENARGUES, Maximes, 549.

4 Ôtez l'amour-propre de l'amour, il en reste trop peu de chose. Une fois purgé de vanité, c'est un convalescent affaibli, qui peut à peine se traîner.
CHAMFORT, Maximes.

5 L'amour-propre offensé ne pardonne jamais.
L. VIGÉE, les Aveux difficiles.

6 (...) l'amour-propre en souffrance a fait de grands révolutionnaires.
CHATEAUBRIAND, Mémoires d'outre-tombe, I, 7.

7 L'amour-propre est si habile en ses calculs secrets, que, tout en faisant la critique de soi-même, on est suspect de ne pas y aller de franc jeu.
RENAN, Souvenirs d'enfance..., V.

8 La jalousie n'est pour une femme que la blessure de l'amour-propre. FRANCE, le Lys rouge, XXIII.

9 Je tenais de ma grand'mère d'être dénué d'amour-propre à un degré qui ferait aisément manquer de dignité.
PROUST, À la recherche du temps perdu, t. XII, p. 109.

10 L'amour-propre blessé n'a jamais donné rien qui vaille, mais parfois mon orgueil souffre d'un véritable désespoir.
GIDE, Journal, 24 oct. 1907.

11 L'homme est né d'abord orgueilleux et l'amour-propre toujours béant est plus affamé que le ventre.
BERNANOS, les Grands Cimetières sous la lune, p. 28.

CONTR. (Du sens 1.) **Abnégation, altruisme.** — (Du sens 2.) **Humilité, modestie.**

**AMOVIBILITÉ** [amɔvibilite] n. f. — 1748 ; de *amovible,* sur le lat. médiéval *amovibilis.*

Dr. Caractère d'une fonction ou d'un fonctionnaire amovible. *L'amovibilité d'une fonction. Amovibilité des magistrats atteints par la limite d'âge. L'amovibilité des préfets.*

Les maires du palais n'eurent garde de rétablir l'amovibilité des charges et des offices ; ainsi les grands offices continuèrent à être donnés pour la vie, et cet usage se confirma de plus en plus.
MONTESQUIEU, l'Esprit des lois, XXXI, 7.

CONTR. **Inamovibilité.**

**AMOVIBLE** [amɔvibl] adj. — 1681 ; du lat. médiéval *amovibilis,* du lat. *amovere* « écarter ».

♦ **1** Dr. Qui peut être déplacé, changé d'emploi, révoqué (fonctionnaire, magistrat). → **Révocable.** *Un fonctionnaire amovible. Dans les cours de justice, les membres du parquet sont seuls amovibles* (Académie). *Fonction amovible,* qui peut être retirée pour être attribuée à d'autres.

Quoique par la loi du royaume les fiefs fussent amovibles, ils ne se donnaient pourtant ni ne s'ôtaient d'une manière capricieuse et arbitraire.
MONTESQUIEU, l'Esprit des lois, XXXI, 1.

♦ **2** (1792). Qu'on peut enlever ou remettre à volonté. *Imperméable à doublure amovible. Housses amovibles pour automobiles. Col, capuche amovible.*

CONTR. **Inamovible. — Fixe.** ◊ DÉR. **Amovibilité.**

**AMPÉLIDACÉES** [ɑ̃pelidase] n. f. pl. — 1885, Encycl. Berthelot ; 1845, *ampélidées,* Bescherelle ; lat. bot. *ampelidaceæ,* du grec *ampelos* « vigne ».

Bot. Famille de plantes sarmenteuses, munies de vrilles, dont le type est la vigne. → **Vitacées.** — Au sing. *Une ampélidacée.*

**AMPÉLODESMOS** [ɑ̃pelɔdɛsmos] n. m. — 1845, Bescherelle ; du grec *ampelos* « vigne », et *desmos* « lien ».

Bot. Plante herbacée *(Graminacées),* à souche gazonnante, qui croît dans les régions méditerranéennes de l'Europe et de l'Afrique et qui est utilisée en sparterie.

**AMPÉLOGRAPHE** [ɑ̃pelɔgʀaf] n. — 1866, *in* P. Larousse ; du grec *ampelos* « vigne », et *-graphe.*

Didact. Personne s'occupant d'ampélographie.

**AMPÉLOGRAPHIE** [ɑ̃pelɔgʀafi] n. f. — 1845 ; du grec *ampelos* « vigne », et *-graphie.*

Didact. Étude scientifique de la vigne. *Ampélographie et œnologie.*

**AMPÉLOLOGIE** [ɑ̃pelɔlɔʒi] n. f. — 1866, *in* P. Larousse ; du grec *ampelos* « vigne », et *-logie.*

Didact. Traité sur la vigne.

DÉR. **Ampélologique.**

**AMPÉLOLOGIQUE** [ɑ̃pelɔlɔʒik] adj. — 1866 ; de *ampélologie.*

Didact. De l'ampélologie.

**AMPÉLOPHAGE** [ɑ̃pelɔfaʒ] adj. et n. — 1874, *in* Littré, *Suppl.* ; du grec *ampelos* « vigne », et *-phage.*

Didact. Se dit des insectes qui s'attaquent à la vigne (cochylis, eudémis, phylloxéra). *Lutter contre les parasites, les insectes ampélophages.* — N. *Le phylloxéra est un ampélophage.*

**AMPÉLOPSIS** [ɑ̃pelɔpsis] n. m. — 1845; lat. bot., 1803; du grec *ampelos* «vigne», et *opsis* «apparence».

Bot. Plante à tiges grimpantes qui se fixent par des vrilles formant ventouse (famille des *Ampélidacées*).

(...) le lierre, le liseron, les champignons, les mousses, le gui, l'ampélopsis constituent la plèbe des parcs, la misère gourmande des jardins et ne méritent, à ce titre, que dédain et arrachements.
François NOURISSIER, le Maître de maison, p. 61.

**AMPÉRAGE** [ɑ̃peʀaʒ] n. m. — 1905, in *Rev. gén. des sc.*, n° 2, p. 85; de *ampère*.

Cour. (emploi incorrect en sc.). Intensité de courant électrique.

1 (...) il y avait toujours quelque chose qui flanchait; un décor qui n'était pas prêt; on me coupait le jus; je n'avais pas mon ampérage pour les scènes de nuit (...)
B. CENDRARS, Pompon, *in* Trop c'est trop, p. 196 (1925-1927).

2 (...) une lampe électrique qui doit être de faible ampérage.
Henri CHARRIÈRE, Papillon, p. 132.

**AMPÈRE** [ɑ̃pɛʀ] n. m. — 1865; de *Ampère*, physicien.

Sc. et cour. Unité de mesure de l'intensité du courant électrique et de la force magnétomotrice, appartenant au système international. (symb. : A). — *Ampère par mètre* (symb. : A/m) : unité d'intensité de champ magnétique.

Il y a bien de la différence sous ce rapport entre les langues parfaites que l'on invente d'après la nature des objets, ampère, volt, ohm, et les langages populaires, qui ont bien plus d'égard à la nature humaine, c'est-à-dire aux difficultés réelles que rencontre tout homme qui s'interroge.
ALAIN, Du langage, *in* les Passions et la Sagesse, Pl., p. 306.

DÉR. et COMP. **Ampérage. Ampère-heure, ampèremètre. Micro-ampère.**

**AMPÈRE-HEURE** [ɑ̃pɛʀœʀ] n. m. — 1890; de *ampère*, et *heure*.

Sc. Unité de quantité d'électricité; quantité d'électricité qui traverse en une heure un conducteur quand l'intensité du courant est de un ampère (symb. : *Ah*). *L'ampère-heure vaut 3 600 coulombs.*

**AMPÈREMÈTRE** [ɑ̃pɛʀmɛtʀ] n. m. — 1883; de *ampère*, et *-mètre*.

Sc., techn. Instrument destiné à mesurer l'intensité d'un courant électrique. → **Galvanomètre.**

DÉR. **Ampérométrique.**

**AMPÉROMÉTRIQUE** [ɑ̃peʀɔmetʀik] adj. — 1964; également *ampèremétrique*; de *ampèremètre*.

Didact. Qui s'effectue grâce à la mesure de l'intensité d'un courant électrique. *Méthode ampérométrique de dosage de l'oxygène.*

**AMPH-, AMPHI-, AMPHO-** Élément de composition, tiré du grec *amphi-*, de *amphi* «autour de», ou du grec *amphi-*, de *amphô* «tous deux» (→ **Ambi-**), et servant à former des mots scientifiques. → aussi les emprunts **Amphithéâtre; amphibie.**

Préfixe de chimie organique indiquant la position 2-6.

**AMPHÉ** [ɑ̃fe] n. f. → **Amphétamine.**

**AMPHÉTAMINE** [ɑ̃fetamin] n. f. — V. 1945; angl. *amphetamine*, 1938, de *alpha-methyl-phenethylamine*. → Méthyl-, -phén-, et éthylamine.

Médicament employé comme excitant du système nerveux central. → **Psychamine, psychotonique.** — Abrév. fam. (1976) : *amphé* [ɑ̃fe], *amphète* [ɑ̃fɛt]. *Il prend des amphètes. — Utilisation des amphétamines dans les cures amaigrissantes.*

Il avala deux pilules de maxiton. L'usage des dopants à base d'amphétamine d'abord pratiqué par les étudiants pendant les périodes d'examens, est devenu commun chez les ouvriers depuis les années 1948. 1
Roger VAILLAND, 325 000 francs, p. 154.

Les communes californiennes n'ont pas inventé l'héroïne, le haschisch, l'amphétamine, elles montrent seulement la nécessité de nous en méfier, plus que nous ne faisions. 2
Emmanuel BERL, le Virage, p. 165.

DÉR. et COMP. **Amphétaminé, amphétaminique. Amphétaminomane.**

**AMPHÉTAMINÉ, ÉE** [ɑ̃fetamine] adj. — 1975, *in* Porot, art. *Subnarcose*; de *amphétamine*.

Méd. *Subnarcose amphétaminée*, dans laquelle l'action des barbituriques est associée au choc amphétaminique.

**AMPHÉTAMINIQUE** [ɑ̃fetaminik] adj. — 1947, Delay, Pichot et Genest, *le Choc amphétaminique*, in *Annales médico-psychologiques*, t. II, p. 271; de *amphétamine* ou de l'anglais.

Médecine.

♦ **1** Qui est une amphétamine, qui contient une ou des amphétamines. *Administration d'un produit amphétaminique.*

♦ **2** Causé par une ou des amphétamines. *Délire amphétaminique. Psychose amphétaminique :* troubles psychiques généralement paranoïdes dus à une intoxication par les amphétamines. — *Choc amphétaminique :* réaction émotionnelle accompagnée de divers symptômes somatiques (poussées hypertensives, augmentation de l'amplitude respiratoire, troubles vasomoteurs...) et provoquée par une injection intraveineuse rapide d'amphétamine. *Usage diagnostique ou thérapeutique du choc amphétaminique, en psychiatrie.*

**AMPHÉTAMINOMANE** [ɑ̃fetaminɔman] n. — Av. 1975, *in* Porot, art. *Amphétamine*; de *amphétamin(e)*, et 2. *-mane*.

Didact. Toxicomane qui fait usage de produits amphétaminiques.

**AMPHI** [ɑ̃fi] n. m. — 1829, Esnault, sens 2.; abrév. de *amphithéâtre*.

Familier.

♦ **1** Amphithéâtre (3.). → **Auditoire, auditorium, aula, salle** (de cours).

Je crois que vous irez loin, mademoiselle Janinval, à moins que d'ici là, nos étudiants ne veuillent plus de nous. Tenez, en mars dernier, durant un cours à l'amphi Socrate, j'ai dû m'interrompre pour écouter la fanfare des Beaux-Arts. 1
Yanny HUREAUX, la Prof, p. 25.

Ensemble des étudiants, des personnes qui suivent un cours dans un amphithéâtre. *L'amphi lui était très hostile.*

Unité d'enseignement constituée par l'ensemble des étudiants qui suivent les mêmes cours magistraux. *C'est le meilleur de l'amphi. L'amphi est divisé en plusieurs T. D.*

♦ **2** Cours. *Suivre, faire un amphi.* — Par ext. Exposé. *Il nous a fait un petit amphi.*

(...) je puis donc ajouter — c'était le sujet du dernier amphi — qu'en matière de télévision, tous les points d'une image sont transmis successivement. 2
Jacqueline MONSIGNY, le Miroir aux pingouins, p. 41.

**AMPHI-** → Amph-.

**AMPHIARTHROSE** [ɑ̃fiaʀtʀoz] n. f. — 1690, Dionis, *in* Trévoux; de *amphi-*, sur le modèle de *diarthrose*.

Anat. Symphyse.

**AMPHIBIE** [ɑ̃fibi] adj. et n. m. — 1553; grec *amphibios*. → Amphi-, et -bie.

♦ **1** (Animaux, végétaux). Capable de vivre à l'air ou dans l'eau, entièrement émergé ou immergé. *La grenouille est amphibie. Certaines polygonacées sont amphibies.*

0.1 C'est là qu'il transplanta ses roseaux monstres, qui, pareils à certaines algues amphibies s'accommodèrent sans peine de cette nouvelle culture purement terrestre.
Raymond ROUSSEL, Impressions d'Afrique, p. 366.

Par ext. Qui vit ordinairement à la surface de l'eau (ex. : phoque), ou dans l'eau à l'état larvaire et hors de l'eau à l'état adulte (ex. : crapaud).

1 La république de Platon
Ne serait rien que l'apprentie
De cette famille amphibie *(les castors)*.
LA FONTAINE, Disc. à Mme de La Sablière.

N. m. (1653). *Un amphibie.*

1.1 On pouvait voir aussi ramper sur le sable de gros amphibies, des phoques, sans doute, qui semblaient avoir choisi l'îlot pour refuge.
J. VERNE, l'Île mystérieuse, t. I, p. 181.

(XXe, en parlant de véhicules). Par anal. Qui peut être utilisé sur terre ou dans l'eau. *Voiture, char amphibie. Avion amphibie,* pouvant se poser indifféremment sur terre ou sur l'eau.

Par ext. Milit. *Opérations amphibies,* menées conjointement par les armées de terre et de mer (ex. : débarquement).

♦ **2** (1666). Fig. Rare. Ambigu, de nature double. *Pensées amphibies.*

2 Ils *(ces hommes avides)* sont amphibies, ils vivent de l'Église et de l'épée (...)
LA BRUYÈRE, les Caractères, VIII.

3 (...) un code amphibie où l'on avait mêlé la jurisprudence française avec la loi romaine (...)
MONTESQUIEU, l'Esprit des lois, XXVIII, 38.

4 (...) ce costume amphibie symbolisait assez bien ses fonctions à moitié civiles, à moitié militaires.
MARTIN DU GARD, les Thibault, VIII, 12.

N. m. (1718). Vx. Personne qui a tour à tour des opinions incompatibles, des activités complémentaires. *C'est un amphibie.*

DÉR. **Amphibiens.**

**AMPHIBIENS** [ɑ̃fibjɛ̃] n. m. pl. — 1822, *amphybiens;* de *amphibie*.

Vx. Batraciens. — Au sing. *Un amphibien.*

**AMPHIBIOTIQUE** [ɑ̃fibjɔtik] adj. — 1890, n. m. pl., *in* P. Larousse, *Deuxième Suppl.;* de *amphi-*, et grec *biôtikos* «qui concerne la vie, le mode de vie». → Antibiotique, symbiotique.

**I** Biol. Se dit des insectes dont les larves sont aquatiques. *Les éphémères, les odonates et les perlidés sont amphibiotiques.*

**II** Zool. (1954). Qui, au cours de migrations, passe du milieu marin en eau douce, ou inversement (opposé à *holobiotique*). → **Amphihalin.**

Quand l'ensemble de la migration a lieu dans le même lieu salin, les migrateurs sont dits «holobiotiques». Parmi ceux qui sont marins, nous avons cité le cas du Hareng, de la Morue, de la Sardine et des Thons. Quand, au contraire, les migrateurs vont des eaux douces aux eaux salées et inversement, se nourrissant dans les unes et se reproduisant dans les autres, on les dit «amphibiotiques».
R. et M.-L. BAUCHOT, les Poissons, p. 119.

1. **AMPHIBOLE** [ɑ̃fibɔl] n. f. — 1787; grec *amphibolos* «à double pointe».

Minér. Groupe de silicates (inosilicates) à deux clivages faciles et parfaits. *Amphiboles alumineuses* (ex. : hornblende), *non alumineuses* (ex. : actinote).

DÉR. 1. **Amphibolique.** ◊ HOM. 2. **Amphibole.**

2. **AMPHIBOLE** [ɑ̃fibɔl] adj. — 1906; sens général, 1611; du grec *amphibolos* «ambigu».

Pathol. Incertain, qui n'a pas de caractères bien définis. *Stade amphibole (d'une fièvre),* qui présente des variations importantes de température.

HOM. 1. **Amphibole.**

1. **AMPHIBOLIQUE** [ɑ̃fibɔlik] adj. — 1857; de 1. *amphibole.*

Minér. Qui contient de l'amphibole. *Roche amphibolique.*

HOM. 2. **Amphibolique.**

2. **AMPHIBOLIQUE** [ɑ̃fibɔlik] adj. — V. 1370; du lat. *amphibolicos,* grec *amphibolikos,* de *amphibolos.* → 2. Amphibole.

Didact. Susceptible de plusieurs interprétations. → **Ambigu, amphibologique.** *Proposition amphibolique.*

HOM. 1. **Amphibolique.**

**AMPHIBOLOGIE** [ɑ̃fibɔlɔʒi] n. f. — 1533, Montflory, *in* D. D. L.; *amphibolie,* XIIIe; bas lat. *amphibologia,* du class. *amphibolia,* mot grec.

Didact. Double sens présenté par une proposition. → **Ambiguïté, équivoque.**

Presque toutes les parties du discours peuvent, dans une bouche malhabile, devenir l'occasion d'équivoques et d'amphibologies.
G. DUHAMEL, Discours aux nuages, I.

DÉR. V. **Amphibologique.**

**AMPHIBOLOGIQUE** [ɑ̃fibɔlɔʒik] adj. — V. 1370; du lat. médiéval *amphibologicus;* de *amphibologia.* → Amphibologie.

Didact. Qui présente une amphibologie. → **Ambigu,** 2. **amphibolique, équivoque, obscur;** → cruauté, cit. 2.1. *Phrase, énoncé amphibologique.*

DÉR. **Amphibologiquement.**

**AMPHIBOLOGIQUEMENT** [ɑ̃fibɔlɔʒikmɑ̃] adv. — 1551; de *amphibologique.*

Littér. D'une manière amphibologique. *Écrire, parler amphibologiquement.* → **Ambigument.**

**AMPHIBRAQUE** [ɑ̃fibʀak] n. m. — 1644; lat. *amphibrachys;* du grec *amphibrakhus.*

Rhét. Pied formé d'une longue entre deux brèves, en grec et en latin (opposé à *amphimacre*).

**AMPHICŒLE** [ɑ̃fisɛl], **AMPHICOELIEN, IENNE** [ɑ̃fiseljɛ̃, jɛn] ou **AMPHICOELIQUE** [ɑ̃fiselik] adj. — 1890, *in* P. Larousse, *Deuxième Suppl.;* grec *amphi* (→ Amph-), et *koilos* «creux».

Didact. (zool., anat.). Biconcave (en parlant d'une vertèbre). «*Une vertèbre “en sablier” ou vertèbre amphicœlique*» (R. et M.-L. Bauchot, *les Poissons,* p. 36).

**AMPHICTYON** [ɑ̃fiktjɔ̃] n. m. — 1556; mot lat., du grec *amphiktuôn.*

Hist. Député à une amphictyonie, dans la Grèce antique. — Par ext. Littér., rare. Représentant.

Oh ! de l'esprit humain les grands amphictyons,
Dante, Isaïe, Eschyle, — étranges questions ! —
Cervante et Rabelais, savaient-ils leur empire ?

HUGO, les Quatre Vents de l'esprit, p. 276, *in* T. L. F.

DÉR. **Amphictyonat.**

**AMPHICTYONAT** [ɑ̃fiktjɔna] n. m. — 1838; de *amphictyon.*

Vx. Conseil politique de souverains, ainsi «dit par imitation du conseil des Amphictyons» (Littré).

**AMPHICTYONIE** [ɑ̃fiktjɔni] n. f. — 1762; grec *amphiktuonia* (→ Amphictyon), de *amphiktuôn.*

Hist. Association de cités, placée sous le patronage d'un dieu, dans la Grèce antique. *Grande amphictyonie,* formée des douze nations helléniques. *Député à une amphictyonie.* → **Amphictyon.**

(...) nul homme ne pense à l'institution qui garantirait la tranquillité universelle, à l'établissement de puissantes amphictyonies qui, dominant sur les États, les contiendraient dans le droit (...)

FRANCE, la Vie en fleur, XXVIII.

Par anal. Vx. Association entre États (cf. Proudhon, *in* P. Larousse).

**AMPHICTYONIQUE** [ɑ̃fiktjɔnik] adj. — 1568; grec *amphiktuonikos;* 1556, *amphictyonide;* du grec *amphiktuonis, amphiktuonidos.*

Hist. (antiquité grecque). Relatif aux amphictyons ou à une amphictyonie. *Ligue amphictyonique.*

**AMPHIGAME** [ɑ̃figam] adj. — 1845; de *amphi-,* et *-game.*

Didact. Qui possède les deux sexes. → **Hermaphrodite.**

**AMPHIGASTRE** [ɑ̃figastʀ] n. m. — 1846, *in* Bescherelle; de *amphi-,* et *-gastre.*

Bot. Écaille couvrant la face ventrale de la tige rampante de certaines hépatiques.

**AMPHIGÈNE** [ɑ̃fiʒɛn] n. m. — 1801; de *amphi-,* et *-gène.*

♦ **1** Minér. Leucite*.

♦ **2** (1859, *in* D. D. L.). Bot. Vx. Cryptogame s'accroissant par la périphérie : algues, champignons, lichens.

♦ **3** Chim. Vx. S'est dit des corps capables de produire des acides et des bases.

**AMPHIGOURI** [ɑ̃figuʀi] n. m. — 1738; orig. obscure, probablt de *amphi* «autour» (idée de «entortillé»; → Amphibologie), l'élément *-gouri* étant mal expliqué : du grec *agoreuein* «discourir» (?) ou (Guiraud) de *se gorrier* «s'habiller avec recherche», d'un rad. *gorr-* (*engourrit* «en vogue»).

♦ **1** Vx ou didact. Écrit ou discours burlesque rempli de galimatias.

Comme nous ne nous entendions point l'un l'autre, nos entretiens à ce sujet étaient autant d'énigmes et d'amphigouris plus que risibles. Elle fut prête à me croire absolument fou (...) ROUSSEAU, les Confessions, t. II, L, 7.

On pourrait cependant, pour élaguer un peu les tortillages et les amphigouris, obliger tout harangueur à énoncer au commencement de son discours la proposition qu'il veut faire (...) ROUSSEAU, le Gouvernement de Pologne.

♦ **2** (Style soutenu). Production intellectuelle confuse et incompréhensible; éloquence pompeuse et embrouillée.

Le plus abstrus sonnet de Mallarmé n'est pas plus difficile à comprendre que, pour le spectateur non prévenu, non apprivoisé par avance, l'enchevêtrement de cet amphigouri sublime. 3

GIDE, Voyage au Congo, *in* Souvenirs, Pl., p. 820.

C'est le ramassis de tout ce que le romantisme, le naturalisme, le journalisme, la vulgarisation technique par le magazine, la rhétorique de réunion publique, l'amphigouri philosophique et le pathos de la critique d'art ont mis au monde en fait de truismes. 4

J.-R. BLOCH, Deux hommes se rencontrent, p. 227.

Caractère de ce qui est confus et inintelligible. *Parler sans amphigouri.*

Il n'est pas surprenant, dans ces conditions, que la culture française, jadis la première du monde, sombre dans l'ésotérisme et l'amphigouri. 5

Jean FERNIOT, Pierrot et Aline, p. 300.

DÉR. **Amphigourique, amphigourisme.**

**AMPHIGOURIQUE** [ɑ̃figuʀik] adj. — 1748; de *amphigouri.*

Style soutenu.

♦ **1** (Langage). Qui tient de l'amphigouri (1. ou 2.); compliqué, confus et prétentieux. *La plaidoirie amphigourique de Petit-Jean dans «les Plaideurs». Discours amphigouriques.* → **Alambiqué, embrouillé, équivoque, incompréhensible, inintelligible, nébuleux, obscur, pompeux.**

Il s'exprimait avec une emphase qui tenait lieu d'esprit, et trouvait le moyen de servir à chacun un compliment amphigourique.

GIDE, les Faux-monnayeurs, *in* Romans, Pl., p. 1166 (1925).

Par ext. Dont la pensée, les écrits sont confus et incompréhensibles. *Un critique amphigourique.*

♦ **2** Par anal. Compliqué, obscur. *«Théorie amphigourique»* (Renan). *Allégories amphigouriques en peinture.*

**AMPHIGOURISME** [ɑ̃figuʀism] n. m. — 1876, Goncourt; de *amphigouri.*

Didact. ou littér. Rare. Pratique de l'amphigouri, goût de l'amphigouri.

**AMPHIHALIN, INE** [ɑ̃fialɛ̃, in] adj. — 1969; de *amphi-,* et *-halin,* du grec *hals, halos* «la mer».

Biol. Qui passe, au cours de migrations, d'un milieu aquatique dans un autre, de salinité différente. → **Amphibiotique.** *Poissons migrateurs amphihalins. Mécanismes osmorégulateurs des espèces amphihalines.*

**AMPHIMACRE** [ɑ̃fimakʀ] n. m. — 1644; grec *amphimacros.*

Rhét. Pied formé d'une brève entre deux longues, en grec et en latin (opposé à *amphibraque*).

**AMPHIMIXIE** [ɑ̃fimiksi] n. f. — 1905, *in* L. Testut, *Traité d'anatomie humaine,* p. 887 (*in* D. D. L.); *amphimixis,* 1903, in *Rev. gén. des sc.,* n° 11, p. 612; de *amphi-,* au sens de «autour, partout», et *mixis* «mélange, union».

Biol. Fusion des gamètes mâle et femelle; reproduction sexuée caractérisée par cette fusion.

Ainsi est *rétablie, dans l'œuf fécondé, la structure nucléaire diploïde.* Cette fusion nucléaire constitue le second aspect essentiel de la fécondation, l'*amphimixie.*

Maurice CAULLERY, l'Embryologie, p. 17.

CONTR. **Apomixie.**

**AMPHINEURES** [ɑ̃finœʀ] n. m. pl. — 1898; *amphineura*, 1885; de *amphi-*, et grec *neura* «nerf, corde».

Zool. Classe de mollusques primitifs, comprenant notamment les chitons. — Au sing. *Un amphineure.*

**AMPHINOMES** [ɑ̃finom] n. f. pl. — 1792; de *amphi-*, et grec *nôman* «mouvoir».

Zool. Annélides marins. — Au sing. *Une amphinome. L'amphinome chevelue.*

DÉR. **Amphinomidées.**

**AMPHINOMIDÉES** [ɑ̃finɔmide] n. f. pl. — 1845; *amphinomés*, n. m. pl., 1817; de *amphinome.*

Zool. Famille d'annélides. — Au sing. *Une amphinomidée.*

**AMPHION** [ɑ̃fjɔ̃] n. m. — 1644; mot grec, nom d'un musicien mythologique, fils de Jupiter et d'Antiope.

Vx, littér. Musicien très habile.

**AMPHIOXUS** [ɑ̃fjɔksys] n. m. — 1845; de *amphi-*, et grec *oxus* «pointu».

Zool. Petit animal marin *(Procordés; Céphalocordés)*, pisciforme, vivant sur les côtes sablonneuses, remarquable en ce qu'on trouve chez lui, présente de façon typique, l'embryogénie des vertébrés. *Orifice abdominal de l'amphioxus.* → **Spiracle.**

**AMPHIPNEUSTE** [ɑ̃fipnøst] adj. — 1846, *in* Bescherelle; de *amphi-*, et grec *pnein* «respirer».

Zool. Qui est muni de branchies et de poumons. → **Dipneuste.**

**AMPHIPODES** [ɑ̃fipɔd] n. m. pl. — Av. 1822, Latreille; du lat. zool. *amphipoda*, 1809; de *amphi-*, et *-pode*, à cause de la double fonction des pattes : nage et locomotion terrestre.

Zool. Ordre de crustacés à corps comprimé latéralement (alors que les *isopodes* sont aplatis), carnassiers, vivant dans les eaux salées (talitre) ou douces (gammare). *Les «puces de mer» sont des amphipodes.*

Au sing. *Un amphipode.* — Adj. (Vx). *Crustacé amphipode.*

**AMPHIPRION** [ɑ̃fipʀijɔ̃] n. m. — 1823; de *amphi-*, et grec *priôn* «scie».

Zool. Poisson osseux d'Asie, de couleurs vives.

**AMPHIPROSTYLE** [ɑ̃fipʀɔstil] adj. — 1719, Richelet; de *amphi-*, et *prostyle.*

Archéol. (En parlant d'un temple). Qui a un portique sur chacun de ses côtés.

Le temple qui présente un front de colonnes supplémentaires sur un petit côté est *prostyle;* s'il l'a sur les deux, *amphiprostyle* (...).

G. CONTENAU et V. CHAPOT, l'Art antique, p. 162.

**AMPHIPTÈRE** [ɑ̃fiptɛʀ] ou **AMPHISTÈRE** [ɑ̃fistɛʀ] n. m. — 1690; de *amphi-*, et *-ptère.*

Blason. Serpent ou dragon à deux ailes.

**AMPHISARQUE** [ɑ̃fizaʀk] n. m. — 1829, *in* Académie, *Suppl.*; du grec *amphi* «autour», et *sarx, sarkos* «chair».

Bot. Fruit indéhiscent, sec à l'extérieur, pulpeux à l'intérieur.

**AMPHISBÈNE** [ɑ̃fizbɛn] n. m. — 1532; *amphybane*, v. 1190; du lat. *amphisbæna*, grec *amphisbaina*, de *amphi* (→ Amph-), et *bainein* «aller».

♦ **1** (1611, *amphisbeine*). Vx. Serpent fabuleux à deux têtes.

Blason. Serpent ailé dont la queue se termine par une seconde tête.

♦ **2** Zool. Reptile lacertilien *(Sauriens)* sans pattes, dont les deux extrémités sont très ressemblantes, se déplaçant dans un sens ou dans l'autre.

(...) et, moi happant de mes ventouses le hasard terse du granit, le docteur me conduisit au monstre. Et à l'entour notre navigation se contourna comme l'anneau nuptial du baiser de Narcisse d'un amphisbène.

A. JARRY, Gestes et Opinions du docteur Faustroll, III, XXII, Pl., t. I, p. 690.

DÉR. (Du sens 2.) **Amphisbénidés.**

**AMPHISBÉNIDÉS** [ɑ̃fizbenide] n. m. pl. — 1893, *amphisbéniens;* de *amphisbène.*

Zool. Famille de reptiles lacertiliens dont le type est l'amphisbène.

**AMPHISCIENS** [ɑ̃fisjɛ̃] n. m. pl. — 1680, Richelet; de *amphi-*, et grec *skia* «ombre».

Didact., vx. Habitants de la zone équatoriale dont l'ombre est projetée vers le nord pendant une partie de l'année et vers le midi pendant l'autre partie.

**AMPHISTÈRE** [ɑ̃fistɛʀ] n. m. → **Amphiptère.**

**AMPHISTOME** [ɑ̃fistom] n. m. — 1808, *in* Boiste; de *amphi-*, et *-stome.*

Zool. Ver de la classe des Trématodes, parasite de l'appareil digestif des ruminants.

**AMPHITHÉÂTRAL, ALE, AUX** [ɑ̃fiteatʀal, o] adj. — 1548, *jeux amphitheatraus;* de *amphithéâtre.* → Théâtral.

Didact., rare. D'un amphithéâtre; propre à un amphithéâtre. *«Disposition amphithéâtrale»* (Nisard, *in* P. Larousse), en amphithéâtre.

**AMPHITHÉÂTRE** [ɑ̃fiteatʀ] n. m. — 1532; *amphiteaitre*, 1213; du lat. *amphitheatrum*, grec *amphitheatron*, de *amphi-*, et *theatron.* → Théâtre.

♦ **1** Hist. rom. Vaste édifice circulaire à gradins étagés (→ **Cavea**), occupé au centre par une arène, destiné d'abord et essentiellement aux combats de gladiateurs (plus tard, à divers spectacles, même à des naumachies). *L'amphithéâtre Flavien* (ou *Colisée*). *Velarium, podium, vomitoire d'un amphithéâtre.*

Mais, si l'architecture doit aux cérémonies l'amphithéâtre, qui est la pyramide renversée, ou presque, c'est au tombeau, signe ancien et naturel entre tous, qu'elle doit la pyramide, qui n'est qu'un grand tas de pierres équilibré par la seule pesanteur.

ALAIN, les Idées et les Âges, *in* les Passions et la Sagesse, Pl., p. 238.

REM. On peut trouver dans les textes didactiques les formes latine *amphitheatrum* [ɑ̃fiteatʀɔm] ou grecque *amphitheatron* [ɑ̃fiteatʀɔn].

César, pour le munus *(spectacle public)* qu'il offrit à la plèbe à l'occasion de son quadruple triomphe, en 46 avant Jésus-Christ, adopta d'emblée (...) le dispositif du double théâtre qu'avait imaginé son ami Curion (...) mais (...) c'est à Auguste qu'il appartint de la réaliser *(cette construction)* en une pierre durable, et aux écrivains du siècle d'Auguste de forger le mot latin qui désignera désormais ce genre de monument : amphitheatrum.

J. CARCOPINO, la Vie quotidienne à Rome..., p. 270.

(1927). Géol. *Amphithéâtre morainique :* suite de moraines terminales en arc de cercle autour de l'extrémité d'une langue glaciaire.

♦ **2** (1690). Dans certains théâtres, Étage supérieur où les spectateurs sont placés sur des gradins superposés. → **Poulailler.**

2 L'amphithéâtre courbait longuement au-dessus du parterre sa guirlande de diamants, de fleurs, de chevelures, de chairs, de gaze et de satin.
FRANCE, le Lys rouge, XXXII.

(1694). Par ext. Ensemble des spectateurs qui occupent l'amphithéâtre.

3 J'ai cru (...) que ces endroits étaient clairs et intelligibles pour les acteurs, pour le parterre et l'amphithéâtre (...)
LA BRUYÈRE, les Caractères, I, 8.

♦ **3** (1751). Local garni de gradins réservé aux cours et travaux pratiques d'anatomie et de chirurgie. — (XIXe). Par ext. Salle similaire où les professeurs d'université font les cours. → **Auditoire** (régional), et aussi **aula** (2.).

4 C'est un usage que les professeurs récemment nommés débutent par une première leçon de généralités, laquelle se fait d'ordinaire dans un amphithéâtre plus vaste que celui qui sert aux leçons spéciales.
RENAN, Questions contemporaines, Œ. compl., t. I, p. 177.

Abrév. fam. → **Amphi.**

♦ **4** (1690). **EN AMPHITHÉÂTRE.** *S'élever en amphithéâtre, former un amphithéâtre :* s'étager sur une pente. *« Que la ville étagée en long amphithéâtre (...) »* (Hugo). *Ce terrain s'élève en amphithéâtre. Jardins en amphithéâtre. Les maisons d'Alger s'étagent sur un vaste amphithéâtre.*

5 (...) parvenu au col qui attache les deux principaux sommets du mont Ganghour, je découvrirais l'amphithéâtre incommensurable des neiges éternelles.
CHATEAUBRIAND, Mémoires d'outre-tombe, t. II, I.

DÉR. **Amphithéâtrique.** — V. **Amphi.**

**AMPHITHÉÂTRIQUE** [ɑ̃fiteatʀik] adj. — 1542; de *amphithéâtre.*

Didactique, rare.

♦ **1** Paléographie. Se dit d'un papyrus égyptien de qualité supérieure (fabriqué dans un lieu en amphithéâtre).

♦ **2** Amphithéâtral.

**AMPHITRITE** [ɑ̃fitʀit] n. f. — 1792; du nom de la déesse de la mer chez les Grecs.

Zool. Ver marin tubicole.

**AMPHITRYON, ONNE** [ɑ̃fitʀijɔ̃, ɔn] n. — 1752; *Amphytrion,* 1727, *in* D. D. L.; fém., 1867, Barbey d'Aurevilly, cit.; des vers de Molière *« Le véritable Amphitryon Est l'Amphitryon où l'on dîne »* dans la comédie de ce nom (III, 5), du grec *Amphitruôn,* chef thébain.

Plais. Hôte qui offre à dîner. *« Un amphitryon avait fait servir sur sa table un saucisson d'Arles de taille héroïque »* (Brillat-Savarin).

Fém. (Littéraire) :

Les Amphitryonnes de cet incroyable souper, si peu dans les mœurs trembleuses de la société à laquelle elles appartenaient, durent y éprouver quelque chose de ce que Sardanapale ressentit sur son bûcher (...)
BARBEY D'AUREVILLY, les Diaboliques, « Le plus bel amour de Dom Juan ».

Il avait passé la soirée chez la baronne de Poissy, la célèbre amphitryonne de tous les sexes, en compagnie d'un groupe élu de chenapans du *Premier-Paris* et de cabotins lanceurs de rayons. Il avait été étincelant, comme toujours, et même un peu plus.
Léon BLOY, le Désespéré, p. 16.

REM. Barbey d'Aurevilly emploie le dérivé *amphitryoner* [ɑ̃fitʀijɔne] « recevoir, faire l'amphitryon ».

Hier (...) dîné avec G..., Guérin et Scudo. — *J'amphitryonais.* 3
BARBEY D'AUREVILLY, Premier mémorandum, p. 133.

**AMPHIUME** [ɑ̃fjym] ou **AMPHIUMA** [ɑ̃fjyma] n. m. — 1838; lat. zool. *amphiuma,* d'orig. inconnue.

Zool. Batracien urodèle qui a l'apparence d'une grosse anguille munie de quatre pattes minuscules, qui vit dans les marais d'Amérique et peut atteindre un mètre de longueur.

**AMPHO-** → **Amph-.**

**AMPHOGÈNE** [ɑ̃fɔʒɛn] adj. — 1945, Vandel; de *ampho-,* et *-gène.*

Biol. Qui produit des individus des deux sexes. *Espèce amphogène.*

Chez ce petit Isopode *(Trichoniscus elisabethae)...* certaines femelles — environ 22 % — produisent une descendance caractérisée par une prédominance considérable de l'un des deux sexes, voire par sa présence exclusive. Ces femelles sont dites *monogènes,* par opposition aux femelles *amphogènes,* qui donnent une descendance à proportion sexuelle normale, et, plus précisément, *arrhénogènes ou thélygènes* selon que la prédominance est en faveur du sexe mâle ou du sexe femelle. Il y a aussi des femelles *allélogènes,* dont les portées successives sont, tantôt du type arrhénogène, tantôt du type thélygène.
Jean ROSTAND, Idées nouvelles de la génétique, p. 64.

**AMPHOLYTE** [ɑ̃fɔlit] n. m. — 1920; de *ampho-,* et *lutos* « qui peut être libéré ou dissous ».

Chim. Substance (protidique) qui agit dans certains cas comme acide et dans d'autres comme base.

**AMPHORE** [ɑ̃fɔʀ] n. f. — 1518; lat. d'orig. grecque *amphora.*

♦ **1** Vase antique à deux anses, à pied étroit. *Les anciens conservaient du vin, de l'huile dans les amphores. Navire chargé d'amphores. Amphore italique. Bouchon, couvercle d'une amphore.*

Les vins de palme et de Tamaris, ceux de Safet et de 1
Byblos, coulaient des amphores dans les cratères, des cratères dans les coupes, des coupes dans les gosiers.
FLAUBERT, Trois contes, « Hérodias », III.

Téléphone dont l'image fidèle reposait en moi, engloutie 1.1
comme une amphore au fond de l'océan.
Claude MAURIAC, le Temps immobile, p. 387.

♦ **2** Récipient moderne de même forme.

Poét., vx. Vase, récipient pour les liquides. *« Mettez sur ma table ces deux amphores de cristal (...) je veux bannir l'ignoble mot bouteille »* (Mercier, *Néologie,* 1801).

♦ **3** Par compar. ou métaphore. Forme comparable à celle de l'amphore antique.

Elle leva au-dessus de sa tête ses bras nus, qui faisaient 2
comme deux anses éclatantes à l'amphore admirablement évasée de son corps.
FRANCE, l'Anneau d'améthyste, p. 182.

DÉR. **Amphorique.**

**AMPHORIQUE** [ɑ̃fɔʀik] adj. — 1837, *in* D. D. L.; de *amphore.*

Méd. *Respiration, souffle amphorique,* qui produit à l'auscultation un son caverneux.

**AMPHOTÈRE** [ɑ̃fɔtɛʀ] adj. — 1866; du grec *amphoteros* « l'un et l'autre ».

Didact. (chim.). Capable de se combiner aux acides comme aux bases. *L'alumine est un oxyde amphotère.*

**AMPHOTÉRICINE** [ɑ̃fɔteʀisin] n. f. — Mil. XX$^{e}$; du grec *amphoteros* «l'un et l'autre», et suff. *-icine* désignant les antibiotiques.

Méd. Antibiotique prescrit par la bouche ou en applications locales dans le traitement de diverses mycoses.

**AMPLE** [ɑ̃pl] adj. — V. 1121; du lat. *amplus* «grand».

**A** (Concret). ♦ **1** **a** Qui a de l'ampleur. → **Large.** *Manteau ample* (opposé à *cintré, ajusté*). *D'amples rideaux.*

1 Il déploie un ample mouchoir, et se mouche avec grand bruit (...) LA BRUYÈRE, les Caractères, VI, 83.

**b** D'une amplitude considérable. «*Une oscillation ample et vague secouait la foule*» (Sartre).

*Une voix ample,* étendue, sonore.

♦ **2** Vx. Spacieux, vaste.

2 (...) un ample magasin de hardes.
MOLIÈRE, l'Avare, II, 4.

♦ **3** Littér. De dimensions généreuses.

3 Je vous ai montré dans les artistes vénitiens les formes arrondies, onduleuses et régulièrement épanouies, la chair ample et blanche (...)
TAINE, Philosophie de l'art, t. II, p. 5.

4 (...) l'ample (...) évasement des flancs.
FRANCE, Histoire comique, I.

**B** ♦ **1** Littér. Abondant. *Amples moissons, amples récoltes. Un ample repas.* → **Copieux.** *D'amples possessions.* «*On tenait à avoir des provisions bien amples*» (H. Pourrat, *in* T. L. F.).

♦ **2** Qui se développe largement. *D'amples détails. Des vues amples. C'est un sujet, une matière très ample. Procéder à un ample examen de la question. Je vous donnerai de plus amples renseignements.*

5 Mars nous fait recueillir d'amples moissons de gloire (...)
LA FONTAINE, Fables, VII, 18.

6 (...) Une ample comédie à cent actes divers,
Et dont la scène est l'univers.
LA FONTAINE, Fables, V, 1.

7 Tel qu'il est, je crois que mon drame est ce qu'il devait être et ce que je voulais qu'il soit (qu'il *soit,* non qu'il *fût*). Il répond à mon exigence; me satisfait. Une fin plus ample l'eût déséquilibré. GIDE, Journal, 5 févr. 1931.

Dr. *Ordonner un plus ample informé,* un informé, un examen plus complet. *Renvoyer un accusé jusqu'à plus ample informé.*

(En parlant de réalités intellectuelles et artistiques). → **Ampleur** (B., 2.). Qui s'exprime ou se développe avec force, sans contrainte, en couvrant de larges domaines. *Des vues amples et profondes.* — Par métonymie. «*Rabelais, un écrivain si ample, si complet (...)*» (Sainte-Beuve).

*Un style ample. Phrase ample.*

♦ **3** Littér. (Personnes). Grand.

8 (...) afin que (...) dans les cafés, les garçons ne prissent pas l'habitude de nous considérer comme un ample buveur à qui, d'emblée, avant qu'il ait demandé quoi que ce soit, on apporte son petit verre (...)
Jacques LAURENT, les Bêtises, p. 480.

CONTR. **Étroit, exigu, maigre, mince, modeste, petit, resserré, restreint, serré.** ◈ DÉR. **Amplement, ampleur.** — V. **Ampliation, amplifier, amplitude.**

**AMPLECTIF, IVE** [ɑ̃plɛktif, iv] adj. — 1838; du lat. *amplecti* «entourer».

Bot. Qui enveloppe complètement (un autre organe).

**AMPLEMENT** [ɑ̃pləmɑ̃] adv. — XII$^{e}$; de *ample.*

♦ **1** Avec ampleur, d'une manière développée. → **Abondamment.** *Il m'a amplement exposé toute l'affaire. Je vous écrirai plus amplement.* → **Longuement.**

♦ **2** D'une manière plus que suffisante, bien assez. → **Largement.** *Il pourvoit amplement à ses besoins.* → **Abondamment, copieusement, grandement;** et aussi **aisément, facilement.** *Amplement satisfait.* → **Pleinement.**

Les murs auraient amplement contenu 1
Toute sa vie (...) LA FONTAINE, Fables, XII, 15.

(...) croira Nicomède amplement satisfait. 2
CORNEILLE, Nicomède, V, 4.

Vous en serez tantôt instruits plus amplement. 3
RACINE, Mithridate, II, 2.

Ce que j'ai retiré d'ailleurs d'éloges à sa vieillesse, je l'ai rendu amplement à sa jeunesse. 4
SAINTE-BEUVE, Correspondance, t. I, p. 287.

♦ **3** D'une manière large, vaste. *Il est amplement logé.* → **Grandement.** *Respirer amplement.*

CONTR. **Étroitement, mal, modestement, petitement, peu.**

**AMPLEUR** [ɑ̃plœʀ] n. f. — 1718; a remplacé *ampleté, amplesse,* anc. franç.; de *ample.*

**A** ♦ **1** Largeur étendue au-delà du nécessaire. *Donner plus ou moins d'ampleur à une jupe.*

Surplus de tissu nécessaire à la confection d'un vêtement, réparti en plis, fronces, etc. *Réserver de l'ampleur. L'ampleur de la voix,* son étendue.

♦ **2** Amplitude. *L'ampleur de ses mouvements.*

(...) une grâce saine et souple se dégageait de l'ampleur lente de ses mouvements. LOTI, Matelot, XXXIV. 1

Il vivait furtivement, sans ampleur de gestes, sans éclat de voix, parlant en dernier et avec mesure, semblant regretter ses mots.
Pierre HAMP, la Peine des hommes (Moteurs), p. 7.

♦ **3** Rare. Caractère de ce qui est de grandes dimensions. *L'ampleur de son pas. L'ampleur des formes.*

**B** ♦ **1** (1787). Caractère de ce qui est abondant, a une grande extension ou importance. → **Abondance, développement.** *Le mouvement, la manifestation a pris de l'ampleur. Prendre toute son ampleur. Devant l'ampleur du désastre. L'ampleur des moyens mis en œuvre. L'ampleur du sujet. L'ampleur de ses connaissances me confond.*

C'est par la liberté et par l'ampleur croissante des échanges que se réalisera peu à peu l'unité humaine. 2
JAURÈS, Hist. socialiste..., t. V, p. 31.

♦ **2** Caractère de ce qui est développé longuement et avec force. *L'ampleur d'une phrase, d'un style, d'un raisonnement. L'ampleur d'un exposé, d'une synthèse.*

Son discours *(de Vergniaud),* d'une ampleur de style, d'un développement grandiose, avec beaucoup de redondances, étonne à la lecture. 3
MICHELET, Hist. de la Révolution franç., t. I, p. 934.

Je n'ai jamais cru que la grandeur d'un ensemble, l'ampleur d'une synthèse pussent dispenser de la vue aiguë et infiniment particulière du détail. 4
J. ROMAINS, les Hommes de bonne volonté, t. I, Préface, p. 18.

CONTR. **Étroitesse, exiguïté, maigreur, minceur, petitesse.**

**AMPLEXICAULE** [ɑ̃plɛksikol] adj. — 1842; du lat. *amplexus* «embrassement», et *-caule.*

Bot. Qui enveloppe la tige. *Feuilles, pédoncules, pétiole, stipules amplexicaules.*

**AMPLEXION** [ãplɛksjɔ̃] n. f. — 1834; du rad. du lat. *amplexus,* p. p. de *amplect* «étreinte, embrassement». Didactique.

♦ **1** Fait d'embrasser (des connaissances), de comprendre et d'aimer. — REM. Ce latinisme semble propre à Sainte-Beuve.

♦ **2** Mod. Examen par lequel on entoure la cage thoracique des deux mains, dans le diagnostic de la pleurésie.

**AMPLI** [ãpli] n. m. — 1934, *in* D. D. L.; abrév. de *amplificateur.*

Fam. Amplificateur (d'une chaîne acoustique). *L'ampli et le «pré-ampli»* (pré-amplificateur) *d'une chaîne haute-fidélité. Des amplis.* — Anglic. *Ampli-tuner :* ensemble formé par un détecteur radiophonique et un amplificateur.

Je vous conseille le mono plutôt qu'un médiocre stéréo. Un ampli-préampli valable coûte dans les cinq cent mille francs. S. DE BEAUVOIR, les Belles Images, p. 14.

HOM. Formes du v. **emplir.**

**AMPLIATIF, IVE** [ãplijatif, iv] adj. — 1548, attestation isolée; «qui agrandit», XV<sup></sup>e; du rad. de *ampliation.* Didactique.

♦ **1** Vx. Qui renforce un sens. *Expression ampliative. Mot, adverbe ampliatif.*

♦ **2** (1704). Dr. Qui développe et complète ce qui a été dit dans un acte précédent. *Mémoire ampliatif. Bulle, lettre ampliative.* — Constituant une ampliation. *Acte ampliatif.*

**AMPLIATION** [ãplijasjɔ̃] n. f. — 1552; «agrandissement», 1339; du lat. *ampliatio,* de *ampliare,* de *amplus* «ample».

**I** ♦ **1** Dr. (Vx). Action de compléter, de développer (un acte, une requête). *Lettres d'ampliation.*

♦ **2** (1690). Par ext. Duplicata authentifié d'un acte notarié ou administratif. *Pour ampliation,* formule au bas d'un acte ampliatif.

**II** (1863). Physiol. Augmentation du volume de la cage thoracique lors de l'inspiration.

DÉR. V. **Ampliatif.**

**AMPLIFIABLE** [ãplifjabl] adj. — 1905; de *amplifier.* Rare. Qui peut être amplifié.

**AMPLIFIANT, ANTE** [ãplifjã, ãt] adj. — Déb. XXe; «grossissant», 1830, *in* D. D. L.; de *amplifier.*

♦ **1** Rare. Qui amplifie. — Log. *Induction amplifiante,* qui étend la formule générale à des faits inconnus ou futurs (syn. : *induction baconienne).*

♦ **2** Vx. Grossissant. *Le pouvoir amplifiant d'une loupe, d'un microscope, d'un télescope.*

**AMPLIFICATEUR, TRICE** [ãplifikatœʀ, tʀis] adj. et n. — XVe, n. m.; du lat. *amplificator,* du supin de *amplificare.* → Amplifier.

**I** Adj. Qui augmente, qui amplifie. *Rumeurs amplificatrices.*

**II** N. m. ♦ **1** Vx. Personne qui augmente, agrandit (une chose, un domaine). *Un amplificateur de mauvaise foi.*

♦ **2** (1898). Vieilli. Type d'agrandisseur photographique.

Mod. Appareil destiné à augmenter l'amplitude d'un phénomène (oscillations électriques en particulier) et qui fournit une puissance utile de sortie supérieure à la puissance d'entrée. *Un amplificateur basse fréquence (BF), haute fréquence (HF). Amplificateur d'entretien. Adapter un amplificateur à un écouteur téléphonique.* — Cour. Élément d'une chaîne acoustique qui précède les haut-parleurs. → **Ampli.** *Micro accouplé à un amplificateur* (→ Phonocontrôle, cit.). *Balance* d'un amplificateur stéréophonique.*

(...) un amplificateur très fidèle donne un bruit de fond 1
plus important qu'un amplificateur à bande réduite, car il amplifie uniformément les bruits blancs qui sont produits dans ses divers circuits par diverses causes (dans les résistances par effet thermique, dans les tubes par discontinuité de l'émission électronique).
Gilbert SIMONDON, Du mode d'existence des objets techniques, p. 136.

Phys. Dispositif, mécanique ou électronique, qui amplifie un phénomène physique (→ **Capteur).**

♦ **3** Ce qui accroît, amplifie.

On désire plus la personne qui va se donner, l'espérance 2
anticipe la possession; mais le regret aussi est un amplificateur du désir.
PROUST, À la recherche du temps perdu, t. XIII, p. 110.

DÉR. (Abrév.) **Ampli.**

**AMPLIFICATION** [ãplifikasjɔ̃] n. f. — XIVe; du lat. *amplificatio,* du supin de *amplificare.* → Amplifier.

♦ **1** Vx. Agrandissement, accroissement. — Mod. (Abstrait). *L'amplification d'un désir.* — Psychol. Chez Jung, Renforcement d'une image onirique par des associations analogiques tirées des mythes, de la religion, etc.

(1801). Grossissement optique.

♦ **2** Sc., techn. Opération consistant à accroître l'amplitude à l'aide d'un amplificateur. *Amplification d'une vibration.*

♦ **3** (XVIe). Développement ou gradation par addition de détails ou d'images (notamment dans la description). — Péj. Développement verbeux, exagération oratoire. → **Broderie, enflure, redondance.**

L'amplification consiste à développer les idées par le style, 1
de manière à leur donner plus d'ornement, plus d'étendue ou de force. Longin la définit : «Un accroissement de paroles».
Antoine ALBALAT, la Formation du style, IV.

(...) parmi tant d'opéras fades ou pédantesques, encom- 2
brés de rhétorique bavarde, de lieux communs prétentieux, d'amplifications oratoires, de niaiseries sentimentales (...) Alceste *(de Gluck)* demeure le modèle du théâtre musical (...)
R. ROLLAND, Musiciens d'autrefois, p. 205.

Spécialt. Figure de rhétorique par laquelle on reprend les éléments d'une description en les enrichissant. — Vx. Développement d'un thème (exercice des classes de rhétorique, au XIXe siècle).

CONTR. **Abréviation, amoindrissement, diminution, rapetissement, réduction, rétrécissement. — Concession. — Abrégé, résumé.**

**AMPLIFIER** [ãplifje] v. tr. — XVe; *amplier,* XIIIe; du lat. *amplificare,* de *amplus,* et *-ficare,* de *facere* «faire».

♦ **1** Agrandir, augmenter les dimensions, l'intensité de (spécialt, à l'aide d'amplificateurs). *Amplifier une image, un courant électrique, un son. Amplifier un écho.*

Vx. *Amplifier ses terres. «Amplifier son domaine»* (Balzac).

Mod. (Abstrait). *Amplifier la production des céréales.* → **Augmenter, intensifier.**

♦ **2** (1866). Grossir, faire paraître plus grand. *L'image est amplifiée par le microscope. Cet objectif amplifie considérablement les objets.* → **Agrandir, grandir.**

♦ **3** (1690). Développer par amplification. *Amplifier une idée, une pensée.* → **Détailler, étendre.**

Péj. *Il amplifie tout ce qu'il dit, tout ce qu'il rapporte.* → **Embellir, enjoliver, exagérer, grossir, outrer.**

Exprimer par écrit, littérairement, de manière ample, trop ample, trop développée. *Amplifier un discours, une description par des figures de rhétorique compliquées. Amplifier qqch. dans une description, un roman.*

1 L'un écrivait sous sa dictée *(de Napoléon)* les phrases ampoulées dont il amplifiait ses ordres du jour.
P.-L. COURIER, Lettres, II, 240, *in* LITTRÉ.

2 (...) par cet excès d'imagination et cet instinct d'exagération qui lui sont propres, il l'amplifie *(ce caractère),* il le porte à l'outrance. TAINE, Philosophie de l'art, t. I, p. 3.

Absolt. *Si l'on dit plus qu'il ne faut, c'est-à-dire si on amplifie, on dit trop* (Voltaire).

◆ **S'AMPLIFIER** v. pron. Devenir ample, prendre de l'ampleur. → **Augmenter, grandir, grossir.**

3 (...) les oscillations s'amplifièrent : il y eut partout un brusque silence : le paquebot venait de démarrer, le paquebot s'élançait dans la nuit!
MARTIN DU GARD, les Thibault, VI, 11.

(Abstrait) :

4 (...) des détails insignifiants d'autrefois qui, dans sa mémoire dépeuplée, s'amplifiaient soudain, comme un son dans les volutes d'un coquillage.
MARTIN DU GARD, les Thibault, V, 2.

5 Il ne fait point effort pour se grandir, ni pour enfler sa voix, mais pas non plus pour se réduire et se ramasser; la moindre pensée s'amplifie de tous les échos qu'elle éveille en sa grande âme (...)
GIDE, Feuillets, *in* Journal 1889-1939, Pl., p. 350.

CONTR. **Abréger, amoindrir, apetisser, diminuer, étrécir, étriquer, rapetisser, réduire, restreindre, rétrécir.** ◊ DÉR. **Amplifiable, amplifiant.**

**AMPLITUDE** [ɑ̃plityd] n. f. — Fin XVe, «grandeur, prestige»; XVe, «durée»; du lat. *amplitudo,* de *amplus* «ample».

♦ **1** Vx. Grandeur, étendue. → **Ampleur.** *L'amplitude de la nature. «La majesté ne va pas sans une certaine amplitude de chair»* (Balzac, *in* T. L. F.).

1 Dans l'amplitude et immensité de la nature (...)
PASCAL, *in* LITTRÉ.

Mod. (Abstrait). *L'amplitude d'un phénomène. Prendre une telle amplitude que...*

2 La montée lente et l'amplitude croissante des catastrophes (...) A. MAUROIS, Études littéraires, t. II, p. 243.

2.1 (...) en quelques instants privilégiés ma liberté frémit de son amplitude perdue et retrouvée.
P. RICŒUR, Philosophie de la volonté, 1949, p. 298, *in* T. L. F.

♦ **2** (1557). Spécialt. Sc. (astron.). Arc de l'horizon compris entre le point où un astre se lève *(amplitude ortive)* ou se couche *(amplitude occase)* et les directions de l'Est ou de l'Ouest géographiques.

(XVIIIe). Géom. Distance entre les points extrêmes d'un arc, d'une courbe.

(1700). Vx. *Amplitude du jet d'un projectile.* → **Portée.**

Opt. *Amplitude d'accommodation :* différence de vergence entre le point le plus rapproché et le point le plus éloigné vus nets.

♦ **3** Sc. Moitié de l'étendue totale d'une oscillation. *Amplitude d'un mouvement pendulaire, d'un pendule, d'un organe oscillant* (horlogerie).

Les oscillations du pendule mis en mouvement dans cette âme par les chocs de l'adolescence n'ont rien perdu de leur amplitude. 3
A. MAUROIS, Études littéraires, t. I, «Gide», p. 88.

Par ext. (de l'amplitude de l'arc du pendule). Phys. Éloignement maximal, par rapport à sa valeur d'équilibre, d'une quantité qui varie de façon oscillatoire autour de cette valeur (mouvement pendulaire, ondulatoire, etc.). *Amplitude d'une onde, d'une vague. Fréquence et amplitude. Modulation* d'amplitude,* d'une onde radio.

*Amplitude de la marée :* différence de hauteur de l'eau entre une basse mer et une pleine mer consécutives. → **Marnage.**

*Amplitude d'assiette, de gîte,* d'un navire soumis au roulis.

Par métaphore :

(...) des hauts, des bas, d'amplitude décroissante. 4
A. MAUROIS, Bernard Quesnay, XXV.

Par ext. (et infl. du sens 1.). *Amplitude d'un mouvement.* → **Ampleur.**

Le corps souple se tord, de droite et de gauche, pour essayer de se libérer des minces liens de cuir qui enserrent les chevilles et les poignets; mais c'est en vain, naturellement. Les mouvements qu'autorise la posture sont d'ailleurs de faible amplitude; torse et membres obéissent à des règles si strictes, si contraignantes, que la danseuse paraît maintenant tout à fait immobile, marquant seulement la mesure d'une imperceptible ondulation des reins. 5
A. ROBBE-GRILLET, la Maison de rendez-vous, p. 15.

♦ **4** Écart entre deux valeurs extrêmes de la température (jour, mois, année). *Amplitude diurne. Amplitude moyenne annuelle :* écart entre la moyenne du mois le plus chaud et celle du mois le plus froid.

**AMPOULE** [ɑ̃pul] n. f. — 1174; du lat. *ampulla* «fiole».

**I** (Objets fabriqués). **A** (Récipients). ♦ **1** Petite fiole à col long et à ventre renflé. *Ampoules de laboratoire. Ampoule de verre d'une bouteille thermos.*

Spécialt. (Antiq. rom.). Petite fiole contenant l'huile dont les athlètes et baigneurs romains se frottaient le corps.

♦ **2** (1260). Hist. *La sainte ampoule :* la fiole contenant l'huile consacrée pour l'onction des rois de France.

La sainte ampoule de Reims, par l'action de laquelle nos Rois sont institués vicaires de Jésus-Christ pour le royaume de France.
FRANCE, les Opinions de J. Coignard, Œ., t. VIII, p. 359.

♦ **3** Cour. Tube de verre effilé et fermé, destiné à la conservation d'une dose déterminée de médicament liquide ou pulvérulent; son contenu. *Médicament en ampoules. Prendre une ampoule matin et soir. Ampoules buvables, injectables. Scier l'extrémité d'une ampoule avant de la casser. Ampoule autocassable.*

Celui qui s'évanouit quand René, brûlant, ouvre un tiroir qui contient une réserve d'ampoules de morphine.
Jean GENET, Journal du voleur, p. 15.

**B** Cour. Globe de verre vide d'air (ou rempli d'un gaz sous faible pression) contenant le filament des lampes à incandescence, les électrodes des tubes électroniques. *Ampoule électrique. L'ampoule est grillée, il faut la changer. Ampoule colorée. Culot d'une ampoule. Ampoule à vis, à baïonnette. Visser une ampoule dans une douille. Une ampoule de 75 watts, de 220 volts.*

(...) les ampoules misérables allumées au fond des impasses et des ruelles; autour d'elles, des murs en décomposition sortaient de l'ombre déserte, révélés avec

toutes leurs taches par cette lumière que rien ne faisait vaciller et d'où semblait émaner une sordide éternité.
MALRAUX, la Condition humaine, *in* Romans, Pl., p. 192.

3 L'ampoule électrique est la même, ronde, de puissance assez faible, pendant au bout d'un fil torsadé.
A. ROBBE-GRILLET, Dans le labyrinthe, p. 101.

4 Quand je me suis approché de la table, je l'ai vue. C'était le soir, vers onze heures moins le quart environ. L'ampoule électrique brillait avec force au-dessus de la table, et la lumière était jaune, un peu sale.
J.-M. G. LE CLÉZIO, l'Extase matérielle, p. 109.

**II** (Choses naturelles). ♦ **1** (XIII^e). Cour. Cloque de la peau formée par une accumulation de sérosité. → **Bulle, phlyctène, vésicule.** *Avoir des ampoules aux mains, aux pieds. Crever une ampoule avec une aiguille. Désinfecter une ampoule.*

Fig., fam. *Ne pas se faire d'ampoules aux mains :* ne pas travailler beaucoup.

2 On s'use, on se disloque, on finit par avoir
La goutte aux reins, l'entorse aux pieds, aux mains l'ampoule (...)
HUGO, la Légende des siècles, X, «Aymerillot».

♦ **2** (XIX^e). Sc. nat. Nom donné à certaines vésicules ou vacuoles. — Anat., Bot. Renflement de certains organes. *Ampoule rectale. Ampoule de Vater.* → **Vatérien.**

Régional. *Ampoule véroleuse :* galle de la vigne, produite par un insecte.

♦ **3** Par métaphore et fig. (Rare). Renflement (monticule, etc.).

♦ **4** Techn. Boursouflure (défaut d'une surface). *Faire disparaître les ampoules des tôles par dressage.*

**III** Fig., rare. Enflure du style, emphase. → **Ampoulé.**

3 Le digne seigneur se drapait, se roidissait, se boursouflait, couvrait sa pensée, déjà fort obscure par elle-même de toutes les ampoules de l'expression (...)
HUGO, Littérature et Philosophie mêlées, p. 112.

DÉR. **Ampoulé, ampoulette.** — (Du lat. *ampulla*) **Ampullacé, ampullaire.**

**AMPOULÉ, ÉE** [ɑ̃pule] adj. — 1550, *empoullé ; de ampouler* «gonfler», XVI^e ; *de ampoule.*

**I** Rare. Qui présente des cloques, des ampoules (II.).

**II** (1680). → **Ampoule** (III.). Emphatique, boursouflé. → **Guindé, pompeux, ronflant.** *Style ampoulé, expression ampoulée. Discours ampoulé.* — Par ext. *Orateur ampoulé. «Ces héros solennels, ampoulés et bavards»* (Léautaud, *in* T. L. F.).

1 Mon esprit n'admet point un pompeux barbarisme,
Ni d'un vers ampoulé l'orgueilleux solécisme.
BOILEAU, l'Art poétique, I.

2 Quiconque veut se résoudre à lire ces lettres doit s'armer de patience sur les fautes de langue, sur le style emphatique et plat, sur les pensées communes rendues en termes ampoulés.
ROUSSEAU, Julie ou la Nouvelle Héloïse, Préface de la 1^re éd., p. 5.

N. m. *«Le trivial et l'ampoulé»* (Musset).

3 On voit dans les discours de ces gens-là tout le faux et tout l'ampoulé qui est dans leurs pauvres et coupables têtes.
E. DELACROIX, Journal 1823-1850, 5 avr. 1893.

CONTR. **Simple.**

**AMPOULETTE** [ɑ̃pulɛt] n. f. — Fin XII^e, *ampolete* «petite fiole» ; *de ampoule.*

(XVI^e). Techn., vx. Petit récipient de verre qui, joint à un autre, formait sablier et était utilisé sur les navires ; ce sablier.

**AMPULLACÉ, ÉE** [ɑ̃py(l)lase] adj. — 1838 ; *du lat. ampullaceus, de ampulla.*

Sc. nat. Qui a la forme renflée d'une ampoule*. *Corolle ampullacée.*

**AMPULLAIRE** [ɑ̃py(l)lɛʀ] n. m. et adj. — 1808 ; du lat. zool. *ampullaria*, 1801, Lamarck ; du lat. *ampulla* «fiole».

♦ **1** N. m. (1830, Cuvier). Zool. Mollusque d'eau douce des pays chauds.

♦ **2** Adj. (1846). Didact. Qui a la forme d'une petite bouteille. *«Les crêtes ampullaires du canal semi-circulaire»* (J. Guillerme, *la Vie en haute altitude*, p. 108). *Glandes ampullaires.*

**AMPUTABLE** [ɑ̃pytabl] adj. — Attesté 1941, Gide ; de *amputer.*

Rare. Qui peut être amputé. *Membre amputable. — Passage facilement amputable.*

**AMPUTATION** [ɑ̃pytasjɔ̃] n. f. — 1478 ; du lat. *amputatio, du supin de amputare.* → Amputer.

♦ **1** Opération chirurgicale consistant à couper un membre, un segment de membre, une partie saillante. → **-tomie.** *Amputation de la jambe gauche. — L'amputation est inévitable. Amputation et mutilation*.* — (1833). *Amputation dans la continuité,* effectuée dans la longueur du membre.

Quand les chirurgiens ont décidé l'amputation, ils n'attendent pas un mois pour prendre le couteau. 1
G. DUHAMEL, Chronique des Pasquier, X, 8.

Signes particuliers (...) accidentels (par exemple, mon amputation du bras droit). 1.1
B. CENDRARS, Bourlinguer, p. 192.

Vieilli. Ablation chirurgicale (d'un organe, d'un tissu...). *«L'amputation des nerfs»* (Cabanis, *in* T. L. F.).

♦ **2** (1521). Fig. Retranchement, perte importante. *Ce serait une amputation de son capital. Faire subir une amputation à un texte.* → **Mutilation.**

Attendez-vous, Monsieur le Président, à une amputation douloureuse, puisque vous parlez chirurgie. 2
G. DUHAMEL, Chronique des Pasquier, X, 8.

**AMPUTER** [ɑ̃pyte] v. tr. — XV^e ; du lat. *amputare* «élaguer, tailler».

♦ **1** Faire l'amputation de (un membre, etc.). → **Couper, enlever.** *Amputer un bras, des doigts. On lui a amputé la main gauche.* — (Passif). *Il a été amputé du bras et il ne lui reste plus qu'un moignon.*

Par ext. Faire subir une amputation à (qqn). *Amputer un blessé. On l'a amputé de la main gauche.*

À la tête de grands services chirurgicaux, des chefs ignares, qui avaient l'air de n'avoir jamais opéré que des panaris, et qui décidaient et pratiquaient les interventions les plus graves, amputaient à tort et à travers (...) 1
MARTIN DU GARD, les Thibault, VIII, 13.

(...) Moi, monsieur, si j'avais un tel nez, 2
Il faudrait sur le champ que je me l'amputasse !
Edmond ROSTAND, Cyrano de Bergerac, I, 4.

Hortic. *Amputer un arbre.* → **Couper, tailler** (→ ci-dessous, cit. 4, par métaphore).

Par métaphore. → **Mutiler, retrancher.**

La révolution ampute le monde. De là cette hémorragie. 3
HUGO, Quatre-vingt-treize, III, 2-7.

Il n'y a culture que dans une continuation, et je tiens pour néfastes certains reniements de notre passé. J'ai trop jardiné moi-même pour ne point connaître le risque, en émondant, d'amputer des rameaux encore pleins de sève et redoute l'appauvrissement qu'entraîne une simplification trop sommaire. 4
GIDE, Pages de journal, 2 août 1941.

5 Il s'était juré de travailler à la hache, de tailler dans la chair vive, d'amputer ce qui était mort ou périssable.
G. DUHAMEL, Chronique des Pasquier, X, 13.

♦ **2 AMPUTER (qqn, qqch.) DE (qqch.) :** priver par suppression, retranchement. → **Diminuer, mutiler.** *La pièce a été amputée de plusieurs scènes.*

6 Boubouroche (...) ne se voyait pas sans chagrin amputé du plaisir de brailler (...)
COURTELINE, Boubouroche, I, p. 28.

7 Je ressentais fortement que toute foi dissout la vie dans l'éternel, et j'étais amputé de l'éternel.
MALRAUX, Antimémoires, Folio, p. 235.

◆ **S'AMPUTER** v. pron.

♦ **1** Réfl. *S'amputer d'un membre. Animaux qui s'amputent.* → **Autotomie ; automutilation.**

Par métaphore. *« Ce ministère s'était amputé de six intelligences »* (Giraudoux, *Bella, in* T. L. F.).

♦ **2** Passif. *Le membre s'est amputé sans difficultés.*

◆ **AMPUTÉ, ÉE** p. p. adj. et n. Enlevé par amputation. *Membre amputé.* — Par métaphore. *Désirs amputés.* Qui a subi une amputation. *Blessé amputé, amputé d'un bras.* — N. *Un, une amputée.* → aussi **Mutilé.** *Illusion des amputés,* par laquelle ils sentent le membre enlevé (« membre fantôme »).

8 De même que les types aux costumes élimés avaient ce quelque chose d'indicible qui caractérise les amputés et les infirmes.
Claude SIMON, le Palace, p. 104.

Par métaphore. *Être amputé de ses illusions.* → **Privé.**

DÉR. **Amputable.** — V. **Amputation.**

**AM STRAM GRAM** [amstʀamgʀam] interj. — Attesté XX^e ; syllabes assonancées, d'orig. inconnue.

Début d'une comptine par laquelle, en scandant les syllabes, on choisit une personne dans un groupe (celle sur qui tombe le *gram* final). *Am stram gram* [amstʀamgʀam], *pic et pic et colégram* [pikepikekɔlegʀam], *bourre et bourre et ratatam* [buʀebuʀeʀatatam], *am, stram, gram* [amstʀam gʀam].

(...) c'est Christian le mari il fait aussi la voix d'Adorée pendant le mariage pour répondre oui et Dominique en curé blanc avec un drap récitait Am stram gram trempez-la-dans-l'eau trempez-la-dans-l'huile (...)
Tony DUVERT, Paysage de fantaisie, p. 136.
REM. La suite est une autre comptine.

**AMUÏR (S')** [amɥiʀ] v. pron. — Fin XIX^e ; repris de l'anc. franç. *amuir* « devenir muet », v. 1120, du lat. pop. **admutire*, de *mutus* « muet ».

Phonét. Devenir muet, ne plus se prononcer (phénomène d'amuïssement*).

En ancien français, l'e qui terminait la plupart des adjectifs au féminin était un e sourd (œ), qui, avec le temps, s'est amuï. Il est vraisemblable qu'il avait autrefois la valeur qu'il a aujourd'hui dans le Midi où on l'entend encore : une bel(l)e fête.
F. BRUNOT, la Pensée et la Langue, p. 589.

DÉR. **Amuïssement.**

**AMUÏSSEMENT** [amɥismɑ̃] n. m. — Fin XIX^e ; « mutisme », 1275, de l'anc. franç. *amuir ;* de *amuïr(s').*

Phonét. Fait de s'amuïr. *L'amuïssement du* e, *du* s *en français.*

1 (...) c'est vers le XVI^e siècle que cet e final a cessé d'être ainsi marqué par la prononciation. Le phénomène est sans doute venu du Nord-Est (...) Dans les autres régions françaises, l'amuïssement n'a pas été aussi complet (...)
F. BRUNOT, la Pensée et la Langue, p. 589.

Fig., littér. Fait de disparaître ou de s'atténuer progressivement.

Et pourtant, il coulait, il dégoulinait sans cesse, il s'éparpillait, se défaisait, et il n'y avait rien en dehors de cet amuïssement, les choses et les êtres n'existaient que par leur passage (...)
J.-M. G. LE CLÉZIO, la Fièvre, p. 124.

**AMULETTE** [amylɛt] n. f. — 1558, *amulete ;* du lat. *amuletum.*

Petit objet qu'on porte sur soi dans l'idée superstitieuse qu'il préserve des maladies, dangers, maléfices, etc. → **Fétiche, gris-gris, mascotte, porte-bonheur, porte-chance, porte-veine, talisman.** *Le pouvoir d'une amulette. Porter une amulette autour du cou.*

Tu me demandes ce que je pense de la vertu des amulettes et de la puissance des talismans.
MONTESQUIEU, Lettres persanes, 143.

(...) même les superstitions des deux vénérables aïeules ne choquaient plus cette petite incrédule d'hier, qui acceptait qu'on lui mît des amulettes et que ses vêtements fussent exorcisés par les derviches (...)
LOTI, les Désenchantées, VI, 46.

Il touche du bois quand il redoute quelque éventualité fâcheuse. Il porte en breloque une amulette arabe dont il ne se séparerait pour rien au monde.
G. DUHAMEL, Chronique des Pasquier, VI, 12.

**AMUNITIONNEMENT** [amynisjɔnmɑ̃] n. m. — 1866 ; de *amunitionner.*

Vx. Action d'amunitionner ; munitions fournies.

**AMUNITIONNER** [amynisjɔne] v. tr. — 1828 ; de 1. *a-*, *munition,* et suff. verbal.

Vx. Pourvoir de munitions.

DÉR. **Amunitionnement.**

**AMURE** [amyʀ] n. f. — 1634 ; p.-ê. antérieur (→ Amurer) ; du provençal *amura,* de *amurar* « fixer au mur, à la muraille du navire ». → Amurer.

Marine.

♦ **1** Anciennt. Manœuvre retenant le point inférieur d'une voile du côté d'où vient le vent.

Mod. *Point d'amure,* le point de fixation d'une voile le plus bas et le plus au vent. → **Amurer.** *Sur les voiliers modernes, les points d'amure des voiles sont fixes, dans l'axe du bateau.* — Loc. adv. *Bâbord amures, tribord amures :* en recevant le vent par bâbord, par tribord.

♦ **2** Par ext. Côté d'où un bateau reçoit le vent. *Le bateau marche mieux sous l'autre amure. Les amures et les allures*. Changer d'amure(s).* → **Virer.**

Ses hunes, ses grelins, ses palans, ses amures,
Étaient une prison de vents et de murmures (...)
HUGO, la Légende des siècles, XIV, I.

Le lendemain, 17 avril, Pencroff appareilla dès le point du jour, et, grand largue et bâbord amures, il put ranger de très près la côte occidentale.
J. VERNE, l'Île mystérieuse, t. II, p. 573-574.

(...) celui, dans le sommeil, dont le souffle est relié au souffle de la mer, et au renversement de la marée voici qu'il se retourne sur sa couche comme un vaisseau change d'amures (...)
SAINT-JOHN PERSE, Exil, V, p. 172.

Tintin à la barre prit le vent cependant que le patron changeait d'amure.
La barque rasait l'eau comme une mouette en pêche.
P. MAC ORLAN, l'Ancre de miséricorde, p. 195.

**AMURER** [amyʀe] v. tr. — 1552, Rabelais ; du provençal *amurar* « fixer au mur ». → Amure.

Mar. Fixer (une voile) par le point d'amure. — Passif et p. p. *Foc amuré sur un bout-dehors.* — Pron. *La misaine s'amure sur le minot.*

(...) personne comme lui pour amurer une voile, pour baisser le point du vent, et pour maintenir avec l'écoute la voile orientée.

HUGO, les Travailleurs de la mer, I, V, I.

*Amure !*, commandement ordonnant d'amurer les basses voiles, en usage autrefois sur les navires à phares carrés.

DÉR. (Du provençal) **Amure.**

**AMUSABLE** [amyzabl] adj. — 1770, cit. 1 ; de *amuser.*

Rare. Que l'on peut amuser, dérider. *Cet homme-là n'est plus amusable* (Académie).

1 Je conviens que je suis peu amusable.

Mme DU DEFFAND, Correspondance, Lettre à Voltaire, 23 nov. 1770, *in* D. D. L., II, 4.

2 Si vous saviez ce que c'est que d'amuser un esprit qui n'est plus amusable. VOLTAIRE, Dialogues, 3.

**AMUSAMMENT** [amyzamɑ̃] adv. — 1893, Verlaine ; de *amusant.*

Rare. De manière amusante, agréable et distrayante. → **Drôlement, gaiement, plaisamment.** — Syn. : *amusément*.*

**AMUSANT, ANTE** [amyzɑ̃, ɑ̃t] adj. — 1694 ; p. prés. de *amuser.*

♦ **1** Qui amuse, est de nature à distraire, à divertir agréablement. → **Agréable, délassant, distrayant, divertissant, égayant, plaisant, récréatif, réjouissant.**

REM. À la fin du XVIIe s. et au XVIIIe s., le mot est en relation étroite avec *amuser.*

1 Je suis presque aussi content avec des sots qu'avec des gens d'esprit, et il y a peu d'hommes si ennuyeux, qui ne m'aient amusé très souvent : il n'y a rien de si amusant qu'un homme ridicule.

MONTESQUIEU, Cahiers, p. 4.

Par ext. Qui amuse, distrait en faisant rire ou sourire. → **Bouffon, burlesque, cocasse, comique, désopilant, drolatique, drôle, hurlant ; bidonnant** (fam.), **boyautant** (vx), **crevant** (vieilli), **fendant, gondolant, marrant, pissant, poilant, rigolard, rigolboche** (vieilli), **rigolo, roulant, tordant.** — REM. La plupart de ces adj. sont beaucoup plus forts que *amusant. Raconter des histoires amusantes.* → **Humoristique ; bon** (des bien bonnes). *Une conversation amusante. Un mot amusant. Le Journal amusant,* titre d'un journal du début du XXe siècle. *Un spectacle très amusant. Film amusant. Des dessins assez amusants.* — (Antéposé). *Une amusante pièce pour piano.* — REM. Alors que *comique, humoristique* qualifient un genre, *amusant* concerne l'effet de distraction ou de rire effectivement produit. *Il a voulu m'emmener voir un film comique, drôle..., mais ce n'était pas amusant.*

2 Rigolo signifie amusant.

NERVAL, les Nuits d'octobre, p. 117.

3 Et la marquise bavarde ; les jolis riens jaillissent, les mots amusants pétillent.

Émile FAGUET, XVIIe s., Études littéraires, p. 382.

Qui distrait agréablement (sans forcément égayer ou faire rire). *« Des romans amusants, point tristes ni difficiles à lire »* (Taine, *in* T. L. F.).

(En parlant des situations). *Sa vie n'est pas très amusante, dans ce village perdu. Une soirée, une réception amusante. Allons au cinéma, ce sera plus amusant que de rester ici. Rien de plus amusant que...*

Spécialt. *Physique amusante :* enseignement de la physique, des sciences expérimentales par des jeux, des démonstrations mettant en évidence certaines propriétés. *Des expériences de physique amusante.* — Par anal. *« Je n'aime guère la métaphysique amusante de l'auteur* (Xavier de Maistre) » (A. France).

(En parlant des personnes). Dont le comportement, les propos sont destinés à amuser, à égayer. → **Drôle, plaisant ;** fam. **marrant.** *C'est un causeur spirituel et amusant. « Il est amusant quand il plaisante »* (Maurois). — (D'un auteur). *Un romancier, un humoriste très amusant. Je ne trouve pas ce chansonnier amusant : il est trop vulgaire.*

L'homme *(Robespierre)* n'était pas amusant, la personne était sèche et triste, aucunement populaire, mais plutôt académique, en un sens même aristocratique. 4

MICHELET, Hist. de la Révolution franç., p. 469.

*Amusant à...* (et l'inf.). *Amusant à voir, à entendre. Une petite voiture très amusante à conduire.* — *Amusant à l'œil, pour l'œil, pour l'esprit.*

♦ **2** Qui amuse (de manière passive), par ses caractères propres ; qui distrait par ses aspects inattendus. → **Curieux, drôle.** *C'est un original qui se prend très au sérieux, mais il est amusant à son insu. Un décor, un mobilier amusant.*

Daudet parle de la pièce d'Ohnet comme d'une chose vraiment amusante, comique, risible par le néant de l'œuvre (...) 4.1

Ed. et J. DE GONCOURT, Journal, janv. 1887.

REM. La valeur du mot s'est affaiblie jusqu'à signifier « plaisant, curieux », « original », « sympathique* » avec une connotation sociale distinguée, voire snob.

— Tiens, c'est amusant, je n'avais jamais fait attention ; je vous dirais que je n'aime pas beaucoup chercher la petite bête et m'égarer dans des pointes d'aiguilles. 4.2

PROUST, Du côté de chez Swann, Pl., t. I, p. 213.

L'employée de l'agence, en nous faisant visiter les lieux, avait dit : « Et voici la cuisine. Elle est amusante. » Pourquoi amusante ? Le vocabulaire de ces bonnes femmes des agences immobilières !... Leur façon, à l'aide d'un mot un peu snob, d'essayer de vous refiler des trucs sordides... Amusante ! 4.3

Jean-Louis CURTIS, Un jeune couple, *in* T. L. F.

Spécialt. Plaisant, sans être de très grande qualité. *Il est amusant, ce petit vin. Une recette amusante.*

Sainte-Beuve est aujourd'hui amusant au sens où les œnophiles parlent d'un vin amusant. 4.4

A. THIBAUDET, Hist. de la littérature franç. de 1789 à nos jours, p. 70.

♦ **3** N. m. *L'amusant :* ce qui est amusant. *L'amusant de l'histoire, c'est que...* — *« Elle est d'une gaieté, d'un spirituel, d'un amusant (...) »* (Balzac, *in* T. L. F.).

Absolt. *L'amusant et le sérieux.*

La majorité des publics grossiers, en France, cherche dans les arts l'amusant et jamais le beau. De là les succès de la médiocrité. A. DE VIGNY, Journal d'un poète, p. 88. 5

CONTR. **Assommant, ennuyant, ennuyeux, fastidieux, fatigant, impatientant, insoutenable, insupportable, intolérable, rasant, rasoir** (fam.), **soporifique, suant** (fam.), **triste.** ◊ DÉR. **Amusamment.**

**AMUSE-GUEULE** [amyzgœl] n. m. invar. — 1946 ; de *amuser,* et *gueule* « bouche ».

Fam. Petit sandwich, petit gâteau, fruit sec, etc., qu'on sert avant un repas ou au cours d'une réception. → **Amusette** (3.), **gueulardise** (2.). *Des amuse-gueule. Servir quelques amuse-gueule avec l'apéritif.*

Avec (...) les amuse-gueule, les fruits, les petits fours, les bouteilles de vin et de whisky, il y a largement à boire et à manger pour dix personnes. 1

S. DE BEAUVOIR, les Belles Images, p. 199.

On s'assembla autour de la table basse, où les bouteilles, le seau à glace, les plateaux d'amuse-gueule composaient un paysage rafraîchissant. 2

H. TROYAT, la Malandre, p. 141.

**AMUSEMENT** [amyzmɑ̃] n. m. — V. 1490; *admusement,* 1472; de *amuser.*

♦ **1** Vx. Perte de temps, retard.

1 – Ah! que d'amusement! Veux-tu parler?
MOLIÈRE, le Misanthrope, IV, 4.

2 Le moindre amusement vous peut être fatal.
MOLIÈRE, Tartuffe, V, 6.

♦ **2** Vx. Façon d'amuser, de donner le change, de distraire des choses importantes, sérieuses. → **Distraction, diversion, duperie, illusion, leurre, tromperie.**

3 Heureux qui peut bannir de toutes ses pensées
Les vains amusements de la distraction.
CORNEILLE, l'Imitation de J.-C., I, 21.

4 L'espérance (...) n'est qu'un amusement inutile, qui substitue un fantôme au lieu de la chose (...)
BOSSUET, Panégyrique de sainte Thérèse, I.

5 (...) la santé n'est qu'un nom, la vie n'est qu'un songe, la gloire n'est qu'une apparence, les grâces et les plaisirs ne sont qu'un dangereux amusement : tout est vain en nous (...)
BOSSUET, Oraison funèbre de Henriette d'Angleterre.

6 (...) les amusements des promesses; l'illusion des amitiés de la terre (...)
BOSSUET, Oraison funèbre d'Anne de Gonzague.

Faux-fuyant, prétexte.

7 Mais plus d'amusement et plus d'incertitude :
Il faut vous expliquer nettement là-dessus.
MOLIÈRE, le Misanthrope, V, 2.

♦ **3** (1580). Distraction agréable, divertissement. → **Amusette, dérivatif, distraction, divertissement, jeu, passe-temps, plaisir, récréation, réjouissance** (→ ci-dessous, cit. 8, 9 et 11). *Amusement frivole.* → **Badinage, frivolité.** *Les amusements des enfants. Faire alterner le travail et les amusements. Les amusements et les fêtes*.*

Caractère de ce qui divertit, amuse. → **Agrément, délassement, ébaudissement** (vx), **récréation.** *Faire qqch. par amusement, pour l'amusement de quelqu'un.*

8 Laissez aux gens grossiers, aux personnes vulgaires,
Les bas amusements de ces sortes d'affaires.
MOLIÈRE, les Femmes savantes, I, 1.

9 La première *(la femme galante)* passe successivement d'un engagement à un autre; la seconde *(la coquette)* a plusieurs amusements tout à la fois.
LA BRUYÈRE, les Caractères, III, 22.

10 Rois! l'homme n'est pas fait pour votre amusement.
HUGO, la Légende des siècles, LIV, «Vision de Dante».

11 L'ingénuité de ses amusements (...)
FRANCE, le Petit Pierre, 32.

11.1 Alors Tityre institua des jours de fête pour que son peuple pût s'amuser; mais comme les amusements coûtaient cher et qu'aucun d'eux n'avait beaucoup d'argent, pour pouvoir leur en prêter à tous, Tityre commença par en prélever sur chacun.
GIDE, le Prométhée mal enchaîné, *in* Romans, Pl., p. 336.

12 Le sport n'est plus, pour beaucoup, un harmonieux amusement, c'est une besogne harassante, un surmenage pernicieux qui excède les organes et fausse la volonté.
G. DUHAMEL, Scènes de la vie future, XII, p. 186.

13 Il y a dans un spectacle comme celui du théâtre Balinais quelque chose qui supprime l'amusement, ce côté de jeu artificiel inutile, de jeu d'un soir qui est la caractéristique de notre théâtre à nous.
A. ARTAUD, le Théâtre et son double, «Sur le théâtre Balinais», Idées, Gallimard, p. 90.

Spécialt. *L'amusement des yeux, de l'oreille, des sens,* le plaisir de...

Plaisir amoureux sans investissement affectif. → **Caprice, plaisir.** — Par métonymie. *«Je serai ta maîtresse, ton amusement, ton plaisir»* (Hugo, *in* T. L. F.).

CONTR. **Corvée, ennui, fatigue, obligation, tourment, travail.**

**AMUSÉMENT** [amyzemɑ̃] adv. — XVI^e^, *amusémant* «agréablement» (in *Journal de voyage,* de Montaigne); de *amusé.*

Rare, littér. D'une manière amusée, avec amusement. — Syn. : *amusamment*.*

Oui : on s'amuse, ne l'oublions jamais; faisons toute chose amusément. Mais quand même, je commençais à sourire jaune.
A. SARRAZIN, la Cavale, p. 437.

**AMUSER** [amyze] v. tr. — XII^e^, «abuser, tromper»; «distraire (d'une passion)», 1580, Montaigne; de 1. *a-,* et *muser.*

♦ **1** Vx. Occuper en faisant perdre le temps. *Amuser qqn à qqch., à faire qqch.*

Amusez-le du moins à débattre avec vous 1
Faites-lui perdre temps (...)
CORNEILLE, Nicomède, V, 5.

Par ext. Faire durer (un échange) sans arriver au fait.

Ceux qui savent parler sans rien dire et qui amusent une conversation pendant deux heures de temps sans qu'il soit possible de retenir un mot de ce qu'ils ont dit (...) 2
MONTESQUIEU, Lettres persanes, 82.

Loc. (1664). Mod. *Amuser le tapis :* jouer petit jeu en attendant la partie sérieuse.

Dans le courant de l'année 1972, de nombreux discours et rapports sur «la qualité de la vie» ont bercé les oreilles et conquis quelques esprits, mal armés pour se rendre compte que ces démonstrations n'étaient qu'une façon «d'amuser le tapis» si tant est que celui-ci soit sensible à de tels jeux. 2
A. SAUVY, Croissance zéro?, p. 252.

Par ext. Littér. Distraire, occuper de manière à détourner d'autre chose.

(...) un de ces bonheurs complets, n'appartenant sans doute qu'aux occupations médiocres, qui amusent l'intelligence par des difficultés faciles, et l'assouvissent en une réalisation au delà de laquelle il n'y a pas à rêver. 2
FLAUBERT, M^me^ Bovary, t. II, p. 159, *in* T. L. F.

♦ **2** (Compl. n. de personne ou de groupe). Vx ou littér. Retenir en trompant par des manœuvres de diversion ou de faux espoirs. → **Abuser, duper, endormir, enjôler, jouer, leurrer.**

Et le singe *(devait)* amuser l'ennemi par ses tours. 3
LA FONTAINE, Fables, V, 19.

Amusez les rois par des songes (...) 4
LA FONTAINE, Fables, XII, 15.

Retire-toi, perfide, et ne me viens pas amuser avec tes traîtresses paroles. 5
MOLIÈRE, le Bourgeois gentilhomme, III, 8.

Les promesses trompeuses dont le faux prophète Hananias amusait le peuple (...) 6
BOSSUET, États d'oraison, 1.

Mod. Retenir l'attention de (qqn) pour empêcher de surveiller. *Tu amuseras le caissier pendant qu'on ouvrira le coffre. Amuser la police.*

Fig. *Amuser son mal, la faim.* → **Tromper** (4.).

Hortic. *Amuser la sève,* la détourner.

♦ **3** (Depuis 1606, Nicot, *amuser un enfant,* «le distraire afin qu'il ne pleure pas», sens étendu au XVII^e^). Mod. et cour. (Sujet n. de personne ou de chose). Distraire agréablement, procurer de l'agrément à (qqn). → **Délasser, distraire, divertir, récréer.** *Tout l'amuse, un rien l'amuse :* c'est un heureux caractère. *Cela ne m'amuse pas.*

Le monde est vieux, dit-on, je le crois; cependant 7
Il le faut amuser encor comme un enfant.
LA FONTAINE, Fables, VIII, 4.

(...) un rien les abat comme peu de chose les amuse. 8
FLAUBERT, Correspondance, t. I, p. 301.

Ce jeu de ballon m'a plus amusé que je n'eusse cru qu'il était encore possible, amusé comme un enfant et comme un dieu, et d'autant plus que je ne m'y sentais pas malhabile. Que Pascal a donc dit sur le jeu des choses absurdes! et que la gratuité précisément de cette lutte, de cet effort, 8.

me paraît belle! Oui vraiment, je ne me souviens pas avoir pris même dans ma jeunesse ou mon enfance, plaisir plus ardent, plus pur et plus complet.
GIDE, Journal, 3 janv. 1930.

*Amuser l'esprit, la pensée. Amuser l'œil, la vue.* → **Charmer.**

9 Le théâtre amuse l'esprit, il ne doit pas le préoccuper.
J. RENARD, Journal, 29 janv. 1905.

Faire rire ou sourire. → **Égayer; gaieté** (mettre en); **amusant.** *Il nous a tous amusés par ses reparties. Les clowns ne m'amusent pas. — Vous m'amusez :* vous me faites sourire, rire (par votre naïveté, etc.). *Tu m'amuses, tiens!*

Loc. fam. *Amuser la galerie :* faire rire l'assistance.

*Ça m'amuse, m'amuserait de...* (faire qqch.) : ça m'est, me serait agréable. *Ça vous amuse de pêcher à la ligne? — Si ça t'amuse, vous amuse :* si vous voulez, si vous en avez envie. — Iron. *Tu peux bien te rendre malade, si ça t'amuse.*

◆ **S'AMUSER** v. pron.

♦ **1** Perdre son temps à des occupations futiles. *L'étape est longue, il ne faudra pas s'amuser en route.* → **Lambiner.** — *S'amuser à* (et nom, et inf.). *Nous ne pourrons pas nous amuser à passer par les petites routes. S'amuser à des riens, à des bêtises.* → **Baguenauder, batifoler, folâtrer, muser.**

10 Il broute, il se repose,
Il s'amuse à tout autre chose
Qu'à la gageure (...)
LA FONTAINE, Fables, VI, 10, 27.

11 Mais vous me faites perdre un temps qui nous est cher (...) ne nous amusons point davantage à discourir.
MOLIÈRE, l'Impromptu de Versailles, I.

Loc. Vx. *S'amuser à la moutarde :* perdre son temps à des riens (cf. Sand, Gautier, *in* T. L. F.).

♦ **2** Se distraire agréablement. → **Divertir** (se), **jouer.** *Le roi s'amuse,* pièce de Victor Hugo (thème de *Rigoletto*). *«Il y a des gens qui s'amusent toute leur vie»* (Thibaudet). *Les enfants s'amusent* (iron., en parlant d'adultes). *Il s'amusait comme un enfant. Amusez-vous bien! Je me suis bien amusé à cette soirée.* → fam. et augmentatif Défoncer (se), éclater (s').

*S'amuser à faire qqch.,* le faire par jeu. — Par métaphore. (→ ci-dessous, cit. 15). — *S'amuser de qqch., de qqn. Il s'amuse de tout. «Elle aimait rire et s'amusait de petits riens»* (R. Rolland).

12 *(Vous le trouverez)* qui s'amuse à couper du bois.
MOLIÈRE, le Médecin malgré lui, IV.

13 Il faut travailler, sinon par goût, au moins par désespoir, puisque, tout bien vérifié, travailler est moins ennuyeux que s'amuser.
BAUDELAIRE, Mon cœur mis à nu, XVIII.

14 Il fit son livre tout au contraire pour se distraire et s'amuser, pour se divertir et non pour s'avertir.
FRANCE, le Petit Pierre, XXXIII, p. 236.

15 (...) la nature s'était amusée à sauver le malade à la barbe du médecin. HUGO, Notre-Dame de Paris, VIII, 6.

15.1 Le roi s'amuse? Ah! diable! et c'est très malheureux,
Car un roi qui s'amuse est un roi dangereux.
HUGO, Le roi s'amuse, I, 3.

16 (...) dans le monde on ne meurt pas de rire. C'est à peine si on rit. On a de la complaisance, par bon goût, d'avoir l'air de s'amuser et de faire semblant de rire.
MAUPASSANT, Fort comme la mort, p. 80.

17 Il s'amusa de la façon subtile dont elle avait, à l'insu de tous, esquissé ce signe d'intelligence.
MARTIN DU GARD, les Thibault, IV, 13.

17.1 (...) je lisais au jardin, ce que ma grand'tante n'aurait pas compris que je fisse en dehors du dimanche, jour où il est défendu de s'occuper à rien de sérieux et où elle ne cousait pas (un jour de semaine, elle m'aurait dit «comment, tu t'amuses encore à lire, ce n'est pourtant pas dimanche» en donnant au mot amusement le sens d'enfantillage et de perte de temps) [...]
PROUST, Du côté de chez Swann, Pl., t. I, p. 100-101.

Le long du fleuve, un peuple d'enfants s'amuse à plonger du haut de la berge. 17.2
GIDE, Voyage au Congo, *in* Souvenirs, Pl., p. 713.

(En tour négatif). *On ne va pas s'amuser :* ce sera difficile, ardu.

Spécialt. *S'amuser à* (qqch.). → **Jouer.** *Elle s'amuse à la poupée. — S'amuser avec... Il s'amuse avec le train électrique de son fils.*

♦ **3** Mener une vie de plaisirs, faire la noce. → **Bambocher** (cf. Prendre du bon temps*).

Chez les riches, un homme qui s'amuse fait des bêtises. 18
Il est ce qu'on appelle, en souriant, un noceur.
MAUPASSANT, Mon oncle Jules.

Fam. S'adonner au plaisir (sexuel). *Son mari s'amuse ailleurs.* — Loc. *Il s'amuse tout seul :* il se masturbe (J. de Maistre). — *S'amuser avec qqn :* avoir des relations érotiques (sans implication affective).

♦ **4** *S'amuser de qqn, aux dépens de qqn,* se moquer de lui, le railler. → **Jouer** (se), **plaisanter, taquiner.**

Partout les enfants le suivaient, s'amusaient à le mettre en 19
colère, à s'en épouvanter, à lui jeter des quolibets et des pierres. Il devint le souffre-douleur qu'il y a toujours dans un village. M. BARRÈS, la Colline inspirée, p. 223.

Il s'amuse avec nous, comme un chat avec la souris qu'il 20
tourmente (...) GIDE, les Faux-monnayeurs, III, 18.

◆ **AMUSÉ, ÉE** p. p. adj.

♦ **1** Égayé par qqch. ou qqn, par une situation, une circonstance. *Les invités, amusés, riaient de bon cœur.*

(Rare). Habituellement gai ou égayé. *Elles «sont (...) coquettes, joueuses, amusées»* (Anouilh).

♦ **2** Cour. Qui exprime l'amusement. *Un sourire, un regard amusé. Une voix, une intonation amusée.*

(...) je ne vis que des sourires goguenards, des visages 21
amusés qui se détournaient.
G. SIMENON, les Mémoires de Maigret, p. 29.

♦ **3** (Sentiments). Empreint d'amusement. *Un étonnement amusé.*

**CONTR. Assommer** (fam.), **contrarier, fatiguer, impatienter, importuner. — Travailler.** ◇ **DÉR. Amusable, amusant, amusement, amusette, amuseur, amusoire. —** (De *amusé*) **Amusément.** ← **COMP. Amuse-gueule.**

**AMUSETTE** [amyzɛt] n. f. — 1653; de *amuser.*

♦ **1** Distraction sans importance, passe-temps qu'on ne prend pas au sérieux. → **Amusoire** (fam.). — Vx. *Petit jouet.*

(...) le pauvre animal ne put faire retraite. 1
Le berger vient, le prend, l'encage, bien et beau,
Le donne à ses enfants pour servir d'amusette.
LA FONTAINE, Fables, II, 16.

«Ah! la belle époque!», dit-on communément de ces 2
années-là. C'est parfois sur un ton de badinage et de raillerie, le plus souvent pour évoquer les amusettes, les folâtres fredons et certaines danses échevelées du moment.
Georges LECOMTE, Ma traversée, p. 70.

(Collectif). *L'amusette.*

Il aimait se faire voir partout et on l'accueillait avec plaisir 3
car il était bel homme, tapageur, ayant le goût de l'amusette et du désordre, ce qui lui permettait une tolérance que les dames appréciaient.
Pierre HAMP, la Peine des hommes (Moteurs), p. 17.

♦ **2** Régional (Belgique). Fam. Personne frivole, adonnée au plaisir.

♦ **3** Amuse-gueule. *«Des amusettes de la bouche»* (J. Verne, *in* T. L. F.).

**AMUSEUR, EUSE** [amyzœʀ, øz] n. — 1545; de *amuser.*

Vx. Personne qui amuse, trompe (qqn d'autre).

Mod. Personne qui amuse, distrait (une société, un public). *Un amuseur public.* → **Bateleur, bouffon, clown.** *Un agréable amuseur.* → **Boute-en-train.** *Cet écrivain, avec tout son succès, n'est qu'un amuseur.*

REM. Le féminin est rare.

(...) on ne pouvait plus amuser l'amuseuse.

RETZ, *in* LITTRÉ.

CONTR. **Raseur.**

**AMUSIE** [amyzi] n. f. — 1892; du grec *amousia* «manque d'harmonie, dissonance».

Méd. Perte de la capacité de chanter, de jouer *(amusie motrice)* ou de reconnaître *(amusie sensorielle* ou *réceptive)* une musique. — REM. On dit aussi *surdité musicale. Amusie vocale, amusie instrumentale. Fréquence de l'amusie dans l'aphasie.* — Par ext. Absence de sens musical.

**AMUSOIRE** [amyzwaʀ] n. f. — 1580, aussi «leurre»; de *amuser.*

Fam., vx. Moyen d'amuser, de distraire. *Cela n'est pas sérieux, ce n'est qu'une amusoire.* → **Amusette** (1.), **plaisanterie.**

**AMYGDALE** [ami(g)dal] n. f. — V. 1370, *amigdale; amigdole* «amande», 1308; du lat. *amygdala* «amande», grec *amugdalê.*

Anat. Toute structure en forme d'amande. *Amygdale appendiculaire, amygdale cérébelleuse.* — Spécialt. *Amygdale palatine :* chacun des deux organes lymphoïdes situés sur la paroi latérale du larynx, entre les piliers du voile du palais. — *Amygdale pharyngienne :* amas de follicules clos occupant la région médiane de la voûte du pharynx. → **Adénoïde** (végétations adénoïdes).

Absolt, cour. *Les amygdales :* les amygdales palatines. *Être opéré des amygdales. Ablation des amygdales.* → **Amygdalectomie.** *Inflammation des amygdales.* → **Amygdalite.**

DÉR. **Amygdalien, amygdalite.** — (Du lat. *amygdala,* ou grec *amugdalê*) **Amygdalin, amygdaline, amygdaloïde.** ◊ COMP. **Amygdalectomie, amygdalotome.**

**AMYGDALECTOMIE** [ami(g)dalɛktɔmi] n. f. — 1927, *in* D. D. L.; *amygdalotomie,* 1856, *in* D. D. L.; de *amygdale,* et *-ectomie.*

Méd. Ablation chirurgicale des amygdales. *Pratiquer, subir une amygdalectomie.* → **Amygdalotome.**

**AMYGDALÉES** [ami(g)dale] n. f. pl. — D. i.; dér. sav. du lat. *amygdala* «amande», mot grec, et suff. *-alées.*

Bot. Tribu de la famille des Rosacées dont le type est l'amandier (ou *amygdalus*). — Syn. rare : *amygdalifères* [ami(g)dalifɛʀ]. — Au sing. *Une amygdalée.*

**AMYGDALIEN, IENNE** [ami(g)daljɛ̃, jɛn] adj. — 1852, *in* D. D. L.; de *amygdale.*

Didact. Relatif aux amygdales. *Infection amygdalienne.*

**AMYGDALIN, INE** [ami(g)dalɛ̃, in] adj. — 1820, *in* D. D. L.; du lat. *amygdalinus* «d'amande».

Didact., rare. Fait avec des amandes. *Savon amygdalin.*

**AMYGDALINE** [ami(g)dalin] n. f. — 1846, *in* Bescherelle; du rad. du lat *amygdala* «amande».

Chim. Glucoside qui existe dans les amandes amères, les noyaux de divers fruits (abricot, pêche, prune, cerise), et qui peut causer des empoisonnements.

**AMYGDALITE** [ami(g)dalit] n. f. — 1775; de *amygdale.*

Méd. Inflammation des amygdales. → **Angine.**

**AMYGDALOÏDE** [ami(g)dalɔid] adj. — 1752; du grec *amugdaloeidês,* de *amygdala* (→ Amygdale), et *-oïde.*

♦ **1** Minér. Se dit des roches dont les vacuoles ont été remplies par des noyaux en forme d'amande.

♦ **2** Didact. En forme d'amande. *Coup-de-poing amygdaloïde chelléen.*

Le bloc qui initialement était destiné à devenir un outil de forme amygdaloïde devient la source d'éclats de forme prédéterminée qui seront, eux, les outils.

A. LEROI-GOURHAN, le Geste et la Parole, t. I, p. 143.

**AMYGDALOTOME** [ami(g)dalotom] n. m. — 1853, La Châtre; de *amygdale,* et *-tome.*

Didact. (chir.). Instrument pour exciser les amygdales. → **Amygdalectomie.**

**AMYGDALUS** [ami(g)dalys] n. m. — Emprunt savant du mot lat. *amygdalus* «amandier», grec *amugdalos,* de *amugdalê* «amande». → Amygdale.

Bot. → **Amandier.**

**AMYL-, AMYLO-** Élément, du lat. class. *amylum* «amidon», grec *amylon,* proprt «qui n'est pas moulu». → **Amidon.**

REM. 1. D'abord attesté en français dans *amylacé.*

2. La forme *amil-* se trouve dans des variantes, abandonnées, de certains composés primitivement créés.

**AMYLACÉ, ÉE** [amilase] adj. — 1776; du lat. *amylum* «amidon», et *-acé* (lat. *aceus*), «de la nature de, semblable à». → Amyl-.

Didact. De la nature de l'amidon; qui contient de l'amidon. *Fermentation, saccharification des matières amylacées.*

**AMYLASE** [amilaz] n. f. — 1875; de *amyl-,* et *-ase.*

Chim., biol. Enzyme provoquant l'hydrolyse de l'amidon en maltose et dextrine, très répandu dans tous les organismes vivants, végétaux (graines de céréales) et animaux; chez l'homme dans la salive (→ **Ptyaline**), dans le suc pancréatique, dans le sang.

**AMYLE** [amil] n. m. — 1844, Balard, *in* Cottez; haplologie pour *amylyle.* → Amyl-, -yle.

Chim. Radical hydrocarboné univalent ($C_5H_{11}$). *Nitrite, acétate d'amyle.*

DÉR. V. **Amylique.** ◊ COMP. **Isoamyle.**

**AMYLÈNE** [amilɛn] n. m. — 1844, Balard; *amilène,* 1839, Cahours, *in* Cottez; de *amyl-,* et *-ène.*

Chim. Hydrocarbure obtenu par déshydratation de l'alcool amylique, possédant des propriétés hypnotiques.

**AMYLIQUE** [amilik] adj. — 1855, *in* Littré et Robin, art. *Amyle; amilique*, 1839, *in* Cottez; de *amyl-** ou *amyle*.

Appellation de divers alcools de formule $C_5H_{11}OH$. *Alcool amylique du commerce :* alcool iso-amylique extrait de l'huile de fusel.

COMP. V. **Isoamylique.**

**AMYLO-** → **Amyl-.**

**AMYLOBACTER** [amilobaktɛʀ] n. m. — 1885; lat. sav. dû à Trécul, 1865; de *amylo-*, et *-bacter*.

Didact. (biol., chim.). Bactérie anaérobie, agent de la fermentation butyrique.

**AMYLOPECTINE** [amilopɛktin] n. f. — 1928, in *Larousse du XXe*; de *amylo-*, et *pectine*.

Biochim. Constituant de l'amidon qui forme la partie externe du grain d'amidon et auquel est due la gélification de l'empois. → aussi 1. **Amylose.**

1. **AMYLOSE** [amiloz] n. m. — 1928, in *Larousse du XXe*; de *amyl-*, et 1. *-ose*.

Biochim. Constituant de l'amidon (partie interne du grain), présent en grande quantité dans le blé, les pois. *Amylose et amylopectine**.

2. **AMYLOSE** [amiloz] n. f. — 1898, in *Nouveau Larousse illustré*; de *amyl-*, et 2. *-ose*.

Pathol. Dépôt dans divers organes ou tissus d'une substance pathologique protéique, l'*amyloïde* (n. f.), qui se colore en brun par l'iode et résulte de la dégénérescence de la substance fondamentale normale. — On dit aussi *maladie amyloïde*.

**AMYOTROPHIE** [amjotʀɔfi] n. f. — 1865; de 2. *a-*, *myo-*, et *-trophie*.

Pathol. Atrophie musculaire.

DÉR. **Amyotrophique.**

**AMYOTROPHIQUE** [amjotʀɔfik] adj. — 1898, in *Nouveau Larousse illustré*; de *amyotrophie*.

Méd. Relatif à l'amyotrophie. — *Sclérose latérale amyotrophique :* maladie neurologique affectant principalement la moelle épinière et le bulbe rachidien, avec atrophie musculaire progressive des membres supérieurs. — Syn. : *maladie de Charcot*.

**AMYRIS** [amiʀis] ou **AMYRIDE** [amiʀid] n. f. — 1821; lat. bot. *amyris*, d'orig. grecque obscure; le grec *amuros* «humide» ne convient guère.

Bot. Arbre ou arbrisseau de l'Amérique tropicale *(Rutacées)*, au bois résineux, aromatique, de couleur jaune rosé, veiné de brun, d'un beau grain, très apprécié en ébénisterie (syn. : *baumier de la Jamaïque, bois chandelle* ou *bois citron*). *Bois d'amyris.*

**AN** [ɑ̃] n. m. — 1080; du lat. *annus*.

Temps de la révolution de la Terre autour du Soleil, en tant que durée-repère. → **Année.**

♦ **1** (Avec un numéral cardinal). *Durée de mille ans.* → **Millénaire.** *Durée de cent ans.* → **Siècle.** *Durée de cinq ans.* → **Lustre.** *Vingt ans après*, roman de A. Dumas. *Trois mille ans ont passé* (cit. 58). *Quarante ans sont passés* (cit. 59). *En dix ans, que de changements! Avoir, compter dix ans de service. Vivre cent ans. Il y a un an. Dans un an. Pendant un an. Au bout d'un an.* — Loc. *Attendre cent* sept ans.* — *Un délai d'un an et un jour. Un an jour pour jour. Un contrat de trois ans. Dans cent ans :* dans très longtemps. *J'en ai encore pour un an.*

Après mille ans et plus de guerre déclarée, 1
Les loups firent la paix avecque les brebis.
LA FONTAINE, Fables, III, 13.

Ma sœur, lui dit Progné, comment vous portez-vous? 2
Voici tantôt mille ans que l'on ne vous a vue (...)
LA FONTAINE, Fables, III, 15.

(...) et les chiens et les gens 3
Firent plus de dégât en une heure de temps
Que n'en auraient fait en cent ans
Tous les lièvres de la province.
LA FONTAINE, Fables, IV, 4.

Un an se passe, et deux, avec inquiétude (...) 4
LA FONTAINE, Fables, VII, 5.

Je parlerais un an sur ce sujet. 5
Mme DE SÉVIGNÉ, Lettres, 1402.

*Par an :* chaque année, au cours d'une année. *Trois fois par an. Il gagne tant par an.* → **Annuellement.**

(...) Or ça, sire Grégoire, 6
Que gagnez-vous par an? — Par an? Ma foi, Monsieur (...)
LA FONTAINE, Fables, VIII, 2.

(Précédé de l'art. défini). *Tous les ans :* chaque année. *Tous les ans à pareille époque. L'an dernier* (→ Année, cit. 4.1), *l'an passé.* — Rare. «*Les feuilles des ans passés*» (Gide, *Paludes*). → **Année.**

Loc. **LE NOUVEL AN,** (vx ou littér.) *l'an nouveau.* — **LE JOUR DE L'AN, LE PREMIER DE L'AN :** le premier jour de l'année (1er janvier). *Carte, souhait, visite de premier de l'an, de nouvel an.* — Vx. *L'an neuf.* — Loc. *Au gui* l'an neuf!*

*Le bout de l'an :* la fin, le dernier jour de l'année. *Au bout de l'an.* — *Prières, service du bout** (cit. 26.1) *de l'an.*

Loc. (1665). *Bon an, mal an* [bɔnɑ̃malɑ̃], en faisant la moyenne des bonnes et des mauvaises années.

Et l'on m'a assuré qu'elle portait d'ordinaire sur elle, bon an mal an, trente quintaux de chair (...) 7
SCARRON, le Roman comique, VIII.

Bon an, mal an, il avait vécu, et le plus souvent en grand seigneur (...) 8
MARTIN DU GARD, les Thibault, III, 12.

Vieilli. *Bonjour (et) bon an* (formule de souhait).

♦ **2** (Avec un numéral cardinal; servant à mesurer l'âge de qqn ou de qqch.). *Une fille de quinze ans.* → fam. ou argot **Balai,** 3. **berge, carat,** 3. **pige.** *Elle a quarante ans. Il est âgé de trente ans. Il a soixante ans accomplis* (cit. 4 et 5), *révolus, bien comptés, bien sonnés. Aller sur ses vingt ans. Dès vingt ans, jusqu'à vingt ans.* → **Âge** (cit. 8 et 14). *Quatre ans et demi. Deux ans et trois mois. Personne qui a quarante ans* (quadragénaire), *soixante-dix ans* (septuagénaire), *cent ans* (centenaire), *etc.* — *Il a eu ses douze ans hier. Il se souvient encore du jour de ses cinq ans. Il a atteint ses quatre-vingts ans.* — Loc. *Ne plus avoir vingt* ans :* ne plus être jeune. *Elle n'a plus ses jambes de vingt ans.*

Un mourant qui comptait plus de cent ans de vie (...) 9
Eh! n'as-tu pas cent ans? (...)
LA FONTAINE, Fables, VIII, 1.

Humains, il vous faudrait encore à soixante ans 10
Renvoyer chez les barbacoles.
LA FONTAINE, Fables, XII, 8, 45.

Vous êtes comme moi, Urbain, vous n'êtes plus dans vos vingt ans. 10.1
M. AYMÉ, la Vouivre, p. 90.

*Un chien vieux de dix ans.* — *Un chêne de quarante ans, vieux de quarante ans. Sa voiture a trois ans.*

♦ **3** Vx, littér. *Les ans :* le temps qui passe pour l'homme. *Premiers, jeunes, vieux ans. Les ans passés. Faix, fardeau, poids, injure, outrage des ans.*

(...) De vos premiers ans l'heureuse expérience. 11
RACINE, Britannicus, IV, 3.

12 Quand de nos jeunes ans l'éclat est amorti (...)
MOLIÈRE, le Misanthrope, III, 4.

13 Ce peu que mes vieux ans m'ont laissé de vigueur (...)
CORNEILLE, le Cid, III, 5.

14 Sous le faix du fagot aussi bien que des ans (...)
LA FONTAINE, Fables, I, 16.

15 Le lion (...) chargé d'ans (...)
LA FONTAINE, Fables, III, 15.

16 Approchez; je suis sourd : les ans en sont la cause.
LA FONTAINE, Fables, VII, 16.

17 La beauté que les ans ne peuvent moissonner.
MOLIÈRE, les Femmes savantes, III, 4.

18 Du débris d'un vieux vase, autre injure des ans (...)
LA FONTAINE, Philémon et Baucis, 66.

19 Pour réparer des ans l'irréparable outrage.
RACINE, Athalie, III, 5.

REM. Cet emploi, très usuel dans la langue classique, reste vivant dans l'usage littéraire *(le poids des ans)* mais recule devant l'emploi de *année* (surtout avec un adj. : *les jeunes années*).

19.1 Le poing pesant du temps
Lui a cassé les dents
Et défoncé la bouche.
Mais elle a combattu
Pour conquérir les ans têtus
Qu'elle annexait, un à un, à sa vie.
Maurice CARÊME, la Vieille, «Hôtel bourgeois» (1926).

♦ **4** *L'an...* (suivi d'un numéral cardinal, sauf dans *l'an premier* du calendrier révolutionnaire, dit aussi *an un*). *L'an 250 avant Jésus-Christ. L'an 1000, l'an mille. «Ô soldats de l'an Deux»* (Hugo), de l'an II du calendrier républicain. *L'an 1000 de l'hégire*. En l'an 2000.*

19.2 Chacune *(des émissions)* devrait être à la fois une synthèse scientifique et, comme on dit à la télévision, une grande dramatique populaire, faisant vivre à chacun et préparer les drames ou les espérances de l'an 2000.
Roger GARAUDY, Parole d'homme, p. 180.

Loc. Vx. *«L'an du Christ 1732»* (Vigny). *L'an du Salut de Notre-Seigneur... —* Vieilli ou par plais. *L'an de grâce*..., en l'an de grâce 1980.*

Loc. fam. *S'en moquer, s'en ficher (soucier) comme de l'an quarante,* complètement.

19.3 — Oui, nous nous attendrissons ensemble sur la mémoire de cet excellent M. Montgicourt !...
— Dont vous vous moquez comme de l'an quarante !
E. LABICHE, le Clou aux maris, 2.

REM. *An* et *année* ne sont pas d'exacts synonymes, contrairement à l'avis de Littré :

20 Ces deux termes s'emploient indifféremment l'un pour l'autre, sauf certaines locutions consacrées où l'on ne peut pas substituer année à an, comme bon an mal an, et sauf que, quand on veut qualifier l'année à l'aide d'une épithète, on se sert non de an, mais d'année.
LITTRÉ, Dict., art. *An.*

21 Les substantifs en *ée* (...) montrent *(la chose)* dans son contenu, dans toute sa variété, dans les éléments qui la composent (...) *L'an* est à l'*année* (...) comme la *bouche* à la *bouchée,* le *four* à la *fournée,* le *poing* à la *poignée,* etc. De sorte que *année, journée, matinée,* etc., marquent la durée déterminée et divisible de l'*an,* du *jour,* du *matin,* ou la série des événements qui les remplissent (...) *L'an* est le même pour tout le monde; mais on distingue une *année* scolaire, une *année* théâtrale, c'est-à-dire l'espace d'un *an* employé aux études ou aux représentations du théâtre, et pris arbitrairement de tel mois à tel autre.
LAFAYE, Dict. des synonymes, p. 197.

DÉR. et COMP. **Année. —** (Du lat. *annus*) **Annal (biennal, triennal, décennal), annales, annate, anniversaire, annone, annuaire, annuel (bisannuel), antan. — Pérenne, septennat, solennel, suranné.** ◊ HOM. **1. En, 2. en.**

**AN-** → **2. A-.**

**ANA-** Élément emprunté au grec, et qui signifie «de bas en haut» *(anaglyphe),* «en arrière» *(anachorète),* «à rebours» *(anaphylaxie)* ou «de nouveau» *(anabaptiste).*

**-ANA** élément, **1. ANA** [ana] n. m. invar. — XVII^e; de la terminaison du titre lat. de recueils : *Scaligeriana, Menagiana,* plur. neutre d'adj. en *-anus.*

♦ **1** Élément qui s'ajoute au nom d'un auteur pour désigner un recueil de ses pensées détachées, de ses bons mots ou des anecdotes qu'il a recueillies ou qu'on a recueillies de lui. *Le Voltairiana* (Voltaire).

C'est dommage qu'on n'ait pas fait un Harleana de tous les dits qui caractérisaient ce cynique *(Harlay).* 1
SAINT-SIMON, *in* LITTRÉ.

♦ **2** N. m. invar. Recueil de pensées, de bons mots d'un auteur, d'une personnalité, d'anecdotes relatives à sa vie, etc. *Des ana.*

Il savait par cœur tous les traits des ana. 2
ROUSSEAU, les Confessions, IV.

Chacun des éléments d'un tel recueil.

C'était un de ces hommes qui se définissent par des anecdotes, de sorte qu'essayer de les dépeindre fait d'un chapitre une sorte de recueil d'ana. 3
M. YOURCENAR, Archives du Nord, p. 318.

**2. ANA** [ana] adv. — 1834, Landais; de l'expr. lat. *ana partes aequales.*

Mot dont se servent les médecins, dans leurs ordonnances, pour indiquer que les substances énumérées doivent être employées à doses égales. — Abrév. : *ĀĀ, āā,* ou *aa.*

**3. ANA** [ana] n. m. — D. i.; mot dial. rouchi; orig. inconnue.

Techn. Partie ligneuse des plantes textiles. *Anas de lin, de chanvre* (→ **Chènevotte**).

Ainsi dans la tige *(du lin)* on peut distinguer (...) deux parties délimitées par le cambium :
— la chènevotte ou ana, qui est la partie centrale appelée vulgairement bois, constituée principalement de cellulose, de lignine et d'hémicellulose, se présente à l'état de fibres très courtes;
— la lanière verte ou partie péricyclique, qui renferme les fibres élémentaires (...)
Jacques LOURD, le Lin et l'Industrie linière, p. 35.

**ANABAPTISME** [anabatism] n. m. — 1564; de *anabaptiste.*

Hist. des relig. Doctrine des anabaptistes.

**ANABAPTISTE** [anabatist] n. et adj. — 1525; du grec ecclés. *anabaptizein* «baptiser à nouveau».

Hist. des relig. Membre d'une secte protestante qui n'admet pas la validité du baptême des enfants et soumet ses adeptes à un second baptême à l'âge de raison. → **Baptiste; mennonite.**

Adj. *Cérémonie anabaptiste. Doctrine anabaptiste. Une famille anabaptiste.*

J'aimerais avoir pour aïeul l'imaginaire Simon Adriansen de l'*Œuvre au Noir,* armateur et banquier aux sympathies anabaptistes (...)
M. YOURCENAR, Archives du Nord, p. 74.

DÉR. **Anabaptisme.**

**ANABAS** [anabas] n. m. — 1829, Académie, *Suppl.;* lat. sc. *anabas,* Cuvier; du grec *anabainein* «monter».

Zool. Poisson osseux d'Océanie qui peut vivre un certain temps hors de l'eau, ramper sur le sol et même grimper, à l'aide de ses nageoires épineuses, sur les arbustes (on l'appelle parfois *perche grimpeuse*).

(...) l'*anabas testudinien* qui vit hors de l'eau et monte aux arbres (...) Paul MORAND, Rien que la terre, p. 99.

**ANABIOSE** [anabjoz] n. f. — 1890, P. Larousse, *Deuxième Suppl.*; all. *Anabiose*, créé par le physiologiste Preyer, 1841-1897, grec *anabiôsis* «résurrection», de *ana*, et *bios* «vie».

Didactique.

♦ **1** Retour à la vie consciente après un temps plus ou moins long de vie végétative.

♦ **2** Vie potentielle d'un organisme (par exemple à une température anormalement basse).

**ANABLEPS** [anablɛps] n. m. — 1846, *in* Bescherelle; *anablépes*, 1808, *in* Boiste; du grec *anablepein*.

Zool. Poisson osseux de l'Amérique tropicale qui a la faculté de voir à la fois dans l'air et dans l'eau.

**ANABOLIQUE** [anabɔlik] adj. — 1905, in *Rev. gén. des sc.*, n° 2, p. 71; de *anabolisme*.

Biol. Relatif à l'anabolisme. *Fonction anabolique et fonction catabolique.*

**ANABOLISANT, ANTE** [anabɔlizɑ̃, ɑ̃t] n. m. et adj. — 1969; de *anabolisme*.

N. m. Méd. Substance stimulant l'anabolisme, et entraînant notamment un accroissement du système musculaire. → **Anabolite.** *Athlète qui se dope en prenant des anabolisants. «C'est depuis quinze ans, depuis, surtout, les jeux Olympiques de Tokyo, en 1964, que les anabolisants ont fait leur apparition massive chez les sportifs»* (*l'Express*, 12 nov. 1973, p. 115). *Interdiction, contrôle, détection des anabolisants chez les sportifs.* — Adj. *Substances anabolisantes.*

**ANABOLISÉ, ÉE** [anabɔlize] adj. — 1988; de *anabolisme*.

Se dit d'un animal d'élevage auquel on a donné des anabolisants. *Cette boucherie ne vend pas de viande anabolisée, seulement de la viande bio. Veaux anabolisés.*

**ANABOLISME** [anabɔlism] n. m. — 1907; grec *anabolê* «hauteur, ascension», de *ana* «en haut», et *bolos* «jet», d'après *métabolisme*.

Didact. Phase du métabolisme comprenant les phénomènes d'assimilation.

Cependant la synthèse d'acides aminés suppose un apport d'énergie, un anabolisme dont le vin est incapable (...)
Jules CARLES, la Chimie du vin, p. 100.

CONTR. **Catabolisme.** ◊ DÉR. **Anabolique, anabolisant, anabolite.**

**ANABOLITE** [anabɔlit] n. m. — 1922; de *anabolisme*.

Physiol. Substance produite lors de l'anabolisme. → **Catabolite.**

Substance qui améliore les processus d'assimilation de l'organisme. → **Anabolisant.**

**ANACANTHINIENS** [anakɑ̃tinjɛ̃] n. m. pl. — 1878, P. Larousse, *anacanthins*; de *an-* (→ 2. a-), et grec *akanthos* «épine».

Vx. Gadiformes (poissons).

**ANACARDE** [anakaʀd] n. m. — XIVe; XIIIe, *anacar, anachar*; lat. médiéval *anacardium*, puis *anacardus*, grec *anakhardion* «coeur d'âme», de *kardia* «cœur».

Bot. Fruit de l'anacardier. Cour. : *noix de cajou**.

DÉR. **Anacardier.**

**ANACARDIACÉES** [anakaʀdjase] n. f. pl. — 1845; *anacardiées*, 1838; de *anacarde* ou *anacardier*, et *-acées*.

Bot. Térébinthacées.

**ANACARDIER** [anakaʀdje] n. m. — 1768; de *anacarde*.

Bot. Arbre qui produit la noix de cajou*. *La noix de l'anacardier se mange crue ou cuite. Du tronc de l'anacardier s'écoule un liquide* (gomme d'acajou) *utilisé dans la préparation des vernis. Le bois de l'anacardier est utilisé en ébénisterie.*

*(au Kérala)*, le long des cours d'eau et des lagunes s'étalent les rizières délimitées par les plantations d'aréquiers, de manguiers, de cocotiers et d'anacardiers.
Paul MARTIN-DUBOST, Çankara et le Vedānta, p. 6.

**ANACHLORHYDRIE** [anaklɔʀidʀi] n. f. — 1905, in *Rev. gén. des sc.*, n° 12, p. 573; de 1. *ana-*, *chlorhydr(ique)*, et suff. *-ie*.

Méd. Absence d'acide chlorhydrique libre dans le suc gastrique (on dit aussi : *achlorhydrie*).

**ANACHORÈTE** [anakɔʀɛt] n. — 1598; *anacorite*, XIIe; du lat. ecclés. *anachoreta*, grec *anakhôrêtês* «qui se retire», de *anakhôrein*, de *ana-*, et *khôrein* «marcher».

♦ **1** N. m. Religieux contemplatif qui se retire dans la solitude. → **Ermite.** *Les anachorètes de la Thébaïde* (opposé à *cénobite*). *D'anachorète.* → **Anachorétisme.**

Les citoyens d'un même État, les habitants d'une même ville, ne sont point des anachorètes, ils ne sauraient vivre toujours seuls et séparés. 1
ROUSSEAU, Du contrat social, Lettre à M. d'Alembert.

Un anachorète qui se dévoue au service de l'humanité, un saint qui veut méditer les grandeurs de Dieu en silence, peuvent trouver la paix et la joie sur des roches désertes. 2
CHATEAUBRIAND, Mémoires d'outre-tombe, II, p. 345.

En ce temps-là le désert était peuplé d'anachorètes. Sur les deux rives du Nil, d'innombrables cabanes, bâties de branchages et d'argile par la main des solitaires, étaient semées à quelque distance les unes des autres, de façon que ceux qui les habitaient pouvaient vivre isolés et pourtant s'entr'aider au besoin. FRANCE, Thaïs, p. 3. 3

♦ **2** N. m. Par compar. *Mener une vie d'anachorète*, solitaire et ascétique*; d'ermite. *Repas d'anachorète* (→ Abstinence, cit. 1).

N. Fig. Personne qui mène une vie retirée, ascétique. *C'est une anachorète, une véritable anachorète. Un vieux misanthrope, un anachorète.*

DÉR. V. **Anachorétique. — Anachorétisme.**

**ANACHORÉTIQUE** [anakɔʀetik] adj. — 1845; du lat. ecclés. *anachoreticus*, grec *anakhôrêtikos*, de *anakhôrêtês*. → Anachorète.

Propre aux anachorètes (opposé à *cénobitique*). *La vie anachorétique.* → **Érémitique.**

La vie anachorétique, si opposée à l'esprit de l'ancien peuple juif, faisait de toutes parts invasion en Judée.
RENAN, Vie de Jésus, V.

**ANACHORÉTISME** [anakɔʀetism] n. m. — 1840, P. Leroux; de *anachorète*.

Didact. Vie des anachorètes (opposé à *cénobitisme*). → **Érémitisme.**

**ANACHRONIQUE** [anakʀɔnik] adj. — 1866; de *anachronisme*.

♦ **1** Entaché d'anachronisme, qui confond des éléments d'époques différentes. *Description anachronique. Mise en scène anachronique. Cette pièce est une bonne évocation de la Révolution française, mais le dialogue est parfois anachronique.*

♦ **2** Plus cour. Qui est déplacé à son époque, qui est d'un autre âge. → **Désuet, périmé.** *Raisonnements, jugements anachroniques. Attitudes, réactions anachroniques. Équipement anachronique. Un avion anachronique ronronnait.* → Reconstitution, cit. 3. *La vieille dame avait l'air un peu anachronique.*

1 L'individualisme naturel, si précieux du point de vue humain, de l'artisan ou du paysan propriétaire apparaît de plus en plus anachronique.
André SIEGFRIED, l'Âme des peuples, I, 3, p. 24.

2 Sa route est jalonnée par les lampadaires noirs aux ornementations stylisées, d'une élégance anachronique, dont les ampoules brillent d'un éclat jaune dans le jour blafard. A. ROBBE-GRILLET, Dans le labyrinthe, p. 122.

DÉR. **Anachroniquement.**

**ANACHRONIQUEMENT** [anakʀɔnikmɑ̃] adv. — 1852, Gautier, *in* D. D. L.; de *anachronique.*

D'une manière anachronique.

1 Mais c'est en France que je suis mort, voici plus de vingt ans (...) je n'hésite pas à n'en point tenir compte et à dîner anachroniquement ce soir à vos côtés.
ARAGON, Anicet... I, p. 21.

2 (...) l'étude des espèces résiduelles, c'est-à-dire de celles qui subsistent anachroniquement en un lieu qui ne réunit plus les conditions essentielles à leur vie.
Cécil SAINT-LAURENT, les Passagers pour Alger, p. 199.

**ANACHRONISME** [anakʀɔnism] n. m. — 1625; de *ana-* «en arrière», grec *khronos* «temps» et suff. *-isme.*

♦ **1** Confusion de dates, attribution à une époque de ce qui appartient à une autre. → **Métachronisme, parachronisme, prochronisme.** *En faisant dire à Charlemagne «Tu rêves comme un clerc en Sorbonne», Hugo a commis un anachronisme. Anachronismes dans le décor et les costumes de théâtre. Virgile s'est permis un anachronisme en supposant Énée contemporain de Didon* (Académie).

1 Pour éviter les anachronismes, cette erreur qui fait confondre les temps.
BOSSUET, Hist., Préface, *in* LITTRÉ.

2 On connaît l'heureux anachronisme de l'Énéide; tel est le privilège du génie, que les malheurs de Didon sont devenus une partie de la gloire de Carthage.
CHATEAUBRIAND, Itinéraire ..., II, 125.

REM. Étymologiquement, l'*anachronisme* ne concerne que les confusions entre des éléments plus récents et une époque plus ancienne (*ana-* : «en arrière»); mais le mot désigne depuis le XVIIe s. (→ ci-dessus cit. 1) tous les parachronismes.

♦ **2** Littér. Décalage dans le temps.

3 Bonaparte avait voulu que les hommes de la Révolution ne parussent à la cour qu'en habit habillé, l'épée au côté (...) Ce calque froid, cet anachronisme (...)
CHATEAUBRIAND, Mémoires d'outre-tombe, t. II, p. 208.

4 Il est utile de faire remarquer l'anachronisme que l'on commet en attribuant nos succès à nos énormités; ils furent obtenus avant et après le règne de la Terreur; donc la Terreur ne fut pour rien dans la domination de nos armes.
CHATEAUBRIAND, Mémoires d'outre-tombe, t. III, L, I, p. 80.

5 (...) et ainsi, dans un désir fou de me précipiter dans ses bras, ce n'était qu'à l'instant – plus d'une année après son enterrement, à cause de cet anachronisme qui empêche si souvent le calendrier des faits de coïncider avec celui des sentiments – que je venais d'apprendre *(réellement)* qu'elle était morte.
PROUST, À la recherche du temps perdu, t. I, p. 213.

♦ **3** Par ext. Caractère de ce qui est anachronique (2.), périmé, désuet; chose, usage, imitation anachronique. → **Survivance.** *L'anachronisme de sa pensée politique.*

♦ **4** *(Un, des anachronismes).* Élément anachronique. *Les anachronismes dans un tableau. «Sentimental» est un anachronisme, dans un roman qui se passe au dix-septième siècle.*

Il y avait là un parfum d'ancienneté, d'éloignement dans le temps et l'espace, à quoi la famille Anglade était sensible comme à un poétique anachronisme.
Jean-Louis CURTIS, le Roseau pensant, p. 98.

DÉR. **Anachronique.**

**ANACOLUTHE** [anakɔlyt] n. f. — 1751; du bas lat. d'orig. grecque *anacoluthon* «absence de suite» de *an-* privatif, et *akolouthos* «qui suit», de *keleuthos* «chemin». Didactique (rhétorique, linguistique).

♦ **1** Rupture ou discontinuité dans la construction d'une phrase. — Ex. : *«Et pleurés du vieillard, il grava sur leur marbre (...)»* (La Fontaine); *«j'allai puis reviens de la ville»; «tantôt il est content, ou alors il pleure».*

♦ **2** Plus rare. Déplacement d'un ou plusieurs syntagmes de leurs places normales dans la proposition, où ils sont repris par des pronoms. Ex. d'anacoluthe :

Toutes les dignités que tu m'as demandées,
Je te les ai sur l'heure et sans peine accordées.
CORNEILLE, Cinna, V, 1.

♦ **3** Vx. Ellipse régulière d'un élément (antécédent d'un pronom relatif, préposition, etc.). *«Il y a une anacoluthe dans ce vers : "Je vais où va toute chose", c'est-à-dire dans les lieux où (...)»* (Littré). *Il alla à Vienne puis Paris.*

**ANACONDA** [anakɔ̃da] n. m. — 1845, *anacondo;* mot probablt d'orig. cingalaise.

Grand serpent d'Amérique du Sud qui se nourrit d'oiseaux et de mammifères (syn. : *eunecte*).

**ANACOSTE** [anakɔst] n. f. — 1699; *anascote,* 1630; mot esp., de *Hondschoote,* ville flamande où cette étoffe était fabriquée.

Anciennt. Étoffe de laine, variété de serge.

**ANACRÉONTIQUE** [anakʀeɔ̃tik] adj. — 1555; du bas lat. *anacreonticus,* du grec *Anakreôn, -ontos* «Anacréon», nom propre.

Didact. Qui est dans le genre de poésie érotique cultivé par Anacréon et ses imitateurs.

DÉR. **Anacréontisme.**

**ANACRÉONTISME** [anakʀeɔ̃tism] n. m. — 1740; de *anacréont(ique),* et *-isme.*

Didact. Genre poétique anacréontique.

**ANACROUSE** [anakʀuz] ou (rare) **ANACRUSE** [anakʀyz] n. f. — 1884; *anacrousis,* 1866; «partie chantée, dans les jeux pythiens»; mot grec, de *ana* «vers le haut», et *krousis* «action de frapper».

Poés. anc. Demi-pied faible précédant le premier temps marqué. — Mus. Mesure incomplète, précédant la première barre de mesure, par laquelle commence parfois un morceau.

**ANADIPLOSE** [anadiploz] n. f. — 1555; du grec *anadiplôsis* «redoublement».

Rhét. (Rare). Figure par laquelle on reprend le dernier mot (d'une phrase, d'une proposition, d'un vers...) au début de l'élément identique qui suit.

**ANADROME** [anadʀom] adj. — 1808, Boiste; 1751, n. f. en méd. «transport d'une humeur vers les parties supérieures»; du grec *anadromos* «qui court en remontant», de *ana-*, et *dromos*, → -drome.

Didact. Se dit des poissons amphibiotiques qui remontent les fleuves pour y pondre (opposé à *catadrome*). Syn. : *potamotoque. Le saumon est anadrome.*

Les *Anadromes* ou Potamotoques se nourrissent en mer et remontent les rivières pour y frayer; leur type est le Saumon. De nombreux poissons sont des anadromes (...) partiels. Le Hareng par exemple, qui vient du large près des côtes où il dépose ses œufs démersaux, mérite le qualificatif d'anadrome partiel.
R. et M.-L. BAUCHOT, les Poissons, p. 119.

CONTR. **Catadrome, thalassotoque.**

**ANADYOMÈNE** [anadjɔmɛn] adj. — 1751; lat. *anadyomene*, mot grec, de *anaduesthai* «sortir du fond».

Didact. Qui sort de l'eau (surnom de Vénus).

**ANAÉROBIE** [anaeʀɔbi] adj. et n. m. — 1863; de *a(n)-* (→ 2. A-), et *aérobie*.

♦ **1** Biol. Se dit des micro-organismes qui se développent normalement dans un milieu dépourvu d'air ou d'oxygène.

♦ **2** (1960). Techn. Se dit d'un propulseur capable de fonctionner sans air (hors des limites de l'atmosphère). *Fusée anaérobie.*

CONTR. **Aérobie.** ◊ DÉR. **Anaérobiose, anaérobique.**

**ANAÉROBIOSE** [anaeʀɔbjoz] n. f. — 1890; de *anaérobie*.

Biol. Vie des organismes anaérobies.

Les organes soumis à l'anaérobiose pendant 40 à 48 heures, puis cultivés dans des conditions normales durant 2 ou 3 jours, présentent une altération identique : la médullaire est occupée par un système de petites lacunes et de vacuoles.
Michel SIGOT, la Culture d'organes, p. 66.

CONTR. **Aérobiose.**

**ANAÉROBIQUE** [anaeʀɔbik] adj. — XXᵉ; de *anaérobie*.

Biol. De l'anaérobiose. *Cycle anaérobique. Fonctionnement anaérobique du métabolisme.*

**ANAGALLIS** [anagalis] n. f. — 1740, Trévoux; mot lat., du grec.

Bot. Nom sc. du genre auquel appartient le *mouron*. → **Mouron.**

**ANAGLYPHE** [anaglif] n. m. — 1495, *anaglife*; repris XVIIIᵉ; du bas lat. *anaglyphus*, grec *anagluphos*, de *ana* «vers le haut», et *gluphein* «sculpter». → -glyphe.

Didactique.

♦ **1** Ouvrage (spécialt, inscription ornementale) sculpté ou ciselé en bas-relief. *Les anaglyphes égyptiens.*

♦ **2** (1894; *Année sc. et industr.* 1895, p. 63). Couple de photographies stéréoscopiques en deux couleurs complémentaires.

**ANAGLYPTIQUE** [anagliptik] adj. — 1838; du bas lat. *anaglypticus* «ciselé en relief», grec *anagluptikos*. → Anaglyphe.

Didactique.

♦ **1** Se dit d'une écriture ou d'une impression en relief à l'usage des aveugles.

♦ **2** Qui donne l'impression de voir en relief. → **Anaglyphe** (2.). *Procédé anaglyptique.* → **Stéréoscopique.** — Var. : *anaglyphique.*

**ANAGNOSTE** [anagnɔst] n. m. — 1552; lat. *anagnostes*, du grec.

Antiq. Esclave ou affranchi chargé de faire la lecture à haute voix. — Par ext. Lecteur d'une assemblée ou d'une communauté religieuse.

**ANAGOGIE** [anagɔʒi] n. f. — 1560; *anagoge*, XVᵉ; du lat. ecclés. *anagoge*, grec *anagôgê* «élévation».

Didactique.

♦ **1** Interprétation par le sens anagogique.

♦ **2** (1771). Élévation de l'âme dans la contemplation mystique.

DÉR. **Anagogique.**

**ANAGOGIQUE** [anagɔʒik] adj. — 1375; lat. ecclés. *anagogicus*, grec *anagôgikos*, de *anagôgê*. → Anagogie.

Didact. (relig.). Se dit d'un sens spirituel de l'Écriture fondé sur un type ou un objet figuratif du ciel et de la vie éternelle.

Pour distinguer le sens anagogique des phrases hébraï- 1
ques chez les prophètes (...)
VOLTAIRE, Philosophie de l'histoire, *in* LITTRÉ.

(...) il y a un sens immédiat et littéral du texte sacré, mais 2
aussi un sens allégorique par lequel n[ous] découvrons un enseignement moral dans un récit d'apparence historique, et un sens anagogique par lequel notre âme se trouve élevée vers l'amour et le désir de Dieu (...)
CLAUDEL, Journal, oct. 1930.

**ANAGRAMMATIQUE** [anagʀa(m)matik] adj. — 1823; de *anagramme*.

Didact. Relatif à l'anagramme; qui constitue une anagramme.

(...) le nom que je vous donne en haut de cette lettre ne me rend pas seulement, sous sa forme anagrammatique, un compte charmant de votre aspect *actuel* (...)
A. BRETON, l'Amour fou, VII, p. 172.

**ANAGRAMMATISER** [anagʀa(m)matize] v. tr. — Av. 1611; du grec médiéval *anagrammatixein* de *anagrammatismos*. → Anagramme.

Didact. Mettre en anagramme. → **Anagrammer.** — Absolt. Faire des anagrammes.

**ANAGRAMME** [anagʀam] n. f. — 1571; var. *anagrammatisme*, XVIᵉ; du grec *anagrammatismos*, d'après *monogramme*.

Mot obtenu par transposition des lettres d'un autre mot (ex. : *Marie — aimer*). *Faire une anagramme. L'anagramme de son nom. Avida Dollars est l'anagramme* (fourni par A. Breton) *de Salvador Dali.*

DÉR. **Anagrammatique, anagrammer.** — V. **Anagrammatiser.**

**ANAGRAMMER** [anagʀame] v. tr. — 1752; *anagrammé*, déb. XVIIᵉ; de *anagramme*.

Rare. Mettre en anagramme. → **Anagrammatiser.** *Anagrammer un mot.*

**ANAGYRE** [anaʒiʀ] n. m. — 1611; *anagyris*, 1561; lat. *anagyros*, mot grec.

Bot. Plante *(Papilionacées)* d'une odeur fétide dont les feuilles sont purgatives, et les graines vénéneuses.

**ANAL, ALE, AUX** [anal, o] adj. — 1805; de *anus*.

♦ **1** Qui appartient, est relatif à l'anus. *Sphincter anal. Fonctions anales. Prurit anal. Spéculum anal.*

Zool. *Nageoire anale des poissons.* — N. f. *L'anale et la pectorale.*

♦ **2** (1914, psychan.). Se dit de la libido infantile prégénitale lorsqu'elle est organisée «sous le primat de la zone érogène anale» (entre deux et quatre ans). *Érotisme anal; stade anal* ou *sadique-anal* (cette période étant celle où s'affirme le sadomasochisme).

Au stade anal, des valeurs symboliques de don et de refus s'attachent à l'activité de la défécation.
J. LAPLANCHE et J.-B. PONTALIS, Voc. de la psychanalyse, *in* D. D. L., II, 22.

N. Personne chez qui domine caractériellement la libido anale. *Un anal, une anale.*

REM. Du fait de l'homonymie avec *anneau*, le masc. plur. est rare.

DÉR. **Analité.** ◇ COMP. **Suranal.** — HOM. **Annal, annales.**

**ANALECTA** [analɛkta] ou (vx) **ANALECTES** [analɛkt] n. m. pl. — XIX^e^, *analecta; analectes,* 1704, *in* D. D. L.; lat. des érudits *analecta,* 1675, plur. neutre du grec *analektos* «recueilli».

Didact. Nom de certaines anthologies savantes.

**ANALÈME** ou **ANALEMME** [analɛm] n. m. — XVI^e^; grec *analêmma,* de *ana.*

Astron. Vx. Projection orthographique* des cercles de la sphère céleste sur le plan du méridien.

Archéol. Support horizontal d'un cadran solaire.

DÉR. **Analemmatique.**

**ANALEMMATIQUE** [analematik] adj. — 1644; de *analemme.*

Astron., archéol. *Cadran analemmatique :* cadran solaire horizontal à style vertical.

**ANALEPSIE** [analɛpsi] n. f. — 1771; «épilepsie», 1603; lat. médiéval *analepsia,* grec *analêpsis* «fait de reprendre des forces», de *analambanein* «se remettre (d'une maladie)».

Méd. Rétablissement des forces après une maladie. → **Convalescence.**

DÉR. V. **Analeptique.**

**ANALEPTIQUE** [analɛptik] adj. et n. m. — 1555; bas lat. *analepticus,* grec *analêptikos,* de *analambanein.* → Analepsie.

Méd. Qui rétablit les forces, stimule les fonctions de l'organisme. *Aliment, médicament analeptique.* → **Fortifiant, reconstituant, stimulant.**

N. m. (1808; n. f., 1752, «hygiène»). Remède analeptique. *L'usage des analeptiques.*

REM. Fréquent au sens de «psychoanaleptique», en emploi nominal ou adjectival.

DÉR. V. **-leptique.** ◇ COMP. **Nooanaleptique, psychoanaleptique, thymoanaleptique.**

**ANALGÉSIANT, ANTE** [analʒezjɑ̃, ɑ̃t] adj. — 1877, *Journ. de méd. et de chir. pratiques, in* D. D. L.; var. *analgésisant,* 1877, in *Année sc. et industr.* 1878, p. 344; de *analgésique.*

Méd. Qui produit l'analgésie. *«L'action analgésiante du gaïacol»* (*Année sc. et industr.* 1896, p. 206 [1895]).

**ANALGÉSIE** [analʒezi] n. f. — 1823; du grec *analgêsia,* de *an-* privatif (→ 2. A-), et *algos* «douleur».

Méd. Abolition de la sensibilité à la douleur, pathologique ou provoquée, qui n'altère pas les autres modes de sensibilité (à la différence de *l'anesthésie**, qui supprime ou atténue fortement la sensibilité). → Analgie.

Reste un gros problème qui ne semble pas avoir encore reçu son explication (...) c'est celui de certaines *analgésies généralisées qui seraient congénitales* (...) l'enfant, dès qu'il commence à marcher, tombe et se blesse facilement, sans paraître en souffrir et l'on découvre souvent à cette occasion, son analgésie.
A. POROT, Manuel alphabétique de psychiatrie,1975, art. *Analgésie généralisée.*

DÉR. et COMP. **Analgésique. Thermo-analgésie.**

**ANALGÉSIQUE** [analʒezik] adj. et n. m. — 1860, n. m., *in* D. D. L.; 1878, adj.; de *analgésie.*

Adj. Qui supprime ou atténue la sensibilité à la douleur. → **Anesthésiant, anesthésique, antalgique.** *Remède analgésique.*

N. m. *L'amidopyrine, l'aspirine, la morphine sont des analgésiques.*

L'acide carbonique donna de meilleurs résultats dans ses applications spéciales comme analgésique.
L. FIGUIER, l'Année scientifique et industrielle 1867, p. 350 (1866).

DÉR. **Analgésiant.**

**ANALGIE** [analʒi] n. f. — 1855, Nysten; de *an-* (→ 2. A-), et *-algie.*

Didact. Absence congénitale de la perception de la douleur (→ Analgésie).

**ANALITÉ** [analite] n. f. — Mil. XX^e^; de *anal.*

Psychol. Prédominance de l'érotisme anal et des valeurs symboliques qui lui sont attachées. *«Stimulation traumatique de la sexualité infantile refoulée (homosexualité, analité)»* (D. Lagache, *la Psychanalyse,* p. 68).

Les Américains sont obsédés par l'analité.
Jean-Louis CURTIS, Horizon, p. 211.

HOM. **Annalité.**

**ANALLANTOÏDIENS** [analɑ̃tɔidjɛ̃] n. m. pl. — 1846, d'Orbigny; de *an-* privatif (→ 2. A-), *allantoïde,* et suff. *ien.*

Didact. (zool.). Vertébrés (poissons amphibiens) dont les embryons sont dépourvus d'allantoïde*. → Anamnien (cit.).

CONTR. **Allantoïdiens.**

**ANALLERGIQUE** [analɛrʒik] adj. — 1967; de *an-* (→ 2. A-), et *allergie.*

Qui ne provoque pas d'allergie. *Crème de beauté anallergique.* — Syn. : *anti-allergique.*

**ANALLERGISANT, ANTE** [analɛrʒizɑ̃, ɑ̃t] adj. — XX^e^; de *an-* (→ 2. A-), et *allergie.* → Allergisant.

Capable d'éviter une allergie (en parlant d'une substance).

**ANALOGIE** [analɔʒi] n. f. — 1428; trad. de l'ouvrage de César *«De analogia»,* 1213; lat. *analogia,* mot grec, de 1. *ana-,* et rad. de *logos.* → Analogue.

♦ **1** Cour. Ressemblance établie par l'imagination (souvent consacrée dans le langage par les diverses acceptions d'un même mot) entre deux ou plusieurs objets de pensée essentiellement différents. → **Affinité, association, correspondance, lien, parenté, rapport, relation, similitude.** *Une analogie* *de forme, de structure, de nature. Analogie fonctionnelle. L'analogie de leurs goûts, de leurs idées. Analogie d'une doctrine et d'une autre. Analogie de son attitude actuelle avec sa réaction précédente. Une analogie fondamentale, frappante, remarquable. Conclure de l'analogie des causes à celle des effets, de l'analogie des parties à celle du tout, de l'analogie des moyens à celle de la fin. Juger, suggérer, évoquer qqch. par analogie.*

1 Si *(vous)* demandez comment par couleur blanche *(la)* nature nous induit *(à)* entendre joie et liesse, je vous réponds que l'analogie et *(la)* conformité est telle.
RABELAIS, Gargantua, I, 10.

2 On peut dire qu'il y a plus d'analogie ou de rapport entre les couleurs et les sons qu'entre les choses corporelles et Dieu. DESCARTES, Réponses aux 2[es] objections.

3 Quelques naturalistes ont été frappés de ces traits de ressemblance et de la grande analogie de nature qui se trouve entre ces oiseaux.
BUFFON, *in* LAFAYE, Dict. des synonymes, Analogie.

4 Mais n'y a-t-il plus aucun rapport d'analogie entre la plante et l'animal ? (...) Combien ne trouverais-je encore de caractères d'analogie et de ressemblance entre l'animal et la plante, dans les organes de la vie ?
MARMONTEL, *in* LAFAYE, Dict. des synonymes, Rapport, Analogie...

5 Il n'y a rien dans les objets extérieurs qui ait la moindre analogie, le moindre rapport avec un sentiment, une idée, une pensée.
VOLTAIRE, *in* LAFAYE, Dict. des synonymes, Rapport, Analogie...

6 L'analogie m'apprend que les bêtes étant faites comme moi, ayant du sentiment comme moi, des idées comme moi, pourraient bien être ce que je suis.
VOLTAIRE, *in* LAFAYE, Suppl., p. 170.

7 Je me contenterai de vous dire que, sur des questions si fort au-dessus de l'homme, il ne peut juger des choses qu'il ne voit pas que par induction sur celles qu'il voit, et que toutes les analogies sont pour ces lois générales que vous semblez rejeter.
ROUSSEAU, *in* LAFAYE, Suppl. au Dict. des synonymes, Indocile...

8 Ceux qui regardent la femme comme un homme imparfait ont tort sans doute : mais l'analogie extérieure est pour eux. ROUSSEAU, Émile, IV.

9 C'est le poète lui-même qui, avec plus de choix et de paresse, recherche volontairement dans l'odeur d'une femme par exemple, de sa chevelure et de son sein, les analogies inspiratrices qui lui évoqueront «l'azur du ciel immense et rond» et «un port rempli de voiles et de mâts».
PROUST, À la recherche du temps perdu, t. XV, p. 73.

10 L'analogie lui semblait si frappante qu'il n'hésitait pas à la pousser plus loin encore.
MARTIN DU GARD, les Thibault, VIII, 11.

11 Ainsi c'est le souvenir d'une chose moins belle qui fait naître, à propos d'une autre chose, l'impression de beauté. Pourquoi ? parce qu'il y a un vif plaisir d'intelligence à entrevoir, dans une analogie, l'amorce d'une loi.
A. MAUROIS, À la recherche de Marcel Proust, VI, 3, p. 187.

12 L'analogie poétique a ceci de commun avec l'analogie mystique qu'elle transgresse les lois de la déduction pour faire appréhender à l'esprit l'interdépendance de deux objets de pensée situés sur des plans différents, entre lesquels le fonctionnement logique de l'esprit n'est apte à jeter aucun pont et s'oppose *a priori* à ce que toute espèce de pont soit jeté. A. BRETON, Signe ascendant.

Loc. *Par analogie avec... J'avais pensé cela par analogie avec autre chose.*

Philos. et cour. *Jugement, raisonnement par analogie,* qui conclut d'une ressemblance partielle à une autre ressemblance plus générale ou totale. → **Induction.**

Théol., hist. de la philos. Rapport entre les créatures et Dieu ; rapport entre les êtres (créés) qui en découle. *Théorie de l'analogie chez saint Thomas d'Aquin.*

♦ **2** (1520, en math.). Sc. Identité de deux rapports. → **Proportion, proportionnalité.** *Le principe d'analogie. Termes* (grand, moyen, petit terme) *d'une analogie. Analogie arithmétique, géométrique. L'équation* a = c *est une analogie. — Raisonnement par analogie,* qui, étant donné trois termes d'une analogie, détermine le quatrième (au fig. → ci-dessus, 1.).

♦ **3** Ling. Action assimilatrice qui fait que certaines formes changent sous l'influence d'autres formes auxquelles elles sont associées dans l'esprit et qui détermine des créations conformes à des modèles préexistants. → **Contamination** (→ Analogique, cit., Saussure). *«Les conjugaisons sont perpétuellement troublées par l'analogie»* (Brunot). *Analogie sémantique.*

Hist. ling. Régularité systématique (de la langue), opposé à l'*anomalie** (de l'usage).

Rapport existant entre mots appartenant à un même champ sémantique. *Dictionnaire fondé sur l'analogie.* → **Analogique.**

♦ **4** Biol. Ressemblance fonctionnelle extérieure entre des organes ou des formations d'origine totalement différente.

CONTR. **Contradiction, contraste, différence, dissemblance, opposition.** ◊ DÉR. **Analogisme, analogiste.** — V. **Analogique, analogue.**

**ANALOGIQUE** [analɔʒik] adj. — 1547 ; du bas lat. *analogicus,* grec *analogikos,* de *analogia.* → Analogie.

♦ **1** Fondé sur l'analogie. *Rapport analogique entre deux choses.*

Je n'ai jamais éprouvé le plaisir intellectuel que sur le plan analogique. Pour moi la seule *évidence* au monde est commandée par le rapport spontané, extra-lucide, insolent qui s'établit, dans certaines conditions, entre telle chose et telle autre, que le sens commun retiendrait de confronter. 1
A. BRETON, Signe ascendant.

♦ **2** Log. et math. Qui se fonde sur des rapports de similitude entre des objets différents. *Raisonnement analogique.* → **Inductif.** *Jugement analogique.* → **Analogie** (par).

♦ **3** Ling. Qui vient de l'analogie. *«Vous disez»* (incorrect) *est analogique de «vous lisez». Formation analogique des mots.*

L'analogie suppose un modèle et son imitation régulière. Une forme analogique est une forme faite à l'image d'une ou plusieurs autres d'après une règle déterminée. 2
F. DE SAUSSURE, Cours de linguistique générale, p. 221.

*Dictionnaire analogique,* qui effectue des regroupements de mots d'après leur sens.

♦ **4** Qui est relatif à une méthode de calcul employant pour la résolution d'un problème son analogie à des mesures continues de phénomènes physiquement différents. *Un voltmètre à cadran est un appareil analogique. Calculateur analogique* (opposé à *digital*), dans lequel un phénomène physique est représenté par un signal électrique. — *Transmission analogique,* de signaux qui varient de manière continue entre deux états (opposé à *numérique*).

*Codage analogique,* par des fonctions continues (opposé au *codage digital, discontinu*).

DÉR. **Analogiquement.**

**ANALOGIQUEMENT** [analɔʒikmɑ̃] adv. — 1557; de *analogique.*

De façon analogique, par analogie. *Raisonner, conclure analogiquement.*

(Correspondant au sens 4. de *analogique*). *Fonctionner analogiquement* (opposé à *digitalement*).

**ANALOGISME** [analɔʒism] n. m. — 1740, Trévoux; de *analogie,* et *-isme.*

Didact. Emploi de l'analogie; système fondé sur l'analogie.

Ce que l'astrologie a mis des siècles à échafauder : les horoscopes, les lignes de la main (...) le symbolisme de l'esprit, l'analogisme du langage, l'inassouvissement pharamineux des désirs, le cinéma est prêt à nous en donner la preuve dès demain matin.
B. CENDRARS, Un homme heureux (1929), *in* Trop c'est trop, p. 192 (1957).

**ANALOGISTE** [analɔʒist] n. — 1846, Baudelaire; de *analogie,* et *-iste.*

Didact. Qui raisonne, procède par analogie.

Hist. ling. Grammairien qui explique la structure et l'évolution linguistique par l'analogie (opposé à *anomaliste*).

**ANALOGON** [analɔgɔ̃] ou [analɔgɔn] n. m. — XXe; mot grec «chose analogue, analogie».

Didact. (philos.). Élément d'une analogie. → **Analogue.**

1 Il avait travaillé non pas à montrer la réalité à travers un analogon matériel mais à fabriquer des choses.
S. DE BEAUVOIR, la Force de l'âge, p. 502.

2 Un cas particulier, c'est celui où l'acteur a fait de lui-même une fois pour toutes l'*analogon* d'un certain personnage : sur l'écran, entre Charlie Chaplin et Charlot, toute distance est abolie. S. DE BEAUVOIR, Tout compte fait, p. 198.

**ANALOGUE** [analɔg] adj. et n. — 1503; du lat. *analogus,* grec *analogos,* de 1. *ana-,* et *logos.*

♦ **1** Adj. Qui présente une analogie (au sens courant ou didactique). → **Comparable, parent, ressemblant, semblable, voisin.** *Des problèmes analogues. Nos situations sont, ne sont pas analogues. Une découverte analogue à la sienne. Chose analogue à une autre par tel caractère. Substances analogues sous le rapport de la densité, de l'aspect... Caractères analogues.*

1 Le réseau télégraphique est analogue au système nerveux (c'est-à-dire : est à un pays ce que le système nerveux est à un organisme).
A. LALANDE, Voc. de la philosophie, p. 51.

2 Le gouffre est analogue à la nuit.
HUGO, les Travailleurs de la mer, I, VI, 1.

3 Deux esprits d'une nature analogue peuvent très bien avoir des conceptions pareilles, sans qu'on puisse leur reprocher d'avoir marché servilement dans les mêmes voies.
CHATEAUBRIAND, Mémoires d'outre-tombe, t. II, p. 149.

4 (...) la vraie musique suggère des idées analogues dans des cerveaux différents.
BAUDELAIRE, l'Art romantique, Richard Wagner et Tannhauser, I, Œ., t. II, p. 491.

5 En effet, les hommes ne peuvent comprendre que des sentiments analogues à ceux qu'ils éprouvent.
TAINE, Philosophie de l'art, t. I, II, 3, p. 61.

6 Il ressentit une mélancolie analogue au remords en imaginant une certaine vie qu'il pourrait vivre.
M. BARRÈS, Leurs figures, p. 294.

Spécialt. Ling. (Vx). *Langues analogues,* analytiques*, dont la syntaxe était supposée analogue à la démarche logique.

Anat. Se dit d'organes présentant les mêmes connexions avec les organes voisins.

Log. Se dit de séries (de classements) obéissant aux mêmes règles et que l'on peut relier par des correspondances biunivoques.

♦ **2** N. m. (XIXe). Être ou objet analogue à un autre. → **Correspondant, équivalent.** *Ce terme n'a point d'analogue en français. Des animaux fossiles et des végétaux pétrifiés auxquels on ne connaît point d'analogues vivants, ou dont les analogues n'existent que dans d'autres parties du globe* (Académie). *Trouver des pendants et des analogues dans les différents arts.* → 2. Pendant, cit. 5. *Un événement sans analogue dans l'histoire.* → **Pareil** (qui n'a pas son).

(...) je me suis habitué (...) à faire de moi un exemplaire, sans analogue, d'excessive sensibilité individuelle. 7
Paul BOURGET, le Disciple, IV, 1.

Spécialt. Anat. Organe analogue.

Ling. (Vieilli). Qui remplit des fonctions identiques ou semblables.

Chim. *Analogues stériques :* corps qui ont la même structure stérique.

L'enzyme, en fait, discrimine rigoureusement entre tous les isomères, et n'hydrolyse qu'un seul d'entre eux. On peut cependant «tromper» l'enzyme en synthétisant des «analogues stériques» des corps de cette série, dans lesquels l'oxygène de la liaison hydrolysable est remplacé par du soufre. 8
Jacques MONOD, le Hasard et la Nécessité, p. 75.

CONTR. **Contraire, différent, dissemblable, distinct, opposé.**
◈ DÉR. **V. Analogie.**

**ANALPHABÈTE** [analfabɛt] adj. — 1580; repris fin XIXe; de l'ital. *analfabeto,* grec *analphabêtos.*

Qui ne sait ni lire ni écrire, alors que sa culture dispose d'une écriture. → aussi **Illettré.** *Populations analphabètes, à demi analphabètes. Adultes analphabètes.*

*Les époques, les temps analphabètes,* où une partie notable de la population était analphabète.

N. *Un, une analphabète. Le pourcentage des analphabètes dans un groupe social. Scolariser, alphabétiser des analphabètes. Un analphabète doué, intelligent, capable d'apprendre rapidement à lire.*

Par ext. (t. d'injure). Complètement ignare. *Crétin! analphabète!*

CONTR. **Alphabète.** ◈ DÉR. **Analphabétisme.** — V. **Alphabète.**

**ANALPHABÉTISME** [analfabetism] n. m. — 1907, *Nouveau Larousse illustré, Suppl.,* additions; de *analphabète.*

État d'analphabète, ensemble des analphabètes (d'un pays, d'un groupe humain). → aussi **Illettrisme.** *Taux d'analphabétisme :* pourcentage d'analphabètes par rapport à la population totale.

— Une promesse par écrit! Ah! ah! ah! Tu avais donc ici un gallimard et du parchemin? C'est trop drôle, vraiment! — Vous vous moquez cruellement de notre analphabétisme, monsieur le duc. 1
R. QUENEAU, les Fleurs bleues, p. 109.

— Je suis un peu déconcerté. Nos problèmes se posent autrement... il y a l'analphabétisme, et après tout, une des choses qui me font le plus plaisir, quand je parcours l'Inde, c'est de voir partout des écoles neuves pleines d'enfants (...) 2
MALRAUX, Antimémoires, Folio, p. 356.

**ANALYCITÉ** [analisite] n. f. — D. i (XXe); de *analytique,* pour *analyticité.*

Didact. Caractère des relations logiques analytiques (qui peuvent toutes se réduire à la tautologie*). → **Analytique** (II., 1.).

(...) aux liaisons tautologiques, reposant ainsi sur une analycité pure, s'opposent de façon tranchée et radicale les

liaisons synthétiques, qui caractérisent alors la connaissance empirique ou expérimentale.
J. PIAGET, Logique et Connaissance scientifique, Épistémologie, *in* Encycl. Pl., p. 82.

CONTR. **Synthéticité.**

**ANALYSABLE** [analizabl] adj. — 1849, cit. *infra;* de *analyser.*

Style soutenu. Qui peut être analysé. *Situation difficilement analysable.*

Cette sensation n'avait rien de précis, d'articulé ni de défini en moi. Elle était trop complète pour être mesurée, trop une pour être divisible par la pensée et analysable même par la réflexion. LAMARTINE, Raphaël, p. 159.

CONTR. **Inanalysable.**

**ANALYSANT, ANTE** [analizɑ̃, ɑ̃t] adj. et n. — D. i. (probablt, v. 1965, cf. cit. Foucault 1967) de *analyser.*

♦ **1** Qui analyse.

1 — (...) il lui faut *(au savoir du XVII^e^ s.)* fabriquer une langue, et qu'elle soit bien faite —, c'est-à-dire que, analysante et combinante, elle soit réellement la langue des calculs.
Michel FOUCAULT, les Mots et les Choses, p. 77.

♦ **2** (De *analyser* 2., dans un sens non attesté qui serait «suivre une psychanalyse, être en analyse»). Personne qui est en analyse, qui se fait psychanalyser.

2 (...) ce qu'on appelle aujourd'hui le cadre analytique — c'est-à-dire l'ensemble des conditions qui constituent le contrat analytique — n'est pas un faisceau de règles à sens unique. Elles lient l'analysant et l'analyste. S'y soumettre est pour l'analyste la marque du respect dont il entoure à la fois l'analysant et la psychanalyse elle-même.
A. GREEN, Une figure messianique, *in* le Monde, 11 sept. 1981, p. 2.

3 Le despote, et le tyran monologuent. L'analyste le sait bien, qui attend activement, et patiemment, que l'analysant guérisse de son monologue (...)
Jean-Louis TRISTANI, le Stade du respir, p. 85.

**ANALYSE** [analiz] n. f. — Fin XVI^e^; du grec *analusis* «décomposition, résolution», de *analuein* «décomposer».

**I** (Idée de «décomposition»). ♦ **1** Didact. Opération intellectuelle consistant à décomposer un texte en ses éléments essentiels, afin d'en saisir les rapports et de donner un schéma de l'ensemble. → **Abrégé, abstract** (anglic.), **compte** (compte rendu), **résumé, sommaire.** *Analyse architectonique* d'un ouvrage. «Je propose cette analyse des dix livres de ce Traité, afin que les lecteurs entendent toutes les démarches qu'on leur fera faire»* (Bossuet). *Analyse biographique.* → **Notice.**

0.1 Voici le temps de lui apprendre à faire l'analyse d'un discours (...) ROUSSEAU, Émile, IV.

Spécialt. *Analyse documentaire, analyse de contenu* (calque de l'angl. *content analysis*) : extraction des éléments essentiels ou caractéristiques d'un texte au moyen des descripteurs* correspondant à des classes de contenu sémantique.

(1775). Ling. Action de décomposer en éléments, notamment : une phrase en propositions *(analyse logique),* en groupes binaires *(analyse en constituants* immédiats),* une phrase en mots *(analyse grammaticale);* un énoncé en mots pour étudier la distribution de l'un d'eux *(analyse distributionnelle),* le contenu d'un mot en éléments de sens *(analyse sémique, componentielle).*

♦ **2** (1726). Chim. Action de décomposer un mélange dont on sépare les constituants *(analyse immédiate)* ou une combinaison dont on recherche ou dose les éléments *(analyse élémentaire). Analyse qualitative, quantitative,* déterminant la nature, les proportions des constituants. *Analyse minérale, organique.*

Quel est le poison? 0.2
Charles montra la lettre. C'était de l'arsenic.
— Eh bien! reprit Homais, il faudrait en faire l'analyse. Car il savait qu'il faut, dans tous les empoisonnements, faire une analyse (...)
FLAUBERT, M^me^ Bovary, III, VIII.

Méd. et cour. *Analyse du sang, des urines. Laboratoire d'analyses. Effectuer un prélèvement en vue d'une analyse.*

Phys. *Analyse spectrale*.*

Télév. Décomposition d'une image à transmettre en éléments séparés.

Écon. *Analyse du travail, des tâches :* décomposition et classement des méthodes de travail. → **Ergonomie.** *Analyse économique.* → **Économétrie.** — *Analyse de système :* réduction d'une situation économique à un modèle qui permet d'en étudier les variables les unes par rapport aux autres.

Inform. Décomposition d'un problème posé pour en déceler les éléments constituants et les liens qui les unissent en vue du traitement sur machine. → **Analyste.** *Analyse factorielle,* où le nombre de facteurs est minimisé. *Analyse fonctionnelle,* où le problème est décomposé en fonctions simples. *Analyse organique,* qui, à partir des fonctions, examine les possibilités d'exécution sur machine et décide du mode de réalisation (en fonction des types de supports, etc.). *L'analyse organique précède la programmation.*

♦ **3** (XVIII^e^). Cour. Méthode ou étude comportant un examen discursif en vue de discerner les éléments. *«Lorsqu'ils sauront faire l'analyse de leurs pensées, c'est-à-dire des désirs, des craintes, des jugements, des raisonnements»* (Condillac). *Analyse critique. Analyse psychologique. Analyse des passions, des sentiments.* → **Observation, psychologie.** *L'analyse des attitudes, d'un comportement, des paroles de qqn* (dans un sens non technique). — *Roman d'analyse. Avoir l'esprit d'analyse.*

Quel supplice de vivre avec une personne qui tâte perpé- 1
tuellement le pouls à sa propre sensibilité, et se fâche de ce qu'on ne prend pas assez d'intérêt à cette analyse d'elle-même! B. CONSTANT, Journal intime.

J'étais devenu d'une incroyable subtilité dans mes analyses 2
des phrases d'Odile. A. MAUROIS, Climats, p. 78.

Sa conversation, très intéressante, fut la première qui m'ar- 3
racha à cette perpétuelle analyse de difficultés sentimentales où je me consumais.
A. MAUROIS, Climats, p. 135.

Il est intéressant de soumettre parfois à de secrètes ana- 4
lyses soit le style d'autrui, soit le nôtre.
G. DUHAMEL, Discours aux nuages, I, p. 19.

Comment peindre sans être peintre! Je veux dire peintre- 4.1
né. Un de ces peintres qui échappent à l'analyse. Auguste Renoir en est l'exemple, arbre noueux qui fleurissait en toute saison. Le soir, il essuyait ses pinceaux sur de petites toiles qui devinrent des chefs-d'œuvre (...)
COCTEAU, Journal d'un inconnu, p. 117.

L'inachevé est un type de pensée qui va en s'ouvrant; il est 4.2
même possible qu'il soit le mouvement normal et efficace de la pensée. Même le raisonnement dialectique n'échappe pas à l'imperfection. Dans la division I, II, III, — *a), b), c),* c'est l'«etc.» qui fait l'imperfection. L'analyse est un système à ouverture interne vers l'infini. Le noyau ne peut jamais être atteint.
J.-M. G. LE CLÉZIO, l'Extase matérielle, p. 38.

Loc. (1770). *En dernière analyse :* au terme de l'analyse, au fond.

Tout revient, en dernière analyse, à rendre compte des 4.3
rapports de lumière qui, du point de vue de la connaissance, gagneront peut-être à être considérés à partir du plus simple. A. BRETON, l'Amour fou, Folio, p. 157.

♦ **4** (1896, Freud (en français), *in* D. D. L.). Traitement psychanalytique. → **Psychanalyse.** *Être en cours d'analyse, en analyse.* → **Analysant** (2.). *Son analyse a duré quatre ans. Analyse didactique,* des futurs psychanalystes.

**II** (Idée de «résolution»). ♦ **1** Math. **a** (1637). Anciennt. Méthode de démonstration consistant à déduire de la proposition à démontrer d'autres propositions *(analyse des anciens)* ou à la déduire d'autres propositions *(analyse des modernes)* jusqu'à ce qu'on parvienne à une proposition reconnue comme vraie. — Syn. : *algèbre.*

4.4 Cette méthode inverse dont les géomètres grecs regardaient Platon comme l'inventeur, et à laquelle ils donnaient le nom d'analyse, c'est-à-dire de résolution ou de solution à rebours, en appliquant celui de synthèse (...) à la méthode directe.
A. COURNOT, Essai sur les fondements de nos connaissances..., p. 389, *in* T. L. F.

**b** (1695, *analyse des infiniment petits*). Mod. Partie de la mathématique dans laquelle interviennent plus spécialement les notions de limite, de continuité, de convergence et d'infini. → **Topologie.** *Le calcul infinitésimal* est la branche la plus connue de l'analyse mathématique. Algèbre*, analyse et arithmétique*.* Par ext. *Analyse vectorielle, tensorielle :* théorie et opérations relatives aux vecteurs*, aux tenseurs*. *Analyse harmonique :* étude des fonctions périodiques représentées par des séries trigonométriques. — *Analyse corrélative,* ou *des corrélations :* recherche d'une relation susceptible d'exister entre deux variables. *Analyse combinatoire*.* — *Analyse factorielle** (en statistiques).

♦ **2** (1637). Log. Opération intellectuelle consistant à remonter d'une proposition à d'autres propositions reconnues pour vraies d'où on puisse ensuite la déduire (opposé à *synthèse*). → **Induction.** *L'analyse est une régression* (de la conséquence au principe). → **Analytique** (méthode, raisonnement).

5 La manière de démontrer est double : l'une se fait par l'analyse ou résolution, et l'autre par la synthèse ou composition. L'analyse montre la vraie voie par laquelle une chose a été méthodiquement inventée, et fait voir comment les effets dépendent des causes (...)
DESCARTES, Réponses aux 2es objections.

6 (...) la première intuition que nous avons des choses est une intuition d'ensemble, partant une synthèse, mais une synthèse forcément vague et confuse et qui ne saurait satisfaire l'esprit. Le recours à l'analyse s'impose donc pour en préciser les données et nous renseigner plus exactement et sur les détails et sur l'ensemble (...) À cette analyse, enfin, dont il importe de contrôler les résultats, succède d'ordinaire une synthèse nouvelle, synthèse réfléchie cette fois et précise, qui ne rapproche les uns des autres que des éléments dont elle a vérifié les rapports.
P. F. THOMAS, Cours de philosophie, 8e éd., p. 363.

7 Toute synthèse nouvelle sort d'une analyse critique préliminaire : une phase de démolition la précède et la prépare.
Ed. LE ROY, la Logique de l'invention, *in* Revue de métaphysique et de morale, mars 1905.

8 L'analyse doit toujours précéder la synthèse ; mais de l'analyse à l'œuvre d'art il y a toute la différence qui est entre une planche d'anatomie et une statue. Tout travail préparatoire doit être résorbé ; il doit devenir invisible encore que toujours présent. GIDE, Journal, 4 déc. 1923.

CONTR. **Synthèse. — Combinaison, composition, recomposition.** ◊ DÉR. **Analyser, analyste. — V. Analytique.** ← COMP. **Auto-analyse, électro-analyse, micro-analyse, narco-analyse, socio-analyse, thermo-analyse. — V. Psychanalyse.**

**ANALYSER** [analize] v. tr. — 1698 ; de *analyse.*

♦ **1** Faire l'analyse* (I.) de... → **Décomposer.** *Il est difficile d'analyser un tel roman.* → **Compte** (rendre compte), **résumer.** *Analyser une situation. Analyser la cause d'un échec. Analyser un sentiment.* → **Disséquer, étudier, examiner.** *Analyser et comparer deux œuvres pour les critiquer.* — Absolt. *Le besoin d'analyser.*

(...) esprit très vif mais sans nulle profondeur, il ne devine rien par imagination, mais sent avec finesse, analyse tout ce qui existe et tout ce qu'il éprouve ainsi qu'un homme couché dans un mauvais lit d'auberge en sent tous les noyaux de pêche. 1
STENDHAL, Lamiel, Pl., Appendice, p. 688.

Assez souvent, certaines actions de la vie humaine paraissent, littérairement parlant, invraisemblables, quoique vraies. Mais ne serait-ce pas qu'on omet presque toujours de répandre sur nos déterminations spontanées, une sorte de lumière psychologique, en n'expliquant pas les raisons, mystérieusement conçues, qui les ont nécessitées. Peut-être, la profonde passion d'Eugénie devrait-elle être analysée dans ses fibrilles les plus délicates (...) 1.
BALZAC, Eugénie Grandet, éd. 1838, p. 180-181.

(...) un impitoyable besoin d'analyser, de critiquer, de n'être pas dupe, qui lui faisait déchiqueter, mettre en pièces, son impératif moral. 2
R. ROLLAND, Jean-Christophe, p. 975.

Jacques avait passé la soirée à se rappeler mot à mot son entretien avec Jenny. Il ne cherchait pas à analyser ce qui rendait si obsédant ce souvenir, mais il ne pouvait s'en détacher (...) MARTIN DU GARD, les Thibault, III, 8. 3

Spécialt (voir les sens spéciaux de *analyse*). *Analyser le contenu d'un document. Analyser une phrase, une proposition. — Analyser l'eau d'une source.*

P. p. adj. *Données brutes et données analysées.*

Pron. *S'analyser* (soi-même). *S'analyser pour se connaître. Il s'analyse trop.* — (Sens passif). *Cela ne s'analyse pas facilement.*

Et il lui disait, sur un ton sérieux et léger, tous les progrès de ce mal, tout le travail intime, continu, profond de la tendresse qui naît et grandit. Il s'analysait minutieusement devant elle, heure par heure, depuis la séparation de la veille, avec une façon badine de professeur qui fait un cours (...) 4
MAUPASSANT, Fort comme la mort, éd. 1889, I, I.

♦ **2** (1912, *in* D. D. L.). Psychanalyser. *Il s'est fait analyser.*

P. p. substantivé (1921, S. Jankélévitch, trad. Freud, *in* D. D. L.). *Un analysé, une analysée.* → **Analysant** (2.).

C'est ce qui nous fait dire que le matériel psychanalytique est la conduite de l'analysé, la conduite étant considérée comme l'ensemble des relations et des communications avec l'entourage dont le secteur privilégié est ce qui se passe pendant la séance. 5
Daniel LAGACHE, la Psychanalyse, p. 113.

CONTR. **Combiner, composer, recomposer, synthétiser.** ◊ DÉR. **Analysable, analysant, analyseur.**

**ANALYSEUR** [analizœʀ] n. m. — 1791 ; de *analyser.*

♦ **1** Vx. Analyste, psychologue.

♦ **2** (1853). Système optique permettant de déterminer l'état de polarisation d'une lumière. *Analyseur d'ondes.*

Appareil permettant de déterminer la structure spectrale d'un son, d'une vibration. *Analyseur de sons.*

*Analyseur différentiel :* calculateur analogique destiné à résoudre certaines équations différentielles.

♦ **3** Psychol. Tout appareil nerveux fournissant des renseignements analytiques sur les éléments du monde extérieur perçu.

(...) l'analyseur situé derrière l'œil d'une grenouille permet de voir une mouche (c'est-à-dire un point noir) en mouvement, mais non au repos.
Jacques MONOD, le Hasard et la Nécessité, p. 190.

♦ **4** Analyste* (1.) ou analyste-programmeur*, en matière de commerce.

**ANALYSTE** [analist] n. — 1638; de *analyse.*

♦ **1** Spécialiste d'un type d'analyse. — *Mathématicien analyste, chimiste analyste. Analyste financier. Informaticien-analyste :* ingénieur ou technicien compétent pour l'analyse d'un programme. *Analyste documentaire.* (REM. Dans chacun de ces cas, on peut dire absolt, *un, une analyste*). Cour. *Analyste-programmeur* (voir ce mot).

Personne qui (dans une activité scientifique, intellectuelle) pratique l'analyse de préférence à la synthèse et à l'intuition.

Les uns *(mathématiciens)* sont avant tout préoccupés de la logique (...) les autres se laissent guider par l'intuition (...) Si l'on dit souvent des premiers qu'ils sont des *analystes* et si l'on appelle les autres *géomètres,* cela n'empêche pas que les uns restent analystes, même quand ils font de la Géométrie, tandis que les autres sont encore des géomètres, même s'ils s'occupent d'Analyse pure. C'est la nature même de leur esprit qui les fait logiciens ou intuitifs (...)
Henri POINCARÉ, la Valeur de la science, I, I.

♦ **2** (1780). Littér. Personne habile en matière d'analyse psychologique. → **Psychologue.** «*Les enfants sont déterminés par leurs besoins à être observateurs et analystes*» (Condillac).

(...) j'avais cru que je n'aimais plus Albertine, j'avais cru ne rien laisser de côté, en exact analyste; j'avais cru bien connaître le fond de mon cœur (...)
PROUST, À la recherche du temps perdu, t. XIII, p. 8.

♦ **3** (1907, *in* D.D.L.). Psychanalyste. *Une excellente analyste. L'analyste et l'analysant* (cit. 2).

(...) pour devenir analyste, j'ai dû me faire analyser (...)
S. DE BEAUVOIR, les Mandarins, p. 31.

COMP. **Analyste-programmeur.** ◊ HOM. **Annaliste.**

**ANALYSTE-PROGRAMMEUR** [analistpʀɔgʀamœʀ] n. m. — V. 1960; de *analyste,* et *programmeur.*
Spécialiste qui établit des analyses organiques et rédige ou fait rédiger les programmes qui en découlent. *Analyste-programmeur spécialisé dans les programmes de vente* (après étude des conditions de la production et du marché). — REM. Il serait préférable de réserver *analyste* à la science, à la cybernétique, etc., et de parler d'*analyseur* quand il s'agit de commerce.

**ANALYTICITÉ** [analitisite] n. f. — Mil. XX^e; angl. *analyticity,* 1930.
Log. → **Analycité.**

**ANALYTICO-** Élément de mots savants, signifiant «analytique et...». Ex. : *analytico-synthétique,* adj. → Hypothético-déductif; *analytico-systématique,* adj.

**ANALYTIQUE** [analitik] n. et adj. — 1579; bas lat. *analyticus,* grec *analutikos,* de *analuein* «décomposer». → Analyse.

**I** N. f. Philos. Chez Aristote, Partie de la logique qui traite de la démonstration. — Chez Kant, Partie de la critique qui a pour objet la recherche des formes de l'entendement. *Analytique transcendantale.*

**II** Adj. (1642). ♦ **1** Log. Qui procède par analyse (II., 2.) dans la démonstration. *Méthode analytique.*

Pour moi, j'ai suivi seulement la voie analytique dans mes Méditations, pour ce qu'elle me semble être la plus vraie et la plus propre pour enseigner (...)
DESCARTES, Réponses aux 2^es objections.

Pourquoi d'ailleurs l'intelligence se manifesterait-elle seulement par les paroles? Mis à part le rôle analytique du langage, qui permet la psychologie, n'y a-t-il pas pour l'homme d'autres moyens d'accéder à la synthèse finale?
J.-M. G. LE CLÉZIO, l'Extase matérielle, p. 81.

Philos. (depuis Kant) et log. (dans les théories du positivisme logique). Dont la valeur de vérité dépend exclusivement d'un ensemble de termes analysables (et est indépendante des faits). *Jugement analytique* (ex. : *Les célibataires ne sont pas mariés*), opposé à *jugement synthétique. Ce qui est analytique forme un «langage»; est vrai indépendamment de toute considération extérieure à ce langage; peut être réduit* (par l'analyse des relations entre termes) *à des tautologies. Connaissance analytique, formalisable.* Syn. : *tautologique.* → **Analycité.**

D'autre part, la distinction entre analytique et synthétique, 1.2
n'est pas absolue. Il s'agit de deux pôles reliés par tous les degrés intermédiaires (Piaget, in *Logique et Connaissance scientifique,* p. 90). Et génétiquement «il arrive un moment où des jugements analytiques deviennent synthétiques et vice versa, selon que les définitions des objets changent (ce qui est synthétique devient codé, donc analytique)» (Eco, *Théorie sémiotique,* p. 159). Les prédications universelles ne sont jamais vraies par rapport aux propriétés naturelles présumées des objets, mais vraies pour la société qui les formule. Ce sont des jugements passagers qui rendent compte de l'évolution historique des idées.
Josette REY-DEBOVE, le Sens de la tautologie, *in* le Français moderne, oct. 1978, p. 319.

N. m. *L'analytique et le synthétique.*

Kant, enfin, a proposé une solution qui a longtemps paru 1.3
définitive, en l'appuyant sur la double dichotomie de l'analytique ou du synthétique et de l'*a priori* ou de l'*a posteriori.* Des structures logiques comme celle de la syllogistique sont analytiques, en ce sens que la conclusion est contenue d'avance dans les prémisses et qu'il suffit de l'en dégager. Elles sont, d'autre part, *a priori* en ce sens qu'elles s'imposent de par les nécessités internes de notre esprit, sans le besoin d'un recours à l'expérience. Les connaissances expérimentales sont par contre synthétiques.
J. PIAGET, Logique et Connaissance scientifique, *in* Encycl. Pl., p. 87.

♦ **2** Math. Qui appartient à l'analyse. *Géométrie analytique :* application de l'algèbre à la géométrie. *Fonction analytique.*

Une figure analytique est l'ensemble des lignes droites 1.4
de construction identique. Un espace analytique est l'ensemble de toutes les constructions uniformes possibles.
VALÉRY, Cahiers, t. II, Pl., p. 782.

♦ **3** (1835). Qui procède par analyse*. *Esprit analytique,* qui considère les choses dans leurs éléments plutôt que dans leur ensemble.

Un esprit est analytique s'il considère les choses dans leurs 2
éléments; il est synthétique s'il les considère dans leur ensemble.
LALANDE, Voc. de la philosophie, art. *Analytique.*

Il y a des esprits analytiques comme il y a des esprits 3
synthétiques : les uns plus attentifs, par nature, aux différences et aux oppositions; les autres, aux rapports et aux ressemblances; ceux-là plus impatients d'ordonner et de généraliser, ceux-ci plus soucieux de distinguer et de préciser.
P. F. THOMAS, Cours de philosophie, 8^e éd., p. 363.

Notre esprit analytique et généralisateur, notre langue, ins- 4
trument de précision, nous ont permis de raisonner mieux que quiconque pour le compte de la raison.
André SIEGFRIED, l'Âme des peuples, III, III, p. 61.

*Langues analytiques* ou *analogues* (vx), qui tendent à séparer l'idée principale de ses relations en exprimant chacune d'elles par un mot distinct et en ordonnant logiquement les mots (ex. : le français), [opposé à *synthétique*].

(...) la langue française, en son allure originelle, est ana- 5
lytique, et doit admettre difficilement la période, qui est une synthèse, une manière d'embrasser toute l'idée avec toutes ses dépendances et de la présenter avec elles en un ensemble bien lié.
Émile FAGUET, XVII^e s., Études littéraires, p. 493.

*Chimie analytique,* qui utilise l'analyse pour identifier et quantifier les substances.

Techn. Qui procède par analyse. *Appareil de restitution analytique.*

♦ **4** Qui constitue une analyse, un sommaire. *Compte rendu analytique d'une séance. Table analytique d'un ouvrage.*

N. m. Compte rendu analytique.

6 (...) il y a eu un mouvement de séance *(au Conseil de la République).* L'analytique porte : *« Rires et applaudissements à gauche, au centre et à droite. »*
F. MAURIAC, le Nouveau Bloc-notes 1958-1960, p. 17.

♦ **5** (1905, Claparède, *thérapie analytique, méthode analytique* (de Freud), *in* D. D. L. Relatif à l'analyse (I., 4.). → **Psychanalytique.** *La technique analytique de Freud, d'Adler. Pratique analytique. Le cadre analytique* (→ Analysant, cit. 2).

7 Pour remonter aux causes de cette détérioration du discours analytique, il est légitime d'appliquer la méthode psychanalytique à la collectivité qui le supporte.
J. LACAN, Écrits, p. 244.

CONTR. **Synthétique.** ◊ DÉR. et COMP. **Analycité, analytiquement.** V. **Analytico-.**

**ANALYTIQUEMENT** [analitikmɑ̃] adv. — 1668; de *analytique.*

♦ **1** Didact. ou littér. Par la méthode analytique, d'une manière analytique. *Procéder analytiquement. Examiner quelque chose analytiquement.*

Analytiquement, on ne peut jamais sacrifier le tout, *quoiqu'on le fasse.* VALÉRY, Cahiers, t. II, Pl., p. 1389.

Log. *Proposition analytiquement vraie.* → **Analytique** (II., 1.).

♦ **2** (1926, *in* D. D. L.). Par l'analyse (I., 4.), la méthode analytique.

CONTR. (Du sens 1.) **Synthétiquement.**

**ANAMIRTE** [anamiʀt] n. m. — 1846, Bescherelle; lat. sc. *Anamirta (cocculus),* 1821, Colebrooke; p.-ê de *an-* (→ 2. A-) et sanscrit *amṛtā,* nom d'une plante (légèrement différente), de *amṛta* « immortel ».

Bot. Liane de l'Insulinde, dont le fruit, appelé *coque du Levant,* contient un principe très toxique. → **Picrotoxine.**

**ANAMNÈSE** [anamnɛz] n. f. — 1908; « rétablissement de la mémoire », 1831; aussi *anamnésie,* 1843; grec *anamnêsis,* du rad. de *mnêsis* « mémoire ».

Didactique.

♦ **1** Méd., psychol., psychan. Renseignements fournis par le sujet interrogé sur son passé et sur l'histoire de sa maladie.

1 Si nous portons maintenant notre regard à l'autre extrême de l'expérience psychanalytique, — dans son histoire, dans sa casuistique, dans le procès de la cure, — nous trouverons à opposer à l'analyse du *hic et nunc* la valeur de l'anamnèse comme indice et comme ressort du progrès thérapeutique, à l'intrasubjectivité obsessionnelle l'intersubjectivité hystérique, à l'analyse de la résistance l'interprétation symbolique. J. LACAN, Écrits, p. 254.

Par ext., littér. Évocation volontaire du passé.

2 Un jour, je me souviendrai de la scène, je m'y perdrai *au passé.* Le tableau amoureux, à l'égal du premier ravissement, n'est fait que d'après-coups : c'est l'*anamnèse,* qui ne retrouve que des traits insignifiants, nullement dramatiques, comme si je me souvenais du temps lui-même et seulement du temps (...)
R. BARTHES, Fragments d'un discours amoureux, p. 257.

♦ **2** (1907). Liturgie. Partie du canon qui suit la consécration, constituée par des prières à la mémoire de la Passion, de la Résurrection et de l'Ascension.

DÉR. **Anamnestique.**

**ANAMNESTIQUE** [anamnɛstik] adj. — 1846; de *anamnèse.*

Psychol. De l'anamnèse (1.). *Signes anamnestiques.*

**ANAMNIEN, IENNE** [anamnjɛ̃, jɛn] ou **ANAMNIÉ, ÉE** [anamnje] ou **ANAMNIOTE** [anamnjɔt] adj. et n. m. — 1893, *anamnien; anamnié,* 1865; *anamniote,* 1898; de *an-* privatif (→ 2. A-), *amnios,* et suffixes.

Didact. (embryol.). Se dit des animaux vertébrés (poissons, amphibiens) dont l'embryon est dépourvu d'amnios*.

Nom masculin :

Si la larve des amphibiens acquiert lors de sa métamorphose les deux premières de ces dispositions, par contre la troisième faisant défaut (ce sont des anamniens et anallantoïdiens), les contraint à retourner à l'eau pour s'y reproduire. Jean GUIBÉ, les Batraciens, p. 10.

CONTR. **Amniote.**

**ANAMORPHOSE** [anamɔʀfoz] n. f. — 1751; du grec *anamorphoun* « transformer », de *ana* « à nouveau », et *morphê* « forme ».

♦ **1** Image déformée donnée par un miroir courbe. — Représentation picturale de cette déformation.

(...) l'humanité semble condamnée à l'Analogie, c'est-à-dire en fin de compte à la nature. D'où l'effort des peintres, des écrivains, pour y échapper. Comment ? Par deux excès contraires, ou, si l'on préfère, deux *ironies,* qui mettent l'Analogie en dérision, soit en feignant un respect spectaculairement *plat* (c'est la Copie, qui, elle, est sauvée), soit en déformant *régulièrement* — selon des règles — l'objet mimé (c'est l'Anamorphose) [...]
R. BARTHES, Roland Barthes, p. 48.

(1885). Phénomène optique qui se produit quand la grandeur apparente de l'image n'est pas la même horizontalement et verticalement. — Math. Dans un abaque, Transformation d'une figure donnée en une figure géométrique différente, obtenue par un changement des échelles entre les abscisses et les ordonnées. *L'anamorphose ramène à des droites les courbes d'un abaque cartésien.*

♦ **2** (1967). Zool. Type de métamorphose, particulier à certains myriapodes, où la larve naît avec un nombre de segments différent de celui de l'adulte, qu'elle acquiert ultérieurement (opposé à *épimorphose*).

DÉR. **Anamorphosé, anamorphoseur, anamorphosique.**

**ANAMORPHOSÉ, ÉE** [anamɔʀfoze] adj. — 1931; de *anamorphose.*

Didact. Qui a subi une anamorphose.

**ANAMORPHOSEUR** [anamɔʀfozœʀ] adj. — 1956, *in* D. D. L.; de *anamorphose.*

Opt. Qui produit une anamorphose. *Objectif anamorphoseur.*

**ANAMORPHOSIQUE** [anamɔʀfozik] adj. — 1842; de *anamorphose.*

De l'anamorphose.

**ANANAS** [anana(s)] n. m. — 1578, J. de Céry; *nana,* 1554; *amanat,* 1544; mot tupiguarani (→ Anone), par l'esp. *ananas.*

♦ **1** Gros fruit oblong, écailleux, brun, rouge, qui porte une touffe de feuilles à son sommet, et dont la pulpe jaune est sucrée et très parfumée. *Ananas frais, en conserve. Jus d'ananas. Poulet aux ananas, porc aux ananas. Sorbet à l'ananas. Ananas au kirsch. Ananas en tranches, en morceaux. Ananas de la Martinique.*

On versa du vin de Champagne à la glace. Emma frissonna de toute sa peau en sentant ce froid dans sa bouche. Elle n'avait jamais vu de grenades ni mangé d'ananas.
FLAUBERT, Mme Bovary, I, VIII.

(...) il y avait seulement, raconta-t-il, au milieu de la vitrine, un de ces fruits à écaille et emplumés («Un ananas», dit l'étudiant. Il le regarda : «Quoi? — Un ananas : quelque chose comme une pomme de pin avec un petit palmier qui sort par le haut. — Oui, quelque chose comme ça») au milieu de quelques autres échafaudés en pyramide (...)
Claude SIMON, le Palace, p. 48.

♦ **2** Plante basse *(Broméliacées)* de l'Amérique tropicale, à feuilles pointues et épineuses, qui produit ce fruit et dont les feuilles fournissent des fibres textiles. *Cultiver des ananas. Plantation d'ananas.*

♦ **3** (Franç. d'Afrique). *Ananas de brousse :* fruit de *Thonningia sanguinea*, qui ressemble à l'ananas; cette plante (I. F. A.).

♦ **4** Fam. (Par anal. de forme). Grenade à main.

Si j'ouvre la main, la cuiller saute et l'ananas pète.
Pierre ACCOCE, le Polonais, p. 168.

**ANAPESTE** [anapɛst] n. m. — XVIe; lat. *anapæstus*, grec *anapaistos* «frappé à rebours».

Métrique. Pied composé de deux brèves et une longue.

Poème, chant qui contient des anapestes.

Il y avait des chants semblables pour toutes les circonstances de la vie militaire, entre autres des anapestes pour aller à l'attaque au son des flûtes.
TAINE, Philosophie de l'art, t. II, IV, III, 1.

DÉR. V. **Anapestique.**

**ANAPESTIQUE** [anapɛstik] adj. — 1690; lat. *anapesticus*, grec *anapaistikos*, de *anapaistos*. → Anapeste.

Métrique anc. Qui renferme des anapestes. *Mètre, vers anapestique. — Phrase musicale anapestique.*

**ANAPHASE** [anafaz] n. f. — 1897, in *l'Année biol.*; de 1. *ana-*, et *phase*.

Biol. Troisième phase de la mitose, caractérisée par l'ascension vers les pôles des deux chromatines de chaque chromosome.

**ANAPHORE** [anafɔʀ] n. f. — 1557; lat. gramm. *anaphora*, mot grec.

Rhét. Répétition d'un mot en tête de plusieurs membres de phrase, pour obtenir un effet de renforcement ou de symétrie. Ex. :

Rome, l'unique objet de mon ressentiment;
Rome, à qui vient ton bras d'immoler mon amant;
Rome, qui t'a vu naître et que ton cœur adore;
Rome enfin que je hais, parce qu'elle t'honore.
CORNEILLE, Horace, IV, 5.

Ling. Reprise d'un segment de discours antécédent par un mot qui y renvoie (ex. : de l'argent, j'*en* ai).

DÉR. **Anaphorique.**

**ANAPHORÈSE** [anafɔʀɛz] n. f. — 1928; de 1. *ana-*, et grec *phorêsis* «action de porter».

Phys. Déplacement des particules vers l'anode au cours de l'électrophorèse.

**ANAPHORIQUE** [anafɔʀik] adj. — 1834; de *anaphore*.

Rhét. Relatif à l'anaphore; qui comporte une anaphore.

Ling. De l'anaphore. — N. m. Mot anaphorique.

**ANAPHRODISIAQUE** [anafʀɔdizjak] adj. et n. m. — 1850, Dorvault, *in* D. D. L.; de *anaphrodisie*, d'après *aphrodisiaque*.

Didact. Relatif à l'anaphrodisie; qui diminue le désir sexuel. *Substances anaphrodisiaques.* — N. m. *Un anaphrodisiaque.*

CONTR. **Aphrodisiaque.**

**ANAPHRODISIE** [anafʀɔdizi] n. f. — 1803, Morin, *in* D. D. L.; grec *anaphrodisia*, de *an-* priv (→ 2. A-), et *aphrodisia* «plaisirs érotiques».

Didact. (méd., psychiatrie, psychol.). Absence constitutionnelle ou acquise, permanente ou accidentelle, du désir sexuel. *L'anaphrodisie se rencontre dans certains états dépressifs.*

CONTR. **Aphrodisie, érotisme.** ◊ DÉR. **Anaphrodisiaque.**

**ANAPHYLACTIQUE** [anafilaktik] adj. — 1902, Portier et Richet, *in* Cottez; de *anaphylaxie*, d'après *prophylactique*.

Méd. Relatif, propre à l'anaphylaxie. *État anaphylactique :* état de sensibilisation permettant le *choc anaphylactique* (manifestations morbides aiguës consécutives à l'introduction dans l'organisme de la substance à laquelle il a été sensibilisé). *Chez l'homme, le choc anaphylactique peut prendre la forme d'un collapsus vasculaire, d'urticaire, etc.*

Fig. *(Outrances)* «*susceptibles d'entraîner de véritables réactions anaphylactiques des autorités de tutelle* (...)» (H. Sztulman et M. Porot, *in* Porot, 1975, p. 63 b).

**ANAPHYLAXIE** [anafilaksi] n. f. — 1902, Charles Richet; de *ana-*, et grec *phulaxis* «protection», d'après *prophylaxie*.

Méd. Vieilli. Hypersensibilité à une substance, dont l'introduction dans l'organisme entraîne une réaction violente. Syn. mod. : *sensibilisation allergique.* → **Allergie.**

Par ext. *Anaphylaxie psychique. Anaphylaxie émotive, mentale,* expliquant des troubles psychopathiques réactionnels, des psychoses dites *de sensibilisation.*

DÉR. **Anaphylactique.**

**ANAPLASIE** [anaplazi] n. f. — Mil. XXe; var. de *anaplastie*, XIXe; du grec *anaplasis* «formation nouvelle», de *ana-*, et du rad. de *plassein* «former».

Didact. (méd.). Altération du caractère des cellules. → **-plasie.**

**ANAPLASTIE** [anaplasti] n. f. — 1845; *anaplase*, 1843; grec *anaplastos*, de *anaplassein*.

Chir. Réparation d'une partie mutilée, le plus souvent par autogreffe. → **Autoplastie.**

**ANAPSIDES** [anapsid] n. m. pl. — Déb. XXe; du lat. sav. *anapsida*, de *an-* priv. (→ 2. A-), et grec *hapsid-*, rad. de *hapsis* «arc, voûte, orbite».

Zool. Groupe des reptiles* ne possédant pas de fosse (ou fenêtre) temporale, divisé en deux ordres, les Cotylosauriens (fossiles) et les Chéloniens. → **Tortue.** — Au sing. *Un anapside.* — REM. Opposé à *diapside, euryapside, synapside.*

Adj. *Structure crânienne de type anapside.*

**ANAR** [anaʀ] n. et adj. — 1901; abrév. de *anarchiste*.

Anarchiste. *Les anars espagnols.*

Les limites de l'anarchie espagnole (le pittoresque dépassé) 1
étaient celles du syndicalisme même, et les plus intelligents des anars ne se réclamaient pas de la théosophie, mais de Sorel.
MALRAUX, l'Espoir, II, IV.

Adj. *Groupe anar. Des chansons anar* (ou : *anars*).

2 — Le jeune, il est pas anar!... il sait pas ce que c'est!... Il me révolte! C'est stupide comme accusation.
CÉLINE, Guignol's band, p. 75.

**ANARCHIE** [anaʀʃi] n. f. — V. 1372, attestation isolée; repris déb. XVIIe; grec *anarkhia* «absence de chef», de *an-* priv. (→ 2. a-), et *arkhê* «commandement». → -archie.

1 (...) l'anarchie; je prends ce mot dans son sens le moins favorable : c'est l'an-arché, c'est l'absence d'autorité.
FUSTEL DE COULANGES, Leçons à l'Impératrice, p. 82.

♦ **1** Désordre résultant d'une absence ou d'une carence d'autorité. *Pays qui tombe, sombre dans l'anarchie. Vivre en pleine anarchie. Un pays en proie à l'anarchie. Sortir de l'anarchie. Le virus de l'anarchie.*

2 Il n'y a rien de pire que l'anarchie, c'est-à-dire de vivre sans gouvernement et sans lois.
BOSSUET, Traité de la connaissance de Dieu..., I, 13.

3 On prépare la France à tous les déchirements de l'ambition, à toutes les fureurs de l'anarchie.
CAMBON, *in* JAURÈS, Hist. socialiste..., t. IV, p. 270.

4 Le despotisme muselle les masses, et affranchit les individus dans une certaine limite : l'anarchie déchaîne les masses et asservit les indépendances individuelles.
CHATEAUBRIAND, Mémoires d'outre-tombe, t. IV, I, V, p. 2.

5 La liberté ne doit jamais être l'anarchie (...)
HUGO, Odes et Ballades, Préface, 1826.

6 À mesure que l'Empire *(romain)* s'affaiblissait, se consumait dans l'anarchie, ces invasions devenaient plus fréquentes et le nombre des Barbares qui se pressaient aux portes semblait croître (...)
J. BAINVILLE, Hist. de France, p. 17.

7 Il y a toujours eu, en France, des éléments d'anarchie. D'époque en époque, nous retrouverons de ces violentes poussées de révolution, suivies, tôt ou tard, d'une réaction aussi vive. J. BAINVILLE, Hist. de France, p. 64.

Par ext. Confusion due à l'absence de règles ou d'ordres précis. *«Une sorte d'anarchie douce et paisible en fait d'opinion littéraire»* (Mme de Staël). *L'anarchie du marché.*

8 Notre anarchie et notre désordre d'esprit est fonction de l'anarchie du reste, — ou plutôt c'est le reste qui est fonction de cette anarchie.
A. ARTAUD, le Théâtre et son double, Idées/Gallimard, p. 120.

9 *(Le théâtre contemporain)* a rompu avec l'esprit d'anarchie profonde qui est à la base de toute poésie.
A. ARTAUD, le Théâtre et son double, Œ. compl., t. IV, p. 51.

♦ **2** (1840). Anarchisme. *Adhérer à l'anarchie.*

**CONTR.** **Autorité, despotisme. — Ordre, organisation.** ◊ **DÉR.** **Anarchique, anarchiser, anarchiste.**

**ANARCHIQUE** [anaʀʃik] adj. — 1594; de *anarchie.*

♦ **1** Caractérisé par l'anarchie, le désordre social. *César trouva la Gaule dans un état anarchique. Gouvernement anarchique.*

1 Les temps anarchiques de la décadence de la seconde race (...)
VOLTAIRE, Essai sur les mœurs, 171, *in* HATZFELD.

2 On comprend par là que la poésie est anarchique dans la mesure où elle remet en cause toutes les relations d'objet à objet et des formes avec leurs significations. Elle est anarchique aussi dans la mesure où son apparition est la conséquence d'un désordre qui nous rapproche du chaos.
A. ARTAUD, le Théâtre et son double, Œ. compl., t. IV, p. 52.

Par ext. → **Désordonné.** *Une prolifération anarchique. Un développement anarchique, incontrôlé.*

♦ **2** Propre à l'anarchisme. *Doctrine anarchique. Groupe, organisation anarchique.* → **Anarchiste.**

**CONTR.** **Autoritaire, despotique, fort. — Organisé, rationnel.** ◊ **DÉR.** **Anarchiquement.**

**ANARCHIQUEMENT** [anaʀʃikmɑ̃] adv. — 1843; de *anarchique.*

D'une façon anarchique, désordonnée. *Pays gouverné anarchiquement. — Les maisons prolifèrent anarchiquement.*

**ANARCHISANT, ANTE** [anaʀʃizɑ̃, ɑ̃t] adj. — 1928, cit. *infra;* de *anarchiser.*

Polit. Qui tend à l'anarchisme, a des sympathies pour l'anarchisme. *Déclaration anarchisante. Intellectuel anarchisant.*

Au début de la Révolution, ceux-ci *(les futuristes russes)* se font tribuns anarchisants.
V. PARNAC, *in* N. R. F., no 176, mai 1928, p. 708 (*in* D. D. L., II, 15).

La fédération jurassienne n'avait-elle pas été la dernière patrie de Kropotkine et d'Élisée Reclus, l'un des deux derniers points d'appui de Bakounine avec l'Espagne? Ce fil d'or qui relie en pointillé le Jura et la Catalogne, je ne l'avais pas encore découvert à l'époque, et bien que nous nous fussions entendus dès les premiers mots, j'ignorais ses tendances anarchisantes autant que lui mes velléités trotskysantes. Régis DEBRAY, l'Indésirable, p. 189.

C'était une feuille anarchisante, remplie de termes orduriers.
G. CESBRON, Voici le temps des imposteurs, p. 366.

**ANARCHISER** [anaʀʃize] v. — 1791; de *anarchie.*

♦ **1** V. tr. Vx. Rendre anarchique; mettre dans l'anarchie.

♦ **2** V. intr. (1793). Se conduire en anarchiste.

**DÉR.** **Anarchisant.**

**ANARCHISME** [anaʀʃism] n. m. — 1834; de *anarchiste.*

♦ **1** Conception politique qui tend à supprimer l'État, à éliminer de la société tout pouvoir disposant d'un droit de contrainte sur l'individu. *L'anarchisme de Proudhon, de Bakounine.* → **Anarcho-syndicalisme.**

*(Cette doctrine)* Proudhon l'avait déjà formulée et baptisée. Proudhon est effectivement le véritable père de l'anarchisme moderne.
Ch. GIDE et Ch. RIST, Hist. des doctrines économiques..., p. 728.

Combat idéologique pour le triomphe de cette politique.

Aux banques, aux polices, aux armées, à tous les appareils de l'ordre et de la pression, s'opposent et s'opposeront toujours, selon les anarchistes, l'homme, la rue, la masse, la spontanéité individuelle et collective. Dénonçant inlassablement l'exploitation de l'homme par l'homme et l'asservissement de l'homme par l'État, l'anarchisme devait avoir fatalement pour ennemis le capitalisme et le socialisme marxiste et d'une manière générale toute société traditionnellement fondée sur une hiérarchie quelle qu'elle soit.
le Figaro littéraire, 9-15 sept. 1968.

♦ **2** Refus de l'autorité, des règles de conduite. *Anarchisme moral.*

**COMP.** V. **Anarcho-syndicalisme.**

**ANARCHISTE** [anaʀʃist] n. et adj. — 1791; de *anarchie.*

♦ **1** N. Partisan de l'anarchisme; membre d'un parti se réclamant de cette doctrine. → **Anar, libertaire.** *Les attentats des anarchistes en 1892-1894. «Le Christ? C'est un anarchiste qui a réussi. C'est le seul»* (Malraux). *Le drapeau noir des anarchistes.*

Ce qui distingue, en effet, Jésus des agitateurs de son temps et de ceux de tous les siècles, c'est son parfait idéalisme. Jésus, à quelques égards, est un anarchiste, car il n'a aucune idée du gouvernement civil.

RENAN, Vie de Jésus, VII, p. 164.

(...) l'anarchiste théorique, ce mélange de science et de chimère (...) ZOLA, Paris, t. II, p. 252.

Par ext. Personne qui rejette toute autorité, toute règle.

♦ **2** Adj. Qui est propre aux anarchistes; est l'œuvre d'anarchistes. *Attentat, menées anarchistes. Parti, doctrine, presse, discours, opinion anarchiste. Fédération anarchiste internationale. «Ni Dieu ni maître», devise anarchiste.* → **Anarchisant.** — (Personnes). Qui appartient au mouvement anarchiste.

À Paris, les ouvriers restaient sourds aux excitations des meneurs anarchistes.

Louis MADELIN, Hist. du Consulat et de l'Empire, t. IV, p. 47.

Des listes de massacres partiels étaient dressées; les enfants anarchistes déjà les récitaient à titre de prières du soir (...)

VILLIERS DE L'ISLE-ADAM, Tribulat Bonhomet, p. 31.

DÉR. **Anarchisme.**

**ANARCHO-SYNDICALISME** [anaʀkosɛ̃dikalism] n. m. — Fin XIXe; du rad. de *anarchisme,* et *syndicalisme.*

Polit. Syndicalisme révolutionnaire et antiétatiste, né de l'entrée massive des anarchistes dans le mouvement syndical.

Dans anarcho-syndicalisme, il y avait anarcho et syndicalisme : l'expérience syndicaliste des anarchistes était leur élément positif, l'idéologie leur élément négatif.

MALRAUX, l'Espoir, II, IV.

**ANARCHO-SYNDICALISTE** [anaʀkosɛ̃dikalist] adj. et n. — Fin XIXe; → Anarcho-syndicalisme.

Polit. Relatif à l'anarcho-syndicalisme. Partisan de ce mouvement. — Nom :

Communistes, radicaux, anarcho-syndicalistes ne servaient pas les mêmes intérêts.

S. DE BEAUVOIR, la Force de l'âge, p. 297.

**ANARRHIQUE** [anaʀik] n. m. — 1805, Cuvier; orig. (grecque?) incertaine.

Zool. Poisson acanthoptérygien *(Anarrhicadidés),* pouvant atteindre deux mètres de long. Syn. : *loup marin.*

**ANARTHRIE** [anaʀtʀi] n. f. — 1897, Parmentier, *in* D. D. L.; 1816, «plante vivace australienne»; grec *anarthria* «faiblesse d'articulation», par le lat. mod. *anarthria* (1867, Leyden).

Pathol. Trouble de l'articulation des sons, par lésion des centres moteurs du langage au niveau du cortex cérébral. → **Dysarthrie.**

**ANAS** [anas] n. m. — D. i.; lat. *anas, anatis* «canard».

Zool. Nom scientifique du canard. → **Canard.**

DÉR. et COMP. (Du lat.) **Anatidés, anatife, anatifère.**

**ANASARQUE** [anazaʀk] n. f. — 1636; *anasarca,* 1372; du lat. médiéval, de *ana-,* et grec *sarx, sarkos* «chair».

Pathol., méd. Hydropisie du tissu cellulaire provoquant un œdème généralisé.

1\. **ANASTATIQUE** [anastatik] n. f. — 1845; du lat. sc. *anastatica,* grec *anastasis* «fait de se lever».

Bot. Plante *(Crucifères)* herbacée qui se pelotonne en se desséchant après maturité de ses graines et s'épanouit à nouveau si on la place dans l'eau. Syn. : *rose de Jéricho.*

HOM. 2. **Anastatique.**

2\. **ANASTATIQUE** [anastatik] adj. — 1866; dér. sav. du grec *anastasis* «résurrection, fait de surgir».

Techn. (imprim.). Qui reproduit un texte imprimé par un procédé chimique (l'image apparaissant sur le support, d'où le nom donné au procédé). — *Reproduction, réimpression anastatique :* réimpression d'un ouvrage ancien (texte et illustration) par un procédé quelconque (photographie, etc.), mais sans recomposition. → **Reprint** (anglicisme).

HOM. 1. **Anastatique.**

**ANASTIGMAT** [anastigmat] n. m. — 1928; *anastigmate,* 1898 → Anastigmatique; mot all., 1890, Miethe, de *anastigmatisch* «anastigmatique» (→ Aplanat).

Opt. Système optique anastigmatique. — Appos. *Objectif anastigmat.*

**ANASTIGMATIQUE** [anastigmatik] adj. — 1898; de *an-* (→ 2. a-), et *astigmatique.* REM. Une forme *anastigmate* [anastigmat] est attestée en 1898, adaptation probable de *anastigmat** en fonction de *an-,* et *astigmate*.*

Opt. Se dit d'un objectif où l'astigmatisme est corrigé. → **Stigmatique.** *Lentilles d'un système anastigmatique.*

**ANASTIGMATISME** [anastigmatism] n. m. — 1898; de *an-*(→ 2. a-), et *astigmatisme.*

Opt. Propriété d'un système optique exempt d'astigmatisme. → aussi **Stigmatisme.**

**ANASTOMOSE** [anastɔmoz] n. f. — XVIe; du grec *anastomôsis* «embouchure» de *ana* → Ana-, et *stoma* «bouche».

Anat. Abouchement de deux vaisseaux. *L'anastomose des veines, des artères. Anastomose par inosculation. Anastomose porto-cave :* abouchement de la veine porte dans la veine cave inférieure. — Par ext. Communication entre deux conduits organiques de même nature ou entre deux nerfs.

Eh bien! ces papilles nerveuses, ces centres de sensibilité fournis par les rameaux des nerfs tri-jumeaux ou de la cinquième paire, communiquent par des anastomoses avec tous les nerfs profonds et superficiels de la tête (...) Ils s'unissent, de proche en proche, aux paires cervicales (...) 1

Ed. et J. DE GONCOURT, Manette Salomon, 2.

Bot. Réunion en réseau complexe. *Anastomose des nervures.*

Les énormes fromagers blancs digérant la pierre encastrée dans leur anastomose, cette racine qui couvre et enserre tout un portique et vient prendre la place d'un des piliers. 2

CLAUDEL, Journal 1904-1932, 4 oct. 1921.

Par métaphore :

Pylônes d'acier (...) 3
Votre anastomose
Met en mouvement
Les gens et les choses
On ne sait comment.

ARAGON, le Voyage de Hollande et autres poèmes, p. 41.

DÉR. **Anastomoser, anastomotique.**

**ANASTOMOSER** [anastɔmoze] v. tr. — 1717, pron.; de *anastomose.*

Anat., chir. Réunir par une anastomose.

◆ **S'ANASTOMOSER** v. pron. Former une anastomose. *Les veines ou leurs ramifications s'anastomosent fréquemment. Rameaux qui s'anastomosent.*

Par métaphore :

1 Un mot s'anastomose toujours avec ceux qui l'accompagnent, et selon l'allure et le mouvement de la phrase dont il fait partie intégrante, il prend des aspects différents (...)
H. BERGSON, Matière et Mémoire, p. 124.

2 Les parties de l'enseignement sacré qui s'anastomosaient avec la connaissance vérifiable souffrirent; et, par un effet inverse du premier, firent du mal aux parties toutes mystérieuses de cet enseignement.
VALÉRY, Cahiers, t. II, Pl., p. 675.

◆ **ANASTOMOSÉ, ÉE** p. p. adj. *Vaisseaux anastomosés entre eux.* — Fig. (Géogr.). *Fleuve anastomosé,* dont le lit se ramifie puis se reforme à plusieurs reprises.

**ANASTOMOTIQUE** [anastɔmɔtik] adj. — 1704; de *anastomose.*

Anat. Relatif à l'anastomose. *Veines anastomotiques. Cellules anastomotiques :* cellules conjointes, sans membrane cytoplasmique, de certains tissus *(cœnocytes).* → **Énergide.** — Bot. *Rameaux anastomotiques.*

**ANASTRAL, ALE, AUX** [anastʀal, o] adj. — Av. 1969; de *an-* privatif → 2. A-, et de *astr-* représentant 2. *aster**.

Biol. *Division cellulaire anastrale,* qui s'effectue sans formation d'asters*. *La mitose est anastrale chez les végétaux supérieurs.*

**ANASTROPHE** [anastʀɔf] n. f. — 1718; grec *anastrophê* «retournement».

Didact. Procédé stylistique consistant dans le renversement de la construction, de l'ordre habituel des mots, des termes d'un groupe. → **Inversion.** *En latin* mecum, tecum, vobiscum *sont des anastrophes pour :* cum me, cum te, cum vobis.

Phonét. → **Métathèse.**

**ANATECTIQUE** [anatɛktik] adj. — Av. 1969; de *anatexie**, d'après le grec *têktikos* «apte à dissoudre», de *têkein* «faire fondre».

Géol., pétrographie. Relatif à l'anatexie; produit par anatexie. *Fusion anatectique des roches métamorphiques. Roches anatectiques.*

**ANATEXIE** [anatɛksi] n. f. — V. 1960; du grec *anatêxis* «liquéfaction, fonte», de *anatêkein* «faire fondre; fondre», de *ana-*, et *têkein* «faire fondre; fondre».

Géol., pétrographie. Phénomène de fusion, partielle ou totale, de terrains rocheux, avec formation de magma (on dit aussi *ultramétamorphisme*). *L'anatexie entraîne des modifications de texture et de composition minéralogique quantitative des roches. Essais d'anatexie expérimentale réalisés depuis 1957. — Anatexie différentielle :* fusion sélective des roches en fonction de leur composition chimique. *Isograde d'anatexie :* isograde de fusion commençante, pour une catégorie donnée de roches. *Granites d'anatexie :* granites hétérogènes contenant des restes transformés de matériaux non fondus, produits par cristallisation de magma anatectique. → aussi **Migmatite.**

DÉR. **Anatectique.**

**ANATHÉMATIQUE** [anatematik] adj. — 1599; de *anathème.*

Didact. Relatif à l'anathème. Spécialt, relig. Qui contient un anathème. *Bulle anathématique.* → **Anathématisme.**

**ANATHÉMATISATION** [anatematizasjɔ̃] n. f. — Déb. XVIe; de *anathématiser.*

Didactique.

♦ **1** Relig. Action d'anathématiser, de frapper d'anathème. → **Condamnation, excommunication.**

♦ **2** Formule servant à anathématiser.

Var. : *anathémisation* [anatemizasjɔ̃] n. f.

**ANATHÉMATISER** [anatematize] v. tr. — 1395; du lat. ecclés. *anathematizare,* grec *anathematizein,* de *anathêma.* → Anathème.

Didact. ou littér. Relig. Frapper d'anathème. → **Excommunier.** *Anathématiser des hérétiques.*

L'évêque *in partibus* anathématisa Jeanne que Théophile enfin abandonnait.
M. JOUHANDEAU, la Jeunesse de Théophile, p. 183.

Blâmer avec force, maudire qqn, qqch. → **Condamner.** *Anathématiser un auteur, une œuvre. Anathématiser des dissidents.*

Nous l'anathématisons *(cette opinion)* comme hérétique et impie.
PASCAL, les Provinciales, 1.

(...) tous les tenants de la Révolution avaient honni, vitupéré, anathématisé les émigrés (...)
Louis MADELIN, Hist. du Consulat et de l'Empire, t. IV, p. 23.

Absolt. *«Fulminer, anathématiser»* (Valéry, *Cahiers,* Pl., t. II, p. 1428).

◆ **S'ANATHÉMATISER** v. pron. (récipr.). Se frapper l'un l'autre d'anathème.

Les papistes persécutaient toutes les religions réformées; et celles-ci, s'anathématisaient entre elles (...)
CONDORCET, Esquisse d'un tableau historique des progrès de l'esprit humain, 1794, *in* T. L. F.

CONTR. **Approuver, célébrer, bénir, louer, vanter.** ◇ DÉR. **Anathématisation.**

**ANATHÉMATISME** [anatematism] n. m. — 1389; grec *anathematismos,* de *anathematizein* → Anathématiser.

Relig. Bulle, canon frappant d'anathème une hérésie.

**ANATHÈME** [anatɛm] n. m. et adj. — 1174; du lat. ecclés. *anathema;* grec anathêma «offrande votive», puis «objet maudit, malédiction».

Didactique ou littéraire.

♦ **1** Relig. Sentence par laquelle l'Église retranche qqn de la communauté des fidèles. → **Excommunication** (de droit). *Libelle d'anathème. Lancer, prononcer l'anathème contre qqn. Frapper d'anathème. Lever un anathème.*

Le concile frappa d'anathème un évêque célèbre.
BOSSUET, Disc. sur l'Hist. universelle, I, 11.

Par anal. *Frapper d'anathème une hérésie, une opinion, une proposition,* la rejeter parce que contraire au dogme.

Cette proposition est frappée d'anathème.
PASCAL, les Provinciales, 3.

Condamnation totale. *Jeter l'anathème à qqn.* → **Malédiction.**

Alors il étendit les bras du côté de Sion; et, la taille droite, le visage en arrière, les poings fermés, lui jeta un anathème, croyant que les mots avaient un pouvoir effectif.
FLAUBERT, Trois contes, «Hérodias», I.

Vx. *Anathème à...! Anathème sur...!,* formule de malédiction.

Anathème aux victoires non remportées pour la défense de la patrie et qui ne servent qu'à la vanité d'un conquérant!
CHATEAUBRIAND, Mémoires d'outre-tombe, III, 2, p. 209.

Par ext. → **Blâme, condamnation, réprobation.**

5 Je ne viens pas ici prononcer des anathèmes contre les grandeurs humaines. MASSILLON, Vices, *in* LITTRÉ.

6 Ils se sont fait acclamer en jetant l'anathème sur les gouvernements ! MARTIN DU GARD, les Thibault, VII, 59.

♦ **2** N. Personne frappée d'anathème. *Un, une anathème.*

7 Vivant comme des anathèmes séparés de l'assemblée sainte (...) MASSILLON, Carême, Sur le petit nombre des Élus, *in* LITTRÉ.

Par ext. Celui, celle qui est l'objet d'opprobre, d'exécration, de malédiction.

8 Vous n'êtes que l'anathème du ciel et le scandale de la terre. MASSILLON, Carême, Vocation, *in* LITTRÉ.

Adj. *Qu'il, qu'elle soit anathème !*

9 Je me suis fait anathème pour ce bon peuple de France. MARAT, cité par MICHELET, Hist. de la Révolution franç., t. II, p. 477.

Cependant le concile de Trente a proclamé le célibat supérieur à l'état de mariage et déclaré anathème celui qui dirait le contraire. Émile BURNOUF, la Science des religions, p. 369.

CONTR. **Approbation, bénédiction, louange.** ◊ DÉR. **Anathématique.** — V. **Anathématisme, anathématiser.**

**ANATIDÉS** [anatide] n. m. pl. — 1845; du lat. *anas, anatis* «canard».

Zool. Famille d'oiseaux ansériformes, palmipèdes, dont le type principal est le canard. → **Bernache, cygne, eider, harle, macreuse, oie, pilet, sarcelle,** 3. **souchet, tadorne.**

**ANATIFE** [anatif] n. m. — 1808; abrév. de *anatifère,* 1754; du lat. zool. *anatifer,* du lat. *anas, anatis* «canard», et *-fère,* d'après la légende selon laquelle les canards sauvages déposent leurs oeufs dans ce coquillage.

Zool. Crustacé *(Cirripèdes)* dont le corps est enfermé dans une coquille fixée à l'extrémité d'un pédoncule qui s'attache aux objets flottants. → **Pouce-pied ;** et aussi **barnache.**

Heureusement que l'anatife et les balanes existent toujours pour envelopper les ancres, les quilles et les vieux moteurs d'avions abattus en pleine mer. Jean CAYROL, Histoire de la mer, p. 179-180.

**ANATIFÈRE** [anatifɛʀ] n. f. — XVIIe; → Anatife.

Zool. (vx). → **Anatife.**

Adj. *Conque anatifère :* coquille de l'anatife.

**ANATOCISME** [anatɔsism] n. m. — 1603; du lat. *anatocismus* «intérêt composé», du grec *anatokismos,* de *ana* «de nouveau», et *tokos* «intérêt».

Dr. et fin. Capitalisation des intérêts échus d'une dette. *L'anatocisme rend les intérêts productifs d'intérêts à leur tour.* → **Intérêt** (art. 1154 et 1155 du Code civil).

**ANATOMIE** [anatɔmi] n. f. — 1370; du bas lat. *anatomia,* grec *anatomia;* → -tomie, de *anatemnein* «disséquer».

♦ **1** Étude scientifique de la structure et de la forme des êtres organisés, ainsi que des rapports entre leurs organes. → **Morphologie.** *Faire l'anatomie d'un homme, d'un animal, d'une plante.*

*Anatomie humaine. Branches de l'anatomie.* → **Angiologie** (vaisseaux), **arthrologie** (articulations), **chondrologie** (cartilages), **myologie** (muscles), **neurologie, névrologie** (système nerveux), **ophtalmologie** (œil), **ostéologie** (os), **sarcologie** (tissu musculaire), **splanchnologie** (viscères : appareils digestif, respiratoire, génito-urinaire, etc.), **syndesmologie** (ligaments)... → aussi **Somatologie.**

L'anatomie, premier et principal fondement de la médecine. Ambroise PARÉ, Préface, *in* LITTRÉ. 1

Jamais, dit Rodin, l'anatomie ne sera à son dernier degré de perfection, que l'examen des vaisseaux ne soit fait sur un enfant de quatorze ou quinze ans, expiré d'une mort cruelle ; ce n'est que de cette contraction que nous pouvons obtenir une analyse complète d'une partie aussi intéressante. SADE, Justine..., t. I, p. 126. 1.1

*Anatomie animale :* branche descriptive de la zoologie. *Anatomie végétale,* faisant partie de la botanique.

L'étude des animaux n'est rien sans l'anatomie ; c'est par elle qu'on apprend à les classer, à distinguer les genres, les espèces. ROUSSEAU, Rêveries..., 7e promenade. 2

*Anatomie générale. Anatomie descriptive* (ou *analytique*) ; *anatomie physiologique* (ou *fonctionnelle*). *Anatomie macroscopique ; anatomie topographique. Anatomie des organes.* → **Organogénie.** *Anatomie des tissus, des cellules, ou anatomie microscopique.* → **Cytologie, histologie.** *Anatomie radiologique. Anatomie comparée :* étude comparative de la structure des êtres vivants, fondée aujourd'hui sur l'évolution et l'embryologie.

L'anatomie comparée montre le développement graduel de l'encéphale chez les vertébrés supérieurs et l'embryologie nous fait assister à un développement semblable chez l'embryon humain. Jean DELAY, la Psycho-physiologie humaine, p. 32. 2.1

*Anatomie pathologique :* étude des altérations des organes et des tissus, du fait des maladies (anatomie pathologique, macroscopique, histopathologie). → **Pathologie.**

Spécialt. Enseignement de l'anatomie, élément essentiel, avec la physiologie et la pathologie, des études de médecine. → **Médecine.** *Cours, professeur, traité d'anatomie. La leçon d'anatomie du professeur Tulp,* tableau de Rembrandt (1632). *Préparateur d'anatomie.* → **Prospecteur.** *Aide d'anatomie.* → **Adjuvat.** *Amphithéâtre d'anatomie. Planche d'anatomie.*

*Anatomie artistique :* étude de la représentation de l'être humain (et des animaux) par l'art, en fonction des réalités anatomiques.

S'il est exact qu'exista à Alexandrie, sous les deux premiers Ptolémées, une école d'anatomie florissante parce que la dissection des cadavres humains y fut autorisée, l'on sait qu'elle eut une existence éphémère (...) Quoi qu'il en soit, à aucun moment, rien de pareil à ce que depuis la Renaissance nous appelons l'anatomie artistique n'exista. Paul RICHER, Nouvelle anatomie artistique, V, p. 3. 3

♦ **2** Par métonymie. Structure de l'organisme ainsi étudié. *Caractères généraux de l'anatomie d'un crustacé.*

♦ **3** Formes extérieures de l'homme et de l'animal (étudiées par l'*anatomie artistique*). *Une belle anatomie.* → **Académie.** — *«Le peintre déclama contre l'anatomie des chevaux anglais, vanta les chevaux de Géricault...»* (Flaubert, *l'Éducation sentimentale*).

Fam. (Plais. ou iron.). *Contempler l'anatomie de qqn. Dévoiler, exhiber son anatomie :* se déshabiller devant témoin.

— Vous avez vu Rocdiane ? Il est là-bas. J'ai été le prendre au saut du lit. Oh ! regardez-moi cette anatomie ! 3.1
Un petit monsieur passait, aux jambes cagneuses, aux bras grêles, au flanc maigre, qui fit sourire de dédain ces deux vieux modèles de la vigueur humaine. MAUPASSANT, Fort comme la mort, éd. 1889, p. 285.

♦ **4** (XVIe). Vx. Dissection. *Pièce d'anatomie. Cabinet d'anatomie.*

(1558). Fig. *Faire l'anatomie de qqch.,* en faire l'étude, l'analyse minutieuse. → **Autopsie, dissection.**

4 Théophile (...) d'une plume libre et inégale (...) charge ses descriptions, s'appesantit sur les détails : il fait une anatomie. LA BRUYÈRE, les Caractères, I, 39.

5 Une anatomie des passions du cœur humain.
FÉNELON, Dialogue sur l'éloquence, I.

♦ **5** Par métonymie. Corps (ou partie du corps) disséqué et préparé en vue de sa conservation; imitation d'un corps disséqué.

6 Personne ne doute que des anatomies en cire colorée ne soient des ouvrages d'habiles artistes.
VOLTAIRE, Principes d'action, I, *in* LITTRÉ.

(XV$^e$). Vx. Squelette.

DÉR. **Anatomiser, anatomisme, anatomiste.** — V. **Anatomique.** ◊ COMP. V. **Anatomo-.**

**ANATOMIQUE** [anatɔmik] adj. — 1546; bas lat. *anatomicus,* de *anatomia.* → Anatomie.

Relatif à l'anatomie. *Description anatomique. Analyse anatomique et analyse morphologique. Pièce, planche anatomique* ou d'anatomie. *Coupe anatomique. — Piqûre anatomique,* qu'on se fait en disséquant.

Ils ont découpé en deux, à la hache, un cadavre de phoque qui pue l'ammoniaque; c'est une véritable coupe anatomique laissant voir en tranches les intestins, les viscères qui dessinent des arabesques colorées, le tout dur comme fer!
R. FRISON-ROCHE, Peuples chasseurs de l'Arctique, p. 270.

Qui a rapport à la forme, à l'aspect extérieur du corps humain. *Étude anatomique en peinture, en dessin.*

Fig. Relatif à une analyse minutieuse de la réalité (anatomie, fig.).

DÉR. et COMP. **Anatomiquement. Neuroanatomique.**

**ANATOMIQUEMENT** [anatɔmikmã] adv. — 1651; de *anatomique.*

De manière anatomique; du point de vue de l'anatomie. *Description anatomiquement exacte. Organes anatomiquement semblables.*

Mais jusqu'alors les fusils n'avaient point parlé, et la première détonation qui retentit dans cette forêt du Far-West fut provoquée par l'apparition d'un bel oiseau qui ressemblait anatomiquement à un martin-pêcheur.
— Je le reconnais! s'écria Pencroff (...)
J. VERNE, l'Île mystérieuse, t. I, p. 332.

**ANATOMISER** [anatɔmize] v. tr. — 1503; de *anatomie.*

♦ **1** Vieilli. Faire l'anatomie de... → **Disséquer.**

1 Ceux qui ont anatomisé et découpé les corps.
Ambroise PARÉ, Préface, *in* LITTRÉ.

♦ **2** Fig. (Vx). Analyser minutieusement.

2 Jamais le cœur humain n'a été mieux anatomisé que par ces Messieurs-là *(de Port-Royal).*
M$^{me}$ DE SÉVIGNÉ, 195.

3 Je craignais de déflorer les moments heureux que j'ai rencontrés, en les décrivant, en les anatomisant.
STENDHAL, Souvenirs d'égotisme, p. 3.

**ANATOMISME** [anatɔmism] n. m. — 1863, Littré; de *anatomie,* et *-isme.*

Didact. Explication par l'anatomie, en physiologie, pathologie.

D'autres expériences, portant en particulier sur la glycémie, permettent de mettre en doute les théories morphologiques assignant à telle glande un rôle isolé et défini, et mettent en évidence de complexes systèmes de régulation et interrelations entre endocrines inséparables. Le dogme anatomiste de Claude Bernard, comme les valorisations mystiques et naturalistes, est donc à son tour battu en brèche par la nouvelle thérapeutique, et en définitive, «l'hormone se révèle contre l'anatomisme, qu'elle brise et éloigne».
A. LE GALL et R. BRUN, les Malades et les Médicaments, p. 38.

**ANATOMISTE** [anatɔmist] n. — 1503; de *anatomie.*
Didactique ou littéraire.

♦ **1** Spécialiste de l'anatomie. *Les anatomistes qui enseignent à la Faculté de médecine. Une anatomiste.* — (Emploi adj.). *Il est plutôt anatomiste que physiologiste.*

♦ **2** Personne qui pratique la dissection. → **Dissecteur.** *Le scalpel de l'anatomiste.*

♦ **3** Par métaphore, fig. Celui, celle qui analyse minutieusement. → **Analyste, analyseur.**

Les philosophes sont plus anatomistes que médecins : ils dissèquent et ne guérissent pas.
RIVAROL, Notes, pensées et maximes, p. 26.

**ANATOMO-** Élément tiré de *anatomie* servant à former des mots savants, spécialement en médecine. → **Anatomoclinique, anatomopathologie, anatomophysiologie.**

**ANATOMOCLINIQUE** [anatɔmoklinik] adj. et n. f. — 1887; de *anatomo-,* et *clinique.*

Méd. Se dit de la méthode d'observation médicale dont l'objet est de reconnaître les modifications pathologiques de l'organisme à l'aide de symptômes observés sur le vivant (clinique). «*Recherches anatomo-cliniques*» (Binet et Feré, *le Magnétisme animal,* 1887). *Durant le* XIX$^e$ *siècle, psychiatres et neurologues cherchent «à distinguer des espèces, rigoureusement délimitées, anatomo-cliniques»* (R. Jaccard, *la Folie,* p. 19). — N. f. *L'anatomoclinique.*

Ainsi se crée une pathologie mixte médico-chirurgicale, basée essentiellement sur les découvertes opératoires des chirurgiens, et de l'étude détaillée des «pièces opératoires» qu'ils livrent aux microscopes. Il s'agit bien d'une véritable expérimentation *in vivo* qui complète de façon beaucoup plus fructueuse la méthode anatomo-clinique de Laënnec.
Cl. D'ALLAINES, Histoire de la chirurgie, p. 94.

REM. On écrit aussi *anatomo-clinique.*

**ANATOMOPATHOLOGIE** [anatɔmopatɔlɔʒi] n. f. — 1865; de *anatomo-,* et *pathologie.*

Didact. Science qui a pour objet l'étude des lésions anatomiques. «*Sa classification a pour base l'anatomo-pathologie; il divise les dermatoses en douze classes*» (*Journal de méd. et de chir.,* XLV, 1874).

**ANATOMOPATHOLOGIQUE** [anatɔmopatɔlɔʒik] adj. — 1835; de *anatomo-,* et *pathologique.*

Didact. (méd.). Qui concerne l'anatomopathologie. → **Anatomoclinique.**

Ce lien *(entre l'étude des lésions organiques découvertes à l'autopsie, et celle des symptômes observés pendant la vie)* dont parle M. Rist, c'est à Laënnec que revient la gloire de le découvrir, entre les constatations anatomopathologiques et les signes physiopathologiques présentés par le malade. Pierre VANNIER, l'Homéopathie, p. 34.

DÉR. **Anatomopathologiquement.**

**ANATOMOPATHOLOGIQUEMENT** [anatɔmopatɔlɔʒikmã] adv. — Déb. XX$^e$; de *anatomopathologique.*
Didact. Du point de vue de l'anatomopathologie.

**ANATOMOPATHOLOGISTE** [anatɔmopatɔlɔʒist] n. — 1833, → cit.; de *anatomo-, patholog(ie),* et suff. *iste.*

Didact. (méd.). Médecin spécialiste de l'anatomopathologie. *L'anatomopathologiste étudie la lésion au microscope, en définit la nature et les caractères, donne son point de vue sur la meilleure thérapeutique à suivre.*

Le vrai praticien est celui qui ne tient qu'un compte secondaire de ces altérations organiques qui absorbent les anatomopathologistes, et qui, embrassant la science d'un point de vue élevé (...) voit dans l'homme malade non un être passif, mais au contraire un être luttant et déployant toutes les forces de l'organisme contre une cause de destruction.

HOURMANN, *in* Transactions médicales, XII, avr. 1833, p. 381 (*in* D. D. L., II, 8).

**ANATOMOPHYSIOLOGIE** [anatɔmofizjɔlɔʒi] n. f. — Déb. XXe; de *anatomo-,* et *physiologie.*

Didact. Physiologie anatomique.

DÉR. **Anatomophysiologique.**

**ANATOMOPHYSIOLOGIQUE** [anatɔmofizjɔlɔʒik] adj. — V. 1960; de *anatomophysiologie.*

Didact. Relatif à l'anatomophysiologie.

**ANATOPISME** [anatɔpism] n. m. — 1952, Porot; 1866, «erreur de lieu»; du grec *ana-* «de bas en haut, en arrière», et *topos* «lieu», d'après le v. *anatopousthai* «changer de lieu», p.-ê. sous l'influence de l'angl. *anatopism,* 1812, «fait d'enlever quelque chose de la place qui lui est propre».

Psychiatrie. *Anatopisme mental* (Courbon) : troubles mentaux qui peuvent affecter, au bout d'un certain temps, les personnes déracinées qui n'ont pas su s'adapter au milieu dans lequel elles se sont trouvées transplantées. → aussi **Acculturation.**

**ANATOXINE** [anatɔksin] n. f. — 1923; de 1. *ana-,* et *toxine.*

Biol. Toxine bactérienne soumise à un traitement qui lui fait perdre ses propriétés toxiques tout en lui conservant ses propriétés immunisantes. *Anatoxine diphtérique, tétanique, dysentérique.* Syn. : *vaccin antitoxique.* → **Anavaccin.**

Communication sur le pouvoir floculant et les propriétés immunisantes d'une toxine diphtérique rendue anatoxique (anatoxine).

G. RAMON, Communication à l'Acad. des sciences, 10 déc. 1923.

COMP. **Anatoxiréaction, anatoxithérapie.**

**ANATOXIQUE** [anatɔksik] adj. — Av. 1923; de 1. *ana-,* et *toxique.*

Biol. Qui n'est plus toxique, après l'avoir été. *Rendre une toxine anatoxique.* → **Anatoxine.** *Vaccin anatoxique,* constitué par une anatoxine. → **Anavaccin.** *Vaccination anatoxique.*

**ANATOXIRÉACTION** [anatɔksiʀeaksjɔ̃] n. f. — 1920; de *anatoxi(ne),* et *réaction.*

Méd. Réponse de l'organisme à l'injection d'une anatoxine.

**ANATOXITHÉRAPIE** [anatɔksiteʀapi] n. f. — V. 1970; de *anatoxi(ne),* et *thérapie.*

Méd. Thérapeutique par les anatoxines.

**ANAVACCIN** [anavaksɛ̃] n. m. — XXe; de *ana-,* et *vaccin.*

Biol., méd. Vaccin préparé avec une anatoxine.

**ANAVENIN** [anavənɛ̃] n. m. — 1970; de *ana-,* et *venin.*

Biol. méd. Vaccin contre le venin de serpent. *L'anavenin est un antigène inoffensif tiré du venin par l'action combinée du formol et de la chaleur.*

**-ANCE** Suff. dér. du lat. *antia,* très productif dans la formation de substantifs abstraits dès l'anc. franç. (ex. : pitié/*pitance;* ennuiement/*ennuiance;* naissement/*naissance...*).

**A** (Sur des verbes). Sens actif. Substantif dit *d'action* (ex. : ignorer/*ignorance;* venger/*vengeance;* résister/*résistance,* aimer/*aimance,* tendre/*tendance...*). — Agent (ex. : [celui qui] assiste/*assistance;* [ce qui] nuit/*nuisance...*). — (Sens passif). Ce qui est fait (ex. : [ce qui est] connu/*connaissance;* [ce qui est] cru/*croyance...*).

**B** (Sur des p. prés. en *-ant**). Désigne une qualité, un caractère (ex. : élégant/*élégance;* prépondérant/*prépondérance;* suffisant/*suffisance...*); un état, une fonction (ex. : ignorant/*ignorance,* consistant/*consistance,* indépendant/*indépendance;* gérant/*gérance...*).

1. **ANCELLE** [ɑ̃sɛl] n. f. — Mil. XIIe; lat. *ancilla* «servante».

Vx. Servante. — Relig. Fille qui se met, se consacre au service de Dieu. — (1544). Spécialt. La Vierge Marie.

HOM. 2. **Ancelle.**

2. **ANCELLE** [ɑ̃sɛl] n. f. — XVe, *in* Godefroy; *encello,* 1408; du lat. *axiculus* «petit ais, petite planche», de *axis* «ais, planche». → Ais.

Régional (Doubs, Suisse). Petit ais, petit bardeau, latte. *De la forêt, le montagnard «tire la charpente de son toit, les plaquettes (ancelles ou tavaillons) qui protégeront les murs les plus exposés à la pluie»* (*Guide Michelin,* «Jura», p. 14).

HOM. 1. **Ancelle.**

**ANCESTRAL, ALE, AUX** [ɑ̃sɛstʀal, o] adj. — 1853; de *ancestre.* → Ancêtre.

Qui a rapport, remonte, a appartenu aux ancêtres. Ce qu'on tient des ancêtres. *Coutumes, mœurs, traditions ancestrales. Croyances, superstitions ancestrales. Demeure ancestrale.* → **Ancien.**

Par ext. Qui remonte très loin. *Des espèces ancestrales.* → **Immémorial.**

N. m. Rare. «(...) *l'ancestral,* (le) *préhistorique,* (le) *préhumain*» (Gide, *le Retour du Tchad,* 1928, *in* T. L. F.).

DÉR. **Ancestralement, ancestralité.**

**ANCESTRALEMENT** [ɑ̃sɛstʀalmɑ̃] adv. — 1906; de *ancestral.*

Littér., rare. D'une manière ancestrale.

(...) faire semblant de ne pas me voir quand il passait l'inspection du peloton était une politesse faite à ma mère sans trop d'effort, à moins que l'astiquage ne fît aussi partie pour lui de ces choses inutiles et irremplaçables, de ces réflexes et traditions ancestralement conservés comme qui dirait dans la Saumur *(sic)* et fortifiés par la suite (...)

Claude SIMON, la Route des Flandres, p. 9 (1960).

**ANCESTRALITÉ** [ɑ̃sɛstʀalite] n. f. — 1970; de *ancestral.*

Fait d'être ancestral, d'appartenir aux ancêtres. *«Pour que ce fossile puisse se placer dans l'ancestralité des Hominidés, il faudrait que sa prémolaire antérieure soit une structure en voie de disparition ...»* (*Encycl. Univ.,* art. *Hominidés* p. 496 b, 1970).

**ANCESTRULA** [ɑ̃sɛstʀyla] n. f. — Mil. XX^e; de *ancestr(al)*, et *-ula*, suff. indiquant le stade embryonnaire. → Gastrula, etc.

Zool. Chez certains bryozoaires, Individu produit par métamorphose de la larve qui, par bourgeonnement, devient la zoécie fondatrice d'une colonie.

**ANCÊTRE** [ɑ̃sɛtʀ] n. — V. 1160, *ancestre*; du lat. *antecessor, orem* «éclaireur», t. milit., de *antecedere* «précéder».

**I** Au sing. ♦ **1** (Personnes). Celui, celle qui est à l'origine d'une famille, dont on descend. → **Aïeul, ascendant, parent, parenté, père.** → aussi **Agnat** (cit.). *Ancêtre commun. Abraham, l'ancêtre des Ismaélites et des Hébreux. Un, une ancêtre.* — Hist. *Ancêtre éponyme*, celui qui donnait son nom à une *gens*, une famille.

1 Si l'on cherche quel est le dieu que chacune *(des gens)* adore, on remarque que c'est toujours un ancêtre divinisé (...) Si donc la gens adorait en commun un ancêtre, c'est qu'elle croyait sincèrement descendre de lui.
FUSTEL DE COULANGES, la Cité antique, II, 10.

2 Le générateur leur paraissait *(aux anciens)* un être divin, et ils adoraient leur ancêtre.
FUSTEL DE COULANGES, la Cité antique, II, 1.

3 Scipion Sérapion a pour quatrième ancêtre Lucius (...) qui est aussi le quatrième ancêtre de Scipion Émilien. Ils sont donc parents entre eux.
FUSTEL DE COULANGES, la Cité antique, II, 5.
(Voir Aïeul).

4 Des corps constitués ont dit en parlant à Victoria, reine d'Angleterre, de la reine Élisabeth : La glorieuse ancêtre de Votre Majesté. LITTRÉ, Dict., art. *Ancêtre*.

♦ **2** Se dit d'une espèce dont une autre provient dans l'évolution des êtres vivants. *Le mammouth est l'ancêtre de l'éléphant.*

(Choses). Objet technique dont dérivent d'autres réalisations. *On considère le fardier de Cugnot comme l'ancêtre de l'automobile. Les ancêtres de la bicyclette.*

5 L'Académie ne signale pas l'emploi d'ancêtre au féminin. Cet emploi est rare : La Ziggourat, cette ancêtre des grands travaux (DANIEL-ROPS, Hist. Sainte, Le Peuple de la Bible, t. I, p. 101).
M. GREVISSE, le Bon Usage, 4^e éd., n° 248, note 1.

♦ **3** Initiateur lointain, devancier. → **Précurseur.** *Considérer Lautréamont comme un ancêtre du surréalisme.*

♦ **4** Fam. Personne très âgée. → **Vieillard.**

5.1 Notre voisin l'ancêtre était un fier galant
Qui n'emmerdait personne avec sa barbe blanche
Et quand le bruit courut qu'ses jours étaient comptés
On courut à l'hospice afin de l'assister.
Georges BRASSENS, l'Ancêtre.

**II** Au plur. ♦ **1** Ceux de qui l'on descend, les ascendants au-delà du grand-père. *La série, la suite des ancêtres.* → **Race.**

6 *(Un roi)* Qui se souvienne un jour qu'au rang de ses ancêtres
Dieu l'a fait remonter par la main de ses prêtres.
RACINE, Athalie, I, 2.

7 (...) la prière et l'offrande n'étaient adressées par chacun qu'à ses pères. Le culte des morts était véritablement le culte des ancêtres.
FUSTEL DE COULANGES, la Cité antique, I, 4.

8 (...) j'interroge, au fond de mon cœur, les mânes de mes ancêtres.
G. DUHAMEL, Scènes de la vie future, XIV, p. 216.

♦ **2** Fig. Ceux qui ont vécu avant, les hommes des siècles passés. → **Aïeul, devancier, prédécesseur; ave** (aves et ataves, plais.).

9 Si nos ancêtres ont mieux écrit que nous, ou si nous l'emportons sur eux (...) c'est une question souvent agitée, toujours indécise.
LA BRUYÈRE, les Caractères, XIV, 73.

ANCÊTRES, AÏEUX, PÈRES (...) ne sont synonymes que quand on les applique aux hommes qui ont vécu avant nous, sans y attacher l'idée de liens de famille. Voici la gradation : nos pères sont les voisins de nous : nous y touchons; nos aïeux sont plus éloignés : ils touchent à nos grands-pères; enfin les ancêtres sont les plus éloignés de tous. LITTRÉ, Dict., art. *Ancêtres.*

Allus. *«Nos ancêtres les Gaulois»*, formule des anciens manuels d'histoire destinés à l'école primaire, employée de manière incongrue dans l'enseignement hors de France (notamment dans les ex-colonies africaines, etc.).

À l'école, on apprenait nos ancêtres les Gaulois, le vase de Soissons, l'Indre chef-lieu Châteauroux, savoir précis et poétique, qui ne faisait pas de vous des Einstein en herbe, mais vous dotait, pour la vie, d'une orthographe solide et de façons civilisées (...)
Jean-Louis CURTIS, le Roseau pensant, p. 241.

CONTR. **Descendant, postérité.** ◊ DÉR. V. **Ancestral.**

**ANCHE** [ɑ̃ʃ] n. f. — 1413, «goulot»; *ence* «gouttière», 1402; mot dial. du bas francique. **ankja* «canal de l'os».

♦ **1** (1655). Régional, techn. Robinet par lequel le vin s'écoule du pressoir dans le baquet. → **Cannelle.**

(1680). Conduit par lequel la farine tombe dans la huche d'un moulin.

♦ **2** (1530). Plus cour. Mus. Languette mobile de roseau ou de métal *(cuivrette)* qui entre en vibration sous l'action d'un souffle d'air. *Instruments à anche.* → **Basson, clarinette, cromorne, hautbois, saxophone.** *«Dans les cuivres* à embouchure, *les lèvres jouent un rôle analogue à celui des anches des instruments de bois»* (*Initiation à la musique*). *Les claviers de l'accordéon agissent sur des anches métalliques.*

Par ext. *Jeu à anches* ou *jeux d'anches de l'orgue :* registre, tuyau de l'orgue à *anche libre* ou à *anche battante* selon que l'obturation de cette dernière est complète ou incomplète. *Les petits tuyaux à anche de l'harmonica. L'anche libre de l'harmonium.*

La première clarinette a avalé l'anche de son instrument, et le second hautbois mâche entre ses dents ses languettes de roseau ! J. VERNE, le Docteur Ox, p. 59.

DÉR. **Anché.** ◊ HOM. **Hanche.**

**ANCHÉ, ÉE** [ɑ̃ʃe] adj. — 1832; de *anche.*

Mus. Muni d'une anche (instrument).

HOM. **Hanché.**

**ANCH'IO SON PITTORE** [ankijosɔnpittɔʀe] — Loc. ital. «et moi aussi, je suis peintre !».

Exclamation attribuée au Corrège, encore inconnu, devant un tableau de Raphaël qui lui révélait sa vocation de peintre (elle s'emploie, modifiée suivant les circonstances, à propos de la révélation spontanée d'une vocation quelconque).

**ANCHOÏADE** [ɑ̃ʃɔjad] n. f. — Fin XIX^e, Mistral; du provençal *anchouiado.*

Régional (Provence). Sauce à l'anchois.

(...) des crudités qu'on trempait dans l'anchoïade.
R. SABATIER, les Enfants de l'été, p. 304.

**ANCHOIS** [ɑ̃ʃwa] n. m. — 1546; de l'anc. provençal *anchoia* (cf. esp. *anchoa*, port. *anchova*), p.-ê. du grec *aphuê*, par le lat. vulg. **apiua.*

♦ **1** Petit poisson de mer *(Clupéidés)*, scientifiquement appelé *engraulis**. *Pêche à l'anchois* (→ Poisson, cit. 2).

Ce poisson, consommé ordinairement en hors-d'œuvre, salé et mariné ou conservé dans l'huile. *Filet d'anchois à l'huile. Salade d'anchois. La salade niçoise contient des anchois. Sauce provençale à l'anchois.* → **Anchoïade.**

Tout autour, s'alignaient des raviers chargés de hors-d'œuvres (...) Les anchois marinés et les champignons à la grecque témoignaient en faveur de celle qui les avait achetés. H. TROYAT, la Tête sur les épaules, p. 233.

*Beurre d'anchois :* filets d'anchois écrasés dans du beurre, servant d'assaisonnement.

Par ext. *Anchois de Norvège :* sprat (autre poisson).

♦ **2** Loc. fam. (XIXe). *Œil bordé d'anchois,* à la paupière rouge. — *Être serrés comme des anchois.* → **Hareng, sardine.**

♦ **3** Régional (dans le Midi). Personne stupide. *Boudi* (bon Dieu !), *quel anchois, celui-là !* — Par anal. *Tête d'anchois !* («toute petite tête») : imbécile.

**DÉR. Anchoité.**

**ANCHOITAGE** [ɑ̃ʃwataʒ] n. m. — XXe ; de *anchoité.*

Techn. État de certains poissons salés qui prennent une couleur rosée (comme l'anchois) ; préparation qui donne cette couleur à un poisson.

**ANCHOITÉ, ÉE** [ɑ̃ʃwate] adj. — 1765 ; de *anchois.*

Techn. Préparé par l'anchoitage (poissons).

**DÉR. Anchoitage.**

**ANCIEN, IENNE** [ɑ̃sjɛ̃, jɛn] adj. et n. — Mil. XIe ; du lat. tardif *anteanus* (VIIIe), dér. de *ante* «avant». REM. *Ancien,* adjectif placé avant un nom masculin commençant par une voyelle est prononcé [ɑ̃sjɛn] ; ex. : *un ancien ami* [œ̃nɑ̃sjɛnami].

**I** Qui existe depuis longtemps (et dure encore). **A** (Choses). ♦ **1** (Av. ou après le nom). Qui existe depuis longtemps, date d'une époque très antérieure au moment où l'on parle. → **Vieux.**

Vieux se rapporte à l'âge, et se dit de ce qui vit. Ancien se rapporte au temps, et se dit de ce qui date de plus ou moins loin (...) est d'une origine qui remonte haut. LAFAYE, Dict. des synonymes, Vieux, ancien...

(Concret). *Une lettre ancienne, déjà ancienne. Ce passeport est ancien* (→ **Périmé**), *il en faut un plus récent.*

REM. Ne s'emploie guère qu'en parlant d'objets concrets datés (→ ci-dessus) et au sens spécial 2. → Vieux. Ainsi, *sa voiture est déjà ancienne* signifierait : «d'un modèle ancien», plutôt que «vieille».

(Abstrait). *Une coutume, une tradition ancienne. Une amitié ancienne, une ancienne amitié. D'anciennes habitudes. Un usage ancien* (→ **Séculaire**), *dont on ne sait plus l'origine.* → **Immémorial.**

Leurs noms pittoresques *(de certaines rues de Paris)* et leur physionomie antique l'avaient charmé, par cette sensation d'un très ancien et très obscur passé (...) Paul BOURGET, Un divorce, III, p. 118.

Sa conversation exquise se parait négligemment des élégances fanées et si charmantes d'un scepticisme déjà ancien. PROUST, les Plaisirs et les Jours, p. 167.

(Avant le nom ; dans des syntagmes qualifiant des termes opposés, par rapport à *nouveau* ou *moderne*). *L'Ancien Testament. L'ancien continent.*

Nous devons l'apologue à l'ancienne Grèce. LA FONTAINE, Fables, III, 1.

*Un mouvement assez ancien, très ancien. Plus, moins ancien que... Cette partie de l'église est plus ancienne que le reste,* remonte à une époque antérieure. *Cette coutume est si ancienne qu'on n'en connaît plus l'origine. Une amitié déjà ancienne.*

Jean était heureux de se sentir ainsi lié à son père, fier de voir qu'il était plus qu'un pauvre garçon tout seul, mais que quelque chose de plus ancien que lui existait en lui (...) PROUST, Jean Santeuil, Pl., p. 857. 5

Elle *(la religion nouvelle : le christianisme)* n'a pas déraciné les croyances les plus anciennes, le culte des morts, les sortilèges, la divination, puisqu'elles restent vivantes encore aujourd'hui. Ch. SEIGNOBOS, Hist. sincère de la nation franç., p. 47. 6

♦ **2** Spécialt (après le nom). Qui a été fabriqué autrefois, selon les techniques artistiques et artisanales du passé, et en tire sa valeur. *Objets d'art anciens. Acheter un meuble ancien chez un antiquaire. Livres anciens et modernes.*

C'est le même impérialisme au fond qui se soumet la nature à travers les objets techniques et domestiques, les cultures à travers les objets anciens. C'est le même impérialisme privé qui rassemble autour de lui un milieu fonctionnellement domestiqué et les signes domestiqués du passé, objets-ancêtres, d'essence sacrée, mais désacralisée, et dont on exige qu'ils laissent transparaître leur sacralité (ou historialité) dans une domesticité sans histoire. J. BAUDRILLARD, le Système des objets, p. 102. 6.1

Ailleurs coexisteront le même livre en format de poche et en édition rare ou ancienne, la machine à laver électrique et le vieux battoir à linge (...) complémentarité illustrée à la limite par la double propriété, maintenant courante : appartement de ville - maison de campagne. J. BAUDRILLARD, le Système des objets, p. 98. 6.2

N. m. **L'ANCIEN.** *Aimer l'ancien,* les objets, le style ancien. *Le marché de l'ancien. Librairie d'ancien, libraire d'ancien. — Imitation d'ancien.*

Monsieur Martinez aura-t-il la délicatesse de refaire le toit en tuiles romaines imitation d'ancien ? Je lui ai donné l'adresse de la manufacture qui, en Provence, cuit la terre d'une certaine façon (...) François NOURISSIER, le Maître de maison, p. 140. 6.3

♦ **3** Loc. adv. **À L'ANCIENNE :** à la manière d'autrefois (avec quelques substantifs). *Décors, motifs, sujets à l'ancienne.*

(...) une loge de concierge à l'ancienne, avec un rideau plissé et des odeurs de cuisine (...) S. DE BEAUVOIR, les Belles Images, p. 44. 6.4

Cuis. *Blanquette à l'ancienne,* préparée à l'ancienne.

Littér. (emploi absolu) :

À l'ancienne à la simple on mangera les fleurs ÉLUARD, Justice, Pl., t. I, p. 1019. 6.5

**B** (Personnes). ♦ **1** (Surtout au compar.). Qui a de l'ancienneté (2.), qui est depuis longtemps (dans un état, une situation). *Il est plus ancien que moi dans le métier.* → **Chevronné.** *Le plus ancien de tous.*

Le vétéran, qui se croît reconnu de son empereur, se grandit tout glorieux, au milieu de ses compagnons moins anciens qui l'envient. Ph.-P. SÉGUR, Hist. de Napoléon, III, *in* LITTRÉ, art. *Vétéran.* 7

N. m. (opposé à *jeune,* pour distinguer deux personnages). *Pline l'Ancien et Pline le Jeune. Caton l'Ancien.* — REM. Ne s'emploie guère que pour des personnages de l'Antiquité ; pour les temps modernes, on dit *le Vieux.*

♦ **2** N. (souvent t. d'affection ou plais.). *Un ancien, une ancienne :* personne qui est la plus âgée. *Je lève mon verre aux anciens.*

(...) ils appartiennent à cette nouvelle classe d'étudiants de grandes universités anglaises que la brutalité des temps, l'absence d'«anciens» (qui, tués à la guerre, n'étaient plus là pour les brimer), la faculté de pouvoir, grâce au change, passer la moitié de leur année en France, ont rendu plus curieux, c'est-à-dire plus humains. Paul MORAND, Bouddha vivant, p. 98. 7.1

Mademoiselle, dit Trouscaillon, vous devriez être plus polie avec une ancienne. R. QUENEAU, Zazie dans le métro, Folio, p. 168. 7.2

*Être l'ancien de qqn :* être depuis plus longtemps que lui (dans un état, une situation), avoir plus d'expérience. *Il est mon ancien.* → **Aîné, doyen.**

8 Villars avait avec lui le maréchal de Boufflers, son ancien (...) VOLTAIRE, le Siècle de Louis XIV, 21.

9 (...) il ne devait pas être d'un autre avis que son ancien. MOLIÈRE, l'Amour médecin, III, 1.

*Les anciens du village. Les anciens d'un groupe, d'un parti politique.* → **Vétéran.** *Le Conseil des Anciens* (an III) : le Sénat.

10 (...) Les anciens du vaste empire. LA FONTAINE, Fables, VIII, 8.

Spécialt. *Les anciens :* les hommes âgés et expérimentés, dans une communauté traditionnelle, notamment en Afrique (usuel en français d'Afrique).

**II** Qui a existé autrefois, il y a longtemps, mais n'existe plus. — REM. Cet emploi est parfois nettement distingué de I., mais parfois ambigu : on lève fréquemment l'ambiguïté en employant *ancien*, au sens II., avant le nom (*l'Ancien Régime* opposé à *un régime ancien* (qui dure encore)). Les emplois avec des noms désignant le temps sont par nature au sens II., d'où la possibilité de placer *ancien* avant ou après le nom. Enfin les emplois au sens II. ne sont normalement pas qualifiés. ♦ **1** Av. ou après le nom. — (Temps). *Une époque ancienne. Les temps anciens.* → **Passé; autrefois.** *Une date ancienne. L'ancien temps. Les jours anciens.*

10.1 Je me souviens
Des jours anciens
Et je pleure (...)
VERLAINE, Poèmes saturniens, «Chanson d'automne».

*Histoire ancienne,* qui concerne les temps anciens; spécialt *histoire antique.*

10.2 Il n'y a point d'histoire ancienne où il ne paraisse des vestiges manifestes de la nouveauté du monde. BOSSUET, Hist. I, 2, *in* LITTRÉ.

Loc. fam. *C'est de l'histoire ancienne :* c'est une affaire ancienne et oubliée.

♦ **2** (Av. ou après le nom). Qui vivait ou existait autrefois, et, spécialt, dans l'antiquité. → **Antique.** *Les civilisations anciennes, les anciennes civilisations du Proche-Orient, de la mer Égée. Les peuples anciens* (→ ci-dessous, 5., n. m. pl.). *L'ancienne Grèce et la Grèce moderne.*

11 La plupart des peuples vivaient dans des gouvernements qui ont la vertu pour principe. MONTESQUIEU, l'Esprit des lois, IV, 4.

♦ **3** Av. le nom. (Choses). Qui est caractéristique du passé et n'existe plus. *Un ancien modèle d'automobile. Une ancienne coutume, un ancien usage.* → **Révolu.** — (Après le nom). *Un mot ancien, une expression ancienne,* qui n'a plus cours. → **Archaïque, démodé, désuet, vieillot, vieux.** — REM. Ces emplois sont ambigus (→ ci-dessus, le sens I.).
Spécialt (toujours avant le nom). Qui n'est plus tel, ne correspond plus à la désignation. *Une ancienne usine désaffectée. Il habite un ancien atelier.*

11.1 Des photos montrent en effet ce qui reste de l'ancienne ferme après «auscultation» de l'architecte et ses choix «catégoriques» : trois poutres et deux pierres. Mais sur cette pierre, je bâtirai ma maison de campagne. J. BAUDRILLARD, le Système des objets, p. 94.

*Ancien franc* (opposé à *léger* (vx), *nouveau*). → **Centime.** *Dix mille anciens francs soit cent francs* ou *dix mille centimes. — Un million ancien,* d'anciens francs.

11.2 Le mobilier devait être d'époque. Cette commode Louis XV avait dû coûter plusieurs millions anciens. Jean-Louis CURTIS, le Roseau pensant, p. 136.

Hist. *L'ancien régime :* la monarchie avant la révolution de 1789. → **Régime** (cit. 2 et *supra*). *«Ne pas laisser dans un article constitutionnel des traces de l'ancien régime»* (*le Point du jour,* 26 nov. 1789).

La France était en proie à la diversité des partis. Les uns voulaient les deux chambres, les autres feignaient de se couvrir de la constitution et marchaient en secret à la République; les mécontents regrettaient l'ancien régime, personne ne songeait sérieusement à suivre la constitution si ce n'est un petit nombre d'adeptes. André CHÉNIER, Deuxième lettre sur le procès de Louis XVI (1792).

♦ **4** Personnes. (Placé avant le nom). Qui a été autrefois tel et ne l'est plus. → 2. **Ex-.** *Ancien ministre. Mon ancien patron. Association d'anciens élèves d'une école, d'anciens combattants. Revoir un ancien camarade d'école, un ancien copain de régiment.*

(...) les dissensions qui sont entre (...) nos anciens maîtres. MOLIÈRE, l'Amour médecin, III, 1.

Un ancien ami, un homme qui n'est plus ami ou du moins avec qui les relations sont devenues moins étroites. Un ami ancien, un homme avec qui on est ami depuis longtemps. LITTRÉ, Dict., art. *Ancien.*

N. m. *Les anciens de la 2ᵉ D. B. :* ceux qui ont appartenu et n'appartiennent plus à la 2ᵉ D. B. → **Vétéran.** — REM. Le sens correspond à celui de l'adj. ci-dessus (*l'ancien combattant* ne combat plus); mais il se distingue difficilement du sens substantivé I., B., 2. : *les anciens de la Garde* peut désigner des soldats qui en sont encore (→ les vieux* (II., 1.) de la vieille) ou qui n'en font plus partie. Le fém. n'est pas attesté.

(...) la chute de M. Guy Mollet nous importe peu si la relève devait être assurée par un ancien (au sens politique) de Dien-Bien-Phu. F. MAURIAC, Bloc-notes 1952-1957, p. 290.

*Son ancien mari. Ses anciens amants. Une ancienne maîtresse, une ancienne femme.* — N.(fam.). *Mon ancienne.* → 2. **Ex-.**

Quand un de ces gredins-là enrage de trouver une ancienne heureuse, il devient capable de tout. ZOLA, l'Assommoir, t. I, p. 255.

♦ **5** N. m. pl. *Les anciens :* les peuples anciens, les auteurs anciens vivant à une époque antérieure. — Spécialt, hist. de la littér. *Partisans des anciens* (dans la querelle dite *des anciens et des modernes*).

Les anciens, monsieur, sont les anciens; et nous sommes les gens de maintenant. MOLIÈRE, le Malade imaginaire, II, 7.

On ne saurait en écrivant (...) surpasser les anciens que par leur imitation (...)
Quelques habiles prononcent en faveur des anciens contre les modernes (...) LA BRUYÈRE, les Caractères, I, 15.

J'ai eu toute ma vie un goût décidé pour les ouvrages des anciens (...) MONTESQUIEU, Pensées, Des Anciens.

CONTR. **Actuel, contemporain, jeune, moderne, nouveau, présent, récent.** ◊ DÉR. **Anciennement, ancienneté.** — V. les préf. **Arché-, archéo-** (grec *arkhaios* «ancien»); **paléo-** (grec *palaios* «ancien»).

**ANCIENNEMENT** [ɑ̃sjɛnmɑ̃] adv. — 1155; de *ancien.*
Dans les temps anciens, à une époque révolue. → **Autrefois, jadis, longtemps** (il y a), **passé** (dans le), **temps.** *Le mot salle désignait anciennement une grande pièce de réception.* (Abrév. dans cet ouvrage : *anciennt*).

Anciennement, on avait coutume d'oindre le corps de ceux qui devaient combattre dans les spectacles publics FÉNELON, *in* LAFAYE, Dict. des synonymes, Anciennement...

— SYN. ANCIENNEMENT, JADIS, AUTREFOIS. Ces mots désignent le temps passé. Anciennement, dans les temps anciens, sert à représenter ce qui se faisait ou se pratiquait chez les anciens, parmi nos ancêtres. Autrefois, c'est-à-dire une autre fois, dans d'autres conditions, marque un contraste entre le passé et le présent. Jadis (jamdies, c'est-à-dire

il y a des jours), moins précis qu'anciennement qui se dit des choses vraiment anciennes, peut s'appliquer soit à un passé très peu éloigné : jadis, dans ma jeunesse, on s'habillait ainsi ; soit à une antiquité reculée : jadis, au temps d'Homère ; soit à une antiquité indéterminée : jadis, au temps que les bêtes parlaient.
LITTRÉ, Dict., art. *Anciennement.*

CONTR. **Actuellement, aujourd'hui, jours** (de nos), **présentement. — Dernièrement, fraîchement, naguère, nouvellement, récemment.**

**ANCIENNETÉ** [ɑ̃sjɛnte] n. f. — 1174, *par ancïeneté ;* de *ancien.*

♦ **1** Caractère de ce qui est ancien, de ce qui existe depuis longtemps. *Des choses vénérables par leur ancienneté.* → **Antiquité.** *L'ancienneté d'une loi, d'une coutume, d'un titre. L'ancienneté d'une maison, d'une famille.* → **Origine.** *L'ancienneté d'un bâtiment détérioré par le temps.* → **Vétusté.** — Loc. *De toute ancienneté :* depuis un temps immémorial.

La ferme avait, comme eux, un caractère d'ancienneté.
FLAUBERT, Trois contes, « Un cœur simple », II.

♦ **2** Temps passé dans l'exercice d'une fonction à compter de la date de la nomination. *L'ancienneté de qqn à un poste, dans une place. Prime d'ancienneté. Rang, droit d'ancienneté. — Agrave ; l'ancienneté :* en fonction du temps passé dans la fonction. *Avancement à l'ancienneté. On avance dans l'armée à l'ancienneté ou au choix. Avoir une longue ancienneté de service* (→ Être blanchi sous le harnois*, avoir des chevrons*...).

CONTR. **Actualité, nouveauté.**

**ANCILLAIRE** [ɑ̃si(l)lɛʀ] adj. — 1803 ; du lat. *ancillaris,* de *ancilla* « servante ».

Vx ou littér. Qui a rapport aux servantes. *« Spécimens ancillaires »* (Gide, *Si le grain ne meurt,* 1924, *in* T. L. F.).

1 Poli, courtois, mais bref, l'intendant n'extériorisait pas ses sentiments et n'encourageait pas les confidences ancillaires.
Maurice DENUZIÈRE, Louisiane, p. 316.

(1855). Plus cour. Se dit d'amours, de liaisons avec des servantes.

2 Ménage reproche à La Fontaine ses amours ancillaires.
SAINTE-BEUVE, *in* P. LAROUSSE.

3 Guillaume Colletet, singulièrement enclin, selon l'expression de Ménage, aux amours ancillaires, avait épousé, l'une après l'autre, trois de ses servantes.
SAINTE-BEUVE, Portraits littéraires, t. I, p. 493.

REM. Sainte-Beuve traduit probablement le lat. *ancillariolus,* employé par Ménage.

**ANCOLIE** [ɑ̃kɔli] n. f. — 1325 ; du bas lat. *aquileia,* p.-ê. de *aquilegus* « qui recueille l'eau ».

Plante herbacée *(Renonculacées)* dont certaines espèces, ornementales, possèdent des fleurs bleues, blanches ou roses aux pétales terminés en éperon. *Ancolie vulgaire* ou *colombine, cornette, gant de Notre-Dame.*

1 Les ruines étaient décorées de ronces et d'ancolies safranées par l'automne.
CHATEAUBRIAND, Mémoires d'outre-tombe, t. II, p. 267.

2 C'est une ancolie. Nos pères la nommaient le gant de Notre-Dame.
FRANCE, le Crime de S. Bonnard, p. 470.

3 (...) peut-être n'est-il pas besoin d'un mai finissant pour rougir l'ancolie qui vient d'Aquilée et qu'on nomme aussi bien gant de Notre-Dame ou fleur du parfait amour. L'*angonie,* disait Eustache Deschamps (...)
ARAGON, Blanche... III, I, p. 348.

**ANCÔNE** [ɑ̃kon] n. f. — Déb. XIIIe, « bannière antique » ; altér. ancienne (cf. ital. *ancona*) du grec *eikona.* → Icône.

Arts. Dans l'art italien, Peinture religieuse de grandes dimensions, souvent placée au-dessus de l'autel.

**ANCRAGE** [ɑ̃kʀaʒ] n. m. — 1468 ; de *ancrer.*

♦ **1** Mar. Vx. Mouillage. *Droit d'ancrage.*

Les vaisseaux se mettent à l'abri derrière la jetée de La Goulette, en payant un droit d'ancrage considérable. 1
CHATEAUBRIAND, Itinéraire..., III, 21.

Mod. Dispositif de mouillage à poste fixe. *L'ancrage d'une bouée, d'une balise.*

Par métonymie. Lieu où un navire est effectivement ancré.

Quoi qu'il arrive, l'essentiel est de faire changer l'ancrage du bateau : comme ça, s'ils essaient de l'atteindre, ils perdront au moins trois heures avant de le trouver. Il est à la limite du port. 2
— Où veux-tu le faire passer ?
— Dans le port même.
MALRAUX, la Condition humaine, p. 18.

♦ **2** (Fin XIXe). Techn. Action, manière d'ancrer, d'attacher à un point fixe. → **Blocage, fixation.** *Ancrage des câbles d'un pont suspendu* (dans un *massif d'ancrage*). — Ch. de fer. Dispositif servant à consolider une voie. — Sports (alpin.). Assurance obtenue en passant la corde dans le mousqueton d'un piton.

♦ **3** (V. 1967). Fig. Implantation. *L'ancrage d'un parti politique dans une société. — Point d'ancrage :* lieu (abstrait) de fixation.

Spécialt, psychol. *Effet, phénomène d'ancrage :* effet provenant d'une interprétation qui ne doit rien aux propriétés de l'objet observé mais au cadre de référence implicite du sujet. — (1964, Barthes). Par anal. *Fonction d'ancrage du texte linguistique* (dans une image), permettant de déterminer un sens, et un seul, dans le champ des possibles d'une image.

La fonction dénominative correspond bien à un *ancrage* de tous les sens possibles (dénotés) de l'objet, par le recours à une nomenclature ; devant un plat (publicité *Amieux*), je puis hésiter à identifier les formes et les volumes ; la légende *(« riz et thon aux champignons »)* m'aide à choisir *le bon niveau de perception ;* elle me permet d'accommoder non seulement mon regard, mais encore mon intellection. Au niveau du message « symbolique », le message linguistique guide non plus l'identification, mais l'interprétation, il constitue une sorte d'étau qui empêche les sens connotés de proliférer soit vers des régions trop individuelles (c'est-à-dire qu'il limite le pouvoir projectif de l'image), soit vers des valeurs dysphoriques. 3
R. BARTHES, Rhétorique de l'image, *in* Communications, n° 4, 1964, p. 44.

HOM. **Encrage.**

**ANCRE** [ɑ̃kʀ] n. f. — V. 1160 ; du lat. *ancora.*

**I** ♦ **1** Instrument en forme de croc, qui immobilise le navire auquel il est relié par une ligne de mouillage (→ **Amarrage**) en se fixant sur le fond. → **Mouiller, déraper.** *Ancres anciennes en pierre. Ancre de métal, métallique. — Tenir un navire à l'ancre.* → **Embossage, embosser.** *Mettre à l'ancre. — Anneau de l'ancre.* → **Cigale, organeau.** *Barre droite de l'ancre.* → **Tige, verge** (terminée par le *diamant*). *Barre transversale de l'ancre.* → **Jas.** *Branches de l'ancre.* → **Bras** ou **pattes** (avec *oreilles* et *becs*). *Croisée de l'ancre :* ouverture des pattes. *Collet de l'ancre :* point de jonction de la verge et des pattes. *Semelle d'ancre. Le câble ou la chaîne d'ancre, fixé à l'organeau, sort du navire par les écubiers. Suspendre l'ancre au bossoir, affaler une ancre au-dessous du* *bossoir.* → **Bossoir, serre-bosse.** *Réunir une chaîne à la manille d'une ancre.* → **Étalinguer, étalingure.** — *Ancre à jas,* en acier forgé, composée d'une *verge,* ayant à une extrémité un *organeau,* à l'autre deux *bras* armés de *pattes,* sur laquelle s'articule perpendiculairement un *jas* mobile ou fixe. — *Ancre à jet* (1842), pour les mouillages temporaires. — *Ancre d'affourche, de cape, de corps-mort, d'empennelage, d'empennelle, de flot, à jet, de jusant, de touée, de veille. Maîtresse-ancre,* la plus forte du navire. — *Ancre flottante**. — Loc. *Ancre de miséricorde; ancre de salut* (vx) : la maîtresse-ancre (ou fig. → ci-dessous, cit. 7). *Ancre d'embarcation.* → **Grappin.** *Bouée d'ancre* ou *bouée d'orin.* → **Orin.** *Faire glisser la chaîne de l'ancre.* → **Riper.** — (1598). Vx. *Baigner l'ancre.* — Mod. *Jeter l'ancre. Laisser tomber l'ancre.* → **Mouiller.** *Affourcher* (cit. 1) *un navire au moyen de deux ancres. Mouiller deux ancres.* → **Empenneler.** *L'ancre croche sur le fond,* elle s'accroche, se fixe, tient. *L'ancre est dérapée,* elle est arrachée du fond. *Le navire chasse sur son ancre,* entraîne son ancre qui laboure, drague le fond sans y mordre. *L'ancre est engagée,* emmêlée avec celle des navires voisins. *L'ancre est surjalée,* elle fait un tour sur le jas ou sur les pattes. *Draguer pour recouvrer une ancre perdue. Hisser, lever les ancres au moyen du cabestan, du guindeau ou* (dans les anciens navires) *d'un palan* (→ 2. **Capon).** *Lever l'ancre.* → **Appareiller, désancrer** (→ Navire, cit. 8). *Virer sur la chaîne pour rentrer l'ancre.*

1 Prends garde, jeune pilote, que ton câble ne file ou que ton ancre ne laboure, et que le vaisseau ne dérive avant que tu t'en sois aperçu. ROUSSEAU, Émile, I.

1.1 Une ancre à jet est élongée dans le milieu de la baie pour faciliter cette manœuvre.
DUMONT D'URVILLE, Voyage au Pôle Sud, IV, 1842.

2 Jeter l'ancre était inutile; on était cloué. D'ailleurs sur ce fond à faire basculer l'ancre, la chaîne eût probablement surjouaillé (...)
HUGO, les Travailleurs de la mer, I, VI, V.

3 Pourtant, son cœur se serrait un peu, tandis qu'on levait l'ancre gaîment. LOTI, Matelot, XXV.

(XIX^e). Par anal. Appareil analogue permettant l'accrochage d'un aérostat au sol.

♦ **2** Par métaphore. Ce qui arrête, attache, consolide, fixe, maintient, stabilise.

4 Rome était un vaisseau tenu par deux ancres dans la tempête : la religion et les mœurs.
MONTESQUIEU, l'Esprit des lois, VIII, 13.

Loc. (1534, Rabelais). *À l'ancre. Être, demeurer à l'ancre,* immobilisé, dans l'inaction.

Littér. *Jeter l'ancre* (quelque part) : se fixer, s'arrêter. *Voilà bien des années qu'il a jeté l'ancre.*

5 Les pesantes années que nous jetons dans les flots du temps ne sont pas des ancres; elles n'arrêtent pas notre course.
CHATEAUBRIAND, Mémoires d'outre-tombe, IV, 7, t. VI, p. 179.

6 Ne pourrons-nous jamais sur l'océan des âges
Jeter l'ancre un seul jour? LAMARTINE, le Lac.

Fam. *Lever l'ancre :* s'en aller (→ Mettre les voiles*). *On s'embête ici, on lève l'ancre.*

Vx. *Ancre de miséricorde* ou *ancre de salut :* dernière ressource.

7 L'ancre de salut qui restait aux privilégiés, c'était le **veto** royal.
MICHELET, Hist. de la Révolution franç., p. 232.

Relig. Symbole de l'espérance chrétienne (cf. *Épître aux Hébreux,* 6, 19).

♦ **3** Motif décoratif qui figure une ancre à jas, verticale et vue de face, les bras en bas. *Elle avait cousu une ancre sur un maillot d'été.* — Insigne des personnels de la marine (nationale, marchande) et des troupes d'infanterie de marine. *Béret, casquette ornés d'une ancre.*

Blason. Représentation d'une ancre composée de la *stangue* (tige), de la *trabe* (traverse) et des *gumènes* (câble).

**II** Par anal. ♦ **1** (1561). Archit. *Ancre de construction, ancre :* barre de fer en forme de I, de S, de T, de X, de Y, destinée à empêcher l'écartement d'un mur, à s'opposer à la poussée d'une voûte.

♦ **2** (1720). Techn. *Ancre d'horlogerie :* pièce oscillante, en forme d'ancre, qui règle l'échappement (dit *à ancre*) d'une horloge. *Assortiment** *à ancre.*

DÉR. **Ancrer.** ◊ HOM. **Encre.**

**ANCRER** [ɑ̃kʀe] v. tr. — V. 1160; de *ancre.*

♦ **1** Mettre à l'ancre. → **Amarrer.** *Ancrer un navire en rade de Toulon.* — Pron. *Le navire vient de s'ancrer. Un voilier est allé s'ancrer près de la plage.* → **Mouiller.** — Absolt. Jeter l'ancre. → **Ancre, mouiller.**

Ils abordent sans peur, ils ancrent, ils descendent. 1
CORNEILLE, le Cid, IV, 3.

P. p. (XII^e). *Les navires ancrés dans la rade, en rade de Toulon.*

♦ **2** Fig. Affermir, fixer solidement. → **Enraciner, implanter.** *Ancrer quelque chose dans la mémoire de quelqu'un.* — REM. Surtout utilisé aux temps comp. et au p. p. : *les préjugés que le temps a ancrés dans l'esprit de l'homme.* — P. p. adj. (1470). *Des préjugés ancrés dans l'esprit. Une résolution profondément ancrée.* → **Irréductible.**

La vanité est si ancrée dans le cœur de l'homme (...) 2
PASCAL, Pensées, II, 150 (→ Admirateur, cit. 1).

Le mérite (...) qui l'avait de plus en plus ancré dans la faveur du roi. SAINT-SIMON, *in* LITTRÉ. 3

Toujours cette idée ancrée en moi, que l'amour de la femme ne peut pas être une condescendance (...) 4
MONTHERLANT, les Jeunes Filles, p. 42.

Ce piteux résultat, loin d'abattre le jeune Schwartz, piqua son amour-propre et l'ancra davantage dans sa résolution. 4
Francis CARCO, les Belles Manières, p. 101.

L'esprit et la vie sont deux formes sœurs issues de l'être répondant aux mêmes signaux. Ainsi le malheur est ancré au plus profond de nous-mêmes, et le doute, et l'errance. 4
J.-M. G. LE CLÉZIO, l'Extase matérielle, p. 114.

(XV^e). Fig. S'établir, prendre place, s'affermir. *Cette passion s'est ancrée en lui.* → **Invétérer** (s').

Je vois qu'il a, le traître, empaumé son esprit, 5
Qu'à ma suppression il s'est ancré chez elle (...)
J'enrage de trouver cette place usurpée.
MOLIÈRE, l'École des femmes, III, 5.

(...) j'aurai bien de la peine à m'ancrer dans son cœur *(de M^me Récamier).* B. CONSTANT, Journal intime, p. 337. 6

Quant à la Lombardie, il *(Bonaparte)* s'ancrait dans la résolution de lui conserver sa «liberté». 7
Louis MADELIN, Hist. du Consulat et de l'Empire, t. II, 9.

Rien ne serait plus dangereux pour la paix que de laisser s'ancrer dans l'opinion l'idée qu'une guerre nous menace (...) 8
MARTIN DU GARD, les Thibault, VII, 35 (→ Opinion).

♦ **3** (1397). Archit. Empêcher l'écartement d'un mur, s'opposer à la poussée d'une voûte au moyen d'une ancre. → **Ancre** (3.).

(Fin XVIII^e). Techn. Fixer avec une ancre, par un procédé d'ancrage. *Ancrer un câble.*

◆ **ANCRÉ, ÉE** p. p. adj. — Au p. p. (Voir à l'article ci-dessus). — Adj. :

♦ **1** *Navires ancrés.* → **Amarré.**

♦ **2** *Préjugés ancrés,* indéracinables.

♦ **3** (De *ancre*). Blason. *Croix ancrée*, en forme d'ancre à jas.

CONTR. **Désancrer, arracher, détacher.** ◊ DÉR. **Ancrage.** – HOM. **Encrer.**

**ANCYLO-** → **Ankylo-.**

**ANCYLOCÈRE** [ɑ̃silɔsɛʀ] n. m. — 1845; du grec *agkulos* «recourbé» (→ Ankylo-), et *keras* «corne».
Zoologie.

♦ **1** Insecte coléoptère *(Cérambycidés)* de couleurs vives.

♦ **2** Paléont. Ammonite de type déroulé, caractéristique du crétacé.

**ANDABATE** [ɑ̃dabat] n. m. — 1542, E. Dolet; lat. *andabata.*
Didact. Dans l'Antiquité romaine, Gladiateur qui combattait à cheval avec un bandeau sur les yeux.

Il me semblait que nous allions tous combattre à la façon des anciens andabates.
RETZ, Mémoires, IV, 29, *in* LITTRÉ.

**ANDAIN** [ɑ̃dɛ̃] n. m. — XIVe; *andaig,* «étendue d'un pré correspondant à un coup de faux», 1208; «valeur, mesure d'une enjambée», fin XIIe; probablt d'un dér. pop. **ambitanus*, du lat. *ambitus* «circuit, pourtour».

♦ **1** Agric. Coup de faux du faucheur; quantité d'herbe fauchée à chaque enjambée.

1 Il voulut d'abord procéder méthodiquement à la fauchaison en rassemblant et soutenant avec une baguette recourbée l'andain qu'il abattait d'un coup de sabre.
M. TOURNIER, Vendredi..., p. 58.

Chemin tracé par le faucheur à chaque enjambée.

♦ **2** (Fin XVIe). Plus cour. Ligne, rangée régulière formée par les herbes fauchées et rejetées à gauche (opération dite de l'*andainage*) faite par le faucheur, ou par un *andaineur* rotatif.

2 Les premières politesses échangées, il exposa son système relativement aux fourrages; on retournait les andains sans les éparpiller; les meules devaient être coniques et les bottes faites immédiatement sur place, puis entassées par dizaines. FLAUBERT, Bouvard et Pécuchet, II.

♦ **3** Régional. Ride solitaire d'un banc de sable (syn. : *ride de courant*).

HOM. **Andin.**

**ANDALOU, OUSE** [ɑ̃dalu, uz] adj. et n. — 1701; de *Andalousie,* esp. *Andalucia,* nom donné par les envahisseurs Vandales à cette province d'Espagne.

♦ **1** Qui se rapporte aux habitants, à la province d'Andalousie. *Le peuple andalou. Type andalou. Danse, musique andalouse. Le flamenco** (cit. 2) *andalou; la cachucha andalouse. Cheval, taureau andalou. Un chien andalou,* film de Luis Buñuel (1928). — Plais. *Œil, regard andalou,* de séducteur.

(...) il y a tant d'Espagne dans ce corazon, qui évoque aussi bien le corset que la cuirasse et qui résonne dans toutes les chansons et sonne dans tous les poèmes andalous et castillans, que Sigismond n'est point dépaysé.
A. PIEYRE DE MANDIARGUES, la Marge, p. 101.

♦ **2** N. *(Un, une Andalouse).* Personne qui habite l'Andalousie.

N. m. Cheval andalou (genet* d'Espagne).

Ling. *L'andalou* : dialecte espagnol parlé en Andalousie (voisin du castillan).

**ANDALOUSITE** [ɑ̃daluzit] n. f. — 1838; de *Andalousie.* → Andalou.
Minér. Minéral formé par l'association d'oxydes de silicium et d'aluminium formant des macles, fréquent dans les schistes cristallins.

**ANDANTE** [ɑ̃dɑ̃t; ɑ̃ndɑ̃nte] adv. et n. m. — 1710; mot. ital., p. prés. de *andare* «aller».
Musique.

♦ **1** Adv. Terme qui se met en tête d'un morceau pour indiquer un mouvement modéré (opposé à *adagio** et *allegro**). *Jouez ce passage andante, sans accélérer. Andante cantabile*, con moto, maestoso,* etc.

♦ **2** N. m. (1751, Rousseau). Air, morceau qui doit s'exécuter dans ce mouvement. *Jouer un andante.* — Spécialt. Second mouvement d'une sonate, d'une symphonie.

La duchesse doit être alliancée avec tout ça, dit François en 0.1
reprenant la conversation aux Guermantes de la rue de la Chaise, comme on recommence un morceau à l'andante. Je ne sais plus qui m'a dit qu'un de ceux-là avait marié une cousine au Duc.
PROUST, le Côté de Guermantes, Pl., t. II, p. 22.

L'andante fleurit et le piano rythme une plainte *(dans le* 1
*trio op. 97).*
Édouard HERRIOT, Vie de Beethoven, p. 229.

Par métaphore :

L'automne est un andante mélancolique et gracieux qui 2
prépare admirablement le solennel adagio de l'hiver.
G. SAND, François le Champi, Avant-propos, éd. Garnier, p. 8.

Vous avez passé de l'allégro sautillant du célibataire au 3
grave andante du père de famille.
BALZAC, Petites misères de la vie conjugale, Pl., t. X, p. 911.

DÉR. (De l'ital.) V. **Andantino.**

**ANDANTINO** [ɑ̃dɑ̃tino; ɑ̃ndɑ̃ntino] adv. et n. m. — 1751; diminutif de *andante.*
Musique.

♦ **1** Adv. Terme qui indique un mouvement un peu plus rapide que l'andante. Abrév. : *andno.*

♦ **2** N. m. (1845). Air, morceau qui doit s'exécuter dans ce mouvement. *Des andantinos.*

**-ANDE** ou **-ENDE** Suffixe ayant servi à former des noms à partir de verbes *(offrir/offrande; réprimer/réprimande; laver/lavande...).*

**ANDÉSINE** [ɑ̃dezin] n. f. — 1897; de *Andes,* et suff. *-ine.*
Minér. Minéral de la famille des feldspaths.

**ANDÉSITE** [ɑ̃dezit] n. f. — 1866; d'abord en all., pour désigner une lave des *Andes;* de *Andes,* et suff. *-ite.*
Minér. Roche volcanique, lave à texture microlithique de la famille des diorites *(andésite grise)* ou de celle des gabbros *(andésite noire* ou *basalte). On exploite à Volvic* (Puy-de-Dôme) *une andésite avec laquelle on a construit une grande partie de la ville de Clermont-Ferrand.*

Smit Sibinga et Alfred Lacroix l'ont appelée *(la limite entre le Pacifique central et sa bordure épicontinentale) ligne d'andésite* (c'est le nom d'une des laves les plus fréquemment émises par les volcans de la chaîne des Andes; comme ceux de l'Alaska, des Aléoutiennes et du Japon, ces volcans appartiennent à ce qu'on appelle le cercle de feu du Pacifique).
Jacques BOURCART, le Relief sous-marin, *in* Encycl. Pl., la Terre, p. 1281.

DÉR. **Andésitique.**

**ANDÉSITIQUE** [ɑ̃dezitik] adj. — 1886, Encycl. Berthelot, art. *Andésite;* de *andésite.*
Minér. De l'andésite.

Caractérisé par l'andésite. *Volcans andésitiques,* à laves très visqueuses (andésites).

**ANDIN, INE** [ɑ̃dɛ̃, in] adj. et n. — 1838, en bot. ; de *Andes.*

Des Andes, grande chaîne de montagnes qui s'étend sur le versant occidental de l'Amérique du Sud. *Les plateaux andins. L'économie andine. Les populations andines. L'Amérique andine* : la partie de l'Amérique du Sud où se trouvent les Andes. — *«Les cinq pays du Pacte andin»* (*l'Express,* 9 juin 1979).

En Amérique habitée, aussi bien du Nord que du Sud (exception faite des plateaux andins du Mexique et de l'Amérique centrale...).
Claude LÉVI-STRAUSS, Tristes tropiques, p. 77.

Géol. *Plissement andin,* du jurassique supérieur et particulièrement observable en Amérique du Sud.
N. *(Un, une Andine).* Personne qui habite les Andes. *Les Andins du Pérou.*

DÉR. **Andinisme.** ◊ COMP. **Transandin.** — HOM. **Andain.**

**ANDINISME** [ɑ̃dinism] n. m. — 1954 ; de *andin,* et suff. *-isme,* d'après *alpinisme.*

Techn. (sports). Alpinisme pratiqué dans la Cordillère des Andes. *L'ascension du Fitz Roy fut un des grands moments de l'andinisme.*

**ANDIRA** [ɑ̃diʀa] n. f. — XIXe ; de *Andes.*

Bot. Arbre exotique (de la famille des *Légumineuses*), dont la semence est vermifuge ; son bois *(bois de wacapou),* de couleur brun rougeâtre, utilisé en ébénisterie et en construction.

**ANDOUILLE** [ɑ̃duj] n. f. — V. 1178 ; probablt du bas lat. *inductilia,* de *inductile,* de *inducere* «introduire» (ce qu'on introduit dans le boyau).

♦ **1** Charcuterie à base de boyaux de porc ou de veau, coupés en lanières et enserrés dans une partie du gros intestin, et qui se mange en général froide. *Andouilles de Vire, de Guéméné, de Bretagne. Andouille fumée.*

1 (...) les andouilles, empilées deux à deux, crevant de santé (...) ZOLA, le Ventre de Paris, t. I, p. 55.

Loc. fig. *Cela s'en est allé en brouet d'andouille* (→ mod. En eau de boudin*) : les espérances se sont évanouies.
(Vx ou plais.). *Dépendeur d'andouilles :* grand niais (à qui sa haute taille permet de dépendre les andouilles que les charcutiers suspendent dans leurs boutiques).
*Être ficelé comme une andouille,* boudiné, serré. → **Saucisson.**

♦ **2** (1866). Fam. Niais, imbécile. *Espèce d'andouille ! C'est une fameuse andouille. Cette andouille, cette andouille fumée de Untel.* — (Abusivt au masc. en parlant d'un homme). *Un andouille comme ça, je n'en veux pas.* — Adj. *Ce qu'il peut être andouille ! «Peut-on supposer qu'il y ait des frères assez andouilles pour couper là-dedans ?»* (J. Romains, *in* T. L. F.). — En exclam. *Andouille ! Bandes d'andouilles ! Pauvre andouille !*

2 Rouge à éclater, les poings serrés, Blaireau roule des yeux fous : – Andouille ! triple andouille ! crapule !
A. ALLAIS, l'Affaire Blaireau, p. 105.

Loc. *Faire l'andouille, son andouille :* faire l'imbécile. *Allez, cesse donc de faire l'andouille. J'ai fait l'andouille pendant deux heures à la Sécurité sociale,* j'ai attendu pendant deux heures. — Simuler la naïveté. *J'ai fait l'andouille quand on m'a posé la question.*

♦ **3** (1721). Techn. Feuilles de tabac roulées. *Andouilles de tabac.* — Papet. Défaut du papier dû à la formation de pâtons.

♦ **4** (V. 1178). Vx, pop. Membre viril.

DÉR. **Andouillette.**

**ANDOUILLER** [ɑ̃duje] n. m. — V. 1354 ; altér. de *antoillier,* du lat. pop. *ante-oculare* «qui est devant les yeux».

Ramification du merrain des bois (→ **Corne**) des cervidés (permettant de déterminer l'âge de l'animal). → 1. **Cor, empaumure, épois, merrain, trochure.** *Andouiller d'œil, maître andouiller,* servant au combat.

*(Le vent)* agite doucement les andouillers feuillus d'un cerf gigantesque, et les frondaisons palpitent comme des ailes de tête de mort. 1
A. JARRY, les Minutes de sable mémorial, Pl., t. I, p. 207-208.

Sombre statue d'ébène, il portait haut sur son encolure musculeuse un buisson de vingt-quatre andouillers distribués aussi régulièrement que les nervures d'un cristal de glace. M. TOURNIER, le Roi des Aulnes, p. 223. 2

**ANDOUILLETTE** [ɑ̃dujɛt] n. f. — 1680 ; nom de personne, 1451 ; de *andouille.*

Petite andouille dont le contenu est haché assez fin, et qui se mange en général chaude (à la différence de l'andouille). *Andouillette de Troyes. Andouillette purée. Andouillette au vin blanc.*

**ANDRACHNÉ** [ɑ̃dʀakne] n. m. — 1771 ; lat. *andrakhnê,* mot grec.

Bot. Plante à tige à demi ligneuse, à feuilles charnues, poussant dans les terrains vagues *(Euphorbiacées).*

**ANDRADITE** [ɑ̃dʀadit] n. f. — XXe ; angl. *andradite,* av. 1880, J. Dana ; du nom de J. B. de Andrada e Silva, minéralogiste portugais.

Minér., techn. (bijouterie). Variété de grenat de couleur variable, à éclat adamantin. Syn. : *grenat démantoïde.*

**ANDRAGOGIE** [ɑ̃dʀagɔʒi] n. f. — 1970 ; de *andr(o)-,* grec *aner, andros* «homme» au sens de «adulte» (opposé à enfant), et *-agogie,* d'après *pédagogie ;* cf. all. *Andragogik,* 1957, F. Pöggler, angl. *andragogy,* esp. *andragogia.*

Didact. (surtout au Canada). Science et pratique de l'aide éducative à l'apprentissage, pour les adultes, hommes et femmes. → **Pédagogie** (au sens large) ; → Éducation, formation* permanente. *«Andragogie et travail de groupe»* (*in* P. Goguelin, *la Formation continue des adultes,* 1970).

Un système d'unités (...) permettant à la bénéficiaire de construire son propre «itinéraire de formation» (...) Une fois achevé le cycle complet avec un maximum de professionnalisation, l'intéressée pourrait arriver à un diplôme universitaire en andragogie (...) L'aptitude à l'enseignement aux adultes viendra bien souvent s'ajouter à une autre qualification d'aptitude à l'enseignement de telle ou telle discipline.
Éducation des adultes et promotion du statut égalitaire des femmes, Conseil de la Coopération culturelle, Strasbourg 1980, p. 10.

DÉR. **Andragogique, andragogue.**

**ANDRAGOGIQUE** [ɑ̃dʀagɔʒik] adj. — 1970 ; de *andragogie.*

Didact. De l'andragogie. *«La différence entre la situation pédagogique et la situation andragogique»* (P. Goguelin, *la Formation continue des adultes,* 1970). *«Principes andragogiques et apprentissage d'une langue seconde par des adultes»* (*Programme du département d'Andragogie,* Université de Montréal, 1981).

**ANDRAGOGUE** [ɑ̃dʀagɔg] n. — 1970; de *andragogie*, d'après *pédagogue*.

Didact. Professionnel(le) de l'aide éducative aux adultes en situation d'apprentissage.

**-ANDRE, -ANDRIE** Élément final, du grec *anêr, andros* «homme». → **Andro-**.

♦ **1** Bot. Entre dans la formation d'adj. et de noms servant à désigner une plante d'après le nombre de ses étamines. Ex. : *monandre*, à une étamine; *polyandre*, à plusieurs étamines (→ Diandre, heptandre, hexandre, octandre, tétrandre...). *-andrie* sert à former les noms féminins correspondants : *monandrie, polyandrie, diandrie*, etc.

♦ **2** Désigne un rapport à l'homme. → **Scaphandre.** — Spécialt (au sens de «mari»). → **Polyandre, polyandrie.** — Au sens de «mâle de l'espèce humaine». → **Misandre.**

**ANDRÈNE** [ɑ̃dʀɛn] n. f. — 1809; du lat. zool. *andrena* (1775), du grec *anthrênê* «frelon».

Zool. Insecte hyménoptère *(Apidés)*, abeille solitaire qui fait son nid dans la terre.

**ANDRINOPLE** [ɑ̃dʀinɔpl] n. f. — 1821; de la ville d'*Andrinople*, en Turquie.

♦ **1** Vx. Rouge de garance. Syn. : *rouge d'Andrinople*, ou *rouge Andrinople* ou *rouge turc*.

♦ **2** (1825). Mod. Tissu d'ameublement, en coton armure satin, teint en rouge.

1 Celle-ci, qui attendait paisible et souriante, sans hâte ni gêne, depuis que le mariage était décidé, se mit alors à lui dire joyeusement tout ce qu'elle désirait : une chambre rouge, tendue d'andrinople à vingt sous le mètre (...)

ZOLA, Paris, t. II, p. 47.

2 Néanmoins M. le juge s'attarde un peu ce matin sous l'édredon d'andrinople dont le discret parfum lui rappelle son enfance.

BERNANOS, Un crime, *in* Œ. roman., Pl., p. 795.

**ANDRO-** Élément initial, du grec *anêr, andros* «homme, mâle» (→ **-andre**) qui entre dans la composition de mots savants. Voir ci-dessous à l'ordre alphabétique.

**ANDROCÉE** [ɑ̃dʀɔse] n. f. — 1845; de *andro-*, et *-cée*, de *oikia* «maison».

Bot. Ensemble des étamines de la fleur. → **Anthéridie.**

CONTR. **Gynécée.**

**ANDROCÉPHALE** [ɑ̃dʀosefal] adj. — 1919; de *andro-*, et *-céphale*.

Didact. À tête humaine. *Chimère androcéphale.*

*(Un nom qui)* eût paru insuffisamment en harmonie avec un visage qui semblait rapporté du palais de Darius (...) si, choisi par quelque amateur désireux de donner un couronnement oriental à cette figure de Suse, le prénom de Nissim n'avait fait planer au-dessus d'elle les ailes de quelque taureau androcéphale de Khorsabad.

PROUST, À l'ombre des jeunes filles en fleurs, Pl., t. I, p. 774.

**ANDROCTONE** [ɑ̃dʀɔktɔn; ɑ̃dʀokton] n. m. — XIX^e; de *andro-*, et grec *kteinein* «tuer».

Zool. Variété de scorpion commun en Afrique du Nord.

**ANDRODAMAS** [ɑ̃dʀodamas] n. m. — 1838; mot grec, mot à mot «qui dompte, subjugue l'homme» de *anêr, andros* (→ Andro-), et *-damas*, de *damao* «soumettre».

♦ **1** Antiq. Pierre précieuse que l'on croyait douée de vertus psychologiques (apaisement de la colère, etc.).

♦ **2** Minér. Calcite.

**ANDROGAME** [ɑ̃dʀɔgam] n. m. — Déb. XVII^e, d'Aubigné, attestation isolée; repris 1884, Élémir Bourges (*in* T. L. F.); de *andro-*, et *-game*.

Rare. Époux d'un homme; homosexuel.

DÉR. **Androgamie.**

**ANDROGAMIE** [ɑ̃dʀɔgami] n. f. — 1766; de *androgame*.

Rare. Mariage entre hommes. — Polygamie (pour une femme).

(...) de l'avis du Conseil il fut statué qu'on aurait un mari depuis dix-huit ans jusqu'à vingt-cinq, qu'alors l'androgamie seroit permise, et qu'on pourroit avoir trois maris depuis vingt-cinq jusqu'à trente.

J.-P.-L. DE LUCHET, la Reine de Benni, 1766, *in* D. D. L., II, 7.

**ANDROGÈNE** [ɑ̃dʀɔʒɛn] adj. et n. m. — 1945, *in* D. D. L.; de *andro-*, et *-gène*.

Biol. Qui provoque l'apparition des caractères sexuels masculins. *Hormones androgènes* (ou *mâles*). — N. m. *Un androgène* : une substance hormonale mâle.

DÉR. et COMP. **Androgénique, anti-androgène.**

**ANDROGENÈSE** [ɑ̃dʀɔʒənɛz; ɑ̃dʀɔʒenɛz] n. f. — 1936; de *andro-*, et *genèse*.

Biol. Développement d'un embryon sous l'influence des seuls chromosomes du père, sans apport de l'hérédité maternelle (syn. : *parthénogenèse mâle*). — On trouve aussi la forme *androgénie*.

**ANDROGÉNIQUE** [ɑ̃dʀɔʒenik] adj. — Mil. XX^e (1958, Garnier et Delamare); de *androgène*.

Biol. Relatif aux hormones androgènes. *Propriétés androgéniques. Insuffisance androgénique* ou *hypoandrogénie. Syndrome androgénique* ou *virilisme.* «*La production androgénique cortico-surrénale*» (L. Binet).

**ANDROGYNAT** [ɑ̃dʀɔʒina] n. m. — 1875; de *androgyne*.

Didact. (anthropol., méd.). État d'une personne androgyne. → **Androgynéité, androgynisme.**

«Il y faudrait le génie des deux sexes à la fois, la puissance de l'un, la pudeur, la délicatesse de l'autre — une espèce d'androgynat, mon rêve! — Et vous me proposez la collaboration, que dis-je! la surveillance d'un homme qui sue la virilité par tous les pores (...)» 1

BERNANOS, la Joie, Pl., *in* Œ. roman., p. 646.

«L'androgynat divin, écrit Éliade, n'est pas autre chose qu'une formule archaïque de la biunité divine»; tandis que Przyluski veut voir dans cette combinaison des deux sexes en une seule personne l'ultime évolution des dyades bissexuées avant les cultes suprêmes du dieu masculin. 2

Gilbert DURAND, les Structures anthropologiques de l'imaginaire, p. 334-335.

**ANDROGYNE** [ɑ̃dʀɔʒin] adj. et n. — XIV^e; lat. *androgynus*, grec *androgunos*, de *anêr, andros* (→ Andro-), et *gunê* «femme» (→ -gyne).

♦ **1** Adj. Biol., méd. Qui présente certains des caractères sexuels du sexe opposé. *Femme androgyne*, dont la morphologie ressemble à celle d'un homme. *Homme androgyne*, à caractères extérieurs féminins. → **Hermaphrodite.**

Jocelyn *(le personnage de Lamartine)* tout imprégné du sentiment de la nature et de ses rythmes, surdéterminé par la présence de Laurence «androgyne» — jeune garçon au début du récit et femme amoureuse à la fin (...) 0.1

Gilbert DURAND, les Structures anthropologiques de l'imaginaire, p. 351.

Plus cour. Dont le caractère, le comportement a des traits caractéristiques de l'autre sexe, en parlant d'un être humain. *Un jeune homme assez androgyne.* — Par ext., cour. Qui tient des deux sexes. *Il, elle a une allure un peu androgyne.* — *Un style androgyne.*

♦ **2** Adj. (1771). Bot. *Plante androgyne,* dont l'inflorescence réunit des fleurs mâles et femelles; qui se suffit à elle-même pour se reproduire. → **Monoïque** (opposé à *dioïque*).

♦ **3** N. (1555). *Un, une androgyne* : personne qui présente des caractères de l'autre sexe. → **Hermaphrodite; androgynie** (cit.).

1 On imagina des androgynes possédant les deux sexes à la fois. VOLTAIRE, Dialogues, 25.

2 (...) androgyne bizarre, pétri des sangs divers de ma mère et de mon père (...) CHATEAUBRIAND, Mémoires d'outre-tombe, t. II, p. 105.

N. m. Myth. Être humain imaginaire, morphologiquement double (quatre bras, quatre jambes, une tête à deux visages). *Les Androgynes tentèrent de chasser les dieux de l'Olympe; après leur échec, Zeus les coupa en deux pour les punir : une moitié devint l'homme, l'autre la femme, vouées à se rechercher toujours pour se réunir à nouveau.* → Soupirer, cit. 3.1.

DÉR. et COMP. **Androgynat, androgynéité, androgynie, androgynique, androgynisme, androgynoïde.**

**ANDROGYNÉITÉ** [ɑ̃dʀɔʒineite] n. f. — Mil. XIXe, Baudelaire; de *androgyne.*

Didact., rare. Caractère d'une personne androgyne. → **Androgynat, androgynisme.**

**ANDROGYNIE** [ɑ̃dʀɔʒini] n. f. — XVIe, Le Caron; repris 1842; de *androgyne.*

♦ **1** Biol., méd. Caractère d'une personne androgyne; pseudo-hermaphrodisme partiel.

Gisèle était plus femelle que nature, et l'ordre des rencontres faisait que je la connaissais après n'avoir, durant trois ans, connu qu'un androgyne. Odette était même au-delà de l'androgynie; c'était un démon asexué comme un ange. Jacques LAURENT, les Bêtises, p. 254.

Plus cour. Caractère, attitude d'une personne androgyne*.

♦ **2** (1845). Bot. Caractère d'une plante qui réunit à la fois des fleurs mâles et femelles et se suffit à elle-même pour se reproduire.

**ANDROGYNIQUE** [ɑ̃dʀɔʒinik] adj. — XXe; de *androgyne.*

Didact. Relatif à l'androgynie.

Dans la Cité solaire (...) les habitants sont revêtus d'innocence enfantine, ayant accédé à la sexualité solaire qui, plus encore qu'androgynique, est circulaire. M. TOURNIER, Vendredi..., p. 12.

**ANDROGYNISME** [ɑ̃dʀɔʒinism] n. m. — 1838; de *androgyne.*

Biol. méd. (rare). État d'une personne androgyne. → **Androgynat, androgynéité.**

**ANDROGYNOÏDE** [ɑ̃dʀɔʒinɔid] adj. et n. — XXe; de *androgyne,* et *-oïde.*

Didact. Qui présente certains des caractères de l'androgyne, qui tend vers l'androgynie. — N. *Un, une androgynoïde.*

**ANDROÏDE** [ɑ̃dʀɔid] n. m. et adj. — XVIIe, Naudé (cité *in* Trévoux); de *andr(o)-,* et *-oïde.*

♦ **1** N. m. Didact. Automate à forme humaine. — REM. A. France emploie la forme *andréide* [ɑ̃dʀeid] au féminin, dans le même sens.

♦ **2** Adj. (XXe). Qui présente les caractères de l'homme, de l'humain.

Le désir de puissance consacre la machine comme moyen de suprématie, et fait d'elle le philtre moderne. L'homme qui veut dominer ses semblables suscite la machine androïde. Il abdique alors devant elle et lui délègue son humanité. Il cherche à construire la machine à penser, rêvant de pouvoir construire la machine à vouloir, la machine à vivre, pour rester derrière elle sans angoisse, libéré de tout danger, exempt de tout sentiment de faiblesse, et triomphant médiatement par ce qu'il a inventé. Gilbert SIMONDON, Du mode d'existence des objets techniques, p. 10.

**ANDROLÂTRE** [ɑ̃dʀɔlatʀ] adj. et n. — V. 1790; de *andro-,* et *-lâtre.*

Didact. Qui adore Dieu en le considérant sous une forme humaine. Qui voue à un homme un culte divin (androlâtrie). — N. *Un, une androlâtre.*

**ANDROLÂTRIE** [ɑ̃dʀɔlatʀi] n. f. — V. 1790; de *andro-,* et *-lâtrie.*

Didact. Culte rendu par l'androlâtre.

**ANDROLOGIE** [ɑ̃dʀɔlɔʒi] n. f. — Av. 1970 (*in* Manuila); de *andro-,* et *-logie,* d'après *gynécologie.*

Didact. (méd.). Discipline médicale qui étudie la morphologie et les maladies (notamment les affections de l'appareil génital) spécifiquement masculines.

DÉR. **Andrologique, andrologue.**

**ANDROLOGIQUE** [ɑ̃dʀɔlɔʒik] adj. — V. 1970; de *andrologie.*

Didact. (méd.). Relatif à l'andrologie. «*(...) la microchirurgie andrologique (...) une technique révolutionnaire destinée à corriger des causes de stérilité*» (*le Monde,* 11 août 1982, p. 10).

**ANDROLOGUE** [ɑ̃dʀɔlɔg] n. — V. 1970; de *andro(logie),* et *-logue.*

Didact. (méd.). Spécialiste de l'andrologie. «*Les chances de (...) fécondation sont très faibles (...) À l'andrologue, donc, de faire comprendre cette situation au couple, qui devra en tirer les conséquences les mieux adaptées à son cas*» (*le Monde,* 11 août 1982, p. 10).

**ANDROMANIE** [ɑ̃dʀɔmani] n. f. — V. 1814; de *andro-,* et *-manie.*

Méd. (vx). Désir excessif de relations hétérosexuelles chez la femme. → **Nymphomanie.**

**ANDROMÈDE** [ɑ̃dʀɔmɛd] n. f. — 1808; du nom mythologique, désignant en français une constellation (1557).

Bot. Arbrisseau de la famille des *Éricacées,* à feuilles alternes ou opposées, à fleurs en grappes ou en épi, propre aux zones septentrionales. *Les racines traçantes de l'andromède fournissent l'un des matériaux de la tourbe. L'asébotoxine* (ou *andromédotoxine*), *substance extraite de certaines andromèdes.*

**ANDROPAUSE** [ɑ̃dʀopoz] n. f. — 1952, Porot de *andro-*, et grec *pausis* «cessation»; formé d'après *ménopause.* REM. **Le mot est mal formé et n'est pas sémantiquement parallèle à ménopause.**

Méd. Cessation de la fonction sexuelle chez l'homme. *L'andropause* ou *retour d'âge masculin.*

1 En ce qui concerne la «ménopause masculine» (andropause), il existe des hypothèses intéressantes, mais on ne dispose que d'un petit nombre d'observations et de recherches concrètes. C'est Mendel qui, le premier, avait affirmé l'existence d'un *climacterium virile.* À partir d'un certain âge, des hommes que le savant avait observés, se plaignaient de troubles nerveux, d'angoisses périodiques ainsi que de crises subites de faiblesse, d'irritabilité, d'anxiété, d'hyperémotivité et de sensiblerie.
Dr. A. HEURI, le Retour d'âge masculin et féminin *in* Dr WILLY, la Sexualité, t. II, p. 193.

2 Je dirais à Emma que vous débutez votre andropause. — C'est grave? demandai-je ironiquement. — L'andropause est pour l'homme ce que la ménopause est pour la femme.
Cecil SAINT-LAURENT, la Mutante, p. 65.

**ANDROPHILE** [ɑ̃dʀɔfil] adj. et n. — 1790; de *andro-*, et *-phile.*

Didact. Qui aime les hommes, les mâles humains, et non pas les individus de l'espèce humaine, en général (→ Philanthrope). — N. *Un, une androphile.*

Oui, misogyne (...) je l'étais, ou plutôt étais-je androphile parce qu'aucun homme — et surtout pas mon père — ne m'encombrait à ce point.
Michèle PERREIN, Entre chienne et louve, p. 94.

CONTR. **Androphobe, misandre.**

**ANDROPHILIE** [ɑ̃dʀɔfili] n. f. — D. i.; de *andro-*, et *-philie.* → Androphile.

Didact. Le fait d'aimer les hommes, les mâles humains.

CONTR. **Androphobie, misandrie.**

**ANDROPHOBE** [ɑ̃dʀɔfɔb] adj. et n. — Mil. XIXe; de *andro-*, et *-phobe.*

Didact. Qui craint ou hait les hommes, les mâles humains. — N. *Un, une androphobe.* → **Misandre.**

CONTR. **Androphile.** ◊ DÉR. **Androphobie.**

**ANDROPHOBIE** [ɑ̃dʀɔfɔbi] n. f. — V. 1960; de *androphobe.*

Didact. Crainte ou haine des hommes; aversion pour le sexe masculin. → **Misandrie.**

L'androphobie ne vaut pas plus cher que la misogynie, dit une voisine, strictement boutonnée dans son uniforme d'hôtesse de l'air. Hervé BAZIN, Madame Ex, p. 117.

CONTR. **Androphilie.**

**ANDROPOGON** [ɑ̃dʀɔpɔgɔ̃] n. m. — 1839; de *andro-*, et grec *pôgôn* «barbe».

Bot. Plante monocotylédone *(Graminées)* herbacée, vivace, comprenant un grand nombre de variétés. → **Schénanthe, sorgho, vétiver.**

**ANDROSACE** [ɑ̃dʀozas] n. f. ou m. — 1562; lat. *androsaces*, grec *androsakês*, de *anêr, andros* (→ Andro-), et *sakos* «bouclier».

Bot. Plante dicotylédone *(Primulacées)* des montagnes, employée pour la décoration des rocailles. «*Mai est le mois dominant de la rocaille. Vous sont alors offerts : Céraistes, Œillets (...) Androsaces*» (*Jours de France,* 11-17 mars 1974).

**ANDROSÈME** [ɑ̃dʀozɛm] n. m. — XIXe; de *andro-, -s-*, et grec *aima* «sang».

Bot. Plante dicotylédone *(Hypéricinées)* herbacée, vivace, qui croît dans les endroits humides. *L'androsème est cultivé comme plante d'ornement.*

**ANDROSTÉRONE** [ɑ̃dʀostεʀɔn] n. f. — 1931, Garnier; de *andro-, stér(ol),* et *(horm)one.*

Biol. Hormone sexuelle mâle active au moment de la puberté.

(...) dans l'urine d'homme (...) une substance active (...) Sa formule fut établie en 1933 et se montra voisine de celle de la folliculine. Elle fut appelée *androstérone.*
Pierre REY, les Hormones, p. 27.

**ANDROTOME** [ɑ̃dʀotom] adj. et n. f. — 1842; de *andro-*, et *-tome.*

Bot. Se dit des plantes aux étamines divisées en deux par une sorte d'articulation. — N. f. La plante elle-même.

**ÂNE** [ɑn] n. m. — Xe, *asne;* du lat. *asinus.*

♦ 1 [a] Mammifère domestique *(Équidés),* plus petit que le cheval, à grosse tête et longues oreilles, à crinière courte et à robe généralement grise avec une raie le long du dos et sur les épaules. → **Aze** (vx), **baudet, bourricot, grison** (fam.), **roussin** (d'Arcadie, par plais.). «*Un de ces vieux ânes butés*» (→ Brusque, cit. 6, Bosco). *Femelle de l'âne.* → **Ânesse, asine, bourrique.** *Petit de l'âne.* → **Ânichon, ânon,** et aussi **bourricot, bourriquet.** *Produit d'un âne et d'une jument, ou d'un cheval et d'une ânesse.* → **Mule, mulet** (spécialt **bardot** dans le dernier cas). *Relatif à l'âne.* → **Asinaire, asine, asinien.** *Le zèbre est zoologiquement proche de l'âne. L'âne brait. À cause de son braiment discordant, l'âne a été surnommé par plaisanterie* rossignol d'Arcadie (l'Arcadie était célèbre pour ses ânes). *L'âne dresse les oreilles.* → **Chauvir.** *Bâter, embâter, débâter un âne. Aller, monter sur un âne, à dos d'âne. Sancho Pança sur son âne. Aiguillonner un âne avec un diguet. Transporter à dos d'âne. Hongrer un âne. Conducteur d'âne.* → **Ânier.** *Le meunier, son fils et l'âne,* fable de la Fontaine.

Un vieillard sur son âne aperçut en passant 1
Un pré plein d'herbe et fleurissant.
Il y lâche sa bête, et le grison se rue (...)
LA FONTAINE, Fables, VI, 8.

Plus bête que l'âne de la fable, je m'inquiétais beaucoup 2
pour savoir de quel maître j'aurais l'honneur de porter le bât (...) ROUSSEAU, les Confessions, V.

L'âne est d'un naturel aussi sensible, aussi patient, aussi 3
tranquille que le cheval est fier, ardent, impétueux (...)
BUFFON, Hist. nat. des animaux, l'Âne.

(...) un âne dont un fellah bâtonnait la maigre croupe (...) 4
Th. GAUTIER, le Roman de la momie, Prologue, p. 8.

(...) des ribambelles de petits ânes chargés de sacs montant 5
et dévalant le long des chemins (...)
Alphonse DAUDET, Lettres de mon moulin, «Le secret de Maître Cornille».

(Dans la Bible). *L'âne et le bœuf de la crèche* (Isaïe, 1, 3). *Jésus, monté sur un âne, fait son entrée triomphale à Jérusalem* (Matthieu, 21, 7). *La loi interdit d'attacher le bœuf et l'âne ensemble* (Deutéronome, 22, 10). *La viande de l'âne est considérée comme impure* (Deutéronome, 14). *Samson utilisa contre les Philistins, une mâchoire d'âne* (Livre des Juges, 15, 16).

Noël. C'est l'âne le premier q(ui) trouve l'étable et q(ui) 5.1
pousse la porte avec son museau.
CLAUDEL, Cahiers VI, Mai 1929, *in* Journal, t. I, Pl., p. 856.

Loc. compar. *Têtu, entêté comme un âne. Brailler, crier, gueuler comme un âne. Méchant, sournois comme un âne. Méchant comme un âne rouge* (à cause de la réputation médiévale de méchanceté des personnes rousses). *Sérieux comme un âne qu'on étrille.*

6 L'obstination et ardeur d'opinion est la plus sûre preuve de bêtise : est-il rien certain, résolu, dédaigneux, contemplatif, grave, sérieux, comme l'âne ?
MONTAIGNE, Essais, III, 8, De l'art de conférer.

*Être comme l'âne de Buridan* (que, d'après une histoire symbolique attribuée au philosophe Buridan, l'on représente placé entre un seau d'eau et une botte de foin et qui meurt sans pouvoir se décider) : hésiter entre deux partis, ne savoir lequel prendre.

**b** (En parlant d'autres animaux de la même espèce zoologique ou d'espèces voisines). *Âne sauvage.* → **Hémione**, 1. **onagre** (cit.).

♦ **2** (XIIIe). Fig. Individu à l'esprit borné, incapable de rien comprendre. → **Aliboron** (cit. 2), **bourrique ; balourd, bête, buse, butor, cruche, idiot, ignorant, imbécile, lourdaud, niais, peccata** (VX), **sot, stupide ; ânerie.** *Couples d'ânes* (→ cf. lat. *Arcades ambo*). *Quel âne ! C'est un âne. Cette fille est un âne.* → **Ânesse.** — *Âne bâté** (renforcement péj.). — *Espèce d'âne ! Bougre d'âne, tu ne comprendras jamais rien !* — (En fonction d'adj. attribut). *Qu'il est âne ! Il est encore plus âne que son frère.*

7 Le plus âne des trois n'est pas celui qu'on pense.
LA FONTAINE, Fables, III, 1.

8 Oui, Messieurs, un lourdaud, un animal, un âne.
Que l'on m'amène un âne, un âne renforcé (...)
LA FONTAINE, Fables, VI, 19.

9 (...) Il profane
Notre auguste nom, traitant d'âne
Quiconque est ignorant, d'esprit lourd, idiot.
LA FONTAINE, Fables, XI, 5.

10 Ma foi, de tels savants sont des ânes bien faits.
MOLIÈRE, les Fâcheux, III, 2.

11 Je commençais à passer pour un vaurien, un révolté, un paresseux, un âne enfin.
CHATEAUBRIAND, Mémoires d'outre-tombe, I, I, p. 35.

Par métaphore du sens concret, mais allus. au sens figuré :

12 (...) Le peuple ? Un âne qui se cabre !
HUGO, les Châtiments, III, 8, 3.

T. d'injure atténuée. Vieilli. *Face d'âne, tête d'âne.*

♦ **3** Loc. métaphorique (où *âne*, au sens 1., a une valeur métaphorique ou bien prend le sens figuré). *Oreilles d'âne :* longues oreilles considérées comme le symbole de l'ignorance.

13 Midas, le roi Midas a des oreilles d'âne.
BOILEAU, Satires, III.

*Bonnet d'âne :* bonnet en papier, garni de deux cornes figurant des oreilles d'âne, dont on affublait les cancres pour les humilier. *Coiffer, porter un bonnet d'âne.*

14 Il n'y a qu'un bonnet d'âne à mettre sur la tête d'un savant qui croit savoir bien ce que c'est que la dureté, la cohérence (...) VOLTAIRE, Lettre du roi de Prusse, 57.

*C'est le pont aux ânes* [pɔ̃tozan], une difficulté qui ne peut arrêter que les ignorants ; spécialt, le théorème de Pythagore.

*Guide-âne.* Voir ce mot.

Prov. *L'âne du commun est toujours le plus mal bâté :* les affaires de la communauté sont toujours plus mal gérées que celles des particuliers.

*L'âne frotte l'âne* (lat. : *asinus asinum fricat*) : les sots, les vaniteux se complaisent dans la louange réciproque.

15 Deux ânes qui, prenant tour à tour l'encensoir,
Se louaient tour à tour, comme c'est la manière (...)
Ces ânes, non contents de s'être ainsi grattés,
S'en allèrent dans les cités
L'un l'autre se prôner (...)
LA FONTAINE, Fables, IX, 5.

*L'âne vêtu de la peau du lion :* un personnage insignifiant sous les apparences d'un pouvoir redoutable (par allus. à la fable de La Fontaine) :

De la peau du lion l'âne s'étant vêtu 16
Était craint partout à la ronde.
LA FONTAINE, Fables, V, 21.

Prov. *À laver la tête d'un âne on perd sa lessive :* c'est peine perdue de vouloir corriger une personne stupide.

Loc. *Brider un âne par la queue :* faire quelque chose maladroitement.

*Contes de Peau-d'Âne,* petits contes inventés pour l'amusement des enfants, par allusion au conte de *Peau d'âne,* où la fille d'un roi se cache sous une peau d'âne. — Allus. littéraire :

Si Peau-d'Âne m'était conté, 17
J'y prendrais un plaisir extrême.
LA FONTAINE, Fables, VIII, 4.

Loc. *Le coup de pied de l'âne* (donné par l'âne au lion devenu vieux, dans les fables de Phèdre et de La Fontaine) : dernière attaque ou insulte que le faible lance lâchement contre un adversaire accablé.

*Ne pas se trouver dans le pas* (→ 1. Pas, cit. 30) *d'un âne :* être très difficile à trouver.

*Faire l'âne pour avoir du son, du foin :* faire l'imbécile pour obtenir une information utile.

*Pour un point, Martin perdit son âne :* il suffit de peu de chose pour échouer (ou pour réussir). → aussi 1. Point, IV., A., 2.

*Il y a plus d'un âne à la foire qui s'appelle Martin :* il se trouve toujours plusieurs personnes qui portent le même nom.

*On ne saurait faire boire un âne qui n'a pas soif :* on ne saurait obliger un entêté à faire ce qu'il n'a pas envie de faire.

*Passer du coq à l'âne* (→ **Coq-à-l'âne**).

♦ **4** Loc. fig. (1469). **DOS D'ÂNE** [dodɑn]. *En dos d'âne,* présentant cette forme.

Sentiers, feuillages, ombrages, petits ponts en dos d'âne (...) 18
Violette LEDUC, la Folie en tête, p. 495.

N. m. invar. → **Dos d'âne.**

♦ **5** Loc. (où *âne* a le sens 1.). Bot. *Chardon aux ânes.* → **Onoporde.** *Herbe aux ânes.* → 2. **Onagre, œnothéra.** — *Oreille d'âne.* → **Pézize.**

♦ **6** Loc. fig. Techn. *Bec d'âne.* → **Bec ; bédane.** — *Banc d'âne,* servant à assujettir une pièce de bois avant de la façonner.

♦ **7** Vx. *Âne de mer, âne marin.* → **Poulpe.**

CONTR. (De 2.) V. **Intelligent, savant.** ◊ DÉR. **Anée, ânerie, ânesse, ânichon, ânon.** (Du lat. *asinus*) **Ânier, asine, asinien.** ← COMP. **Bec d'âne, coq-à-l'âne, dos d'âne, guide-âne, mordâne, pas-d'âne, pet d'âne, zébrâne.**

**-ANE** Élément de mots de chimie, désignant les hydrocarbures saturés de formule $C_nH_{2n+2}$ (opposé à *-ène*). → **Alcane, butane, cétane, éthane, méthane, octane, pentane, propane.** — En combinaison avec le préf. *cyclo-,* désigne les hydrocarbures cycliques (ex. : *cyclopropane*).

**ANÉANTIR** [aneɑ̃tiʀ] v. tr. — V. 1170, *aniantir;* de 1. *a-,* et *niant,* forme anc. de *néant,* refait en *anéantir,* v. 1260.

♦ **1** Didact. Faire rentrer dans le néant. *Pour les croyants de certaines religions, Dieu peut anéantir l'univers.* → **Abîmer, engloutir.**

(...) ceux qui vivent sans songer à cette dernière fin de la vie (...) La mort (...) les doit mettre infailliblement (...) dans l'horrible nécessité d'être éternellement ou anéantis ou malheureux. PASCAL, Pensées, III, 195. 1

2 Si possédant, comme Dieu, la vérité, l'unique vérité, un homme la laissait tomber de ses mains, le monde en serait anéanti sur le coup et l'univers se dissiperait aussitôt comme une ombre.
FRANCE, le Jardin d'Épicure, p. 26.

Absolt. → Abîme (cit. 5.1).

♦ **2** Cour. Détruire au point qu'il ne reste rien. → **Absorber, annihiler, annuler, consumer, détruire, disparaître** (faire), **dissoudre, emporter, enterrer** (fig.), **épuiser, éteindre, étouffer, faucher, fondre, jeter** (à bas, par terre), **précipiter** (dans l'abîme, dans l'oubli...), **pulvériser, réduire** (en poudre, en poussière), **submerger.** *Anéantir une armée* (→ **Battre**), *un ennemi* (→ **Tuer**). *Anéantir un peuple, une race.* → **Exterminer.** *Anéantir une coutume, un usage.* → **Abolir.** *Anéantir une fortune.* → **Dévorer, dissiper, engloutir, ruiner.** *Anéantir l'autorité.* → **Abattre, briser.** *Anéantir la liberté. Anéantir une loi, les effets d'une loi en l'abrogeant.*

3 Anéantir leur pompe, éteindre leur vigueur.
CORNEILLE, Poésies diverses, 3.

4 Ce temple l'importune, et son impiété
Voudrait anéantir le Dieu qu'il a quitté.
RACINE, Athalie, I, 1.

5 Il y a telle femme qui anéantit ou qui enterre son mari au point qu'il n'en est fait dans le monde aucune mention.
LA BRUYÈRE, les Caractères, III, 76.

6 Que peuvent des évêques qui ont anéanti eux-mêmes l'autorité de leur chaire (...) en condamnant ouvertement leurs prédécesseurs (...)
BOSSUET, Oraison funèbre de Henriette-Anne d'Angleterre.

7 L'homme anéantit plus d'individus vivants que tous les carnassiers n'en dévorent.
BUFFON, Hist. nat. des animaux, Les animaux carnassiers.

8 Rome avait si bien anéanti tous les peuples que, lorsqu'elle fut vaincue elle-même, il sembla que la terre en eût enfanté de nouveaux pour la détruire.
MONTESQUIEU, Grandeur et décadence des Romains, 16.

9 Le souffle de ma vie est à Marianne; elle peut d'un mot de ses lèvres l'anéantir ou l'embraser.
A. DE MUSSET, les Caprices de Marianne, I, 1.

10 *(le temps)* anéantit l'amour et ses belles folies (...)
FRANCE, le Jardin d'Épicure, p. 98.

11 (...) un véritable reflux, irrésistible et révélateur, du catholicisme, naguère proclamé «anéanti».
Louis MADELIN, Hist. du Consulat et de l'Empire, t. IV, VII.

♦ **3** (1731). Plonger (qqn) dans un abattement total à la suite d'un gros effort physique, d'une grande émotion. → **Abattre, accabler, achever** (iron.), **briser, confondre, consterner; démolir; anéantissement.** *Cette course m'a anéanti.* → **Fatiguer, épuiser, exténuer.** *L'émotion l'avait complètement anéanti; cette nouvelle l'a anéanti* (→ Couper bras* et jambes).

12 Le coup que je viens de recevoir est si imprévu, si inconcevable, qu'il m'a d'abord anéantie.
A. DE MUSSET, Bettine, 18.

Au p. p. Épuisé, exténué; consterné et stupéfait. *Je suis anéanti.* → **Sidéré** (→ Les bras* [*infra* cit.17.1] m'en tombent).

13 Elle était anéantie devant l'immensité de ce qu'elle croyait comprendre.
LOTI, Pêcheur d'Islande, II, 17.

13.1 Diana refusa en disant qu'elle était anéantie de bien-être. Gina accepta.
— Je vais aller avec toi, mon petit, dit Gina.
M. DURAS, les Petits Chevaux de Tarquinia, p. 156.

◆ **S'ANÉANTIR** v. pron.

♦ **1** Se réduire à néant, disparaître complètement. *Les empires, les puissances qui se sont anéantis.* → **Écrouler** (s'), **effondrer** (s'), **fondre, mourir, périr, sombrer, tomber.** *Cette objection s'anéantit d'elle-même. Mes espérances se sont anéanties.* → **Envoler** (s'), **évanouir** (s').

Mais un comédien sur la scène, étalant d'autres sentiments que les siens, ne disant que ce qu'on lui fait dire, représentant souvent un être chimérique, s'anéantit pour ainsi dire, s'annule avec son héros (...) 14
ROUSSEAU, Du contrat social, Lettre à M. d'Alembert.

Il est probable que le désir de tuer coïncide souvent avec le désir de mourir soi-même ou de s'anéantir. 14.1
CAMUS, Réflexions sur la guillotine, *in* Essais, Pl., p. 1033.

♦ **2** *S'anéantir dans qqch. S'anéantir dans son malheur, son désespoir.*

(...) il lui sembla que son être, montant vers Dieu, allait s'anéantir dans cet amour, comme un encens allumé qui se dissipe en vapeur. 15
FLAUBERT, Mme Bovary, II, XIV.

(...) il n'en a pas moins laissé une profonde trace sur beaucoup de vies qui ne sont pas encore achevées et qui (...) se traînent et stagnent avant de s'anéantir dans l'oubli. 16
F. MAURIAC, la Pharisienne, VIII.

(Sujet n. de personne). *S'anéantir dans qqn, en qqn (que l'on aime),* se donner totalement. «*(...) ce désir de m'anéantir en vous comme en un cher amour, de ne plus penser que par vous...*» (J. Rivière, *Correspondance,* 1906, *in* T. L. F.).

*S'anéantir devant qqn :* renoncer à sa personnalité, s'effacer, s'humilier totalement devant quelqu'un.

♦ **3** Relig., mystique. S'humilier devant Dieu, s'abaisser.

Il s'est anéanti lui-même jusqu'à prendre la forme d'esclave (...) 17
BOSSUET, Hist., II, *in* LITTRÉ.

◆ **ANÉANTI, IE** p. p. adj. → ci-dessus, cit. 13, 13.1 (au sens 3.). — Par ext. *Une pose anéantie,* d'une personne anéantie.

CONTR. **Conserver, créer, construire, élever, fonder, fortifier, maintenir, préserver, relever, rétablir.** ◊ DÉR. **Anéantissant, anéantissement.**

**ANÉANTISSANT, ANTE** [aneɑ̃tisɑ̃, ɑ̃t] adj. — Attesté XXe; p. prés. de *anéantir.*

Littér., rare. Qui anéantit, détruit. — Relig. Qui conduit à l'anéantissement (2.).

**ANÉANTISSEMENT** [aneɑ̃tismɑ̃] n. m. — XIVe, au sens 1.; t. de dr. «annulation d'un accord», 1309; de *anéantir.*

♦ **1** Le fait d'entrer dans le néant. → **Engloutissement, extinction, fin, 1. mort.** *L'anéantissement du monde.* → **Consommation.** «*Des anéantissements chaotiques, des fins de monde*» (Loti).

Puisque le juste et l'impie auront le même sort, et qu'un anéantissement éternel va bientôt les égaler (...) 1
MASSILLON, Vérité d'un avenir, 2, *in* HATZFELD.

Spécialt. La mort.

Dans l'attachement d'un homme à sa vie, il y a quelque chose de plus fort que toutes les misères du monde. Le jugement du corps vaut bien celui de l'esprit et le corps recule devant l'anéantissement. 1.1
CAMUS, le Mythe de Sisyphe, *in* Essais, Pl., p. 102.

♦ **2** [a] (1648). Relig. Le fait de s'assimiler au néant, de s'humilier totalement devant Dieu ou d'abolir toute spécificité individuelle. → **Abaissement, humilité.** *État de béatitude résultant de l'anéantissement de soi-même.* → **Nirvâna.**

L'orgueil contraint à disparaître, 2
Ne laisse dans ce cœur aucun vain sentiment
Qui ne soit abîmé, pour petit qu'il puisse être,
Dans cet anéantissement.
CORNEILLE, l'Imitation de J.-C., III.

Elle reçut le viatique avec tant de marques de paix, de ferveur et d'anéantissement. 3
RACINE, Port-Royal.

Rare. *(Un, des anéantissements).*

4 Saint Paul parlant des anéantissements du Fils de Dieu, dans l'incarnation.
BOURDALOUE, Pensées, *in* LITTRÉ.

*L'anéantissement en Dieu.*

**b** Abandon total. «*L'anéantissement dans l'objet aimé*» (Péladan, *in* T. L. F.).

♦ **3** Destruction, suppression complète. → **Abolition, abrogation, absorption, affaissement, annihilation, annulation, chute, consomption, destruction, disparition, dissipation, dissolution, écroulement, effacement, effondrement, engloutissement, enterrement, épuisement, étouffement, extermination, extinction, 1. mort, néant, perte, pulvérisation, renversement, ruine.** *L'anéantissement des libertés, de la volonté. L'anéantissement d'un peuple, d'une société, d'un État. L'anéantissement de toutes nos espérances.* → **Évanouissement.**

5 *(Ce peuple)* dépérit tous les jours, et tend à son anéantissement. MONTESQUIEU, Lettres persanes, 122.

6 L'anarchie *(en Grèce)* dégénéra en anéantissement.
MONTESQUIEU, l'Esprit des lois, VIII, 2.

7 Dès aujourd'hui, l'Amérique nous donne à mesurer ce que peut devenir l'effacement de l'individu, l'abnégation, l'anéantissement de l'individu.
G. DUHAMEL, Scènes de la vie future, IV, p. 72.

♦ **4** (Déb. XVII^e). Abattement total (d'une personne). → **Accablement, affaissement, apathie, assommement, consomption, épuisement, faiblesse, langueur, prostration, sidération, stupeur.**

8 Mais tout cela ne dure qu'un moment, et le moment qui suit me jette dans l'anéantissement.
ROUSSEAU, les Confessions, t. I, I.

9 (...) cet état d'anéantissement subit qui s'observe au cours de certaines catastrophes où l'excès de la douleur paralyse toute réaction.
Paul BOURGET, Un divorce, IX, p. 339.

**ANECDOTE** [anɛgdɔt] n. f. — Av. 1650, adj.; n. f., 1685; du lat. *anecdota*, surtout au plur.; grec *anekdota* «choses inédites», titre d'un ouvrage de Procope.

♦ **1** Littér. Particularité historique, petit fait curieux (épisode, événement, mot, repartie, trait...) dont le récit peut éclairer le dessous des choses, la psychologie des individus. *Anecdotes et bons mots. Une anecdote plus ou moins authentique.* → **Bruit, nouvelle.** *Les échos des journaux sont pleins d'anecdotes.* → **Potin.** *Un recueil d'anecdotes.* → **Almanach, 1. ana.**

1 Les anecdotes sont un champ resserré où l'on glane après la vaste moisson de l'histoire; ce sont de petits détails longtemps cachés. VOLTAIRE, le Siècle de Louis XIV, 25.

♦ **2** Cour. Récit d'un petit fait curieux. → **Conte, fable, histoire, historiette, récit.** *Anecdote curieuse, piquante, savoureuse, scandaleuse. Raconter des anecdotes amusantes, drôles. Elle aime, elle déteste les anecdotes. Cela me rappelle une anecdote que j'ai entendue.*

2 Que n'osé-je lui raconter de même toutes les petites anecdotes de cet heureux âge, qui me font encore tressaillir d'aise quand je me les rappelle.
ROUSSEAU, les Confessions, t. I, 1.

3 À propos de chaque nom nouveau que les hasards d'une phrase introduisaient dans le jeu, l'un d'eux avait une anecdote à raconter. A. MAUROIS, B. Quesnay, XIX.

4 Je l'écoutais, et c'est ainsi que j'ai retenu l'histoire du châtelain qui lui fit prendre ses repas à l'office, et d'autres anecdotes sur les châtelaines de la région, et sur les bourgeois et les paysans du canton.
Valery LARBAUD, Une Nonnain, X.

Absolt. *L'anecdote :* le détail ou l'aspect secondaire, sans généralisation et sans portée. → **Anecdotique.** *Ce que je te dis là, c'est pour l'anecdote* (→ La petite histoire*). *Dépasser le niveau de l'anecdote. Ne pas se perdre dans l'anecdote.* — Par ext. *L'anecdote d'un roman, d'un film,* le contenu narratif, en tant que prétexte à d'autres contenus (symbolique, etc.)

♦ **3** Arts. Dans un tableau, Scène accessoire qui ne constitue pas le sujet principal.

DÉR. **Anecdotier, anecdotique, anecdotiser.**

**ANECDOTIER, IÈRE** [anɛgdɔtje, jɛʀ] n. — 1730, Voltaire; de *anecdote.*

Conteur, conteuse d'anecdotes vraies ou fausses mais ayant toujours l'apparence de la vérité. — Historien, historienne qui aime les anecdotes. → **Chroniqueur.**

Pauvres anecdotiers de la Révolution *(les Goncourt)* [...] 1
JAURÈS, Hist. socialiste..., t. II, p. 253.

Dépêche-toi de coiffer ta perruque, nous t'emmenons. 2
J'ai Galopin dans ma voiture. C'est un anecdotier remarquable. Nous allons faire un voyage délicieux.
J. ANOUILH, Ornifle, p. 64.

Adjectif (rare) :

Salon de peinture. Plus de peinture ni de peintres. Une 3
armée de chercheurs d'idées ingénieuses (...) Deux idéals vers lesquels est tourné tout ce monde. L'idéal anacréontique (...) D'autre part, l'idéal anecdotier et de l'histoire en vaudeville, dont la trouvaille sublime est de composer un tableau, à l'instar de Molière lisant le MISANTHROPE chez Ninon de Lenclos.
Ed. et J. DE GONCOURT, Journal, t. I, p. 153.

**ANECDOTIQUE** [anɛgdɔtik] adj. — 1781; de *anecdote.*

♦ **1** Qui contient des anecdotes, est fait d'anecdotes. *Récit, recueil anecdotique.* — Qui comporte surtout des anecdotes, des récits de petits faits sans généralisation. *C'est de l'histoire événementielle, mais pas anecdotique.*

(...) le célèbre *Café Anglais*, peut-être le plus fameux de 1
tous, qu'un dessin et une légende de J.-L. Forain illustrent pour l'histoire anecdotique (...)
Georges LECOMTE, Ma traversée, p. 66.

Qui ne généralise pas, se contente d'exposer des faits mineurs et plus ou moins pittoresques; qui concerne ces faits. *Son analyse est purement anecdotique.*

♦ **2** Qui relève de l'anecdote, qui présente un caractère d'anecdote. *Un fait anecdotique.*

Ces marques ont disparu; ce rire s'efface; l'homme de nou- 2
veau se prévoit et se compose, de plus en plus inhabile à saisir comme réelles ces anecdotes de guerre qu'il récite encore. De là ces amitiés de guerre, fortes, indestructibles, et auxquelles nul ne peut pourtant donner aucune suite. Je dirai là-dessus que, par la prépondérance des causes accidentelles, la guerre est essentiellement anecdotique. Aussi n'écrit-elle par elle-même rien de durable; et ceux qui ont écrit sous sa dictée, en quelque sorte, ont écrit en vain. Je dis même pour eux. Ainsi, comme il arrive toujours, l'erreur esthétique nous en signale une autre. Certes, c'est une tâche surhumaine que de faire revivre l'épopée par les relations vraies. Mais je vois clairement que l'anecdote grimace, et que les visages ne savent déjà plus se déformer comme il faut pour la conter.
ALAIN, Mars ou la Guerre jugée, LII, *in* les Passions et la Sagesse, Pl., p. 636.

♦ **3** Théâtre. *Pièce anecdotique :* pièce de théâtre dont une anecdote a fourni le sujet.

Arts. *Genre anecdotique, peinture anecdotique :* peinture de genre attachée à représenter des faits historiques mineurs, des anecdotes. *Le genre anecdotique est particulièrement représenté à l'époque romantique.*

♦ **4** Vx. Qui aime raconter des anecdotes. *Esprit anecdotique.* → **Anecdotier.**

DÉR. **Anecdotiquement.**

**ANECDOTIQUEMENT** [anɛgdɔtikmɑ̃] adv. — Attesté XXe; de *anecdotique*.

D'une manière anecdotique.

L'amour?... Certes, j'en parle anecdotiquement et je te remercie de ne pas avoir prononcé une seule fois ce mot pieux. Hervé BAZIN, la Mort du petit cheval, p. 171.

**ANECDOTISER** [anɛgdɔtize] v. intr. — 1801; de *anecdote*.

Rare. Raconter des anecdotes à tout propos; les recueillir dans ce but.

**ÂNÉE** [ane] n. f. — XIIIe, *asnée*; de *âne*.

Rare. La charge d'un âne.

Par comparaison :

Maintenant cinquante ans, le rêve s'est accompli ou presque. Comment puis-je accepter cette situation, comment peut-on admettre de vivre et que le temps pèse sur nous, si pesamment, comme une ânée.

IONESCO, Journal en miettes, p. 63.

**ANÉJACULATION** [aneʒakylasjɔ̃] n. f. — Mil. XXe; de *an-* priv. (→ 2. A-), et *éjaculation*.

Méd. Absence d'éjaculation, chez l'homme (différent de *aspermie**).

**ANEL** [anɛl] n. m. — XIe; forme anc. de *anneau*. → Anneau.

Techn. Anneau de fer servant à maintenir les deux branches d'une tenaille de forge lorsque celle-ci a saisi quelque chose.

DÉR. V. **Anneau.** ◊ HOM. Formes du v. **anneler.**

**ANÉMIANT, ANTE** [anemjɑ̃, ɑ̃t] adj. et n. m. — XIXe; adj., 1832; p. prés. de *anémier*.

♦ **1** Adj. Méd. Qui anémie. *Climat, régime anémiant.*

1 Au printemps, il descendait dans le Midi pour un mois ou deux, il avait à Cannes une vieille amie. Le médecin trouvait que le climat d'Île-de-France, plus stable, moins congestif, moins anémiant, lui convenait mieux que celui de la Côte.

A. BILLY, Sur les bords de la Veule, p. 110.

Fig. Qui fatigue et débilite. → **Débilitant.**

2 Voilà une quinzaine de jours que, malgré l'anémiant séjour au foyer, j'ai repris le dessus.

J.-R. BLOCH, *in* Deux hommes se rencontrent, p. 283.

♦ **2** N. m. *Un anémiant.*

3 (...) il ne faudra pas oublier que le bromure est un anémiant lorsqu'il est employé longtemps et à forte dose.

CADET DE GASSINCOURT, Traité clinique des maladies de l'enfance, 1882, *in* D. D. L. II, 8.

**ANÉMIE** [anemi] n. f. — 1722; lat. sc. *anæmia*, grec *anaimia* «manque de sang», de *an-* priv., et *-émie*. → Hémato-.

♦ **1** Méd. et cour. Diminution du nombre des globules rouges du sang et de leur teneur en hémoglobine, dont les principaux symptômes sont la pâleur, la fatigue, l'essoufflement et l'accélération du pouls, des syncopes, des vertiges, des troubles digestifs. *L'anémie peut avoir pour cause l'hémorragie, la destruction excessive des globules rouges* (→ **Hémolyse**), *un trouble de la formation des globules* (infections, intoxications). *Anémie générale ou locale. Anémie aplastique*. Anémie pernicieuse* ou *de Biermer* : forme grave d'anémie accompagnée d'une atrophie de la muqueuse gastrique et de lésions nerveuses. *Anémie cérébrale*, due à l'irrigation insuffisante du cerveau. *Anémie tropicale. Anémie essentielle des jeunes filles.* → **Chlorose.** *Anémie des mineurs.* → **Ankylostomiase.** *Troubles psychiques entraînés par les anémies.*

(...) dans les grandes anémies, la diminution du nombre des globules rouges réduit considérablement la quantité d'hémoglobine utilisable pour la fixation de l'oxygène.

P. VALLERY-RADOT, Notre corps, p. 74.

Zootechn. *Anémie parasitaire. Anémie pernicieuse du cheval.*

♦ **2** Fig. (Choses). Faiblesse, dépérissement. → **Abattement, affaiblissement, dépérissement, épuisement, faiblesse, langueur.** «*L'anémie générale des croyances religieuses*» (Martin du Gard, *Jean Barois*, 1913, *in* T. L. F.).

Crise, dépression. *L'anémie de la production.*

CONTR. **Congestion, hypérémie, pléthore. — Prospérité. — Santé.** ◊ DÉR. **Anémier, anémique.**

**ANÉMIER** [anemje] v. tr. — 1857; de *anémie*.

♦ **1** Méd. Rendre anémique. → **Affaiblir, épuiser.** *Ce régime risque à la longue de l'anémier.* «*Certains médicaments ont la propriété de provoquer le sommeil. Entre tous, l'opium occupe le premier rang; mais comment agit-il? (...) ce serait en anémiant plutôt qu'en congestionnant le cerveau*» (*Journal de médecine et de chirurgie pratiques*, XXXVII, 1866, p. 451).

♦ **2** Fig. Affaiblir, faire dépérir. *Anémier un peuple, une idée. — Anémier une entreprise.*

◆ **S'ANÉMIER** v. pron. Devenir anémique. *Le malade s'est anémié.* — Fig. S'affaiblir, s'épuiser.

L'action (dans les *Temps difficiles*), rudement menée, s'anémie vers la fin. 1

Édouard BOURDET et son œuvre, in Tribune de Genève, 27 janv. 1945, p. 9.

◆ **ANÉMIÉ, ÉE** p. p. adj.

♦ **1** Qui est atteint d'anémie.

Lorsqu'une affection locale ou générale se déclare chez un sujet anémié, elle reçoit, de l'altération du sang, des modifications essentielles dans ses symptômes, sa marche et son traitement. 2

Éd. MONNERET, Traité de pathologie gén., 1857, p. 600, *in* D. D. L., II, 8.

♦ **2** Fig. Faible, languissant. *Une économie anémiée. Entreprise anémiée.*

(...) une France appauvrie et comme anémiée par le ralentissement de l'activité économique. 3

JAURÈS, Hist. socialiste..., t. III, p. 239.

Une pauvre petite prise de lumière s'ouvrait au ras du plafond, semblait coincée entre les pierres et ne laissait filtrer qu'un pâle reflet, un tremblotant rayon, fade, anémié, bleui, de la grande lumière du dehors. 4

B. CENDRARS, Moravagine, Œ. compl., t. IV, p. 97.

CONTR. **Revigorer.** — (Du p. p.) 1. **Fort; prospère.** ◊ DÉR. **Anémiant.**

**ANÉMIQUE** [anemik] adj. et n. — 1833, cit. 0.1; de *anémie*; la var. *anème*, 1838, du grec *anaimos* n'a pas vécu.

♦ **1** Méd. Qui se rapporte à l'anémie. *État anémique.*

Atteint d'anémie. → **Débile, déficient, faible.** *Personne anémique. Un enfant anémique et pâle.* — N. *(Un, une anémique).* Personne atteinte d'anémie.

Lorsque la mort est survenue lentement, et que le sujet a été en même temps anémique (...) le poumon est plus ferme et contient dans ses cellules une sérosité qui s'épaissit dans quelques cas. 0.1

PIORRY, *in* Transactions médicales, XI, janv. 1833, p. 192 (*in* D. D. L., II, 8).

(...) elle était uniformément douce, pâle, engourdie, anémique, étiolée. R. ROLLAND, Jean-Christophe, VI, 1. 1

♦ **2** Fig. Sans force, sans ressort. *Une âme anémique,* sans énergie.

2 C'est le souffle intérieur qui fait joie ou tristesse, ce ne sont pas les idées. Sous un ciel non troublé, une âme anémique périt de mélancolie.
R. ROLLAND, l'Âme enchantée, t. II, L'été, p. 170.

♦ **3** Par ext. *Un paysage, une lumière anémique. Un style, une composition anémique,* qui manque de souffle, de puissance.

CONTR. **Énergique, 1. fort, pétulant, pléthorique, plein** (de santé, de vigueur, de vivacité...), **vigoureux.** ◊ COMP. **Anti-anémique.**

**ANÉMO-** Élément initial de composition, du grec *anemos* «vent». Voir à l'ordre alphabétique.

**ANÉMOCHORE** [anemɔkɔʀ], **ANÉMOCHORIE** [anemɔkɔʀi] adj. et n. Didact., rare. → **Anémophile, anémophilie.**

**ANÉMOCORDE** [anemɔkɔʀd] n. m. — 1882; de *anémo-*, et *corde.*

Hist. de la mus. Clavecin dont les cordes étaient actionnées par un courant d'air.

**ANÉMOGAME, ANÉMOGAMIE** [anemɔgam, anemɔgami] adj. et n. — D. i.; de *anémo-*, et *-game, -gamie.* Didact., rare. → **Anémophile, anémophilie.**

**ANÉMOGRAPHE** [anemɔgʀaf] n. m. — 1877; de *anémo-*, et *-graphe.*

Techn. Appareil enregistreur de la direction, de la vitesse et de la durée des vents. → **Anémomètre.**

**ANÉMOGRAPHIE** [anemɔgʀafi] n. f. — 1771; de *anémo-*, et *-graphie.*

Didact., vx. Description des vents. → **Anémométrie.**

**ANÉMOMÈTRE** [anemɔmɛtʀ] n. m. — Déb. XVIII^e, Huet; de *anémo-*, et *-mètre.*

Techn. et cour. Instrument qui sert à mesurer la force, la vitesse du vent. → **Anémographe.** *Anémomètre à transmission électrique. Anémomètre enregistreur,* qui reproduit, par un tracé sur papier, ces mesures. → **Anémométroscope** (vx).

(...) on peut changer dans l'apparence, le sens de la rotation d'un moulin à vent ou d'un anémomètre, pourvu que l'on décide d'orienter l'axe autrement.
ALAIN, De la perception du mouvement, *in* les Passions et la Sagesse, Pl., p. 1081.

DÉR. **Anémométrie.**

**ANÉMOMÉTRIE** [anemɔmetʀi] n. f. — 1752; de *anémomètre.*

Didact. Technique de mesure de la vitesse et de la force du vent. → **Anémographie** (vx).

DÉR. **Anémométrique.**

**ANÉMOMÉTRIQUE** [anemɔmetʀik] adj. — 1840; de *anémométrie.*

Didact. Relatif à l'anémométrie.

**ANÉMOMÉTROSCOPE** [anemometʀɔskɔp] n. m. — 1857; de *anémo-, metro-*, et *scope.*

Techn., vx. Anémomètre enregistreur. → **Anémomètre** (cf. vx *anémométrographe* (1877)).

**ANÉMONE** [anemɔn] n. f. — XIV^e, *anemoine;* lat. *anemone,* du grec *anemônê,* de *anemos* «vent» : la fleur qui s'ouvre au vent.

♦ **1** Plante dicotylédone *(Renonculacées),* herbacée, vivace, cultivée dans les jardins pour la beauté de ses fleurs sans corolle, de diverses couleurs. *Affolage* des anémones.* — La fleur elle-même. *Anémone des jardins. Anémone des fleuristes. Anémone du Japon. Anémone des bois :* sylvie, pâquerette, fleur du Vendredi saint ou de Pâques. *Anémone pulsatille :* herve au vent, coquelourde, coquerelle, pulsatille.

Sa tige *(de l'anémone)* porte une belle fleur, colorée d'incarnat éclatant. 1
O. DE SERRES, *in* LITTRÉ.

C'est dans le mois de mars que tente de s'ouvrir 2
L'anémone sauvage aux corolles tremblantes.
A. DE MUSSET, À la Mi-Carême.

♦ **2** (1814). **ANÉMONE DE MER.** → **Actinie** (différente de *l'étoile de mer,* qui est un astéride).

Mouvement adorable des anémones de mer qui se déplacent en respirant, en s'épanouissant et se refermant comme des corolles. 3
CLAUDEL, Cahier IV, août 1919, *in* Journal, t. I, Pl., p. 451.

**ANÉMOPATHIE** [anemɔpati] n. f. — V. 1970; de *anémo-*, et *-pathie.*

Méd. État d'un sujet allergique au vent. → **Anémophobie.**

**ANÉMOPHILE** [anemɔfil] adj. — 1893; de *anémo-*, et *-phile.*

Bot. Se dit des plantes dont les fleurs se prêtent à l'entraînement du pollen par le vent (syn. : *anémochore, anémogame*). → **Anémophilie.**

DÉR. **Anémophilie.**

**ANÉMOPHILIE** [anemɔfili] n. f. — 1928; de *anémophile.*

Bot. Fécondation des plantes par l'intermédiaire du vent. — Syn. : *anémochorie, anémogamie.*

**ANÉMOPHOBIE** [anemɔfɔbi] n. f. — V. 1970; de *anémo-*, et *-phobie.*

Méd., psychol. Peur pathologique (phobie) du vent.

**ANÉMOSCOPE** [anemɔskɔp] n. m. — 1755; de *anémo-*, et *-scope.*

Techn. Appareil qui indique la direction du vent. → **Girouette.**

**ANÉMOTROPE** [anemɔtʀɔp] n. m. — 1845; de *anémo-*, et *-trope.*

Techn., vx. Moteur actionné par le vent.

**ANENCÉPHALE** [anɑ̃sefal] adj. et n. — Déb. XIX^e; de *an-* priv. (→ 2. A-), et *encéphale.*

Didact. (méd.). Qui est privé d'encéphale. → **Acéphale.** *Monstre anencéphale* ou *anencéphalien* [anɑ̃sefaljɛ̃].

N. *(Un, une anencéphale). L'anencéphale n'est pas viable, mais naît souvent vivant.*

*Anencéphale.* Geoffroy Saint-Hilaire (1805-1861) appelle ainsi des monstres privés de cerveau et de moelle épinière, chez lesquels le crâne est ouvert dans toute son étendue en haut et en arrière, le canal vertébral étant converti en une large gouttière sans profondeur.
H. NYSTEN, Dict. de médecine, art. *Anencéphale* (1855).

DÉR. **Anencéphalie.**

**ANENCÉPHALIE** [anɑ̃sefali] n. f. — Av. 1841, Breschet ; de *anencéphale*.

Didact. (méd.). Monstruosité caractérisée par l'absence d'encéphale. → **Acéphalie.**

**ANÉPIGRAPHE** [anepigʀaf] adj. et n. m. — 1752 ; de *an-*, et *épigraphe*.

Didact. Qui ne possède aucune inscription. *Médaille anépigraphe. Monument anépigraphe.* — N. m. *Un anépigraphe :* un ouvrage dépourvu de titre.

**ANERGIE** [anɛʀʒi] n. f. — 1916, Garnier et Delamare, *in* D. D. L. ; de 2. *a-*, et *(all)ergie*.

Méd. Absence ou disparition momentanée de l'allergie. *L'anergie entraîne la disparition de toute faculté de réaction à l'endroit de substances auxquelles l'organisme était précédemment allergique. Anergie du tuberculeux à la tuberculine.*

REM. Le mot ne s'est pas diffusé dans la langue courante, à la différence d'*allergie*.

CONTR. **Allergie.** ◊ DÉR. **Anergique, anergisant.**

**ANERGIQUE** [anɛʀʒik] adj. — Après 1922 ; de *anergie*.

Méd. Qui a rapport à l'anergie. *État anergique. Réaction anergique. Un tuberculeux anergique en période de rougeole.*

CONTR. **Allergique.**

**ANERGISANT, ANTE** [anɛʀʒizɑ̃, ɑ̃t] adj. — Mil. XX^e ; de *anergie*.

Méd. Qui suscite l'anergie, est caractérisé par l'anergie. *Maladie anergisante. États anergisants* (grossesse, surmenage, etc.).

CONTR. **Allergisant.**

**ÂNERIE** [ɑnʀi] n. f. — 1488 ; de *âne*.

♦ **1** *(L'ânerie).* [a] Ignorance complète, digne d'un âne (2.). *« L'ânerie des médecins d'autrefois est restée proverbiale »* (Académie). *Il est d'une ânerie complète.*

[b] Caractère inepte, absurde. → **Bêtise, niaiserie, nullité.** *Ce livre est d'une ânerie inconcevable. Son ânerie me fatigue.*

♦ **2** *(Une, des âneries).* Propos ou acte stupide. → **Balourdise, bêtise, bourde, connerie** (fam.), **erreur, faute, niaiserie, sottise.** *Faire, dire une ânerie. Il ne dit que des âneries. Son dernier article est une ânerie.*

1 — Voilà Jeannot de Monsieur le Conseiller qui vous demande, Madame.
— Eh bien ! Petit coquin, voilà encore de vos âneries. Un laquais qui saurait vivre aurait été parler tout bas à la demoiselle suivante (...)
MOLIÈRE, la Comtesse d'Escarbagnas, 3.

2 Si les savants ont dit de telles âneries (...)
VOLTAIRE, Principes d'action, 23.

3 De pareilles âneries font grand tort, et voilà ce que c'est que d'enchaîner la presse.
P.-L. COURIER, I, 216, *in* LITTRÉ.

CONTR. **Savoir, science, intelligence.** — **Trait** (d'intelligence...).

**ANÉROÏDE** [aneʀɔid] adj. et n. m. — 1844, Vidie ; pour *anaéroïde*, de *an-* (→ 2. *a-*), *aér-*, et *-oïde*.

Didact. (phys.). *Baromètre anéroïde :* baromètre composé essentiellement d'une boîte métallique où l'on a fait le vide *(capsule anéroïde). Manomètre anéroïde :* appareil de fonctionnement analogue, pour déceler les fuites de gaz.

N. m. *L'anéroïde de Vidie.* → **Baromètre.**

**ÂNESSE** [ɑnɛs] n. f. — V. 1130, *asnesse ;* de *âne*.

♦ **1** Femelle de l'âne. → **Asine** (2.). *Lait d'ânesse. Une ânesse et son ânon.*

♦ **2** Fig. Femme ignorante, sotte. — REM. On emploie concurremment *ânesse* et *âne*, dans ce sens.

Élisabeth, en échange, devenait une fanfaronne, une grotesque, une ânesse incapable de se rendre utile, de faire quoi que ce soit.
COCTEAU, les Enfants terribles, 1929, p. 100.

**ANESTHÉSIABLE** [anɛstezjabl] adj. — 1931 ; de *anesthésier*.

Méd. Qu'on peut anesthésier sans danger.

**ANESTHÉSIANT, ANTE** [anɛstezjɑ̃, ɑ̃t] adj. et n. m. — 1866 ; n. m., 1918 ; de *anesthésier*.

♦ **1** Adj. Méd. Qui anesthésie. *Agent anesthésiant.* → **Analgésique, anesthésique, antalgique.**

♦ **2** Adj. Fig. Qui endort, apaise la douleur.

L'influence anesthésiante de l'habitude ayant cessé, je me mettais à penser, à sentir, choses si tristes. 1
PROUST, À la recherche du temps perdu, t. I, p. 20.

♦ **3** N. m. *Un anesthésiant.* → **Anesthésique.**

Il s'agissait d'un anesthésiant suffisamment puissant pour rendre la peau indifférente aux brûlures ; en appliquant sur ses mains cet enduit protecteur, Bex pouvait manier à n'importe quelle température certain métal inventé par lui et baptisé le *bexium*. 2
Raymond ROUSSEL, Impressions d'Afrique, p. 319.

**ANESTHÉSIE** [anɛstezi] n. f. — 1771, « baisse ou privation de la sensibilité » ; de l'angl. *anaesthesia*, du lat. sc., du grec *anaisthêsos* « insensible », de *an-* priv. (→ 2. A-), et *aisthêsia*.

♦ **1** Méd. Perte d'un des modes de la sensibilité, ou de la sensibilité d'un organe, ou de la sensibilité générale. *Anesthésie visuelle.* → **Achromatopsie, amaurose, amblyopie.** *Anesthésie auditive.* → **Agnosie** (auditive), **surdité** (tonale). *Anesthésie algique.* → **Analgésie.** *Anesthésie du sens tactile ou thermique* (thermo-anesthésie). *Anesthésie d'une moitié du corps.* → **Hémianesthésie.** — *Anesthésie hystérique :* absence de perceptions sensitives, observée dans l'hystérie.

Devenu insensible, pour ainsi dire, à la douleur physique, comme s'il eût été sous l'influence d'une anesthésie permanente, ne vivant plus que par le désir d'arriver à son but, coûte que coûte, il ne voyait qu'une chose dans cette course insensée, c'est que la route fuyait rapidement derrière lui. 0.1
J. VERNE, Michel Strogoff, p. 219.

♦ **2** (1847). Suppression de la sensibilité, et spécialt, de la sensibilité à la douleur, obtenue par l'emploi des anesthésiques. *Anesthésie générale,* en vue d'une opération chirurgicale. → aussi **Narcose.** *Anesthésie locale* (→ **Insensibilisation**) *par le chloroforme, la cocaïne, l'éther.* → **Chloroformisation, cocaïnisation, éthérisation.** *Anesthésie rachidienne* (ou *rachianesthésie*). *Anesthésie extradurale**, *épidurale, péridurale. Anesthésie chirurgicale :* anesthésie locale ou générale permettant un acte chirurgical. *Anesthésie par inhalation* (→ **Masque**), *par insufflation* (→ **Intubation**) ; *anesthésie intraveineuse, par voie intraveineuse, piqûre d'anesthésie ; anesthésie par voie rectale. Anesthésie électrique. — Être mis, placé sous anesthésie. — Médication donnée avant une anesthésie.* → **Prémédication.** *Pratiquer l'anesthésie, une anesthésie.* → **Anesthésiste.** *Techniques, recherches en anesthésie.* → **Anesthésiologie.**

Il y a cent ans, lorsque l'anesthésie a fait son entrée dans les salles d'opération, certains chirurgiens se sont récriés : « La chirurgie est morte, a dit l'un d'eux. Elle reposait sur 0.2

l'union dans la souffrance du patient avec le praticien. Avec l'anesthésie, elle est ravalée au niveau de la dissection de cadavre».
M. TOURNIER, le Roi des Aulnes, p. 123.

♦ **3** (1897). Fig. Suppression momentanée de la sensibilité, de l'émotivité. → **Arrêt, apaisement, détachement, inconscience, indifférence, insensibilité, sommeil.** *Anesthésie intellectuelle, affective, religieuse.*

1 Détachez-vous maintenant, assistez à la vie en spectateur indifférent : bien des drames tourneront à la comédie (...) Le comique exige donc (...) quelque chose comme une anesthésie momentanée du cœur. Il s'adresse à l'intelligence pure. H. BERGSON, le Rire, I, 1.

2 Usure de la sensibilité plutôt, créant un état de moindre réaction, un commencement d'indifférence, ou plus exactement d'anesthésie.
MARTIN DU GARD, les Thibault, VIII, 15.

3 (...) n'avez-vous pas joui, inconsciemment, de la miséricordieuse anesthésie que dispense l'amour?
COLETTE, la Vagabonde, p. 164.

CONTR. **Hyperesthésie. — V. Sensibilité.** ◈ DÉR. et COMP. **Anesthésier, anesthésiologie, anesthésique, anesthésiste. — Cryanesthésie, électro-anesthésie, hémianesthésie, préanesthésie, rachianesthésie.**

**ANESTHÉSIER** [anɛstezje] v. tr. — 1851; de *anesthésie.*

♦ **1** Méd. Insensibiliser (un organisme, un organe) en soumettant à l'action d'un anesthésique*. → **Endormir, insensibiliser.** *Anesthésier qqn au chloroforme, à l'éther.* → **Chloroformer, éthériser.** *Anesthésier un patient, un chien pour l'opérer. — Anesthésier une gencive avant d'arracher une dent.* — Passif et p. p. *Être anesthésié par...*

1 (...) elle *(la religieuse)* n'en demeure pas moins comme anesthésiée par de blanches vapeurs apaisantes, et tout ce qu'elle souffre s'atténuera vite, sous une sorte de sommeil (...) elle pourra marcher les yeux levés toujours vers le doux mirage céleste. LOTI, Ramuntcho, II, 13.

2 Du moment que la patiente a été anesthésiée, il ne peut guère en tout cas être question d'un supplice, infligé par un maniaque à une victime choisie pour sa seule beauté.
A. ROBBE-GRILLET, Projet pour une révolution à New York, p. 10.

♦ **2** (1896, *in* T. L. F.). Fig. Littér. Apaiser, endormir. → **Assoupir, calmer.** *Anesthésier l'opinion.*

◆ **S'ANESTHÉSIER** v. pron. (Réfl.). Se rendre insensible aux atteintes morales.

3 Que leur raconter, à part des histoires de prison? Je n'ai pas envie de me faire fiche à la porte, je n'ai d'autre moyen de m'anesthésier que le forcing et la courbature.
A. SARRAZIN, la Traversière, p. 95.

◆ **ANESTHÉSIÉ, ÉE** p. p. adj. Qui est sous anesthésie. *Patient anesthésié.*

Fig. *Une conscience anesthésiée.*

N. *(Un, une anesthésiée).* Patient qui subit, a subi une anesthésie.

CONTR. **Hyperesthésier. — Exciter, surexciter; agiter.** ◈ DÉR. **Anesthésiable, anesthésiant.**

**ANESTHÉSIOLOGIE** [anɛstezjɔlɔʒi] n. f. — 1950, *in* D. D. L.; de *anesthésie,* et *-logie.*

Méd. Étude de l'anesthésie artificielle et de ses applications médico-chirurgicales (réanimation, opération).

(...) le circuit fermé respiratoire peut comporter des résistances et susciter de la part du sujet un effort respiratoire non négligeable, à tel point que, dans le domaine de l'anesthésiologie, son utilisation a été déconseillée chez l'enfant et chez le vieillard (...)
Léon BINET, Gérontologie et Gériatrie, p. 68.

DÉR. **Anesthésiologiste.**

**ANESTHÉSIOLOGISTE** [anɛstezjɔlɔʒist] n. — V. 1970; de *anesthésiologie.*

Méd. Médecin ou chercheur spécialiste de l'anesthésiologie*. *Cours d'anesthésiologie à la faculté de médecine.*

**ANESTHÉSIQUE** [anɛstezik] adj. et n. — 1847; de *anesthésie.*

♦ **1** Méd. Qui appartient à, relève de l'anesthésie. *Sommeil anesthésique.*

♦ **2** Se dit d'une substance médicamenteuse employée pour obtenir une anesthésie générale ou locale. → **Anesthésiant, analgésique, antalgique; narcotique, somnifère.** *Agent, substance anesthésique. Piqûre anesthésique.*

♦ **3** N. m. (1850). *Un anesthésique* : un produit anesthésiant. *Prendre un anesthésique. Anesthésique général* (ex. : chloroforme, éther, chlorure d'éthyle, méthyle, protoxyde d'azote). *Anesthésique injectable. Anesthésique local* (ex. : cocaïne).

Comme un malade grâce à un anesthésique assiste avec une pleine lucidité à l'opération qu'on pratique sur lui, mais sans rien sentir, je pouvais (...) 1
PROUST, À la recherche du temps perdu, t. I, p. 39.

♦ **4** Fig. Qui endort. *Ce discours était plutôt anesthésique.*

Nierez-vous qu'il y ait des choses anesthésiques? Des arbres qui saoulent, des hommes qui donnent de la force, des filles qui paralysent, des ciels qui coupent la parole? 2
VALÉRY, M. Teste, p. 28.

N. m. *D'aucuns considèrent la télévision, la religion comme un dangereux anesthésique.* → **Opium.**

Je sais que je manque à toutes les règles du genre en ne donnant pas à cet épisode la place qu'il mérite, mais c'est encore beaucoup trop récent, et, même pour écrire ces lignes, je dus saisir l'occasion d'une otite dont je suis atteint en ce moment couché dans ma chambre d'hôtel à Mexico, profitant d'une souffrance pénible, mais heureusement purement physique, qui me sert d'anesthésique et me permet de toucher à la plaie. 3
R. GARY, la Promesse de l'aube, p. 239.

CONTR. **Excitant.**

**ANESTHÉSISTE** [anɛstezist] n. — 1897; de *anesthésie;* on a dit *anesthésieur.*

Médecin qui pratique l'anesthésie. *Anesthésiste-réanimateur,* qui procède, le cas échéant, à la réanimation du patient au cours d'une opération. *Équipe d'anesthésistes travaillant en traumatologie.* — (Appos.). *Médecin anesthésiste. — Aide anesthésiste :* auxiliaire médical qui seconde le médecin anesthésiste.

Danger des opérations précipitées; parfois, on trouve l'anesthésiste asphyxié.
Henri MICHAUX, Face aux verrous, p. 152.

**ANETH** [anɛt] n. m. — XIII^e; du lat. *anethum,* d'orig. grecque.

Bot. Plante dicotylédone *(Ombellifères),* herbacée, annuelle ou vivace, qui croît dans les endroits incultes et pierreux. *Anethum fœniculum :* variété connue sous le nom de *fenouil*.*

Spécialt. Feuilles et graines d'une autre variété de cette plante *(anethum graveolens),* employée en cuisine comme assaisonnement.

Elle est née au bord du Volga, à moins que la Suède ne la revendique, ou que la Grèce ne réclame. Elle chante en pali, mâche de l'aneth, et ne s'empoisonne pas avec de la décoction de laurier-rose.
Germain NOUVEAU, Notes parisiennes, III, Pl., p. 442.

**ANEURAL, ALE, AUX** [anøʀal, o] adj. — XX^e; de *a-* priv. (→ 2. A-), et *neural*.

Psychol. Qui ne dépend pas essentiellement du système nerveux. *Réflexe aneural.*

**ANEURINE** [anøʀin] n. f. — Mil. XX^e; de 1. *a-*, *neur(o)-*, et suff. *-ine*.

Biol. Vitamine $B_1$. Syn. : *thiamine* (cit.).

**ANÉVRISMAL, ALE, AUX** [anevʀismal, o] adj. — 1478; de *anévrisme*.

Méd. Relatif, propre à l'anévrisme. *Palpitations anévrismales. Varice anévrismale :* anévrisme variqueux. *Hématome anévrismal,* ou *anévrisme faux. Tumeur anévrismale.*

REM. On écrit aussi *anévrysmal,* sur le modèle de *anévrysme.*

**ANÉVRISMATIQUE** [anevʀismatik] adj. — 1831; de *anévrisme.*

Médecine.

♦ **1** Vx. Anévrismal. — Var. ancienne : *anévrysmatique.*

Les artères, les valvules du cœur, les bronches, les vaisseaux artériels anévrysmatiques (...) sont susceptibles de s'ossifier.
ORFILA, Éléments de chimie, II, p. 585 (1831).

♦ **2** (1867). Atteint d'anévrisme.

**ANÉVRISME** [anevʀism] n. m. — 1478; var. anc. *aneurisme, aneurisma;* du grec *aneurusma* «dilatation».

Méd. Tumeur qui se forme sur le trajet d'une artère par la dilatation des membranes *(anévrisme vrai).* — Par ext. Tumeur formée par le sang épanché hors d'une artère (*anévrisme diffus* ou *faux :* hématome anévrismal), lésion des veines et des artères, dilatation morbide du cœur. *Anévrisme variqueux* ou *anévrisme artério-veineux.* → **Varice.** *Rupture d'un anévrisme. Il est mort d'une rupture d'anévrisme.*

1 Couper une artère qui cause un aneurisme (...)
Ambroise PARÉ, Introd., 2, *in* LITTRÉ.

2 Bien-aise se rendit célèbre par l'invention de l'opération de l'anévrysme et de l'artère piquée (...)
SAINT-SIMON, Mémoires, *in* LITTRÉ.

2.1 J'avais reçu de lui deux petites cartes postales. Une troisième me fut envoyée plus tard par un ami du peintre; elle m'apprenait qu'il était mort, seul, dans sa chambre, à l'aube, d'une rupture d'anévrisme.
Francis CARCO, Ombres vivantes, p. 226.

Méd. vétér. *Anévrisme vermineux :* dilatation d'une artère (surtout chez le cheval) pouvant être mortelle.

Figuré :

3 Notre pauvre pays est toujours sous la menace d'une rupture d'un anévrisme, et l'Europe entière est travaillée de quelque mal profond.
RENAN, Souvenirs d'enfance..., Préface, 15.

REM. La graphie *anévrysme* est recommandée par l'Académie de médecine.

DÉR. **Anévrismal, anévrismatique.**

**ANFRACTUEUX, EUSE** [ɑ̃fʀaktɥø, øz] adj. — 1503; du lat. *anfractuosus* «plein de détours, tortueux».

Littér. ou didactique.

♦ **1** Qui a des anfractuosités. *Chemin, rivages, rocs anfractueux.* → **Crevassé, entaillé, fissuré, sinueux, tortueux.**

1 Le long de hauts rochers anfractueux, coulait l'odeur des nids pourris abandonnés par les éperviers.
J. GIONO, le Hussard sur le toit, p. 21.

Anatomie :

Il y a dans l'organe de l'ouïe un artifice bien sensible : c'est une hélice à tours anfractueux (...) 2
VOLTAIRE, Malebranche, Mécanique des sens.

♦ **2** (1547). Fig. et vx. Malin, rusé. *Caractère anfractueux.*

CONTR. **Droit, plat, uni.** ◊ DÉR. **Anfractuosité.**

**ANFRACTUOSITÉ** [ɑ̃fʀaktɥozite] n. f. — 1503; de *anfractueux.*

♦ **1** (Surtout plur.). Cavité* profonde et irrégulière. → **Creux, enfoncement.** *Chemin plein d'anfractuosités. Les anfractuosités des cavernes, des rochers.* → **Crevasse, détour, sinuosité, trou.** *Les anfractuosités de la côte.* → **Dentelure, échancrure.**

Je m'enfonçais dans les anfractuosités de la montagne (...) 1
ROUSSEAU, Rêveries..., 7.

Les huîtres se choisissent des anfractuosités et y construisent leurs coquilles (...) 2
BERNARDIN DE SAINT-PIERRE, Harmonies de la nature, V.

Ces anfractuosités *(les creux obscurs et les caves latérales de la caverne)* avaient des plafonds en plan incliné, à angles plus ou moins ouverts. 3
Certains creux obscurs étaient probablement insondables. Des deux côtés du porche sous-marin, des ébauches de cintres surbaissés, pleins de ténèbres, indiquaient de petites caves latérales, bas côtés de la caverne centrale (...)
HUGO, les Travailleurs de la mer, II, I, 13.

La mer y entre par une infinité de golfes, d'anfractuosités, de creux, de dentelures (...) 4
TAINE, Philosophie de l'art, IV, I.

Spécialt, anat. *Les anfractuosités de l'oreille. Anfractuosités cérébrales :* enfoncements sinueux qui séparent les circonvolutions du cerveau.

♦ **2** Fig. et littér. *Les anfractuosités d'un caractère. Les anfractuosités d'une question, d'un problème.*

**ANGARIE** [ɑ̃gaʀi] n. f. — 1808; «imposition, corvée», XVI^e; lat. jurid. *angaria* «corvée de charroi», grec *aggareia.*

Dr. internat. Réquisition, par un État belligérant, des navires neutres se trouvant dans les eaux territoriales (→ Embargo, cit. 2).

**ANGE** [ɑ̃ʒ] n. m. — 1641, Calvin, mais antérieur (fin XVI^e, au fig.); *angele,* XI^e, puis *angle, angre;* du lat. ecclés. *angelus,* grec *aggelos* «messager», trad. hébreu *mal'ak.*

**I** ♦ **1** Relig. (christianisme). Être spirituel (→ **Esprit**), intermédiaire entre Dieu et l'homme, ministre des volontés divines, représenté dans l'imagerie religieuse sous forme humaine et muni d'ailes (→ Abattre, cit. 15). *Les anges, considérés comme les messagers* de Dieu, comme formant la milice* céleste. Un ange envoyé par Dieu. L'ange de l'Annonciation**

Bénissez le Seigneur, vous tous qui êtes ses anges (...) vous qui êtes ses armées célestes, et les ministres qui faites ses volontés. BIBLE (SACY), Psaumes, CII, 20-21. 1

Voici que j'envoie un ange devant toi pour te garder dans le chemin et pour te faire arriver au lieu que j'ai préparé. 2
BIBLE (CRAMPON), Exode, XXIII, 20.

L'ange Gabriel fut envoyé par Dieu dans une ville de Galilée appelée Nazareth, vers une vierge *(Marie).* 3
BIBLE (CRAMPON), Évangile selon saint Luc, I, 26.

Et lui apparut (à Jésus), venant du ciel, un ange qui le réconfortait. 4
BIBLE (CRAMPON), Évangile selon saint Luc, XXII, 43.

Pensez-tu *(dit Jésus)* que je ne puisse pas recourir à mon père qui me fournirait sur l'heure plus de douze légions d'anges? 5
BIBLE (CRAMPON), Évangile selon saint Matthieu, XXVI, 53.

6 Ainsi en sera-t-il à la consommation du siècle : les anges sortiront et sépareront les méchants d'avec les justes (...)
BIBLE (CRAMPON), Évangile selon saint Matthieu, XIII, 49.

6.1 Les Anges purs esprits, c(est)-à-d(ire) en rapport avec tout ce q(ue) nous désignons de ce nom et q(ui) nous aidera le plus à n(ous) en faire une idée, mouvement, émanation, odeur, pénétration, initiation, phrase, musique, q(uel)q(ue) ch(ose) d'entièrement utile et d'entièrement intelligible. Un homme ne perd rien d'essentiel s'il perd ses cheveux ou même sa main. Mais chez l'Ange tout est nécessaire, tout est l'Ange.
CLAUDEL, Cahier V, 1924, *in* Journal, t. I, Pl., p. 638.

6.2 Et puis après, voici un ange,
Un ange en blanc, un ange en bleu,
Avec sa bouche et ses deux yeux,
Et puis après voici un ange,
Avec sa longue robe à manches,
Son réseau d'or pour ses cheveux,
Et ses ailes pliées en deux,
Et puis ainsi voici un ange. Max ELSKAMP, l'Ange.

6.3 On peut dire que l'archétype profond de la rêverie du vol n'est pas l'oiseau animal mais l'ange, et que toute élévation est isomorphe d'une purification parce qu'essentiellement angélique.
Gilbert DURAND, les Structures anthropologiques de l'imaginaire, p. 148.

6.4 L'ange est l'euphémisme extrême, presque l'antiphrase de la sexualité.
Gilbert DURAND, les Structures anthropologiques de l'imaginaire, p. 162.

*Ange exterminateur* ou *ange de la mort :* celui qui frappa tous les premiers nés d'Égypte, quand les Israélites furent sortis de ce pays.

7 Car le Seigneur passera en frappant de mort les Égyptiens (...) il ne permettra pas à l'ange exterminateur d'entrer dans vos maisons, ni de vous frapper.
BIBLE (CRAMPON), Exode, XII, 23.

8 L'ange au glaive de feu, debout derrière toi,
Te met l'épée aux reins et te pousse aux abîmes!
HUGO, les Châtiments, VII, p. 109.

*L'ange de l'Apocalypse :* le guide du narrateur, dans l'Apocalypse.

(Syntagmes). *Bon ange :* ange fidèle à Dieu. *Ange de lumière, du ciel. Ange blanc, fidèle. Mauvais ange, ange déchu :* ange chassé du ciel. *Ange de l'abîme, des enfers, de Satan, des ténèbres. Ange rebelle, révolté.* → **Démon, diable.** *La chute des anges.* — Par ext. *L'ange blanc, l'ange noir :* le bien, le mal. — *L'ange protecteur, le bon ange (de qqn)* [au fig., → cit. 16 et 17]. *Mauvais ange, ange noir.*

9 Qui donc es-tu? — Tu n'es pas mon bon ange;
Jamais tu ne viens m'avertir.
Tu vois mes maux (c'est une chose étrange!)
Et tu me regardes souffrir.
A. DE MUSSET, Poésies nouvelles, «La nuit de décembre».

10 Les anges ont été créés en nombre incalculable, formant divers ordres et divers chœurs, et ils furent destinés, comme les hommes, au bonheur surnaturel. Mais beaucoup d'entre eux, avec Satan, prétendirent s'affranchir de Dieu et devenir semblables à lui.
Abbé Elie BLANC, Dict. universel, t. II, p. 28.

11 Dieu, en effet, n'a pas épargné les anges qui avaient péché, mais les a précipités dans l'enfer et les a livrés aux abîmes des ténèbres (...)
BIBLE (CRAMPON), 2ᵉ Épître de saint Pierre, II, 4.

12 (...) chacun traîne, depuis qu'il est au monde, un ange familier, un ange de Satan qui le soufflette.
F. MAURIAC, Souffrances et Bonheur du chrétien, p. 18.

*Ange gardien,* appelé à protéger chacun des hommes. → **Gardien,** et → ci-dessous, le sens fig. II., 1. *Ange protecteur, tutélaire.*

*Hiérarchie des anges,* en trois ordres et trois chœurs. → **Séraphin, chérubin, trône; domination, vertu, puissance; principauté, archange, ange** (stricto sensu). *«Les anges et les âmes bienheureuses forment une même société, celle des saints ou la cité céleste»* (Abbé Élie Blanc). → **Saint; paradis.** *Culte que l'on rend aux anges, aux saints.* → **Dulie** (culte de); et aussi **eucharistie.**

Théol. *Les anges :* le dernier chœur des esprits qui louent Dieu.

Spécialt. *La reine des anges :* la Vierge Marie. — *Le pain des anges.* → **Eucharistie.**

♦ **2 L'ANGE :** être immatériel, incorporel, opposé à l'homme. *L'ange et la bête. Vouloir faire l'ange.*

13 (...) une autre âme, entre nous et les anges
Commune en un certain degré (...)
LA FONTAINE, Fables, IX, 21.

14 L'homme n'est ni ange ni bête, et le malheur veut que qui veut faire l'ange fait la bête.
PASCAL, Pensées, VI, 358.

15 Mais, Madame, après tout, je ne suis pas un ange!
MOLIÈRE, Tartuffe, III, 3.

Par allus. à Pascal (→ cit. 14) :

15.1 (...) tu aurais bien voulu me punir de ce mariage stupidement séraphique, à l'occasion en te servant de ton peintre. Tu entendais prouver «qui veut faire l'ange» et cætera.
Maurice CLAVEL, le Tiers des étoiles, p. 211.

Par compar. *Comme un ange* (indique la perfection). *Beau, belle comme un ange* (→ ci-dessous cit. 22). *Douce comme un ange* (→ 1. Mule, cit. 1). *Chanter, danser comme un ange. Dormir comme un ange :* présenter, dans le sommeil, un visage parfaitement détendu.

*D'un ange, d'ange.* → **Angélique.** *Une patience d'ange* (→ 1. Patience, cit. 2). *La douceur d'un ange* (→ ci-dessous Un ange de douceur).

**II** Fig. (en parlant des humains). ♦ **1** *Le bon, le mauvais ange de qqn :* la personne qui exerce une bonne, une mauvaise influence sur qqn. → **Génie.** *Vous êtes mon bon ange.*

16 Elles *(Mmes d'Heudicourt et de Dangeau)* le mauvais ange et le bon ange de Mᵐᵉ de Maintenon (...)
SAINT-SIMON, Mémoires, 218, 184.

17 Vous que je dois nommer l'ange de mon bonheur (...)
MOLIÈRE, l'Étourdi, V, 3.

17.1 Ange plein de bonheur, de joie et de lumières,
David mourant aurait demandé la santé
Aux émanations de ton corps enchanté;
Mais de toi je n'implore, ange, que tes prières,
Ange plein de bonheur, de joie et de lumières!
BAUDELAIRE, les Fleurs du mal, «Réversibilité».

*Ange gardien :* personne qui veille sur quelqu'un, le guide et le protège en tout. — Par iron. Garde du corps. → **Barbouze.** *Le Président est arrivé avec ses anges gardiens.* — Argot. Agent de police, gendarme. — Cour. (fréquent dans l'usage journalistique). *Les anges de la route :* les motocyclistes de la gendarmerie chargés de la circulation routière en campagne. — Sports. *Ange gardien :* joueur chargé de marquer un adversaire.

18 Il m'entend parler de vous comme de mon ange gardien.
VOLTAIRE, Lettres, 7 mars 1739.

♦ **2** Personne parfaite (moralement et physiquement). — *Un ange de... :* celui, celle qui est exemplaire, parfait(e) dans (qqch.). *Un ange de piété, de perfection, de pureté, de vertu, de bonté, de douceur. Être un ange :* être parfait. — (XVIᵉ, en parlant d'une femme). Spécialt. Femme belle et douce. *C'est un ange!* — Littér. et rare. *Une ange* (Vigny, Montherlant, *in* T. L. F.).

19 À moins qu'une belle femme ne soit un ange, son mari est le plus malheureux des hommes; et quand elle serait un ange, comment empêchera-t-elle qu'il ne soit sans cesse entouré d'ennemis? ROUSSEAU, Émile, V.

20 Dans la brute assoupie un ange se réveille.
BAUDELAIRE, les Fleurs du mal, «L'aube spirituelle».

Par compar. (même sens) :

21 On eût dit d'un ange, tant elle était belle.
Ch. PERRAULT, la Belle au Bois dormant.

22 Vous voilà belle comme un petit ange.
MOLIÈRE, l'Impromptu de Versailles, II.

Fam. *Vous seriez un ange si vous vouliez bien me rendre ce service.*

♦ **3** (Appellatif). *Mon ange, mon bel ange, mon petit ange,* termes d'affection. *Pauvre cher ange.*

♦ **4** *Ange, petit ange :* enfant. — En peint. Enfant joufflu, sous l'apparence duquel les peintres représentent les anges. → **Amour, angelet, angelot, chérubin, putto.**

Loc. fam. *Faiseuse d'anges :* celle qui pratique professionnellement les avortements illégaux. → **Avorteuse.** — Loc. *Donner un ange au bon Dieu :* (se) faire avorter.

23 Il découvre bientôt que la petite boutique est un bureau d'adresses; l'entremetteuse et la faiseuse d'anges la fréquentent presque autant que les commis voyageurs en parfums.
M. YOURCENAR, Archives du Nord, p. 272.

♦ **5** Loc. AUX ANGES [ozɑ̃ʒ]. *Être aux anges :* être dans le ravissement, l'extase. → **Enchanté, heureux, ravi.**

24 Violette est reconnaissante : depuis tant d'années, il la persuadait que donner le jour à un être, si aimé soit-il, c'est l'offrir à l'atomisation! La maman est aux anges par définition, attitude que personne ne peut critiquer. Serait-elle, sur le tard, devenue une hypocrite bardée d'affabilités?
Alain BOSQUET, les Bonnes Intentions, p. 108.

*Rire aux anges :* avoir un air béat. *Bébé qui rit aux anges,* qui en dormant a l'air de rire.

25 Il pousse de petits cris séniles d'excitation, de satisfaction, il ouvre toute grande sa bouche édentée, il rit aux anges (...) N. SARRAUTE, Vous les entendez?, p. 86.

*Un ange passe :* se dit quand il se produit dans une conversation un silence gêné et prolongé (selon G. Sand, cette expression est née dans les couvents).

26 (...) ainsi lorsque la conversation tombe et qu'il y a des silences, on dit : *Un ange passe...*
F. MAURIAC, Bloc-notes 1952-1957, p. 298.

27 Évidemment pas un ménage comme les nôtres. Des gens plus tordus, moins nature. On avait toujours l'impression en face d'eux, que des malaises passaient, vous connaissez l'expression : des anges... Eh bien c'était un peu ça, des anges passaient (...)
François NOURISSIER, le Maître de maison, p. 94.

*Discuter sur le sexe des anges* (comme certains théologiens du Moyen Âge) : se livrer à des discussions byzantines*, oiseuses.

28 Or que font nos élites pensantes, en France? Elles s'occupent de linguistique ou d'érotisme (...) Les moines de Byzance discutaient sur le sexe des anges. Les nouveaux Byzantins se pâment devant un exhibitionniste, en s'écriant que c'est du dernier chic.
Jean-Louis CURTIS, le Roseau pensant, p. 301.

**III** Loc. ♦ **1** *Cheveux d'ange.* → **Cheveu,** 3. — *Eau d'ange.* → **Eau,** IV., A., cit. 16.12 et *supra.* — *Lit d'ange, lit à l'ange.* → **Lit.** — *Saut de l'ange.* → **Saut,** I., 1. (natation).

♦ **2** (1548). *Ange de mer* (ou *angelot*) : poisson sélacien vivipare *(Squatinidés),* dit aussi *bourgeois* (n. sc. *Squatina;* → **Squatine**), dont le corps aplati comme celui d'une raie peut atteindre deux mètres, et dont la chair est comestible.

29 *(Robinson)* installa vingt ruches que les premières abeilles commencèrent à coloniser, creusa au bord du littoral des viviers d'eau douce et d'eau de mer dans lesquels il élevait des brèmes, des anges de mer, des cavaliers et même des écrevisses de mer (...)
M. TOURNIER, Vendredi..., p. 63.

♦ **3** (1340). Monnaie d'or frappée sous Philippe VI. → **Angelot.**

DÉR. **Angelet, angelot.** — V. 1. **Angélique, angéliser, angélisme, angélité, angélologie, angélophanie, angélus.**

**-ANGE** Suff. entrant dans la formation de noms féminins désignant l'action de faire qqch. Ex. : louer, *louange;* vider, *vidange.*

**ANGÉIOLOGIE** [ɑ̃ʒejɔlɔʒi] n. f. → **Angiologie.**

**ANGÉITE** [ɑ̃ʒeit] ou **ANGIITE** [ɑ̃ʒiit] n. f. — 1855 pour les deux formes; 1845, *angite;* de *angi-,* et *-ite* (→ 1. -ite, 1.).

Méd. Inflammation des vaisseaux sanguins (surtout des artères) ou lymphatiques. → **Artérite, lymphangite, phlébite, vascularite.** *Angéite familiale.*

**ANGELET** [ɑ̃ʒlɛ] n. m. — 1223; diminutif de *ange.*

Vx. Petit ange. → **Angelot.**

1. **ANGÉLIQUE** [ɑ̃ʒelik] adj. et n. — V. 1262; du lat. ecclés. *angelicus,* de *angelus.* → Ange.

♦ **1** Qui appartient à l'ange, est propre aux anges. → **Ange.** *Nature, esprit angélique. Hiérarchie, ordre, chœur angélique.* — Relig. cathol. *Salutation angélique,* adressée à la sainte Vierge par l'ange Gabriel. → **Salutation.** — (1690). *Le Docteur angélique :* saint Thomas d'Aquin. — *Pain angélique.* → **Eucharistie.**

♦ **2** Qui est digne d'un ange, qui évoque l'innocence d'un ange. *Caractère angélique.* → **Angélité** (rare). *Une beauté angélique.* → **Parfait, séraphique.** *Une voix angélique.* → **Céleste, doux, pur.** *Un sourire angélique.* → **Innocent.** *Une patience angélique.* → **Archangélique,** 2., **saint.**

Et sur cette nature immaculée 1
Qui du verbe éternel avait gardé l'accent,
Sur ce monde céleste, angélique, innocent (...)
HUGO, la Légende des siècles, I, 1.

Sa beauté modeste avait un charme de pudeur angélique. 2
MAUPASSANT, les Bijoux, Pl., t. I, p. 764.

Elle donnait, de la mort, une image angélique, touchante, 3 belle, rédimée.
G. DUHAMEL, le Temps de la recherche, VIII, p. 116.

N. m. *L'angélique :* ce qui est angélique. — N. *(Un, une angélique).* Celui, celle à qui l'on prête ou qui se donne les caractères de l'ange.

CONTR. **Diabolique, infernal.** ◊ DÉR. 2., 3. et 4. **Angélique, angéliquement.** — COMP. V. **Archangélique.**

2. **ANGÉLIQUE** [ɑ̃ʒelik] n. f. et adj. — 1538; de 1. *angélique.*

♦ **1** Plante dicotylédone *(Ombellifères),* vivace, cultivée pour ses tiges cannelées et ses pétioles utilisés en confiserie, ainsi que pour ses graines qui entrent dans la composition de liqueurs stomachiques. *Angélique à baies. Angélique épineuse* ou *en arbre.* → **Aralia.** *Ratafia d'angélique. Essence d'angélique.*

Angélique (...) nom donné à cette plante, à cause des vertus 1 qu'elle a contre les venins.
O. DE SERRES, 606, *in* LITTRÉ.

♦ **2** (1737). Tige confite de cette plante. *Gâteau décoré d'angélique.*

(...) puis se tenait au second étage un donjon en gâteau 2 de Savoie, entouré de menues fortifications en angélique, amandes, raisins secs, quartiers d'oranges (...)
FLAUBERT, Mme Bovary, I, IV.

♦ **3** Adj. *Acide angélique,* extrait de la racine de l'angélique.

3. **ANGÉLIQUE** [ɑ̃ʒelik] n. m. — 1768; de 1. *angélique.*

Bot. Arbre de Guyane *(Papilionacées),* aussi appelé *teck de Guyane,* fournissant un bois imputrescible, utilisé en construction navale. — (1876). Ce bois.

4. **ANGÉLIQUE** [ɑ̃ʒelik] n. f. — 1664; *angelic,* 1541; de 1. *angélique.*

Mus. anc. Instrument apparenté au luth*.

**ANGÉLIQUEMENT** [ɑ̃ʒelikmɑ̃] adv. — XV^e; de 1. *angélique.*

D'une manière angélique. «*Il se résignait avec une mélancolie satisfaite à aimer angéliquement*» (Hugo, *l'Homme qui rit,* 1869, *in* T.L.F.). *Elle est angéliquement patiente.*

**ANGÉLISER** [ɑ̃ʒelize] v. tr. — XV^e; du rad. du lat. *angelus.* → Ange.

Rare. Assimiler (qqn, qqch.) à un ange ou à ses caractères. *Angéliser la personne aimée.*

◆ **S'ANGÉLISER** v. pron. (Iron.). Prendre un caractère angélique.

◆ **ANGÉLISÉ, ÉE** p. p. et adj. Qui a pris l'apparence ou les caractères d'un ange.

(...) ne pas suspendre aux escaliers les d'Harcourt classiques, bichonnés, alanguis, angélisés ou virilisés (selon le sexe), c'est une audace dont bien peu de théâtres se payent le luxe. R. BARTHES, Mythologies, p. 27.

**ANGÉLISME** [ɑ̃ʒelism] n. m. — 1939; du rad. du lat. *angelus.* → Ange.

♦ **1** Prétention à se comporter en pur esprit, par négligence des réalités. *Pratiquer l'angélisme en politique.*

1 Le combat spirituel dans une démocratie ne se mène pas à part du combat politique. Ceux qui essaient de vous persuader du contraire vous condamnent à un angélisme stérile. F. MAURIAC, Bloc-notes 1952-1957, p. 320.

2 (...) le vrai visage des personnages de la tragédie grecque, même à la lecture, est leur masque de pierre, l'angélisme giottesque est celui des statues.
MALRAUX, les Voix du silence, p. 254.

3 Mais les hommes y ont superbement pratiqué cette séparation à laquelle ils tiennent tant, entre leur femme — devoir, maternité, angélisme, migraine et les femmes — plaisir, putains, enfer, mystère (...)
F. GIROUD, Si je mens, p. 60.

♦ **2** Qualité de ce qui est angélique.

4 Voir c'était être au bord des larmes. Angélisme des montagnes. Violette LEDUC, la Chasse à l'amour, p. 358.

CONTR. **Réalisme.**

**ANGÉLITÉ** [ɑ̃ʒelite] n. f. — 1895, Huysmans; du rad. du lat. *angelus* (→ Ange), et suff. *-ité.*

Rare et littér. Caractère angélique (Huysmans, Barrès, *in* T.L.F.).

**ANGÉLOLOGIE** [ɑ̃ʒelɔlɔʒi] ou **ANGÉOLOGIE** [ɑ̃ʒeɔlɔʒi] n. f. — 1842, *angélologie; angéologie,* 1921; du rad. du lat. *angelus* (→ Ange), et *-logie.*

Didact. (relig.). Étude (doctrine, spéculation) consacrée aux anges. *Traité d'angélologie et de démonologie.*

L'angélologie de saint Paul témoigne du complexe qui existe en lui. Il a été élevé dans les idées juives de son maître Gamaliel, mais il est un apôtre du Christ. Il va donc tout simplifier et tout soumettre au Christ. Les anges sont innombrables mais le Christ est totalement au-dessus d'eux. Mgr A. VINCENT, Lexique biblique, p. 35.

**ANGÉLOPHANIE** [ɑ̃ʒelɔfani] n. f. — XIX^e (av. 1866); du rad. du lat. *angelus* (→ Angélique), *-o-,* et *-phanie,* d'après *théophanie* (cf. grec *phainein* «apparaître, paraître»).

Didact. Apparition d'un ange, d'anges. «*Les théophanies et les angélophanies*» (Renan, 1887-1892).

**ANGELOT** [ɑ̃ʒlo] n. m. — XII^e; de *ange.*

♦ **1** Petit ange représenté dans l'art religieux. → **Angelet** (vx), **putto.**

Dans son Jésus au jardin des olives *(de Poussin),* l'indiscrète intervention d'angelots, porteurs des instruments du supplice enlève toute solennité à cette scène ultrapathétique.
GIDE, Feuilles d'automne, l'Enseignement de Poussin, p. 170.

♦ **2** (1461). Par ext. Ancienne monnaie française portant l'effigie de l'ange saint Michel. *Angelot d'or.* → **Ange** (III., 3.).

(XVI^e). Petit fromage de Normandie portant comme marque un petit ange.

Ange de mer (poisson).

**ANGÉLUS** [ɑ̃ʒelys] n. m. — 1690; du lat. *angelus* «ange», mot qui commence cette prière.

Liturg. cathol. Prière de dévotion mariale qui se dit le matin, le midi et le soir. *Réciter l'angélus. L'angélus de six heures. L'Angélus,* tableau de Millet (1860).

Par métonymie. Son de la cloche qui l'annonce aux fidèles. *Sonner l'angélus.*

On entend l'angélus tinter et d'un saint bruit 1
Convoquer les esprits qui bénissent la nuit.
LAMARTINE, Harmonies..., I, 5.

Les sonneries pieuses de l'Angélus du soir, se répondant 2
de paroisse en paroisse, versaient dans l'air quelque chose de calme, de doux et de mélancolique, image de la vie que j'allais quitter pour toujours.
RENAN, Souvenirs d'enfance..., III, 2.

**ANGÉOLOGIE** [ɑ̃ʒeɔlɔʒi] n. f. → **Angélologie.**

**ANGEVIN, INE** [ɑ̃ʒvɛ̃, in] adj. et n. — 1080, *Chanson de Roland;* bas lat. *Andegavinus,* de *Andegavi* «les Andégaves», peuple de la Gaule romaine.

♦ **1** Qui se rapporte à la ville, à la région (Anjou) ou aux habitants d'Angers. *La campagne angevine.*

(...) et plus que l'air marin *(me plaît)* la douceur angevine.
DU BELLAY, Regrets, XXXI.

♦ **2** N. *(Un, une Angevine).* Personne qui habite Angers ou l'Anjou. — (XII^e). Anciennt. *(Un, une Angevine). Monnaie des comtes d'Anjou.*

N. m. *L'angevin* : dialecte du pays d'Anjou.

**ANGI-, ANGIO-** Élément, du grec *aggeion* «capsule; vaisseau». — Spécialt en méd. Voir à l'ordre alphabétique → aussi **Lymphangite.**

**ANGIECTASIE** [ɑ̃ʒjɛktazi] n. f. — 1846; de *angi-,* et *-ectasie.*

Méd. Dilatation permanente d'un vaisseau sanguin. → **Anévrisme, angiome.**

**ANGIITE** [ɑ̃ʒiit] n. f. → **Angéite.**

**ANGINE** [ɑ̃ʒin] n. f. — 1532, Rabelais; du lat. *angina.*

♦ **1** Inflammation de l'isthme du gosier et du pharynx. → **Gorge** (mal de), **esquinancie** (vx). — *Angine rouge* (souvent compliquée d'amygdalite*). *Angine blanche* (herpétique, diphtérique). *Angine couenneuse* (1833) ou *pseudo-membraneuse. Angine de Vincent,* ulcéro-membraneuse. *Angine pharyngienne.* → **Pharyngite.** *Angine ulcéro-nécrotique, ulcéro-perforante.*

Brutus semble né pour tuer César; mais imaginez Brutus retenu au lit par la fièvre, ou César ayant une angine, ou seulement un fruit écrasé sur une marche, un pied glissant (...)
ALAIN, Entretiens au bord de la mer, *in* les Passions et la Sagesse, Pl., p. 1347.

♦ **2** (1768). *Angine de poitrine* (ou *angor* pectoris*), syndrome caractérisé par des douleurs constrictives dans la région précordiale, accompagnées d'angoisses.

DÉR. **Angineux.**

**ANGINEUX, EUSE** [ɑ̃ʒinø, øz] adj. — 1615; adj., 1835; de *angine.*

Méd. Qui a rapport à l'angine (1.); qui est accompagné d'angine. *Maladie angineuse.* — Qui souffre d'angine. — N. *(Un, une angineuse).* Personne qui souffre d'angine.

Cela me froissa d'autant plus le cœur qu'à cause de lui l'angineux que j'étais ne pouvait les accompagner dans les vapeurs du cagibi.

René FALLET, Y a-t-il un docteur dans la salle?, p. 156.

**ANGIOBLASTE** [ɑ̃ʒjoblast] n. m. — XX^e^ (*in* Manuila, 1970); de *angio-*, et *-blaste.*

Biol. Cellule mésenchymateuse qui contribue à la formation de l'endothélium des vaisseaux sanguins.

**ANGIOCARDIOGRAMME** [ɑ̃ʒjokaʀdjɔgʀam] n. m. — Mil. XX^e^; de *angiocardio(graphie)*, et suff. *-gramme.*

Méd. Série de clichés obtenus par angiocardiographie. *Dextro-angiocardiogramme :* les premiers clichés, qui montrent le cœur droit, la veine cave supérieure et l'artère pulmonaire. *Lévo-angiocardiogramme,* montrant le cœur gauche et l'aorte, à la fin de l'angiocardiographie.

**ANGIOCARDIOGRAPHIE** [ɑ̃ʒjokaʀdjɔgʀafi] n. f. — 1937, en esp.; de *angio-*, *cardio-*, et *-graphie.*

Méd. Enregistrement d'une série de radiographies du cœur après injection d'une substance opaque aux rayons X. → **Angiocardiogramme, angiographie.**

*Les angiocardiographies* sont ainsi des radiographies prises à cadence très rapide (plusieurs par seconde) ou des films du cœur, au moment où le produit opaque injecté atteint les cavités. Le sang étant devenu visible, on voit comment le cœur s'en empare, puis le chasse progressivement à chaque contraction.

Cl. D'ALLAINES, la Chirurgie du cœur, p. 35.

COMP. V. **Angiocardiogramme.**

**ANGIOCARDITE** [ɑ̃ʒjokaʀdit] n. f. — XX^e^; de *angio-*, *cardi(o)-*, et suff. *-ite.*

Méd. Inflammation du cœur et des vaisseaux.

**ANGIOCARPE** [ɑ̃ʒjokaʀp] adj. et n. m. — 1838; de *angio-*, et *-carpe.*

Bot. Relatif aux végétaux dont le fruit apparaît enveloppé.

N. m. *Un angiocarpe :* le fruit lui-même ou le champignon.

(Des champignons). Dont l'hyménium est caché.

DÉR. **Angiocarpie.**

**ANGIOCARPIE** [ɑ̃ʒjokaʀpi] n. f. — V. 1960; de *angiocarpe.*

Didact. Caractère d'un végétal angiocarpe.

**ANGIOCHOLITE** [ɑ̃ʒjokɔlit] n. f. — 1903, in *Rev. gén. des sc.*, n° 2, p. 108; de *angio-*, grec *kholê* «bile», et *-ite.*

Pathol. Inflammation des canaux biliaires du foie (le plus souvent à la suite d'une obstruction par des calculs).

**ANGIOGRAPHIE** [ɑ̃ʒjɔgʀafi] n. f. — 1808; de *angio-*, et *graphie.*

Médecine.

♦ **1** Vx. Description des vaisseaux du corps humain.

♦ **2** (1952). Mod. Radiographie des vaisseaux après injection d'un liquide opaque aux rayons X. *Angiographie cérébrale.*

**ANGIOLEUCITE** [ɑ̃ʒjoløsit] n. f. — 1838; de *angio-*, et *-leucite.*

Méd. Vx. Inflammation des trois territoires lymphatiques. → **Lymphangite.** *Angioleucite totale.*

**ANGIOLOGIE** [ɑ̃ʒjɔlɔʒi] n. f. — 1692; déjà dans Paré, 1576; de *angio-*, et *-logie.*

Méd. Partie de l'anatomie qui étudie les artères, les veines et les canaux lymphatiques. — On trouve aussi *angéiologie* [ɑ̃ʒejɔlɔʒi].

**ANGIOME** [ɑ̃ʒjom] n. m. — 1869, écrit *angiôme;* d'abord en all., Virchow; de *angi(o)-*, et *ome.*

Méd. Agglomération de vaisseaux sanguins ou lymphatiques réalisant une tuméfaction.

Nous distinguerons deux espèces d'angiômes *(sic) :* 1. Les angiômes simples, dans lesquels les vaisseaux de nouvelle formation qui constituent la tumeur sont semblables aux vaisseaux normaux (...) 2. Les angiômes caverneux dans lesquels le sang circule dans un système lacunaire analogue au système caverneux des organes érectiles.

V. CORNIL et L. RANVIER, Manuel d'histologie pathologique, 1869, I, p. 244, *in* D.D.L., II, 8.

**ANGIONEUROTIQUE** [ɑ̃ʒjonøʀɔtik] adj. — 1924; empr. probable à l'all.; cf. l'angl. *angioneurotic* (1887).

Méd. *Œdème angioneurotique :* gonflement du visage dû à une manifestation allergique. *Œdème aigu angioneurotique.*

**ANGIOPATHIE** [ɑ̃ʒjopati] n. f. — 1853; de *angio-*, et *-pathie.*

Méd. Maladie des vaisseaux (veines, artères).

**ANGIOPLASTIE** [ɑ̃ʒjoplasti] n. f. — V. 1960; de *angio-*, et *plastie.*

Méd. Opération qui consiste à réparer un vaisseau (en pratiquant une suture, une désobstruction...) ou à le remodeler (par exemple en l'élargissant au moyen d'un stent). *L'angioplastie se pratique en cas de sténose artérielle.*

**ANGIOSPASME** [ɑ̃ʒjospasm] n. m. — 1931; de *angio-*, et *spasme.*

Méd. Contraction spasmodique d'un vaisseau sanguin accompagnée d'une augmentation de la tension artérielle.

DÉR. **Angiospasmodique.**

**ANGIOSPASMODIQUE** [ɑ̃ʒjospasmɔdik] adj. — XX^e^; de *angiospasme*, d'après *spasmodique.*

Méd. Qui se rapporte à l'angiospasme.

**ANGIOSPERMAL, ALE, AUX** [ɑ̃ʒjospɛʀmal, o] adj. — XX^e^; de *angiosperme.*

Bot. Relatif aux angiospermes. *La flore angiospermale.*

**ANGIOSPERME** [ɑ̃ʒjɔspɛʀm] adj. et n. f. pl. — 1740; de *angio-*, et *-sperme*.

♦ **1** Bot. Se dit des plantes dont les graines sont renfermées dans des fruits (opposé à *gymnosperme*).

♦ **2** N. f. pl. Sous-embranchement des *Spermatophytes**, comprenant les plantes à ovules enclos et à graines enfermées dans des fruits. → **Dicotylédone** (dialypétales, apétales et gamopétales), **monocotylédone.** — Au sing. *Une angiosperme.*

Les Angiospermes sont des Spermatophytes aux fleurs souvent brillantes dont les graines sont enfermées dans un fruit.
Elles constituent un ensemble très important qui tient dans le monde une place considérable (...)
Les Angiospermes imposent au tapis végétal actuel de notre planète un grand nombre de traits de sa physionomie générale — en particulier ceux dont les variations suivent le rythme des saisons —, car beaucoup sont des plantes grégaires. Elles forment de vastes forêts (chênaies, hêtraies, châtaigneraies, forêt dense), des landes étendues (landes à Genêts, Ajoncs, Bruyères, Myrtilles), des groupements buissonnants (buissons, maquis, garrigues, scrubs), et aussi nos herbages (Graminées, Légumineuses), de même que les vastes surfaces des savanes, steppes, prairies, parcs naturels, gazons, etc.
Leur importance tient encore à ce qu'elles conditionnent l'existence de beaucoup d'autres êtres vivants. Le monde si riche des Champignons parasites est surtout fait d'organismes qui vivent aux dépens des Angiospermes. D'autre part, le règne animal est largement tributaire de ces végétaux pour son alimentation, et la vie de l'homme lui-même est liée à la leur. Ce sont eux qui ont procuré longtemps à l'homme de jadis — essentiellement frugivore — la majeure partie de sa nourriture et aujourd'hui nous sommes encore les bénéficiaires des produits qu'ils fournissent.

Fernand MOREAU, *in* Encycl. Pl., Botanique, p. 857.

CONTR. **Gymnosperme.** ◊ DÉR. **Angiospermal, angiospermie.**

**ANGIOSPERMIE** [ɑ̃ʒjɔspɛʀmi] n. f. — 1803; de *angiosperme*.

Bot. (Vx). Sous-division constituée par les plantes angiospermes dans la classification de Linné.

**ANGIOTENSINE** [ɑ̃ʒjotɑ̃sin] n. f. — 1968; de *angio-*, rad. de *tens(ion)*, et suff. *-ine*.

Physiol., méd. Polypeptide, dont une variété *(angiotensine II)* libérée par l'action successive de deux substances enzymatiques *(rénine* et *plasmine)* sur une globuline plasmatique fabriquée par le foie *(l'angiotensinogène)*, a un grand pouvoir hypertenseur et augmente la sécrétion d'aldostérone. — Syn. : *angiotonine, hypertensine.*

**ANGIOTOMIE** [ɑ̃ʒjotɔmi] n. f. — 1740; de *angio-*, et *-tomie*.

Méd. Vx. Dissection des vaisseaux. — Mod. Incision d'un vaisseau sanguin ou lymphatique.

**ANGIOTONINE** [ɑ̃ʒjotɔnin] n. f. — 1959, Garnier et Delamare; mot formé par Page, de *angio-*, élément, *-ton-*, du grec *ton(os)* «tension», et suff. *-ine*.

Méd. → **Angiotensine.**

**ANGLAIS, AISE** [ɑ̃glɛ, ɛz] adj. et n. — XIIe, *engleis;* bas lat. *Angli* «Angles (peuple germanique, établi en Grande-Bretagne)».

♦ **1** Adj. Qui se rapporte à l'Angleterre (et, abusivt, à la Grande-Bretagne. → **Britannique**), à ses habitants. → préf. **Anglo-.** *Le peuple anglais. Une gouvernante anglaise. Un groupe anglais de musique pop. — La couronne, la monarchie anglaise. Le Parlement anglais.* → **Chambre** (des communes, des lords). *Le Ministre anglais des finances.* → **Chancelier** (de l'Échiquier). *La monnaie anglaise.* → **Guinée,** 2. **livre, penny, souverain, shilling.** *Meubles anglais,* de style anglais. *Pur-sang anglais. Une voiture anglaise. Petit déjeuner anglais.* → **Breakfast.**

Intérieur bourgeois anglais, avec des fauteuils anglais. Soirée anglaise. M. Smith, Anglais, dans son fauteuil anglais et ses pantoufles anglaises, fume sa pipe anglaise et lit un journal anglais, près d'un feu anglais. Il a des lunettes anglaises. À côté de lui, dans un autre fauteuil anglais, Mme Smith, Anglaise, raccommode des chaussettes anglaises. Un long moment de silence anglais. La pendule anglaise frappe dix-sept coups anglais.

IONESCO, la Cantatrice chauve, 1.

Loc. (où *anglais* correspond à une spécification conceptuelle, sans valeur originelle). *Assiette* anglaise. Broderie*, dentelle anglaise. Canne* anglaise. Capote* anglaise. Chaîne* anglaise. Charrette* anglaise. Clef* anglaise. Cor* anglais. Jardin* anglais. Semaine* anglaise. Vert* anglais.*

*Le Canada anglais :* (ancienn) le Haut-Canada avant l'indépendance; (mod.) le Canada de langue et de culture anglaises (opposé à *Canada français*). *Des Canadiens anglais.*

♦ **2** N. *(Un, une Anglaise).* Personne qui habite l'Angleterre et, par ext. (abusivt), les Îles Britanniques. → fam. **Angliche, british** (→ 2. Pouvoir, cit. 14). — Spécialt (au Canada). *Un Anglais anglais :* un Britannique.

Les Anglais n'aiment pas les révolutions (...) Ils leur préfèrent les modifications progressives et partielles.

Philippe VAN TIEGHEM, le Romantisme dans la littérature européenne, p. 134.

(...) la douane, les voitures de poste et les auberges, perfides aux arrivants; la route, les champs, et les gazons les plus beaux du monde; Londres et ses curiosités, la Tamise couverte de vaisseaux, Westminster, la Tour; les mœurs bizarres des Anglais, la façon dont ils mangeaient, dont ils buvaient, l'étrange façon qu'ils avaient de s'amuser, violemment, tristement : les peines et les plaisirs de la découverte donnaient aux relations une allure discrètement héroïque. Bref, en 1715, on commençait à voir l'Angleterre (...)

Paul HAZARD, la Crise de la conscience européenne 1680-1715, p. 61.

Régional (au Canada). Canadien de langue et de culture anglaises (dans la langue des francophones).

♦ **3** N. m. *L'anglais :* langue germanique parlée principalement en Grande-Bretagne, aux États-Unis et dans tout l'ancien empire britannique. *Spécialiste de l'anglais.* → **Angliciste.** *Apprendre, parler l'anglais* (→ **Anglophone**). *Le vieil anglais, le moyen anglais. Livre écrit en anglais. L'anglais britannique* (parlé en Grande-Bretagne), *américain* (parlé aux États-Unis), *canadien, australien, néo-zélandais, sud-africain. L'anglais des Indes. L'anglais et les pidgins* (en Extrême-Orient). L'anglais international, des affaires, scientifique. Apprendre l'anglais. Un prof d'anglais. Leçon d'anglais. — L'anglais aristocratique, l'anglais du roi, de la reine; l'anglais populaire, cockney. L'anglais des Noirs américains* (black English). — *En anglais :* en parlant, en utilisant la langue anglaise. *«Vendre du Stendhal en français et des voitures en anglais, c'est nous installer dans l'image d'une nation "versaillaise" qui vit* sur *sa culture et non de son travail»* (Jacques Cellard, *la Vie du langage,* p. 237).

Au point de vue des relations et politiques et commerciales, nul ne l'emporte sur lui par sa diffusion internationale; au point de vue littéraire ou des œuvres de l'esprit embrassant de la poésie à la science, lequel, par un éclat plus noble, le Français excepté? Si la *Grande-Bretagne* et l'*Irlande* (soit la *Métropole*), les *États-Unis* tout entiers et l'*Amérique anglaise du Nord*, l'*Australie,* la *Terre de Van Diémen,* la *Nouvelle-Zélande* et le *Sud de l'Afrique,* parlent, à des titres divers, l'Anglais, usité aussi dans l'*Inde* et parmi les possessions maritimes du monde entier; bref, si cette langue est la plus répandue, elle est encore une des plus cultivées (...)

MALLARMÉ, les Mots anglais, I, I, Pl., p. 899.

Adj. De la langue anglaise. *Syntaxe anglaise. Vocabulaire anglais. Les mots anglais. Emprunt anglais* (dans une autre langue). → **Anglicisme.** *Dictionnaire anglais. Dictionnaire anglais-français, anglais-russe.*

♦ **4** Loc. adv. **À L'ANGLAISE :** à la manière, à la mode anglaise. *S'habiller à l'anglaise. Prononcer à l'anglaise.* — (1890). *Filer à l'anglaise,* discrètement, sans prendre congé (cf. en angl. *Take (a) French leave* (1771, in *Oxford Dict.*)). → **Doux** (en douce). — (Avec d'autres verbes). *S'esquiver à l'anglaise.* (Pop. et vx). *Pisser à l'anglaise* (Zola) : s'esquiver sous prétexte de satisfaire un besoin naturel.

5 — Quoi ! le grand homme est parti ?
Son mari répondit :
— Je crois que oui, ma chère, je viens de le voir sortir à l'anglaise.

MAUPASSANT, Fort comme la mort, éd. 1889, p. 221.

6 En tout cas, moi j'ai filé à l'anglaise. Ou plutôt, comme dit Marie-Ange : «Je suis parti à l'épouvante».

Claude MAURIAC, le Dîner en ville, p. 132.

*Jardin à l'anglaise* (opposé à *jardin à la française*), qui s'inspire de l'ordre naturel.

*Beurre* à l'anglaise. — Pommes de terre à l'anglaise,* à la vapeur. *Cuisson à l'anglaise :* cuisson à l'eau salée (de poissons, viandes, légumes qu'on accompagne ensuite d'une sauce). *Colin frit et colin à l'anglaise.*

7 (...) non rien ce soir, juste une tranche de jambon et quelques pommes à l'anglaise, c'est tout ce qu'elle prendra aujourd'hui (...) N. SARRAUTE, Martereau, p. 44.

Équit. *Trotter (trot) à l'anglaise,* en se soulevant de sa selle à chaque temps complet du trot du cheval. — *Queue à l'anglaise.* → **Anglaiser.**

♦ **5** N. m. [a] (Fin xv^e). Vx. Créancier (Balzac, Pierre Grassou, *in* T. L. F.).

[b] Vieilli. Cheval anglais.

[c] N. m. pl. Fam. Règles, flux menstruel (à cause de l'uniforme rouge des fantassins anglais, autrefois). *Elle a ses Anglais.* Loc. *Les Anglais ont débarqué :* elle a ses (j'ai mes, etc.) règles.

DÉR. **Anglaise, anglaiser.**— V. **Angliche.** — (Du lat. *anglus*) V. **Anglican, angliciser, anglicisme, angliciste,** et le préf. **anglo-.** ◊ HOM. **Anglet**; formes du v. **angler.**

**ANGLAISE** [ɑ̃glɛz] n. f. — 1788; de *anglais.*

♦ **1** Écriture cursive penchée à droite.

1 *(Sur un gros carnet)* l'adolescente (...) avait soigneusement calligraphié, tantôt en bâtarde et tantôt en anglaise, l'histoire du monde depuis Adam que lui avait dictée son père.

M. YOURCENAR, Archives du Nord, p. 222.

♦ **2** Danse. Ancienne danse assez vive.

♦ **3** N. f. pl. (1829). **ANGLAISES :** longues boucles de cheveux, verticales, roulées en spirale.

2 (...) une grande femme, aux blondes anglaises lui battant les joues et lui tombant sur la poitrine, à la toilette excentrique, déboucha de la Galerie.

Ed. et J. DE GONCOURT, Madame Gervaisais, éd. 1885, p. 175.

**ANGLAISER** [ɑ̃gleze] v. tr. — 1788; de *anglais (à l'anglaise).*

*Anglaiser un cheval,* lui couper les muscles abaisseurs de la queue afin qu'elle se tienne horizontale. (On dit aussi : *couper la queue à l'anglaise*).

♦ **ANGLAISÉ, ÉE** p. p. adj. *Cheval anglaisé.*

1. **ANGLE** [ɑ̃gl] n. m. — V. 1170; du lat. *angulus.*

[I] Sc. et techn. ♦ **1** Géom. et cour. Figure formée par deux lignes ou deux plans qui se coupent. Syn. : *secteur angulaire. Mesure d'un angle. Angle mesuré en degrés*, en grades*. Sommet*, côtés* d'un angle. Angles rentrants,* de plus de 180°. *Angles saillants,* de moins de 180°. — *Angle droit*,* dont les côtés sont perpendiculaires (angle de 90°). → **Curviligne, orthogonal.** *Angle aigu*, plus petit que l'angle droit. Angle obtus*, plus grand que l'angle droit. Angle plat,* de 180°. *Angle nul. — Angles alternes externes,* situés en dehors de deux parallèles et d'un côté différent de la sécante. *Angles alternes internes,* situés entre deux parallèles et d'un côté différent de la sécante. *Angle adjacent** ou *continu. Angles complémentaires,* dont la somme équivaut à un angle droit. *Arêtes et pans d'un angle dièdre*. Angle inscrit* à un cercle,* issu d'un point d'un cercle et dont les côtés coupent le cercle. *Angle au centre. Angle intérieur*, extérieur* à un cercle. Angle intérieur, extérieur d'un polygone. Angles opposés* par le sommet. Angles supplémentaires,* de même sommet et de somme égale à l'angle plat (180°). *Angle rectiligne*. Angle solide* ou polyèdre. Angle solide d'un cône. Angle trièdre,* formé par trois plans. — *Angle d'un couple de droites, de demi-droites* (vectorielles ou affines). *Angle d'un couple de vecteurs. Cosinus, sinus d'un angle. Complément, supplément d'un angle. Sinus du complément d'un angle.* → **Cosinus.** *Division d'un angle en deux parties égales.* → **Bissection, bissectrice.** *Trisection d'un angle. Figure à angles égaux.* → **Isogone.** *Figure à plusieurs angles.* → **Polygone, triangle,** et les éléments 1. **gone-, gonio-;** → aussi acutangle, équiangle, obtusangle, quadrangle, rectangle. *Mesure des angles.* → **Goniométrie, trigonométrie.** *Instrument de mesure des angles.* → **Alidade, équerre, goniomètre, graphomètre, pantomètre, rapporteur, sauterelle** (équerre), **théodolite.**

Si je veux mesurer un angle de soixante degrés, je décris du sommet de cet angle, non pas un arc, mais un cercle entier; car avec les enfants il ne faut jamais rien sous-entendre. ROUSSEAU, Émile, II. 1

Cour. *Faire un angle droit, saillant, rentrant. Se couper à angle droit. Tailler à angles vifs.*

♦ **2** Spécialt. [a] Opt. *Angle optique, visuel,* formé par les deux lignes joignant au centre de l'œil les deux extrémités d'un segment observé. — *Angle d'incidence*, de réflexion*, de réfraction*. Angle de déviation. — Angle de champ d'un objectif. Objectif à grand angle* (ellipt : *grand-angle*). → **Grand-angulaire.** *Angle de prise de vue, d'image.* → 1. **Champ** (III., 1.).

Les limites de la portion du décor à retenir s'appellent aussi l'angle ou le champ. 1.1

G. COHEN-SÉAT, Essai sur les principes d'une philosophie du cinéma, p. 196.

Astrol. → **Aspect.**

Astron. *Angle horaire* (d'une étoile), formé par le plan d'un méridien, celui de l'équateur et par l'étoile. → **Azimut, cercle** (gradué).

Bot. *Angle aigu entre deux éléments.* → **Aisselle** (2.).

[b] Balistique. *Angle de mire,* formé par la ligne de mire d'un fusil avec l'axe du canon. *Angle mort* (→ ci-dessous, *infra* cit. 1.2). *Angle de chute ou d'impact. Angle de hausse,* formé entre la ligne de tir et la ligne de site. *Angle de pointage, de recul, de relèvement. Angle de tir. Angle de départ.*

Le char ne peut pas tirer partout en même temps, ni dans son voisinage immédiat. Les angles morts s'ajoutant aux trente secondes au moins que demande la tourelle pour accomplir un tour complet doivent permettre à un fantassin résolu d'agir sans risque. L'angle mort du canon 1.2

varie entre sept et vingt mètres, et celui des armes automatiques entre cinq et neuf mètres selon le type du char.
M. TOURNIER, le Roi des Aulnes, p. 362.

*Angle mort :* portion de terrain à l'abri d'une ligne de tir; (cour.) zone sans visibilité (par ex., dans une voiture).

Aviat. *Angle d'attaque,* formé par le plan de référence de l'aile de l'avion avec la direction suivie. (On dit aussi *angle de tangage*). — *Angle de la route avec l'horizontale.* → **Assiette.** *Angle de dérive.*

Milit. *Angle de marche, de route,* formé par une direction de marche avec le nord magnétique.

[c] Anat. *Angle des lèvres* (→ **Commissure**), *de l'œil, des paupières. Angle de la hanche, de l'omoplate, du pubis.* — *Angle facial,* formé par deux droites imaginaires, partant de la base des dents incisives supérieures et passant, l'une par le point le plus saillant du front, l'autre à la hauteur du conduit auditif. *On a cherché à déterminer le degré d'intelligence des individus d'après le degré d'ouverture de l'angle facial.*

1.3 Il appartenait bien à cette espèce des anthropomorphes dont l'angle facial n'est pas sensiblement inférieur à celui des Australiens et des Hottentots. C'était un orang, et qui, comme tel, n'avait ni la férocité du babouin, ni l'irréflexion du macaque, ni la malpropreté du sagouin, ni les impatiences du magot, ni les mauvais instincts du cynocéphale.
J. VERNE, l'Île mystérieuse, t. I, p. 382.

[d] Archit. *Angle saillant, sortant, rentrant d'une fortification.* → **Anglet, brisis, carne, cornier, encoignure, pan.**

[e] Techn. *Angle d'attaque,* formé par l'inclinaison d'un matériau à attaquer. *Angle de coupe,* sous lequel doit être attaqué un matériau à couper. *Angle de dépouille*, de dégagement.*

*Angle de prise d'une ancre.*

*Angle de torsion,* formé par la déformation d'un objet droit ou plan.

*Angle de calage*. Angle d'avance :* différence d'un angle de calage avec l'angle droit.

Mécan. *Angle de braquage d'une automobile. Angle de chasse d'une moto :* angle de la fourche avec la verticale.

**II** Cour. ♦ **1** Saillant ou rentrant formé par deux lignes ou deux surfaces qui se coupent. → **Arête, coin, corne, coude, encoignure, retour, tournant.** *L'angle d'une maison, d'une rue. La rue fait un angle après la place.* → **Coude.** *Je t'attendrai à l'angle de la rue Lepic.* → **Coin** (au). *Former un angle, être en angle. Le café-tabac qui fait l'angle, qui est à l'angle de deux rues.* → **Carrefour.** *L'angle d'une pièce. Aux quatre angles de la salle* (→ Encoignure, cit. 6). *Placer un guéridon dans l'angle.* — *Un meuble d'angle,* destiné à être placé dans un angle. *Maison d'angle,* située à l'angle d'une rue. — Fig. *Une pierre d'angle.* → **Angulaire** (3.).

2 Les côtes tourmentées, les arêtes gigantesques des montagnes étaient rapprochées, rapetissées par la limpidité extrême, invraisemblable de l'air. On distinguait tout : les angles vifs, un peu rosés, les creux un peu bleus.
LOTI, Mon frère Yves, XLI.

3 (*Ils*) se retirent dans un angle obscur de la mosquée.
LOTI, Aziyadé, III, 15.

4 (...) nous arrivons, Yves, Chrysanthème et moi, à certain angle familier de la grand'rue, à certain tournant où il faut quitter les lumières et le bruit de la ville (...)
LOTI, M^me^ Chrysanthème, XXIX.

4.1 Il regardait en face de lui la maison d'angle, de l'autre côté de la chaussée. Il la regardait déjà depuis un certain temps, lorsqu'il s'est aperçu que des gens se trouvaient réunis dans une pièce du deuxième étage.
A. ROBBE-GRILLET, Dans le labyrinthe, p. 123.

Une carte de Nice, divisée en carrés égaux; j'habite le carré F 12, vers l'angle du bas, à gauche.
J.-M. G. LE CLÉZIO, l'Extase matérielle, p. 40.

**EN ANGLE :** pointu. *Tailler quelque chose en angle.* — Plais. *Cette personne est toute en angles,* très maigre.

Par métonymie. Secteur angulaire. «*Un angle de fromage de Brie*» (Balzac, *le Cousin Pons*).

Brusque changement de direction. → **Crochet.**

♦ **2** Fig. Aspérité*, rudesse. *Les angles du caractère,* ce qu'il y a de désagréable en lui.

Son caractère ombrageux à l'excès prenait de jour en jour des angles plus vifs, son visage des airs plus impénétrables (...)
E. FROMENTIN, Dominique, XIV.

Loc. *Adoucir*, arrondir les angles :* faire des concessions.

♦ **3** Loc. **SOUS (TEL, UN CERTAIN...) ANGLE :** sous un certain aspect*, d'un certain point* de vue. *Vues sous cet angle, les choses sont plus simples. Il faut envisager la question sous tous ses angles. Sous l'angle pratique, nous n'avons pas à nous plaindre.* — *Tout dépend de l'angle sous lequel vous présenterez la chose.*

Chacun de nous croit être aux yeux d'autrui ce qu'il est aux siens propres. Mais jamais il ne peut mesurer l'angle sous lequel il est jugé. 6
Edmond JALOUX, les Visiteurs, XV.

(...) il n'est pas de belle cause, ni de bonnes gens, qui, vus sous un certain angle, avec un certain grossissement, n'offrent des côtés ridicules (...) 7
R. ROLLAND, Jean-Christophe, t. VII, p. 83.

Si l'on étudie l'histoire sous cet angle, tout y devient surprise, péripétie, tressaillement, enchantement. 8
J. ROMAINS, cité par A. MAUROIS, Études littéraires, t. II, p. 158.

C'est sous cet angle qu'il faut envisager les États-Unis d'aujourd'hui si l'on se soucie de les comprendre. 9
André SIEGFRIED, l'Âme des peuples, VII, 3.

— Oui, je crois que vous avez raison. Zapotèque, probablement. Oui, c'est vrai, sous cet angle (...)
N. SARRAUTE, Vous les entendez?, p. 140.

(Dans le même sens, en emploi libre). Point de vue.

(...) cette naturelle hypocrisie qu'on appelle lucidité, qui veut vous faire voir les angles divers d'une chose unique.
J.-M. G. LE CLÉZIO, l'Extase matérielle, p. 26.

**DÉR. Angler, anglet, angleux.** — V. **Angulaire, anguleux.** ◊ **COMP. Acutangle, équiangle, obtusangle, quadrangle, rectangle, triangle.** — V. aussi les mots composés du rad. **gonio-** et du suff. **-gone** (grec *gônia* «angle»). ← **HOM.** 2. **Angle**; formes du v. **angler.**

2. **ANGLE** [ɑ̃gl] adj. et n. — D. i.; du nom pr. *Angles,* probablt IX^e^; du plur. lat. *Angli* (Tacite), «le peuple d'*Angul* ou d'*Angulus*» (mot germanique de même racine que le lat. *uncus, angulus* «crochet»; cf. aussi *angon*), district du Holstein ainsi appelé en raison de sa forme.

Didact. Du peuple germanique, originaire d'Allemagne du Nord (sud du Schleswig) qui envahit l'Angleterre à la fin du V^e^ siècle. *Les royaumes angles.* — N. *Les Angles* (ne s'emploie guère qu'au pluriel).

Qu'était-ce que les Saxons? Des Angles : Angles, ainsi qu'ils s'appelaient eux-mêmes; Saxons, ainsi que les appelèrent, d'après les Francs, les indigènes de la Bretagne, l'île du Nord-Ouest de l'Europe, envahie particulièrement par eux, au V^e^ siècle.
MALLARMÉ, les Mots anglais, Pl., p. 905.

**HOM.** 1. **Angle**; formes du v. **angler.**

**ANGLÉ, ÉE** [ɑ̃gle] p. p. et adj. → **Angler.**

**ANGLEDOZER** [ɑ̃gœldozɛʀ] n. m. — 1946, *in* Höfler; mot angl., de *angle* «oblique», et *(bull)dozer.* → Bulldozer.

Anglic. Techn. Engin de travaux publics qui creuse le sol en l'attaquant obliquement et en rejetant les déblais sur le côté. Recomm. off. : *bouteur biais.* — REM. Seul *bulldozer* est entré dans l'usage général, et le mot désigne aussi les *angledozers*, sauf dans le vocabulaire technique des travaux publics.

**ANGLER** [ɑ̃gle] v. tr. — 1606 ; de 1. *angle.*

Techn. Disposer en angle.

◆ **ANGLÉ, ÉE** p. p. adj. Blason. *Croix anglée :* croix en sautoir où des figures sortent des angles.

**ANGLET** [ɑ̃glɛ] n. m. — Mil. XIIIe, «petit coin»; archit., 1762 ; de 1. *angle.*

Archit. Cavité (entaille, moulure) à angle droit qui sépare des bossages.

Typogr. Cavité en forme d'angle exécutée à la lime dans le filet destiné à un encadrement.

HOM. **Anglais**; formes du v. **angler.**

**ANGLETERRE** [ɑ̃glətɛʀ] n. f. — 1628, sens 1., de *poire d'Angleterre ;* sens 2., 1694, de *dentelle au point d'Angleterre.*

Vieux.

♦ **1** Variété de poire d'automne.

♦ **2** Vx. Dentelle dite *au point d'Angleterre,* faite à Bruxelles. *De l'angleterre.*

**ANGLEUX, EUSE** [ɑ̃glø, øz] adj. — V. 1290 ; de 1. *angle.*

Techn. (bot., agric.). Se dit de fruits dont l'amande est renfermée dans de petits angles. *Noix angleuse.*

**ANGLICAN, ANE** [ɑ̃glikɑ̃, an] adj. et n. — 1554 ; angl. *anglican,* du lat. médiéval *anglicanus,* de *Angli.* → Anglais.

♦ **1** Qui appartient à l'Église d'Angleterre. → **Anglicanisme.** *Église anglicane. Pasteur, évêque, clergé anglican. Rite anglican. Sectes anglicanes.* → **Conformiste, méthodiste.**

N. (1730). Personne qui professe l'anglicanisme.

♦ **2** Vx. Anglais. *«Un flegme tout anglican»* (A. Dumas, *le Comte de Monte-Cristo*).

DÉR. **Anglicanisme.**

**ANGLICANISME** [ɑ̃glikanism] n. m. — 1801 ; de *anglican.*

Religion officielle de l'Angleterre ayant pour chef le souverain du royaume, établie à la suite de la rupture de Henri VIII avec Rome. *L'anglicanisme constitue un compromis entre le catholicisme et le calvinisme. L'anglicanisme est la religion dominante des Anglais.*

L'anglicanisme est la lune sinistre et glacée du catholicisme.
CLAUDEL, Cahier VI, mai 1932, *in* Journal, t. I, Pl., p. 1000.

**ANGLICHE** [ɑ̃gliʃ] adj. et n. — 1861, *in* Esnault ; 1862, Hugo, *les Misérables* (dans la bouche de Gavroche, probablt au sens de *anglais* «usurier»); de *anglais,* et suff. reprenant la terminaison de l'angl. *English.*

Fam. (vieilli). Anglais, anglaise. — N. *Les Angliches.*

(...) l'Angliche pour moi, c'est Polichinelle sérieux, une figure que son ressort pousse méthodiquement du Strand à Piccadilly, ou de tout autre endroit à tout autre endroit, et qui traverse la foule avec l'indifférence du bois «dont on fait les Thompson», mais pas souple, pas curieux, pas inquiet, pas amusé, peu amusant du reste, pas vivant comme les foules françaises (...)
Germain NOUVEAU, Lettre à J. Richepin, 27 juil. 1875, Pl., p. 826.

REM. La variante *engliche,* orthographiée d'après l'anglais *english,* courante au XIXe s., est vieillie.

**ANGLICISANT, ANTE** [ɑ̃glisizɑ̃, ɑ̃t] adj. — XXe ; du p. prés. de *angliciser.*

Rare. Qui s'anglicise, s'est anglicisé.

**ANGLICISATION** [ɑ̃glisizasjɔ̃] n. f. — V. 1960 ; de *angliciser.*

Le fait d'angliciser ; résultat de cette action. *«Contre l'anglicisation du canadien-français»* (Frère Untel, *in* Étiemble, *Parlez-vous franglais ?,* p. 367).

Elle *(l'opération «Vendre en français»)* a permis de faire le point sur le degré d'anglicisation du vocabulaire de l'audiovisuel, au moins en ce qui concerne la diffusion des matériels, d'engager une action à long terme de rectification et de prévention, et de déterminer les conditions de succès d'une politique linguistique d'entreprise.
Jacques CELLARD, la Vie du langage, p. 224.

**ANGLICISER** [ɑ̃glisize] v. tr. — XVIIIe ; du lat. médiéval *anglicus,* de *anglus.* → Anglais.

Rendre anglais, donner l'air anglais.

Quant à la troisième génération *(d'immigrants aux États-Unis),* elle paraît totalement assimilée : le souvenir même de l'origine européenne s'efface, le nom a souvent été anglicisé (...) André SIEGFRIED, l'Âme des peuples, VII, 2. 1

◆ **S'ANGLICISER** v. pron. Devenir anglais. Prendre le caractère anglais, l'apparence anglaise ; copier les Anglais, les manières anglaises. *S'angliciser dans sa toilette.*

◆ **ANGLICISÉ, ÉE** p. p. et adj. *Mot français anglicisé.*

REM. On trouve aussi les synonymes rares *anglifier* (1866) et *angliser* (1796, Restif de la Bretonne), v. tr. «donner un caractère anglais à...».

En France nous nous anglisons et nos fils s'ennuieront encore plus que nous. 2
STENDHAL, Mémoires d'un touriste, t. I, p. 225.

DÉR. **Anglicisant, anglicisation.**

**ANGLICISME** [ɑ̃glisism] n. m. — 1652 ; angl. *anglicism* (1642), du lat. médiéval *anglicus,* de *anglus.* → Anglais.

**I** ♦ **1** Didact. Façon de s'exprimer, tournure propre à la langue anglaise (par rapport à une autre langue). → **Idiotisme.** — REM. Par rapport à l'angl. des États-Unis, on dit *briticisme*.*

♦ **2** (1704). Cour. Emprunt* d'une langue à la langue anglaise (sous toutes ses variantes, souvent à l'américaine ; → Américanisme), soit syntaxique, soit, plus souvent, lexical et phraséologique. *L'allemand, l'italien, le français du XXe siècle présentent de nombreux anglicismes.*

Anglicisme en français. *Les anglicismes du franglais*.*

Parmi les sports chez nous les plus populaires, voici au premier rang les courses de chevaux (...) une part excessive de notre vocabulaire hippique est infectée d'anglicismes (...) ÉTIEMBLE, Parlez-vous franglais ?, p. 61.

**II** (1832, *anglaisisme*). Vx. Fait d'angliciser, de s'angliciser.

**ANGLICISTE** [ɑ̃glisist] n. — 1939 ; angl. *anglicist,* 1930 K. Malone, in *Oxford Dict., Suppl.* (autre sens, 1867), du lat. médiéval *anglicus.*

Spécialiste de la langue, de la littérature et de la civilisation anglaises. *Revue des anglicistes.* — (Dans l'usage scolaire, universitaire). Élève, étudiant d'anglais. *Dans cette classe de sixième, il y a des anglicistes et des germanistes.*

Il entendit une angliciste grommeler : il exagère... Ces demoiselles parlèrent donc ciné.
Claude COURCHAY, La vie finira bien par commencer, p. 66.

**ANGLO-** Élément de composition, tiré du rad. de *anglais.* → **Anglo-arabe, anglomane, anglomanie, anglo-normand, anglophile, anglophilie, anglophobe, anglophobie, anglophone, anglo-saxon.** — *Anglo-*, suivi d'un adj. ethnique, a le sens de «anglais et d'un autre pays», que ce pays soit en relations extérieures avec l'Angleterre (ex. : *anglo-français, anglo-hollandais, anglo-russe...*) ou qu'il soit (ou ait été) anglicisé. → **Anglo-américain, anglo-indien.**

**ANGLO-AMÉRICAIN, AINE** [ɑ̃gloameʀikɛ̃, ɛn] adj. — 1789; de *anglo-*, et *américain.*

♦ **1** Relatif à l'Angleterre et aux États-Unis d'Amérique. *Les relations anglo-américaines.*

♦ **2** Relatif à la langue anglaise parlée aux États-Unis. — N. m. *L'anglo-américain. «Corn» signifie «blé» en anglais et «maïs» en anglo-américain.* → **Américain.**

**ANGLO-ARABE** [ɑ̃gloaʀab] adj. et n. — 1838; de *anglo-*, et *arabe.*

Se dit des chevaux qui proviennent d'un croisement de pur-sang anglais et arabe. — N. m. *Un anglo-arabe.*

**ANGLO-INDIEN, IENNE** [ɑ̃gloɛ̃djɛ̃, jɛn] adj. — XX^e; de *anglo-*, et *indien.*

Relatif à ce qui était anglais (ou britannique) aux Indes.

**ANGLOMANE** [ɑ̃glɔman] adj. et n. — 1764, n.; adj., 1766; de *anglo-*, et *-mane.*

Littér. ou style soutenu. Qui imite et admire sans discernement les Anglais et leurs usages.

Hubert Lachaume ne supportait pas ce qu'il appelait, étant un peu anglomane, le «small talk», la conversation de pure convenance (...)
Jean-Louis CURTIS, le Roseau pensant, p. 31.

N. *(Un, une anglomane).* Personne qui fait preuve d'anglomanie*.

REM. La forme *anglomaniaque* [ɑ̃glɔmanjak] (1779), d'après l'angl. *anglomaniac*, se rencontre (rarement) comme adj. de *anglomanie**.

**ANGLOMANIE** [ɑ̃glɔmani] n. f. — 1754, *Correspondance de Grimm*; de *anglo-*, et *-manie.*

Littér. ou style soutenu. Manie des anglomanes; imitation et admiration sans discernement des Anglais et de leurs usages.

1 Notre anglomanie demeure telle, en ce qui concerne le tennis, que nous avons inventé, à cette fin, des mots «anglais» qui n'existent pas.
ÉTIEMBLE, Parlez-vous franglais ?, p. 59.

2 Enfin, Hector, votre indifférence est une pose ! L'anglomanie, c'était bon il y a dix ans. Vous retardez.
J. ANOUILH, Ardèle ou la marguerite, p. 23.

**ANGLO-NORMAND, ANDE** [ɑ̃glonɔʀmɑ̃, ɑ̃d] adj. et n. — 1796, n., *in* D. D. L.; adj., 1821 (→ cit. 1); de *anglo-*, et *normand.*

Qui réunit des éléments anglais et normands. *Les îles anglo-normandes* : l'archipel britannique de la Manche. *Cheval anglo-normand*, croisement des races anglaise et normande.

1 En 1260, Marie de France, muse anglo-normande, traduisit en vers un grand nombre de lais armoricains.
MIORCEC DE KERDANET, Hist. de la langue des Gaulois, p. 62, *in* D. D. L., II, 10.

N. *(Un, une Anglo-Normande).* Personne qui habite les îles anglo-normandes. *«Les Anglo-Normands forment encore une partie de l'aristocratie anglaise»* (La Châtre, *Dictionnaire*, 1852, p. 268).

*Un anglo-normand*, race de cheval; *un anglo-normand* (ou *bâtard anglo-normand*), type de chien courant.

C'était Top, en effet, un magnifique anglo-normand qui 2
tenait de ces deux races croisées la vitesse des jambes et la finesse de l'odorat, les deux qualités par excellence du chien courant.
J. VERNE, l'Île mystérieuse, t. I, p. 83.

Ling. *Dialectes, parlers anglo-normands.*

N. m. Ling. *L'anglo-normand* : dialecte français (langue d'oïl) de Normandie qui était parlé en Angleterre. *Les œuvres de Wace sont écrites en anglo-normand.*

**ANGLOPHILE** [ɑ̃glɔfil] adj. et n. — 1829; de *anglo-*, et *-phile*; *anglophilète*, 1768.

Qui a ou marque de la sympathie pour les Anglais, les Britanniques (spécialt en politique). *Tendances anglophiles. Politique anglophile* (→ Pro-anglais).

N. *(Un, une anglophile).* Personne qui aime les Anglais.

CONTR. **Anglophobe.**

**ANGLOPHILIE** [ɑ̃glɔfili] n. f. — XIX^e (av. 1865); de *anglo-*, et *-philie.*

Dispositions anglophiles; sympathie pour les Anglais.

CONTR. **Anglophobie.**

**ANGLOPHOBE** [ɑ̃glɔfɔb] adj. et n. — 1829; de *anglo-*, et *-phobe.*

Qui déteste les Anglais. *Sentiment anglophobe.*

N. *(Un, une anglophobe).* Personne qui a de l'aversion pour les Anglais.

CONTR. **Anglophile.**

**ANGLOPHOBIE** [ɑ̃glɔfɔbi] n. f. — 1829; de *anglo-*, et *-phobie.*

Hostilité pour les Anglais et ce qui est anglais. *Une vague, un courant d'anglophobie. Une anglophobie linguistique.*

CONTR. **Anglophilie.**

**ANGLOPHONE** [ɑ̃glɔfɔn] adj. et n. — 1915; subst., 1894, *in* D. D. L.; de *anglo-*, et *-phone.*

Où l'on parle anglais. *Région anglophone.* — Qui parle anglais soit comme langue maternelle, soit comme langue étrangère privilégiée et répandue dans sa communauté. *Populations anglophones d'Afrique. L'Afrique anglophone et l'Afrique francophone. Un Indien anglophone. «(...) les habitants de la province de Québec sont soucieux de marquer leurs distances par rapport au gouvernement central de majorité anglophone d'Ottawa...»* (*l'Express*, 24-30 juil. 1967).

N. *(Un, une anglophone).* Personne qui parle anglais. *Les anglophones d'Asie.*

**ANGLO-SAXON, ONNE** [ɑ̃glosaksɔ̃, ɔn] adj. et n. — 1690, en parlant de la langue anglaise; de *anglo-*, et *saxon.*

♦ **1** (1664, *in* D. D. L.). Hist. Relatif aux envahisseurs germaniques (Angles, Saxons, Jutes) de la Grande-Bretagne, au VI^e siècle.

♦ **2** (1863). Relatif aux peuples de civilisation britannique*. *«La notion anglo-saxonne de l'État»* (A. Siegfried).

N. *(Un, une Anglo-Saxonne).* Personne qui appartient à l'un des peuples de civilisation britannique.

1 Il fut d'accord avec ses amis sur ce point, que l'inconnu devait être Anglais ou Américain, car le nom de *Britannia* le donnait à penser, et, d'ailleurs, à travers cette barbe inculte, sous cette broussaille qui lui servait de chevelure, l'ingénieur avait cru reconnaître les traits caractérisés de l'Anglo-Saxon.
J. VERNE, l'Île mystérieuse, t. II, p. 515.

N. m. Ling. *L'anglo-saxon :* anglais ancien.

2 Les langues que l'on parlait dans les autres contrées étaient, suivant le vénérable Bède, le picte, l'écossais et l'anglais, ou plutôt l'anglo-saxon.
MIORCEC DE KERDANET, Hist. de la langue des Gaulois, p. 43, *in* D. D. L., II, 10.

**ANGOISSANT, ANTE** [ãgwasã, ãt] adj. — 1306; repris XXe; de *angoisser.*

Qui cause de l'angoisse; qui est extrêmement inquiétant. *Un doute angoissant. Une situation angoissante.* → **Angoisseux (vx), inquiétant.**

(...) l'imagination prisonnière de trois ou quatre hypothèses également angoissantes (...)
MARTIN DU GARD, les Thibault, VII, 24.

CONTR. **Apaisant, calmant, rassurant.**

**ANGOISSE** [ãgwas] n. f. — V. 1130, *anguisse;* du lat. *angustia,* usité surtout au plur., «gêne» et en lat. ecclés. «angoisses», d'abord «étroitesse, lieu resserré, défilé», de *angustus* «étroit, serré», de *angere* «étreindre, oppresser, serrer». → Angine, angor, anxieux.

♦ **1** Cour. et méd. Malaise général, physique et psychique, consistant en manifestations neurovégétatives pénibles, associées à un sentiment d'anxiété. → **Anxiété, appréhension, détresse, peur.** *Qui suscite l'angoisse.* → **Anxiogène.** *Qui combat l'angoisse.* → **Anxiolytique.** *Angoisse associée à une douleur.* → **Angor.** *L'angoisse du cauchemar, de l'agonie. Les frissons, l'oppression, les palpitations, les sueurs, les suffocations de l'angoisse. Frissons d'angoisse* (→ Peur, cit. 3). *Angoisse et obsessions, et phobies. — Crise d'angoisse.* → **Raptus** (anxieux). *Paroxysme d'angoisse. Angoisse paroxystique. — «L'angoisse chronique est un sentiment caractéristique des états mélancoliques»* (P. Janet; → Mélancolie, psychose).

1 Il attend, tout frissonnant de la sueur froide et de l'angoisse du cauchemar.
Alphonse DAUDET, Contes du Lundi, Vision.

2 (...) son âme faible à le faire crier d'angoisse, son cœur palpitant à le laisser choir d'émotion dès qu'il croyait entendre un bruit quelconque.
MAUPASSANT, l'Auberge, Pl., t. II, p. 791.

3 Quelque chose se formait dans sa gorge, qui l'étouffait à demi; elle aurait voulu éclater en sanglots, se rouler à terre, vomir ce caillot d'angoisse qui la paralysait.
Edmond JALOUX, les Visiteurs, XXX.

4 L'angoisse lui tordait l'estomac.
MALRAUX, la Condition humaine, *in* Romans, Pl., p. 182.

5 Étrange sensation que l'angoisse : on sent au rythme de son cœur qu'on respire mal, comme si l'on respirait avec le cœur (...)
MALRAUX, la Condition humaine, *in* Romans, Pl., p. 277.

6 (...) son fils aîné souffrait d'une telle angoisse nerveuse que toute punition déclenchait en lui une crise dangereuse.
A. MAUROIS, À la recherche de Marcel Proust, I.

6.1 Vous irez ainsi de plus en plus secrètement séparé des autres et de vous-même, l'âme et le corps désunis par un divorce essentiel, dans cette demi-torpeur que dissipera soudain le coup de tonnerre de l'angoisse, l'angoisse, forme hideuse et corporelle du remords (...)
BERNANOS, l'Imposture, *in* Œ. roman., Pl., p. 329.

Psychan., psychiatrie. *Névrose d'angoisse.* → **Névrose.** — *Signal d'angoisse.* → **Signal.**

L'angoisse peut, par l'importance qu'elle revêt parfois au premier plan du tableau clinique, caractériser à elle seule une névrose, dite névrose anxieuse. 6.2
Son type clinique parfait est la *«névrose d'angoisse»,* décrite par PITRES et RÉGIS, isolée par FREUD, précisée cliniquement par DEVAUX et LOGRE, HARTENBERG, etc. La symptomatologie (...) est centrée sur l'*angoisse,* émotion caractérisée par l'idée d'un danger à venir, par l'attente d'une catastrophe imaginaire, physique et morale tout à la fois. C'est selon le degré : le simple malaise moral avec «idées noires», l'inquiétude, l'anxiété, la grande angoisse terrifiante.
A. HESNARD, *in* POROT, Manuel alphabétique de psychiatrie, 1952, art. *Angoisse* (névrose d').

«Je sors d'une cave pour entrer dans un four», écrivait alors M. de Clergerie à son médecin La Pérouse qui soigne depuis vingt ans ses phobies, et qu'il a d'ailleurs fini par convaincre de venir le rejoindre, dès juillet, à Laigneville, pour y essayer un nouveau traitement de la névrose d'angoisse, dont l'illustre psychiatre entend bientôt entretenir ses confrères. 6.3
BERNANOS, la Joie, *in* Œ. roman., Pl., p. 630.

Psychan. *Hystérie* d'angoisse* (Steckel, Freud) : névrose dans laquelle le sujet développe des symptômes phobiques (et non somatiques comme dans l'hystérie de conversion) pour lier l'angoisse libérée par le refoulement. — *Angoisse automatique* (Freud) : «réaction du sujet chaque fois qu'il se trouve dans une situation traumatique, c'est-à-dire soumis à un afflux d'excitations, d'origine externe ou interne, qu'il est incapable de maîtriser» (Laplanche et Pontalis). *L'angoisse automatique est à distinguer du* signal* d'angoisse, *qui mobilise les réactions de défense du sujet.*

Didact. et rare (méd., psychiatrie). *Angoisse* ou *angoisse somatique :* troubles physiques (abstraction faite des phénomènes psychiques concomitants), de nature neuro-végétative, observables dans un état d'angoisse (ci-dessus, méd.) : constriction épigastrique, constriction laryngée (gorge serrée), modification du rythme cardiaque (bradycardie ou tachycardie), difficulté respiratoire (dyspnée), contraction ou relâchement des muscles de la face, bouche sèche, sueurs, etc.

REM. *Angoisse,* dans cet emploi, s'oppose à *anxiété*.*

Cette distinction de l'anxiété et de l'angoisse, l'une d'ordre psychique, l'autre somatique, est communément admise depuis BRISSAUD (1890) [...] Bien qu'il soit difficile de maintenir une limite aussi rigoureuse et artificielle, on peut cependant reconnaître des états anxieux intéressant tout notre être moral, qui sont vécus et pensés comme le plus intime de nous-mêmes, sans possibilité d'en prendre recul comme d'un objet; et d'autre part, des états d'angoisse plus élémentaires, plus périphériques, plutôt vécus que pensés, plus physiques que moraux, et se présentant comme des *objets* d'angoisse. 6.4
Th. KAMMERER, *in* POROT, Manuel alphab. de psychiatrie, 1952, art. *Anxiété.*

♦ **2** Cour. Malaise psychique né du sentiment de l'imminence d'un danger, caractérisé par une crainte diffuse pouvant aller de l'inquiétude à la panique. → **Anxiété, appréhension, crainte, inquiétude, peur, transe.** *L'angoisse, toujours prête à se manifester car elle est «une donnée fondamentale de la nature humaine»* (J. Boutonier, *in* Porot, 1975, p. 529 a). — *L'angoisse, l'angoisse de qqn, son angoisse. Connaître des jours, des nuits d'angoisse* (→ Perplexité, cit. 2). *Vivre constamment dans l'angoisse. Attendre dans l'angoisse. Demander qqch. avec angoisse. Il sentait l'angoisse monter en lui* (→ Marée, cit. 8). *Cœur oppressé* (cit. 9) *d'une inexprimable angoisse. L'angoisse de...* (suivi d'un nom, d'un inf.). — *Cri d'angoisse.* — *(Une, des angoisses). De profondes, de terribles angoisses. Une longue angoisse. Une angoisse l'oppressait* (cit. 10).

7 Cet honneur a souvent de mortelles angoisses.
LA FONTAINE, Fables, XII, 11.

8 L'air résonne des cris qu'au ciel chacun envoie;
Albe en jette d'angoisse et les Romains, de joie (...)
CORNEILLE, Horace, IV, 2.

9 Après de longues angoisses, au lieu du désespoir qui semblait devoir être enfin mon partage, j'ai retrouvé la sérénité, la tranquillité, la paix, le bonheur même (...)
ROUSSEAU, Rêveries..., 8e promenade.

10 Bonaparte, ce joueur si heureux et si hasardeux, eut alors, dit-il lui-même, un moment d'angoisse, et dit à la fortune : «M'abandonneras-tu?»
MICHELET, Extraits de l'hist. de la Révolution franç., éd. Colin, p. 368.

11 Cette pensée ne le quittait pas. C'était une obsession, une angoisse perpétuelle.
Alphonse DAUDET, le Petit Chose, p. 337.

12 J'étais triste et las, et tourmenté d'une angoisse indicible. Des images sombres et violentes venaient m'assaillir.
FRANCE, le Livre de mon ami, II, 12.

13 Cette angoisse de la mort tortura des années son enfance (...) seulement corrigée par le dégoût de la vie, la tristesse de sa vie.
R. ROLLAND, Jean-Christophe, p. 112.

14 (...) tout ce que nous tentions, nous autres, les enfants, la jetait dans l'angoisse et même dans l'épouvante.
G. DUHAMEL, Chronique des Pasquier, V, 5.

14.1 (...) l'angoisse de la mort est un luxe qui touche beaucoup plus l'oisif que le travailleur, asphyxié par sa propre tâche.
CAMUS, l'Homme révolté, Pl., p. 612.

14.2 Démontez le mécanisme de l'angoisse, il n'y a plus d'angoisse. Élucider ses causes, c'est désarticuler l'angoisse.
IONESCO, Journal en miettes, p. 122.

14.3 Je sens remonter en moi toutes les vieilles angoisses de l'enfance, la peur du froid et de la faim, de l'inconnu, de la détresse physique.
J.-M. G. LE CLÉZIO, l'Extase matérielle, p. 54.

Loc. Vx. *L'eau d'angoisse* (et *le pain de douleur, de tribulation*) : s'est dit de la punition de moines mis à l'eau et au pain.

*L'angoisse*, humanisée :

14.4 Ses purs ongles très haut dédiant leur onyx,
L'Angoisse, ce minuit, soutient, lampadophore,
Maint rêve vespéral brûlé par le Phénix
Que ne recueille pas de cinéraire amphore (...)
MALLARMÉ, Plusieurs sonnets, IV, Pl., p. 68.

14.5 — Et de longs corbillards, sans tambours ni musique,
Défilent lentement dans mon âme; l'Espoir,
Vaincu, pleure, et l'Angoisse atroce, despotique,
Sur mon crâne incliné plante son drapeau noir.
BAUDELAIRE, les Fleurs du mal, «Spleen».

Fam., cour. *C'est l'angoisse* : c'est pénible, angoissant; cela met mal à l'aise.

♦ **3** (Depuis Kierkegaard et l'existentialisme). Inquiétude métaphysique née de la réflexion sur l'existence. *Angoisse existentielle. L'angoisse, la perplexité* (cit. 4) *de l'homme devant l'Univers.*

14.6 Si je ne connais pas, ou presque pas, «l'angoisse métaphysique» c'est que je vois trop et trop vite son impureté essentielle. Elle est un mélange étrange de questions illégitimes, d'images incohérentes et des effets nerveux qui donnent *valeur* à ces produits.
VALÉRY, Cahiers, Pl., t. II, p. 684.

14.7 (...) vivre est le malaise, puisque vivre c'est vivre dans l'angoisse. Je ne peux même pas dire cela car, ne sachant pas quelles sont les sources de l'angoisse, je ne sais pas non plus ce qu'est ce que j'appelle l'angoisse. L'angoisse est ignorance. La non-angoisse est également ignorance. Je ne peux pas dire non plus que je ne sais rien, car je ne sais pas ce que veut dire savoir et je ne sais pas ce que veut dire l'expression «veut dire».
IONESCO, Journal en miettes, p. 132.

♦ **4** Loc. (où *angoisse* a le sens étymologique de «constriction, resserrement»). Vx. **POIRE D'ANGOISSE :** bâillon en fer en forme de poire dont les voleurs se servaient pour étouffer les cris. → **Poire** (cit. 7 et 8). — Par anal. Poire d'un goût très âpre. — Fam. *Avaler des poires d'angoisse* : subir des mortifications, de cruels traitements.

(...) des poires d'angoisse que vos cruautés me font avaler 15
tous les jours.
MOLIÈRE, la Comtesse d'Escarbagnas, 4.

CONTR. **Calme, paix, placidité, quiétude, sang-froid, sérénité, tranquillité.** ◊ DÉR. **Angoisser, angoisseux.**

**ANGOISSER** [ɑ̃gwase] v. — 1080; de *angoisse.*

♦ **1** V. tr. Inquiéter (qqn) au point de causer de l'angoisse. → **Oppresser; angoissant.**

**a** Vieilli. Étreindre par l'angoisse (1.).

La veue des angoisses d'autruy m'angoisse materiellement, 1
et a mon sentiment souvent usurpé le sentiment d'un tiers. Un tousseur continuel irrite mon poulmon et mon gosier.
MONTAIGNE, Essais, I, XXI, De la force de l'imagination.

**b** Mod. Causer de l'angoisse (2.) à... → **Paniquer** (fam.), **tourmenter.** *Cette situation m'angoisse.*

♦ **2** V. intr. Fam. Éprouver de l'angoisse (2.). → S'angoisser, ci-dessous. *Il angoisse à mort. «(Les parents) angoissent en permanence»* (*La Vie mutualiste*, déc. 1986, p. 38).

◆ **S'ANGOISSER** v. pron. Être saisi d'angoisse, devenir anxieux.

Ainsi l'enfant, anonyme et perdu dans les rangées d'élèves, 1.1
sur lequel s'abat la question de l'instituteur. L'enfant s'angoisse et se retourne. «Toi!» dit l'instituteur. — Moi? demande l'enfant dont le regard appelle au secours. Moi? (...)
J. CAU, la Pitié de Dieu, p. 129.

*S'angoisser de, sur qqch.*

(...) il s'angoissait désespérément sur ce contraste entre le 1.2
double cri d'appel, sourd et aigu, si charnel, si immédiat de la clique et la mort inhumaine, froide, invisible, qui répondait à cet appel pour le bafouer.
DRIEU LA ROCHELLE, la Comédie de Charleroi, p. 129.

◆ **ANGOISSÉ, ÉE** p. p. et adj. Qui éprouve ou exprime de l'angoisse (1. ou, plus cour., 2.). → **Gêné, oppressé; affolé, effrayé, épouvanté, paniqué.** *Elle est facilement angoissée. Être angoissé par une épreuve, avant un examen.* — Adj. *Un enfant angoissé.*

Nous ne voyons pas que nul austre n'ait esté plus effrayé ni 2
angoissé de plus grande destresse que lui, quand quelque signe de l'ire de Dieu se montroit.
CALVIN, Institution de la religion chrétienne, 7, *in* LITTRÉ.

J'observe que depuis quelque temps les premiers moments 2.1
qui suivent le réveil sont beaucoup moins *angoissés* qu'autrefois (...) La souffrance se montre à une autre heure.
BARBEY D'AUREVILLY, Premier mémorandum, p. 115.

N. *Un, une angoissé(e)* : une personne sujette à l'angoisse. → **Anxieux.** *C'est un grand angoissé.* → (vx) **Angoisseux.**

Est-ce moi qui suis anormale? une anxieuse, une 2.2
angoissée : qu'est-ce que j'ai qu'ils n'ont pas?
S. DE BEAUVOIR, les Belles Images, p. 212.

*Un regard, un visage angoissé. Un appel angoissé. Une atmosphère angoissée. Une œuvre (livre, film, tableau...) angoissée.*

(...) le regard angoissé de quelqu'un qui se noie. 3
GIDE, Journal, 18 août 1930.

CONTR. **Apaiser, calmer, désangoisser, tranquilliser.** ◊ DÉR. et COMP. **Angoissant. Désangoisser.**

**ANGOISSEUX, EUSE** [ɑ̃gwasø, øz] adj. et n. — Du XIe au XVIIe; repris au XIXe; de *angoisse.*

Archaïsme littér. Plein d'angoisse. → **Anxieux; angoisser** (p. p.).

(...) je les examinais tour à tour avec une angoisseuse curio- 1
sité.
BALZAC, Souvenirs d'un paria, VI, *in* Œ. diverses, t. I, p. 257.

(Choses). Angoissant :

2 Le désir lui vint de se dédoubler et de se transporter instantanément rue du Chevalier-de-la-Barre pour imposer ses mains fraîches sur le front brûlant de l'artiste, comme il est d'usage entre amants dans les situations angoisseuses. M. AYMÉ, le Passe-muraille, p. 35.

N. Personne qui est sujette à l'angoisse. → **Angoissé.**

3 Telles sont les lubies inconcevables, jaculatoires, poétiques et, par conséquent, grotesques, qui me hantent et qui troublent la lucidité de mes idées. C'est une simple maladie ; – je suis un angoisseux. Je me suis traité par les douches, le quinquina, les purgatifs, les amers et l'hydrothérapie ; – je vais mieux, beaucoup mieux ! – Je commence à me rassurer (...)
VILLIERS DE L'ISLE-ADAM, Tribulat Bonhomet, p. 47.

**ANGOLAIS, AISE** [ɑ̃gɔlɛ, ɛz] adj. et n. — 1866 ; de *Angola.*

Qui se rapporte à l'Angola, pays d'Afrique occidentale, et à ses habitants. — N. Personne qui habite l'Angola.

**ANGON** [ɑ̃gɔ̃] n. m. — XVᵉ, «crochet» ; bas lat. *angon,* transcription d'un francique **ango* «crochet».

Didact. ou technique.

♦ **1** (1535). Ancienne arme franque, sorte de javelot terminé par deux crocs acérés.

D'autres *(Francs)* tiennent une espèce de javelot nommé angon, où s'enfoncent deux fers recourbés.
CHATEAUBRIAND, les Martyrs, 694, *in* LITTRÉ.

♦ **2** (1834). Crochet emmanché au bout d'un bâton et dont on se sert pour la pêche aux crustacés. → **Foëne.**

**ANGOR** [ɑ̃gɔʀ] n. m. — 1845 ; mot lat. «serrement ; oppression».

Méd. Douleur brutale, angoissante (spécialt, l'angine* de poitrine : *angor pectoris*). Loc. lat. *Angor abdominalis :* douleurs abdominales. *Angor intestinal.*

DÉR. **Angoreux.**

**ANGORA** [ɑ̃gɔʀa] adj. et n. — 1792 ; pour *d'Angora,* ville de Turquie (Ankara).

♦ **1** Se dit de certaines races d'animaux (notamment chat, chèvre, lapin), au poil long et soyeux. *Un chat, une chatte angora. Chèvres, lapins angoras. Les poils de la chèvre angora servent à fabriquer une étoffe légère* (→ **Mohair**), *ceux du lapin angora l'angoratine*.*

1 (...) j'ai fait amitié à un chat angora charmant qui me suivait et qui s'est laissé caresser.
E. DELACROIX, Journal, 10 mai 1853.

2 (...) des mines de gros chat angora (...)
LOTI, Aziyadé, I, 7.

N. m. *Un angora :* un chat angora.

♦ **2** *Laine angora :* matière textile faite des poils d'animaux angora. — N. m. *De l'angora. Pull-over en angora. Aimer l'angora.*

3 (...) l'homme jeune et élégant dans son pull-over en angora qui lit une revue d'un air attentif (...)
S. DE BEAUVOIR, les Belles Images, p. 25.

DÉR. V. **Angoratine.**

**ANGORATINE** [ɑ̃gɔʀatin] n. f. — XXᵉ ; de *angora,* et suff. *-ine.*

Techn. Étoffe souple et soyeuse fabriquée avec les poils du lapin angora.

**ANGOREUX, EUSE** [ɑ̃gɔʀø, øz] adj. — V. 1920 ; de *angor.*

Méd. Qui a des crises d'angor.

**ANGOUMOIS, OISE** [ɑ̃gumwa, waz] adj. — 1866 ; *angoumoisien,* 1771 ; de *Angoumois, Engoumois,* 1576, du lat. médiéval *engolismensis (pagus).*

De l'Angoumois, province de France (Charente et Dordogne) dont la ville principale est Angoulême.

**ANGSTRŒM** ou **ANGSTRÖM** [ɑ̃gstʀøm ; ɑ̃gstʀɔm] n. m. — V. 1905 ; nom d'un physicien suédois.

Phys. Unité de longueur employée en microphysique, valant un dix-millième de micron. Symb. Å. *La limite supérieure de l'ultra-violet est de 4 000 angströms.*

(...) tout un ensemble d'observations devait montrer qu'en fait une même espèce chimique (définie par la structure primaire) n'existe à l'état natif, dans les conditions physiologiquement normales, que dans une seule conformation (...) Conformation très précisément définie, comme le prouve le fait que les cristaux de protéines donnent d'excellentes images de diffractions de rayons X, ce qui signifie que la position de la grande majorité des milliers d'atomes composant une molécule est fixée à quelques fractions d'Angström près.
Jacques MONOD, le Hasard et la Nécessité, p. 122.

**ANGUIFORME** [ɑ̃gifɔʀm] adj. — 1845 ; du lat. *anguis* «serpent», et *-forme.*

Didact. Qui a la forme d'un serpent.

**ANGUILLADE** [ɑ̃gijad] n. f. — XVIᵉ ; de *anguille.*

(XVIᵉ-déb. XVIIᵉ). Vx. Coup donné avec une peau d'anguille, un fouet en peau d'anguille, un morceau d'étoffe tortillé. *Donner des anguillades à quelqu'un.*

Je le renverrais bien d'où il est venu à grands coups d'anguillade. RABELAIS, le Cinquième Livre, 16. 1

Ce beau valet (...) 2
M'eût donné l'anguillade, et puis m'eût laissé là !
Mathurin RÉGNIER, Satires, VIII, *in* LITTRÉ.

**ANGUILLE** [ɑ̃gij] n. f. — 1165 ; du lat. *anguilla,* de *anguis* «serpent».

♦ **1** Poisson *(Murénidés)* au corps cylindrique et allongé comme celui d'un serpent, à la peau visqueuse et glissante, qui vit en eau douce (mais se reproduit dans l'Atlantique nord : mer des Sargasses). → Catadrome, cit. *Après un stage larvaire* (→ **Leptocéphale**), *les jeunes anguilles gagnent les côtes européennes et remontent les fleuves à l'état de* bouirons, civelles, pibales *avant de devenir* anguilles argentées *à leur maturité. Nasse pour pêcher l'anguille.* → **Bosselle.** — Cuis. *Matelote d'anguille. Anguille à la bordelaise. Anguille fumée.*

Des paniers de petites anguilles se vidaient d'un bloc, tombaient au fond des cases comme un seul nœud de serpents ; tandis que les grosses, celles qui avaient l'épaisseur d'un bras d'enfant, levant la tête, se glissaient d'elles-mêmes sous l'eau, du jet souple des couleuvres qui se cachent dans un buisson. 0.1
ZOLA, le Ventre de Paris, t. I, p. 152.

(...) la migration des anguilles et leur reproduction dans la mer des Sargasses. GIRAUDOUX, Bella, VII. 1

♦ **2** Par compar. *Se faufiler comme une anguille,* avec agilité. Loc. *Glisser comme une anguille :* s'échapper, se défiler, se dérober (au propre et au figuré).

(...) agile comme une anguille, il s'est faufilé dans la cohue (...) MARTIN DU GARD, les Thibault, VII, 85. 2

Fig. *C'est une (véritable) anguille,* une personne agile, souple (au physique ou au moral), qui échappe.

♦ **3** Loc. (1563). *Il y a anguille sous roche,* une chose cachée que l'on soupçonne (cf. lat. *latet anguis in herba* «un serpent est caché dans l'herbe»).

Je crois qu'il y a quelque anguille sous roche, et ils parlent de quelque affaire où ils ne veulent pas que vous soyez (...) 3
MOLIÈRE, le Bourgeois gentilhomme, III, 7.

4 Le bonhomme fut si surpris de se voir chancelier encore par dessus, qu'il crut qu'il y avait quelque anguille sous roche (...) Mme DE SÉVIGNÉ, 369.

5 Si Laurent te fait des confidences, tu dois savoir qu'entre lui et Clarisse il y a... anguille sous roche, comme disaient nos mères.
Benoîte et Flora GROULT, Il était deux fois, p. 13.

Vx. *Écorcher l'anguille par la queue :* commencer par où l'on eût dû finir.

Vx. *Il ressemble aux anguilles de Melun, il crie avant qu'on l'écorche :* il se plaint avant de sentir le mal.

Vx. *Vouloir rompre une (l')anguille au genou :* faire une chose impossible.

♦ **4** Par anal. [a] (Poissons). Noms de poissons anguiformes. *Anguille de mer.* → **Congre.** *Anguille électrique.* → **Gymnote.**

[b] (Autres animaux). *Anguille de haie, de buisson.* → **Couleuvre.**

♦ **5** Fig. et techn. [a] Vx (mar.). Couette (pièce du ber).

[b] Pièce maintenant les éléments d'un pont provisoire en bois.

[c] Bourrelet que forme le drap au foulage.

♦ **6** Loc. techn. *Nœud d'anguille :* variété de nœud coulant.

DÉR. **Anguillade, anguillidés, anguillière, anguillule.** ◊ COMP. **Anguilliforme.**

**ANGUILLIDÉS** [ɑ̃gɥilide] n. m. pl. — 1886; de *anguille,* et suff. *-idés.*

Zool. Famille de poissons apodes dont le type est l'anguille. — Au sing. *Un anguillidé.*

**ANGUILLIÈRE** ou **ANGUILLÈRE** [ɑ̃gijɛʀ] n. f. — XVIe; de *anguille.*

Techn. Vivier* à anguilles. — Pêcherie à anguilles.

**ANGUILLIFORME** [ɑ̃gijifɔʀm] adj. et n. m. — 1808, Boiste; de *anguille,* et *forme.*

Zool. Qui a la même forme que l'anguille. «*Parmi les poissons d'allure anguilliforme, citons : les Lamproies...*» (R. et M.-L. Bauchot, *les Poissons,* p. 14). → aussi **Anguiforme.**

**ANGUILLULE** [ɑ̃gijyl] n. f. — 1845; de *anguille,* d'après les dimin. latins.

Zool. Ver nématode vivant dans les matières fermentescibles, les sols humides, en parasite des plantes. *Anguillule du vinaigre. Anguillule du blé.* → **Tylenchus.**

**ANGULAIRE** [ɑ̃gylɛʀ] adj. — V. 1375; du lat. *angularis,* de *angulus.* → 1. Angle.

♦ **1** Géom. Qui forme un angle. *Corps, figure, forme angulaire. Surface angulaire. — Secteur angulaire.* Syn. cour. : *angle* (1. Angle).

(1563; lat. *lapis angularis*). **PIERRE ANGULAIRE :** pierre formant l'angle extérieur d'un bâtiment.

(1730). Par métaphore ou fig. La base, l'élément essentiel, fondamental. *La pierre angulaire de l'Église :* Jésus-Christ (→ ci-dessous, 3., REM.).

1 Car il est dit dans l'Écriture : «Voici que je pose en Sion une pierre angulaire, choisie, précieuse, et celui qui met en elle sa confiance ne sera pas confondu».
BIBLE (Jérusalem), 1re Épître de saint Pierre, II, 6.

2 (...) tu deviendras à tel point la pierre angulaire de l'humanité qu'arracher ton nom de ce monde serait l'ébranler jusqu'aux fondements. RENAN, Vie de Jésus, XXV.

3 (...) la pierre angulaire de la Société.
FRANCE, Les dieux ont soif.

Il faut que les représentants d'un art mort nous cassent un peu moins les oreilles (...) Nous voyons plus haut que la tragédie, pierre angulaire de votre empoisonnante bâtisse *(la Comédie Française),* et votre Molière n'est qu'un con. 4
A. ARTAUD, Lettres, À l'administrateur de la Comédie Française, 21 févr. 1925.

Avec d'autres subst. (Rare). «*Cette assise angulaire...*» (Saint-Exupéry). — Fig. «*Les éléments angulaires du rythme*» (Cortot).

Cour. Pointu, anguleux*. «*Ce menton de forme angulaire*» (Vigny).

♦ **2** Qui est constitué par, est mesurable par un angle. — Opt. *Distance angulaire de deux points :* angle formé par les rayons visuels joignant l'œil de l'observateur à ces points. — Astron. *Distance angulaire de deux étoiles.*

*Mouvement angulaire.*

Mécan. *Vitesse angulaire.* → **Vitesse.**

♦ **3** Qui est situé à un angle. *Tour, tourelle angulaire d'un château.* — REM. Le syntagme *pierre angulaire* (ci-dessus) peut aussi être compris dans ce sens : la pierre est un angle et se trouve à un angle.

Anat. *Artère angulaire :* artère qui passe au-dessus de l'angle interne de l'œil. *Veine angulaire,* à l'angle interne de l'œil. — *Muscle angulaire de l'omoplate,* ou, n. m., *angulaire de l'omoplate. — Dents angulaires :* les canines (qui sont placées vers l'*angle* des lèvres).

DÉR. **Angulairement.** ◊ HOM. Formes du v. **anguler.**

**ANGULAIREMENT** [ɑ̃gylɛʀmɑ̃] adv. — 1803; de *angulaire.*

Littér. ou didact. Selon un angle. *Placer angulairement qqch.*

En forme d'angle.

Une fois la poignée dégagée, elle est relevée verticalement vers soi, position stable et nécessaire au transport sur la galée, où, par une évolution en avant, elle repose à plat, angulairement appuyée.
LECLERC, Nouveau manuel complet de typographie, Mulot, 1897, p. 88, *in* D. D. L., II, 4.

**ANGULATION** [ɑ̃gylasjɔ̃] n. f. — V. 1965; de *anguler.*

Ski. «Flexion latérale du corps, qui provoque un chassé latéral des skis parallèles» (Petiot).

**ANGULER** [ɑ̃gyle] v. intr. — V. 1965; du rad. du lat. *angulus* «angle».

Ski. Adopter une attitude d'angulation*.

DÉR. **Angulation.**

**ANGULEUSEMENT** [ɑ̃gyløzmɑ̃] adv. — Après 1550; de *anguleux.*

Rare. D'une manière anguleuse. «*Les sœurs de M. Bouvin sont anguleusement peintes*» (Huysmans, *l'Art moderne,* in T. L. F.).

**ANGULEUX, EUSE** [ɑ̃gylø, øz] adj. — 1539; du lat. *angulosus,* de *angulus.* → 1. Angle.

♦ **1** Qui présente des angles, des arêtes vives. *Des contours anguleux.*

(...) les branches anguleuses des vieux arbres, hérissés de pâles lichens, s'étendaient et s'entrecroisaient comme de grands bras décharnés sur la tête de nos voyageurs (...) 1
G. SAND, la Mare au diable, X.

(En parlant du corps humain). *Corps anguleux. Formes anguleuses. Visage anguleux,* dont les traits ont une forte saillie, sont très découpés. — *Un personnage, un homme anguleux.*

À la lueur de la fin du jour, je regardais, en marchant, sa face anguleuse au nez droit, à la lèvre duvetée. 2
ALAIN-FOURNIER, le Grand Meaulnes, p. 10.

*«Une pose anguleuse»* (A. Dumas, *in* T. L. F.). *Des «caresses anguleuses»* (Balzac, *in* T. L. F.).

♦ **2** (1761). Fig. Plein d'aspérités, difficile, sans souplesse. *Un caractère anguleux.*

1 L'ensemble *(une lettre)* révèle une originalité cassante, au naturel pointu, anguleux et revêche (...)
H. F. AMIEL, Journal intime, p. 142, *in* T. L. F.

3 (...) cet esprit rétif et anguleux (...)
SARTRE, l'Âge de raison, I, p. 18.

CONTR. **Arrondi. — Affable, agréable, aimable, facile.**

**ANGUSTI-** Élément, tiré du lat. *angustus* «étroit», servant à former des termes de zoologie et de botanique. → **Angustifolié, angustirostre.** — Autres ex. (mots vieillis, pour la plupart) : *angusticolle* (1842) adj., qui a le thorax rétréci ; *angustidenté* (1842) adj., qui a les dents étroites ; *angustimane* (1842) adj., qui a les mains étroites ; *angustipenne* (1967) adj., se dit des plantes au fruit à cloison étroite ; *angustisiliqué* (1842) adj., se dit des plantes à fruits étroits et longs.

**ANGUSTICLAVE** [ɑ̃gystiklav] n. m. — Fin XVII^e^; du lat. *angustus* «étroit», et *clavus* «bande de pourpre», d'après *laticlave.*

Antiq. rom. Bande de pourpre étroite qui bordait la toge des chevaliers ; cette toge (s'oppose à *laticlave*). — Par métonymie. Chevalier romain porteur de l'angusticlave.

**ANGUSTIFOLIÉ, ÉE** [ɑ̃gystifɔlje] adj. — 1863 ; de *angusti-*, et *-folié*, du lat. *folium* «feuille».

Bot. Qui a des feuilles étroites.

**ANGUSTIROSTRE** [ɑ̃gystiʀɔstʀ] adj. — 1842 ; de *angusti-*, et *-rostre*, du lat. *rostrum* «bec».

Zool. Qui a le bec étroit.

**ANGUSTURE** [ɑ̃gystyʀ] ou **ANGUSTURA** [ɑ̃gystyʀa] n. f. — 1808 ; de *Angostura*, anc. nom de Ciudad Bolivar, ville du Venezuela.

♦ **1** Écorce de certaines rubiacées d'Amérique du Sud, employée comme fébrifuge ou tonique. — *Fausse angusture :* écorce du vomiquier (poison). Syn. : *noix vomique**.

♦ **2** Amer apéritif à base d'angustura (au sens 1.). — REM. Plus cour. sous la forme *angustura.*

Il est à son troisième Daytona. Vous connaissez ? Un cinquième de gin, un cinquième de brandy, un cinquième de whisky, un cinquième de vin de Bourgogne, un cinquième d'absinthe, deux gouttes d'angustura, le tout saupoudré de poivre de Cayenne.
Roger NAÏM, l'Ère des truands, p. 142.

**ANHARMONIQUE** [anaʀmɔnik] adj. — 1837, Chasles ; de *an-* priv. (→ 2. A-), et *harmonique.*

Vieilli. Math. *Rapport anharmonique de quatre nombres, de quatre points d'une droite.* → **Birapport.**

(...) le quotient des rapports algébriques dans lesquels deux points divisent un segment donné a la même valeur sur la droite donnée et sur sa projection ; ou (...) plus simplement (...) le rapport anharmonique de quatre points alignés est une notion projective.
Albert FLOCON et René TATON, la Perspective, p. 111.

**ANHÉLANCE** [anelɑ̃s] n. f. — 1869 ; de *anhéler.*

Littér. et rare. Caractère de la respiration courte et précipitée. → **Anhélation.**

(...) mon pauvre et cher frère, qui n'a pas repris la parole, qui n'a pas repris connaissance depuis jeudi à deux heures de l'après-midi. J'écoute l'anhélance de sa respiration.
Ed. et J. DE GONCOURT, Journal, 18 juin 1870.

**ANHÉLANT, ANTE** [anelɑ̃, ɑ̃t] adj. — Av. 1866 ; du p. prés. de *anhéler.*

Littér. Qui anhèle. *Respiration anhélante.* → **Essoufflé, haleine** (hors d'). *Voix anhélante,* entrecoupée par une respiration accélérée. On trouve aussi *anhéleux, euse* [anelø, øz] (vieilli).

**ANHÉLATION** [anelasjɔ̃] n. f. — XVI^e^, Du Pinet ; du lat. *anhelatio,* de *anhelare.* → Anhéler.

Méd. Respiration courte et précipitée. → **Anhélance, dyspnée, essoufflement, halètement.**

Ainsi tout le domaine de l'ineffable, ce trop-plein ou au contraire, ce trop vide, cette anhélation — est insuffisance.
VALÉRY, Cahiers, t. II, Pl., p. 362.

HOM. **Annélation.**

**ANHÉLER** [anele] v. intr. [CONJUG. : *céder.*] — XII^e^, *aneler ;* lat. *anhelare* (→ Haleine).

Méd. Respirer péniblement, d'une manière précipitée. → **Haleter.**

(...) s'arrêtant toutes les deux marches, reprenant souffle, 1
attendant que se calment un peu les battements précipités de son cœur, il met ensuite un temps très long à se remettre, secoué par la toux, anhélant, avec le regard angoissé de quelqu'un qui se noie.
GIDE, Journal, 18 août 1930.

M^me^ Chasseglin se dressa pesamment. Elle était blême, elle 2
anhélait comme une bête.
H. TROYAT, le Vivier, p. 171.

DÉR. **Anhélance, anhélant. — V. Anhélation.**

**ANHÉPATHIE** [anepati] n. f. — XX^e^ ; de 2. *a-*, et grec *hepatos* «foie».

Méd. Suppression ou diminution de l'activité fonctionnelle du foie.

**ANHIDROSE** ou **ANIDROSE** [anidʀoz] n. f. — 1843 ; de 2. *a-*, et grec *hidrôs* «sueur».

Méd. Absence ou diminution importante de la transpiration.

DÉR. **Anhidrotique.**

**ANHIDROTIQUE** [anidʀɔtik] adj. et n. m. — XX^e^ ; de *anhidrose.*

Méd. Se dit d'un médicament qui réduit la sécrétion sudorale (→ Antisudoral, vx). — N. m. *Un anhidrotique.*

**ANHINGA** [anɛ̃ga] n. m. — 1775 ; mot tupi.

Zool. Oiseau palmipède des régions tropicales, à long cou souple qui émerge seul quand il nage (syn. : *oiseau-serpent*), à bec dentelé.

**ANHISTORIQUE** [anistɔʀik] adj. — XX^e^ ; de 2. *a-*, et *historique.*

Didact. Qui est en dehors de l'histoire (→ Asocial, cit. 2).

N'importe qui, au XX^e^ siècle comme au XV^e^ comme dans un autre siècle (...) peut avoir le sentiment anhistorique et fondamentalement asocial de la suprême étrangeté universelle et je me demande si ce sentiment insolite, si cet étonnement sans réponse et presque sans question n'est pas la réaction de ma conscience la plus profonde.
IONESCO, Journal en miettes, p. 70.

CONTR. **Historique.**

**ANHISTORISME** [anistɔʀism] n. m. — XX^e^ ; de *anhistorique.*

Didact. Caractère anhistorique (de quelque chose).

(...) l'anhistorisme où chacun s'accorde à reconnaître le trait majeur de la «communication» aux U. S. A., et qui à notre sens, est aux antipodes de l'expérience analytique.
J. LACAN, Écrits, p. 245.

**ANHYDRE** [anidʀ] adj. — 1820; du grec *anudros* «sans eau», de *an-* (→ 2. A-), et *hudôr*. → Hydr-.

Chim. Qui ne contient pas d'eau. *Sel anhydre.*

CONTR. **Aqueux, hydraté.** ◈ DÉR. **Anhydride, anhydrite.**

**ANHYDRIDE** [anidʀid] n. m. — 1859; de *anhydre*, et suff. de *acide*.

Chim. Substance qui, combinée à l'eau, donne (ou donnerait théoriquement) un acide. — Spécialt. Composé organique de formule générale R–CO–O–CO–R'.

**ANHYDRITE** [anidʀit] n. f. — 1845; de *anhydre*.

Minér. Sulfate naturel anhydre de calcium, présent dans les dépôts d'évaporation des eaux marines.

**ANHYDRO-** Élément de mots composés de chimie, de biologie, tiré de *anhydre*.

**ANHYDROBIOSE** [anidʀobjoz] n. f. — 1894; de *anhydro-*, et grec *bios* «vie».

Bot., écol. État d'un organisme animal ou végétal dont les fonctions vitales sont fortement ralenties pendant une période de sécheresse ou de gel, ce qui lui permet de s'adapter au milieu par la dessiccation. *Les mousses et les lichens peuvent survivre en anhydrobiose. Reviviscence des graines, des spores après une période d'anhydrobiose.*

**ÂNICHON** [aniʃɔ̃] n. m. — V. 1535; de *âne*, et suff. *-ichon*.

Fam. Régional. Petit âne. → **Ânon, bourriquet.**

**ANICROCHE** [anikʀɔʃ] n. f. — 1584; *hanicroche*, 1546, Rabelais «sorte d'arme» probablt recourbée — *croche* — en bec de «cane» (anc. franç. *ane*); ou (Guiraud), de *ain, hain* «hameçon», ce qui expliquerait les formes à initiale *h*.

Petite difficulté, petit obstacle qui arrête, empêche l'exécution de qqch. → **Difficulté, embarras, ennui, incident, obstacle.** *À la moindre anicroche il abandonne. Tout s'est bien passé, à part quelques petites anicroches. Il n'y a pas eu d'anicroches. Nous sommes arrivés sans anicroches* (ou *sans anicroche*).

1 Anicroche d'un jour que l'aveuglement, le parti pris, la faiblesse transformèrent en catastrophe.
Georges LECOMTE, Ma traversée, p. 46.

2 Mon bras se cicatrise lentement : la balle était entrée de biais (...) N'allez pas croire (...) que cette anicroche me mette à l'abri (...) je rejoindrai sans doute le front sans délai.
J.-R. BLOCH, Deux hommes se rencontrent, p. 279.

**ANIDROSE** [anidʀoz] n. f. → **Anhidrose.**

**ÂNIER, IÈRE** [anje, jɛʀ] n. — Fin XIIe; du lat. *asinarius*, de *asinus*. → Âne.

Conducteur d'âne.

1 Un ânier, son sceptre à la main,
Menait en empereur romain,
Deux coursiers à longues oreilles.
LA FONTAINE, Fables, II, 10.

2 À l'aube, les âniers n'entreront plus au Caire, leurs ânes chargés de buissons de roses et de petites grappes de fleurs encore couvertes de rosée.
MALRAUX, Antimémoires, Folio, p. 83.

**ANIL** [anil] n. m. — 1582; arabe *(')ăn-nīl*, persan *nil* «indigo». → Aniline.

Bot. Petit arbre *(Indigofera anil)* dont on tire l'indigo*. → **Indigotier.**

**ANILIDE** [anilid] n. m. — 1845; de *anil(ine)*, et *-ide*.

Chim. Amide dérivé de l'aniline, de formule $R{-}CO{-}NH{-}C_6H_5$.

**ANILINE** [anilin] n. f. — 1855; all. *Anilin*, 1841; du port. *anil* «indigo».

Chim. Amine isolée d'abord des produits de distillation de l'indigo, obtenue aujourd'hui par la réduction du nitrobenzène; liquide huileux, incolore, brunissant à l'air, toxique. (On l'appelle aussi *aminobenzène*, ou *phénylamine*). *Rouge d'aniline.* → **Fuchsine.** *Noir d'aniline :* oxyde de vanadium. → **Azurine, induline, mauvéine, rosaniline.** *L'aniline sert à la préparation des matières colorantes, des produits pharmaceutiques*, etc.

Mais à ces soies généralement artificielles, à ces violents tons d'aniline, il voit un aspect fol et funèbre, comme à la défroque d'un bal autant de carnaval que de fête des morts.
A. PIEYRE DE MANDIARGUES, la Marge, p. 215.

DÉR. et COMP. **Anilisme. Nitraniline, rosaniline.**

**ANILISME** [anilism] n. m. — 1878; de *aniline*.

Méd. Intoxication par les couleurs d'aniline.

**ANILLE** [anij] n. f. — V. 1215, *eneille*; du lat. *anaticula*, proprt «petit canard», de *anas* (→ Anatidés). → Nille.

♦ **1** Vx. (Par anal. avec la démarche du canard et par métonymie). Béquille (pour marcher).

(1397). Techn. Crochet de frein, mors destiné aux ânes, aux chevaux.

♦ **2** (1690). Blason. Motif composé de deux C placés dos à dos et reliés par deux traverses.

**ANIMA** [anima] n. f. — XXe; mot lat., «âme». → Animus.

Psychan. Dans la théorie de Jung, Composante féminine de la psyché d'un être humain, homme ou femme. → **Animus.**

**ANIMADVERSION** [animadvɛʀsjɔ̃] n. f. — XIIe; du lat. *animadversio* «attention», d'où «réprimande, châtiment», de *animadvertere* «tourner *(vertere)* son esprit *(anima)* vers».

♦ **1** Littér. Blâme, censure d'une autorité publique.

Cette affaire *(le refus d'un régiment de combattre)* est de trop grande importance pour la laisser en l'état qu'elle est; une animadversion rendra tout le monde sage (...) 1
RICHELIEU, Lettres..., t. VI, p. 482.

♦ **2** Antipathie, réprobation. *L'animadversion de qqn contre qqn. S'attirer l'animadversion des puristes. Encourir l'animadversion de qqn, d'un groupe.* → **Blâme, censure, condamnation, critique, improbation.**

(...) de petits journaux clandestinement imprimés (...) me signalaient à l'animadversion des écoles. 2
SAINTE-BEUVE, Correspondance, t. I, p. 323.

Toutefois je ne sais comment il s'est fait que, — nombre d'abus de confiance, dont ils furent victimes, les ayant plongés dans un dénuement devenu proverbial, — nos relations, insensiblement, s'attiédirent, confinèrent, bientôt, à la froideur — et finalement, tournèrent à une animadversion qui m'obligea, bien qu'à regret! à les induire en une série de catastrophes étranges où ils laissèrent, sinon l'honneur, du moins la vie. 2.
VILLIERS DE L'ISLE-ADAM, Tribulat Bonhomet, p. 182.

Cette admiration a bientôt fait place dès le chapitre suivant *(campagne de Russie)*, à une animadversion encore plus vive. 3
GIDE, Journal, 26 sept. 1931, note 1.

Du reste quelques textes finissent par percer dans l'épaisseur de niaise animadversion dont les journaux français font étalage. 4
J.-R. BLOCH, Deux hommes se rencontrent, p. 291.

♦ **3** Vx. Philos. (Au plur.). Notes critiques apposées au texte d'un auteur. *Des animadversions sur un texte, sur un philosophe.*

1. **ANIMAL, AUX** [animal, o] n. m. — Fin XII^e; du lat. *animal* «être vivant», de *anima* «souffle, vie». → Âme.

**I** (Concept général, incluant l'*homme*). **A** Biol. Être vivant formé d'une ou de plusieurs cellules* possédant des caractères constants, et qui, outre les caractères généraux de tout être vivant (croissance, métabolisme, reproduction), possède des caractéristiques spécifiques, surtout sous ses formes pluricellulaires : sensibilité, motilité, hétérotrophie. — REM. 1. Dans l'usage, le subst. *animal* s'emploie surtout en parlant des organismes pluricellulaires complexes (→ Métazoaires); l'expression linguistique du concept biologique le plus général est plutôt l'adjectif (*cellule animale; protiste à affinité animale :* protozoaire; *règne animal*).

1 On ne peut donner dans l'état actuel de la science une définition qui distingue en quelques mots l'animal du végétal et l'on peut même se demander s'il y aurait lieu de maintenir cette distinction pour les formes organiques les plus élémentaires.
LALANDE, Voc. de la philosophie, art. *Animal.*

2. Même dans l'usage scientifique, *animal* exclut souvent l'espèce humaine : les traités de zoologie n'incluent pas l'anatomie et la physiologie humaines; aussi avons-nous évoqué le vocabulaire zoologique sous II. (ci-dessous).

**B** Loc. désignant l'homme (souvent adapt. du grec et du lat.), et emplois stylistiques. ♦ **1** *Animal raisonnable, sociable, social, supérieur; animal civique* (→ 1. Politique, cit. 2) (calques du lat., eux-mêmes du grec : *zôon politikon*, etc.). *L'homme est un animal doué de parole, sachant fabriquer des outils.*

2 Chez l'animal qu'on appelle homme (...)
LA FONTAINE, Fables, VI, 20.

3 À ces mots, l'animal pervers
(C'est le Serpent que je veux dire,
Et non l'Homme : on pourrait aisément s'y tromper) (...)
LA FONTAINE, Fables, X, 2.

4 L'homme est, je vous l'avoue, un méchant animal!
MOLIÈRE, Tartuffe, V, 6.

5 Le plus sot animal, à mon avis, c'est l'homme.
BOILEAU, Satires, VIII.

6 On dit que l'homme est un animal sociable (...)
MONTESQUIEU, Lettres persanes, LXXXVIII (→ Excellence, cit. 7).

7 J'ose presque dire que l'état de réflexion est un état contre nature et que l'homme qui médite est un animal dépravé.
ROUSSEAU, De l'inégalité parmi les hommes, V.

8 De toutes les définitions de l'homme, la plus mauvaise me paraît celle qui en fait un animal raisonnable.
FRANCE, le Petit Pierre, XXXIII, p. 235.

9 La vérité est que les hommes sont des animaux malfaisants (...)
FRANCE, l'Anneau d'améthyste, 1 t. XII, p. 138.

10 Dans ma verte jeunesse, je croyais que l'animal humain était surtout enclin à la conjonction des sexes (...)
FRANCE, la Rôtisserie de la reine Pédauque, 1 t. VIII, p. 239.

11 Au-dessous de la tête, des épaules et de la poitrine commence l'animal, ou cette partie du corps où l'âme ne doit pas se plaire. Joseph JOUBERT, Pensées, II, 6.

11.1 J'appelais l'homme : l'animal capable d'une action gratuite.
GIDE, le Prométhée mal enchaîné, I, *in* Romans, Pl., p. 305.

11.2 Si l'homme n'était pas un animal debout, il serait moins féroce. La biologie est fautive.
Alain BOSQUET, les Bonnes Intentions, p. 65.

11.3 Non pas des frères. Non pas des êtres à aimer, ou à servir. Mais des hommes de ma race, de mon espèce, des animaux répandus dans le monde, et qui ont mes mains, ma face, mes entrailles, mes nerfs, et qui voient le même soleil que moi.
J.-M. G. LE CLÉZIO, l'Extase matérielle, p. 173.

♦ **2** Par plais. ou par dénigrement (vx). *L'animal porte-jupe :* la femme. — REM. L'emploi de *animal*, absolt, en parlant de la femme, souligne le mépris (misogynie) mais aussi un sentiment d'étrangeté, dans la langue classique.

12 Des charmes apparents on est souvent la dupe,
Et rien n'est si trompeur qu'animal porte-jupe.
J.-F. REGNARD, le Bal, 7.

13 *(La femme est)* Un certain animal difficile à connaître (...)
MOLIÈRE, le Dépit amoureux, IV, 2.

14 Dans le monde on fait tout pour ces animaux-là.
MOLIÈRE, l'École des femmes, 1579.

14.1 La grandeur de ce mal où tu te crois savante
Ne t'a donc jamais fait reculer d'épouvante,
Quand la nature, grande en ses desseins cachés,
De toi se sert, ô femme, ô reine des péchés,
— De toi, vil animal, — pour pétrir un génie?
BAUDELAIRE, les Fleurs du mal, «Spleen et Idéal», XXV.

♦ **3** Personne qui agit par instinct, qui fait preuve d'une grande vitalité. *Un bel animal.*
(V. 1950). *Un animal politique :* un politicien très actif et de grande envergure (SYN. : *une bête politique*).

14.2 (...) mais je doute qu'il *(le président du Conseil)* soit un *animal politique*, au sens parlementaire du mot. Je le crois d'une autre espèce que les carpes du Palais-Bourbon qui chérissent leur profonde boue.
F. MAURIAC, Bloc-notes 1952-1957, p. 121.

REM. Dans ce sens, comme au sens 4. ci-dessous, *animal* peut s'appliquer aussi aux femmes. On trouve chez Prévert le fém. *une animale :*

14.3 Enfin j'étais une animale individuelle et belle, n'importe où j'habitais mes fenêtres donnaient sur la cour des miracles; les vrais : l'amour, le fou rire, l'amitié, la douleur oubliée.
J. PRÉVERT, Choses et autres, p. 297.

♦ **4** (T. d'injure, 1537). Personne grossière, stupide, brutale. → **Bête, brute.** *Rien à faire avec cet animal-là! Quel animal! Cet animal de Jean.*

15 Un franc animal, un brutal, un stupide, un sot (...)
MOLIÈRE, le Médecin malgré lui, III, 3.

16 — Je vais lui dire, madame, que vous voulez être sortie.
— Arrêtez, animal, et la laissez monter, puisque la sottise est faite.
MOLIÈRE, la Critique de l'École des femmes, 2.

16.1 Il commence à me courir, cet animal. Je vais aller lui dire deux mots, moi.
Jean-Louis CURTIS, le Roseau pensant, p. 315.

(Atténué, désignant affectivement une personne). Marque l'admiration. *Il a drôlement réussi, l'animal* (→ Le cochon, le salaud). — La rancune. *Il ne m'aura pas, l'animal! — L'animal, cet animal de...*

16.2 Je n'aurais pas dû. Ça l'a frappée. J'aurais pas dû la frapper.
— Où diable as-tu appris ça, animal? demanda-t-elle doucement.
É. AJAR (R. GARY), l'Angoisse du roi Salomon, p. 260.

**II** Plus cour. (concept excluant l'espèce humaine). Être animé, considéré comme dénué de raison, ne possédant pas les caractéristiques de l'espèce humaine (langage articulé, fabrication des outils, fonction symbolique, etc.). → **Bête.** *L'animal vit dans le présent.* → 1. Passé, cit. 15.

Hist. des sc. *L'animal-machine :* l'animal, selon la conception de Descartes, assimilé à un système régi par des lois mécaniques.

17 Ceux qui, sachant combien de divers automates (...) l'industrie des hommes peut faire (...) considéreront ce corps *(de chaque animal)* comme une machine, qui, ayant été faite des mains de Dieu, est incomparablement mieux ordonnée, et a en soi des mouvements plus admirables, qu'aucune de celles qui peuvent être inventées par les hommes (...)
DESCARTES, Discours de la méthode, V.

18 (...) J'attribuerais à l'animal
Non point une raison selon notre manière,
Mais beaucoup plus aussi qu'un aveugle ressort (...)
LA FONTAINE, Fables, IX, 21.

19 Si Descartes a voulu, contre toute apparence, que les animaux fussent des machines (...)
FRANCE, le Petit Pierre, p. 182.

20 Je me sers d'animaux pour instruire les hommes.
LA FONTAINE, À Mgr le Dauphin, V, 6.

21 Le plus stupide des hommes suffit pour conduire le plus spirituel des animaux; il le commande et le fait servir à ses usages, et c'est moins par force et par adresse que par supériorité de nature, et parce qu'il a un projet raisonné, un ordre d'actions et une suite de moyens par lesquels il contraint l'animal à lui obéir (...)
BUFFON, l'Homme, p. 1.

22 Pour le système nerveux, au contraire, où il y a plus à concevoir qu'à observer, il *(Descartes)* a dit le principal, expliquant assez bien, par la rapide et invisible circulation de corpuscules dans les nerfs, ce cheminement du choc depuis les sens jusqu'au cerveau, et, en retour, cette irradiation vers les muscles, selon des chemins qui dépendent de la situation à la fois et de la coutume, ce qui rend compte des réactions. Tel est, sommairement, l'animal-machine.
ALAIN, Descartes, *in* les Passions et la Sagesse, Pl., p. 953.

*Adoration, culte des animaux.* → **Zoolâtrie.** *Sacrifice d'animaux.* → **Hécatombe, sacrifice, taurobole.** *Peur morbide des animaux.* → **Zoophobie.** *Caractère propre aux animaux.* → **Zoïsme.** — → le préf. **Zoo-.**

*Étude scientifique des animaux.* → **Zoologie.** — *Description; classification des animaux :* selon leur élément : *animal aquatique, animal marin, terrestre, amphibie;* selon leurs caractères zoologiques, selon leur forme, leur morphologie : *animal annelé, articulé, vertébré, invertébré;* selon le nombre, la forme des pieds ou pattes (→ **-pède** et **-pode**) : *bipède, fissipède, lagopède, palmipède, pinnipède, quadrupède, solipède..., ongulé...;* selon le nombre et la forme des doigts (→ **-dactyle**) : *artiodactyle, didactyle, isodactyle...;* selon leur marche : *plantigrade;* selon la nature de leur peau ou carapace (→ **-derme**) : *échinoderme, pachyderme...;* les dents (→ **-odonte,** et aussi **édenté**); la forme de la tête (→ **-céphale**); la longueur ou l'absence de queue (→ **-oure**) : *anoure, macroure...;* le plumage ou les ailes (oiseaux) (→ **-penne, -ptère**); la température du sang : *animaux à sang chaud, à sang froid;* le mode de reproduction (→ **-pare**) : *ovipare, vivipare...;* l'habitat (→ **-cole**) : *arboricole, cavernicole...;* la nourriture : *carnassier, herbivore* (→ **-vore**), *ichtyophage* (→ **-phage**)...; leurs mœurs : *animaux chasseurs, fouisseurs, grimpeurs, migrateurs, rongeurs, grégaires, solitaires. Étude des animaux en société. Étude du comportement des animaux.* → **Éthologie; animal,** adjectif.

Vx. *Animal-plante :* animal que l'on croyait doué des propriétés des plantes. → **Zoophyte.** *« Il n'y a point d'animaux-plantes »* (Lamarck, 1809).

*Animaux vivant actuellement sur la terre. Animaux disparus, fossiles.* → **Fossile, paléontologie.**

*Classification des animaux :* unicellulaires (→ **Protozoaires**), pluricellulaires (→ **Métazoaires**). *Embranchements des métazoaires :* Spongiaires, Cnidaires, Cténaires, Plathelminthes, Acanthocéphales, Priapuliens, Mésozoaires, Némertes, Némathelminthes, Annélides, Sipunculiens, Échiuriens, Lophophoriens, Chétognathes, Mollusques, Arthropodes (et Pararthropodes), Échinodermes, Stomocordés, Pogonophores, Tuniciers, Céphalocordés, Vertébrés.

Cour. (seulement en parlant des Métazoaires, et le plus souvent des vertébrés; → Bête). *Animal féroce* (→ **Fauve**), *sauvage. Animal dangereux, prédateur, venimeux... Animal inoffensif, utile. Animal domestique* ou (didact.) *auxiliaire. Animal de cirque. Les animaux d'une ménagerie. Apprivoiser, domestiquer, dompter, dresser un animal. Animal de trait, de somme* (→ **Bête**), *de boucherie*.* → **Élevage; aumaille, bestiaux, bétail, troupeau, volaille.** *Animal de laboratoire destiné aux expériences médicales ou industrielles.* → **Animalerie.** *Animal en captivité* (→ **Zoo**), *en semi-liberté* (→ **Réserve**). *Apparier, assortir les animaux.* → **Accouplement, croisement, reproduction, sélection, zoogénie.** *Un jeune animal, un petit d'animal.* → **Jeune** (*supra* cit. 8), **petit** (*supra* cit. 9), et aussi **bébé** (3.). *Le pedigree d'un animal. Châtrer, hongrer un animal.* → **Castration.** *Soigner les animaux.* → **Vétérinaire** (art). *Faire un trafic d'animaux; trafiquant, importateur d'animaux.*

C'est ainsi, ne comptant plus sur les intermédiaires humains, qu'il s'était fait inscrire à la Société d'Acclimatation du Jardin Zoologique, et apprivoisait la variété d'animaux chère aux collectionneurs dont il voulait l'invitation. 23
GIRAUDOUX, Siegfried et le Limousin, p. 204.

Pour le tout jeune enfant, comme pour l'animal lui-même, l'inquiétude est provoquée par le mouvement rapide et indiscipliné. Tout animal sauvage, oiseau, poisson ou insecte, est plus sensible au mouvement qu'à la présence formelle ou matérielle. Le pêcheur de truite sait très bien que seuls ses gestes trop brusques paraîtront insolites au poisson. 24
Gilbert DURAND, les Structures anthropologiques de l'imaginaire, p. 75-76.

À l'approche de ce qu'il considère comme un ennemi, l'animal s'enfuit dès que cet ennemi est parvenu à une certaine distance. Cette distance est sa distance de fuite. Elle le caractérise. Elle est fonction de l'espèce, du passé du sujet et aussi de l'environnement végétal (...) Pour qu'un parc zoologique réponde à son objet, c'est-à-dire pour qu'on puisse y voir du plus près possible des animaux calmes, on ne doit donc pas y exposer des animaux capturés dans la nature, car alors la distance de fuite de tels sujets, qui auraient eu à pâtir de l'homme, serait maximale. Mais on doit y montrer des animaux nés en captivité et élevés au contact de l'homme, car, avec eux seulement, la distance de fuite de l'espèce est à son minimum. 25
Ch. PRESTAT, le Logement du chien, VI, Les règles de Hediger pour le logement d'animaux sauvages en parc zoologique, *in* Revue de médecine vétérinaire, 1978, 129, 4, p. 640-641.

**SOCIÉTÉ PROTECTRICE DES ANIMAUX** (abrév. : S. P. A.) : société fondée en 1845, ayant pour mission de veiller au bon traitement des animaux et de poursuivre, le cas échéant, par voie judiciaire tout abus constaté à leur égard. *Animaux fabuleux, fantastiques, chimériques, légendaires.* → **Alcyon, 1. aspic, 1. basilic, béhémot, catoblépas, centaure, chimère, coquecigrue, dragon, griffon, 1. grylle, guivre, harpie, hippocampe, hippogriffe, hydre, lamie, léviathan, licorne, loup-garou, minotaure, monstre, pégase, phénix, python, salamandre, sirène, sphinx, 1. tarasque.**

*L'animal, conçu de manière anthropomorphique.* → **Anthropomorphisme, 2. bestiaire, fable.** *Les animaux malades de la peste,* fable de La Fontaine. *Le roi des animaux :* le lion.

(...) chez le petit citadin occidental, ours en peluche, chat botté, Mickey, Babar viennent étrangement véhiculer le message thériomorphe. La moitié des titres de livres pour l'enfance sont consacrés à l'animal. Dans les rêves d'enfants rapportés par Piaget, sur une trentaine d'observations plus ou moins nettes, neuf se réfèrent à des rêves d'animaux. Il est remarquable d'ailleurs que les enfants n'aient jamais vu la plupart des animaux dont ils rêvent, ni les modèles des images avec lesquelles ils jouent. 26
Gilbert DURAND, les Structures anthropologiques de l'imaginaire, p. 71-72.

**CONTR. Végétal.** ◊ **DÉR. Animalcule, animalerie, animalesque, animalier.** — V. **Animalité.**

2. **ANIMAL, ALE, AUX** [animal, o] adj. — Fin XIIe; du lat. *animalis* «animé, vivant et doué de motilité», de *animal*. → 1. Animal.

**A** ♦ **1** (Dans la langue scientifique). Qui a rapport à l'animal (I., A.), à l'être vivant hétérotrophe, le plus souvent doué de motilité. *Espèces animales et espèces végétales. Étude du règne animal.* → **Zoologie.** *L'échelle, la série animale dans l'évolution* (des protistes et des spongiaires aux vertébrés). *Vie animale. Milieu sans vie animale.* → **Azoïque.**

1 De ce fait, les espèces animales se répartissent en deux types d'organisation dynamique, l'un où le corps est construit suivant un plan de symétrie radiale, l'autre où les parties du corps s'ordonnent suivant un plan de symétrie bilatérale.
A. LEROI-GOURHAN, le Geste et la Parole, t. I, p. 42.

*Protistes à tendance animale.* → **Protozoaire.** *Cellule animale. Organisme animal. — Anatomie, physiologie animale. Fonctions animales. Reproduction, nutrition, métabolisme animal,* des animaux (opposé à *végétal*, et incluant *humain*).

Hist. des sc. *Esprits animaux :* «esprits» (II., 1.), principes de vie affinés par le système nerveux central (le cerveau), lequel est propre aux animaux. → **Esprit,** cit. 19, 20, 22 et *supra. Rôle des esprits animaux dans la théorie cartésienne.*

1 (...) esprits animaux, qui sont comme un vent très subtil, ou plutôt comme une flamme très pure et très vive, qui montant continuellement en grande abondance du cœur dans le cerveau, se va rendre de là par les nerfs dans les muscles et donne le mouvement à tous les membres (...)
DESCARTES, Discours de la méthode, V.

♦ **2** Cour. Qui, en l'homme, est propre à l'organisme, à la physiologie.

Vx. *La partie animale de l'homme,* non rationnelle (cet emploi, neutre dans la langue sc. ancienne (→ cit. 2), devient péj. en emploi courant). → **Bestial, brutal, grossier, matériel, physique.** *Des passions animales.* → **Charnel, sensuel.** «*L'homme animal et l'homme moral*» (Bonstetten, 1824).

2 *(De la raison)* soumettant à ses lois la partie animale,
Dont l'appétit grossier aux bêtes nous ravale.
MOLIÈRE, les Femmes savantes, I, 1.

Mod. Caractérisé, chez l'homme, par l'absence de rationalité, par des traits non culturels, considérés comme propres à l'animalité. — REM. Cet emploi est souvent péj. (→ cit. 4) mais beaucoup moins que *bestial**, et parfois positif, par allus. au caractère naturel, non affecté, du comportement (→ cit. 3, 5). *Une beauté animale.*

3 L'instinct maternel est divinement animal. La mère n'est plus femme, elle est femelle.
HUGO, Quatre-vingt-treize, III, 2, 6.

4 Les femmes ne gardent leur pureté que loin de l'homme. Dès qu'il paraît, elles retournent à l'état animal et presque sauvage. Edmond JALOUX, les Visiteurs, XXIX.

5 Elle avait une façon de se tenir (...) d'offrir à tout venant la vivacité animale de son sourire.
MARTIN DU GARD, les Thibault, II, 11.

**B** ♦ **1** Qui est propre aux animaux (à l'exclusion de et par rapport à l'espèce humaine). *L'instinct, le comportement animal. La communication animale* (→ Bioacoustique). — *Psychologie animale :* comportement des espèces animales, à l'exclusion de l'homme *(homo sapiens)*; son étude. *La psychologie animale a dû se dégager de l'anthropomorphisme et de l'anthropocentrisme. — Sociologie animale. Sémiotique animale.* → **Zoosémiotique.**

6 De toutes les images (...) ce sont les images animales qui sont les plus fréquentes et les plus communes. On peut dire que rien ne nous est plus familier, dès l'enfance, que les représentations animales.
Gilbert DURAND, les Structures anthropologiques de l'imaginaire, p. 71.

*Épidémie animale.* → **Épizootie.**

♦ **2** Constitué par des animaux. Vx. *La gent animale. — Le milieu animal.* → **Faune.**

♦ **3** Qui provient des animaux. *Matière animale. Charbon* animal. Noir* animal. Colle*, glu animale,* obtenue à partir de gélatine animale (poissons; → **Ichtyocolle**). *Huiles* animales,* de baleine, de phoque, de foie de morue...

♦ **4** Produit par l'animal (et non par une force mécanique). *Traction animale* (→ -mobile : *hippomobile,* etc.).

CONTR. **Végétal. — Conscient, humain, intellectuel, spirituel.**
◈ DÉR. **Animalement, animaliser.**

**ANIMALCULE** [animalkyl] n. m. — 1564; de 1. *animal,* d'après *homoncule.*

♦ **1** Vx. Animal difficilement perceptible à l'œil nu, microscopique*. → **Microbe.**

Chaque année, les animalcules des madrépores (...) élèvent, au fond de l'océan, de nouveaux lits de marbre (...) 1
BERNARDIN DE SAINT-PIERRE, Harmonies de la nature, V.

Dieu — océan — considère dans son propre sein les édifices de connaissance édifiés par cette race d'animalcules comme récifs de corail élevés depuis les profondeurs par des polypes. VALÉRY, Cahiers, t. II, Pl., p. 644. 1.1

Hist. des sc. *Les animalcules spermatiques :* les spermatozoïdes. → **Animalculiste** (→ Oviste, cit. 1 et 2).

♦ **2** Vieilli ou littér. Petite bête; bestiole (→ par compar. Adductif, cit.).

Fig. et fam. Petit homme; homme insignifiant. «*Ces variétés d'animalcules*» (Bloy, *in* T. L. F.).

Il y avait là, par malheur, un petit animalcule en bonnet carré (...) VOLTAIRE, Micromégas, 7. 2

DÉR. **Animalculiste.**

**ANIMALCULISME** [animalkylism] n. m. — 1843; de *animalculiste.*

Hist. des sc. Théorie des animalculistes. → **Spermatisme.**

**ANIMALCULISTE** [animalkylist] n. et adj. — 1808, Boiste; de *animalcule.*

Hist. des sc. N. Partisan du système d'après lequel l'embryon était un développement du spermatozoïde (ou *animalcule spermatique*). → **Spermatiste** (→ Oviste, cit. 1).

La biologie moderne devait également terminer par une conciliation l'autre grande querelle, celle qui opposait les ovistes aux animalculistes.
Jean ROSTAND, Esquisse d'une histoire de la biologie, p. 223.

Adj. *Théorie animalculiste.*

DÉR. **Animalculisme.**

**ANIMALEMENT** [animalmɑ̃] adv. — 1825, *in* D. D. L.; de 2. *animal.*

♦ **1** De manière animale (A., 2.). «*Subsister animalement*» (A. Camus, *l'Homme révolté,* 1951, *in* T. L. F.).

♦ **2** Bestialement*.

**ANIMALERIE** [animalʀi] n. f. — V. 1960; de 1. *animal.*

♦ **1** Installation où l'on élève des animaux destinés aux expériences de laboratoire. → **Animalier,** 2.

Le silence du laboratoire n'était rompu que par le glouglou de l'eau distillée passant dans un alambic et quelques lointains miaulements venus de l'animalerie.
H. TROYAT, Une extrême amitié, p. 122.

♦ **2** Magasin qui fait le commerce des animaux de compagnie (chiens, chats, poissons, rongeurs, reptiles...) et des accessoires, parfois des aliments, qui leur sont destinés. *Acheter des poissons exotiques dans une animalerie.*

**ANIMALESQUE** [animalɛsk] adj. — 1858, *in* D. D. L.; de 1. *animal.*

Littér. et rare. De l'animal, qui concerne l'animal. «*Rêveries animalesques*» (Bachelard).

**ANIMALIER, IÈRE** [animalje, jɛʀ] n. et adj. — Av. 1778, Rousseau, *in* P. Larousse; de 1. *animal.*

♦ **1** N. m. Peintre, sculpteur d'animaux. *Un animalier célèbre.*

1 Après quoi, nous le voyons étudier l'anatomie au Muséum, où il a comme professeur le grand animalier Barye (...)
Georges LECOMTE, Ma traversée, p. 217.

En appos. *Un peintre, un sculpteur animalier.*

2 *(L'art bouddhique)* qui s'élabore en face de celui des sculpteurs animaliers de l'Inde, les plus subtils que le monde ait connus, sous un roi qui fait planter d'arbres les routes «pour reposer les hommes et les bêtes», ignore presque les animaux. MALRAUX, les Voix du silence, p. 149.

♦ **2** N. (V. 1960). Personne chargée des animaux, de l'animalerie, dans un laboratoire. → **Animalerie.** *Il est animalier à la faculté des sciences.*

Adj. Qui concerne les animaux.

3 Animaux morts, oiseaux empaillés (...) lavis d'inquiétantes figures félines pendus aux murs, lapins jouant du tambour et pachydermes en peluche (...) achevaient d'encombrer la décoration.
C'est ce penchant animalier qui avait dicté à Inès Sandoval le thème de son bal.
M. DRUON, Rendez-vous aux enfers, I, II, p. 14.

**ANIMALISABLE** [animalizabl] adj. — 1825, Brillat-Savarin; de *animaliser* (1.).

Didact. et vx. Qui peut être assimilé par l'organisme animal. → **Assimilable.** *Substance, suc animalisable.*

**ANIMALISATION** [animalizɑsjɔ̃] n. f. — Mil. XVIII^e; de *animaliser.*

Didactique ou littéraire.

♦ **1** Transformation des aliments en la propre substance de l'animal qui les assimile. → **Assimilation, nutrition.**

♦ **2** Fig. (Des personnes). Le fait de mettre, de se mettre au rang de l'animal; résultat de cette action. → **Abêtissement, avilissement.** — (Sans péjoration). Le fait de réagir par instinct, comme un animal.

**ANIMALISER** [animalize] v. tr. — 1742; de 2. *animal,* p.-ê. empr. à l'angl. *to animalize.*

♦ **1** Didact., vx. Transformer (les aliments) en la propre substance d'un animal. → **Assimiler.** *La digestion et la respiration animalisent les aliments.*

♦ **2** (1808). Vieilli. Ravaler au rang de la bête, réduire aux instincts de l'animal. *Le vice animalise l'homme* (Académie). → **Abrutir, avilir.**

Absolt. «*Rien n'animalise comme l'excès du bien-être matériel*» (Van der Meersch, *in* T. L. F.).

◆ **S'ANIMALISER** v. pron. Se ravaler au rang de la bête. Devenir proche de l'animal; s'assimiler aux animaux; assumer la partie animale de l'homme.

Erlend commençait justement à ressembler à un amant, à perdre son air reposé et propret, il s'animalisait, les yeux un peu cernés, la peau plus vivante et qui ne sentait plus le savon.
Benoîte et Flora GROULT, Il était deux fois, p. 230.

◆ **ANIMALISÉ, ÉE** p. p. adj. (Correspondant au sens 1. de l'actif). *Aliments animalisés.* — (Correspondant au sens 2.). *Il est à demi animalisé.*

CONTR. **Civiliser.** ◊ DÉR. **Animalisable, animalisation.**

**ANIMALITÉ** [animalite] n. f. — Fin XII^e, *animaliteiz* «caractères de l'être vivant, pourvu d'une *anima*», sens mod., mil. XVIII^e; du lat. *animalitas,* de *animalis.* → Animal.

♦ **1** Ensemble des caractères propres à l'animal, au règne animal.

Les végétaux ne sont pas des animaux renversés, comme on l'a prétendu; car ils n'ont point les facultés ni les organes qui constituent l'animalité (...) 1
BERNARDIN DE SAINT-PIERRE, Harmonies de la nature, V.

Ce qui constitue l'animalité (...) c'est la faculté d'utiliser un mécanisme à déclenchement pour convertir en actions «explosives» une somme aussi grande que possible d'énergie potentielle accumulée. 2
H. BERGSON, l'Évolution créatrice, p. 130.

(...) outre sa signification archétypale et générale, l'animal est susceptible d'être surdéterminé par des caractères particuliers ne se rattachant pas directement à l'animalité. Par exemple le serpent et l'oiseau (...) ne sont pour ainsi dire animaux qu'en deuxième instance : ce qui prime en eux ce sont les qualités qui ne sont pas proprement animales : l'enfouissement et le changement de peau que le serpent partage avec la graine, l'ascension et le vol que l'oiseau partage avec la flèche. 2
Gilbert DURAND, les Structures anthropologiques de l'imaginaire, p. 73.

♦ **2** Par ext. Le règne animal. «*(Le pôle) où il n'y a plus d'humanité, d'animalité, de végétation, où plus rien n'est, que glace et nuit...*» (Goncourt, *Journal,* 1893, *in* T. L. F.).

♦ **3** (XVIII^e, Buffon). La partie animale de l'homme (opposé à *humanité, spiritualité*). → **Bestialité; instinct.**

L'ascendant croissant de notre humanité sur notre animalité, d'après la double suprématie de l'intelligence sur les penchants et de l'instinct sympathique sur l'instinct personnel. 3
A. COMTE, Cours de philosophie positive, 59^e leçon, cité par LALANDE, Voc. de la philosophie, art. *Animalité.*

(...) sa mort survint, presque inaperçue des matelots, ses frères, qui, en ces excès de fatigue et de danger, en étaient momentanément tombés à une sorte d'animalité farouche. 4
LOTI, Matelot, XLIX (→ Brute).

CONTR. **Végétal** (règne). — **Humanité, intellectualité, spiritualité.**

**ANIMATEUR, TRICE** [animatœʀ, tʀis] adj. et n. — 1801; de *animer.*

**I** ♦ **1** Adj. Vx ou littér. Qui anime, insuffle la vie. → **Créateur, vivifiant.** *Principe animateur. Idées animatrices.*

Tout vient d'un souffle, quand ce souffle est animateur. 1
Joseph JOUBERT, *in* P. LAROUSSE (1866), art. *Animateur.*

♦ **2** N. **a** N. m. Vx. Celui qui insuffle la vie.

**b** Mod. Personne qui anime une collectivité par son ardeur, son allant. → **Âme, chef, dirigeant, entraîneur, moteur, ouvrier** (cheville ouvrière), **promoteur.** *Animateur enthousiaste, excellente animatrice.* — *L'animateur d'un projet, d'une entreprise* (→ **Protagoniste,** didact.). *Animateur d'une équipe sportive.*

(...) ce merveilleux homme de théâtre et animateur inventif qu'était Antoine. 2
Georges LECOMTE, Ma traversée, p. 64.

(...) le chef, l'animateur, l'entraîneur qu'était Bonaparte. 3
Louis MADELIN, Hist. du Consulat et de l'Empire, t. V, 3.

**II** Mod. ♦ **1** Personne qui présente et commente un spectacle (music-hall) ou une émission (radio, télévision). → **Annonceur,** (4.), **présentateur.** *Un animateur sportif. Cote de popularité des animateurs.*

♦ **2** (1929). Cin. Auteur de dessins animés ; technicien responsable de l'animation* (3.).

Il y a une différence entre la cinématographie ordinaire et l'animation artificielle. Il en va tout autrement de «l'animateur», qui doit témoigner d'un sens physiologique et psychologique profond.

PAWLOWSKI, la Réalisation des films scientifiques en dessins animés, *in* la Nature, 1er nov. 1929, p. 414 (*in* D. D. L., II, 4).

*Animateur graphique,* chargé de produire les génériques des films, etc.

♦ **3** (V. 1960). Spécialiste de l'animation des groupes humains (→ **Animation).** *Animateur socioculturel* ou *culturel. Stage, formation d'animateur.*

(Dans plusieurs pays africains). Militant d'un parti national appartenant à un groupe d'animation.

♦ **4** Comm. *Animateur des ventes :* personne qui coordonne les équipes de vente en vue d'une meilleure performance commerciale. *Animateur national, régional.*

♦ **5** N. m. Personne, groupe détenant des capitaux importants et dont les ventes ou les achats animent un marché.

**ANIMATION** [animasjɔ̃] n. f. — XIVe ; du lat. *animatio,* de *anima* «souffle, âme».

♦ **1** Rare. Action d'animer, de communiquer la vie. → **Vie, mouvement, branle** (vx).

Dieu, de son souffle puissant, a donné l'animation à la matière.

FÉNELON, *in* P. LAROUSSE (1866), art. *Animation.*

♦ **2** Fig. Développement, essor. *L'animation d'une entreprise.* → **Activation, activité.**

2 *(Jusqu'à la guerre)* il y a eu plutôt animation que dépression de l'industrie en France.

JAURÈS, Hist. socialiste..., t. II, p. 258.

Théol. Manifestation de la vie. *Animation immédiate :* théorie selon laquelle l'âme est unie au corps dès la conception (opposé à *animation médiate,* âme unie au corps lorsque celui-ci est formé).

3 L'animation du fœtus n'arrive qu'après quarante jours.

Dict. de TRÉVOUX.

♦ **3** Méthode consistant à filmer, image par image, des objets ou des images fixes, pour obtenir, à la projection, des images animées ; art de la réalisation de films selon cette méthode. *Animation de poupées, de marionnettes, d'ombres chinoises... ; animation de dessins.* → **Dessin** (animé). *Techniques de l'animation. Cinéma d'animation ; film d'animation. Long métrage, court métrage d'animation. Réalisateur de films d'animation.* → **Animateur,** II., 2. *Les pionniers de l'animation. L'animation tchèque contemporaine.*

♦ **4** Cour. Caractère de ce qui est plein de vie, de vivacité (→ **Animé).** *L'animation du regard, du teint, du visage.* → **Ardeur, couleur, éclat, feu, fièvre.** *Parler, discuter avec animation.* → **Chaleur, exaltation, flamme, fougue, passion, vivacité.**

Il retira brusquement ses mains, et, avec une vivacité d'innocent qui se débat contre une prévention honteuse, avec des gestes vifs, une animation grandissante, il se défendit en l'accusant à son tour, elle, de l'avoir ainsi soupçonné.

MAUPASSANT, Fort comme la mort, éd. 1889, p. 234.

Mus. *Jouer avec animation.* → **Âme ; animato.**

Au piano, une animation quasi-céleste le transfigurait (...) 5

GIDE, Si le grain ne meurt, I, 3.

♦ **5** Activité, mouvement (dans un lieu, un espace où la vie humaine, sociale, est importante). *Il y a beaucoup d'animation dans ce centre-ville. Organiser l'animation d'un quartier par une quinzaine commerciale.* → **Activité.** *Mettre de l'animation dans une réunion, un groupe.* → **Entrain.**

♦ **6** (1972). Méthodes de conduite d'un groupe qui favorisent l'intégration et la participation de ses membres à la vie collective (→ Dynamique* de groupe). *L'animation d'une maison de la culture, d'un club du troisième âge. S'occuper de l'animation dans une collectivité, un lycée...* → **Animateur.**

Spécialt (dans plusieurs pays d'Afrique). Organisation d'activités collectives (chants, danses...) destinées à sensibiliser les masses à l'idéologie et à la politique du gouvernement, d'un parti national. *Groupe d'animation.*

CONTR. **Arrêt, calme, dépression, engourdissement, froideur, langueur, mort, paix, paralysie, repos, silence, torpeur.**

**ANIMATO** [animato] adv. — 1834 ; mot ital. «animé».

Mus. Avec chaleur (indication de nuance de mouvement placée en tête d'un morceau).

ANIMATO, *animé.* Mot qui indique l'accélération d'un mouvement donné. Il se joint ordinairement à un autre mot qui détermine le caractère du morceau, comme *allegro animato.*

F. J. FÉTIS, la Musique mise à la portée de tout le monde, p. 294, *in* D. D. L., II, 12.

**ANIMELLES** [animɛl] n. f. pl. — 1555 ; de l'ital. *animella,* au plur. *animelle* «abats», de *anima* «partie intérieure». Testicules (de taureau, de bélier). *Les animelles* (de bélier) *constituaient un plat apprécié, notamment au XVIIIe siècle.*

**ANIMER** [anime] v. tr. — 1358 ; du lat. *animare,* de *anima* «souffle, âme».

**I** (Le sujet désigne un principe de vie). Conférer la vie à... ; insuffler la vie à... *Le souffle créateur par lequel Dieu anima le premier homme. Suivant la fable, Prométhée anima l'argile dont il avait pétri l'homme, Vulcain anima Pandore en lui insufflant une étincelle de feu divin.* → **Créer.**

L'auteur de notre être avait d'abord animé notre boue d'un souffle d'immortalité. 1

MASSILLON, Petit carême..., Sur la mort.

Ô Dieu ! ne reprends pas ceux que ta flamme anime. 2

HUGO, Odes, II, 9.

*Animer la nature,* lui conférer les apparences, les caractères de la vie.

Il commande au soleil d'animer la nature. 3

RACINE, Athalie, 328.

Je crois donc qu'une volonté meut l'univers et anime la nature. 4

ROUSSEAU, Émile, IV.

*L'âme anime le corps,* lui communique la vie, le mouvement. → **Animation,** 2.

(...) une âme guerrière est maîtresse du corps qu'elle anime. 5

BOSSUET, Oraison funèbre du prince de Condé.

Par ext. Littér. Faire reprendre vie à (qqn). → **Ranimer** (courant).

**II** ♦ **1** (Sujet n. de chose). Remplir d'activité, de mouvement (un lieu, un espace). *L'arrivée de l'escadre a animé le port. — L'activité, la vie nocturne qui anime le quartier.*

Jadis une multitude vivante animait cette enceinte (...) 6

C.-F. VOLNEY, les Ruines, II.

7 Deux beaux pigeons (...) becquetant des grains de maïs sur le mur en parapet de la terrasse, étaient le seul signe de vie qui animât la maison.

LAMARTINE, Graziella, I, 19.

♦ **2** Vx. Exciter, inciter à l'action. *Animer un cheval.* Littér. Inciter (qqn) à l'action, à l'initiative érotique. — (Avec un compl. inanimé). *Animer le désir.* → **Aiguillonner, allumer** (fam.), **provoquer.**

♦ **3** [a] Vx ou littér. Conférer les apparences de la vie à (une chose, une matière).

8 Le christianisme ne saurait pas moins animer le marbre que la toile.

CHATEAUBRIAND, le Génie du christianisme, III, 1, 5.

[b] (Sujet n. de personne). Cin. Procéder à l'animation (3.) de (ce qui est représenté, figuré par l'image cinématographique). *Animer une poupée en filmant image par image son mouvement décomposé. Animer le générique d'un film.*

♦ **4** (Sujet humain). Entraîner à l'action, en communiquant de l'ardeur, de l'enthousiasme. *Animer qqn de la voix, du geste.* → **Aiguillonner, échauffer, électriser, encourager, enflammer, éperonner, exalter, exciter, éveiller, fouetter, inciter, influencer, influer** (sur), **inspirer, pousser** (à l'action), **remplir** (d'ardeur), **stimuler.** *Animer qqn de son esprit.* → **Imprégner** (de son esprit), **imprimer** (son empreinte), **infuser, insuffler, communiquer** (son esprit). *Animer qqn par son exemple, au spectacle de son courage* (vieilli ou littér.). — *Animer qqn à qqch., à faire qqch. Animer les troupes au combat.* — (Le compl. désigne une faculté). *Animer l'enthousiasme, l'esprit, le courage, la passion... de qqn.* — (Le sujet ne désigne pas un être humain). *Son exemple, sa foi, son courage... nous animait.*

9 Un poignard à la main, l'implacable Athalie
Au carnage animait ses barbares soldats (...)

RACINE, Athalie, I, 2.

10 Louis, les animant du feu de son courage,
Se plaint de sa grandeur qui l'attache au rivage.

BOILEAU, Épîtres, *in* P. LAROUSSE (1866), art. *Animer.*

11 Si les Français peuvent tout, c'est que leur roi est partout leur capitaine; et, après qu'il a choisi l'endroit principal qu'il doit animer par sa valeur, il agit de tous côtés par l'impression (l'empreinte) de sa vertu (...)

BOSSUET, Oraison funèbre de Marie-Thérèse d'Autriche.

12 Souvenez-vous que celui qui commande doit être le modèle de tous les autres; son exemple doit animer toute l'armée. FÉNELON, Télémaque, X.

13 (...) il animait les six chanteurs de la voix et du geste, comme un chef d'orchestre qui éperonne des virtuoses intelligents. HUGO, Notre-Dame de Paris, VII, 3.

Spécialt. Donner de l'animation à (un groupe, des échanges entre personnes). *Animer la conversation,* la rendre plus vive, plus intéressante. *Animer son auditoire.* → **Intéresser, passionner, transporter.** *Animer une pièce de théâtre par son jeu vif.* → **Brûler** (les planches). *Animer une société, une réunion de son entrain, de sa gaieté, de sa bonne humeur.* → **Égayer.**

14 (...) Alphonse Daudet animait la table de sa verve éblouissante et gaie, de ses amusants souvenirs, de ses observations si justement humaines.

Georges LECOMTE, Ma traversée, p. 270.

(Le compl. désigne une chose assimilée à un être actif). *Animer un feu,* le rendre plus vif. → **Attiser, aviver.**

15 Vous, mettez du bois et animez le feu, Germain!

G. SAND, la Mare au diable, VIII.

Spécialt (vieilli). *Animer qqn contre...* (qqn ou qqch.). → **Exciter, irriter** (→ Monter la tête à qqn). — *La colère, la fureur qui l'anime contre eux.*

16 Animant le peuple contre la noblesse (...)

BOSSUET, Hist. des variations, I, 9, *in* LITTRÉ.

Tous les gens qu'ils ont tâché d'animer contre lui (...) 1

MOLIÈRE, l'Impromptu de Versailles, V.

Un trop juste dépit contre moi vous anime. 1

MOLIÈRE, Amphitryon, II, 6.

♦ **5** (Sujet n. de personne). Donner l'impulsion à (une entreprise), être le principal responsable d'une activité collective. → **Activer, agir** (sur), **communiquer** (le mouvement), **diriger, mouvoir** (faire aller, faire marcher), **promouvoir, provoquer, vivifier.** *Animer une entreprise, un spectacle, une émission de radio, de télévision. Animer une revue d'avant-garde. Animer un colloque, un séminaire, un stage.*

Une mouche survient, et des chevaux s'approche, 1
Prétend les animer par son bourdonnement,
Pique l'un, pique l'autre, et pense à tout moment
Qu'elle fait aller la machine (...)

LA FONTAINE, Fables, VII, 9.

♦ **6** (Sujet n. de chose). Littér. Constituer le principe de l'activité chez (qqn). → **Inspirer; conduire, diriger, mener.** *Les passions, les sentiments qui l'animent. Les préjugés qui animent ces gens.* → **Remplir.**

Il faut venger un père, et perdre une maîtresse : 2
L'un m'anime le cœur, l'autre retient mon bras.

CORNEILLE, le Cid, I, 6 (Var. : L'un échauffe mon cœur...).

Voilà, depuis un an, le seul soin qui m'anime. 2

RACINE, Athalie, II, 2.

(...) la vertu seule anime son dessein (...) 2

MOLIÈRE, l'Étourdi, I, 4.

(...) cet esprit d'intolérance qui les animait *(les chrétiens).* 2

MONTESQUIEU, Lettres persanes, 60.

(...) des têtes (...) qu'animait un vif désir de plaire. 2

Th. GAUTIER, le Capitaine Fracasse, X.

Les révolutions animent toutes les passions. 2

DANTON, cité par JAURÈS, Hist. socialiste..., t. VII, p. 214.

Je n'avais pas les patriotiques illusions qui animaient certains partisans du général (...)

Georges LECOMTE, Ma traversée, p. 186.

(...) il leur souffle la brûlante espérance qui l'anime. 2

R. ROLLAND, Mahatma Gandhi, p. 103.

♦ **7** (Sujet n. de chose; compl. concret). Donner de la chaleur, de l'éclat, de la vivacité à... → **Exciter; allumer, aviver, émoustiller, enfiévrer, enflammer...** *L'émotion qui anime son teint, ses joues.* → **Colorer, échauffer.** *Animer le regard.* → **Briller** (faire). *Animer la physionomie.* → **Illuminer.**

Mon père (...) Ah! quel courroux animait ses regards! 2
Moïse à Pharaon parut moins formidable.

RACINE, Athalie, II, 2.

Une inspiration céleste animait dans cet instant la physionomie de Corinne. M^me^ DE STAËL, Corinne, X, 5. 2

Un doigt de vin de Madère anima les regards, fit sourire les lèvres. FRANCE, le Petit Pierre, XI, p. 69. 3

♦ **8** (Sujet n. de chose). Vieilli. Donner du mouvement à (qqch.). *La force qui anime le bolide.* → **Mouvoir, pousser.** *Un petit moteur qui anime l'appareil.*

◆ **S'ANIMER** v. pron.

♦ **1** Naître à la vie, au mouvement; devenir animé. *Dans son rêve, la statue s'animait.* → **Ébranler** (s'), **mouvoir** (se). — *La rue s'anime les jours de marché.*

Vx. Commencer à agir. → **Agiter** (s'), **remuer** (se).

Chacun s'anime et se prépare (...) 3

LA FONTAINE, Fables, IV, 4.

♦ **2** Prendre de la vivacité, de l'éclat. → **Échauffer** (s'). *La conversation s'animait. Ses yeux s'animent quand il parle. — S'animer à... Il s'animait progressivement à parler devant un auditoire aussi intéressé. «Elle commençait à s'animer au jeu»* (A. France).

*(Chez Bossuet)* Tout s'anime, tout s'enflamme. Les idées deviennent des êtres vivants (...) 3

Émile FAGUET, Études littéraires, XVII^e s., p. 430.

Sans être naturellement gai, il s'animait de la gaieté des autres.
MARMONTEL, Mémoires d'un père pour servir à l'instruction de ses enfants, VI.

Son visage a changé (...) Ses yeux se sont animés.
MOLIÈRE, l'Amour médecin, III, 6.

C'était moins un sourire qu'une transfiguration. Tout à coup ses traits s'animèrent ; ce fut un éclairement subit (...)
GIDE, la Symphonie pastorale, p. 42.

Vx ou littér. Se mettre en colère. → **Emporter** (s'), **irriter** (s').

Contre ce cher époux Valère en vain s'anime.
CORNEILLE, Horace, V, 3.

Littér. Se passionner, s'exciter.

◆ **ANIMÉ, ÉE** p. p. adj.

♦ **1** [a] Doué de vie et de motilité. → **Vivant.** — *Le monde animé et le monde minéral. Les êtres animés.* — REM. Selon les cas, l'idée de *monde animé* inclut ou non les végétaux ; en général, *animé* suppose un certain mouvement ; cependant, on peut opposer *animé à mouvant* (→ cit. 38, Descartes).

Le Seigneur Dieu forma donc l'homme du limon de la terre ; il répandit sur son visage un souffle de vie, et l'homme devint vivant et animé.
BIBLE (SACY), Genèse, II, 7.

(...) les têtes, un peu après être coupées, se remuent encore et mordent la terre, nonobstant qu'elles ne soient plus animées (...) DESCARTES, Discours de la méthode, V.

En grammaire, se dit des noms désignant des êtres animés, des personnes et des animaux capables de mouvement. *Sujet animé humain, animé non humain. Sujet non animé* (nom de chose).

[b] N. m. *L'animé* (opposé à *l'inanimé*) : l'ensemble des êtres vivants doués de mobilité. → **Animal.**

Ling. *La catégorie sémantique de l'animé :* les noms désignant des êtres animés.

♦ **2** Vx ou littér. **ANIMÉ DE..., PAR... :** qui reçoit sa vivacité, son activité de...

Animé d'un regard, je puis tout entreprendre.
RACINE, Andromaque, I, 4.

♦ **3** Qui est plein de vivacité, d'éclat ; qui donne une impression de vie. *Une physionomie animée.* → **Expressif, vif.** *Teint animé.* → **Coloré.** *Un ton animé. Une conversation animée. La lutte était animée.* → **Acharné, ardent, chaud, mouvementé, vif.** — Mus. *Mouvement animé.* → **Animato.**

(...) sa physionomie ouverte et animée prévenait d'abord en sa faveur.
A. DE MUSSET, la Confession d'un enfant du siècle, V, II.

Il était plus animé que de coutume ; une certaine excitation forte, joyeuse et résolue éclairait ses yeux, dont le regard était toujours très direct, mais qui s'illuminaient peu d'habitude. E. FROMENTIN, Dominique, III.

Le repas était gai : animés par le vin et la bonne chère, joyeux enfin d'être à Paris (...) imprégnés de cette chaude atmosphère si agréable (...) les comédiens se livraient aux plus folles espérances.
Th. GAUTIER, le Capitaine Fracasse, XI.

Blason. Se dit de l'œil du cheval, lorsqu'il est d'un émail différent de celui du corps.

♦ **4** (Personnes). Inspiré, mené par (un sentiment tenace, une force morale...). *L'esprit dont il est animé. Animé d'une ardeur débordante.* → **Débordant.** *Animé du désir de...* → **Brûler** (de). *Animé d'une haine implacable.* → **Brûlant.** *La colère dont il est animé.* → **Bouillir, déborder.**

Animés par cet esprit corrompu et déréglé qui est naturel aux hommes (...)
FLÉCHIER, Sermons, I, 193, *in* LITTRÉ.

La génération qui allait faire la Révolution était enthousiaste, animée d'une confiance naïve dans l'avenir (...)
Ch. SEIGNOBOS, Hist. sincère de la nation franç., p. 234.

Vieilli. *Animé contre* (qqn, qqch.). → **Irrité.**

Les Troyens sont animés contre les Grecs (...) 45
FÉNELON, Télémaque, I.

♦ **5** (Lieux, espaces). Qui donne l'impression de la vie, est plein de mouvement. → **Agité, vivant.** *Des rues très animées. C'est une petite ville peu animée. Quartier animé la nuit.*

Autant Malaga est gaie, riante, animée, autant Carthagène 45.1
est morne, renfrognée (...)
Th. GAUTIER, Voyage en Espagne, p. 367.

♦ **6** (Choses). Doté de mouvement. → **Mobile, mouvant.**

Comme un crible animé d'un mouvement de plus en plus 46
rapide, la Révolution, à mesure qu'elle s'accélère, sépare des intérêts d'abord confondus.
JAURÈS, Hist. socialiste..., t. III, p. 336.

*Dessins animés.* → **Dessin ;** et aussi **animation** (3.).

CONTR. **Arrêter, brider, décourager, ébranler, énerver, engourdir, paralyser, refréner, refroidir, retenir.** — **Froid, inanimé, mort.** ◈ DÉR. **Animateur.** — COMP. **Inanimé, ranimer.**

**ANIMIQUE** [animik] adj. — 1800, trad. de Jakob Boehme par Saint-Martin ; du lat. *anima* « âme ».

Didact. et vx. De l'âme, qui a rapport à l'âme.

Je (...) crois que les mouvements de l'homme font dégager un fluide animique. Sa transpiration est la fumée d'une flamme inconnue. De là vient la prodigieuse éloquence de la démarche (...)
BALZAC, Théorie de la démarche, V, éd. 1853, p. 79.

**ANIMISME** [animism] n. m. — 1781 ; du lat. *anima* « âme ».

♦ **1** Hist. des sc. Doctrine physiologico-médicale de Stahl, expliquant les faits vitaux par l'intervention de l'âme. → **Vitalisme.**

On aurait tort de sourire, même avec la tendresse et le res- 1
pect qu'inspire l'enfance. Croit-on que la culture moderne ait véritablement renoncé à l'interprétation subjective de la nature ? L'animisme établissait entre la Nature et l'Homme une profonde alliance hors laquelle ne semble s'étendre qu'une effrayante solitude.
Jacques MONOD, le Hasard et la Nécessité, p. 49.

♦ **2** (1880). Attitude consistant à attribuer aux choses une âme analogue à l'âme humaine. *Religion marquée par l'animisme.* — Psychol. *Animisme de l'enfant,* qui prête une vie personnelle à tout objet mobile.

(...) elle essaya d'exprimer sa tendresse en disant n'importe 2
quoi, et fit appel, d'instinct, à un animisme qu'il aimait : en face de la fenêtre, un des arbres de Mars s'était épanoui pendant la nuit ; la lumière de la pièce éclairait ses feuilles encore recroquevillées, d'un vert tendre sur le fond obscur :
— Il a caché ses feuilles dans son tronc pendant le jour, dit-elle, et il les sort cette nuit pendant qu'on ne le voit pas.
MALRAUX, la Condition humaine, I, *in* Romans, Pl., p. 214.

C'est à la fois la peinture d'un monde et l'aventure d'un 3
homme ; cet homme en qui l'auteur s'est très exactement incarné est par bien des côtés très loin de moi : par son fétichisme, par son animisme.
S. DE BEAUVOIR, Tout compte fait, p. 176.

Croyance religieuse traditionnelle, en Afrique (par opposition à l'islam et au christianisme).

**ANIMISTE** [animist] adj. et n. m. — 1765 ; du lat. *anima* « âme ».

Relatif à l'animisme* (1. et 2.), qui est marqué par l'animisme. *Doctrine animiste. Sociétés, populations animistes.*

1 Remontant à l'enfance de l'humanité, antérieures peut-être à l'apparition de l'Homo sapiens, les conceptions animistes ont encore des racines profondes et vivaces dans l'âme de l'homme moderne.
Jacques MONOD, le Hasard et la Nécessité, p. 48.

2 Les illusions animistes qu'on me dénonce, comment donc y échapperais-je ? Autour de moi, l'eau coule, la pluie tombe, le vent souffle, des forces multiples se manifestent. En moi, ma vie, elle aussi, coule, les idées me viennent, me quittent, les passions m'agitent, me laissent. Comment ne rapprocherais-je pas les unes des autres ces expériences ?
Emmanuel BERL, le Virage, p. 73.

N. *Un, une animiste :* partisan de l'animisme. Personne qui professe l'animisme, en Afrique. *L'islam tente de convertir les animistes.*

**ANIMOSITÉ** [animozite] n. f. — 1301 ; «courage», XVe ; du bas lat. *animositas, -atis* «ardeur» ; d'où en lat. chrétien «inimitié».

♦ **1** Sentiment persistant de malveillance qui porte à nuire à qqn. → **Amertume, antipathie, haine, inimitié, malveillance, rancune, ressentiment.** *Avoir de l'animosité contre, envers, à l'égard, à l'endroit de qqn* (→ fam. Avoir une dent contre qqn). *Montrer de l'animosité à qqn. Son animosité contre, pour son patron. Agir par animosité, sans animosité.* — Rare. *Une, des animosités* (→ ci-dessous cit. 3, 4 et 5).

1 Ils m'assurèrent que ces Messieurs n'en garderaient pas la moindre animosité contre moi.
RACINE, Lettre à l'auteur des hérésies imaginaires (Nicole), 1 t. IV, p. 272.

2 Ce trait si surprenant de générosité
Doit étouffer en moi toute animosité.
MOLIÈRE, les Fâcheux, III, 5.

3 Contraint tout d'un coup de s'opposer aux entreprises extravagantes et aux animosités envenimées de quelques-uns de ses confrères.
FLÉCHIER, Panégyriques, II, 454, *in* LITTRÉ.

4 Nourrir des envies, des animosités.
MASSILLON, Sermon pour le IVe dim. de l'Avent, Sur les dispositions à la communion, *in* LITTRÉ.

5 Une animosité qui commençait à aigrir et troubler votre cœur (...)
MASSILLON, Profession religieuse, Sermon 4, *in* LITTRÉ.

6 (...) le public, dont ils auront soin d'entretenir et ranimer l'animosité sans cesse, ne s'apaisera pas plus qu'eux.
ROUSSEAU, Rêveries..., 1re promenade.

7 La haine et l'animosité que je vois dans leurs cœurs (...)
ROUSSEAU, Rêveries..., 8e promenade.

8 Ils *(les soldats français)* faisaient leur devoir de soldats, mais sans y mettre ni animosité, ni rancune, ni envie. L'Allemand, le Russe était pour eux des adversaires plutôt que des ennemis.
FUSTEL DE COULANGES, Questions contemporaines, p. 69.

9 (...) cette sorte de bizarre animosité passionnée que devient l'amour quand la jalousie le fouette.
MAUPASSANT, Fort comme la mort, p. 307.

10 L'animosité d'une partie de la Chambre à votre endroit est un fait (...) M. BARRÈS, Leurs figures, p. 355.

♦ **2** Vieilli. Emportement, violence (dans une discussion, un affrontement, un combat...). → **Acharnement, âpreté, ardeur, chaleur, colère, emportement, véhémence, violence.** *Mettre de l'animosité dans son discours. Il y avait trop d'animosité, de part et d'autre, dans ce débat.*

11 La guerre recommença avec plus d'animosité que jamais.
VOLTAIRE, Essai sur les mœurs, 125.

CONTR. **Amour, amitié, bienveillance, cordialité, sympathie.**

**ANIMUS** [animys] n. m. — Mot lat. «âme, esprit».

♦ **1** Dr. Terme employé dans des loc. lat. pour qualifier l'intention d'une personne. *Animus donandi :* intention de donner. *Animus possidendi :* intention de posséder, d'agir pour son propre compte, etc.

♦ **2** (XXe). Psychan. Dans la théorie de Jung, Composante masculine de la psyché d'un être humain, homme ou femme. → aussi **Anima.**

**ANION** [anjɔ̃] n. m. — 1842, Académie, *Complément ;* angl. *anion,* 1834, Faraday ; grec *aniôn* «ce qui s'élève», p. prés. de *aniênai* «s'élever», d'après *anode.* → Cation.

Phys. Ion négatif (qui, dans une électrolyse, se porte à l'anode), par oppos. au *cation. Résines échangeuses d'anions.*

DÉR. **Anionique.**

**ANIONIQUE** [anjɔnik] adj. — 1935, *Journal de chimie ;* de *anion.*

Phys. De l'anion, des anions. *Charge anionique* (négative). → **Anodique.**

**ANIRIDIE** [aniridi] n. f. — XXe ; de *an-* priv. (→ 2. A-), et *iris.*

Pathol. Absence congénitale partielle ou totale de l'iris.

**ANIS-, ANISO-** Élément de mots didact., du grec *anisos* «inégal», de *an-* (→ 2. a-), et *iso-.* Voir à l'ordre alphabétique.

**ANIS** [anis], vx [ani] n. m. — 1236 ; lat. *anisum,* grec *anison.*

♦ **1** Bot. Plante dicotylédone *(Ombellifères),* scientifiquement appelée *pimpinella anisum,* originaire d'Orient et cultivée en France pour les propriétés médicinales et aromatiques de ses graines *(anis vert). Dragées d'anis. Liqueur d'anis.* → **Anisette, ouzo, ratafia** (d'anis). *Eau de vie (de marc de raisins) parfumée à l'anis.* → **Raki.** *L'anis est utilisé en médecine comme carminatif, diurétique. Tisane d'anis. L'essence d'anis est employée en parfumerie.*

♦ **2** Cour. Graine d'anis, au parfum tiré de l'anis (plante), utilisée comme aromate, condiment. *Boisson à l'anis.* → **Anisé ; anisade, anisette.** *Sirop d'anis. Sorbet, glace à l'anis. Bonbons à l'anis.*

Par ext. Dragée, bonbon à l'anis. *Des anis de Verdun, de Flavigny. Une boîte d'anis.* — *Anis* ou *grain d'anis,* élément décoratif, en confiserie. Par compar. *«Ses petites dents en grains d'anis»* (Georges d'Esparbès, *in* T. L. F.).

♦ **3** Rare. Boisson à l'anis. *Il aime l'anis à l'apéritif. Un verre d'anis. Un anis Gras* (de cette marque). — REM. Le mot est beaucoup moins employé que *anisette** et que les noms de marques (Pastis, Ricard...). — Par métaphore. *«Rhône bleu d'acier (...) anis, absinthe trouble...»* (Alexandre Arnoux, *in* T. L. F.).

♦ **4** (Nom donné à d'autres plantes). *Anis âcre, aigre, faux anis.* → **Cumin.** — *Anis doux, anis de Paris.* → **Fenouil.** — *Anis étoilé, anis de Chine, anis des Indes.* → **Badiane.**

*Bois d'anis :* bois du laurier avocatier, utilisé en ébénisterie, marqueterie, tabletterie.

*Pomme d'anis :* pomme à parfum anisé.

DÉR. **Anisade, aniser, anisette, anisique.**

**ANISADE** [anizad] n. f. — XXe ; de *anis,* sur *orangeade, citronnade,* etc.

Boisson anisée sans alcool.

**ANISER** [anize] v. tr. — 1611 ; *anizé,* 1564 ; de *anis.*

Rare. Aromatiser, parfumer avec de l'anis. *Aniser un gâteau, une liqueur.*

◆ **S'ANISER** v. pron. (1900, Nouguier). Fam. et vx. S'enivrer (à l'absinthe, à l'anis).

◆ **ANISÉ, ÉE** p. p. adj. (1564). Cour. Parfumé à l'anis, au goût d'anis. *Boisson, pâtisserie anisée. Alcool anisé. Médicament anisé.*

Fig. Dont le goût se rapproche de celui de l'anis.

(...) une pulpe blanche au goût anisé (...)
GIDE, Voyage au Congo, *in* Souvenirs, Pl., p. 749.

Rare. De la couleur de l'anisette, de l'anis boisson. *Un bleu, un blanc anisé.*

**ANISETTE** [anizɛt] n. f. — 1771; de *anis.*

Liqueur préparée avec de l'alcool, du sucre, et un mélange variable d'anis vert, de badiane, de fenouil, etc. → **Anis,** 3. *Prendre une anisette à l'apéritif. L'anisette, apéritif traditionnel des régions méditerranéennes. L'ouzo grec est une anisette.*

Bibi-la-Grillade se leva pour aller lui chercher un verre d'anisette (...) Pendant qu'elle sirotait son anisette, elle eut tout à coup un souvenir (...)
ZOLA, l'Assommoir, t. II, p. 149.

(1866, Delvaux). Fam. et vx. *Anisette de barbillon :* eau (→ Sirop* de grenouille).

**ANISIQUE** [anizik] adj. — 1846; de *anis-*, et *-ique.*

Chim. Se dit d'un acide, d'un aldéhyde, d'un alcool à fonction éther-oxyde phénolique.

**ANISO-** → **Anis-.**

**ANISOCORIE** [anizokɔʀi] n. f. — XX^e; de *an-, iso- (aniso-),* et *-corie,* du grec *korê* «pupille».

Méd. Inégalité des deux pupilles.

**ANISOGAMIE** [anizogami] n. f. — 1960; de *an-, iso-,* et *-gamie.*

Biol. → **Hétérogamie.**

CONTR. **Isogamie.**

**ANISOMYAIRES** [anizɔmjɛʀ] n. m. pl. — XIX^e; de *an-, iso-,* et *my(o)-,* du grec *mus (mys)* «muscle».

Zool. Ordre de mollusques lamellibranches dont les branchies sont formées de lamelles distinctes. *Types principaux :* avicule, anomie, gryphée, huître, jambonneau ou pinne, lime, lithodome, marteau, méléagrine ou pintadine, perne ou jambon, peigne ou pecten, pétoncle, modiole, moule, spondyle. — Au sing. *Un anisomyaire.*

**ANISOPLIE** [anizɔpli] n. f. — 1846, Bescherelle; du lat. zool. *anisoplia,* grec *anis(os)* «inégal» (→ Aniso-), et *hoplê* «corne, sabot» (d'après Bescherelle; la forme de l'animal permettrait d'invoquer également *hoplon* «arme, armure»).

Zool. Insecte coléoptère *(Scarabéidés),* qui vit sur les graminées, notamment sur l'avoine et le seigle.

**ANISOPTÈRES** [anizɔptɛʀ] n. m. pl. — XX^e; de *an-* priv. (→ 2. A-), et *isoptère.*

Zool. Groupe d'insectes odonates *(Libellules),* réunissant les libellules de grande taille. — Au sing. *Un anisoptère.*

Ces deux groupes *(d'Odonates)* sont connus sous les noms d'Anisoptères et de Zygoptères. Les premiers sont ces grandes libellules dont on admire le vol rapide au-dessus des étangs ou dans les prairies; lorsqu'elles se posent (...) elles se présentent avec les quatre ailes largement étalées.
Lucien CHOPARD, Odonoptères, *in* Encycl. Pl., Zoologie, t. II, p. 619-620.

**ANISOTROPE** [anizɔtʀɔp] adj. et n. m. — 1872, Littré, *Suppl.;* de *an-* priv. (→ 2. A-), et *isotrope.*

Phys. Se dit d'une substance, d'un corps dont les propriétés varient selon la direction considérée (opposé à *isotrope*).

1 Il nous faut donc renoncer à étudier les molécules par les procédés que nous utilisons à tout instant pour connaître les objets qui nous entourent. Il faut avoir recours à des méthodes indirectes. Ces méthodes (...) nous permettent de savoir si ces molécules ont des éléments de symétrie : un centre, un plan, une droite; si les propriétés de la substance qui les constitue sont les mêmes pour toutes les directions, c'est-à-dire si la substance est *isotrope,* ou bien si quelqu'une de ces directions doit être considérée comme privilégiée, auquel cas la substance serait *anisotrope.*
A. BOUTARIC, la Vie des atomes, p. 30 (1923).

2 Un éminent anatomiste allemand, W. His, avait conçu l'œuf comme une *mosaïque* de parties, dont chacune représentait, par avance, une partie définie du futur embryon; l'œuf était, pour lui, *anisotrope.* À cette conception s'opposait celle de l'*isotropie* de l'œuf et de l'équivalence de toutes les parties.
Maurice CAULLERY, les Étapes de la biologie, p. 81.

N. m. *Un anisotrope :* substance, liquide ayant ces propriétés.

DÉR. **Anisotropie.**

**ANISOTROPIE** [anizɔtʀɔpi] n. f. — 1895; de *anisotrope.*

Phys. État, qualité d'une substance anisotrope*.

1 Examinée au microscope polarisant, la cellulose présente une forte biréfringence. Cette anisotropie est due à une *structure cristalline,* comme l'a démontré la diffraction des rayons X.
M. CHÊNE et N. DRISCH, la Cellulose, p. 28-29.

Fig. et didactique :

2 — Mais n'est-ce point là la recherche de M. Teste : se retirer du moi — du moi ordinaire — en s'essayant constamment à diminuer, à combattre, à compenser l'inégalité, l'anisotropie de la conscience ?
VALÉRY, Monsieur Teste, p. 119.

**ANKH** [ɑ̃k] n. m. et adj. — 1896, *Nouveau Larousse illustré,* art. *Ansé;* mot égyptien.

Archéol. Emblème constitué à l'origine d'un nœud végétal, formant une croix surmontée d'un anneau et symbolisant la vie. — *Croix ankh :* croix ansée.

On se contente parfois d'évoquer le christianisme par des symboles : la croix portée par un aigle, le monogramme du Christ représenté par les lettres X et P de l'alphabet grec, disposées de manière à former une croix ansée, non sans ressemblance avec l'ankh, emblème de l'immortalité, que tiennent à la main les divinités égyptiennes.
Michèle BEAULIEU, les Tissus d'art, p. 32.

**ANKYLO-, ANCYLO-** Éléments, du grec *agkulo-,* de *agkulos* «recourbé; noué, attaché», entrant dans la formation de termes zoologiques (→ **Ancylocère, ankylostome**) et de termes médicaux (→ **Ankylose**).

On trouve aussi : *ancyle* n. m. (1767) «mollusque d'eau douce»; *ancylopode* n. m. «mammifère fossile de l'ère tertiaire»; et *ankyloglossie* n. f. (1762) «diminution des mouvements de la langue»; *ankylorrhinie* n. f. (1866) «soudure des parois des narines».

**ANKYLOSE** [ɑ̃kiloz] n. f. — 1564, *ancyle, ancylosis;* du grec *agkulosis,* de *agkulos* «courbe».

♦ **1** Méd. Diminution ou impossibilité absolue des mouvements d'une articulation naturellement mobile. *L'immobilité prolongée amène l'ankylose.* → **Courbature, ossification, paralysie.** *Ankylose fibreuse :* formation de tissus fibreux. *Ankylose osseuse :* soudage des os. *Ankylose complète, incomplète du genou.* — Vétér. *Ankylose du boulet du cheval.*

Cour. Difficulté à se mouvoir, à bouger (pour une cause quelconque). → **Engourdissement.** *Ankylose provoquée par le froid, la fatigue. Ressentir de l'ankylose :* être ankylosé*.

1 Faire les cent pas sur place pour échapper à l'ankylose et au froid. H. BARBUSSE, le Feu, p. 155.

Abstrait :

2 Avez-vous observé, dit Édouard, la sorte d'ankylose morale qu'entraîne chez M... cette prétention de ne jamais être dans son tort.
GIDE, Feuillets, *in* Journal 1889-1939, Pl., p. 775.

♦ **2** Par métaphore et fig. Difficulté à se mouvoir, à agir ; incapacité à évoluer, à s'adapter. → **Arrêt, paralysie.** *L'ankylose des affaires, de l'économie.* → **Marasme, stagnation.** «*L'ankylose (...) la paralysie de la peinture*» (Huysmans, *la Cathédrale*).

**CONTR. Activité, mouvement, souplesse.** ◊ **DÉR. Ankyloser.**

**ANKYLOSER** [ɑ̃kiloze] v. tr. — 1845 ; *ankylosé,* 1749 ; de *ankylose.*

♦ **1** Causer une ankylose à..., paralyser par ankylose. *Une arthrite lui a ankylosé le genou.* — Au passif et p. p. *Être ankylosé par un long voyage en voiture, être tout ankylosé après un voyage.* → **Courbatu, courbaturé.**

1 (...) le poignet ankylosé de courbatures.
COURTELINE, Messieurs les ronds-de-cuir, IV, 1.

Adj. *Jambe, membre ankylosé.*

2 Meynestrel, les mains au dos, la mine soucieuse allait et venait à travers l'étroite pièce, afin de rétablir la circulation dans sa jambe ankylosée.
MARTIN DU GARD, les Thibault, VII, 26.

2.1 Il n'y aura plus jamais d'éliminations, d'exclusions... lève-toi, étire tes membres ankylosés, n'aie donc pas peur (...)
N. SARRAUTE, Vous les entendez ?, p. 179.

Pron. Être atteint d'ankylose. — Par ext. Devenir inapte aux mouvements, perdre sa souplesse.

3 Voyons, Léontine, bouge-toi, tu t'ankyloses, est-ce que je dors après dîner, moi ?
PROUST, À la recherche du temps perdu, t. X, p. 125.

♦ **2** Par métaphore ou fig. Paralyser*.

3.1 Je ne songeais pas que l'apathie qu'il y avait à se décharger ainsi sur Andrée ou sur le chauffeur du soin de calmer mon agitation (...) ankylosait en moi, rendait inertes tous ces mouvements imaginatifs de l'intelligence, toutes ces inspirations de la volonté qui aident à deviner, à empêcher ce que va faire une personne.
PROUST, la Prisonnière, Pl., t. II, p. 24.

Pron. Perdre de sa rapidité de réaction, de mouvement par suite d'une immobilité, d'une inaction prolongée. → **Rouiller** (se). *On s'ankylose par cette vie sédentaire.*

4 Marins mal recrutés qui, depuis des années, s'étaient ankylosés dans le trantran des ports (...)
Louis MADELIN, Hist. du Consulat et de l'Empire, t. V, 11.

*L'esprit s'ankylose dans cette inaction.*

♦ **ANKYLOSÉ, ÉE** p. p. adj. Atteint d'ankylose. → cidessus 1. — Fig. *Esprit ankylosé.*

N. *Un ankylosé, une ankylosée :* une personne qui souffre d'ankylose (au propre et au fig.). → **Inerte, raide.** «*Ce n'est pas un métier d'ankylosé que la sculpture !*» (Goncourt, *in* T. L. F.).

**CONTR. Dérouiller, éveiller. — Actif, dynamique, remuant.** ◊ **COMP. Désankyloser.**

**ANKYLOSTOME** [ɑ̃kilostom] n. m. — 1877, *in* D. D. L. ; lat. sc. *ankylostoma,* 1855, Lutz, du grec *agkulos* (→ Ankylo-), et grec *stoma* «bouche» (→ -stome).

Zool. Nématode parasite de l'intestin grêle, pénétrant soit par la bouche, soit par la peau, et provoquant une anémie pernicieuse. → **Ankylostomiase.**

**DÉR. Ankylostomiase.**

**ANKYLOSTOMIASE** [ɑ̃kilostomjaz] n. f. — Fin XIX$^{e}$ ; de *ankylostome.*

Méd. Anémie pernicieuse due à l'ankylostome*. (On dit aussi *anémie des mineurs, chlorose d'Égypte*).

Plus tard, la cité née du caprice et de l'ambition s'étiole et disparaît : il n'en reste que le nom et quelques masures où s'éteint une population minée par la malaria et l'ankylostomiase.
Claude LÉVI-STRAUSS, Tristes tropiques, p. 95.

**ANNAL, ALE, AUX** [anal, o] adj. — Av. 1150 ; lat. *annalis,* de *annus* «année».

Dr. Qui ne dure qu'un an (→ aussi **Annuel**), qui n'est valable que pendant un an. *Droit annal,* qui produit ses effets au bout d'un an. *Location annale. Procuration annale. Possession annale,* d'un an et un jour. — Antiq. *Loi annale,* «qui fixait l'âge où il était permis de prétendre aux magistratures» (Mérimée, *Conjuration de Catilina, in* T. L. F.).

REM. Le masc. plur. *annaux* est inusité (hom. : *anneau*).

**DÉR. Annalité.** ◊ **HOM. Anal, annales.**

**ANNALES** [anal] n. f. pl. — 1447 ; lat. *annales,* plur. de *annalis* «de l'année».

♦ **1** Ouvrage rapportant les événements dans l'ordre chronologique, année par année. → **Chronique, commentaire.**

Il s'est fait apporter ces annales célèbres
Où les faits de son règne avec soin amassés
Par de fidèles mains chaque jour sont tracés (...)
RACINE, Esther, II, 1.

Un sec et triste faiseur d'annales ne connaît point d'autre ordre que celui de la chronologie.
FÉNELON, Lettre à l'Académie, 8.

(...) les Orientaux écrivent des annales plutôt que de l'histoire. M. BARRÈS, Un jardin sur l'Oronte, p. 9.

*Les Annales,* de Tacite, récit de l'histoire de Rome, de la mort d'Auguste à la mort de Néron.

♦ **2** Titres de revues, de recueils périodiques de faits relatifs à la vie religieuse, scientifique, etc. *Annales ecclésiastiques, littéraires, politiques. Annales de droit, de médecine.* → **Document, éphéméride, fastes, revue.** *Annales de géographie* (fondées en 1891).

*Les Annales :* école historique française, ainsi nommée du nom des *Annales d'histoire économique et sociale,* revue fondée en 1929 par Lucien Febvre et Marc Bloch, devenue *Annales d'histoire sociale,* puis *Annales, économies, sociétés, civilisations. Les Annales promurent l'histoire nouvelle, face à l'histoire événementielle traditionnelle.*

♦ **3** Par ext. (style soutenu). Histoire. *Les annales de... :* l'histoire de... (→ cit. 4 et 5) ou l'histoire écrite par... (→ cit. 6).

Vous qui composez les annales de l'Église (...)
BOSSUET, Oraison funèbre de Michel Le Tellier.

Et rien n'effacera des annales du monde
Son nom, par vos glaives gravé (...)
HUGO, Odes, II, 4.

Son nom sera écrit dans les annales de la postérité parmi les conquérants, mais il ne le sera pas parmi les bons rois. MASSILLON, Petit carême..., Tentations.

Fig. Actes, faits, souvenirs relatifs à l'histoire de qqch. *On ne trouve rien de tel dans les annales de la bureaucratie.* «*La prison du Plessis, à deux pas d'ici, a vu des actes de dévouement tels que les annales de l'héroïsme et les annales du martyre n'en connaissent pas de plus beaux»* (Renan, *l'Abbesse de Jouarre,* 1886, *in* T. L. F.). — Par plais. *Voilà quelque chose à mettre dans les annales,* à conserver. → **Postérité** (passer à la).

DÉR. **Annaliste.** ◊ HOM. **Anal, annal.**

**ANNALISTE** [analist] n. — 1560; de *annales.*

Didact. Auteur d'annales ; historien. → **Chroniqueur, mémorialiste.**

Un écrivain touche à bien des plaies en se faisant l'annaliste de son temps.
BALZAC, le Cabinet des antiques, Pl., t. IV, p. 335.

HOM. **Analyste.**

**ANNALITÉ** [analite] n. f. — 1876; de *annal.*

Dr. Caractère de ce qui est annal, annuel (annualité). *Annalité d'une possession.* — Fin. *Annalité de l'impôt.*

Antiq. *Annalité d'une charge de magistrature à Rome.*

HOM. **Analité.**

**ANNAMITE** [anamit] adj. et n. — 1838; de *Annam.*

Anciennt, hist. Relatif à l'Annam et à ses habitants. → **Vietnamien.** *Langue, grammaire annamite. — Le royaume annamite entra dans l'Union indochinoise, sous protectorat français, en 1887.*

N. *Un, une Annamite :* un habitant, une habitante de l'Annam.

N. m. (Vieilli). *L'annamite,* langue du groupe thaï (Indochine et Chine du Sud). *Parler l'annamite.* — REM. On dit aujourd'hui *vietnamien.*

**ANNAMITIQUE** [anamitik] adj. — 1845; du lat. mod. *annamiticum,* 1651, Alexandre de Rhodes, de *Annam.*

Géogr. (vieilli). *Chaîne, cordillère annamitique :* cordon montagneux formé au Viêt-nam, de part et d'autre du 17ᵉ parallèle par le rebord oriental du plateau du Nord-Est thaïlandais (syn. : *monts d'Annam*).

**ANNATE** [anat] n. f. — 1461; du bas lat. *annata* «redevance d'une année»; de *annus.* → Année.

Hist. relig. Redevance que la papauté exigeait des nouveaux titulaires de bénéfices ecclésiastiques et qui était égale au revenu d'une année. *Droit d'annate. Les annates furent supprimées par l'Assemblée nationale le 4 août 1789.*

**ANNEAU** [ano] n. m. — 1380; *anel,* XIᵉ; lat. *an(n)ellus,* dimin. de *anulus,* de *anus* «anneau».

♦ **1** Cercle de matière dure qui sert à attacher (→ Attache) ou à retenir qqch. → **Annelet, boucle, rond.** *Anneau de fer, d'acier, de cuivre, de bois, de corne... Anneau d'une agrafe.* → **Agrafe, boucle.** *Anneaux de rideau. Clou à anneau.* → **Piton.** *Anneau coulant pour fermer une bourse, rapprocher les branches d'une pince, de tenailles...* → **Coulant.** *Anneau réunissant deux tuyaux* (→ **Bride, collier, manchon**), *deux branches d'une tenaille* (→ **Anel**). *Garnir un morceau de bois d'un anneau de renfort.* → **Frette, embout.** *Munir un manche d'outil, un couteau d'un anneau.* → **Virole.** *Garnir une lance d'un anneau.* → **Frette, morne.** *Anneau de suspension.* → **Bélière, tire-fond.** *Anneau de porte-clefs.* → **Clavier.** *Anneau d'un cadenas. Anneau d'une malle.* → **Moraillon.** *Anneau de verrou d'une porte.* → **Verterelle.** *L'anneau d'un étrier*. Anneaux du canon d'une arme à feu.* → **Capucine.** *Enfiler, désenfiler des anneaux* (→ **Baguenaudier,** vx). *Passer un anneau dans la cloison nasale d'un taureau, pour le maîtriser, le conduire.* → **Anneler, bouclement, boucler, moraille, mouchette.** *Anneau d'infibulation.* → **Fibule.**

À une heure avancée de la nuit, je fus réveillé par les 0.1
aigres bruissements que produisirent les anneaux de mes rideaux violemment tirés sur leurs tringles de fer.
BALZAC, le Message, éd. 1834, p. 25.

Une grille carrée, petite, mais à barreaux serrés et rouges 0.2
de rouille, occupait le milieu de la porte bâtarde et servait, pour ainsi dire, de motif à un marteau qui s'y rattachait par un anneau et frappait sur la tête grimaçante d'un maître clou.
BALZAC, Eugénie Grandet, éd. 1838, p. 48.

(...) les tempes serrées comme dans un anneau de fer. 1
LOTI, Pêcheur d'Islande, V, 7.

*Anneau d'une ancre.* → **Organeau.** *Anneau de corde.* → **Élingue, erse, estrope, torde.** *Anneau de pont (d'un navire).* → **Boucle** (de pont). *Anneau de poulie.* → **Estrope.** *Amarrer un bateau à un anneau de fer.* → **Amarre, boucle** (de quai). *Anneau d'amarrage.*

*Les anneaux d'une chaîne*.* → **Chaînon, maillon, manille.** *«Si dans une chaîne, vous détachez un seul anneau, vous brisez la chaîne entière»* (Raymond, in *Larousse du XIXᵉ siècle*).

Par métaphore ou figuré :

Ici se forge le premier anneau de cette longue chaîne dont 2
l'ordre social est formé (...) ROUSSEAU, Émile, I.

Remontant depuis le dernier anneau de la chaîne des êtres 3
jusqu'à l'homme (...)
CHATEAUBRIAND, le Génie du christianisme, I, I, 9.

(...) le règne de Napoléon, par qui le monde a été ébranlé, 4
n'est qu'un anneau de la chaîne révolutionnaire.
CHATEAUBRIAND, Mémoires d'outre-tombe, IV, 5.

(...) quelques anneaux de la chaîne des événements étaient 5
sautés ou rompus.
CHATEAUBRIAND, Mémoires d'outre-tombe, t. IV, XI, p. 267.

Les années passèrent, cependant, sans les désunir. La 5.1
chaîne attachée par elle était solide, et elle en refaisait les anneaux à mesure qu'ils s'usaient.
MAUPASSANT, Fort comme la mort, éd. 1889, p. 57.

Littér. (sans référence explicite à la chaîne). Ce qui unit, joint une chose à une autre.

Emplois spéciaux. **a** Alpin. *Anneau de corde :* boucle placée autour d'un bec rocheux pour permettre le coulissage de la corde de rappel ou d'assurance. *Anneaux en sangle de nylon.*

**b** Évidement circulaire permettant de passer un ou plusieurs doigts pour la manipulation. *Anneau de clé. Les anneaux d'une paire de ciseaux.* → aussi **Anse.**

**c** Au plur. *Les anneaux :* appareil composé de deux cercles de métal fixés à l'extrémité de deux cordes suspendues. *Les anneaux et le trapèze d'un portique de gymnastique.* → **Agrès.** *Exercices aux anneaux. Acrobate aux anneaux.* → **Anneliste.**

Ensemble des exercices effectués aux anneaux. *Elle est très forte aux anneaux.*

♦ **2** Archit. Élément saillant (moulure) entourant un élément cylindrique ou courbe. *Anneau de colonne.* → **Annelé.** *Anneau de fût de colonne.* → **Bague, bracelet.**

La colonne elle-même n'est pas unie, mais ceinte au 5.2
contraire de multiples anneaux, de forme et de taille variées, soulignant à diverses hauteurs des changements de calibre, des évasements, des constrictions, des renflements en boule ou en fuseau ; ces anneaux sont particulièrement nombreux vers le sommet du cône qui constitue le pied du système ; autour de ce cône serpente une guirlande de lierre stylisé, moulé dans le métal, qui se reproduit, identique, sur chaque réverbère.
A. ROBBE-GRILLET, Dans le labyrinthe, p. 184.

♦ **3** Petit cercle de métal (souvent d'un métal précieux) qu'on met au doigt comme ornement, symbole, bijou. → **Bague** (cit. 5). *Les chevaliers romains portaient un anneau d'or au doigt. Mettre, passer un anneau à son doigt. Mettre un anneau à la patte d'un oiseau.* → **Bague, vervelle.** *Anneau de fiançailles. Anneau nuptial, de mariage.* → **Alliance.** *Anneau pastoral, épiscopal.* → **Améthyste** (cit. 1). *L'Anneau d'améthyste,* roman de A. France (1901). *Anneau à cachet. Anneau sigillaire,* portant un sceau. *Anneau du pêcheur :* sceau de la chancellerie romaine portant l'effigie de saint Pierre (qui fut pêcheur). *Anneau de jambe.* → **Bracelet, psellion.** *Porter des anneaux aux oreilles.*

5.3 (...) un monsieur (...) ayant de grands anneaux à ses oreilles, ce qui à Paris annonce ordinairement un blanchisseur ou un homme qui a nécessairement mal aux yeux.
Ch. PAUL DE KOCK, la Grande Ville, t. I, p. 196.

6 Une profusion de pendants d'oreilles, d'anneaux de jambes, de bracelets, étincelaient à ses doigts maigres, recourbés comme des crochets.
E. FROMENTIN, Une année dans le Sahel, p. 43.

7 (...) l'homme est vêtu d'une soutane violette ; l'anneau pastoral brille à son doigt.
LOTI, Figures et Choses..., Trois jours de guerre, IV.

7.1 Une escouade de très jeunes filles est occupée à sarcler le terrain devant le poste. Elles travaillent en chantant, vêtues d'une sorte de tutu fait de fibres de palmes tressées ; beaucoup ont des anneaux de cuivre aux chevilles.
GIDE, Voyage au Congo, *in* Souvenirs, Pl., p. 712.

*Anneau magique.* Myth. *Anneau de Gygès,* qui avait la propriété de rendre invisible celui qui le portait et permit au berger Gygès de devenir roi.

8 Acceptez pour gage de ma foi, cet anneau que je vous donne. C'est un anneau constellé, qui guérit les égarements d'esprit. MOLIÈRE, l'Amour médecin, III, 6.

9 L'écrivain qui fait un roman porte naturellement au doigt l'anneau de Gygès, lequel rend invisible.
Th. GAUTIER, le Capitaine Fracasse, V.

♦ **4** Forme circulaire (entourant ou non qqch.). → **Annelé, annulaire, orbiculaire.** *Cheveux retombant en anneaux.* → **Annelure, boucle, bouclette.** *Des anneaux de fumée.* → **Rond.** *Anneaux olympiques. Le serpent déroulait ses anneaux. Les anneaux concentriques du bois permettent d'évaluer l'âge d'un arbre. Enlever un anneau d'écorce.* → **Annélation.**

10 Ses beaux cheveux *(d'Ulysse),* tombant par gros anneaux, ombrageaient ses épaules (...)
FÉNELON, Œ., t. XXI, 354, *in* LITTRÉ.

*Être en anneau, en forme d'anneau, former un anneau* (autour de qqch.). *Île en anneau :* atoll. — *Organes en anneau d'une plante.* → **Verticillé.** *Greffe en anneau.*

Emplois spéciaux.

[a] (D'une voie). Rocade interne la plus proche du centre d'une ville. → **Boulevard** (II., 1.), 2. **ring.**

Sports. Piste circulaire ou ovale. Autom. *Anneau de vitesse. L'anneau de Montlhéry.*

[b] (1751). Anat. Orifice circulaire formé par des fibres musculaires ou aponévrotiques. → **Sphincter** (de l'anus, du vagin...). *Anneau ombilical.* → **Ombilic.** *Anneau musculaire.*

[c] Zool. Métamère, segment. → aussi **Arceau,** II., 3. *Anneaux d'un arthropode, d'un ver. Anneaux ciliés ou filamenteux d'un ver.* → **Cirre.** — (Chez les arthropodes). *Anneau aortique, anneau œsophagien. Anneau occipital* (chez les Trilobites).

11 Sans cris, sans chants, lourd et collé au sol comme une bête rampante qui déplie ses anneaux, le cortège s'ébranla (...)
MARTIN DU GARD, les Thibault, VII, 47.

[d] Bot. Collerette membraneuse à la partie supérieure du pied d'un champignon. — Cercle de cellules de certaines formations anatomiques.

[e] (1690). *Les anneaux* (ou, vx, *anses*) *de Saturne :* ceintures lumineuses, composées de fragments solides qui entourent cette planète et gravitent autour d'elle (on a d'abord cru à un seul anneau solide).

[f] Géom. Surface comprise entre deux cercles concentriques. *Anneaux concentriques. Anneau sphérique :* volume engendré par la rotation d'un segment de cercle autour d'un diamètre de ce cercle.

Opt. *Anneau oculaire :* image réelle de l'objectif fournie par l'oculaire. *Anneaux colorés de Newton,* qui se produisent concentriquement autour du point de contact d'une lentille convexe et d'une surface plane réfléchissante.

♦ **5** Instrument annulaire.

Vx. *Anneau astronomique :* instrument servant à mesurer la hauteur d'un astre au-dessus de l'horizon.

Phys. nucl. *Anneaux de stockage :* dispositif annulaire dans lequel on accumule par injections successives un faisceau relativement intense de particules chargées et gardées en circulation jusqu'à utilisation. *Anneaux de collision :* ensemble d'anneaux de stockage dont la partie commune sert à la collision de particules à très haute énergie.

♦ **6** Math. Ensemble muni de deux lois de composition interne, dont la première *(loi additive)* lui confère la structure de groupe abélien, la seconde *(loi multiplicative)* étant associative et distributive par rapport à la première. *Structure d'anneau. Anneau commutatif* ou *abélien,* dont la loi multiplicative est commutative. *Anneau unitaire,* dont la loi multiplicative possède un élément neutre *(élément unité,* ou *unité de l'anneau). L'ensemble des entiers rationnels, muni de l'addition et de la multiplication, est un anneau (anneau des entiers rationnels); c'est un sous-anneau de l'ensemble des nombres réels. Anneau de polynômes, de matrices. L'anneau des matrices carrées d'ordre* n.

**DÉR.** (De la forme ancienne *anel*) **Annelé, anneler, annelet.** — (Du lat. *anulus*)**Annulaire.** — V. **Annélides, anneliste.** ◊ **COMP. Sous-anneau.** — **HOM. Anaux (V. Anal), annaux (V. Annal).**

## ANNÉE [ane] n. f. — 1170, *anée ;* de *an.*

♦ **1** Didact. (qualifié par un adj.). Temps d'une révolution de la Terre autour du Soleil. → **An.** *Année tropique* ou *solaire :* temps qui s'écoule entre deux passages du Soleil au point vernal (365,242198 jours pour l'*année tropique moyenne*). — *Année astronomique,* d'une durée égale à l'année tropique moyenne, commençant conventionnellement à un instant où la longitude moyenne du Soleil atteint une valeur déterminée (moment qu'on maintient, grâce à la correction des années bissextiles, à la même date, le 1er janvier). → **Calendrier.** *Année anomalistique*, planétaire*, sidérale*, synodique** (→ ces mots). (1694). *Année lunaire,* composée de douze ou treize mois lunaires (révolution de la Lune autour de la Terre). *Année luni-solaire,* ou *année attique*, embolismique*, intercalaire*.* → **Épacte.** *Cycle de huit années lunaires.* → **Octaétéride.**

Hist. *Année julienne, grégorienne, républicaine* **(→ Calendrier).**

(1718). *Année civile,* commençant le 1er janvier à 0 heure pour un pays appartenant à un fuseau horaire donné.

Cour. (employé sans adj. spécifique). Période de douze mois commençant le 1er janvier et finissant le 31 décembre *(année civile). Les époques de l'année.* → **Équinoxe, mois, saison, semaine, semestre, trimestre.** *Souhaiter à qqn la (une) bonne année,* au Nouvel An. Loc. *Bonne et heureuse année! — Le début, la fin, le milieu de l'année. Le bout de l'année :* le bout de l'an.

1 Ô lac! l'année à peine a fini sa carrière (...)
LAMARTINE, le Lac.

2 (...) il suffit qu'à la fin
J'attrape le bout de l'année.
LA FONTAINE, Fables, VIII, 2.

(Avec un adj., un démonstratif correspondant à un repère dans le temps ou suivi d'un nombre). Chacune des durées de douze mois rangées dans l'ordre chronologique. *L'année 1900. L'année dernière, écoulée, précédente. L'année présente. Cette année. L'année prochaine.*

♦ **2** Au plur. *Les années 20, 30 :* la décennie du siècle présent dont le chiffre des dizaines est 2, 3 (calque de l'angl. *the twenties, the thirties*). *Autour des années 20, 30. «Dans la couleur des années vingt»* (cit. 2).

1 (...) de tous les cinéastes contemporains, il *(I. Bergman)* est sans aucun doute le seul à ne pas renier ouvertement les procédés chers aux avant-gardistes des années trente, tels qu'ils traînent encore dans chaque festival de films expérimentaux ou d'amateurs.
J.-L. GODARD, Jean-Luc Godard, *in* Coll. des Cahiers du cinéma, p. 124.

2 Ne me demande pas d'où vient le fric : je n'ai pas vécu un an à Rio pour rien. L'immobilier : les années 50, ce sera l'ère de l'immobilier.
Alain BOSQUET, les Bonnes Intentions, p. 110.

*Les années...* (suivi d'un adj., qualifiant une période historique). *Les années folles :* les années 1920-1930, en Europe occidentale et en Amérique du Nord.

.3 Maintenant, la mode combinait une inspiration Années folles et une inspiration Western, le folklore du charleston et le folklore de la Prairie américaine.
Jean-Louis CURTIS, le Roseau pensant, p. 94.

Didact. *L'année séculaire,* celle qui termine un siècle.

♦ **3** (Av. 1550). Période égale à douze mois, commençant à une date quelconque. — (Sans qualification). *Il y a bien deux années que je ne l'ai pas rencontrée. Il s'améliore d'année en année, d'une année à l'autre. Il doit une année de loyer. Le revenu d'une année. Un travail de plusieurs années.*

3 Entre la veuve d'une année
Et la veuve d'une journée
La différence est grande (...)
LA FONTAINE, Fables, VI, 21.

4 Renverser en un jour l'ouvrage d'une année.
RACINE, Mithridate, III, 1.

1 Autrefois, comme tout le monde, elle avait eu la notion des années qui passent et des changements qu'elles apportent. Comme tout le monde, elle avait dit, elle s'était dit, chaque hiver, chaque printemps ou chaque été : «J'ai beaucoup changé depuis l'an dernier».
MAUPASSANT, Fort comme la mort, éd. 1889, p. 298.

5 L'année est une couronne qui se compose de fleurs, d'épis, de fruits et d'herbes sèches.
Joseph JOUBERT, Pensées, XIII, 7.

(Avec un compl. de nom). *Une année de dur travail, de repos. Après ces années d'activité fébrile...*

REM. Dans ce type d'emplois, *année* est en concurrence avec *an.* Avec un numéral, *année* est moins fréquent : *trois années de prison, deux années de service militaire, s'abonner, louer qqch. pour deux années.* Dans d'autres cas, *année* est plus normal : *à trois, quelques années d'intervalle, de distance. Louer au mois ou à l'année,* et, par métonymie, *«je dois quatre termes, une année»* (Hugo).

Dans les emplois spéciaux ci-dessous, où la durée de douze mois est envisagée dans son contenu d'événements, on n'emploierait pas *an.*

*Année de service,* en parlant d'un soldat, d'un fonctionnaire. → **Annuité.** *Année d'exercice,* en parlant de fonctions exercées à tour de rôle. — (Relig.). *Année de noviciat, de profession.*

(Qualifié par un adj. ou un compl. de nom). Durée de douze mois possédant des caractères propres. *Une année dure, difficile, pénible... Nous avons eu deux années de difficultés.*

L'hiver de 1870-71 fut rude et cette année-là est restée longtemps dans le souvenir des Français comme l'«année terrible». 6
J. BAINVILLE, Hist. de France, p. 509.

L'année considérée par rapport à la température. *Nous avons eu une année pluvieuse, sèche, froide, chaude.*

L'année considérée par rapport à la production économique, et en particulier aux produits agricoles. *Année d'abondance* (→ **Abondance**). *Année de prospérité; de crise, de disette. Une bonne, une mauvaise année. Une année excellente, médiocre pour le vin.* → **Millésime.**

(...) ils eurent bonne année, 7
Pleine moisson, pleine vinée.
LA FONTAINE, Fables, VI, 4.

♦ **4** Loc. *Année de lumière :* distance parcourue en une année par la lumière dans le vide. → **Année-lumière.**

♦ **5** (Déb. XVIIe; avec un adj. numéral ordinal ou un adj. chronologique). Période de douze mois commençant à la date de la naissance d'une personne *(année d'âge).* → **Âge.** *Être dans sa vingt-cinquième année. La dernière année, les dernières années de sa vie.* — Au plur., vx. *Avoir vingt, trente années* (cit. 8). (On dit *an,* en franç. mod.). — Mod. *Il a une trentaine d'années. — Les jeunes années de qqn,* sa jeunesse. *Ses plus belles années. Ses dernières années.*

Combien aviez-vous d'années lorsque nous fîmes connaissance? 8
MOLIÈRE, le Mariage forcé, 1.

Tout tremble, tout fléchit sous tes jeunes années. 9
CORNEILLE, Poésies diverses.

La valeur n'attend pas le nombre des années. 10
CORNEILLE, le Cid, II, 2.

Vx ou littér. *Les années :* l'âge, le cours de la vie. — Syn. : *les ans.*

Il s'écrie, en voyant finir ses destinées : 11
Quoi! la Parque a tranché le cours de ses années!
LA FONTAINE, les Filles de Minée, 445.

Spécialt. La vieillesse, le grand âge.

Courbé comme un vieillard sous le poids des années (...) 12
HUGO, les Orientales, VII.

*(Ses traits)* que les années avaient fatigués sans les vieillir. 13
FRANCE, l'Anneau d'améthyste, p. 207.

(Choses). *Un vin de quatre années* (de quatre ans). — REM. L'emploi de *année,* après un nom de nombre cardinal, est anormal. *«Un petit garçon de cinq années»* (Queffélec, *in* T. L. F.).

♦ **6** (1690, *année ecclésiastique*). Par ext. (qualifié par un adj. ou un compl. de nom). Période d'activité, d'une durée égale ou inférieure à douze mois. *Année judiciaire, académique.* — (1835). *Année scolaire,* limitée par les vacances. *Année d'études. L'année universitaire.* — (1835). *L'année théâtrale,* de l'ouverture à la fermeture des théâtres.

*L'année agricole, apicole. L'année économique, financière, budgétaire...* — (1690). Relig. *L'année liturgique, ecclésiastique,* commençant au premier dimanche de l'Avent. — (1704). *Année sabbatique :* septième année, pendant laquelle, selon la loi mosaïque, on laissait reposer les terres. → **Sabbatique.**

Spécialt. Durée annuelle d'études (avec un adj., souvent numéral ordinal). *Être en première, en quatrième année de médecine. Elle commence sa première année de licence. Il, elle fait sa première année.*

♦ **7** Par métonymie. Contenu d'événements d'une année. *L'année littéraire, scientifique a été exceptionnelle.* — Spécialt. *Il a fait une mauvaise seconde année,* de mauvaises études pendant sa seconde année. — *Une année médiocre, trop courte,* une production annuelle.

(1754, *l'Année littéraire ;* repris mil. XIXe). Périodique qui recense les événements marquants. *Année scientifique, littéraire.* → **Annales, annuaire.**

Ensemble des livraisons d'une publication pendant une année (légale). *Une collection de dix années de la* Revue des Deux-Mondes. *Faire relier une année d'un journal.*

**COMP. Année-lumière.**

**ANNÉE-LUMIÈRE** [anelymjɛʀ] n. f. — 1946 ; *année de lumière,* 1877 ; de *année,* et *lumière.*

Unité astronomique de longueur ; distance parcourue en une année par la lumière dans le vide (env. $9{,}461 \times 10^{12}$ km ; symb. : *al*). *Des années-lumière.* — On emploie aussi (forme recommandée) *année de lumière.* → **Astronomique** (unitéa), **parsec.**

**ANNÉLATION** [anelasjɔ̃] n. f. — 1898 ; de *anneler.*

Techn. Décortication annulaire (d'un arbre), opération qui consiste à enlever un anneau d'écorce. «*Un intervalle de dix-huit mois entre l'annélation de l'arbre et l'abattage*» (*Année sc. et industr.* 1899, p. 257, 1898).

**HOM. Anhélation.**

**ANNELÉ, ÉE** [anle] adj. et n. m. — 1544 ; de *anel.* → Anneau.

♦ **1** Arrangé, disposé en anneaux. *Cheveux annelés, chevelure annelée.* → **Bouclé.**

(...) des modes originales très risquées, où il est permis de montrer qu'on a une jolie jambe et des cheveux châtains annelés et longs bien à soi.

Alphonse DAUDET, Fromont jeune et Risler aîné, p. 161.

Archit. *Colonne annelée, fût annelé,* ceinturé d'anneaux (2.).

Bot., zool. Vieilli. Qui a un anneau au collet. *Pédicule annelé. Serpents annelés,* dont le corps présente des anneaux colorés. *Vers annelés.* → **Annélides.**

♦ **2** N. m. pl. Zool. **ANNELÉS.** [a] Vx. Sous-ordre d'animaux sauriens (ou lézards), au corps sans écailles, recouvert d'une couche cornée divisée par des anneaux et des sillons longitudinaux (animaux dépourvus de pattes ou ne possédant que des pattes antérieures ; type principal : l'amphisbène). — Au sing. *Un annelé.*

[b] (Milne-Edwards). Vieilli. Animaux à métamérie extérieure visible (vers et arthropodes). → aussi **Annélides.**

**ANNELER** [anle] v. tr. [CONJUG. : *appeler.*] — 1398 ; de *anel.* → Anneau.

♦ **1** Rare. Arranger, disposer (des cheveux, une barbe) en anneaux. → **Boucler.**

Didact. Parcourir d'ondes en anneaux.

Comme le caillou frappant une onde dont il annelle la surface en la traversant pour atteindre le fond il faut d'abord que je me jette à l'eau.

Claude LÉVI-STRAUSS, Tristes tropiques, p. 373.

♦ **2** Munir d'un anneau. Zootechn. *Anneler un porc,* lui passer un anneau dans le groin pour l'empêcher de fouir. *Anneler un taureau,* lui passer un anneau dans le mufle.

◆ **ANNELÉ, ÉE** p. p. adj. et n. m. → **Annelé.**

**DÉR. Annélation, annelure.**

**ANNELET** [anlɛ] n. m. — 1160 ; dimin. d'*anneau,* par *anel.*

Petit anneau. — (1676). Spécialt. Archit. Moulage circulaire d'une colonne. Filet ou listel qui orne un chapiteau dorique. — (1690). Blason. Figure en forme d'anneau.

**ANNÉLIDES** [anelid] n. m. pl. — 1802, Lamarck, au fém. ; du rad. du lat. *annellus* (→ Anneau).

Zool. Embranchement du règne animal (métazoaires), formé d'animaux caractérisés par un corps segmenté en métamères portant des soies. *Les annélides comprennent les oligochètes, les polychètes, les achètes* (ou *hirudinées, sangsues*). — Au sing. *Un annélide.*

L'annélide marin, qui monte et descend dans son tube au gré du rythme des marées, puise son intégration motrice dans les perceptions de son sens gustatif, de son toucher sensible à la température et aux vibrations.

A. LEROI-GOURHAN, le Geste et la Parole, t. II, p. 97.

Appos. ou adj. *Vers annélides.*

**ANNELISTE** [anlist] n. — XXe ; du rad. de *anneau.*

Techn. Acrobate aux anneaux, dans un cirque, une parade foraine. — Gymnaste spécialiste des anneaux.

**ANNELURE** [anlyʀ] n. f. — 1674 ; de *anneler.*

Rare.

♦ **1** Disposition d'une chevelure, d'une barbe en anneaux, en boucles. → **Frisure.**

Plus Satan y touchait, moins l'annelure se lâchait (...) 1

LA FONTAINE, Contes, «La chose impossible» (1674).

(...) la queue parsemée de soies qui s'échappaient de 2
chaque annelure à la façon du duvet des chenilles (...)

Pierre GASCAR, les Bêtes, p. 91.

♦ **2** Archit. Bague, bracelet.

**ANNEXE** [anɛks] adj. et n. f. — 1370, adj. ; autre sens, v. 1265, «uni» ; repris au sens mod., fin XIXe ; n. f., 1495 ; du lat. *annexus* «attaché, rattaché», p. p. de *annectere.*

[I] Adj. ♦ **1** Qui est attaché, rattaché, uni à un élément principal. *Bâtiment, bureau annexe.*

♦ **2** Qui est accessoire, peu important. *Questions annexes.* → **Mineur.**

♦ **3** Dr. Qui est joint à un acte, un dossier. *Pièces annexes d'un dossier, d'un procès-verbal, d'un rapport. Note annexe.*

[II] N. f. ♦ **1** Didact. Élément ajouté à une chose principale. → **Addition, complément, dépendance.** *Ce domaine est une annexe de la biologie, des mathématiques.*

♦ **2** Cour. Bâtiment, pièce, organe complémentaire. → **Dépendance.** *L'annexe d'un hôtel, d'une école. Il n'y a plus de place ici, mais nous pouvons vous loger à l'annexe. Annexe d'une banque.* → **Succursale, filiale.**

Spécialt. Chapelle dépendant de l'église paroissiale.

Dr. féod. Terres attachées à une seigneurie.

♦ **3** (1495). Dr. Dispositions additives, complémentaires, complétives. *Annexe d'une loi, d'un traité.* — (Av. 1680). Pièces jointes à un acte instrumentaire, à un dossier. *Annexes de déclarations fiscales.* — Dr. civ. *Annexes de propres,* clauses d'un régime matrimonial.

Cour. *Il y a une annexe à ma lettre.* → **Appendice, pièce** (jointe).

Fig. et vieilli. *Être l'annexe, une annexe à...,* un élément accessoire, secondaire. → ci-dessus I., 2.

♦ **4** (XVI^e, Paré). Anat. Au plur. Élément qui se rattache à un organe principal. *Annexes de l'œil :* paupières et cils. *Annexes de l'utérus :* ovaires, trompes et ligaments. — Biol. *Annexes embryonnaires, fœtales :* organes temporaires situés en dehors du corps proprement dit de l'embryon (amnios, placenta). — Absolt. *Les annexes. Inflammation des annexes.* → **Annexite.**

♦ **5** Mar. Embarcation auxiliaire. → **Canot.** *Une annexe pneumatique. L'annexe d'un morutier* (canot de pêche).

CONTR. **Principal.** ◇ DÉR. **Annexer, annexite.**

**ANNEXER** [anɛkse] v. tr. — 1269, en dr.; *annexer une terre,* 1336; de *annexe.*

♦ **1** *Annexer qqch. à qqch. :* joindre à un objet principal une chose qui en devient la dépendance. → **Attacher, incorporer, rattacher, réunir, unir** (à). *Acheter des bâtiments pour les annexer à un domaine. Annexer des pièces à un dossier, au procès-verbal.* — (Passif et p. p.). *«Un oratoire annexé à la cellule»* (Huysmans, *l'Oblat*).

(Abstractions). *Science qui annexe plusieurs disciplines à son domaine. Annexer qqch. à son emprise, à son pouvoir.*

1 Le droit de corriger les abus était annexé à la royauté.

BOSSUET, Hist. des variations..., 10.

Ancienn. *Annexer une terre au domaine de la chambre ecclésiastique.*

♦ **2** (Sans compl. second). Faire passer sous sa dépendance.

Spécialt. Faire passer sous sa souveraineté tout ou partie d'un État. *Annexer une province. «Le camouflet* (cit.) *que leur a infligé l'Autriche en annexant la Bosnie-Herzégovine»* (Martin du Gard).

Littér. (abstractions). *«Mon ivresse annexait son désespoir»* (Duhamel, *in* T. L. F.).

♦ **3** *S'annexer qqch., qqn* (faux pronominal) : s'attribuer (qqch.), s'adjoindre (qqn) par autorité. *S'annexer le meilleur morceau. S'annexer des troupes, des partisans. S'annexer une terre, une province.*

2 Une nation n'a jamais un véritable intérêt à s'annexer ou à retenir un pays malgré lui.

RENAN, Discours et Conférences, Qu'est-ce qu'une nation?, Œ. compl., t. I, p. 905.

◆ **S'ANNEXER** v. pron. Vieilli. *S'annexer à... :* s'incorporer, se rattacher à... *Région qui s'annexe à un pays.*

◆ **ANNEXÉ, ÉE** p. p. adj. Joint, rattaché à (qqch.). *Une province annexée. Les documents annexés, ci-annexés,* ci-joints, ci-inclus.

REM. Placé avant le nom, *ci-annexé* ne s'accorde pas lorsque le subst. est déterminé. *Vous trouverez ci-annexé les pièces annoncées. Ci-annexé, les pièces...* Mais : *les pièces ci-annexées.*

N. m. pl. Habitants d'un pays annexé. *Les annexés. Refuser le statut d'annexé.*

CONTR. **Détacher, séparer. — Céder.** ◇ DÉR. V. **Annexion.**

**ANNEXION** [anɛksjɔ̃] n. f. — Fin XIV^e; repris 1660, puis mil. XIX^e; bas lat. *annexio,* de *annexus* ou de *annexer.*

♦ **1** Action d'annexer. *L'annexion d'un pays par un autre, de la Bretagne, de la Savoie à la France.* → **Incorporation, rattachement, réunion.** *L'annexion de l'Autriche.* → **Anschluss.**

♦ **2** Par métaphore et fig. Prise de possession, mainmise sur qqn, qqch. *L'annexion d'une conscience. Annexion de l'art par un État totalitaire. L'annexion d'un domaine de connaissances par une discipline.*

♦ **3** Par métonymie. Élément annexé. *Considérer une région comme une annexion.*

CONTR. **Aliénation, cession, sécession, séparation.** ◇ DÉR. **Annexionnisme, annexionniste.**

**ANNEXIONNISME** [anɛksjɔnism] n. m. — 1866; de *annexion.* → Annexionniste.

Politique visant à la domination et à l'annexion de territoires.

Par métaphore et fig. Attitude annexionniste (2.).

**ANNEXIONNISTE** [anɛksjɔnist] adj. et n. — 1853; de *annexion.*

♦ **1** Qui a pour objet l'annexion d'un pays à un autre. *Politique annexionniste. Tentatives annexionnistes.*

N. Partisan d'une politique d'annexion.

♦ **2** Par métaphore ou fig. Qui absorbe, revendique comme sien.

Il existe bien en quelques disciplines sociales certaines tendances réductionnistes ou plus précisément annexionnistes, car la réduction souhaitée l'est en général dans la direction de la science que représente l'auteur : on a vu, par exemple, des sociologues vouloir tout ramener à la sociologie, etc. Mais on n'a jamais vu un économiste prétendre que les faits étudiés par lui sont réductibles à la linguistique (ni l'inverse).

J. PIAGET, Épistémologie des sciences de l'homme, p. 256.

**ANNEXITE** [anɛksit] n. f. — V. 1920; de *annexe.*

Méd. Inflammation des annexes (II., 4.) de l'utérus (on dit aussi *salpingo-ovarite*). *Annexite respiratoire :* inflammation des cavités autour du rhinopharynx.

**ANNIHILABLE** [aniilabl] adj. — 1823, Boiste; une première fois au XIV^e, *adnihilable*; de *annihiler.*

Rare. Qui peut être annihilé (droit).

**ANNIHILANT, ANTE** [aniilɑ̃, ɑ̃t] adj. — Fin XIX^e, Léautaud, *in* T. L. F.; p. prés. de *annihiler.*

Littér. Qui annihile. → **Destructif.**

**ANNIHILATEUR, TRICE** [aniilatœʀ, tʀis] adj. — 1865; de *annihiler.*

Littér. Qui annihile. → **Annihilant, destructeur.** *Un pouvoir annihilateur, une force annihilatrice.*

Jusqu'ici, je l'avais considérée surtout *(l'habitude)* comme un pouvoir annihilateur qui supprime l'originalité et jusqu'à la conscience des perceptions.

PROUST, la Fugitive, Pl., t. III, p. 420.

**ANNIHILATION** [aniilasjɔ̃] n. f. — XVI^e; *adnichilation,* 1377; lat. ecclés. *adnihilatio,* de *adnihilare.* → Annihiler.

♦ **1** Action d'annihiler; destruction complète. → **Anéantissement.** *L'annihilation de tous ses efforts.* — Absolt. Le fait de faire entrer dans le néant (opposé à *création*).

Les idées de création et d'annihilation (...) 1

ROUSSEAU, Émile, IV.

D'une personne :

2 Il existait une nette coupure entre sa vie végétative actuelle et sa vie antérieure. Celle-ci s'était interrompue soudain au moment précis où, par son brusque plongeon dans l'eau glacée de Jamaïca Bay, après quelques brasses instinctives et inutiles, il avait sombré dans l'anéantissement. Cette annihilation durait toujours.
R. NAÏM, l'Ère des truands, p. 185.

Phys. at. Désintégration totale, la masse se transformant entièrement en énergie. *Rayonnement d'annihilation,* émis par deux particules lors de cette désintégration.

♦ **2** Dr. Annulation. *L'annihilation d'un testament.*

♦ **3** Mystique. Action de s'annihiler; état qui en résulte.

CONTR. **Confirmation, consécration, conservation, consolidation, création, encouragement, maintien, validation.**

**ANNIHILER** [aniile] v. tr. — 1484, «abolir» (une institution); *anichiler,* 1315; au p. p., 1302; lat. ecclés. *adnihilare,* de *nihil* «rien».

♦ **1** Réduire à néant, à rien. — (Au sens fort). → **Anéantir.** — Supprimer. *Annihiler le pouvoir de qqn, une institution...* → **Abattre, abolir, annuler, détruire, effacer, supprimer.** *Les passions annihilent la raison.* Dr. *Annihiler un privilège, un acte, un droit.*

♦ **2** *Annihiler qqn,* réduire à rien sa volonté, sa personnalité. — (Au passif) :

1 Ce n'est pas désenchantées que nous sommes, c'est annihilées, séquestrées, étouffées (...)
LOTI, les Désenchantées, III, 14.

Sujet n. de chose :

2 (...) l'émotion l'annihile (...)
MONTHERLANT, les Jeunes Filles, p. 95.

(Factitif). *Se laisser, se faire annihiler* (même valeur que *s'annihiler*).

◆ **S'ANNIHILER** v. pron. Réduire sa personnalité, sa volonté à rien, renoncer à ses caractéristiques personnelles. → **Anéantir** (s').

3 Chez ces jeunes et ces simples, qui vivent là isolés du reste du monde, l'être individuel s'annihile, autant que dans les communautés religieuses (...) LOTI, Matelot, XXI.

◆ **ANNIHILÉ, ÉE** p. p. adj.

CONTR. **Assurer, confirmer, consacrer, conserver, consolider, créer, développer, encourager, maintenir, valider.**
◊ DÉR. **Annihilable, annihilant, annihilateur.** — V. **Annihilation.**

**ANNIVERSAIRE** [aniveʀsɛʀ] adj. et n. m. — XII^e, subst.; adj., 1556; lat. *anniversarius* «qui revient tous les ans», de *annus* «année», et *versus,* p. p. de *vertere* «revenir».

♦ **1** Adj. Qui ramène le souvenir d'un événement arrivé à pareil jour une ou plusieurs années auparavant. *Date, jour, fête, cérémonie anniversaire.* → **Commémoratif.** *Service anniversaire.* → **Obit.** *Solennité anniversaire de...*

♦ **2** N. m. (Plus cour.). Jour anniversaire (pouvant donner lieu à une fête, à une cérémonie...). *L'anniversaire de sa naissance.* Absolt. *L'anniversaire de qqn, son anniversaire. Fêter son anniversaire, l'anniversaire de sa mère. Faire, offrir un cadeau d'anniversaire à qqn. Découper le gâteau d'anniversaire. Souhaiter un bon anniversaire.* Ellipt. *Bon, joyeux anniversaire! — Célébrer, fêter le cinquantième anniversaire de son mariage* (→ **Noce**), *de son règne* (→ **Jubilé**). *Le centième anniversaire d'un événement.* → **Centenaire** (→ Bicentenaire, tricentenaire). *L'anniversaire de la bataille de la Marne, de l'Armistice. La fête de Noël correspond à l'anniversaire de la Nativité.*

Tous les peuples ont fixé des anniversaires à la célébration de leurs triomphes, de leurs désordres, ou de leurs malheurs, car tous ont également voulu garder la mémoire des uns et des autres (...) 1
CHATEAUBRIAND, Mémoires d'outre-tombe, III, 3, p. 330.

Nous deviendrons pieux en pratique, nous célébrerons ensemble les anniversaires de la mort de ma mère (...) 2
SAINTE-BEUVE, Volupté, XIV.

La prise de la Bastille, dit l'Histoire, ce fut proprement une fête, ce fut la première célébration, la première commémoration et pour ainsi dire déjà le premier anniversaire de la prise de la Bastille. 3
Ch. PÉGUY, Clio..., Œ. posthumes, 1909-1914, p. 113-116.

**ANNONAIRE** [anɔnɛʀ] adj. — 1546; lat. *annonarius* «relatif à l'approvisionnement». → Annone.

Antiq. *Provinces annonaires* : provinces tenues de fournir à Rome un approvisionnement constant en nature (blé...). *Loi annonaire* (annone), réglant l'approvisionnement de Rome.

**ANNONCE** [anɔ̃s] n. f. — 1440, *anunce*; de *annoncer.*

♦ **1** Le fait d'annoncer (qqch.); avis par lequel on fait savoir qqch. au public, verbalement ou par écrit. → **Avis, avertissement, communication, communiqué, déclaration, message, notification, nouvelle, proclamation, publication.** *L'annonce d'un événement* (par qqn). *L'annonce d'une naissance, d'un mariage, d'une mort. Les annonces mirifiques, trompeuses d'un charlatan.* → **Boniment, discours, promesse.** *Annonce prophétique.* → **Prophétie.** — *Faire l'annonce de qqch. à qqn.* → **Annoncer.** *L'Annonce faite à Marie,* pièce de P. Claudel (1912).

Jupiter eut jadis une ferme à donner, 1
Mercure en fit l'annonce, et gens se présentèrent.
LA FONTAINE, Fables, VI, 4.

Le comédien faisant l'annonce *(du spectacle prochain).* 2
J.-F. REGNARD, Critique du Légataire universel, I.

Après avoir cherché des demi-mots pour mitiger l'annonce fatale, il finit cependant par lui tout dire. 3
STENDHAL, la Chartreuse de Parme, Pl., t. II, p. 358.

M. Thibault crut un instant que l'annonce de sa mort prochaine n'étonnait personne, et il connut une minute d'atroce anxiété. 4
MARTIN DU GARD, les Thibault, V, 3.

Spécialt. Déclaration faite au public, au cours d'un spectacle (pendant une interruption).

Il se pencha tout aussitôt vers le clavier et prit une voix du nez, soigneuse, comme un acteur qui va faire ce qu'on appelle au théâtre «une annonce» (...) 5
G. DUHAMEL, Chronique des Pasquier, X, 3.

**À L'ANNONCE DE (qqch.)** : au moment où l'on apprend (qqch.). *À l'annonce de cet événement...*

♦ **2** Écrit contenant un avis annonçant qqch. *Annonce de naissance, de mariage, de deuil.* → **Faire-part** (billet de, lettre de). *Annonces publicitaires, commerciales.* → **Publicité; affiche, dépliant, programme, prospectus, réclame** (→ Message publicitaire). *Une annonce de quelques lignes dans un journal.* → 2. Réclame, cit. 1. *Annonce rédactionnelle* : publicité* rédactionnelle. *Feuille d'annonces.* — Dr. *Annonces judiciaires, légales,* dont la loi exige l'insertion dans les journaux. *Bulletin des annonces légales et obligatoires.*

**PETITES ANNONCES** [p(ə)titzanɔ̃s] : textes brefs, regroupés dans un journal, par lesquels des particuliers offrent des objets, proposent des services, demandent un emploi (→ Offres de vente, demandes d'emplois, etc.). *Petites annonces immobilières.* — *Annonce* (même sens). *Faire passer une annonce dans le journal.*

1 Étant donné mes études inachevées, je ne pouvais guère espérer d'autre chance que d'entrer dans un bureau, et c'est dans cet esprit que, sans enthousiasme, je me mis à lire les petites annonces des journaux.
G. SIMENON, les Mémoires de Maigret, p. 72.

Cin. *Bande-annonce, film-annonce :* montage à partir d'extraits d'un film présenté, à titre de prochain spectacle, au public du jour.
Texte présentant une émission de radio, de télévision (comprenant éventuellement un générique).

♦ **3** Cartes (belote, bridge...). Déclaration, par chaque joueur, de ses cartes marquantes ou du contrat qu'il se propose de remplir. *Faire une annonce.* → **Annoncer.**

♦ **4** Chose, événement, fait qui semble annoncer qqch., en constituer l'indice ou la préparation. → **Indication, indice, marque, signe, signal.** *L'annonce d'un événement important.* → **Augure.** *Les premiers bourgeons, annonce du printemps.* → **Prélude, présage, promesse.**

6 Le retour des oiseaux, au printemps, est le premier signal et la douce annonce du réveil de la nature vivante.
BUFFON, Hist. nat. des oiseaux, «La fauvette».

7 Cette apparente stupidité qui est l'annonce des âmes fortes (...) ROUSSEAU, Émile, II.

8 Et je n'ai même pas abordé mon sujet, et l'on ne peut même encore entrevoir l'annonce, ni pressentir l'approche, de ce qui devait occuper tout le livre, de ce pourquoi je l'écris. GIDE, Journal, 13 oct. 1916, p. 572.

9 (...) il dépendait de lui que ces serments enfantins demeurassent enfantins pour toujours ou qu'ils devinssent les premières annonces d'un destin.
SARTRE, les Chemins de la liberté, t. I, I, 12.

DÉR. et COMP. **Annoncier. Préannonce.**

**ANNONCER** [anɔ̃se] v. tr. [CONJUG.: *placer.*] — 1080, *anuncier, Chanson de Roland ;* du lat. *annuntiare, adnuntiare.*

♦ **1** *Annoncer qqch. (à qqn) :* faire connaître, faire savoir, porter qqch. à la connaissance (de qqn). → **Apprendre, avertir** (de), **aviser, communiquer, déclarer, dire, divulguer, indiquer, proclamer, publier, signaler.** *Annoncer à qqn une bonne, une mauvaise nouvelle. Annoncer partout qqch.* → **Clamer, proclamer, claironner, crier** (→ Chanter sur les toits, publier à sons de trompe). *Annoncer qqch. dans les formes légales.* → **Notifier.** — (Le sujet désigne une collectivité, un moyen d'information). *Le gouvernement a annoncé sa décision, une série de mesures. La radio, la télévision, les journaux viennent d'annoncer la nouvelle, la catastrophe.*

1 Je viens vous annoncer une grande nouvelle.
MOLIÈRE, les Femmes savantes, IV, 3.

2 (...) il sonne la victoire,
Va partout l'annoncer (...)
LA FONTAINE, Fables, II, 9.

3 (...) celui qui fait son devoir en l'annonçant.
LA BRUYÈRE, les Caractères, XV, 12.

4 À présent qu'il avait rempli ce devoir de convenance d'aller annoncer aux différents membres de la famille Berny la décision prise. LOTI, Matelot, V.

*Annoncer à (qqn) que... Je vous annonce que je pars en voyage, que je partirai demain.*

5 *(Il)* lui annonça, sous le sceau du secret, que Jacques avait eu à Paris une mauvaise aventure, et qu'il était malade.
GIRAUDOUX, Bella, V.

1 Dire, en face de tout Saumur, au président de rester, n'était-ce pas annoncer qu'elle voulait en faire son mari.
BALZAC, Eugénie Grandet, éd. 1838, p. 369.

(Aux cartes). *Annoncer une tierce, deux sans atout,* en faire l'annonce. Loc. *Annoncer la couleur.* → **Couleur.**
*Annoncer qqn :* signaler (qqn) comme arrivant, se présentant. *L'huissier vient de les annoncer. Veuillez m'annoncer à Madame. Se faire annoncer* (par un employé de maison).

Quelle est cette dame qui entre à ma toilette sans se faire annoncer? 6
VOLTAIRE, Dialogues et Anecdotes philosophiques, 13.

Elle rit et reprit : 6.1
— La loge de votre concierge était vide et, comme je vous sais toujours seul à cette heure-ci, je suis entrée sans me faire annoncer.
MAUPASSANT, Fort comme la mort, éd. 1889, p. 6.

Faire connaître en publiant par un avis verbal ou écrit. *Le curé annonce au prône les fêtes et les jeûnes. Les journaux ont annoncé son mariage. Annoncer le prochain spectacle* (→ **Annonce**). *Annoncer une vente, une mise aux enchères publiques. Annoncer la sortie d'un livre.* — Par ext. *Annoncer un programme, à la radio, à la télévision.* → **Présenter; annonceur, présentateur.** — *Annoncer un disque* (dans une émission de radio), en donner le titre, les interprètes...

Il songe au roman qu'il prépare (...) Il n'est pas assuré que *les Faux-Monnayeurs* soit un bon titre. Il a eu tort de l'annoncer. Absurde, cette coutume d'indiquer les «en préparation», afin d'allécher les lecteurs. 6.2
GIDE, les Faux-Monnayeurs, VIII, *in* Romans, Pl., p. 989.

Spécialt. *Annoncer la Bonne Nouvelle, la parole de Dieu. Annoncer l'Évangile :* expliquer la parole de Dieu. → **Prêcher.**

(...) pour venir entendre avec le peuple la parole de Dieu annoncée par cet homme apostolique. 7
LA BRUYÈRE, les Caractères, XV, 5.

♦ **2** (1690). Faire connaître pour certain (un événement futur). → **Prédire, prophétiser.** *Annoncer un événement futur. Annoncer la venue du Messie; annoncer le Messie. L'oracle annonce l'avenir.* → **Augurer, promettre, pronostiquer.**

Chez la devineuse on courait, 8
Pour se faire annoncer ce que l'on désirait.
LA FONTAINE, Fables, VII, 15.

Tout annonce le Dieu qu'ont vengé tes ancêtres. 9
VOLTAIRE, Zaïre, II, 3.

Dans la vie, rien ne va jamais exactement comme on l'espère, ou comme on l'annonce. 10
J. ROMAINS, les Hommes de bonne volonté, t. VI, p. 91.

♦ **3** (Sujet n. de chose). Être l'indice, la marque, le signe, le signal de... → **Dénoter, deviner** (laisser), **indiquer, manifester, marquer, montrer, prouver, pressentir** (faire), **révéler.** *Un coup de cloche annonce le repas.* → **Prévenir** (de), **signaler.** *Ces éternuements semblent annoncer un rhume.* → Être le symptôme* de...

Une grande naissance ou une grande fortune annonce le mérite et le fait plutôt remarquer. 11
LA BRUYÈRE, les Caractères, VI, 2.

Il y a de certains airs dans une femme qui vous annoncent ce que vous pourriez devenir avec elle (...) 12
MARIVAUX, le Paysan parvenu, V.

(...) une figure agréable, très douce, annonçant une sorte de candeur. 13
CHATEAUBRIAND, Mémoires d'outre-tombe, III, I, 1, p. 176.

(...) ses longs cheveux blonds qui flottaient annonçaient la fille des Gaulois. 14
CHATEAUBRIAND, Mémoires d'outre-tombe, IV, 6.

*Annoncer que...*

Ce ton menaçant annonçait qu'on se croyait fort. 15
MICHELET, Hist. de la Révolution franç., t. I, p. 929.

Indiquer comme devant prochainement arriver ou se produire. *Les hirondelles annoncent le printemps.* → **Précéder, préluder** (à), **préparer, présager, promettre.**

(...) la gênotte, cette petite fleur qui annonce le beau temps (...) HUGO, Quatre-vingt-treize, I, I. 16

17 L'émotion qui annonce l'amour est une sorte d'ivresse où se trouvent mêlés la crainte et l'espoir du plaisir.
ALAIN, les Aventures du cœur, p. 68.

18 (...) le nasillement grêle et harcelant d'un timbre électrique annonça l'express.
MARTIN DU GARD, les Thibault, III, 13.

◆ **S'ANNONCER** v. pron.

♦ **1** Apparaître comme devant prochainement se produire. → **Dessiner** (se). *«La décadence s'annonce de toutes parts»* (Voltaire).

♦ **2** Se présenter comme un bon ou un mauvais début. *Les affaires s'annoncent mal cette année! Tout s'annonce bien.*

◆ **ANNONCÉ, ÉE** p. p. adj. *Nouvelle annoncée partout. Les événements annoncés ne se sont pas produits.*

CONTR. **Cacher, dissimuler, taire.** ◊ DÉR. et COMP. **Annonce, annonceur. Désannoncer.** — (Du lat. *annuntiare*) **Annonciade, annonciateur, annonciation.**

**ANNONCEUR, EUSE** [anɔ̃sœʀ, øz] n. — V. 1190, puis 1611; repris en 1752; «héraut», 1690; de *annoncer.*

♦ **1** Rare. Personne qui annonce qqch. → **Annonciateur.**

♦ **2** N. m. Vx. Comédien qui annonçait sur scène le spectacle à venir.

♦ **3** N. m. Mod. Personne, firme qui paie l'insertion d'une annonce dans un journal, ou fait faire une émission publicitaire à la radio ou à la télévision. *Cet annonceur a confié son budget à une autre agence.*

♦ **4** Personne qui présente une émission de radio, de télévision (terme proposé pour remplacer *speaker, speakerine*). → **Animateur, présentateur; speaker, speakerine.**

**ANNONCIADE** [anɔ̃sjad] n. f. — 1516, t. de peinture, «annonciation»; de l'ital. *annunziata;* lat. ecclés. *annuntiatio.* → Annonciation.

Histoire.

♦ **1** (1590). *Ordre de l'Annonciade :* ordre de chevalerie fondé au XIVe siècle par le duc de Savoie, et placé par son fondateur sous l'invocation de la Vierge.

♦ **2** (1690). Religieuse appartenant à l'un des ordres institués pour honorer le mystère de l'Incarnation *(ordres de l'Annonciade). Les Annonciades célestes* (ou *Bleues,* ou *filles bleues*). *Les Annonciades de Bourges, de Lombardie. Une annonciade. Elle était annonciade.*

**ANNONCIATEUR, TRICE** [anɔ̃sjatœʀ, tʀis] n. et adj. — XVe; du lat. ecclés. *adnuntiator,* de *adnuntiare.* → Annoncer.

♦ **1** Rare. Personne qui annonce, prédit (un événement).

1 Pour ne vouloir être annonciateur de tant de maux.
LANOUE, 22, *in* LITTRÉ.

2 (...) la «bonne nouvelle» dont il est l'annonciateur.
Henri LICHTENBERGER, Richard Wagner, p. 108.

Par ext. (en parlant de ce qui signale la venue prochaine de qqch.). *Les hirondelles sont les annonciatrices du printemps.* — En apposition :

3 Les tristes courlis, annonciateurs de l'automne, venaient d'apparaître en masse dans une bourrasque grise, fuyant la haute mer sous la menace des tourmentes prochaines.
LOTI, Ramuntcho, I.

4 Ah! si du moins j'avais ressenti au cœur le battement, aux mains le froid annonciateur, dans tout le corps une célébration de l'angoisse (...)
COLETTE, la Naissance du jour, p. 168.

♦ **2** N. m. (1881). Techn. *Annonciateur,* ou, adj., *tableau annonciateur,* servant à repérer un appel sur un circuit de téléphone.

♦ **3** Adj. Qui présage. → **Avant-coureur, précurseur.** *Phénomène, signe annonciateur. Caractère annonciateur d'une œuvre littéraire, picturale. «La sirène annonciatrice des bombes»* (Proust). — REM. Il est difficile de distinguer les emplois substantifs en apposition (ci-dessus cit. 3 et 4) des emplois adj. épithètes.

(...) quelques heureux résultats, annonciateurs de l'avenir. 5
Georges LECOMTE, Ma traversée, p. 79.

La journée du dimanche commença dans un calme profond et que Patrice Périot jugea tout à fait anormal ou, pour mieux dire, annonciateur de tourments. 6
G. DUHAMEL, le Voyage de Patrice Périot, XIV.

CONTR. **Consécutif** (V. **Suite**).

**ANNONCIATION** [anɔ̃sjasjɔ̃] n. f. — XIIe; du lat. ecclés. *adnuntiatio,* de *adnuntiare.* → Annoncer.

♦ **1** Vx. Action d'annoncer. → **Annonce.**

Dans l'annonciation que Charles *(le Chauve)* fit au peuple de la partie de ce traité qui le concernait (...) 1
MONTESQUIEU, l'Esprit des lois, XXXI, 25.

♦ **2** Spécialt (n. propre). *L'Annonciation :* message de l'ange Gabriel à la Vierge pour lui annoncer le mystère de l'Incarnation. *L'ange de l'Annonciation.* — Par ext. Fête commémorant ce message (25 mars).

Tenez, vous connaissez, bien sûr, l'Annonciation... D'ailleurs en voici une, sans aucun doute. Vous vous dites, primaire : «Parbleu, voici un événement qui va marquer toute la vie de la Vierge!» 1
Maurice CLAVEL, le Tiers des étoiles, p. 28.

Représentation de l'Annonciation. *Les Annonciations de Fra Angelico.*

♦ **3** Littér. Ce qui annonce qqch. → **Augure, présage.**

Je savais maintenant quelle terrible annonciation est contenue dans sa visite *(de l'amour)* et qu'elle prédit autre chose que la grâce, mais un long frisson mortel et la fin de toutes choses créées. 2
Edmond JALOUX, Fumées dans la campagne, XXX.

**ANNONCIER, IÈRE** [anɔ̃sje, jɛʀ] n. — 1847; de *annonce.*

Personne qui est chargée des annonces, de leur composition, de leur insertion, dans un journal.

Quand toutes les pages d'annonces seront entre les mains de l'annoncier Duveyrier, vous paierez trois francs la ligne d'annonce. 1
Causeries du Tintamarre, 10 janv. 1847, *in* BAUDELAIRE, Œ. en collaboration, Mouquet, p. 180 (*in* D. D. L., II, 2).

Spécialt. Théâtre (et plus particulièrement dans le théâtre de Claudel). Acteur qui présente la pièce.

L'ANNONCIER un papier à la main, tapant fortement le sol avec sa canne, annonce : 2
LE SOULIER DE SATIN
OU LE PIRE N'EST PAS TOUJOURS SÛR
action espagnole en quatre journées.
CLAUDEL, le Soulier de satin, p. 13.

Adj. Rare :

— Qu'est-ce que cela? (...) encore un roman? — Oui, répondit le rédacteur, c'est le roman annoncier (...) vous comprenez parfaitement que les journaux téléphoniques ne peuvent faire des annonces à la façon des journaux typographiques... l'abonné ne les aurait pas écoutées (...); alors on a inventé le roman annoncier (...) 3
A. ROBIDA, le Vingtième Siècle, XLVIII, p. 221 (1890).

**ANNONE** [anɔn] n. f. — V. 1160; *annune,* déb. XIIe; du lat. *annona* «production, récolte de l'année», de *annus* «an».

Antiq. Ravitaillement du peuple romain en denrées. → **Annonaire** (loi). *Préfet de l'annone.* — Par ext. Impôt direct payé en nature pour assurer ce ravitaillement.

Le fonctionnement de l'annone sous Dioclétien me paraissait des plus judicieux, mais, sur le contrat de travail des vendeuses de Félix Potin, sur la convention des salaires aux usines Citroën, mon ignorance demeurait absolue.
Dominique FERNANDEZ, l'Étoile rose, p. 39.

**ANNOTATEUR, TRICE** [anɔtatœʀ, tʀis] n. — 1552; de *annoter.*

♦ **1** Vx. Personne qui prend des notes.

♦ **2** (1706). Mod. Personne qui annote (un texte); auteur d'annotations. *L'annotateur de cette édition de Rabelais. Mme X, savante annotatrice de ce texte peu connu de Stendhal. Les annotateurs du Coran.* → **Exégète.** *Annotateur des auteurs anciens.* → **Scoliaste.**

**ANNOTATION** [anɔtasjɔ̃] n. f. — XIVe; du lat. *adnotatio,* de *adnotare.* → Annoter.

♦ **1** (Surtout au plur.). Action d'annoter; note critique ou explicative qui accompagne un texte. → **Apostille, commentaire, critique, explication, glose, observation, réflexion, remarque, scolie.** *On a fait de nombreuses annotations en marge, dans les marges du manuscrit. Quelques lecteurs préfèrent les annotations en appendice plutôt qu'au bas des pages. Les annotations du professeur sur la copie de l'élève.*

1 Je donne le manuscrit tel que je le trouve, tantôt sous la forme d'un récit, tantôt sous celle d'un journal, quelquefois en lettres ou en simples annotations (...)
CHATEAUBRIAND, Voyage en Amérique..., 332, *in* LITTRÉ.

2 Il les alignait *(les noms)* sur une page blanche avec des annotations à la suite.
E. FROMENTIN, Dominique, III.

Notes de lecture qu'on inscrit sur un livre. *Un manuel de philosophie couvert d'annotations.*

♦ **2** (1514). Dr. anc. Inventaire et saisie des biens d'un condamné.

**ANNOTER** [anɔte] v. tr. — XVe, dr.; «noter, remarquer», 1550; sens mod., 1835 (probablt antérieur; → Annotation); lat. *adnotare* «mettre une note à, noter».

♦ **1** Accompagner de notes critiques. *Annoter un manuscrit. Annoter un texte. L'auteur a annoté la première édition de son livre. — Annoter une copie. Annoter en marge.* → **Apostiller** (vx), **marginer.** — Absolt. *«Il lit, annote, compile...»* (Töpffer). Accompagner de notes de lecture. *Annoter son manuel pendant un cours.*

♦ **2** Dr. anc. Dresser l'inventaire des biens saisis (par ex. : les biens d'un condamné par contumace). → **Inventorier.** *Biens annotés.*

◆ **ANNOTÉ, ÉE** p. p. adj. Accompagné de notes, d'annotations. *Édition abondamment annotée. Il a publié une édition annotée de Montaigne. Code civil annoté.*

DÉR. **Annotateur.** — V. **Annotation.**

**ANNUAIRE** [anɥɛʀ] n. m. — 1791, «calendrier républicain»; du lat. *annuus* «annuel», et *-aire.*

Recueil publié annuellement et qui contient des renseignements variables d'une année à l'autre. → **Almanach.** *Annuaire du Canada. Annuaire fédéral suisse. Annuaire des téléphones, du téléphone, téléphonique. L'annuaire Bottin* (→ **Bottin**). *Annuaire du Bureau des Longitudes. Annuaire de l'Éducation nationale. Annuaire de l'association des anciens élèves... Consulter l'annuaire. Relever des adresses dans un annuaire.*

La jalousie si utile ne naît pas forcément d'un regard, ou d'un récit, ou d'une rétroflexion. On peut la trouver, prête à nous piquer, entre les feuillets d'un annuaire — ce qu'on appelle «Tout-Paris» pour Paris, et pour la campagne «Annuaire des Châteaux».
PROUST, le Temps retrouvé, Pl., t. III, p. 917.

En France. *Annuaire électronique,* annuaire téléphonique, consultable sur Minitel.

Adj. Rare. *«Un registre annuaire»* (Péguy).

**ANNUALISATION** [anɥalizasjɔ̃] n. f. — 1984; de *annualiser.*

Admin. Le fait d'annualiser, d'établir sur la base de l'année. *L'annualisation du temps de travail. «En France, les 35 heures offrent aux entreprises toute une gamme de possibilités : de l'annualisation pour les ouvriers au forfait-jour pour les cadres»* (*le Monde,* 9 mars 2000, p. 15).

**ANNUALISER** [anɥalize] v. tr. — 1985; dér. sav. de *annuel.*

Admin. Donner une périodicité annuelle à, calculer sur la base d'une année. — Au p. p. *«À travail annualisé, salaire mensualisé»* (*Libération,* 10 déc. 1985, p. 8).

DÉR. **Annualisation.**

**ANNUALITÉ** [anɥalite] n. f. — 1789, Mirabeau; de *annuel,* d'après le lat. *annualis.*

Didact. (dr.). Qualité de ce qui est annuel, valable pour une seule année; périodicité d'un an. → **Annalité.** *L'annualité du budget. Le principe de l'annualité de l'impôt implique que la perception de l'impôt doit être autorisée, chaque année, par la loi des finances.*

Je me résume en un seul mot, messieurs : Annualité de l'Assemblée Nationale; annualité de l'armée; annualité de l'impôt.
MIRABEAU, Discours, 1er sept. 1789, *in* BRUNOT, Hist. de la langue franç., t. IX, p. 758.

1. **ANNUEL, ELLE** [anɥɛl] adj. — 1080, *anoel, Chanson de Roland; anuel,* XIIe; bas lat. *annualis;* de *annus* «année».

♦ **1** Qui a lieu, revient chaque année. *Périodicité annuelle.* → **Annalité, annualité.** *Banquet annuel. Congé annuel. Cérémonie, fête annuelle* (→ 2. **Annuel**). *Congrès annuel. Publication annuelle.* → **Annuaire.** *Vote annuel de l'impôt. Revenu, rente annuels,* perçus chaque année. *Le grand nettoyage annuel a lieu au printemps.*

♦ **2** (1365). Qui dure un an. → **Annal.** Antiq. *Magistrature annuelle,* dont la charge durait un an.

À Carthage, le Sénat était composé de juges qui étaient pour la vie. Mais à Rome les préteurs étaient annuels (...)
MONTESQUIEU, l'Esprit des lois, XI, 18.

(1718). *Plantes annuelles,* qui ne vivent qu'un an (opposé à *bisannuelles,* à *vivaces*).

♦ **3** Sc. Qui définit l'année. *Mouvement annuel de la terre.*

CONTR. **Permanent, perpétuel. — Éphémère, vivace** (plante).
◇ DÉR. et COMP. **Annuellement, bisannuel, pluriannuel, trisannuel. — V. Annualiser, annualité, annuité.**

2. **ANNUEL** [anɥɛl] n. m. — V. 1170, *anual;* du lat. médiéval *annualis,* n. m., de *annus.* → An.

Religion.

♦ **1** Fête religieuse célébrée une fois par an. *Annuel majeur, mineur.*

♦ **2** (1469). Messe dite à intervalles réguliers (chaque jour, une fois par semaine) pendant un an, à la mémoire d'un défunt (généralement, à partir du décès).

**ANNUELLEMENT** [anɥɛlmɑ̃] adv. — 1294, *anuelment*; de *annuel.*

Par an, chaque année. *Droits perçus annuellement. Gagner tant annuellement,* par an. *Se répéter annuellement,* tous les ans.

**ANNUITÉ** [anɥite] n. f. — 1395, en dr. angl.; du lat. médiéval d'Angleterre *annuitas,* de *annus* (→ An); cf. anglo-normand *annuelte*; sens mod. repris en 1869.

♦ **1** (Plus souvent au plur.). Paiement fait chaque année, comprenant à la fois le remboursement d'un capital emprunté (amortissement) et le paiement des intérêts. *Les annuités d'une dette, d'un emprunt. Payer, rembourser par annuités. Annuités viagères,* payées par une assurance.

Ainsi, Gundermann, vous lui prenez son milliard?
— Nullement, nous ne sommes pas des voleurs. Nous lui rachèterions son milliard, toutes ses valeurs, ses titres de rente, par des bons de jouissance, divisés en annuités.
ZOLA, l'Argent, p. 42 (1891).

Prime annuelle (d'assurances).

Dépense annuelle.

♦ **2** (XX^e). Dans le décompte des pensions, Unité de compte équivalant à une année de service. *Annuité de carrière. Ce fonctionnaire compte trente annuités. Il faut tenir compte des annuités pour le calcul d'une retraite. Chaque annuité.*

HOM. **Anuiter** (s') et p. p.

**ANNULABILITÉ** [anylabilite] n. f. — 1829; de *annulable.*

Dr. Caractère de ce qui est annulable. *L'annulabilité d'un legs, d'un testament.*

**ANNULABLE** [anylabl] adj. — 1823, Boiste; de *annuler.*

Qui peut être annulé. → **Attaquable, résiliable, résoluble.** *Les arrêtés de police sont annulables par le préfet. Cette décision n'est pas annulable.*

1 Aussitôt ces conditions arrêtées, Will avait dû traîner le père et le fils chez le notaire pour rédiger une promesse de vente annulable dans le cas où on ne trouverait pas l'eau nécessaire.
MAUPASSANT, Mont-Oriol, p. 167 (1886).

2 Quoiqu'il faille toujours un *temps* pour aller de *A* en *B*, ce temps est annulable.
VALÉRY, Cahiers, t. II, Pl., p. 853.

CONTR. **Valide, indestructible, définitif.** ◊ DÉR. **Annulabilité.**

1. **ANNULAIRE** [anylɛʀ] adj. — 1546, probablt antérieur (→ 2. Annulaire); du lat. *anularius,* de *anulus* «anneau».

♦ **1** Vx. Propre à porter un anneau. *Doigt annulaire.* → **2. Annulaire.**

♦ **2** (V. 1575). Qui est en forme d'anneau. Anat. *Protubérance, ligament annulaire. Muscle annulaire :* sphincter. — *Incision annulaire.* → **Annélation.** — *Éclipse annulaire. Nébuleuse annulaire.* — Archit. *Voûte annulaire,* reposant sur des murs circulaires.

2. **ANNULAIRE** [anylɛʀ] n. m. — 1539, pour *doigt annulaire*; du bas lat. *(digitus) anularis* «(doigt) propre à l'anneau».

Doigt auquel on met l'anneau, le quatrième à partir du pouce. *Porter une bague à l'annulaire. Il s'est cassé l'annulaire gauche.*

Ses doigts à elle étaient vides de bagues. Elle approcha sa main, prit la bague dont la pierre était la plus grosse, la leva en l'air et la regarda longuement avec gravité. Elle baissa sa main, l'étala devant elle et enfila la bague dans son annulaire. Ses yeux ne quittaient pas le diamant.
M. DURAS, Un barrage contre le Pacifique, p. 126.

**ANNULATIF, IVE** [anylatif, iv] adj. — XVI^e; de *annuler.*

Dr. Qui annule. *Arrêt annulatif. Sentence annulative.*

**ANNULATION** [anylasjɔ̃] n. f. — 1320; repris fin XVIII^e; de *annuler* ou lat. ecclés. *adnullatio,* de *adnullare.* → Annuler.

♦ **1** Dr. Décision par laquelle une autorité juridictionnelle ou administrative annule un acte comme entaché de nullité ou inopportun. → **Cassation, dissolution, infirmation, péremption** (d'instance), **rescision, résiliation, résolution, révocation.** *Annulation d'une loi.* → **Abrogation.** *Annulation d'une élection.* → **Invalidation.** *Demande, recours en annulation.* Dr. relig. *Annulation de mariage. Demander l'annulation en cour de Rome.*

♦ **2** Cour. Action d'annuler, de supprimer en rendant nul. → **Abolition, anéantissement, destruction, suppression.** *Annulation d'une dette.* → **Extinction, liquidation.** *Annulation d'engagements antérieurs.* → **Désaveu, rétractation, retrait, rupture.** *Annulation d'écritures.* → **Effacement, radiation...** — *L'annulation complète de ses espoirs.*

ANNULATION : Bouffée de langage au cours de laquelle le sujet en vient à annuler l'objet aimé sous le volume de l'amour lui-même : par une perversion proprement amoureuse, c'est l'amour que le sujet aime, non l'objet.
R. BARTHES, Fragments d'un discours amoureux, p. 39.

Psychan. *Annulation rétroactive :* comportement psychique par lequel un sujet tente de faire en sorte que des faits passés (actes, pensées, paroles, gestes...) ne soient pas advenus.

CONTR. **Confirmation, consécration, conservation, consolidation, maintien, ratification, validation.**

**ANNULEMENT** [anylmɑ̃] n. m. — 1838; de *annuler.*

Mar. Signal qui annule le signal précédent.

**ANNULER** [anyle] v. tr. — 1289; déb. XIII^e, *anuler* «mépriser, rabaisser»; du lat. ecclés. *adnulare,* de *ad,* et *nullus* «nul», calque du grec *eks-oudeneo.*

♦ **1** Dr. et cour. Déclarer ou rendre nul, sans effet, frapper de nullité. → **Abolir, anéantir, détruire, supprimer.** *Annuler une loi.* → **Abroger, rapporter.** *Annuler une élection.* → **Invalider.** *Annuler un legs pour vice de forme. Annuler un mariage pour bigamie, empêchement dirimant.* → **Dissoudre.** *La cour d'appel a annulé le jugement du tribunal de première instance.* → **Infirmer, réformer.** *La Cour de cassation annule les arrêts ou jugements en dernier ressort.* → **Casser.** *La prescription annule cette procédure.* → **Éteindre, périmer.** *Annuler une vente pour lésion, vice rédhibitoire.* → **Rescinder, résoudre.** *Annuler un don.* → **Rétracter.** *Annuler une convention, un contrat.* → **Résilier, résoudre.** *Annuler un pacte, un traité; annuler ses engagements.* → **Rompre, déchirer, dédire** (se), **déjuger** (se), **dénoncer, désavouer, reprendre, retirer, rétracter.** *Annuler un ordre par un contrordre, un mandat par un contre-mandat.* → **Révoquer.** *Le paiement annule la dette.* → **Éteindre, disparaître** (faire), **liquider.**

*Annuler un acte en le barrant, en le biffant...* → **Canceller** (vx), **effacer, rayer.**

1 L'adultère n'annulait pas le sacrement du mariage.
VOLTAIRE, Essai sur les mœurs, 55.

Supprimer. *Annuler une commande, un rendez-vous.* → **Décommander.** *Annuler un voyage, un départ en voyage. Annuler une réservation. Annuler un vol.*

♦ **2** Supprimer les effets de (qqch.). *Son erreur a annulé tous ses efforts. Le temps a annulé toute cette action.* → **Anéantir, annihiler, détruire.**

♦ **3** Fig. Rendre vain, inutile. *Annuler qqn, qqch., un pays.* — (Sujet n. de chose). «*La mécanique annule l'homme*» (Alain).

2 Ce désaccord entre mes moyens et mes désirs, ce défaut d'équilibre annulera toujours mes efforts.
BALZAC, les Illusions perdues, Pl., t. IV, p. 1011.

◆ **S'ANNULER** v. pron.

♦ **1** (Réfl.). S'anéantir, se rendre nul.

3 Un comédien (...) s'anéantit (...) s'annule avec son héros (...)
ROUSSEAU (→ Anéantir, cit. 14).

4 (...) car les sentiments se superposent quelquefois sans s'annuler et chez les femmes surtout il y a parfois un curieux désir de tout conserver.
A. MAUROIS, Climats, p. 123.

♦ **2** (Récipr.). Produire un résultat nul en s'opposant (comme un positif et un négatif). → **Annihiler** (s'). *Ces deux forces s'annulent.* → **Neutraliser** (se).

5 Il balance donc si exactement ses phrases qu'elles s'annulent les unes les autres et qu'en arrivant à la fin d'une de ses périodes on découvre qu'il n'a exactement rien dit de positif.
A. MAUROIS, À la recherche de Marcel Proust, VIII, 3.

♦ **3** (Passif). *La procédure s'annule par elle-même.* → **Périmer** (se).

◆ **ANNULÉ, ÉE** p. p. adj. *Décret, texte annulé. Vente annulée pour lésion. Décision annulée pour vice de forme.*

CONTR. **Confirmer, consacrer, conserver, maintenir, ratifier, valider.** ◈ DÉR. **Annulable, annulatif, annulement.** — V. **Annulation.**

**ANOBIE** [anɔbi] n. m. — XIXe; de *an-* priv. (→ 2. A-), et grec *bios* «vie».

Zool. Insecte coléoptère *(Anobiidés)*, appelé communément *vrillette*, qui vit dans le bois et le rend vermoulu. *Un anobie, appelé* horloge de la mort, *rappelle, par le bruit qu'il fait entendre, le tic-tac d'une montre.*

DÉR. **Anobiidés.**

**ANOBIIDÉS** [anɔbiide] n. m. pl. — XIXe; du rad. de *anobie*, et *-idés.*

Zool. Famille d'insectes ayant pour types principaux l'anobie et le ptilinus. — Au sing. *Un anobiidé.*

**ANOBLIR** [anɔbliʀ] v. tr. — 1326; de *noble.*

♦ **1** Faire (qqn) noble, en conférant un titre de noblesse. *Dans le haut moyen âge, l'homme de guerre était anobli par la cérémonie de l'adoubement. Le droit d'anoblir devint régalien dès le XIVe siècle. À la fin de l'Ancien Régime, de nombreuses charges anoblissaient leurs titulaires.*

1 Le roi Jean anoblit son chancelier Guillaume de Dormant : car alors aucun office de clerc, d'homme de loi, d'homme de robe longue, ne donnait rang parmi la noblesse (...)
VOLTAIRE, Essai sur les mœurs, 98.

*Anoblir son nom.*

D'autres *(gens)* ont un seul nom dissyllabe, qu'ils anoblissent par des particules dès que leur fortune devient meilleure. LA BRUYÈRE, les Caractères, XIV, 9. 2

Loc. (en emploi absolu). *Le ventre anoblit,* se disait à propos de la coutume des pays, des régions (la Champagne, par exemple) où les femmes nobles mariées à des roturiers pouvaient transmettre leur noblesse à leurs enfants, contrairement au droit commun de la France.

*(La maison)* de la Prudoterie, dont j'ai l'honneur d'être issue, maison où le ventre anoblit, et qui, par ce beau privilège, rendra vos enfants gentilshommes. 3
MOLIÈRE, George Dandin, I, 4.

À combien d'enfants serait utile la loi qui déciderait que c'est le ventre qui anoblit! 4
LA BRUYÈRE, les Caractères, XIV, 11.

♦ **2** Fig. → **Ennoblir.**

*(Le chancelier Séguier)* a eu (...) de la dignité. Il ne la devait point à l'éminence de son poste; au contraire, il l'a anobli (...) 5
LA BRUYÈRE, Disc. à l'Académie, 15 juin 1693.

C'était quelqu'un *(Rimbaud)* malgré tout, puisque le génie anoblit même la turpitude. 6
R. DE GOURMONT, le Livre des masques, p. 162.

Anoblir signifie donner, conférer la noblesse; ennoblir signifie donner de l'éclat, de la considération, de l'importance. Cette distinction est toute récente : bien qu'arbitraire en soi, elle est actuellement reçue, et il faut la suivre. 7
LITTRÉ, Dict., art. *Anoblir.*

REM. La distinction entre *anoblir* et *ennoblir* a été faite en 1690 par Furetière et consacrée par l'Académie en 1694 : *anoblir*, c'est «faire un homme noble», *ennoblir*, c'est «rendre plus considérable, plus noble, plus illustre». Cette distinction n'est pas absolue : de nos jours, *ennoblir* n'est plus employé au sens propre, mais *anoblir* peut l'être au sens figuré.

◆ **S'ANOBLIR** v. pron. Recevoir un titre de noblesse. *Acheter une charge pour s'anoblir* (→ Savonnette* à vilain). — Péj. Se conférer illégitimement un titre de noblesse. — Fig. → **Ennoblir** (s').

◆ **ANOBLI, IE** p. p. adj. Qui a reçu un titre de noblesse. *Un bourgeois anobli.* — N. *Un anobli. Un nouvel anobli* (→ Parvenu).

Fig. «*Les formes anoblies de la tendresse*» (Barrès, *in* T. L. F.).

DÉR. **Anoblissant, anoblissement.**

**ANOBLISSANT, ANTE** [anɔblisɑ̃, ɑ̃t] adj. — Attesté XXe; de *anoblir.*

Qui anoblit, confère la noblesse. *Charges anoblissantes* (sous l'Ancien Régime).

**ANOBLISSEMENT** [anɔblismɑ̃] n. m. — 1345; de *anoblir.*

♦ **1** Action d'anoblir, de conférer la noblesse. — (1680). *Lettres d'anoblissement,* octroyées par le roi. *Anoblissement résultant de l'exercice de certaines charges.* → **Noblesse.**

♦ **2** Fig. *Anoblissement de l'esprit, de l'âme.*

**ANODE** [anɔd] n. f. — 1838; angl. *anode* (1834, M. Faraday); du grec *anodos* «chemin vers le haut».

Techn. (phys.). Électrode positive. — Spécialt. Conducteur relié au pôle positif, dans l'électrolyse. *Anode métallique. Anode soluble :* anode métallique attaquée par l'électrolyte et formant un sel en solution. — Électrode positive d'un tube à décharge, vers laquelle se dirigent les électrons. *Anode coaxiale. Anode fixe, tournante.*

(...) un perfectionnement important, permettant d'obtenir une source de rayons X plus proche du point géométrique idéal, a consisté à employer une anode en forme de plateau massif monté sur un axe, dans le tube : ce plateau peut être mis en mouvement par un champ magnétique qu'un inducteur placé à l'intérieur du tube crée (...) Les tubes à anode tournante permettent d'accroître la puissance sans augmenter la dimension de la région d'impact, ou de réduire la dimension de la région d'impact sans diminuer la puissance; or, cette anode tournante remplit aussi parfaitement qu'une anode fixe les fonctions d'accélération et d'arrêt des électrons; elle remplit mieux la fonction d'évacuation de la chaleur (...)

Gilbert SIMONDON, Du mode d'existence des objets techniques, p. 37.

DÉR. **Anodique, anodiser.**

**ANODIN, INE** [anɔdɛ̃, in] adj. — 1503; du bas lat. *anodynos,* grec *anôdunos,* de *an-* (→ 2. A-), et *odunê* «douleur».

**I** Vx ou didact. (domaine médical et fig.). ♦ **1** Méd. (vx). Qui calme la douleur, sans guérir. *Remède anodin.* → **Antalgique, apaisant, bénin** (vx), **calmant.**

1 Tel cataplasme a grande vertu anodine et sédative de douleur. PARÉ, VIII, 25, *in* LITTRÉ, art. *Anodin.*

2 Il n'y a pas d'inconvénients d'user de petits remèdes anodins, c'est-à-dire de petits lavements émollients (...)
MOLIÈRE, l'Amour médecin, II, 5.

3 Une potion anodine (...) pour faire reposer Monsieur.
MOLIÈRE, le Malade imaginaire, I, 1.

N. m. (1690). Vx. *Un anodin :* un remède anodin.

♦ **2** (XVII^e). Par métaphore et fig. Qui apaise sans guérir, qui n'a pas d'effet réel, d'efficacité profonde.

4 Dans l'état où sont les choses il ne faut pas des remèdes anodins.
M^me DE SÉVIGNÉ, 197 (1675), *in* LITTRÉ, art. *Anodin.*

5 Vous dédaignez les lois de la charité, en les traitant de lois mielleuses *(lénifiantes),* anodines.
DESCARTES, Lettres à Voiture, 7.

♦ **3** Didact. ou littér. Sans danger. → **Inoffensif.** *Une «substance anodine pour les tissus humains»* (J. Rostand). — *Maladie anodine* (emploi compris au sens II., dans l'usage courant). — Figuré :

6 Qu'on ne me parle plus de la méchanceté du monde. Un simple jeu de petite fille la rend anodine.
GIRAUDOUX, Amphitryon 38, II, 7.

7 L'habitude (...) substitue aux poisons les plus dangereux ou les plus enivrants de la vie quelque chose d'anodin qui ne procure pas de délices.
PROUST, À la recherche du temps perdu, t. XIII, p. 157.

**II** (1823, Boiste). Mod. et cour. Sans importance, sans caractère affirmé (d'abord en parlant d'une production littéraire ou artistique sans grande portée). → **Fade, insipide.** *«Vers anodins, couplets anodins»* (Académie, 1835). *Propos anodins, plaisanteries anodines,* sans importance. *Musique anodine,* fade, sans caractère. *Rencontre anodine,* banale. *Personnage anodin.* → **Insignifiant; falot.** *«Un visage anodin»; «une voix atrocement anodine»* (Balzac). *Un mensonge anodin,* sans gravité. *Se disputer sur un sujet anodin, pour une raison anodine.*

8 M'ayant aperçu, elle m'aborde de son visage le plus ouvert, le plus anodin, paraissant avoir perdu tout souvenir des paroles graves qu'elle a prononcées quelques instants plus tôt (...)
A. ROBBE-GRILLET, la Maison de rendez-vous, p. 74.

(En parlant d'un objet concret; d'un lieu). Sans caractère. → **Neutre.**

9 Le train part, je sais ce qui va se passer. Flurare sera ce qu'il est. Une avenue anodine. Un café retiré. Une place désenchantée.
Violette LEDUC, la Folie en tête, p. 490.

CONTR. (I.) **Irritant, violent. — Dangereux, grave.** — (II.) **Exceptionnel; important, notable, remarquable.**

**ANODIQUE** [anɔdik] adj. — 1903, in *Rev. gén. des sc.,* n° 2, p. 109; de *anode.*

Phys. Qui est relatif à l'anode. *Courant anodique. — Oxydation anodique,* produite par un tel courant. *Perte anodique.*

**ANODISATION** [anɔdizasjɔ̃] n. f. — Mil. XX^e; de *anodiser.*

Techn. Oxydation superficielle d'un métal par le passage d'un courant anodique. → aussi **Galvanisation.**

**ANODISER** [anɔdize] v. tr. — Mil. XX^e; de *anode,* et *-iser.*

Techn. Faire subir une oxydation anodique à un métal pour en améliorer les propriétés superficielles. — Au p. p. *Aluminium anodisé.*

DÉR. **Anodisation.**

**ANODONTE** [anɔdɔ̃t] adj. et n. m. — 1805, Cuvier, au sens 2.; du grec *anodous, anodontos* «édenté».
Didactique.

♦ **1** Adj. Qui ne possède pas de dents. *Animal anodonte. Maxillaire anodonte,* sans dents.

♦ **2** N. m. Zool. Mollusque bivalve d'eau douce *(Lamellibranches),* à coquille mince, nacrée intérieurement et dont la charnière est dépourvue de dents. *Anodonte d'étang* ou *anodonte des canards* (Mytilus anatinus). Syn. : *moule d'étang.*

**ANODONTIE** [anɔdɔ̃ti] n. f. — 1863, Littré; dér. du grec *anodous, anodontos* «sans dents». → Anodonte.

Méd. Absence totale ou presque totale de dents (→ **Aplasie, oligodontie,** cit.). *«L'agénésie folliculaire donne l'anodontie (pas de dents) ou l'oligodontie»* (P.-L. Rousseau, *les Dents,* p. 57).

**ANOMAL, ALE, AUX** [anɔmal, o] adj. — 1174; du bas lat. *anomalus,* grec *anômalos,* de *an-,* et *omalos* «pareil, égal, uni».

Didact. Qui n'est pas identique aux autres individus du même genre, qui s'écarte du type, de la norme. → **Irrégulier, extraordinaire, aberrant.** *Maladie anomale,* qui n'évolue pas comme les autres du même genre. *Fièvre, éruption anomale.*
Ling. Se dit d'une forme ou d'une construction qui présente un caractère aberrant par rapport à un type ou une règle (sans être incorrecte ou anormale). → **Irrégulier.** Aller *est un verbe anomal.*

*(Le pluriel de œil)* yeux, est anomal. 1
MALHERBE, Commentaire sur Desportes, Cartels.

(1753, Buffon, *plantes anomales*). Sc. nat. Qui présente un caractère d'irrégularité par rapport à un type.
N. m. (Rare). Ce qui est anomal. → **Anomalie.**

L'anomalie, c'est le fait de variation individuelle qui empêche deux êtres de pouvoir se substituer l'un à l'autre de façon complète (...) Mais diversité n'est pas maladie. L'*anomal* ce n'est pas le pathologique (...) Mais le pathologique, c'est bien l'anormal. 2
G. CANGUILHEM, le Normal et le Pathologique, p. 85.

CONTR. **Régulier, normal, ordinaire.** ◊ DÉR. V. **Anomalie.** — HOM. **Anomale** (cf. Anomala).

**ANOMALA** [anɔmala] ou **ANOMALE** [anɔmal] n. m. — 1853; du bas lat. *anomalus.* → Anomal.

Zool. Insecte coléoptère *(Scarabéidés)* dont une espèce est nuisible à la vigne.

HOM. **Anomal.**

**ANOMALIE** [anɔmali] n. f. — 1570; du bas lat. *anomalia* (Varron), grec *anômalia* «inégalité, irrégularité», de *an-* et *omalos* «égal, uni» (→ Anomal); plus tard mal interprété par *an-*, et *nomos*, et rapproché de l'idée de «a-normal».

♦ **1** Didact. Écart par rapport à une loi, ou à la valeur théorique; caractère de ce qui est anomal (→ Anomal, cit. 2; anormal, cit. 0.1). *L'anomalie de qqch., d'une évolution. — Une, des anomalies.*

Emplois spéciaux.

[a] Gramm. Forme, construction anomale. → **Irrégularité.** — Absolt. *L'anomalie* (ou *anomalia*), tout ce qui, dans la langue, n'est pas régi par des règles générales (opposé à *l'analogie*).

[b] (XVII^e; lat. sc. *anomalia* «irrégularité» du mouvement des planètes, Kepler). Astron. Angle formé dans le plan de son orbite par la direction d'une planète et celle du périhélie (→ **Anomalistique**).

[c] (1808, comme subst. de *anomal*). Biol., méd. Déviation du type normal. *Anomalie d'un organe, d'une fonction.* → **Altération, déviation.** *Anomalie congénitale.* → **Affolage** (plantes), **difformité, monstruosité.** *Le sexdigitisme est une anomalie congénitale. Science des anomalies graves.* → **Tératologie.** *La mutation* est une anomalie héréditaire.*

.1 *(Pour I. Geoffroy Saint-Hilaire),* la monstruosité est une espèce du genre anomalie. D'où la division des anomalies en *Variétés, Vices de conformation, Hétérotaxies* et *Monstruosités* (...)
L'intérêt d'une telle classification, c'est qu'elle utilise deux principes différents de discrimination et de hiérarchie : les anomalies sont ordonnées selon leur complexité croissante et selon leur gravité croissante.
G. CANGUILHEM, le Normal et le Pathologique, p. 83.

[d] Psychol. Écart observé dans le comportement d'un individu par rapport au groupe. — *Anomalie érotique.* → **Perversion.**

[e] Phys. Différence entre une grandeur observée et la valeur théorique correspondante.

REM. Outre les emplois signalés, *anomalie* s'emploie dans tous les domaines où l'on parle de norme (sociologie, etc.).

♦ **2** Cour. Caractère anomal ou (plus souvent) anormal. *L'anomalie de son comportement, de son habillement* (→ ci-dessous, cit. 2). — *(Une, des anomalies).* Chose anormale, bizarre. → **Bizarrerie, singularité.**

1 Cette anomalie (...) dérivait, comme beaucoup d'apparentes singularités sentimentales, de causes très simples.
Paul BOURGET, Un divorce, III.

2 Remarquant son air étonné, ses futurs collègues lui expliquèrent à voix basse l'anomalie d'un tel accoutrement en un pareil lieu (...)
Georges LECOMTE, Ma traversée, p. 118.

REM. Ce sens usuel s'est développé à cause de l'absence de substantif courant correspondant à *anormal.* → Anormalité.

CONTR. **Conformité, régularité.** ◊ DÉR. **Anomalistique.**

**ANOMALISTIQUE** [anɔmalistik] adj. — 1751; de *anomalie.*

Astron. Qui a rapport à l'anomalie (1., b.) astronomique. *Révolution anomalistique d'une planète. Période anomalistique :* temps que met une planète à faire sa révolution. — Spécialt. *Année anomalistique :* durée de la révolution de la Terre autour du Soleil (d'un aphélie au suivant). *L'année anomalistique est plus longue que l'année sidérale.*

**ANOMALON** [anɔmalɔ̃] n. m. — 1984; empr. à l'angl. *anomalon* (1982), mot-valise, de *anomal(ous)* «anormal, irrégulier», et *(electr)on.*

Phys. Fragment d'un noyau atomique présentant, dans les interactions avec la matière, un comportement anormal. *«Les anomalons existent-ils? Peut-on expliquer leur comportement? Ces objets énigmatiques sont des fragments de noyaux atomiques qui présentent dans leur interaction avec la matière, un comportement "anormal" (en anglais anomalous, d'où leur nom)»* (la *Recherche,* janv. 1984, p. 88).

**ANOMALURE** [anɔmalyʀ] n. m. — 1842; du grec *anômalos* «inégal, irrégulier», et *oura* «queue».

Zool. Écureuil volant d'Afrique australe.

DÉR. **Anomaluridés.**

**ANOMALURIDÉS** [anɔmalyʀide] n. m. pl. — XIX^e; de *anomalure,* et *-idés.*

Zool. Famille de rongeurs dont l'anomalure est le type. — Au sing. *Un anomaluridé.*

1. **ANOMIE** ou **ANOMYE** [anɔmi] n. f. — 1762; du grec *anomia* «absence de loi».

Zool. Mollusque lamellibranche *(Anisomyaires)* assez semblable à une huître, mais à coquille très mince et très irrégulière (d'où son nom). *L'anomie est un destructeur d'huîtres.* Syn. régional : *estafette. Anomie pelure d'oignon,* nom courant de l'*Anomia ephippium* (Linné), de couleur brun clair et blanc.

2. **ANOMIE** [anɔmi] n. f. — 1885, Guyau; du grec *anomia* «absence de loi; désordre»; le mot est sans rapport étym. avec *norma* «norme».

Didact. Absence de norme sociale, d'organisation, de loi.

L'absence de loi fixe, qu'on peut désigner sous le nom d'*anomie,* pour l'opposer à l'autonomie des Kantiens.
GUYAU, la Morale sans obligation ni sanction, p. 230, *in* LALANDE.

DÉR. **Anomique.**

3. **ANOMIE** [anɔmi] n. f. — 1947; de *an-* (→ 2. A-), et *onoma* «nom», pour *anonomie.*

Psychol. Forme d'aphasie caractérisée par l'incapacité de nommer les objets ou de les reconnaître lorsqu'ils sont nommés, sans perte de la capacité de les identifier à l'examen.

**ANOMIQUE** [anɔmik] adj. — 1893 (cit. 1); de 2. *anomie.*

Didact. Caractérisé par l'anomie, l'absence de normes ou la déviation par rapport à une norme.

La division du travail anomique : jusqu'ici nous n'avons étudié la division du travail social que comme un phénomène normal; mais, comme tous les faits sociaux, et plus généralement comme tous les faits biologiques, elle présente des formes pathologiques (...) 1
É. DURKHEIM, De la division du travail social, p. 343.

Qui résulte d'une déviation par rapport à la norme. *Manifestations anomiques d'un phénomène sociologique.*

Le caractère anomique (c'est-à-dire *social extra-social)* du désir résiste à une systématisation sociale et mentale qui le réduit à un besoin classé, séparé, satisfait comme tel. La quotidienneté étouffe le désir, mais il meurt dans un contexte spécialisé. 2
Henri LEFEBVRE, la Vie quotidienne dans le monde moderne, p. 318.

**ANOMOURES** [anɔmuʀ] n. m. pl. — 1832, *in* Cottez; du grec *anomos* «irrégulier» (→ Anomie), et *oura* «queue». → Brachyoures, macroures.

Zool. Division du sous-ordre des crustacés décapodes marcheurs *(Reptantia)*, à l'abdomen non comprimé latéralement, comprenant les bernard-l'ermite ou pagures, les galatées, etc. — Au sing. *Un anomoure.*

**ÂNON** [anɔ̃] n. m. — XIIe; dimin. de *âne.*

Petit d'un âne et d'une ânesse. → **Bourriquet.**

Par métaphore (l'emploi n'est pas lexicalisé comme celui de *âne*). Petit âne (fig.). *«Pauvre petit ânon que j'étais»* (A. France, *la Vie en fleurs*, in T. L. F.).

Vous êtes un âne, un ânon.
VOLTAIRE, Essai sur les mœurs, 128.

DÉR. **Ânonner.**

**ANONACÉES** [anɔnase] n. f. pl. — 1865; de *anone.*

Bot. Famille de plantes phanérogames angiospermes comprenant des arbres ou arbrisseaux aromatiques qui croissent dans les régions intertropicales. *Types principaux :* anone* (ou corossolier), asiminier, monodore, poivrier de Guinée ou d'Éthiopie, xylopia. — Au sing. *Une anonacée.*

**ANONCHALIR** [anɔ̃ʃaliʀ] v. tr. — XVIe, repris XIXe; *anonchali*, p. p., 1306; de 1. *a-*, et *nonchalant.*

Vx. Rendre nonchalant.

◆ **S'ANONCHALIR** v. pron. Littér. S'amollir, se comporter avec nonchalance.

◆ **ANONCHALI, IE** p. p. adj.

(...) appuyée sur son coude, anonchalie et comme écœurée par les hommages qu'on lui décernait.
HUYSMANS, les Sœurs Vatard, p. 88.

**ANONE** [anɔn] n. f. — 1740; *anon*, 1556; de l'esp. *anona, hanon, anon* (1535), mot arawak, de même orig. que *ananas.*

Botanique.

♦ **1** Arbre ou arbrisseau originaire d'Amérique tropicale, rappelant le pommier, et cultivé pour ses fruits charnus, sucrés et parfumés (plante dicotylédone; famille des *Anonacées*). *Les principales variétés d'anones sont :* le chérimolier *(Anona cherimolia)*, le corossolier *(A. muricata)*, le cachimantier *(A. reticulata).*

♦ **2** Fruit charnu, sucré et parfumé, de cet arbre. *La chérimole, le corossol, le cachiman, la pomme-liane* ou *corossol écailleux sont des variétés d'anones.*

DÉR. **Anonacées.**

**ÂNONNEMENT** [anɔnmɑ̃] n. m. — 1695, Mme de Sévigné; de *ânonner.*

Action d'ânonner. *L'ânonnement d'une fable de La Fontaine par un enfant.*

*Monsieur Vernet.* Lecture du second acte par les acteurs. D'abord, de l'hésitation, puis à la scène entre M. Vernet et Henri, malgré les ânonnements, je sens que ça y est.
J. RENARD, Journal, 24 mars 1903.

**ÂNONNER** [anɔne] v. tr. — 1606; de *ânon.*

♦ **1** Lire, réciter (un texte) d'une manière maladroite, atone. → **Épeler.** *Ânonner une poésie, une fable.*

1 Mes pauvres lettres n'ont de prix que celui que vous y donnez en les lisant comme vous faites; car elles ont des tons, et ne sont pas supportables quand elles sont ânonnées ou épelées.
Mme DE SÉVIGNÉ, Lettres, 24 juil. 1691.

Dans ces fables qu'on nous fait ânonner (...) 1.
Jacques DE LACRETELLE, Silbermann, p. 36.

*(Le notaire)* surchauffait ses bureaux. Ses cheveux, au lieu de son crâne occupaient son veston. Il pencha vers nous sa calvitie en ânonnant le texte de ce qu'il appelait un compromis. 1.
François NOURISSIER, le Maître de maison, p. 44.

Absolt (ou intrans.). *Il sait à peine lire : il ânonne. Réciter un poème en ânonnant.*

*(En Angleterre)* On écoute avec patience, on ne se choque pas quand le parleur n'a aucune facilité : qu'il bredouille, qu'il ânonne, qu'il cherche ses mots, on trouve qu'il a fait **a fine speech** s'il a dit quelques phrases de bon sens. 2
CHATEAUBRIAND, Mémoires d'outre-tombe, t. IV, p. 175.

Allez donc entendre du La Fontaine, du Racine, récité dans une école quelconque! La consigne est littéralement d'ânonner, et, d'ailleurs, jamais la moindre idée du rythme, des assonances et des allitérations qui constituent la substance sonore de la poésie n'est donnée et démontrée aux enfants. 2.
VALÉRY, Variété III, 1936, p. 280, *in* T. L. F.

♦ **2** Déchiffrer de manière hésitante, maladroite.

(...) quoique j'eusse quelquefois ânonné des partitions (...) 3
ROUSSEAU, les Confessions, V.

Exécuter en ânonnant.

Gise, juchée sur un tabouret, sa natte sur le dos, et ânonnant des gammes (...) 4
MARTIN DU GARD, les Thibault, VIII, 10.

DÉR. **Ânonnement.**

**ANONYMAT** [anɔnima] n. m. — 1864, *Journal des Débats, in* Littré, a remplacé *anonymie* et *anonymité*; de *anonyme.*

♦ **1** État de la personne ou de la chose qui est anonyme. → **Anonymie** (vx), **anonymité** (vx). *L'anonymat de qqn, son anonymat. Garder l'anonymat. L'impunité de l'anonymat. L'anonymat de certaines découvertes. Sous le couvert de l'anonymat* (→ Incognito).

S'il y a une lourdeur propre aux choses vraiment belles, comme dit Barrès, il y a, dans les entreprises géantes de notre époque, un certain anonymat collectif qui va à l'encontre de l'individualisme latin.
André SIEGFRIED, l'Âme des peuples, I, I, 3.

♦ **2** (Correspond à *anonyme*, I., C.). Absence d'originalité. → **Banalité.** *«L'anonymat désespéré de ces logements américains»* (P. Morand, *Champions du monde*, p. 130).

**ANONYME** [anɔnim] adj. et n. — 1540, *in* D. D. L.; bas lat. *anonymus*, grec *anônumos* «sans nom», de *an-* (→ 2. *a-*), et *onoma* «nom».

**I** Adj. **A** (Personnes et œuvres personnelles). ♦ **1** Dont on ignore le nom, ou qui ne fait pas connaître son nom. *L'auteur anonyme d'une chanson de geste. Le maître anonyme qui a peint ce retable. Un pamphlétaire anonyme.*

*(Au XIIe siècle)* on écrit l'histoire en français, et d'abord celle des rois de France que compose un auteur anonyme au service du comte de Béthune, aux environs de 1225, et celle de Philippe Auguste, œuvre de Guillaume le Breton (mort en 1224). 0.
Régine PERNOUD, Littérature médiévale, *in* Encycl. Pl., Hist. des littératures, t. III, p. 72.

Qui cache son nom (souvent, pour des motifs peu honorables). *Un dénonciateur anonyme.*

(Mil. XXe; calque de l'angl.). *Les Alcooliques anonymes :* association constituée par d'anciens alcooliques venant en aide en tant que tels (et non en leur nom propre) à ceux qui souhaitent vaincre leur alcoolisme.

♦ **2** Dont l'auteur n'a pas laissé son nom ou l'a caché. *Billet anonyme. Coup de téléphone anonyme.*

*Don anonyme. Œuvre anonyme. Attribuer* une œuvre anonyme.*

1 Une médisance anonyme est peut-être plus honteuse qu'une calomnie signée.
HUGO, Littérature et Philosophie mêlées, p. 32.

2 Il y a de grandes choses qui ne sont pas l'œuvre d'un homme, mais d'un peuple. Les pyramides d'Égypte sont anonymes ; les journées de juillet aussi.
HUGO, Littérature et Philosophie mêlées, p. 52.

*Lettre anonyme :* lettre non signée calomniatrice ou dénonciatrice (→ **Anonymographie**).

3 (...) même quand on possède une longue expérience de la malice et de la perfidie humaines, il est toujours désagréable de recevoir des lettres anonymes.
G. DUHAMEL, Chronique des Pasquier, X, 9.

♦ **3** (Au sens II., 2. du substantif). [a] Neutre, que rien ne distingue de ses semblables.

1 Solitaire en tout cas au sein d'un milieu qu'il peut laisser extérieur à sa personne ainsi qu'un spectacle. Témoin anonyme entre une multitude de choses et d'êtres (...)
A. PIEYRE DE MANDIARGUES, la Marge, p. 19.

[b] (D'un ensemble). Dont les individus ne sont pas identifiés, semblent ne pas avoir de nom personnel. *Une foule, une masse anonyme.*

4 Les boulevards ne s'animent plus que d'une cohue anonyme. Georges LECOMTE, Ma traversée, p. 66.

♦ **4** (1807). **SOCIÉTÉ ANONYME :** société commerciale par actions, qui n'est désignée par le nom d'aucun de ses associés et dans laquelle la responsabilité de chacun des actionnaires est limitée au montant des actions qu'il détient. Abrév. : S.A.

5 La société anonyme n'existe point sous un nom social ; elle n'est désignée par le nom d'aucun des associés. Elle est qualifiée par la désignation de l'objet de son entreprise.
Code de commerce, art. 29 et 30.

**B** (Choses). Didact. ou littér. Qui n'a pas de nom. *Une montagne, un ruisseau anonyme.*

6 Le patron nommait les points principaux de la côte, et, bien qu'ils fussent tous parfaitement inconnus à miss Lydia, elle trouvait quelque plaisir à savoir leurs noms. Rien de plus ennuyeux qu'un paysage anonyme.
MÉRIMÉE, Colomba, p. 24.

Sc. nat. Qui n'a pas encore reçu de nom. *«La veine cave supérieure gauche, unie par une anastomose (veine anonyme) avec la droite»* (E. Perrier, *Traité de zoologie,* 1893, *in* T. L. F.).

**C** Fig. (Choses et personnes). Qui est sans originalité personnelle, qui ne se distingue pas des autres individus du même type. *Un style neutre et anonyme. Une banlieue anonyme. Les immeubles anonymes d'un grand ensemble. — Visage, apparence anonyme.*

**II** ♦ **1** N. m. (1694). Personne qui ne fait pas connaître son nom ou dont on ne connaît pas le nom. *Message envoyé par un anonyme. Texte d'un anonyme du* XIII*e siècle.* — Artiste anonyme. *Les anonymes de la sculpture médiévale, de la peinture primitive allemande.* → **Maître.**

Par métonymie. *Une collection d'anonymes,* d'ouvrages dont on ne connaît pas les auteurs. — Texte anonyme. *La bibliographie des anonymes est classée par titres, par sujets.*

♦ **2** N. *Un, une anonyme :* une personne, un individu qui ne se distingue pas de ses semblables.

7 Je l'ai fait cent fois en vacances, mais au détriment de personnages de cartes postales, de baigneuses sortant de l'eau, de couples superposés dans l'herbe, bref d'anonymes dont la neutralité vacancière fait oublier que l'homme est un chasseur.
Hervé BAZIN, Cri de la chouette, p. 126.

♦ **3** N. m. (1798). Vx. État de ce qui est anonyme. → **Anonymat.** *Garder l'anonyme :* faire un secret de son nom.

♦ **4** N. m. Argot (vx). Billet de banque.

Je ne vous envoie cette carte que maintenant, les 100 anonymes étant arrivés hier au soir. Et je viens de recevoir par simple mandat 100 (cent) de Jevousky d'Aix-les-Bains, avec longue lettre sur l'article à faire. 8
Jules LAFORGUE, Lettre à T. de Wyzewa, 22 juil. 1887, *in* D. D. L., II, 7.

CONTR. **Signé. — Connu.** ◊ DÉR. et COMP. **Anonymat, anonymement, anonymie, anonymité, anonymographie.**

**ANONYMEMENT** [anɔnimmɑ̃] adv. — 1776, Beaumarchais ; de *anonyme.*

♦ **1** En gardant l'anonymat.

(...) la centième du «Roi Mignon», opérette bouffe, en trois actes, à laquelle il avait collaboré anonymement.
COURTELINE, Messieurs les ronds-de-cuir, III, 3.

Spécialt. Sans indication de nom d'auteur. *Ouvrage publié anonymement.*

♦ **2** Sans engagement personnel, individuel. *Faire «la charité anonymement»* (Montherlant, *in* T. L. F.).

**ANONYMIE** [anɔnimi] n. f. — 1837, Balzac ; de *anonyme.*

Vx. Anonymat.

**ANONYMITÉ** [anɔnimite] n. f. — 1782, Mirabeau ; de *anonyme.*

Vx. Anonymat.

**ANONYMOGRAPHE** [anɔnimɔgʀaf] n. — 1943 ; de *anonyme,* et *-graphe.*

Didact. ou littér. Personne qui écrit des lettres anonymes. → **Corbeau** (péj.). *«Un témoin que l'on a prié de se soumettre à une dictée a été incarcéré parce que son écriture ressemble à celle d'un scripteur de lettre anonyme odieuse (un tel scripteur se dit en langage spécialisé un "anonymographe")»* (*Science et Vie,* janv. 1985, p. 49).

**ANONYMOGRAPHIE** [anɔnimɔgʀafi] n. f. — Av. 1952 (*in* Porot) ; t. dû à Locard, de *(lettre) anonyme,* et *-graphie.*

Psychiatrie. Tendance pathologique à écrire des lettres anonymes. *L'anonymographie «se rencontre surtout chez les femmes célibataires délirantes ou névrosées»* (Sivadon, *in* Piéron, *Voc. de psychologie,* 1973, art. *Anonymographie*).

**ANOPHÈLE** [anɔfɛl] n. m. — 1829, Latreille ; lat. sc., du grec *anôphelês* «nuisible».

Zool. (et relativement cour.). Insecte diptère *(Culicidés),* moustique dont la femelle est l'agent de transmission du paludisme et de la filariose.

Les anophèles porteurs de fièvre craignent la lumière, la chaleur et l'eau claire.
CLAUDEL, Journal, Cahier V, Pl., t. I, p. 660.

**ANOPHTALME** [anɔftalm] adj. et n. m. — 1874, au sens 2. ; de *an-* (→ 2. A-), et grec *ophtalmos.* → Ophtalmo-.

♦ **1** Adj. (1892). Sans yeux. *Poisson anophtalme.* → **Aveugle.** *Monstre anophtalme.*

♦ **2** N. m. (1874). Zool. Coléoptère dépourvu d'yeux *(Carabidés)* vivant dans les grottes.

**ANOPHTALMIE** [anɔftalmi] n. f. — 1865 ; de *an-* (→ 2. A-), et *-ophtalmie,* ou du grec *anophtalmos.*

Méd. Absence ou atrophie de l'appareil oculaire (ne pas confondre avec l'anopsie*). — REM. On dit, on écrit aussi *anopie.*

**ANOPIE** [anɔpi] n. f. — Av. 1970 (*in* Manuila); de *an-* priv. (→ 2. A-), et *-opie*.

Méd. Syn. de *anophtalmie,* de *anopsie.*

**ANOPLOTHÉRIUM** [anɔplɔteʀjɔm] n. m. — 1803, Cuvier; du grec *anoplos* «désarmé», et *thêrion* «bête».

Paléont. Mammifère fossile (pachyderme) de l'éocène. — REM. On dit aussi *anoplothère* [anɔplɔtɛʀ] ou *anoplothérion* [anɔplɔteʀjɔ̃].

(*Popinot*) reproduisait le passé de la conscience comme Cuvier reconstruisait un anaplotherium (*sic*).

BALZAC, l'Interdiction, 7, éd. Conard, p. 123, *in* D. D. L., I, 1.

**ANOPLOURES** [anɔpluʀ] n. m. pl. — XIX^e^; du grec *anoplos* «sans armes», et *oura* «queue».

Zool. Ordre d'animaux arthropodes de la classe des insectes, appelés aussi et couramment *poux* (deux cents espèces réparties en trois familles). → **Pou** (ou pédiculidés). — Au sing. *Un anoploure.*

Ectoparasites permanents, hématophages, les Anoploures sont intimement liés à leur hôte qu'ils ne peuvent quitter sans danger pour leur vie.

André VILLIERS, Anoploures, *in* Encycl. Pl., Zoologie, t. II, p. 909.

**ANOPSIE** [anɔpsi] n. f. — 1855, Littré et Robin; du lat. sav. *anopsia,* du grec *an-* priv. (→ 2. A-), et *-opsia,* de *opsis* «vue». → -opsie.

Méd. Perte, en général passagère, de la vue, sans lésions de l'œil ou du nerf optique (ne pas confondre avec l'anophtalmie). *Anopsie des aviateurs :* obscurcissement de la vue sous forme d'un voile gris passager, qu'éprouvent les aviateurs lors des accélérations brusques (virages rapides, looping). — REM. On dit aussi *anopie.*

COMP. **Tritanopsie.**

**ANORAK** [anɔʀak] n. m. — 1906, Charcot, *Expédition antarctique..., le «Français» au pôle Sud,* en parlant d'ensembles «vareuse à capuchon-pantalon»; répandu v. 1945 par la vogue des sports d'hiver; mot inuit (eskimo).

Veste courte à capuchon, imperméable, portée notamment par les skieurs. → aussi **Doudoune, parka.** *Des anoraks.*

Chassé par un vent violent, le sable s'abattait obliquement, tambourinant serré sur le capuchon de mon anorak.

H. TAZIEFF, Histoire de volcans, p. 33.

**ANORCHIDIE** [anɔʀkidi] n. f. — XX^e^; de *an-* (→ 2. A-), et grec *orkhis* «testicule».

Méd. Absence congénitale des testicules (forme d'agénitalisme*). → Cryptorchidie. — On trouve aussi la forme *anorchie* [anɔʀki].

**ANORDIR** [anɔʀdiʀ] v. intr. — 1783; de 1. *a-,* et *nord.*

Mar. Tourner au nord (vent). *Le vent anordit,* se met à souffler du nord.

Par ext. Prendre la direction du nord. «*Le vent nous força d'anordir*» (Chateaubriand).

◆ **S'ANORDIR** v. pron. *Le vent s'anordit.*

**ANORECTIQUE** [anɔʀɛktik] adj. et n. — 1853, La Châtre; de *anorexie.*

→ **Anorexique.**

**ANOREXIE** [anɔʀɛksi] n. f. — 1584 (→ cit. 1); lat. médiéval *anorexia,* grec *anorexia,* de *an-* (→ 2. A-), et *orexis* «désir».

Méd. Perte ou diminution de l'appétit. → **Inappétence.**

La Boulime (*boulimie*) tantôt, tantôt l'Anorexie (...) 1
Se parque dans le creux du ventre plus petit (...)

DU BARTAS, 2^e^ semaine, 1^er^ jour (1584), *in* HUGUET.

J'ai fait connaissance d'un mot qui désigne un état dont je 2
souffre depuis quelques mois; un très beau mot : anorexie. De αν, privatif, et ορέγομαι, désirer. Il signifie absence d'appétit (...) Ce terme n'est guère employé que par les docteurs; n'importe : j'en ai besoin. Que je souffre d'anorexie, c'est trop dire : le pire c'est que je n'en souffre presque pas; mais mon inappétence physique et intellectuelle est devenue telle que parfois je ne sais plus bien ce qui me maintient encore en vie sinon l'habitude de vivre.

GIDE, Ainsi soit-il, *in* Souvenirs, Pl., p. 1164.

(...) une sorte d'anorexie qui le mettrait dans l'impossibi- 3
lité d'assimiler, non la nourriture (il mangea, me dit-il, quoiqu'il eût été incapable de dire au moment même où il déglutissait quelle sorte d'aliments c'était ni quel goût ils avaient), mais le monde extérieur devenu quelque chose d'informe (...) Claude SIMON, le Vent, p. 177.

Psychiatrie. *Anorexie mentale* (Huchard, 1883; d'abord *anorexie hystérique,* 1873, Lasègue) : syndrome associant l'anorexie, l'amaigrissement, et un état mental particulier (distinct du refus d'aliments). → Morphogramme, cit. *L'anorexie mentale est plutôt une «lutte contre la faim»* (M. Selvini) *qu'une inappétence. Anorexie mentale pure* (ou *essentielle*). — *Anorexie de la jeune fille, un peu après la puberté. Anorexie du nourrisson.*

(...) dans d'autres cas, la dépression, le dégoût de la vie, au 4
lieu de prendre la forme aiguë et anxieuse de la mélancolie, s'établit sous la forme d'une sorte de dégoût, de tristesse lente (...) ou encore se polarise sur l'alimentation. C'est le cas de ces jeunes filles, atteintes de cette affection étudiée notamment par Lasègue et désignée sous le nom d'«*anorexie mentale*», qui diminuent progressivement leur nourriture dans une sorte de spiritualisation excessive de toutes leurs aspirations (...)

Henri BARUK, Psychoses et Névroses, p. 31.

CONTR. **Cynorexie.** ◊ DÉR. **Anorectique, anorexigène, anorexique.**

**ANOREXIGÈNE** [anɔʀɛksiʒɛn] adj. et n. m. — 1967; de *anorexie,* et *-gène.*

Méd. Propre à supprimer la faim, à provoquer une anorexie momentanée. *Médicament, produit anorexigène.*

N. m. Substance qui produit une anorexie. → **Coupe-faim.**

Les anorexigènes dont le nom signifie «qui coupe l'appétit» sont soit des excitants amphétaminiques, soit des substances de lest qui «font volume» dans l'estomac. Les premiers risquent de perturber l'équilibre nerveux de certains sujets; les secondes, à la longue, sont à l'origine d'une répulsion insurmontable.

D^r^ BOURSAY, la Bataille de la ligne, *in* Guérir, oct. 1967.

**ANOREXIQUE** [anɔʀɛksik] adj. et n. — 1903; 1853, La Châtre, *anorectique*; de *anorexie.*

Médecine.

♦ **1** Relatif à l'anorexie. *Troubles anorexiques.*

♦ **2** Qui souffre d'anorexie. *Les hystériques anorexiques. Enfant, adolescent anorexique.*

N. *Un, une anorexique :* une personne souffrant d'anorexie.

Son corps avait atteint ce degré de maigreur au-delà duquel on n'entrevoit plus que la mort. Je rusais avec son obsession d'anorexique pour la voir manger un croissant ou croquer la moitié d'un bonbon.

Michel DÉON, Tout l'amour du monde, p. 52.

**ANORGANIQUE** [anɔʀganik] adj. — 1826, *in* T. L. F. ; de *an-* (→ 2. A-), et *organique.*

♦ **1** Didact. Qui ne présente pas les caractères de la vie organisée. *Matière anorganique.* → **Inorganique.**

♦ **2** Méd. Se dit d'un trouble qui n'est pas dû à une lésion organique. *Souffle anorganique,* pouvant être dû à des modifications des contractions cardiaques.

CONTR. **Organique.** — (Du 2.) **Lésionnel.**

**ANORGASMIE** [anɔʀgasmi] n. f. — XXe ; de 2. *-a,* et *orgasme.*

Didact. Absence ou insuffisance d'orgasme au cours de l'acte sexuel. *L'anorgasmie peut avoir une origine psychologique.*

**ANORMAL, ALE, AUX** [anɔʀmal, o] adj. et n. — 1236 ; du lat. médiéval *anormalis,* XIIe, «contraire à la règle», de *a-,* et *norma* «équerre, règle» (→ Normal) avec infl. de *anomalus* (→ Anomal) ; le mot, considéré comme un hybride, n'est admis par l'Académie française qu'en 1842.

♦ **1** Didact. Qui n'est pas conforme à la norme, conçue soit comme un système de valeurs prescriptives, soit comme une loi scientifique (→ **Loi, norme**). *Caractère, phénomène anormal.* → **Anomalie** (avec évolution sémantique par rapport à l'étymologie ; → Anomal). *Résultat anormal d'une expérience.* → **Écart.** *Évolution anormale d'une maladie. Température anormale pour la saison.*

N. m. *L'anormal, distingué du pathologique. L'anormal et l'anomal* (cit. 2).

(...) en toute rigueur sémantique, anomalie désigne un fait, c'est un terme descriptif, alors que anormal implique référence à une valeur, c'est un terme appréciatif, normatif (... *mais*) anormal est devenu un concept descriptif et anomalie est devenu un concept normatif.

G. CANGUILHEM, le Normal et le Pathologique, p. 81.

♦ **2** Cour. Qui, étant anormal (au sens 1.) ou imprévu et inexplicable, provoque la surprise ou l'inquiétude. → **Exceptionnel, inaccoutumé, inhabituel, insolite.** *Des bruits anormaux. Une agitation anormale. Il se passe quelque chose d'anormal.* → **Bizarre.** — Spécialt. Exceptionnel par son intensité. → **Phénoménal.**

1 La foule préfère généralement la force anormale qui déborde à la force égale qui persiste.

BALZAC, la Recherche de l'absolu, Pl., t. IX, p. 475.

2 Mais, si minimes qu'ils fussent *(ces faits),* ils suffirent pour me donner, dans ma calme et douce vie d'enfant soudain troublée par la guerre, le sentiment de l'anormale perturbation qu'elle met dans un pays.

Georges LECOMTE, Ma traversée, p. 14.

N. m. *L'anormal. L'anormal et le bizarre, l'étrange.*

3 Mais ce qui nous dominait surtout c'était l'horreur du particulier, du bizarre, du morbide, de l'anormal.

GIDE, Si le grain ne meurt, II, 1.

♦ **3** (1884). Qualifiant des personnes, des comportements. Péj. Qui ne se conforme pas à la norme sociale en vigueur. *C'est un être anormal. Il a des idées, des habitudes, des réactions un peu anormales.*

Spécialt. Qui est atteint d'une anomalie (en général de déficiences) dans son développement physiologique ou mental. *Un enfant anormal.* → **Arriéré, caractériel, inadapté ; handicapé.** *Les enfants anormaux :* l'enfance* inadaptée. — N. *Un anormal, une anormale :* une personne qui souffre d'anomalies, de déficiences physiologiques, dans la mesure où elles atteignent le psychisme (ne se dit pas des infirmités). — Spécialt. Personne qui présente des anomalies sexuelles. *C'est un pervers, un anormal.*

*«Il n'y avait pas d'anormaux quand l'homosexualité était la norme»* (Proust, *Sodome et Gomorrhe,* Pl., t. II, p. 617).

CONTR. **Normal, habituel, régulier.** ◊ DÉR. **Anormalement, anormalité.**

**ANORMALEMENT** [anɔʀmalmɑ̃] adv. — 1875 ; de *anormal.*

D'une manière anormale. *Un enfant anormalement constitué. Il est anormalement gai, aujourd'hui. Secteur anormalement calme.*

CONTR. **Normalement.**

**ANORMALITÉ** [anɔʀmalite] n. f. — 1845, «anomalie» ; de *anormal.*

Didact. Caractère de ce qui est anormal. → **Anomalie.**

L'anormalité est aussi légitime que la règle.

FLAUBERT, Correspondance, 348, 26 oct. 1852.

**ANORTHITE** [anɔʀtit] n. f. — 1838 ; all. *Anorthit,* 1823, Rose ; du grec *an-* (→ 2. A-), et *orthos* «droit».

Minér. Silicate naturel d'aluminium et de calcium (feldspath), cristallisé en cristaux sans axes droits (d'où son nom).

**ANOSMATIQUE** [anɔsmatik] adj. — 1928, *Larousse du XXe siècle ;* de *an-* (→ 2. A-), rad. du v. grec *osma-omai* «sentir, flairer» (→ 1. Osmo-), et *-(t)ique.*

Didactique.

♦ **1** Biol., zool. Qui est par nature dépourvu de sens olfactif, ou n'a qu'un odorat peu développé. → aussi **Microsmatique.** *Les mammifères marins sont anosmatiques.*

♦ **2** Pathol. Qui n'a pas un sens olfactif normal.

REM. On dit aussi, dans les deux sens, *anosmique*.*

CONTR. **Osmatique** (1.).

**ANOSMIE** [anɔsmi] n. f. — 1801, Wailly ; du grec *anosmos* «inodore».

Didact. (méd., psychol.). Diminution ou perte complète de l'odorat.

DÉR. **Anosmique.**

**ANOSMIQUE** [anɔsmik] adj. — 1903, in *Rev. gén. des sc.,* n° 21, p. 1121 ; de *anosmie.*

Didactique.

♦ **1** Méd., pathol. Relatif à l'anosmie. — Qui n'a pas un sens olfactif normal. → **Anosmatique.**

♦ **2** Biol. Anosmatique (1.).

**ANOSODIAPHORIE** [anozodjafɔʀi] n. f. — Av. 1932, Babinski ; du grec *adiaphoria* «indifférence», de *a-,* et *diaphoria* «différence», avec insertion de l'élément *noso-* «maladie».

Méd. Indifférence d'un malade à l'égard de l'affection dont il est atteint. *Anosodiaphorie de certains hémiplégiques.*

**ANOSOGNOSIE** [anozognozi] n. f. — 1914, Babinski, à propos seulement de l'hémiplégie ; de *a-* priv. (→ 2. A-), *noso-* «maladie», et *-gnosie* «connaissance».

Méd. Méconnaissance d'un sujet vis-à-vis de la maladie ou de l'infirmité pourtant patente qui l'affecte. *Anosognosie de l'hémiplégique, de l'aphasique. L'anosognosie est un trouble de la somatognosie*.*

(...) il existe des *anosognosies visuelles* chez certains malades atteints de cécité corticale : ils ignorent ou refusent d'admettre leur cécité et parfois ils décrivent tout ce qu'ils croient voir. Il semble que, dans un bon nombre de cas, une activité hallucinatoire compense le déficit des perceptions visuelles.

Th. KAMMERER, *in* A. POROT, Manuel alphabétique de psychiatrie, 1952, art. *Anosognosie.*

DÉR. **Anosognosique.**

**ANOSOGNOSIQUE** [anozognozik] adj. — 1945; de *anosognosie.*

Didact. Relatif à l'anosognosie.

**ANOURE** [anuʀ] adj. et n. m. pl. — 1802; de *an-* (→ 2. A-), et *-oure,* grec *oura* «queue».

Zool. Adj. Dépourvu de queue. *Un batracien anoure.*

N. m. pl. **LES ANOURES** : ordre d'amphibiens (crapauds, grenouilles) dépourvus de queue à l'état adulte et pourvus de membres postérieurs allongés adaptés au saut. — Au sing. *Un anoure.*

La vision vitrée précédait de deux mètres les yeux de Sengle, comme des besigles construites pour une optique protubérante d'anoures (...)

A. JARRY, les Jours et les Nuits, Pl., t. I, p. 784.

**ANOVARIE** [anɔvaʀi] n. f. — D. i.; de *an-* (→ 2. A-), rad. de *ovaire,* et *-ie.*

Méd. Absence congénitale des deux ovaires (forme d'agénitalisme*).

**ANOVULAIRE** [anɔvylɛʀ] adj. — XXe; de *an-* (→ 2. A-), et *ovulaire.*

Méd. Relatif à l'absence de ponte ovulaire (→ **Anovulation**). *Stérilité anovulaire.*

**ANOVULATION** [anɔvylasjɔ̃] n. f. — XXe; de *an-* (→ 2. A-), et *ovulation.*

Méd. Suspension ou arrêt de la ponte ovulaire. *Hormone provoquant des anovulations. Anovulation pathologique.*

DÉR. **Anovulatoire.**

**ANOVULATOIRE** [anɔvylatwaʀ] adj. — V. 1960; de *anovulation.*

Méd. Qui ne présente pas d'ovulation. *Cycle anovulatoire.* — *Pilule anovulatoire,* destinée à empêcher l'ovulation.

**ANOXÉMIE** [anɔksemi] n. f. — 1855, *in* D. D. L.; de *an-* (→ 2. A-), *ox(ygène),* et *-émie.*

Méd. Diminution de la quantité d'oxygène contenue dans le sang. → **Anoxie.** *Anoxémie légère* ou *hypoxémie.* — *Épreuve d'anoxémie,* qui consiste à faire respirer le malade dans une atmosphère pauvre en oxygène (diagnostic des insuffisances coronariennes). — REM. On écrit parfois *anoxhémie.*

DÉR. **Anoxémique.**

**ANOXÉMIQUE** [anɔksemik] adj. — XXe; de *anoxémie.*

Méd. Qui concerne l'anoxémie, qui est dû à l'anoxémie.

(...) dangers qui menacent la santé de l'aviateur à bord de son appareil; nous avons vu que les troubles qui peuvent survenir en vol présentent tous les degrés de gravité, depuis le sentiment de mal être jusqu'à la syncope anoxémique mortelle.

Jacques GUILLERME, la Vie en haute altitude, p. 115.

**ANOXIE** [anɔksi] n. f. — 1950, *in* D. D. L.; de *an-* (→ 2. A-), *ox(ygène),* et *-ie.*

Méd. Diminution de la quantité d'oxygène que le sang distribue aux tissus. *L'anoxie est la conséquence de l'anoxémie*.*

Si le trou *(dans le véhicule spatial)* est petit, cette décompression sera lente, et le sujet, s'il ne porte pas de scaphandre de secours, serait soumis à une anoxie rapidement mortelle. 1

J. COLIN et Y. HOUDAS, la Physiologie du cosmonaute, p. 17.

L'anoxie produite chez un nouveau-né au moment d'un accouchement difficile peut être une cause de lésions cérébrales indélébiles, génératrices d'épilepsie, d'infirmités neurologiques ou d'arriération mentale. 2

A. POROT, Manuel alphabétique de psychiatrie, 1975, art. *Anoxémie.*

DÉR. **Anoxique.**

**ANOXIQUE** [anɔksik] adj. — XXe; de *anoxie.*

Méd. De l'anoxie. *Les «séquelles des troubles anoxiques»* (Léon Binet, *Gérontologie et Gériatrie,* p. 41).

**ANSCHLUSS** [ãʃlus] n. m. — 1928; mot all. «rattachement, jonction», employé en politique à propos du rattachement de l'Autriche à l'Allemagne, souhaité par les pangermanistes, et qui eut lieu en 1938.

Rare. Rattachement forcé d'un pays à un autre (sur le modèle de l'*Anschluss* imposé à l'Autriche par le IIIe Reich en 1938). *«Les cortes catalanes (...) réclament l'anschluss de leur pays avec la France»* (Brasillach, *in* T. L. F.).

**ANSE** [ãs] n. f. — V. 1220; du lat. *ansa* «poignée».

♦ **1** Partie recourbée et saillante formant un arc ou un anneau, permettant de saisir, de porter (certains ustensiles). → **Anneau, poignée.** *L'anse d'un vase, d'un broc, d'une bouilloire, d'une cruche, d'un panier, d'un pot, d'une tasse. Anse mobile d'un chaudron. Prendre un seau par l'anse, par la poignée de l'anse. Suspendre un récipient par son anse. Les deux anses de l'amphore.* — Techn. *Anses aveugles,* non évidées. — *Anse métallique d'un coffre, d'une malle.* → **Portant.**

Car toute cruche, comme dit le sage, a deux anses et de même tout événement a deux aspects (...) 1

ALAIN, Propos sur le bonheur, p. 13 (→ Accablant, cit. 4).

(...) la saucière dont l'anse recourbée rappelait les lampes antiques (...) 2

MARTIN DU GARD, les Thibault, VII, 16.

Par anal. *Anse d'une bombe :* anneau placé de chaque côté de l'œil d'une bombe. *Anse de corde.* → **Lacet, ansette.**

Loc. (1622). Fig. **L'ANSE DU PANIER.** *Faire danser* (vx, *faire sauter*) *l'anse du panier,* se dit d'un employé de maison qui majore le prix des achats faits pour ses patrons. *L'anse du panier :* les sommes ainsi gagnées.

*(Certaines servantes)* qui, pour soutenir l'éclat de leurs atours, 3
Sur l'anse du panier faisaient d'habiles tours.

La Maltôte des cuisinières, *in* LITTRÉ, art. *Panier.*

La tenue des livres de la cuisine avec les quatre bourses de la cuisinière : la bourse des *bas de soie* ou des profits sur la graisse, la bourse du *sou pour livre,* la bourse de la *gratte* ou des profits de la halle, et la bourse de *l'anse du panier.* 3

Ed. et J. DE GONCOURT, Sœur Philomène, p. 68.

Loc. *Faire le pot à deux anses :* mettre les poings sur les hanches, et, aussi, donner le bras à deux personnes (Zola, *l'Assommoir,* p. 569, *in* T. L. F.).

Par métaphore. Les bras (→ Amphore, cit. 2).

4 Elle baissa vite, avec embarras, son bras nu, belle anse rougeâtre. COLETTE, la Naissance du jour, p. 120.

1 Jésus, Marie, si j'ai menti, qu'on me coupe la tête et qu'on me coupe l'anse. M. AYMÉ, la Vouivre, p. 60.

♦ **2** Forme d'arc. *Objet en anse, en forme d'anse.* → **Arc, arceau, cintre.** *Former une anse. — L'anse d'un cadenas,* la partie mobile en arceau.

(1561). Archit. **ANSE (DE PANIER) :** arc dont la courbe surbaissée a la forme d'une demi-ellipse. → **Voûte.**

Math. *Anse :* courbe formée d'un nombre impair d'arcs de cercle.

(1751). Astron. Vx. *Anses de Saturne.* → **Anneau.**

♦ **3** (1484). Petite baie peu profonde.

5 (...) quelque anse retirée du fleuve. CHATEAUBRIAND, Atala, Prologue.

6 Nous abordâmes à une des petites anses de l'île pour puiser de l'eau à une source voisine et pour nous reposer sous les rochers. LAMARTINE, Graziella, II, 5.

♦ **4** (1805, Cuvier). Anat. Portion d'organe en forme d'arc. *Anse intestinale. Anse de l'hypoglosse. Anse digestive d'un bryozoaire.*

**DÉR.** et **COMP.** **Ansé, anser, ansette, ansière. Guide-anse.**
◊ **HOM. Hanse.**

**ANSÉ, ÉE** [ɑ̃se] adj. — 1606; de *anse.*

Qui porte une anse. *Vase ansé. Croix ansée* (ou *croix ankh**) : croix en forme de T surmontée d'une anse ou d'un anneau. *La croix ansée est un symbole de vie et de résurrection.*

**HOM. Anser.**

**ANSER** [ɑ̃se] v. tr. — 1751; *ansé,* dès 1606; de *anse.*

Techn. Garnir, pourvoir d'une anse, d'anses. — Au p. p. → **Ansé, adjectif.**

**HOM. Ansé.**

**ANSÉRIFORME** [ɑ̃seʀifɔʀm] adj. et n. m. — 1907; du lat. *anser* «oie», et *-forme.*

Zoologie.

♦ **1** Qui a l'apparence de l'oie. *Un oiseau, un palmipède ansériforme.*

♦ **2** N. m. pl. **LES ANSÉRIFORMES :** ordre d'oiseaux palmipèdes et lamellirostres (oies; canards, cygnes, flamants). → **Anatidés.** — Au sing. *Un ansériforme.*

**ANSÉRIN, INE** [ɑ̃seʀɛ̃, in] adj. — 1865; 1534, Rabelais, *(plume) ansérine* «d'oie»; du lat. *anser* «oie».

Didact. (physiol., méd.). Qui a un aspect semblable à celui de la peau d'un palmipède. *Réaction ansérine :* chair* de poule. *Peau ansérine.*

**ANSÉRINE** [ɑ̃seʀin] n. f. — 1788, Linné; du lat. *anser* «oie», à cause de la similitude des feuilles avec une patte d'oie.

Bot. Nom de certains chénopodes* et de certaines potentilles.

**ANSETTE** [ɑ̃sɛt] n. f. — 1426, «ustensile de cuisine à anse(s)»; de *anse.*

♦ **1** (1606). Vx. Petite anse.

♦ **2** (1680). Mar. Extrémité d'une corde disposée en anneau. — Syn. (1848, Jal) : *patte de bouline.* → **Anneau.**

♦ **3** (1751). Attache dans laquelle on passe un ruban.

**ANSIÈRE** [ɑ̃sjɛʀ] n. f. — Déb. XIXe; de *anse.*

Pêche. Filet tendu dans des anses ou petites baies.

**ANSPECT** [ɑ̃spɛk] n. m. — 1687; *handspeek,* XVIe; mot néerl. de *hand* «main», et *speek* «bâton».

♦ **1** Anciennt (mar.). Grand levier qui servait à manœuvrer des pièces d'artillerie.

Loc. *Barre d'anspect :* barre qui servait à virer le cabestan.

(...) tout avait la forme de la ruine; une barre d'anspect n'était plus qu'un morceau de fer. HUGO, les Travailleurs de la mer, II, I, 2.

♦ **2** (1894). Mod. Levier servant à remuer de lourdes charges, en particulier dans les chemins de fer (wagons...).

**ANSPESSADE** [ɑ̃spesad] n. m. — Déb. XVIe, altér. de *lanspessade* («plus petit grade militaire»); empr. à l'ital. *lancia spezzata* «lance brisée», de *spezzare* «briser».

♦ **1** Hist. milit. Garde italien du XVe siècle. — Gentilhomme fantassin (XVIe et XVIIe siècles). — Premier grade du fantassin (→ Soldat de première classe).

♦ **2** (1898). Argot. Élève de première classe, à Saint-Cyr.

♦ **3** Vx. Simple soldat (fig.). «*L'anspessade de l'armée des Lettres*» (G. d'Esparbès, *la Guerre en dentelles,* 1896, *in* T. L. F.).

Pour cet honorable maniaque, tout chef, quel qu'il fût, émir, baron, maréchal ou vulgaire anspessade, ne pouvait perdre le chapeau sans perdre un peu de sa vertu. Jacques PERRET, Bande à part, p. 188.

**-ANT, -ANTE** Suffixe d'adjectifs, de même origine (lat. *-antem,* terminaison à l'accusatif du p. prés. en *-ans*) que le morphème du p. prés. du verbe, *-ant,* invar. en genre et en nombre. Ex. : *une fusée éclairante* (adj.); *la lampe éclairant la table* (p. prés.).
REM. 1. Aux adjectifs en *-ant* correspondent des adverbes en *-amment* (par adjonction du suffixe adverbial *-ment*) et des substantifs féminins en *-ance**. 2. Le suffixe *-ant* est productif en français, à la différence de son homologue *-ent* (adv. en *-emment,* n. fém. en *-ence*), que l'on rencontre seulement dans des adjectifs hérités du latin (terminaison *-entem,* à l'accusatif, du p. prés. en *-ens*). 3. → aussi *-fiant, -isant.*

Il existe une double tendance de *-ant,* considéré tantôt comme morphème du verbe, tantôt comme suffixe. Les critères de délimitation de ces deux fonctions sont ceux de la variabilité (adjectif/participe), de la substantification et de la possibilité de dérivation : ainsi *militant,* d'abord simple participe (présent) de *militer,* devient-il un adjectif dans le vocabulaire politique de 1870; à la fin du XIXe siècle, il est substantif; au XXe siècle, on relève *militantisme* (...)
Les mots en *-ant* peuvent être indépendants de toute racine verbale : *croustillant* (...) *invariant* (...) *itinérant.* J. DUBOIS, Étude sur la dérivation suffixale, p. 53.

**ANTAGONIQUE** [ɑ̃tagɔnik] adj. — 1861 (néol., *in* Littré); de *antagonisme.*

Qui est en antagonisme, en opposition. → **Opposé, adverse, concurrent, hostile, rival.** *Intérêts antagoniques.* → **Antagoniste.** *Forces antagoniques.*

Les États les plus antagoniques sont les États limitrophes. PROUDHON, la Guerre et la Paix, p. 46, *in* Larousse du XIXe s.

**CONTR. Allié, identique, semblable.**

**ANTAGONISER (S')** [ɑ̃tagɔnize] v. pron. — 1896, Gide; *antagonisé,* attestation isolée, déb. XVIe; grec *antagonizomai* «lutter», de *anta* «face à face», et rad. de *agonia* «lutte». → Antagonisme.

Rare. Devenir antagoniste, entrer en conflit.

**ANTAGONISME** [ɑ̃tagɔnism] n. m. — 1751 ; *antagonie* «lutte», 1593 ; grec *antagônisma,* de *anta* «face à face», et *agonisma.* → Antagoniste.

**I** (Spatial). Anat., physiol. Opposition fonctionnelle de deux muscles, de deux systèmes. *Antagonisme de deux muscles produisant des mouvements opposés sur un même levier.*

**II** ♦ **1** (1826). Cour. État d'opposition (de deux forces, de deux principes). → **Conflit, opposition, rivalité.** *Antagonisme de classes.* → **Lutte.** *Antagonisme entre deux groupes, deux personnes.* → **Agressivité, antipathie, inimitié.** *Un antagonisme d'idées, d'intérêts.* → **Concurrence.** *Antagonisme entre partis politiques. Un antagonisme absolu, complet, radical. «L'antagonisme du travail et du capital»* (Durkheim), entre le travail et le capital.

1 (...) un caractère d'antagonisme destructeur.
R. ROLLAND, Musiciens d'aujourd'hui, p. 140 (→ Agressif, cit. 3).

2 (...) il n'y a pas d'antagonismes qui ne puissent être résolus par des arrangements diplomatiques, par de réciproques concessions.
MARTIN DU GARD, les Thibault, VII, 57.

♦ **2** Chim. Opposition, action opposée de deux éléments, de deux forces. *Antagonisme biochimique.*

3 (...) en doublant une molécule, on pouvait créer une substance antagoniste de la première. Cette notion d'antagonisme, de molécule s'opposant à une autre molécule est d'une très grande importance.
A. GALLI et R. LELUC, les Thérapeutiques modernes, p. 12.

Physiol. *Antagonisme hormonal, ovarien. — Antagonisme de germes pathogènes, de substances thérapeutiques.* → **Neutralisation.** Méd. *Antagonisme de compétition,* entre deux médicaments dont l'un arrête ou diminue l'action de l'autre.

♦ **3** Bactér. *Antagonisme microbien :* opposition qu'exerce un micro-organisme déterminé sur la croissance et la multiplication de germes d'une autre espèce.

CONTR. **Accord, affinité, conciliation, concordance, harmonie. — Synergie.** ◊ DÉR. **Antagonique.**

**ANTAGONISTE** [ɑ̃tagɔnist] adj. et n. — 1575, au sens I., 1. ; grec *antagônistês,* de *anta* «face à face», et *agônistês* «qui lutte». → Antagonisme.

**I** ♦ **1** Adj. Anat., physiol. Qui est en opposition fonctionnelle, en antagonisme (I.). *Muscle antagoniste,* dont l'action s'oppose à celle d'un autre muscle (→ **Agoniste**). *Muscles antagonistes* (le biceps et le triceps brachiaux, par exemple).

1 Les deux autres muscles antagonistes, c'est-à-dire qui leur sont contraires (...)
Ambroise PARÉ, XVIII, 28, *in* LITTRÉ.

*Dents antagonistes :* dents qui appuient l'une contre l'autre dans l'occlusion de la bouche. — N. f. *Dent qui n'a plus d'antagoniste. «Perte d'antagoniste d'occlusion»* (P. L. Rousseau, *les Dents,* p. 177).

♦ **2** N. m. Anat. Muscle antagoniste. *Un antagoniste. Les fléchisseurs sont les antagonistes des extenseurs. Le grand pectoral est l'antagoniste du deltoïde.*

♦ **3** Adj. Mécan. *Ressort antagoniste,* qui s'oppose à une force pour créer un équilibre.

**II** ♦ **1** Adj. (XVIIe). Littér. ou style soutenu. Opposé, rival. → **Antagonique.** *Rapports antagonistes entre deux groupes, deux individus. Caractères antagonistes. Événements antagonistes.*

Je laisse sans violence les propositions les plus antagonistes de ma nature peu à peu s'accorder. 2
GIDE, Journal, juin 1927.

(...) voyez surtout si vous ne faites pas intervenir l'effort antagoniste de plus en plus intense, c'est-à-dire de plus en plus étendu, que vous opposez à la pression extérieure. 3
H. BERGSON, Essai sur les données immédiates de la conscience, p. 35.

♦ **2** N. (Av. 1628 ; plus cour.). Personne qui est en lutte avec une autre, avec un groupe. → **Adversaire.** *Les deux antagonistes entrèrent dans l'arène.* → **Combattant, concurrent, lutteur, rival.** *Deux antagonistes irréconciliables.* → **Ennemi.** *J'avais X pour antagoniste dans cette discussion.* → **Contradicteur.** *Cette femme est un dangereux antagoniste,* ou *une dangereuse antagoniste.* — En fonction d'adj. → cit. 4.

(...) Tout dépend de la femme, il faut qu'elle soit passive, ou collabore. Françoise est antagoniste. 4
A. MAUROIS, Bernard Quesnay, XXXII.

Je rejetais le blâme sur la troupe. La troupe des acteurs s'est mal agrégée à moi, le protagoniste qui soudain est sorti de son sommeil et s'est avancé sur la scène ; le chœur n'a pas suivi. Et, en face, l'antagoniste ne s'est pas levé. 5
DRIEU LA ROCHELLE, la Comédie de Charleroi, p. 84 (1934).

Bien que le fond de leur désaccord ne soit pas facile à démêler, la violence en est indiquée suffisamment par le maintien des antagonistes, qui se livrent l'un comme l'autre à des gesticulations démonstratives, prennent des attitudes théâtrales, font des mimiques exagérées. 6
A. ROBBE-GRILLET, Dans le labyrinthe, p. 202 (1959).

♦ **3** Adj. Sc. *Forces antagonistes. — Activités antagonistes de certaines hormones. Molécules antagonistes.* → Antagonisme, cit. 3. — Se dit d'un médicament qui entrave ou inhibe l'action d'un autre médicament. *Substances pharmaceutiques antagonistes* (opposé à *synergique*).

CONTR. **Ami, allié, auxiliaire, collaborateur, partisan. — Congénère** (muscle). **— Synergique.**

**ANTALGIQUE** [ɑ̃talʒik] adj. et n. m. — 1793 ; de *ant(i)-,* et *-algie.*

Méd. Qui calme la douleur. → **Analgésique, anesthésiant, anesthésique, antidouleur, calmant.** *Attitude antalgique :* position permettant de réduire la douleur. *Remède antalgique.* → **Anodin** (vx).

N. m. Médicament qui calme la douleur. *Prendre des antalgiques avant de se coucher.*

**ANTAN** [ɑ̃tɑ̃] n. m. — V. 1160, loc. adv. ; adj., déb. XIIe ; du lat. pop. *anteannum* «l'an passé», de *ante* et *annum.*

♦ **1** Vx. L'année qui précède celle en cours. *L'antan. Cet antan :* l'année dernière.

♦ **2** Loc. adj. *D'antan* (vx) : de l'an passé.

Et Jeanne, la bonne Lorraine 1
Qu'Anglois brulerent a Rouen ;
Ou sont ils, ou, Vierge souvraine ?
Mais ou sont les neiges d'antan ?
Prince, n'enquerez de semaine
Ou elles sont, ne *(ni)* de cet an,
Qu'a ce refrain ne vous remaine *(ramène) :*
Mais ou sont les neiges d'antan ?
VILLON, le Grand Testament, «Ballade des dames du temps jadis».

REM. Ce vers célèbre est généralement cité dans le sens plus large ci-dessous («d'autrefois»).

Par ext. et littér. D'autrefois, du temps passé. *Les hivers, les veillées d'antan.*

(...) Le déroulement des ombres et des reflets d'antan. 2
R. ROLLAND, Vie de Beethoven, p. 33, cité par HANSE.

Et dans un petit cahier vert, seul rescapé de ma documentation d'antan (...) 3
Claude MAURIAC, le Temps immobile, p. 155.

Moi mes amours d'antan c'était de la grisette
Margot la blanchecaille *(la blanchisseuse)* Et Fanchon la cousette
Pas la moindre noblesse excusez-moi du peu.
Georges BRASSENS, les Amours d'antan.

DÉR. **Antenais.**

**ANTANACLASE** [ɑ̃tanaklaz] n. f. — 1751 ; de *ant(i)-*, et grec *anaklasis* «répercussion».

Rhét. Répétition d'un même mot en des sens différents. Ex. : *«Le cœur a ses raisons, que la raison ne connaît point»*, Pascal, *Disc. sur les passions de l'amour.*

**ANTARCTIQUE** [ɑ̃taʀktik] adj. — 1338 ; lat. *antarcticus*, grec *antarktikos*, de *anta* «opposé», et *arktikos*. → Arctique.

♦ **1** Se dit du pôle Sud et des régions qui l'environnent (opposé à *arctique*). *Cercle, pôle antarctique. Continent antarctique. Les régions antarctiques.* — N. m. *L'Antarctique :* le continent antarctique.

♦ **2** Propre aux régions proches du pôle Sud. *Faune, flore antarctique. Paysages antarctiques. Expédition antarctique.*

1. **ANTE** [ɑ̃t] n. f. — XIIe ; de l'anc. franç. *hanste, anste* «bois d'une arme, d'un outil», du lat. *hasta* «lance».

Technique.

♦ **1** Petit manche sur lequel on fixe un pinceau à laver. → **Hampe.**

♦ **2** Anciennt. Pièce placée à l'avant d'une aile de moulin pour en augmenter la force.

Var. graphique : *ente.*

HOM. 2. **Ante, ente.**

2. **ANTE** [ɑ̃t] n. f. — 1547 ; du lat. *anta* «pilastre».

Archit. (généralt au plur.). Pilastre carré accompagnant le jambage d'une porte ou formant l'angle d'un édifice (temples grecs et romains). — Par ext. Pilier d'encoignure.

Var. graphique : *ente.*

HOM. 1. **Ante, ente.**

**ANTÉ-** Élément, du lat. *ante* «avant», indiquant l'antériorité (sauf dans *antéchrist*, où il a le sens de *anti* ; → 2. Anti-).
Ce préfixe est moins productif en français contemporain que son équivalent *pré-**. Ex. : *antébourgeois* adj. (1931) ; *antégrammatical* adj. (1876) ; *antéhumain* adj. et n. (1957) ; *anténuptial* adj. (1550) ; *antéscientifique* adj. (1878).

C'étaient des sociétés communautaires (...) L'Allemagne anté-hitlérienne.
A. THIBAUDET, *in* Nouvelle Revue franç., janv. 1936, p. 103.

C'étaient des sociétés pas seulement *anté*-capitalistes, comme on l'a dit, mais aussi *anti*-capitalistes.
Aimé CÉSAIRE, Disc. sur le colonialisme, p. 23.

(...) on a *feint* de découvrir chez moi un «ennemi de l'Europe» et un prophète du retour au passé anté-européen.
Aimé CÉSAIRE, Disc. sur le colonialisme, p. 24.

(...) parmi les marques glaciaires antéquaternaires qui sont parvenues jusqu'à nous, celles qui proviennent d'Inlandsis ou de grandes calottes doivent être de beaucoup les plus nombreuses.
V. ROMANOVSKY et A. CAILLEUX, la Glace et les Glaciers, p. 101-103.

REM. Les composés s'écrivent aussi avec un trait d'union, même lorsque *anté-* est placé devant une consonne.

CONTR. **Post-.**

**ANTÉBOIS** [ɑ̃tebwa] n. m. — 1838 ; de *anté-*, et *bois.*

Techn. Baguette de bois fixée sur le parquet le long du mur et un peu en avant, pour empêcher le frottement des meubles contre celui-ci. → **Plinthe.** Syn. : *antibois.* — REM. On écrit aussi *antebois.*

**ANTÉCAMBRIEN, ENNE** [ɑ̃tekɑ̃bʀijɛ̃, ɛn] adj. et n. m. — 1959 ; de *anté-*, et *cambrien.*

→ **Précambrien.**

**ANTÉCÉDEMMENT** [ɑ̃tesedamɑ̃] adv. — 1721 ; de *antécédent.*

Vieilli. D'une manière antécédente. → **Antérieurement, précédemment.** *«Antécédemment à toute loi»* (Victor Cousin, *in* T. L. F.).

CONTR. **Postérieurement, ultérieurement.**

**ANTÉCÉDENCE** [ɑ̃tesedɑ̃s] n. f. — 1576 ; de *antécédent.*

♦ **1** Rare. État de ce qui est antécédent. *L'antécédence de l'existence sur l'essence, par rapport à l'essence, chez Sartre. — (Une, des antécédences).* Chose antécédente.

♦ **2** Géol. Phénomène caractérisant un cours d'eau dont le tracé est antérieur aux déformations tectoniques.

(1751). Astron. Rétrogradation apparente (d'une planète) d'est en ouest.

**ANTÉCÉDENT, ENTE** [ɑ̃tesedɑ̃, ɑ̃t] adj. et n. m. — 1361 ; du lat. *antecedens*, p. prés. de *antecedere*, de *ante*, et *cedere* «aller».

**I** Adj. Didact. ou littér. ♦ **1** Qui précède dans le temps. → **Antérieur, précédent, préexistant.** *Faits antécédents. Procédure antécédente. Antécédent à quelque chose.*

♦ **2** Géogr., géol. Qui présente un phénomène d'antécédence.

♦ **3** Théol. *Volonté antécédente de Dieu*, qui préexiste aux mérites de l'individu.

♦ **4** Log. *Proposition antécédente* (→ ci-dessous II., n. m., 4.). — *Phrase antécédente.*

(Mais le début du livre, là où il n'y a pas de phrases anté- 0.1
cédentes ? C'est le moment des difficultés majeures : pas de plan, il faut commencer dans le vide).
J. GREEN, Journal 1958-1967 (Vers l'invisible), 23 juin 1960.

**II** N. m. (1789). ♦ **1** Cour. et dr. (Souvent au plur.). Chacun des actes, des faits appartenant au passé de qqn, en relation avec un aspect de sa vie actuelle (→ Curriculum vitae). *Avoir de bons, de mauvais antécédents. Des antécédents douteux. Cet inculpé a des antécédents qui pèseront lourd.*

♦ **2** Sc. Phénomène qui précède invariablement un autre phénomène. *Relation d'antécédent à conséquent. Antécédent causal* (cause), *non causal.*

♦ **3** (XIXe). Méd. (Souvent au plur.). Fait antérieur à une maladie, concernant la santé du sujet examiné, de sa famille ou de ses ascendants.

Un ypérité ne fait un tuberculeux que s'il a présenté des 1
symptômes antérieurement à l'absorption des gaz (...) Or, ajouta-t-il, en se redressant, vous avez la chance de n'avoir aucun antécédent pathologique du côté respiratoire !
MARTIN DU GARD, les Thibault, VIII, 13.

♦ **4** (1694). Gramm. Mot, proposition représentés par le pronom qui le reprend. *L'antécédent du pronom relatif. Dans* «l'homme qui rit», «l'homme» *est l'antécédent de la proposition relative* «qui rit».

2 Malherbe exigeait que le possessif eût un antécédent bien déterminé, auquel on pût le rapporter grammaticalement et avec lequel on le fit accorder.
F. BRUNOT, la Pensée et la Langue, p. 160.

♦ **5** Log. Proposition d'où résulte la conclusion, ou qui énonce la condition. → **Enthymème; implication.** *L'antécédent et le conséquent*.*

3 Particulièrement, on appelle *antécédent,* dans un jugement hypothétique, la proposition qui énonce la condition, et *conséquent* la proposition qui est conditionnée. Dans «Si A est vrai, B est vrai», A est l'*antécédent,* B le *conséquent* (le conditionné).
LALANDE, Voc. de la philosophie, art. *Antécédent,* p. 61.

♦ **6** Math. Numérateur de chacun des rapports d'une proportion. *Antécédent d'un élément :* élément qui, dans une relation, admet celui-ci pour image.

♦ **7** Mus. La première voix d'une imitation (la seconde s'appelant *conséquent*).

4 M. Vincent d'Indy, dans son Cours de composition musicale, a très précisément décrit le canon, cette pièce polyphonique, vocale ou instrumentale, dans laquelle le thème proposé par l'antécédent est imité ensuite par toute la série des conséquents.
Édouard HERRIOT, Vie de Beethoven, p. 305.

CONTR. **Consécutif, conséquent, postérieur, subséquent, ultérieur.** ◊ DÉR. **Antécédemment, antécédence.**

**ANTÉCESSEUR** [ɑ̃tesesœʀ] n. m. — 1375; du lat. *antecessor,* de *antecedere.* → Antécédent.

♦ **1** Littér., rare. → **Prédécesseur.**

♦ **2** (1690). Vx. Professeur de droit dans une université (avant 1789).

**ANTÉCHRIST** [ɑ̃tekʀist] n. m. — Déb. XII^e; du lat. médiéval *antechristus,* altér. du lat. ecclés. *antichristus,* du grec *antikhristos;* de 1. *anti-,* et *Christus.* → Christ.

♦ **1** Théol. Ennemi du Christ, faux prophète qui, selon l'Apocalypse, viendra prêcher une religion hostile à la sienne un peu avant la fin du monde.

1 Mes petits enfants, c'est la dernière heure. Comme vous avez appris que l'antéchrist doit venir, aussi y a-t-il maintenant plusieurs antéchrists : par là nous connaissons que c'est la dernière heure.
BIBLE (CRAMPON), Jean, 1^re épître, I, 18.

1.1 Effroyables révélations sur l'enfer soviétique de la mer blanche. Lénine figure de l'Antéchrist.
CLAUDEL, Cahier VI, Journal, t. I, p. 836 (1928).

♦ **2** Celui qui nie la divinité du Christ.

2 Qui est le menteur, sinon celui qui nie que Jésus est le Christ? Celui-là est l'antéchrist qui nie le Père et le Fils.
BIBLE (CRAMPON), Jean, 1^re épître, II, 22.

3 Et tout esprit qui ne confesse pas ce Jésus n'est pas de Dieu : c'est celui de l'antéchrist, dont on vous a annoncé la venue, et qui maintenant est déjà dans le monde.
BIBLE (CRAMPON), Jean, 1^re épître, IV, 3.

3.1 Sur l'innocence morte, les juges pullulent, les juges de toutes les races, ceux du Christ et ceux de l'Antéchrist, qui sont d'ailleurs les mêmes, réconciliés dans le malconfort.
CAMUS, la Chute, p. 134.

4 Les deux papes *(Clément et Urbain)* se traitaient mutuellement d'antéchrist (...)
VOLTAIRE, Essai sur les mœurs, 71.

Var. (vx) : *antichrist* [ɑ̃tikʀist].

**ANTÉCIME** [ɑ̃tesim] n. f. — Av. 1970; de *anté-,* et *cime.*

Alpin. Cime qui précède le sommet principal. *L'antécime de l'Everest.*

**ANTÉDÉVIATION** [ɑ̃tedevjasjɔ̃] n. f. — D. i.; de *anté-,* et *déviation.*

Méd. Déplacement d'un organe en avant. *Variétés d'antédéviation.* → **Antéposition, antéversion.**

CONTR. **Rétrodéviation.**

**ANTÉDILUVIEN, IENNE** [ɑ̃tedilyvjɛ̃, jɛn] adj. — 1750; probablt angl. *antediluvian,* 1646; de *ante,* et lat. *diluvium* «déluge». → Diluvien.

♦ **1** Vx en sc. Antérieur au déluge. *Animaux antédiluviens. Histoire antédiluvienne. Monde antédiluvien. Formations antédiluviennes.*

Quant à l'auteur du poème de Noé, il a succombé sous la richesse de son sujet. Pour une imagination vigoureuse, c'était pourtant une belle carrière à parcourir qu'un monde antédiluvien.
CHATEAUBRIAND, le Génie du christianisme, II, I, 4.

♦ **2** Fig., fam. Très ancien, tout à fait démodé. → **Fossile, préhistorique.**

Figurez-vous une voiture antédiluvienne, dont le modèle aboli ne peut se retrouver que dans l'Espagne fossile.
Th. GAUTIER, *in* P. LAROUSSE.

CONTR. **Postdiluvien.**

**ANTÉFIXE** [ɑ̃tefiks] n. f. — 1845; du lat. *antefixum,* plur. *antefixa.*

Antiq. Ornement de sculpture, ordinairement en terre cuite, qui décorait le bord des toits tout en masquant les vides des tuiles creuses.

**ANTÉHISTORIQUE** [ɑ̃teistɔʀik] adj. — 1828; de *anté-,* et *historique.*

Didact. Préhistorique. *«Des époques anté-historiques»* (Ed. et J. de Goncourt, *Manette Salomon,* p. 261, 1867).

Mon esprit ne se refuse point à admettre que toutes les îles, émergées de ce vaste Océan Pacifique ne sont que des sommets d'un continent maintenant englouti, mais qui dominait les eaux aux époques antéhistoriques.
— Comme fut autrefois l'Atlantide, répondit Harbert.
— Oui, mon enfant... si elle a existé toutefois.
J. VERNE, l'Île mystérieuse, 1874, t. I, p. 274.

L'inconduite de ces dames solennelles qui se tenaient assises toutes droites prenait, dans la bouche de ceux qui en parlaient, quelque chose que je ne pouvais imaginer, proportionné à la grandeur des époques antéhistoriques, à l'âge du Mammouth.
PROUST, le Côté de Guermantes, Pl., t. II, p. 197.

**ANTÉHUMAIN, AINE** [ɑ̃teymɛ̃, ɛn] adj. et n. — 1864, cit.; de *anté-,* et *humain.*

Didact. Qui a précédé l'apparition de l'espèce *Homo sapiens.* — N. m. *L'antéhumain.*

(...) rétrogradant toujours logiquement dans la série des époques antéhumaines, nous serons conduits à faire dériver tous les singes d'un tronc commun.
Revue des cours scientifiques, 23 juil. 1864, Cours de zoologie comparée de De Filippi, II, p. 468.

**ANTÉHYPOPHYSAIRE** [ɑ̃teipɔfizɛʀ] adj. — Mil. XX^e; de *antéhypophyse.*

Physiol. De l'antéhypophyse. *Insuffisance antéhypophysaire.*

Les lésions de l'hypothalamus, puisqu'il contrôle le fonctionnement antéhypophysaire, sont susceptibles de déclencher trop précocement l'activité de cette glande essentielle dans le déclenchement pubertaire.
R. et D. LAPLANE et G. LASFARGUE, la Puberté, p. 56.

**ANTÉHYPOPHYSE** [ɑ̃teipɔfiz] n. f. — Mil. XX^e (1970, *in* Manuila); de *anté-,* et *hypophyse.*

Anat. Lobe antérieur de l'hypophyse.

DÉR. **Antéhypophysaire.**

**ANTENAIS, AISE** [ɑ̃tənɛ, ɛz] ou **ANTENOIS, OISE** [ɑ̃tənwa, waz] adj. et n. — 1320; de *antan*.

♦ **1** Rare. De l'année précédente.

♦ **2** Agric. Se dit des ovins dans leur deuxième année (→ Brebis, cit. 1). *L'agneau devient antenais, l'agnelle antenaise.* — N. *Une antenaise qui n'a pas encore porté.* → **Vacive.**

**ANTÉNATAL, ALE, ALS** [ɑ̃tenatal] adj. — Mil. XX^e^; de *anté-*, et *natal*.

Méd. Qui concerne la vie utérine, la vie avant la naissance. *Médecine, chirurgie anténatale.*

CONTR. **Postnatal.**

1. **ANTENNAIRE** [ɑ̃tenɛʀ] n. m. — XIX^e^; de *antenne*.

Zool. Poisson acanthoptérygien *(Pédiculés)* qui ressemble à la baudroie et habite les mers tropicales. — Syn. : *crapaud* ou *grenouille de mer*.

HOM. 2. **Antennaire,** 3. **antennaire.**

2. **ANTENNAIRE** [ɑ̃tenɛʀ] n. f. — XIX^e^; de *antenne*.

Bot. Plante dicotylédone *(Composées)* d'origine exotique, cultivée sous le nom d'*immortelle de Virginie* ou *immortelle blanche. Antennaire dioïque* ou *pied de chat.* → **Gnaphale.**

HOM. 1. **Antennaire,** 3. **antennaire.**

3. **ANTENNAIRE** [ɑ̃tenɛʀ] adj. — 1863; de *antenne*.

Zool. Qui porte des antennes (arthropodes, notamment insectes).

Qui se rapporte aux insectes à antennes. → **Antennifère.**

Qui concerne les antennes, a rapport aux antennes. *Segment antennaire de la tête des antennates.*

La nature appendiculaire ne fait aucun doute pour les formations *(de la région céphalique des crustacés)* qui suivent : segment antennaire portant les antennes (...) segments postbuccaux.
Cl. DELAMARE-DEBOUTTEVILLE, *in* Encycl. Pl., Zoologie, t. II, p. 260.

HOM. 1. **Antennaire,** 2. **antennaire.**

**ANTENNATES** [ɑ̃tenat] n. m. pl. — XX^e^; lat. sc., de *antenna* (→ Antenne), et *-ates*.

Zool. Ensemble formé par les arthropodes porteurs (en principe) d'antennes : crustacés, myriapodes et insectes (ou hexapodes). — Syn. : *mandibulates* (opposé à *chélicérates*). — Au sing. *Un antennate.*

**ANTENNE** [ɑ̃tɛn] n. f. — Déb. XIII^e^, *antaine*; lat. *antenna*.

♦ **1** Mar. Vergue longue et mince des voiles latines (triangulaires). «*Et les vents alizés* (cit. 1.1) *inclinaient leurs antennes* (des caravelles)» (Hérédia).

— REM. Ce sens tend à vieillir, du fait de la fréquence des sens 2. et 3.

1 Et ses vigoureuses antennes
Balançaient sur les vertes plaines
Ses ponts chargés de matelots.
LAMARTINE, À M^me^ Desbordes-Valmore, *in* LITTRÉ.

Longue pièce (de bois, de métal) analogue à une antenne de voile.

1.1 (...) un grand filet tendu entre deux longues antennes; un système de contrepoids permet de plonger le filet dans le fleuve et de le relever sans effort.
GIDE, Voyage au Congo, *in* Souvenirs, Pl., p. 827.

Tige surmontant un flotteur de pêche.

♦ **2** (1712). Zool. Appendice sensoriel à l'avant de la tête de certains arthropodes (dits *antennaires, antennifères*). *Les antennes des insectes, des crustacés* (deux paires). «*Les cafards aux antennes frémissantes*» (Le Clézio, *l'Extase matérielle*, p. 150).

Ces animaux étaient aveugles, pensait-on (...) Pourtant on les examine, et l'on constate, avec stupeur, que certains ont des yeux; qu'ils en ont presque tous, sans compter, parfois même en sus, des antennes d'une sensibilité prodigieuse. 2
GIDE, les Faux-monnayeurs, I, 17.

La tête *(des insectes)* porte une paire d'antennes très mobiles, formées de nombreux articles, homologues des antennules des Crustacés. Leur forme varie beaucoup : sétacée, filiforme, moniliforme, lagéniforme, claviforme, pectinée, lamelliforme, plumeuse. Elles constituent parfois un caractère sexuel secondaire important (...) Normalement, les antennes sont des organes des sens, mais elles sont parfois adaptées à la capture des proies (...) Les antennes sont réduites à des tubercules ou atrophiées chez les Diptères. 2.1
Andrée TÉTRY, Mandibulates ou antennates, *in* Encycl. Pl., Zoologie, t. II, p. 490-491.

Spécialt. Les secondes antennes des crustacés (par opposition *aux antennules**, parfois appelées *antennes proprement dites*).

Appendice comparé à une antenne d'insecte. *Les antennes des extra-terrestres de bandes dessinées.*

Par métaphore. *L'antenne d'un tram.*

Abstrait. Organe d'une grande sensibilité. — Loc. *Avoir des antennes :* posséder une sensibilité très aiguë, avoir de l'intuition.

Bien que son esprit n'ait pas des antennes très sensibles, elle a perçu, dans ces derniers mots, une intention à son adresse. 3
MARTIN DU GARD, les Thibault, IV, 7.

*Avoir une antenne, des antennes quelque part,* une source, des sources de renseignement. *Être l'antenne de qqn,* lui fournir des renseignements (croisement des sens 2. et 3.).

♦ **3** Tige métallique servant à capter ou à diffuser les ondes électromagnétiques. → **Aérien** (vx).

*Antenne de réception, antenne réceptrice,* et, absolt, *antenne :* tige ou fil métallique qui capte les ondes, les conduit au récepteur. *Fil d'antenne. Antenne incorporée* (cadre) *de certains récepteurs. Antenne* (en) *losange* (ondes courtes). *Descente d'antenne* ou *feeder :* câble qui alimente un récepteur d'ondes métriques ou décimétriques (radio en modulation de fréquence; télévision). *Antenne de télévision,* en forme de râteau. *Directivité, gain d'une antenne de télévision. Antenne collective,* alimentant tous les récepteurs d'un immeuble. *Antenne de voiture; antenne télescopique; antenne électrique* (commandée électriquement de l'intérieur). — *Antenne de radar.*

(...) madame vous n'avez pas le droit de m'empêcher de mettre une antenne sur le toit il y a une loi (...) 4
Claude MAURIAC, le Dîner en ville, p. 80.

À l'autre bout du parking les feuilles des palmiers s'agitent très fort, et les antennes des voitures se courbent en étincelant. 5
J.-M. G. LE CLÉZIO, les Géants, p. 36.

L'objet technique peut même être beau par rapport à un objet plus vaste qui lui sert de fond, d'univers en quelque sorte. L'antenne du radar est belle quand elle est vue du pont du navire, surmontant la plus haute superstructure (...) 6
Gilbert SIMONDON, Du mode d'existence des objets techniques, p. 185-186.

*Antenne d'émission,* ou, absolt, *antenne,* constituée par un grand pylône ou une nappe de fil. *Antenne d'un poste émetteur, d'un relais hertzien* (antenne de faisceau hertzien). — Loc. *Être sur l'antenne, être à l'antenne, passer à l'antenne :* faire l'objet de l'émission en cours, diffusée au moment où l'on parle.

*Je vous donne, je vous passe l'antenne, l'antenne est à vous. Nous gardons l'antenne pour annoncer une nouvelle de dernière minute, pour compléter la retransmission d'un événement. Nous rendons l'antenne à notre studio.*

7 *Le Reporter :* Déjà cette heure-là ? Et moi qui dois être sur l'antenne dans dix minutes !

Boris VIAN, le Dernier des métiers, p. 25.

8 – Et après tout ça, dit Clara, puis-je vous demander «hors antenne» quels sont vos projets ?
Prestement, la journaliste vient de replacer le «Nagra» dans son étui de cuir. Elle relève la tête car la réponse de son interlocuteur tarde à venir.

Pierre MERTENS, les Bons Offices, p. 29.

♦ **4** Poste avancé en liaison avec un centre ; voie qui relie ce poste au centre.

9 INAUGURATION DU CHEMIN DE FER DE BENI-OUNIF À BÉCHAR (...). L'achèvement de cette antenne de pénétration attestait aux yeux des indigènes la solidité et la durée de notre installation, réalisait des avantages majeurs pour le ravitaillement de nos postes et l'économie de nos forces.

L.-H. LYAUTEY, Paroles d'action, p. 42.

10 La petite équipe groupée autour de l'antenne de la Défense nationale commença vaille que vaille à mettre sur pied un semblant d'organisation.

Jean LARTÉGUY, les Prétoriens, p. 512.

Branche d'autoroute se séparant du tronc commun. → **Bretelle.**

Spécialt. *Antenne chirurgicale :* unité avancée du service de santé militaire en temps d'opérations. → **Ambulance.**

11 L'odeur, cette nuit-là, l'odeur de sanie et d'éther, de sang et de sueur, l'odeur de l'antenne chirurgicale.

Edmonde CHARLES-ROUX, Elle, Adrienne, p. 489.

Par ext. Centre de soins d'urgence, en particulier pour les blessés de la route. *Antenne de la Croix-Rouge.*

DÉR. et COMP. **Antennaire, antennifère, antenniforme, antenniste, antennule.**

**ANTENNIFÈRE** [ɑ̃tenifɛʀ] adj. et n. m. pl. — 1842 ; de *antenne,* et *-fère.*

♦ **1** Qui porte des antennes. → 3. **Antennaire.**

♦ **2** N. m. pl. Vx. *Les antennifères :* les antennates.

**ANTENNIFORME** [ɑ̃tenifɔʀm] adj. — 1897 ; de *antenne,* et *-forme.*

En forme d'antenne. *«(...) il explore l'espace avec ses longues pattes antenniformes»* (in *Année sc. et industr.* 1898, p. 169, 1897).

**ANTENNISTE** [ɑ̃tenist] n. — 1984 ; de *antenne.*

Personne dont le métier est d'installer des antennes de télévision.

**ANTENNULE** [ɑ̃tenyl] n. f. — 1762 ; de *antenne.*

Zoologie.

♦ **1** Petite antenne.

♦ **2** Antenne appartenant à la première paire, située sur le côté du rostre et constituée de deux articles, chez les crustacés.

**ANTENOIS, OISE** [ɑ̃tənwa, waz] adj. et n. → **Antenais.**

**ANTÉNUPTIAL, ALE, AUX** [ɑ̃tenypsjal, o] adj. — XVIᵉ ; de *ante* «avant», et *nuptial.*

Didact. (dr.). Qui est antérieur au mariage. *Dons anténuptiaux. Convention anténuptiale.* → **Prénuptial.**

**ANTÉPÉNULTIÈME** [ɑ̃tepenyltjɛm] adj. et n. f. — 1500 ; du lat. médiéval *antepenultimus,* de *ante* «avant», et *penultimus.* → Pénultième.

♦ **1** Adj. Didact. Qui précède immédiatement le pénultième ou avant-dernier. *L'antépénultième syllabe d'harmonie est* har-.

Cette fameuse réponse se trouve presque mot à mot dans l'antépénultième chapitre du Koran.

VOLTAIRE, Essai sur les mœurs, 7.

♦ **2** N. f. (1578). *L'antépénultième :* la syllabe qui précède l'avant-dernière. *Mettre l'accent sur l'antépénultième.*

**ANTÉPOSER** [ɑ̃tepoze] v. tr. — XXᵉ ; «préférer», XVIᵉ ; de *anté-,* et *poser.*

Ling. Placer devant, à gauche de (un autre élément de la phrase). *Antéposer l'épithète.* — Au p. p. *Adjectif antéposé. Dans : «un bel appartement», «bel» est antéposé.*

CONTR. **Postposer.**

**ANTÉPOSITION** [ɑ̃tepozisjɔ̃] n. f. — 1853, Lachâtre ; de *anté-,* et *position.*

♦ **1** Ling. Action d'antéposer. *Antéposition de l'épithète dans une phrase.*

♦ **2** Anat. Déplacement d'un organe en avant (→ **Antédéviation**). *Antéposition de l'utérus.* → aussi **Latéroposition, rétroposition.**

CONTR. **Postposition ; rétroposition.**

**ANTÉPRÉDICATIF, IVE** [ɑ̃tepʀedikatif, iv] adj. — V. 1970 ; de *anté-* «avant», et *prédicatif.*

Philos. Qui précède la prédication, antérieur à tout jugement. → **Phénoménologique, préconceptuel.**

**ANTÉPULSION** [ɑ̃tepylsjɔ̃] n. f. — XXᵉ ; de *anté-,* et *pulsion.*

Méd. Trouble de la marche, observé surtout dans la maladie de Parkinson et caractérisé par une précipitation progressive des pas vers l'avant. — On dit aussi *propulsion.*

**ANTER** [ɑ̃te] v. → **Enter.**

**ANTÉRIEUR, EURE** [ɑ̃teʀjœʀ] adj. et n. — 1503 ; *anterior,* 1488 ; du lat. *anterior* «qui est devant», de *ante.*

**I** Adj. **A** (Spatial). ♦ **1** Qui est placé en avant, devant (opposé à *postérieur*). *La façade antérieure d'un bâtiment.* → **Front.** — Anat. *Ligament, lobe antérieur. Veine cave antérieure. La face antérieure de l'omoplate.* → **Antéro-.** — *Membres antérieurs d'un quadrupède.*

♦ **2** Phonét. Se dit d'une voyelle articulée dans la région du palais dur (ex. : [i, e, ɛ, a] en français). En français : *a antérieur* (par oppos. à *a postérieur*). On dit aussi *palatal.* — Par ext. *Groupe antérieur :* groupe des voyelles antérieures.

♦ **3** (Ordre logique). Placé avant, dans une relation d'ordre.

**B** ♦ **1** (1690, mais *antérieurement* est plus ancien). Qui est avant, qui précède dans le temps (→ **Anté-,** et aussi **précédent**). — *Antérieur à... Dans la suite des rois de France, Henri III est antérieur à Henri IV et Charles IX plus ancien*. Un acte antérieur à un autre.* → **Antécédent.** *Antérieur au mariage.* → **Anténuptial.** *Antérieur de* (durée) *à... Le fait est antérieur de dix ans à... Date antérieure à la date réelle.* → **Antidate.**

1 (...) l'amour de soi : passion primitive, innée, antérieure à toute autre, et dont toutes les autres ne sont, en un sens, que des modifications. ROUSSEAU, Émile, IV.

2 (...) il *(Jésus)* a révélé au monde cette vérité que la patrie n'est pas tout, et que l'homme est antérieur et supérieur au citoyen. RENAN, Vie de Jésus, VII.

(Sans compl. en *à*). *L'état antérieur, la situation antérieure. Vie* antérieure,* qu'on aurait menée avant la vie présente.

3 (...) un état antérieur qui trouble notre forme actuelle.
BALZAC, Massimilla Doni, Pl., t. IX.

4 (...) tout se passe dans la vie comme si nous y entrions avec le faix d'obligations contractées dans une vie antérieure.
PROUST, cité par A. MAUROIS, Études littéraires, t. I, p. 112.

♦ **2** Gramm. Qui marque l'antériorité. *Passé antérieur. Passé antérieur surcomposé.* → **Parfait, passé, prétérit.** *Futur antérieur.* → **Futur.**

5 L'idée de l'accomplissement de l'action dans le passé est exprimée en français par une forme spéciale dite : **passé antérieur,** qui devrait s'appeler en ce cas **passé accompli.** L'exemple classique de ce sens est : La Cigogne au long bec n'en put attraper miette; Et le drôle eut lapé le tout en un moment (LA FONTAINE, Fables, I, 18).
F. BRUNOT, la Pensée et la Langue, p. 484.

6 Vous connaissez le parfait antérieur ou prétérit antérieur : j'eus chanté, tu eus chanté (...) Le prétérit antérieur se dit ainsi : J'ai eu chanté, tu as eu chanté (...)
Je sais que ce prétérit agonisant ou mort est encore employé parfois pour les verbes finir, terminer : Quand j'ai eu terminé (...) Quand j'ai eu fini (...) Ce n'en est pas moins une forme fossile. Nous l'avons oublié. Nous nous arrangeons sans lui tant bien que mal et plutôt mal que bien. Nous risquons les confusions et les erreurs. Nous sommes appauvris, dépossédés, et, ce qui est curieux, c'est que nous n'avons pas même l'air d'en souffrir.
G. DUHAMEL, Discours aux nuages, p. 46-49.

7 La forme spéciale, qui marque antériorité dans le futur, est le futur antérieur, qui existe depuis l'ancien français (...) **la clameur** (...) **ne retombera pas dans le silence** (...) **elle aura éveillé des échos** [...] (G. SAND).
F. BRUNOT, la Pensée et la Langue, p. 762.

**II** N. m. ♦ **1** Anat. Partie du corps placée en avant; membre antérieur. *Les antérieurs du cheval,* les membres antérieurs. *L'antérieur droit, gauche.*

♦ **2** Rare. Ce qui est placé avant dans le temps. *Ne pas s'occuper de l'antérieur.*

CONTR. **Actuel, futur, postérieur, ultérieur.** ◊ DÉR. **Antérieurement, antériorité.** — V. **Antéro-.**

**ANTÉRIEUREMENT** [ɑ̃teʀjœʀmɑ̃] adv. — 1611; de *antérieur.*

À une époque antérieure. → **Auparavant, avant, précédemment.** *Ce qui s'est passé antérieurement.* — *Antérieurement à :* avant. *Antérieurement à ces faits, à cette époque.* «*S'il a présenté des symptômes antérieurement à l'absorption du gaz*» (R. Martin du Gard).

**ANTÉRIORITÉ** [ɑ̃teʀjɔʀite] n. f. — 1553; de *antérieur,* d'après le lat. *anterior.*

Caractère de ce qui est antérieur (dans le temps). → **Priorité.** *Antériorité de date, de droit, de titre.* «*L'antériorité est primauté de date et non pas primauté de rang ou d'ordre*» (Littré). *L'antériorité d'un événement par rapport à un autre. L'antériorité d'une découverte.*

Gramm. Relation liant ce qui est avant à ce qui est après. *L'expression de l'antériorité.* → **Temps.** *Le futur antérieur* (cit. 7) *marque l'antériorité dans le futur.*

Comme l'idée d'actualité constitue le présent, l'idée d'antériorité constitue le passé, et l'idée de postériorité constitue le futur.
CONDILLAC, Grammaire franç., II, 8, *in* LITTRÉ.

Log. *Antériorité logique :* caractère d'implication entre deux propositions.

Psychol. *Seuil d'antériorité* (opposé à *seuil de postériorité*) : seuil de distinction de l'ordre temporel dans la succession de deux choses.

CONTR. **Actualité, postériorité.**

**ANTÉRO-** Élément, du radical de *antérieur* «placé avant, devant», entrant dans la composition de termes d'anatomie et de médecine. → **Antérograde.** Ex. : *antéro-externe* et *antéro-interne* adj. et n. (1893); *antéro-supérieur* (1912) et *antéro-inférieur* (1893) adj. et n.; *antéro-dorsal* adj. et n. (1842), *antéro-postérieur* adj. et n. m. (1866).

**ANTÉROGRADE** [ɑ̃teʀɔgʀad] adj. — 1892; de *antéro-,* et *-grade,* d'après *rétrograde.*

Méd. *Amnésie antérograde :* perte de la mémoire concernant des faits postérieurs à l'accident ou à la maladie qui en sont responsables (syn. : *amnésie de fixation*).

**ANTÉVERSÉ, ÉE** [ɑ̃tevɛʀse] adj. — XIXe; de *anté-,* et *versé,* sur *antéversion.*

Anat., pathol. Qui est affecté d'antéversion. *Dent antéversée.*

**ANTÉVERSION** [ɑ̃tevɛʀsjɔ̃] n. f. — 1833; de *anté-,* et *version.* → Version, II.

Anat. Inclinaison vers l'avant de l'axe vertical d'un organe (→ **Antédéviation).** *Antéversion de l'utérus :* déviation de l'utérus dont le fond se trouve porté en avant tandis que le col remonte en arrière, appuyant sur le rectum. → **Latéroversion, rétroversion.** — *Antéversion dentaire :* déviation d'une dent de sa position normale vers l'avant. *Dans l'antéversion dentaire, la couronne est située hors de l'arcade dentaire.*

CONTR. **Rétroversion.**

**ANTH-, ANTHO-** Éléments tirés du grec *anthos* «fleur», entrant dans la composition de termes de botanique (→ **Anthère, anthocyane, anthophore),** de zoologie (→ **Anthonome, anthophage, anthozoaire),** ou, au fig., de termes didactiques ou courants (→ **Anthologie, anthographie),** formés directement en français ou empruntés. → aussi **-anthe, -anthème.**

**-ANTHE** Élément final de composition, du grec *anthos* «fleur», entrant dans la composition de termes de botanique. Ex. : *acanthe, hélianthe, loranthe, œnanthe, périanthe, phyllanthe, pyracanthe, rhinanthe, scléranthe.* → **Antho-; -anthème;** → aussi Zoanthaires.

**ANTHÉLICIEN** [ɑ̃telisjɛ̃] n. m. — 1805; de *anthélix.*

Anat. Muscle de la conque de l'oreille. «*L'anthélicien ou transversal de l'oreille : il traverse le repli creux qui correspond sur la face dorsale de l'oreille, à la saillie que l'anthélix fait sur sa face concave*» (Cuvier, *Leçons d'anatomie comparée,* 1805, *in* T. L. F.). → **Anthélix.**

**ANTHÉLIX** [ɑ̃teliks] n. m. — 1721; de *anté-,* et grec *hélix.*

Anat. Saillie du pavillon de l'oreille entre la conque et l'hélix.

m/a *(sic)* langue humecte l'hélix de ton oreille se glissant tout autour avec délicatesse, m/a *(sic)* langue s'introduit dans le pavillon, elle touche l'anthélix (...)
Monique WITTIG, le Corps lesbien, p. 17.

DÉR. **Anthélicien.**

**ANTHELMINTHIQUE** [ɑ̃tɛlmɛ̃tik] adj. et n. — 1751; de 1. *ant(i)-*, et *helmins, -inthos* «ver».

Méd. → **Vermifuge.**

**-ANTHÈME** Élément final de composition, du grec *anthos* «fleur», entrant dans la formation de noms de fleurs. Ex. : *chrysanthème, hélianthème.* → aussi **Exanthème.**

**ANTHÉMIS** [ɑ̃temis] n. m. — 1615; lat. et grec *anthemis* «camomille».

Bot. Plante dicotylédone *(Composées),* herbacée, annuelle ou vivace (nom savant de plusieurs espèces de camomilles*). *Anthémis des champs,* dit *œil de vache.* — Syntagmes lat. *Anthemis cotula :* camomille des chiens. *Anthemis nobilis :* camomille romaine. *Anthemis suaveolens :* matricaire odorante.

**ANTHÈRE** [ɑ̃tɛʀ] n. f. — 1611; du lat. sc. *anthera,* du grec *anthêros* «fleuri», de *anthos* «fleur».

Bot. Partie supérieure de l'étamine* (→ **Filet**), généralement renflée et contenant ordinairement deux loges polliniques (→ **Sporange**) parfois réunies (→ **Connectif**). *Déhiscence de l'anthère. Anthère quadricorne.*

DÉR. V. **Anthéridie.** ◊ COMP. **Synanthéré.**

**ANTHÉRIDIE** [ɑ̃teʀidi] n. f. — 1841, *in* Cottez; du lat. sc. *antheridium,* de *anthera* «anthère», et *-idium* (grec *-idion*), suff. diminutif de noms d'animaux ou d'organes de très petites dimensions.

Bot. Organe mâle contenant les anthérozoïdes, chez les cryptogames vasculaires et les muscinées.

CONTR. **Archégone.** ◊ DÉR. **Anthéridien.**

**ANTHÉRIDIEN, IENNE** [ɑ̃teʀidjɛ̃, jɛn] adj. — 1931; de *anthéridie.*

Didact. Relatif à l'anthéridie.

**ANTHÉROZOÏDE** [ɑ̃teʀɔzɔid] n. m. — 1854, Thuret, *in* Cottez; du grec *anthêros* «fleuri», et *zôoeidês* «semblable à un animal», d'après *spermatozoïde.* → Zoo-, et -ide.

Bot. Gamète mâle des cryptogames vasculaires et des muscinées. *L'anthérozoïde se meut au moyen de cils vibratiles* (flagellums) *pour aller féconder l'oosphère* (gamète femelle).

**ANTHÈSE** [ɑ̃tɛz] n. f. — 1801, Académie; du grec *anthêsis* «floraison». → Antho-.

Bot. Épanouissement de la fleur. → **Aperture,** 2.

L'anthèse, c'est-à-dire l'aperture de chaque bouton floral, se produit au cours de la floraison qui s'étale sur une, deux ou trois semaines (...) Une semaine après l'anthèse, on peut vérifier que la fleur a coulé (s'est desséchée sans être fécondée) ou a noué : dans ce dernier cas l'ovule commence à se développer.

Louis LEVADOUX, la Vigne et sa culture, p. 17-18.

**ANTHO-** → **Anth-.**

**ANTHOCYANE** [ɑ̃tosjan] ou **ANTHOCYANINE** [ɑ̃tosjanin] n. f. — 1865; de *antho-,* et *-cyane* du grec *kuanos* «bleu». → Cyano-.

Biol. Pigment coloré de certains organes végétaux (feuilles et fleurs), dissous dans les vacuoles et changeant de couleur selon l'acidité ou l'alcalinité du milieu (suc vacuolaire). *Anthocyanes méthoxylées* (cit.).

*(Les)* parties aériennes *(de la flore montagnarde)* présentent une remarquable convergence morphologique : taille toujours réduite, aspect ramassé (...) tiges et entre-nœuds courts, feuilles petites et serrées, arrondies et charnues, ou encore écailleuses; des anthocyanes rouges les colorent fréquemment; un épais feutrage de poils revêt souvent les parties vertes, enfin, les fleurs offrent à la vue l'enchantement d'une large gamme de teintes vives.

Jacques GUILLERME, la Vie en haute altitude, p. 38.

DÉR. **Anthocyanidine.**

**ANTHOCYANIDINE** [ɑ̃tosjanidin] n. f. — XX^e; de *anthocyane.*

Chim., biol. Substance obtenue par hydrolyse des anthocyanes*.

**ANTHOCYANINE** [ɑ̃tosjanin] n. f. → **Anthocyane.**

**ANTHOLOGIE** [ɑ̃tɔlɔʒi] n. f. — 1574, au sens 2., fig.; du grec *anthologia,* de *anthos* «fleur», et *logia* (→ Antho-, et -logie); repris au sens étym. en 1755.

♦ **1** Vx. Choix, collection de fleurs.

(...) je retrouvais la laîche digitée, la belladone vulgaire, la silicaire commune, le millepertuis, le muguet vivace, le saule cendré : doux sujets de mes premières anthologies.

CHATEAUBRIAND, Mémoires d'outre-tombe, t. IV, 4.

♦ **2** Mod. Recueil* de pièces de vers choisis, de morceaux choisis en prose ou en vers. *L'anthologie grecque. Anthologie des poètes et prosateurs du XVI^e siècle. Anthologie des écrivains du XIX^e siècle.* → **Analecta, florilège.** *Pièce, morceau d'anthologie :* page brillante digne de figurer dans une anthologie.

Par ext. Recueil des productions les plus caractéristiques (d'un ensemble). *Anthologie du cinéma.* — Fig. *Une magnifique anthologie de bourdes :* un sottisier. → **Collection.**

DÉR. **Anthologique, anthologiste.**

**ANTHOLOGIQUE** [ɑ̃tɔlɔʒik] adj. — 1832; de *anthologie.*

Didact. Qui se rapporte à l'anthologie; qui procède par citations choisies. *Caractère anthologique d'un écrit.*

DÉR. **Anthologiquement.**

**ANTHOLOGIQUEMENT** [ɑ̃tɔlɔʒikmɑ̃] adv. — XX^e; de *anthologique.*

Didact., rare. D'une manière anthologique, en tant que morceau d'anthologie.

Bien que la tapisserie demeure mineure, elle entre anthologiquement au Musée imaginaire, où l'Apocalypse d'Angers figure entre les enluminures d'Irlande et les fresques de Saint-Savin.

MALRAUX, les Voix du silence, p. 34 (1951).

**ANTHOLOGISTE** [ɑ̃tɔlɔʒist] n. — 1802, *in* T.L.F.; de *anthologie.*

♦ **1** Auteur d'une anthologie botanique.

♦ **2** (1892, A. France; var. : *anthologue,* Barrès). Auteur d'une anthologie poétique.

**ANTHONOME** [ɑ̃tɔnɔm] n. m. — 1838; du grec *anthos* (→ Anth-), et *nomos* «pâture», proprt «qui se nourrit de fleurs».

Zool. Insecte coléoptère *(Curculionidés),* charançon dont la femelle dépose ses œufs dans les bourgeons à fleurs des arbres fruitiers *(Rosacées). Anthonome du pommier, du poirier. Une espèce d'anthonome est parasite du cotonnier.*

**ANTHOPHAGE** [ɑ̃tɔfaʒ] adj. — 1834, *in* Cottez; de *antho-*, et *-phage*.

Zool. Qui se nourrit de fleurs.

**ANTHOPHORE** [ɑ̃tɔfɔʀ] adj. et n. m. — 1823, Boiste; de *antho-*, et *-phore*.

♦ **1** Bot., vx. Qui porte des fleurs. — N. m. Support des organes floraux (prolongement du calice) chez le lychnis.

♦ **2** N. m. plur. Zool. **Les anthophores :** groupe d'hyménoptères comprenant des abeilles solitaires qui ne produisent pas de cire. — Au sing. *Un anthophore, l'anthophore.*

Les Antophores habitent les talus ensoleillés. Pendant son creusement, le terrier est signalé au-dehors par une élégante cheminée ajourée, en terre, coudée vers le haut.

Cécile Plateaux-Quénu, Hyménoptères, *in* Encycl. Pl., Zoologie, t. II, p. 887.

**ANTHOZOAIRES** [ɑ̃tɔzɔɛʀ] n. m. pl. — 1838; de *antho-*, et *-zoaires*.

Zool. Une des classes de l'embranchement des cnidaires*, animaux marins à formes de polypes, comprenant les tétracoralliaires, les hexacoralliaires et les octocoralliaires (→ **Coralliaires**). — Au sing. *Un anthozoaire.*

Toutes ces émotions, sa colère à laquelle elle n'était pas habituée, ses façons de se conduire avec brutalité, d'arriver à être jalouse même d'un anthozoaire (...) de lancer des poissons-volants en pleine tempête, tout cela avait abattu Géraldine (...)

Jean Cayrol, Histoire de la mer, p. 185.

**ANTHRACÈNE** [ɑ̃tʀasɛn] ou **ANTHRACINE** [ɑ̃tʀasin] n. m. — 1838, *anthracine; anthracène* ou *anthracine*, 1866; du grec *anthrax, anthrakos* «charbon».

Chim. Hydrocarbure ($C_{14}H_{10}$) extrait du goudron de houille. *L'anthracine sert à la fabrication de colorants. Transformation de l'anthracène par oxydation.* → **Anthraquinone.**

Dér. **Anthracénique.** ◊ Comp. **Anthraquinone.**

**ANTHRACÉNIQUE** [ɑ̃tʀasenik] adj. — 1905, in *Rev. gén. des sc.*, n° 11, p. 538; de *anthracène*.

Chim. Relatif à l'anthracène*. *Hydrocarbures anthracéniques. Huiles anthracéniques,* d'où l'on extrait l'anthracène.

**ANTHRACINE** [ɑ̃tʀasin] n. m. → **Anthracène.**

**ANTHRACITE** [ɑ̃tʀasit] n. m. et adj. — Av. 1803, Cadet et Boiste, *Dict. de chimie;* «pierre précieuse de couleur rouge», 1549; puis a désigné diverses roches (schiste, etc.); du grec *anthrax, anthrakos* «charbon».

Charbon d'une variété très pure, donnant peu de cendres lors de sa combustion lente. *L'anthracite contient plus de 90 % de carbone et peu d'hydrocarbures, ce qui lui confère un pouvoir calorifique élevé. L'anthracite est utilisé pour le chauffage domestique et dans l'industrie.*

D'aucuns, en revanche, montrent un caractère magnifique. De l'un d'entre eux *anthracite* est le nom, — dont on voit à la troisième syllabe qu'il brille, si la dernière est tout à fait muette. Sa dominante toutefois brille. Il a en cet endroit quelque chose de réconfortant. À la vue, comme à la prononciation, de tonique.
En tas dans l'ombre, il brille. Sitôt la porte de la cave ouverte, il vous multiplie les signes d'intelligence. Avec la même inquiétude, la même noble timidité que les étoiles.

Francis Ponge, Pièces, «L'anthracite».

Adj. invar. De la couleur gris foncé de l'anthracite. *Des vestes gris anthracite,* ou, absolt, *anthracite.*

Dér. **Anthraciteux.**

**ANTHRACITEUX, EUSE** [ɑ̃tʀasitø, øz] adj. — 1838; de *anthracite*.

Techn. Qui contient de l'anthracite; qui ressemble à l'anthracite.

**ANTHRACNOSE** [ɑ̃tʀaknoz] n. f. — 1879; du grec *anthrax, -akos* «charbon», et *nosos* «maladie».

Agric. Maladie de la vigne, dite *charbon, carie, rouille noire,* qui est due à un champignon microscopique du genre *glœosporium. «Théophraste et Pline signalent dans leurs écrits les effets de l'anthracnose ou charbon»* (*Omnium agricole*).

**ANTHRACOSE** [ɑ̃tʀakoz] n. f. — 1863, «le mot d'anthracose ne doit être conservé qu'à titre d'abréviation», *Année sc. et industr.* 1864, p. 384; du grec *anthrax, -akos* «charbon».

Méd. Maladie due à l'inhalation des poussières de charbon qui s'infiltrent dans les poumons (→ Silicose).

**ANTHRAQUINONE** [ɑ̃tʀakinɔn] n. m. — 1878; du rad. de *anthra(cène)*, et *quinone*.

Chim. Produit de l'oxydation de l'anthracène employé dans la fabrication de colorants. → **Alizarine.**

**ANTHRAX** [ɑ̃tʀaks] n. m. — 1495, *antrac;* mot lat. et grec.

♦ **1** Méd. et cour. Tumeur inflammatoire (autrefois confondue avec la maladie du charbon, d'où son nom) du tissu cellulaire sous-cutané et des glandes sébacées, due au staphylocoque doré. *L'anthrax se présente comme une accumulation de furoncles; il se caractérise par l'accumulation de points jaunâtres* (→ **Bourbillon**) *et la tendance à la gangrène.* → **Abcès, tumeur.** *Des anthrax. Avoir un anthrax au cou, à la fesse.*

Le roi eut un anthrax au cou qui ne parut d'abord qu'un clou (...)

Saint-Simon, Mémoires, 38, 184, *in* Littré.

♦ **2** (1789). Zool. Insecte diptère s'attaquant aux abeilles ou aux guêpes.

**ANTHRÈNE** [ɑ̃tʀɛn] n. m. — 1755; grec *anthrênê* «frelon».

Zool. Insecte coléoptère *(Dermestidés)* dont la larve se développe dans les matières sèches d'origine animale. *L'anthrène détériore les fourrures, les collections zoologiques...*

**-ANTHROPE** Élément de composition, du grec *anthrôpos* «homme». → **Africanthrope, australanthrope, lycanthrope, pithécanthrope, sinanthrope; misanthrope, philanthrope, théophilanthrope.** → aussi **Anthropo-.**

**-ANTHROPIE** Élément formant des noms féminins correspondant à certains composés en *-anthrope*.

**ANTHROPIEN, IENNE** [ɑ̃tʀɔpjɛ̃, jɛn] adj. — 1964, *infra;* du grec *anthrôpos*, et suff. *-ien*.

Didact. De l'homme (en tant qu'espèce). → **Humain; anthropique.**

L'évolution du crâne anthropien paraît bien refléter un triple processus : le dégagement mécanique de l'arrière-crâne par l'acquisition de la station droite, le dégagement mécanique du front par la réduction progressive des racines dentaires, l'augmentation de volume du cerveau jusqu'aux Néanderthaliens puis l'envahissement progressif des territoires frontaux sans augmentation du volume.

A. Leroi-Gourhan, le Geste et la Parole, t. I, p. 169 (1964).

**ANTHROPIQUE** [ɑ̃tʀɔpik] adj. — 1973; du grec *anthrôpos* «homme».

Didact. Relatif à l'industrie humaine; fait par l'homme. *L'intervention anthropique* (sur le milieu naturel). *Étude du fait anthropique dans des couches de sédiments. «À côté des gisements naturels peu à peu constitués au cours des âges géologiques, il y aurait des gisements faits par l'homme. Les spécialistes les appellent déjà gisements anthropiques»* (*Sciences et Avenir*, nº 319, 1973). *Érosion anthropique,* liée à la présence humaine (exploitation excessive des sols, etc.).

HOM. **Entropique.**

**ANTHROPO-** Élément initial de composition, du grec *anthrôpos* «homme», entrant dans la formation de termes scientifiques. → **-anthrope.** — Outre les composés traités ci-dessous, de nombreuses formations libres ou plus rares sont attestées.

Il y a beaucoup d'anthropomorphisme, là-dedans.
— Et que diable voulez-vous qu'il y ait? L'Anthrope ne peut faire qu'anthropomorphisme. Et anthropopsychisme. On n'en sort pas.
VALÉRY, l'Idée fixe, *in* Œ., t. II, Pl., p. 212.

**ANTHROPOCENTRIQUE** [ɑ̃tʀɔposɑ̃tʀik] adj. — 1876, Janet; de *anthropo-, centre,* et suff. *-ique.*

Didact. Qui considère l'homme, l'humanité comme l'élément central (essentiel ou final) de l'univers. *Théorie anthropocentrique.*

DÉR. **Anthropocentrisme.**

**ANTHROPOCENTRISME** [ɑ̃tʀɔposɑ̃tʀism] n. m. — 1907; de *anthropocentrique.*

Didact. Philosophie, vue anthropocentrique*.

**ANTHROPODICÉE** [ɑ̃tʀɔpodise] n. f. — 1962, Foulquié; de *anthropo-* «homme», d'après *théodicée.*

Didact. Philosophie dans laquelle l'homme a pris la place de Dieu.

**ANTHROPOFORME** [ɑ̃tʀɔpofɔʀm] adj. — 1762; de *anthropo-,* et *-forme.*

Didact. Qui a la forme de l'homme, une forme humaine.

REM. Mot hybride. → Anthropomorphe.

Les unes *(relations)* nous représentent ces sauvages comme des espèces d'animaux *anthropoformes* auxquels on pense faire trop de grâce, en leur accordant quelque conformité avec le reste du genre humain (...)
Trad. de T. MERZAHN VON KLINGSTŒD, Mémoires sur les Samojèdes, 2 mars 1762, *in* D.D.L., II, 7.

**ANTHROPOGENÈSE** [ɑ̃tʀɔpoʒənɛz; ɑ̃tʀɔpoʒenɛz] n. f. ou **ANTHROPOGÉNIE** [ɑ̃tʀɔpoʒeni] n. f. — 1793, *anthropogénie;* termes donnés concurremment ou distinctement selon les dict.; de *anthropo-,* et *-génie, -genèse.*

Didact. Étude de l'origine et de l'évolution de l'espèce humaine; cette origine.

REM. On dit parfois *anthropogonie* [ɑ̃tʀɔpogɔni].

L'anthropogonie de la Bible n'est donc que la généalogie d'un essaim sorti de la ruche humaine (...)
BALZAC, Louis Lambert, 1832, Pl., t. X, p. 404.

**ANTHROPOGRAPHE** [ɑ̃tʀɔpɔgʀaf] n. — 1839, Boiste; de *anthropo-,* et *-graphe.*

Didact. (sc.). Personne qui s'occupe d'anthropographie.

Le corps humain n'a pas l'immutabilité qu'il semble avoir. Les sociétés, les civilisations retravaillent la statue de sa nudité. La femme qu'a peinte l'anthropographe Cranach, la femme du Parmesan et de Goujon, la femme de Boucher et de Coustou sont trois âges et trois natures de femme.
Ed. et J. DE GONCOURT, Journal, t. II, p. 26 (1862).

**ANTHROPOGRAPHIE** [ɑ̃tʀɔpɔgʀafi] n. f. — 1751, *Encyclopédie;* du lat. sc. *anthropographia,* 1649, de *anthropo-,* et *-graphie.*

Didact. (sc.). Description anatomique du corps humain dans la diversité des types raciaux.

DÉR. **Anthropographique.**

**ANTHROPOGRAPHIQUE** [ɑ̃tʀɔpɔgʀafik] adj. — 1846; de *anthropographie.*

Didact. De l'anthropographie. *Entreprendre une étude anthropographique des ancêtres de l'homme blanc.*

**ANTHROPOÏDE** [ɑ̃tʀɔpɔid] adj. et n. — 1838, n.; 1865, adj.; de *anthropo-,* et *-oïde.*

♦ **1** Adj. Zool. Qui ressemble à l'homme. *Singe anthropoïde.*

L'homme tient mieux debout que le plus anthropoïde des singes. Il a fini de se redresser.
Francis PONGE, le Parti pris des choses, p. 211.

♦ **2** N. m. pl. ANTHROPOÏDES : singes de grande taille, dépourvus de queue, possédant un encéphale volumineux et s'appuyant, pour marcher, sur le dos des phalanges des mains et sur la plante des pieds. → **Orang-outan; chimpanzé, gibbon, gorille.** — Syn. (vx) : *anthropoïdés, anthropomorphes. Les anthropoïdes.*

Au sing. *Un anthropoïde.*

Fig., fam. Être humain ressemblant à un anthropoïde, à un singe supérieur. → **Primate.**

**ANTHROPOLÂTRIE** [ɑ̃tʀɔpɔlatʀi] n. f. — 1838; de *anthropo-,* et *-lâtrie,* du grec, qui possède le composé *anthrôpolatres* «adorateur d'un homme».

Didact. Adoration, culte d'un homme divinisé (héros, demi-dieu).

**ANTHROPOLOGIE** [ɑ̃tʀɔpɔlɔʒi] n. f. — 1507, *entropologie;* du lat. sav. *anthropologia* (1501), du grec *anthrôpologos,* de *anthrôpos* «homme» (→ Anthropo-), et *logos* (→ -logie).

Didactique.

**I** Vx. ♦ **1** (XVIᵉ-XVIIIᵉ). Science générale de l'homme, de l'humanité, puis science de la nature humaine (englobant diverses disciplines).

♦ **2** (1680, Bossuet). Théol. Procédé par lequel on attribue à Dieu une personnalité humaine. → **Anthropomorphisme,** 1.

Comme l'Écriture est faite pour les simples comme pour les savants, elle est pleine d'anthropologies.
MALEBRANCHE, *in* LITTRÉ, art. *Anthropologie.*

**II** Mod. ♦ **1** (Déb. XIXᵉ; 1795, en all., Blumenbach). Étude générale des caractères biologiques de l'homme (distinguée de l'ensemble des sciences comparatives de l'homme. → **Ethnologie**). *L'anthropologie scientifique est née à la fin du* XVIIIᵉ *siècle. Société d'anthropologie de Paris, fondée par Broca au milieu du* XIXᵉ *siècle. Anthropologie raciale, constitutionnelle. Anthropologie et anthropométrie*.*

L'anthropologie étudie les corps humains pour arriver à classer les hommes en races d'après leurs caractères physiques, la forme, les dimensions, les proportions des différentes parties du corps et de la tête, la couleur et l'aspect de la peau et des cheveux.

Ch. SEIGNOBOS, Hist. sincère de la nation franç., p. 5.

♦ **2** (V. 1930; calque de l'anglo-américain *anthropology*, Boas, Malinowski, etc.). Ensemble des sciences étudiant l'homme, de manière générale, incluant l'anthropologie biologique (sens II., 1.). — *Branches de l'anthropologie : anthropologie biologique (anthropologie physique :* anatomie humaine comparée; *anthropologie physiologique, anthropologie pathologique), anthropologie zoologique* (rapports entre l'homme et les primates), *anthropologie préhistorique biologique. — Anthropologie sociale, anthropologie culturelle :* branches de l'ethnologie (au sens large) qui étudie les institutions et les techniques dans les diverses sociétés. *Anthropologie psychologique, psychosociale.*

L'ethnologie (définie comme l'utilisation comparative des documents fournis par l'ethnographie) correspond approximativement à ce qu'on entend, dans les pays anglo-saxons (...) par anthropologie sociale et culturelle (l'anthropologie sociale se consacrant plutôt à l'étude des institutions considérées comme des systèmes de représentations, et l'anthropologie culturelle à celle des techniques, éventuellement aussi des institutions considérées, comme des techniques au service de la vie sociale).

Claude LÉVI-STRAUSS, Anthropologie structurale, p. 5.

*Anthropologie théorique; appliquée. Anthropologie générale, régionale, spéciale. Anthropologie préhistorique* (générale, culturelle, etc.). *Anthropologie religieuse. Enseignement de l'anthropologie. Cours, manuel d'anthropologie. Musée d'anthropologie. Le musée de l'Homme, à Paris, est consacré à l'anthropologie. — Rapports entre l'anthropologie et les sciences sociales voisines.* → **Archéologie, ethnologie, folklore, linguistique, sociologie.**

Alors que la sociologie s'efforce de faire la science sociale de l'observateur, l'anthropologie cherche, elle, à élaborer la science sociale de l'observé : soit qu'elle vise à atteindre, dans sa description de sociétés étranges et lointaines, le point de vue de l'indigène lui-même; soit qu'elle élargisse son objet jusqu'à y inclure la société de l'observateur, mais en tâchant alors de dégager un système de référence fondé sur l'expérience ethnographique et qui soit indépendant, à la fois, de l'observateur et de son objet.
On comprend ainsi pourquoi la sociologie peut être considérée (et toujours à bon droit), tantôt comme un *cas particulier* de l'anthropologie (ainsi qu'on a tendance à le faire aux États-Unis), et tantôt comme la discipline placée au sommet de la hiérarchie des sciences sociales : car elle constitue certainement aussi un *cas privilégié*.

Claude LÉVI-STRAUSS, Anthropologie structurale, p. 397.

DÉR. **Anthropologique, anthropologiste, anthropologue.**

**ANTHROPOLOGIQUE** [ɑ̃tʀɔpɔlɔʒik] adj. — 1803; fin XVII^e, en théologie; de *anthropologie*.

Didact. De l'anthropologie* (au sens II.).

(Au sens II., 1. de *anthropologie*). *Caractères anthropologiques d'un individu, d'une population. Mesures anthropologiques* (→ **Anthropométrie**).

(Au sens II., 2. de *anthropologie*). *La science anthropologique. Études anthropologiques.*

(...) telle université réunit l'anthropologie culturelle et la linguistique dans un même département, parce que les études linguistiques y ont pris fort tôt un caractère anthropologique, alors qu'une autre procédera à un groupement différent, mais pour des raisons du même ordre.

Claude LÉVI-STRAUSS, Anthropologie structurale, p. 379.

DÉR. **Anthropologiquement.**

**ANTHROPOLOGIQUEMENT** [ɑ̃tʀɔpɔlɔʒikmɑ̃] adv. — 1852; de *anthropologique*.

Didact. D'une manière anthropologique, par l'anthropologie.

De l'homme de Mauer, pour plus de simplicité, je ne dirai rien ici. Si ancienne et remarquable que soit sa mâchoire, nous ne le connaissons pas assez pour fixer sa vraie place, anthropologiquement.

TEILHARD DE CHARDIN, le Phénomène humain, p. 213, 1938-1940, *in* D. D. L.

**ANTHROPOLOGISTE** (vieilli) [ɑ̃tʀɔpɔlɔʒist] ou **ANTHROPOLOGUE** [ɑ̃tʀɔpɔlɔg] n. — 1808, *anthropologiste*, de *anthropologie*, et *-iste*; *anthropologue*, mil. XIX^e (Littré-Robin), du grec *anthropologos*, ou de *anthropologie*, et *-ogue*. → Psychologue.

Didact. Spécialiste d'anthropologie*. *Il, elle est anthropologue. Un, une anthropologue.*

♦ **1** (Au sens II., 1. de *anthropologie*). Spécialiste d'anthropologie physique.

Quelques anthropologistes disent que les opérations de certains sens sont plus près de l'état spirituel que celles des autres (...). 1

CABANIS, Rapports du physique et du moral de l'homme, 1808, t. I, p. 174, *in* T. L. F.

♦ **2** (Au sens II., 2. de *anthropologie*). Spécialiste d'anthropologie. — REM. Dans ce sens, seule la forme *anthropologue* est d'usage.

(...) la méthode propre de l'anthropologie se définit par cette «distanciation» qui caractérise le contact entre représentants de cultures très différentes. *L'anthropologue est l'astronome des sciences sociales :* il est chargé de découvrir un sens à des configurations très différentes, par leur ordre de grandeur et leur éloignement, de celles qui avoisinent immédiatement l'observateur. 2

Claude LÉVI-STRAUSS, Anthropologie structurale, p. 415.

**ANTHROPOMÉTRIE** [ɑ̃tʀɔpɔmetʀi] n. f. — 1750; de *anthropo-*, et *-métrie*.

♦ **1** Vx. Étude des proportions du corps humain. → **Anatomie** (artistique).

♦ **2** (1865). Technique de mensuration du corps humain et de ses diverses parties. → **Anthropologie,** I., 1.; **céphalométrie, craniométrie.** *Laboratoire d'anthropométrie. Anthropométrie judiciaire :* méthode d'identification* des individus par cette technique (→ **Bertillonnage**).

Par ext. Mensurations anthropométriques.

Puis on est nu dans une autre salle, l'anthropométrie commence; des gendarmes toujours, sous leur couperet bleu, et des marchands galonnés. On va être pesé à la balance de cette potence qu'on dit la toise. 1

A. JARRY, les Jours et les Nuits, Pl., t. I, p. 748-749 (1897).

Par métonymie. Service anthropométrique (de la police).

— À cette heure-ci, nous allons trouver foule à l'anthropométrie. On doit en avoir fini avec les femmes. C'est le tour des hommes... 2

G. SIMENON, les Mémoires de Maigret, p. 18.

DÉR. **Anthropométrique.**

**ANTHROPOMÉTRIQUE** [ɑ̃tʀɔpɔmetʀik] adj. — 1840; de *anthropométrie*.

Qui a rapport à l'anthropométrie (2.). *Classement, fiche, signalement anthropométrique. Service anthropométrique* (→ Bertillonnage, cit.).

Je montrai des bouts de papiers sales et déchirés à force de les avoir pliés et dépliés.
— Et le carnet?
— Quel carnet?
J'apprenais l'existence de l'humiliant carnet anthropométrique. On le délivre à tous les vagabonds. À chaque gendarmerie on le vise.

Jean GENET, Journal du voleur, p. 97.

**ANTHROPOMORPHE** [ɑ̃tʀɔpɔmɔʀf] adj. et n. m. — 1803, *in* Cottez ; de *anthropo-*, grec *anthrôpos*, et *-morphe* (→ Anthropomorphite) ; une variante hybride *anthropoforme** est attestée en 1762.

♦ **1** Didact. Qui a la forme, l'apparence d'un homme. *Singe anthropomorphe.* → **Orang-outan** (homme des bois). *Lettre anthropomorphe :* lettrine représentant une figure humaine. — *Des jouets, des figurines anthropomorphes et zoomorphes.*

♦ **2** N. m. pl. Vx. → **Anthropoïde**(s). — Au sing. *Un anthropomorphe.*

Ce singe, de haute taille, appartenait au premier ordre des quadrumanes, on ne pouvait s'y tromper. Que ce fût un chimpanzé, un orang, un gorille ou un gibbon, il prenait rang parmi ces anthropomorphes, ainsi nommés à cause de leur ressemblance avec les individus de race humaine.
J. VERNE, l'Île mystérieuse, t. I, p. 376 (1874).

**DÉR. Anthropomorphique, anthropomorphiser. — V. Anthropomorphisme, anthropomorphite.**

**ANTHROPOMORPHIQUE** [ɑ̃tʀɔpɔmɔʀfik] adj. — 1829 ; de *anthropomorphe.*

Qui a rapport à l'anthropomorphisme ; empreint d'anthropomorphisme (2.). *Une description anthropomorphique du monde animal.*

Le pourquoi est anthropomorphique. Le comment ne l'est pas. VALÉRY, Cahiers, t. I, Pl., p. 511.

**DÉR. Anthropomorphiquement.**

**ANTHROPOMORPHIQUEMENT** [ɑ̃tʀɔpɔmɔʀfikmɑ̃] adv. — 1840 ; de *anthropomorphique.*

D'une manière anthropomorphique.

Il ne s'agit pas, bien sûr, ici, de transporter anthropomorphiquement dans les sphères basses de la Vie, les méthodes et la réflexion qui sont les caractéristiques de la Noosphère.
TEILHARD DE CHARDIN, la Vision du passé, p. 102, *in* D. D. L., II, 3.

**ANTHROPOMORPHISER** [ɑ̃tʀɔpɔmɔʀfize] v. tr. — V. 1850 ; de *anthropomorphe.*

Didact. Donner à (qqch., un animal) la forme, l'apparence d'un homme. — Pron. (réfléchi) :

Envisagé de ce point de vue, l'Univers, sans rien perdre de son énormité, et donc sans s'anthropomorphiser prend décidément figure.
TEILHARD DE CHARDIN, le Phénomène humain, p. 288, *in* D. D. L., II, 3.

**ANTHROPOMORPHISME** [ɑ̃tʀɔpɔmɔʀfism] n. m. — 1749 ; de *anthropomorphite.*

♦ **1** Théol. Tendance à concevoir la divinité à l'image de l'homme. *L'anthropomorphisme des Grecs. Les anthropomorphismes de la Bible.* → **Anthropologie,** I., 2.

1 Le mot anthropomorphisme n'explique rien, car la nature des dieux antiques repose sur une ambiguïté fondamentale : ils sont humanisés et ne sont pas humains ; ils ne vivent ni dans le temps, ni dans l'éternité. Que la poésie et l'art ne leur aient pas donné la forme d'êtres fantastiques, n'implique pas que la Grèce en ait fait des mortels. Ils sont autres que les hommes, et d'abord par la nature de leur pouvoir ; sinon, ils ne seraient que des héros.
MALRAUX, la Métamorphose des dieux, p. 53.

♦ **2** Tendance à décrire un phénomène en termes humains, à se représenter une réalité comme analogue à la réalité humaine.

2 Prenez le tableau généalogique des langues, tel qu'il est décrit (...) en maints ouvrages : n'est-ce pas le produit du plus pur anthropomorphisme ? Que n'a-t-on pas écrit sur la différence des *langues mères* et des *langues filles ?*
Michel BRÉAL, Essai de sémantique, p. 4.

**DÉR. Anthropomorphiste.**

**ANTHROPOMORPHISTE** [ɑ̃tʀɔpɔmɔʀfist] n. — 1840 ; de *anthropomorphisme.*

Didact., rare. Partisan de l'anthropomorphisme. → aussi **Anthropomorphite.**

**ANTHROPOMORPHITE** [ɑ̃tʀɔpɔmɔʀfit] n. m. — 1541 ; lat. *anthropomorphita*, grec *anthrôpomorphitês*, de *anthrôpos* « homme » (→ Anthropo-), et *morphê* « forme » (→ -morphe).

Vx. Hérétique qui donnait à Dieu la forme humaine. → **Anthropomorphiste.**

Nous-mêmes, avec nos termes d'Esprit, de Trinité, de Personnes, sommes pour la plupart de vrais anthropomorphites. ROUSSEAU, Émile, IV.

**ANTHROPONYMIE** [ɑ̃tʀɔponimi] n. f. — 1919, *in* F. e. w. ; cf. portugais *antroponymia*, 1887 ; de *anthrop(o)-*, et *-onymie.*

Didact. (ling.). Partie de l'onomastique qui étudie les noms de personnes (ou *anthroponymes*).

**DÉR. Anthroponymique.**

**ANTHROPONYMIQUE** [ɑ̃tʀɔponimik] adj. — V. 1940 ; de *anthroponymie.*

Didact. De l'anthroponymie, des noms de personnes. *Dictionnaire anthroponymique.*

**ANTHROPOPHAGE** [ɑ̃tʀɔpɔfaʒ] adj. et n. — 1375, *antropofage ;* lat. *anthropophagus*, grec *anthrôpophagos*, de *anthrôpos* (→ Anthropo-, et -phage).

♦ **1** Qui mange de la chair humaine, en parlant des hommes. *Peuple, tribu anthropophage.*

N. *Un, une anthropophage.* → **Cannibale.** — *Les anthropophages des contes de fées.* → **Ogre.**

Il n'est que trop vrai qu'il y a eu des anthropophages ; nous en avons trouvé en Amérique ; il y en a peut-être encore, et les Cyclopes n'étaient pas les seuls dans l'antiquité qui se nourrissaient de chair humaine.
VOLTAIRE, Dict. philosophique, Anthropophages.

♦ **2** Fig., vieilli. Barbare, cruel. *« La critique homicide, anthropophage... »* (Goncourt, *in* T. L. F.).

En appellatif. *Espèce d'anthropophage !* (→ Cannibale). *« Cannibales ! anthropophages ! vampires ! »* (A. France, *in* T. L. F.).

**DÉR. Anthropophagie.**

**ANTHROPOPHAGIE** [ɑ̃tʀɔpɔfaʒi] n. f. — XVIe ; de *anthropophage.*

Pratique des anthropophages, fait de consommer de la chair humaine. → **Cannibalisme.** *Des scènes d'anthropophagie.*

Il faut des légumes frais aux missionnaires, car l'anthropophagie est contagieuse et l'on ne soupçonne que les sauvages. 1
ÉLUARD, l'Immaculée Conception (en collaboration avec André BRETON), « Essai de simulation de la démence précoce », Pl., t. I, p. 329.

Par extension :

Je pense à nos coutumes judiciaires et pénitentiaires. À les étudier du dehors, on serait tenté d'opposer deux types de sociétés : celles qui pratiquent l'*anthropophagie*, c'est-à-dire qui voient dans l'absorption de certains individus détenteurs de forces redoutables, le seul moyen de neutraliser celles-ci et même de les mettre à profit ; et celles qui, comme la nôtre, adoptent ce qu'on pourrait appeler l'*anthropoémie* (du grec *émein*, vomir) ; placées devant le même problème, elles ont choisi la solution inverse, consistant à expulser ces êtres redoutables hors du corps social en les tenant temporairement ou définitivement isolés, sans contact avec l'humanité, dans des établissements destinés à cet usage. À la plupart des sociétés que nous appelons primitives, cette coutume inspirerait une horreur profonde (...) 2
Claude LEVI-STRAUSS, Tristes Tropiques, p. 348.

**DÉR. Anthropophagique.**

**ANTHROPOPHAGIQUE** [ɑ̃tʀɔpɔfaʒik] adj. — 1918, Maurois; de *anthropophagie*.

Didact. Qui porte à l'anthropophagie. *Tendance, instinct anthropophagique.*

**ANTHROPOPHILE** [ɑ̃tʀɔpɔfil] adj. — V. 1960; de *anthropo-*, et *-phile*.

Didact. Se dit des organismes (végétaux ou animaux) qui vivent au contact de l'homme ou dans des lieux qu'il fréquente. *Les rats sont des animaux anthropophiles. Végétal anthropophile.* → aussi **Commensal.**

**ANTHROPOPITHÈQUE** [ɑ̃tʀɔpɔpitɛk] n. m. — 1882, G. de Mortillet; lat. sav. *anthropopithecus*, 1878 (→ cit., avec une graphie fautive), de *anthropo-*, et *-pithecus* (→ -pithèque), recréé par G. de Mortillet, du lat. mod. *anthropopithecus* «chimpanzé», terme dû à H. de Blainville, 1839.

Paléont. Primate fossile présenté comme intermédiaire entre le singe et l'homme.

Ce n'était pas encore l'homme, ou tout au moins c'était une autre espèce d'homme très-distincte des hommes actuels; les lois de la paléontologie le démontrent. Pourtant c'était un être bien plus intelligent que tous les singes de nos jours; on peut l'appeler *Anthropopythecus* (sic).

G. DE MORTILLET, *in* Association franç. pour l'avancement des sciences, Compte rendu de la 7e session, p. 284, 1878; *in* D. D. L., II, 15.

Par plais. Homme qui ressemble à cet être (→ **Anthropoïde, primate).** *On a vu arriver une espèce d'anthropopithèque hirsute et mal rasé...*

**ANTHROPOTECHNIE** [ɑ̃tʀɔpotɛkni] n. f. — V. 1930; de *anthropo-*, et *-technie*.

Didact. Techniques de développement de l'homme, de l'espèce humaine.

**ANTHROPOZOÏQUE** [ɑ̃tʀɔpozɔik] adj. — 1957; de *anthropo-*, et *-zoïque*.

Didact. Se dit de l'ère quaternaire, caractérisée par l'apparition de l'homme.

**ANTHUME** [ɑ̃tym] adj. — Fin XIXe, A. Allais; de *anté-*, d'après *posthume*.

Didact. Qui n'est pas posthume, qui a lieu avant la mort. *Une gloire anthume. Une réussite anthume.*

(...) une collation rituelle, une sorte de communion anthume partagée avant le sacrifice suprême avec quelques fidèles.

M. TOURNIER, le Roi des Aulnes, p. 201.

CONTR. **Posthume.**

**ANTHURIUM** [ɑ̃tyʀjɔm] n. m. — 1898; *anthure*, 1846, Bescherelle; lat. sc. *anthurium*, attesté 1839; du grec *anthos* «fleur», et *oura* «queue» (→ Antho-, et -oure) en raison de la ressemblance du spadice de cette plante avec la queue d'un animal.

Bot. Plante tropicale, genre de la famille des Aracées, remarquable par son ample feuillage et par son inflorescence à grande bractée* (→ **Spathe),** vivement colorée en rouge ou en rose foncé. *Il existe environ 600 espèces d'anthuriums.*

**ANTHYLLIS** [ɑ̃ti(l)lis] n. f. — 1556; lat. *anthyllis*, du grec *anthullis*.

Bot. Plante dicotylédone *(Légumineuses papilionacées)* dont une espèce, l'*anthyllis vulneraria (l'anthyllis vulnéraire,* ou *trèfle jaune),* est cultivée comme plante fourragère. *Anthyllis barba jovis* (ou *barbe de Jupiter*), décorative.

REM. La var. *anthylle* est vieillie. La forme *anthyllide* (1788, Linné) correspond peut-être à une autre plante.

1. **ANTI-** Élément, du grec *anti-* «contre», exprimant l'opposition ou la protection contre. Ce préfixe, très productif, a plusieurs valeurs.

♦ **1** Avec des mots désignant des opinions, des systèmes de pensée, des attitudes et les personnes qui les manifestent (souvent caractérisés par les suffixes *-isme, -iste*), *anti-* signifie «hostilité (ou hostile) à»; «action (ou qui agit) contre». → **Anticatholique, anticapitaliste** (-isme), **anticommuniste** (-isme), **anticolonialisme** (-iste), **anticonformiste, antidémocratique, antifascisme** (-iste), **antigaullisme** (-iste), **antihumaniste, anti-intellectuel, anti-impérialiste, antijudaïsme, antimarxisme** (-iste), **antinazi, antiparlementaire** (-arisme), **antipatriotisme, antiracisme** (-iste), **antisionisme** (-iste), **antistalinien.** On forme dans la langue politique, le journalisme, la langue didactique, de très nombreux composés de ce genre. Exemples :

Il a parcouru cette trajectoire du «communisme anti- 1
autoritaire» qui donne au marxisme son contrepoids, son contrepoint. Gustave Lefrançais poussait l'anti-autoritarisme jusqu'à refuser l'organisation anarchiste elle-même.

D. DESANTI, Un socialiste français du dix-neuvième siècle, *in* le Monde, 12 avr. 1973.

Par ce terme «d'anti-chauvins», n'allez surtout pas croire 2
que je veuille désigner quoi que ce soit de propice à diminuer, dans nos cœurs de patriotes, l'amour de la France et le respect de l'armée.

Alphonse ALLAIS, Contes et chroniques, p. 235.

REM. Le composé *anti-chauvinisme* est plus courant.

(...) son mari, qui avait eu le tort de se faire peindre en 3
capitaine de la Garde nationale de Montélimar, ce qui semblait indiquer au moins un penchant aux idées autoritaires et anti-égalitaires.

A. ROBIDA, le Vingtième Siècle, p. 128.

Nous venons d'écouter brièvement, mais suffisamment, 4
l'objection anti-évolutionniste basée sur la fixité apparente des formes vivantes actuelles.

TEILHARD DE CHARDIN, la Vision du passé, p. 175.

Le nom de famille et même le nom de baptême sont des 5
symboles de particularisme antiprogressiste.

Jacques PERRET, Bâtons dans les roues, p. 108.

*(La philosophie de Comte provoqua)* une réaction métaphy- 6
sique et fut la cause involontaire mais efficace d'un réveil de la métaphysique spiritualiste et antirationaliste, d'une revanche de la connaissance religieuse sur la connaissance scientifique.

Roger DAVAL, Hist. des idées en France, p. 87.

De quels échecs de snobisme étaient faits l'apparente hau- 7
teur, l'anti-snobisme universellement admis de la princesse Sherbatoff (...)

PROUST, Sodome et Gomorrhe, Pl., t. II, p. 1046.

REM. Le préfixe *anti-* se combine tout naturellement avec des termes à valeur péjorative, comme on le voit par les exemples où la péjoration est exprimée par le suffixe *-ard*. → **Antidreyfusard.**

C'étaient les sueurs horribles d'un brave homme de 7.1
radical, antibondieusard, anticlérical, bon ouvrier de la laïcité (...)

M. AYMÉ, la Vouivre, p. 81.

Avec des mots désignant un groupe humain (caractérisé en général par les suffixes ethniques : *-ais, -ien,* etc.), *anti-* marque l'hostilité, la haine (opposé à *pro-*). → **Antiallemand, anti-bourgeois.** Il s'emploie aussi devant des adjectifs et des noms désignant une classe sociale, une catégorie de personnes. «*(...) une politique anti-anglo-saxonne*» (*le Nouvel Obs.*, 29 sept. 1975).

♦ **2** Avec des adjectifs ou même des noms désignant des phénomènes, des processus ou des objets, *anti-* donne des adjectifs signifiant «qui s'oppose à..., lutte contre les effets de..., est destiné à détruire (qqch.)». Ces mots didactiques sont très nombreux en médecine, science, technologie.

→ **Antiatomique, antibactérien, antibrouillage, antibrouillard, anticancéreux, anticellulite, antichar, antichoc, antidrogue, antirouille.** — On peut signaler aussi *«produits anti-corrosion»* (*Bateaux*, n° 100, p. 6), *antifatigue* (*«médicaments antifatigue»*, publicités), *«une enceinte antirésonnante»* (*Revue du Son*, n° 160, p. 355), *«le dispositif antisurcharge»* (*Revue du Son*, n° 160, p. 358). — REM. Les formations normales *anti-* + adjectif sont concurrencées en français contemporain par des adjectifs formés d'un nom précédé par *anti-* (*antichar, antichoc...*). Ces adjectifs sont en principe invariables : *des produits antirouille.*

8 Hubert Peyralout émergea du sous-sol, surchargé de soufflets à poudre antidoryphorique.
René FALLET, le Triporteur, p. 14.

9 Nouveau système de coffre-forts, troncs et coffrets (incrochetable et anti-explosif par la dynamite)...
A. SCHOLL, *in* J.-C. CARRIÈRE, Humour 1900, p. 161, (*in* D. D. L., II, 14).

10 (...) un polythène (...) peut s'oxyder, et (...) on peut empêcher cette oxydation par l'incorporation (...) d'antioxygènes efficaces. Jean VÈNE, les Plastiques, p. 107.

♦ **3** Avec des mots scientifiques, *anti-* signifie parfois «qui possède les caractères opposés, inverses». → **Antimatière, antiparticule, antiproton.**

11 On distingue parmi les «dunes» : les «dunes» proprement dites dont la crête progresse lentement vers l'aval, et les «antidunes» dont la crête progresse lentement vers l'amont. Jean LARRAS, l'Hydraulique, p. 94.

Dans des créations d'auteurs sur le modèle des composés scientifiques :

11.1 Si vous n'êtes pythagoricien d'un moment, éclairant à la fois le haut et le bas et pour ainsi parler l'anti-terre et l'autre côté de la lune, vous n'êtes rien pour vous-même.
ALAIN, les Idées et les Âges, *in* les Passions et la Sagesse, Pl., p. 30.

12 Ce Moi ou Même ne peut donc ressembler à rien ; il est l'*anticosme*, l'*antinorme* de tout, ou plutôt de quoi que ce soit. VALÉRY, Cahiers, t. II, Pl., p. 323.

♦ **4** Avec des mots abstraits (adjectifs et noms), *anti-* signifie parfois «qui est exactement l'inverse de (dans la même catégorie de choses)». → **Antiévangélique, antihéros.** REM. Ce genre d'emploi est souvent ambigu, à cause de la possibilité du sens 1. («qui agit contre») ; *anti-* est ici un équivalent renforcé de *non-*.

13 Il y a déjà longtemps que Duchamp a inventé les «ready made» : je ne trouve aucune originalité à ceux qui pullulent aujourd'hui. À quelques exceptions près, l'anti-art m'intéresse peu.
S. DE BEAUVOIR, Tout compte fait, p. 230.

14 Le court métrage est donc, d'une certaine manière, utile au cinéma. Mais comme les anticorps à la médecine. Car si c'est toujours du cinéma, c'est d'abord parce que c'est de l'*anticinéma*.
J.-L. GODARD, Jean-Luc Godard, *in* Coll. des cahiers du cinéma, p. 185.

15 Même une anticulture porte l'empreinte de son époque : nier la culture existante, en prendre le contre-pied, c'est encore se définir par rapport à elle.
Roger GARAUDY, Parole d'homme, p. 40.

16 Bien compris, l'«anti-hasard» néo-lamarckien n'est pas la simple négation, mais au contraire il se présente comme l'utilisation du hasard darwinien.
TEILHARD DE CHARDIN, le Phénomène humain, p. 163.

17 (...) ce mendiant trop exaucé de la plus antilittéraire popularité. Léon BLOY, le Désespéré, p. 94.

18 Vous me parlez en Français bien élevé. Et le Français, après le Chinois, n'est-il pas l'animal le plus antimétaphysique ?
SAINT-JOHN PERSE, André Gide, Œ. compl., Pl., p. 478.

19 (...) des vertus si anciennes, si bien dissimulées, si orgueilleuses, si pudiques, si anti-modernes, qu'un étranger, par sa seule présence, les met en fuite.
Paul MORAND, Champions du monde, *in* DUPRÉ.

L'abstraction, la préciosité, la soufflure, l'antiréalisme (pour ne point dire : le factice) ne sauraient être poussés plus loin.
GIDE, Voyage au Congo, *in* Souvenirs, Pl., p. 820.

(...) comprenant ce que son attitude avait d'antiréglementaire il (*Bézuquet*) changea de ton (...)
Alphonse DAUDET, Tartarin sur les Alpes, 1885, *in* T. L. F.

Vous avez tous un timbre particulier de voix, ou un ton, un style qui émane de l'ensemble de votre personnalité et d'après lequel on vous reconnaît (...) *Anti-robots*, piliers sonores du temple de l'humanisme.
Paul GUTH, Lettre ouverte aux idoles, p. 107.

Cette antistar est l'un des plus grands chefs (*d'orchestre*) de ce temps : Karl Böhm. L'Express, 9 oct. 1972.

Tous les poncifs de l'antithéâtre sont passés à la moulinette : happenings, improvisations collectives, discours sur l'absurdité du langage (...) L'Express, 4 déc. 1972.

REM. Le principe général est d'écrire le composé sans trait d'union lorsque le second élément commence par une consonne. Cependant, la plupart des composés en *anti* + voyelle étant bien intégrés, ils s'écrivent aussi sans trait d'union (*antiaérien*, etc.) ; la seule exception étant la lettre *i* (*anti-intellectuel*). Les composés adjectifs formés sur une base substantive, en revanche, ont tendance à s'écrire aussi avec le trait d'union. On notera les flottements de l'usage courant dans les exemples cités ci-dessus, qui respectent les graphies originelles.

CONTR. **Pro-.**

2. **ANTI-** Élément, du lat. *anti-*, en composition pour *ante* «avant». → Anté-. EX. : *antidate, antichambre.*

**ANTIADHÉSIF, IVE** [ɑ̃tiadezif, iv] adj. et n. m. — Av. 1975 (adj.) ; de 1. *anti-*, et *adhésif.*

Techn. Qui empêche l'adhérence. *Revêtements antiadhésifs d'ustensiles de cuisine destinés à la cuisson.* → **Téflon.**

N. m. Substance antiadhésive. *Une couche d'antiadhésif.*

**ANTIAÉRIEN, IENNE** [ɑ̃tiaeʀjɛ̃, jɛn] adj. — 1910-1917, *Mémoires*, de Joffre ; de 1. *anti-*, et *aérien.*

Milit. *Artillerie, défense antiaérienne* (→ D. C. A. : défense contre avions). *Canons, projectiles antiaériens.*

(...) une batterie de D. C. A. comprenant quatre mitrailleuses lourdes jumelées, quatre pièces légères de 2 centimètres à tir rapide — deux cents à trois cents coups à la minute —, une pièce de 3,7, et surtout trois canons de 10,5 pour le tir à longue portée. On leur livra en outre un détecteur d'écoute (Horchgerät), mais il faudrait attendre encore pour toucher la batterie de projecteurs qui compléterait cette panoplie antiaérienne.
M. TOURNIER, le Roi des Aulnes, p. 308.

**ANTI-ÂGE** [ɑ̃tiaʒ] adj. invar. — V. 1985 ; de 1. *anti-*, et *âge.*

Comm. Destiné à lutter contre le vieillissement de la peau. *Crème anti-âge pour le visage.* → **Antirides.** *Des soins anti-âge.*

**ANTIALCOOLIQUE** [ɑ̃tialkɔlik] adj. — 1890 ; de 1. *anti-*, et *alcoolique.*

Qui combat l'alcoolisme. *Mesures antialcooliques. Ligue antialcoolique* (→ Les Alcooliques anonymes*).

N. *Un, une antialcoolique :* une personne qui fait campagne, qui lutte contre l'alcoolisme ou qui, par conviction, s'abstient d'alcool.

**ANTIALCOOLISME** [ɑ̃tialkɔlism] n. m. — 1898, *in* D. D. L. ; de 1. *anti-*, et *alcoolisme.*

Lutte contre l'alcoolisme.

**ANTIALIÉNISTE** [ɑ̃tialjenist] adj. → **Aliéniste.**

**ANTIALLEMAND, ANDE** [ɑ̃tialmɑ̃, ɑ̃d] adj. — Attesté 1920; de 1. *anti-*, et *allemand*.

Qui est opposé aux Allemands, lutte contre les Allemands. → aussi **Germanophobe.**

1 (...) cet enfant qui parcourait Paris avec des valises pleines de tracts antiallemands et d'armes, n'avait pas le temps de sourire. Jean GENET, Pompes funèbres, p. 17.

2 Il connaissait à Normale des agrégatifs de philosophie vivement antiallemands, entre autres Cuzin et Desanti qui s'intéressaient à la fois à la phénoménologie et au marxisme. S. DE BEAUVOIR, la Force de l'âge, p. 495.

On écrit aussi *anti-allemand.*

**ANTIALLERGIQUE** [ɑ̃tialɛʀʒik] adj. et n. → **Anallergique.**

**ANTIAMARIL, ILE** [ɑ̃tiamaʀil] adj. — Mil. XXe; de 1. *anti-*, et *amaril*.

Méd. Propre à combattre la fièvre jaune. *Vaccination antiamarile.*

**ANTIAMÉRICAIN, AINE** [ɑ̃tiameʀikɛ̃, ɛn] adj. — 1776; de 1. *anti-*, et *américain*.

Qui est hostile aux États-Unis d'Amérique. *Attitude anti-américaine. Propos antiaméricains* (→ **Antiaméricanisme).**

La propagande antiaméricaine est minutieuse et illimitée *(en Chine).* L'imagerie qui couvre les murs des villes est orientée par elle, même lorsque le loyal milicien et l'héroïque milicienne, qui viennent du cinéma américain plus encore que du réalisme-socialiste, sont figurés sans ennemis. Dans les plus petites communes populaires — maisons basses, poules qui courent sur le sol bien balayé et faucheurs au loin dans les champs — on voit, dessinés aux craies de couleur sur une grande ardoise, à l'usage des analphabètes, l'intrépide petit pionnier qui perce de sa lance le gros tigre en papier. MALRAUX, Antimémoires, Folio, p. 516.

N. *Un antiaméricain, une antiaméricaine* : une personne hostile aux États-Unis (gouvernement, politique, etc.).

**ANTIAMÉRICANISME** [ɑ̃tiameʀikanism] n. m. — 1948, *in* D. D. L.; de 1. *anti-*, et *américanisme*.

Attitude hostile à l'égard des États-Unis.

**ANTIAMIBIEN, IENNE** [ɑ̃tiamibjɛ̃, jɛn] adj. — Av. 1975; de 1. *anti-*, et *amibien*.

Méd. Propre à combattre l'amibiase. *Thérapeutique antiamibienne par l'émétine, la quinoléine.*

**ANTIANDROGÈNE** ou **ANTI-ANDROGÈNE** [ɑ̃tiɑ̃dʀɔʒɛn] adj. et n. m. — D. i. (v. 1970-1980); de 1. *anti-*, et *androgène*.

Didact. (méd., physiol.). Qui empêche l'action d'une hormone mâle sur ses récepteurs. *L'idée «d'additionner les effets de substances anti-androgènes (...) et de substances anti-œstrogènes»* (*le Monde,* 11 août 1982, p. 20).

N. m. Antihormone contrariant l'action d'une hormone mâle.

DÉR. **Antiandrogénique.**

**ANTIANDROGÉNIQUE** [ɑ̃tiɑ̃dʀɔʒenik] adj. — Av. 1982; de *antiandrogène*.

Didact. (méd., physiol.). Relatif aux antiandrogènes.

**ANTIANÉMIQUE** [ɑ̃tianemik] adj. — XXe; de 1. *anti-*, et *anémique*.

Méd. Qui combat l'anémie, s'oppose à l'anémie. *Facteur* antianémique.*

**ANTIAR** [ɑ̃tjaʀ] n. m. — 1823; abrév. du lat. sc. *antiaris toxicaria*, du malais *antjar, antchar*.

Bot. Plante dicotylédone *(Ulmacées),* arbre lactescent de l'Inde, dont le latex (*upas antiar,* → **Upas**) contient un poison (l'antiarine), avec lequel certaines populations de Malaisie empoisonnaient naguère leurs flèches.

**ANTIARISTOCRATIQUE** [ɑ̃tiaʀistɔkʀatik] adj. — 1823, Stendhal; de 1. *anti-*, et *aristocratique*.

Littér. Qui s'oppose à l'aristocratie.

**ANTIARTHRITIQUE** [ɑ̃tiaʀtʀitik] adj. — 1752; de 1. *anti-*, et *arthritique*.

Méd. Qui combat l'arthrite. → **Antigoutteux.**

**ANTIATOME** [ɑ̃tiatom] n. m. — Mil. XXe; de 1. *anti-*, et *atome*.

Phys. Antiparticule de l'atome.

**ANTIATOMIQUE** [ɑ̃tiatɔmik] adj. — 1945; de 1. *anti-*, et *atomique*.

♦ **1** (Qualifiant des choses). Qui s'oppose aux effets nocifs des radiations atomiques (spécialement en cas de bombardement atomique). *Abri antiatomique.*

♦ **2** (Qualifiant des personnes ou leurs idées, leurs actions). Qui s'oppose à la bombe atomique (→ Antinucléaire).

Dix jours plus tard, le 21 novembre, mon article antiatomique paraissait sous le titre, la Superbombe. F. MAURIAC, Bloc-notes 1952-1957, p. 15.

**ANTIBACTÉRIEN, ENNE** [ɑ̃tibakteʀjɛ̃, ɛn] adj. — 1889; de 1. *anti-*, et *bactérien*.

Biol. Qui combat les bactéries. *Pouvoir antibactérien de l'alexine* (cit.). → **Antimicrobien.**

**ANTIBALANÇANT** [ɑ̃tibalɑ̃sɑ̃] n. m. — XXe; de 1. *anti-*, et *balancer*.

Techn. Dispositif assurant le maintien en position d'une caténaire.

**ANTIBÉLIER** [ɑ̃tibelje] n. m. — XXe; de 1. *anti-*, et *(coup de) bélier*.

Techn. Dispositif destiné à atténuer les coups de bélier* dans une canalisation d'eau.

**ANTIBIOGRAMME** [ɑ̃tibjɔgʀam] n. m. — 1960, Larousse; de *antibio(tique)*, et *gramme*.

Méd., biol. Méthode permettant de déterminer l'action d'un antibiotique sur une souche microbienne.

**ANTIBIOMANIE** [ɑ̃tibjɔmani] n. f. — 1973; composé aberrant de *antibio(tique)*, et *-manie*.

Méd. Habitude consistant à prendre des antibiotiques à toute occasion.

**ANTIBIOSE** [ɑ̃tibjoz] ou **ANTIBIOSIS** [ɑ̃tibjozis] n. f. — 1889, *antibiose; antibiosis,* 1890, Vuillemin; de 1. *anti-*, et d'après *symbiose*, ou *symbiosis*, du grec *bios* «vie».

Biol. Destruction d'un être vivant par un autre être vivant qui assure par là son existence. *Antibiose des micro-organismes.* → **Antibiotique.**

Relation entre deux espèces, dont l'une détruit l'autre (opposé à *symbiose*). *La relation entre le prédateur et sa proie est une relation d'antibiose.*

**ANTIBIOTHÉRAPIE** [ɑ̃tibjoteʀapi] n. f. — Mil. XX$^e$ (*in* Garnier et Delamare, 1959); de *antibio(tique)*, et *-thérapie*.

Méd., biol. Thérapeutique par les antibiotiques (au sens large : antibiotiques, sulfamides... → aussi **Sulfamidothérapie**). *«On prétend que toute maladie infectieuse nécessite une antibiothérapie "de couverture" mais c'est là une criminelle contre-vérité»* (*le Nouvel Obs.*, n° 690, 30 janv. 1978).

(...) la *vaccinothérapie* qu'il *(Pasteur)* réalisa (...) ainsi que l'*antibiothérapie* dont il eut la vision (...)
V. VIC-DUPONT, la Maladie infectieuse, p. 16.

**ANTIBIOTIQUE** [ɑ̃tibjɔtik] adj. et n. m. — 1878 (cit. 1); de 1. *anti-*, et grec *biôtikos* «qui concerne la vie», avec infl. de l'angl. *antibiotic* «opposé à la croyance en la présence ou la possibilité de la vie» (→ Antibiose), Vuillemin, 1889. REM. Valéry emploie dans les *Cahiers* (Pl., t. II, p. 355) la forme *antibioïque*.

♦ **1** Adj. Vx. Qui s'oppose à la vie, qui supprime la vie (en parlant de substances ou d'organismes. → **Antibiose**). *Substances bactéricides ou antibiotiques.*

1 Nous avons le regret de ne pouvoir suivre l'auteur *(le Dr Hallopeau)* dans le chapitre où est étudié le mercurialisme chronique (...) non plus que dans l'étude du mode d'action du mercure qu'il considère comme antibiotique, c'est-à-dire antiplastique, dénutritive et destructive, et s'exerçant aussi bien sur les organismes vivants et achevés que sur les formations cellulaires qui s'accomplissent dans l'intimité de l'organisme sain ou malade.
Journal de médecine et de chirurgie pratiques, XLIX, p. 381, 1878, *in* D. D. L.

♦ **2** Adj. (Spécialisation de sens; 1941-1942, angl. *antibiotic*, Waksman, après les travaux de Fleming 1928, Dubos 1939, Florey, etc., qui ne semblent pas employer le mot). Mod. (D'une substance). Qui est produit par des micro-organismes (surtout des champignons inférieurs), et qui est capable de détruire ou d'empêcher la croissance d'autres micro-organismes. *Substance, produit antibiotique.*

Par ext. (Reprise spécialisée du sens 1.). *Propriétés antibiotiques. Pouvoir antibiotique.* → **Antimicrobien, bactériostatique.**

2 Depuis le dépôt de ce manuscrit, la *mycothérapie* connaît une faveur exceptionnelle (...) Même certaines plantes supérieures (...) ont des propriétés *antibiotiques*.
Hervé HARANT, Médicaments et Médications, p. 121.

♦ **3** N. m. (V. 1945-1950; angl. *antibiotics*, 1944, répandu en 1949, avec l'ouvrage collectif de Florey *et al.*). Cour. Substance chimique capable d'empêcher le développement des micro-organismes, quelle que soit son origine (*antibiotiques de synthèse*, sulfamides*). → **Bactéricide; antifongique.** *Prendre des antibiotiques. Être sous antibiotiques.*

3 Notre civilisation nous convient, nous contente moins que l'hellénisme ne convenait aux Grecs, mais elle s'imprime profondément dans notre chair, farcie de vitamines et d'antibiotiques, toute frémissante des vibrations que nos moteurs lui communiquent.
Emmanuel BERL, le Virage, p. 30-31.

4 Il est sous antibiotique, murmure-t-il, je vais demander à l'infirmière.
Max GALLO, la Baie des anges, III, p. 287.

*Utilisation des antibiotiques en médecine* (→ **Antibiothérapie**), *en agriculture. Évaluation de l'efficacité d'un antibiotique.* → **Antibiogramme.** *Effets neurotoxiques de certains antibiotiques. Spectre d'un antibiotique,* l'ensemble des micro-organismes qu'il combat, selon sa nature. *Principaux antibiotiques :* actinomycine, amphotéricine, carbomycine, chloramphénicol, leucomycine, néomycine, pénicilline, polymyxine, rifamycine, staphylomycine, streptomycine, tétracycline, tyrothricine (→ suff. **-mycine**).

COMP. **Antibiogramme, antibiomanie, antibiothérapie.**

**ANTIBLOCAGE** [ɑ̃tiblɔkaʒ] adj. invar. et n. m. — 1980; de 1. *anti-*, et *blocage*.

Autom. Qui contrôle le freinage d'un véhicule en évitant le blocage des roues. *Système antiblocage de sécurité.* → **A. B. S.** — N. m. *«(...) antiblocage des roues au freinage»* (*le Monde*, 29 nov. 1999, p. 24).

**ANTIBOIS** [ɑ̃tibwa; ɑ̃tibwɑ] n. m. — 1842; altér. d'après *antébois*, de *atibois*, 1541; var. *artebois*, 1582; orig. inconnue.

Techn. → **Antébois.**

**ANTIBOLCHEVIQUE** [ɑ̃tibɔlʃevik] adj. — 1943, *in* D. D. L.; *antibolchevik*, 1918, *Larousse mensuel*, avr.; de 1. *anti-*, et *bolchevique*.

Vieilli ou hist. Qui s'oppose au bolchevisme, combat la Russie bolchevique. → Antisoviétique. *L'Allemagne nazie voulait faire de la guerre contre l'U. R. S. S. une croisade antibolchevique.*

(...) il avait commandé jadis un des corps de volontaires qui participaient à la lutte antibolchevique en Courlande.
M. YOURCENAR, le Coup de grâce, p. 136.

**ANTIBOTULINIQUE** [ɑ̃tibɔtylinik] adj. — 1952, *Larousse médical*; de 1. *anti-*, et *botulinique*.

Didact. Qui combat le botulisme. *Sérum antibotulinique.*

**ANTIBOURGEOIS, OISE** [ɑ̃tibuʀʒwa, waz] adj. — 1869; de 1. *anti-*, et *bourgeois*.

Qui s'oppose à la bourgeoisie, aux modes de vie et de pensée bourgeois. — REM. On écrit aussi *anti-bourgeois*.

Je ne suis pas démagogue, je suis révolutionnaire, socialiste, anti-bourgeois, anti-parlementaire surtout et anti-poète, je suis peuple en un mot. 1
É. GAUTIER, Lettre à Vallès, 21 juil. 1879, *in* D. D. L., II, 5.

Ses dédains d'aristocrate en exil s'accordaient avec notre anarchisme antibourgeois. 2
S. DE BEAUVOIR, la Force de l'âge, p. 262.

**ANTIBROUILLAGE** [ɑ̃tibʀujaʒ] adj. et n. m. — Mil. XX$^e$; de 1. *anti-*, et *brouillage*.

Techn. (radio). Se dit des dispositifs et procédés (contre-mesures) tendant à empêcher ou à atténuer le brouillage des émissions.

**ANTIBROUILLARD** [ɑ̃tibʀujaʀ] adj. invar. et n. m. — 1949, *anti-brouillard*, *in* D. D. L.; de 1. *anti-*, et *brouillard*.

*Phares antibrouillard*, qui éclairent par temps de brouillard, qui percent le brouillard. *Des lampes antibrouillard à halogène.* — N. m. *Des antibrouillards.*

Là, l'humidité était si dense que l'antibrouillard la trouait à peine, la caressait plutôt.
René MASSON, Drugstore, p. 252.

**ANTIBROUILLÉ, ÉE** [ɑ̃tibʀuje] adj. — Mil. XX$^e$; de 1. *anti-*, et *brouillé*.

Radio. Se dit d'un dispositif protégé contre une certaine forme de brouillage. *Récepteur de radar antibrouillé.* → **Antiparasite.**

**ANTIBRUIT** [ɑ̃tibʀɥi] adj. invar. — 1952, *in* D. D. L. ; de 1. *anti-*, et *bruit*.

Techn. Se dit d'un dispositif destiné à faire écran au bruit. *Dispositif, mur antibruit le long d'une autoroute. Casque antibruit. Fenêtre, doubles rideaux antibruit.*

Qui contribue à la lutte contre le bruit. *Ligue antibruit.*

**ANTI-BUÉE** [ɑ̃tibɥe] adj. invar. — Mil. XX^e ; de 1. *anti-*, et *buée*.

Qui protège contre la buée. *Dispositif, système anti-buée d'une auto.* — REM. Seule cette graphie est attestée.

Il avait refermé ses vitres. le système anti-buée nettoyait le pare-brise que la pluie (...) n'obscurcissait plus aussi totalement.
Gabriel BARRAULT, la Foire aux crabes, p. 315.

**ANTICALCAIRE** [ɑ̃tikalkɛʀ] adj. invar. — 1972 ; de 1. *anti-*, et *calcaire*.

Qui empêche les dépôts de calcaire dans une machine, une canalisation, sur le linge. *Produit anticalcaire. Mettre des pastilles anticalcaire dans le tambour d'un lave-linge.*

**ANTICALAMINANT, ANTE** [ɑ̃tikalaminɑ̃, ɑ̃t] adj. et n. m. — Mil. XX^e ; de 1. *anti-*, *calamine*, et *-ant*.

Techn. Se dit des substances qui s'opposent à la formation de calamine dans un moteur. — N. m. *Des anticalaminants.*

**ANTICANCÉREUX, EUSE** [ɑ̃tikɑ̃seʀø, øz] adj. — 1777 ; de 1. *anti-*, et *-cancéreux*.

Qui combat le cancer. *Centres anticancéreux :* centres médicaux spécialisés dans la lutte contre le cancer.

CONTR. **Cancérigène.**

**ANTICAPITALISTE** [ɑ̃tikapitalist] adj. — 1931, cit. ; de 1. *anti-*, et *capitaliste*.

Qui s'oppose au capitalisme.

1 Des *mots* font fortune. Hier, d'Allemagne on m'écrit une lettre sur ce thème : *Architecture anticapitaliste.* C'est fou. Quel pataugeage !
LE CORBUSIER, *in* Plans, n° 9, nov. 1931, p. 51.

2 Qu'un parti politique anticapitaliste les désapprouve, peu m'importe ici (...)
GIDE, le Retour du Tchad, Appendice, IV, *in* Souvenirs, Pl., p. 1033.

3 (...) le gaullisme peut être un régime anticapitaliste si des hommes de gauche en prennent les commandes.
S. DE BEAUVOIR, les Mandarins, p. 459.

4 Le Mouvement de Libération Nationale m'avait appelé à son comité directeur. En janvier 1945, j'assistai donc à son Congrès. Les chefs des organisations, les principaux combattants, étaient anticapitalistes par indifférence à l'argent, haine de Vichy, et dédain du personnel de la III^e République.
MALRAUX, Antimémoires, Folio, p. 117.

CONTR. **Capitaliste. — Procapitaliste.**

**ANTICASSEUR(S)** [ɑ̃tikasœʀ] adj. invar. — 1970 ; de 1. *anti-*, et *casseur*.

*Loi anticasseur* ou *anticasseurs :* loi visant à réprimer les délits commis à l'occasion de manifestations considérées comme portant atteinte à l'ordre public et à l'intégrité des biens (loi du 8 juin 1970, abrogée en 1981).

**ANTICATHODE** [ɑ̃tikatɔd] n. f. — 1904, in *Rev. gén. des sc.*, n° 3, p. 226 ; de 1. *anti-*, et *cathode*.

Sc., techn. Plaque qui reçoit les électrons émis par la cathode et émet des rayons X (elle peut être confondue avec l'anode*).

Les tubes à rayons X les plus simples, du type «focus», encore très répandus à l'heure actuelle, sont des ampoules de CROOKES dans lesquelles le faisceau de rayons cathodiques est concentré sur un petit bouclier, ou «anticathode», en platine AC (...), disposé en face de la cathode C, là où le faisceau cathodique est le plus étroit.
A. BOUTARIC, la Vie des atomes, p. 123 (1923).

**ANTICATHOLIQUE** [ɑ̃tikatɔlik] adj. et n. — 1827 ; de 1. *anti-*, et *catholique*.

Opposé au catholicisme. → **Antichrétien.**

**ANTICELLULITE** [ɑ̃tiselylit] adj. invar. — Mil. XX^e ; de 1. *anti-*, et *cellulite*.

Comm. Destiné à combattre la cellulite. *Crème anti-cellulite. Des traitements anticellulite.*

Mes soixante-cinq kilos que j'aurais voulu réduire à soixante, à coups de rouleau *anticellulite.*
P. GUTH, le Mariage du naïf, X, p. 88.

**ANTICHAMBRE** [ɑ̃tiʃɑ̃bʀ] n. f. — 1529 ; de 2. *anti-* (→ Anté-), et *chambre*, d'après l'ital. *anticamera* «chambre de devant» (XIV^e).

♦ **1** Pièce d'attente placée à l'entrée d'un grand appartement, d'un salon de réception, d'un bureau administratif. → **Chambre, hall, salle** (d'attente), **vestibule.** *Une grande, une vaste, une petite antichambre.*

(...) je vous apprendrai à laisser M. Dimanche dans une 1
antichambre (...) MOLIÈRE, Dom Juan, IV, 3.

N. (...) avec un vestibule et une antichambre, pour peu 2
qu'il y fasse languir quelqu'un.
LA BRUYÈRE, les Caractères, VI, 11.

Entrez, toutes les portes vous sont ouvertes ; mon anti- 3
chambre n'est pas faite pour s'y ennuyer en m'attendant ; passez jusqu'à moi sans me faire avertir.
LA BRUYÈRE, les Caractères, VI, 12.

L'huissier le fit attendre dans l'antichambre. 4
Valery LARBAUD, Fermina Marquez, XVII.

L'escalier, en effet, n'est pas gênant. Après deux paliers 4.1
coudés il débouche devant le bureau du concierge, dans une antichambre assez longue et peu large, qui ne mérite assurément pas le nom de hall que les serviteurs sont instruits à lui donner.
A. PIEYRE DE MANDIARGUES, la Marge, p. 15.

♦ **2** Par métaphore ou fig. Situation provisoire qui en précède une autre plus importante. *L'antichambre du pouvoir, de la réussite.*

On n'avait pas le choix. Ou l'ascèse, ou la dégénérescence 4.2
accélérée, le vieillissement prématuré, l'antichambre de la mort. Jean-Louis CURTIS, le Roseau pensant, p. 166.

♦ **3** Loc. FAIRE ANTICHAMBRE : attendre dans une antichambre le moment d'être introduit ; fig., attendre longtemps. *Faire faire antichambre à qqn.*

(...) le banquier, qui possédait une des plus grosses for- 4.3
tunes de l'Europe, faisait ainsi antichambre chez Clorinde, depuis quelque temps, jusqu'à deux et trois fois par semaine.
ZOLA, Son Excellence Eugène Rougon, t. II, p. 151.

Quoi qu'il en soit au sujet du Père Baffie, je m'ôte un grand 4.4
regret, si je quitte Rome sans l'avoir vu. Je ne regrette pas trop non plus de n'avoir pas le nom ou les noms des personnages auxquels notre parent a certainement bon vouloir de me recommander, par l'entremise de Mgr Guilibert, l'évêque de Fréjus. Car ne sachant pas encore si ces personnes sont prévenues, je ne saurais penser à aller faire inutilement antichambre !
Germain NOUVEAU, Correspondance, G. Nouveau à L. Silvy (1908), *in* Œ., Pl., p. 943.

*Courir les antichambres :* solliciter tantôt chez l'un, tantôt chez l'autre. *Pilier d'antichambre.* → **Solliciteur.**

Qu'est-ce qu'un gentilhomme ? Un pilier d'antichambre. 5
RACINE, les Plaideurs, I, 4.

Loc. péj. Vieilli. *Propos d'antichambre.* → **Commérage.** *Plaisanteries d'antichambre.* — *Journaliste d'antichambre,* à l'affût des commérages. — «*Patriotisme d'antichambre*» (Stendhal).

**ANTICHAR** [ɑ̃tiʃaʀ] adj. et n. m. — 1928; de 1. *anti-,* et *char.*

(Invar. en genre). Qui s'oppose à l'action des blindés. → **Antitank** (vieilli). *Mines, canons, grenades, lance-roquettes antichars. Lutte antichar.*

1 Il buta contre un fusil-antichar anglais enfoui dans le sable. Les dunes étaient jonchées de ces engins. On les reconnaissait de loin à la longueur invraisemblable de leur canon qui s'évasait à l'extrémité comme un tromblon.
Robert MERLE, Week-end à Zuydcoote, p. 29.

2 Le tort de Malraux *(dans l'Espoir)* a été de ne pas s'engager à fond dans une direction *(esthétique)* ou dans l'autre *(morale).* Exemple : la Mercedes fonçant dans une ruelle de Valladolid pour s'écraser sur un canon antichar, le montage de cette scène choque esthétiquement, si on la compare aux mitrailleuses d'*Octobre* crachant une balle par plan.
J.-L. GODARD, Jean-Luc Godard, *in* Coll. des cahiers du cinéma, p. 225.

3 — Dans quelle arme ?
— Les chars.
(Et quels chars ! Ça ne le regardait pas. J'enviais les siens, hier.) Il regardait mes papiers distraitement, comme pour occuper ses mains.
— Vos maquis ont des armes antichars ?
— Oui. MALRAUX, Antimémoires, Folio, p. 230.

N. m. *Un antichar :* un dispositif (arme, défense, etc.) destiné à faire obstacle aux blindés.

**ANTICHOC** [ɑ̃tiʃɔk] adj. invar. — 1907, *in* T. L. F.; de 1. *anti-,* et *choc.*

♦ **1** Qui protège des chocs. *Casque antichoc. Bourrelets antichoc.*

♦ **2** Qui est conçu pour pouvoir subir sans dommage un, des chocs. *Montre antichoc :* montre mécanique dans laquelle l'axe du balancier est monté sur un système amortisseur qui en prévient la rupture en cas de choc.

**ANTICHOLÉRIQUE** [ɑ̃tikɔleʀik] adj. — 1839, Boiste; de 1. *anti-,* et *cholérique.*

Méd. Destiné à lutter contre le choléra. *Remède, vaccination anticholérique.* «*Les vaccinations anticholériques (...) ont eu le privilège de passionner les médecins, la presse et même le public*» (*Année sc. et industr.* 1886, p. 332 [1885]).

**ANTICHRÈSE** [ɑ̃tikʀɛz] n. f. — 1603; du lat. jurid. d'orig. grecque *antichresis.*

Dr. civ. Contrat par lequel un débiteur transfère à son créancier la possession de son immeuble, pour en percevoir fruits et revenus jusqu'au remboursement de sa dette. → **Nantissement.** *Remettre un immeuble en antichrèse. Consentir une antichrèse.*

1 Le nantissement d'une chose mobilière s'appelle gage. Celui d'une chose immobilière s'appelle antichrèse.
Code civil, art. 2072.

2 L'antichrèse ne s'établit que par écrit.
Le créancier n'acquiert par ce contrat que la faculté de percevoir les fruits de l'immeuble, à la charge de les imputer annuellement sur les intérêts, s'il lui en est dû, et ensuite sur le capital de sa créance. Code civil, art. 2085.

DÉR. **Antichrésiste.**

**ANTICHRÉSISTE** [ɑ̃tikʀezist] n. et adj. — 1834; de *antichrèse.*

Dr. civ. Personne qui a contracté une antichrèse*. — Adj. *Créancier, débiteur antichrésiste.* — REM. On dit aussi *antichrésite* [ɑ̃tikʀezit] n. et adj.

**ANTICHRÉTIEN, IENNE** [ɑ̃tikʀetjɛ̃, jɛn] adj. et n. — 1555, n.; adj., 1582; de 1. *anti-,* et *chrétien.*

Qui est opposé à la religion chrétienne (→ aussi **Anticatholique**). *Tendances antichrétiennes. Comportement antichrétien. Politique antichrétienne.*

N. *Un antichrétien, une antichrétienne.*

Les catholiques déshonorent leur Dieu, comme jamais les juifs et les plus fanatiques antichrétiens ne furent capables de le déshonorer. Léon BLOY, le Désespéré, p. 138.

**ANTICHRIST** [ɑ̃tikʀist] n. m. Vx. → **Antéchrist.**

**ANTICHRISTIANISME** [ɑ̃tikʀistjanism] n. m. — 1593; de 1. *anti-,* et *christianisme.*

Didact. Attitude hostile au christianisme. *Faire preuve d'antichristianisme.* — Caractère de ce qui est antichrétien*.

**ANTICHTONE** [ɑ̃tiktɔn] n. m. — 1558; du grec *antichtonos* «terre opposée», de *chtonos.* → Chtonien.

Didactique.

♦ **1** Vx. Région de la terre opposée (à un lieu donné). → **Antipode.**

♦ **2** (Attesté XIXe). Hist. de l'astron. Planète imaginaire opposée à la Terre (dans le système pythagoricien).

**ANTICIPANT, ANTE** [ɑ̃tisipɑ̃, ɑ̃t] adj. — XIXe, *in* Littré; p. prés. de *anticiper.*

♦ **1** Qui anticipe. — Méd. *Fièvre anticipante,* qui se reproduit à intervalles de plus en plus courts.

♦ **2** Philos. Qui prévoit. «*Les utopies les plus anticipantes*» (Ricœur, *in* T. L. F.). → **Anticipateur.**

**ANTICIPATEUR, TRICE** [ɑ̃tisipatœʀ, tʀis] adj. — 1922, Proust; de *anticiper.*

Qui anticipe. → **Anticipatoire.** *Point de vue, propos anticipateur.* «*Les regards anticipateurs du désir*» (Proust, *la Fugitive,* Pl., p. 546). *L'absence de mouvements anticipateurs, signe diagnostique de divers troubles chez l'enfant de quatre à huit mois.* — Mus. *Notes anticipatrices.* → **Anticipation** (1.).

**ANTICIPATIF, IVE** [ɑ̃tisipatif, iv] adj. — 1842, Académie, *Complément;* dér. du lat. *anticipare.* → Anticiper.

Didact. Qui anticipe sur ce qui vient après. *Note anticipative,* qui anticipe sur la suite des harmonies. → **Anticipation.** — *Démonstratif anticipatif* (opposé à *anaphorique*).

REM. L'adv. *anticipativement* est attesté (1864, Renouvier; Ghelderode, *in* M. Rheims).

**ANTICIPATION** [ɑ̃tisipasjɔ̃] n. f. — 1437; du lat. *anticipatio,* de *anticipare.* → Anticiper.

♦ **1** Action de devancer dans l'ordre du temps; exécution anticipée (d'un acte, d'une chose). *L'anticipation d'un règlement, de l'exécution d'un contrat.* — *Par anticipation. Régler une dette par anticipation.* → **Avance** (d').

Les regrets que j'exprimais alors, il me faut les répéter ici : 1
la vie nous oblige sans cesse à pleurer par anticipation ou par souvenir.
CHATEAUBRIAND, Mémoires d'outre-tombe, t. II, p. 188.

Il est nécessaire, pour ne point interrompre le cours des 2
événements qui se passèrent au soin de la famille Grandet, de jeter par anticipation, un coup d'œil sur les opérations que le bonhomme fit à Paris par l'entremise de M. des Grassins.
BALZAC, Eugénie Grandet, éd. 1838, p. 264.

Mus. Groupe de notes faisant prévoir l'entrée d'un accord. — On dit aussi notes *anticipatives* ou *anticipatrices.*

Rhét. Réfutation anticipée d'objections prévues. → **Prolepse.**

♦ **2** Chose exécutée par anticipation.

3 Le métro aérien de New York ressemble avec ses étages multiples et ses poutrelles de fer démodées à une anticipation du XX^e siècle imaginée au XIX^e.
Claude MAURIAC, le Temps immobile, p. 449.

♦ **3** Mouvement de pensée qui imagine ou vit d'avance un événement. → **Prévision, prospective; futurologie.**

Spécialt (psychol., psychiatrie). Attitude dynamique, résultant de composantes intellectuelles et irrationnelles (prévision et affectivité), que chaque individu adopte vis-à-vis de son propre avenir et qui oriente sa conduite.

4 Instinctivement, nous établissons ou plutôt nous éprouvons un certain rapport de force entre nous-mêmes et le monde extérieur; si ce rapport penche en notre faveur, notre anticipation prend un aspect positif (...); dans le cas contraire nous sommes conduits à l'une des formes négatives : repli, fuite, diversion, scotomisation (...)
J.-M. SUTTER *in* A. POROT, Manuel alphabétique de psychiatrie, 1975, art. *Anticipation.*

Philos. Connaissance anticipée. «*Une certaine anticipation sans science acquise, qu'Épicure appelle* prolêpsis, *c'est-à-dire une connaissance préalable de l'objet dans l'esprit, sans laquelle on ne pourrait rien comprendre, ni chercher, ni discuter*» (trad. Cicéron, *De natura deorum,* 1, 16). → **Prolepse, prénotion.**

Cour. *Littérature, roman d'anticipation,* évoquant les réalités supposées de l'avenir, et comportant fréquemment un aspect fantastique, des éléments satiriques, politiques... → **Science-fiction.** *Un film d'anticipation.*

*Une anticipation :* une œuvre d'anticipation. *Les anticipations de Jules Verne, de Wells, d'Aldous Huxley, de George Orwell.*

Écon. Hypothèse subjective plus ou moins optimiste ou pessimiste quant à l'avenir, intervenant comme facteur dans les fluctuations économiques. → **Prévision.** *Anticipation sur la hausse des prix, sur la dévaluation. Anticipations et prospective.*

♦ **4** Dr. Action d'anticiper sur les droits d'autrui. Empiètement, usurpation.

Fin. Emprunt hypothéqué sur un revenu; dépense publique engagée sur une somme qui ne doit être recouvrée que plus tard.

**ANTICIPATOIRE** [ɑ̃tisipatwaʀ] adj. — D. i. (XX^e); du rad. de *anticipation,* et suff. *-oire.*

Didact. ou littér. Qui anticipe, est capable d'anticiper. → **Anticipateur.** *Un instinct anticipatoire.*

Il était en habit et au-dessous du plastron, son nez, peut-être parce que les nez semblent toujours grandir la nuit, devenait un organe précurseur, anticipatoire et explorateur plutôt que simplement olfactif. Le nez de señor Galba paraissait être là en patrouille.
R. GARY, Clair de femme, p. 37.

**ANTICIPER** [ɑ̃tisipe] v. — V. 1355; du lat. *anticipare* «prendre par avance, prendre les devants», de *ante* «avant», et *capere* «prendre».

**I** V. tr. ♦ **1** Littér. ou style soutenu. Imaginer et éprouver à l'avance. → **Prévoir.** *Anticiper l'avenir. Anticiper le succès.* → **Escompter.**

1 Nous ne tenons jamais au temps présent. Nous anticipons l'avenir comme trop lent à venir, comme pour hâter son cours; ou nous rappelons le passé, pour l'arrêter comme trop prompt (...)
PASCAL, Pensées, t. II, II, 172.

Vous serez plus triste (...) parce que le cœur s'arrête à peine dans le présent, et anticipe les maux qui le menacent. 2
CHATEAUBRIAND, le Génie du christianisme, II, 2, 3.

(...) l'espérance anticipe la possession. 3
PROUST, À la recherche du temps perdu, t. XIII, p. 110 (→ Amplificateur, cit. 2).

Mais si croyant que nous soyons, nous ne souhaitons pas d'anticiper l'éternité. 3.1
F. MAURIAC, Bloc-notes 1952-1957, p. 171.

Spécialement :

Naturellement ce que j'avais à craindre dans l'attente de la possession d'une personne si chérie était de l'anticiper, et de ne pouvoir assez gouverner mes désirs et mon imagination pour rester maître de moi-même. 4
ROUSSEAU, les Confessions, V.

Spécialt. Imaginer (des événements futurs sans rapport avec ses propres intérêts) pour décrire, raconter dans une œuvre de fiction (sens dérivé de *anticipation** (par ext.), *roman d'anticipation*).

(...) qu'on anticipe comme Jules Verne une invention supposée faite, ses effets, le canon qui envoie l'homme dans la Lune, bon! Mais donner à une femme, par anticipation, le nom qui ne sera inventé que plus tard pour une héroïne de roman, voulez-vous me dire ce que ça signifie? 4.1
ARAGON, Blanche..., II, X, p. 331.

Fin. Faire une anticipation (4.).

♦ **2** Dr. Exécuter avant le temps déterminé. *Anticiper un paiement.* → **Devancer** (la date).

**II** V. intr. **A** ANTICIPER SUR... ♦ **1** Utiliser à l'avance. *Anticiper sur ses revenus,* les dépenser par avance.

5 Anticipant tous les jours sur la somme
Qu'il ne devait consumer qu'en dix ans.
LA FONTAINE, Belphégor.

♦ **2** *Anticiper sur le temps, sur les faits, sur le récit...,* évoquer des faits qui, dans l'ordre chronologique d'un récit, ne devraient être abordés qu'après ceux qui les ont précédés.

Mais la suite de cette histoire (...) m'a fait anticiper sur les temps. 6
ROUSSEAU, les Confessions, X.

Là encore, je me retiens d'anticiper sur le récit que j'écrirai plus tard (...) 7
F. MAURIAC, la Pharisienne, p. 250.

Absolt (cour.). *N'anticipons pas :* ne devançons pas l'événement, respectons l'ordre de succession des faits.

♦ **3** Devancer (un état, une situation future). *Anticiper sur son âge.*

Une ardeur un peu singulière (...) d'anticiper sur son âge et de s'improviser un homme à seize ans à peine (...) 8
E. FROMENTIN, Dominique, IV.

Spécialt. Prévoir ou exécuter ce qui devrait normalement se faire plus tard. *Anticiper sur l'avenir, sur les temps futurs.*

♦ **4** *Anticiper sur les droits, sur les terres de qqn.* → **Empiéter, prendre** (sur), **usurper.**

♦ **5** Mus. *Anticiper sur un accord.* → **Anticipation,** 1.

**B** (1932, *in* Petiot). Sports. Absolt. Prévoir la réaction de l'adversaire et se disposer à y répondre.

◆ **ANTICIPÉ, ÉE** p. p. adj. Qui se fait par anticipation, avant la date prévue ou sans attendre l'événement; réalisé avant le moment normal (choses); réalisé ou perçu d'avance (activités psychiques). *L'avenir anticipé par l'imagination. Connaissance anticipée :* prémonition*. *Une espérance, une crainte anticipée. Des remords anticipés. Une opinion anticipée.* → **Préconçu, préalable** (à tout examen). *Remerciements anticipés,* qui s'expriment par avance. *Versements anticipés. Élections anticipées. Retour anticipé.* → **Avancé.** *Une connaissance anticipée de* *ce qu'on devrait encore ignorer. Une vieillesse anticipée.* → **Précoce, prématuré.** — *Épreuve anticipée de français du baccalauréat* (en France).

9 *(Ce jeune prince)* a déjà montré à l'Univers (...) par une vertu anticipée, que les enfants des Héros sont plus proches de l'être que les autres hommes.
LA BRUYÈRE, les Caractères, XII, 106.

10 *(Il)* déclare qu'il ne la craint pas *(la mort)* sans doute parce qu'il n'a rien à perdre et que sa vie est une mort anticipée.
G. SAND, la Mare au diable, I, 10.

11 Et bientôt, comme il lui reprochait de ne pas en faire autant avec lui, elle resta un instant sans rien dire comme un enfant qui, avant de dire une phrase en allemand, donne avant de la prononcer sa place anticipée à chaque mot : «Croyez-vous, Marcel, qu'il soit cinq heures ?»
PROUST, Jean Santeuil, Pl., p. 831.

CONTR. **Différer, retarder.** — **Évoquer, rappeler** (le passé), **revenir** (en arrière). — **Tardif.** ◈ DÉR. **Anticipant, anticipateur.** — V. **Anticipatoire.**

**ANTICIVIQUE** [ɑ̃tisivik] adj. — 1789 ; de 1. *anti-*, et *civique.*

Didact. Contraire, opposé au civisme. *Des écrits, des propos anticiviques.*

**ANTICIVISME** [ɑ̃tisivism] n. m. — 1791 ; de 1. *anti-*, et *civisme.*

Didact. (vieilli). Attitude anticivique.

On a fait entrer au château un menuisier aristocrate, que l'anticivisme a fait chasser de cette honorable Société.
Pamphlet, 23 févr., *in* AULARD, la Société des Jacobins, II, p. 91 (1791), *in* D. D. L., II, 11.

**ANTICLÉRICAL, ALE, AUX** [ɑ̃tiklerikal, o] adj. et n. — 1866, P. Larousse ; de 1. *anti-*, et *clérical.*

Opposé à l'influence et à l'intervention du clergé dans la vie publique. *Laïque* et anticlérical* (→ Anti-, cit. 7). *Gouvernement anticlérical.*

1 Les catholiques modernes (...) sont devenus, en France, un groupe si fétide que, par comparaison, la mofette maçonnique ou anticléricale donne presque la sensation d'une paradisiaque buée de parfums (...)
Léon BLOY, le Désespéré, p. 136.

N. *Un anticlérical. Les anticléricaux :* les adversaires de l'Église en tant que puissance temporelle. → fam. Mangeur, bouffeur* de curé.

2 Car le plus remarquable, c'est que ces anticléricaux *(les instituteurs)* avaient des âmes de missionnaires. Pour faire échec à «Monsieur le Curé» (dont la vertu était supposée feinte), ils vivaient eux-mêmes comme des saints, et leur morale était aussi inflexible que celle des premiers puritains. M. PAGNOL, la Gloire de mon père, t. I, p. 28.

CONTR. **Clérical.** ◈ DÉR. **Anticléricalisme.**

**ANTICLÉRICALISME** [ɑ̃tiklerikalism] n. m. — 1901-1902, *in* D. D. L. ; de *anticlérical.*

Attitude, politique anticléricale. *«Il avait un anticléricalisme enthousiaste et crédule...»* → Obscurantisme, cit. 2.

(...) le ciment qui assurait au bloc radical-socialiste sa cohésion, c'était l'anticléricalisme.
F. MAURIAC, Bloc-notes 1952-1957, p. 54.

CONTR. **Cléricalisme.**

**ANTICLINAL, ALE, AUX** [ɑ̃tiklinal, o] adj. et n. m. — 1845 ; angl. *anticlinal* (1833, Lyell ; t. dû à Buckland et Conybeare), du grec *antiklinein* «pencher en sens contraire», de *anti-* (→ 1. Anti-) et *klinein* «pencher».

Géol. Formé par les couches de l'écorce terrestre avec une convexité vers le haut. *Pli anticlinal. Voûte anticlinale.*

N. m. Pli anticlinal. *Axe, charnière, flancs d'un anticlinal. Des anticlinaux.*

Dire qu'ils m'ont collé à l'oral parce que, dans l'explication de carte d'état-major de Tizi-Ouzou, j'ai trouvé un anticlinal perché, alors qu'il était renversé.
Yanny HUREAUX, la Prof, p. 249.

CONTR. **Synclinal.**

**ANTICOAGULANT, ANTE** [ɑ̃tikɔagylɑ̃, ɑ̃t] adj. et n. m. — 1896, in *Année sc. et industr.* ; de 1. *anti-*, et *coagulant.*

Qui empêche la coagulation. — N. m. Substance qui empêche la coagulation ou diminue la vitesse de coagulation. *L'héparine est un anticoagulant. Anticoagulant circulant,* inhibiteur d'un facteur de la coagulation. — REM. On écrit parfois *anti-coagulant.*

La découverte des *anti-coagulants* est toute récente. Elle peut paraître de moindre importance. Cependant, son succès le plus éclatant, et ce n'est pas le seul, a été de vaincre les phlébites post-opératoires (...). L'usage des anticoagulants ne date que de l'année 1948. Nous devons leur découverte à deux chimistes américains : HOWELL et HOLT. 1
Cl. D'ALLAINES, Histoire de la chirurgie, p. 116.

Mme Rezeau, toujours violette et pliée en deux, mais qui à l'arrivée du médecin donne une preuve de conscience très nette en secouant la tête pour répondre à la question qu'il vient de me poser : 2
— On ne lui a pas fait d'anticoagulants ?
Hervé BAZIN, Cri de la chouette, p. 268.

**ANTICODON** [ɑ̃tikɔdɔ̃] n. m. — Av. 1973 ; de 1. *anti-*, et *codon.*

Biol. Dans le «code génétique», Séquence de trois nucléotides (triplet), portée par un acide ribonucléique de transfert d'un acide aminé, complémentaire et spécifique d'un codon* (triplet de nucléotides porté par l'acide ribonucléique messager). *L'anticodon permet à l'acide ribonucléique de transfert de s'attacher sur le codon correspondant et de déterminer spécifiquement la biosynthèse des protéines.*

**ANTICOLLISION** [ɑ̃tikɔlizjɔ̃] adj. invar. — V. 1970 ; de 1. *anti-*, et *collision.*

Techn. *Dispositif anticollision,* destiné à empêcher les collisions entre aéronefs.

**ANTICOLONIAL, ALE, AUX** [ɑ̃tikɔlɔnjal, o] adj. et n. — 1790, → cit. ; de 1. *anti-*, et *colonial.*

Vx. Qui est opposé à la colonisation. → **Anticolonialiste.**

On craint beaucoup un retour de toutes les paroisses anticoloniales pour secourir l'armée de Saint Marc. Alors le mal seroit à son comble et la colonie au néant.
Lettre de Villevaleix au comte de Polastion, 31 juil. 1790, *in* G. DEBIEN, les Débuts de la Révolution à Saint-Domingue (*in* D. D. L., II, 14).

**ANTICOLONIALISME** [ɑ̃tikɔlɔnjalism] n. m. — 1903 ; de 1. *anti-*, et *colonialisme.*

Opposition au colonialisme, à toute exploitation de type colonial.

(...) faire de l'anticolonialisme avec l'ancienne infanterie de marine et préparer la révolution sociale avec les radicaux réactionnaires.
Ch. PÉGUY, la République..., Œ. compl., t. XII, p. 68 (1903).

CONTR. **Colonialisme.** ◈ DÉR. **Anticolonialiste.**

**ANTICOLONIALISTE** [ɑ̃tikɔlɔnjalist] adj. et n. — 1936, Guérin (→ Anti-impérialiste) ; de *anticolonialisme.*

Hostile au colonialisme. → **Anti-impérialiste** (cit. 1).

1 N'appartenait-il pas à ce courageux *Comité d'amnistie et de Défense des Indochinois* qu'animait — au temps où les communistes étaient encore anticolonialistes (...)
Daniel GUÉRIN, Au service des colonisés, p. 145 (1938).

2 Il est vrai que leur opinion, anticolonialiste par tradition, aurait difficilement admis de soutenir jusqu'à la guerre un conflit que toute leur presse qualifiait de colonial.
Jean LARTÉGUY, les Centurions, p. 83.

CONTR. **Colonialiste.**

**ANTICOMANIE** [ɑ̃tikɔmani] n. f. → **Antiquomanie.**

**ANTICOMITIAL, ALE, AUX** [ɑ̃tikɔmisjal, o] adj. et n. m. — Av. 1975; de 1. *anti-*, et *comitial.*

Méd. Propre à soigner l'épilepsie. *Renforcer par une thérapeutique hormonale l'efficacité d'un traitement anticomitial. Médicaments anticomitiaux.* — N. m. *Prescrire un anticomitial à un malade.*

**ANTICOMMERCIAL, ALE, AUX** [ɑ̃tikɔmɛʀsjal, o] adj. — Av. 1866, *in* P. Larousse; de 1. *anti-*, et *commercial.*

Contraire aux intérêts du commerce. *Attitude, politique, loi anticommerciale.* → **Antiéconomique.** *Une «attitude anticommerciale»* (H. Troyat, *Tendre et violente Élisabeth,* p. 422).

**ANTICOMMUNISME** [ɑ̃tikɔmynism] n. m. — 1936, écrit *anti-communisme;* de 1. *anti-*, et *communisme.*

Hostilité au communisme. *Un anticommunisme déterminé, farouche. Anticommunisme primaire* (syntagme employé par les partisans du communisme).

La politique planétaire américaine actuelle, repris-je, est un anticommunisme; donc, déterminée par la politique russe. Même dans son opération grandiose : le plan Marshall. Par contre, nous avons connu une politique russe planétaire, celle qui a mis au service de l'Union Soviétique les forces nées au service de l'Internationale.
MALRAUX, Antimémoires, Folio, p. 201.

CONTR. **Communisme; pro-communisme.**

**ANTICOMMUNISTE** [ɑ̃tikɔmynist] adj. et n. — 1842; de 1. *anti-*, et *communiste.*

Animé, marqué par l'anticommunisme. *Réaction anticommuniste. Campagne anticommuniste.* — Adv. *Voter anticommuniste.*

(...) un vigneron du Midi de la France qui votait anticommuniste, avant la guerre.
Pierre GASCAR, le Temps des morts, p. 249.

N. *Un, une anticommuniste :* un, une adversaire irréductible du communisme et des communistes.

CONTR. **Communiste, pro-communiste.**

**ANTICOMMUTATIF, IVE** [ɑ̃tikɔmytatif, iv] adj. — Mil. XX^e; de 1. *anti-*, et *commutatif.*

Math. Se dit d'une opération telle que, dans une permutation des éléments, les membres sont opposés de signe ou de sens. *La soustraction des nombres réels, le produit vectoriel sont des opérations anticommutatives.*

**ANTICONCEPTIONNEL, ELLE** [ɑ̃tikɔ̃sɛpsjɔnɛl] adj. et n. m. — 1913, *in* D.D.L.; *anti-conceptionnel,* 1905; de 1. *anti-*, *conception,* et suff. *-el.*

♦ **1** Qui empêche la fécondation et la conception d'un enfant, lors des rapports sexuels. → **Antifécondant, contraceptif.** *Pilule anticonceptionnelle. Moyens anticonceptionnels. — Propagande anticonceptionnelle.*

N. m. *Un anticonceptionnel :* un contraceptif.

♦ **2** Favorable au contrôle, à la restriction des naissances par les procédés anticonceptionnels.

**ANTICONCORDATAIRE** [ɑ̃tikɔ̃kɔʀdatɛʀ] adj. et n. — XIX^e, *in* Littré; de 1. *anti-*, et *concordataire.*

Hist. Opposé au Concordat de 1801. — N. m. pl. *Les anticoncordataires* (la «Petite église»).

**ANTICONFORMISME** [ɑ̃tikɔ̃fɔʀmism] n. m. — Mil. XX^e; de 1. *anti-*, et *conformisme.*

Didact. ou littér. Attitude opposée au conformisme*, hostilité aux normes, aux usages établis. → **Non-conformisme.**

Je connais ces dilettantes de l'anticonformisme, qui aiment leurs pantoufles et le mystère des âmes damnées.
Hervé BAZIN, la Mort du petit cheval, p. 286.

CONTR. **Conformisme.**

**ANTICONFORMISTE** [ɑ̃tikɔ̃fɔʀmist] adj. et n. — 1953; de 1. *anti-*, et *conformiste.*

Didact. ou littér. Qui s'oppose au conformisme, est hostile aux usages, aux traditions, aux coutumes. → **Non-conformiste.** *Attitude anticonformiste* (→ Anticonformisme).

N. *Un, une anticonformiste :* une personne anticonformiste.

CONTR. **Conformiste.**

**ANTICONJONCTUREL, ELLE** [ɑ̃tikɔ̃ʒɔ̃ktyʀɛl] adj. — Mil. XX^e; de 1. *anti-*, et *conjoncturel.*

Écon. Qui est destiné à redresser une mauvaise conjoncture économique.

**ANTICONSTITUTIONNEL, ELLE** [ɑ̃tikɔ̃stitysjɔnɛl] adj. — 1769; de 1. *anti-*, et *constitutionnel.*

♦ **1** Vx. (Personnes). Hostile à la Constitution.

♦ **2** Qui est contraire à la Constitution. *Mesures anticonstitutionnelles. Disposition, loi anticonstitutionnelle.*

DÉR. **Anticonstitutionnellement.** ◊ CONTR. **Constitutionnel.**

**ANTICONSTITUTIONNELLEMENT** [ɑ̃tikɔ̃stitysjɔnɛlmɑ̃] adv. — 1803; de *anticonstitutionnel.*

D'une manière anticonstitutionnelle; en opposition avec la Constitution. *Anticonstitutionnellement a la réputation d'être «le plus long mot de la langue française» (il est formé d'un nombre de morphèmes exceptionnellement grand en français; mais on trouverait sans peine des noms [par exemple de composés chimiques] comportant un plus grand nombre de lettres).*

Mon père et mon oncle encourageaient cette manie *(la passion des mots),* qui leur paraissait de bon augure : si bien qu'un jour, et sans que ce mot se trouvât dans une conversation (...) ils me donnèrent *anticonstitutionnellement* en me révélant que c'était le mot le plus long de la langue française. Il fallut me l'écrire (...)
Je le recopiai à grand-peine sur une page de mon carnet, et je le lisais chaque soir dans mon lit; ce n'est qu'au bout de plusieurs jours que je pus maîtriser ce monstre, et je me promis de l'exploiter, si par hasard, un jour, vers la fin des temps, j'étais forcé de retourner à l'école.
M. PAGNOL, la Gloire de mon père, t. I, p. 161-162.

CONTR. **Constitutionnellement.**

**ANTICONVULSIF, IVE** [ɑ̃tikɔ̃vylsif, iv] adj. — 1853, Lachâtre; de *anti-*, et *convulsif.*

Méd. Qui calme les convulsions, les spasmes. → **Antispasmodique.**

**ANTICONVULSIVANT, ANTE** [ɑ̃tikɔ̃vylsivɑ̃, ɑ̃t] adj. et n. m. — Av. 1960 (*in* G.L.E.); de 1. *anti-*, et du rad. de *convulsif.*

Méd. Efficace contre les convulsions, les spasmes. *Action anticonvulsivante de la chlorpromazine.*

N. m. Substance anticonvulsivante. *Les anticonvulsivants, inopérants contre les spasmes en flexion du nourrisson.*

**ANTICOQUELUCHEUX, EUSE** [ɑ̃tikɔklyʃø, øz] adj. — 1926; de 1. *anti-*, et *coquelucheux.*

Méd. Qui combat la coqueluche. *Le vaccin anticoquelucheux fut découvert en 1931* (Leslie et Gardner). *La vaccination anticoquelucheuse se pratique en trois injections à un mois d'intervalle.*

**ANTICORPS** [ɑ̃tikɔʀ] n. m. — 1901, Garnier et Delamare, *in* D. D. L.; de 1. *anti-*, et *corps.*

Méd., biol. Substance spécifique et défensive, de nature protéique, engendrée dans l'organisme par l'introduction d'un antigène* avec lequel elle se combine pour en neutraliser l'effet toxique. *Les anticorps peuvent agir sur les antigènes en les agglutinant* (→ **Agglutinine**), *en les dissolvant* (→ **Lysine; hémolysine**), *en les neutralisant* (→ **Antitoxine**). *Certains anticorps apparaissent spontanément.* → **Auto-anticorps; anti-enzyme;** → 1. Anti-, cit. 14.

Loc. *Anticorps chaud,* n'agissant qu'à la température du corps (37°); *anticorps froid* agissant au-dessous de 10°. *Anticorps complet. Anticorps incomplet,* ne produisant ni agglutination ni lyse.

1 À peine supposerais-je une infection légère. Ne vous en plaignez pas! L'infection légère nous immunise contre de plus graves, en favorisant la multiplication des anticorps, si précieux. La santé n'est qu'une chimère.

BERNANOS, la Joie, *in* Œ. roman., Pl., p. 635.

2 Les anticorps sont des protéines douées de la propriété de reconnaître par association stéréospécifique des substances étrangères à l'organisme et qui l'ont envahi, bactéries ou virus par exemple. Mais, comme chacun sait, l'anticorps qui reconnaît électivement une substance donnée, par exemple un «motif stérique» particulier à une certaine espèce bactérienne, n'apparaît dans l'organisme (pour y demeurer pendant un certain temps) qu'après que celui-ci en a fait, au moins une fois, l'«expérience» (par la vaccination, spontanée ou artificielle). On a démontré en outre que l'organisme est capable de former des anticorps adaptés à pratiquement n'importe quel motif stérique, naturel ou synthétique. Les potentialités, à cet égard, paraissent pratiquement infinies.

Jacques MONOD, le Hasard et la Nécessité, 1970, p. 161.

COMP. **Antigène, auto-anticorps.**

**ANTICORROSION** [ɑ̃tikɔʀozjɔ̃] adj. invar. — V. 1970; de 1. *anti-*, et *corrosion.*

Techn. Qui protège contre la corrosion. *Techniques, procédés anticorrosion protégeant les matériaux métalliques.*

**ANTICOUPLE** [ɑ̃tikupl] adj. et n. m. — XXᵉ; de 1. *anti-*, et *couple* (au sens phys.).

Techn. Qui annihile les effets d'un couple de forces. *Hélice anticouple d'un hélicoptère.* → aussi **Fenestron** — N. m. *Un anticouple.*

**ANTICRISE** [ɑ̃tikʀiz] adj. invar. — V. 1970; de 1. *anti-*, et *crise.*

Destiné à lutter contre la crise économique. *Des mesures anticrise.*

**ANTICRYPTOGAMIQUE** [ɑ̃tikʀiptɔgamik] adj. et n. m. — 1897, in *Année sc. et industr.*; de 1. *anti-*, et *cryptogamique.*

Vitic. *Bouillie anticryptogamique,* utilisée pour préserver les végétaux des maladies cryptogamiques.

1 Plusieurs agronomes, en essayant le sulfate de fer comme engrais, ont constaté ses propriétés anticryptogamiques.

L. FIGUIER, l'Année scientifique et industrielle 1897, p. 306 (1896).

Le but de l'injection des bois est d'incorporer au bois des matières antiseptiques, anticryptogamiques, insecticides, etc., dans le but de prolonger sa durabilité en le mettant à l'abri des attaques des agents destructeurs. 2

J.-C. REGGIANI, Industries et Commerce du bois, p. 104.

Techn. *Peinture anticryptogamique.*

**ANTICYCLIQUE** [ɑ̃tisiklik] adj. — 1960; de 1. *anti-*, et *cyclique* (2.).

Écon. Se dit d'une politique économique ou financière qui tente de remédier aux crises cycliques prévisibles. *Une politique budgétaire anticyclique.*

**ANTICYCLONAL, ALE, AUX** [ɑ̃tisiklonal, o] ou **ANTICYCLONIQUE** [ɑ̃tisiklonik] adj. — 1897, *anticyclonique,* in *Année sc. et industr.*; de *anticyclone.*

Didact. (météor.). Qui a rapport à un anticyclone, à une dépression. *Aire anticyclonique. Mécanisme de la circulation cyclonale et anticyclonale.*

(...) l'observation montre que la température n'est pas en réalité plus élevée au centre de l'aire cyclonale et plus basse au centre de l'aire anticyclonale que sur le pourtour de ces régions.

E. DE MARTONNE, Traité de géographie physique, t. I, p. 164.

**ANTICYCLONE** [ɑ̃tisiklon] n. m. — 1874; de 1. *anti-*, et *cyclone.*

Météor. Centre de hautes pressions atmosphériques (opposé à *dépression** et à *cyclone**). → Mousson, cit. 2. *L'anticyclone des Açores, l'anticyclone de Sibérie.*

DÉR. **Anticyclonal, anticyclonique.**

**ANTICYCLONIQUE** [ɑ̃tisiklonik] adj. → **Anticyclonal.**

**ANTIDATE** [ɑ̃tidat] n. f. — 1413; de 2. *anti,* pour *ante* «avant», et *date.*

Didact., rare. Date inscrite sur un document comme la vraie alors qu'elle est antérieure à celle-ci.

CONTR. **Postdate.** ◊ DÉR. **Antidater.**

**ANTIDATER** [ɑ̃tidate] v. tr. — 1462; de *antidate.*

Didact. Marquer d'une antidate. *Antidater une lettre, un contrat, un chèque.*

La seconde *(lettre)* était datée d'un jour plus tard. En réalité, elle avait dû les écrire à peu d'instants l'une de l'autre, peut-être ensemble, et antidater la première. 1

PROUST, la Fugitive, Pl., t. III, p. 477.

Par extension :

Dans cette région que César et même, bien après lui, Saint Jérôme traitaient de coin perdu, les traces des Druides sont fort rares; elles le deviennent d'ailleurs un peu partout, depuis que nous savons que les nobles pierres levées de Carnac et les portiques monolithiques de Stonehenge, œuvre d'un Le Corbusier de la préhistoire, antidatent ces cueilleurs de gui. 2

M. YOURCENAR, Archives du Nord, p. 29.

Figuré :

J'antidatais mes souvenirs pour me prouver qu'il s'agissait d'incidents très banals, limités à une période de la vie que j'avais dépassée. 3

M. YOURCENAR, Alexis, p. 65 (1929).

CONTR. **Postdater.**

**ANTIDÉCAPANT, ANTE** [ɑ̃tidekapɑ̃, ɑ̃t] adj. et n. m. — V. 1970; de 1. *anti-*, et *décapant.*

Techn. Qui limite l'action des produits décapants utilisés dans le nettoyage des pièces métalliques. — N. m. Produit antidécapant.

**ANTIDÉFLAGRANT, ANTE** [ɑ̃tideflagʀɑ̃, ɑ̃t] adj. et n. m. — V. 1960; de 1. *anti-, déflagr(ation),* et *-ant.*

Techn. Qui peut fonctionner dans une atmosphère inflammable sans provoquer d'explosion. *Matériel électrique antidéflagrant.* — N. m. Dispositif antidéflagrant.

**ANTIDÉMARRAGE** [ɑ̃tidemaʀaʒ] adj. invar. et n. m. — 1995; de 1. *anti-,* et *démarrage.*

Se dit d'un dispositif qui empêche le démarrage d'un véhicule. *Voiture dotée d'un système, d'un dispositif antidémarrage.* — N. m. *Antidémarrage électronique servant d'antivol.*

**ANTIDÉMOCRATE** [ɑ̃tidemɔkʀat] adj. et n. — 1845; de 1. *anti-,* et *démocrate.*

Qui est opposé, hostile à la démocratie et aux démocrates.

N. *Un, une antidémocrate* : une personne antidémocrate.

CONTR. **Démocrate.**

**ANTIDÉMOCRATIQUE** [ɑ̃tidemɔkʀatik] adj. — 1794; de 1. *anti-,* et *démocratique.*

Opposé à la démocratie, à l'esprit démocratique. *Mesures, lois antidémocratiques.*

DÉR. **Antidémocratisme.** ◊ CONTR. **Démocratique.**

**ANTIDÉMOCRATISME** [ɑ̃tidemɔkʀatism] n. m. — 1902, *anti-démocratisme;* de *antidémocratique.*

Polit. Doctrine opposée aux principes démocratiques.

**ANTIDÉMONIAQUE** [ɑ̃tidemɔnjak] adj. — 1752, n., «hérétique qui nie l'existence des démons»; de 1. *anti-,* et *démoniaque,* dans un sens spécial.

Qui agit contre l'influence du démon, des démons (Gide, *in* T. L. F.).

**ANTIDÉPLACEMENT** [ɑ̃tideplasmɑ̃] n. m. — Mil. XX^e; de 1. *anti-,* et *déplacement.*

Math. Transformation ponctuelle qui est le produit d'un déplacement par une symétrie relative à un axe (dans le plan) ou à un plan (dans l'espace). → **Isométrie.**

**ANTIDÉPRESSEUR** [ɑ̃tidepʀesœʀ] adj. et n. m. — 1957; de 1. *anti-,* et *dépresseur.*

Didact. (méd., psychiatrie). Propre à empêcher les états dépressifs. *Médicament antidépresseur.* — REM. La forme *antidépressif, ive* [ɑ̃tidepʀesif, iv] est plus rare. *Médication antidépressive.*

N. m. *Un antidépresseur.* → **Psychotonique, psychotrope, thymoanaleptique.** *Prendre des antidépresseurs. Être sous antidépresseurs. Association d'un antidépresseur et d'un anxiolytique.*

Les *stimulants de l'humeur* se sont récemment enrichis de médicaments anti-dépresseurs tels que les dérivés de l'hydrazine et surtout l'imigramine qui constitue une chimiothérapie efficace des états dépressifs.

Jean DELAY, Introd. à la médecine psychosomatique, Notes et observations, p. 66 (1961).

CONTR. **Dépresseur.**

**ANTIDÉRAPANT, ANTE** [ɑ̃tideʀapɑ̃, ɑ̃t] adj. et n. m. — 1894, *in* Petiot; de 1. *anti-,* et *dérapant,* p. prés. de *déraper.*

Propre à empêcher le dérapage des véhicules. *Pneus antidérapants. Chaussée antidérapante.*

N. m. Argot, vieilli. Vin (parce que *«une bonne dose de vin (...) assure la marche»*; Esnault).

**ANTIDESTIN** ou **ANTI-DESTIN** [ɑ̃tidɛstɛ̃] n. m. — 1951, Malraux; de 1. *anti-,* et *destin.*

Didact. (chez Malraux). L'ensemble des forces qui, dans l'action humaine, s'opposent à la soumission passive à un destin. *«L'art* (cit. 81.4) *est un antidestin»* (Malraux).

Mais je ne vais pas perdre votre temps à vous expliquer ma relation avec les hommes de l'Histoire. Disons simplement que pour moi, ces hommes, comme les grands artistes, comme les aventuriers de jadis sur un autre plan, sont des hommes de l'antidestin. Puisque vous m'avez lu, vous comprenez. MALRAUX, Antimémoires, Folio p. 428.

**ANTIDÉTONANT, ANTE** [ɑ̃tidetɔnɑ̃, ɑ̃t] adj. et n. m. — 1927; de 1. *anti-,* et *détonant.*

Qui résiste à la détonation. *Pouvoir, produit antidétonant.* — N. m. Additif antidétonant qui augmente l'indice d'octane d'un carburant. *«L'alcool est un des antidétonants les meilleurs que l'on connaisse»* (Baudry de Saunier, *l'Illustration,* 1931).

**ANTIDIASTASE** [ɑ̃tidjastaz] n. f. — 1905, in *Rev. gén. des sc.,* n° 10, p. 458; de 1. *anti-,* et *diastase.*

Didact. (biol.). Antiferment. → **Antienzyme.**

**ANTIDIPHTÉRIQUE** [ɑ̃tidifteʀik] adj. — 1877; de 1. *anti-,* et *diphtérique.*

Méd. Propre à combattre la diphtérie. *Sérum antidiphtérique.*

**ANTIDIURÉTIQUE** [ɑ̃tidjyʀetik] adj. et n. m. — 1959; de 1. *anti-,* et *diurétique.*

Méd. Qui diminue la sécrétion d'urine. — N. m. *Un antidiurétique.*

**ANTIDOPAGE** [ɑ̃tidɔpaʒ] adj. — V. 1960; de 1. *anti-,* et *dopage.*

Qui s'oppose au dopage, s'exerce contre le dopage. *Mesures antidopages prises par la Fédération Nationale des Sports* (août 1967). *Lutte, contrôle antidopage. «Les contrôles "antidopages" seront effectués plus systématiquement...»* (*le Figaro,* 12 oct. 1967). — On dit aussi *antidoping.* → **Doping.**

CONTR. **Dopage.**

**ANTIDOTE** [ɑ̃tidɔt] n. m. — Mil. XIII^e; du lat. *antidotum.*

♦ **1** Méd. et cour. Substance que l'on administre à quelqu'un pour prévenir ou neutraliser les effets d'un poison, d'un venin, d'un virus. → **Contrepoison, alexipharmaque.**

1 (...) il écorchait un renard pour antidote et contrepoison. RABELAIS, le Tiers Livre, 44.

2 Ce sang était la base du fameux antidote de Mithridate. BUFFON, Hist. nat. des animaux, le Canard.

3 Il s'agit seulement d'administrer quelque puissant antidote. Quel est le poison ? FLAUBERT, M^me Bovary, III, VIII.

♦ **2** Fig. Remède contre un mal moral. *Un antidote contre l'ennui.* → **Dérivatif, préservatif.** *Les chansons sont des antidotes contre l'ennui, contre la mauvaise humeur. Chercher un antidote à l'indifférence, au souci; un antidote de l'indifférence, du souci.*

4 L'air, les raisins, le vin des bords de la Garonne et l'humeur des Gascons sont d'excellents antidotes contre la mélancolie. MONTESQUIEU, Correspondance, *in* LITTRÉ.

5 Si quelque livre de moi vous déconcerte, relisez-le; sous le venin apparent, j'eus soin de cacher l'antidote : chacun d'eux ne trouble point tant qu'il n'avertit. GIDE, Journal, 18 avr. 1928.

Adj. (rare). *«Quelque remède spécifique, ou quelque corps, exactement antidote, pour (...) l'ennui de vivre»* (Valéry, *in* T. L. F.).

DÉR. **Antidotique, antidotisme.**

**ANTIDOTIQUE** [ãtidɔtik] adj. — XXe; de *antidote,* et suff. *-ique.*

Didact. (biol., méd.). Relatif aux antidotes. *Caractère antidotique du café, du lait, etc. Propriété antidotique des sérums.* → **Antidotisme.**

**ANTIDOTISME** [ãtidɔtism] n. m. — 1865; de *antidote,* et *-isme.*

Didact. (biol., méd.). Propriété, caractère (propre aux antidotes) d'une substance qui empêche un corps d'exercer un effet toxique.

Dans ce travail extrêmement curieux (*Le monde souterrain,* une étude sur les poisons, de Kircher) on trouve, en somme, l'indication des remèdes minéraux, végétaux, animaux, les idées d'antidotisme, de sérum antivenimeux et les rapports des effets des remèdes issus des plantes sur les poisons animaux.
Pierre VANNIER, l'Homéopathie, p. 21.

**ANTIDOULEUR** [ãtidulœʀ] adj. invar. et n. m. — V. 1970; de 1. *anti-,* et *douleur.*

Qui supprime ou atténue la douleur. → **Analgésique, antalgique.** *Un centre antidouleur. Des médicaments antidouleur.* — N. m. *Un antidouleur. «(...) les plus puissants antidouleurs connus à ce jour»* (*Libération,* 27 sept. 1994, p. 26).

**ANTIDREYFUSARD, ARDE** [ãtidʀefyzaʀ, aʀd] adj. et n. — 1894; de 1. *anti-,* et *dreyfusard* «partisan de Dreyfus».

Hist. Hostile à Dreyfus et à ses partisans lors de l'«affaire». → **Antirévisionniste,** 1. — Var. : *antidreyfusiste.*

N. *Les antidreyfusards étaient en général antisémites.*

1 Il fait des choses merveilleuses et dreyfuse dans un journal antidreyfusard.
A. JARRY, Almanach du Père Ubu illustré, janv.-févr.-mars 1899, la Fête automobile, Pl., t. I, p. 557.

2 Admirateur convaincu du colonel, qui passait pour un officier remarquable et qui avait flétri l'agitation contre l'armée en divers ordres du jour qui le faisaient passer pour antidreyfusard, mon voisin avait appris que son chef avait laissé échapper quelques assertions qui avaient donné à croire qu'il avait des doutes sur la culpabilité de Dreyfus.
PROUST, le Côté de Guermantes, Pl., t. II, p. 108.

**ANTIDREYFUSISME** [ãtidʀefyzism] n. m. — Déb. XXe; de 1. *anti-,* et *dreyfusisme.*

Hist. Attitude de ceux qui étaient hostiles à Dreyfus et, après qu'il eut été condamné, à la révision de son procès.

Que l'antidreyfusisme de Mme Bontemps la lui fît trouver bête n'était pas (...) étonnant...
PROUST, À la recherche du temps perdu, Pl., t. II, p. 582.

**ANTIDROGUE** [ãtidʀɔg] adj. — V. 1960; de 1. *anti-,* et *drogue.*

Qui est destiné à lutter contre le trafic et l'usage de la drogue, des stupéfiants. *Lutte antidrogue.*

**ANTIDUMPING** [ãtidœmpiŋ] adj. — 1929, *in* D. D. L.; de 1. *anti-,* et *dumping.*

Écon. Destiné à lutter contre le dumping. *Loi, taxe antidumping.*

Pour se soustraire au quasi-monopole mondial de l'Argentine, le IVe Plan de Modernisation et d'Équipement prévoit l'institution d'une taxe douanière antidumping et l'augmentation du tonnage de graines produit en France, pour parvenir, en 1965, à 70 000 t.
Jacques LOURD, le Lin et l'Industrie linière, p. 98.

**ANTIÉCONOMIQUE** ou parfois **ANTI-ÉCONOMIQUE** [ãtiekɔnɔmik] adj. — 1860, in *Année scientifique;* de 1. *anti-,* et *économique.*

Didact. Qui est contraire à l'économie, aux principes d'une bonne économie. *Des mesures antiéconomiques et anticommerciales*.*

Ceci peut paraître une aberration anti-économique de la 1
part de la Société protectrice.
A. JARRY, Périple de la littérature et de l'art, «La mécanique d'Ixion», Œ. compl., t. VII, p. 144.

L'absence de préoccupation à ce sujet a engendré des ins- 2
tallations antiéconomiques d'usines ou du moins assez éloignées parfois de l'optimum.
A. SAUVY, Croissance zéro ?, p. 250.

**ANTIÉMÉTIQUE** ou **ANTI-ÉMÉTIQUE** [ãtiemetik] adj. et n. m. — 1795; de 1. *anti-,* et *émétique.*

Méd. Propre à arrêter les vomissements. *Médicament, potion antiémétique.* — N. m. *Un antiémétique.*

Les voyageurs citent seulement le *Walkera serrata,* pour la saveur amère de sa racine et de son feuillage; on l'emploie au Malabar en décoction dans l'eau et dans le lait comme tonique, stomachique et anti-émétique.
A.P. DE CANDOLLE, Essai sur les propriétés médicales des plantes, p. 88, *in* D. D. L., II, 15.

**ANTIÉMEUTE** ou **ANTI-ÉMEUTE** [ãtiemøt] adj. — V. 1968; de 1. *anti-,* et *émeute.*

Destiné à être utilisé par la police dans la lutte contre les émeutiers.

(...) des grandes quantités de flics qui se tenaient autour des bâtiments, le mousqueton à la bretelle, le casque anti-émeute sur la cuisse. J.-P. MANCHETTE, Nada, p. 37.

**ANTIENGIN** ou **ANTIENGINS** [ãtiãʒɛ̃] adj. invar. — Mil. XXe; de 1. *anti-,* et *engin.*

Milit. Se dit des armes ou des dispositifs destinés à s'opposer aux engins spéciaux adverses et à les détruire. *Fusée antiengin(s).* → **Antimissile.**

**ANTIENNE** [ãtjɛn] n. f. — 1694; *antevene,* fin XIIe, puis *antievre, anteffle* (1215); du lat. médiéval *antefana,* altér. du lat. ecclés. *antiphona* (grec *antiphônê* «chant alternatif»; → Antiphonaire, antiphone) qui donne par ailleurs la forme *antoine* (1382).

♦ **1** Liturgie. Refrain, à l'origine exécuté par deux chœurs, repris après chaque verset d'un psaume (dit *antiphoné*) ou chanté seulement avant et après le psaume (dit *alterné*). → aussi **Antiphone.** *Imposer l'antienne :* l'annoncer. *Entonner, attaquer, chanter l'antienne. Antiennes chantées à matines.* → **Invitatoire.** *Grandes antiennes,* plus longues et sans psaumes. *Recueil d'antiennes.* → **Antiphonaire.**

Tous les chants de la Messe, en dehors des chants com- 1
muns à tous les dimanches de l'année, sont des antiennes appropriées à l'office, à la fête du jour.
Les antiennes étaient primitivement chantées à deux chœurs, d'où la désignation ancienne «chants antiphoniques» contractée plus tard en «antienne».
Initiation à la musique, p. 369.

On nous apprenait à servir la messe du grand et du petit 2
côté, à chanter les antiennes.
Alphonse DAUDET, le Petit Chose, p. 24.

♦ **2** Fig. Chose que l'on répète, que l'on ressasse. → **Refrain.** Loc. *Chanter toujours la même antienne.* → **Rabâcher, redire, répéter.** — Loc. (vx). *Annoncer une fâcheuse, une triste antienne,* une mauvaise nouvelle. *Entonner l'antienne (de qqch., de qqn) :* en faire la louange. — *Reprendre une, son antienne,* le thème que l'on ressasse.

(...) reprenant son antienne de trahison, il *(Marat)* enga- 3
geait les soldats à massacrer les chefs.
JAURÈS, Hist. socialiste..., t. IV, p. 10.

4 — Oui, oui je connais l'antienne, vous l'avez répétée assez souvent
BERNANOS, Un mauvais rêve, *in* Œ. roman., Pl., p. 884.

**ANTIENZYME** [ɑ̃tiɑ̃zim] n. m. — 1922; de 1. *anti-*, et *enzyme.*

Biol. Substance qui neutralise un enzyme, anticorps obtenu après une injection d'enzyme capable de le précipiter. — On a dit aussi *antiferment* (vx).

**ANTIÉPIDÉMIQUE** [ɑ̃tiepidemik] adj. — XX^e; de 1. *anti-*, et *épidémique.*

Médecine.

♦ **1** Qui, par son caractère, s'oppose aux possibilités d'une épidémie. *Atmosphère antiépidémique des climats salubres.*

♦ **2** Conçu pour s'opposer à l'épidémie. *Prophylaxie antiépidémique.* → **Vaccination.** *Immunité antiépidémique.*

**ANTIESCLAVAGISME** [ɑ̃tiɛsklavaʒism] n. m. — Attesté XX^e; de 1. *anti-*, et *esclavagisme.*

Lutte contre l'esclavage, opposition à un système soutenant l'esclavage.

CONTR. **Esclavagisme.**

**ANTIESCLAVAGISTE** [ɑ̃tiɛsklavaʒist] adj. et n. — 1866; de 1. *anti-*, et *esclavagiste.*

Opposé à l'esclavage, aux esclavagistes. — N. *Un, une antiesclavagiste.*

CONTR. **Esclavagiste.**

**ANTIÉTATISME** [ɑ̃tietatism] n. m. — 1926, dans une trad. de Gorki, *in* D. D. L.; de 1. *anti-*, et *étatisme.*

Polit. Qui s'oppose à l'étatisme. — REM. On rencontre aussi l'adj. *antiétatique.*

**ANTIÉTINCELLE(S)** [ɑ̃tietɛ̃sɛl] adj. invar. — Av. 1972; de 1. *anti-*, et *étincelle.*

Techn. Destiné à éviter toute formation d'étincelles. *Dispositif antiétincelle* (ou *antiétincelles*).

**ANTIÉVANGÉLIQUE** [ɑ̃tievɑ̃ʒelik] adj. — 1834; de 1. *anti-*, et *évangélique.*

Contraire à l'Évangile. *Attitude, doctrine antiévangélique.*

*(Sans)* chercher à calculer la dépense où mon élan risquait de m'entraîner (ce qui m'a toujours paru antiévangélique).
GIDE, la Symphonie pastorale, I, *in* Romans, Pl., p. 884.

**ANTI-ÉVANOUISSEMENT** [ɑ̃tievanwismɑ̃] n. m. → **Antifading.**

**ANTIF** [ɑ̃tif] n. m. → **Antiffe.**

**ANTIFADING** [ɑ̃tifadiŋ; ɑ̃tifediŋ] adj. et n. m. — 1929; de 1. *anti-*, et *fading.*

Techn. Qui empêche le fading. *Antenne antifading.* N. m. Dispositif électronique (à tubes ou à transistors) qui permet d'obtenir une bonne écoute, indépendamment des variations dues au fading. — Recomm. off. : *anti-évanouissement.*

Lucien partageait son temps entre une femme étique, atteinte de tuberculose pulmonaire, un misérable bébé, et surtout des postes de T. S. F. à galène ou à lampes dans une pièce pleine d'antennes sans cesse améliorées, d'antifading de sa composition pour mieux écouter Lyon-la-Doua ou Bordeaux-Lafayette.
R. SABATIER, les Allumettes suédoises, p. 37.

**ANTIFAMILIAL, ALE, AUX** [ɑ̃tifamiljal, o] adj. — XX^e; de 1. *anti-*, et *familial.*

Dirigé contre la famille (en tant qu'institution). *Une politique antifamiliale. Mesures antifamiliales.*

Si je fis, adolescent, une crise antifamiliale ce ne fut pas contre la famille de mon père.
André ROUSSIN, la Boîte à couleurs, p. 246.

**ANTIFASCISME** [ɑ̃tifaʃism; ɑ̃tifasism] n. m. — 1933, P. Morand; de 1. *anti-*, et *fascisme.*

Attitude, opinions des antifascistes.

Le front d'airain de l'antifascisme allemand s'était évanoui sans combat et sans gloire.
J. BAINVILLE, l'Action française, 29 juin 1935, *in* l'Allemagne, t. II, p. 202.

CONTR. **Fascisme. — Profascisme.**

**ANTIFASCISTE** [ɑ̃tifaʃist; ɑ̃tifasist] adj. et n. — 1924, adj.; 1928, n., *in* D. D. L.; de 1. *anti-*, et *fasciste.*

Hostile au fascisme (1.). *Comité antifasciste. Le Comité de vigilance des intellectuels antifascistes.*

La devanture de la librairie italienne qui, ces jours derniers, exposait des photographies du roi, de la reine, du prince du Piémont et du Duce, a été défoncée, hier, d'un coup de brique. Par qui? Par des Allemands? On croit plutôt à des Italiens antifascistes. Le nombre de ceux-ci augmente (...) 1
GIDE, Journal, 8 févr. 1943.

Par ext. Hostile aux régimes analogues, aux tendances totalitaires, à l'extrême-droite. *Des républicains antifascistes. — Manifestation antifasciste.* → **Antinazi.**

Le premier objectif, c'était de lutter en France contre le fascisme; sur le plan international, le mouvement antifasciste français réalisa bientôt son union avec le grand mouvement pacifiste d'Amsterdam. 2
S. DE BEAUVOIR, la Force de l'âge, p. 153.

Si la Chambre avait mis les généraux rebelles hors la loi, si le front antifasciste s'était constitué au Parlement et dans le pays, je n'aurais guère hésité. 3
F. MAURIAC, le Nouveau Bloc-notes 1958-1960, p. 219.

N. *Des antifascistes.*

CONTR. **Fasciste.**

**ANTIFATIGUE** [ɑ̃tifatig] adj. invar. — V. 1950; de 1. *anti-*, et *fatigue.*

Qui est destiné à, ou conçu pour s'opposer à la fatigue. *Médicaments antifatigue.* → **Dopant, fortifiant.**

**ANTIFÉBRILE** [ɑ̃tifebʀil] adj. et n. m. — 1800; de 1. *anti-*, et *fébr-*, rad. de *fièvre.* → Fièvre, fébrile.

Méd. Qui combat la fièvre. — N. m. *Prendre un antifébrile.* → **Antipyrétique, antithermique, fébrifuge.**

**ANTIFÉCONDANT, ANTE** [ɑ̃tifekɔ̃dɑ̃, ɑ̃t] adj. — XX^e; de 1. *anti-*, et p. prés. de *féconder.*

Biol., méd. Qui s'oppose à la fécondation. → **Anticonceptionnel, contraceptif.** *Traitement antifécondant, médication, pilule antifécondante* (→ Antiovulatoire, cit.).

**ANTIFÉDÉRALISME** [ɑ̃tifedeʀalism] n. m. — D. i. (XX^e); de 1. *anti-*, et *fédéralisme.*

Attitude hostile au fédéralisme. — Spécialt. Hist. Position politique des adversaires du fédéralisme aux États-Unis, entre 1781 et 1789. — REM. On emploie aussi *antifédéraliste*, adj. et nom.

**ANTIFÉMINISME** [ɑ̃tifeminism] n. m. — Attesté mil. XXe ; de 1. *anti-*, et *féminisme.*

Hostilité envers le féminisme, envers les revendications des femmes.

Mettez votre antiféminisme dans votre poche. Il faut faire très attention avec l'électorat féminin.

Christine ARNOTHY, Toutes les chances plus une, p. 77.

**ANTIFÉMINISTE** [ɑ̃tifeminist] adj. et n. — Attesté mil. XXe ; de 1. *anti-*, et *féministe.*

Hostile aux femmes lorsqu'elles revendiquent l'égalité avec les hommes ; empreint d'antiféminisme. *Une attitude phallocratique et antiféministe.* N. *« Tout ce que redoutent d'y trouver les féministes, tout ce qu'espèrent y trouver les antiféministes ne s'y trouve pas* (dans ce film) » (Déclaration de F. Fellini à *l'Express,* 29 mars 1980). *Une antiféministe.*

**ANTIFERMENT** [ɑ̃tifɛʀmɑ̃] n. m. — 1903, in *Rev. gén. des sc.,* no 24, p. 1269 ; de 1. *anti-*, et *ferment.*

Biol. (vieilli). Corps qui s'oppose à l'action des ferments (on dit aussi *antidiastase* ou *antienzyme**).

**ANTIFERMENTESCIBLE** [ɑ̃tifɛʀmɑ̃tesibl] adj. — 1866 ; de 1. *anti-*, et *fermentescible.*

Biol. Qui s'oppose à la fermentation. *Propriétés antifermentescibles.* — Qui fermente peu, difficilement.

**ANTIFERROMAGNÉTIQUE** [ɑ̃tifeʀomaɲetik] adj. et n. m. — V. 1960 ; all. *antiferromagnetisch,* 1936 (→ 1. Anti-, et ferromagnétique).

Phys. (Corps) doué d'antiferromagnétisme.

**ANTIFERROMAGNÉTISME** [ɑ̃tifeʀomaɲetism] n. m. — V. 1960 ; de 1. *anti-*, et *ferromagnétisme ;* d'après *antiferromagnétique.*

Phys. Propriété des substances paramagnétiques (cristaux) dont la susceptibilité varie fortement en fonction de la température, leurs atomes ayant des moments magnétiques dirigés alternativement dans des sens opposés.

**ANTIFFE** [ɑ̃tif] ou **ANTIFFLE** [ɑ̃tifl] n. m. — 1721, *battre l'antiphe ;* semble être le même mot que l'anc. franç. *antif,* d'où argot anc. *antifle* « église » : *sorgueux* (voleurs nocturnes) *d'antifles,* 1561 ; p.-ê. du lat. *antiqua* (*antiquus* « antique »), ou de *anteiffe* et d'autres formes anciennes de *antienne**.

Seulement en loc. Argot anc. **BATTRE L'ANTIFFE :** marcher vite pour s'enfuir, etc. Racoler, faire le trottoir (en parlant d'une prostituée). — Fig. Divaguer. — (Sans doute de « fréquenter l'église », → ci-dessus, étym.). Dissimuler ; jouer la dupe, aux cartes (pour tromper) ; espionner (*in* E. Sue, *les Mystères de Paris*).

REM. On trouve les var. graphiques *antife, antifle.*

Il ne s'agit pas de *battre l'antife* (marquer le pas) sur le boulevard, sans avoir à *béquiller* (manger), crois-moi, fais-toi *casserole* (mouchard), c'est une position tout à fait tranquille.

Louise MICHEL, la Misère, t. III, p. 640 (1881).

**ANTIFONGIQUE** ou **ANTIFUNGIQUE** [ɑ̃tifɔ̃ʒik] adj. et n. m. — Mil. XXe ; de 1. *anti-*, et lat. *fongus* « champignon ».

Didact. (biol., méd.). Qui détruit les champignons ou empêche leur développement. → **Antibiotique.** *Papier antifongique :* papier d'emballage traité chimiquement à cet effet. — N. m. *Le griséofulvine est un antifongique.* — REM. On dit aussi *antimycosique* [ɑ̃timikozik] ou *antimycotique* [ɑ̃timikɔtik].

**ANTIFORCES** [ɑ̃tifɔʀs] adj. invar. — D. i. (v. 1970-1980) ; de 1. *anti-*, et *force.*

Techn. (milit.). Qui vise en priorité la destruction des moyens nucléaires et militaires de l'adversaire (sans s'attaquer prioritairement à l'économie ou aux populations). *Stratégie, moyen antiforces.*

**ANTIFRANÇAIS, AISE** [ɑ̃tifʀɑ̃sɛ, ɛz] adj. et n. — 1790, d'abord écrit *anti-français ;* de 1. *anti-*, et *français.*

Hostile, opposé à la France, aux Français.

Cruellement mutilés par la censure, quotidiennement dénoncés par des journaux anti-français, nous avons été quelque temps obligés de céder à la force des circonstances, et d'être momentanément les serviles copistes du *Moniteur.*

le Nain jaune, no 21, 25 mars 1815, *in* D. D. L., II, 15.

N. *Un antifrançais, une antifrançaise. « Elle* (ma femme) *est allemande et antifrançaise fanatique »* (B. Constant, *Journal intime*).

**ANTIFRICTION** [ɑ̃tifʀiksjɔ̃] adj. invar. et n. m. — 1849, *in* D. D. L. ; de 1. *anti-*, et *friction.*

Techn. *Métal antifriction :* alliage composé d'un constituant dur (généralement l'antimoine) et d'un produit plastique, utilisé dans la fabrication de certains organes de machine, notamment des coussinets. — N. m. Alliage de cette composition.

**ANTIFUMÉE** [ɑ̃tifyme] n. m. invar. — V. 1970 ; de 1. *anti-*, et *fumée.*

Techn. Substance incorporée à un produit pétrolier destinée à diminuer les fumées par une combustion plus complète. — Adj. *Produit antifumée.*

**ANTIFUNGIQUE** [ɑ̃tifɔ̃ʒik] adj. et n. m. → **Antifongique.**

**ANTI-g** [ɑ̃tiʒe] adj. invar. — 1956 ; de 1. *anti-* et *g(ravitation)* par l'anglais des États-Unis (*anti-g suit* « combinaison antigravitationnelle », 1945).

Abrév. de *antigravitationnel*. Combinaison spatiale anti-g* ou *anti-G. « Des sortes de pantalons fuseaux raidis par des attelles pneumatiques gonflables, ressemblant aux combinaisons anti-g des pilotes d'essai »* (*l'Express,* 19 févr. 1973).

Sa particularité raciale se lit dans sa morphologie : la combinaison anti-G en nylon gonflable, le casque poli engagent l'homme-jet dans une peau nouvelle, où « pas même sa mère ne le reconnaîtrait ».

R. BARTHES, Mythologies, 1957, p. 95.

**ANTIGANG** [ɑ̃tigɑ̃g] adj. et n. — 1965, in *le Figaro* (numéro du 25 janv.) ; de 1. *anti-*, et *gang.*

*Brigade antigang :* brigade de la police judiciaire spécialisée dans la lutte contre les gangs. *Coup de filet, échec de la brigade antigang.* — REM. Le mot appartient surtout à l'usage journalistique. La désignation administrative est : *brigade de recherche et d'intervention (B. R. I.).* — Par ext. *Polices antigangs.*

REM. On écrit parfois *anti-gang.* — On trouve aussi *anti-gangs* (invar.).

Face à la recrudescence des actes de banditisme, il préconisait la création, au sein de la Brigade criminelle, d'une section antigangs. Roger BORNICHE, le Gang, p. 124. 1

N. f. *L'antigang :* la brigade antigang.

Vos collègues de l'anti-gang, auxquels Chopin a eu affaire, disent que c'est un rapide. 2

Jeanne CORDELIER, la Passagère, p. 265.

N. m. *Les antigangs :* les policiers de cette brigade.

**ANTIGAULLISME** [ɑ̃tigolism] n. m. — V. 1941 ; de 1. *anti-,* et *gaullisme.*

Opposition au général de Gaulle, à sa politique.

Nos amis ne sauraient, à mon sens, commettre de pire erreur au cours de la prochaine campagne électorale, que de se maintenir sur le terrain de l'antigaullisme.

F. MAURIAC, le Nouveau Bloc-notes 1958-1960, p. 110.

**ANTIGAULLISTE** [ɑ̃tigolist] adj. et n. — 1941 ; de 1. *anti-,* et *gaulliste.*

Opposé, hostile au général de Gaulle, à sa politique. *«Les billevesées antigaullistes»* (Ch. de Gaulle). — *Les électeurs antigaullistes.*

1 Mais de la gauche aussi, je redoutais le pire : je craignais qu'elle ne fût dominée par la passion antigaulliste (...)

F. MAURIAC, le Nouveau Bloc-notes 1958-1960, p. 249.

2 C'était peut-être un peu pour cela qu'il était révolutionnaire, un peu anarchiste et antigaulliste.

Paul RIBEAUD, le Paria, p. 105.

N. *Les antigaullistes de 1944. Une antigaulliste.*

**ANTIGEL** [ɑ̃tiʒɛl] n. m. et adj. invar. — 1923 ; de 1. *anti-,* et *gel.*

Produit qui abaisse le point de congélation de l'eau. *Antigel pour radiateurs d'automobiles. N'oubliez pas de mettre de l'antigel avant les grands froids.* — Appos. ou adj. (invar.). *Produit antigel.*

**ANTIGÈNE** [ɑ̃tiʒɛn] n. m. — 1904, in *Rev. gén. des sc.,* n° 3, p. 160 ; de *anti(corps),* et *-gène.*

Biologie, médecine.

♦ **1** Substance qui peut engendrer des anticorps*. *Antigène bactérien, microbien. Antigène partiel : élément spécifique d'un antigène provoquant l'élaboration d'un anticorps. Réaction de l'antigène.*

Or il est établi aujourd'hui que la structure de l'anticorps ne doit rien à l'antigène : au sein de l'organisme, des cellules spécialisées, produites en grand nombre, possèdent la propriété — unique — de «jouer à la roulette» sur une partie, bien définie, des segments génétiques qui déterminent la structure des anticorps.

Jacques MONOD, le Hasard et la Nécessité, p. 162.

Adj. *Corps, substance, micro-organisme antigène.*

♦ **2** Allergène*.

DÉR. **Antigénique.**

**ANTIGÉNIQUE** [ɑ̃tiʒenik] adj. — V. 1920 ; de *antigène.*

Méd. Relatif aux antigènes.

La sollicitation antigénique exige un minimum de temps pour être efficace, aussi la prescription d'un traitement antibiotique (...) précoce peut-il *(sic)* empêcher l'apparition d'anticorps.

V. VIC-DUPONT, la Maladie infectieuse, p. 56.

DÉR. **Antigéniquement.**

**ANTIGÉNIQUEMENT** [ɑ̃tiʒenikmɑ̃] adv. — Mil. XX^e ; de *antigénique.*

Méd. En ce qui concerne les antigènes. *Des «virus antigéniquement nouveaux»* (V. Vic-Dupont, *la Maladie infectieuse,* p. 29).

**ANTIGIVRAGE** [ɑ̃tiʒivʀaʒ] n. m. — Mil. XX^e ; de 1. *anti-,* et *givrage.*

Techn. Technique destinée à empêcher la formation de givre (avions, automobiles en hiver, etc.). → **Dégivrer ; antigivrant.**

**ANTIGIVRANT, ANTE** [ɑ̃tiʒivʀɑ̃, ɑ̃t] ou **ANTIGIVRE** [ɑ̃tiʒivʀ] ou **ANTIGIVREUR, EUSE** [ɑ̃tiʒivʀœʀ, øz] adj. et n. m. — 1949, Larousse ; de 1. *anti-,* *givre* (ou *givrer*), et suff. *-ant, -eur.*

Techn. Qui empêche la formation de givre. — N. m. *Un antigivre :* un produit antigivre.

**ANTIGLISSE** [ɑ̃tiglis] adj. invar. — V. 1970 ; *antigliss,* 1964 ; de 1. *anti-,* et *glisse(r).*

*Vêtements antiglisse,* conçus pour accrocher la neige et éviter au skieur de glisser sur la pente en cas de chute.

**ANTIGONE** [ɑ̃tigɔn] n. f. — 1839 ; du n. propre grec *Antigonê.*

Littér., rare. Femme qui évoque le personnage d'Antigone, fille d'Œdipe, modèle de piété filiale et de résistance à la tyrannie.

**ANTIGOUTTEUX, EUSE** [ɑ̃tigutø, øz] adj. et n. m. — XX^e ; de 1. *anti-,* et *goutteux.*

Méd. Vx. Propre à combattre la goutte. — N. m. *Le camphre, la colchicine, la lithine sont des antigoutteux.* → **Antiarthritique.**

**ANTIGOUVERNEMENTAL, ALE, AUX** [ɑ̃tiguvɛʀnəmɑ̃tal, o] adj. — 1832, Balzac ; de 1. *anti-,* et *gouvernemental.*

Qui est contre le gouvernement, dans l'opposition. → aussi **Antiministériel.**

CONTR. **Gouvernemental.** ◊ DÉR. **Antigouvernementalisme.**

**ANTIGOUVERNEMENTALISME** [ɑ̃tiguvɛʀnəmɑ̃talism] n. m. — Déb. XX^e ; probablt antérieur (cf. *anti-gouvernementaliste,* 1850, Proudhon, *in* D. D. L.) ; de *antigouvernemental.*

Polit. Opposition politique systématique à un gouvernement. *Ce journal fait de l'antigouvernementalisme.*

**ANTIGRAVITATION** [ɑ̃tigʀavitasjɔ̃] n. f. — Mil. XX^e ; de 1. *anti-,* et *gravitation.*

Sc. Force physique hypothétique, de même nature que la gravitation, qui lui serait symétrique et de sens contraire.

**ANTIGRAVITATIONNEL, ELLE** [ɑ̃tigʀavitasjɔnɛl] adj. — Mil. XX^e ; de 1. *anti-,* et *gravitationnel.*

Relatif à l'antigravitation. → **Anti-g.** — REM. On dit aussi *antigravifique* [ɑ̃tigʀavifik].

**ANTIGRÈVE** [ɑ̃tigʀɛv] adj. — 1948 ; de 1. *anti-,* et *grève.*

Qui s'oppose à une grève, à la grève. *Lois, mesures antigrève* ou *antigrèves.*

**ANTIGRIPPAL, ALE, AUX** [ɑ̃tigʀipal, o] ou **ANTIGRIPPE** [ɑ̃tigʀip] adj. — 1926 ; de 1. *anti-,* et *grippal* ou *grippe.*

Qui est destiné à combattre la grippe. *Vaccins antigrippaux. Cachets antigrippe* (invar.).

**ANTIGUÉRILLA** [ɑ̃tigeʀija] adj. invar. — V. 1970-80 ; de 1. *anti-,* et *guérilla.*

Qui s'oppose à une action de guérilla. *Groupes d'intervention antiguérilla.*

**ANTIHALO** [ɑ̃tialo] adj. et n. m. — 1907 ; de 1. *anti-,* et *halo.*

Photogr. Qui supprime ou atténue l'effet de halo. — N. m. *Un antihalo :* un enduit antihalo.

**ANTIHAUSSE** [ɑ̃tios] adj. invar. — 1955; de 1. *anti-*, et *hausse.*

Qui lutte contre la hausse des prix. *Une politique antihausse. Des mesures antihausse.*

**ANTIHÉROS** [ɑ̃tieʀo] n. m. — 1966; de 1. *anti-*, et *héros.*

Personnage n'ayant aucune des caractéristiques du héros traditionnel; héros* (protagoniste) qui n'est pas héroïque. *La mode des antihéros. Les antihéros du roman contemporain.*

**ANTIHISTAMINIQUE** [ɑ̃tiistaminik] adj. et n. m. — 1950, *in* D. D. L.; de 1. *anti-*, et *histaminique.*

Biol. Qui combat les effets de l'histamine. — N. *Les antihistaminiques de synthèse.*

La pharmacologie moderne s'est enrichie, ces dernières années, de médicaments nouveaux, produits chimiques de synthèse, qui s'opposent, partiellement au moins, aux manifestations anaphylactiques, car ils possèdent une action antihistaminique.
R. FABRE et G. ROUGIER, Physiologie médicale, «Le milieu intérieur», p. 57.

**ANTIHORMONE** [ɑ̃tiɔʀmɔn] n. f. — Av. 1973, *le Monde*, in *la Clé des mots*; de 1. *anti-*, et *hormone.*

Biol. Substance de synthèse chimiquement proche d'une hormone spécifique et empêchant l'action de cette hormone sur ses récepteurs. → **Antiandrogène, antiœstrogène.** — REM. On écrit aussi *anti-hormone.*

Adj. ou appos. « *paradoxe, on pourrait utiliser une substance anti-hormone mâle pour provoquer un accroissement du potentiel sécrétoire des testicules !* » (*le Monde*, 11 août 1982, p. 10).

**ANTIHUMAIN, AINE** [ɑ̃tiymɛ̃, ɛn] adj. — 1855, G. Sand; de 1. *anti-*, et *humain.*

Contraire ou étranger à la nature de l'Homme, de l'espèce humaine. — Hostile à l'Homme. *Une «déclaration antisociale et antihumaine»* (G. Sand, *in* T. L. F.). *Un monde, un désert antihumain.*

REM. On écrit aussi *anti-humain.*

**ANTIHUMANISME** [ɑ̃tiymanism] n. m. — 1936, Maritain; de 1. *anti-*, et *humanisme.*

Rare. Doctrine contraire à l'humanisme.

Je renonçais à mon individualisme, à mon antihumanisme. J'appris la solidarité.
S. DE BEAUVOIR, la Force de l'âge, p. 368.

**ANTIHUMANISTE** [ɑ̃tiymanist] adj. — 1936, Maritain; de 1. *anti-*, et *humaniste.*

Didact. Hostile aux conceptions humanistes.

**ANTIHYGIÉNIQUE** [ɑ̃tiiʒjenik] adj. — 1850; de 1. *anti-*, et *hygiénique.*

Didact. Contraire à l'hygiène.

Même les humbles plaisirs des servantes provoquent ou le refus ou la raillerie de leurs maîtres. Car c'est toujours un rien, mais niaisement sentimental, anti-hygiénique.
PROUST, Sodome et Gomorrhe, Pl., t. II, p. 778.

CONTR. **Hygiénique.**

**ANTI-IMPÉRIAL, ALE, AUX** [ɑ̃tiɛ̃peʀjal, o] adj. et n. — 1889, Goncourt; de 1. *anti-*, et *impérial.*

Hist. Hostile à l'Empire.

**ANTI-IMPÉRIALISTE** [ɑ̃tiɛ̃peʀjalist] adj. et n. — Av. 1870; de 1. *anti-*, et *impérialiste.*

Opposé, hostile à l'impérialisme*. *Attitude, doctrine anti-impérialiste.* → **Anticolonialisme.**

De tels faits ne purent que provoquer l'indignation du petit nombre de révolutionnaires qui restent fidèles à leurs conceptions anticolonialistes et anti-impérialistes (...) 1
Daniel GUÉRIN, *in* la Vague, 1er déc. 1936 (*in* Au service des colonisés, p. 104).

J'ai horreur du colonialisme à piastres. J'ai horreur de nos petits-bourgeois d'Indochine qui disent : «Ici on perd sa mentalité d'esclave !» comme s'ils étaient les survivants d'Austerlitz, ou même de Lang Son. Il est vrai que l'Asie a besoin des spécialistes européens; il n'est pas vrai qu'elle doive les avoir pour maîtres. Il suffit qu'elle les paye. Je doute que les empires survivent longtemps à la victoire de deux puissances qui se proclament anti-impérialistes. 2
MALRAUX, Antimémoires, Folio, p. 123.

N. *Des anti-impérialistes.*

CONTR. **Impérialiste.**

**ANTI-INFECTIEUX, EUSE** [ɑ̃tiɛ̃fɛksjø, øz] adj. — 1905, in *Rev. gén. des sc.*, no 17, p. 795; de 1. *anti-*, et *infectieux.*

Qui combat l'infection, les maladies infectieuses. *La lutte anti-infectieuse.*

**ANTI-INFLAMMATOIRE** [ɑ̃tiɛ̃flamatwaʀ] adj. et n. m. — XXe; de 1. *anti-*, et *inflammatoire.*

Méd. Qui combat l'inflammation. → **Antiphlogistique.**

**ANTI-INFLATIONNISTE** [ɑ̃tiɛ̃flasjɔnist] adj. — 1950, *in* D. D. L.; de 1. *anti-*, et *inflationniste.*

Écon. Destiné à lutter contre l'inflation; qui combat l'inflation. → **Déflationniste.**

Les politiques anti-inflationnistes sont bien antérieures à l'actuelle politique des revenus (...). Toutefois un lien certain (...) unit politiques des revenus et *plans de stabilisation.*
Jean-Paul COURTHÉOUX, la Politique des revenus, p. 88.

CONTR. **Inflationniste.**

**ANTI-INTELLECTUALISME** [ɑ̃tiɛ̃telɛktɥalism] n. m. — 1924, H. Massis; de 1. *anti-*, et *intellectualisme.*

Didact. Hostilité à l'intellectualisme. *Un anti-intellectualisme qui préconise les valeurs affectives, imaginatives.*

**ANTI-INTELLECTUALISTE** [ɑ̃tiɛ̃telɛktɥalist] adj. — 1905, H. Poincaré; de 1. *anti-*, et *intellectualiste.*

Didact. Qui est hostile à toute forme d'intellectualisme.

(...) la philosophie anti-intellectualiste, en récusant l'analyse et «le discours», se condamne par cela même à être intransmissible.
Henri POINCARÉ, la Valeur de la science, III, X, I, p. 215.

**ANTI-INTELLECTUEL, ELLE** [ɑ̃tiɛ̃telɛktɥɛl] adj. et n. — 1909; de 1. *anti-*, et *intellectuel.*

Opposé, hostile aux intellectuels et à l'intellectualité. *Attitude anti-intellectuelle. Campagne anti-intellectuelle.*

Dans la mesure où la photographie est ellipse du langage et condensation de tout un «ineffable» social, elle constitue une arme anti-intellectuelle, tend à escamoter la «politique» (c'est-à-dire un corps de problèmes et de solutions) au profit d'une «manière d'être», d'un statut socialo-moral.
R. BARTHES, Mythologies, 1957, p. 161.

N. *Un anti-intellectuel, une anti-intellectuelle. Les anti-intellectuels d'un parti politique.*

CONTR. **Intellectuel.**

**ANTI-JEU** ou **ANTIJEU** [ɑ̃tiʒø] n. m. — Mil. XX^e^; de 1. *anti-*, et *jeu*.

Sports. Jeu peu sportif, décevant pour le public. *Au football, l'obstruction volontaire est de l'antijeu.*

**ANTI-JEUNES** ou **ANTIJEUNES** [ɑ̃tiʒœn] adj. invar. — 1972, *in* Gilbert, art. *racisme*; de 1. *anti-*, et *jeune*.

Qui s'oppose aux jeunes, les rejette. *«Racisme» anti-jeunes.* → **Jeunisme.**

**ANTIJUDAÏSME** [ɑ̃tiʒydaism] n. m. — 1931, J. Weill; de 1. *anti-*, et *judaïsme*.

Hostilité au judaïsme (→ **Antijuif**). *Antijudaïsme et antisémitisme*.*

**ANTIJUIF, IVE** [ɑ̃tiʒɥif, iv] adj. et n. — Av. 1900; de 1. *anti-*, et *juif*.

Vieilli ou hist. Qui est hostile aux juifs; qui exprime cette hostilité. → **Antisémite, antisémitique, antisioniste.** *Journal antijuif. Manifestation antijuive. Passions antijuives. Mesures antijuives du régime nazi.* — N. *Un antijuif.*

1 (...) il collectionne toutes les chansons antijuives, tous les portraits en couleur des généraux, toutes les caricatures de *bouts coupés*.

O. MIRBEAU, le Journal d'une femme de chambre, p. 128 (1900).

2 — Toute cette affaire Dreyfus, reprit le baron qui tenait toujours mon bras, n'a qu'un inconvénient : c'est qu'elle détruit la société (je ne dis pas la bonne société, il y a longtemps que la société ne mérite plus cette épithète louangeuse) par l'afflux de messieurs et de dames du Chameau, de la Chamellerie, de la Chamellière, enfin de gens inconnus que je trouve même chez mes cousines parce qu'ils font partie de la ligue de la Patrie Française, antijuive, je ne sais quoi, comme si une opinion politique donnait droit à une qualification sociale.

PROUST, le Côté de Guermantes, Folio, p. 348.

3 Nous sommes tous antijuifs. Quelques-uns parmi nous ont le courage ou la coquetterie de ne pas le laisser voir.

J. RENARD, Journal, 11 déc. 1907.

**ANTILIBÉRAL, ALE, AUX** [ɑ̃tilibeʀal, o] adj. et n. — 1815, → cit.; de 1. *anti-*, et *libéral*.

♦ **1** Vieilli. Opposé au libéralisme, à ceux qui le professent (notamment en parlant de la réaction politique). *Idées, mesures antilibérales. Politique antilibérale.* (On écrit aussi *anti-libéral*). — N. :

(...) membre honoraire de la société des obscurans, de celle des anti-libéraux du café Valois et de celle des féodaux (...)

le Nain jaune, n° 21, 25 mars 1815, *in* D. D. L., II, 15.

♦ **2** Intolérant; qui refuse les attitudes libérales.

CONTR. **Libéral.** ◈ DÉR. **Antilibéralisme.**

**ANTILIBÉRALISME** [ɑ̃tilibeʀalism] n. m. — 1842; de *antilibéral*.

Vieilli. Attitude, système opposés au libéralisme. → **Absolutisme, dictature.** *L'antilibéralisme monarchiste, au XIX^e^ siècle.*

CONTR. **Libéralisme.**

**ANTILITHIQUE** [ɑ̃tilitik] adj. et n. m. — 1971; de 1. *anti-*, et *-lithique*.

Méd. Qui prévient la formation des calculs (→ 2. **Calcul**), notamment des calculs urinaires. — N. m. *Un antilithique.*

**ANTILLAIS, AISE** [ɑ̃tijɛ, ɛz] adj. et n. — 1898, *Nouveau Larousse illustré*; *antillien*, 1866; de *Antilles*.

Relatif aux pays, aux habitants des Antilles, archipel d'Amérique centrale, et, spécialt, des «petites Antilles» (Guadeloupe, Martinique, Trinité, îles Sous-le-Vent). — REM. Pour les «grandes Antilles», on emploie plutôt les adjectifs particuliers : *cubain, haïtien, jamaïcain, portoricain.* → aussi **Caraïbe.** *L'économie antillaise. Rhum antillais. La cuisine, la musique antillaise. Créole antillais. Le Discours antillais,* œuvre de E. Glissant.

N. *Un Antillais, une Antillaise* : un habitant, une habitante des Antilles ou une personne qui en est originaire. *Les Antillais de Paris.*

**ANTILLANISME** [ɑ̃tijanism] n. m. — D. i. (XX^e^); esp. *antillanismo* «particularité de l'espagnol des Antilles», de *antillano* «antillais».

Ling. Particularité du français (de l'espagnol, de l'anglais...) usité aux Antilles. *Un antillanisme d'origine africaine, créole* (→ Créolisme). *Les antillanismes guadeloupéens* (en français). *Antillanismes et africanismes*.*

**ANTILOGARITHME** [ɑ̃tilɔgaʀitm] n. m. — 1740; de 1. *anti-*, et *logarithme*.

Math. Fonction réciproque de la fonction logarithme* (surtout, logarithme décimal); nombre correspondant à un logarithme donné. → **Exponentielle.** — Abrév. : *antilog* [ɑ̃tilɔg].

**ANTILOGIE** [ɑ̃tilɔʒi] n. f. — 1623; grec *antilogia*, de *anti-* (→ 1. Anti-), et *logos*. → -logie.

♦ **1** Rhét. Contradiction d'idées dans un discours, dans un écrit. → **Antinomie.**

Relig. Contradiction de la Bible établie par les adversaires du christianisme.

♦ **2** Philos. Opposition d'un jugement, d'une proposition de valeur égale à tout jugement, à toute proposition. *La thèse sceptique* de l'antilogie.*

**ANTILOGIQUE** [ɑ̃tilɔʒik] adj. — 1836, Stendhal, *Vie d'Henry Brulard*; de 1. *anti-*, et 2. *logique*.

♦ **1** Didact. ou littér. Illogique, irrationnel.

♦ **2** Philos. Relatif à l'antilogie sceptique.

CONTR. **Cohérent, logique, rationnel.**

**ANTILOPE** [ɑ̃tilɔp] n. f. — 1754, *in* Höfler; attestation isolée, 1622; angl. *antelope*, 1596 (*antelopis*, v. 1430), empr. à l'anc. franç. *antelop*, *antelu* «animal fabuleux», XIII^e^, B. Latini, du lat. médiéval *ant(h)alopus*, du grec byz. *antholops*.

♦ **1** Mammifère ruminant *(Antilopinés)* au corps svelte, aux hautes pattes grêles, à cornes creuses, spiralées chez le mâle. → aussi **Algazelle, bubale, gnou, nilgaut, saïga.** *Bonds d'antilope. Cornes d'antilopes.*

Un de nos porteurs nous signale un troupeau d'antilopes. À deux cents mètres de la route l'œil distingue, parmi les herbes, des taches blondes, une vingtaine (...)

GIDE, Voyage au Congo, *in* Souvenirs, Pl., p. 805.

(En franç. d'Afrique). *Antilope-cheval* : grande antilope *(Hippotragus equinus)* à crinière. *Antilope-royale* : petite antilope *(Neotragus batesi)* de la forêt (d'après I. F. A.).

♦ **2** Par ext. La peau de ce mammifère. *Sac en antilope. Fourniture d'antilopes dans une peausserie.*

DÉR. **Antilopinés** ou **antilopidés.**

**ANTILOPINÉS** [ɑ̃tilɔpine] ou **ANTILOPIDÉS** [ɑ̃tilɔpide] n. m. pl. — 1892, *antilopinés; antilopidés,* 1861, *in* Höfler; de *antilope.*

Zool. Sous-famille de mammifères bovidés dont l'antilope* et la gazelle sont les espèces principales. — Au sing. *Un antilopiné (antilopidé).*

**ANTIMAÇONNIQUE** [ɑ̃timasɔnik] adj. — Fin XIX<sup>e</sup>; de 1. *anti-,* et *maçonnique.*

Rare. Qui est opposé, hostile à la franc-maçonnerie. CONTR. **Maçonnique.**

**ANTIMAGNÉTIQUE** [ɑ̃timaɲetik] adj. — 1784; de 1. *anti-,* et *magnétique.*

Qui ne subit pas les effets du magnétisme. *Montre antimagnétique.*

Une belle montre, antimagnétique, plaquée or, qualité suisse, avec trotteuse centrale.
Jean HOUGRON, la Gueule pleine de dents, p. 126.

**ANTIMARXISME** [ɑ̃timaʀksism] n. m. — Déb. XX<sup>e</sup>; de 1. *anti-,* et *marxisme.*

Hostilité ou opposition systématique au marxisme. → aussi **Anticommunisme.**

**ANTIMARXISTE** [ɑ̃timaʀksist] adj. et n. — Déb. XX<sup>e</sup>; de 1. *anti-,* et *marxiste.*

Hostile, opposé au marxisme. → aussi **Anticommuniste.** *Une idéologie, une philosophie antimarxiste.* — N. *Un antimarxiste.*

**ANTIMATIÈRE** [ɑ̃timatjɛʀ] n. f. — 1958; de 1. *anti-,* et *matière.*

Phys. Matière hypothétique qui serait constituée d'antiparticules.

Alors on s'imaginait un instant que l'atome était une reproduction exacte du système solaire, mais c'était là une superstition non scientifique : le système éclatait, et l'homme, ayant exploré la matière de bout en bout, arrivait enfin au terme du voyage : l'antimatière se dressait devant lui, symétrique de la matière et vide de Dieu comme elle.
Vladimir VOLKOFF, le Retournement, p. 74.

**ANTIMÈRE** [ɑ̃timɛʀ] n. m. — 1874, → cit.; de 1. *anti-,* et *-mère.*

Biol. Élément d'une symétrie rayonnante.

Les rayonnés enfin se différencient des trois autres types principaux par la conformation de leurs corps, qui sont munis de quatre ou d'un plus grand nombre de prolongements rayonnés (antimères).
Ch. LETOURNEAU, trad. HAECKEL, De la création des êtres organisés, p. 48 (1874).

**ANTIMÉRIDIEN** [ɑ̃timeʀidjɛ̃] n. m. — 1922; de 1. *anti-,* et *méridien.*

Géogr. *Antiméridien d'un lieu :* demi-cercle joignant les pôles, opposé au méridien* de ce lieu. *L'antiméridien de Greenwich.*

**ANTIMÉTABOLIQUE** [ɑ̃timetabɔlik] adj. et n. m. — XX<sup>e</sup>; de 1. *anti-,* et *métabolique.*

Biol. Qui diminue le métabolisme. — N. m. → **Antimétabolite.**

**ANTIMÉTABOLITE** [ɑ̃timetabɔlit] n. m. — 1958; de 1. *anti-,* et *métabolite.*

Biol. Substance qui freine le métabolisme, les échanges cellulaires.

La notion d'*antivitamine* qui a fait suite à ces découvertes a été remplacée par celle plus générale d'*antimétabolite.* Elle est d'un grand secours pour l'avancement des recherches sur le cancer. La division cellulaire, dont l'intensité est grande dans les tissus cancéreux, nécessite la présence d'éléments indispensables comme l'acide folique, des bases organiques (purine, thymine, guanine), pour lesquels on recherche des antimétaboliques (les antifoliques, antipurines, etc.).
A. GALLI et R. LELUC, les Thérapeutiques modernes, p. 13.

**ANTIMICROBIEN, IENNE** [ɑ̃timikʀɔbjɛ̃, jɛn] adj. — 1889; de 1. *anti-,* et *microbien.*

Biol. Qui combat les microbes. → **Antibactérien.** *Pouvoir antimicrobien de certaines substances.* → **Antibiotique, bactéricide.** *Anticorps antimicrobiens. Vaccins antimicrobiens.*

**ANTIMIGRAINEUX, EUSE** [ɑ̃timigʀɛnø, øz] adj. — 1907; de 1. *anti-, migraine,* et suff. *-eux.* → Migraineux.

Méd. Qui combat la migraine, les maux de tête.

**ANTIMILITAIRE** [ɑ̃timilitɛʀ] adj. — 1842, A. Comte; de 1. *anti-,* et *militaire.*

Qui est opposé, hostile à l'armée. → **Antimilitariste.** «*La démagogie anticléricale et antimilitaire*» (Bainville). — REM. On écrit aussi *anti-militaire.*

Militaire par l'éducation et l'instinct, il était, par l'indiscipline, anti-militaire. 1
BARBEY D'AUREVILLY, *in* le Réveil, 20 mars 1858 (*in* D. D. L., II, 9).

Il avait reçu l'ordre de gagner Paris au plus vite et, sitôt dans la capitale, de se rendre à son journal : *l'Époque.* Toute cette affaire lui apparaissait non seulement bien mystérieuse, mais encore si «antimilitaire», qu'il n'y comprenait goutte. 2
G. LEROUX, Rouletabille chez Krupp, p. 7.

Contraire à l'esprit militaire (règlement, discipline...). *Agissements antimilitaires d'un officier.*

CONTR. **Militariste.**

**ANTIMILITARISME** [ɑ̃timilitaʀism] n. m. — V. 1900; de 1. *anti-,* et *militarisme.*

Opposition à l'esprit, aux institutions militaires.

Du service de trois ans naîtra (renaîtra plus violent) *l'antimilitarisme.* Celui de ma génération était venu, pour une bonne partie, de la suppression du volontariat d'un an.
R. ROLLAND, Deux hommes se rencontrent, p. 186.

CONTR. **Militarisme.**

**ANTIMILITARISTE** [ɑ̃timilitaʀist] adj. et n. — V. 1900 (1907, in *Larousse pour tous*); de 1. *anti-,* et *militariste.*

Qui a rapport à l'antimilitarisme. → **Antimilitaire.** *Propagande antimilitariste. — Littérature, journaux antimilitaristes. Manifestations antimilitaristes.*

Si Bloch nous avait fait des professions de foi méchamment antimilitaristes une fois qu'il avait été reconnu «bon», il avait eu préalablement les déclarations les plus chauvines quand il se croyait réformé pour myopie. 1
PROUST, le Temps retrouvé, Pl., t. III, p. 741.

N. Partisan de l'antimilitarisme. *Un, une antimilitariste.*

Lui, le pacifiste, l'antimilitariste, le «plus jamais ça», il commençait déjà, lors de la guerre civile espagnole, à son insu, ce mouvement qui s'épanouirait avec la guerre. 2
Armand LANOUX, le Commandant Watrin, p. 81.

CONTR. **Militariste.**

**ANTIMINISTÉRIEL, ELLE** [ɑ̃tiministeʀjɛl] adj. — 1740, d'Argenson; de 1. *anti-,* et *ministériel.*

Polit. Hostile au ministère. → **Antigouvernemental.** — REM. On a employé au XVIII<sup>e</sup> s. *antiministérialiste* [ɑ̃tiministeʀjalist].

**ANTIMISSILE** [ãtimisil] adj. et n. m. — 1960, in *Larousse encyclopédique*; de 1. *anti-*, et *missile*.

Relatif, dans l'armement moderne, à un système de défense ou à un élément de ce système (par ex., projectile) propre à détruire les missiles. → **Anti-engin.** *Programme de défense antimissile. Fusée antimissile. Des missiles antimissiles.*

1 Et puis, on voit les lavandières du Portugal brûlées vives dans leur bidonville et Guillaume Tell vendant sous le manteau des arbalètes antimissiles aux valeureux légionnaires du Tchad.

J. PRÉVERT, Choses et autres, p. 292.

2 Dans dix ans, le Japon aura un armement nucléaire et un système antimissile imparable.

Michel DÉON, les Poneys sauvages, p. 313.

N. m. *Un antimissile.*

**ANTIMITE** ou **ANTIMITES** [ãtimit] adj. et n. m. — 1875, *in* D. D. L., écrit *anti-mites*; de 1. *anti-*, et *mite*.

Qui protège (les lainages, les fourrures) contre les mites. *Le paradichlorobenzène est antimite. «Les vapeurs antimites qui me chatouillent les narines»* (Borniche, *le Ricain*, p. 23).

N. m. *Un antimite* : un produit antimite. *Mettre de l'antimite dans un placard. Sentir l'antimite.*

Grand-mère (...) déshabille les lits de leurs pelures successives, journaux et autres antimites qui les protègent quand ils ne servent pas (...)

Benoîte et Flora GROULT, Journal à quatre mains, p. 47.

**ANTIMITOTIQUE** [ãtimitɔtik] adj. et n. m. — 1958; de 1. *anti-*, et *mitotique*.

Biol. Se dit d'un agent (surtout d'une substance chimique) qui inhibe certaines phases de la mitose, empêchant ainsi la multiplication des cellules. — N. m. *Les antimitotiques sont utilisés dans le traitement des cancers.*

**ANTIMOINE** [ãtimwan] n. m. — XIIIe; du lat. médiéval *antimonium*, probablt de l'arabe *(')itmid*, p.-ê. du grec *stimmi* ou *stibi* «noir d'antimoine».

Chim. Corps simple (n° at. 51; masse at. 121,76; symb. *Sb*), intermédiaire entre les métaux et les métalloïdes, cassant, argenté, dont le principal minerai est la *stibine* et qui augmente la dureté des métaux auxquels on l'associe (→ 1. **Régule**). *Oxydes d'antimoine* : → **Sénarmontite, valentinite.** *Antimoine cru* ou *sulfure d'antimoine* dit (vx) *beurre d'antimoine* (→ **Kermès, khôl**). *L'antimoine entre dans la composition de certains alliages* (→ **Antifriction, antimoniure**); *il est employé avec le plomb et l'étain dans la fabrication des caractères d'imprimerie.*

Pour la *tunique de la Diane,* un ton de reflet analogue à celui de sa chair dans l'ombre : *Antimoine, cadmium,* etc.

E. DELACROIX, Journal 1823-1850, 10 juin 1850.

DÉR. V. **Antimonial, antimoniate, antimonié, antimonieux, antimoniure.**

**ANTIMONARCHIQUE** [ãtimɔnaʀʃik] adj. — 1714; de 1. *anti-*, et *monarchique*.

Polit. Opposé au gouvernement monarchique.

**ANTIMONARCHISTE** [ãtimɔnaʀʃist] n. — 1845; de 1. *anti-*, et *monarchiste*.

Polit. Adversaire du régime monarchique.

CONTR. **Monarchiste, royaliste.**

**ANTIMONIAL, ALE, AUX** [ãtimɔnjal, o] adj. et n. m. — 1612; du rad. lat. de *antimoine*.

Chim. Qui tient de l'antimoine ou en contient. → **Antimonié.**

N. m. Médicament à base d'antimoine. *Le kermès, l'émétique sont des antimoniaux.*

**ANTIMONIATE** [ãtimɔnjat] n. m. — 1801; du rad. lat. de *antimoine*.

Chim. Sel d'un acide oxygéné dérivé de l'antimoine.

**ANTIMONIÉ, ÉE** [ãtimɔnje] adj. — 1757, *Encyclopédie*; du rad. lat. de *antimoine*.

Chim. Qui contient de l'antimoine, se combine avec l'antimoine. → **Antimonial.** *Hydrogène antimonié* : antimoniure d'hydrogène.

**ANTIMONIEUX** [ãtimɔnjø] adj. m. — 1838; du rad. lat. de *antimoine*.

Chim. (D'un composé). Qui comporte de l'antimoine trivalent. *Anhydride antimonieux naturel.* → **Sénarmontite.**

**ANTIMONIURE** [ãtimɔnjyʀ] n. m. — 1838; du rad. lat. de *antimoine*.

Chim. Combinaison de l'antimoine (avec un autre métal). *Antimoniure d'hydrogène* (ou hydrogène antimonié).

**ANTI-MONTE-LAIT** [ãtimɔ̃tlɛ] n. m. invar. → **Lait** (I., 2.).

**ANTIMORAL, ALE, AUX** [ãtimɔʀal, o] adj. — 1782, Mercier; de 1. *anti-*, et *moral*.

Rare. Opposé à la morale régnante, aux bonnes mœurs. → **Immoral.**

**ANTIMORBILLEUX, EUSE** [ãtimɔʀbijø, øz] adj. — XXe; de 1. *anti-*, et *morbilleux*.

Méd. Se dit de l'ensemble des moyens thérapeutiques propres à lutter contre la rougeole. → **Antirougeoleux.** — REM. On écrit aussi *anti-morbilleux*. *«Le risque de mort que comporte la rougeole a déterminé des campagnes de vaccination antimorbilleuse de masse»* (*Guérir*, oct. 1967).

**ANTIMORPHINIQUE** [ãtimɔʀfinik] adj. et n. m. — D. i. (XXe); de 1. *anti-*, et *morphinique*.

Méd. Qui combat les effets (dépression respiratoire) des médicaments morphiniques. — N. m. Substance antimorphinique.

**ANTIMYCOSIQUE** [ãtimikozik] ou **ANTIMYCOTIQUE** [ãtimikɔtik] adj. et n. m. → **Antifongique.**

**ANTINATALISME** [ãtinatalism] n. m. — V. 1960; de 1. *anti-*, et *natalisme*.

Sociol. Opinions, théories cherchant à décourager, à limiter la natalité. → **Malthusianisme.**

Quant aux propagandistes les plus extrêmes de l'antinatalisme, ils n'en sont pas moins favorables, bien entendu, au développement économique.

A. SAUVY, Croissance zéro?, p. 93.

**ANTINATALISTE** [ãtinatalist] adj. et n. — V. 1960; de 1. *anti-*, et *nataliste*.

Qui cherche à décourager, à limiter la natalité. → **Malthusien.** *Opinions, idées antinatalistes. Propagande antinataliste.*

REM. On trouve aussi *antinatal, ale, als* [ɑ̃tinatal] adj. (1973, A. Sauvy, *Croissance zéro ?*, p. 93). *Techniques, pratiques antinatales.*

N. Partisan de l'antinatalisme. *Un, une antinataliste.*

CONTR. **Nataliste.**

**ANTINATIONAL, ALE, AUX** [ɑ̃tinasjɔnal, o] adj. — 1743 ; de 1. *anti-*, et *national.*

Qui est contraire à la nation, à l'intérêt national. *Politique antinationale.*

Le roi, dit-on, pourra donc faire des guerres injustes, des guerres antinationales ? MIRABEAU, *in* LITTRÉ.

CONTR. **National.** ◈ DÉR. **Antinationalisme.**

**ANTINATIONALISME** [ɑ̃tinasjɔnalism] n. m. — 1914, Jaurès, *in* T. L. F. ; de *antinational* ou de 1. *anti-*, et *nationalisme.*

Théorie, opinion contraire au nationalisme. — Par ext. Politique opposée au nationalisme.

Une mauvaise humeur que je ne cherche pas à dissimuler, mon confrère J. Boulenger y flaire une passion d'antinationalisme, «passion au même titre que le nationalisme ou l'anti-patriotisme, et peut-être plus dangereuse, parce qu'elle paraît moins, ayant tous les dehors de la modération». C'est bien possible, et l'on dépouille difficilement l'homme.

A. THIBAUDET, *in* N. R. F., juil. 1923 (*in* D. D. L., II, 15).

CONTR. **Nationalisme.**

**ANTINATIONALISTE** [ɑ̃tinasjɔnalist] adj. et n. — 1927, Maritain, *in* T. L. F. ; de 1. *anti-*, et *nationaliste.*

Opposé au nationalisme.

**ANTI-NATIONAL-SOCIALISTE** [ɑ̃tinasjɔnalsɔsjalist] adj. et n. → **Antinazi.**

**ANTINATUREL, ELLE** [ɑ̃tinatyʀɛl] adj. — 1789, *Cahiers de doléances ;* de 1. *anti-*, et *naturel.*

♦ **1** Qui est contraire à la nature. → **Anormal, antiphysique (vx), monstrueux.** — Spécialt (av. 1838). *Des tendances antinaturelles,* contre nature* (*supra* cit. 44).

♦ **2** Qui s'oppose à la nature (au nom de la culture).

CONTR. **Naturel.**

**ANTINAUPATHIQUE** [ɑ̃tinopatik] adj. et n. m. — Après 1950 ; de 1. *anti-*, et *naupathique.*

Méd., pharm. Propre à combattre le mal de mer. *Comprimés antinaupathiques.* — N. m. *Prendre un antinaupathique.*

**ANTINAZI, IE** [ɑ̃tinazi] adj. et n. — V. 1940 ; de 1. *anti-*, et *nazi.*

Hostile au nazisme, aux tenants du nazisme. → **Antifasciste.**

Nom :

1 On connaît le truc : une malheureuse poignée de territoriaux impotents et de grands-pères peinards, tous antinazis, de la crosse en l'air à la première sommation, une affaire en or ; total, on tombe sur un régiment de saignants et de cracheurs de feu.

Jacques PERRET, Bande à part, p. 70.

2 Les antinazis allemands continuaient à prédire le proche effondrement d'Hitler. Sartre voulait les croire, mais il était tout de même content de quitter l'Allemagne.

S. DE BEAUVOIR, la Force de l'âge, p. 199.

REM. Le syn. *anti-national-socialiste* est peu employé :

Il nous manque dans ce domaine un rassemblement — et un semblant d'organisation — de toutes les forces anti-national-socialistes, de façon à élever une muraille solide contre les attaques secrètes et souterraines qui sapent notre démocratie, encore insuffisamment consolidée. 3

F. MAURIAC, le Nouveau Bloc-notes 1958-1960, p. 163.

**ANTINAZISME** [ɑ̃tinazism] n. m. — 1934, *le Mois,* mars-avril, *in* D. D. L. ; de 1. *anti-*, et *nazisme.*

Hostilité, opposition au nazisme. *L'antinazisme actif de la Résistance.*

**ANTINEUTRINO** [ɑ̃tinøtʀino] n. m. — 1958 ; de 1. *anti-*, et *neutrino.*

Phys. Antiparticule du neutrino.

**ANTINEUTRON** [ɑ̃tinøtʀɔ̃] n. m. — 1956, *Larousse mensuel ;* de 1. *anti-*, et *neutron.*

Phys. Antiparticule du neutron.

**ANTINÉVRALGIQUE** [ɑ̃tinevʀalʒik] adj. et n. m. — 1850 ; de 1. *anti-*, et *névralgique.*

Méd. Qui est propre à combattre la névralgie.

«Et ceci, qu'est-ce que c'est ?»
Elle me répondit :
«Que vous êtes curieux ! C'est une dose de poudre antinévralgique contre les migraines. Une fabrication anglaise».

Joseph PEYRÉ, Sang et Lumières, p. 84.

N. m. *Le menthol est un antinévralgique.*

**ANTINOMIE** [ɑ̃tinɔmi] n. f. — 1546, Rabelais ; du lat. *antinomia,* grec *antinomia ;* de 1. *anti-*, et *nomos* «loi».

Didactique ou littéraire.

♦ **1** Contradiction réelle ou apparente entre deux lois, deux principes. → **Antilogie, opposition.** *Concilier des antinomies* (→ Accord, cit. 17).

(...) connaissant les antinomies et contrariétés des lois, des édits, des coutumes et ordonnances. 1

RABELAIS, le Tiers Livre, 44.

Et pas plus que le chrétien ne doit chercher à obtenir conciliation de deux vérités contradictoires, telles que prescience de Dieu et libre arbitre individuel : de même devons-nous protéger en nous toutes les antinomies naturelles et comprendre que c'est grâce à leur irréductible opposition que nous vivons. 2

GIDE, Journal, janv. 1925.

(...) votre article semble dire oui à une doctrine et faire silence sur la politique qu'elle entraîne. Il faut voir seulement que cette contradiction de fait traduit une antinomie plus profonde qu'il me reste à décrire et qui oppose votre collaborateur à ses propres principes. 3

CAMUS, Actuelles II, *in* Essais, Pl., p. 768.

♦ **2** (1801). Philos. (chez Kant). Conflit entre les lois (de la Raison pure). — Conflit dialectique entre thèse et antithèse (chez Hegel et les hégéliens). *«Proudhon aurait pu se passer du terme hégélien antinomie»* (Sainte-Beuve).

♦ **3** Log. → **Paradoxe.**

CONTR. **Accord.** ◈ DÉR. **Antinomique.** — V. **Antinomiste.**

**ANTINOMIQUE** [ɑ̃tinɔmik] adj. — 1853, mais antérieur (→ Antinomiquement) ; de *antinomie.*

Didact. ou littér. Se dit de deux lois, de deux principes qui forment une antinomie. → **Contradictoire, contraire, opposé.**

Cela ressemblait aussi à une cloison dérisoire, compartimentant deux éléments antinomiques, sans que rien ne pût motiver cet agencement (...)

J.-M. G. LE CLÉZIO, le Déluge, p. 34.

CONTR. **Concordant.** ◈ DÉR. **Antinomiquement.**

**ANTINOMIQUEMENT** [ɑ̃tinɔmikmɑ̃] adv. — 1847, Balzac; de *antinomique*.

Didact. D'une manière antinomique.

**ANTINOMISTE** [ɑ̃tinɔmist] n. — 1892, comme n.; du rad. de *antinomie*.

Didactique.

♦ **1** Personne qui met en forme une antinomie.

♦ **2** Relig. Hérétique s'opposant à une loi (du sens du lat. *antinomia*). — REM. Dans ce sens, on trouve aussi *antinomisme*, n. m. (mil. XIX^e), et *antinomiste* comme adj. (*«la controverse antinomiste des protestants du XVI^e siècle»*, Théol. cathol., *in* T. L. F.).

**ANTINOSOGRAPHIQUE** [ɑ̃tinozɔgʀafik] adj. — 1975, ex. *infra;* de 1. *anti-*, et *nosographique*.

Didact. Opposé à une classification rigide des maladies, en psychopathologie. *Ces théories des déficiences mentales «fixées dans une position antinosographique et dominée par des partis pris strictement sociogénétiques ou psychogénétiques...»* (H. Luccioni et J. Sutter, *in* Porot, 1975, art. *Arriération*, p. 73 b).

**ANTINOÜS** [ɑ̃tinɔys] n. m. — Mil. XIX^e, en compar. (par antonomase); n. propre, forme francisée du lat. *Antinous*, grec *Antinoos*, nom d'un jeune esclave extrêmement beau, qui fut le favori de l'empereur Hadrien.

Littér., vieilli. Jeune homme d'une grande beauté (souvent péjoratif).

Antinoüs flétris, dandys à face glabre.

BAUDELAIRE, les Fleurs du mal, «Spleen et Idéal», XCVII.

**ANTINUCLÉAIRE** [ɑ̃tinykleɛʀ] adj. et n. — 1960, *in* D. D. L.; de 1. *anti-*, et *nucléaire*.

Qui est hostile à l'utilisation de l'énergie nucléaire, et, spécialt, à l'implantation de centrales nucléaires. → **Antiatomique.** *Manifestation antinucléaire et écologiste.*

Je ne m'intéresse qu'au pouvoir vert, aux marches antinucléaires, à la vie simple.

Christine ARNOTHY, Toutes les chances plus une, p. 18.

N. *Les antinucléaires.*

**ANTI-ŒSTROGÈNE** [ɑ̃tiøstʀɔʒɛn; ɑ̃tiɛstʀɔʒɛn] adj. et n. m. — Av. 1982; de 1. *anti-*, et *oestrogène*.

Didact. (méd., physiol.). Qui inhibe l'action d'une hormone œstrogène. → Anti-androgène. — N. m. Antihormone anti-œstrogène.

**ANTIOVULATOIRE** [ɑ̃tiɔvylatwaʀ] adj. et n. m. — XX^e; de 1. *anti-*, *ovulation*, et *-oire*.

Méd. Qui freine ou empêche l'ovulation. *Médicament antiovulatoire.*

(...) nous déconseillons ce traitement à long terme *(par la pilule antifécondante)* chez la femme jeune et, jusqu'à maintenant, nous n'avons ordonné les traitements antiovulatoires que pendant trois mois consécutifs. Encore le plus souvent s'agissait-il du traitement des aménorrhées (...)

D^r R. GÉRAUD, la Pilule antifécondante, *in* D^r WILLY, la Sexualité, t. II, p. 114 (1964).

N. m. Médicament antiovulatoire. *Certains antiovulatoires sont des stéroïdes de synthèse.*

**ANTIOXYDANT, ANTE** [ɑ̃tiɔksidɑ̃, ɑ̃t] adj. — XX^e; de 1. *anti-*, et *oxydant*.

Chim. Qui empêche un processus d'oxydation. → **Antirouille.** — Techn. *Agents antioxydants,* qui conservent les peintures, vernis. — REM. On écrit aussi *anti-oxydant*.

(...) certaines vitamines protègent contre l'oxydation le milieu, aqueux ou huileux, où elles se trouvent naturellement en captant elles-mêmes l'oxygène qui arrive dans ce milieu. Cet effet «anti-oxydant» disparaît (...) lorsqu'un traitement a détruit les vitamines et la substance perd alors sa résistance.

L.-V. VASSEUR, J.-J. BIMBENET et M. HILLAIRET, les Industries de l'alimentation, p. 14.

**ANTIPALUDIQUE** [ɑ̃tipalydik] ou **ANTIPALUDÉEN, ENNE** [ɑ̃tipalydeɛ̃, ɛn] adj. et n. m. — 1968, *antipaludique;* de 1. *anti-*, et *paludisme*.

Méd. Se dit d'un médicament qui agit sur le paludisme ou qui protège contre lui. — N. m. *La quinine est un antipaludique.*

**ANTIPAPE** [ɑ̃tipap] n. m. — 1320; du lat. médiéval *antipapa*.

Hist. relig. Pape considéré par l'Église comme irrégulièrement élu, et non reconnu par elle.

C'est une grande hardiesse d'appeler antipapes ceux *(les* 1
*papes)* qui durant ce schisme ont tenu le siège en Avignon.

MÉZERAY, Abrégé chronologique, années 1378-1379, *in* HATZFELD.

Les anges byzantins des agonies veillèrent longtemps sur 2
les roseaux de Ravenne, sur les catacombes de Rome où les gardes dorés du pape combattaient ceux de l'antipape; seul pouvoir au monde au V^e siècle, Byzance a duré mille ans, plus longtemps que Rome.

MALRAUX, les Voix du silence, *in* Romans, Pl., p. 172.

DÉR. **Antipapisme.**

**ANTIPAPISME** [ɑ̃tipapism] n. m. — 1736; de *antipape*.

♦ **1** Vx. État de celui qui est antipape; état de l'Église lors du règne d'un antipape.

♦ **2** Mod. Opposition, hostilité au pape, à l'autorité papale (soit à l'intérieur du catholicisme, soit à l'extérieur : *l'antipapisme anglican*).

Le séditieux Boucher prenoit le même Prétexte, pour déclamer contre Henri IV, qu'il accusoit d'*Anti-Papisme*, ou de *Protestantisme*.

Marquis D'ARGENS, Lettres juives, vol. 1, 1738, p. 115, *in* D. D. L., II, 7.

**ANTIPAPISTE** [ɑ̃tipapist] adj. et n. — 1767; de 1. *anti-*, et *papiste*.

Hist. relig. Qui est opposé, hostile au pape, à l'autorité papale. — Par ext. Qui est hostile à l'Église catholique. — N. *Un, une antipapiste.*

**ANTIPARALLÈLE** [ɑ̃tipaʀalɛl] adj. — 1752; de 1. *anti-*, et *parallèle*.

Géom. Se dit d'une paire de droites par rapport à une autre, quand les bissectrices des deux premières droites sont parallèles à celles des deux secondes. *Droites antiparallèles à deux autres droites. Couples de droites antiparallèles.*

Math. *Vecteurs antiparallèles :* vecteurs de même module, de supports parallèles, mais de sens contraire. Par ext. Phys. nucl. *Spins antiparallèles. Des électrons appariés ont des spins individuels antiparallèles.*

**ANTIPARASITAGE** [ɑ̃tipaʀazitaʒ] n. m. — 1965; de *antiparasiter*.

Opération qui consiste à poser sur un appareil de transmissions radiophoniques un dispositif destiné à empêcher la propagation des parasites; ce dispositif. *L'antiparasitage d'un poste de radio.*

**ANTIPARASITAIRE** [ɑ̃tipaʀazitɛʀ] adj. et n. m. — V. 1874, *Journal de méd. et de chir.*; de 1. *anti-*, et *parasitaire.*

Biol., méd. Destiné à lutter contre les parasites. *Produits antiparasitaires.* — N. m. *Le «D. D. T., puissant antiparasitaire de contact»* (V. Vic-Dupont, *la Maladie infectieuse,* p. 28).

**ANTIPARASITE** [ɑ̃tipaʀazit] adj. et n. m. — 1928; de 1. *anti-*, et *parasite.*

Qui s'oppose à la production et la propagation des parasites*, dans les transmissions radiophoniques. *Munir une automobile d'un dispositif antiparasite.* → **Antiparasiter.** — REM. On écrit aussi *antiparasites* (invar.).

Tu sais, mon vieux, mon cadre antiparasites ne vaut rien. Le bobinage est défectueux.

H. TROYAT, la Rencontre, p. 191.

N. m. Ce dispositif. *Un antiparasite est obligatoire.*

DÉR. **Antiparasiter.**

**ANTIPARASITER** [ɑ̃tipaʀazite] v. tr. — 1948; de *antiparasite.*

Munir d'un dispositif antiparasite. — P. p. adj. Doté d'un antiparasite. → **Antibrouillé.** *«Cartes et poignée incassables en Rilsan (...) Moteur antiparasité»* (*Paris-Match,* 22 mars 1958, Publicité).

DÉR. **Antiparasitage.**

**ANTIPARKINSONIEN, IENNE** [ɑ̃tipaʀkinsɔnjɛ̃, jɛn] adj. et n. m. — Mil. XX^e; de 1. *anti-*, et *parkinsonien.*

Méd. Se dit d'un médicament propre à atténuer les symptômes de la maladie de Parkinson (surtout les tremblements et la rigidité). — N. m. *Les antiparkinsoniens agissent sur le système nerveux parasympathique.*

**ANTIPARLEMENTAIRE** [ɑ̃tipaʀləmɑ̃tɛʀ] adj. et n. — 1853, La Châtre; de 1. *anti-*, et *parlementaire.*

Didact. Hostile au parlementarisme, au parlement. *Propos antiparlementaires. Procédé antiparlementaire.*

1 Des forces extraparlementaires et parfois antiparlementaires se développent dans le pays.

J. DONNEDIEU DE VABRES, l'État, p. 27.

2 Je ne suis, quoi qu'en pense M. Kléber Haedens, ni royaliste (la monarchie en France n'est même plus imaginable), ni antiparlementaire (l'exemple de l'Allemagne nazie, de l'Italie fasciste, des Républiques populaires suffirait à m'en garder).

F. MAURIAC, le Nouveau Bloc-notes 1958-1960, p. 75.

N. *Un, une antiparlementaire.*

DÉR. **Antiparlementarisme.**

**ANTIPARLEMENTARISME** [ɑ̃tipaʀləmɑ̃taʀism] n. m. — Déb. XX^e; de *antiparlementaire.*

Didact. (polit.). Opposition au régime parlementaire.

L'anarchisme, dans le sens même du mot, a été peu répandu en Russie, et l'assise principale de l'anarchisme, — l'antiparlementarisme —, n'a joui et n'a pu jouir de l'approbation d'un peuple qui a lutté si longtemps pour l'établissement du régime parlementaire.

G. ALEXINSKY, la Russie moderne, 1912, *in* D. D. L., II, 7.

**ANTIPARTI** [ɑ̃tipaʀti] adj. et n. — 1957; de 1. *anti-*, et 1. *parti.*

Polit. Qui est opposé au programme d'un parti unique, à la ligne d'un parti (notamment un parti communiste). *Un groupe antiparti.* — N. *Les antipartis.*

**ANTIPARTICULE** [ɑ̃tipaʀtikyl] n. f. — 1956, *Larousse mensuel*; de 1. *anti-*, et *particule.*

Phys. Particule symétrique d'une particule élémentaire, reconnue capable de s'annihiler avec cette dernière (→ **Annihilation**), en libérant de l'énergie sous forme de photons. → **Antimatière; antiatome, antineutrino, antineutron, antiproton.**

**ANTIPASTI** [ɑ̃tipasti] n. m. pl. — V. 1980; mot ital., plur. de *antipasto* «hors-d'oeuvre».

Assortiment de hors-d'œuvre froids (légumes marinés, anchois, olives, salades de fruits de mer) servi en Italie (et dans les restaurants italiens) à l'apéritif ou au début des repas. *«Antipasti du jour, carpaccio et fondue d'aubergines (...)»* (*le Monde,* 25 févr. 1998).

**ANTIPATHIE** [ɑ̃tipati] n. f. — 1542, Du Pinet; du lat. *antipathia,* grec *antipathia,* de *anti-* (→ 1. Anti-), et *pathos* «passion».

♦ **1** Vx. Défaut d'affinité (entre deux substances). *Antipathie entre l'eau et l'huile. Antipathie entre deux couleurs.* — Défaut d'harmonie (entre deux personnes ou plus). *Antipathie de personnes, de caractères.* → **Incompatibilité, opposition.**

♦ **2** (XVII^e). Mod. Aversion instinctive, irraisonnée (à l'égard de qqn). → **Dégoût, éloignement, haine, prévention, répugnance, répulsion.** *L'antipathie de qqn contre, pour, à l'égard de qqn; l'antipathie entre deux personnes. Avoir, éprouver de l'antipathie pour qqn.* → **Abhorrer, détester**; → Prendre en grippe*, ne pouvoir souffrir*. *Une antipathie immédiate, soudaine, invincible. Une secrète antipathie. Un sentiment d'antipathie déclaré et persistant.* → **Inimitié.** *Témoigner de l'antipathie à qqn.* → **Froideur, froid** (adj. : faire froide mine; adv. : battre froid). *Vaincre son antipathie pour qqn.*

Par ext. *L'antipathie entre deux nations, deux pays.*

La vieille antipathie entre Rome et Carthage 1
N'est pas prête à finir par un tel assemblage.

CORNEILLE, Sophonisbe, IV, 5.

(...) mille manières qui allument dans ceux-ci *(les hommes)* 2 les grandes passions, forment entre elles *(les femmes)* l'aversion et l'antipathie.

LA BRUYÈRE, les Caractères, III, 1.

Il semble qu'il est moins rare de passer de l'antipathie à 3 l'amour qu'à l'amitié.

LA BRUYÈRE, les Caractères, IV, 25.

On dit qu'il n'y a rien de si rapide qu'un sentiment d'an- 4 tipathie.

A. DE MUSSET, la Confession d'un enfant du siècle, III, 6, p. 165.

*(Une, des antipathies).* Sentiment d'antipathie.

C'est un proverbe courant que les antipathies sont réci- 5 proques (...) Il arrive pourtant que cette antipathie ne se manifeste pas dans les deux êtres à la fois.

Paul BOURGET, le Disciple, IV, 3.

Sentiment d'éloignement, de répulsion (pour qqch.). *Avoir une certaine antipathie pour la musique.* → **Allergie.** — *Aversion naturelle d'un animal pour une autre espèce. On observe souvent une antipathie naturelle entre le chien et le chat.*

CONTR. **Affection, affinité, amitié, amour, attirance, attrait, bienveillance, faveur, goût, harmonie, inclination, penchant, prédilection, sympathie.** ◊ DÉR. **Antipathique.**

**ANTIPATHIQUE** [ɑ̃tipatik] adj. — 1568, au sens 2., «contraire»; *antipatique à,* déb. XVII^e; de *antipathie.*

♦ **1** (1835). Mod. (Personnes). Qui inspire de l'antipathie. *Être antipathique à qqn. Cet homme m'est très antipathique, il m'inspire une sorte de répulsion.* — Absolt. *Un homme antipathique.* → **Désagréable, détestable, déplaisant, odieux, repoussant,**

**répugnant.** *Un visage antipathique.* → **Tête** (à gifles, à claques), **gueule** (sale gueule).

1 Edmond a cinq fils sous les drapeaux, mais on voit bien tout de même que cet «ennemi» ne lui est nullement antipathique (...) GIDE, Journal, 28 oct. 1916.

2 (...) le regard de Jacques n'avait plus cette lourdeur brutale qu'elle trouvait si antipathique (...)
MARTIN DU GARD, les Thibault, III, 6.

2.1 (...) ce grand type dégingandé que j'avais vu une fois avec elle (...) Assez antipathique au premier abord, mais après il a été très gentil... Il a quelque chose de direct, de franc.
N. SARRAUTE, le Planétarium, p. 112.

Par ext. (En parlant d'un animal). Qui suscite à son égard des sentiments d'aversion chez un autre animal. *Le chat est antipathique au chien.*

♦ **2** (Choses). Qui déplaît. → **Désagréable, détestable.** *Ce genre de distractions m'est antipathique. Une affaire antipathique* (*sympathique* est plus courant dans cet emploi).

3 L'action (quand elle n'est pas forcenée) me devient de plus en plus antipathique.
FLAUBERT, Correspondance, t. I, p. 335.

3.1 Enfin, vous m'avez dit vous-mêmes que mon affaire était antipathique, et que j'allais sûrement trinquer aux Assises (...) Pour ne pas y aller, il faudrait que le juge d'instruction me signe un non-lieu, et ça, avec le juge Labourdette, je peux toujours attendre.
J. BECKER, José GIOVANNI, le Trou, 1960, *in* l'Avant-scène, nº 13, p. 39.

Rare (construit avec *avec*). *«Ceci est antipathique avec l'art du théâtre»* (Delécluze, *Journal, in* T. L. F.).

♦ **3** Vx ou littér. *Antipathique à qqch.* : sans affinité avec..., contraire* à... → **Opposé** (à), **incompatible** (avec).

4 (...) la position défensive est antipathique au caractère français.
CHATEAUBRIAND, Mémoires d'outre-tombe, t. III, p. 285.

5 Car c'est l'un des traits constants de toute mythologie petite bourgeoise, que cette impuissance à imaginer l'Autre. L'altérité est le concept le plus antipathique au «bon sens».
R. BARTHES, Mythologies, p. 44.

*Personnes, caractères, humeurs antipathiques (entre elles),* qui ne s'accordent pas.

♦ **4** N. (Au sens 1.). Rare. Personne, chose opposée (à une autre).

CONTR. **Sympathique; agréable, aimable, attrayant, bienveillant, plaisant. — Compatible, concordant, convenable, harmonieux.** ◊ DÉR. **Antipathiquement.**

**ANTIPATHIQUEMENT** [ɑ̃tipatikmɑ̃] adv. — 1833, P. Borel; de *antipathique*.

Littéraire.

♦ **1** Vx. Par une antipathie (opposition ou hostilité).

♦ **2** Mod. En éprouvant ou en excitant de l'antipathie (2.).

**ANTIPATRIOTE** [ɑ̃tipatʀijɔt] adj. et n. — 1789; de 1. *anti-*, et *patriote*.

Vieilli. Qui est hostile, opposé au patriotisme; qui fait profession d'antipatriotisme. → **Antipatriotique.** — N. *Un, une antipatriote.*

CONTR. **Patriote.**

**ANTIPATRIOTIQUE** [ɑ̃tipatʀijɔtik] adj. — 1767, Voltaire; de 1. *anti-*, et *patriotique*.

Littér. ou style soutenu. Contraire au patriotisme, aux intérêts de la patrie. → **Antipatriote.** *Une chanson antipatriotique. Propos, action antipatriotique.*

Cette allégation est inhumaine, antipatriotique.
VOLTAIRE, l'Homme aux quarante écus.

(Personnes). → **Antipatriote** (adj.).

CONTR. **Patriotique.**

**ANTIPATRIOTISME** [ɑ̃tipatʀijɔtism] n. m. — 1788, S. Mercier; de 1. *anti-*, et *patriotisme*.

Littér. ou style soutenu. Conception, attitude antipatriotique. → Antinationalisme, cit.

CONTR. **Patriotisme.**

**ANTIPELLAGREUX, EUSE** [ɑ̃tipelagʀø, øz] adj. — XXᵉ; de 1. *anti-*, et *pellagreux*.

Méd. Qui combat la pellagre.

(...) parmi les signes de cette maladie *(pellagre)* il existe des troubles nerveux, notamment des phénomènes de folie, jadis incurables, mais que l'on guérit rapidement aujourd'hui en donnant de la vitamine antipellagreuse, substance que l'on sait, comme les autres vitamines, préparer par synthèse.
Paul CHAUCHARD, le Système nerveux et ses inconnues, p. 113.

**ANTIPELLICULAIRE** [ɑ̃tipelikylɛʀ] adj. — 1852; de 1. *anti-*, et *pelliculaire*.

Qui est destiné à lutter contre les pellicules du cuir chevelu. *Agent antipelliculaire. Pommade, shampooing antipelliculaire.* — REM. On dit aussi *antipellicules.*

**ANTIPÉRIODIQUE** [ɑ̃tipeʀjɔdik] adj. — XIXᵉ; de 1. *anti-*, et *(fièvre) périodique*.

Méd. Vx. Qui combat la fièvre périodique (le paludisme). — REM. On écrit aussi *anti-périodique.*

Gédéon Spilett prit la boîte, il l'ouvrit. Elle contenait environ deux cents grains d'une poudre blanche dont il porta quelques particules à ses lèvres. L'extrême amertume de cette substance ne pouvait le tromper. C'était bien le précieux alcaloïde du quinquina, l'anti-périodique par excellence.
J. VERNE, l'Île mystérieuse, t. II, p. 724 (1874).

**ANTIPÉRISTALTIQUE** [ɑ̃tipeʀistaltik] adj. — 1680; de 1. *anti-*, et *péristaltique*.

Méd. Se dit des contractions qui se font en sens inverse des contractions péristaltiques, et peuvent faire remonter les aliments. *Mouvements intestinaux antipéristaltiques.*

**ANTIPÉRISTASE** [ɑ̃tipeʀistaz] n. f. — XVᵉ; du grec *antiperistasis*, de *anti-*, et *peristasis*. → Péristase.

Hist. des sc. Action de deux qualités contraires dont l'une renforce l'autre. *Les péripatéticiens disent que c'est par antipéristase que le feu est plus ardent l'hiver que l'été* (Académie).

L'hiver augmente la chaleur du corps, par antipéristase, c'est-à-dire par contrariété de l'air voisin.
Ambroise PARÉ, Introd., 5, *in* LITTRÉ.

**ANTIPERNICIEUX, EUSE** [ɑ̃tipɛʀnisjø, øz] adj. — V. 1960; de 1. *anti-*, et *pernicieux*.

Méd. Qui combat l'anémie pernicieuse.

**ANTIPERSONNEL** [ɑ̃tipɛʀsɔnɛl] adj. invar. — V. 1950; de 1. *anti-*, et *personnel*, n. masculin.

Milit. Se dit des armes et engins destinés à mettre hors de combat le personnel, par oppos. à ceux qui sont conçus pour détruire le matériel. *Mines antipersonnel* (ou *anti-personnel*) *et mines antichars. «Des armes anti-personnel»* (*Science et vie*, nº 590, p. 117).

**ANTIPESTILENTIEL, ELLE** [ɑ̃tipɛstilɑ̃sjɛl] adj. — 1710, *in* Trévoux 1771; de 1. *anti-*, et *pestilentiel*.

Médecine.

♦ **1** Vx. Propre à combattre les émanations morbifiques.

♦ **2** Mod. Propre à combattre les maladies pestilentielles (peste, choléra, fièvre jaune, variole, typhus, fièvre récurrente).

**ANTIPHASE** [ɑ̃tifaz] n. f. — V. 1970; de 1. *anti-*, et *phase*.

Techn. Se dit de domaines d'un alliage (interface ou zone comprise entre deux interfaces) où la disposition des atomes est différente. *Paroi d'antiphase.*

**ANTIPHILOSOPHE** [ɑ̃tifilɔzɔf] adj. et n. — 1580; de 1. *anti-*, et *philosophe*.

Didact. (hist. des idées). Qui est opposé à la philosophie et aux philosophes ou qui leur est étranger. (Au sens de *philosophie**, au XVIIIe s.) :

Ce qui nous a le plus nui, c'est qu'elle s'était entêtée d'un petit abbé de qualité, impie, incrédule, dissolu, hypocrite, antiphilosophe, que je ne nommerai pas.
DIDEROT, Jacques le fataliste, Pl., p. 605.

N. *Un, une antiphilosophe.*

**ANTIPHILOSOPHIQUE** [ɑ̃tifilɔzɔfik] adj. — 1767, *anti-philosophique*, in D. D. L.; de 1. *anti-*, et *philosophique*.

Didact. Qui est contraire aux principes de la philosophie. — Spécialt. Contraire aux philosophes et à la philosophie au sens du XVIIIe siècle, aux «lumières».

Au sens général :

Ils n'ont pas, me semble-t-il, le sens de la mécanique. Peu en conviennent simplement. Ils répondent que c'est antiphilosophique, antimagique, anticeci, anticela.
Henri MICHAUX, Ailleurs, p. 205.

**ANTIPHLOGISTIQUE** [ɑ̃tiflɔʒistik] adj. et n. m. — 1793; de 1. *anti-*, et *phlogistique*.

♦ **1** Méd. Qui combat l'inflammation. → **Anti-inflammatoire.** *Médication antiphlogistique. Médecine antiphlogistique. — Traitement, remède antiphlogistique.*

Hivert se permit tout haut quelque doute sur leur efficacité. Mais l'apothicaire certifia qu'il le guérirait lui-même, avec une pommade antiphlogistique de sa composition, et il donna son adresse :
— M. Homais, près des halles, suffisamment connu.
FLAUBERT, Mme Bovary, III, VII.

N. m. *Un antiphlogistique. La glace est un antiphlogistique.*

♦ **2** Hist. des sc. Qui combat, s'oppose à la théorie du phlogistique. *Théorie, chimie antiphlogistique de Lavoisier.*

**ANTIPHONAIRE** [ɑ̃tifɔnɛʀ] n. m. — 1302, *antiphonar*; du lat. médiéval *antiphonarius*, de *antiphona*, mot grec. → Antienne. **REM. La forme archaïque *antiphonier* est antérieure (*antefinier*, 1119).**

Anciennt. Recueil de chants liturgiques, recueil des antiennes de la messe, notés en caractères de plain-chant. — Mod. Recueil des chants de l'office, et, spécialt, des heures diurnes.

1 Maintenant, rangés dans leurs stalles, les Pères ouvrent les gros antiphonaires et dirigent sur les pages notées la mince lumière de leurs lanternes.
M. BARRÈS, la Colline inspirée, p. 48.

2 Déj(euné) avec l'abbé Hoornaert et l'abbé S.-André. Messe à Gand à S.-Bavon. Les 2 chantres (les 2 témoins) qui lisent ensemble dans un énorme antiphonaire.
CLAUDEL, Cahier VII, *in* Journal, t. II, Pl., p. 40.

**ANTIPHONE** [ɑ̃tifɔn] n. m. — 1483; du lat. *antiphona*. → Antienne.

Didact. Dans la liturgie orthodoxe, Chant d'église exécuté alternativement par deux chœurs (→ **Antienne**). — On dit aussi *antiphonie*.

**ANTIPHONIE** [ɑ̃tifɔni] n. f. — 1380, liturgie; du grec *antiphonos*.

♦ **1** Liturgie. → **Antiphone.**

♦ **2** (1751). Mus. Vx. Partie exécutée à l'octave; consonance de l'octave.

**ANTIPHRASE** [ɑ̃tifʀaz] n. f. — Déb. XIVe, *antifrasin*; du lat. gramm. *antiphrasis*, mot grec, de *anti*, et *phrasis*. → Phrase.

Rhét. Manière d'employer un mot, une locution dans un sens contraire au sens véritable, souvent par ironie* ou par euphémisme*. *L'antiphrase se dit d'une contre-vérité réduite à un seul mot, à une seule dénomination. Antiphrase et dénégation.*

Le nom de bœuf que le roitelet porte dans plusieurs provinces lui est donné par antiphrase à cause de son extrême petitesse. BUFFON, Hist. nat. des oiseaux, Le roitelet. 1

Beaucoup de ces expressions *(de la négation)* sont ironiques : ce sont des antiphrases : Voire, voire! Justement! C'est tout à fait ça! Tu parles; — La duchesse une amie!... Oui, joliment! 2
(A. DAUDET, l'Immortel, 9).
F. BRUNOT, la Pensée et la Langue, p. 501.

On peut dire que l'antiphrase constitue une véritable conversion qui transfigure le sens et la vocation des choses et des êtres tout en conservant l'inéluctable destin des choses et des êtres. 3
Gilbert DURAND, les Structures anthropologiques de l'imaginaire, p. 232-233.

DÉR. **Antiphrastique.**

**ANTIPHRASTIQUE** [ɑ̃tifʀastik] adj. — 1961; de *antiphrase*.

Rhét. Relatif à l'antiphrase. *Formule d'ironie antiphrastique* (ex. : charmante soirée!).

**ANTIPHYSIQUE** [ɑ̃tifizik] adj. — Av. 1741, J. B. Rousseau; de 1. *anti-*, et *physique*.

Vieux ou littéraire. Écrit aussi *anti-physique*.

♦ **1** Contraire à la nature. → **Antinaturel.**

♦ **2** Spécialt. Contre nature*. *«Un amour antiphysique»* (Proust). — N. Homosexuel.

Kaps lui reprochait l'affection qui l'unissait à Sophie-Sapho, oubliant qu'il était lui-même un antiphysique.
GORON, l'Amour à Paris, t. I, p. 75.

♦ **3** Qui s'oppose à ce que l'on considère comme naturel, à la «nature» (telle qu'elle est définie par le locuteur); qui rejette la nature. *«M. Gide nous découvre le caractère anti-physique, anti-naturel de sa conception du monde»* (Henri Massis, 1924, *in* T. L. F.).

**ANTIPLASTIQUE** [ɑ̃tiplastik] adj. — 1848, Flaubert; de 1. *anti-*, et *plastique*.

♦ **1** Didact. Contraire aux arts plastiques.

♦ **2** Techn. Qui diminue la plasticité d'une pâte céramique.

**ANTIPODAL, ALE, AUX** [ɑ̃tipɔdal, o] adj. — 1752, Trévoux; de *antipode*.

Didact. Qui est situé aux antipodes. *Point antipodal.*

**ANTIPODE** [ɑ̃tipɔd] adj. et n. m. — V. 1370; adj., 1537; lat. *antipodes*; du grec *antipous, podos*; de *anti-* (→ 1. Anti-), et *pous, podos* «pied».

**I** Adj. ♦ **1** Vx. *Deux choses, deux personnes antipodes*, situées de part et d'autre du globe terrestre, diamétralement opposées. *Pays antipodes. «L'hémisphère d'hiver, antipode à celui d'été»* (Volney).

♦ **2** Fig., littér. Opposé. *Antipode à, de qqch.*

1 En quoi, lui et sa suite sont directement antipodes de l'esprit *sociable,* surtout *sociable* et à intentions universelles de Voltaire, classique par excellence.
VALÉRY, Cahiers, t. II, Pl., p. 1164.

**II** N. m. ♦ **1** Vx. Individu, peuple qui, par rapport à un autre, habite un point du globe diamétralement opposé.

1 Pythagore disait que la terre était ronde, qu'elle était habitée en tous sens, et par conséquent qu'il y avait des antipodes qui marchaient les pieds opposés aux nôtres.
FÉNELON, Philosophie, Pythagore.

2 Saint Paulin vit un possédé qui marchait la tête en bas comme un antipode.
VOLTAIRE, Philosophie, *in* LITTRÉ.

♦ **2** Mod. Lieu de la terre diamétralement opposé à un autre. → (vx) **Antichtone,** 1. *La Nouvelle-Zélande est l'antipode de la France.* — Par ext., cour. (Au plur.). Lieu très éloigné. *S'embarquer pour les antipodes.* — Cour. **AUX ANTIPODES.** *Vivre aux antipodes :* très loin*. *Je voudrais qu'il soit aux antipodes* (→ Au diable). — Fig. *Être à l'antipode, aux antipodes du bon sens.* → **Opposé.**

♦ **3** Chim. *Antipodes optiques :* les deux isomères des substances actives dans la lumière polarisée. *Antipode droit. Antipode gauche.*

Bot. Nom des trois cellules mononucléaires du sac embryonnaire des angiospermes, opposées à l'oosphère. — Adj. ou appos. *Cellules antipodes.*

♦ **4** (Mil. XVII^e, n. et adj.). Fig. (Vx ou littér.). Chose, personne exactement opposée. *Ce sont les antipodes.* → **Contraire, extrême, inverse, opposé.** *Cet homme est l'antipode du bon sens.*

3 Il faudrait être l'antipode de la raison, pour ne pas confesser que Paris (...)
MOLIÈRE, les Précieuses ridicules, IX.

4 (...) l'antipode de notre beau-père, qui s'appelait M. de Moulceau. M^me DE SÉVIGNÉ, 925, 1^er mars 1684.

5 (...) une manière de parler qui était l'antipode de ses écrits.
STENDHAL, Souvenirs d'égotisme, p. 27.

6 On situera la doctrine en évoquant son antipode (...)
Julien BENDA, la France byzantine, p. 51.

DÉR. **Antipodal, antipodique, antipodisme, antipodiste.**

**ANTIPODIQUE** [ɑ̃tipɔdik] adj. — 1838 ; de *antipode.*

Vx. Relatif à l'antipode. — Fig. (Didact.). Diamétralement opposé. *Pôles magnétiques antipodiques.*

**ANTIPODISME** [ɑ̃tipɔdism] n. m. — 1935 ; de *antipode.*

Techn. (cirque, etc.). Art, métier de l'antipodiste*.

**ANTIPODISTE** [ɑ̃tipɔdist] n. — 1938, Colette ; de *antipode.*

Techn. (cirque, etc.). Acrobate qui exécute des tours d'adresse avec ses pieds en étant couché sur le dos.

1 Un numéro de music-hall est presque toujours constitué par l'affrontement d'un geste et d'un matériau : patineurs et leur tremplin laqué, corps échangés des acrobates, des danseurs et des antipodistes (j'avoue une grande prédilection pour ces numéros d'antipodistes, car le corps y est objectivé en douceur : il n'est pas objet dur et catapulté comme dans la pure acrobatie, mais plutôt substance molle et dense, docile à de très courts mouvements).
R. BARTHES, Mythologies, p. 117.

2 Les Grado's constituent à eux deux (...) un numéro extraordinaire. Ils sont les seuls antipodistes au monde à réussir le Bougnazal géant à ballottage fluide sur un doigt *(nom de numéro de fantaisie).*
SAN-ANTONIO, En peignant la girafe, *in* Œ. compl., t. II, p. 23.

**ANTIPOÉSIE** [ɑ̃tipɔezi] n. f. — 1926, Brémond ; de 1. *anti-,* et *poésie.*

Didact. Ce qui est à l'opposé de la poésie.

**ANTIPOÈTE** [ɑ̃tipɔɛt] n. m. — 1853, Flaubert ; de 1. *anti-* et *poète.*

Didact. Personne, écrivain qui est le contraire d'un poète. «*Voltaire,* ou *l'anti-poëte*» (Baudelaire, *Mon cœur mis à nu,* Pl., XXIX). «*Un ramassis d'anti-poètes*» (M. Aymé, *in* T. L. F.).

**ANTIPOÉTIQUE** [ɑ̃tipɔetik] adj. — 1766 ; de 1. *anti-,* et *poétique.*

Didact. Contraire à la poésie, à l'esprit de la poésie. → **Apoétique.** *Une race antipoétique* (→ Poésie, cit. 11).

Une religion qui a donné l'idée des amours d'Adam et Ève n'est pas une religion antipoétique. 1
CHATEAUBRIAND, le Génie du christianisme, II, V, 12.

Quand je pense à une certaine classe de personnes ultra-raisonnables et anti-poétiques par qui j'ai tant souffert, je sens toujours la haine pincer et agiter mes nerfs. 2
BAUDELAIRE, Morale du joujou, Œ. compl., t. I, Pl., p. 586.

**ANTIPOISON** ou **ANTIPOISONS** [ɑ̃tipwazɔ̃] adj. invar. — V. 1970 ; de 1. *anti-,* et *poison.*

*Centre antipoison (antipoisons) :* centre médical spécialisé dans la prévention ou la thérapeutique des intoxications.

**ANTIPOLIOMYÉLITIQUE** [ɑ̃tipɔljomjelitik] (méd.) ou (cour.) **ANTIPOLIO** [ɑ̃tipɔljo] adj. — 1920-1924, *Nouveau traité de médecine, in* T. L. F. ; de 1. *anti-,* et *poliomyélite.*

Qui combat la poliomyélite. *Vaccin antipolio.*

La vaccination antipoliomyélitique comporte trois injections sous-cutanées, effectuées à un mois d'intervalle, et une injection de rappel (...)
V. VIC-DUPONT, la Maladie infectieuse, p. 72.

**ANTIPOLITIQUE** [ɑ̃tipɔlitik] adj. — Av. 1650, Guez de Balzac ; de 1. *anti-,* et 1. *politique.*

♦ **1** Contraire à la politique, à une bonne politique. *Mesures, déclarations maladroites et antipolitiques.*

♦ **2** Opposé à l'activité politique. *Nietzsche «se disait le dernier Allemand antipolitique»* (Camus, *l'Homme révolté*).

**ANTIPOLLUTION** [ɑ̃tipɔlysjɔ̃] adj. invar. — V. 1970 ; de 1. *anti-,* et *pollution.*

Qui est opposé à la pollution de l'environnement. *Comité, ligue antipollution. Dispositif, produit antipollution,* destiné à combattre la pollution. — REM. On écrit aussi *anti-pollution.* «*La marée noire de* l'Amoco Cadiz, *à défaut d'être combattue efficacement par des produits anti-pollution, aura au moins servi la cause des dépollueurs*» (*Sciences et Avenir,* n° 375, mai 1978, p. 48).

Les tableaux donnent (...) pour chacune des 90 branches de l'économie américaine :
— les quantités des divers polluants (...);
— les quantités des mêmes polluants dégagées *directement* et *indirectement* par million de dollars produit.
L'accroissement du prix final dans chaque branche, selon quatre stratégies antipollution.
A. SAUVY, Croissance zéro ?, p. 238.

**ANTIPOPULAIRE** [ɑ̃tipɔpylɛʀ] adj. — 1792 ; de 1. *anti-,* et *populaire.*

Opposé au peuple, aux intérêts du peuple. *Politique antipopulaire.* — «*La faction antipopulaire*» (Robespierre).

**ANTIPROTÉASE** [ɑ̃tipʀɔteaz] n. f. — 1910; de 1. *anti-*, et *protéase.*

Biochim. Molécule active contre la réplication d'un virus, en particulier le V.I.H. (virus du sida), en inhibant la protéase du virus indispensable à sa multiplication à l'intérieur de l'organisme. «*La découverte de nouveaux traitements associant les antiprotéases aux rétrovirus classiques constitue une avancée remarquable de la lutte*» (*Dans. Cités*, 14 mars 1995, p. 19).

**ANTIPROTECTIONNISME** [ɑ̃tipʀɔtɛksjɔnism] n. m. — V. 1860; de 1. *anti-*, et *protectionnisme.*

Écon. Doctrine opposée au protectionnisme*.

**ANTIPROTECTIONNISTE** [ɑ̃tipʀɔtɛksjɔnist] adj. et n. — 1866; de 1. *anti-*, et *protectionniste.*

Écon. Qui est opposé au protectionnisme. → **Libéral.**

CONTR. **Protectionniste.**

**ANTIPROTON** [ɑ̃tipʀɔtɔ̃] n. m. — 1956, *Larousse mensuel*; de 1. *anti-*, et *proton.*

Phys. Antiparticule du proton.

**ANTIPRURIGINEUX, EUSE** [ɑ̃tipʀyʀiʒinø, øz] adj. et n. m. — 1938; de 1. *anti-*, et *prurigineux.*

Méd. Qui combat les démangeaisons, le prurit. *Crème antiprurigineuse.* — N. m. *Un antiprurigineux.*

**ANTIPSORIQUE** [ɑ̃tipsɔʀik] adj. et n. m. — 1783; de 1. *anti-*, et *psorique*, de *psore.*

Méd. Propre à combattre la gale. *Remède antipsorique.* — REM. On dit aussi *psorique.* — N. m. *Un antipsorique.*

**ANTIPSYCHIATRE** [ɑ̃tipsikjatʀ] n. — 1971; de 1. *anti-*, et *psychiatre*, d'après *antipsychiatrie.*

Psychiatre partisan de l'antipsychiatrie.

1 Aujourd'hui, je suis avec la plus grande attention les efforts des «antipsychiatres» pour briser le cercle du «grand renfermement».

S. DE BEAUVOIR, Tout compte fait, p. 163 (1972).

2 Les antipsychiatres considèrent (...) qu'en refusant la classification, ils réhabilitent le malade mental qui, dès lors, n'est plus l'autre, l'étranger, le fou, l'anormal, mais la simple victime involontaire d'un système pathogène familial, social et politique qui fait de la folie non un fait médical mais un fait de culture. Ainsi, le diagnostic, qui n'apporte rien au patient, se disqualifie par la création d'entités morbides artificielles (...)

H. SZTULMAN et M. POROT, *in* POROT, Manuel alphabétique de psychiatrie, 1975, art. *Antipsychiatrie.*

**ANTIPSYCHIATRIE** [ɑ̃tipsikjatʀi] n. f. — Depuis 1967, (Congrès international de Dialectique de la Libération); angl. *anti-psychiatry*, D. Cooper, 1967. → 1. Anti-, et psychiatrie.

Ensemble des théories intégrant les signes cliniques de la maladie mentale à une symptomatologie sociale; pratiques thérapeutiques conformes à ces théories, rompant avec les procédés de la psychiatrie classique. «*L'antipsychiatrie, discipline qui vise à réintégrer le malade dans l'univers social, au lieu de l'enfermer dans l'univers psychiatrique*» (*Sciences et Avenir*, juin 1975). — REM. On écrit aussi *anti-psychiatrie.*

(...) l'anti-psychiatrie a cherché dans les familles redéployées le secret d'une causalité à la fois sociale et schizogène. C'est peut-être là que la mystification apparaît le mieux, parce que l'anti-psychiatrie était la plus apte par certains de ses aspects à briser la référence familiale traditionnelle. Que voit-on en effet dans les études familialistes américaines, telles qu'elles sont reprises et poursuivies par les anti-psychiatres? On baptise comme schizogènes des familles tout à fait ordinaires, des mécanismes familiaux tout à fait ordinaires, une logique familiale ordinaire.

G. DELEUZE et F. GUATTARI, l'Anti-Œdipe, p. 431.

DÉR. **Antipsychiatrique.**

**ANTIPSYCHIATRIQUE** [ɑ̃tipsikjatʀik] adj. — 1972; de *antipsychiatrie.*

Relatif à l'antipsychiatrie. *Pratiques antipsychiatriques.*

**ANTIPSYCHOTIQUE** [ɑ̃tipsikɔtik] adj. et n. m. — 1957; de 1. *anti-*, et *psychotique.*

Méd., pharm. Destiné à traiter les états psychotiques. *Chimiothérapie antipsychotique.*

N. m. Médicament antipsychotique. *Les antipsychotiques actuellement utilisés* (essentiellement les neuroleptiques, ou thymoleptiques majeurs) *agissent comme calmants de l'humeur.*

**ANTIPTOSE** [ɑ̃tiptoz] n. f. — 1644, Lancelot; grec tardif *antiptôsis* «emploi d'un cas pour un autre», de *anti-* «au lieu de», et *ptôsis* «cas».

Ling. Emploi stylistique d'un cas à la place de celui qui serait normal, en grec et en latin.

**ANTIPUBLICITAIRE** [ɑ̃tipyblisitɛʀ] adj. — XX^e; de 1. *anti-*, et *publicitaire.*

♦ **1** Qui est contraire à la publicité commerciale, à ses effets normaux. «*La publicité rencontre chez l'homme des éléments qui entravent son action (...). Ces tendances antipublicitaires se rencontrent surtout chez les peuples qui (...) ont le sens critique développé*» (B. de Plas et H. Verdier, *la Publicité*, p. 32).

♦ **2** Qui entraîne une contre-publicité. *Arguments antipublicitaires.*

**ANTIPUTRIDE** [ɑ̃tipytʀid] adj. et n. m. — 1763; de 1. *anti-*, et *putride.*

Didact. (méd., techn.). Qui empêche la putréfaction. → **Antiseptique.** *Propriétés antiputrides de certaines plantes.* «*Un revêtement protecteur, doté de propriétés* antiputrides» (*Guérir*, août 1967).

N. m. *Le phénol est un antiputride.*

**ANTIPYRÉTIQUE** [ɑ̃tipiʀetik] adj. et n. m. — 1752; de 1. *anti-*, et grec *puretikos* «fébrile», de *puretos* «fièvre».

Méd. Qui combat la fièvre. → **Antifébrile, fébrifuge.**

N. m. *L'aspirine est un antipyrétique.*

DÉR. V. **Antipyrine.**

**ANTIPYRINE** [ɑ̃tipiʀin] n. f. — 1885; all. *Antipyrin* (Knorr, 1884). → Antipyrétique.

Méd. Médicament à noyau benzénique antipyrétique* et analgésique. — On dit aussi *analgésine* [analʒezin] n. f.

S'il avait mal à la tête, on lui donnait de l'antipyrine, et ses petites maladies même dont il était coupable en n'ayant pas mis son cache-nez en sortant ou en s'agitant trop à une petite matinée, lui paraissaient comme des pensums un peu longs que son père aurait pu lui éviter.

PROUST, Jean Santeuil, Pl., p. 582.

Acheter un cachet d'antipyrine pour refaire connaissance avec cet ancien camarade de régiment vieilli, épais, comme accablé par Lormes et qui croit que j'aime le cognac.

J. RENARD, Journal, 22 août 1902.

**ANTIQUAILLE** [ɑ̃tikaj] n. f. — Fin XV^e; ital. *anticaglia,* de *antico* «antique».

♦ **1** (XVI^e). Vx. Œuvres d'art de l'antiquité.

1 (...) une belle corne d'abondance, telle que voyez ès *(dans les)* antiquailles. RABELAIS, Pantagruel, 8.

Par ext. L'Antiquité.

2 *(Ces rêveurs, comme Malherbe)* veulent déterrer les Grecs du monument,
Les Latins, les Hébreux, et toute l'antiquaille.
Mathurin RÉGNIER, Satires, IX.

♦ **2** (1671). Mod., péj. Antiquité ou objet ancien sans valeur.

3 Tous ces vieux ornements *de la fable),* traitez-les d'antiquailles. CORNEILLE, Poésies diverses.

4 Pour avoir la permission d'attaquer la vieille antiquaille de cheminée. M^me DE SÉVIGNÉ, *in* LITTRÉ.

Au plur. Cour. Choses, objets vieux, démodés. — Opinions démodées.

5 (...) vous savez bien, leurs antiquailles, leurs idées patriotiques d'il y a cent mille ans.
ZOLA, Rome, p. 658 (1896).

DÉR. **Antiquaillerie.**

**ANTIQUAILLERIE** [ɑ̃tikɑjʀi] n. f. — 1841, Mérimée; de *antiquaille.*

Péj. Ensemble d'antiquailles (2.); antiquaille. → **Vieillerie.**

**ANTIQUAIRE** [ɑ̃tikɛʀ] n. — 1568; fin XII^e, «copiste»; lat. *antiquarius* «relatif à l'Antiquité» et subst. «copiste; scribe», de *antiquus.* → Antique.

♦ **1** Vx. Personne qui s'adonne à l'étude, à la recherche des objets antiques. → **Archéologue.** *La société des antiquaires de Normandie.*

1 C'est un homme docte, et en réputation de grand antiquaire. CORNEILLE, Lettres.

♦ **2** (1800). Vx. Collectionneur, collectionneuse d'antiquités.

♦ **3** Mod. (1823, → cit. 2; all. *Antiquar*). Marchand d'objets d'art, d'ameublement et de décoration anciens. *Magasin d'antiquaire. Le quartier des antiquaires. Ce meuble est une pièce d'antiquaire. Une grande antiquaire.*

2 Enfin, si la qualification d'antiquaire a été tout-à-fait prostituée, c'est lorsqu'elle a été usurpée par des brocanteurs et par des gens dont l'emploi était d'empailler des oiseaux et de vendre des œufs d'autruche.
A. LENOIR, *in* COURTIN, Encycl. mod., *in* D. D. L., II, 15 (1823).
REM. La qualification en question renvoie aux sens 1. et 2. du mot.

**ANTIQUE** [ɑ̃tik] adj. et n. — V. 1180, *antic; antif,* v. 1150 (de *antive,* fém., de *antiqua*); lat. *antiquus* «très ancien».

**I** Adj. ♦ **1** Vx. Qui appartient à une époque très reculée, très ancienne*, à un lointain passé. *Une coutume, un usage antique.* → **Immémorial.**

1 Je viens, selon l'usage antique et solennel,
Célébrer avec vous la fameuse journée (...)
RACINE, Athalie, I, 1.
REM. Le syntagme *antique et solennel* est parfois repris ironiquement au sens 2.

♦ **2** Mod. (Choses; souvent antéposé). Très vieux, dégradé par le temps. → **Usé, vétuste.**

2 Un vieux mur entr'ouvert séparait leurs maisons;
Le temps avait miné ses antiques cloisons.
LA FONTAINE, les Filles de Minée.

3 (...) deux antiques tilleuls cachent sous leur robe de verdure une telle quantité de bois mort qu'ils font aux souffles du vent un bruit étrange d'ossements heurtés.
MAUPASSANT, la Vie errante, p. 54.

4 Une Bible en images, très antique, toute dépenaillée.
FRANCE, le Petit Pierre, XXX.

(Personnes). Littér. Très âgé. — Iron. *Une beauté antique.* → **Fané, flétri.**

Ainsi qu'un débauché pauvre qui baise et mange 4.1
Le sein martyrisé d'une antique catin,
Nous volons au passage un plaisir clandestin (...)
BAUDELAIRE, les Fleurs du mal, «Au lecteur».

Spécialt. Qui n'est plus à la mode. *Une antique guimbarde.* → **Démodé, suranné.** *Un vêtement, un chapeau antique.*

Je riais de le voir avec sa mine étique, 5
Son rabat jadis blanc, et sa perruque antique.
BOILEAU, Satires, III.

Négliger vêpres comme une chose antique et hors de 6
mode. LA BRUYÈRE, les Caractères, XIII, 21.

Rare. (Personnes) :

Je suis bien le jeune homme un peu antique et tendre 7
qui lisait, au soleil du réveil, dans sa chambre, la vieille botanique où brûlaient des dessins.
Francis JAMMES, Élégie seconde, III.

♦ **3** Vx, littér. Qui date de longtemps, dans la vie d'un homme, ou appartient à son passé. → **Ancien, passé.**

Le lion, terreur des forêts, 8
Chargé d'ans et pleurant son antique prouesse (...)
LA FONTAINE, Fables, III, 14.

Un milan, de son nid antique possesseur (...) 9
LA FONTAINE, Fables, XII, 12.

— «Moi, j'ai la lèvre humide, et je sais la science 9.1
De perdre au fond d'un lit l'antique conscience (...)»
BAUDELAIRE, les Fleurs du mal, Pièces condamnées, «Les métamorphoses du vampire».

♦ **4** (XVI^e). Cour. Qui appartient à l'Antiquité*, notamment à l'Antiquité gréco-latine. *Les temps antiques.* → **Antiquité.** *Peuples antiques. La Cité antique,* ouvrage de Fustel de Coulanges. *La Grèce, l'Italie antique. Monuments antiques. Science des monuments antiques.* → **Archéologie.** *Statue, vase, monnaie antique. La pensée, la philosophie antique. La littérature antique.*

La régression est une forme d'art aussi répandue, aussi 9.2
significative, que celle qui commence à l'Acropole de Delphes et s'achève avant Constantin. L'art antique avait remporté plus de victoires qu'aucun conquérant, uni l'empire de César à l'empire d'Alexandre; l'homme antique écroulé, la Grande Régression recouvrit le monde, de la Narbonnaise à la Transoxiane.
MALRAUX, les Voix du silence, p. 129.

Par ext., littér. Digne de l'Antiquité, de l'idée que l'on s'en fait (notamment, de l'Antiquité romaine). *Une vertu, des mœurs antiques.*

♦ **5** Techn. *Finissage antique :* finissage du cuir qui lui donne un aspect ancien, patiné.

**II** N. ♦ **1** N. m. *L'antique :* l'art, les œuvres antiques, qui nous restent de l'antiquité. *Imiter, copier l'antique. Travailler d'après l'antique.*

Quand le Poussin disait, dans une boutade, que Raphaël 9.3
était un âne, à côté de l'antique, il savait ce qu'il disait.
E. DELACROIX, Journal, 1^er nov. 1852.

♦ **2** (1530). N. m. ou (vx) f. Œuvre d'art antique. *Une collection de belles antiques. «Si ce n'est pas un antique, c'est (...) un des plus beaux ouvrages du XVI^e siècle»* (Mérimée).

Le dessin *(de cette cassolette)* en est admirable et à l'imi- 10
tation d'une antique de Rome.
M^me DE SÉVIGNÉ, 425, 7 août 1675.

Lord Elgin découvrit des antiques que je n'ai point vues. 11
CHATEAUBRIAND, Itinéraire..., 201.

Les cabinets d'antiques et les collections existaient au XVII^e 11.1
siècle, mais ne modifiaient pas, à l'égard de l'œuvre d'art, une attitude dont celle de Versailles est le symbole.
MALRAUX, les Voix du silence, p. 12.

Par plais. *«Les exclus avaient donné le sobriquet de Cabinet des Antiques au salon du marquis»* (Balzac, *le Cabinet des Antiques*).

♦ **3** Typogr. Caractère sans empattements. — On dit aussi *bâton.*

♦ **4** (1533). Vieilli. Écrivain, artiste de l'antiquité. → **Ancien.**

**III** Loc. adv. (1546, *in* D. D. L.). **À L'ANTIQUE :** à l'ancienne (mode); à la manière de l'antiquité. *Costume à l'antique.*

12 De tels secrets, dit-il, je ne me pique,
Comme homme simple, et qui vit à l'antique.
LA FONTAINE, Contes, «Oraison».

13 Votre fraise à l'antique fera sur son esprit un effet admirable! MOLIÈRE, l'Avare, II, 5.

DÉR. **Antiquement, antiquisant.** — V. **Antiquaille, antiquaire, antiquité.**

**ANTIQUEMENT** [ɑ̃tikmɑ̃] adv. — V. 1300, «anciennement»; de *antique.*

Rare. D'une manière très ancienne; à l'antique (Péguy, Suarès, *in* T. L. F.).

**ANTIQUISANT, ANTE** [ɑ̃tikizɑ̃, ɑ̃t] adj. — 1910, Chantavoine : *le romantisme antiquisant, in* T. L. F.; de *antique.*

Arts. Favorable à l'idéal artistique de l'antiquité. *École antiquisante.*

Il arriva souvent que la beauté fût sacrifiée à la vérité. Car l'idéalisme académique était un courant antiquisant et aristocratique qui avait la faveur du pouvoir mais qui n'exprimait pas en France la tendance majeure du goût moderne. André RICHARD, la Critique d'art, p. 15.

**ANTIQUITÉ** [ɑ̃tikite] n. f. — 1080, *antiquitet;* du lat. *antiquitas,* de *antiquus.* → Antique.

♦ **1** Vieilli. Caractère de ce qui est antique (1.), très ancien. → **Ancienneté.** *L'antiquité d'un monument. Cette famille est illustrée par sa noblesse et par son antiquité.* — Vx. Extrême vieillesse (→ cit. 1).

1 On abattit un pin pour son antiquité (...)
LA FONTAINE, Fables, XI, 9.

2 *(Il)* prit une profane nouveauté *(le calvinisme)* pour la vénérable antiquité de l'Église (...)
FLÉCHIER, Oraison funèbre du Duc de Montausier.

3 De nos arts, de nos lois l'auguste antiquité (...)
VOLTAIRE, l'Orphelin de la Chine, I, 1.

4 Ces traditions, qui remontent jusqu'aux siècles les plus reculés, prouvent au moins l'antiquité des peuples de l'Égypte. CONDILLAC, Hist. ancienne, I, 2.

♦ **2** Littér. Temps très ancien, très reculé dans l'histoire. *Cela remonte à la plus haute antiquité.* — Loc. *De toute antiquité :* de tout temps.

5 (...) des terres censuelles dont le cens avait de toute antiquité appartenu au roi.
MONTESQUIEU, l'Esprit des lois, XXX, 15.

Au plur. *Les Antiquités judaïques,* de Flavius Josèphe (trad. lat. du grec *archaiologia*).

♦ **3** (1580, Montaigne). Mod. et cour. Les plus anciennes civilisations historiques. *L'antiquité orientale, mésopotamienne, assyrienne. — L'antiquité égyptienne. L'antiquité classique :* l'antiquité grecque et romaine considérées comme ayant produit la civilisation romane.

6 Ce livre granitique commencé par l'Orient, continué par l'antiquité grecque et romaine, le moyen âge en a écrit la dernière page. HUGO, Notre-Dame de Paris, V, 2.

Absolt. *L'Antiquité :* la civilisation gréco-romaine. *L'Antiquité, le Moyen Âge et la Renaissance. L'humanisme a remis l'antiquité à l'honneur, les écrivains du XVII<sup>e</sup> siècle s'en sont inspirés.* — Par ext. Les peuples qui ont vécu à cette époque, les Anciens*.

L'antiquité est pleine des éloges d'une autre antiquité plus reculée. 7
VOLTAIRE, *in* P. LAROUSSE (1866), art. *Antiquité.*

♦ **4** (XVI<sup>e</sup>; cf. du Bellay, *les Antiquités de Rome,* 1558). Plur. *Les antiquités :* les monuments, les œuvres d'art qui nous restent de l'antiquité. *Le département des antiquités orientales, égyptiennes, grecques et romaines, chrétiennes,* au musée du Louvre. *Musée des antiquités nationales. S'adonner à l'étude méthodique des antiquités.* → **Archéologie.** *Les Antiquités romaines,* série d'eaux-fortes de Piranèse.

(1854). Objets d'art, meubles anciens. *Marchand d'antiquités.* → **Antiquaire.** *Cabinet, magasin d'antiquités.*

Au sing. *Une antiquité de grande valeur.*

♦ **5** Fam. et iron. Objets démodés, qui n'ont plus d'usage. *Rangez votre bric-à-brac et jetez-moi toutes ces antiquités!* → **Antiquaille, antiquaillerie, vieillerie.**

Mœurs et usages d'un autre âge. *L'honneur, la vertu, ces antiquités qui nous semblent périmées.*

Personne très âgée. *J'ai rencontré X; c'est une vénérable antiquité maintenant!*

CONTR. **Nouveauté.**

**ANTIQUOMANIE** ou **ANTICOMANIE** [ɑ̃tikɔmani] n. f. — 1767, *anticomanie,* Diderot; de *antique,* et *-manie.*

Didact. Manie des antiquités, des objets anciens.

**ANTIRABIQUE** [ɑ̃tiʀabik] adj. — 1860, cit.; de *anti-,* et *rabique.*

Méd. Employé contre la rage. *Vaccination antirabique.*

Le meilleur préservatif de la rage, étude de la physionomie des chiens et des chats enragés; lésions, causes, degré de contagion du virus; remèdes antirabiques.
J. SANSON (Titre), 1860, cité par L. FIGUIER, l'Année scientifique et industrielle 1861, p. 295.

**ANTIRACHITIQUE** [ɑ̃tiʀaʃitik] adj. — 1765; de 1. *anti-,* et *rachitique.*

Méd. Qui combat ou prévient le rachitisme. *Un traitement, un régime antirachitique.*

*Aliments ne contenant pas du tout ou très peu de vitamine D (antirachitique) :* Amidons, fécules; feuilles étiolées; végétaux non insolés; graines de céréales; jus d'orange (...)
Suzanne GALLOT, les Vitamines, p. 103.

**ANTIRACISME** [ɑ̃tiʀasism] n. m. — Mil. XX<sup>e</sup>; de 1. *anti-,* et *racisme.*

Opposition aux doctrines racistes, aux attitudes et aux réactions racistes. *Antiracisme militant.*

**ANTIRACISTE** [ɑ̃tiʀasist] adj. — 1938, *in* D. D. L.; de 1. *anti-,* et *raciste.*

Opposé au racisme. *Mener auprès de l'opinion publique une campagne antiraciste. Militant antiraciste.*

(...) ce racisme antiraciste est le seul chemin qui puisse mener à l'abolition des différences de races. 1
SARTRE, Orphée noir, *in* Situations III, p. 237 (1948).

N. *Un, une antiraciste convaincu(e).*

2 Chic! s'écria Marthe, antiraciste professionnelle, soutien de tous les réfugiés politiques pourvu qu'ils fussent de gauche et fassent du bruit avec des tambourins.

René FALLET, Y a-t-il un docteur dans la salle?, p. 169.

CONTR. Raciste.

**ANTIRADAR** [ɑ̃tiʀadaʀ] n. m. et adj. invar. — Mil. XXe; de 1. *anti-*, et *radar.*

Milit. et techn. Qui est destiné à empêcher la détection par radar. *Dispositifs antiradar par brouillage* (antiradars actifs).

**ANTIRADIATIONS** [ɑ̃tiʀadjasjɔ̃] adj. invar. — V. 1960; de 1. *anti-*, et *radiation.*

Qui protège de certains types de radiations, notamment de la radioactivité. *«Ce survêtement anti-radiations»* (*France-Europe,* no 16, p. 17).
→ **Antiatomique.**

**ANTI-RAISON** [ɑ̃tiʀɛzɔ̃] n. f. — 1644, Guez de Balzac; de 1. *anti-*, et *raison.*

Didact. ou littér. Ce qui s'oppose à la raison. → **Absurde, irrationnel** (n. m.). — En fonction d'adj. (Flaubert, *in* T. L. F.). → **Antirationnel.**

**ANTIRATIONALISME** [ɑ̃tiʀasjɔnalism] n. m. — 1838; de 1. *anti-*, et *rationalisme.*

Didact. Doctrine, théorie contraire au rationalisme; opposition au rationalisme. *Antirationalisme mystique.*

**ANTIRATIONALISTE** [ɑ̃tiʀasjɔnalist] adj. et n. — 1866, P. Larousse; de 1. *anti-*, et *rationaliste.*

Didact. Qui s'oppose au rationalisme. → **Anti-raison;** → 1. Anti- (cit. 6).

**ANTIRATIONNEL, ELLE** [ɑ̃tiʀasjɔnɛl] adj. et n. m. — 1831; de 1. *anti-*, et *rationnel.*

Didact. Qui s'oppose, est contraire aux principes rationnels.

Là où la pensée grecque admet une nécessité antirationnelle, la philosophie chrétienne brise cette nécessité parce qu'elle est *irrationnelle.* Du même mouvement dont elle soumet le hasard à des lois, elle libère la nature du destin, car tout a une *raison suffisante* mais ce ne peut être précisément qu'*une raison.*

Étienne GILSON, l'Esprit de la philosophie médiévale, t. II, 1932, p. 167, *in* T. L. F.

N. m. *L'antirationnel* (ou *anti-raison*).

**ANTIRÉALISME** [ɑ̃tiʀealism] n. m. — 1838; de 1. *anti-*, et *réalisme.*

Doctrine, position opposée au réalisme (dans les divers sens du mot). — Spécialt. Opposition au réalisme littéraire, esthétique.

REM. *Antiréaliste,* adj. et n., est attesté dans les mêmes sens (1936, *in* T. L. F.).

**ANTIREFLET** [ɑ̃tiʀəflɛ] adj. — V. 1960; de 1. *anti-*, et *reflet.*

Se dit d'un dispositif (mince couche de matière transparente) revêtant la surface des lentilles, prismes, etc., qui constituent notamment les instruments d'optique, et diminuant les reflets parasites. *Des verres antireflets.*

**ANTIRÉFLEXIF, IVE** [ɑ̃tiʀeflɛksif, iv] adj. — XXe; de 1. *anti-*, et *réflexif* (3.).

Math. *Relation antiréflexive :* relation binaire dans un ensemble, telle qu'aucun élément de cet ensemble n'est en relation avec lui-même.

**ANTIRÉGLEMENTAIRE** [ɑ̃tiʀegləmɑ̃tɛʀ] adj. — Av. 1866; de 1. *anti-*, et *réglementaire.*

Dr., admin. Contraire à un règlement, au règlement. → 1. Anti- (cit. 21).

**ANTIREJET** [ɑ̃tiʀəʒɛ] adj. invar. et n. m. — Après 1960; de 1. *anti-*, et *rejet.*

Méd. Qui s'oppose au rejet d'une greffe par l'organisme. *Traitement antirejet. Médicaments antirejet.* — N. m. *Un antirejet :* un médicament antirejet.

**ANTIRELIGIEUX, EUSE** [ɑ̃tiʀ(ə)liʒjø, øz] adj. — 1793; de 1. *anti-*, et *religieux.*

Qui est contraire, opposé à la religion. *Sentiments antireligieux. La polémique antireligieuse de Voltaire. — Une époque antireligieuse. La politique antireligieuse des régimes socialistes.*

REM. 1. *Antireligieux* implique une hostilité déclarée à toute religion; *irreligieux** traduit la simple indifférence aux idées religieuses. 2. On trouve dans les textes le n. f. *antireligion* [ɑ̃tiʀ(ə)liʒjɔ] (1928, dans une trad. de Berdiaeff), «attitude hostile à la religion; système, doctrine opposé aux idées religieuses». *Cette guerre d'anti-religion* (Gide, *Retour d'U. R. S. S.*; syntagme formé sur *guerre de religion*).

**ANTIRÉPUBLICAIN, AINE** [ɑ̃tiʀepyblikɛ̃, ɛn] adj. et n. — 1842; de 1. *anti-*, et *républicain.*

Qui est opposé à la république, hostile aux idées républicaines. *Des convictions antirépublicaines. Il est antirépublicain de* (faire qqch.), *c'est absolument antirépublicain.*

La manœuvre est adroite mais antirépublicaine.

Denyse VAUTRIN, le Reste de l'âge, p. 144.

N. (Vieilli). *Cet antirépublicain affiche des idées réactionnaires.*

**ANTIRÉVISIONNISME** [ɑ̃tiʀevizjɔnism] n. m. — 1922, Proust; de 1. *anti-*, et *révisionnisme.*

♦ **1** Hist. Attitude de ceux qui étaient hostiles à la révision du procès de Dreyfus. → **Antidreyfusard.**

♦ **2** Polit. Hostilité au révisionnisme*.

**ANTIRÉVISIONNISTE** [ɑ̃tiʀevizjɔnist] adj. et n. — 1883, *in* D. D. L.; de 1. *anti-*, et *révisionniste.*

♦ **1** Hist. Opposé à la révision (du procès de Dreyfus).

(...) l'archiviste qui était secrétaire des comités antirévisionnistes.

PROUST, le Côté de Guermantes, Pl., t. II, p. 237.

♦ **2** Polit. Hostile au révisionnisme en politique.

**ANTIRÉVOLUTIONNAIRE** [ɑ̃tiʀevɔlysjɔnɛʀ] adj. et n. — 1790, Madame Roland; de 1. *anti-*, et *révolutionnaire.*

Qui est opposé ou hostile aux idées révolutionnaires. — REM. On écrit aussi *anti-révolutionnaire. «La réaction anti-révolutionnaire»* (Guizot).

N. *Un antirévolutionnaire de 1790, de 1917.*

**ANTIRHUMATISMAL, ALE, AUX** [ɑ̃tiʀymatismal, o] adj. et n. m. — Attesté 1873, J. Verne (→ Thérapeutique, cit. 3); de 1. *anti-*, et *rhumatismal.*

Méd. Qui combat les affections rhumatismales. *Remède, médicament antirhumatismal.* — N. m. *Un antirhumatismal. La phénylbutazone, les corticostéroïdes sont des antirhumatismaux.*

**ANTIRIDES** ou **ANTIRIDE** [ɑ̃tiʀid] adj. invar. — 1917; de 1. *anti-*, et *ride.*

Qui prévient ou atténue les rides. *Une crème antirides.* → **Anti-âge.**

**ANTIROMAN** [ɑ̃tiʀɔmɑ̃] n. m. — 1949; de 1. *anti-*, et *roman.*

Forme de la littérature romanesque qui rejette l'intérêt narratif, et refuse les lois d'analyse psychologique propres au roman traditionnel pour évoquer un univers réfractaire à l'interprétation humaine. *L'antiroman débouche sur l'esthétique du nouveau roman. Faire de l'antiroman.*

Les antiromans conservent l'apparence et les contours du roman; ce sont des ouvrages d'imagination qui nous présentent des personnages fictifs et nous racontent leur histoire. Mais c'est pour mieux décevoir : il s'agit de contester le roman par lui-même, de le détruire sous nos yeux dans le temps qu'on semble l'édifier, d'écrire le roman d'un roman qui ne se fait pas, qui ne peut pas se faire, de créer une fiction qui soit aux grandes œuvres composées de Dostoïevski et de Meredith ce qu'était aux tableaux de Rembrandt et de Rubens cette toile de Miro intitulée *Assassinat de la peinture.* Ces œuvres étranges et difficilement classables ne témoignent pas de la faiblesse du genre romanesque, elles marquent seulement que nous vivons à une époque de réflexion et que le roman est en train de réfléchir sur lui-même.

SARTRE, Préface à N. SARRAUTE, Portrait d'un inconnu (1948).

**ANTIROUGEOLEUX, EUSE** [ɑ̃tiʀuʒɔlø, øz] adj. — XXe; de 1. *anti-*, et *rougeoleux.*

Méd. Destiné à combattre la rougeole. — Syn. : *antimorbilleux.*

Les *vaccins antirougeoleux* découlent des travaux de Enders et Peebles en 1954 (...) Deux sortes de vaccins ont été préparées : des vaccins vivants atténués et des vaccins inactivés.

V. VIC-DUPONT, la Maladie infectieuse, p. 75.

**ANTIROUILLE** [ɑ̃tiʀuj] adj. invar. — 1869, *in* D. D. L.; de 1. *anti-*, et *rouille.*

Qui combat les effets de la rouille, protège contre la rouille. → **Antioxydant.** *Peinture antirouille.* → **Minium.** *Pâte antirouille.* N. m. *Un antirouille.*

**ANTIROULIS** [ɑ̃tiʀuli] adj. et n. m. — XXe; de 1. *anti-*, et *roulis.*

Techn. (mar., aviat.). Destiné à diminuer l'amplitude du roulis. *Ailerons antiroulis.*

**ANTISATELLITE** [ɑ̃tisatɛllit; ɑ̃tisatelit] adj. invar. — V. 1980; de 1. *anti-* et *satellite.*

Techn. (milit.). Qui s'oppose à l'utilisation militaire de satellites artificiels par l'adversaire. *Les moyens antisatellite.*

**ANTISCIENS** [ɑ̃tisjɛ̃] n. m. pl. — 1690; de 1. *anti-*, et grec *skia* «ombre».

Géogr. (Vx). Peuples qui habitent sur le même méridien, les uns en deçà, les autres au delà de l'équateur, et qui à midi ont leurs ombres diamétralement opposées.

**ANTISCIENTIFIQUE** [ɑ̃tisjɑ̃tifik] adj. — 1828, *in* D. D. L.; de 1. *anti-*, et *scientifique.*

Didact. Contraire à l'esprit scientifique, aux méthodes de la science. *Explication, procédé antiscientifique.*

Est-il utile de rappeler le caractère antiscientifique des simplifications outrancières du rapport du M.I.T.? Il est d'autant plus attristant que cet organisme a publié, sur l'environnement, de remarquables documents.

A. SAUVY, Croissance zéro?, p. 189.

**ANTISCORBUTIQUE** [ɑ̃tiskɔʀbytik] adj. — 1671; de 1. *anti-*, et *scorbutique.*

Méd. Qui est propre à combattre ou à guérir le scorbut. *Sirop antiscorbutique. Vitamine antiscorbutique* ou *vitamine C. Bon nombre de crucifères sont des plantes antiscorbutiques.* → **Cochléaria, cresson, raifort.**

N. m. *Un antiscorbutique. Le citron, la racine de patience, la poudre de malt sont des antiscorbutiques.*

Harbert ne revenait guère d'une excursion sans rapporter quelques végétaux utiles. Un jour, c'étaient des échantillons de la tribu des chicoracées, dont la graine même pouvait fournir par la pression une huile excellente; un autre, c'était une oseille commune, dont les propriétés antiscorbutiques n'étaient point à dédaigner (...)

J. VERNE, l'Île mystérieuse, t. I, p. 10.

**ANTISÈCHE** [ɑ̃tisɛʃ] n. f. — Mil. XXe; de 1. *anti-*, et *sécher.*

Argot scol. Morceau de papier, dispositif comportant des informations que des candidats gardent frauduleusement sur eux pendant une épreuve scolaire, un examen, afin de copier. → **Copion** (Belgique).

**ANTISÉGRÉGATIONNISTE** [ɑ̃tisegʀegasjɔnist] adj. et n. — Mil. XXe; de 1. *anti-*, *ségrégation*, et suff. *-iste.*

Qui s'oppose à la ségrégation raciale.

Lors des manifestations de Birmingham, en 1963, environ 20 pasteurs seulement sur les 250 de la ville ont activement soutenu les antiségrégationnistes. En fait, l'Église est divisée : certains pasteurs (...) redoutent une déségrégation qui réduirait leur rôle dans la communauté.

Claude FOHLEN, les Noirs aux États-Unis, p. 81.

**ANTISÉMITE** [ɑ̃tisemit] n. et adj. — 1889; de 1. *anti-*, et *sémite.*

Raciste animé par l'antisémitisme. → **Antijuif.**

J'ai eu peur, comme juif des antisémites, comme Français des Allemands, comme bourgeois des anarchistes, comme pacifiste des bellicistes.

Emmanuel BERL, le Virage, p. 28.

Adj. *Propagande, campagne antisémite* (ou, vx, *antisémitique**). «*Démagogie antisémite et nationaliste*» (J. Jaurès, 1901). *Il est antisioniste, antijudaïque, mais se défend d'être antisémite. — Mesures antisémites. Politique de discrimination antisémite.*

DÉR. **Antisémitique, antisémitisme.**

**ANTISÉMITIQUE** [ɑ̃tisemitik] adj. — 1883, comme nom d'un journal antisémite pendant l'affaire Dreyfus; de *antisémite.*

Vieilli. Antisémite*. *La propagande, les persécutions antisémitiques du troisième Reich.* — REM. Cet adjectif, tout comme *antisémite* et *antisémitisme* a été employé dès le XIXe s. pour désigner l'attitude raciste d'hostilité à l'égard des peuples sémitiques (arabes et juifs). → **Antisémitisme.**

(Une heure plus tard, Bloch allait se figurer que c'était par malveillance antisémitique que M. de Charlus s'informait s'il portait un prénom juif, alors que c'était simplement par curiosité esthétique et amour de la couleur locale).

PROUST, le Côté de Guermantes, Folio, p. 228.

**ANTISÉMITISME** [ɑ̃tisemitism] n. m. — 1886, Drumont; de *antisémite.*

♦ **1** Doctrine d'inspiration raciste* dirigée contre les juifs. → **Antijudaïsme.** — REM. Chez les propagandistes du début du XXe s., l'*antisémitisme* se présente comme une «lutte contre le sémitisme» supposé nuisible à la civilisation dite «aryenne» et attribué aux juifs exclusivement (→ Sémitisme, cit. 2). Cette interprétation pseudo-historique ne reposant sur rien, les mots *antisémite, -ique,*

*-isme* concernent aujourd'hui le racisme antijuif, l'hostilité plus ou moins irrationnelle à l'égard des juifs.

Attitude fondée sur ce racisme. *Afficher un antisémitisme virulent.*

1 L'antisémitisme, c'est la mort (...) de la civilisation européenne. FRANCE, le Lys rouge, III, p. 37.

2 Mme Swann (...) faisait profession du nationalisme le plus ardent; elle ne faisait que suivre en cela d'ailleurs Mme Verdurin chez qui un antisémitisme bourgeois et latent s'était réveillé et avait atteint une véritable exaspération.
PROUST, le Côté de Guermantes, Pl., t. II, p. 252.

♦ **2** Mouvement d'opinion contre les juifs; ses manifestations racistes. *Un antisémitisme latent. Antisémitisme et antisionisme*.*

3 L'antisémitisme n'est pas d'origine allemande : il est russe, polonais, français.
IONESCO, Journal en miettes, 1967, p. 155.

**ANTISEPSIE** [ɑ̃tisɛpsi] n. f. — 1880, *in* D. D. L.; n. m., 1865; de *antiseptique*, d'après le grec *sêpsis* «putréfaction».

Méd. et cour. Ensemble des procédés employés pour prévenir ou combattre l'infection en détruisant des microbes qui existent à la surface ou à l'intérieur des organismes vivants. *Antisepsie et asepsie*. C'est aux découvertes de Pasteur et de Lister que nous devons l'antisepsie.*

Il *(Pasteur)* voyait en chacun d'eux *(ces petits détails)* une application des principes rigoureux qui devaient transformer la chimie, la médecine et l'hygiène.
La mise en état de défense contre les microbes, grâce aux substances qui les tuent ou empêchent leur développement, telles que l'acide phénique, le sublimé, l'iodoforme, le salol, etc... : tout ce qui constitue l'antisepsie; puis, autre progrès, issu du premier, l'obstacle opposé à l'arrivée des microbes et des germes par la désinfection complète, la propreté absolue des instruments et des mains, de tout ce qui doit entrer en contact avec le blessé ou l'opéré, en un mot l'asepsie : combien d'existences humaines devaient être sauvées par ces applications d'une même méthode!
R. VALLERY-RADOT, la Vie de Pasteur, IX, p. 362.

**ANTISEPTIQUE** [ɑ̃tisɛptik] adj. et n. m. — 1765; *antiseptike*, 1763; de 1. *anti-*, et *septique*, ou angl. *antiseptic* (1753), de même orig.

Méd. et cour. Qui empêche la putréfaction en détruisant les microbes, qui emploie l'antisepsie. → **Antiputride, antisepsie.** *Un remède antiseptique. Un pansement antiseptique.*

1 (...) mes plus cordiaux remerciements pour m'avoir, par vos brillantes recherches, démontré la vérité de la théorie des germes de putréfaction et m'avoir ainsi donné le seul principe qui pût mener à bonne fin le système antiseptique.
LISTER, Lettre à Pasteur, 18 févr. 1874, *in* R. VALLERY-RADOT, la Vie de Pasteur, p. 316.

N. m. *Un antiseptique. Noms d'antiseptiques :* biodure de mercure, borax, acide borique, chloral, chlore, coaltar, collargol, eau oxygénée, formol, glycérine, iode (dérivés de l'iode), iodoforme, menthol, nitrate d'argent, permanganate, acide phénique, salol, sublimé, thymol, etc. *Utiliser un puissant antiseptique.*

2 Comme je ne disposais point d'antiseptique, j'ai eu soin de pisser sur la plaie, ainsi que le pratiquent les Indiens de l'Amazone.
B. CENDRARS, Moravagine, Œ. compl., t. IV, p. 171.

Par métaphore et fig. *«Cet admirable antiseptique, l'ironie»* (Mirbeau).

CONTR. **Septique.** ◊ DÉR. **Antisepsie, antiseptiser.**

**ANTISEPTISER** [ɑ̃tisɛptize] v. tr. — 1892; de *antiseptique.*

Méd. (Vieilli). Rendre antiseptique. → **Aseptiser.** «*On antiseptise l'air de la chambre où l'on opère par des pulvérisations de vapeur d'eau chargée d'acide phénique*» (*Année sc. et industr.* 1893, p. 381 [1892]).

**ANTISÉRUM** [ɑ̃tiseʀɔm] n. m. — 1960; de 1. *anti-*, et *sérum.*

Biol. Sérum d'un animal immunisé par injection d'un antigène, contenant l'anticorps correspondant.

**ANTISIDA** [ɑ̃tisida] adj. invar. — 1985, *anti-sida*; de 1. *anti-*, et *sida.*

Destiné à combattre le sida; relatif à la lutte contre le sida. *Une politique antisida. Les trithérapies, traitements antisida. Les organisations antisida. «Pourquoi aucune grande campagne d'information sur les dangers du dopage (du style journée antisida) n'a-t-elle été lancée, dans aucun pays?»* (*le Monde*, 6 oct. 1998, p. 14).

**ANTISIGMA** [ɑ̃tisigma] n. m. — 1751, in *Encyclopédie*; mot grec, de 1. *anti-*, et *sigma.*

Didact. Lettre en forme de sigma majuscule renversé, employée comme signe de l'interversion dans les manuscrits grecs commentés.

**ANTISIONISME** [ɑ̃tisjɔnism] n. m. — Déb. XXe; de 1. *anti-*, et *sionisme.*

Hostilité contre la politique des juifs, contre l'État d'Israël. *Antisionisme des mouvements palestiniens. L'antisionisme et l'antisémitisme doivent être distingués. Antisémitisme camouflé en antisionisme.*

DÉR. **Antisioniste.**

**ANTISIONISTE** [ɑ̃tisjɔnist] adj. et n. — 1902; de *antisionisme.*

De l'antisionisme. *Le mouvement antisioniste.* — Qui manifeste de l'antisionisme. *Tenir des propos antisionistes.* — N. *Un antisioniste.*

**ANTISISMIQUE** [ɑ̃tisismik] adj. — 1979; de 1. *anti-*, et *sismique.*

Conçu pour résister aux séismes. → **Parasismique.** *Construction conforme aux normes antisismiques.*

**ANTISOCIAL, ALE, AUX** ou **ANTI-SOCIAL, ALE, AUX** [ɑ̃tisɔsjal, o] adj. et n. — 1776, d'Holbach; de 1. *anti-*, et *social.*

♦ **1** Qui est contraire à la société, qui tend à la dissoudre. *Doctrine antisociale. Système, principes antisociaux.*

(...) l'impôt que l'on demande aux deux premiers ordres est précisément volontaire, non pour les individus, ce qui serait absurde et antisocial, mais pour la nation (...) 1
MIRABEAU, Collection, t. I, p. 76, *in* LITTRÉ.

♦ **2** (1832). Qui n'est pas social, va contre les intérêts des travailleurs. *Une mesure antisociale.*

(...) ne serait-ce pas une tâche digne des hommes les plus instruits que de rechercher les causes de contraste, et de faire cesser le mouvement anti-social qui s'oppose au bien-être des peuples (...) 2
BALZAC, Sur la situation du parti royaliste, 1832, Œ. diverses, t. II, p. 533.

♦ **3** Vx. Qui est opposé aux habitudes de la bonne société.

(...) en arrivant à la seconde demi-heure d'une visite il parlait peu et pas très bien, s'il n'osait pas se permettre de dire ce qui lui venait à la tête. 3
Cette habitude, antisociale à Paris, avait été voilée jusqu'à cette époque de sa vie (...)
STENDHAL, Lucien Leuwen, LXVI, *in* Romans, Pl., t. I, p. 1329.

♦ **4** (Psychol.). Qui transgresse les règles de la vie en société et la morale sociale. *Réactions antisociales dues à des troubles du comportement* (actes de pyromanie, violences, vols...). *Malade mental antisocial.*

N. (1900, *in* D. D. L.). Sujet caractériellement inapte à la vie en société. → **Asocial, délinquant, inadapté, marginal, pervers.**

4 Kosanoff a établi comme échelle de prédominance : l'homme à tempérament normal, l'antisocial, le cyclothymique, l'autistique, l'épileptique, la manifestation de chacun étant masquée ou inhibée par celui qui le précède dans la série.

E. MOUNIER, Traité du caractère, p. 54.

**ANTISOCIALISME** [ɑ̃tisɔsjalism] n. m. — 1834, *la Revue républicaine,* 10 juil., *in* D. D. L.; de 1. *anti-,* et *socialisme.*

Hostilité, opposition au socialisme.

Spécialt. Opposition au socialisme (sous chaque forme historique qu'il prend).

**ANTISOCIALISTE** [ɑ̃tisɔsjalist] adj. et n. — 1846, Balzac, → cit.; de 1. *anti-,* et *socialiste.*

Hostile, opposé au socialisme.

(...) chez les esprits cultivés, elle *(la lèpre de l'envie)* engendre des doctrines antisocialistes dont on se sert comme d'une escabelle pour dominer ses supérieurs.

BALZAC, les Paysans, VI, *in* D. D. L., II, 1.

**ANTISOLAIRE** [ɑ̃tisɔlɛʀ] adj. — XX^e; de 1. *anti-,* et *solaire.*

♦ **1** Qui s'oppose à l'action du soleil, protège des radiations solaires. → **Solaire.** *Crème, lotion antisolaire.*

Tu prendras aussi un gros pull-over. – Et une crème antisolaire. Je suis couvert de taches de rousseur dès que je m'expose en altitude.

Christine ARNOTHY, Toutes les chances plus une, p. 359.

♦ **2** Techn. *Vitrage antisolaire,* étudié pour éliminer une partie du rayonnement solaire (dans les immeubles à grande surface vitrée), par absorption d'une partie du spectre de la lumière visible et de l'infrarouge. — *Lunettes antisolaires,* dont les verres absorbent une partie du rayonnement solaire dans le spectre visible et le rayonnement ultraviolet.

**ANTI-SOUS-MARIN, INE** [ɑ̃tisumaʀɛ̃, in] adj. — 1948; de 1. *anti-,* et *sous-marin.*

Milit. Qui sert à combattre les sous-marins (s'oppose à *antisurface**). *Grenades anti-sous-marines. Missiles, lance-roquettes et mortiers anti-sous-marins.* «*Des véhicules* (du type hovercraft) *destinés à la chasse anti-sous-marine*» (*France-Europe,* n° 16, p. 50). — REM. Le préf. *anti-* reste ici séparé graphiquement, à cause de la séparation des éléments de *sous-marin.*

**ANTISOVIÉTIQUE** [ɑ̃tisɔvjetik] adj. — 1923, *in* D. D. L.; de 1. *anti-,* et *soviétique.*

Opposé à l'idéologie soviétique; hostile au régime soviétique. *Un discours antisoviétique.* → **Anticommuniste** (notion différente).

**ANTISOVIÉTISME** [ɑ̃tisɔvjetism] n. m. — 1948, *in* D. D. L.; de 1. *anti-,* et *soviétisme.*

Opposition systématique au régime, à la politique, à l'État soviétique (U. R. S. S.). → **Anticommunisme** (notion différente).

**ANTISPASMODIQUE** [ɑ̃tispasmɔdik] adj. et n. m. — 1741; de 1. *anti-,* et *spasmodique.*

Méd. Qui combat les spasmes, les convulsions. → **Anticonvulsif, spasmolytique;** → Thérapeutique (cit. 3). *Remède antispasmodique.*

N. m. *Un antispasmodique. Noms d'antispasmodiques :* assa-fœtida, belladone, bromure, camphre, castoréum, coleus, galbanum, musc, myrrhe, sauge, valériane officinale. → **Calmant.**

**ANTISPIRITUALISME** [ɑ̃tispiʀitɥalism] n. m. — 1842; de 1. *anti-,* et *spiritualisme.*

Didact. Attitude, théorie opposée au spiritualisme. → **Matérialisme.** — REM. *Antispiritualiste,* adj. et n., est également attesté (1868).

**ANTISPORTIF, IVE** [ɑ̃tispɔʀtif, iv] adj. — 1891; de 1. *anti-,* et *sportif.*

Hostile au sport; contraire à l'esprit du sport.

Très antisportif de tempérament (...) Par conséquent très curieux des choses sexuelles.

M. AYMÉ, Travelingue, p. 216.

**ANTISTALINIEN, IENNE** [ɑ̃tistalinjɛ̃, jɛn] n. et adj. — 1929, *in* D. D. L.; de 1. *anti-,* et *stalinien.*

N. Personne qui s'opposait à Staline, aux abus de son régime totalitaire.

(...) les antistaliniens ne voyaient dans cette affaire qu'un prétexte à réchauffer des indignations bien assises.

S. DE BEAUVOIR, les Mandarins, p. 382 (1954).

Adj. *Communiste antistalinien. Politique antistalinienne.* → **Déstalinisation.**

**ANTISTATIQUE** [ɑ̃tistatik] adj. et n. m. — 1969; de 1. *anti-,* et *statique.*

Phys. Qui empêche ou limite le développement de l'électricité statique à la surface des matières plastiques, réduisant ainsi l'attraction des poussières. *Un produit antistatique.* — N. m. *Un antistatique peut être incorporé dans la matière plastique ou pulvérisé sur elle.*

**ANTISTROPHE** [ɑ̃tistʀɔf] n. f. — 1550; n. m., au sens 3., 1532; grec *antistrophê,* de *anti-* (→ 1. Anti-), et *strophê* (→ Strophe).

Didactique.

♦ **1** Dans la métrique antique, Seconde stance du chœur lyrique, contrepartie de la strophe (dans la triade *strophe, antistrophe, épode*). «*Dans les pièces dramatiques, le chœur chantait l'antistrophe en tournant sur le théâtre de gauche à droite, après avoir chanté la strophe en tournant de droite à gauche*» (Académie, 9^e éd.). → **Épode** (cit.), **strophe.** — Démarche du chœur pendant l'antistrophe.

♦ **2** Rhét., gramm. Figure par laquelle on opère la conversion* de deux termes dépendant l'un de l'autre (ex. : le serviteur du maître, *ou* le maître du serviteur). — Par ext. Répétition de un ou plusieurs mots à la fin de chaque membre d'une période.

♦ **3** (1611; n. m., 1532, Rabelais). Vx. Contrepèterie*.

**ANTISUDORAL, ALE, AUX** [ɑ̃tisydɔʀal, o] adj. et n. m. — 1853; de 1. *anti-,* et *sudoral.*

Physiol., méd. (Vx). Qui diminue, qui empêche la transpiration. → **Anhidrotique.** *Substance antisudorale.* — N. m. *Un antisudoral.*

**ANTISURFACE** [ɑ̃tisyʀfas] adj. invar. — V. 1970; de 1. *anti-,* et *surface.*

Milit. Destiné à lutter contre les bâtiments de guerre naviguant en surface (opposé à *anti-sous-marin*). *Lutte antisurface. Moyens antisurface.*

**ANTISYMÉTRIQUE** [ɑ̃tisimetʀik] adj. — 1947; de 1. *anti-*, et *symétrique.*

Math. et log. Se dit d'une relation binaire entre des éléments d'un ensemble telle que si elle se vérifie pour le couple (a, b) et pour le couple (b, a), les éléments du couple sont identiques. *La divisibilité dans l'ensemble des entiers naturels est une relation antisymétrique. — Déterminant antisymétrique,* dont les éléments obéissent à la même loi que ceux d'une matrice antisymétrique. — *Matrice antisymétrique :* matrice carrée, dans laquelle les éléments symétriques par rapport à la diagonale principale sont opposés.

**ANTISYPHILITIQUE** [ɑ̃tisifilitik] adj. — 1774; de 1. *anti-*, et *syphilitique.*

Méd. Qui combat la syphilis. → **Antivénérien.**

**ANTISYSTÉMATIQUE** [ɑ̃tisistematik] adj. — 1739; de 1. *anti-*, et *systématique.*

Didact. Opposé à l'esprit de système. *Un esprit antisystématique.* — Opposé aux systèmes, en philosophie des sciences.

**ANTITABAC** [ɑ̃titaba] adj. invar. — V. 1960; n. m. «plante préparée pour être fumée, devant concurrencer le tabac», 1830, *in* D. D. L.; de 1. *anti-*, et *tabac.*

Qui lutte contre l'usage du tabac. *Campagnes antitabac.*

Et en quelques mots, il débite l'histoire d'une odyssée antitabac.
Christine ARNOTHY, Toutes les chances plus une, p. 29.

**ANTITACHES** ou **ANTITACHE** [ɑ̃titaʃ] adj. — 1982; de 1. *anti-*, et *tache.*

Se dit d'un traitement qui, appliqué sur un tissu, empêche la formation de taches ou facilite leur élimination. *Procédé antitaches.*

**ANTITANK** [ɑ̃titɑ̃k] adj. — Déb. XXe; de 1. *anti-*, et *tank.*

Vieilli. → **Antichar.**

Karlitch, enfin chef de section de chars, avançait, tirant sans arrêt sur les sections antitanks ennemies.
MALRAUX, l'Espoir, *in* Romans, Pl., p. 844 (1937).

**ANTITERRORISTE** [ɑ̃titɛʀɔʀist] adj. — 1795; de 1. *anti-*, et *terroriste.*

Qui lutte contre le terrorisme, est relatif à cette lutte. *«L'hystérie antiterroriste ambiante»* (*le Nouvel Obs.*, 31 oct. 1977). — REM. On écrit aussi *anti-terroriste.*

(...) Marindelle était devenu un spécialiste de la lutte antiterroriste. Jean LARTÉGUY, les Prétoriens, p. 495.

**ANTITÉTANIQUE** [ɑ̃titetanik] adj. — 1819; de 1. *anti-*, et *tétanique.*

Méd. Qui agit contre le tétanos. *Sérum antitétanique.*

1 Depuis la première injection préventive réalisée avec succès chez l'homme en 1894 (...) le sérum antitétanique a conservé ses vertus protectrices (...) En revanche, l'efficacité du sérum antitétanique, dans le traitement d'un tétanos déclaré, est pour le moins décevante.
V. VIC-DUPONT, la Maladie infectieuse, p. 65.

Qui prévient le tétanos. *Une piqûre antitétanique.*

2 Vous ne me faites pas de piqûre antitétanique?
Cirilli hésita.
— Ça vaudrait mieux, évidemment. Mais il nous en reste si peu qu'en principe on le réserve pour les bobos sérieux.
Robert MERLE, Week-end à Zuydcoote, p. 68.

**ANTITHÉISME** [ɑ̃titeism] n. m. — Av. 1865, Proudhon; de 1. *anti-*, et *théisme.*

Didact., rare. Système, attitude de pensée opposé à la croyance en un dieu. → **Athéisme** (cour.). — REM. *Athéisme* ayant pris la valeur d'«opposition» (et non seulement d'«absence de croyance»), *antithéisme* s'emploie pour mettre en valeur cette idée d'hostilité.

**ANTITHÉOLOGIQUE** [ɑ̃titeɔlɔʒik] adj. — Av. 1842, A. Comte; de 1. *anti-*, et *théologique.*

Didact. Opposé à la théologie; spécialt (dans le positivisme comtien) opposé au stade théologique de la pensée humaine.

**ANTITHERMIQUE** [ɑ̃titɛʀmik] adj. et n. m. — 1878, *in* D. D. L.; de 1. *anti-*, et *thermique.*

Méd. Qui abaisse la température. *«Un nouvel agent antithermique : l'antifébrine»* (*Année sc. et industr.* 1886, p. 407).

N. m. *L'antipyrine et la quinine sont des antithermiques.* → **Antifébrile, antipyrétique, fébrifuge.**

**ANTITHÈSE** [ɑ̃titɛz] n. f. — Av. 1550 aux sens 1. et 2.; du grec *antithesis,* de *anti,* et *thesis.* → Thèse.

♦ **1** Rhét. Opposition de deux pensées, de deux expressions que l'on rapproche dans le discours pour en faire mieux ressortir le contraste. → **Contraste, opposition, paradoxisme; comparaison.** *Antithèse de mots, d'expressions, de pensées. Par antithèse :* par opposition. *L'oxymoron est une antithèse lexicale.*

Ceux qui font les antithèses en forçant les mots font comme ceux qui font de fausses fenêtres pour la symétrie : leur règle n'est pas de parler juste, mais de faire des figures justes. PASCAL, Pensées, I, 27. 1

L'antithèse est une opposition de deux vérités qui se donnent du jour l'une à l'autre. 2
LA BRUYÈRE, les Caractères, I, 55.

La plupart des grandes pensées prennent le tour de l'antithèse, soit pour marquer plus vivement les rapports de différence et d'opinion, soit pour rapprocher les extrêmes. 3
MARMONTEL, Œuvres, t. V, p. 237.

Il y a antithèse lorsqu'on choisit *(en écrivant)* les tours qui rendent l'opposition plus sensible. 4
CONDILLAC, cité par LAFAYE, Dict. des synonymes, Suppl., Opposition, contraste, antithèse.

Au lieu de mettre de l'opposition dans les mots, il faut quelquefois la laisser uniquement dans les sentiments qui se contrastent; c'est avec ce discernement qu'on fait usage des antithèses. CONDILLAC, l'Art d'écrire, II, 5. 5

L'antithèse de Shakespeare c'est l'antithèse universelle; toujours et partout; c'est l'ubiquité de l'antinomie (...) 6
HUGO, Shakespeare, p. 63.

(...) sans cesse l'antithèse se dresse devant mes yeux. Je n'ai jamais vu un enfant sans penser qu'il deviendrait vieillard, ni un berceau sans songer à une tombe. 7
FLAUBERT, Correspondance, t. I, p. 112.

La comparaison étant en elle-même une source d'oppositions, le parallèle est, par sa nature, le triomphe de l'antithèse. 8
Antoine ALBALAT, la Formation du style, XI.

♦ **2** Philos. (chez Kant). Proposition radicalement opposée à la thèse et constituant avec elle une antinomie. — (Dans la dialectique hégélienne interprétée par Fichte; chez Hamelin). Seconde démarche de l'esprit, niant ce qu'il avait affirmé dans la thèse* (avant de passer à la synthèse).

♦ **3** Fig. Chose ou personne radicalement opposée à une autre; contraste entre deux aspects. → **Contraire, inverse.** *Être l'antithèse de qqn, de qqch.; c'est son antithèse.*

Charlemagne est l'antithèse de Néron. 9
L. VEUILLOT, *in* P. LAROUSSE (1866), art. *Antithèse.*

CONTR. (Du 2.) **Thèse.**

**ANTITHÉTIQUE** [ãtitetik] adj. — Av. 1680; du bas lat. *antitheticus*, grec *antitheticos*, de *antithesis*. → Antithèse.

♦ **1** Rhét. Qui tient de l'antithèse, qui forme antithèse. *Idées antithétiques. Tour antithétique. Propositions antithétiques.*

♦ **2** (1846). Philos. Qui s'oppose à un principe énoncé dans la thèse.

♦ **3** Cour. Opposé, contraire. *Sa personnalité offre deux aspects antithétiques. «L'art a toujours deux faces antithétiques»* (A. Bertrand, *Gaspard de la nuit*).

Vx. *Chose antithétique à une autre*, opposée.

**ANTITHROMBINE** [ãtitʀɔ̃bin] n. f. — 1908; de 1. *anti-*, et *thrombine*.

Biochim. Protéine plasmatique, inhibitrice de la formation de fibrine, et dont la carence peut provoquer des thromboses. «(Une firme américaine) *est parvenue à cloner trois chèvres transgéniques capables de produire du lait contenant un anticoagulant humain, l'antithrombine 3»* (*le Monde*, 29 avr. 1999, p. 36).

**ANTITHYROÏDIEN, IENNE** [ãtitiʀɔidjɛ̃, jɛn] adj. — 1904, in *Rev. gén. des sc.*, n° 2, p. 56; de 1. *anti-*, et *thyroïdien*.

Méd. Propre à empêcher l'hypersécrétion (→ **Hyperthyroïdie**) et l'hypertrophie de la glande thyroïde (goitre). *Médication antithyroïdienne.*

N. m. *L'utilisation des antithyroïdiens dans la maladie de Basedow ou goitre exophtalmique.*

**ANTITOTALITAIRE** [ãtitɔtalitɛʀ] adj. — V. 1930-1940; de 1. *anti-*, et *totalitaire*.

Qui est opposé au système des États totalitaires, à l'emprise totale de l'État sur l'individu.

Le Français prétend penser et juger par lui-même, il ne s'incline devant aucun mandarinat et par là il est profondément non conformiste, antitotalitaire.
André SIEGFRIED, l'Âme des Peuples, III, II.

**ANTI-TOUT** [ãtitu] adj. invar. — 1944, Céline; de 1. *anti-*, et *tout*.

Fam. Qui s'oppose à tout. *Il est pro-rien et anti-tout.* — N. *Les anti-tout.* → Râleux, cit. 2, Céline.

Gorguloff était un Russe blanc, n'est-ce pas?
– Anti-rouge en tout cas, mais anti-blanc aussi : anti-tout, sans aucune appartenance politique.
Denyse VAUTRIN, le Reste de l'âge, p. 160.

**ANTITOXINE** [ãtitɔksin] n. f. — 1892, *Annales de l'Institut Pasteur*, in D. D. L.; de 1. *anti-*, et *toxine*.

Méd. Substance élaborée par l'organisme qui réagit contre les toxines, en combat les effets. → **Anticorps.**

1 On sait que l'organisme s'adapte aux bactéries et aux virus par la production de substances capables de détruire, directement ou indirectement les envahisseurs (...) lorsqu'on injecte des toxines microbiennes à un animal, cet animal produit des antitoxines.
Alexis CARREL, l'Homme, cet inconnu, p. 249.

2 Pour lutter contre cette grave menace *(l'infection généralisée)* qui met les jours en danger, l'organisme fait appel à un nouveau moyen de défense (...) par la production d'antitoxines. Ce sont des substances élaborées par les globules blancs et destinées à conférer au sérum sanguin des propriétés lui permettant de combattre les toxines microbiennes par des moyens appropriés. Le principe des vaccins et des sérums repose précisément sur cette neutralisation des toxines par les globules blancs.
Dr P. VALLERY-RADOT, Notre corps..., p. 59.

**ANTITOXIQUE** [ãtitɔksik] adj. — 1858, Nysten-Littré; de 1. *anti-*, et *toxique*.

Médecine.

♦ **1** Vx. Qui agit comme contrepoison.

♦ **2** (1903, in *Rev. gén. des sc.*, n° 21, p. 1123). Mod. Qui est propre à combattre une toxine. *Sérum antitoxique. Vaccin antitoxique.* → **Anavaccin.**

Le sérum de l'animal ainsi immunisé contre une maladie a parfois le pouvoir de guérir les patients souffrant de cette même maladie. Il leur fournit les substances antitoxiques et antibactériennes dont ils manquent.
Alexis CARREL, l'Homme, cet inconnu, p. 250.

**ANTITRAGUS** [ãtitʀagys] n. m. — 1714; mot du lat. sc., de 2. *anti-*, et *tragus*.

Anat. Éminence triangulaire du pavillon de l'oreille, faisant face au tragus.

**ANTITRINITAIRE** [ãtitʀinitɛʀ] adj. — 1694; de 1. *anti-*, et *trinitaire*.

Hist. des relig. (Personnes). Qui, à l'intérieur du christianisme, rejette le dogme de la Trinité. — N. *Les antitrinitaires.*

**ANTITRUST** [ãtitʀœst] adj. invar. — Mil. XXe (1952, *le Monde*); angl. *Anti-Trust Act*, 1890.

Qui s'oppose à l'action des trusts. *Dispositions antitrust.*

Toute l'économie américaine est dominée par la loi antitrust, que les Français n'ont pas encore comprise. À Paris, le terme d'antitrust suggère une arme contre les «gros». Rien de tel aux États-Unis. Aucun aspect moral ni égalitaire. Au contraire, puisque faire des profits c'est enrichir l'Amérique tout entière. La loi antitrust est une simple règle du jeu destinée à faire respecter la loi de la concurrence, à interdire qu'elle soit éliminée.
l'Express, 24-30 juil. 1967.

**ANTITRYPSINE** [ãtitʀipsin] n. f. — 1903; de 1. *anti-*, et *trypsine*.

Biochim. Protéine plasmatique synthétisée dans le foie, dont l'absence ou l'inactivation cause l'emphysème pulmonaire. *«(...) après introduction dans leur patrimoine génétique d'un gène étranger, les lapines peuvent libérer des molécules humaines : par exemple l'antitrypsine, utile contre les maladies pulmonaires de la mucoviscidose ou le facteur VII agissant sur la coagulation du sang»* (*le Monde*, 11 déc. 1999, p. 20).

**ANTITUBERCULEUX, EUSE** [ãtitybɛʀkylø, øz] adj. — 1866; *anti-tuberculeux*, n., 1825, *in* D. D. L.; de 1. *anti-*, et *tuberculeux*.

♦ **1** Méd. Qui est propre à combattre la tuberculose. *Sérum, vaccin antituberculeux* (→ **B. C. G.**).

Adapté au traitement de la tuberculose. *Un dispensaire, un centre antituberculeux.* → **Sanatorium.**

♦ **2** Cour. Qui contribue à la lutte contre la tuberculose. *La ligue antituberculeuse. — Timbres antituberculeux*, vendus chaque année en France lors d'une campagne nationale, et destinés à subventionner des organisations luttant contre la tuberculose.

**ANTITUSSIF, IVE** [ãtitysif, iv] adj. et n. m. — 1970; de 1. *anti-*, et lat. *tussis* «toux».

Méd. Qui combat, calme la toux. — N. m. *La codéine est un antitussif.*

**ANTITYPE** [ãtitip] n. m. — 1704, en relig., «figure, symbole»; sens mod., 1877; de 1. *anti-*, et *type* (le sens relig. est empr. au grec *antitupon*, de *tupos* «figure»).

Didact. et rare. Personne, chose qui s'oppose (en tant que type) à un type donné. *«La hutte de l'ermite est l'antitype du monastère»* (Bachelard, *in* T. L. F.).

**ANTITYPHIQUE** [ãtitifik] adj. — 1905, in *Rev. gén. des sc.* n° 17, p. 790; de 1. *anti-*, et *typhique*.

Méd. Qui combat le typhus. *Vaccin antityphique.*

**ANTITYPHOÏDIQUE** [ãtitifɔidik] adj. — 1903; de 1. *anti-*, et *typhoïdique*.

Méd. Qui combat la typhoïde. *«Le premier vaccin antityphoïdique est dû à Vincent, qui, le 21 décembre 1914, sut convaincre Millerand de le rendre obligatoire dans l'armée»* (V. Vic-Dupont, *la Maladie infectieuse*, p. 68). *Vaccination antityphoïdique*, ou *T. A. B.*

**ANTIVARIOLIQUE** [ãtivaʀjɔlik] adj. — 1902; *antivariolique*, 1804; de 1. *anti-*, et *variolique*.

Méd. Destiné à lutter contre la variole. *La vaccination antivariolique se fait vers le sixième mois qui suit la naissance. Revaccinations antivarioliques.*

**ANTIVÉNÉRIEN, IENNE** [ãtivenɛʀjɛ̃, jɛn] adj. et n. m. — 1741, adj. et n.; de 1. *anti-*, et *vénérien*.

Méd. Qui est propre à combattre les maladies vénériennes. *Remèdes antivénériens.* → **Antisyphilitique.** — N. m. *Les antivénériens.*

Équipé pour soigner les maladies vénériennes. *Un dispensaire antivénérien.*

**ANTIVENIMEUX, EUSE** [ãtiv(ə)nimø, øz] adj. — 1897, *in* D. D. L.; de 1. *anti-*, et *venimeux*.

Méd. Propre à combattre les venins. *Lutter contre la morsure d'une vipère en injectant du sérum antivenimeux.*

REM. Le mot tend à se substituer à *antivénéneux, euse* (1866, *in* Larousse), qui avait un sens plus large («contre tous les poisons»).

**ANTIVIRAL, ALE, AUX** [ãtiviʀal, o] adj. et n. m. — V. 1950; de 1. *anti-*, et *viral*.

Biol. Qui combat les virus, les maladies virales. *Vaccins antiviraux. Traitement antiviral. Médicament antiviral*; n. m. *un antiviral.*

1. **ANTIVIRUS** [ãtiviʀys] n. m. — 1927, Garnier et Delamare, *in* D. D. L.; de 1. *anti-*, et *virus*.

Biol. Substance ou organisme qui s'oppose au développement d'un virus.

2. **ANTIVIRUS** [ãtiviʀys] n. m. — 1989; de 1. *antivirus*.

Inform. Logiciel capable de détecter les virus informatiques sur les fichiers d'un disque dur ou dans la mémoire vive d'un ordinateur.

**ANTIVITAMINE** [ãtivitamin] n. f. — Mil. XXe; de 1. *anti-*, et *vitamine*.

Biol. Substance qui a une action contraire à celle d'une vitamine.

(...) depuis une dizaine d'années, on suppose que coexistent avec les vitamines proprement dites des substances chimiques à l'action contraire et dénommées pour cette raison «Antivitamines». L'effet de telle ou telle de ces substances se révèle identique, sur l'organisme, à l'effet de carence en telle ou telle vitamine.
Suzanne GALLOT, les Vitamines, p. 88.

**ANTIVOL** [ãtivɔl] n. m. et adj. invar. — 1948; *anti-vol*, 1932, *in* D. D. L.; de 1. *anti-*, et *vol*.

Dispositif de sécurité destiné à empêcher le vol des véhicules.

Eh bien! moi, ça m'emmerde de passer la journée dans ce carré de choux. Je vais prendre la machine et faire un tour sans toi. Donne-moi la clé de l'antivol. 1
S. DE BEAUVOIR, les Mandarins, p. 351 (1954).

(...) il s'arrêta et descendit de son vélo. Il mit en place l'antivol sur la jante de la roue avant (...) 2
J.-M. G. LE CLÉZIO, la Fièvre, p. 10.

Adj. invar. Qui garantit contre le vol. *Un dispositif antivol.*

La concierge de l'immeuble me reçoit derrière son crochet antivol. Elle me prend pour un démarcheur et la maison est interdite aux représentants et colporteurs. 3
Roger BORNICHE, Flic story, p. 325.

**ANTONOMASE** [ãtɔnɔmaz] n. f. — 1634; *anthonomasie*, v. 1275; du lat. *antonomasia*, mot grec, de *antonomazein* «appeler d'un nom différent», de *anti-* «à la place de», et *onomazein* «nommer», de *onoma* «nom».

Rhét. Figure de langage qui consiste à désigner un personnage par un nom commun ou une périphrase qui en résume le caractère, ou, inversement, à désigner un individu par le personnage dont il rappelle le caractère typique. *C'est par antonomase que l'on dit* l'orateur romain *pour* Cicéron, *ou bien* c'est un Néron *au lieu de* c'est un homme cruel.

**ANTONYME** [ãtɔnim] n. m. — Av. 1866, P. Larousse, art. *Antonymie*; de *antonymie*, d'après *synonyme*.

Didact. Unité lexicale (mot, etc.) ou syntagme dont le sens est contraire (à un autre de même nature). Ex. : *large-étroit; largeur-étroitesse; agrandir-rapetisser.* → **Contraire.**

(Au sens large). Terme défini par une relation de contrariété (→ ci-dessus), de réciprocité (relation inverse; ex. : *donner-prendre; oncle-neveu*) ou de complémentarité (la négation de l'un entraîne l'autre, ex. : *masculin-féminin; marié-célibataire*).

CONTR. **Synonyme.**

**ANTONYMIE** [ãtɔnimi] n. f. — 1829, Boiste (qui cite Robespierre, av. 1794); «juxtaposition de mots inconciliables», 1823; de 1. *ant(i)-*, et *-onymie*.

Didact. Opposition de sens entre antonymes; par ext., cette opposition, ainsi que les relations de réciprocité et de complémentarité. → **Antonyme.**

DÉR. **Antonymique.**

**ANTONYMIQUE** [ãtɔnimik] adj. — Mil. XIXe; de *antonymie*.

Didact. Propre à l'antonymie. *Sens, valeurs antonymiques. Relation antonymique.*

**ANTRE** [ãtʀ] n. m. — XVe; du lat. *antrum* «creux», grec *antron*.

♦ **1** Littér. Caverne, grotte profonde, dans la terre ou le roc.

Je remplis de ton nom *(France)* les antres et les bois. 1
DU BELLAY, les Regrets, IX (1557).

Cavité servant d'abri ou de demeure (à propos de personnages de la mythologie ou de l'histoire ancienne, d'animaux fabuleux). *L'antre de la Sibylle, à Cumes. L'antre du Cyclope. L'antre du Sphynx.*

Gîte habituel (d'une bête fauve). → **Liteau, repaire, tanière.** *L'antre d'un ours.*

2 (...) le roi des animaux,
Qui dans son antre était malade,
(...) dans cet antre
Je vois fort bien comme l'on entre,
Et ne vois pas comme on en sort.

LA FONTAINE, Fables, VI, 14.

Loc. (Par allus. à la fable de La Fontaine). *C'est l'antre du lion,* un lieu où il est dangereux d'entrer.

♦ **2** Par métaphore ou fig. Lieu inquiétant, mystérieux, dangereux, en raison de ceux qui l'habitent.

3 Ce mot *(antre)* offre presque toujours à la pensée quelque chose de sombre, d'affreux et de redoutable soit par la nature même de la chose, soit par ce qui s'y passe, soit par ce qui l'habite.

LAFAYE, Dict. des synonymes, Caverne..., antre...

4 Le tyran est doublé du valet; et le monde
Va de l'antre du fauve à l'auge de l'immonde.

HUGO, la Légende des siècles, XX, 2, «Rois et Peuples.»

5 (...) comme une âme aventurée dans le vestibule de l'enfer, perdue dans les antres de la cabale, tâtonnant dans les ténèbres des sciences occultes.

HUGO, Notre-Dame de Paris, IV, V.

Iron. et vx. *L'antre de la chicane :* le palais de Justice.
Par ext. Lieu obscur, ou, par plais., pièce où l'on se retire (pour travailler, etc.). *Aimer se réfugier dans son antre.*

6 M. Achille installa son petit-fils dans son bureau particulier, antre obscur, encombré de registres centenaires.

A. MAUROIS, Bernard Quesnay, IV.

Vieilli. Logement, lieu sordide, misérable.

7 L'air et le jour arrivent à cette espèce d'antre humide par le haut de la porte.

BALZAC, Eugénie Grandet, éd. 1838, p. 26.

♦ **3** (1751). Anat. Nom donné à certaines cavités naturelles. *Antre mastoïdien. Antre pylorique.*

**HOM. Entre** (prép.); formes du v. **entrer.**

**ANTRUSTION** [ɑ̃tʀystjɔ̃] n. m. — 1748, Montesquieu; du lat. *antrustio,* de *trustis,* latinisation de l'anc. haut all. *Trost* «fidélité».

Hist. Homme libre qui s'attachait à la personne du roi et le suivait dans ses entreprises, chez les Francs. → **Leude, vassal.**

J'ai parlé de ces volontaires qui, chez les Germains, suivaient les princes dans leurs entreprises (...) Tacite les désigne par le nom de compagnons (...) les formules de Marculfe, par celui d'antrustions du roi.

MONTESQUIEU, l'Esprit des lois, XXX, 16.

**ANUCLÉÉ, ÉE** [anyklee] adj. — V. 1920; de 2. *a-,* et *nucléé.*

Biol. Dépourvu de noyau. *Une masse de cytoplasme anucléée.*

**ANUITER (S')** [anɥite] v. pron. — 1636; *anuitier* «faire nuit», v. 1155; v. tr., 1549; de 1. *a-* (lat. *ad*), et *nuit.*

Vx. Se laisser surprendre par la nuit, en chemin.

1 (...) il arriva qu'ayant voulu contempler au jour tombé l'intérieur de la basilique, je m'oubliai dans l'admiration de cette architecture (...) j'errai à pas lents et je m'anuitai : on ferma les portes.

CHATEAUBRIAND, Mémoires d'outre-tombe, t. II, p. 81.

Littér. Devenir obscur avec la nuit. *«L'île s'anuitait déjà»* (Gracq, *in* T. L. F.).

◆ **ANUITÉ, ÉE** p. p. adj. Vieux.

♦ **1** (Personnes). Surpris par la nuit.

♦ **2** (Lieux). Obscurci par la tombée de la nuit.

*(... le pain, le vin)* N'a plus cet à jamais de silencieuse 2
Respiration nocturne qui mariait
Dans l'antique sommeil
Les bêtes et les choses anuitées
À l'infini sous le manteau d'étoiles.

Yves BONNEFOY, Poèmes, Dans le leurre du seuil, «Le fleuve», p. 232.

**HOM. Annuité.**

**ANURIE** [anyʀi] n. f. — 1855; de 2. *a-,* et *-urie.*

Méd. Absence d'urine dans la vessie due, soit à l'arrêt de la sécrétion rénale *(anurie vraie),* soit à une obstruction de l'écoulement urinaire, entre le rein et la vessie *(anurie excrétoire).*

REM. Le dér. *anurique* [anyʀik], adj. et n., est attesté en 1865 (Littré-Robin).

**ANUS** [anys] n. m. — 1314; lat. *anus* «anneau», d'où «anus».

Orifice du rectum, à l'extrémité postérieure du tube digestif, qui donne passage aux matières fécales. (Ce mot, sans être réservé au langage savant, est du style soutenu). → **Fondement; procto-;** et aussi (fam. et pop.) **cul; bol, derch,** 1. **fion, œil** (IV., 7.), **oignon, pot, rondelle, rosette, trou** (de balle), **trou du cul** (1.), **troufignon.** *Sphincters de l'anus. Tumeurs à l'anus. De l'anus.* → **Anal.**

Un soir qu'il s'attardait dans l'ombre dorée de l'écurie (...), il vit la queue de Barbe-Bleue *(un cheval)* se dresser, légèrement de biais, en sa racine, découvrant l'anus, bien maronné, petit, saillant, dur, hermétiquement fermé et plissé en son centre, comme une bourse à coulants.

M. TOURNIER, le Roi des Aulnes, p. 240.

Chir. *Anus artificiel :* orifice pratiqué sur l'intestin et abouché à la peau de l'abdomen, pour l'évacuation des matières en cas d'obstruction intestinale située en aval.

**DÉR. Anal.**

**ANVERSOIS, OISE** [ɑ̃vɛʀswa, waz] adj. et n. — 1838; de *Anvers,* ville de Belgique.

D'Anvers. *Un diamantaire anversois.* — N. *Un Anversois, une Anversoise.*

Loc. *À l'anversoise :* garni de jets de houblon à la crème ou de fonds d'artichauts et d'endives.

**ANXIÉTÉ** [ɑ̃ksjete] n. f. — 1190, repris 1564 en méd.; généralisé au XVIIIe; lat. *anxietas* «disposition naturelle à l'inquiétude», de *anxius.* → Anxieux.

♦ **1** Méd. État de trouble psychique causé par le sentiment de l'imminence d'un événement fâcheux ou dangereux, parfois indéterminé, et qui s'accompagne souvent de phénomènes physiques neuro-végétatifs (sensation de constriction épigastrique, etc. → Angoisse, 2.). → **Angoisse, appréhension.** *Anxiété normale, pathologique. Crises d'anxiété. L'anxiété «s'observe dans diverses affections, notamment dans l'angine de poitrine»* (Manuila).

**Anxiété** a le même radical qu'**angoisse,** et en diffère très peu. Cependant l'**anxiété** est moins vive et plus constante; c'est un état d'**angoisse,** mais un état affaibli. On ne vit pas dans l'**angoisse,** elle a trop de violence pour pouvoir durer; mais on vit dans l'**anxiété.** 1

LAFAYE, Dict. des synonymes, Transe, angoisse, anxiété.

REM. Cette distinction est souvent démentie par l'usage effectif. Certains auteurs réservent à *anxiété* l'aspect psychique.

L'anxiété (...) et l'angoisse (...) ces deux syndromes toujours associés, le premier représentant l'élément psychique, le second l'élément physique. L'anxiété va de l'inquiétude vague au sentiment de la mort imminente et de la mort vécue, l'angoisse consiste dans l'exagération de tous ces phénomènes constrictifs, spasmodiques (...) partie intégrante de l'émotivité. 1.

Jean DELAY, la Psycho-physiologie humaine, p. 27.

Psychopath. *Anxiété* ou *anxiété pathologique :* anxiété avec élaboration de fantasmes tragiques et sentiment d'impuissance absolue devant le danger, qui paralyse l'action et qu'on observe comme manifestation principale ou secondaire dans de nombreux troubles mentaux (notamment mélancolie, schizophrénie, névroses). *L'anxiété, qui peut se manifester dans des crises paroxystiques ou dans une structure anxieuse*, repose sur l'appréhension d'une menace intérieure (interdits du surmoi, etc.) qui entraîne le désarroi du sujet. Crise aiguë d'anxiété.* → **Raptus** (anxieux). *Anxiété paroxystique :* névrose* d'angoisse. *Anxiété constitutionnelle :* structure anxieuse sans pathogénie connue, attribuée à la constitution du sujet. *Médicament qui réduit l'anxiété.* → **Anxiolytique.**

.2 Quand la tendance déborde, elle établit un état d'anxiété. Il est à la base de la psychose maniaque dépressive. (...) le vagotonique tend à la tristesse mélancolique; nerveux et pessimiste, préoccupé de son état de santé, il est prompt au découragement.
E. MOUNIER, Traité du caractère, p. 173.

♦ **2** Cour. État d'inquiétude extrême, causé par l'appréhension (d'un événement). *Éprouver de l'anxiété.* → **Angoisse; crainte, inquiétude, souci.** *Être en proie à l'anxiété. Anxiété affreuse, cruelle, vive, intense, insupportable; croissante. Anxiété permanente* (cit. 5). — *Une anxiété :* un sentiment anxieux. *Anxiétés morales, intellectuelles.*

.3 (...) elles vinrent s'asseoir à leurs places devant la fenêtre et attendirent M. Grandet, avec cette anxiété qui glace le cœur ou l'échauffe, le serre ou le dilate suivant les caractères, alors que l'on redoute une scène, une punition; sentiment d'ailleurs si naturel, que les animaux domestiques l'éprouvent au point de crier pour le faible mal d'une correction, eux qui se taisent quand ils se blessent par inadvertance.
BALZAC, Eugénie Grandet, éd. 1838, p. 183.

2 Mais enfin, dit Germain en proie à une vive anxiété, ne pouvez-vous pas savoir la raison du départ de cette jeune fille? G. SAND, la Mare au diable, XIII, 113.

3 Il attendait alors dans une anxiété visible une réponse à son envoi, réponse qui venait ou ne venait pas (...)
E. FROMENTIN, Dominique, III.

4 Les marins regardent avec anxiété l'air fâché de l'ombre. Mais c'est son air satisfait qu'ils redoutent le plus. Un ciel riant d'équinoxe, c'est l'orage faisant patte de velours.
HUGO, les Travailleurs de la mer, II, III, 3.

5 L'homme se fait secourir par l'effroi; il demande aide à sa crainte; l'anxiété, c'est un conseil d'agenouillement.
HUGO, les Travailleurs de la mer, III, I, 1.

6 Elle était inquiétante à voir, en effet, tressaillant de tout, effarée, frissonnante, ayant une anxiété fauve, et si effrayée qu'elle était effrayante. Il y a dans le désespoir de la femme on ne sait quoi de faible qui est terrible.
HUGO, Quatre-vingt-treize, III, IV, 3.

7 J'arrivai à Clermont, dévoré d'une anxiété qui ne fut pas de longue durée, puisque j'appris le suicide de Mlle de Jussat et que je fus arrêté, coup sur coup.
Paul BOURGET, le Disciple, IV, 7.

8 Je me vois épiant avec anxiété quelqu'un qui va descendre la grand'rue.
ALAIN-FOURNIER, le Grand Meaulnes, p. 3.

9 (...) il connut une minute d'atroce anxiété.
MARTIN DU GARD, les Thibault, V, 3 (→ Annonce, cit. 4).

CONTR. **Calme, confiance, sérénité.**

**ANXIEUSEMENT** [ɑ̃ksjøzmɑ̃] adv. — 1823; de *anxieux.*

D'une manière anxieuse. *Attendre anxieusement des nouvelles de qqn.*

CONTR. **Calmement, tranquillement.**

**ANXIEUX, EUSE** [ɑ̃ksjø, øz] adj. — 1375, repris au XVIe, puis mil. XIXe (1838 en méd.); du lat. *anxius* «qui ressent, qui fait ressentir de l'anxiété», de *ango* «étreindre, oppresser, serrer» (→ Angine, angoisse, angor), et suff. *-eux, -euse.*

♦ **1** Qui s'accompagne d'anxiété*; qui marque de l'anxiété. *États anxieux, crises anxieuses. Une attente anxieuse. Un regard anxieux.* → **Angoissé, inquiet, soucieux, tourmenté.**

(...) tous mes souvenirs d'elle étaient entrés dans ce second état chimique où ils ne causent plus d'anxieuse oppression au cœur, mais de la douceur. 1
PROUST, À la recherche du temps perdu, t. XIII, II, p. 177.

Psychopath. *État aigu anxieux.* → **Raptus** (anxieux). — *Névrose anxieuse :* névrose dans laquelle l'angoisse est le symptôme dominant. *La névrose* d'angoisse est le type des névroses anxieuses.* — *Structure anxieuse* (Henri Ey) : organisation de la vie psychique régie par l'anxiété, que l'on rencontre dans de nombreuses névroses et psychoses, dans l'anxiété constitutionnelle (→ Cénesthopathie, hypocondrie, neurasthénie, obsession, paranoïa, phobie, schizophrénie).

♦ **2** Qui éprouve (habituellement ou momentanément) de l'anxiété, une douloureuse incertitude. → **Angoisseux** (vx). *Un caractère anxieux. Une nature anxieuse. Être anxieux de l'avenir.* → **Préoccupé.**

Un homme énergique n'a jamais peur en face du danger pressant. Il est ému, agité, anxieux; mais la peur c'est autre chose. MAUPASSANT, la Peur, Pl., t. I, p. 600. 2

Beaucoup d'âmes dévoyées, anxieuses, trouvaient leur aliment et leur refuge en cette morale sans métaphysique. 3
A. MAUROIS, Études littéraires, t. II, p. 75.

N. *C'est un anxieux,* un homme à qui l'anxiété est habituelle.

(...) rien ne peut lui donner confiance en lui. C'est un grand timide, Alain, un anxieux... C'est sa nature, il est comme ça (...) N. SARRAUTE, le Planétarium, p. 143. 3.1

(1853; calque de l'angl. *anxious to,* 1742). **ANXIEUX DE** (et l'inf.) : ardemment désireux de, impatient de.

Tous anxieux de voir surgir, au dos vermeil 3.2
Des monts Sabins où luit l'œil sanglant du soleil
Le chef borgne monté sur l'éléphant Gétule.
J.-M. DE HÉRÉDIA, Après Cannes, *in* les Trophées, p. 72 (1893).

Déjeuné chez Martin du Gard (...) Il se montre extraordinairement anxieux et désireux d'acquérir certaines qualités qui sont à l'opposé de sa nature : mystère, ombre, étrangeté (...) GIDE, Journal, 3 janv. 1922. 4

CONTR. **Calme, confiant, serein, tranquille.** ◊ DÉR. et COMP. **Anxieusement.** — V. aussi **Anxiété, anxiogène, anxiolytique.**

**ANXIOGÈNE** [ɑ̃ksjɔʒɛn] adj. — 1968; du rad. de *anxieux,* et *-gène.*

Didact. Qui suscite l'anxiété, l'angoisse. *Un climat anxiogène.*

**ANXIOLYTIQUE** [ɑ̃ksjɔlitik] adj. et n. m. — 1970; du rad. de *anxieux,* et *-lytique.*

Méd. Propre à combattre l'état d'angoisse, l'anxiété. — N. m. *Les anxiolytiques sont prescrits dans certaines névroses et psychoses.*

**AORASIE** [aɔʀazi] n. f. — 1751; du lat. *aorasia,* mot grec «ténèbres, aveuglement, invisibilité», de *aoratos* «qui ne voit pas, qui n'est pas vu», de *a-,* et *oran* «voir».

Myth. ou didact. Apparition d'un être surnaturel qui n'est reconnu que lorsqu'il disparaît.

CONTR. **Théophanie.**

**AORISTE** [aɔʀist] n. m. et adj. — 1548; du bas lat. *aoristus,* grec *aoristos,* même sens, adj. «indéfini, indéterminé».

Ling. Dans certaines langues indo-européennes, une des formations verbales à valeur aspectuelle (par opposition au présent, au parfait) qui prit parfois secondairement une valeur temporelle. *Aoriste actif, moyen, passif. Système de l'aoriste, en sanskrit. Aoriste premier* (sigmatique) *et aoriste second* (radical) *en grec ancien. Aoriste gnomique,* servant à des énoncés de caractère général (sentences, maximes).

1 (...) le présent indiquait un procès considéré dans son développement ; l'aoriste un procès pur et simple, abstraction faite de toute considération de durée. La différence est appréciable en indo-iranien, sans y être très nette. Elle s'est maintenue en slave. En grec, elle a pris une grande importance et s'est maintenue jusqu'en grec moderne.
A. MEILLET et J. VENDRYES, Traité de grammaire comparée des langues classiques, p. 174.

2 J'étais exténuée, exsangue. Et pour un rien, un aoriste. Caler à la dernière épreuve sur le commentaire de texte grec. Un passage de Plotin sur la Dyade.
Yanny HUREAUX, la Prof, p. 14.

Adj. *Infixe -k- de l'indicatif aoriste grec. Le russe a un parfait aoriste.*

**AORTE** [aɔʀt] n. f. — 1546 ; *aorti,* 1478 ; grec *aortê.*

Anat. Artère qui prend naissance à la base du ventricule gauche du cœur, tronc d'origine de tout le système artériel, comprenant trois parties : la *crosse* de l'aorte,* l'*aorte thoracique* et l'*aorte abdominale. Anévrisme de l'aorte.*

L'aorte, bien dessinée, charriait une foule de globules rouges, qui, par toutes sortes de vaisseaux ramifiés à l'infini, distribuaient la vie jusqu'aux plus lointaines portions de l'organisme.
Raymond ROUSSEL, Impressions d'Afrique, p. 184.

**DÉR. Aortique, aortite.** ◊ **COMP. Aortographie.**

**AORTIQUE** [aɔʀtik] adj. — 1805, Cuvier ; subst., « ventricule aortique », 1798, *in* D. D. L. ; de *aorte.*

♦ **1** Anat. Qui appartient à l'aorte. *Crosse aortique. Arc aortique :* « anastomose unissant l'aorte ventrale à une des deux aortes dorsales primitives » (Manuila). *Système aortique :* artères issues de l'aorte. *Valvule aortique* ou *sigmoïde. Ventricule aortique :* le ventricule gauche du cœur.

♦ **2** Méd. Qui a rapport à l'aorte. *Une insuffisance aortique.*

**AORTITE** [aɔʀtit] n. f. — 1824 ; de *aorte.*

Méd. Inflammation de l'aorte.

**AORTOGRAPHIE** [aɔʀtɔgʀafi] n. f. — V. 1938 ; de *aorte,* et *-graphie.*

Méd. Examen radiographique de l'aorte préalablement injectée d'une substance opaque aux rayons X. « *Une tumeur surrénale nécessite des explorations radiologiques précises : urographie intraveineuse, surtout aortographie qui permet l'étude de la vascularisation* » (R. et D. Laplane et G. Lasfargue, *la Puberté,* p. 59).

**AOUL** ou **AOÛL** [aul] n. m. — 1823, *in* D. D. L. ; mot d'une langue caucasienne.

Géogr. Village, campement de montagne dans le Caucase.

**AOÛT** [u], cour. [ut] n. m. — V. 1120, *aüst, aost ; aoust,* mil. XII^e ; var. *oust ;* du lat. pop. *agustus,* du lat. class. *augustus* « mois consacré à Auguste ».

♦ **1** Le huitième mois de l'année. → 3. **Auguste** (vx). *Fructidor* (le douzième mois du calendrier républicain) *commençait le 18 ou le 19 août. En août. Au commencement d'août. Fin août. — La mi-août :* le quinze du mois d'août. *Prendre ses vacances à la mi-août. Le quinze août.* → **Assomption.** *Les vacanciers d'août.* → **Aoûtien.** — Rare. *Un, des août(s) :* un, des mois d'août.

Peut-être y eut-il aussi en ce Temps-là des aoûts pluvieux ?
F. MAURIAC, le Nouveau Bloc-notes, 1958-1960, p. 86.

♦ **2** (V. 1170, *äust*). Vx. Récolte, moisson (qui se fait en août).

Ès *(dans les)* parties septentrionales, les blés ne sont coupés qu'en août, duquel mois, à telle cause *(pour cette raison),* la cueillette en porte le nom. 1
O. DE SERRES, *in* LITTRÉ.

« Je vous paierai, lui dit-elle, 2
Avant l'oût, foi d'animal,
Intérêt et principal. » LA FONTAINE, Fables, I, 1.

Loc., vx. *Faire son août :* ramasser de fructueux profits.

**DÉR. Aoûtat, aoûter, aoûteron, aoûtien.**

**AOÛTAGE** [autaʒ ; utaʒ] n. m. — 1232 ; de *aoûter.*

Vx ou régional. Travail, temps de la moisson.

Ah ! quand reviendra l'aoûtage,
Je reverrai mon beau village,
A. DE VIGNY, *in* LITTRÉ, Suppl.

**AOÛTAT** [auta] n. m. — Av. 1898 ; de *août,* et suff. *-at.*

Régional. Larve du trombidion*, parasite causant chez l'homme et les mammifères des érythèmes douloureux. — Syn. : *rouget* (II., 3.), *vendangeon.*

**AOÛTEMENT** [autmɑ̃ ; utmɑ̃] n. m. — 1838 ; de *aoûter.*

Arbor. Action de s'aoûter, en parlant des rameaux qui se transforment en vrai bois (tissu ligneux). — Hortic. Maturation des fruits sous l'effet de la chaleur d'août, ou d'une température estivale. → **Aoûter.**

**AOÛTER** [aute ; ute] v. tr. et intr. — Fin XII^e, *aoster ;* de *août.*

♦ **1** Vx ou régional. « Faire l'août », moissonner.

♦ **2** V. intr. (usité surtout au passif). Mûrir par la chaleur (d'août).

◆ **S'AOÛTER** v. pron. Arbor. Se dit des rameaux dont les tissus se transforment en tissus ligneux.

◆ **AOÛTÉ, ÉE** p. p. adj. (1571). Parfaitement développé. — Arbor. Transformé en tissu ligneux. *L'écorce d'un rameau aoûté est bien différenciée du bois.*

N. m. *L'aoûté :* le degré de développement, de maturité d'une plante aoûtée, d'un tissu végétal aoûté.

Les bourgeons n'étant pas parvenus à ce degré de maturité que les jardiniers appellent aoûté (...)
BUFFON, Expériences sur les végétaux, 4^e mémoire.

**DÉR. Aoûtage, aoûtement.**

**AOÛTERON** [autʀɔ̃, utʀɔ̃] n. m. — 1547, *austeron ;* de *août* « moisson ».

Agric. et régional. Ouvrier engagé pour les travaux de l'août, de la moisson.

**AOÛTIEN, IENNE** [ausjɛ̃, jɛn] n. — V. 1965 ; de *août.*

♦ **1** Personne qui prend ses vacances en août. *Saint-Tropez était envahi par les aoûtiens,* les vacanciers, les touristes.

Adjectif :

(...) les hordes aoûtiennes sont rentrées chez elles.
Guy DES CARS, Une certaine dame, p. 8.

♦ **2** Personne qui reste à Paris, dans une grande ville, au mois d'août. *Les aoûtiens se plaignent de ce que la plupart des magasins sont fermés.*

1. **APACHE** [apaʃ] n. et adj. — 1751, *in* D. D. L.; de l'angl. américain *Apache* [apatʃi], 1745, empr. à l'esp. *apache* [apatʃe], lui-même d'une langue indienne.

Indien du groupe Athapaska, appartenant à une tribu du Sud des États-Unis (Texas, etc.), réputée pour son courage, ses mœurs et ses ruses guerrières, ainsi que pour sa férocité. — N. m. Langue des ethnies apaches.

Adj. *Guerrier, chef apache. Danses apaches.*

DÉR. 2. **Apache.**

2. **APACHE** [apaʃ] n. m. — 1902; de 1. *Apache,* ces Indiens étant réputés féroces et rusés.

Vieilli. Malfaiteur, voyou de grande ville prêt à tous les mauvais coups. *Un crime d'apache.*

Apache, malandrin, est une création journalistique qui remonte au début de 1902 : des reporters parisiens, voulant dramatiser des rixes assez banales entre souteneurs de Charonne, avaient imaginé une lutte homérique en règle, au sujet d'une Hélène de trottoir, Casque d'or, entre deux bandes rivales dont ils avaient surnommé l'une les Apaches. Le mot eut une fortune rapide.
A. DAUZAT, les Argots, p. 133.

On l'a convoqué de nouveau pour de la figuration (...). Il s'agit cette fois d'être apache, avec la casquette et les rouflaquettes. R. QUENEAU, Loin de Rueil, p. 162.

Adj. Qui évoque l'allure d'un mauvais garçon. *Porter la casquette d'un air apache. «Les expressions du monde apache»* (Proust, *Sodome et Gomorrhe*).

REM. L'emploi de *apache* au fém., dans ce sens, est exceptionnel, car le mot, au début du XX^e siècle, ne s'applique qu'aux hommes de la pègre parisienne. Cf. cependant en emploi extensif : *«ma boudeuse et fraîche apache (...)»* (Colette, *la Vagabonde, in* T. L. F.).

**APAGOGIE** [apagɔʒi] n. f. — 1751; grec *apagôgê* «action d'emmener».

Log., vx. Raisonnement par l'absurde.

**APAISANT, ANTE** [apɛzɑ̃, ɑ̃t] adj. — 1886; de *apaiser.*

♦ **1** Qui apporte l'apaisement, ramène au calme. *Une voix apaisante.* → **Lénifiant.** *Une nuit apaisante.* → **Calmant, reposant.**

(...) sa grâce, sa douceur, le calme de ses mouvements, la beauté apaisante de sa voix en faisaient un être reposant et aimable comme un beau jardin.
A. MAUROIS, Ariel, p. 301.

La sérénité avec laquelle M. Thibault envisageait la misère de ceux qui devaient lui survivre avait une vertu apaisante, contagieuse. MARTIN DU GARD, les Thibault, V, 1.

La grande crise est passée et le voyage de demain m'apparaît comme une de ces aubes glacées et apaisantes que je voyais poindre il y a deux ans, du fond de mon lit de fiévreux, après une nuit de fantômes.
Léon BLOY, le Désespéré, p. 58.

Le monde familier, rassurant, apaisant est là autour d'elle de nouveau. Un sentiment délicieux de soulagement, de délivrance, s'échappe d'elle en un flot bondissant (...)
N. SARRAUTE, le Planétarium, p. 201.

♦ **2** Qui donne des apaisements, rassure. *Prononcer une déclaration apaisante.*

Voilà cependant qu'une femme m'explique sa conduite d'une façon qui me calme. Mon inquiétude s'est dissipée comme si mon cœur avait eu soif de ces paroles apaisantes. Joe BOUSQUET, Traduit du silence, p. 46.

CONTR. **Agaçant, angoissant, excitant, irritant, provocant, troublant.**

**APAISEMENT** [apɛzmɑ̃] n. m. — V. 1120; de *apaiser.*

♦ **1** Fait d'être apaisé, de s'apaiser; retour à la paix, au calme. — En parlant de la nature. *L'apaisement des flots, de la tempête.* — En parlant de la douleur physique, des troubles de l'âme, etc. *L'apaisement des souffrances, d'une inquiétude.* → **Adoucissement, rémission.** *L'apaisement d'un besoin par l'assouvissement, la satisfaction. Chercher, trouver un apaisement à une souffrance. Chercher l'apaisement, un apaisement auprès de qqn. Éprouver, ressentir un grand apaisement, de l'apaisement. L'apaisement de la vieillesse,* qu'apporte la vieillesse. *L'apaisement de qqn, son apaisement.*

J'ai mille fois éprouvé, en entrant dans une église, un certain apaisement des troubles du cœur (pour parler comme nos vieilles Bibles). 1
CHATEAUBRIAND, Voyage en Italie, 90.

Il prouva que les frêles racines de leurs instincts ayant poussé dans les conventions, et non dans les réalités, ils *(les gens du monde)* n'aiment rien véritablement, que le luxe même de leur existence est une satisfaction de vanité et non l'apaisement d'un besoin raffiné de leurs corps, car on mange mal chez eux, on y boit de mauvais vins, payés fort cher. 1.1
MAUPASSANT, Fort comme la mort, éd. 1889, p. 73.

(...) je trouvais dans une tendresse infinie et sans désirs l'apaisement de mes souffrances et de ma jalousie. 2
PROUST, les Plaisirs et les Jours, p. 268.

(...) je pus recommencer, quand le soir ramenait mes inquiétudes à trouver dans la présence d'Albertine l'apaisement des premiers jours. 3
PROUST, À la recherche du temps perdu, t. XII, p. 207.

Ainsi que Mauriac, Duhamel a cherché par l'œuvre l'apaisement d'une inquiétude. 4
A. MAUROIS, Études littéraires, t. II, p. 66.

Car je suis arrivé à l'heure où, l'apaisement venu des désirs qui s'élancent, des espoirs qui se brisent, on embrasse l'ensemble de la route parcourue, d'un regard lavé et d'un cœur détaché. 5
R. ROLLAND, le Voyage intérieur, p. 11.

Était-ce de mélancolie que j'avais faim, ce matin-là? Non certes. Il me fallait de la joie, de l'enthousiasme, et surtout de l'apaisement, je dis bien, de la rémission. 6
G. DUHAMEL, Chronique des Pasquier, III, 3.

*Éprouver, trouver de l'apaisement, un apaisement à* (et l'infinitif).

Il éprouvait un apaisement délicieux à s'humilier. 7
MARTIN DU GARD, les Thibault, II, 5.

♦ **2** (V. 1925). Déclaration ou promesse destinée à rassurer. *Donner des apaisements, tous apaisements, complet apaisement. Avoir tout apaisement, des apaisements.*

♦ **3** Éthol. *Comportement d'apaisement* : mouvements ritualisés destinés à diminuer l'agressivité du partenaire, auxquels recourent les animaux de même espèce ou d'espèces différentes.

CONTR. **Agacement, colère, déchaînement, embrasement, excitation, fermentation, fomentation, incitation, irritation, provocation, révolte, surexcitation, trouble, violence.**

**APAISER** [apeze] v. tr. — XII^e; de 1. *a-, paix,* et désinence verbale.

♦ **1** Amener (qqn) à des dispositions plus paisibles, plus favorables. → **Calmer; adoucir, amadouer, attendrir, radoucir.**

Apaiser, c'est rendre la paix; calmer, c'est rendre le calme. Comme calme est d'une signification plus étendue que paix, calmer est plus compréhensif que apaiser. On apaise un homme, quand on fait disparaître sa colère, on le calme non seulement dans ce cas, mais aussi quand il est livré à la peur, à l'inquiétude, à l'impatience, à la curiosité. LITTRÉ, art. *Apaiser.* 1

REM. Ce verbe s'emploie également pour les animaux, et (par anthropomorphisme) en parlant d'une divinité. *Apaiser un animal furieux. Apaiser Dieu et faire cesser son courroux.*

2 Allez-vous-en faire la paix ensemble, et tâchez de l'apaiser par des excuses de votre emportement.
MOLIÈRE, George Dandin, II, 8.

3 Apaisez le lion : seul il passe en puissance
Ce monde d'alliés vivant sur notre bien.
LA FONTAINE, Fables, XI, 1.

4 Les larmes attendrissent l'époux, l'adoucissent, l'apaisent, calment sa colère en contentant son amour.
BOSSUET, cité par LAFAYE, Dict. des synonymes, Apaiser...

5 J'ai mendié la mort chez des peuples cruels
Qui n'apaisaient leurs dieux que du sang des mortels.
RACINE, Andromaque, II, 2.

6 On les considérait comme des maîtres cruels, que l'on apaisait avec des supplications et qui se laissaient corrompre à force de présents.
FLAUBERT, Salammbô, XIII.

Donner ou rendre la sérénité (à qqn, qqch.). → **Rasséréner.** *Apaiser l'âme, le cœur.*

7 *(La mort)* terme assuré qui ne nous console ni ne nous apaise.
B. CONSTANT, Adolphe, VII.

7.1 L'espèce d'indifférence heureuse dans laquelle il vivait, cette insouciance d'homme satisfait dont presque tous les besoins sont apaisés, s'en allait de son cœur tout doucement, comme si quelque chose lui eût manqué.
MAUPASSANT, Fort comme la mort, éd. 1889, p. 120.

REM. Dans ce sens, *apaiser* peut s'employer absolument. *«La nuit conseille ; on peut ajouter : la nuit apaise !»* (Hugo, *in* T. L. F.).

♦ **2** Rendre (un trouble moral, une querelle) moins violent. → **Adoucir, assoupir, endormir.** *Apaiser les craintes, les soupçons, les rancunes de qqn.* → **Dissiper, éteindre, lénifier.** *Apaiser une douleur, un chagrin, une colère. Apaiser la discorde, la sédition.* → **Modérer, tempérer.**

8 Daignez d'un roi terrible apaiser le courroux.
RACINE, Esther, III, 5.

9 Cependant s'il pouvait apaiser la querelle,
Que d'encens ! (...) LA FONTAINE, Fables, VII, 18, 67.

10 Apaise, ma Chimène, apaise ta douleur.
CORNEILLE, le Cid, II, 3.

11 Apaisez donc sa crainte,
Et calmez la douleur dont son âme est atteinte.
CORNEILLE, Polyeucte, I, 1.

12 (...) tâchons d'apaiser ce pauvre cœur qui saute comme un petit oiseau. G. SAND, la Mare au diable, VI, 55.

13 Tu étais tourmenté par certains scrupules, tu les as apaisés par certains sophismes.
A. MAUROIS, Bernard Quesnay, XXXIII.

14 Il avait donc cru pouvoir apaiser le plus lancinant des soucis qui tourmentaient sa femme (...)
F. MAURIAC, la Pharisienne, p. 159.

♦ **3** Faire cesser, en le satisfaisant, un besoin physique. *Apaiser la faim, la soif, son désir, ses sens.* → **Assouvir, contenter, étancher, éteindre, rassasier.** — Par métaphore. *Apaiser sa soif de connaissance, de justice.*

♦ **4** Littér. Faire cesser le déchaînement de (un élément naturel). *Apaiser les flots, la tempête, l'orage.* → **Abattre, calmer.**

15 Je vis un ange blanc qui passait sur ma tête ;
Son vol éblouissant apaisait la tempête,
Et faisait taire au loin la mer pleine de bruit.
HUGO, les Contemplations, V, 18.

◆ **S'APAISER** v. pron.

♦ **1** (Personnes). Revenir à des dispositions plus paisibles. — (Sentiment). Perdre de sa force, de sa violence. *Sa douleur s'apaise. Leurs dissentiments se sont apaisés.* — (Besoin physique). Être contenté. *Sa soif ne s'est pas apaisée au premier verre.*

Je ne m'apaise pas, non, si facilement ;
Je suis trop en colère. MOLIÈRE, l'Étourdi, III, 4.

Les Dieux vont s'apaiser (...)
RACINE, Iphigénie, III, 3.

(...) le public dont ils auront soin d'entretenir et ranimer l'animosité sans cesse, ne s'apaisera pas plus qu'eux.
ROUSSEAU, Rêveries..., 1re promenade.

Je ne sais si mon cœur s'apaisera jamais :
Ce n'est pas son orgueil, c'est lui seul que je hais.
RACINE, la Thébaïde, IV, 1.

Sa fougue oratoire, qui recouvrait une grande sagesse, s'était apaisée.
Georges LECOMTE, Ma traversée, p. 40.

♦ **2** (Choses, notamment les éléments). Cesser de se manifester avec force. *Les cris s'apaisent. La mer s'est apaisée.*

(...) et leurs pensées, orageuses tout à l'heure, se faisaient douces, comme des vagues qui s'apaisent.
FLAUBERT, Bouvard et Pécuchet, p. 261.

Il préluda, elle *(Mme Arnoux)* attendait ; ses lèvres s'entr'ouvrirent, et un son pur, long, filé, monta dans l'air. (...) Cela commençait sur un rythme grave, tel qu'un chant d'église, puis, s'animant crescendo, multipliait les éclats sonores, s'apaisait tout à coup ; et la mélodie revenait amoureusement, avec une oscillation large et paresseuse.
FLAUBERT, l'Éducation sentimentale, 1869, I, IV.

(...) l'humeur du ciel s'apaisait. C'était une colère tombée, la fin d'une matinée revêche.
MAUPASSANT, la Vie errante, p. 42.

(...) c'est dans la vigueur de leur jeune âge que les religions sont les plus furieuses et les plus cruelles (...) elles s'apaisent en vieillissant.
FRANCE, Les dieux ont soif, p. 157.

Un dernier ébrouement d'ailes s'apaisa dans les arbres chargés d'oiseaux. F. MAURIAC, Génitrix, p. 74.

*Les troubles sociaux, les agitations s'apaisent.*

◆ **APAISÉ, ÉE** p. p. adj. (Personnes). Qui a retrouvé la sérénité (de l'âme). — (Choses). Qui manifeste un retour au calme. *Un visage apaisé. — Des flots apaisés. — Colère apaisée.*

Arrêtez-vous, Seigneur, et d'une âme apaisée
Souffrez que (...) CORNEILLE, Polyeucte, V, 6.

Ainsi, quelque dépit que l'on vous ait causé,
Je ne m'étonne point de le voir apaisé.
MOLIÈRE, Don Garcie, III, 1.

(...) Pendant l'enivrement qui succède au plaisir,
Quand les sens apaisés sont morts pour le désir.
A. DE MUSSET, Premières poésies, «Coupe», II, 3.

Il s'en allait ainsi, tour à tour apaisé ou furieux, à ce remous d'idées, de sentiments contraires.
Alphonse DAUDET, Sapho, III.

Il était détendu, impassible, inanimé, indifférent à toute misère, apaisé soudain par l'Éternel Oubli.
MAUPASSANT, Fort comme la mort, p. 371.

Mon désir de connaissance n'en était pas apaisé, mais avivé.
G. DUHAMEL, le Temps de la recherche, VII, p. 91.

CONTR. **Agacer, aigrir, attiser, aviver, énerver, envenimer ; éveiller, exacerber, exciter, fomenter** (des troubles). — **Irriter, troubler.** ◇ DÉR. **Apaisant, apaisement.**

**APALACHINE** [apalaʃin] n. f. — 1762 ; de *Appalaches,* montagnes d'Amérique du Nord (la graphie *Apalaches* a été en usage jusqu'à la fin du XIXe).

Arbrisseau des Appalaches (Amérique) dont les feuilles s'emploient en infusion (thé des Appalaches).

**APALATH** [apalat] n. m. → **Aspalath.**

**APÂLIR** [apaliʀ] v. tr. — 1295 ; «devenir pâle», 1170 ; de 1. *a-,* et *pâlir.*

Régional. Rendre pâle. *Le vert apâlit certains visages.* → **Pâlir.**

La lueur des grands bûchers apâlissait les figures exsangues, renversées de place en place sur les débris d'armures (...) FLAUBERT, Salammbô, XII.

Pron. *S'apâlir :* devenir pâle; devenir plus clair, en parlant d'une couleur (cf. Flaubert, *Mme Bovary*, p. 113).

**APANAGE** [apanaʒ] n. m. — 1315; *apenaige,* 1297; de l'anc. franç. *apaner* «doter», lat. médiéval *appanare,* de *ad,* et *panis* «pain».

♦ **1** Hist. Portion du domaine royal accordée à un prince du sang (spécialt, à un cadet de la Maison de France) en compensation de son exclusion de la couronne. *Donner, obtenir un territoire en apanage, à titre d'apanage.*

1 La pratique des apanages, indispensable pour assurer une situation convenable aux princes du sang, vint retarder et compliquer l'accroissement régulier du domaine de la couronne (...) À partir du XIVe siècle, on insère normalement dans la constitution d'apanage une clause de réversibilité à la couronne faute d'héritier mâle.
O. MARTIN, Précis d'hist. du droit franç., 2e éd., p. 231-232.

1.1 Dès lors Yaour fut désigné par son père pour monter un jour sur le trône du Drelchkaff. Comparé à l'empire voisin, l'apanage semblait certes bien modeste; Souann espérait néanmoins calmer par ce dédommagement la jalousie du fils déshérité.
Raymond ROUSSEL, Impressions d'Afrique, p. 240-241.

Par analogie :

2 L'île fut lors donnée en apanage
À Lucifer; c'est sa maison des champs.
LA FONTAINE, Contes, «Le diable de Papefiguière».

♦ **2** (1546, *apennage,* Rabelais). Fig. Ce qui est le propre de qqn ou de qqch.; bien exclusif, privilège. → **Exclusivité, lot, propre.** *Être l'apanage de qqn, avoir l'apanage de qqch. Les infirmités sont l'apanage de la vieillesse.*

3 (...) Votre front, je crois, veut que du mariage
Les cornes soient partout l'infaillible apanage.
MOLIÈRE, l'École des femmes, 12.

4 C'est l'apanage de la créature d'être sujette au changement.
BOSSUET, Lettres au moine de l'abbaye de N., 72, *in* LITTRÉ.

5 Le fanatisme et les contradictions sont l'apanage de la nature humaine.
VOLTAIRE, Essai sur les mœurs, Inde.

5.1 La flatterie n'émane jamais des grandes âmes, elle est l'apanage des petits esprits (...)
BALZAC, Eugénie Grandet, éd. 1838, p. 340.

5.2 (...) je suis heureuse de voir la femme avancer peu à peu dans la voie des revendications (...) Pourquoi l'homme conserverait-il toujours pour lui l'apanage des emplois politiques et administratifs?
A. ROBIDA, le Vingtième Siècle, p. 152 (1883).

6 Le style est une qualité naturelle comme le son de la voix, il n'est nullement l'apanage des écrivains professionnels.
CLAUDEL, Positions et Propositions, p. 77.

7 L'art ne doit plus être l'apanage d'une élite, il est le bien de tous.
R. ROLLAND, Voyage musical au pays du passé, p. 96.

8 (...) cette humeur protectrice, cette adresse à soigner, cette maternité délicate dans le geste, — apanage des femmes qui ont sincèrement et passionnément aimé les femmes (...) COLETTE, la Vagabonde, p. 203.

DÉR. 1. **Apanager,** 2. **apanager, apanagiste.**

1. **APANAGER** [apanaʒe] v. tr. [CONJUG.: *bouger.*] — 1407; de *apanage.*

♦ **1** Hist. Pourvoir d'un apanage. *Pour apaiser les frères cadets du roi, il fallut les apanager. Être apanagé d'un duché.*

♦ **2** Fig. et rare (au passif). *Être apanagé de qqch. :* en avoir l'apanage.

◆ **APANAGÉ, ÉE** p. p. adj. Hist. *Prince apanagé, richement apanagé.*

N. m. *Un apanagé.* → **Apanagiste.**

2. **APANAGER, ÈRE** [apanaʒe, ɛʀ] adj. — Fin XVIe, *appennager;* de *apanage.*

Hist. Donné en apanage. *Biens apanagers. Rentes apanagères.*

**APANAGISTE** [apanaʒist] adj. et n. — 1669, *apanagiste;* de *apanage.*

Didactique.

♦ **1** Adj. Qui possède un apanage. *Prince apanagiste.* → 1. **Apanager** (p. p. adj.).

♦ **2** N. *L'apanage faisait retour à la couronne quand l'apanagiste mourait sans héritier direct. «Cet apanagiste des plus riches domaines princiers...»* (Hugo, *les Misérables*).

**APAREUNIE** [apaʀøni] n. f. — Av. 1959 (*in* Garnier et Delamare, 1959); de 2. *a-,* et rad. du grec *pareunos* «compagne ou compagnon de lit».

Didact. (méd.). Incapacité ou impossibilité (pour une femme) d'accomplir le coït (opposé à *eupareunie*). → aussi **Dyspareunie.** *Apareunie organique,* due à des causes anatomiques. *Apareunie fonctionnelle, apareunie pathologique,* dues à des facteurs psychologiques. → aussi **Frigidité.**

**A PARI** [apaʀi] loc. adv. et adj. — 1792, *in* D. D. L.; mots lat. «par (une raison) égale».

Log. Se dit d'un argument, d'un raisonnement qui se fonde sur un rapport de parité, en concluant d'un cas à un autre considéré comme semblable.

**APARTÉ** [apaʀte] n. m. — 1640; ital. *a parte* «à part, à l'écart», bas lat. *a parte (sua)* (cf. lat. *pro parte sua* «pour sa part»). REM. Le mot peut se rencontrer en français sous sa forme italienne *a parte* (→ cit. 2 ci-dessous), parfois traitée *a-parte* (→ cit. 0.1).

♦ **1** Mot ou parole que l'acteur dit à part soi (et que le spectateur seul est censé entendre). *Les apartés étaient fréquents dans la comédie.*

— J'admets fort bien les a-parte au théâtre, dit Capus. Ça évite bien des choses. 0.1
J. RENARD, Journal, 17 nov. 1898.

Loc. adv. *En aparté.* → **Bas.** *Cette réplique doit être dite en aparté.*

Au milieu de ces énigmes on croit entendre derrière soi, en aparté, l'éclat de rire bas du sphinx. 1
HUGO, Paris, II, 7.

♦ **2** (Av. 1847). Entretien particulier dans une réunion. *Faire un aparté avec un ami. Un petit aparté. Allons, plus d'apartés.* → fam. Messes* basses.

M. de Chateaubriand y régnait, et, quand il était présent, tout se rapportait à lui; mais il n'y était pas toujours, et même alors, il y avait des places, des degrés, des a parte pour chacun. 2
SAINTE-BEUVE, Causeries du lundi, 26 nov. 1849.

Il y avait même, entre le missionnaire et moi, des apartés en langue polynésienne. LOTI, Aziyadé, II, 1. 3

Loc. adv. *Causer, s'entretenir en aparté avec qqn.*

**APARTHEID** [apaʀtɛd] n. m. — 1954; mot afrikaans, littéralt «séparation», empr. au franç. *à part.*

Hist. Régime de ségrégation systématique des populations de races différentes, en Afrique du Sud (aboli en 1990-1991).

1 Une remarque d'abord : l'apartheid est l'expression institutionnelle de l'idéologie raciste coloniale la plus brutale, la plus traditionnelle.
Jean ZIEGLER, Main basse sur l'Afrique, p. 157.

2 ma peau ne désarmera
ni de gré ni de force
je casse j'infirme l'Apartheid
j'annule en moi leur complot
pour que soit annulé ailleurs
en d'autres l'agenouillement (...)
Édouard MAUNICK, Fusillez-moi.

**APATHIE** [apati] n. f. — 1375; lat. *apathia,* grec *apatheia,* de *a-* privatif, et *pathos* «ce qu'on éprouve». → -pathie.

♦ **1** Philos. anc. État d'une âme qui s'écarte volontairement des passions, dans une insensibilité jugée conforme à un idéal moral. → **Ataraxie, impassibilité, imperturbabilité.** *L'apathie stoïcienne.*

1 Une certaine apathie ou imperturbabilité et impassibilité plus stoïcienne que chrétienne.
BOSSUET, Défense de la tradition sur la communion, II, 29.

♦ **2** (1601). Cour. Incapacité d'être ému ou de réagir (par mollesse, indifférence, état dépressif, etc.). → **Aboulie, engourdissement, indolence, inertie, léthargie, lymphatisme, mollesse, nonchalance, paresse, résignation.** *L'apathie de qqn. Secouer son apathie. — (L'apathie). Tomber, retomber, sombrer dans l'apathie. Une faiblesse, une langueur qui tourne à l'apathie. — Une apathie profonde, durable, désespérante. Des apathies fréquentes :* des moments, des crises d'apathie. — *L'apathie d'un milieu, d'une société.*

2 Sans sentiment et comme en apathie.
RABELAIS, Épître à Odet.

3 Tout noyé qu'il fût dans la graisse et l'apathie (...)
SAINT-SIMON, *in* HATZFELD.

4 Quarante années de tempête ont brisé les plus fortes âmes; l'apathie est grande, l'égoïsme presque général; on se ratatine pour se soustraire au danger, garder ce qu'on a, vivoter en paix.
CHATEAUBRIAND, Mémoires d'outre-tombe, t. IV, 1.

5 (...) dans l'apathie de cette paresse croissante, éclataient des emportements soudains, des folies d'inutile activité.
ZOLA, le Dr Pascal, t. I, p. 54.

6 Elle le croyait malade et craignait qu'il le devînt davantage. Mais son apathie avait une autre cause.
FRANCE, le Crime de Sylvestre Bonnard, p. 385.

7 «En France», dit Jacques, «nous avons à lutter contre l'incroyable apathie des classes moyennes (...)»
MARTIN DU GARD, les Thibault, VII, 48.

8 (...) il *(le climat tempéré et marin)* ne porte ni à l'excitation, ni à l'apathie, mais se prête au contraire à l'effort mesuré, avec des résultats que l'on peut d'avance calculer.
André SIEGFRIED, l'Âme des peuples, Conclusion, II.

9 Cette absence d'accueil, à notre arrivée, de sourires et de saluts à notre passage ne semble point marquer l'hostilité, mais la plus profonde apathie, l'engourdissement de la bêtise.
GIDE, Voyage au Congo, *in* Souvenirs, Pl., p. 807.

(1898, *in* D.D.L.). Spécialt (psychopath., méd.). Affaiblissement de l'initiative et de l'activité, lié à une profonde indifférence affective. → aussi **Dépression.** *Tendance à l'apathie.* → **Apathique.** *Apathie constitutionnelle, accidentelle, transitoire. Apathie associée à des déficits organiques, à des troubles mentaux, à des chocs physiques, émotionnels.*

CONTR. **Activité, énergie, enthousiasme, entrain, vivacité; sensibilité.** ◊ DÉR. **Apathique.**

**APATHIQUE** [apatik] adj. et n. — 1643; de *apathie.*

♦ **1** Philos. anc. Parvenu à l'apathie, conformément à l'idéal stoïcien du sage.

♦ **2** (Déb. XIXe). Caractérisé par l'apathie; sans ressort, sans activité. → **Indifférent, indolent, inerte, mou.** *Il est un peu apathique. Un enfant apathique, complètement apathique. — Air, visage apathique.*

C'était un gros homme, d'une figure calme et apathique. 1
CHATEAUBRIAND, Itinéraire..., 147, *in* LITTRÉ.

Le jeune baron se mouvait avec une lenteur apathique, 2
comme quelqu'un qui a donné sa démission de la vie. Son geste était endormi et mort, sa contenance inerte, et l'on voyait qu'il lui était parfaitement égal d'être ici ou là, parti ou revenu.
Th. GAUTIER, le Capitaine Fracasse, I.

Il y voit un Jacques éteint, soumis, apathique, brisé. 3
A. MAUROIS, Études littéraires, t. II, p. 180.

(Groupes humains). *Une classe, une population, un milieu apathique.*

Par ext. *Comportement, lenteur, mollesse apathique.*

Psychopath., méd. Qui se distingue par une activité et une affectivité anormalement faibles (tout en résistant à ceux qui veulent agir sur lui). → **Amorphe.** — (Choses). Caractéristique de l'apathie.

Les *dépresseurs de l'humeur,* c'est-à-dire de la fonction thy- 4
mique qui règle les oscillations du tonus émotionnel entre un pôle pathétique et un pôle apathique, comprennent tous les tranquillisants dont l'action est précisément caractérisée par la substitution à un régime pathétique d'un régime apathique.
Jean DELAY, Introd. à la médecine psychosomatique, Notes et observations, p. 65.

♦ **3** N. *Un, une apathique. L'apathique «est souvent un obstiné»* (E. Mounier).

CONTR. **Actif, énergique, enthousiaste, vif.** ◊ DÉR. **Apathiquement.**

**APATHIQUEMENT** [apatikmɑ̃] adv. — 1866; de *apathique.*

Littér., rare. D'une manière apathique.

**APATITE** [apatit] n. f. — 1802; all. *Apatite* (Werner, 1786); du grec *apatân* «tromper», c.-à-d. «pierre trompeuse, pseudo-précieuse».

Minér. Phosphate de calcium naturel, contenant du fluor *(fluorapatite)* ou du chlore *(chlorapatite),* répandu notamment dans les roches éruptives en inclusions microscopiques.

**APATRIDE** [apatʀid] adj. et n. — V. 1920; comp. sav., du grec *a-* priv. (→ 2. a-), et *patris, patridos* «patrie».

Qui est dépourvu de nationalité légale, qu'aucun État ne considère comme son ressortissant. → **Heimatlos.** *Un réfugié apatride.* — N. *L'Office de protection des réfugiés et apatrides* (1952).

(...) Votre situation me semble très précaire. Je suppose que vous êtes toujours apatride, ce qui présente de graves inconvénients «par les temps qui courent» (...) Apatride, sans raison sociale ni domicile fixe, vous cumuliez de lourds handicaps.
Patrick MODIANO, les Boulevards de ceinture, p. 108 et 145.

DÉR. **Apatridie.**

**APATRIDIE** [apatʀidi] n. f. — 1930; de *apatride.*

Dr. État d'une personne apatride; absence de nationalité. → **Heimatlosat.**

**APATRIÉ, ÉE** [apatʀije] adj. — 1465; repris XXe (chez Proust); de 1. *a-, patrie,* et suff. *-é.*

Rare. Adopté par une nouvelle patrie; acclimaté dans un lieu.

**APAX** [apaks] n. m. → **Hapax.**

**APE** [ap] ou **APUS** [apys] n. m. — 1798, *apus;* de *a-* priv. (→ 2. a-), et grec *pous, podos* «pied». → -pode.

Zool. Crustacé d'eau douce caractérisé par une carapace verdâtre en bouclier (cachant les pattes).

**APENNIN, INE** [apenɛ̃, in] adj. — V. 1830; de *Apennins.*

Rare. Des monts Apennins, en Italie. *Les vallées apennines.*

**APEPSIE** [apɛpsi] n. f. — 1550; du grec *apepsia* «indigestion».

Méd. (vx). Ralentissement important de la digestion par défaut de sécrétions gastriques. → **Dyspepsie.**

Que vous tombiez (...) De la dyspepsie dans l'apepsie (...)
De l'apepsie dans la lienterie (...)
MOLIÈRE, le Malade imaginaire, III, 5.

**APERCEPTIF, IVE** [apɛʀsɛptif, iv] adj. — 1714, Leibniz; du rad. de *apercevoir,* d'après *perceptif.*

Philos., psychol. Relatif à l'aperception. *Monade* aperceptive.*

**APERCEPTION** [apɛʀsɛpsjɔ̃] n. f. — 1714, Leibniz; de *apercevoir,* d'après *perception.*

♦ **1** Philos., psychol. Acte d'apercevoir, prise de conscience claire de l'objet de connaissance, par opposition à la perception inconsciente. *Aperception immédiate, directe* (d'une sensation, d'une pensée). *Aperception du sujet par lui-même. Rôle de l'aperception leibnizienne chez Maine de Biran.*

♦ **2** Littér. Conscience spontanée, qui précède toute pensée. → **Intuition, sentiment.** *L'aperception soudaine de qqch.*

**APERCEVABLE** [apɛʀsəvabl] adj. — 1349; de *apercevoir.*

Rare. Qui peut être aperçu. «*Certains corps ne sont apercevables qu'au microscope*» (Académie, 9e éd.). → **Apparent, discernable, perceptible, visible.** «*Une idée apercevable et claire*» (P. Leroux, *in* T. L. F.).

CONTR. **Imperceptible, indiscernable, invisible.**

**APERCEVANCE** [apɛʀsəvɑ̃s] n. f. — V. 1160, *aparcevance;* de *apercevoir.*

Vx. Faculté d'apercevoir, perspicacité. *Apercevance fine, prompte* (Académie). «*L'apercevance d'une erreur*» (Stendhal, *in* T. L. F.).

**APERCEVOIR** [apɛʀsəvwaʀ] v. [CONJUG.: *recevoir.*] — 1080, pron.; mil. XIIe, trans.; de *percevoir.*

**I** V. tr. ♦ **1** Distinguer, après un effort d'attention ou une recherche, et plus ou moins nettement (qqn ou qqch.). → **Discerner, distinguer, entrevoir.** *Apercevoir qqch. au loin, d'en haut, vaguement, avec peine, difficilement. Apercevoir qqn dans la pénombre.*

Voir, en un acte de vision généralement bref (qqch., qqn qui apparaît), qu'il y ait eu attention ou non. → **Aviser, découvrir, remarquer, repérer.** *Apercevoir une personne tout à coup, brusquement, pour la première fois.*

1 Un homme qui a les yeux ouverts voit; un homme qui regarde ou qui observe aperçoit ou découvre.
LAFAYE, Dict. des synonymes, Voir, apercevoir...

2 D'aussi loin que le rat voit cette huître qui bâille :
Qu'aperçois-je? dit-il; c'est quelque victuaille (...)
LA FONTAINE, Fables, VIII, 9.

Il s'y voit *(dans l'eau),* il se fâche, et ses yeux irrités 3
Pensent apercevoir une chimère vaine.
LA FONTAINE, Fables, I, 11.

L'on voit dans une goutte d'eau (...) un nombre presque innombrable de petits animaux, dont le microscope nous fait apercevoir la figure. 4
LA BRUYÈRE, les Caractères, XVI, 44.

Il n'y a nuls vices extérieurs et nuls défauts du corps qui ne soient aperçus par les enfants; ils les saisissent d'une première vue. 5
LA BRUYÈRE, les Caractères, XI, 54.

On apercevait au loin dans la campagne l'incendie d'un village (...) 6
CHATEAUBRIAND, Mémoires d'outre-tombe, t. II, p. 352.

J'aperçois tout à coup deux yeux qui flamboyaient (...) 7
A. DE VIGNY, Poèmes philosophiques, «La mort du loup».

Elle aperçut en plein milieu d'une planche, lui crevant les yeux, un petit paquet de papiers. 7.1
ZOLA, la Terre, p. 410.

Vx ou littér. Suivi de l'inf. *Je l'aperçois venir :* je l'aperçois qui vient.

Je l'aperçois venir en bonne compagnie. 8
MOLIÈRE, Amphitryon, III, 6.

On apercevait de loin les angles vifs rutiler au soleil. 9
Joseph DE PESQUIDOUX, Sur la glèbe, p. 8.

Voir (qqch., qqn) pendant peu de temps; rencontrer (qqn) brièvement. *Je n'ai fait que l'apercevoir.*

♦ **2** Prendre connaissance de (qqch.) par une perception distincte. → **Appréhender, percevoir, saisir.** *On aperçoit, on aperçoit bien, on aperçoit clairement l'exactitude, l'insuffisance de sa déclaration.*

Car toutes les façons de penser que nous remarquons en nous peuvent être rapportées à deux générales, dont l'une consiste à apercevoir par l'entendement, et l'autre à se déterminer par la volonté. Ainsi sentir, imaginer, et même concevoir des choses purement intelligibles, ne sont que des façons différentes d'apercevoir (...) 10
DESCARTES, Principes de la philosophie, I, 32.

Nos sens n'aperçoivent rien d'extrême, trop de bruit nous assourdit, trop de lumière éblouit, trop de distance et trop de proximité empêche la vue, trop de longueur et trop de brièveté de discours l'obscurcit, trop de vérité nous étonne (...) 11
PASCAL, Pensées, II, 72.

Apercevoir, c'est sentir; comparer, c'est juger; juger et sentir ne sont pas la même chose. 12
ROUSSEAU, Émile, IV.

Fig. Avoir conscience, se rendre compte de. → **Comprendre, constater, déceler, deviner, pénétrer, sentir, voir.** *J'aperçois maintenant ses intentions. J'aperçois combien, comment, pourquoi...*

*Apercevoir que... On aperçoit bien qu'il se trompe, mais on ne peut le prouver.*

Si vous apercevez que j'y manque d'un mot (...) 13
MOLIÈRE, l'Étourdi, 487.

Pascal voit la faiblesse des hommes, mais, derrière elle, et plus au fond du problème, il aperçoit leur incurable blessure, leur tourment éternel, la vanité de leurs plaisirs, la cruelle réalité de leur souffrance. 14
Émile FAGUET, Études littéraires, XVIIe s., p. 194.

*Laisser apercevoir, faire apercevoir.* → **Montrer.**

Il faut être défiant, le commun des hommes le mérite, mais bien se garder de laisser apercevoir sa méfiance. 15
STENDHAL, Journal, p. 9.

(...) la pudeur des sentiments, voilant à l'esprit les signes habituels des passions, fait apercevoir la valeur et la grâce de nuances imperceptibles de langage. 16
A. MAUROIS, Climats, p. 39.

**II** V. pron. ♦ **1** **a** (Réfl.). Apercevoir son image (dans un miroir, etc.). *S'apercevoir dans l'eau.*

Au lieu d'apercevoir dans les glaces un reflet de famille, on s'apercevait dans tous ses détails, et répercuté personnellement de miroir en miroir. 17
GIRAUDOUX, Bella, VI.

**b** (Récipr.). Se voir mutuellement. *Elles se sont aperçues de loin.*

17.1 La salle commençait à se remplir, on tirait les lorgnettes de leurs étuis, et les abonnés, s'apercevant de loin, se faisaient des salutations. FLAUBERT, Mme Bovary, II, XV.

**c** (Passif). Être aperçu, pouvoir être aperçu (par la vue ou par l'esprit). *Un détail qui s'aperçoit à peine.*

♦ **2** *S'apercevoir de... :* prendre conscience, se rendre compte, soit soudainement, soit à la suite d'un examen réfléchi de (un fait matériel ou moral). → **Constater, noter, remarquer, saisir, surprendre.** *Je m'apercevais bien de leur manège. Elles se sont aperçues de leur erreur. Je ne m'en suis pas aperçu. On ne s'est aperçu de rien. Personne ne s'en est aperçu.* — *S'apercevoir que* (et indicatif). *Je m'aperçois bien que tu as pour moi des attentions.* — REM. Dans la langue classique le mode adopté est le subjonctif (→ ci-dessous, cit. 18).

18 Ce n'est qu'à l'esprit seul que vont tous les transports,
Et l'on ne s'aperçoit jamais qu'on ait un corps.
MOLIÈRE, les Femmes savantes, IV, 2.

19 Ne s'apercevant point ou de l'excellence de ce qui est esprit, ou de la dignité de l'âme (...)
LA BRUYÈRE, les Caractères, XVI, 3.

20 À la maison, on ne s'apercevait de rien; mais moi, je voyais bien que Jacques avait quelque chose.
Alphonse DAUDET, le Petit Chose, p. 37.

21 Je m'ingéniais à leur rendre des soins dont elles *(deux fillettes)* feignaient ou de ne pas s'apercevoir ou d'être obsédées. FRANCE, le Petit Pierre, XIII, p. 80.

22 (...) ce charmant visage, toujours immobile dans sa rêveuse froideur, et qui me troublait si profondément sans avoir l'air de s'en apercevoir.
Paul BOURGET, le Disciple, IV, 4.

◆ **APERÇU, UE** p. p. adj. (V. 1160, «sage, avisé»). *Un détail à peine aperçu.* → **Entraperçu.** *Non aperçu.* → **Inaperçu.**

CONTR. **Perdre** (de vue). — **Inaperçu** (rester). — V. **Cacher, dissimuler.** ◈ DÉR. et COMP. **Apercevable, apercevance, aperçu. Entrapercevoir.** (Du p. p.) **Inaperçu.** — V. **Aperception.**

**APERÇU** [apɛʀsy] n. m. — 1760, en comptabilité; emploi général, 1764, Beaumarchais; p. p. subst. de *apercevoir.*

♦ **1** Première idée que l'on peut avoir d'une chose vue rapidement. → **Coup** (d'œil), **esquisse, estimation, vue.**

Mar. *Pavillon d'aperçu* ou *aperçu :* pavillon qui signifie qu'on a vu et compris un signal.

♦ **2** Exposé sommaire, oral ou écrit, sur une question. *Donner un aperçu de la situation. C'est un simple aperçu.*

1 Visiblement, il cherchait à donner un aperçu impersonnel des faits. MARTIN DU GARD, les Thibault, IV, 9.

Spécialt. Dr. *Aperçu d'une affaire, d'une cause :* présentation rapide (par l'avocat...) d'un dossier. — Comptab. *Aperçu d'un compte, d'une affaire :* son estimation sommaire. *Par aperçu :* sur estimation approximative.

♦ **3** Remarque, observation non développée, qui semble le fait d'une connaissance intuitive, mais qui jette un jour nouveau. *Des aperçus brillants, nouveaux.*

2 (...) le troisième volume de Port-Royal où je trouve à chaque détour de sentier des remarques et des aperçus d'une sagacité merveilleuse.
GIDE, Journal 1889-1939, 24 déc. 1922.

3 Heureux d'entendre sa parole ailée, claire, subtile, ingénieuse, riche d'aperçus nouveaux (...)
Georges LECOMTE, Ma traversée, p. 88.

Connaissance intuitive, fragmentaire mais perspicace.

Je n'ai rien à faire avec le problème de la liberté métaphysique. Savoir si l'homme est libre ne m'intéresse pas. Je ne puis éprouver que ma propre liberté. Sur elle, je ne puis avoir de notions générales, mais quelques aperçus clairs. CAMUS, le Mythe de Sisyphe, p. 79. 4

Perspective d'avenir. «*Ouvrir des aperçus*» (Sainte-Beuve).

**APÉRIODIQUE** [apeʀjɔdik] adj. — 1883; de 2. *a-,* et *périodique.*

♦ **1** Phys. Qui tend sans oscillation vers un régime stable. *Mouvement apériodique. Galvanomètre apériodique.*

Non périodique. *Des événements apériodiques.*

♦ **2** Math. Dépourvu de période. *Fonction apériodique.*

**APÉRISPERMÉ, ÉE** [apeʀispɛʀme] adj. — 1846; de 2. *a-,* et *périsperme.*

Bot. Qui est dépourvu de périsperme. *Graine apérispermée.*

**APÉRITER** [apeʀite] v. tr. — Déb. XXe; de *apériteur.*

Dr. Couvrir (un risque) en tant qu'apériteur. «*Trois sociétés (...) apéritent 55 % des risques*» (*France-Europe,* no 16, p. 20).

**APÉRITEUR, TRICE** [apeʀitœʀ, tʀis] n. et adj. — 1877; bas lat. *aper(i)tor* «inaugurateur».

Dr. Premier assureur, qui établit et gère le contrat au nom des coassureurs dans le cas d'une police collective. → **Coassurance.**

Adj. «*Les usages de la profession laissent à la société apéritrice un rôle de direction et la responsabilité des conditions de la tarification*» (*France-Europe,* no 16, p. 20).

DÉR. **Apériter.**

**APÉRITIF, IVE** [apeʀitif, iv] adj. et n. m. — XIIIe; du bas lat. *aper(i)tivus,* de *aperire* «ouvrir».

**I** Adj. ♦ **1** Méd. anc. Qui ouvre les voies d'élimination. *Remède apéritif* (diurétique, purgatif, sudorifique, etc.). *Une médecine apéritive.*

♦ **2** (1750). Littér. Qui ouvre, stimule, excite l'appétit. *Une promenade apéritive.* — Vieux :

L'air de cette caverne était on ne peut plus apéritif. 1
DUMAS, *in* P. LAROUSSE.

(Abstrait). Littér., rare. «*Aucun projet ne m'était apéritif. J'avais l'âme écœurée*» (Cocteau, *in* T. L. F.).

Spécialt. (En parlant d'une boisson ou, plus rarement, d'un aliment). *Vin apéritif; liqueur, boisson apéritive.*

**II** N. m. ♦ **1** (1888, Maupassant). Cour. Boisson* généralement à base de vin (quinquina, vermouth) ou d'alcool (amer, anis...), supposée apéritive, que l'on prend avant le repas. → **Apéro** (fam.). *Servir des (les) apéritifs. Prendre l'apéritif avec des amis, à la terrasse d'un café. Offrir, payer l'apéritif à qqn. Apéritif sans alcool. Verre à apéritif. Offrir un apéritif d'honneur. Des amuse-gueule à (pour l')apéritif. Des biscuits à apéritif;* appos., fam. *des biscuits, des gâteaux apéritif.*

Moment où l'on prend l'apéritif, avant le repas. *Ils sont arrivés à l'apéritif, pour l'apéritif.*

♦ **2** Fig. Ce qui donne de l'appétit. *L'exercice, la marche est un bon apéritif.*

♦ **3** Par métaphore. Littér. Ce qui excite la pensée ou les sentiments.

2 *(Les hommes)* ont besoin de la tragédie, que voulez-vous, c'est leur petite transcendance, c'est leur apéritif.
CAMUS, la Chute, p. 42.

**DÉR. Apéro.**

**APÉRO** [apeʀo] n. m. — 1901, *in* D. D. L.; abrév. de *apéritif.*

Fam. Apéritif. *Prendre l'apéro avec des copains. Je t'offre l'apéro. Des apéros.*

1 Aux heures de sortie de l'usine il alignait les verres d'absinthe sur le comptoir. Des ouvriers arrivaient courant au cri habituel : « Tu paies l'apéro ? » et les lampaient d'un trait.
Pierre HAMP, la Peine des hommes (Moteurs), p. 109.

2 Mais l'appétit qu'il sent est de manger, car dans son estomac les deux Jerez ont provoqué cette irritation légère que les gens nomment faim et pour laquelle ils sont reconnaissants aux vertus de l'apéro.
A. PIEYRE DE MANDIARGUES, la Marge, p. 87.

**APERT** ou **APPERT, ERTE** [apɛʀ, ɛʀt] adj. — XIe, employé jusqu'au XVIe; repris au XIXe; aussi « capable, doué (personnes) », en anc. franç.; lat. *apertus,* de *aperire* « ouvrir ».

Archaïsme littér. Clair, évident.

**DÉR. Apertement.** ◈ **HOM. Appert** (forme du v. **apparoir).**

**APERTEMENT** [apɛʀtəmɑ̃] adv. — Mil. XIIe; repris XIXe; de *apert.*

Archaïsme littér. À l'évidence, manifestement. *« Le chevalier avait apertement montré sa compétence »* (La Varende, *in* T. L. F.).

**APERTURE** [apɛʀtyʀ] n. f. — 1916; « ouverture », archit., 1556; « intelligence », XIVe; lat. *apertura,* de *aperire* « ouvrir ».

♦ **1** Phonét. Écartement des organes au point d'articulation d'un phonème pendant la tenue. *Degrés d'aperture.*

Quelle que soit la place de l'articulation, elle présente toujours une certaine *aperture,* c'est-à-dire un certain degré d'ouverture entre deux limites extrêmes qui sont : l'occlusion complète et l'ouverture maximale.
F. DE SAUSSURE, Cours de linguistique générale, p. 70.

♦ **2** Zool. Orifice des zoécies ou zoïdes.

Bot. Ouverture (du bouton de la fleur). → **Anthèse** (cit.).

**APESANTEUR** [apəzɑ̃tœʀ] n. f. — 1961; de 2. *a-,* et *pesanteur.*

Phys. Absence de pesanteur due à l'annulation ou à un extrême affaiblissement du champ de gravitation, résultant des conditions spatiales (→ **Agravitation)** ou dynamiques. *Des astronautes, des cosmonautes en état d'apesanteur. Phénomène d'apesanteur. Dans l'apesanteur, les corps n'obéissent plus aux lois de l'attraction universelle.* Syn. : *non-pesanteur.*

1 Pour qu'un objet ou un sujet placé dans un mobile se trouve en état d'apesanteur par rapport à celui-ci, il faut qu'il ne soit soumis à aucune force de la part de son support; lorsqu'un tel état est réalisé, l'objet ou le sujet flotte à l'intérieur du mobile, il est sans pesanteur par rapport à lui !
GRANDPIERRE et VIOLETTE, cités par Jean COLIN et Yvon HOUDAS, Physiologie du cosmonaute, p. 45.

2 Ce lieu, aussi différent de l'espace ordinaire que, par exemple, une chambre d'apesanteur, ressemblait (...) à un terrain de jeu aux zones strictement délimitées, aussi contraignantes qu'arbitraires, mais universellement reconnues.
Vladimir VOLKOFF, le Retournement, p. 225-226.

Par métaphore :

Et il est bien certain que cet écrivain multiple *(Marcel Aymé),* également doué pour les géorgiques truculentes et pour l'apesanteur des contes de fées, restera parmi les meilleurs et les plus originaux de ce temps. 3
J. FAYARD, *in* le Figaro, 14 oct. 1967.

**APÉTALE** [apetal] adj. — 1752; « dont les fleurs sont dépourvues de corolles », 1708; de 2. *a-,* et *pétale.*

Bot. Qui est dépourvu de pétale; qualificatif donné par Jussieu à l'une des trois divisions de plantes dicotylédones (Candolle a préféré le terme de *monochlamydé;* on dit aussi *monopérianthé*). *La fleur du houblon, du chanvre est apétale.*

N. f. pl. (1708). **LES APÉTALES :** ancienne sous-classe de végétaux phanérogames angiospermes de la classe des *dicotylédones* comprenant les plantes dont les fleurs n'ont pas de corolle. Principales familles : *amarantacées, artocarpées, balanophorées, bétulinées, cannabinées, casuarinées, celtidées, cératophyllées, chénopodiacées, cupulifères, cytinées, daphnoïdées, datiscacées, éléagnées, empétrées, ficacées, juglandées, loranthacées, monimiacées, morées, myricées, nyctaginées, pénéacées, phytolaccées, pipéracées, platanées, podostémées, polygonées, protéacées, rafflésiacées, salicinées, salsolacées, santalacées, saururacées, thyméléacées, ulmacées, urticées.* — Au sing. *Une apétale.*

**APETISSEMENT** [apətismɑ̃] n. m. — V. 1250; de *apetisser.*

Vx. Action d'apetisser; résultat de cette action. → **Diminution, rapetissement.**

**CONTR. Agrandissement.**

**APETISSER** [apətise] v. — 1160, *apeticier;* de 1. *a-,* et *petit.*

Vieux.

♦ **1** V. tr. Rendre plus petit. *Apetisser un manteau* (on dit plutôt *rapetisser*). → **Diminuer, raccourcir, rapetisser.** — Figuré :

En les domestiquant *(les animaux),* nous apetissons, nous dépravons leur cœur et leur esprit. 1
FRANCE, le Petit Pierre, XXVI, p. 183.

♦ **2** V. intr. Devenir plus petit. *Après le solstice d'été, les jours apetissent* (Académie). → **Rapetisser.**

◆ **S'APETISSER** v. pron. (1623). Devenir plus petit.

Son œil s'était considérablement apetissé. 2
RACINE, Port-Royal.

Fig. *« L'espoir même semblait s'apetisser »* (Dorgelès, *in* T. L. F.).

**CONTR. Agrandir, allonger, amplifier.** ◈ **DÉR. Apetissement.**

**À-PEU-PRÈS** ou **À PEU PRÈS** [apøpʀɛ] n. m. invar. — 1688, Bossuet; subst. de la loc. adv. *à peu près.*

♦ **1** Approximation grossière. *« Les calculs astronomiques qui ne roulent que sur des à peu près »* (Fontenelle).

♦ **2** Chose imprécise, incomplète, imparfaite. *« Toute la vie est faite d'à peu près »* (Maupassant). → aussi **Près.**

(...) lorsqu'ils transmettent les dépositions des témoins, on patauge dans l'à-peu-près. 1
GIDE, Voyage au Congo, *in* Souvenirs, Pl., p. 693.

Il *(se)* défendit par un feu d'artifice d'à-peu-près, où entraient pêle-mêle les noms des uns et des autres (...) 2
M. TOURNIER, le Roi des Aulnes, p. 186.

♦ **3** Jeu de mots fondé sur une homophonie approximative, mauvais calembour. *Chanson de carabins pleine d'à-peu-près grivois.*

**APEURÉ, ÉE** [apœʀe] adj. — 1854; → Apeurer.

Qui est pris de peur. → **Craintif, effarouché.** *Un animal apeuré.*

(...) apeuré déjà par ce soupçon qui pesait sur lui.
MAUPASSANT, la Ficelle, *in* Contes et nouvelles, Pl., t. I, p. 1083.

(D'un comportement). Qui manifeste de la peur. *Une physionomie apeurée. Regards apeurés.* → **Effrayé.**

**APEURER** [apœʀe] v. tr. — 1854, *in* D. D. L.; *apo(e)rir,* en anc. franç., attestation isolée, XIIIe; de *peur.*

Effrayer. — REM. Ce verbe est moins courant que l'adjectif *apeuré*;* cf. cependant Huysmans, Léautaud, *in* T. L. F.; → aussi, au passif, Apeuré (cit.). — Pron. *S'apeurer.*

— (...) Saint Jean *(de la Croix)* vous fait frissonner quand il s'écrie que cette nuit de l'âme est amère et terrible (...) Elle aussi *(Thérèse d'Avila)* [...] a traité de cette «Nuit obscure» qui vous apeure (...) elle l'a qualifiée d'agonie de l'âme, de tristesse si amère qu'elle essaierait en vain de la dépeindre.
HUYSMANS, En route, I, VI.

DÉR. **Apeuré.**

**APEX** [apɛks] n. m. — 1771, au sens 1.; mot lat. «sommet, pointe», spécialisé.

♦ **1** Didact. Dans l'antiquité romaine, Baguette d'olivier garnie de laine, qui surmontait le bonnet des flamines et des saliens. — Cimier du casque auquel s'attache la crinière.

♦ **2** (1863). Didact. Dans les inscriptions latines, Accent aigu marquant la quantité longue d'une voyelle.

♦ **3** (1894). Point du ciel, situé dans la constellation d'Hercule, vers lequel semble se diriger le système solaire. *L'apex est situé près de l'étoile Véga dans la constellation de la Lyre.*

♦ **4** Sc. nat. Sommet ou pointe (d'un organe : cœur, dent, langue; du bec d'un oiseau, etc.). → **Apico-.** *De l'apex* (langue). → **Apical.**

1 Parfois, au contraire, il *(le granulome)* se révèle par des phénomènes névralgiques dont le malade rapporte très nettement la douleur au point de l'apex infecté.
Paul-Louis ROUSSEAU, les Dents, p. 47.

♦ **5** Fig., littér. Sommet; point extrême.

2 (...) c'était désigner l'extrême de la poésie réellement faisable, à l'apex de la volonté de la poésie.
VALÉRY, Cahiers, t. II, Pl., p. 1110.

DÉR. **Apical.** — V. **Apico-.**

**APHANIPTÈRES** [afanipteʀ] n. m. pl. — 1846; comp. du grec *aphanês* «caché», et *pteron* «aile».

Zool. (vx). Sous-ordre d'insectes (rattaché aux diptères) ne comprenant qu'une seule famille, celle des *Pulicidés.* → **Puce.** — Au sing. *Un aphaniptère.*

**APHASIE** [afazi] n. f. — 1826; du grec *aphasia* «impuissance à parler», de *aphatos* «impossible à dire», de *a-* privatif, et *phanai* «dire».

♦ **1** Méd. (vx) et cour. Trouble ou perte de la capacité de parler, quelle qu'en soit la cause.

Il avait parfois, comme sa mère mourante, de l'aphasie; les mots lui échappaient (...)
A. MAUROIS, À la recherche de Marcel Proust, X, 2.

♦ **2** (Concept dégagé par Broca sous le nom d'*aphémie,* puis par Déjerine, Wernicke, etc.). Méd. Trouble de la parole et de la communication par le langage, portant sur la production et la réception des signes (surdité* verbale, cécité* verbale), déterminé par des lésions focales de la zone du langage du cerveau (hémisphère gauche). → **Oubli,** cit. 1. *Les aphasies sont diversement classées selon les auteurs. Aphasie globale* (lésion étendue des zones du langage : destructions massives des fonctions du langage). *Aphasies sans troubles de la compréhension : aphasie motrice* ou *aphasie d'expression* (trouble de la production verbale, parfois réduite à quelques stéréotypes, parfois modifiée par agrammatisme* : *aphasie* dite *syntactique;* l'écriture est parfois troublée. → **Agraphie**); *aphasie de conduction* (trouble du langage spontané et de la répétition). *Aphasie sensorielle* ou *aphasie de Wernicke,* avec troubles de la production (jargonaphasie, paraphasie) et de la compréhension. — *Aphasie de Broca : a*) syndrome complexe cumulant aphasie d'expression et aphasie sensorielle; *b*) aphasie motrice corticale. — *Aphasie amnésique :* déficit lexical et de la dénomination, souvent lié à l'aphasie sensorielle. — Selon le système linguistique perturbé, on distingue les *aphasies syntactiques* et les *aphasies nominales* (*aphasie nominale motrice :* aphasie motrice transcorticale de Wernicke; surdité nominale et *aphasie amnésique,* ci-dessus). — *Aphasie spécifique de la lecture* (→ **Alexie**), *de l'écriture* (→ **Agraphie**). *La neurolinguistique* analyse les effets linguistiques des aphasies.*

Spécialt (concept restreint). Trouble du langage intérieur, excluant par exemple l'aphasie motrice sous-corticale, la surdité et la cécité verbale. — Syn. : *aphasie vraie, totale.*

DÉR. et COMP. **Aphasique. Jargonaphasie.**

**APHASIQUE** [afazik] adj. et n. — 1865; n., 1864, *in* D. D. L.; «qui ne se prononce pas», 1643; de *aphasie.*

Qui est atteint d'aphasie. *Un vieillard aphasique. Il est resté quelques mois aphasique à la suite d'une hémorragie cérébrale.*

(...) l'usage d'un langage, si primitif fût-il, ne pouvait manquer d'accroître (...) la valeur de survie de l'intelligence, et donc de créer en faveur du développement du cerveau une pression de sélection puissante et orientée, telle qu'aucune espèce aphasique ne pouvait jamais en connaître. 1
Jacques MONOD, le Hasard et la Nécessité, p. 170.

N. *Un, une aphasique. Traitement, rééducation des aphasiques.*

Ce nom de Swann d'ailleurs, que je connaissais depuis si longtemps, était maintenant pour moi, ainsi qu'il arrive à certains aphasiques, à l'égard des mots les plus usuels, un nom nouveau. 2
PROUST, À la recherche du temps perdu, t. II, p. 262.

Et il était d'une effroyable loquacité, parce que, chez les grands aphasiques, le frein mental du langage est détruit et ils ne s'arrêtent plus de jargonner (...) 3
R. GARY, Clair de femme, p. 123.

**APHÉLIE** [afeli] n. m. — Av. 1690; lat. sc. *aphelium,* 1596 (Kepler), d'après *apogæum* «apogée», et grec *hêlios* «soleil».

Astron. Point de l'orbite d'une planète ou d'une comète le plus éloigné du Soleil (→ **Apoastre**). *L'aphélie de la Terre.*

Adj. *La Terre est aphélie,* à sa plus grande distance du Soleil.

CONTR. **Périhélie.**

**APHÉMIE** [afemi] n. f. — V. 1860, Broca; de 2. *a-,* et grec *phêmê* «révélation par la parole», de *phanai* «dire». → Aphasie.

Méd. (vx). Perte de la capacité de parler, observée par Broca. → **Aphasie** (2.).

**APHÉRÈSE** [afeʀɛz] n. f. — 1701; *aph(a)eresis*, 1521; lat. gramm. *aphæresis*, grec *aphairesis* «action d'enlever».

♦ **1** Ling. Chute d'un phonème ou d'un groupe de phonèmes (ou des graphèmes correspondants) au début d'un mot (opposé à *apocope*). Pitaine *se dit pour* capitaine, troquet *pour* mastroquet, *par aphérèse.*

♦ **2** (1787). Chir. (vx). Ablation, excision.

♦ **3** Mus. (vx). Suppression des notes initiales d'une phrase musicale.

CONTR. **Apocope, paragoge. — Augment, prothèse.**

**APHIDIENS** [afidjɛ̃] ou **APHIDÉS** [afide] n. m. pl. — 1839, *aphidiens; aphidés*, 1886; du lat. sc. *aphis* (Linné), désignant le type de cette famille, d'orig. incert., p.-ê. du grec *apheidês* «qui n'épargne pas».

Zool. Nom scientifique des *pucerons vrais.* — Au sing. *Un aphidien.*

HOM. (De *aphidés*) **Affidé.**

**APHIDIUS** [afidjys] n. m. — V. 1860; orig. incert. → Aphidien.

Zool. Insecte hyménoptère apocrite parasite des pucerons.

**APHLOGISTIQUE** [aflɔʒistik] adj. — 1846; angl. *aphlogistic* (→ 2. a-, et phlogistique).

Techn. (vx). *Lampe aphlogistique :* lampe de mineur inventée par Davy en 1816. — Par ext. (Vx). Qui ne peut s'enflammer. *L'amiante est aphlogistique.* → **Incombustible, ininflammable.**

**APHONE** [afɔn; afon] adj. — 1834; grec *aphônos*. → Aphonie.

♦ **1** Cour. Qui est privé de voix, qui n'a plus de voix (pour des raisons de physiologie acoustique ou psychosomatiques, mais non cérébrales. → Aphasique). *Une affection du larynx le rend aphone. L'orateur, enrhumé, était à moitié aphone.*

1 (...) une sorte de colonel Chabert, perclus, presque aphone et qui pourtant faisait de son mieux pour chanter afin d'attirer la charité des passants.

GIDE, Journal 1889-1939, 21 août 1914.

N. Rare. *Un, une aphone.*

2 En entrant, Jésus étendit la main vers l'impressionnante aphone, qui, aussitôt guérie, chanta rapidement à plein gosier un trille sans fin semblant annoncer le retour de la joie et de l'espoir.

Raymond ROUSSEL, Impressions d'Afrique, p. 444.

♦ **2** Littér. Qui ne produit aucun son (instrument, source sonore); qui ne parle pas, ne peut pas parler (personnes).

3 La pantomime, art inférieur, suprême ressource pour cabots aphones!

Alphonse ALLAIS, Contes et chroniques, p. 90.

**APHONIE** [afɔni; afoni] n. f. — 1617; grec *aphônia*, de *a-* priv. (→ 2. a-), et *phônê* «voix».

♦ **1** Didact. Perte plus ou moins complète de la voix. *Aphonie incomplète.* → **Voix** (extinction de voix). *L'aphonie physiologique, momentanée ou définitive, est due à une lésion ou une inhibition de l'appareil phonatoire, la faculté d'articuler et les centres nerveux de la parole restant intacts* (à la différence de ce qui se produit dans l'*aphasie*).

1 Je préparai donc ma phrase et ouvris la bouche, croyant que j'allais l'entendre, mais je n'entendis qu'une sorte de râle, inintelligible même pour moi qui connaissais mes intentions. Mais ce n'était rien, rien que l'aphonie due au long silence, comme dans le bosquet où s'ouvrent les enfers, vous rappelez-vous, moi tout juste.

S. BECKETT, Nouvelles, p. 49.

*Aphonie hystérique*, d'origine psychique.

Parfois, hystériquement, mon propre corps traduit l'incident : une soirée dont je me faisais fête, une déclaration solennelle dont j'attendais un effet bienfaisant, je les bloque par un mal au ventre, une grippe : tous les substituts possibles de l'aphonie hystérique. 2

R. BARTHES, Fragments d'un discours amoureux, p. 84.

♦ **2** Fig. littér. (Rare). Silence, absence de bruit. *L'aurore, avec «son aphonie et sa mélodie»* (Chateaubriand, *Mémoires d'outre-tombe, in* T. L. F.).

DÉR. **Aphonique.**

**APHONIQUE** [afɔnik; afonik] adj. — XX^e; de *aphonie.*

Didact. ou littér. Caractérisé par l'aphonie. → **Aphone.**

Et la voix d'or hurlait
sur un ton aphonique délicat cultivé
Feu à volonté.

J. PRÉVERT, la Pluie et le Beau Temps, p. 24.

**APHORISME** [afɔʀism] n. m. — 1490; *auphorisme*, 1270; *amphorisme*, 1370; bas lat. *aphorismus*, grec *aphorismos* «définition».

Didact. ou littér. Proposition énoncée sous une forme très concise, formule ou prescription, qui résume une théorie, une série d'observations ou renferme un précepte. → **Adage, apophtegme, formule, maxime, pensée, précepte, proverbe, sentence; axiome.** *Les aphorismes d'Hippocrate. Les aphorismes des philosophes indiens.* → **Soûtra** (ou sûtra).

Il *(le vieillard)* tenait une mappemonde et la leur exposait sommairement par petits aphorismes.

RABELAIS, le Cinquième Livre, 31.

Péj. Sentence formulant une vérité pratique et banale. *Parler par aphorismes. Aphorismes plaisants, sentencieux.*

DÉR. V. **Aphoristique.**

**APHORISTIQUE** [afɔʀistik] adj. — 1752; grec *aphoristikôs*, adv. «en forme d'aphorisme», de *aphorismos*. → Aphorisme.

Littér. Qui tient de l'aphorisme, qui en a les caractères. *Un style, une concision aphoristique. Le «style aphoristique» de Linné* (Cournot).

**APHOTIQUE** [afɔtik] adj. — 1907, *Larousse mensuel*, sept.; de 2. *a-*, et grec *phôs, phôtos* «lumière», ou de l'angl. *aphotic* attesté dans cet emploi avec son antonyme *photic* dès 1903 (Fisher). → aussi Photique.

Didact. Privé de lumière. *Zone, couche aphotique des océans.*

**APHRODISIAQUE** [afʀɔdizjak] adj. — 1742; grec *aphrodisiakos*, de *Aphroditê* «Aphrodite».

Littéraire ou style soutenu.

♦ **1** Propre (ou supposé propre) à exciter le désir sexuel, à faciliter l'acte sexuel. *Un breuvage aphrodisiaque. Vertus aphrodisiaques de l'ambre, de la yohimbine.*

(En parlant du comportement de qqn). → **Excitant.**

Ce chant la captivait jusqu'à la divagation. – À l'en croire, «il était, d'abord, étouffé sous les enlacements de rires aphrodisiaques, poussés par des sirènes moqueuses, apparues sous la lune, dans les roseaux». 1

VILLIERS DE L'ISLE-ADAM, Tribulat Bonhomet, p. 76.

N. m. Substance aphrodisiaque. *La cantharide est un aphrodisiaque.*

(...) le spectacle de la nature dans sa splendeur ayant toujours été pour moi le plus puissant des aphrodisiaques. 2

A. DE MUSSET, Confession d'un enfant du siècle, I, 3.

3 (...) Johnson vendait, dans les quartiers chinois du monde entier (...) toutes sortes de remèdes, poisons, liqueurs de jeunesse, philtres d'amour, aphrodisiaques (...)
A. ROBBE-GRILLET, la Maison de rendez-vous, p. 166.

♦ **2** (Av. 1861). Antiq. Qui a rapport à Aphrodite; en l'honneur d'Aphrodite. *Le culte aphrodisiaque.*

♦ **3** Littér., rare. Qui concerne les relations sexuelles. *«Aventures aphrodisiaques», au cinéma* (P. Morand, *New York*). → **Érotique.**

CONTR. (Du 1.) **Anaphrodisiaque.**

**APHRODISIE** [afʀɔdizi] n. f. — 1838; du grec *aphrodisia,* neutre plur. (sens 1.) et fém. sing. (sens 2.), de *Aphroditê* «Aphrodite».

♦ **1** Antiq. grecque. *Les Aphrodisies,* fêtes en l'honneur d'Aphrodite.

♦ **2** (1928, Larousse; «puberté», inus., 1845). Didact. (méd., psychopathol.). Exagération des besoins et désirs sexuels (on dit aussi : *érotisme**). → **Érotomanie; nymphomanie, satyriasis.**

CONTR. (Du 2.) **Anaphrodisie.**

**APHRODITE** [afʀɔdit] n. f. — 1768; de *Aphrodite,* nom grec de Vénus, en raison de la beauté de ces annélides.

Zool. Animal annélide chétopode *(Polychètes),* à soies raides et irisées, qui vit sur les fonds de vase ou de sable des côtes, et que l'on appelle communément *souris* ou *taupe de mer.*

REM. Le mot a plusieurs homonymes rares («danse antique», 1771; «écume de mer»).

**APHROPHORE** [afʀɔfɔʀ] n. m. — 1846; du grec *aphros* «mousse, écume», et *-phore.*

Zool. Insecte hémiptère homoptère *(Cercopidés)* dont les larves vivent sur les fraisiers, les ormes, les saules, les peupliers, les pins maritimes, entourées d'une sécrétion spumeuse désignée communément sous le nom de *crachat de coucou* ou *crachat de grenouille.*

**APHTE** [aft] n. m. — 1545; *afta,* 1478; du lat. plur. *aphthæ,* du grec plur. *aphthai,* de *aptein* «brûler».

Petite ulcération douloureuse, d'origine virale, siégeant sur la muqueuse de la bouche ou du pharynx, ou des parties génitales. *La cladone* (ou *cladonie) est employée contre les aphtes.*

(...) d'un doigt *(il)* souleva sa lèvre.
(...) Olivier distingua, près de la commissure, une tache blanchâtre.
Un peu inquiet :
— C'est une aphte, dit-il pour rassurer Armand (...)
— Ne dis donc pas de bêtises, toi, un homme sérieux. D'abord «aphte» est du masculin; et puis, un aphte, c'est mou et ça passe.
GIDE, les Faux-monnayeurs, III, XVI, *in* Romans, Pl., p. 1232.

DÉR. **Aphteux, aphtisation, aphtoïde.**

**APHTEUX, EUSE** [aftø, øz] adj. — 1768; de *aphte.*

Méd. Qui est caractérisé par la présence d'aphtes. *Virus aphteux. Angine, vulvite aphteuse.*

Cour. *Fièvre aphteuse :* maladie éruptive épidémique et contagieuse, due à un virus, atteignant surtout les bovidés. → **Épizootie.**

**APHTISATION** [aftizasjɔ̃] n. f. — 1944; de *apht(e),* et *-isation.*

Méd. vétér. Immunisation contre la fièvre aphteuse.

**APHTOÏDE** [aftɔid] adj. — 1865; de *apht(e),* et *-oïde.*

Méd. Qui rappelle les aphtes. *Éruption aphtoïde.*

**APHYLLE** [afil] adj. — 1808; XVIIIe, Rousseau, selon Brunot; du grec *aphullos,* de *a-* priv. (→ 2. A-), et *phullon* «feuille».

Bot. Qui est dépourvu de feuilles. *Plante aphylle. Les cactées sont aphylles, sont des plantes aphylles.*

**APHYTAL, ALE, AUX** [afital, o] adj. — Mil. XXe; de *a-* priv. (→ 2. A-), et comp. sav. du grec *phuton* «végétal». → -phyte.

Didact. Se dit d'un milieu où n'existe aucun organisme végétal. *Système océanique aphytal* (aux grandes profondeurs).

**API** [api] n. m. — 1690; *pomme d'apie,* 1615; *pomme apiane,* 1573; *pomme apie,* 1571; du lat. *appiana (mala)* «pommes appiennes»; de *Appius,* n. propre romain.

Rare. *Api,* ou, cour., *pomme d'api :* variété de pomme d'un rouge très vif, sur un seul côté.

(...) la pomme d'api (...) ainsi dite de Claudius Appius qui du Péloponnèse l'apporta à Rome. 1
O. DE SERRES, *in* BLOCH et WARTBURG.

(...) les joues rouges comme une pomme d'api (...) 2
HUGO, Notre-Dame de Paris, I, II, 7.

**API-** Élément, du lat. *apis* «abeille».

REM. D'abord attesté en français dans *apiculteur.*

**APIAIRES** [apjɛʀ] n. m. pl. → **Apidés.**

**À-PIC** [apik] n. m. invar. — 1934; de *à pic,* loc. adv. → 5. Pic.

Dénivellement naturel important du sol présentant une paroi verticale. *L'à-pic d'une falaise, d'un ravin, d'une muraille rocheuse* (→ 1. Pendule, cit. 3). *Des à-pic de 200 mètres.* → **Abrupt** (n. m.).

La terrasse se casse brutalement sur le vide. Il faut, pour atteindre la fissure, franchir un pas très long juste audessus de l'à-pic vertigineux, et se lancer presque pour atteindre les petites prises qui permettront de s'y coincer. La fissure taillée au rasoir s'ouvre directement dans la paroi et surplombe la grande muraille verticale. 1
R. FRISON-ROCHE, Premier de cordée, p. 197.

Tous deux s'accoudèrent au muret qui limitait le cimetière sur l'à-pic de la falaise. 2
Roger IKOR, les Fils d'Avrom, Les eaux mêlées, Prologue, p. 65.

La route traverse à mi-pente, en corniche, une sorte de terrain vague. Côté ville, un à-pic broussailleux où l'eau maintenant dévale et que l'éboulement menace. 3
Régis DEBRAY, l'Indésirable, p. 302.

REM. Certains auteurs donnent à *à-pic* la marque du pluriel.

(...) après vingt minutes de marche, nous découvrîmes tout à coup un petit village, planté en haut d'une colline, entre deux vallons : le paysage était fermé, à droite et à gauche, par deux à-pics de roches, que les Provençaux appellent des barres. 4
M. PAGNOL, la Gloire de mon père, 1957, p. 115, *in* D. D. L., II, 14.

**APICAL, ALE, AUX** [apikal, o] adj. — 1838; du lat. *apex, apicis* «sommet». → Apex.

♦ **1** Anat. et sc. nat. Qui appartient au sommet (→ **Apex**), à la pointe. *Orifice apical* (ou *péristome) d'une zoécie.* — Chir. dent. *Région apicale :* celle qui avoisine l'apex.

♦ **2** (1933). Phonét. Dont l'articulation est caractérisée par l'application de la pointe de la langue *(l'apex)* contre les dents, ou les alvéoles, ou la voûte du palais. *R apical* (opposé à *R uvulaire*). → **Roulé.** — Par ext. *Consonne du type apical. Une articulation apicale,* faite avec la pointe de la langue.

N. f. *Une apicale :* une consonne apicale (ex. : *t* [t], *d* [d]).

**APICO-** Élément, tiré du lat. *apex* «pointe». → **Apex.** Ex. : *apico-dental, apico-alvéolaire* (→ **Alvéolaire).**

**APICO-LABIAL, ALE, AUX** [apikolabjal, o] adj. — XX^e; de *apico-*, et *labial.*

Phonét. Dont l'articulation est caractérisée par l'application de la pointe de la langue contre la lèvre supérieure. *Une consonne apico-labiale.* — N. f. *Une apico-labiale :* une consonne apico-labiale.

**APICOLE** [apikɔl] adj. — 1866; «apiculteur», n., 1845; de *api-*, et *-cole.*

Agric. Qui a rapport à l'apiculture. *Congrès apicole. Appareils apicoles :* bourdonnière, cérificateur, enfumoir, extracteur, etc.

**APICULTEUR, TRICE** [apikyltœʀ, tʀis] n. — 1845; du lat. *apis* «abeille», d'après *agriculteur.* → Api-.

Personne qui élève des abeilles. *Masque, voile, camail* d'apiculteur* (4.). *Couteau d'apiculteur* (→ **Désoperculer).** *Cet apiculteur possède plus de cent ruches. «Une vieille tante que j'ai, et qui est apicultrice»* (J. Laurent, *les Bêtises*, p. 25).

Deux apiculteurs sont venus les ôter de là. Ils avaient la tête enveloppée d'un épais voile noir qui passait par-dessus leurs chapeaux et ressemblaient ainsi à des bourreaux vus dans un cauchemar (...)
J. GREEN, Vers l'invisible, 26 juil. 1965.

**APICULTURE** [apikyltyʀ] n. f. — 1845; de *api-*, et *culture.*

Technique de l'élevage et du soin des abeilles* en vue d'obtenir, de leur travail dirigé, le miel* et la cire*. → **Cire, miel, ruche.** *Pratiquer l'apiculture. Manuel d'apiculture.*

**APIDÉS** [apide] ou **APIAIRES** [apjɛʀ] n. m. pl. — 1892, *apidés; apiaires*, 1839, Boiste; *apides*, 1842, *in* Cottez; du lat. sav. *apidæ*, Laech., et *apiarii*, de *apis* «abeille».

Zool. Famille d'insectes hyménoptères apocrites comprenant les abeilles domestiques et sauvages. *Les apidés comprennent les anthophores, les xylocopes et allodapes, les bourdons*, les meliponinæ et les apinæ* (*abeilles** proprement dites); *avec les mégachiles, ils constituent le groupe des apoïdes* supérieurs.* — Au sing. *Un apidé, un apiaire.*

**APIÉCEMENT** [apjɛsmɑ̃] n. m. — 1680, «bordure d'un vêtement»; sens mod., 1803; de *apiécer.*

Vx ou régional. Action d'apiécer; son résultat.

**APIÉCER** [apjese] v. tr. — 1581, «joindre»; 1675, sens concret; de 1. *a-*, *pièce*, et désinence verbale.

Vx ou régional. Assembler (les pièces d'étoffe, pour un vêtement). → Apiéceur (cit.).

Vx. → **Rapiécer.**

DÉR. **Apiécement, apiéceur.**

**APIÉCEUR, EUSE** [apjesœʀ, øz] n. — 1836; de *apiécer.*

Techn. Ouvrier, ouvrière travaillant pour le maître tailleur, et s'occupant du montage des vêtements.

Il use de locutions savoureuses, comme Clotilde, mais d'un autre style, moins patoisant. M'a dit notamment que son père était *apiéceur.* C'est-à-dire l'ouvrier qui, dans les ateliers de confection, est chargé d'apiécer, d'*ajuster* entre elles les pièces taillées par le coupeur.
MARTIN DU GARD, les Thibault, Épilogue, 1940, p. 946.

**APIFUGE** [apifyʒ] adj. et n. m. — XX^e; de *api-*, et *-fuge.*

Agric. Qui éloigne les abeilles. *Produit apifuge.*

**APIGMENTÉ, ÉE** [apigmɑ̃te] adj. — 1896; de 2. *a-*, et *pigmenté.*

Didact. Privé de pigment. *«Il semble donc que les cellules pigmentées l'emportent sur les cellules apigmentées et les remplacent»* (*Année sc. et industr.* 1896 [éd. 1897], p. 244).

**APIOL** [apjɔl] n. m. — 1856; du lat. *apium* «persil», et *-ol* «huile essentielle».

Pharm. Principe actif extrait des semences de persil employé comme emménagogue et fébrifuge (appelé aussi *camphre de persil*).

**APION** [apjɔ̃] n. m. — 1823; lat. zool, 1797, Herbst; du grec *apion* «poire», probablt à cause de sa forme.

Insecte coléoptère, charançon* phytophage dont on connaît de nombreuses variétés presque toutes nuisibles aux plantes cultivées. *L'apion s'attaque en particulier aux fruits.*

On ne trouve jamais exactement l'arme conçue pour exterminer l'adversaire que l'on s'est donné. Il faut donc procéder par approximations. On vise (...) le négril ou l'apion avec l'espoir de liquider les mouches.
François NOURISSIER, le Maître de maison, p. 183.

**APIOS** [apjos] n. m. — 1704; grec *apios* «euphorbe», par le latin.

Bot. Plante légumineuse à fleurs en grappes, à tubercule comestible. — Fleur d'apios. *«Des guirlandes d'apios»* (Chateaubriand, *le Génie du christianisme*).

**APIQUAGE** [apikaʒ] n. m. — 1803; de *apiquer.*

Mar. Action d'apiquer. Résultat de cette action.

**APIQUER** [apike] v. tr. — 1687, *in* Jal; de la loc. adv. *à pic.*

Mar. Agir sur (un espar) de manière qu'il soit vertical, à pic, où qu'il se rapproche de la verticale. *Apiquer la corne d'artimon en souquant la drisse de pic.*

DÉR. **Apiquage.**

**APIS** [apis] n. m. — XIX^e; lat. *apis* «abeille», repris par Linné comme terme générique.

Zool. Nom scientifique de l'abeille*. *«Tel qu'il est actuellement constitué, le genre* Apis *(...) ne comprend que les* Abeilles *proprement dites ou* Mouches à miel *(...) seulement une douzaine d'espèces, toutes originaires des régions tempérées ou chaudes de l'ancien continent»* (*Encycl. Berthelot*, art. *Abeille*, p. 67 b, 1885).

**APITHÉRAPIE** [apiteʀapi] n. f. — Mil. XX^e; de *api-*, et *-thérapie.*

Méd. Traitement par le venin d'abeille.

**APITOIEMENT** [apitwamɑ̃] n. m. — 1759; de *apitoyer.*

Fait de s'apitoyer. → **Compassion, pitié.** *Être capable d'apitoiement.* → **Commisération.** *(Un, des apitoiements).* → **Attendrissement.**

(...) je comprends par quelle sorte de pudeur il *(Gustave Flaubert)* la cache *(sa bonté)* et je sens bien que le poétique apitoiement de Jammes l'eût irrité. 1
GIDE, Feuillets, *in* Journal 1889-1939, Pl., p. 722.

L'apitoiement, c'est le tampon à l'eau de Cologne qui sert à se boucher le nez. 2
J. ROMAINS, les Hommes de bonne volonté, t. VI, p. 220.

CONTR. **Indifférence, dureté.**

**APITOYABLE** [apitwajabl] adj. — 1869, Flaubert ; de *apitoyer.*

Rare. Que l'on peut apitoyer (personnes).

**APITOYANT, ANTE** [apitwajɑ̃, ɑ̃t] adj. — 1889, Goncourt ; de *apitoyer.*

Rare. Qui apitoie, est de nature à apitoyer. *Un aveu apitoyant.*

**APITOYER** [apitwaje] v. tr. [CONJUG. : *noyer.*] — Fin XIIIe, *apitoier* ; v. 1230, *apitier* ; de 1. *a-*, *pitié*, et désinence verbale.

Toucher (qqn) de pitié. → **Attendrir, émouvoir, toucher.** *Tâchez de l'apitoyer sur le sort de ce malheureux. Rien ne l'apitoie.* → **Impitoyable.** — Absolt. *Il essaye toujours d'attendrir, d'apitoyer.*

◆ **S'APITOYER** v. pron. Être touché de pitié (à l'égard de qqn ou de qqch.). → **Compatir.** *S'apitoyer sur qqn, sur les misères, sur le sort de qqn.*

1 Moi, d'entendre ce digne homme s'apitoyer ainsi sur mon sort (...) Alphonse DAUDET, le Petit Chose, p. 89.

2 Elles s'apitoyaient sur les drames du cœur et ne s'en indignaient jamais, même quand ils étaient criminels.
MAUPASSANT, le Clair de lune, « Une veuve ».

◆ **APITOYÉ, ÉE** p. p. adj. Touché de pitié. — Au passif :

3 Au lieu d'être apitoyée par tant de soumission et de dévouement, la Madelon se montra très dure (...)
G. SAND, la Petite Fadette, XXI.

*Un geste apitoyé. Des consolations apitoyées.*

DÉR. **Apitoiement, apitoyable, apitoyant.**

**APLACENTAIRE** [aplasɛ̃tɛʀ] adj. et n. m. — Av. 1870, J. Verne ; de 2. *a-*, et *placentaire.*

Zool. Se dit des mammifères dépourvus de placenta (ex. : les marsupiaux*).

**APLANAT** [aplana] n. m. — 1890 ; all. *Aplanat* (1866, Steinheil) par apocope de *aplanatisch*, du grec *planao* « je détourne ». → Aplanétique.

Opt. Système optique corrigé de l'aberration de sphéricité.

**APLANÉTIQUE** [aplanetik] adj. — 1865 ; angl. *aplanatic*, 1794 ; du grec *aplanêtos* « qui ne dévie pas » de *a-* priv. (→ 2. a-), et *planan* « égarer, tromper ». → Planète.

Opt. Qui ne présente pas d'aberration géométrique (→ 2. Coma, sphéricité) pour un objet situé sur l'axe ou dans le voisinage de l'axe (de l'instrument). *Stigmatisme* des systèmes optiques aplanétiques. Objectif aplanétique.* → **Aplanat.**

DÉR. **Aplanétisme.**

**APLANÉTISME** [aplanetism] n. m. — 1887 ; de *aplanétique.*

Opt. Caractère d'un système optique aplanétique.

**APLANIR** [aplaniʀ] v. tr. — V. 1550 ; *aplenir*, 1326 ; *aplaner*, v. 1274 ; *aplanier*, 1155 ; *aplanir* « nettoyer en frottant, en raclant », XIe ; de 1. *a-*, et *plain, plan.*

♦ **1** Rendre plan ou uni ; ôter les inégalités, les aspérités de (une surface). → **Égaliser, unir.** *Aplanir un chemin avec un rouleau, les allées d'un jardin avec une batte.* → **Niveler.** *Aplanir un terrain et lui donner une pente convenable.* → **Régaler.** *Aplanir le bois, la pierre, etc.* → **Dégauchir, doler, dresser, écacher ;** 1. **planer, polir, raboter.**

1 La lune nulle part n'a sa surface unie :
Montueuse en des lieux, en d'autres aplanie (...)
LA FONTAINE, Fables, VII, 18.

La rêverie s'égare, dans ce paysage infini, sur les formes aplanies, sur la douceur et l'usure de cette vieille contrée. 2
M. BARRÈS, la Colline inspirée, p. 219.

♦ **2** (1644). Par métaphore ou fig. Rendre plan (ce qui présente des aspérités, des inégalités) ; réduire pour niveler (parfois péj. → **Uniformiser**). *Aplanir (la route, le chemin, les voies...) à qqn, (sous les pas de qqn, devant qqn, pour qqn)* : rendre plus facile (qqch.) à qqn. *Aplanir le chemin, la voie du succès à qqn. Aplanissez les voies du bonheur individuel* (→ Oblique, cit. 3). *Aplanir les obstacles, les difficultés* : les atténuer, et, par ext., les supprimer. → **Lever.** *Aplanir les inégalités, les différences sociales.*

(...) le plus possible j'évitais ce terrible frottement de la vie parisienne qui polit les caractères et les aplanit jusqu'à l'usure. E. FROMENTIN, Dominique, IX. 3

*(Ils)* leur osent du crime aplanir le chemin. 4
RACINE, Phèdre, IV, 6.

Il y a d'autres personnes à consulter (...) qui savent aplanir les difficultés d'une affaire (...) 5
MOLIÈRE, le Malade imaginaire, I, 7.

(...) au hasard ou sans doute à la Providence qui sait toujours aplanir les voies au génie délaissé. 6
BALZAC, Louis Lambert, Pl., t. X, p. 354.

Le nom seul de Bonaparte est un auxiliaire qui doit tout aplanir. 7
TALLEYRAND, cité par SAINT-AULAIRE, Talleyrand.

*(Voix off de Silien).* ... Et j'essaie de joindre Sali par téléphone pour lui demander s'il n'y aurait pas moyen d'aplanir le coup ... mais on m'apprend qu'il est mort depuis dix minutes. 8
J.-P. MELVILLE, le Doulos, 1963, *in* l'Avant-Scène, no 24, p. 39.

◆ **S'APLANIR** v. pron. Devenir plan ; apparaître comme plan. *Le terrain s'aplanit et s'abaisse.* — Fig. S'atténuer, et, par ext., disparaître. *Les difficultés se sont aplanies.*

◆ **APLANI, IE** p. p. adj. *Terrain aplani. — Difficultés aplanies.* — Littér. et rare. *Une vie aplanie.*

CONTR. **Soulever. — Augmenter, renforcer** (les difficultés). **— Compliquer.** ◊ DÉR. **Aplanissement, aplanisseur.**

**APLANISSEMENT** [aplanismɑ̃] n. m. — XIVe ; « caresse, flatterie », 1370 ; de *aplanir.*

Rare.

♦ **1** Action d'aplanir (une surface). Résultat de cette action.

Les larges aplanissements des flots dans le golfe avaient çà et là des soulèvements subits.
HUGO, l'Homme qui rit, I, I, 3.

Géol. Érosion des reliefs saillants. *Processus d'aplanissement.* — Surface d'érosion plane, due à diverses actions externes. — Le fait d'être aplani, en parlant d'un terrain. *Surface d'aplanissement.* → **Pénéplaine.**

♦ **2** (1690). Fig. Atténuation, suppression. *L'aplanissement des difficultés d'une affaire. Le difficile aplanissement des oppositions, des conflits.*

CONTR. (Du 2.) **Complication, exaspération.**

**APLANISSEUR, EUSE** [aplanisœʀ, øz] n. — 1756, Voltaire, en politique ; *applanisseur*, 1606 ; de *aplanir.*

♦ **1** Techn. *Aplanisseur de parquets* : personne qui lisse les parquets.

N. f. (Travaux publics). *Aplanisseuse* : appareil servant à aplanir les routes.

♦ **2** (V. 1820). Par métaphore, littér. Personne qui sait aplanir les difficultés.

**APLASIE** [aplazi] n. f. — 1865; du grec *a-* priv. (→ 2. a-), et *plasis* «façon, modelage».

Pathol. Variété d'atrophie due à l'arrêt du développement d'un tissu ou d'un organe (opposé à *hyperplasie*). — T. dentaire. Forme spéciale de l'anodontie se caractérisant par «une diminution phylogénétique du nombre de dents, intéressant la dernière dent du groupe dentaire respectif» (*Dict. odontostomatologique,* Suppl. nº 16, avr. 1967).

DÉR. **Aplasique.**

**APLASIQUE** [aplazik] adj. — V. 1870; de *aplasie.*

Pathol. Caractérisé par l'aplasie. *Une anémie aplasique.*

**APLASTIQUE** [aplastik] adj. — Av. 1890; de 2. *a-*, et *plastique.*

Méd. *Anémie aplastique,* par absence de régénération des globules rouges.

**APLAT, À-PLAT** ou **À PLAT** [apla] n. m. — 1877; de *à,* et *plat.*

Techn., arts. Teinte plate appliquée de façon uniforme. *Des à-plats francs et brutaux* (→ **Linéament,** cit. 4). *Des teintes en à plat.*

(...) il s'offrait à lui peindre des fonds, des *à-plats,* à lui couvrir des ciels, des terrains, à lui poncer des draperies «pour se dévouer et apprendre», disait-il.

Ed. et J. DE GONCOURT, Manette Salomon, p. 167.

(Imprimerie). Surface unie donnant à l'impression une teinte uniforme.

**APLATIR** [aplatiʀ] v. tr. — 1331, aussi v. intr.; de 1. *a-*, et *plat.*

♦ **1** Rendre (qqch.) plat ou plus plat. *Aplatir qqch. à coups de marteau.* → **Écraser.** *Aplatir un fil métallique au laminoir.* → **Écacher.** *Aplatir les plis, les coutures d'un habit, d'une robe.* → **Rabattre.**

1 *(Il n'a point de cesse)* Qu'il n'ait mis le fil sous la presse,
Tâché de l'aplatir à grands coups de marteau (...)

LA FONTAINE, Contes, «La chose impossible».

2 Newton prouva que le mouvement de rotation de la terre a dû l'aplatir à ses pôles.

LAPLACE, Exposition du système du monde, V, 5.

Fam. *Il a aplati sa voiture contre un arbre.*

Rendre (qqch.) plus plat et plus mince. → **Amincir.** *Aplatir de la pâte avec un rouleau. Aplatir un morceau de viande :* le battre (avec la partie plate du couperet, une batte...) pour l'amincir et l'attendrir.

Réduire le volume de (qqch.). *Aplatir des coussins, un oreiller d'une tape de la main. Aplatir ses cheveux :* les plaquer, les lisser.

3 (...) un coussin à glands d'or qu'aucun séant n'avait jamais aplati.

VAN DER MEERSCH, l'Élu, p. 11.

(1931). Spécialt (sports). *Aplatir (le ballon) :* «marquer un essai en faisant un touché-à-terre dans l'en-but de l'adversaire» (Petiot).

♦ **2** (1499, «étendre mort»). Fig. et fam. Amoindrir la vigueur de (qqn, qqch.). *Aplatir un esprit rebelle.* — Réduire à l'impuissance, au silence. *Aplatir un adversaire, un contradicteur.* → **Briser, confondre, écraser, éreinter.**

1 Les Jésuites ont fait de l'éducation une machine à rétrécir les têtes et à aplatir les esprits, selon l'expression de M. Michelet.

RENAN, l'Avenir de la science, p. 363, *in* T. L. F.

◆ **S'APLATIR** v. pron.

♦ **1** (Choses). Devenir plat. *Elle a reçu la pluie et ses cheveux se sont aplatis.*

♦ **2** (Personnes). S'étendre de tout son long (volontairement ou par accident). *Glisser sur une peau de banane et s'aplatir par terre.* → **Allonger** (s'), **étaler** (s'), **tomber.** *S'aplatir de tout son long. S'aplatir à plat ventre sur son lit.*

♦ **3** Se faire plat (contre qqch.). → **Adhérer, plaquer** (se). Se courber pour se faire plus petit.

Par métaphore :

Ils *(les Chinois)* fuyaient tout courbés, rasant le sol, s'aplatissant comme des léopards. 4

LOTI, Pêcheur d'Islande, III, 1.

♦ **4** (1864, Goncourt; cf. au XVIᵉ : *mon courage s'aplatit,* Montaigne, 1592). Fig. et péj. Adopter une attitude de servilité. *S'aplatir devant le pouvoir,* s'humilier, ramper. → **Abaisser** (s'), **prosterner** (se).

♦ **5** Spécialt. S'écraser au sol (en tombant de haut). *Perdre l'équilibre sur le toit et venir s'aplatir sur les pavés.*

(D'un corps, d'un objet). Se déformer par un choc violent.

Son corps est projeté dans l'espace, et lui semble s'aplatir contre un mur, comme une pelletée de mortier. 5

MARTIN DU GARD, les Thibault, VII, 84.

*La balle vient s'aplatir contre le blindage.*

◆ **APLATI, IE** p. p. adj.

♦ **1** Dont la courbure ou la saillie est moins accentuée que dans l'état premier ou habituel. *La Terre est aplatie aux pôles. Ellipsoïde aplati,* engendré par la rotation d'une ellipse autour de son petit axe (opposé à *allongé*).

(...) de droite et de gauche, coupant la ligne d'arbres, des maisons basses, aplaties, aux couvertures de tuiles rouges. 5.1

GIDE, Voyage au Congo, *in* Souvenirs, Pl., p. 686.

*Nez aplati.* → **Camard, camus, écrasé...**

♦ **2** Étendu de tout son long (volontairement ou accidentellement).

Aplatie sur le trottoir, ni plus ni moins qu'une grenouille sur laquelle a passé la roue d'un tombereau (...) 6

COLETTE, la Paix chez les bêtes, Poucette.

♦ **3** Fig. et fam. Abattu, épuisé. *Sans être vraiment malade, je me sens tout aplati.* → (fam.) **Raplapla.** — *Réduit à une totale impuissance, au silence.* → **Brisé, écrasé.** *Un contradicteur complètement aplati par le réquisitoire de son adversaire.*

CONTR. **Gonfler, redresser.** ◊ DÉR. **Aplatissage, aplatissant, aplatissement, aplatisseur, aplatissoir.**

**APLATISSAGE** [aplatisaʒ] n. m. — 1845; de *aplatir.*

Techn. Action d'aplatir (des feuilles métalliques, des grains). → **Compression, laminage.**

**APLATISSANT, ANTE** [aplatisɑ̃, ɑ̃t] adj. — Mil. XIXᵉ; de *aplatir.*

Qui aplatit, met à plat (fam.), rend plat (fig.).

N'épousez jamais un bourgeois... C'est aplatissant!

E. LABICHE, le Baron de Fourchevif, *in* T. L. F.

**APLATISSEMENT** [aplatismɑ̃] n. m. — Fin XIVᵉ; de *aplatir.*

♦ **1** (Concret). Action d'aplatir. Résultat de cette action. → **Compression, écrasement.** *Aplatissement* (ou *aplatissage*) *au laminoir.* → **Laminage.** *Aplatissement des grains* (on dit plutôt *aplatissage*). → **Aplatisseur.**

La rotation du sphéroïde terrestre l'aplatit à ses pôles, et cet aplatissement, combiné avec l'action du soleil et de la lune, donne naissance à la précession des équinoxes (...)
LAPLACE, Exposition du système du monde, IV, 14.

Par ext. État de ce qui est relativement plat ou plus plat. *L'aplatissement de son front, de son visage.* «*L'aplatissement transversal du corps* (d'un animal)» (Lamarck).

Sc. *Aplatissement d'un ellipsoïde,* caractérisé par le rapport de proportionnalité entre la longueur du petit axe et la longueur du grand axe; grandeur numérique exprimant ce rapport.

Astron. *Aplatissement d'une planète :* différence entre son rayon à l'équateur et son rayon mesuré dans un plan méridien, divisée par son rayon à l'équateur. *La valeur internationalement retenue pour l'aplatissement de notre planète est de 1/297.* — (1791, Voltaire). *L'aplatissement de la Terre.*

Phys. *Zone d'aplatissement d'un flux :* région où le flux est maintenu uniforme.

♦ **2** (1831, Balzac). Fig. et fam. *Aplatissement des forces.* → **Abattement, affaissement, anéantissement.** *Aplatissement devant le pouvoir.* → **Abaissement, humiliation, platitude.**

Fam. Fait d'être fatigué, à plat; fait d'être attaqué et battu (mis «à plat»).

CONTR. **Gonflement, relèvement.** — **V. Arrogance.**

**APLATISSEUR** [aplatisœʀ] n. m. — 1819; «partisan de la thèse de l'aplatissement de la Terre aux pôles», 1741, Voltaire; de *aplatir.*

♦ **1** Techn. Ouvrier lamineur. — *Aplatisseur de corne :* ouvrier qui aplatit les cornes, les prépare pour qu'on puisse les travailler.

♦ **2** Agric. Instrument, machine pour aplatir les grains.

Un aplatisseur et un concasseur ont été mis en service (...)
Omnium agricole, p. 51.

**APLATISSOIR** n. m. ou **APLATISSOIRE** [aplatiswaʀ] n. f. — 1765; de *aplatir.*

Techn. Marteau, laminoir destiné à aplatir les métaux.

**APLET** [aplɛ] n. m. — 1611; *apploi,* 1322; le mot a désigné un harnais (XIIe) et divers outils (XIIIe); du bas lat. *applicitum,* de *applicatum* «outil», de *applicare.* → Appliquer.

Techn. (pêche). Corde garnie de plusieurs lignes de pêche. — Filet pour la pêche au hareng.

**APLOMB** [aplɔ̃] n. m. — 1547; de *à plomb.*

**I** ♦ **1** Verticalité d'une ligne, telle qu'elle est indiquée par le fil à plomb. → **Fil** (à plomb). *Prendre l'aplomb.* — Par ext. Équilibre, stabilité d'un corps en position verticale. *Le mur a gardé, a perdu son aplomb.*

1 Les assises *(des pierres des édifices grecs)* arrivaient à un aplomb incroyable.
CHATEAUBRIAND, Itinéraire..., 197.

(En parlant de l'homme ou des animaux). Équilibre du corps reposant sur les membres. → **Équilibre, stabilité;** (→ ci-dessous, cit. 3). — Arts. *Les figures de ce tableau manquent d'aplomb.* → **Pondération.**

2 Sa stature prenait de l'aplomb sans rien perdre de son élasticité. LAMARTINE, Graziella, IV, 27.

♦ **2** Spécialt (au plur.). *Les aplombs du cheval.*

3 L'aplomb est l'état d'un animal reposant sur ses membres en équilibre; il sera régulier si la conformation des membres est régulière, irrégulier si celle-ci est elle-même irrégulière. De là est née une signification spéciale attachée à ce terme dans l'examen du cheval, où l'on entend par aplombs la direction des membres par rapport au sol (...) c'est de leur régularité que dépendent le libre jeu des articulations, la force et la solidité des membres, l'amplitude des allures. Omnium agricole, p. 51.

**II** (1816; «équilibre», 1798). Fig. Assurance d'une personne que rien ne déconcerte (→ **Assurance**); aisance dans le comportement qui vient de la confiance qu'on a en soi. *Avoir de l'aplomb, un aplomb imperturbable. Perdre, retrouver son aplomb.* → **Sang-froid.** — REM. Ce terme est souvent senti comme péjoratif et synonyme de *audace effrontée.* → **Culot, toupet.** *Vous en avez de l'aplomb! Quel aplomb! Avoir l'aplomb de dire, de faire telle chose.* → **Effronterie, impudence.** *Mentir avec aplomb.*

(...) s'épanchant en phrases filandreuses, prenant l'obséquiosité pour de la politesse, et la formule pour de l'esprit, il débitait des lieux communs avec un aplomb et une rondeur qui s'acceptaient comme de l'éloquence. 4
BALZAC, les Petits Bourgeois, Pl., t. VII, p. 97.

(...) ce qu'il y a de dur, c'est l'aplomb de ces braves gens-là, leur sécurité dans la bêtise. 5
FLAUBERT, Correspondance, t. II, p. 223.

Car, dans votre aplomb grave, infaillible, hébété, 6
Vous niez l'idéal, la grâce et la beauté!
HUGO, les Contemplations, I, 13.

Comment! On t'offre une place de chroniqueur dans un bon journal de Paris, et tu as l'aplomb de refuser (...) 7
Alphonse DAUDET, Lettres de mon moulin, «La chèvre de M. Seguin».

Dans aucun parti, on ne fait difficulté d'admettre un voleur, s'il a du gosier et de l'estomac, c'est-à-dire de l'aplomb et de la métaphore. 8
M. BARRÈS, Leurs figures, p. 19.

L'aplomb de ce petit me démontait. 9
GIDE, les Faux-monnayeurs, III, XV.

**III** Loc. adv. (1762). **D'APLOMB.** ♦ **1** Suivant la verticale. *Les rayons du soleil tombent d'aplomb.*

Oh! les pleins midis tombant d'aplomb sur la rivière, il me semble qu'ils me brûlent encore. 10
Alphonse DAUDET, Contes du lundi, «Le pape est mort».

Du zénith aveuglant le jour tombe d'aplomb. 11
J.-M. DE HÉRÉDIA, les Trophées, «Vision de Kem».

Par ext. En équilibre stable. *Être bien d'aplomb, retomber d'aplomb sur ses jambes. Maintenir d'aplomb. Mettre qqch. d'aplomb ou de niveau à l'aide de cales.* → **Caler.** *Meuble bancal, qui n'est pas d'aplomb. Poser d'aplomb* (un avion). → **Asseoir** (2.).

Lorsqu'il eut lentement gravi les marches, et que, le corps tassé, bien d'aplomb sur ses jambes, il s'immobilisa, face au public (...) 12
MARTIN DU GARD, les Thibault, VII, 52.

♦ **2** Fig. En bon état physique et moral. *Être, se sentir d'aplomb.* — Par anal. *Remettre d'aplomb* (une situation, des affaires) : remettre en état.

En somme, depuis l'avènement des Valois, la monarchie et la France avaient peine à se remettre d'aplomb. 13
J. BAINVILLE, Hist. de France, p. 210.

Ce mois de solitude me remit d'aplomb (...) 14
GIDE, Journal, nov. 1904.

CONTR. **Inclinaison, obliquité.** — **Déséquilibre, instabilité.** — **Embarras, gêne, timidité.** — (De *d'aplomb*) **Porte-à-faux** (en).

**APLYSIE** [aplizi] n. f. — 1805, Cuvier; du lat. sc. *aplysia,* 1767, Linné; grec *aplusia,* de *aplutos* «non lavé, sale».

Zool. Mollusque gastéropode marin à corps nu. Syn. : *lièvre de mer.*

**APNÉE** [apne] n. f. — 1611, *apné;* lat. sc. *apnoea;* grec *apnoia.*

Méd. Suspension plus ou moins prolongée de la respiration. *Plonger en apnée,* en retenant l'air inspiré, sans matériel de plongée.

DÉR. **Apnéique.**

**APNÉIQUE** [apneik] adj. — 1883; de *apnée.*

Didact. De l'apnée. *Pause apnéique.*

Raréfiant progressivement «l'air» inhalé par notre sujet, nous observerons pour un abaissement donné de la pression, une augmentation du débit respiratoire par un double effet sur le rythme et l'amplitude (...) Si l'expérience est poussée plus avant, on observe la substitution d'un régime respiratoire ralenti à celui d'hyperventilation (...) enfin, une phase apnéique s'instaure, entrecoupée de reprises brèves et irrégulières préludant à l'arrêt définitif.
Jacques GUILLERME, la Vie en haute altitude, p. 79-81.

**APNEUMIE** [apnømi] n. f. — 1846; de 2. *a-,* et rad. du grec *pneumon.* → Pneumo-.

Didact. (anat., zool.). Absence totale de poumon.

Le terme ultime de cette régression est l'apneumie, c'est-à-dire l'absence totale de poumon que l'on constate chez la Salamandrine et de nombreux représentants de la famille des Pléthodontidés.
Jean GUIBÉ, les Batraciens, p. 34.

**APO-** Préfixe, du grec *apo,* qui indique l'écartement, la provenance, la séparation, la distinction, l'intervalle, la cessation, la privation ou la négation.

**APOASTRE** [apoastʀ] n. m. — 1962; de *apo-* indiquant l'éloignement, et *astre.*

Astron. Point de l'orbite d'un corps céleste situé au maximum de distance du centre de gravité de l'astre autour duquel il gravite. → **Apside.** *Apoastre des satellites de la Terre.* → **Apogée.** *Apoastre des planètes du système solaire.* → **Aphélie.** *Apoastre d'un satellite lunaire.* → **Apolune, aposélénie.**

CONTR. **Périastre.**

**APOCALYPSE** [apɔkalips] n. f. — V. 1160; du lat. ecclés. *apocalypsis,* grec *apokalupsis* «révélation», de *apokaluptein* «découvrir, dévoiler».

♦ **1** [a] *L'Apocalypse :* le dernier livre du Nouveau Testament, attribué par l'Église à saint Jean l'Évangéliste, riche en visions symboliques, prophétiques et eschatologiques. *Les Quatre Cavaliers de l'Apocalypse.*

1 L'Apocalypse (...) ne contient presque autre chose que l'histoire de ce qui s'était passé depuis le premier avènement de Jésus-Christ, et les prophéties de ce qui doit arriver jusqu'à la consommation des siècles.
BIBLE (SACY), Apocalypse, Arguments.

2 Des monstres plus affreux que toutes les bêtes de l'Apocalypse.
Antoine HAMILTON, Mém. du comte de Gramont, II.

Fig., vx. *Style d'apocalypse :* style obscur, inintelligible. — Fam. *Cheval de l'Apocalypse :* cheval efflanqué.

[b] Ouvrage eschatologique. *Les apocalypses juives.*

♦ **2** (1863). Fin du monde (surtout dans : *d'apocalypse.* → **Apocalyptique**). *Après le séisme, toute la région offre une vision d'apocalypse. Un paysage d'apocalypse,* à la fois grandiose et terrifiant.

3 (...) son espérance d'une apocalypse vaine, d'une venue à grand triomphe sur les nuées du ciel.
RENAN, Vie de Jésus, XVII.

4 Une clameur géante sortait des choses comme un prélude d'apocalypse jetant l'effroi des fins de monde.
LOTI, Pêcheur d'Islande, II, I, p. 76.

DÉR. V. **Apocalyptique.**

**APOCALYPTIQUE** [apɔkaliptik] adj. — 1532, repris XVIIIe; du grec *apokaluptikos,* de *apokalupsis.* → Apocalypse.

♦ **1** Didact. (relig.). Relatif, propre à l'Apocalypse, à une apocalypse. → **Eschatologique, prophétique.** *Genre, littérature apocalyptique. Visions, symboles apocalyptiques. — Animaux apocalyptiques :* la bête à sept têtes; les quatre chevaux *(chevaux apocalyptiques),* montés par quatre cavaliers. — *Nombres apocalyptiques* (en particulier, le nombre 7). — *Style apocalyptique,* symbolique et visionnaire; par ext., style obscur et peu intelligible.

Il y a des figures claires et démonstratives, mais il y en a d'autres qui semblent un peu tirées par les cheveux (...) Celles-là sont semblables aux apocalyptiques (...) 1
PASCAL, Pensées, X, 650.

♦ **2** (1836, E. Quinet, *in* T. L. F.). Cour. Qui évoque la fin du monde, de terribles et grandioses catastrophes. → **Épouvantable, fantastique** et **dantesque.** *Un paysage apocalyptique.*

Quand les Allemands s'avancèrent (...) tout à coup notre artillerie qui venait tout juste d'arriver les foudroya à leur tour. Sur cette pente, devant moi, prolongée en arrière, je vis arriver nos deux régiments d'artillerie dans un galop apocalyptique. 2
DRIEU LA ROCHELLE, la Comédie de Charleroi, p. 253.

DÉR. **Apocalyptiquement.**

**APOCALYPTIQUEMENT** [apɔkaliptikmɑ̃] adv. — 1832; de *apocalyptique.*

Rare. D'une manière apocalyptique (obscure ou terrible et grandiose).

**APOCHROMATIQUE** [apokʀɔmatik] adj. — 1905, in *Rev. gén. des sc.,* n° 4, p. 149; de *apo-* indiquant la privation, et *chromatique.*

Techn. Se dit d'un objectif corrigé (aberrations réduites) pour trois couleurs spectrales. → **Achromatique.**

**A POCO** [apɔko] loc. adv. — 1863; loc. ital. *(a poco) a poco* «peu à peu», de *poco* «peu». → Poco.

Mus. Indique qu'on doit renforcer ou diminuer le son insensiblement. — REM. On emploie aussi la forme *a poco a poco.*

**APOCOPE** [apɔkɔp] n. f. — V. 1501, *in* D. D. L.; du lat. gramm. *apocopa,* grec *apokopê.*

Ling. Chute d'un ou plusieurs phonèmes (ou d'un ou plusieurs graphèmes, dans l'écrit) ou d'une ou plusieurs syllabes à la fin d'un mot (opposé à *aphérèse**). → **Abrégement.**

Le procédé le plus récent *(de formation de noms nouveaux),* mais qui a de l'avenir, c'est l'apocope; on coupe et on abrège : photo, kilo, ciné, moto, typo, métro, vélo, aéro, pneu, sténo-dactylo. 1
F. BRUNOT, la Pensée et la Langue, p. 58.

Par métaphore :

(...) son nom était le miroir de sa vie, qui n'avait guère été qu'une longue série d'apocopes, qui avaient été la contraction misérable d'à peu près autant de beaux sentiments qu'il avait de titres (...) 2
GIRAUDOUX, Juliette au pays des hommes, p. 51.

DÉR. **Apocopé.**

**APOCOPÉ, ÉE** [apɔkɔpe] adj. — 1838; *apocoper,* 1578, H. Estienne; de *apocope.*

Ling. Qui a subi une apocope. *Mot apocopé. Forme apocopée.* → **Abréviation.**

**APOCRISIAIRE** [apɔkʀizjɛʀ] ou **APOCRISSAIRE** [apɔkʀisɛʀ] n. m. — Mil. XVIe; repris déb. XVIIIe; du lat. *apocrisarius* «mandataire», grec tardif, de *apokrisis* «choix».

Hist. Messager d'un empereur (à Byzance). — Légat du pape auprès de l'empereur d'Orient. — Dignitaire du palais, sous les Carolingiens. — Trésorier (d'un monastère).

**APOCRITES** [apɔkʀit] n. m. pl. — Av. 1960 (*in* G. L. E.); lat. sav. *apocrita*, neutre plur., de l'adj. grec *apokritos* «séparé», de *apokrinein* «séparer en triant».

Zool. Sous-ordre des hyménoptères, caractérisé par un étranglement entre l'abdomen et le thorax. *Les apocrites regroupent la grande majorité des hyménoptères, et notamment, les guêpes, les fourmis, les abeilles.* → **Hyménoptères.** — Au sing. *Un apocrite.*

Adj. *Un insecte apocrite.* → **Aculéate, térébrant.**

**APOCRYPHE** [apɔkʀif] adj. et n. m. — V. 1220; lat. ecclés. (saint Augustin) *apocryphus*, grec *apokruphos*, propr᷊ «tenu secret».

Didactique ou littéraire.

♦ **1** Adj. Didact. (relig.). Que l'Église ne reconnaît pas, ne tient pas pour canonique. *Évangiles apocryphes. Le troisième et le quatrième livre d'Esdras sont apocryphes* (Académie, 8e éd.). — N. m. *Les apocryphes* : les livres de la Bible dont l'autorité est douteuse.

1 Tous les contes ramassés dans les livres les plus apocryphes. BOSSUET, *in* LITTRÉ.

2 Le livre de Daniel, que toute l'orthodoxie rapporte au temps de la captivité, est un apocryphe composé en 169 ou 170 avant Jésus-Christ.
RENAN, Souvenirs d'enfance..., V, 3.

♦ **2** Adj. (XVIIe). En parlant d'un écrit. Dont l'authenticité n'est pas établie. *Histoire apocryphe. Nouvelle apocryphe.* → **Controuvé, faux, inauthentique, supposé.**

3 Si ce conte n'est apocryphe (...)
LA FONTAINE, Fables, XII, 12.

4 (...) parmi d'autres manuscrits qui contiennent des histoires vraies ou apocryphes (...)
LA BRUYÈRE, les Caractères, XVI, 22.

5 Deux camps se formèrent aussitôt, et une violente polémique s'engagea entre les partisans du fameux document et les adversaires qui le déclaraient apocryphe.
Raymond ROUSSEL, Impressions d'Afrique, p. 309.

Par ext. Dont la véritable origine n'est pas solidement établie. *Ce tableau, sans doute apocryphe, dépare le musée.*

REM. Renan emploie le dér. *apocryphisme* [apokʀifism] n. m.

**APOCYN** [apɔsɛ̃] n. m. — 1751; du lat. *apocynon*, grec *apokunon* «plante fatale aux chiens», de *apo* «contre», et *kuôn, kunos* «chien».

Bot. Plante dicotylédone *(Apocynacées)* vivace, exotique, dont certaines variétés sont utilisées en médecine.

DÉR. **Apocynacées.**

**APOCYNACÉES** [apɔsinase] n. f. pl. — 1884; *apocynées, apocinées*, 1789, Jussieu; de *apocyn.*

Bot. Famille de plantes (ordre des *Gentianales*), arbrisseaux ou herbes à suc laiteux, comprenant notamment le laurier-rose et la pervenche. *Les landolphias, qui fournissent le caoutchouc africain, sont des apocynacées.* — Au sing. *Une apocynacée.*

**APODE** [apɔd] adj. et n. m. — 1565; n. m., «martinet», 1553; du grec *apous, apodos* «sans pieds». → 2. a-, et -pode.

Didact. Dépourvu de pieds, de pattes, de nageoires. — N. m. Nom donné à divers animaux caractérisés par l'absence de pattes, de membres, et une forme allongée (holothuries, anguillidés, poissons osseux, amphibiens sans membres, etc.).

**APODICTICITÉ** [apɔdiktisite] n. f. — 1943; de *apodictique.*

Philos., log. Caractère de ce qui est apodictique, s'impose comme une évidence.

Si autrui doit pouvoir nous être donné, c'est par une appréhension directe qui laisse à la rencontre son caractère de facticité, comme le *cogito* lui-même laisse toute sa facticité à ma propre pensée, et qui pourtant participe à l'apodicticité du *cogito* lui-même, c'est-à-dire à son indubitabilité. 1
SARTRE, l'Être et le Néant, p. 307 (1943).

Après Freud, il n'est plus possible d'établir la philosophie du sujet comme philosophie de la conscience (...) Il faut perdre la conscience pour trouver le sujet. Le sujet n'est pas celui qu'on croit; l'apodicticité du cogito ne peut être attestée sans que soit en même temps reconnue l'inadéquation de la conscience. 2
Paul RICŒUR, Une interprétation philosophique de Freud, *in* la Nef, no 31, p. 122.

**APODICTIQUE** [apɔdiktik] adj. — 1582; du lat. *apodicticus*, grec *apodeiktikos* «péremptoire».

Philos., log. Qui a une évidence de droit et non pas seulement de fait. → **Nécessaire.** *Proposition apodictique.*

*Je pense, je suis.* Par rapport à cette position, à cette proposition apodictique, tous les «lieux» de la première topique et les «rôles» de la seconde séquence freudienne sont des objectivations. 1
Paul RICŒUR, Une interprétation philosophique de Freud, *in* la Nef, no 31, p. 120.

Pour certains, la philosophie est essentiellement une sagesse, une «mise en route», comme dit Jaspers, tandis que tout savoir apodictique devient nécessairement affaire de connaissance spécialisée, autrement dit de science. 2
Jean PIAGET, Épistémologie des sciences de l'homme, p. 26.

(Chez Kant). Qualifie «une des trois modalités qui, dans le tableau kantien des catégories, s'oppose à assertorique et à problématique» (Foulquié, *Dict. de philosophie*).

Pour entreprendre un calcul quelconque de probabilité, et même pour que ce calcul ait un sens, il faut admettre, comme point de départ, une hypothèse ou une convention qui comporte toujours un certain degré d'arbitraire. Dans le choix de cette convention, nous ne pouvons être guidés que par le principe de raison suffisante. Malheureusement, ce principe est bien vague et bien élastique (...) La forme sous laquelle nous l'avons rencontré le plus souvent, c'est la croyance à la continuité, croyance qu'il serait difficile de justifier par un raisonnement apodictique, mais sans laquelle toute science serait impossible. 3
H. POINCARÉ, la Science et l'Hypothèse, p. 243.

CONTR. **Assertorique.** ◊ DÉR. **Apodicticité, apodictiquement.**

**APODICTIQUEMENT** [apɔdiktikmɑ̃] adv. — 1598; de *apodictique.*

Log. De manière apodictique. *Raisonner apodictiquement.*

(...) si la question du sujet est impliquée problématiquement par la psychanalyse, elle n'est pas posée thématiquement : encore moins le sujet est-il posé apodictiquement.
Paul RICŒUR, Une interprétation philosophique de Freud, *in* la Nef, no 31, p. 120.

**APODOSE** [apɔdoz] n. f. — 1771; du grec *apodosis* «don en retour».

Rhét. Second membre, concluant, d'une période dont le premier est dit *protase.* — Spécialt. Proposition principale qui succède à une subordonnée conditionnelle (appelée *protase*). Ex. : S'il l'exige *(protase)*, je partirai *(apodose).*

**APOENZYME** [apoɑ̃zim] n. f. — 1936, *in* Oxford, *Suppl.*; de *apo-*, et *enzyme*.

Biol. Élément protéinique de l'enzyme, lorsque celle-ci comporte une fraction dissociable (coenzyme).

**APOÉTIQUE** [apɔetik] adj. — 1920, L. Daudet, de 2. *a-*, et *poétique*.

Didact. Étranger à la poésie (→ **Antipoétique**).

**APOGAMIE** [apogami] n. f. — 1887; t. dû au botaniste all. H.-A. de Bary, 1878, du grec *apo-* marquant la privation, la négation, et *gamie*. → -gamie.

Bot. Développement d'un embryon en sporophyte à partir d'une cellule végétative généralement diploïde, sans fécondation. *Encore morphologiquement caractérisé dans la parthénogénèse, le gamète femelle a disparu dans l'apogamie, autre forme d'apomixie*.*

**APOGÉE** [apɔʒe] n. m. — 1557; du lat. sc. *apogæum*, grec *apogaion* «point éloigné de la terre», → Apo- et -gée, Géo-.

♦ **1** Point de l'orbite d'un astre effectuant autour de la Terre une révolution réelle (Lune) ou apparente (Soleil), où cet astre se trouve à la plus grande distance de la Terre. → **Apoastre.** — REM. On emploie également ce terme lorsqu'il s'agit d'un corps céleste artificiel. *Le satellite est arrivé à son apogée.*

Par ext. (rare). *L'apogée de la Terre.* → **Aphélie.**

.1 La terre ne décrit pas un cercle autour du soleil, mais bien une ellipse (...) La terre occupe un des foyers de l'ellipse, et, par conséquent, à une certaine époque de son parcours, elle est à son apogée, c'est-à-dire à son plus grand éloignement du soleil (...)

J. VERNE, l'Île mystérieuse, t. II, p. 775 (1874).

♦ **2** (1652; → cit. 1). Fig. Le point le plus élevé, le plus haut degré. → **Acmé, apothéose, 1. comble, faîte, sommet, summum, zénith.** *L'apogée d'un régime.* — *À l'apogée (de...).*

1 (...) le zénith de la vertu, le solstice de l'honneur et l'apogée de la gloire.

GUEZ DE BALZAC, Dissertation critique, 8 (1652).

2 Après Tilsitt, il était à l'apogée de sa grandeur : le continent broyé, ne remuait pas (...)

SAINTE-BEUVE, Causeries du lundi, 3 déc. 1849.

.1 La joie du vigneron les épouvantait toujours quand elle arrivait à son apogée.

BALZAC, Eugénie Grandet, éd. 1838, p. 247.

3 Ma ferveur, après la communion, ne fit que croître et pour atteindre son apogée l'an suivant.

GIDE, Si le grain ne meurt, I, 8.

4 On pourrait croire que la vogue de la danse avait atteint son apogée avec les derniers Valois et Henri IV.

Francis DE MIOMANDRE, la Danse, p. 28.

CONTR. **Périgée.**

**APOÏDÉS** [apɔide] ou **APOÏDES** [apɔid] n. m. pl. — XIXe; du lat. *ap(is)* «abeille», et suff. *-oïde*.

Didact. Super-famille d'insectes hyménoptères à laquelle appartiennent les *Apidés*. *Apoïdes inférieurs* (Halictidæ); *apoïdes supérieurs* (Mégachiles et Apidés*). → **Abeille** (B.). — Au sing. *Un apoïde.*

**APOLITIQUE** [apɔlitik] adj. — 1926; de *a-* priv. (→ 2. a-), et *politique*.

Qui n'affiche aucune opinion politique, se tient en dehors de la lutte politique. *Le syndicat, la municipalité se déclare apolitique.*

Il s'agit d'un hebdo purement littéraire.
— C'est ce qu'on dit toujours. Mais les types qui se déclarent apolitiques, ce sont des réactionnaires, fatalement.

S. DE BEAUVOIR, les Mandarins, p. 360.

N. *Un, une apolitique.*

CONTR. **Politisé.** ◇ DÉR. **Apolitisme.**

**APOLITISME** [apɔlitism] n. m. — 1933; de *apolitique*.

Caractère, attitude apolitique. *Partisans de l'apolitisme syndical.*

Dire qu'on ne fait pas de politique, c'est encore faire de la politique. Les aspirants dirigeants qui ne préconisent point de modification au régime qui les encadre désirent simplement y faire carrière en paix. Implicitement, ils partagent l'idéologie du régime que leur absence de parti consolide. L'*apolitisme* est donc souvent une position politique comme une autre.

Gaston BOUTHOUL, Sociologie de la politique, p. 95.

**APOLLINIEN, IENNE** [apɔlinjɛ̃, jɛn] adj. — 1893; de l'all. *apollinisch* (Nietzsche), du lat. *Apollo, -inis* «Apollon»; l'adj. français, archaïque, était *apollinaire* (mil. XVIIIe). → aussi Apollonien.

♦ **1** Selon Nietzsche, Propre à Apollon, c'est-à-dire caractérisé par l'ordre, la mesure, la sérénité, la maîtrise de soi (opposé à *dionysiaque*).

♦ **2** Arts, myth. D'Apollon (syn. vx (XVIIIe) : *apollinaire*). — Qui évoque la beauté classique incarnée par Apollon. — On dit aussi *apollonien.*

(...) coiffé d'un casque à longue visière et à panache retombant, Eucratidas a quelque chose d'un vieil aventurier dangereux (...) avec celui-là, nous sommes loin des types apolliniens !

G. CONTENAU et V. CHAPOT, l'Art antique, p. 290.

**APOLLON** [apɔlɔ̃] n. m. — 1800, au sens I.; autre sens «génie poétique», au XVIIe (Boileau); de *Apollon*, lat. *Apollo*, nom d'un dieu.

**I** Zool. (lat. sc. *apollo*, Linné). Beau papillon diurne, du genre parnassien, remarquable par ses couleurs éclatantes (régions montagneuses de l'Europe et de l'Asie).

**II** (1842; le dieu étant toujours représenté par une figure humaine d'une beauté parfaite). Fam. Homme d'une grande beauté. → **Adonis, éphèbe.** *Ce n'est pas vraiment un apollon, mais il a beaucoup de charme.*

**APOLLONIEN, IENNE** [apɔlɔnjɛ̃, jɛn] adj. — 1751, *Encyclopédie*; du n. du mathématicien grec *Apollonios* (de Perga), lat. *Apollonius*.

♦ **1** Math. *Courbes apolloniennes* (ou *d'Apollonius*) : coniques ordinaires du deuxième degré.

♦ **2** (XVIIIe, J.-J. Rousseau; de *Apollon*, n. pr.). → **Apollinien.**

**APOLOGÉTIQUE** [apɔlɔʒetik] adj. et n. — XVe; du grec *apologêtikos*, de *apologeisthai* «parler pour défendre (qqn), plaider». → Apologie.

Didactique.

♦ **1** Adj. Qui contient une apologie, qui a un caractère d'apologie (on dit aussi *apologique*). *Ouvrage, lettre, discours apologétique. Méthode apologétique.* — Qui concerne la défense de la religion.

♦ **2** N. m. (1636; lat. ecclés. *apologeticum*, titre de l'ouvrage de Tertullien). Apologie de la religion chrétienne.

Le grave Tertullien, dans ce merveilleux apologétique qu'il 1
a fait pour la religion chrétienne (...)

BOSSUET, Existence des démons, 2.

N. f. (Av. 1850). Discipline ayant pour but de défendre la religion contre les attaques dont elle est l'objet *(apologétique destructive)*; partie de la théologie ayant pour objet d'établir, par des arguments historiques et rationnels, le fait de la révélation chrétienne dont l'Église est l'organe *(apologétique constructive).*

2 Ce n'est ici ni une chaire de polémique, ni une chaire d'apologétique; c'est une chaire de philosophie (...)
RENAN, la Chaire d'Hébreu au Collège de France.

Par extension :

3 Heure par heure, les journaux versaient dans la rue des apologétiques ou des diffamations, fragments nullement sincères des dépositions entendues.
M. BARRÈS, Leurs figures, p. 153.

4 En présence d'excès commis jadis par le parti auquel on adhère, la technique bien simple consiste toujours à dénigrer les victimes, d'une part, à assurer de l'autre que les supplices étaient nécessaires au bon ordre (...) Cette sorte d'apologétique n'est pas spéciale aux défenseurs des crimes papistes ici et parpaillots là : les fanatiques et les profiteurs des idéologies de nos jours ne mentent pas autrement.
M. YOURCENAR, Archives du Nord, p. 53.

CONTR. **Critique.** — V. aussi les contr. d'**apologie.** ◊ DÉR. **Apologétiquement.**

**APOLOGÉTIQUEMENT** [apɔlɔʒetikmɑ̃] adv. — 1853; de *apologétique.*

Didact. D'une manière apologétique.

Ne serait-il pas plus juste (et plus efficace aussi, apologétiquement) de revendiquer pour lui *(le transformisme)* l'aptitude à fournir une base excellente à la pensée et à la pratique chrétiennes?
TEILHARD DE CHARDIN, la Vision du passé, 1930, *in* D. D. L., II, 5.

**APOLOGIE** [apɔlɔʒi] n. f. — 1488; du lat. ecclés. *apologia,* mot grec, «défense parlée ou écrite».

♦ **1** Didact. Discours oral ou écrit visant à défendre, à justifier une personne, une doctrine. → **Défense, plaidoyer.** *Il a fait, présenté son apologie. L'Apologie de Socrate,* ouvrage de Platon.

1 (...) je m'engagerai moins encore à faire une exacte apologie de tous les endroits qu'on a voulu combattre dans ma pièce.
RACINE, Alexandre, Préface.

2 Les princes ne doivent jamais faire d'apologie; ils sont toujours forts quand ils décident, et faibles quand ils disputent.
MONTESQUIEU, Cahiers, p. 99.

3 Robeck fit l'apologie de la mort volontaire avant de se la donner.
ROUSSEAU, Julie ou la Nouvelle Héloïse, III, Lettre XXI.

4 Il lui semblait que cette ignominie des âmes privées de la grâce dans un monde athée, était la meilleure des apologies du christianisme.
A. MAUROIS, Études littéraires, t. II, p. 42.

Dr. *Apologie du crime :* écrit ou parole tendant à justifier des actes «qualifiés crimes ou délits par la loi pénale»; incitation à les commettre.

5 Seront punis de la même peine ceux qui (...) auront fait l'apologie des crimes de meurtre, de pillage ou d'incendie, ou de vol, ou de l'un des crimes prévus par l'article 435 du Code pénal.
Loi du 12 déc. 1893, art. 24.

♦ **2** Plus cour. Écrit ou discours qui a pour but de louer une personne, une chose. *Faire l'apologie du travail.* → **Éloge, glorification, panégyrique.**

6 Il relut quelques pages des *Nourritures Terrestres,* lointain souvenir d'adolescence (...) : l'apologie du dénuement, le rejet hautain des possessions matérielles, l'anti-intellectualisme, le culte de la sensation, le goût de l'errance et de l'aventure (...)
Jean-Louis CURTIS, le Roseau pensant, p. 268.

CONTR. **Attaque, blâme, condamnation, censure, critique, dénigrement, désapprobation, diatribe, flétrissure, improbation, philippique, réprobation, satire.** — V. aussi **Combattre.** ◊ DÉR. **Apologique, apologiser, apologiste.** — V. **Apologétique.**

**APOLOGIQUE** [apɔlɔʒik] adj. — 1543, repris XVIIIe; de *apologie.*

Rare. Qui contient une apologie. *Discours, écrit apologique.* → **Élogieux.**

CONTR. 2. **Critique.**

**APOLOGISER** [apɔlɔʒize] v. intr. — 1834; attesté une première fois en 1787, dans un sens obscur; de *apologie.*

Littér. Faire une apologie.

**APOLOGISTE** [apɔlɔʒist] n. — 1623; de *apologie.*

Didact. ou littér. Auteur, personne qui fait l'apologie de qqn, d'une doctrine, d'un acte. → **Défenseur.** *Être, se faire l'apologiste de qqn. L'apologiste du crime, du vice.* — (1681). Spécialt. Défenseur de la religion chrétienne. *Saint Augustin, l'apologiste du christianisme.*

Saint-Justin, le philosophe et l'apologiste de la religion chrétienne. 1
BOSSUET, Disc. sur l'Hist. universelle, I, 10.

Les gens de bien tout seuls vous excusent, vous justifient, sont les apologistes de vos vertus ou les sages dissimulateurs de vos vices. 2
MASSILLON, Carême, Injustice.

Quel malheur pour les grands de trouver d'indignes apologistes de leurs vices parmi ceux qui en auraient dû être les censeurs! 3
MASSILLON, Petit Carême, Tentation.

Le Mercure, très lu, se faisait, dans une série d'articles, l'apologiste du prestigieux volume, porté aux nues par Fontanes et qui, dès le premier jour, avait atteint une vogue inouïe. 4
Louis MADELIN, Hist. du Consulat et de l'Empire, t. IV, XIV.

CONTR. **Censeur.**

**APOLOGUE** [apɔlɔg] n. m. — 1490; du lat. *apologus,* grec *apologos* «récit fictif».

♦ **1** Court récit exposé sous une forme allégorique et qui comporte un enseignement, une leçon de morale pratique. → **Fable, parabole.** *Sens moral d'un apologue.* → **Affabulation.** — *Le genre littéraire de l'apologue* (→ ci-dessous, cit. 2).

Nous voyons que la Vérité a parlé aux hommes par paraboles; et la parabole est-elle autre chose que l'apologue, c'est-à-dire un exemple fabuleux, et qui s'insinue avec d'autant plus de facilité et d'effet qu'il est plus commun et plus familier? 1
LA FONTAINE, Fables, Préface.

Nous devons l'apologue à l'ancienne Grèce. 2
LA FONTAINE, Fables, III, 1.

L'apologue est un don qui vient des immortels, 3
Ou, si c'est un présent des hommes,
Quiconque nous l'a fait mérite des autels.
LA FONTAINE, À Mme de Montespan.

Les fictions qui ont un objet moral s'appellent apologues ou fables, et, comme leur objet n'est ou ne doit être que d'envelopper des vérités utiles sous des formes sensibles et agréables (...) 4
ROUSSEAU, Rêveries..., 4e promenade.

(...) l'apologue est la démonstration d'une maxime par un exemple. 5
Émile FAGUET, Études littéraires, XVIIe s., p. 252.

♦ **2** Enseignement moral (d'un fait, d'un événement); fait qui implique un tel enseignement.

(...) ce paradoxe apparent est aussi un apologue. Il a une moralité. Elle enseigne qu'un homme se définit aussi bien par ses comédies que par ses élans sincères. 6
CAMUS, le Mythe de Sisyphe, Pl., p. 106.

**APOLTRONNIR** [apɔltʀɔniʀ] ou **APOLTRONNER** [apɔltʀɔne] v. tr. — 1465, *apoltronnir; apoltronner,* 1561; de 1. *a-, poltron,* et suff. verbal.

Vx. Rendre craintif et inactif. Var. : *appoltronner.* «*Se laisser appoltronner (...) ainsi qu'Hercule entre les bras d'Omphale*» (Gide, *in* T. L. F.).

**APOLUNE** [apolyn] n. m. — XXe; de *apo-* indiquant l'éloignement, et *lune,* d'après *apogée, apoastre.*

Astronaut. Apoastre d'un satellite lunaire. «*Les ingénieurs de l'espace choisissent une orbite bien précise (apolune, périlune...)*» (*Science et Vie,* no 590, p. 107).

REM. On préconise plutôt l'emploi d'*aposélénie.*

CONTR. **Périlune.**

**APOMICTIQUE** [apomiktik] adj. — XX^e; de *apomixie.*

Biol. Qui se fait par apomixie. *Développement apomictique des ovaires de certaines fleurs.*

**APOMIXIE** [apomiksi] n. f. — Mil. XX^e; du grec *apo-* marquant la privation, la négation, et *mixis* «union».

Biol. Reproduction sans méiose ni fécondation, à partir d'un seul gamète (chez des organismes sexuellement différenciés) ou d'une cellule végétative non sexuée. → **Apogamie, aposporie, parthénogénèse.** *Apomixie végétative.*

CONTR. **Amphimixie.** ◊ DÉR. **Apomictique.**

**APOMORPHE** [apɔmɔʀf] adj. — 1966; de *apo-* «loin de», et *-morphe.*

Biol. *Caractère apomorphe :* caractère qui détermine, pour une séquence de transformations phylogénétiques, chacun des stades dérivés de l'état ancestral.

CONTR. **Pléisiomorphe.**

**APOMORPHINE** [apɔmɔʀfin] n. f. — 1872, in *Année sc. et industr.,* p. 20; de *apo-* indiquant l'éloignement, la provenance, et *morphine.*

Chim., pharm. Dérivé de synthèse de la morphine (par élimination d'une molécule d'eau). — Chlorhydrate de cette substance, utilisé en injections comme vomitif. *Utilisation de l'apomorphine dans les cures de désintoxication alcoolique.*

**APONÉVROSE** [aponevʀoz] n. f. — 1541; grec *aponeurôsis.*

Anat. Membrane fibreuse blanche, très résistante, qui recouvre ou enveloppe les muscles, leur sert de moyen d'insertion, ou qui sépare deux muscles contigus de deux plans musculaires. *Aponévroses des membres, du tronc, du cou, de la tête.*

1 Les aponévroses des muscles obliques et transversaux.
Ambroise PARÉ, I, 7, *in* LITTRÉ.

2 (...) la peau (...) nacrée au contact des aponévroses (...)
TAINE, Philosophie de l'art, V, II, 1.

3 (...) déchirement des aponévroses par l'insertion sous les muscles dorsaux de chevilles pointues attachées par des cordes à de lourds fardeaux qu'on essaye de traîner.
Claude LÉVI-STRAUSS, Tristes tropiques, p. 28.

DÉR. **Aponévrotique.**

**APONÉVROTIQUE** [aponevʀɔtik] adj. — 1751; de *aponévrose.*

Anat. Qui appartient, est relatif aux aponévroses. *Disque, lame aponévrotique. Formation, tissu aponévrotique.*

COMP. **Sous-aponévrotique.**

**APOPHANTIQUE** [apofɑ̃tik] n. f. — 1945; du grec *apophantikos,* adj., «qui peut être dit vrai ou faux; qui peut être l'objet d'un jugement», chez Aristote.

Log. Théorie des propositions (grec *apophansis*), des énoncés susceptibles d'être dits *vrais* ou *faux* (assertions).

1 Ces nouvelles dispositions de propositions ou de termes échappent à l'apophantique aristotélicienne.
Ch. SERRUS, Logique, p. 173, *in* LALANDE.

2 (...) la *mathesis* s'est regroupée constituant une apophantique et une ontologie; c'est elle qui jusqu'à nous a régné sur les disciplines formelles.
Michel FOUCAULT, les Mots et les Choses, p. 89.

REM. Ne pas confondre avec *apophatique.*

**APOPHATIQUE** [apɔfatik] adj. — Déb. XX^e; grec *apophatikos* «négatif», de *apophanai* «nier, dire non», de *apo-,* indiquant la privation ou la négation, et *phanai* «dire».

Didact. (théol., philos.). Qui procède par négations pour approcher la connaissance de son objet (inconnaissable par les modes cognitifs ordinaires). *Démarche, voie, tradition apophatique dans la connaissance de Dieu, d'un principe premier de toutes choses. La méthode apophatique dans le platonisme, le christianisme orthodoxe, le vedânta. — Théologie apophatique* (ou *négative*), qui nie de Dieu tout prédicat concevable. *«(...) l'expérience mystique de la théologie apophatique où Dieu est connu comme inconnu»* (J. Maritain, *la Raison et les Raisons,* p. 97, *in* Foulquié et Saint-Jean).

DÉR. **Apophatisme.**

**APOPHATISME** [apɔfatism] n. m. — Av. 1973; de *apophatique.*

Didact. (théol., philos.). Méthode apophatique. *Apophatisme et agnosticisme, et mysticisme. L'apophatisme est, en soi, une démarche purement rationnelle. Apophatisme et aporie chez Wittgenstein.*

**APOPHONIE** [apɔfɔni] n. f. — 1842, trad. de Fr. Bopp; du grec *apo-* marquant l'éloignement, et suff. *-phonie,* pour traduire l'all. *Ablaut.*

Ling. Alternance* vocalique. — REM. On emploie parfois le germanisme *Ablaut.*

**APOPHTEGMATIQUE** [apɔftɛgmatik] adj. — 1823, Boiste; de *apophtegme,* d'après le grec *apophthegmatikos.*

Didact. et rare. De l'apophtegme. *Sagesse apophtegmatique.*

**APOPHTEGME** [apɔftɛgm] n. m. — 1529; grec *apophthegma,* de *apophtheggesthai* «énoncer une sentence».

Didact. Parole mémorable d'un personnage illustre, notamment d'un sage de l'Antiquité. → **Pensée, sentence.** — Par ext. (parfois péj.). → **Adage, aphorisme, précepte.** *Ne parler que par apophtegmes,* d'une manière sentencieuse.

Jamais homme noble ne hait le bon vin : c'est un apophtegme monacal. RABELAIS, Pantagruel, I, 27. 1

En peu de mots, sans façon, sans vous amuser à beaucoup de discours, tranchez-moi d'un apophtegme, vite, vite. Monsieur Gorgibus, dépêchons, évitez la prolixité. 2
MOLIÈRE, la Jalousie du Barbouillé, 6.

(...) le tonnelier, plus facétieux qu'il ne l'avait jamais été, dit beaucoup de ses apophtegmes particuliers dont un seul donnera la mesure. Quand il eut avalé son cassis, il regarda le verre. 2.1
— On n'a pas plutôt mis les lèvres à un verre qu'il est déjà vide! Voilà notre histoire. On ne peut pas être et avoir été. BALZAC, Eugénie Grandet, éd. 1838, p. 248.

À Chicago, dit un apophtegme célèbre, on utilise tout, sauf le cri des porcs. 3
G. DUHAMEL, Scènes de la vie future, V.

Je pourrais mettre en épigraphe à cette citation un apophtegme extrait du livre de Quinton (...) 4
GIDE, Préface, *in* SAINT-EXUPÉRY, Vol de nuit, p. 16-17.

DÉR. **Apophtegmatique.**

**APOPHYSAIRE** [apɔfizɛʀ] adj. — 1846; de *apophyse.*

Anat. Qui concerne les apophyses. *Ostéite apophysaire.*

**APOPHYSE** [apɔfiz] n. f. — 1541; lat. *apophysis,* grec *apophusis,* de *apophuein* «faire naître de soi; naître, pousser de». → -physe.

♦ **1** Éminence à la surface d'un os. → **Épine, protubérance, saillie, tubérosité.** *Apophyse coracoïde* (omoplate. → aussi **Acromion**). *Apophyse coronoïde* (cubitus, maxillaire). *Apophyse styloïde* (cubitus, radius, temporal). *Apophyse mastoïde. Apophyses du fémur.* → **Trochanter.** *Apophyses articulaires, musculaires.*

1 Quant aux dénominations qui ont été données aux éminences osseuses, elles sont tout aussi nombreuses que fantaisistes, ou même bizarres (apophyses coracoïde, coronoïde, unciforme), et nous devons reconnaître avec CRUVEILHIER, que nulle part peut-être le vice du langage anatomique n'a été poussé plus loin. Mais, quelque fantaisiste qu'elle soit, nous devons subir une pareille nomenclature. Elle est consacrée par un usage plusieurs fois séculaire et survivra sans doute à toutes les tentatives que l'on pourra faire pour lui substituer des dénominations plus scientifiques. L. TESTUT, Traité d'anatomie, 8e éd., t. I, p. 8.

2 Les vertèbres cervicales ont des apophyses aiguës, qui soulèvent la peau.
GIDE, Voyage au Congo, *in* Souvenirs, Pl., p. 770.

♦ **2** (1798). Bot. Renflement, situé au-dessous de la capsule*, présenté parfois par l'extrémité de la soie chez certaines mousses.

**DÉR. Apophysaire, apophysite.**

**APOPHYSITE** [apɔfizit] n. f. — XXe (av. 1928); de *apophyse,* et suff. *-ite.*

Méd. Inflammation (ostéite) apophysaire.

**APOPLECTIFORME** [apɔplɛktifɔʀm] adj. — 1837; du rad. de *apoplectique,* et *-forme.*

Didact. (méd.). Qui présente des symptômes semblables à ceux de l'apoplexie. *Accident apoplectiforme.* Syn. : *apoplectoïde.*

D'une hérédité légère, il *(l'individu du type carbonique)* pourrait ne risquer avant un âge avancé de maladie d'auto-intoxication que par des imprudences ou du surmenage, s'il n'était souvent un hypertendu artériel, susceptible d'être enlevé par un accident apoplectiforme parfois prématuré. P. VANNIER, l'Homéopathie, p. 74.

**APOPLECTIQUE** [apɔplɛktik] adj. et n. — 1756; *appopletique,* 1256; bas lat. *apoplecticus,* grec *apoplêktikos,* de *apoplêxis.* → Apoplexie.

♦ **1** Méd. Qui a rapport à l'apoplexie. *Attaque apoplectique.*

♦ **2** Cour. Qui a, annonce une prédisposition à l'apoplexie. *Teint apoplectique.* — N. *Un, une apoplectique.*

1 Phelippeaux, tout apoplectique qu'il était revenu des eaux, ne put rien gagner sur son neveu.
SAINT-SIMON, Mémoires, 201, 186, *in* LITTRÉ.

2 (...) sa large face apoplectique, pourpre de dépit et de colère. HUGO, Notre-Dame de Paris, I, 1.

**DÉR. Apoplectiser.** ◊ **COMP.** V. **Apoplectiforme, apoplectoïde.**

**APOPLECTISER** [apɔplɛktize] v. tr. — 1877, A. Daudet; de *apoplectique.*

Rare. Congestionner comme par une apoplexie; rendre apoplectique.

**APOPLECTOÏDE** [apoplɛktɔid] adj. — 1890, P. Larousse, *Deuxième Suppl.*; du rad. de *apoplectique,* et *-oïde.*

Méd. Syn. de *apoplectiforme.*

**APOPLEXIE** [apɔplɛksi] n. f. — XIIIe; bas lat. *apoplexia* et *apoplexis,* grec *apoplêxia* et *apoplêxis,* de *apoplêssein* «renverser».

Arrêt brusque et plus ou moins complet des fonctions cérébrales, avec perte de la connaissance et du mouvement volontaire, sans que la respiration et la circulation soient suspendues. *Attaque d'apoplexie* (→ Passer, cit. 74). *L'apoplexie est généralement due à une hémorragie cérébrale.* Syn. fam. : *coup de sang. Être frappé d'apoplexie.*

Les maladies où le corps est entrepris, telles que sont l'apoplexie et la paralysie. 1
BOSSUET, Traité de la connaissance de Dieu..., II, 6.

Mme la princesse de Conti est tombée en apoplexie. Elle n'est pas encore morte, mais elle n'a aucune connaissance; elle est sans pouls et sans parole; on la martyrise pour la faire revenir. Mme DE SÉVIGNÉ, Lettres, 245, 3 févr. 1672. 2

Un matin, l'oncle Gradelle fut foudroyé par une attaque d'apoplexie, en préparant une galantine. Il tomba le nez sur la table à hacher. 2.1
*(Lisa)* arrangea une histoire avec les garçons; l'oncle devait être mort dans son lit, si l'on ne voulait pas dégoûter le quartier et perdre la clientèle.
ZOLA, le Ventre de Paris, t. I, p. 76-77.

(...) et une fois il *(Haendel)* fut frappé d'apoplexie, foudroyé sur les ruines de son entreprise. 3
R. ROLLAND, Voyage musical..., p. 64.

Loc. méd. *Apoplexie séreuse :* œdème cérébroméningé provoqué par l'injection de produits arsenicaux.

Vx. Hémorragie foudroyante du parenchyme. *Apoplexie pulmonaire, du foie.*

Par métaphore. Crise violente; effondrement brusque dû à une «congestion».

**DÉR.** V. **Apoplectique.**

**APOPROTÉINE** [apopʀɔtein] n. f. — 1974; de *apo-,* et *protéine.*

Biochim. Protéine privée du groupement prosthétique qui lui confère son activité particulière.

**APOPTOSE** [apɔptoz] n. f. — 1994, *l'Express;* de *apo-,* et *ptose.*

Biol. Mort génétiquement autoprogrammée d'une cellule. *«L'apoptose s'accompagne d'une fragmentation des chromosomes conduisant à leur destruction»* (*la Recherche,* 14 juil. 1999).

**APORÉTIQUE** [apɔʀetik] adj. et n. — 1866; grec *aporêtikos,* de *aporein* «être embarrassé».

Philosophie.

♦ **1** Qui se heurte à une contradiction. *Un raisonnement aporétique.*

♦ **2** Sceptique. *Les philosophes aporétiques,* disciples de Pyrrhon. — N. *Les aporétiques.*

**APORIE** [apɔʀi] n. f. — Av. 1789; *apore,* 1704; lat. ecclés. *aporia,* mot grec, de *a-* priv. (→ 2. a-), et *poros* «chemin».

Log. Difficulté d'ordre rationnel paraissant sans issue, contradiction insoluble. → **Paradoxe** (logique).

**DÉR.** V. **Aporisme.**

**APORISME** [apɔʀism] n. m. — 1751; de *aporie* ou du grec *aporon,* adj. neutre, et suff. *-isme.*

Math., log. Problème considéré comme insoluble.

**APOSÉLÉNIE** [apɔseleni] n. m. — Av. 1975; de *apo-* indiquant l'éloignement, *sélén-* du grec *selênê* «lune», et suff. *-ie,* d'après *apogée, apoastre...*

Astronaut. Apoastre d'un satellite lunaire. Syn. critiqué : *apolune.*

**CONTR. Périlune.**

**APOSIOPÈSE** [apozjɔpɛz] n. f. — 1566, H. Estienne; lat. *aposiopesis,* grec *aposiôpêsis,* de *aposiôpan* «cesser de parler», de *siôpê* «silence».

Rhét. Interruption brusque d'une construction, traduisant une émotion, une hésitation, une menace. → **Réticence.**

Vers six heures, le conseiller, qui procédait toujours par prétermission ou aposiopèse, reprit en ces termes : «Ainsi nous nous décidons ?...
— À ne rien décider, répliqua le bourgmestre».
J. VERNE, le Docteur Ox, p. 13.

**APOSPORIE** [apɔspɔʀi] n. f. — 1928; angl. *apospory,* 1884, Bower, cf. *aposporous,* 1878, d'après *apogamy, apogamous* (→ Apogamie), du grec *apo-* indiquant la privation, la négation, et *sporos* «graine». → Spore.

Bot. Reproduction des végétaux par développement du gamétophyte à partir d'une cellule végétative diploïde du sporophyte (et non pas d'une spore haploïde). → **Apomixie.** *L'aposporie chez les fougères.*

**APOSTASIE** [apɔstazi] n. f. — V. 1250; du lat. ecclés. *apostasia,* mot grec, «abandon».

♦ **1** Théol. Abandon de la foi et de la vie chrétiennes. → **Abjuration, renonciation.**

1 Or l'apostasie d'un chrétien par la crainte de la mort, toute criminelle qu'elle est, est l'effet d'une violence étrangère; au lieu que le désordre de l'impudique vient d'une pure infidélité.
BOURDALOUE, Sermon pour le dimanche de la IIIe semaine, Sur l'impureté, II.

Spécialt. Action d'un prêtre, d'un religieux qui renonce à ses vœux.

2 J'ai quitté mon habit, Monsieur, ce qui est une manière d'apostasie (...) FRANCE, Les dieux ont soif, p. 62.

♦ **2** (1687). Fig. Abandon (d'une doctrine, d'une opinion, d'un parti). → **Reniement.**

1 Charles fut emmené par M. Grandet au tribunal de première instance (...) pour y signer une renonciation à la succession de son père. Répudiation terrible! Espèce d'apostasie domestique.
BALZAC, Eugénie Grandet, éd. 1838, p. 253.

3 Le mariage serait pour moi une apostasie qui m'épouvante. FLAUBERT, Correspondance, t. II, p. 19.

4 C'est pourquoi, dit-il, le révisionnisme soviétique est une (...) apostasie. La traductrice a trouvé le mot : apostasie, presque tout de suite. Élevée par les sœurs?
MALRAUX, Antimémoires, Folio, p. 551.

Rare. *Une apostasie à qqch.*

CONTR. **Conversion.** ◊ DÉR. **Apostasier.** — **V. Apostat.**

**APOSTASIER** [apɔstazje] v. intr. — XVe, relig.; de *apostasie.*

♦ **1** Vx ou littér. Faire acte d'apostasie. → **Abandonner, abjurer, renier** (sa foi).

1 Chrétiens qui perdent la foi et qui apostasient (...)
BOURDALOUE, Exhortations, Sur la trahison de Judas, II.

2 (...) tu abdiquerais ta conscience, tu apostasierais ta foi pour être heureux à la manière de ceux-ci ou de ceux-là.
PROUDHON, cité par SAINTE-BEUVE, Proudhon, p. 36.

3 Sous les Séleucides, les aristocrates ayant presque tous apostasié et passé à l'hellénisme, ces associations d'idées ne firent que se fortifier. RENAN, Vie de Jésus, XI.

REM. On rencontre des constructions transitives, avec compl. d'objet interne (→ ci-dessus, cit. 2).

♦ **2** (1715). Quitter avec scandale un ordre religieux.

CONTR. **Convertir** (se).

**APOSTAT, ATE** [apɔsta, at] adj. et n. — 1265, var. anc. *apostate;* du lat. ecclés. *apostata,* grec *apostatês* «qui fait défection».

♦ **1** Adj. Qui a apostasié.

Quand l'homme se détourne totalement de Dieu, et est apostat de toute la chrétienté (...) 1
CALVIN, Institution de la religion chrétienne, 481, *in* LITTRÉ.

Par ext. *Moine apostat,* qui a renié ses vœux monastiques. → **Défroqué.**

Fig. Qui renie une doctrine, trahit un parti, une cause. *«La République française, athée, renégate, apostate, sacrilège...»* (L. Bloy, *Journal*).

Lorsqu'on ne peut effacer ses erreurs, on les divinise; on fait un dogme de ses torts, on change en religion des sacrilèges, et l'on se croirait apostat de renoncer au culte de ses iniquités. 2
CHATEAUBRIAND, Mémoires d'outre-tombe, t. II, p. 327.

♦ **2** N. (Av. 1539). **a** Celui qui a apostasié. *Julien l'Apostat.*

**b** (XVIe). Fig. Celui qui renonce à une opinion, qui abandonne une cause. → **Déserteur, renégat.** *Un apostat du communisme.*

REM. Le fém. est rare, tant pour l'adj. que pour le nom.

**APOSTÈME** [apɔstɛm] n. m. → **Apostume.**

**APOSTER** [apɔste] v. tr. — 1180; de 1. *a-,* et 3. *poste.*

Vx. Placer (qqn) dans un poste pour guetter, ou exécuter un mauvais dessein. *Aposter un espion en quelque endroit.* → **Placer, planter, poster.**

Des gens apostés le surprendraient avec cette soubrette, qu'on lui ferait épouser (...) 1
A.-R. LESAGE, le Diable boiteux, 19.

(...) soit que cette fois personne ne fût aposté sur la route du jeune homme, nos deux voyageurs arrivèrent à Chantilly sans accident. 1.1
DUMAS, les Trois Mousquetaires, t. I, p. 299.

Par ext. Placer en attente.

◆ **APOSTÉ, ÉE** p. p. adj. (1420, *trahison apostée* «préméditée»). → ci-dessus, cit. 1. *«Un fiacre aposté au coin du Pont-Vieux»* (A. France).

Si l'on arrêtait, à l'Opéra, quelques assassins apostés le 18 Vendémiaire, presque tous révolutionnaires italiens réfugiés en France (...) 2
Louis MADELIN, Hist. du Consulat et de l'Empire, t. IV, 4.

**A POSTERIORI** [apɔsteʀjɔʀi] loc. adv. — 1626, *in* Mersenne, *Correspondance;* loc. lat., «en partant de ce qui vient après».

Didact. En partant des données de l'expérience (opposé à *a priori*). *Raisonner a posteriori.*

D'autres veulent considérer Wagner comme un théoricien qui n'aurait produit des opéras que pour vérifier a posteriori la valeur de ses propres théories.
BAUDELAIRE, l'Art romantique, XXI.

Adj. invar. Qui est postérieur à l'expérience. *Notion a posteriori,* acquise grâce à l'expérience.

N. *Un a posteriori :* un jugement a posteriori.

CONTR. **A priori.**

**APOSTILLE** [apɔstij] n. f. — 1506, Marot; n. m., 1506; de *apostiller.*

♦ **1** Dr. Addition faite en marge d'un écrit, d'une lettre. → **Annotation, note.** *Mettre une apostille au bas d'une lettre.* → **Post-scriptum.** — *Modification que l'on inscrit en marge d'un acte juridique; signe qui indique le renvoi en marge.* → **Renvoi.**

1 (...) je pris soin de lui désigner *(au public)* cette seconde augmentation par une marque particulière et telle qu'elle se voit par apostille.
LA BRUYÈRE, les Caractères, Préface.

♦ **2** (1802). Mot de recommandation ajouté à une lettre, à une pétition.

2 – Mais vous savez... je ne puis disposer seul de cet emploi ; il faut l'adhésion de mon collègue, M. de Flavigny...
– N'est-ce que cela ?... (Offrant vivement sa lettre). Voici son apostille.
E. LABICHE, la Chasse aux corbeaux, IV, 5.

♦ **3** Didact. Note marginale, annotation.

**HOM.** Formes du v. **apostiller.**

**APOSTILLER** [apɔstije] v. tr. — V. 1450, «gloser, amplifier» ; 1560, «annoter» ; anc. franç. *postille* «annotation» ; du lat. médiéval *post illa,* lat. *postilla* «après ces choses».
Dr. ou didact. Mettre une apostille, des apostilles à (un acte, un texte). *Apostiller une demande, une pétition, une requête.* → **Annoter.** Au p. p. → cit. 1.

1 Les placets étaient reçus par un maître des requêtes qui les rendait apostillés.
VOLTAIRE, le Siècle de Louis XIV, 29.

2 Vous verrez des officiers qui passent leur vie à apostiller en marge des lettres à répondre.
P.-L. COURIER, Lettres, I, 76.

**DÉR. Apostille.**

**APOSTOLAT** [apɔstɔla] n. m. — 1541 ; *appostelat,* 1407 ; *aposteilat,* XIIIe ; du lat. chrét. *apostolatus.* → Apôtre.

♦ **1** Mission d'un apôtre. *Saint Paul fut appelé à l'apostolat par une voix miraculeuse* (Académie).

♦ **2** Prédication, propagation de la foi. — Fig. *Goût de l'apostolat.* → **Prosélytisme.**

♦ **3** (Fin XVIIIe, C. Desmoulins). Mission qui requiert les qualités d'un apôtre, de l'énergie et du désintéressement. *Il conçoit sa mission comme un apostolat. Une vie de combat et d'apostolat. L'apostolat de la justice, de la vérité. L'apostolat de qqn, son apostolat.*

1 Son brûlant esprit d'apostolat s'indignait de mes paisibles allures, de mon goût pour la recherche.
RENAN, Souvenirs d'enfance..., IV, II.

2 Mais il y apporta son goût de l'apostolat, du combat pour ses idées, du prosélytisme.
Georges LECOMTE, Ma traversée, p. 136.

3 Mais il juge si souhaitable l'état de sujet britannique que la conquête à ses yeux devient apostolat dès qu'elle est faite par ses armes.
A. MAUROIS, les Discours du D[r] O'Grady, XXI.

**DÉR.** V. **Apostolique.**

**APOSTOLICITÉ** [apɔstɔlisite] n. f. — 1751 ; du lat. *apostolicus.* → Apostolique.
Didact. (relig.). Caractère de ce qui est conforme à la doctrine des Apôtres.

**APOSTOLIQUE** [apɔstɔlik] adj. — XIIIe ; du lat. chrét. *apostolicus,* grec *apostolikos,* de *apostolos.* → Apôtre.
Relig. et courant.

♦ **1** Qui vient, qui procède des apôtres. *Doctrine, tradition apostolique. Le siècle apostolique, les temps apostoliques. L'Église catholique, apostolique et romaine.*

1 Je n'ai d'attache sur la terre qu'à la seule Église catholique, apostolique et romaine, dans laquelle je veux vivre et mourir.
PASCAL, les Provinciales, 17.

♦ **2** (Av. 1680). Qui appartient aux apôtres, ou qui est conforme à leur mission, à leur exemple (→ **Apostolicité**). *Mission apostolique,* celle des apôtres, et, par ext., celle du prédicateur de la foi. *Chaire apostolique. Vie, zèle apostolique.*

Il lui demande sa mission apostolique pour travailler à l'héritage de Jésus-Christ (...) 2
PATRU, Plaidoyer III, *in* RICHELET.

(...) pour venir entendre avec le peuple la parole de Dieu annoncée par cet homme apostolique. 3
LA BRUYÈRE, les Caractères, XV, 5.

(...) il est dans son genre ce qu'étaient dans le leur les premiers hommes apostoliques. 4
LA BRUYÈRE, les Caractères, XV, 26.

Ces deux vertus jointes ensemble qui font le tempérament d'un homme apostolique, ont été le caractère de Saint-Ignace. 5
FLÉCHIER, Panégyriques, II, 202, *in* LITTRÉ.

S'il avait la fermeté d'une vertu vraiment apostolique, il la tempérait par les grâces d'une inépuisable indulgence. 6
BALZAC, les Illusions perdues, Pl., t. IV, p. 487.

♦ **3** (XVe). Qui émane ou dépend du Saint-Siège. *Bref* (2. Bref), *lettre apostolique. Abréviateur apostolique. Délégué, nonce apostolique. Bénédiction apostolique. Constitutions apostoliques :* recueil promulgué par le pape, réglant la discipline et les cérémonies de l'Église. *Siège apostolique :* le Saint-Siège.

Dans la cour du Quirinal le pape avait rencontré les Napolitains ses oppresseurs ; il les bénit ainsi que la ville : cette bénédiction apostolique (...) 7
CHATEAUBRIAND, Mémoires d'outre-tombe, t. IV, I, p. 168.

*Notaire apostolique :* notaire qui, dans chaque diocèse, était autorisé à rédiger les actes en matière ecclésiastique.

**DÉR. Apostoliquement. — V. Apostolicité.**

**APOSTOLIQUEMENT** [apɔstɔlikmɑ̃] adv. — 1596 ; de *apostolique.*
Relig. D'une manière apostolique ; avec zèle.

Quel plus beau talent que celui de prêcher apostoliquement ? LA BRUYÈRE, les Caractères, XV, 30.

1. **APOSTROPHE** [apɔstʀɔf] n. f. — 1520 ; du lat. *apostropha,* grec *apostrophê* «fait de se détourner (vers celui qu'on interpelle)».

♦ **1** Littér. Figure de rhétorique par laquelle un orateur interpelle tout à coup une personne ou même une chose qu'il personnifie. *Lancer de brillantes apostrophes au cours d'une controverse.*

(...) l'apostrophe, une des plus puissantes machines de la rhétorique (...) l'apostrophe, c'est la mitraille de l'éloquence (...) C'est, comme vous savez, une figure au moyen de laquelle on a trouvé le secret de parler aux gens qui ne sont pas là, de lier conversation avec toute la nature, interroger au loin les morts et les vivants. 1
P.-L. COURIER, Pamphlets politiques, X.

(...) – puis, ça et là, un éclair d'esprit dans ces nuages de sottise, des apostrophes, soudaines comme des éclaboussures, le droit formulé par un juron, et des fleurs d'éloquence aux lèvres d'un goujat, portant à cru le baudrier d'un sabre sur sa poitrine sans chemise. 1.
FLAUBERT, l'Éducation sentimentale, III, I.

Gramm. *Nom en apostrophe,* apposé et qui désigne une chose à quoi l'on s'adresse.

♦ **2** (1738). Cour. Interpellation brusque, volontairement désagréable. *Les apostrophes que se lancent les automobilistes.* → **Apostropher.** *Lancer, essuyer une apostrophe. Une apostrophe mordante.*

(...) un bruyant attelage de mules espagnoles piqué çà et là par les apostrophes du sagal. 2
HUGO, Notre-Dame de Paris, VII, III.

♦ **3** (1704). Fam. et vx. Coup, soufflet.

À ces cris redoublés et dont je riais fort, 3
J'accours et je vous vois étendu sur la place,
Avec une apostrophe au milieu de la face.
J.-F. REGNARD, les Folies amoureuses (1704), 11, *in* LITTRÉ.

**DÉR.** 1. **Apostropher.** ◊ **HOM.** 2. **Apostrophe** ; formes des v. 1. **apostropher** et 2. **apostropher.**

2. **APOSTROPHE** [apɔstʀɔf] n. f. — 1514; du lat. *apostrophus*, grec *apostrophos*.

Gramm. Signe orthographique (') qui marque l'élision d'une voyelle (ex. : l'amour; s'il veut).

– Si M. Dandrin consentait à mettre une apostrophe à son nom !
– C'est juste, D, apostrophe, A, N, D'Andrin, c'est presque noble.
E. LABICHE, le Baron de Fourchevif, 3.

DÉR. 2. **Apostropher.** ◊ HOM. 1. **Apostrophe**; formes des v. 1. **apostropher** et 2. **apostropher.**

1. **APOSTROPHER** [apɔstʀɔfe] v. tr. — 1672; «interpeller», 1611; de 1. *apostrophe.*

♦ **1** Vx ou littér. Interpeller (qqn) par une apostrophe (1. Apostrophe). → **Appeler, interpeller.** *Apostropher qqn d'une épithète, par une épithète.*

1 Un pédant qu'à tous coups votre femme apostrophe
Du nom de bel esprit et de grand philosophe (...)
MOLIÈRE, les Femmes savantes, II, 4.

♦ **2** (1770). Cour. Interpeller de manière désagréable, désobligeante.

2 (...) il ne put se contenir; il m'apostropha avec une brutalité qui scandalisa tout le monde (...)
ROUSSEAU, les Confessions, VII.

♦ **3** (Av. 1673). Par plais. et vx. *Apostropher qqn d'un soufflet, d'un coup de bâton.*

3 (...) je lui aurais apostrophé cinq ou six clystères de coups de pieds dans le cul (...)
MOLIÈRE, la Jalousie du barbouillé, 11.

◆ **S'APOSTROPHER** v. pron.

S'interpeller mutuellement. *Chauffeurs qui s'apostrophent et s'injurient.*

◆ **APOSTROPHÉ, ÉE** p. p. adj. et n.

À qui, à quoi s'adresse une apostrophe. — N. *L'apostrophé ne sut que répondre.*

HOM. 2. **Apostropher.**

2. **APOSTROPHER** [apɔstʀɔfe] v. tr. — 1548, *in* T. L. F.; de 2. *apostrophe.*

Rare. Écrire avec une apostrophe. — Pron. *Ce mot s'apostrophe devant une voyelle.*

HOM. 1. **Apostropher.**

**APOSTUME** [apɔstym] ou **APOSTÈME** [apɔstɛm] n. m. — 1278, *apostume; apostème*, XIIIe; du lat. *apostema*, grec *apostêma*; ce mot, masc. pour l'Académie se trouve au fém. chez les auteurs anciens.

♦ **1** Vx. Tumeur purulente. → **Abcès.**

1 J'ai, dit la bête chevaline,
Une apostume sous le pied.
LA FONTAINE, Fables, V, 8.

(1562, Calvin). Par métaphore. Corruption de l'âme.

♦ **2** (1527). Littér. Gonflement, enflure.

2 (...) la très étonnante faculté des grenouilles de gonfler comme un goitre leur gosier (...) et de projeter sur le côté de la bouche, ainsi que je l'ai vu faire aux chameaux en rut, une sorte d'énorme ampoule, d'apostème, d'appareil vibrant et glapissant qui est bien une des choses les plus surprenantes qui se puisse imaginer.
GIDE, Journal, 22 mai 1943.

**APOTÈLE** [apɔtɛl] n. m. — D. I.; du grec *apo-* indiquant l'éloignement, et *telos* «fin, but».

Zool. Article terminal d'un appendice, chez les acariens. *Apotèles des pattes, des chélicères.*

**APOTHÉCIE** [apɔtesi] n. f. — 1822, Achar; du grec *apothêkê* «réservoir».

Bot. Réceptacle renfermant les corpuscules reproducteurs des lichens. → **Androcée, gynécée.**

**APOTHÈME** [apɔtɛm] n. m. — 1751; du grec *apotithenai* «déposer, abaisser», d'après *hupothema* «base».

Géom. Perpendiculaire abaissée du centre d'un polygone régulier sur un de ses côtés. — *Apothème d'une pyramide régulière* : perpendiculaire abaissée du sommet de la pyramide sur un des côtés du polygone de base. *Apothème d'un cône droit* : son arête.

**APOTHÉOSE** [apɔteoz; apoteoz] n. f. — 1581; du lat. *apotheosis* «déification», grec *apothéôsis*, de *apo-*, et *theos* «dieu».

♦ **1** Didact. Admission posthume des héros parmi les dieux de l'Olympe. *L'apothéose d'Hercule, d'Énée.* — Cérémonie de déification de leur vivant ou à titre posthume des empereurs romains, ou, rarement, d'une personne de leur entourage. *Apothéose de l'empereur Hadrien, d'Antinoüs* (son favori).

Nos aïeux à leur gré faisaient un dieu d'un homme (...) 1
Nous remplissons le ciel de tous nos empereurs,
Mais à parler sans fard de tant d'apothéoses,
L'effet est bien douteux de ces métamorphoses.
CORNEILLE, Polyeucte, IV, 6.

On sait la plaisanterie qu'il *(l'empereur Vespasien)* eut le courage de faire, étant à l'agonie, sur sa prochaine apothéose : «Je sens, dit-il en riant, que je suis en train de devenir dieu». 2
J. CARCOPINO, la Vie quotidienne à Rome..., p. 152.

♦ **2** (1674). Honneurs extraordinaires rendus à une personne (décédée ou vivante). → **Consécration, glorification, triomphe.**

Monsieur le Prince est dans son apothéose de Chantilly; il vaut mieux là que tous vos héros d'Homère. 3
Mme DE SÉVIGNÉ, Lettres, 628, 23 juil. 1677.

Arts. Représentation de ces honneurs. *L'Apothéose de Charles-Quint*, par Titien. *L'Apothéose d'Homère*, par Ingres.

♦ **3** Fig. et mod. Exaltation, épanouissement sublime.

La vieillesse qui est une déchéance pour les êtres ordinaires est, pour les hommes de génie, une apothéose. 4
FRANCE, la Vie en fleurs, XVI.

Le plus haut degré. → **Apogée, comble, sommet, summum.**

La morale de Descartes est l'apothéose de la volonté résistante, de la volonté active et de la volonté charitable et en un mot de toute la volonté. 5
Émile FAGUET, XVIIe s., Études littéraires, p. 49.

♦ **4** Au théâtre, Scène finale à grand spectacle. *«Une apothéose de théâtre, de cirque»* (Proust).

La partie ultime, et la plus brillante, d'une manifestation (artistique, sportive...). *Ce ballet a été l'apothéose du festival.* → **Clou.**

♦ **5** Littér. (Concret). → **Gloire.**

(...) la surface libre des eaux reflète, non vers le couchant, mais vers l'est, une apothéose dorée, où de tendres nuances pourpres se mêlent. 6
GIDE, Voyage au Congo, 1927, *in* Souvenirs, Pl., p. 711.

DÉR. **Apothéoser, apothéotique.**

**APOTHÉOSER** [apɔteoze; apoteoze] v. tr. — 1801, Mercier; de *apothéose.*

Littér. et vx. Glorifier* par une apothéose.

Au participe passé :

(...) ces morceaux épars de «Mistigri apothéosé et semé à tout vent».
G.-E. CLANCIER, l'Éternité plus un jour, p. 564.

Fig. Éclairer en une apothéose.

**APOTHÉOTIQUE** [apɔteɔtik; apoteɔtik] adj. — 1869, *in* T. L. F. ; de *apothéose,* d'après les dér. gréco-latins en *-ikos, -icus.*

Littér. et rare. Qui a un caractère d'apothéose, concerne l'apothéose. → **Sublime.**

**APOTHICAIRE** [apɔtikɛʀ] n. m. — V. 1260, *apotecaire ;* du bas lat. *apothecarius,* de *apotheca,* grec *apothêkê* «boutique».

Anciennt. Celui qui préparait et vendait des médicaments (→ **Pharmacien**) et parfois, diverses préparations, boissons... *Apothicaire herboriste.*

1 (...) je suis médecin, apothicaire encore si vous le trouvez bon. MOLIÈRE, le Médecin malgré lui, I, 5.

1.1 Ah ! pour du cassis, je ne dis pas non ; madame le fait bien mieux que les apothicaires, celui qu'ils vendent est de la drogue.
— Ils y mettent trop de sucre, ça ne sent plus rien.
BALZAC, Eugénie Grandet, éd. 1838, p. 248.

REM. Le mot peut s'employer aujourd'hui de manière plaisante (parfois péj.) pour parler d'un moderne pharmacien* ; le mot *pharmacien* l'emporte dès le déb. du XIXe s., mais *apothicaire* subsiste régionalement.

Loc. fig. (Vx). *Faire de son corps une boutique d'apothicaire :* abuser des drogues, des médicaments.

2 (...) je ne veux point faire de mon corps une boutique d'apothicaire.
MOLIÈRE, le Médecin malgré lui, II, 4.

*Compte d'apothicaire :* (vx) compte sur lequel il y a beaucoup à rabattre ; (mod.) compte, calcul très long et compliqué.

Vx. *En langage d'apothicaire :* par un compte excessif.

3 (...) vingt sols en langage d'apothicaire, c'est-à-dire dix sols (...) MOLIÈRE, le Malade imaginaire, I, 1.

DÉR. **Apothicairerie, apothicairesse.**

**APOTHICAIRERIE** [apɔtikɛʀʀi] n. f. — 1545 ; *apothicairie,* 1353 ; *apothecarie* «remède», 1360 ; de *apothicaire.*

Anciennement.

♦ **1** Officine d'apothicaire. → **Pharmacie.**

(1680). Pharmacie (d'un couvent, d'une communauté, de la maison d'un grand seigneur).

♦ **2** Art de l'apothicaire. *Les anciennes formules de l'apothicairerie* (→ Praticien, cit. 3).

**APOTHICAIRESSE** [apɔtikɛʀɛs] n. f. — 1313 ; de *apothicaire.*

♦ **1** Anciennt. Femme d'un apothicaire.

♦ **2** (1531). Religieuse s'occupant de l'apothicairerie, dans un couvent.

**APOTOME** [apotɔm; apɔtɔm] n. m. — 1562 ; mot grec, *apotomê* «coupure».

Mus. anc. Demi-ton chromatique, dans la gamme de Pythagore. *L'apotome est plus petit que notre demi-ton chromatique ou diatonique.*

**APÔTRE** [apotʀ] n. m. — XIe ; du lat. ecclés. *apostolus,* grec *apostolos* «envoyé».

♦ **1** Chacun des douze disciples que Jésus-Christ choisit pour prêcher l'Évangile (ellipt. : *les douze*). *Mission des apôtres.* → **Apostolat.** *Jésus-Christ célébra la Cène avec ses apôtres dans le cénacle. Symbole* des apôtres* (→ **Credo**). *Actes des apôtres :* livre canonique écrit par saint Luc et qui contient une partie de l'histoire des apôtres. *L'apôtre Marc, Luc. Le prince des apôtres :* saint Pierre. *L'apôtre des Gentils :* saint Paul. — *Les apôtres Jean et Pierre,* tableau de Dürer. *La fête des apôtres,* le 29 juin.

Quand il fut jour, il *(Jésus)* appela ses disciples, et il choisit douze d'entre eux, à qui il donna le nom d'apôtres : Simon, à qui aussi il donna le nom de Pierre, André son frère, Jacques, Jean, Philippe, Barthélemy, Matthieu, Thomas, Jacques fils d'Alphée et Simon surnommé Zélote, Judas, fils de Jacques, et Judas Iscarioth, qui devint traître. 1
BIBLE, Évangile selon saint Luc, VI, 13.
REM. Après la mort du Christ, on donna le nom d'apôtre à saint Mathias, élu pour remplacer Judas, à saint Paul et à saint Barnabé.

L'hypothèse des apôtres fourbes est bien absurde (...) Qu'on s'imagine ces douze hommes assemblés après la mort de Jésus-Christ, faisant le complot de dire qu'il est ressuscité. Ils attaquent par là toutes les puissances. 2
PASCAL, Pensées, XII, 801.

Les apôtres tiennent le concile de Jérusalem où saint Pierre parle le premier, comme il fait partout ailleurs. 3
BOSSUET, Hist., I, 10, *in* LITTRÉ.

Par ext. Celui qui propage la foi chrétienne (→ **Prédicateur**), fait des conversions. *Saint François Xavier, l'apôtre des Indes. Prêcher en apôtre, comme un apôtre,* avec onction et d'abondance de cœur.

L'orateur cherche par ses discours un évêché ; l'apôtre fait des conversions (...) 4
LA BRUYÈRE, les Caractères, XV, 21.

♦ **2** (Fin XVIIe, La Bruyère). Fig. Celui qui propage, défend une doctrine, une opinion. *Une âme d'apôtre. Se faire l'apôtre d'une idée. Martin Luther King, apôtre de la non-violence.*

*(Fénelon)* apôtre de la tolérance, ami du peuple (...) martyr de la liberté (...) 5
Émile FAGUET, XVIIe s., p. 446
(→ Affranchissement, cit. 3).

Mais, homme de foi à tous égards, Paul Durand-Ruel avait une âme d'apôtre et la combativité des vrais apôtres. 6
Georges LECOMTE, Ma traversée, p. 135.

♦ **3** (1663). Par antiphr. **BON APÔTRE :** homme de mauvaise foi. *Faire le bon apôtre :* contrefaire l'homme de bien pour tromper autrui.

(...) ce bon apôtre 7
Qui veut m'en donner d'une et m'en jouer d'un autre (...)
MOLIÈRE, l'Étourdi, IV, 5.

Tout Picard que j'étois, j'étois un bon apôtre (...) 8
RACINE, les Plaideurs, 7.

Grippeminaud le bon apôtre, 9
Jetant des deux côtés la griffe en même temps,
Mit les plaideurs d'accord en croquant l'un et l'autre.
LA FONTAINE, Fables, VII, 16.

Là, Cormoran, le bon apôtre (...) 10
LA FONTAINE, Fables, X, 3.

Adj. *Il est un peu trop bon apôtre.*

S'il faut donner son sang, 11
Allez donner le vôtre
Vous êtes bon apôtre
Monsieur le Président.
Boris VIAN, le Déserteur (chanson).

REM. Aux sens 2. et 3., *apôtre* peut s'employer en parlant d'une femme : *elle fut l'apôtre de la libération des femmes.*

DÉR. V. **Apostolat, apostolique.**

**APOTROPAÏQUE** [apɔtʀɔpaik] adj. — XXe ; du grec *apotropaios* (→ Apotropée), et suff. *-ique,* p.-ê. par l'angl. (fin XIXe, en anglais).

Didact. Qui conjure le mauvais sort. → **Conjuratoire.** *Images apotropaïques* (dites aussi *prophylactiques*).

Depuis que j'ai dû lire ligne à ligne une collection qui a, sans doute à titre apotropaïque, pris comme signe et label une coquille (...) j'en découvre maintenant chez les autres ! partout ! Dans les dictionnaires les plus chevronnés.
R. QUENEAU, Bords, Bourbaki et les Mathématiques, 1962, p. 24-25.

**APOTROPÉE** [apɔtʀɔpe] n. et adj. — 1823; *parolles apotrophees*, 1564, Rabelais; *apotropees*, 1586, n. m. pl. «destourneurs de maux» (en parlant des dieux grecs); du grec *apotropaios* «qui détourne les maux, tutélaire», de *apotropê* «action de détourner (un malheur)», de *apotropein* «détourner».

Mythologie (Grèce antique).

♦ **1** N. f. pl. (1832; masc., 1823-1843). Hymnes, vers récités pour apaiser les dieux.

♦ **2** N. f. (1845). Brebis que l'on immolait aux dieux pour les apaiser, détourner leur colère ou invoquer leur aide. — (1866). Cérémonie conjuratoire.

REM. Emploi adjectival rare et littér.; cf. *rite apotropée* (Moréas, 1891). → ci-dessus, Rabelais, et aussi Apotropaïque.

**DÉR. Apotropéen.**

**APOTROPÉEN, ENNE** [apɔtʀɔpeɛ̃, ɛn] adj. — 1751; de *apotropée*.

Myth. Se dit des dieux invoqués au moyen de l'apotropée.

**APOZÈME** [apozɛm] n. m. — 1495, *apposime*; lat. *apozema*, mot grec, de *apozein* «faire bouillir».

Méd. (vx). Décoction de plantes médicinales à laquelle on ajoute divers autres médicaments. → **Tisane** (composée).

**APPALACHIEN, IENNE** [apalaʃjɛ̃, jɛn] adj. — Attesté 1952; de *Appalaches*, chaîne de montagnes de l'Amérique du Nord.

Géogr. Des Appalaches, relatif aux Appalaches et aux montagnes analogues. *Relief appalachien*, caractérisé par des alternances de lignes de crête de hauteur constante et de dépressions allongées, orientées parallèlement. *Forêt appalachienne*, semi-montagnarde de la zone tempérée, riche et luxuriante.

**APPARAISSANCE** [apaʀɛsɑ̃s] n. f. — V. 1170, *apareissance*; de *apparaître*.

Régional, vx. Apparition. «*Des apparaissances dans notre vieux château*», G. Sand (faisant parler un paysan berrichon), *in* T. L. F.

**APPARAÎTRE** [apaʀɛtʀ] v. intr. [CONJUG.: *paraître*. → Connaître.] — Mil. XIe, *aparoistre*; bas lat. *apparescere* «apparaître soudain», de *apparere* (→ Apparoir). REM. Si le verbe peut s'employer avec *être* ou *avoir*, le premier auxiliaire est beaucoup plus courant (en partie à cause du hiatus *a apparu*).

**I** Concret. ♦ **1** (En parlant de qqch. ou de qqn de réel). Devenir visible, distinct; se montrer tout à coup aux yeux. → **Manifester** (se), **montrer** (se), **paraître, présenter** (se), **révéler** (se), **surgir, survenir, venir, voir** (se faire). *Le fait d'apparaître.* → **Apparition.** *Apparaître à travers qqch.* → **Transparaître.** *Le ciel s'est dégagé et le pic est apparu.* → **Découvrir** (se), **dégager** (se). *Apparaître à la surface du sol.* → **Affleurer.** *Le rouge des coquelicots apparaît sur le fond jaune des blés murs.* → **Détacher** (se), **ressortir.** *Le jour apparaît.* → **Éclore, lever** (se), **luire, naître, paraître, poindre.** *Apparaître de nouveau.* → **Réapparaître, reparaître, revenir.** *Ne faire qu'apparaître et disparaître. Apparaître devant qqn, pour qqn, à qqn. Une vision leur est apparue. Apparaître aux yeux de qqn.* — *Voir qqch. apparaître.*

1 Votre digne moitié, couchée entre des fleurs,
Tout près d'ici m'est apparue,
Et je l'ai d'abord reconnue.
LA FONTAINE, Fables, VIII, 14.

Il n'apparaît qu'à ses disciples, il ne se montre que dans les lieux solitaires et écartés. 2
MASSILLON, Sermon pour le Carême, Jour de Pâques.

Au banquet de la vie, infortuné convive, 3
J'apparus un jour, et je meurs.
Nicolas GILBERT, Odes, IX.

La gloire, fantôme céleste, 4
Apparaît de loin à ses yeux. HUGO, Odes, IV, 6, 1.

Chaque étoile à son tour vient apparaître au ciel. 5
HUGO, Odes, V, 20.

Et je vis, à travers le crépuscule humide 6
Apparaître la haute et sombre pyramide.
HUGO, la Légende des siècles, «Pyramides», XII, 7.

Et voici qu'apparaît, toute blanche d'écume, 7
La mer mystérieuse, où vint sombrer Hellé.
J. M. DE HEREDIA, les Trophées, «Ravissement d'Andromède».

Il la revit telle qu'elle lui était apparue un matin, descendant l'escalier dans un tourbillon de velours. 8
Alphonse DAUDET, le Petit Chose, p. 293.

(...) le gamin qui s'éloigne en courant à toutes jambes, apparaissant et disparaissant, visible à chaque fois pendant quelques secondes, dans les taches de lumière successives, de plus en plus petit, à intervalles de temps égaux, mais les espaces étant de plus en plus raccourcis par la distance, si bien qu'il semble ralentir de plus en plus à mesure qu'il s'amenuise. 8.1
A. ROBBE-GRILLET, Dans le labyrinthe, p. 58-59.

Impers. Littér. «*Il apparaît des arbres...*» (Flaubert).

♦ **2** Se manifester, venir à l'être. *Les êtres, les espèces nouvelles qui ont apparu, qui sont apparues sur la Terre pendant l'ère tertiaire.*

V. impers. Littér. *Il apparaît* (telle chose). → **Survenir.**

Il apparaît de temps en temps sur la surface de la terre des hommes rares, exquis, qui brillent par leur vertu, et dont les qualités éminentes jettent un éclat prodigieux. 9
LA BRUYÈRE, les Caractères, II, 22.

♦ **3** (XIIe). En parlant de qqn ou de qqch. de surnaturel. Se manifester, se montrer sous une forme visible (→ **Apparition**). *L'ange Gabriel apparut à la Vierge* (→ Ange, cit. 4). *Faire apparaître les ombres ou les âmes des morts.* → **Évoquer.**

Les magiciens faisaient apparaître les morts. 10
VOLTAIRE, Essai sur les mœurs, Introd., 35.

**II** Abstrait. ♦ **1** Se révéler à l'esprit par quelque manifestation; se faire jour. *Tôt ou tard la vérité apparaît.* → **Découvrir** (se), **dégager** (se), **dévoiler** (se), **jaillir, jour** (se faire), **surgir.** (Avec un compl.). *Apparaître sous un aspect, dans certaines conditions.*

Là, le génie humain apparaissait dans toutes les pompes de sa misère (...) 11
BALZAC, la Peau de chagrin, Pl., t. IX, p. 27.

Malgré les influences, conscientes ou inconscientes, qu'il subit *(Beethoven)*, sa personnalité apparaît (...) 12
Éd. HERRIOT, la Vie de Beethoven, p. 51.

Les difficultés n'apparaissent qu'à l'exécution. 13
J. ROMAINS, M. Le Trouhadec..., p. 171.

Se révéler en accédant à l'existence. → **Surgir.** *Des idées nouvelles apparaissent.*

♦ **2** (1536). Avec un attribut. Se présenter à l'esprit avec telle ou telle qualité. → **Paraître, sembler.** *Cela apparaît difficile, possible. Les difficultés apparaissent insurmontables.*

La justice de Dieu partout apparaît irrépréhensible (...) 14
CALVIN, Institution de la religion chrétienne, II, IV, 2.

La Révolution semblait grande. Elle apparaît infinie. 15
MICHELET, Hist. de la Révolution franç., t. II, p. 566.

*Apparaître* (et attribut) *à quelqu'un.*

(...) sa résolution lui apparut, en raccourci, lumineuse, déjà triomphante (...) 16
MARTIN DU GARD, les Thibault, II, 1.

**APPARAÎTRE (à qqn) COMME... :** se présenter à l'esprit sous tel ou tel aspect.

17 Un bon portrait m'apparaît toujours comme une biographie dramatisée, ou plutôt comme le drame naturel inhérent à tout homme.
BAUDELAIRE, Curiosités esthétiques, IV, VII.

18 Son innocence lui apparaissait confusément comme impossible à prouver, sa malice étant connue.
MAUPASSANT, la Ficelle, *in* Contes et nouvelles, Pl., p. 1086.

19 (...) déjà la guerre apparaissait comme une immense industrie.
JAURÈS, Hist. socialiste de la Révolution franç., t. VI, p. 102.

20 Ces ténébreuses machinations dont on finirait par sourire, apparaissent comme la gestation tourmentée du monde moderne, comme la patience séculaire de l'homme à découvrir l'issue de sa prison.
A. MAUROIS, Études littéraires, t. II, p. 158.

*Faire apparaître qqch. :* montrer. *Ce témoignage fait apparaître clairement la culpabilité du suspect.*

♦ **3** (Avec un complément prépositionnel). *Votre intention apparaît dans vos propos.* → **Transparaître.** *La question économique apparaît souvent sous sa plume.*

♦ **4** V. impers. (1437). *Il apparaît dans votre raisonnement plusieurs contradictions.*

**IL APPARAÎT QUE...** [a] (Jugement subjectif; avec un compl. en à...). *Il apparaît, il est apparu à notre conseiller que l'affaire est bonne. Il m'apparaît que...* → **Sembler.** *Il vous apparaît bien que c'est une erreur.* → **Apercevoir** (s'), **constater, reconnaître, sentir, voir.**

21 Il m'apparaît que vous êtes là, et il me semble que je vous parle mais il n'est pas assuré que cela soit.
MOLIÈRE, le Mariage forcé, 5.

[b] (Jugement objectif; sans complément prépositionnel). *Il apparaît que... :* il ressort de ces constatations que... il est apparent, clair, évident, manifeste que... → **Apparoir** (procéd.), **ressortir, résulter** (de). *Il apparaît, à la lecture des textes, que la loi est pour vous.*

♦ **5** (1694). *Faire apparaître de ses pouvoirs,* les présenter dans les formes prévues.

◆ **S'APPARAÎTRE** v. pron. Rare. «*L'amour doit s'apparaître à lui-même...*» (G. Marcel, *in* T. L. F.).

◆ **APPARU, UE** p. p. adj. Rare, littér. «*Les feux brusques des lampes apparues...*» (Villiers de L'Isle-Adam).

N. m. Philos. *L'apparu :* le phénomène qui est apparu.

22 Les expériences de la Gestalttheorie montrent clairement que la pure apparition est toujours saisie comme surgissement dynamique, l'apparu *vient en courant* à l'être, du fond du néant.
SARTRE, l'Être et le Néant, p. 259.

CONTR. **Cacher** (se), **disparaître, éclipser** (s'), **évanouir** (s').
◈ DÉR. **Apparaissance.** — (Du lat. *apparere*). V. **Apparence, appariteur, apparition.** — COMP. **Réapparaître.**

**APPARAT** [apaʀa] n. m. — 1280 «préparatifs de toilette»; sens mod., 1547; lat. *apparatus* «apprêt, somptuosité», de *apparare* «préparer».

[I] ♦ **1** Éclat pompeux, solennel (d'une cérémonie). → **Éclat, luxe, magnificence, somptuosité.** *L'apparat d'une cérémonie, d'un sacre.* → **Solennité.**

**D'APPARAT.** *Un festin d'apparat. Costume d'apparat. Le harnachement d'apparat d'un cheval. Discours d'apparat.* — Loc. *En grand apparat :* avec solennité. → **Appareil, pompe, solennité.**

1 Le second fils de M. de Bouillon était élevé pour l'Église, soutenait une thèse en Sorbonne en grand apparat.
SAINT-SIMON, Mémoires, 110, 186, *in* LITTRÉ.

2 (...) les magistrats du Tribunal ceinturés d'un large ruban bleu sur leur robe noire à rabat, ce qui constitue leur tenue d'apparat.
Georges LECOMTE, Ma Traversée, p. 21.

3 Le principal personnage du bal, celui qui donnait cette fête, et auquel le général Kissoff avait attribué une qualification réservée aux souverains, était simplement vêtu d'un uniforme d'officier des chasseurs de la garde. Ce n'était point affectation de sa part, mais habitude d'un homme peu sensible aux recherches de l'apparat. Sa tenue contrastait donc avec les costumes superbes qui se mélangeaient autour de lui (...)
J. VERNE, Michel Strogoff, p. 4.

♦ **2** Vx ou littér. → **Étalage, faste, ostentation.** *Il fait tout avec apparat. Mettre un extraordinaire apparat à qqch.*

[II] (1417; lat. *apparatus* «instrument», p.-ê. par l'all. *Apparat*). Lexique (d'un auteur). *L'apparat de Cicéron.*

(1922). Mod. **APPARAT CRITIQUE :** ensemble des notes et des variantes proposées par l'éditeur d'un texte (en particulier dans les éditions érudites). → **Appareil.**

CONTR. (Du I.) **Austérité, simplicité.**

**APPARATCHIK** [apaʀatʃik] n. m. — 1965; mot russe. Polit. Membre de l'appareil du parti communiste russe. — Par ext. (d'un parti quelconque). «*Le sort des urnes a fait échouer les apparatchiks, les hommes d'appareil, des trois grandes formations politiques*» (*l'Express*, 20 mars 1967). — Autre plur. : *apparatchiki* (du russe).

**APPARAUX** [apaʀo] n. m. pl. — XIIe, *apparauz;* anc. plur. de *appareil.*

♦ **1** Mar. Matériel destiné à des manœuvres de force, sur un navire. *Apparaux de mouillage, de sauvetage; de levage, de remorquage. Les agrès* et les apparaux.* (→ aussi **Gréement).**

1 (...) ceux qui ont été employés à la construction du vaisseau, ceux qui ont fourni les agrès, les apparaux, les vivres, sont aussi ceux qui prennent le principal intérêt à cette pêche.
MONTESQUIEU, l'Esprit des lois, XX, 6.

2 Le navire, les agrès et apparaux (...)
Code de commerce, art. 280.

3 Tout achat ou vente d'agrès, apparaux et avitaillements (...)
Code de commerce, art. 633.

Techn. Engin servant à manœuvrer des pièces lourdes ou importantes.

4 La cité de Denham est si menue qu'elle ressemble à une exquise miniature de ville. Par privilège royal, elle est entourée de puissants remparts de solide pierre nantis d'engins et d'apparaux propres à en assurer la défense et la sécurité.
Jean RAY, les Derniers Contes de Canterbury, p. 212.

♦ **2** Ensemble d'appareils de gymnastique. → **Agrès.**

**APPAREIL** [apaʀɛj] n. m. — XIIe; de 1. *appareiller.*

[I] ♦ **1** Vx ou littér. Préparatifs, apprêts.

1 Et c'est fort maltraiter l'appareil magnifique
Que chaque prince a fait pour la fête publique.
MOLIÈRE, la Princesse d'Élide, II, 1.

Ce qui a été apprêté pour l'accompagnement d'une personne. → **Cortège, équipage, escorte, suite.**

2 Les vaisseaux sont tout prêts. J'ai moi-même ordonné
La suite et l'appareil qui vous est destiné.
RACINE, Mithridate, III, 1.

Apparence, déploiement extérieur des apprêts*, déroulement d'un cérémonial aux yeux des spectateurs. *Funèbre appareil. Grand, magnifique, pompeux, somptueux appareil.* → **Apparat, cérémonie, éclat,** 1. **faste, grandeur, magnificence,**

1. **pompe**; (fam.) **tralala.** — Loc. *En* (adjectif) *appareil* : avec un appareil (tel qu'il est qualifié par l'adjectif). *En grand, en funèbre appareil.*

3 Appareil (...) est relatif à l'apparence, à l'aspect des choses, à l'impression produite par leur ensemble.
LAFAYE, Dict. des synonymes, Préparatifs, apprêts, appareil.

4 La pompe nuptiale en funèbre appareil (...)
CORNEILLE, Rodogune, V, 4.

5 Elle était née dans une cour où la majesté se plaît à paraître avec tout son appareil.
BOSSUET, Oraison funèbre de Marie-Thérèse d'Autriche.

6 Homme de vanité et d'ostentation, voilà ta figure : c'est en vain que tu te repais des honneurs qui semblent te suivre; ce n'est pas toi qu'on admire, ce n'est pas toi qu'on regarde, c'est cet éclat étranger qui fascine les yeux du monde, et on adore non point ta personne, mais l'idole de ta fortune, qui paraît dans ce superbe appareil par lequel tu éblouis le vulgaire. BOSSUET, Sermon sur l'honneur, 1666.

7 Ce triple rang de vieillards, de matrones, de guerriers; ces prêtres, ces nuages d'encens, ce sacrifice, tout sert à donner à ce conseil un appareil imposant.
CHATEAUBRIAND, Atala, Les chasseurs.

8 J'aime aujourd'hui la guerre et son mâle appareil.
HUGO, Ballades, 5.

9 Elles *(les cérémonies)* eurent lieu au milieu d'un extrême enthousiasme, échauffé par un déploiement insolite d'appareil militaire qui donnait bien la note des nouvelles fêtes nationales.
Louis MADELIN, Hist. du Consulat et de l'Empire, t. IV, 2.

10 Il les reçut, entouré d'un appareil guerrier, le sourcil froncé, l'air redoutable (...)
Louis MADELIN, Hist. du Consulat et de l'Empire, t. II, 9.

10.1 Il s'accroupit, caressa de sa main l'onde qui lui répondit de toute sa virginité, la caressa, plus hypocrite que l'eau, revint en arrière, s'étendit, installant autour de l'acte le plus simple tout un appareil de gestes et d'hésitations qui en faisaient une trahison.
GIRAUDOUX, les Aventures de Jérôme Bardini, p. 120.

*Modeste, simple appareil* : apparence dépouillée; absence d'apprêt.

11 Belle, sans ornements, dans le simple appareil
D'une beauté qu'on vient d'arracher au sommeil.
RACINE, Britannicus, II, 2.

Mod. *Dans le plus simple appareil* : tout nu. *Se promener dans le plus simple appareil.*

11.1 À mon arrivée, Laure et Mme Adrien qui étaient encore dans le plus simple appareil du matin se sont enfuies dans leurs chambres pour procéder à leur toilette.
Claude MAURIAC, le Temps immobile, p. 335.

Par ext. → **Décor.**

12 On sentait qu'elle ne s'habillait pas seulement pour la commodité ou la parure de son corps; elle était entourée de sa toilette comme de l'appareil délicat et spiritualisé d'une civilisation.
PROUST, À la recherche du temps perdu, t. IV, p. 27.

♦ **2** (1835). Ensemble d'objets, d'éléments, d'organes, de matériaux... qui concourent au même but en formant un tout. → **Assemblage.** — REM. Ce sens n'est usité que dans quelques domaines spéciaux.

[a] *Appareil critique (d'une édition)* : ensemble des annotations (qui accompagnent un texte original). → **Apparat,** II.

[b] *L'appareil des lois,* l'ensemble de leurs dispositions. → Arsenal, collection; législation.

13 (...) des attentats dont on aurait facilement raison par le léger appareil des peines de simple police.
FRANCE, le Mannequin d'osier, p. 362.

14 L'appareil des lois *(au début du XXe siècle)* était somme toute simple, clair; on serait tenté de le trouver souriant si l'on vient à le comparer avec notre législation actuelle, sourcilleuse et si compliquée que les spécialistes eux-mêmes sont toujours pris en défaut quand d'aventure un naïf les interroge. G. DUHAMEL, le Temps de la recherche, III.

[c] Polit. (notamment dans le voc. marxiste). Ensemble des structures permanentes qui organisent une entité politique et permettent d'appliquer les décisions du groupe social détenant le pouvoir. *Appareil d'État.*

Détruire l'État bourgeois pour le remplacer par l'État de la classe ouvrière et de ses alliés, *ce n'est pas ajouter l'adjectif «démocratique» à chaque appareil d'État existant* (...) c'est révolutionner dans leur structure, leur pratique et leur idéologie les appareils d'État existants, en supprimer certains, en créer d'autres, c'est *transformer les formes de la division du travail* entre les appareils répressifs, politiques et idéologiques (...) Pour Marx, les appareils d'État *(sont)* les appareils répressifs et idéologiques *organiques* d'une classe : la classe dominante. 14.1
L. ALTHUSSER, 22e congrès, p. 54.

*L'appareil d'un parti,* l'ensemble des organismes administratifs permanents. *Homme d'appareil.* → **Apparatchik.**

*L'appareil policier* : l'ensemble des forces de police. *Un grand déploiement d'appareil policier.* → **Forces** (de police). — Par ext. *Appareil pénitenciaire, militaire.*

Nous étions en Belgique. La police française sur moi exerce seule un prestige fabuleux. De même l'appareil pénitentiaire. Jean GENET, Journal du voleur, p. 152. 14.2

[d] Comm. *Appareil commercial* : ensemble des organes et structures (d'une entreprise, d'un ensemble d'entreprises, d'un secteur...) participant à la commercialisation et à la distribution des produits.

♦ **3** (1835; sens un peu différent en 1793). Anat. et cour. Ensemble des organes disposés par la nature pour remplir telle ou telle fonction. → **Système.** *Appareil circulatoire, digestif, respiratoire. Appareil sexuel, uro-génital.*

Un blue-jeans trop serré soulignait son volumineux appareil génital. J.-P. MANCHETTE, Folle à tuer, p. 95. 14.3

*Appareil vocal* : ensemble des organes permettant la production de sons organisés.

*Appareil de Golgi* : organite* du cytoplasme.

*Appareil psychique,* modèle de fonctionnement du psychisme, en psychanalyse.

♦ **4** (1676). Archit. Agencement des matériaux (dans une maçonnerie); art de tracer, de disposer les pierres dans les constructions suspendues, telles que les arcades, berceaux, dômes, ponts, voûtes. — Par ext. Les dimensions des matériaux, l'épaisseur des pierres utilisées dans la maçonnerie. *Pierre de grand, de moyen, de petit appareil. Les Égyptiens nous ont laissé des édifices construits en grand appareil, dont les assises sont formées de blocs énormes. Appareil cyclopéen, pélasgique. Appareil allongé. Appareil polygonal, trapézoïdal.*

Les murs de grand appareil sont construits en belles pierres de taille, ayant deux à trois, et quelquefois quatre à cinq pieds de largeur, sur un, deux ou trois pieds d'épaisseur (...) 14.4
Les murs de petit appareil ordinaire ont leurs parements formés de pierres symétriques à peu près carrées (...) Le plus souvent, on remarque dans les constructions en petit appareil, des zones horizontales et continues de grandes briques, évidemment destinées à maintenir de niveau les petites pierres du revêtement (...)
Je désigne sous le nom de *petit appareil allongé,* celui dont les pièces ne sont point carrées et ont une surface plus étendue dans le sens horizontal que dans le sens vertical (...)
*Appareil moyen.* Un autre appareil, qui tient le milieu entre le petit et le grand appareil, se rencontre aussi quelquefois dans les monuments romains (...)
*Appareil réticulé (opus reticulatum).* Les architectes romains employaient aussi l'*œuvre réticulée,* qui différait du petit appareil ordinaire en ce que les pièces de revêtement (...) étaient placées de manière que les jointures décrivaient des lignes diagonales et simulaient ainsi les mailles d'un filet.
Arcisse DE CAUMONT, Cours d'antiquités monumentales, t. II, II, V, p. 159-166.

♦ **5** Cuis. Préparation spécifique pour la confection d'un mets. *Appareils de pâtisserie (appareil à soufflé, à meringue...).*

♦ **6** Géol. *Appareil littoral, volcanique* : ensemble d'éléments accumulés, de nature littorale, volcanique.

**II** (V. 1170; répandu XIX^e^). **UN, DES APPAREILS.** ♦ **1** Assemblage de pièces ou d'organes réunis en un tout fonctionnel pour exécuter un travail, observer ou mesurer un phénomène. *Appareils utilisés en physique, dans l'industrie.* → **Machine, instrument, engin.** *Les organes d'un appareil. L'agencement d'un appareil.* → **Dispositif.** *La manœuvre d'un appareil par un opérateur. Appareils aratoires* (→ **Agriculture**). *Appareil automatique, électrique, enregistreur, hydraulique, pneumatique. Appareils sanitaires. Ensemble d'appareils.* → **Bloc** (I., 4.). *Appareils distillatoires, de distillation. Appareil de levage.* → **Levage.**

14.5 À droite, la table à hacher, énorme bloc de chêne appuyé contre la muraille, s'appesantissait, toute couturée et toute creusée; tandis que plusieurs appareils, fixés sur le bloc, une pompe à injecter, une machine à pousser, une hacheuse mécanique, mettaient là, avec leurs rouages et leurs manivelles, l'idée mystérieuse et inquiétante de quelque cuisine de l'enfer.
ZOLA, le Ventre de Paris, t. I, p. 126.

(1805, *Dict. de Lunier*). Sc. *Appareils de mesure.* → **Instrument.** *Appareil enregistreur. Les appareils de bord d'un bateau, d'un avion. Appareils de correction (de marche).*

Loc. **APPAREIL MÉNAGER** : appareil utilisé dans la maison pour la propreté, l'entretien (aspirateur, cireuse), la cuisine (batteur, mixeur, etc.), fonctionnant souvent à l'électricité. → **Électrodomestique, électroménager.** *Fabricant d'appareils ménagers.* → **Ménagiste.**

NOMS D'APPAREILS : Voir tableau page suivante.

(1819, *in* Petiot). Sports. Engins utilisés dans les compétitions gymniques. « *En 1936, la gymnastique, reconnue grand sport international, se limite à quelques appareils, dont les normes sont fixées en 1952 : (hommes) anneaux, barre fixe, barres parallèles, cheval sautoir, cheval d'arçons; (femmes) barres asymétriques, poutre d'équilibre, cheval sautoir* » (Petiot).

♦ **2** Emplois spéciaux. **a** (1874, J. Verne). *Appareil photographique* (cit. 1); cour. *appareil de photo;* (1919, *in* D. D. L.) *appareil(-)photo. Des appareils(-)photo.* Absolt (très cour.). *Un vieil appareil à soufflet, à plaques. Petit appareil en forme de boîte.* → **Box** (anglic.), **détective.** *Un appareil reflex** (cit.), *non reflex. Un appareil 24 × 36* (format en mm). *Il a acheté un appareil japonais. Un appareil de la marque Kodak.* → **Kodak** (nom propre).

14.6 Un jeune homme arriva en courant à la porte du café, un appareil-photo en bandoulière et le photographia ainsi, assis et souriant.
M. DURAS, Moderato cantabile, p. 24.

14.7 (...) le portrait datait d'au moins huit ans, car depuis huit ans l'opérateur ne faisait plus de photos de ce modèle. Il avait acheté un nouvel appareil format carte postale.
G. SIMENON, Pietr-le-Letton, p. 45.

(1907, Méliès). Vx. *Appareil (de cinéma).* → **Caméra.**

14.8 Les sujets (...) où l'action est préparée comme au théâtre et jouée par des acteurs devant l'appareil.
G. MÉLIÈS, les Vues cinématographiques, *in* Annuaire de la photographie, 1907, p. 366.

Loc. mod. *Appareil de projection.* → **Projecteur.**

**b** (1877, ci-dessous). *Appareil téléphonique.* → **Téléphone.** Absolt (très cour.). *Allô, qui est à l'appareil?* (→ Au bout du fil*). *Passe-moi l'appareil, que je lui parle.* → **Combiné.** *J'ai la ligne, mais les P. T. T. n'ont pas encore posé l'appareil.* « *ce que M. Graham a réalisé (...) L'appareil a extérieurement l'apparence et le volume d'un cornet acoustique. Il présente une petite cavité qu'on place près de la bouche* » (*Année sc. et industr.* 1878, p. 79 [1877]).

(...) il entendait dans l'appareil, une sorte de grésillement (...) MARTIN DU GARD, les Thibault, VII, 62. 15

Téléphone! Parfois, six appareils marchaient en même temps, et le standardiste ne savait où donner de la tête, car il n'y avait pas assez de monde pour prendre les communications. 16
G. SIMENON, l'Amie de M^me^ Maigret, p. 140.

Dire qu'il a fallu cette sonnerie du téléphone, installé dans ce réduit, pour que cette main illusoirement désinvolte s'affolât et se portât sur l'écouteur, que Roberte le voulût décrocher, qu'elle osât répondre à l'appareil que *j'étais là.* 17
P. KLOSSOWSKI, la Révocation de l'Édit de Nantes, p. 31.

**c** Cour. Avion. *L'appareil décolle. Six appareils en formation. Monter à bord de l'appareil.*

Chaque fois, durant un dixième de seconde, j'imagine mon appareil pulvérisé. Mais il répond toujours aux commandes, et je le relève, comme un cheval, en tirant durement sur les rênes. 18
SAINT-EXUPÉRY, Pilote de guerre, p. 173.

**d** *Appareil de radio.* → **Radio.** *Acheter un nouvel appareil. Appareil de télévision.* → **Téléviseur.** — Syn. : *poste.*

**e** Loc. (1936, Aragon). *Appareil* (ou *machine*) *à sous.* — Rare. *Appareil à billes.* → **Billard** (électrique), **flipper.**

Il se rabattit sur un appareil à billes, mit vingt sous dans le monnayeur. Bientôt, il y eut cercle autour de lui, et cercle admiratif. C'était merveille de voir les petites boules réussir les itinéraires maximum, s'engager dans les couloirs les mieux défendus par les plus astucieux obstacles, tomber dans les cuvettes, éclairer les bornes, tapoter les plots. 19
R. QUENEAU, Pierrot mon ami, éd. L. de Poche, p. 51.

Adamov ayant écrit une pièce sur les appareils à sous, objet insolite au théâtre bourgeois qui, en fait d'objets scéniques, ne connaît que les lits de l'adultère. 20
R. BARTHES, Mythologies, p. 88.

Mar. Se dit de divers appareils de levage. Spécialt. → **Palan.**

♦ **3** (1636). Dispositif destiné à suppléer le déficit fonctionnel d'un membre, d'un organe... — *Appareil contentif, de contention,* qui soutient, maintient une partie du corps (cassée, fracturée). → **Chirurgie, fracture.** Absolt. *Avoir le bras, la jambe dans un appareil.* — *Appareil de marche,* qui permet de marcher en s'appuyant sur la jambe fracturée. *Appareil orthopédique*, qui corrige les déformations d'une partie du corps.*

Spécialt (plus cour.). Dispositif pour redresser les dents. *Appareil d'orthodontie, d'orthopédie.* → **Activateur, monobloc.** *Appareil de prothèse dentaire, appareil dentaire.* → **Prothèse.** *Appareil mobile :* arc vestibulaire fixé à des bagues et placé sur les premières molaires. — Absolt. *Cet enfant devra porter un appareil. La fillette n'osait jamais rire à cause de son appareil.*

Dispositif pour compenser la perte d'audition. *Appareil de correction auditive.* → **Audiophone, sonotone** (marque).

DÉR. V. **Apparaux.** ◊ HOM. Formes des v. 1. **appareiller** et 2. **appareiller.**

**APPAREILLABLE** [apaʀɛjabl] adj. — XX^e^; de 1. *appareiller* (I., 4).

Méd., chir. Qui peut porter un appareil de prothèse, qui peut en être équipé (personnes).

NOMS D'APPAREILS

Absorbeur
Accélérateur
Accéléromètre
Accumulateur
Activateur
Aérateur
Aérographe
Agitateur
Agrandisseur
Agrès
Alambic
Algésimètre
Amblyoscope
Amplificateur
Analyseur
Anémographe
Antiradar
Arithmographe
Arrondisseur
Articulateur
Ascenseur
Aseptiseur
Aspirateur
Assainisseur
Assortisseur
Attendrisseur
Atténuateur
Audiomètre
Audiophone
Autoclave
Autocuiseur
Autogire
Automasseur
Automobile
Avertisseur
Avion
Ball-trap
Barbecue
Basculeur
Bathyscaphe
Bélier
Bélinographe
Ber
Bessemer
Bichonneuse
Billard
Bolomètre
Bombe
Bouclier
Bouillant
Bouillisseur
Brasseur
Broyeur
Bruiteur
Brûleur
Cabre
Cache-flamme
Cage (mines)
Calibreur
Cantre
Carburateur
Carotteuse
Casque
Centrifugeur
Centrifugeuse
Cérificateur
Chadburn
Chambre
Chargeur
Chariot
Charnière
Chasse-...
Chaudière
Chauffe-...
Chauffe-assiettes
Chauffe-bain
Chauffeur
Cinématographe
Classeur
Climatiseur
Climatron
Collecteur
Collimateur
Combinateur
Combiné
Communicateur
Commutateur
Compacteur
Composteur
Compresseur
Compte-...
Compteur
Concasseur
Concentrateur
Condensateur
Condenseur
Conditionneur
Cône
Conformateur
Congélateur
Conjoncteur-disjoncteur
Connecteur
Console
Contacteur
Contrôleur
Convertisseur
Coquille
Coupe-circuit
Coupleur
Courge
Cribleur
Cryocautère
Cryostat
Cuiseur
Culbuteur
Cyclone
Dash-pot
Débiteur
Décanteur
Déclenche
Déclencheur
Décortiqueur
Découpeur
Défibreur
Défibrillateur
Déflagrateur
Défourneur
Dégivreur
Déjecteur
Délivreur
Démarreur
Dénoyauteur
Déphaseur
Dépoussiéreur
Dépulpeur
Dépurateur
Descenseur
Déschisteur
Déshumidificateur
Dessiccateur
Détartreur
Détecteur
Détendeur
Dévolteur
Dictaphone
Diffuseur
Distillateur
Distributeur
Doseur
Dosimètre
Drop
Duplicateur
Ébulleur
Ébullioscope
Écailleur
Échangeur
Économiseur
Égouttoir
Éjecteur
Élargisseur
Électriseur
Électrogène
Électromoteur
Électrophone
Électrophore
Élévateur
Embrayeur
Émetteur
Émulseur
Engreneur
Enregistreur
Épaississeur
Épidiascope
Épiscope
Épulpeur
Épurateur
Équatorial (astron.)
Ergographe
Étuve
Évaporateur
Excavateur
Exploseur
Extenseur
Extincteur
Extracteur
Fermenteur
Filtre
Frigorifique
Fronde
Fumigateur
Gazéifacteur
Gazogène
Gazomètre
Gélatineur
Générateur
Glacière
Graisseur
Guide-fil
Gyrocompas
Gyromètre
Hachoir
Haut-parleur
Homéostat
Homogénéisateur
Humecteur
Humidificateur
Incinérateur
Indicateur
Inductomètre
Inhalateur
Injecteur
Insensibilisateur
Intégrateur
Interphone
Interrupteur
Isolateur
Kymographe
Lampemètre
Lanceur
Laryngophone
Lave-glace
Laveur
Lessiveur
Lieur
Limnigraphe
Lucimètre
Mâche-bouchon
Machine
Magnétophone
Magnétoscope
Malaxeur
Manipulateur
Manostat
Mégohmmètre
Mélangeur
Mélangeuse
Mensurateur
Microcinéma
Micromanipulateur
Microphone
Microphotomètre
Minuterie
Mirus
Monobloc
Monte-charge
Mouleau
Myographe
Néphélectomètre
Néphélomètre
Nilomètre
Nivomètre
Obturateur
Œilleteuse
Ophtalmodynamomètre
Ourdissoir
Oxygénateur
Ozoniseur
Palpeur
Paralléliseur
Parcmètre
Passe-vue
Pasteurisateur
Patouillet
Peleur
Percolateur
Perforateur
Périscope
Pervibrateur
Phonographe
Photocopieur
Photomaton
Photosource
Pile
Pissette
Polariseur
Polaroïd
Pompe
Pont
Positionneur
Potomètre
Préamplificateur

| | | | | |
|---|---|---|---|---|
| Presse | Réflectomètre | Scintillateur | Stroborama | Trembleur |
| Programmateur | Reflex | Scintillographe | Surchauffeur | Treuil |
| Projecteur | Réfracteur | Sclérographe | Télautographe | Trieur |
| Propulseur | Réfrigérateur | Scléromètre | Télégraphe | Triturateur |
| Pulseur | Refroidisseur | Sèche-cheveux | Téléphone | Ultracentrifugeuse |
| Pulvérisateur | Régénérateur | Sécheur | Tendeur | Uréomètre |
| Purgeur | Registre | Semi-portique | Thermorégulateur | Vacuum-cleaner |
| Radar | Régulateur | Séparateur | Thermoscope | Vanne |
| Radiateur | Répondeur | Sirène | Thermosiphon | Varheuremètre |
| Radio-... | Resurchauffeur | Sismomètre | Torréfacteur | Variateur |
| Raidisseur | Rhéographe | Solarigraphe | Totalisateur | Vectocardiographe |
| Récepteur | Rotary | Sonagraphe | Tourniquet | Ventilateur |
| Réchaud | Rouleaux | Sonographe | Transbordeur | Verseur |
| Réchauffeur | Sandow | Spectromètre | Transducteur | Vibrateur |
| Rectificateur | Saturateur | Stabilisateur | Transformateur | Vinificateur |
| Récupérateur | Saute-mines | Stérilisateur | Transmetteur | Vumètre |
| Redresseur | Scaphandre | Stimulateur | Transporteur | Walkie-talkie. |
| Réflecteur | | | | |

N. B. De nombreux autres appareils ont été classés selon leur nature ou leur destination. Voir notamment **Agricole** (outillage), **arpentage, chauffage, chirurgie, électrique, géodésie, hydraulique, hydrothérapie, levage** (appareils de), **mécanothérapie, mesure** (appareils et instruments), 2. **optique, orthopédie, pesage, photographie, sauvetage, signalisation, télégraphie, téléphonie, télévision.** — Voir également **Engin, instrument, machine, outil, ustensile.**

**APPAREILLADE** [apaʀɛjad] n. f. — 1863; de 2. *appareiller.*

Chasse. Formation des couples de perdrix pour la reproduction. → **Appariade, accouplement.**

1. **APPAREILLAGE** [apaʀɛjaʒ] n. m. — 1371, «préparatif»; de 1. *appareiller.*

**I** ♦ **1** Archit. Action d'appareiller des pierres. Disposition résultant de cette action.

0.1 Un bel appareillage romain misérablement consolidé à travers les siècles.
M. BARRÈS, le Voyage de Sparte, p. 258.

Par ext. Disposition régulière d'un matériau de construction. «*(...) appareillage des lames de parquet : à points de Hongrie, à bâtons rompus, d'assemblage et en mosaïque*» (*le Monde*, 29 oct. 1973).

♦ **2** Techn. Ensemble d'appareils et d'accessoires divers disposés pour un usage. *Appareillage électrique :* ensemble des appareils et accessoires utilisés pour la distribution du courant. *Renouveler l'appareillage d'un laboratoire, d'un institut de recherches. Appareillage électronique.*

♦ **3** Méd. Pose d'appareils de prothèse. → **Prothèse.**

**II** (1771). Action d'appareiller (→ 1. Appareiller, II.), de quitter le port (pour un navire, son équipage). → **Départ.** *Poste d'appareillage. Manœuvres d'appareillage,* absolt, *appareillage :* préparatifs pour quitter le mouillage.

1 C'était la veille de l'appareillage, on avait fini de mettre le gréement en ordre à bord, et Yann resta tout le jour avec elle. LOTI, Pêcheur d'Islande, IV, 8.

2 (...) nous nous disons adieu au milieu du tohu-bohu des visites et de l'appareillage. LOTI, Aziyadé, IV, 26.

CONTR. **Accostage, mouillage.**

2. **APPAREILLAGE** [apaʀɛjaʒ] n. m. — XIX^e; de 2. *appareiller.*

Appareillement de deux animaux domestiques pour le travail. *Appareillage des bœufs.*

**APPAREILLEMENT** [apaʀɛjmɑ̃] n. m. — 1820; de 2. *appareiller.*

Action d'appareiller, de réunir deux choses pareilles. — Spécialt, agric. Action de réunir deux animaux domestiques pour le travail (→ 2. **Appareillage)** ou la reproduction (→ **Accouplement, appariement).** *Appareillement des bœufs pour le labour. Appareillement de deux reproducteurs sélectionnés.*

La règle générale à appliquer dans l'appareillement est celle qui régit la sélection; elle consiste à réunir les animaux qui possèdent au degré le plus élevé les formes ou les aptitudes qu'on cherche à maintenir ou à développer.
Omnium agricole, p. 51.

1. **APPAREILLER** [apaʀeje] v. — 1080, *Chanson de Roland;* du bas lat. *appariculare,* du lat. class. *apparare* «préparer».

**I** V. tr. (→ 1. Appareillage, I.). ♦ **1** Anciennt (XI^e-XVI^e). Préparer, apprêter.

Ils le firent avertir qu'il se gardât du poison qu'on lui avait appareillé. 1
J. AMYOT, Trad. PLUTARQUE, Flamininus, 41, *in* LITTRÉ.

♦ **2** Mod. Pêche. *Appareiller un filet,* le disposer pour la pêche.

(XII^e). Mar. *Appareiller un navire,* le garnir de ses apparaux* pour la navigation. → **Gréer.** *Appareiller une ancre, une voile.*

♦ **3** Techn. *Appareiller des pierres,* les tailler, les agencer en vue de la construction. — Au p. p. *Pierres appareillées.* → **Appareil.**

♦ **4** Méd., chir. Placer un appareil de prothèse sur. *Appareiller une jambe, un bras.*

Par ext. Munir (qqn) d'un appareil d'orthodontie. *Cet enfant a les dents de travers, il faudra l'appareiller.*

♦ **5** Régional (Canada). *Appareiller qqn ou qqch.,* le préparer.

**II** V. intr. (1544). Mar. (Le sujet désigne une ou des personnes, un navire). Se disposer au départ, quitter le mouillage, le port. → **Lever** (l'ancre); 1. **appareillage,** (II.). *Le navire* (cit. 9) *appareillait.*

2 Nous appareillâmes le lendemain pour retourner en Angleterre. VOLTAIRE, Contes, «Jenni».

3 La «Léopoldine» devait mouiller en grande rade devant ce Pors-Even, et n'appareiller définitivement que le soir (...) LOTI, Pêcheur d'Islande, V, 2.

4 Philéas Fogg, pendant trois heures, parcourut le port en tous sens, décidé, s'il le fallait, à fréter un bâtiment pour le transporter à Yokohama; mais il ne vit que des navires en chargement ou en déchargement, et qui, par conséquent, ne pouvaient appareiller.
J. VERNE, le Tour du monde en 80 jours, p. 164.

CONTR. **Accoster, jeter** (l'ancre), **mouiller.** ◊ DÉR. **Appareil, appareillable,** 1. **appareillage, appareilleur.** — HOM. 2. **Appareiller.**

2. **APPAREILLER** [apaʀeje] v. tr. — 1130; de 1. *a-*, et *pareil.*

♦ **1** Trouver (qqch.) de manière à assortir; unir (deux, plusieurs choses pareilles). → **Apparier, assortir, joindre, unir.** *Appareiller des gants, des vases, des candélabres.*

0.1 Stephy avait tenté d'appareiller, dans le chalet, les rideaux, les couvertures du lit, la vaisselle.
GIRAUDOUX, les Aventures de Jérôme Bardini, p. 111.

♦ **2** Joindre (deux, plusieurs personnes) ensemble. *Appareiller qqn à, avec...,* joindre (une personne) avec une autre. → **Assortir, réunir.** — Par ext. (vieilli). Marier.

1 Ils se retirèrent ensuite chez eux, aussi contents de l'avoir appareillé avec une aventurière, que s'ils eussent fait son mariage avec une princesse.
A. R. LESAGE, Gil Blas, VIII, 11.

2 Le premier devoir d'un amphitryon est de bien appareiller ses convives.
BRILLAT-SAVARIN, *in* P. LAROUSSE (1866), art. *Appareiller.*

Au passif :

3 Ne t'alarme pas trop d'être appareillé avec un criminel au char de la vie (...) CHATEAUBRIAND, les Natchez, V.

♦ **3** Agric. Accoupler (des animaux) pour le travail ou pour la reproduction (→ **Apparier**). *Appareiller une paire de bœufs. Appareiller une vache flamande avec un taureau anglais.*

♦ **4** Cuis. Mettre ensemble pour couper à la même dimension. *Appareiller des asperges.*

◆ **S'APPAREILLER À...** v. pron. (Réfl.) :

4 Elle s'appareillait encore trop peu au genre humain, pour ne pas être torturée par le seul fait du déplacement et du voyage.
GIRAUDOUX, les Aventures de Jérôme Bardini, p. 122.

(Récipr.). Se joindre à un de ses pareils. → **Accorder** (s'), **harmoniser** (s').

5 — On vous dit original et peu soumis.
— Eh bien ! cher monsieur J.-G.-N., nous pouvons, je crois, nous appareiller.
Léonce DE LARMANDIE, Histoire de J.-G.-N. dit Humilis, *in* G. NOUVEAU, Œ., Pl., p. 1040 (1910).

Spécialt. S'accoupler, en parlant des animaux (spécialt, en parlant des oiseaux). *Quand la tourterelle a perdu sa compagne, elle ne s'appareille plus avec une autre.*

Archit. S'imbriquer parfaitement. → **Ajuster** (s'), **assembler** (s'). *Moellons qui s'appareillent.*

◆ **APPAREILLÉ, ÉE** p. p. adj.

(Choses). → **Assorti, uni.** — (Personnes). «*Un mari et une femme appareillés*» (Goncourt). — (Personnes). Joint (à quelqu'un).

CONTR. **Contraster, dépareiller, déparier, désapparier, désassortir, détonner, trancher.** ◊ DÉR. **Appareillade,** 2. **appareillage, appareillement, appareilleuse.** — HOM. 1. **Appareiller.**

**APPAREILLEUR, EUSE** [apaʀɛjœʀ, øz] n. — 1292, *appareilléeur;* de 1. *appareiller.*

♦ **1** Techn. Ouvrier, ouvrière qui prépare, apprête. (1527). Archit. Maître-maçon qui surveille la coupe et la pose des pierres destinées à la construction. Techn. Ouvrier capable de monter des échafaudages, d'utiliser les appareils de levage.

Textile. Ouvrier qui prépare soies et laines pour le tissage. — *Appareilleur de bas,* qui réunit les bas par paires. — *Appareilleur de maillons,* qui égalise les maillons.

♦ **2** (1866). Ouvrier chargé de l'installation du gaz et de l'électricité chez un particulier.

♦ **3** Figuré :

Lune, soleil, lui paraissaient aussi artificiels que les ampoules du grand-père Frédéric. Elle en voulait à ces accessoires d'avoir laissé Bergmann s'approcher d'elle et d'exercer impunément leur fonction d'appareilleurs.
GIRAUDOUX, les Aventures de Jérôme Bardini, p. 76.

**APPAREILLEUSE** [apaʀɛjøz] n. f. — 1611; de 2. *appareiller.*

Vx ou littér. (A. France, Milosz, *in* T. L. F.). Entremetteuse, femme proxénète.

**APPAREMMENT** [apaʀamɑ̃] adv. — 1564; «réellement, manifestement», v. 1175; de *apparent.*

♦ **1** Vx. En apparence. → **Extérieurement, visiblement.** *Un objet marqué très apparemment.*

(...) Des raisins mûrs apparemment. 1
LA FONTAINE, Fables, III, 2.

♦ **2** (1652). Mod. Selon toute apparence. → **Doute** (sans), **vraisemblablement.** — (En incise, en tête de phrase, en réponse). *Oui, apparemment. Apparemment, il a renoncé.*

Après mille ans et plus de guerre déclarée, 2
Les loups firent la paix avecque les brebis.
C'était apparemment le bien des deux partis.
LA FONTAINE, Fables, III, 13.

— En allés, où ? — D'où ils venaient, apparemment. Je ne le leur ai pas demandé. 3
G. SAND, la Mare au diable, XIII.

C'est la nécessité de ce concours de tant de qualités (...) qui fait apparemment que le génie est toujours si rare. 4
VAUVENARGUES, Génie.

Loc. **APPAREMMENT QUE.** *Apparemment qu'il viendra* (Académie). *Apparemment qu'il était malade.*

Le vieillard regarda le prince en souriant : «Mon fils, lui dit-il, apparemment que vous êtes étranger ? Vous ne me feriez pas cette demande si cela n'était. 4.1
— Oui, seigneur, je suis étranger, reprit Assad».
A. GALLAND, les Mille et une Nuits, t. II, p. 174.

Apparemment qu'il trouve moyen d'être en même temps à Paris et à la campagne. 5
A. DE MUSSET, le Secret de Javotte, IV.

REM. Cette locution est aujourd'hui remplacée par *apparemment* en apposition.

(Qualifiant un adj.). En apparence; en apparence seulement. *Il est apparemment honnête, apparemment sain d'esprit.*

**APPARENCE** [apaʀɑ̃s] n. f. — 1280, *aparence; apparanche*, 1225; bas lat. *apparentia*, du lat. class. *apparere*. → Apparaître, apparoir.

♦ **1** Aspect (de ce qui apparaît); ce que l'on voit (d'une personne ou d'une chose), manière dont elle se présente. → **Air, appareil, aspect, extérieur, figure, forme, 1. mine, physionomie, tournure.** *Les diverses apparences de la lune, des planètes.* → **Phase.** *On a repeint la maison pour lui donner une belle apparence. La cité de Carcassonne a conservé son apparence médiévale.* → **Cachet, caractère, couleur, visage.** *Présenter, offrir une belle, une mauvaise apparence. — Une auberge de misérable apparence. De même apparence.* → **Semblable.**

1 N'admirerons-nous pas plutôt que d'une hauteur si prodigieuse elles *(ces étoiles)* puissent conserver une certaine apparence, et qu'on ne les perde pas toutes de vue?
LA BRUYÈRE, les Caractères, XVI, 43.

2 Un certain air d'audace et de gaieté dans le regard contrastait avec cette apparence maladive.
MÉRIMÉE, Arsène Guillot, I.

3 (...) au coin de deux rues un restaurant de piètre apparence (...) MARTIN DU GARD, les Thibault, VII, 46.

4 (...) noter les moindres nuances de son visage, les plus fuyantes expressions, et saisir et rendre ce qu'il y a dans une figure de femme de plus que l'apparence visible, cette émanation d'idéale beauté (...)
MAUPASSANT, Fort comme la mort, p. 26.

Spécialt. Belle apparence. *Présenter une certaine apparence, avoir de l'apparence.*

5 Dans le hameau cette maison a quelque apparence.
ROUSSEAU, Émile, V.

(1395). Trace, vestige. *Ils n'ont plus aucune apparence de liberté. Une légère apparence de ...* → **Lueur, 1. ombre, rayon, soupçon.**

*Vaine, fausse apparence.* → **Erreur; chimère, fantôme** (→ ci-dessous, cit. 8 et 21). *Ce qui trompe par de fausses apparences.* → **Attrape, brillant, clinquant, déguisement, éclat, fard, faux-semblant, feinte, frime, illusion, masque, mirage, 1. ombre, prétexte, semblant, simulacre, trompe-l'œil, voile.**

(1659). Spécialt. **L'APPARENCE, LES APPARENCES :** l'aspect superficiel, extérieur d'une chose, considéré comme distinct de sa réalité. → **Couleur, décor, dehors, enveloppe, façade, face, figure, forme, superficie, (par métaphore) écorce, enduit, livrée, vernis.** *Ne pas se laisser prendre à l'apparence. — Prendre l'apparence pour la réalité* (→ Prendre l'ombre* [1. Ombre, II., 4.] pour le corps). *Ne vous arrêtez pas à l'apparence. Cette apparence séduisante cache une nature perfide, une réalité dangereuse* (→ Le serpent* [*infra* cit. 7.2] est caché sous les fleurs). — Loc. *Sous l'apparence, sous une apparence de... Un caractère indomptable sous une apparence de douceur* (→ Une main* de fer...). *Sous les apparences sensibles* (→ Réalité, cit. 4). — Au plur. **LES APPARENCES :** la réalité visible, extérieure, en tant qu'inexacte ou trompeuse (→ ci-dessous, cit. 16 et 19). *Il juge sur les apparences. Ne vous arrêtez pas aux apparences. Il ne faut pas se fier aux apparences* (→ Tout ce qui brille n'est pas or* [1. Or, B., 3.], l'habit ne fait pas le moine*). *Des apparences de...* (→ ci-dessous, cit. 27). *Malgré les apparences. Les apparences du mérite* (→ Récompenser, cit. 4).

6 *(Les bons esprits qui savent)* Séparer le vrai bien du fard de l'apparence. Mathurin RÉGNIER, Satires, V.

7 L'apparence vous trompe (...)
CORNEILLE, Héraclius, IV, 5.

8 Les sens abusent la raison par de fausses apparences.
PASCAL, Pensées, II, 83.

9 La vérité ne fait pas tant de bien dans le monde que ses apparences y font du mal.
LA ROCHEFOUCAULD, Maximes, 64.

Les grands, pour la plupart, sont masques de théâtre; 10
Leur apparence impose au vulgaire idolâtre.
LA FONTAINE, Fables, IV, 14.

Mon âme, en toute occasion, 11
Développe le vrai caché sous l'apparence.
LA FONTAINE, Fables, VII, 18.

Il ne faut point juger des gens sur l'apparence. 12
Le conseil en est bon, mais il n'est pas nouveau.
LA FONTAINE, Fables, XI, 7.

Mon Dieu, le plus souvent l'apparence déçoit : 13
Il ne faut pas toujours juger sur ce qu'on voit.
MOLIÈRE, Tartuffe, V, 3.

Confondre l'apparence avec la vérité (...) 14
MOLIÈRE, Tartuffe, I, 5.

(...) une trahison que tant d'apparences me confirmaient (...) MOLIÈRE, Dom Juan, I, 3. 15

Est-il possible (...) que les apparences toujours tourneront contre moi (...) MOLIÈRE, George Dandin, II, 8. 16

Si vous êtes alarmé de l'apparence de mon oubli, croyez, Monsieur, que c'est une fausse alarme, et que les apparences sont trompeuses (...) 17
Mme DE SÉVIGNÉ, 893, 17 avr. 1682.

On n'y songe qu'à soi *(à Versailles)*, sous l'apparence d'être entraîné par le tourbillon des autres. 18
Mme DE SÉVIGNÉ, 967, 1er juil. 1685.

Les hommes, séduits par de belles apparences et de spécieux prétextes (...) 19
LA BRUYÈRE, les Caractères, XII, 114.

La politesse n'inspire pas toujours la bonté, l'équité, la complaisance, la gratitude; elle en donne du moins les apparences, et fait paraître l'homme au dehors comme il devrait être intérieurement. 20
LA BRUYÈRE, les Caractères, V, 32.

Il faudrait (...) que ce que nous appelons prospérité et fortune ne fût pas une apparence fausse et une ombre vaine qui s'évanouit. 21
LA BRUYÈRE, les Caractères, XVI, 47.

(...) une apparence de sensibilité qui ne va qu'à l'épiderme *(chez Madame Récamier)*. 22
B. CONSTANT, Journal intime.

Il portait cette armature rigide, l'apparence. Il était monstre en dessous; il vivait dans une peau d'homme de bien avec un cœur de bandit (...) 23
HUGO, les Travailleurs de la mer, I, VI, 6.

La femme a une puissance singulière qui se compose de la réalité de la force et de l'apparence de la faiblesse. 24
HUGO, Post-scriptum de ma vie, p. 56.

L'âme (...) est la substance; le corps l'apparence. 25
FRANCE, le Petit Pierre, I, 9 (→ Âme, cit. 26).

On ne perçoit que l'apparence; car l'envers de la tapisserie, l'envers réel de l'action, de l'intrigue — aussi bien que celui de l'intelligence, du cœur — se dérobe (...) 26
PROUST, À la recherche du temps perdu, t. XIII, p. 250.

C'est un lieu commun du reste parmi les gens du monde, que le monde juge tout sur les apparences, lieu commun auquel certains pour plus de fraîcheur répondent par cet agréable paradoxe : «Mais bien sûr, il ne faut juger que sur les apparences», ou dans une société moins hardie d'esprit : «Dans le monde on est bien obligé de juger sur les apparences, mais on est sévère pour une telle et pas pour telle autre qui en a fait bien plus.» 26
PROUST, Jean Santeuil, Pl., p. 628.

Ainsi, derrière des apparences de gloire, d'amères réalités se cachaient. J. BAINVILLE, Hist. de France, p. 492. 27

L'état général, malgré l'apparence, restait inquiétant. 28
MARTIN DU GARD, les Thibault, IV, 5.

Car le Paradis est partout; n'en croyons pas les apparences. Les apparences sont imparfaites : elles balbutient les vérités qu'elles recèlent; le Poète, à demi-mot, doit comprendre, — puis redire ces vérités. 28
GIDE, le Traité du Narcisse, *in* Romans, Pl., p. 9.

♦ **2** Cour. *Garder, ménager* (1621), *sauver les apparences :* ne laisser rien apercevoir de ce qui pourrait nuire à sa propre réputation ou à celle de qqn. → **Bienséance, convenance.** *Sacrifier les apparences et se moquer du qu'en dira-t-on.*

29 (...) des femmes qui pensent être les plus vertueuses personnes du monde pourvu qu'elles sauvent les apparences (...) MOLIÈRE, l'Impromptu de Versailles, I.

30 On garde encore à la vérité les apparences (...) MASSILLON, Pardon.

31 Ce que je peux te promettre, c'est d'être discret, invisible, de me comporter, enfin, comme un parfait gentleman, de m'arranger toujours pour sauver les apparences. G. DUHAMEL, Chronique des Pasquier, t. I, p. 411.

Dr. État d'une situation se présentant de manière déformée sur la scène juridique.

Loc. adv. **EN APPARENCE** : extérieurement, autant qu'on peut en juger d'après ce qui paraît, ce qu'on voit. → **Apparemment** (1.).

32 Si l'on guérit le mal, ce n'est qu'en apparence. CORNEILLE, le Cid, II, 3.

33 *(Une belle)* douce en apparence, et toutefois cruelle (...) LA FONTAINE, Fables, XII, «Le chat et la souris».

34 Qu'elles le soient effectivement et non en apparence. BOSSUET, Politique.

35 (...) les sociétés les plus policées, en apparence. Edmond JALOUX, le Jeune homme au masque, p. 24.

**SELON TOUTE APPARENCE** : d'après ce que l'on voit, ce qui est patent.

**CONTRE TOUTE APPARENCE** : en dépit de ce qui paraît, de ce qu'on voit (→ ci-dessous, 4.). *Contre toute apparence, les affaires marchent bien.*

Vx. **D'APPARENCE** : apparemment, de toute évidence.

♦ **3** Philos. Phénomène (opposé à *la chose en soi*, à *l'être*, à *la substance*). *L'apparence sensible. L'essence et l'apparence.*

♦ **4** (1468; langue classique). Vx. Caractère plausible, vraisemblable d'une chose. → **Probabilité, vraisemblance.** — Loc. *Non sans apparence. Il y a (de l') apparence que* (suivi de l'indic.). *«Il n'y a pas d'apparence que je vive encore longtemps»* (A. Galland, *les Mille et Une Nuits,* t. 1, p. 290). *Quelle apparence y a-t-il que...?; quelle apparence que...?* — Vx. *Hors d'apparence :* invraisemblable.

36 (...) Ce soupçon n'est pas sans apparence. CORNEILLE, Polyeucte, III, 5.

37 Ce mariage a si peu d'apparence, qu'il est aisé de voir qu'on ne le propose que pour satisfaire à la coutume de ce temps-là. CORNEILLE, Examen de Mélite.

38 Vous tenez des discours qui sont hors d'apparence. CORNEILLE, la Galerie du Palais, III, 6.

39 Mais l'apparence, ami, que vous puissiez lui plaire,
Teint du sang de celui qu'elle aime comme un père?
CORNEILLE, Cinna, II, 2.

40 Au mystère nouveau que tu me viens conter
Est-il quelque ombre d'apparence?
MOLIÈRE, Amphitryon, II, 1, 770.

41 Ce discours d'apparence est si fort dépourvu ... MOLIÈRE, l'École des maris, III, 5.

42 Je le croirais bien; oui, il y a toutes les apparences du monde (...) MOLIÈRE, les Précieuses ridicules, 5.

43 Il y a de l'apparence qu'il disait vrai. RACINE, Port-Royal.

44 Quelle apparence que Xuthus ne soit pas du festin où il a dit lui-même qu'il voulait assister avec son fils? RACINE, Livres annotés, Notes sur Ion.

45 Il y a une chose que l'on n'a point vue sous le ciel, et que selon toutes les apparences on ne verra jamais : c'est une petite ville qui n'est divisée en aucuns partis (...) LA BRUYÈRE, les Caractères, V, 50.

Vieilli. *Contre toute apparence :* malgré une invraisemblance (→ aussi ci-dessus, 2.).

46 Si Descartes a voulu, contre toute apparence, que les animaux fussent des machines (...) FRANCE, le Petit Pierre, 26.

CONTR. (Du 3.). **Essence, fond, substance. — Envers, revers. — Certitude, existence, réalité, vérité.**

**APPARENT, ENTE** [aparɑ̃, ɑ̃t] adj. — 1155, *aparant;* aussi «important», en moy. franç.; p. prés. de *apparoir.*

♦ **1** (Concret). Qui apparaît, se montre clairement aux yeux. → **Visible, ostensible.** *Porter un insigne d'une manière apparente. Les bourgeons sont déjà apparents. Il y a des procédés pour rendre plus apparente l'écriture des vieux manuscrits* (Académie). *Grossesse peu apparente. La chose est très apparente* (→ Cela se voit comme le nez* au milieu du visage).

Le nez est la partie la plus avancée et le trait le plus apparent du visage (...) BUFFON, Hist. nat., Homme. 1

L'éducation ne se borne pas à rendre apparentes des puissances cachées qui ne demandaient qu'à se révéler. É. DURKHEIM, Éducation et Sociologie, p. 51, *in* LALANDE. 2

Loc. *Poutre* apparente. Solives* (cit. 2) *apparentes.*

N. m. (1679). *L'apparent :* le visible.

Spécialt, dr. *Servitudes* apparentes, non apparentes,* selon qu'elles sont ou ne sont pas indiquées par des signes extérieurs.

♦ **2** (1413). Abstrait. Évident. → **Clair, manifeste, visible.** *Dangers apparents et dangers latents. C'est apparent, cela tombe sous le sens. Son bon droit est apparent, très apparent.* → **Incontestable.** *Sans cause apparente. Une ruse, une manœuvre trop apparente* (→ Cousu de fil* blanc). — Loc. *Sans mobile apparent :* sans raison immédiatement décelable (de commettre tel délit).

Jamais prévention n'a été fondée sur des raisons plus apparentes que celle du Roi contre tout ce qui s'appelle jansénisme. RACINE, Port-Royal, 1. 3

♦ **3** Littér. Qui n'est pas tel qu'il paraît être; qui n'est qu'une apparence (3.). *Contradictions apparentes. Une raison apparente.* → **Prétendu, spécieux, supposé.** *Sous cet éclat apparent, il n'y a rien de solide.* → **Artificieux, 1. faux, illusoire, superficiel, trompeur.**

(...) des raisons apparentes, de spécieux prétextes, ou ce qu'ils appellent une impossibilité de le pouvoir faire (...) LA BRUYÈRE, les Caractères, VIII, 29. 4

Ces âmes artificieuses, qui, sous le voile d'une dévotion apparente, cachent, ou le venin d'une doctrine corrompue, ou le dérèglement d'une conduite criminelle. BOURDALOUE, Sermon 7ᵉ dim. ap. Pentecôte, Sur l'hypocrisie. 5

Combien de vertus apparentes cachent souvent des vices réels! le sage est sobre par tempérance, le fourbe l'est par fausseté. ROUSSEAU, Lettre à M. d'Alembert. 6

Les lois humaines sont fondées sur l'utilité, et ce n'est peut-être qu'une utilité apparente et illusoire, car on ne sait pas naturellement ce qui est utile aux hommes, ni ce qui leur convient en réalité. FRANCE, la Rôtisserie de la reine Pédauque, p. 126. 7

Cette hésitation apparente signifiait une volonté arrêtée (...) PROUST, À la recherche du temps perdu, t. XI, p. 110. 8

(...) le contraste entre la sérénité apparente de ce paysage, de cette maison, et les drames secrets que l'on y devine. A. MAUROIS, le Cercle de famille, p. 277. 9

♦ **4** Sc. (aux sens 1. et 3.). *Diamètre apparent de qqch., d'un astre :* angle sous lequel on aperçoit sa plus grande dimension. *Le diamètre apparent du soleil.* — *Distance apparente entre deux objets, deux astres :* angle formé par les rayons visuels partant de l'œil de l'observateur vers chacun des deux objets observés. — *Contour apparent :* la ligne extrême aperçue en perspective ou en projection. — *Hauteur apparente d'un astre* (opposé à *hauteur vraie*) : angle que fait avec l'horizon le rayon visuel aboutissant au centre de l'astre. — *Horizon apparent* (opposé à *horizon vrai*) : irrégularité de la surface de la terre qui semble constituer pour l'œil la séparation entre le ciel et la terre. — *Lieu apparent de qqch., d'un astre,* endroit où celui-ci semble se situer à travers un milieu qui réfracte les rayons lumineux. — *Mouvement apparent d'un astre* (opposé à *mouvement propre*). *Mouvement apparent du système planétaire, du soleil, de la lune :* déplacement produit par le mouvement de l'observateur (dû à la rotation terrestre).

*Profondeur apparente* (opposé à *profondeur réelle*), en parlant d'un liquide observé à la perpendiculaire : distance du fond à la surface, déterminée par l'œil, inférieure à la distance réelle. — *Puissance apparente d'un courant monophasé. Résistance apparente.*

10 (...) la grandeur apparente d'un objet varie avec sa distance apparente, ou sa couleur apparente avec les souvenirs que nous en avons (...)
MERLEAU-PONTY, Phénoménologie de la perception, p. 14.

*Mort apparente.* → 1. **Mort.**

Dr. *Héritier, mandataire apparent,* qui passe pour tel aux yeux de tous.

Gramm. *Sujet apparent* (opposé à *sujet réel*), dans les tournures impersonnelles sous la forme *il* ou *ce.*

**CONTR. Caché; invisible, latent, secret. — Effectif, réel, véritable, vrai. ◊ DÉR. Apparemment.**

**APPARENTAGE** [apaʀɑ̃taʒ] n. m. — 1853; de *apparenter.*

Rare. Le fait d'être apparenté. → **Parenté.**

**APPARENTÉ, ÉE** [apaʀɑ̃te] adj. → **Apparenter.**

**APPARENTEMENT** [apaʀɑ̃tmɑ̃] n. m. — 1912, aux sens 1. et 2.; de *apparenter.*

♦ **1** Action de s'apparenter; fait d'être apparenté (à qqn ou qqch.). *Apparentement à..., avec (qqn, qqch.). Apparentement à la noblesse.*

Ces phrases-là, les musicographes pourraient bien leur trouver leur apparentement, leur généalogie, dans les œuvres des musiciens (...)
PROUST, Albertine disparue, Folio, p. 306.

♦ **2** (1912). Alliance électorale entre deux listes de candidats qui ont la faculté de grouper leurs voix, de telle sorte que les voix d'une liste puissent être reportées sur l'autre dans une répartition proportionnelle de sièges. *Tractations politiques pour aboutir à des apparentements.*

**APPARENTER** [apaʀɑ̃te] v. tr. — V. 1165, «traiter comme un parent»; de 1. *a-,* et *parent.*

♦ **1** (1636). Rare. **APPARENTER À :** rendre parent par l'alliance de. *Son père aurait voulu l'apparenter à une grande famille.* — Donner des parents, une famille à (qqn), réellement ou fictivement.

♦ **2** Fig., rare. *Apparenter deux choses,* les rapprocher, les harmoniser. — *Apparenter une chose à une autre, et une autre.* — Cour. (Sujet n. de chose). *Les qualités, les caractères qui les apparentent.*

◆ **S'APPARENTER** v. pron. (V. 1190).

♦ **1** Rare. S'allier par le mariage. *S'apparenter à une famille.*

♦ **2** Par anal. S'unir à qqch., qqn par intérêt, par sentiment.

1 Nous nous apparentons ainsi à des sociétés qui ne nous sont plus contemporaines, à des formes de culture que l'Europe nordique estime lui être étrangère, mais auxquelles une secrète sympathie nous relie.
André SIEGFRIED, l'Âme des peuples, III, 1.

Polit. S'allier par l'apparentement (2.) électoral.

♦ **3** (1660). Fig. et cour. (Choses). Avoir une ressemblance avec, être de la même nature que... → **Avoisiner** (s'avoisiner, 3.). *Le goût de l'orange s'apparente à celui de la mandarine.* — Vieilli. S'accorder, s'assortir. *Ces deux teintes s'apparentent bien.*

◆ **APPARENTÉ, ÉE** p. p. adj. (1225).

♦ **1** Qui a des rapports de parenté avec (qqn). *Il est apparenté à mon mari,* de la même famille que lui. *Ils sont apparentés. Être apparenté aux X.*

Si elle a le malheur d'être mal apparentée, elle en a d'autant plus de mérite à être ce qu'elle est (...) 2
G. SAND, la Petite Fadette, XXIX.

♦ **2** Polit. Allié par l'apparentement électoral. *Listes apparentées.*

♦ **3** Fig. Qui ressemble à, est en rapport avec. → **Accord** (en), **assorti** (à), **avec.** *C'est un avocat ou quelque chose d'apparenté.*

Bonaparte avait au premier moment admiré les feux *(de Moscou)* et les Scythes comme un spectacle apparenté à son imagination, mais bientôt (...) 3
CHATEAUBRIAND, Mémoires d'outre-tombe, III, 3, éd. Biré, t. III, p. 218.

Loc. (subst.) ... *ou apparenté :* ou semblable.

Un obus ou apparenté avait traversé la caisse de part en part, y laissant toutefois, magnanime, son intacte couche de rouille et de champignons. 4
René FALLET, le Triporteur, p. 35.

♦ **4** N. m. **a** Polit. Parlementaire proche d'un groupe, avec lequel il vote. *Les socialistes et apparentés. Un apparenté socialiste.*

**b** Zool. Être vivant présentant des caractères communs avec un groupe. *Les apparentés d'une famille.*

**DÉR. Apparentage, apparentement.**

**APPARIABLE** [apaʀjabl] adj. — 1866, P. Larousse; de *apparier* et suff. *-able.*

Rare. Que l'on peut apparier. *Ces deux chevaux sont aisément appariables pour un attelage.*

**APPARIADE** [apaʀjad] n. f. — 1839, Boiste; de *apparier.*

Rare et vieilli. Appariement. — Spécialt, techn. (chasse). *Appariade de perdrix reproductrices.*

**APPARIEMENT** [apaʀimɑ̃] n. m. — 1577; de *apparier.*

(Au propre ou au fig.). Littér. Action d'apparier, d'unir par couple, d'assortir par paire. → **Accouplement** (vx), **appareillement, assortiment; accord, alliance.**

État de ce qui est apparié.

Ce qui fait un chef-d'œuvre, c'est une appropriation ou un appariement heureux entre le sujet et l'auteur.
GIDE, Journal, sept. 1905.

**APPARIER** [apaʀje] v. tr. — XIIIe; anc. franç. *apairier, s'aparer* (XIIe); de 1. *a-,* et anc. franç. *pairier* «apparier, accoupler». → Pair, paire.

♦ **1** Littér. *Apparier une chose et une autre, à une autre; apparier deux choses :* assortir par paire ou par couple (deux choses de même nature). *Apparier des chevaux, des gants, des bas.* → **Appareiller, coupler, joindre, réunir, unir.**

Mettre ensemble deux choses de nature différente qu'on estime aller bien ensemble. → **Assortir.** *Apparier le cuissot de chevreuil et la gelée de myrtilles. Apparier un vin à un mets.*

(...) abandonné à lui-même, il eût facilement chambré le champagne, frappé le châteauneuf du pape, apparié un 1

bourgogne rouge aux huîtres et un bordeaux blanc sucré à un cuissot de chevreuil.
Roger IKOR, les Fils d'Avrom, Les eaux mêlées, p. 653.

♦ **2** Accoupler le mâle avec la femelle (particult, de certains oiseaux). *Apparier des pigeons, des tourterelles.* → **Accoupler.**

Par plais. → **Marier.**

2 Si le diable vous tente et veut vous marier,
Qu'il cherche un autre objet pour vous apparier.
J.-F. REGNARD, le Légataire universel, I, 5.

◆ **S'APPARIER** v. pron. (1209, «se marier»). Se mettre en harmonie. — (1492). Spécialt. S'accoupler (oiseaux). *Dans cette saison les tourterelles s'apparient.*

◆ **APPARIÉ, ÉE** p. p. adj.
*Choses appariées.*
Phys. *Électrons appariés,* couplés et identiques mais dont les spins sont opposés.

CONTR. **Déparier, désapparier.** ◊ DÉR. **Appariable, appariade, appariement, apparieur.**

**APPARIEUR, EUSE** [aparjœr, øz] n. — 1580; de *apparier.*

Vx. Personne qui apparie. → **Marieur; entremetteur.**

Une marieuse de gens, on appelle vulgairement cela une apparieuse.
TALLEMANT DES RÉAUX, Historiettes, VIII, *in* LITTRÉ.

**APPARITEUR** [aparitœr] n. m. — 1332; du lat. *apparitor* «huissier attaché au service d'un magistrat», de *apparere.* → Apparaître.

♦ **1** Huissier. → **Chaouch;** 1. **accense** (antiq.). — Spécialt. *Huissier de faculté. Les appariteurs de la faculté de droit.* → **Bedeau** (2.), 2. **massier, tangente** (argot).

1 (...) lorsque, du haut du Bureau, le Directeur en exercice donne à l'appariteur l'ordre d'introduire le nouvel élu (...)
Georges LECOMTE, Ma traversée, p. 541.

Loc. Par plais. *Appariteur musclé** : policier en civil.

2 Zwickau ne tint aucun compte de l'interruption (...)
— J'ai vu son nom! répéta la grosse femme.
Un appariteur musclé lui saisit le bras (...) Elle prit aussitôt un air coupable.
J.-P. MANCHETTE, Folle à tuer, p. 105.

♦ **2** (1845). Vx ou régional. Agent municipal employé à divers travaux dans une mairie.

♦ **3** (1845). Vx. Préparateur de laboratoire.

**APPARITION** [aparisjɔ̃] n. f. — 1190, au sens II., 1.; du lat. ecclés. *apparitio* «apparition», trad. du grec *epiphaneia* (→ Épiphanie); de *apparere.* → Apparaître.

Action d'apparaître; ce qui apparaît.

**I** ♦ **1** (Av. 1330). Action de se montrer aux yeux, à la vue (→ **Manifestation**) en devenant visible, perceptible après avoir été caché. — (Choses concrètes). *L'apparition d'un objet brusquement éclairé. L'apparition d'un astre, d'une comète. Après l'apparition de la nouvelle lune. L'apparition d'un cours d'eau à la surface de la terre, d'une source, d'un geyser.*

REM. Dans certains cas, l'accession à la perception se confond avec l'accession à l'être : *dès l'apparition du jour* (→ ci-dessous 2. et 4.).

(Personnes; vieilli). Le fait de se manifester dans un lieu. *Une apparition inattendue, agréable. Les apparitions régulières d'un importun, d'un pique-assiette.*

1 Il y a dans les cours des apparitions de gens aventuriers et hardis (...) LA BRUYÈRE, les Caractères, VIII, 16.

2 Ce fut pour moi une apparition agréable de voir entrer M. de Bonac dans mon cabinet.
RACINE, Lettres, VII, 258.

Mod. (avec le verbe *faire*). *Faire son apparition quelque part.* → **Entrée.** — (Avec une qualification temporelle). Visite. *Il n'a fait qu'une courte, une brève apparition, une apparition d'un quart d'heure* (dans une réunion, à une réception).

*(Maurice Rollinat)* faisait à chacun de ces voyages, une apparition chez Alphonse Daudet (...) 2.1
Georges LECOMTE, Ma traversée, p. 276.

♦ **2** Le fait d'accéder à l'être, à l'existence (tout en devenant visible, perceptible). *L'apparition du jour.* → **Éclosion, naissance.** *L'apparition des feuilles nouvelles, des premiers bourgeons.* → **Éclosion, poussée.** *L'apparition de boutons, d'une dermatose.* → **Éruption.**

(Êtres vivants autonomes; classes d'êtres vivants). *L'apparition d'une espèce animale, végétale sur la Terre. L'apparition de l'homme.* → **Arrivée, venue.**

Par métonymie. Durée brève (de l'existence). *La courte apparition des éphémères. L'individu ne fait qu'une apparition sur la Terre.*

Néanmoins les hommes, durant leur apparition éphémère sur ce globe, se persuadent qu'ils laissent d'eux quelque trace : eh! bon Dieu, oui, chaque mouche a son ombre. 3
CHATEAUBRIAND, Mémoires d'outre-tombe, IV, 5.

Des millions d'êtres se forment sur la croûte terrestre, y grouillent un instant, puis se décomposent et disparaissent, laissant la place à d'autres millions qui, demain, se désagrègeront à leur tour. Leur courte apparition ne rime à rien. La vie n'a pas de sens. 4
MARTIN DU GARD, cité par A. MAUROIS, Études littéraires, t. II, p. 199.

♦ **3** Psychol., philos. Le fait, pour un objet de connaissance, de se manifester, d'être perçu (par un sujet).

Chaque être est détruit quand nous cessons de le voir; puis son apparition suivante est une création nouvelle, différente de celle qui l'a immédiatement précédée, sinon de toutes. 5
PROUST, À l'ombre des jeunes filles en fleurs, Pl., t. II, p. 209.

♦ **4** Cour. Le fait de commencer à être, à exister en se manifestant dans la durée, dans l'expérience personnelle ou historique. — (Choses concrètes impliquant un contenu intellectuel). *L'apparition d'un livre* (→ **Publication**), *d'une revue. Après l'apparition de la boussole.* → **Invention.** — (Institutions, réalités historiques). *L'apparition d'un nouvel État.* → **Création, indépendance, naissance.** *L'apparition d'une technique, de l'aviation, de l'énergie atomique.* — (Abstractions culturelles, politiques, sociales...). *Apparition d'idées nouvelles, d'un courant de pensée, d'une attitude. L'apparition du syndicalisme ouvrier au* XIX*e siècle.*

L'argent parut. Or l'apparition de l'argent était une grande révolution. 6
FUSTEL DE COULANGE, la Cité antique, IV, 7, p. 325.

C'était un changement considérable que l'apparition d'une Prusse agrandie (...) 7
J. BAINVILLE, Hist. de France, XX, 499 (→ Agrandir, cit. 10).

REM. Certains emplois du mot jouent sur les deux valeurs : accession à la perception (1. et 3.), accession à l'existence (2. et 4.) :

Les hommes appellent miracle l'apparition subite d'une réalité cachée. 8
R. ROLLAND, Au-dessus de la mêlée, p. 72.

**II** ♦ **1** (1190; premier sens). Manifestation d'un être invisible qui se montre tout à coup sous une forme visible. *L'apparition de Dieu sous la forme d'un buisson ardent. Apparition de Jésus-Christ aux rois mages.* → **Épiphanie.** *Apparition de la Vierge à Bernadette. Apparition de la Vierge,* tableaux de

Murillo, de Rubens, de Le Sueur. *Apparition d'un ange* (→ **Angélophanie**), *d'un dieu* (→ **Théophanie**). *L'apparition de la mort, d'esprits, de démons.* → **Vision.** *Avoir une, des apparitions.*

9 L'Escriture nous apprend qu'il y a eu plusieurs vrayes apparitions des Anges à Jacob, Samson, à la Vierge (...) On dit que S^t Antoine avoit souvent des apparitions de Diables qui le venoient tenter.
FURETIÈRE, Dictionnaire.

10 Il est du véritable amour comme de l'apparition des esprits (...)
LA ROCHEFOUCAULD, Maximes, 76 (→ Amour, cit. 22).

11 On raconte de cet empereur superstitieux (*Julien*) qu'assistant un jour à une évocation de démons, il fut tellement effrayé à leur apparition qu'il fit le signe de la croix et qu'aussitôt les démons s'évanouirent (...)
DIDEROT, Opinions des anciens philosophes, Éclectisme, *in* LITTRÉ.

12 La seule faiblesse de cet homme vraiment honnête, était de croire aux apparitions des esprits (...)
BALZAC, Séraphîta, Pl., t. X, p. 500.

13 (...) quand un souvenir reparaît à la conscience, il nous fait l'effet d'un revenant dont il faudrait expliquer par des causes spéciales l'apparition mystérieuse.
H. BERGSON, Matière et Mémoire, p. 157.

♦ **2** (1559). Par métonymie. Être imaginaire que le visionnaire croit apercevoir. → **Apparaissance** (vx), **fantôme, revenant, spectre.** *Une terrible apparition.*

CONTR. **Disparition, éclipse.**

**APPAROIR** [apaʀwaʀ] v. intr. [CONJUG. : usité seult à l'inf. et à la troisième pers. de l'indic. prés. *il appert.*] — 1080, *Chanson de Roland; il appert que,* 1180, Chrétien de Troyes; du lat. *apparere.* → Apparaître.

(1690). Dr. Être évident, manifeste. *Faire apparoir de son bon droit,* en montrer l'évidence, le faire constater. *Il appert de cet acte :* il apparaît, il ressort, il résulte, il est constaté. *Il appert de ce jugement que... — Comme il appert de sa déclaration.*

Il appert que Theodor Michaïlovitch resta sans nouvelles des siens durant toute sa captivité, ou presque toute.
GIDE, Dostoïevsky, p. 85.

DÉR. **Apparent.** ◊ HOM. **Apert.**

**APPARTEMENT** [apaʀtəmɑ̃] n. m. — 1559, du Bellay; ital. *appartamento,* esp. *apartamiento,* de *apartarse* «s'écarter, se séparer».

♦ **1** Partie de maison, d'immeuble composée de plusieurs pièces qui servent d'habitation. → **Habitation, logement.** *Il y a deux appartements par étage dans cet immeuble.*

REM. Avant le XIX^e s., et notamment dans l'usage classique, le mot désigne la partie d'un «grand logis» (Furetière) où une personne habite à part, et notamment, le logement d'un Grand dans un palais.

1 Choisissez-lui, Lépide, un digne appartement.
CORNEILLE, Pompée, III, 4.

2 Madame, retournez dans votre appartement.
RACINE, Britannicus, I, 1.

3 Oui, Madame, Néron, qui l'aurait pu penser?
Dans son appartement m'attend pour m'embrasser.
RACINE, Britannicus, V, 1.

4 La scène est à Rome, dans un cabinet qui est entre l'appartement de Titus et celui de Bérénice.
RACINE, Bérénice, Indications de scène.

Au plur. *Les appartements :* l'ensemble des pièces habitées par un haut personnage dans une demeure luxueuse. *Les appartements royaux.* — Hist. *Appartements d'apparat et appartements privés.* → **Buen retiro** (vx). *Les appartements des femmes.* → **Gynécée,** (en Orient) **harem.**

5 La reine l'avait reçu seul, dans ses appartements privés qui se composaient de trois petites pièces, moelleuses et sourdes à l'envi.
Pierre LOUŸS, Aphrodite, III.

Mod. Partie d'un édifice d'habitation affectée à l'usage d'une personne, d'une famille, et négociée à part. *Chercher, trouver un appartement. Surface d'un appartement. Prix d'un appartement au mètre carré. Être propriétaire, locataire d'un appartement. Le loyer d'un appartement. Occuper un appartement. Immeuble de rapport divisé en vingt appartements. Appartement en copropriété. Acheter un appartement sur plan. L'intérieur d'un appartement. Un appartement d'une* (→ **Studio**), *de deux, trois... pièces* (→ Un deux, un trois pièces* cuisine). → aussi F*1, F2... *Appartement en duplex*. Atelier transformé en appartement.* → **Loft** (anglic.). *Les chambres, le salon; le couloir, les dégagements d'un appartement. Cave, chambre de service affectée à un appartement.*

Suivant le plan arrêté par Cyrus Smith, l'appartement devait être divisé en cinq compartiments prenant vue sur la mer : à droite, une entrée desservie par une porte à laquelle aboutirait l'échelle, puis une première chambre-cuisine, large de trente pieds, une salle à manger, mesurant quarante pieds, une chambre-dortoir, d'égale largeur, et enfin une «chambre d'amis», réclamée par Pencroff, et qui confinait à la grande salle. 5.1
J. VERNE, l'Île mystérieuse, t. I, p. 246.

Ils occupaient là un petit appartement, trois pièces et un cabinet. Il fallait traverser une pièce nue, où il n'y avait que des chaises, puis un petit salon, dont le meuble, caché sous des housses blanches, dormait discrètement dans le demi-jour (...) 5.2
ZOLA, le Ventre de Paris, t. I, p. 85-86.

En cette extrême fin de l'année 1909, celui qui souhaitait de trouver un appartement à Paris n'avait qu'à flâner une matinée le long des trottoirs. Il n'était jamais question de «reprises» ou de «pas de porte»; toutes ces pratiques odieuses, qui manifestent la démoralisation d'une société, n'étaient pas imaginables dans le monde où nous vivions. 6
G. DUHAMEL, le Temps de la recherche, XI, p. 147.

*Décoration, ornement d'un appartement. Meubler un appartement. Revêtir de lambris les murs d'un appartement.*

*Plante d'appartement,* qui pousse à l'intérieur des maisons. — *Chien d'appartement* (opposé à *chien de chasse...*), qui s'adapte très bien à la vie sédentaire.

*Types d'appartements. Appartement de passage.* → **Pied-à-terre.** *Appartement de célibataire.* → **Garçonnière.** *Appartement meublé.* → **Meublé.** *Appartement de fonction,* destiné à héberger un dignitaire, un fonctionnaire, généralement sur son lieu de travail et gratuitement. *Appartement de fonction d'un instituteur, d'un receveur des postes, d'un haut fonctionnaire, d'un directeur.*

(1964). *Appartement-témoin, appartement-modèle :* appartement achevé et décoré que l'on fait visiter aux acheteurs éventuels, sur un chantier.

(En composition, le second élément désignant la nature exacte du logement ou son affectation autre que l'habitation). *Appartement-studio, appartement-atelier, appartement-bureau.*

Spécialt (dans un hôtel). S'emploie emphatiquement pour chambre (les véritables appartements, comportant salon, plusieurs chambres, sont plutôt appelés *suites*). *Voilà la clé de votre appartement.*

Dr. Partie d'immeuble destinée à l'habitation «bourgeoise» (par oppos. à *logement*).

(1976, *in* D. D. L.). Abrév. fam. : *appart* [apaʀ] n. m. *J'ai perdu les clefs de mon appart. Ils visitent des apparts à louer.*

♦ **2** Vx (du sens initial de 1.). Réception, divertissement à la Cour d'un roi. *Le roi tenait appartement,* recevait.

**APPARTENANCE** [apaʀtənɑ̃s] n. f. — V. 1170, *appartenances* (sens 2.); 1536 (sens 1.); de *appartenir*.

♦ **1** Le fait d'appartenir (à...). *Rapport d'appartenance.* → **Possession.** *La préposition à exprime l'appartenance. Appartenance d'une chose à qqn, d'un élément à une classe.*

0.1 D'un obscur cantonnement polonais, un bataillon d'appartenance mal définie, aux uniformes défraîchis, était, quelques jours plus tôt, arrivé à Brodno (...)
Pierre GASCAR, les Bêtes, p. 225.

Spécialt (sociol.). Le fait pour un individu d'appartenir à une collectivité (race, pays, classe, parti). *Groupe d'appartenance,* groupe primaire dans lequel chaque membre connaît tous les autres. *L'appartenance de qqn, son appartenance à un groupe.*

1 (...) j'avais conscience d'un privilège, du fait de mon appartenance à la race blanche et au continent-roi.
André SIEGFRIED, l'Âme des peuples, II.

Math. Propriété d'un élément qui appartient à un ensemble. *Relation d'appartenance.*

Gramm. *Relation d'appartenance,* exprimée par la préposition *de* en français (*le livre* de *Pierre,* «qui appartient à Pierre»), par le génitif* dans de nombreuses langues.

♦ **2** Rare. (Plur.). Ce qui appartient à un bien immeuble. → **Accessoire, dépendance.** *Les appartenances d'un château.*

2 Vendre une maison avec toutes ses *appartenances* et *dépendances,* c'est la vendre avec tout ce qui de près ou de loin s'y rattache comme formant avec elle une seule propriété.
LAFAYE, Dict. des synonymes, Suppl., Appartenances, dépendances.

(1751). Vx. Harnais (d'un cheval).

**COMP. Non-appartenance.**

**APPARTENANT, ANTE** [apaʀtənɑ̃, ɑ̃t] adj. — V. 1040; du p. prés. de *appartenir.*

Vx. Qui appartient à (qqn). — Mod., dr. Qui appartient de droit. *Une maison à lui appartenante* (Académie).

**APPARTENIR** [apaʀtəniʀ] v. tr. ind. [CONJUG.: *venir.*] — V. 1155 «faire partie de», sens 4.; sens 1., v. 1170; du bas lat. *appertinere* «être attenant», du lat. class. *adpertinere,* de *ad* (→ 1. a-), et *pertinere* «se rattacher à». → Tenir. REM. Se construit avec *à.*

♦ **1** Être à quelqu'un en vertu d'un droit, d'un titre. → **Être** (à). *Il est en possession d'un bien qui ne lui appartient pas. Ceci m'appartient en toute propriété*.* — Loc. prov. *Rendre à César ce qui appartient à César.* — *Donner à chacun ce qui lui appartient* (→ À chacun le sien). *Ce domaine lui appartient sans conteste. Ce bien* m'appartient en propre, appartient à la collectivité.*

1 Or tout trésor, par droit de royauté,
Appartient, Sire, à Votre Majesté.
LA FONTAINE, Fables, VI, 6.

2 Deux vrais amis vivaient au Monomotapa :
L'un ne possédait rien qui n'appartînt à l'autre.
LA FONTAINE, Fables, VIII, 2.

3 Voyez donc tout ce monde et tout ce peuple, tout cela est à vous, tout cela vous appartient, vous en êtes le maître.
SAINT-SIMON, cité par LAFAYE, Dict. des synonymes, Suppl., Appartenir, convenir.

4 Les particuliers ont la libre disposition des biens qui leur appartiennent (...) Code civil, art. 537.

5 Tout sur terre appartient aux princes, hors le vent.
HUGO, la Légende des siècles, XXVI, «La rose de l'Infante».

6 Rien n'appartient à rien, tout appartient à tous.
A. DE MUSSET, Namouna, II, 9.

Quand la patrie est en danger, dit très bien Danton, tout appartient à la patrie. 7
MICHELET, Hist. de la Révolution franç., t. I, p. 1026.

L'homme n'a droit à rien. Rien ne lui appartient. Il faut qu'il conquière chaque chose, à nouveau, chaque jour. 8
R. ROLLAND, l'Âme enchantée, t. II, p. 168.

Fig. *La mer appartient aux sous-marins. Ces trésors appartiennent à l'Église.*

Être dans la dépendance politique de. *Cette île appartient à la France, aux États-Unis.*

♦ **2** (Personnes). *Appartenir à qqn.* — (1668). Vx ou littér. Être sous l'autorité de qqn (esclave, domestique). → **Service** (au).

J'appartiens à mon maître. 9
MOLIÈRE, Amphitryon, I, 2.

Vx. *Appartenir à (qqn) :* être de la même famille que quelqu'un.

(...) le nom que vient de se donner Monsieur, ajoutai-je avec chaleur, me fait croire que je lui appartiens d'assez près. Ne vous étonnez pas, Monsieur, poursuivis-je en m'adressant au voyageur, ne soyez point surpris de trouver une parente dans cette situation; je vous expliquerai tout cela (...) SADE, Justine..., t. I, p. 58-59. 9.1

Mod. (fig.). Être le bien, la chose de qqn (→ ci-dessous cit. 12 et 13). — Spécialt. Se donner physiquement (→ ci-dessous cit. 11 et 14). → **Donner** (se). — (Le sujet désigne une partie de la personne). *Son cœur, son âme lui appartiennent.*

Mon cœur et ma main t'appartiennent (...) 10
MARIVAUX, le Jeu de l'amour et du hasard, III, 8.

Étant sûre de ne jamais appartenir à celui que je préférais entre tous, je me suis laissée aller au courant, je n'ai pas pris la peine de défendre un corps qui ne pouvait être à vous. Th. GAUTIER, Mlle de Maupin, I. 11

(...) et il sentait bien qu'il appartenait corps et âme à ce jeune être là *(la fille de sa maîtresse),* comme il n'avait jamais appartenu à l'autre, comme une barque qui coule appartient aux vagues. 12
MAUPASSANT, Fort comme la mort, II, V.

Il m'était odieux que Michèle lui parlât à mi-voix du même ton de confidence dont j'avais bénéficié seul jusqu'à ce jour; Michèle m'appartenait, je ne l'avais encore partagée avec personne (...) 13
F. MAURIAC, la Pharisienne, p. 51.

Je vous admirais; je vous aimais; je ne désirais pas vous appartenir. A. MAUROIS, Terre promise, XLII. 14

♦ **3** (V. 1200). Sujet n. de chose. Constituer un privilège, un avantage propre à..., et, par ext., un caractère, une qualité de... (qqn; qqch.). *Ce droit, cet avantage vous appartient en propre. L'honneur, le privilège de décider lui appartient.* → **Revenir.** — (Compl. n. de chose). *Ce style appartient plutôt au récit, à la nouvelle.* → **Relever** (de).

(...) tes raisons sont frivoles. 15
Je pourrais décider, car ce droit m'appartient (...)
LA FONTAINE, Fables, X, 1.

C'est un trait de vertu qui n'appartient qu'à vous. 16
CORNEILLE, Polyeucte, IV, 5.

De si rares honneurs ne m'appartiennent pas (...) 17
MOLIÈRE, Psyché, Prologue, 53.

(...) là, signez donc, mon frère : 18
L'honneur vous appartient.
MOLIÈRE, l'École des maris, III, 7.

(...) en les mettant dans la bouche des Italiens, à qui je les avais destinées *(les plaisanteries prises dans les Guêpes d'Aristophane)* comme une chose qui leur appartenait de plein droit. RACINE, les Plaideurs, Au lecteur. 19

Celui qui règne dans les cieux, et de qui relèvent tous les empires, à qui seul appartient la gloire, la majesté et l'indépendance, est aussi le seul qui se glorifie de faire la loi aux rois et de leur donner, quand il lui plaît, de grandes et de terribles leçons. 20
BOSSUET, Oraison funèbre de la Reine d'Angleterre.

21 (...) si le vrai bonheur appartient au sage, c'est parce qu'il est de tous les hommes celui à qui la fortune peut le moins ôter.
ROUSSEAU, Julie ou la Nouvelle Héloïse (→ Lettre, 2.).

22 Les événements extérieurs, les accidents, les traumatismes, appartiennent au cinéma ; il sied que le roman les lui laisse. GIDE, les Faux-monnayeurs, I, 8.

Spécialt. Être propre à qqn, personnel.

23 Pour des raisons qui m'appartiennent, je me suis abstenue.
LOTI, les Désenchantées, V, 35.

V. impers. (1360). **IL APPARTIENT À.** *Il appartient aux parents d'élever leurs enfants,* c'est leur rôle, leur devoir. → **Dépendre** (il dépend de...). *Il vous appartient de,* c'est à vous de. *Il n'appartient qu'à eux de,* eux seuls sont capables de, ont le pouvoir, la possibilité de. *Il n'appartient qu'au Conseil de trancher,* la question est de sa compétence, de son ressort. → **Compéter.**

24 Il ne m'appartient pas d'étaler votre joie.
LA FONTAINE, Fables, XII, 12.

25 (...) Qu'il n'appartient qu'aux sots d'admirer et de rire.
MOLIÈRE, le Misanthrope, II, 4.

26 Un homme fort riche peut manger des entremets, faire peindre ses lambris et ses alcôves, jouir d'un palais à la campagne et d'un autre à la ville, avoir un grand équipage, mettre un duc dans sa famille, et faire de son fils un grand seigneur : cela est juste et de son ressort ; mais il appartient peut-être à d'autres de vivre contents.
LA BRUYÈRE, les Caractères, VI, 1.

27 Il n'appartient qu'aux grands hommes d'avoir de grands défauts. LA ROCHEFOUCAULD, Maximes, 190.

28 Il n'appartient qu'aux grands hommes de prononcer les mots décisifs des époques.
HUGO, Littérature et Philosophie mêlées, p. 110.

29 (... *qu'*) il ne le faisait que sous réserves et qu'il appartenait au seul Directoire de tirer de ses victoires, à lui, les avantages qui conviendraient (...)
Louis MADELIN, Hist. du Consulat et de l'Empire, t. II, 8.

Par antiphr. (vx ou littér.). *Il vous appartient bien de parler de générosité :* il ne vous convient pas, il vous sied mal de... → **Convenir, seoir.**

30 Il nous appartient bien après cela de venir accuser les justes. MASSILLON, Petit carême, Injustice, 1.

Dr. *Ainsi qu'il appartiendra :* selon qu'il sera convenable. — (1673). *À tous ceux qu'il appartiendra :* à tous ceux que la chose concerne ou qui voudront en prendre connaissance.

Par plaisanterie :

31 (...) Ils voulaient que je fusse médecin, je me suis résolu de l'être, aux dépens de qui il appartiendra.
MOLIÈRE, le Médecin malgré lui, III, 1.

♦ **4** (V. 1155). Faire partie de (qqch.). — (Personnes). *Appartenir à une vieille famille.* → **Attenir** (2.). *Nous appartenons tous à un certain milieu social. Appartenir à un corps militaire, à un régiment.* — (Choses). *La tour Eiffel appartient à Paris. Cette question appartient à la philosophie ; elle n'appartient pas à mon sujet.* → **Rapporter** (se rapporter à), **relever** (de), **concerner.**

32 Oui, Monsieur, vous avez dépeint fort graphiquement, tout ce qui appartient à cette maladie (...)
MOLIÈRE, Monsieur de Pourceaugnac, I, 8.

33 (...) ceux qui reçoivent froidement tout ce qui appartient aux étrangers et aux anciens, et qui n'estiment que leurs mœurs (...)
LA BRUYÈRE, les Caractères, Disc. sur Théophraste.

34 Il *(Fidelio de Beethoven)* appartient à cette forte race d'œuvres calomniées sur lesquelles (...)
BERLIOZ, Beethoven, p. 111.

35 Les tisserands à la main appartenaient à un temps où syndicats et grèves n'existaient guère (...)
A. MAUROIS, Bernard Quesnay, XVII.

Mais voici l'heure du danger. Alors on s'épaule l'un l'autre. 36
On découvre que l'on appartient à la même communauté.
SAINT-EXUPÉRY, cité par A. MAUROIS, Études littéraires, t. II, 261.

Être inclus dans une classe. *Le chat appartient à la famille des félidés.*

♦ **5** V. pron. **S'APPARTENIR.** **[a]** (Réfl.). Être libre, ne dépendre que de soi-même. *J'ai tant d'occupations que je ne m'appartiens plus. Une femme, dès qu'elle se marie, cesse de s'appartenir* (Académie).
**[b]** (Récipr.). *Nous nous sommes appartenu,* donnés l'un à l'autre.

**DÉR.** **Appartenance, appartenant.**

**APPAS** [apa] n. m. pl. → **Appât** (II.).

**APPASSIONATO** [apasjɔnato] adv. — 1834 ; mot ital. « avec passion ».

Mus. Indique une nuance passionnée. → **Ardito** (rare). *Allegro appassionato.* — Adj. *La Sonate appassionata,* et, subst., *l'Appassionata,* de Beethoven.

**APPÂT** [apa] n. m. — Déb. XVI^e, *appast ; appas,* au XVII^e (→ Appas ; et ci-dessous, cit. 4 et 5) ; de *appâter.*

**[I]** **APPÂT.** ♦ **1** (Plur. *appâts*). Pâture qui sert à attirer des animaux pour les prendre. *Mettre l'appât* (boulette, grain, viande) *à un piège* (→ **Piège**). Spécialt, pêche. *Appât artificiel. Appât vivant. Appâts d'origine animale, végétale. Fixer un appât à l'hameçon.* → **Amorce, boëtte, capelan, devon, esche, leurre, manne, mouche, rogue, ver, vif.** *Vers* servant d'appât.* → **Arénicole, gravette, lombric** ; aussi **asticot** (larve). *Attirer avec un appât ; munir l'hameçon, la ligne d'un appât.* → **Amorcer, appâter, escher.** *Avaler, gober l'appât. Mordre, se laisser prendre à l'appât. Poisson qui mord à l'appât.* — (Collectif). *Attirer le poisson avec de l'appât* (→ **Amorce**).

L'appât est une pâture que l'on offre et qui cache un 1
hameçon. Le leurre est un objet apparent que l'on montre, qui attire, et qui cache un piège. L'appât a de trompeuses douceurs ; le leurre a de trompeuses apparences.
LITTRÉ, Dict., art. *Appât.*

Quelquefois, aux appâts d'un hameçon perfide, 2
J'amorçe en badinant le poisson trop avide.
BOILEAU, Épîtres, VI.

♦ **2** Par métaphore. (Plur. *appâts* et vx, *appas*). Ce qui attire, engage, pousse à faire quelque chose. *Mordre à l'appât, se laisser prendre à l'appât d'une récompense.* — On trouve au XVII^e s. la graphie *appas* au sing. (cit. 4 et 5, Molière).

Amusez les rois par des songes, 3
Flattez-les, payez-les d'agréables mensonges.
Quelque indignation dont leur cœur soit rempli,
Ils goberont l'appât, vous serez leur ami.
LA FONTAINE, Fables, VIII, 14.

Mord si bien à l'appas *(appât)* de cette faible ruse (...) 4
MOLIÈRE, l'Étourdi, III, 2.

(...) par l'appas *(appât)* flatteur de quelque récompense (...) 5
MOLIÈRE, l'École des maris, I, 4.

Quand une fois on a trouvé le moyen de prendre la multitude par l'appât de la liberté. 6
BOSSUET, Oraison funèbre de la Reine d'Angleterre.

(...) l'appât, pourtant bien connu de moi, auquel je me 7
laisse prendre et qui suffit pour m'accrocher.
PROUST, À la recherche du temps perdu, t. IX, p. 302.

La guérison possible est un appât auquel un malade ne 8
résiste jamais.
A. MAUROIS, les Discours du Dr O'Grady, XII.

Fig. *L'appât du gain* (cour.), *de la réussite, du succès.*

**II** **APPAS** [apa] n. m. pl. (Déb. XVII^e, Malherbe). ♦ **1** Vx ou littér. Attraits, charmes (de qqch.). → **Agrément, délice, séduction.** *Les appas de la gloire, de la volupté, de la vertu.*

9 Et s'il faut affronter les plus cruels supplices,
Y trouver des appas, en faire mes délices (...)
CORNEILLE, Polyeucte, I, 1.

10 À qui vit sans amour la vie est sans appas.
MOLIÈRE, le Grand Divertissement royal.

11 (...) vous ne goûtez point, dans ses plus doux appas,
Cette union des cœurs, où les corps n'entrent pas?
MOLIÈRE, les Femmes savantes, IV, 2.

12 C'est le Diable qui tient les fils qui nous remuent!
Aux objets répugnants nous trouvons des appas (...)
BAUDELAIRE, les Fleurs du mal, Préface.

♦ **2** (Déb. XVII^e). Vx ou par plais. Les charmes d'une femme qui excitent le désir masculin. → **Charme.**

13 À proprement parler, les appas promettent du plaisir; ils excitent le goût et l'envie de posséder l'objet afin d'en jouir. C'est un terme érotique et un peu libre, qui est relatif à la beauté matérielle des formes, à celle de la gorge, des bras et de la taille. Les mots d'attraits et de charmes n'ont pas ce caractère de sensualité (...)
LAFAYE, Dict. des synonymes, Appât...

14 Nous avons condamné l'amour, m'allez-vous dire :
J'en blâme en nous l'excès; mais je n'approuve pas
Qu'insensible aux plus doux appas
Jamais un homme ne soupire.
LA FONTAINE, les Filles de Minée, 485.

15 Ah! pour être dévot, je n'en suis pas moins homme;
Et lorsqu'on vient à voir vos célestes appas,
Un cœur se laisse prendre et ne raisonne pas.
MOLIÈRE, Tartuffe, III, 3.

16 À moins que vous cessiez, Madame, d'être aimable,
Et d'étaler aux yeux les célestes appas (...)
MOLIÈRE, les Femmes savantes, V, 1.

17 Quelque mine qu'on fasse, on est toujours bien aise d'être aimé. Ces hommages à nos appas ne sont jamais pour nous déplaire. MOLIÈRE, le Sicilien, VII.

18 Qu'il est doux d'adorer tant de divins appas!
RACINE, la Thébaïde, II, 1.

18.1 À un cri de surprise et d'horreur qui échappe à Madame de Lorsange, la jeune fille se retourne et laisse voir avec la plus belle taille du monde, la figure la plus noble, la plus agréable, la plus intéressante, tous les appas enfin.
SADE, Justine..., t. I, p. 18-19.

19 C'était, ma foi, un beau brin de fille : elle avait cinq pieds et quelques pouces, et une vraie moisson d'appas.
A. DE MUSSET, Il ne faut jurer de rien, III, 3.

20 Quand sa sérénité s'approche des jeunesses
Le Douanier se tient aux appas contrôlés.
RIMBAUD, Premiers vers, «Les douaniers».

Spécialt. Gorge féminine; sein.

HOM. Formes du v. **happer.**

## APPÂTER

**APPÂTER** [apate] v. tr. — 1540, *appaster; appasteler* «nourrir», av. 1500; du lat. *pastus,* avec infl. de *apaistre* «repaître».

♦ **1** Vx. Nourrir (les petits oiseaux), engraisser (la volaille). *Appâter une oie.* → **Gaver, gorger.**

Vx. Faire manger qqn qui ne peut le faire par lui-même. *Appâter un enfant. Appâter qqn comme un enfant.*

♦ **2** Vieilli. Attirer (un animal qu'on veut prendre) avec un appât. *Appâter des oiseaux.* → **Affriander, amorcer.** *Appâter avec des graines.* → **Agrainer.**

Attirer par un appât, en pêchant. *Appâter des truites. «Pêcher des écrevisses qu'on appâtait de grenouilles»* (H. Pourrat, *in* T. L. F.). — REM. Cet emploi semble régional.

♦ **3** Mod. Garnir d'un appât. *Appâter l'hameçon.* → **Amorcer, escher.** — Absolt. *Appâter avant de lancer la ligne.*

♦ **4** (1549). Cour. Attirer (qqn) par l'appât d'un gain, d'une récompense. → **Allécher, attirer, séduire.** *Appâter qqn par de belles promesses.* → **Promettre** (→ Faire briller, miroiter). *Appâter qqn avec de l'argent.* → **Gagner, graisser** (la patte).

L'Autriche maintenant neutralisée, la Russie entraînait la Prusse; on appâtait celle-ci par l'offre de ce Hanovre (...)
Louis MADELIN, Hist. du Consulat et de l'Empire, t. IV, 6.

CONTR. **Dégoûter, écarter, éloigner, repousser.** ◊ DÉR. **Appât.**

## APPAUMÉ, ÉE

**APPAUMÉ, ÉE** [apome] adj. — 1690; de 1. *a-,* et *paume.*

Blason. Qui porte une main ouverte dont on voit la paume. *Écu appaumé.*

## APPAUVRIR

**APPAUVRIR** [apovʀiʀ] v. tr. — 1119, *apovrir,* v. intr. «devenir pauvre»; v. tr., v. 1160; de 1. *a-,* et *pauvre.*

♦ **1** Rendre pauvre, diminuer les ressources de (qqn). *Ses dépenses l'ont appauvri. Vous vous appauvrissez au profit d'un ingrat.* → **Dépouiller, priver.** *Les latifundiaires qui s'enrichissaient en appauvrissant le peuple.* → **Sucer** (le sang du peuple). *Des guerres continuelles ont appauvri ce pays.* → **Épuiser.** — Prov. *Donner à Dieu n'appauvrit jamais.*

Elle *(la laine)* les enrichissait et les appauvrissait par ses hausses et ses baisses imprévisibles. 1
A. MAUROIS, le Cercle de famille, p. 31.

♦ **2** (1334). Rendre plus pauvre (en un élément) de manière à diminuer la valeur. — (Concret). *Appauvrir une terre, un terrain, un sol,* en diminuer la fécondité, la fertilité. → **Épuiser.** — *Appauvrir le sang,* lui faire perdre une quantité importante de ses composants et en particulier des globules rouges.

(Abstrait). *Appauvrir une langue,* la priver de certaines ressources (lexique, syntaxe...). → **Amputer** (cit. 4).

Notre langue manque d'un grand nombre de mots et de phrases : il me semble même qu'on l'a gênée et appauvrie, depuis environ cent ans, en voulant la purifier. 2
FÉNELON, Lettre à l'Acad., III.

Vx. *Appauvrir un sujet, un thème, la matière d'une œuvre.* → **Affaiblir.**

Souvent trop d'abondance appauvrit la matière. 3
BOILEAU, l'Art poétique, III.

Vieilli. *Appauvrir la race,* la rendre moins féconde, moins vigoureuse. *Appauvrir une race bovine par de mauvais croisements.* → **Abâtardir.**

Arts. *Appauvrir un ton, une couleur, une forme,* en atténuer l'intensité, les contours.

◆ **S'APPAUVRIR** v. pron.

Devenir pauvre. → **Démunir** (se), **dénuer** (se).

Les riches qui se sont appauvris pour aider les pauvres. 4
BOSSUET, Hist., II, 7, *in* LITTRÉ.

Fig. *Ce gisement s'est appauvri à cause d'une exploitation intensive. Cette terre s'est appauvrie. Ses facultés s'appauvrissent de jour en jour.* → **Étioler** (s'). *La race s'appauvrit.* → **Dégénérer.** *La langue risque de s'appauvrir. S'appauvrir de qqch.*

(...) combien mon livre s'est appauvri de tout ce qu'il me 5
déplaisait de *redire.* GIDE, Journal, 4 août 1922.

◆ **APPAUVRI, IE** p. p. adj. Devenu pauvre. *Une classe sociale appauvrie.* — Fig. → **Affaibli, diminué.**

(...) une France appauvrie et comme anémiée par le ralen- 6
tissement de l'activité économique.
JAURÈS, Hist. socialiste..., t. III, p. 239.

Ils n'ont pour principe qu'un sang épuisé et appauvri. 7
ROUSSEAU, Émile, IV.

8 (...) de tempérament ferme encore, mais de race appauvrie déjà et déclinante.
Émile FAGUET, XVIIe s., Études littéraires, Saint-Simon, 3.

CONTR. **Enrichir. — Augmenter** (la richesse), **étendre, féconder, fortifier.** ◊ DÉR. **Appauvrissant, appauvrissement.**

**APPAUVRISSANT, ANTE** [apovʀisɑ̃, ɑ̃t] adj. — 1921, *in* T.L.F.; du p. prés. de *appauvrir.*

Qui appauvrit, rend plus pauvre. *Des influences appauvrissantes.*

Et, maintenant, je sens mieux à quel point la navigation solitaire, si elle sait se révéler riche dans un sens, n'en est pas moins appauvrissante en fin de compte, car l'homme moyen éprouve un immense besoin d'échanges et de contacts humains.
Bernard MOITESSIER, Cap Horn à la voile, p. 55.

**APPAUVRISSEMENT** [apovʀismɑ̃] n. m. — XIIIe, *apovrissement; de appauvrir.*

♦ **1** Action d'appauvrir; état de ce qui est appauvri. → **Diminution, perte, réduction.** *L'appauvrissement d'une famille, d'un pays.*

1 Ce joli pays, devenu aujourd'hui, par suite de l'énorme appauvrissement que l'islamisme turc a opéré dans la vie humaine, si morne, si navrant (...)
RENAN, Vie de Jésus, IV.

♦ **2** Le fait de rendre plus pauvre en diminuant la valeur. *L'appauvrissement du sol, d'un gisement.* → **Épuisement.** *Appauvrissement du sang.* → **Anémie.** *Appauvrissement des qualités physiques, morales.* → **Abâtardissement, affaiblissement, dégénérescence, étiolement.** *L'appauvrissement des sensations, des idées, de la vie. Appauvrissement intellectuel, moral. Appauvrissement d'une langue.*

2 J'ai trop jardiné moi-même pour ne point connaître le risque, en émondant, d'amputer des rameaux encore pleins de sève et redoute l'appauvrissement qu'entraîne une simplification trop sommaire.
GIDE, Pages de Journal, 2 août 1941, p. 93 (→ Amputer, cit. 4).

CONTR. **Enrichissement.**

**APPEAU** [apo] n. m. — 1380; *appeaulx,* plur. de *apel,* 1280 «sifflet»; var. de *appel.*

♦ **1** Vx. Appel, cri, sifflet.

1 *(Les chèvres accoutumées)* d'obéir à l'appeau de leurs pasteurs. AMYOT, Daphnis et Chloé, I.

♦ **2** (1280). Mod. Chasse. Instrument avec lequel on imite le cri des oiseaux pour les attirer au piège. → **Leurre.** *Appeaux à sifflet. Appeaux à languette.* → **Pipeau.** *Appeaux à frouer. Appeau imitant le cri de la caille.* → **Courcaillet.**

♦ **3** (1671). Chasse. Oiseau dressé à appeler les autres et à les attirer. → **Appelant, appeleur** (2.), 4. **chanterelle, moquette.**

2 Pour me laisser, peut-être, cette sorte de liberté que l'on permet à l'oiseau qui sert d'appeau, ou d'appelant (...)
G. DUHAMEL, le Voyage de P. Périot, VII.

♦ **4** (XVe). Par métaphore ou fig. Littér. *Servir d'appeau à qqn. Se laisser prendre à l'appeau :* se laisser duper, se laisser leurrer (→ Donner dans le panneau*). → **Leurre, piperie.**

3 L'univers est ce grand égoïste qui nous prend par les appeaux les plus grossiers.
RENAN, Dialogues et fragments philosophiques, éd. Calmann, 1886, p. 29.

4 Il fut entendu que Mouchebœuf conduirait M. Seurel et lui servirait d'appeau.
ALAIN-FOURNIER, le Grand Meaulnes, p. 184.

HOM. **Happeau.**

**APPEL** [apɛl] n. m. — V. 1100 «recours»; sens I., 1., v. 1172, Chrétien de Troyes; de *appeler.*

**I** ♦ **1** Action d'appeler de la voix (par des sons articulés ou non articulés) pour faire venir (qqn, un animal) à soi ou pour manifester sa présence. *L'appel de qqn. Crions plus fort, ils n'ont pas entendu notre appel.* → **Cri, interjection.** *Appel à l'aide, au secours. Entendre un appel. Répondre, accourir à un appel. Les appels du berger.* → **Appeau** (1.). — *Des appels d'animaux.*

(...) des sifflements, des cris, des appels. 1
MAUPASSANT (→ Aigu, cit. 4).

(...) des appels au secours : Au secours, à l'aide; des cris 2
d'alarme : Au feu! À moi! Aux armes!
BRUNOT, la Pensée et la Langue, p. 569.

(...) chacun de ses appels m'arrachait un gémissement. 3
COLETTE, la Paix chez les bêtes, p. 12.

Le soir était tout vibrant d'appels de bergers, d'abois de 4
chiens, de rires.
F. MAURIAC, l'Enfant chargé de chaînes, p. 226.

(...) le Dr Thérivier est arrivé et se tient prêt à venir au 5
moindre appel.
MARTIN DU GARD, les Thibault, VI, 1.

(...) la forêt s'est emplie de bruits étranges, inquiétants, 5.
cris et chants d'oiseaux, appels d'animaux inconnus, froissements de feuillage.
GIDE, Voyage au Congo, *in* Souvenirs, Pl., p. 733.

Action d'appeler par un bruit. *Appel de la langue :* claquement de la langue pour appeler ou animer un chien, un cheval. → aussi **Sifflet.**

(En parlant d'un appel concret, mais avec certaines valeurs métaphoriques; → ci-dessous, 9.). *Le chant du muezzin* (cit. 1 et 2), *appel séculaire.*

Action d'appeler au moyen d'un instrument. → **Cloche, corne** (d'appel), **sifflet, sonnette, trompe.** — *Appel téléphonique :* action d'appeler qqn au téléphone; fait d'être appelé au téléphone. → **Téléphone** (coup de téléphone). *Numéro d'appel. Appel en P. C. V., appel avec préavis. Donner suite à un appel :* établir la communication. *Mon dernier appel est resté sans réponse. Recevoir un appel de Paris. J'ai eu dix appels dans la matinée; mon répondeur a enregistré trois messages. — Appel radio. Lancer, recevoir un appel radio.*

Oui mon commandant (...) Je vais immédiatement lancer 5.
un appel radio, au Q. G.
Régis DEBRAY, l'Indésirable, p. 309.

Mus. Sonneries exécutées par les trompes au cours d'une chasse pour faire avancer un relais ou appeler les veneurs. *Appel simple; appel forcé.* — Par anal. Sonnerie du cor analogue aux *appels de chasse* dans une composition musicale.

♦ **2** Action d'appeler l'attention sur soi par un signe. → **Signe.** *Faire de grands gestes d'appel. Appel du regard.* → **Œillade.** — Loc. fig. *Appel du pied.* → **Pied.**

♦ **3** Par ext. Signe ou action destiné(e) à attirer l'attention (dans des emplois spéciaux). *Appel de phares :* le fait de passer d'un éclairage à un éclairage plus puissant pendant un temps bref, à l'aide des phares.

(1990). Comm. *Produit d'appel :* produit vendu avec une faible marge bénéficiaire et destiné à attirer la clientèle. *Prix d'appel,* pratiqué sur les produits d'appel.

Imprim. **APPEL DE NOTE :** chiffre ou signe placé après un mot et qui renvoie le lecteur à une note placée en bas de page, fin de chapitre ou fin de volume.

Escr. Battement de pied, signal d'attaque. *Appel et contre-appel.*

Jeux (à la belote, au bridge). *Faire un appel* (à cœur, à pique...) : jouer spécialement une couleur pour faire comprendre à son partenaire qu'il devra jouer la même au tour suivant.

Fig. Inform. Demande d'informations ; extraction d'informations (de la mémoire d'un ordinateur).

♦ **4** Action d'appeler par un signal des hommes à s'assembler, à se rassembler. *L'appel à la prière.*

6 Nous étions au haut de la mosquée quand le muezzin est monté chanter l'appel à la prière.
GIDE, Journal, 9 avr. 1896.

Signal donné par le clairon ou le tambour (sonnerie, batterie) pour assembler les soldats. *Battre, sonner l'appel.* → **Sonnerie, batterie.**

♦ **5** (1690). Opération par laquelle on vérifie la présence de personnes en les nommant à haute voix. *Appel nominal* (cit. 1). *Faire l'appel. Être présent, répondre à l'appel. Appel et contre-appel,* des soldats. *Vote par appel nominal,* des membres d'une assemblée.

6.1 C'est un point de discipline, mieux observé parmi les gens de guerre qu'il ne l'était parmi les ecclésiastiques des chapitres. Il y avait quelques chapitres seulement, où l'on faisait l'Appel des Chanoines, à certains jours de fête, et l'absent en était quitte pour être pointé, ce qui entraînait la privation d'une petite partie de leur revenu ; encore savait-on récupérer cette somme avec un peu d'intrigue. Les militaires sont plus sévères ; celui qui manque à l'Appel n'en est pas quitte à si bon marché.
Cousin Jacques, Dict. des néologismes, 1800, *in* D. D. L., II, 11.

6.2 Ils sont là, devant la mairie, en troupeau, répondant à l'appel et attendant une distribution de manioc (...)
GIDE, Voyage au Congo, *in* Souvenirs, Pl., p. 695.

Dr. *Appel des causes à l'audience :* annonce, par l'huissier audiencier, des causes devant être plaidées.

Fig. *Être absent, faillir à l'appel :* ne pas être là. — Loc. *Manquer à l'appel* (même sens). — Par euphémisme. (Personnes). Être mort.

7 Le banquier convoqua les créanciers en l'étude du notaire, où étaient déposés les titres, et chez lequel pas un ne faillit à l'appel.
BALZAC, Eugénie Grandet, éd. 1838, p. 371.

♦ **6** (1835). Convocation, invitation. — Milit. Action d'appeler sous les drapeaux. — Vx. *Appel aux conscrits.*

Mod. *Appel du contingent, de la classe.* → **Incorporation, recensement, recrutement, révision.** *Devancer l'appel :* s'engager dans l'armée avant l'âge légal de l'appel (18 ans). *Appel aux armes.* → **Mobilisation, levée** (en masse).

*Le ban*, appel du seigneur féodal à ses vassaux.*

Vx. Provocation en duel. *Faire un appel.* → **Cartel, défi, provocation, sommation.**

8 J'ai poussé Clarimond à lui faire un appel (...)
CORNEILLE, la Suivante, V, 1.

♦ **7** Le fait de requérir qqch. ; acte par lequel on requiert (emplois spéciaux).

**APPEL DE FONDS.** *Faire un appel de fonds* (→ **Appeler,** I., 6., b.) : demander un nouveau versement de fonds à des actionnaires, des associés, des souscripteurs.

Dr. **APPEL D'OFFRES :** mode de conclusion de marchés publics (travaux, fournitures). *Avis d'appel d'offres :* publicité destinée à contacter les candidats à la réalisation d'un projet. *Appel d'offres d'une nation étrangère dans un grand quotidien. Appel d'offres avec concours,* permettant au candidat de proposer une variante au projet de l'Administration.

♦ **8** Discours ou écrit dans lequel on s'adresse au public pour l'exhorter. → **Exhortation, proclamation.** *Appel à l'insurrection, à la révolte, à la désobéissance.* → **Excitation, invitation.**

Dans ses appels à la liberté *(de Schiller),* il y a plus de rhétorique exaltée que de vertu révolutionnaire. 9
JAURÈS, Hist. socialiste..., t. V, p. 103.

Hist. *Appel du 18 juin 1940 :* appel du général de Gaulle aux Français.

Loc. **APPEL AU PEUPLE :** droit du citoyen romain de faire juger une affaire criminelle le concernant par le peuple lui-même, en dernier ressort (→ ci-dessous, II.). — Appel que tentèrent de faire aboutir les fidèles de Louis XVI (→ **Appelant,** II., 2.). — Spécialt. Proclamation de Louis-Napoléon Bonaparte demandant au peuple un élargissement de ses pouvoirs et le droit d'établir une nouvelle Constitution. — Fig. et fam. Demande d'argent.

**FAIRE APPEL À :** demander, requérir comme une aide. *Faire appel à qqn, à la générosité de qqn.* → **Demande, recours, sollicitation.** — *Faire appel à ses souvenirs,* les évoquer, faire effort pour les rappeler à sa mémoire. → **Évocation, rappel.** — *Faire appel à toutes ses forces,* les réunir pour quelque effort extraordinaire (→ **Ramasser**).

Puis, faisant appel à tout mon courage, j'entrai dans notre chambre d'un air délibéré. 10
Alphonse DAUDET, le Petit Chose, p. 373.

(...) elle faisait appel à sa dignité pour conserver son sang-froid. 11
MARTIN DU GARD, les Thibault, III, 7.

Ce qui le dépitait plutôt, c'est qu'Édouard ne fit point appel à certains dons qu'il sentait en lui et qu'il ne retrouvait pas dans Édouard. 12
GIDE, les Faux-monnayeurs, II, 3.

♦ **9** Par métaphore ou fig. (Choses). *L'appel du plaisir, l'appel des sens.* → **Impulsion, incitation, invitation, sollicitation ; attirance, excitation, fascination, provocation.** — *L'appel de la religion, des lettres...* → **Vocation, aspiration.** *L'appel de la conscience.* → **Cri, voix.** *L'appel du large :* le désir de partir en mer. *L'appel de la forêt, du désert. Répondre à l'appel de l'aventure.*

Rappelle-toi, lorsque la nuit pensive 13
Passe en rêvant sous son voile argenté ;
À l'appel du plaisir lorsque ton sein palpite,
Aux doux songes du soir lorsque l'ombre t'invite (...)
A. DE MUSSET, Rappelle-toi.

(...) c'est du présent que part l'appel auquel le souvenir répond, et c'est aux éléments sensori-moteurs de l'action présente que le souvenir emprunte la chaleur qui donne la vie. 14
H. BERGSON, Matière et Mémoire, p. 170.

C'est que cette femme n'a fait que susciter par des sortes d'appels magiques mille éléments de tendresse existant en nous à l'état fragmentaire et qu'elle a assemblés (...) 15
A. MAUROIS, Études littéraires, Proust, t. I, p. 133.

Les adolescents, eux, sont écartelés entre l'appel de la chair et la terreur du péché. 16
A. MAUROIS, Études littéraires, Mauriac, t. II, p. 27.

Toute vocation est un appel — vocatus — et tout appel veut être transmis. 17
BERNANOS, les Grands Cimetières sous la lune, p. 111.

Mais au bout d'un mois, il lui fallut convenir que ces troubles répétés, qu'il appelait avec une ironie défensive l'appel du mystère ne semblaient pas devoir céder avec le temps. 17.1
M. AYMÉ, Maison basse, p. 53.

**II** (V. 1100, *apel, apiau*). Dr. Recours à une juridiction supérieure en vue d'obtenir la réformation d'un jugement. → **Appellation, recours ; intimation.** *Faire appel d'un jugement de première instance, interjeter appel, se pourvoir en appel.* → **Pourvoi.** *Demandeur en appel.* → **Appelant.** *Défendeur en appel.* → **Intimé.** — *Appel principal :* appel de la partie qui saisit la première la juridiction supérieure. *Appel incident :* appel formé par l'intimé en réponse à l'appel principal. *Fol appel :* appel déclaré irrecevable ou mal fondé et qui vaut à l'appelant une amende *(amende de fol appel). Appel a maxima :* appel du ministère public en vue d'obtenir une diminution de la peine, en matière pénale. *Appel a minima,* en vue d'obtenir une aggravation de la peine. — *Appel comme d'abus.* → **Abus.** — *Cour d'appel.* → **Cour.**

18 L'appel, tel qu'il est établi par les lois romaines et par les lois canoniques, c'est-à-dire à un tribunal supérieur pour faire réformer le jugement d'un autre, était inconnu en France *(chez les Francs et au moyen âge).* L'appel chez cette nation, était un défi à un combat par armes, qui devait se terminer par le sang; et non pas cette invitation à une querelle de plume qu'on ne connut qu'après.
MONTESQUIEU, l'Esprit des lois, XXVIII, 27 (→ Combat, cit. 10).

19 Le délai pour interjeter appel sera de deux mois (...)
Code de procédure civile, anc. art. 443.

20 Seront sujets à l'appel les jugements qualifiés en dernier ressort, lorsqu'ils auront été rendus par des juges qui ne pouvaient prononcer qu'en première instance.
Code de procédure civile, anc. art. 453.

21 L'acte d'appel contiendra assignation dans les délais de la loi, et sera signifié à personne ou domicile, à peine de nullité. Code de procédure civile, anc. art. 456.

**SANS APPEL** [sɑ̃zapɛl]. *Juger sans appel,* en premier et en dernier ressort. *Une décision sans appel,* sans possibilité de recours. — Fig. *Sans appel.* → **Irrémédiablement.**

22 Vous serez au contraire un juge sans appel (...)
RACINE, les Plaideurs, 609.

23 (...) que le monde, jusqu'à nouvel ordre, est voué sans appel à la platitude, à la médiocrité (...)
RENAN, Souvenirs d'enfance..., La petite Noémi.

**III** (Mouvements : choses et personnes). ♦ **1** Direction (d'une manœuvre tendue). *Le navire vient à l'appel de son ancre, de son câble :* il tourne de manière à se placer dans la direction de la chaîne.

24 En effet, on entendait distinctement le cliquetis du linguet qui frappait sur le guindeau, à mesure que virait l'équipage du brick. Le Speedy était d'abord venu à l'appel de son ancre; puis, quand elle eut été arrachée du fond, il commença à dériver vers la terre.
J. VERNE, l'Île mystérieuse, t. II, p. 636 (1874).

♦ **2** (1857). Techn. **APPEL D'AIR :** tirage d'air qui facilite la combustion dans un foyer. — Fig. Ce qui attire, entraîne, aspire. → **Aspiration.**

25 La question d'ailleurs ne se pose pas de faire venir sur la scène et directement des idées métaphysiques, mais de créer des sortes de tentations, d'appels d'air autour de ces idées. Et l'humour avec son anarchie, la poésie avec son symbolisme et ses images, donnent comme une première notion des moyens de canaliser la tentation de ces idées.
A. ARTAUD, le Théâtre et son double, Idées/Gallimard, p. 137 (1948).

♦ **3** (1901, *in* Petiot). Sports. Départ du saut proprement dit, après la course d'élan, dans lequel le pied, frappant une dernière fois le sol, donne l'impulsion nécessaire au sauteur. *Pied d'appel, jambe d'appel. — Planche* d'appel. Boîte d'appel des sauteurs à la perche.* → **Butoir.**

26 Courant en huit ou dix foulées, presque perpendiculairement à la barre, le sauteur (...) prend son appel à 1 m 20 environ de la barre par blocage et déroulement du pied (...)
Jean DAUVEN, Technique du sport, p. 19 (1948).

Gymn. *Appel des pieds,* pour exécuter un saut.

Ski. Mouvement qui, par l'élan donné, en amorce un autre. *Appel en flexion.* — Spécialt. Amorce d'une rotation (du corps) dans le sens contraire à celui du virage (J. Dauven, *Technique du sport,* p. 118 [1948]).

27 L'exécution correcte du Christiania pur débute par une phase préliminaire : l'appel. Le skieur amorce son virage par une demi-rotation du buste vers l'aval. Alors commence la rotation proprement dite. Rapidement, le buste entraîné par les bras est ramené en sens inverse vers l'amont.
François GAZIER, les Sports de la montagne, p. 87.

Équit. *Battue* d'appel.*

**DÉR.** V. **Appeau.** ◊ **COMP. Préappel, rappel.** ← **HOM.** Formes du v. **appeler.**

**APPELABLE** [aplabl] adj. — V. 1174; repris au XX^e; t. de dr., «dont on peut appeler», 1468; de *appeler.*

Qui fait l'objet d'un appel (en parlant de fonds, d'une somme d'argent). → **Appel** (de fonds), **appeler.**

(...) nous aurions pu nous en tenir, comme capital effectivement versé, à cent mille francs, appelables en deux fois (...)
J. ROMAINS, les Hommes de bonne volonté, t. XXII, p. 246.

**APPELANT, ANTE** [aplɑ̃, ɑ̃t] adj. et n. — 1390; p. prés. de *appeler.*

**I** Adj. ♦ **1** Dr. Qui appelle d'un jugement. *La partie appelante.* — N. *L'appelant, l'appelante.* — Loc. fig. (vx). *Visage d'appelant :* visage défait d'un plaideur malheureux (Rabelais, IV, 2).

♦ **2** Qui appelle. *La radio appelante* (d'un navire, etc.).

♦ **3** Qui attire, excite. → **Provocant** (Aragon, *in* T. L. F.).

**II** N. m. ♦ **1** Vx. Celui qui provoque en duel.

♦ **2** (XVIII^e). Hist. (Souvent au plur.). *Les appelants* (opposé à *acceptants*). Ceux qui se sont opposés à la Bulle Unigenitus. — Ceux qui ont voté l'appel au peuple pour tenter de sauver Louis XVI. → **Appel.**

♦ **3** Chasse. Oiseau qui sert d'appeau. → **Appeau** (cit. 2). *Ensemble d'appelants.* → **Attelage.** — Adj. *Des palombes appelantes.*

**CONTR. Intimé** (droit).

**APPELÉ** [aple] n. m. — XX^e; de *appelé,* p. p. du v. *appeler.*

Milit. Jeune incorporé dans l'armée pour faire son service militaire. → **Conscrit.** *Les appelés de 1980 sont nés en 1962.*

Des jeunes, des appelés, qui n'avaient pas beaucoup de connaissances militaires mais qui étaient quand même plus aptes que nous, qui avaient la jeunesse pour eux, y sont allés. Jean FERNIOT, Pierrot et Aline, p. 124. 1

Cinq cent mille soldats français sont en Algérie, et parmi eux beaucoup d'appelés. 2
Paul RIBEAUD, le Paria, p. 65.

**HOM. Appeler** (et p. p.).

**APPELÉ, ÉE** [aple] p. p. adj. → **Appeler.**

**APPELER** [aple] v. tr. [CONJUG. : prend deux *l* devant un *e* muet. *J'appelle; nous appelons.*] — 1080, *Chanson de Roland;* du lat. *appellare.*

**I** (Faire venir). ♦ **1** S'adresser à (qqn) pour inviter à venir, pour attirer l'attention (en prononçant le nom, par un mot, un cri, un bruit). → **Apostropher, crier, interpeller.** *Appeler qqn de loin.* → **Héler.** *Il nous a appelés à voix haute, en criant, en hurlant. Appeler qqn discrètement. Il l'appelait dans son sommeil, dans son délire* (→ Dire, prononcer le nom de...). — *La voix qui l'appelait était indistincte, forte, furieuse.*

Une traîtresse voix bien souvent vous appelle : 1
Ne vous pressez donc nullement.
LA FONTAINE, Fables, VIII, 21.

Il l'aime, et sans cesse il l'appelle : 2
Les échos de ces lieux n'ont plus d'autres emplois
Que celui d'enseigner le nom d'Aure à nos bois (...)
LA FONTAINE, les Filles de Minée, 230.

*Appeler qqn à soi, vers soi.*

3 Il appelle à lui, d'une voix forte, tous les chefs de l'armée, et cette voix ranime déjà tous les alliés éperdus.
FÉNELON, Télémaque, XIII.

Loc. *Il, elle vient quand on l'appelle.*

4 (...) mais elle, suivant l'usage des femmes et des chats qui ne viennent pas quand on les appelle et qui viennent quand on ne les appelle pas (...)
MÉRIMÉE, Carmen, III.

Allusion biblique :

5 Alors ils m'appelleront, et je ne répondrai pas ; ils me chercheront, et ils ne me trouveront pas.
BIBLE, Proverbes, I, 28.

*Appeler un animal* (→ ci-dessus, cit. 4), *lui faire comprendre qu'il doit venir. Appeler son chien.* → **Hucher** (vx), **siffler.** *Appeler les oiseaux au moyen d'un appeau.* → **Appeau.** — Prov. *Il est comme le chien de Jean de Nivelle, il s'enfuit quand on l'appelle,* se dit de qqn qui s'éloigne quand on lui demande de venir, quand on a besoin de lui.

(Sujet et compl. n. d'animal). *Le mâle appelle la femelle. La poule appelle ses poussins.* — Absolt. *Le chien appelle,* il aboie.

6 Mes chiens n'appellent point au delà des colonnes
Où sont tant d'honnêtes personnes.
LA FONTAINE, Fables, XII, XXIII, 41.

*Appeler qqn à son aide, à son secours.* → **Implorer, tendre** (les bras vers). — Absolt. *Appeler à l'aide, au secours, à la rescousse :* crier pour avoir de l'aide, du secours. — *Appeler Dieu à son aide par la prière.* → **Invoquer.** — Par métaphore (littér.). «*Il appelle à son secours le manège et l'intrigue pour mieux réussir dans son entreprise*» (Académie).

7 En vain nous appelons mille gens à notre aide.
LA FONTAINE, Fables, XI, I, 35.

8 Un malheureux appelait tous les jours
La mort à son secours.
LA FONTAINE, Fables, I, XVI, 1.

9 Appelez la mémoire ou l'esprit au secours.
CORNEILLE, le Menteur, V, 3.

**APPELER... EN....** *Appeler un médecin en consultation.*

♦ **2** Par ext. [a] (Sujet n. de personne). Appel au moyen d'un instrument. *Appeler qqn à l'aide d'une sonnette.* → **Sonner.** *Vous m'appellerez par l'interphone.* — Spécialt. *Appeler (qqn) au téléphone.* → **Téléphoner.** — Absolt. *Appeler en P. C. V., appeler avec préavis.* — Par métonymie. *Appeler Londres, Athènes :* téléphoner à qqn qui se trouve dans l'une de ces villes. *Appeler le ministère.* — En t. de message radio. *J'appelle X, vous m'entendez ?*

Appel au moyen d'un signe. *Appeler (qqn) des yeux, d'un geste.*

10 N'appelez point des yeux le galant à votre aide :
Il est trop éloigné pour vous donner secours.
MOLIÈRE, l'École des femmes, V, 4.

[b] (Sujet n. de chose). *Le standard vous appelle. La sonnerie, la cloche nous appelle.* → **Avertir.**

11 Les cloches dans les airs de leurs voix argentines,
Appelaient à grand bruit les chantres à matines.
BOILEAU, le Lutrin, II.

♦ **3** Inviter formellement (qqn) à venir, à aller quelque part, à faire qqch. → **Convier, convoquer, demander, inviter, mander** (vx), **prier** (de venir). *Appeler qqn près de soi. Appeler le médecin, les pompiers, la police. — Appeler la bête, le loup, le père fouettard...,* se dit à un enfant pour le menacer. *Si tu n'es pas sage j'appelle le loup.*

12 (...) Une esclave assez belle
Était à mes côtés : voulez-vous qu'on l'appelle ?
LA FONTAINE, Fables, VIII, 11.

Madame appelle les prêtres plutôt que les médecins. Elle demande d'elle-même les sacrements de l'Église (...) 13
BOSSUET, Oraison funèbre d'Henriette d'Angleterre.

L'infidèle en nos murs appelle l'étranger (...) 14
VOLTAIRE, Tancrède, II, 4.

(Compl. n. de choses). Faire venir (un ascenseur, un monte-charge...). *Appelle l'ascenseur, j'arrive !* — Par métonymie. *Appeler une ambulance, un taxi.*

Spécialt. *Appeler une classe de jeunes gens, des réservistes.* → **Incorporer ; appel, appelé.**

♦ **4** (Avec un compl. second en *à*, en *en*). *Appeler qqn à..., en...* — Vx. *Appeler un adversaire au combat.* → **Défier, provoquer** (en duel).

Absolt. *Appeler qqn,* le provoquer au combat.

Nous venons de faire la paix, le roi d'Espagne et moi ; et, quand nous ne l'aurions pas faite, je doute que nous nous battions, et que je le fisse appeler comme le roi mon père fit appeler Charles-Quint. 15
M^me^ DE LA FAYETTE, la Princesse de Clèves, t. II, p. 297.

Dr. *Appeler qqn en justice ; appeler qqn à comparaître devant le juge.* → **Assigner, citer.** *Appeler qqn en témoignage, en garantie.*

*Appeler qqn à une charge, à une fonction, à un poste.* → **Choisir, désigner, élire, nommer.** — (Sujet n. de chose). *Ses qualités l'appellent à ce poste.* → **Désigner** (pour).

Quoi ? vous à qui Néron doit le jour qu'il respire, 16
Qui l'avez appelé de si loin à l'Empire ?
RACINE, Britannicus, I, 1.

Fig. *Dieu appelle les hommes à la vie,* leur donne la vie.

Jésus se fait entendre à l'âme qui sommeille, 17
Et l'appelle à la vie, où son jour nous conduit.
RACINE, Poésies diverses, «Le Mardi», 4.

♦ **5** Fig. Relig. ou littér. *Il ne faut pas résister quand Dieu nous appelle,* nous fait connaître sa volonté, notre vocation. *Dieu vient de l'appeler à lui.* → **Ôter** (la vie), **rappeler.** *Le destin, la mort l'appelle.*

Dieu l'ayant appelée à lui dans une fort grande jeunesse (...) RACINE, Port-Royal. 18

Un vieillard prêt d'aller où la mort l'appelait (...) 19
LA FONTAINE, Fables, IV, 18.

♦ **6** [a] Vx ou littér. Demander, essayer d'obtenir (une chose). *Appeler qqch.* → **Aspirer** (à), **désirer, souhaiter** (→ Tendre les bras* vers...).

Enfin, las d'appeler un sommeil qui le fuit, 20
Pour écarter de lui ces images funèbres,
Il s'est fait apporter ces annales célèbres (...)
RACINE, Esther, II, 1.

Elle n'allait plus qu'en tremblant aux rendez-vous dont jadis elle appelait avec tant d'ardeur l'heure délicieuse. 21
FRANCE, l'Anneau d'améthyste, p. 253.

*Une femme qui appelle tous les regards.* → **Attirer.** *Appeler qqch. à la mémoire.* → **Évoquer, rappeler.** *Appeler l'attention de qqn sur qqch.* → **Attirer, signaler.** *Appeler tous les coups sur soi,* les attirer. → **Offrir** (s'), **prêter** (le flanc).

Il semblait à lui seul appeler tous les coups. 22
RACINE, Bérénice, I, 4.

*Appeler sur qqn les bénédictions du ciel,* les lui souhaiter ou les lui attirer. *Appeler la malédiction divine sur qqn.* → **Maudire.** *Appeler sur qqn le mépris public.* → **Vouer** (au mépris, etc.).

[b] Écon. Demander (une somme d'argent) par un appel de fonds.

Supposons ce capital de cent cinquante mille, et que nous en appelions les deux tiers. Ça me fait cent mille au départ ; c'est tout ce qu'il me faut. 22.1
J. ROMAINS, les Hommes de bonne volonté, t. XXII, p. 247.

♦ **7** (Sujet n. de chose). Demander, entraîner. *La République, le devoir nous appelle, nous appelle à...* → **Convier, engager, exhorter, inciter, inviter, solliciter.** *Cela m'appelle à faire qqch. Appeler qqn quelque part, à..., dans..., chez... Ce grave sujet appelle toute votre attention.* → **Exiger.** *Cette conduite appelle votre sévérité,* la rend nécessaire. → **Réclamer, susciter.** *Sa beauté appelle les regards.* → **Attirer, fasciner, provoquer.** *Le mensonge appelle le mensonge. — Le café appelle la cigarette.* → **Envie** (donner).

23 Mais tu sais quel motif à ce dessein m'appelle (...)
MOLIÈRE, le Dépit amoureux, V, 1.

24 Rien ne m'appelle ailleurs de toute la journée.
MOLIÈRE, le Misanthrope, II, 4.

25 Nos vaisseaux sont tout prêts, et le vent nous appelle.
RACINE, Andromaque, III, 1.

26 La République nous appelle (...)
M.-J. CHÉNIER, le Chant du départ.

27 (...) Dans la voie où le sort a voulu t'appeler.
A. DE VIGNY, la Mort du Loup.

28 Où va l'homme ? Où son cœur l'appelle.
A. DE MUSSET, Chanson.

29 Ô cafards ! votre échine appelle l'étrivière.
HUGO, les Châtiments, IV, 4.

30 (...) elle *(la Vénus de Syracuse)* appelle la bouche, elle attire la main, elle offre aux baisers la palpable réalité de la chair admirable (...)
MAUPASSANT, la Vie errante, p. 125.

30.1 Les Guilleroy passaient presque la moitié de leur vie en ce domaine où les appelaient sans cesse des intérêts de toute sorte, agricoles et électoraux.
MAUPASSANT, Fort comme la mort, I, I, p. 12.

31 (...) une de ces suites d'injures qui appellent la réplique immédiate (...) LOTI, Ramuntcho, I, 8.

32 Les servitudes politiques sont toujours violentes, grossières, elles appellent et finissent par provoquer l'émeute.
G. DUHAMEL, Scènes de la vie future, IV, p. 68.

♦ **8** V. tr. ind. (XIVe). Droit. Faire appel.

33 Les hommes sont-ils assez bons, assez fidèles, assez équitables, pour (...) ne nous pas faire désirer du moins que Dieu existât, à qui nous pussions appeler de leurs jugements (...) LA BRUYÈRE, les Caractères, XVI, 19.

**EN APPELER.** [a] Dr. Appeler d'un jugement devant une juridiction supérieure.

34 Enfin, au bout d'un an, sentence par laquelle
Nous sommes renvoyés hors de cour. J'en appelle.
RACINE, les Plaideurs, I, 7.

35 Mais Rosanette perdit bientôt son procès contre Arnoux, et, par entêtement, voulait en appeler.
FLAUBERT, l'Éducation sentimentale, III, IV.

Absolt. *Appeler :* interjeter appel.

[b] Fig. *En appeler à.* → **Référer** (se référer à), **remettre** (s'en remettre à), **soumettre** (le cas à). *J'en appelle à votre témoignage.* → **Invoquer.**

36 Souffrez mes frères que j'en appelle à votre conscience.
MASSILLON, Évid.

37 (...) J'en appelle à votre cœur : interrogez-le ; et il vous dira que l'homme de bien est dans la société et qu'il n'y a que le méchant qui soit seul.
DIDEROT, le Père de famille, IV, 3.

Par métaphore du sens juridique :

38 Le bon sens naturel, soit du peuple, soit des courtisans, avec la connaissance de la vie, voilà les deux juges à qui Molière en appelle toujours et les seuls à qui il en appelle.
Émile FAGUET, XVIIe s., Études littéraires, p. 286.

**II** (Nommer). ♦ **1** Donner un nom à (qqn ou qqch.). *Ils veulent appeler leur prochaine fille Hélène.* → **Nommer, baptiser, prénommer.** *Appeler un médecin «docteur».* → **Qualifier** (de), **titre** (donner le titre). *C'est ce qu'on appelle une idiotie. Appeler qqch. par son nom,* en parler nommément. *Appeler les choses par leur nom* (cit. 30). *Comment appelez-vous cela dans votre langue ?*

Désigner (qqn, qqch.) par (un nom). *On l'appelle Jean.* → **Nommer, prénommer ; désigner.** *«On l'appelait l'hirondelle du faubourg»* (chanson populaire). *Les Québécois appellent bleuets les baies que les Français nomment myrtilles ou airelles.*

Apprenez qu'il n'est pas respectueux d'appeler les gens par leur nom, et qu'à ceux qui sont au-dessus de nous, il faut dire «Monsieur» tout court. 3
MOLIÈRE, George Dandin, I, 4.

Je l'ai vu, dis-je, vu, de mes propres yeux vu, 4
Ce qu'on appelle vu (...) MOLIÈRE, Tartuffe, V, 3.

J'appelle un chat un chat, et Rolet un fripon. 4
BOILEAU, Satires, I, 52.

La peste, puisqu'il faut l'appeler par son nom. 4
LA FONTAINE, Fables, VII, 1.

(...) ce parasite ailé 4
Que nous avons mouche appelé.
LA FONTAINE, Fables, VIII, 10.

Or du hasard il n'est point de science. 4
S'il en était, on aurait tort
De l'appeler hasard, ni fortune, ni sort,
Toutes choses très incertaines.
LA FONTAINE, Fables, II, 13.

(...) Gardez bien de le dire : 4
On m'appellerait poule. Enfin, n'en parlez pas.
LA FONTAINE, Fables, VIII, 6.

Loc. *Appeler les choses par leur nom :* être franc, direct (→ ci-dessus, cit. 41, *appeler un chat un chat*).

(Emploi factitif). *Se faire appeler. Elle s'appelle Georgette mais elle se fait appeler Vanessa.* — Fam. *Se faire appeler Jules* (ou tout autre nom) : se faire réprimander. *Se faire appeler de tous les noms d'oiseaux* (même sens).

♦ **2** Spécialt (les sens I. et II. étant mêlés). Faire l'appel nominal de. *Il était absent quand on a appelé son nom, quand on l'a appelé. Je n'ai pas entendu appeler mon nom.*

Dr. *Appeler une cause :* annoncer le nom des parties dont la cause va être plaidée.

◆ **S'APPELER** v. pron.

(Emploi réfl.). Se donner pour nom, pour titre. *Les Esquimaux s'appellent Inuit.*

Avoir pour nom. *Comment vous appelez-vous ? Je m'appelle Michèle.* — Fam. *Comment tu t'appelles, toi ?*

*Comment s'appelle cette fleur ? Comment ça s'appelle en espagnol ? Parler ainsi s'appelle mentir.* — Fam. *Voilà ce qui s'appelle de la voiture, de la bagnole. Cela s'appelle parler, voilà ce qui s'appelle parler :* voilà un langage ferme et franc.

Avoir pour titre. *L'Empereur d'Éthiopie s'appelait le roi des rois. Un général s'appelle «mon général», ou «général»* (aussi passif).

(Emploi récipr.). *S'appeler l'un l'autre.*

◆ **APPELÉ, ÉE** p. p., adj. et n.

♦ **1** Qui fait l'objet d'un appel. *Les chiens appelés s'enfuirent. Les abonnés appelés.*

Spécialt, relig. → **Choisi, élu.** — N. Celui, celle qui est appelé(e) par Dieu, prédestiné(e). → **Élu.**

(...) Car il y a beaucoup d'appelés, mais peu d'élus. 46
BIBLE, Évangile selon saint Matthieu, XXII, 14.

Combien d'âmes appelées sont infidèles à l'attrait de leur vocation ! MASSILLON, Profession, 1. 47

J'ai vu la vie et le monde tels qu'on pourrait les voir d'une cellule, j'ai rêvé que je vivais dans le monde, mais il y a dans une cellule un religieux qui porte mon nom et que je retrouverai dans l'autre monde. Voilà des lignes bien étranges. Je crois que lorsqu'on est appelé, on ne cesse pas d'être appelé pour n'avoir pas suivi l'appel. L'appel retentit toujours quelque part au fond de l'âme. 47
J. GREEN, Journal, Ce qui reste de jour, 30 juil. 1970.

Loc. *Une carrière où il y a beaucoup d'appelés et peu d'élus,* qui est recherchée mais où il est difficile de réussir. → aussi cit. 51 ci-dessous.

♦ **2 Appelé à :** désigné, choisi pour; incité à... *Les personnes appelées à la réussite, au succès. — Appelé à* (et inf.). *Les personnes appelées à partir.*

48 Mon ami, concevoir certaines choses, c'est être appelé à les réaliser. RENAN, Souvenirs d'enfance..., Appendice.

49 Ta vocation rejoignait la mienne. Madame Brigitte ne comprend pas que c'était à cela que nous étions appelés, à souffrir ensemble.
F. MAURIAC, la Pharisienne, p. 171.

Dr. *Être appelé à une succession.*

♦ **3** Qui est appelé, nommé.

50 *(Michel Strogoff)* préférait avec raison courir de relais en relais, en activant par des «na vodkou» supplémentaires le zèle de ces postillons appelés iemschiks dans le pays.
J. VERNE, Michel Strogoff, p. 119 (1876).

51 Les volontaires, en ce début de guerre — et sans doute, à la fin y en aurait-il encore — se poussaient comme une queue au théâtre. Beaucoup étaient appelés, peu d'élus.
DRIEU LA ROCHELLE, la Comédie de Charleroi, p. 50 (1934).

CONTR. (Du I.) **Chasser, congédier, expulser, renvoyer.**
◇ DÉR. et COMP. **Appel, appelable, appelant, appeleur. Rappeler. —** (Du p. p.) **Appelé,** n. m. **—** (Du lat. *appellare*) **Appellatif, appellation.**

**APPELEUR, EUSE** [aplœʀ, øz] n. — XIIe, dr. «appelant»; 1863, t. de chasse; de *appeler.*

♦ **1** Rare. Celui, celle qui appelle.

♦ **2** (1863). Chasse. → **Appeau** (3.).

On sait que l'on qualifie d'appeleurs, dans la chasse au canard sauvage, les congénères de ce volatile destinés à l'attirer, lesquels sont non point domestiques, mais domestiqués ou empêchés de s'enfuir par quelque moyen (...) Le plus souvent, les véritables appeleurs sont en bois (...) Ils n'«appellent» naturellement point, sinon par le leurre du simulacre en quoi ils consistent.
A. JARRY, Critiques de théâtre, Les appeleurs, *in* Œ. compl., t. VII, p. 253 (1903).

**APPELLATIF, IVE** [apelatif, iv; apɛllatif, iv] adj. — XIVe; du lat. gramm. *appellativus,* de *appellare* «appeler», calque du grec *prosêgorikos* «dont on se sert pour nommer».

Didactique.

♦ **1** Vx. *Nom appellatif :* terme général qui convient à toute une espèce. *Arbre est un nom appellatif.* → **Commun. —** N. m. *Un appellatif.*

♦ **2** Mus. Sons qui semblent s'appeler réciproquement. *Sons appellatifs* ou *attractifs.*

**APPELLATION** [apelasjɔ̃; apɛllasjɔ̃] n. f. — 1172; du lat. *appellatio,* de *appellare.* → Appeler.

**I** Vx. Dr. Appel d'un jugement. *La cour a mis l'appellation à néant.* → **Appel.**

**II** ♦ **1** (1190). Façon d'appeler une chose. *L'appellation de qqch., de qqn par qqn* (rare). → **Dénomination, désignation.**

1 (...) ils se regardaient face à face, avec des rires de volupté et des appellations de tendresse.
FLAUBERT, Mme Bovary, III, V.

Cour. Nom donné (à qqch., à qqn). → **Mot, nom, qualificatif, titre.** *Une appellation injurieuse. L'appellation courante, usuelle de quelque chose.*

2 (...) il *(Flaubert)* se plaint de l'absence de dictionnaire qui le force aux périphrases pour toutes les appellations (...)
Ed. et J. DE GONCOURT, Journal, p. 227.

*Appellation d'origine :* désignation d'un produit par le nom du lieu où il a été récolté ou fabriqué. *Volaille ayant droit à l'appellation de Bresse. —* (Se dit spécialt des vins). *Appellation d'origine simple (A. O. S.),* supprimée en 1973, dans la législation française. *Appellation d'origine contrôlée (A. O. C.)* ou *appellation contrôlée.*

Toute personne qui prétendra qu'une appellation d'origine est appliquée à son préjudice (...) 3
Loi du 6 mai 1919, relative à la protection des appellations d'origine, art. 1.

♦ **2** (1762). Vx. *Appellation des lettres de l'alphabet :* appel à haute voix de ces lettres. → **Épellation.**

**APPENDICE** [apɛ̃dis] n. m. — 1233, *apendiches,* n. f. pl. «dépendances»; du lat. *appendix, -icis* «ce qui pend, addition», de *appendere.* → Appendre.

♦ **1** Partie qui prolonge une partie principale, semble ajoutée à elle. → **Extrémité, prolongement, queue.** *Appendice en forme de langue* (→ **Languette**), *de petit bec* (→ **Rostelle**), *de ver* (→ **Vermiforme**), *d'oreille* (→ **Auricule**).

(1757, Réaumur). Anat. Partie accessoire, prolongement (d'une structure ou d'un organe). *Appendices des oreillettes du cœur.* → **Auricule.** *Appendice du palais.* → **Luette.** *Appendice xiphoïde du sternum :* petit prolongement cartilagineux, à l'extrémité inférieure du sternum. — Spécialt. *Appendice vermiforme, vermiculaire, cæcal, iléo-cæcal :* prolongement en doigt de gant du cæcum. — Cour. (absolt.). *L'appendice. Inflammation de l'appendice.* → **Appendicite.** *Se faire enlever l'appendice.* → **Appendicectomie.**

(...) il y a une certaine séparation du rêve et de la vie qu'il est si souvent utile de faire que je me demande si on ne devrait pas à tout hasard la pratiquer préventivement comme certains chirurgiens prétendent qu'il faudrait, pour éviter la possibilité d'une appendicite future, enlever l'appendice chez tous les enfants. 0.1
PROUST, À l'ombre des jeunes filles en fleurs, Folio, p. 501.

Zool. *Appendice caudal :* segment terminal (de certains animaux). → **Queue.** *Appendice rostral* ou *naso-buccal,* prolongement d'une ou plusieurs parties de la face, chez certains animaux (bouche chez les lépidoptères; nez, lèvre supérieure chez l'éléphant. → **Trompe**). — *Appendices mobiles ou articulés de certains mollusques et infusoires.* → **Tentacule.**

Pattes-mâchoires, pattes ambulatoires, pattes-nageoires, palpe, antennes, antennules : soit en tout dix-neuf paires d'appendices différenciés (...) 0.2
Francis PONGE, Pièces, «La crevette», p. 19.

Par plais. Long nez.

Énorme, mon nez ! 0.3
— Vil camus, sot camard, tête plate, apprenez
Que je m'enorgueillis d'un pareil appendice,
Attendu qu'un grand nez est proprement l'indice
D'un homme affable, bon, courtois, spirituel,
Libéral, courageux, tel que je suis, et tel
Qu'il vous est interdit à jamais de vous croire,
Déplorable maraud !
Édmond ROSTAND, Cyrano de Bergerac, p. 41.

Bot. *Appendice foliacé de certaines hépatiques.* → **Amphigastre.** *Appendice enroulé en spirale.* → **Cirre, vrille.**

Astron. *Appendice lumineux d'une comète.* → **Barbe.**
Aéron. (anciennt). *Manche, cercle d'appendice,* qui prolonge un ballon vers le bas pour permettre l'échappement du gaz lors de la dilatation.

♦ **2** Supplément placé à la fin d'un livre et qui contient des notes, des documents complémentaires. → **Addition.**

1 Ces feuilles peuvent donc être regardées comme un appendice de mes «Confessions» (...)
ROUSSEAU, Rêveries..., 1re Promenade.

2 Lu l'appendice que je trouve à mon édition de la «Vulgate», sur l'authenticité des Évangiles.
GIDE, Journal, 4 mars 1916.

♦ **3** Fig. Complément, dépendance.

3 Jusque-là les hommes n'avaient compris l'autorité que comme un appendice du sacerdoce.
FUSTEL DE COULANGES, la Cité antique, p. 348.

DÉR. et COMP. **Appendicémie, appendicectomie, appendicisme, appendicite, appendicocèle, appendicostomie, appendicule, appendiculo-cholécystite.**

**APPENDICECTOMIE** [apɛ̃disɛktɔmi] n. f. — 1872; de *appendic(e) (iléo-cæcal),* et *-ectomie.*

Chir. Ablation de l'appendice iléo-cæcal.

**APPENDICÉMIE** [apɛ̃disemi] n. f. — Déb. XXe; de *appendic(e) (iléo-cæcal),* et *-émie.*

Méd. Toxémie d'origine appendiculaire.

**APPENDICISME** [apɛ̃disism] n. m. — 1910; de *appendic(e) (iléo-cæcal),* et *-isme.*

Didact. Inflammation des tissus voisins de l'appendice iléo-cæcal.

**APPENDICITE** [apɛ̃disit] n. f. — 1866; de *appendic(e) (iléo-cæcal),* et *-ite,* d'après *appendicitis,* 1886, Fitz (chirurgien américain).

Méd. et cour. Inflammation de l'appendice iléo-cæcal. → **Appendice** (cit. 0.1), **typhlite** (péritonite). *Crise d'appendicite. Appendicite aiguë, chronique. Appendicite accompagnée d'une cholécystite.* → **Appendiculo-cholécystite.**

Abusivt (cour.). *Être opéré de l'appendicite :* subir l'ablation de l'appendice. → **Appendicectomie.**

**APPENDICOCÈLE** [apɛ̃dikɔsɛl] n. f. — Déb. XXe; du rad. de *appendic(e) (iléo-cæcal),* et *-cèle.*

Didact. Hernie de l'appendice iléo-cæcal.

**APPENDICOSTOMIE** [apɛ̃dikɔstɔmi] n. f. — Déb. XXe; du rad. de *appendic(e) (iléo-cæcal), -o-,* et *-stomie.* → Stomato-.

Didact. Création d'un anus artificiel, dans les cas d'appendicites aiguës.

**APPENDICULAIRE** [apɛ̃dikylɛʀ] adj. et n. — 1866; de *appendicule.*

Didactique.

♦ **1** Qui se rapporte ou ressemble à un appendice.

Méd. *Point appendiculaire :* point de la paroi abdominale où se situe l'appendice iléo-cæcal, douloureux en cas d'appendicite. *Colique appendiculaire :* contractions douloureuses de l'appendice dues à la présence d'un corps étranger dans sa cavité.

D'ailleurs, qui a prétendu qu'elle était appendiculaire, ma douleur?
Sacha GUITRY, N'écoutez pas, Mesdames, p. 24.

Bot. *Organes appendiculaires* (opposé à *organes axiles*).

♦ **2** N. m. pl. (1846). Zool. **APPENDICULAIRES :** sous-classe de tuniciers nageurs qui doivent leur nom à un long appendice caudal. *Les appendiculaires peuvent se débarrasser de leur tunique et en sécréter une autre.* — Au sing. *Un appendiculaire.*

**APPENDICULE** [apɛ̃dikyl] n. m. — XVIe; de *appendice.*

Petit appendice. — Figuré :

Le grand et glorieux chef-d'œuvre de l'homme, c'est vivre à propos : toutes autres choses, régner, thésauriser, bâtir, n'en sont qu'appendicules et adminicules (...)
MONTAIGNE, Essais, III, 13.

DÉR. **Appendiculaire, appendiculé.**

**APPENDICULÉ, ÉE** [apɛ̃dikyle] adj. et n. — 1808; de *appendicule.*

♦ **1** Qui est muni d'un appendice.

♦ **2** N. m. plur. Zool. **APPENDICULÉS :** famille d'infusoires. — Au sing. *Un appendiculé.*

Tableau des infusoires.
Ordre IIe infusoires appendiculés.
Ils ont des parties saillantes comme des poils, des espèces de cornes ou une queue.
LAMARCK, Philos. zool., 1809 (*in* T. L. F.).

**APPENDICULO-CHOLÉCYSTITE** [apɛ̃dikylokɔlesistit] n. f. — Déb. XXe; du rad. de *appendicite,* et *cholécystite.*

Méd. Appendicite chronique, doublée d'une cholécystite chronique.

**APPENDRE** [apɑ̃dʀ] v. tr. [CONJUG.: *pendre.* → **Rendre.**] — XIIIe; «appartenir», 1080, *Chanson de Roland;* du lat. *appendere* «suspendre».

Vx. Suspendre. → **Suspendre; accrocher, attacher.** *S'appendre à qqch., être appendu à qqch.* — Au p. p. → cit. 1 et 3.

Le glaive de Damocle appendu sur ma teste (...) 1
MONTCHRESTIEN, *in* HUGUET.

J'étais destiné à devenir l'historien de hauts personnages : 2
ils ont défilé devant moi sans que je me sois appendu à leur manteau pour me faire traîner avec eux à la postérité.
CHATEAUBRIAND, Mémoires d'outre-tombe, I, V, t. I, p. 226.

(...) le grand chemin était neigeux et le givre appendu aux 3
branches des pins.
CHATEAUBRIAND, Mémoires d'outre-tombe, t. IV, p. 132.

Suspendre (une chose que l'on offre, consacre, dédie). *Appendre des ex-voto, des trophées, des étendards.*

Par métaphore :

Souffrez donc, Mademoiselle, que j'appende aujourd'hui à 4
l'autel de vos charmes l'offrande de ce cœur.
MOLIÈRE, le Malade imaginaire, II, 5.

REM. On trouve aussi *appendre,* v. intr. au sens de «être suspendu». → Pendre.

CONTR. **Dépendre.** ◊ DÉR. **Appentis.** — (Du lat. *appendere*) **Appendice.**

**APPENTIS** [apɑ̃ti] n. m. — Xe, *apendiz;* de l'anc. franç. *apent,* p. p. de *appendre.*

♦ **1** Toit en auvent à une seule pente, adossé à un mur et soutenu par des poteaux ou des piliers. *Construire un appentis. Comble* en appentis.* — *Baraque en appentis,* couverte par un appentis.

♦ **2** (1694). Petit bâtiment couvert en appentis. → **Chartil, hangar, remise.**

Cet appentis couvert et vitré fut ordonné avec tant de hâte, 1
que les fêtes et les dimanches ne furent pas exceptés de ce travail.
SAINT-SIMON, Mémoires, 354, 171, *in* LITTRÉ.

(...) les prêtres logeaient dans des appentis de bois adossés 2
à la muraille (...)
VOLTAIRE, Essai sur les mœurs, Temples.

Au-dessus d'un hangar (...) est un tout petit appentis, on 3
y monte par une échelle de meunier. On entre dans une toute petite pièce (...)
Ed. et J. DE GONCOURT, Journal, 1863, p. 1262, *in* T. L. F.

**APPENZELL** [apɛnzɛl] n. m. — XX^e; nom d'un canton suisse.

Fromage suisse au goût très fruité, qui ressemble au comté. *Une meule d'appenzell pèse entre six et douze kilos.*

**APPERT, ERTE** [apɛʀ, ɛʀt] adj. → **Apert.**

**APPERT (IL)** [ilapɛʀ] → **Apparoir.**

**APPERTISATION** [apɛʀtizasjɔ̃] n. f. — 1928, Larousse, art. *Appert;* du nom de Nicolas Appert, auteur de l'*Art de conserver les substances...*, 1831.

Techn. Procédé de conservation par stérilisation à la chaleur dans des récipients hermétiquement clos.

Le procédé de l'appertisation a pour objet de stériliser les produits animaux et végétaux. À cette fin, ces produits, mis dans des boîtes métalliques hermétiquement closes, sont soumis à l'action de la chaleur jusqu'à l'élimination de tous les germes susceptibles de les contaminer.
Albert BOYER, les Pêches maritimes, p. 108.

DÉR. **Appertiser.** ◊ COMP. **Radioappertisation.**

**APPERTISER** [apɛʀtize] v. tr. — V. 1950-1960; de *appertisation.*

Techn. Traiter (des denrées périssables) par le procédé de l'appertisation. — P. p. adj. *Lait appertisé. Conserves appertisées.*

**APPESANTIR** [apəzɑ̃tiʀ] v. tr. — 1119, v. intr. «devenir lourd»; XIII^e, «accabler»; de 1. *a-*, et *pesant.*

♦ **1** Rare. Rendre pesant, plus lourd à porter. → **Alourdir.** *La pluie avait appesanti ses vêtements. Des cailloux appesantissaient ses poches.*

Fig. Alourdir (les paupières), le sujet désigne le sommeil qui fait fermer les yeux.

1 (...) le doux sommeil n'avait pu appesantir ses paupières (...) FÉNELON, Télémaque, XIII.

♦ **2** Vieilli ou littér. Rendre moins agile, moins actif. → **Engourdir.** *La vieillesse et l'oisiveté appesantissent le corps, les membres. L'âge n'a pas appesanti son esprit. Une torpeur appesantissait ses membres, l'appesantissait.*

2 Sommeil léger qui n'appesantit pas l'esprit et qui n'interrompt presque point les actions.
BOSSUET, Oraison funèbre de M^lle La Vallière.

♦ **3** Appuyer avec force, rendre plus oppressif. *Appesantir son joug, son autorité, sa domination.* → **Opprimer, peser** (faire). — Loc. métaphorique. *Appesantir sa main, son bras sur...* → **Accabler, frapper.** — Loc. biblique. *Dieu a appesanti sa main sur ce peuple,* il l'a frappé de châtiments terribles. → **Châtier.**

3 Il appesantissait sa main sur une infinité de malheureux.
MASSILLON, Sur les afflictions, *in* LITTRÉ.

4 (...) Mais enfin César a-t-il jamais
De son pouvoir sur vous appesanti le faix?
VOLTAIRE, Mort de César, III, 8, *in* LITTRÉ.

◆ **S'APPESANTIR** v. pron.

♦ **1** Devenir pesant, lourd (d'une partie du corps). Spécialt. *Ses yeux, ses paupières s'appesantissaient* (de sommeil).

5 Chargés d'un feu secret, vos yeux s'appesantissent.
RACINE, Phèdre, I, 1.

6 (...) Sa tête s'appesantit et se pencha sur la poitrine de Marie (...) G. SAND, la Mare au diable, IX, 79.

Vx. *S'appesantir sur son lit.*

♦ **2** Vx. Peser sur (qqn) en devenant oppressif. *Le destin s'appesantit sur lui.*

(...) une main céleste et invisible, suspendue sur sa tête, qui allait s'appesantir pour le frapper. 7
FÉNELON, Télémaque, XX, *in* LITTRÉ.

Le joug des Romains s'appesantissait tous les jours sur elles *(les villes de Grèce et d'Asie)*... 8
MONTESQUIEU, Grandeur et décadence des Romains, 7.

La main du temps s'était appesantie sur cet homme autrefois si énergique. 9
STENDHAL, le Rouge et le Noir, t. I, p. 458.

Moderne (abstrait) :

Une fatalité s'appesantissait sur eux. 10
MARTIN DU GARD, les Thibault, VII, 72.

♦ **3** (Fin XVII^e). Suj. n. de personne. Cour. *S'appesantir sur un sujet, sur des détails,* s'y arrêter, en parler trop longuement. → **Insister.** Absolt. *Inutile de s'appesantir davantage.*

Il *(Théophile)* s'appesantit sur les détails; il fait une anatomie. LA BRUYÈRE, les Caractères, I, 39. 11

◆ **APPESANTI, IE** p. p. adj. → **Alourdi, lourd, pesant.**

Elle appuya sur moi sa tête appesantie. 12
A. DE MUSSET, Lucie.

L'ombre au branchage noir, de mousse appesanti. 13
HUGO, les Contemplations, I, 2.

(...) la grâce appesantie d'une femme d'Orient. 14
FRANCE, le Crime de S. Bonnard, I, p. 268.

Les pavés sur lesquels il avait tant de fois (...) porté ses pas appesantis par la tristesse ou la fatigue, allégés par un peu de joie ou d'amusement (...) 15
FRANCE, l'Anneau d'améthyste, p. 266.

Fig. *Esprit appesanti.*

Ces hommes si appesantis vers la terre nous écouteront-ils, quand nous ne parlerons que de croix et de mort? 16
FÉNELON, XVII, 153, *in* LITTRÉ.

CONTR. **Alléger; glisser, passer. — Actif, éveillé.** ◊ DÉR. **Appesantissement.**

**APPESANTISSEMENT** [apəzɑ̃tismɑ̃] n. m. — 1570; de *appesantir.*

♦ **1** Littér. Action d'appesantir, de s'appesantir.

C'est un appesantissement de la main de Dieu (...) 1
PASCAL, Pensées, Préface 9, *in* LITTRÉ, art. *Appesantissement.*

Fig. Le fait de s'appesantir (sur qqch.).

♦ **2** État d'une personne appesantie, rendue physiquement ou intellectuellement moins active. → **Alourdissement, engourdissement, lourdeur.**

Saint Augustin se comparait à un homme endormi qui se réveille et qui voudrait se lever, mais que l'appesantissement où il est replongé aussitôt dans son premier sommeil (...) 2
BOURDALOUE, Pensées, t. II, p. 454, *in* LITTRÉ.

CONTR. **Allégement, légèreté.**

**APPÉTENCE** [apetɑ̃s] n. f. — 1555; du lat. *appetentia* «envie, désir», de *appetere.* → Appéter.

Vx ou littér. Tendance qui porte l'être vers ce qui peut satisfaire ses besoins, ses instincts, ses penchants naturels. → **Appétit, besoin, convoitise, désir, envie.** *Une appétence de..., pour...*

**Appétence** est beaucoup plus général qu'**appétit,** d'abord parce qu'il se dit aussi bien des animaux que de l'homme, tandis que **appétit** est réservé à l'homme plus particulièrement; ensuite, parce que **appétence** est un terme didactique qui exprime une inclination innée sans la qualifier aucunement; tandis que **appétit,** appartenant davantage au langage général, exprime ce qu'il y a de plus sensuel, de plus grossier parmi les **appétences** de l'homme. 1
LITTRÉ, Dict.

2 (...) appétence naturelle de savoir.
PASQUIER, *in* HUGUET, Dict. XVIe s.

3 (...) cette appétence de vengeance, parce que naturellement elle tombe en tous esprits humains.
PASQUIER, *in* HUGUET, Dict. XVIe s.

4 Habitudes d'esprit, jeux, mœurs, je rejetai tout cela d'un seul coup, dans une fiévreuse appétence de nouveauté.
Edmond JALOUX, Fumées dans la campagne, X.

Psychol. *Comportement d'appétence.*

CONTR. **Inappétence.** ◊ DÉR. **Appétent.**

**APPÉTENT, ENTE** [apetɑ̃, ɑ̃t] adj. — 1548, de *appétence.*

Vx ou littér. et rare. Qui a ou qui marque l'appétence, le désir, et, spécialt, le désir de nourriture.

Imaginez un homme court et replet, la tête à la fois socratique et porcine, de petits yeux ronds pétillants de flamme, les lèvres appétentes, un double menton.
Éd. et J. DE GONCOURT, Journal, 22 juil. 1857.

**APPÉTER** [apete] v. tr. [CONJUG. : *céder.*] — V. 1370; du lat. *appetere* «chercher à atteindre»; de 1. *a-* et *petere,* même sens.

Vieux.

♦ **1** Tendre vers ce qui peut satisfaire les besoins, les instincts, les penchants naturels. → **Désirer, rechercher.**

♦ **2** (XVIe). Donner envie de manger (qqch.). *«L'estomac appète les aliments qui lui conviennent, les attire en quelque sorte (...)»* (Maine de Biran).

CONTR. **Repousser, rebuter.** ◊ DÉR. V. **Appétence, appétit.**

**APPÉTISSANT, ANTE** [apetisɑ̃, ɑ̃t] adj. — V. 1393; de *appétit.*

♦ **1** Dont l'aspect, l'odeur met en appétit; qu'on a envie de manger. *Un mets appétissant* (→ Qui fait venir l'eau à la bouche). → **Alléchant, friand, ragoûtant, savoureux, succulent.**

1 Il voit les élèves engloutir viandes et légumes, reconnaît que la nourriture est saine, appétissante, suffisante (...)
Georges LECOMTE, Ma traversée, p. 538.

♦ **2** Fig. Qui met en goût, plaît. → **Agréable, attirant, engageant.** *Il n'est pas très appétissant.*

2 Jamais, vois-tu? mes petits-enfants ne pensent à m'embrasser. Ils ne doivent pas trouver les gens de notre âge très appétissants.
G. DUHAMEL, le Voyage de P. Périot, I.

Spécialt. Qui attire le désir érotique. → **Attirant, séduisant.** *Un corps appétissant. Elle trouvait ces lycéens bien appétissants. Une fille appétissante.*

3 (...) ces lèvres appétissantes!
MOLIÈRE, Dom Juan, II, 2.

4 Sa fille Cunégonde, âgée de dix-sept ans, était (...) fraîche, grasse, appétissante. VOLTAIRE, Candide, 1.

CONTR. **Dégoûtant, déplaisant, disgracieux, fade, insipide, nauséabond, rebutant, repoussant.**

**APPÉTIT** [apeti] n. m. — V. 1180, *apétit;* du lat. *appetitus* «désir», de *appetere.* → Appéter.

♦ **1** *(Un, des appétits).* Mouvement qui porte à rechercher ce qui peut satisfaire un besoin organique, un instinct. → **Appétence, appétition, besoin, inclination, instinct, tendance.** *Appétits naturels. Appétit sexuel.* → **Concupiscence, désir.** *Appétits brutaux. Assouvir de bas appétits. Réduire l'homme aux appétits les plus grossiers* (→ **Animaliser, animalité**). — Hist. philos. (scolast.). *Appétit naturel, appétit sensitif (concupiscif* ou *irascible), appétit intellectuel.*

REM. Cet emploi est en général vieilli, sauf en termes de religion (*appétit concupiscible,* → cit. 2). L'emploi absolu («instinct») appartient seulement à la langue classique :

La liberté, les bois, suivre leur appétit, 1
C'était leurs délices suprêmes (...)
LA FONTAINE, Fables, XII, 1.

Les philosophes appellent appétit concupiscible celui où domine le désir. 2
BOSSUET, Traité de la connaissance de Dieu..., I, 6.

(...) la partie animale 3
Dont l'appétit grossier aux bêtes nous ravale.
MOLIÈRE, les Femmes savantes, I, 1.

Ses traits mâles et bouleversés (...) annonçaient les ressources inépuisables de sens fougueux et les appétits de l'instinct (...) BALZAC, Séraphîta, III, Pl., t. X, p. 522. 4

Spécialt. *Les appétits* (érotiques, sexuels). → ci-dessous 3.

Saint Augustin enseigne que, quand l'Écriture nous exhorte à résister aux démons, elle entend que nous devons résister à nos passions et à nos appétits déréglés. 5
FRANCE, la Rôtisserie de la reine Pédauque, p. 213.

Vx. *Les appétits* (alimentaires) : la faim, l'appétit (2.).

Pour moi, satisfaisant mes appétits gloutons 5.1
J'ai dévoré force moutons.
LA FONTAINE, Fables, VII, 2.

♦ **2** *L'appétit.* [a] (1256). Cour. Désir de nourriture, plaisir que l'on trouve à manger. *Avoir de l'appétit, beaucoup, peu d'appétit. Un bon, grand, gros, robuste, solide appétit. Il a (un) gros appétit. Un appétit pantagruélique. Un appétit d'enfer, de loup, d'ogre, d'ogresse* (→ Ogre, cit. 2), *violent, vorace. Un appétit d'oiseau,* très léger. *Un petit appétit. Un appétit glouton.* → **Gloutonnerie, voracité.** *Un appétit excessif, immodéré, insatiable, maladif.* → **Boulimie.** *Dépravation de l'appétit.* → **Malacie, pica.** *Manger avec appétit, d'un bon appétit. Manger sans appétit, du bout des dents.* → **Chipoter.** *Avoir de l'appétit, bon appétit, beaucoup d'appétit. Elle n'a aucun appétit. Avoir moins d'appétit qu'on ne croyait* (→ Avoir les yeux plus grands que la panse, que le ventre). → **Gourmandise.** *Donner de l'appétit à qqn,* creuser* (fam.). *Aiguiser, éveiller, exciter l'appétit de qqn.* → **Affriander, affrioler, allécher** (→ Faire venir l'eau à la bouche). *Qui augmente, provoque, stimule, ouvre l'appétit.* → **Apéritif.** *Reprendre de l'appétit. L'appétit vient, revient. Un mets de haut goût, qui réveille l'appétit. Assouvir, contenter, rassasier, satisfaire son appétit. Manger à son appétit. Couper, émousser, gâter, faire passer l'appétit. Perdre l'appétit. Il en perd l'appétit. — En appétit. Mettre, remettre qqn en appétit.*

La faim est essentiellement l'expression d'un besoin, elle ne peut être ni provoquée ni excitée, comme l'appétit. Celui-ci se prononce pour tel aliment de préférence à un autre; la faim appelle également toute espèce d'aliment pour lequel on n'a pas de répugnance. En mangeant on apaise toujours la faim, tandis qu'on donne quelquefois lieu à l'appétit de se développer. 6
LITTRÉ, Dict., art. *Appétit.*

Se dit plus particulièrement de la faim, du désir de manger. Ce malade a perdu l'*appetit,* il a un *appetit* desréglé; les salives excitent l'*appetit.* 7
FURETIÈRE, Dict., art. *Appétit.*

Mais il crut mieux faire d'attendre 8
Qu'il eût un peu plus d'appétit.
LA FONTAINE, Fables, VII, 5.

Après quelques moments l'appétit vint (...) 9
LA FONTAINE, Fables, VII, 5.

Jupiter, s'il était malade, 10
Reprendrait l'appétit en tâtant d'un tel mets.
LA FONTAINE, Fables, XI, 6.

Leur effet naturel *(des eaux)* est d'ouvrir l'appétit. 11
RACINE, Lettres.

2 Le gourmand trouve des bornes dans son appétit, quelque déréglé qu'il soit (...)
BOSSUET, Traité de la concupiscence, 9.

3 Il n'y a point naturellement pour l'homme de médecin plus sûr que son propre appétit (...)
ROUSSEAU, Émile, I, II.

1 Comprenant qu'elle avait trop maigri (...) elle cherchait de l'appétit sur les routes et dans les bois voisins, et bien qu'elle rentrât fatiguée et sans faim, elle s'efforçait de manger beaucoup.
MAUPASSANT, Fort comme la mort, II, II, éd. 1889, p. 184.

4 (...) l'idée de manger des calories me gâte l'appétit.
G. DUHAMEL, Scènes de la vie future, II, p. 38.

Fig. *Un homme de bon, de grand, de haut appétit,* qui recherche avidement argent, faveurs, places. (XVII^e). **BON APPÉTIT !**, souhait adressé à une personne qui va manger, commence de manger (Abrév. très fam. en *bon app' !* [bɔnap]). — Allus. littéraire :

5 Bon appétit, messieurs ! ô ministres intègres !
Conseillers vertueux ! voilà votre façon
De servir, serviteurs qui pillez la maison.
HUGO, Ruy Blas, III, 2.

Prov. (vx). *Il n'est chère (ou sauce) que d'appétit :* la faim est le meilleur assaisonnement. *L'appétit assaisonne tout.*

6 Tout ce qu'on boit est bon, tout ce qu'on mange est sain (...)
Et mieux que Bergerat *(célèbre traiteur)* l'appétit l'assaisonne.
BOILEAU, Épîtres, VI.

(1534). Mod. et cour. *L'appétit vient en mangeant :* plus on mange, plus on a faim. Fig. Plus on a, plus on veut avoir.

.7 L'appétit vient en mangeant, disait Angest (...) la soif s'en va en buvant.
RABELAIS, Gargantua, I, 5.

*Avoir l'appétit ouvert :* avoir faim. — Au fig. (vx). *Avoir l'appétit ouvert de bon matin :* désirer.

.8 Vous avez l'appétit ouvert de bon matin :
D'hier au soir seulement vous êtes dans la ville (...)
Et déjà vous cherchez à pratiquer l'amour !
CORNEILLE, le Menteur, I, 1.

*Demeurer, rester sur son appétit,* se dit, au fig., pour : n'être point satisfait dans son désir, dans ses prétentions.

**b** Par métonymie. (XVII^e). Cuis. **LES APPÉTITS :** herbes aromatiques et apéritives. *La ciboule, la ciboulette, la civette, l'oignon sont des appétits.*

.1 Au XVII^e siècle, on entendait dans les rues de Paris le refrain du marchand d'herbes : Je vends oignons et échalotes / Que l'on crie bons appétits.
Dict. de l'Académie des gastronomes, p. 70.

19 C'est un abatis de poulet que je vous fais réchauffer. J'y mets quelques oignons pour allonger la sauce, avec quelques appétits.
J.-R. BLOCH, Sybilla, V.

♦ **3** (XVII^e). Vieilli. *Appétit charnel, sensuel, sexuel, vénérien.* → **Concupiscence, convoitise, désir.**

Absolt, vx. *Leur beauté aiguisait* (cit. 8) *l'appétit. Agacer l'appétit (de qqn),* exciter ; → Accort, cit. 3.

20 Elle était fille à bien armer un lit,
Pleine de suc, et donnant appétit (...)
LA FONTAINE, Contes, II, 6.

.1 Une pareille bonne fortune à son âge était inespérée. Elle se jeta dessus avec un appétit d'ogresse.
FLAUBERT, l'Éducation sentimentale, III, IV.

♦ **4** Mod. *Appétit de :* désir pressant de (qqch.). → **Aspiration, attrait, curiosité, désir, faim** (fig.), **goût, passion, soif.** *Appétit d'argent, de culture, de gloire.*

21 Le penchant romanesque est un appétit du beau idéal.
G. SAND, Histoire de ma vie, t. III, p. 15.

22 L'amour, après tout, n'est qu'une curiosité supérieure, un appétit de l'inconnu (...)
FLAUBERT, Correspondance, t. I, p. 156.

23 Elle se sentait une âme vivace et fraîche, un cœur toujours jeune, l'ardeur d'un être qui commence à vivre, un appétit de bonheur insatiable, plus vorace même qu'autrefois, et un besoin d'aimer dévorant.
MAUPASSANT, Fort comme la mort, p. 311.

Croyez-vous que cette soif de bien-être soit un signe des temps ? Les hommes n'ont eu à aucune époque l'appétit du malaise. Ils ont toujours cherché à améliorer leur état. 24
FRANCE, le Crime de S. Bonnard, p. 427.
→ Améliorer, cit. 2.

Même chez un condamné, un mort en sursis, il y a un tel appétit de projets, d'espérances ! 25
MARTIN DU GARD, les Thibault, VIII, 15.

Jacques, sans bien entendre, se serrait contre Antoine, avec un appétit soudain de tendresse. 26
MARTIN DU GARD, les Thibault, II, 3.

L'appétit de savoir naît du doute. 27
GIDE, les Nouvelles Nourritures, p. 149.

L'appétit de souffrir est, lui aussi, une concupiscence. 28
F. MAURIAC, Souffrances et Bonheur du chrétien, p. 71.

Le besoin de survivance est si vif chez nous, femmes, et si féminin l'appétit de victoire physique ! 29
COLETTE, l'Étoile Vesper, p. 74.

CONTR. **Anorexie, dégoût, dysorexie, inappétence, répugnance, répulsion, satiété.** ◊ DÉR. **Appétissant, appétitif, appétition.**

**APPÉTITIF, IVE** [apetitif, iv] adj. — V. 1260 ; de *appétit.*
Didactique.

♦ **1** Se dit de ce qui pousse à satisfaire les appétits. *Puissance appétitive.*

La conduite instinctive se marque d'abord par des tendances appétitives (recherche d'une femelle, d'un emplacement pour le nid, etc.) liées à des modifications hormonales de l'organisme.
J. PIAGET, Épistémologie des sciences de l'homme, p. 204.

♦ **2** Relatif à l'appétition.

**APPÉTITION** [apetisjɔ̃] n. f. — 1537, cit. 1 ; de *appétit.*

♦ **1** Vieilli. Besoins, désirs naturels, et, spécialt, besoin de se nourrir. → **Appétit,** 1.

(...) le dis seigneur Gaspard que si elles *(les femmes)* sont ainsi que vous le dictes plus vives à leur appetition que les hommes (...) elles sont de autant plus dignes de louenges que leur sexe est plus foible et moins fort pour resister aux appetiz naturelz. 1
B. DE CASTILLON, Trad. J. COLIN, III, Courtisan, II, 1537, *in* D. D. L., II, 1.

Tant pis : cette grande appétition du froid et de l'humide est une indication de la chaleur et sécheresse qui est dedans. Dormez-vous fort ? 2
MOLIÈRE, Monsieur de Pourceaugnac, I, 8.

♦ **2** Philos., spécialt (chez Leibniz). Action du principe interne qui fait le passage d'une perception à une autre. *Degrés d'appétition de la monade.*

L'action du principe interne qui fait le changement ou le passage d'une perception à une autre peut être appelée «appétition» ; il est vrai que l'appétit ne saurait toujours parvenir entièrement à toute la perception où il tend, mais il en obtient toujours quelque chose et parvient à des perceptions nouvelles. 3
LEIBNIZ, Monadologie, § 15, cité par P. RICŒUR, Une interprétation philosophique de Freud, *in* la Nef, n° 31, p. 119.

♦ **3** Psychol., psychan. *Appétition-aversion* (anglais *like-dislike*) : couple de réactions affectives primaires en relation avec les affects élémentaires.

*Loi d'appétition,* qui formule le rôle de l'affectivité en tant que stimulant de l'activité psychologique.

**APPLAUDIMÈTRE** [aplodimɛtʀ] n. m. — V. 1950 ; de *applaudir,* et suff. *-mètre.*

Par plais. Appréciation des applaudissements, du succès (d'un spectacle, d'un personnage officiel, etc.) comme par une machine. *«Les spécialistes de l'"applaudimètre", toujours nombreux dans les cortèges officiels (...)»* (M. Niedergang, in *l'Express*, 21 sept. 1964).

**APPLAUDIR** [aplodiʀ] v. — 1375; du lat. *applaudere* «battre des mains», puis «louer».

**I** V. intr. Battre des mains en signe d'approbation, d'admiration, ou d'enthousiasme. *Applaudir en claquant, en frappant des mains. Applaudir des deux mains,* très fort; fig. : approuver totalement. *On payait des gens pour applaudir* (→ **Claque**). *Les spectateurs ont applaudi à tout rompre. Ils applaudissaient avec fracas.* → **Acclamer.** *Les Américains sifflent en applaudissant.*

1 Ainsi dit le renard, et flatteurs d'applaudir.
LA FONTAINE, Fables, VII, 1.

2 (...) le maître du tonnerre
Eut à peine achevé que chacun applaudit (...)
LA FONTAINE, Fables, XI, 2.

3 Tel vous semble applaudir, qui vous raille et vous joue.
Aimez qu'on vous conseille et non pas qu'on vous loue.
BOILEAU, l'Art poétique, I.

4 Le peuple écoute avidement, les yeux élevés et la bouche ouverte, croit que cela lui plaît, et à mesure qu'il y comprend moins, l'admire davantage; il n'a pas le temps de respirer, il a à peine celui de se récrier *(s'exclamer)* et d'applaudir. LA BRUYÈRE, les Caractères, I, 8.

5 Lorsque l'enfant paraît, le cercle de famille
Applaudit à grands cris.
HUGO, les Feuilles d'automne, I.

**II** V. tr. ind. Littér. *Applaudir à qqch. :* témoigner une vive approbation, donner son complet assentiment à. *J'applaudis à votre initiative.* → **Approuver; consentir; féliciter** (se); **réjouir** (se réjouir de). *J'y applaudis sans réserve.*

6 (...) pour gagner les hommes, il n'est point de meilleure voie que de se parer à leurs yeux de leurs inclinations, que de donner dans leurs maximes, encenser leurs défauts, et applaudir à ce qu'ils font. MOLIÈRE, l'Avare, I, 1.

7 (...) la crainte (...) me réduit d'applaudir bien souvent à ce que mon âme déteste. MOLIÈRE, Dom Juan, I, 1.

8 J'offenserais mal à propos tout Paris, si je l'accusais d'avoir pu applaudir à une sottise.
MOLIÈRE, les Précieuses ridicules, Préface.

9 L'Académie a pris part à tous vos honneurs; elle applaudissait à vos célèbres actions (...)
RACINE, Disc. à l'Académie.

10 J'ai, par la suite, applaudi de grand cœur à la construction des cités universitaires.
G. DUHAMEL, Biographie de mes fantômes, XI, p. 222.

Rare. *Applaudir à qqn,* approuver ses actes.

**III** V. tr. dir. ◆ **1** Accueillir, saluer par des applaudissements. *Applaudir un acteur, un orateur.* → **Acclamer.** *Applaudir un chanteur pour lui faire répéter son morceau.* → **Bisser.** *Applaudir un morceau, une tirade. Il a fait applaudir sa sortie.* — (Au passif). *Il n'a pas été beaucoup applaudi.*

◆ **2** Par ext. Approuver publiquement, avec éclat. → **Féliciter.** *Applaudir qqn de, pour ses succès.*

11 L'orateur et l'écrivain ne sauraient vaincre la joie qu'ils ont d'être applaudis; mais ils devraient rougir d'eux-mêmes, s'ils n'avaient cherché, par leurs discours ou leurs écrits, que des éloges (...)
LA BRUYÈRE, les Caractères, Préface.

12 (...) retournez vers ce sénat auguste
Qui vient vous applaudir de votre cruauté.
RACINE, Bérénice, V, 5.

13 Je vois que votre cœur m'applaudit en secret.
RACINE, Bérénice, I, 4.

*Applaudir qqn au moyen de qqch.*

Il se fit un silence solennel dans l'assemblée, et chacun applaudissait mon oncle du regard. 14
Claude TILLIER, Mon oncle Benjamin, XIV.

◆ **S'APPLAUDIR** v. pron. S'admirer, s'estimer, être content de soi, tirer vanité de. → **Flatter** (se), **glorifier** (se), **louer** (se), **vanter** (se); **triompher.** *Il a trop tendance à s'applaudir.* — Avec un compl. en *de. S'applaudir de ses succès, d'avoir réussi. Il ne devrait pas s'en applaudir.*

Un cœur noble est content de ce qu'il trouve en lui 15
Et ne s'applaudit point des qualités d'autrui.
BOILEAU, Épîtres, IX, *in* LITTRÉ.

Aussitôt je triomphe; et ma muse en secret 15
S'estime et s'applaudit du beau coup qu'elle a fait.
BOILEAU, Satires, VII.

Laissez-le s'applaudir d'un triomphe frivole. 16
RACINE, Esther, III, 2.

Bien loin de s'en confondre, on s'en glorifie, on s'en applaudit, on s'en élève, on en triomphe. 17
BOURDALOUE, le Mystère de la Passion de Jésus-Christ.

Être content, heureux de qqch. → **Féliciter** (se), **réjouir** (se).

(...) l'on n'en voit point de si fière qui ne s'applaudisse en son cœur des conquêtes que font ses yeux. 18
MOLIÈRE, le Sicilien, 6.

Et qui d'entre nous ne s'applaudissait pas en lui-même (...) d'avoir pour confrère un homme de ce mérite? 19
RACINE, Disc. à l'Académie.

◆ **APPLAUDI, IE** p. p. adj. *Un acteur, un pianiste applaudi, très applaudi. Une pièce applaudie.*

(...) Il s'ensuit que le morceau le plus applaudi passe toujours pour le plus beau (bien qu'il y ait des beautés d'un prix infini qui ne sont pas de nature à exciter de bruyants suffrages). BERLIOZ, Beethoven, p. 50. 20

Fig. *Une décision peu applaudie.*

CONTR. **Conspuer, blâmer, désapprouver, huer, siffler.**
◊ DÉR. **Applaudissant, applaudissement, applaudisseur.**
— REM. L'adj. *applaudissable* est attesté (1889, Goncourt).
→ COMP. **Applaudimètre.**

**APPLAUDISSANT, ANTE** [aplodisɑ̃, ɑ̃t] adj. — D. i.; p. prés. de *applaudir.*

Qui applaudit.

*(Flaubert)* tu laisses ton imagination t'offrir des banquets, des parfums, des femmes nues et des foules applaudissantes!
J. GREEN, Journal 1958-1967 (Vers l'invisible), 2 mai 1961.

**APPLAUDISSEMENT** [aplodismɑ̃] n. m. — Déb. XVIe, le Baud, *Histoire de Bretagne, in* Godefroy; de *applaudir.*

◆ **1** Au plur. Battement des mains (→ **Applaudir**) en signe d'approbation, d'admiration ou d'enthousiasme. → **Acclamation, bravo, ovation.** *Des applaudissements nourris accueillent, saluent l'orateur. Les applaudissements éclatent, crépitent, retentissent. Les applaudissements couvrent sa voix. Sa péroraison arrache les applaudissements, provoque, soulève une tempête d'applaudissements. La salle croule sous les applaudissements. Salve, tonnerre d'applaudissements. Applaudissements rythmés.* → **Ban.**

(...) tout le temple retentissait d'applaudissements (...) 1
RACINE, Remarques sur les Olympiques.

Tandis que des soldats, de moments en moments, 2
Vont arracher pour lui *(Néron)* des applaudissements (...)
RACINE, Britannicus, IV, 4.

Le maréchal de Duras écoute un instant le bourdon des applaudissements (...) 3
SAINT-SIMON, Mémoires, 96, 22.

4 Il attendait des applaudissements. Aucun cri, aucun battement de mains n'éclata.
MAUPASSANT, Clair de lune, «Un coup d'État», Pl., t. I, p. 1013.

5 Enfin éclata mon premier sentiment d'admiration : il fut provoqué par les applaudissements frénétiques des spectateurs.
PROUST, À la recherche du temps perdu, t. III, p. 30.

6 Et il est impossible aussi que ce genre de laïus soulève ce soir des applaudissements (...)
MARTIN DU GARD, les Thibault, VII, 3.

7 Les applaudissements qui avaient accueilli son entrée (...)
FRANCE, le Petit Pierre, XVI → Accueillir, cit. 8.

8 C'est sous une tempête de vivats que Raymond Poincaré se fraye un passage à travers les étudiants. Toute la salle se dresse pour lui rendre hommage. Ininterrompus, les applaudissements crépitent en son honneur (...)
Georges LECOMTE, Ma traversée, p. 488.

♦ **2** Fig. et littér. (rarement au sing. après l'époque classique → ci-dessous cit. 12). Témoignage d'approbation ou de vive satisfaction. → **Admiration, approbation, compliment, éloge, encouragement, félicitation, louange.**

9 Ce livre fut reçu avec un applaudissement incroyable.
RACINE, Port-Royal.

0 (...) la récompense la plus agréable qu'on puisse recevoir des choses que l'on fait, c'est... de les voir caressées d'un applaudissement qui vous honore... — Il n'y a rien assurément qui chatouille davantage que les applaudissements... Mais cet encens ne fait pas vivre; des louanges toutes pures ne mettent point un homme à son aise (...)
MOLIÈRE, le Bourgeois gentilhomme, I, 1.

1 *(Ce poète)* alla droit au cœur, il eut des soupirs pour échos et des larmes pour applaudissements.
LAMARTINE, Premières méditations, Préface.

2 (...) c'est quelqu'un qui l'a suivi dès son entrée sur la scène publique avec curiosité et intérêt, et bientôt avec admiration et applaudissement.
SAINTE-BEUVE, Causeries du lundi, 5 nov. 1849.

3 *(Je)* me persuadai que la qualité des applaudissements importe bien davantage que leur nombre.
GIDE, Si le grain ne meurt, p. 250.

CONTR. **Blâme, désapprobation, huée, réprobation, sifflet.**

**APPLAUDISSEUR** [aplodisœʀ] n. m. — 1538; de *applaudir.*

♦ **1** Celui qui applaudit, loue sans discernement ou par flatterie. *Les Augustiens, applaudisseurs de Néron.*

♦ **2** Gens payés pour applaudir. *Applaudisseurs à gages.* → **Claqueur.** — Fig. *«Cette ineptie du septembriseur a été accueillie des applaudisseurs à gages, et repoussée par le mépris universel de l'Assemblée»* (le *Courrier des départements,* nº XXX, 30 mai 1793).
REM. Le fém. *applaudisseuse* est virtuel.

**APPLICABILITÉ** [aplikabilite] n. f. — 1836; de *applicable.*

Dr., didact. Possibilité d'être appliqué.

**APPLICABLE** [aplikabl] adj. — 1282, *appliquable,* au sens 2.; de *appliquer.*

♦ **1** (1690). Concret. Qui est susceptible d'être appliqué. *Peinture applicable sur verre.* — Géom. Qu'on peut appliquer l'un sur l'autre. → **Superposable.** *Surfaces applicables.*

♦ **2** Abstrait. Qu'on peut appliquer (à qqn, à qqch.). *Le terme animé est applicable aussi bien à l'homme qu'à l'animal.* → **Prédicable** (log.). *Science applicable à l'industrie. Une découverte immédiatement applicable aux techniques. Thérapeutique applicable au traitement d'une maladie. Aphorisme, maxime, pensée applicable à une situation.*

On a souvent dit de la puissance de la parole qu'elle transporte; jamais ce mot ne fut plus applicable que dans ce cas (...) 1
SAINTE-BEUVE, Causeries du lundi, 5 nov. 1849.

Je me disais que rien n'est bon pour tous, mais seulement par rapport à certains; que rien n'est vrai pour tous, mais seulement par rapport à qui le croit tel; qu'il n'est méthode ni théorie qui soit applicable indifféremment à chacun (...) 2
GIDE, les Faux-monnayeurs, II, 4.

Dr. Utilisable. *Fonds applicables à une dépense.* → **Imputable.** *Cette loi n'est pas applicable au cas dont il s'agit. Cette loi n'est pas applicable aux étrangers.*

CONTR. **Inapplicable.** ◊ DÉR. **Applicabilité.**

**APPLICAGE** [aplikaʒ] n. m. — 1823; de *appliquer.*

Techn. Action d'appliquer un ornement sur un objet. (En poterie). *Applicage d'une garniture, d'un motif.*

**APPLICATEUR, TRICE** [aplikatœʀ, tʀis] adj. et n. — 1834, Sainte-Beuve; de *appliquer.*

♦ **1** Adj. Qui sert à appliquer (qqch.). *Tampon, pinceau applicateur. Bouchon applicateur,* permettant d'appliquer un produit (cirage, détachant, etc.). — N. m. *Passer un applicateur.*

♦ **2** N. (personnes). Personne qui applique, met en pratique (une loi, une théorie, une invention...).

(...) rigides applicateurs des lois (...) les magistrats ne leur accordaient pas *(les circonstances atténuantes).*
Georges LECOMTE, Ma traversée, p. 288.

REM. Le fém. semble rare.

**APPLICATION** [aplikasjɔ̃] n. f. — 1314, *applicacion,* au sens 1.; de *appliquer,* d'après le lat. *applicatio* «le fait de s'attacher (à qqn)», de *applicare.*

♦ **1** Action de mettre une chose sur une autre de manière qu'elle la recouvre, y adhère ou y laisse une empreinte; le résultat de cette action. → **Pose, superposition.** *Application d'un topique humide et chaud sur une partie malade.* → **Fomentation.** *Application d'un bandage, d'un vésicatoire. Application d'un enduit sur un mur. Reproduction de couleurs ou de dessins par application et pression.* → **Impression.** *Broderie*, dentelle* d'application. Application de feuilles de bois ou de métal précieux sur un bois ou un métal de moindre valeur; de plaques de gazon sur une pelouse.* → **Placage.**

Cout. Ornement appliqué (→ **Applique**). *Des applications de dentelles, de velours.*

♦ **2** Fig. [a] Action de faire porter sur qqch. — *Point d'application d'une force*.* — Math. Relation établie sur deux ensembles, distincts ou non; correspondance entre un ou plusieurs éléments de l'ensemble de départ et un élément de l'ensemble d'arrivée, et telle qu'à tout élément du premier soit associé un élément unique du second. → **Image; injection, surjection, bijection; graphe.** *Application linéaire, multilinéaire.* → **Homomorphisme.** *Éléments liés par une application.* → **Antécédent, image.**

[b] Utilisation spécifique; mise en pratique. → **Emploi, usage.** *Application d'un traitement à une maladie. Application des sciences à l'industrie, de l'algèbre à la géométrie.* → **Adaptation.** *Application d'un procédé, d'une méthode. Mettre une théorie en application.* → **Appliquer; exécution, réalisation.** (1666). *Application de la loi,* action de la faire jouer dans les cas particuliers qu'embrassent ses dispositions générales. *Maintenir une loi en application.* → **Vigueur** (en). *Application de la peine prévue par la loi.*

1 Lorsque l'accusé aura été déclaré coupable, le procureur général fera sa réquisition à la cour pour l'application de la loi. Code d'instruction criminelle, art. 362.

2 L'action pour l'application des peines n'appartient qu'aux fonctionnaires auxquels elle est confiée par la loi.
Code d'instruction criminelle, art. 1.

Rare. *Application d'une somme à telle ou telle dépense.* → **Affectation, attribution, destination, imputation.**

(1370). Vieilli ou littér. *Faire l'application d'un apologue, d'un mot, d'un vers... à qqn ou à qqch.* → **Appliquer, adapter.**

3 Elle fit l'application de la comparaison aux vérités de la religion (...)
BOSSUET, Oraison funèbre d'Anne de Gonzague de Clèves.

4 Angoulême se servait toujours des presses en bois, auxquelles la langue est redevable du mot **faire gémir la presse,** maintenant sans application.
BALZAC, Illusions perdues, Pl., t. IV, p. 464.

*Essai d'application.* → **Expérience, expérimentation.** *Exercice d'application.* — (Milit.). → **Exercice.** *École d'application.* → **École.**

[c] Utilisation possible, cas d'utilisation (souvent au plur.). → **Destination.** *Les applications d'un remède,* les cas dans lesquels il est applicable. *Les applications d'une découverte scientifique, d'un théorème.*

[d] Inform. Programme écrit en vue d'une utilisation précise (calcul, gestion, jeu, etc.). → **Logiciel, software.** *Les applications d'un système d'exploitation.*

♦ **3** (1580, Montaigne). Action d'appliquer son esprit, de s'appliquer à... *Application au travail, à l'étude. Son application à faire qqch. Longue application à l'étude.* → **Méditation, réflexion.**

5 (...) l'application d'un enfant à élever un château de cartes ou à se saisir d'un papillon (...)
LA BRUYÈRE, les Caractères, VIII, 61.

Qualité d'une personne appliquée. → **Assiduité, attachement, attention, curiosité, diligence, étude, exactitude, soin, travail, zèle.** *Un problème qui exige une forte application.* → **Casse-tête.** *Son application le fatigue.* → **Contention, effort, tension** (d'esprit). *Application de l'esprit. L'application d'un érudit. Cet enfant est doué, mais il manque d'application. Travailler avec application, assidûment.*

6 Il *(le duc de Bourbon)* a présentement assez d'application, et telle que j'en suis content.
LA BRUYÈRE, Lettres, 8, 2 oct. 1685.

7 (...) ces choses-là, où il faut du soin et de l'application.
Mme DE SÉVIGNÉ, 273, 6 mai 1672.

8 Mais je guéris la lassitude du corps par l'application de l'esprit : l'exercice de ma pensée renouvelle mes forces physiques ; ce qui tuerait un autre homme me fait vivre (...)
CHATEAUBRIAND, Mémoires d'outre-tombe, L, VII.

9 (...) cette fervente application des véritables tâcherons de bibliothèque, pour qui rien n'existe dans les instants de travail, que l'objet actuel de leur étude.
Paul BOURGET, Un divorce, III, p. 105.

10 Il possède une faculté d'application qu'on ne peut pas ne point lui envier. Il est capable de fixer son attention pendant huit ou dix heures de suite, ce qui me semble prodigieux.
G. DUHAMEL, Chronique des Pasquier, VI, 8.

CONTR. **Dissipation, distraction, inapplication, inattention, insouciance, négligence, paresse.**

**APPLIQUE** [aplik] n. f. — 1452, *aplicque,* «action d'appliquer»; sens 1., 1532 par l'expression *d'applique,* 1363 «appliqué»; de *appliquer.*

♦ **1** Techn. *D'applique, en applique :* appliqué, fixé, plaqué. *Pièces d'applique. L'or, l'argent et autres laminés sont mis en applique sur les meubles, sur les moulures d'une corniche* (Académie). — *Élément appliqué.* Appliques de velours sur un manteau (→ **Application,** 1.). *«Une applique de guipure séparait les plis* (d'une tenture)*»* (Zola, *in* T. L. F.).

Littér. Élément appliqué, plaqué. *Une applique de cheveux.*

♦ **2** (1866). Cour. Appareil d'éclairage fixé au mur ; spécialt, plaque portant une ou plusieurs branches de candélabres (aujourd'hui à l'électricité). *Éclairage par appliques.*

(...) j'espère que je ne vais pas attendre six mois comme pour la pose des appliques du salon (...) 1
N. SARRAUTE, le Planétarium, p. 19.

Elle se range contre le mur, sous une applique à deux lampes, dans le couloir étroit, et il passe sans la toucher mais en la regardant comme elle le regarde (...) 2
A. PIEYRE DE MANDIARGUES, la Marge, p. 15.

En appos. *Lampe applique.*

**APPLIQUÉ, ÉE** [aplike] adj. → **Appliquer.**

**APPLIQUER** [aplike] v. tr. — 1280, au sens 2.; au sens 1., en méd., 1314; du lat. *applicare.*

♦ **1 APPLIQUER SUR :** mettre (une chose) sur (une autre) de manière à faire toucher, recouvrir, adhérer ou à laisser une empreinte. → **Placer, poser.** *Appliquer un cataplasme sur la poitrine de qqn, des ventouses sur son dos. Appliquer des couleurs, des dessins sur une toile.* → **Imprimer.** *Appliquer un sceau, un cachet sur la cire, une marque sur une marchandise.* → **Apposer.** *Appliquer une couche de peinture sur un mur, du vernis sur un panneau, sur ses ongles.* → **Étendre.** *Appliquer des ornements de dentelle sur un fond de tulle. Appliquer une feuille d'acajou sur du bois blanc, une feuille d'or sur du cuivre...* → **Plaquer.** *Appliquer ses cheveux sur les tempes.* → **Aplatir, coller.** *Appliquer son oreille sur une cloison.* → **Coller.** *Appliquer sa bouche sur une main.* → **Baiser.** *Appliquez votre main là-dessus.* — Faux pron. *S'appliquer qqch. sur le corps* (→ ci-dessous S'appliquer, 4.).

D'un loup écorché vif appliquez-vous la peau 1
Toute chaude et toute fumante (...)
LA FONTAINE, Fables, VIII, 3.

Nous n'appliquerons point sur tes membres profanes 2
Nos sacrés ongles (...)
LA FONTAINE, Fables, VIII, 14.

Sur cet œil malade, mon père appliqua pendant plusieurs jours des compresses à l'eau d'iris. 3
G. DUHAMEL, Inventaire de l'abîme, IV.

Géom. *Appliquer une figure sur une autre.* → **Application.**

**APPLIQUER CONTRE...** → **Poser.** *Appliquer une échelle contre un mur.* — **APPLIQUER SUR...** *Appliquer un baiser sur la joue de qqn* (→ Coller, planter un baiser). — *Appliquer sa main sur la figure de qqn.* → **Ficher, flanquer, foutre** (fam.).

(...) je te jure que je t'appliquerai sur la joue le plus grand soufflet qui se soit jamais donné. 4
MOLIÈRE, le Bourgeois gentilhomme, III, 2.

**APPLIQUER... À... :** mettre contre, de manière à porter un coup, à frapper. *Appliquer l'éperon à son cheval.* → **Appuyer** (l'éperon). *Appliquer un coup de poing, une gifle à qqn.* → **Administrer, asséner, coller, délivrer** (vx), **donner, mettre, plaquer, porter.**

Vx. *Appliquer une peine, une torture, la question* à qqn.*

♦ **2** [a] **APPLIQUER À... :** faire servir, employer, utiliser (pour un usage, dans un cas). → **Employer, utiliser** (faire usage). *Appliquer une chose à un certain usage, un remède à un mal, un traitement à une maladie. Appliquer convenablement les moyens au but.* → **Adapter.** *Appliquer une méthode, un procédé, une recette, une règle, un principe à une situation.*

→ **Mettre** (en pratique, en application). *Appliquer une science à une autre :* transporter les principes ou les procédés d'une science à une autre. *Appliquer l'algèbre à la géométrie.* — (Sans compl. en à). *Appliquer le même procédé dans plusieurs cas.* — (Sans compl. second). → cit. 5, 6 et 8.

5 Landry n'en avait pas d'autre *(don)* que celui d'être soigneux et entendu à appliquer les recettes de son enseignement. G. SAND, la Petite Fadette, XXVI.

6 (...) magnifique axiome qu'il avait pris à Sheridan, mais qu'il appliquait de manière à se faire absoudre de l'avoir pris.
BARBEY D'AUREVILLY, les Diaboliques, «Le dessous de cartes...»

7 Platon, voyant que les mathématiciens de Sicile appliquaient leurs découvertes aux machines, leur reprocha de dégrader la science (...)
TAINE, Philosophie de l'Art, t. II, IV, I, 2.

8 Il ne faut pas dire que les «Oraisons funèbres» sont l'ouvrage le mieux écrit de Bossuet; on peut dire qu'elles sont l'ouvrage où Bossuet a appliqué le plus curieusement et avec le plus de complaisance les ressources infinies de son art d'écrivain et de peintre.
Émile FAGUET, XVIIe s., Études littéraires, p. 430.

9 Il *(Proust)* appliqua aux sentiments la minutie dont Ruskin lui avait donné le modèle.
A. MAUROIS, Études littéraires, t. I, Marcel Proust, p. 106.

Spécialt. *Appliquer une somme à telle dépense.* → **Affecter, consacrer, destiner.** *Appliquer une somme à son profit.* → **Imputer.**

**b** (1280). Mettre en application (2., b.). *Appliquer la loi, le règlement à une personne, un cas.* → **Mettre** (à exécution). *Appliquer une peine. Quelle peine va-t-on lui appliquer ?* → **Infliger.**

10 Les lois sont bonnes ou mauvaises moins par elles-mêmes que par la façon dont on les applique.
FRANCE, les Opinions de J. Coignard, Œ., t. VIII, p. 510.

**c** Rapporter (ce qui était dit d'un objet) à (un autre). *Appliquer un nom, un cas, un exemple à qqn.* → **Attribuer, donner, rapporter.**

11 Mon sujet est petit, cet accessoire est grand.
Je pourrais l'appliquer à certain conquérant (...)
LA FONTAINE, Fables, XII, 10.

12 Aristote appliquait cet apologue aux hommes.
LA FONTAINE, Fables, XII, 13.

13 (...) il ne faut l'appliquer, ce nom illustre *(celui du Grand Condé)* qu'à des emplois qui soient dignes de lui (...)
MOLIÈRE, Amphitryon, Épilogue.

**d** Spécialt (correspond à *s'appliquer*, 3.). *Appliquer son esprit à l'étude, son attention à qqch., à faire qqch.* → **Concentrer, diriger** (vers), **occuper.** *Appliquer fortement son esprit à qqch.* → **Tendre** (son esprit). *Appliquer tous ses soins à...* → **Efforcer** (s').

14 Car ce n'est pas assez d'avoir l'esprit bon, mais le principal est de l'appliquer bien.
DESCARTES, Discours de la méthode, I.

15 Pense, si tu le veux; mais applique tes soins
À ne m'en point parler (...) MOLIÈRE, Tartuffe, II, 2.

16 N'applique point à la vérité l'œil seul, mais tout cela sans réserve qui est en toi-même.
CLAUDEL, Connaissance de l'Est.

**e** Vx. *Appliquer qqn à (faire) qqch.*, l'occuper entièrement à. *«(...) appliquer l'homme à son devoir humain»* (P. Teilhard de Chardin, *le Milieu divin*, *in* T. L. F.).

◆ **S'APPLIQUER** v. pron. (XIIIe, «s'adapter»).

♦ **1** (Passif). Se mettre, se poser, être appliqué. *Les emplâtres s'appliquent sur la peau. Cette ventouse s'applique bien à la peau.* → **Adhérer.** *Une surface qui s'applique exactement sur une autre.* → **Recouvrir.** *Cette draperie s'applique exactement sur son corps.* → **Coller, mouler.**

La pesante porte revint s'appliquer hermétiquement sur ses chambranles de pierre sans qu'on vît qui l'avait ouverte ni qui la refermait. HUGO, l'Homme qui rit, II, IV, 5. 17

♦ **2** Être adapté, applicable à, avoir un étroit rapport avec. → **Convenir, correspondre, rapporter** (se rapporter à). *Cette épigraphe s'applique bien au sujet de l'ouvrage. L'attribut s'applique à un plus grand nombre de choses que le sujet.* → **Embrasser, étendre** (s'étendre à). *Cette remarque s'applique à tout le monde.* → **Concerner, intéresser, viser.**

Ceci peut s'appliquer à la grandeur royale, 18
Elle reçoit et donne, et la chose est égale.
LA FONTAINE, Fables, III, 2.

La raison et le langage ne s'appliquent qu'au fini. Les transporter dans l'infini, c'est comme si l'on prétendait mesurer la chaleur du soleil ou du centre de la terre avec un thermomètre ordinaire. 19
RENAN, Dialogues et fragments philosophiques, Œ. compl., t. I, p. 147.

**Allons au bien,** disait-il *(Danton)* dans une formule qui aurait pu s'appliquer à toutes choses (...) 20
Louis BARTHOU, Danton, p. 245.

♦ **3** (1403). Réfl. (sujet n. de personne). Apporter une attention soutenue à qqch., prendre soin de faire qqch. *«S'appliquer à faire une chose, à cultiver son esprit, à régler sa conduite, à bien élever ses enfants, à contrarier qqn»* (Lafaye). *S'appliquer avec ardeur, zèle, acharnement à une étude, un travail...* → **Acharner** (s'), **adonner** (s'), **attacher** (s'), **atteler** (s'), **consacrer** (se), **dévouer** (se), **donner** (se), **employer** (s'), **intéresser** (s'), **livrer** (se), **occuper** (s'), **plaire** (se), **vouer** (se vouer à); **tourner** (toutes ses pensées vers); et aussi **étudier, vaquer.** *S'appliquer avec une grande contention d'esprit à apprendre, comprendre qqch.* → **Tendre** (son esprit); **chercher, rechercher; efforcer** (s'efforcer de); **escrimer** (s'), **évertuer** (s'), **exercer** (s'exercer à); **peiner** (→ fam. Se casser la tête à). *S'appliquer à conserver son calme.* → **Étudier** (s'), **veiller** (à).

Ceux qui s'appliquent trop aux petites choses deviennent ordinairement incapables des grandes. 21
LA ROCHEFOUCAULD, Maximes, 41.

*(Moi qui)* Semble depuis six mois ne veiller que pour elle, 22
Qui me suis appliquée à chercher les moyens
De lui faciliter tant d'heureux entretiens,
Et qui même souvent, prévenant son envie,
A hâté les moments les plus doux de sa vie.
RACINE, Bajazet, IV, 4.

*(Gens qui)* Ne s'appliquent jamais qu'à se rendre fâcheux (...) MOLIÈRE, les Fâcheux, II, 4. 23

(...) ne s'est-elle pas appliquée en toutes rencontres à conserver cette même intelligence *(entre la France et l'Angleterre)?* 24
BOSSUET, Oraison funèbre de Henriette-Anne d'Angleterre.

*(Molière)* s'est appliqué à peindre les défauts des hommes et non à les corriger. 25
Émile FAGUET, XVIIe s., Études littéraires, p. 290.

Ce grand savant *(Chaptal)* s'était, depuis de longues années, appliqué à mettre ses connaissances au service des œuvres pratiques. 26
Louis MADELIN, Hist. du Consulat et de l'Empire, t. IV, XIII.

(...) en 1760, Dresde fut sauvagement dévastée par Frédéric II, qui s'appliqua à effacer pour toujours sa splendeur. 27
R. ROLLAND, Voyage musical..., p. 212.

Il s'efforçait de sourire, et, tête nue, s'appliquait à garder l'attitude d'un ami qui prend congé. 28
MARTIN DU GARD, les Thibault, III, 2.

(1690). Absolt. Travailler avec zèle, application. *Cet écolier s'applique. Voyez comme il s'applique.*

À force de s'appliquer, il se maintint toujours vers le milieu de la classe. 29
FLAUBERT, Mme Bovary, I, I, → Accessit, cit.

♦ **4** (Faux pronominal). Appliquer à soi-même (→ ci-dessus cit. 1). *S'appliquer un cataplasme.* — Fig. *Il s'appliquait tous les profits de l'affaire.* → **Adjuger** (s'), **approprier** (s'), **arroger** (s'), **attribuer** (s'), **prendre** (pour soi). *Un avare s'applique rarement ce qu'il entend dire contre l'avarice* (Académie).

30 N'allons point nous appliquer nous-mêmes les traits d'une censure générale (...)
MOLIÈRE, la Critique de l'École des femmes, 6.

◆ **APPLIQUÉ, ÉE** p. p. adj.

♦ **1** Posé sur, posé contre. *Un emplâtre appliqué sur une tumeur. Un coup, un baiser bien appliqué.*

31 (...) un lit (...) à bandes de points de Hongrie, appliquées fort proprement sur un drap de couleur d'olive (...)
MOLIÈRE, l'Avare, II, 1.

32 (...) trente bons coups de gaules,
Bien appliqués sur tes larges épaules (...)
LA FONTAINE, Contes, «Paysan.»

33 (...) et la mère ne manquait jamais de m'accueillir par un baiser bien appliqué sur la bouche (...)
ROUSSEAU, les Confessions, t. I, V.

♦ **2** Fig. *Appliqué à un travail, à bien faire.* → **Attentif.**

34 Appliqué sans relâche au soin de me punir (...)
RACINE, Andromaque, V, 5.

Absolt. *Un écolier appliqué.* → **Assidu, diligent, sérieux, studieux, travailleur.** *Elle est vive, mais peu appliquée.*

35 J'assure Votre Altesse Sérénissime qu'il *(le duc de Bourbon)* est appliqué et que j'en suis content.
LA BRUYÈRE, Lettres, 9.

36 La paresse, l'indolence et l'oisiveté, vices si naturels aux enfants, disparaissent dans leurs jeux, où ils sont vifs, appliqués, exacts (...)
LA BRUYÈRE, les Caractères, XI, 55.

♦ **3 ARTS APPLIQUÉS,** à vocation utilitaire : décoration **(→ Décoratif),** mobilier, parure **(→ Art,** II., 3.). *École des Arts appliqués. Arts purs et arts appliqués.*

37 Je tiens à ce que vous soyez à Paris pour l'Exposition coloniale de 1924. Celle des Arts appliqués, je m'en moque (Arts appliqués est d'ailleurs une faute de français).
GIRAUDOUX, Siegfried et le Limousin, p. 289.

*Recherche appliquée* (opposée à *recherche fondamentale*), destinée à exploiter dans la pratique les progrès réalisés par la recherche de base dans l'ensemble des domaines scientifiques et techniques. *Sciences appliquées* (opposées à *sciences pures*), qui utilisent pour des réalisations concrètes le travail théorique de la science. — *Mathématiques appliquées* (opposées à *mathématiques pures*), considérées dans leurs applications (physique, statistique, techniques...). — *Linguistique appliquée* (opposée à *linguistique pure, théorique*), qui envisage concrètement les conditions de la communication linguistique en tenant compte de l'état des travaux de la linguistique théorique. *Linguistique appliquée dans l'enseignement des langues, à la lexicographie, à la traduction.*

DÉR. **Applicable, applicage, applicateur, application, applique, appliqueuse.**

**APPLIQUEUSE** [aplikøz] n. f. — XIXe; de *appliquer.*

Techn. Ouvrière qui applique des fleurs, des ornements sur les dentelles d'application.

**APPOGIATURE** ou **APOGIATURE** [apɔ(d)ʒjatyʀ] n. f. — 1791, puis 1823 *appoggiatura,* mot ital.; *appoggiature,* 1821, *in* D.D.L.; ital. *appoggiatura,* de *appoggiare* «appuyer».

Mus. Petite note d'agrément placée devant une note principale qu'elle retarde pour la mettre en valeur. *Appogiature longue. Appogiature brève.*

1 Le parti en est pris *(se dit Rossini),* je ne veux pas leur laisser de place pour ajouter la moindre *appoggiatura (sic).* Les *fioriture,* les agréments seront partie *intégrante* du chant, et seront *tous* écrits dans la partition.
STENDHAL, Vie de Rossini, XXIX, p. 433 (1823).

Par analogie :

(...) pendant que sonnait clair là-haut le rire coupé de traits et d'appogiatures de sa voisine (...) 2
Alphonse DAUDET, Numa Roumestan, XII.

DÉR. **Appogiaturer.**

**APPOGIATURER** [apɔ(d)ʒjatyʀe] v. tr. — 1913; de *appogiature.*

Mus. Placer une appogiature sur (une note). — P. p. adj. *Accord appogiaturé.* — On écrit aussi *appoggiaturer.*

**APPOINT** [apwɛ̃] n. m. — 1398; *apoint* «moment favorable», v. 1150; de 1. *appointer.*

♦ **1** Techn. Somme qui sert à solder un compte commercial. → **Solde.**

♦ **2** (1452). Cour. Complément d'une somme en petite monnaie. *Payer vingt francs cinquante au moyen de deux billets de dix francs et d'un appoint de cinquante centimes.*

Loc. **FAIRE L'APPOINT :** ajouter le complément en petite monnaie, et, par ext., régler exactement la somme due, de sorte que le créancier n'ait aucune monnaie à rendre au débiteur. *Le public est tenu de faire l'appoint.*

Pour éviter toute discussion dans les payements, le débiteur sera toujours obligé de faire l'appoint, et par conséquent de se procurer le numéraire d'argent nécessaire pour solder exactement la somme dont il sera redevable. 1
Décret du 22 avr. 1790, art. 7.

♦ **3** Fig. Ce qu'on ajoute à une chose pour la compléter. → **Complément, supplément; accessoire.** *Un appoint de combustible. Un appoint utile, nécessaire.* — **D'APPOINT.** *Ressources d'appoint.* **(→ À-côté,** 2.). *Salaire d'appoint,* qui s'ajoute, constitue un complément au salaire principal dans un ménage (parfois avec une nuance péjorative). *Le salaire de la femme a longtemps été considéré comme un salaire d'appoint. Chauffage d'appoint.*

Ajoutez à votre poids cet appoint de métal pur qui seul donne le vrai alliage du courage humain. 2
GIRAUDOUX, Amphitryon 38, I, 2.

(...) l'élevage, qui constitue l'appoint le plus rémunérateur en Normandie, est à peu près nul dans la vallée de la Garonne. GIDE, Journal 1889-1939, 4 oct. 1916. 3

Par ext. Élément qui s'ajoute pour aider. → **Apport, concours, contribution, part.** *Un appoint déterminant dans..., pour... Constituer, être un appoint.*

Certes, l'intervention du père dans l'avenir de Ramuntcho serait un appoint décisif pour obtenir la main de cette petite. LOTI, Ramuntcho, I, 1. 4

Quelles que soient les créations de la culture anglo-saxonne ou nordique, l'Europe ne saurait être elle-même sans l'appoint de la culture latine. 5
André SIEGFRIED, l'Âme des peuples, II, 3.

«Nous travaillerons...» «Oui, bien sûr. Mais comme des esclaves, ça n'est pas un travail qui émancipe et nous ne serons jamais qu'un appoint.» 6
SARTRE, la Mort dans l'âme, II, p. 214.

**APPOINTAGE** [apwɛ̃taʒ] n. m. — 1507, «action de préparer»; «action de coudre bout en bout», 1808; de 2. *appointer.*

Technique.

**I** (1819, de 2. *appointer* au sens de «diriger dans le bon sens»). Techn. Dernier foulage (des cuirs).

**II** (1866). Action d'appointer, de tailler en pointe.

**APPOINTEMENT** [apwɛ̃tmɑ̃] n. m. — 1388; de 1. *appointer.*

**I** Anciennt. Action d'ajuster, de régler. — Anc. dr. Jugement préparatoire.

1 Quatorze appointements, trente exploits, six instances
Six-vingts productions, vingt arrêts de défenses,
Arrêt enfin. Je perds ma cause avec dépens (...)
RACINE, les Plaideurs, I, 7.

**II** ♦ **1** (1573). Vx au sing. Action de donner l'argent convenu, de pourvoir à une dépense. *Fournir à l'appointement.*

Action d'obtenir une fonction pour qqn (→ 1. **Appointer, II., 1.**).

♦ **2** N. m. pl. (1573). Mod. **APPOINTEMENTS** : rétribution fixe, mensuelle ou annuelle, qui est attachée à une place, à un emploi régulier (surtout pour les employés). *Donner, recevoir, toucher des appointements.* → **Paie, rétribution, salaire, traitement.**

1 — Eh bien donc, monsieur Grandet, reprit le garde qui avait préparé sa harangue afin de faire décider la question de ses appointements (...)
— Ma femme, dit-il *(Grandet)* à madame Grandet, donne-lui cent sous (...)
— Tiens, Cornoiller, dit-elle en lui donnant dix francs, quelque jour nous reconnaîtrons tes services.
BALZAC, Eugénie Grandet, éd. 1838, p. 194.

2 Celui-ci, par bonheur, tirait des appointements convenables de sa collaboration à la revue d'art (...)
MARTIN DU GARD, les Thibault, VII, 20.

1. **APPOINTER** [apwɛ̃te] v. tr. — V. 1268, *apointier;* de 1. *a-,* et *point.*

**I** Anciennt. Ajuster, mettre au point. — Anc. dr. Régler par appointement, arrangement, mettre en délibéré.

1 Saint Paul permet aux Chrétiens (...) d'appointer amiablement les différends qui surviendront entre les fidèles, pour les biens terriens.
CALVIN, Instructions contre les Anabaptistes.

2 Le tout joint au procès enfin, et toute chose
Demeurant en état, on appointe la cause.
RACINE, les Plaideurs, I, 7.

**II** ♦ **1** (1527). Vx. Payer (qqn) pour un travail. *Appointer des mercenaires.*

Pourvoir d'une place, d'une fonction. *Il a été appointé au grade de sous-chef de bureau.*

♦ **2** (1584). Mod. Donner des appointements* à (qqn). → **Payer, rémunérer, salarier, rétribuer.** *Appointer un employé. Être appointé par une maison. Être appointé à la semaine, au mois.*

◆ **APPOINTÉ, ÉE** p. p. adj. et n. m.

♦ **1** Adj. (1579, Estienne). Vx. *Soldat appointé,* qui touche une solde plus importante que les autres.

♦ **2** N. m. Régional (Suisse). *Un appointé :* un soldat de première classe; un gendarme qui a droit à une solde plus élevée que celle des autres.

3 Dans cette aube d'arrière-automne, pas même bien précisée, l'appointé Julot se hâtait vers la gare, avec tout son attirail militaire sur le dos.
Jean FOLLONIER, la Sommelière, p. 51.

DÉR. **Appoint, appointement.**

2. **APPOINTER** [apwɛ̃te] v. tr. — V. 1200, «tailler en pointe»; *apointer* «diriger la pointe de qqch. vers qqch.», v. 1177; *apointir,* XVIe; de 1. *a-,* et *pointe.*

Technique.

♦ **1** (V. 1200). Rare. Tailler en pointe. *Appointer un bâton.* → **Appointir.** *Appointer un crayon.* → **Tailler.**

Je le regardais qui appointait un crayon, avec l'air de ne rien entendre (...)
GIDE, Si le grain ne meurt, *in* Romans, Pl., p. 502.

♦ **2** Mettre pointe contre pointe. — Techn. *Appointer une étoffe,* en coudre les deux bouts ensemble afin qu'elle ne se déploie pas. *Appointer un matelas ployé en deux pour qu'il ne se déroule pas.*

◆ **S'APPOINTER** v. pron. (Rare). Se terminer en pointe. *Objet qui s'appointe en fer de lance.*

◆ **APPOINTÉ, ÉE** p. p. adj. *Crayon appointé.* — (1690). Blason. *Pièces appointées,* qui se touchent par les pointes, se regardent.

DÉR. **Appointage.**

**APPOINTIR** [apwɛ̃tiʀ] v. tr. — XVIe; de 1. *a-,* et *pointe.* → 2. Appointer.

Techn. Rendre pointu, aiguiser en pointe. → **Aiguiser.** *Appointir des aiguilles.*

**APPONTAGE** [apɔ̃taʒ] n. m. — 1948, *in* Larousse; de *apponter.*

Aviat. Action d'apponter, de se poser sur un porte-avions. → **Atterrissage.** *Appontage automatique. Vitesse d'appontage. Officier d'appontage.* → **Apponteur.**

CONTR. **Décollage.**

**APPONTEMENT** [apɔ̃tmɑ̃] n. m. — 1789; de 1. *a-,* et *pont.*

Plate-forme avec tablier et pont sur pilotis le long de laquelle un navire vient s'amarrer. → **Wharf.** *Appontement servant d'embarcadère*, de débarcadère*. Des appontements de bois.*

(...) c'est sur ces appontements de bois usé que débarqua Lafayette et que débarquent encore, à l'occasion, les héros du Pôle, les aviateurs victorieux et les champions de la traversée de la Manche à la nage, dont les voitures, dételées par des fanatiques, remonteront ensuite Broadway. 1
Paul MORAND, New York, p. 21.

Pour s'y rendre il faut contourner une île, et accoster dans un bras plus calme devant un appontement qui doit permettre de décharger des lourdes barges les vivres, les outils, le carburant, tout ce qui fait l'objet de son commerce et qu'il revend ou échange contre des fourrures. 2
R. FRISON-ROCHE, Nahanni, p. 131.

**APPONTER** [apɔ̃te] v. intr. — 1948; de 1. *a-,* et *pont.*

♦ **1** Se poser sur la plate-forme d'un porte-avions (avion, hélicoptère). → **Atterrir; appontage.**

♦ **2** Aborder à un appontement (bateau).

DÉR. **Appontage, apponteur.**

**APPONTEUR** [apɔ̃tœʀ] n. m. — 1960; de *apponter.*

Mar. Officier qui dirige l'appontage, sur un porte-avions (syn. : *officier d'appontage*).

**APPORT** [apɔʀ] n. m. — 1140, «offrandes des fidèles à l'église»; de *apporter.*

♦ **1** (1170). Vx ou rare. Action d'apporter (qqch.). *«L'apport de ce bouquet de violettes...»* (Goncourt, *in* T. L. F.).

Mod., dr. *Apport de pièce(s) au greffe d'un tribunal. Acte d'apport :* récépissé de ces pièces. — (1835). Fin. *Apport de capitaux, de fonds dans une société.* → **Investissement.** *Action d'apports,* attribuée à un actionnaire en représentation d'un apport en nature.

(Phénomènes naturels). *Apport d'alluvions.*

(...) un apport constant d'eau douce dilue le sel et, pour ainsi dire, dessale la mer. 1
GIDE, les Faux-monnayeurs, I, XVII.

Trav. publ. *Terrains d'apport :* terrains rapportés.

Abstrait. *L'apport d'un procédé, d'une technique, de connaissances nouvelles :* le fait d'apporter ce procédé, etc.

2 (...) l'apport d'une de ces expériences essentielles qui ont sur l'évolution d'un homme un retentissement profond (...)
MARTIN DU GARD, les Thibault, VI, VIII.

♦ **2** (1424). Par métonymie (vx ou régional). Lieu où l'on apporte de la marchandise pour la vendre. → **Marché.** *On appelait autrefois le marché du Grand-Châtelet, l'apport de Paris.* — (1477). Fête au jour de grand marché (René Bazin, *in* T. L. F.).

♦ **3** Ce qui est apporté, ajouté (rare en emploi général). — (1740). Dr. *Apports en communauté :* biens que chacun des époux apporte à la communauté ou qui tombent de son chef dans la communauté.

3 Il est permis aux époux de stipuler que la totalité de la communauté appartiendra au survivant ou à l'un d'eux seulement, sauf aux héritiers de l'autre à faire la reprise des apports et capitaux tombés dans la communauté, du chef de leur auteur. Code civil, ancien art. 1525.

(1835). Fin. *Apport en société :* biens apportés par l'actionnaire. *Apports en numéraire. Apports en nature,* ou, absolt, *apports :* immeubles ou objets mobiliers autres que du numéraire. *Vérification des apports. Commissaire aux apports.*

4 Les actions représentant des apports devront toujours être intégralement libérées au moment de la constitution de la société. Loi du 24 juil. 1867, art. 3.

Géol. Débris charriés et déposés par un cours d'eau. → **Alluvion.** *Apports éoliens :* sable, limon transporté(s) par le vent et qui peuvent former un revêtement, plat ou en forme de dune, du sol.

♦ **4** (XX^e^). Fig. Contribution* positive de qqn ou de qqch. (à qqch.). → **Appoint, concours, part, participation.** *L'apport de l'Allemagne à la philosophie, à la musique. «L'apport surréaliste»* (Breton).

5 L'on pourrait même dire que (...) nul autre peuple n'aurait plus besoin que lui de l'étranger ; et que sans un apport de l'extérieur il risquerait d'amenuiser mortellement sa substance (...) GIDE, Journal, 25 janv. 1931.

6 Ces terriens *(les Turcs)* demeurent en marge de son atmosphère maritime *(la Méditerranée)* et, à la différence des Arabes, leur apport, tout politique et militaire, demeure stérile. André SIEGFRIED, l'Âme des peuples, II, I.

CONTR. **Rapport, reprise, restitution, retrait. — Emprunt.**
◊ COMP. **Rapport.**

**APPORTER** [apɔʀte] v. — Après 950 ; du lat. *apportare,* de 1. *a-,* et *portare.* → Porter.

**A** Concret. ♦ **1** (Sujet n. de personne, d'animal). *Apporter (qqch.) à (qqn) :* porter (qqch.) au lieu où est qqn. → **Porter.** *Allez me chercher ce livre et apportez-le-moi. Il m'avait apporté ces papiers, les avait remportés et maintenant il me les rapporte.* → **Rapporter.** *Faire apporter son dîner.* → **Venir** (faire). *Il ne vient jamais les mains vides, il nous apporte toujours qqch. Apporte-nous le fric !* → **Abouler** (fam.). *Le chien apporte un bâton à son maître pour jouer.* — (1675). Absolt. En parlant à un chien, pour lui faire comprendre qu'il doit aller chercher, pour son maître, le gibier abattu (chasse) ou tout autre objet. *Apporte !* — Sans compl. en *à. Apporter une chose (quelque part).* (En précisant la provenance ou la destination). *J'ai apporté de chez moi tout le matériel nécessaire. Apportez au secrétariat votre bulletin de salaire.* (Sans précision de provenance ou de destination). *Apporter qqch.,* le porter avec soi en venant. *Quand vous viendrez, apportez vos outils. Emporter ce qu'on avait apporté.* → **Emporter.** *Ces fruits ont été apportés par avion.* → **Amener, transporter.**

(Sujet n. de chose). *Le vent apportait une odeur de résine. La marée montante apporte des débris sur le rivage.* → ci-dessous cit. 3, 4, 8, 10, 11.

On m'apporte à Lyon une lettre pour donner à une personne qui n'y est pas ; je dis au messager qu'il la remporte au lieu d'où il vient. 1
VAUGELAS, Nouvelles remarques, *in* POUGENS.

Nicole, apportez-moi mes pantoufles, et me donnez mon bonnet de nuit (...) 2
MOLIÈRE, le Bourgeois gentilhomme, II, 4.

Le flux les apporta ; le reflux les remporte. 3
CORNEILLE, le Cid, IV, 3.

Le flot qui l'apporta recule épouvanté. 4
RACINE, Phèdre, V, 6.

Sur le soir on apporte herbe et fourrage 5
Comme l'on faisait tous les jours.
LA FONTAINE, Fables, IV, 21.

(...) Allez chez nos amis 6
Les prier que chacun, apportant sa faucille,
Nous vienne aider demain (...)
LA FONTAINE, Fables, IV, 22.

L'ours allait à la chasse, apportait du gibier (...) 7
LA FONTAINE, Fables, VIII, 10.

(...) mon oreille, lente à m'apporter les sons. 8
LA FONTAINE, Fables, VII, 18.

(...) quand un enfant désire quelque chose qu'il voit et qu'on veut lui donner, il vaut mieux porter l'enfant à l'objet, que d'apporter l'objet à l'enfant (...) 9
ROUSSEAU, Émile, I.

Le vent m'apportait par lambeaux leurs chants barbares mêlés au son des guitares. HUGO, Bug-Jargal, XXVII. 10

Le soir apportait sa caresse froide, son effleurement perfide. Edmond JALOUX, les Visiteurs, I. 11

Ici, c'est comme dans les mosquées ; on se déchausse en entrant pour ne pas apporter la boue du dehors. 12
GIDE, les Faux-monnayeurs, I, VII.

(...) il en est de la lecture comme des auberges espagnoles (...) on n'y trouve que ce qu'on apporte. 13
A. MAUROIS, Un art de vivre, III, V.

Si l'on souhaite de trouver, en quelque lieu que ce soit, de l'amitié, de l'harmonie, de la poésie, de l'ordre, il est plus sage, plus expédient et même plus généreux de tout apporter soi-même. 14
G. DUHAMEL, Inventaire de l'abîme.

♦ **2** Fournir pour sa part. *Participer en apportant son tribut, son écot.* — Dr. *Apporter en mariage. Apporter des biens à la communauté, à une société.* → **Apport.** — Littér. (sujet n. de chose). → cit. 15.

Chaque saison apportait son tribut (...) 15
LA FONTAINE, Fables, IX, 5.

C'est une fille qui vous apporte douze mille livres de rente. 16
MOLIÈRE, l'Avare, II, 5.

Lorsque les époux apportent dans la communauté une somme certaine (...) Code civil, ancien art. 1511. 17

Chaque associé doit y apporter *(à la société)* ou de l'argent, ou d'autres biens, ou son industrie. 18
Code civil, ancien art. 1833.

Par métaphore. *Apporter sa pierre à l'édifice*,* sa contribution à une œuvre collective. → **Contribuer.**

On devait, par affectation de bon sens, dénigrer toujours les avocats, et servir le plus souvent possible ces locutions : «apporter sa pierre à l'édifice, — problème social, — atelier». FLAUBERT, l'Éducation sentimentale, III, I. 19

**B** Abstrait. ♦ **1** Manifester, montrer (auprès de qqn, quelque part). *Apporter de la bonne humeur à, dans une réunion. Il nous apporte la confiance dont nous avons besoin. Il y apporte tout son enthousiasme.* → **Mettre.** — *Apporter qqch. sur soi.*

Chimène à vos genoux apporte sa douleur. 20
CORNEILLE, le Cid, II, 7.

(...) Dissimulez. Votre rivale en pleurs 21
Vient à vos pieds, sans doute, apporter ses douleurs.
RACINE, Andromaque, III, 3.

Il *(Corneille)* aimait, il cultivait nos exercices. Il y apportait surtout cet esprit de douceur, d'égalité, de déférence même (...) RACINE, Discours à l'Académie. 22

3 (...) chaque homme apporte en naissant un caractère, un génie et des talents qui lui sont propres.
ROUSSEAU, Julie ou la Nouvelle Héloïse, V, III.

4 Tous naissent égaux : nul, en venant au monde, n'apporte avec lui le droit de commander.
F. DE LAMENNAIS, Paroles d'un croyant, p. 83.

5 (...) Mme de Sévigné apporte la gaîté toujours prête et la verve intarissable de ses saillies sans fiel et de son enjouement de bonne compagnie (...)
Émile FAGUET, Études littéraires, XVIIe s., p. 371.

(1595). *Apporter du soin, de l'attention, du courage, de l'empressement, de la passion... à qqch., à faire qqch.* → **Employer, mettre, prendre.**

6 Depuis plus de quatre ans vous voyez quelle adresse
J'apporte à rejeter l'hymen de la princesse.
CORNEILLE, Héraclius, IV, 4.

7 Quelque soin qu'on apporte à être serré et concis (...)
LA BRUYÈRE, les Caractères, I, 29.

8 Il s'occupa de l'affaire avec la passion qu'il apportait à toutes ses entreprises.
Jacques DE LACRETELLE, Retour de Silbermann, p. 79.

♦ **2** (Sans compl. direct). Donner, fournir sur le plan moral, intellectuel. *Apporter beaucoup, énormément à qqn.* (Sujet n. de personne ou de chose). *Son enseignement m'a beaucoup apporté. Elle lui a beaucoup apporté durant l'année qu'ils ont passé ensemble.*

♦ **3** Donner*, fournir (à qqn un élément de connaissance). → **Porter** (à la connaissance de qqn). *Apporter des nouvelles.* → **Annoncer, apprendre.** *Je vous apporte de très bonnes nouvelles. Quelles mauvaises nouvelles nous apporte ce messager de malheur ?*

9 En est-ce fait, Julie, et que m'apportez-vous ?
Est-ce la mort d'un frère, ou celle d'un époux ?
CORNEILLE, Horace, III, 2.

0 Je viens vous apporter de fâcheuses nouvelles (...)
CORNEILLE, Horace, III, 5.

*Apporter une information de dernière minute lors d'un journal parlé. Apporter des informations complémentaires.*

(Déb. XVIIe). *Apporter des preuves, des explications.* → **Donner, fournir.**

1 (...) au seizième et dernier chapitre (...) où les preuves de Dieu (...) sont apportées (...)
LA BRUYÈRE, Discours à l'Académie, Préface.

2 (...) ceux qui, par leur présence, venaient lui apporter une preuve de fidélité.
M. BARRÈS, la Colline inspirée, p. 83.

3 La science n'apporte pas l'explication du monde comme l'avaient cru, assez naïvement, les hommes de la génération de Zola.
A. MAUROIS, Études littéraires, t. I, p. 39.

*Apporter des raisons.* → **Alléguer.**

4 (...) j'y suis résolu ; et je vous conjure encore une fois de ne me point apporter de raisons pour m'en dissuader.
MOLIÈRE, l'Avare, I, 2.

♦ **4** Fournir (ce qu'on a produit, ce qu'on a fait naître) à qqn. *Apporter son appui.*

*Apporter un remède, du remède, remède à quelque mal.* → **Remédier.** *Apporter un adoucissement, un soulagement à une douleur.* → **Adoucir, soulager.** *Apporter des facilités.* → **Faciliter.**

5 (...) il s'agit (...) d'examiner les causes de la maladie, et de voir les remèdes qu'on y doit apporter.
MOLIÈRE, l'Amour médecin, II, 5.

6 J'aurais fait je ne sais quoi pour apporter un soulagement à sa détresse (...) GIDE, les Faux-monnayeurs, I, XIII.

7 *(Saint-Saëns)* apporte à notre inquiétude artistique un peu de la lumière et de la douceur d'autrefois.
R. ROLLAND, Musiciens d'aujourd'hui, p. 96.

Rare (le compl. désigne un élément négatif). *Apporter des obstacles, des difficultés.* → **Contrecarrer, entraver ; susciter.**

Littér. *Apporter remède, secours.* → **Porter.**

♦ **5** (Sujet n. de chose). Être la cause de (qqch.). *Les changements que l'automobile a apportés dans la vie quotidienne.* → **Amener, causer, entraîner, provoquer, produire.** — *Apporter qqch. à qqn.* → **Donner.** *La vie ne lui a apporté que des malheurs.*

(...) Si mon retour t'apporte quelque joie (...) 38
RACINE, Bérénice, V, 2.

(...) un ouvrage qui peut seul apporter de l'adoucissement à mes peines : ce sont les Mémoires de ma vie. 39
CHATEAUBRIAND, Mémoires d'outre-tombe, t. II, p. 279.

(...) la religion, disait-elle, lui apportait une tranquillité heureuse. FRANCE, le Petit Pierre, I. 40

Pourquoi la levée d'une douleur apporte-t-elle moins de joie que la fin d'une joie ne cause de peine ? 41
GIDE, les Nouvelles Nourritures, p. 30.

(...) sa santé, sa jeunesse apportèrent enfin dans ce lieu une atmosphère purificatrice. 42
MARTIN DU GARD, les Thibault, III, VII.

◆ **S'APPORTER** v. pron. (réfl.). Pop. Venir, arriver. → **Amener** (s').

CONTR. **Emporter, enlever, remporter, retirer.** ◊ DÉR. **Apport, apporteur.** — COMP. **Rapporter.**

**APPORTEUR** [apɔʀtœʀ] adj. et n. m. — V. 1121, *aportëur ; de apporter.*

♦ **1** Littér. Qui apporte ; celui qui apporte qqch.

Perdre la partie et gagner la revanche, en d'autres termes, avoir tort le premier jour et raison le second, voilà l'histoire de tous les grands apporteurs de vérités.
HUGO, Post-Scriptum de ma vie, p. 30.

♦ **2** (1865). Fin. Qui apporte une part de capital dans une société. *Un actionnaire apporteur de biens incorporels.*

REM. Le fém. *apporteuse* est virtuel.

**APPOSER** [apoze] v. tr. — V. 1120, *aposer,* fig. ; 1213, *apposer un sceau ;* de 1. *a-,* et *poser* (cf. lat. *apponere*).

♦ **1** Poser de manière à laisser une empreinte durable (sur, contre qqch.). → **Appliquer, mettre, poser.** *Apposer qqch. sur qqch. Apposer une affiche, une plaque sur un mur. Apposer un cachet, une marque, un sceau, un timbre sur une pièce. L'empreinte du sceau officiel est apposée sur ce diplôme. Apposer à...* — Au p. p. *Affiche électorale apposée au mur.*

Après avoir, dès l'armistice, fait apposer sur la façade de l'Hôtel de la Société des Gens de Lettres (alors Cité Rougemont) une plaque commémorative (...) 1
Georges LECOMTE, Ma traversée, p. 416.

(...) le traité de Paix, qui, alourdi déjà des cires où furent apposés les cachets de tous les plénipotentiaires de la Conférence (...) Georges LECOMTE, Ma traversée, p. 472. 2

(1606). *Apposer le scellé, les scellés :* appliquer l'empreinte d'un sceau public sur une porte, un meuble, un pli de telle sorte qu'on ne puisse l'ouvrir sans briser les scellés et se rendre ainsi passible des peines prévues par le Code pénal. → **Scellé.**

Le scellé ne pourra être apposé que par le juge de paix des lieux ou par ses suppléants. 3
Code de procédure civile, art. 912.

♦ **2** (V. 1555). Dr. *Apposer une clause à un acte,* l'insérer.

♦ **3** Inscrire, écrire. *Apposer un visa au bas d'un passeport.* — (V. 1640). *Apposer sa signature, son paraphe :* signer.

4 Soigneusement, il apposa sa signature au bas de la page.
G. DUHAMEL, le Voyage de P. Périot, I.

♦ **4** Gramm. Placer auprès de, adjoindre. → **Apposition** (2.). *Apposer un nom à un autre,* le mettre en apposition*. — P. p. adj. *Nom apposé.*

**DÉR.** V. **Apposition.**

**APPOSITION** [apozisjɔ̃] n. f. — 1213; du lat. *appositio,* de *apponere* «placer auprès, ajouter».

♦ **1** Action d'apposer (1.), de poser qqch. sur. *L'apposition d'un cachet, d'un sceau sur une lettre.* — Dr. *Apposition des scellés.*

1 Lorsqu'il y aura lieu à l'apposition des scellés après décès, elle sera faite par les juges de paix (...)
Code de procédure civile, art. 907.

♦ **2** (Rare en emploi général). Action de placer auprès, d'adjoindre. — (1690). Sc. nat. (vx). Jonction de corps de même espèce. *Les minéraux croissent par apposition.*

(1606). Gramm. Procédé par lequel deux termes simples (noms, pronoms) ou complexes (propositions) sont juxtaposés. → **Asyndète.** *Substantif en apposition, apposé* (ex. : *officier, A. de Vigny connut la monotonie de la vie de garnison*). — Le terme, le groupe de mots ou la proposition juxtaposé(e). *Une apposition.* Officier, *dans l'exemple précédent, est une apposition.*

2 L'apposition sert en réalité de qualification, comme un adjectif (...) Ce monde, âme et flambeau du nôtre (V. Hugo, Orient., Feu du ciel); — la lune, astre des morts ... (Id., ib., les Têtes du sérail).
F. BRUNOT, la Pensée et la Langue, p. 164.

3 Ce procédé de l'apposition est tout à fait courant chez V. Hugo, qui, grâce à lui, rapproche les aspects parfois antithétiques des choses : le bâton-paysan brisant le glaive-roi (Lég., Bar. Madr., II); — le rocher-hydre et le torrent-reptile (Ib., Pet. R. de Gal., III) ...
F. BRUNOT, la Pensée et la Langue, p. 636.

4 Notre temps fait un usage très hardi d'appositions qu'on rapporte à toute une phrase, où l'on reprend l'idée exprimée dans une sorte de tableau général : le soleil ne quittait pas la pièce, une nappe d'or pâle, où des mouches (...) volaient lentement (ZOLA, Dr. Pascal, 154) (...)
F. BRUNOT, la Pensée et la Langue, p. 580.

*Apposition énumérative,* de plus d'un terme juxtaposé (ex. : *chanteuse, danseuse, comédienne, cette jeune femme espère faire du cinéma*). — *Apposition indirecte,* avec la préposition *de* servant de mot de liaison (ex. : *la ville de Paris. Un amour de petite fille. La fonction de président*).

♦ **3** (Inus. en emploi général). Fait de se placer sur (qqch.). Biol. *Accroissement par apposition :* développement d'une nouvelle couche de tissus sur l'ancienne.

**APPRÉCIABILITÉ** [apʀesjabilite] n. f. — 1846; de *appréciable.*

Didact. Caractère de ce qui est appréciable. — Spécialt. Étendue de la perceptibilité de l'oreille. *Appréciabilité du son, d'un son.*

**APPRÉCIABLE** [apʀesjabl] adj. — 1486; de *apprécier.*

♦ **1** Qui peut être apprécié, perçu et évalué. → **Évaluable.** *Appréciable aux sens.* → **Notable, perceptible, sensible, visible.** *Son appréciable.* → **Appréciabilité.** *Après une si longue absence, je n'ai pas constaté de changements appréciables.* — (1765). Perceptible. *La différence est à peine appréciable.*

Qui peut être chiffré. *Quantité appréciable.* → **Chiffrable.** *Cet objet est d'une valeur difficilement appréciable.* → **Estimable.** *Appréciable en monnaie.*

♦ **2** (XXe). Assez considérable. → **Important, substantiel.** *Cette confiture contient une quantité appréciable de fruits. Un supplément appréciable.*

(...) tout son avoir avait été placé par Hirsch dans une huilerie qui, jusqu'ici, marchait à merveille et servait d'appréciables revenus.
MARTIN DU GARD, les Thibault, III, XIII.

♦ **3** (1918, Gide). Digne d'estime, de considération. *Des qualités appréciables. Il fait preuve d'un sang-froid appréciable en la circonstance.*

**CONTR. Imperceptible, inappréciable, insaisissable.** ◊ **DÉR. Appréciabilité, appréciablement.**

**APPRÉCIABLEMENT** [apʀesjabləmɑ̃] adv. — 1557; de *appréciable.*

Rare. De manière appréciable.

**APPRÉCIATEUR, TRICE** [apʀesjatœʀ, tʀis] adj. et n. — 1509, «évaluateur»; adj., 1801, Mercier; de *apprécier.*

♦ **1** Adj. Qui est capable d'apprécier. *Porter un regard appréciateur sur une chose. Pouvoir appréciateur.*

N. Celui, celle qui apprécie. → **Arbitre, connaisseur, expert, juge.**

Je cessai donc de regarder les comédiens comme d'excellents juges, et je devins un juste appréciateur de leur mérite.
A. R. LESAGE, Gil Blas, III, XII.

♦ **2** N. m. (XXe). Techn. Aréomètre estimant la quantité de pains que peut donner une farine, d'après sa composition.

**APPRÉCIATIF, IVE** [apʀesjatif, iv] adj. — 1615, théol.; de *apprécier.*

♦ **1** Capable d'apprécier. *Faculté appréciative.*

♦ **2** (1798). Qui marque l'appréciation (1.). *État appréciatif des marchandises.* → **Estimatif.**

Fig. *Elle porta sur lui un regard appréciatif. «Une moue appréciative»* (Malraux).

♦ **3** (Premier emploi). Relig. *Amour appréciatif de Dieu,* qui place celui-ci au-dessus de toute chose.

**APPRÉCIATION** [apʀesjasjɔ̃] n. f. — 1389; de *apprécier.*

**A** ♦ **1** Action d'apprécier, de déterminer approximativement le prix, la valeur (de qqch.). → **Estimation, évaluation.** *L'appréciation d'un objet d'art par un expert.* → **Expertise.** *L'appréciation de l'expert est trop faible, trop élevée.*

♦ **2** Action de déterminer approximativement. *L'appréciation d'une longueur, d'un temps, d'une durée* (par qqn). *Appréciation toute subjective. Une fausse appréciation de la distance.*

♦ **3** (1825, *une suite d'appréciations et de jugements,* Brillat-Savarin). Le fait de juger. *Laisser, soumettre une décision à l'appréciation de qqn.* → **Jugement, discernement.** *Le règlement du litige est laissé à l'appréciation des arbitres.* → **Arbitrage.** *Le pourboire est laissé à l'appréciation du client.* → À la discrétion* de.

(...) nous nous élevions par degrés au spectacle général, à 1
l'appréciation comparée des événements.
SAINTE-BEUVE, Volupté, V.

Opinion, jugement subjectif. *Appréciation sommaire.* → **Aperçu, impression, sentiment.** *Son appréciation résulte d'un mûr examen. Il a noté ses appréciations en marge du texte.* → **Note, observation.** *Une appréciation favorable. Une appréciation défavorable.* → **Critique.** *On aime ou on n'aime pas, c'est* *une question d'appréciation. L'appréciation d'un vin, d'un plat.*

Oh ! vous pouvez rouler les yeux, ce n'est pas ça qui me fera changer d'appréciation.
COURTELINE, Messieurs les ronds-de-cuir, IV, I.

**B** (XXᵉ). Fait d'augmenter de valeur. → **Apprécier** (s') 2. *Appréciation d'une monnaie :* augmentation de sa valeur par rapport à une autre.

CONTR. **Dépréciation.**

**APPRÉCIER** [apresje] v. tr. — 1391, «mettre à prix»; du lat. ecclés. *appretiare* «évaluer», de *ad,* et *pretium* «prix».

♦ **1** Déterminer approximativement le prix, la valeur de (qqch.). → **Estimer, évaluer, expertiser.** *Nommer un expert pour apprécier la valeur d'une marchandise. Le commissaire-priseur a apprécié le mobilier à tel prix. Apprécier une chose au-dessus, au-dessous de sa valeur.* → **Surestimer, sous-estimer.**

1 Ils apprécient les choses au-dessous de ce qu'elles valent (...)
LA BRUYÈRE, les Caractères de Théophraste, X.

Fig. Déterminer approximativement l'importance de (qqch.). *Apprécier l'effort de qqn. On peut difficilement apprécier l'ampleur de ce travail.*

2 Peu de gens sont assez modestes pour souffrir sans peine qu'on les apprécie.
VAUVENARGUES, Réflexions et Maximes, 66.

♦ **2** Déterminer approximativement par les sens. — (Concret). *Apprécier une distance, une étendue, une grandeur, une vitesse.* → **Jauger, juger, peser.** *Il apprécie les dimensions avec exactitude à la seule vue* (→ Avoir le compas dans l'œil). *Il ne suffit pas d'apprécier, il faudra calculer* exactement, mesurer**

(1403). Abstrait. Sentir, percevoir les qualités de (qqch.). → **Évaluer, juger.** *Apprécier une chose par comparaison avec une autre.* → **Comparer.** *Il faut avoir l'esprit subtil pour apprécier une telle nuance.* → **Comprendre, concevoir, discerner, entendre, saisir.** *Il est difficile d'apprécier ce qu'on connaît mal,* de s'en faire une idée juste. *Ils apprécient ces choses selon des critères discutables. Que dites-vous de ce discours, comment l'appréciez-vous ? Il apprécie les choses de manière différente selon les jours.* → **Voir.**

3 Juger des discours des hommes par les effets qu'ils produisent, c'est souvent mal les apprécier.
ROUSSEAU, Rêveries..., 4ᵉ promenade.

4 Ainsi un même objet est apprécié différemment par les hommes qui sont incertains dans leurs jugements et sujets à l'erreur. FRANCE, Thaïs, p. 41.

5 À reparcourir le passé, je suis comme quelqu'un dont le regard n'apprécierait pas bien les distances et parfois reculerait extrêmement ce que l'examen reconnaîtra beaucoup plus proche. GIDE, Si le grain ne meurt, I, I.

6 (...) ils apprécient, distinguent, débattent, jugent, critiquent, pèsent le pour et le contre, dégustent une objection, démontrent et concluent, interminable syllogisme dont chaque tête figure une proposition.
SARTRE, la Mort dans l'âme, II, p. 204.

♦ **3** (1712). Porter un jugement favorable sur (qqch.). → **Aimer, goûter.** *Apprécier la musique, la peinture. Apprécier les belles reliures. Elle apprécie la montagne, la campagne plus que la mer. Apprécier un plat, un vin de grand cru.* → **Déguster.** *Il est incapable d'apprécier cela. — J'apprécie votre sollicitude, votre soutien. Elle n'apprécie pas du tout cette attitude.* Absolt. *J'apprécie.*

1 Un peu d'insomnie n'est pas inutile pour apprécier le sommeil. PROUST, Sodome et Gomorrhe, Pl., t. II, p. 651.

*Apprécier qqn.* → **Estimer, priser.** *On ne peut que l'apprécier. Apprécier les qualités, les vertus de qqn.* → **Priser.** *Son talent y est fort apprécié.*

Elle avait surtout un tour d'esprit, une façon d'observer et de retenir, qu'il appréciait. 7
MARTIN DU GARD, les Thibault, III, IV.

◆ **S'APPRÉCIER** v. pron.

♦ **1** (Emploi récipr.; sens 3.). *S'apprécier mutuellement. Nous nous sommes appréciés dès que nous nous sommes connus.*

Sitôt que les hommes eurent commencé à s'apprécier mutuellement, et que l'idée de la considération fut formée dans leur esprit, chacun prétendit y avoir droit (...) 8
ROUSSEAU, De l'inégalité parmi les hommes.

♦ **2** (XXᵉ; au sens propre de «acquérir du prix»). En parlant d'une monnaie, Augmenter de valeur. *Le mark s'est apprécié vis-à-vis du dollar.* Opposé à *se déprécier*.*

CONTR. **Décrier, dédaigner, déprécier, méconnaître, mépriser, mésestimer.** ◇ DÉR. **Appréciable, appréciateur, appréciatif, appréciation.**

**APPRÉHENDER** [apʀeɑ̃de] v. tr. — XIIIᵉ, au sens I., 1.; lat. *apprehendere* «saisir», au sens concret «saisir au corps» (→ le sens II.) et abstrait (→ le sens I., et Apprendre).

**I** Sens abstrait. ♦ **1** Saisir par la pensée, par l'entendement. → **Concevoir.** — REM. Cet emploi, courant et didactique, avait disparu au début du XVIIᵉ s.; il réapparaît, dans l'usage didactique seulement, au XXᵉ s. (→ cit. 2). — *Appréhender une notion, un phénomène, un signe, la complexité du réel. — La pensée, l'entendement appréhende la réalité.* — Pron. passif. *Le réel s'appréhende par la pensée.*

Le sens extérieur n'est pas capable d'appréhender par aucune connaissance la nature de Dieu, infinie et invisible. 1
Saint FRANÇOIS DE SALES, Défense de la Croix, *in* HUGUET.

(...) la vie exige que nous appréhendions les choses dans le rapport qu'elles ont à nos besoins. 2
H. BERGSON, le Rire, III, p. 115.

Rare. Saisir par les sens. *La perception appréhende le monde extérieur.*

Au p. p. *Les réalités, les valeurs appréhendées,* saisies par la pensée, envisagées par l'homme. — N. m. (rare). *L'appréhendé,* la pensée et le perçu. *La conscience de l'appréhendé* (Lavelle, *in* T. L. F.).

♦ **2** (1587, «saisir par la pensée une possibilité dangereuse»). Envisager (qqch., une possibilité) avec crainte, s'inquiéter de (qqch.) par avance. → **Craindre, redouter; appréhensif, appréhension** (2.). *Appréhender les suites d'une affaire, les conséquences d'une décision. J'appréhende le moment du départ, son retour. Appréhender un peu l'avenir.*

Ce qu'on appréhende apparaît moins comme probable que comme possible. Au contraire, ce qu'on craint apparaît non seulement comme possible, mais aussi comme probable. LITTRÉ, Dict., art. *Craindre.* 3

Qui n'appréhende rien, présume trop de soi. 4
CORNEILLE, Polyeucte, II, 6.

Vieilli. *Appréhender qqn,* craindre ses agissements, redouter ce qu'il peut faire.

Redoute l'Empereur, appréhende Sévère. 5
CORNEILLE, Polyeucte, V, 5.

*Appréhender de* (et l'inf.). *J'appréhende de me retrouver seul.* — REM. Dans cette construction, le sujet d'*appréhender* et celui du verbe compl. désignent la même personne. *Appréhender que...* (et subj.).

Elle appréhendait de lui faire du mal. 6
RACINE, Port-Royal.

La même justesse d'esprit qui nous fait écrire de bonnes choses, nous fait appréhender qu'elles ne le soient pas 7

assez pour mériter d'être lues.
La Bruyère, les Caractères, I, 18.

8 (...) nous souhaitons moins vivement d'être heureux que nous n'appréhendons d'être misérables.
Chamfort, Maximes et pensées, *in* P. Larousse, (1866), art. *Appréhender.*

Au p. p. adj. *Un danger vivement appréhendé.*

**II** Sens concret. (1399 «prendre, saisir à son profit (une chose concrète)»; «retenir (une personne)», 1460, en t. de droit). ♦ **1** Rare. Saisir (une chose concrète).

8.1 Une «cloche à plongeur» (...) qui pourrait ramper dans les creux... appréhender les objets (...)
Céline, Mort à crédit, p. 513.

♦ **2** Dr. Saisir et retenir (une personne) au nom d'un pouvoir légal, de la loi. → **Arrêter, saisir** (au corps). *Appréhender qqn au corps.*

9 Maintenant on m'appréhende au corps, et l'on m'interroge sur un prétendu crime ou délit politique dont je me serais rendu coupable.
Chateaubriand, Mémoires d'outre-tombe, t. V, Appendice, XI.

10 Appréhendé au corps par deux carabiniers, au détour d'un sentier d'ombre (...) Loti, Ramuntcho, I.

Dr. et cour. → **Alpaguer** (argot), **arquepincer** (argot), **prendre, sauter** (argot). *La police l'a appréhendé peu après son cambriolage. Il a été immédiatement appréhendé, il s'est fait appréhender.*

Au p. p. adj. *Les malfaiteurs appréhendés ont tout révélé à la police.* — N. *Les appréhendés.*

CONTR. **Espérer, rassurer, tranquilliser.** — **Relâcher** (un accusé). ◊ DÉR. V. **Appréhension.**

**APPRÉHENSIF, IVE** [apreɑ̃sif, iv] adj. — 1372; de *appréhension.*

♦ **1** Rare. Qui appréhende (I., 2.). → **Craintif, timide.**

(...) honteuse, craintive, appréhensive comme une taupe (...) Saint François de Sales, *in* Huguet.

♦ **2** Didact. Qui appréhende, saisit. «*Une moue appréhensive de l'avant-bouche*» (F. Ponge).

DÉR. **Appréhensivité.**

**APPRÉHENSION** [apreɑ̃sjɔ̃] n. f. — 1265; du lat. *apprehensio* «fait de comprendre, de saisir», de *apprehendere.* → Appréhender.

Action d'appréhender*.

**I** Abstrait. ♦ **1** Vx. Fait de saisir par l'esprit. → **Compréhension.**

1 L'esprit, je l'avais lent (...) l'appréhension tardive (...)
Montaigne, Essais, I, 25.

2 L'appréhension, je l'ai lente et embrouillée; mais ce qu'elle tient une fois, elle le tient bien et l'embrasse bien universellement, étroitement et profondément, pour le temps qu'elle le tient. Montaigne, Essais, II, 17.

(Mil. XVI^e). Mod. Opération par laquelle l'esprit atteint immédiatement (par la perception, l'imagination, la mémoire) un objet de pensée simple (distinct de la *compréhension* d'un objet complexe par le jugement, le raisonnement).

2.1 (...) la conscience étant toujours conscience de quelque chose, tout état affectif constitue un mode d'appréhension.
Foulquié, Dict. de la langue philosophique, art. *Appréhension.*

Psychol. Acte par lequel la mémoire saisit immédiatement et retient ce qu'elle enregistre. *Capacité d'appréhension ou mémoire immédiate.* — *Appréhension des concepts :* processus d'apprentissage qui permet à un sujet de découvrir une classe de concepts à travers des exemples particuliers.

♦ **2** (1558). Action d'envisager qqch. avec crainte; crainte vague, mal définie. → **Alarme, angoisse, anxiété, crainte, doute, inquiétude, peur, pressentiment, timidité, transe.** *Une appréhension soudaine, terrible; irréfléchie, irraisonnée, obscure, vague. Légère, fugitive appréhension. Appréhension affreuse, horrible. Éprouver de l'appréhension, une vague appréhension. L'appréhension de qqn devant un danger.* — *Une, des appréhensions* (avec un possessif). *Les appréhensions (de qqn). «... ses appréhensions grandissaient dans le silence»* (Balzac, *la Duchesse de Langeais, in* T. L. F.). — Loc. *Avoir une appréhension, comme une appréhension.*

*L'appréhension de qqch. (par qqn)* : le fait d'appréhender. *L'appréhension de la mort.*

(Avec un inf.). *Appréhension à* (faire qqch.). *Le public m'intimide, j'éprouve toujours de l'appréhension, un peu d'appréhension, une certaine appréhension, comme une appréhension à parler devant un auditoire.*

*Appréhension que* (suivi d'un indic.). → cit. 3. *Appréhension que* (qqn, qqch.) *ne* (suivi d'un subj.). → cit. 4.

Quelquefois cette vertu imaginative *(l'imagination)* fait 3
choir la personne de quelque lieu haut, pour *(à cause de)* la grande appréhension et timidité qu'elle a de tomber.
Ambroise Paré, XVIII, 11, *in* Littré.

La justice n'est qu'une vive appréhension qu'on ne nous 4
ôte ce qui nous appartient (...)
La Rochefoucauld, Maximes, 578.

Cette journée qu'elle avait espéré si bonne, lui laissait à 4
l'âme une tristesse inexprimable et pénétrante, une appréhension sans cause, tenace et confuse comme un pressentiment.
Maupassant, Fort comme la mort, II, p. 210.

(...) l'angoisse de ses scrupules religieux (...) l'appréhension 5
des luttes déchirantes qu'elle devrait soutenir.
Paul Bourget, Un divorce, III, p. 89.

La vague et confuse appréhension d'une menace sus- 6
pendue sur son coupable bonheur s'était changée en une vision épouvantée, presque hallucinatoire (...)
Paul Bourget, Un divorce, VI, p. 201.

Ma belle sérénité du mois d'octobre est en déroute. Je vis 7
d'inquiétude et d'appréhension.
G. Duhamel, Chronique des Pasquier, VI, 9.

Et pourtant, je n'ai aucune confiance dans la vie, dans ma 8
vie; cette appréhension ne me quitte pas, de la voir finir brusquement (...) Gide, Journal, 21 janv. 1917.

(...) il envisagea cette mort tout autrement que d'habitude, 9
sans appréhension aucune, sans tristesse; au contraire, comme une délivrance nécessaire, attendue (...)
Martin du Gard, les Thibault, IV, XIII.

**II** (1375). Sens concret. Vx. Action d'appréhender (II.), de saisir, d'attraper (qqch.).

(1450). Dr. *Appréhension d'un criminel,* le fait de l'appréhender*. → **Prise** (de corps).

CONTR. (De I.). **Confiance, espoir, sérénité, tranquillité.**

**APPRÉHENSIVITÉ** [apreɑ̃sivite] n. f. — 1927; de *appréhensif.*

Psychol. Puissance de pénétration d'un esprit qui lui permet d'affronter immédiatement un danger.

**APPRENANT, ANTE** [aprənɑ̃, ɑ̃t] n. — Mil. XX^e; p. prés. de *apprendre,* équivalent de l'angl. *learner.*

Didact. Personne qui apprend (spécialt, une langue). → **Apprenti.** *Dictionnaire pour apprenants, élèves et adultes.*

**APPRENDRE** [aprɑ̃dʀ] v. tr. [CONJUG.: *prendre.* → **Rendre.**] — V. 950; du lat. pop. *apprendere,* lat. class. *apprehendere* «saisir, concevoir, comprendre». → Appréhender.

**I** (Sens subjectif). Acquérir la connaissance de (qqch.). ♦ **1** Être rendu capable de connaître, de savoir. *Apprendre ses lettres, l'alphabet grec. Apprendre un fait, des dates, une information. Apprendre ses matières d'examen.* → **Réviser.**

**a** (Sans compl. déterminé). *J'ai beaucoup appris à la rude école des événements. Ce n'est qu'un écolier, il a beaucoup à apprendre. Un enfant qui n'a rien appris.* → Perdre, cit. 32. *Commencer à apprendre, apprendre peu à peu.* → **Connaissance** (faire connaissance avec), **débrouiller** (se), **découvrir, dégourdir** (se), **dégrossir** (se), **déniaiser** (se), **dessaler** (se), **initier** (s'), **instruire** (s'), **mettre** (se mettre à; se mettre au courant, au fait; se mettre à même, en état, en mesure... et, fam. Se mettre à la coule, dans le coup...).

(Avec un compl. indéterminé ou général : *leçon*, etc.). *Apprendre qqch. dès le berceau.* → **Sucer** (avec le lait). *Apprendre un peu de tout superficiellement.* → **Frotter** (se frotter à tout), **teinture** (se donner une, prendre une). *Apprendre qqch. à fond, plus à fond.* → **Approfondir.** *N'apprendre qu'une seule chose à la fois.* → **Cantonner** (se). *Ne rien apprendre. — Apprendre qqch. de qqn, de qqch. Je n'en ai rien appris. Apprendre qqch., tout apprendre sur qqch. Apprendre de l'histoire, de l'hébreu, des mathématiques... à longueur de journée.* → **Absorber, avaler, ingurgiter...; abreuver** (s'); **barbouiller** (se), **bourrer** (se), **gaver** (se), **gorger** (se), **nourrir** (se nourrir de...); **bachoter.** → Charger, farcir, remplir, truffer sa tête de, se fourrer dans la tête. *Apprendre qqch. au point de s'abrutir.* → **Abrutir** (s'), **assommer** (s'), **intoxiquer** (s'). — Spécialt (dans le contexte scolaire). *Apprendre sa leçon attentivement* (→ **Appliquer** [s']; **enfoncer** [s'], **plonger** [se plonger dans...]), *péniblement* (→ **Acharner** [s']), *longuement, lentement* (→ **Mâcher, remâcher, rabâcher, repasser, répéter, ruminer).** *Il a du mal à apprendre ses maths* (→ Blocage). *Tirer profit de ce qu'on apprend.* → **Imprégner** (s'imprégner de); **assimiler, digérer, retenir.**

Spécialt. *Cet enfant apprend bien à l'école,* étudie facilement (→ **Suivre).** *Alors, mon petit, on apprend bien?*

**b** (Compl. déterminé). Se mettre en mesure de connaître (un domaine). *Apprendre la physiologie des invertébrés. — Apprendre une langue, une technique, un métier, une science,* acquérir les connaissances et les procédés nécessaires pour les pratiquer. *Apprendre une langue, le russe, le chinois.* → **Faire** (du russe...). *Apprendre la mécanique dans un L. E. P. — Apprendre le piano, les échecs, le ski, la boxe.* → **Exercer** (s'exercer à) **initier** (s'). — *Apprendre un métier. Il commence à apprendre le métier* (→ Il fait ses classes, il se fait la main, il prend du métier). → **Mettre** (s'y). *Apprendre professionnellement une technique, un métier.* → **Apprenti, apprentissage.**

**c** Acquérir par l'expérience et la pratique (une connaissance sociale). *Apprendre les usages, la vie...* — Vieilli. *Apprendre son devoir.* → ci-dessous, cit. 5. *Apprendre un état.* → ci-dessous, cit. 10.

1 Ceux qui apprennent difficilement et avec peine retiennent mieux ce qu'ils ont une fois appris.
J. AMYOT, Caton d'Utique.

2 Une hirondelle en ses voyages
Avait beaucoup appris. Quiconque a beaucoup vu
Peut avoir beaucoup retenu.
LA FONTAINE, Fables, I, 8.

3 Si j'apprenais l'hébreu, les sciences, l'histoire!
Tout cela, c'est la mer à boire.
LA FONTAINE, Fables, VIII, 25.

4 Le lion, pour bien gouverner,
Voulant apprendre la morale (...)
LA FONTAINE, Fables, XI, 5.

5 Un prince dans un livre apprend mal son devoir.
CORNEILLE, le Cid, I, 3.

6 (...) le peu que j'ai appris jusques ici n'est presque rien, à comparaison de ce que j'ignore, et que je ne désespère pas de pouvoir apprendre.
DESCARTES, Discours de la méthode, VI.

Il y a diverses sortes de curiosité : l'une d'intérêt, qui nous porte à désirer d'apprendre ce qui nous peut être utile; et l'autre d'orgueil, qui vient du désir de savoir ce que les autres ignorent. 7
LA ROCHEFOUCAULD, Maximes, 173.

Les gens de qualité savent tout sans avoir jamais rien appris. MOLIÈRE, les Précieuses ridicules, 9. 8

Je n'ai pas rencontré un homme avec qui il n'y eût quelque chose à apprendre. 9
A. DE VIGNY, Journal d'un poète, p. 93.

(...) elle fera bien d'apprendre un état et de s'habituer à servir les autres. G. SAND, la Mare au diable, V, 44. 10

Bientôt mes yeux se fermeront pour l'éternité, sans que j'en aie appris beaucoup plus que toi *(petit chien)* sur la vie et la mort. FRANCE, le Petit Pierre, XIV. 11

Tout ce que je sais, je l'ai appris à mes dépens. 12
LOTI, Aziyadé, III, 23.

Ce que c'est que d'être séparé de son amour, il n'était pas trop tôt pour que je l'apprisse de toutes les manières. 13
CLAUDEL, Feuilles de saints, p. 179.

Il a beaucoup appris celui qui a souffert. 14
J. BÉDIER, la Chanson de Roland, 134, p. 193.

*N'avoir rien appris, rien oublié :* conserver ses idées, ses préjugés, malgré l'évolution des choses.

On a dit et redit que les Bourbons, au sortir de l'exil, n'avaient rien oublié, rien appris (...) 15
J. BAINVILLE, Hist. de France, p. 429.

N. B. Le mot, appliqué aux émigrés, est attribué à Talleyrand.

*Apprendre qqch., un texte, de la musique par cœur.* → **Cœur.**

Le peuple apprit par cœur ce divin cantique. 16
BOSSUET, Disc. sur l'Hist. universelle, II, 3.

J'ai, pendant mon enfance, appris beaucoup de choses par cœur : des vers, de la prose et des nombres. Je ne le regrette pas. G. DUHAMEL, Inventaire de l'abîme, V. 17

*Apprendre qqch. de qqn. «J'ai tout appris de toi sur les choses humaines»* (Aragon, *«Que serais-je sans toi?»*).

♦ **2** (1155). **APPRENDRE À** (et inf.) : devenir capable de (par le travail de l'esprit ou l'expérience; mêmes nuances que ci-dessus 1., a., b., et c.). → **Accoutumer** (s'), **habituer** (s'), **faire** (se faire à). *Apprendre à lire, à écrire, à compter. L'enfant apprend à parler, à marcher. Elle apprend à conduire. Elle n'a jamais appris à nager. Apprendre à parler anglais, à jouer du piano, de la trompette. Apprendre à exercer un métier. — Apprendre à se taire. Apprendre à se connaître. Apprendre à apprendre. Il faudra apprendre à être à l'heure.*

J'avais toujours un extrême désir d'apprendre à distinguer le vrai d'avec le faux. 18
DESCARTES, Discours de la méthode, I.

Il apprendrait à vaincre en me regardant faire. 19
CORNEILLE, le Cid, I, 3.

Avant donc que d'écrire, apprenez à penser. 20
BOILEAU, l'Art poétique, I, 150.

Apprendre à se connaître est le premier des soins. 21
LA FONTAINE, Fables, XII, 24.

Quoi? Même vos regards ont appris à se taire? 22
RACINE, Andromaque, II, 1.

Il apprit à connaître tout enfant la brutalité de la vie et la solitude de l'esprit. 23
R. ROLLAND, Vie de Michel-Ange, p. 38.

(Avec une nuance menaçante). *Tu apprendras à me connaître!*

♦ **3** Absolt (le compl. étant sous-entendu ou indéterminé). *Le besoin, la curiosité, le désir d'apprendre. Être curieux, avide d'apprendre.* → **Connaître, instruire** (s'), **savoir.** *Apprendre facilement, avec difficulté* (→ ci-dessus cit. 1).

(...) Nous avons tous deux appris en même école. 24
CORNEILLE, la Suite du Menteur, I, 3.

25 (...) nos Français qui, généralement parlant, voudraient apprendre sans étudier.
VOLTAIRE, Lettres, 20 juin 1737.

26 Enseigner, c'est apprendre deux fois.
Joseph JOUBERT, De l'éducation.

N. B. Cet emploi cumule les sens I. et II.

27 Savoir étant sublime, apprendre sera doux.
HUGO, les Contemplations, I, 13.

28 (...) l'instinct d'apprendre qui est en moi et qui fera, j'espère, que j'apprendrai jusqu'à l'heure de ma mort.
RENAN, Souvenirs d'enfance..., IV, II.

29 (...) même dans le tumulte de chaque jour, le besoin d'apprendre ne cessait de me poindre. Et je suis encore ainsi.
G. DUHAMEL, la Pesée des âmes, X.

♦ **4** (V. 1175). Être avisé, informé, instruit, mis au fait de (qqch.). *Apprendre un événement, une nouvelle par la rumeur publique. J'ai appris la nouvelle par la radio, par les journaux. J'ai appris l'événement par qqn, de qqn. Apprendre qqch. de source* sûre. Apprendre qqch. par hasard.* → **Découvrir.** *Comment l'avez-vous appris?* (→ Venir à la connaissance; avoir vent de qqch.). *Je viens d'apprendre cela par hasard.* → Il m'est revenu. *Qu'est-ce que je viens d'apprendre? Apprendre un secret.* → **Découvrir.** — *Apprendre le nom de qqn.* — Vieilli. *Apprenez-moi votre nom.* — Mod. *J'ai appris son nom par hasard.*
Loc. *En apprendre de belles.* → **Beau** (*supra* cit. 75). *J'en ai appris de belles sur lui.*

30 Ami, reprit le coq, je ne pouvais jamais
Apprendre une plus douce et meilleure nouvelle (...)
LA FONTAINE, Fables, II, 15.

31 La faiblesse humaine est d'avoir
Des curiosités d'apprendre
Ce qu'on ne voudrait pas savoir.
MOLIÈRE, Amphitryon, II, 3.

Absolt. :

32 J'aurais voulu savoir, mais en même temps j'avais peur d'apprendre.
Alphonse DAUDET, le Petit Chose, p. 313.

*Apprendre que...* (et ind.).

32.1 Quand il apprit que son ami était tombé malade, ça l'impressionna. Quand il apprit que son beau-frère était mort écrasé, il alla se coucher. Quand il apprit que son ami venait de défuncter, le tremblement le prit. Quand il apprit que son ami était un escroc, il entra en agonie. Quand il apprit que son argent n'était pas tout à fait perdu, de joie il en mourut.
R. QUENEAU, les Derniers Jours, p. 232.

Loc. *Apprendre qqch. de la bouche* de qqn.* → **Tenir.** *J'ai appris de sa bouche le fin mot de l'histoire. Nous l'avons appris de sa propre bouche.*

33 (...) De votre bouche, ô ciel! puis-je l'apprendre?
RACINE, Britannicus, IV, 3.

(À l'impér.). Littér. *Apprends ceci. Apprenez la triste nouvelle.* — *Apprends, apprenez que...* → **Savoir** (sachez).

34 Apprenez en deux mots leur brutale insolence.
CORNEILLE, Polyeucte, III, 2.

35 Apprenez que tout flatteur
Vit aux dépens de celui qui l'écoute.
LA FONTAINE, Fables, I, 2.

♦ **5** *Faire apprendre* (qqch. à qqn), emploi factitif, est synonyme de *apprendre* (II.) *qqch. à qqn.*

**II** (Sens objectif). Faire connaître (qqch. à qqn).
♦ **1** (V. 1140, Wace). Rendre qqn capable de connaître, de savoir (des connaissances, des informations), de pratiquer (une activité, une technique, etc. — Mêmes nuances qu'en I., 1.).

**a** *Apprendre* (qqch.) *à qqn :* donner le savoir, la connaissance de (qqch.) à qqn. *Le professeur apprend aux élèves les verbes irréguliers anglais.* → **Enseigner, expliquer, inculquer, montrer.**

**b** *Apprendre à qqn une science, un art, une technique, un métier, la pratique d'un sport,* lui faire acquérir les connaissances et les moyens de pratiquer. → **Démontrer** (à qqn), **enseigner, expliquer, montrer,** et les trans. dir. **exercer** (qqn à), **instruire.** *Apprendre le latin à un enfant à force de leçons, de répétitions.* → **Abreuver, barbouiller, bourrer, endoctriner** (qqn de...); → Faire absorber, avaler à..., farcir (la tête de); frotter (de), gaver, gorger, imprégner, inculquer, nourrir...; abrutir, assommer (de)... *Apprendre à un élève les premiers rudiments d'un art.* → **Éduquer, initier, débrouiller, dégourdir, dégrossir, déniaiser, dessaler, dresser, guider** (les premiers pas). — *Apprendre un exercice à un animal que l'on dresse*.* — (Le compl. désignant un ensemble d'informations sur un sujet précis). *Apprendre à un élève un système, une théorie, la Révolution française* (la langue class. admettait cet emploi dans des cas où *apprendre* ne s'utiliserait plus : → ci-dessous, cit. 40).

Mes exemples, un jour, ayant fait place aux vôtres, 36
Ce que je vous apprends, vous l'apprendrez à d'autres.
CORNEILLE, Sertorius, III, 2.

Chose étrange! On apprend la tempérance aux chiens, 37
Et l'on ne peut l'apprendre aux hommes.
LA FONTAINE, Fables, VIII, 7.

Retirez-les, ils ne nous apprendront 38
Que la mollesse et que le vice.
LA FONTAINE, Fables, XI, 7.

Seuls dans leurs doctes vers ils pourront vous apprendre 39
Par quel art sans bassesse un auteur peut descendre (...)
BOILEAU, l'Art poétique, I.

Je lui appris ces derniers jours la Suède, le Danemark, la Scandinavie, et l'Angleterre avec l'Écosse et l'Irlande, assez scrupuleusement. 40
LA BRUYÈRE, Lettres, 9 janv. 1685.

(Sujet nom de choses intellectuelles). *La théorie des quanta, la relativité nous apprend... Ce livre m'a appris beaucoup.*

Un livre n'est excusable qu'autant qu'il apprend quelque chose. 41
VOLTAIRE, Lettres, 8 mars 1765.

Par ext. Donner la connaissance intuitive, l'expérience de (qqch. à qqn). → **Enseigner.** *La vie lui a appris la patience. Ce que nous apprennent les événements.*

*Apprendre à qqn que... Cette brochure prétend nous apprendre que l'on peut encore changer de vie.*

L'histoire nous apprend qu'en de tels accidents 42
On fait de pareils dévouements.
LA FONTAINE, Fables, VII, 1.

La vie nous apprend à tous qu'en amour la modestie est facile. 43
A. MAUROIS, Climats, p. 24.

(Dans des formules menaçantes). *Je t'apprendrai les bonnes manières, moi! Je vais lui apprendre la politesse, à ce voyou!*

♦ **2 APPRENDRE À QQN À** (et l'inf.). *Ses parents lui ont appris à bien se tenir. Par son attitude elle lui a appris à mentir.* — Prov. *Ce n'est pas à un vieux singe que l'on apprend à faire des grimaces.*

Le maître qui prit soin d'instruire ma jeunesse 44
Ne m'a jamais appris à faire une bassesse.
CORNEILLE, Nicomède, II, 3.

On n'apprend pas aux hommes à être honnêtes hommes, 45
et on leur apprend tout le reste.
PASCAL, Pensées, VI, 32, 3e éd. Havet.

Encore que l'amour seul apprenne à bien aimer, 46
Il n'est pourtant pas mal que les amans s'instruisent.
BUSSY-RABUTIN, Maximes d'amour, *in* Hist. amoureuse, t. I, p. 172.

J'adore le Seigneur, on m'explique sa loi, 47
Dans son livre divin on m'apprend à la lire.
RACINE, Athalie, II, 7.

*Apprendre à qqn à...* (et inf.), coordonné avec des compl. directs.

1 Rodin tenait lui-même les écoles, sa gouvernante soignait celle des filles, dans laquelle il passait aussitôt qu'il avait fini l'instruction des garçons; il apprenait à ces jeunes élèves à écrire, l'arithmétique, un peu d'histoire, le dessin, la musique et n'employait pour tout cela d'autres maîtres que lui. SADE, Justine..., t. I, p. 105.

Loc. fig. *Apprendre à vivre à qqn,* lui enseigner comment il faut se comporter. → **Montrer** (à vivre).

8 (...) Faut-il que la jeunesse
Apprenne maintenant à vivre à la vieillesse?
J.-F. REGNARD, le Distrait, IV, II.

(Sujet nom de chose; même emploi que ci-dessus, cit. 41 à 43). *La vie lui a appris à réfléchir, à être plus calme.* — REM. La langue class. employait aussi *apprendre de...* (et inf.). — Mod. *Apprendre à vivre à qqn.* → Crevure, cit.; honnête, cit. 29. *Cela lui apprendra à vivre :* cela lui servira de leçon. *Je lui apprendrai à vivre, à mentir,* ou, ellipt, *je lui apprendrai :* je le corrigerai, je le punirai. → **Montrer.**

9 Il faut apprendre à vivre à ce sexe volage.
MOLIÈRE, le Dépit amoureux, IV, 2.

0 (...) cela t'apprendra une autre fois à te jouer de la Faculté.
MOLIÈRE, le Malade imaginaire, III, 3.

(Dans des menaces, ou l'annonce d'une punition). *Ça t'apprendra, ça lui apprendra à...* (suivi d'un inf. exprimant l'action reprochée). *Tiens, ça t'apprendra à mentir!* — Absolt. *Ça t'apprendra!* → C'est bien fait! — (Sujet personnel; même valeur). *Je vais t'apprendre à te foutre de moi!*

Absolument (vieux) :

1 Ah! je vous apprendrai. MOLIÈRE, Dom Juan, II, 3.

♦ **3** Porter (qqch.) à la connaissance de qqn. → **Avertir, aviser, communiquer, connaître** (faire connaître), **dire, éclairer, indiquer, informer, mettre** (au courant, dans la confidence; fam. : à la coule; dans le bain), **renseigner, savoir** (faire savoir). *La radio ne nous apprend chaque jour que des mauvaises nouvelles. Je ne vous apprends (je ne vous apprendrai) rien en vous disant qu'elle est partie.*

2 Albe de trois guerriers a-t-elle fait le choix?
— Je viens pour vous l'apprendre.
— Eh bien! qui sont les trois?
CORNEILLE, Horace, II, 2.

3 Quel est donc ce secret que tu me veux apprendre?
RACINE, Esther, II, 1.

4 Quand on veut plaire dans le monde, il faut se résoudre à se laisser apprendre beaucoup de choses qu'on sait par des gens qui les ignorent.
CHAMFORT, Maximes et Pensées.

5 Landry voulut aller voir son père pour lui apprendre l'honnête conduite de cette fille.
G. SAND, la Petite Fadette, XXX.

6 Celles *(les femmes)* qui étaient méchantes feignaient de me croire renseignée sur des faits que j'ignorais pour avoir le plaisir de me les apprendre.
A. MAUROIS, Climats, p. 215.

♦ **4** V. pron. **S'APPRENDRE** **a** (Sens passif). Être appris. *Cette leçon peut s'apprendre vite. C'est comme tout, ça s'apprend.*

7 Le cœur n'apprend que par la souffrance, et je crois, comme Kant, que Dieu ne s'apprend que par le cœur.
RENAN, Souvenirs d'enfance..., Appendice.

**b** (Réfl.). *Tout ce que je sais, je me le suis appris à moi-même. S'apprendre à faire qqch. Je m'apprends à taper à la machine,* j'apprends tout seul à taper...

8 Par là je m'appris à rimer.
CORNEILLE, Poésies diverses, 54.

.1 Dieu s'apprend à ne pas distinguer les mérites ni les fautes de deux êtres.
M. JOUHANDEAU, la Jeunesse de Théophile, p. 188.

**III** (Mil. XII^e). Vx. *Apprendre qqn,* l'instruire (→ ci-dessous : Bien appris, mal appris).

9 Les filles furent bien apprises, et à tous présentèrent pleins hanaps de vin. RABELAIS, Pantagruel, IV, 54.

Pop. (fautif). *Apprendre qqn à,* lui apprendre à.

Quand nous reviendrons, nous l'emmènerons, s'il est encore là. Un atelier sans chien, c'est un chandelier sans chandelle. Nous l'apprendrons à poser. 60
Louise MICHEL, la Misère, t. II, p. 301.

◆ **APPRIS, ISE** p. p. adj.

♦ **1** (1174). Qui est acquis, par la connaissance, l'enseignement, l'éducation, retenu par la mémoire. *Cette leçon est apprise,* sue. *Choses apprises. Choses apprises par cœur et mal comprises.*
*Une voix apprise, des gestes appris :* non spontanés.

♦ **2** (V. 1175, Chrétien de Troyes). Vx. **BIEN, MAL APPRIS** → Morigéner, cit. 1. *Une personne bien apprise,* bien élevée. → **Éduqué.** *Un jeune homme mal appris,* mal élevé. *Une «chatte bien apprise»* (Balzac). *«Un perroquet mal appris»* (Musset). — N. *Un mal appris, une mal apprise.* → **Malappris** (moderne).

CONTR. **Désapprendre, oublier.** — V. aussi **Ignorer.** ◊ DÉR. **Apprenant.** — V. **Apprenti.** — COMP. **Désapprendre, rapprendre, réapprendre.**

**APPRENTI, IE** [apʀɑ̃ti] n. — V. 1175, adj.; *aprentis; apprentif, ive,* subst., 1268; *apprenti,* 1538; fém. *apprentice, apprentisse,* 1268 (cour. à partir du XVIII^e); du lat. pop. *apprenditicium,* de *apprenditum,* de *apprendere* «apprendre». REM. Quelques-uns des exemples ci-dessous, empruntés aux anciens auteurs (citations 1, 3, 4, 5, 7) attestent la persistance de la forme archaïque *apprentif, apprentive* jusqu'au XVII^e s.

♦ **1** Personne (souvent jeune) qui apprend un métier, est en apprentissage*. → **Aide, élève, employé, garçon, stagiaire.** *L'apprentie d'une couturière, d'une modiste.* → **Arpète** (argot parisien). *Dans les corporations de l'ancien régime, l'usage voulait que l'apprenti devenu compagnon* célébrât sa promotion par un repas.* → **Béjaune.** *Les apprentis et les alloués*. Être placé, se placer comme apprenti(e) chez qqn, dans une entreprise. Prendre qqn comme apprenti. J'ai débuté comme apprenti.*

Un apprentif est docile; il écoute son maître, il profite de ses leçons, et il devient maître. 1
LA BRUYÈRE, les Caractères, XV, 2.

La corporation rapproche tous ceux qui exercent le même métier : les **maîtres,** que nous appelons aujourd'hui des patrons; les **compagnons** ou valets, correspondant aux ouvriers, et les **apprentis,** jeunes gens qui s'initient au métier. Comme dans l'artisanat d'aujourd'hui, le maître travaille manuellement avec ses compagnons; le compagnon capable et économe peut devenir maître et l'apprenti est traité comme un enfant de la maison. 2
Olivier MARTIN, Précis d'hist. du droit franç., p. 344.

L'apprenti n'essaie pas, car la sévère loi des travaux le tient, et la nécessité n'a point d'égards. Une pièce préparée ou dégrossie se trouve gâtée par la moindre improvisation, surtout ingénieuse; l'ordre des travaux réels est troublé; le temps et la matière sont perdus. 2.1
ALAIN, les Idées et les Âges, *in* les Passions et la Sagesse, Pl., p. 109.

♦ **2** (V. 1515). Personne qui apprend, qui s'instruit avec un maître ou qui n'est pas parvenue à la maîtrise. → **Novice.** — Fig. Personne peu habile en qqch. *Tu n'es encore qu'un apprenti.*

Ronsard en son métier n'était qu'un apprentif, 3
Il avait le cerveau fantastique et rétif.
Mathurin RÉGNIER, Satires, 9.

*(En amour)* les apprentifs et novices 4
En savent plus que les grands clercs.
Clément MAROT, Temple de Cupidon.

C'est lui *(Amour)* qui rend les hommes inventifs (...) 5
Grands maîtres fait de nouveaux apprentifs.
J. A. DE BAÏF, Poèmes, IV, II, p. 188.

Soyez amant, vous serez inventif; 6
Tour, ni détour, ruse ni stratagème

Ne vous faudront *(manqueront)* : le plus jeune apprentif
Est vieux routier, dès le moment qu'il aime.
LA FONTAINE, Contes, «Cuvier».

7 Vais-je épouser ici quelque apprentive auteur?
BOILEAU, Satires, 10.

8 Vous n'êtes encore qu'un apprenti dans l'art de dissimuler.
A.-R. LESAGE, Gil Blas, *in* P. LAROUSSE (1866), art. *Apprenti*.

9 L'homme est un apprenti, la douleur est son maître.
Et nul ne se connaît tant qu'il n'a pas souffert.
A. DE MUSSET, Poésies nouvelles, «La nuit d'octobre».

10 Je ne suis pas un maître, dit-il d'une voix altérée. Un élève, mon cher, un apprenti; un simple apprenti.
MARTIN DU GARD, les Thibault, III, III.

Prov. *Apprenti n'est pas maître* : il ne faut pas attendre d'un débutant la perfection du maître.

Adj. (antéposé en épithète).

11 Tu me verras souvent à te suivre empressé,
Pour monter à cheval rappelant mon audace,
Apprenti cavalier, galoper sur ta trace.
BOILEAU, Épîtres, VI, 148-150.

12 Pour le rendre maître, soyez partout apprenti.
ROUSSEAU, Émile, III.

Spécialt. Premier grade de l'initiation maçonnique.

12.1 Par sympathie, par curiosité, par besoin d'expansion, j'acceptai d'être présenté par lui à la loge «Lalande», où je fus admis comme «apprenti» au printemps de 1932. Je trouvai là une vingtaine d'hommes de bonne compagnie, à qui la foi dans le progrès et la tolérance tenaient lieu de commune doctrine : des professeurs, des médecins, des ingénieurs.
Raymond ABELLIO, Ma dernière mémoire, t. II, p. 116.

♦ **3** (Avec un subst. en appos. désignant un métier). *Un apprenti maçon* (→ Aide-maçon, manœuvre). — *Apprenti marin* : élève des écoles professionnelles de la Marine. → **Mousse.** *École des apprentis mécaniciens de Saint-Maudrier. Apprenti boulanger.* → **Mitron.**

Loc. *Apprenti sorcier* (allus. à une célèbre ballade de Goethe qui inspira un scherzo symphonique à P. Dukas). Personne qui déchaîne des événements dont il n'est pas capable d'arrêter le cours.

13 Le chef sage n'oublie pas que l'Apprenti Sorcier eut grand'peine, l'ayant mis en mouvement par ses incantations, à calmer le balai magique.
A. MAUROIS, Un art de vivre, IV, IV.

Par anal. *Apprenti diplomate, docteur, musicien, philosophe...* (→ ci-dessus cit. 7 et 11).

Par plais. ou par dénigrement. *Un apprenti curé* : un séminariste.

CONTR. **Maître, patron. — Compagnon, contremaître** (chef d'atelier... V. aux différents métiers). — **Instructeur, moniteur. — Expérimenté, expert, habile, profès...** ◊ DÉR. **Apprentissage.**

**APPRENTISSAGE** [aprɑ̃tisaʒ] n. m. — 1395; de *apprenti*.

♦ **1** Le fait d'apprendre un métier manuel ou technique; l'ensemble des activités de l'apprenti(e). → **Formation, instruction.** *L'apprentissage d'un métier par qqn. Mettre un garçon, une fille en apprentissage. Entrer, se mettre, être en apprentissage* (chez qqn). *Prendre qqn en apprentissage.* — *Faire son apprentissage. Faire son apprentissage sous qqn. Contrat d'apprentissage. École, centre d'apprentissage. Le C.A.P. sanctionnera l'apprentissage.*

1 Il n'y a aucun métier qui n'ait son apprentissage.
LA BRUYÈRE, les Caractères, XIV.

2 Nous nous mettons tous deux en apprentissage.
ROUSSEAU, Émile, III.

Il désertait de plus en plus, pour ce métier rude, l'atelier en plein vent du charpentier, où elle l'avait mis en apprentissage (...) 3
LOTI, Ramuntcho, I, I.

Le contrat d'apprentissage est celui par lequel un chef d'établissement industriel ou commercial, un artisan ou un façonnier s'oblige à donner ou à faire donner une formation professionnelle méthodique et complète à une autre personne qui s'oblige, en retour, à travailler pour lui, le tout à des conditions et pendant un temps convenus. 4
Code du travail, art. 1 (Loi du 20 mars 1928).

État d'apprenti. — (1447). Temps que l'on passe dans l'état d'apprenti. → **Stage.** *Un apprentissage de trois ans. Le début, la fin de l'apprentissage. Durant, pendant son apprentissage.*

♦ **2** (Déb. XIIIe). Littér. Les premières leçons, les premiers essais* (dans qqch.) → **Exercice, expérience, initiation, introduction, préparation.** *L'apprentissage de la patience, de l'amitié, de l'amour, de la sexualité. L'apprentissage de la vie.* → **Épreuve.** *En être à son apprentissage, faire son apprentissage.* → **Début** (→ Les premières armes). *Faire son apprentissage de musicien, d'homme d'affaires.* — Vx ou littér. *Apprentissage à* (et inf.). → cit. 9.

Ils faisaient ainsi leurs premières armes : leur apprentissage était un chef-d'œuvre. 5
GUEZ DE BALZAC, le Romain.

Douce d'humeur, gentille de corsage, 6
Et n'en étant qu'à son apprentissage (...)
LA FONTAINE, Contes, «Le psautier».

Il *(un poème excellent)* veut du temps, des soins; et ce pénible ouvrage 7
Jamais d'un écolier ne fut l'apprentissage.
BOILEAU, l'Art poétique, III.

Quand il fut un peu avancé en âge, son père lui fit faire son apprentissage par une guerre contre les Arabes. 8
BOSSUET, Hist. universelle, III, 3.

Ces rechutes, ces agonies fréquentes ne lui servaient-elles pas comme d'apprentissage à bien mourir? 9
FLÉCHIER, Oraison funèbre de la Duchesse de Montausier.

La constance et la fermeté sont, ainsi que les autres vertus, des apprentissages de l'enfance. 10
ROUSSEAU, Émile, II.

La cruauté qu'on exerce envers les animaux n'en est que l'apprentissage envers les hommes. 11
BERNARDIN DE SAINT-PIERRE, *in* P. LAROUSSE, art. *Apprentissage*.

(...) des préparations, des exercices militaires, des apprentissages, de grandes manœuvres de guerre civile. 12
Ch. PÉGUY, Œuvres complètes, t. III, p. 361.

*Faire l'apprentissage de qqch.*, en commencer la pratique, s'y initier. → **Apprendre, instruire** (s'). *Les jeunes nations font l'apprentissage de l'indépendance. Faire l'apprentissage du crime, de la débauche.* → **Accoutumer** (s'), **entraîner** (s'), **façonner** (se), **fortifier** (se fortifier dans). *J'en ai fait le triste apprentissage.*

Heureux celui qui, pour devenir sage, 13
Du mal d'autrui fait son apprentissage.
SAINT-GELAIS, 171, *in* LITTRÉ.

Nous sommes sous un roi si vaillant et si sage, 14
Et qui si dignement a fait l'apprentissage
De toutes les vertus propres à commander (...)
MALHERBE, II, V, *in* LITTRÉ.

(...) voudrais-tu qu'à mon âge 15
Je fisse de l'amour le vil apprentissage?
RACINE, Bajazet, I, 1.

Mais moi, qui vois plus loin, qui par un long usage, 16
Des maximes du trône ai fait l'apprentissage (...)
RACINE, Bajazet, IV, 7.

Cette femme est une catéchumène qui fait l'apprentissage des pleurs que J.-C. demande à ses servantes. 17
CHATEAUBRIAND, les Martyrs, II.

*Les années d'apprentissage*, première partie du *Wilhelm Meister* de Goethe. — *Roman d'apprentissage* (calque de l'allemand).

8 Ce n'est plus alors la scène qui forme le milieu dans lequel il *(Goethe)* fait évoluer Wilhelm Meister, mais la société, telle qu'elle se présente dans la vie de tous les jours. Wilhelm Meister se développe au contact du monde et y fait l'apprentissage de la vie.

Bernard GROETHUYSEN, Introduction, *in* GOETHE, Romans, Pl., p. 15.

♦ **3** Psychol. Modifications durables du comportement d'un sujet (humain ou animal) grâce à des expériences répétées (par «essai et erreur»). — Par ext. Processus d'acquisition des automatismes sensori-moteurs et psychiques. → **Conditionnement, mémorisation.** *Apprentissage par imitation, par essais et erreurs. Apprentissage par intuition,* grâce au travail du subconscient. *Apprentissage par l'action,* exploration, classement des faits. *Apprentissage instrumental.*

9 Avant cet auteur *(Konorski)* on supposait que tout apprentissage résulte de «renforcements externes» dus à l'expérience ou à l'expérimentateur, qui sanctionnent par des réussites ou récompenses ou par des échecs ou punitions, les réactions du sujet étudié. Konorski a montré qu'il existe au contraire des apprentissages liés à l'utilisation spontanée d'intermédiaires fournis dans le dispositif. C'est ainsi que Skinner a placé dans ses cages expérimentales des sortes de leviers tels que si l'animal en vient à les presser, d'abord par hasard puis systématiquement, la nourriture apparaît.

J. PIAGET, Épistémologie des sciences de l'homme, p. 146.

Spécialt (appliqué au domaine scolaire) :

10 La disproportion entre la place accordée aux amphithéâtres et celle qui est faite aux salles de travaux pratiques et de lecture ou encore la difficulté extrême de l'accès aux instruments de l'auto-apprentissage, livres ou appareils, trahit la disproportion entre l'apprentissage par ouï-dire et l'apprentissage sur pièces par la discussion réglée, l'exercice, l'expérimentation, la lecture ou la production de travaux.

P. BOURDIEU et J.-C. PASSERON, la Reproduction, p. 151.

*Apprentissage scolaire.* → **Pédagogie.**

11 On peut voir un indice de l'influence de la transmission orale sur l'apprentissage scolaire dans le fait que le cours tend, d'une manière inégale selon les catégories d'étudiants (conformément à la loi générale des variations des attitudes selon le sexe, la résidence et l'origine sociale), à se substituer à tout autre moyen d'acquisition, à commencer par la lecture, comme en témoigne la valeur accordée aux notes de cours, objet de lectures et de relectures, d'échanges et d'emprunts.

P. BOURDIEU et J.-C. PASSERON, la Reproduction, p. 151.

♦ **4** Cybern. Aptitude d'un système à améliorer son fonctionnement par la prise en compte des résultats passés. *Apprentissage automatique.*

Techn. *Courbes d'apprentissage,* retraçant la décroissance des temps unitaires au cours d'une fabrication en série.

**CONTR. Désaccoutumance, oubli, perte** (du métier). ◊ **COMP. Préapprentissage, réapprentissage.**

**APPRÊT** [aprɛ] n. m. — 1306, *aprest; de apprêter.*

**I** ♦ **1** (Plur.). Vieilli. Action d'apprêter, de préparer. *Les apprêts d'une fête, d'une noce, d'un banquet, d'un combat.* → **Appareil, arrangement, disposition, prélude** (fig.), **préparation, préparatif.** *Les apprêts d'un départ, d'un voyage,* les derniers préparatifs. *Faire de grands apprêts pour recevoir qqn. Pour me recevoir, il ne fallait pas tant d'apprêts.*

1 Le régal fut petit et sans beaucoup d'apprêts;
Le galant pour toute besogne
Avait un brouet clair (...)

LA FONTAINE, Fables, I, 18.

2 Propreté toucha seule aux apprêts du régal;
Elle sut s'en tirer avec beaucoup de grâce :
Tout passa par ses mains, et le vin et la glace,
Et les carafes de cristal.

LA FONTAINE, Contes, «Le tableau».

Mais je tiens qu'ici-bas, sans faire tant d'apprêts, 3
La vertu se contente et vit à peu de frais.

BOILEAU, Épîtres, V.

Vous verrai-je toujours, renonçant à la vie, 4
Faire de votre mort les funestes apprêts?

RACINE, Phèdre, I, 3.

À qui réserve-t-on ces apprêts meurtriers? 5

C. DELAVIGNE, Jeanne d'Arc, *in* P. LAROUSSE, art. *Apprêt.*

Nous allons dîner dans une maison opulente : nous trouvons les apprêts d'un festin (...) 6

ROUSSEAU, Émile, III.

Chaque soir, une table aux suaves apprêts 7
Assoira près de nous nos belles adorées.

André CHÉNIER, *in* LITTRÉ, art. *Asseoir.*

(...) il ajouta aussitôt, considérant le désordre et comprenant mes apprêts : 7.1
— J'arrive à temps (...)

Maurice CLAVEL, le Tiers des étoiles, p. 23.

♦ **2** (1534). Vieilli. Manière d'apprêter les aliments. → **Accommodage, assaisonnement.** *L'apprêt des viandes.*

De vingt ragoûts l'apprêt délicieux 8
Charme le nez, le palais et les yeux.

VOLTAIRE, la Pucelle, I.

♦ **3** (1680; en peinture, 1622). Techn. Opération que l'on fait subir à des matières premières (cuirs, textiles) avant de les travailler ou de les présenter. → **Apprêtage.** *Apprêts des tissus :* beetlage, calandrage, cati, catissage, crêpage, cylindrage, empesage, encollage, étendage, feutrage, foulage, foulonnage, gaufrage, gommage, grillage, humectage, lustrage, moirage, pressage, rame (mise en), séchage, tirage, tondage, vaporisage. *Apprêt du linge.* → **Blanchissage.** *Apprêt des papiers.* → **Collage, glaçage.** *Apprêt des cuirs.* → **Corroi, corroyage.** *Apprêt donné au sable par le fondeur.* → **Corroi.** *Apprêt des briques avant la mise en moule.* Substance qui sert à apprêter (colle, empois, gomme). *Un feutre sans apprêt,* qui n'a pas été gommé. *Une toile sans apprêt,* blanchie sans chaux ni colle. *Ôter l'apprêt d'une étoffe.* → **Décatir, décatissage.**

(1622). Peint. Enduit que l'on étend sur une surface à peindre; préparation subie par la toile. *Le peintre a terminé l'apprêt des plafonds. Les apprêts sont finis.*

**II** (1726). **L'APPRÊT,** manière d'agir ou de s'exprimer, affectée. → **Affectation, étude, recherche.** *Il y a trop d'apprêt chez cette femme. Faire qqch. avec apprêt.* — **SANS APPRÊT** [sɑ̃zaprɛ] : naturellement, sans fard. *Une beauté sans apprêt,* simple, naturelle. → **Ornement** (sans). *Un repas sans apprêt.* → À la fortune du pot, à la bonne franquette*, au hasard de la fourchette, sur le pouce. *Faire qqch. sans apprêt.* → **Impromptu, improviste** (à l'). *Inviter qqn sans apprêt, à l'improviste.*

Les vices des paysans sont sans apprêt, et, dans toute leur grossièreté, sont plus propres à rebuter qu'à séduire. 9

ROUSSEAU, Émile, II.

Un rire d'apprêt et de commande (...) 10

D'ALEMBERT, Éloges, «Destouches».

Parle droit! Parle sans fard et sans apprêt! Parle pour être compris! Compris non pas d'un groupe de délicats, mais par les milliers, par les plus simples, par les plus humbles! 11

R. ROLLAND, Jean-Christophe, Introd., XVIII.

Qu'on n'aille pas voir trop d'apprêt dans ce que j'en dis : le mouvement est spontané, que j'analyse. Si le ressort est compliqué, qu'y puis-je? 12

GIDE, Si le grain ne meurt, I, 9.

13 Il aimait que les choses fussent simples, et les gens aussi, les saisons bien tranchées, les sentiments parfaitement exprimables, la cuisine sans apprêt, le plaisir sans contrepartie douteuse.
Jean-Louis CURTIS, le Roseau pensant, p. 14.

CONTR. **Naturel, négligé, simplicité, spontanéité.** ◊ HOM. **Après.**

**APPRÊTAGE** [apʀɛtaʒ] n. m. — 1750; de *apprêter.*

Techn. Action d'enduire d'apprêt. *L'apprêtage du feutre avec de la gomme dissoute dans de l'eau bouillante. L'apprêtage des cotonnades au moyen d'une appréteuse* (3.). → **Encollage.**

**APPRÊTÉ, ÉE** [apʀete] adj. — 1760; p. p. de *apprêter.*

**I** Techn. Qui a été enduit d'apprêt (I., 3.). *Tissu, papier apprêté.*

**II** Cour. Qui est trop étudié, peu naturel dans sa manière d'agir, de s'exprimer. → **Apprêt,** II.; **affecté, précieux, recherché.** *Elle m'apparaît un rien apprêtée.*

1 Celui qui est apprêté a de la roideur, comme la toile gommée ou la dentelle empesée, et est dépourvu d'aisance.
LITTRÉ, Dict., art. *Affecté.*

2 Au demeurant rien de moins apprêté, de plus spontané, de plus naïf. GIDE, Journal, 13 mai 1931.

CONTR. **Aisé, naturel, négligé, simple, spontané.**

**APPRÊTER** [apʀete] v. tr. — 980, *aprester;* du lat. pop. **apprestare,* du lat. class. *præsto* « à portée, sous la main ».

♦ **1** Vx (langue class.). Rendre prêt, disposer, mettre en état en vue d'une utilisation prochaine. → **Arranger, disposer, préparer.** *Apprêter ses armes, ses bagages. Apprêtez-moi ce dont j'ai besoin pour sortir* (Académie).

1 Il y a dans le mot apprêter, une idée d'industrie et de recherche; dans le mot préparer, une idée de prévoyance et de diligence; dans le mot disposer, une idée d'intelligence et d'ordre.
GUIZOT, Dict. universel des synonymes.

2 (...) un affreux serrurier, laborieux Vulcain (...)
Avec un fer maudit, qu'à grand bruit il apprête,
De cent coups de marteau va me fendre la tête.
BOILEAU, Satires, VI.

3 Il saura que ma main lui devait présenter
Un poison que votre ordre avait fait apprêter.
RACINE, Britannicus, IV, 4.

4 Entrez et recevez l'honneur qu'on vous apprête!
RACINE, Esther, III, 2.

5 Revêtons-nous d'habillements
Conformes à l'horrible fête
Que l'impie Aman nous apprête.
RACINE, Esther, I, 5.

6 Ah! C'en est trop. Voyons ce que le sort m'apprête.
RACINE, Alexandre, IV, 5. → Destiner, réserver.

7 (...) Madame doit être instruite par sa sœur
De l'hymen où l'on veut qu'elle apprête son cœur.
MOLIÈRE, les Femmes savantes, IV, 5.

8 Le moyen de n'être pas sensible à cette louange si bien apprêtée? M^me^ DE SÉVIGNÉ, 27 juin 1678.

Mod. Préparer la nourriture. *Apprêter le repas, le souper.*

9 Aussi bien nous fera-t-il ici besoin pour apprêter le souper.
MOLIÈRE, l'Avare, III, 5.

10 Il apprêtait lui-même tout ce qu'il devait manger.
FÉNELON, *in* BESCHERELLE.

*Apprêter un mets.* → **Accommoder, assaisonner, cuisiner.** *Apprêter une langouste.*

11 La gastronomie tient (...) à la cuisine, par l'art d'apprêter les mets et de les rendre agréables au goût.
A. BRILLAT-SAVARIN, Physiologie du goût, III.

*Apprêter les cartes,* les arranger par avance pour tricher au jeu ou pour faire un tour.

Vx. *Apprêter à rire :* donner occasion (à qqn) de rire (mod. : *prêter* à rire*).

Ils tombent tout plats comme porcs devant tout le monde, et apprêtent à rire pour plus de cent francs. 12
RABELAIS, Gargantua, II, 17.

Messieurs, taisez-vous quand Dieu ne vous a pas donné la connaissance d'une chose; n'apprêtez point à rire à ceux qui vous entendent parler. 13
MOLIÈRE, la Critique de l'École des femmes, 5.

♦ **2** (1694). Techn. Soumettre (qqch.) à un apprêt. *Apprêter des étoffes, des cuirs, des peaux, du papier...,* pour leur donner l'apparence, la consistance voulue. → **Apprêt** (I., 3.). *Apprêter un chapeau.* → **Apprêteur** (apprêteuse, n. f.).

◆ **S'APPRÊTER** v. pron. (XIV^e^; *soi aprester à, de,* XII^e^).

♦ **1** (Passif). Être préparé.

Je m'en vais seul au temple où leur hymen s'apprête. 14
RACINE, Andromaque, IV, 3.

Et là, derrière son dos, il sentait qu'une chose infâme s'apprêtait. 15
MAUPASSANT, la Femme de Paul, p. 20.
→ Machiner, tramer (se).

(Impers.). Vx. *Il s'apprête une catastrophe.*

(...) Valère, il s'apprête un combat 16
Où toute ta valeur te sera nécessaire.
MOLIÈRE, le Dépit amoureux, V, 6.

♦ **2** (Réfl.). Se préparer (à). — (Personnes). *S'apprêter au départ, au combat.* → **Disposer** (se). — *S'apprêter à faire qqch.,* se mettre en disposition, en état de. *Je m'apprêtais à partir, à vous rendre visite.*

À combien de chagrins il faut que je m'apprête! 17
RACINE, Britannicus, II, 2.

Ce grand pouvoir lui pèse, il s'apprête à le rendre. 18
CORNEILLE, Sertorius, III, 2.

Tandis qu'à le tuer mon villageois s'apprête, 19
La fourmi le pique au talon.
LA FONTAINE, Fables, II, 12.

(Choses). Vieilli. *Le train s'apprête à partir. L'orage s'apprête à éclater.* — Impers. *Il s'apprête à pleuvoir.* → **Aller** (il va...).

Quand la foudre s'allume et s'apprête à partir. 20
RACINE, Alexandre, I, 1.

♦ **3** Vx. *S'apprêter qqch.* (à soi-même) : attirer sur soi. → **Exposer** (s'). *En agissant ainsi, vous vous apprêtez aux pires ennuis.*

Je vous connais, je sais tout ce que je m'apprête. 21
RACINE, Mithridate, IV, 4.

Je sais trop quel tourment je m'apprête à moi-même. 22
RACINE, Mithridate, II, 6.

♦ **4** Absolt. **a** Vx ou régional. *S'apprêter :* se préparer, prendre des dispositions. *Allons, apprêtez-vous!*

C'est trop tard s'apprêter quand le mal est advenu. 23
Pierre CHARRON, De la sagesse, II, 7.

Vx. *S'apprêter pour* (qqch.). *S'apprêter pour le final. S'apprêter pour la bataille.*

**b** (1538). Mod. Faire sa toilette*. → **Habiller** (s'), **parer** (se). *Elle s'apprêtait pour la cérémonie.*

Il veut partir à jeun. Il se peigne, il s'apprête (...) 24
BOILEAU, le Lutrin, V, 17.

Les dames, ensuite, montèrent dans leurs chambres s'apprêter pour le bal. FLAUBERT, M^me^ Bovary, I, VIII. 25

CONTR. **Improviser, négliger. — Laisser** (laisser aller). **— Défaire, déranger. — Détourner. — Déshabiller** (se). **— Négliger** (se). ◊ DÉR. et COMP. **Apprêt, apprêtage, apprêté, apprêteur. Réapprêter.**

**APPRÊTEUR, EUSE** [apʀɛtœʀ, øz] n. — 1552, *appresteur;* de *apprêter.*

**I** ♦ **1** Personne qui apprête, donne l'apprêt, fait les préparations. *Un encolleur, un gaufreur sont des apprêteurs.*

♦ **2** Dans plusieurs industries, Ouvrier qui prépare les matières premières.

♦ **3** (1676, Félibien). Peint. Peintre sur verre.

**II** **APPRÊTEUSE** n. f. (1841, au sens 2.). ♦ **1** Modiste qui pose des ornements sur les chapeaux.

♦ **2** Ouvrière qui prépare les éléments des pièces de lingerie.

♦ **3** Machine à apprêter le coton. → **Encolleur** (encolleuse, n. f.).

**APPRIS, ISE** [apʀi, iz] adj. → **Apprendre.**

**APPRIVOISABLE** [apʀivwazabl] adj. — 1784, Restif de la Bretonne; de *apprivoiser.*

Qui peut être apprivoisé. *Cet animal semble tout à fait apprivoisable.* — Fig. *Une imagination difficilement apprivoisable.*

(...) Qui sait, qui sait? Farouche, c'est le nom du trèfle incarnat. Ce devrait être aussi le mien. Rien de moins apprivoisable que mon être profond. Y eût-il jamais femme plus libre que moi?
Claude MAURIAC, le Dîner en ville, p. 222-223.

CONTR. **Inapprivoisable, indomptable, intraitable, irréductible.**

**APPRIVOISEMENT** [apʀivwazmɑ̃] n. m. — 1558; de *apprivoiser.*

♦ **1** Action d'apprivoiser; résultat de cette action. *L'apprivoisement des bêtes sauvages. La domestication est distincte de l'apprivoisement, qui la précède.* → **Domestication.** *Apprivoisement d'un oiseau de proie.* → **Affaitage, dressage.** — Fig. *L'apprivoisement d'un enfant farouche.* → **Familiarisation,** et aussi **soumission.**

♦ **2** Action de se familiariser avec qqch. → **Accoutumance.** *Un lent apprivoisement.*

CONTR. **Effarouchement.**

**APPRIVOISER** [apʀivwaze] v. tr. — 1555; *apriveiser,* fin XII^e^; lat. pop. **apprivitiare* ou **apprivatare,* du lat. class. *privatus* «personnel, privé».

♦ **1** (V. 1225). Rendre moins craintif ou moins dangereux (un animal farouche, sauvage). *On se sert de canards privés pour apprivoiser les canards sauvages.* → 2. **Priver** (vx). *Apprivoiser un oiseau de proie.* → **Affaiter, dresser.** *Apprivoiser des serpents.* → **Charmer.** *Dompter n'est pas apprivoiser, mais assujettir.* — Au p. p. *Apprivoisé, ée. Un animal est domestiqué, quand ses petits naissent eux-mêmes apprivoisés.* → **Domestiquer.** *Une pie* (cit. 3.1) *apprivoisée.*

1 Nos bœufs, nos chevaux, nos chiens (...) sont des animaux privés : bien qu'ils remontent à des individus qui ont été apprivoisés, ils ne l'ont point été eux-mêmes, ils sont nés dans l'état de domesticité.
LAFAYE, Dict. des synonymes, Privé, apprivoisé.

2 On dompte la panthère plutôt qu'on ne l'apprivoise.
BUFFON, Hist. nat. des animaux, La panthère.

3 Avec une lyre il *(Orphée)* apprivoisait les bêtes sauvages.
FÉNELON, Télémaque, VII.

♦ **2** Littér. (et compl. n. de personne). Rendre plus docile, plus doux, plus sociable, plus souple, plus traitable. → **Adoucir, amadouer, soumettre.** — Au p. p. → cit. 5. *La Mégère apprivoisée* (trad. d'un titre de Shakespeare).

La fortune avec toute sa puissance ne pourra jamais apprivoiser un brutal et polir la rudesse des mœurs. 4
GUEZ DE BALZAC, *in* LITTRÉ, Dict., art. *Brutal.*

Ce farouche ennemi qu'on ne pouvait dompter (...) 5
Ce tigre, que jamais je n'abordai sans crainte,
Soumis, apprivoisé, reconnaît un vainqueur.
RACINE, Phèdre, IV, 6.

Il y a des hommes superbes, que l'élévation de leurs rivaux humilie et apprivoise. 6
LA BRUYÈRE, les Caractères, IX, 17.

J'évite par là d'apprivoiser un suisse ou de fléchir un commis. LA BRUYÈRE, les Caractères, IX, 51. 7

Que faire pour apprivoiser une impertinente vertu? 8
Antoine HAMILTON, Mém. du comte de Gramont, 9.

Il parle, il adoucit la superbe Carthage, 9
De sa puissante reine apprivoise l'orgueil.
DELILLE, Énéide, I.

Il avait eu quelque peine à apprivoiser cet oiseau farouche. 10
MARTIN DU GARD, les Thibault, III, 9.

(...) il parlait bas, comme s'il eût entrepris d'apprivoiser une créature très inquiète. 11
G. DUHAMEL, Chronique des Pasquier, IX, 1.

Fam. *Apprivoiser une femme :* venir à bout de ses résistances. → **Séduire.**

Tout doucement il vous l'apprivoisa *(la fille);* 12
Lui prit d'abord son joli bras d'ivoire;
Puis s'approcha, puis en vint au baiser (...)
LA FONTAINE, Contes, «L'Ermite».

◆ **S'APPRIVOISER** v. pron.

Devenir moins sauvage, en parlant des animaux sauvages.

L'once s'apprivoise aisément. 13
BUFFON, Hist. nat. des animaux, Once.

Les tigres et les lions s'apprivoisent, et viennent des déserts servir d'amusement aux peuples du Nord. 14
G. SAND, *in* BESCHERELLE.

Sujet n. de personne. Devenir moins farouche, plus sociable, plus familier. → **Familiariser** (se), **humaniser** (s').

(...) votre fille n'est pas si difficile que cela, et elle s'est apprivoisée depuis qu'elle est chez moi. 15
MOLIÈRE, George Dandin, I, 4.

Mais, au bout de peu de jours, je m'apprivoisai et devins diable tout comme les autres. 16
Georges LECOMTE, Ma traversée, p. 18.

Été porter au fils Bertin de nouveaux haricots à écosser (...) il s'apprivoise peu à peu, semble-t-il, et prend confiance. 17
GIDE, Journal, 24 oct. 1916.

(...) il me semble déjà qu'elles *(les couleuvres)* s'humanisent, et elles croient que je m'apprivoise. 18
COLETTE, la Paix chez les bêtes, Couleuvres.

Sujet n. de chose. Rare.

Le brin d'herbe, vibrant d'un éternel émoi, 19
S'apprivoise et devient familier avec moi.
HUGO, les Contemplations, I, 27.

Fig. et littér. *S'apprivoiser avec* (vx), *à qqch.* → **Accoutumer** (s'accoutumer à), **habituer** (s'habituer à), **familiariser** (se familiariser avec). *S'apprivoiser avec le danger. S'apprivoiser à une idée,* s'y accoutumer peu à peu, se familiariser avec elle.

Ce qui nous paraissait terrible et singulier 20
S'apprivoise avec notre vue.
Quand ce vient à la continue.
LA FONTAINE, Fables, IV, X, 7.

Les grandes choses étonnent, et les petites rebutent; nous nous apprivoisons avec les unes et les autres par l'habitude. LA BRUYÈRE, les Caractères, XII, 3. 21

Je ne pris pas précisément la résolution de me faire catholique; mais voyant le terme encore éloigné, je pris le temps de m'apprivoiser à cette idée. 22
ROUSSEAU, les Confessions, II.

Sur les maisons des morts mon ombre passe 23
Qui m'apprivoise à son frêle mouvoir.
VALÉRY, le Cimetière marin.

◆ **APPRIVOISÉ, ÉE** p. p. adj. V. à l'article.

CONTR. **Affoler, assauvagir, effarer, effaroucher, effrayer, inquiéter. – Écarter, éloigner, rebuter, repousser. – Aigrir, détacher** (se détacher de), **durcir.** ◈ DÉR. **Apprivoisable, apprivoisement, apprivoiseur.**

**APPRIVOISEUR, EUSE** [apʀivwazœʀ, øz] n. et adj. — 1565; de *apprivoiser.*

Rare. Personne qui apprivoise (un animal, des animaux). → **Charmeur, dompteur.**

1 (...) me prends-tu pour un apprivoiseur de mouches?
Béroalde DE VERVILLE, Moyen de parvenir, Synode, I, 227.

2 (...) ô l'apprivoiseur des lions et des lionnes!
GUEZ DE BALZAC, *in* LITTRÉ, *Suppl.*

Fig. *Don Juan, cet apprivoiseur de femmes.* → **Séducteur.** — Adj. :

3 Il y eut de petits doigts qui passèrent au travers des barreaux de la prison, et qui peut-être se voulaient apprivoiseurs et caressants, mais qui semblaient à Margot gros de menaces (...)
L. PERGAUD, De Goupil à Margot, p. 207.

**APPROBANISTE** [apʀɔbanist] n. m. — 1896, Estaunié, *in* T. L. F.; de *approbation,* d'après *congréganiste.*

Relig., vieilli. Dans un collège de jésuites, Élève qui se prépare à devenir congréganiste. *L'Approbaniste,* titre d'un roman d'André Billy (1937).

**APPROBATEUR, TRICE** [apʀɔbatœʀ, tʀis] n. et adj. — 1534; lat. *approbator,* de *approbare.* → Approuver.

**I** N. ♦ **1** Littér. Personne qui approuve. *Un approbateur sincère, fervent.* → **Appréciateur.** *Un approbateur servile.* → **Adulateur, applaudisseur, flatteur, louangeur.** *Un approbateur emphatique.* → **Bénisseur.** *Un approbateur trop complaisant, qui dit amen à tout.* Cf. l'expr. algérienne *béni-oui-oui,* l'anglais *yes-man;* aussi le yiddish américain *allrightnick. L'approbateur de qqn. — L'approbatrice d'une politique.*

1 Le plus mauvais plaisant eut ses approbateurs.
BOILEAU, l'Art poétique, I, 89.

2 L'approbateur du médisant devient son complice.
FLÉCHIER, Sermons, I, 233.

3 Quelle surprise agréable pour les pécheurs de le trouver *(le mauvais prêtre)* non seulement spectateur tranquille, mais approbateur public et complice par ses mœurs de leurs désordres.
MASSILLON, Confér., Bon exemple, *in* LITTRÉ.

4 Les femmes furent au XVIIIe siècle les ferventes approbatrices de toutes les nouveautés.
Gustave LANSON, Cours inédit.

♦ **2** Hist. Employé de la censure (→ **Censeur**) chargé de délivrer l'approbation* avant impression.

**II** Adj. ♦ **1** Rare (personnes). Qui approuve. *Une assistance très approbatrice.*

♦ **2** Cour. *Geste, murmure, sourire approbateur.* → **Affirmatif, approbatif, favorable.** *Un silence approbateur.* → **Consentant.** *Une moue approbatrice.*

4.1 Enfin la séance s'acheva (...) et l'Académie, après un vote approbateur, rentra dans ses bureaux pour travailler avec ardeur à la confection du fameux dictionnaire, déjà poussé jusqu'à la lettre C.
A. ROBIDA, le Vingtième Siècle, p. 206.

5 Un geste approbateur approuve, et est fait à dessein dans une circonstance particulière, afin d'approuver; un geste approbatif a la propriété de signifier l'approbation dans toutes les circonstances (...) il ne marque pas le fait, mais le pouvoir.
LAFAYE, Dict. des synonymes, Auditeurs, écoutants; spectateurs, regardants.

CONTR. **Contradicteur, critique, dénigreur, dépréciateur, désapprobateur, détracteur, improbateur, objecteur, opposant, réfutateur, réprobateur, siffleur.**

**APPROBATIF, IVE** [apʀɔbatif, iv] adj. — 1561; bas lat. *approbativus,* Priscien, du lat. class. *approbare.* → Approuver.

Qui marque, exprime l'approbation. *Un signe de tête approbatif.* → **Approbateur.** *Mention approbative* (au-dessus d'une signature). → **Approbation, approuvé.** *Visa approbatif.*

Le diplomate et M. Dambreuse lui firent un signe de tête approbatif. 1
FLAUBERT, l'Éducation sentimentale, III, II.

(...) la tête secouée de hochements approbatifs. 2
COURTELINE, Messieurs les ronds-de-cuir, II, 1.

Qui approuve. *Un auditoire approbatif.* → **Approbateur.**

CONTR. **Improbatif, répréhensif, réprobateur, satirique. – Dénégatoire, négatif, négatoire.** ◈ DÉR. **Approbativement, approbativité.**

**APPROBATION** [apʀɔbasjɔ̃] n. f. — 1265; du lat. *approbatio,* de *approbare.* → Approuver.

Action d'approuver.

♦ **1** Le fait d'approuver (qqch.), jugement qui approuve. *L'approbation de qqch. par qqn. L'approbation de qqn à qqch. Le préfet a donné son approbation à la délibération du Conseil municipal. L'approbation du souverain rend la loi exécutoire.* → **Acceptation, acquiescement, adhésion, admission, adoption, agrément, approbatur, assentiment, autorisation, confirmation, consentement, entérinement, homologation, ratification, sanction.** *Approbation tacite. Approbation expresse.* → **Avis, déclaration, visa.** *Soumettre qqch. à l'approbation de qqn. Son action a eu l'approbation de ses associés. Je vous retire mon approbation.*

(...) il révisait les rédactions de Charavax avant de les envoyer au visa d'approbation du Directeur. 1
COURTELINE, Messieurs les ronds-de-cuir, III, 1.

Dr. *Le procès-verbal de la déposition est revêtu de l'approbation du témoin.* → **Signature.** *L'article 1326 du Code civil exige que le billet porte l'approbation du signataire.* → **Approuvé.**

Hist. Autorisation donnée par la censure pour l'impression et la publication d'un livre. → **Approbateur** (I., 2.). *Sous l'Ancien Régime, aucun livre ne peut paraître sans l'octroi de lettres patentes d'approbation des censeurs royaux* (recrutés pratiquement parmi les professeurs de Sorbonne).

La Sorbonne n'a pas voulu donner son approbation à mon livre. 2
BOSSUET, *in* LITTRÉ.

Relig. Autorisation donnée par l'évêque à un prêtre de prêcher et de confesser dans le diocèse.

♦ **2** (XVIIe). Jugement favorable qu'on porte sur qqn ou sur qqch.; témoignage d'estime ou de satisfaction. *Sa conduite mérite l'approbation, est digne d'approbation, d'encouragement, d'éloge. L'approbation de qqn. Donner, manifester son approbation bruyamment ou avec éclat.* → **Applaudissement, brouhaha, chorus, cri, suffrage, voix** (publique). *Exprimer son approbation sur un ton emphatique.* → **Bénissage.**

Celui qui donne son approbation à un homme, à une action, à un livre, fait quelque chose d'aussi favorable au fond, mais de moins éclatant dans la forme que celui qui donne son suffrage. L'approbation peut être tacite, le suffrage est manifeste. 3
LITTRÉ, Dict., art. *Approbation.*

Pour exprimer l'approbation, *on approuve, on loue, on blâme, on donne son agrément.* (Exclamations : *Bien! Bon! À la bonne heure! Suffit! Bravo! Peste! Fichtre! Bigre! Mâtin! Mazette! Mince! C'est ça! Continue! Courage! Touchez-là! Bravo* est d'origine italienne... Les exclamations montent toute la gamme de l'éloge. Elles détachent les mots les plus divers. *Superbe! Quel talent! Inouï!*). 4

On déclare qu'il est bon, juste, convenable, heureux, naturel, qu'il est bien, que...
F. BRUNOT, la Pensée et la Langue, p. 550.

5 Il est vrai que (...) tous mes ouvrages ont l'approbation des savants. MOLIÈRE, l'Impromptu de Versailles, 3.

6 Je me fierais assez à l'approbation du parterre.
MOLIÈRE, Critique de l'École des femmes, 5.

7 (...) appuyer comme il faut le dernier vers. Voilà ce qui attire l'approbation et fait faire le brouhaha.
MOLIÈRE, l'Impromptu de Versailles, I.

8 Il faut chercher l'approbation, jamais les applaudissements. MONTESQUIEU, Cahiers, p. 273.

9 L'injustice des hommes, toujours portés à ne donner leur approbation qu'aux succès.
FONTENELLE, Éloge de Chazelles.

0 J'ai l'approbation de mes amis. Malheureusement l'approbation ne me fait aucun plaisir, le blâme ne me ferait aucune peine. B. CONSTANT, Journal intime.

1 La troupe attentive (...) accompagnait le récit des marques de sa surprise, de son approbation ou de son improbation.
CHATEAUBRIAND, Mémoires d'outre-tombe, t. II, p. 51.

1 Sa conduite ne saurait être soumise à l'approbation ni à la désapprobation du monde, il n'en est comptable qu'à Dieu. BALZAC, Eugénie Grandet, éd. 1838, p. 308.

2 Il était entré *(à l'Institut)* en conquérant avec l'approbation de la ville entière.
MAUPASSANT, Fort comme la mort, I, 1, p. 4.

2 Antoine multipliait les signes d'approbation sans avoir le courage de répondre.
MARTIN DU GARD, les Thibault, IV, 2.

3 (...) on le consultait, on quêtait son approbation, on craignait son blâme.
MARTIN DU GARD, les Thibault, V, 2.

4 J'ai répondu à Copeau tout aussitôt lui apportant mon approbation et mon adhésion complète.
GIDE, Journal, 17 oct. 1916.

5 Et même loin de l'équipe, il emportera dans son cœur ce besoin d'accord et d'approbation.
A. MAUROIS, Études littéraires, t. II, p. 261.

6 Il avait l'approbation de sa conscience, il se sentait justifié.
SARTRE, l'Âge de raison, I, 2.

♦ **3** Vétér. Autorisation concernant un étalon, délivrée à son propriétaire, et que ce dernier doit présenter aux éleveurs qui veulent faire saillir une jument par cet étalon.

CONTR. **Blâme, censure, condamnation, contradiction, critique, décri, dénigrement, désapprobation, improbation, index** (mise à l'), **objection, opposition, protestation, refus, réfutation, rejet, répréhension, réprobation, sifflet, vitupération.**

**APPROBATIVEMENT** [apʀɔbativmɑ̃] adv. — 1823; de *approbatif.*

Rare. D'une manière approbative. *Conclure approbativement.*

**APPROBATIVITÉ** [apʀɔbativite] n. f. — Mil. XIX^e (1842, G. Sand, *in* T. L. F.); dér. par les phrénologues, de *approbatif**.

♦ **1** Besoin d'approbation, de louange. *L'approbativité est un des modes de l'instinct de vanité.* → **Vanité.**

♦ **2** (1952). Psychol. Tendance pathologique à approuver toutes les opinions qu'on entend. *Approbativité des déments séniles. Approbativité avec écholalie.*

**APPROBATUR** [apʀɔbatyʀ] n. m. — 1896; *approbamus*, 1751; mot lat., «il est approuvé».

Didact. Approbation officielle. *Recevoir l'approbatur.*

(...) l'acte d'accusation dressé contre cet administrateur émane de la direction de Paris (...) du moins elle *(sic)* a reçu son approbatur.
GIDE, Retour du Tchad, Appendice, II, *in* Souvenirs, Pl., p. 1015.

Spécialt (hist.). Acte par lequel un censeur royal autorisait l'impression d'un manuscrit. → **Approbation.**

**APPROCHABLE** [apʀɔʃabl] adj. — 1508; *aproichable*, v. 1386; de *approcher.*

Dont on peut approcher. (Ne s'emploie guère qu'en construction négative). *Sa porte est bien gardée, il n'est pas facilement approchable.* → **Abordable, accessible.** *Il est d'une humeur massacrante, il n'est pas approchable !* → On ne sait par où le prendre*.

Une forteresse inexpugnable aux voluptés, et non approchable aux cupidités. 1
AMYOT, Fortune d'Alexandre, II, 7, *in* HUGUET, Dict. XVI^e s.

Le temple (...) est depuis demeuré inaccessible et non approchable aux femmes. 2
AMYOT, Demandes des choses grecques, 40.

Les faits de Dieu tant admirables 3
Ne sont de nos sens approchables.
AMYOT, Nouvelle Fabrique, *in* HUGUET.

CONTR. **Inapprochable.**

**APPROCHANT, ANTE** [apʀɔʃɑ̃, ɑ̃t] adj. — 1555; p. prés. de *approcher.*

♦ **1** Vx. Qui approche, en parlant du temps. → **Proche, voisin.**

Il faisait lors un froid plein de rigueur; 1
La nuit, de plus, était fort approchante,
Et la couchée encore assez distante
LA FONTAINE, Contes, «Oraison...».

♦ **2** Vieilli. Qui a du rapport, de la ressemblance avec. → **Semblable; analogue, comparable, équivalent, ressemblant.** *Deux nuances approchantes. Une nuance approchante d'une autre.* — Vx. *Ce n'est pas exactement cela, mais qqch. approchant.* — Mod. *Qqch., rien d'approchant.* → ci-dessous cit. 7, 10.

Suivant une ligne qui est moins approchante de la droite. 2
DESCARTES, Traité du monde, 9.

Plus ces choses sont approchantes, et plus on est sujet à les confondre, plus il faut prendre soin de les distinguer. 3
BOSSUET, Traité de la connaissance de Dieu..., 1, 2.

Les juifs apprirent la langue chaldaïque, assez approchante de la leur. 4
BOSSUET, Disc. sur l'Hist. universelle, I, 8.

Un sage assez semblable au vieillard de Virgile, 5
Homme égalant les rois, homme approchant des dieux.
LA FONTAINE, Fables, XII, 20.

Au nom de Tamerlan, on s'imagine un barbare approchant de la brute. 6
VOLTAIRE, Essai sur les mœurs, 87.

Il faut que cette épître de saint Paul soit perdue, car on ne trouve ces paroles ni rien d'approchant dans aucune des épîtres de saint Paul. 7 VOLTAIRE, *in* BESCHERELLE.

Il y a peu de pensées synonymes, mais beaucoup d'approchantes, 8
VAUVENARGUES, Maximes, 373, éd. Gilbert.

Ce n'est jamais l'émotion toute pure qu'on peut exprimer en art, ce n'en est qu'une image plus ou moins approchante. 9 R. ROLLAND, Voyage musical, p. 89.

(...) une petite théâtreuse d'une vingtaine d'années, nommée Jacotte ou quelque chose d'approchant. 10
COURTELINE, Boubouroche, p. 16.

Vx. *Un calcul approchant.* → **Approximatif.**

Les calculs astronomiques, qui ne roulent que sur des à peu près extrêmement approchants (...) 11
FONTENELLE, Éloge de Louville.

N. m. *Un approchant :* un numéro qui approche du numéro gagnant, dans une loterie.

♦ **3** Vieilli. Prépositivt. Aux environs de. *Ils partirent approchant midi.* — Adv. *Il est midi, ou approchant.* → **Approximativement, environ, près** (à peu).

12 (...) il faut en placer le commencement vers la fin de la 76ᵉ olympiade, et approchant l'année 280 de Rome,
BOSSUET, Disc. sur l'Hist. universelle, I, 8.

CONTR. **Distant, éloigné, lointain. — Différent, distinct, opposé. — Exact, précis** (calcul).

**APPROCHE** [apʀɔʃ] n. f. — V. 1450, *faire approche*, milit.; déverbal de *approcher*.

**I** ♦ **1** **a** (1530). Personnes. Action de s'approcher (d'un objet), d'aller à la rencontre (de qqn); mouvement par lequel on s'avance, se dirige vers (qqch., qqn). → **Arrivée, rencontre.** *L'approche de qqn, son approche.*

1 (...) — Oui, Seigneur, les voici.
— Qu'ils entrent. Cette approche excite mon courroux.
RACINE, la Thébaïde, IV, 2.

2 La voici. Mon courroux redouble à cette approche.
MOLIÈRE, le Misanthrope, IV, 2.

3 (...) une vieille tante, qui veut à toute force que la seule approche d'un homme déshonore une fille.
MOLIÈRE, le Bourgeois gentilhomme, III, 10.

Loc. *À l'approche de qqn :* lorsque qqn approche. *À l'approche de qqch. :* lorsqu'on s'approche de qqch.

4 Elles m'intimidaient à leur approche, je ne trouvais plus les mots que j'avais préparés pour elles.
FRANCE, le Petit Pierre, XIII, p. 80.

5 Comme les chevaux qui sentent l'écurie, je hâte le pas à l'approche de mon logis.
FRANCE, le Crime de S. Bonnard, I, p. 279.

6 La chatte ne fuyait pas à mon approche, mais elle se dérobait comme une anguille, à la seconde juste où j'allais la toucher. COLETTE, la Paix chez les bêtes, «Prrrou».

7 Il eut un mouvement de recul à l'approche du prêtre, et de nouveau ce geste, ce coude levé, comme pour se garer des coups. F. MAURIAC, la Pharisienne, p. 41.

*Une personne d'approche facile, difficile.* → **Abord, accès.**

8 Ma foi, pour te servir j'ai diablement couru;
Ces notaires sont gens d'approche difficile.
J.-F. REGNARD, le Légataire universel, II, 7.

Vx. *L'approche des humains.* → **Contact, fréquentation.**

9 Et parfois il me prend des mouvements soudains
De fuir dans un désert l'approche des humains.
MOLIÈRE, le Misanthrope, I, 1.

Dans un sens voisin. Contact.

10 Les gens de justice sont d'une approche si singulière et si obscure, que, même absous, on s'évade.
HUGO, l'Homme qui rit, II, III, 6.

**b** Spécialt (animaux). Le fait, pour un animal, d'approcher un individu du sexe opposé, pour l'accouplement*.

11 (...) les intervalles durant lesquels la femelle refuse constamment l'approche du mâle (...)
ROUSSEAU, De l'inégalité parmi les hommes, I.

12 Chez les poissons, la femelle est féconde sans les approches du mâle.
VOLTAIRE, Éléments de la philosophie de Newton (1738).

**c** *D'approche :* par lequel on s'approche (de qqn, de qqch.). — Au sens 3., ci-dessous. *Travaux d'approche,* pour accéder à un lieu défendu, et, fig., pour s'approcher de qqn. → **Cheminement, sape.** — *Marche d'approche :* en alpinisme, Partie de l'itinéraire qui précède l'escalade. «*Marche d'approche trop longue pour une varappe assez brève*» (Blanchet, *Au bout d'un fil,* 1937, *in* G. Petiot).

♦ **2** Spécialt. Phase de vol d'un avion qui s'approche d'un terrain d'atterrissage. *La procédure d'approche.*

♦ **3** (1465). Milit., anc. Plur. *Les approches d'une place, d'une forteresse :* les mouvements de l'assiégeant pour y accéder, y pénétrer, et, spécialt, les travaux pour en approcher à couvert.

Ces approches de si près mirent la ville de Rome en grand trouble et en grand effroi. 1
J. AMYOT, Cor., 46, *in* LITTRÉ.

Au figuré :

(...) Monsieur Couture, inquiétant personnage du tiers-ordre, qui rôde autour des femmes et masque ses lubriques approches de religieuses exhortations. 1
A. MAUROIS, Études littéraires, Mauriac, t. II, p. 38.

♦ **4** (Mil. XXᵉ; angl. *approach,* même sens). Didact., emploi critiqué. Manière d'aborder un domaine de connaissances quant au point de vue et à la méthode utilisée. *L'approche sociologique d'une étude littéraire. L'approche métrique en statistiques.*

*Approche.* — Façon moderne d'aborder un problème. *L'approche* (de la question), toute parfumée de technicité (voire de golf) tend à supplanter le bon gros *examen,* la vieille *étude,* désuets. Pierre DANINOS, le Jacassin, p. 76. 1

Par métonymie. Travail résultant d'une certaine approche.

**II** N. f. pl. (1669). *Les approches :* ce qui est près de. → **Abord, accès, parage.** *Les approches d'une ville, d'un port, d'une île.*

Le château de Joux défend les approches de Pontarlier. 1
CHATEAUBRIAND, Mémoires d'outre-tombe, IV, 6.

(...) les approches dangereuses d'Ouessant les soirs d'hiver (...) LOTI, Mon frère Yves, LXXV. 1

**III** ♦ **1** *L'approche, les approches de :* le fait, pour qqch., d'approcher (dans le temps ou l'espace), de se rapprocher (d'un point idéal, du locuteur, etc.). *L'approche de la nuit. Les approches de la mort. — Aux approches de l'hiver. Se troubler à l'approche du danger.* → **Apparition, arrivée, contact, proximité, venue, voisinage, vue.**

Ainsi, parmi les souffrances et dans les approches de la mort, s'épure, comme dans un feu, l'âme chrétienne. 1
BOSSUET, Oraison funèbre de Michel Le Tellier.

Point de quoi manger sur ces roches. 1
Voilà notre couple réduit
À sentir de la faim les premières approches.
LA FONTAINE, Contes, «La Fiancée du roi de Garbe».

Nous nous laissons tenter à l'approche des biens. 1
LA FONTAINE, Fables, VIII, 7.

L'approche d'un combat qui le glaçait d'effroi. 2
RACINE, la Thébaïde, III, 3.

Le songe (...) n'est autre chose que l'approche d'une réalité invisible. HUGO, les Travailleurs de la mer, I, I, 8. 2

J'ai de tous les péchés subi l'approche étrange. 2
HUGO, la Légende des siècles, «Islam».

Ici l'approche des grands événements dont il sent à l'avance le courant électrique, enflamme l'orateur (...) 2
SAINTE-BEUVE, Causeries du lundi, 5, XI, 49.

(...) nous verrons dans sa peinture une approche du type parfait (...) TAINE, Philosophie de l'art, t. II, V, 3, 5. 2

J'eus une sorte de frisson désagréable, un de ces effleurements pénibles qui nous touchent le cœur, comme l'approche d'un lourd chagrin. MAUPASSANT, Un fils. 2

La fortune l'avait conduit ainsi jusqu'aux approches de la vieillesse, en le choyant et le caressant. 2
MAUPASSANT, Fort comme la mort, éd. 1889, p. 4.

(...) elle guettait l'approche du frisson; elle en épiait les signes. F. MAURIAC, Genitrix, p. 30. 2

L'homme n'a qu'un printemps dans la vie et le souvenir d'une joie n'est pas une nouvelle approche du bonheur. 2
GIDE, les Nourritures terrestres, p. 57.

Aujourd'hui, le spleen est venu; ou plutôt le pressentiment, la peur à l'approche du spleen. 2
GIDE, Journal, 10 juin 1891.

Un de nos blessés, que les approches du sommeil anesthésique excitaient vivement, se prit à repousser le masque en crachant de côtés et d'autres. 2
G. DUHAMEL, la Pesée des âmes, VIII.

Aux approches d'une fin de mois, ce lieu secourable est très fréquenté. 3
Georges LECOMTE, Ma traversée, p. 193.

REM. Dans certains emplois (→ cit. 24 et 27), ce qui approche est actif, humain (comme au sens I., 4.).

♦ **2** En loc. Action de rapprocher une chose d'une autre.

(1651). Arbor. *Greffe en* (ou *par*) *approche* : greffe qui consiste à rapprocher deux branches voisines de manière qu'elles se soudent l'une à l'autre par contact.

(1647). Loc. *Lunette* d'approche,* qui fait paraître plus proches les objets.

♦ **3** Typogr. [a] Espace nécessaire entre deux lettres imprimées successives (dans un même mot) pour qu'elles ne se touchent pas. *Talus d'approche de droite, de gauche* (leur addition définit l'approche, en typographie). *«Seule la photocomposition permet de jouer à volonté sur l'approche»* (*la Chose imprimée,* Encycl. du savoir moderne).

[b] Vieilli. Signe indiquant que deux lettres séparées doivent être rapprochées.

CONTR. **Départ, écartement, éloignement, fin, fuite, recul, séparation.** ◊ COMP. **Contre-approches.**

**APPROCHÉ, ÉE** [apʀɔʃe] adj. — XVIII^e ; du p. p. de *approcher.*

Approximatif. *Des connaissances approchées. Un résultat approché. Grandeur approchée. Loi approchée.*

Cette variété de mesure est la seule qui puisse nous donner une connaissance approchée de la véritable grandeur du casoar. BUFFON, Hist. nat. des oiseaux, le Casoar.

**APPROCHEMENT** [apʀɔʃmɑ̃] n. m. — Attesté 1842 (donné pour vx par Académie, *Compl.*); de *approcher.*

Vx. Action d'approcher, de se rapprocher. → **Approche, rapprochement.**

**APPROCHER** [apʀɔʃe] v. — XII^e, *approchier; aproecier,* v. intr., 1080; du bas lat. *appropiare,* rac. *prope* «près», d'après *proche.*

[I] V. tr. dir. (V. 1165, Chrétien de Troyes). ♦ **1** [a] Mod. Mettre (une chose) près, avancer auprès (de qqn ou de qqch.). *Approcher un fauteuil de la table, une échelle du mur. Approcher deux choses l'une de l'autre de manière qu'elles se touchent.* → **Joindre, rapprocher.** — Sans compl. en *de. Approchez ce fauteuil.*

1 La voix U se forme en rapprochant les dents sans les joindre entièrement, et allongeant les deux lèvres en dehors, les approchant aussi l'une de l'autre sans les joindre tout à fait : U.
MOLIÈRE, le Bourgeois gentilhomme, II, 4.

2 Approchez-le *(le siège).*
MOLIÈRE, Critique de l'École des femmes, 4.

3 Approchons cette table et vous mettez dessous (...)
MOLIÈRE, Tartuffe, IV, 4.

4 Elle approcha la tasse de ses lèvres et but à lentes gorgées (...) F. MAURIAC, la Pharisienne, p. 189.

*Cette lunette approche les objets,* elle les fait paraître plus proches (on dit plutôt *rapprocher*).

Fig. → **Rapprocher.**

5 Elle est belle, cette religion! elle approche le cœur de la justice. CHATEAUBRIAND, Martyrs, VIII.

*Approcher qqch. de qqn, du corps, des pieds de qqn.*

5.1 Approchant aussitôt des pieds de la comtesse le petit siège bas qu'il préférait, il s'asseyait tout près d'elle (...)
MAUPASSANT, Fort comme la mort, I, IV, p. 150.

Fig. et vx (langue class.). Mettre (qqch.) à la portée de qqn. → aussi **Entourer.**

6 On approcha d'elle *(la princesse)* tout ce que l'Espagne avait de plus vertueux et de plus habile. Elle se vit, pour ainsi parler, dès son enfance tout environnée de vertu.
BOSSUET, Oraison funèbre de Marie-Thérèse d'Autriche.

[b] Vx (langue class.). *Approcher qqn de soi :* admettre qqn dans sa familiarité, donner un emploi auprès de sa personne (en parlant d'un grand seigneur).

(...) Bajazet, en m'approchant de lui (...) 7
RACINE, Bajazet, I, 1.

*Approcher qqn de qqch.* → **Conduire** (vers), **rapprocher** (de).

Nous aperçûmes de loin la terre, et le vent nous en approchait (...) FÉNELON, Télémaque, VI. 8

Ses jours défaillants et ses infirmités mortelles l'approchaient du tombeau. MASSILLON, *in* BESCHERELLE. 9

Le frère rarement laisse jouir ses frères 10
De l'honneur dangereux d'être sortis d'un sang
Qui les a de trop près approchés de son rang.
RACINE, Bajazet, I, 1.

[c] (Fin XVII^e). Tendre à égaler, rendre égal à. → **Égaler, rapprocher.**

(...) ne devons-nous pas reconnaître qu'il y a quelque chose en l'homme qui l'approche de ces esprits immortels (...) 11
BOSSUET, Sermon pour la Fête des saints anges gardiens.

♦ **2** (1491). Sujet et compl. n. de personne. [a] Venir près, s'avancer auprès de (qqn).

Le ciel de m'approcher t'ôte à jamais l'envie! 12
MOLIÈRE, Amphitryon, III, 9.

Fi! ne m'approchez pas : votre haleine est empestée. 13
MOLIÈRE, George Dandin, III, 7.

Arrête, a-t-elle dit, et ne m'approche pas. 14
RACINE, Iphigénie, V, 6.

Il n'a plus besoin d'armer cette tête qu'il expose à tant de périls; Dieu lui est une armure plus assurée; les coups semblent perdre leur force en l'approchant (...) 15
BOSSUET, Oraison funèbre de Louis de Bourbon.

[b] Vx. Aborder.

(...) que vous avez peu de civilité de ne pas saluer les gens quand vous les approchez! 16
MOLIÈRE, George Dandin, I, 4.

[c] Avoir libre accès auprès de (qqn), voir habituellement. → **Côtoyer, fréquenter; vivre** (avec). *Ceux qui approchent les rois et les grands sont appelés leurs courtisans ou leurs favoris* (Lafaye). — *C'est un homme qu'on ne peut approcher,* il est difficile d'accès, difficile à fréquenter.

Aucun d'eux du tyran n'approche la personne. 17
CORNEILLE, Héraclius, II, 6.

Indigne de vous plaire et de vous approcher, 18
Je ne dois désormais songer qu'à me cacher.
RACINE, Phèdre, III, 4.

Être aimé de tout ce qui m'approchait était le plus vif de mes désirs. ROUSSEAU, les Confessions, 1. 19

Elle *(Thaïs)* était la beauté du monde et tout ce qui l'approchait, s'ornait des reflets de sa grâce. 20
FRANCE, Thaïs, p. 284.

C'est une fonction très mal payée, mais qui me permettra d'approcher un des hommes les plus intelligents de ce temps et de travailler dans son atmosphère. 21
G. DUHAMEL, Chronique des Pasquier, VI, 2.

[d] Le compl. désigne un animal. *Le gardien n'approchait ce lion qu'en tremblant* (Littré).

[e] Vieilli. Le compl. désigne une chose. *La pauvreté ne peut-elle approcher les autels?* (Littré).

Si jusqu'à l'approcher *(la porte)* tu pousses ton audace, 22
Je fais sur toi pleuvoir un orage de coups.
MOLIÈRE, Amphitryon, I, 2.

[f] Spécialt (en parlant du mâle). S'accoupler avec (la femelle). *Ce taureau avait approché déjà plusieurs vaches* (P. Larousse).

♦ **3** (1606, Nicot). Vx, langue class. Mettre avec, ensemble par la pensée. → **Rapprocher** (mod.).

[II] V. tr. ind. **APPROCHER DE** (sujet n. de personne ou d'animé, de chose mobile). ♦ **1** [a] Venir près, s'avancer auprès (de qqn ou de qqch.). *Il approchait de nous.*

*Le navire approche du rivage, l'avion approchait du sol.*

23 Tous approchaient du bord, l'oiseau n'avait qu'à prendre.
LA FONTAINE, Fables, VII, 5.

24 Là-dessus maître rat, plein de belle espérance,
Approche de l'écaille, allonge un peu le cou,
Se sent pris comme aux lacs (...)
LA FONTAINE, Fables, VIII, 9.

25 J'approche des maisons, tu te tiens à l'écart.
LA FONTAINE, Fables, XII, 9.

26 De ce temple profane osez-vous approcher?
RACINE, Athalie, II, 5.

27 À mesure qu'il approcha de moi, je fus frappé de l'altération de son visage (...)
CHATEAUBRIAND, Mémoires d'outre-tombe, t. II, II, II, p. 287.

28 Il faut faire une enceinte de tours si terrible, que rien ne puisse approcher d'elle.
HUGO, la Légende des siècles, I, II.

Absolt ou intrans. Venir tout près. *Approchez, venez ici. N'approchez pas, c'est dangereux.*

29 N'approche pas, ô mort; ô mort, retire-toi.
LA FONTAINE, Fables, I, 16.

30 Guillot le sycophante approche doucement.
LA FONTAINE, Fables, III, 3.

31 Grippeminaud leur dit : «Mes enfants, approchez,
Approchez; je suis sourd : les ans en sont la cause.»
LA FONTAINE, Fables, VII, 16.

32 Approchez, Monsieur de Bonnefoy, approchez. Prenez un siège, s'il vous plaît.
MOLIÈRE, le Malade imaginaire, I, 7.

Sujet n. de chose.

33 L'onde approche, se brise et vomit à nos yeux (...)
RACINE, Phèdre, V, 6.

34 La rumeur approche
L'écho la redit. HUGO, les Orientales, XXVIII.

Milit. Venir près de l'ennemi.

35 Ils commençaient à comprendre qu'à la guerre, approcher est plus important, plus difficile que combattre.
MALRAUX, l'Espoir, p. 47.

[b] *Approcher de la sainte table, des autels, des sacrements :* communier.

36 Quoiqu'elle approchât souvent des autels.
FLÉCHIER, Oraison funèbre de Marie-Thérèse d'Autriche.

37 L'humble princesse ne crut pas qu'il lui fût permis d'approcher d'abord des saints sacrements.
BOSSUET, Oraison funèbre d'Anne de Gonzague.

38 (...) elle n'approchait point aussi souvent des sacrements qu'on eût pu l'attendre d'une personne dont la dévotion était à ce point affichée.
F. MAURIAC, la Pharisienne, p. 232.

[c] Fig. *Approcher d'un péril, de la mort.* → **Regarder** (en face).

39 C'est *(la mort)* un spectre qui nous épouvante à une certaine distance, et qui disparaît lorsqu'on vient à en approcher de près. BUFFON, Hist. naturelle, t. IV, p. 371.

♦ **2** Être près, sur le point d'atteindre. → **Toucher** (à). *Approcher du but :* mettre près du but visé. — Fig. N'être pas loin d'atteindre le résultat qu'on poursuit. *Il approche du but, mais il n'y est pas encore arrivé* (Académie). — Absolt. Approcher du but; deviner à peu près. *Ce n'est pas tout à fait ce que vous dites, mais vous approchez* (Académie).

Loc., vx. *Approcher du but, du terme,* de la mort.

40 Approche-t-il *(le sage)* du but, quitte-t-il ce séjour,
Rien ne trouble sa fin, c'est le soir d'un beau jour.
LA FONTAINE, Philémon et Baucis, 13-14.

(V. 1130). Temporel. *Approcher d'un temps, d'une époque, d'un moment. Nous approchons d'octobre. Approcher de la cinquantaine.* → **Friser.** Vx. *Approcher de cinquante ans.*

41 J'approchais de quinze ans (...)
CORNEILLE, Héraclius, III, 1.

Il *(Beethoven)* approche de la trentième année; en lui la sève, la force débordent. 42
Édouard HERRIOT, la Vie de Beethoven, p. 90.

Absolt ou intrans. *Le printemps approche. Le moment approche où il faudra nous quitter. La nuit approche.* → **Venir** (voici).

On ne les sent aussi *(les remords)* que quand le coup approche. CORNEILLE, Cinna, III, 2. 43

Je sens approcher ma dernière heure. À peine m'êtes-vous rendue, qu'il faut vous dire un éternel adieu. 44
A. R. LESAGE, Gil Blas, I, 14.

♦ **3** Abstrait. [a] Mod. Sujet n. de personne. *Approcher de la vérité, de la perfection.* → **Rapprocher** (se). *Approcher de la beauté de.* → **Égaler, rivaliser** (avec).

Nos ennemis approchent plus de la vérité dans les jugements qu'ils font de nous, que nous n'en approchons nous-mêmes. LA ROCHEFOUCAULD, Maximes, 458. 45

Jamais Homère n'a approché de la sublimité de Moïse. 46
FÉNELON, Dialogue sur l'éloquence, 3.

Nulle de ses sœurs n'approche de sa beauté. 47
Mme DE SÉVIGNÉ, Lettres, 437.

Sujet n. de chose.

S'il n'est pas vrai que nos cathédrales aient approché de la beauté du Parthénon (...) 48
CHATEAUBRIAND, Mémoires d'outre-tombe, t. II, p. 206.

Le renoncement, quand il approche de la perfection, donne à l'âme une tension assez belle. 49
J. ROMAINS, Psyché, I, Lucienne, p. 16.

[b] Vx, langue class. Avoir un rapport, une ressemblance avec. → **Ressembler** (à), **tenir** (de).

Ils ne s'aimaient que trop! leurs soins et leur tendresse 50
Approchaient des transports d'amant et de maîtresse.
LA FONTAINE, les Filles de Minée, 178.

*(Les mœurs)* qui approchent des nôtres nous touchent. 51
LA BRUYÈRE, Disc. sur Théophraste.

◆ **S'APPROCHER** v. pron.

*S'approcher de :* venir près, aller se mettre auprès de (qqn, qqch.). → **Avancer** (s'); et → ci-dessus, *supra* cit. 17. *Elle s'est approchée du feu pour sécher ses vêtements. L'ennemi s'approchait peu à peu des remparts de la ville. Le navire s'approche de la terre.* → **Serrer, accoster.** *Nous nous approchions du cap.* → **Attaquer** (un cap), **diriger** (se). *La fillette s'est approchée de lui sans méfiance.* → **Aller, venir** (à).

S'APPROCHER DE QUELQU'UN, APPROCHER QUELQU'UN. S'approcher de quelqu'un exprime un acte, un mouvement corporel par lequel on vient près de la personne. Le second signifie l'habitude de venir auprès de quelqu'un, l'accès qu'on a auprès de lui, la privauté qu'on a avec lui. 52
LITTRÉ, Dict., art. *Approcher.*

Une mouche survient, et des chevaux s'approche, 53
Prétend les animer par son bourdonnement.
LA FONTAINE, Fables, VII, 9.

*(On l'a vu)* briser en passant, sous l'effort de ses coups, 54
Tout ce qui l'empêchait de s'approcher de vous.
RACINE, Alexandre, II, 1.

Les hommes s'imaginent toujours qu'ils nous attaquent; et pourtant ils ne s'approchent guère de celles qui oublient de les regarder (...) 55
Pierre LOUŸS, les Aventures du roi Pausole, I.

Absolument :

Le cheval s'approchant lui donne un coup de pied. 56
Le loup un coup de dent, le bœuf un coup de corne.
LA FONTAINE, Fables, III, 14.

Approchez-vous, Néron, et prenez votre place. 57
RACINE, Britannicus, IV, 2.

Viens çà, approche-toi que je t'embrasse. 58
MOLIÈRE, George Dandin, II, 8.

(...) elle se fit voir à Landry, et de l'œil, l'encouragea à s'approcher G. SAND, la Petite Fadette, XXI. 59

Tantôt il s'éloignait d'elle, fermait un œil, se penchait pour bien découvrir l'ensemble de son modèle, tantôt il s'approchait tout près pour noter les moindres nuances de son visage. 59
MAUPASSANT, Fort comme la mort, I, I, p. 24.

0 Et Ruth, tout doucement s'approche et s'étend à ses pieds *(de Booz).* DANIEL-ROPS, le Peuple de la Bible, II, 3.

Être proche, imminent, sur le point d'arriver. *Voici la nuit, elle s'approche.* → **Venir.**

1 Il me paraît que le départ s'approche.
Mme DE SÉVIGNÉ, 893, 17 avr. 1682.

*S'approcher de l'autel :* dire la messe (en parlant d'un prêtre), communier (en parlant des fidèles). → aussi ci-dessus, cit. 36 à 38.

2 Un prêtre, oserait-il, le même jour, s'approcher de l'autel ?
PASCAL, les Provinciales, 6.

*S'approcher de la perfection.*

3 Flaubert (...) n'écrivit guère que (...) pour s'approcher le plus près possible de la perfection.
A. THIBAUDET, Gustave Flaubert, p. 269.

◆ **APPROCHÉ, ÉE** p. p. adj. → **Approché.**

CONTR. **Éloigner.** ◊ DÉR. **Approchable, approchant, approche, approché, approchement.**

**APPROFONDIR** [apʀɔfɔ̃diʀ] v. tr. — 1287 ; de 1. *a-*, et *profond.*

♦ **1** Rendre plus profond*, creuser plus profond. *Approfondir un canal, un fossé, un puits, un port, un trou.* → **Creuser.** *Les eaux ont approfondi le lit de la rivière.* → **Affouiller.**

1 On creuse un puits, et si ensuite il n'a pas assez d'eau, on l'approfondit. Approfondir enchérit donc sur creuser, d'autant plus qu'il a pour idée essentielle celle de profondeur, de creux profond, et non superficiel. Approfondir équivaut à creuser profondément.
LAFAYE, Dict. des synonymes, Creuser, approfondir.

2 Les eaux, qui s'étaient retirées, obligèrent d'approfondir presque tous les puits de la contrée.
BUFFON, *in* BESCHERELLE.

Par métaphore ou figuré :

3 Et la gloire, qui suit vos plus nobles travaux,
Ne fait qu'approfondir l'abîme de leurs maux.
CORNEILLE, Sertorius, III, 1.

4 Ce malheureux combat ne fit qu'approfondir
L'abîme dont Valois voulait en vain sortir.
VOLTAIRE, la Henriade, III.

5 Les menées de M. le duc du Maine (...) vinrent encore approfondir sa chute.
SAINT-SIMON, *in* ACADÉMIE, Dict. historique.

Au p. p. *Un puits approfondi de dix mètres.*

♦ **2** (XVIe). Pénétrer plus avant dans la connaissance de (qqch.). *Approfondir une science, une question.* → **Étudier, examiner, explorer, fouiller, mûrir, pénétrer, scruter, sonder.** *Approfondir un mystère. C'est une matière délicate qu'il ne faut pas trop approfondir.*

6 Nous approfondirons, ainsi que la physique,
Grammaire, histoire, vers (...)
MOLIÈRE, les Femmes savantes, III, 2.

7 Après avoir mûrement approfondi les hommes et connu le faux de leurs pensées, de leurs sentiments, de leurs goûts et de leurs affections (...)
LA BRUYÈRE, les Caractères, XI, 157.

8 Il ne faut pas juger des hommes comme d'un tableau ou d'une figure *(statue)* sur une seule et première vue ; il y a un intérieur et un cœur qu'il faut approfondir.
LA BRUYÈRE, les Caractères, XII, 27.

9 Un fort grand nombre d'esprits superficiels qui n'approfondissent jamais rien, et qui n'aperçoivent que confusément les différences des choses.
MALEBRANCHE, De la recherche de la vérité, II.

10 Enfin de Mahomet les sublimes desseins
Que n'ose approfondir l'humble esprit des humains (...)
VOLTAIRE, Mahomet, II, 1.

11 Le moraliste complet est celui qui observe les hommes par une étude attentive de leurs actes, et les explique par un retour et une étude approfondie sur lui-même.
Émile FAGUET, XVIIe s., 523.

(...) l'esprit actif d'Antoine se livrait à une incessante gymnastique intellectuelle, qui l'amusait d'ailleurs, et qui, pensait-il, lui permettrait d'approfondir le caractère de son cadet. MARTIN DU GARD, les Thibault, III, 1. 12

Ces années *(précédant l'âge mûr de l'écrivain)* lui permettent d'étendre, d'approfondir, de corriger sa connaissance de la vie et des hommes, sa connaissance même de l'art. 13
J. ROMAINS, les Hommes de bonne volonté, t. I, p. 6.

P. p. adj. Rare au sens concret. *Approfondi :* réfléchi, longuement étudié. *Un examen approfondi.*

On a bien tort de prétendre que la connaissance approfondie d'une belle œuvre en augmente la jouissance. Elle l'éclaire, mais la refroidit. 14
R. ROLLAND, Musiciens d'aujourd'hui, p. 61.

♦ **3** Absolt. Aller plus loin. → **Pousser** (ses recherches).

Vous soutiendrez que vous êtes Chyprien (...) et peut-être que le roi, sans approfondir davantage vous laissera partir. FÉNELON, Télémaque, 3. 15

◆ **S'APPROFONDIR** v. pron.

♦ **1** Devenir plus profond. *Le trou s'approfondit. La rivière s'est approfondie près des piles du pont.* → **Caver, creuser** (se).

♦ **2** Au figuré :

Le silence profond s'approfondit encore (...) 16
MALRAUX, l'Espoir, p. 245.

◆ **APPROFONDI, IE** p. p. adj. Voir à l'article (*supra* cit. 14).

CONTR. **Combler. — Effleurer** (une question), **glisser** (sur une question). — V. aussi **Superficie** (s'arrêter à la). ◊ DÉR. **Approfondissement.** — L'adj. **approfondissant, ante,** le n. **approfondisseur** sont attestés (*«les approfondisseurs de sciences occultes»,* Gautier, *in* T. L. F.).

**APPROFONDISSEMENT** [apʀɔfɔ̃dismɑ̃] n. m. — 1578 ; de *approfondir.*

Action d'approfondir ; résultat de cette action.

♦ **1** Concret. *L'approfondissement d'un chenal, d'un puits. Travaux d'approfondissement d'un port.* → **Creusage (ou creusement).** *L'approfondissement du lit d'une rivière.* → **Affouillement.**

L'approfondissement de votre fossé. 1
D'AUBIGNÉ, I, 145, *in* HATZFELD.

♦ **2** (1669). Abstrait. Le fait d'approfondir. *L'approfondissement d'une connaissance, d'un sujet, d'un problème.* → **Analyse ; étude, examen ; exploration, méditation, pensée, recherche, réflexion, sondage** (fig.). *L'approfondissement du sens d'une œuvre.* — Fait de s'approfondir. *L'approfondissement d'une pensée, d'un sentiment.* → **Affermissement, développement.**

Il *(saint Bernard)* ne chercha pas à éblouir les esprits par de nouvelles découvertes, ni à se faire honneur de certains approfondissements qui flattent par leur singularité. 2
MASSILLON, Panégyrique de saint Bernard, 3.

Le silence offre on ne sait quel abri aux âmes simples qui ont subi l'approfondissement sinistre de la douleur. 3
HUGO, Quatre-vingt-treize, III, 2, 6.

La femme veut l'approfondissement de l'amour. 4
MICHELET, *in* Pierre LAROUSSE.

(...) l'élargissement et l'approfondissement de la pensée religieuse qu'on doit aux rois *(d'Israël).* 5
DANIEL-ROPS, le Peuple de la Bible, III, 3, p. 204.

Je procéderais, autant que je pourrais, par approfondissements successifs, approfondissements d'analyse, approfondissements d'intuition. 6
Ch. PÉGUY, Œ. compl., t. XII, p. 430.

Une condition de mon œuvre telle que je l'avais conçue (...) était l'approfondissement d'impressions qu'il fallait d'abord recréer par la mémoire. 7
PROUST, À la recherche du temps perdu, t. XV, 3.

CONTR. **Comblement. — Effleurement. — Légèreté, superficie. — Appauvrissement** (fig.).

**APPROPRIABLE** [apʀɔpʀijabl] adj. — 1373; de *approprier.*

Rare ou dr. Qui est susceptible d'appropriation. *Il est des choses qui, par leur nature, ne sont pas appropriables : on les appelle des choses communes* (art. 714 du Code civil).

Les économistes nous enseignent que certains objets, l'eau, l'air, la lumière, ne sont pas appropriables.
PROUDHON, *in* Pierre LAROUSSE.

CONTR. **Commun; inappropriable.**

**APPROPRIAGE** [apʀɔpʀijaʒ] n. m. — XX^e; de *approprier,* dans un sens techn., 1811. REM. *Approprieur* (ou *apprêteur*) «celui qui met les chapeaux en forme pour le compte des chapeliers» est attesté dès 1753, *Encycl. Diderot,* t. III, p. 171 b.

Techn. Remise en forme (des chapeaux).

**APPROPRIATIF, IVE** [apʀɔpʀijatif, iv] adj. — 1895, Gide; du rad. de 1. *appropriation,* et *-if.*

Psychol. Qui vise à l'appropriation, s'exerce en vue d'obtenir la propriété d'un bien étranger. *Les facultés appropriatives de l'esprit humain.*

1 Certes, nous disons que la libération de la douleur est un plaisir; mais qui mettrait, s'il s'agit vraiment de jouissance (...) ces «plaisirs» négatifs, pauvres (...) nés du contraste (...) en comparaison avec les plus humbles de ces plaisirs positifs, riches de substances (...) qui correspondent à l'exercice des activités appropriatives.
M. PRADINES, Traité de psychologie générale, t. I, p. 303.

Personnes :

2 La passion d'Armand, ce type bourgeois, appropriatif, est par définition meurtre d'autrui.
R. BARTHES, Mythologies, p. 180.

1. **APPROPRIATION** [apʀɔpʀijasjɔ̃] n. f. — XIV^e; du bas lat. *appropriatio,* de *appropriare.* → Approprier.

♦ **1** Didact. Action d'approprier, de rendre propre à un usage, à une destination; état de ce qui est adapté à qqch. → **Adaptation.** *L'appropriation d'un local au service des malades. L'appropriation du style au sujet.* → **Accord, adaptation, appariement** (cit.), **convenance.**

0.1 Il avait ce charme d'un accord juste qui satisfait pleinement l'oreille, d'une église italienne qui n'est ni mesquine ni excessive, où la beauté résulte de la parfaite appropriation de toutes les parties à leur destination.
PROUST, Jean Santeuil, Pl., p. 411.

Sans compl. en *à. L'appropriation du style,* sa convenance.

1 Ici encore l'art est supérieur à la nature, car, par ce choix, cette transformation et cette appropriation du style, le personnage imaginaire parle mieux et plus conformément à son caractère que le personnage réel.
TAINE, Philosophie de l'art, t. II, V, 4, 2.

1.1 (...) son ingéniosité naturelle lui proposant d'autres emplois, on le vit travailler à meubler, tapisser et aménager sa demeure. On admira l'appropriation des tentures et la commodité de chaque objet.
GIDE, le Prométhée mal enchaîné, *in* Romans, Pl., p. 337.

♦ **2** (1636). Dr. Action de s'approprier (qqch.), de faire de (qqch.) sa propriété. → **Acquisition.** *L'appropriation de qqch. par qqn. Les choses communes, comme l'air, la mer, etc., échappent à toute appropriation exclusive, privée ou même publique. Les choses sans maître sont susceptibles, par nature, d'appropriation, mais n'appartiennent en fait à personne. Appropriation par occupation.* → **Occupation, prise, saisie.** *Appropriation par violence ou par ruse.* → **Conquête, usurpation, vol.**

2 *(L'appropriation est un)* acte par lequel on se saisit, pour en faire sa propriété individuelle, de ce qui n'appartenait à personne ou à tout le monde.
LALANDE, Voc. de la philosophie.

3 Que faut-il entendre par là *(«La propriété c'est le vol»)?* Que Proudhon considère toute propriété comme le produit d'un vol? Qu'il condamne l'appropriation en elle-même, le fait seul de la possession? Mais point du tout!
GIDE et RIST, Hist. des doctrines économiques, 5^e éd., p. 343.

4 Malgré un adage célèbre, l'appropriation n'est pas un vol, car voler c'est s'approprier ce qui était la propriété d'un autre; l'appropriation consiste à conquérir ce qui n'était la propriété de personne; c'est presque toujours un travail pénible, dangereux, héroïque même et bienfaisant pour la postérité.
GOBLOT, *in* LALANDE, Voc. philosophique.

CONTR. **Inadaptation. — Abandon, aliénation, désappropriation, dessaisissement, renonciation.** ◊ DÉR. V. **Appropriatif.**

2. **APPROPRIATION** [apʀɔpʀijasjɔ̃] n. f. — 1866; du lat. *proprius* «propre».

Vx ou régional (notamment Belgique). Nettoyage.

REM. On rencontre dans l'usage littér. *appropriement,* n. m. (1339 en dr.), au sens de «mise en état de propreté» (Goncourt, 1882).

**APPROPRIÉ, ÉE** [apʀɔpʀije] adj. → 1. **Approprier.**

1. **APPROPRIER** [apʀɔpʀije] v. tr. — 1209; du bas lat. *appropriare,* de *proprius* «propre».

♦ **1** Vx. Attribuer en propre (à qqn). → **Attribuer.**

Les apôtres approprient à Jésus-Christ ce qui est dit au psaume huitième. 1
CALVIN, Instit. de la religion chrétienne, 363.

♦ **2** (1283). Didact. Rendre (qqch.) propre, convenable (à un usage, à une destination). *Approprier son style au sujet, son discours aux circonstances, les remèdes au tempérament du malade.* → **Accommoder, accorder, adapter, conformer, proportionner;** → Mettre en accord* avec.

Il sera difficile d'approprier ce que j'ai à dire au tribunal où je comparais. 2
ROUSSEAU, Disc. sur les sciences et les arts, 1750.

Appropriez l'éducation de l'homme à l'homme, et non pas à ce qui n'est point lui. ROUSSEAU, Émile, III. 3

Le premier mérite d'un écrivain est d'approprier ses pensées et son style à la matière qu'il aborde. 4
LA HARPE, *in* BESCHERELLE.

Sans compl. en *à.* Adapter (qqch.) à son objet. — Vx ou régional. → 2. **Approprier.**

◆ **S'APPROPRIER** v. pron.

♦ **1** (1548). Cour. Faire sien; s'attribuer la propriété* de qqch. *S'approprier le sol :* se mettre en possession du sol, s'en rendre maître, en devenir propriétaire. → **Attribuer** (s'), **occuper.**

Ce n'est pas, en effet, un facile problème, à l'origine des sociétés, de savoir si l'individu peut s'approprier le sol et établir un si fort lien entre son être et une part de terre qu'il puisse dire : cette terre est mienne, cette terre est comme une partie de moi. 5
FUSTEL DE COULANGES, la Cité antique, II, VI, p. 62.

La famille s'est approprié cette terre en y plaçant ses morts; elle s'est implantée là pour toujours. 6
FUSTEL DE COULANGES, la Cité antique, p. 68.

*S'approprier le bien d'autrui, la part de qqn. Ils se sont approprié le dépôt, l'argent qui leur était confié.* → **Adjuger** (s'), **appliquer** (s'), **attribuer** (s'), **dérober, emparer** (s'), **empocher, enlever, escroquer, grignoter, prendre, ravir, saisir** (se saisir de), **souffler, soustraire, usurper, voler.** *S'approprier mal à propos une qualité, un pouvoir.* → **Arroger** (s'). — Abstrait. *S'approprier les idées, les mérites d'autrui.* → Se parer des plumes du paon.

7 *(Il y a des femmes qui)* courent sans scrupule de mari en mari pour s'approprier leurs dépouilles.
MOLIÈRE, le Malade imaginaire, II, 6.

8 (...) vous êtes fort plaisante
De vouloir m'enlever un cœur comme le sien,
Et vous approprier si hardiment mon bien.
J.-F. REGNARD, les Ménechmes, V, 2.

9 Voler ceux *(auteurs)* de son siècle, en s'appropriant leurs pensées et leurs productions, c'est tirer la laine au coin des rues, c'est voler les manteaux sur le Pont-Neuf.
LA MOTHE LE VAYER, lettre citée par BAYLE, Dict., art. *Éphores (L.).*

10 Il est un art de s'approprier les pensées d'autrui, de les rendre siennes par la manière dont on les exploite.
LA BRUYÈRE, les Caractères, I.

11 C'est l'esprit des grands maîtres qu'il faut tenter de dérober et de s'approprier plutôt que leurs expressions et leurs pensées. DAGUESSEAU, *in* BESCHERELLE.

12 (...) tous les hommes aiment à s'approprier le bien d'autrui; c'est un sentiment général, la manière seule de le faire en est différente. A.-R. LESAGE, Gil Blas, I, 5.

13 Conserver ce qu'on possède (songeait Jacques) et s'approprier à l'occasion ce que possède le voisin! C'est toute la politique capitaliste (...)
MARTIN DU GARD, les Thibault, VII, 35.

S'assimiler; faire sien (une aptitude, un savoir).

♦ **2** Vx. Réfl. (emploi pron. du sens 2.). — Personnes. S'adapter. *L'actrice s'est appropriée à son nouvel auditoire.* → **Adapter** (s'); **portée** (se mettre à la). — Choses. S'appliquer, convenir à. *Jamais devise ne s'était mieux appropriée.* → **Appliquer** (s'), **convenir.** *Les chants arabes s'approprient aux grandes solitudes.* → **Accorder** (s'), **harmoniser** (s').

14 Sans doute, n'avais-je pas, jusque-là, été à même de constater avec quelle autorité une suite de sons et d'accords peut s'approprier à l'état de notre âme et en précipiter les mouvements.
G. DUHAMEL, Récits des temps de guerre, II, 181.

◆ **APPROPRIÉ, ÉE** p. p. adj. (1579 en dr. canon).

♦ **1** Qui est convenable, propre (à). → **Accordé, adéquat, ad hoc, assorti, conforme, convenable, pertinent.** *Une idée appropriée à la situation.*

15 L'auteur de l'Astrée, qui n'est pas un grand esprit, a pourtant inventé des lieux et des personnages qui vivent; tant la fiction, quand elle est appropriée à l'âge où elle paraît, a de puissance créatrice!
CHATEAUBRIAND, Mémoires d'outre-tombe, t. II, p. 344.

16 (...) une consternante versatilité. (Je cherche, en vain, un mot mieux approprié à cette inattention et à ce défaut de logique.) GIDE, Journal, 8 juil. 1914.

Absolt. *Nous recherchons la solution appropriée. Les méthodes appropriées.*

♦ **2** Didact. Qui est devenu la propriété de qqn. *Les patrimoines appropriés.*

CONTR. **Désapproprier; disconvenir.** — (Du p. p.) **Impropre.**
◈ DÉR. **Appropriable, appropriage.** — V. 1. **Appropriation.**

2. **APPROPRIER** [aprɔprije] v. tr. — 1803; spécialisation de 1. *approprier,* 2.; du lat. *proprius* «propre».

Vx ou régional (notamment Belgique). Nettoyer. *Approprier ses vêtements, approprier la cour.* → **Rapproprier.**

Genestas était plein d'admiration pour la propreté qui régnait dans l'intérieur de cette maison presque ruinée. En voyant l'étonnement de l'officier, Benassis lui dit : — Il n'y a que Madame Vigneau pour savoir approprier ainsi un ménage.
BALZAC, le Médecin de campagne, Pl., t. VIII, p. 406.

DÉR. (Du lat. *proprius*) 2. **Appropriation.**

**APPROUVABLE** [apruvabl] adj. — 1550; de *approuver.*

Rare. Qui peut ou doit être approuvé (surtout en emploi négatif). *Sa conduite n'est pas approuvable. Un tel projet n'est pas approuvable.* → **Acceptable, admissible.**

Comment *(est)* approuvable ce qui ne mérite ni qu'on le loue, ni qu'on l'admire?
J. AMYOT, Comm. Concept. contre les Stoïques, 6, *in* HUGUET.

CONTR. **Blâmable, condamnable, critiquable, inacceptable, inadmissible.**

**APPROUVÉ** [apruve] p. p. invar. et n. m. — 1835; de *approuver.*

S'emploie, par ellipse, au bas d'un acte, d'un compte, etc., qu'on approuve après lecture et examen. *Lu et approuvé. Vu et approuvé. Approuvé l'écriture ci-dessus. Approuvé deux ratures.*

N. m. *Un approuvé.*

Le billet ou la promesse sous seing privé par lequel une seule partie s'engage envers l'autre à lui payer une somme d'argent ou une chose appréciable, doit être écrit en entier de la main de celui qui le souscrit; ou du moins il faut qu'outre sa signature, il ait écrit de sa main un **bon** ou un **approuvé,** portant en toutes lettres la somme ou la quantité de la chose.
Excepté dans le cas où l'acte émane de marchands, artisans, laboureurs, vignerons, gens de journée et de service.
Code civil, art. 1326.

**APPROUVER** [apruve] v. tr. — Fin XIIe, *approver* «prouver, démontrer»; sens mod. au XIIIe; du lat. *approbare,* de *ad,* et *probare,* de *proba.* → Preuve.

♦ **1** Donner son agrément à (qqch.). → **Accepter, acquiescer** (à), **admettre, agréer** (à); **approbation.** *L'autorité supérieure a approuvé la délibération. Le Sénat a approuvé le projet voté par la Chambre. Elle a approuvé les actes que le mandataire a passés en son nom.* → **Adopter, autoriser, confirmer, entériner, homologuer, ratifier, sanctionner.** *Approuver un premier acte par un acte subséquent.* → **Adhérer, rallier** (se rallier à). *J'approuve par avance tout ce qu'il fera :* je lui donne carte* blanche.

Le ministre choisit les évêques, et le nonce approuve le choix du ministre. C'est ce qu'on appelle le Concordat. 1
FRANCE, l'Anneau d'améthyste, p. 204.

(Fin XIVe). Dr. Autoriser par un acte, par un témoignage authentique. *Plusieurs conciles ont approuvé cette doctrine.* — Au p. p. *Ouvrage approuvé par l'autorité ecclésiastique.* → **Imprimatur.** *Médicament approuvé par les autorités médicales.*

Dr. Reconnaître l'exactitude du contenu de (un acte). *Approuver un procès-verbal de déposition. Signer pour approuver.*

Reconnaître la validité de (un engagement). *Approuver un contrat.* → **Souscrire.** *Approuver un billet.* → **Approuvé.**

♦ **2** (1250). Cour. Juger bon, trouver louable, digne d'estime. *Il approuve sa conduite et l'engage à persévérer.* → **Apprécier, encourager.** *«Nous ne pouvons nous empêcher de louer* ce que nous approuvons»* (Lafaye, *Dict. des synonymes*). *Approuver hautement une action.* → **Applaudir.** *Approuver unanimement quelque chose.* → **Chorus** (faire). *Approuver une initiative, un plan, un projet, un programme; approuver l'attitude, la conduite, les idées, l'opinion, les réactions, les sentiments de qqn. Il approuve tout ce qu'elle fait, condescend à tous ses désirs.* → **Amen** (dire). *Il approuve tout ce qui se fait, toutes les opinions de ses interlocuteurs.* → **Approbateur** (I., 1.); **béni-oui-oui, yes-man;** → aussi Approbativité, 2. *Nous tolérons* souvent des choses que nous n'approuvons pas. Approuver qqch. d'un mot, d'un signe de tête.*

*Approuver des yeux, de la voix.* — (Sans compl.). *J'approuve.* → cit. 12, 16.

2 Petits et grands, tout approuva
Le partage et le choix (...)
LA FONTAINE, Fables, II, 20.

3 C'était bien dit à lui : j'approuve sa prudence.
LA FONTAINE, Fables, III, 18.

4 Le singe approuva fort cette sévérité,
Et flatteur excessif, il loua la colère
Et la griffe du prince, et l'antre, et cette odeur.
LA FONTAINE, Fables, VII, 7.

5 Vous êtes satisfaite, et la voilà partie;
Mais je n'approuve point une telle sortie.
MOLIÈRE, les Femmes savantes, II, 7.

6 Lorsqu'on attaque une pièce qui a eu du succès, n'est-ce pas attaquer plutôt le jugement de ceux qui l'ont approuvée, que l'art de celui qui l'a faite?
MOLIÈRE, Critique de l'École des femmes.

7 Je me passerai bien que vous les *(mes vers)* approuviez.
MOLIÈRE, le Misanthrope, I, 2.

8 Chacun semble des yeux approuver mon courroux.
RACINE, Britannicus, II, 6.

9 J'écoute vos conseils, j'ose les approuver.
RACINE, Britannicus, II, 2.

10 Vous pensez qu'approuvant vos desseins odieux,
Je vous laisse immoler votre fille à mes yeux?
Que ma foi, mon amour, mon honneur y consente?
RACINE, Iphigénie, IV, 6.

11 Rien ne doit tant diminuer la satisfaction que nous avons de nous-même, que de voir que nous désapprouvons dans un temps ce que nous approuvions dans un autre.
LA ROCHEFOUCAULD, Maximes, 51.

12 Elles *(les femmes)* n'approuvent et ne désapprouvent, ne louent et ne condamnent qu'après avoir consulté ses yeux *(d'un homme)* et son visage.
LA BRUYÈRE, les Caractères, III, 45.

13 Nous avons deux poids et deux mesures : nous approuvons, pour une idée, un système, un intérêt, un homme, ce que nous blâmons pour une autre idée, un autre système, un autre intérêt, un autre homme.
CHATEAUBRIAND, Mémoires d'outre-tombe, I, 7.

14 Elle se mettait quelquefois à exprimer des opinions singulières, blâmant ce que l'on approuvait, et approuvant des choses perverses ou immorales.
FLAUBERT, Mme Bovary, I, I, X.

15 J'approuve tout ce que fait votre père, répliqua sèchement madame de Watteville, et c'est le devoir des femmes de se soumettre à leurs maris, quand même elles n'en approuveraient point les idées (...)
BALZAC, Albert Savarus, Pl., t. I, p. 773.

16 Parfois, quand la pensée était subtile, elle approuvait d'un battement des cils.
MARTIN DU GARD, les Thibault, VII, 3.

*Approuver que* (suivi du subj.). *Approuver que qqn fasse qqch.*

17 J'approuve cependant que chacun ait ses dieux.
CORNEILLE, Polyeucte, V, 6.

18 J'en blâme en nous l'excès *(de l'amour)*; mais je n'approuve pas
Qu'insensible aux plus doux appas
Jamais un homme ne soupire.
LA FONTAINE, les Filles de Minée, 5, 486.

*Approuver qqn,* partager son avis, être de son opinion, de son parti; le louer. *Je vous approuve entièrement. Je ne l'approuve pas dans toutes ses initiatives.*

19 Ce n'est point que j'approuve en un sujet chrétien
Un auteur follement idolâtre et païen.
BOILEAU, l'Art poétique, III, 217-218.

20 Nous n'approuvons les autres que par les rapports que nous sentons qu'ils ont avec nous-mêmes; et il semble qu'estimer quelqu'un c'est l'égaler à soi.
LA BRUYÈRE, les Caractères, XII, 71.

21 Quel autre parti, pour un auteur, que d'oser pour lors être de l'avis de ceux qui l'approuvent?
LA BRUYÈRE, les Caractères, I, 27.

22 Quand on s'est attendu que je brillerais dans une conversation, je ne l'ai jamais fait. J'aimais mieux avoir un homme d'esprit pour m'appuyer que des sots pour m'approuver.
MONTESQUIEU, Cahiers, p. 8.

Le jeune homme se sentait approuvé dans son opinion sur la vénalité des parlementaires. 2
M. BARRÈS, Leurs figures, p. 44.

*Approuver qqn de faire qqch.*

Ils l'avaient blâmé de s'attacher à une maîtresse, mais l'approuvaient d'adopter un chien. 2
A. MAUROIS, les Discours du Dr O'Grady, III.

◆ **S'APPROUVER** v. pron. (Réfl.).

J'aime. Ne pense pas qu'au moment que je t'aime, 2
Innocente à mes yeux, je m'approuve moi-même.
RACINE, Phèdre, II, 5.

Récipr. *Ils s'approuvent mutuellement.*

◆ **APPROUVÉ, ÉE** p. p. adj. *Acte approuvé. Décision approuvée. — Étalon approuvé. — Prêtre approuvé. — Lu et approuvé.* → **Approuvé.**

CONTR. **Blâmer, censurer, condamner, critiquer, décrier, dénigrer, désapprouver, désavouer, improuver, interdire, rejeter** (un ouvrage), **mésestimer, objecter** (à), **protester, refuser, réfuter, repousser, réprouver.** ◊ DÉR. **Approuvable, approuvé.** — (Du lat. *approbare*) **Approbateur, approbatif, approbation, approbatur.**

**APPROVISIONNEMENT** [apʀɔvizjɔnmɑ̃] n. m. — 1636; de *approvisionner.*

♦ **1** Action d'approvisionner en fournitures nécessaires à la consommation d'une collectivité. *L'approvisionnement d'une ville en choses nécessaires à sa subsistance.* → **Alimentation, fourniture, ravitaillement, subsistance.** *L'approvisionnement d'une armée en munitions par l'intendance. Service des approvisionnements,* dans une entreprise.

Le fait de fournir ce qui est nécessaire au fonctionnement (d'un appareil). *L'approvisionnement d'une machine en combustible, d'une arme en munitions. L'approvisionnement du magasin* (d'une arme automatique).

Fig. Le fait de fournir. *Un «approvisionnement intellectuel»* (Martin du Gard).

Comment ne comprenez-vous pas que l'approvisionnement régulier en nouvelles rassurantes, est aussi essentiel pour le pays que le ravitaillement en vivres ou en munitions.
MARTIN DU GARD, les Thibault, VIII, 5.

♦ **2** *(Un, des approvisionnements).* Ensemble des provisions rassemblées. → **Aliment, assortiment, fourniture, munition, provision, réserve, stock, vivres.** *Les greniers regorgeaient d'approvisionnements de toute sorte.* → **Provision.** *Une disette d'approvisionnements.*

Mar. (au sing). Ensemble des provisions d'un navire. → **Avitaillement.**

Écon. Matières premières, produits semi-finis utilisés par une entreprise de transformation.

CONTR. **Désapprovisionnement. — Consommation.**

**APPROVISIONNER** [apʀɔvizjɔne] v. tr. — 1500; *approvisier,* 1442; de 1. *a-,* et *provision.*

♦ **1** Fournir de provisions*. → **Alimenter, fournir, ravitailler.** *Approvisionner une ville, un marché, une armée, un navire* (→ **Avitailler**). *Le commerce de détail a pour objet d'approvisionner les consommateurs. Les provinces annonaires approvisionnaient Rome en blé. Le Moyen-Orient approvisionne la France en pétrole. Approvisionner un magasin, une boutique de toutes les marchandises nécessaires.* → **Assortir, garnir.** *Approvisionner une place de munitions, en munitions.* → **Munir, pourvoir.**

Huit jours ne s'étaient pas écoulés que *La Jeune Hardie* se trouvait prête à reprendre la mer. Au lieu de marchandises, elle fut complètement approvisionnée de viandes

salées, de biscuits, de barils de farine, de pommes de terre, de porc, de vin, d'eau-de-vie, de café, de thé, de tabac.
J. VERNE, Un hivernage dans les glaces, p. 228.

*Approvisionner un compte en banque,* y déposer l'argent que nécessitent les opérations bancaires (→ **Provision,** II., 4.). *Approvisionner son compte pour éviter un découvert*.*

♦ **2** Fournir à (un appareil, etc.) ce qui est nécessaire à son fonctionnement. *Approvisionner le magasin d'une arme à feu,* le remplir de munitions. *Approvisionner un foyer en combustible. Approvisionner le magasin d'un appareil de photos.* → **Garnir, remplir.**

♦ **3** Fig. *Le XVI^e siècle avait approvisionné d'idées littéraires le siècle suivant* (d'après É. Faguet). *Chateaubriand approvisionna en thèmes lyriques toute sa génération* (d'après F. Brunetière).

◆ **S'APPROVISIONNER** v. pron.
Se munir de provisions. *S'approvisionner de bois pour l'hiver.* — Absolt. *S'approvisionner chez l'épicier du quartier.* → **Fournir** (se).

◆ **APPROVISIONNÉ, ÉE** p. p. adj. *Magasins, canons approvisionnés. Une librairie, un libraire bien approvisionné* (emploi correct, souvent remplacé à tort par *achalandé**). *«Je découvre (...) un libraire fort bien approvisionné»* (Gide). *Approvisionné de, en marchandises.* — *Compte (en banque) approvisionné. Votre compte est insuffisamment approvisionné, n'est plus approvisionné* (→ **Découvert,** II., 1.). *Des «canons approvisionnés à 3 600 coups par mois»* (Joffre, *in* T. L. F.).

CONTR. **Désapprovisionner. — Consommer. — Dégarnir, démunir, épuiser, tarir, vider.** ◊ DÉR. **Approvisionnement, approvisionneur.**

## APPROVISIONNEUR, EUSE [apʀɔvizjɔnœʀ, øz] n. et adj.

— 1774 (pendant les difficultés d'approvisionnement, sous Turgot); de *approvisionner.*

Rare. Celui, celle qui approvisionne. *La Bresse, grande approvisionneuse de volailles.* → **Fournisseur, pourvoyeur, ravitailleur.**

Spécialt. *Approvisionneur aux Halles :* commerçant en gros, fournisseur des Halles.

## APPROXIMATIF, IVE [apʀɔksimatif, iv] adj.

— 1789; de *approximation,* du bas lat. *approximare* «approcher».

♦ **1** Sc. Qui est fait, qui est obtenu par approximation. *Calcul, nombre approximatif.* → **Approchant, approché, proche, voisin.** *Estimation, évaluation, quantité approximative.*

♦ **2** Cour. Imprécis, qui n'est pas rigoureusement exact. *Une étude, une évaluation très approximative. S'exprimer en termes approximatifs.* → **Imprécis, vague.** *De manière approximative :* approximativement.

1 Le mot (approximatif) a souvent, surtout dans la langue courante, un import défavorable; tandis qu'approché met l'accent sur le succès partiel de l'approximation, approximatif évoque plutôt l'idée qu'elle reste assez loin de la grandeur ou de la vérité exactes.
LALANDE, Voc. de la philosophie, p. 71.

2 *(À)* s'emploie quelquefois quand on veut exprimer un Nombre approximatif. *Cinq à six lieues. Vingt à trente personnes. Quinze à vingt francs.*
Dict. de l'Académie, 8^e éd., art. *À.*

3 La presque totalité s'indique comme tous les nombres approximatifs par à peu près, presque (...)
F. BRUNOT, la Pensée et la Langue, p. 128.

4 Pour exprimer l'idée de quantité d'une façon approximative, on peut se contenter de prendre un nom tel que une douzaine, une vingtaine, une centaine, qui ne signifie pas toujours douze, vingt, cent; ou bien on a recours à un adverbe spécial : environ.
F. BRUNOT, la Pensée et la Langue, p. 115.

(...) il n'est pas douteux que les notaires des familles, bien placés pour connaître l'approximative équivalence des fortunes (...) 5
Georges LECOMTE, Ma traversée, p. 111.

Fam. Vague, imparfait. *Il a une idée très approximative de la chose. Sa technique est plutôt approximative.*

Voyons! Voyons, mon ami; nous savons vous et moi ce que devrait être la justice, et ce qu'elle est. Nous faisons pour le mieux, c'est entendu; mais, si bien que nous fassions, nous ne parvenons à rien que d'approximatif. 6
GIDE, les Faux-monnayeurs, *in* Romans, Pl., p. 939.

N. m., rare. *L'approximatif et le précis.*

CONTR. **Exact, parfait, précis, rigoureux.** ◊ DÉR. **Approximativement.**

## APPROXIMATION [apʀɔksimasjɔ̃] n. f.

— 1314, chir.; lat. médiéval *approximatio,* du bas latin *approximare* «approcher», de *proximus* «très proche». → Approcher.

♦ **1** (1740). Math. Calcul* par lequel on approche d'une grandeur réelle sans y parvenir rigoureusement; détermination approchée. *Faire une approximation. Méthode, théorie des approximations. Calculer par approximation les racines des équations. Parvenir au résultat par approximations successives.* → **Itération.** *Mesure effectuée avec une approximation de... — En première approximation :* selon un premier calcul, une première estimation approchée.

On résout certains problèmes par approximation, en négligeant de petites quantités. 1
D'ALEMBERT, *in* P. LAROUSSE.

*(Environ)* arrive naturellement à s'appliquer aux mesures de quantité qui marquent l'approximation : il m'en faudrait environ deux cents. 2
F. BRUNOT, la Pensée et la Langue, p. 115.

Estimation par à peu près. → **Estimation, évaluation.** *Marge d'approximation.*

Heureusement, les hommes n'ont besoin que d'une certaine analogie dans les idées, d'une certaine approximation dans le langage, pour satisfaire aux devoirs de la société. 3
BARTHÉLEMY, *in* BESCHERELLE.

Opt. *Approximation de Gauss :* approximation qui permet l'étude simplifiée des propriétés d'un système optique centré, en réduisant les faisceaux de rayons lumineux à ceux qui cheminent au voisinage de l'axe du système (→ **Para-axial).** *L'approximation de Gauss permet d'obtenir une image pratiquement stigmatique.*

♦ **2** (Fin XVIII^e). Valeur approchée. *Ce chiffre n'est qu'une approximation.* → **Approximatif; à-peu-près.** *Se contenter d'approximations.*

Les usages sont fondés sur des expériences continuellement répétées, dont les résultats sont des espèces d'approximations du vrai. 4
BUFFON, Expériences sur les végétaux, Deuxième mémoire.

CONTR. **Exactitude, précision, rigueur. — Justesse, perfection.** ◊ DÉR. **Approximatif.**

## APPROXIMATIVEMENT [apʀɔksimativmɑ̃] adv.

— 1823, Boiste; de *approximatif.*

♦ **1** D'une manière approximative. *Calculer approximativement qqch. Cela fait approximativement 5 %.* → **Environ, près** (à peu).

♦ **2** Imparfaitement, sans précision. *«La bourgeoisie française d'aujourd'hui pense approximativement et paresseusement»* (M. Aymé, *in* T. L. F.).

À ce moment une voix hésitante se fait entendre, assez proche, indistincte. Le soldat abaisse son regard, depuis l'image du soldat accrochée au mur, jusqu'à la jeune femme assise sur sa chaise devant la commode. Mais la voix perçue à l'instant n'est pas la sienne ; aussi grave peut-être, et moins jeune, c'était à coup sûr, cette fois, une voix d'homme. Elle répète d'ailleurs une phrase approximativement de même consonance, tout aussi incompréhensible (...)

A. ROBBE-GRILLET, Dans le labyrinthe, p. 81.

CONTR. **Exactement, justement, mathématiquement, précisément, rigoureusement, strictement.**

**APPROXIMER** [apʀɔksime] v. tr. — XIVe, pron., réfection savante de l'anc. franç. *s'aproismer* «s'approcher» (Xe) ; bas lat. *approximare,* de *proximus* «proche».

Rare ou didactique.

♦ **1** (1785, Beaumarchais). Venir près de, être proche de (qqn).

♦ **2** Approcher, en réalité ou en pensée (qqch. de qqch. ou de qqn). *La pensée de Delacroix «approximait beaucoup (celle) d'un historien»* (Baudelaire, *Curiosités esthétiques,* Pl., p. 311).

♦ **3** (1798). Didact. Sc. Connaître par approximation. *Approximer un résultat.* — Intrans. Procéder par approximation.

**APPUI** [apɥi] n. m. — 1165 ; de *appuyer.*

**I** Action d'appuyer, de soutenir (rare en emploi libre). ♦ **1** Action d'appuyer, de s'appuyer sur qqch. *L'appui du corps sur les jambes. L'appui des pieds sur le sol.* — Absolt. *Phases d'appui pendant la marche, la station. L'appui s'oppose à la phase de suspension*. L'appui d'un cheval.* → **Foulée.** *Pied à l'appui.*

1 Il est un moment où, les deux jambes étant écartées à la manière d'un compas, les deux pieds reposent à la fois sur le sol, l'un par le talon, l'autre par la pointe. C'est la période de double appui.
Puis le pied qui est en arrière quitte le sol pour se porter en avant. À ce moment, le corps ne repose plus que sur un pied ; c'est la période d'appui unilatéral.

Paul RICHER, Nouvelle anatomie artistique, III, Attitudes et mouvements, p. 115.

2 La démarche féminine se distingue de celle de l'homme par des pas plus courts et des phases d'appui plus longues.

A. BINET, les Formes de la femme, p. 66.

3 L'appui de la tubérosité calcanéenne pendant la marche et pendant la station est absolument spéciale à l'homme, elle n'existe pas chez les plantigrades ordinaires.

L. TESTUT, Traité d'anatomie, t. I, 8e éd., p. 482.

**PRENDRE APPUI SUR (qqch.) :** s'appuyer sur.

4 Lorsqu'on veut examiner les aplombs d'un cheval *(...il faut)* le placer de façon qu'il puisse prendre un appui normal et naturel sur ses membres.

Omnium agricole, → Aplomb, cit. 3.

5 J'ai l'auriculaire droit un peu arqué, parce que la main droite, en écrivant, prenait appui sur lui, comme fait le kangourou sur sa queue.

COLETTE, l'Étoile Vesper, p. 218.

5.1 À chaque enfoncement dans le flot, la tige de la pagaie prend appui sur la cuisse nue.

GIDE, Voyage au Congo, *in* Souvenirs, Pl., p. 698.

Dr. *Servitude d'appui :* servitude qui donne le droit d'appuyer des constructions *(jus oneris ferendi)* ou des poutres et solives *(jus tigni immitendi)* sur le mur du voisin.

(1690). Équit. «Sentiment réciproque de l'action de la bride entre la main du cavalier et la bouche du cheval» (Furetière). *Ce cheval a l'appui fin,* a la bouche délicate.

♦ **2** (Domaine des sons). Phonét. Vx. *Appui de la voix sur une syllabe. L'accent tonique marque un appui de la voix sur la voyelle qui le porte* (Académie).

Mod. *Voyelle, consonne d'appui :* élément phonique facilitant la prononciation d'un mot ou d'une expression. — REM. L'ajout de ces éléments est critiqué par les puristes (ex. *match nul* prononcé [matʃənyl]). *Consonne d'appui :* consonne placée juste avant la dernière voyelle de la rime, en versification.

Chant. *Appui de la voix* ou *appui :* fait de donner de la sûreté à la voix, particulièrement en bloquant le diaphragme pour maîtriser le souffle.

L'appui est le geste vocal qui donne au son sa statique et sa 6
sécurité. Sans lui, pas de voix bien posée ni bien conduite ; c'est le garde-fou du chanteur, c'est le régulateur du souffle. Après la respiration, c'est l'élément technique essentiel. La notion d'appui est basée sur la sensation d'adhérence du souffle à la place choisie. Il doit s'y étaler comme l'archet sur les cordes. Il existe divers points où se placent les sensations d'appui. Les deux principaux sont : au départ l'appui sur le souffle et à l'arrivée l'appui dans le masque. Le terme peut s'appliquer de même à tous les points où l'on peut localiser la voix. On dira : l'appui en gorge, l'appui en tête, etc.

SALIGNAC, *in* Encycl. franç. (DE MONZIE), XVI, 36, 9.

♦ **3** Loc. (Domaine spatial).

(1671). **HAUTEUR D'APPUI :** hauteur suffisante pour s'appuyer sur le coude. *À hauteur d'appui. Un mur, une balustrade, une tablette, à hauteur d'appui. Une palissade à hauteur d'appui.*

(...) une fenêtre à hauteur d'appui laisse voir par-dessus 7
les toits de l'École de Médecine (...)

GIDE, Journal, automne 1889.

(1751). **POINT D'APPUI.** **a** Point sur lequel une chose s'appuie. *Le point d'appui d'une poutre, d'un linteau. Ces pièces sont mal posées, elles ne sont pas d'aplomb sur leur point d'appui* (→ Porter à faux*). *Le point d'appui d'un levier*. Archimède affirmait qu'il pouvait soulever le monde avec un levier pourvu qu'on lui donnât un point d'appui.*

Par métaphore :

La justice est le point d'appui de l'autorité. 8

MARMONTEL, Bélis, XV.

Quoi ! vous avez une nation entière pour levier, la raison 9
pour point d'appui, et vous n'avez pas encore bouleversé le monde !

DANTON, le Moniteur, séance du 10 mars 1793.

(...) c'est dans son impuissance que l'homme a trouvé le 1
point d'appui, la prière.

HUGO, les Travailleurs de la mer, III, I, 1.

La Grèce en deuil chancelle et cherche un point d'appui. 1

HUGO, la Légende des siècles, V, 1.

Seulement, pour aborder cette tâche énorme, il avait 1
besoin d'un point d'appui solide qui serait la France.

Louis MADELIN, Hist. du Consulat et de l'Empire, t. II, XIII.

**b** Milit. Position sur laquelle s'appuie une armée, une flotte. → **Base.** — Spécialt. Organisation défensive de l'effectif d'une compagnie.

**... D'APPUI.** **a** *Mur, murette, soutènement... d'appui,* servant à soutenir des terres, des matériaux meubles. → **Épaulement, soutènement.** → ci-dessous, cit. 16. — *Le pilier d'appui d'une colonne adossée. La barre d'appui d'une fenêtre, d'une balustrade* (→ ci-dessous, II., 1.).

**b** *Mur d'appui :* mur bas, à hauteur d'appui (→ II., 1., *un appui*).

**II** ♦ **1** (1335, *apoie*). Concret. Ce qui sert à supporter, à soutenir. → **Soutien, support.** *Un appui pour le coude, pour la main, pour la tête...* → **Accotoir, accoudoir, appui-bras, appui-main, appui-nuque, appui-tête.** *Des appuis. Il faut un appui à cet arbre, sinon le vent l'abattra* (→ **Étai, tuteur**). *Un bâton, une canne, des béquilles servent d'appui(s) pour la marche.*

13 L'appui se met auprès pour tenir la chose droite, pour la faire résister à l'impulsion des corps étrangers (...) Le soutien se met dessous pour empêcher la chose de tomber sur elle-même, de s'écrouler (...) Le support est un appui ou un soutien, qui aide à porter, qui suppose quelque chose de pensant, une forte charge, un fardeau (...) Faute d'appui, une chose tombe d'un côté ou de l'autre ; faute de soutien, elle s'affaisse ; faute de support, elle est accablée ou écrasée.
LAFAYE, Dict. des synonymes, Fondement... Appui...

Vx. Bâton, canne.

14 Un appui de roseau soulageait leurs vieux ans.
LA FONTAINE, Philémon et Baucis, 101.

Mod. *L'appui d'une fenêtre :* pièce qui couronne l'allège* et sur laquelle repose la croisée. *Un appui de fenêtre* (même sens). → ci-dessous, cit. 16.1 et 17. *L'appui d'un balcon, d'une balustrade,* tablette où l'on peut s'appuyer. → **Balustrade, barre, rampe, tablette.** *Appui de pierre d'une fenêtre.* → **Banquette.** — *Appui en bahut :* appui dont le haut est bombé comme le couvercle d'un bahut. — *Les appuis d'une voûte, d'un mur, d'une construction.* → **Adossement** (mur d'), **arc-boutant, contre-boutant, éperon, étai.** *Appui d'une poutre, d'un linteau.* → **Corbeau.** *L'appui, les appuis d'une construction.* → **Base, fondement.**

15 Comme une colonne, dont la masse solide paraît le plus ferme appui d'un temple ruineux, lorsque ce grand édifice qu'elle soutenait fond sur elle sans l'abattre : ainsi la reine se montre le ferme soutien de l'État, lorsque après en avoir longtemps porté le faix, elle n'est pas même courbée sous sa chute.
BOSSUET, Oraison funèbre de Henriette-Anne d'Angleterre.

16 Des pigeons roucoulaient sur le mur d'appui d'une étroite terrasse (...)
LAMARTINE, Premières méditations poétiques, Préface.

16.1 Là, se présentent des appuis de fenêtres usés, noircis, dont les délicates sculptures se voient à peine, et qui semblent trop légers pour le pot d'argile brun d'où s'élancent les œillets, les rosiers d'une pauvre ouvrière.
BALZAC, Eugénie Grandet, éd. 1838, p. 25.

17 Je l'ai entendu courir sur le trottoir, sous une pluie fine et collante qui poisse le pavé et mouille l'appui de la fenêtre, où je demeure accoudée, comme une amante (...)
COLETTE, la Vagabonde, II, p. 122.

Géogr. *Les appuis d'une chaîne de montagne.* → **Contrefort.**

Techn. *Appui d'une pièce métallique.* → **Embase.**

Chir. *Appui crânien :* « appareil adapté au crâne, préfabriqué ou établi extemporanément au moyen de bandes plâtrées » (*Dict. odontostomatologique,* Suppl. n° 16, avr. 1967). *L'appui crânien est destiné à maintenir les appareils de réduction et de contention dans le traitement des blessures de la face, des maxillaires.*

♦ **2** (Abstrait). Soutien moral ou aide matérielle ; action de fournir une aide. *Avoir besoin d'appui.* → **Aide, assistance, concours, encouragement, patronage, protection, recommandation, secours, service, soutien.** *Chercher, demander, implorer l'appui de qqn. Attendre un appui de qqn. S'assurer, gagner, se ménager, trouver, avoir un appui, de puissants appuis.* → **Piston** (fam.). Vx. *Trouver appui.* — *Donner, accorder, prêter un appui à qqn. Chercher l'appui de qqn, chercher un appui, un appui moral en qqn.* Littér. « *Tant d'hommes cherchent appui en moi !* » (Michelet). *Compter, se reposer sur un appui. Accorder, donner, offrir, prêter son appui.* → **Bras, main ; collaboration, coopération, égide** (vx), **influence.** *Ne comptez pas trop sur l'appui de cette personne, c'est une planche* pourrie. C'est son dernier appui, sa planche de salut. Faire qqch. avec l'appui, sans l'appui de qqn.* — *Avoir de l'appui, un appui, des appuis officiels.* — *Appui financier, matériel, appui moral* (→ **Réconfort**).

Milit. *Appui tactique, aérien :* aide apportée par des forces d'appoint à une action principale.

Et pour te faire choir je n'aurais aujourd'hui 18
Qu'à retirer la main qui seule est ton appui.
CORNEILLE, Cinna, V, 1.

Je choisis un époux avec des yeux de mère, 19
Votre oncle Antiochus, j'espérai qu'en lui
Votre trône tombant trouverait un appui.
CORNEILLE, Rodogune, II, 3.

La vertu trouve appui contre la tyrannie. 20
CORNEILLE, Nicomède, III, 2.

Et si Rome savait de quels feux vous brûlez, 21
Bien loin de vous prêter l'appui dont vous parlez,
Elle s'indignerait de voir sa créature
À l'éclat de son nom faire une telle injure (...)
CORNEILLE, Nicomède, I, 2.

Sur ces deux grands appuis ma couronne affermie 22
Ne redoutera point de puissance ennemie (...)
CORNEILLE, Sertorius, II, 1.

Je vous demande l'appui de la justice contre cette action. 23
MOLIÈRE, le Sicilien, I, 1.

(...) de votre appui je serai secondé. 24
MOLIÈRE, les Femmes savantes, IV, 4.

(...) vous avez l'appui de la philosophie, 25
Pour voir d'un œil content couronner leur ardeur.
MOLIÈRE, les Femmes savantes, V, 4.

Et jamais, quelque appui qu'on puisse avoir d'ailleurs, 26
On ne doit se brouiller avec ces grands brailleurs.
MOLIÈRE, le Misanthrope, II, 2.

Hors de la cour, sans doute, on n'a pas cet appui, 27
Et ces titres d'honneur qu'elle donne aujourd'hui (...)
MOLIÈRE, le Misanthrope, III, 5.

Seigneur, je viens pour elle implorer votre appui. 28
RACINE, Iphigénie, III, 5.

Et qui s'honorerait de l'appui d'Agrippine ? 29
RACINE, Britannicus, I, 2.

C'est son appui qu'on cherche en cherchant votre appui. 30
RACINE, Britannicus, IV, 1.

Le temps, qui détruit tout, respectant votre appui, 31
Me laissera franchir les ans dans cet ouvrage.
LA FONTAINE, À M^me^ de Montespan.

(...) je ne trouve de soutien et d'appui, contre le triste avenir que je regarde, que la volonté de Dieu et sa Providence. 32
M^me^ DE SÉVIGNÉ, Lettres, 1157, 28 mars 1689.

Robespierre, avec l'appui du lâche et double Barère (...) 33
MICHELET, Hist. de la Révolution franç., t. II, p. 1035.

J'attendais de ce revoir encouragement, appui, réconfort ; il ne m'a apporté que tristesse (...) 34
GIDE, Feuillets, *in* Journal, 1889-1939, Pl., p. 676.

(...) on le voit accueillir (...) accorder son patronage et l'appui le plus ferme de l'État aux Missions étrangères. 35
Louis MADELIN, Hist. du Consulat et de l'Empire, t. V, XVII.

Vieilli. **SOUS L'APPUI DE...** *Prendre sous son appui,* sous sa protection.

D'excellents écrivains, Racine, Boileau, ont dit : sous l'appui. Pourtant on est sur un appui, contre un appui, et non sous un appui. Pour justifier cette locution, il ne faut plus voir en appui que le sens figuré. Mais cet emploi n'est pas à recommander, et il faut louer les écrivains qui l'ont évité. 36
LITTRÉ, Dict., art. *Appui.*

♦ **3** Vx. *Être l'appui* (de qqn, de qqch.). *Servir d'appui* (à qqn, à qqch.). → **Auxiliaire, bouclier, bras, champion, défenseur, garant, patron, protecteur, second, souteneur, soutien, supporter** (anglic.), **tenant.**

Et ce bras du royaume est le plus ferme appui. 37
CORNEILLE, le Cid, I, 3.

Et s'il est assez fort pour me servir d'appui 38
Je le ferai régner, mais en régnant sur lui.
CORNEILLE, Rodogune, III, 3.

Qui voudra s'abaisser à me servir d'appui ? 39
BOILEAU, Satires, V.

♦ **4** Loc. prép. (1804, *pièces à l'appui*). **À L'APPUI DE :** pour appuyer, confirmer, soutenir. *Invoquer une autorité, un témoignage à l'appui de ce que l'on soutient. Citer un fait à l'appui de son opinion. Fournir une attestation à l'appui de sa demande.*

Ellipt. *Ci-joint pièce* (cit. 19), *pièces à l'appui.*

40 Et Thibaudet cite, à l'appui, une lettre de je ne sais quel collègue suggérant (...) GIDE, Journal, 15 juil. 1922.

CONTR. **Lever, relèvement** (du pied dans la marche). — **Abandon; lâchage** (fam.). — **Hostilité, obstacle.** — **Adversaire, ennemi.** — (De *à l'appui*) **Encontre** (à l'). ◊ COMP. **Appui-bras, appui-coude, appui-livres, appui-main, appui-nuque, appui-tête.**

**APPUI-BRAS** ou (invar.) **APPUIE-BRAS** [apɥibʀa] n. m. — 1933; de *appui* (ou *appuyer*), et *bras.*

Support pour appuyer le bras (dans une voiture). → **Accoudoir.** *Des appuis-bras; des appuie-bras.*

**APPUI-COUDE** ou (invar.) **APPUIE-COUDE** [apɥikud] n. m. — 1924; de *appui*, du v. *appuyer*, et *coude.*

Syn. de *appui-bras. Des appuis-coude, des appuie-coude.*

**APPUIEMENT** [apɥimɑ̃] n. m. — V. 1311, *apuement; appuyement*, XIVe; de *appuyer.*

♦ **1** Vx ou rare. Action d'appuyer, de s'appuyer sur qqch. → **Appui.**

1 Un bébé qui a des fleurs rouges dans la tête et qui a l'air d'un poussah hideux. Pose fréquente : appuiement de la tête sur la main. J. RENARD, Journal, 22 avr. 1891.

♦ **2** (1870, Goncourt). Le fait d'appuyer, d'insister (sur qqch.).

2 Il y a trois dessins : d'abord l'absolu du beau : le Phidias; puis le dessin italien de la Renaissance : les Raphaël, les Léonard de Vinci; puis le dessin *rengaine*... encore beau, mais avec des indications, des appuiements, des soulignements de choses qui doivent être perdues dans la ligne (...) Ed. et J. DE GONCOURT, Manette Salomon, p. 137.

**APPUI-LIVRES** [apɥilivʀ] n. m. — V. 1970; de *appui*, et *livres.*

Dispositif servant à maintenir des livres verticaux. → **Serre-livres.** *Des appuis-livres.*

**APPUI-MAIN** ou (invar.) **APPUIE-MAIN** [apɥimɛ̃] n. m. — 1680; de *appui*, du v. *appuyer*, et de *main*; encore *appuye-main* dans Furetière, 1690.

Techn. Baguette sur laquelle le peintre appuie la main qui tient le pinceau. *Des appuis-main, des appuie-main.*

Clorinda, Clorinda, murmura Luigi, en tapant de petits coups d'appui-main sur son chevalet. ZOLA, Son Excellence Eugène Rougon, t. I, p. 70.

**APPUI-NUQUE** ou (invar.) **APPUIE-NUQUE** [apɥinyk] n. m. — XXe; de *appui* (ou *appuyer*), et *nuque.*

Élément d'un dossier, où l'on peut appuyer sa nuque. Syn. de *appui-tête. Des appuis-nuque, des appuie-nuque.*

**APPUI-TÊTE** ou (invar.) **APPUIE-TÊTE** [apɥitɛt] n. m. — 1853; de *appui*, du v. *appuyer*, et de *tête.*

♦ **1** Vieilli. Appareil destiné à maintenir immobile la tête d'une personne qui se faisait photographier. *Des appuis-tête, des appuie-tête.*

1 Le sac fournit encore, sous forme partielle d'appui-tête photographique, un fort tube vertical, qui, bien établi sur une lourde base circulaire, était flanqué à son sommet d'une vis facilement maniable pouvant fixer à hauteur commode une tige de fer intérieure. Raymond ROUSSEL, Impressions d'Afrique, p. 199.

Mod. Dispositif destiné à soutenir la tête sur un fauteuil de dentiste, sur un siège de voiture ou d'avion. *Les sièges de cette voiture comportent des appuie-tête en option. Appui-tête amovible. L'appui-tête de ce fauteuil est réglable.* Syn. : *appui-nuque.*

♦ **2** (1929). Arts africains. Objet mobilier en bois, en ivoire, formant support pour un plateau sur lequel repose la tête du dormeur (employé «notamment pour préserver l'ordonnance de la coiffure dans le sommeil», Suly Faïk).

♦ **3** (1913). Rectangle de tissu fin ourlé de dentelle ou exécuté au crochet, et que l'on place sur le dossier des fauteuils, à hauteur de tête, pour en protéger l'étoffe.

(...) je faisais quelques pas du prie-Dieu aux fauteuils en 2
velours frappé, toujours revêtus d'un appui-tête au crochet. PROUST, À la recherche du temps perdu, t. I, p. 74.

1. **APPUYER** [apɥije] v. tr. et intr. [CONJUG.: *j'appuie, nous appuyons; j'appuyais, nous appuyions.*] — 1080, *apoyer*; d'un lat. pop. *appodiare*, de *ad*, et *podium* «support», qui a donné *puy.* → Puy.

**I** V. tr. ♦ **1** Soutenir ou faire soutenir, supporter. *Appuyer une chose par une autre, au moyen d'une autre.* → **Maintenir, soutenir, tenir.** *Appuyer un édifice, un mur par des arcs-boutants, des contreboutants, des contreforts, des étais.* → **Arc-bouter, buter, épauler, étayer; appui.**

*Appuyer* (une chose) *contre, à* (une autre), la placer contre une autre qui la soutienne, lui serve d'appui. → **Appliquer, poser.** *Appuyer une échelle contre un mur, au mur. Appuyer le dos contre un arbre, une maison contre un coteau, à un coteau.* → **Adosser.** *Appuyer la gauche, la droite d'une armée à un bois, à une montagne,* la disposer près d'un bois, d'une montagne qui la protège.

*Appuyer* (qqch.) *sur... Appuyer un échafaudage sur un étai.* → **Mettre, poser.** *Appuyer ses coudes sur la table, la tête sur un oreiller, ses pieds sur un coussin. Appuyer sa tête sur un fauteuil.* → **Accoter.**

Atala appuyait une de ses mains sur mon épaule (...) 1
CHATEAUBRIAND, Atala, «Chasseurs».

(Sans compl. second). *Appuyer un mur, un échafaudage.* → **Consolider.**

♦ **2** (Abstrait). Soutenir, rendre plus ferme, plus sûr. *Appuyer qqch. sur...* → **Fonder, reposer** (faire), **soutenir.** *Appuyer ses dires sur des raisons, des motifs, des preuves.* → **Confirmer, corroborer, fortifier, renforcer.**

Vous n'appuyez votre bonheur que sur le mensonge. 2
PASCAL, les Provinciales, 17.

(...) et sur cette assurance 3
J'ose appuyer encore un reste d'espérance.
CORNEILLE, Polyeucte, V, 3.

Peut-on bâtir sur des ruines? Peut-on appuyer quelque 4
grand dessein sur ce débris?
BOSSUET, Oraison funèbre de Henriette-Anne d'Angleterre.

Vieilli. *Appuyer... de... Appuyer ses dires de bonnes raisons. Il appuie sa prétention de titres bien en règle* (Académie).

Je ne dis rien que je n'appuie 5
De quelque exemple (...)
LA FONTAINE, Fables, III, 7.

Il *(Nestor)* lui donnait des instructions qu'il appuyait de 6
divers exemples. FÉNELON, Télémaque, 12.

♦ **3** Fournir un moyen d'action, une protection, un soutien à (qqn, qqch.). *Appuyer qqn*, en lui apportant de l'encouragement, de l'aide. → **Aider, encourager, patronner, pistonner** (fam.), **protéger, recom-**

**mander.** *Appuyer un candidat à une élection.* → **Soutenir.** Par ext. *Appuyer la demande, la proposition, la candidature de qqn.* → **Soutenir.** *Appuyer une proposition, un projet de loi, une motion de censure. Appuyer une action, une décision, une politique.* → **Avaliser, cautionner.**

7 (...) vous daignerez vous employer pour moi,
Appuyer sa demande, et de votre suffrage
Presser l'heureux moment de notre mariage.
MOLIÈRE, les Femmes savantes, I, 2.

8 Oui; mais pour appuyer votre consentement,
Mon frère, il n'est pas mal d'avoir son agrément.
MOLIÈRE, les Femmes savantes, II, 4.

9 Ne devez-vous pas rougir d'appuyer une passion qui n'est qu'erreur, que faiblesse et emportement (...)?
MOLIÈRE, la Princesse d'Élide, Prologue.

10 Fallait-il appuyer une prétention raisonnable?
FLÉCHIER, Oraison funèbre de M. de Montausier.

11 Je tiendrai la promesse que je vous fais d'appuyer votre fils de toute ma faveur.
A. R. LESAGE, le Diable boiteux, 5.

12 J'aimais mieux avoir un homme d'esprit pour m'appuyer (...)
MONTESQUIEU, Cahiers, p. 8, → Approuver, cit. 22.

13 César que Cicéron appuyait au sénat.
VOLTAIRE, Catilina, I, 2.

Milit. *Appuyer une attaque par un tir d'artillerie.* → **Soutenir; appui.**

Chasse. *Appuyer les chiens,* les animer du cor et de la voix.

14 Une heure là-dedans notre cerf se fait battre.
J'appuie alors mes chiens, et fais le diable à quatre;
Enfin jamais chasseur ne se vit plus joyeux.
MOLIÈRE, les Fâcheux, II, 6.

♦ **4** Appliquer avec plus ou moins de force, faire peser, presser (une chose) sur (une autre). *Appuyer le pied sur la pédale. Appuyer le doigt sur la plaie. Terrasser son adversaire et lui appuyer le genou sur la poitrine. Il lui appuya son revolver sur la poitrine et tira à bout portant. — Appuyer sa main à qqch.*

15 Votre âme flotte sur vos lèvres, et je me meurs de ne pouvoir y appuyer ma bouche.
FRANCE, le Lys rouge, p. 206.

16 Son cœur battait si fort qu'elle y avait appuyé sa main et n'osait plus la retirer.
MARTIN DU GARD, les Thibault, t. I, p. 44.

Fig. *Appuyer son regard (son œil, sa prunelle...) sur qqn, sur qqch.* → **Fixer, regarder** (avec insistance). — Passif et p. p. :

17 Mon regard, appuyé sur l'un de vous (...)
COLETTE, la Paix chez les bêtes, «Chienne trop petite».

Techn. (escrime). *Appuyer la botte :* appuyer l'arme sur le corps de son adversaire après l'avoir touché. Fig. Embarrasser qqn en insistant sur une question.

(1719, Richelet). Équit. *Appuyer l'éperon à un cheval,* lui appliquer fortement l'éperon. Ellipt. *Appuyer des deux :* piquer des deux éperons en même temps. Équit. *Appuyer la tête au mur* (d'un cheval). → ci-dessous, II., 2.

♦ **5** Vx (langue class.). Rendre plus fort. *Appuyer une note, un son* → ci-dessous, cit. 19 et 21.

Accentuer, rendre plus perceptible. *«Sa couleur violâtre appuie la couleur ardente du premier plan»* (Fromentin, *Voyage en Égypte*).

**II** V. intr. ♦ **1** Être soutenu; être posé. *Cette muraille appuie sur un arc-boutant. La voûte appuie sur les pieds-droits.* → **Porter, reposer, retomber** (sur).

♦ **2** Peser plus ou moins fortement. → **Peser, presser.** *Appuyer sur un levier. Une main «appuyant sur un bâton»* (H. Pourrat, *in* T. L. F.). *Appuyer sur les touches d'un clavecin.* — (Avec le pied). *Appuyer sur l'accélérateur, sur le champignon :* accélérer (en voiture). *Appuyer sur l'endroit sensible.*

Je sens à la douleur que je réveille en appuyant sur ce point précis que là était le centre du mal. 18
A. MAUROIS, Climats, p. 64.

Équit. *Ce cheval appuie sur le mors,* il porte la tête basse et pèse sur le mors de sorte qu'il fatigue la main du cavalier. → **Peser.** Syn. : *appuyer* (I.) *la tête au mur.*

♦ **3** Émettre avec force, mettre l'accent sur (un élément par rapport à l'entourage).

Mus. *Appuyer sur une note en jouant. Appuyer sur la chanterelle,* pour en augmenter le son. Fig. Insister sur un point essentiel, sur un point délicat.

Phonét. *Appuyer sur un mot en parlant. Dans les mots de plusieurs syllabes, il y en a toujours une sur laquelle on appuie plus fortement que sur les autres* (Académie). → **Accentuer, prononcer.**

REM. On trouve dans la langue classique l'emploi trans. du verbe dans le même sens (ci-dessous, cit. 19 et au p. p., cit. 21).

(...) appuyer comme il faut le dernier vers (...) 19
MOLIÈRE, l'Impromptu de Versailles, 3. → Approbation, cit. 7.

(...) cette exactitude de prononciation qui appuie sur toutes les syllabes. MOLIÈRE, l'Impromptu de Versailles, 1. 20

D'un ton grave et d'un accent appuyé (...) 21
ROUSSEAU, Émile, V.

La façon dont il appuyait sur certaines voyelles, sur les diphtongues, et dont il prolongeait en chantant les finales (...) MARTIN DU GARD, les Thibault, VIII, 1. 22

♦ **4** Fig. Insister avec force. → **Insister** (sur), **ressortir** (faire), **souligner;** aussi **exagérer.** *Il a appuyé sur l'aspect primordial de la question. Il vaut mieux ne pas appuyer là-dessus.* → **Insister.** *Je n'appuierai pas sur ses qualités, sur les résultats qu'il a obtenus.*

Je trouve que vous appuyez un peu trop sur l'argent. 23
MOLIÈRE, le Bourgeois gentilhomme, I, 1.

Tout cela doit être dit en badinant; mais appuyez sur la reconnaissance des attentions qu'ils ont pour moi. 24
M^me^ DE SÉVIGNÉ, 1202, 2 août 1689.

Vous appuyez trop sur nos inquiétudes : elles n'ont point été excessives. M^me^ DE SÉVIGNÉ, 1136, 14 févr. 1689. 25

Il avait un peu trop appuyé sur ce dernier article. 26
Antoine HAMILTON, Mémoires du comte de Gramont, 10.

Cet argument sur lequel on appuie avec tant de force. 27
BOSSUET, Préface.

Il nous suffira d'appuyer sur le mot, de le grossir et de l'épaissir, pour le voir s'étaler en scène comique. 28
H. BERGSON, le Rire, p. 109.

Absolt. (Surtout à la forme négative, pour recommander de ne pas insister sur une question délicate). *N'appuyez pas, procédez par allusions.* — Loc. prov. (par métaphore) :

Sur un mince cristal l'hiver conduit leurs pas : 29
Le précipice est sous la glace;
Telle est de vos plaisirs la légère surface.
Glissez, mortels, n'appuyez pas.
P.-Ch. ROY, Quatrain sur les patineurs.

(...) cet art sobre qui se contente d'un seul trait juste et n'appuie pas (...) 30
PROUST, À la recherche du temps perdu, t. IV, p. 137.

♦ **5** Prendre la direction de; aller plus vers... *Appuyez sur la droite, sur la gauche.* → **Diriger** (se), **porter** (se porter vers). — *Appuyez à droite, appuyez à gauche.*

◆ **S'APPUYER** v. pron.

♦ **1** S'aider, se servir comme d'un appui, d'un soutien. *Le blessé s'appuie sur ses béquilles. Appuyez-vous sur mon bras. S'appuyer sur le coude.* → **Accouder** (s'). *S'appuyer d'un côté.* → **Accoter** (s'). *Il s'appuya au mur, à la muraille.* → **Adosser** (s'). *S'appuyer fortement à un mur pour exercer une poussée.* → **Arc-bouter** (s'). *Une poutre qui s'appuie contre un mur.* → **Buter.** *Le cintre s'appuie sur les impostes. L'édifice s'appuie sur six colonnes.* → **Reposer** (sur). *Elle s'était appuyée contre moi.* → **Coller** (se), **serrer** (se).

31 À mon bras votre bras poli
S'appuya (...) BAUDELAIRE, les Fleurs du mal, XLV.

32 C'était sa tête alourdie de sommeil qui s'appuyait contre moi (...)
Alphonse DAUDET, Lettres de mon moulin, «Étoiles».

33 Je vis tout tourner, je fus obligé de m'appuyer contre le figuier. Alphonse DAUDET, le Petit Chose, p. 372.

Avec un complément (faux pron.) :

33.1 Il aurait besoin de s'asseoir. Il doit se contenter de s'appuyer le dos contre le mur de pierre, en posant les pieds sur la bande de neige fraîche.
A. ROBBE-GRILLET, Dans le labyrinthe, p. 141.

♦ **2** Fig. Faire fond (sur qqn, sur qqch.). → **Fonder** (se). *Vous pouvez vous appuyer entièrement sur lui.* → **Assurer** (s'), **compter, reposer.** *S'appuyer sur l'autorité de qqn.* → **Autoriser** (s'), **baser** (se). *S'appuyer à une vérité* (littér.). *S'appuyer de l'autorité de qqn pour affirmer que...*

34 Et je crus fermement que par ce moyen je réussirais à conduire ma vie beaucoup mieux que si je ne bâtissais que sur de vieux fondements, et que je ne m'appuyasse que sur des principes que je m'étais laissé persuader en ma jeunesse sans avoir jamais examiné s'ils étaient vrais.
DESCARTES, Discours de la méthode, 2.

35 M. de Cambrai prétend s'appuyer sur de Blosius.
BOSSUET, Lettres, Quiétisme, 299.

36 Et d'oracles menteurs *(il)* s'appuie et s'autorise.
RACINE, Athalie, III, 3.

37 Sur qui dans son malheur voulez-vous qu'il s'appuie?
RACINE, Phèdre, I, 5.

38 *(Leur âme)* s'appuyant toujours sur des hauts sentiments,
Ne s'abaisse jamais à des déguisements.
MOLIÈRE, Dom Garcie, III, 3.

39 On dit qu'il *(Bossuet)* s'appuie constamment à l'Écriture.
Émile FAGUET, XVIIe s., Études littéraires, p. 413.

40 Il *(Danton)* s'appuie sur les vérités d'expérience.
Louis BARTHOU, Danton, p. 12.

41 Il s'était appuyé sur elle, sur l'assurance qu'elle lui avait donnée de lui garder fidélité, quoi qu'il arrivât.
F. MAURIAC, la Pharisienne, p. 243.

Loc. fig. (vx). *S'appuyer sur un roseau :* mettre sa confiance en une personne qui ne peut être d'aucun secours. — *S'appuyer sur une planche pourrie,* sur une personne qui ne mérite nulle confiance.

♦ **3** Réfl. ind. (faux pron.). Fam. *S'appuyer une corvée :* faire qqch. par obligation, contre son gré. → **Subir, supporter.** *S'appuyer qqn :* être obligé de prendre qqn en charge, le supporter. *Faut se l'appuyer!* → fam. **Faire** (se), **farcir** (se), **taper** (se). — *S'appuyer un bon repas, un coup de vin blanc.*

41.1 – Comment, Ernestine, vous laisseriez passer ct' occasion magnifique?
– J' vois bien. J' risque ma peau et j' dois m'appuyer l' père Taupe pour vous donner la moitié d' la galette. C'est pas un métier.
– Vous faites bien la difficile, Ernestine. Y a des dizaines de poules qui risqueraient l' coup.
R. QUENEAU, le Chiendent, p. 163.

◆ **APPUYÉ, ÉE** p. p. *Appuyé à qqch., sur qqch. Appuyé contre qqch.* → **Adossé.**

42 Tout à coup une porte s'ouvre : entre silencieusement le vice appuyé sur le bras du crime, M. de Talleyrand marchant soutenu par M. Fouché.
CHATEAUBRIAND, Mémoires d'outre-tombe, t. IV, V, p. 41.

43 (...) tu te plais à suivre un chemin effacé,
À rêver, appuyée aux branches incertaines (...)
A. DE VIGNY, la Maison du berger.

Emploi adjectif :

♦ **1** Qui appuie (→ I., 4.).

44 Le corps des Écalites, pour peu qu'il soit touché d'un toucher appuyé, rougit (sauf aux mains et aux pieds).
Henri MICHAUX, Ailleurs, p. 117.

♦ **2** (Fin XVIIe). Qui est exprimé, émis en appuyant (II., 4.); qui insiste trop.

45 (...) elle aussitôt a son air d'impératrice, sa voix aiguë, et ce ton qu'elle a aussi parfois, d'une politesse trop appuyée (...)
N. SARRAUTE, le Planétarium, p. 153.

*Traits appuyés,* forts, gros.

*Voix appuyée.* → **Appui** (I., 2.). *Pas appuyés, démarche appuyée.*

46 Mais un pas, guidé probablement par une vieille habitude des lieux, s'avance le long du couloir transversal. C'est un pas souple, peu appuyé, pourtant net, qui n'hésite pas.
A. ROBBE-GRILLET, Dans le labyrinthe, p. 60.

♦ **3** N. m. (Littér.). *L'appuyé d'un regard, d'une voix.*

CONTR. **Enlever, ôter, relever, retirer. — Lâcher, laisser** (choir). — **Combattre, contredire, démentir, opposer** (s'), **refuser, réfuter, rejeter. — Effleurer, glisser, négliger, passer.** ◊ DÉR. **Appui, appuiement, appuyeur.** – COMP. **Appuie-bras, appuie-coude, appuie-main, appuie-nuque, appuie-tête.**

2. **APPUYER** [apɥije] n. m. — 1719, Richelet; de 1. *appuyer.*

Équit. Mouvement par lequel le cheval se transporte parallèlement à lui-même. *Dans l'appuyer, l'avant-main et l'arrière-main suivent deux pistes distinctes, et la tête et l'encolure de la bête précèdent le reste du corps dans la direction de la marche.*

**APPUYEUR** [apɥijœʀ] n. m. — 1893; de *appuyer.*

Rare. Qui appuie, regarde avec insistance (Richepin, Montherlant). — REM. Le fém. *appuyeuse* [apɥijøz] est virtuel.

**APRAGMATIQUE** [apʀagmatik] adj. — Mil. XXe; de 2. *a-,* et *pragmatique.*

Psychiatrie. Qui souffre d'apragmatisme. — N. *Un, une apragmatique.*

**APRAGMATISME** [apʀagmatism] n. m. — 1926, *in* D. D. L.; de 2. *a-,* et *pragmatisme.*

Psychiatrie. Incapacité psychique de réaliser des actes ou des conduites que le sujet peut pourtant concevoir et dont il possède les moyens instrumentaux de réalisation (à distinguer de *apraxie**). → aussi **Aboulie.** *L'apragmatisme s'observe surtout chez les schizophrènes. — Apragmatisme sexuel :* «désintérêt total pour la conquête amoureuse et les relations sexuelles» (Sivadon *in* Piéron); à distinguer de l'*anaphrodisie**.

**APRAXIE** [apʀaksi] n. f. — 1900, *in* D. D. L.; créé d'après le grec *apraxia* «inaction», par Gogol, en 1873.

Didactique.

♦ **1** (Selon Gogol). Perte de la compréhension de l'usage des choses.

♦ **2** (Déb. XXe; all. *Apraxie,* 1900, Liepmann). Incapacité d'exécuter des mouvements volontaires adaptés à un but, malgré l'intégrité des fonctions motrices et sensorielles. *Apraxie idéomotrice,* d'autant plus accentuée que le geste requiert davantage le concours de la volonté (sans perturbation des mouvements automatiques ou spontanés). (1907, *in* D. D. L.). *Apraxie idéatoire,* affectant la coordination des gestes (à distinguer de *ataxie*). *Apraxie constructive* (ou *optique, visuelle, géométrique*) : incapacité de dessiner ou de construire des figures simples, même d'après modèle. *Apraxies spécialisées,* n'intéressant qu'une partie du corps ou une fonction : *apraxie faciale, oculaire; apraxie de l'habillage. L'apraxie motrice* (dite aussi *mélocinétique*), *qui affecte les mouvements automatiques comme les volontaires, reste discutée en tant qu'apraxie. Apraxie associée à une aphasie, à des perturbations gnosiques.*

(...) l'apraxie (...) l'impossibilité d'adapter les mouvements à un but, de faire du mouvement un geste. À l'agnosie, asymbolie de l'impression, correspond l'apraxie, asymbolie de l'expression.
Jean DELAY, la Psycho-physiologie humaine, p. 37.

DÉR. **Apraxique.**

**APRAXIQUE** [apʀaksik] adj. et n. — 1907, *in* D. D. L.; de *apraxie.*

Méd. Relatif à l'apraxie. *Des troubles apraxiques.* (Personnes). Frappé d'apraxie. *Elle est un peu apraxique.* — N. *Un, une apraxique.*

**ÂPRE** [apʀ] adj. — Mil. XIIe, *aspre,* d'abord abstrait; du lat. *asper,* accusatif *asperum*; anc. franç. *aspre* «rude, escarpé».

**I** (Choses). ♦ **1** (1164, Chrétien de Troyes). Vx. Qui présente des aspérités (en parlant d'un pays, d'un terrain). → **Abrupt, accidenté, escarpé, inégal.** *Un chemin âpre et difficile.* → **Raboteux, rude, rugueux.**

1 (...) les montagnes et lieux aspres *(âpres),* où les ennemis ne les pourraient suivre. J. AMYOT, Crassus, 30.

2 On a pavé la route âpre et mal aplanie (...)
HUGO, la Tristesse d'Olympio.

Anat. *Ligne âpre* : saillie rugueuse de la face postérieure du fémur.

Par métaphore :

3 (...) le sentier rude et âpre de la vertu (...)
FÉNELON, Télémaque, 14.

♦ **2** (V. 1200). Littér. Qui a une rudesse désagréable. *Froid, vent âpre.* → **Cuisant, rigoureux.** *L'âpre saison.*

4 Et tandis qu'on pleurait dans les maisons en deuil,
L'âpre bise soufflait sur ces fronts sans cercueil.
HUGO, les Châtiments, «Nox».

5 Il neigeait, l'âpre hiver fondait en avalanche.
HUGO, les Châtiments, «L'Expiation».

*Âpre au toucher.* → **Rude, rugueux;** et aussi **râpeux, rêche.** — *Sons âpres. Une voix âpre.* → **Rude.** *Un parfum âpre.*

6 Les voix âpres et menaçantes de la chambre des communes demandaient la tête de Strafford.
F. VILLEMAIN, Nouveaux mélanges historiques.

7 (...) d'une voix âpre, il cria un ordre à ses matelots.
FLAUBERT, Salammbô, VII.

8 (...) un âpre accent d'orgueil.
M. BARRÈS, Leurs figures, p. 13.

Cour. *Goût âpre,* qui produit une impression désagréable d'amertume, d'acidité, qui racle la langue, la gorge.

Spécialt. Cour. Qui a un goût âpre, qui racle la gorge. *Un fruit, un vin âpre.*

1 Il en tire quelques litres
D'un vin âpre, aigre, dur, sur
À faire grincer les vitres (...)
Raoul PONCHON, la Muse au cabaret, «Le vin du pape».

♦ **3** (1155, Wace). Vx ou littér. Par métaphore (cit. 11 : *feu âpre;* cit. 15 : *âpre goût*) ou fig. Dur, pénible. *Lutte âpre. Vie âpre. Caractère âpre.* → **Brutal, cruel, difficile, dur, farouche, pénible, raboteux** (fig.), **rêche** (fig.), **revêche, rude, rugueux, sauvage, violent.** *Une joie âpre.* → **Amer.** *Un âpre désespoir. Une austérité un peu âpre. Cette âpre vertu* (Corneille, *Horace,* II, 3), *âpre jalousie* (Corneille, *Sertorius,* I, 1), *âpres rigueurs* (Corneille, *Horace,* I, 1), *âpres tourments* (Corneille, *Polyeucte,* I, 1), *âpre vérité. Cet âpre courroux* (Racine, *Alexandre,* III, 3). *Âpre colère* (Molière, *Tartuffe,* I, 5).

*(Une troupe)* Viendrait fondre sur moi, plus âpre et plus cruelle. 9
LA FONTAINE, Fables, XII, 13.

La haine des persécuteurs devenait plus âpre. 10
BOSSUET, Disc. sur l'Hist. universelle, I, 10.

Ses yeux creux sont pleins d'un feu âpre et farouche. 11
FÉNELON, Télémaque, III.

Alors commença l'âpre et sauvage poursuite. 12
HUGO, la Légende des siècles, «Aigle du casque».

J'admirais quel amour pour l'âpre vérité 13
Eut cet homme si fier en sa naïveté (...)
A. DE MUSSET, Une soirée perdue.

Ô vie âpre qui nous tord 14
Comme un grain dans une roue (...)
J. RICHEPIN, la Chanson des gueux, Polichinelle.

Il ne pensait pas qu'il fût si dur de refuser ce qui s'offre à l'homme mûr, auquel sa jeunesse n'a laissé qu'un âpre goût d'indigence. COLETTE, l'Étoile Vesper, p. 69. 15

Une âpre résolution recomposait tous ses traits pour lui faire un nouveau visage. 16
G. DUHAMEL, Chronique des Pasquier, VIII, 19.

(Personnes). Littéraire :

On pense à quelqu'un de volontaire, capable de se montrer âpre et dur à l'occasion. 17
J. ROMAINS, les Hommes de bonne volonté, 6 oct., p. 37.

(Avec *à*). *Âpre à la vengeance.*

*Un livre, un ton âpre.* → **Agressif, dur, hargneux, violent.**

**II** (Personnes). ♦ **1** (V. 1130). Vx. Qui se porte avec trop d'ardeur à qqch., à la poursuite de qqch. → **Ardent, avide, cupide, violent.**

Spécialt. «*Il était âpre et avare*» (A. France).

♦ **2** (1453, *aspres au pillage*). Mod. (construit avec *à*). Avide. *Un homme âpre à l'argent, au gain, à exiger son dû.*

Les curés les plus durs, les plus âpres à exiger leurs droits, sont ceux qui vivent d'une manière plus sordide et plus indécente. MASSILLON, Disc. synodaux, «Avarice». 18

*Chien âpre à la curée,* avide, vorace. — Fig. *Homme âpre à la curée,* avide de profits, de places. → **Rapace.**

Le ministre se prit à rire en me voyant si âpre à la curée (...) Vous vous contenterez s'il vous plaît, de la moitié du profit; vous me tiendrez compte de l'autre. 19
A. R. LESAGE, Gil Blas, VIII, 9.

CONTR. **Égal, lisse, poli, uni.** — **Doux, clément** (temps, vent). — **Doucereux, doux, mielleux, moelleux, velouté.** — **Agréable, aimable, caressant, courtois, facile, indulgent.** — **Désintéressé, généreux, modéré.** ◊ DÉR. **Âprement, âpreur.** — V. **Âpreté, aspérité.**

**APRÈME** ou **APRÈM** [apʀɛm] n. f. ou m. — 1906, *après-m'*; forme abrégée de *après-midi.*

Fam. Après-midi. *On a maths cette aprème, cet aprèm, cet aprème, c't' aprèm* [stapʀɛm].

**ÂPREMENT** [apʀəmɑ̃] adv. — 1119; de *âpre.*

D'une manière âpre, rude.

♦ **1** Vx. Rudement. *Le froid sévit âprement.* → **Brutalement, rigoureusement.**

♦ **2** (Fin XIIe). Actes humains. Littér. Avec une énergie brutale, cruelle. *Combattre âprement.* → **Farouchement.** *Reprocher âprement qqch. à qqn.* → **Brutalement, durement, rudement, sévèrement, violemment.**

1 Je voyais de la tour le choc des deux armées,
L'une et l'autre au combat âprement animées.
ROTROU, Antigone, I, 2.

2 Toutes les questions terribles qui troublent l'esprit humain y sont posées âprement *(dans les livres bibliques)* avec une crudité sauvage. MICHELET, la Femme, p. 169.

3 Cette victoire, si âprement disputée par un ennemi supérieur en nombre (...)
Louis MADELIN, Hist. du Consulat et de l'Empire, t. II, VIII.

4 (...) ce que l'on me reproche le plus âprement, c'est d'avoir travaillé à l'émancipation de l'esprit.
GIDE, Journal, 30 janv. 1931.

♦ **3** Vx. Avec ardeur, avidité. → **Ardemment, avidement, cupidement.** *Un chien qui se jette âprement sur la viande.* → **Voracement.**

5 Courir âprement après les honneurs.
FLÉCHIER, Sermons, I, 164.

CONTR. **Doucement, mollement.**

**APRÈS** [apʀɛ] prép. et adv. — Xe, adv., de *a-*, et *près;* lat. de basse époque *ad pressum,* de *pressus* «serré», qui s'est substitué en Gaule à *post.*

**I** Prép. (V. 1130). ♦ **1** (Marque la postériorité dans le temps). *Le printemps vient après l'hiver. Un an, cent ans après la mort de Napoléon. Après la naissance de Jésus-Christ* ou *Après Jésus-Christ. Prendre du café après le repas. Après dix heures.* → **Passé** (passé dix heures). *Ouvrage posthume*, publié après la mort de l'auteur. Sa sœur est née après lui* **(→ Puiné).** — Loc. (V. 1200). *L'un après l'autre. Ces événements sont arrivés les uns après les autres,* à la suite, en se succédant. → **Succéder; consécutivement, conséquemment, subséquemment, successivement.** *Vivre après sa mort dans la mémoire des hommes* **(→ Survivre).** *Ceux qui viendront après nous* **(→ Descendant, postérité).** *Venir après tous les autres. Il est arrivé après tout le monde,* le dernier. *Ils président l'un après l'autre.* → **Alternativement, tour** (à tour). *Après mûre réflexion, j'ai décidé de... Après bien des efforts, j'ai réussi à...* → **Suite** (à la). *Après vous, je vous prie :* formule de politesse pour inviter qqn à faire qqch. le premier (peut aussi s'employer au sens spatial, 2.).

1 Après mille ans et plus de guerre déclarée,
Les loups firent la paix avecque les brebis.
LA FONTAINE, Fables, III, 13.

2 Et je n'en puis trouver *(de fils)* pour régner après moi!
CORNEILLE, Héraclius, IV, 3.

3 Je ne crains que le nom que je laisse après moi.
Pour mes tristes enfants quel affreux héritage!
RACINE, Phèdre, III, 3.

4 Une croix, et ton nom écrit sur une pierre,
Non pas même le tien, mais celui d'un époux,
Voilà ce qu'après toi tu laisses sur la terre.
A. DE MUSSET, À la Malibran, VII.

5 (Car si le mariage musulman est brusque et insuffisamment consenti avant la cérémonie, après, en revanche, il a des ménagements et des pudeurs qui ne sont guère dans nos habitudes occidentales.)
LOTI, les Désenchantées, II, 4.

6 Quand, après deux ans de règne impie, le fils du roi infidèle eut été assassiné, son petit-fils Josias lui succéda.
DANIEL-ROPS, le Peuple de la Bible, III, 3, p. 251.

Prov. *Après moi (nous) le déluge! :* que m'importe ce qui arrivera après ma mort. *Après moi, s'il en reste. Après lui* (ou *après cela*), *il faut tirer l'échelle*.* → Jeter le manche* après la cognée. — *Après la pluie, le beau temps :* souvent les beaux jours succèdent aux mauvais, la joie à la tristesse, les succès aux revers.

(1170). *Après ce... Après cela, après ça :* ensuite, à la suite de cela. *Déjeunons, après cela nous partirons.* → Cela étant, puisqu'il en est ainsi. *Après cela, j'ai peut-être tort,* étant donné ce que... *Après ce que j'ai fait pour lui, me traiter de la sorte!* — À cause de*. *Après cela, je ne pouvais agir autrement. Après cette maladie, vous ne pouvez plus songer à faire du sport.*

Allez. Après cela direz-vous que je l'aime? 7
RACINE, Andromaque, II, 2.

Madame, après cela, je ne puis plus me taire (...) 8
Après tant de serments, Titus m'abandonner!
RACINE, Bérénice, III, 3.

Après cela, si vous ne vous rendez, tant pis pour vous. 9
MOLIÈRE, Dom Juan, V, 2.

Mais, après ce que je vous dois, ce me serait une trop sensible douleur que vous fussiez de la partie. 10
MOLIÈRE, Dom Juan, III, 3.

Se pourrait-il, mon fils, qu'elle s'oubliât de la sorte, après le sage exemple que (...) je lui ai donné? 11
MOLIÈRE, George Dandin, I, 4.

Doit-on après cela, s'étonner que (...) 12
FONTENELLE, Homère, Ésope.

Et quand je vous aurais payé au double tout ce que je vous dois, après cela, je ne serais pas encore quitte. 13
VOLTAIRE, Lettres, 53.

Le rapport de cause est, dans le langage, intimement lié au rapport de suite dans le temps. Un fait qui s'est développé après un autre apparaît comme le résultat de cet autre. C'est le vieux sophisme : «Après cela, donc à cause de cela.» F. BRUNOT, la Pensée et la Langue, p. 812. 14

«Après cela, donc à cause de cela», est souvent un axiome faux. A. MAUROIS, Un art de vivre, I, 6. 15

(1668, La Fontaine). *Après quoi :* après ce dont il vient d'être question. *Il finit de manger; après quoi, il se leva et partit.* → **Ensuite.** *Nous allons déjeuner, après quoi nous nous mettrons en route* (Académie). *Après quoi, le jour s'était levé, je partis.* — *Après cela* (même valeur).

(V. 1200). **APRÈS QUE,** loc. conj. suivie de l'indic. (passé simple, composé ou antérieur, futur antérieur) : *Des années après qu'il l'eut quitté... Après que vous avez eu parlé, il s'est retiré* (Académie). *Après que vous aurez fini votre tâche, vous sortirez* (Grammaire de l'Académie). → **Fois** (une fois que).

Après qu'il eut brouté, trotté, fait tous ses tours, 16
Janot Lapin retourne aux souterrains séjours.
LA FONTAINE, Fables, VII, 16.

Vous savez les honneurs qu'on fit faire à son ombre, 17
Après qu'entre les morts on ne le put trouver.
CORNEILLE, Polyeucte, I, 4.

Il faut bonne mémoire après qu'on a menti. 18
CORNEILLE, le Menteur, IV, 5.

On cherche ce qu'il dit après qu'il a parlé, 19
Et je lui crois, pour moi, le timbre un peu fêlé.
MOLIÈRE, les Femmes savantes, II, 7.

On n'est sage qu'après qu'il en a cuit de ne pas l'être. 20
R. ROLLAND, l'Âme enchantée, t. II, p. 33.

Vieilli. **APRÈS QUE,** suivi du conditionnel :

Supposons que notre langue pût un jour avoir le sort de la grecque et de la latine, serait-on pédant, quelques siècles après qu'on ne la parlerait plus, pour lire Molière ou La Fontaine? LA BRUYÈRE, les Caractères, XII, 19. 21

Mod. **APRÈS QUE,** suivi du subj. — REM. Cet emploi, déjà signalé par Richelet et critiqué, tend à se répandre, concurremment à la construction à l'indicatif. Il apparaît ainsi comme le symétrique des tours introduits par *avant que... :* la distinction aspectuelle entre le procès en devenir *(avant qu'il ne vienne)* et la valeur accomplie *(après qu'il soit parti),* l'emporte ainsi sur l'opposition logique entre le fait supposé ou l'acte projeté *(avant qu'il soit trop tard..., avant que je ne vienne)* et le procès réel, puisque accompli *(après qu'il a fini...).*

Elle était restée, après que Vincent eût refermé sa porte sur elle, effondrée sur les marches. 21
GIDE, les Faux-monnayeurs, p. 53.

.2 Un siècle et demi après que cette parole ait été prononcée, nous savons que le bonheur en Europe est une illusion perdue. F. MAURIAC, le Cahier noir, p. 27-28.

**APRÈS,** suivi du passé de l'infinitif, remplace souvent *après que. Après avoir fait, dit cela, il partit.*

22 Après avoir deux fois essayé la menace (...)
CORNEILLE, Polyeucte, V, 3.

23 Après en avoir dit ce qu'il en pouvait dire,
Il se jette à côté, se met sur le propos (...)
LA FONTAINE, Fables, I, 14.

24 Le fameux cardinal Portocarrero mourut en ce temps-ci, après s'être longtemps survécu.
SAINT-SIMON, Mémoires, 249, 59.

25 Mais après s'être complu quelque temps dans le calcul de toutes ces richesses, il cessa d'y trouver du plaisir.
Augustin THIERRY, Récits des temps mérovingiens, I.

26 Après avoir affermi ses établissements en Italie, renouvelé ses victoires en France (...) il marcha en Allemagne.
Auguste MIGNET, Charles-Quint, Conclusion.

27 Après avoir versé leur sang le long des routes bouleversées, ils avaient reçu des soins, des pansements propres, du linge blanc. G. DUHAMEL, Lieu d'asile, 57.

REM. *Après* n'est suivi du présent de l'infinitif que dans les loc. *après boire, après manger. Propos d'après boire. Après déjeuner, après dîner, après souper* sont ambigus et les infinitifs peuvent être perçus comme des substantifs sans déterminants (cf. Après (le) déjeuner). Cependant, pour marquer une préférence, on peut dire : *après lire, ce que j'aime le mieux, c'est...* (Littré).

28 Un poète n'est bizarre et fâcheux qu'après boire.
Mathurin RÉGNIER, Satires, VIII.

29 (...) un beau jour, après boire (...)
LA FONTAINE, Contes, «Mazet».

♦ **2** (1080; *empres*, X^e^). Marque la postériorité dans l'espace. — Indique une situation de lieu. *Après l'épicerie, vous trouverez une petite rue. Tournez après l'église. Cent mètres après le petit bois, il y a une grande ferme.* → **Delà** (au), **loin** (plus).

30 Au bas de la côte, après le pont, commence une chaussée plantée de jeunes trembles (...) Puis (...) apparaît une maison blanche au-delà d'un rond de gazon (...) L'église est de l'autre côté de la rue, vingt pas plus loin, à l'entrée de la place. FLAUBERT, M^me^ Bovary, II, I.

(Fin XII^e^). Construit à la suite d'un verbe. Indique le mouvement d'une personne ou d'une chose qui en suit une autre, marche, s'attache, traîne... derrière elle (avec un pron. pour compl.). → **Derrière, queue** (à la), **suite** (à la), **traîne** (à la). Vieilli. *Aller, marcher après qqn, après lui.* — Mod. *Traîner qqch., qqn, un animal après soi.*

.1 Tous jours fuyez, et après vous je cours.
Charles D'ORLÉANS, Chansons.

31 *Scapin, allant après lui.*
Holà, Monsieur.
MOLIÈRE, les Fourberies de Scapin, II, 7.

32 Elle m'a toujours vu comme une ombre après elle.
MOLIÈRE, l'École des maris, I, 6.

33 (...) traîner après elle un pompeux équipage.
BOILEAU, Satires, X.

34 Quels démons, quels serpents traîne-t-elle après soi?
RACINE, Andromaque, V, 5.

35 Charmant, jeune, traînant tous les cœurs après soi.
RACINE, Phèdre, II, 5.

36 Tous les maux que la licence ne manque pas de traîner après soi.
BOURDALOUE, Sermon pour le 8^e^ dim. après la Pentecôte.

*Après vous :* passez devant, je vous prie (formule de politesse).

*Aboyer après qqn.* → **Contre.** *Les chiens aboient après les passants.* — Fig. *Les gens qui aboient après nous.*

Fam. *Crier après qqn. Il est inutile de crier après lui, il n'en fait qu'à sa tête.* → **Gronder.** *Crier après qqch.* → **Critiquer, protester, ronchonner.**

(...) eux qui faisaient profession d'une sagesse si austère, et qui criaient sans cesse après les vices de leur siècle. 37
MOLIÈRE, Tartuffe, Préface.

Spécialt (avec des verbes «de mouvement», indiquant un mouvement de poursuite, de recherche). *Courir après qqn,* pour le rejoindre, le rattraper. — Ellipt. *Après eux! :* poursuivons-les!

De crainte qu'après moi vous n'eussiez envoyé (...) 38
CORNEILLE, Cinna, V, 3.

Qu'on se mette après lui, Courez tous (...) 39
RACINE, les Plaideurs, II, 14.

Allons vite à la justice. Des archers après eux! 40
MOLIÈRE, Monsieur de Pourceaugnac, III, 6.

Ah! cours après Oreste; et dis-lui, ma Cléone, 41
Qu'il n'entreprenne rien sans revoir Hermione.
RACINE, Andromaque, IV, 4.

Le bon berger va après sa brebis perdue. 42
BOSSUET, Conversion, 1.

Loc. (vieilli). *Aller, courir, crier, hurler après les chausses* de qqn,* le poursuivre.*

Ils étaient une douzaine de possédés après mes chausses. 43
MOLIÈRE, Monsieur de Pourceaugnac, II, 5.

(...) Il ne me restait plus 44
De mes prospérités, ou réelles ou fausses,
Qu'un tas de créanciers hurlant après mes chausses.
HUGO, Ruy Blas, I, 2.

*Courir après qqch. Courir après son argent pour le retrouver, se le faire rembourser. Courir après l'argent,* chercher toutes les occasions d'en gagner.

(...) le mérite a pour moi des charmes si puissants, que je cours partout après lui. 45
MOLIÈRE, les Précieuses ridicules, 9.

Qui ne court après la fortune? 46
LA FONTAINE, Fables, VII, 12.

Quand on court après l'esprit, on attrape la sottise. 47
MONTESQUIEU, Variétés.

Ellipt. *Courir après.*

Il a couru après d'une course précipitée. 48
BOSSUET, Bonté, I.

Par ext. *Languir, soupirer après qqch.* → **Convoiter, désirer...**

(...) Je soupire après d'autres conquêtes. 49
RACINE, Alexandre, 854.

(...) mais, Madame, à vrai dire, 50
Ce n'est pas le bonheur après quoi je soupire (...)
MOLIÈRE, Tartuffe, III, 3.

(...) un peu de vos faveurs, après quoi je soupire (...) 51
MOLIÈRE, Tartuffe, IV, 5.

Vieilli ou régional (avec le v. *attendre*). *Attendre après une personne qui tarde à venir. Faire attendre après soi. J'attends après vos ordres. Je suis dans l'angoisse : j'attends après des nouvelles, après le médecin* (Littré). *On n'attend plus qu'après cela pour partir, pour terminer* (Académie). *N'attendre pas après qqch.* (Académie), pouvoir s'en passer.

Ce n'est pas avoir du respect pour le ministre que de le faire attendre après vous. 52
BOSSUET, Ord., *in* LITTRÉ.

J'ai oublié de vous recommander (...) de ne faire jamais attendre après vous. 53
RACINE, Lettres.

Quand attendre signifie «rester en un lieu où l'on compte qu'une personne viendra, qu'une chose sera apportée, amenée», attendre après est incorrect. Ne dites pas : J'attendrai après vous jusqu'à telle heure. J'attends après le bateau. Dites : Je vous attendrai... J'attends le bateau. 54
GREVISSE, le Bon Usage, 929, rem. 3.

Vx (XV^e^, Froissart, *in* Littré) ou (mod.) régional. *Demander après qqn,* s'informer du lieu où il est, désirer qu'il vienne. *Chercher après qqn,* chercher qqn.

**ÊTRE APRÈS QQN :** être toujours derrière lui, le suivre partout, s'en occuper constamment, le fatiguer. → **Harceler, importuner, obséder, poursuivre,**

**tourmenter.** → Être toujours sur le dos, sur les talons de qqn; être pendu aux basques* de qqn... *Elle est toujours après son fils, à lui faire des reproches. Cette maîtresse de maison est toujours après ses domestiques* (Académie). *Je ne puis bouger sans qu'il soit après moi. Vous êtes bien moqueur, pourquoi êtes-vous toujours après moi?* → **Moquer, railler.** *Se mettre après qqn. Ils se mirent tous après lui* (Académie). — *S'acharner après qqn. Le vent s'était acharné après nous.* → **Acharner** (cit. 6).

55 (...) la pendarde s'est retirée, voyant qu'elle ne gagnait rien après moi, ni par prières ni par menaces.
MOLIÈRE, George Dandin, III, 6.

56 Plusieurs médecins ont déjà épuisé toute leur science après elle (...) MOLIÈRE, le Médecin malgré lui, I, 4.

Par métonymie. *Être après les jupes d'une femme. «Les hommes ne viendraient pas se pendre après ses jupes»* (Zola, *Nana*).

Vx. *Être, rester, demeurer... après qqch.*, s'en occuper activement, y travailler actuellement. → **Occuper** (s'). *Cette jeune fille reste trop longtemps après sa toilette.*

57 J'ai mis vingt garçons après votre habit.
MOLIÈRE, le Bourgeois gentilhomme, II, 5.

Vx. *Être après à faire telle chose :* être occupé à, être en train de faire telle chose.

58 Madame est encore après à se coiffer et attifer, en son cabinet. MONTAIGNE, Essais, III, 9.

59 Je suis après à m'équiper (...)
MOLIÈRE, les Fourberies de Scapin, II, 5.

Adv. *Je vais me mettre après,* m'y mettre.

♦ **3** (V. 1160). Marquant la subordination dans le rang, la hiérarchie. *Après le lieutenant vient le sous-lieutenant.* → **Sous.** *Le capitaine d'un navire est le seul maître à bord après Dieu. Maître après Dieu. Dans la marine marchande, l'officier qui commande après le capitaine est le second. Venir immédiatement après qqn.* → **Suivant.** *Le favori s'est classé deuxième, après l'outsider. Après l'or et le platine, l'argent est le plus cher des métaux. «Les richesses ne sont désirables qu'après l'honneur et la santé»* (Académie). *Après Dieu, c'est à vous que je dois la vie.*

60 Le ciel permit qu'un saule se trouva
Dont le branchage, après Dieu, le sauva.
LA FONTAINE, Fables, I, 19.

61 On peut dire qu'après Dieu elle avait mis en lui toute l'espérance de son salut. RACINE, Port-Royal.

62 Un seigneur éminent en richesse, en puissance,
Enfin de votre empire après vous le premier.
RACINE, Esther, II, 5.

63 Vos odes ont un air noble, galant et doux,
Qui laisse de bien loin votre Horace après vous.
MOLIÈRE, les Femmes savantes, III, 3.

64 Après le mérite personnel (...) ce sont les éminentes dignités et les plus grands titres dont les hommes tirent *(le)* plus de distinction et *(le)* plus d'éclat.
LA BRUYÈRE, les Caractères, II, 26.

Vx (langue class.). D'après.

64.1 Quand les peintres nous tirent, aprez le naturel, un subject (...) CORNEILLE, la Suite du Menteur, II, 6.

♦ **4** Loc. prép. **D'APRÈS :** à l'imitation de... → **Selon, suivant.** *Un dessin d'après Raphaël. Peindre d'après nature** (cit. 70, 70.1). — En se conformant à, en suivant... *Raisonner d'après ses préjugés. Juger d'après l'expérience.* → **Conformément** (à), **sur.** *D'après ce que disent les journaux...* → S'il faut en croire* les journaux. *D'après le texte de loi.* → **Conséquence** (en). *«D'après cela, je n'ai plus qu'à me retirer»* (Académie).

64.2 J'avais copié mes personnages d'après le plus grand peintre de l'Antiquité, je veux dire d'après Tacite.
RACINE, Préface de Britannicus.

Je conseille à un auteur né copiste, et qui a l'extrême modestie de travailler d'après quelqu'un, de ne se choisir pour exemplaires *(modèles)* que ces sortes d'ouvrages (...) 65
LA BRUYÈRE, les Caractères, I, 64.

Il peut *(le public)* regarder avec loisir ce portrait que j'ai fait de lui d'après nature (...) 66
LA BRUYÈRE, les Caractères, Préface.

En histoire comme en physique, ne prononçons que d'après les faits. 67
CHATEAUBRIAND, Études historiques, Préface.

C'est ainsi que la même chose, chacun la juge d'après sa position. 68
STENDHAL, Armance, Avant-Propos, Romans, Pl., t. I, p. 25.

*Selon l'avis de...* → **Selon.** *D'après ses parents, c'était un enfant délicieux. D'après Condillac, la sensation est à l'origine de l'idée. D'après vous, le chômage augmenterait encore?*

**II** Adv. (X<sup>e</sup>). ♦ **1** (Temps). → **Postérieurement, ultérieurement.** *Vingt ans après* (titre d'un roman d'Alexandre Dumas). → **Tard** (plus). *Les événements qui survinrent après.* → **Ensuite, subséquemment.** *Aussitôt après, immédiatement après.* → **Sur** (ce). *Peu de temps, longtemps après.* — Vx. *Puis après :* après. — *Payez d'abord, nous verrons après.*

Les raisons me viennent après; mais d'abord la chose m'agrée. PASCAL, Pensées diverses, 1. 69

Eh! mon ami, tire-moi de danger : 70
Tu feras après ta harangue.
LA FONTAINE, Fables I, 19.

(...) Quatre mots seulement, 71
Après ne me réponds qu'avecque cette épée.
CORNEILLE, le Cid, III, 4.

Je veux m'y trouver plutôt avant qu'après. 72
MOLIÈRE, les Fâcheux, III, 1.

(...) pourvu qu'il arrive au but qu'il se propose, 73
Il croit que tout le reste après est peu de chose.
MOLIÈRE, le Dépit amoureux, II, 1.

Il faut premièrement que vous ayez le fouet pour avoir menti. Puis après nous verrons au reste. 74
MOLIÈRE, le Malade imaginaire, II, 8.

Vous qui n'avez ici point d'autres intérêts que d'emplir votre poche et vous enfuir après. 75
HUGO, Ruy Blas, III, 2.

**D'APRÈS.** *Le jour, la semaine, le mois, l'année d'après. L'instant d'après. Il l'a fait pic, repic et capot le coup d'après* (Académie).

L'année d'après toute l'Idumée reçut la loi de Moïse avec la circoncision (...) BOSSUET, Hist., I, 9, *in* LITTRÉ. 76

Vx ou régional (Belgique). **PAR APRÈS :** ensuite, après.

Il fut (...) un temps où je ne m'abandonnais que de trop bon cœur à des rêves de gloire et de dévouement dont l'avare réalité m'a si bien appris, par après, à ne faire que peu d'état. 76
O. V. DE MILOSZ, l'Amoureuse Initiation, p. 21.

N. m. *L'après :* le futur, l'avenir. *Un après :* un futur. *Il n'y aura pas d'après.*

(...) j'ai essayé d'imaginer un après quelconque, un lendemain quelque part ailleurs (...) 76
LOTI, le Roman d'un enfant, p. 23.

**APRÈS?** Expr. interrogative dont on se sert pour engager qqn à poursuivre son récit. → **Ensuite.** *Eh bien! après?... Que se passa-t-il? Et après, et puis après?* — S'emploie aussi pour avertir qqn des conséquences d'un acte. *Vous renverserez le gouvernement; et après?*

**ET APRÈS?** S'emploie également pour marquer le défi, l'indifférence. *Cela ne lui plaît pas? et après? Et après, que voulez-vous que cela me fasse?*

♦ **2** (V. 1170, «par derrière»). Espace; ordre ou situation. → **Derrière, ensuite, loin** (plus). *Dans le cortège, les femmes marchent après.*

(...) les religieuses professes les premières, ensuite les novices, et les pensionnaires après. 77
RACINE, Port-Royal.

(XII^e). *Peu après :* un peu plus loin. (Fin XIV^e, Froissart). **CI-APRÈS :** plus loin. *Voyez ci-après.* → **Bas** (plus), **ci-dessous, infra, loin** (plus).

♦ **3** (Rang). → **Ensuite, loin.**

78 C'est ma vie et mon unique plaisir que le commerce que j'ai avec vous; toutes choses sont ensuite bien loin après.
M^me de SÉVIGNÉ, 239, 20 janv. 1672.

**III** ♦ **1** Loc. adv. (Après 1650). **APRÈS COUP :** après l'événement, une fois la chose faite. → **Tard** (trop). *S'aviser après coup de ce qu'il eût fallu faire. Des ornements ajoutés après coup. Des additions après coup.* → **Ensuite; lieu** (en second, en dernier), **suite** (par la).

79 Esdras y a ajouté après coup les prédictions.
BOSSUET, Hist., II, 13, *in* LITTRÉ.

80 Quelques mots auxquels je n'ai réfléchi qu'après coup.
ROUSSEAU, les Confessions, III.

81 Nos actes les plus sincères sont aussi les moins calculés; l'explication qu'on en cherche après coup reste vaine.
GIDE, Si le grain ne meurt, p. 369.

♦ **2** (1641, Corneille). **APRÈS TOUT :** tout bien considéré. → **Tout; cependant, définitive** (en), **fond** (au, dans le), **surplus** (au).

82 Mais, madame, après tout, je ne suis pas un ange.
MOLIÈRE, Tartuffe, III, 3.

83 (...) son cœur, croyez-moi, n'est point roche, après tout.
MOLIÈRE, l'Étourdi, III, 2.

84 Quel mal cela fait-il? La jambe en devient-elle
Plus tortue, après tout, et la taille moins belle?
MOLIÈRE, Sganarelle, 17.

85 Que m'importe, après tout, que Néron, plus fidèle,
D'une longue vertu laisse un jour le modèle?
RACINE, Britannicus, I, 1.

86 Ils ne vous quittent point. Ce n'est pas qu'après tout
D'autres divinités n'y tiennent le haut bout (...)
LA FONTAINE, Fables, XII, 1.

87 Après tout, ces inepties, qui dans notre siècle sont parvenues au dernier excès, ne font aucun mal à la société (...)
VOLTAIRE, Politique et Législation, Fragments, Inde, 6.

88 Après tout, que l'homme soit incurablement méchant et malfaisant; le mal n'est pas grand dans l'univers. Car (...)
FRANCE, le Mannequin d'osier, p. 364.

**IV** REM. Dans la langue pop., *après* s'emploie parfois (incorrectement) pour *à*, *sur* (→ ci-dessus, I., 2., le sens spatial). *Monter après un mur. Grimper après un arbre. Accrocher son pardessus après le portemanteau. La clef est après la porte*, tour généralement condamné par les grammairiens, malgré Littré.

89 Le développement moderne de *après* défie toute logique. *Un enfant se pend* **après** *vous.* Il semble que le mouvement est tel que l'enfant est suspendu à votre corps. Il y pend comme *une passementerie* **après** *une robe, un volant* **après** *des rideaux.* On dira de même *se cramponner* **après** *la table, se retenir* **après** *le garde-fou,* **après** *une corde. Grimper* **après** *un arbre* montre une image assez différente, mais encore visible. L'enfant y est suspendu; seulement, il avance vers le sommet, au lieu d'en descendre; on dit pourtant : *après.*
Or, comment rattacher sûrement à l'un ou à l'autre de ces sens des expressions telles que : *je cherche* **après** *mon frère, j'attends* **après** *lui,* si usuelles? Comment trouver là l'explication de *on ronchonne partout* **après** *l'administration? elle pleure* **après** *son chat? Elle est* **après** *à s'habiller?*
F. BRUNOT, la Pensée et la Langue, p. 414.
N. B. Ce passage tendrait à faire croire que des expressions comme *attendre après..., crier après..., être après à...* sont récentes. Elles sont, en réalité, fort anciennes et employées par les classiques.

90 C'est le particulier qui a des anneaux après les oreilles.
Ch. PAUL DE KOCK, la Grande Ville, t. I, p. 196.

CONTR. **Abord** (d'), **antérieurement, auparavant, avant, précédemment, priori** (a). – **Avant** (en), **devant, dessus** (ci-), **tête** (en). ◈ COMP. – V. les articles ci-dessous. – En outre, *après-*, suivi d'un nom, sert à former des composés libres désignant la période succédant à (une époque de référence). On parlera ainsi de *l'après-gaullisme**, de *l'après-Mitterrand* «la période qui a suivi la mort de François Mitterrand», de *l'après-communisme* «période suivant l'abandon du communisme». Ces composés très nombreux tendent à être employés au masculin. ➡ HOM. **Apprêt.**

**APRÈS-DEMAIN** [apʀədmɛ̃] adv. — 1690; v. 1215 en locution; de *après*, et *demain.*

Au jour qui suivra demain, dans deux jours. *Nous arriverons après-demain. Ce sera, si vous voulez, pour après-demain. L'affaire a été renvoyée à après-demain. Passez dîner, après-demain soir.*

N. m. *Après-demain passé, il ne sera plus reçu à faire ses offres* (Académie). *Des après-demain. De sombres après-demain.* → **Lendemain, surlendemain.**

CONTR. **Avant-hier.**

**APRÈS-DÎNER** [apʀedine] n. m. — 1362; de *après*, et *dîner;* on écrivait aussi jusqu'au XIX^e *après-dîné*, n. m. et *après-dînée*, n. f. (Académie). La forme actuelle triomphe en 1877, 7^e éd. Académie.

Vx ou régional. Partie de la journée qui suit le dîner. *Au XVII^e siècle, le dîner* se prenait à midi et l'après-dîner correspondait à l'après-midi. J'irai vous voir cet après-dîner* (après le dîner, après dîner). *Il passe tous les après-dîners en famille* (Académie).

L'après-dînée, à dire vrai, m'a semblé fort longue. 1
MOLIÈRE, Critique de l'École des femmes, 1.

Pour être en pleine liberté, j'ai fait en sorte que ma femme 2
ira dîner chez ma sœur, où elle passera toute l'après-dînée.
MOLIÈRE, le Bourgeois gentilhomme, III, 6.

J'ai destiné une partie de cet après-dîner à vous écrire. 3
M^me DE SÉVIGNÉ, 162, 29 avr. 1671.

Le marin et ses compagnons partirent donc dans l'après- 4
dîner du 10 novembre, et ils étaient bien armés.
J. VERNE, l'Île mystérieuse, t. II, p. 672.

Emploi adj. (rare) :

Depuis longtemps, en ces visites après-dîner, il avait sou- 5
vent des silences.
MAUPASSANT, Fort comme la mort, p. 118.

**APRÈS-GAULLISME** [apʀegolism] n. m. — 1964; mot journalistique, de *après*, et *gaullisme.*

Période postérieure à la fin du pouvoir présidentiel du général de Gaulle et à l'abandon de sa conception du pouvoir; situation politique qui a marqué cette période.

**APRÈS-GUERRE** [apʀegɛʀ] n. m. — 1903, R. Rolland; de *après*, et *guerre.*

Période qui suit la guerre (d'abord la guerre de 1914-1918). *L'avant-guerre* et *l'après-guerre. La période d'après-guerre.* Plur. *Des après-guerres.*

C'est l'Amérique d'après-guerre (...) que nous avons tenté 1
d'évoquer dans ce livre.
André SIEGFRIED, les États-Unis d'aujourd'hui, 1927, Introduction.

La guerre et l'après-guerre y ont introduit des éléments 2
perturbateurs, qui rendent exceptionnellement complexe la crise généralisée que le monde traverse depuis 1929.
André SIEGFRIED, la Crise de l'Europe, p. 4.

CONTR. **Avant-guerre.**

**APRÈS-MIDI** [apʀemidi] n. m. ou f. invar. L'Académie, 8^e éd., faisait ce mot masculin; la 9^e éd. lui donne les deux genres. Pour Dauzat, «*après-midi*, entraîné par son *a* initial, a passé au féminin» (*Études de linguistique*, p. 45); l'usage admet les deux genres. — 1514; de *après*, et *midi.*

Partie de la journée de midi jusqu'au soir. *Nous nous reverrons cet après-midi.* → **Tantôt.** *De l'après-midi.* → **Relevée** (de). *Mercredi après-midi. Le lendemain après-midi, il est revenu me voir. Des après-midi.* — Abrév. fam. : *c't'aprèm'.* → **Aprème.**

1 Vous savez que le sommeil surprend aux sermons de l'après-midi. FÉNELON, Télémaque, XXI, 55.

2 *(Pour)* me ménager un plus long après-midi.
ROUSSEAU, Lettres, 26 janv. 1762.

3 Comment jugerais-je un homme que je n'ai vu qu'une après-midi? ROUSSEAU, *in* BESCHERELLE.

4 (...) notre vie d'été qui ne comporte point de réunions d'après-midi ni de goûters à cinq heures.
COLETTE, la Naissance du jour, p. 195.

5 Dès le début de cet après-midi (...)
M. BARRÈS, Leurs figures, p. 183.

6 (...) par une courte après-midi glaciale de l'hiver.
M. BARRÈS, la Colline inspirée, p. 216.

**APRÈS-RASAGE** [apʀeʀazaʒ] adj. invar. et n. m. — Mil. XX^e; de *après,* et *rasage,* pour traduire l'angl. *after-shave.*

Lotion rafraîchissante calmant le feu du rasoir. *Un après-rasage, une lotion après-rasage.* → **After-shave.** *Des après-rasages.*

**APRÈS-SHAMPOING** ou **APRÈS-SHAMPOOING** [apʀɛʃɑ̃pwɛ̃] n. m. — Mil. XX^e; de *après,* et *shampoing.*

Produit destiné à démêler et embellir les cheveux et que l'on applique après un shampoing, sur les cheveux mouillés. *Cet après-shampoing rend les cheveux souples, brillants et faciles à coiffer. Des après-shampoings.*

**APRÈS-SKI** [apʀeski] n. m. — 1936, marque déposée par Joseph Pichette; de *après,* et *ski.*

Bottillon souple, chaud, que l'on chausse lorsqu'on ne skie pas, aux sports d'hiver. Par ext. Chaussures fourrées. *Mettre des après-skis.* — REM. Bien qu'illogique, la forme du pluriel est *après-skis,* selon la règle de formation des noms composés d'un mot invariable suivi d'un nom.

1 Le docteur Jaworski arpente, de malade en malade, le verglas, sans trouver à acheter une paire de snow-boots. Jean Marais (...) voit avec inquiétude ses *apreskis (sic)* s'entrebâiller (...) COLETTE, De ma fenêtre, 9 janv. 1941.

2 Ses «après-skis» s'enfonçaient avec un bruit gluant dans la boue du chemin. H. TROYAT, la Rencontre, p. 10.

**APRÈS-SOLEIL** [apʀesɔlɛj] n. m. — 1988; de *après,* et *soleil.*

Produit cosmétique destiné à hydrater la peau après une exposition au soleil. *S'enduire la peau d'après-soleil. Des après-soleils.*

**APRÈS-SOUPER** [apʀesupe] n. m. — 1512; av. 1502 *apres soupee;* de *après,* et *souper.* On a écrit *après-soupé,* n. m., et *après-soupée,* n. f. jusqu'au XIX^e.

Vieilli. Partie de la soirée du souper au coucher. *On soupait autrefois à six heures et l'après-souper correspondait à notre après-dîner.* → **Après-dîner.** *Des après-soupers.*

1 Si je ne vous croyais l'âme trop occupée,
J'irais parfois chez vous passer l'après-soupée.
MOLIÈRE, l'École des maris, I, 3.

2 L'après-soupée se passa au jeu, en conversation.
M^me DE SÉVIGNÉ, 839, 6 août 1680.

3 On a résolu qu'elle ne sera point des après-soupers.
M^me DE SÉVIGNÉ, 36, 25 nov. 1655.

**APRÈS-VENTE** [apʀɛvɑ̃t] adj. — V. 1960; de *après,* et *vente.*

*Service après-vente :* ensemble des services d'entretien assuré par un commerçant, une firme, après la vente d'un appareil. *«Procéder à une enquête auprès des services après-vente des grandes maisons de radio-télévision»* (*Science et Vie,* n^o 595, p. 136).

**ÂPRETÉ** [ɑpʀəte] n. f. — 1190, *aspreteit;* du lat. *asperitas* (→ Aspérité), de *asper.* → Âpre.

Qualité de ce qui est âpre. → **Rudesse.**

♦ **1** Littér., vieilli. Rudesse désagréable. *L'âpreté d'un pays sauvage, d'un chemin difficile. L'âpreté des chemins rend les communications difficiles* (Académie). → **Aspérité.**

Oui, jusque dans tes fers ton amant a porté 1
Des monts qui l'ont nourri la sauvage âpreté.
C. DELAVIGNE, le Paria, I, 2.

(...) l'âpreté 2
Et la stérilité du paysage.
VERHAEREN, les Mendiants.

*L'âpreté de la température, d'un climat, de la bise.* → **Rigueur.**

L'âpreté de la saison (...) 3
VOLTAIRE, Hist. de Russie, I, 17.

Et quel printemps! Il faut avoir connu l'âpreté de l'hiver dans ces montagnes (...) 4
Paul BOURGET, le Disciple, IV, 4.

*Âpreté au toucher, au goût. L'âpreté d'un vin, d'un fruit.* → **Austérité** (vieilli). *L'âpreté des sons, d'une voix.*

La centaurée, en qui le Ciel a mis 5
Quelque âpreté, quelque force astringente (...)
LA FONTAINE, Poème du Quinquina, 2.

Ce vin m'a amusé par une alliance — un peu celle que j'avais décelée dans le Barbera de Sainte-Réparate, mais ici elle était plus brusque et plus rustique — d'âpreté et de fruité, d'une âpreté qui tend au goût caillouteux et même calcaire (...) 5.1
J. ROMAINS, les Hommes de bonne volonté, t. XVIII, p. 133.

♦ **2** (Abstrait). Caractère dur, pénible, rude ou violent. *L'âpreté du caractère de qqn. L'âpreté des mœurs.* → **Brutalité, dureté, rudesse, sévérité, violence.** *Âpreté d'une lutte, d'une discussion, d'un combat, d'un reproche, d'une critique, de la polémique.* → **Ardeur, violence.**

*(Ils)* préféraient de nos mœurs la grossière âpreté 6
Aux attentats commis avec urbanité.
VOLTAIRE, les Scythes, I, 5, *in* LITTRÉ.

Mais ce qui m'a donné le plus d'éloignement pour les dévôts de profession, c'est cette âpreté de mœurs qui les rend insensibles à l'humanité, c'est cet orgueil excessif qui leur fait regarder en pitié le reste du monde. 7
ROUSSEAU, Julie ou la Nouvelle Héloïse, VI, 8.

*(Il)* apportait au milieu du clergé de Paris, si tolérant et si éclairé, cette âpreté du catholicisme provincial (...) 8
BALZAC, Une double famille, Pl., t. I, p. 969.

Un des principaux défauts de la race juive, est son âpreté dans la controverse (...) RENAN, Vie de Jésus, XX. 9

Léopold se distingua, au cours de ses études, par l'âpreté avec laquelle il soutenait les opinions philosophiques et théologiques qu'il avait une fois adoptées. 10
M. BARRÈS, la Colline inspirée, p. 24.

(...) elle aimait trop la jeunesse pour ne pas lui pardonner quelque âpreté. FRANCE, Les dieux ont soif, p. 85. 11

Loc. (plus rare que *âpre au gain*). *Âpreté au gain.* → **Avarice, avidité, cupidité, rapacité, voracité.**

L'âpreté et la cruauté des créanciers. 12
J. AMYOT, Solon, 7.

L'âpreté pour vos intérêts. 13
MASSILLON, Discours synodaux, Divisions.

CONTR. **Clémence, douceur. — Facilité. — Amabilité, civilité, courtoisie, indulgence, modération, urbanité. — Désintéressement, générosité.**

**ÂPREUR** [ɑpʀœʀ] n. f. — 1456, *aspreur;* de *âpre.*

Littér., rare. Âpreté*.

*(Une)* fumée qui vous picotait les yeux à la longue et dont l'âpreur vous raclait la gorge à la fin (...)
B. CENDRARS, Bourlinguer, p. 341.

**APRILIN, INE** [apʀilɛ̃, in] adj. — 1886, René Ghil; dér. sav. du lat. *aprilis.*

Littér., rare (mot de la poésie symboliste). D'avril. *«La brise apriline»* (E. Gaubert, 1908, *in* M. Rheims, *Dict. des mots sauvages*).

REM. On trouve aussi, du même radical, *aprilée* «période d'avril» (Chateaubriand, *Mémoires d'outre-tombe*).

**A PRIORI** [apʀijɔʀi] loc. adv. — 1626; lat. scolast. «d'après ce qui est avant», de *prior* «le premier».

♦ **1** Log., philos. En partant de données antérieures à toute expérience ou que l'expérience ne suffit pas à expliquer. *Prouver, poser a priori.* Emploi adj. *Raisonnement a priori,* fondé non sur des faits mais sur des arguments rationnels. *Notion a priori. Les axiomes sont des vérités a priori.*

1 Tandis qu'il le prouvait a priori (...)
VOLTAIRE, Candide, 5.

2 Les idées a priori sont celles qui ne peuvent avoir été acquises par l'expérience; les idées a posteriori sont celles qui n'ont pu être fournies que par l'expérience (...) Un argument, un raisonnement est dit a priori ou a posteriori suivant qu'il se fonde ou ne se fonde pas sur des faits. Edmond GOBLOT, le Voc. philosophique.

Se dit des idées qui anticipent l'expérience. → **Anticipation, hypothèse.**

3 Chez Claude Bernard, une «idée a priori» est une hypothèse. LALANDE, Voc. de la philosophie, p. 72.

♦ **2** Cour. Au premier abord, avant toute expérience. *A priori, c'est une bonne idée.*

♦ **3** N. m. (1845, didact.). *Un a priori :* une idée, une hypothèse a priori. *Se fonder sur des a priori. C'est un a priori.* — Cour. → **Préjugé.** — REM. Dans ce sens, on écrit *a priori, a-priori* ou *apriori.*

4 Il n'y a pas de raison véritable à cela. Je préfère poser un a-priori : la foi est une transe, et tout ce qui est proche de cette transe participe à la foi.
J.-M. G. LE CLÉZIO, la Fièvre, p. 147.

CONTR. **A posteriori.** ◊ DÉR. **Apriorique, apriorisme, aprioriste.**

**APRIORIQUE** [apʀijɔʀik] adj. — Mil. XIX^e^, Proudhon; *aprioristique,* 1910; de *apriori.*

Didact. Fondé sur des données antérieures à l'expérience. → **Aprioriste.**

Deux grands groupes de méthodes sont alors possibles pour aborder ce problème de la connaissance (...) Ces vues sont aprioriques ou essentiellement réflexives et partent de la présupposition que les principes de la connaissance peuvent être atteints directement par une discipline autonome (...)
J. PIAGET, Logique et Connaissance scientifique, Préface, *in* Encycl. Pl., p. IX.

**APRIORISME** [apʀijɔʀism] n. m. — 1877, Littré, *Suppl.;* de *apriori.* → Aprioriste.

Didactique ou littéraire.

♦ **1** Doctrine qui admet des principes ou des formes a priori. → **Rationalisme.**

Péj. Le fait de juger a priori, sans référence au réel.

♦ **2** Caractère de ce qui est posé a priori. *L'apriorisme de ces idées est inacceptable.*

**APRIORISTE** [apʀijɔʀist] adj. — 1869, n. m.; de *apriori.*

Didact. ou littér. Qui est fondé sur des idées a priori. *Raisonnement, attitude aprioriste* (apriorisme). — N. Personne qui a une attitude aprioriste. *Un aprioriste.*

Ce ne sont pas seulement les aprioristes sociaux qui sont enchaînés par la rigueur des conditions du présent.
LITTRÉ, Conservation, Révolution, Positivisme, Préface, éd. 1879, p. VII.

**APRON** [apʀɔ̃] n. m. — 1558; soit de *âpre, aspre* ou du lat. *asper,* à cause des aspérités des écailles; soit altér. de *éperon*, aperon.*

Régional. Poisson de rivière voisin de la perche. *Apron commun, ordinaire* (dit parfois *sorcier*). *Apron cingle* ou *zingel.*

**À-PROPOS** [apʀɔpo] n. m. — 1700, M^me^ de Maintenon, → cit. 1; de *à-,* et *propos.*

♦ **1** Ce qui vient à propos, est dit ou fait opportunément, en temps et lieu convenables. → **Convenance, opportunité, pertinence.** *L'à-propos double le prix des choses.* — Loc. *Esprit* d'à-propos. Il a répondu avec un à-propos remarquable.* → Du tac* au tac. *Des réponses* (cit. 1.1) *pleines d'à-propos. Il manque d'à-propos, il a l'esprit de l'escalier*. «L'admirable à-propos des mendiants»* (→ Dès, cit. 6.1, Bernanos).

Mon expérience à la cour m'a appris que rien n'y était 1
plus rare que l'à-propos.
M^me^ DE MAINTENON, Lettre au duc de Noailles, 21 déc. 1700, *in* LITTRÉ.

Le tact de l'à-propos, le soin des convenances. 2
DELILLE, Conversations, 3, *in* HATZFELD.

Rien n'est plus japonais que de faire ainsi des digressions 3
sans le moindre à-propos.
LOTI, M^me^ Chrysanthème, XI.

Puis Maurice Barrès — qui n'avait aucun don oratoire mais 4
beaucoup d'à-propos, — ce qui parfois peut tenir lieu d'éloquence, sut pourtant se faire acclamer (...)
Georges LECOMTE, Ma traversée, p. 211.

Ironique :

Nous l'avons bien vu assez pour un jour! Il a crotté mon 4.1
pauvre vieux Smyrne, et failli briser les pieds de la chaise qu'il a choisie la plus précieuse et la plus fragile, avec son ordinaire à-propos (...) que vous faut-il de plus?
BERNANOS, Sous le soleil de Satan, Pl., p. 117.

♦ **2** Vieilli. Pièce composée spécialement pour un anniversaire, une fête, etc. — Petit poème récité ou lu dans les mêmes circonstances. *Une fillette a récité un joli à-propos pour la fête de sa grand-mère.*

(...) des à-propos *(dans* La Princesse d'Élide *de Molière)* qui 5
font l'agrément de ces fêtes, mais qui sont perdus pour la postérité. VOLTAIRE, le Siècle de Louis XIV, 25.

La pièce *(Molière à Auteuil...)* dépasse les proportions de ce 6
qu'on est convenu d'appeler un à-propos, puisqu'elle dure près d'une heure (...) en général, quand un de ces à-propos d'anniversaire conquiert d'emblée le public (...) on le joue quinze, vingt fois de suite (...)
A. DAUDET, *in* Journal officiel, 24 janv. 1876 (*in* LITTRÉ, *Suppl.,* art. *Propos*).

**APROSEXIE** [apʀɔsɛksi] n. f. — 1896; décrite par Janet, 1903; t. introduit par le Hollandais Guye, 1887, grec *aprosexia* «inattention», de *a-* privatif, et *prosexis* «attention» ou *prosekhein* «appliquer son esprit à».

Psychopathol. Forme de l'aboulie*, incapacité de s'appliquer, de fixer son attention, de mémoriser, paresse intellectuelle. *L'aprosexie «se rencontre dans les états psychasthéniques et en général dans tous les états de fatigue psychique»* (Sivadon, *in* Piéron).

**APROTIQUE** [apʀɔtik] adj. — V. 1970; de 2. *a-*, *proton*, et suff. *-ique*.

Didact. Qui ne peut contenir ou fournir des protons. *Milieu, solvant aprotique. Les solvants sans hydrogène sont aprotiques.*

**APSARA** [apsaʀa] ou (rare) **APSARAS** [apsaʀas] n. f. — 1823; aussi *apsarase*, 1839 (au pl.); mot hindi, sanskrit *apsarā*, littéralement «celle qui circule parmi les eaux»; la forme *apsaras* est un emprunt direct du sanskrit *apsaras-*; de *ap-* «eau», et *sarati* «coule, court».

Nymphe de la mythologie hindoue. *Apsaras et gandharvas*. Les apsaras changent de forme à volonté; elles hantent banians et figuiers, chantent et dansent pour distraire les dieux, qui les envoient parfois troubler de trop rigoureux ascètes.* — Représentation d'une de ces divinités intermédiaires entre le monde des dieux et le monde des hommes. *Les apsaras du temple d'Angkor Vat. Des apsaras musiciennes.*

1 Vois ! Les palmiers divins, les érables d'argent,
Et les frais nymphéas sur l'eau vive nageant,
La vallée où pour plaire entrelaçant leurs danses
Tournent les Apsaras en rapide cadence.
LECONTE DE LISLE, Poèmes antiques, «Surya».

2 Et le son de ta voix m'enivre et chante mieux
Que la blanche Apsara sous le figuier des Dieux !
LECONTE DE LISLE, Poèmes antiques, «Cunacepa».

**APSIDE** [apsid] n. f. — 1691; lat. impérial *absida*, du lat. class. *apsis*, grec *apsis, idos* «voûte» (aussi *hapsis, idos*). → Abside.

♦ **1** Archit. Vx. Abside.

♦ **2** Astron. *Ligne des apsides :* grand axe de l'orbite d'une planète. Spécialt. Point de l'orbite d'une planète où celle-ci se trouve à la plus grande ou à la plus petite distance de l'astre autour duquel elle gravite. *Les apsides sont les extrémités du grand axe de la trajectoire.* Désigne également les points de l'orbite d'un satellite autour de sa planète, d'un satellite artificiel autour de la terre (ou d'un autre corps céleste). *Apside supérieure :* le point éloigné. → **Apoastre; aphélie, apogée, apolune.** *Apside inférieure :* le point le plus rapproché. → **Périastre; périgée, périhélie, périlune.**

Cette gravitation est la cause de la révolution des apsides de la lune en neuf ans.
VOLTAIRE, Philosophie de Newton, III, 10.

REM. Les préf. *apo-* et *péri-* peuvent s'employer avec d'autres rad. (ex. : *apojove, périjove* pour la planète Jupiter).

HOM. **Abside.**

**APTE** [apt] adj. — 1375; *ate*, 1145; repris XVIII^e; lat. *aptus*.

♦ **1** Dr. (XVIII^e) et sc. Qui détient naturellement ou juridiquement une capacité, un droit, etc. *Apte à hériter, à succéder, à tester.* — Vx. *Apte et idoine*.*

1 *(Il)* n'a de prêtre que ce qu'il en faut pour être apte et idoine à posséder des bénéfices.
D'ALEMBERT, Lettre au roi de Prusse, 30 juil. 1781.

♦ **2** (Mil. XIX^e). Cour. Qui est propre à (qqch.), qui a des dispositions naturelles pour (faire qqch.). *Apte à exercer des fonctions. Combien d'enfants négligés seraient aptes à faire de bonnes études ! Il est apte à faire un bon soldat.* → **Bon, capable, fait** (pour), **propre** (à). *Un esprit apte à concilier les antinomies.* → Accord, cit. 17. *Apte à recevoir qqch.* → **Susceptible** (de). *Être apte à comprendre la portée de ses actes.* — *Apte au travail, au service militaire, à la reproduction.* — *Être apte à qqch., à tout.*

2 Moins on sent une chose, plus on est apte à l'exprimer comme elle est (...)
FLAUBERT, Correspondance, t. II, p. 82.

Des hommes habiles dans l'analyse et suffisamment aptes à faire un résumé peuvent être privés d'imagination. 3
BAUDELAIRE, Œuvres, t. II, p. 226.

*(Le Français)* plus apte au travail individuel qu'aux entreprises collectives. 4
Ch. SEIGNOBOS, Hist. sincère de la nation franç., p. 335.

Car un homme ne naît pas jaloux, il apporte seulement un état de réceptivité qui le rend apte à contracter cette maladie. 5
A. MAUROIS, Climats, p. 64.

(...) nulle part, même en Italie, il ne s'était senti à ce point apte à toutes les grandes tâches et si évidemment destiné à les accomplir (...) 6
Louis MADELIN, Hist. du Consulat et de l'Empire, t. II, XXII.

L'homme est extraordinairement habile à s'empêcher d'être heureux; il semble que, moins il est capable de supporter le malheur, plus il est apte à se l'apprivoiser. 7
GIDE, Journal, 1895, Pl., p. 56.

Spécialt. *Apte au service militaire. Jeunes gens aptes d'office,* qui sans excuse valable, ne se sont pas présentés aux épreuves d'aptitude.

(Choses). *Un instrument apte à effectuer certaines opérations. Les «solvants organiques qui sont aptes à séparer l'uranium et le plutonium»* (Goldschmidt *in* T. L. F.).

Il redoute de laisser mourir la conversation (...) Aussi se hâte-t-il de faire son choix parmi les propos qu'il sait aptes à stimuler l'éloquence de la vieille fille. 8
H. TROYAT, le Vivier, p. 7.

Sans compl. en *à*. *Être déclaré apte.*

♦ **3** N. (D'abord, en sc. de la nature). *Les plus aptes,* ceux qui résistent à la sélection naturelle. *La sélection des plus aptes. — L'élimination des non aptes, des moins aptes.*

CONTR. **Inapte, incapable.** ◊ DÉR. V. **Aptitude.** — COMP. V. **Adapter, inapte.**

**APTÈRE** [aptɛʀ] adj. — 1751, au sens 2.; grec *apteros*, de *a-* privatif, et *pteron* «aile».

Didactique.

♦ **1** (1762, Geoffroy). Sc. nat. Qui est dépourvu d'ailes. *Insecte, graine aptère.*

(...) l'insecte aux ailes fortes et l'insecte aptère exprimant l'un et l'autre la force des vents (...) 1
ALAIN, Entretiens au bord de la mer, *in* les Passions et la Sagesse, Pl., p. 1138.

♦ **2** (1751). Arts. Se dit des représentations allégoriques (surtout, de la Victoire) dépourvues d'ailes par exception. *La Victoire aptère,* que les Athéniens privaient d'ailes, pour qu'elle demeure dans leur patrie.

Les Grecs ont beau créer une Minerve aptère et faire dominer Athènes par la sagesse sans ailes (...) 2
HUGO, Post-Scriptum de ma vie, p. 45.

♦ **3** *Temple aptère,* sans colonnade sur les faces latérales (opposé à *périptère*).

CONTR. **Alifère.** ◊ DÉR. (Du grec) V. **Aptéronote, aptérygote, aptéryx.** — HOM. **Haptère.**

**APTÉRIE** [apteʀi] n. f. — Fin XIX^e; de 2. *a-*, et grec *pteron* «aile».

Zool. Surface du corps des oiseaux où la peau est nue ou recouverte de duvet.

CONTR. **Ptérylie.**

**APTÉRONOTE** [apteʀɔnɔt] n. m. — 1800, Lacépède; du lat. sc. *apteronotus* «poisson», du grec *a-* privatif, *pteron* «aile» («nageoire»), et *nôton* ou *nôtos* «dos».

Zool. Poisson sans nageoire dorsale. — *Les Aptéronotes* (vx) : nom donné à un genre.

Je termine là cette nomenclature (...) par la série des poissons osseux que j'observai ; poissons appartenant au genre des aptéronotes, dont le museau est très obtus et blanc de neige, le corps peint d'un beau noir et qui sont munis d'une lanière charnue très longue et très déliée (...)
J. VERNE, Vingt mille lieues sous les mers, p. 198.

**APTÉRYGOTES** [apteʀigɔt] n. m. pl. — XX^e^ ; grec *apterugos*, de *a-* privatif, et *pterux, pterugos* « aile ». → Aptère.

Zool. Sous-classe d'insectes primitifs dépourvus d'ailes sans formes larvaires différenciées (ex. : les Thysanoures). — Au sing. *Un aptérygote.*

**APTÉRYX** [apteʀiks] n. m. — 1822 ; attesté 1813 en angl. ; du grec *a-* privatif, et *pterux* « aile » ; → Aptère, aptérygotes.

Zool. Oiseau coureur de Nouvelle-Zélande *(Ratites)*, communément appelé *kiwi*, qui ne possède que des rudiments d'ailes, des plumes ayant l'apparence de poils, et qui est dépourvu de queue (il sert de type à la famille des *Aptérygidés*).

**APTIEN, IENNE** [aptjɛ̃, jɛn] adj. et n. m. — 1843, Alcide d'Orbigny ; de *Apt*, ville du Vaucluse.

Didact. (géol.). Étage du crétacé, couche de l'urgonien*. « *Les mouvements tectoniques de cette région seraient donc antérieurs aux dépôts d'orbitoline, c'est-à-dire* (...) *début aptien* » (*la Recherche*, 2 juin 1970, p. 164).

**APTITUDE** [aptityd] n. f. — 1361 ; bas lat. *aptitudo*, de *aptus*. → Apte.

♦ **1** Cour. Disposition naturelle (d'un être vivant, spécialt d'un être humain). *Les aptitudes particulières de qqn.* → **Disposition, faculté, goût, penchant, prédisposition, propension, qualité, tendance.** *Aptitude à qqch., à faire qqch. Aptitude à comprendre, à réussir. Avoir une grande aptitude à* (ou *pour*) *une activité.* → **Adresse, bosse, capacité, facilité, habileté, instinct** (avoir l'instinct de...). *Aptitude bien exercée, entraînant la compétence*, le talent. — Aptitude au travail, à l'action, à la musique, aux arts, aux mathématiques. Il, elle n'a aucune aptitude pour les sciences...* — (Le compl. désigne un état plus ou moins passif). *Aptitude au bonheur, à la souffrance. Aptitude à tout supporter* (→ **Patience**), *à souffrir, à être malheureux.*

(Sans compl.). *Avoir de nombreuses aptitudes. Aptitudes physiques, intellectuelles. Certificat d'aptitude physique.*

1 Une singulière aptitude pour apprendre en peu de temps à chanter un air (...)
BUFFON, Hist. nat. des oiseaux, l'Alouette huppée.

2 Le génie n'est qu'une plus grande aptitude à la patience.
BUFFON, cité par HÉRAULT DE SÉCHELLES, Voyage à Montbard.

3 Le goût est une aptitude à bien juger des choses de sentiment.
VAUVENARGUES, Introd. à la connaissance de l'esprit humain, XII.

4 La présence d'esprit se pourrait définir une aptitude à profiter des occasions pour parler ou pour agir.
VAUVENARGUES, De la présence d'esprit.

5 Toutes les âmes n'ont pas une égale aptitude au bonheur, comme toutes les terres ne portent pas également des moissons.
CHATEAUBRIAND, Mémoires d'outre-tombe, I, 6.

6 Jamais notre vanité ne reconnaîtra à un homme, même de génie, deux aptitudes, et la faculté de faire aussi bien qu'un esprit commun des choses communes
CHATEAUBRIAND, Mémoires d'outre-tombe, t. V, L, 13.

Ses puissances intimes, ses aptitudes foncières, ses instincts primitifs et héréditaires, sollicités et fortifiés par l'épreuve, continuent d'agir après l'épreuve, et après avoir fait une nation, font un art. 7
TAINE, Philosophie de l'art, II, III, 4.

(...) la singulière aptitude qu'avait cet étrange garçon à répandre des averses de larmes allait chaque jour en augmentant. 8
Alphonse DAUDET, le Petit Chose, p. 8.

Rien ne m'a plus frappé que l'aptitude des vivants à s'accommoder et à se donner les formes qui conviennent aux circonstances. 9
VALÉRY, Variété IV, p. 104.

En raison même de la complexité de ses aptitudes, l'enfant fut assez long à trouver sa voie. 10
Henri LICHTENBERGER, Wagner, p. 3.

(Mil. XIX^e^). Sc. nat. Disposition naturelle (d'un être vivant, d'une espèce). *On développe les aptitudes des animaux domestiques par la sélection des reproducteurs et le croisement des races. Aptitude à la marche, au vol.*

Philos., psychol. Substrat congénital d'une capacité. *Test d'aptitude. Aptitudes sensorielles, sensorimotrices, mentales.* — *Appréciation des aptitudes. Méthode des aptitudes de base* (évaluation des emplois).

On parle quelquefois d'« aptitude acquise » ; mais en réalité, dans ce cas, on sous-entend l'existence d'une disposition naturelle à acquérir une habitude, un tour de main, à profiter de l'expérience. Si tous les hommes présentaient exactement les mêmes capacités et la même disposition à profiter d'un apprentissage, la notion d'aptitude serait superflue. 11
Ed. CLAPARÈDE, *in* LALANDE, Voc. de la philosophie.

Par ext. Compétence acquise et reconnue après une formation. *Aptitude professionnelle. Certificat d'aptitude professionnelle* (C. A. P.), examens ou concours sanctionnant des études à finalités professionnelles.

*Un brevet d'aptitude de technicien. Le Certificat d'aptitude à l'enseignement technique* (C. A. P. E. T.). *Certificat d'aptitude professionnelle à l'enseignement secondaire* (C. A. P. E. S. → Capétien). — *Liste d'aptitude* (de candidats).

♦ **2** (1701). Dr. *Aptitude légale* : qualité reconnue légalement à exercer un droit, à recevoir un legs, etc. → **Capacité, habilité.**

La capacité juridique peut être définie : l'aptitude à acquérir des droits et à les exercer. 12
A. COLIN et H. CAPITANT, Cours de droit civil, t. I, p. 76.

Admin. *Aptitude militaire* : capacité à servir dans l'armée.

♦ **3** Capacité (d'une chose). *L'aptitude d'un appareil à effectuer une fonction.*

CONTR. **Impéritie, inaptitude, incapacité.**

**APTYALISME** [aptjalism] n. m. — 1865, P. Larousse, *aptyalie* ; de *a-* privatif, et grec *ptualon* « salive ».

Didact. (méd.). Absence ou diminution notable de sécrétion salivaire, en dehors de toute maladie. → **Asialie, xérostomie.** *L'aptyalisme des vieillards. Aptyalisme des mélancoliques, des anxieux* (→ cour. Avoir la bouche* sèche).

**APUREMENT** [apyʀmɑ̃] n. m. — 1388, dr. « vérification (d'un acte) » ; « purification », 1423 ; de *apurer*.

(1606). Fin. Vérification définitive (d'un compte) après laquelle un comptable est reconnu quitte. *Donner quitus* à un comptable après apurement de ses comptes.*

CONTR. **Rectification, redressement, révision.**

**APURER** [apyʀe] v. tr. — 1611; «purifier, épurer», fin XIIe, de 1. *a-*, et *pur.*

♦ **1** Vx. Purifié. → **Épurer.** — (1723). Techn. *Apurer l'or.* → **Raffiner.**

♦ **2** Fin. Reconnaître (un compte) exact après vérification des pièces justificatives et en donner quitus au comptable.

1 D'Auneuil avait longtemps avant sa mort apuré ses comptes à la Chambre des Comptes (...)
SAINT-SIMON, Mémoires, 435, 50, *in* LITTRÉ.

1.1 Nous devons être quittes, ou à peu près, sitôt notre petit compte de manteau apuré.
Laure SURVILLE DE BALZAC, Lettres, 6 déc. 1834, p. 174.

1.2 (...) M. Grandet de Saumur demanda le dépôt, chez un notaire, de tous les titres de créance existant contre la succession de son frère, en les accompagnant d'une quittance des paiements déjà faits, sous prétexte d'apurer les comptes, et correctement établir l'état de la succession.
BALZAC, Eugénie Grandet, éd. 1838, p. 267.

Loc. fig. *Avoir ses comptes (bien) apurés :* être en règle avec sa conscience.

2 Cette sourde inquiétude la travaillait (...) de n'avoir point tous ses comptes bien apurés, et d'être jugée elle aussi avec cette rigueur infinie (...)
F. MAURIAC, la Pharisienne, p. 175.

Par ext. (abusif). *Apurer une dette.*

CONTR. **Rectifier, redresser, réviser.** ◊ DÉR. **Apurement.**

**APYRE** [apiʀ] adj. — 1759, *in* D. D. L.; grec *apuros,* de *a-* priv., et *pur* «feu».

Didact. Qui résiste à l'action du feu. → **Incombustible, infusible ininflammable.** *Le cristal de roche, l'amiante, l'andalousite sont apyres. Une substance apyre et réfractaire*.*

CONTR. **Fusible, inflammable.**

**APYRÈNE** [apiʀɛn] adj. — 1846; grec *apurênos,* de *a-* priv., et *purên* «noyau».

Bot. Dont les fruits ne contiennent pas de noyau. *Espèces apyrènes.* — Qui ne contient pas de graines.

**APYRÉTIQUE** [apiʀetik] adj. — 1808; du lat. *apyretus,* du grec *apuretos,* de *a-* priv., et *puretos* «fièvre». → Apyrexie.

Méd. Qui n'est pas accompagné de fièvre, qui n'a pas de fièvre. — N. m. Remède qui fait tomber la fièvre. *Un apyrétique.* → **Antipyrétique.**

**APYREXIE** [apiʀɛksi] n. f. — 1590, A. Paré; grec *apurexia,* de *apurektos* «sans fièvre», de *a-* priv., et *puressein* «avoir la fièvre», du rad. *pur* «feu, fièvre». → Pyrexie.

Méd. Absence de fièvre; état du malade durant les intervalles qui séparent deux accès de fièvre. → **Intermission.** *La durée de l'apyrexie varie suivant les types de fièvre.* → **Fièvre.**

La fièvre intermittente, c'est-à-dire qui a rémission franche et absolue, que les Grecs appellent apyrexie, et les Latins infebricitation.
Ambroise PARÉ, XX, 12, *in* LITTRÉ.

CONTR. **Fièvre.** ◊ DÉR. **Apyrexique.** — V. **Apyrétique.**

**APYREXIQUE** [apiʀɛksik] adj. — 1865; de *apyrexie.*

Méd. Relatif à l'apyrexie. *Périodes apyrexiques et périodes fébriles.*

**AQUACOLE** [akwakɔl] adj. → **Aquicole.**

**AQUACULTEUR** [akwakyltœʀ] n. m. → **Aquiculteur.**

**AQUACULTURE** [akwakyltyʀ] n. f. — Mil. XXe; du lat. *aqua* «eau», et *-culture.*

Aquiculture. — REM. La forme *aquaculture* tend à l'emporter, au moins chez les spécialistes.

**AQUAFORTISTE** [akwafɔʀtist] n. et adj. — 1853; ital. *acquafortista,* de *acquaforte* «eau *(acqua)*-forte». Le *Dict. universel* de P. Larousse signale la fondation à Paris de la *Société des Aqua-fortistes* en 1862.

Graveur à l'eau-forte.

(...) depuis la découverte de ce genre de gravure, il y a 1
eu autant de manières de le cultiver qu'il y a eu d'artistes aquafortistes.
BAUDELAIRE, Curiosités esthétiques, XIII.

M. Meryon, le vrai type de l'aquafortiste achevé (...) 2
BAUDELAIRE, Curiosités esthétiques, XIII.

Un mot maintenant sur la Nana de M. Dagnan-Bouveret, et 3
nous pourrons passer, sans plus tarder, aux aquafortistes et aux graveurs.
HUYSMANS, l'Art moderne, p. 90.

**AQUAGYM** [akwaʒim] n. f. — 1988; du lat. *aqua* «eau», et *gym(nastique).*

Gymnastique pratiquée en piscine. *«Les délices de l'aquagym en apesanteur»* (*le Nouvel Obs.,* 8 juin 1995, p. 20).

**AQUAMANILE** [akwamanil] n. m. — 1885; lat. *aquæmanile, acquimanile,* de *aqua* «eau», et *manus* «main».

Aiguière munie d'un bassin pour se laver les mains. *Sous la Rome impériale, des esclaves portant l'aquamanile, circulaient près des lits, pendant le repas, et versaient de l'eau parfumée sur les mains des convives. Aquamanile en cuivre.*

**AQUANAUTE** [akwanot] n. — 1967; du lat. *aqua* «eau», et *-naute,* d'après *astronaute, cosmonaute.*

Spécialiste des expéditions sous-marines (on emploie aussi *océanaute*). *«L'ère des océans a commencé. Une nouvelle race d'hommes, celle des "aquanautes" est descendue sous les eaux pour y vivre et travailler...»* (*Science et Vie,* no 594). → **Homme-grenouille.**

**AQUAPLANAGE** [akwaplanaʒ] n. m. — 1973; du faux anglicisme *aqua-plan(n)ing,* 1969.

Techn. Perte d'adhérence d'une automobile ou d'un avion lancé à vive allure sur une chaussée recouverte d'une pellicule d'eau. — REM. Ce terme a été recommandé officiellement pour remplacer *aquaplaning.*

**AQUAPLANE** [akwaplan] n. m. — 1931; du lat. *aqua* «eau», et *planer.*

♦ **1** Planche tirée par un canot et sur laquelle on se tient debout en s'aidant d'une corde.

*L'Hérétique* (...) s'était comporté comme je l'espérais, comme un aquaplane, une plate-forme, sur la crête de la vague où il avait glissé sans offrir de résistance.
Alain BOMBARD, Naufragé volontaire, p. 159.

Sport pratiqué avec cet appareil (a précédé le ski nautique).

♦ **2** Techn., mar. Bâtiment, embarcation à ailes portantes, pouvant atteindre des vitesses élevées en déjaugeant.

**AQUAPLANING** [akwaplaniŋ] n. m. → **Aquaplanage.**

**AQUARELLAGE** [akwaʀɛlaʒ] n. m. — 1863; de *aquareller.*

Rare. Fait d'aquareller, de passer à l'aquarelle. *L'aquarellage d'un dessin.*

Témoignant mon étonnement de la luminosité brillantée de certaines aquarelles vues chez Palizzi, il me dit leur donner à la fin cet éclat avec des couleurs chinoises, dont il a une boîte : — couleurs apportant à son aquarellage, un glacis de fraîcheur et une richesse de coloration que n'ont pas les couleurs d'Europe.
Ed. et J. DE GONCOURT, Journal, t. II, p. 103 (1863).

**AQUARELLE** [akwaʀɛl] n. f. — 1791, *Encycl. méthodique ;* ital. *acquarella,* de *acqua* «eau».

♦ **1** Peinture légère sur papier spécial (papier-torchon), au moyen de couleurs transparentes (à la différence de la gouache) délayées dans de l'eau. Syn. : *peinture à l'eau. Aquarelle en tube. Une boîte d'aquarelle. Peindre à l'aquarelle. Faire de l'aquarelle. Passer un dessin à l'aquarelle.* → **Aquareller.** *Un lavis* d'aquarelle. La gouache* (cit. 1) *et l'aquarelle.*

1 Ce lion peint à l'aquarelle a pour moi un grand mérite, outre la beauté du dessin et de l'attitude. C'est qu'il est fait avec une grande bonhomie. L'aquarelle est réduite à son rôle modeste et ne veut pas se faire aussi grosse que l'huile.
BAUDELAIRE, Curiosités esthétiques, Salon de 1846.

2 Le charme particulier de l'aquarelle, auprès de laquelle toute peinture à l'huile paraît toujours rousse et pisseuse, tient à cette transparence continuelle du papier.
E. DELACROIX, Journal, 6 oct. 1847.

3 L'aquarelle laisse transparaître les fonds tandis que la gouache les couvre. Ce sont les artistes anglais qui ont, au début du XIXe siècle, tiré le meilleur parti de l'aquarelle. Louis RÉAU, Dict. d'art et d'archéologie, p. 24.

♦ **2** *Une, des aquarelles.* Œuvre exécutée par ce procédé. *Les aquarelles de Delacroix. Une collection d'aquarelles.*

4 Nous feindrons de croire, le lecteur et moi, que M. G. *(Constantin Guys)* n'existe pas, et nous nous occuperons de ses dessins et des aquarelles, pour lesquelles il professe un dédain de patricien (...)
BAUDELAIRE, Curiosités esthétiques, XVI, III.

♦ **3** Genre artistique des peintures à l'aquarelle. *Préférer l'aquarelle à la gouache.*

**DÉR. Aquareller, aquarelliste.**

**AQUARELLER** [akwaʀele] v. tr. — 1855 ; de *aquarelle.* Arts. Rehausser à l'aquarelle.

1 (...) je ferais tirer une centaine d'épreuves sur papier collé et je m'amuserais à les aquareller de toutes les colorations qui se lèvent des brumes aqueuses de la Seine (...)
Ed. et J. DE GONCOURT, Journal, t. V, p. 970 (1874).

◆ **AQUARELLÉ, ÉE** p. p. adj. (1863). Exécuté ou rehaussé à l'aquarelle. *Dessin aquarellé.*

2 Puis ouvrant, l'un après l'autre, quatre grands cartons, sur lesquels est écrit : SOIRÉES DU LOUVRE, il *(Nieuwerkerke)* fait défiler devant nous toutes les caricatures du Paris illustre : ministres, généraux, magistrats, artistes, écrivains, aquarellés le soir, à la lampe, par Eugène Giraud (...)
Ed. et J. DE GONCOURT, Journal, t. II, p. 63 (1863).

**DÉR. Aquarellage.**

**AQUARELLISTE** [akwaʀelist] n. et adj. — 1829 ; de *aquarelle.*

Celui, celle qui peint à l'aquarelle. → **Peintre ;** → 1. Palette, cit. 4. *Une aquarelliste de grand talent. Ce dessinateur est aussi aquarelliste.*

Néanmoins, grâce à ses talents d'aquarelliste, maman, qui peignait des assiettes pour les grands magasins, a tout de même réussi à me pousser jusqu'à ma médecine. Quand elle est morte, le pinceau à la main, épuisée de travail, elle avait eu la joie de voir mes études à peu près terminées.
J. ANOUILH, Ornifle, p. 114.

Appos. ou adj. *Un peintre aquarelliste.*

**AQUARIEN** [akwaʀjɛ̃] n. m. — 1771, au sens 2. ; dér. du lat. *aquarius.*

Didactique.

♦ **1** (1838). Dans l'Antiquité romaine, Employé du service des eaux, des aqueducs.

♦ **2** (Lat. *aquarii,* plur.). Hist. relig. Membre d'une secte chrétienne (IIIe siècle) qui n'utilisait que le pain et l'eau pour le saint sacrifice.

**AQUARIOPHILE** [akwaʀjɔfil] n. — Mil. XXe → Aquariophilie ; de *aquarium,* et *-phile.*

Didact. Personne qui élève des poissons d'ornement en aquarium.

**AQUARIOPHILIE** [akwaʀjɔfili] n. f. — 1949 ; de *aquarium,* et *-philie.*

Didact. Élevage des poissons dans un but décoratif, en aquarium.

**AQUARIUM** [akwaʀjɔm] n. m. — 1860 ; lat. *aquarium* «réservoir».

♦ **1** Réservoir de verre, de matière transparente, dans lequel on entretient des plantes et des animaux aquatiques. *Des aquariums. Poissons d'aquarium,* d'ornement.

Et là, sur le dernier gradin de cette chapelle du ventre 0.1
*(la charcuterie...)* le reposoir se couronnait d'un aquarium carré, garni de rocailles, où deux poissons rouges nageaient, continuellement.
ZOLA, le Ventre de Paris, t. I, p. 54 (1875).

Littér. (dans des compar. et des métaphores). *Une lumière d'aquarium,* verdâtre.

Le rêve est l'aquarium de la nuit. 1
HUGO, les Travailleurs de la mer, I, I, 8.

Tout cela vu à dix-huit ou vingt pieds de profondeur dans 2
je ne sais quelle facticité d'aquarium en cristal.
Alphonse DAUDET, Contes du lundi, «La bouillabaisse».

♦ **2** Collection d'animaux aquatiques vivant dans des aquariums. *L'aquarium de Monaco.*

♦ **3** Fig., fam. Local vitré. — (1896). Argot. *L'aquarium :* la Chambre des députés.

**COMP. Aquariophile, aquariophilie.**

**AQUASTAT** [akwasta] n. m. — V. 1970 ; du lat. *aqua* «eau», et *(thermo)stat.*

Techn. Thermostat réglant une température d'eau.

**AQUATEINTE** [akwatɛ̃t] n. f. → **Aquatinte.**

**AQUATILE** [akwatil] adj. — 1678 ; lat. *aquatilis,* de *aqua* «eau».

Didact. Se dit des plantes entièrement submergées ou dont une partie reste toujours sous l'eau. *La lentille d'eau, le lotus, le nénuphar sont des plantes aquatiles.* → **Aquatique.**

**AQUATINTE** [akwatɛ̃t] n. f. — 1817, *in* D. D. L. ; ital. *acqua tinta* «eau teinte».

Didactique.

♦ **1** Procédé de gravure à l'eau-forte imitant le lavis. *Estampes à l'aquatinte. Faire de l'aquatinte.*

En retournant, songé avec Soulier à faire de l'aquatinte 1
d'après mes dessins : je retoucherai à la pointe.
E. DELACROIX, Journal 1823-1850, 4 mai 1824, t. 1.

Battant les rues, cette nuit, nous rencontrons deux jeunes 2
filles, portant ces chapeaux qu'on voit dans les estampes à l'aquateinte d'après Lawrence, ces grands chapeaux d'où pend une dentelle noire, dont les pois semblent faire danser sur la figure des femmes des grains de beauté (...)
Ed. et J. DE GONCOURT, Journal, t. I, p. 262.

*Les aquatintes de Goya.* → **Gravure.** *Des aquatintes.*

**REM.** La forme *aqua-tinta* ou *aquatinta* (Balzac, *Illusions perdues*) est archaïque. — On trouve aussi les graphies *aqua-tinte* (Huysmans) et *aquateinte* (*in* T. L. F.).

♦ **2** *(Une, des aquatintes).* Gravure à l'aquatinte.

**DÉR. Aquatintiste.**

**AQUATINTISTE** [akwatɛ̃tist] n. — 1866; de *aquatinte.*
Didact. Graveur à l'aquatinte.

**AQUATIQUE** [akwatik] adj. — 1270; lat. *aquaticus,* de *aqua* «eau».

♦ **1** Vx. Qui est plein d'eau. *Terrain aquatique.* → **Marécageux.**

♦ **2** (Av. 1350). Mod. Qui croît, vit dans l'eau ou au bord de l'eau. → **Aquicole; hygrophile.** *Les poissons sont des animaux aquatiques. Les batraciens sont tour à tour aquatiques et terrestres.* → **Amphibie.** *Certaines plantes aquatiques telles que le cresson, la grenouillette, les roseaux vivent dans les lieux humides; d'autres vivent entièrement dans l'eau.* → **Aquatile.** *Élevage des animaux et des plantes aquatiques.* → **Aquiculture.** — Vx. *Le peuple aquatique :* les animaux aquatiques.

1 (...) Le peuple aquatique
L'un après l'autre fut porté
Sous ce rocher peu fréquenté.
LA FONTAINE, Fables, X, 3.

2 À vrai dire, cette modeste plante aquatique dont l'existence se passe au fond de l'eau, dans une sorte de demi-sommeil (...)
MAETERLINCK, l'Araignée de verre, p. 7.

REM. En parlant des mammifères, on dit plutôt *marin.*

N. m. pl. *Les aquatiques :* les animaux aquatiques.

3 Mais Louis-Philippe des Cigales (...) sans bouger de son fauteuil a été lancé dans un monde où les hommes ne parviennent pas plus à respirer que les aquatiques sur terre arrachés à leur eau (...)
R. QUENEAU, Loin de Rueil, p. 23.

♦ **3** Peint. *Vert* aquatique,* qui a la nuance de l'eau.

CONTR. **Aérien, terrestre.**

**AQUATIR** [akwatiʀ] v. intr. — 1912; du lat. *aqua,* et de *atterrir.*
Didact., rare. Se poser sur l'eau, en parlant d'un engin aérien. → **Amerrir.** — REM. Le mot a été proposé en Suisse *(Journal de Genève),* mais n'a pas été retenu par l'usage : c'est *amerrir* qui l'a emporté.

Pour les hydravions, le lac immense et paisible offre la meilleure place que l'on puisse rêver pour aquatir (amerrir, alaquir, aflotter, comment voulons-nous dire, au juste?).
Genève, cité des Nations, *in* K. NYROP, Études de grammaire franç., 1920, (*in* D. D. L., II, 15).

**AQUA-TOFFANA (**ou **-TOFANA)** [akwatɔfana] n. f. — 1823, *aqua Toffana* mot ital., de *aqua* «eau», et *Toffana* nom propre.
Hist. Poison subtil dont on attribue l'invention à une femme de Palerme, Giulia Toffana (XVIIe siècle).
Var. graphique : *acqua tofana* (Stendhal, *Promenades dans Rome*). — Syn. anc. : *aquette, aquetta* (ital.) n. f.

**AQUATUBULAIRE** [akwatybylɛʀ] adj. — D. i.; comp. sav., du lat. *aqua* «eau», et de *tubulaire.*
Techn. *Chaudière aquatubulaire :* chaudière dont la surface de chauffe est essentiellement constituée par des tubes contenant de l'eau ou de la vapeur d'eau en circulation.

**AQUAVIT** [akwavit] n. m. → **Akvavit.**

**AQUAZOLE** [akwazɔl] n. m. — 1995; nom déposé, de *aqua-,* d'après *gazole* (mot-valise).
Carburant composé d'une émulsion d'eau dans du gazole stabilisé par des tensioactifs. *Bus qui roule à l'aquazole.*

**-AQUE** Suffixe d'adjectifs *(élégiaque, insomniaque, maniaque...).*

**AQUEDUC** [akdyk] n. m. — 1553, *aqueduct;* 1518, *aqueducte;* lat. *aquaeductus,* de *aqua* «eau», et *ductus* «conduite», de *ducere* «conduire». → -duc, suff.

♦ **1** Cour. Canal souterrain ou aérien destiné à capter et à conduire l'eau d'un lieu à un autre. → **Canal, conduite, dalot.** *La cuvette d'un aqueduc,* partie ou l'eau coule. *Le trottoir d'un aqueduc.* → **Banquette.** *Canal d'écoulement d'un aqueduc.* → **Cunette.** *Les regards d'un aqueduc souterrain. Le célèbre aqueduc de Nîmes traverse les ravins sur des ponts à arcades* (Pont du Gard).

Sur le tiers pont est un aqueduc accomodé pour passer une fontaine d'une montagne à l'autre. 1
Ch. ESTIENNE, le Guide des Chemins de France, 72, *in* HUGUET.

Les aqueducs *(romains)* se rattachent à l'histoire de l'art par la hardiesse et la beauté de leurs arcades, dont ils comptaient parfois trois étages. Ils ne servaient pas seulement à fournir les villes pour les usages domestiques, mais à alimenter les bassins et fontaines où l'eau coulait, s'étalait, jaillissait à profusion. 2
André BAUDRILLART, *in* Mémento Larousse, I, p. 886.

Appos. (1866, *in* D. D. L.). *Pont aqueduc.*

Techn. *Aqueduc sous chaussée :* petit ouvrage d'évacuation des eaux. — *Aqueduc-larron :* galerie conduisant l'eau d'un bief amont vers un bief aval.

Par ext. Ouvrage d'art supportant un aqueduc. — Dr. *Servitude d'aqueduc.*

♦ **2** Anat. Conduit qui fait communiquer certaines parties d'organes. *Aqueducs de l'oreille. L'aqueduc de Fallope.*

Les aqueducs font communiquer les cavités de l'oreille interne avec l'extérieur. On distingue un aqueduc du vestibule et un aqueduc du limaçon. 3
L. TESTUT, Traité d'anatomie, p. 823.

**AQUEUX, EUSE** [akø, øz] adj. — 1503; lat. *aquosus,* de *aqua* «eau».

♦ **1** Didact. Qui est de la nature de l'eau. — (1546). Qui contient de l'eau. *La partie aqueuse du sang,* l'eau. *L'humeur aqueuse de l'œil.* — *Fruits aqueux,* contenant de l'eau. *La courgette est un légume aqueux. Imprégné de vapeurs aqueuses.* → **Humide.** *Régime aqueux.*

(La première humeur de l'œil appelée aqueuse) pour la similitude qu'*(elle)* a avec l'eau. 1
Ambroise PARÉ, IV, 6, *in* LITTRÉ.

La partie aqueuse du sang se dissipe beaucoup par la transpiration (...) 2
MONTESQUIEU, l'Esprit des lois, XIV, 10.

Vx. *Météore* aqueux :* pluie.

♦ **2** Chim. Se dit d'une solution dont le solvant est l'eau. *Une solution aqueuse.*

CONTR. **Anhydre, sec.** ◊ DÉR. (Du lat. *aquosus*) V. **Aquosité.**

**À QUIA** [akwija] loc. adv. → **Quia.**

**AQUICOLE** [akɥikɔl] ou **AQUACOLE** [akwakɔl] adj. — 1877, Littré, *Suppl.;* du lat. *aqua* «eau», et *-cole,* du lat. *colere* «habiter».

Didactique.

♦ **1** Sc. nat. Qui vit dans l'eau. → **Aquatique.**

♦ **2** Qui se rapporte à l'aquiculture. *L'industrie aquicole (aquacole). Productions aquicoles (aquacoles). Projet de ferme aquicole (aquacole).*

**AQUICULTEUR** [akɥikyltœʀ] ou **AQUACULTEUR** [akwa kyltœʀ] n. m. — 1866; comp. du lat. *aqui-*, de *aqua* «eau», et *cultor* «cultivateur», sur le type agriculteur (*Larousse du XIXe s.*, et Littré, *Suppl.*).

Didact. Celui qui pratique l'aquiculture. → **Pisciculteur.** — Spécialt. Professionnel spécialisé dans la culture des plantes aquatiques.

**AQUICULTURE** [akɥikyltyʀ] ou **AQUACULTURE** [akwa kyltyʀ] n. f. — 1864; du lat. *aqui-*, de *aqua* «eau», et *-culture*. Mot proposé par Quatrefages de Bréau, *Larousse du XIXe siècle*, et Littré, *Suppl.*

♦ **1** Didact. Élevage d'espèces animales marines en vue de leur commercialisation (→ Mytiliculture, cit.). *L'aquiculture, l'aquaculture maritime, en viviers, en étangs...* → **Pisciculture,** et le suff. **-culture** (conchyliculture, mytiliculture, ostréiculture...).

On entend spécialement par pisciculture l'élevage artificiel de l'alevin, et par aquiculture l'empoissonnement des eaux.
LITTRÉ, Dict., Suppl., art. *Aquiculture.*

Spécialt. Culture des plantes aquatiques.

♦ **2** (XXe). Procédé de culture des plantes dans lequel on substitue au sol habituel une solution saline. Syn. : *culture sans sol, culture hydroponique.*

DÉR. **Aquiculteur.**

**AQUIFÈRE** [akɥifɛʀ] adj. — 1809, en zool.; 1834 au sens 1.; du lat. *aqui-*, de *aqua* «eau», et *-fère*.

Didactique.

♦ **1** Qui contient de l'eau. *Le sondage atteignit la couche aquifère. Nappe aquifère.*

N. m. Ensemble des terrains qui se prêtent à l'emmagasinement de l'eau et à sa circulation. — Couche géologique imprégnée d'eau (notamment, à la base d'un gisement d'hydrocarbures).

♦ **2** (1809, Lamarck : *trachées aquifères; respiration aquifère*). Sc. naturelles.

[a] Zool. *Système aquifère :* canaux et vésicules remplis de liquide, communiquant avec l'extérieur par la plaque madréporique, chez les échinodermes.

[b] Bot. *Cellules aquifères, tissus aquifères,* riches en parenchyme et pouvant retenir une grande quantité d'eau.

**AQUIFOLIACÉES** [akɥifɔljase] n. f. pl. — 1846, Bescherelle; lat. sav. *aquifoliaceae*, av. 1841, de *aquifolium* «houx», et suff. *-acées*.

Bot. Famille de plantes dont le type est le houx. → **Ilicacées.**

**AQUILAIN** [akilɛ̃] ou **AQUILANT** [akilɑ̃] adj. — 1802, dér. du lat. *aquilus* «brun», couleur de l'aigle *aquila*.

Rare. De couleur fauve ou brune, en parlant de la robe du cheval. — N. m. Cheval de cette couleur.

Le chevalier jurait par sa durandal et son aquilain, sa fidèle épée et son coursier rapide.
CHATEAUBRIAND, le Génie du christianisme, IV, V, 4 (1802).

HOM. (De *aquilain*) **Aquilin.**

**AQUILIDÉS** [akilide] n. m. pl. — Av. 1887 (*in* Encyclopédie Berthelot); du lat. *aquila* «aigle», suff. de noms de familles *-idés*.

Zool. Vx. Groupe de rapaces* diurnes de même extension que les Aquilinés* mais considéré comme une famille de l'ordre des Rapaces, et non comme une tribu de la grande famille des Falconidés (vx).

**AQUILIN, INE** [akilɛ̃, in] adj. — 1468; XIVe «qui ressemble à l'aigle»; lat. *aquilinus*, de *aquila* «aigle».

*Nez aquilin,* recourbé en bec d'aigle. → **Bourbonien.** — Par ext. *Un profil aquilin, des traits aquilins.* — REM. Le féminin est rare et littéraire : *le nez d'une courbure aquiline et fine* (Ed. et J. de Goncourt, *Journal*, 1856).

Il *(mon nez)* n'est ni camus ni aquilin; ni gros ni pointu, au moins à ce que je crois. 1
LA ROCHEFOUCAULD, Portrait, *in* LITTRÉ.

N. m. Rare. *L'aquilin du nez,* sa forme aquiline.

Célia était frêle et noueuse à la fois, élancée mais plutôt petite, le visage fait de lignes aiguës, d'arêtes vives. Les sourcils, l'enfoncement des orbites, l'aquilin du nez et une bouche aux lèvres minces lui dessinaient un visage à la fois minéral et fragile, dur et fin. 2
Régis DEBRAY, l'Indésirable, p. 51.

HOM. **Aquilain.**

**AQUILINÉS** [akiline] n. m. pl. — Av. 1887 (*in* Encyclopédie Berthelot, art. Aquilidés); du lat. *aquila* «aigle» et suff. de noms de sous-familles *-inés*.

Zool. Vieilli. Tribu de la grande famille des Falconidés (vx) ou Accipitridés (vx) comprenant les aigles.

**AQUILON** [akilɔ̃] n. m. — 1120; lat. *aquilo* «vent du nord», considéré par les Latins (Festus) comme venant de *aquila* (il est rapide comme l'aigle) — origine douteuse.

Littéraire.

♦ **1** Vent du nord, froid et violent (parfois opposé à *autan**). *Borée était souvent confondu avec l'âpre Aquilon, rapide comme l'éclair* (H. Aubert, *Dict. de myth. class.*). Par ext. Vent violent et froid.

Tout vous est aquilon, tout me semble zéphyr. 1
LA FONTAINE, Fables, I, 22.

D'un souffle l'aquilon écarte les nuages, 2
Et chasse au loin la foudre et les orages.
RACINE, Esther, III, 3.

*(L'inclémence)* Des aquilons et des hivers (...) 3
LA FONTAINE, Psyché, I.

L'aquilon s'époumone, et l'autan se harasse. 4
HUGO, la Légende des siècles, «Éviradnus».

Puis au fond de la nuit les aquilons coururent 5
Et revinrent, poussant une nuée encor.
HUGO, la Légende des siècles, LIV, «Vision».

Vaisseau favorisé par un grand aquilon. 6
BAUDELAIRE, les Fleurs du mal, XXXIX.

Ils semblaient toujours *(par le désordre de leur chevelure)* exposés aux orages et battus de l'aquilon. 7
FRANCE, le Petit Pierre, I.

Il nous faudrait des paroles d'ouragan ou de tempête, des menaces comme en hurlent les aquilons, des indignations brûlantes comme la foudre. 8
M. BARRÈS, la Colline inspirée, p. 157.

REM. Un dér. *aquilonaire* est attesté (1546, Rabelais).

♦ **2** (V. 1170). Vx. Le nord.

De colline en colline en vain portant ma vue, 9
Du sud à l'aquilon, de l'aurore au couchant (...)
LAMARTINE, l'Isolement.

♦ **3** Blason. Tête d'enfant joufflue qui paraît souffler avec violence.

**AQUITAIN, AINE** [akitɛ̃, ɛn] adj. et n. m. — 1640, n.; lat. *aquitanus*.

De l'Aquitaine. — N. m. Langue des Aquitains, habitants anciens de l'Aquitaine (langue inconnue, attestée par quelques toponymes, parfois supposée être une forme ancienne du basque).

**AQUITANIEN** [akitanjɛ̃] n. m. et adj. m. — 1869, *in* D. D. L.; de *Aquitaine*, province de France.

Géol. Étage du tertiaire (entre l'*oligocène* et le *miocène*).

**AQUOIBONISME** [akwabɔnism] n. m. — Mil. XX^e^; de *à quoi bon ?,* et suff. *-isme.*

Littér., fam. Tendance au fatalisme et à l'abandon. → L'à quoi bon* (cit. 101.1, 101.2).

Je me refuse à voir un corbeau, frère de celui d'Edgar Poe, se percher sur quelque buste de philosophe, et me répéter toutes les secondes : *À quoi bon !*
Un poète est libre de ne pas suivre les rails de la science. De vaincre l'aquoibonisme. On peut estimer Polytechnique et suspecter ses chiffres.
COCTEAU, Journal d'un inconnu, p. 189.

**AQUOSITÉ** [akozite] n. f. — 1314; bas lat. *aquositas,* de *aquosus.* → Aqueux.

♦ **1** Vx. [a] Ce qui est de la nature de l'eau.
[b] Liquide aqueux.

Certaines aquosités qui sortent pendant leur grossesse.
Ambroise PARÉ, I, 34, *in* HUGUET, Dict. XVI^e^ s.

♦ **2** (XIX^e^). Didact., rare. État de ce qui est aqueux. *La cuisson au four réduit l'aquosité de ce légume.*

CONTR. **Siccité.**

**A. R.** Abréviation de *Altesse Royale.*

**Ar** [aɛʀ] Symbole de l'*argon.*

**ARA** [aʀa] n. m. — 1558, *arat;* du guarani *araraca,* ou du tupi *ara, arara.*

Grand perroquet grimpeur *(Psittaciformes),* au plumage brillant, vivant en Amérique centrale et méridionale. *Ara rouge, ara bleu, ara militaire, ara hyacinthe. Des aras.*

Dans la vaste maison où tout un capharnaüm de la Compagnie des Indes dormait dans les pièces fermées de l'été, au bruit de cigales des scieries, un des cirques avait oublié un ara vert. Mon grand-père lui avait enseigné quatre mots, ironiquement peut-être : «Fais ce que dois.» Un des enfants était-il puni, il semblait que Casimir — le perroquet — devinât la faute; dès que l'enfant passait à portée du perchoir, l'ara, ailes battantes : «Fais ce que doäs! Fais-ce-que-doäs!» Et l'enfant, les yeux en coulisse, de courir chercher du persil, poison pour les perroquets.
MALRAUX, Antimémoires, Folio, p. 32.

HOM. **Haras.**

**ARABA** [aʀaba] n. f. — 1835, Lamartine; arabe *'ārābāh* «charrette».

Rare. Voiture légère à deux roues, d'origine turque, pour transporter les personnes et les bagages. *Des arabas.* → Corps, cit. 13.

Les arabas, attelés de grands bœufs au pelage argenté, attendent à l'ombre.
Th. GAUTIER, Préface à la Turquie pittoresque (1855), *in* l'Orient, t. I, p. 84.

**ARABE** [aʀab] adj. et n. — 1080, *arrabit,* n. m.; lat. *arabus* ou *arabs,* grec *araps,* de l'arabe.

♦ **1** Qui est originaire de l'Arabie. *Le peuple arabe. Cheval arabe,* d'une race particulière à l'Arabie. N. m. *Un Arabe* (→ **Nedjdi**). *Lévrier arabe* (→ **Sloughi**). *La civilisation arabe antéislamique, islamique.*

Des peuples originaires de l'Arabie qui se sont répandus avec l'Islam autour du Bassin méditerranéen. *Les nations arabes. La République arabe unie* (Égypte et Syrie, puis Égypte). Abrév. *R. A. U. Fédération des Émirats arabes unis.* — N. *Un, une Arabe. Les Arabes :* peuple sémitique, originaire d'Arabie; (abusif) populations islamisées, notamment du Maghreb. → **Barbaresque** (vx), **maure** (vx), **sarrasin** (hist.). *Arabe du désert.* → **Bédouin.** — REM. L'emploi (abusif) de *Arabe* pour *Maghrébin* et celui de nombreux synonymes péjoratifs et injurieux (→ Bicot, bougnoule, etc.) relèvent du racisme hérité d'une idéologie colonialiste, développée par la présence de nombreux travailleurs immigrés en France. — *Jeunes Arabes de la «deuxième génération».* → **Beur.**

La loi de Mahomet, qui défend de boire du vin, est donc une loi du climat d'Arabie : aussi, avant Mahomet, l'eau était-elle la boisson commune des Arabes. 1
MONTESQUIEU, l'Esprit des lois, XIV, 10.

Relatif aux Arabes, à leur langue (→ ci-dessous, 2.). → **Arabesque, arabique.** *La langue arabe. La poésie arabe. Dialectes arabes. Tournure arabe.* → **Arabisme; arabiser.** *L'écriture arabe. La calligraphie arabe. De nombreux mots arabes* (tels que *macache, toubib*) *ont pénétré dans les argots français par l'armée coloniale d'Algérie, au XIX^e^ siècle.* — *Le costume arabe* (→ **Babouche, burnous, chèche, chéchia, djellaba, fez, gandoura, haïk, saroual, turban**). *L'habitation, les monuments arabes* (→ **Bordj, casbah, fondouk, gourbi, koubba, ksar** [ksour], **marabout, mihrab, minaret, mosquée, moucharabieh**). *La religion arabe* (→ **Islam; islamique, mahométan** (vx), **musulman; hadj** [hadji], **iman, khotba, marabout, muezzin, mufti, uléma**). *La philosophie arabe médiévale. Averroès est une des gloires de la philosophie arabe. La musique arabe* (→ **Derbouka, nouba, raïta, rebab**). *L'art arabe musulman.* → aussi **Mozarabe, mudejar, hispano-moresque.**

L'Empire arabe du haut Moyen Âge a été une des grandes sources de notre culture. Il l'a été par trois voies : 1.1
— le latin médiéval des médecins, pharmaciens, alchimistes, mathématiciens, astronomes venus puiser à la science arabe (...)
— l'Italie et le commerce vénitien et génois (...)
— l'Espagne où les Maures installés du VIII^e^ au XV^e^ siècle implantèrent une civilisation originale.
Pierre GUIRAUD, les Mots étrangers, p. 9.

MOTS FRANÇAIS EMPRUNTÉS À L'ARABE : Voir tableau page suivante.

*Chiffres arabes* (opposés à *romains*), ceux de notre numérotation (les mots *chiffre, zéro, algèbre,* etc., viennent de l'arabe). → **Chiffre.**

Vx. *La liqueur arabe :* le café (A. Dumas *in* T. L. F.).

Loc. fam. *Fourbi* arabe :* grand désordre. *Travail arabe* (péj.) : travail mal exécuté, fait négligemment.

Loc. (Rare). *À l'arabe :* à la manière des Arabes. *«Ce chef (...) vêtu à l'arabe»* (Gide, *Voyage au Congo*).

Anciennt. Des populations indigènes, au Maghreb. *Les affaires arabes; le bureau arabe,* dans l'Algérie de l'époque coloniale.

♦ **2** N. m. *L'arabe :* une des grandes langues sémitiques, parlée d'abord dans la péninsule arabique, devenue langue véhiculaire de l'Islam, et divisée en nombreuses formes dialectales selon les régions où elle est parlée. *Il apprend, il sait l'arabe. Parler arabe. L'arabe classique, littéral, l'arabe du coran, coranique. L'arabe parlé, dialectal. L'arabe syrien, égyptien, algérien :* l'ensemble des dialectes arabes (et éventuellement la langue normalisée) parlée en Syrie, Égypte, etc. *L'arabe du journal :* la forme écrite, plus ou moins modernisée, de l'arabe tel qu'il est employé dans la presse. *Arabe «moyen», moderne.*

♦ **3** Loc. fig. [a] Vieilli. *Être de l'arabe :* ne pas être compréhensible (à cause de l'écriture). *C'est de l'arabe pour moi.* → C'est du chinois, de l'hébreu.

[b] Vx (emploi péjor. lié aux circonstances historiques, lutte contre l'Islam de la chrétienté, etc.) *Un Arabe :* homme avide, rapace (comme un corsaire barbaresque). — Spécialt (langue class.). Homme dur, avide, usurier. Syn. (vx) : *bédouin, corsaire, juif* (cit. 5, Molière). — Adj. :

### Mots français empruntés à l'arabe

### (directement ou par l'espagnol, le portugais, l'italien, le latin, le grec byzantin) ou au persan, au turc par l'arabe

- Abricot *(espagnol, portugais)*
- Aga
- Alambic
- Alberge *(espagnol)*
- Alcade *(espagnol)*
- Alcali
- Alcarazas *(espagnol)*
- Alchimie
- Alcool
- Alcôve *(espagnol)*
- Alezan
- Alfa
- Algarade *(espagnol)*
- Algèbre
- Alidade
- Alkékenge
- Almée *(espagnol)*
- Aman
- Ambre
- Amiral (→ émir)
- Antimoine
- Arabe
- Arabesque *(italien)*
- Arack
- Argousin *(espagnol)*
- Arrobe *(espagnol)*
- Arsenal *(latin)*
- Artichaut
- Assassin *(italien)*
- Aubère
- Avanie
- Avarie
- Azimut
- Babouche
- Bachaga
- Barbacane *(persan)*
- Barda
- Barde *(espagnol)*
- Baroud
- Bédégar
- Bédouin
- Benjoin
- Bey *(turc)*
- Bézef
- Bézoard
- Bled
- Borax
- Bordj
- Bouracan
- Burnous
- Cadi
- Cadis
- Caïd
- Calebasse
- Calfat
- Calibre *(italien)*
- Calife
- Camaïeu
- Camphre
- Candi *(italien)*
- Caraque
- Carat
- Carbi
- Caroube *(italien)*
- Carrousel
- Casbah
- Cetirac
- Chamaner *(espagnol)*
- Chaouch
- Chèche
- Chéchia
- Cheik
- Chérif *(italien)*
- Chiffre
- Chott
- Civette
- Clebs
- Cohober
- Colcotar
- Copte *(grec)*
- Coran (*et* Alcoran)
- Coton
- Couscous
- Cramoisi
- Cubèbe
- Curcuma
- Cuscute
- Darse *(italien)*
- Derbouka
- Dey
- Diffa
- Djebel
- Djellaba
- Djemaa
- Douane *(italien)*
- Douar
- Échec *(persan)*
- Élémi *(espagnol)*
- Élixir *(grec)*
- Émir
- Épinard *(latin)*
- Erg
- Estragon
- Fakir
- Fanfaron *(espagnol)*
- Fantasia
- Fardeau *(latin)*
- Fellah
- Felouque
- Fez
- Fondouk
- Gabelle *(italien)*
- Galanga *(italien)*
- Gandoura
- Gazelle
- Genet *(espagnol)*
- Gerboise
- Gilet *(espagnol)*
- Girafe
- Goudron = Goule
- Goum
- Gourbi
- Guennour
- Guitare *(espagnol)*
- Guitoune
- Habous
- Hadji
- Haïk
- Hakim
- Hamman *(turc)*
- Harem
- Harka, harki
- Hasard
- Haschisch
- Hégire
- Henné
- Hoqueton *(espagnol)*
- Houri *(persan)*
- Iman *(turc)*
- Jarre *(provençal)*
- Jasmin *(persan)*
- Julep *(provençal)*
- Jupe
- Kabyle
- Kafir
- Kandjar
- 1. Kanoun
- 2. Kanoun
- Katiba
- Keffieh
- Kermès *(espagnol)*
- Khamsin
- 2. Khan *(persan)*
- Khanat
- Kharidjite
- Khôl
- Khotba
- Kiblah
- Kif-kif
- Koubba
- Ksar
- Laquais *(espagnol)*
- Laque *(provençal)*
- Lilas *(persan)*
- Limon *(persan)*
- Luth
- Maboul
- Magasin *(provençal)*
- Mahakma
- Mahdi
- Mahonne *(turc)*
- Mamelouk *(turc)*
- Marabout *(portugais)*
- Maravédis *(espagnol)*
- Marcassite *(persan)*
- Marrave *(espagnol)*
- Massepain *(espagnol)*
- Masser
- Massicot *(italien)*
- Mat (aux échecs)
- Matassin *(italien)*
- Matelas *(italien)*
- Matraque
- Matras
- Mazagran
- Méchoui
- Médersa
- Méhari
- Mérinos
- Mihrab
- Minaret *(turc)*
- Mohatra *(espagnol)*
- Moka
- Momie *(latin)*
- Mosquée *(italien)*
- Moucharabieh
- Mousson *(portugais)*
- Muezzin *(turc)*
- Mufti *(latin)*
- Musc *(latin)*
- Nacaire
- Nacarat *(espagnol)*
- Nacre *(italien)*
- Nadir
- Nafle
- Natron *(espagnol)*
- Nénuphar *(latin)*
- Nouba
- Nuque *(latin)*
- Orange *(provençal)*
- Oued
- Papegai *(provençal)*
- Pastèque
- Patache *(espagnol)*
- Quintal *(grec)*
- Racahout
- Raïta
- Raquette *(latin)*
- Razzia
- Réalgar
- Rebab
- Rebec *(provençal)*
- Récif *(espagnol)*
- Rezzou
- Rob *(persan)*
- Roc (échecs)
- Romaine (balance)
- Sacre (faucon)
- Safran *(persan)*
- Sagaie *(espagnol)*
- Sahel
- Salamalec
- Salep
- Salicor
- Salsepareille *(espagnol)*
- Saphène *(grec)*
- Sarabande *(persan)*
- Sarbacane *(espagnol)*
- Séné *(latin)*
- Seroual
- Sidi
- Simoun
- Sirocco *(italien)*
- Sirop *(latin)*
- Sloughi
- Smalah
- Sofa *(turc)*
- Sorbet *(turc)*
- Souk
- Sucre *(italien)*
- Sulla
- Sultan *(turc)*
- Sumac *(latin)*
- Tabis *(latin)*
- Talc
- Taleb
- Talisman *(grec)*
- Tamarin *(latin)*
- Tambour *(persan)*
- Tare *(italien)*
- Tarif *(italien)*
- Tasse
- Timbale
- Toubib
- Truchement
- Turco
- Tutie
- Uléma
- Vali *(turc)*
- Validé *(turc)*
- Vizir
- Zacuia
- Zénith
- Zéro
- Zouave

2 Endurcis-toi le cœur, sois arabe, corsaire.
BOILEAU, Satires, 8.

3 (...) le monde dira que je suis un juif, un arabe, un usurier, un corsaire, que je vous aurai ruiné !
BALZAC, Gobseck, Pl., t. II, p. 653.

♦ **4** Vx. Style arabe. *«De l'Arabe, du gothique...»* (J.-J. Ampère *in* T. L. F.).

**DÉR.** **Arabiser, arabisme, arabité.** — V. **Arabesque, arabique, arabisant.** — (De l'arabe) V. **Arbi.** ◊ **COMP.** **Anglo-arabe, arabophone, mozarabe ; panarabe.**

**ARABESQUE** [aʀabɛsk] adj. et n. — 1546 ; ital. *arabesco.*

**I** Adj. Vx. ♦ **1** Arabe ; qui est propre aux Arabes.

1 Bajazet (...) se sauvait belle erre *(à toute vitesse)* sur une jument arabesque.
MONTAIGNE, Essais, I, 48.

*À l'arabesque :* à la manière arabe.

2 Feuillages à l'arabesque.
CORNEILLE, la Toison d'or, V, 6 (Décor).

*Langue arabesque* ou (n. m.) *l'Arabesque :* la langue arabe.

3 Quant à moi, j'avais plus de six ans avant que j'entendisse non plus de Français ou de Périgourdin que d'Arabesque.
MONTAIGNE, Essais, I, 25 (26).

♦ **2** **a** Vx. Propre aux genres architectural ou décoratif arabes. *Des sculptures arabesques.*

**b** Mod. Qui consiste en arabesques (2.).

3.1 Le dessin arabesque est le plus spiritualiste des dessins.
BAUDELAIRE, Fusées, IV, Pl., t. I, p. 652.

**c** (Au sens de l'angl. *arabesque.* Cf. Edgar Poe, *Tales of the Arabesque*). → Aranéeux, cit., Baudelaire.

**II** N. f. (1611 ; de *à l'arabesque* → ci-dessus, cit. 2 ; les motifs décoratifs arabes excluent la représentation humaine et utilisent des formes géométriques et végétales). Mod. ♦ **1** Ornement, formé de lettres, de lignes, de feuillages capricieusement entrelacés. → **Mauresque (vx), rinceau.**

4 L'arabesque fantasque, après les colonnettes
Enlace ses rameaux et suspend ses clochettes,
Comme après l'escalier fait une vigne en fleur.
Th. GAUTIER, *in* Pierre LAROUSSE.

5 (...) une très vieille fontaine de marbre qui était sur le chemin, toute sculptée d'exquises arabesques.
LOTI, les Désenchantées, I, 2.

6 Nous suivions des yeux les vieilles arabesques de pierre qui grimpaient en se tordant le long des minarets gris.
LOTI, Aziyadé, III, 39.

Lettre enjolivée d'arabesques.
Par anal. *Les arabesques de Matisse.*

♦ **2** (1839, Balzac). Ligne sinueuse, évolution capricieuse, qui rappelle l'arabesque. *La fumée d'une cigarette, les nuages décrivent des arabesques.* → **Sinuosité, volute.**

7 (...) l'eau serpente et dessine en courant des arabesques mobiles.
E. FROMENTIN, Une année dans le Sahel, p. 78.

8 (...) la nuit était comme un métier à tapisserie où des fils d'or couraient sans cesse brodant la trame noire d'arabesques changeantes et de dessins inattendus.
Edmond JALOUX, le Jeune Homme au masque, I.

9 Les arabesques de ma danse, les signes maléfiques que j'écris dans l'air, les hiéroglyphes de ma queue qui se tord en serpent coupé (...)
COLETTE, la Paix chez les bêtes, «Poum».

9.1 Les tourbillons de neige chassés au ras du sol, puis figés de nouveau, recomposant de nouvelles spirales, volutes, ondulations fourchues, arabesques mouvantes aussitôt disloquées.
A. ROBBE-GRILLET, Dans le labyrinthe, p. 11.

♦ **3** (1838). Danse. Se dit de figures ou d'attitudes chorégraphiques. Spécialt (gymnastique, patinage). *«Figure chorégraphique : le corps en appui sur une jambe à bascule à l'horizontale ; l'autre jambe, levant le pied à hauteur de la nuque, prolonge le bras allongé vers l'avant»* (G. Petiot).

♦ **4** (1872 en mus.). Fig. Enjolivement, fantaisie musicale ou littéraire. → **Broderie.**

Et soudain il se prit à chanter (...) en s'accompagnant au piano, avec des fantaisies, des accords, des guirlandes et des arabesques. 10
G. DUHAMEL, Chronique des Pasquier, X, 3.

Il faut avoir un canevas solide ; il n'est pas défendu de broder des arabesques (...) 11
A. MAUROIS, Climats, II, 17.

(Dans un titre). *Les Arabesques,* de Debussy.

**ARABETTE** [aʀabɛt] n. f. — 1791, *Encycl. méthodique,* Agriculture (*in* Wartburg) ; du lat. bot. *arabis* (attesté 1578, même sens ?), suff. *-ette.*

Bot. Genre de plante dicotylédone *(Crucifėracées),* scientifiquement appelée *arabis,* petite plante vivace, très florifère, dont on cultive plusieurs espèces dans les jardins. → **Corbeille** (d'argent).

**ARABICA** [aʀabika] n. m. — Attesté v. 1970 ; lat. *arabica,* fém. de *arabicus* «arabe».

♦ **1** Espèce de caféier originaire d'Arabie, la plus cultivée dans le monde.

♦ **2** Café produit par l'arabica.

**ARABINOSE** [aʀabinoz] n. m. — 1887, Encycl. Berthelot ; de *arabin(e)* «principe de la gomme arabique» (de *arabique,* et *-ine*), et suff. *-ose.*

Chim. Sucre de formule $CH_2OH{-}(CHOH)_3{-}CHO$, dont il existe trois isomères. *«L'arabinose voit son importance augmenter parce qu'il n'est pas attaqué par les levures»* (J. Carles, *Chimie du vin,* p. 33).

**ARABIQUE** [aʀabik] adj. — 1213 ; lat. *arabicus,* de *arabus.* → Arabe.

♦ **1** Qui vient d'Arabie, qui est propre à l'Arabie. *Le désert Arabique.* — Vx. *Golfe Arabique :* la mer Rouge.

Vx. → **Arabe.**

(...) mon précepteur en langue arabique.
RABELAIS, le Quart Livre.

♦ **2** Mod. *Gomme arabique.* → **Gomme.**

**DÉR.** (Du sens 2.) V. **Arabinose.**

**ARABISANT, ANTE** [aʀabizɑ̃, ɑ̃t] n. et adj. — 1842 ; «d'Arabie» 1637 ; dér. de *arabe, arabiser.*

Didactique.

♦ **1** N. Personne qui s'adonne à l'étude de l'arabe, qui étudie la langue, la civilisation ou la littérature arabes.

Les grands travailleurs qui font partie de notre École des Hautes Études marocaines sont, en grand nombre, des arabisants, et, parmi ceux qui ne le sont pas, beaucoup le deviennent.
L.-H. LYAUTEY, Paroles d'action, p. 378.

Spécialiste des affaires arabes, des pays arabes.

♦ **2** Adj. (Polit.). Qui arabise, tend à arabiser. *Politique arabisante.*

**ARABISATION** [aʀabizasjɔ̃] n. f. — 1903, in *Rev. gén. des sc.,* n° 4, p. 202 ; de *arabiser.*

Le fait d'arabiser, de donner le caractère national, culturel, linguistique arabe (notamment dans les pays du Maghreb anciennement colonisés). *L'arabisation de l'administration, de l'enseignement au Maghreb. Politique d'arabisation.*

**ARABISER** [aʀabize] v. tr. — 1827; 1735, «donner une consonnance arabe» (à un mot); de *arabe.*

Rendre arabe, donner un caractère arabe à. *Les Maures arabisèrent une grande partie de l'Espagne. Arabiser un emprunt, un mot.*

Mod. Donner un caractère (social, culturel, linguistique) arabe. *L'Algérie arabise son enseignement.*

◆ **S'ARABISER** v. pron.

Devenir arabe. Prendre le caractère arabe.

◆ **ARABISÉ, ÉE** p. p. adj. *Des populations berbères arabisées; arabisées et islamisées. On a donné le nom de Mozarabes aux chrétiens arabisés d'Espagne.*

DÉR. **Arabisation.** — V. **Arabisant.**

**ARABISME** [aʀabism] n. m. — 1827; 1740, «manière de parler propre aux Arabes», Trévoux; de *arabe.*

♦ **1** Ling. Idiotisme de la langue arabe. — Construction, tournure arabe transportée dans une autre langue.

♦ **2** Didact. Esprit, civilisation arabe (→ **Arabité**); politique tendant à en assurer la diffusion. *L'arabisme de Lawrence.* — Idéologie nationaliste arabe. *Arabisme et islamisme.*

COMP. **Panarabisme.**

**ARABITÉ** [aʀabite] n. f. — V. 1960; de *arabe.*

Didact. Caractère propre de l'Arabe; appartenance à la communauté arabe. → **Arabisme** (2.).

**ARABLE** [aʀabl] adj. — 1155; lat. *arabilem,* accusatif d'*arabilis;* de *arare* «labourer».

Qui peut être labouré. *Terres arables, sol, couche arable.* → **Cultivable, labourable.** *Un champ peu arable.*

La plaine (...) a été impitoyablement défrichée par les moines et les vilains du Moyen-Âge, mais les hauteurs, plus difficilement converties en terres arables, tendent à conserver davantage leurs arbres.

M. YOURCENAR, Archives du Nord, p. 16.

CONTR. **Incultivable.**

**ARABO-** Premier élément de mots composés, signifiant «quant aux Arabes, aux pays, aux civilisations arabes». Ex. : *arabophile, arabophobe,* et ci-dessous. — Spécialt (avec un adj. ethnique) : Des Arabes et de... Ex. : *arabo-berbère; arabo-islamique; arabo-juif (théologie arabo-juive); arabo-persan; arabo-persique (golfe arabo-persique); arabo-turc...*

**ARABOPHONE** [aʀabɔfɔn] adj. et n. — 1903, in *Rev. gén. des sc.,* n° 4, p. 192; de *arabo-,* et suff. *-phone.*

Didact. Dont la langue est l'arabe, qui parle arabe. *Populations arabophones.* — N. Personne qui parle arabe (en tant que langue maternelle ou couramment et fréquemment). *Un, une arabophone. Les arabophones et berbérophones du Maghreb.*

L'usage du français *(en Algérie)* pourrait fournir un critère intéressant. On distinguerait les arabophones et les francophones. L'usage de la langue française est le premier pas vers la formation d'une société dans la sphère culturelle française.

Pierre NORA, les Français d'Algérie, p. 162.

**ARAC** [aʀak] n. m. → **Arack.**

**ARACÉES** [aʀase] ou **AROÏDACÉES** [aʀɔidase] n. f. pl. — 1808, *aroïdes; aroïdées,* 1846; de *arum,* et *-acées.*

Bot. Famille de plantes monocotylédones (arum, calla, acore), généralement herbacées, caractérisées par une spathe recouvrant un spadice. — Au sing. *Une aracée.*

Nab avait préparé un pot-au-feu d'agouti, un jambon de cabiai aromatisé, auquel on joignit les tubercules bouillis du «caladium macrorhizum», sorte de plante herbacée de la famille des aracées, et qui, sous la zone tropicale, eût affecté une forme arborescente.

J. VERNE, l'Île mystérieuse, t. I, p. 171.

REM. On dit aussi *aroïdées* [aʀɔide].

**ARACHIDE** [aʀaʃid] n. f. — 1801; *arachydna,* 1752; lat. *arachidna* «gesse», du grec *arakhidna,* de *arakos* «pois chiche».

♦ **1** Bot., écon. et cour. Plante tropicale *(Papilionacées),* herbacée annuelle, cultivée pour ses fruits, mûris sous terre (les pédoncules floraux enfonçant les fleurs dans le sol après fécondation, d'où le nom de *pistache de terre*), qui contiennent des graines oléagineuses. *La culture de l'arachide.*

♦ **2** Comm. Graine de cette plante. *Huile d'arachide. Les arachides sont aussi consommées torréfiées.* → **Cacahuète.** *Beurre* d'arachide* (ou *de cacahuète, de cacahuètes*), consommé surtout en Amérique du Nord.

REM. Le mot est courant en franç. d'Afrique, ou *cacahuète* n'est pas employé. *Manger des arachides bouillies.* Aux Antilles, on dit *pistache.*

**ARACHNÉEN, ENNE** [aʀakneɛ̃, ɛn] adj. — 1857; du grec *arakhnê* «araignée».

♦ **1** Didact. Qui est propre à l'araignée.

♦ **2** Littér. Qui a la légèreté de la toile d'araignée. *Un réseau arachnéen. Une dentelle arachnéenne.*

Un déshabillé de Chantilly noir, arachnéen, évoquait de scandaleuses nudités.

A. MAUROIS, Terre promise, VIII.

**ARACHNIDES** [aʀaknid] n. m. pl. — 1806; du grec *arakhnê* «araignée».

Didact. Classe d'animaux arthropodes *(Chélicérates),* terrestres, sans antennes ni mandibules, dont la tête et le thorax sont réunis en une seule pièce *(céphalotorax* ou *prosoma),* tantôt soudée à l'abdomen (ou *opisthosoma*), tantôt séparée de lui par un étranglement (elle comporte plus de 50 000 espèces).

*Les Arachnides possèdent six paires d'appendices : une paire d'appendices céphaliques* (→ **Chélicère**), *une paire de pattes-mâchoires* (→ **Pédipalpe**), *et quatre paires de pattes ambulatoires.*

*Les acariens, les araignées* (→ **Aranéides**), *les faucheux, les scorpions... sont des arachnides. Les petits arachnides sont fréquemment considérés* (à tort) *comme des insectes.* — Au sing. *Un arachnide.*

**ARACHNOÏDE** [aʀaknɔid] n. f. — 1538; grec *arachnoeidês,* de *arakhnê* «araignée», et *eidos* «forme» → oïde.

Anat. Membrane qui est entre la dure-mère et la pie-mère et qui enveloppe le cerveau et la moelle épinière.

DÉR. **Arachnoïdien, arachnoïdite.**

**ARACHNOÏDIEN, IENNE** [aʀaknɔidjɛ̃, jɛn] adj. — 1842; de *arachnoïde.*

Anat. Qui a rapport à l'arachnoïde.

COMP. **Sous-arachnoïdien.**

**ARACHNOÏDITE** [aʀaknɔidit] n. f. — XIXe (*in* Littré et Robin, 1855); de *arachnoïde*, et *-ite*.

Méd. Inflammation de l'arachnoïde. — Altération de l'arachnoïde, notamment avec formation d'adhérences limitant la circulation du liquide céphalo-rachidien et entraînant divers syndromes *(arachnoïdite séreuse)*.

**ARACHNOLOGIE** [aʀaknɔlɔʒi] n. f. — 1838; grec *arakhnê* «araignée», et *-logie*.

Didact., vx. Étude scientifique des arachnides. Syn. : *aranéologie*.

DÉR. **Arachnologue.**

**ARACHNOLOGUE** [aʀaknɔlɔg] n. — V. 1840; de *arachnologie*.

Didact., vx. Spécialiste d'arachnologie. Syn. : *aranéologue*.

**ARACK** [aʀak] n. m. — 1520, *arach*; de l'arabe *araq, araca* «liqueur de palmier».

Liqueur alcoolique tirée du riz fermenté ou du jus de canne à sucre. Var. graphique : *arac, arak*; on trouve aussi (vx) *araki* [aʀaki] et *rack* [ʀak].

1 Te peindre en ton divan et tenant ton chibouk,
Parmi tes tapis turcs, près du profil de bouc
De ton esclave aux yeux voluptueux, et qui,
Chargé de t'acheter le musc et le santal,
Met sur un meuble bas ta carafe en cristal
Où se trouble le flot brumeux de l'araki.
Germain NOUVEAU, Sonnets du Liban, «Kathoum», Pl., p. 546.

2 Les esclaves de l'Île de France révoltés vont donner l'assaut aux troupes royales, lorsque les planteurs font rouler vers eux, du haut de la rue, des tonneaux d'arak, et tout finit en kermesse et en massacre.
MALRAUX, Antimémoires, Folio, p. 177.

3 Je te brûlerai douce
de piment et d'arack
puis vêtirai nos faces de
masques de danse.
Édouard MAUNICK, Ensoleillé vif.

**ARAGNE** [aʀaɲ] ou **ARAIGNE** [aʀɛɲ] n. f. — Déb. XIIe, *iregne*; lat. *aranea*.

Vx (anc. et moy. franç.) ou archaïsme. Araignée.

1 L'aragne filandière (...)
Rémy BELLEAU, Bergerie, 2e journée.

2 Nos lois sont comme toiles d'araignes (...) les simples moucherons et petits papillons y sont pris (...) les gros taons malfaisants les rompent (...) et passent à travers.
RABELAIS, le Cinquième Livre, 12.

3 L'aragne cependant se campe en un lambris (...)
Travaille à demeurer : voilà sa toile ourdie,
Voilà des moucherons de pris (...)
LA FONTAINE, Fables, III, 8.

DÉR. **Araignée.**

**ARAGONAIS, AISE** [aʀagɔnɛ, ɛz] adj. et n. — V. 1160, *cheval aragoneis*; de *Aragon*.

♦ **1** Adj. Qui est originaire de l'Aragon (Espagne) ou propre à ses habitants. N. *Les Aragonais,* habitants de l'Aragon. — N. m. *L'aragonais :* dialecte roman (espagnol) proche du catalan.

♦ **2** N. f. (XXe). Danse populaire de l'Aragon. → **Jota.**

**ARAGONITE** [aʀagɔnit] n. f. — 1802, *arragonite*; de *Aragon,* contrée d'Espagne, lieu de la découverte, 1775.

Minér. Carbonate naturel de calcium cristallisé, à structure orthorhombique. → aussi **Calcite.**

**ARAIGNE** [aʀɛɲ] n. f. (vx). → **Aragne.**

**ARAIGNÉE** [aʀeɲe] n. f. — 1539; déb. XIIe, *iraignee* «toile d'araignée»; déb. XIIe *areignee* (l'animal); de l'anc. franç. *iraigne, iregne, aragne, araigne* (→ Aragne), du lat. *aranea*.

**I** ♦ **1** Vx (langue class). Toile d'araignée. → **Arantèle.** *«Les maisons des pauvres sont pleines d'araignées»* (Furetière, 1690).

♦ **2** Techn. Filet; spécialt, filet de pêche à mailles carrées.

Point de dentelle formant roue, au centre d'une dentelle (la métaphore peut ici porter sur l'animal, au centre de sa toile).

**II** Mod. ♦ **1** **a** Cour. Petit animal à gros abdomen, à quatre paires de pattes, qui file une toile et possède des glandes à soie et des glandes à venin; animal ayant une apparence analogue. — REM. Dans la langue courante, *araignée* désigne en général des *aranéides** et presque toujours des *arachnides** (→ Faucheux, galéode...). *Il y a une petite araignée sur ton col. Une grosse, affreuse, horrible araignée, une araignée dégoûtante, velue... Elle a horriblement peur des araignées. Une araignée qui file, tisse sa toile. Fils* (→ **Filandre**), *toile* d'araignée* (→ **Arantèle**) : araignée (au sens I., vx). *Soie d'araignée.*

Ainsi qu'en nos jardins on voit embesognée 1
Dès la pointe du jour, la ventreuse araignée (...)
RONSARD, Hymne de l'automne.

L'embuscade d'une araignée (...) 2
LA FONTAINE, Fables, II, 9.

Le P. Tellier ne tarda pas à embarrasser dans ses toiles 3
le cardinal de Noailles comme une araignée fait une mouche.
SAINT-SIMON, Mémoires, 415, 221.

Il n'y a pas bien longtemps qu'on sait dans les villes que le 4
fil de la Vierge, qu'on trouve souvent dans la campagne, est un fil de toile d'araignée.
VOLTAIRE, Dict. philosophique, Almanach.

*(Louis-Philippe)* attendit l'événement comme l'araignée 5
attend le moucheron qui se prendra dans sa toile.
CHATEAUBRIAND, Mémoires d'outre-tombe, III, 15.

Cet homme filait l'iniquité comme l'araignée sa toile. 6
FRANCE, la Vie en fleur, III.

(...) nous tissons notre destin, nous le tirons de nous 7
comme l'araignée sa toile.
F. MAURIAC, la Vie de Racine, 14.

Les araignées, de motte en motte, avaient déjà tendu de 8
fins cheveux de lumière.
G. DUHAMEL, Chronique des Pasquier, III, 7.

L'araignée rapide, 8.
Pieds et mains de la peur,
Est arrivée.
ÉLUARD, les Animaux et leurs hommes, «Fuir», Œ. compl., Pl., t. I, p. 48.

**b** Zool. *Les Araignées :* les aranéides; *une araignée :* un animal, une espèce... appartenant à cet ordre. — Par ext. (insectes ressemblant aux araignées). Dans des expr. *Araignée rouge,* nom donné à un acarien. *Araignée du vent, des sables :* le solifuge (ordre des Solpugides). *Araignée d'eau :* insecte du genre gerris. — *Genres d'araignées* (aranéides). → **Agélène, argyronète, dolomède, épeire, latrodecte, lycose, mygale, ségestrie, tarentule, tégénaire, théridion, thomise...**

Fig., fam. *Avoir une araignée dans le plafond, au plafond :* avoir l'esprit quelque peu dérangé. (D'après Littré, «se dit d'un homme bizarre et un peu fou»).

(...) l'araignée que ma mère avait — comme disait papa — 9
dans son plafond (...) une belle araignée des jardins, ma foi, le ventre en gousse d'ail, barrée d'une croix historiée.
COLETTE, Histoires pour Bel-Gazou, p. 147.

Fig. *L'araignée,* symbole de tristesse, de mélancolie, d'ennui... (cf. l'adage : *araignée du matin, chagrin; araignée du soir, espoir*).

10 Mais elle, sa vie était froide comme un grenier dont la lucarne est au nord, et l'ennui, araignée silencieuse, filait sa toile dans l'ombre à tous les coins de son cœur.
FLAUBERT, Mme Bovary, I, 7.

11 Décidément cette chambre est triste. Les grosses araignées du matin, qu'on appelle pensées philosophiques, ont tissé leurs toiles dans tous les coins (...)
Alphonse DAUDET, Lettres de mon moulin, «Milianah».

Par métaphore. Personne repoussante, méchante.

12 Combien encore il *(le duc d'Orléans)* avait résolu de nous laisser dégoûter et salir par cette araignée venimeuse *(Pontchartrain)* que chacun souhaitait dehors.
SAINT-SIMON, Mémoires, 428, 200, *in* LITTRÉ.

Fig. (en appos.). *Cellule araignée.* → **Astrocyte.**
Loc. **TOILE D'ARAIGNÉE.** → **Toile.** — Fig. → **Réseau** (→ Aragne, cit. 2).

13 (...) cette formidable toile d'araignée qu'était la compagnie de Jésus.
J. ROMAINS, *in* A. MAUROIS, Études littéraires, t. II, p. 157.

Fig. **PATTES D'ARAIGNÉE :** caractères d'écriture très fins; doigts longs et maigres. — Techn. Rainures croisées pour la répartition du lubrifiant.

♦ **2** Par anal. Ancienn. Modèle de voiture à cheval, très légère (en turf, elle a été remplacée par le sulky).

14 Côme ramena Agnès au château dans l'araignée de chasse, au trot de Bucéphale.
Paul VIALAR, la Grande Meute, p. 91.

♦ **3** Par anal. (Animaux comparés à une araignée). *Araignée de mer,* ou, appos., *crabe araignée :* crabe à longues pattes, dont la chair est très estimée (n. sc. *Maia squinado.* → **Maïa**). — (À cause du caractère venimeux). Poisson de l'espèce *Trachinus araneus.* → **Vive.**

♦ **4** (Allusion aux pattes de l'animal ou métaphore du sens I.). Crochet de fer à plusieurs branches. *Araignée pour retirer les seaux d'un puits.* — *Araignée (à friture) :* grande écumoire en fil de fer. — Tendeur ou élastique à plusieurs branches. — Mar. Patte d'oie, réseau de cordelettes aux extrémités d'un hamac, pour l'accrocher.

♦ **5** Morceau de viande de bœuf, sillonné de nombreuses nervures, qu'on utilise en grillades ou en bifteck à la poêle.

DÉR. (Du grec *arakhnê* «araignée») **Arachnéen, arachnide, arachnoïde, arachnologie.** — (Du lat. *aranea* «araignée») **Aranéen, aranéeux, aranéides, aranéiforme, aranéologie, arantèle.** — V. aussi **Aragne** et **érigne.**

**ARAIRE** [aʀɛʀ] n. m. — Déb. XIIe, *arere;* lat. *aratrum* «charrue»; régional au XVIe; repris 1740.

Charrue simple sans avant-train à bâti symétrique, qui ne retourne pas la terre (ancienn ou dans des cultures pré-industrielles). *Age (chambige), timon, mancheron; oreilles, sep d'un araire.*

Une seule bête y suffit, tirant gaiement le soc ou la herse, avec une sorte d'araire que les Provençaux, Dauphinois et ceux de Languedoc appellent fourquat.
O. DE SERRES, Théâtre d'agriculture, II, 4, *in* LITTRÉ.

**ARAK** [aʀak] ou **ARAKI** [aʀaki] n. m. → **Arack.**

**ARALDITE** [aʀaldit] n. m. — Mil. XXe (*in* Larousse, 1960); nom déposé, d'orig. inconnue. REM. Le dict. Quillet (1968) fait le mot féminin.

Techn. Matière plastique, colle à base de résines époxydes.

**ARALIA** [aʀalja] ou **ARALIE** [aʀali] n. m. ou f. — 1694, *aralia;* 1755, *aralie;* orig. inconnue.

Genre de plante dicotylédone, arbrisseau épineux ou inerme (syn. : *angélique à baies, angélique en arbre* ou *angélique épineuse*) dont certaines variétés sont cultivées en serre. *Aralia du Japon* (fatsia japonica).

DÉR. **Araliacées.**

**ARALIACÉES** [aʀaljase] n. f. pl. — D. i.; de *aralia,* suff. bot. *-acées.*

Bot. Famille de plantes phanérogames angiospermes ayant une grande analogie avec les ombellifères et qui renferme comme types principaux l'aralia, le lierre (hedera), le panax. — Au sing. *Une araliacée.*

**ARAMÉEN, ENNE** [aʀameɛ̃, ɛn] adj. — 1765; de l'hébr. *Aram* «Syrie».

Des Sémites de Syrie et de haute Mésopotamie (dans l'Antiquité). *La culture, la langue araméenne.* N. *Les Araméens.* — N. m. *L'araméen :* ensemble de parlers sémitiques répandus en Syrie, Judée, Égypte (surtout du IXe siècle av. J.-C. au VIIe siècle après). *L'araméen classique, biblique, palestinien.*

(...) leur langue *(l'araméen)* finira par être la plus répandue de la contrée syro-palestinienne, celle que parlera Jésus.
DANIEL-ROPS, le Peuple de la Bible, I, I, p. 20.

REM. Les dér. *araméiser, araméisation, araméophone* sont attestés.

**ARAMER** [aʀame] v. tr. — D. i.; de 1. *a-* et *rame.*

Techn. Étendre une étoffe sur la rame, pour l'étirer.

**ARAMIDE** [aʀamid] adj. et n. m. — 1974; empr. à l'angl. des États-Unis *aramide,* mot-valise, de *a(romatic),* et *amide.* → Amide.

Techn. Se dit de fibres et de fils obtenus à partir de résines aromatiques polyamides qui ont de très bonnes propriétés mécaniques et une grande résistance à la chaleur. *Le kevlar est une résine aramide.* — N. m. *Un avion en aramide.*

**ARAMON** [aʀamɔ̃] n. m. — 1873; de *Aramon,* ville du Gard.

Cépage cultivé dans le midi de la France et en Algérie. «*La vigne de M. L.* (...) *plantée principalement en aramons et carignons*» (*Journ. off.,* 17 août 1873, *in* Littré, *Suppl.*).

Vin tiré de ce cépage (lequel produit, surtout en plaine, des vins ordinaires).

Un chtimi *(homme du Nord de la France)* lui tendit un bidon. C'était un aramon très fort.
Armand LANOUX, le Commandant Watrin, p. 224.

**ARANÉEN, ENNE** [aʀaneɛ̃, ɛn] adj. — D. i.; du lat. *aranea.* → Araignée.

Didactique.

♦ **1** Qui ressemble à une araignée.

♦ **2** (1838). Méd. *Pouls aranéen,* presque imperceptible (→ **Filiforme**).

**ARANÉEUX, EUSE** [aʀaneø, øz] adj. — 1801, «couvert de toiles d'araignée»; lat. *aranea* et suff. *-eux* (→ Araignée); anc. franç. *aragneux, araigneux.*

Littér., rare. Qui ressemble à la toile d'araignée.

(...) il avait laissé croître indéfiniment ses cheveux sans s'en apercevoir, et, comme cet étrange tourbillon aranéeux flottait plutôt qu'il ne tombait autour de sa face, je ne pouvais, même avec de la bonne volonté, trouver dans leur étonnant style arabesque rien qui rappelât la simple humanité.
BAUDELAIRE, Trad. E. POE, Nouvelles histoires extraordinaires, p. 112-113.

Bot. Couvert de poils longs, fins et enchevêtrés.

**ARANÉIDES** [aʀaneid] n. m. pl. — 1803; lat. *aranea* «araignée», et *-ides* du grec *eidos* «aspect».

Zool. Ordre d'animaux arthropodes *(Chélicérates)* de la classe des arachnides. → **Araignée.** *Les aranéides constituent l'ordre le plus important des Arachnides : on en connaît plus de 30 000 espèces, classées en deux sous-ordres :* les *Mesotheloes* à abdomen segmenté et les *Opisthotheloes,* divisées en orthognathes et labidognathes (aranéomorphes, divisées en araignées à 4 poumons, à 2 poumons [dipneumones, les plus nombreuses] et sans poumons). — Au sing. *Un aranéide.*

**ARANÉIFORME** [aʀaneifɔʀm] adj. — 1838; lat. *aranea* «araignée», et *forma* «forme».

Didact. Qui a la forme d'une araignée.

**ARANÉOLOGIE** [aʀaneɔlɔʒi] n. f. — 1811; lat. *aranea* «araignée» et *-logie.*

Didact. Étude scientifique des arachnides, des araignées.

DÉR. **Aranéologue.**

**ARANÉOLOGUE** [aʀaneɔlɔg] n. m. — 1842; de *aranéologie.*

Didact. Entomologiste spécialiste d'aranéologie.

**ARANTÈLE** ou **ARANTELLE** [aʀɑ̃tɛl] n. f. — 1561; du lat. *aranea* «araignée» ou de *aragne,* et lat. *tela* «toile».

♦ **1** Vx. Toile d'araignée. → **Araignée,** I.

Littér. Par métaphore :

Elle assiste. Tire de son propre corps l'arantèle dans laquelle nous nous débattons.

Hélène CIXOUS, Souffles, p. 132.

♦ **2** Vén. Filandres en formes de toile d'araignée, sur les pieds du cerf.

**ARAPAÏMA** [aʀapajma] — D. i. (XX^e); mot d'une langue indienne.

Poisson téléostéen des fleuves d'Amérique équatoriale, l'un des plus grands poissons d'eau douce, comestible. Syn. : *piracuru* (nom brésilien).

**ARAPÈDE** [aʀapɛd] n. (le genre est flottant; seul le masc. est admis dans les dict. mod.) — 1765, *Encyclopédie,* art. *Patelle;* provençal *arrapedo, alapedo,* du lat. *lepas, adis,* mot grec «sorte de coquillage».

Régional (Sud-Ouest). Patelle (coquillage).

1 Et, il est seul. S'il attrape un mauvais coup, tu n'auras pas de femme ou de mère attachée à toi comme une arapède, à te crier : *Des sous, des sous !*

J. GIONO, Naissance de l'Odyssée, p. 26.

2 Ce pion était si maigre que j'imaginais que son nombril était collé comme une arapède sur la face antérieure de sa colonne vertébrale.

M. PAGNOL, le Temps des amours, p. 161.

**ARASAGE** [aʀɑzaʒ] n. m. — D. i., de *araser.*

Techn. Action d'araser. → **Rasage.**

**ARASE** [aʀɑz] n. f. — 1751; déverbal de *araser.*

Didactique ou technique.

♦ **1** Pierre ou brique de faible épaisseur, destinée à combler un vide dans un mur et à mettre la partie supérieure de niveau; ensemble de ces éléments. *Arases de brique.* → **Arasement.**

♦ **2** État de ce qui est arasé. *Pierre d'arase* (*arase* au sens 1.).

**ARASEMENT** [aʀɑzmɑ̃] n. m. — 1367; de *araser.*

Technique.

♦ **1** Maçonn. Action d'araser ou résultat de cette action.

♦ **2** Dernière assise d'un mur qui le met de niveau. → **Arase.**

♦ **3** Menuis. Extrémité d'une traverse à la naissance du tenon.

**ARASER** [aʀɑze] v. tr. — XII^e; de 1. *a-,* et *raser.*

♦ **1** Maçonn. Mettre de niveau (un mur), en égaliser les assises. *Araser un mur à tel niveau.*

♦ **2** Techn. Couper, retrancher (les parties saillantes, les nodosités du bois). — Élégir la partie d'une pièce qui doit s'emboîter (→ **Tenon).**

♦ **3** Géol. User (un relief) jusqu'à le faire disparaître. → **Aplanir.** — Au p. p. *Une terre arasée.*

Vers le nord c'est le moutonnement des basses collines arasées, capelées de glace, frangées de la grisaille des bouleaux nains.

R. FRISON-ROCHE, Peuples chasseurs de l'Arctique, p. 140.

Vx. *Araser les murs d'une ville.* → **Raser.**

DÉR. **Arasage, arase, arasement.**

**ARATOIRE** [aʀatwaʀ] adj. — 1514; lat. jurid. *aratorius,* de *arare* «labourer».

Vx. Qui a rapport au labourage. *Travaux aratoires. Techniques, méthodes aratoires.*

Mod. *Instrument aratoire,* servant à travailler la terre (charrues, araires, herses, bineuses, scarificateurs...). — Par métaphore, plais. : «*les instruments aratoires dont se sert un jeune oisif pour labourer* (cit. 5.1) *la vie*» (Balzac).

(...) on ne trouve aucun reste de charrue ni d'instrument aratoire, de sorte que l'on peut douter que l'homme connût l'agriculture.

FUSTEL DE COULANGES, Leçons à l'Impératrice, p. 15.

**ARAUCARIA** [aʀɔkaʀja] n. m. — 1860; *araucaire,* 1806; lat. bot., de *Arauco,* région du Chili.

Grand arbre exotique *(conifères)* aux branches étalées, qui a un port très particulier dû à ses rameaux verticillés. *L'araucaria excelsa est souvent cultivé en pot dans les appartements.* — En appos. :

De la plante araucaria les feuilles sont rouges, épaisses et duveteuses, un peu grasses et brunes. Elles ornent les cimetières, la tombe des pêcheurs morts depuis longtemps qui, durant des siècles, se promenèrent sur cette côte encore sauvage et douce.

Jean GENET, Journal du voleur, p. 156.

**ARBALESTÉE** [aʀbalɛste] ou **ARBALÉTÉE** [aʀbalete] n. f. — D. i.; de *arbalète.*

Rare. Portée d'une arbalète. — Distance équivalant à une portée d'arbalète.

**ARBALESTIER** n. m. → 1. **Arbalétrier.**

**ARBALESTRILLE** [aʀbalɛstʀij] n. f. — 1622; de *arbalestre,* var. de *arbaleste.* → Arbalète.

Techn. anc. Petite arbalète (2., d.), instrument utilisé avant le sextant.

**ARBALÈTE** [aʀbalɛt] n. f. — 1080, *arbaleste;* du bas lat. *arcuballista,* du lat. class. *arcus* «arc», et *ballista* «machine de jet» (→ Baliste); var. *arbalestre, -aubalestre,* d'après le bas lat. *balistra.*

♦ **1** Anciennt. Arme de trait, formée d'un arc d'acier monté sur un fût (→ **Arbrier)** et dont la corde fixée sur une noix à encoche se bandait avec un treuil, un cric ou un levier (en usage comme arme de guerre jusqu'au XVIe siècle). *L'enrayoir d'une arbalète. Traits d'arbalète.* → **Carreau, flèche, 1. matras, vireton.** *Arbalète à jalet,* avec laquelle on lançait des cailloux ou des balles. *Arbalète à main; à cric, à moufle, à tour* (armes de siège). *Arbalète de passe, arbalète de siège. Tirer à l'arbalète à travers une arbalétrière, une archière.* Mod. *Tir à l'arbalète,* jeu d'adresse ou sport.

1 On avait dressé en cet endroit-là une tour de bois de cent coudées de haut, qui était toute pleine d'arbalestes de passe et d'autres engins à tirer au loin.
J. AMYOT, Trad. DIODORE, XVII, 6.

2 Il portait l'arbalestre au bon roi Charlemagne (...)
*(Une clef)* Qui tire à sa cordelle une noix d'arbaleste.
Mathurin RÉGNIER, Satires, 10.

3 Un matin d'hiver, il partit avant le jour, bien équipé, une arbalète sur l'épaule et un trousseau de flèches à l'arçon de la selle.
FLAUBERT, Trois contes, «La légende de saint Julien l'Hospitalier», I.

Loc. Vx. *Comme un trait d'arbalète :* très vite.

♦ **2** Par anal. (se dit de divers instruments en forme d'arc).

[a] Poignée d'acier appuyant la lime contre la pièce à polir.

[b] Cordelettes tendues dans certains métiers à tisser. On dit aussi *arbalestres.*

[c] Chasse. Sorte de trébuchet dont on se sert pour prendre les loirs. → **Piège.**

[d] (1583). Instrument formé de deux règles perpendiculaires, et qui servait à mesurer la hauteur des astres. → **Arbalestrille.**

♦ **3** *Cheval en arbalète,* attelé seul devant deux chevaux de timon. — *Remorquage en arbalète.*

4 Elle était attelée de trois chevaux, dont le premier en arbalète et, lorsqu'on descendait les côtes, elle touchait du fond en cahotant.
FLAUBERT, Mme Bovary, III, I.

DÉR. **Arbalétée, 1. arbalétrier, arbalétrière.**

1. **ARBALÉTRIER** [aʀbaletʀije] n. m. — XIIe, *arbalestier;* de *arbalestre,* var. de *arbaleste.* → Arbalète.

Soldat armé d'une arbalète (avant le XVIIe siècle). *Grand maître des arbalétriers :* officier qui commandait l'infanterie et les troupes de siège, au moyen âge. *Une compagnie d'arbalétriers* (forme ancienne : *d'arbalestiers).*

(...) force archers, arbalestiers, et tireurs de fondes *(frondes).* J. AMYOT, Trad. DIODORE, XIV, 14.

HOM. 2. **Arbalétrier.**

2. **ARBALÉTRIER** [aʀbaletʀije] n. m. — 1690; 1680, *arbalétier,* de *arbalète* par anal. de forme; *arbalétrier,* d'après 1. *arbalétrier,* en 1690.

Techn. Poutre inclinée soutenant un toit et qui s'assemble à la base sur l'entrait et au sommet au poinçon.

HOM. 1. **Arbalétrier.**

**ARBALÉTRIÈRE** [aʀbaletʀijɛʀ] n. f. — 1300; *arbalesteres,* 1174; de *arbaleste, arbalète.*

Archit. Meurtrière étroite, en forme de croix, pour tirer avec l'arbalète. → **Archière.**

**ARBI** [aʀbi] n. m. — 1863, mais antérieur (→ Arbicot); arabe maghrébin, arabe class. *'ărābīyy, -ī* «arabe». → Bicot.

Péjoratif, vieilli.

♦ **1** Arabe; spécialt, Maghrébin indigène d'Afrique du Nord. — REM. Le mot a d'abord désigné les travailleurs algériens, dans le contexte colonial (cf. «*Pan, pan, l'arbi, les chacals sont par ici...*»); il était moins injurieux que ne l'est devenu *bicot,* terme raciste.

Tout un fourmillement d'embarcations où braillent des arbis : c'est Port-Saïd. R. DORGELÈS, Partir, p. 77.

♦ **2** Vx. Langue arabe. *Parler l'arbi* (H. Bataille, 1904, *in* T. L. F.).

DÉR. **Arbico** ou **arbicot.**

**ARBICO** ou **ARBICOT** [aʀbiko] n. m. — 1861; de *arbi.* Argot (vx). Petit arabe (forme qui a donné *bicot**).

**ARBITRABLE** [aʀbitʀabl] adj. — 1853, La Châtre; de *arbitrer.*

Qui peut être arbitré.

**ARBITRAGE** [aʀbitʀaʒ] n. m. — 1283; de *arbitre.*

♦ **1** Règlement d'un différend rendu par une ou plusieurs personnes (→ **Arbitre**) auxquelles les parties ont décidé, d'un commun accord, de s'en remettre, en vertu d'une convention antérieure (clause compromissoire) ou postérieure au litige (→ **Compromis).** Syn. : *sentence arbitrale*. Soumettre un différend à l'arbitrage de qqn, à son arbitrage. L'arbitrage d'un amiable* compositeur. Ces deux pays se sont engagés à recourir à l'arbitrage pour le règlement pacifique de leurs conflits. Traité d'arbitrage. L'arbitrage de la Cour internationale de La Haye. De la conciliation et de l'arbitrage en matière de différends collectifs entre patrons et ouvriers ou employés* (Code du travail, titre II du livre IV). → **Conciliation.** *Arbitrage international. — Arbitrage d'une assemblée, des pouvoirs publics. Arbitrage budgétaire :* répartition des budgets entre ministères.

Pacifier par arbitrage les querelles et différends (...) 1
J. AMYOT, Pompée, 56.

La détermination doit être soumise à l'arbitrage des gens 2
doctes. BOSSUET, Projet, *in* LITTRÉ.

Si le principe d'arbitrage avait été voté, si la limitation des 3
armements avait été acceptée par l'Allemagne (...)
MARTIN DU GARD, les Thibault, VIII, 16 sept.

Les patrons, ouvriers ou employés entre lesquels s'est pro- 4
duit un différend d'ordre collectif portant sur les conditions du travail, peuvent soumettre les questions qui les divisent à un comité de conciliation et, à défaut d'entente dans ce comité, à un conseil d'arbitrage (...)
Code du travail, art. 104.

♦ **2** (1704). Fin. Opération d'achat et de vente en vue de tirer bénéfice des différences de cours entre deux choses différentes sur la même place, ou entre deux places différentes sur la même chose (valeur ou marchandise). *Faire un arbitrage.* → **Arbitrer.** *Arbitrage en reports.* — Spécialt. Remplacement, dans un portefeuille, de titres par d'autres. *Arbitrage comptant, contre terme :* vente ou achat à terme suivi d'un rachat ou d'une revente au comptant. *Arbitrage de place à place.*

Le technicien jeta un coup d'œil sur la liste de mes actions. 5
«Vous me paraissez un peu chargé en pétroles, me dit-il, comme si j'avais eu la langue pâteuse. Même en cuivre vous pourriez vous alléger. On pourrait faire un arbitrage et vous faire rentrer du ciment.»
Pierre DANINOS, Un certain Monsieur Blot, p. 252.

♦ **3** (1902, *in* Petiot). Sports. Fonctions d'arbitre; exercice de ces fonctions. *Un arbitrage impartial. Une erreur d'arbitrage. L'arbitrage de ce match laisse à désirer.*

DÉR. **Arbitrager, arbitragiste.**

**ARBITRAGER** [aʀbitʀaʒe] v. tr. — XXe (1936, P. Morand); de *arbitrage* (2.).

Fin. Faire l'arbitrage de. *Arbitrager des changes.*

**ARBITRAGISTE** [aʀbitʀaʒist] adj. et n. — 1877; de *arbitrage* (2.).

Fin. Qui est relatif aux opérations d'arbitrage (2.). *Syndicat arbitragiste.* — N. (1869, *in* D. D. L.). *Un, une arbitragiste :* personne qui fait des arbitrages (opérateur boursier ou cambiste*).

**ARBITRAIRE** [aʀbitʀɛʀ] adj. et n. m. — 1397; lat. *arbitrarius,* de *arbiter* (→ Arbitre); *juge arbitraire,* XVIe, «arbitre».

**I** Adj. ♦ **1** **a** Philos. Qui dépend de la seule volonté (→ **Arbitre,** libre arbitre), ne procède pas d'un ordre préétabli ou naturel, n'est pas lié par l'observation de règles. *Choix arbitraire.*

1 L'agrément est arbitraire; la beauté est quelque chose de plus réel et de plus indépendant du goût et de l'opinion.
LA BRUYÈRE, les Caractères, III, 11 (cf. Subjectif).

2 Il semble que le salut soit une chose arbitraire.
MASSILLON, Délai, *in* LITTRÉ.

Dr. *Amende, peine arbitraire,* laissée à l'appréciation du juge. → **Discrétionnaire.**

**b** Sc. Qui procède d'un libre choix de principes et de conventions. *Une valeur arbitraire.* → **Conventionnel; aléatoire.** *Quantité, grandeur arbitraire.*

3 (...) elles *(les mathématiques)* sont au monde ce qu'il y a de plus arbitraire.
A. MAUROIS, Études littéraires, t. I, p. 44 (cf. Conventionnel).

**c** Péj. et cour. (non sc.). *Une classification arbitraire, une interprétation arbitraire,* qui ne tient pas compte de la réalité. → **Artificiel, fantaisiste.**

4 Il n'y a pas de pire méthode que de substituer des interprétations arbitraires à la réalité.
F. BRUNOT, la Pensée et la Langue, p. 380.

♦ **2** Cour. Qui dépend du bon plaisir, du caprice de qqn, outrepasse la légalité. → **Illégal, injuste, irrégulier; despotique, tyrannique...** *Autorité arbitraire. Acte, décision, ordre arbitraire. Jugement arbitraire* (→ Présomption, cit. 1). *Pouvoir arbitraire* (→ 2. Pouvoir, cit. 15). *Détention arbitraire.* → **Détention.**

5 (...) un juge, qui, attaché à la règle, ne porte pas dans le tribunal ses propres pensées ni des adoucissements ou des rigueurs arbitraires, et qui veut que les lois gouvernent et non pas les hommes.
BOSSUET, Oraison funèbre de Michel Le Tellier.

6 *(On appelle)* pouvoir arbitraire un pouvoir souverain qui n'a pour règle que la volonté de celui qui le possède.
Dict. de l'Acad., 1re éd., 1694.

7 Quand l'autorité devient arbitraire et oppressive, quand elle attente aux propriétés pour la protection desquelles elle fut instituée; quand elle rompt le contrat qui lui assura des droits et la limita, la résistance est le devoir et ne peut s'appeler révolte.
MIRABEAU, cité par Louis BARTHOU, Mirabeau, p. 58.

8 Ceux qui sollicitent, expédient, exécutent ou font exécuter des ordres arbitraires, doivent être punis.
Déclaration des droits de l'homme, 1791, art. 7.

9 Lorsqu'un fonctionnaire public, un agent ou un préposé du Gouvernement, aura ordonné ou fait quelque acte arbitraire ou attentatoire soit à la liberté individuelle, soit aux droits civiques d'un ou de plusieurs citoyens, soit à la Constitution, il sera condamné à la peine de la dégradation civique (...) Code pénal, art. 111.

♦ **3** Ling. Dont la forme et le sens ne sont pas liés par une motivation consciente. *«Le signe linguistique est arbitraire»* (F. de Saussure). *Le caractère arbitraire du signe* (→ ci-dessous, II., 3.). — Opposé à *motivé.*

Le mot *arbitraire* (...) ne doit pas donner l'idée que le signifiant dépend du libre choix du sujet parlant (...) nous voulons dire qu'il est *immotivé,* c'est-à-dire arbitraire par rapport au signifié, avec lequel il n'a aucune attache naturelle dans la réalité. 9.
F. DE SAUSSURE, Cours de linguistique générale, I, I, § 2, p. 101.

**II** N. m. ♦ **1** Caractère de ce qui est arbitraire, soumis au libre arbitre et (cour.) à la fantaisie de qqn.

Car parmi les œuvres humaines, l'œuvre d'art semble la plus fortuite; on est tenté de croire qu'elle naît à l'aventure, sans règle ni raison, livrée à l'accident, à l'imprévu, à l'arbitraire; effectivement, quand l'artiste crée, c'est d'après sa fantaisie qui est personnelle. 10
TAINE, Philosophie de l'art, Préface.

Je cherche depuis des années, il est vrai de façon peu suivie, désordonnée, paresseuse, à désarticuler le système pour le reconstruire, sans doute avec arbitraire encore, mais il ne pourra jamais s'agir dans ce domaine que d'approximations et d'hypothèses. 1
Claude MAURIAC, le Temps immobile, p. 85.

♦ **2** Caractère, actes d'un gouvernement arbitraire. *L'inquisition, la lettre de cachet, le fait du prince, formes de l'arbitraire.* → **Absolutisme, autoritarisme, despotisme, illégalité, injustice, plaisir** (bon plaisir), **tyrannie.** *L'arbitraire administratif.*

Le peu d'instants que la légalité avait reparu avait suffi pour rendre impossible le rétablissement de l'arbitraire. 11
CHATEAUBRIAND, Mémoires d'outre-tombe, IV, V, p. 2.

♦ **3** Ling. *L'arbitraire du signe linguistique,* son caractère immotivé. *L'arbitraire absolu. L'arbitraire relatif* (ou motivation relative : *sucrier, sucrerie* par rapport à *sucre*).

Le principe fondamental de l'arbitraire du signe n'empêche pas de distinguer dans chaque langue ce qui est radicalement arbitraire, c'est-à-dire immotivé, de ce qui ne l'est que relativement. 12
F. DE SAUSSURE, Cours de linguistique générale, I, VI, § 3, p. 181.

CONTR. **Déterminé, naturel, objectif. — Équitable, juste, légal, légitime, raisonnable. — Motivé. — Justice, légalité. — Motivation.** ◊ DÉR. **Arbitrairement.**

**ARBITRAIREMENT** [aʀbitʀɛʀmɑ̃] adv. — 1397; de *arbitraire.*

D'une manière arbitraire.

♦ **1** Sans nécessité logique, par fantaisie, par libre choix. *Décider arbitrairement qqch.*

Il me semble que cette maison dont nous parlions a été faite un peu arbitrairement (...) 1
M. DURAS, Moderato cantabile, p. 60.

Or comment l'historien juge-t-il qu'un fait est notable ou non? Il en juge arbitrairement selon son goût et son caprice à son idée. 2
FRANCE, le Crime de S. Bonnard, p. 499.

Spécialt. Sc. Par convention.

♦ **2** (Déb. XVIIIe, Fénelon). Péj. De manière despotique, autoritaire. *Un inculpé arbitrairement détenu* (→ Arrêter, cit. 36, Code d'instruction criminelle).

C'est sur leur demande que Pacha jetait arbitrairement en prison les indigènes de rendement insuffisant (...) 3
GIDE, Voyage au Congo, *in* Souvenirs, Pl., p. 743.

CONTR. **Objectivement. — Légalement...**

**ARBITRAL, ALE, AUX** [aʀbitʀal, o] adj. — 1270; lat. *arbitralis, de arbiter.* → Arbitre.

♦ **1** Dr. Qui est prononcé par un ou plusieurs arbitres. *Jugement arbitral.* L'exequatur *donne force exécutoire à la sentence arbitrale.*

Aucun n'était content; la sentence arbitrale
À nul des deux ne convenait.
LA FONTAINE, Fables, XII, 24.

Qui cherche à régler les conflits par l'arbitrage. *«Une politique (...) arbitrale»* (J. Jaurès).

Qui est composé d'arbitres librement choisis par les parties. *Tribunal arbitral. Commission arbitrale.*

♦ **2** Didact. (philos). Du libre arbitre. *Un «pouvoir arbitral»* (M. Blondel, *in* T. L. F.).

DÉR. **Arbitralement.**

**ARBITRALEMENT** [aʀbitʀalmɑ̃] adv. — 1690; de *arbitral*.

Dr. Par arbitres. *Cette affaire fut jugée arbitralement.*

1. **ARBITRE** [aʀbitʀ] n. — 1213; lat. *arbiter*.

♦ **1** N. m. Dr. Personne désignée par les parties (particuliers ou États) pour trancher un différend, régler un litige. → **Arbitrage.** *S'engager par un compromis à s'en rapporter au jugement d'un arbitre. Le compromis autorise les arbitres à statuer comme amiables* compositeurs. Le juge de rigueur prononce suivant les règles du droit, l'arbitre peut décider d'après l'équité naturelle. L'expert examine, constate, apprécie; l'arbitre juge, décide, règle.* → **Expert, juge.** *Les arbitres ont rendu leur sentence.* → **Arbitral.** *Le surarbitre ou tiers-arbitre départage les arbitres en cas de désaccord.* — Anciennt. *Arbitre-rapporteur, arbitre du commerce,* celui qui est nommé par le tribunal de commerce pour concilier les parties, et, à défaut, donner un avis sur le litige (fonction supprimée par le nouveau Code de procédure civile).

1 Il *(le bœuf)* cherche de grands mots, et vient ici se faire, au lieu d'arbitre, accusateur.
LA FONTAINE, Fables, X, 1.

2 Il n'est propre qu'à commettre *(brouiller)* de nouveau deux personnes qui veulent s'accommoder, s'ils l'ont fait arbitre de leur différend.
LA BRUYÈRE, les Caractères de Théophraste, XII.

3 Il faut prendre pour arbitre un peuple voisin qui ne soit suspect d'aucun côté (...) Il faut qu'un arbitre, choisi par les parties, vous accommode ou que le sort des armes décide (...) il fait des propositions, et on sacrifie quelque chose par ses conseils pour conserver la paix.
FÉNELON, Télémaque, XVII.

Cour. Personne prise pour juge sur une contestation, dans un débat, une dispute. *Prendre pour arbitre. S'en remettre à l'avis, à la décision de l'arbitre. Décider comme arbitre en quelque différend.*

4 Je vous fais notre arbitre, et vous nous jugerez.
RACINE, Britannicus, IV, 2.

♦ **2** N. m. Personne experte en une matière. → **Expert.** *Elle est l'arbitre des élégances.* — REM. En parlant d'une femme, le mot s'emploie au masc., mais le fém. serait normal *(une arbitre)*.

5 Un saint homme de chat, bien fourré, gros et gras.
Arbitre expert sur tous les cas.
LA FONTAINE, Fables, VII, 16.

6 On ne verra plus un homme (...) qui mange si bien; aussi est-il l'arbitre des bons morceaux.
LA BRUYÈRE, les Caractères, XI, 122.

♦ **3** N. (1654). Personne que son autorité désigne pour concilier des intérêts opposés, faire respecter ses décisions, imposer sa loi. → **Conciliateur, médiateur.** *Arbitre suprême, souverain :* Dieu. *Arbitre de la situation.* → **Maître.** — REM. Dans cet emploi, le mot est attesté (rarement) au féminin (→ ci-dessous, cit. 13).

7 Quand l'opinion force le gouvernement à agir dans le sens qu'elle désire, elle commet une injustice, car elle force un pouvoir qui devrait jouer le rôle d'arbitre et de conciliateur à favoriser une direction au détriment de toutes les autres.
RENAN, Philosophie de l'hist. contemporaine.

(...) et gardât toute sa liberté d'action, afin de pouvoir 8
exercer en Europe un rôle d'arbitre pacificateur.
MARTIN DU GARD, les Thibault, VII, 45.

(...) entre les partis qui tous s'affrontent et dont aucun 9
n'entend se sacrifier, il faut un arbitre, mais un arbitre à poigne, qui sache imposer le respect de ses arrêts.
Louis MADELIN, Hist. du Consulat et de l'Empire, t. III, 3.

Littér. *Arbitre de la paix et de la guerre. L'arbitre du sort de qqn, de la vie et de la mort...* → **Maître, souverain.**

Là se perdent ces noms de maîtres de la terre, 10
D'arbitres de la paix, de foudres de la guerre.
MALHERBE, Paraphrase du Psaume CXLV.

Entendez, ô grands de la terre, instruisez-vous, arbitres 11
du monde.
BOSSUET, Oraison funèbre de Henriette Anne d'Angleterre.

Ô vous, rois, qu'il voulut faire 12
Arbitres de notre sort (...)
LA FONTAINE, Fables, VIII, 20.

Il vous fait de mon sort arbitre souveraine. 13
RACINE, Britannicus, V, 1.

De tous nos mouvements, c'est l'arbitre suprême. 14
LA FONTAINE, Disc. à M^me^ de la Sablière, 160.

Il s'enchantait de l'idée qu'il était l'arbitre de la France, 15
qu'il pouvait à son gré, en frappant du pied, faire sortir de terre une république ou une monarchie.
CHATEAUBRIAND, Mémoires d'outre-tombe, III, XV.

♦ **4** [a] (1896, *in* Petiot). Personne désignée pour surveiller une compétition ou une épreuve sportive et en contrôler la régularité. *L'arbitre d'un combat de boxe* (angl. *referee*). *L'arbitre a ordonné un break. Un arbitre femme; une arbitre. Arbitre fédéral, international.* — (Jeux de ballon). *Le coup de sifflet de l'arbitre* (signalant les temps et les incidents d'un match). *L'arbitre a sifflé un arrêt de jeu, un pénalty, la fin de la rencontre... L'arbitre juge le temps d'après sa montre* (→ Siffler, cit. 7.2). *Le public a insulté l'arbitre à la fin du match. — Juge-arbitre.* → **Juge.**

Il faut à l'arbitre, que la partie ne saurait amuser toujours, 16
plus d'esprit sportif qu'aux joueurs eux-mêmes.
Jean PRÉVOST, Plaisir des sports, p.145.

[b] N. m. Officier chargé de faire exécuter un exercice, une manœuvre militaire selon les ordres du commandant.

DÉR. **Arbitrage.** — (Du latin *arbiter*) **Arbitraire** (sens jurid.), **arbitral, 2. arbitre, arbitrer.** ◊ COMP. **Sur-arbitre.**

2. **ARBITRE** [aʀbitʀ] n. m. — XIII^e^, *arbitre* et *franc arbitre*, lat. *arbitrium*.

♦ **1** Vx. Volonté.

♦ **2** (1541; anciennt. *franc arbitre*). Mod. Philos. **LIBRE ARBITRE :** faculté de se déterminer sans autre cause que la volonté elle-même, «dans les choses où il n'y a aucune raison qui nous penche d'un côté plutôt que de l'autre» (Bossuet, *Traité du libre arbitre*). → **Liberté.**

(...) le libre arbitre, au sens habituel du terme, implique l'égale possibilité des deux contraires.
H. BERGSON, *in* LALANDE, Voc. de la philosophie, art. *Liberté*, note, p. 561.

Cour. Volonté qui n'est pas contrainte. *User de son libre arbitre. Il n'avait pas son libre arbitre, il a agi sous la menace.*

CONTR. **Déterminisme, serf-arbitre. — Contrainte.**

**ARBITRER** [aʀbitʀe] v. tr. — 1274; lat. *arbitrari*, de *arbiter*. → Arbitre.

♦ **1** Dr. et cour. Agir, intervenir, juger en qualité d'arbitre. *Arbitrer un différend, un litige. Je m'en remets* *à ce que le juge en arbitrera* (Académie). → **Décider, juger, trancher.**

1 S'en remettant à ce qu'il en arbitrerait.
J. AMYOT, Pyrrhus, 34, *in* LITTRÉ.

Dr. *Arbitrer des personnes,* rendre sa sentence arbitrale dans le différend qui les sépare. → aussi **Concilier.**

2 (...) vous *(États de Hollande)* avez plus d'une fois rétabli la liberté des mers, donné la paix à l'Europe, arbitré les rois. MIRABEAU, Aux Bataves, *in* LITTRÉ, Suppl.

Par ext. (Hors du domaine du droit privé). *Arbitrer une querelle, un conflit.*

Absolument :

3 (...) une Société universelle des Nations, qui arbitrerait de haut, qui répartirait les responsabilités, qui rendrait un verdict impartial.
MARTIN DU GARD, les Thibault, VIII, 26.

4 L'Angleterre resterait neutre, et compterait les coups, en attendant l'heure d'arbitrer...
MARTIN DU GARD, les Thibault, VII, 39.

♦ **2** Fin. (assurances). *Arbitrer un dommage à telle somme.* → **Estimer, évaluer.**

(1922). Fin. *Arbitrer des valeurs, des marchandises,* faire un arbitrage entre elles.

♦ **3** (1901, *in* Petiot). Contrôler la régularité d'une compétition, d'une épreuve, en tant qu'arbitre. *Arbitrer un match de football, un combat de boxe.*

DÉR. **Arbitrable.**

**ARBOIS** [aʀbwa] n. m. — 1564, Rabelais; *«De ton exquis vin blanc d'Arbois»,* 1627, Saint-Amant; du nom d'une ville du Jura.

Vin d'Arbois. *Une bouteille d'arbois rosé.*

**ARBORÉ, ÉE** [aʀbɔʀe] adj. — XVI^e^; du lat. *arbor* «arbre».

♦ **1** Géogr. Se dit d'un paysage parsemé de boqueteaux ou d'arbres isolés. *Savane arborée.*

♦ **2** Techn. *Jardin, parc arboré,* planté d'arbres. — REM. Le mot est courant en Belgique. → **Arborisé** (helvétisme).

Ils avaient erré longtemps parmi les ruelles pavées (...) pour déboucher enfin sur la pelouse arborée d'un béguinage. Roger FOULON, Un été dans la Fagne, p. 36.

**ARBORER** [aʀbɔʀe] v. tr. — V. 1320; ital. *arborare,* du lat. *arbor* (→ Arbre); d'abord «élever droit (comme un arbre)».

**I** ♦ **1** Planter, dresser, élever (qqch.) de manière à exposer comme un emblème. *Arborer des bannières, des enseignes, des drapeaux. Arborer les trois couleurs* (d'un drapeau national, du drapeau français).

1 Je n'avais jamais lu *Arborer une enseigne pour la planter,* sinon aux *(dans les)* ordonnances que fit l'Amiral de Chastillon (...) mot dont Viginelle a usé en *(dans)* l'histoire de Villehardouin.
Etienne PASQUIER, Recherches de la France, VIII, 3.

2 Ils arborèrent l'étendard de France.
RACINE, les Campagnes de Louis XIV.

Fig. *Arborer* (lever) *l'étendard de la révolte :* se révolter.

Mar. *Arborer le pavillon, les pavois.* → **Déployer, hisser**; et aussi **assurer** (I., 2.). *Arborer pavillon anglais.*

3 *(On a vu dix vaisseaux)*
De nos vieux ennemis arborer les drapeaux.
CORNEILLE, le Cid, II, 6.

4 La petite flotte du comte d'Estrée arbora pavillon d'Espagne. SAINT-SIMON, Mémoires, 107, 132.

♦ **2** (XVII^e^). Porter ostensiblement. → **Porter.** *Arborer un insigne à sa boutonnière. Arborer fièrement un macaron* (cit. 3) *de pilote. Arborer un chapeau neuf, un vêtement voyant.*

Arborez un chapeau chargé de trente plumes 5
Sur une perruque de prix.
MOLIÈRE, Remerciement au roi, 20-21.

Ils arboraient tous, il va sans dire, des vêtements tirés de la 6
réserve à Barbe-Bleue, mais ils les arboraient avec tant de naturel que personne, à les voir, n'éprouvait le sentiment de l'extravagance.
G. DUHAMEL, Chronique des Pasquier, IX, 12.

Montrer ostensiblement. → **Afficher, étaler, montrer.**

Sur la façade des kiosques à journaux, les éditions spé- 7
ciales arboraient des manchettes menaçantes (...)
MARTIN DU GARD, les Thibault, VII, 63.

Pron. Rare. *S'arborer :* se montrer avec ostentation.

♦ **3** Fig. (Souvent péj.). *Arborer un sourire, un air de supériorité. — Arborer des opinions extrémistes.*

Quand l'hypocrisie a perdu le masque de la honte, elle 8
arbore le panache de l'orgueil (...)
BUFFON, *in* P. LAROUSSE.

L'homme de génie tait son orgueil, l'intrigant arbore le 9
sien. BALZAC, la Peau de chagrin, Pl., t. IX, p. 89.

**II** Régional (Belgique). Planter (un terrain) d'arbres. → **Arboré.**

**ARBORESCENCE** [aʀbɔʀesɑ̃s] n. f. — 1838; de *arborescent.*

♦ **1** État d'un végétal arborescent. *Partie arborescente d'une plante.*

♦ **2** Forme arborescente. *Les arborescences du givre. L'arborescence des bronches.* — Zool. Organe présentant des ramifications.

Ces productions élémentaires, curieux dessins, *arbres de* 1
*Saturne* — se forment d'abord autour d'un germe ou noyau de la nature d'une sensation, — comme pour *expliquer* cette première discontinuité dans le sommeil, ce défaut du néant, cette atteinte à l'insensibilité — présence qui ne peut demeurer isolée, réduite à elle-même.
Et cette arborescence progressive et successive, s'étend d'elle-même, se rencontre elle-même, s'oppose des rameaux, perd son fil, se méconnaît régulièrement comme suivant une loi. VALÉRY, Cahiers, Pl., t. II, p. 61.

♦ **3** Schéma complexe en forme d'arbre.

♦ **4** (Abstrait). Littér. Développement luxuriant.

La séparation des paroles et de la musique, l'arborescence 2
de chacune (...) VALÉRY, Variété I, Pl., p. 1924.

**ARBORESCENT, ENTE** [aʀbɔʀesɑ̃, ɑ̃t] adj. — 1553; lat. *arborescens* «qui prend forme d'arbre», de *arbor.* → Arbre.

♦ **1** Qui prend la forme ramifiée, le port, l'apparence d'un arbre. *Fougères arborescentes. Le bambou est un roseau arborescent. Tige arborescente :* tige ligneuse et épaisse.

Il y avait peu de maisons qui ne logeassent alors dans leur jardinet, si petit qu'il fût, contre leur mur, devant la porte, des lilas arborescents, qui quelquefois dépassaient en une seule flèche, comme un clocher de couleur, le toit bas de la maison, d'autres fois entremêlaient sur le toit leurs fusées de fleurs avec une animation joyeuse, d'autres fois encore, dépassant le mur et se penchant sur la rue, venaient chercher de leur bonne odeur jusque sur le trottoir opposé le passant même qui ne les voyait pas (...)
PROUST, Jean Santeuil, Pl., p. 278.

Par ext. Couvert d'arbres (région, zone).

♦ **2** Dont la forme rappelle celle d'un arbre; qui présente une forme ramifiée, des arborisations. *Agate arborescente* (ou *arborisée*).

♦ **3** *Diagramme, tableau, schéma arborescent; représentation arborescente.* → **Arbre.**

♦ **4** (Abstrait). «*La complexité arborescente de ses réflexions*» (L. Daudet, *in* T. L. F.).

Par ext. (Littér.). Luxuriant, foisonnant.

**DÉR. Arborescence.**

**ARBORETUM** [aʀbɔʀetɔm] n. m. — 1862; mot lat. *arboretum* «lieu planté d'arbres».

Bot. Pépinière spécialement destinée à la culture expérimentale d'arbres d'essences diverses. *Des arboretums.*

**ARBOR(I)-** Élément, du lat. *arbor* «arbre».

**ARBORICOLE** [aʀbɔʀikɔl] adj. — 1863; de *arbori-*, et *-cole.*

♦ **1** Rare. Qui vit dans les arbres. *Oiseaux, singes arboricoles.* — Par ext. Qui est propre aux animaux vivant dans les arbres; qui se fait dans les arbres.

Les singes sont en effet les seuls Mammifères à préhension constante, pendant la marche arboricole comme pendant les opérations manuelles de la station assise. Les autres Mammifères arboricoles s'accrochent tous plus ou moins avec leurs griffes, alors qu'eux saisissent les branches entre les doigts et le pouce qui est opposable.

A. LEROI-GOURHAN, le Geste et la Parole, t. I, p. 82.

♦ **2** (Par anal. avec *agricole*). Qui a rapport à l'arboriculture. *La technique arboricole.*

**ARBORICULTEUR, TRICE** [aʀbɔʀikyltœʀ, tʀis] n. — 1853; de *arboriculture.*

Personne qui se livre à l'arboriculture. → **Agriculteur, agrumiculteur** (agrumes), **horticulteur, jardinier, pépiniériste, pomoculteur, sylviculteur; planteur; producteur** (de fruits).

**ARBORICULTURE** [aʀbɔʀikyltyʀ] n. f. — 1836; de *arbori-*, et *-culture.*

Partie de l'agriculture qui a pour objet la culture des plantes ligneuses. → **Arbre.** *Arboriculture forestière.* → **Foresterie, sylviculture.** — Spécialt. Production de fruits. *Arboriculture fruitière.* → **Agrumiculture, horticulture, pomoculture** (ou pomologie), **viticulture.** *Arboriculture d'ornement.* → **Jardinage; horticulture.**

**DÉR. Arboriculteur.**

**ARBORIFORME** [aʀbɔʀifɔʀm] adj. — D. i.; de *arbori-*, et *-forme.*

Didact. Qui a la forme d'un arbre.

**ARBORISATION** [aʀbɔʀizasjɔ̃] n. f. — 1806; de *arborisé.*

Didact. et cour. Dessin naturel ressemblant à des végétations, à des ramifications. *Les arborisations de l'agate, de l'onyx. — L'arborisation des vaisseaux, des capillaires.*

(...) sur cette splendeur laiteuse, suspendue partout, les mille aiguilles des arbres dépouillés mettaient comme des arborisations d'agate sur un fond d'opale.

Ed. et J. DE GONCOURT, Manette Salomon, p. 312.

Spécialt. Dépôt, précipité cristallin qui se forme dans les combinaisons de certains minéraux. → **Arbre** (de Diane, de Mars, de Jupiter, de Saturne). — Ramifications que la condensation de la vapeur d'eau produit sur les vitres quand il gèle. → **Cristallisation.**

Biol. *Arborisations protoplasmiques du neurone.* → **Dendrite, dendrone.**

**ARBORISÉ, ÉE** [aʀbɔʀize] adj. — 1750; dér. sav. du lat. *arbor, arboris* «arbre».

**I** Didact. Qui présente des arborisations. *Agate arborisée* (ou *arborescente,* ou *herborisée*).

**II** Régional (Suisse). Planté d'arbres. → **Arboré** (belgicisme). «*Maison de campagne avec grand parc arborisé*» (*Feuille d'avis de Lausanne,* 26 mai 1971).

(...) la ruelle en pente, entre des jardins arborisés, où l'on découvre avec peine une petite école privée qui s'appelle «Les Lutins» *(à Echandens, en Suisse romande).*

G. SIMENON, Mémoires intimes, p. 402.

**DÉR.** (Du sens I.) **Arborisation.**

**ARBORISER** [aʀbɔʀize] v. intr. — 1539, Rabelais; du lat. *arbor, arboris* «arbre».

Vieux.

♦ **1** Cultiver des arbres. → **Jardiner.**

♦ **2** Herboriser.

Au lieu d'arboriser, *(ils)* visitaient les boutiques des drogueurs, herbiers et apothicaires, et soigneusement considéraient les fruits, racines, feuilles.

RABELAIS, Pantagruel, 24.

◆ **S'ARBORISER** v. pron. Mod. et didact. Présenter des ramifications, des arborisations. → **Arborisé.**

**DÉR. Arboriste.**

**ARBORISTE** [aʀbɔʀist] n. m. — 1572; de *arboriser.*

Vieux.

♦ **1** Celui qui cultive les arbres. → **Jardinier, pépiniériste.**

♦ **2** Herboriste.

Tu veux faire ici l'arboriste,
Et ne fus jamais que boucher.

LA FONTAINE, Fables, V, 8.

**ARBOUSE** [aʀbuz] n. f. — 1557; provençal *arbousso,* de *arbous* «arbouse», du lat. *arbuteus* «de l'arbousier», de *arbutus* «arbousier».

Fruit rouge, comestible et aigrelet, à forme de fraise, de l'arbousier.

**DÉR. Arbousier.**

**ARBOUSIER** [aʀbuzje] n. m. — 1539, *arbosier;* de *arbouse.*

Arbre ou arbuste (famille des Éricinées; n. sc. : *arbutus*) toujours vert qui porte des fruits aigrelets de la forme d'une fraise et de la taille d'une cerise. → **Arbouse.** *Arbousier raisin d'ours* : arbre aux fraises, fraisier en arbre. *Arbousier des Alpes.* → **Busserole** (Arctostaphylos).

(...) je m'engageai du côté de la terre dans la végétation qui, en bordure, était encore marine, faite de tamaris, puis s'épaississait aussitôt, mélange d'arbousiers, d'arbustes secs du maquis, de plantes grasses aux fades odeurs humides et de figuiers bas à demi revenus à la sauvagerie dont les larges couronnes de feuilles enveloppaient de belles ruines chaudes qui me parurent romanes.

Jacques LAURENT, les Bêtises, p. 165.

**ARBOVIROSE** [aʀboviʀoz] n. f. — 1966; de *arbovirus,* et 2. *-ose.*

Méd. Maladie infectieuse provoquée par un arbovirus. *La dengue et la fièvre jaune sont des arboviroses.*

**ARBOVIRUS** [aʀboviʀys] n. m. — 1963; de l'angl. *arthropod-borne virus* «virus transporté par les arthropodes».

Biol. Virus qui se transmet par piqûre d'arthropode. *La fièvre jaune et certaines fièvres hémorragiques sont provoquées par des arbovirus. «Les moustiques transmettent aussi des arbovirus, comme celui responsable de la dengue»* (*la Recherche,* déc. 1986, p. 183).

**ARBRE** [aʀbʀ] n. m. — 1080; lat. *arbor, arboris.*

**I** Grand végétal ligneux dont la tige, qui s'élève à plus de 6 mètres quand la plante est adulte (au-dessous, on parle d'*arbrisseau*), ne porte de branches qu'à partir d'une certaine hauteur au-dessus du sol (Voir les mots en *arbor-* et en *dendro-*). *Les racines, la tige* (→ **Tronc; bille, grume**), *les branches d'un arbre. Nœud vital de l'arbre.* → **Collet, pied.** *Coupée transversalement, la tige d'un arbre présente trois parties : le canal médullaire* (→ **Moelle**), *le bois* (→ **Bois, cambium, cerne, cœur, duramen, nœud, xylème**) *et l'écorce* (→ **Aubier, écorce, liber**). *La sève* circule entre les racines et les feuilles de l'arbre. Le creux d'un arbre. La charpente de l'arbre.* → **Branchage, branche, brindille, dard, embranchement, fourche, fourchet, gourmand, lambourde, rame, rameau, ramée, ramure.** *Le feuillage d'un arbre.* → **Feuille; aiguille, épine;** (poét.) **chevelure, couronne, couvert, frondaison.** *Le haut, le sommet, la tête d'un arbre.* → **Apex, cime, faîte, houppier, sommité.**

*Ensemble d'arbres.* → **Bois, forêt; bosquet** (→ ci-dessous, *plantations d'arbres* infra cit. 0.2).

*La vie d'un arbre. L'arbre prend bien, prend racine* (→ **Enraciner**), *croît, se développe, pousse, végète; bourgeonne* (→ **Bourgeon, œil**), *s'épanouit* (→ **Débourrement**), *fleurit* (→ **Bouton, fleur**), *s'affruite, se met à fruit, produit, porte des fruits* (→ **Fruit**); *se défeuille, s'effeuille, verdit, verdoie, reverdit.*

*Aspects, caractères, nature des arbres* (→ **Espèce, essence**). — *Arbre agreste, franc (franc de pied), sauvage* (→ **Sauvageon**); *cultivé* (→ **Élève**), *de semis, greffé, en caisse, en pleine terre, en plein vent.* — *Arbre indigène ou exotique* (dans un lieu donné). *Acclimater* un arbre.* — *Arbre géant ou nain.* — *Arbre d'un seul brin, d'une seule venue; élancé, vigoureux, en pleine sève.* — *Arbre chevelu, feuillu, frondescent, frondifère, touffu.* — *Arbre à feuilles persistantes* (→ **Vert**) *ou caduques* (→ **Feuillu**). — *Arbre épineux.* — *Arbre fleuri; chargé, couvert de fleurs; fertile* ou *stérile.* — *Arbre branchu, fourchu, moussu* (→ **Mousse; bryon**), *noueux, rameux.* — *Arbre caverneux, creux.* — *Arbre antique, chenu, rabougri.* — *Arbre fossile.* → **Dendrite; lepidodendron, sigillaire.** — *Arbre pétrifié.* → **Dendrolithe.**

*Culture des arbres.* → **Arboriculture, foresterie, sylviculture.** — *Arbre de tige, de haute tige* (→ **Filardeau**), *de moyenne tige, de demi-tige, de basse-tige.* → **Tige.** *Arbre de première, de deuxième, de troisième, de quatrième grandeur. Arbre de haute futaie, de basse futaie.* → **Futaie.** *Arbre de lumière.* → **Lumière.** — *Arbre gommeux, gummifère, guttifère, lactescent, résineux, résinifère.*

Syntagmes *arbre* + qualificatif (adjectif; *à* ou *de* + nom) désignant des espèces d'arbres. *Arbre aux anémones :* calycanthe ou beurreria; *d'argent :* protea; *aveuglant :* excecaria; *des banians :* figuier de l'Inde; *à beurre :* bassia, butyrosperme, caryocar, garcinia, irvingia; *du Brésil :* césalpinie; *à café :* chicot du Canada; *à calebasse :* calebassier; *à caoutchouc :* hévéa (etc.); *de Caroni :* galipéa; *de castor :* magnolia; *à chandelle :* muscadier porte-suif; *à chapelet :* azédarach, mélia; *du ciel :* ginkgo; *à cire :* céroxyle, myrica, sumac; *des conseils :* figuier des pagodes; *au corail :* erythrina; *de Cythère :* spondias; *du diable :* sablier; *de Dieu :* figuier des pagodes; *de dragon :* dragonnier; *à encens :* amyris; *à enivrer :* piscidie; *de fer :* mesua; *de la folie :* amyris; *aux fraises :* arbousier; *à la gale :* sumac; *à la glu :* houx; *à la gomme :* acacia; *à grives :* sorbier; *immortel :* erythrina; *impudique* ou *indécent :* pandanus; *à ivoire :* phytéléphas; *de juda* ou *de Judée :* gainier ou cercis; *à lait :* galactodendron; *à laque :* butéa; *aux lis :* tulipier; *de Sainte-Lucie :* cerisier mahaleb; *à la manne :* frêne; *à melons :* papayer; *de mille ans :* baobab; *de Moïse :* cotoneaster (pyracanthe); *de mort :* mancenillier ou hippomane; *aux mouchoirs :* davidia; *de neige :* viorne; *à pain :* artocarpe ou jacquier, irvingia (→ ci-dessous, cit. 0.1); *à papier :* broussonetia (mûrier); *de paradis :* thuya; *aux perruques :* sumac; *à la pistache :* staphylier; *pluvieux :* césalpinie; *à poison :* sumac, mancenillier ou hippomane; *au poivre :* vitex (gattilier); *puant :* sterculia fœtidia; *à la puce :* sumac; *aux quarante écus :* ginkgo; *saint :* mélia; *à savon :* sapindus; *à seringue :* hévéa; *du soleil :* platane; *à suif :* croton; *de saint Thomas :* bauhinia; *triste :* nyctanthe; *aux tulipes :* tulipier; *à la vache, à vache, arbre-vache* (1830, *in* D. D. L.) : galactodendron; *au vermillon :* quercus coccifera (chêne); *de vie :* thuya; *du voyageur :* ravenala.

Et quel est cet arbre qui ressemble à un petit palmier? demanda Cyrus Smith. 0.1
— C'est un «cycas revoluta», dont j'ai le portrait dans notre dictionnaire d'histoire naturelle!
— Mais je ne vois point de fruit à cet arbuste?
— Non, monsieur Cyrus, répondit Harbert, mais son tronc contient une farine que la nature nous fournit toute moulue.
— C'est donc l'arbre à pain?
— Oui! l'arbre à pain.
— Eh bien, mon enfant, répondit l'ingénieur, voilà une précieuse découverte, en attendant notre récolte de froment.

J. VERNE, l'Île mystérieuse, t. I, p. 422.

Au Venezuela, existe un arbre qui fournit, quand on l'a incisé, un liquide crémeux et blanc qui lui a valu le nom d'*arbre-vache;* les indigènes boivent cette sève à l'état pur. 0.2

P. DEFFONTAINES, l'Homme et la Forêt, p. 55, *in* D. D. L., II, 15.

(En Afrique). *L'arbre à palabres :* grand arbre à l'ombre duquel les anciens, les notables se réunissent.

Myth. *Arbres sacrés* ou *symboliques : arbre d'Apollon* (laurier, palmier), *de Bacchus* (vigne), *de Cybèle* (pin), *des Dryades* (chêne), *des Euménides* (cèdre), *des Helliades* (peuplier), *d'Hercule* (peuplier), *de Jupiter* (chêne, châtaignier), *de Minerve* ou *de Pallas* (olivier), *de Pluton* (cyprès), *de Vénus* (myrthe et tilleul).

PRINCIPAUX ARBRES, ARBUSTES ET ARBRISSEAUX : Voir tableau page suivante.

*Plantation d'arbres.* → **Plant, plantation; complanter, déplanter, planter, transplanter; boiser, reboiser; peupler, repeupler.** — *Lieu planté d'arbres, réunion d'arbres.* → **Alignement, allée, ambulacre, avenue, berceau, bocage, bois, bordure, bosquet, boulevard, bouquet, charmille, complant, cordon, forêt, fourré, futaie, gaulis, haie, jardin, ligne, lisière, mail, massif, ombrage, palissade, pépinière, peuplement, rangée, rideau, taillis, touffe, végétation, verdure, verger, voûte.**

*Formation, forme des arbres.* → **Taille** (en berceau, boule, buisson, bulteau, chandelle, colonne, cône, contre-espalier, cordon, couronne, dôme, espalier, éventail, fuseau, gobelet, palmette, pyramide, quenouille, têtard, vase...).

PRINCIPAUX ARBRES, ARBUSTES ET ARBRISSEAUX

A = arbre ou arbrisseau ; a = arbrisseau ou arbuste ; E = bois d'œuvre ; F = fruitier ou comestible ; O = ornemental ; M = médicinal ; Af. = africain ; Am. = américain ; As. = asiatique ; Au. = australien ; Eu. = européen ; M.-O. = moyen-oriental ; f = feuillu, à feuilles caduques ; v = feuillu, à feuillage persistant.

Abélae a O (As.) f
Abricotier A F (Eu.) f
Abura A E (Af.) f
Abutilon a O (Am.) f
Acacia A E O (Au. Af.) f
Acajou A E (Am.) f
Afara A E (Af. ) f
Afzélia A E (Af.) f
Ailante A E O (As.) f
Airelle a F (Eu.) f
Ajonc a O (Eu.) f
Alaterne a M (Eu.) v
Albergier = Abricotier
Aleurite A M (As.) f
Alhagi a (M. O.) f
Aliboufier A = Styrax (Eu.) f
Alisier a E (Eu.) f
Allamanda a (Am.) f
Allerce A E (Am.) v
Allouchier = Alisier
Althaea a O (M. O.) f
Amandier a F (Eu. As.) f
Amarante A E (Am.) f
Amboine A E (Af.) f
Amélanchier A F O (Am.) f
Ampélopsis a O (Am.) f
Amyride a O (Am.) f
Anacardier a F (Am.) f
Anagyre A M O (Eu.)
Andira A E (Am.) f
Andromède a O (Am.) v
Angélique a E (Af.) f
Aniégré A E (Af.) f
Anone A F O (Af. As.) f
Antiar A M (As.) f
Aotus a O (Au.) f
Apitong A E (As.) f
Aralia a O (Eu.) v
Araucaria A O (Am.) v
Arbousier A F (Eu.) f
Ardisier a O (As.) f
Arec A F E O (Am.) v
Arganier A F E (Af.) f
Argentine a O (Eu.) f
Argousier A F (Eu.) f
Aristoloche a M (Am.) f
Artémisia a O (Eu.) f
Artocarpe A F (As.) f
Asclepias a O (Am.) f
Aspic a O (Eu.) f
Aspidosperma A F (Am.) f
Aubépine a O (Eu.) f
Aubour a O (Eu.) f
Aucouméa A E (Af.) f
Aucuba a O (As.) v
Aune = Aulne A E (Eu. Am.) f
Avelinier a F (Eu.) f
Averrhoa A F (As.) f
Avocatier A F (Am.) f
Avodiré A E (Af.) f
Ayous = Tulipier
Azalée a O (As.) f
Azédarach A O (As.) f
Azérolier A O (Eu.) f
Azobé A E (Af.) f
Badamier A E (As.) f
Badiane a F M (As.) f
Baguenaudier a M (Eu.) f
Balsa A E (Am.) f
Balsamodendron A M (As.) f
Bambou a E (As.) f
Bancoulier A M (As.) f
Banian A F (As.) f
Baobab A E F (Af.) f
Barringtonia A F (Am.) f
Bassia A F (Am.) f
Bauhinia A M (Am.) f
Baumier A M (Am.) f
Berbéris a O (Am.) f
Bergamotier a F (As.) v
Bibassier A F (As.) f
Bigaradier a F (As.) v
Bigarreautier A F (Eu.) f
Bignonia a O (Am.) f
Bilinga A E (Af.) f
Black Bean A E (Au.) f
Boldo a M (Am.) f
Borassus A F (Af.) v
Bossé A E (Af.) f
Bougainvillée a O (Am.) f
Bouleau A E (Am. Eu.) f
Bourdaine a M (Eu.) v
Brimbelle = Airelle
Brugnonier a F (Eu.) f
Bruyère a O (Eu.) v
Bubinga A E (Af.) f
Buis a O E (Eu.) v
Busserolle = Arbousier
Butca A O (As.) f
Butyrosperme A F (Am.) f
Buxus = Buis
Cacaoyer A F (Am.) f
Cade = Genévrier
Caféier a F (M. O. Af. Am.) v
Calebassier A F (Am.) f
Calycanthe a O (As.) f
Camelia A O (As.) v
Camérisier a O (Eu.) v
Camphrier A M (As.) v
Caneficier = Cassier
Cannellier A F M (As.) v
Câprier a F (M. O.) f
Carambolier = Averrhoa
Caroubier A F E M (Eu.) f
Cassier A M (M. O. As.) f
Cassis a F (Eu.) f
Catalpa A O (Am.) f
Cédratier a F (As.) v
Cèdre A E O (M. O.) v
Cédrel A E (Am.) f
Cerisier A F (Eu.) f
Céroxyle A E (Am.) v
Cestreau a O (Am.) f
Charme A E (Eu.) f
Châtaignier A F E (Eu.) f
Chêne A E (Eu.) f
Chèvrefeuille a O (Eu.) f
Chicot A E O (Am.) f
Cinnamone A M (As.) v
Cirier = Myrica
Ciste a M (Eu.) f
Citronnier a E F (As.) v
Cladastris A E O (Am.) f
Clématite a O (As.) f
Clémentinier a F (As.) v
Clérodendron A E O (As.) v
Clusier A O (Am.) f
Cobaea a O (Am.) f
Coca a M (Am.) f
Coccoloba A F O (Am.) f
Cocobolo A E (Am.) f
Cocotier A E F (Af.) v
Cognassier A F (Eu.) f
Colvillea A O (Af.) f
Combret A O (Af.) f
Copaïer A E (Af.) f
Cordyline = Dragonier
Coréopsis a O (Am.) f
Coriaire a E (Eu.) f
Cormier A E (Eu.) f
Cornouiller a E O (Eu.) f
Coronille a O (Eu.) f
Corossolier A F (Am.) v
Cotonnier a E ( M. O.) f
Coudrier a F E (Eu.) f
Courbaril A E (Am.) f
Croton a M (As.) f
Cubèbe a M (M. O.) v
Cussonia A O (Af.) f
Cycas A F (As.) v
Cyprès A O (Eu.) v
Cytise A E O (Eu.) f
Dalbergia A E (Am. As.) f
Daphné a O (Eu.) f
Dattier A F (Af. As.) v
Davidia A O (As.) f
Douglas A E (Am.) v
Dragonier A E (Canaries) v
Durante a F (Am.) f
Ébénier A E (As.) f
Églantier a O (Eu.) f
Éléis A F (Af.) v
Éleodendron A M (Af.) f
Empêtre a F (Eu. As.) v
Ephédra a O (Eu.)
Épicéa A E (Am. Eu.) v
Épilobe a O (Eu.) f

Épine-vinette = Berbéris
Érable A E F (Am. Eu.) f
Érica = Bruyère
Érythrine a O (Am.) f
Eucalyptus A E M (Au.) v
Euphorbe A a M (Eu. Am.) f
Excécaria A M (Am. Eu.) f
Fabian a O (Am.) f
Fabricia a O (Au.) f
Fayard = Hêtre
Févier A E (Am.) f
Ficus A E (As.) v
Figuier A F (As.) f
Flamboyant = Colvillea
Fragon a O (Eu.) v
Framboisier a F O (Eu.) f
Frangipanier A O (Am.) f
Frêne A E (Eu.) f
Fromager A E (Am.) f
Fuchsia a O (Am.) f
Fusain a E (Eu.) v.
Fustet = Sumac
Gaïac A E (Am.) f
Gainier A E O (Eu.) f
Galactodendron A F (Am.) f
Galipea A F M (Am.) f
Garcinia A E M (As.) f
Gardénia a O (As.) v
Garou = Daphné
Garrya a O (Am.) v
Genêt a E M (Eu.) v
Genévrier A M (Eu.) v
Germandrée a o (Eu.) f
Ginkgo A F O (As.) f
Giroflier A F M (As.) v
Glycine a O (Au.) f
Gordonie A O (Am.) f
Goyavier a F (Am.) f
Gravelin = Chêne
Grenadier a F (Am.) f
Grenadille = Passiflore
Griottier A F (Eu.) f
Grisard = Peuplier
Groseillier a F (Eu.) f
Guignier A F (Eu.) f
Halésia a O F (Am.) f
Hamamélis A M (Am.) f
Héliotrope a O (Am.) f
Hénné a E (M. O.) f
Hêtre A E (Eu.) f
Hévéa A E (Am.) f
Hibiscus = Ketmie
Hickory A E F (Am.) f
Hièble = Sureau
Hippophae = Argousier
Hortensia a O (Am. As.) f v
Houx A E O (Eu.) v
Hysope a M (Eu.) v
Icaquier a F O (Am.) f
If A E (Eu.) v
Ignatier a F (As.) f
Indigotier a E (As.) f
Inga a O (Am.) f
Irvingia A F (Af.) f
Jaborandi = Pilocarpe
Jacaranda A E O M (Am.) f
Jacquier A F (As.) f
Jambose A O F (As.) f
Jasmin a O (As. Af.) f
Jujubier a F O (Eu.) f
Justicia a O (As.) f
Kadsura a O (As.) f
Kalmia a O (Am.) f
Kapokier A E (As.) f
Katsura A E (As.) f
Kauri A E (Au.) v
Kerria a O (As.) f
Ketmie a O (As.) f
Khaya A E (Af.) f
Koelreutérie A O (As.) f
Kola A E M (Af.) f
Landier = Ajonc
Lantane a O (Am.) f
Larix = Mélèze
Latanier A E (Am.) v
Laurier A E M (Eu. M. O.) v
Lavande a E O (Eu.)
Lavataire a O (Eu.) f
Lédon a O M (Eu.) v
Lentisque a E O (Eu.) v
Leptosperme a O (Au.) v
Leucadendron A O (Af.) f
Lierre a O (Eu.) v
Lilas A O (Eu.) f
Limettier = Citronnier
Limonier = Citronnier
Liquidambar A E O (Am.)
Liriodendron = Tulipier
Lonicera = Chèvrefeuille
Loranthus a (Eu.) v
Lotier a (Af.) f
Lyciet a O (Eu.) f
Macacaouba A E (Af.) f
Maclura A E (Am.) f
Magnolia A O (Am. As.) f v
Mahonia a O (Am.) f
Makoré A E (Af.) f
Malpighia a F (Am.) f
Mancenillier A E (Am.) f
Mandarinier a F (As) v
Manglier = Palétuvier
Manguier a F (As.) f
Manioc a F (Am.) f
Mansonia A E (Af.) f
Marronnier A E (Eu.) f
Maté a F (Am.) f
Médinillier a O (As.) f
Mélastoma a O (As.) f
Mélèze A E (Eu.) v
Mélia A E O (As.) f
Mengkulang A E O (As.) f
Merbau A E (As.) f
Merisier A E F (Eu.) f
Mersawa A E (As.) f
Mésua A E (As.) f
Métrosidéros a E O (Au.) v
Mézéréon = Daphné
Micocoulier A E (Eu.) f
Mimosa A O (Am.) f
Muninga A E (Af.) f
Mûrier A E F (Am. As.) f
Muscadier a F (Am.) f
Myrica a F (Eu.) f
Myroxylon a E (Am.) f
Myrte a M (M. O.) v
Myrtille = Airelle
Nauclea A M (Af.) f
Néflier A F (As.) f
Négundo = Érable
Néré = Laurier
Nerprun = Alaterne, bourdaine, rhamnus
Niangon A E (Af.) f
Niaouli A M (Au.) f
Noisetier = Coudrier
Noyer A F E (Eu.) f
Nyctanthe = Jasmin
Oba = Manguier
Obèche A E (Af.) f
Obier a O (Eu.) v
Okoumé = Aucouméa
Olivier A F E (M. O.) f
Ononis a O (Eu.) f
Oranger a F (As.) v
Origan a F M (As.) f
Orme A E (Eu.) f
Orne = Frêne
Osier = Saule
Oxyanthe a O (Am.) f
Pacanier = Hickory
Padouk A E (Af.) f
Palétuvier A E (Am. Af.) f
Palissandre A E (Am. As. Af.) f
Paliure a O F (Eu.) f
Palmier A F E (Af. As.) v
Pamplemoussier a F (As.) v
Panax a O (Af.) v
Pandane a O F (As. Af.) f
Panga-panga A E (Af.) f
Papayer a F O (Am.) f
Parasolier = Saule
Passiflore a O (Am.) f
Paulownia A O (As.) f
Pau marfim A E (Am.) f
Pêcher A F (M. O.) f
Périploca a O (Eu.) f
Pernambouc A E (Am.) f
Peuplier A E O (Eu.) f
Phoenix A O (Af.) v
Phyllanthe a O (Am.) f
Phytéléphas = Palmier
Pilocarpe A M (Am. Af.) f

Pin A E O F (Eu. Am.) v
Piratinère A E (Am.) f
Piscidia A M (Am.) f
Pistachier a E F (As.) v
Pitchpin A E (Am.) v
Plaqueminier A E F (As.) f
Platane A E (Eu.) f
Podocarpe A E (Af.) v
Poinsettia a O (Am.) f
Poirier A F (Eu.) f
Poivrier a F (As.) f
Polygala a O (Af.) v
Pommier A F (Eu.) f
Potentille a O (Eu.) f
Protée a O (Af.) f
Prunellier A F (As.) f
Prunier A F (As.) f
Prunus A O (As.) f
Psoralée a O (Af.) f
Pterocarya A E O (As.) f
Pterosperma = Palmier
Pterygota A E (Af.) f
Pyracanthe a O (Eu.) v
Quassia a M (Am.) f
Quebracho A E M (Am.) f
Quinquina A M (Am.) v
Quintefeuille = Potentille
Quisqualis A O (As.) f
Ragouminier = Cerisier
Raisinier = Coccoloba
Raphia = Palmier
Raphistemma A O (As.) f
Ravenala a (Af.) f
Retinospara A E (As.) v

Rhamnus a O (Eu.)
Rhapis = Palmier
Rhizophara = Manglier
Rhododendron a O (As.) v
Ricin a M (As.) f
Rivine a O (Am.) f
Robinier A E O (Am.) f
Romarin a F M (Eu.) v
Ronce a F O (Eu.) f
Rondier = Palmier
Rosier a O (As. Eu.) f
Sablier a O (Eu.) f
Sagoutier = Palmier
Sainbois = Daphné
Sal A E (As.) f
Salsepareille a O (Eu.) f
Santal A E M (As.) f
Santolin a O (Eu.) f
Sapelli A E (Af.) f
Sapin A E (Eu.) v
Sapindus A E (Am.) f
Sapium a E (M. O.) v
Sapotillier A E F (Am.) f
Sarcocollier A M (Af.) f
Sassafras A M (Am.) f
Satiné A E (As.) f
Saule A E (Eu.) f
Savonnier = Sapindus
Saxe-Gothaea A O (Am.) v
Sciadopitys A E O (As.) f
Sebestier A F (Af.) f
Sélagine a O (Af.) f
Séneçon a O (As.) f
Sensitive = Mimosa
Séquoia A E O (Am.) v

Seringa a O (Eu.) f
Shorea A E (As.) f
Sideroxylon = Mesua
Silky-Oak A E (Au.) f
Simaruba A M (As.) f
Sipo A E (Af.) f
Sophora A O (Am.) f
Sorbier A F O E (Eu.) f
Sparmannia a O (Af.) f
Spartier = Genêt
Spirée a O (As. Am.) f
Spondias A F E (Am.) f
Spruce A E (Am.) f
Staphylée a O (Eu.) f
Sterculier a O (As.) f
Strychnos A M (As.) f
Styrax a O M (As. Eu.) f
Sugi A E (As.) v
Sumac A E (Am.) f
Sureau a F M (Eu.) f
Sycomore = Érable
Symphorine a O (Am.) f
Syringa = Lilas
Tamarinier A E M F (As.) f
Tamaris a O (Eu.) f
Tamboul A E (Af.) f
Taxodium A E (Am.) v
Tchitola A E (Af.) f
Teck A E (As.) f
Terebinthe = Pistachier
Ternstroemia a M (Am.) f
Thé a F M (As.) v
Théobroma = Cacaoyer
Thuya A E (Am.) v
Thym a F M (Eu.) v

Thymélée a O (Eu.) f
Tilleul A E M O (Eu.) f
Tormentille = Potentille
Tremble = Peuplier
Troêne a O (Eu.) v
Tsuga A E (As.) v
Tulipier A E O (Am.) v
Tupelo A E (Am.) f
Upas = Strychnos
Vaccinium = Airelle
Vigne a F (Eu.) f
Vinaigrier = Sumac
Viorne a O (Eu.) v
Virgilier A E O (Am.) f
Virola A E (Am.) f
Vomiquier = Strychnos
Wagapou A E (Am.) f
Washingtonia = Palmier
Weigelia a O (As.) f
Wellingtonia = Séquoia
Welwitschia A E (Af.) f
Xanthoceras a O (As.) f
Xanthoxylon A O (Af.) f
Ximénie a F (As.) f
Yèble = Sureau
Yeuse = Chêne
Yohimbehe A M (Af.) f
Ypréau = Peuplier
Yucca a O (Am.) v
Zamia a O (Au.) v
Zapatero A E (Am.) f
Zebrano A E (Af.) f
Zelkova A E (Eu.) f
Zingana A E (Af.) f
Zizyphus = Jujubier

*Traitement des arbres.* → **Baguer, butter, chauler, chausser, conduire, courber** (arcure...), **déchausser, décortiquer, dégarnir, déplanter, éborgner, ébourgeonner, ébouturer, ébrancher, écheniller, écimer, éclaircir, écorcer, écussonner, effeuiller, égravillonner, éhouper, élaguer, émonder, émousser, entailler, enter, éplucher, étêter, étronçonner, forcer, greffer, habiller, hannetonner, inciser, œilletonner, palisser, pincer, praliner, rabattre, rapatronner, recéper, rechausser, saigner, scarifier, tailler, terrer, transplanter, tuteurer...**

*Accidents, dommages, maladies survenant aux arbres.* → **Arrachement, brouissure, broussin, cadranure, chancre, découronnement, dénudation, déracinement, desséchement, ébranchement, écuissage, effeuillaison, exfoliation, forcine, gel, gelée, gélivure, givre, gomme, gommose, gouttière** (fente), **lenticelle, loupe, rabougrissement, roulure ; abattis, arrachis, chablis, rompis, ventis...** *Arbre arsin, cassé, charmé, ébranché, encroué, épuisé, gélif, givré, ruiné.*

*Abattage des arbres.* → **Abattage ; abattre, cerner, couper, équarrir, essoucher, étronçonner...** *Balivage des arbres* (choix et marquage des arbres réservés, retenus dans une coupe). → **Baliveau, lais, pérot ; marmenteau, témoin, tétard.** *Arbre moderne, arbre de repeuplée. Baguer, flacher* (faire une *entaille,* un *miroir*) *et marquer un arbre au marteau. Annélation*; ceinturage d'un arbre. Arbres compris dans la coupe. Arbre d'assiette. Arbre cornier. Arbre coupier. Arbre de lisière. Arbre de tronce,* dont on coupe les branches périodiquement. *Arbre de délit,* coupé contre les ordonnances. *Le chicot d'un arbre. Arracher la souche d'un arbre.*

*Rejets, rejetons d'un arbre.* → **Accru, bois** (pousser du), **boulure, bourgeon, bouture, brin, brout, cépée, drageon, pousse, repousse, scion, surgeon ; rejeter, reprendre, surgeonner.**

*Monter dans un arbre, sur un arbre, grimper à*

*l'arbre. Planter, tailler, abattre un arbre. Un grand, un petit arbre. Un vieil arbre. Arbre mort.*

1 Ô quantes fois *(combien de fois)* aux arbres grimpé j'ai (...)
Clément MAROT, Églogue au roi.

2 La terre produit verdure, arbres fruitiers (...)
Ambroise PARÉ, Œuvres, XXIV, 2.

3 Lieux couverts et ombragés d'arbres et de verdure (...)
J. AMYOT, Pompée, 47.

4 Les arbres dépouillés de leurs feuillages verts.
ROTROU, Hercule mourant, V, 1.

5 De longues allées d'arbres, plantées à la ligne (...)
VAUGELAS, Quinte-Curce, 393.

6 Maître Corbeau, sur un arbre perché (...)
LA FONTAINE, Fables, I, 2.

7 L'arbre tient bon, le roseau plie;
Le vent redouble ses efforts,
Et fait si bien qu'il déracine
Celui de qui la tête au ciel était voisine (...)
LA FONTAINE, Fables, I, 22.

8 L'aigle avait ses petits au haut d'un arbre creux (...)
LA FONTAINE, Fables, II, 1.

9 L'un des deux compagnons grimpe au faîte d'un arbre (...)
L'un de nos deux marchands de son arbre descend (...)
LA FONTAINE, Fables, V, 20.

10 *(Notre écolier)* Qui, grimpant sans égard sur un arbre fruitier,
Gâtait jusqu'aux boutons, douce et frêle espérance (...)
LA FONTAINE, Fables, IX, 5.

11 Le Scythe l'y trouva qui, la serpe à la main,
De ses arbres à fruits retranchait l'inutile,
Ébranchait, émondait, ôtait ceci, cela,
Corrigeant partout la nature (...)
LA FONTAINE, Fables, XII, 20.

12 (...) Puissions-nous chanter sous les ombrages
Des arbres dont ce lieu va border ses rivages!
LA FONTAINE, Philémon et Baucis.

13 *(Les arbres)* courbent sous le poids des offrandes sans nombre. LA FONTAINE, Philémon et Baucis.

14 Il *(le riche)* peut dans son jardin, tout peuplé d'arbres verts,
Recéler le printemps au milieu des hivers.
BOILEAU, Satires, VI.

15 Ce que vous dites des arbres qui changent est admirable; la persévérance de ceux de Provence est triste et ennuyeuse : il vaut mieux reverdir que d'être toujours vert.
Mme DE SÉVIGNÉ, 7 juin 1675.

16 Les arbres sont bien taillés, bien émoussés, les espaliers bien tenus (...) LA QUINTINYE, Jardins, I, 4.

17 Les arbres ont perdu leur chevelure verte.
RICHELET, Dict.

18 L'ordonnance veut qu'on abatte les arbres à coups de cognée, à fleur de terre, sans les écuisser ni les éclater.
RICHELET, Dict.

19 (...) Vitruve (...) dit (...) qu'avant d'abattre les arbres il faut les cerner par le pied jusque dans le cœur du bois, et les laisser ainsi sécher sur pied (...)
BUFFON, Hist. nat. des végétaux, Expériences sur les végétaux, 2e mémoire.

20 Plus un arbre est vieux quand on l'abat, moins sa souche épuisée peut produire.
BUFFON, Hist. nat. des végétaux, Expériences sur les végétaux, 2e mémoire.

21 (...) le chêne, le hêtre et les autres arbres forestiers que j'avais semés (...) BUFFON, Hist. nat., t. VIII, p. 415.

22 Les arbres résineux, comme le sapin (...)
BUFFON, Hist. nat. des végétaux, Expériences sur les végétaux, 2e mémoire.

23 Les arbres qui poussent vigoureusement en bois produisent rarement beaucoup de fruit (...)
BUFFON, Hist. nat. des végétaux, Expériences sur les végétaux, 2e mémoire.

24 De quelque façon qu'on intercepte la sève, on est sûr de hâter les productions des arbres (...)
BUFFON, Hist. nat., t. VIII, p. 283.

25 La Quintinye a créé l'art de la culture des arbres et celui de les transplanter.
VOLTAIRE, le Siècle de Louis XIV, «Écrivains».

26 Les bignonias, les coloquintes s'entrelacent au pied de ces arbres de toutes les formes (...)
CHATEAUBRIAND, Atala.

(...) le castor coupe les arbres, équarrit leurs troncs. 27
CHATEAUBRIAND, Voyage en Amérique..., 9.

Arbres (...) courbés sous les tempêtes, 28
Mais dont la foudre seule ose ébranler les têtes (...)
LAMARTINE, Jocelyn, II.

Ce fut comme un abatis d'arbres (...) 29
HUGO, Quatre-vingt-treize, III, 2.

Les colons purent fouiller à fond cette forêt, dont la largeur 29
variait de trois à quatre milles, car elle était comprise entre les deux rivages de la presqu'île Serpentine. Les arbres, par leur haute taille et leur épaisse ramure, attestaient la puissance végétative du sol, plus étonnante ici qu'en aucune autre portion de l'île.
J. VERNE, l'Île mystérieuse, t. II, p. 737.

Des arbres fruitiers en éventail sur des fils de fer, ou 30
bien en espalier, s'étalaient à la grande lumière, un peu défeuillés, là seulement pour le fruit.
A. DAUDET, Contes du lundi, «Maison à vendre».

Le bel arbre maintenant dépouillé de ses feuilles, 31
déployait, nue et noire sous le ciel, sa puissante et fine membrure. FRANCE, l'Anneau d'améthyste, p. 268.

De petites allées sinueuses où les arbres d'hiver, habillés 32
de lierre et de ronces, comme des ruines (...)
PROUST, À la recherche du temps perdu, t. XI, p. 217.

Un arbre foudroyé, sa sève monte plusieurs printemps de 33
suite, ses racines n'en finissent pas de mourir.
MARTIN DU GARD, les Thibault, II, 8.

Gravez votre nom dans un arbre 34
Qui poussera jusqu'au nadir.
Un arbre vaut mieux que le marbre
Car on y voit les noms grandir.
COCTEAU, Pièce de circonstance.

Un arbre est couvert de redites. Il est un nombre vivant et 34
frissonnant. Une forêt dit : feuille, feuille ---- Millions de feuilles. VALÉRY, Cahiers, Pl., t. II, p. 741.

L'arbre corps énorme entre la finesse de ses principes dans 34
la terre et la finesse de ses conséquences aériennes.
VALÉRY, Cahiers, Pl., t. II, p. 1252.

Loc. fig. *Faire l'arbre fourchu :* se tenir sur les mains, les pieds en haut, la tête en bas.

(...) l'arbre fourchu, les pieds à mont, la tête en bas. 35
RABELAIS, le Quart Livre, 19.

Fam. *Monter, grimper à l'arbre :* se laisser prendre à une mystification. *On m'a fait monter à l'arbre.*

Loc. prov. *Entre l'arbre et l'écorce il ne faut pas mettre le doigt :* il ne faut pas s'immiscer dans les débats de famille.

Apprenez que Cicéron dit qu'entre l'arbre et le doigt il ne 36
faut point mettre l'écorce.
MOLIÈRE, le Médecin malgré lui, I, 2.

Loc. (Vieilli). *Se tenir au gros de l'arbre,* au parti le plus sûr; s'appuyer sur ce qui semble le plus solide.

*Couper l'arbre pour avoir le fruit :* tarir la source de la richesse (→ Tuer la poule* aux œufs d'or). — *Couper le pied de l'arbre, abattre, arracher l'arbre* (même sens).

Quand les sauvages de la Louisiane veulent avoir du fruit, 37
ils coupent l'arbre au pied, et cueillent le fruit. Voilà le gouvernement despotique.
MONTESQUIEU, l'Esprit des lois, V, 13.

Le laboureur, quand il a besoin de bois, coupe une 38
branche, et non pas le pied de l'arbre.
VOLTAIRE, *in* Œ. compl. de Montesquieu, Note.

Le despote arrache l'arbre, le sage monarque l'ébranche. 39
VOLTAIRE, Essai sur les mœurs, 64.

(...) qui abat l'arbre pour en avoir les fruits. 40
BALZAC, Melmoth réconcilié, t. IX, p. 297.

Loc. prov. *C'est au fruit qu'on connaît l'arbre.*

Ou admettez que l'arbre est bon, et que son fruit est bon; 41
ou admettez que l'arbre est mauvais, et que son fruit est mauvais : car c'est au fruit qu'on connaît l'arbre.
BIBLE, Évangile selon saint Matthieu, XII, 33 (cf. aussi VIII, 18).

Ce n'est que d'après les fruits que je me suis permis de 42
juger l'arbre.
SAINTE-BEUVE, Correspondance, t. I, p. 334.

*L'arbre, les arbres cache(nt) la forêt :* les détails empêchent de voir l'ensemble.

L'ARBRE, symbole de *vigueur,* de *résistance,* de *ténacité...* (dans des loc. compar. ou métaphoriques).

43 L'amour est comme un arbre, il pousse de lui-même, jette profondément ses racines dans tout notre être, et continue de verdoyer sur un cœur en ruine.
HUGO, Notre-Dame de Paris, IX, 4.

44 Il résistait au temps comme un vieil arbre.
MAUPASSANT, le Garde, Pl., t. II, p. 349.

45 Quand on veut d'une certaine façon intime et profonde, quand ce sont nos cellules qui veulent en nous, quand c'est notre inconscient qui veut, quand on veut avec la volonté sourde, abondante et pleine de l'arbre vigoureux qui veut reverdir au printemps (...)
FRANCE, Histoire comique, XVII.

Par métaphore ou fig. L'ARBRE, symbole de la race, de la lignée (→ ci-dessous, III., *arbre généalogique, arbre de Jessé*).

46 Le ciel même peut-il réparer les ruines
De cet arbre *(la race de David)* séché jusque dans ses racines?
RACINE, Athalie, I, 1.

47 Il faut que cette force, cachée dans une race, aboutisse enfin! C'est en nous que l'arbre Thibault doit s'épanouir : l'épanouissement d'une lignée! Comprends-tu ça?
MARTIN DU GARD, les Thibault, II, 8.

*Arbre de la liberté :* arbre planté sur une place publique comme symbole d'émancipation.

.1 (...) comme à Paris on plantait des arbres de la Liberté, le conseil municipal décida qu'il en fallait à Chavignolles. Bouvard en offrit un, réjoui dans son patriotisme par le triomphe du peuple; quant à Pécuchet, la chute de la royauté confirmait trop ses prévisions pour qu'il ne fût pas content.
FLAUBERT, Bouvard et Pécuchet, VI.

*Arbre de mai :* arbre planté le 1er mai devant la porte de qqn, en signe d'honneur.

Mod., cour. *Arbre de Noël :* sapin ou branche de sapin auquel on suspend des jouets, le jour de Noël.

*L'arbre de vie :* arbre du paradis terrestre dont le fruit eût conservé la vie à l'homme avec son innocence. *L'arbre de la science du bien et du mal :* l'arbre au fruit défendu.

48 Le Seigneur Dieu avait aussi produit de la terre toutes sortes d'arbres beaux à la vue, et dont le fruit était agréable au goût, et l'arbre de vie au milieu du paradis, avec l'arbre de la science du bien et du mal.
BIBLE (SACY), Genèse, II, 9.

49 Mais ne mangez point du fruit de l'arbre de la science du bien et du mal; car au même temps que vous en mangerez, vous mourrez très certainement.
BIBLE (SACY), Genèse, II, 7.

Psychol. *Test de l'arbre :* test de la personnalité qui consiste à interpréter le dessin d'un arbre.

**II** Par anal. ♦ **1** *Arbre de la croix :* la croix où fut attaché Jésus.

50 Il est mort ignominieusement en l'arbre de la croix pour la rançon de nos péchés.
Trad. de GELLI, *in* HUGUET, art. *Arbre.*

♦ **2** Mar. Vx. Mât. *Arbre de trinquet :* mât de misaine d'un bâtiment à voiles latines.

♦ **3** Axe qui reçoit ou transmet un mouvement de rotation. *Arbre moteur ou arbre de couche. Arbre de transmission. Le balancier permet de transmettre le mouvement du piston de la machine à vapeur à un arbre moteur.* → **Bielle, manivelle.** *Arbre à cames (des moteurs à explosion).* → 1. Came, cit. 1. *Moteur à double arbre à cames en tête. Arbre-manivelle* (1873, *arbre de manivelle*). → **Vilebrequin.** *Arbre de transmission. Le boitard, les coussinets d'un arbre de transmission. Réunir ou isoler deux arbres.* → **Embrayer.** *Manchons d'accouplement d'arbres de transmission. L'engrenage transmet le mouvement d'un arbre à un autre. — Arbre d'hélice d'un navire. Palier de butée de l'arbre d'hélice. — Arbre de couche.*

On leur fait *(aux nègres)* tourner à bras l'arbre des moulins à sucre. 51
VOLTAIRE, Essai sur les mœurs, 152.

Les quatre châssis qui formaient les ailes *(du moulin)* avaient été solidement implantés dans l'arbre de couche, de manière à faire un certain angle avec lui, et ils furent fixés au moyen de tenons de fer. 51.1
J. VERNE, l'Île mystérieuse, t. II, p. 534.

**III** Ce qui a l'apparence d'un arbre. ♦ **1** Anat. *Arbre de vie :* arborisation que présente la coupe longitudinale du cervelet.

♦ **2** Chim. anc. ARBRE DE... : arborisation. *Arbre de Diane* (amalgame d'argent), *de Mars* (silicate de fer et carbonate de potasse), *de Jupiter* (étain précipité par le zinc), *de Saturne* (cristallisation formée autour d'une lame de zinc plongée dans l'acétate de plomb).

Alchim. *Arbre des philosophes :* le mercure.

♦ **3** ARBRE GÉNÉALOGIQUE : figure représentant un arbre dont les ramifications montrent la filiation des diverses branches d'une même famille. — *Arbre de Jessé :* arbre généalogique du Christ (en iconographie, représenté comme un arbre, I.).

♦ **4** *Arbre encyclopédique* (vx) : tableau de l'enchaînement des sciences et des arts représentés comme sortant d'un tronc commun.

♦ **5** Didact. Schéma représentant des trajets et des bifurcations et servant à dénombrer des éléments, à dresser des listes. → **Alternative, branche** (II., 1.). — Ling. Représentation graphique de la structure d'une phrase en constituants immédiats, sous forme d'un schéma en arbre hiérarchisant les classes syntagmatiques. *Arbre étiqueté.* → **Arborescence, arborescent.** *Visualiser l'analyse linguistique d'une phrase par un arbre, par des parenthèses emboîtées.* → **Parenthésage.**

DÉR. et COMP. **Arbrier.** — (Du lat. *arbor*) **Arboré, arborer, arborescent, arboricole, arboriculture, arboriforme, arborisation, arborisé, arboriser, arbrisseau.** — **Arbuste.**

## ARBRIER [arbrije] n. m. — 1402; de *arbre.*

Archéol. Fût de bois sur lequel était ajusté l'arc de l'arbalète.

## ARBRISSEAU [arbriso] n. m. — XVIIe; *arbroisel,* XIIe; anc. franç. *arbriscel;* lat. pop. **arboriscellum,* de *arbor* «arbre».

Végétal ligneux, arbre* généralement de petite taille, dont la tige se ramifie dès la base. — REM. Pour les botanistes, l'arbrisseau peut mesurer de 1 à 6 mètres; dans la langue courante, le mot ne désigne guère des végétaux de plus de 2 mètres, et s'applique aussi aux arbustes*, le suffixe de *arbrisseau* étant senti comme minorant. *L'arbrisseau est dit* buissonnant *quand il donne des branches dès la sortie de terre* (Omnium agricole). *Arbrisseau épineux.* → **Épine; buisson.** *Arbrisseau grimpant.* → **Chèvrefeuille, cornouiller, cubèbe, lierre, vigne-vierge...** *Arbrisseaux morts-bois.* → **Puine.** *Arbrisseau des Indes* (Larousse). → **Balisier.** *Arbrisseau du Pérou.* → **Coca.** *Formation végétale constituée d'arbrisseaux.* → **Frutescent.**

La végétation s'épaissit; les arbrisseaux, les arbres remplacent les roseaux; mais toujours, arbre ou roseau, la végétation empiète sur le fleuve — ou le fleuve sur la végétation du bord (...) 1
GIDE, Voyage au Congo, *in* Souvenirs, Pl., p. 697.

Par métaphore :

2 Vous voulez passer pour un arbrisseau, vous qui êtes un cèdre du Liban (...)

VOITURE, Lettres, 187, *in* LITTRÉ.

COMP. **Sous-arbrisseau.**

**ARBUSCULE** [aʀbyskyl] n. m. — XVI^e, «petit arbre»; lat. *arbuscula.*

Didact. (Vx). Petit arbre. — Organe ramifié, en forme de petit arbre.

(...) chez les espèces des grands fonds, ces barbillons prennent un grand développement et deviennent des arbuscules très longs et abondamment ramifiés.

R. et M.-L. BAUCHOT, les Poissons, p. 48.

**ARBUSTE** [aʀbyst] n. m. — 1495; lat. *arbustum.*

Petit arbrisseau, n'atteignant qu'une hauteur de 35 cm à 1 m. → **Arbrisseau.** *Les botanistes diffèrent dans le classement des végétaux frutescents en arbrisseaux et en arbustes : le chèvrefeuille, le groseillier... sont arbrisseaux pour l'un, arbustes pour l'autre.* → **Arbre** (principaux arbres, arbrisseaux et arbustes). *Des bosquets d'arbustes* (→ Allée, cit. 3). *Arbuste en fleurs. Arbustes décoratifs. Tailler des arbustes.*

Quand cette plante eut atteint la hauteur de Tityre, Tityre put goûter quelque joie à dormir étendu dans son ombre. Or cet arbuste étant un chêne devait énormément grandir; tellement que bientôt l'ouvrage des mains de Tityre ne suffit plus pour sarcler et biner la terre autour du chêne, pour arroser le chêne, l'émonder, l'astiquer, l'épiler, l'écheniller, et pour assurer en la bonne saison la récolte de ses fruits à la fois nombreux et divers.

GIDE, le Prométhée mal enchaîné, *in* Romans, Pl., p. 335.

Par métaphore (opposé à *arbre,* pour évoquer l'absence de maturité). Cf. Sainte-Beuve, Gautier, *in* T. L. F.

DÉR. **Arbustif.**

**ARBUSTIF, IVE** [aʀbystif, iv] adj. — XVI^e; repris 1842; de *arbuste.*

Didact. Qui se rapporte aux arbustes. *Végétation arbustive* (brousse, fourrés...). *Cultures arbustives,* d'arbustes. *Espèce arbustive,* qui a les caractères des arbustes (taille, ramifications).

1. **ARC** [aʀk] n. m. — 1080, *Chanson de Roland,* sens I.; lat. *arcus.*

**I** Arme formée d'une tige (de bois, de métal, de fibre de verre) que l'on courbe au moyen d'une corde attachée aux deux extrémités pour lancer des flèches. *La verge, la corde d'un arc. Corde d'arc. Bander, tendre un arc. Débander, détendre l'arc. Tirer à l'arc. Tir de l'arc, à l'arc. Soldat armé d'un arc. Tireur à l'arc.* → **Archer; archerie.** *Concours de tir à l'arc. Tir à l'arc japonais.* → **Kyudo.**

1 *(Il se jette)* sur l'arc, qui se détend et fait de la sagette
Un nouveau mort : mon loup a les boyaux percés.

LA FONTAINE, Fables, VIII, 27.

2 Mon arc, mes javelots, mon char, tout m'importune (...)

RACINE, Phèdre, II, 2.

3 (...) un arc bandé dont toute la disposition tend à décocher le trait.

BOSSUET, Traité de la connaissance de Dieu, III, 11.

4 Il *(Cupidon)* tira de son carquois d'or la plus aiguë de ses flèches, il banda son arc, et allait me percer, quand (...)

FÉNELON, Télémaque, IV.

5 Un ancien oracle avait ordonné que Formosante ne pourrait appartenir qu'à celui qui tendrait l'arc de Nemrod.

VOLTAIRE, la Princesse de Babylone, I.

6 Le bandeur de l'arc, le vainqueur du lion devait terrasser tous ses rivaux.

VOLTAIRE, la Princesse de Babylone, I.

À deux traits d'arc de la proue, un rocher lisse et vert s'élevait à pic au-dessus des flots. 7

CHATEAUBRIAND, les Martyrs, XIX.

(...) trois ou quatre mousmés là-bas, qui s'exercent à tirer de l'arc (...) 8

LOTI, M^me Chrysanthème, XI.

Loc. fig. Vx. *Détendre l'arc :* «donner du relâche à l'esprit» (Académie, 1835).

Loc. mod. *Avoir plus d'une corde, plusieurs cordes à son arc* («expression figurée qui vient de ce que l'archer avait plusieurs cordes de rechange, de manière à remplacer facilement la corde montée en cas de rupture», d'après Littré, *Suppl.*) : avoir plus d'une ressource pour réussir, pour atteindre son but. → **Corde.**

(En parlant d'une arme plus complexe comprenant un arc). *Arc à jalet*.* → **Arbalète.**

Par ext. Exercice du tir à l'arc. *Concours d'arc.*

Par anal. *Arc musical :* instrument de musique formé d'une corde tendue sur un arc, que l'instrumentiste pince ou frappe devant sa bouche servant de résonateur, ou qui comporte un résonateur artificiel (calebasse, etc.). → **Arc-en-terre** (3.).

Myth. *L'arc de Nemrod. — L'arc de Cupidon.* → **Archerot, cupidon.**

Par compar. *Former, décrire un arc; former la corde de l'arc,* en forme d'arc tendu (→ ci-dessous, 2. et 3., *en arc*). *Être courbé comme un arc.*

**II A** ♦ **1** (1690). Géom. Portion définie d'une courbe. — *Arc de cercle, d'ellipse, de parabole.* — Spécialt. *Arc de cercle. Arc majeur :* le plus grand des arcs déterminés sur une circonférence par deux points non diamétralement opposés (l'*arc mineur* étant le plus petit). *Minute d'arc. Amplitude d'un arc. Corde* ou *sous-tendante d'un arc. Flèche de l'arc. Arc de 45°.* → **Octant.** *Arc de 60°.* → **Sextant.** *Arc de 90°.* → **Quadrant.** *Mesure d'un arc en degrés*. Unité d'arc en trigonométrie.* → **Radian; trigonométrie.** *Cosinus, sinus d'un arc. En arc de cercle,* cintré, arqué, courbe.

Pour passer l'Escaut, Vendôme suivait la corde, qui était très courte; pour l'empêcher, Malborough avait à marcher sur l'arc, fort étendu et courbé. 9

SAINT-SIMON, Mémoires, 203, 207, *in* LITTRÉ.

Astron. *Arc diurne, arc nocturne :* portion de cercle qu'un astre parcourt au-dessus ou au-dessous de l'horizon. *Arc de progression, arc de rétrogradation d'une planète. — Arc d'équateur, arc d'élévation du pôle.*

♦ **2** (1690). Ce qui a la forme d'un arc. → **Arciforme; anse, arcade, arcature, arceau,** 2. **arche, arcure, cambrure, cercle** (demi-cercle), **cintre, courbe.** *Cintrer en forme d'arc.* → **Arquer.**

Les landes formaient à l'horizon un immense arc noir où le ciel métallique pesait. 10

F. MAURIAC, le Nœud de vipères, p. 130.

Sur le damier de petits carreaux rouges et blancs de la toile cirée, le verre a laissé plusieurs traces circulaires, mais presque toutes incomplètes, dessinant une série d'arcs plus ou moins fermes, se chevauchant parfois l'un l'autre. 10.

A. ROBBE-GRILLET, Dans le labyrinthe, p. 40.

♦ **3** (V. 1300). Rare. Météore en forme d'arc. → **Arc-en-ciel (cour.).**

J'ai mis mon arc dans la nue, et il deviendra signe d'alliance entre moi et la terre. 11

BIBLE (CRAMPON), Genèse, IX, 13.

♦ **4** (1690, Furetière). Cour. *L'arc des sourcils, des lèvres, des rides...*

L'amour prenait pour arc sa lèvre aux coins moqueurs. 12

HUGO, la Légende des siècles, «Zim-Zizimi».

Reverrai-je ses yeux de sombre violette, 13
Si purs, sourire au ciel natal qui s'y reflète

Sous l'arc victorieux que tend un sourcil noir ?
J.-M. DE HÉRÉDIA, les Trophées, «L'esclave».

4 (...) le large front que traverse l'arc d'une double ride (...)
R. ROLLAND, Vie de Tolstoï, p. 175.

**B** (Emplois spéciaux). ♦ **1** (1805). Anat. Structure, élément, organe en forme d'arc. *Arc du côlon :* le côlon transverse. *Arcs de l'atlas* (vertèbre cervicale). *Arc antérieur, postérieur :* amas osseux arciforme réunissant les masses latérales de l'atlas — *Arc aortique* ou arc artériel. Arc osseux. Arc vertébral.* — Embryol. *Arcs branchiaux :* (quatre paires de) formations cartilagineuses saillantes à direction dorso-ventrale dans la région cervicale de l'embryon. — Zool. *Arc branchial* (cit.). *Arcs veineux, vasculaires. Arc de l'aorte :* deuxième segment de la crosse* de l'aorte.

Méd. *Arc sénile* (gérontoxon) : cercle blanc et opaque que l'on observe autour de la cornée de certains vieillards.

Physiol. *Arc réflexe.* → **Réflexe.**

♦ **2** (V. 1815, *arc voltaïque*). Électr. Décharge, étincelle lumineuse entre deux électrodes, de forme plus ou moins arquée. *Arc voltaïque* (vieilli). *Arc électrique. Arc métallique* (entre des électrodes du même métal). — Par ext. Dispositif produisant un arc électrique. *Lampe à arc. Four à arc. Soudure à arc.*

1 Il la regardait avec des yeux neufs. Il lui sembla qu'il dérobait pour la première fois son visage et son corps à la buée trouble de leur passion et qu'à la lueur des arcs il les apercevait dans une parfaite nudité.
J. KESSEL, l'Équipage, p. 15.

Vx. *Arc animal* ou *excitateur* (dans le galvanisme*).

♦ **3** (1611, «gîte»). Mar. Déformation de la quille par affaissement des extrémités (proue et poupe). → **Arcure** (3.).

Déformation en arc d'un mât.

♦ **4** Techn. Élément en forme d'arc. *Arc métallique,* protégeant une paroi. → **Chasse-roue** (vx). — *Arc conducteur :* dans un cylindre oscillant, Tige de tiroir. Râteau courbe de charbonnier.

♦ **5** Astron. Halo partiel brillant (d'un astre, d'une planète).

**C** (1170, sens 2.). Archit. ♦ **1** (V. 1270). Courbe décrite par une voûte et formée par un ou plusieurs arcs de cercle. → **Voûte.** *L'arc et les montants* (→ **Pied-droit**) *d'une voûte. Les grands arcs d'une coupole. Les arcs d'un pont.* → **Arche.** *Arc diagonal d'une tour carrée.* → **Trompe.** *Le cintre d'un arc,* sa courbure intérieure. *La surface extérieure et intérieure d'un arc.* → **Extrados, intrados.** *La courbe et la contre-courbe d'un arc en accolade. Arc en plein cintre :* demi-cercle régulier. *Arc en plein cintre prolongé.* → **Berceau.** *Arc brisé, arc en tiers point. Arc outrepassé, en fer à cheval. Arc rampant. Arc surbaissé; arc en accolade; arc en anse de panier. Arc surhaussé, en lancette, en mitre.* → **Lancéolé.** *Arc doubleau.* → **Arc-doubleau.** *Arc formeret.* → **Formeret;** et aussi **arc-boutant, ogive.** *Arc de décharge.* — *Éléments d'arc* (pierres taillées). → **Claveau, corbeau, sommier, voussoir, voussure.** *Clef d'un arc,* qui ferme le cintre de l'arc. *Naissance de l'arc.* → **Coussinet, tas** (de charge). *Retombée d'un arc* (assises de pierre). → **Pied-droit, sommier.** *Ouverture d'un arc. Les cordes soutenant les segments de cercle sont égales à l'ouverture de l'arc dans l'arc en tiers point* (Réau). *Intersection d'arcs,* leur entrecroisement. *Découpures d'un arc.* → **Lobe; redent.** *Arc polylobé.* — *Styles d'arc. Arcs romans* (en plein cintre ou brisés), *gothiques* (souvent en tiers point), *byzantins, etc.*

J'ai identifié l'arc en plein cintre, les arcs surbaissés, sur- 14.2
haussés, brisés, outrepassés, polylobés.
S. DE BEAUVOIR, Tout compte fait, p. 257.

♦ **2** **ARC DE TRIOMPHE,** (vx) *arc triomphal :* arcade monumentale sous laquelle passait le général romain triomphateur; monument élevé sur ce modèle pour célébrer l'entrée d'un souverain dans une ville, la victoire d'une armée. *L'arc de triomphe de l'Étoile. Passer* (cit. 12) *sous un arc de triomphe.*

Il travaille aux inscriptions des arcs et des pyramides qui 15
doivent orner la ville capitale un jour d'entrée.
LA BRUYÈRE, les Caractères, X.

Il *(Pierre le Grand)* fit son entrée dans Moscou sous sept 16
arcs triomphaux dressés dans les rues.
VOLTAIRE, Hist. de Charles XII, 5.

Vainqueur des Turcs et des Tartares, il *(Pierre le Grand)* 17
voulut accoutumer son peuple à la gloire comme aux travaux; il fit entrer son armée sous des arcs de triomphe, au milieu des feux d'artifice (...)
VOLTAIRE, Hist. de l'Empire de Russie, I, 8.

Par anal. *Un arc de fleurs.*

DÉR. **Archère, archet.** — (Du lat. *arcus*) **Arceau, 2. arche, 1. archée, archer, arçon, arquer.** ◊ COMP. **Arc-boutant, arc-doubleau, arc-en-ciel, arc-en-terre, arc-rampant. — Arque-pincer.** ← HOM. 2. **Arc.**

## 2. ARC [aʀk] n. m. invar. — 1985; empr. à l'acronyme angl. *Aids Related Complex* «syndromes associés au sida».

Méd. Infection de l'organisme par le virus du sida, se manifestant par des signes cliniques tels que la fièvre, l'amaigrissement, une mycose chronique et une augmentation du volume des ganglions, appelée aussi *pré-sida. «(...) 20 à 30 % des séropositifs sont arc. Ces sujets ne deviennent pas nécessairement sidas»* (*le Nouvel Obs.,* 31 oct. 1986, p. 77).

HOM. 1. **Arc.**

## ARCADE [aʀkad] n. f. — 1555; ital. *arcada, arcata,* de *arco* «arc».

**A** Archit. et cour. ♦ **1** Ouverture ou construction en arc, formée d'un arc et de ses montants ou points d'appui. *Arc, colonnes, pilastres, pieds-droits d'une arcade. Pierres appareillées pour une arcade.* → **Claveau, voussoir; clef.** *Les voussures de l'archivolte* d'une arcade. Retombée du cintre d'une arcade.* → **Coussinet, imposte, sommier.** *Arcade praticable, réelle; aveugle, feinte, simulée. Arcades accouplées, géminées, jumelées, ternées. Arcades festonnées, lobées. Arcades en plein cintre; arcades surbaissées, surhaussées...* → **Arc.** *Les arcades inférieures, supérieures d'une nef. Arcades d'un triforium. Les arcades d'un aqueduc, d'un clocher, d'un cloître, d'un portique, d'un préau, d'un viaduc.*

(...) en restant dans ce jardinet, assis sur un banc moussu 0.1
jusqu'à l'heure où le soleil se couchait, occupés à se dire de grands riens ou recueillis dans le calme qui régnait entre le rempart et la maison, comme on l'est sous les arcades d'une église, Charles comprit la sainteté de l'amour (...)
BALZAC, Eugénie Grandet, éd. 1838, p. 251.

(...) les longues arcades mélancoliques des cloîtres. 1
MAUPASSANT, la Vie errante, p. 81.

Spécialt. *Galerie à arcades.*

♦ **2** Au plur. Galerie ouverte à arcades; spécialt, passage public, rue couverte et bordée par des arcades. *Une rue en arcades. Sous les arcades.*

Par anal. *Arcades de verdure, de feuillage.*

**B** (Formes analogues). ♦ **1** Loc. adv. *En arcade :* courbé en forme d'arcade. *Les sourcils en arcade.*

♦ **2** Anat. *Arcade alvéolo-dentaire. Arcades gingivo-dentaires. Arcade orbitaire.* → **Orbite.** *Arcade palmaire.* → **Paume.** *Arcade crurale* (cuisse), *fémorale* (fémur). *Arcade zygomatique.* → **Zygomatique.** *Arcade frontale, arcades sourcilières.*

2 Les arcades frontales d'Ursus se plissèrent et prirent cette forme aiguë qui caractérise l'émotion des sourcils d'un philosophe. HUGO, l'Homme qui rit, I, III, 6.

3 (...) le regard sévère derrière le monocle sur lequel se fronçaient l'arcade sourcilière et le sommet d'une joue (...) Georges LECOMTE, Ma traversée, p. 207.

♦ **3** Techn. Partie de la châsse d'une lunette qui entoure la base du nez. — Partie d'un balcon ou d'une rampe d'escalier qui forme un fer à cheval. *Les arcades de l'arçon* (→ **Selle**) : le pommeau et le troussequin.

(1845). Cordes, ficelles reliant les lisses portant les fils de même fonction, ou les fils de chaîne aux crochets d'un métier Jacquard.

Agric. Pont d'une faucheuse.

DÉR. (De l'ital. *arcata*) **Arcature.**

**ARCADIEN, ENNE** [aʀkadjɛ̃, ɛn] adj. — 1578; de *Arcadie*, ital. *Arcadia.*

♦ **1** D'Arcadie, contrée montagneuse du Péloponnèse, prototype classique de mœurs pastorales; par ext., champêtre, idyllique.

♦ **2** Didact. (hist. littér.). Conforme aux principes de l'Académie littéraire fondée à Rome en 1690 et nommée *Arcadia*, qui se réclamait du sérieux, du bon goût et de la logique (en réaction contre les excès du baroquisme*). → **Classique.**

Ses premières poésies *(de Parini)* reflètent une formation (...) arcadienne, un souci de styliste classique. Paul ARRIGHI, la Littérature italienne, p. 65.

**ARCANE** [aʀkan] adj. et n. m. — Fin XV^e^, «secret, en général»; lat. *arcanum* «secret».

**I** Adj. (1504, *archane*). Vx. Caché, mystérieux, secret.

1 C'est un miroir qui nous représente naïvement les secrets les plus arcanes de nos individus. MOLIÈRE, le Mariage forcé, 4.

**II** N. m. ♦ **1** (1631). Alchim. Préparation mystérieuse occulte, réservée aux adeptes. → **Occultisme.**

1.1 Nous manquons d'un dictionnaire avec gravures en bois dans le texte qui expliquerait deux cents mots de l'art gothique; mais alors, il ne serait plus un arcane. STENDHAL, Mémoires d'un touriste, t. I, p. 34.

2 Ce lien mystérieux entre les moindres parcelles de la matière et les cieux constitue ce que Swedenborg appelle un Arcane Céleste. BALZAC, Séraphîta, Pl., t. X, p. 508.

Vx. *Arcane corallin* (oxyde rouge de mercure); *arcane double* (sulfate de potassium).

♦ **2** Littér. (au plur.). *Les arcanes de la science, de la politique,* leurs secrets, réservés aux initiés. → **Mystère, secret.**

3 (...) cette science d'État, dont lui, Joseph Sieyès, possédait les arcanes. Louis MADELIN, Hist. du Consulat et de l'Empire, t. III, I.

4 Ce qui distingue un romancier, un dramaturge, du reste des hommes, c'est justement le don de voir de grands arcanes dans les aventures les plus communes. Toutes les aventures sont communes, mais non leurs secrets ressorts. F. MAURIAC, la Province, p. 52.

Au sing. (rare). *«L'arcane de la nature»* (Balzac).

5 Dans ce mystère, le sens et le son se combinent — C'est l'arcane de la poésie. VALÉRY, Cahiers, t. II, Pl., p. 1094.

HOM. **Arcanne.**

**ARCANETTE** [aʀkanɛt] n. f. — 1834; de *arcanne**, avec infl. de *canette.*

Régional (Est, Centre). Sarcelle.

**ARCANNE** [aʀkan] n. f. — 1611; *alchanne*, XIII^e^; lat. médiéval *alchanna;* arabe *(')ăl-hinnā'.* → aussi Orcanète.

Techn. Craie rouge dont se servent les charpentiers.

DÉR. V. **Arcanette.** ◊ HOM. **Arcane.**

**ARCANSON** [aʀkɑ̃sɔ̃] n. m. — 1636; *arguenson*, 1567; altér. d'*Arcachon (Arcasson)*, ville où l'on produisait cette colophane.

Techn. Résine provenant de la distillation de la térébenthine. → **Colophane, galipot.**

Une demi-once d'arcanson et de térébenthine, quatre onces de cire jaune, et trois demi-onces de noir animal, s'il vous plaît, pour nettoyer les cuirs vernis de mon équipement. FLAUBERT, M^me^ Bovary, p. 203.

**ARCASSE** [aʀkas] n. f. — 1491; *arcasser* «garnir d'une arcasse», dès 1342; provençal **arcassa*, de *arco* «coffre», du lat. *arca.* → 1. Arche.

Mar. Charpente de la poupe d'un navire assemblant l'étambot aux estains. *Voûte d'arcasse :* prolongement du pont à l'arrière d'un navire.

**ARCATURE** [aʀkatyʀ] n. f. — 1845; de l'ital. *arcata* (→ Arcade) ou de *arc.*

♦ **1** Archit. Série de petites arcades décoratives, réelles ou simulées (aveugles). *Galerie à arcatures.*

L'église est un magnifique édifice du XIII^e^ siècle avec un porche d'une forme extraordinaire, sorte d'entonnoir immense qui semble vous attirer vers l'intérieur, l'effet en trompe-l'œil obtenu par des arcatures symétriques. J. GREEN, Journal, 26 oct. 1966, La terre est si belle, p. 201. 1

♦ **2** Ensemble des parties d'une construction ayant une forme d'arc.

Sur chaque côté du bâtiment principal s'élevait une haute et légère construction qui servait simplement de support à un immense cercle de cristal de vingt-cinq mètres de diamètre, dressé sur une arcature de métal. A. ROBIDA, le Vingtième Siècle, p. 207. 2

♦ **3** Littér. (ne s'emploie pas en archit.). Forme d'arc, demi-cercle.

(...) cette même femme réapparaît à l'autre bout de la salle dans l'arcature d'une porte qui vient de s'ouvrir. A. ARTAUD, Scenarii, La coquille et le clergyman, Œ. compl., t. III, p. 26. 3

**ARC-BOUTANT** [aʀkbutɑ̃] n. m. — 1387; de *arc*, et *boutant*, p. prés. de *bouter.*

♦ **1** Arc de maçonnerie qui s'appuie sur un contrefort (→ **Culée**) pour soutenir de l'extérieur (→ **Contrebuter**) une voûte, un mur. *L'arc-boutant «neutralise les poussées localisées des voûtes gothiques sur croisée d'ogives»* (Réau). — *Construire des arcs-boutants en avant des piles d'un pont pour briser les glaces.* → **Brise-glace.** — Par anal. Tout ce qui peut servir de soutien.

Notre vie ressemble à ces bâtisses fragiles, étayées dans le ciel par des arcs-boutants : ils ne s'écroulent pas à la fois, mais se détachent successivement; ils appuient encore quelque galerie, quand déjà ils manquent au sanctuaire ou au berceau de l'édifice. CHATEAUBRIAND, Mémoires d'outre-tombe, t. II, p. 362. 1

Rivés à leur barre comme deux arcs-boutants de marbre (...) LOTI, Pêcheur d'Islande, II, I. 2

♦ **2** Techn. Pièce qui sert de soutien. → **Contrefiche, contrefort, étai.**

Mar. Pièce servant à maintenir l'écartement des galhaubans. Bossoir servant à suspendre les embarcations. → **Bossoir, porte-manteau.** *Arc-boutant soutenant une machine à mâter.* → **Guiterne.** *Arc-boutant sur lequel s'amure la misaine.* → **Minot, pistolet** (d'amure), **porte-lof.**

Barreau servant à contrebuter la poussée d'une grille, d'un balcon.

Barre d'une porte cochère.

Partie de l'armature d'un parapluie qui supporte les baleines.

♦ **3** Structure anatomique s'appuyant sur une autre.

♦ **4** Fig., littér. (Métaphore du sens 1.). Ce qui appuie fortement une cause, une politique.

DÉR. **Arc-bouter.**

**ARC-BOUTEMENT** [aʀkbutmɑ̃] n. m. — 1905; de *arc-bouter.*

Littér. Action d'arc-bouter, de s'arc-bouter; son résultat.

(...) ils ont une manière à eux *(les danseurs)* de rétablir l'équilibre, un arc-boutement spécial du corps, des jambes torses, qui donne assez l'impression d'un chiffon trop imprégné et que l'on va tordre en mesure.

A. ARTAUD, le Théâtre et son double, Sur le théâtre balinais (1931), Idées/Gallimard, p. 87.

**ARC-BOUTER** [aʀkbute] v. tr. — 1604; de *arc-boutant;* le sens réfléchi s'est développé dans la première moitié du XIX^e.

♦ **1** Soutenir au moyen d'un arc-boutant. → **Appuyer, épauler, étayer.** *Arc-bouter un mur, une voûte. Un pilier arc-boute cette construction.*

♦ **2** *Arc-bouter ses pieds sur le sol, contre un mur,* prendre appui en vue d'exercer une poussée ou de résister à une pression.

◆ **S'ARC-BOUTER** v. pron.

♦ **1** (Personnes). Prendre appui sur ses pieds, s'adosser contre un mur... pour exercer une poussée, un effort de résistance. *S'arc-bouter sur, contre, à qqch.; s'arc-bouter des pieds et des mains.*

1 Gilliatt s'arc-bouta des pieds, des genoux et des poings à l'escarpement et s'adossa des deux épaules au levier énorme. HUGO, les Travailleurs de la mer, II, III, 6.

2 Il semblait un colosse trapu qui tend le dos, et s'arc-boute, et s'enracine au sol, pour barrer la route à l'avalanche des catastrophes.

MARTIN DU GARD, les Thibault, VII, 52.

3 Épaule-t-on ce qui chancelle, si l'on ne s'arc-boute?

COLETTE, l'Étoile Vesper, p. 168.

1 Elle s'arc-bouta sur les accoudoirs, la tête pendante, le dos rond. Puis, à grands élans qui la faisaient haleter, elle s'arracha hors du fauteuil.

H. TROYAT, le Vivier, p. 228.

(Membres, parties du corps). *Pieds qui s'arc-boutent.*

♦ **2** (Choses). *Une poutre qui s'arc-boutait au mur.*

♦ **3** Fig. (Personnes). *S'arc-bouter contre qqch., qqn,* s'y opposer avec obstination. *S'arc-bouter à qqch., à qqn.*

◆ **ARC-BOUTÉ, ÉE** p. p. adj.

4 Et, pour lui couper la route, je me mis en travers de la porte, arc-bouté aux vieux montants de chêne, qui étaient massifs et solides. LOTI, Mon frère Yves, XLVIII.

5 (...) la pirogue (...) poussée par l'effort du pagayeur arc-bouté sur la perche qui prend appui sur le fond de la rivière.

GIDE, Voyage au Congo, *in* Souvenirs, Pl., p. 791.

*Pieds, genoux arc-boutés.*

Fig. Qui prend appui contre, en soutenant ou en s'opposant.

DÉR. **Arc-boutement.**

**ARC-DOUBLEAU** [aʀkdublo] n. m. — 1399; de *arc,* et *doubleau.*

Archit. Arc en saillie sous l'intrados d'une voûte. *Des arcs-doubleaux.*

Dans l'architecture gothique, les **arcs-doubleaux** constituent avec les **arcs formerets** bandés le long des murs gouttereaux le cadre des sections de voûte que renforcent encore des arcs diagonaux appelés **arcs ogives.**

Louis RÉAU, Dict. d'art et d'archéologie, art. *Doubleau.*

**ARCEAU** [aʀso] n. m. — 1170, *arcel;* du lat. pop. *arcellus,* de *arcus.* → Arc.

**I** Archit. Partie cintrée d'une arcade, d'une voûte, d'une porte, d'une fenêtre. → **Arc.**

Un arceau ruiné que le pampre festonne (...) 1

J.-M. DE HEREDIA, les Trophées, «Tranquillus».

Petite arche (d'un pont, d'un aqueduc).

**II** (Forme d'arceau). ♦ **1** Loc. adv. **EN ARCEAU** : courbé en arceau.

♦ **2** Ce qui a la forme d'un arceau. *Les arceaux d'une tonnelle, d'un berceau. Des arceaux bordent l'allée du parc. Arceaux du jeu de croquet,* sous lesquels passe la boule.

La vigne (...) couvre de ses verts arceaux 2
La maison par l'été jaunie (...)

LAMARTINE, Épître à Victor Hugo.

Spécialt. **a** Mar. *Arceau de remorque :* pièce en forme d'arc sur laquelle glisse l'aussière d'un remorqueur.

**b** Châssis en arc que l'on place dans un lit pour soulever les couvertures, les empêcher de peser sur un membre fracturé, etc. → **Archet.**

(...) un «moine» (...) un réchaud qu'un ingénieux système d'arceaux suspend entre les draps écartés. 3

GIDE, Si le grain ne meurt, *in* Romans, Pl., p. 428.

**c** Anse de cordage qui sert à faire aller les filets au fond de l'eau.

**d** Tige ou tube métallique en forme d'arc destiné à supporter une capote. *Arceau de sécurité :* arc métallique destiné à protéger les passagers d'une automobile au cas où celle-ci se retournerait.

Comme il y avait une plaque de verglas, une fois devant le camion, la voiture a tourné complètement et le camion est rentré dedans. La voiture était décapotable, avec des arceaux. Jean FERNIOT, Pierrot et Aline, p. 174. 4

♦ **3** Zool. Élément supérieur ou inférieur d'un anneau*, chez les animaux articulés.

♦ **4** Fig. → **Arc.** *Un arceau d'azur, de lumière.*

DÉR. V. **Arcelet.**

**ARCELET** [aʀsəlɛ] n. m. — XVI^e; de l'anc. franç. *arcel* «arceau», et suff. *-et.*

♦ **1** Archéol. Arceau métallique constituant l'armature de coiffures féminines (du XV^e au XVI^e siècle).

♦ **2** Régional. Renfort métallique des sabots (attesté en Berry par G. Sand).

**ARC-EN-CIEL** [aʀkɑ̃sjɛl] n. m. et adj. — 1275; *arc del ciel,* 1150; de *arc, en,* et *ciel.*

**A** ♦ **1** Phénomène météorologique lumineux en forme d'arc, offrant les couleurs du prisme (violet, indigo, bleu, vert, jaune, orangé, rouge), et produit par la réfraction et la réflexion des rayons du soleil dans les gouttes de pluie. *Des arcs-en-ciel.* — REM. Le pluriel, *des arcs-en-ciel,* se prononce [dezaʀkɑ̃sjɛl], comme le singulier. *Selon la mythologie grecque, Iris, déployant son écharpe, produisait l'arc-en-ciel.* → **Écharpe, iris.** *Les couleurs de l'arc-en-ciel.*

1 (...) comme un arc-en-ciel qui paraît après l'orage.
VOITURE, Lettres, 63, *in* LITTRÉ (cf. Iris).

2 Un arc-en-ciel a tenté de franchir le golfe ; rompu à mi-chemin contre un solide amas de nuages orageux.
COLETTE, la Naissance du jour, p. 218.

3 (...) une foule bariolée, vêtue des couleurs les plus voyantes de l'arc-en-ciel. LOTI, Aziyadé, IV, XXIV.

3.1 Lui, qui ne portait que du linge blanc, s'enveloppa d'un tricot mauve, d'un caleçon rose, de genouillères vert véronèse, s'armant pour je ne sais quel tournoi avec l'arc-en-ciel. GIRAUDOUX, Siegfried et le Limousin, p. 98.

3.2 (...) la théorie de l'arc-en-ciel, que Descartes conduisit aussitôt à la perfection, par une vue purement géométrique. L'arc-en-ciel devait être, pour le physicien, le phénomène de choix, par ces cercles qu'il trace dans l'apparence, et qui avertissaient énergiquement et devaient réveiller l'esprit géomètre. Il suffit de découvrir que l'angle de réfraction dépend des couleurs pour expliquer ces cercles colorés dont la perfection est d'abord miraculeuse. Et cet exemple était propre à faire saisir la différence entre ce qui paraît et ce qui est, puisque deux hommes ne voient jamais en même temps le même arc-en-ciel.
ALAIN, Descartes, *in* les Passions et la Sagesse, Pl., p. 950.

Fig. Réunion de nombreuses couleurs contrastées.

4 Toi *(paon)* que l'on voit porter à l'entour de ton col
Un arc-en-ciel nué de cent sortes de soies.
LA FONTAINE, Fables, II, 17.

5 Les femmes même faisaient un arc-en-ciel nuancé de mille couleurs. MONTESQUIEU, Lettres persanes, 30.

Phénomène analogue observé dans la vapeur d'eau, les jets d'eau, les embruns *(arc-en-ciel marin).*

♦ **2** Série de couleurs conforme au prisme. *Les couleurs, les teintes de l'arc-en-ciel.* — Fam. *Passer par toutes les couleurs de l'arc-en-ciel* (sous l'effet d'émotions, etc.).

*En arc-en-ciel :* avec les couleurs, la forme d'un arc-en-ciel.

♦ **3** Petit poisson exotique à écailles irisées *(colisa).*

♦ **4** Par métaphore, littér. Symbole d'éclaircie, de beau temps, de la fin d'une épreuve pénible (cf. Barrès, Sainte-Beuve, *in* T. L. F.).

**B** Adj. Dont les nuances rappellent la gamme des couleurs de l'arc-en-ciel. *Un tissu arc-en-ciel.* — *Truite arc-en-ciel :* variété de truite californienne, caractérisée par ses écailles irisées.

**ARC-EN-TERRE** [arkɑ̃tɛʀ] n. m. — 1818, *in* D. D. L. ; de *arc, en,* et *terre.*

♦ **1** Météor. Phénomène analogue à l'arc-en-ciel et produit sur le sol par la pluie ou la rosée. *Des arcs-en-terre.* — REM. Le pluriel a la même prononciation que le singulier.

♦ **2** Poétique :

1 Nous sommes l'Arc-en-terre
Signe plus pur que l'Arc-en-ciel
Signe de nos origines profondes (...)
APOLLINAIRE, Calligrammes, «De la batterie de tir», p. 196.

2 Les roues agiles dansaient sur le sable et des jets de pulvérin filaient de toutes parts ; à contre-jour, ils formaient des arcs-en-terre du plus gracieux effet. Le Professeur Mangemanche goûtait cette polychromie.
Boris VIAN, l'Automne à Pékin, p. 237, *in* D. D. L., II, 15.

♦ **3** (1936, A. Schaeffner). Mus. Arc* musical tenu vertical et posé sur une fosse creusée en terre et couverte d'écorce.

**ARCHAÏQUE** [arkaik] adj. — 1776, *dictionnaire archaïque ;* de *archaïsme* (cf. bas lat. *archaïcus,* grec *arkhaikos* «ancien»).

♦ **1** (1838). Qui est ancien ou présente un caractère d'ancienneté. *Mot, style, tournure archaïque.*
→ **Ancien.**

De ces mots *(employés par les auteurs classiques)* les uns sont archaïques, les autres sont encore de bon usage (...) Ceux qui sont devenus archaïques veulent être inscrits, pour que, rencontrés, on puisse en trouver quelque part l'explication. Un dictionnaire qui dépasse les limites de la langue purement usuelle et contemporaine doit cette explication aux lecteurs qui en ont besoin, et cette inscription aux auteurs classiques eux-mêmes, à qui ce serait faire dommage de laisser perdre ces traces de leur pensée et de leur style. LITTRÉ, Dict., Préface. 1

Tout va vraiment trop vite. On disait : rapide comme la pensée. Et voilà que nos techniques sont plus rapides qu'elle. Leur accélération nous cache combien nous sommes chronologiquement proches des temps qu'elles nous font paraître aussi lointains que les temps archaïques. Emmanuel BERL, le Virage, p. 27. 2

Arts. Antérieur aux époques classiques, à l'épanouissement d'un style. *La période archaïque de l'art grec* (v. 650 à v. 480 avant l'ère chrétienne). → **Primitif.** — *Œuvres, artistes archaïques. Ce peintre affecte le style archaïque.*

♦ **2** Désuet, vieillot. *Des idées, des attitudes archaïques.*

♦ **3** Didact. Qui appartient aux stades les plus anciens d'un processus de développement. — (1921, S. Jankélévitch, trad. Freud, *in* D. D. L.). Psychan. (à propos de la formation de l'inconscient). *Traits archaïques et infantilisme du rêve.* — Neurol. *Réflexes archaïques du nouveau-né :* attitudes réflexes (par ex. : *agrippement, enjambement*) répondant à des excitations précises qui, normalement, disparaissent peu à peu au cours des premiers mois de la vie, laissant place aux mouvements volontaires.

CONTR. **Contemporain, décadent, moderne, nouveau, récent, usuel.**

**ARCHAÏSANT, ANTE** [arkaizɑ̃, ɑ̃t] adj. et n. m. — 1906, n., *in* D. D. L. ; de *archaïser.*

♦ **1** Qui imite ou recherche l'archaïsme. *Un goût, un style archaïsant.* — Qui emploie des archaïsmes. *Un écrivain archaïsant.*

N. m. (fém. inus.). *«Les fanatiques de la tradition, les archaïsants»* (J. Romains, *in* N. R. F., oct. 1927). — Syn. (vx) : *archaïste.*

♦ **2** Qui constitue un léger archaïsme. *Mot archaïsant.*

CONTR. **Innovateur, moderniste.**

**ARCHAÏSER** [arkaize] v. intr. — 1891, Verlaine, *in* D. D. L. ; de *archaïsme.*

Didact. Employer des archaïsmes. — Avoir un style archaïque.

DÉR. **Archaïsant.**

**ARCHAÏSME** [arkaism] n. m. — 1659 ; bas lat. *archaismos,* grec *arkhaismos,* de *arkhaios* «ancien».

♦ **1** Littérature, arts. Caractère d'ancienneté*, imitation des anciens. *Un air d'archaïsme.*

♦ **2** Didact. *(Un, des archaïsmes).* Expression, mot, tour, procédé ancien qui n'est plus en usage. *«On entend parfois dire :* je n'ai besoin de personne pour apprendre mon fils... *Cette locution, aujourd'hui rejetée, n'est pourtant qu'un archaïsme»* (*Littré,* art. *Apprendre*). *Cet écrivain aime les archaïsmes. Mêler les archaïsmes aux néologismes.*

— (Collectif). *Au XVII^e siècle, l'archaïsme est à la mode dans le style marotique.*

1 Ainsi toute langue vivante (...) présente trois termes : un usage contemporain qui est le propre de chaque période successive; un archaïsme qui a été lui-même autrefois usage contemporain (...) et, finalement, un néologisme (...) qui, lui aussi, sera un jour de l'archaïsme et que l'on consultera comme histoire et phase du langage (...)
Des mots tombent en désuétude; mais, dans plus d'un cas, il est difficile de dire si tel mot doit définitivement être rayé de la langue vivante, et rangé parmi les termes vieillis dont l'usage est entièrement abandonné et qu'on ne comprend même plus. En effet, il faut bien se garder de ce jugement dédaigneux de l'oreille qui repousse tout d'abord un terme inaccoutumé et le rejette parmi les archaïsmes et, suivant l'expression méprisante de nos pères, parmi le langage gothique ou gaulois (...) plusieurs mots condamnés par l'usage ou par un purisme excessif sont rentrés en grâce; il n'est besoin ici que de rappeler *sollicitude,* que les puristes Philaminte et Bélise, dans *les Femmes savantes,* trouvent *puant étrangement son ancienneté,* et contre lequel nul n'a plus les préventions de ces dames.
LITTRÉ, Dict., Préface.

2 Au bout de quinze jours, Creighton rapporta lui-même à la tragédienne le manuscrit, accompagné de deux copies, la première scrupuleusement conforme au texte plein d'archaïsmes et d'obscurité, la seconde parfaitement claire et compréhensible, véritable traduction modernisée.
Raymond ROUSSEL, Impressions d'Afrique, p. 308.

Par ext. Emploi systématique d'archaïsmes.

♦ **3** (Mil. XIX^e, en art). Caractère archaïque (dans tous les domaines). *Archaïsme d'un style, des idées...*

♦ **4** Didact. Période archaïque (notamment en art; spécialt, en parlant de la Grèce archaïque).

Ensemble de données concernant le passé, les civilisations disparues.

3 L'archaïsme véritable est l'affaire de l'archéologue et du préhistorien (...)
Claude LÉVI-STRAUSS, Anthropologie structurale, p. 126.

♦ **5** Psychan. Caractère archaïque.

CONTR. **Actualité. — Innovation, modernisme, nouveauté. — Néologisme.** ◊ DÉR. **Archaïque, archaïser.**

**ARCHAL** [aʀʃal; aʀkal] n. m. sing. — 1170, *orchal; archal,* 1177; *fil d'archal,* XIV^e; du lat. *aurichalcum,* altér. d'après *aurum* «or» de *orichalcum,* grec *oreikhalkos* «laiton», de *oros* «montagne», et *khalkos* «cuivre».

Laiton (usité dans l'expression *fil d'archal*).

1 Une fenêtre (...) accommodée de barreaux de fer et de fil d'archail *(archal).*
O. DE SERRES, Théâtre d'agriculture, V, 3.

2 Les petites baies de carton éclataient, les fils d'archal se tordaient, le galon se fondait; et les corolles de papier, racornies, se balançant le long de la plaque comme des papillons noirs, enfin s'envolèrent par la cheminée.
FLAUBERT, M^me Bovary, I, IX.

Littér. et rare. (Autres syntagmes). *Carcasses d'archal* (Huysmans), *tiges d'archal* (Villiers).

**ARCHANGE** [aʀkɑ̃ʒ] n. m. — 1140, *archangle;* lat. *archangelus,* grec *arkhaggelos,* de *-arkh(i)-* (→ Archi-), et *aggelos* (→ Ange).

Être spirituel placé au-dessus de l'ange dans la hiérarchie angélique de l'Église catholique. → **Ange.** *Les archanges Gabriel, Michel et Raphaël. Saint Michel archange vainquit le dragon* (Apocalypse).

1 Le diable est déchaîné, mon cher ami; et quand on n'est pas aussi fort que l'archange Michel, qui le battit si bien, il faut faire une honnête retraite.
VOLTAIRE, Lettre à M. Christin, 14 mars 1767.

2 Les êtres étoilés que nous nommons archanges (...)
HUGO, les Contemplations, V, XIV.

3 Son œil héroïque et souverain faisait songer à un archange. HUGO, Quatre-vingt-treize, III, VII, 6.

*Beau comme un archange.* → **Ange.** — Fig. *Un véritable archange.*

(...) le prophète Manès, — beau comme un archange (...) 4
FLAUBERT, la Tentation de saint Antoine, IV.

DÉR. V. **Archangélique.**

**ARCHANGÉLIQUE** [aʀkɑ̃ʒelik] adj. — 1442; lat. ecclés. *archangelicus,* grec *arkhaggelikos,* de *arkhaggelos.* → Archange.

♦ **1** Relig. Qui tient de l'archange. *Une âme archangélique.* → **Angélique, pur.**

♦ **2** Qui approche de la perfection. *Une patience archangélique.*

Elle était ravissante dans son déshabillé matinal. Jamais elle ne lui avait paru plus belle, plus archangélique, c'était l'épithète qui lui venait à l'esprit devant ce visage clair, ces yeux bleus étincelants, bridés par une douce et triste moquerie, ce teint de porcelaine mate, cette chevelure faite de fils d'or si fins qui retombaient sur un cou dont la trentaine dépassée n'avait pas altéré la ligne.
A. BILLY, Sur les bords de la Veule, p. 74.

**ARCHANTHROPE** [aʀkɑ̃tʀɔp] n. m. — Mil. XX^e; de *arch(éo)-,* et *-anthrope.*

Paléont. Hominidé appartenant au groupe des Archanthropiens*. *Le Sinanthrope de Chou-k'outien est un archanthrope. Le nom savant des archanthropes est* Homo erectus, *spécifié* (ex. : H. erectus pekinensis; H. erectus mauritanicus).

**ARCHANTHROPIENS** [aʀkɑ̃tʀɔpjɛ̃] n. m. pl. et adj. — Mil. XX^e (1964); de *arch(éo)-, -anthrope,* et *-ien.*

Paléontologie.

♦ **1** N. Groupe d'hominidés fossiles (n. sc. : *Homo erectus* «homme dressé»), de la première partie du Pléistocène moyen (entre 600 000 et 350 000 ans), dont on a découvert des restes en Asie et en Afrique (Chine, Indonésie, Algérie, Tchad, Tanzanie, Israël). → **Archanthrope.** *Les Archanthropiens savaient entretenir le feu. Industries des Archanthropiens.* → **Acheuléen, chelléen.** — Au sing. *Un Archanthropien.*

♦ **2** Adj. Relatif aux Archanthropiens. *«Il n'est pas démontré que la nappe archanthropienne ait vécu en Europe»* (*Encycl. Universalis,* art. *Hominidés,* 1970).

1. **ARCHE** [aʀʃ] n. f. — 1131, «coffre»; lat. ecclés. *arca,* du lat. class. *arca* «coffre, armoire».

♦ **1** (1131, absolt). ARCHE DE NOÉ, et, absolt, *l'Arche :* vaisseau fermé qui permit à Noé d'échapper aux eaux du déluge.

Alors Dieu dit à Noé : «(...) Fais-toi une arche de bois résineux (...) La longueur de l'arche sera de trois cents coudées, sa largeur de cinquante coudées et sa hauteur de trente (...)» 1
Noé entra dans l'arche avec ses fils, sa femme et les femmes de ses fils pour échapper aux eaux du déluge. Des animaux (...) chaque paire, mâle et femelle, vint vers Noé dans l'arche, comme Dieu l'avait ordonné à Noé.
BIBLE (CRAMPON), Genèse, VI et VII.

(1640). Fig. *C'est l'arche de Noé,* se dit d'une maison où sont logés pêle-mêle des gens ou des animaux de toute sorte.

Jouet figurant l'Arche, avec des couples d'animaux.

♦ **2** Littér. Navire. — Par métaphore. *«Cette vieille maison, arche perdue au milieu d'une campagne noyée»* (Mauriac, *Journal,* in T. L. F.).

♦ **3** (1170, *l'Arche*). Relig. *L'arche d'alliance, l'arche du Seigneur, l'arche sainte :* coffre où étaient enfermées les tables de la loi données à Moïse, et qui était abrité sous le Tabernacle*, sanctuaire de Yaweh, avant de reposer dans le Saint* des saints.

2 Yaweh parla à Moïse en disant (...) Ils feront une arche de bois d'acacia (...) Tu mettras dans l'arche le témoignage que je te donnerai (...)
BIBLE (CRAMPON), Exode, XXV.

3 Lorsque Moïse eut complètement achevé d'écrire dans un livre les paroles de cette loi, il donna cet ordre aux Lévites qui portaient l'arche de l'alliance de Yaweh : «Prenez ce livre de la loi et mettez-le à côté de l'arche de l'alliance de Yaweh, votre Dieu (...)»
BIBLE (CRAMPON), Deutéronome, XXXI, 24-26.

4 *(Le)* Saint des Saints *(du temple de Salomon)* où, dans le silence et l'obscurité totale, l'Arche d'Alliance reposait, sous la protection de deux Chérubins d'olivier plaqué d'or (...)
DANIEL-ROPS, le Peuple de la Bible, III, 2, p. 197.

Fig. Signe de l'alliance, de la protection divine; sanctuaire; chose à laquelle il est sacrilège de toucher.

5 Blanche et lumineuse fille de toutes les vertus humaines, arche d'alliance entre la terre et le ciel (...) la Prière vous donnera la clef des cieux.
BALZAC, Séraphîta, Pl., t. X, p. 576.

6 Appuyée sur cette arche sainte *(le sanctuaire)*, la congrégation défiait les assauts de l'étranger.
M. BARRÈS, la Colline inspirée, p. 138.

7 Ils vendent l'arche auguste où l'hostie étincelle!
Ils vendent Christ, te dis-je! et ses membres liés!
HUGO, les Châtiments, «Martyr», 3.

♦ **4** **a** (1845). Techn. Four accessoire d'une verrerie, autour du four principal. *Arche à calciner, à recuire. Arche à pot.*

7.1 Ce four est assez improprement appelé «arche à recuire», car il est une arche à refroidir.
F. MEYER et P. GRIVET, le Verre, p. 28.

*Arche d'élevage :* abri pour les oiseaux élevés sur pré.

**b** Archéol. *Arche sépulcrale :* cercueil, sarcophage.

**c** (1584). Mar. Caisse protégeant des chocs les pompes d'un navire.

DÉR. (Au sens de «coffre») **Archipompe, archure.** ◇ HOM. 2. **Arche.**

2. **ARCHE** [aʀʃ] n. f. — 1170, «arc de triomphe»; du lat. pop. **arca*, de *arcus* «arc».

♦ **1** Vx. Voûte en arc, arcade. → **Arc, arcade.**

♦ **2** (Fin XIIe). Mod. Voûte en forme d'arc qui s'appuie sur les culées ou les piles d'un pont. → **Pont.** *Les péniches passent sous les arches. Les arches d'un pont, d'un aqueduc, d'un viaduc. Pont d'une seule arche.* → **Ponceau.** *Maîtresse arche :* arche principale. *Arche biaise. — Arche marinière :* arche de grande dimension permettant aux bateaux de passer sous un pont.

8 Sous les arches de pierre à grand bruit emportés.
André CHÉNIER, Hymne à la justice.

9 Et leurs pas, ébranlant les arches colossales,
Troublent les morts couchés sous le pavé des salles.
HUGO, Ballades, 14.

10 Arche aujourd'hui guerrière, un jour religieuse!
Rêve en pierre ébauché! porte prodigieuse (...)
HUGO, les Voix intérieures, «À l'Arc de Triomphe».

11 (...) alors nous avons compris que cette grande arche *(l'œuvre de Proust)* s'appuyait sur deux piles solides et symétriques *(le Temps perdu et le Temps retrouvé).*
A. MAUROIS, Études littéraires, t. II, p. 159.

♦ **3** Littér. Voûte en arche. *Une arche de feuillage, de lumière.*
*En arche :* disposé comme l'arche d'un pont.

DÉR. 1. **Archine.** ◇ HOM. 1. **Arche.**

**-ARCHE** → **-archie.**

**ARCHÉ-** Élément de composition, du grec *arkhaios* «ancien», ou *arkhê* «commencement». → **Archéo-.**

1. **ARCHÉE** [aʀʃe] n. f. — 1177, *archiee;* du lat pop. *arcata*, de *arcus* «arc».

Vx. Portée d'un arc.

HOM. 2. **Archée, archer.**

2. **ARCHÉE** [aʀʃe] n. m. ou (Académie) f. — 1578; étendu à la philos. au XVIIIe; du lat. des alchimistes *archeus*, du grec *arkhê* «principe», *arkhein* «commander».

Didact. Alchim., ancienne physiol. (Paracelse). Principe de vie, immatériel, mais différent de l'âme.

HOM. 1. **Archée, archer.**

**ARCHÉEN, ENNE** [aʀkeɛ̃, ɛn] adj. et n. m. — 1866, de Lapparent; du grec *arkhaios.* → Archéo-.

Géol. Antérieur au cambrien. → **Précambrien.** *Roches archéennes.*

(...) la plupart des roches considérées autrefois comme appartenant à la première croûte et que l'on avait nommées «roches archéennes» ont pu être cristallisées à des périodes où des sédiments s'étaient déjà déposés et ceci grâce aux mouvements de l'écorce terrestre (formation de géosynclinaux, mouvements orogéniques).
Gaston COHEN, le Cuivre et le Nickel, p. 14.

N. m. *L'archéen :* l'ensemble des terrains archéens; l'époque où ils se sont formés.

REM. On emploie aussi *archéozoïque* [aʀkeɔzɔik].

**ARCHÉGONE** [aʀkegɔn] n. m. — 1845; du grec *arkhê* «principe», et *gonê* «génération».

Bot. Organe femelle en forme de bouteille qui, chez les cryptogames vasculaires et les muscinées, renferme l'oosphère. → **Oogone, oosphère.** — S'oppose à *anthéridie*.*

**ARCHELET** [aʀʃəlɛ] n. m. — 1530, «petit arc»; de *archet.*

Technique.

♦ **1** (1752). Anc. Petit archet d'un tour d'horloger.

♦ **2** (1752). Pêche. Bâtonnets en croix destinés à tenir un filet, un verveux ouvert.

**ARCHELLE** [aʀʃɛl] n. f. — D. i.; altér. du picard hennuyer *achèle*, correspondant à l'anc. franç. *aisselle*, dimin. du lat. *axis* «planche», avec attraction du franç. *arche*, à cause des petites arcatures décorant la base du meuble.

Régional (Belgique) et techn. (antiquaires, etc.). Étagère murale munie de crochets pour suspendre des ustensiles à anses, des bibelots, parfois des vêtements.

Aux murs humides, des archelles à crochets chargées de ramequins de verre, de louches, d'entonnoirs, de cruchons.
Jean-Pierre OTTE, le Cœur dans sa gousse, p. 129 (1975).

**ARCHENTÉRIQUE** [aʀkɑ̃teʀik] adj. — XXe; de *archentéron.*

Didact. (embryol.). De l'archentéron.

**ARCHENTÉRON** [aʀkɑ̃teʀɔ̃] n. m. — 1893, Encycl. Berthelot, art. *Embryologie;* 1877, en angl.; de *arch(éo)-*, et *-entéron*, grec *enteron* «intestin».

Didact. (embryol.). Intestin primitif, cavité en cul-de-sac qui se détermine au cours de la gastrulation (→ Cœlome, cit.).

(...) au voisinage de ce blastopore et au contact des macromères, on distingue généralement deux cellules spéciales, qui sont l'origine du *mésoderme* et qu'on appelle *initiales mésodermiques.* Les macromères, en se multipliant, s'écartent les unes des autres et ainsi se forme la cavité digestive ou *archentéron.* On arrive donc finalement à des dispositions tout à fait comparables à celles de la gastrulation par embolie.
Maurice CAULLERY, l'Embryologie, p. 37.

REM. La forme *archentère* [aʀkɑ̃tɛʀ] est archaïque.

**DÉR. Archentérique.**

**ARCHÉO-** Élément de mots savants, du grec *arkhaios* «ancien, antique», signifiant «qui appartient à une époque très ancienne», et, spécialt, «à la préhistoire». → **Arché-; paléo-.** Voir les composés à l'ordre alphab. et aussi *archéocivilisation* [aʀkeosivilizasjɔ̃] n. f., *archéographie* [aʀkeɔgʀafi] n. f. (mil. XIXe). Variante de *arché-*, au sens de «originel» (en biol., sc. nat. : *archéocortex* [aʀkeɔkɔʀtɛks] n. m., etc.).

**ARCHÉO** [aʀkeo] adj. et n. — 1985; de *archéo-* «ancien».

Fam. (journal.). Archaïque, en politique, en économie. *Un patron archéo. La droite archéo.* → **Rétro, ringard.**

N. *«Gauchistes, anarcho-syndicalistes, ils sont un peu tout cela, ces "archéos" de Basse-Normandie»* (*le Monde,* 11 juin 1985, p. 42).

**ARCHÉOBACTÉRIE** [aʀkeobakteʀi] n. f. — 1984; empr. à l'angl. *archeobacteria* (1978), de *archeo-* (→ Archéo-), et *bacteria.* → Bactérie.

Biol. Bactérie procaryote, dont les caractères biochimiques sont très différents de ceux des eubactéries par leur structure et leur physiologie. *«Les premiers microbes durent être du type de ces archéobactéries actuelles qui ont des gènes morcelés»* (*la Recherche,* no spécial, mai 1984, p. 619).

**ARCHÉOLOGIE** [aʀkeɔlɔʒi] n. f. — 1599; répandu fin XVIIIe; grec *arkhaiologia,* de *arkhaios* «ancien», et *logos* (→ -logie).

♦ **1** Vx. Connaissance de l'Antiquité; études antiques.

♦ **2** Étude scientifique des civilisations disparues au moyen des témoins matériels qui en subsistent; ensemble des techniques de recherche et d'interprétation que cette étude met en œuvre. → **Fouille.** *Archéologie préhistorique.* → **Préhistoire.** *Archéologie égyptienne* (égyptologie), *assyrienne* (assyriologie), *orientale, grecque, romaine, médiévale...* — REM. Science du passé, l'archéologie s'oppose à l'histoire ou lui fournit son aide (c'est une science auxiliaire de l'histoire) en étudiant les monuments ou les objets. *L'archéologie étudie les monuments* et les objets du passé. Utilisation des techniques de datation, des techniques chimiques, mécaniques, biologiques en archéologie. Archéologie et iconologie, et sigillographie, et épigraphie.*

1 L'archéologie est à la nature sociale ce que l'anatomie comparée est à la nature organisée.
BALZAC, la Recherche de l'absolu, Pl., t. IX, p. 475.

2 Une science née au XIXe siècle, l'archéologie préhistorique, nous a révélé les œuvres de l'industrie humaine à une époque prodigieusement reculée, antérieure de longs siècles aux pyramides de l'Égypte et aux palais des rois babyloniens. Salomon REINACH, Apollo, p. 2.

Dans l'usage courant, le terme d'archéologie ne s'applique pas qu'à l'antiquité et au moyen âge (...) on n'use pas de ce mot pour un passé plus proche de nous. Cependant si l'archéologie est l'explication du passé par les monuments figurés, il n'y a aucune raison pour ne pas parler d'archéologie du XVIIe et même du XIXe siècle. 3
Louis RÉAU, Dict. d'art et d'archéologie.

Il était un temps où l'archéologie, comme discipline des monuments muets, des traces inertes, des objets sans contexte, et des choses laissées par le passé, tendait à l'histoire et ne prenait sens que par la restitution d'un discours historique; on pourrait dire, en jouant un peu sur les mots, que l'histoire, de nos jours, tend à l'archéologie, — à la description intrinsèque du monument. 4
Michel FOUCAULT, l'Archéologie du savoir, p. 15.

♦ **3** (1966, M. Foucault). Par ext. Recherche des origines, en matière d'idées, de connaissances. → **Épistémologie** (historique). *Les Mots et les Choses, une archéologie des sciences humaines,* titre de l'ouvrage de M. Foucault (→ ci-dessus, cit. 4).

**DÉR. Archéologique, archéologue.**

**ARCHÉOLOGIQUE** [aʀkeɔlɔʒik] adj. — 1595; répandu fin XVIIIe; de *archéologie.*

Qui a rapport à l'archéologie. *Recherches archéologiques. Fouilles archéologiques. Document, datage archéologique. Promenades archéologiques aux environs d'Alger,* ouvrage de Gsell. *Site* archéologique.*

*(Le Sphinx)* n'était pas complètement dégagé. Il n'était plus enterré comme en 1934, mais il parlait encore le grand langage des ruines, qui sont en train de se muer en sites archéologiques (...)
MALRAUX, Antimémoires, Folio, p. 55.

**DÉR. Archéologiquement.**

**ARCHÉOLOGIQUEMENT** [aʀkeɔlɔʒikmɑ̃] adv. — 1845, Mérimée, *in* D. D. L. : de *archéologique.*

Rare. Par l'archéologie; du point de vue de l'archéologie.

**ARCHÉOLOGUE** [aʀkeɔlɔg] n. — 1812; de *archéologie.*

Personne qui s'occupe d'archéologie, qui étudie les civilisations disparues (→ Archaïsme, cit. 3). *Un, une archéologue.*

À mesure que, sous les «tells» d'argile *(de la Mésopotamie),* la pioche minutieuse des archéologues découvre, couche par couche, la trace émouvante des civilisations (...) 1
DANIEL-ROPS, Histoire sainte, I, I, p. 7.

L'illustre historien français *(J. Carcopino)* lui répond *(à Mlle Guarducci, professeur à Rome)* avec non moins de vivacité, refusant de la suivre au nom d'une méthode scientifique dont on est étonné que l'archéologue italienne se soit écartée si aisément. 2
Bulletin critique du livre français, févr. 1966, t. XXI, p. 152.

**ARCHÉOMAGNÉTISME** [aʀkeomaɲetism] n. m. — Mil. XXe; de *archéo-,* et *magnétisme.*

Didact. Détermination de la valeur du champ magnétique terrestre dans le passé, par l'étude des restes historiques ou préhistoriques. → **Paléomagnétisme.**

**ARCHÉOPTÉRYX** [aʀkeopteʀiks] n. m. — 1864; en all., 1861; du grec *arkhaios* (→ Archéo-), et *pterux* «aile».

Didact. (paléont.). Oiseau fossile du jurassique, le premier connu, présentant encore certains caractères (dents, longue queue) des reptiles dont il est issu.

On voit mal le ptérodactyle s'inquiéter des plumes de l'archéoptéryx et rechercher le moyen d'empêcher le rossignol de chanter. 1
R. QUENEAU, Bâtons, chiffres et lettres, p. 149.

On écrit aussi *archœopteryx.*

2 Le nombre des formes réellement intermédiaires, — comme l'*archœopteryx* (du Jurassique) entre les Reptiles et les Oiseaux, — est extrêmement réduit.
Maurice CAULLERY, les Étapes de la biologie, p. 59.

**ARCHER, ÈRE** [aʀʃe, ɛʀ] n. — XIIe, *archier; arkiere,* fém., 1209; d'un lat. pop. dér. de *arcus* «arc».

♦ **1** N. m. Soldat armé de l'arc. → **Sagittaire** (rare et didact.). *Archer à pied, à cheval. Une compagnie d'archers.* — Loc. *Francs-archers,* nom d'une milice créée par Charles VII, dont les membres étaient exempts d'impôts (francs).

1 *(Charles VII, pour)* avoir en son royaume des gens nourris et entretenus aux armes, introduisit les Francs-archers (...)
E. PASQUIER, Recherches, II, 17, *in* HUGUET.

2 Et, non moins bon archer que mauvais raisonneur,
Raide mort étendu sur la place il le couche.
LA FONTAINE, Fables, VIII, 10.

3 Ses créneaux sont scellés de plomb; chaque embrasure
Cache un archer dont l'œil toujours guette et mesure (...)
HUGO, la Légende des siècles, «Aymerillot».

♦ **2** N. m. (XIIe-XIIIe). Officier subalterne de police, sous l'Ancien Régime. *Archer de ville* (→ **Sergent**), *de police, de la prévôté.*

4 Allons vite, des commissaires, des archers, des prévôts, des juges, des gênes, des potences et des bourreaux.
MOLIÈRE, l'Avare, IV, 7.

5 Allons vite à la justice. Des archers après eux!
MOLIÈRE, Monsieur de Pourceaugnac, III, 6.

♦ **3** (1906, *in* Petiot; emploi plus général). Tireur à l'arc. *Les archers ont disputé un championnat. C'est un excellent archer* (on dit plutôt : *tireur à l'arc*). *Une archère* (rare).

5.1 Le Poète est semblable au prince des nuées
Qui hante la tempête et se rit de l'archer.
BAUDELAIRE, les Fleurs du mal, «l'Albatros», Pl., p. 10.

♦ **4** N. m. Poét. *Le petit archer :* Cupidon. → **Archerot.** *«Eros, le jeune archer»* (Leconte de Lisle).

6 (...) Ce petit archer qui dompte tous les dieux.
CORNEILLE, l'Illusion comique, II, 2.

*L'archer Apollon.* — En appos. *Apollon archer.* Au fém. (rare) :

7 Une Diane archère, et chaste, et chasseresse (...)
JODELLE, Inscriptions, I, 267.

**DÉR. Archerie, archerot.** ◊ **HOM.** (De *archère*) **Archère.**

**ARCHÈRE** [aʀʃɛʀ] ou **ARCHIÈRE** [aʀʃjɛʀ] n. f. — 1213; *asciere,* fin XIIe; de *arc.*

♦ **1** Ouverture, étroite et longue, pratiquée dans les fortifications pour le tir à l'arc, à l'arbalète. → **Meurtrière.**

♦ **2** Courroie, bandoulière soutenant le carquois des archers.

**HOM. Archère** (fém. de *archer*).

**ARCHERIE** [aʀʃəʀi] n. f. — Déb. XIVe, «art de tirer à l'arc»; «lieu où l'on tire à l'arc», 1547; de *archer.*

♦ **1** Art du tir à l'arc.

Ces cris désespérés
ne sont pas plus pour nous que la froide
archerie de Diana,
quand par un radieux minuit dans les
campagnes du Rhône elle prend un
large mûrier pour cible!
CLAUDEL, Protée, 2e version, 1927, p. 379, *in* T.L.F.

♦ **2** Vx. Troupe d'archers. *L'archerie française.*

♦ **3** (1547). Vx. Lieu où l'on tire à l'arc.

♦ **4** (1972). Sports. Matériel du tireur à l'arc.

**ARCHEROT** [aʀʃəʀo] n. m. — 1551; de *archer.*

Vx, poét. Le petit archer, nom donné à Cupidon. → **Amour.**

Mais dis-moi, je te prie, si l'Archerot vainqueur
Des hommes et des Dieux t'a point blessé le cœur?
RONSARD, Élégies, Disc. 1.

**ARCHET** [aʀʃɛ] n. m. — Mil. XIIe, «partie d'un mur en arc de cercle»; de *arc.*

♦ **1** (XIVe, G. de Machaut). Baguette droite (autrefois recourbée en forme d'arc) faite de bois très dur (bois de Pernambouc), sur laquelle est tendue une mèche de crins qui sert à faire vibrer les cordes de divers instruments de musique (instruments à cordes frottées). *Baguette, poignée, hausse d'un archet. Archet d'alto, de contrebasse, de viole, de violon, de violoncelle... Enduire un archet de colophane. L'art de tenir son archet. Technique de l'archet. Conduire, promener son archet. Coup d'archet, reprise d'archet. Avoir un bon coup d'archet, l'archet à la corde* (Académie) : jouer avec une grande sûreté et une sonorité soutenue.

Et l'autre, l'appuyant de son aigre fausset, 1
Semble un violon faux qui jure sous l'archet.
BOILEAU, Satires, III.

Elle se laissait aller au bercement des mélodies et se sentait 2
elle-même vibrer de tout son être comme si les archets des violons se fussent promenés sur ses nerfs.
FLAUBERT, Mme Bovary, II, XV.

Un beau vers est comme un archet promené sur nos fibres 3
sonores. Ce ne sont pas ses pensées, ce sont les nôtres que le poète fait chanter en nous.
FRANCE, le Jardin d'Épicure, p. 73.

Qu'importe la mélodie, à qui s'enquiert de l'archet, et de 4
la main qui tient l'archet?
COLETTE, la Naissance du jour, p. 41.

La façon dont il appuyait sur certaines voyelles rappelait 5
l'écrasement de l'archet sur les cordes basses d'un violoncelle.
MARTIN DU GARD, les Thibault, VIII, I.

Par métaphore :

Non, il n'est pas d'archet qui morde 6
Sur mon cœur, parfait instrument,
Et fasse plus royalement
Chanter sa plus vibrante corde,
Que ta voix, chat mystérieux.
BAUDELAIRE, les Fleurs du mal, «le Chat», Pl., p. 50.

♦ **2** Techn. Instrument, objet en forme de petit arc. → **Arçon.** — Spécialt. [a] (XVIe). Châssis en arceau*. *Archet de berceau.*

[b] (XVIe). Méd. Arceau.

[c] (1863). Vitic. Branche à fruit courbée en demi-cercle. → **Aste.**

[d] (1680). Techn. Petit arc (d'un tour, d'un foret). *Tour à archet, fouet à archet; archet de serrurier, de doreur, d'horloger.*

[e] (1676). Fil de métal, scie très fine (à l'origine en forme d'archet) pour scier des matières délicates ou précieuses. *Archet de mosaïste, de joaillier.*

[f] (1752). Imprim. Ressort courbé attaché sous les moules, lors de la fonte des caractères.

[g] (1909). Ch. de fer. Dispositif de contact électrique comportant une pièce en forme d'arc.

♦ **3** Sc. nat. Appareil sonore des sauterelles, produisant la stridulation par frottement de nervures saillantes placées sur les élytres. — Élément de l'appareil stridulant des lépidoptères.

**DÉR. Archelet, archetier.**

**ARCHETIER** [aʀʃətje] n. m. — 1932; de *archet.*

Techn. (mus.). Fabricant d'archets. *«Musicora rassemble 450 exposants : luthiers, archetiers, facteurs, restaurateurs, éditeurs»* (*le Monde de la Musique,* 1er déc. 1996, p. 116).

**ARCHÉTYPAL, ALE, AUX** [aʀketipal, o] ou **ARCHÉTYPIQUE** [aʀketipik] adj. — 1946, *archétypique,* Mounier ; de *archétype.*

Didact. Relatif aux archétypes. *Modèles archétypiques.*

**ARCHÉTYPE** [aʀketip] n. m. et adj. — 1230, *architipe ; architype,* 1548, Rabelais ; «étalon monétaire», 1666 ; lat. *archetypum,* du grec *arkhetupon* «type primitif, modèle».

**I** N. m. ♦ **1** Type primitif ou idéal ; original qui sert de modèle. → **Étalon, exemplaire, original, principe, prototype.**

1 Comment par Homenaz nous fut montré l'archétype d'un pape.
RABELAIS, le Quart Livre, 50 (titre du chapitre).

1.1 *À moi seul j'ai la physionomie de mon siècle, dont j'ai lieu de me croire l'*ARCHÉTYPE. Bref, je suis docteur, philanthrope et homme du monde.
VILLIERS DE L'ISLE-ADAM, Tribulat Bonhomet, p. 43.

Philos. Principe supérieur aux choses, aux êtres. *Chez Platon, les idées sont les archétypes des choses* (→ ci-dessous, II., 1.).

2 Sa substance *(de Dieu)* en est véritablement représentative *(des créatures)* parce qu'elle en renferme l'archétype ou le modèle éternel (...)
MALEBRANCHE, De la recherche de la vérité, IV, 11, *in* LALANDE.

3 Elle *(la Trinité)* est l'archétype de l'univers, ou, si l'on veut, sa divine charpente. Ne serait-il pas possible que la forme extérieure et matérielle participât de l'arche intérieure et spirituelle qui la soutient, de même que Platon représentait les choses corporelles comme l'ombre des pensées de Dieu ?
CHATEAUBRIAND, le Génie du christianisme, I, 3.

3.1 Est-ce que le Savant fait rien d'autre ? Lui aussi recherche l'archétype des choses et les lois de leur succession ; il recompose un monde enfin, idéalement simple, où tout s'ordonne normalement.
GIDE, le Traité du Narcisse, *in* Romans, Pl., p. 9.

Spécialt (philos. empirique). Sensation servant de base à l'élaboration des images et des idées.

♦ **2** Modèle approchant de la perfection.

4 L'hôtel des Cormon (...) est, dans son genre, un archétype des maisons bourgeoises d'une grande partie de la France (...) BALZAC, la Vieille Fille, Pl., t. IV, p. 248.

♦ **3** (V. 1930 ; empr. à l'all.). Psychol. Symbole primitif, universel, appartenant à l'inconscient collectif de l'Homme, dans la psychanalyse jungienne.

5 Enfin et surtout, le poète, sous les choses, découvre ce que Jung appelle les archétypes, les fictions mères de toute pensée humaine et les personnages des contes.
A. MAUROIS, À la recherche de Marcel Proust, VI, 3.

5.1 Si l'on se rappelle que C. G. Jung a construit toute une théorie des «archétypes» considérés comme héréditaires, alors que le problème préalable à résoudre, en une telle hypothèse, était de distinguer le «général» (au sens d'une même formation constante assurant les convergences) et l'héréditaire.
J. PIAGET, Épistémologie des sciences de l'homme, p. 187.

♦ **4** Biol. Espèce primordiale dans l'évolution, dont dériveraient les genres et les espèces.

♦ **5** Texte primitif mis au point par l'auteur, généralement reconstitué à partir de copies.

♦ **6** (1866). Arts. Plâtre moulé sur un bas-relief.

**II** Adj. (1268). ♦ **1** Philos. *Les idées archétypes de Platon :* les formes éternelles, immuables, des choses, «modèles qui, étant de toute éternité dans le sein de Dieu, ont déterminé toutes les conditions de l'univers» (Littré).

Ce monde, suivant Platon, était composé d'idées archétypes qui demeuraient toujours au fond du cerveau. 6
VOLTAIRE, Philosophie, *in* LITTRÉ.

♦ **2** Didact. Se dit de l'exemplaire premier, originel (d'une chose). *Manuscrit archétype* (→ ci-dessus, I., 5.).

(...) un écart plus ou moins grand, très grand peut-être, sépare la copie qui est sous nos yeux du manuscrit archétype, tel que le poète dut l'écrire de sa main. 7
J. BÉDIER, la Chanson de Roland, Avant-propos.

DÉR. **Archétypal** ou **archétypique.**

**ARCHÉTYPIQUE** [aʀketipik] adj. → **Archétypal.**

**ARCHEVÊCHÉ** [aʀʃəvɛʃe] n. m. — 1138 ; de *archevêque.*

♦ **1** Territoire sous la juridiction d'un archevêque. *Cinq évêchés dépendent de l'archevêché de Paris.* → **Diocèse ; archidiocésain.**

♦ **2** Dignité d'archevêque. → **Archiépiscopat.**

♦ **3** Siège (→ **Métropole**), palais archiépiscopal. Administration archiépiscopale.

**ARCHEVÊQUE** [aʀʃəvɛk] n. m. — 1080, *Chanson de Roland ;* lat. *archiepiscopus,* grec *arkhiepiskopos,* de *episkopos.* → Évêque.

Évêque placé à la tête d'une province ecclésiastique (→ **Archevêché**) et qui a plusieurs évêques pour suffragants. → **Métropolitain, prélat.** *Son Excellence l'Archevêque.* → **Monseigneur.** *Chapeau d'archevêque. L'archevêque a convoqué et présidé le concile provincial.* → **Synode.** *Mandement de l'archevêque. Archevêque de l'Église russe.* → **Métropolite.**

Quoiqu'il ne soit fait mention, pour la première fois, des métropolitains ou des archevêques, qu'au concile de Nicée, néanmoins ce concile parle de cette dignité comme d'un degré hiérarchique établi depuis longtemps (...) Quelques auteurs ont pensé que les archevêques même sont d'institution apostolique ; en effet, Eusèbe et saint Chrysostome disent que Tite, évêque, avait la surintendance des évêques de Crète. 1
CHATEAUBRIAND, Le Génie du christianisme, IV, III, 2.

Vous avez su que l'archevêque de Paris a donné un mandement violent contre Jean-Jacques. 2
VOLTAIRE, Lettre à d'Argence, 22 avr. 1763.

Allus. littér. *Les homélies de l'archevêque de Grenade* (Lesage, *Gil Blas,* VII, 3 et 4). → **Avertissement, homélie.**

DÉR. **Archevêché.**

**ARCHI-** Préfixe (emprunté du grec *arkhi-,* marquant le premier rang) qui exprime la prééminence — notamment dans les titres : *archichambellan* [aʀʃiʃɑ̃bɛl(l)ɑ̃] (Hugo), *archimaréchal* [aʀʃimaʀeʃal] (Hugo), *archiprince* [aʀʃipʀɛ̃] (*in* T. L. F.) —, le degré extrême ou l'excès, et sert à composer des noms et des adjectifs. → **Arch-,** les articles précédents **archange, archevêque...** et les suivants.

REM. Le langage familier construit à l'aide de ce préfixe, appliqué le plus souvent à des adjectifs ou à des participes, un grand nombre de mots à valeur superlative qui ne sauraient être tous cités : *archibête* [aʀʃibɛt], *archicomble* [aʀʃikɔ̃bl], *archicon* [aʀʃikɔ̃], *archinul* [aʀʃinyl].

Quoi ! cela est fait ? — Eh oui ! madame, fait et archifait ! 1
SAINT-SIMON, Mémoires, VIII, 52.

Tout cela est archi-passé (...) 2
CHATEAUBRIAND, Mémoires d'outre-tombe, III, II.

Ils seraient archifous (...) 3
Émile AUGIER, les Effrontés, III, 9.

Il vit d'abord non loin de lui, le roi des rois, l'Agamemmon littéraire, l'archicélèbre (...) romancier, Gaston Chaudesaigues (...) Léon BLOY, le Désespéré, p. 191. 4

5 (...) ses vieilles illusions archidécrépites, crevassées, poussiéreuses, grelottantes (...)
Léon BLOY, le Désespéré, p. 75.

6 Des mots pourtant de toi connus, ressassés, archifamiliers (...) ARAGON, Blanche..., I, VIII, p. 133.

7 (...) une expérience archimillénaire semble prouver que l'huile et le miel sont deux choses également nécessaires (...)
Jacques PERRET, Bâtons dans les roues, p. 277.

8 (...) il s'appelle (...) Pedro Gonzalès ; archimillionnaire, il pourrait bien être Mexicain, ne connaît guère de porte qui lui résiste (...)
ARAGON, Anicet, V, p. 84 (1921).
REM. *Multimillionnaire* est plus courant.

9 J'étais archisûr que vous étiez au courant... Je pensais que vous vous en fichiez (...)
J. ROMAINS, les Hommes de bonne volonté, t. XXII, p. 77.

10 On rêverait même, tant pis, de dictature architotalitaire et superarbitraire (...)
Jacques PERRET, Bâtons dans les roues, p. 13.

11 L'as-tu trouvée, ton *Imprimeuse,* ou la cherches-tu encore ? — Trouvée !... archi-trouvée !... Demain, je te montrerai tous mes plans.
Alphonse DAUDET, Fromont jeune et Risler aîné, p. 186.

→ ci-dessous **Archiconnu, archicube, archidiocésain, archidiocèse, archifaux.**

REM. Ce préfixe est également productif dans les vocabulaires techniques, par ex. en linguistique. → Archiphonème.

**ARCHIATRE** [aʀʃjatʀ] n. m. — 1611 ; de *archi-,* et grec *iatros* «médecin».

Hist. Premier médecin, médecin en chef.

**ARCHICHANCELIER** [aʀʃiʃɑ̃səlje] n. m. — 1240 ; de *archi-,* et *chancelier.*

Hist. Grand chancelier (au Moyen Âge).

Sous le premier Empire, Charge honorifique.

On créait en effet de grands dignitaires. Déjà étaient-ils désignés, et les «dignités» distribuées : celle d'archichancelier d'Empire paraissant, dès lors, la première en honneur, elle fut accordée, à titre de compensation et de consolation, à Cambacérès, qui l'accepta froidement (...)
Louis MADELIN, Hist. du Consulat et de l'Empire, t. V, VIII.

**ARCHICONFRÉRIE** [aʀʃikɔ̃fʀeʀi] n. f. — 1752 ; de *archi-,* et *confrérie.*

Relig. Confrérie qui groupe des associations pieuses, charitables.

**ARCHICONNU, UE** [aʀʃikɔny] adj. — 1838, *in* D. D. L. ; de *archi-,* et *connu.*

Cour. Très connu. — REM. On écrit parfois *archi-connu.*

1 Toutes connues, archi-connues, banales à faire pleurer, ces effigies des fêtes parisiennes, enterrements chics ou grandes premières (...)
Alphonse DAUDET, l'Immortel, p. 356.

2 Ce fut la misère classique et archiconnue, tant de fois explorée et décrite. Léon BLOY, le Désespéré, p. 39.

**ARCHICUBE** [aʀʃikyb] n. m. — 1883 ; de *archi-,* et *cube* «élève de troisième année préparatoire à l'École normale supérieure».

Argot scol. Ancien élève de l'École normale supérieure.

**ARCHIDIACONAT** [aʀʃidjakɔna] n. m. — 1558 ; lat. *archidiaconatus.* → Diaconat.

Relig. Dignité d'archidiacre*.

**ARCHIDIACONÉ** [aʀʃidjakɔne] n. m. — 1174, écrit *arcediachené ;* du lat. *archidiaconatus.*

Relig. Circonscription d'un archidiacre.

**ARCHIDIACRE** [aʀʃidjakʀ] n. m. — 1532 ; *arcediacne* (sic), 1174 ; lat. *archidiaconus.* → Diacre.

Religion.

♦ **1** Dans l'église primitive, Chef des diacres, administrateur du temporel de l'évêché.

♦ **2** Mod. Dignitaire ecclésiastique investi par l'évêque d'une sorte de juridiction sur les curés du diocèse. → **Vicaire** (général).

DÉR. (Du latin) V. **Archidiaconat, archidiaconé.**

**ARCHIDIOCÉSAIN, AINE** [aʀʃidjɔsezɛ̃, ɛn] adj. — 1771 ; de *archi-,* et *diocésain.*

Relig. D'un archevêché.

**ARCHIDIOCÈSE** [aʀʃidjɔsɛz] n. m. — 1869, *in* D. D. L. ; de *archi-,* et *diocèse.*

Relig. Diocèse d'un archevêque.

**ARCHIDUC, ARCHIDUCHESSE** [aʀʃidyk, aʀʃidyʃɛs] n. — 1486 ; de *archi-,* et *duc.*

Titre des princes et princesses de l'ancienne maison d'Autriche. *L'archiduc Maximilien. Le trio en si bémol dit «À l'archiduc», de Beethoven.*

Œufs à l'archiduc, recette d'œufs au paprika.

Au fém. Épouse d'un archiduc. — Hist. Titre porté par les filles et les sœurs de l'Empereur d'Autriche.

Fam. «*Les chaussettes de l'archiduchesse sont-elles sèches, archisèches...*», phrase plaisante, exercice de diction destiné à faire acquérir la maîtrise des sons [s], [z] et [ʃ].

DÉR. **Archiduché.**

**ARCHIDUCHÉ** [aʀʃidyʃe] n. m. — 1512 ; de *archiduc,* d'après *duché.*

Didact. Domaine relevant de la juridiction d'un archiduc.

**-ARCHIE, -ARCHE** ou **-ARQUE** Éléments empruntés au grec *arkhê* «commandement», et qui entrent dans la composition d'un grand nombre de noms désignant des formes de gouvernement (ex. : *anarchie, monarchie*) ou des gouvernants (ex. : *monarque, tétrarque*). → **Anarchie ; asiarque ; énarque ; éparchie ; ethnarchie, ethnarque ; exarque ; gymnasiarque ; heptarchie, heptarque ; hérésiarque ; hiérarchie ; hipparchie, hipparque ; monarchie, monarque ; navarchie, navarque ; nomarchie, nomarque ; oligarchie, oligarque ; patriarche, patriarchie ; pentarchie ; phylarchie, phylarque ; polémarque ; taxiarchie, taxiarque ; tétrarchie, tétrarque.**

**ARCHIÉPISCOPAL, ALE, AUX** [aʀʃiepiskɔpal, o] adj. — 1389 ; lat. ecclés. *archiepiscopalis,* de *episcopalis.* → Épiscopal.

Qui appartient à l'archevêque* ou se rapporte à sa fonction. *Siège archiépiscopal. Dignité archiépiscopale.*

**ARCHIÉPISCOPAT** [aʀʃiepiskɔpa] n. m. — 1490 ; lat. *archiepiscopatus,* de *archiepiscopus.* → Archevêque.

Religion.

♦ **1** Dignité, fonction d'archevêque.

♦ **2** Période pendant laquelle un archevêque occupe son siège.

**ARCHIÈRE** [aʀʃjɛʀ] n. f. → **Archère.**

**ARCHIFAUX, FAUSSE** [aʀʃifo, fos] adj. — Av. 1865, Cormenin, *in* P. Larousse; de *archi-*, et *faux*.

Cour. Qui est complètement faux (I., 1.), contraire à la vérité.

Tout ce que je sais, c'est que Léopold est accusé d'avoir donné asile au traître Maxime Loin.
— Mais c'est archifaux!
M. AYMÉ, Uranus, p. 176 (1948).

**ARCHIFOU, FOLLE** [aʀʃifu, fɔl] adj. — 1881, cit. 2; de *archi-*, et *fou*.

Fam. Complètement fou. — **REM. La graphie *archi-fou, archi-folle,* quoique encore usitée, tend à vieillir.**

1 L'influence que Claude avait eue sur lui, persistait : il en restait pénétré, à jamais marqué. Seulement, il le trouvait archi-fou d'exposer une pareille chose.
ZOLA, l'Œuvre, p. 165.

2 — Dans tous les livres que tu as feuilletés, n'as-tu rien trouvé qui valût la peine d'être entendu par un pauvre fou comme moi? Car, je suis bien réellement fou! Archifou!
Louise MICHEL, la Misère, t. II, p. 362 (1881).

**ARCHILUTH** [aʀʃilyt] n. m. — 1705; ital. *arcileuto, arciliuto,* de *arci-* (→ Archi-), et *liuto* «luth».

Hist. de la mus. Théorbe. — *Les archiluths,* famille d'instruments, luths dont plusieurs cordes sont tendues hors du manche (théorbe et instruments apparentés).

**ARCHIMAGIE** [aʀʃimaʒi] n. f. — 1863; de *archi-*, et *magie*.

Alchim. Partie de l'alchimie qui traitait de l'art de faire de l'or.

**ARCHIMANDRITAT** [aʀʃimɑ̃dʀita] n. m. — 1762; de *archimandrite*.

Didact. Dignité, fonction d'archimandrite.

**ARCHIMANDRITE** [aʀʃimɑ̃dʀit] n. m. — 1560; lat. *archimandrita,* empr. au grec.

Didact. Supérieur de certains monastères, dans l'Église grecque.

L'archimandrite (...) avec sa couronne de forme impériale et ses longs vêtements byzantins brodés de clinquant, semblait fier comme Charlemagne (...)
NERVAL, Voyage en Orient, Pl., t. II, p. 445.

**DÉR. Archimandritat.**

**ARCHIMÉDIEN, IENNE** [aʀʃimedjɛ̃, jɛn] adj. — 1902, Poincaré; de *Archimède*.

Didact. D'Archimède, conforme à l'axiome d'Archimède (→ ci-dessous, cit.).

(...) M. Veronese et M. Hilbert ont imaginé de nouvelles géométries plus étranges encore, qu'ils appellent *non-archimédiennes.* Ils les construisent en rejetant l'*axiome d'Archimède* en vertu duquel toute longueur donnée, multipliée par un entier suffisamment grand, finira par surpasser toute autre longueur donnée si grande qu'elle soit. Sur une droite non archimédienne, les points de notre géométrie ordinaire existent tous, mais il y en a une infinité d'autres qui viennent s'intercaler entre eux, de telle sorte qu'entre deux segments, que les géomètres de la vieille école auraient regardés comme contigus, on puisse caser une infinité de points nouveaux. En un mot, l'espace non archimédien n'est plus un continu du second ordre (...) mais un continu du troisième ordre.
H. POINCARÉ, la Science et l'Hypothèse, p. 73-74.

**ARCHIMILLIONNAIRE** [aʀʃimiljɔnɛʀ] adj. et n. — Mil. XIXe (1857, E. Sue, *in* T. L. F.); de *archi-*, et *millionnaire*.

Adj. Fam., vieilli. Plusieurs fois millionnaire; très riche.

1 Voilà comme la maison Rothschild est devenue archimillionnaire.
E. DE MIRECOURT, Rothschild, p. 14.

Nom :

Cette réflexion lui fit naître l'idée d'écrire à l'archimillionnaire. 2
Louise MICHEL, la Misère, t. II, p. 394.

**ARCHIMIME** [aʀʃimim] n. m. — 1740; de *archi-*, et *mime*.

Antiq. Mime qui remplissait les premiers rôles.

1. **ARCHINE** [aʀʃin] n. f. — 1836, *in* D. D. L.; de 2. *arche*.

Techn. Petite arche; cintre formé dans la charpente qui soutient les terrains d'une carrière.

2. **ARCHINE** [aʀʃin] n. f. — 1699; mot russe.

Didact. Mesure russe de longueur (71 à 72 cm).

**ARCHIPATELIN** [aʀʃipatlɛ̃] adj. et n. — Av. 1693, La Fontaine; de *archi-*, et *patelin*.

Fam., vx. Qui est extrêmement patelin. → **Fourbe, patelin, tartufe.**

Le chat et le renard, comme beaux petits saints,
S'en allaient en pèlerinage.
C'étaient deux vrais tartufs, deux archipatelins,
Deux francs patte-pelus (...)
LA FONTAINE, Fables, IX, 14.

**ARCHIPEL** [aʀʃipɛl] n. m. — 1512; *Archepielago* «la mer Égée», déb. XVe; *archipellegue* «mer parsemée d'îles», déb. XVIe; ital. *arcipelago,* du grec *Aigaion pelagos* «la mer Égée», refait sur *arkhi-* (→ Archi-).

♦ **1** Géogr. La mer Égée des Anciens, parsemée d'un grand nombre d'îles, et considérée comme la «mer principale».

♦ **2** Cour. Groupe d'îles. *L'archipel des Galapagos. Les îles et les îlots d'un archipel.*

♦ **3** Par anal. Agglomération de choses comparées aux îles ou îlots d'un archipel. → **Agglomération.**

La Seine lentement traîne des archipels 1
De glaçons hésitants, lourds (...)
HUGO, l'Année terrible, janv. 1871.

Les suprêmes archipels de ce Paris légendaire attendent encore, avec résignation, l'assaut d'un destin fantasque. 2
G. DUHAMEL, Inventaire de l'abîme, I.

*L'Archipel du Goulag,* œuvre de Soljenitsyne. — (Abstrait). *«Apparaît l'archipel ténébreux des doctrines»* (Hugo, *Feuilles d'automne*).

**ARCHIPHONÈME** [aʀʃifɔnɛm] n. m. — 1929, Jakobson; de *archi-*, et *phonème*.

Ling. Ensemble des caractéristiques (traits distinctifs) pertinentes communes à deux phonèmes dont l'opposition est neutralisée, au moins dans certains contextes. *L'archiphonème* [E] *est caractérisé par les traits «antérieur», «oral», «non labialisé», communs aux phonèmes* [e] *«mi-fermé», et* [ɛ] *«mi-ouvert», dans les contextes où l'opposition d'aperture est neutralisable : en syllabe fermée :* perd [pɛʀ], *où le phonème mi-ouvert* [ɛ] *est seul réalisable; en syllabe intérieure ouverte, où la variante est libre, souvent réalisée dans une forme d'aperture intermédiaire :* maison [mezɔ̃] *ou* [mɛzɔ̃].

**ARCHIPOMPE** [aʀʃipɔ̃p] n. f. — 1678; de 1. *arche* «coffre», et *pompe*.

Techn. (mar.). Partie de la cale d'un voilier renfermant les pompes. — Caisson protégeant les pompes.

**ARCHIPRESBYTÉRAL, ALE, AUX** [aʀʃipʀɛsbiteʀal, o] adj. — 1694, *archipresbitéral;* bas lat. *archipresbyteralis,* de *archipresbyter.* → Archiprêtre.

Didact. (relig.). Relatif à l'archiprêtre, placé sous son autorité.

**ARCHIPRÊTRE** [aʀʃipʀɛtʀ] n. m. — 1255, *arcepreste;* du lat. *archipresbyter,* d'après *prêtre.*

♦ **1** Anciennt. Prêtre que l'évêque déléguait à la tête d'une circonscription de son diocèse.

♦ **2** Mod. Titre honorifique conféré à un curé. *Monsieur l'archiprêtre. Le curé d'une cathédrale qui est en même temps église paroissiale est souvent archiprêtre.*

DÉR. **Archiprêtré.** — V. **Archipresbytéral.**

**ARCHIPRÊTRÉ** [aʀʃipʀetʀe] n. m. — XVIe; de *archiprêtre.*

Relig. Juridiction d'un archiprêtre.

**ARCHIPTÈRES** [aʀʃiptɛʀ] n. m. pl. — 1874; de *archi-,* et *-ptère.*

Didact. (zool.). Ordre d'insectes, dits aussi *pseudonévroptères,* tenant à la fois des névroptères par leurs ailes et des orthoptères par leurs métamorphoses incomplètes. — Au sing. *La libellule est un archiptère.*

**ARCHITECTE** [aʀʃitɛkt] n. — 1510, Lemaire de Belges; lat. *architectus,* grec *arkhitektôn;* de *tektôn* «charpentier»; d'abord *architecteur,* de l'ital. *architettore,* encore usité au XVIe.

♦ **1** Personne reconnue capable de tracer le plan d'un édifice et d'en diriger l'exécution. Personne qui exerce l'art de l'architecture. → **Bâtisseur, constructeur, édificateur.** *L'art libéral de l'architecte s'est distingué aux XVIe et XVIIe siècles des métiers manuels de maître maçon et d'entrepreneur : les membres de l'Académie d'architecture prennent alors le nom d'architectes du roi.* → **Maçon, maître** (maître maçon, maître des œuvres...). *Aujourd'hui, l'architecte doit être diplômé d'une école d'architecture* (par ex. : *l'École des beaux-arts*) *et admis dans l'Ordre des architectes* (en France). *Une étude d'architecte. Architecte-conseil, architecte-urbaniste. Conceptions, combinaisons, projets d'un architecte. Plan d'architecte.* → **Plan; coupe, dessin, épure, maquette, profil, projection.** *Devis, mémoire d'architecte. Garantie de l'architecte. Une architecte. Elle est architecte. Les grands architectes des siècles passés.*

1 Celui qui taille les colonnes ou qui élève un côté d'un bâtiment n'est qu'un maçon; mais celui qui a pensé tout l'édifice et qui en a toutes les proportions dans sa tête est le seul architecte. FÉNELON, Télémaque, 17.

2 L'architecte est celui qui a vocation par son art d'édifier quelque chose de nécessaire et de permanent (...)
CLAUDEL, Feuilles de saints, L'architecte.

3 D'autres fois, il écrivait, debout, à une table d'architecte (...)
Paul BOURGET, le Disciple, IV.

4 Les architectes, entrepreneurs, maçons et autres ouvriers employés pour édifier, reconstruire ou réparer des bâtiments (...) Code civil, art. 2110.

5 Si l'édifice construit à prix fait, périt en tout ou en partie par le vice de la construction, même par le vice du sol, les architecte et entrepreneur en sont responsables pendant dix ans. Code civil, art. 1792.

6 Après dix ans, l'architecte et les entrepreneurs sont déchargés de la garantie des gros ouvrages qu'ils ont faits ou dirigés. Code civil, art. 2270.

*L'architecte d'un bâtiment, d'un monument,* la personne qui l'a conçu et qui a dirigé sa construction.

Par ext. *Architecte d'intérieur :* décorateur d'ensemble important. — *Architecte paysagiste*.*

*Architecte naval :* ingénieur de constructions navales qui conçoit et étudie entièrement un bâtiment, un type de bâtiments.

♦ **2** (1546). Littér. Personne ou entité qui conçoit, élabore ou construit concrètement qqch. → **Créateur, ingénieur, inventeur, maître** (de l'œuvre), **ordonnateur.** *L'architecte d'une œuvre littéraire, musicale.*

(1572). *Le grand architecte, l'architecte de l'univers :* Dieu (notamment, dans la terminologie de la franc-maçonnerie).

(En parlant d'animaux). Constructeur, bâtisseur. *Les castors sont de remarquables architectes.*

♦ **3** (Abstrait). Littér. Personne ou entité qui élabore, organise, édifie (qqch.). *Les architectes* (qui conçoivent) *et les maçons* (qui exécutent). *Être l'architecte de sa vie.*

Cette réformation dont Luther était l'architecte (...) 7
BOSSUET, Hist. des variations, 1.

Comme on fait son rêve, on fait sa vie. Notre conscience 8
est l'architecte de notre songe.
HUGO, Post-Scriptum de ma vie, p. 45.

**ARCHITECTONIE** [aʀʃitɛktɔni] n. f. — 1943; du grec *arkhitektonia* «architecture, construction».

Didactique.

♦ **1** Disposition régulière, organisation architecturale d'un espace.

♦ **2** Par ext. Une organisation quelconque. *L'architectonie du système nerveux.*

Le mystère de l'architectonie cérébrale se dérobait devant lui à mesure qu'il s'efforçait de le pénétrer (...)
H. TROYAT, Une extrême amitié, p. 15.

**ARCHITECTONIQUE** [aʀʃitɛktɔnik] adj. et n. f. — 1370, adj., sens II.; «art de la construction», 1373; lat. *architectonicus;* grec *arkhitektonikê* «art de l'architecte».

**I** Didact. ♦ **1** Adj. Qui a rapport à l'art de l'architecte; qui est conforme à la technique de l'architecture. *La composition architectonique, les règles architectoniques.* → **Architectural.**

Architectural (...) se dit de tout ce qui concerne l'architecte : *Beauté, formes architecturales.* Architectonique se dit seulement des procédés, des découvertes, des dissertations qui appartiennent à l'architecture. *Règles, méthodes architectoniques.* 1
BAILLY, Dict. des synonymes, Architectural.

♦ **2** N. f. (1373). Art, technique de la construction. *Les procédés de l'architectonique.* → **Architecture, ordonnance.**

Style d'architecture.

Dans tous les pays du monde, la douane a des colonnes 2
et un architrave dans le goût de l'Odéon. Celle de Constantinople n'a garde de manquer à l'architectonique du genre. Th. GAUTIER, Constantinople, p. 75 (1873).

**II** Fig. ♦ **1** Adj. (1370). Qui concerne l'architectonie (2.), la structure. *Analyse architectonique d'un auteur, d'un ouvrage.*

En ce qui concerne l'histoire de la philosophie, il s'est 3
établi, je crois, un consensus tacite parmi les historiens de la philosophie, sur l'espèce d'objectivité qui peut être atteinte dans cette discipline; il est possible de comprendre un auteur par lui-même, sans, pour autant, ni le déformer ni le répéter; j'ai employé un mot qui appartient à M. Guéroult : je parle de la reconstitution architectonique d'une œuvre.
P. RICŒUR, Une interprétation philosophique de Freud, *in* la Nef, n° 31, p. 112.

♦ **2** N. f. Art ou action de structurer, de systématiser; son résultat. *«Une rigoureuse architectonique»* (Valéry). *L'architectonique d'une œuvre musicale, romanesque.*

Philos. Méthode qui coordonne les éléments de la connaissance (Kant), les diverses parties d'un système. *L'architectonique de la raison pure.*

Biol. Structure (d'un organisme, d'un organe, d'un tissu...).

Par métonymie (anat.). *Architectonique cérébrale* : étude des zones homogènes du cerveau et de leur structure.

DÉR. **Architectoniquement.**

**ARCHITECTONIQUEMENT** [aʀʃitɛktɔnikmɑ̃] adv. — 1832, Balzac ; de *architectonique.*

Par les règles ou selon le point de vue de l'architectonique.

**ARCHITECTURAL, ALE, AUX** [aʀʃitɛktyʀal, o] adj. — 1803, *in* Boiste ; de *architecture.*

♦ **1** Qui a rapport à l'architecture, qui en a le caractère. *Type, motif architectural. Formes architecturales.* → **Forme.** *Un bel ensemble architectural. Beauté architecturale.*

1 Il est, à coup sûr, peu de plus belles pages architecturales que cette façade *(celle de Notre-Dame).*
HUGO, Notre-Dame de Paris, III, 1.

2 Il *(le château)* présentait toujours la même disposition architecturale (...)
Th. GAUTIER, le Capitaine Fracasse, XXII.

*Conception architecturale. Parti architectural.*

♦ **2** Construit, conçu comme une œuvre d'architecture (notamment, avec ampleur et organisation manifeste). *Le caractère architectural d'une symphonie. L'équilibre architectural d'un roman.*

Quant à son architecture (3.). *La structure architecturale d'un tableau, d'une œuvre.*

DÉR. **Architecturalement.**

**ARCHITECTURALEMENT** [aʀʃitɛktyʀalmɑ̃] adv. — 1845, Balzac, *Corresp.* ; de *architectural.*

Rare. Du point de vue de l'architecture, en matière d'architecture. *Architecturalement, cette construction est une réussite.*

Fig. En ce qui concerne la composition.

**ARCHITECTURE** [aʀʃitɛktyʀ] n. f. — 1504 ; répandu à partir du XVIe ; lat. *architectura,* de *architectus.* → Architecte.

♦ **1** Art de construire les édifices ; ensemble des techniques qui y concourent. *«L'architecture commença comme toute écriture (...)»* (→ Pierre, cit. 12, Hugo). → **Bâtir, construire, disposer, orner, restaurer.** *L'architecture, art libéral, art plastique. Règles, technique de l'architecture.* → **Architectonique.** *L'architecture civile, industrielle. Architecture militaire.* → **Fortification.** *Ordre d'architecture.* → **Ordre** (dorique, ionique, corinthien ; toscan, composite). *Style d'architecture. Ce château est une merveille d'architecture.* — *Architecture et urbanisme*.* — Abrév. fam. : *archi. École d'archi. Prof d'archi.*

*Décor, décoration d'architecture. L'ornement en architecture.* → **Acrotère, agrafe, ajour, ajourage, amortissement, anneau** (de colonne), **antéfixe, arabesque, arcature, arceau, archivolte, armille, astragale, atlante, bague, baguette, bande, bandeau, bâton, besant, billette, bordure, bossage, bosse, boucle, bouton, bracelet, bucrâne, câble, canal, cannelure, cariatide, cartouche, chapelet, chardon, chevron, clocheton, coquille, corbeau, corbeille, cordelière, cordon, corne** (d'abondance), **couronne, couronnement, crochet, cul-de-lampe, culot, damier, dard, décoration, dent** (de loup, de scie), **dentelure, denticule, dessin, écaille, échine, encadrement, enroulement, entrelacs, épi** (de faîtage), **étoile, feston, feuillage, feuille** (d'acanthe, de trèfle...), **filet, fleuron, flot, frette, frise, fronton, fuseau, gâble, gargouille, godron,** 1. **gousse,** 1. **goutte, grecque, gradille, grotesque, guirlande, imbrication, losange, mascaron, mauresque** (mauresques), **méandre, médaille, métope, motif, moulure, mutule, natte, nébules, nervure,** 3. **nielle, olive, onde, orle, ove, palme, palmette, pampre, panache, patère, perle, piécette, pilastre, plinthe, pointe** (de diamant), **postes, quadrilobe, quatrefeuille, quintefeuille, rai** (de cœur), **rayure, redent, retombée, revêtement, rinceau, rive, rocaille, rosace, rostre, ruban, rudenture, sculpture, semis, stalactite, stalagmite, statue, strie, tête-de-clou, tête** (plate), **tore, torsade, trèfle** (ou trilobe), **triglyphe, trompe, trophée, vermiculure, volute.**

REM. Le vocabulaire se rapportant à l'architecture se trouve réparti en différents autres articles. → **Angle, arc, arcade, bâtiment, chapiteau, charpente, château, clocher, colonne, comble, construction, corniche, coupole, couronnement, décor, dessin, édifice, église, entablement, escalier, façade, fenêtre, fortification, fronton, galerie, lobe, maçonnerie, maison, monument, moulure, mur, ordre, ouverture, pierre, pilastre, pilier, plafond, plan, porte, portique, poutre, saillie, sculpture, socle, soubassement, statue, style, support, tablette, temple, terrasse, toit, voûte.**

*Architecture navale.* → **Construction** (navale), **navire.** *Architecture hydraulique.* → **Hydraulique.** *L'architecture intérieure* : l'aménagement et la décoration des locaux.

L'architecture doit peindre les hommes en peignant les lieux ; il faut qu'un édifice annonce aux yeux celui qui l'habite. Les pierres, le marbre, le verre doivent parler et dire ce qu'ils cachent. 1
Joseph JOUBERT, Pensées, XX, 21.

L'architecture ne prend rien dans la nature directement, comme la sculpture ou la peinture ; en cela elle se rapproche de la musique. 1.1
E. DELACROIX, Journal, 20 sept. 1852.

(...) depuis l'origine des choses jusqu'au quinzième siècle de l'ère chrétienne inclusivement, l'architecture est le grand livre de l'humanité, l'expression principale de l'homme à ses divers états de développement, soit comme force, soit comme intelligence (...) Les premiers monuments furent de simples quartiers de roche que le fer n'avait pas touchés, dit Moïse. 2
HUGO, Notre-Dame de Paris, V, 2.

Les dolmens et les menhirs marquent les débuts de l'architecture, mais d'une architecture à peine digne de ce nom, car les décorations y sont rares et les éléments qui entrent dans la construction n'ont d'autre qualité que leur solidité massive. 3
Salomon REINACH, Apollo, p. 13.

L'architecture est une ode de l'espace à lui-même. Elle doit faire voir des propriétés de l'espace et en particulier son hétérogénéité quant à l'homme et son homogénéité quant à l'opération de l'esprit — aux mouvements virtuels. 3.1
VALÉRY, Cahiers, t. II, Pl., p. 931.

Ensemble des monuments d'architecture (d'une époque, d'une région, d'un style...) ; style architectural. *L'architecture grecque, romaine, byzantine, gothique, classique, baroque... Étudier l'architecture arabe du Xe siècle. Étude de l'architecture antique.* → **Archéologie.**

♦ **2** (1596). Disposition (d'un édifice). → **Ordonnance, proportion.** Caractère architectural. *La superbe architecture de cette église.*

L'édifice lui-même, ou certaines de ses parties. *De hautes architectures se découpent sur le ciel.*

Les temples *(de Thèbes)* sont de marbre, et d'une architecture simple, mais majestueuse. 4
FÉNELON, Télémaque, II.

C'était un porche d'une architecture très primitive, et dont bien des générations bretonnes avaient usé les pierres. 5
LOTI, Mon frère Yves, XLVII.

♦ **3** (Av. 1560, Du Bellay). Par métaphore (→ ci-dessous, cit. 9) ou fig. Principe d'organisation (d'une œuvre, d'un organisme, d'un ensemble de faits, etc.).

→ **Architectonique.** Formes résultant d'un tel principe. → **Forme, structure; charpente, squelette.** *L'architecture d'un organisme, du corps humain. «Les grandes architectures de la pensée...»* (Amiel).

6 Il y a une architecture du corps, et, aux liaisons organiques qui associent ses parties vivantes, il faut joindre les liaisons mathématiques qui déterminent ses masses géométriques et son concours abstrait.
TAINE, Philosophie de l'art, V, 4, 4 (L'architecture des lignes et des éléments).

7 (...) l'architecture du visage demeure intacte sous la peau flétrie (...) F. MAURIAC, la Pharisienne, p. 42.

8 Une tête de mort véritable, avec ses trous, ses sutures, ses apophyses, son architecture apparente et secrète, vaut moins cher que la plus imparfaite de ses imitations.
G. DUHAMEL, Scènes de la vie future, XV, p. 221.

9 Sur cette phosphorescence mystérieuse *(ma mémoire)* se dessinent des ruines d'une architecture fine et admirable (...)
CHATEAUBRIAND, Mémoires d'outre-tombe, t. II, p. 366.

10 De cette musique de Vinteuil des phrases inaperçues chez madame Verdurin, larves obscures alors indistinctes, devenaient d'éblouissantes architectures (...)
PROUST, À la recherche du temps perdu, t. XII, p. 214.

♦ **4** (Voc. de la franc-maçonnerie). *Morceau, pièce d'architecture :* discours.

**DÉR. Architectural, architecturer.**

**ARCHITECTURER** [aʀʃitɛktyʀe] v. tr. — 1819; de *architecture.*

Construire avec rigueur, comme on construit un bâtiment. *«La manière dont il architecture ses sites et poudre de bleu ses ciels»* (Huysmans, *in* Petit Robert).

◆ **ARCHITECTURÉ, ÉE** p. p. adj. Plus courant.

1 Me dévoiler devant les autres mais le faire dans un écrit dont je souhaitais qu'il fût bien rédigé et architecturé (...)
Michel LEIRIS, l'Âge d'homme, p. 12.

2 Au rythme des machines, et surtout des engins de vitesse, les phrases, solennellement architecturées, poncées, équilibrées par les balanciers de la syntaxe et du goût, paraissent plus périmées que la virginité des filles.
P. GUTH, Lettre ouverte aux idoles, p. 82.

3 Le menton était déjà alourdi par la graisse, mais le visage hâlé, bien architecturé, éclairé par de beaux yeux brillants et des dents éclatantes, rassurait Paule et lui plaisait.
Cecil SAINT-LAURENT, les Passagers pour Alger, p. 46.

**ARCHITRAVE** [aʀʃitʀav] n. f. — 1528, *arquitrave,* adj.; sens 1., 1531; ital. *architrave* «maîtresse poutre», du grec *arkhi-* (→ Archi-), et lat. *trabes* «poutre».

♦ **1** Archit. Partie inférieure de l'entablement* qui porte directement sur la tablette (→ **Tailloir**) des chapiteaux de colonnes. → **Épistyle, linteau.** *Les plates-bandes d'une architrave.*

1 Au-dessus des têtes des chapiteaux des colonnes, il y aura un *(sic)* architrave, frise et corniche, qui régnera autour du dit cabinet. PALISSY, in LITTRÉ.

2 Le temple est tout de marbre : c'est un parfait péristyle; les colonnes sont d'une grosseur et d'une hauteur qui rendent cet édifice très majestueux; au-dessus de l'architrave et de la frise sont, à chaque face, de grands frontons où l'on voit en bas-reliefs toutes les plus agréables aventures de la déesse. FÉNELON, Télémaque, IV.

3 Deux longs portiques, dont les architraves reposaient sur des piliers trapus, flanquaient une tour quadrangulaire, ornée à sa plate-forme par un croissant de lune.
FLAUBERT, Salammbô, V.

♦ **2** (1732). Mar. Poutre soutenant certaines parties (du navire).

**DÉR. Architravé.**

**ARCHITRAVÉ, ÉE** [aʀʃitʀave] adj. — 1739; de *architrave.*

Archit. *Corniche architravée,* à laquelle on a ajouté une architrave.

**ARCHITRÉSORIER** [aʀʃitʀezɔʀje] n. m. — 1740; de *archi-,* et *trésorier.*

Didact. (histoire).

♦ **1** Haute dignité du Saint-Empire, attribuée à l'Électeur palatin.

♦ **2** *Architrésorier de France,* dignité créée par Napoléon Ier en 1804.

**ARCHITRICLIN** [aʀʃitʀiklɛ̃] n. m. — XIIIe; attestation isolée *le saint Arcedeclin* «l'époux des noces de Cana», 1180; lat. *architriclinus* «maître d'hôtel».

Hist. Dans la Rome antique, Celui qui dirigeait les esclaves servant à table (→ **Triclinaire**), présidait à l'ordonnance d'un festin. — (XVIe, Rabelais). Par ext. Vx. Celui qui organise un repas.

Je m'érige aux repas en maître architriclin;
Je suis le chansonnier et l'âme du festin.
J.-F. REGNARD, le Joueur, III, 11.

**ARCHIVABLE** [aʀʃivabl] adj. — XXe; de *archiver.*

Didact. Se dit d'un document que l'on peut archiver.

(...) les archives ne reçoivent que des dossiers définitivement morts (...) considérés comme *archivables* (...)
R.-H. BAUTIER, *in* Encycl. Pl., l'Histoire et ses méthodes, p. 1138.

**ARCHIVAGE** [aʀʃivaʒ] n. m. — XXe; de *archiver.*

Didact. Fait de mettre en archives. *L'archivage des documents. Techniques d'archivage. Documentaliste* spécialiste de l'archivage.*

Pour l'«archivage» de sécurité les rouleaux *(de microfilms)* de cent vingt mètres sont les plus couramment employés (...)
M. FRANÇOIS, *in* Encycl. Pl., l'Histoire et ses méthodes, p. 1181.

**ARCHIVER** [aʀʃive] v. tr. — 1876; attestation isolée, 1559; de *archives.*

Didact. Classer (un document) dans les archives.

(...) ils gardent pendant trois jours la liste des voitures volées. Après, c'est archivé.
Régis DEBRAY, l'Indésirable, p. 291.

Enregistrer (une information) dans des archives.

**DÉR. Archivable, archivage.**

**ARCHIVES** [aʀʃiv] n. f. pl. — 1282, *in* Arveiller, *archive* (sens 1. et 3.); *archives* au sens 3., 1416; var. *archifs,* n. m. pl., 1501; bas lat. *archivum,* du grec *arkheion.*

♦ **1** [a] Ensemble de documents qui ne sont plus d'usage actuel, et sont rassemblés et classés à des fins historiques. *Remuer les archives, fouiller dans les archives d'une famille, d'une entreprise, d'une institution. — Archives publiques,* constituées (en France) par les *archives centrales* (de l'État : *archives nationales,* des grands corps...) *et les archives locales (départementales, communales...). Archives des hôpitaux, des services publics. Archives privées, notariales, familiales, personnelles.*

Je vous montrerais bien un billet (...) mais (...) je me con- 1
tenterai de le mettre dans mes archives.
Mme DE SÉVIGNÉ, Lettres, 803, 1er mai 1680.

Admire-t-on une vaste et profonde littérature qui aille 2
fouiller dans les archives de l'antiquité?
LA BRUYÈRE, Disc. de réception à l'Acad., 15 juin 1693.

Ces archives de lois, ce vaste amas d'écrits. 3
VOLTAIRE, l'Orphelin de la Chine, II, 5.

4 En 1820, nommé ministre plénipotentiaire à Berlin, je déterrai dans les archives de l'ambassade une lettre du citoyen Laforest, écrite au citoyen Talleyrand (...)
CHATEAUBRIAND, Mémoires d'outre-tombe, t. II, p. 319.

5 (...) dans ces archives les faits étaient religieusement déposés à mesure qu'ils se produisaient.
FUSTEL DE COULANGES, la Cité antique, p. 200.

6 (...) de lentes monographies enfouies en des archives de bénédictins (...) de patientes recherches d'érudition sur le passé. JAURÈS, Hist. socialiste..., t. I, p. 54.

**b** Réunion importante de documents conservés et classés. *«Les archives du français contemporain»* (T. L. F.). — *Archives cinématographiques. Document d'archives. Ce disque est un enregistrement d'archives.*

♦ **2** Fig. Faits, œuvres, qui conservent le souvenir d'un passé révolu. → **Bibliothèque, monument, ouvrage, recueil, témoignage.** *Les archives d'une époque. Les archives de l'histoire*.* — Fam. *Mettez cela aux archives :* laissez de côté (ce qui ne présente plus d'intérêt pour le présent). *Cela est bon pour les archives.*

7 Et tous ces vieux recueils de satires naïves,
Des malices du sexe immortelles archives.
BOILEAU, Satires, X.

8 Les chants de Pindare forment, avec les ouvrages d'Homère, les brillantes archives de la Grèce.
CHATEAUBRIAND, Itinéraire..., 28.

♦ **3** (1416). Lieu où les archives sont déposées, conservées. *Aller, travailler aux archives.* → **Bibliothèque, cabinet, dépôt, (Antiq.) tabularium.** Administration, ou service d'une administration, chargé(e) de la conservation des archives. *Les archives d'un journal, d'une société. Les Archives municipales.*

9 Libre de nager, de patauger, de s'ébattre en une pleine mer de documents officiels, de débats jurisprudentiels, de rapports administratifs accumulés les uns sur les autres depuis les premiers âges de la Direction, il passait d'exquises journées à galoper de son cabinet aux archives, où il s'éternisait inexplicablement.
COURTELINE, Messieurs les ronds-de-cuir, I, 3.

REM. Péguy a utilisé le dérivé *archivique* [aʀʃivik], adj. (*Œuvres en prose* 1898-1908, p. 382). → Archivistique, 1.

DÉR. **Archiver, archiviste.**

**ARCHIVISTE** [aʀʃivist] n. — 1701; *archivaire,* 1486; de *archives.*

♦ **1** Préposé(e) à la garde, à la conservation des archives. *Archiviste départemental.* — Appos. *Bibliothécaire archiviste.* — *Archiviste-paléographe :* archiviste diplômé(e) de l'école des Chartes.

♦ **2** Érudit effectuant des recherches dans les archives.

DÉR. **Archivistique.**

**ARCHIVISTIQUE** [aʀʃivistik] adj. et n. f. — 1952; de *archiviste.*

Didactique.

♦ **1** Adj. Relatif à la science des archives (conservation, classement, histoire, etc.).

Des archives. *Le «matériel archivistique»* (R.-H. Bautier). *«Document archivistique»* (G. Ouy).

♦ **2** N. f. (1958, *Pour une archivistique des manuscrits médiévaux,* G. Ouy). Science des archives. *Archivistique des manuscrits,* tendant à la «reconstitution (...) des fonds de manuscrits dispersés ou à la conservation des fonds» (G. Ouy).

L'apparition de la diplomatique, de la critique méthodique des documents avec Mabillon et les bénédictins, Muratori et Maffei, donne à l'archivistique la base scientifique qui permet son essor.
R.-H. BAUTIER, *in* Encycl. Pl., l'Histoire et ses méthodes, p. 1132.

**ARCHIVOLTE** [aʀʃivɔlt] n. f. — 1694; ital. *archivolto,* lat. médiéval **archivoltum,* latinisation de l'anc. franç. *arvol,* du lat. class. *arcus volutus* «arc voûté», de *volvere.*

Archit. Bande moulurée concentrique à l'intrados d'une arcade. *Une archivolte ornée de billettes.* — Ensemble des voussures d'une arcade, d'un portail.

(...) les baies des bas côtés et de la nef n'avaient d'autre décoration que des archivoltes moulurées, continuant les pieds-droits. ZOLA, Lourdes, p. 148.

**ARCHONTAT** [aʀkɔ̃ta] n. m. — 1701; de *archonte.*

Didact. (hist.). Dignité d'archonte. Temps d'exercice de cette magistrature.

Te rappelles-tu ce jour, sous l'archontat de Dionysodore (...)
RENAN, Souvenirs d'enfance..., II, I, 1.

**ARCHONTE** [aʀkɔ̃t] n. m. — 1681, Bossuet; *arconde,* XIIIe; lat. *archon,* accusatif *archontem,* grec *arkhôn, arkhontos,* même sens.

Didact. (hist.). L'un des magistrats qui gouvernaient une république grecque. *Les neuf archontes d'Athènes. L'archonte éponyme,* celui qui donnait son nom à l'année. *Le polémarque, troisième archonte. L'archonte thesmothète,* qui avait la surveillance des lois.

Les archontes athéniens, le jour de leur entrée en charge, montaient à l'Acropole, la tête couronnée de myrte, et ils offraient un sacrifice à la divinité poliade.
FUSTEL DE COULANGES, la Cité antique, II, 10.

DÉR. **Archontat.**

**ARCHOSAURIENS** [aʀkozɔʀjɛ̃] n. m. pl. — Mil. XXe; du grec *arkhos* «chef», et de *saurien* («reptiles dominateurs»).

Paléont. Super-ordre de reptiles très répandus pendant 90 millions d'années, et comprenant les Thécodontes (dont les Crocodiliens), les Sauripelviens (Théropodes et Sauropodes*; → **Brontosaure, diplodocus...**), les Avipelviens (dont les Iguanodons*) et les Ptérosauriens (dont les Ptérodactyles*), qui conduisent aux oiseaux. — Au sing. *Le dinosaure est un archosaurien.*

**ARCHURE** [aʀʃyʀ] n. f. — 1611; *arcure,* XIIIe; de 1. *arche* «coffre».

Techn., régional. Coffre en menuiserie entourant la meule d'un moulin.

**ARCIFÈRE** [aʀsifɛʀ] adj. et n. m. — 1836 «Sagittaire»; de *arci-* (lat. *arcus* «arc»), et *-fère.*

Didact. (zoologie).

♦ **1** Adj. Se dit de la ceinture scapulaire des amphibiens anoures dont les deux moitiés se recouvrent sur l'axe de symétrie. *«(...) une ceinture scapulaire arcifère»* (J. Guibé, *les Batraciens,* p. 121). — Par ext. Se dit des amphibiens anoures différenciés par une telle ceinture scapulaire.

♦ **2** N. m. pl. Subdivision des amphibiens anoures.

**ARCIFORME** [aʀsifɔʀm] adj. — 1863, Littré; du lat. *arcus* «arc», et *-forme.*

Didact. En forme d'arc, en demi-cercle.

**ARÇON** [aʀsɔ̃] n. m. — 1080, sens 1.; aussi «petit arc», en anc. franç.; d'un lat. pop. *arcio,* accusatif *arcionem,* de *arcus* «arc».

♦ **1** L'une des deux pièces ou arcades qui forment le corps de la selle*. *Arçon de devant* (→ **Pommeau**)*; arçon de derrière* (→ **Troussequin**)*. La contre-sangle de l'arçon. Pistolet placé aux arçons. Pistolets* *d'arçon,* que l'on met dans les fontes* de l'arçon (→ 1. Pistolet, cit. 2).

1 D'un pistolet d'arçon qu'il avait apporté (...)
MOLIÈRE, les Fâcheux, II, 6.

2 Et ma hache est pendue à l'arçon de ma selle.
HUGO, les Orientales, XV.

*Cheval d'arçon.* → **Cheval.**

Loc. fig. *Être ferme dans ses arçons, sur ses arçons :* se tenir bien en selle. — Fig. Être ferme dans ses opinions, ne pas se laisser démonter.

*Perdre, vider les arçons :* tomber de cheval. → **Désarçonner.** — Fig. Se déconcerter, se démonter dans une discussion.

3 Dom Ruis de Martanza fit perdre les arçons à son adversaire (...) VOLTAIRE, Essais sur les mœurs, 45.

♦ **2** (XIIe, «archet» en mus.; techn., 1372). Techn. [a] Vx. Instrument en forme d'archet pour battre la laine, la bourre... *Les chapeliers battent avec un arçon le poil qui sert à fabriquer les feutres* (Académie). — Sorte d'archet* utilisé par les marbriers.

[b] (1340, *arsson*). Vitic. Sarment de vigne que l'on courbe pour le faire fructifier. → **Arcure.**

DÉR. **Arçonner.**

**ARÇONNAGE** [aʀsɔnaʒ] n. m. — 1838; de *arçonner.* Technique.

♦ **1** Vx. Fait de battre (la laine, etc.) à l'arçon (2.).

♦ **2** (1863). Vitic. Arcure (2.).

**ARÇONNER** [aʀsɔne] v. tr. — XIVe, v. intr.; *archonner,* 1268; «se courber en arc», 1176; de *arçon.*
Technique.

♦ **1** Vx. Préparer (la laine) à l'aide d'un arçon (2.).

♦ **2** (1863). Vitic. Pratiquer l'arcure sur la vigne. → **Arcure; arçon.**

DÉR. **Arçonnage, arçonneur.**

**ARÇONNEUR, EUSE** [aʀsɔnœʀ, øz] n. — 1237; *arçonnier,* 1268, E. Boileau; de *arçonner.*
Techn. Vx. Ouvrier qui pratique l'arçonnage.

**ARC-RAMPANT** [aʀkʀɑ̃pɑ̃] n. m. — 1866, comme mot comp.; de *arc,* et *rampant.*

♦ **1** Archit. Arc dont les naissances sont de hauteur inégale.

♦ **2** Techn. Courbe métallique qui soutient une rampe.

**ARCTIQUE** [aʀktik] adj. et n. m. — 1338, *artique;* cf. anc. provençal *artic,* fin XIIIe; lat. *arcticus,* grec *arktikos* «de l'Ourse (Grande et Petite)», de *arktos* «ours; nord, pôle Nord».

♦ **1** Adj. Vx. Qui concerne la constellation de la Petite Ourse et l'étoile polaire, le nord. → **Boréal, septentrional.**

♦ **2** Adj. Mod. Qui appartient aux régions polaires septentrionales. *Pôle arctique. Cercle arctique. Steppe arctique.* → **Toundra.** *Navigation arctique. Les grands froids arctiques.* → **Polaire.** *La faune, la flore arctique.*

Géol. Se dit d'une période très froide du Quaternaire.

Ethnopsychiatrie. *Hystérie arctique.* → **Piblokto.**

♦ **3** N. m. (Avec A majuscule). La région du pôle Nord. *Dans l'Arctique.*

CONTR. **Antarctique, austral, méridional.** ◊ COMP. **Néarctique, paléarctique, subarctique.**

**ARCURE** [aʀkyʀ] n. f. — 1304; *archeure,* 1290; de *arquer.*

♦ **1** Courbure en arc.

L'arcure de ses sourcils noirs (...) 1
LEMAIRE DE BELGES, Illustr., I, 33, *in* HUGUET, Dict.

♦ **2** (1829). Arbor. Opération qui consiste à courber un rameau, une branche, un sarment, afin de le faire fructifier. → **Arçon; arçonnage, courbure.**

Seule la taille, ou l'arcure, en refoulant la sève, la force d'animer les germes voisins du tronc (...) 2
GIDE, les Faux-monnayeurs, *in* Romans, Pl., p. 1051.

♦ **3** (1853). Mar. Déformation de la quille. → **Arc** (II., B., 3.).
Courbure anormale de l'axe d'une bouche à feu.

REM. On écrit parfois *arcûre.*

**-ARD, -ARDE** Suffixe, d'origine germanique, qui entre dans la composition de noms et d'adjectifs auxquels il donne dans les formations modernes une nuance péjorative ou vulgaire. — Ex. : *froussard, revanchard, vicelard.* → **Péjoratif.**

(...) **-ard,** autrefois attaché à des noms propres : **Bernard, Renard,** aujourd'hui accolé à des noms communs, auxquels il donne une nuance défavorable : **dreyfusard, revanchard.** 1
F. BRUNOT, la Pensée et la Langue, p. 61.

(...) **-ard** et **-aud,** empruntés à deux finales fréquentes de noms germaniques composés **(Renard, Renaud),** n'ont aucune valeur dépréciative dans les plus anciennes formations comme **canard, étendard, vieillard, levraut,** mais ils l'ont acquise parce qu'un certain nombre de ces dérivés (qui étaient parfois aussi des adjectifs) la portaient dans leur radical, tels **couard** (proprement «qui a la queue basse»), (...) **-ard,** dans les formations modernes, est dérivé d'un verbe **(criard, nasillard, vantard);** des formations plus récentes le dérivent d'un substantif **(dreyfusard,** partisan d'Alfred Dreyfus, en 1898-1900; **maquisard,** combattant du maquis, en 1943-44, — d'abord dans la bouche des adversaires). 2
A. DAUZAT, Grammaire raisonnée de la langue franç., p. 70-71.

REM. Ce suffixe n'a pas de valeur péjorative dans les noms ou adj. issus d'un nom de lieu — *montagnard, chamoniard* —, les noms désignant un animal — *têtard, broutard* (veau *broutard*) —, ou une chose — *billard, buvard.*

**ARDÉIDÉS** [aʀdeide] n. m. pl. — 1834, Jourdan; du lat. *ardea* «héron», et suff. *-idés.*
Zool. Famille d'oiseaux dont le type est le héron. → **Héron;** et aussi **aigrette, butor, crabier, garde-bœuf, garzette, savacou.** — Au sing. *Un ardéidé.*

**ARDÉLION** [aʀdeljɔ̃] n. m. — 1583; lat. *ardelio,* même sens; var. *ardalio,* probablt du grec *ardaloun* «troubler».
Vx. Homme qui fait l'empressé, se mêle de tout, importune par ses offres de bons offices. → **Importun, officieux.**

Grands prometteurs de soins et de services,
Ardélions sous le masque d'amis,
Sachez de moi que les meilleurs offices
Sont toujours ceux qu'on a le moins promis.
J.-B. ROUSSEAU, Lettre à Racine, 12 juill. 1739.

**ARDEMMENT** [aʀdamɑ̃] adv. — Fin XIIe, *ardamment;* de *ardent.*

♦ **1** Avec ardeur* (ne s'emploie qu'au figuré). *Aimer ardemment qqn.* → **Passionnément.** — Plus cour. *Désirer, souhaiter, vouloir ardemment qqch. :* avoir un désir ardent de...

L'attente d'un retour ardemment désiré. 1
MOLIÈRE, Amphitryon, II, 2.

2 C'est une chose qui me tient au cœur. Je souhaite ardemment qu'il m'aime.
MOLIÈRE, la Princesse d'Élide, III, 5.

3 On ne souhaite jamais ardemment ce qu'on ne souhaite que par raison.
LA ROCHEFOUCAULD, Maximes, 469.

4 Je l'avouerai, mon cœur ne veut rien qu'ardemment;
Je me croirais haï d'être aimé faiblement.
VOLTAIRE, Zaïre, I, 2.

5 On se portait ardemment vers ces études, où s'abreuvèrent l'intelligence (...)
FUSTEL DE COULANGES, Leçons à l'Impératrice, p. 110.

6 J'aime cette demeure comme on aime ce qu'on désire ardemment posséder.
MAUPASSANT, Clair de lune, «Nos lettres».

♦ **2** Rare. D'une manière éclatante. → **Ardent** (I., 1.). *«La villa était ardemment illuminée»* (A. Dumas père, *in* T. L. F.).

7 Elle rit et de ses yeux timides chercha autour d'elle un encouragement. Mais la duchesse était occupée à sa tapisserie, le duc arrangeait le feu, Henri venait de partir et Mlle des Coulombes se sentit rougir ardemment.
PROUST, Jean Santeuil, Pl., p. 407.

CONTR. V. **Faiblement, froidement.**

**ARDENNAIS, AISE** [aʀdenɛ, ɛz] adj. et n. — 1842, *in* T. L. F.; de *Ardenne,* lat. *Arduenna,* d'où *Arduennensis.*

Relatif à la région des Ardennes (au nord-est de la France, en Belgique). *La forêt ardennaise. — Chien ardennais* (ou *de Saint-Hubert,* ville des Ardennes belges). — *Grives à l'ardennaise,* en cocotte, avec des grains de genièvre. — N. *Un Ardennais, une Ardennaise.*

**ARDENT, ENTE** [aʀdɑ̃, ɑ̃t] adj. et n. m. — Fin Xe; du lat. *ardens,* de *ardere* «être en feu, brûler».

**I** ♦ **1** Vx ou littér. Qui est en feu*, en combustion; qui brûle. *Charbons ardents. Tisons ardents; cendre ardente.* → **Brûlant, embrasé, enflammé, incandescent;** et aussi **braise, brasier, feu, flamme, fournaise, foyer.** *Feu ardent.* → **Vif.** *Bûcher ardent. Appliquer un fer ardent* (→ **Rouge**) *sur la tumeur d'un cheval.*

1 *(Le)* feu toujours ardent qui brûle pour nos dieux (...)
RACINE, Britannicus, V, 8.

2 Un feu trop ardent (...)
BUFFON, Introd. à l'hist. nat. de l'homme.

3 L'ardent foyer jetait des clartés fantastiques.
HUGO, Ballades, 8.

Loc. mod. **BUISSON ARDENT :** buisson qui brûlait sans se consumer, forme sous laquelle Dieu apparut à Moïse.
*Être sur des charbons* ardents :* brûler, griller d'impatience, se consumer d'inquiétude. *Marcher sur des charbons* (cit. 3) *ardents.*

♦ **2** Littér. Qui est allumé. *Un flambeau ardent. Torche ardente.* → **Flamboyant, lumineux.**

(1694). Vx. Qui est éclairé. — Loc. mod. *Chapelle ardente,* où de nombreux cierges entourent un catafalque, brûlent autour d'un cercueil. — Relig. *Messe ardente.* → **Messe.**

4 Parlerons-nous de ces enterrements faits à la lueur des flambeaux dans nos villes, de ces chapelles ardentes (...)
CHATEAUBRIAND, le Génie du christianisme, IV, I, 11.

♦ **3** (1307). Littér. Qui a la couleur ou l'éclat du feu; qui tire sur le rouge. *Cheveux d'un blond, d'un roux ardent.* → **Rutilant.** — *Qui reflète la clarté du feu, de la lumière.* → **Éclatant, lumineux.**

5 (...) de ses flancs l'albâtre ardent et pur (...)
André CHÉNIER, Élégies, «Lampe».

(...) cette barbe bouclée, ardente, blonde, flavescente ardescente, flavescente ardente rouge, bien taillée quadrangulaire (...) secrètement rutilante (...) 6
Ch. PÉGUY, Victor Marie, comte Hugo, p. 17.

— Je suis blonde comme ma mère (...) enfin blonde, blond ardent, quoi! Es-tu bête! Rousse, là, si tu veux! 7
MARTIN DU GARD, les Thibault, III, 10.

Blason. *Charbons ardents de gueules,* représentés allumés (rouges).

♦ **4** (V. 1200, en parlant du temps). Littér. Qui brûle, dégage de la chaleur. *Soleil ardent, flammes ardentes.* → **Brûlant, chaud.**

(...) au pied des falaises ardentes qui réverbéraient le soleil. 8
GIDE, Si le grain ne meurt, I, 2.

Géol. *Terrain ardent,* qui s'échauffe vite.

♦ **5** (XIIIe, en parlant d'une flèche). Vx ou littér. (Dans quelques loc.). Qui communique le feu, enflamme, embrase, incendie. → **Incendiaire.** *Flèches ardentes. Miroir ardent. Verre ardent.*

L'histoire des miroirs ardents d'Archimède est fameuse; il les inventa pour la défense de sa patrie. 9
BUFFON, Hist. nat. des minéraux, Introd. part. exp. (cf. Miroir).

Sans l'invention des miroirs ardents, personne n'aurait pu ni dû assurer que les rayons du soleil sont un feu véritable qui divise, qui brûle et détruit, comme notre feu que nous allumons. 10
VOLTAIRE, Éléments de la philosophie de Newton, Nature du feu, Introd.

Telles, quand une bombe ardente, meurtrière, 11
Décrit dans un ciel noir sa courbe incendiaire (...)
HUGO, Odes, III, 6, 8.

Hist. **CHAMBRE ARDENTE,** s'est dit, sous l'Ancien Régime, de commissions extraordinaires de justice qui pouvaient appliquer au condamné la peine du feu.

Empoisonneurs contre lesquels on fit une chambre expresse qu'on appela chambre ardente, parce qu'on les condamnait au feu. 12
SAINT-SIMON, Mémoires, V, 297.

♦ **6** Vx. **EAU ARDENTE :** liquide (alcool) qui s'enflamme et entretient le feu. — *Esprit ardent.*

Le feu convertit le vin en une eau que presque partout on appelle eau-de-vie laquelle conçoit *(prend feu)* et nourrit si aisément le feu que pour cela on la nomme aussi, en plusieurs endroits, ardente. 13
Saint FRANÇOIS DE SALES, Amour de Dieu, II, 20.

♦ **7** Vx ou littér. Qui cause une sensation de chaleur, de brûlure. *Fièvre ardente.* → **Chaud** (fièvre chaude); et aussi **brasier** (*infra* cit. 2). *Une soif ardente,* qui brûle le gosier.

Un feu invisible me brûle, je n'en puis plus, et tout mon corps devient un brasier ardent. 14
MOLIÈRE, Dom Juan, V, 6.

Déjà l'ardente soif le sèche, le dévore (...) 15
DUCIS, Abufar, I, 3.

(...) cette ardente rosée *(le vin)* se répandit dans mes veines et m'anima d'un zèle juvénile. 16
FRANCE, le Crime de S. Bonnard, p. 250.

**II** (Déb. XIIIe). Fig. ♦ **1** Plein de feu, de flamme, de passion. *Regard ardent. Yeux ardents.* → **Braise** (yeux de braise); **brillant, flamboyant.** *Un regard ardent de passion.*

La vengeance à la main, l'œil ardent de colère (...) 17
CORNEILLE, Polyeucte, I, 3.

Ses yeux ardents semblaient deux braises dans sa tête. 18
HUGO, la Légende des siècles, «Puissance égale bonté».

♦ **2** **a** Littér. ou style soutenu (en parlant des personnes, de leur caractère, du naturel, du tempérament). Qui a de l'ardeur, qui est prompt à s'enflammer. *Personne, nature, sensibilité ardente.* → **Actif, alouvi (vx), bouillant, bouillonnant, chaleureux, effervescent, emballé,**

**embrasé, emporté, endiablé, enflammé, enthousiaste, exalté, fanatique, fébrile, fervent, fiévreux, fougueux, frénétique, généreux, impatient, impétueux, passionné, véhément, vif, violent, volcanique**; et aussi **feu** (être tout feu tout flamme), **sang** (sang chaud, bouillant). *Les excès d'une ardente jeunesse.* — (En parlant d'une collectivité, d'une époque). → ci-dessous, cit. 23.

19 Le jeune homme inquiet, ardent, plein de courage,
À peine se sentit des bouillons d'un tel âge
Qu'il soupira pour ce plaisir.
LA FONTAINE, Fables, VIII, 16.

20 Et son fils, jeune encore, ardent, impétueux,
Qui depuis (...) mais alors il était vertueux.
VOLTAIRE, la Henriade, VIII, 95-96.

21 Un homme ardent et sensible, jeune et garçon, peut être continent et chaste (...)
ROUSSEAU, Julie ou la Nouvelle Héloïse, VI, VI.

22 Son naturel ardent le consumait dans le travail (...)
FÉNELON, Télémaque, XI.

23 Car dans ce siècle ardent toute âme est un cratère
Et tout peuple un volcan.
HUGO, les Châtiments, «Morts 4 décembre».

24 La sensibilité chez Madame de Sévigné est ardente et impétueuse; l'impatience (...) a quelque chose de nerveux et de passionné, qui, sans altérer le fond de bon sens et de bonne humeur, enflamme et fait pétiller le style.
Émile FAGUET, XVII^e s., Études littéraires, p. 380.

Spécialt. *Tempérament ardent,* porté à l'amour. → **Amoureux, salace.**

25 D'abord ils peuvent être de tempérament ardent et tomber sur un partenaire frigide.
A. MAUROIS, Un art de vivre, II, 5.

**b** Plus cour. Qui est très vif (en parlant des facultés, des sentiments, des passions). *Une imagination ardente. Un sentiment ardent. Une ardente conviction.* → **Profond.** *Une passion ardente. Ambition ardente. Désir, vœu ardent. Ardente convoitise.* — *Ardente piété.* → **Fervent.** — *Attention ardente.* → **Avide.** *Zèle ardent.* → **Fanatique.** — Littér. (En parlant des paroles, des manifestations du sentiment). *Discours ardents, prières ardentes. Des vœux ardents* (vx; → ci-dessous, cit. 31). *D'ardentes sollicitations.* → **Pressant.** — REM. Cet emploi est plus ou moins moderne, selon les contextes; les exemples de la langue classique restent plus normaux lorsqu'il s'agit de la passion amoureuse (→ ci-dessous, cit. 27 et 28) de la colère (→ ci-dessous, cit. 26), de l'avidité (→ ci-dessous, cit. 32) ou de l'affection (→ ci-dessous, cit. 29 et 30).

26 Vous avez vu quelle ardente colère
Allumait de ce roi le visage sévère (...)
RACINE, Esther, II, 9.

27 D'un cœur ardent, en tous lieux
Un amant suit une belle (...) MOLIÈRE, le Sicilien, 8.

28 (...) voudrais-tu que je fusse insensible aux tendres protestations de cette passion ardente qu'il témoigne pour moi?
MOLIÈRE, le Malade imaginaire, I, 4.

29 (...) répondre aux ardentes sollicitations d'un père (...)
MOLIÈRE, la Princesse d'Élide, IV, 1.

30 (...) depuis longtemps, cette estime m'a mis
Dans un ardent désir d'être de vos amis.
MOLIÈRE, le Misanthrope, I, 2.

31 Prenez en gré mes vœux ardents,
Et le récit en vers qu'ici je vous dédie.
LA FONTAINE, Fables, VIII, 4.

32 (...) l'ardente soif du gain (...) BOILEAU, Satires, 6.

33 Il *(Tertullien)* s'abandonne souvent à sa vive et trop ardente imagination (...) BOSSUET, 6^e avertissement, 95.

34 Diogène, d'une imagination plus ardente, et plus propre, s'il est possible, à l'enthousiasme (...)
CONDILLAC, Hist. ancienne, III, 18.

35 (...) l'éveil ardent de son imagination et le travail mystérieux de sa chair la jetaient dans un trouble mêlé de désirs et de craintes. FRANCE, le Lys rouge, p. 22.

*Lutte ardente,* acharnée. *D'ardentes disputes.* → **Acharné, animé, violent.**

Le soir tombait; la lutte était ardente et noire. 36
HUGO, les Châtiments, «Expiation», 2.

♦ **3** (Personnes). Littér. Qui se porte avec feu, passion, zèle... à qqch.; qui agit avec ardeur, vivacité. → **Dévoué, empressé, zélé.** *Un partisan ardent.* — (Avec un compl.). Vx. *Ardent en* (une action). Mod. *Ardent à qqch., à faire qqch. Ardent au combat, à la dispute.* → **Véhément.**

Elle m'a vu toujours ardent à vous louer, 37
Répondre par mes soins (...) RACINE, Bérénice, V, 7.

Tantôt, comme une abeille ardente en son ouvrage (...) 38
BOILEAU, l'Art poétique, II.

Beaucoup de gardes nationaux, ardents tout à l'heure, se 39
refroidissaient.
MICHELET, Hist. de la Révolution franç., t. I, p. 270.

Des admissions faciles, d'hommes ardents, impatients, 40
avaient renouvelé le club.
MICHELET, Hist. de la Révolution franç., t. I, p. 510.

*(Les)* amis, ardents jusqu'au fanatisme, que le grand 41
homme *(Bonaparte)* comptait parmi ses lieutenants (...)
Louis MADELIN, Hist. du Consulat et de l'Empire, t. IV, I.

♦ **4** (Animaux). Vieilli. *Un ardent coursier. Un cheval ardent,* qu'on a peine à maîtriser.

(...) le cheval est fier, ardent, impétueux. 42
BUFFON, Hist. nat. des animaux, Âne.

♦ **5** Mar. (en parlant d'un voilier). Qui a tendance à lofer (opposé à *mou*) et a des réactions nettes et franches. *Équilibrer un bateau trop ardent en le chargeant sur l'arrière.*

**III** N. m. ♦ **1** (1549). Vx. Exhalaison enflammée qui apparaît près de la terre, principalement la nuit, au bord des eaux stagnantes, pendant les grandes chaleurs. → **Feu, follet** (feu).

Ainsi qu'on voit aux grasses nuits d'automne 43
Un prompt ardent sur les eaux éclairer (...)
RONSARD, Charité.

Ces ardents ou feux follets qui s'y jouent (...) 44
DESCARTES, les Météores, 7.

♦ **2** (V. 1213, «malade atteint d'une maladie infectieuse douloureuse»). *Le mal des ardents,* nom donné au moyen âge à l'ergotisme, intoxication provoquant une gangrène des extrémités avec sensation de brûlures au niveau des membres (→ Feu* Saint-Antoine).

Le développement des maladies — et notamment du «mal 45
des ardents» — était de toute évidence favorisé par des carences alimentaires.
Georges DUBY, Guerriers et Paysans, VII-XII^e s., p. 180.

Hist. *Le bal des Ardents :* bal masqué donné en 1393 à la cour de France et au cours duquel cinq danseurs, déguisés avec des vêtements très inflammables, furent accidentellement brûlés vifs.

♦ **3** Caractère ardent, chaud (de qqch.). *«Le jaunissement et l'ardent des teintes...»* (Delacroix, *Journal,* 5 oct. 1847, t. I, p. 331).

CONTR. **Éteint. — Obscur, noir. — Froid, glacé. — Calme, endormi, engourdi, frigide, indolent, inerte, lâche, languissant, morne, mou, nonchalant, tiède.** ◊ DÉR. **Ardemment.**

**ARDER** [aʀde] v. → **Ardre.**

**ARDEUR** [aʀdœʀ] n. f. — 1130; lat. *ardor,* de *ardere* «brûler».

**I** (Concret). ♦ **1** Vx ou littér. Chaleur vive. *L'ardeur du feu, des flammes. Les ardeurs éternelles.* → **Enfer.** *L'ardeur du soleil, les ardeurs de l'été.* — Sensation de chaleur, de brûlure. — Vx. *Les ardeurs de la fièvre.* → **Brûlure, échauffement, feu.** *Ardeur de la soif. Ardeur brûlante.*

1 Des contraires saisons le froid ni les ardeurs (...)
CORNEILLE, Poésies diverses, 3.

2 La fièvre a ses frissons et ses ardeurs (...)
PASCAL, Pensées, t. II, VI, 354.

3 Là, jamais on ne ressentit les ardeurs de la furieuse canicule (...) FÉNELON, Télémaque, XIV.

4 On sent que le soleil les brûle *(les brumes)*, les ronge, les écrase, de toutes ses ardeurs (...)
MAUPASSANT, la Vie errante, p. 28.

5 On l'appelle *(la soif)* adurante, parce qu'elle est accompagnée de l'ardeur de la langue, de la sécheresse du palais, et d'une chaleur dévorante dans tout le corps.
A. BRILLAT-SAVARIN, Physiologie du goût, Méd., VIII, p. 49.

♦ **2** Méd. Vx. *Ardeur d'estomac.* → **Brûlure.** — *Ardeur d'urine.* — Vétér. *Ardeurs :* prurit de la peau de cheval.

**II** (Abstrait). ♦ **1** Vieilli ou littér. Énergie pleine de vivacité. *L'ardeur de la constitution.* → **Force, vie, vigueur, vitalité.** *Une ardeur juvénile. On n'a jamais tant d'ardeur que lorsqu'on est jeune.*

6 Cette ardeur que dans les yeux je porte (...)
Sais-tu que c'est son sang? le sais-tu?
CORNEILLE, le Cid, II, 2.

7 Heureux si, averti par ces cheveux blancs du compte que je dois rendre de mon administration, je réserve au troupeau que je dois nourrir de la parole de vie les restes d'une voix qui tombe et d'une ardeur qui s'éteint.
BOSSUET, Oraison funèbre du prince de Condé.

8 M. de Lagrange est jeune, et je suis presque vieux; son ardeur est naissante, et la mienne décline.
D'ALEMBERT, Lettre au roi de Prusse, 11 juil. 1766.

9 (...) l'ardeur d'un être qui commence à vivre (...)
MAUPASSANT, Fort comme la mort, p. 311.

10 La nature pénétrait en moi par tous les sens et m'embrasait d'une ardeur délicieuse.
FRANCE, le Petit Pierre, XXX.

♦ **2** (V. 1170, Béroul). Vx ou littér. (Souvent par métaphore du sens I.; → Feu, flamme). Désir. *Ardeur du tempérament :* propension aux plaisirs de l'amour. → **Chaleur, salacité.** *Les ardeurs de l'amour, de la passion.* → **Brasier, embrasement, effervescence, incandescence.** *Une amoureuse ardeur.* — REM. *Ardeur,* au sens d'«amour» (attesté en 1203), est très fréquent dans la langue classique, notamment au XVIIᵉ s. (→ Amour, feu, flamme). Cet emploi est vieux (→ ci-dessous, cit. 15). — *Constante ardeur. Ardeur éphémère, fugitive.*

11 Ses ardeurs *(de l'amour)* sont des ardeurs de feu, une flamme de l'Éternel.
BIBLE, Cantique des cantiques, VIII, 6.

12 De la même ardeur dont je brûle pour elle,
Elle brûle pour moi (...) MALHERBE, V, 21.

13 Mais si vous connaissez l'amour et ses ardeurs (...)
CORNEILLE, Médée, II, 5.

14 Et des mêmes ardeurs dont il fut embrasé (...)
CORNEILLE, Cinna, IV, 5.

15 Hé quoi? vous me jurez une éternelle ardeur,
Et vous me la jurez avec cette froideur?
RACINE, Bérénice, II, 4.

16 (...) Cette ardeur que j'ai pour ses appas (...)
RACINE, Bérénice, II, 2.

17 Ce n'est plus une ardeur dans mes veines cachée :
C'est Vénus tout entière à sa proie attachée.
RACINE, Phèdre, I, 3.

18 (...) Il sait mes ardeurs insensées.
De l'austère pudeur les bornes sont passées.
RACINE, Phèdre, III, 1.

19 (...) ses belles qualités avaient (...) commencé à fondre une partie de cette glace qui avait résisté jusques alors à toutes les ardeurs de l'amour (...)
MOLIÈRE, la Princesse d'Élide, II, Argument.

Il a brûlé deux ans d'une constante ardeur (...) 20
MOLIÈRE, les Femmes savantes, IV, 2.

Si l'ardeur de mes feux a pu vous émouvoir. 21
MOLIÈRE, le Misanthrope, V, 2.

Cette amoureuse ardeur qui dans les cœurs s'excite 22
N'est point, comme l'on sait, un effet du mérite (...)
MOLIÈRE, les Femmes savantes, V, 1.

Je vous le dis encor, ces bouillants mouvements, 23
Ces ardeurs de jeunesse et ces emportements
Nous font trouver d'abord quelques nuits agréables;
Mais ces félicités ne sont guère durables (...)
MOLIÈRE, l'Étourdi, IV, 4 (cf. Alentir).

REM. Le mot, au sing. et au plur. *(les ardeurs),* reste souvent métaphorique (→ Feu).

(...) l'amour véritable est un feu dévorant qui porte son ardeur dans les autres sentiments et les anime d'une vigueur nouvelle 24
ROUSSEAU, Julie ou la Nouvelle Héloïse, I, Lettre XII.

REM. Les emplois plus récents sont littéraires; ils comportent en général un compl. *(l'ardeur, les ardeurs de la passion,* etc.).

Et il vivait près d'elles, partagé entre les deux, inquiet, troublé, sentant pour la mère ses ardeurs réveillées et couvrant la fille d'une obscure tendresse. 25
MAUPASSANT, Fort comme la mort, p. 161.

(...) un garçon de vingt-trois ans (...) chez lequel des convictions tout idéologiques avaient comprimé, jusqu'ici, les ardeurs du cœur et des sens. 26
Paul BOURGET, Un divorce, III, p. 107.

♦ **3** Vx ou littér. *Les ardeurs de l'âme.* → **Mouvement, passion.** *L'ardeur des ambitions humaines. Ardeur de posséder, de s'enrichir.* → **Avidité, convoitise, désir.** *L'ardeur de l'enthousiasme.* → **Élan, emballement** (fam.), **emportement, empressement, exaltation, feu** (feu sacré), **flamme, fougue, lyrisme, véhémence.** *Ardeur généreuse, passionnée. Ardeur patriotique* (→ Marraine, cit. 3). *Noble, pieuse, sainte ardeur.* → **Ferveur.** *Une ardeur frénétique.* → **Agitation, excitation, frénésie, surexcitation.** *L'ardeur d'une passion. Ardeur de la colère.* → **Échauffement, fureur, transport, violence.** *Ardeurs de l'imagination.* → **Impétuosité, vivacité, volcan.** — Vx. *Ardeur du style, de l'expression.* → **Fougue.**

Il me faudrait non l'ardeur de ma rime 27
Mais l'enthousiasme, aiguillon de Pontus (...)
RONSARD, *in* LITTRÉ.

Quelquefois, le dirai-je? un remords légitime 28
Au fort de mon ardeur vient refroidir ma rime.
BOILEAU, Au roi, Épître VIII.

L'ambition déplaît quand elle est assouvie; 29
D'une contraire ardeur son ardeur est suivie (...)
CORNEILLE, Cinna, II, 1.

REM. Dans la langue classique, où cet emploi est usuel, le mot garde souvent une valeur métaphorique («feu*»), attestée par les contextes (emploi de verbes comme *attiser, éteindre, refroidir, allumer, brûler, consumer,* etc., cet emploi restant vivant dans la langue littéraire moderne; → ci-dessous, cit. 35 et 38).

Votre ardeur vous séduit, mais quoi qu'elle vous die, 30
Quand vous la sentirez une fois refroidie (...)
CORNEILLE, Polyeucte, V, 4.

Une si juste ardeur devrait être attiédie (...) 31
CORNEILLE, Cinna, I, 2.

Vous me connaissez mal; la même ardeur me brûle, 32
Et le désir s'accroît quand l'effet se recule (...)
CORNEILLE, Polyeucte, I, 1.

Qu'il vous est cher d'avoir sans cesse devant vous 33
Ce tableau de l'objet de vos vœux les plus doux
(...) D'y sentir redoubler l'ardeur de vos désirs (...)
MOLIÈRE, la Gloire du Val-de-Grâce.

Déjà pour commencer, dans l'ardeur qui m'enflamme (...) 34
MOLIÈRE, Sganarelle, 17.

♦ **4** Plus cour. Énergie active (d'une personne). *L'ardeur de qqn, son ardeur.* → **Allant** (n. m.). *Désirer,* *poursuivre, rechercher, souhaiter qqch. avec ardeur.* → **Ardemment.** *Affaiblir, amortir, attiédir, calmer, diminuer, éteindre, modérer, ralentir, refroidir, tempérer l'ardeur de qqn. Perdre de son ardeur.* → **Faiblir.** *Attiser, aviver, exalter, exciter, enflammer, galvaniser, ranimer, raviver, réveiller l'ardeur de qqn. Remplir qqn d'ardeur. Ardeur pour qqch., à faire qqch.*

35 L'Espoir, dont l'éperon attisait ton ardeur (...)
BAUDELAIRE, les Fleurs du mal, 80.

36 L'ardeur des citoyens à se régénérer tiédit avec le temps (...)
FRANCE, Les dieux ont soif, p. 33.

37 L'élan patriotique de 1792 avait, jusqu'à la fin de 1793, exalté les âmes; mais, peu à peu, cette superbe ardeur était tombée (...)
Louis MADELIN, Hist. du Consulat et de l'Empire, t. III, V.

38 Âme de feu dans un corps débile, volonté de fer, esprit qu'agitait un cœur effréné, fortifiant son génie naturel de ses passions mêmes, brûlant de toutes les ardeurs, – les plus hautes et les pires, – celles de l'amour et celles de la haine (...)
Louis MADELIN, Hist. du Consulat et de l'Empire, t. V, XIII.

39 En général, rien n'était mieux fait pour galvaniser son ardeur que la défaillance des autres.
MARTIN DU GARD, les Thibault, VI, 6.

(Dans une activité physique). *Danser avec ardeur.*

L'ardeur d'une opinion, d'une conviction. → **Force, vigueur.**

Vieilli ou littér. *Ardeur dans l'action.* → **Acharnement, activité, animation, chaleur, cœur, courage, empressement, énergie, entrain, feu** (feu sacré), **gaieté, intérêt, joie, zèle.** *S'adonner, s'appliquer, s'attacher, se porter avec ardeur à qqch.* — Mod. et cour. (Avec *travail, travailler*). *Montrer de l'ardeur au travail. Travailler avec ardeur.* → **Cœur.** *Redoubler d'ardeur au travail.* — Vieilli. *Ardeur fugitive* (cf. Feu de paille, feu follet). *L'ardeur du combat, de la dispute. — L'ardeur impétueuse du combattant.* → **Courage, furie, impétuosité.** *Quelle ardeur!* → **Fougue.**

40 Je n'ai connu d'ardeur que celle des combats.
ROTROU, Bélisaire, I, 6.

41 Cette ardeur qui des chefs passe aux moindres soldats
Anime tous les cœurs, fait agir tous les bras.
CORNEILLE, Victoires du Roi.

42 (...) l'ardeur de la chicane. BOILEAU, le Lutrin, I.

43 L'ardeur de leurs disputes insensées (...)
BOSSUET, Oraison funèbre de la Reine d'Angleterre.

44 Il est temps de montrer cette ardeur et ce zèle
Qu'au fond de votre cœur mes soins ont cultivés.
RACINE, Athalie, IV, 2.

45 L'ardeur de l'étude avait ruiné sa constitution aussi faible que vive, et l'excès du travail l'empêcha d'en recueillir les fruits. D'ALEMBERT, Éloges, Testu.

46 (...) l'ardeur avec laquelle je me mis à cette étude (...)
RENAN, Souvenirs d'enfance, IV.

47 Plusieurs commencent avec ardeur, et puis ils se rebutent, avant d'être arrivés au temps de la moisson.
F. DE LAMENNAIS, Paroles d'un croyant, p. 156.

♦ **5** (Chasse). Vx ou emplois spéciaux (animaux). *Ce chien a trop d'ardeur; il s'attache avec ardeur à sa proie, il s'échauffe sur la voie.* → **Acharnement, opiniâtreté.**

48 Ses superbes coursiers, qu'on voyait autrefois
Pleins d'une ardeur si noble obéir à sa voix (...)
RACINE, Phèdre, V, 6.

49 Le chevreuil laisse des impressions plus fortes et qui donnent aux chiens plus d'ardeur et plus de véhémence d'appétit que l'odeur du cerf (...)
BUFFON, Hist. nat. des animaux, Le chevreuil.

♦ **6** Mar., rare. Caractère d'un bateau ardent*; tendance à lofer. *La gîte accroît l'ardeur d'un bateau.*

CONTR. **Calme, engourdissement, fainéantise, fraîcheur, frigidité, froideur, inaction, indifférence, indolence, inertie, lâcheté, mollesse, nonchalance, relâchement, tiédeur.**

**ARDEZ** [aʀde] interj. — D. i.; pour *agardez,* de l'anc. franç. *agarder* «regarder».

Vx, fam. Exclamation pour *Regardez!* (s'écrivait aussi *ardé*).

Surtout Vive l'amour; et bran pour les sergens! 1
Ardez, voire, c'est mon : je me cognois en gens.
Mathurin RÉGNIER, Satires, XI, 92.

(...) Ardez le beau museau, 2
Pour nous donner envie encore de sa peau!
Moi, j'aurais de l'amour pour ta chienne de face?
MOLIÈRE, le Dépit amoureux, IV, 4.

Campagnard : «Hé, ardé! C'est-y un nez? Nanain!» 3
Edmond ROSTAND, Cyrano de Bergerac, I, 4.

**ARDIER** [aʀdje] n. m. — D. i.; de *hard* «corde». → Hart.

Techn. Corde qui fait tourner l'ensouple du métier à tisser.

**ARDILLON** [aʀdijɔ̃] n. m. — 1231, *hardillon* «petite corde»; *hardilon,* mil. XIII^e, sens 1.; *ardillon,* 1444; de *hard* «lien, corde». → Hart.

♦ **1** Pointe de métal qui fait partie d'une boucle et s'engage dans un trou de courroie, de ceinture, de ceinturon. *Dégager l'ardillon d'une boucle.* → **Déboucler.**

N'était-il pas, lui, l'obstacle à toute félicité, la cause de toute 1
misère, et comme l'ardillon pointu de cette courroie complexe qui la bouclait de tous côtés?
FLAUBERT, M^me Bovary, III, V.

Une bonne part de son prestige tenait à un ceinturon de 2
cuir d'une largeur inouïe — j'ai appris plus tard qu'il avait été taillé dans une sous-ventrière de cheval — qu'il portait sur son tablier noir et dont la boucle d'acier ne comptait pas moins de trois ardillons.
M. TOURNIER, le Roi des Aulnes, p. 19.

Loc. fig. (Vx). *Il ne manque pas un ardillon à cet équipage; il n'y manque pas un ardillon,* il n'y manque absolument rien.

♦ **2** Techn. (pêche). Contre-pointe de l'hameçon. — Pointe qui empêche le poisson de franchir le goulet d'une nasse.

(...) un long *(poisson)* qui s'effilait, immobile, le nez sur 3
les ardillons du goulot (...)
Hervé BAZIN, Qui j'ose aimer, I, p. 7.

**ARDITO** [ardito] adv. — 1837; mot ital., *ardito* «hardi».

Mus. (rare). Terme indiquant qu'un passage doit être exécuté «avec ardeur». → **Appassionato.**

**ARDOIR** [aʀdwaʀ] v. → **Ardre.**

**ARDOISE** [aʀdwaz] n. f. et adj. invar. — Fin XII^e, *l'ardoise; une ardoise,* fin XIII^e; orig. incert.; on suppose un bas lat. *ardesia,* en usage dans la France du Nord, sans doute d'orig. gaul. (cf. le rad. *ard-* «haut», que l'on trouve dans *Ardennes*); le mot est p.-ê. en rapport avec le lat. *aridus* «sec, aride», par une forme gallo-romane **arditiă,* selon P. Guiraud.

♦ **1** Pierre tendre et feuilletée, d'un gris bleuâtre (schiste argileux), inaltérable à l'air, imperméable à l'humidité, qui sert principalement à la couverture des maisons. *L'ardoise, disposée en lamelles, se divise en feuilles, feuillets. L'ardoise est lamellée, feuilletée. Fissilité de l'ardoise.* → **Phyllade.** *Carrière d'ardoise.* → **Ardoisière.** *Banc, couche, gisement d'ardoise.* → **Ardoisier,** adj. (gîte, veine, zone). *Mort-terrain recouvrant l'ardoise exploitable.* → **Cosse.** *Ardoise facile à diviser.* → **Feuilletis.** *Inclinaison d'une couche d'ardoise.* → **Pendage.** *Failles dans* *la couche d'ardoise.* → **Assereaux.** *Exploitation de l'ardoise à ciel ouvert. Extraction souterraine de l'ardoise avec puits, galeries...* → **Airure, chambre** (ouvrage), **foncée, gradin.** *Ardoise brute. Bloc, fendis, planche, plaque d'ardoise. Joint ou veine d'un bloc d'ardoise.* → **Délit.** *Abattage, division, débitage, taille de l'ardoise.* → **Alignage, boucage, clivage, exfoliation, fendage, fonçage, quernage, répartonnage** (réparton), **rondissage, tenure.** *Outillage d'une carrière d'ardoise.* → **Alignoir** (coin), **bassicot** (pour le transport des blocs), **chaput** (billot), **couperet** (du rondisseur), **doleau** (hache), **étapliau** (chevalet), **flamme** (ciseau), **pic, poucettes, rabattoir, verdillon** (levier), etc.; et aussi **ardoisier** (ouvrier). *Qualités d'ardoise.* → **Carrée, coffine, poil** (poil noir, poil taché, poil roux). *Poussière d'ardoise. Tas d'ardoises.* → **Treille.** — *Plaque d'ardoise* (→ ci-dessous, 2., *une ardoise*). *Carrelage, dallage, revêtement d'ardoise, en ardoise. Isolateur électrique en ardoise.*

1 (...) Plus que le marbre dur me plaît l'ardoise fine (...)
DU BELLAY, Regrets, XXXI.

2 Et des couvreurs grimpés au toit d'une maison,
En font pleuvoir l'ardoise et la tuile à foison.
BOILEAU, Satires, VI.

♦ **2** [a] *(Une, des ardoises).* Plaque d'ardoise. *Couverture d'ardoises.* → **Renvers, toit, toiture.** *Couvrir, recouvrir d'ardoises.* → **Ardoiser, essenter** (essente), **embroncher** (emboîter). *Revêtement d'ardoises sur les murs.* → **Armement** (IV.). *Chevalet des couvreurs en ardoises.* → **Bourriquet** (bourrique, ou chat). *Ardoise non recouverte.* → **Pureau.** *Le couvreur fixe les ardoises sur des lattes.* → **Volige.** *Clous à ardoises. Lier des ardoises avec une bordure de plâtre.* → **Ruilée.**

3 (...) sur ces mille édifices dont les toits de tuiles et d'ardoises découpaient les uns sur les autres tant de chaînes bizarres (...) HUGO, Notre-Dame de Paris, III, 2.

3.1 (...) des pièces de bois transversales sont couvertes en ardoises et dessinent des lignes bleues sur les frêles murailles d'un logis (...)
BALZAC, Eugénie Grandet, éd. 1838, p. 24.

4 Derrière les Tuileries, le ciel prenait la teinte des ardoises.
FLAUBERT, l'Éducation sentimentale, I, III.

(1920; *ardoise* «urinoir», 1912). Argot. Vieilli. *Prendre une ardoise :* uriner (d'après le revêtement en ardoise de certains urinoirs).

[b] (Collectif). Revêtement fait de plaques d'ardoise. *Des toits d'ardoise. Le chaume et l'ardoise des maisons bretonnes.*

5 L'argent, le mauve un peu gris des glycines pâlies au soleil, le violet orageux de l'ardoise neuve jouent dans ma toison persane. COLETTE, la Paix chez les bêtes, Matou.

♦ **3** (1379). [a] Plaque d'ardoise dans un cadre de bois, sur laquelle on écrit avec un crayon spécial *(crayon d'ardoise)* ou une craie, et qu'on nettoie après usage. *Ardoise d'écolier, de commerçant.* — Par ext. Carton enduit d'un produit spécial servant au même usage.

*Ardoise magique :* plaque associant une feuille de plastique et une feuille de papier carbone, où l'effacement du texte se fait par décollement des deux feuilles.

[b] (1868). Fam. (d'abord en argot, *poser une ardoise* «contracter une dette chez le marchand de vin»). Compte de marchandises, de consommations prises à crédit (et qu'on écrivait sur une ardoise). *Avoir une ardoise dans un café. Laisser une ardoise. Il est très endetté, il a des ardoises partout.* → **Dette.**

5.1 — Combien doit-on, ici ? demanda Antoine.
— L'ardoise commune ou les drapeaux particuliers ?
René FALLET, le Triporteur, p. 53.

5.2 J'ai bavardé avec le barman. Fleury est connu comme le loup blanc. La plupart du temps, il a une ardoise longue comme ça et, quand la somme devient trop forte, on lui coupe les consommations. Alors, il disparaît pendant quelques jours, jusqu'à ce qu'il ait épuisé son crédit dans tous les bars et tous les restaurants.
G. SIMENON, Maigret chez le ministre, p. 84.

♦ **4** (Fin XVI^e, d'Aubigné). Couleur bleutée, cendrée, de cette pierre.

(...) un complet de jersey ardoise sur une chemise rayée de blanc et d'ardoise à col blanc uni (...) 6
J.-P. MANCHETTE, Trois hommes à abattre, V, p. 32.

Adj. invar. *Couleur ardoise.* → **Ardoisé.** *Bleu, gris ardoise. Des nuages ardoise; un pull ardoise. Du jersey ardoise* (→ ci-dessus, cit. 6).

DÉR. **Ardoisé, ardoiser, ardoiseux, ardoisier, ardoisière.**

**ARDOISÉ, ÉE** [aʀdwaze] adj. — 1571; de *ardoise.*

♦ **1** Vx. Couvert d'ardoise. *Un toit ardoisé.*

♦ **2** (1762). Mod. Qui est de la couleur de l'ardoise. *Gris ardoisé.*

En automne, la colline est bleue sous un grand ciel ardoisé, dans une atmosphère pénétrée par une douce lumière d'un jaune mirabelle. 1
M. BARRÈS, la Colline inspirée, p. 8.

(...) les nuages légers et rares s'écaillaient, à peine ardoisés. 2
Francis JAMMES, Clara d'Ellébeuse, VI.

Ardoisée le matin, elle *(la chatte)* devient pervenche à midi, et s'irise de mauve, de gris perle, d'argent et d'acier, comme un pigeon au soleil (...) 3
COLETTE, la Paix chez les bêtes, Shah.

HOM. **Ardoiser.**

**ARDOISER** [aʀdwaze] v. tr. — 1845; de *ardoise.*

♦ **1** Techn. Couvrir d'ardoises. *Ardoiser un toit.*

♦ **2** Donner à (qqch.) la couleur de l'ardoise. → **Ardoisé** (2.).

◆ **S'ARDOISER** v. pron. (Rare). Prendre la couleur de l'ardoise.

(...) déjà le ciel de Paris s'ardoisait des premiers brouillards (...)
Alphonse DAUDET, l'Immortel, p. 261 (1883).

HOM. **Ardoisé.**

**ARDOISEUX, EUSE** [aʀdwazø, øz] ou **ARDOISIEN, IENNE** [aʀdwazjɛ̃, jɛn] adj. — 1611, *ardoiseux* (1571, «couvert d'ardoises»); *ardoisien,* 1868, J. Verne, *in* T. L. F.; de *ardoise.*

Rare. De la nature de l'ardoise.

**ARDOISIER, IÈRE** [aʀdwazje, jɛʀ] adj. et n. m. — 1571; *ardoissier,* 1506; n. m., 1506, «couvreur d'ardoises»; de *ardoise.*

♦ **1** Qui est de la nature de l'ardoise ou contient de l'ardoise. *Schiste ardoisier. Gîte ardoisier. Couche, roche, veine ardoisière.* — Qui a rapport à l'ardoise. *Industrie ardoisière.*

♦ **2** N. m. [a] Personne qui exploite une carrière d'ardoise, ou y travaille *(ouvrier ardoisier). Les ardoisiers de Bretagne.* → **Bassicotier, carrier, fendeur, querneur, rondisseur.**

[b] Régional (Belgique). Couvreur.

Sa profession d'ardoisier l'a souvent conduit en ville où on l'appelait pour dresser des échafaudages dangereux.
Omer ENGLEBERT, Minouche, p. 128.

HOM. (Du fém.) **Ardoisière.**

**ARDOISIÈRE** [aʀdwazjɛʀ] n. f. — 1564; de *ardoise.*

Carrière d'ardoise. *Le carreau d'une ardoisière.*

La pauvre et dure Bretagne, l'élément résistant de la France, étend ses champs de quartz et de schiste depuis les ardoisières de Châteaulin près Brest jusqu'aux ardoisières d'Angers.

MICHELET, Extraits historiques, éd. Colin, p. 81.

HOM. **Ardoisière** (fém. de *ardoisier*).

**ARDRE** [aʀdʀ] v. — V. 881, sainte Eulalie; du lat. *ardere* «brûler»; on trouve en anc. franç. la forme *ardoir,* mais non *arder,* barbarisme qu'admet le dict. de l'Académie et qui est attesté (par ex. cf. Larbaud, *Barnabooth*).

Vx ou par archaïsme.

♦ **1** V. tr. Brûler, être en feu. → **Ardent** (I.), **ardeur** (I.).

1 Le feu Saint-Antoine vous arde (...)

RABELAIS, Pantagruel, Prologue.

2 Ô chaude ardeur, qui d'une ardente flamme
Ars ardemment mon pauvre cœur épris!

BAÏF, Amours de Méline, I, 15.

3 La Terre sent la flamme immense ardre ses flancs.

J.-M. DE HEREDIA, les Trophées, «La chasse».

(Déb. XIIIe). Donner une sensation de brûlure.

♦ **2** V. intr. Brûler, être brûlant, ardent (II.). *«Il ardait pour cette inconnue»* (Huysmans). *Ardre de faire quelque chose.*

4 Et d'ardre et de pleurer je ne fais jamais cesse.

BAÏF, Amour de Francine, I, 102.

5 Pour bien des choses délicieuses, Nathanaël, je me suis usé d'amour. Leur splendeur venait de ceci que j'ardais sans cesse pour elles. Je ne pouvais pas me lasser.

GIDE, les Nourritures terrestres, p. 19.

**ARDU, UE** [aʀdy] adj. — 1365, comme calque du lat.; lat. *arduus* «haut, élevé, abrupt, difficile».

♦ **1** (1634). Concret. Rare. Difficile à gravir, d'accès difficile. *Pente ardue. Chemin ardu.* → **Escarpé, raide, rude.**

♦ **2** (1532). Abstrait. Cour. Qui présente de grandes difficultés. → **Difficile, malaisé, pénible, rude.** *Travail ardu. Besogne, entreprise ardue. Question ardue. Problème assez ardu. C'est très ardu. — Être ardu pour qqn,* (rare) *à qqn. Cela m'est ardu.*

1 (...) tant était pressant mon appétit, j'allais de préférence au plus scolaire, au plus compact, au plus ardu.

GIDE, Si le grain ne meurt, I, 7.

2 Il y avait des problèmes bien ardus. Nous pensons les avoir résolus; mais il y a des problèmes qu'on ne peut pas résoudre.

G. DUHAMEL, Récits des temps de guerre, II, 177.

N. m. Rare. *«Un certain amour de l'ardu»* (Gide).

CONTR. **Abordable, accessible, aisé, doux, facile.** ◊ DÉR. **Arduité, ardûment.**

**ARDUITÉ** [aʀdɥite] n. f. — 1850, Bescherelle; concret, 1495; de *ardu.*

Rare. → **Difficulté.**

**ARDÛMENT** [aʀdymɑ̃] adv. — 1925, M. Genevoix, *Raboliot;* de *ardu.*

Rare. De manière ardue, difficile.

**ARE** [aʀ] n. m. — 1793; lat. *area* «aire».

Mesure agraire de superficie (cent mètres carrés). *Cent ares.* → **Hectare.** *Une parcelle* (cit. 2) *d'une cinquantaine d'ares.*

Are, mesure agraire, est proche du latin *area,* dont on a fait aire, surface; il offre «l'avantage d'avoir une mesure plus commode pour les terrains précieux et les petites propriétés».

F. BRUNOT, Hist. de la langue franç., t. IX, p. 1153, citant l'instruction sur les poids et mesures de Prieur (1793).

DÉR. **Aréage.** ◊ COMP. **Centiare, déciare, hectare.** — HOM. **Arrhes, ars, art, hart.**

**AREA** [aʀea] n. f. — 1691, en médecine; lat. *area* «aire». Didactique.

♦ **1** Méd. Partie du crâne dépouillée de cheveux.

♦ **2** Archit. [a] Surface libre autour d'un monastère oriental, entourée par le cloître.

[b] Cour, arène, espace entouré de portiques, dans l'architecture romaine. — Atrium.

♦ **3** Zool. (Probablt anglic., angl. *area* «zone», de même orig.). Espace déterminé sur le corps d'un insecte.

**ARÉAGE** [aʀeaʒ] n. m. — 1803; de *are.*

Techn. Détermination en ares de la surface d'une terre.

**AREAU** [aʀo] n. m. — 1459; lat. *aratrum* «araire». Régional (Centre et Ouest). Charrue primitive, sans avant-train. → **Araire.**

La vérité est que nous nous sommes liés nous-mêmes à notre propre areau.

G. SAND, François le Champi, p. 140.

HOM. **Haro.**

**AREC** [aʀɛk] ou **ARÉQUIER** [aʀekje] n. m. — 1525, *arcea; arecque,* 1610; *arequiers,* 1687; *arrecquero,* 1598; mot portugais, par l'ital.

♦ **1** AREC (rare) ou ARÉQUIER : grand palmier d'Asie équatoriale.

Par la baie du portail je voyais au dehors l'avenue des aré- 1
quiers, double colonnade de fûts minces couronnés d'un bouquet de palmes (...)

Henri FAUCONNIER, Malaisie, p. 269.

(...) un matin bleu pâle sur les lotus et les aréquiers du 2
Cambodge. MALRAUX, Antimémoires, Folio, p. 435.

♦ **2** *Arec* ou *noix d'arec :* fruit de l'*areca catechu,* qui fournit du cachou. *L'amande de la noix d'arec, mélangée au bétel, est utilisée comme masticatoire; le bourgeon terminal* (→ **Chou** [palmiste]) *se mange et l'écorce sert à faire des cordages, des tissus grossiers.* — REM. On écrit parfois *arek.*

(...) et les bouches aux dents noircies rient vers Blanche, 3
fleurant bon le sirih[1] mâché avec la noix d'arek, le tabac et la chaux (...)

1. Mot javanais. ARAGON, Blanche..., II, II, p. 209.

**ARÉFLEXIE** [aʀeflɛksi] n. f. — 1920, *Nouveau traité de médecine, in* T. L. F.; de 2. *a-,* et *réflexe.*

Méd. Absence totale ou partielle des réflexes; abolition des réflexes.

**ARÉIQUE** [aʀeik] adj. — 1928, de Martonne; de 2. *a-,* et grec *rhein* «couler».

Géogr. Se dit d'une région qui n'a pas de réseau hydrographique permanent (ex. : le Sahara).

DÉR. **Aréisme.**

**ARÉISME** [aʀeism] n. m. — D. i. (probablt v. 1930; → Aréique), de *aréique.*

Géogr. Absence de réseau hydrographique permanent.

**AREK** [aʀɛk] n. m. → **Arec.**

**ARELIGIEUX, EUSE** [aʀ(ə)liʒjø, øz] adj. — 1906-1907, Barrès; de 2. *a-,* et *religieux.*

Qui n'a aucune religion (→ **Athée, irréligieux**), repousse tout ce qui la concerne (sans manifester d'hostilité à son égard). — (Choses). *Idées areligieuses. Un texte complètement areligieux.*

Le Monde actuel, autant que je le comprenne, n'est pas radicalement incroyant, ou areligieux.

P. TEILHARD DE CHARDIN, Science ou Christ, p. 149.

CONTR. **Religieux.**

**A REMOTIS** [aʀemɔtis] loc. adv. Mots latins signifiant «à l'écart, au rancart».

**ARÉNACÉ, ÉE** [aʀenase] adj. — 1766; lat. *arenaceus,* de *arena* «sable».
Didact. Qui est de la nature du sable. → **Sablonneux.** *Roche arénacée. Couches arénacées.*

Ce désert est fermé par des rochers de grès crayeux absolument nus. Quand on se rapproche de ces masses arénacées, on découvre, à hauteur aérienne, des maisons, puis des hommes que la venue d'un étranger jette dans une grande excitation.
B. CENDRARS, Moravagine, *in* Œ. compl., t. IV, p. 195.

**ARÉNAIRE** [aʀenɛʀ] adj. et n. — 1817; 1807 au sens I., 2.; lat. *arenarius,* de *arena* «sable».

**I** ♦ **1** Adj. Vx. Qui pousse, croît dans le sable. — Syn. mod. : *arénicole.*

♦ **2** N. f. Plante *(Caryophyllacées)* des terrains sablonneux.

**II** N. m. (1838). Antiq. Gladiateur (qui combattait dans l'arène).

**ARÉNATION** [aʀenasjɔ̃] n. f. — 1793; 1717 en angl., in *Oxford Dict.*; lat. *arenatio* «mélange de chaux et de sable», de *arena* «sable».
Méd. Opération qui consiste à couvrir le corps ou une partie du corps de sable chaud.

**ARÉNAVIRUS** [aʀenaviʀys] n. m. — 1972; du lat. *arena* «sable», en raison de l'aspect, et de *virus,* p.-ê. par l'angl.
Biol. Virus à A. R. N., protégé par une capside hélicoïdale, enveloppé. *Certains arénavirus sont responsables de fièvres hémorragiques très graves chez l'homme.*

1. **ARÈNE** [aʀɛn] n. f. — 1155, «sable»; lat. *arena* «sable».

**I** ♦ **1** **a** Vx ou archaïsme. Sable. — REM. Le mot, dans la langue classique, est le synonyme noble, réservé à la poésie, de *sable.*

1 (...) l'arène blonde *(de la mer)*
RONSARD, le Bocage royal.

2 L'hiver n'a point tant de glaçons (...)
L'Afrique de chaudes arènes (...)
Que pour vous j'endure de peines.
DESPORTES, *in* HUGUET.

3 J'aime mieux un ruisseau qui, sur la molle arène,
En un pré plein de fleurs lentement se promène.
BOILEAU, l'Art poétique, I.

4 (...) je vis un fleuve jaune que j'avais peine à distinguer de l'arène de ses deux rives. Il était profondément encaissé (...)
CHATEAUBRIAND, Mémoires d'outre-tombe, t. II, p. 374.

**b** (1846). Mod. Techn. Sable argileux.

4.1 Il tire de l'arène sur la chaume, pour réparer un peu sa maison. C'est de bonne arène, dure à tirer, mais qui vaut de la chaux. Mais il ne peut plus ! Des douleurs partout, plus de sommeil la nuit. Il a attrapé ça en travaillant tout un mois dans l'eau.
J. RENARD, Journal, 26 août 1901.

(XXe). Géol. *Arène granitique.*

♦ **2** Étendue, désert de sable.

5 Figurez-vous, seigneurs, des plages sablonneuses (...) Quelquefois seulement des nopals épineux couvrent une petite partie de l'arène sans bornes.
CHATEAUBRIAND, les Martyrs, XI.

**II** ♦ **1** (XIIIe, au sing.). Mod. Aire sablée d'un amphithéâtre, d'un cirque, lieu de combat des gladiateurs (arénaires). → **Lice.**

6 Le milieu du cirque était une arène préparée pour les combattants.
FÉNELON, Télémaque, V.

7 *(L'arène du Colisée),* avec ses axes longs de 86 mètres et de 54 mètres, enfermait une superficie de 36 ares et elle était environnée d'un grillage métallique, distant de 4 mètres du soubassement du podium (plateforme au-dessus de l'arène) [...] Alors que les gladiateurs entraient par une des arcades (...) les fauves avaient été parqués d'avance dans le sous-sol de l'arène.
J. CARCOPINO, la Vie quotidienne à Rome, p. 273.

8 Les gladiateurs, conduits en voiture du *ludus magnus* au Colisée, mettaient pied à terre en arrivant devant l'amphithéâtre, et faisaient le tour de l'arène en ordre militaire (...)
J. CARCOPINO, la Vie quotidienne à Rome, p. 277.

♦ **2** Loc. fig. *Descendre dans l'arène :* accepter un défi, s'engager dans un combat, une lutte. *Entrer, se jeter dans l'arène.* → **Carrière, champ, course, lice.** *L'arène politique, littéraire.*

9 De quel droit viens-tu dans l'arène
Juger sans avoir combattu ?
HUGO, Odes, I, 1.

10 L'arène de la guerre a pour nous tant d'attrait !
HUGO, Odes, III, 7.

11 (...) plus l'arène est resserrée, plus les combats seront furieux, implacablement acharnés.
MICHELET, Hist. de la Révolution franç., t. II, p. 50.

♦ **3** (1580). Au plur. **ARÈNES :** anciens amphithéâtres romains. *Les arènes de Nîmes, d'Arles.*

12 Je m'ennuie au forum, je m'ennuie aux arènes (...)
HUGO, Odes, IV, 8.

♦ **4** (1767, *in* D. D. L.). Cirque où se déroulent des courses de taureaux (y compris l'espace réservé aux spectateurs, le toril, etc.). *Les arènes de Madrid, de Mexico.* — (Au sing.). Aire sablée où se déroule la corrida. *Le matador, le taureau entre dans l'arène.*

DÉR. et COMP. (Du lat. *arena*) **Arénacé, arénaire, arénation, aréneux, arénicole, arénifère, arénuleux.** ◊ HOM. 2. **Arène.**

2. **ARÈNE** [aʀɛn] n. m. — XXe; de *ar(omatique),* et *-ène.*
Chim. Hydrocarbure aromatique. *Le benzène, l'anthracène sont des arènes.*
HOM. 1. **Arène.**

**ARÉNEUX, EUSE** [aʀenø, øz] adj. — XIIIe, *arenous;* lat. *arenosus,* de *arena* «sable» (→ Arène), repris dans la langue littér. (cf. Chénier, Chateaubriand) et admis par l'Académie en 1798.

♦ **1** Rare et littér. Sablonneux.

1 (...) la terre y est si maigre que les os lui percent la peau, aréneuse, stérile, malsaine et mal plaisante.
RABELAIS, le Cinquième Livre, 10.

2 Le Lido est une zone de dunes irrégulières assez approchantes des buttes aréneuses du désert de Sabbah.
CHATEAUBRIAND, Mémoires d'outre-tombe, cité par Ch. BRUNEAU, Hist. de la langue franç., t. XII, p. 307.

♦ **2** (1810). Bot. (vieilli). Qui pousse dans le sable.

**ARÉNICOLE** [aʀenikɔl] adj. et n. f. — 1801, n., Lamarck; du lat. *arena* «sable», et *colere* «habiter».
Didact. (sc. naturelles).

♦ **1** (1838). Qui vit dans le sable. → **Ammophile, arénaire** (vx), **psammophile, sabulicole.**

♦ **2** N. f. Ver annélide *(Polychètes)* qui vit enfoui dans le sable des bords de mer, utilisé comme appât par les pêcheurs (n. sc. : *Arenicola marina*). *Arénicole des pêcheurs. Le sable rejeté par les arénicoles forme de petits tortillons sur les plages.*

**ARÉNIFÈRE** [aʀenifɛʀ] adj. — 1834, Jourdan; de *arène,* lat. *arena* «sable», et suff. *-fère.*
Didact. Qui contient du sable. *Roche arénifère.*

**ARÉNULEUX, EUSE** [aʀenylø, øz] adj. — XVIe, Paré; du lat. *arenula* «sable fin», de *arena* «sable».

Méd. (Vx). Qui contient du sable fin. *Urine arénuleuse.*

(...) si on le lave *(le sang des lépreux),* on le trouvera arénuleux (...) Ambroise PARÉ, XXII, 10, *in* LITTRÉ.

**ARÉOLAIRE** [aʀeɔlɛʀ] adj. — 1805, Cuvier; de *aréole.*

♦ **1** Anat. Qui se rapporte à l'aréole (du sein). *Réflexe mamillo-aréolaire* (thélotisme). — Se dit d'un tissu qui présente de nombreux interstices. *Muscle aréolaire. Peau aréolaire.*

♦ **2** Géol. *Érosion aréolaire,* latérale (opposé à *linéaire*).>

♦ **3** (1887). Math. *Vitesse aréolaire par rapport à un point d'un mobile ponctuel à trajectoire plane :* dérivée par rapport au temps de l'aire du secteur balayé par le rayon vecteur ayant ce point pour origine et le mobile pour extrémité.

♦ **4** *Méthode aréolaire,* par quadrillage et tirage au sort des aires délimitées (pour un échantillonnage).

**ARÉOLE** [aʀeɔl] n. f. — 1611, «petite surface»; lat. *areola,* dimin. de *area* «aire», *in* Trévoux, 1718.

♦ **1** (1698, Dionis). Anat. Cercle qui entoure le mamelon du sein.

1 L'aréole qui entoure le mamelon est faite d'une peau particulièrement mince et délicate. Sa teinte est du même ordre que celle du mamelon, mais avec une valeur un peu plus claire.
A. BINET, Régions génitales de la femme, 3e éd., p. 10.

2 Asiles souples et sensibles des parures. Boutons de seins, aréoles vivaces et tangibles, lourds médaillons bruns, pulpeux affleurent et se nouent dans la transparence des étoffes du soir.
P. GRAINVILLE, les Flamboyants, p. 119.

♦ **2** (1814). Méd. Aire rougeâtre qui entoure un point enflammé.

♦ **3** Bot. Tache circulaire. *L'aréole de la corolle de l'hélianthème.*

♦ **4** (1823). Astron. Cercle irisé qui entoure la lune.

DÉR. **Aréolaire, aréolé.**

**ARÉOLÉ, ÉE** [aʀeɔle] adj. — 1801 (1817 en parlant du sein); de *aréole.*

Didact. Qui présente des aréoles.

**ARÉOMÈTRE** [aʀeɔmɛtʀ] n. m. — 1675; du grec *araios* «ténu», et *metron* «mesure».

Techn. Instrument qui sert à mesurer les poids spécifiques des densités, spécialt, de liquides. *Aréomètre à volume constant (à variation de poids); aréomètre à poids constant (à variation de volume).* → **Densimètre, volumètre; acidimètre, alcoomètre, ébulliomètre, galactomètre, glucomètre, lactomètre, œnomètre, oléomètre, uromètre; pèse-acide, pèse-alcool, pèse-esprit, pèse-lait, pèse-liqueur, pèse-moût, pèse-sel, pèse-sirop, pèse-vin;** et → aussi **appréciateur** (2.). *Aréomètre Baumé,* qui indique le poids spécifique en degrés Baumé.

DÉR. **Aréométrie.**

**ARÉOMÉTRIE** [aʀeɔmetʀi] n. f. — 1843; de *aréomètre.*

Techn. Mesure de la densité des liquides avec l'aréomètre.

**ARÉOPAGE** [aʀeɔpaʒ] n. m. — 1495, *ariopage;* lat. *areopagus,* du grec *Areios pagos* «la colline d'Arès (nom grec du dieu Mars)».

♦ **1** Tribunal d'Athènes qui siégeait sur la colline d'Arès, où, selon la légende, Oreste fut absous de son parricide par les Athéniens. — (Avec la majuscule). *Les membres de l'Aréopage.* → **Aréopagite.**

Quel plus grave tribunal y eut-il jamais que celui de l'aréopage, si révéré dans toute la Grèce? On disait que les dieux mêmes y avaient comparu. 1
BOSSUET, Disc. sur l'hist. universelle, III, 5.

Si ce qu'on dit d'Ésope est vrai, 2
C'était l'oracle de la Grèce :
Lui seul avait plus de sagesse
Que tout l'Aréopage (...) LA FONTAINE, II, 20.

(...) il ne faut pas confondre ce qu'on appelait le sénat à Athènes, qui était un corps qui changeait tous les trois mois, avec l'aréopage, dont les membres étaient établis pour la vie comme des modèles perpétuels. 3
MONTESQUIEU, l'Esprit des lois, V, 7.

Les charges nécessaires pour faire partie de l'aréopage, c'étaient celles d'archonte, de thesmothète, et de polémarque. P.-L. COURIER, Lettres, II, 333. 4

Paul, debout au milieu de l'Aréopage, dit : «Athéniens (...)» 5
BIBLE (CRAMPON), Actes des Apôtres, XVII, 22.

♦ **2** Fig. Assemblée de juges, de magistrats, de savants, d'hommes de lettres, etc.

Rien dans l'histoire n'est comparable à ce groupe *(la Convention),* à la fois sénat et populace, conclave et carrefour, aréopage et place publique, tribunal et accusé. 6
HUGO, Quatre-vingt-treize, III, I, 12.

Ce n'est donc pas l'auguste aréopage de la poésie et de l'éloquence. 7
FRANCE, les Opinions de Jérôme Coignard, p. 438.

Iron. Groupe d'individus incompétents ou peu recommandables. *Un aréopage d'imbéciles, de faux savants.*

DÉR. V. **Aréopagite.**

**ARÉOPAGITE** [aʀeɔpaʒit] n. m. — 1512; *ariopagite,* XIVe; du lat. transcrit du grec *areopagites.*

Didact. (hist.). Membre de l'Aréopage, à Athènes.

Orestes fust adiourné personnellement en la cité d'Athènes par devant le grand conseil des Prestres et Philosophes nommez Areopagites, lesquelz estoient iuges souverains.
J. LEMAIRE DE BELGES, Illustrations, II, p. 225.

**ARÉOSTYLE** [aʀeɔstil] n. m. — 1547; lat. *aræostylos,* reproduit du grec *araios* «rare», et *stylos* «colonne».

Didactique.

♦ **1** Antiq. Édifice dont les colonnes sont très espacées.

♦ **2** Mod. Entrecolonnement assez large (plus de trois diamètres et demi de colonne).

**ARÉOTECTONIQUE** [aʀeotɛktɔnik] n. f. — 1694; du grec *areios* «de la guerre», de *Ares* «dieu de la guerre», et *tektonikê* «art de la construction».

Milit. Vx. Art concernant l'attaque et la défense des places-fortes. → **Fortification.**

**ARÉQUIER** [aʀekje] n. m. → **Arec.**

**ARÊTE** [aʀɛt] n. f. — 1180-1190, *areste,* sens I.; du lat. *arista* «barbe d'épi, arête».

**I** Bot. Vx. Barbes de l'épi (de certaines graminées).

**II** ♦ **1** (XIIIe). Os mince et pointu, épine osseuse, qui se trouve dans la chair de certains poissons. *S'étrangler avec une arête; avaler une arête. Ne laisser que les arêtes. Grande arête :* colonne vertébrale du poisson; *les arêtes :* les côtes qui en partent.

1 Ne dirait-on pas que la nature s'est plu à dessiner par d'ineffaçables hiéroglyphes le symbole de la vie norvégienne, en donnant à ces côtes la configuration des arêtes d'un immense poisson ?
BALZAC, Séraphîta, I, Pl., t. X, p. 458.

Par ext. Squelette entier d'un poisson (colonne vertébrale et arêtes latérales). *Une arête de sardine dans une assiette sale.*

Fig. *Arête* ou *arête de poisson :* motif décoratif formé de chevrons. — Techn. *Pavage en arête de poisson,* où les pavés en diagonale forment un angle droit.

(1393). Vx. Nervure (d'une feuille).

♦ **2** (1260). Saillie anguleuse. → **Angle, ligne, saillie.** *L'arête d'un toit.* → **Arêtier, arêtière.** *Arête du nez.*

2 Sa maigreur était encore extrême, la peau collant aux os, le nez busqué à arête vive (...)
Louis MADELIN, Hist. du Consulat et de l'Empire, t. III, 6.

3 Un visage fin et comme aiguisé : l'arête du nez est coupante (...)
MARTIN DU GARD, Jean Barois, I, Le goût de vivre, 1.

Ligne formée par l'intersection de deux surfaces (notamment en architecture, construction, décoration...). *Une pierre, une poutre taillée à vive arête. Couper à vive arête.* → **Aviver.** *Abattre les arêtes d'une pierre, d'une pièce de bois.* → **Débillarder, délarder, équarrir.** *Arête d'une voûte,* angle qu'elle forme avec un mur ou une autre voûte. *Moulures placées sur les arêtes d'une voûte.* → **Nervure.** *Voûte d'arête,* formée par l'intersection de deux cintres à angle droit. — *Les arêtes d'un cristal, d'un diamant.* — (1688). Techn. *Arête d'enclume.*

.1 (...) la beauté du cordon *(de pièces d'or),* la clarté du plat, la richesse des lettres dont les vives arêtes n'étaient pas encore rayées.
BALZAC, Eugénie Grandet, éd. 1838, p. 236.

Ligne d'intersection de deux plans. *Les arêtes d'un cube.*

(1838). Géogr. *L'arête d'une chaîne de montagnes :* la ligne d'intersection des deux versants.

4 Les montagnes dressant les neiges de leur crête,
Coupaient le ciel foncé d'une brillante arête.
J.-M. DE HÉRÉDIA, les Trophées, «Conquérants de l'or».

5 L'arête vaporeuse du Djebel-Amour se découpait sur un ciel d'une extraordinaire transparence.
E. FROMENTIN, Un été dans le Sahara, p. 228.

♦ **3** Fig. (Rare). *Adoucir les arêtes,* les difficultés. → **Angle.**

6 Ce grain de sable, qui lui déchirait les fibres du cœur, ne s'était jamais arrondi; les angles en devenaient de plus en plus aigus, et les gens de cette maison en ravivaient incessamment les arêtes.
BALZAC, le Cousin Pons, Pl., t. VI, p. 547.

7 J'ai toujours cherché à adoucir les arêtes, à mettre l'accent sur ce qui me rapproche de mes semblables (...)
MONTHERLANT, le Démon du bien, p. 67.

**DÉR. Arêtier.** ◊ **COMP. Vive-arête.**

**ARÊTIER** [aʀetje] n. m. — 1309; de *arête.*

♦ **1** Archit. et charpente. Pièce de charpente qui forme l'encoignure d'un comble, recouvre l'arête d'un toit.

Pour que les arêtiers et leurs contre-fiches viennent dans l'arête du poinçon, il faut une barbe de chaque côté et autant d'une part que de l'autre, ce qu'on appelle dégueulement.
PERNOT, *in* LITTRÉ, Dict., art. *Dégueulement.*

Intersection de deux berceaux. → **Arête** (II., 2.).

Partie de pavé de forme triangulaire.

♦ **2** (1929, *in* T. L. F.). Techn. Élément allongé réunissant les nervures d'une aile d'avion.

**DÉR. Arêtière.**

**ARÊTIÈRE** [aʀɛtjɛʀ] n. et adj. f. — 1691, *arestière ;* de *arêtier.*

Technique.

♦ **1** Tuile, partie de revêtement recouvrant l'arête du toit. — Adj. *Tuile, ardoise arêtière.*

♦ **2** (1691). Enduit de plâtre, de mortier recouvrant la partie du comble où sont les arêtiers.

**ARÉTIN, INE** [aʀetɛ̃, in] adj. — 1845; de *l'Arétin,* écrivain italien arétin, satirique et licencieux, XVI^e; ital. *aretino ;* lat. *arretinus* «d'Aretium» (anc. nom d'Arezzo).

Rare. D'Arezzo, ville d'Italie.

**A-REU A-REU** [aʀøaʀø] interj. — Onomatopée transcrivant l'un des premiers sons du langage que le bébé émet en signe de bien-être.

Fam. *Faire a-reu a-reu, ar(r)eu ar(r)eu :* faire des agaceries mièvres à un bébé. → **Guili-guili.**

Je vais me taper près de sept cents bornes pour aller faire arrheu arrheu *(sic),* je vais balbutier, bondieuser, je vais redevenir nourrisson (...)
A. SARRAZIN, la Traversière, p. 115.

**ARGALI** [argali] ou (rare) **ALGALI** [algali] n. m. — 1754, Buffon; persan *argā* ou *argāli,* même sens.

Mammifère ongulé *(Bovidés caprinés),* mouflon de Mongolie.

Les mouflons étaient nombreux dans cette portion de l'île. Ces beaux animaux, grands comme des daims, les cornes plus fortes que celles du bélier, la toison grisâtre et mêlée de longs poils, ressemblaient à des argalis.
J. VERNE, l'Île mystérieuse, t. II, p. 409.

**ARGAMASSE** [aʀgamas] n. f. — 1838; esp. *argamassa* «sorte de mortier», d'orig. incert., p.-ê. d'un préroman **arga,* apparenté au grec *argillos* (→ Argile), et lat. *massa* «masse».

Techn. Plate-forme en terrasse au sommet d'un édifice.

**ARGAN** [aʀgɑ̃] n. m. — 1556, *arga, argan ;* arabe *argān,* même sens.

Botanique.

♦ **1** Sidéroxylon.

♦ **2** Fruit de cet arbre (alors appelé *arganier*). *Huile d'argan.*

**ARGANEAU** [aʀgano] n. m. → **Organeau.**

**ARGANIER** [aʀganje] n. m. → **Argan ; sidéroxylon.**

**ARGAS** [aʀgas] n. m. — 1796; lat. zool., du mot grec.

Zool. Animal arachnide acarien *(Ixodidés),* parasite extérieur des volailles et des mammifères.

**-ARGE, -ARGUE** Suffixe, du grec *argos* «blanc», qui a formé quelques noms scientifiques : *litharge, pygargue...*

**ARGÉMON** [aʀʒemɔ̃] n. m. — D. i.; mot grec.

Méd. Ulcère superficiel de la cornée.

**ARGÉMONE** [aʀʒemɔn] n. f. — 1562; lat. *argemonia* «sorte de pavot sauvage»; grec *argemonê.*

Bot. Plante dicotylédone *(Papavéracées)* qui ressemble au pavot. *Le latex de l'argémone du Mexique contient de la morphine.* «*Argémone ombre déliée*» (Paul Éluard).

**ARGENT** [aʀʒɑ̃] n. m. — 881, sainte Eulalie; lat. *argentum.*

**I** ♦ **1** Métal blanc (symb. *Ag;* p. at. 107,88) très ductile et malléable, que l'on trouve en filons à l'état natif *(argent natif),* dans les minerais (→ **Galène, pyrite**) à l'état de sulfure (*sulfure d'argent;* → **Argyrose**), parfois uni à l'antimoine, au chlore. — *Extraction de l'argent de sa gangue à l'aide du mercure.* → **Amalgamation.** *Séparer l'argent du plomb argentifère.* → **Coupeller; coupellation.** *Affinage de l'argent. Polir, aviver, brunir, planer l'argent. Alliages d'argent.* → **Argentan** (ou argenton), **blanc, électrum.** *Lingot d'argent. Refondre en lames les rognures d'argent.* → **Cisaille.**

Alliage d'argent. *Argent fin,* comportant très peu de cuivre. — *Argent allemand, anglais* (alliages). *Contrôle de l'argent.* → **Essai, pierre** (de touche), **poinçon, poinçonnage.**

(Usages de l'argent). *Monnaie* d'argent, pièce d'argent* (→ ci-dessous, II., 1.). *Objets d'argent, en argent, bijoux en argent, vaisselle d'argent.* → **Argenterie, bijouterie, orfèvrerie.** *Un ceinturon de cuir à boucle d'argent* (→ Mongol, cit.). — *Argent doré.* → **Vermeil.** — *Argent filé, trait* (étiré). *Tirer l'argent en fils. Fil d'argent.* → **Cannetille.** *Incrustation de fils d'or et d'argent.* → **Damasquinage.** *Broderie d'argent. Étoffe d'argent.* → **Brocart.** *Couvrir une glace d'une couche d'argent.* → **Argenter; argentage, argenture.** *Argent colloïdal,* utilisé en médecine. → **Collargol, électrargol.** *Albuminate d'argent.* → **Protargol.** *Sels d'argent. Azotate ou nitrate d'argent. Chlorure, bromure d'argent.* → **Halogénure.** *Fulminate d'argent,* servant de détonant. *Blanc d'argent.* → **Céruse.**

1 Les buffets dressés sous la treille,
La vaisselle d'argent, les cuvettes, les brocs,
Les magasins de malvoisie (...)
LA FONTAINE, Fables, II, 20.

2 L'argent, comme métal, a une valeur comme toutes les autres marchandises (...)
MONTESQUIEU, l'Esprit des lois, XXII, 10.

Loc. *Argent fumé,* qui a pris la teinte de l'or par fumage. — *Vieil argent :* argent patiné par le temps.

2.1 L'aspect *vieil argent* qui se caractérise par des fonds de teinte plus ou moins noire et des reliefs brillants, est obtenu par une sulfuration de l'argent qu'on expose à des vapeurs sulfureuses ou qu'on trempe dans de l'eau de Javel ou de Barèges. Luc LANEL, l'Orfèvrerie, p. 22.

*Argent blanc :* plomb argentifère.

(1271). Vx. *Argent vif.* → **Mercure.** — Mod. *Vif-argent*.*

3 L'argent vif a été *(ainsi)* nommé parce qu'il représente l'argent en couleur, et aussi parce qu'il est ausi en *(un)* perpétuel mouvement. Ambroise PARÉ, XXIII, 47.

♦ **2** **a** (Mil. XVII^e). **D'ARGENT :** de la couleur, de la blancheur, de l'éclat de l'argent. → **Argenté.** — Loc. poét. *L'astre au front d'argent :* la lune. — *L'argent de... :* la couleur argent de (qqch.). → ci-dessous, cit. 7 et 11. — En appos. *Gris argent.*

4 Le temps, qui toujours marche, avait pendant deux nuits
Échancré, selon l'ordinaire,
De l'astre au front d'argent la face circulaire.
LA FONTAINE, Fables, XI, 6.

5 La lune ouvre dans l'onde
Son éventail d'argent. HUGO, les Orientales, IX.

6 (...) la lune montrait dans le ciel pâli ses deux cornes d'argent (...) FRANCE, Les dieux ont soif, p. 203.

7 Le vert tapis des prés et l'argent des fontaines (...)
LA FONTAINE, Adonis.

8 *(La mer)* d'un flot d'argent brode les noirs ilots.
HUGO, les Orientales, X.

9 (...) une Marmara toute d'immobilité (...) on eût dit une coulée d'argent qui se refroidit.
LOTI, les Désenchantées, V, 34.

10 (...) le torrent du Cédron apparait sous forme d'un filet d'écume d'argent (...) LOTI, Jérusalem, XIV.

L'argent, le mauve un peu gris des glycines pâlies au soleil (...) COLETTE, la Paix chez les bêtes, Poucette. 11

**b** (Sons). Qui a le son de l'argent. *Un timbre d'argent.* → **Argentin.**

Sa voix a-t-elle encore ce doux timbre d'argent? 12
LAMARTINE, Jocelyn, VI, «Lettre à sa sœur».

♦ **3** (1690). Blason. L'un des métaux employés en héraldique, représenté par une couleur argentée ou par du blanc. *Porter d'argent au lion de sable.*

♦ **4** Par métonymie. *Un, des argents :* un, des objet(s) en argent. → **Argenterie.**

**II** ♦ **1** (1160, *marc d'argent*). Monnaie métallique à base du métal argent. *Argent monnayé. Payer en argent, en or, en billets. «Trois mille francs d'argent»* (→ ci-dessous, cit. 46.1). *L'encaisse or et l'encaisse argent. Masse d'or et d'argent. L'avarice garde l'or* (cit. 16) *et l'argent. D'après la loi de germinal, an XI (1803), la pièce de cinq francs contenait 25 grammes d'argent au titre 9/10 et jouissait d'un pouvoir libératoire illimité. Une pièce d'argent.* — Loc. Vx. *Argent blanc :* monnaie d'argent.

♦ **2** Moyen de paiement, monnaie; ce qui représente cette monnaie. → **Capital, espèce(s), finance(s), fonds, fortune, monnaie, numéraire, pécule, pécune** (vx), **recette, ressource, richesse(s);** (fam. ou argot) **aubert, blé, braise, cig** (ou sig) (vx), **ferraille, flouss** (flouze), **fraîche, fric, frusquin** (saint-frusquin), **galette, oseille, pépètes, pèse** (pèze), **pognon, quibus** (vx). *Somme* d'argent. Argent accumulé, thésaurisé, gardé.* → **Trésor.** *Argent nécessaire à un voyage.* → **Viatique.** *Argent utilisé pour les paiements.* → **Trésorerie.** *Avoir de l'argent sur soi. Argent en billets, en pièces.* → **Monnaie;** fam. **mitraille, vaisselle** (de poche). *Intérêt, loyer de l'argent. Amortir une somme d'argent. Circulation de l'argent, dépréciation de l'argent.*

L'argent est le prix des marchandises ou denrées (...) Si l'on compare la masse de l'or et de l'argent qui est dans le monde avec la somme des marchandises qui y sont (...) 13
MONTESQUIEU, l'Esprit des lois, XXII, 7.

Au fond, l'argent n'est pas la richesse, il n'en est que le signe; ce n'est pas le signe qu'il faut multiplier, mais la chose représentée. ROUSSEAU, Du contrat social, XI. 14

Toutes les richesses et l'argent étant continuellement échangeables, toutes représentent l'argent, et l'argent les représente toutes. 15
TURGOT, Œuvres, éd. Daire, I, p. 60.

Le débiteur sera tenu (...) de se procurer le numéraire d'argent (...) 16
Décret du 22 avr. 1790, art. 7 (→ Appoint, cit. 1).

*Payer en argent* (opposé à *en nature*). *Perceptions* (cit. 1) *en argent ou en nature.* — Vx. *Payer argent sur table :* payer immédiatement (→ ci-dessous, *argent comptant*). *Compter son argent. Placer, faire travailler son argent. Argent qui dort,* improductif. *Déposer, verser de l'argent en banque. Mettre de l'argent à la caisse d'épargne. Avance d'argent.* → **Arrhes, débours, prêt.** *Avancer, prêter; emprunter, devoir, rembourser de l'argent à qqn. Donner de l'argent à qqn.* → **Payer; bourse** (délier; dénouer, desserrer les cordons de la bourse), **cracher** (fam.), **éclairer** (argot), **lâcher** (les lâcher, fam.). *L'argent de qqn, son argent,* celui qu'il possède ou qui lui est dû, qui lui revient. *Attendre, courir, languir après son argent. Gagner de l'argent. Recevoir, toucher de l'argent. Rentrée d'argent. Faire rentrer son argent* (→ Faire venir l'eau au moulin*). *Aimer l'argent :* être avide, cupide. *Se vendre pour de l'argent.* → **Vénal.** *Amasser, entasser de l'argent.* → **Avare.** *Mettre, serrer son argent dans une bourse, une cassette, un coffre, un coffre-fort, un porte-monnaie...* — *Perdre son argent au jeu. Argent en jeu.* → **Enjeu.** *Prodiguer son argent. Manger, semer son argent :* dépenser sans compter. — Loc. *L'argent lui fond dans les mains :* il est fort dépensier. *Être pourvu d'argent.* → **Argenté** (fam.), **argenteux** (vx), **riche.** *Être cousu d'argent, crever d'argent. Faute, manque, pénurie d'argent. Être à court d'argent, sans argent.* → **Désargenté, impécunieux, pauvre**; fam. **fauché, raide, ratissé** (→ Sans un, sans un sou, un radis, un rond, un kopeck). — Loc. *Jeter l'argent par les fenêtres* (cit. 7.1 et 7.2) : dépenser exagérément. — (XVe). Prov. *Faute d'argent, c'est douleur non pareille.*

17 *(Panurge)* bien galant homme de sa personne, sinon qu'il était quelque peu paillard et sujet de nature à une maladie qu'on appelait en ce temps-là : «Faute d'argent, c'est douleur non pareille.» RABELAIS, Pantagruel, II, 16.

18 De la bienveillance en paroles, et de l'amitié tant qu'il vous plaira, mais de l'argent, point d'affaires.
MOLIÈRE, l'Avare, II, 4.

19 Il aime l'argent plus que réputation, qu'honneur et que vertu (...) MOLIÈRE, l'Avare, II, 5.

20 (...) Enfin je vous raccroche,
Mon argent bien-aimé; rentrez dedans ma poche.
MOLIÈRE, l'Étourdi, II, 6.

21 Et dans quoi est-ce que cet argent était? Dans une cassette.
MOLIÈRE, l'Avare, V, 3.

22 De quoi s'avise-t-il *(ce créancier)* de nous venir demander de l'argent? MOLIÈRE, Dom Juan, IV, 2.

23 Mais l'argent, dont on voit tant de gens faire cas,
Pour un vrai philosophe a d'indignes appas.
MOLIÈRE, les Femmes savantes, V, 1.

24 Que l'argent est la clef de tous les grands ressorts (...)
MOLIÈRE, l'École des femmes, I, 6.

25 Un avare, idolâtre et fou de son argent (...)
BOILEAU, Satires, IV.

26 L'argent, l'argent, dit-on, sans lui tout est stérile :
La vertu sans l'argent n'est qu'un meuble inutile;
L'argent en honnête homme érige un scélérat (...)
BOILEAU, Épitres, V.

27 Ma langue n'attend point que l'argent la dénoue (...)
BOILEAU, Satires, IX.

28 Cet homme dont l'argent se rouille presque dans les coffres où il va croissant en se multipliant par les usures.
FLÉCHIER, Sermons, II, 79, *in* LITTRÉ.

29 Mais sans argent l'honneur n'est qu'une maladie.
RACINE, les Plaideurs, I, 1.

30 D'argent, point de caché. Mais le père fut sage
De leur montrer, avant sa mort,
Que le travail est un trésor.
LA FONTAINE, Fables, V, 9.

31 Deux compagnons pressés d'argent
À leur voisin fourreur vendirent
La peau d'un ours encor vivant (...)
LA FONTAINE, Fables, V, 20.

32 Plein de courroux et vide de pécune,
Léger d'argent et chargé de rancune (...)
LA FONTAINE, Contes, «Le diable de Papefiguière».

33 Sa main est un creuset qui fond l'argent (...)
Mme DE SÉVIGNÉ, *in* LITTRÉ, Dict., art. *Creuset.*

34 Madame de Coulanges, qui crève d'argent.
Mme DE SÉVIGNÉ, *in* LITTRÉ, Dict., art. *Crever.*

35 (...) sentir son argent grossir dans ses coffres.
LA BRUYÈRE, les Caractères, VI.

36 Bon, bon! il a de l'argent de reste pour se tirer d'affaire.
A.-R. LESAGE, Turcaret, V, 16.

37 (...) l'argent, dont l'effet est de grossir la fortune des hommes au delà des bornes que la nature y avait mises, d'apprendre à conserver inutilement ce qu'on avait amassé de même, de multiplier à l'infini les désirs (...)
MONTESQUIEU, l'Esprit des lois, IV, 6.

38 La grande envie d'avoir de l'argent fait qu'on n'en a point.
MONTESQUIEU, Lettres, 16 mars 1752.

39 (...) l'artillerie et surtout l'argent décident de tout à la longue. VOLTAIRE, le Siècle de Louis XV, 25.

40 Mirabeau, capable de tout pour de l'argent, même d'une bonne action. RIVAROL, l'Esprit de Rivarol.

41 Pour de l'argent, il vendrait son âme (...)
MIRABEAU, cité par Louis BARTHOU, Mirabeau, p. 157 (cf. Avide).

Abîme de dettes et léger d'argent. 42
BEAUMARCHAIS, le Barbier de Séville, I, 2.

(...) si je n'avais pas d'argent, je n'aurais pas de dettes. 43
A. DE MUSSET, Fantasio, I, 2.

Oh! argent que j'ai tant méprisé et que je ne puis aimer quoi que je fasse, je suis forcé d'avouer que tu as pourtant ton mérite : source de la liberté, tu arranges mille choses dans notre existence, où tout est difficile sans toi. 44
CHATEAUBRIAND, Mémoires d'outre-tombe, IV, 1.

Il faut de l'argent, même pour se passer d'argent. 45
BALZAC, Louis Lambert, Pl., t. X, p. 410.

Les affaires? c'est bien simple, c'est l'argent des autres. 46
DUMAS fils, la Question d'argent, II, 7.

(...) ils comptèrent l'argent sur la couverture, pour ne pas faire de bruit. Il y avait quarante mille francs d'or, trois mille francs d'argent, et, dans un étui de fer-blanc, quarante-deux mille francs en billets de banque. Ils mirent deux bonnes heures pour additionner tout cela. Les mains de Quenu tremblaient un peu. Ce fut Lisa qui fit le plus de besogne. Ils rangeaient les piles d'or sur l'oreiller, laissant l'argent dans le trou de la couverture. 46.1
ZOLA, le Ventre de Paris, t. I, p. 79 (1875).

Salut, argent! empereur des temps modernes, salut! Les destinées des peuples se brassent maintenant à la Bourse et dans les cabinets des gros banquiers (...) La puissance de Sa radieuse Majesté l'Argent éclatait (...) lorsque, dans le cabinet de M. Ponto, se réunissait un syndicat formé des six plus gros banquiers parisiens (...) Le million semblait la véritable unité monétaire de ces messieurs (...) 46.2
A. ROBIDA, le Vingtième Siècle, p. 305.

Je sais que l'argent est cause de tous les maux qui désolent nos sociétés si cruelles et dont nous sommes si fiers. 47
FRANCE, le Petit Pierre, VIII, p. 47.

Pauvre d'argent et riche d'espoir (...) 48
Henri LICHTENBERGER, Wagner, p. 17.

(...) elle était au bout de son pauvre argent. 49
LOTI, Pêcheur d'Islande, I, 8.

Votre argent vous rapporterait autant si vous le placiez en reports (...) A. MAUROIS, Bernard Quesnay, XXXIV. 50

*Un homme, une femme d'argent,* qui vit du commerce ou des affaires. *Les puissances d'argent :* les milieux influents de la haute finance (→ Manœuvrer, cit. 4). *Une aristocratie d'argent. Le mur d'argent :* la force de résistance des détenteurs de capitaux. — *Affaires d'argent :* affaires financières. *Un mariage* (cit. 17) *d'argent* (par oppos. à *un mariage d'amour*).

(...) les puissances d'argent avaient grandi. 51
J. BAINVILLE, Hist. de France, XII, p. 220 (cf. Abaisser, cit. 6).

(Qualifié). *Argent liquide,* sous forme de numéraire, d'espèces. → **Liquide** (cit. 6 et *supra*). *Argent comptant.* → **Comptant** (1.), payé sur le champ, réglé immédiatement, lors de la transaction. — Loc. fig. *Prendre qqch. pour argent comptant* (→ ci-dessous, cit. 60 à 62). — Vx. *Argent sec :* argent comptant (→ Liquide, cit. 6). — *Argent frais* (cit. 26 et *supra*) : fonds nouveaux venant augmenter un capital ou un investissement.

Ajoute cela. — Bon : c'est de l'argent comptant. 51.1
RACINE, les Plaideurs, II, 4.

*Argent de poche* (cit. 7).

REM. Au sens de «monnaie», *argent* est toujours singulier *(l'argent, de l'argent),* sauf dans quelques emplois populaires.

On vous gagne des argents énormes (...) vous nous donnez une nourriture dont les chiens ne voudraient pas (..) Et il faudrait vous payer par-dessus le marché (...) 51.2
O. MIRBEAU, le Journal d'une femme de chambre, p. 283.

Je regrette vivement de n'avoir pas ces argents pour vous payer votre épicerie (...) Mais j'ai encore quelques épaves, deux ou trois statues : prenez-les. 51.3
MALRAUX, la Condition humaine, p. 139.

Loc. et prov. *L'argent est le nerf de la guerre, le nerf des batailles* (vieux).

52 Guerre faite sans bonne provision d'argent n'a qu'un soupirail de vigueur. Les nerfs des batailles sont les pécunes.
RABELAIS, Gargantua, I, 46.

53 J'aurais pour le succès assez bonne espérance,
Si de quelque argent frais nous avions le secours :
C'est le nerf de la guerre, ainsi que des amours.
J.-F. REGNARD, les Folies amoureuses, I, 7.

Prov. *L'argent est un bon serviteur et un mauvais maître.*

54 Je dirai de l'argent ce qu'on disait de Caligula, qu'il n'y avait jamais eu un si bon esclave et un si méchant maître.
MONTESQUIEU, Cahiers, p. 44.

*L'argent n'a pas d'odeur,* mot attribué à Vespasien qui avait établi un impôt sur les urinoirs.

*L'argent ne fait pas le bonheur...* → **Bonheur.**

Loc. *C'est de l'argent en barre,* se dit d'une marchandise de bon et facile débit (l'expression est plus courante avec or).

*C'est un bourreau d'argent.* → **Prodigue.**

*En vouloir pour son argent; en avoir pour son argent,* en proportion de ce qu'on a donné.

55 Je me veux réjouir pour mon argent.
Mme DE SÉVIGNÉ, 404, *in* LITTRÉ.

55.1 Voyez-vous, mon cher Blount, dit Alcide Jolivet, nous sommes venus trop tôt comme de bons bourgeois qui en veulent pour leur argent ! Tout cela, ce n'est qu'un lever de rideau, et il eût été de meilleur goût de n'arriver que pour le ballet. J. VERNE, Michel Strogoff, p. 328 (1876).

*Faire, tirer argent de tout :* employer tous les moyens pour s'en procurer.

56 Hé ! quel expédient trouver ? Nous avons fait argent de tout ; les revenus sont touchés d'avance.
J.-F. REGNARD, le Retour imprévu, 4.

57 *(Sous Henri II)* il avait fallu multiplier les emprunts et les impôts, tirer argent de tout, vendre les charges publiques.
J. BAINVILLE, Hist. de France, p. 153.

*Je ne sais de quelle couleur est son argent :* je n'ai jamais reçu d'argent de lui. *Vous ne reverrez plus la couleur de votre argent :* vous ne serez pas remboursé.

*Jouer, y aller bon jeu, bon argent :* agir franchement, en toute bonne foi, sans arrière-pensée. → **Jeu** (y aller de franc jeu).

*Plaie d'argent n'est pas mortelle :* une perte d'argent n'est pas un malheur irréparable. → **Plaie.**

58 Ainsi la plaie d'argent, dont l'ancien régime souffrait depuis longtemps, était devenue mortelle *(en 1789).*
J. BAINVILLE, Hist. de France, p. 319.

*Point d'argent, point de Suisse :* rien pour rien, rien sans rétribution (par allus. aux soldats suisses qu'on ne recrutait point sans argent).

59 Point d'argent point de Suisse, et ma porte était close.
RACINE, les Plaideurs, I, 1.

*Prendre qqch. pour argent comptant, pour bon argent :* croire naïvement ce qui est dit ou promis, se laisser tromper par les apparences.

60 Prendrons-nous tout ceci pour de l'argent comptant ?
MOLIÈRE, Sganarelle, II, 2.

61 Quoi ? tu prends pour de bon argent ce que je viens de dire, et tu crois que ma bouche était d'accord avec mon cœur ? MOLIÈRE, Dom Juan, V, 1.

62 *(Pinuce)* Fait le dormeur, poursuit le stratagème,
Que le mari prit pour argent comptant.
LA FONTAINE, Contes, «Berceau».

Proverbe. *Le temps c'est de l'argent.* → **Temps.**

DÉR. et COMP. **Argentan** ou **argenton, argenter, argenterie, argenteux,** 1. **argentin, argentique, argentiste, argentite.** — V. **Arginine.** — (Du lat. *argentum*) **Argentier, argentifère, argentopyrite.** — V. **Argento-.**

**ARGENTAGE** [aʀʒɑ̃taʒ] n. m. — 1866 ; de *argenter.*

Action d'argenter. → **Argentation, argenture.**

**ARGENTAN** [aʀʒɑ̃tɑ̃] ou **ARGENTON** [aʀʒɑ̃tɔ̃] n. m. — 1837 ; de *argent.*

Techn. Alliage de cuivre, zinc et nickel (→ **Maillechort**) imitant l'argent. *L'argentan est employé en bijouterie. Des couverts en argentan.*

**ARGENTATION** [aʀʒɑ̃tasjɔ̃] n. f. — 1877, *in* Littré, *Suppl.* ; de *argenter.*

♦ **1** Techn. Action d'argenter un métal. — On dit mieux *argenture.*

♦ **2** Méd. Coloration argentée d'un tissu après injection de mercure (vif-argent).

**ARGENTÉ, ÉE** [aʀʒɑ̃te] adj. — 1458 ; de *argenter.*

**I** ♦ **1** Qui est recouvert d'une couche d'argent. → **Argenture.** *Métal argenté.*

♦ **2** Qui a la couleur, l'éclat de l'argent. *Cheveux argentés. Tempes argentées. Papier argenté* (ou *d'argent*) : papier métallique brillant. *Gris argenté.*

(...) l'éclat argenté 1
De leurs feuillages sombres *(les saules)*
RACINE, Ode, V.

Le cygne, au cou superbe, au plumage argenté. 2
DELILLE, les Jardins, III.

Point de longs cheveux noirs, point de barbe argentée (...) 3
HUGO, Odes et Ballades, II.

Ainsi que l'araignée, entre deux chênes verts 4
Jette un fil argenté qui flotte dans les airs (...)
HUGO, les Feuilles d'automne, 29.

*(La lune)* faisait couler sa lumière sur l'écorce argentée des peupliers (...) 5
MAUPASSANT, la Femme de Paul, p. 29.

La mer bleue, semée d'écueils roses, jetait mollement sa frange argentée au sable fin de la grève. 6
FRANCE, le Lys rouge, XXVIII, p. 204.

♦ **3** Vx. → 1. **Argentin** (1.).

Cette voix argentée de la jeunesse (...) 7
ROUSSEAU, les Confessions, V.

(...) l'air de Florence est sonore et tout argenté, le soir, du son des cloches. FRANCE, le Lys rouge, X, p. 95. 8

**II** (1836, Goncourt ; de *argent,* II.). Fam. Qui a de l'argent, est en fonds. → **Argenteux.** *Il n'est pas très argenté en ce moment.*

Si tu es argenté assez pour que je puisse attendre mes rentrées chez vous sans vous gêner, je monte en chemin de fer immédiatement. J. VALLÈS, le Proscrit, p. 89. 9

CONTR. **Désargenté.**

**ARGENTÉA** [aʀʒɑ̃tea] n. f. — D. i. (1869, cit.) ; lat. *argentea* «argentée».

Rare. Potentille *(potentilla argentea),* dite aussi *argentine, ansérine.*

Le bois, s'ouvrant à tout moment, laissait apercevoir, à droite et à gauche, des haies d'aloès, des ravins veloutés de gazon, des touffes lumineuses d'argentéa, des pelouses étincelantes, des brillants d'herbe, des coins d'ombre tremblante.
Ed. et J. DE GONCOURT, Madame Gervaisais, éd. 1885, p. 42.

**ARGENTER** [aʀʒɑ̃te] v. tr. — 1223 ; de *argent.*

♦ **1** Recouvrir d'une feuille, d'une couche d'argent. → **Argenture.** *Argenter un vase. Argenter une glace.*

♦ **2** Fig. Donner la couleur, l'éclat de l'argent à (qqch.).

Pron. *S'argenter :* prendre la couleur de l'argent.

(...) un grand poisson mort, dont le ventre flottant 1
Argente l'onde verte. HUGO, les Orientales, II.

La lune argente les bouleaux (...) 2
HUGO, les Châtiments, III, p. 44.

3 Penchant ton front qu'argente une précoce neige (...)
J.-M. DE HEREDIA, les Trophées, «L'exilée».

4 (...) ses tempes qui s'argentaient déjà.
MARTIN DU GARD, les Thibault, III, 5.

CONTR. **Désargenter.** ◊ DÉR. **Argentage, argentation, argenté, argenteur, argenture.** – COMP. **Désargenter, réargenter.**

**ARGENTERIE** [aʀʒɑ̃tʀi] n. f. — 1286, «fonds que le roi utilisait pour ses dépenses extraordinaires»; sens mod., 1562; de *argent.*

Vaisselle, couverts, ustensiles d'argent. *Pièces d'argenterie. Le dîner fut servi dans la vieille argenterie de famille. Argenterie godronnée. Ranger l'argenterie dans un buffet.* → **Argentier.** — Par ext. Couverts et ustensiles en métal argenté. → **Argenture** (fam.).

1 Son buffet *(d'Horace)* était couvert d'argenterie.
CHATEAUBRIAND, Voyage en Italie, 85.

2 (...) des ouvrages sur l'art de l'argenterie, sur les poinçons des vieux ciseleurs.
PROUST, À la recherche du temps perdu, t. XII, p. 208.

3 (...) les orfèvres modernes ont eu beau reproduire toute cette argenterie d'après les dessins du Pont-aux-Choux (...)
PROUST, À la recherche du temps perdu, t. XII, p. 208.

*Argenterie d'église :* ustensiles en argent destinés au culte.

**ARGENTEUR, EUSE** [aʀʒɑ̃tœʀ, øz] n. — 1271; de *argenter.*

Techn. Ouvrier, ouvrière qui argente. *Argenteur sur cuivre. Argenteur sur verre.* → **Glace**; et aussi **argenture.**

HOM. (Du fém.) **Argenteuse** (fém. de *argenteux*).

**ARGENTEUX, EUSE** [aʀʒɑ̃tø, øz] adj. — 1291, *argenteux; argenteuse,* 1328; de *argent.*

Fam. Qui a beaucoup d'argent. → **Riche.** — Le mot a été remplacé par *argenté* (II.); encore en usage à la fin du XIX^e^ s. (cf. Gyp, *in* T. L. F.), il figure dans le Dict. de l'Académie de 1798 à 1878, où il est qualifié de peu usité; on l'entend encore régionalement ou par archaïsme plaisant.

(...) les plus riches (...) et plus argenteuses *(maisons)* qui fussent en la ville.
J. AMYOT, Lysandre et Sylla, 5, *in* LITTRÉ.

CONTR. **Désargenté, pauvre.** ◊ HOM. (Du fém.) **Argenteuse** (fém. de *argenteur*).

**ARGENTIER** [aʀʒɑ̃tje] n. m. — 1393, «orfèvre»; lat. *argentarium;* les sens mod. sont dérivés de *argent.*

**I** ♦ **1** Anciennt. Celui qui faisait le commerce de l'argent. → **Banquier, changeur.** Intendant chargé du maniement, de la distribution des fonds chez un prince, chez un grand. → **Trésorier.** *Argentier du roi. Jacques Cœur fut l'argentier de Charles VII.*

♦ **2** (Fin XIV^e^). Vx ou hist. *Le grand argentier :* le surintendant des finances; aujourd'hui, par plais. : le ministre des Finances. *Notre grand argentier a décidé d'augmenter les impôts.*

♦ **3** (Après 1250). Vieilli. Financier, banquier.

**II** Rare. Meuble où l'on range l'argenterie.

**ARGENTIFÈRE** [aʀʒɑ̃tifɛʀ] adj. — 1596; du lat. *argentum* «argent», et *ferre* «porter».

♦ **1** Didact. Qui contient de l'argent. *Minerai argentifère.*

♦ **2** Par plais. Qui rapporte de l'argent (II.). *«Des principes argentifères»* (Goncourt).

1. **ARGENTIN, INE** [aʀʒɑ̃tɛ̃, in] adj. et n. m. — 1115, «d'argent»; de *argent.*

♦ **1** (1548, Rabelais). Vx. Qui a la blancheur, l'éclat de l'argent. → **Argenté** (I.).

(...) un délicieux ruisseau d'eau douce, claire et argentine. 1
RABELAIS, le Quart Livre, 35.

Peint. *Ton argentin :* effet de couleur qui imite le blanc de l'argent.

♦ **2** (1674; n. m., 1549, «son argentin»). Qui résonne clair comme l'argent. *Son, timbre argentin.* → **Argenté** (I.). — (Vx). *Voix argentine.*

Les cloches dans les airs de leurs voix argentines (...) 2
BOILEAU, le Lutrin, II (→ Appeler, cit. 11).

(...) et sa voix argentine, 3
Écho limpide et pur de son âme enfantine,
Musique de cette âme où tout semblait chanter,
Égayait jusqu'à l'air qui l'entendait monter.
LAMARTINE, Harmonies, «Le premier regret».

(...) la voix des femmes qui sont belles ou le furent, qui 4
plaisent ou qui plurent, peut seule avoir cette abondance d'inflexions heureuses et ce son argentin qui est un rire encore.
FRANCE, le Crime de Sylvestre Bonnard, p. 305.

♦ **3** N. m. (1827). Poisson à reflets argentés (notamment le *lépidope*).

DÉR. **Argentine.** ◊ HOM. 2. **Argentin.** — (Du fém.) **Argentine.**

2. **ARGENTIN, INE** [aʀʒɑ̃tɛ̃, in] adj. et n. — 1838; de *Argentine.*

Qui appartient à la République argentine. *L'économie argentine. — Le tango* argentin.* — N. Personne de nationalité argentine. *Une Argentine.*

HOM. 1. **Argentin.** — (Du fém.) **Argentine.**

**ARGENTINE** [aʀʒɑ̃tin] n. f. — XIII^e^; de 1. *argentin.*

♦ **1** Bot. Plante *(Rosacées)* dont les feuilles sont couvertes sur la face inférieure par un duvet brillant et soyeux. → **Potentille.**

REM. Se dit aussi d'une espèce de céraiste*.

(...) les feuilles *(de l'argentine)* sont comme argentées à 1
leurs renvers *(revers),* d'où est venu le nom de la plante.
O. DE SERRES, 607, *in* LITTRÉ.

Nous nous trouvâmes soudain couchés dans les touffes 2
d'argentine (...)
G. DUHAMEL, Récits des temps de guerre, II, 201.

♦ **2** Zool. Poisson à bandes latérales argentées.

**ARGENTIQUE** [aʀʒɑ̃tik] adj. — 1838; de *argent.*

Chim., pharm. Qui contient de l'argent (en parlant de préparations chimiques ou médicamenteuses).

**ARGENTISTE** [aʀʒɑ̃tist] n. m. — 1905, in *Rev. gén. des sc.,* n° 5, p. 194; de *argent.*

Hist. de l'écon. Partisan de l'étalon argent (monométalliste*).

**ARGENTITE** [aʀʒɑ̃tit] n. f. 1869, *in* D. D. L.; de *argent.*
→ **Argyrose.**

**ARGENTO-** Premier élément de mots composés, signifiant «d'argent, contenant de l'argent» (ex. : *argentopyrite**).

**ARGENTON** [aʀʒɑ̃tɔ̃] n. m. → **Argentan.**

**ARGENTOPYRITE** [aʀʒɑ̃topiʀit] n. f. — D. i.; du lat. *argentum* «argent», et *pyrite.*

Minér. Sulfure naturel d'argent et de fer *(sternbergite).*

**ARGENTURE** [aʀʒɑ̃tyʀ] n. f. — 1642; *argenteure* «argent massif», XIVe; de *argenter.*

♦ **1** Techn. Action d'argenter; technique de l'argenteur. → **Argentage, argentation.** *Argenture à la feuille. L'argenture galvanique des métaux.* → **Galvanoplastie.** *L'argenture des glaces a remplacé l'amalgame d'étain.* → **Étamage.**

♦ **2** (1642). Couche d'argent (amalgame, feuille, pâte...) que l'on applique sur un corps (métal, verre) pour lui donner l'apparence, l'éclat du métal précieux. *L'argenture de ces couverts est partie.*

Par métaphore. Couleur, teinte argentée.

Puis, comme c'était la pleine lune, ils passèrent sur le territoire de Steph pour y admirer l'argenture des bouleaux et Steph se rappela les propos que quelques mois auparavant il avait échangés avec Alberthe à ce sujet, et qu'elle avait cité Virgile.

A. BILLY, Sur les bords de la Veule, p. 264.

♦ **3** Fam. (Au plur). Choses en argent ou argentées. → **Argenterie.**

**ARGIEN, IENNE** [aʀʒjɛ̃, jɛn] adj. et n. — 1559; de *Argos,* région de la Grèce antique.

Didact. D'Argos, d'Argolide; par ext. (vx), grec.

N. *«Hélène, l'Argienne aux bras blancs»* (A. France).

**ARGILACÉ, ÉE** [aʀʒilase] adj. — 1842; lat. *argillaceus.* → Argile.

Didact. Qui a la nature, la couleur, l'apparence de l'argile. → **Argileux.**

**ARGILE** [aʀʒil] n. f. — 1190; lat. *argila.*

♦ **1** Terre composée essentiellement de silicates hydratés d'aluminium associés à d'autres substances, provenant surtout de la décomposition des feldspaths et qui est avide d'eau, imperméable et plastique, de couleur grise ou rougeâtre. → **Glaise, terre** (terre glaise, terre à potier). *Banc d'argile. Argile rouge, jaune, ocreuse.* → **Bol, boucaro, ocre, sil.** *Argile ferrugineuse. Argile grasse, plastique. Argile maigre. Terres où l'argile domine.* → **Argileux, argilo-.** *Mélange d'argile et de sable.* → **Boulbène** (terre argilo-sablonneuse). *Mélange d'argile et de calcaire.* → **Marne.** *Argile smectique.* → **Foulon** (terre à foulon). *Mortier d'argile.* → **Bauge, pisé.** *Argile réfractaire,* résistant à de hautes températures. *Argile figuline :* argile à poterie. → **Céramique.** *Argile fine* ou *blanche* (syn. : *terre de pipe*). *Argile kaolinique* (terre à porcelaine). → **Kaolin.** *Argile fusible.* → **Brique, tuile.**

Géol., minér. *Argile à blocaux,* mêlée de sable et de blocs d'origine morainique (angl. *boulder clay*). *Argile colloïdale,* dont les particules sont très petites (moins d'un micron). *Argile lacustre* (d'origine lacustre). *Argile des grands fonds* (marins). *Argile sédimentaire. Argile à silex,* brune, à rognons de silex (Crétacé).

1 L'argile blanche de Limoges qui est tout aussi réfractaire au feu que le quartz ou le grès pur.

BUFFON, Hist. nat. des minéraux, t. I, p. 100.

2 Les terres sont dites argileuses lorsque l'argile y est en proportion dominante. Lorsque celle-ci atteint 40 p. 100, la terre devient très difficile à travailler et elle est infertile; avec une proportion un peu moindre, la terre est dite très forte, se fendille par la sécheresse et donne, au labour, de très grosses mottes qui durcissent au soleil. Ces terres sont imperméables à l'eau; on ne peut les améliorer que par les amendements calcaires et par le drainage.

Omnium agricole, p. 55.

3 La ville, pour lui *(Abram),* c'est la ville de briques telles que nos archéologues en découvrent; le seul matériau du pays est l'argile, qu'on cuit ou qu'on sèche au soleil.

DANIEL-ROPS, le Peuple de la Bible, I, 1.

Je serrai énergiquement cette main qui, à force de travailler la terre avait pris la consistance râpeuse et dure de l'argile sèche. 4

Edmond JALOUX, Fumées dans la campagne, I.

♦ **2** (Dans le sens biblique). Limon, poussière de la terre dont Dieu pétrit l'homme (Genèse, II, 7).

Cet homme, tel qu'il est, cet être fait d'argile, 5
Tu l'as vu, Lamartine, et son sang est ton sang.

A. DE MUSSET, Lettre à Lamartine.

Chair de la femme! argile idéale! ô merveille! 6
Ô pénétration sublime de l'esprit
Dans le limon que l'Être ineffable pétrit!

HUGO, la Légende des siècles, «Sacre de la femme», 4.

♦ **3** Loc. (tirée de la Bible; → ci-dessous, cit. 7). *La statue aux pieds d'argile.* — Fig. *Colosse aux pieds d'argile,* fragile, vulnérable malgré les apparences.

Ô roi, tu regardais, et tu voyais une grande statue (...) la tête de cette statue était d'or pur (...) ses pieds en partie de fer et en partie d'argile. Tu regardais, lorsqu'une pierre se détacha sans le secours d'aucune main, frappa les pieds de fer et d'argile de la statue, et les mit en pièces. 7

BIBLE, Daniel, II, 31-34.

Pour fonder la République allemande, et remettre sur des pieds solides le colosse d'argile russe, ce sont de longs mois qu'il faudra encore, voire des années. 8

MARTIN DU GARD, les Thibault, VIII.

DÉR. **Argilière.** — V. **Argilacé, argileux.** ◊ COMP. **Argilifère.** V. **Argilo-.**

**ARGILEUX, EUSE** [aʀʒilø, øz] adj. — 1150; lat. *argillosus,* de *argila.* → Argile.

♦ **1** Qui est de la nature de l'argile. *Terre argileuse.* → **Argile** (cit. 2). *Une eau argileuse.*

Ces vastes marais de la Baraba, compris du nord au sud entre le soixantième et le cinquante-deuxième parallèle, servent de réservoir à toutes les eaux pluviales qui ne trouvent d'écoulement ni vers l'Obi, ni vers l'Irtyche. Le sol de cette vaste dépression est entièrement argileux, par conséquent imperméable, de telle sorte que les eaux y séjournent et en font une région très difficile à traverser pendant la saison chaude.

J. VERNE, Michel Strogoff, p. 216.

♦ **2** Qui évoque l'argile (couleur, consistance...). *Teint argileux,* grisâtre.

**ARGILIÈRE** [aʀʒiljɛʀ] n. f. — XIIIe, *arzilière;* de *argile.*

Techn. Terrain d'où l'on tire de l'argile.

**ARGILIFÈRE** [aʀʒilifɛʀ] adj. — D. i.; de *argile,* et *-fère.*

Didact. Qui contient de l'argile. *Lias argilifère.*

**ARGILO-** Élément de composition tiré d'*argile* et qui signifie «formé d'argile en proportion importante». *Terre argilo-calcaire, argilo-sablonneuse, argilo-siliceuse.*

C'était bien un marais, dont l'étendue, jusqu'à cette côte arrondie qui terminait l'île au sud-est, pouvait mesurer vingt milles carrés. Le sol était formé d'un limon argilo-siliceux, mêlé de nombreux débris de végétaux. Des conferves, des joncs, des carex, des scirpes, çà et là quelques couches d'herbage, épais comme une grosse moquette, le recouvraient. Quelques mares glacées scintillaient en maint endroit sous les rayons solaires.

J. VERNE, l'Île mystérieuse, t. I, p. 278.

**ARGININE** [aʀʒinin] n. f. — 1905, in *Rev. gén. des sc.,* n° 5, p. 192; du rad. de *argent.*

Chim., biol. Acide aminé dérivé de la guanidine et qui joue un rôle important dans la croissance de l'organisme.

La synthèse de l'urée, chez les mammifères, est obtenue grâce à une modification d'une voie métabolique également universelle : celle qui aboutit à la synthèse de l'arginine, acide aminé présent dans toutes les protéines.

Jacques MONOD, le Hasard et la Nécessité, p. 137.

**ARGOL** [aʀgɔl] n. m. — 1877, *in* Littré, *Suppl.;* mot mongol.

Didact. Excréments d'animaux domestiques servant de combustible (après dessication), en Asie centrale. *Feu d'argol.*

**ARGON** [aʀgɔ̃] n. m. — 1895; anglais *argon,* d'après le grec *argos* «inactif» parce qu'il n'entre dans aucune composition chimique connue.

Chim. Corps simple (symb. : *Ar;* nº at. : 18; p. at. : 39,948), gaz inerte, incolore et inodore, qui entre (pour un centième environ) dans la composition de l'air atmosphérique. *L'argon est utilisé pour le remplissage de lampes à incandescence. Tube à argon.*

**ARGONAUTE** [aʀgɔnot] n. m. — Fin XVᵉ-déb. XVIᵉ; lat. *argonautæ* «les Argonautes», du grec *Argô,* nom de navire, et *nautês* «navigateur».

♦ **1** Nom des héros grecs qui, sous la conduite de Jason, allèrent en Colchide conquérir la Toison d'or. — Fig. Navigateur audacieux. — Par ext. Découvreur, explorateur hardi.

Garni de cinquante rames, et toutefois si léger que les Argonautes *(marins de l'Argo)* pouvaient le porter sur leurs épaules, ce vaisseau était encore si rapide qu'on lui donna pour nom le mot grec qui précisément exprimait cette qualité, *Argo.* Il se pourrait aussi que ce nom lui fût venu d'Argus, le constructeur du navire.

H. AUBERT, Dict. de mythologie classique, art. *Argonaute.*

♦ **2** Zool. Mollusque céphalopode *(Dibranchiaux octopodes).* → **Nautile,** 1. (rem.)

1. **ARGOT** [aʀgo] n. m. — 1628, «corporation des gueux» (→ ci-dessous, cit. 1 et 4); parmi les sources proposées du mot, on peut relever les suivantes : G. Esnault suppose qu'*argot* pourrait être un dérivé de *arguer* (→ Argue) «tirer de l'or», de l'ital. *argano;* Sainéan propose d'y voir un déverbal de *argoter* (forme anc. de *ergoter*), du lat. *ergo;* Dauzat, après l'avoir rattaché à un ancien provençal *argaut* «nippe», suggère une origine espagnole : *arigote* «personne vile»; la dernière hypothèse est celle de P. Guiraud : le mendiant est un homme qui frappe aux portes et son nom viendrait de *hargoter* «secouer» (XIVᵉ), de l'anc. franç. *arguer,* du lat. *argutus* «pointu».

♦ **1** Cour. Usage langagier propre à un milieu de malfaiteurs, destiné à l'origine à garantir la discrétion des échanges, et comprenant, soit un lexique particulier, soit des procédés traitant les mots connus de tous (→ ci-dessous). → (VX) **Bigorne, jargon** (jar ou jars). *Parler, savoir l'argot. L'argot du milieu.* → **Vert** (langue verte). *Dictionnaire d'argot.*

1 Le jargon ou langage de l'argot réformé, tiré et recueilli des plus fameux argotiers (...)

Titre d'un ouvrage d'Olivier CHÉREAU publié en 1628 à Tours. REM. Dans cet emploi archaïsant, *argot* a son sens premier «corporation, milieu des gueux» (→ aussi ci-dessous, cit. 4).

2 Vers 1830, l'argot des malfaiteurs était un langage «affreux»; il fallait un Hugo, amoureux de la force et ne reculant devant aucun moyen d'expression, pour oser introduire dans le roman littéraire ce qu'on a appelé depuis «la langue verte».

Ce furent les Mémoires de Vidocq (1828) qui révélèrent à Hugo et au grand public l'argot des malfaiteurs (...)

Ch. BRUNEAU, *in* BRUNOT, Hist. de la langue franç., t. XII, p. 400.

3 Ils *(les détenus)* m'apprennent à parler argot, à rouscailler bigorne comme ils disent.

C'est toute une langue entée sur la langue générale comme une espèce d'excroissance hideuse, comme une verrue. Quelquefois une énergie singulière, un pittoresque effrayant (...)

HUGO, le Dernier Jour d'un condamné, V.

(...) c'était le royaume d'argot : c'est-à-dire tous les voleurs de France, échelonnés par ordre de dignité. 4

HUGO, Notre-Dame de Paris, II, 3.

Qu'est-ce que l'argot? C'est tout à la fois la nation et l'idiome; c'est le vol sous ses deux espèces : peuple et langue. 4.1

Lorsqu'il y a trente-quatre ans le narrateur de cette grave et sombre histoire introduisait au milieu d'un ouvrage écrit dans le même but que celui-ci *(le Dernier Jour d'un condamné)* un voleur parlant argot, il y eut ébahissement et clameur. — Quoi! comment! l'argot! Mais l'argot est affreux! mais c'est la langue des chiourmes, des bagnes, des prisons, de tout ce que la société a de plus abominable! etc. (...) Quant à nous, nous conservons à ce mot sa vieille acception précise, circonscrite et déterminée, et nous restreignons l'argot à l'argot. L'argot véritable, l'argot par excellence, si ces deux mots peuvent s'accoupler, l'immémorial argot qui était un royaume, n'est autre chose, nous le répétons, que la langue laide, inquiète, sournoise, traître, venimeuse, cruelle, louche, vile, profonde, fatale, de la misère.

HUGO, les Misérables, IV, VII (l'argot), I.

Reconnaissons d'ailleurs la haute antiquité de l'argot! il contient un dixième de mots de la langue romane, un autre dixième de la vieille langue gauloise de Rabelais. *Effondrer* (enfoncer), *otolondrer* (ennuyer), *aubert* (argent). 5

BALZAC, Splendeurs et Misères des courtisanes, IV, Pl., t. V, p. 1045.

REM. Le mot s'emploie fréquemment au sens de «vocabulaire familier» (emploi abusif en linguistique).

(...) un grand salon où quelques personnes causaient dans un langage bizarre qu'Hélène ne connaissait pas, bien que, en sa qualité de bachelière, elle eût une teinture légère de toutes les langues européennes. 5.1

C'est de l'argot! dit tranquillement Mˡˡᵉ Malicorne que son élève interrogeait du regard.

A. ROBIDA, le Vingtième Siècle, p. 134.

On sentait le chiqué, comme dans les livres des auteurs qui s'efforcent pour parler argot. 6

PROUST, À la recherche du temps perdu, t. XIV, II, p. 161.

Je désigne les photos. 6.1

— Je vais tout de même vous en faucher une ou deux, si vous le permettez.

— Faucher?

— Oui. Un terme d'argot : vous en prendre une ou deux.

— Pourquoi parlez-vous tellement argot, Stève?

— Par pudeur. Une manière de se donner un coup de frein... Et puis on prend l'habitude. Je suis un abominable romantique.

André HARDELLET, Lourdes, lentes..., p. 82.

♦ **2** Didact. Langage particulier à une profession, à un groupe de personnes. *Dictionnaire des argots,* de G. Esnault. *Argot parisien. Argot boulevardier. Argot militaire. Argot des écoles. Argot sportif. Argot des maçons, des typographes, des séminaristes. L'argot de l'École polytechnique.*

Tout argot (...) transforme ou remplace les mots courants (...) Les argots se développent dans les milieux isolés, où se pratique la vie en commun. 7

A. DAUZAT, les Argots, Introduction.

On appelle improprement argots des jargons spéciaux qui se développent dans certains groupes fermés : l'argot de l'École polytechnique en est le type. 8

Ch. BRUNEAU, *in* BRUNOT, Hist. de la langue franç., t. XII, p. 388.

Leur style n'était pas moins mêlé que leurs sentiments. Ils s'étaient fait un argot composite, d'expressions de toutes classes et de tous pays, pédantesque, chatnoiresque, classique, lyrique, précieux, poisseux, poissard, mixture de coq-à-l'âne, d'afféteries, de grossièretés et de mots d'esprit, qui semblaient avoir un accent étranger. 9

R. ROLLAND, Jean-Christophe, VI, I.

L'argot de l'École lui-même, langue de caste, s'était figé, ne traduisant plus les mots modernes que par des raccourcis enfantins — on disait *méca* pour «mécanique», *binet de ser* pour «cabinet de service» —, mais cette puérilité était celle de la vieillesse, non de l'enfance. 10

Raymond ABELLIO, Ma dernière mémoire, t. II, p. 15.

REM. 1. L'argot (1.), «argot des malfaiteurs, argot du milieu», est un cas particulier du sens 2., tout argot supposant un milieu fermé et l'intention de secret. 2. Les vocabulaires des argots (1. ou 2.) se constituent à partir de processus divers : — par emprunts à des sources étrangères (*because*, de l'anglais; *chlinguer*, de l'allemand; *mec*, de l'italien; *crouille*, de l'arabe), régionales (*fada* ou *baratin*, du provençal), techniques (*marner* ou *piocher* pour *travailler*); — par traitement conventionnel (codé) de mots courants ou populaires : introduction de séquences convenues (le «javanais» en *-av-* par ex. : *la gravosse* pour *la grosse*); suffixations spécifiques (par ex. en *-muche : Ménilmuche* pour *Ménilmontant*, ou en *-zigue : mézigue*, pour *moi*); abréviations (*mac* pour *maquereau* «souteneur», *colon* pour *colonel*, ou *piston* pour *capiston* «capitaine»); métathèses, sur lesquelles repose le *verlan**; métathèses et suffixation (*argot des bouchers*; → Loucherbem); par métaphores (*portugaises* pour *oreilles, faire le poireau* pour *attendre*), ou par métonymie (un *feu* pour un *revolver*). Les auteurs débattent sur l'intention cryptologique des locuteurs des argots, mais s'accordent en général sur leur fonction intégratrice dans les petits groupes, comme signe d'appartenance et de reconnaissance, sans que pour autant ils soient systématiquement incompréhensibles aux non-initiés. De plus l'hermétisme relatif des formes argotiques naît souvent de jeux de mots (contrepets, métathèses, etc.), dont la valeur ludique semble l'emporter sur la recherche du secret.

♦ **3** Fig., vx (au XIX^e^). Langage convenu, secret.

DÉR. 1. **Argoter, argotier, argotique, argotisme, argotiste.** ◊ HOM. 2. **Argot.**

2. **ARGOT** [aʀgo] n. m. — 1690; anc. forme de *ergot*.

Arbor. Écot au-dessus d'un œil.

DÉR. 2. **Argoter.** ◊ HOM. 1. **Argot.**

1. **ARGOTER** [aʀgɔte] v. — 1628, «mendier»; «parler argot», XVIII^e^; de 1. *argot*.

V. intr. Vx. Parler argot.

V. tr. Transformer par les procédés d'un argot. — Au p. p. *Mot argoté en loucherbem* (argot des bouchers).

HOM. 2. **Argoter.**

2. **ARGOTER** [aʀgɔte] v. tr. — 1690; de 2. *argot*.

Arbor. Couper les argots d'une branche. → 2. **Argot.**

HOM. 1. **Argoter.**

**ARGOTIER** [aʀgɔtje] n. m. — 1628, «gueux, voleur appartenant à un argot, à un milieu fermé» (→ 1. Argot, cit. 1); sens mod., 1808; de 1. *argot*.

Didactique.

♦ **1** Personne qui parle (fréquemment ou habituellement) un argot.

Il n'y a pas plus puriste que l'argotier. Ni plus jaloux. Un argotier trouve toujours plus argotier que lui. Chacun trouve artificiel l'argot de l'autre, mais c'est bien ainsi que naît l'argot.

R. QUENEAU, Bâtons, chiffres et lettres, p. 70.

♦ **2** Spécialiste de l'argot. → **Argotiste.**

**ARGOTIQUE** [aʀgɔtik] adj. — 1845; «qui appartient à la communauté des gueux», 1628; de 1. *argot*.

Qui a rapport à l'argot. *Termes argotiques. Il a des habitudes de langage, des tournures argotiques.*

Une minorité seulement de langues spéciales accusent une forme argotique, constituent des argots (...) Le langage professionnel ne transformera pas les nombreux mots de la langue générale qui ne subissent point l'influence de la profession (...) Au contraire, tout argot (...)

A. DAUZAT, les Argots, Introd. (→ Argot, cit. 7).

**ARGOTISME** [aʀgɔtism] n. m. — 1839, *in* Boiste; de 1. *argot*.

Ling. Mot, expression argotique.

**ARGOTISTE** [aʀgɔtist] n. — 1866; de 1. *argot*.

Ling. (rare). Linguiste spécialisé dans l'étude de l'argot. — Syn. : *argotier* (2.).

**ARGOULET** [aʀgulɛ] n. m. — 1548, *argolet*; orig. obscure, p.-ê du béarnais *argoula* «ouvrir la bouche», avec l'infl. de *argousin*.

Arquebusier à cheval, au XVI^e^ siècle.

En ce temps-là, à chaque compagnie de gendarmes, il y avait cinquante arquebusiers à cheval, qui servaient à faire les découvertes et escarmouches çà et là *(on)* les appelait argoulets.

CARLOIX, *in* LITTRÉ.

**ARGOUSIER** [aʀguzje] n. m. — 1783, *argoussier*; *argousier*, 1811; orig. incert., probablt mot préroman (ligure) des régions alpines, du rad. **arg-* «épine».

Arbrisseau vivace, épineux, dont le feuillage a des reflets argentés, et qui sert à fixer les sols sablonneux (famille des *Éléagnacées*; n. sc. : *hippophaé*).

**ARGOUSIN** [aʀguzɛ̃] n. m. — 1538; *agosin*, XV^e^; *algousan*, 1552, Rabelais (III, 20); port. *algoz* «bourreau», avec infl. de l'esp. *alguazil*; de l'arabe *(ʼ)ăl-ġŭzz*, forme arabisée du nom du peuple turc.

♦ **1** Anciennt. Bas officier chargé de la surveillance des forçats à bord des galères ou dans les bagnes.

C'est toi *(Amour)* qui es l'argousin de la galère où je traîne 1
la cadène comme un forçat.

BELLEAU, Bergerie, I, *in* HUGUET.

♦ **2** (XVI^e^, repris 1808). Péj. Agent de police.

Il se donna le luxe, étant de la police, 2
D'être jésuite et saint par-dessus le marché.
(...) Il portait un flair de sacristie
Dans le bouge des argousins.

HUGO, les Châtiments, IV, 7.

C'est une jolie situation (...) Et nous mettons la police 3
dedans! La place dépend de la préfecture. Hein! sera-ce assez amusant, quand Florent ira toucher l'argent de ces argousins!

ZOLA, le Ventre de Paris, t. I, p. 107.

Les argousins qui n'y regardent pas de si près disaient 4
souvent : il faudra leur mettre un fil à la patte, pour distinguer l'un de l'autre ces deux *pantres*. Eh! mon bon, répondait Lesorne, le fil après le câble n'y fera guère!

Louise MICHEL, la Misère, t. II, p. 456.

Je suis bien noté, sans cela nous aurions eu ici tous les 5
argousins de la Préfecture...

ZOLA, Paris, t. I, p. 184.

Surveillant ou mouchard.

**ARGUE** [aʀg] n. f. — 1667; ital. *argano*, altér. du lat. *organum* «instrument».

Techn. Machine qui maintient la filière à tirer l'or, l'argent, etc.

DÉR. 2. **Arguer.**

**-ARGUE** → **-arge.**

1. **ARGUER** [aʀgɥe] v. [CONJUG.: *diminuer.*] — 1080, «se presser»; lat. *arguere* «prouver, chercher à prouver, mettre en avant, dénoncer», avec infl. de *argutari* «bavarder».

**I** V. tr. dir. ♦ **1** Littér. *Arguer qqch. de qqch.* Tirer argument, tirer une conséquence. *Vous ne pouvez rien arguer de ce fait* (Académie). → **Argumenter, conclure, déduire, inférer.**

♦ **2** Dr. *Arguer une pièce de faux*, en affirmer la fausseté. → **Accuser, attaquer, contester.**

**II** V. tr. ind. *Arguer de qqch.* : mettre en avant qqch., en tirer argument ou prétexte. → **Alléguer, avancer, invoquer, prétexter, protester** (de). *Il argua de sa jeunesse pour obtenir son pardon.* — *Arguer que* (et l'indicatif) : avancer comme argument, ou prétexte. *Il arguait que son âge ne lui permettait plus les excès.*

1 M. de Vauvert (...) lâcha contre nous la magistrature, sous prétexte de rapt, de violation de la loi, et arguant de la prétendue enfance dans laquelle le grand-père (...) était tombé.
CHATEAUBRIAND, Mémoires d'outre-tombe, I, 7.

2 (...) je me butai au veto inexorable de M. le Garde des Sceaux, arguant contre notre collègue des titres mêmes qui le désignent à la faveur du haut personnel administratif.
COURTELINE, Messieurs les ronds-de-cuir, VI, 2.

3 Ici le savant matérialiste protestera et arguera de la misère de l'homme (...)
A. MAUROIS, Études littéraires, t. I, p. 179.

4 Il argua de son amitié (...)
Edmond JALOUX, Sous les oliviers de Bohême, p. 111.

**III** V. intr. Rare. Discuter, argumenter contre qqn.

5 Il arguë, comme si je n'avais été l'auteur que de ce seul *Journal* (...) GIDE, Journal, 15 mars 1947.

REM. Selon Littré, il convient de mettre un tréma sur l'*e* muet et sur l'*i* qui suivent le radical : *J'arguë, nous arguïons. Arguër*, à l'inf., semble archaïque. L'Académie (huitième éd.) se contente de noter que l'*u* se prononce dans *arguer*; l'usage des écrivains modernes est d'écrire *arguer* sans tréma quelle que soit la forme du verbe (→ cependant cit. 5, Gide).

2. **ARGUER** [aʀge] v. tr. — 1751; de *argue*.

Techn. Passer des lingots de métaux précieux à l'argue pour les étirer.

**ARGUMENT** [aʀgymɑ̃] n. m. — 1170; lat. *argumentum*; de *arguere*. → 1. Arguer.

♦ **1** Raisonnement destiné à prouver ou à réfuter une proposition, et, par ext., preuve à l'appui ou à l'encontre d'une proposition. → **Raison, raisonnement; argumentation, démonstration, dialectique, rhétorique.** *Démontrer par des arguments la justesse ou la fausseté d'une théorie.* → **Thèse; antithèse.** *Un enchaînement d'arguments. Cet argument découle de la proposition précédente.* → **Conséquence, corollaire, déduction, syllogisme.** — *Tirer argument de* : se servir comme d'une preuve, d'une raison (→ cit. 10). → **Inférer.** *Ces arguments me permettent de conclure à... Apporter, fournir, invoquer des arguments à l'appui d'une thèse, dans une controverse, un débat, une discussion... Appuyer une affirmation, une explication, une justification... sur de bons arguments. Exposer, développer, soutenir ses arguments. Un bon dialecticien sait choisir ses arguments afin de convaincre, de persuader son auditoire. Opposer ses arguments à ceux de l'adversaire.* → **Objecter, réfuter, répliquer, répondre, rétorquer...** *Battre en brèche, ruiner un argument. Accumuler, entasser les arguments. Être à court d'arguments. Force, poids, portée, valeur d'un argument. Argument concluant, convaincant, démonstratif, irréfutable, irrésistible, logique, péremptoire, pertinent, persuasif, probant, rigoureux, solide, topique, valable, victorieux.* — *C'est un argument massue*. Argument sans réplique. Mauvais argument. Argument absurde, captieux, délusoire, fallacieux, faux, insoutenable, paradoxal, simpliste, spécieux, trompeur...* → **Argutie** (cit. 1), **ergotage, paradoxe, paralogisme, prétexte** (mauvais), **ratiocination, sophisme.** *Cet argument ne repose sur rien. Cet argument est à double tranchant. Répéter, rabâcher le même argument.* → **Banalité, commun** (lieu), **cheval** (de bataille), **dada.** *Aligner* (cit. 3) *des arguments.*

1 Cet oiseau raisonnait, il faut qu'on le confesse (...)
Voyez que d'arguments il fit (...)
LA FONTAINE, Fables, XI, 9.

2 (...) tout ce que les uns ont pu dire pour montrer la grandeur n'a servi que d'un argument aux autres pour conclure la misère, puisque c'est être d'autant plus misérable qu'on est tombé de plus haut (...)
PASCAL, Pensées, t. III, VI, 416.

3 Cet argument sur lequel on appuie avec tant de force (...)
BOSSUET, Préface, *in* LITTRÉ, Dict., art. *Appuyer.*

4 J'exigerais (...) qu'ils eussent des raisons claires et de ces arguments qui emportent conviction.
LA BRUYÈRE, les Caractères, XII.

5 Il faut bien quelquefois se battre contre ses voisins, mais il ne faut pas brûler ses compatriotes pour des arguments.
VOLTAIRE, Lettre à Gallitzin, 19 juin 1773.

6 Ils rabâchaient ainsi les mêmes arguments, chacun méprisant l'opinion de l'autre, sans le convaincre de la sienne.
FLAUBERT, Bouvard et Pécuchet, p. 242.

6.1 Le baron de Corbelle crut devoir prendre la défense de la bonne compagnie.
Il le fit avec des arguments inconsistants et irréfutables, de ces arguments qui fondent devant la raison comme la neige au feu, et qu'on ne peut saisir, des arguments absurdes et triomphants de curé de campagne qui démontre Dieu.
MAUPASSANT, Fort comme la mort, éd. 1889, p. 73.

7 Un politicien aux abois trouve toujours des arguments patriotiques pour justifier dans sa conscience la thèse anglaise, allemande, italienne ou turque, que ses bailleurs de fonds lui commandent.
M. BARRÈS, Leurs figures, p. 75.

8 Il aimait à ratiociner sur ses fautes et invoquer des arguments d'ordre moral (...)
MARTIN DU GARD, les Thibault, I, 8.

9 (...) si l'on se contente de raisonner, la valeur de ces arguments n'est pas contestable (..)
MARTIN DU GARD, les Thibault, IV, p. 13.

10 Bref, il tirait argument et avantage de ce qu'il m'en coûtait de céder à mon désir plutôt que de le briser encore.
GIDE, Feuillets, Journal, 1889-1939, Pl., p. 607.

*Argument en forme*, conforme aux règles de la logique.

11 Que l'on condamne seulement une de vos propositions du P. Escobar, j'irai porter d'une main Escobar, de l'autre la censure, et j'en ferai un argument en forme.
PASCAL, Pensées, t. III, XIV, 929.

*Argument cornu.* → **Dilemme.**

12 On donnait le nom de cornu à cet argument-ci : Vous avez ce que vous n'avez pas perdu; or vous n'avez pas perdu de cornes; donc vous avez des cornes.
CONDILLAC, Hist. ancienne, III, 18.

13 Tous vos beaux arguments cornus
Pour me persuader de vivre
Et pour m'obliger à vous suivre,
N'étaient donc que pour m'attraper.
SCARRON, Virgile travesti, II.

*Argument a contrario.* → **A contrario** (raisonnement). — Spécialt. (Dr.). *L'hypothèse étant contraire à celle que prévoit le texte, l'argument a contrario conduit à appliquer la règle contraire. Argument a fortiori* : argument qui conduit à appliquer un texte de droit à un cas non prévu lorsque les raisons de le faire sont encore plus fortes que dans l'hypothèse énoncée par le texte. *Argument a pari* : argument qui conduit à appliquer un texte de droit dans une hypothèse analogue à celle qui est prévue. *Argument a priori, a posteriori*, préalable ou postérieur à l'expérience. *Argument ad hominem* : argument qui concerne la personne de l'adversaire, son individualité, ses actions ou ses paroles antérieures.

Par ext. Moyen utilisé pour imposer son point de vue. *Les colères feintes, les larmes, servent souvent d'arguments aux faibles.*

Loc. (Vieilli). *Argument du bâton* (lat. *Argumentum baculinum*), celui qui prétend prouver l'existence du monde extérieur en frappant le sol avec un bâton ; par plais. : argument de Sganarelle donnant la bastonnade à Marphurius (dans *le Mariage forcé*, de Molière).

Mod. *Argument frappant* (même sens ; jeu de mot sur *frappant*). *On aurait envie d'employer des arguments frappants.*

Vieilli. *Argument de la bourse* (lat. *Argumentum ad crumenum*) ; *l'argument irrésistible, sans réplique...* : l'argent. → **Graisser** (la patte).

14 Dans les cas difficiles à juger, une bourse d'or me paraît toujours un argument sans réplique (...)
BEAUMARCHAIS, le Barbier de Séville, IV, 1.

15 Ce diable d'homme a toujours ses poches pleines d'arguments irrésistibles.
BEAUMARCHAIS, le Barbier de Séville, IV, 8.

Mod. *Arguments publicitaires. Arguments de vente.* → **Argumentaire.**

♦ **2** (Mil. XVI^e). Théâtre et littér. Exposé sommaire du sujet que l'on va développer. *Argument d'une pièce de théâtre.* → **Prologue.** *Argument d'un livre, d'une narration.* → **Exposé, sommaire.**

♦ **3** Math. Angle du vecteur avec l'axe d'origine, dans la représentation d'un nombre complexe. — Une des variables d'une fonction par rapport à laquelle une table de variation de cette fonction a été établie.

DÉR. **Argumentaire.**

**ARGUMENTAIRE** [aʀgymɑ̃tɛʀ] adj. et n. m. — 1970 ; de *argument.*

Adj. Comm. et publicité. Qui concerne les arguments de vente. *Textes argumentaires. Liste argumentaire.*

N. m. Comm. Documentation réunissant des arguments de vente. Ensemble de ces arguments.

**ARGUMENTANT** [aʀgymɑ̃tɑ̃] n. m. — 1690 ; p. prés. de *argumenter.*

Vx. Celui qui argumentait dans la soutenance d'une thèse contre un adversaire appelé *répondant.* — Dr. Celui qui argumente dans un acte public contre le répondant.

Les Carmes prouvèrent contre tout argumentant que Pythagore était un moine de leur ordre (...)
VOLTAIRE, Philosophie, V, 26.

**ARGUMENTATEUR, TRICE** [aʀgymɑ̃tatœʀ, tʀis] n. et adj. — 1539 ; lat. *argumentator,* de *argumentari.* → Argumenter.

Personne qui se plaît à argumenter (le plus souvent péj.). *Un argumentateur insupportable.* → **Alambiqueur, discuteur, ergoteur, polémiste, raisonneur, ratiocineur, rhétoricien, sophiste.**

1 Tu es un fort bon dialecticien et subtil argumentateur.
DES AUTELS, *in* HUGUET, Dict. XVI^e s.

2 Un philosophe contemporain, argumentateur à outrance, auquel on représentait que ses raisonnements irréprochablement déduits avaient l'expérience contre eux, mit fin à la discussion par cette simple parole : «L'expérience a tort».
H. BERGSON, le Rire, I, p. 37.

Adj. *Un esprit argumentateur.*

**ARGUMENTATIF, IVE** [aʀgymɑ̃tatif, iv] adj. — 1521 ; attestation isolée, XIV^e ; de *argumentation.*

Didact. Relatif à l'argumentation. *Texte argumentatif proposé comme sujet au baccalauréat,* texte où le candidat doit argumenter. *Stratégies, techniques argumentatives en marketing. «La rhétorique argumentative lui convient aussi peu que le raisonnement déductif»* (*le Nouvel Obs.*, 13 avr. 1984, p. 84).

**ARGUMENTATION** [aʀgymɑ̃tasjɔ̃] n. f. — Fin XIII^e-déb. XIV^e, *argumentacion ;* lat. *argumentatio,* de *argumentari.* → Argumenter.

♦ **1** Action d'argumenter. *Exceller dans l'argumentation. Vaincre par son argumentation.*

♦ **2** Ensemble d'arguments tendant à une même conclusion. *Une argumentation juridique, scientifique. Argumentation irréfutable, rigoureuse, serrée ; fragile, vaine.*

Ce n'est pas ma faute si mes maîtres m'avaient enseigné la logique, et, par leurs argumentations impitoyables, avaient fait de mon esprit un tranchant d'acier. 1
RENAN, Souvenirs d'enfance, V, 3.

Vos théologiens sont passés maîtres dans l'art de fabriquer des argumentations subtiles et d'apparences logiques (...) 2
MARTIN DU GARD, les Thibault, VI, p. 14.

Je m'incline devant la compétence de Monsieur Rumelles, et suis aussi sensible que quiconque à la force de son argumentation (...) 3
MARTIN DU GARD, les Thibault, VII, p. 40.

*L'argumentation d'un vendeur.* → **Argumentaire.**

♦ **3** Didact. Art d'employer, d'opposer des arguments dans une discussion. → **Dialectique.** *Apprendre la rhétorique et l'argumentation.*

**ARGUMENTER** [aʀgymɑ̃te] v. — Fin XII^e ; lat. *argumentari,* de *arguere.* → 1. Arguer.

♦ **1** V. intr. Discuter en employant des arguments, prouver ou contester qqch. par des arguments. *Argumenter selon les règles, en forme. Argumenter de façon serrée, à outrance. — Argumenter de qqch.*, en tirer des arguments. — *Argumenter sur qqch., à propos de qqch. Argumenter pour, contre qqch. — Argumenter avec qqn, contre qqn.*

(...) il ne s'y passe point d'acte *(dans notre école)* où il n'aille argumenter à outrance pour la proposition contraire. 1
MOLIÈRE, le Malade imaginaire, II, 5.

De tout ce que dessus j'argumente très bien 2
Qu'ici-bas maint talent n'est que pure grimace,
Cabale, et certain art de se faire valoir,
Mieux su des ignorants que des gens de savoir.
LA FONTAINE, Fables, XI, 5, 31.

La première fois que mes condisciples m'entendirent argumenter en latin, ils furent surpris. 3
RENAN, Souvenirs d'enfance..., III, 3.

*(Fénelon)* a bataillé, argumenté, discuté, dogmatisé, mêlé la religion à la politique et la politique à la religion, connu les marches et les contremarches, les menées et même les intrigues. 4
Émile FAGUET, XVII^e s., Études littéraires, p. 452.

— Et vous ne supposez pas que c'est vous que je cherchais à voir ? 4.1
— En ce moment vous argumentez contre vous-même, vous cherchez à vous convaincre, vous ne me trompez pas. Écoutez encore. Pourquoi êtes-vous parti brusquement, avant-hier soir, quand le marquis de Farandal est entré ? Le savez-vous ?
MAUPASSANT, Fort comme la mort, éd. 1889, p. 236.

Vous imaginez aisément que, chaque fois que j'argumenterai avec mon collègue à une thèse de doctorat, je trouverai à sa dialectique, d'ailleurs fort subtile, le surcroît de saveur que de piquantes révélations ajoutèrent pour Sainte-Beuve à l'œuvre insuffisamment confidentielle de Chateaubriand. 4.2
PROUST, À la recherche du temps perdu, t. XII, p. 157.

REM. On rencontre, avec *argumenter de qqch.*, des emplois transitifs (→ ci-dessus, cit. 2).

Péj. Discuter vainement, interminablement. → **Ergoter.**

♦ **2** V. tr. Rare. Soutenir (une opinion, une thèse) par des arguments. — Présenter (une opinion) avec des arguments. — Passif et p. passé :

5 Je publiai un article solidement argumenté et aussi persuasif que possible en tête du Matin (...)
Georges LECOMTE, Ma traversée, p. 368.

**DÉR. Argumentant, argumenteur. — V. Argumentateur, argumentation.**

**ARGUMENTEUR** [aʀgymɑ̃tœʀ] n. m. — XVIe, B. Palissy; de *argumenter.*

Vx. Celui qui argumente. → **Argumentateur** (seul admis par l'Académie).

1 Il allait souvent disputer à des thèses dans les classes de philosophie, et il brillait fort par sa qualité de bon argumenteur (...) FONTENELLE, Varignon.

2 Ceux qui prêchent en chaire ont-ils rencontré un seul «argumenteur» ou contradicteur?
L. S. MERCIER, Tableau de Paris, III, p. 92.

**ARGUS** [aʀgys] n. m. — 1584; nom du géant de la mythologie grecque qui avait cent yeux, dont cinquante toujours ouverts, et que Junon avait chargé de garder la vache Io.

♦ **1** Vx et littér. Surveillant, espion vigilant et difficile à tromper. — Loc. *Avoir des yeux d'Argus,* auxquels rien n'échappe.

1 J'ai des argus aux coteaux d'alentour
Qui feront leur devoir d'y veiller nuit et jour.
ROTROU, Antigone, IV, 1.

2 Damon, de peur de pis, établit des Argus
À l'entour de sa femme (...)
LA FONTAINE, Contes, «Coupe».

3 Ergaste, le voilà cet Argus que j'abhorre,
Le sévère tuteur de celle que j'adore.
MOLIÈRE, l'École des maris, I, 3.

4 De votre Argus dupé je brave la puissance (...)
MOLIÈRE, l'École des maris, III, 3.

♦ **2** Zool. Oiseau galliforme exotique *(Phasianidés),* de la taille d'un faisan. — En appos. *Faisan argus.* Animal couvert de taches comparables à des yeux (notamment papillon).

5 (...) les papillons reviennent d'un long voyage (...) les argus bleus. Les paons aux larges ocelles (...)
Monique WITTIG, le Corps lesbien, p. 154.

♦ **3** Fig. (Écrit avec un A majuscule). Publication qui fournit des renseignements spécialisés. *L'Argus de l'automobile,* périodique qui fixe les cotes des voitures d'occasion. *Cinq mille francs au prix de l'Argus. Voiture vendue sous Argus* (au-dessous du prix de l'Argus). *L'Argus de la presse,* agence qui fournit des coupures de presse à ses abonnés.

**ARGUTIE** [aʀgysi] n. f. — 1520; lat. *argutia.*

♦ **1** Vx. Raisonnement ingénieux, très subtil.

♦ **2** Péj. Argument exagérément subtil, en général destiné à empêcher une décision d'intervenir. → **Chicane, subtilité.** *Se perdre en arguties :* abuser, volontairement ou non, de subtilités de langage qui masquent la faiblesse d'un raisonnement. *Trêve d'arguties!*

REM. *Argutie* ne s'emploie généralement qu'au pluriel.

1 Ils sont sophistes autant que philosophes (...) une subtile distinction, une longue analyse raffinée, un argument captieux et difficile à débrouiller, les attire et les retient. Ils s'amusent et s'attardent dans la dialectique, les arguties et le paradoxe. TAINE, Philosophie de l'art, IV, I, 4.

2 Que m'importent les controverses et les arguties des docteurs?
GIDE, Journal, Numquid et tu, 1916-1919, p. 587.

Subtilité portant sur l'expression.

3 L'unité, la distinction ininterrompue d'avec la prose, sont indispensables à la réussite de l'œuvre, lui confèrent sa dignité de poème; à quoi ne suffisent point des instants inspirés. Ce n'est pas une argutie, c'est une esthétique. Celle que les raciniens avaient opposée à Corneille.
MALRAUX, l'Homme précaire et la Littérature, p. 89.

**DÉR. Argutieux.**

**ARGUTIEUX, EUSE** [aʀgysjø, øz] adj. — 1838; de *argutie.*

Vx. Qui est fait d'arguties. *Discours, raisonnement argutieux.* — (Personnes). Qui emploie des arguties (cf. Goncourt, *in* T. L. F.).

**ARGYR-, ARGYRO-** Élément, du grec *arguros* «argent».

**ARGYRASPIDE** [aʀʒiʀaspid] n. m. — 1740; du grec *arguros* «argent», et *aspis* «bouclier».

Hist. de l'antiq. Soldat d'un corps d'élite de l'armée d'Alexandre, équipé d'un bouclier d'argent.

**ARGYRIE** [aʀʒiʀi] n. f. → **Argyrose.**

**ARGYRISME** [aʀʒiʀism] n. m. — 1888; de *argyr-,* et *-isme.*

Méd. Intoxication par les sels d'argent, dont l'une des manifestations est l'argyrose*.

**ARGYRONÈTE** [aʀʒiʀɔnɛt] n. f. — 1843; du grec *arguros* «argent», et *neô* «je file».

Zool. Araignée aux mœurs aquatiques qui tisse dans l'eau une sorte de cloche qu'elle remplit d'air.

**ARGYROSE** [aʀʒiʀoz] n. f. — 1833; de *argyr-,* et *-ose.*

♦ **1** Minerai d'argent (sulfure d'argent), qu'on nomme aussi *argentite.*

♦ **2** Méd. Coloration grise ou brunâtre de la peau ou des muqueuses, due à une imprégnation par des sels d'argent (contact professionnel ou traitement médical prolongé). — On dit aussi *argyrie* [aʀʒiʀi]. → **Argyrisme.**

1. **ARIA** [aʀja] n. m. — 1493, *haria caria* «tumulte»; de l'anc. franç. *harier* «tourmenter, harceler».

♦ **1** Fam., vx (usuel et fam. au XIXe). Embarras, ennui, souci, tracas. *Que d'arias! Quel aria!* → **Tintouin** (fam.). *C'est tout un aria,* toute une affaire (encore chez Montherlant, 1943, *in* T. L. F.).

♦ **2** Vx. Amas de choses entassées.

**HOM. 2. Aria.**

2. **ARIA** [aʀja] n. f. — 1703; ital. *aria* «air».

Mus. class. Air, mélodie chantée accompagnée d'un instrument ou d'un petit nombre d'instruments. *Une aria de Bach. Dans l'opéra classique, l'aria et le récitatif sont des éléments de la composition musicale. L'aria d'opéra et la cavatine*. Des arias.*

**DÉR. V. Ariette, arioso.** ◊ **HOM. 1. Aria.**

**ARIANE** [aʀjan] n. f. — 1863, *in* D. D. L.; lat. *Ariadna,* grec *Ariadnê,* fille de Minos qui, éprise de Thésée, lui donna un peloton de fil dont il attacha une extrémité à l'entrée du labyrinthe pour retrouver son chemin, après avoir tué le Minotaure.

♦ **1** Littér. (par allus. au personnage mythologique). Amante abandonnée.

♦ **2** Loc. fig. (1748). *Fil* d'Ariane :* moyen qui sert de guide, empêche de s'égarer dans un dédale de complications, de difficultés. — Par allus. à la légende d'Ariane, et à la loc. à laquelle cette légende a donné naissance :

(...) philosophes auxquels la sagesse comme une autre Ariane, semble avoir donné une pelote de fil qu'ils s'en vont dévidant depuis le commencement du monde à travers le labyrinthe des choses humaines.
HUGO, Notre-Dame de Paris, I, 3.

**ARIANISER** [aʀjanize] v. tr. — D. i.; de *arien.*
Rare et vx. Donner le caractère de l'arianisme.

Il ne prétend pas avoir fait arianiser ces saints docteurs (...)
BOSSUET, Avertissement, 6.

HOM. **Aryanisé.**

**ARIANISME** [aʀjanism] n. m. — 1568; de *arien.*
Hist. des relig. Hérésie des Ariens, qui niait la consubstantialité du Fils avec le Père et qui fut condamnée au concile de Nicée (325). — Par ext. Doctrine philosophique inspirée de l'hérésie historique d'Arius.

On a vu l'église d'Orient tout entière envahie par l'arianisme et niant la divinité de Jésus-Christ (...)
Émile BURNOUF, la Science des religions, p. 340.

HOM. **Aryanisme.**

**ARIDE** [aʀid] adj. — 1369; lat. *aridus* «sec, desséché», de *arere* «être sec».

♦ **1** Rare. Qui est dépourvu d'humidité. → **Desséché, sec.** — Cour. Qui ne porte aucun végétal, faute d'humidité. *Une terre, un sol aride.* → **Désert, improductif, inculte, incultivable, maigre, pauvre, stérile.** *Caractère aride.* → **Aridité.** — Par ext. *Climat aride,* où les précipitations sont très faibles. *Une chaleur aride.*

1 D'un aride rocher *(Dieu)* fit sortir des ruisseaux.
RACINE, Athalie, I, 4.

2 Imagine un pays tout de terre et de pierres vives, battu par des vents arides et brûlé jusqu'aux entrailles (...)
E. FROMENTIN, Un été dans le Sahara, p. 39.

3 La morne tristesse du désert règne sur cette terre aride dont le sein gercé nourrit à peine quelques mimosas dépouillés, des cactus et des palmiers nains.
FRANCE, le Crime de S. Bonnard, p. 307.

♦ **2** Littér. Qui ne produit rien. — *Esprit aride.* → **Pauvre, stérile.** — *Qui est dépourvu de sensibilité. Âme, cœur aride.* → **Froid, insensible, sec.** — Cour. Qui est dépourvu d'intérêt, d'agrément, d'attrait. *Sujet, matière aride.* → **Ingrat, rébarbatif, sévère.** — Rare. (Concret). Par métaphore. Où rien ne pousse (→ ci-dessous, cit. 8). (Abstrait). Qui ne donne pas de larmes (→ ci-dessous, cit. 9). *Yeux arides.*

4 Il n'est rien de plus sec et de plus aride que ses bonnes grâces (...) MOLIÈRE, l'Avare, II, 4.

5 Sa conversation, quoique assez agréable en cercle, était aride en particulier; la mienne, qui n'était pas plus fleurie, n'était pas pour elle d'un grand secours.
ROUSSEAU, Émile, IX.

6 Les esprits ont déserté cet aride sol voltairien, sur lequel le soc de l'art s'ébréchait depuis si longtemps pour de maigres moissons.
HUGO, Littérature et Philosophie mêlées, p. 9.

7 Jacques, lui, se tirait à merveille de cette aride besogne.
Alphonse DAUDET, le Petit Chose, p. 364.

8 Son crâne aride nourrissait à peine quelques cheveux teints en noir. FRANCE, le Lys rouge, VI, 75.

9 J'aurais voulu pleurer, mais je sentais mon cœur plus aride que le désert.
GIDE, la Symphonie pastorale, p. 145.

10 (...) les débuts forcément arides de l'enseignement du dessin le rebutèrent et il se lassa très vite «de dessiner indéfiniment des yeux».
Henri LICHTENBERGER, Wagner, p. 4.

CONTR. **Aqueux, humide. — Fécond, fertile, plantureux, productif, riche. — Sensible, tendre. — Agréable, attrayant.**

**ARIDITÉ** [aʀidite] n. f. — 1120; lat. *ariditas,* accusatif *ariditatem,* de *aridus.* → Aride.

♦ **1** État de ce qui est aride. *L'aridité d'un sol, d'un terrain, d'un champ.* → **Sécheresse.** — *Stérilité.*

Le foin sur qui le soleil frappe 1
A moins d'aridité que le fond de mon cœur.
CORNEILLE, Psaume de la pénitence, 17.

*L'aridité d'un climat. L'indice d'aridité,* formule permettant d'apprécier un climat en fonction des températures et des précipitations.

♦ **2** Par métaphore ou fig. (Littér.). *L'aridité d'un esprit.* → **Pauvreté, stérilité.** *Aridité du cœur.* → **Froideur, insensibilité, sécheresse.** *L'aridité d'un sujet.* → **Sévérité.** *L'aridité d'un visage.* → **Sécheresse** (de traits, d'expression).

La figure déshéritée de Fouché (quoique intelligente) effrayait d'aridité. 2
MICHELET, Hist. de la Révolution franç., t. II, p. 904.

Elle lui conta l'aridité de son existence, n'ayant personne à voir, pas le moindre plaisir (...) 2.1
FLAUBERT, l'Éducation sentimentale, t. II, p. 61, *in* T. L. F.

(...) il n'avait pas peur de sa haine mais il y avait sur ce visage une aridité désolée qui était insoutenable. 3
SARTRE, l'Âge de raison, XVIII.

Théol. *L'aridité de l'âme :* état de l'âme insensible aux consolations spirituelles.

L'âme fidèle, au milieu de ses dégoûts et de ses aridités, porte du moins une conscience qui ne lui reproche point de crime (...) MASSILLON, Carême, Tiédeur. 4

(Choses). *Il y a dans les chiffres une aridité polaire* (cit. 3).

CONTR. **Humidité. — Fécondité, fertilité, productivité, richesse. — Sensibilité. — Agrément, attrait.**

**ARIEN, IENNE** [aʀjɛ̃, jɛn] n. et adj. — 1224, n.; de *Arius,* célèbre hérésiarque.
Hist. des relig. Partisan de l'arianisme*. — Adj. *L'hérésie arienne.*

Lorsque la religion chrétienne fut apportée aux barbares, la secte arienne était en quelque façon dominante dans l'empire (...) 1
MONTESQUIEU, Grandeur et décadence des Romains, 20.

Lu Milton avec une admiration extrême, malgré son horrible théologie. Qu'il soit arien est déjà un obstacle, mais qu'il nous montre avec une telle complaisance la colère du Père s'abattant sur le Fils a quelque chose qui révolte. 2
J. GREEN, Journal, Vers l'invisible, 1958-1967, 23 juin 1963, p. 369.

DÉR. **Arianiser, arianisme.** ◊ HOM. **Aryen.**

**ARIETTE** [aʀjɛt] n. f. — 1710, *in* Bloch-Wartburg; ital. *arietta,* dimin. de *aria* «air».
Mus. Air léger qui s'adapte à des paroles.

La plupart des ariettes de Lulli sont des airs du Pont-neuf et des barcarolles de Venise. 1
VOLTAIRE, Lettres, 18 déc. 1767.

Les premiers opéras-comiques français furent appelés «comédies à ariettes» parce que, au milieu du dialogue parlé, on insérait des pièces vocales composées par des musiciens en renom. 2
Initiation à la musique, p. 369.

Je sentais bien qu'on ne pouvait jouer, devant ces gens du monde, que des musiques banales, superficielles comme les paroles qui venaient d'être dites, mais il y a de la beauté dans ces ariettes oubliées. 3
M. YOURCENAR, Alexis, p. 90.

**ARILLE** [aʀij] n. m. — 1808; du bas lat. *arillus* «grain de raisin».
Bot. Expansion charnue ou membraneuse qui enveloppe certaines graines auxquelles elle n'adhère qu'en un seul point, le hile. *Arille de la noix muscade* (→ **Macis**), *de l'if.*

**ARIOSO** [aʀjozo] adv. et n. m. — 1837; ital. *arioso*, de *aria* «air».

Musique.

♦ **1** Adv. Indication sur la partition du caractère pathétique d'un passage chanté.

♦ **2** N. m. Air de chant où s'exprime le pathétique. — Air de chant qui tient de l'aria et du récitatif. — Plur. *Des ariosos* [aʀjozo] ou (plur. ital., rare) *des ariosi* [aʀjozi].

**ARISER** [aʀize] v. tr. → **Arriser.**

**ARISTARQUE** [aʀistaʀk] n. m. — 1549; lat. *Aristarchus*, transcrit du grec *Aristarkhos*, célèbre critique qui révisa les travaux d'Homère.

Littér. Critique éclairé et sévère.

Comment donc, mon ami, répliqua-t-il avec étonnement, *(mon homélie)* aurait-elle trouvé quelque Aristarque?
A. R. LESAGE, Gil Blas, VII, IV.

Critique (souvent iron.). *«Les aristarques ignorants et prétentieux d'aujourd'hui»* (t'Serstevens, *in* T. L. F.).

**ARISTO** [aʀisto] n. — 1848, *in* F. e. w.; de *aristocrate*.

Fam. Aristocrate (2. et 3.).

1 Un ancien intellectuel quand il serait pauvre comme le citoyen Job, et quand il serait devenu maçon, est toujours fâcheusement noté. Il est toujours un aristo.
Ch. PÉGUY, Œuvres compl., t. I, p. 380.

2 Les jeunes socialistes qu'il pouvait y avoir à Doncières quand j'y étais, mais que je ne connaissais pas parce qu'ils ne fréquentaient pas le milieu de Saint-Loup, purent se rendre compte que les officiers de ce milieu n'étaient nullement des «aristos» dans l'acception hautainement fière et bassement jouisseuse que le «populo», les officiers sortis du rang, les francs-maçons donnaient au surnom d'«aristo».
PROUST, le Temps retrouvé, Pl., t. III, p. 743.

**ARISTOCRATE** [aʀistɔkʀat] n. et adj. — 1550, «membre de l'aristocratie», attestation isolée; repris 1778; de *aristocratie*.

♦ **1** N. Polit. Partisan de l'aristocratie (1.). — Spécialt. (Sous la Révolution française). Péj. Partisan des privilèges des nobles.

1 Il y a eu un peuple d'aristocrates, un public tout entier composé de connaisseurs, une démocratie qui a saisi des nuances d'art tellement fines que nos raffinés les aperçoivent à peine. RENAN, Souvenirs d'enfance..., II, 1.

♦ **2** N. Membre d'une aristocratie, d'une caste héréditaire détenant le pouvoir. → **Noble.** — Spécialt. (Sous la Révolution française). Péj. Membre de l'ordre de la noblesse.

2 Mirabeau avertissait, dès 1786, que «les prétentions et les intérêts privés des "aristocrates" ont en tout pays été trop souvent pris pour l'intérêt public».
L'étymologie ne comptait pas. Personne ne voulut admettre que le gouvernement ainsi désigné fût le «gouvernement des meilleurs». En très peu de temps, aristocrate fut déconsidéré (...)
L'aristocrate fut considéré comme un gibier de potence. On ne sait trop à quelle date, dans le refrain du Ça ira, s'introduisit le vers haineux : «Les aristocrates à la lanterne».
BRUNOT, Hist. de la langue franç., t. IX, p. 646-647.

♦ **3** N. Membre d'une élite, d'une aristocratie (4.). → **Aristo.**

3 Il *(Beethoven)* se décida (...) à mobiliser une partie de son argent, qui était en dépôt à la Nationalbank, sous la garantie d'aristocrates de la finance (...)
R. ROLLAND, Beethoven, p. 44.

♦ **4** Adj. (Personnes) :

4 Démocrate par nature, aristocrate par mœurs, je ferais très volontiers l'abandon de ma fortune et de ma vie au peuple, pourvu que j'eusse peu de rapports avec la foule.
CHATEAUBRIAND, Mémoires d'outre-tombe, IV, II.

♦ **5** Adj. Gouverné par une aristocratie. → **Aristocratique.**

Ce grand royaume de France, aristocrate dans ses parties 5
ou ses provinces, était démocrate dans son ensemble, sous la direction de son roi, avec lequel il s'entendait à merveille et marchait presque toujours d'accord.
CHATEAUBRIAND, Mémoires d'outre-tombe, I, V.

CONTR. **Démocrate.**

**ARISTOCRATIE** [aʀistɔkʀasi] n. f. — 1361; grec *aristokrateia* «gouvernement des meilleurs», de *aristos* «le meilleur», et *kratein* «commander» (→ -cratie).

♦ **1** Polit. Forme de gouvernement où le pouvoir appartient à un petit nombre de personnes, et particulièrement à une classe héréditaire. → **Grand, noble, patricien.** *L'aristocratie dégénère quelquefois en oligarchie.* → **Oligarchie.**

Dans l'aristocratie, la souveraine puissance est entre les 1
mains d'un certain nombre de personnes. Ce sont elles qui font les lois et qui les font exécuter; et le reste du peuple n'est tout au plus à leur égard que comme dans une monarchie les sujets sont à l'égard du monarque.
MONTESQUIEU, l'Esprit des lois, II, 3.

Il y a donc trois sortes d'aristocratie : naturelle, élective, 2
héréditaire. La première ne convient qu'à des peuples simples; la troisième est le pire de tous les gouvernements. La deuxième est le meilleur; c'est l'aristocratie proprement dite. ROUSSEAU, Du contrat social, II, 5.

Tout gouvernement, fait observer Platon, est appelé de 3
deux manières différentes, selon qu'il s'exerce dans l'intérêt des gouvernés ou dans celui des gouvernants. Quand une classe peu nombreuse gouverne dans l'intérêt commun, c'est *aristocratie;* quand elle gouverne dans le sien propre, c'est *oligarchie.*
A. LALANDE, Voc. de la philosophie, art. *Aristocratie.*

♦ **2** La classe privilégiée qui détient le pouvoir (→ Particule, cit. 3). *L'aristocratie féodale. L'aristocratie bourgeoise.* → **Noblesse.** — Spécialt. Les membres de l'ordre de la noblesse, en France, sous l'Ancien Régime.

L'aristocratie a trois âges successifs : l'âge des supériorités, 4
l'âge des privilèges, l'âge des vanités; sortie du premier, elle dégénère dans le second et s'éteint dans le dernier!
CHATEAUBRIAND, Mémoires d'outre-tombe, t. I, I, p. 16.

Les aristocraties ont pour orgueil ce que les femmes ont 5
pour humiliation, vieillir; mais femmes et aristocraties ont la même illusion, se conserver.
HUGO, l'Homme qui rit, II, VIII, I.

Il n'y a plus de noblesse, il n'y a que de l'aristocratie. 6
BALZAC, le Cabinet des Antiques, Pl., t. IV, p. 459.

Il est de l'essence des États modernes, sortis de la féodalité, 7
de posséder une aristocratie, reste des familles autrefois souveraines, dont le rôle consiste à limiter la royauté et à empêcher le développement exagéré de l'idée de l'État.
RENAN, Questions contemporaines, Œ. compl., t. I, p. 41.

♦ **3** Les nobles. — Rare. L'élite. *Café où fréquente l'aristocratie locale.*

♦ **4** (Qualifié). Petit nombre de personnes (→ **Caste, classe, élite, monde, société**) qui détiennent une prééminence en quelque domaine. *Une aristocratie d'écrivains. L'aristocratie du talent. L'aristocratie de l'argent.* — Par ext. Prééminence, supériorité, distinction. *L'aristocratie intellectuelle.* → **Élite.** *Aristocratie des sentiments, du goût.* → **Distinction, élégance, noblesse, supériorité.** — Péj. et iron. *L'aristocratie du bagne, du milieu.*

Toute femme a dans l'esprit des petits besoins d'élégance, 8
de finesse et d'aristocratie.
MICHELET, la Femme, p. 22.

9 Ces caractères épars et mystérieux qui confèrent à certains hommes un grade dans la hiérarchie voluptueuse, dans l'aristocratie animale.
COLETTE, la Naissance du jour, p. 183.

10 (...) un certain romantisme chevaleresque, le goût d'une vie affranchie et dangereuse les unissaient en une sorte de caste, très consciente de son aristocratie.
MARTIN DU GARD, les Thibault, VII, 28.

CONTR. **Démagogie, démocratie. — Bourgeoisie, prolétariat. — Bassesse, grossièreté, vulgarité** (des sentiments). ◊ DÉR. **Aristocrate, aristocratiser.** V. **Aristocratique.**

**ARISTOCRATIQUE** [aʀistɔkʀatik] adj. — 1361 ; grec *aristokratikos* (→ Aristocratie).

♦ **1** Polit. Qui appartient à l'aristocratie (1.), forme de gouvernement. *Gouvernement aristocratique.* — Favorable à cette forme de gouvernement. *Le parti aristocratique.*

1 Après l'expulsion des rois, le gouvernement *(de Rome)* était devenu aristocratique : les familles patriciennes obtenaient seules toutes les magistratures, toutes les dignités, et par conséquent tous les honneurs militaires et civils.
MONTESQUIEU, Grandeur et Décadence des Romains, 8.

2 On disait du gouvernement *(de la cité grecque)* qu'il était aristocratique quand les riches étaient au pouvoir, démocratique quand c'était les pauvres. En réalité, la vraie démocratie n'existait plus.
FUSTEL DE COULANGES, la Cité antique, IV, 12, p. 403.

♦ **2** Qui appartient à la classe noble. → **Noble.** *Une famille aristocratique.* → **Aristocrate.** — (Choses). *Manières aristocratiques.*

♦ **3** Qui est digne ou caractéristique d'un aristocrate. → **Distingué, élégant.**

3 (...) une beauté grêle et pour ainsi dire aristocratique.
BALZAC, le Réquisitionnaire, Pl., t. IX, p. 851.

4 Je commençais à connaître l'exacte valeur du langage parlé ou muet de l'amabilité aristocratique, amabilité heureuse de verser un baume sur le sentiment d'infériorité de ceux à l'égard desquels elle s'exerce, mais pas pourtant jusqu'au point de la dissiper.
PROUST, À la recherche du temps perdu, t. IX, p. 83.

5 M. Charles Grandet, beau jeune homme de vingt-deux ans, produisait en ce moment un singulier contraste avec les provinciaux qui l'entouraient, que déjà ses manières aristocratiques révoltaient passablement, et que tous étudiaient pour s'en moquer.
BALZAC, Eugénie Grandet, éd. 1838, p. 83.

CONTR. **Démocratique. — Bourgeois, prolétarien. — Grossier, vulgaire.** ◊ DÉR. **Aristocratiquement.**

**ARISTOCRATIQUEMENT** [aʀistɔkʀatikmɑ̃] adv. — 1568 ; de *aristocratique.*

D'une manière aristocratique.

Les premières sociétés se gouvernèrent aristocratiquement. Les chefs des familles délibéraient entre eux des affaires publiques.
ROUSSEAU, Du contrat social, III, 5 (1762).

CONTR. **Démocratiquement.**

**ARISTOCRATISER** [aʀistɔkʀatize] v. tr. — Fin XIVe, repris sous la Révolution ; de *aristocratie.*

Vx. Rendre aristocrate. — Pron. *S'aristocratiser :* devenir aristocrate.

Le verbe «aristocratiser» voulut dire *(sous la Révolution) :* entraîner les gens dans le parti contre-révolutionnaire.
BRUNOT, Hist. de la langue franç., t. IX, p. 648.

CONTR. **Démocratiser.**

**ARISTOLOCHE** [aʀistɔlɔʃ] n. f. — XVIe ; *aristologie,* 1248 ; lat. *aristolochia,* grec *aristolokhia,* de *aristos* «excellent», et *lekheia* «accouchement», cette plante étant réputée pour faciliter l'accouchement.

Plante dicotylédone *(Aristolochiées)* dont une variété *aristoloche siphon,* appelée aussi *sarrasine,* donne de curieuses fleurs en forme de pipe allemande (d'où le nom vulgaire de *Pipe allemande, in* Poiré). *Aristoloche serpentaire (A. serpentaria) :* serpentaire de Virginie.

DÉR. **Aristolochiacées.**

**ARISTOLOCHIACÉES** [aʀistɔlɔʃjase] n. f. pl. — 1850, *aristolochiées ;* de *aristoloche.*

Bot. Famille de plantes phanérogames angiospermes (dicotylédones), dont les types principaux sont l'aristoloche et l'asaret. — Au sing. *Une aristolochiacée.*

**ARISTOPHANESQUE** [aʀistɔfanɛsk] adj. — 1853, Flaubert ; de *Aristophane,* poète athénien.

Littér. Qui est dans le genre, le style mordant, satirique des comédies d'Aristophane.

**ARISTOTÉLICIEN, IENNE** [aʀistɔtelisjɛ̃, jɛn] adj. et n. — 1668 ; du lat. *aristotelicus* «d'Aristote». → Aristotélique.

Philos., sc. Qui est relatif à la philosophie d'Aristote et à la tradition philosophique qui s'en inspire. *Philosophie aristotélicienne. Les catégories aristotéliciennes.* → **Catégorie** (→ Ataraxie, cit. 3).

N. et adj. Partisan de la doctrine d'Aristote. → **Péripatéticien.**

PANCRACE, docteur aristotélicien.
MOLIÈRE, le Mariage forcé, personnages.

**ARISTOTÉLIQUE** [aʀistɔtelik] adj. — 1527 ; lat. *aristotelicus* «d'Aristote».

Philos., sc. (Vieilli ou hist.). Qui se rapporte à Aristote ou à sa philosophie.

(...) nous devons nous remettre en familiarité avec le développement aristotélique, qui est juste à l'opposé de l'esprit cartésien.
ALAIN, Hegel, *in* les Passions et la Sagesse, Pl., p. 1019.

DÉR. V. **Aristotélicien.**

**ARISTOTÉLISME** [aʀistɔtelism] n. m. — 1771 ; du lat. *Aristoteles,* grec *Aristotelês* «Aristote».

Philos., sc. Doctrine, philosophie d'Aristote et de ses disciples.

La philosophie de Hegel est un aristotélisme.
ALAIN, Hegel, *in* les Passions et la Sagesse, Pl., p. 999.

**ARITHMANCIE** [aʀitmɑ̃si] n. f. → **Arithmomancie.**

**ARITHMÉTICIEN, IENNE** [aʀitmetisjɛ̃, jɛn] n. — 1404, *arismeticien ;* de 2. *arithmétique.*

Didact. Mathématicien spécialiste de l'arithmétique. *Le grand arithméticien et logicien Gottlob Frege.*

1. **ARITHMÉTIQUE** [aʀitmetik] adj. — 1370, *arismétique ;* lat. *arithmeticus,* du grec.

♦ **1** Qui est relatif à l'arithmétique, qui est fondé sur la science des nombres rationnels. *Calcul arithmétique. Opération arithmétique. Appareil, instrument, machine arithmétique.* → **Arithmographe, arithmomètre, compteur.**

*Rapport arithmétique de deux quantités,* différence entre ces deux quantités. *Moyenne arithmétique :* rapport de la somme de plusieurs termes au nombre de ces termes. *Proportion arithmétique :* égalité de deux rapports arithmétiques. *Progression arithmétique* (par oppos. à *progression géométrique*), celle où la différence entre les termes consécutifs est constante (2, 4, 6, 8, 10, etc.).

♦ **2** Fam. *C'est arithmétique :* c'est prouvé par les nombres ; par ext., c'est logique. → **Mathématique.**

**DÉR. Arithmétiquement.**

2. **ARITHMÉTIQUE** [aʀitmetik] n. f. — V. 1150, *arimetique ;* lat. *arithmetica,* du grec *arithmêtikê* «science des nombres», de *arithmos* «nombre».

♦ **1** Partie de la mathématique qui étudie les propriétés et les relations élémentaires sur les ensembles des entiers (naturels et relatifs) et des nombres rationnels. — Pratique des calculs relatifs à cette science. → **Algorithme, calcul, opération.** *Arithmétique supérieure* ou *théorie des nombres,* relative à des ensembles plus généraux et faisant appel aux autres branches de la mathématique (théorie des groupes, géométrie algébrique, analyse).

Cour. Arithmétique élémentaire, art de calculer. → **Calcul.** *Être meilleur en arithmétique qu'en algèbre.*

1 On devait souligner beaucoup de mots, fignoler les majuscules, répartir exactement les opérations d'arithmétique dans la demi-page de gauche, en face de la *solution,* et l'on comptait une demi-faute pour toute virgule oubliée.

Raymond ABELLIO, Ma dernière mémoire, t. I, p. 119.

Par compar. Manière de calculer, d'estimer qqch.

2 Je crois que deux et deux sont quatre...
— (...) Votre religion, à ce que je vois, est donc l'arithmétique. MOLIÈRE, Dom Juan, III, 1.

3 Le point de vue qui rallie aujourd'hui tous les suffrages, que mieux vaudrait sacrifier le musée du Vatican, mettre le feu au Louvre, si cela pouvait sauver la vie à des millions d'enfants en bas âge, voilà de ces arithmétiques insolubles telles qu'en produit cette frénésie de se reproduire ; mouchez-vous donc, tas de salauds !

P. KLOSSOWSKI, la Révocation de l'Édit de Nantes, p. 88.

♦ **2** Livre qui traite de l'arithmétique élémentaire. *Acheter une arithmétique.*

**DÉR. Arithméticien.**

**ARITHMÉTIQUEMENT** [aʀitmetikmɑ̃] adv. — 1558 ; de 1. *arithmétique.*

♦ **1** D'une manière arithmétique. *Procéder arithmétiquement.*

1 Les machines les plus compliquées et les symphonies de Beethoven se meuvent d'après les mêmes lois, progressent arithmétiquement, elles sont régies par un besoin de symétrie qui décompose leurs mouvements en une série de mesures minuscules, infimes, et qui se font pendant.

B. CENDRARS, Moravagine, Œ. compl., t. IV, p. 104.

♦ **2** Fam. Logiquement. — Par ext. Fatalement.

2 (...) ce nouveau corps *(d'armée)* peut être composé de bric et de broc, ce qui (...) peut fournir des indications qui donneront à l'opération elle-même que ce corps va tenter une signification différente, parce que, s'il n'est plus en état de réparer ses pertes, ses succès eux-mêmes ne feront que l'acheminer, arithmétiquement, vers l'anéantissement final.

PROUST, le Côté de Guermantes, Pl., t. II, p. 110.

**ARITHMO-** Élément, du grec *arithmos* «nombre» (attesté en 1721 dans *arithmomancie*).

**ARITHMOGRAPHE** [aʀitmɔgʀaf] n. m. — 1842, sens général ; de *arithmo-,* et *-graphe.*

Hist. des sc. Nom donné au cadran à calcul de Gattey (1807) et, d'une manière générale, aux appareils à calculer.

**ARITHMOLOGIE** [aʀitmɔlɔʒi] n. f. — 1834, Ampère, *in* Cottez ; de *arithmo-,* et *-logie.*

Hist. des sc. Science générale des nombres et de la mesure des grandeurs.

**ARITHMOMANCIE** [aʀitmɔmɑ̃si] ou **ARITHMANCIE** [aʀitmɑ̃si] n. f. — 1721, *arithmomancie ; arithmancie,* XVIe, Rabelais, *in* Cottez ; du grec *arithmos* «nombre» (→ Arithmo-), et *manteia* «divination» (→ -mancie).

Didact. Divination par les nombres.

**ARITHMOMANIE** [aʀitmɔmani] n. f. — 1900, *in* D. D. L. ; de *arithmo-,* et *-manie.*

Didact. Besoin obsédant de compter les objets ou les actes (ex. : lames de parquet, lettres des mots ; pas effectués) ou de faire des opérations arithmétiques inutiles sur des chiffres lus ou entendus. *L'arithmomanie a parfois la valeur d'un rite conjuratoire par lequel le sujet lutte contre une obsession plus grave.*

**ARITHMOMÈTRE** [aʀitmɔmɛtʀ] n. m. — 1823 ; de *arithmo-,* et *-mètre.*

Sc. Nom donné à la machine à calculer inventée par Thomas en 1818.

**ARLEQUIN, INE** [aʀləkɛ̃, in] n. — 1160-1185, *Hellequin ;* 1585, *Harlequin,* nom d'un personnage de théâtre ; *Harlequin* encore dans Furetière, 1690 ; paraît provenir de l'anc. franç. *hellequin,* nom d'un diable, ces noms pouvant dériver de *harler, hareler* «harasser» et *hacquer* «mettre en pièces» (Guiraud) ; la forme *Arlequin* vient de l'ital. *arlecchino.*

♦ **1** Personnage bouffon de la comédie italienne, qui porte un costume fait de pièces triangulaires de toutes couleurs, un masque noir et un sabre de bois *(batte, latte d'Arlequin).*

Après l'air que la Musicienne a chanté, deux Scaramouches, deux Trivelins, et un Arlequin représentent une nuit à la manière des comédiens italiens, en cadence. 1

MOLIÈRE, le Bourgeois gentilhomme, Ballet des nations, 4e entrée.

Arlequin n'eût exécuté 2
Tant de différents personnages.

LA FONTAINE, Fables, XII, 18.

Sur les tréteaux l'arlequin blême 2.1
Salue d'abord les spectateurs
Des sorciers venus de Bohême
Quelques fées et les enchanteurs.

APOLLINAIRE, Alcools, Pl., p. 64.

Fam., vx. *C'est un arlequin,* un homme qui change d'opinion à tout moment.

(...) nos arlequins de toute espèce imitent le beau pour le dégrader, pour le rendre ridicule ; ils cherchent dans le sentiment de leur bassesse à s'égaler ce qui vaut mieux qu'eux ; ou, s'ils s'efforcent d'imiter ce qu'ils admirent, on voit dans le choix des objets le faux goût des imitateurs (...) 3

ROUSSEAU, Émile, II.

*Manteau d'arlequin :* panneaux servant de cadre à la scène de théâtre.

*Un habit d'arlequin :* un tout formé de parties disparates.

(...) toutes les royales araignées découpèrent l'Europe, et de la pourpre de César se firent un habit d'arlequin. 4

A. DE MUSSET, la Confession d'un enfant du siècle, I, 1.

5 C'est se méprendre étrangement sur le rôle de l'imagination poétique que de croire qu'elle compose ses héros avec des morceaux empruntés à droite et à gauche autour d'elle, comme pour coudre un habit d'arlequin.
H. BERGSON, le Rire, III, 128.

N. f. *Une arlequine :* une femme déguisée en arlequin.

6 Frôlée par les ombres des morts
Sur l'herbe où le jour s'exténue
L'arlequine s'est mise nue
Et dans l'étang mire son corps.
APOLLINAIRE, Alcools, Pl., p. 64.

♦ **2** Par appos. À losanges de couleur. *Un habit arlequin. Bas arlequin.*

♦ **3** Vieilli. Plat composé de divers restes.

7 Angélique s'approcha et se présenta elle-même en parlant de la lettre anonyme, pendant que le garçon posait devant Velbar l'arlequin demandé, sorte d'assemblage multicolore de viandes et de légumes disparates empilés sur la même assiette.
Raymond ROUSSEL, Impressions d'Afrique, p. 273.

**DÉR.** **Arlequinade, arlequiner.**

**ARLEQUINADE** [aʀləkinad] n. f. — 1726; de *arlequin.*

♦ **1** Pièce bouffonne où Arlequin joue le principal rôle. — (1845). Par ext., péj. Composition grotesque, littéraire, picturale ou musicale.

♦ **2** Bouffonnerie d'arlequin. *Les arlequinades dans la Commedia dell'arte.* — Fig., vx. Action ridicule, inconséquence choquante. *Je ne m'attendais pas à une pareille arlequinade (Littré).*

**ARLEQUINER** [aʀləkine] v. — XV$^{e}$ ?; *harlequiner, in* Godefroy, *Compl.; de arlequin.*

Rare.

♦ **1** V. intr. Jouer le rôle d'Arlequin; bouffonner.

♦ **2** V. tr. Transformer en habit d'Arlequin, couvrir de parties, de couleurs disparates. — Au p. p. *«Tapis arlequiné jaune et vert»* (Michelet, *in* T. L. F.).

**ARLÉSIEN, IENNE** [aʀlezjɛ̃, jɛn] adj. et n. — Attesté 1866, mais évidemment antérieur; de *Arles.*

♦ **1** Adj. ou n. (Personnes). Qui est né ou vit à Arles. *Un Arlésien, une Arlésienne.*

— Ah! Combray, Combray, s'écriait-elle. (Et le ton presque chanté sur lequel elle déclamait cette invocation eût pu, chez Françoise, autant que l'arlésienne pureté de son visage faire soupçonner une origine méridionale et que la patrie perdue qu'elle pleurait n'était qu'une patrie d'adoption.)
PROUST, le Côté de Guermantes, Pl., t. II, p. 19.

♦ **2** N. f. Cuis. *Une arlésienne :* une garniture de légumes comportant obligatoirement des tomates. — *À l'arlésienne. Œufs brouillés à l'arlésienne.*

♦ **3** N. f. Loc. *Jouer l'Arlésienne, les Arlésiennes :* ne pas se montrer (par allus. à l'opéra de Bizet, où le personnage de l'Arlésienne ne paraît jamais sur scène).

**ARMADA** [aʀmada] n. f. — 1528, *armade; armada,* 1828, cit.; mot esp., «armée navale».

♦ **1** N. pr. Flotte que Philippe II arma en 1588 contre l'Angleterre et qui fut détruite. *L'invincible Armada.*

Par ext. N. commun. Flotte importante.

Où sont tes mille antennes,
Et tes hunes hautaines,
Et tes fiers capitaines,
Armada du sultan? HUGO, les Orientales, V, 6.

Par anal. *Une armada de bombardiers.*

♦ **2** Fam. *Une armada :* un grand nombre. *L'armada des photographes, une armada de photographes envahit la salle au moment de la proclamation du palmarès.*

**DÉR.** V. 1. **Armadille.**

1. **ARMADILLE** [aʀmadij] n. f. — 1699; esp. *armadilla,* dimin. de *armada.*

Hist. Petite escadre («armada») que le roi d'Espagne entretenait pour interdire aux étrangers l'accès de ses possessions d'Amérique.

2. **ARMADILLE** [aʀmadij] n. f. — 1598, «tatou»; esp. *armadillo,* dimin. de *armado* «armé».

♦ **1** Vx. Tatou.

♦ **2** (1838). Mod. Crustacé malacostracé *(Isopodes)* qui vit, comme le cloporte, dans les endroits humides et obscurs, et se roule en boule quand on le touche.

**ARMAGNAC** [aʀmaɲak] n. m. — 1845; de *Armagnac,* pays de Gascogne.

Eau-de-vie de raisin que l'on fabrique en Armagnac. *Un petit verre de vieil armagnac. Un bas-armagnac :* une eau-de-vie du Bas-Armagnac. *Des armagnacs hors d'âge.*

**ARMATEUR** [aʀmatœʀ] n. m. — 1544, *in* D. D. L.; bas lat. *armator,* de *armare* «armer un vaisseau».

♦ **1** Personne qui se livre à l'exploitation commerciale d'un navire, qu'il en soit propriétaire ou locataire. → **Armer** (II.). *Agent de l'armateur pour la gestion de la cargaison.* → **Subrécargue.**

Est considéré comme armateur, pour l'application de la présente loi, tout particulier, toute société, tout service public, pour le compte desquels un navire est armé.
Loi du 13 déc. 1926, portant Code du travail maritime, art. 2.

♦ **2** Anciennt. Capitaine d'un navire armé pour la course. → **Corsaire** (cour.).

**ARMATURE** [aʀmatyʀ] n. f. — 1282, en archit., *in* Arveiller; «armure», début XVI$^{e}$; lat. *armatura* «armure», de *arma.* → Arme.

**I** Anciennt. Armure (propre et fig.).

Sans l'armature de prudence (...) le dieu Mars ne saurait conduire ses batailles. 1
J. LEMAIRE DE BELGES, Trois livres des Illustrations des Gaules..., p. 102.

**II** ♦ **1** Bâti servant à consolider une matière fragile ou souple. *Soutien-gorge à armature.* — Spécialt. Assemblage de pièces de bois ou de métal qui servent à maintenir les diverses parties d'un ouvrage de charpente, de maçonnerie, etc. → **Carcasse, charpente.** *L'armature d'une voûte.* → **Cintre, échafaudage.** *Armature d'un vitrail,* ensemble des tringles de fer qui le soutiennent. → **Treillis.** *Armature de sculpture :* carcasse de fer qui maintient la matière fragile de la maquette. *Armature du béton :* barres et fils d'acier que l'on place dans les coffrages. → **Béton.**

Phys. Ensemble des pièces, plaques, lames métalliques d'un électro-aimant, d'un condensateur électrique.

♦ **2** Fig. Ce qui sert à maintenir, à soutenir. *Une solide armature.* → **Base, charpente, échafaudage, fondation, ossature, soutien, support.** *L'armature* *d'un roman, d'un drame. — Une armature intellectuelle, morale, psychologique. L'armature économique, financière d'un pays.* → **Structure.**

2 Toute époque a son armature, une hiérarchie, des classes, des administrations.
A. MAUROIS, Études littéraires, t. II, p. 147.

3 Celui qui obéit trouve légitime la sévérité de celui qui commande, si cette dureté donne à la vie une armature stable et solide.
A. MAUROIS, Études littéraires, t. II, p. 259.

4 Il n'en allait pas moins qu'une très belle classe judiciaire s'était, cinq siècles, créée et maintenue, en France, qui n'avait son équivalent en aucun autre pays, parce que les traditions, transmises de père en fils, lui constituaient une solide armature.
Louis MADELIN, Hist. du Consulat et de l'Empire, t. III, 10.

5 (...) le crédit des États reposait sur une armature financière que les contemporains estimaient devoir durer toujours.
André SIEGFRIED, l'Âme des peuples, I, 1.

6 (...) nous avions renié toute métaphysique, mais nous étions encore soutenus par la vieille armature morale.
G. DUHAMEL, le Voyage de P. Périot, X.

7 Conscient que sa religion était sa plus solide armature, le peuple élu accomplit, dans l'exil, un effort remarquable de fidélité. DANIEL-ROPS, Jésus en son temps, IV, 1.

♦ **3** Spécialt. *Armature d'une pompe :* ensemble des pièces qui servent à faire monter l'eau.

♦ **4** Mus. Ensemble des dièses et des bémols placés à la clef pour indiquer la tonalité du morceau. — On dit aussi *armure.*

♦ **5** Croisement des fils de chaîne et de trame (d'un tissu). → **Armure.**

**DÉR. Armaturer.**

**ARMATURER** [aʀmatyʀe] v. tr. — 1907; de *armature.*
Rare. Munir d'une armature. — Au p. p. Soutenu par une armature.
Par métaphore :

(...) le théologien le mieux armaturé et le plus savamment fourbi ne verrait pas mieux l'importance vitale pour le christianisme, de ces dernières citadelles de l'esprit évangélique. Léon BLOY, le Désespéré, p. 85.

**ARME** [aʀm] n. f. — 1080, *Chanson de Roland;* lat. *arma,* neutre plur. devenu fém. au sing. → Armer.

**I** ♦ **1** Instrument ou dispositif servant à tuer, à blesser ou à mettre l'ennemi dans l'impossibilité de se défendre (→ Fusil, cit. 1.1 et 1.2). *Armes de guerre.* → **Armement, équipement, matériel.** *Armes de chasse. Fabrication, fabrique d'armes.* → **Armurerie.** *Dépôt d'armes.* → **Arsenal.** *Détenir, porter des armes prohibées. Avoir, garder une arme chez soi. Port* d'armes. Distribuer des armes.* → **Armer.** *Faisceau d'armes. Assemblage d'armes.* → **Trophée.** *Collection d'armes décoratives.* → **Panoplie.** *Trafic d'armes. Un trafiquant d'armes* (→ Marchand de canons*). *Exportation, vente d'armes.*
*Armes offensives,* celles qui servent à l'attaque ou à la riposte. — (1694). *Armes blanches* et armes à feu. Armes contondantes* et armes tranchantes*. Armes légères, portatives et armes lourdes.* → **Artillerie.** *Armes de main, d'estoc et de taille.* → **Baïonnette, cimeterre, couteau, coutelas, dague, épée, glaive, poignard; plommée, sabre, stylet.** *Armes de choc.* → **Bâton, canne, casse-tête, coup-de-poing, maillet, marteau, masse, massue, matraque, plombée, trique.** — Anciennt. *Armes d'hast :* armes emmanchées au bout d'un bâton ou d'une hampe. → **Angon, épieu, esponton, fauchard, faux, fléau, fourche, framée, francisque, guisarme, hache, hallebarde, lance, pertuisane, pique, plançon, plommée, sagaie, vouge.** — *Armes de jet.* → **Angon, arbalète, arc, boomerang, dard, falarique, fronde, javeline, javelot, pilum** (romain), **sagaie.** — *Armes à feu.* → **Arquebuse, canon, carabine, escopette, espingole, fusil, mitraillette, mitrailleuse, mousquet, pistolet, pistolet-mitrailleur** (PM), **revolver, tromblon.** *Arme de poing* (pistolets, revolvers...) *et armes d'épaule* (fusils, carabines...). *Arme à percussion. Arme à répétition automatique. Arme à tir automatique.* → **Charge, chargeur, calibre, coup, décharge, détonation...** *Charger, décharger une arme. Braquer, pointer, diriger une arme vers un point donné. Projectiles d'armes à feu.* → **Balle, bombe, cartouche, fusée, munition, obus, plomb, projectile.** *Cache-flamme d'une arme à feu. — Armes de siège.* → **Machine** (de guerre). *Armes antichars.* → **Bazooka, canon** (antichar). *Armes antiaériennes.* → **Canon, fusée, roquette.** *Armes antipersonnel. Armes individuelles* (fusil, pistolet) *et collectives* (mitrailleuse, mortier, canon) *des armées modernes.*

Cyrus Smith et ses compagnons ne marchaient pas sans 0.1
une certaine circonspection sur ce sol nouveau pour eux. Arcs, flèches, bâtons emmanchés d'un fer aigu, c'étaient là leurs seules armes.
J. VERNE, l'Île mystérieuse, t. I, p. 209.

Quant aux collectionneurs, aux amateurs de bibelots et 0.2
de belles armes, ils se seraient bien gardés de perdre une si belle occasion d'endosser de brillantes ferblanteries de reîtres, de se coiffer de casques, de bourguignottes, de salades et de se barder de dagues féroces et de pistolets d'arçon monumentaux.
A. ROBIDA, le Vingtième Siècle, p. 275.

Dispositif ou ensemble de moyens offensifs. *L'arme chimique, atomique* ou *nucléaire, bactériologique. Arme intégrale, absolue.*

(...) notre duc se fait bien des illusions sur son artillerie. 0.3
Cela tombe à droite à gauche, ces boulets, pour tout dire n'importe où : ce n'est pas encore l'arme intégrale; et puis le roi en possède aussi. Quelques bons boulets dans le pont-levis et les archers du roi entrent dans le chatiau *(sic)* comme ils veulent.
R. QUENEAU, les Fleurs bleues, p. 92.

♦ **2** Spécialt. Arme individuelle du soldat (fusil, en général) dans les exercices. *Apprendre à qqn à se servir d'une arme. Connaître le maniement d'une arme. Exercer le soldat au maniement d'armes. Porter, reposer l'arme* (ellipt., sous forme de commandement militaire : *Portez arme! Reposez arme!*). *Attitude du soldat au port d'armes. Position du soldat sans armes. Présenter les armes. Tenir l'arme au bras, l'arme au pied. — Armes d'honneur :* armes qui étaient distribuées sous Bonaparte aux plus vaillants de ses soldats.
Loc. fig. (Fam.). *Passer l'arme à gauche* (cit. 11). → **Mourir.**

J'étais consigné à la caserne (...) pour avoir fait trois fautes 1
dans le maniement d'armes.
A. DE VIGNY, Servitude et Grandeur militaires, II, 8.

Les soldats sont exténués. Pourtant, voilà trois mortelles 2
heures qu'on les laisse se morfondre, l'arme au pied (...)
Alphonse DAUDET, Contes du lundi, «Partie de billard».

(...) la voix du jeune officier commanda furieusement : 2.1
«Portez... armes!...» et les fusils firent cliqueter leurs baïonnettes, tandis que l'orgue grondait «la marche pour la mort d'un héros». Alphonse DAUDET, l'Immortel, p. 192.

♦ **3** Par ext. (Plur.). *Manier, porter les armes. Port d'armes* (→ 2. Port, cit. 4 et 5). *Être sous les armes :* être soldat (→ ci-dessous, II., 3.). *Appeler sous les armes,* au service militaire (→ Sous les drapeaux*). *Appeler aux armes; courir aux armes; prendre les armes; mettre les armes à la main :* s'apprêter au combat, à la guerre. *Aux armes!,* appel au combat. *«Aux armes, citoyens Formez vos bataillons (...)» (la*

*Marseillaise). Un peuple en armes,* sur le pied de guerre, prêt à combattre. *Mourir les armes à la main,* en combattant.

3 Ils n'étaient plus apprentis à manier les armes.
VAUGELAS, Quinte-Curce, 552.

4 Chacun dit : «Il est vrai. Sus! Sus! courons aux armes».
LA FONTAINE, Appendice aux fables, II, 29.

5 Le peuple aussitôt sort en armes.
LA FONTAINE, Fables, X, 13.

6 (...) un homme à qui on dispute son droit et qui le défend les armes et la force à la main.
PASCAL, Pensées, t. II, VI, 388.

7 Citoyens capables de porter les armes,
BOSSUET, Hist., III, 6, *in* LITTRÉ.

8 Porsenna prit les armes contre Rome.
BOSSUET, Hist., I, 8, *in* LITTRÉ.

9 *(Télémaque)* qui n'a jamais porté les armes contre les Troyens. FÉNELON, Télémaque, I.

10 (...) il avait longtemps porté les armes, et souvent il se vantait d'avoir vu le feu.
A.-R. LESAGE, Gil Blas, I, V.

Loc. *Prise d'armes :* cérémonie militaire au cours de laquelle une troupe est en armes.

*Passe d'armes* (→ 1. Passe, cit. 4). — Figuré :

10.1 Mais le publiciste auvergnat, pendant cette rapide passe d'armes, et toujours debout, n'avait fait que présenter tour à tour, à chacun des interlocuteurs, son front blême, ainsi qu'une bête acculée.
BERNANOS, l'Imposture, *in* Œ. roman., Pl., p. 402.

*Abandonner, déposer, poser, rendre les armes. Mettre, jeter bas les armes.* — Loc. *Avec armes et bagages** (*infra* cit. 2). *Se rendre, capituler avec armes et bagages.* → **Capituler.** *Faire tomber les armes des mains de l'ennemi.*

11 La croyance répandue partout que rien ne leur résistait, faisait tomber les armes des mains à leurs ennemis.
BOSSUET, Hist., III, 6, *in* LITTRÉ.

12 Ils mirent bas les armes pour les regarder.
FÉNELON, Télémaque, XV.

13 C'était une règle inviolable des premiers Romains que quiconque avait abandonné son poste, ou laissé ses armes dans le combat, était puni de mort.
MONTESQUIEU, Grandeur et Décadence des Romains, XVIII.

14 Une seconde lettre du roi *(Xerxès)* ne contenait que ces mots : «Rends-moi tes armes.» Léonidas écrivit au-dessous : «Viens les prendre».
Abbé BARTHÉLÉMY, Anacharsis, Introd., II, 2.

Loc. (1586). *Passer par les armes.* → **Fusiller, passer** (cit. 123). → Maraudeur, cit. 1.

♦ **4 HOMME D'ARMES :** cavalier armé de toutes pièces, au moyen âge. — Anciennt. *Des gens d'arme.* → **Gendarme.** — *Héraut d'armes.* → **Héraut.**

♦ **5** Vx. Dispositif de défense (bouclier, casque, cotte d'arme, cuirasse). → **Armure.**

**II** Par ext. ♦ **1** (Au sens de «troupe, armée»). Littér. *Le succès de nos armes.* → **Armée.**

**PLACE D'ARMES :** place où les troupes se rassemblent, sont passées en revue, dans une ville.

**COMMANDANT D'ARMES :** officier du grade le plus élevé, dans une garnison.

**CAPITAINE D'ARMES :** sous-officier de marine qui a la garde des menues armes du vaisseau et la charge de la police à bord.

♦ **2** Un des corps de l'armée. *L'arme de la cavalerie, de l'infanterie, de l'artillerie, du génie, de l'aéronautique, du train. Les différentes armes.*

15 L'arme où l'on sert est le moule où l'on jette son caractère (...)
A. DE VIGNY, Servitude et Grandeur militaires, I, 3.

♦ **3** (V. 1170). Littér. **LES ARMES** (au plur.) : le métier militaire; le combat, la guerre. *La carrière, le métier des armes. Compagnons, frères d'armes. Fraternité d'armes.* — Vx. *Blanchi sous les armes* (→ Sous le harnais*). *L'Adieu aux armes,* titre français d'un roman de Hemingway.

Et comme un vieux guerrier blanchi dessous *(sous)* les armes. Mathurin RÉGNIER, Épîtres, 2. 16

Je me suis acquis dans les armes l'honneur de six ans de services (...) 17
MOLIÈRE, le Bourgeois gentilhomme, III, 12.

Il est très bien né; il sort d'une maison pauvre, mais antique, connue dans la poésie et dans les armes. 18
CHATEAUBRIAND, Mémoires d'outre-tombe, IV, 4.

(...) dans ces encouragements, il mit à la fois la tendresse d'une épouse anxieuse et la rude injonction d'un compagnon d'armes. 18.1
Jean-Louis CURTIS, le Roseau pensant, p. 18.

*Faire ses premières armes,* sa première campagne. — Fig. Débuter dans une carrière. → **Apprentissage** (cit. 5). — *Régler un différend par les armes. La force des armes.* → **Combat, guerre.** *Cliquetis des armes. Conquérir un pays par les armes.* → **Force.** — *Fait* d'armes. Le sort des armes.* — Loc. prov. (Vieilli). *Les armes sont journalières :* on est tantôt vainqueur, tantôt vaincu; ou, au fig. : un jour on réussit, et l'autre on échoue. — *La gloire des armes.*

La gloire des armes est un vain bruit. 19
MASSILLON, Oraison funèbre de M. le prince de Conti.

Un empire fondé par les armes a besoin de se soutenir par les armes. 20
MONTESQUIEU, Grandeur et Décadence des Romains, XVIII.

*Suspension d'armes :* cessation des hostilités. → **Armistice.**

**III** ♦ **1** Par anal. Moyen d'attaque ou de défense. *Les armes naturelles de l'homme :* les poings, les pieds, etc. *Les armes des animaux :* les cornes, défenses, griffes, etc.

♦ **2** (1560). Fig. Ce qui peut servir à attaquer, faire du mal, agir contre un adversaire. → **Argument, moyen** (d'action, de pression, etc.), **ressource.** *Cette loi est une arme terrible entre les mains du pouvoir* (Académie). *L'arme redoutable de la calomnie.*

Et, mettant en nos mains, par un juste retour, 21
Les armes dont se sert sa vengeance sévère.
LA FONTAINE, Fables, XI, 7.

(...) son lâche orgueil (...) 22
Se fait de vos bontés des armes contre vous?
MOLIÈRE, Tartuffe, V, 2.

Si j'avais su qu'en main il a de telles armes, 23
MOLIÈRE, Tartuffe, V, 3.

Contre un pareil malheur ma constance est sans armes (...) 24
MOLIÈRE, Psyché, I, 1.

(...) les seules armes de l'Évangile, qui sont la douceur, la patience et la charité. 25
FLÉCHIER, Panégyrique, II, p. 367.

Triomphe de la faiblesse! c'est une arme que les femmes sont expertes à manier. 26
R. ROLLAND, l'Âme enchantée, t. II, p. 180.

Quand on est en péril de mort toutes les armes sont bonnes pour se défendre. 27
CLAUDEL, Feuilles de saints, p. 73.

Loc. *Faire arme de tout :* user de tout moyen pour atteindre son but.

Je fis armes de tout, afin de me venger. 28
CORNEILLE, la Place royale, IV, 7.

Eusèbe qui fait arme de tout, eût cité ce passage avec emphase. VOLTAIRE, Philosophie, III, 53. 29

*Une arme à double tranchant :* un argument, un moyen qui peut avoir deux effets opposés, se retourner contre celui qui l'emploie.

30 Nos diplomates avaient-ils tort de préférer doter leur pays d'une arme à double tranchant, plutôt que de le laisser désarmé ? MARTIN DU GARD, les Thibault, VII, 41.

*Donner, fournir des armes contre soi-même.* → **Verge** (donner des verges pour se faire fouetter).

31 Plus d'armes nous donnons à qui nous veut trahir.
CORNEILLE, Cinna, I, 2.

32 Je ne fais contre moi que vous donner des armes.
RACINE, Andromaque, III, 7.

33 L'honneur de contredire a pour lui tant de charmes,
Qu'il prend contre lui-même assez souvent les armes (...)
MOLIÈRE, le Misanthrope, II, 4.

**RENDRE LES ARMES** : cesser de combattre, de se défendre, s'avouer vaincu.

34 On goûte une douceur extrême à réduire, par cent hommages, le cœur d'une jeune beauté, à voir de jour en jour les petits progrès qu'on y fait, à combattre, par des transports, par des larmes et des soupirs, l'innocente pudeur d'une âme qui a peine à rendre les armes, à forcer pied à pied toutes les petites résistances qu'elle nous oppose, à vaincre les scrupules dont elle se fait honneur, et la mener doucement où nous avons envie de la faire venir.
MOLIÈRE, Dom Juan, I, 2.

35 À *prudence endormie* il faut rendre les armes.
MOLIÈRE, les Femmes savantes, III, 2.

Fam. et vx. *Elle est sous les armes,* se dit d'une femme qui emploie tous ses moyens pour plaire (Académie).

36 Les travées de la tribune étaient remplies de toutes les dames de la cour en déshabillé, mais sous les armes.
SAINT-SIMON, Mémoires, 390, 26, *in* LITTRÉ.

Vx. *Faire tomber les armes des mains de qqn.* → **Adoucir, apaiser, fléchir.**

37 Les destins sont vaincus, et le flux de mes larmes
De leur main insolente a fait tomber les armes (...)
MALHERBE, Pour la guérison de Chrisante, *in* LITTRÉ.

**IV** (1670). Spécialt. *Les armes :* l'épée, le fleuret, le sabre. → **Escrime.** *Faire des armes.*

38 (...) la science de tirer des armes est la plus belle et la plus nécessaire de toutes les sciences.
MOLIÈRE, le Bourgeois gentilhomme, II, 3.

39 (...) tout le secret des armes ne consiste qu'en deux choses, à donner et à ne point recevoir (...)
MOLIÈRE, le Bourgeois gentilhomme, II, 2.

40 On voyait dans la salle d'armes, entre des étendards et des mufles de bêtes fauves, des armes de tous les temps et de toutes les nations, depuis les frondes des Amalécites et les javelots des Garamantes jusqu'aux braquemarts des Sarrasins et aux cottes de mailles des Normands.
FLAUBERT, la Légende de saint Julien l'Hospitalier, I.

40.1 Comme tous les grands seigneurs de cette époque, il montait à cheval et faisait des armes dans la perfection.
DUMAS, les Trois Mousquetaires, t. I, p. 334.

40.2 Grand, les épaules larges, la poitrine pleine, il avait pris du ventre comme un ancien lutteur, bien qu'il continuât à faire des armes tous les jours et à monter à cheval avec assiduité.
MAUPASSANT, Fort comme la mort, éd. 1889, p. 5.

*Armes courtoises :* armes à pointe et tranchant émoussés dont on se servait dans les tournois. *Combattre à armes courtoises.*

**V** (V. 1170, Chrétien de Troyes). Au plur. Signes héraldiques (d'une famille, etc.). → **Armoiries.** *Les armes d'une famille, d'une ville, d'un peuple. Les armes de France. Les armes de l'Empire français étaient un aigle tenant un foudre dans ses serres.* → **Aigle.** *Cachet d'armes. Armes parlantes,* dont la pièce principale rappelle le nom de la famille à qui elles appartiennent. *Armes fausses* ou *armes à enquerre :* armes qui ne sont pas selon les règles du blason. *Armes assomptives.*

41 (...) qu'avez-vous fait dans le monde pour être gentilhomme ? Croyez-vous qu'il suffise d'en porter le nom et les armes (...) MOLIÈRE, Dom Juan, IV, 4.

42 Dans un coffret, scellé des armes de mon maître.
MOLIÈRE, Amphitryon, I, 2.

43 Les armes de Grignan sont sur la porte.
Mme DE SÉVIGNÉ, 1386, 9 sept. 1694.

44 Puissant souverain, en vérité, que celui dont les armes sont un aigle à deux têtes, tenant un sceptre et un globe, qu'entourent les écussons de Novgorod, de Waldimir, de Kiev, de Kazan, d'Astrakhan, de Sibérie, et qu'enveloppe le collier de l'ordre de Saint-André, surmonté d'une couronne royale ! J. VERNE, Michel Strogoff, p. 55.

Prov. *Que les armes le cèdent à la toge* (lat. Cedant arma togae).

1. **ARMÉ** [aʀme] n. m. — XXe ; p. p. de *armer.*

♦ **1** Position d'une arme prête à tirer. → **Armement** (III.). *Le cran de l'armé.*

♦ **2** Sports. Mouvement du bras d'un lanceur, immédiatement avant le lancer proprement dit. *Au javelot, l'armé intervient en fin d'élan.*

**HOM. Armée, armer.**

2. **ARMÉ, ÉE** [aʀme] p. p. adj. → **Armer.**

**ARMÉE** [aʀme] n. f. — 1360, p. p. de *armer,* au fém. ; a remplacé *ost* entre le XIVe et le XVIe.

**I** ♦ **1** Cour. Réunion importante de troupes assemblées pour combattre, pour faire la guerre*. → **Troupe ; bande, bataillon, brigade, cohorte, compagnie, contingent, corps, détachement, élément, escadron, formation, milice, patrouille, peloton, régiment, unité...** *Composer, constituer, former, lever, recruter, réunir une armée. Rassembler, convoquer les contingents d'une armée* (sous l'Ancien Régime). → **Ban, arrière-ban, racolage.** *Armée de combattants. Armée de mercenaires. Armée de volontaires. Armée de francs-tireurs, de partisans. Armée d'invasion, d'occupation. Armée de libération. Armée de barricade. Armée irrégulière. Encadrer les éléments d'une armée. Équiper une armée.* → **Arme, armement.** *Une armée moderne, bien équipée, blindée, motorisée. Aguerrir, exercer, instruire une armée. Commander, conduire une armée. Passer l'armée en revue. Défilé d'une armée.*

*Campement, logement, ravitaillement d'une armée.* → **Baraquement, bivouac, camp, cantine, cantonnement, caserne, castramétation, chambrée, dépôt, garnison, magasin, manutention, quartier, subsistance, tente.** *Matériel et munitions d'une armée.* → **Arsenal.** *Alignement, concentration, déploiement, disposition d'une armée.* → **Aile, centre, flanc, front, gros, ligne ; tête ; queue ; avant-garde, avant-poste, arrière, arrière-garde, derrière, échelon ; base, secteur, zone.**

*Opérations d'une armée.* → **Combat, guerre ; assaut,** 2. **attaque, avance, bataille, bombardement, camouflage, campagne, charge, cheminement, choc, circonvallation** (travaux de), **contact, contre-attaque, contremarche, conquête, coup** (de main), **couverture, débordement, défense, dégagement, destruction, engagement, enveloppement, expédition, exploit, extermination, formation** (en carré, etc.), **guérilla, harcèlement, intervention, investissement, liaison, manœuvre, marche, mouvement, nettoyage, observation, poursuite, recul, retraite, siège, stratégie, tactique.**

*Victoire d'une armée. Butin d'une armée. Capitulation, défaite, déroute d'une armée. Restes d'une armée. L'armée se débande, déserte. Une armée de fuyards.* → **Horde.** *Démobiliser, désarmer, libérer, licencier l'armée. L'armée rentre dans ses foyers.*

Spécialt. Ensemble des troupes commandées par un chef *(l'armée de Napoléon, la Grande Armée)* ou affectées à un théâtre d'opérations *(l'armée de la Somme, l'armée d'Orient)*. — *L'Armée rouge :* l'armée soviétique (cit. 1). — Fig. *L'Armée des ombres :* la résistance française pendant la Deuxième Guerre mondiale.

*Les armées :* les troupes (d'un pays, d'une coalition, etc.). *Les armées alliées débarquèrent sur les côtes normandes le 6 juin 1944. Les armées de l'Axe* (Deuxième Guerre mondiale).

Bibl. *Le Dieu des armées,* qui règle le sort des guerres, des combats.

1 Le prince fléchit le genou, et dans le champ de bataille, il rend au Dieu des armées la gloire qu'il lui envoyait.
BOSSUET, Oraison funèbre du prince de Condé.

2 Ce qu'un sage général doit le mieux connaître, c'est ses soldats et ses chefs. Car de là vient ce parfait concert qui fait agir les armées comme un seul corps, ou, pour parler avec l'Écriture, «comme un seul homme».
BOSSUET, Oraison funèbre du prince de Condé.

3 Il va recueillir au-delà du Rhin les débris d'une armée défaite (...) La nuit sauve le reste de son armée.
BOSSUET, Oraison funèbre du prince de Condé.

4 (...) intrépide à la tête de ses armées,
BOSSUET, Oraison funèbre de Henriette-Anne d'Angleterre.

5 L'armée qui nous couvrait des ennemis était invincible.
LA BRUYÈRE, les Caractères, XII.

6 Un général d'Armée n'emploie pas plus d'attention à placer sa droite ou son corps de réserve (...)
MONTESQUIEU, Lettres persanes, 110.

7 C'était un Espagnol de l'armée en déroute
Qui se traînait sanglant sur le bord de la route.
HUGO, la Légende des siècles, «Après la bataille».

8 (...) elle replierait son armée, sans accepter le combat...
MARTIN DU GARD, les Thibault, VII, 40.

9 Depuis un an *(en 1805)* cette Grande Armée se forgeait, formidable instrument de guerre.
Louis MADELIN, Hist. du Consulat et de l'Empire, t. V, 18.

10 Il y a des guerres justes (...) il n'y a pas d'armées justes (...) il y a une politique de la justice, mais il n'y a pas de parti juste.
MALRAUX, l'Espoir, II, 12.

*Le théâtre aux armées,* au front, en temps de guerre.

♦ **2** *L'armée :* l'ensemble des forces militaires d'un État; le service public qui a pour objet d'assurer, par l'entretien ou l'emploi de forces organisées, la protection des intérêts d'un État, à l'intérieur ou à l'extérieur de ses frontières. → **Défense** (nationale), **guerre, ordre** (public). *Armée nationale, permanente, régulière. Entrer dans l'armée. Citer à l'ordre de l'armée. Armée de terre. Armée de mer.* → **Marine**; et aussi **aéronavale.** *Armée de l'air.* → **Aviation.** *Armée du temps de paix. Armée du temps de guerre. Armée métropolitaine; armée coloniale. Armée active* (ou *active,* n. f.); *armée de réserve.* → **Recrutement; appel, classe, conscription, contingent, dépôt, engagement, enrôlement, incorporation, recensement, rengagement, révision, service** (militaire); **affectation.** *Organisation générale de l'armée.* → **Commandement, conseil** (supérieur de la guerre), **état-major; région.**

11 L'armée de terre se recrute sur l'ensemble du territoire national et de nos possessions d'outre-mer; elle se compose de troupes métropolitaines et de troupes coloniales (...) L'organisation militaire générale est basée sur la division du territoire militaire en vingt régions militaires.
Loi du 13 juil. 1927 sur l'organisation générale de l'armée, art. 2 et 4.

12 L'armée de terre comprend en temps de paix : — *a.* Des organes de commandement et des états-majors; — *b.* Des corps de troupes et des formations de service; — *c.* Des bureaux de recrutement; — *d.* Des centres de mobilisation; — *e.* Des écoles et organes d'étude; — *f.* Des établissements et organes d'administration.
Loi du 13 juil. 1927 sur l'organisation générale de l'armée, art. 6.

Composition de l'armée du temps de guerre. — Les unités mobilisées sont formées en régiments ou unités formant corps et réunies en grandes unités (division, corps d'armée, armée, éventuellement groupe d'armées) ou groupées en «commandements particuliers» constituant des «réserves générales» à la disposition du commandant en chef. 13
Loi du 13 juil. 1927 sur l'organisation générale de l'armée, art. 38.

*Personnel de l'armée* (cadres et effectifs). → **Gradé, officier, soldat, troupe** (homme de).

*(Le personnel de)* l'armée active métropolitaine se compose : 14
1° Du personnel des corps de troupe de toutes armes, savoir : l'infanterie (y compris les chars de combat); la cavalerie; l'artillerie; le génie; l'aéronautique; le train;
2° Du corps des officiers généraux;
3° Des services généraux de l'armée, savoir : le service d'état-major; le corps du contrôle de l'administration de l'armée;
4° Du personnel des états-majors particuliers des armes et du personnel des services particuliers, savoir : les états-majors particuliers de l'infanterie, de la cavalerie, de l'artillerie, du génie, de l'aéronautique et du train; le service de l'artillerie; le service du génie; le service de l'aéronautique; le service de santé; le service de l'intendance militaire; le service vétérinaire; le service du recrutement; les interprètes militaires; le service des remontes de l'Afrique du Nord et du Levant; le service géographique; le service de la justice militaire; les écoles militaires; les services spéciaux de l'Afrique du Nord et du Levant et les formations auxiliaires de l'Afrique du Nord; le service des chemins de fer et des étapes; le personnel de la préparation militaire; les missions à l'étranger;
5° De la gendarmerie.
Loi du 28 mars 1928 relative à la constitution des cadres et effectifs de l'armée, art. 1er (Bulletin législatif Dalloz 1928, p. 208 — Dalloz périodique 1928, 4e partie — Journal officiel du 3 avr. 1928).

*Général d'armée. — Être à l'armée, dans l'armée.* → **Militaire, soldat;** et aussi **discipline, drapeau, hiérarchie, uniforme; militarisme; antimilitaire, antimilitarisme; honneur, patrie.**

Grande unité réunissant plusieurs divisions formées de régiments et éventuellement réunies en *corps d'armée. La Ire armée, la Ve armée.* — Antiq. *L'armée romaine.* → **Centurie, cohorte, légion, manipule, phalange, turme.**

C'est bien servir, en effet, qu'obéir et commander dans une Armée (...) L'homme s'efface sous le Soldat. 15
A. DE VIGNY, Servitude et Grandeur militaires, I, 3.

Cette foi, qui me semble rester à tous encore et régner en souveraine dans les Armées, est celle de l'honneur. 16
A. DE VIGNY, Servitude et Grandeur militaires, Conclusion.

**II** ♦ **1** Fig. *Les armées célestes :* la cohorte des anges. → **Ange** (cit. 1).

L'armée que J.-C. a mise en bataille contre les erreurs. 16.1
BOSSUET, Instruction, 2, *in* LITTRÉ, Dict., art. *Bataille.*

♦ **2** Groupe d'hommes qui se réunissent pour la défense d'une foi, d'une cause. — *L'Armée du salut* (trad. de l'angl. *Salvation army*).

Le point capital : ne pas se retrouver un jour comme cet individu minable, sans manteau dans le gel de l'hiver, promis à l'asile de nuit de l'Armée du Salut, quémandant les reliefs des festins d'autrui. 16.2
Roger NAÏM, l'Ère des truands, p. 19.

♦ **3** Fig. Troupe nombreuse, grande quantité. *Une armée de figurants pour un film à grand spectacle. Une armée de sauterelles s'abattit sur la contrée.* → **Foule, multitude, nuée, quantité, troupe.**

On y voyait, rangée sur des tablettes de chêne, une armée innombrable ou plutôt un grand concile de livres (...) 17
FRANCE, la Rôtisserie de la reine Pédauque, p. 71.

18 Des armées de saucisses grillées succombaient dans la ripaille.
G. DUHAMEL, le Temps de la recherche, VII, p. 94.

**ARMELINE** [aʀməlin] n. f. — 1178, adj., *beste armeline;* repris 1611; de l'ital. *armellina.* → Hermine.

Peau, fourrure d'hermine de Laponie remarquable par sa blancheur et sa finesse.

**ARMEMENT** [aʀməmɑ̃] n. m. — XIIIe; de *armer.*

**I** ♦ **1** Action d'armer, de pourvoir en armes. *L'armement d'un soldat, d'une place, d'une forteresse, d'un pays.*

♦ **2** Ensemble des moyens d'attaque ou de défense dont sont pourvus un soldat, un corps de troupe, etc. → **Arme, équipement, matériel.** Type d'armes. *L'armement individuel, collectif.* — Puissance de feu (d'un navire de guerre, d'un char de combat, d'un avion). → **Artillerie.**

♦ **3** (1630). Au sing. Préparatifs de guerre, ensemble des moyens offensifs ou défensifs d'un pays. → **Effectifs, matériel** (de guerre). *Les besoins de l'armement (d'un pays). Armement et réarmement.* — Au plur. (Cour.). *Course aux armements. Limitation, réduction des armements.*

1 La course aux armements ne pouvait être que perdante.
SAINT-EXUPÉRY, Pilote de guerre, XIII.

2 Nous avons vu la Russie multiplier ses voies stratégiques en Pologne, la France augmenter ses effectifs et ses armements (...) MARTIN DU GARD, les Thibault, VII, 48.

♦ **4** Technique des armes. *Il est ingénieur d'armement dans un arsenal.*

**II** Mar. ♦ **1** (1355). Action d'armer (un navire), de le pourvoir de tous les moyens nécessaires à la navigation. → **Équipage, matériel.** *L'armateur prend à son compte l'armement du navire.* → **Armateur.** *Le port d'armement d'un navire.* — Par ext. Entreprise d'un armateur. *«Trop de nos armements n'ont qu'un ou deux navires de pêche»* (A. Boyer, *les Pêches maritimes,* p. 124, Q. S. no 199).

2.1 Ayant appris dans la matinée par les causeries du port, que l'or avait doublé de prix par suite des nombreux armements entrepris à Nantes (...)
BALZAC, Eugénie Grandet, éd. 1838, p. 219.

3 (...) le hasard l'ayant fait choisir à bord pour compléter l'armement d'une baleinière.
LOTI, Pêcheur d'Islande, II, 10.

♦ **2** Profession d'armateur. Corps des armateurs. Société qui arme des navires.

**III** Fait d'armer (III.), de mettre à la position de l'armé*. *L'armement d'un fusil-mitrailleur. Le levier d'armement.* — Par anal. *L'armement d'un appareil de photo.*

4 (...) mieux vaudrait pour lui qu'il n'ait pas plus de capacité de souffrance qu'un appareil photographique, qu'on puisse à tout moment et aussi souvent que l'on voudrait enlever le couvercle, retirer la bobine impressionnée, la jeter et la remplacer par une vierge, et qu'il recommence à fonctionner, armement et déclic, avec la même mécanique et neuve indifférence (...)
Claude SIMON, le Vent, p. 50.

**IV** Techn. Revêtement d'ardoise sur un mur, servant de protection. — Équipement intérieur d'un puits de mine, pour le guidage des cages. — Pêche. Hameçons qui garnissent le leurre.

CONTR. **Désarmement.** ◊ COMP. **Réarmement, surarmement.**

**ARMÉNIEN, IENNE** [aʀmenjɛ̃, jɛn] adj. — 1740; de *Arménie,* n. géographique.

Qui appartient à l'Arménie. *La langue arménienne. Le rite arménien,* propre à l'Église d'Arménie. — N. *Un Arménien, une Arménienne.* — N. m. *L'arménien :* le groupe de parlers indo-européens du Caucase, utilisés par les diverses communautés arméniennes (langue principale de la République soviétique d'Arménie).

**ARMER** [aʀme] v. tr. — 980; lat. *armare.*

**I** ♦ **1** Pourvoir d'armes*. *Armer qqn. Armer les recrues. Il y a assez d'armes dans cet arsenal pour armer des milliers d'hommes.* — Loc. *Armer un homme de pied en cap* (aussi au fig., → ci-dessous, 3.). — Féod. *Armer qqn chevalier.* → **Adouber.**

♦ **2** Fournir en armes et en matériel militaire. *Armer une troupe. Cet État peut armer un million d'hommes.* → **Lever.** *Armer un pays,* le munir d'armes, le préparer pour l'attaque ou la défense.

Allez contre un rebelle armer toute la Grèce. 1
RACINE, Andromaque, II, 2.

Absolt. Se préparer à la guerre. *On arme de tous côtés* (Académie).

Après avoir armé pour venger cet outrage. 2
CORNEILLE, Rodogune, III, 3.

♦ **3** Fig., littér. *Armer qqn contre qqn,* l'exciter, l'inciter à prendre les armes, à attaquer, à s'opposer. → **Animer, exciter, irriter, opposer, soulever.**

Si troublant tous les Grecs, et vengeant ma prison, 3
Je pouvais contre Achille armer Agamemnon.
RACINE, Iphigénie, IV, 2.

Et qu'ont produit mes vers de si pernicieux, 4
Pour armer contre moi tant d'auteurs furieux?
BOILEAU, Satires, IX.

Quel mal vous ai-je fait? et quelle est mon offense 5
Pour armer contre moi toute votre éloquence?
MOLIÈRE, les Femmes savantes, IV, 2.

♦ **4** *Armer une place,* la garnir des armes nécessaires à la défense. → **Fortifier.**

♦ **5** Vx. Munir d'une défense (armure, bouclier, etc.). *Armer* (qqn, une qualité, une vertu) *de.* → **Fortifier, munir, prémunir.**

Il faut d'un noble orgueil armer votre courage. 6
RACINE, Iphigénie, II, 4.

Munir de moyens d'action pour attaquer, se défendre, réprimer, etc. *Armer le gouvernement des pouvoirs nécessaires pour réprimer l'agitation.*

♦ **6** (Compl. n. de chose). Garnir d'une arme, d'un dispositif offensif. → **Hérisser.** *Les anciens armaient leurs chars de guerre de faux tranchantes. Armer un bâton de pointes de fer.*

Il se fût fait un grand scrupule 7
D'armer de pointes sa férule.
LA FONTAINE, Fables, XII, 2.

(Compl. n. d'animal). *Armer des coqs de combat.* → **Armeur.**

♦ **7** Garnir (qqch.) d'une armure ou d'une armature. *Armer un arbre d'épines pour le protéger contre la dent des animaux. Armer une poutre de bandes de fer.* → **Renforcer.** *Armer le béton, le ciment.* → **Armature** (→ ci-dessous, p. p., 6.). — Mus. *Armer la clef.* → **Armature.**

Phys. *Armer un aimant. Armer des câbles électriques.* → **Armeuse.**

Par plais. (vx). Garnir, orner.

Elle était fille à bien armer un lit, 8
Pleine de suc, et donnant appétit (...)
LA FONTAINE, Contes, «La servante justifiée».

**II** Mar. *Armer un navire,* l'équiper, le pourvoir de tout ce dont il a besoin pour prendre la mer.

→ **Armement; équiper, gréer.** — Ancienn. *Armer un navire en course.* → **Course.**

**III** ♦ **1** Mettre (une arme à feu) dans la position de l'armé. → **Armement** (III.). *Armer un fusil, un pistolet :* tendre le ressort qui permet au chien de s'abattre et au coup de partir.

♦ **2** Tendre le ressort de (un mécanisme de déclenchement). *Armer un piège à loups. Armer un appareil de photo* (l'obturateur).

◆ **S'ARMER** v. pron.

♦ **1** Se munir d'armes. *S'armer d'une pierre, d'un bâton, d'un fusil. S'armer de tout ce qu'on trouve sous la main. S'armer pour partir en patrouille* (→ Pousse-café, cit. 2).

9 Les livres sur Évrard fondent comme la grêle (...)
Chacun s'arme au hasard du livre qu'il rencontre.
BOILEAU, le Lutrin, V.

10 Amazan s'arme d'une cuirasse d'acier damasquiné d'or.
VOLTAIRE, la Princesse de Babylone, 11.

Vx. Prendre les armes.

11 Il fallait promptement s'armer,
Et lever des troupes puissantes.
LA FONTAINE, Fables, VI, 12.

♦ **2** Fig. *S'armer de courage, de patience* (1. Patience, cit. 12). → **Fortifier** (se), **munir** (se). — *S'armer contre un danger, un mal, etc.* → **Garantir** (se), **précautionner** (se), **prémunir** (se), **protéger** (se).

12 Armez-vous de constance (...)
CORNEILLE, Horace, II, 4.

13 Armez-vous d'un courage et d'une foi nouvelle.
RACINE, Athalie, IV, 2.

14 J'ai pris soin de m'armer contre tous les poisons.
RACINE, Mithridate, IV, 5.

15 Moquez-vous d'affecter cet orgueil indomptable
Dont on vous dit qu'il est beau de s'armer (...)
MOLIÈRE, la Princesse d'Élide, I, Intermède 1.

16 Ces grands comédiens *(les enfants)* savent d'un seul coup se hérisser de pointes comme une bête ou s'armer d'humble douceur comme une plante (...)
COCTEAU, les Enfants terribles, I, p. 5-6.

♦ **3** Se munir. *S'armer d'un appareil de photo.* — Passif et p. p. (→ ci-dessous, cit. 26).

◆ **ARMÉ, ÉE** p. p. adj. (Xe-XIe).

♦ **1** Pourvu d'armes.

17 Des bandes, armées de piques, de coutelas et de pistolets, poussent des cris de mort.
FRANCE, le Petit Pierre, XVI, p. 97.

Fam. *Être armé jusqu'aux dents,* très bien armé.

18 Nous sommes maintenant presque toujours en selle, bottés, éperonnés, armés jusqu'aux dents.
FLAUBERT, Correspondance, t. I, p. 332.

♦ **2** Vx. Revêtu d'une armure. *Être armé de pied en cap, armé de toutes pièces,* de la tête aux pieds, comme le chevalier revêtu de son armure. → **Armure.**

19 Mais tu seras armé de pied en cap. — Tant pis!
J'en serai moins léger à gagner le taillis;
Et, de plus, il n'est point d'armure si bien jointe
Où ne puisse glisser une vilaine pointe.
MOLIÈRE, le Dépit amoureux, V, 1.

♦ **3** Loc. (Sens 1). *À main armée :* par la force des armes, de vive force. *Vol, attaque à main* armée.* — *Force armée.* → **Force.** — *Qui se fait avec des armes. Conflit armé.* → **Guerre.**

*Paix armée :* état de paix dans lequel les parties en présence sont armées de manière à pouvoir se défendre ou contre-attaquer.

20 Il faut vivre en guerre avec tout le monde, ou du moins en paix armée (...)
MAUPASSANT, Clair de lune, «Le pardon».

Le système de la paix armée, c'est-à-dire de la course aux armements. 21
J. BAINVILLE, Hist. de France, XXI, p. 541.

♦ **4** Fig. *Armé de* (ce qui est comparé ou assimilé à une arme).

*(Je)* ne suis point du tout pour ces prudes sauvages 22
Dont l'honneur est armé de griffes et de dents (...)
MOLIÈRE, Tartuffe, IV, 3.

Quand je verrai ces yeux armés de tous leurs charmes. 23
RACINE, Bérénice, IV, 4.

Je pensais qu'à l'amour son cœur toujours fermé 24
Fût contre tout mon sexe également armé.
RACINE, Phèdre, IV, 5.

Lui, il était bien sûr d'échapper à tout cela, enfoui qu'il 25
était dans ses livres et dans ses cahiers, cuirassé par son orgueil et armé par ses ambitions.
Valery LARBAUD, Fermina Marquez, XVII.

♦ **5** *Un bâton armé d'une pointe de fer. Chariots armés de faux tranchantes* (Fénelon, *Télémaque,* X). → **Faux.** *Plante armée d'épines, d'aiguillons* (par oppos. à *inerme*). *Épi armé de piquants.* → **Garni, hérissé, muni, pourvu.**

*Insecte armé d'un aiguillon. Un taureau armé de grandes cornes.*

Fam. (Personnes). Muni comme d'une arme.

Un vénérable vieillard, armé d'un cornet acoustique (...) 26
MARTIN DU GARD, les Thibault, VI, 12.

♦ **6** (1898). *Béton, ciment armé.* → **Béton, ciment.**

♦ **7** Mar. *Vaisseau armé,* équipé, gréé.

Des vaisseaux dans Ostie armés en diligence 27
N'attendent pour partir que vos commandements.
RACINE, Bérénice, I, 3.

CONTR. **Désarmer.** ◊ DÉR. **Armé, armée, armement, armeur, armeuse.** — COMP. **Désarmer, réarmer, surarmer.** — HOM. **Armé, armée.**

**ARMET** [aʀmɛ] n. m. — XVIe; ital. *elmetto,* anc. franç. *arme;* de l'anc. franç. *helmet.* → Heaume.

Ancienn (hist., archéol.). Armure* de tête, petit casque fermé en usage aux XIVe, XVe et XVIe siècles. → **Casque.**

Un Guesclin, un Clisson, un Foix, un Boucicaut qui tous 1
ont porté l'armet et endossé la cuirasse.
LA BRUYÈRE, les Caractères, XIV, 73.

Je vis de votre armet la visière baissée. 2
MAIRET, Sophonisbe, IV, 1.

Les linceuls ne sont pas plus noirs que ces armets (...) 3
HUGO, la Légende des siècles, «Éviradnus», 8.

Vous voilà tout à coup bien guerrière, Sœur Constance... 4
Irez-vous travailler à l'atelier de Sœur Blanche l'armet sur la tête et l'épée au côté?
BERNANOS, le Dialogue des carmélites, III, 6, *in* Œ. roman., Pl., p. 1624.

**ARMEUR** [aʀmœʀ] n. m. — 1892 (cf. anc. franç. *armeour* «armurier»); de *armer.*

Régional (Belgique). Celui qui arme les coqs de combat de leurs éperons.

**ARMEUSE** [aʀmøz] n. f. — Déb. XXe; de *armer.*

Techn. Machine qui dispose l'armure de protection des câbles électriques (fils, rubans métalliques).

**ARMILLAIRE** [aʀmi(l)lɛʀ] adj. et n. f. — 1557, *armiller;* du lat. *armillarius,* de *armilla* «bracelet».

**I** Adj. Astron. Qui est formé d'anneaux. — Loc. *Sphère armillaire :* globe formé d'anneaux ou de cercles représentant le monde, tel que les astronomes anciens l'imaginaient.

Je m'étais arrêté près de la sphère armillaire, et j'avais constaté de mes propres yeux, comme aux temps anciens, que le soleil éclairait maintenant par le dessus l'équateur de bronze ALAIN, Propos, 1926, p. 678, *in* T.L.F.

**II** N. f. (1845). Bot. Champignon basidiomycète hyménomycète *(Agaricacées)*, comestible, qui pousse en touffes sous les conifères, dont il est un parasite redoutable. *Armillaire rude :* macaron des prés.

**ARMILLES** [aʀmij] n. f. pl. — Après 1174, «bracelet»; lat. *armilla* «bracelet».

♦ **1** (1611). Archit. Petites moulures (→ **Annelet**) qui entourent le chapiteau dorique.

♦ **2** (1838). Astron. Ancien instrument servant aux observations astronomiques.

**ARMINIEN** [aʀminjɛ̃] n. m. — 1688; de *Arminius*, pseudonyme d'un docteur protestant qui enseigna en Hollande.

Hist. des relig. Sectateur d'Arminius (→ **Remontrant**).

Les esprits s'échauffèrent tellement de part et d'autre sous le nom de remontrants et contre-remontrants, c'est-à-dire d'arminiens et de gomaristes, que les Provinces-Unies se voyaient à la veille d'une guerre civile.
BOSSUET, Hist. des Variations, XIV, 18.

**ARMISTICE** [aʀmistis] n. m. — 1680, *in* Académie, Richelet, masc.; fém. 1762, puis masc. à partir de la fin du XVIIIe; lat. médiéval *armistitium*, de *arma* «arme», et *sistere* «arrêter», sur le modèle de *interstitium* «intervalle de temps».

♦ **1** Convention conclue entre les belligérants afin de suspendre les hostilités pour une durée déterminée ou indéterminée. → **Arrêt, interruption, suspension** (des hostilités), **trêve.** *Conclure, signer un armistice. Dénoncer l'armistice. Le plus souvent l'armistice précède la conclusion d'une paix définitive.*

1 Le 11 novembre 1918, un armistice, «généreux jusqu'à l'imprudence», était accordé à l'armée allemande (...) Le soulagement des Français, après l'armistice du 11 novembre, qui mettait fin à plus de quatre ans de tuerie et d'angoisses, fut inexprimable.
J. BAINVILLE, Hist. de France, XXII, p. 561-562.

2 Les illuminés, les partisans d'un armistice immédiat et sans conditions me faisaient hausser les épaules : le niais qui met bas les armes est armé de nouveau pour le service du vainqueur. G. DUHAMEL, la Pesée des âmes, X.

Absolt et spécialt. Dans le contexte français, *l'Armistice* désigne celui du 11 novembre 1918.

♦ **2** Fig. Arrêt provisoire d'une lutte, pause dans un débat d'idées. → **Trêve.**

CONTR. **Reprise** (des hostilités).

**ARMOIRE** [aʀmwaʀ] n. f. — 1119, *armarie;* lat. *armarium*, de *arma* «ustensile»; anc. franç. *armaire* ou *almaire*, puis *armoire*.

♦ **1** Vx ou hist. Réduit pratiqué dans l'épaisseur d'un mur et fermé par un ou deux vantaux. *Armoire arasée* (Académie). → **Placard**; et aussi **garde-manger, habitacle, tabernacle, tour.**

1 Dona Josépha, ouvrant une armoire étroite dans le mur : Entrez ici. — Don Carlos, examinant l'armoire : Cette boîte (...) HUGO, Hernani, I, 2.

♦ **2** Mod. Meuble haut, garni de tablettes et fermé par des battants, servant à ranger le linge, les vêtements, des provisions (par oppos. aux *bahuts, buffets, vaisseliers* réservés à d'autres usages, ainsi qu'aux *coffres*). *Ranger, renfermer, serrer du linge dans une armoire. Armoire à linge. Armoire à habits.* → **Garde-robe, penderie.** *Armoire-penderie. Armoire à glace. Armoire vitrée.* → **Vitrine.** *Armoire ancienne à porte pleine. Armoire de salle à manger. Armoire à casiers.* → **Cartonnier, fichier.** *Armoire où l'on range des livres* (→ **Bibliothèque**), *des médailles* (→ **Médaillier**), *des casses* (imprim.; → **Cassier**). *Armoire où l'on rangeait des coiffes, des bonnets.* → **Bonnetière.** *Armoire-commode.* → **Commode.** *Armoire de coin.* → **Encoignure.** *Armoire à un ou plusieurs corps. Corniche, chapiteau, fronton d'une armoire. Armoire galbée. Portes, battants d'une armoire. Les ferrures, la serrure d'une armoire. Les pieds d'une armoire. Tablettes, étagères, planches d'une armoire. Montants d'une armoire. Crémaillère d'une armoire à rayons mobiles* (munis de taquets, de tasseaux). *Compartiments, cases, tiroirs d'une armoire.*

Adieu : je perds le temps; laissez-moi travailler : 2
Ni mon grenier ni mon armoire
Ne se remplit à babiller.
LA FONTAINE, Fables, IV, 3.

Dans une armoire dont j'ai la clef (...) 3
BOSSUET, Lettre à Mme Cornuau, 142.

(...) une armoire d'ébène, ornée de figures gracieusement 4
sculptées. A. R. LESAGE, Gil Blas, VII, 13.

(...) dans une maison déserte quelque armoire 5
Pleine de l'âcre odeur des temps, poudreuse et noire.
BAUDELAIRE, les Fleurs du mal, 48, «Le Flacon».

Une lumière douce fit étinceler la glace de l'armoire et 6
reluire la corniche de palissandre.
FRANCE, l'Anneau d'améthyste, p. 192.

*Lit en armoire :* lit clos.

La vieille grand'mère Moan (...) était là, couchée depuis 7
deux heures dans son lit en armoire dont elle avait refermé les battants (...)
LOTI, Pêcheur d'Islande, IV, 7.

Loc. *Fond d'armoire :* linge, vêtement usagé ou démodé.

♦ **3** (1933, *in* Petiot). Fig. *Armoire à glace, armoire normande :* personne d'une carrure impressionnante. — Absolt. *Ce type, c'est une armoire.*

♦ **4** Par ext. *Armoire à pharmacie* (cit. 2) : placard (souvent métallique ou de matière plastique) fixé au mur et où l'on range les médicaments.

*Armoire frigorifique :* réfrigérateur de grandes dimensions.

♦ **5** Techn. Élément contenant et protégeant une partie des appareils d'un équipement électrique. → 2. **Baie**, 2. — Meuble métallique contenant du matériel électronique non inclus dans l'ordinateur même.

**ARMOIRIES** [aʀmwaʀi] n. f. pl. — 1304, *armoierie*, au sing.; de l'anc. franç. *armorie*, de *armoyer* (→ Armorier), de *arme*.

Ensemble des emblèmes figurés d'abord sur l'écu des anciens chevaliers pour servir de signes distinctifs dans les batailles et les tournois, puis sur un écu (écu armorial) symbolique pour distinguer une famille noble ou une collectivité. → **Arme** (V.), **blason, écu, écusson, emblème, panonceau.** *Le blason est la science des armoiries (Littré). Représenter des armoiries selon les règles du blason.* → **Armorier, blasonner.** *La fleur de lys figurait dans les armoiries des rois de France.*

Aussitôt maint esprit fécond en rêveries, 1
Inventa le blason avec les armoiries.
BOILEAU, Satires, V.

Elle *(la poule d'eau)* aime à se percher sur les armoiries 2
sculptées dans le mur; quand elle se tient immobile, on la prendrait pour un oiseau en blason, tombé de l'écu d'un ancien chevalier.
CHATEAUBRIAND, le Génie du christianisme, I, V, 7.

C'est ainsi que les rois font aux mâts des vaisseaux 3
Flotter leurs armoiries. HUGO, les Orientales, II.

DÉR. **Armorial, armoriste.**

1. **ARMOISE** [aʀmwaz] n. f. — 1280, *ermoize ;* du lat. *artemisia,* transcrit du grec «plante d'*Artémis*», n. propre.
Bot. Plante dicotylédone *(Composées)* herbacée, vivace ou annuelle, scientifiquement appelée *artemisia* (ou *artémise*), à odeur amère et aromatique, dont les nombreuses variétés possèdent des propriétés excitantes. *Armoise des glaciers.* → **Génépi.** *Armoise absinthe.* → **Absinthe.** *Armoise vulgaire,* dite *herbe aux cent goûts, herbe de la saint-Jean. Armoise maritime,* dont les capitules fournissent le semen-contra duquel s'extrait la santonine (vermifuge). *Armoise citronnelle,* dite aussi *aurone. Armoise pontique* ou *petite absinthe. Armoise dracunculus,* connue sous le nom d'*estragon,* dont les feuilles sont employées comme condiment. *Armoise moxa* (ou *sinensis*), qui fournit un duvet cotonneux. → **Moxa.** *Les armoises sont aromatiques, apéritives, digestives, emménagogues, excitantes et toniques.*

Ce jour-là, l'ingénieur, ayant reconnu une certaine plante appartenant au genre armoise, qui compte parmi ses principales espèces l'absinthe, la citronnelle, l'estragon, le génépi, etc., en arracha plusieurs touffes et, les présentant au marin :
«Tenez, Pencroff, dit-il, voilà qui vous fera plaisir.»
Pencroff regarda attentivement la plante, revêtue de poils soyeux et longs, dont les feuilles étaient recouvertes d'un duvet cotonneux.
«Eh ! qu'est-ce cela, monsieur Cyrus ? demanda Pencroff. Bonté du Ciel ! Est-ce du tabac ?
— Non, répondit Cyrus Smith, c'est l'artemise, l'armoise chinoise pour les savants, et pour nous autres, ce sera de l'amadou.»
Et, en effet, cette armoise, convenablement desséchée, fournit une substance très inflammable, surtout lorsque plus tard l'ingénieur l'eut imprégnée de ce nitrate de potasse dont l'île possédait plusieurs couches, et qui n'est autre chose que du salpêtre.
J. VERNE, l'Île mystérieuse, t. I, p. 171.

2. **ARMOISE** [aʀmwaz] n. f. → **Armoisin.**

**ARMOISEUR** [aʀmwazœʀ] n. m. — D. i. ; de 2. *armoise* → Armoisin.
Vx, techn. Celui qui fabrique de l'armoisin.

**ARMOISIN** [aʀmwazɛ̃] n. m. ou **ARMOISE** [aʀmwaz] n. f. — 1533-1534 ; *taffetas armoisi,* XVIe (Rabelais, II, 16 et V, 19) ou *taffetas armoisin ;* ital. *ermesino.*
Vx, techn. Sorte de taffetas léger.
DÉR. (De *armoise*) **Armoiseur.**

**ARMON** [aʀmɔ̃] n. m. — 1332 ; du lat. *artemonem,* accusatif de *artemo.*
Anciennt. Pièce du train d'un carrosse à laquelle était articulé le timon.

**ARMORIAL, ALE, AUX** [aʀmɔʀjal, o] adj. et n. m. — 1611 ; de *armoiries.*
Adj. Qui est relatif aux armoiries. *Écu armorial. Pièces armoriales. Livre armorial.* — N. m. *Un armorial :* un recueil d'armoiries. *L'Armorial de France.* → **Nobiliaire.**

(...) le domestique, qui s'était ressaisi et connaissait assez son armorial pour compléter de lui-même une appellation trop modeste, hurlait avec l'énergie professionnelle qui se veloutait d'une tendresse intime : «Son altesse monseigneur le duc de Châtellerault !»
PROUST, Sodome et Gomorrhe, Pl., t. II, p. 637.

**ARMORICAIN, AINE** [aʀmɔʀikɛ̃, ɛn] adj. et n. — 1838, Académie *Compl. ;* de *Armorique,* bas lat. *armoricanus.*

♦ **1** Adj. Relatif à l'Armorique (hist.). — Littér. *Cycle armoricain :* romans médiévaux du cycle arthurien.

♦ **2** Adj. Relatif à la Bretagne occidentale (ou Basse-Bretagne).
N. *Un Armoricain, une Armoricaine.* — N. m. *L'armoricain :* l'ensemble des parlers gaéliques de Basse-Bretagne. → **Breton.**

♦ **3** Loc. *À l'armoricaine,* apprêt culinaire. *Homard à l'armoricaine :* désignation (antérieure à 1918, date où R. Maizeroy attribue la recette à un cuisinier de Saint-Pol-de-Léon) du homard dit «à l'américaine» (il s'agissait en fait d'un apprêt méridional). — *Œufs à l'armoricaine :* œufs brouillés garnis d'un salpicon de crustacés et de tranches de crustacés, avec une sauce américaine.

**ARMORIER** [aʀmɔʀje] v. tr. — 1680 ; de l'anc. franç. *armoyer,* refait d'après *armoirie**, au XVIIe, sur le modèle de *historier,* dér. de *histoire.*
Orner d'armoiries (un carrosse, de la vaisselle, du papier à lettres).

*(Le prélat)* fit, au dos d'un carrosse, 1
À côté d'une mitre armorier sa crosse.
BOILEAU, le Lutrin, VI.

◆ **ARMORIÉ, ÉE** p. p. adj. Orné d'armoiries. *Un carrosse, une limousine aux portières armoriées. Enveloppes armoriées.*

De temps à autre (...) il frappait la table, non pas du poing, 2
mais de la paume de sa main droite encombrée d'une lourde bague armoriée (...)
M. YOURCENAR, le Coup de grâce, p. 136.

(Personnes). Qui possède des armoiries.

Jamais l'histoire n'a connu pareille association de rava- 3
geurs ; ce que l'on raconte de l'Inquisition et des Jésuites n'a jamais atteint une telle virtuosité dans l'art d'exploiter les tares des familles armoriées.
B. CENDRARS, Moravagine, Œ. compl., t. IV, p. 65.

**ARMORISTE** [aʀmɔʀist] n. m. — 1690 ; de *armoiries ;* anc. franç. *armoyeur.*
Didactique.
♦ **1** Peintre d'armoiries.
♦ **2** Celui qui est versé dans la science héraldique.

**ARMURE** [aʀmyʀ] n. f. — 1155, *armeüre ;* lat. *armatura ;* de *armare.* → Armer.

**I** ♦ **1** Anciennt. Ensemble des armes défensives qui protégeaient le corps de certains soldats. → **Arme, bouclier, écu, targe ; cotte, cuirasse ; cataphracte.** — Spécialt. Harnois, composé d'un assemblage de plaques de fer forgé (→ **Plates**), que revêtait l'homme d'armes au moyen âge (par oppos. au *harnois de mailles* → **Adoubement**). *Armure de guerre. Armure de joute. Armure de parade. Armure complète du chevalier.* → **Panoplie.** *Armure à tonne**. *Armures antiques, orientales.*
Spécialt (armures occidentales, du moyen âge aux temps modernes). *Parties, pièces de l'armure. Armure de tête :* → **Armet, barbute, bassinet, bicoquet, bourguignote, cabasset, calotte, capeline, casque, cervelière, chapeau, coiffe, couvre-nuque, crête, gorgerin, heaume, mentonnière, mézail, morion, nasal, oreillon, salade, secrète, ventail, visière, vue.** *Armure du cou et des épaules :* → **Bavière, camail, colletin, épaulière, gousset, hausse-col, spallière.** *Armure de corps* (ou *corps d'armure*) : → **Braconnière, brigandine, broigne, chemise, corselet, cotte, cuirasse, dossière, faucre (ou fautre), gambison, garde-reins, gonne (ou gonnelle), halecret, haubert, haubergeon, jaque, jaseran, pansière, pectoral, plastron, tunique.** *Armure du bras :* → **Brassard, canon, cubitière.** *Armure de la main :* → **Gant, gantelet, miton.** *Armure de la cuisse et de la jambe :* → **Cuissard, cuissot,**

**genouillère, grève, jambière** (ou **jambart**), **tassette.** *Armure du pied :* → **Poulaine, soleret.** *Articulations de l'armure :* → **Rondelle.**

1 Clair est le jour et beau le soleil : pas une armure qui toute ne flamboie.
J. BÉDIER, la Chanson de Roland, 79, p. 79.

2 Les preux, sourds au vent qui murmure,
Dorment couchés dans leur armure,
Comme la veille d'un combat. HUGO, Odes, II, 3.

3 Rien d'humain ne battait sous ton épaisse armure.
LAMARTINE, Nouvelles méditations, «Bonaparte».

*Armure du cheval.* → **Barde, caparaçon, cervicale, chanfrein, flançois, garde-queue, muserolle, têtière, tonnelle.**

4 (...) une armure de cheval, avec le chanfrein à vue, la muserolle, la barde de crinière et la barde de poitrail, la tonnelle et le garde-queue.
FRANCE, l'Anneau d'améthyste, p. 62.

Spécialt. Armure conservée et présentée comme objet d'art. *Musée des armures. Collection d'armures.* — Armure complète d'homme d'arme, conservée à titre décoratif.

REM. Le sens concret (sens 1) ne s'emploie plus.

4.1 Mais il tombe et l'on trouve au défaut de l'armure
Tout le fer d'une lance encore dans la blessure.
P. DORMONT DE BELLOY, Gaston et Bayard, IV, 2.

♦ **2** Par ext. Défenses naturelles d'un animal. → **Carapace, défense.**

♦ **3** Fig. Ce qui couvre, défend, protège comme une armure. → **Défense, protection.**

5 Il n'a pas besoin d'armer cette tête qu'il expose à tant de périls, Dieu lui est une armure plus assurée : les coups semblent perdre leur force en l'approchant, et laisser seulement sur lui des marques de son courage et de la protection du ciel.
BOSSUET, Oraison funèbre du prince de Condé.

6 La belle expression embellit la belle pensée et la conserve ; c'est tout à la fois une parure et une armure.
HUGO, Littérature et Philosophie mêlées, p. 11.

*Le défaut de l'armure.* → **Cuirasse** (défaut de la cuirasse).

**II** Fig. ♦ **1** Dispositif de protection.

Arbor. Appareil dont on entoure un arbre pour le protéger contre les dégâts causés par l'homme, les animaux, le vent, etc. *Les arbres de l'avenue sont garnis d'armures.*

Agric. Dispositif de ramassage adaptable à une faux.

Électr. Enveloppe de protection d'un câble électrique (→ **Armeuse).**

(1719). Phys. *Armure de l'aimant.* → **Armature.**

♦ **2** Mus. *Armure de la clé.* → **Armature.**

♦ **3** (1751). Techn. Mode d'entrecroisement des fils de chaîne et de trame. → **Contexture ; étoffe, tissage, tissu ;** → Piqûreuse, cit. *Principales armures* (satin, sergé, uni : *armures de base* et *armures dérivées*). *Armure toile. Tissu d'armure X...* → **Armaturé, armuré.**

DÉR. (Du I.) **Armurier.** — (Du II.) **Armuré.**

**ARMURÉ, ÉE** [aʀmyʀe] adj. — XXe ; de *armure.*

Techn. Qui a telle ou telle armure, en parlant d'un tissu. → **Armure** (II., 3.).

Sous Louis XV les proportions des détails décoratifs diminuent, les fonds, éclaircis, sont diversement armurés, la fleur constitue un des éléments principaux du décor, mais elle est à l'échelle de la nature et d'un modelé qui rivalise avec celui de la peinture.
Michèle BEAULIEU, les Tissus d'art, p. 86.

**ARMURERIE** [aʀmyʀʀi] n. f. — 1364 ; de *armurier.*

♦ **1** Profession d'armurier.

♦ **2** Fabrication, fabrique, dépôt, commerce d'armes. *Acheter une carabine, un fusil de chasse, un pistolet dans une armurerie.*

— (...) À la première armurerie ouverte, faut acheter des balles. Vingt-cinq chacun, ce qu'on a, c'est pas assez. (...)
— Les armureries n'ouvriront pas aujourd'hui, c'est dimanche.
MALRAUX, l'Espoir, *in* Romans, Pl., p. 445.

**ARMURIER** [aʀmyʀje] n. m. — 1292, *armeurier ;* de *armure.*

♦ **1** Celui qui vend, répare ou fabrique des armes. *Acheter un fusil de chasse chez un armurier* (→ **Armurerie).**

Les nouvelles, d'après mon surveillant, n'étaient pas bonnes. On disait que Zelten était tué. La vérité était que les armuriers téléphonaient à la police dès qu'un étudiant leur avait acheté un revolver.
GIRAUDOUX, Siegfried et le Limousin, p. 267.

REM. Le fém. *armurière* est virtuel.

♦ **2** Milit. (armée ou mar.). Celui qui est chargé de l'entretien des armes.

DÉR. **Armurerie.**

**ARN** ou **A. R. N.** [aɛʀɛn]

Abréviation de *Acide ribonucléique.* — Syn. (anglicisme déconseillé) : *RNA* ou *R. N. A.* [ɛʀɛna] (pour *ribonucleic acid*).

**ARNAQUE** [aʀnak] n. f. — 1833, *arnache* «tromperie» ; de *arnaquer.*

♦ **1** Fam. Escroquerie, vol, et, par ext. artifice, tromperie. *Un gars d'arnaque,* fertile en ruses. *Une arnaque :* une affaire louche.

Parlant et en couleurs, le film était pas de l'arnaque. Rien que les gros plans isolés en reproduction carte postale, ça aurait fait un boum dans la clientèle ménagère, sur les marchés de banlieue. 1
Albert SIMONIN, Touchez pas au grisbi, p. 119.

Pour Johnny, c'était fini de rêver à une arnaque facile sur cet acheteur (...) 2
Albert SIMONIN, Hotu soit qui mal y pense, p. 24.

Loc. *Faire de l'arnaque :* tromper, tricher.

Leurs hommes, ils s'arrangent, ils font de l'arnaque au marché noir. M. AYMÉ, le Passe-muraille, p. 262. 3

♦ **2** (1844). Ancienne. *L'arnaque :* la police (en civil), les membres de la police.

**ARNAQUER** [aʀnake] v. tr. — 1887 ; pour *harnaquer, harnacher* (1835) «escroquer».

Familier.

♦ **1** Escroquer, voler.

Je vous l'dis, hein, le père Robinson, c'est un maousse ! Et qui pleure pas pour les lâcher. Avec le pèze qu'il a, les drôles qui veulent l'arnaquer peuvent retourner au vestiaire. R. DORGELÈS, Tout est à vendre, p. 422. 1

♦ **2** Arrêter, prendre. *Se faire arnaquer.*

Je voudrais bien, Lallemand, que vous m'arnaquiez ce Dewald dare-dare. 2
Pierre NORD, Miss Péril jaune, p. 131.

DÉR. **Arnaque, arnaqueur.**

**ARNAQUEUR, EUSE** [aʀnakœʀ, øz] n. — 1895, Esnault ; de *arnaquer.*

Fam. Celui qui pratique l'arnaque : escroc, filou.

On se plaignait pas de lui chez Cascade on le trouvait pas trop arnaqueur pour un dégueulasse dans son genre, profiteur de mouise, vampire, tout. 1
CÉLINE, Guignol's band, p. 205.

Je suis Vietnamienne comme lui et je ne suis pas une voleuse, une arnaqueuse comme vous le dites. 2
Jean HOUGRON, la Gueule pleine de dents, p. 367.

**ARNICA** [aʀnika] n. f. — 1697; lat. des botanistes, considéré comme une altération du grec *ptarnikê* «plante dont les fleurs font éternuer», de *ptarnos* «éternuement».

♦ **1** Bot. Plante dicotylédone *(Composées)* herbacée, vivace, appelée aussi *tabac des Vosges, plantain des Alpes, herbe aux chutes, herbe aux pêcheurs, bétoine des montagnes,* dont les feuilles et les fleurs contiennent un alcaloïde : l'*arnicine* (*arnica,* 2. ou *teinture d'arnica*).

♦ **2** Cour. Teinture extraite des fleurs et des feuilles de la plante, remède contre les contusions et les entorses.

DÉR. **Arnicine** (Voir *supra*).

**AROBASE** ou **ARROBASE** [aʀɔbaz] n. f. — 1995; p.-ê. de *a rond bas (de casse),* terme de typographie dont l'origine peut être l'*arrobe,* mesure espagnole de capacité pour les grains (dans des comptes); le mot est d'orig. arabe.

Signe typographique (@), appelé aussi *a commercial. L'arobase sert de séparateur dans le libellé des adresses électroniques.* — REM. On trouve aussi *ar(r)obas* [aʀɔbas] n. m.

**AROBE** [aʀɔb] n. f. → **Arrobe.**

**AROÏDACÉES** [aʀɔidase] ou **AROÏDÉES** [aʀɔide] n. f. pl. → **Aracées.**

**AROLLE** [aʀɔl] n. m. et f. — 1874; *arole,* 1760; d'un préroman **arua,* à rapprocher de *ravicelus,* «pignon de pin au miel».

Régional (Suisse). Pin montagnard *(Pinus Cembra)* croissant entre 1 200 et 2 500 mètres d'altitude. *Forêt d'arolles, bois d'arolle.* — REM. On trouve aussi la graphie *arole.*

Déjà, on arrive aux premiers arolles, tandis que les mélèzes deviennent plus petits et maigres.
C.-F. RAMUZ, le Village dans la montagne, t. III, p. 18.

**AROMAL, ALE, AUX** [aʀɔmal, o] adj. — 1837, Ch. Fourier «impondérable comme les aromes»; de *arome.*

Rare et littér. Plein d'arome. «*Le printemps aromal*» (V. Hugo, *la Légende des siècles*).

(...) mais les parfums étouffants qui montaient de toute l'île et que le vent rabattait vers nous, les parfums qui déjà nous troublaient de vertige, nous eussent, je crois, fait mourir. Ils étaient si denses qu'on en voyait la poussière aromale tournoyer.
GIDE, le Voyage d'Urien, *in* Romans, Pl., p. 20.

**AROMATE** [aʀɔmat] n. m. — XIII^e, *aromat;* lat. pop. *aromatum,* class. *aroma, -atis,* d'orig. grecque. → Arôme.

Substance végétale odoriférante. Anciennt. Parfum (encens, myrrhe, etc.), cosmétique, médicament (camphre, par ex.); mod. épice, condiment. *Principaux aromates :* → **Angélique, anis, armoise, badiane, basilic, benjoin, bétoine, camomille, camphre, cannelle, cardamome, carvi, cinname, citron, coriandre, cumin, encens, estragon, fenouil, genièvre, gingembre, girofle, hysope, laurier, lavande, marjolaine, mélisse, menthe, moutarde, muscade, myrrhe, nard, origan, piment, poivre, raifort, romarin, rose, safran, sarriette, storax, thym, vanille, violette.**

1 Combien ton amour est meilleur que le vin, et l'odeur de tes parfums, que tous les aromates!
BIBLE, le Cantique des cantiques, IV, 10.

Il sentit son cœur s'amollir et se dissoudre, comme les aromates de son pays fondent doucement à un feu modéré et s'exhalent en parfums délicieux. 2
VOLTAIRE, la Princesse de Babylone, 10.

Ursus, médecin, guérissait, parce que ou quoique. Il pratiquait les aromates. Il était versé dans les simples. Il tirait parti de la profonde puissance qui est dans un tas de plantes dédaignées. 3
HUGO, l'Homme qui rit, I, 1.

Mais un enchantement circule dans ces palais souterrains, où les ténèbres ont l'air épaissies par l'ancienne fumée des aromates. 4
FLAUBERT, la Tentation de Saint Antoine, I.

(...) tout à coup je fus noyé dans un souffle chaud et parfumé d'aromates sauvages qui s'épandait comme un flot plein de la senteur violente des myrtes, des menthes, des citronnelles, des immortelles, des lentisques, des lavandes, des thyms, brûlés sur la montagne par le soleil d'été. 5
MAUPASSANT, la Vie errante, p. 17.

Cette aube avait une odeur si balsamique, que Florent se crut un instant en pleine campagne, sur quelque colline. Mais Claude lui montra, de l'autre côté du banc, le marché aux aromates. Le long du carreau de la triperie, on eût dit des champs de thym, de lavande, d'ail, d'échalote; et les marchands avaient enlacé, autour des jeunes platanes du trottoir, de hautes branches de laurier qui faisaient des trophées de verdure. C'était l'odeur puissante du laurier qui dominait. 6
ZOLA, le Ventre de Paris, t. I, p. 39-40.

REM. Le mot est assez rare au sing. : *un aromate.*

DÉR. **Aromatiser.** — V. aussi **Arôme.**

**AROMATHÉRAPIE** [aʀɔmateʀapi] n. f. — 1970, in *la Clé des mots;* de *aromatique,* et *-thérapie.*

Méd. Utilisation médicale des huiles aromatiques (huiles essentielles).

**AROMATIQUE** [aʀɔmatik] adj. — 1220-1235; lat. *aromaticus,* de *aroma.* → Aromate.

♦ **1** Cour. Qui est de la nature des aromates, en a l'odeur agréable et pénétrante. *Plante, herbe, substance, essence, huile, drogue aromatique. Principe aromatique.* → **Arôme.** *Saveur, odeur aromatique.*

La chair du corbeau des Indes de Bontius a un fumet aromatique très agréable qu'elle doit aux muscades dont l'oiseau fait sa principale nourriture (...) 1
BUFFON, Hist. nat. des oiseaux, t. V, p. 59.

(...) un bain acidulé, aromatique. 2
COLETTE (→ Acidulé, cit. 2).

(...) Harbert découvrit, vers l'angle sud-ouest du lagon, une garenne naturelle, sorte de prairie légèrement humide, recouverte de saules et d'herbes aromatiques qui parfumaient l'air, telles que le thym, serpolet, basilic, sarriette, toutes espèces odorantes de la famille des labiées dont les lapins se montrent si friands. 3
(...) Harbert recueillit ainsi une certaine quantité de pousses de basilic, de romarin, de mélisse, de bétoine, etc., qui possèdent des propriétés thérapeutiques diverses, les unes pectorales, astringentes, fébrifuges, les autres, antispasmodiques ou anti-rhumatismales.
J. VERNE, l'Île mystérieuse, t. I, p. 253.

♦ **2** (1891, *Année sc.* 1892, p. 56). Chim. *Série aromatique :* série des composés dont la molécule contient un ou plusieurs noyaux benzéniques (et dite aussi *série benzénique*). Par ext. *Composé aromatique,* ou, n. m., *un aromatique. Hydrocarbure aromatique.* → 2. **Arène.** *Le benzène est le carbure aromatique le plus simple. Rendre aromatique un composé.* → **Aromatiser;** et aussi **aromatisation.**

DÉR. et COMP. (Du rad.). **Aromathérapie, aryle.**

**AROMATISANT** [aʀɔmatizɑ̃] n. m. — 1964, *Hist. gén. des sc.,* in T. L. F.; de *aromatiser.*

Techn. Produit ajouté aux aliments pour leur donner un arôme* déterminé.

**AROMATISATION** [aʀɔmatizasjɔ̃] n. f. — XVIe, «embaumement»; de *aromatiser.*

♦ **1** Pharm. Action d'aromatiser.

♦ **2** Chim. Transformation en carbure aromatique (d'un hydrocarbure à chaîne droite).

**AROMATISER** [aʀɔmatize] v. tr. — Mil. Xe, «embaumer (un corps)»; bas lat. *aromatizare,* repris du grec, ou de *aromate.*

♦ **1** Parfumer avec une substance aromatique.

À Saint-Sébastien, sur la place, nous nous fîmes servir du chocolat espagnol, épais et fortement aromatisé de cannelle (...) GIDE, Journal, Hendaye, 1905.

Par ext. *Aromatiser un plat, une préparation culinaire.*

♦ **2** Chim. Convertir en carbure aromatique.

◆ **S'AROMATISER** v. pron. (aux sens 1 et 2 du transitif).

◆ **AROMATISÉ, ÉE** p. p. adj. *Boisson, liqueur aromatisée.*

DÉR. **Aromatisant, aromatisation.**

**ARÔME** ou **AROME** [aʀom] n. m. — 1125-1130, repris en 1787; lat. *aroma* «aromate», du grec *arôma.* Académie huitième éd. met un accent circonflexe sur *arôme,* orthographe conforme à l'étymologie et à la prononciation. Les éditions précédentes donnaient *arome* sans accent, orthographe encore fréquente.

♦ **1** Principe odorant qui s'exhale des essences naturelles (→ **Essence, huile** [essentielle]), de végétaux, d'essences chimiques, ou d'acides volatils. → **Émanation, exhalaison, odeur, parfum.** — Parfum caractéristique. *L'arôme des vins.* → **Bouquet.** *L'arôme des viandes.* → **Fumet.** *L'arôme du thé, d'un alcool. Les arômes piquants des pickles* (cit.).

1 Mêlé au café, il *(le sucre)* en fait ressortir l'arome. A. BRILLAT-SAVARIN, Physiologie du goût, VI, 45.

1.1 L'air du salon était chaud de cette première chaleur concentrée des calorifères rallumés, chaleur d'étoffes, de tapis, de murs, où s'évapore hâtivement le parfum des fleurs asphyxiées. Il y avait, dans cette pièce close où le café aussi répandait son arome, quelque chose d'intime, de familial et de satisfait, quand la porte en fut ouverte devant Olivier Bertin. MAUPASSANT, Fort comme la mort, éd. 1889, p. 270.

2 Elle *(la boutique)* exhalait un délicieux arôme de café (...) FRANCE, le Petit Pierre, VIII.

3 Il y traînait *(dans la pièce)* un arome acidulé de verveine, de citronnelle, une odeur de toilette, à demi évaporée. MARTIN DU GARD, les Thibault, I, 4, p. 41.

4 (...) cet arome de cédrat qui flottait toujours autour de Jérôme après sa toilette. MARTIN DU GARD, les Thibault, III, 7, p. 234.

5 (...) le géranium, le zinnia, le bégonia distillaient en l'air le plus plat les aromes de la Champagne. GIRAUDOUX, Bella, 3, p. 53.

REM. *Arôme* ne se dit que d'odeurs considérées comme agréables; il s'oppose aux termes désignant de mauvaises odeurs* (infection, puanteur).

♦ **2** Additif alimentaire destiné à donner un parfum, un arôme déterminé à un aliment. → **Aromatisant.**

♦ **3** Fig. ou métaphore. Saveur (fig.). «*Ce parfum, cet arôme moral*» (Charles Du Bos, *in* T. L. F.).

DÉR. **Aromal.**

**ARONDE** [aʀɔ̃d] n. f. — 1080; lat. *hirundo* «hirondelle».

♦ **1** Vx (anc. franç.), archaïque, littér. ou régional. Hirondelle.

1 Babillarde aronde, tais-toi. BAÏF, la Belle Aronde.

♦ **2** (1458). Techn. *À queue d'aronde,* se dit d'un assemblage de charpente ou de menuiserie dans lequel le tenon va s'élargissant en forme de queue d'hirondelle. → **Assemblage.**

Par ext. QUEUE D'ARONDE (archit.) : crampon, agrafe en forme de queue d'hirondelle servant à relier deux pièces de charpente, à maintenir un écartement. *Aronde :* queue d'aronde.

Tout ce qui constitue une armure était là, avec des encoches et des arondes à la Louis XIV aux points où le buste s'articule. 2
GIRAUDOUX, Juliette au pays des hommes, p. 238.

♦ **3** Genre de mollusque. Anciennt. *L'aronde perlière.*

(...) c'est pourquoi elle n'avait pas fait attention à ce visiteur de l'aube qui avait déjà amené des coquillages de nacre blanche, des arondes de grande dimension et d'une épaisseur de valve de plus de trente millimètres. 3
Jean CAYROL, Histoire de la mer, p. 145-146.

DÉR. **Arondelle.**

**ARONDELLE** [aʀɔ̃dɛl] n. f. — XIIe; de *aronde.*

♦ **1** Vx. Hirondelle. → **Aronde.**

(...) Sur le printemps de ma jeunesse folle,
Je ressemblais *(à)* l'arondelle qui vole (...)
Clément MAROT, Églogue au Roi.

♦ **2** Mar. Grosse ligne de pêche.

**ARONDINACÉ, ÉE** [aʀɔ̃dinase] adj. et n. f. — 1771; du rad. lat. *arundo, inis* (ou *harundo*) «roseau», et suff. *-acé.*

Bot. (vieilli). Qui a la forme d'un roseau. — N. f. pl. *Les arondinacées.*

**ARPAILLEUR** [aʀpajœʀ] n. m. — 1611; *harpailleur,* 1532.

Vx. → **Orpailleur.**

**ARPÈGE** [aʀpɛʒ] n. m. — 1751; dér. de l'ital. *arpeggio* «jeu de harpe».

♦ **1** Mus. et cour. Accord dont on égrène rapidement les notes au lieu de les faire entendre toutes à la fois comme dans l'accord plaqué. *Faire des arpèges (ascendants, descendants). Arpèges au piano, au violon.*

*En arpège :* en produisant successivement les notes (d'un accord). *Vocalises en arpèges,* dont les notes sont celles d'un accord.

C'était comme une phrase musicale, ardente et belle, qui se déroulait et montait en arpège, dans l'attente aiguë de la dominante. A. MAUROIS, Terre promise, XXXV.

♦ **2** Par ext. Sons successifs analogues à ceux d'un arpège. *Les arpèges du vent, de l'eau.*

♦ **3** Littér. Déploiement successif (d'éléments visuels ou abstraits).

DÉR. **Arpéger.**

**ARPÈGEMENT** [aʀpɛʒmɑ̃] n. m. — 1751, cit.; *harpègement,* 1690, Furetière; de *arpéger.*

Mus. Action d'arpéger.

C'est du jeu de la harpe qu'on a tiré l'arpègement. ROUSSEAU, Dict. de musique (1751).

**ARPÉGER** [aʀpeʒe] v. tr. [CONJUG.: *céder* et *bouger.*] — 1751; de *arpège.*

Mus. Exécuter (un passage) en arpèges. — Au p. p. *Accord arpégé* (opposé à *plaqué*).

Le ciel est bouché. On étouffe d'angoisse. La nuit s'épaissit. Et par contraste j'évoque les douces sonorités cristallines aux notes si pures, souvent arpégées, ou si graves dans la prolongation de la pédale des «*Nocturnes*» de Chopin (...) B. CENDRARS, la Main coupée, Œ. compl., t. X, p. 154.

V. intr. (absolt). Faire des arpèges.
**DÉR. Arpègement.**

**ARPENT** [aʀpɑ̃] n. m. — 1086, *Domesday Book;* du lat. *arepennis,* accusatif *arepennem,* empr. du gaulois.

♦ **1** Ancienne mesure* agraire qui valait cent perches, c'est-à-dire, selon les régions, de 20 à 50 ares.

1 Tel est riche avec un arpent de terre, tel est gueux au milieu de ses monceaux d'or.
ROUSSEAU, Julie ou la Nouvelle Héloïse, V, II.

Allus. littéraire :

2 Vous savez que ces deux nations sont en guerre pour quelques arpents de neige vers le Canada (...)
VOLTAIRE, Candide, XXIII.

♦ **2** Régional (Canada). Mesure de longueur d'environ 58,47 m (pour 191,8 pieds). — Mesure de superficie d'environ 34,20 ares (valant 36 802 pieds carrés).

**DÉR. Arpenter.**

**ARPENTAGE** [aʀpɑ̃taʒ] n. m. — 1293; de *arpenter.*

♦ **1** Mesure de la superficie du terrain par des procédés divers, au moyen d'unités de mesure agraires (autrefois en arpents, aujourd'hui en mètres, ares... → **Aréage**).

Tout cultivateur doit pouvoir mesurer l'étendue des pièces de terre de son exploitation, ne fût-ce que pour régler convenablement l'ordre des cultures. L'arpentage sert, d'autre part, de base au lever des plans, et au nivellement.
Omnium agricole, p. 57.

♦ **2** Ensemble des techniques de l'arpenteur. → **Bornage, cadastre, géodésie, levé** (de plans), **nivellement, relevé, topographie.** *Instruments d'arpentage.* → **Boussole, chaîne** (décamètre), **équerre, fiche, goniomètre, graphomètre, jalon, planchette.** *Arpentage et nivellement*.*

**ARPENTER** [aʀpɑ̃te] v. tr. — 1247; *arpanter,* 1288 «évaluer (une surface) en arpents»; de *arpent.*

♦ **1** Mesurer la superficie de (une terre) en unités de mesures agraires (autrefois en arpents). → **Arpentage.** *Faire arpenter des terres.*

1 Si un jour il a besoin d'un géomètre sublime pour lever le plan de ses terres, il les fera arpenter pour son argent.
VOLTAIRE, Jeannot et Colin.

♦ **2** Fig. Parcourir à grands pas, à grandes enjambées. → **Parcourir.** *Arpenter sa chambre :* marcher de long en large. *Il passe son temps à arpenter le boulevard. Arpenter le pavé de Paris.*

2 Il s'éloigne des chiens, les renvoie aux calendes
Et leur fait arpenter les landes.
LA FONTAINE, Fables, VI, 10.

3 (...) arpenter la vie d'un ferme pas de géants.
MICHELET, la Femme, p. 242.

4 (...) fiévreusement il arpentait, en réfléchissant, les greniers abandonnés.
ALAIN-FOURNIER, le Grand Meaulnes, p. 51.

**DÉR. Arpentage, arpenteur, arpenteuse.**

**ARPENTEUR** [aʀpɑ̃tœʀ] n. m. — 1247, *arpanteur;* 1453, *arpenteux;* de *arpenter.*

Professionnel des techniques de mesure et de calcul des surfaces, des relèvements de terrain. *Arpenteur-géomètre.* → **Géomètre.** *Aide d'arpenteur. Chaîne*, jalons, équerre d'arpenteur.*

REM. Le fém. *arpenteuse* est virtuel (hom. : *arpenteuse*).

**ARPENTEUSE** [aʀpɑ̃tøz] n. f. — 1700; de *arpenter.*

Chenille qu'on appelle aussi *géomètre*.* → **Phalène.** — (1759). En appos. *Chenille arpenteuse.*

**ARPÈTE** ou **ARPETTE** [aʀpɛt] n. f. — 1858, péj.; mot régional : Reims (1845), Genève (1858); probablt de l'all. *Arbeiter* «travailleur».

Fam. Jeune apprenti, jeune employé et, plus souvent, jeune apprentie, jeune employée qui fait les courses; spécialt, apprentie modiste ou couturière.

Peu à peu elle *(la foule)* s'était renforcée des arpettes, midinettes et grooms jaillis des ateliers et magasins d'alentour. 1
Georges LECOMTE, Ma traversée, p. 380.

Le samedi, les ouvriers ne venaient pas à l'atelier, mais nous, les arpètes, il fallait qu'on nettoie et qu'on range tout. Jean FERNIOT, Pierrot et Aline, p. 211. 2

REM. Le mot s'emploie rarement en parlant de garçons (cf. Céline, *Mort à crédit, in* T. L. F.).

**ARPION** [aʀpjɔ̃] n. m. — 1827, *harpions;* 1821, *arpions* «mains», dans l'argot de bagne. Cf. *«le porte-monnaie des gens tomberait sous mes arpions...»* (Louise Michel, *la Misère,* t. III, p. 568) 1828, «orteil»; provençal mod. *arpioun* «griffe», de même origine que *harpon*.*

Pop. Pied. — REM. Le plus souvent au plur. *Casser les arpions :* ennuyer, gêner.

Il finit par s'esbigner lâchement avant que je me décide à lui marcher un peu sur les arpions pour lui faire les pieds. 1
R. QUENEAU, Exercices de style, «Autre subjectivité», p. 25-26.

Pas étonnant qu'elle clopine, avec des *arpions* pareils : il y a des années de crasse et de terre entre chaque orteil; ceux-ci sont comprimés et meurtris par les botillons trop justes (...) A. SARRAZIN, la Cavale, p. 244. 2

**ARPON** [aʀpɔ̃] n. m. — 1866, P. Larousse; du gascon *arpan.*

Mar. Scie large et longue dont on se sert dans les chantiers de marine.

**HOM. Harpon.**

**-ARQUE** Élément, du grec *arkhein* «commander». → **-archie.** Ex. : *dyarque, énarque, monarque, oligarque.* Var. : *-arche.*

**ARQUÉ, ÉE** [aʀke] adj. — 1530, *arché;* p. p. de *arquer.*

♦ **1** Qui est courbé en arc. → **Cambré, convexe, courbe.** *Poutre arquée. Sourcils arqués. Nez* arqué.* → **Busqué.** *Jambes arquées. Tige arquée. — Cheval arqué,* dont les genoux sont arqués **(→ Brassicourt).**

(...) belle esclave aux paupières arquées. 1
HUGO, les Orientales, CV.

Les ambassadeurs vénitiens disent que les seigneurs français ont les jambes tout arquées et torses, parce qu'ils passent leur vie à cheval. 2
TAINE, Philosophie de l'art, II, 3.

Mar. *Navire arqué. Quille arquée.*

♦ **2** Qui présente un ou plusieurs arcs. *Pont arqué. Barrage arqué.*

**CONTR. Droit.**

**ARQUEBUSADE** [aʀkəbyzad] n. f. — 1564; *arquebuzaide,* 1475; de *arquebuse.*

Anciennement.

♦ **1** Coup d'arquebuse. *Tirer une arquebusade. Une plaie d'arquebusade.*

L'arquebusade qui fera perdre l'usage de la main gauche au futur auteur de *Don Quichotte.* 1
J. D'ORMESSON, la Gloire de l'Empire, t. II, p. 598.

Par ext. Combat à l'arquebuse; attaque à l'arquebuse.

Le matin du trois août, les troupes hollandaises, cantonnées derrière l'Yêtre, entamèrent l'action par une arquebusade prodigieuse sur les piquiers de Strelsau. 2
BERNANOS, Appendice aux deux fils, *in* Œ. roman., Pl., p. 1750.

♦ **2** (1685). Vx. *Eau d'arquebusade* (plus communément dite *eau d'arquebuse*) : eau vulnéraire utilisée pour le traitement des blessures par armes à feu.

**ARQUEBUSE** [aʀkəbyz] n. f. — 1475, *arquebuse* et *haquebuse*; 1470 *hacquebute*; de l'all. *Hakenbüchse* «canon (*Büchse*) à crochet»; l'ital. *archibugio* semble repris au français.

♦ **1** Ancienne arme à feu qu'on faisait partir au moyen d'une mèche ou d'un rouet. *Arquebuse à croc*, que l'on appuyait sur un croc pour tirer. *Arquebuse longue.* → **Carabine.**

♦ **2** EAU D'ARQUEBUSE. ⓐ → **Arquebusade** 2.

ⓑ Liqueur de plantes aromatiques encore utilisée aujourd'hui. — Ellipt. *De l'arquebuse. Une bouteille d'arquebuse.*

♦ **3** Argot et fam. Arme à feu.

(...) les conditions d'attaque étant établies, l'expédition se met en branle dans un luxe de bagnoles, motos et camionnettes remplies de poulets ployant sous le poids des arquebuses. Martin ROLLAND, la Rouquine, p. 129.

**DÉR. Arquebusade, arquebuser, arquebuserie, arquebusier.**

**ARQUEBUSER** [aʀkəbyze] v. tr. — Av. 1573; *harquebutter* et *hacquebuter*, 1516; de *arquebuse*.

♦ **1** Tirer sur (qqn, qqch.) à coup d'arquebuse.

1 On les condamna à la corde, et par grâce on les arquebusa, ce qui est, dit-on, plus honorable (...)
VOLTAIRE, le Siècle de Louis XIV, 35.

♦ **2** Fam. Tirer sur... — Pron. Se tirer dessus.

2 Ce wagon, long d'une cinquantaine de pieds, se prêtait très convenablement à la circonstance. Les deux adversaires pouvaient marcher l'un sur l'autre entre les banquettes et s'arquebuser à leur aise. Jamais duel ne fut plus facile à régler.
J. VERNE, le Tour du monde en 80 jours, p. 262-263.

**ARQUEBUSERIE** [aʀkəbyzʀi] n. f. — 1535, *arquebouserie* «troupe armée d'arquebuses»; de *arquebuse*.

Vx ou littér. Art de fabriquer les arquebuses, et, par ext., les armes à feu.

Par métonymie. Commerce d'armes à feu.

Le plus commun gibier du mois est le dindon, que l'on abat aisément, si l'on peut l'approcher à courte distance, par quelques douzaines de coups de mortier à truffes, livrables à nos lecteurs en notre Arquebuserie de Saint-Georges.
A. JARRY, Almanach du Père Ubu illustré, Pl., t. I, p. 538.

**ARQUEBUSIER** [aʀkəbyzje] n. m. — 1564; *hacquebutier*, 1506; de *arquebuse*.

♦ **1** Anciennt. Soldat armé d'une arquebuse. *Arquebusier à pied, à cheval.*

Ledict duc de Florence (...) entra par la porte S. Pierre, accompagné de cinquante chevaux-légers, arméz en blanc et la lance au poing, et environ de cent arquebusiers.
RABELAIS, Lettres d'Italie, I, À Geoffroy d'Estissac.

♦ **2** Vx. Bourgeois, armé d'une arquebuse, faisant partie de la milice d'une cité. *Les arquebusiers de la garde bourgeoise.*

♦ **3** Vx. Fabricant d'arquebuses et, par ext., fabricant d'armes à feu.

**ARQUEPINCER** [aʀkəpɛ̃se] v. tr. — 1828, *arcpincer*; de *arc*, et *pincer*.

Argot.

♦ **1** Se saisir de (qqch.) fortement, en particulier pour dérober.

♦ **2** Appréhender (un malfaiteur). *Il s'est fait arquepincer. — La maison Je t'arquepince* : la police.

Mon cher, je ne me soucie pas d'être *arque pincé* (pris) *pour le pré* (pour le bagne). 1
Louise MICHEL, la Misère, III, p. 653.

Dites, ces deux clients-là, ils ne sont pas de la Maison J't'arquepince, hein? 2
J. DUTOURD, Mémoires de Marie Watson, p. 113.

**ARQUER** [aʀke] v. — XVI^e; 1266, *archer* «se courber en arc»; lat. *arquare, arcuare*, de *arcus*. → Arc.

♦ **1** V. tr. Courber en arc. *Arquer une pièce de fer. Arquer les lèvres, les reins.*

♦ **2** V. intr. Techn. Devenir courbe. → **Fléchir.** *Cette poutre commence à arquer.*

♦ **3** (1854). Fam. Marcher, avancer (dans l'expression : *ne plus pouvoir arquer* : être trop fatigué (ou malade, etc.) pour pouvoir avancer). *J'ai pédalé toute la journée, je peux plus arquer.*

Le chauffeur haussa les épaules. 1
— J'étais para. J'ai sauté sur une mine. Je peux plus arquer.
J.-P. MANCHETTE, Folle à tuer, p. 27.

◆ **S'ARQUER** v. pron. Se courber en arc. *Les jambes de cet enfant se sont arquées. Ses sourcils s'arquaient.*

Il était temps que le secours arrive à la pauvre barque, 2
elle avait été fort secouée dans l'heure précédente et elle commençait à s'arquer.
HUGO, les Travailleurs de la mer, III, 6.

◆ **ARQUÉ, ÉE** p. p. adj. → **Arqué.**

**CONTR. Redresser.** ◈ **DÉR. Arcure, arqué, arqûre.**

**ARQÛRE** [aʀkyʀ] n. f. → **Arcure.**

Leurs yeux de chouette tachaient de deux trous bruns la loque de mousseline, bossuée par l'arqûre de leur bec d'oiseau de proie, et jetée comme un suaire sur leur visage hideux (...)
Th. GAUTIER, Constantinople, p. 84 (1853).

**ARRACHAGE** [aʀaʃaʒ] n. m. — 1597, repris en 1835; de *arracher*.

Action d'arracher (qqch.); son résultat. → **Arrachement** (1.). *L'arrachage des fils d'une étoffe. L'arrachage d'un piquet. L'arrachage a été difficile.* — Emplois spéciaux :

♦ **1** Agric. ou jard. Action d'arracher (une plante). *Arrachage des betteraves, des carottes, des pommes de terre.* → **Récolte; arracheur, arrachoir.** *Arrachage des mauvaises herbes, des broussailles...* → **Déchaumage, défrichement, essartage** (ou essartement), **sarclage.** *Arrachage des souches.* → **Essouchement.**

♦ **2** Techn. Action d'arracher un bloc de pierre dans les carrières, les étais d'une taille pour le foudroyage d'une mine, etc. *Treuil d'arrachage.*

♦ **3** Fam. *L'arrachage d'une dent*, son extraction.

♦ **4** Fig. → **Arrachement** (3.).

**CONTR. Plantation.**

**ARRACHE-** Élément de mots composés désignant des instruments servant à *arracher*. Voir à l'ordre alphab. — Autres ex. (noms masculins) : *arrache-bouchon* (1925); *arrache-couronne* (de dentiste); *arrache-sonde, arrache-souches; arrache-tuyau.* D'autres composés sur des sens fig. d'*arracher* sont possibles (*l'Arrache-cœur* de Boris Vian).

**ARRACHÉ** [aʀaʃe] n. m. — 1894, *in* Petiot ; de *arracher.*

♦ **1** Sport (poids et haltères). Mouvement qui consiste à porter d'un seul effort le poids pris à terre à la verticale (à bras tendus au-dessus de la tête).

1 *L'arraché d'un bras* (le poids est enlevé directement du sol. Ce mouvement se pratique à droite, à gauche, en haltère court et en barre) et *l'arraché à deux bras* (en barre).
Jean DAUVEN, Technique du sport, Poids et haltères, p. 70.

Mouvement final du lancer du marteau.

2 «Pas comme ça, monsieur Saulnier, il faut avoir la manière!» dit Yankel avec un bon sourire; il lui donna quelques leçons d'arraché, de développé et de dévissé suivant les bons principes.
Roger IKOR, les Fils d'Avrom, Les eaux mêlées, p. 554.

♦ **2** Loc. adv. (1927). Fig. **À L'ARRACHÉ :** par un effort violent. *Obtenir quelque chose, gagner à l'arraché.*

**ARRACHE-CLOU** [aʀaʃklu] n. m. — 1898 ; de *arracher,* et *clou.*

Techn. Instrument pour arracher les clous, les pointes, etc. *Des arrache-clous* (ou *clou*).

**ARRACHEMENT** [aʀaʃmɑ̃] n. m. — 1542 ; *aracemant,* XIVe ; 1260, *erracement,* archit., «sommier des voûtes» ; de *arracher.*

Action d'arracher ou résultat de cette action. → **Enlèvement.**

♦ **1** (Concret). Rare. *L'arrachement d'un arbre.* → **Arrachage, arrachis, déracinement.** *L'arrachement d'un clou. Arrachement d'une dent, d'un fragment d'os...* → **Arrachage, avulsion, évulsion, extraction.** *L'arrachement chirurgical d'une tumeur, d'un corps étranger.* → **Éradication, extirpation.** *Fracture par arrachement.* → **Divulsion.** *Arrachement de poils, de cheveux.* → **Épilation.** *Arrachement de la peau.* → **Dépouillement, écorchement.** *L'arrachement des parties d'un tout.* → **Déchirement, démembrement, écartement, écartèlement, rupture.**

1 L'ouragan, comme un bourreau pressé, se mit à écarter le navire. Ce fut, en un clin d'œil, un arrachement effroyable (...)
HUGO, l'Homme qui rit, II, II, 10, p. 41.

Phys. *Arrachement d'une particule par une particule à grande vitesse.*

♦ **2** (1676). Archit. Le fait d'enlever des pierres à un mur pour emboîter dans les retraites les pierres d'une construction nouvelle ; ces pierres. — Fragments de ruines.

♦ **3** Fig., cour. [a] *Arrachement à :* séparation brutale d'avec (une autre personne, un milieu...). *L'arrachement d'un enfant à sa mère.*

[b] Affliction que cause une séparation, un sacrifice. → **Déchirement.** *L'arrachement des adieux* (cit. 17).

2 À chaque louis qu'elle changeait, c'était un effort, un arrachement, comme si elle donnait des pierres de son mas (...)
Alphonse DAUDET, Numa Roumestan, VII.

3 Après le grand désastre et le grand arrachement qui les avaient anéantis tous deux comme une sorte de mort (...)
LOTI, Matelot, XIX.

CONTR. **Enracinement, implantation, plantation. — Clouage, fixation, pose.**

**ARRACHE-MOYEU** [aʀaʃmwajø] n. m. — 1969 ; de *arracher,* et *moyeu.*

Techn. Appareil servant à extraire, à décaler une roue. *Des arrache-moyeux.*

**ARRACHE-PIED (D')** [daʀaʃpje] loc. adv. — 1515, «tout de suite» ; de *arracher,* et *pied.*

♦ **1** Vx. Sans interruption, sans relâche (comme si le pied avait pris racine).

Toussez ici un bon coup ou deux, et en buvez neuf d'arrache-pied. 1
RABELAIS, le Cinquième Livre, Prologue.

♦ **2** Mod. Sans désemparer, en soutenant un effort pénible. *Travailler d'arrache-pied.*

Dans le pays nous luttons d'arrache-pied, nous luttons désespérément contre les progrès, contre le maintien de cet empoisonnement *(l'alcoolisme).* 2
Ch. PÉGUY, Œuvres compl., t. XII, p. 9 à 15.

CONTR. V. **Intermittence** (par), **intervalle** (par), **temps** (de temps à autre).

**ARRACHER** [aʀaʃe] v. tr. — Déb. XIIe, *arachié ;* du lat. *exradicare, eradicare* «déraciner», de *ex-,* et *radix, radicis* «racine» (→ Éradication), avec substitution de préfixe, le préfixe *ad-* (→ 1. A-) s'étant substitué au préfixe *ex-, e-.*

♦ **1** Enlever* de terre (une plante qui y tient par ses racines). → **Déraciner, déterrer, extirper.** *Nettoyer, défricher une terre en arrachant les broussailles, les mauvaises herbes* (→ **Débarrasser, débroussailler, déchaumer, défricher, essarter, nettoyer, sarcler).** *Arracher les souches.* → **Essoucher.** *Arracher un arbre pour le planter ailleurs.* → **Déplanter.** *Arracher des betteraves, des pommes de terre, des navets.* → **Récolter, tirer** (régional) **; arrachage, arracheur, arrachoir.**

L'hirondelle leur dit : «Arrachez brin à brin 1
Ce qu'a produit ce maudit grain (...)»
LA FONTAINE, Fables, I, 8.

(...) cette ivraie de l'Évangile que l'on ne peut arracher sans déraciner en même temps le bon grain (...) 2
BOURDALOUE, 7e dimanche après la Pentecôte, Dominicale.

(Sujet n. de chose). *Le vent a arraché deux arbres.*

♦ **2** Détacher avec effort (une chose qui tient ou adhère à une autre). → **Détacher, enlever, ôter.** *Arracher une dent avec un davier.* → **Extraire.** *Arracher un polype.* → **Extirper.** *Arracher un clou avec un arrache-clou, une pince, des tenailles. Arracher les cheveux de qqn.* → ci-dessous, S'arracher les cheveux. *Arracher les poils de qqn, des poils à qqn.* → **Dépiler, épiler.** *Arracher une pellicule* (cit. 1) *avec ses ongles. Arracher les plumes d'un oiseau.* → **Plumer.** *Arracher qqch. par lambeaux.* → **Déchirer, lacérer.** *Arracher une affiche.* — Par exagér. et fig. (→ ci-dessous, cit. 3 et 4). *Arracher les yeux à qqn,* le mettre à mal. *Arracher le cœur, les entrailles :* tuer. → aussi ci-dessous, 4.

Je ne sais qui me tient, infâme, 3
Que je ne t'arrache les yeux (...)
MOLIÈRE, Amphitryon, II, 3.

(...) c'est lui percer le cœur, c'est lui arracher les entrailles (...) 4
MOLIÈRE, l'Avare, II, 4.

Arrachons, déchirons tous ces vains ornements (...) 5
RACINE, Esther, I, 5.

(...) elle arracha de son doigt l'anneau royal, lui ôta le diadème (...) 6
FÉNELON, Télémaque, VII.

De l'autre main il tâchait en vain d'arracher de dessus son dos la fatale tunique ; elle s'était collée sur sa peau, et comme incorporée à ses membres. À mesure qu'il la déchirait (...) 7
FÉNELON, Télémaque, XII.

(Sujet n. de chose). *Un obus lui a arraché le bras.* → **Couper, emporter.** *Le frottement lui a arraché un lambeau de peau.* → **Écorcher, dépouiller** (qqn). — Figuré :

(...) le temps ne m'a arraché que les cheveux, comme il effeuille un arbre en hiver, mais la sève est restée au cœur. 8
CHATEAUBRIAND, Mémoires d'outre-tombe, IV, I, 12 (Lettre du 9 nov. 1831).

Passif et p. passé :

9 Une seule pierre arrachée de cet édifice, l'ensemble croule fatalement. RENAN, Souvenirs d'enfance..., V, 3.

♦ **3** Fig. Vx ou littér. *Arracher qqch. à qqn, à qqch.* → **Extirper.**

10 (...) Quand la vérité est offensée par les ennemis de la foi, quand on veut l'arracher du cœur des fidèles pour y faire régner l'erreur (...) PASCAL, Pensées, XIV, 949.

11 Ne puis-je faire ôter les ronces, les épines,
Et des défauts sans nombre arracher les racines.
BOILEAU, Épîtres, XI.

12 Je te voudrais moi-même en arracher l'envie *(de l'épouser).* CORNEILLE, le Cid, IV, 2.

13 Arrache-lui du cœur ce dessein de mourir. CORNEILLE, Cinna, III, 5.

14 Tu vois, pour m'arracher du cœur de ses soldats,
Qu'il va chercher sans moi les sièges, les combats (...)
RACINE, Bajazet, I, 1.

REM. Les emplois modernes ne sont pas figurés, mais métaphoriques :

15 J'aurais supprimé quelques verrues, que je n'ai pas pris la peine, n'étant qu'un laïque, d'extirper sérieusement, mais qu'il n'eût dépendu que de moi d'arracher. RENAN, Souvenirs d'enfance..., III, 1.

♦ **4** Loc. fig. ou prov. *Il vaut mieux laisser son enfant morveux que de lui arracher le nez :* il ne faut pas que le remède soit pire que le mal.

Cour. *Arracher une épine du pied de qqn.* → **Épine.** *Arracher à qqn le pain de la bouche.* → **Pain.** *Arracher le bandeau des yeux de qqn. Arracher le masque, le voile...* → **Découvrir, démasquer, dévoiler.**

16 Combien de fois essaya-t-il d'arracher le bandeau fatal qui fermait ses yeux à la vérité ! FLÉCHIER, Oraison funèbre de M. de Turenne.

17 Quand sera le voile arraché
Qui sur tout l'univers jette une nuit si sombre (...)
RACINE, Esther, II, 9.

18 (...) il est souvent nécessaire d'arracher aux âmes ce masque de fausse humilité dont elles s'affublent. F. MAURIAC, la Pharisienne, p. 69.

Vx. *Arracher l'âme, la vie, le cœur à qqn,* le tuer.

19 Qu'à ce monstre à l'instant l'âme soit arrachée. RACINE, Esther, III, 6.

20 (...) si vous me l'ôtez *(Mélicerte),* vous m'arrachez la vie. MOLIÈRE, Mélicerte, II, 5.

*Arracher l'âme, le cœur à qqn,* lui causer une vive affliction. → **Désespérer, désoler.**

21 Tout ce que nous fîmes les derniers jours, tous les lieux où nous fûmes, toute la douleur dont j'étais pénétrée (...) tout cela m'arrache encore le cœur. Mme DE SÉVIGNÉ, Lettres 425, 7 août 1675.

22 Cette ville *(Milan)* où je croyais ne pouvoir demeurer sans mourir, je ne pus la quitter sans me sentir arracher l'âme. STENDHAL, Souvenirs d'égotisme, éd. Hazan, p. 6.

*Arracher des pleurs, des gémissements à qqn.* → **Tirer.**

23 Toute passion est éloquente ; tout homme persuadé persuade ; pour arracher des pleurs, il faut pleurer (...) HUGO, Littérature et Philosophie mêlées, p. 42.

24 (...) chacun de ses appels m'arrachait un gémissement. COLETTE, la Paix chez les bêtes, « Chienne jalouse ».

♦ **5** *Arracher (qqch., qqn) de..., à... :* enlever de force (qqch., qqn) à une personne ou à un animal, lui faire lâcher (ce qu'il tient, détient). → **Détacher, enlever, ôter, prendre, ravir, séparer.** *Arracher une arme des mains de qqn, un oiseau des griffes d'un chat. Arracher une victime à ses bourreaux.*

25 Ni crainte ni regret ne m'en peut détacher.
De mes bras tout sanglants il faudra l'arracher,
Aussi barbare époux qu'impitoyable père.
Venez, si vous l'osez, la ravir à sa mère.
RACINE, Iphigénie, IV, 5.

L'enfant (...) s'était cramponné à sa jupe et la serrait si fort 26
qu'il eût fallu lui faire du mal pour l'en arracher. G. SAND, la Mare au diable, VI, p. 55.

Irma Borel tenait cette boîte et allait l'ouvrir. Je n'eus que 27
le temps de m'élancer et de la lui arracher des mains. Alphonse DAUDET, le Petit Chose, p. 312.

Une bonté infinie l'a saisi comme une proie inerte, l'a 28
arraché des griffes et de la gueule de la bête. F. MAURIAC, Souffrances et Bonheur du chrétien, p. 153.

Fig. *Arracher qqn des bras de la mort, à la mort.* → **Guérir, sauver.** *Arracher qqn à la misère, à un danger.* → **Préserver, retirer, tirer** (de) ; **soustraire** (à).

(...) de vieux soldats invalides qu'elle a arrachés à la 29
mort (...) CHATEAUBRIAND, le Génie du christianisme, I, I, 5.

♦ **6** (XVIe). Fig. Obtenir de qqn avec peine, après une résistance (ce qu'il n'accorde pas volontiers, ne cède qu'à regret). → **Emporter, extorquer, obtenir.** *Arracher la victoire à un ennemi. Arracher de l'argent à un avare.* → **Soutirer.** *Arracher à qqn des aveux, un mot, une parole, un secret, une promesse, une décision, un consentement, une faveur. Arracher des applaudissements* (cit. 2) *à... Arracher un rire, un sourire ; une parole ; des larmes à qqn.*

Moi ? je ne vous l'ai point donnée de bon cœur *(ma foi),* 30
et vous me l'avez arrachée. MOLIÈRE, George Dandin, II, 2.

Il ne peut digérer les cinq cents écus que je lui arrache. 31
MOLIÈRE, les Fourberies de Scapin, II, 11.

Sa délicatesse s'offense d'un souris, d'un regard qu'on vous 32
peut arracher (...) MOLIÈRE, le Sicilien, 6.

Entrons. C'est un secret qu'il leur faut arracher. 33
RACINE, Iphigénie, II, 7.

J'avais obtenu, presque arraché l'estime de tout le monde. 34
ROUSSEAU, les Confessions, t. I, III.

Une imagination vive, sensible et tendre, peut se fixer à 35
quelque objet, à quelque ressouvenir douloureux, et se le représenter avec des couleurs si dominantes qu'elles lui arrachent des larmes. VOLTAIRE, Dict. philosophique, Larmes.

Si nous nous prêtions à nous-mêmes le serment de ne 36
jamais nous laisser arracher une décision par surprise et de ne jamais porter par précipitation un jugement téméraire, nous aurions déjà fait un grand pas vers la sagesse cartésienne. A. MAUROIS, Un art de vivre, I, 5.

Ce parti philosophique était encore trop puissant pour 37
ne pas arracher, de temps à autre, au gouvernement lui-même des mesures contre la « réaction sacerdotale » (...) Louis MADELIN, Hist. du Consulat et de l'Empire, t. IV, 7.

On ne pouvait lui arracher une parole. Ses lèvres amincies 38
et serrées semblaient arrêter au passage des plaintes et des reproches. FRANCE, la Vie en fleur, II.

C'est presque toujours un regret qui m'arrache un sourire. 39
COLETTE, la Naissance du jour, p. 223.

♦ **7** (1690). *Arracher qqn de...* (Sujet n. de personne ou de chose). Faire quitter un lieu à (qqn) par force, violence, contrainte, malgré sa résistance, contre son gré. → **Tirer ; chasser.**

Allez dire à votre maître que nous sommes ici par la puis- 40
sance du peuple, et qu'on ne nous en arrachera que par la puissance des baïonnettes. MIRABEAU, Disc. du 23 juin 1789.

(...) et alors, le prenant à la gorge, je fis si bien, des pieds, 41
des poings, des dents, de tout, que je l'arrachai de sa place et qu'il s'en alla rouler hors de l'étude (...) Alphonse DAUDET, le Petit Chose, p. 114.

Vieilli (langue class.). → **Bannir, chasser, éloigner, exiler, expulser.** *Arracher qqn de sa maison, de son sol natal.*

(...) il ne tiendra qu'à vous que je vous arrache de ce misé- 42
rable lieu (...) MOLIÈRE, Dom Juan, II, 2.

Séparer par la force (qqn) de (qqn).

43 Adieu : de mon devoir l'étrange barbarie
Pour un temps m'arrache de vous (...)
MOLIÈRE, Amphitryon, I, 3.

44 On me veut arracher de la beauté que j'aime.
MOLIÈRE, l'École des femmes, V, 6.

*Arracher (qqn) du lit,* le forcer à se lever.

45 Son chagrin inquiet l'arrache de son lit.
RACINE, Phèdre, I, 2.

♦ **8** *Arracher qqn à un état, à une situation* (sujet n. de personne ou de chose), l'en faire sortir malgré les difficultés et sa résistance. *Arracher qqn au sommeil.* → **Soustraire** (à), **tirer** (de). *Arracher qqn à son travail, à ses habitudes.* → **Détacher, détourner, écarter.**

46 Belle, sans ornements, dans le simple appareil
D'une beauté qu'on vient d'arracher au sommeil.
RACINE, Britannicus, II, 2.

47 La nuit me surprenait souvent ainsi, sans pouvoir m'arracher au charme des fictions dont mon imagination s'enchantait elle-même.
LAMARTINE, Premières méditations poétiques, Préface.

48 Le malheureux Petit Chose, arraché à son rêve, tombé de son ciel, promenait autour de lui de grands yeux étonnés (...)
Alphonse DAUDET, le Petit Chose, p. 333.

49 (...) ce passé terrible auquel ta tendresse m'arrache ne m'a laissé que des remords et pas un regret.
Alphonse DAUDET, le Petit Chose, p. 363.

◆ **S'ARRACHER** v. pron.

♦ **1** *S'arracher les cheveux, les poils.*

50 Enfin, troublé, furieux, livré à son désespoir, il s'arrache les cheveux (...) FÉNELON, Télémaque, XI.

51 Le vieillard, après avoir écrit, s'arracha quelques poils de la barbe avec des pincettes (...)
A. R. LESAGE, Gil Blas, IV, 7.

Loc. fig. *S'arracher les cheveux :* être désespéré.

♦ **2** Loc. fig., fam. *S'arracher les yeux.* [a] (Récipr.). Se disputer violemment, en parlant de deux personnes.

[b] (Réfl.). *S'arracher les yeux à...,* s'abîmer, se fatiguer les yeux à... *S'arracher les yeux à lire les petites lettres d'un livre.*

♦ **3** (Récipr.). Chercher à obtenir au détriment d'autres personnes. *S'arracher qqn,* se disputer sa présence. *On se l'arrache.* — Par plais. *On se m'arrache* (in Larousse du XIX^e siècle). — *S'arracher qqch. :* se disputer une chose pour se l'approprier. *On s'est arraché les places à la dernière représentation de cette pièce.*

52 Je le retrouvai brillant, les dames se l'arrachaient (...)
ROUSSEAU, les Confessions, IV.

52.1 Ce doit être un excellent état à Paris que celui de coiffeur, car on ne peut jamais avoir ces messieurs : ils sont demandés, pris, retenus, promis dans vingt endroits à la fois; on se les *arrache,* il n'y a personne qui soit plus désiré qu'un coiffeur, et celui qui a de la réputation est un artiste, un véritable artiste dont le talent se paie au poids de l'or et qui ne daigne pas coiffer tout le monde.
Ch. PAUL DE KOCK, la Grande Ville, t. I, p. 236.

52.2 On se l'arrachait. Tout le temps qu'il resta dans cette ville, il fut toujours reçu avec le même accueil, et cet accueil était une fougueuse recherche.
BARBEY D'AUREVILLY, les Diaboliques, «Le dessous de cartes...».

♦ **4** (Réfl.). **S'ARRACHER DE, S'ARRACHER À (qqch., un lieu, une situation) :** se détacher, s'éloigner, se soustraire avec effort, difficulté, peine ou regret. *S'arracher d'une étreinte. S'arracher des bras d'une personne. S'arracher d'un lieu, d'une habitude. S'arracher au sommeil. S'arracher à qqn.*

Jésus s'arrache d'avec ses disciples pour entrer dans l'agonie; il faut s'arracher de ses plus proches et des plus intimes pour l'imiter. PASCAL, Pensées, VII, 553. 53

Arrachez-vous d'un lieu funeste et profané. 54
RACINE, Phèdre, V, 1.

Vous osez dire que vous n'êtes point vaincu par l'amour, 55
et vous ne pouvez vous arracher à la nymphe que vous aimez! FÉNELON, Télémaque, 6.

Le jeune Télémaque (...) s'arracha d'entre les bras du doux 56
sommeil, FÉNELON, Télémaque, 15.

Le Petit Chose s'arrachant aux étreintes de ses amis fran- 57
chit bravement la passerelle.
Alphonse DAUDET, le Petit Chose, p. 44.

♦ **5** (1966). Fam. *S'arracher :* se distinguer, accomplir un effort. *Pour l'avoir, il a fallu s'arracher.*

**CONTR.** **Clouer, enfoncer, enraciner, fixer, implanter, planter, replanter. — Attacher.** ◈ **DÉR. Arrachage, arraché, arrachement, arracheur, arrachis, arrachoir, arrachure.** → **COMP. Arrache-clou, arrache-moyeu, arrache-pied** (d'), **arrache-racines. — V. Arrache-.**

**ARRACHE-RACINE(S)** [aʀaʃʀasin] n. m. — 1898; de *arracher,* et *racine.*

Techn. Instrument pour arracher les racines, les tubercules. → **Houe.** *Des arrache-racines.*

**ARRACHEUR, EUSE** [aʀaʃœʀ, øz] n. — 1539; *aracheour,* XIII^e; de *arracher.*

♦ **1** Celui, celle qui arrache. *Arracheur de pommes de terre.*

(...) les bons chevaux paisibles qui ramènent les voiture 1
chargées de récoltes, et les grands sacs de pommes de terre qui s'alignent debout le long des champs. Avant de quitter leur travail, arracheurs et arracheuses font des tas avec les fanes, y mettent le feu, et ces brasiers achèvent de brûler quand la nuit est déjà tombée sur la campagne. C'est la tristesse d'une fin de journée où déjà perce l'hiver.
M. BARRÈS, la Colline inspirée, 1913, p. 169.

(1690). **ARRACHEUR DE DENTS :** celui qui arrachait les dents sur les places publiques. — Péj. et fam. Dentiste.

Prov. *Mentir* (cit. 7) *comme un arracheur de dents :* mentir effrontément. → **Charlatan.**

Je paradais toutes les nuits au comptoir, dans la lumière 2
rouge et la poussière de ce lieu de délices, mentant comme un arracheur de dents et buvant longuement.
CAMUS, la Chute, p. 120.

♦ **2** (Outils). [a] N. f. (1859, *aracheuse de racines*). Agric. Outil ou machine qui sert à arracher des tubercules, des racines. *Une arracheuse de betteraves, de pommes de terre.* → **Arrachoir.**

[b] N. m. (rare). *Arracheurs à fourche, à turbine.*

**ARRACHIS** [aʀaʃi] n. m. — 1519, *in* D. D. L.; *aragis* (de vigne), 1260; de *arracher.*

Eaux et forêts.

♦ **1** Arrachage des arbres.

♦ **2** Plant arraché.

♦ **3** Surface défrichée par l'arrachage. — Endroit arraché (d'une plante, du sol).

(...) ces genévriers aux brindilles mortes, aux cassures de branchettes semblables à des fœtus de chanvre tillé, à l'emmêlement de chevelure noueuse et fileuse, aux rameaux serrés, excoriés, à travers lesquels se convulsionne le tronc vert-de-grisé avec ces arrachis d'où l'on dirait qu'il s'égoutte du sang.
Ed. et J. DE GONCOURT, Manette Salomon, p. 244.

**ARRACHOIR** [aʀaʃwaʀ] n. m. — 1863; de *arracher.*

Agric. Outil servant à arracher des racines, des tubercules, etc. → **Arracheur** (arracheuse).

**ARRACHURE** [aʀaʃyʀ] n. f. — XVIe; *arracheure* «arrachement», XIVe; de *arracher.*

♦ **1** Rare. Chose arrachée, ce qui a été arraché à quelque chose. *«Les arrachures de son pelage»* (Flaubert).

♦ **2** Techn. Défaut d'une étoffe provenant de l'arrachage de fils, de poils.

**ARRAISONNEMENT** [aʀɛzɔnmɑ̃] n. m. — 1866, au sens mod.; 1174, *aresunement* «consultation»; de *arraisonner.*

Mar. Action d'arraisonner (un navire). → **Examen, inspection, reconnaissance, visite.** *L'arraisonnement d'un bateau par la douane, par la police maritime. Arraisonnement à coups de canon.*

Examen, inspection analogue. *L'arraisonnement d'un avion.*

**ARRAISONNER** [aʀɛzɔne] v. tr. — XIVe; 1080, «interpeller quelqu'un»; de 1. *a-*, et *raison.*

♦ **1** Anciennt. Convaincre par de bonnes raisons. — Raisonner, chercher à ramener à la raison (*in* Balzac).

♦ **2** (1598). Mar. *Arraisonner un navire :* procéder à un interrogatoire ou à une visite pour vérifier la nationalité du navire, sa provenance, sa destination, son chargement, l'état sanitaire de ses passagers. → **Aborder, inspecter, reconnaître.**

On m'envoyait en corvée pour le reconnaître, pour l'arraisonner, comme on dit dans notre métier.
LOTI, Mon frère Yves, LXXXV.

Procéder à l'arraisonnement de (un avion).

Fig. *Arraisonner qqn*, l'arrêter pour l'interroger.

DÉR. **Arraisonnement.**

**ARRANGEABLE** [aʀɑ̃ʒabl] adj. — 1838; de *arranger.*

♦ **1** Qui peut être arrangé, réparé. *Cette montre est arrangeable.* → **Réparable.**

♦ **2** Qui peut être réglé, terminé à l'amiable. *Leur différend n'est pas arrangeable.* → **Accommodable.**

CONTR. **Inaccommodable, irréparable.**

**ARRANGEANT, ANTE** [aʀɑ̃ʒɑ̃, ɑ̃t] adj. — 1863; de *arranger.*

(Personnes). Qui est disposé à aplanir toute difficulté, spécialement en affaires. *Cette marchande est arrangeante* (Académie). → **Accommodant, complaisant, conciliant, facile.** *Il s'est montré assez, plutôt arrangeant. Un homme d'affaires dur, peu arrangeant.*

CONTR. **Difficile, exigeant, intraitable.**

**ARRANGEMENT** [aʀɑ̃ʒmɑ̃] n. m. — XIIIe; de *arranger.*

Action d'arranger ou résultat de cette action.

♦ **1** Action de disposer (les choses) dans un certain ordre; cet ordre. → **Disposition, ordonnance, place** (mise en), **rangement.** *L'arrangement d'une maison, d'un mobilier.* → **Agencement, aménagement, emménagement, installation.** *Arrangement d'une cargaison.* → **Arrimage.** *Arrangement de fiches dans un classeur.* → **Classement.** *Arrangement des mots dans une phrase, des éléments d'une composition.* → **Agencement, construction.** *Arrangement des parties, des éléments d'un tout.* → **Assemblage, assortiment, combinaison, composition, constitution, contexture, coordination, disposition, distribution, division, groupement, montage, organisation, structure, texture.** *L'arrangement d'une coiffure, d'une toilette. Arrangement symétrique.* → **Symétrie.** — *Choses ordonnées selon, dans un certain arrangement.* — REM. Le mot, dans l'usage moderne, garde sa valeur de nom d'action et ne se dit guère que de l'ordre résultant d'une intervention humaine; les cit. 1, 3 où *arrangement* est synonyme de *ordre, organisation, structure*, sont archaïques.

Si elle *(la matière)* ne se découvre pas par elle-même, on 1
la connaît du moins par le divers arrangement de ses parties.
LA BRUYÈRE, les Caractères, XVI, 36.

Qui croira que, les caractères de l'alphabet ayant été jetés 2
en confusion, un coup du hasard ait rassemblé toutes les lettres dans l'arrangement nécessaire pour décrire de grands événements?
FÉNELON, Traité de l'existence de Dieu, 5.

Cet ordre si nécessaire *(dans l'arrangement des végétaux)* 3
n'a point été établi par la nature, qui a préféré une confusion magnifique à la commodité des physiciens, et c'est à eux à mettre, presque malgré elle, de l'arrangement et un système dans les plantes. FONTENELLE, Tournefort.

L'ordre est à l'arrangement ce que l'âme est au corps, ce 4
que l'esprit est à la matière. L'arrangement sans ordre est un corps sans âme. Joseph JOUBERT, Pensées, X, III.

(...) le son consiste dans la qualité des mots; et le nombre 5
dans leur arrangement.
D'ALEMBERT, Mélanges littéraires, Œ., t. III, p. 262, *in* POUGENS.

N'allez pas croire que «le nombre» intéresse uniquement 6
la quantité, c'est-à-dire la longueur des membres de phrase et la place des césures. Non. Il s'agit bien, comme le dit d'Alembert, d'une harmonie, d'un arrangement des mots.
G. DUHAMEL, Discours aux nuages, I, p. 39.

(...) l'harmonie n'est que l'art suprême de l'arrangement 7
des mots, le souci de cet arrangement en vue de la cadence et du son. Antoine ALBALAT, l'Art d'écrire, 8e leçon.

Les ciseaux du bon artisan qui taille et déplace sans cesse, 8
qui, sans cesse, cherche un arrangement meilleur pour les pensées, pour les phrases, pour les mots.
G. DUHAMEL, Discours aux nuages, I, p. 65.

(...) elle modifia l'arrangement de sa chambre, déplaça des 9
meubles, mit de l'ordre dans l'armoire à linge du palier (...)
MARTIN DU GARD, les Thibault, III, 8.

Sans compter qu'un certain sens artistique chez elle s'en- 9.1
chante de certaines nuances, de certains arrangements qui produisent aux yeux des spectateurs le plus désastreux effet et qui n'en sont pas moins renouvelés par l'égarée, menée par une sorte de fatalité intérieure.
PROUST, Jean Santeuil, Pl., p. 742.

Mus. (se dit surtout pour la musique de jazz, de rock, de variétés, etc.; pour la musique «classique», on parle plutôt de *transposition* ou d'*orchestration*). Adaptation d'une composition à d'autres instruments; la composition ainsi adaptée. *Arrangement pour piano, pour grand orchestre* (→ **Orchestration).**

Math. *Arrangement de* m *objets* p *à* p : les groupes que l'on peut former en prenant p éléments parmi les m, chaque groupe différant des autres (par la nature ou l'ordre des éléments).

♦ **2** Mesures prises pour arranger, préparer qqch. → **Disposition; apprêt, préparatif.**

Je le ramenai aux apprêts et aux arrangements du départ. 10
SAINTE-BEUVE, Volupté, XV.

Dr. Mesures prises pour arranger ses affaires. *Prendre des arrangements avec ses créanciers. Arrangement de famille :* convention en vue de régler des intérêts pécuniaires entre parents; spécialt, cession d'un immeuble par un père ou tout autre ascendant à un enfant ou descendant (Art. 1406 du Code civil).

C'est la grande soirée des arrangements de famille où les 11
vieux Keremenen vont exécuter la promesse qu'ils ont faite à leurs enfants. LOTI, Mon frère Yves, LXX.

Convention* entre particuliers ou collectivités tendant à régler une situation juridique. → **Accord, règlement.** *Arrangement diplomatique. Un arrangement a mis fin à leur différend.* → **Accommodement, compromis, conciliation.**

12 Bonaparte, désirant alors fonder sa puissance sur la première base de la société, venait de faire des arrangements avec la cour de Rome.
CHATEAUBRIAND, Mémoires d'outre-tombe, t. II, p. 202.

13 Un mauvais arrangement vaut mieux qu'un bon procès.
BALZAC, Illusions perdues, Pl., t. IV, p. 1054.

14 (...) la jeunesse n'est pas le temps des arrangements, des compromis; le jeune homme exige l'absolu.
F. MAURIAC, le Jeune Homme, p. 60.

Régional (Canada). Loc. *Venir en arrangement :* régler un différend à l'amiable. — *Faire ses arrangements avant sa mort :* établir son testament.

CONTR. **Bouleversement, dérangement, désordre. — Brouille, contestation, dispute, procès.**

**ARRANGER** [aʀɑ̃ʒe] v. tr. [CONJUG.: *bouger.*] — 1160; de 1. *a-* et *ranger.* → Rang.

♦ **1** Mettre dans un certain ordre*, dans l'ordre jugé convenable ou qui est préféré. → **Disposer, mettre, ordonner, placer, ranger.** *Arranger des papiers, des livres dans une bibliothèque.* → **Classer, trier.** *Arranger son appartement.* → **Installer.** *Arranger une chambre pour y recevoir un invité.* → **Accommoder, agencer, aménager, apprêter, préparer.** *Arranger la table pour le dîner.* → **Dresser.** *Arranger des caisses dans la cale d'un navire.* → **Arrimer.** — *Arranger les mots d'une phrase.* → **Agencer, approprier, assembler, assortir, composer, construire, coordonner, grouper, tourner.** *Arranger avec soin.* → **Fignoler.** *Arranger un roman pour le théâtre, pour le cinéma, pour la télévision.* → **Adapter, transformer.** — Spécialt. *Arranger un morceau pour l'orchestre* ou *pour le piano :* adapter pour un ou plusieurs instruments un morceau composé pour un ou plusieurs autres instruments. → **Harmoniser, orchestrer; arrangement; arrangeur** (2.). — *Mettre sur pied, organiser. Arranger sa vie. Arranger qqch. d'avance.* → **Combiner, organiser, préparer, régler.** *Arranger un voyage. Arranger commodément sa vie, ses affaires. Arranger un (mauvais) coup,* le préparer. — (Passif et p. p.). *Une bibliothèque bien, mal arrangée. Pièce bien arrangée* (→ ci-dessous, cit. 9). Vieilli (intellectuel). → ci-dessous, cit. 10.

1 Arranger ne diffère de ranger que par l'adjonction de la préposition *à.* Arranger est donc ranger avec un certain dessein. En effet, ranger, c'est mettre une chose, une personne dans le rang qui lui appartient, et qui est déterminé d'avance : on range des livres dans une bibliothèque, on range des soldats. Arranger c'est déterminer cet ordre même dans lequel on range.
LITTRÉ, Dict., art. *Arranger.*

2 Ronsard est dur, sans goût, sans choix,
Arrangeant mal ses mots, gâtant par son français
Des Grecs et des Latins les grâces infinies.
LA FONTAINE, Lettre à Racine, 6 juin 1686.

3 La grande mémoire qu'il faut pour arranger tant de noms et les mettre chacun dans leur ordre (...)
LA BRUYÈRE, Lettre à Condé, 27 janv. 1686.

4 (...) il faut arranger ses pièces et ses batteries, avoir un dessein, le suivre.
LA BRUYÈRE, les Caractères, VIII, 64.

5 Un nouvelliste ou un conteur de fables est un homme qui arrange, selon sa caprice, des discours et des faits remplis de fausseté.
LA BRUYÈRE, les Caractères de Théophraste, «Débit de nouvelles».

6 La manière dont on arrange les trois premières monarchies est visiblement fabuleuse.
BOSSUET, Hist., I, 7, *in* LITTRÉ.

7 Tâchez d'arranger vos intérêts domestiques le mieux que vous pourrez.
MONTESQUIEU, Correspondance, 7, *in* LITTRÉ.

8 Il ne se passe, à l'intérieur des animaux, rien de suivi, rien d'ordonné, puisqu'ils n'expriment rien par des signes combinés et arrangés (...)
BUFFON, Hist. nat. de l'homme.

(...) la grande salle du château, arrangée avec force tapisseries (...) 9
STENDHAL, Lamiel, Pl., t. II, p. 889.

(...) il n'avait lu que des livres arrangés par les jésuites. 10
STENDHAL, la Chartreuse de Parme, p. 104.

(...) une histoire qu'elle avait d'abord arrangée tout autrement dans son imagination. 11
MÉRIMÉE, Arsène Guillot, I.

Yves (...) arrangea dans des vases nos fleurs des bois de Toulven. 12
LOTI, Mon frère Yves, LXVIII.

♦ **2** En parlant des choses de la toilette. *Arranger avec soin sa coiffure.* → **Coiffer, parer.**

Vx (au p. p.). *Elle est bien arrangée,* se dit d'une femme dont la toilette est bien ordonnée (Académie).

Fam. *Ton coiffeur ne t'a pas arrangé.* — (Surtout au p. p.). Donner une mauvaise apparence à. *Ce tailleur vous a bien arrangé !* → **Accoutrer, fagoter, ficeler.** *La pluie vous a bien arrangé* (Académie).

Fam. *Arranger qqn :* le maltraiter, en dire du mal. → **Abîmer, accommoder** (cit. 5), **assaisonner** (fam.), **critiquer, maltraiter, malmener**; → Dire son fait* à... *Tu t'es fait drôlement arranger. — N'allez pas dans ce restaurant, on s'y fait arranger.* → **Voler.**

C'est la pure vérité, très Saint-Père : vous voyez comme la Gazette de France m'arrange (...) 13
CHATEAUBRIAND, Mémoires d'outre-tombe, VII, 12 janv. 1829.

Tu disais que tu étais bien avec monsieur Renard. Il t'arrange, oui ! 13
J. RENARD, Journal, 6 sept. 1904.

♦ **3** Cour. Remettre (qqch.) en état. → **Réparer.** *Arranger un mécanisme. Donner sa voiture à arranger. — Il y a des fautes dans votre texte, il faut l'arranger.* → **Remanier, retoucher.**

♦ **4** Présenter en modifiant la réalité ou les apparences. *Il a arrangé son histoire.* — Absolt :

— Je suis tellement sûre que dans la réalité ils ont des occupations différentes ! 14
— Si je les décrivais, elles paraîtraient trop différentes; les événements racontés ne conservent pas entre eux les valeurs qu'ils avaient dans la vie. Pour rester vrai on est obligé d'arranger. L'important c'est que j'indique l'émotion qu'ils me donnent.
GIDE, Paludes, *in* Romans, Pl., p. 105.

♦ **5** (Sujet n. de chose ou de personne). Être agréable, commode, utile pour (qqn). → **Agréer, convenir.** *Cela m'arrange à bien des égards. Ça m'arrangerait. Il est difficile d'arranger tout le monde.* → **Contenter, satisfaire.** *Vous pourrez me rembourser en deux ans, si ça vous arrange.*

Il fait beau croire aux prodiges lorsque les prodiges nous arrangent et lorsque les prodiges nous dérangent, il fait beau ne plus y croire (...) 15
COCTEAU, la Machine infernale, p. 160.

◆ **S'ARRANGER.** v. pron.

♦ **1** (Passif ou réfl.). Se mettre dans un certain ordre, dans l'ordre convenable. → **Classer** (se), **ordonner** (s'), **placer** (se).

Mes idées s'arrangent dans ma tête avec la plus incroyable difficulté (...) 16
ROUSSEAU, les Confessions, t. I, III.

♦ **2** (Réfl.). Fam. Ajuster sa toilette, sa coiffure. *Elle est allée s'arranger.* — → **Embellir, transformer.** Loc. *Elle ne s'est pas arrangée :* elle a enlaidi.

♦ **3** (Passif). Se remettre en état. → **Réparer** (se). *Ce mécanisme peut s'arranger.* — Aller mieux. *Le temps s'arrange. Les choses se sont arrangées à la fin.* → **Terminer** (se). *Ça ne s'arrange pas.*

En fin de compte, tout s'arrange, sauf la difficulté d'être qui ne s'arrange pas. 16
COCTEAU, la Difficulté d'être, p. 9.

5.2 Sentiment *raisonnable :* tout s'arrange – mais rien ne dure. Sentiment *amoureux :* rien ne s'arrange – et pourtant cela dure.
R. BARTHES, Fragments d'un discours amoureux, p. 167.

♦ **4** (Réfl.). Vx ou régional. Se mettre dans une posture commode pour faire qqch. → **Installer** (s').

17 (...) elle conseilla à Germain de s'arranger auprès du feu pour faire un somme.
G. SAND, la Mare au diable, X, p. 81.

♦ **5** (Réfl.). Prendre ses dispositions, ses mesures en vue de tel ou tel objet. *S'arranger pour sauver les apparences* (→ Apparence, cit. 31). *Arrangez-vous sans lui* (→ Antérieur, cit. 6). *Arrangez-vous comme vous l'entendez.* → **Faire.**

18 Au reste, arrange-toi, fais tes réflexions :
Je t'ai dit ma pensée et mes conditions.
J.-B.-L. GRESSET, le Méchant, I, 1.

19 On dirait qu'à l'approche du lourd sommeil de l'hiver chaque être et chaque chose s'arrange furtivement pour jouir d'un reste de vie et d'animation avant l'engourdissement fatal de la gelée (...)
G. SAND, François le Champi, Avant-propos, p. 7.

20 Arrange-toi pour rester quelques jours avec ton malheureux Laurent (...)
G. DUHAMEL, Chronique des Pasquier, III, 5.

♦ **6** (Récipr.). Se mettre d'accord. *S'arranger à l'amiable.* → **Accorder** (s'), **entendre** (s'). *Il vaut mieux s'arranger que plaider. Les adversaires se sont arrangés.*

21 Avec Edwige, Papa, je m'arrangerai toujours. Elle me donne carte blanche.
G. DUHAMEL, le Voyage de P. Périot, I.

♦ **7** (Réfl.). *S'arranger de qqch.* → **Accommoder** (s'), **contenter** (se), **satisfaire** (se). *Je m'arrange de tout. Ne vous inquiétez pas, je m'en arrangerai.*

CONTR. **Bouleverser, brouiller, déplacer, déranger, dérégler, désorganiser, mêler, troubler.** ◊ DÉR. **Arrangeable, arrangeant, arrangement, arrangeur.** – COMP. **Rarranger, réarranger.**

**ARRANGEUR** [aʀɑ̃ʒœʀ] n. m. — Déb. XVII^e^; de *arranger.*

♦ **1** Rare et souvent péj. Celui qui arrange, donne une forme définitive à un canevas, à une ébauche, à une idée. → **Finisseur.**

1 La nature est une œuvre d'art, mais Dieu est le seul artiste qui existe et l'homme n'est qu'un arrangeur de mauvais goût.
G. SAND, François le Champi, Avant-propos, p. 10.

♦ **2** (1818, *in* D. D. L.). Mus. Celui qui arrange une composition pour d'autres instruments. — Spécialt (jazz, rock, variétés). Celui qui écrit de la musique pour orchestre à partir d'un thème.

2 L'ouverture de *la Flûte enchantée* finit fort laconiquement; Mozart se contente de frapper trois fois la tonique, et c'est tout. Pour la rendre digne des *Mystères d'Isis,* l'arrangeur-charpentier a ajouté quatre mesures, répercutant ainsi treize fois de suite le même accord, suivant la méthode ingénieuse et économique des Italiens pour allonger les opéras.
BERLIOZ, les Musiciens et la Musique, p.17-18, *in* D. D. L., II, 12.

♦ **3** Celui qui a l'art d'aplanir les difficultés, de concilier les intérêts. *Le hasard est un grand arrangeur de choses* (Académie). *Un arrangeur de mariages.*

REM. Le fém. *arrangeuse* [aʀɑ̃ʒøz] est virtuel.

CONTR. **Dérangeur.**

**ARRENTEMENT** [aʀɑ̃tmɑ̃] n. m. — 1271 ; de *arrenter.* Dr. (vx). Action de donner ou de prendre à rente*.

**ARRENTER** [aʀɑ̃te] v. tr. — 1213 ; de 1. *a-,* et *rente.* Dr. (vx). Donner ou prendre à rente. *Arrenter un domaine, une terre.* → **Affermer, louer.**

Tout le bien que je possède aujourd'hui ne pourrait être arrenté à plus de quatre mille cinq cents francs de rente.
MONLUC, Commentaires, IV, *in* HUGUET, Dict. du XVI^e^ s.

DÉR. **Arrentement.**

**ARRÉRAGER** [aʀeʀaʒe] v. — 1283 ; de *arrérages.*

♦ **1** V. intr. Dr. Être en retard de paiement, rester dû. *Il ne faut pas laisser arrérager ses rentes.*

♦ **2** V. pron. Dr. *S'arrérager :* rester dû après l'échéance. *Les termes s'arréragent.*

**ARRÉRAGES** [aʀeʀaʒ] n. m. pl. — 1267, *arriérages;* de *arrière.*

♦ **1** Anciennt. Redevance périodique dont l'échéance est passée, le paiement en retard. → **Arriéré.** — Loc. Vx. *En arrérage :* en retard dans le paiement.

Si je vois qu'un homme soit quelque peu en arrérage, et que j'aie appétit *(envie)* d'avoir un champ ou une vigne qu'il aura, voici le moyen : s'il est pressé, le voilà perdu, il est impossible qu'il ne soit ruiné. 1
CALVIN, Sermon sur le Deutéronome, 93.

♦ **2** Mod. Montant échu d'une rente*. → **Coupon** (de rente). — REM. Le français canadien a gardé la forme ancienne *arriérages.*

Dans l'usage moderne, «arrérages» ne s'applique plus qu'aux rentes; pour les sommes dues à un autre titre, on se sert de l'expression «arriéré» : l'arriéré d'une pension. 2
M. PLANIOL, Traité élémentaire de droit civil, t. I, n° 2252.

Les arrérages de rentes perpétuelles et viagères; 3
Ceux des pensions alimentaires;
Les loyers des maisons, et les prix de ferme des biens ruraux;
Les intérêts des sommes prêtées, et généralement tout ce qui est payable par année, ou à des termes périodiques plus courts,
Se prescrivent par cinq ans.
Code civil, anc. art. 2277 (V. aussi art. 2151).

Il *(Robinson)* paie Vendredi. Un demi-souverain d'or par mois. Au début il avait pris soin de «placer» la totalité de ces sommes à un intérêt de 5,5 %. Puis, considérant que Vendredi avait atteint l'âge de raison, il lui laissa la libre disposition de ces arrérages. 3.1
M. TOURNIER, Vendredi..., p. 150.

♦ **3** Par métaphore :

Les arrérages de la dissimulation lui furent soldés; l'hypocrisie est une avance; Satan le remboursa. 4
HUGO, les Travailleurs de la mer, I, VI, 7.

DÉR. **Arrérager.**

**ARRESTATION** [aʀɛstasjɔ̃] n. f. — 1370, *arestation;* anc. franç. *arestaison,* du lat. médiéval *arrestatio,* de *arrestare.* → Arrêter.

♦ **1** Action d'arrêter une personne pour l'emprisonner *(l'arrestation de qqn par qqn);* état d'une personne arrêtée. *Ordonner une arrestation, l'arrestation de qqn. Ordre d'arrestation.* → **Mandat.** *Procéder à une arrestation. L'arrestation de ces voleurs fut un beau coup de filet. — Mettre qqn en état d'arrestation.* → **Arrêter; appréhender.** *Se mettre en état d'arrestation :* se constituer prisonnier. — *Arrestation administrative. Arrestation préventive. Arrestation provisoire. Arrestation arbitraire.* → **Arbitraire** (cit. 9). *Arrestations illégales et séquestrations de personnes* (*Code pénal,* art. 341 à 344). → **Détention, séquestration.**

(...) si les coupables (...) ont rendu la liberté à la personne arrêtée, séquestrée et détenue, avant le dixième jour accompli depuis celui de l'arrestation, détention ou séquestration (...) Code pénal, art. 343. 1

2 Les arrestations silencieuses étaient le contraire de la clameur de haro, et indiquaient qu'il convenait de se taire jusqu'à ce que certaines obscurités fussent éclaircies.
HUGO, l'Homme qui rit, II, IV, 3.

3 Le mandat d'arrestation *(de Jésus)* émanait du grand prêtre et du sanhédrin. RENAN, Vie de Jésus, XXIV.

4 Carnot, décrété d'arrestation, fut averti à temps et put s'évader par une poterne du Luxembourg (...)
Louis MADELIN, Hist. du Consulat et de l'Empire, XII.

♦ **2** Rare. Le fait d'arrêter, d'empêcher d'avancer (qqn, qqch.). → **Arrêt.** *«L'arrestation par quelques hommes en blouse d'une voiture du train»* (Verlaine, *in* T. L. F.).

CONTR. **Délivrance, liberté** (mise en).

**ARRÊT** [aʀɛ] n. m. — 1175; déverbal de *arrêter.*

**I** ♦ **1** Action ou fait de s'arrêter (I.), d'interrompre un mouvement; résultat de cette action, situation, état qui en résulte. *L'arrêt brusque d'un marcheur, d'un coureur. Arrêt d'un train en gare, d'un autobus à la station, d'une voiture au feu rouge.* Loc. *Arrêt buffet.* → ci-dessous, 2. Fam. *Faire un arrêt pipi :* s'arrêter (notamment en voiture) pour permettre aux passagers de «faire leurs besoins». *Arrêt prolongé d'un bateau au mouillage, au port. Faire un arrêt. Nous ferons plusieurs arrêts au cours du voyage.* → **Étape, escale, halte, séjour.** *Bande* d'arrêt d'urgence, sur une autoroute. — Arrêt provoqué d'une monture, d'un cheval* (→ **Parade).** *Arrêt dans un mouvement, dans sa course. — Point d'arrêt :* point, lieu où on s'arrête, où un mouvement s'arrête (ci-dessous, cit. 2). — Loc. adv. **À L'ARRÊT :** momentanément arrêté. *Voitures à l'arrêt* (→ **Stationnement). — EN ARRÊT** (métaphore du sens 3, chasse). *Être en arrêt. Tomber* en arrêt :* s'arrêter brusquement, l'attention en éveil (ci-dessous, cit. 4).

1 Mais l'homme, sans arrêt dans sa course insensée,
Voltige incessamment de pensée en pensée (...)
BOILEAU, Satires, VIII.

2 Ils virent bien alors que j'étais d'une autre race qu'eux et que je continuerais à marcher quand ils auraient trouvé leur point d'arrêt.
RENAN, Souvenirs d'enfance..., III, 3.

3 (...) cet équipage difficile à mener s'avance avec des à-coups, des arrêts, des sauts et des ruades.
LOTI, Figures et Choses, V.

4 (...) je tombe en arrêt : ma vue se trouble, mon cœur se serre (...)
Émile HENRIOT, le Diable à l'hôtel, XIV (→ Aviser).

5 J'entends encore ce bruit décevant qui croît, fait naître l'espoir d'un arrêt, puis continue, décroît et s'éloigne.
A. MAUROIS, Climats, p. 253.

(Choses). *L'arrêt d'un flux, d'un courant.* → **Interruption; stagnation.** *L'arrêt anormal d'une substance dans l'organisme.* → **Rétention, stase.**

Par ext. (→ Arrêter I., A., 2.). Interruption (d'un fonctionnement). *Arrêt d'un moteur. Arrêt volontaire d'un appareil. Arrêt accidentel.* → **Panne.** *Interrupteur qui commande la marche* (symb. international *1) ou l'arrêt* (symb. *0) d'un appareil électrique. — Arrêt des fonctions d'un organe.* → **Inhibition.** Loc. *Arrêt du cœur*.* → **Syncope.** *Arrêt de la sensibilité, de la motricité.* → **Abolition, privation, suppression.** *L'arrêt du développement.*

Interruption ou fin (d'une activité, d'un processus). *Arrêt inespéré dans l'évolution, la marche d'une maladie.* → **Rémission.** *Arrêt des transactions, des affaires.* → **Crise, stagnation.** *Arrêt des hostilités, des combats.* → **Cessation, fin, suspension; armistice, cessez-le-feu, trêve.** *Arrêt du travail par la grève.* — Loc. **ARRÊT DE TRAVAIL :** interruption pour cause médicale, reconnue par la législation du travail. *Le docteur lui a fait, lui a donné un arrêt de travail de quinze jours.*

**SANS ARRÊT :** sans interruption. → **Cesse, relâche, répit, repos.**

Pluie sans arrêt depuis deux jours. 5.1
GIDE, Voyage au Congo, *in* Souvenirs, Pl., p. 710.

*Temps d'arrêt,* se dit de courts intervalles ou repos dans des mouvements qui doivent s'exécuter avec précision. *Marquer un temps d'arrêt.* → **Intervalle, interruption, pause, silence.**

**D'ARRÊT :** destiné à arrêter. *Tir d'arrêt,* pour briser l'attaque adverse. *Coup d'arrêt.* → **Coup.** *Cran d'arrêt.* → **Cran.**

♦ **2** Endroit où doit s'arrêter un véhicule automobile de transport en commun. → **Station** (avec des différences d'usage : *un arrêt d'autobus; une station de taxis*). *Arrêt facultatif, obligatoire. Attendre à l'arrêt d'autobus.* → **Abribus, aubette** (régional). *Il y a trop peu d'arrêts sur cette ligne. Je descends au prochain arrêt. L'arrêt est déplacé en raison des travaux.*

Loc. **ARRÊT-BUFFET** (vx) : gare munie d'un buffet; fig., arrêt (au sens 1) où l'on peut manger, se restaurer.

♦ **3** Chasse. Le fait de s'arrêter en sentant le gibier. *Entendre, saisir l'arrêt.* — Loc. *Chien en arrêt.* — **CHIEN D'ARRÊT,** qui s'arrête quand il sent le gibier (opposé à *chien courant*).

♦ **4** Sports. *Arrêt du ballon.* → **Blocage, contrôle.** *Le gardien a fait un bel arrêt.* — (1901, *in* Petiot). Rugby. *Arrêt de volée :* arrêt marqué du ballon donnant droit à la remise en jeu. — *Arrêt de jeu :* interruption du jeu par l'arbitre, en raison d'un incident.

♦ **5** Vx. Action d'arrêter (une personne, des biens). → **Arrestation, saisie; arrêter** I., A., 5.

Loc. Vieilli. **FAIRE ARRÊT SUR...** *On a fait arrêt sur sa personne et sur ses biens* (Académie). → **Arrêter, saisir.**

Mod. *Mandat d'arrêt :* ordre d'incarcération délivré par le juge d'instruction. → **Mandat.**

Après l'interrogatoire, ou en cas de fuite de l'inculpé, le juge pourra décerner un mandat de dépôt ou d'arrêt, si le fait comporte la peine de l'emprisonnement ou une autre peine plus grave. 6
Code d'instruction criminelle, art. 94.

Loc. *Maison* d'arrêt.* → **Prison.**

♦ **6 ARRÊTS** (au plur.) : sanction disciplinaire infligée à un officier ou un sous-officier. *Mettre qqn aux arrêts. Être aux arrêts. Garder les arrêts. Rompre les arrêts. Lever les arrêts. Arrêts simples,* obligeant le militaire à garder la chambre en dehors de son service. *Arrêts forcés* ou *de rigueur,* portant défense de sortir d'un local spécial. *Arrêts de forteresse,* condamnant à la prison militaire.

(...) au lieu de vous tenir renfermé ici comme si vous étiez aux arrêts, montez à cheval et venez vous promener avec moi à Saint-Germain. 6.1
DUMAS, les Trois Mousquetaires, t. I, p. 376.

J'inflige aux trois maîtres, sur votre demande, une punition équivalente, huit jours d'arrêts forcés. 7
LOTI, Mon frère Yves, XXXIII.

♦ **7** Loc. Dr. *Saisie-arrêt.* → **Saisie.**

Mar. *Arrêt de puissance :* acte par lequel un État retient un navire étranger. *Arrêt de prince.* → **Embargo.** *Arrêt de marchandises.* → **Blocus.**

**II** Pièce, chose qui arrête. → **Arrêtoir, butée, cliquet, dent, digue, mentonnet, taquet, tenon.** *Arrêt d'une lance :* pièce du harnais où on appuyait la lance. *L'arrêt d'un fusil, d'une serrure. Arrêt d'une boutonnière :* point fait aux deux extrémités pour empêcher que le linge ou l'étoffe ne se déchire.

**III** ♦ **1** Décision d'une cour souveraine ou d'une haute juridiction. → **Jugement.** *Arrêt de la Cour de cassation, de la Cour d'appel, de la Cour des comptes, de la Haute Cour, de la Cour d'assises. Arrêt du Conseil d'État. Arrêts du Parlement* (sous l'Ancien Régime). *Prononcer, rendre un arrêt. Arrêt d'annulation, de cassation, de rejet, de renvoi...* (→ **Annulation,** etc.). — *Arrêt de mort,* entraînant la peine capitale. Fig. Ce qui est fatal à qqn. — *Arrêt confirmatif, infirmatif. Les motifs* (attendus, considérants); *le dispositif d'un arrêt.* → aussi **Arrêté.**

8 Ils obtinrent un arrêt du conseil, qui défendit au parlement de connaître de cette affaire.
PASCAL, les Provinciales, XIX. Lettre d'un avocat à un de ses amis.

9 Par cent arrêts rendus en forme solennelle (...)
LA FONTAINE, Fables, XII, 8.

9.1 (...) l'équitable Thémis a condamné cette créature, ne souffrons pas que les vues de la Déesse soient aussi cruellement frustrées, faisons subir à la délinquante l'arrêt de mort qu'elle aurait encouru : ce petit meurtre, bien loin d'être un crime, ne deviendra qu'une réparation dans l'ordre moral; puisque nous avons le malheur de le déranger quelquefois, rétablissons-le courageusement du moins quand l'occasion se présente (...)
SADE, Justine..., t. I, p. 69.

N. N.B. Ce sens correspond à *arrêter* I., B., 4. (décider), et à *s'arrêter,* 4.

♦ **2** Fig. (Vx ou littér.). *Les arrêts du destin, de la Providence...* → **Décret.** *Les arrêts d'un critique.* → **Critique, jugement.** *Un arrêt dicté par la jalousie.*

10 Ce sont arrêts du sort qu'on ne peut empêcher.
LA FONTAINE, Fables, XI, 10.

11 (...) vous prononcerez un arrêt si cruel?
RACINE, Andromaque, I, 4.

12 (...) l'arrêt dicté par la fureur. HUGO, Odes, I, 3, 2.

13 (...) de par les arrêts du goût et de l'esthétique.
G. SAND, François le Champi, Avant-propos, p. 11 (Gasnier).

14 (...) Aziyadé attentive au moindre signe de sa vieille amie, et dévorant ses paroles comme les arrêts divins d'un oracle. LOTI, Aziyadé, III, 28.

CONTR. V. **Marche, mouvement. — Continuation.** ◊ DÉR. **Arrêtiste.**

**ARRÊTÉ** [aʀete] n. m. — 1414; de *arrêter.* → Arrêt, III.; arrêter, I., B., 4., 5.

♦ **1** Règlement définitif. *Arrêté de compte.*

♦ **2** Décision écrite d'une autorité administrative, comprenant généralement un visa de textes (Vu la loi...), quelquefois des considérants et toujours un dispositif par articles. → **Décision, texte.** *Arrêté ministériel, préfectoral, municipal, gubernatorial, rectoral. Arrêté de cessibilité :* arrêté préfectoral désignant les parcelles de terrain à exproprier. *Arrêté de conflit.* → **Conflit.** *Arrêté de débet.* → **Débet.** *Arrêté du tribunal des conflits :* jugement rendu par certaines juridictions administratives. → aussi **Arrêt, III.**

Le percepteur, par là, tâchait de dissimuler la crainte qu'il venait d'avoir; car, un arrêté préfectoral ayant interdit la chasse aux canards autrement qu'en bateau, M. Binet, malgré son respect pour les lois, se trouvait en contravention. FLAUBERT, Mme Bovary, II, X.

♦ **3** Comptab. Récapitulation périodique des opérations de comptabilité. *Arrêté mensuel des écritures comptables.*

**ARRÊTÉ, ÉE** [aʀete] adj. → **Arrêter.**

**ARRÊTE-BŒUF** [aʀɛtbœf] n. m. invar. — 1539, *arrestebeuf;* fin XIIIe, *restebos, in* Arveiller; de *arrêter,* et *boeuf.*

Régional. Ononis rampant, plante papilionacée, épineuse, dont les racines très longues et très résistantes arrêtent la charrue, la marche du bœuf de labour. Syn. : *bugrane.*

**ARRÊTER** [aʀete] v. tr. — XIIe, *arester;* d'un lat. pop. *arrestare;* lat. class. *restare* «s'arrêter». → Rester.

**I** V. tr. **A** ♦ **1** Empêcher (qqn, qqch.) d'avancer, d'aller plus loin; suspendre le mouvement de..., faire rester sur place. → **Immobiliser, retenir.** *Des agents arrêtent la foule.* → **Contenir, maintenir.** *Arrêter un passant pour lui parler* (→ **Aborder, accoster...**). *Arrêter son cheval, sa voiture. Arrêter un navire en jetant l'ancre.* → **Ancrer, mouiller, stopper.** *Arrêter une automobile en freinant.* → **Bloquer.**

Sur le mulet du fisc une troupe se jette, 1
Le saisit au frein et l'arrête.
LA FONTAINE, Fables, I, 4.

(...) Ces paroles 2
Firent arrêter l'autre; il recula d'un pas.
LA FONTAINE, Fables, X, 1.

Elle veut fuir, mais son amant 3
L'arrête, et lui tient ce langage (...)
LA FONTAINE, les Filles de Minée.

Depuis trois ans dans Rome elle arrête vos pas (...) 4
RACINE, Bérénice, I, 3.

On me laisse toujours seul; il n'y a pas moyen de les 5
arrêter ici *(mes gens).*
MOLIÈRE, le Malade imaginaire, I, 1.

Ils s'emportèrent au loin dans la plaine haute et voulurent 6
s'emparer des canons ennemis, mais une des crevasses profondes dont le sol russe est sillonné les arrêta sous un feu meurtrier.
Ph.-P. SÉGUR, Hist. de Napoléon, IX, 2.

(...) je revins à leur rencontre ventre à terre; quand je fus 7
près d'eux, je retins mon cheval lancé sur ses quatre pieds, et je l'arrêtai court : ce qui est, comme tu le sais ou comme tu ne le sais pas, un vrai tour de force.
Th. GAUTIER, Mlle de Maupin, VII.

Spécialt. (1901, *in* Petiot; football). Stopper (le ballon). *Arrêter un mécanisme, une montre, une machine...*

La sensation qu'une machine s'est mise en marche, que 8
dès maintenant, il n'est plus possible d'arrêter.
MONTHERLANT, le Démon du bien, p. 58.

♦ **2** Interrompre ou faire finir (une activité, un processus). *Arrêter un écoulement.* → **Contenir, endiguer, étancher, tarir.** *L'hémorragie ne peut être arrêtée* (→ **Incoercible**). *Arrêter le cours direct de qqch.* → **Intercepter, interrompre.** *Les nuages arrêtent les rayons du soleil. Un embouteillage arrête le trafic. Un mur arrête la vue.* → **Borner, cacher, limiter.**

Cependant que mon front, au Caucase pareil, 9
Non content d'arrêter les rayons du soleil,
Brave l'effort de la tempête.
LA FONTAINE, Fables, I, 22.

*(Il)* fait couler des pleurs qu'aussitôt il arrête. 10
RACINE, Andromaque, I, 1.

Fig. *Arrêter le cours, le flot, le progrès de qqch. Arrêter le cours du temps, le temps.*

Que la seule mort soit le terme 11
Qui puisse en arrêter le cours *(des amours).*
MALHERBE, *in* LITTRÉ, art. *Cours.*

Ne disons plus que la mort a tout d'un coup arrêté le 12
cours de la plus belle vie du monde; disons qu'elle a mis fin aux plus grands périls dont une âme chrétienne peut être assaillie.
BOSSUET, Oraison funèbre de Henriette-Anne d'Angleterre.

(...) nous rappelons le passé, pour l'arrêter comme trop 13
prompt.
PASCAL, Pensées, II, 172 (→ Anticiper, cit. 1).

Quand voulez-vous aimer que dans votre printemps? 14
Gardez-vous bien surtout de remettre à l'automne :
L'hiver vient aussitôt; rien n'arrête le temps.
LA FONTAINE, Clymène, 421 (→ Attendre, cit. 35).

15 Les générations des hommes s'écoulent comme les ondes d'un fleuve rapide; rien ne peut arrêter le temps, qui entraîne après lui tout ce qui paraît le plus immobile.
FÉNELON, Télémaque, XIV.

16 De nos désirs errants rien n'arrête le cours;
Ce qui plaît aujourd'hui déplaît en peu de jours (...)
SAINT-ÉVREMOND, *in* RICHELET.

Fig. Faire cesser, mettre fin à, mettre un frein à (un sentiment, une tendance). → **Assujettir, contenir, enrayer, juguler, modérer, refréner, réprimer, retenir.**

17 (...) Deux mots de ta bouche arrêtent sa colère.
CORNEILLE, le Cid, II, 3.

18 Quand l'amour est bien fort, rien ne peut l'arrêter (...)
MOLIÈRE, le Dépit amoureux, II, 1.

19 Pour moi, je crois qu'au Ciel tendent tous vos soupirs,
Et que rien ici-bas n'arrête vos désirs.
MOLIÈRE, Tartuffe, III, 3.

20 J'ai trop souvent permis à ma raison d'arrêter l'élan de mon cœur. GIDE, les Nouvelles Nourritures, p. 118.

♦ **3** Interrompre, empêcher de s'accomplir (une action, un événement); par métonymie (littér.) empêcher d'agir (l'instrument de l'action : *bras, main...*). → **Suspendre.**

21 (...) Écoute, bûcheron, arrête un peu le bras!
Ce ne sont pas des bois que tu jettes à bas (...)
RONSARD, Élégies, XXX.

22 Les prières devraient arrêter le bras du Seigneur.
MASSILLON, Temples.

23 Celui qui met un frein à la fureur des flots
Sait aussi des méchants arrêter les complots.
RACINE, Athalie, I, 1.

24 Dans quelques-unes de ses meilleures pièces *(celles de Corneille)*, il y a (...) un style de déclamateur qui arrête l'action et la fait languir (...)
LA BRUYÈRE, les Caractères, I, 54.

25 Notre destinée est déterminée par un geste, par un mot : au début le plus petit effort suffirait pour l'arrêter, puis un mécanisme géant est mis en mouvement.
A. MAUROIS, Climats, p. 132.

♦ **4** (Sujet en général n. de chose). Empêcher (qqn) d'agir ou de poursuivre son action. *Quelque chose l'arrête, l'arrête court.* → **Entraver, paralyser, ralentir, rebuter, retarder, tenir en échec.** *Rien ne l'arrête quand il a choisi. Être, se trouver arrêté par un obstacle, une difficulté.* → **Achopper, buter** (contre).

26 (...) loin de m'arrêter, cet obstacle m'amorce.
ROTROU, Antigone, III, 5.

27 Je ne sais qui m'arrête et retient mon courroux (...)
RACINE, Iphigénie, IV, 1.

28 L'indolence est la seule barrière qui vous arrête.
MASSILLON, Carême, Tiédeur.

29 Souvent l'on trouvait de l'eau en quantité qui arrêtait tout court les ouvriers et semblait devoir les rebuter pour toujours. ROLLIN, Histoire ancienne, Œ., t. I, p. 213.

30 Il faut ne pas porter en soi-même une conscience et des scrupules qui vous arrêtent à moitié chemin.
Mme DE STAËL, De l'Allemagne, I, II, Mœurs.

31 Il fut tout près de mettre fin à sa vie. Seul son inflexible sentiment moral l'arrêta.
R. ROLLAND, Vie de Beethoven, p. 20.

Empêcher (qqn) de parler, de poursuivre un discours. → **Couper** (la parole), **interrompre.**
(Le compl. désigne le discours) :

32 (...) jamais une indiscrète censure ne venait arrêter son babil. ROUSSEAU, Émile, IV.

♦ **5** Appréhender (qqn) au corps, retenir prisonnier. → **Appréhender, capturer, emprisonner; emparer** (s'), **empoigner** (→ Mettre la main au collet*, le grappin* sur qqn; fam. ou argot : agrafer, alpaguer, arnaquer, arquepincer, attraper, chauffer, choper, coffrer, cueillir, emballer, embarquer, encadrer, épingler, harponner, paumer, pincer, piquer, poisser, sauter). *Il s'est fait arrêter par surprise.* → **Prendre.** *La police vient de l'arrêter.*

Le Roi voulait l'arrêter *(Foucquet)* dans Vaux (...) 3
RACINE, Notes historiques.

Nous étions sans passeport, et on nous arrête. 3
LOTI, Aziyadé, III, 63.

Seront punis de la peine des travaux forcés à temps ceux qui, sans ordre des autorités constituées et hors les cas où la loi ordonne de saisir des prévenus, auront arrêté, détenu ou séquestré des personnes quelconques. 3
Code pénal, art. 341 (→ Arrestation).

Tout inculpé arrêté en vertu d'un mandat d'amener qui (...) aura été maintenu pendant plus de vingt-quatre heures dans la maison de dépôt ou d'arrêt sans avoir été interrogé par le juge d'instruction ou conduit (...) devant le procureur de la République, sera considéré comme arbitrairement détenu. 3
Code d'instruction criminelle, art. 93.

Admin. *Arrêter une lettre,* la saisir. *La censure a arrêté sa lettre. Un colis arrêté à la douane; arrêté dans une gare* (→ **Souffrance :** en souffrance).

REM. Ce sens correspond à *arrestation,* et à *arrêt* I., 5.

♦ **6** Spécialt, fam. Interrompre l'activité de (qqn) par un arrêt* de travail. *Le docteur m'a arrêté pour quinze jours. Se faire arrêter.* — (Passif). *Être arrêté.* → En arrêt (de travail, de maladie).

**B** ♦ **1** Empêcher (qqch.) de bouger, de remuer, maintenir en place. → **Assujettir, fixer, maintenir, retenir.** *Arrêter les volets au mur.* → **Accrocher.** *Arrêter une roue au moyen d'un sabot, d'un frein, d'une chaîne.* → **Enrayer.** *Le cliquet arrête la roue.* → **Bloquer.** *Le taquet arrête la planche,* il la supporte, la soutient. → aussi **Consolider.** *Arrêter un point* (en cousant) : faire un nœud pour que le fil ne s'échappe pas. *Arrêter les mailles d'un tricot.*

♦ **2** Vx. *Arrêter qqn,* l'attacher durablement. → **Captiver, retenir.** *Arrêter qqn dans ses fers :* attacher qqn par un amour fidèle, conserver son attachement, son amour.

Vous ne prétendiez point m'arrêter dans vos fers. 3
RACINE, Andromaque, IV, 5.

(Sujet nom de chose). Retenir (qqn).

Ne sentirai-je plus de charme qui m'arrête? 3
Ai-je passé le temps d'aimer?
LA FONTAINE, Fables, IX, 2.

(...) des choses de nulle importance ne sont pas moins capables de les arrêter (...) 3
DESCARTES, les Passions de l'âme, II, 78 (→ Admiratif, cit. 1).

REM. À la différence du sens A., 5. ci-dessus, cet emploi implique la durée.

♦ **3** Vx ou littér. Tenir fixé sur. *Arrêter ses yeux, ses regards sur qqch.* Fig. *Arrêter son attention, sa pensée, son esprit sur...* → **Attacher, fixer.**

Pensez-vous qu'oubliant ma fortune passée, 40
Sur ma seule grandeur j'arrête ma pensée?
RACINE, Bérénice, III, 1.

Si l'on arrête les yeux sur le monde actuel (...) 41
CHATEAUBRIAND, Mémoires d'outre-tombe, IV, 10.

L'abbé venait d'arrêter sur le visiteur son regard brumeux... 42
G. DUHAMEL, Chronique des Pasquier, IV, 2.

*Arrêter son choix, sa décision, son parti sur...* → **Fixer.**

♦ **4** Choisir (en fixant sa décision), décider. *Arrêter un appartement,* décider de le prendre pour soi. → **Retenir.** — Vx. (Compl. n. de personne). *Arrêter un domestique.* → **Engager.**

Avez-vous arrêté un logis? 43
MOLIÈRE, Monsieur de Pourceaugnac, I, 3.

J'ai arrêté encore un Maître de philosophie (...) 44
MOLIÈRE, le Bourgeois gentilhomme, I, 2.

Mod. *Arrêter le lieu, le jour d'un rendez-vous. Arrêter les termes d'un accord.* → **Convenir, décider, déterminer, fixer, régler.** *Arrêter un marché.* → **Conclure.** *Arrêter un compte, un bilan.* → **Clore, fermer.**

5 Je suis dans l'embarras d'arrêter un grand compte de dix-neuf années. Mme DE SÉVIGNÉ, Lettres, 427.

6 Après avoir longtemps consulté, ils arrêtèrent (...) VAUGELAS, Trad. Quinte-Curce, 318.

7 (...) je me dirigeai seul (...) sans arrêter aucun projet dans ma tête troublée (...) LOTI, Aziyadé, IV, 2.

*Arrêter que...* → **Décider, résoudre.** *Il a été arrêté qu'on se réunirait chez vous. Ils ont arrêté d'agir ensemble.*

8 Et comme si du sort il était arrêté,
Que nul homme ici-bas n'en serait exempté (...)
MOLIÈRE, l'École des femmes, IV, 7.

*Arrêter de...* (et inf.) : décider. *Nous avons arrêté de...*

♦ **5** Spécialt. Prendre un arrêté (correspond à *arrêté*, et à *arrêt*, III.). *Le ministre, le préfet, le maire arrête telle chose, arrête que...*

**II** V. intr. ou absolt. **A** ♦ **1** Cesser d'avancer, faire halte. *Dites au chauffeur d'arrêter. Voulez-vous arrêter ? Je me fis arrêter devant la maison.* → **Déposer.**

9 Car, pour moi, j'ai certaine affaire
Qui ne me permet pas d'arrêter en chemin.
LA FONTAINE, Fables, III, 5.

♦ **2** Cesser de parler ou d'agir. *Arrêtez ! N'allez pas plus loin. Arrêtons là ! Il travaille sans cesse, il n'arrête pas.*

0 Ah ! de grâce, arrêtez. L'offense est trop petite pour un courroux si grand. MOLIÈRE, le Sicilien, 15.

1 Arrêtons ici, Chrétiens ; et vous, Seigneur, imposez silence à cet indigne ministre, qui ne fait qu'affaiblir votre parole. BOSSUET, Oraison funèbre de Anne de Gonzague.

2 Arrêtez : malheur à l'homicide !
Le sang retombera sur sa tête perfide.
Des lois et non du sang : ne souillez pas vos mains.
M.-J. DE CHÉNIER, Caïus Gracchus, II, 2.

♦ **3 ARRÊTER DE...** → **Cesser.** *Il arrêta brusquement de gesticuler. — « Ils n'arrêtaient pas de fumer »* (Mauriac). *On n'arrête pas de vous le dire. — Arrête de faire l'idiot !* → ci-dessous S'arrêter.

**B** Chasse (emploi absolu). *Un chien qui arrête bien* (le gibier). → **Arrêt.**

3 Qu'importe à l'État qu'*Ergaste* soit riche, qu'il ait des chiens qui arrêtent bien (...) LA BRUYÈRE, les Caractères, X, 8.

◆ **S'ARRÊTER** v. pron.

♦ **1** Interrompre sa marche, son mouvement, ne pas aller plus loin. *S'arrêter en chemin. Passer sans s'arrêter. S'arrêter, descendre, mettre pied à terre pour se reposer, respirer, reprendre haleine.* → **Arrêt, halte** (faire). *La voiture s'est arrêtée. Le train s'est arrêté contre le butoir. J'ai fait signe au taxi, mais il ne s'est pas arrêté, il est passé sans s'arrêter. Le bateau s'est arrêté dans le port.* → **Relâcher.** *Le lièvre s'arrête de lassitude.* → **Relaisser** (se). *S'arrêter longtemps en un lieu.* → **Camper, demeurer, fixer** (se), **planter** (se), **rester, séjourner, stationner.**

54 L'empereur s'était arrêté à Lyadi, à quatre lieues du champ de bataille ; la nuit venue, il apprend que Mortier, qu'il croit derrière lui, l'a dépassé. Ph. P. SÉGUR, Hist. de Napoléon, X, 6.

55 Sans m'arrêter et sans me reposer, je puis
Combattre quatre jours encore, et quatre nuits.
HUGO, la Légende des siècles, IV, 2.

56 On s'arrête, on s'assied, on voit passer la foule,
Qui sur l'étroit degré se coudoie et se foule (...)
LAMARTINE, Harmonies..., III, 6.

57 Je m'arrête vraiment à tout bout de champ ; ici, j'y suis depuis huit jours, et ne sais encore quand j'en partirai. P.-L. COURIER, II, 63.

Notre forme au soleil nous suit, marche, s'arrête, 58
Imite gauchement nos gestes et nos pas.
SULLY-PRUDHOMME, l'Ombre.

Elle s'arrêta, étourdie par les battements de son cœur, qui sonnait à toute volée dans sa poitrine. 59
FRANCE, le Lys rouge, p. 300.

Fig. *S'arrêter en bon chemin* : renoncer à une entreprise qui avait bien commencé, dont le succès semblait assuré.

*S'arrêter* (en parlant d'un mécanisme) : ne plus fonctionner. *Ma montre s'est arrêtée.*

♦ **2** S'interrompre ou finir (processus, action). *Le bruit s'est arrêté.* — Cesser de couler. *L'hémorragie s'est arrêtée.* Cesser de passer. *Les aliments s'arrêtent à ma gorge.*

J'avais beau vouloir faire bon visage au réveillon, tout ce que je mangeais s'arrêtait à ma gorge et malgré mes efforts pour être calme, j'arrosais mon pâté de larmes silencieuses. 60
Alphonse DAUDET, le Petit Chose, p. 357.

Fig. En parlant du temps.

J'ai cru sentir le temps s'arrêter dans mon cœur. 61
A. DE MUSSET, Lettre à Lamartine (→ Accent, cit. 10).

♦ **3** **a** (Sans compl.). Cesser d'agir, d'exercer une action (en partic. pour les personnes). → **Cesser, terminer** (et se terminer).

Arrêtez-vous, Seigneur, et d'une âme apaisée 62
Souffrez que je vous livre une vengeance aisée.
CORNEILLE, Polyeucte, V, 6.

C'est une chose très délicate de bien poser le point auquel les lois de la nature s'arrêtent, et où les lois civiles commencent. 63 MONTESQUIEU, l'Esprit des lois, XXVI, 14.

Cesser de parler. *S'arrêter court, net,* brusquement, jusqu'à oublier ce qu'on voulait dire.

Il s'arrêta net. Mon regard lui cloua ses phrases menteuses sur les lèvres. 64
Alphonse DAUDET, le Petit Chose, p. 163.

Spécialt. Cesser momentanément son travail ; bénéficier d'un arrêt de travail.

**b** **S'ARRÊTER DE...** (et inf.) → ci-dessus II., A., 3. : *arrêter de...*

♦ **4** Prendre son parti, fixer son choix. → **Décider** (se), **déterminer** (se). *Son choix s'est arrêté sur cette voiture.* — Vx :

Et quel est le dessein où votre âme s'arrête, 65
Madame ? MOLIÈRE, Tartuffe, III, 4.

Entre ces deux partis il en est un honnête, 66
Où dans l'occasion l'homme prudent s'arrête (...)
MOLIÈRE, l'École des femmes, IV, 8.

♦ **5 S'ARRÊTER À...** : avoir égard, prendre garde, faire attention (à). *Il ne faut pas s'arrêter aux apparences. S'arrêter à bien peu de chose.*

Quoi ? vous vous arrêtez aux songes d'une femme ! 67
CORNEILLE, Polyeucte, I, 1.

Vous moquez-vous ? est-ce qu'entre amis on s'arrête à ces sortes de scrupules ? 68
MOLIÈRE, le Bourgeois gentilhomme, III, 6.

Ne vous arrêtez point à ses froideurs passées. 69
RACINE, Bajazet, V, 6.

♦ **6** Vx (langue class.) ou littér. **S'ARRÊTER À, SUR...** : s'appesantir, insister (sur). → **Attarder** (s') **à.** *S'arrêter sur une pensée.* → **Méditer, réfléchir.**

(...) sans s'arrêter trop longtemps à une même matière (...) 70
LA FONTAINE (→ Abeille, cit. 12).

Je n'entreprends point de vous écrire le détail de toutes ces merveilles (...) et je m'arrête à la comédie dont, par avance, vous me demandez des nouvelles. 71
MOLIÈRE, le Grand Divertissement royal.

Je ne puis m'arrêter sur cette pensée sans avoir grand besoin de vos sermons (...) 72
Mme DE SÉVIGNÉ, 452, 2 oct. 1675.

◆ **ARRÊTÉ, ÉE** p. p. adj. (Fin XIIe).

♦ **1** Qui a été convenu, décidé, entendu, fixé, prévu par un accord. *C'est une chose arrêtée, une affaire arrêtée, il n'y a plus à y revenir. À jour arrêté.* → **Déterminé.**

73 Il fallait donc qu'elle eût un séjour affecté,
Un séjour d'où l'on pût en toutes les familles
L'envoyer à jour arrêté.
LA FONTAINE, Fables, VI, 20.

Spécialt. (1902, *in* Petiot; sports). *Départ arrêté :* le concurrent attend, immobile, le signal du départ.

♦ **2** Qui est établi, définitif. *Le bilan arrêté en fin d'exercice.*

♦ **3** Inébranlable, irrévocable, en parlant des idées, des décisions. *Des opinions, des principes arrêtés.* → **Absolu, fixe, immuable.** *Un dessein bien arrêté, une volonté bien arrêtée.* → **Ferme, inébranlable, irrévocable, résolu.**

74 Sans doute ils n'ont aucun dessein d'arrêté.
PASCAL, les Provinciales, 5.

75 (...) tout est vain en nous, excepté le sincère aveu que nous faisons devant Dieu de nos vanités et le jugement arrêté qui nous fait mépriser tout ce que nous sommes.
BOSSUET, Oraison funèbre de Henriette-Anne d'Angleterre.

76 Ils sont venus dans le pays avec l'idée bien arrêtée d'y faire fortune, et rapidement.
GIDE, Voyage au Congo, *in* Souvenirs, Pl., p. 719.

77 – Que comptez-vous faire de lui ? demanda le docteur. – Il n'a que sept ans, docteur, répondit Mme Santeuil. Mais nous avons pourtant sur son avenir des idées très arrêtées.
PROUST, Jean Santeuil, Pl., p. 202.

Rare (personnes). → **Déterminé.**

78 Cependant, c'est un égoïste bien *arrêté,* mais un égoïste sous forme sentimentale (...)
BARBEY D'AUREVILLY, Premier Mémorandum 1836-1838, p. 138.

Peint. *Un dessin arrêté,* achevé, terminé auquel il n'y a plus rien à retoucher (par oppos. à *croquis, ébauche, esquisse*).

CONTR. **Actionner, accélérer, activer, aller, animer, brûler** (l'étape), **continuer, couler, déclencher, développer** (se), **écouler** (s'), **hâter, mettre** (en branle, en mouvement), **mouvoir, passer, poursuivre, remuer, reprendre** (sa marche). – **Élargir, libérer, relâcher** (un prisonnier). ◊ DÉR. **Arrêt, arrêté, arrêtoir.** – V. **Arrestation.** ← COMP. **Arrête-bœuf.**

**ARRÊTISTE** [aʀetist] n. m. — 1740, *arrestiste ;* de *arrêt.*

Didact. (dr). Juriste qui commente les arrêts des cours souveraines (*arestographe,* usité au XVIIIe s., est condamné par Littré).

**ARRÊTOIR** [aʀɛtwaʀ] n. m. — 1838 ; de *arrêter.*

Techn. Saillie, butée, tenon qui limite le mouvement (d'une pièce mobile). → **Arrêt,** II.

Franck continue de tirer sans compter, jusqu'à ce que la détente ne réponde plus, l'arrêtoir de culasse bloquant le canon. Régis DEBRAY, l'Indésirable, p. 39.

**ARRHÉNOGÈNE** [aʀenɔʒɛn] adj. — 1941 ; de *arrhéno-,* du grec *arrheno-,* de *arrên* «mâle», et suff. *-gène.*

Biol. (En parlant d'une femelle fécondée). Qui produit une descendance formée uniquement de mâles (opposé à *thélygène*). → **Monogène** (→ Amphogène, cit. J. Rostand).

DÉR. **Arrhénogénie.**

**ARRHÉNOGÉNIE** [aʀenɔʒeni] n. f. — Mil. XXe ; de *arrhénogène.*

Biol. Monogénie* où la descendance est formée de mâles (opposé à *thélygénie*).

**ARRHES** [aʀ] n. f. pl. — 1165, *erres ;* lat. *arra, arrha* «gages, arrhes».

♦ **1** Somme d'argent que l'on donne au moment de la conclusion d'un contrat, d'un marché et qui, à la différence de l'acompte*, n'est pas restituée en cas de résiliation de l'acte. → aussi (VX) **Denier** (à Dieu); **gage.** *Perdre ses arrhes.* → **Dédit.**

Si la promesse de vendre a été faite avec des arrhes, 1
chacun des contractants est maître de s'en départir,
Celui qui les a données, en les perdant,
Et celui qui les a reçues, en restituant le double.
Code civil, art. 1590.

♦ **2** Fig. Garantie. → **Gage.**

(...) qui, sur le point de ne rien refuser, 2
Donna pour arrhes un baiser.
LA FONTAINE, la Coupe enchantée.

(...) c'est comme des arrhes qu'il aurait déjà données à la 3
poussière éternelle (...) LOTI, Mon frère Yves, XCIX.

HOM. **Are, ars, art, hart.**

**ARRIÉRATION** [aʀjeʀasjɔ̃] n. f. — 1909, *in* D. D. L. ; de *arriéré.*

♦ **1** Psychol., psychiatrie. Insuffisance ou arrêt prématuré du développement des fonctions psychiques, intellectuelles ou affectives. — *Arriération intellectuelle* ou *mentale :* état d'un sujet (→ **Arriéré**) dont l'âge mental est inférieur à l'âge réel, physique. → **Débilité, faiblesse** (d'esprit), **idiotie, imbécillité, oligophrénie, retard** (mental). *Arriération mentale associée à de l'arriération physique.* — *Arriération profonde :* idiotie et imbécillité (opposé à *débilité*).

D'après le degré de l'arriération on distingue entre : 1
– l'idiot, âge mental inférieur à deux ans ;
– l'imbécile, âge mental entre deux et sept ans ;
– les débiles, âge mental entre sept et quatorze ans.
Guy PALMADE, la Psychothérapie, p. 18.

Si Binet n'avait pas réclamé la fondation de classes d'élèves 2
arriérés dans les écoles, et si l'administration ne lui avait pas demandé à quel critère il reconnaîtrait un simple retardé par rapport aux cas d'arriération ou de débilité mentales, il n'aurait pas construit avec Simon ni publié en 1905 son «Échelle métrique de l'intelligence» (...)
J. PIAGET, Épistémologie des sciences de l'homme, p. 235.

Dans les services administratifs, dans les laboratoires de 3
recherche ou «sur le terrain», de l'instituteur au généraliste en passant par le psychiatre et le psychologue, chacun a été longtemps convaincu que le terme d'*arriération* était une idée claire et distincte, recouvrant un cadre bien délimité de la pathologie mentale (...) aujourd'hui, cette notion est devenue, paradoxalement, l'un des sujets les plus passionnément discutés (...)
H. LUCCIONI et J. SUTTER, *in* A. POROT, Manuel alphabétique de psychiatrie, 1975, art. *Arriération.*

J'ai lu peu et tard. Ce n'était qu'un des aspects d'une imma- 4
turité (...) qui continue je crois à faire le fond de ma nature. Mon père en a longtemps tiré argument pour me taxer d'arriération mentale.
M. TOURNIER, le Vent Paraclet, p. 44.

*Arriération affective :* maturation plus ou moins incomplète des instincts, sentiments et émotions, chez un individu par ailleurs normalement intelligent ou même intellectuellement doué. *Les arriérations affectives sont «les plus communes bien que les dernières soupçonnées et décrites»* (Ch.-H. Nodet, *in* Foulquié). *Arriération affective de névropathes, caractériels, pervers, psychopathes (schizophrènes). Aspect particulier de l'arriération affective dans les névroses infantiles. Fixation à l'enfance dans l'arriération affective.* → **Infantilisme** (cit. 1). *Thérapeutique de l'arriération affective* (→ **Psychothérapie**). — *Syndrome d'arriération affective* (Codet) : retard psychomoteur existant chez de tout jeunes enfants privés de soins et de l'affection maternelle.

5 Le thème de l'antérieur est la hantise du freudisme... ce désir antérieur qui nous tire en arrière et qui insinue toutes les arriérations de l'affectivité, au plan des rapports de famille, au plan fantasmatique de l'œuvre d'art, au plan éthique de la culpabilité, au plan religieux de la crainte de punition et du désir infantile de consolation.
P. RICŒUR, Une interprétation philosophique de Freud, *in* la Nef, nº 31, p. 124.

♦ **2** (Mil. XXᵉ). Retard dans le développement (économique en particulier) d'un pays, d'une région. → **Sous-développement.**

6 La reconnaissance «indescriptible» de la jeune guide de l'Intourist pour le médecin (de Passy) qui lui offre des bas nylon, signale en fait l'arriération économique du régime communiste et la prospérité enviable de la démocratie occidentale. R. BARTHES, Mythologies, p. 132.

**ARRIÈRE** [aʀjɛʀ] adv., adj. et n. m. — 1080, *arere;* d'un lat. pop. *adretro (arretro),* composé de *ad,* et *retro* «en arrière».

**I** Adv. Derrière, en reculant. ♦ **1** Vx. Loin derrière. En interjection. Marque une injonction faite à qqn de s'éloigner, de se retirer. *Arrière, menteur! Arrière, Satan!* → **Vade retro.**

1 Arrière ceux dont la bouche
Souffle le chaud et le froid!
LA FONTAINE, Fables, V, 7.

Au fig. Loin de moi, de nous; anathème sur...

2 Arrière ces éloges lâches, menteurs, criminels, qui faussent la conscience publique (...)
CHATEAUBRIAND, Mémoires d'outre-tombe, IV, 9.

♦ **2** Après un nom, indiquant un mouvement. *Avoir vent arrière,* en poupe.

3 Toujours le vent arrière, quelle bénédiction!
Abbé DE CHOISY, Voyage de Siam, p. 7.

*Faire machine, marche arrière* (→ En arrière, ci-dessous, IV.) : reculer; (au fig.) revenir sur ses pas; revenir sur une décision, se dédire. — *La marche arrière.* → **Marche.**
*Pêche arrière,* le filet étant mouillé par l'arrière grâce à un dispositif spécial (portique). *Chalutier arrière, pêche arrière.* → **Chalutage.**
Couture. *Point arrière* (opposé à *point devant*).

**II** N. m. ♦ **1** Partie postérieure (d'une chose). → **Cul, derrière, dos, postérieur.** *L'arrière d'un navire :* la partie qui s'étend du centre de gravité au gouvernail. → **Poupe.** *Gouverner de manière à recevoir le vent ou la lame par l'arrière.* → **Fuir.** *Gaillard d'arrière. L'avant et l'arrière d'une voiture.* — **À L'ARRIÈRE.** *Avancez à l'arrière de l'autobus! Vous serez mieux à l'arrière. Il y a trois places à l'arrière. À l'arrière du train.* → **Queue.**

4 André (...) se tient à l'arrière sur la dunette.
LOTI, les Désenchantées, VI, 53.

♦ **2** Territoire ou population qui se trouve en dehors de la zone des opérations militaires. Spécialt, milit. *Services de l'arrière :* ceux qui assurent le ravitaillement général des armées, l'évacuation des blessés, etc.

5 (...) Oui, ne fût-ce que pour cacher, à ceux qui se battent, ce qui se trame à l'arrière!
MARTIN DU GARD, les Thibault, VIII, 5.

Au plur. *Les arrières d'une armée :* particult les lignes de communication. *Menacer les arrières de l'ennemi. Protéger, assurer ses arrières.* — Fig. *Assurer ses arrières :* se ménager une position de recul, une solution de rechange.

♦ **3** (1900, *in* Petiot). Sports. Joueur qui est placé derrière tous les autres (rugby, basket-ball...), ou derrière la ligne des demis (en football, hockey, water-polo...).

5.1 L'arrière adverse apparaît; son coup de botte passe obliquement bien au-dessus des avants et gagne trente mètres à son équipe.
Jean PRÉVOST, Plaisirs des sports, p. 128.

**III** Adj. invar. Qui est situé à l'arrière (sans mouvement). *Un coupé n'a pas de porte arrière, mais deux portes avant. Les feux arrière d'une automobile. Le siège arrière d'une motocyclette. Le coffre arrière, la malle arrière, la vitre arrière.* — N. B. Ne pas confondre avec l'emploi de l'adv. (ci-dessus, I., 2.) qui évoque un mouvement. — On trouve l'accord *roues arrières* chez Duhamel.

**IV** Loc. adv. (1606; XIIᵉ «autrefois»). **EN ARRIÈRE.** ♦ **1** Dans une direction opposée au sens de la marche ou du regard. *Aller, marcher en arrière,* à reculons. → **Reculer.** *Se balancer d'avant en arrière. Pencher, rejeter, renverser la tête en arrière.* → **Renverse** (à la), **renverser.** *Cheveux coiffés, tirés en arrière. Mouvement en arrière.* → **Rebrousser** (chemin), **reculer, refluer, rétrograder; retourner, revenir** (sur ses pas); **retraite** (battre en), **replier** (se), **retirer** (se). *Pousser*, tirer* en arrière, encore plus en arrière.* — Par pléonasme. *Reculer en arrière.*

5.2 Pégase s'effarouche et recule en arrière.
BOILEAU, Épîtres, IV.

6 Il faut faire d'abord une révérence en arrière, puis marcher vers elle avec trois révérences en avant (...)
MOLIÈRE, le Bourgeois gentilhomme, II, 1.

7 Un autre repartit : «Non, ne le suivez pas;
Rebroussez plutôt en arrière (...)»
LA FONTAINE, Fables, III, 16, 20.

8 (...) ton corps goutteux, plein d'une ardeur guerrière,
Pour sauter au plancher fit deux pas en arrière.
BOILEAU, le Lutrin, I.

9 Vous les auriez vus tous, retournant en arrière,
Laisser entre eux et nous une large carrière.
RACINE, Mithridate, V, 4.

10 Le coup passa si près que le chapeau tomba
Et que le cheval fit un écart en arrière.
HUGO, la Légende des siècles, «Après la bataille».

11 L'empereur étonné, se jetant en arrière,
Suspend du destrier la marche aventurière.
A. DE VIGNY, le Cor.

12 (...) il l'écoutait avec recueillement, le buste en arrière (...)
MARTIN DU GARD, les Thibault, II, 5.

Vx. *Faire machine, marche en arrière :* faire aller une locomotive, une automobile... en arrière (→ ci-dessus, I., 2.); fig. revenir sur ses pas, sur ses dires... → **Rétracter** (se).

13 (...) Ou bien donner des contre-ordres, faire machine en arrière, arrêter la préparation!
MARTIN DU GARD, les Thibault, VII, 41.

Fig. Vers le passé. *Regarder en arrière.*

14 (...) j'éprouvai pour la première fois un vif sentiment de retour en arrière (...)
RENAN, Souvenirs d'enfance..., II, 1.

15 Aussi loin que je retourne en arrière à travers ces souvenirs si médiocres à leur source, si tumultueux plus tard, et dont j'ai quelque peine à remonter le cours (...)
E. FROMENTIN, Dominique, IV.

16 Je n'aime pas regarder en arrière, et j'abandonne au loin mon passé, comme l'oiseau, pour s'envoler, quitte son ombre. GIDE, l'Immoraliste, p. 172.

♦ **2** À une certaine distance derrière. *Rester en arrière. Marcher un peu en arrière de la troupe. Les traînards restent en arrière.*
Fig. En retard. *Être en arrière pour ses études, pour ses paiements.* → **Arriéré, arriérer** (s'), **retard.**

17 Hélas! nous y sentions surtout certain besoin de ne pas demeurer en reste, en arrière, à l'écart (...)
GIDE, Journal, 10 févr. 1929.

♦ **3** **EN ARRIÈRE DE.** Loc. prép. *Se tenir en arrière de qqn ou de qqch.,* derrière, sur un plan plus reculé.

*Il restait en arrière de ses camarades, n'osant pas se montrer. Un hôpital situé en arrière de la ligne de feu.*

Fig. En retard (sur). *Il est très en arrière de ses camarades. Être en arrière de son temps, de son siècle :* avoir des conceptions d'un autre âge.

CONTR. **Avant, devant, proue... — Avance** (en). ◈ DÉR. **Arriérer.** — V. **Arrérages,** les mots composés du préf. **rétro-** (en arrière), et du préf. **ré-** (exprimant le retour en arrière). → COMP. V. **Arrière-.**

**ARRIÈRE-** Premier élément de noms composés, signifiant «qui est situé en arrière, en retrait». Voir à l'ordre alphab. D'autres composés se rencontrent, tels :

1 (...) la bonne vie d'antan dans les villages d'arrière-front.
Roger VERCEL, Capitaine Conan, V, p. 89.

2 La chanson (...) était en effet gentiment égrillarde, mais de manière si voilée que les enfants n'y pouvaient rien comprendre; Simon pour sa part n'avait jamais éprouvé le moindre soupçon sur les arrière-sens possibles.
Roger IKOR, les Fils d'Avrom, Les eaux mêlées, p. 428.

Au sens temporel, «qui vient après» : → **Arrière-saison,** et avec le nom des saisons :

3 L'arrière-printemps lâchait sur les pâtis les premières chaleurs. Hervé BAZIN, Qui j'ose aimer, XXVII, p. 240.

→ aussi **Arrière-petit-** (fils, fille, etc.); **arrière-grand-**(père, mère, etc.).

**ARRIÉRÉ, ÉE** [aʀjeʀe] adj. et n. — 1740, au sens I., 1.; p. p. du v. *arriérer.*

**I** ♦ **1** Vieilli. Qui est en retard dans ses paiements. *Fermier arriéré d'un terme* (Littré).

♦ **2** (En parlant des choses). Qui reste dû. → **Échu, impayé,** et aussi **arrérages.** *Réclamer une dette arriérée. Capitalisation des intérêts arriérés.* → **Anatocisme.**

Fig. En souffrance (qui n'a pas été réclamé en temps normal).

1 (...) en allant chercher à la poste nos lettres arriérées, mon ami en trouva une de sa mère.
LAMARTINE, Graziella, III, 2.

♦ **3** (1829). Péj. Qui appartient au temps passé. → **Démodé, gothique** (vx), **rétro, rétrograde, ringard** (fam.), **suranné, vieux.** *Un homme aux idées arriérées* (→ **Encroûté, fossile, momie...**). *Un pays arriéré,* qui est en retard sur son époque.

2 (...) elle voulait au lieu d'obéir à la mode, que la mode s'appliquât à ses habitudes, et se pliât à ses fantaisies toujours arriérées.
BALZAC, la Cousine Bette, I, Pl., t. VI, p. 164.

♦ **4** (En parlant des personnes). Qui est en retard dans son développement mental (→ **Attardé**), ou affectif. → **Arriération** et *infra. Un enfant arriéré. Un «individu arriéré affectivement peut — comme cela se produit manifestement chez les sujets jeunes — par une thérapeutique convenable, psychothérapie notamment, retrouver la capacité de maturation de son instinctivité»* (A. Hesnard, *in* Porot, 1952).

3 Il m'a semblé d'abord que l'enfant était un peu simple, et comme l'on dit, arriéré.
G. DUHAMEL, Récits des temps de guerre, III, 320.

4 (...) ce petit sagouin salissait ses draps; ces messieurs n'étaient pas outillés, surtout durant ces années-là, pour accueillir des enfants arriérés ou infirmes.
F. MAURIAC, le Sagouin, I.

N. *Un arriéré, une arriérée :* celui, celle qui est affligé d'arriération mentale ou affective. — REM. *Arriéré* est surtout employé comme synonyme de *débile profond* (→ Idiot, imbécile), par oppos. à *débile, retardé. On appelle* arriérés *les déficients mentaux dont le Q.I. est inférieur à 50. Assistance éducative aux arriérés* (rééducation, classes de perfectionnement).

*Arriéré mental.* → **Oligophrène.**

*Arriéré affectif :* individu qui n'a pas atteint la maturité affective normale pour son âge, sans présenter par ailleurs de déficience intellectuelle.

Alors que l'arriéré mental (...) est un infantile de l'ensemble 4
du psychisme (considéré principalement au point de vue du niveau intellectuel), l'arriéré affectif est un individu normalement intelligent, parfois même très doué intellectuellement, mais dont l'évolution affective, c'est-à-dire la maturation des instincts, sentiments et émotions, est restée plus ou moins incomplète.
A. HESNARD, *in* A. POROT, Manuel alphabétique de psychiatrie, éd. 1952, art. *Arriération* (cit.) *affective.*

**II** N. m. ♦ **1** (1788). Dette échue et qui reste due. → **Dette.** *L'arriéré d'une pension.* → **Arrérages** (cit. 2). *Rappel de l'arriéré.* → **Rappel.**

(...) payement de l'arriéré des dépenses de la maison du 5
roi et de la reine (...)
Archives parlementaires. État des dépenses pour l'année 1788, *in* BRUNOT, Hist. de la langue franç., t. IX, p. 1072.

Les rentiers allaient, stupéfaits, toucher, avec le reste de 6
l'arriéré, la totalité de leurs quartiers.
Louis MADELIN, Hist. du Consulat et de l'Empire, t. IV, 4.

♦ **2** (1824). Ce qui est en retard, s'est accumulé avec le temps. *J'ai beaucoup d'arriéré dans ma correspondance.* — Fig. *Avoir un arriéré de sommeil. Un arriéré de reproches, de griefs.*

Au retour de l'expédition, vous recevrez tout l'arriéré des 7
coups de bâton qui vous sont dus depuis 1789.
P.-L. COURIER, II, 274.

(...) un amour qui vient tard est souvent plus violent; on 8
y paie en une fois tout l'arriéré des sentiments et les intérêts (...)
SAINTE-BEUVE, Causeries du lundi, 22 oct. 1849.

Et ils avaient tant d'autres choses à se dire, tout un arriéré 9
de choses (...) LOTI, les Désenchantées, III, 14.

CONTR. **Anticipé, anticipation** (par), **avance** (par). **— Avancé, évolué, précoce; moderne. — Avance.** ◈ DÉR. (Du I., 4.) **Arriération.**

**ARRIÈRE-AUTOMNE** [aʀjɛʀɔtɔn; aʀjeʀotɔn] n. m. — 1883, Loti; de *arrière-,* et *automne.*

Fin d'automne et début d'hiver. → **Arrière-saison.**

À la fenêtre, je sais qu'il y a des roses, des roses rouges 1
d'arrière-automne, les plus hautes du rosier grimpant.
Edmond Henri CRISINEL, Alectone, *in* Littératures de langue française hors de France, p. 582.

Ciels rêveurs d'arrière-automne, pesant lourdement sur 2
la finitude humaine qu'ils viennent borner et resserrer encore. SCHNEIDER, le Peintre et l'Automne, p. 221.

**ARRIÈRE-BAN** [aʀjɛʀbɑ̃] n. m. — 1155, *riere ban,* altération par «étymologie populaire» (*arrière* et *ban*) de l'anc. franç. *herban* ou *arban,* lui-même du francique **hariban.* → Ban.

♦ **1** Hist. Convocation par le roi (ou un grand suzerain) de tous ses vassaux et arrière-vassaux pour le service de la guerre. *Publier l'arrière-ban.*

(...) le roi et un petit nombre de grands seigneurs, comme 1
le duc de Normandie, ont le droit *(sous le régime féodal)* dans les cas de péril extrême, d'effectuer la levée en masse de tous leurs sujets, nobles et roturiers; tous doivent servir le mieux qu'ils peuvent sans limitation de durée. C'est l'arrière-ban. Bien distinct du service féodal, il dérive de l'ancien service public dû au roi franc par tous les hommes libres et son nom a conservé le souvenir de l'ancien ban royal. O. MARTIN, Précis d'hist. du droit franç., 284.

L'ensemble des troupes des arrière-vassaux. *Convoquer le ban et l'arrière-ban.*

2 Mon père eut plusieurs fois le commandement en chef de tous les arrière-bans du royaume (...)
SAINT-SIMON, Mémoires, 6, 84, *in* LITTRÉ.

3 Monseigneur le duc de Bretagne
A, pour les combats meurtriers,
Convoqué de Nante à Mortagne...
L'arrière-ban de ses guerriers. HUGO, Ballades, 6.

♦ **2** Mod. Fig. La totalité des personnes constituant un ensemble, un groupe (famille, relations...). *Il avait convoqué à cette réception le ban et l'arrière-ban de ses amis et connaissances.*

**ARRIÈRE-BEC** [aʀjɛʀbɛk] n. m. — XVIII$^{e}$; de *arrière-*, et *bec.*

Archit. Angle, éperon d'une pile de pont du côté de l'aval. *Des arrière-becs* (s'oppose à *avant-bec*).

**ARRIÈRE-BOUCHE** [aʀjɛʀbuʃ] n. f. — 1805; de *arrière-*, et *bouche.*

Anat. Partie postérieure de la bouche. → **Pharynx.**

(...) sans l'odoration qui s'opère dans l'arrière-bouche, la sensation du goût serait obtuse et tout à fait imparfaite.
A. BRILLAT-SAVARIN, Physiologie du goût, Méd., II, 7.

**ARRIÈRE-BOUTIQUE** [aʀjɛʀbutik] n. f. — 1508; de *arrière-*, et *boutique.*

Pièce de plain-pied située en arrière d'une boutique. → **Arrière-magasin.** *Des arrière-boutiques. L'arrière-boutique d'un pharmacien.* → **Laboratoire.** *Conserver des marchandises dans l'arrière-boutique.* — Loc. adj. Vieilli. *D'arrière-boutique* : commun, sans distinction.

1 (...) il vous échappe malgré vous des expressions d'arrière-boutique. A. DE MUSSET, Il ne faut jurer de rien.

2 Nous sommes entrés chez un petit traiteur et nous nous sommes attablés dans l'arrière-boutique, déserte à ce moment-là.
G. DUHAMEL, Chronique des Pasquier, VI, 13.

**ARRIÈRE-BRAS** [aʀjɛʀbʀɑ] n. m. — 1866, Taine; de *arrière-*, d'après *avant-bras.*

Rare. Partie du bras* qui va de l'épaule au coude. Syn. (en anat.) : *bras.*

CONTR. **Avant-bras.**

**ARRIÈRE-CABINET** [aʀjɛʀkabinɛ] n. m. — Av. 1695, La Fontaine; de *arrière-*, et *cabinet.*

Vx. Pièce, réduit situé derrière un cabinet.

**ARRIÈRE-CERVEAU** [aʀjɛʀsɛʀvo] n. m. — 1879; de *arrière-*, et *cerveau.*

Embryol. Région arrière de l'encéphale, qui prolonge la moelle épinière. *Le bulbe rachidien, la protubérance annulaire et les pédoncules qui proviennent de l'arrière-cerveau embryonnaire* syn. : *rhombencéphale. Des arrière-cerveaux.*

**ARRIÈRE-CHŒUR** [aʀjɛʀkœʀ] n. m. — 1708; de *arrière-*, et *choeur.*

Archit. Chœur placé derrière le maître-autel, séparé du reste de la nef (par une grille, un voile, etc.), éventuellement destiné aux religieux cloîtrés, dans les églises monastiques. *Des arrière-chœurs.*

**ARRIÈRE-CORPS** [aʀjɛʀkɔʀ] n. m. — 1546; de *arrière-*, et *corps.*

Archit. Partie d'un bâtiment qui est en retrait (retraite) sur l'alignement de la façade (opposé à *avant-corps*). *Des arrière-corps.*

**ARRIÈRE-COUR** [aʀjɛʀkuʀ] n. f. — 1586; de *arrière-*, et *cour.*

Petite cour ménagée dans le corps ou sur l'arrière d'une maison pour servir de dégagement aux appartements (opposé à *avant-cour*). *Des arrière-cours.*

Hier, il a shooté dans le cabot puceux de la concierge et l'a expédié dans une poubelle de l'arrière-cour.
J. CAU, la Pitié de Dieu, p. 48.

**ARRIÈRE-COUSIN, INE** [aʀjɛʀkuzɛ̃, in] n. — 1752; de *arrière-*, et *cousin.*

Cousin, cousine à un degré éloigné. → **Arrière-petit-cousin.** *Des arrière-cousins.*

**ARRIÈRE-CUISINE** [aʀjɛʀkɥizin] n. f. — 1913, Proust; de *arrière-*, et *cuisine.*

Pièce (réduit, etc.) située derrière une cuisine. *Des arrière-cuisines.*

**ARRIÈRE-ÉTÉ** [aʀjɛʀete] n. m. — 1884, Daudet, *in* D. D. L.; de *arrière-*, et *été.*

Fin de l'été, derniers jours de l'été. *Des arrière-étés.* — (Écrit sans trait d'union) :

Une douceur traînait d'arrière été, de fin de saison, une douceur amère juste bonne à faire naître le regret des beaux jours et l'appréhension des temps à venir.
Suzanne PROU, les Dimanches, p. 128-129.

**ARRIÈRE-FAIX** [aʀjɛʀfɛ] n. m. invar. — 1539; de *arrière-*, et *faix.*

Vx, anat. Ce qui reste dans l'utérus après la sortie du fœtus (placenta et membranes). → **Délivrance, secondines** (vx).

L'arrière-faix a été ainsi appelé du vulgaire, parce qu'il vient après l'enfant, et qu'il est un autre faix à la femme (...) 1
Ambroise PARÉ, XVIII, 18 (→ Délivrance).

Aussitôt après l'accouchement, l'utérus revient sur lui-même, en vertu de son élasticité, pour se préparer à un nouvel effort annoncé par le retour des contractions destinées à le débarrasser du placenta et des annexes. L'expulsion de ces parties extra-embryonnaires (arrière-faix ou délivre) s'appelle la délivrance. 2
Pierre VALLERY-RADOT, le Grand Mystère, p. 100.

**ARRIÈRE-FIEF** [aʀjɛʀfjɛf] n. m. — 1236; de *arrière-*, et *fief.*

Hist. Fief relevant d'un autre fief. *Des arrière-fiefs.*

On voit dans les livres des fiefs que, quoique les vassaux du roi pussent donner en fief, c'est-à-dire en arrière-fief du roi, cependant ces arrière-vassaux ou petits vavasseurs ne pouvaient pas de même donner en fief (...)
MONTESQUIEU, l'Esprit des lois, XXXI, 26.

**ARRIÈRE-FLEUR** [aʀjɛʀflœʀ] n. f. — 1752, Rozier; de *arrière-*, et *fleur.*

Fleur qui apparaît après la floraison normale; seconde floraison. *Des arrière-fleurs.* Fig. *«Les poésies d'André Chénier sont comme des arrière-fleurs du classicisme»* (Faguet).

**ARRIÈRE-FOND** [aʀjɛʀfɔ̃] n. m. — Mil. XIX$^{e}$ (1842, Sainte-Beuve, *in* T. L. F.); de *arrière-*, et *fond.*

♦ **1** La partie la plus secrète, la plus intime de qqch. *Le fond et l'arrière-fond d'un tiroir. «Un arrière-fond d'épicerie»* (Goncourt). *Des arrière-fonds.* — Par métaphore. *L'arrière-fond de l'âme.* — REM. On trouve aussi *arrière-fonds* [aʀjɛʀfɔ̃] n. m. invar. (de *arrière-*, et *fonds*).

(...) ils l'ont tous imprimée dans l'arrière-fond obscur de son âme. Paul BOURGET, Un divorce, III. 1

Un flot d'idées silencieusement amassées dans l'arrière-fond de son être intime. 2
Paul BOURGET, Un divorce, VII.

3 Des détails revivent devant mes yeux, de ces menus détails qui se remarquent à peine, et puis ils demeurent cachés, on ne sait dans quel arrière-fond de la mémoire.
Paul BOURGET, Un divorce, IV, 4.

♦ **2** Arrière-plan, toile de fond. *En arrière-fond, on aperçoit la mer.*

4 C'était déjà un drame privé sur l'arrière-fond du drame national. Paul BOURGET, le Sens de la mort, p. 32.

**ARRIÈRE-FRONT** [aʀjɛʀfʀɔ̃] n. m. — 1922, Montherlant; de *arrière-*, et *front.*

Zone située en arrière du front des combats. *Des arrière-fronts.*

Édith et Antoinette étaient allées vendre leurs épiceries dans un village de l'arrière-front.
M. VAN DER MEERSCH, Invasion 14, t. I, p. 95.

**ARRIÈRE-GARDE** [aʀjɛʀgaʀd] n. f. — Av. 1150; de *arrière-*, et *garde; reregarde*, 1080, de l'anc. franç. *rere* «en arrière», du lat. *retro.*

♦ **1** Partie d'un corps d'armée qui ferme la marche. *Une puissante arrière-garde protège la retraite. Des arrière-gardes. De durs combats d'arrière-garde.*

1 (...) ils obligent les ennemis à sortir de leur camp pour les charger dans leur retraite. Alors ils marchent à eux, et rompent leur arrière-garde.
RACINE, les Campagnes de Louis XIV.

*En arrière-garde.* — **Figuré** :

1.1 Puis en arrière-garde, très loin, deux amoureux, nés dans des roulottes différentes, qui un jour, on ne sait pourquoi, se rattrapèrent.
GIRAUDOUX, Provinciales, éd. Ferenczi, p. 94.

♦ **2** Ce qui est en arrière, ou en retard (surtout dans : *d'arrière-garde*).

2 L'humanisme n'apparaît plus que comme un combat d'arrière-garde.
André SIEGFRIED, l'Âme des peuples, I, 2.

3 De nos jours (...) où certain pédantisme d'avant-garde commet autant d'injustice que naguère celui d'arrière-garde (...) Georges LECOMTE, Ma traversée, p. 265.

CONTR. **Avant-garde.**

**ARRIÈRE-GORGE** [aʀjɛʀgɔʀʒ] n. f. — 1831; de *arrière-*, et *gorge.*

Fond de la gorge, derrière les amygdales. *Des arrière-gorges.*

1 C'est par l'arrière-gorge que l'air doit passer avant d'aller dans les poumons.
A. RACIBORSKI, Précis pratique et raisonné du diagnostic, p. 734, *in* D. D. L., II, 8.

2 Ils marchaient sans parler, la tête vidée par la fatigue, la chaleur et l'âcre odeur de foin sec, qui desséchait le nez jusqu'à l'arrière-gorge. M. AYMÉ, la Vouivre, p. 84.

**ARRIÈRE-GOÛT** [aʀjɛʀgu] n. m. — 1764; de *arrière-*, et *goût.*

♦ **1** Goût qui reste dans la bouche après l'absorption de certains aliments ou de certaines boissons (→ **Déboire, vx**). *Un arrière-goût désagréable, amer. Des arrière-goûts.*

1 (...) mais à la dernière gorgée, les arrière-goûts se développent, les odeurs nauséabondes agissent (...)
A. BRILLAT-SAVARIN, Physiologie du goût, Méditation II, 11.

♦ **2** Fig. État affectif qui subsiste après le fait qui l'a provoqué. → **Souvenir.**

2 (...) il reste toujours dans la conscience quelque chose des sophismes qu'on y a versés; elle en garde l'arrière-goût, comme d'une liqueur mauvaise.
FLAUBERT, l'Éducation sentimentale, II, III.

3 (...) la visite nocturne de Jacques, lui avait laissé cet arrière-goût de déception, presque de désespoir.
MARTIN DU GARD, les Thibault, VI, II.

REM. L'opposé morphologique *avant-goût* ne s'oppose pas par le sens.

**ARRIÈRE-GRAND-MÈRE** [aʀjɛʀgʀɑ̃mɛʀ] n. f. — 1787; de *arrière-*, et *grand-mère.*

Mère de la grand-mère ou du grand-père (s'oppose à *arrière-petit-fils* et *arrière-petite-fille*). → **Bisaïeul.** *Des arrière-grand-mères.*

**ARRIÈRE-GRAND-ONCLE** [aʀjɛʀgʀɑ̃tɔ̃kl] n. m. — 1866; de *arrière-*, et *grand-oncle.*

Frère de l'arrière-grand-père ou de l'arrière-grand-mère (s'oppose à *arrière-petit-neveu, arrière-petite-nièce*). *Des arrière-grands-oncles.*

**ARRIÈRE-GRAND-PÈRE** [aʀjɛʀgʀɑ̃pɛʀ] n. m. — 1787; de *arrière-*, et *grand-père.*

Père du grand-père ou de la grand-mère (s'oppose à *arrière-petit-fils* et *arrière-petite-fille*). → **Bisaïeul.** *Des arrière-grands-pères.*

**ARRIÈRE-GRANDS-PARENTS** [aʀjɛʀgʀɑ̃paʀɑ̃] n. m. pl. — Mil. XX^e; de *arrière-*, et *grands-parents.*

L'arrière-grand-père et l'arrière-grand-mère (s'oppose à *arrière-petits-enfants*). → **Bisaïeul.** *Il a encore deux de ses arrière-grands-parents maternels.*

**ARRIÈRE-GRAND-TANTE** [aʀjɛʀgʀɑ̃tɑ̃t] n. f. — 1900; de *arrière-*, et *grand-tante.*

Sœur de l'arrière-grand-mère ou de l'arrière-grand-père (s'oppose à *arrière-petit-neveu, arrière-petite-nièce*). *Des arrière-grand-tantes.*

**ARRIÈRE-MAGASIN** [aʀjɛʀmagazɛ̃] n. m. — 1865, P. Larousse; de *arrière-*, et *magasin.*

Pièce située derrière un magasin. → **Arrière-boutique.** *Des arrière-magasins.*

Elle avait été vendeuse chez un chemisier de luxe. Non seulement il la payait misérablement, mais, de temps en temps, lorsque ça le prenait, il fermait boutique, tirait le rideau de l'arrière-magasin et s'occupait d'elle le temps d'une chaleur de sang.
J. CAU, la Pitié de Dieu, p. 47.

**ARRIÈRE-MAIN** [aʀjɛʀmɛ̃] n. — 1172-1175, *arrière-main*, loc. adv., «(en donnant un coup) en arrière»; de *arrière-* et *main.*

♦ **1** N. f. Vx. Revers de la main.

Ce qu'ont pu faire vos amis c'est de mettre en doute s'il l'a reçu *(le soufflet)* de l'avant-main ou de l'arrière-main.
PASCAL, les Provinciales, 14.

♦ **2** (1751). N. m. Partie postérieure du cheval, qui est en arrière de la main du cavalier (s'oppose à *avant-main*). *Des arrière-mains.*

♦ **3** Vx. Au jeu de paume, coup en revers.

REM. La langue anc. utilisait l'expr. *derrière main* : *«Une femme nommée Margot jouoit à la palme devant main et derrière main très puissamment»* (*Journal d'un Bourgeois de Paris*, 1405-1449, *in* Petiot).

**ARRIÈRE-NEVEU** [aʀjɛʀnəvø] n. m. — XIV^e; de *arrière-*, et *neveu.*

♦ **1** Descendant du neveu ou de la nièce, par rapport à l'oncle ou à la tante (s'oppose à *grand-oncle, grand-tante*). — Syn. : *petit-neveu.*

Il me reste à pourvoir un arrière-neveu. 1
LA FONTAINE, Fables, VIII, 1.

♦ **2** Vx ou littér. Au plur. *Les arrière-neveux* : les descendants, la postérité reculée. → **Arrière-petit-neveu.**

Mes arrière-neveux me devront cet ombrage. 2
LA FONTAINE, Fables, XI, 8.

Dans la progression des lumières croissantes, nous paraî- 3
trons nous-mêmes des barbares à nos arrière-neveux.
CHATEAUBRIAND, Mémoires d'outre-tombe, X.

4 J'ai vu nombre de malheureux s'épuiser à des besognes stériles, et c'est pourquoi je demande pour mes contemporains et mes arrière-neveux une vie d'ordre et d'effort fécond.
G. DUHAMEL, la Pesée des âmes, Notes liminaires, p. 20.

**ARRIÈRE-NIÈCE** [aʀjɛʀnjɛs] n. f. — XXe; de *arrière-*, et *nièce.*

Rare. Descendante du neveu ou de la nièce, par rapport à l'oncle ou à la tante (s'oppose à *grand-oncle, grand-tante*). — REM. On dit plutôt *petite-nièce.*

**ARRIÈRE-PAYS** [aʀjɛʀpei] n. m. invar. — 1898, *in* D. D. L.; de *arrière-*, et *pays.*

♦ **1** Région située en arrière d'une région côtière. *Résider dans l'arrière-pays.*

1 Les Croisés n'avaient pu s'emparer que de la Syrie maritime, en laissant tout l'arrière-pays aux musulmans (...)
René GROUSSET, l'Épopée des Croisades, p. 155.

2 Elle avait vite trouvé l'arrière-pays et, en glissant sur des pentes d'aiguilles sèches, découvert de creuses vallées rêches et sévères.
Cecil SAINT-LAURENT, Clarisse, p. 383.

♦ **2** Région proche d'un lieu géographique, qui en dépend. *L'arrière-pays d'une métropole urbaine, d'un bassin minier.*

**ARRIÈRE-PENSÉE** [aʀjɛʀpɑ̃se] n. f. — 1587, La Noue, repris en 1798, Académie; de *arrière-*, et *pensée.*

Souv. péj. Pensée, intention que l'on dissimule. → **Calcul, réserve, réticence.** *Son naturel franc et ouvert exclut toute arrière-pensée de sa part. Sans arrière-pensée.* → En tout bien* tout honneur. *Des arrière-pensées.*

1 Si franc qu'on le suppose, le rire cache une arrière-pensée d'entente (...) de complicité, avec d'autres rieurs réels ou imaginaires.
H. BERGSON, le Rire, p. 7.

2 (...) il avait été recommandé par des amis communs, non sans arrière-pensée de mariage.
LOTI, Figures et Choses..., XVII.

3 Michèle, bien loin d'être touchée par l'intérêt que lui témoignait notre belle-mère, lui attribuait des arrière-pensées malveillantes (...)
F. MAURIAC, la Pharisienne, p. 248.

4 Personne n'est plus dépourvu de desseins, d'arrière-pensées (...) que moi.
COLETTE, la Naissance du jour, p. 177.

CONTR. **Déclaration, démonstration, manifestation, protestation.**

**ARRIÈRE-PETIT-COUSIN** [aʀjɛʀpətikuzɛ̃]
**ARRIÈRE-PETITE-COUSINE** [aʀjɛʀpətitkuzin] n. — 1842, Hugo; de *arrière-*, et *petit-cousin.*

Fils, fille de petits-cousins. → **Arrière-cousin.**

**ARRIÈRE-PETITE-FILLE** [aʀjɛʀpətitfij] n. f. — 1636; de *arrière-*, et *petite-fille.*

La fille du petit-fils, de la petite-fille. *Des arrière-petites-filles* (s'oppose à *arrière-grand-mère* et *arrière-grand-père*).

**ARRIÈRE-PETITE-NIÈCE** [aʀjɛʀpətitnjɛs] n. f. — 1866; de *arrière-*, et *petite-nièce.*

Fille d'une petite-nièce ou d'un petit-neveu (s'oppose à *arrière-grand-tante* et *arrière-grand-oncle*).

**ARRIÈRE-PETIT-FILS** [aʀjɛʀpətifis] n. m. — 1556; de *arrière-*, et *petit-fils.*

Fils du petit-fils, de la petite-fille. *Des arrière-petits-fils* (s'oppose à *arrière-grand-père* et *arrière-grand-mère*).

**ARRIÈRE-PETIT-NEVEU** [aʀjɛʀpətin(ə)vø] n. m. — 1751; de *arrière-*, et *petit-neveu.*

Fils d'un petit-neveu, d'une petite-nièce (s'oppose à *arrière-grand-oncle* et *arrière-grand-tante*). — Au plur. Par ext. Descendants lointains. → **Arrière-neveu,** 2.

À Dreux, où des renards qui mangeaient des baies sous les genévriers effrayèrent mon père quand il regagnait le collège, après les arrière-petits-neveux de ces renards, peut-être, des chiens aboyaient.
GIRAUDOUX, Siegfried et le Limousin, p. 293.

**ARRIÈRE-PETITS-ENFANTS** [aʀjɛʀpətizɑ̃fɑ̃] n. m. pl. — 1555; de *arrière-*, et *petits-enfants.*

Les descendants du petit-fils, de la petite-fille (s'oppose à *arrière-grands-parents*).

Le sentiment si vif qui attache un Père à ses Enfants; le plaisir aussi vif de voir ses Petits-enfants, tout cela est usé pour moi. Je vois commencer la cinquième génération : il semble que la nature ne veuille pas étendre si loin notre sensibilité; ces Arrière-petits-enfants me semblent des Étrangers. 1
RESTIF DE LA BRETONNE, la Vie de mon père, p. 65.

Les gratte-ciel translucides du plus récent New York, certaines œuvres d'art cinétique donnaient une faible idée du décor où évolueraient, vingt fois plus épanouis, plus beaux, plus intelligents et plus savants que nous, nos arrière-petits-enfants. 2
Jean-Louis CURTIS, le Roseau pensant, p. 271.

**ARRIÈRE-PLAN** [aʀjɛʀplɑ̃] n. m. — 1811; de *arrière-*, et *plan.*

♦ **1** Plan en arrière d'un autre. — Peint., photogr., et cin. Le plan le plus éloigné de l'œil du spectateur (opposé à *premier plan*). → **Arrière-fond.** *Des arrière-plans.*

Ces ouvertures *(entre les montagnes)* ne laissaient voir qu'un arrière-plan de rochers aussi arides que les premiers plans. 1
CHATEAUBRIAND, Itinéraire..., 4, Jérusalem.

(...) de grandes photographies en couleurs où le beau visage d'une femme indienne paraît devant des arrière-plans de chariots en feu (...) 2
A. PIEYRE DE MANDIARGUES, la Marge, p. 100.

♦ **2** Fig. *Reléguer qqn à l'arrière-plan,* dans une position de second ordre. → **Position.** *Ce projet est passé à l'arrière-plan,* il est tombé dans l'ombre, dans l'oubli.

**ARRIÈRE-POINT** [aʀjɛʀpwɛ̃] n. m. → **Point-arrière.**

**ARRIÈRE-PORT** [aʀjɛʀpɔʀ] n. m. — 1866; de *arrière-*, et *port.*

Mar. Partie reculée d'un port (opposé à l'*avant-port*). *Des arrière-ports.*

**ARRIÉRER** [aʀjeʀe] v. tr. — 1285, de *arrière.*

♦ **1** Vx. Retarder. *Arriérer un paiement.*

♦ **2** Pron. (1762). *S'arriérer :* laisser en retard des paiements échus. *Notre locataire s'est arriéré de plusieurs termes.*

◆ **ARRIÉRÉ, ÉE** p. p. et adj. (Voir à l'ordre alphabétique).

CONTR. **Avancer.** ◊ DÉR. **Arriéré,** adj. et n. m.

**ARRIÈRE-SAISON** [aʀjɛʀsɛzɔ̃] n. f. — V. 1500; de *arrière-*, et *saison.*

♦ **1** La dernière saison de l'année, l'automne; la fin de l'automne, le commencement de l'hiver. → **Arrière-automne.** *Une belle arrière-saison.*

(...) dans l'air qui passe, cette senteur spéciale des arrière-saisons, senteur des bois qui se dépouillent (...) 1
LOTI, Ramuntcho, II, 3.

Ainsi, dans un soir pur de l'arrière-saison (...) 2
LAMARTINE, Socrate, 809.

Fig. L'âge voisin de la vieillesse. → **Automne.**

3 Je regarde et n'envisage
Pour mon arrière-saison
Que le malheur d'être sage.
G. de Chaulieu, la Goutte.

4 L'arrière-saison apporte à l'homme les élans de sa jeunesse, mais sans leur innocence.
Edmond Jaloux, le Dernier Jour de la création, XIII.

♦ **2** La fin d'une saison, d'une campagne agricole, les mois qui précèdent la nouvelle récolte. *Ce vin ne se boit que dans l'arrière-saison* (c'est-à-dire dans les mois de juillet et d'août). *Oranges d'arrière-saison* (l'été, dans le bassin méditerranéen).

CONTR. (Fig.) **Commencement, jeunesse, prémices, printemps, renouveau.**

**ARRIÈRE-SALLE** [aʀjɛʀsal] n. f. — 1853; de *arrière-*, et *salle.*

Salle située derrière une autre. *Ce café a deux arrière-salles.*

1 Cependant, lorsque l'homme se leva, alla vers elle et la ramena dans la pénombre de l'arrière-salle, le tremblement des mains s'était déjà atténué.
M. Duras, Moderato cantabile, p. 70.

2 Aussi, malgré tout le génie d'Anna de Noailles, ses airs sublimes et le culte passionné qu'elle avait de la gloire s'accordaient mal avec le cadre du *Jockey* par exemple et d'autres arrière-salles de bistro où elle disait ses vers dans la fumée des pipes et l'aigre odeur des cache-cols et des chandails mouillés.
Francis Carco, Ombres vivantes, p. 265.

**ARRIÈRE-SCÈNE** [aʀjɛʀsɛn] n. f. — 1769; de *arrière-*, et *scène.*

♦ **1** Partie postérieure d'une scène de théâtre (s'oppose à *avant-scène*). *Des arrière-scènes.*

♦ **2** Arrière-plan, arrière-fond (Hugo, *le Rhin, in* T. L. F.).

**ARRIÈRE-TRAIN** [aʀjɛʀtʀɛ̃] n. m. — 1827; de *arrière-*, et *train.*

♦ **1** Partie postérieure du corps d'un quadrupède. *Lièvre sur son arrière-train,* assis. Fam. Fesses (d'une personne). → **Postérieur.**

♦ **2** (1832, *in* D. D. L.). Partie postérieure d'un véhicule à quatre roues. *Des arrière-trains* (s'oppose à *avant-train*).

**ARRIÈRE-VASSAL, AUX** [aʀjɛʀvasal, o] n. m. — 1599; de *arrière-*, et *vassal.*

Hist. Vassal d'un suzerain qui était lui-même le vassal d'un autre seigneur. *Les arrière-vassaux formaient l'arrière-ban. L'arrière-fief de l'arrière-vassal.* → **Arrière-fief.**

Les arrière-vassaux étaient dans les mêmes termes avec les grands vassaux *(que ceux-ci avec le roi).*
Montesquieu, l'Esprit des lois, XXVIII, 29.

**ARRIÈRE-VOUSSURE** [aʀjɛʀvusyʀ] n. f. — 1561; de *arrière-*, et *voussure.*

Archit. Voûte que l'on construit en arrière d'une porte, d'une baie ou d'une fenêtre pour couronner l'embrasure et faciliter l'ouverture, le développement des vantaux. *Des arrière-voussures.*

**ARRIMAGE** [aʀimaʒ] n. m. — 1398, «mise en état»; sens mod. 1678; de *arrimer.*

♦ **1** Action d'arrimer. — Résultat de cette action, arrangement des marchandises dans les cales d'un navire, et, par ext., dans les wagons de chemin de fer, les camions. → **Chargement; accorage.** *Navire* (cit. 13) *disposé pour l'arrimage. Le capitaine du navire est responsable des dommages pouvant résulter d'un arrimage défectueux* (→ **Désarrimage, ripage).**

Un capitaine (...) a besoin de bois pour l'arrimage, il en achètera.
Montesquieu, l'Esprit des lois, XX, 6.

Ils se démenaient tous, changeant, chavirant l'arrimage.
Loti, Pêcheur d'Islande, II, 12, p. 128.

Snubbins présida lui-même à l'arrimage des caisses de vivres, particulièrement abondants et choisis, et il fit des adieux presque émus aux trois voyageurs.
Jean Ray, les Derniers Contes de Canterbury, p. 197.

♦ **2** Action d'arrimer (2.). *Arrimage d'une embarcation.* → **Amarrage.** *Arrimage de deux engins spatiaux.*

CONTR. et COMP. **Désarrimage.**

**ARRIMER** [aʀime] v. tr. — 1361, «mettre en état»; moy. angl. *remen, rimen,* rad. *rum* «place» (*room* en angl. mod.); provençal *arumar,* esp. *arrumar.*

♦ **1** Mar. Répartir, placer, ranger méthodiquement dans la cale d'un navire (les objets qui composent sa cargaison). → **Accorer, charger.** — Par ext. Caler, fixer (un chargement, un colis). *Arrimer des colis dans un wagon. Caisses mal arrimées.*

Je laissai Conseil arrimer convenablement nos malles, et je remontai sur le pont afin de suivre les préparatifs de l'appareillage.
J. Verne, Vingt mille lieues sous les mers, p. 24.

♦ **2** Fixer (avec des cordes, des chaînes, etc.) deux choses l'une à l'autre (dont l'une ou toutes deux sont mobiles). *Arrimer un bateau au quai.* → **Amarrer.** *Arrimer deux engins dans l'espace.*

♦ **3** Régional (Bretagne, Canada). Mettre en ordre. *Arrimer des boîtes sur une étagère.* Par ext. Arranger, préparer. → **Arrimeur** (arrimeuse [de sardines]).

DÉR. **Arrimage, arrimeur.**

**ARRIMEUR, EUSE** [aʀimœʀ, øz] n. — 1398; de *arrimer.*

♦ **1** Mar. Celui qui arrime les marchandises à bord d'un navire. → **Chargeur, docker.**

Il était arrimeur habile (...)
Hugo, les Travailleurs de la mer, I, III, 9.

(...) il s'était fait arrimeur de navires (...)
Loti, Mon frère Yves, XCVII.

♦ **2** Aviat. navale. Celui qui est chargé de l'entretien des appareils (les moteurs exceptés).

♦ **3** Régional (Bretagne). *Arrimeuse de sardines :* ouvrière spécialisée dans les conserveries, chargée de ranger (arrimer) les poissons dans les boîtes.

**ARRISER** ou **ARISER** [aʀize] v. tr. — 1643; de *à*, et 2. *ris.*

Mar. Diminuer la surface de (une voile), en prenant un ou plusieurs ris. → 2. **Ris.** *Arriser l'artimon, la misaine.* — Au p. p. *Grand-voile arrisée* (ou *arisée*).

**ARRIVAGE** [aʀivaʒ] n. m. — 1260, «droit de débarquement»; de *arriver.*

♦ **1** Mar. Vx. Action d'aborder au port, de toucher terre. → **Abord.**

Vx. Arrivée (d'un véhicule terrestre).

♦ **2** Mod. Arrivée de marchandises (d'abord, par mer). *Un grand arrivage de fruits aux halles.* Par ext. Les marchandises elles-mêmes. — Iron. *Un arrivage de touristes, d'estivants.*

♦ **3** Par métonymie. Lieu où sont reçues des marchandises qui arrivent. *L'arrivage et l'expédition, dans une gare de marchandises.*

**ARRIVANT, ANTE** [arivɑ̃, ɑ̃t] adj. et n. — 1801, adj., Stendhal; du p. prés. de *arriver.*

♦ **1** Qui arrive. *«Les provinciaux arrivants»* (Stendhal).

1 (...) les lettres arrivantes et les lettres partantes ne se timbrent pas dans le même local (...)
GIDE, Souvenirs de la cour d'assises, *in* Souvenirs, Pl., p. 623.

♦ **2** N. m. (Mil. XIXe : Hugo, 1862; G. Sand, *in* P. Larousse, 1866). Personne qui arrive. *Les arrivants et les partants. Un nouvel arrivant. Le dernier arrivant était une jeune femme.*

1 Cette auberge est parfois forcée d'inviter les trop nombreux arrivants à s'installer dans les maisons du voisinage.
G. SAND, *in* P. LAROUSSE.

2 (...) dans le flot des arrivants qui s'éparpillait sur l'avenue, il la suivit (...) LOTI, Matelot, XXXI.

3 On restreint le nombre des nouveaux arrivants, on les trie sur le volet.
G. DUHAMEL, Scènes de la vie future, XV, p. 233.

4 Il tendit, sans se lever, à l'arrivant, une main grasse, énergique et velue.
G. DUHAMEL, le Voyage de P. Périot, I.

REM. Le fém. *une arrivante* est normal, mais semble rare.

CONTR. **Partant.**

**ARRIVÉ, ÉE** [arive] adj. et n. — P. p. de *arriver.*

♦ **1** N. *Premier, dernier arrivé :* celui qui est arrivé le premier, le dernier. *Les nouveaux arrivés :* ceux qui sont arrivés récemment, en dernier.

1 (...) il *(le chef)* nous explique qu'il n'a pu faire autrement que de servir d'abord les premiers arrivés (...)
GIDE, Voyage au Congo, *in* Souvenirs, Pl., p. 753.

♦ **2** Adj. Qui a réussi (socialement, professionnellement). *Un homme arrivé. Il est arrivé, mais il ne le mérite pas.* → **Parvenu;** → Arriver, cit. 37.

N. Personne arrivée. → Arriviste, cit. 3. — REM. Le féminin est inusité.

2 C'est un travail curieux que de démêler chez un jeune les influences des arrivés. Que de mal on se donne avant de prendre son originalité chez soi, tout simplement!
J. RENARD, Journal, 27 oct. 1887.

**ARRIVÉE** [arive] n. f. — 1527; de *arriver.*

♦ **1** Action d'arriver; moment où qqn, qqch. arrive. *L'arrivée du bateau, du train. Arrivée* (du train, des voyageurs) *en gare.* → **Entrée.** *Heure d'arrivée du train, du courrier. Il m'annonce son arrivée pour le mois prochain. Souhaiter la bienvenue aux invités à leur arrivée. Je vous verrai à mon arrivée, dès mon arrivée. Votre arrivée me fait grand plaisir.* → **Avent** (rare), **venue.** *L'arrivée du Messie.* → **Avènement, venue.** *Arrivée inattendue, imprévue.* → **Apparition, survenance.** *Arrivée de la foule.* → **Affluence, afflux.** — (1895, *in* Petiot). Spécialt, sports. *Assister à l'arrivée des coureurs cyclistes. Ordre d'arrivée. Ligne d'arrivée. Juge d'arrivée* (ou *à l'arrivée*). *Faire une belle arrivée.* Fig. *L'arrivée d'un enfant,* sa naissance. — *L'arrivée d'une personnalité à un poste de responsabilité.* → **Accession.** — *(Une, des arrivées). Les arrivées se succédaient.*

1 Arrivée exprime plutôt le fait se faisant, une action (...) venue représente plutôt le fait comme accompli, comme un résultat. LAFAYE, Suppl., Arrivée.

2 C'était le jour de mon arrivée ici.
Alphonse DAUDET, Lettres de mon moulin, II.

REM. *Arrivée* se dit de choses, de marchandises qui arrivent à destination. *L'arrivée des colis à la poste. L'arrivée du poisson sur le marché. Arrivage* se réfère moins à l'action, au temps de l'*arrivée* qu'aux marchandises elles-mêmes. *De gros arrivages de harengs.*

Math. *Ensemble d'arrivée* (ou but) *d'une application, d'une fonction.*

♦ **2** Plur. *Les arrivées :* les choses arrivées à destination. *Le service des arrivées.*

♦ **3** Techn. Passage (d'un fluide) qui arrive quelque part. *Arrivée d'air, d'essence, des gaz. Tuyau d'arrivée.*

♦ **4** Fig. *L'arrivée du printemps, des premiers froids.* → **Apparition, commencement, début.**

♦ **5** Lieu où arrivent des voyageurs, des coureurs, etc. *Où est l'arrivée ?* — Spécialt. Sports (1869, *in* Petiot). Ligne d'arrivée (→ ci-dessus). *Franchir l'arrivée. Tracer, marquer l'arrivée.*

♦ **6** Mar. Mouvement d'un navire qui tourne de manière à recevoir le vent par l'arrière.

CONTR. **Départ, sortie.** — **Auloffée** (mar.).

**ARRIVER** [arive] v. intr. — Mil. XIe, *ariver* «aborder, accoster»; lat. vulg. **arripare,* de *ad* et *ripa* «rive».

**I** **A** Dans le contexte maritime. ♦ **1** Vx. Toucher la rive, le bord. → **Aborder, accoster,** 2. **atterrir, toucher** (terre).

Les autres qui ne se voulurent point dédire *(furent)* poignardés et jetés dans l'Escault, avec défense publiée de n'en laisser arriver aucun. D'AUBIGNÉ, Hist., II, 69. 1

♦ **2** (Avec compl.). Approcher de la rive, du port. *Arriver par eau, en bateau. Arriver dans le port. Arriver au port* (par mer pour y débarquer, ou par terre pour y embarquer). — Passif et p. p. *Arrivée devant le port, la flotte ouvrit le feu.*

Nous nous vîmes trois mille en arrivant au port (...) 2
J'en cache les deux tiers, aussitôt qu'arrivés,
Dans le fond des vaisseaux qui lors furent trouvés (...)
CORNEILLE, le Cid, IV, 3.

Et bientôt, démentant le faux bruit de sa mort, 3
Mithridate lui-même arrive dans le port.
RACINE, Mithridate, I, 4.

REM. Le verbe, surtout en emploi absolu et même dans un contexte maritime, est aujourd'hui compris au sens B.

(...) le tout petit débarcadère tranquille, où sans doute elles allaient arriver (...) LOTI, les Désenchantées, III, 11. 4

Fig. *Arriver à bon port.* → **Port.**

♦ **3** Mar. *Ce bateau arrive sur nous :* il se dirige vers nous, va nous aborder. *Ce vaisseau arriva sur l'autre et lui lâcha sa bordée* (Académie).

♦ **4** Mar. Faire tourner un navire de telle sorte qu'il fasse un angle plus grand avec la direction du vent (pour augmenter l'effet du vent sur les voiles) → **Abattre,** III. *Arrive!* (commandement fait au timonier). *Sans arriver!* (ordre de tenir au plus près).

**B** ♦ **1** Toucher au terme d'un déplacement, d'un voyage; parvenir au lieu où l'on voulait aller. *Nous arriverons à Paris à midi.* → **Parvenir, rendu** (être rendu à). *Arriver en France, dans sa maison, chez soi. On y arrive par une rue étroite. On arrive à cette terrasse par vingt marches. Le sommet est très accessible, on peut facilement y arriver.* → **Accéder, atteindre.**

Loc. Par métaphore de A. *Arriver à bon port** (→ 1. Port, cit. 10). (Véhicules). *La voiture arrive en haut de la côte.* — (Animaux). *Les chevaux arrivent à la dernière ligne droite.*

5 Il se trouva que ce n'étaient *(les cavaliers)* que des coquetiers qui marchaient toute la nuit pour arriver à Paris.
LA ROCHEFOUCAULD, Mémoires, 167.

6 Après bien du travail, le coche arrive au haut (...)
LA FONTAINE, Fables, VII, 9.

7 *(Perrette)* Prétendait arriver sans encombre à la ville.
LA FONTAINE, Fables, VII, 10.

8 Ainsi est mort le père Bourgoing; et voilà qu'étant arrivé dans la bienheureuse terre des vivants, il voit et il goûte (...)
BOSSUET, Oraison funèbre du P. Bourgoing.

9 Il *(Bonaparte)* aborde à terre, part, arrive à Lyon, prend la route du Bourbonnais (...)
CHATEAUBRIAND, Mémoires d'outre-tombe, t. II, p. 367.

10 Le lendemain ils arrivèrent à Notre-Dame-de-Lorette, qui est placée sur le haut de la montagne, et d'où l'on découvre la mer Adriatique. Mme DE STAËL, Corinne, XV, 5.

(Voie, chemin). *Le sentier arrive au village.*

(Sans compl. de destination). Selon les contextes, terminer un déplacement, un voyage; terminer une course, franchir la ligne d'arrivée. *Nous voici, nous voilà arrivés. Arriver de Londres.* → **Venir** (de). *Il ne fait que d'arriver. Il est nouvellement arrivé dans la ville. Arriver par le train, par la route, par mer, par avion. Arriver en auto, à cheval. Arriver de jour, de nuit; de bonne heure, en retard, tard. — Arriver le premier, le dernier. Arriver devant qqn.* → **Devancer, précéder.** *Arriver après qqn.* → **Suivre.** *— Atteindre un lieu. Arriver sans être attendu, à l'improviste, inopinément.* → **Surprendre, survenir, tomber** (des nues, du ciel, etc.). *Arriver à propos, mal à propos.* → **Tomber** (fam. tomber bien ou mal). — Loc. *Arriver comme un chien* dans un jeu de quilles.* — Impers. *Il est arrivé un visiteur que nous n'attendions pas. Il est arrivé des visites en votre absence.*

11 Arrive un troisième larron
Qui saisit maître Aliboron.
LA FONTAINE, Fables, I, 13.

12 Il partit comme un trait; mais les élans qu'il fit
Furent vains : la tortue arriva la première.
LA FONTAINE, Fables, VI, 10.

13 Les voilà bons amis avant que d'arriver.
LA FONTAINE, Fables, VIII, 10.

14 *(Il)* arrive de son ambassade (...)
LA BRUYÈRE, les Caractères, 5.

15 Ces trois sorcières *(dans Macbeth)* arrivent au milieu des éclairs et du tonnerre, avec un grand chaudron dans lequel elles font bouillir des herbes.
VOLTAIRE, Lettre à Duclos, 25 déc. 1761.

16 Quand on ne veut qu'arriver, on peut courir en chaise de poste; quand on veut voyager, il faut aller à pied.
ROUSSEAU, Émile, V.

17 Nous *(les carabiniers)* arrivons toujours trop tard.
H. MEILHAC et L. HALÉVY, les Brigands, I, 2 (→ Carabinier).

18 En faisant tant de détours, en m'égarant par de tels méandres, je n'arriverai jamais.
FRANCE, le Petit Pierre, VIII.

19 J'arrivai à l'improviste à deux heures du matin.
LOTI, Aziyadé, III, 30.

20 Elle arrivait tantôt par le train, tantôt par le tramway.
G. DUHAMEL, Chronique des Pasquier, III, 1.

(Le sujet désigne un véhicule autre qu'un navire; → I.). *L'avion arrive.* → **Atterrir.** *L'hydravion arrive.* → **Amerrir.** *Le train arrive,* entre en gare*. *L'autobus, le car va arriver.*

♦ **2** Se mouvoir de manière à atteindre un but. → **Approcher, venir** (venir vers). *Le voici qui arrive* (→ fam. S'abouler*, s'amener*, se pointer*, se radiner*, rappliquer*). *Il arrive à grands pas, en courant, en toute hâte, dare-dare, comme un ouragan, une bombe, en trombe. La foule arrive de toutes parts.* → **Affluer.**

21 La marée cependant arrive de tous côtés (...)
Mme DE SÉVIGNÉ, 47.

Fam. *Arrive! :* viens ici.

Alors, il *(M. le Curé)* nous appelait chacun à notre tour : — Jacques! Michel! Nicolas! Arrive! (...) 2
ERCKMANN-CHATRIAN, Histoire d'un paysan, t. I, 1870, p. 63 (*in* T.L.F.).

♦ **3** Parvenir à atteindre, après des difficultés. *La foule m'empêchait d'avancer; je n'ai pu arriver auprès de lui, jusqu'à lui. Sa porte est bien gardée; je n'ai pu arriver jusqu'à cet homme inaccessible.*

Depuis plus de deux mois que je suis à Madrid, je n'ai pas pu arriver jusqu'au secrétaire du ministre. 2
A. R. LESAGE, *in* P. LAROUSSE.

♦ **4** (Abstrait). Survenir, venir. *Il voyait la vieillesse, la mort arriver.*

♦ **5** Par ext. (avec un pronom compl. et un compl. en *à*). Atteindre à une certaine taille. *Cet enfant grandit beaucoup, il m'arrive déjà à l'épaule.* Fig. *Il ne lui arrive pas à la cheville, à la ceinture.* → **Cheville, ceinture.**

**C** Fig. ♦ **1 ARRIVER À** (et subst.). Temporel. Atteindre, parvenir à (un état). *Arriver à un certain âge. Arriver au bout, à la fin, au terme de son existence.* → **Atteindre, parvenir, toucher.**

Nous arrivons tout nouveaux aux divers âges de la vie. 2
LA ROCHEFOUCAULD, Maximes, 405.

(...) ce que vous croyez la fin de votre course, quand vous y serez arrivés, vous ouvrira inopinément une nouvelle carrière (...) BOSSUET, Sermons, Impénitence, 2. 2

Arrivé lentement à sa fin, pour le malheur de la France et de l'Europe entière, à un âge qui n'est souvent que la moitié de celui des hommes, il *(Louis XIII)* ne la regarda que comme sa délivrance pour s'envoler à son Dieu (...) 2
SAINT-SIMON, Mémoires (1715), p. 291.

REM. La construction avec *dans, où...* peut exprimer la même idée.

Au banquet de la vie, infortuné convive, 2
J'apparus un jour et je meurs :
Je meurs, et sur ma tombe, où lentement j'arrive,
Nul ne viendra verser des pleurs.
Nicolas GILBERT, Odes, IX.

*Arriver au but qu'on s'est proposé. Arriver à ses fins. Arriver à un poste, à une haute situation, aux dignités, aux honneurs, au succès, à la fortune. Arriver à la connaissance, à la perfection, à la vérité. N'arriver à rien.*

(...) ne voyant pas la vérité entière, ils n'ont pu arriver à une parfaite vertu. PASCAL, Pensées, t. II, VII, 435. 2

Quand l'amour est bien fort, rien ne peut l'arrêter : 2
Ses projets seulement vont à se contenter;
Et pourvu qu'il arrive au but qu'il se propose
Il croit que tout le reste après est peu de chose.
MOLIÈRE, le Dépit amoureux, II, 1.

On fait sa brigue pour arriver à un grand poste (...) 2
LA BRUYÈRE, les Caractères, 8.

Médiocre et rampant, et l'on arrive à tout. 3
BEAUMARCHAIS, le Mariage de Figaro, III, 5.

(...) ces deux jeunes cœurs étaient arrivés à cette confiance sans bornes qui fait peut-être le plus doux charme de l'amour. 3
STENDHAL, Armance, *in* Romans, Pl., t. I, p. 655.

Dans l'amour-passion, l'intimité n'est pas tant le bonheur parfait que le dernier pas pour y arriver. 3
STENDHAL, De l'amour, XXXII.

Si, dans son œuvre, le mystérieux artiste qui sait arriver miraculeusement vite à ses fins (...) 3
BALZAC, Séraphîta, IV, Pl., t. X, p. 550.

♦ **2** (1798). Absolt. → **Réussir.** *Cet individu veut à tout prix arriver.* → **Arriviste.**

Médina Sidonia était de ces hommes à qui il ne manque rien pour cheminer et arriver dans les cours (...) 3
SAINT-SIMON, Mémoires, 81, 49, *in* LITTRÉ.

Pour bien arriver, il faut d'abord arriver soi-même, puis que les autres n'arrivent pas. 3
J. RENARD, Journal, 10 mars 1894.

1 Pour arriver, il faut boire ou des saletés, ou des chefs-d'œuvre. Êtes-vous plus capable des unes que des autres ?
J. RENARD, Journal, 15 nov. 1894, Pl. p. 168.

6 Arriver. Jacques se demande à quoi on arrive.
COCTEAU, le Grand Écart, p. 7.

7 (...) même plus tard, quand le fils « arrivé » occuperait le premier rang. F. MAURIAC, le Sagouin, III.

♦ **3 ARRIVER À** (et l'inf.) : réussir à ; finir par... *Il n'arrive pas à faire démarrer sa voiture. Je n'y arrive pas.*

8 On arrive à haïr ce qu'on aimait naguère.
HUGO, la Légende des siècles, « Aymerillot ».

9 J'espérais, à force de travail, arriver à reconstruire notre fortune ; mais le démon s'en mêle !
Alphonse DAUDET, le Petit Chose, p. 42.

0 Certaines femmes n'arrivent pas à comprendre qu'elles doivent entretenir leur beauté, comme les hommes intelligents doivent entretenir leur esprit.
Edmond JALOUX, les Visiteurs, IV.

♦ **4** Spécialt. **ARRIVER À** (un sujet, un point d'une discussion...). Aborder un sujet, l'examiner, passer d'un sujet à un autre. *Arriver à la conclusion de son discours. Quant à la seconde objection, ne m'interrogez pas, j'y arrive :* je vais bientôt l'examiner (Académie). *Arrivons au fait.* → **Venir** (au fait).

1 Il ne se croyait le droit de quitter une idée que lorsqu'il était arrivé au bout (...)
HUGO, Quatre-vingt-treize, II, I, 2.

2 Me voici arrivé aux pages les plus sombres de mon histoire, aux jours de misère et de honte.
Alphonse DAUDET, le Petit Chose, p. 327.

♦ **5** (1866). **EN ARRIVER À.** (Comme *en venir* à, en arriver à* insiste sur l'antécédent d'où l'on part. On ne trouve aucun exemple de cet emploi dans Littré ni dans Hatzfeld. Le Larousse du XIXe s. et Académie Huitième éd. ne l'indiquent que sous la forme impersonnelle. → *Infra*). *J'en étais arrivé à la fin de mon discours lorsque... J'en arrive à la conclusion. J'en arrive à me demander s'il a vraiment du cœur. Il faudra bien en arriver là. Comment peut-on en arriver là ?* → **Aboutir.**

3 Qui n'a connu de ces heures où l'on en arrive à ne plus se sentir vivre, tant le sentiment de la vie devient intense et accablant.
Edmond JALOUX, la Chute d'Icare, p. 267.

4 Je vous jure que je n'ai rien fait pour en arriver là (...).
MARTIN DU GARD, Jean Barois, I, Le compromis symbolique, II.

**II A** (Sujet n. de chose). ♦ **1** Parvenir à destination. *Un colis est arrivé pour vous. Deux lettres lui sont arrivées de Paris. La lettre n'est pas arrivée à son adresse. Le beaujolais nouveau est arrivé* (annonce traditionnelle à la devanture des cafés, en novembre, lorsque le beaujolais de l'année est livré ; René Fallet en a fait le titre d'un de ses romans). *Des marchandises provenant de tous les pays arrivent chaque jour en France par mer, par terre, et par air* (ou, impers. *il arrive chaque jour en France... des marchandises...*). → **Affluer, parvenir, transporter** (être transporté). *Un tuyau par lequel arrive l'eau.* → **Conduire** (être conduit). Impers. *Il arrive de l'air par cette fenêtre.*

♦ **2** Fig. Parvenir. *Arriver jusqu'à (qqn). Les renseignements ne me sont pas encore arrivés. Le bruit est arrivé jusqu'à ses oreilles. Cette musique ne m'arrive pas.*

5 Tout à coup, du bout du navire, une voix stridente, éplorée, arrive jusqu'à nous (...)
Alphonse DAUDET, le Petit Chose, p. 18.

Fig. S'offrir, se présenter à l'esprit, en parlant des mots et des idées.

6 Ce que l'on conçoit bien s'énonce clairement,
Et les mots pour le dire arrivent aisément.
BOILEAU, l'Art poétique, I.

On eût dit que le monde extérieur n'arrivait jusqu'à moi qu'à travers des chefs-d'œuvre. 47
A. MAUROIS, Climats, I, 4.

♦ **3** Atteindre un certain niveau. → **Atteindre, élever** (s'), **monter.** *L'eau lui arrive à la ceinture. Le lierre arrive jusqu'au toit.*
En parlant des prix. *Le dollar est arrivé à x francs.*

♦ **4** (En parlant du temps). Venir, être sur le point d'être. *La nuit arrive.* → **Tomber.** *Le jour arrive.* → **Lever** (se). *Le temps des moissons arrivait.* → **Approcher, proche** (être). *Son tour arrivera. Sa dernière heure est arrivée.* → **Sonner.** *Un jour arrivera où nous devrons nous séparer.* → **Venir.**

Le jour de gloire est arrivé. 47.1
ROUGET DE LISLE, la Marseillaise.

Impers. *Il arrivera un jour où nous serons contraints de...*

**B** Temporel (faits, événements). ♦ **1** (XVIIe). Se produire, survenir. → **Accomplir** (s'), **advenir, lieu** (avoir), **passer** (se), **produire** (se), **réaliser** (se), **survenir.** *Ce qui est contingent peut arriver ou ne pas arriver. Si cela arrive.* → **Échoir ; éventuellement.** *Arriver à qqn. Cet événement est cause de tous les ennuis qui nous sont arrivés. Un malheur n'arrive jamais seul. La chose est arrivée autrement que nous l'avions prévu.*

Il vaut mieux employer notre esprit à supporter les infortunes qui nous arrivent qu'à prévoir celles qui nous peuvent arriver. LA ROCHEFOUCAULD, Maximes, 174. 48

Vous ignorez les prophéties si vous ne savez que tout cela doit arriver (...) PASCAL, Pensées, t. III, XIV, 888. 49

Je vous suis infiniment obligé de prendre part aux honneurs qui m'arrivent (...) 50
MOLIÈRE, le Bourgeois gentilhomme, V, 3.

Le mariage ne doit jamais arriver qu'après les autres aventures. MOLIÈRE, les Précieuses ridicules, 5. 51

Ce fut dans la ville d'Athènes 52
Que cette rencontre arriva.
LA FONTAINE, Fables, II, 20.

La cour est en grande attente de ce qui arrivera (...) 53
BOSSUET, Lettres, Quiétisme, 126.

(...) le pis qui pût lui arriver. 54
Mme DE SÉVIGNÉ, 30 oct. 1689.

Il attend qu'il soit seul pour éternuer, ou si cela lui arrive, c'est à l'insu de la compagnie. 55
LA BRUYÈRE, les Caractères, VI, 79.

Mentor, qui craignait les maux avant qu'ils arrivassent, ne savait plus ce que c'était que les craindre dès qu'ils étaient arrivés. FÉNELON, Télémaque, II. 56

Ce qu'on dit d'un malheur, qu'il n'arrive jamais seul, on le peut dire des passions : elles viennent ensemble, comme les Muses ou comme les Furies. 57
CHATEAUBRIAND, Mémoires d'outre-tombe, I, p. 2.

Tout ce que je vois jette les semences d'une révolution qui arrivera immanquablement et dont je n'aurai pas le plaisir d'être témoin. Les Français arrivent tard à tout, mais enfin ils arrivent. VOLTAIRE, Lettre, 2 avr. 1764. 58

Tout arrive en France, repartit le frondeur moraliste ; et pourtant remarque M. Bazin, il était loin d'avoir vu encore tout ce qui pouvait y arriver. 59
SAINTE-BEUVE, Portraits de femmes, p. 297, note.

Mais, pour elle, rien n'arriverait, Dieu l'avait voulu ! 60
FLAUBERT, Mme Bovary, I, p. 44.

Loc. *Ce sont des choses qui arrivent. Cela arrive tous les jours.* → **Voir** (se). *Cela ne m'arrivera plus, je vous le promets :* c'est une chose que je ne recommencerai plus. *Que cela ne vous arrive plus !* (menace). *Tout arrive, tout peut arriver. — Cela peut arriver à tout le monde :* tout le monde y est exposé. *Cela n'arrive qu'aux autres,* se dit d'événements (généralement dramatiques) dont le locuteur pense qu'ils ne peuvent le concerner. — *Ça n'arrive qu'à moi, ça !*

60.1 Je ne ferai pas la réflexion banale que «cela n'arrive qu'à moi!» Nous sommes tous sujets à de pareils mécomptes.
Germain NOUVEAU, Lettre à Léopold Silvy, 21 juil. 1908, Pl., p. 940.

*Qu'est-ce qui t'arrive?* qu'est-ce que tu as?

Spécialt (événement heureux). Loc. *Croire que c'est arrivé :* avoir l'illusion d'avoir réussi; se faire des illusions.

60.2 Son bras autour de ma taille me fera perdre la raison (...). Je rêve, je crois que c'est arrivé.
Violette LEDUC, la Folie en tête, p. 572.

60.3 À quinze ans, Manuel s'est juré de récuser toute utopie, de ne jamais croire que c'était arrivé.
Régis DEBRAY, l'Indésirable, p. 112.

Prov. *Cela arrive comme mars en carême, comme marée en carême.* → **Carême.**

*Fais ce que dois, arrive que pourra.* → **Advenir.**

♦ **2** Verbe impers. S'accomplir, advenir, survenir. *Il m'est arrivé une singulière aventure. S'il continue, il lui arrivera malheur.* → **Ensuivre** (il s'ensuivra un malheur). *Je vous serai fidèle quoi qu'il arrive.* → **Cas** (en tout cas). *J'étais distrait, comme il m'arrive souvent. Qu'est-ce qu'il t'arrive?*

61 Quant à vous, j'ose vous prédire
Qu'il vous arrivera quelque chose de pire
— Eh! que me saurait-il arriver que la mort?
LA FONTAINE, Fables, X, 9.

62 Mais ne vous moquez point, engeance sans pitié :
Souvent il vous arrive un sort comme le nôtre.
LA FONTAINE, Fables, II, 6.

63 Entre les deux oiseaux il arriva querelle (...)
LA FONTAINE, Fables, XII, 2.

64 (...) qu'il arrive en un jour une multitude de choses qui pourraient à peine arriver en plusieurs semaines.
RACINE, Bérénice, Préface.

65 Il est arrivé de cette pièce ce qui arrivera toujours des ouvrages qui auront quelque bonté (...)
RACINE, Britannicus, 2ᵉ préface.

66 (...) contrairement à ce qu'elle imaginait déjà, il ne nous était rien arrivé (...)
PROUST, À la recherche du temps perdu, t. I, p. 182.

67 Je pèche souvent par orgueil, comme il arrive aux gens de petite origine qui se dégoûtent du milieu où ils sont nés. COLETTE, la Naissance du jour, p. 181.

♦ **3 ARRIVER QUE... ARRIVER DE...** *Il arriva que je le rencontrai* (Littré). — REM. L'emploi de l'indic. est rare. L'usage courant actuel préfère le subj. → **Trouver** (Il se trouva que...). *Il arrive que nous sortions après dîner* (éventualité, possibilité). *Il arrive qu'il prenne ses repas au restaurant. Il lui arrive de déjeuner en ville. Il nous arrive parfois de souper après le spectacle. Il arrive à chacun de se tromper.*

68 S'il arrive qu'Auguste avec lui la punisse (...)
CORNEILLE, Cinna, III, 1.

69 Même il m'est arrivé quelquefois de manger
Le berger. LA FONTAINE, Fables, I, 28.

70 Il arriva qu'au temps que la chanvre se sème,
Elle vit un manant en couvrir maints sillons.
LA FONTAINE, Fables, I, 8.

71 Il semble qu'il vous soit arrivé quelque accident.
Mme DE SÉVIGNÉ, 15.

72 Il lui arrive souvent de perdre contenance.
LA BRUYÈRE, les Caractères, XIII.

73 On ne doit parler, on ne doit écrire que pour l'instruction; et s'il arrive que l'on plaise, il ne faut pas néanmoins s'en repentir. LA BRUYÈRE, les Caractères, Notice.

74 Il arrive quelquefois qu'une femme cache à un homme (...)
LA BRUYÈRE, les Caractères (→ Cacher).

75 Il arrive plus d'une fois que ce cadre ne suffit pas et qu'il faut le modifier et l'élargir.
LITTRÉ, Dict., Préface, XVI.

76 Il arrive souvent qu'une brebis perde son agneau.
J. DE PESQUIDOUX, Chez nous, I, p. 237, *in* GREVISSE.

♦ **4** Vx. **EN ARRIVER** → **Résulter.** (À la forme personnelle. → *Supra*). *Qu'en arrivera-t-il? Il vous en arrivera malheur* (Académie). *Il en arrivera ce qu'il pourra.*

(...) si vous m'attaquez, nous verrons ce qui en arrivera. 77
MOLIÈRE, Dom Juan, V, 3.

(...) Quoi qu'il en arrive. RACINE, la Thébaïde, 63. 78

◆ **ARRIVÉ, ÉE** p. p. adj. Voir à l'ordre alphabétique.

CONTR. **Aller** (s'en), **éloigner** (s'), **partir.** — **Échouer** (ne pas arriver au but), **manquer, rater.** ◈ DÉR. **Arrivage, arrivant, arrivé, arrivée, arriviste.**

**ARRIVISME** [arivism] n. m. — 1903; de *arriviste.*

Caractère ou comportement de l'arriviste; «disposition à user de n'importe quel moyen pour se pousser dans le monde» (Académie).

Les groupes et les sous-groupes parlementaires ne sont pas tant des coalitions d'intérêts, des syndicats d'arrivisme et d'ambition que des coalitions de servitude, commandement et obéissance, des syndicats d'arrogance et de platitude mutuelles. Ch. PÉGUY, Œ. compl., t. XII, p. 51. 1

(...) tous les traits qui dénotaient l'aliénation capitaliste *(aux États-Unis)* : arrivisme obsessionnel, névrose de la consommation (...) 2
Jean-Louis CURTIS, le Roseau pensant, p. 251.

**ARRIVISTE** [arivist] n. — 1893; dér. de *arriver.*

Personne dénuée de scrupules qui veut arriver, réussir dans le monde par n'importe quel moyen. → **Arriver,** I., C., 2.

(...) dans les promotions qui précédèrent la mienne, et jusque dans la mienne les arrivistes arrivaient par la littérature et par la mondanité (...) 1
Ch. PÉGUY, Œ. compl., t. XII, p. 142-145.

On voyait avec eux toute une tourbe de socialistes dilettantes, de petits arrivistes, qui s'étaient bien gardés de prendre part au combat, avant qu'il fût gagné, mais qui suivaient à la trace l'armée de la Libre Pensée, et, après chacune de ses victoires, s'abattaient sur les dépouilles des vaincus. R. ROLLAND, Jean-Christophe, p. 761. 2

— Qu'est-ce qu'un arriviste? 3
— Un futur arrivé. J. RENARD, Journal, 12 oct. 1900.

Adj. *Il, elle est un peu arriviste.* → Carriériste, cit.

Je me rendis compte que le fils de Morel était très arriviste. 4
PROUST, le Côté de Guermantes, Pl., t. II, p. 265.

*(Elle)* avait demandé à la femme d'un mineur : «Qu'est-ce que vous pensez de la reine Astrid? — Sûr qu'elle est sympathique! mais trop arriviste.» Ce qui voulait dire, je suppose, qu'elle souhaitait séduire — ou faire aimer la royauté. MALRAUX, Antimémoires, Folio p. 455. 5

DÉR. **Arrivisme.**

**ARROBASE** [arɔbaz] n. f. → **Arobase.**

**ARROBE** ou **AROBE** [arɔb] n. f. — 1555; esp. *arroba;* arabe *(')ar-rūb'* «le quart».

Mesure espagnole de poids, valant ordinairement 12 kg 780.

De cette intense activité qui, pour la seule année 1762, avait porté sur le transport, le contrôle, la frappe et l'expédition de 199 arrobes d'or, c'est-à-dire plus d'une tonne et demie, rien ne subsiste au long de cette côte (...) 1
Claude LÉVI-STRAUSS, Tristes tropiques, p. 73.

Il n'y a plus de charbon, plus une arrobe. 2
ARAGON, le Fou d'Elsa, p. 195.

REM. Joseph Peyré emploie le mot espagnol *arroba* (*Sang et Lumière,* p. 403).

**ARROCHE** [arɔʃ] n. f. — XVᵉ; *arepe,* XIIᵉ; aussi *arace,* forme dialectale dérivée par une suite d'altérations du lat. *atriplex.*

Genre de plante à feuilles triangulaires *(Salsolacées)* scientifiquement appelée *atriplex. Arroche des jardins* (A. hortensis), *communément appelée follette, bonne dame* ou *belle dame, cultivée pour ses feuilles qui se consomment cuites à la façon des épinards ou de l'oseille. Arroche halime* (A. halimus) ou *pourpier de mer :* arbuste vivace, très rustique, à tige ligneuse très ramifiée, qui croît au bord de la mer et peut être utilisé comme fourrage tout en servant par ses longues racines à fixer les sables mouvants. *Arroche puante* (ou *fétide*) : variété de chénopode *(C. Olidum).*

**ARROGAMMENT** [aʀɔgamɑ̃] adv. — V. 1200; de *arrogant.*

Littér. D'une manière arrogante. *Parler arrogamment.* → **Haut** (haut, de haut). *Il est arrogamment prétentieux.*

C'était trop arrogamment parlé, de se préférer à tous les autres.
CALVIN, Institution de la religion chrétienne, 221.

(...) je fis le fier et je répondis arrogamment que, puisqu'on m'avait donné mon congé, je l'avais pris (...)
ROUSSEAU, les Confessions, I, 3.

Si je parcours l'État tyrannique j'y trouverai des signes de bonheur, et même arrogamment élevés, car les impudents désirs sont maîtres des rues.
ALAIN, Platon, *in* les Passions et la Sagesse, Pl., p. 912.

On avait rénové ce logis dans le style à la mode, avec des plinthes et des caryatides de pierre. De plus en plus, le gros Ligre se lançait dans ces achats de biens au soleil qui attestent presque arrogamment la fortune d'un homme (...)
M. YOURCENAR, l'Œuvre au noir, p. 34.

**ARROGANCE** [aʀɔgɑ̃s] n. f. — 1170; du lat. *arrogantia,* de *arrogare.* → Arroger.

Orgueil qui se manifeste par des manières hautaines, méprisantes, insultantes, blessantes. → **Audace, fatuité, fierté, hauteur, impertinence, importance, impudence, insolence, orgueil, présomption, suffisance, superbe.** *Air d'arrogance.* → **Mépris, morgue.**

(Attitude psychologique d'une personne). *Il est d'une arrogance insupportable. Son arrogance n'a d'égale que sa médiocrité.* — (Contenu d'un discours, d'une attitude). *L'arrogance d'une déclaration, d'un discours, d'une attitude. Parler avec arrogance.*

Par ext. Attitude hautaine. *L'arrogance d'un pays, d'un gouvernement. «La mélancolie indigène* (des Indiens d'Amérique) *et l'arrogance espagnole»* (Barrès, *in* T. L. F.).

Assez et trop longtemps, l'arrogance de Rome
A cru qu'être Romain c'était être plus qu'homme.
CORNEILLE, Pompée, I, 1.

Je vous trouve tous trois bien impertinents de parler devant moi avec cette arrogance, et de donner impudemment le nom de science à des choses que l'on ne doit pas même honorer du nom d'art (...)
MOLIÈRE, le Bourgeois gentilhomme, II, 3.

Cependant, à le voir avec tant d'arrogance
Vanter le faux éclat de sa haute naissance,
On dirait que le ciel est soumis à sa loi,
Et que Dieu l'a pétri d'autre limon que moi.
BOILEAU, Satires, V (→ Fat).

Ils *(les favoris)* dégouttent l'orgueil, l'arrogance, la présomption. LA BRUYÈRE, les Caractères, 8.

Elle regarda le ciel avec mépris et arrogance comme pour insulter aux dieux (...) FÉNELON, Télémaque, VII.

Il *(l'orgueil)* ne déplaît tant que parce qu'il se donne, s'attribue et s'arroge tout : d'où est venu le mot arrogance (...)
RIVAROL, Homme intell. et moral.

L'arrogance froissée est tout de suite colère.
HUGO, l'Homme qui rit, II, III, 6.

Ils sont pourtant sans arrogance; ils sont soumis; ils sont pieux, si vous appelez piété l'émotion d'une dépendance acceptée, l'obéissance aux lois les plus spirituelles. 8
GIDE, Journal, oct. 1894.

On nous admet plaintifs; mais si nous cessons d'être piteux on nous taxe aussitôt d'arrogance. 9
GIDE, Feuillets, *in* Journal 1889-1939, Pl., p. 672.

Fig. et littér. *«L'innocente arrogance de l'été»* (Maeterlinck). *L'arrogance d'un palais.*

CONTR. **Affabilité, amabilité, aménité, courtoisie, déférence, familiarité, humilité, modestie, platitude, respect, soumission.**

**ARROGANT, ANTE** [aʀɔgɑ̃, ɑ̃t] adj. — XIIIe; lat. *arrogans,* de *arrogare.* → Arroger.

♦ **1** (Personnes; comportements). Qui a de l'arrogance. *Caractère arrogant. Une personne arrogante.* Qui témoigne de l'arrogance. *Air, sourire, visage, ton arrogant. Paroles arrogantes.* → **Blessant, dédaigneux, fat, fier, haut, hautain, impertinent, important, impudent, insolent, insultant, méprisant, orgueilleux, présomptueux, rogue, suffisant, superbe, supérieur.**

Ah! seigneur, je n'ai pas eu ce dédain qui empêche de jeter les yeux sur les mortels trop rampants et qui fait dire à l'âme arrogante : il n'y a que moi sur la terre. 1
BOSSUET, Oraison funèbre de Marie-Thérèse d'Autriche.

Hautain est toujours pris en mauvaise part; c'est l'orgueil qui s'annonce par un extérieur arrogant (...) 2
VOLTAIRE, Dict. philosophique, Hautain.

Ses manières avec la princesse sa femme, sont un chef-d'œuvre de convenance : ni humbles, ni arrogantes, mélange respectueux de l'autorité du mari et de la soumission du sujet. 3
CHATEAUBRIAND, Mémoires d'outre-tombe, IV, 7.

Quoi qu'il *(le juif)* fasse, il restera le bouc émissaire. Est-il fier? Il passe pour arrogant. Est-il modeste? On lui reproche d'être servile. 4
A. MAUROIS, Études littéraires, t. II, p. 229.

Ses compatriotes, tous ses disciples, aussi naturellement que nous le sommes de Descartes, ne sont en effet jamais arrogants avec la nature ou les choses; je ne dirai pas non plus qu'ils sont déférents; peut-être convient-il de dire simplement qu'ils sont naturels. 5
André SIEGFRIED, l'Âme des peuples, IV, 3.

N. *Un arrogant. Une arrogante.*

Va contre un arrogant éprouver ton courage, 6
Ce n'est que dans le sang qu'on lave un tel outrage :
Meurs ou tue! CORNEILLE, le Cid, I, 5.

Pendant qu'on ne fait que rire de l'important, il n'a pas un autre nom; dès qu'on s'en plaint, c'est l'arrogant. 7
LA BRUYÈRE, les Caractères, XII, 54.

L'arrogante! à l'ouïr elle est déjà ma reine (...) 8
CORNEILLE, Pompée, II, 4.

À ce compte, arrogante, un fantôme nouveau 9
Te donne cette audace et cette confiance (...)
CORNEILLE, Héraclius, I, 2.

♦ **2** (Pays, groupes humains). *Une noblesse, une bourgeoisie arrogante. «L'Allemagne, hier encore si arrogante!»* (Martin du Gard).

(Abstractions). *Une critique arrogante. Une idéologie dominatrice et arrogante.*

♦ **3** (Choses). Littér. *Des palais arrogants.*

CONTR. **Affable, aimable, amène, courtois, déférent, familier, humble, modeste, plat, respectueux, soumis.** ◊ DÉR. **Arrogamment.**

**ARROGER (S')** [aʀɔʒe] v. pron. [CONJUG.: *bouger.*] — 1484; du lat. *arrogare (sibi arrogare),* de *ad,* et *rogare.*

♦ **1** (Sujet n. de personne). S'attribuer (un droit, une qualité...) sans y avoir aucun droit. → **Appliquer** (s'), **approprier** (s'), **attribuer** (s'), **usurper.** *Elle s'est arrogé des titres qui ne lui appartiennent pas. Les titres* *qu'elle s'est arrogés. S'arroger un droit sur qqn.* — (Sujet n. de chose humanisée). Littér. *Le pouvoir, l'État s'arroge le droit de...*

1 S'arroger n'implique aucune idée de propriété; aussi s'applique-t-il à toutes choses : privilèges, autorité, droits, etc., seulement il emporte arrogance, hauteur, prétention à la supériorité. LITTRÉ, Dict., art. *Approprier.*

2 Et sans avoir pour lui les lois et la naissance,
César ose des rois s'arroger la puissance (...)
VOLTAIRE, le Triumvirat, II, 2.

3 *(La vanité)* fière des droits qu'elle sait s'arroger,
Croit obtenir l'estime en osant l'exiger.
DESTOUCHES, le Glorieux, III, 4.

4 Les nobles se sont arrogé tout l'honneur national; mais le peuple leur en détermine l'objet et leur en distribue la mesure. BERNARDIN DE SAINT-PIERRE, les Vœux d'un solitaire.

5 Un jour où il paraîtra inconcevable qu'un pouvoir social ait pu s'arroger le droit de fusiller un homme parce qu'il refusait de prendre les armes (...) MARTIN DU GARD, les Thibault, VII, 61.

5.1 C'est dans cette étable (...) que pour la première fois de ma vie, je dirais volontiers la dernière si j'avais un peu de morphine sous la main, j'eus à me défendre contre un sentiment qui s'arrogeait peu à peu, dans mon esprit glacé, l'affreux nom d'amour. S. BECKETT, Premier amour, p. 26.

6 Mais avais-je jamais quitté l'innocence? Et en retour n'était-ce pas l'avoir perdue que se l'arroger? Maurice CLAVEL, le Tiers des étoiles, p. 149.

♦ **2** Rare (G. Sand, *in* T. L. F.) Sans péjoration. S'attribuer (un droit).

CONTR. **Abandonner; refuser; décliner.** ◊ DÉR. (Du latin *arrogare*). V. **Arrogance, arrogant.**

**ARROI** [aʀwa] n. m. — 1285; de l'anc. v. franç. *areer, arroyer* «arranger, équiper», du lat pop. **arredare,* p.-ê. formé sur le gotique **rēþs* «provisions»; mot considéré comme vieux dès le XVIIe (Académie, Furetière) et comme vieilli par Littré, qui le regrette.

Class. ou littér. Appareil, équipage accompagnant un personnage. → **Équipage, train** (souvent construit avec en ou dans).

1 Ô Paris, dans tes murs le bon Charles ton Roi,
Beau sur un beau cheval, en triomphant arroi,
D'armes environné, va faire son entrée.
BAÏF, *in* HUGUET.

2 Un jour, était venue, à Jérusalem, une reine étrangère, attirée par la gloire de Salomon. Elle arrivait de Saba, la lointaine Arabie, avec une suite brillante, en grand arroi (...) DANIEL-ROPS, le Peuple de la Bible, III, 1, p. 193.

2.1 Elle va rester ainsi, prostrée, jusqu'à l'absoute. Mais il lui faut bien se relever, repartir dans le même arroi jusqu'au cimetière (...) Hervé BAZIN, Cri de la chouette, p. 58.

2.2 (...) il décida de faire un court voyage et de se rendre dans la ville capitale en petit arroi, accompagné seulement de son page Mouscaillot. R. QUENEAU, les Fleurs bleues, p. 14.

2.3 Je m'avançais, débraillé, sans armes (...) me dandinant parmi mes camarades qui pliaient sous leur arroi. DRIEU LA ROCHELLE, la Comédie de Charleroi, p. 115.

Fig. *Être en mauvais arroi,* en mauvaise posture. → **Désarroi.**

3 Le monde des affaires était en d'autant plus mauvais arroi que, depuis quelque temps, les finances publiques elles-mêmes se trouvaient en crise (...) Louis MADELIN, Hist. du Consulat et de l'Empire, t. V, XXI.

COMP. **Désarroi.**

**ARRONDIR** [aʀɔ̃diʀ] v. tr. — V. 1265; de 1. *a,* et *rond.*

♦ **1** Rendre rond. *Le frottement arrondit les galets. L'embonpoint arrondit son visage, ses formes. La peur arrondit son œil.* — (Sujet n. de personne). *Il arrondit la bouche, les lèvres. Arrondir une pièce au tour.* (1835). Donner une forme courbe à. *Arrondir le bras, ses gestes* (→ Amphore, cit. 2; anse, cit. 4). *Arrondir les arêtes*. Arrondir une robe, une jupe,* en coudre l'ourlet de façon à ce que sa distance au sol soit égale en tous points (→ **Arrondisseur**). — Techn. *Arrondir une lime, une meule.* → **Arrondissage.**

On apercevait (...) la lune arrondissant la partie supérieure de son disque au-dessus des nuages (...) CHATEAUBRIAND, Mémoires d'outre-tombe, t. II, II, IV. 1

Loc. fig. *Arrondir les angles, les arêtes :* atténuer les oppositions, les dissentiments. — Littér. Rendre moins aigu, moins tranchant (fig). *Arrondir ses manières.* → **Adoucir.**

C'est prendre une furieuse tâche que de vouloir arrondir un caractère qui n'est qu'un hérisson tout en pointes avec très peu de corps. HUGO, Littérature et Philosophie mêlées, p. 104. 2

♦ **2** (1678). Fig. Rendre plus complet. *Arrondir son champ, son bien, sa fortune, ses états... Arrondir ses revenus.* — Par métaphore du sens 1. *Arrondir sa pelote.* → **Accroître, agrandir, augmenter, compléter, étendre.**

Combien fait-il de vœux, combien perd-il de pas, 3
S'outrant pour acquérir des biens ou de la gloire?
Si j'arrondissais mes États!
Si je pouvais remplir mes coffres de ducats!
LA FONTAINE, Fables, VIII, 25.

M. Grandet alla voir son château par l'occasion d'une charrette qui y retournait. Après avoir jeté sur sa propriété le coup-d'œil du maître, il revint à Saumur, certain d'avoir placé ses fonds *à cinq,* et conçut la magnifique pensée d'arrondir le marquisat de Froidfond en y réunissant ses biens. BALZAC, Eugénie Grandet, éd. 1838, p. 47. 3

(...) je voudrais bien en dehors de mes heures d'occupation avoir un moyen d'arrondir mes revenus. A. ARTAUD, Lettre à Max Jacob, 1921, *in* Œ. compl., t. III, p. 118. 3

Rendre rond (un compte, une somme) en ajustant le dernier chiffre significatif (conservé à droite du nombre). *Arrondir une somme en y ajoutant un supplément.* → **Rond** (somme ronde). *Arrondir au franc supérieur.* — Au p. p. *Sommes arrondies aux dizaines.*

♦ **3** Fig. Rendre plus harmonieux, plus ordonné, plus symétrique. *Arrondir ses périodes, ses phrases.*

Je trouve qu'il est fort indigne du prêtre qu'il passe sa vie dans son cabinet à arrondir des périodes. FÉNELON, t. XXI, p. 104. 4

♦ **4** Peint. Faire ressortir le volume de (un objet).

La plaisance du modelé vient surtout d'une horreur de la brusquerie, d'un besoin d'arrondir sans les dissimuler les contours; la perfection est alors d'obtenir une insensible dégradation du clair au moins clair et à l'obscur. GIDE, Journal, 16 déc. 1895. 5

♦ **5** Mar. *Arrondir un cap,* passer au large en décrivant une courbe tout autour. → **Contourner.**

♦ **6** Hippol. *Arrondir un cheval,* le dresser à marcher en cercle, aux trois allures.

◆ **S'ARRONDIR** v. pron.

♦ **1** Devenir rond. *L'ivoire s'arrondit sous la main du tourneur* (Hatzfeld). *Son ventre s'arrondit.* → **Ballonner, enfler, gonfler.** *Sa taille s'arrondit,* se dit d'une personne qui prend de l'embonpoint ou d'une femme devenue enceinte.

Voyez un peu ce cou d'ivoire s'arrondir sur ces belles épaules. MARMONTEL, Contes moraux, «Loret». 6

♦ **2** (Sujet n. de personne). Vieilli. Agrandir, étendre ses domaines, sa fortune.

7 En supprimant un autre mur, il agrandit son parc de tous les jardins que l'entrepreneur avait acquis pour s'arrondir.
BALZAC, Un début dans la vie, Pl., t. I, p. 674.

8 (...) nous pardonnions à l'électeur de Brandebourg d'avoir attisé la guerre en Europe pendant quarante ans pour s'arrondir aux dépens de tous ses voisins.
FUSTEL DE COULANGES, Questions contemporaines, p. 5.

◆ **ARRONDI, IE** p. p. adj. et n. m. (V. 1280).

♦ **1** De forme à peu près ronde. *Formes arrondies.* → **Rond; ballonné, bombé, courbe, convexe, émoussé, mamelonné, obtus, rebondi.** *Un corps aux formes arrondies.* → **Gras, plein, potelé; rondeur.**

9 Ses formes sveltes se transformaient à vue d'œil en contours plus suaves et plus arrondis par l'adolescence.
LAMARTINE, Graziella, IV, 27.

10 (...) formes arrondies, onduleuses et régulièrement épanouies (...)
TAINE, Philosophie de l'art, t. II, p. 5 (→ Ample, cit. 3).

Fig. et vieilli. *Période arrondie, phrases arrondies,* équilibrée(s), cadencée(s), souvent excessivement.

11 Une période bien faite est appelée une période arrondie.
CONDILLAC, l'Art d'écrire, III, 3.

♦ **2** Phonét. Se dit des voyelles prononcées avec les lèvres arrondies (par oppos. à *étiré*). — Ex. : [y, ø, œ, u], qu'on note *u, eu, ou* en franç. — On dit aussi *labial. Voyelle non-arrondie,* étirée, non labialisée.

♦ **3** N. m. *L'arrondi :* le contour arrondi. → **Courbe.** *L'arrondi d'un trait, d'une ligne. L'arrondi d'un bras, d'une joue* (en peint.). *L'arrondi d'une voûte.* — Spécialt (couture). *L'arrondi d'une jupe,* la ligne de son ourlet.

12 (...) il caresse de l'œil toute la courbe de ce corps flexible replié sur soi-même, depuis le moelleux arrondi des épaules (...) MARTIN DU GARD, les Thibault, IV, 7.

13 Cette petite porte dans l'épaisseur du mur au fond du cloître... en bois sombre, en chêne massif, délicieusement arrondie, polie par le temps... c'est cet arrondi surtout qui l'avait fascinée, c'était intime, mystérieux (...)
N. SARRAUTE, le Planétarium, p. 9.

Aviat. Manœuvre préparatoire à l'atterrissage, au cours de laquelle l'avion se redresse à l'horizontale.

CONTR. **Équarrir. — Allonger; appointir. — Diminuer, disperser, réduire. — Creuser** (se). — (De *arrondi*) **Aigu; anguleux; pointu; hérissé.** ◊ DÉR. **Arrondissage, arrondissement, arrondisseur.**

**ARRONDISSAGE** [aʀɔ̃disaʒ] n. m. — 1838; de *arrondir.*

Techn. Opération qui consiste à arrondir une chose, à donner une forme courbe. *L'arrondissage d'une meule, d'une lime, d'un chapeau, des dents d'un peigne,* etc. (→ **Arrondisseur**).

**ARRONDISSEMENT** [aʀɔ̃dismɑ̃] n. m. — 1458; de *arrondir.*

**I** ♦ **1** Vx. Action d'arrondir, de s'arrondir; forme qui en résulte. → **Arrondissage** (techn.), **rondeur.** *L'arrondissement de ces figures est parfait* (Académie).

1 L'arrondissement du globe terrestre est l'effet de la gravitation. LITTRÉ, Dict., art. *Arrondissement.*

♦ **2** Fig. *Arrondissement d'un domaine.* → **Accroissement, agrandissement, augmentation, complément, extension.**

2 La Lorraine, qui était un arrondissement très sensible pour la France (...) SAINT-SIMON, Mémoires, II, 321.

L'Autriche était en Europe (...) la seule aussi qui se pût mortifier et exaspérer du travail constant d'«arrondissement» mené en Allemagne par les neveux de Frédéric II. 3
Louis MADELIN, Hist. du Consulat et de l'Empire, t. V, XXVI.

Spécialt. *Arrondissement au franc* (ou *centime*) *supérieur* (ou *inférieur*) : fixation d'une somme sans tenir compte des centimes (ou millimes). → **Arrondir** (2.).

Phonét. Action d'arrondir les lèvres pour la prononciation de certains sons. → **Labialisation.**

♦ **3** Littér. et vx. *L'arrondissement d'une phrase* (→ **Arrondir,** 3.). *Cicéron excelle dans l'arrondissement des périodes.*

**II** (1737, Académie). Hist. Division territoriale.

Votre royaume est composé de provinces; ces provinces le sont de cantons ou d'arrondissements qu'on nomme, selon les provinces, bailliages (...) ces arrondissements sont formés d'un certain nombre de villages ou de villes. 4
TURGOT, Mémoires sur les municipalités (1775).

Spécialt. Mod. Circonscription administrative française (créée par la loi du 28 pluviôse, an VIII, 1800). *Le département est divisé en un certain nombre d'arrondissements. L'arrondissement est divisé en cantons. Chef-lieu d'arrondissement.* → **Sous-préfecture.** *Conseil d'arrondissement. Scrutin d'arrondissement.* — (À Paris, Lyon, Marseille). Cour. Subdivision administrative, dans des grandes villes. *Un maire est à la tête de chacun des vingt arrondissements de Paris. Le Ve arrondissement.* — Ellipt. *La mairie du Ve.* — Vx et fam. (en référence aux douze, puis vingt — 1860 — arrondissements de Paris). *Se marier au XIIIe* (ou *XXIe*) *arrondissement :* vivre en concubinage (→ Belle-mère, cit. 2.1).

Cet arrondissement *(institué en l'an VIII)* n'est d'ailleurs qu'une subdivision administrative du département, et le sous-préfet n'est qu'un représentant du préfet, organe de transmission plus que de gouvernement, tandis que le Conseil d'arrondissement, recruté selon les mêmes règles que le Conseil général, a pour unique rôle la répartition de l'impôt entre les communes. 5
Louis MADELIN, Hist. du Consulat et de l'Empire, t. III, X.

(...) les deux coalitions adverses préparèrent leur assaut respectif pour les élections législatives de septembre qui derechef devaient se faire avec le scrutin d'arrondissement, prudemment rétabli par les pouvoirs publics. 6
Georges LECOMTE, Ma traversée, p. 186.

Unis un matin par le ministère du caprice, qui est le maire du 13e arrondissement[1], ils avaient cru (...) s'épouser sous le régime de la séparation de cœur. 7
MURGER, la Vie de bohème, p. 171.

1. À cette époque, Paris ne comptait que douze arrondissements, et l'on parlait de «mariage à la mairie du XIIIe» pour désigner l'union libre.

Mar. Subdivision d'une région maritime.

DÉR. (Du II.) **Arrondissementier.** ◊ COMP. **Sous-arrondissement.**

**ARRONDISSEMENTIER** [aʀɔ̃dismɑ̃tje] n. m. — 1885, *in* D. D. L.; de *arrondissement* (II.).

Polit. Partisan du scrutin d'arrondissement.

**ARRONDISSEUR** [aʀɔ̃disœʀ] n. m. — 1701, rhét. «celui qui arrondit ses phrases»; 1751, *Encyclopédie,* «outil à arrondir les dents d'un peigne»; de *arrondir.*

♦ **1** Techn. Outil servant à l'arrondissage. — Petit appareil de couturière servant à tracer l'arrondi d'une jupe selon la hauteur désirée, à partir du sol.

♦ **2** Ouvrier chargé de l'arrondissage. — Dans ce sens, le fém. *arrondisseuse* est virtuel.

**ARROSABLE** [arozabl] adj. — 1226, «qui est bien arrosé»; *arousable*, XIIIe; de *arroser*.

Qui peut être arrosé. *Jardin arrosable par tourniquets.* → **Irrigable**

(*Des choux*) qu'on replantera en quelque bon lieu, chaud et arrosable.

O. DE SERRES, Théâtre d'agriculture, VI, 8.

**ARROSAGE** [arozaʒ] n. m. — 1611, *arrousage*; de *arroser*.

**A** ♦ **1** Action d'arroser. → **Affusion** (didact.), **arrosement, aspersion** (liturg.), **bain, douche, irroration** (didact.). *L'arrosage des voies publiques.* → **Arroseuse.** *L'arrosage d'un parc, d'un jardin, d'un champ. Arrosage et irrigation*. Arrosage en pluie fine.* → **Bassinage.** *Arrosage à la seringue.* → **Seringage.** *Bassin, canal, lance, matériel, pompe, tonneau, tourniquet, tuyau d'arrosage.* → aussi **Arroseur, arrosoir.** *Arrosage en terre,* au moyen d'arroseurs plantés en terre et raccordés par un tuyau souterrain.

1 (...) les moineaux se baignent dans l'arc-en-ciel dont le soleil enlumine la poussière d'eau des arrosages égrenée sur l'herbe fine.

MAUPASSANT, Fort comme la mort, p. 116.

♦ **2** Agric. Quantité d'eau fournie en un temps déterminé à une terre cultivée pour compléter celle qu'elle reçoit par les agents naturels, ou pour apporter en même temps des éléments utiles à la végétation *(Omnium agricole).*

2 *(Irrigation)* désigne l'ensemble de travail par lequel on amène l'eau sur le sol; l'opération partielle, qui consiste à la faire couler à la surface pendant un temps indéterminé, est désignée sous le nom d'arrosage; si, par exemple, pendant une saison on couvre deux ou trois fois une prairie d'eau, on dit que l'irrigation de cette prairie comporte deux ou trois arrosages. Omnium agricole, p. 469.

♦ **3** Techn. Le fait de verser de l'eau (sur une machine pour prévenir l'échauffement, dans un mélange, etc.).

**B** (Du sens B. de *arroser*). Fam. Action d'offrir à boire pour fêter un événement heureux. → **Pot.** *Tout le monde s'est retrouvé pour l'arrosage de fin d'année.*

**C** ♦ **1** Le fait d'arroser (C., 1.); gratification pour service rendu. → **Pot-de-vin.** «*L'arrosage de la presse par le Crédit foncier*» (Goncourt, 1892, *in* T. L. F.).

♦ **2** (1922, en argot milit.). Fam. Bombardement, mitraillage intense et méthodique. *L'arrosage des lignes ennemies par l'artillerie.* — Décharge de projectiles d'armes à feu.

3 En deux coups bien ajustés je lui ai fait comprendre à celui-là, qui se planquait au cul de la charrette, qu'il valait mieux remonter en voiture; les autres en ont profité pour repartir de plus belle à l'arrosage : ils avaient eu le temps de recharger!

Albert SIMONIN, Touchez pas au grisbi, p. 72.

♦ **3** (Mil. XXe). Diffusion couvrant un vaste secteur. *L'arrosage publicitaire par les mass-media.* «*L'arrosage à grande échelle, par satellites, d'émissions venant d'un peu partout*» (*l'Express,* 2 juin 1969).

**ARROSEMENT** [arozmã] n. m. — Mil. XIIe; de *arroser*.

♦ **1** L'action d'arroser ou le fait d'être arrosé.

0.1 (...) or, entre toutes les petites misères de la vie humaine, celle pour laquelle le bon prêtre avait le plus d'aversion, était le subit arrosement de ses souliers à larges agrafes d'argent et l'immersion de leurs semelles : quelque fortes qu'elles fussent, et malgré les chaussons de flanelle dont il s'empaquetait les pieds en tout temps avec le soin que les ecclésiastiques prennent d'eux-mêmes, il y gagnait toujours un peu d'humidité.

BALZAC, les Célibataires, éd. 1834, p. 34.

Vx. Action d'arroser ou d'irriguer. → **Arrosage, irrigation.**

Nous recouvrîmes soigneusement notre ouvrage de terre bien foulée; et le jour où tout fut fait, nous attendîmes dans des transes d'espérance et de crainte l'heure de l'arrosement. ROUSSEAU, les Confessions, t. I, I. 1

Il est rare *(au XVIIIe siècle)* de trouver le mot «irrigation», c'est toujours arrosement qui est en usage. Ainsi le Catéchisme d'Agriculture *(de l'abbé Bexon, 1773)* préconise pour les prairies artificielles, soit l'arrosement au moyen de canaux, digues et écluses, soit le desséchement (...) 2

F. BRUNOT, Hist. de la langue franç., t. VI, p. 283.

Mod. (Géogr.). Le fait d'être arrosé (par la pluie, ou un fleuve). *L'arrosement de l'Égypte par le Nil.*

REM. Littré observe que «*l'arrosage est un arrosement procuré par l'industrie humaine*». En franç. actuel, *arrosement* est inusité dans l'acception agricole et se spécialise au sens géographique.

Techn. (cuis.). Le fait de verser un liquide dans (une préparation, une pâtisserie).

♦ **2** Rare. Arrosage (C., 2.).

Mais la préparation d'artillerie dure un peu plus longtemps qu'on ne supposait; la pièce est repérée et les hommes sont à la merci de l'arrosement. 3

GIDE, Journal, 23 oct. 1916.

♦ **3** Fig. et vx. *L'arrosement des âmes par l'Esprit saint.*

Nos âmes sont purgées *(purifiées)* par l'arrosement incompréhensible de l'Esprit. 4

CALVIN, Institution de la religion chrétienne, III, I, 1.

Si pour être purifiés, nous sommes arrosés du sang de Christ par l'Esprit, ne pensons point être autres devant cet arrosement qu'est un pécheur sans Christ. 5

CALVIN, Institution de la religion chrétienne, III, XIV, 6, *in* HUGUET.

♦ **4** Fam. et rare. Arrosage (B.). *L'arrosement de ses galons.*

**ARROSER** [aroze] v. tr. — 1155, «humecter»; du bas lat. *arrorare*, de *ad*, et lat. class., *rorare* originellement «répandre en rosée» *(ros, roris).*

**A** Répandre un liquide sur... ♦ **1** Vx. Humecter, asperger (les végétaux, la terre) d'un liquide en fines gouttelettes (comme le fait la rosée).

Comme on voit sur la branche au mois de mai la rose (...) 1
Quand l'aube de ses pleurs au point du jour l'arrose (...)

RONSARD, les Amours de Marie, II, 4.

REM. Ce sens est aujourd'hui inclus dans le sens 3, mais les exemples des XVIe-XVIIe s. ne sont plus compris dans leur valeur originelle. Il en va de même pour les emplois métaphoriques, qui jouent de manière ambiguë sur les sens 1 et 2, l'élément de sens commun étant «fertiliser».

Ce champ si glorieux où vous aspirez tous, 2
Si mon sang ne l'arrose, est stérile pour vous.

RACINE, Iphigénie, V, 2.

♦ **2** (1265). Mod. (Le sujet désigne un cours d'eau). Faire couler ses eaux, de manière à fertiliser. *Ce fleuve arrose un vaste bassin. Les prairies qu'arrose la rivière.*

*(Tircis)* Chantait un jour le long des bords 3
D'une onde arrosant des prairies (...)

LA FONTAINE, Fables, X, 10.

Ce dernier fleuve, dans un cours de plus de mille lieues, arrose une délicieuse contrée que les habitants des États-Unis appellent le nouvel Eden, et à laquelle les Français ont laissé le doux nom de Louisiane. 3.1

CHATEAUBRIAND, Atala, Prologue.

Spécialt. Fertiliser (en parlant des eaux). → **Irriguer.**

*(le fleuve)* traverse sans l'arroser cette vallée misérable et dévorée de soif. 4

E. FROMENTIN, Un été dans le Sahara, p. 40.

Par anal. Vieilli. (Sujet n. de personne). Irriguer, faire circuler de l'eau dans (les terres) pour fertiliser (Töpffer, *in* T. L. F.).

♦ **3** Mod et cour. Répandre de l'eau sur (la terre, les végétaux) de manière à améliorer la pousse. *Arroser des arbres, des arbustes, des plantes en pot, des fleurs.* → **Arrosage.** *Il faut arroser le jardin, le potager. Arroser des fleurs avec un arrosoir. Arroser les parterres à la lance, au jet. Arroser une plante légèrement* (→ ci-dessus, 1.). — Absolt. *Il faut arroser tous les jours. Il ne faut pas arroser en plein soleil. Tu as oublié d'arroser : tout est grillé!*

(Sujet n. du liquide : *eau, pluie,* etc.). *La pluie, l'orage n'a pas suffisamment arrosé.*

♦ **4** Par ext. Répandre un liquide sur (qqch.) de manière à mouiller. *Arroser qqch., qqn. Arroser qqch. à grande eau* (→ **Baigner, doucher, inonder, laver, tremper**), *légèrement, de gouttelettes.* → **Asperger, bassiner, pulvériser, seringuer, vaporiser.** *Arroser les voies publiques.* → **Arroseur.** *Arroser* (qqch., qqn) *d'eau bouillante.* → **Ébouillanter.** — *Arroser qqch. de* (un liquide autre que l'eau). *Arroser d'huile* (→ **Huiler**), *de vin, d'urine* (→ **Compisser**), etc. *Arroser un objet d'essence et y mettre le feu. Arroser son mouchoir d'eau de Cologne.*

.1 Quand elle se présenta, la servante ne vit que son dos. Il était enfoui dans la cheminée, un foulard noué autour de la tête.
— Je vas arroser avec un peu d'eau, dit-elle.
— De l'eau? Pourquoi faire? On arrose avec ça!
Et, sans se détourner, il jeta en éventail, derrière lui, sur le sol battu, ce qu'il avait pissé dans son pot de chambre.
J. RENARD, Journal, 25 janv. 1893.

(Avec un compl. abstrait).

.2 C'est incroyable!... on se donne la peine d'élever une fleur... pour soi tout seul... on la cultive, on la protège, on l'arrose de petits soins... de gants à vingt-neuf sous, de robes à huit francs le mètre... on lui apprend l'anglais, à cette fleur (...)
E. LABICHE, Mon Isménie, 2.

Spécialt. *Arroser qqn,* jeter de l'eau sur lui. *Les gosses arrosent les passants avec des bombes à eau. Arrête de nous arroser!*

(Sujet n. du liquide). Mouiller en se répandant. — Spécialt. *La pluie, l'orage, l'ondée va nous arroser copieusement.* → **Mouiller, tremper.** *On a failli se faire arroser* (par la pluie). → **Doucher, saucer** (fam.).

5 La pluie tombait fine, froide (...) elle arrosait comme à plaisir cette foule bruyante du dimanche (...)
LOTI, Mon frère Yves, III.

♦ **5** Par métaphore. (Selon la référence de la figure aux sens originels 1 et 2, les exemples classiques évoquent un écoulement léger ou abondant). Vx ou littér. Répandre (un liquide naturel : larmes, sueurs, sang) de manière pénible, douloureuse. **a** *Arroser* (qqn, son visage, ses yeux, qqch.) *de larmes, de pleurs.* → **Inonder, mouiller, tremper.** *Arroser son pain de larmes :* vivre dans la misère et la peine.

6 Prosternée aux pieds de Jésus-Christ, elle les arrosa de ses larmes, elle les essuya de ses cheveux (...)
BOURDALOUE, Respect humain, 2e avent.

7 De larmes tous les jours ses yeux sont arrosés (...)
RACINE, Iphigénie, III, 4.

8 J'arrosai son visage d'un torrent de larmes (...)
FÉNELON, Télémaque, IV.

9 J'avais beau vouloir faire bon visage au réveillon, tout ce que je mangeais s'arrêtait à ma gorge et malgré mes efforts pour être calme, j'arrosais mon pâté de larmes silencieuses.
Alphonse DAUDET, le Petit Chose, p. 357.

**b** (Avec l'idée de fertilisation; → aussi ci-dessus, cit. 2). *Arroser de sang.* → **Verser** (son sang). *Arroser l'autel du sang de la victime qu'on immole.*

*(Je le vois)* Du sang des Africains arroser ses lauriers. 10
CORNEILLE, le Cid, II, 5.

Vx. *Arroser (le sol, la terre...) de sa sueur :* travailler la terre, faire pousser des végétaux par un travail pénible.

C'est qu'ils aiment ce sol arrosé de leurs sueurs, c'est que le vrai paysan meurt de nostalgie sous le harnais du soldat loin du champ qui l'a vu naître. 11
G. SAND, la Mare au diable, II, p. 24.

♦ **6** Répandre un liquide sur (un mets, une chose comestible) pour en améliorer le goût. — Spécialt. Répandre le jus de cuisson sur (une viande).

L'aînée, qui avait découché (...) arrosait le rôti d'une main tremblante, versait la sauce à côté du plat, s'aspergeait de graisse (...) HUYSMANS, les Sœurs Vatard, p. 36. 12

Pâtiss. *Arroser un gâteau, des crêpes* (notamment, d'un sirop alcoolisé).

**B** Spécialt (le liquide étant l'alcool). ♦ **1** Fam. Verser de l'alcool dans (une boisson chaude). *Arroser son café.* → Arrosé, ci-dessous (4.).

Pierrot fit un brin de toilette et descendit boire son café qu'il fit arroser : une habitude qu'il avait prise. 12.1
R. QUENEAU, Pierrot mon ami, p. 173.

♦ **2** Fig. Accompagner (un mets, un plat, un repas) de boisson alcoolisée (notamment, de vin).

Il arrosa le tout d'une bouteille de vin et d'une carafe d'eau, après quoi il se reposa. 13
A. BRILLAT-SAVARIN, Physiologie du goût.

(...) un insuffisant petit poulet, arrosé de pinard sur une table vite dressée (...) 13.1
GIDE, Voyage au Congo, *in* Souvenirs, Pl., p. 718.

Vieilli. *Arroser sa soif,* l'éteindre en buvant de l'alcool.

♦ **3** Fig. et fam. Fêter (un événement, une occasion) en buvant et en offrant à boire du vin, de l'alcool. *Arroser ses galons :* boire à l'occasion d'une promotion militaire. *On va arroser ça!*

— Eh bien, Kermadec, dit-il, on va les *arroser,* ces galons? (...) Ce n'était pas de l'eau du ciel que voulait parler ce vieux maître; car, sous ce rapport-là, l'arrosage était assuré. Non, en marine, arroser des galons signifie se griser pour leur faire honneur le premier jour où on les porte. LOTI, Mon frère Yves, III, p. 16. 14

Par ext. *Ça s'arrose!,* se dit d'une manière plaisante pour inviter à fêter un succès. → **Arrosage** (B.).

Dis donc, Soubeyrac, dit Pauphilet, mes félicitations! Je ne t'ai pas encore vu depuis que t'es officier d'état-major. 15
— Ta gueule, dit Soubeyrac, tendrement.
— En tout cas, t'es officier monté. Ça s'arrose!
Armand LANOUX, le Commandant Watrin, p. 131.

**C** Fig. ♦ **1** (1838). Pourvoir abondamment (qqn) d'argent (en général de manière illicite, pour obtenir un avantage anormal...). *Arroser qqn.* — Absolt. *Ce candidat a dû beaucoup arroser pour se faire élire.* → **Distribuer, verser** (de l'argent).

(Sans péjoration). Subvenir à une dépense imprévue. → **Financer.** «*Il nous en a coûté autant pour arroser que pour la première mise*» (Académie).

♦ **2** (1922). Argot milit. puis fam. Bombarder, mitrailler méthodiquement. *Arroser le terrain.* → **Arrosage** (C., 2.), **arrosoir** (B., 2.).

Et puis, plus tard, quand les Allemands ont commencé à se débiner, les Anglais sont venus arroser toute la ligne de chemin de fer. 16
Jean FERNIOT, Pierrot et Aline, p. 154.

Aussitôt, notre tir se calme. Il n'y a que nos mitrailleuses (...) qui continuent d'arroser le terrain. 17
DRIEU LA ROCHELLE, la Comédie de Charleroi, p. 217.

♦ **3** (Mil. XXe). Diffuser des informations en couvrant un vaste secteur. → **Arrosage** (C., 3.).

◆ **ARROSÉ, ÉE** p. p. adj. (V. 1350).

♦ **1** Mouillé par l'arrosage. *L'arroseur* arrosé.*

♦ **2** Géogr. Qui reçoit des précipitations. — À travers quoi coule un cours d'eau. *Des régions bien arrosées.*

♦ **3** *Un repas bien arrosé,* au cours duquel on a beaucoup bu d'alcool.

♦ **4** *Un café arrosé,* dans lequel on a versé de l'alcool. → **Bistouille** (régional).

CONTR. **Assécher, dessécher, drainer, sécher.** ◇ DÉR. **Arrosable, arrosage, arrosement, arroseur, arrosoir.**

**ARROSEUR, EUSE** [aʀozœʀ, øz] n. — 1559, repris 1838; de *arroser.*

♦ **1** Personne qui arrose (les jardins, les voies publiques). — Allus. *L'Arroseur arrosé* (film de Louis Lumière).

0.1 Le boulevard Malesherbes a l'air d'une avenue de forêt emprisonnée dans une ville morte. Toutes les maisons sentent le vide. Sur la chaussée, les arroseurs lancent des panaches de pluie blanche qui éclaboussent le pavé de bois d'où s'exhale une vapeur de goudron mouillé et d'écurie lavée (...)
MAUPASSANT, Fort comme la mort, éd. 1889, p. 164.

♦ **2** (1905). Appareil d'arrosage automatique qui fonctionne par la seule pression de l'eau. *Arroseur oscillant. Arroseur circulaire à buse fixe, à buse mobile. Arroseur rotatif.* → **Tourniquet.** *Gicleur d'un arroseur.*

1 Sur une pelouse pâmée de plaisir, l'arroseur automatique répandait en tournoyant une pluie dans le nuage de laquelle on voyait naître et mourir les couleurs de l'arc-en-ciel. G. DUHAMEL, Chronique des Pasquier, VII, 6.

♦ **3** (1905, *in* D. D. L.). *Arroseur automobile,* n. m. (vx); *arroseuse,* n. f. Véhicule muni d'un réservoir d'eau et destiné à l'arrosage des voies publiques. *Une arroseuse automobile. Les arroseuses municipales. Une arroseuse-balayeuse.*

2 Elle s'est levée, un matin, juste avant l'aurore (...) Dehors, il y avait déjà les cris aigus des martinets, et dans le lointain, peut-être, le bruit doux du jet d'eau de l'arroseur public.
J.-M. G. LE CLÉZIO, Désert, p. 328.

**ARROSOIR** [aʀozwaʀ] n. m. — 1365, *arousour;* de *arroser.*

**A** ♦ **1** Ustensile destiné à l'arrosage et qui se compose d'un récipient muni d'une anse et d'un long col (ou *queue*) terminé par une plaque percée de petits trous (→ **Pomme**) ou par un ajutage (→ **Brise-jet**). *Arrosoir à queue longue et mince.* → **Chantepleure.** *Arrosoir à goulot,* d'où l'eau sort en un seul jet.

1 (...) un arrosoir infatigable (...)
MICHELET, la Femme, p. 128 (→ Abreuver, cit. 1).

2 Un vieux Belge, débraillé, coiffé d'un képi, faisait, avec un arrosoir, des huit sur le dallage poussiéreux.
MARTIN DU GARD, les Thibault, VII, p. 26.

3 Devant moi étaient deux arrosoirs, avec leurs pommes en champignon, avec lesquels j'aimais jouer quand j'étais enfant. MALRAUX, Antimémoires, Folio, p. 324.

Par ext. Contenu d'un arrosoir. *Il a fallu deux pleins arrosoirs. Recevoir un arrosoir d'eau sur la tête.*

♦ **2** Mod. Sonde perforée (pour les lavages de la région prostatique).

♦ **3** Par anal. Mollusque acéphale *(Aspergillum)* dont la coquille évoque une queue et une pomme d'arrosoir.

**B** Fam. et vx. ♦ **1** *Coup d'arrosoir :* verre de vin.

♦ **2** Arme ou avion qui arrose. → **Arroser** (C., 2.).

**ARROW-ROOT** [aʀoʀut] n. m. — 1831; *Indian-arrow-root,* 1808, *in* Höfler; mot angl., de *arrow* «flèche», et *root* «racine».

♦ **1** Plante d'Amérique tropicale, du genre *Maranta (Maranta arundinacea). Les Indiens tiraient du jus de l'arrow-root un antidote contre les blessures causées par les flèches empoisonnées.*

♦ **2** Fécule comestible fournie par les rhizomes de cette plante, ainsi que par d'autres plantes (l'arum, le curcuma...).

**ARROYO** [aʀɔjo] n. m. — 1855; mot esp., du lat. **arrugium.* → Arrugie.

Canal ou chenal reliant deux cours d'eau (en pays tropicaux).

(...) aller chercher un lot d'armes lourdes planquées dans un *arroyo,* à proximité d'une plage déserte... Une sorte de brume froide nous attendait près de l'embouchure, là où le lit du fleuve à sec s'évase en un interminable delta de galets blancs. Régis DEBRAY, l'Indésirable, p. 366. 1

J'étouffe de chagrin tandis que des bulles de canicule crèvent en silence sur l'eau boueuse, noire d'un arroyo... Je ne veux pas voir le pont de planches disjointes qui enjambe les nénuphars...
Geneviève DORMANN, le Bateau du courrier, p. 42. 2

**ARRUGIE** [aʀyʒi] n. f. — 1562, *arrugia;* lat. *arrugia* «galerie d'une mine».

Techn. Canal pour l'écoulement des eaux d'infiltration (dans une mine).

**ARS** [aʀ] n. m. — 1213; lat. *armus* «épaule d'animal».

Techn. Pli qui se forme à la réunion du poitrail et des membres antérieurs du cheval. *Saigner un cheval aux ars. Un cheval frayé aux ars* (Académie), qui a une inflammation, des gerçures aux ars.

HOM. **Are, arrhes, art, hart.**

**ARSENAL, AUX** [aʀsənal, o] n. m. — Déb. XVII^e; *archenal,* v. 1400; a éliminé *tarsenal,* 1250, emprunt à l'arabe par l'interm. de formes dialectales ital. à initiale en *t;* refait sur l'anc. vénitien *arzana,* arabe *(')ăṣ-ṣinā'ă* «construction, fabrication». REM. **Le mot, sous la forme** ***tar-,*** **puis** ***ar-*** **(*arsenail,* XV^e, enfin *arsenal,* 1601), désignait d'abord surtout l'arsenal de Venise *(arzana),* construit en 1104.**

♦ **1** Mod. Établissement où se trouve réuni tout ce qui est nécessaire à la construction, la réparation et l'armement des navires de guerre. → **Atelier, chantier, magasin.** *Les arsenaux de la marine. La pavillonnerie de l'arsenal.*

(...) je suis allé à l'Arsenal *(de Venise).* Aucune monarchie, quelque puissante qu'elle soit, ou qu'elle ait été, n'a offert un pareil compendium nautique. 1
Un espace immense, clos de murs crénelés, renferme quatre bassins pour les vaisseaux de haut bord, des chantiers pour bâtir ces vaisseaux, des établissements pour ce qui concerne la marine militaire ou marchande, depuis la corderie jusqu'aux fonderies de canons, depuis l'atelier (...)
CHATEAUBRIAND, Mémoires d'outre-tombe, IV, 6, t. VI, p. 177.

♦ **2** **a** Dépôt d'armes et de munitions (→ **Magasin**). Atelier de fabrication des armes de guerre.

(...) une petite tour, poudrière et arsenal, appartenant à l'artillerie à pied, et remplie de barils de poudre, d'armes et de munitions de guerre. 2
A. DE VIGNY, Servitude et Grandeur militaires, II, 2.

**b** Grande quantité d'armes. *La police a saisi chez lui tout un arsenal.*

♦ **3** Fig. Ce qui fournit des moyens pour attaquer ou se défendre (→ **Arme**). *Ce livre est un arsenal qui* *fournit des armes à tous les partis* (Littré). *L'arsenal des lois**.

3 On dit que c'est l'arsenal de l'enfer.
PASCAL, Pièces jointes, 66, *in* LITTRÉ.

4 (...) des milliers d'articles de lois, arsenal qui fournit des armes à toute fin.
RENAN, Questions contemporaines, Réflexions sur l'état des esprits (1849).

♦ **4** Fam. Matériel compliqué. → **Amas, collection, quantité.**

5 (...) en prenant soin d'emporter un inhalateur et son arsenal de drogues, Antoine ne courrait aucun risque d'aggravation. MARTIN DU GARD, les Thibault, VIII, 1.

**ARSÉNIATE** [aʀsenjat] n. m. — 1782, Guyton de Morveau; du rad. de *arsenic*, et suff. *-ate*.

Chim. Sel ou ester de l'acide arsénique. *Arséniate de calcium, de sodium, de potassium, de cuivre. L'arséniate de cuivre* (vert Véronèse), *l'arséniate de cobalt* (rouge) *sont des colorants. L'arséniate de plomb, l'arséniate de sodium* (de soude) *sont des poisons.*

DÉR. et COMP. **Arséniaté. Perarséniate.**

**ARSÉNIATÉ, ÉE** [aʀsenjate] adj. — 1803, Boiste; de *arséniate*.

Techn. À l'arséniate (de cuivre, etc.).

(...) les perdreaux sont trop souvent empoisonnés par les bouillies arséniatées employées contre le doryphore.
Hervé BAZIN, Vipère au poing, p. 64.

**ARSENIC** [aʀsənik] n. m. — 1314, *in* Arveiller; lat. *arsenicum*, du grec *arsenikon*.

♦ **1** Alchim. (vx) et cour. Composé toxique de l'*arsenic* (2.). *Arsenic blanc* (anhydride arsénieux*), *jaune, rouge* (sulfures : orpiment, réalgar).

♦ **2** (1704). Chim. (mod.). Élément (symb. *As*; n° at. 33; p. at. 74, 91) existant sous trois formes allotropiques (dens. 1,97, 4,73 et 5,73), la forme ordinaire se sublimant à 613 °C. → **Arsénio-**. *L'arsenic se rencontre à l'état natif sous forme de sulfure* (→ **Orpiment, réalgar**), *d'arséniure et d'arséniosulfures* (autrefois dits *arsenic*); *son principal minerai est l'arsénopyrite* (→ **Mispickel**). *L'arsenic s'emploie dans la fabrication du plomb de chasse* (alliage de plomb et d'arsenic); *ses composés sont utilisés dans l'industrie des insecticides, des colorants, ainsi qu'en médecine. Empoisonnement par les composés de l'arsenic.* → **Arsenicisme.** *Arsenic et Vieilles Dentelles*, titre d'une pièce et d'un film américains *(Arsenic and Old Lace)*.

Quel est le poison (...) C'était de l'arsenic.
FLAUBERT, Mme Bovary, III, 8.

DÉR. **Arsenical, arsenicisme, arsénique, arsénite, arséniure, arsine.** — V. **Arséniate, arsénié, arsénieux.** ◊ COMP. V. **Arsénio-.**

**ARSENICAL, ALE, AUX** [aʀsənikal, o] adj. et n. m. — 1578; de *arsenic*.

♦ **1** Adj. Chim. Qui contient de l'arsenic. — Syn. : *arsénié. Sels arsenicaux* : arséniates. *Eaux arsenicales. Pyrites arsenicales* (mispickel). — N. m. *(Un arsenical, des arsenicaux)*. Produit, médicament contenant de l'arsenic. *«L'équipe de Jamot a surdosé par accident les arsenicaux dans le secteur de Bafia»* (*l'Express*, 27 sept. 1980, p. 143).

♦ **2** Adj. Méd. Qui est causé par l'arsenic. *Intoxication arsenicale* : arsenicisme.

**ARSENICISME** [aʀsənisism] n. m. — 1898, *Nouveau Larousse illustré*; *arceniciase*, 1865; de *arsenic*.

Adj. Méd. Intoxication par les composés de l'arsenic.

**ARSÉNIÉ, ÉE** [aʀsenje] adj. — 1834, Landais; du rad. de *arsenic*.

Chim. Qui contient de l'arsenic. → **Arsenical** (1.).

**ARSÉNIEUX, EUSE** [aʀsenjø, øz] adj. — 1787; du rad. de *arsenic*.

Chim. Se dit de certains composés de l'arsenic. *Oxyde arsénieux. Anhydride arsénieux* : arsenic blanc ($As_2O_3$), employé comme insecticide et entrant dans la composition de la mort aux rats.

— Comment s'est-elle donc empoisonnée ?
— Je l'ignore, docteur, et même je ne sais pas trop où elle a pu se procurer cet acide arsénieux.
FLAUBERT, Mme Bovary, III, 8.

**ARSÉNIO-** Élément, tiré de *arsenic* servant à former des mots didactiques de chimie désignant des combinaisons de sels d'arsenic. — Ex. : *arséniophosphate, arséniosulfure**, etc. — On le trouve également sous la forme *arséno-*. — Ex. : *arsénobenzol*, arsénopyrite*, etc.

**ARSÉNIOSULFURE** [aʀsenjosylfyʀ] n. m. — 1865, *in* P. Larousse; de *arsénio-*, et *sulfure*.

Chim. Combinaison d'un sulfure et d'un arséniure métallique. — Syn. : *sulfarséniure**.

**ARSÉNIQUE** [aʀsenik] adj. — XVIe, *arcenique* «relatif à l'arsenic»; *acide arsénique*, 1787; de *arsenic*.

Chim. *Acide arsénique* ($H_3AsO_4$) : produit de l'oxydation de l'anhydride arsénieux. *Anhydride arsénique* ($As_2O_5$) : produit de la déshydratation de l'acide arsénique.

**ARSÉNITE** [aʀsenit] n. m. — 1803; de *arsenic*.

Chim. Sel de l'acide arsénieux. *Arsénite de potassium*, utilisé en pharmacie (liqueur de Fowler). *Arsénite de sodium*, très toxique.

**ARSÉNIURE** [aʀsenjyʀ] n. m. — 1833; de *arsenic*.

Chim. Combinaison de l'arsenic avec un autre corps simple, par ex. un métal. *Arséniure d'argent. Sulfo-arséniure de fer.* → **Mispickel.** *Arséniure naturel de cobalt.* → **Smaltine.**

COMP. **Sulfarséniure.**

**ARSÉNO-** → **Arsénio-.**

**ARSÉNOBENZOL** [aʀsenobɛ̃zɔl] n. m. — 1922; de *arséno-*, et *benzol*.

Pharm. Composé arsenical que la médecine emploie particulièrement dans le traitement de la syphilis.

**ARSIN** [aʀsɛ̃] adj. m. — 1690, Thomas Corneille; anc. franç. *arsin*, n. m., «incendie», XIIe; de *ars*, p. p. de l'anc. franç. *ardre* «brûler».

Eaux et forêts. *Bois arsin* : bois sur pied endommagé par le feu.

**ARSINE** [aʀsin] n. f. — Mil. XIXe; de *arsenic*.

Chimie.

♦ **1** Hydrogène arsénié, gaz incolore à odeur forte, très toxique ($AsH_3$).

♦ **2** Composé obtenu par substitution de radicaux organiques monovalents (alcoyles ou aryles) aux atomes d'hydrogène de l'arsine (1.). *Les arsines, dérivés* (alcoylés ou arylés) *de l'hydrogène arsénié, sont structurellement analogues aux amines dérivées de l'ammoniac.*

DÉR. et COMP. **Arsinique. Phénylarsine.**

**ARSINIQUE** [arsinik] adj. — Av. 1920; de *arsine.*

Chim. *Acides arsiniques :* acides dérivés de l'arsenic trivalent.

**ARSIS** [arsis] n. f. — 1751, *Encyclopédie;* lat. *arsis,* transcrit du grec.

Didact. Élévation de la voix sur une syllabe accentuée, dans la métrique ancienne.

CONTR. **Thésis.**

**ARSOUILLE** [arsuj] n. et adj. — 1792, «souteneur de tripots» (→ cit. 1); déverbal de *arsouiller**, avec infl. de *souille, souiller, souillard* «souillon».

♦ **1** Pop. Vx. Mauvais sujet du plus bas étage (Littré, *Suppl.*); débauché crapuleux. → **Crapule, voyou.** *Mener la vie d'une arsouille.*

1 Il y avait dans le parterre plusieurs souteneurs de tripots, connus sous le nom d'«arsouilles».

A. J. GORSAS, conventionnel, 26 févr. 1792, *in* BRUNOT, Hist. de la langue franç., t. X, p. 224.

♦ **2** Mod. Voyou. — REM. S'utilise aussi bien au masc. *(un arsouille)* qu'au fém. *(une petite arsouille)* pour désigner un jeune homme. — *Faire l'arsouille :* se dévoyer, prendre un air canaille.

2 Elle était en bas la Mimi dans la cuisine au sous-sol à faire l'arsouille avec les autres (...)

CÉLINE, Guignol's band, p. 85.

*Milord l'Arsouille* (*in* Vidocq, 1828).

Adj. *Il a un genre un peu arsouille, un air arsouille,* canaille.

DÉR. **Arsouillerie.**

**ARSOUILLER** [arsuje] v. intr. — 1797, cit.; le mot est d'abord très fort («massacrer, maltraiter»); étym. douteuse, soit de *r(e)souiller (se)* «se souiller de nouveau» (Sainéan), soit dér. de *harser, herser* «frapper, heurter», (Guiraud) soit dér. verb. de *arsouille.*

Vx et pop. Se conduire en arsouille.

1 Déjà j'en connais quelques-uns qui prétendent avoir arsouillé (vous savez toute la valeur de ce terme) dans la révolution (...)

BABEUF, Pièces, t. II, p. 106, *in* LITTRÉ, Dict., Suppl.

♦ **S'ARSOUILLER** v. pron.

[a] S'adonner à la débauche.

2 Ils avaient couru à la chambre d'Olympe, mais quoi, les oiseaux avaient quitté le nid, il n'y restait plus que ce sacré de Méria, un homme de la haute qui s'arsouillait pas mal.

Louise MICHEL, la Misère, t. I, 1881, p. 54.

[b] Mod. S'enivrer (R. Fallet, *in* Cellard et Rey).

**ARSOUILLERIE** [arsujri] n. f. — 1863, Goncourt; de *arsouille.*

Rare. Comportement d'arsouille, de voyou.

**ART** [ar] n. m. — 1080, *males arz* «magie, technique et science occultes», *Chanson de Roland;* lat. *ars, artis,* accusatif *artem,* fém. — REM. Le mot est fém. jusqu'au XVI^e; le masc. l'emporte au XVII^e, la terminaison étant sentie comme masculine.

[I] Ensemble de moyens, de procédés conscients qui tendent à une fin.

1 On dit de la Médecine qu'elle est un Art; on le dit aussi bien de la Vénerie, de l'Équitation, de la conduite de la vie ou d'un raisonnement. Il y a un art de marcher, un art de respirer : il y a même un art de se taire.

VALÉRY, Avant-propos, *in* Encycl. franç. (DE MONZIE), t. XVI.

2 Ce mot *(art)* comporte deux sens symétriquement inverses, à partir d'une racine commune. L'artifex (artiste ou artisan) c'est l'homme incarnant une idée, fabriquant un être que ne fournit pas la nature (...) Mais ou bien cette création est subordonnée à nos fins pratiques (arts utilitaires) — ou bien elle nous subordonne à des fins idéales (beaux-arts) et satisfait, si l'on peut dire, des besoins non utilitaires : d'où, par hybridation de ces caractères primitifs de l'art, l'aspect magique, superstitieux, idolâtrique qu'il a pris aux débuts mêmes de l'humanité; d'où le dévouement, la dévotion de l'artiste à son œuvre; d'où le culte mystique de l'art chez les plus civilisés.

M. BLONDEL, *in* LALANDE, Voc. de la philosophie, art. *Art.*

♦ **1** (V. 1160, Benoît de Sainte-Maure). Vx, ou dans des expressions. Moyen d'obtenir un résultat en utilisant des aptitudes naturelles. → **Adresse** (cit. 1), **don, façon, faire, génie, habileté, intelligence, manière, moyen, pouvoir, puissance, qualité, talent.** *Se conduire avec art, avec plus d'art* (→ ci-dessous, cit. 21), *avec un art consommé**. — (Suivi d'un compl.). *L'art des compliments, des ruses* (→ ci-dessous, cit. 17). — (Suivi de *de* et l'inf.; dans cet emploi, ce sens est encore vivant). *L'art d'être heureux* (Alain). *Un véritable art de vivre. L'art de parler et de se taire. Art de plaire, d'émouvoir. Art de dissimuler, de tromper.* → **Artifice, ruse.** *Passer maître dans l'art de corrompre.* — Vieilli. *Savoir l'art de* (→ ci-dessous, cit. 9, 11 et 15), *trouver l'art de* (→ ci-dessous, cit. 12).

L'art de persuader consiste autant en celui d'agréer qu'en 3
celui de convaincre.

PASCAL, De l'esprit géométrique, 2.

La constance des sages n'est que l'art de renfermer leur 4
agitation dans leur cœur.

LA ROCHEFOUCAULD, Maximes, 20.

Jamais homme n'a eu moins que lui *(d'Elbeuf)* l'art de se 5
faire plaindre dans sa misère (...)

RETZ, Mémoires, II, 216.

Et l'art et le pouvoir d'affermir des couronnes 6
Sont des dons que le ciel fait à peu de personnes.

CORNEILLE, Horace, V, 3.

Vous avez trouvé l'art d'être maître des cœurs. 7

CORNEILLE, Cinna, V, 3.

(...) je pourrai trouver l'art de me faire aimer. 8

MOLIÈRE, les Femmes savantes, V, 1.

Je puis vous dissiper ces craintes ridicules, 9
Madame, et je sais l'art de lever les scrupules,
Le Ciel défend, de vrai, certains contentements;
Mais on trouve avec lui des accommodements (...)

MOLIÈRE, Tartuffe, IV, 5.

Je confesse mon faible, elle a l'art de me plaire. 10

MOLIÈRE, le Misanthrope, I, 1.

Je sais l'art de traire les hommes (...) 11

MOLIÈRE, l'Avare, II, 5.

C'est un parleur étrange, et qui trouve toujours 12
L'art de ne vous rien dire avec de grands discours (...)

MOLIÈRE, le Misanthrope, II, 4.

(...) c'est un art *(le métier de flatteur)* où l'on fait, comme 13
on voit, des fortunes considérables.

MOLIÈRE, l'Amour médecin, III, 1.

Absente de la cour, je n'ai pas dû penser, 14
Seigneur, qu'en l'art de feindre il fallût m'exercer.

RACINE, Britannicus, II, 3.

Je sais l'art de punir un rival téméraire. 15

RACINE, Britannicus, III, 8.

Ne pourrait-on pas découvrir l'art de se faire aimer de sa 16
femme? LA BRUYÈRE, les Caractères, III, 80.

L'art des précautions était inutile, parce que l'art de se 17
contrefaire n'était pas encore inventé.

MASSILLON, Oraison funèbre, Villars, *in* P. LAROUSSE.

L'air de mollesse des jeunes filles, l'art de composer leurs 18
visages, leur parure vaine, tout ce que je voyais dans ces femmes me semblait vil et méprisable (...)

FÉNELON, Télémaque, IV.

Il faut que votre sexe ait fait une étude bien réfléchie de 19
l'art de se composer pour réussir à ce point!

BEAUMARCHAIS, le Mariage de Figaro, II, 19.

L'art de juger et l'art de raisonner sont exactement le 20
même. ROUSSEAU, Émile, III.

Elle eût avec plus d'art trompé ma confiance. 21

VOLTAIRE, Zaïre, III, 7.

Mod. Iron. *Art de* (et l'inf.). *Il a l'art d'ennuyer tout le monde.*

22 (...) cet homme comparable à nul autre en l'art de passer de la pommade.
COURTELINE, Messieurs les ronds-de-cuir, VI, 2.

Loc. **LE GRAND ART :** l'habileté suprême. *Le grand art, c'est d'obtenir sans avoir à demander. — Du grand art. Tu as vu sa façon de nous escroquer : c'est du grand art!*
*Un grand art.*

1 L'écrivain aussi est soumis à cette loi de n'inventer que ce qu'il écrit (...) aussi c'est un grand art de ne pas raturer, mais de sauver tout.
ALAIN, Propos, 14 avr. 1923, le Potier.

Absolt. Habileté, virtuosité et goût. *Faire qqch. avec art, avec beaucoup d'art* (souvent appliqué aux créations esthétiques et, dans ce cas, compris au sens II.).

Loc. Mod. *Faire qqch. pour l'amour de l'art,* pour le plaisir d'exercer habilement une activité, et non par intérêt.

**OUVRAGE D'ART :** ouvrage technique destiné à aménager la nature; spécialt, ouvrage technique permettant de tracer une voie malgré les difficultés du terrain (ponts, aqueducs, tunnels, etc.).

Vx. (En parlant des animaux). Habileté à accomplir un ouvrage, par instinct. → **Industrie.**

23 Ils *(les castors)* savent en hiver élever leurs maisons,
Passent les étangs sur des ponts,
Fruit de leur art, savant ouvrage (...)
LA FONTAINE, IX, Disc. à M^me^ de La Sablière, 110.

24 La plupart des espèces d'animaux, comme les abeilles, les araignées, les castors, ont chacun un art particulier, mais unique, et qui n'a point parmi eux de premier inventeur; les hommes ont une infinité d'arts différents, qui ne sont point nés avec eux et dont la gloire leur appartient (...)
FONTENELLE, des Billettes, *in* LITTRÉ.

25 Si Locke eût réfléchi un moment aux idées innées des animaux, il se fût convaincu que c'est par elles qu'une chenille sortant de son œuf (...) se choisit une retraite sous une branche (...) qu'elle s'y file une coque avec un art admirable.
BERNARDIN DE SAINT-PIERRE, Harmonies de la nature, V.

♦ **2** (XVI^e^). Vx, littér. ou didact. *L'art* (absolt), *l'art de qqn :* l'activité consciente et créatrice tendue vers un but et supposant une suite d'actions maîtrisées (par oppos. à toute activité spontanée, instinctive, qu'elle soit humaine ou non, la *nature,* le *naturel* étant conçus comme des dynamismes extérieurs à la raison); l'habileté maîtrisée pour arriver à un résultat. *Il n'y a point d'art dans tout ce qu'il dit, c'est la nature qui parle* (Académie). → **Affectation, apprêt, artifice, effort, fard, recherche.** *Les ressources de la nature et de l'art. Un effet de l'art, un ouvrage de l'art. L'art, selon Bacon, c'est l'homme ajouté à la nature* (lat. *Ars est homo additus naturae*). *Une place forte que la nature et l'art ont rendue imprenable.*

26 (...) le plus digne Roy qui soit en l'univers
Aux miracles de l'art fait céder la nature.
MALHERBE, Sonnet à Caliste.

27 Le premier *(le peintre)* par son art égale la nature;
Mais l'autre *(Montaigne)* la surpasse en tout ce qu'il écrit.
MALHERBE, Sur un portrait de Montaigne.

28 La délicatesse est un don de la nature, et non pas une acquisition de l'art (...)
PASCAL, Disc. sur les passions de l'amour.

29 Je conclus de cette aventure
Qu'il ne faut pas tant d'art pour conserver ses jours :
Et, grâce aux dons de la nature,
La main est le plus sûr et le plus prompt secours.
LA FONTAINE, Fables, X, 16.

30 *(Deux veuves)* L'une encore verte, et l'autre un peu bien mûre,
Mais qui réparait par son art
Ce qu'avait détruit la nature.
LA FONTAINE, Fables, I, 17.

L'art gâte quelquefois la nature, en cherchant à la perfectionner. 31
LA BRUYÈRE, les Caractères, I.

Dans les ouvrages de l'art c'est le travail et l'achèvement que l'on considère, au lieu que dans les ouvrages de la nature, c'est le sublime et le prodigieux. 32
BOILEAU, Réflexions critiques sur Longin, 30.

Et soyons de concert auprès des malades, pour nous attribuer les heureux succès de la maladie, et rejeter sur la nature toutes les bévues de notre art. 33
MOLIÈRE, l'Amour médecin, III, 1.

La nature seule vient à bout de celles *(les maladies)* qui ne sont pas mortelles : celles qui le sont ne trouvent dans l'art aucune ressource. 34
VOLTAIRE, Dialogues philosophiques, Maladie, médecine.

On peut avec de l'art, amener tous les sourds et muets de naissance au point de commercer avec les autres hommes. 35
BUFFON, Hist. nat. de l'homme, De l'ouïe.

Les différents contrastes qu'offre votre caractère de naturel sans simplicité, de réserve et d'imprudence, contrastes qui viennent en vous du combat de l'art et de la nature. 36
D'ALEMBERT, Portrait de M^lle^ de Lespinasse.

REM. À partir du XIX^e^ s., les emplois analogues concernent la création esthétique au sens large (→ ci-dessous, II., 1.).

L'art, c'est la création propre à l'homme. L'art est le produit nécessaire et fatal d'une intelligence limitée, comme la nature est le produit nécessaire et fatal d'une intelligence infinie. L'art est à l'homme ce que la nature est à Dieu. 37
HUGO, Post-scriptum de ma vie, p. 5.

*L'acquisition d'un art par l'exercice des dispositions naturelles à l'homme et la connaissance de règles méthodiques* (→ **Technique**) *spéciales à cet art.* → **Application, effort, étude, préparation, soin, travail.** *Un art qui s'apprend difficilement. S'instruire, se perfectionner dans un art. Instruire un enfant dans l'art de plaire* (→ ci-dessus, cit. 3 et *supra*). *Cultiver un art.*

Les dons de la nature valent mieux que les dons de l'art; cependant l'art est nécessaire pour faire fleurir les talents (...) 38
VAUVENARGUES, Réflexions et maximes.

Il instruira mon fils dans l'art de commander (...) 39
RACINE, Phèdre, III, 1.

Il ne faut ni art ni science pour exercer la tyrannie. 40
LA BRUYÈRE, les Caractères, X, 2.

Quel autre art de penser Aristote et sa suite 41
Enseignent-ils, par votre foi?
LA FONTAINE, Fables, XI, 9.

Penser est un art que l'homme apprend comme tous les autres et même plus difficilement. 42
ROUSSEAU, Émile, III.

*L'art,* par oppos. à la *vie,* au *temps,* en tant que puissances extra-humaines.

Le travail constant est la loi de l'art comme celle de la vie (...) 43
BALZAC, la Cousine Bette, Pl., t. VI, p. 322.

Bien qu'on ait du cœur à l'ouvrage 44
L'Art est long et le Temps est court.
BAUDELAIRE, les Fleurs du mal, «Spleen et Idéal», XI.

Allus. littér. *L'art,* en tant que création, par oppos. à l'activité réfléchie qui juge cette création.

— Mais on dit qu'aux auteurs la critique est utile. 45
— La critique est aisée, et l'art est difficile.
DESTOUCHES, le Glorieux, II, 5.

*Règles d'un art.* → **Technique, théorie; manière, procédé, tour.**

Mod. **LES RÈGLES DE L'ART :** les règles qui gouvernent une activité. *Les travaux seront exécutés dans les règles de l'art.*

*(Remède)* inventé et formé dans toutes les règles de l'art. 46
MOLIÈRE, le Malade imaginaire, III, 5.

(...) cette comédie pèche contre toutes les règles de l'art. 47
MOLIÈRE, Critique de l'École des femmes, 6.

REM. De la notion d'*habileté pratique*, *art* peut passer à celle de *théorie de la pratique*.

48 L'art est l'habileté réduite en théorie.
Joseph JOUBERT, Pensées, XX.

Loc. *C'est l'enfance* de l'art.*

*Les limites, les bornes de l'art* (par rapport au naturel, à la spontanéité).

49 Quelquefois dans sa course un esprit vigoureux,
Trop resserré par l'art, sort des règles prescrites,
Et de l'art même apprend à franchir leurs limites.
BOILEAU, l'Art poétique, IV.

REM. La dialectique de l'*art* et du *naturel* est exploitée par tous les théoriciens littéraires, *l'art supérieur, suprême* étant conçu comme capable de créer l'illusion de la nature et de *cacher l'art*, à moins que l'*art* ne soit opposé à la *spontanéité* (→ ci-dessous, cit. 51, Chénier).

50 Chez elle *(l'ode)* un beau désordre est un effet de l'art.
BOILEAU, l'Art poétique, II, 72.

51 L'art ne fait que des vers, le cœur seul est poète.
André CHÉNIER, Élégies, XXI.

52 Il y a dans l'art beaucoup de beautés qui ne deviennent naturelles qu'à force d'art.
Joseph JOUBERT, Pensées, XX, 11.

53 Je ne veux pas qu'on soit un charlatan et qu'on use en rien d'artifice; mais je veux qu'on observe l'art : l'art est de cacher l'art.
Joseph JOUBERT, Lettre à Mme de Beaumont, 12 sept. 1801.

**L'ART ET LA MANIÈRE** (au sens mod. de *art*, II., mais conservant les implications plus générales du mot).

54 Gardez-vous de confondre art et manière (...) L'art le plus subtil, le plus fort et le plus profond, l'art suprême est celui qui ne se laisse pas d'abord reconnaître. Et comme «la vraie éloquence se moque de l'éloquence», l'art véritable se moque de la manière qui n'en est que la singerie.
GIDE, Feuillets, *in* Journal 1889-1939, Pl., p. 715-716.

Dans des titres d'œuvres, de traités. *L'Art d'écrire, de Condillac. L'Art d'aimer, d'Ovide. L'Art de la fugue, de J.-S. Bach.*

♦ **3** (Déb. XIIIe, désignant une technique manuelle). *Un art, les arts* : ensemble de connaissances organisées et éventuellement théorisées, mais en fonction d'une pratique, d'une utilité sociale (→ **Technique**); les connaissances, par oppos. à une science «conçue comme pure connaissance indépendante des applications» (Lalande). — REM. Cet emploi a vieilli, ou du moins beaucoup évolué, depuis son apparition.

55 Vous voulez peut-être savoir (...) si la logique est un art ou une science?
MOLIÈRE, le Mariage forcé, 4 (→ Logique).

56 Des sciences sont nés les arts, qui ont apporté tant d'ornements et tant d'utilité à la vie humaine.
BOSSUET, *in* P. LAROUSSE.

56.1 La médecine n'est pas une science; c'est un art (...) dans toutes les connaissances humaines il y a à la fois de la science et de l'art. La science est dans la recherche des lois des phénomènes et dans la conception des théories; l'art est dans l'application, c'est-à-dire dans une réalisation pratique en général utile à l'homme qui nécessite toujours l'action personnelle d'un individu isolé.
Cl. BERNARD, Principes de médecine expérimentale (1878), p. 175, *in* T. L. F.

**ART POÉTIQUE** (calque du lat., lui-même du grec *poietikê tekhnê*, Aristote) : ensemble des techniques langagières, rhétoriques, métriques, etc., propres à la poésie. → **Poétique** (n. f.). — Traité de poétique et de rhétorique. *Les arts poétiques médiévaux, classiques. L'Art poétique, de Boileau.*

Vx. Métier, profession supposant des connaissances et des pratiques spécifiques qui réclament un apprentissage. → **Technique; artisanat, industrie** (vx). *L'art du mécanicien. Pratiquer, posséder un art. Exceller dans un art. Il ne possède que les rudiments de son art.*

(...) de donner impudemment le nom de science à des choses que l'on ne doit pas même honorer du nom d'art, et qui ne peuvent être comprises que sous le nom de métier misérable de gladiateur, de chanteur et de baladin ! 57
MOLIÈRE, le Bourgeois gentilhomme, II, 3.

Mettant leur Apollon aux gages d'un libraire, 58
Ils font d'un art divin un métier mercenaire.
BOILEAU, l'Art poétique, IV.

C'est un métier que de faire un livre, comme de faire une pendule (...) Il y a dans l'art un point de perfection (...) Celui qui le sent et qui l'aime a le goût parfait (...) 59
Il y a des artisans ou des habiles dont l'esprit est aussi vaste que l'art et la science qu'ils professent (...)
LA BRUYÈRE, les Caractères, I, 3, 10 et 61.

L'on peut s'enrichir dans quelque art ou dans quelque commerce que ce soit par l'ostentation d'une certaine probité. 60
LA BRUYÈRE, les Caractères, VI, 44.

REM. *Un art, l'art de qqn* peut signifier de manière ambiguë une technique apprise et exercée avec un talent personnel (sens traité ici), tout en impliquant une recherche esthétique (sens II). Mais de tels emplois connotent cependant encore le sens ancien et général de *art*.

La pratique d'un art demande un homme tout entier; c'est un devoir de s'y consacrer pour celui qui en est véritablement épris. 61
E. DELACROIX, Journal, 16 janv. 1860.

— On m'a dit que d'ingénieur vous vous êtes fait architecte. 62
— C'est vrai.
— Et qui vous enseigna cet art?
CLAUDEL, la Jeune Fille Violaine, IV.

Cet homme *(Beethoven)* a deux passions : son art et la vertu. 63
Édouard HERRIOT, la Vie de Beethoven, p. 261.

Absolt. Vieilli. *Les hommes, les gens de l'art* : ceux qui exercent un art.

(...) En cela, j'ai pour guide 64
Tous les maîtres de l'art, et tiens qu'il faut laisser
Dans les plus beaux sujets quelque chose à penser.
LA FONTAINE, Fables, X, 14.

Spécialt. *Consulter un homme de l'art*, un médecin.

REM. *Art*, en ce sens (technique et métier), peut être qualifié par un complément (nom ou infinitif introduit par *de*), par une épithète, par une proposition relative, etc.

*L'art du bijoutier, de la bijouterie. Art et commerce des vêtements de mode, art de la mode. L'art de la poterie.* → **Artisanat.** *L'art de fabriquer des outils, de travailler le bois, la pierre, le métal. L'art du médecin, l'art médical* (Cf. Cl. Bernard : *«La médecine (...) est un art»*, cit. 56.1). → **Métier; -technie, -urgie.**

REM. Ces emplois sont généralement vieillis, sauf quand on veut mettre l'accent sur le caractère individuel du travail, sur son côté difficile et recherché, et sur ses rapports avec l'*art* au sens II *(métiers d'art)* ou avec la science (la médecine). Encore vivants, les syntagmes suivants sont plus ou moins ambigus et souvent compris au sens II : *art oratoire, art dramatique*, art théâtral.* D'autres emplois se sont conservés sans être mis en rapport avec l'esthétique; → ci-dessus, I., 1., *Ouvrage d'art*.

*L'art de la guerre* : la tactique et la stratégie, considérées comme des techniques, des pratiques codifiées et plus ou moins théorisées.

En loc., avec un adj. *L'art sacré* ou *sacerdotal* : la philosophie hermétique (→ **Hermétisme**), attribuée à l'ancienne Égypte. — *Le grand art* : l'alchimie. → **Alchimie.** — *L'art royal* : la franc-maçonnerie. — *Le noble art* (empr. à l'angl.) : la boxe.

**LES ARTS MARTIAUX** (angl. *martial arts*, 1933) : les arts de combat traditionnels japonais (→ **Aïkido, jiujitsu, judo, karaté, kendo**), chinois (→ **Kung-fu**).

♦ **4** (V. 1160, Benoit de Sainte-Maure : *les set arz* (liberaux)). *Les arts* (en emploi absolu, ou avec un qualificatif) : les techniques.

(XVIIIe). *Le langage des arts :* la terminologie des techniques.

3.1 En exposant ce que furent les arts dans les deux premières époques de la société, on fera voir comment aux arts qui travaillent le bois, la pierre, ou les os d'animaux, qui préparent les peaux, et qui forment des tissus, ces peuples primitifs purent joindre les arts plus difficiles de la teinture, de la poterie (...)

CONDORCET, Esquisse d'un tableau historique des progrès de l'esprit humain, p. 37.

REM. C'est cet emploi, par les qualifications qu'il reçoit, qui permet au XVIIIe s. l'opposition entre le sens ancien de «technique» et celui de «valeurs intellectuelles ou esthétiques», qui prévaudra.

(1265). Vx. **ARTS MÉCANIQUES :** ensemble des techniques fondées sur le travail manuel utilisant des mécanismes et produisant des objets utiles (par oppos. à *arts libéraux*).

64 Les arts mécaniques *(pendant la Renaissance)* qui produisaient les objets utiles se distinguèrent des beaux-arts qui n'avaient souci que de la beauté. L'ouvrier des arts mécaniques conserva le vieux nom français d'artisan, le travailleur des beaux-arts prit le nom italien d'artiste.

Ch. SEIGNOBOS, Hist. sincère de la nation franç., p. 159.

REM. Historiquement, les distinctions linguistiques évoquées dans ce texte sont plus tardives.

Didact. **ARTS LIBÉRAUX,** ceux dans lesquels le travail intellectuel est dominant. → **Humanisme, lettres, philosophie.** *Les sept arts libéraux enseignés dans les facultés des arts du moyen âge.* → **Dialectique, grammaire, rhétorique** (trivium); **arithmétique, astronomie, géométrie, musique** (quadrivium). *Étudiant de la faculté des arts.* → **Artien.** — Absolt. *Les arts :* les arts libéraux. *Maître ès arts,* celui qui avait pris ses degrés à la faculté des arts, et pouvait enseigner la philosophie et les lettres.

65 Le lion, pour bien gouverner,
Voulant apprendre la morale,
Se fit un beau jour amener
Le singe, maître ès arts chez la gent animale

LA FONTAINE, Fables, XI, 5.

(1640; répandu au XVIIIe). Mod. **BEAUX-ARTS :** arts dont le but principal est la production du beau plastique. → **Architecture, décoratif** (art), **gravure, musique, peinture, sculpture**; → ci-dessous sens II. *École, académie des Beaux-arts.*

66 Le plaisir, instruisant par la voix des beaux-arts
Embellira la vie au sein de nos remparts.

M.-J. DE CHÉNIER, Charles IX, II, 3.

Loc. Mod. **ARTS D'AGRÉMENT :** activités personnelles créatrices, supposant un goût personnel et une technique maîtrisée, et que l'on pratique pour son plaisir. — REM. Ce syntagme, à la différence des suivants, peut être interprété au sens II. de *art.*

**ARTS MÉNAGERS :** industries et techniques visant à accroître le confort dans la vie quotidienne et à faciliter la tenue du ménage (cuisine, nettoyage, etc.). → **Ménager.**

(1786). **ARTS ET MÉTIERS.** *Conservatoire national des Arts et Métiers. Élève, ancien élève de l'École nationale d'ingénieurs des Arts et Métiers.* → Argot des écoles **Gadz'arts.** *Ingénieur diplômé des Arts et Métiers.*

Absolt et vx. *Les arts :* l'ensemble des activités réglées, des techniques, soit seulement des arts mécaniques, soit aussi des beaux-arts. *Amateur, ami des arts. Protecteur des arts. Encourager, faire fleurir les arts.*

67 Nous cultivions en paix d'heureux champs; et nos mains
Étaient propres aux arts ainsi qu'au labourage.

LA FONTAINE, Fables, XI, 7.

68 Il fit fleurir les arts. BOSSUET, Hist., I, 10, *in* LITTRÉ.

M. Turgot est le protecteur de tous les arts, et il l'est en connaissance de cause. 69

VOLTAIRE, Lettre de Lallandre, 19 déc. 1774.

Christine se retira à Rome, où elle passa le reste de ses jours dans le centre des arts. 70

VOLTAIRE, Histoire de Charles XII, 1.

Du temple des arts que la gloire environne, 71
Vos mains ont élevé la première colonne (...)

André CHÉNIER, 2.

*(Les ruines d'Athènes)* ne sont bien connues que des amateurs des arts. 72

CHATEAUBRIAND, Itinéraire..., VI (→ Amateur cit. 3).

REM. Cet emploi n'est plus senti aujourd'hui comme incluant toutes les techniques *(arts mécaniques)* ni certains travaux intellectuels *(arts libéraux),* mais est réservé en général aux *arts* (II.) plastiques, esthétiques et à la littérature créative. Il n'en était pas de même jusque vers le premier tiers du XIXe s. On peut faire la même remarque pour le singulier *art,* désignant dans la langue classique l'activité réglée, aussi bien de l'écrivain que du peintre, etc.

Boileau définira l'art : la nature observée par une tête bien faite. 73

Émile FAGUET, Études littéraires, XVIIe s., p. 359.

**II** Mod. ♦ **1** *L'art :* la production par l'homme d'œuvres matérielles, grâce au travail manuel et à la technique (*art* au sens I., 1.) ou grâce au travail intellectuel (et notamment au langage), réalisant une conception de la beauté.

REM. Cette notion se dégage progressivement du concept d'*art* au sens I. La notion de *beaux-arts* (ci-dessus, et → Beaux-arts), opposée à celles d'*arts mécaniques* et d'*arts libéraux,* date du XVIIe s.; elle se diffuse au XVIIIe s. et prépare l'autonomie du mot dans son usage esthétique. Celui-ci apparaît au milieu du XVIIIe, notamment chez Diderot, et est lié à l'importance accordée au *sentiment* dans la création contrôlée par une (on dit alors *un*) technique, et à la notion de *beau idéal.* Mais c'est avec l'esthétique allemande, importée au début du XIXe s. par Mme de Staël, B. Constant, etc., et la montée du romantisme, préparée dans ce domaine par Stendhal, que le mot *art* se diffuse dans ce sens moderne (voir ci-dessous *l'art pour l'art,* et la citation de l'étude de G. Matoré, qui éclaire cette évolution). De nos jours, de même que de nombreux emplois du mot *art* relevant du concept ancien et général sont très vivants, des extensions du concept esthétique font référence à cette notion plus générale (cf. les remarques sous le sens I.).

*L'art,* défini par rapport au sentiment du beau, à l'imitation de la nature, à la nature (cit. 54), à la vérité, à l'expression, au sentiment, au jeu (outre les citations ci-dessous, on consultera sous I., 1. des exemples où art, bien qu'employé en son sens général, concerne principalement la notion définie ici; → cit. 37, Hugo; 43, Balzac; 44, Baudelaire; 54, Gide).

(...) la palette particulière, un faire, un *(sic)* technique propre à chaque peintre. Qu'est-ce que ce technique? L'art de sauver un certain nombre de dissonances, d'esquiver les difficultés supérieures de l'art. 73.1

DIDEROT, Salon de 1753, *in* MATORÉ.

(...) l'art est constamment au-dessous de la nature, surtout lorsqu'il cherche à l'embellir. 74

MUSSET, la Nuit vénitienne, *in* Comédies et proverbes, t. I, p. 347.

La mission de l'art n'est pas de copier la nature, mais de l'exprimer. 75

BALZAC, le Chef-d'œuvre inconnu, Pl., t. IX, p. 394.

L'expression est tout l'art. Un tableau sans expression n'est qu'une image pour amuser les yeux un instant. Les peintres doivent sans doute posséder le dessin, le coloris, la perspective, etc. Mais s'arrêter dans une de ces perfections subalternes, c'est prendre le moyen pour le but (...) 75.1

STENDHAL, Hist. de la peinture en Italie, XX, *in* MATORÉ.

75.2 Car la poésie vraie, la poésie complète, est dans l'harmonie des contraires (...)
Tout ce qui est dans la nature est dans l'art.
HUGO, Préface de Cromwell, p. 48.

75.3 Or vous avez besoin d'art.
L'art est un bien infiniment précieux, un breuvage rafraîchissant et réchauffant, qui rétablit l'estomac et l'esprit dans l'équilibre naturel de l'idéal.
(...) il est juste, si les deux tiers de votre temps sont remplis par la science, que le troisième soit occupé par le sentiment, et c'est par le sentiment seul que vous devez comprendre l'art (...)
BAUDELAIRE, Curiosités esthétiques, Salon de 1846, «Aux bourgeois».

75.4 J'ai déjà remarqué que le souvenir était le grand critérium de l'art; l'art est une mnémotechnique du beau; or, l'imitation gâte le souvenir.
BAUDELAIRE, Curiosités esthétiques, Salon de 1846, «De l'idéal et du modèle».

75.5 (...) l'industrie, faisant irruption dans l'art, en devient la plus mortelle ennemie (...) La poésie et le progrès sont deux ambitieux qui se haïssent d'une haine instinctive, et quand ils se rencontrent dans le même chemin, il faut que l'un d'eux serve l'autre. S'il est permis à la photographie de suppléer l'art dans quelques-unes de ses fonctions, elle l'aura bientôt supplanté ou corrompu tout à fait.
BAUDELAIRE, Curiosités esthétiques, Salon de 1859, «Le public moderne et la photographie».

76 La conclusion semble donc qu'il faut rester les yeux fixés sur la nature, afin de l'imiter du plus près possible, et que l'art tout entier consiste dans l'exacte et complète imitation.
TAINE, Philosophie de l'art, t. I, I, 2.

77 Cela est-il vrai de tous points, et faut-il conclure que l'imitation absolument exacte est le but de l'art?
TAINE, Philosophie de l'art, t. I, I, 3.

78 L'art n'a pas la vérité pour objet. Il faut demander la vérité aux sciences, parce qu'elle est leur objet.
FRANCE, le Jardin d'Épicure, p. 31.

79 L'Art existe à la minute où l'artiste s'écarte de la nature.
COCTEAU, la Difficulté d'être, p. 221.

80 L'art est la source de vie; il est l'esprit de progrès, il donne à l'âme le plus précieux des biens : la liberté; et nul n'en jouit plus que l'artiste.
R. ROLLAND, Musiciens d'aujourd'hui, p. 115.

81 (...) la différence qualitative qu'il y a dans la façon dont nous apparaît le monde, différence qui, s'il n'y avait pas l'art, resterait le secret éternel de chacun. Par l'art seulement, nous pouvons sortir de nous, savoir ce que voit un autre de cet univers qui n'est pas le même que le nôtre et dont les paysages nous seraient restés aussi inconnus que ceux qu'il peut y avoir dans la lune. Grâce à l'art, au lieu de voir un seul monde, le nôtre, nous le voyons se multiplier, et autant qu'il y a d'artistes originaux, autant nous avons de mondes à notre disposition (...)
PROUST, le Temps retrouvé, Pl., t. III, p. 895-896.

81.1 L'art comme relation du formel et du significatif.
VALÉRY, Cahiers, Pl., t. II, p. 923.

81.2 *(On découvre)* que les passions humaines ne sont point la règle des arts, mais qu'au contraire, c'est l'art qui règle l'homme, lui montrant, par la loi architecturale, sa propre forme plus belle que lui, et plus sage que lui. C'est pourquoi toute vraie statue exige une prière, et toujours l'obtient.
ALAIN, Propos, 28 mai 1924, l'Architecture, règle suprême des arts.

81.3 Dès qu'il s'agit d'art, c'est-à-dire d'expression humaine à travers une technique définie (...)
A. LHOTE, Peinture d'abord (1942), p. 86, *in* T. L. F.

81.4 Ce que l'art est tout d'abord, et ce qu'il demeure avant tout, est un jeu.
Georges BATAILLE, Lascaux ou la Naissance de l'art.

81.5 L'art ne délivre pas l'homme de n'être qu'un accident de l'univers; mais il est l'âme du passé au sens où chaque religion antique fut une âme du monde. Il assure pour ses sectateurs, quand l'homme est né à la solitude, le lien profond qu'abandonnent les dieux qui s'éloignent (...) le Musée Imaginaire est la suggestion d'un vaste possible projeté par le passé, la révélation de fragments perdus de l'obsédante plénitude humaine, unis dans la communauté de leur présence invaincue. Chacun des chefs-d'œuvre est une purification du monde, mais leur leçon commune est celle de leur existence, et la victoire de chaque artiste sur sa servitude rejoint, dans un immense déploiement, celle de l'art sur le destin de l'humanité. L'art est un anti-destin.
MALRAUX, les Voix du silence, p. 637.

(Déb. XIX^e, B. Constant; → ci-dessous, cit. 81.6, Matoré). **L'ART POUR L'ART** (formule reprise par Théophile Gautier) : l'art qui n'a pas d'autre but que lui-même, qui porte en lui sa propre justification; qui ne vise pas l'utile, mais le beau. **→ Beau,** I. (cit. 5, Gautier). — REM. Les romantiques opposent parfois cette conception de l'art à l'*art utilitaire (art social)*.

C'est dans son *Journal intime* que Constant utilise pour 81
la première fois après une conversation avec un disciple de Schelling, Crabbe Robinson, établi à Weimar, l'expression *l'Art pour l'Art* (en note : 20 pluviôse an XII, éd. Albin Michel, p. 8...). M^me de Staël rencontre à Weimar, au début de 1804, Goethe, Schiller, Wieland, Robinson, etc. Cousin se rend en Allemagne en 1817 (...) Les Français feront connaissance outre-Rhin avec une esthétique nouvelle, celle de Kant, de Schelling, de Hegel et de Schiller, qui est à l'origine de la conception que se font de l'*Art* les Romantiques de 1827-1834.
G. MATORÉ, la Méthode en lexicologie, p. 104.

Il faut de la religion pour la religion; de la morale pour 82
la morale, de l'art pour l'art. Le bien et le saint ne peuvent être la route de l'utile, ni même du beau.
Victor COUSIN, Cours de philosophie de 1818, p. 224.

L'art pour l'art signifie, pour les adeptes, un travail dégagé 83
de toute préoccupation autre que celle du beau en luimême.
Th. GAUTIER, *in* P. LAROUSSE.

REM. La doctrine de *l'art pour l'art* a coloré l'usage du mot pendant une bonne partie du XIX^e siècle.

Au lieu des beaux-arts que nous connaissions tous par 83.
leur nom de famille ou par leur nom de baptême, nous avons *l'Art* (...) C'est de l'art qu'il est question dans toutes les poétiques à la mode, dans les romans intimes et dans les préfaces des livres qu'on ne lit pas (...) Enfin il s'en est trouvé quelques-uns qui, soudainement épris d'un noble dédain pour les *choses d'ici-bas*, ont agité, sans rire, la question de savoir s'il ne serait pas bien à propos de faire de *l'art pour l'art*.
DEGLÉNY, Langage à la mode, Nouveau tableau de Paris (1834), VI, p. 308, *in* MATORÉ.

Nous croyons à l'autonomie de l'art; l'art pour nous n'est 84
pas le moyen, mais le but; tout artiste qui se propose autre chose que le beau n'est pas un artiste (...)
Th. GAUTIER, l'Artiste, 14 déc. 1856.

Tout passe. L'art robuste 85
Seul a l'éternité.
Le buste
Survit à la cité (...)
Les dieux eux-mêmes meurent,
Mais les vers souverains
Demeurent
Plus forts que les airains.
Th. GAUTIER, Émaux et Camées, «L'art».

**... D'ART.** *Œuvre d'art* (**→ Œuvre,** cit. 25 à 27 et *supra*). — *Travail d'art.* — *Les métiers d'art :* les métiers à caractère artistique. — *Un film d'art* (expression vieillie, employée v. 1910 pour opposer la vocation artistique du cinématographe à la fabrication de films sans prétentions artistiques). Mod. *Cinéma d'art et d'essai**.

Nous voulons toujours dire que ce qui plaît dans l'œuvre 86
d'art c'est ce qui est raisonnable et calculé; mais cette partie des œuvres est trop froide; ce qui est bien construit, bien peint, bien rimé, c'est toujours travail.
ALAIN, Propos, 10 déc. 1930, La chance.

♦ **2** Spécialt et absolt. *Art,* excluant les disciplines du langage, parfois celles du son et du temps, pour se limiter à la création d'œuvres visuelles (*arts plastiques, arts de l'espace;* → ci-dessous, 3.). *Les œuvres d'art d'un musée* (tableaux, sculptures, décorations, éventuellement meubles). *Objet d'art :* objet considéré à la fois comme marchandise et comme produit de l'art. *Marchand d'objets d'art anciens* (**→ Antiquaire**). *Vente aux enchères d'œuvres et d'objets* *d'art. Ville d'art,* riche en œuvres d'art. *Livre d'art,* contenant des reproductions d'œuvres artistiques. *Le marché de l'art, des œuvres d'art. — Critique d'art* (par oppos. à *critique littéraire, musical). Institut d'art et d'archéologie. Histoire de l'art. Sociologie de l'art. Sémiologie, sémiotique de l'art.*

87 L'œuvre d'art avait été liée, statue gothique à la cathédrale, tableau classique au décor de son époque; mais non à d'autres œuvres d'esprit différent — isolée d'elles au contraire, pour être goûtée davantage. Les cabinets d'antiques et les collections existaient au XVIIe siècle, mais ne modifiaient pas, à l'égard de l'œuvre d'art, une attitude dont celle de Versailles est le symbole. Le musée sépare l'œuvre du monde «profane» et la rapproche des œuvres opposées ou rivales. Il est une confrontation de métamorphoses.
MALRAUX, les Voix du silence, p. 12.

♦ **3** *(Un art, les arts).* Chacun des modes d'expression esthétique, dans quelque domaine que ce soit.

88 Lorsque la sculpture bavarde, je m'en détourne. Lorsque la musique décrit, je m'en détourne. Si l'architecture tend devant mes yeux un décor sans épaisseur, et derrière lequel il n'y a rien, je m'en détourne. D'une peinture qui fait danser ses personnages, je me détourne. Je veux que chacun des arts parle le langage qui lui est propre, au lieu de bégayer dans une langue étrangère.
ALAIN, Propos, 3 juin 1921, Du langage propre à chaque art.

89 Ce que nous faisons et ensuite percevons est de trois espèces. L'action est la première, qui change le solide et y enfonce le pouce ou l'outil. C'est l'art rude, qui modèle, qui fouille et qui construit (...)
La voix est la seconde espèce (...) Tel est l'art de l'aède, qui est comme la mémoire des guerriers (...)
Le troisième art est l'art du geste; et c'est l'art du chef. Le geste dessine l'action, mais n'est point action. Sous la forme de la danse, il ressemble à la musique (...) Le geste tracé, qui est dessin ou écriture, reste léger et effleurant (...)
ALAIN, Propos, 14 avr. 1923, le Potier.

**ARTS PLASTIQUES** OU **ARTS DE L'ESPACE.** → **Architecture, peinture, sculpture; dessin, gravure; photographie** (correspond au sens spécial de art, II., 2.). — REM. *Les arts,* employé absolt, désigne en général les arts plastiques.

90 (...) cette fameuse *beauté,* qui est, au dire de tout le monde, le but des arts; si c'est l'unique but, que deviennent les gens qui, comme Rubens, Rembrandt, et généralement toutes les natures du Nord, préfèrent d'autres qualités? Demandez la pureté, la beauté, en un mot, au Puget, adieu sa verve!
E. DELACROIX, Journal, 9 févr. 1847.

*Les quatre arts enseignés dans les écoles des beaux-arts* (architecture, gravure, peinture, sculpture), *dits plaisamment* les quat'zarts [katzaR]. — *Le bal des quat'zarts,* organisé traditionnellement à la fin de l'année universitaire par les élèves de l'École nationale supérieure des beaux-arts, à Paris.

REM. Ne pas confondre avec le paronyme *gadz'arts* (→ Gadz'arts à l'ordre alphabétique, et, dans cet article, la loc. *arts et métiers, supra* cit. 67).

90.1 Adieu! les faux tibias, les crânes de carton...
Plus de marche funèbre au son des mirlitons!
Au grand bal des quat'zarts nous n'irons plus danser,
Les vrais enterrements viennent de commencer.
Nous n'irons plus danser au grand bal des quat'zarts,
Viens, pépère, on va se ranger des corbillards.
G. BRASSENS, les Quat'zarts (chanson).

*Les arts du temps.* → **Musique; danse; cinéma.** *Les arts du langage.* → **Littérature, rhétorique.** *Les arts du spectacle.* → **Théâtre; opéra.** *L'art photographique. L'art du film, de l'écran.*

91 *(Au théâtre)* une suite de tableaux d'où le mouvement même est effacé par la puissance de quelque loi chorégraphique. De quoi l'art de l'écran fournit une preuve par le contraire, et sans la chercher; car le mouvement perpétuel est la loi de ses productions (...)
ALAIN, Propos, 10 févr. 1923, l'Immobile.

LOC. **LE SEPTIÈME ART :** le cinéma. *Le huitième art :* la télévision. *Le neuvième art :* la bande dessinée.

VX. **L'ART NÈGRE** (expression en usage au déb. du XXe siècle) : les arts d'Afrique noire (mis à la mode en Europe à l'époque cubiste).

L'Europe a découvert l'art nègre lorsqu'elle a regardé des sculptures africaines entre Cézanne et Picasso, et non des fétiches entre des noix de coco et des crocodiles. 92
MALRAUX, la Métamorphose des dieux, p. 20.

**ART NOUVEAU :** styles d'arts plastiques (→ ci-dessus) développés en Europe entre 1885 et 1914. — Syn. : *modern style.* → **Nouveau** (cit. 7 et *supra*).

**ART DÉCO** [aRdeko] : style représenté par l'Exposition des arts décoratifs de 1925 et ses suites.

*L'art, les arts de masse :* les activités et productions artistiques diffusées massivement. — *Art populaire :* forme d'art (arts plastiques ou œuvres littéraires; → ci-dessous, cit. 93, Proust) destinée au peuple.

L'idée d'un art populaire comme d'un art patriotique, si même elle n'avait pas été dangereuse, me semblait ridicule. S'il s'agissait de le rendre accessible au peuple en sacrifiant les raffinements de la forme, «bons pour des oisifs», j'avais assez fréquenté de gens du monde pour savoir que ce sont eux les véritables illettrés, et non les ouvriers électriciens. À cet égard, un art populaire par la forme eût été destiné plutôt aux membres du Jockey qu'à ceux de la Confédération générale du Travail (...) 93
PROUST, le Temps retrouvé, Pl., t. III, p. 888.

**ARTS APPLIQUÉS :** techniques artistiques fondées sur l'application d'un art (dessin, peinture, etc.) et visant à la conception et à la fabrication d'objets utilisables et esthétiques. → aussi **Design** (anglicisme).

**ARTS DÉCORATIFS :** arts appliqués à la décoration. → **Décoratif.**

On l'a tenu *(le vitrail)* pour un art d'ornement. Prenons garde que le domaine de l'art décoratif est fort imprécis quand il appartient à un art barbare. Un coffret du XVIIIe lui appartient d'évidence, mais une châsse? Un bronze du Louristan, une plaque scythe, une étoffe copte, tels animaux chinois — voire une tapisserie? Une figure de châsse est subordonnée à l'objet qu'elle décore? Sans doute moins qu'une statue-colonne à l'architecture dont elle fait partie (et l'influence de l'orfèvrerie sur la sculpture romane de pierre n'est plus contestée). *Le domaine de l'art décoratif n'est déterminable avec précision que dans un art humaniste.* 94
MALRAUX, les Voix du silence, p. 36.

♦ **4** *Art* (qualifié par un adj. ou un compl. de nom) : ensemble d'œuvres propres à une époque, à un lieu, à une civilisation, à un style, etc.; production de ces œuvres et activités liées à cette production, dans l'histoire. *L'art antique, médiéval, moderne, contemporain. Musée national d'art moderne,* à Paris. *L'art du XVIIe siècle français.*

*Étudier l'art égyptien, assyrien, américain. Histoire de l'art italien, allemand, flamand. L'art africain, océanien. L'art des steppes. Exposition d'art gaulois, d'art brésilien contemporain. L'Art d'Occident,* ouvrage de H. Focillon. *Les arts d'Asie, d'Extrême-Orient. L'art japonais classique. — Art primitif* (expression vieillie ou critiquée, comme l'est *art populaire*). *Les arts premiers**. — *Art élisabéthain. L'art Ming, T'ang :* l'art chinois des dynasties Ming, T'ang. — Styles. *Art roman, gothique, renaissance. Art baroque, classique.*

(Tendances apparues au XXe s.). *L'art abstrait, non figuratif.* → **Abstraction.** *L'art pop.* → **Pop art.** *L'art optique.* → **Op art.** *Art cinétique. Art naïf** (cit. 5). *Art brut** (cit. 7; art spontané). *Art conceptuel** (2.). *Art minimal** (2.). *Art pauvre* (ital. *arte povera*). → Matiérisme. *Art néo-figuratif. L'art réaliste socialiste. Art hyperréaliste.* → **Hyperréalisme.** *Art modelant la nature.* → **Land art.**

On en arrive (...) progressivement à la notion d'œuvre d'art ouverte (...) en opposition à l'œuvre d'art produit fini. 95

Notion qui trouvera sa parfaite illustration dans les earthworks *(«œuvres de terre»)* du land-art américain et dans l'arte povera de Germano Celant : la disponibilité dématérialisante de l'art pauvre en fait l'arme de la guerilla contre l'art du monde riche.
Pierre RESTANY, l'Autre Face de l'art, p. 96.

DÉR. **Artisme.** — V. aussi les dér. du lat. *ars* : **artien, artisan, artiste.** ◊ HOM. **Are, arrhes, ars, hart.**

**ARTABAN** [aʀtabɑ̃] n. m. — 1838, *fier comme un Artaban* (dès 1785 en occitan), *in* F.E.W.; nom d'un héros de La Calprenède (*Cléopâtre* (1646-1658)), sans rapport avec le roi historique des Parthes, et dont la fierté est passée en proverbe.

Loc. *Être fier* comme Artaban, «comme un artaban»* (Huysmans). — Par ext. *Faire l'artaban. Un vrai artaban.*

REM. La loc. a donné lieu à des à-peu-près plaisants : *être fier comme un petit banc, comme bar-tabac,* etc.

**ARTEFACT** [aʀtefakt] n. m. — 1905; mot angl. *artefact,* plus cour. *artifact,* 1821; du lat. *artis factum* «fait de l'art».

REM. Le *T. L. F.* écrit *artéfact,* d'après une attestation de 1920.

♦ **1** Méd. Altération de structure causée par l'intervention scientifique (examen microscopique d'un tissu fixé, électro-encéphalographie, électrocardiographie, etc.), dans les examens de laboratoire. *Artefact d'un tissu organique soumis à une préparation chimique.*

Par ext. Inform. Signe parasite.

♦ **2** Didact. Phénomène d'origine humaine, artificielle (dans l'étude de faits naturels); produit de l'art ou de l'industrie humaine.

1 Tout artefact est un produit de l'activité d'un être vivant qui exprime ainsi, et de façon particulièrement évidente, l'une des propriétés fondamentales qui caractérisent tous les êtres vivants sans exception : celle d'être des *objets doués d'un projet* qu'à la fois ils représentent dans leurs structures et accomplissent par leurs performances (telles que, par exemple, la création d'artefacts).
Jacques MONOD, le Hasard et la Nécessité, p. 25.

2 Mon discours contient beaucoup de notions couplées *(dénotation / connotation, lisible / scriptible, écrivain / écrivant).* Ces oppositions sont des artefacts : on emprunte à la science des manières conceptuelles, une énergie de classement : on vole un langage, sans cependant vouloir l'appliquer jusqu'au bout : impossible de dire : ceci est de la dénotation, ceci de la connotation, ou : un tel est écrivain, un tel écrivant, etc. : l'opposition est *frappée* (comme une monnaie), mais on ne cherche pas à l'*honorer.* À quoi sert-elle donc? Tout simplement à *dire quelque chose* : il est nécessaire de poser un paradigme pour produire un sens et pouvoir ensuite le dériver.
R. BARTHES, Roland Barthes, p. 95-96.

**ARTEL** [aʀtɛl] n. m. — 1800, *artelchiki,* mot russe, «commune» puis «coopérative».

Hist. Coopérative, dans l'ancienne Russie.

Mod. Société coopérative dans laquelle la propriété est collective. *Artel agricole :* forme de kolkhoze.

**ARTÉMIE** [aʀtemi] ou **ARTÉMIA** [aʀtemja] n. f. — 1819; grec *artemia* «bonne santé».

Zool. Petit crustacé *(Branchiopodes)* qui vit dans les étangs salés.

**ARTÈRE** [aʀtɛʀ] n. f. — 1213; lat. *arteria,* empr. du grec.

♦ **1** Anat. Vaisseau à ramifications divergentes partant des ventricules du cœur et de l'aorte et qui distribue le sang à toutes les parties du corps. *Étude des artères et des veines.* → **Angiologie** ou **angéiologie.** *Les artères communiquent avec les veines par les capillaires. Les tuniques des artères.* → **Adventice, intima.** — *Artère pulmonaire,* partant du ventricule droit et se divisant en deux branches, une pour chaque poumon (petite circulation). *Artère aorte*, dont le tronc, issu du ventricule gauche, se divise en nombreuses branches qui se ramifient à leur tour. Les artères issues de l'aorte empruntent généralement leurs noms aux diverses régions* (ou organes) *qu'elles traversent.* → **Axillaire, carotide, céphalique** (tronc brachio-céphalique ou innominé), **cœliaque, coronaire, cubital, fémoral, gastrique, hépatique, huméral, iliaque, intercostal, lombaire, mammaire, mésentérique, pédieux, péronier, plantaire, poplité, radial, rénal, scapulaire, sous-clavier, splénique, spermatique, temporal, tibial, vertébral.** *Battement des artères. Affection, inflammation, lésion des artères.* → **Anévrisme, artério-sclérose, artérite, athérome.** *Oblitération d'une artère.* → **Embolie.** *Sectionnement d'une artère. Ligature d'une artère. Incision d'une artère.* → **Artériotomie.**

La grande artère qui envoie ses branches par tout le corps. 1
DESCARTES, Discours de la méthode, 5.

Elle resta perdue de stupeur, et n'ayant plus conscience d'elle-même que par le battement de ses artères, qu'elle croyait entendre s'échapper comme une assourdissante musique qui emplissait la campagne. 2
FLAUBERT, Mme Bovary, III, 8.

*On a l'âge de ses artères* (axiome de Cazalis). → **Âge,** cit. 17.

Par compar. et métaphore. Ce qui fait vivre en irriguant.

♦ **2** (1831). Fig. Voie de communication. — Spécialt. Rue importante d'une ville. → **Artériel.**

(...) les deux rues mères, les deux rues génératrices, les deux artères de Paris. Toutes les autres veines de la triple ville venaient y puiser ou s'y dégorger (...) 3
HUGO, Notre-Dame de Paris, III, 2.

Dans les grandes artères retentissaient les cris des vendeurs de journaux (...) 4
MARTIN DU GARD, les Thibault, VII, 58.

Sur une plaque au coin (...), il lit le nom de la calle Marqués del Duero; quand il reconnaît sur le plan la longue artère en diagonale (...) 5
A. PIEYRE DE MANDIARGUES, la Marge, p. 96.

Voie de communication fluviale.

DÉR. **Artériel, artériole, artérite.** ◊ COMP. V. **Artéri-** et composés.

**ARTÉRIECTOMIE** [aʀteʀjɛktɔmi] n. f. — 1931, *in* D. D. L.; *artériotome,* 1560; de *artério-,* et *-ectomie.*

Chir. Ablation d'une artère. → **Artériotomie.**

**ARTÉRIEL, ELLE** [aʀteʀjɛl] adj. — 1503; *vaine arterial,* 1314; lat. méd. *arterialis;* de *artère.*

♦ **1** Qui a rapport aux artères, constitue une artère ou circule par une artère. *Système artériel. Canal artériel. Ligament artériel. Arc artériel :* arc aortique* — *Sang* artériel et sang veineux*. Tension artérielle.*

Chassé du ventricule gauche, le sang artériel s'élance dans une grosse artère, l'aorte, qui le distribue dans toutes les parties du corps. Au contact des éléments anatomiques, il cède à ces derniers les divers principes nécessaires à la nutrition et à leur fonctionnement; il reçoit d'eux, en échange, les substances diverses provenant de la désassimilation et se transforme ainsi en sang veineux. 1
L. TESTUT, Traité d'anatomie, t. II, p. 1.

(...) le canal artériel du fœtus et (...) le ligament artériel qui, chez l'adulte, représente le reliquat de ce dernier vaisseau. 2
L. TESTUT, Traité d'anatomie, t. II, p. 173.

♦ **2** Fig. Rare. D'une artère (2.). *Le système artériel d'un pays,* ses communications.

*(Leur rue)* coupait à angle droit les deux rues artérielles. 3
HUGO, Notre-Dame de Paris, III, 2
(→ Artère, cit. 3).

**ARTÉRIO-, ARTÉRI-** Éléments, du lat. *arteria* «artère».

**ARTÉRIOGRAPHIE** [aʀteʀjɔgʀafi] n. f. — Av. 1929, Dr Sicard; «description des artères», 1771; de *artério-*, et *-graphie*.

Méd. Radiographie d'une artère, après injection d'un produit opaque.

Et Pierrot souffrait de plus en plus de la tête, et il est arrivé qu'il en a eu tellement marre qu'il est entré à l'hôpital pour se faire faire une artériographie.
Jean FERNIOT, Pierrot et Aline, p. 177.

**ARTÉRIOLAIRE** [aʀteʀjɔlɛʀ] adj. — XXe; de *artériole*.

Anat., physiol. Des artérioles. «*Une vasodilatation artériolaire*» (*Science et Vie*, no 670, p. 29).

**ARTÉRIOLE** [aʀteʀjɔl] n. f. — 1673; de *artère*.

Anat. Petite artère; branche terminale d'une artère.

Au contraire *(d'une plaie artérielle)*, la blessure insignifiante d'une petite artériole occasionne un suintement en nappe qui se fait d'une façon continue, tant que la coagulation ne s'est pas produite spontanément ou après pansement. P. VALLERY-RADOT, Notre corps..., p. 41.

DÉR. **Artériolaire.**

**ARTÉRIOLOGIE** [aʀteʀjɔlɔʒi] n. f. — 1762, *Académie*; de *artério-*, et *-logie*.

Didact. (méd.). Partie de l'anatomie qui traite des artères (branche de l'angiologie*).

**ARTÉRIOPATHIE** [aʀteʀjopati] n. f. — 1865, *in* P. Larousse; de *artério-*, et *-pathie*.

Méd. Maladie des artères. «*Si l'amputation de cuisse est la conséquence d'une artériopathie généralisée (...)*» (*Sciences et Avenir*, no spécial, 1979, p. 11).

**ARTÉRIOSCLÉREUX, EUSE** [aʀteʀjosklerø, øz] adj. et n. — 1895; de *artériosclérose*.

Méd. De l'artériosclérose. *Ictus artérioscléreux. Onirisme artérioscléreux.* — Atteint d'artériosclérose. *Cerveau artérioscléreux.* — N. *Un artérioscléreux, une artérioscléreuse* : un, une malade atteint(e) d'artériosclérose.

**ARTÉRIOSCLÉROSE** [aʀteʀjoskleʀoz] n. f. — 1833, Lobstein; de *artério-*, et *sclérose*, du grec *sklêrôsis* «durcissement»; avec un trait d'union in *Académie*, 1932.

Méd. et cour. État pathologique caractérisé par un épaississement de la tunique interne, un durcissement progressif des artères. → **Artériopathie, athéromatose, athérome, athérosclérose.** *L'artériosclérose cérébrale.* — REM. S'écrit tantôt avec, tantôt sans trait d'union.

1 Une aorte privée de sa tunique moyenne, à la fois souple et résistante, comme on le voit dans l'anévrisme, ou incrustée de sels de chaux, comme dans l'artério-sclérose, se trouve exposée à la rupture.
P. VALLERY-RADOT, Notre corps..., p. 41.

2 Le jeune comte de (...) que j'avais vu dans la loge de Mme de Cambremer, alors lieutenant, le jour où Mme de Guermantes était dans la baignoire de sa cousine, avait toujours ses traits aussi parfaitement réguliers, plus même, la rigidité physiologique de l'artério-sclérose exagérant encore la rectitude impassible de la physionomie du dandy et donnant à ces traits l'intense netteté, presque grimaçante à force d'immobilité, qu'ils auraient eue dans une étude de Mantegna ou de Michel-Ange.
PROUST, le Temps retrouvé, Pl., t. III, p. 938.

DÉR. **Artérioscléreux.**

**ARTÉRIOTOMIE** [aʀteʀjotɔmi] n. f. — 1575; bas lat. d'orig. grecque, *arteriotomia*.

Chirurgie.

♦ **1** Incision pratiquée à une artère. → **Artériectomie.**

♦ **2** Vx. Saignée effectuée par artériotomie.

**ARTÉRITE** [aʀteʀit] n. f. — 1824, Nysten, *in* D. D. L.; de *artère*.

Pathol. Affection artérielle d'origine inflammatoire. *Une artérite aiguë, chronique.*

Un caillot formé à l'intérieur même du vaisseau, comme on le voit dans les inflammations des parois vasculaires (phlébites, artérites) en se détachant, peut obstruer le conduit et provoquer une embolie.
P. VALLERY-RADOT, Notre corps..., p. 52.

DÉR. **Artéritique.**

**ARTÉRITIQUE** [aʀteʀitik] adj. et n. — 1920; de *artérite*.

Méd. De l'artérite. — Atteint d'artérite. — N. *Un, une artéritique.*

Jamais je n'aurais pu tenir sans la présence du plancher en bois; c'est pourquoi j'estime que ce plancher doit être installé dans tout bateau de sauvetage. Sans lui, c'eût été la gangrène ou, en tout cas, de graves troubles artéritiques.
Alain BOMBARD, Naufragé volontaire, p. 208.

**ARTÉSIEN, IENNE** [aʀtezjɛ̃, jɛn] adj. et n. — 1530, *Arthisien* «habitant de l'Artois»; adj., 1803, Boiste; de *Artois*.

De l'Artois. *Le folklore artésien. L'économie artésienne et flamande.* — N. *Un Artésien, une Artésienne.* (1835, Acad.). Cour. *Puits* artésien :* trou foré jusqu'à une nappe d'eau souterraine agissante. — *Eaux artésiennes,* atteintes par puits artésien.

Une chose curieuse que cette circulation de l'argent que nous donnons à des femmes, qui à cause de cela nous rendent malheureux, c'est-à-dire nous permettent d'écrire des livres : on peut presque dire que les œuvres, comme dans les puits artésiens, montent d'autant plus haut que la souffrance a plus profondément creusé le cœur.
PROUST, le Temps retrouvé, Pl., t. III, p. 908.

**ARTHR-, ARTHRO-** Éléments, du grec *arthron* «articulation». — Ex. : *arthrodynie* [aʀtʀodini], n. f. (1814; du grec *odunê* «douleur») : douleur articulaire. — Voir à l'ordre alphabétique.

**ARTHRALGIE** [aʀtʀalʒi] n. f. — 1833, *in* D. D. L.; de *arthr-*, et *-algie*.

Méd. Douleur articulaire.

**ARTHRITE** [aʀtʀit] n. f. — 1646; *arthritis*, v. 1580; lat. *arthritis*, grec *arthritis* «maladie des articulations, goutte».

Méd. et cour. Affection articulaire d'origine inflammatoire. *Arthrite chronique. Arthrite déformante.* → **Rhumatisme.** *Arthrite de la hanche.* → **Coxalgie.**

DÉR. et COMP. **Arthritisme. Lipoarthrite, monoarthrite, ostéoarthrite.** V. **Arthritique.**

**ARTHRITIQUE** [aʀtʀitik] adj. et n. — Fin XVIe, A. Paré; *artetique*, v. 1170; lat. *arthriticus*, grec *arthritikos*.

Méd. et cour. Qui a rapport à l'arthritisme*. *Tempérament arthritique.*

N. (Début XIXe, Chateaubriand). *Un, une arthritique* : une personne sujette aux affections arthritiques.

**ARTHRITISME** [artritism] n. m. — 1865; de *arthrite*.

Méd. Vieilli. Ensemble de maladies de caractère souvent familial et pouvant coexister chez le même individu, avec tendance à diverses douleurs (goutte, rhumatisme chronique, lithiase biliaire, obésité). → **Diathèse.**

(...) nous parlons ici de la *goutte vraie, légitime,* et non des nombreuses manifestations morbides que certains médecins, en présence d'un diagnostic obscur, difficile, n'hésitent pas à rattacher à une *goutte larvée, anomale,* à l'*arthritisme.*

L. FLEURY, Traité thérapeutique et clinique d'hydrothérapie, p. 467 (1866), *in* D. D. L., II, 8.

**ARTHRO-** → **Arthr-.**

**ARTHRODÈSE** [artrodɛz] n. f. — 1898, Littré-Robin, 18e éd.; de *arthro-*, et *-dèse.*

Didact. (chir.). Opération qui consiste à souder les surfaces contiguës d'une articulation, de façon à l'immobiliser dans une position appropriée. *Arthrodèse de la hanche.*

— Au fait, Julien, tu t'es renseigné sur «arthrodèse»?
À sa dernière visite, je lui ai remis les copies, avec mission de les décrypter.
— Oui : ça veut dire «bloquer». Ton pied ne cambrera plus.

A. SARRAZIN, l'Astragale, p. 90.

**ARTHRODIE** [artrɔdi] n. f. — V. 1580; grec *arthrôdia.*

Anat. Type d'articulation mobile à surfaces articulaires planes ou peu arrondies, ne permettant qu'un mouvement de glissement. *L'articulation entre l'atlas et l'axis appartient à la classe des arthrodies.*

**ARTHROGÈNE** [artrɔʒɛn] adj. — 1970; de *arthro-*, et *-gène.*

Méd. Qui a son origine dans une articulation.

**ARTHROGRAPHIE** [artrɔgrafi] n. f. — 1958; de *arthro-*, et *-graphie.*

Méd. Examen radiologique d'une articulation après injection d'un produit de contraste (substance opaque aux rayons X, gaz) dans la cavité articulaire.

**ARTHROLOGIE** [artrɔlɔʒi] n. f. — V. 1950; de *arthro-*, et *-logie.*

Méd. Vieilli. Partie de l'anatomie qui traite des articulations.

**ARTHROLYSE** [artrɔliz] n. f. — 1966; de *arthro-*, et *-lyse.*

Intervention chirurgicale destinée à rendre sa mobilité à une articulation ankylosée.

**ARTHROMÉTRIE** [artrɔmetri] n. f. — 1970; de *arthro-*, et *-métrie.*

Méd. Mesure de l'ampleur des mouvements d'une articulation.

**ARTHROPATHIE** [artrɔpati] n. f. — 1840, *in* D. D. L.; de *arthro-*, et *-pathie.*

Méd. Affection articulaire d'origine nerveuse.

**ARTHROPLASTIE** [artrɔplasti] n. f. — 1948, *Nouveau Larousse universel*; de *arthro-*, et *-plastie.*

Chir. Opération ayant pour but de rétablir la forme et la mobilité d'une articulation.

**ARTHROPODES** [artrɔpɔd] n. m. pl. — 1884, en zool., *in* T. L. F.; mot créé en botanique (*arthropodion, in* Boiste, 1823; *arthropode,* 1845), repris en zool.; du lat. méd. *arthropoda* (Siebold et Stannius, 1845), des éléments grecs correspondant à *arthro-* et *-pode.* → Articuler, cit. 2.

Embranchement du règne animal comprenant les animaux des milieux maritime, terrestre et aérien, invertébrés, à pattes articulées, dont le corps, parfaitement symétrique, est formé de segments. *Les crustacés, les myriapodes, les arachnides, les insectes sont des arthropodes. Le développement des arthropodes s'opère par des transformations* (mues, métamorphoses); *presque tous sont ovipares; leur tête porte des antennes et un appareil masticateur; au thorax sont attachés les organes de locomotion; tête et thorax sont parfois soudés ensemble et forment le céphalothorax* (prosoma); *l'abdomen fait suite au thorax et il s'y ajoute parfois un postabdomen.*

Il y avait donc un dieu pour les insectes aussi, un messie pour les coléoptères et pour les arthropodes, un sauveur tout noir, caparaçonné, couvert d'antennes et de pattes, et qui avait donné pour toujours son ordre magique!

J.-M. G. LE CLÉZIO, la Fièvre, p. 159.

*Divisions des arthropodes : Antennates, Chélicérates, Pararthropodes, Proarthropodes* (sous-embranchements).

Au sing. *Un arthropode.*

(1926, Cuénot). *Arthropodes aberrants* (ou *Pararthropodes*), réunion (pseudo-embranchement) de trois groupes d'animaux présentant certains caractères des arthropodes et certains des annélides (Onychophores, Tardigrades, Pentastomides).

**ARTHROSCLÉROSE** [artroskleroz] n. f. — Mil. XXe; de *arthro-*, et *sclérose.*

Méd. Raideur articulaire.

**ARTHROSCOPIE** [artrɔskɔpi] n. f. — V. 1970; de *arthro-*, et *scopie.*

Méd. Examen endoscopique d'une cavité articulaire. *L'arthroscopie du genou permet de repérer les anomalies de l'articulation et de pratiquer les biopsies.*

**ARTHROSE** [artroz] n. f. — 1611, *artrose*; de *arthr-*, et 2. *-ose.*

♦ **1** Anat. Vx. Articulation.

♦ **2** (1644, aussi *arthrosie*). Méd. Altération chronique non inflammatoire des articulations, par vieillissement des cartilages articulaires.

DÉR. **Arthrosique.**

**ARTHROSIQUE** [artrozik] adj. et n. — 1980; de *arthrose.*

Méd. Qui souffre d'arthrose. *«La prothèse de hanche permet de restaurer la fonction des hanches arthrosiques»* (*la Recherche,* oct. 1980, p. 1197). — N. *Un, une arthrosique :* une personne qui a de l'arthrose. *«Accidentés de la route arthrosiques, rhumatisants, victimes de scolioses ou de cyphoses»* (*le Nouvel Obs.,* 6 avr. 1981, p. 59).

**ARTHURIEN, IENNE** [artyrjɛ̃, jɛn] adj. — 1881, G. Paris; de *Arthur.*

Relatif au roi Arthur (Artus) et à son entourage, en tant qu'objet narratif et mythique (littérature médiévale). *Légende arthurienne; cycle arthurien; littérature arthurienne. — Études arthuriennes.*

**ARTICHAUT** [aʀtiʃo] n. m. — 1538; lombard *articiocco*, altér. de l'ital. *carcioffo*; esp. *alcarchofa*; arabe *hăršăf* ou *hăršūf* «artichaut».

**I** ♦ **1** Plante potagère *(Composacées)*, vivace, herbacée, scientifiquement appelée *cynara scolymus*, qui est cultivée pour ses capitules *(tête d'artichaut)*, dont le réceptacle charnu (*cul* ou *fond d'artichaut*) porte des bractées (dites *feuilles d'artichaut*) à base également charnue. *Pied, tige d'artichaut. Culture des artichauts en Bretagne. Carré d'artichauts* (→ **Artichautière**).

♦ **2** Capitule de cette plante, partie comestible formée par des bractées imbriquées. *Cœur d'artichaut :* les feuilles du cœur de petits artichauts dont le haut est coupé. *Fond, cul* (vx) *d'artichaut :* la base charnue qui supporte les bractées (feuilles). *Foin* d'artichaut,* couvrant le fond des artichauts, et qu'on enlève pour manger le réceptacle. *Artichaut de Bretagne. Artichaut à la croque au sel, à la vinaigrette, à la poivrade, à la barigoule.*

1 (...) au contraire la pomme de l'artichau *(sic)* excede en bonté celle de la carde.
O. DE SERRES, 518, *in* LITTRÉ.

2 On vous a déjà reproché de dire (...) un cul d'artichaut (...)
VOLTAIRE, Discours aux Velches.

3 À cette saison les artichauts de Bretagne sont exquis : la prochaine fois, elle lui en préparera, fourrés de crevettes avec une sauce légère à la moutarde : il verra, on n'y résiste pas. Alain BOSQUET, les Bonnes Intentions, p. 170.

Par compar. *L'Italie est comme un artichaut qu'il faut manger feuille à feuille,* expression attribuée à Victor-Emmanuel Ier, duc de Savoie.

(1869, P. Larousse). Loc. fam. **UN CŒUR D'ARTICHAUT :** un cœur volage.

4 (...) se redressant avec le dépit d'une grande coquette trahie, il répondit : «Je vois que vous avez un cœur d'artichaut.»
PROUST, Sodome et Gomorrhe, Pl., t. II, p. 609.

♦ **3** Par anal. (de forme ou de goût). *Artichaut cardon.* → **Cardon.** *Artichaut sauvage.* → **Joubarbe.** *Artichaut d'hiver.* → **Topinambour.** *Artichaut des Indes.* → **Patate.** *Artichaut d'Espagne, artichaut de Jérusalem.* → **Pâtisson.**

**II** Par anal. ♦ **1** (1762, *in* D. D. L.). Pièce de fer hérissée de pointes et de crocs dont on garnit une clôture pour en empêcher l'escalade.

♦ **2** Jet d'eau jaillissant en gerbe.

♦ **3** Pièce d'artifice en gerbe.

♦ **4** (1881, Esnault). Argot (vieilli). Portefeuille.

5 Géraud reprend son roman policier : «Un infarctus du myocarde ? dis donc, la môme, tu rigoles ! File-moi plutôt ton artichaut.»
Cecil SAINT-LAURENT, les Passagers pour Alger, p. 334.

**III** Adj. *Vert artichaut :* vert foncé, analogue à celui des feuilles d'artichaut.

DÉR. **Artichautière**; (De II., 4.) **artiche.**

**ARTICHAUTIÈRE** [aʀtiʃotjɛʀ] n. f. — 1829; *artichaulière*, 1600; de *artichaut.*

♦ **1** Terrain planté en artichauts.

♦ **2** (1836, *in* T. L. F.). Ustensile dans lequel on fait cuire les artichauts.

**ARTICHE** [aʀtiʃ] n. m. — 1883; d'abord «porte-monnaie», par abrév. de *artichaut*, II., 4.

Argot. Argent.

La dame qui en a eu marre de son gagneur d'artiche en poil de chameau, en poil de chapeau.
SAN-ANTONIO, Ne mangez pas la consigne, p. 81.

**ARTICLE** [aʀtikl] n. m. — 1256, au sens II.; du lat. *articulus.*

**I** ♦ **1** (1363). Anat. Vx. → **Articulation, jointure.**

Les différentes pièces squelettiques (...) s'unissent les unes aux autres suivant les modes les plus divers, pour constituer ce que l'on désigne indistinctement sous les noms de jointures, articulations ou articles. 1
L. TESTUT, Traité d'anatomie, t. I, p. 489.

(...) mais ce qui est de remarquable dans cet animal, c'est que tous ses os, et particulièrement les articles des pieds, craquent comme si l'on remuait des noix, et font un cliquetis si fort, qu'on entend cet animal presque d'aussi loin qu'on le voit. 1.1
J.-F. REGNARD, Voyage en Laponie, p. 111.

♦ **2** Zool. Chacun des segments du corps (des arthropodes). → **Articulé.**

Le tarse *(de l'abeille)* est remarquable par le développement exagéré de son premier article. 2
P. POIRÉ, Nouveau dict. des sciences, art. *Abeille.*

Il y avait aussi une quantité considérable de pattes anguleuses — ou de morceaux de pattes — un, deux ou trois articles, terminés par un ongle trop long, légèrement courbe, acéré — et de grosses pinces pointues, plus ou moins brisées, dont certaines étonnaient par leurs dimensions, dignes de véritables monstres. 2.1
A. ROBBE-GRILLET, le Voyeur, p. 53.

**II** Partie, numérotée ou non, qui forme une division (d'un texte légal, juridique, diplomatique, littéraire, religieux...). ♦ **1** (1256). Dr. Partie numérotée formant une division (d'une loi, d'un traité, d'un code, d'une convention, etc.). *L'article constitue la «division élémentaire et fondamentale des lois françaises»* (H. Capitant). *Les codes français se divisent en livres, titres, chapitres, sections et articles. Les alinéas* d'un article. Les articles d'un traité. Articles organiques* du Concordat* (loi de 1802) : dispositions annexées par le Premier Consul au Concordat de 1801.

Par ext. Fait formulé par un article, fait articulé*. — Procéd. civ. *Interrogatoire sur faits et articles :* interrogatoire consistant en questions posées par le juge à la demande d'une partie, en vue d'établir la preuve de certains faits ou énonciations (→ **Articuler**).

Les articles furent conclus ; on parla au roi, et ce mariage fut su de tout le monde. 3
Mme DE LA FAYETTE, la Princesse de Clèves, t. I, p. 258.

Elle n'était pas caution des articles secrets du traité. 4
Antoine HAMILTON, Mém. du comte de Grammont, 9.

Le grimoire d'un sorcier semble facile à comprendre en comparaison de plusieurs articles de nos codes et de nos coutumiers. 5
FRANCE, les Opinions de J. Coignard, p. 504.

Comptab. Division (d'un compte). *Les articles d'un compte. Article de recette ou de dépense.* → **Compte, écriture.**

J'en ai fait un petit mémoire (...) Donné à vous une fois deux cents louis (...) Une autre fois, six-vingts (...) Et une autre fois, cent quarante (...) Ces trois articles font quatre cent soixante louis (...) 6
MOLIÈRE, le Bourgeois gentilhomme, III, 4.

♦ **2** Par ext. Partie (d'un écrit). → **Point.** — REM. Vx ou rare en emploi libre et général (→ ci-dessous, cit. 10 et 11).

Spécialt. *Article de foi :* point formel de croyance dans une religion. *Tout ce qui est dans le symbole des Apôtres est article de foi* (Académie). → **Dogme.** — Fig. Ce qui doit être cru, mérite d'être cru. *Prendre qqch. pour article de foi,* y croire fermement.

On ordonna que tous ceux qui refuseraient de souscrire à ces deux nouveaux articles de foi seraient exclus et déposés 7

du ministère et de toutes fonctions ecclésiastiques.
BOSSUET, Hist. des variations, XIX, 121.

8 Je ris de ses discours frivoles.
On sait fort bien que ses paroles
Ne sont pas articles de foi.
BOILEAU, Épigramme contre un athée (Saint-Pavin).

9 Cette jeune étourdie est si folle de moi
Qu'elle prend chaque mot pour article de foi.
CORNEILLE, la Veuve, I, 2.

*Reprendre un écrit, une lettre, article par article,* point par point. → **Point, question, sujet.**

10 Divers articles que je reprends et sur lesquels je vais vous déclarer quelques-unes de mes pensées.
BOURDALOUE, Dim. d'oct. du Saint-Sacrement, Dominicales, t. II, p. 301.

11 Je passe à un autre article de votre lettre qui n'est pas le moins essentiel. VOLTAIRE, *in* BESCHERELLE, Dict.

*Pour cet article, sur cet article :* sur ce point, sur ce chapitre. → **Chapitre, matière, objet, sujet.** *Il est très sensible sur l'article du point d'honneur. Je suis assez chatouilleux sur cet article.*

12 Pour cet article, j'ai tort.
MOLIÈRE, Amphitryon, II, 3.

13 Qu'est-ce que cet intérêt si délicat pour l'article de votre réputation, cette sensibilité si exquise à la piqûre la plus légère de la satire? DIDEROT, Essai sur Claude, II.

♦ **3** (1450). **À L'ARTICLE DE :** au moment de (seulement dans l'expression *à l'article de la mort :* à l'agonie). → **Instant, moment.** *Socrate plaisanta à l'article de la mort. On ne doit pas attendre d'être à l'article de la mort pour faire son testament.*

14 On y était obligé à l'article de la mort.
PASCAL, les Provinciales, 10, *in* LITTRÉ.

14.1 D'ailleurs, on faisait tous les jours prendre des nouvelles de tant de gens à l'article de la mort, et dont les uns s'étaient rétablis tandis que d'autres avaient «succombé» qu'on ne se souvenait plus au juste si telle personne qu'on n'avait jamais l'occasion de voir s'était sortie de sa fluxion de poitrine ou avait trépassé!
PROUST, le Temps retrouvé, Pl., t. III, p. 977.

♦ **4** (1711). Écrit formant par lui-même un tout distinct, mais faisant partie d'une publication. *Article de presse, de revue, de journal.* → **Articulet, billet, chronique, courrier, éditorial, entrefilet, leader** (anglic.), **papier.** *Insérer, publier un article, une série d'articles, dans un journal. Rédiger un article* (→ 1. Page, cit. 4). *Article nécrologique. La tête, la queue d'un article. Article de tête,* publié en première page, en tête des colonnes d'un journal. → aussi **Amorce** (II., 4.). *Article de fond,* traitant synthétiquement d'un sujet. *Article présenté isolément.* → 1. **Tirer** (p. p. adj.; tiré à part).

15 Mon article, tombant au milieu de ses prospérités et de ses merveilles, remua la France; on en répandit d'innombrables copies à la main; plusieurs abonnés du *Mercure* détachèrent l'article et le firent relier à part; on le lisait dans les salons, on le colportait de maison en maison.
CHATEAUBRIAND, Mémoires d'outre-tombe, t. III, V, p. 2.

15.1 Qui de vous veut faire dans mon nouveau journal un article de fond sur Nathan?
BALZAC, Illusions perdues, p. 391, *in* D. D. L., II, 10.

16 (...) parce que j'étais capable de bâcler un article de journal (...) MARTIN DU GARD, les Thibault, VII, 42.

16.1 Son frère mettait au point un grand article pour les *Acta mathematica,* dans lequel il démontrerait que la puissance du continu est la seconde.
R. QUENEAU, le Chiendent, p. 216.

♦ **5** Élément (d'un dictionnaire, d'une encyclopédie) correspondant à l'ensemble des informations suivant une entrée (→ Monographie, cit. 2, Littré). *Article de dictionnaire. L'article* Faire *du Littré.*

**III** Objet vendu au public. *Nous n'avons pas cet article en magasin. Articles de toilette, de voyage, de bureau, de pêche. Articles pour fumeurs. Articles de luxe, de mode. Article de Paris* (on disait *articles-Paris* du temps de Balzac). *Articles de première nécessité. Suivre un article.*

Puis en bas, dans des casiers, sur des tables, au milieu d'un empilement de coupons, débordaient des articles de bonneterie vendus pour rien, gants et fichus de laine tricotés, capelines, gilets, tout un étalage d'hiver aux couleurs bariolées, chinées, rayées, avec des taches saignantes de rouge. ZOLA, Au Bonheur des dames, I. 16.

(...) deux femmes, la mère et la fille, presque une enfant, aussi pâles, aussi fatiguées l'une que l'autre, travaillaient à un de ces mille petits métiers fantaisistes dont se compose ce qu'on appelle l'article de Paris.
Alphonse DAUDET, Fromont jeune et Risler aîné, p. 20. 16

*Liste des 179, 213, 250 articles,* pour calculer l'indice du coût de la vie, la base du salaire minimum, etc.

*Article d'exportation :* marchandise destinée à l'exportation. — Fig. Doctrine qui peut servir à des fins de politique extérieure.

Un peu d'huile de baleine et du poisson séché ou fumé sont (...) de bien petits «articles d'exportation». 17
LA PÉROUSE, Voyage autour du monde, III, p. 110, *in* BRUNOT.

L'anticléricalisme n'est pas un article d'exportation. 18
GAMBETTA, Discours.

Les Capétiens purent citer à leur cour de justice des princes plus puissants qu'eux comme les Plantagenets. En somme, le roi de France retenait de la féodalité ce qu'elle avait d'avantageux pour lui : c'était un article d'exportation. J. BAINVILLE, Hist. de France, p. 58. 19

Loc. (1826, Balzac, *in* D. D. L.). **FAIRE L'ARTICLE :** vanter sa marchandise pour la vendre.

Le commis faisait l'article, jurait que c'était tout soie, que le fabricant était en faillite, qu'on ne retrouverait jamais une occasion pareille. 19
ZOLA, Au Bonheur des dames, IX.

Fig., péj. Faire valoir qqn ou qqch., en faire éloge pour un motif intéressé.

Ensuite cette grande bourgeoise fit résolument l'article pour sa fille, comme un marchand d'esclaves pour sa négresse, ou un maquignon pour sa pouliche. 19
MONTHERLANT, le Démon du bien, p. 83.

**IV** (1263). Gramm. Mot qui précède le nom (ou l'adj. antéposé au nom), et qui sert à le déterminer, tout en prenant la marque du genre et du nombre. → **Déterminant.** *Étudier l'article en anglais, en allemand.* — (Spécialt, en parlant du franç.). *Article défini, indéfini, partitif. Article élidé* (→ **Le**). *Article contracté* (→ **Au, du**). *Élision de l'article, contraction de l'article. L'autonyme se différencie du mot ordinaire par l'absence d'article* (ex. : *table* est un nom, *une table* est un meuble). — N. B. Sur l'emploi de l'article, → À, de, du, le, un.

L'article manque habituellement en français moderne : 20
1° Devant un nom pris comme attribut :
Il a été nommé juge; Napoléon devint empereur (...)
2° Dans le style télégraphique, dans les annonces, etc.
3° Dans des locutions figées (...)
4° (...) devant un nom qui ne représente pas une «individualité réalisée», mais une simple conception de l'esprit (...)
L'effet qu'un grand poète peut tirer de cette suppression de l'article apparaît dans le vers de Victor Hugo :
Peux-tu sans éclater contenir si grande ombre?
F. BRUNOT et Ch. BRUNEAU, Grammaire historique, p. 323-328.

(Avec jeux sur les divers sens du mot) :

Q. — Parlez-moi des articles. 21
R. — Il y a les articles définis, les articles indéfinis et les articles ménagers.
Q. — Parlez-moi des articles ménagers.

R. — Les articles ménagers sont entre les mains des ménagères comme le pétrole entre celles des petits épargnants.
Q. — Parlez-moi des petits épargnants.
R. — Les petits épargnants ne sont pas un article d'exportation.
Q. — Pourquoi n'avez-vous pas cité tout à l'heure les articles d'exportation ?
R. — Parce qu'ils font partie des articles indéfinis.
Q. — Y a-t-il d'autres articles indéfinis ?
R. — Oui. L'article de la mort.
Q. — Citez-moi quelques articles définis.
R. — Également l'article de la mort.
Q. — Donnez-moi votre impression générale sur les articles.
R. — Une impression assez favorable.

R. QUENEAU, Texticules, *in* Contes et Propos, p. 208-209.

**DÉR. Articler, articlier. —** (Du lat. *articulus*) **Articulaire, articulation, articuler, articulet ; orteil.**

**ARTICLER** [aʀtikle] v. intr. — 1530, «formuler des plaintes et des accusations»; «rédiger un article (de journal, de revue)», av. 1805, Stendhal, *Journal ;* de *article.*

Rare. Rédiger un, des articles.

**ARTICLIER** [aʀtiklije] n. m. — 1839, Balzac ; de *article.*

Vx. Personne qui rédige des articles de journaux. — Péj. Mauvais journaliste.

Comment faire goûter à ces articliers quelque chose d'audacieux (...)

BAUDELAIRE, Curiosités esthétiques, I, II.

**ARTICULAIRE** [aʀtikylɛʀ] adj. — 1505 ; lat. *articularis,* de *articulus.* → Article.

♦ **1** Anat. Qui a rapport aux articulations*. *Cavité, surface, cartilage, bourrelet articulaire. Capsule ou ligament articulaire.*

1 Toute articulation mobile, chez l'adulte, possède ainsi un manchon fibreux périphérique, que l'on désigne indistinctement sous les noms de ligament capsulaire, de capsule articulaire ou tout simplement de capsule.

L. TESTUT, Traité d'anatomie, t. I, p. 497.

♦ **2** Méd. Qui affecte les articulations. *Affection articulaire.* → **Arthrite.** *Rhumatisme articulaire chronique. Raideur articulaire.* → **Arthrosclérose.**

2 Les plaies articulaires, même précocement soignées, réservaient des déboires.

G. DUHAMEL, la Pesée des âmes, V.

**COMP. Interarticulaire, monoarticulaire, polyarticulaire.**

**ARTICULATEUR** [aʀtikylatœʀ] n. m. — XX^e ; de *articuler.*

Didact. Appareil articulé de prothèse dentaire, aux branches duquel sont ajustés les modèles en plâtre, en position normale. *L'articulateur reproduit approximativement les mouvements de mastication. Articulateurs servant au montage des appareils de prothèse mobile et fixe.*

**ARTICULATION** [aʀtikylasjɔ̃] n. f. — 1478 ; lat. *articulatio,* de *articulus.* → Article.

**I** ♦ **1** Anat. et cour. Mode d'union des os* entre eux ; ensemble des parties molles et dures par lesquelles s'unissent deux ou plusieurs os voisins. → **Arthr-, arthrose** (vx), **article** (cit. 1), **joint, jointure, ligament ;** et aussi **attache, charnière, emboîtement, engrènement.** *Traité des articulations.* → **Arthrologie, syndesmologie.** *Jeu, mouvement des articulations. Articulations mobiles.* → **Diarthrose** (articulations énarthrodiales ; condyliennes ; par emboîtement réciproque ; trochléennes ; trochoïdes ; arthrodies). *Articulations immobiles.* → **Synarthrose** (suture ; synchondrose). *Articulations semi-mobiles* (amphiarthrose, symphyse). *Articulation temporo-maxillaire.* → **Condyle ; glénoïde** (cavité) ; **ménisque.** *Articulation du genou.* → **Rotule.**

Nous pouvons (...) définir les articulations l'ensemble des parties molles et dures, par lesquelles s'unissent deux ou plusieurs os voisins, et l'arthrologie (de *arthron,* ligament) encore appelée syndesmologie (de *sundesmos,* jointure), est cette partie de l'anatomie qui a pour objet leur étude. 1

L. TESTUT, Traité d'anatomie, t. I, p. 489.

Parmi les articulations, il en est de mobiles et il en est d'immobiles : les premières avaient déjà reçu de GALIEN le nom de diarthroses ; les secondes, celui de synarthroses. Mais à côté de ces deux grandes classes, *(il y a)* des articulations semi-mobiles ou amphi-arthroses (...) 2

L. TESTUT, Traité d'anatomie, t. I, p. 490.

Les articulations mobiles sont de beaucoup les plus parfaites, mais aussi les plus compliquées : 1° les surfaces osseuses qui s'articulent sont revêtues d'une couche cartilagineuse plus souple, plus élastique, plus unie ; 2° les os sont rattachés l'un à l'autre par des ligaments (...) 3° enfin, l'espace compris entre les deux os est une cavité close, la capsule synoviale, remplie d'un liquide, la synovie, qui joue dans l'articulation le rôle de l'huile dans les machines. 3

P. POIRÉ, Dict. des sciences, art. *Articulation.*

(...) après avoir fait craquer, une à une, toutes les articulations de ses doigts (...) 4

G. DUHAMEL, le Voyage de P. Périot, V.

Je ne laisse jamais de ressentir l'emprise de ce puissant absent, qui est là dans quelque fauteuil, et songe, et fume, et considère sa main dont il fait jouer lentement toutes les articulations. 4.1

VALÉRY, Monsieur Teste, p. 47.

En me relevant, j'ai senti une vive douleur dans les genoux, ankylosés par la posture fléchie que mes jambes avaient conservée trop longtemps. Tandis que les articulations raidies retrouvaient leur fonctionnement normal, j'ai frotté mes mains l'une contre l'autre à deux ou trois reprises, pour en détacher les menus fragments de terre, ou de brindilles sèches, qui étaient restés collés contre le bout des doigts et les paumes. 4.2

A. ROBBE-GRILLET, Projet pour une révolution à New York, p. 75.

Méd. *Affections, lésions, malformations des articulations.* → **Ankylose, arthrite, arthrosclérose, arthrose, coxalgie, déboîtement, déviation, entorse, exarthrose, goutte, hydarthrose, luxation, rhumatisme, tophus.** *Amputation dans une articulation.*

Zool. Région du tégument des arthropodes où la chitine s'amincit et permet le mouvement des téguments.

♦ **2** Par anal. Assemblage de plusieurs pièces mobiles les unes sur les autres. *Articulation des pièces d'une machine.* → **Assemblage, cardan, charnière, cheville, jeu, joint...**

♦ **3** Didact. Manière dont un système complexe est articulé. Organisation en éléments distincts contribuant au fonctionnement d'un ensemble.

(...) en matière de langage, l'articulation peut désigner ou bien la subdivision de la chaîne parlée en syllabes, ou bien la subdivision de la chaîne des significations en unités significatives. 4.3

F. DE SAUSSURE, Cours de linguistique générale, Introduction, II, p. 26.

Spécialt. *La double articulation du langage* (A. Martinet), *la* première articulation *étant formée d'unités signifiantes* (morphèmes *ou* monèmes), *elles-mêmes analysables en unités non signifiantes de* deuxième articulation (phonèmes).

♦ **4** Fig. Imbrication (de deux processus) ; fait qu'une chose s'articule à une autre. *«L'articulation de la sexualité et de la politique, argument fondamental du film»* (*le* Nouvel Obs., n° 453, 16 juil. 1973, p. 9).

**II** Action de prononcer distinctement les différents sons d'une langue à l'aide des mouvements des lèvres et de la langue. → **Prononciation ; élocution, voix.** *Articulation rapide.* → **Volubilité.**

5 Les consonnes sont appelées consonnes, parce qu'elles sonnent avec les voyelles, et ne font que marquer les diverses articulations de la voix.
MOLIÈRE, le Bourgeois gentilhomme, II, 6.

6 L'articulation consiste à faire avec la bouche et la langue les mouvements nécessaires à la formation des voyelles et à l'accent des consonnes (...) Quelle que soit la prononciation qu'on ait, on articule : c'est la prononciation qui diffère. En un mot, l'articulation sert à prononcer, mais l'on peut avoir une bonne articulation et une mauvaise prononciation. Initiation à la musique.

7 La netteté de l'articulation française s'oppose au relâchement de l'articulation en anglais. Le Français, dont la sociabilité est proverbiale dans le monde, veut être compris : pour être compris, et aussi pour éviter toute fatigue inutile à l'interlocuteur, il faut se donner la peine de parler distinctement.
A. DAUZAT, le Génie de la langue franç., p. 12.

*Difficultés, troubles de l'articulation.* → **Anarthrie, dysarthrie.**

Phonét. Ensemble des mouvements des organes phonateurs nécessaires à la production d'un phonème. *L'articulation phonématique* (cit.). *Point d'articulation d'un phonème :* lieu du resserrement ou de l'occlusion du canal expiratoire pour l'émission d'un phonème. → **Alvéolaire, dental, glottal, labial, palatal, pharyngal, uvulaire, vélaire.** *Mode d'articulation :* manière de réaliser l'articulation d'un phonème → **Affriqué, fricatif, nasal, occlusif, oral, sonore, sourd.**

**III** Dr. Énonciation écrite de faits, article par article, à l'appui d'une demande en justice. *L'articulation des griefs dans la procédure du divorce.*

**DÉR.** et **COMP.** V. les dér. du latin *articulus* (article), et du grec *arthron.* — V. **Arthr-**, et *supra,* dans l'article, les composés formés du suff. **-arthrose.** — V. aussi les dér. du grec *sundesmos* (ligament) : **syndesmologie, etc.**

**ARTICULATOIRE** [artikylatwar] adj. — Av. 1590; du rad. de *articulation,* et *-oire.*

Didact. Qui concerne une articulation. — Spécialt (phonét.). Qui concerne l'articulation. *Mouvement, phonétique articulatoire.*

Si l'on pouvait reproduire au moyen d'un cinématographe tous les mouvements de la bouche et du larynx exécutant une chaîne de sons, il serait impossible de découvrir des subdivisions dans cette suite de mouvements articulatoires; on ne sait où un son commence, où l'autre finit.
F. DE SAUSSURE, Cours de linguistique générale, p. 64.

**ARTICULER** [artikyle] v. tr. — V. 1265; lat. *articulare,* de *articulus.* → Article.

**I** ♦ **1** Anat. Vx. Réunir (deux ou plusieurs os voisins) par une articulation*. *Deux ligaments articulent la clavicule avec l'apophyse coracoïde. Les deux pubis du bassin sont articulés par la symphyse pubienne.*

1 Nature a fait et composé le pied de plusieurs doigts mobiles et articulés comme la main.
Ambroise PARÉ, IV, 38, *in* LITTRÉ.

Pron. *S'articuler à, avec. La manière dont deux os s'articulent.*

Au p. p. **ARTICULÉ.** *Os articulé à un autre. Pièce du corps d'un animal articulée à une autre* (→ cidessous, Articulé, adj.).

2 *(Chez les arthropodes)* la plupart de ces anneaux portent chacun une paire de membres formés de pièces articulées servant à la locomotion. C'est la présence et la structure de ces membres articulés qui leur a valu le nom d'arthropodes (*arthron,* articulation; *pous, podos,* pied).
A. PIZON, Anatomie et Physiologie, 6e éd., p. 562.

♦ **2** Assembler (des éléments) par un dispositif qui joint en laissant une certaine autonomie fonctionnelle (anneaux, cardans, chaînons, charnières, chevilles, clavettes, écrous, etc.). → **Assembler, joindre.** *La bielle est articulée avec le piston par deux têtes de bielle. L'organe de transmission est articulé sur le maneton de l'arbre.* — Au p. p. *Poupée articulée, pantin articulé,* dont on peut bouger la tête, faire mouvoir les membres.

(...) le dessin est généralement comique en proportion de la netteté, et aussi de la discrétion, avec lesquelles il nous fait voir dans l'homme un pantin articulé. 3
H. BERGSON, le Rire, I, p. 23.

*Glace articulée,* qui peut changer de position, d'angle. *Lampe articulée,* dont le pied permet des orientations différentes.

(...) Marie dressait une glace ovale échassière, articulée, montée sur tige de métal à trépied, qui se haussait à volonté (...) GIDE, Si le grain ne meurt, I, 6. 4

De la partie gauche du cadre, descend un cône de lumière vive et crue, venant d'une lampe-projecteur à tige articulée dont le pied est fixé au coin d'un bureau de métal (...) 4.1
A. ROBBE-GRILLET, Projet pour une révolution à New York, p. 9.

Pron. *L'organe de transmission s'articule sur l'arbre.*

♦ **3** Joindre de manière fonctionnelle, réunir pour un effet. → **Organiser, structurer.** *Articuler les parties d'un raisonnement. Articuler les institutions avec les cultures. «La forme qui articule entre eux les éléments (...)»* (E. Faure).

Pron. *S'articuler :* s'organiser en éléments distincts concourant au fonctionnement d'un ensemble. *«Trente-six tours autour desquelles s'articuleront les futurs locaux»* (*le Figaro,* 28 sept. 1966). — Réaliser par une articulation* (I., 3.). *«C'est autour de la charnière conflictuelle jeunesse-liberté/vieillesse-autorité que s'articule le conflit traditionnel dirigés-dirigeants»* (*le Monde,* 6 juin 1968).

♦ **4** Milit. *Articuler les forces, les réserves,* les organiser en plusieurs éléments.

**II** ♦ **1** (Sans compl.). Émettre, faire entendre les sons vocaux à l'aide de mouvements des lèvres, de la langue, de la mâchoire inférieure et du voile du palais. → **Prononcer.** *Bien articuler.* → **Détacher** (les syllabes, les mots). *Articuler avec force.* → **Marteler.** *Mal articuler.* → **Bafouiller, balbutier, bégayer, bléser, bredouiller, mâchonner.** — Absolt. *Articulez ! :* parlez distinctement ! (→ ci-dessous, cit. 5).

Parlez à cet autre de la richesse des moissons (...) il est curieux de fruits; vous n'articulez pas, vous ne vous faites pas entendre. LA BRUYÈRE, les Caractères, XIII, 2. 5

Si on le prie de s'asseoir, il se met à peine sur le bord d'un siège; il parle bas dans la conversation, et il articule mal... Il est pauvre. LA BRUYÈRE, les Caractères, VI, 83. 6

(...) l'extrême attention qu'on donne à tout ce qu'ils *(les enfants)* disent les dispense de bien articuler; et comme ils daignent à peine ouvrir la bouche, plusieurs d'entre eux en conservent toute leur vie un vice de prononciation et un parler confus qui les rend presque inintelligibles. 7
ROUSSEAU, Émile, I.

— Eh bien : donc, pour lors... 7.1
— Oui, sergent...
— Laisse-moi donc articuler, et ne me coupe pas...
Henri MONNIER, Scènes populaires, t. I, Précis historique, p. 312.

♦ **2** (Avec un compl.). Produire (un élément de langage) en articulant. → **Dire, prononcer.** *Il n'a pas pu articuler un mot, une phrase. Articuler un son. Il articule mal ses labiales.*

Le nouveau articula d'une voix bredouillante, un nom inintelligible. FLAUBERT, Mme Bovary, I, 1. 8

Il reprit, articulant les mots avec beaucoup de force (...) 9
G. DUHAMEL, Chronique des Pasquier, III, 1.

L'on peut classer les sons d'après les organes qui servent à les produire : les labiales p, b, m sont articulées au moyen des lèvres; les dentales t, d, n se produisent en 10

collant l'extrémité de la langue sur le palais de la bouche, dans la région des dents d'en haut, etc.
F. BRUNOT et Ch. BRUNEAU, Grammaire historique, p. 6.

Au p. p. :

11 Les sons articulés sont le propre du langage humain.
A. DAUZAT, le Génie de la langue franç., p. 11.

Par ext. Dire, exprimer (le compl. désignant soit une forme linguistique envisagée dans sa signification, soit ce qui est exprimé). *Articuler une pensée, une idée...*, énoncer, exprimer, proférer...

12 Elle resta pétrifiée de surprise, et je lui pris la main, sans trouver la force d'articuler une seule parole.
E. FROMENTIN, Dominique, XVII.

13 En l'articulant *(cette pensée)*, elle avait précisé (...) un sentiment vague dont elle ne pourrait plus secouer l'obsession.
Paul BOURGET, Un divorce, VII, p. 230.

14 Il ne jugea pas nécessaire d'articuler un mot, de donner un conseil, de prononcer une réprimande.
G. DUHAMEL, le Temps de la recherche, II.

♦ **3** Dr. Énoncer article par article. *Articuler des faits, des griefs...* — Dans le langage courant. *Articuler un fait.* → **Avancer.**

◆ **ARTICULÉ, ÉE** p. p. adj. et n. (1265; → Articuler).

♦ **1** Formé de sons différents reconnaissables (→ ci-dessus, II.). *Langage articulé* (opposé à *inarticulé*).

♦ **2** (XVI^e). Qui s'articule (I.). *Membres articulés.*

Zool. **LES ARTICULÉS,** n. m. pl., un des quatre embranchements de Cuvier, groupant les animaux dont le corps divisé en anneaux porte des membres formés de *pièces articulées* (vers; arthropodes). — Par ext. Vx. Syn. d'*arthropodes.*

♦ **3** Construit pour s'articuler (→ ci-dessus, I., 2.).

♦ **4** N. m. *Articulé dentaire :* engrènement* des dents antagonistes lorsque les maxillaires sont en position d'occlusion.

**CONTR. Désarticuler, disloquer. — Bredouiller. — Dissimuler, taire. ◊ DÉR. Articulateur.**

**ARTICULET** [artikylɛ] n. m. — 1866; dér. sav. du lat. *articulus.*

Fam. Petit article de journal ou de revue; article insignifiant.

1 Comme un gosse il *(Apollinaire)* était fier de voir son nom imprimé au bas d'une page et chaque articulet, il le redécouvrait avec la même surprise et le relisait avec le même orgueil enfantin (...)
B. CENDRARS, Bourlinguer, p. 392.

2 Naissent des articulets du genre : *Le magnifique effort fait pour trois cents personnes ne doit pas nous faire oublier qu'il y a dans ce pays des millions de malheureux.*
Hervé BAZIN, les Bienheureux de la désolation, p. 120.

**ARTIEN, IENNE** [artjɛ̃, jɛn] adj. et n. — XIII^e; aussi «habile dans les arts-techniques», 1262, B. Latini; du lat. *ars, artis.*

Hist. Écolier, étudiant de la faculté des arts, au moyen âge.

**ARTIFICE** [artifis] n. m. — 1318, «métier d'artisan»; *artefice,* 1256; du lat. *artificium* «art, métier, adresse».

**I** ♦ **1** (1505). Vx. Art consommé, habileté.

1 N'y a-t-il pas là *(dans une plume de paon)* un artifice si admirable que nous ne savons que dire, sinon de glorifier Dieu? (...) et que sera-ce de tout l'artifice qui apparaît en ce monde?
CALVIN, Sermon sur le livre de Job, 152, *in* HUGUET.

2 Tout est ménagé dans le corps humain avec un artifice merveilleux.
BOSSUET, Traité de la connaissance de Dieu, IV, 2.

L'artifice (...) c'est l'art fait, employé dans un cas particulier, et le mot exprime les soins, l'industrie, la dextérité de l'exécuteur. Vous direz d'une montre, venant d'un horloger qui travaille avec art, qu'elle est faite avec un merveilleux artifice. 3
LAFAYE, Dict. des synonymes, Art, artifice.
REM. On ne le dirait plus aujourd'hui.

♦ **2** Mod. Moyen habile, ingénieux, construction ingénieuse de l'esprit. *Résoudre un problème de mathématiques par un artifice de calcul. Les artifices du style, de la composition* (Académie). → **Tour.**

D'un pinceau délicat l'artifice agréable 4
Du plus affreux objet fait un objet aimable.
BOILEAU, l'Art poétique, III.

Procédé, en art. *Artifices mélodiques, du contrepoint, de la fugue.* → **Ornement.** *Artifices scéniques, d'éclairage.*

♦ **3** Absolt et péj. Procédés raffinés, mais froids. *Un réalisme qui sombre dans l'artifice.*

**II** (1250, «art de tromper»; sens mod. au XVII^e). Moyen habile pour déguiser la nature ou la vérité, moyen trompeur. → **Combinaison, échafaudage, feinte, finesse, leurre, manège, mensonge, piège, ruse, subterfuge, subtilité, tour, tromperie.** *Tromper, circonvenir, surprendre qqn par des artifices. Les artifices d'un escroc. Démasquer un artifice. Employer un artifice ingénieux, subtil. Artifices machiavéliques. Un artifice sans gravité, innocent. Artifice du raisonnement. Artifices juridiques, politiques.*

L'artifice pourtant vous y peut être utile; 5
Il en faut trouver un qui la puisse abuser (...)
CORNEILLE, Cinna, III, 1.

L'humilité n'est souvent qu'une feinte soumission (...) c'est un artifice de l'orgueil qui s'abaisse pour s'élever (...) 6
LA ROCHEFOUCAULD, Maximes, 254 (→ Humilité).

*(Vous voulez)* Égaler l'artifice à la sincérité (...) 7
MOLIÈRE, Tartuffe, I, 5.

(...) Mais non, l'artifice est grossier. 8
Tu te feins criminel pour te justifier.
RACINE, Phèdre, IV, 2.

Les hommes (...) protestent sérieusement contre tout l'artifice dont elles *(les femmes)* usent pour se rendre laides. 9
LA BRUYÈRE, les Caractères, III, 6.

Je saurai démêler un pareil artifice (...) 10
VOLTAIRE, l'Orphelin de la Chine, II, 7.

Ils n'hésitaient jamais à la dire *(la vérité)*, et cela à une époque où trop d'écrivains, illusoirement et momentanément fameux, ne réussissaient qu'en la fardant par des artifices, en la masquant par toutes les lâchetés (...) 11
Georges LECOMTE, Ma traversée, p. 248.

Les rites du monde, ses artifices, tuent la jeunesse aussi sûrement que le fait la servitude ouvrière. 12
F. MAURIAC, le Jeune Homme, p. 10.

Le franc n'était soutenu que par des artifices. Les capitaux fuyaient. A. MAUROIS, le Cercle de famille, p. 194. 13

Aisément il lui reprocherait d'être absente, oubliant que s'il l'a invitée à venir, ce fut à peine. Rendu à l'innocence par cet involontaire artifice, il trouve, au bout de la place, la calle de la Fusteria, et après peu de pas il aperçoit, par le flanc, la grande poste, un très gros édifice qui donne sur le port, non loin de la gare. 13.1
A. PIEYRE DE MANDIARGUES, la Marge, p. 28.

Vieilli ou littér. *L'artifice :* l'emploi habituel de moyens trompeurs. *User d'artifice.* → ci-dessus, cit. 7 et 9. *Le fard* et l'artifice. Déguiser, changer par artifice.*

**III** ♦ **1** (1394, «engin»). Vx. Instrument, en général.

♦ **2** (XVI^e; d'abord «ouvrage préparé pour une fête en général»). Plur. Compositions pyrotechniques destinées à brûler plus ou moins rapidement. *Artifices industriels, artifices pour signaux de détresse.* — On dit aussi : *pièces d'artifice.*

On emploie dans la Marine : 14

1° Les artifices pour la communication du feu (étoupilles de divers modèles).
2° Les artifices pour signaux.
3° Les artifices éclairants.
R. GRUSS, Dict. de marine, p. 12.

(1594). Cour. **FEU D'ARTIFICE** [fødaʀtifis] : ensemble de pièces d'artifice qu'on fait brûler d'ordinaire pour un divertissement. → **Pyrotechnie; artichaut, bouquet, chandelle, pétard, soleil.**

15 (...) ce superbe feu d'artifice qu'elle trouva sur l'eau (...)
MOLIÈRE, le Bourgeois gentilhomme, III, 6.

16 Tout ce qu'il y avait dans sa tête de réminiscences, d'idées, s'échappait à la fois, d'un seul bond, comme les mille pièces d'un feu d'artifice.
FLAUBERT, Mme Bovary, III, 8.

17 (...) d'éblouissants feux d'artifice allaient mêler aux étoiles leurs panaches de feu.
MAUPASSANT, Contes de la Bécasse, «Un coq chanta».

Fig. *Feu d'artifice :* ce qui jette un éclat passager, ce qui éblouit un instant les regards, les esprits. *C'est un vrai feu d'artifice,* se dit d'un discours ou d'un écrit plein de saillies spirituelles.

CONTR. **Droiture, naturel, sincérité, vérité.** ◈ DÉR. **Artificier.** — (Du lat. *artificium*) **Artificiel, artificieux.**

**ARTIFICIALISANT, ANTE** [aʀtifisjalizɑ̃, ɑ̃t] adj. — Mil. XXe; du p. prés. de *artificialiser.*

Didact. Qui rend artificiel (→ Artificialité, cit. 4).

**ARTIFICIALISATION** [aʀtifisjalizasjɔ̃] n. f. — Mil. XXe; de *artificialiser.*

Didact. Fait de rendre artificiel. «*L'artificialisation d'un objet naturel*» (G. Simondon, *Du mode d'existence des objets techniques*).

**ARTIFICIALISER** [aʀtifisjalize] v. tr. — Mil. XXe; de *artificiel.*

Techn. Rendre artificiel, par l'intervention de la technique. *L'homme a artificialisé diverses espèces animales et végétales pour les utiliser.* «*Le naturel, chez l'homme, est fait pour être artificialisé*» (*le Nouvel Obs.*, 2 févr. 1981, p. 76).

◆ **ARTIFICIALISÉ, ÉE** p. p. adj.

(...) la plante artificialisée ne peut exister que dans ce laboratoire pour végétaux qu'est une serre, avec son système complexe de régulations thermiques et hydrauliques.
Gilbert SIMONDON, Du mode d'existence des objets techniques, p. 47.

DÉR. **Artificialisant, artificialisation.**

**ARTIFICIALISME** [aʀtifisjalism] n. m. — 1909; du lat. *artificialis* «artificiel», et *-isme.*

Didact. Croyance selon laquelle tout est produit artificiellement. — Spécialt. «État d'esprit du jeune enfant qui croit que tous les objets et phénomènes naturels sont l'œuvre de l'homme» (J. Piaget, *in* Piéron, 1973).

**ARTIFICIALISTE** [aʀtifisjalist] adj. — 1946; du lat. *artificialis* «artificiel», et *-iste.*

Didact. Qui a rapport à l'artificialisme, à la fabrication d'artefacts*.

À peine peut-on entrevoir de nos jours une voie de rapprochement entre une pensée inspirée par les techniques relatives aux êtres vivants et la pensée artificialiste, constructrice d'automates.
Gilbert SIMONDON, Du mode d'existence des objets techniques, p. 87.

**ARTIFICIALITÉ** [aʀtifisjalite] n. f. — 1916; de *artificiel.*

Didact. Caractère de ce qui est artificiel.

Le passage que cite Pierce ne donne pas une impression massive d'artificialité *(il s'agit d'un texte où l'auteur n'a jamais employé la lettre E).* 1
R. QUENEAU, Bâtons, chiffres et lettres, p. 325.

(...) la terrifiante artificialité de cette sorte de cordon ombilical qui leur permet non seulement de vivre (...) mais encore de pouvoir se figurer qu'ils existent : l'argent. 2
Claude SIMON, le Vent, p. 110.

N'était que ces heures apparemment d'innocente liberté se déroulaient dans l'artificialité ouatée d'un appartement de Passy et selon un protocole de semi-clandestinité (...) 3
Michel LEIRIS, Frêle bruit, p. 93.

Techn. Caractéristique produite par l'action de l'homme sur les objets pour les produire (artefacts) ou les modifier.

L'artificialité n'est pas une caractéristique dénotant l'origine fabriquée de l'objet par opposition à la spontanéité productrice de la nature : l'artificialité est ce qui est intérieur à l'action artificialisante de l'homme, que cette action intervienne sur un objet naturel ou sur un objet entièrement fabriqué (...) 4
Gilbert SIMONDON, Du mode d'existence des objets techniques, p. 47.

**ARTIFICIEL, ELLE** [aʀtifisjɛl] adj. — 1370; lat. *artificialis,* de *artificium* «artifice».

♦ **1** Produit par la technique, par l'activité humaine finalisée, et non par la nature. → **Fabriqué, factice.** — (Opposé à *naturel*). *Lumière artificielle* (notamment, lumière électrique). *Élévation de terrain, colline artificielle. Lac, canal artificiel. Port artificiel. Abri artificiel. Fleurs artificielles, feuillages artificiels. Plantes artificielles. Mouche* artificielle. Satellite* artificiel.* — Spécialt. Obtenu par des opérations diverses à partir des produits naturels. → **Synthétique** (notion différente). — (1912). *Textiles artificiels* (→ ci-dessous, cit. 0.3). *Soie* artificielle. Diamant artificiel. Colorants artificiels. Fibres artificielles.* — N. m. Fam. et vx. *Une robe en artificiel.*

Entra une fille brune et mince, vêtue d'une robe rouge en artificiel, les yeux noirs aux reflets de cuivre et des boucles noires collées sur le front à la gomina. 0.1
M. AYMÉ, le Vin de Paris, «L'indifférent», p. 10.

Sur quelques tables, ou sur le paravent, des vases de cuivre ou de verre contiennent des fleurs manifestement artificielles. 0.2
A. PIEYRE DE MANDIARGUES, la Marge, p. 17.

On appelle *textiles artificiels* les textiles formés par le filage et la coagulation sous forme de filament de macromolécules naturelles, ou de dérivés chimiques de macromolécules naturelles, ces macromolécules ayant été préalablement mises en solution ou dispersion de filage par un artifice quelconque (...) 0.3
Le nombre des textiles artificiels possibles est limité par le nombre des polymères naturels filables, mais celui des textiles synthétiques semble à peu près sans limite (...)
Henri AGULHON, les Textiles chimiques, p. 5-6.

Spécialt. *Pièces d'anatomie, yeux, membres... artificiels.* → **Clastique; prothèse.** *Dent, denture artificielle. Cheveux artificiels.* → **Postiche.** — (Dispositifs complexes). *Cœur, rein, poumon artificiel.* — (Qualifiant un n. abstrait). *Objet, phénomène, de caractère artificiel.* → **Artefact.**

Il y a des plantes dont la nature est, pour ainsi dire, artificielle et factice. Le blé, par exemple, est une plante que l'homme a changée au point qu'elle n'existe nulle part dans l'état de nature. 1
BUFFON, *in* LAFAYE.

(Qualifiant un nom d'action, d'opération). *Production artificielle de chaleur, de froid.* — Par métonymie. *Froid artificiel. — Insémination*, fécondation artificielle.* — Biol. *Mutation artificielle,* provoquée. — *Circulation, respiration* artificielle.*

Alpin. *Escalade artificielle*.* — N. f. *L'artificielle* (abrév. fam. : *l'artif*).

Spécialt. *Prairie artificielle :* cultures de trèfle, luzerne, sainfoin, incluses dans un assolement.

2 Il établit dans ses terres la culture des prairies artificielles, production inconnue en France dans sa jeunesse.
CONDORCET, Éloges des Académiciens, Duhamel-Dumonceau.

N. m. *L'artificiel.*

3 C'est par l'artificiel, en effet, que la nature pénètre chez l'homme : ce que l'enfant a sous les yeux, il n'en voit la beauté que s'il l'a rencontré d'abord dans une chose reproduite (...)
Edmond JALOUX, le Dernier Jour de la création, I.

♦ **2** Créé par la pensée humaine (abstractions, structures abstraites, choses mentales). *Sociétés naturelles d'insectes et sociétés artificielles.*
*Langage artificiel,* qui exprime la pensée par le moyen de signes convenus. *Le langage des sourds-muets est un langage artificiel. Langue artificielle,* imaginée par les philologues (→ **Esperanto,** etc.) ou organisée logiquement (→ **Langage**). — Contr. : *langage naturel.*
*Intelligence* artificielle.*

♦ **3** (Souvent péj.). Créé par la vie sociale, par la civilisation, la culture, considérées comme superposées à la nature, non nécessaires, variables. *Plaisirs, besoins artificiels. Le côté artificiel d'un caractère, d'un comportement. La vie artificielle des grandes villes. Un milieu mondain et artificiel.*

4 On lui fait *(à l'homme)* un appétit artificiel par toutes les choses contraires à la tempérance.
FÉNELON, Dialogues sur l'éloquence, I.

5 L'homme original s'évanouissant par degrés, la société n'offre plus aux yeux du sage qu'un assemblage d'hommes artificiels et de passions factices qui sont l'ouvrage de toutes ces nouvelles relations, et n'ont aucun vrai fondement dans la nature.
ROUSSEAU, De l'inégalité parmi les hommes, 2.

6 On dit que c'est là *(la sauvagerie)* la véritable vie de l'homme et que la société n'est qu'une dépravation artificielle.
VOLTAIRE, Dialogues, 8.

6.1 C'est *(le parc Monceau)* l'endroit artificiel et charmant où les gens de ville vont contempler des fleurs élevées en des serres, et admirer, comme on admire au théâtre le spectacle de la vie, cette aimable représentation que donne, en plein Paris, la belle nature.
MAUPASSANT, Fort comme la mort, éd. 1889, p. 111.

7 Il faut nous délivrer *(dit Jacques)* de la pitié, de la jalousie, enfin de toutes les passions artificielles (...) Alors la vie devient naturelle (...)
A. MAUROIS, le Cercle de famille, I, p. 87.

♦ **4** Créé par l'esprit humain et considéré comme non lié à la nature et comme non conforme aux données objectives ou aux lois de la raison. *Concept artificiel, notion artificielle,* arbitraire et conventionnel(le), ou inadéquat(e) par rapport à la réalité empirique. *Classification artificielle.* → **Arbitraire.** *Raisonnement artificiel :* sophisme.

REM. Les sens 3 et 4 sont des évaluatifs négatifs et supposent (sauf en sciences) une conception naïve du «naturel», du «vrai», de l'«objectif».

♦ **5** Qui manque de spontanéité, de naturel. → **Affecté, contraint, emprunté.** *Un sourire artificiel.* → **Faux, forcé.** *Une gaieté, une douleur assez artificielle.*

8 Il y a dans quelques femmes une grandeur artificielle, attachée au mouvement des yeux, à un air de tête, aux façons de marcher, et qui ne va pas plus loin (...)
LA BRUYÈRE, les Caractères, III, 2.

9 La vie échappe à la logique, et tout ce que la seule logique construit reste artificiel et contraint.
GIDE, Journal 1889-1939, 12 mai 1927.

(Dans l'expression). *Une démonstration artificielle,* peu sincère. *Un poème, un récit artificiel et froid.*

CONTR. **Naturel, original, originel, pur. — Réel, véritable, vrai. — Spontané.** ◊ DÉR. **Artificialiser, artificialité, artificiellement. —** (Du lat. *artificialis*) **Artificialisme, artificialiste.**

**ARTIFICIELLEMENT** [aʀtifisjɛlmɑ̃] adv. — 1265; de *artificiel.*

♦ **1** Vieilli. Par la technique. *Créer, fabriquer artificiellement un lac. Les fruits de serres sont produits artificiellement.* — Mod. *Provoquer artificiellement un processus, des mutations.*
D'une manière entièrement artificielle. *Fabriquer, constituer, reconstituer artificiellement des composés organiques.*
(Abstrait). *Susciter artificiellement des émotions, une réaction.*

♦ **2** Péj. D'une manière arbitraire, contraire à une évolution naturelle. *Créer artificiellement des destructions, des oppositions.* → **Arbitrairement.**

(...) ce sont les mots nouveaux, les mots inventés, les mots faits artificiellement qui détruisent le tissu d'une langue.
HUGO, Littérature et Philosophie mêlées, p. 10.

♦ **3** Péj. D'une manière affectée, peu sincère ou peu naturelle.

CONTR. **Naturellement, spontanément.**

**ARTIFICIER** [aʀtifisje] n. m. — 1594; de *artifice,* III., 2.

♦ **1** Celui qui fabrique ou vend des pièces d'artifice ; celui qui tire des feux d'artifice.

♦ **2** Militaire employé à la confection des artifices, aux travaux pyrotechniques. *Poudre à tirer pour artificiers.*

REM. Le fém. *artificière* est virtuel.

**ARTIFICIEUSEMENT** [aʀtifisjøzmɑ̃] adv. — XIV^e; de *artificieux.*

♦ **1** Rare ou littér. D'une manière artificieuse, trompeuse.

Il y a plusieurs faits de ma connaissance artificieusement rapportés et défigurés. GRIMM, *in* LAROUSSE XIX^e s. 1

Il fallait renouer la correspondance avec Denise, disposer artificieusement les rets de la duperie (...) La trahison devait être parfaite en son ignominie. 2
J. KESSEL, l'Équipage, p. 185.

♦ **2** Vieilli. Avec adresse, artifice.

CONTR. **Naïvement, sincèrement.**

**ARTIFICIEUX, EUSE** [aʀtifisjø, øz] adj. — V. 1275, au sens 2. ; lat. *artificiosus,* de *artificium.* → Artifice.

♦ **1** (1569 ; ce sens semble donc postérieur aux acceptions correspondantes de *artifice* et au sens 2.). Vx. Qui est fait avec art. → **Habile, ingénieux.**

Nature, sage ouvrière, n'a jamais rien fait sans cause et sans une grande, artificieuse et admirable industrie. 1
Ambroise PARÉ, I, 23, *in* LITTRÉ.

L'artificieuse et fine contexture des tragédies de Racine (...) 2
VOLTAIRE, Dict. philosophique.

Mod. et littér. *«Nous étions ce qu'elle* (l'Europe) *avait conçu de plus artificieux et de plus délicat»* (Guéhenno, *in* T. L. F.).

♦ **2** Vx (langue class.). Qui est plein de ruse. → **Retors, rusé ; trompeur ; flatteur, hypocrite.**

L'ambition a fait trouver ces dangereux expédients où, semblable à un sépulcre blanchi, un juge artificieux ne garde que les apparences de la justice. 3
BOSSUET, Oraison funèbre de Michel le Tellier, 3.

Des hommes artificieux et intéressés les environnent. 4
FÉNELON, Télémaque, II.

N. (rare). *«Tous les artificieux...»* (Duhamel).

(En parlant des actions, des choses). *Insinuations, calomnies, paroles artificieuses. Compliments artificieux. Procédés artificieux.*

CONTR. **Naïf, sincère.** ◊ DÉR. **Artificieusement.**

**ARTIFLOT** [artiflo] n. m. — 1901, dès 1840 d'après G. d'Esparbès *in* T. L. F.; dér. de *artilleur,* suffixé par contamination avec *fiflot* «fantassin».

Argot. Artilleur.

1 Fini, le soutien d'artillerie. Ils n'ont pas besoin de nous. Ils travaillent bien, les artiflots, il faut les voir en bras de chemise. Baïonnette au canon. Il faut enlever ce moulin, ce pigeonnier-là devant, il faut embrocher ces salauds du pigeonnier.
DRIEU LA ROCHELLE, la Comédie de Charleroi, 64.

2 Ce sont des artiflots, dit Bertrand, qui, aussitôt qu'une marmite a éclaté, courent fouiner pour chercher la fusée dans le trou, parce que la position de la fusée, de la manière qu'elle est enfoncée, donne la direction de la batterie, tu comprends. H. BARBUSSE, le Feu, t. II, II, XIX, p. 16.

3 Fini... On ne tire plus... Les artiflots se reposent.
H. TROYAT, Amélie, p. 580.

**ARTILLERIE** [artijri] n. f. — V. 1307; dér. de *artillier* «équiper, pourvoir d'engins», déb. XIIe, de *atillier* «arranger, ajuster» (sous l'influence de *art*), ou (Guiraud) du lat. *articulare.*

♦ **1** Matériel de guerre comprenant les canons, obusiers, etc. (dits *pièces d'artillerie;* → **Affût, batterie, canon, engin, machine, mortier, obusier**), et le matériel nécessaire pour leur service (→ **Munition, projectile, train**). *Parc* (cit. 4) *d'artillerie. Artillerie de terre, de mer. Artillerie anti-aérienne, artillerie antichar, artillerie guidée* (équipée de missiles sol-sol ou sol-air). *Artillerie d'accompagnement* (→ **Infanterie**). *Artillerie légère; lourde, à grande puissance, à longue portée... Grosse artillerie, de gros calibre. Artillerie de campagne, de montagne, de siège... Artillerie motorisée, tractée, lourde sur voie ferrée. Artillerie d'assaut. Artillerie atomique. Parc d'artillerie. Observatoire, plate-forme, position d'artillerie. Tir* d'artillerie.* → **Arrosage** (ou **arrosement**), **bombardement, canonnade, décharge, duel, feu, fusée, mitraille, pilonnage, préparation** (*d'artillerie*), **rafale, salve.** *L'artillerie ouvre le feu, bat, pilonne l'objectif.*

1 Napoléon ne cessa d'accroître la proportion de l'artillerie dans les armées : il eut jusqu'à quatre pièces par mille hommes.
A. RAMBAUD, Hist. de la civilisation contemporaine en France, p. 152.

2 Les soldats (...) qui, depuis le matin, n'avaient guère affronté le feu de l'artillerie, oscillèrent, mais, tout aussitôt, leurs canons répliquèrent et, tandis que nos troupes prenaient leurs nouvelles dispositions de combat, le duel d'artillerie, toujours fort inégal, continuait.
Louis MADELIN, Hist. du Consulat et de l'Empire, t. III, p. 272.

3 Dans le cimetière *(d'Eylau),* sous les rafales d'artillerie et les rafales de neige, c'est une nouvelle image de la guerre qui apparaît à Napoléon (...)
J. BAINVILLE, Napoléon, XV.

4 Notre artillerie répondant coup pour coup par salves furieuses, une sorte de muraille grondante s'éleva autour de nous, qui nous semblait comme un rempart.
G. DUHAMEL, Récits des temps de guerre, I, 73.

5 L'artillerie continuait à éventrer le sol disputé.
G. DUHAMEL, Récits des temps de guerre, II, 160.

5.1 Il y avait là cinq cents Allemands contre cinq cents Français. Somme toute, le 75 avait fait autant de mal que mitrailleuses et artillerie lourde, et les pantalons feldgrau n'en avaient point sauvé plus que n'en avaient perdu les pantalons rouges.
DRIEU LA ROCHELLE, la Comédie de Charleroi, 62.

Fam. Les armes et les munitions.

C'est lui qui, en courant, avait défouraillé et tiré sans viser pour protéger sa fuite. Hans, René, tous les deux ignoraient qu'il possédait un flingue. Eux, c'était de vieux truands qui se gardaient bien, lorsqu'ils partaient faire un casse, d'alourdir leur musette avec de l'*artillerie.* 5.2
Martin ROLLAND, la Rouquine, p. 26.

Par métaphore. **a** Vx. Matériel, provisions.

Tout ce qu'il y avait de pain, chair, vin, et autre artillerie de gueule, fut déployé, mangé et bu. 6
DU FAIL, Contes d'Eutrapel, 8, *in* HUGUET.

Bains et parfums; matelas blancs et mous; 7
Vins du coucher; toute l'artillerie
De Cupidon (...) LA FONTAINE, Contes, II, 5.

**b** Mod. Ce qui est capable de tirer sur qqn, de bombarder, d'attaquer. — Fam. *Faire donner l'artillerie :* attaquer avec force (après une escarmouche). — *La grosse artillerie :* les grands moyens. → **Arsenal** (fig.).

Par métaphore.

L'imprimerie est l'artillerie de la pensée. 8
RIVAROL, Notes, pensées et maximes, p. 78.

Fig. Série d'arguments puissants utilisés dans une discussion.

♦ **2** Corps de l'armée, arme qui est chargée du service de ce matériel. *L'arme* de l'artillerie. État-major; service de l'artillerie.* → **Armée** (cit. 14). *Bataillon, groupe d'artillerie. Officier d'artillerie. Soldat d'artillerie.* → **Artilleur.**

**ARTILLEUR** [artijœr] n. m. — 1334; de l'anc. v. *artillier,* déb. XIIe, «équiper, pourvoir d'engins». → Artillerie.

Militaire attaché au corps de l'artillerie; soldat versé dans l'arme de l'artillerie. → **Artificier, artiflot** (argot), **bombardier** (vx), **canonnier, chef** (de pièce), **munitionnaire, pointeur, pourvoyeur, servant, torpilleur;** aussi soldat. *La fête des artilleurs :* la Sainte-Barbe.

DÉR. V. **Artiflot.**

**ARTIMON** [artimɔ̃] n. m. — 1246; lat. *artemo* «petite voile; mât d'artimon».

Mar. Mât qui est le plus près de l'arrière d'un navire à trois mâts et plus. Mât arrière sur un navire à deux mâts. *Le mât d'artimon est le plus court sur les yawls et les ketchs* (→ **Tapecul**). *Mât d'artimon.* — *Voile d'artimon* ou *artimon :* voile du mât d'artimon (→ **Brigantine**). *Vergue, corne d'artimon. Pic de corne d'artimon. Hune d'artimon. Foc d'artimon. Voile d'artimon au-dessus du perroquet de fougue* (→ **Perruche**).

**ARTIODACTYLES** [artjodaktil] n. m. pl. — 1878; du grec *artios* «pair», et *-dactyle.*

Zool. Sous-ordre de mammifères ongulés renfermant des animaux qui reposent sur le sol par un nombre pair de doigts. *Les Artiodactyles comprennent les Ruminants* (→ **Bovidés, camélidés, cervidés, girafidés, tragulidés**) *et les Suiformes* (→ **Hippopotamidés, suidés**). — Au sing. *Un artiodactyle.*

**ARTIOZOAIRES** [artjozɔɛr] n. m. pl. — 1846; du grec *artios* «pair», et *-zoaires.*

Zool. Une des deux grandes divisions du sous-règne des Métazoaires, renfermant tous les animaux pluricellulaires à symétrie bilatérale. → **Arthropode; némathelminthe, ver; mollusque; procordés; vertébré.** — Au sing. *Un artiozoaire.*

1. **ARTISAN** [aʀtizɑ̃] n. — 1546, *artizan;* de l'ital. *artigiano,* de *arte* «art», lat. *ars.*

♦ **1** Celui, celle qui exerce une technique traditionnelle, un métier manuel demandant une qualification professionnelle, et qui travaille pour son propre compte, aidé souvent de sa famille, de compagnons, d'apprentis, etc. *Le serrurier, le cordonnier, le boucher, le boulanger sont généralement des artisans. Artisan d'art,* qui fait des objets d'art (au sens esthétique et moderne de *art**). *L'atelier, la boutique d'un artisan. Ouvrage d'un artisan. Le chef-d'œuvre des artisans d'autrefois. Corporation d'artisans. Un artisan travaillant à façon.* → **Façonnier.** *Habile, excellent artisan. L'artisan,* opposé à *l'artiste* (cit. 7; → Artisanat, cit. 2). *Femme d'artisan. — Artisans outilleurs* (cit. 1). *Artisan coiffeur, artisan tailleur. Artisan taxi :* personne exploitant un taxi à titre individuel (par oppos. aux *taxis de compagnies*).

1 Pantagruel (...) transporta une colonie d'Utopiens (...) artisans de tous métiers et professeurs de toutes sciences libérales. RABELAIS, le Tiers Livre, I.

2 Nul artisan n'est agrégé à aucune société, ni n'a ses lettres de maîtrise sans faire son chef-d'œuvre.
LA BRUYÈRE, Disc. de réception à l'Acad., Préface.

3 J.-C. passe trente ans de sa vie dans la boutique d'un artisan. FÉNELON, Télémaque, XVIII, 246.

4 Les matières premières qu'on travaille dans les manufactures passent par bien des artisans et par bien des marchands avant d'arriver aux consommateurs (...)
CONDILLAC, le Commerce et le Gouvernement, II, 8.

4.1 Chez l'artisan on s'amuse d'une autre manière : pour se délasser de ses travaux journaliers, un ébéniste, un doreur, un tourneur, enfin un homme qui travaille toute la semaine depuis sept heures du matin jusqu'à huit du soir, aura quelquefois l'idée de mettre chez lui du papier frais, ou de repeindre son plafond, ou de mettre son carreau en couleur.
Ch. PAUL DE KOCK, la Grande Ville, t. I, p. 233.

5 Presque toutes les associations *(du moyen âge)* étaient formées par les artisans. Les marchands, beaucoup moins nombreux, s'étaient réunis en un très petit nombre de corps (...)
Ch. SEIGNOBOS, Essai d'une hist. comparée des peuples d'Europe, p. 161.

6 L'individualisme naturel (...) de l'artisan ou du paysan propriétaire (...)
André SIEGFRIED, l'Âme des peuples, I, 3, p. 24.

Dr. *Artisans et travailleurs indépendants.* — Appos. *Maître artisan. Compagnons* et apprentis* d'un maître artisan.*

7 (...) la définition légale de l'artisan (telle qu'elle résulte de la loi du 26 juillet 1925 et de textes ultérieurs) comporte quatre éléments essentiels :
Il faut : 1° que l'artisan exerce le travail personnellement et à son compte ; 2° qu'il justifie de sa capacité professionnelle par un apprentissage préalable ou un exercice prolongé du métier ; 3° qu'il assume seul la direction du travail ; 4° qu'il n'ait comme collaborateurs que les membres de sa famille, et des compagnons ou apprentis en un nombre n'excédant pas cinq unités.
G. PIROU et M. BYÉ, Traité d'économie politique, t. I, p. 178.

(En parlant d'une femme). *Elle est artisan en poterie. Une jeune femme artisan.* → **Artisane.**

♦ **2** (Jusqu'au XVIII^e^) Ancienn. Personne qui pratique un art* (I.), une technique, même esthétique (cet emploi cumule les sens de *artisan* (1. artisan) et de *artiste*).

8 Ces grands artisans de la parole, ces premiers maîtres de l'éloquence française.
LA BRUYÈRE, Disc. de réception à l'Acad., 15 juin 1693.

REM. La distinction nette entre *artisan* et *artiste** est relativement récente (→ Art) ; mais dès le XVIII^e^ siècle, l'usage ne confondait plus les sens :

(...) en 1762, l'Académie trancha : *Artiste :* «celui qui travaille dans un art où le génie et la main doivent concourir : un peintre, un architecte sont des artistes». *L'artisan* est «un ouvrier dans un art mécanique, un homme de métier». 9
F. BRUNOT, Hist. de la langue franç., t. VI, p. 682.

En 1711, le *Dict. de Trévoux* définit encore *artiste :* celui qui excelle dans les arts mécaniques qui supposent de l'intelligence. On dit d'un bon cordonnier que c'est un bon artisan, et d'un habile horloger que c'est un grand artiste. 10
F. BRUNOT, Hist. de la langue franç., t. VI, p. 682.

♦ **3** Fig. Auteur, personne qui est la cause de (une chose, une situation, une condition), avec une idée de persévérance, de patience. *Être l'artisan de son bonheur, de son malheur, de sa fortune.* → **Auteur, cause, ouvrier.**

Nos biens, comme nos maux, sont en notre pouvoir (...) 11
Chacun est artisan de sa bonne fortune.
Mathurin RÉGNIER, Satires, XIII.

Villars avait été l'artisan de sa fortune (...) 12
VOLTAIRE, le Siècle de Louis XIV, 18.

Tu veux qu'on t'applaudisse et qu'on te récompense, 13
Artisan de la guerre, affreux conspirateur.
VOLTAIRE, Catilina, IV, 4.

Prov. *À l'œuvre on connaît l'artisan (La Fontaine, I, 21) :* on connaît le mérite d'un homme à ce qu'il fait.

(En parlant des choses). *Le vent est l'artisan de l'érosion.*

DÉR. **Artisanal, artisanat, artisane, artisanerie.** — V. 2. **Artisan.** ◊ HOM. 2. **Artisan.**

2. **ARTISAN, ANE** [aʀtizɑ̃, an] adj. — 1577 ; ital. *artigiano.*

Littéraire.

♦ **1** Qui est composé d'artisans. *Familles artisanes.* Qui concerne l'artisan. *Une habileté artisane.*

♦ **2** Qui est digne d'un artisan, d'une personne qui travaille avec dextérité et minutie.

HOM. 1. **Artisan.**

**ARTISANAL, ALE, AUX** [aʀtizanal, o] adj. — 1923 ; de 1. *artisan,* et suff. *-al.*

♦ **1** Qui est relatif à l'artisan (1. Artisan), à l'artisanat. *Métier artisanal. Travail artisanal, procédés artisanaux, entreprise artisanale. Apprentissage artisanal. Charges sociales artisanales. La qualité artisanale.*

♦ **2** Qui n'est pas industrialisé, n'utilise pas les procédés de l'industrie. *Cette exploitation est restée artisanale. Techniques artisanales.*

Que l'on songe au Mexique, foncièrement indien, vivant encore de la vie artisanale la plus pure, et pourtant tout proche du pays industriellement le plus avancé du monde.
André SIEGFRIED, l'Âme des peuples, I, 3.

Qui n'est pas mécanisé, informatisé. → **Manuel.**

CONTR. **Industriel.** ◊ DÉR. **Artisanalement.**

**ARTISANALEMENT** [aʀtizanalmɑ̃] adv. — V. 1950 ; de *artisanal.*

D'une manière artisanale, sans machines complexes ni division du travail. *Objets fabriqués artisanalement.* → **Main** (à la).

Il regarda le conducteur, à genoux sur son véhicule de planches montées artisanalement sur roulements à billes, prendre de justesse le tournant de la rue Lambert.
R. SABATIER, les Allumettes suédoises, p. 127.

CONTR. **Industriellement.**

**ARTISANAT** [aʀtizana] n. m. — 1923; de 1. *artisan.*

♦ **1** Métier, condition des artisans. *L'artisanat d'art. Pratiquer un artisanat.*

1 À notre arrivée au Maroc, l'artisanat d'art était certes bien malade, faute d'emploi pendant ces dernières années d'anarchie et de misère. Mais il vivait encore, il s'agissait simplement de le sauver sans délai.
L.-H. LYAUTEY, Paroles d'action, p. 447.

Littér. Pratique, activité de l'artisan.

2 J'appelle artiste celui qui crée des formes (...) et artisan celui qui les reproduit, quel que soit l'agrément ou l'imposture de son artisanat.
MALRAUX, les Voix du silence, p. 308.

♦ **2** Ensemble des artisans en tant que groupe social ou professionnel. *L'artisanat rural, urbain. L'aide à l'artisanat.*

3 Dans le domaine économique, à l'appui de la thèse qui envisage avec optimisme l'avenir de l'artisanat, on invoque deux faits nouveaux (...) La grande industrie était fille de deux inventions : la machine à vapeur et le chemin de fer. Le réveil de l'artisanat sera la conséquence de l'électricité et de l'automobile.
G. PIROU et M. BYÉ, Traité d'économie politique, t. I, p. 173-174.

4 L'artisanat refleurit partout, les sabotiers, les bourreliers, les tisserands, les potiers, les sculpteurs à couteaux de poche voient refleurir un âge d'or.
P. J. HÉLIAS, le Cheval d'orgueil, p. 529.

**ARTISANE** [aʀtizan] n. f. — 1845; de 1. *artisan.*

Rare. Femme qui exerce un artisanat, un métier artisanal; femme appartenant à la classe sociale des artisans (Renan, *in* T. L. F.). — REM. Le mot, enregistré par tous les dict. comme féminin normal de *artisan*, est très rare, sauf métaphoriquement (*«l'introspection est ... une précieuse artisane»*, Dubos, *in* T. L. F.). L'usage réel emploie le masculin, même pour parler des femmes : *une femme artisan, un artisan femme; elle est artisan en poterie, en vannerie*, etc. Comme pour d'autres termes analogues, faire revivre ce féminin virtuel correspondrait à l'évolution sociale : *ouvrières et artisanes;* mais les exemples observés sont rares.

**ARTISANERIE** [aʀtizanʀi] n. f. — Av. 1866, G. Sand; de 1. *artisan*, sur le modèle de *paysannerie.*
Rare.

♦ **1** Artisanat*.

♦ **2** (En général au plur.). Objets fabriqués par des artisans. *Collection d'artisaneries.*

**ARTISME** [aʀtism] n. m. — 1910, Valéry; de *art*, et *-isme.*

Rare et péj. Doctrine conférant aux valeurs esthétiques réalisées dans l'art* une importance exclusive. → **Artistisme, esthétisme.**

(...) les noms odieux de Ruskin, Boeklin *(sic)*, tout l'artisme anglo-allemand.
VALÉRY, Lettre à Gide, 31 août 1910, *in* D. D. L., II, 15.

**ARTISON** [aʀtizɔ̃] n. m. — 1562; *artoizon*, déb. XIII^e; *artuison*, XIV^e; probablt du provençal *arta* «irriter», *artison* «irritation» (cf. anc. franç. *gratte, gratison*), du lat. *artare* «serrer, gêner» (Guiraud).

Insecte qui ronge le bois, les étoffes, les pelleteries, etc.

(...) les artisons s'engendrent et se mettent principalement dans les bois tendres et doux.
J. AMYOT, Trad. PLUTARQUE, Comment on distingue le flatteur d'avec l'ami, 3, *in* LITTRÉ.

DÉR. Artisonné.

**ARTISONNÉ, ÉE** [aʀtizɔne] adj. — 1807; de *artison.*

Techn. Rongé par les artisons. *Bois artisonné. Fourrure artisonnée.*

**ARTISTE** [aʀtist] n. et adj. — 1395, «artisan»; du lat. médiéval ou de l'ital. *artista;* du lat. *ars.* → Art.

**I** N. ♦ **1** Vx. Personne pratiquant un métier, une technique difficile.

(1811, *artiste en cheveux, in* D. D. L.). Mod. (parfois iron.). *Un artiste capillaire :* un grand coiffeur. *Un artiste culinaire :* un grand cuisinier. — REM. Dans ces emplois, le mot est senti comme une métaphore du sens 2.

— (...) mon mariage ne fut point heureux; M. Potain était d'une classe au-dessous de la mienne, il était artiste; je l'élevai jusqu'à moi... 0.1
— Ah! c'était un artiste; on disait un perruquier.
— Artiste en cheveux...
Henri MONNIER, Scènes populaires, I, La victime du corridor, VII, p. 272.

♦ **2** (1753). Personne qui se voue à l'expression du beau, pratique les «beaux-arts» (→ **Art**, cit. 66), l'art. *L'inspiration, la sensibilité de l'artiste.*

Chaque artiste saisit en son genre les beautés naturelles que ce genre comporte. 1
VOLTAIRE, le Siècle de Louis XIV, 32.

(...) tout artiste qui se propose autre chose que le beau n'est pas un artiste (...) 2
Th. GAUTIER (→ Art, cit. 84).

L'immense classe des artistes, c'est-à-dire des hommes qui se sont voués à l'expression de l'art (...) celui-ci, qui s'appelle lui-même *réaliste* (...) Et celui-là, l'imaginatif (...) 3
BAUDELAIRE, Salon de 1839, IV, «Le gouvernement de l'imagination».

Où est la limite de l'inspiration à la folie, de la stupidité à l'extase? Ne faut-il pas pour être artiste voir tout d'une façon différente de celle des autres hommes? 4
FLAUBERT, Correspondance, t. II, p. 140.

Les grands artistes n'ont pas de patrie. 5
A. DE MUSSET, Lorenzaccio, I, 5.

Si l'art n'a pas de patrie, les artistes en ont une. 6
SAINT-SAËNS, Écho de Paris, 19 sept. 1914.

Par opposition à l'artisan qui réalise, l'artiste est celui qui conçoit, qui invente l'œuvre d'art. Il peut d'ailleurs ne faire qu'un avec l'exécutant et réaliser ses propres conceptions sans le secours d'un praticien. 7
Louis RÉAU, Dict. d'art et d'archéologie, art. *Artiste.*

Créateur d'une œuvre d'art; spécialt, celui ou celle qui se consacre aux arts plastiques. → **Décorateur, dessinateur, graveur, peintre, sculpteur.** *Le studio, l'atelier d'un artiste :* le lieu où un peintre, un sculpteur travaille. *Un atelier d'artiste* (désigne aussi ce lieu converti en logement). — *Artiste peintre :* celui qui exerce l'art de la peinture, par opposition au *peintre artisan* ou au *peintre en bâtiment.*

Si avec Van Gogh nature noble j'ai eu à me louer, moi l'artiste aux lèvres scellées il n'en est pas de même avec beaucoup en Bretagne. 7.1
Paul GAUGUIN, Lettre à A. Fontainas, sept. 1902, 306.

Si mon manuscrit n'était pas publié je vous serais reconnaissant de l'envoyer à mon ami M. G. Daniel, artiste peintre (...) 7.2
Paul GAUGUIN, Lettre à A. Fontainas, sept. 1902, 305.

♦ **3** (1797, *in* D. D. L.). Personne qui interprète une œuvre musicale, théâtrale ou cinématographique (par opposition à *auteur, compositeur, écrivain*). → **Acteur, comédien, exécutant, interprète, musicien.** *Entrée des artistes. Un artiste en vue.* → **Vedette.** *Artiste virtuose*. Artiste dramatique. Artiste lyrique. Artiste de variétés.*

Spécialt (en parlant d'un interprète). *Cette pianiste est une grande artiste.*

Les acteurs sont des artistes autant et plus que les autres (...) 8
BARBEY D'AUREVILLY, le Théâtre contemporain 1870-1883, p. 137.

REM. Cet emploi marque le passage au sens 3.

8.1 Mais en revanche le théâtre m'est apparu comme une sorte de monde gelé, avec des artistes engoncés dans des gestes qui ne leur serviront désormais plus à rien, avec en l'air des intonations solides et qui retombent déjà en morceaux (...)
A. ARTAUD, le Théâtre et son double, La mise en scène et la métaphysique, Idées/Gallimard, p. 65-66.

(En parlant d'un style de vie particulier, sans règles). *La vie d'artiste.* → **Bohême.** *Redingote* (cit. 1) *à l'artiste.*

REM. Alors que le mot était d'abord majoratif, dans ce sens, il est devenu désuet ou populaire : les professionnels disent *comédien**, le terme neutre est *acteur**. *Elle a des photos d'artistes dans sa chambre.* (Prononc. pop. ou iron. : [aʀtis]).

♦ **4** Fam. *Eh! l'artiste.* → **Fantaisiste.**

**II** Adj. (En parlant d'une personne). ♦ **1** Qui a le sentiment du beau, le goût des arts. *Le tempérament artiste.* → **Artistique.** *Elle est née artiste. Il n'est pas du tout artiste, c'est un béotien, un bourgeois. «Tout homme est artiste»* (→ Acteur, cit. 9, Alain).

9 Waldeck, qui est un peu artiste (...)
M. BARRÈS (→ Afficher, cit. 3).

10 J'aime la nature telle que les dieux l'ont faite et j'aime tant à la voir que je ne trouve pas le temps de la regarder par les yeux des autres, comme font les collectionneurs de tableaux. Je ne suis pas artiste du tout.
Pierre LOUŸS, les Aventures du roi Pausole, VI.

11 L'homme qui refuse de choisir parce que tout le séduit invoque souvent sa «nature artistique». Comme si un Dante, un Wagner, un Rodin n'avaient pas su choisir, prendre un parti et renoncer aux autres. Cet homme confond être artiste et être un artiste, ce qui est souvent le contraire.
Julien BENDA, la Trahison des clercs, p. 34.

12 Mais Wilde n'oubliait jamais d'être artiste, et ne pardonnait pas à Dickens d'être humain.
GIDE, Si le grain ne meurt, II, 2.

13 (...) ces lambeaux d'habillements que ce peuple artiste *(le peuple napolitain)* drape encore avec art, donnent quelque chose de pittoresque à la populace (...)
Mme DE STAËL, Corinne, XI, 2.

(Choses). *Le sens artiste découvre l'étrange qui est dans le banal (...)* (Valéry, *Cahiers*, Pl., t. II, p. 1048). *Écriture artiste, style artiste,* expressions créées et répandues par les Goncourt, reprises par la critique pour qualifier la prose symboliste (souvent péjoratif).

13.1 Maintenant, si, avec ce sens artiste, vous travaillez dans une manière artiste, si à l'idée de la forme vous ajoutez la forme de l'idée, oh! alors, vous n'êtes plus compris du tout.
Ed. et J. DE GONCOURT, Journal, 1er mai 1857.

14 *(Le réalisme)* est venu au monde, aussi, lui, pour définir dans de l'écriture artiste, ce qui est élevé, ce qui est joli, ce qui sent bon.
Ed. DE GONCOURT, les Frères Zemganno, Préface, p. VII.

15 Oui, nos organes, sont les nourriciers et les maîtres du génie artiste.
MAUPASSANT, la Vie errante, p. 24.

♦ **2** Vieilli. Qui a des goûts, des habitudes opposées à ceux des bourgeois, tout en n'appartenant pas au peuple. → **Bohême, étudiant.**

DÉR. **Artistement, artisterie, artistique, artistisme.**

**ARTISTEMENT** [aʀtistəmɑ̃] adv. — 1538; de *artiste.*

♦ **1** Vx. Avec habileté (dans l'exercice d'une technique, d'un «art»). *Un ouvrage artistement travaillé.*

1 On regarde une femme savante comme on fait une belle arme : elle est ciselée artistement, d'une polissure admirable et d'un travail fort recherché.
LA BRUYÈRE, les Caractères, III, 49.

♦ **2** Mod. Avec goût, avec sens esthétique. → **Artistiquement.** *Une salle artistement décorée.*

C'est un des privilèges prodigieux de l'Art que l'horrible, artistement exprimé, devienne beauté. 2
BAUDELAIRE, l'Art romantique, Théophile Gautier, IV.

**ARTISTERIE** [aʀtistəʀi] n. f. — 1842; de *artiste,* p.-ê. d'après l'angl. *artistry.*

Péj. et vx. Engouement pour l'art; art, esthétique.

DELECLUZE. Bonhomme de lettres qui traite les questions d'artisterie dans le *Journal des Débats.* Son style porte des gilets de flanelle et marche avec des chaussons de lisière, ce qui explique le peu de bruit qu'il fait.
FORTUNATUS (F. MESURÉ), le Rivarol de 1842, p. 64, *in* D.D.L., II, 15.

REM. Le mot semble avoir été à la mode vers 1860-1890 (cf. Goncourt, Verlaine, *in* T.L.F.). On le rencontre encore au XXe s.

**ARTISTIQUE** [aʀtistik] adj. — 1808; de *artiste.*

♦ **1** Qui a rapport à l'art ou à l'artiste. *Composition artistique. La création artistique. Avoir des dons artistiques. Valeur artistique. L'activité artistique. Anatomie* (cit. 3) *artistique. Sens, tempérament, vocation artistique.*

*(Il)* jouissait d'un sens artistique des plus fins (...) 1
GIDE (→ Amenuisement, cit. 2).

Le plus important est que mon exposition a eu un très grand succès artistique, a même éveillé la fureur et la jalousie. 2
Paul GAUGUIN, Lettre à sa femme, déc. 1893, p. 251.

N. m. Rare. *L'artistique de l'eau-forte* (Ed. et J. de Goncourt).

♦ **2** Qui a rapport aux productions de l'art. *Les richesses artistiques d'un pays. Trésors artistiques.* Qui a rapport aux activités des arts et à leur influence. *Vie artistique. Salon, centre artistique. Études artistiques. Revues artistiques.*

♦ **3** Fam. Fait, présenté, arrangé avec art. *La présentation de cet ouvrage est vraiment artistique. L'arrangement de cette vitrine est très artistique.*

Quand se rendra-t-on compte que les ameublements artistiques ne peuvent être intéressants que chez les artistes, parce qu'un appartement d'artiste, s'il est sincère et éloquent, a autant de raisons de nous intéresser que l'appartement du bourgeois, du noble, du magistrat, du banquier? 3
PROUST, Jean Santeuil, Pl., p. 436.

DÉR. **Artistiquement, artistiquer** (s').

**ARTISTIQUEMENT** [aʀtistikmɑ̃] adv. — 1845; de *artistique.*

♦ **1** D'une manière artistique. → **Artistement.** *«Une lettre artistiquement calligraphiée»* (S. de Beauvoir, *in* T.L.F.). *Un salon artistiquement décoré.*

♦ **2** Au point de vue de l'art, en ce qui concerne l'art. *Artistiquement, ce tableau n'a pas de valeur.*

**ARTISTIQUER (S')** [aʀtistike] v. pron. — 1837, Balzac; de *artistique.*

Vx. S'engouer d'art.

**ARTISTISME** [aʀtistism] n. m. — 1836; de *artiste.*

Littér. (souvent péj.). Attitude d'artiste; goût exclusif pour l'art. → **Artisme.**

**ARTOCARPE** [aʀtɔkaʀp] n. m. — 1834, *artocarpé; artocarpus,* 1832; du grec *artos* «pain», et *karpos* «fruit».

Plante dicotylédone (*Urticales,* famille des *Moracées*), arbre lactescent de l'Asie tropicale et de l'Océanie, dont le fruit, un akène sphérique ou oblong à chair blanche, féculente, très riche en amidon, peut atteindre le poids de 2 kg et se consomme cru ou cuit. *Artocarpus incisa* : arbre à pain. *Artocarpus integrifolia.* → **Jacquier.**

**ARTOTHÈQUE** [aʀtɔtɛk] n. f. — Av. 1980; de *art,* et *-thèque,* par anal. avec *bibliothèque* (mot mal formé).

Rare. Organisme ou département d'une bibliothèque, d'un musée qui pratique le prêt d'œuvres d'art ou de reproductions.

**ARTOTYRITE** [aʀtotiʀit] n. m. — 1740; lat. *artotyritae,* saint Augustin.

Hist. des relig. Membre d'une secte chrétienne du IIe siècle qui faisait offrande de pain et de fromage pour l'Eucharistie.

**ARUM** [aʀɔm] n. m. — 1545; *arone,* 1389; lat. *aron* ou *arum* «gouet, pied-de-veau», et grec «colocase».

Plante herbacée *(Aracées)* à racine charnue tubéreuse, cultivée pour ses grandes fleurs disposées sur un spadice entouré d'une large spathe en cornet de couleur blanche ou verdâtre, et dont les fruits forment un épi de baies d'un rouge vif. *Arum maculatum :* variété contenant un suc vésicant et vénéneux. → **Gouet, langue-de-bœuf, pied-de-veau, vaquette.** *Arum dracunculus.* → **Petit-dragon, serpentaire.** *Arum arisarum.* → **Capuchon.** *La racine de certains arums fournit une fécule comestible.* → **Arrow-root.**

1 (...) d'énormes arums dressent leurs cornets entr'ouverts et laissent paraître un secret blanc, tigré de pourpre sombre (...)

GIDE, Voyage au Congo, *in* Souvenirs, Pl., p. 740.

2 Des mufles de lion crachent de petits jets d'eau dans une vasque moussue, au-dessus de blancs arums, sous les palmes qui au moindre vent frissonnent et que de hauts réverbères illuminent.

A. PIEYRE DE MANDIARGUES, la Marge, p. 239-240.

DÉR. **Aracées.**

**ARUSPICE** [aʀuspis] n. m. — 1372; lat. *haruspex, -icis,* du lat. *spicere,* et *haron,* p.-ê. étrusque.

Antiq. rom. Devin qui examinait les entrailles des victimes pour en tirer des présages. *Le collège des aruspices. Les aruspices et les augures**.

1 Regardons une armée romaine au moment où elle se dispose au combat. Le consul fait amener une victime et la frappe de la hache; elle tombe : ses entrailles doivent indiquer la volonté des dieux. Un aruspice les examine, et, si les signes sont favorables, le consul donne le signal de la bataille.

FUSTEL DE COULANGES, la Cité antique, III, 7, p. 192.

2 Brusquement, venant vers lui, il reconnut Jesús, le petit seigneur, pieds nus, en cagoule rouge, ceinture rouge, gants rouges, la haute mitre pointue et rouge rejetée sur la nuque, pareil avec cette mitre à un jeune aruspice, ou bien au servant d'un des prêtres syriaques qui célébraient les mystères de la Bonne Déesse.

MONTHERLANT, les Bestiaires, éd. L. de Poche, p. 128.

REM. On a écrit aussi *haruspice.*

**ARUSPICINE** [aʀyspisin] n. f. — 1547; lat. *haruspicina.*

Didact. Science des aruspices.

**ARVICOLE** [aʀvikɔl] adj. et n. m. — 1846; du lat. *arvum,* et *colere* «habiter».

♦ **1** Adj. Didact. (bot., zool.). Qui vit dans les champs, les guérets. → **Campagnol, rat** (d'eau). — REM. Pour les plantes, on disait *arviennes* (1808).

♦ **2** N. m. Vx. Campagnol.

**ARYANISÉ, ÉE** [aʀjanize] adj. — 1921; de *aryen,* d'après le lat. *arianus,* et suff. *-isé.*

Didact. Qui est devenu aryen, a subi l'influence des Aryens. — REM. Le verbe virtuel *aryaniser (s'aryaniser)* n'est pas attesté dans les dictionnaires. — *Hindous aryanisés et Dravidiens.*

Nelly avait lu *Les Mouches* qu'on se préparait à monter au théâtre Sarah-Bernhardt, aryanisé en théâtre de la Cité.

Michel DÉON, les Vingt Ans du jeune homme vert, p. 269.

HOM. **Arianiser.**

**ARYANISME** [aʀjanism] n. m. — 1899; de *aryen,* d'après le lat. *arianus,* et suff. *-isme.*

Didact. Ensemble des caractères des Aryens.

HOM. **Arianisme.**

**ARYBALLE** [aʀibal] n. m. — 1875; mot grec *aruballos* «bourse à cordons».

Archéol. Petit vase à parfums, sans pied, à col étroit et panse renflée (comme une bourse).

(...) la céramique proprement corinthienne est d'une autre importance (...) sa fabrique, des plus orientalisantes, disperse aussi de menus vases, alabastres, aryballes, renfermant les produits d'une industrie des parfums très renommée.

G. CONTENAU et V. CHAPOT, Histoire universelle des Arts, l'Art antique, p. 167.

**ARYEN, ENNE** [aʀjɛ̃, ɛn] n. et adj. — 1562; lat. *arianus* ou *arienus.*

♦ **1** *Les Aryens,* nom d'un peuple nomade de l'Antiquité, de race blanche, qui envahit le Nord de l'Inde, venant de Perse.

Adj. Qui appartient à ce peuple, considéré comme l'origine ethnique des peuples indo-européens (pour des raisons essentiellement linguistiques).

(...) plus on avance dans la connaissance des origines de la race aryenne, plus on pressent un riche passé, une langue déjà perfectionnée, il y a bien des millénaires, dans un cadre qui était peut-être cette même Asie centrale, véritable château des races. 1

DANIEL-ROPS, le Peuple de la Bible, I, 3, p. 74.

Le grand événement du XIIe siècle avant notre ère, c'est l'entrée des Aryens dans le concert méditerranéen (...) 2

DANIEL-ROPS, le Peuple de la Bible, II, 2, p. 127.

Vx. *Langue aryenne :* langue appartenant au groupe indo-iranien des langues indo-européennes.

♦ **2** (Vocabulaire des doctrines racistes). Individu issu de ce peuple, représentant symboliquement l'élément pur et supérieur de la race blanche. *Le bel Aryen blond.*

Adj. *L'esprit aryen* (opposé au *sémitisme,* chez les doctrinaires racistes).

Lorsque les Allemands tuaient les Juifs, tous les Allemands avaient bonne conscience, «ils tuaient pour se défendre». Les Juifs ne voulaient-ils pas exterminer ou soumettre le monde entier? Ou bien ne corrompaient-ils pas la santé, les vertus de la race aryenne, ce qui est une autre façon de tuer? 3

IONESCO, Journal en miettes, 154.

DÉR. V. **Aryanisé, aryanisme.** ◊ COMP. **Indo-aryen.** — HOM. **Arien.**

**ARYLE** [aʀil] n. m. — XXe; de *ar(omatique),* et *-yle.*

Chim. Radical ou groupement d'atomes dérivés des hydrocarbures aromatiques (arènes) par suppression d'un atome d'hydrogène. *Les aryles sont des radicaux carbonés monovalents.*

**ARYTÉNOÏDE** [aʀitenɔid] adj. et n. m. — 1541; grec *arutainoeidês* «qui a la forme d'une aiguière».

Anat. L'un des deux cartilages du larynx qui tendent les cordes vocales. *Les cartilages aryténoïdes, les aryténoïdes. La partie de la glotte qui se trouve entre les aryténoïdes* (→ Phonation, cit.).

*(Ce cartilage)* constitue une figure semblable à un biberon de pot à huile ou aiguière : à cause de quoi *(il)* a été appelé des Grecs aryténoïde.

Ambroise PARÉ, IV, 15, *in* LITTRÉ.

DÉR. **Aryténoïdien.**

**ARYTÉNOÏDIEN, IENNE** [aʀitenɔidjɛ̃, jɛn] adj. — 1701 ; de *aryténoïde.*

Anat. Qui a rapport à l'aryténoïde. *Muscle thyro-aryténoïdien. Région aryténoïdienne.*

**ARYTHMIE** [aʀitmi] n. f. — 1879, Sée ; du grec *aruthmos,* de *ruthmos* «rythme».

Didactique.

♦ **1** Méd. Irrégularité d'un rythme, en particulier du rythme cardiaque.

1 Les formes fonctionnelles constituent un groupe d'affections qui, souvent, se manifestent uniquement soit par des palpitations, soit par des troubles que M. Sée décrit sous le nom d'arhythmie *(sic)* et qui comprennent : les intermittences et les irrégularités du cœur et du pouls ; les dédoublements des bruits de cœur ; l'absence de l'un des bruits normaux.

Journal de médecine et de chirurgie pratiques, 1879, L, 91, *in* D. D. L., II, 8.

2 Large excédent de cholestérol. Traces d'albumine. Traces d'urée. Poumons point trop nets. Cœur présentant une légère arythmie. Sang pas assez fluide.

Jean-Louis CURTIS, le Roseau pensant, p. 163.

♦ **2** Caractère irrégulier d'un rythme.

DÉR. **Arythmique.**

**ARYTHMIQUE** [aʀitmik] adj. — 1865, Littré-Robin ; de *arythmie.*

Didactique.

♦ **1** Caractérisé par l'arythmie (1.). *Pouls arythmique.*

1 Quelques jours s'étaient à peine écoulés que le malade présentait une série de troubles intéressants : le pouls, d'irrégulier qu'il était, devient franchement arythmique et filant ; les battements du cœur sont moins nets, un peu étouffés.

B. CENDRARS, Moravagine, *in* Œ. compl., t. IV, p. 257.

♦ **2** (En parlant d'une production sonore). *Mélodie arythmique.*

2 Le grondement lui déchire le tympan, recouvre les claquements arythmiques des balles.

Régis DEBRAY, l'Indésirable, p. 41.

**ARZEL** [aʀzɛl] n. m. — 1605 ; de l'esp. *argel ;* arabe *'ārdjāl.*

Cheval qui a les pieds de derrière et le chanfrein blancs.

**As** [aɛs] Symbole chimique de l'arsenic.

**AS** [ɑs ; as] n. m. — 1174 ; lat. *as,* unité de monnaie.

**I** Antiq. rom. ♦ **1** Unité servant d'étalon pour les monnaies, poids et mesures.

♦ **2** Pièce de monnaie (romaine) en cuivre.

**II** ♦ **1** Côté du dé à jouer (ou moitié de domino) marqué d'un seul point ou signe. *Amener deux as, un double as au trictrac.* → anc. **Ambesas, besas, bezet.**

♦ **2** Carte à jouer marquée d'un seul point ou signe et ayant en général la valeur la plus haute dans une série. *As de carreau, de cœur, de pique, de trèfle. Paire, brelan, carré d'as. Avoir trois as en main. L'as au bésigue.* → **Brisque.** *L'as au jeu de la manille.* → **Manillon.** *Au jeu de l'hombre, l'as de trèfle est le troisième matador.* → **Baste.** *As de pique.* → **Spadille.** *As percé* (corruption de l'ital. *asso per se* «as tout seul») : as que l'on a seul de sa couleur, au jeu de la bouillotte. *As qui court :* jeu où il faut se débarrasser de l'as avant que le tour soit fini.

S'écrier sur un as mal à propos jeté (...) 1

BOILEAU, Satires, X.

Houel et Jeanfin avaient un démon familier qui leur donnait toujours des as quand ils jouaient aux cartes (...) 2

VOLTAIRE, Philosophie, III, 148.

Dans le jeu tout est clair ; il ne s'y trouve point d'illusion. On ne peut croire que la nature nous obéit en nous donnant l'as désiré. Et pourtant on se trouve fier de gagner. 2.1

ALAIN, les Aventures du cœur, *in* les Passions et la Sagesse, Pl., p. 397.

Fig. *N'avoir plus d'as dans son jeu :* être à bout de ressources.

Il ne savait plus à quels expédients recourir ; toutes ses tentatives avaient échoué ; il sentait qu'il n'avait plus d'as dans son jeu. 3

BALZAC, *in* LAROUSSE XIXe s.

♦ **3** Loc. fam. *Être aux as, plein aux as :* avoir beaucoup d'argent.

Shannon, très Irlandais, assez gueux, a cependant l'air si «plein aux as» qu'on l'appelle Milord. 3.1

Paul MORAND, Bouddha vivant, p. 154.

(...) On avait fait une collecte pour le beau-père, qui partait plein aux as, parce qu'il fallait sortir Max de prison (...) 3.2

Régis DEBRAY, l'Indésirable, p. 104.

Fam. Vx. *Veiller à l'as :* prendre garde, veiller attentivement à qqch. — Mod. **PASSER À L'AS.** *Passer qqch. à l'as* (par allus. aux jeux où l'on passe), l'escamoter. — *Passer à l'as* (v. intr.) : être escamoté, négligé.

Fam. (Altér. probable de *hast* (manche) *de pique*). **AS DE PIQUE.** *Être ficelé, fichu, foutu comme l'as de pique :* être mal habillé ou mal fait, mal bâti.

C'est fichu comme l'as de pique ; cela se coiffe comme balai de crin et, une fois que cela a levé le petit doigt en buvant sa tasse de thé comme sa mère, cela se figure avoir atteint le summum de la grâce et de la féminité. 3.3

J. ANOUILH, la Valse des toréadors, I, p. 112.

Fig. *As de pique,* s'est dit d'un homme sans conséquence, sot.

Taisez-vous, as de pique. 4

MOLIÈRE, le Dépit amoureux, V, 8.

Fam. *As de pique :* croupion de volaille.

Argot milit. *As de carreau,* l'ancien havresac des fantassins, à cause de sa forme carrée.

♦ **4** (Déb. XXe ; argot milit., selon Dauzat). Cavalier du premier peloton, et, par ext., soldat de valeur. — (1914-1918). *As de l'aviation :* aviateur qui, durant la guerre, a abattu officiellement dix avions ennemis. *Guynemer, l'as de la guerre 1914-1918.*

L'aviation primitive a contenu des génies, des fous, des saints et des crapules. Georges Guynemer fut un bienheureux de l'air, un séraphin de la mécanique (...) Il est mort dans la radieuse pureté, d'autres as ont sombré dans la débauche, la vénalité. Leur ancienne gloire d'aviateurs de guerre leur a évité les poursuites judiciaires et l'arrestation. 5

Pierre HAMP, la Peine des hommes (Moteurs), p. 104.

(1922). Fam. Personne de grande valeur, qui réussit parfaitement (d'abord dans le domaine sportif). *As du volant. Les as du tennis.* → **Champion.** *C'est un as.* → **Aigle, crack.**

ROLAND. J'entends un chariot. 5.1

*Ils se taisent. Le bruit augmente et le chariot stoppe devant la cellule. La porte s'ouvre. Apparition du gardien «Bouboule».*

BOUBOULE *(Eddy Rasimi).* Salut les as!... On vous apporte le boulot.

J. BECKER et J. GIOVANNI, le Trou, 1960, *in* l'Avant-Scène, n° 13, p. 9, 1962.

6 – Je me demande comment ils ne l'ont pas encore attrapé, continue-t-elle, la ville est si petite.
– Il connaît mieux la ville que les policiers. Un as, Rodrigo.

M. DURAS, Dix heures et demie du soir en été, p. 10.

Iron. (en parlant d'une personne imprévisible, bizarre). *Quel as! :* quel numéro! quel phénomène!

**A. S.** Abréviation de *Altesse Sérénissime.*

**ASA** [aza] n. m. invar. — Mil. XX^e; mot angl., sigle de *American Standards Association.*

Photogr. Unité qui désigne les indices de sensibilité des émulsions photographiques. *Une pellicule de 400 ASA est quatre fois plus sensible qu'une pellicule de 100 ASA.*

**ASARET** [azaʀɛ] n. m. — 1789; *asoron,* XIII^e; *asarum,* 1694; du lat. *asarum,* transcrit du grec.

Plante dicotylédone *(Aristolochiacées)* vivace, scientifiquement appelée *asarum* et communément *cabaret, oreille d'homme.* — Nard sauvage dont toutes les parties et surtout le rhizome exhalent une forte odeur de poivre.

**ASBESTE** [azbɛst] n. m. — 1125; lat. *asbestos,* empr. du grec «feu inextinguible».

Minéral fibreux, composé de silicate de fer, de calcium et de magnésium, très résistant à la chaleur, parfois désigné sous le nom de *carton de montagne, cuir fossile. Asbeste amphibolique* (trémolite, actinote). → **Amiante.** *Asbeste chrysotile :* produit de la décomposition des péridotites et des gabbros. → **Serpentine.**

**ASBESTOSE** [azbɛstoz] n. f. — XX^e; angl. *asbestosis,* de *asbestos* «amiante», lat. *asbestos,* et suff. *-osis* (→ Asbeste, et -ose).

Méd. Maladie professionnelle due à l'action de poussières d'asbeste sur les poumons. → **Pneumoconiose.**

Ailleurs, c'est l'asbestose, le mal des ouvriers de l'amiante. Maladie incurable due aux poussières d'amiante qui se fixent dans les poumons, l'asbestose progresse jusqu'à provoquer la mort par asphyxie. Il n'existe pas de traitement connu de l'asbestose, mais on peut la prévenir grâce à diverses mesures sanitaires.

le Nouvel Obs., n° 467, 22 oct. 1973, p. 91.

DÉR. **Asbestosique.**

**ASBESTOSIQUE** [azbɛstozik] adj. — XX^e; de *asbestose.*

Méd. De l'asbestose. *«Les corps asbestosiques et les corps ferrugineux présents dans les poumons humains»* (*la Recherche,* 2 juin 1970, p. 163).

**ASCALAPHE** [askalaf] n. m. — 1805; grec *askalaphos* «sorte de hibou».

Zool. Insecte aux ailes planes, souvent jaunes avec des taches brunes. *Ascalaphe longicorne.*

**ASCALIN** [askalɛ̃] n. m. — 1823; empr. à une langue germanique, p.-ê. apparenté à *shilling.*

Didact. Numism. Monnaie des pays nordiques.

**ASCAR** [askaʀ] n. m. → **Askar.**

**ASCARIDE** [askaʀid] ou **ASCARIS** [askaʀis] n. m. — 1320; lat. *ascarida,* grec *askaris.*

Zool. Ver nématode, dont une espèce, l'*ascaride lombricoïde,* parasite de l'intestin de l'homme, peut atteindre de vingt à quarante centimètres de long.

DÉR. **Ascaridiase** ou **ascaridiose, ascaridol.**

**ASCARIDIASE** [askaʀidjaz] ou **ASCARIDIOSE** [askaʀidjoz] n. f. — 1865, *ascaridiasis;* de *ascaride.*

Méd. Parasitose dont l'agent est un ascaride; ensemble des troubles causés par les ascarides.

**ASCARIDOL** [askaʀidɔl] n. m. — D. i.; de *ascaride,* et suff. *-ol.*

Pharm. Substance vermifuge contenue dans l'essence de chénopode.

**ASCARIS** [askaʀis] n. m. → **Ascaride.**

**ASCENDANCE** [asɑ̃dɑ̃s] n. f. — Fin XVIII^e; de 2. *ascendant.*

♦ **1** Ligne généalogique par laquelle on remonte de l'enfant au père, à l'aïeul, ou à la mère, à l'aïeule. Ensemble des générations de personnes d'où est issu qqn. → **Ancêtre, ascendant; origine, race.** *L'ascendance de qqn. Son ascendance. Ascendance paternelle. Ascendance maternelle. Ascendance illustre. Il est d'ascendance modeste, aristocratique, d'ascendance méditerranéenne, arabe.*

Ses papiers de famille, ce sont les registres des paroisses. 1
Aucune famille discernée dans cette innombrable ascendance. Aucune tenure dans cette longue race.

Ch. PÉGUY, Note conjointe sur M. Descartes..., p. 82.

(...) de mon ascendance terrienne, j'ai gardé un vif amour 2
pour tout ce qui touche aux choses de la nature.

G. DUHAMEL, Inventaire de l'abîme, VI.

♦ **2** Astron. Mouvement ascendant d'un astre sur l'horizon. → **Marche.**

♦ **3** Math. Nature d'une progression dont les termes vont croissant.

♦ **4** *Ascendance thermique* (utilisée dans le vol à voile) : air chaud ascendant dans l'atmosphère. — Absolt. *Profiter des ascendances.*

CONTR. **Descendance.**

1. **ASCENDANT** [asɑ̃dɑ̃] n. m. — 1372; substantivation de l'adj. *ascendant, ante.*

♦ **1** Astron. Mouvement d'un astre qui s'élève au-dessus de l'horizon.

♦ **2** Astrol. Degré du zodiaque qui monte sur l'horizon au moment de la naissance de qqn et auquel correspond l'un des six grands cercles à l'aide desquels l'astrologue dresse le thème de nativité. — Par ext. Influence d'un astre.

(...) Quel astre d'ire et d'envie, 1
Quand vous naissiez, marquait votre ascendant?

MALHERBE, V, 27, *in* LITTRÉ.

Sa vie à ces forfaits par le ciel condamnée 2
N'a pu se dégager de cet astre ennemi,
Ni de son ascendant s'échapper à demi.

CORNEILLE, Œdipe, III, 5.

Ne dites-vous pas que l'ascendant est plus fort que tout? 3
et s'il est écrit dans les astres que je sois enclin à parler de vous, comment voulez-vous que je résiste à ma destinée?

MOLIÈRE, les Amants magnifiques, I, 2.

♦ **3** Cour. Influence d'une personne ou d'une doctrine sur qqn. → **Autorité, empire, influence, pouvoir.** *L'ascendant de qqn sur qqn. Avoir un ascendant puissant, irrésistible. Acquérir, prendre, avoir,* *exercer de l'ascendant sur qqn.* → **Subjuguer.** *User, abuser de son ascendant. Subir l'ascendant de qqn, céder à l'ascendant de qqn.* → **Charme, fascination, séduction, supériorité, suprématie.**

4 Leur vue a sur notre zèle
Un ascendant trop puissant (...)
MOLIÈRE, Amphitryon, I, 1.

5 (...) il prenait sur les esprits un ascendant que la seule raison lui donnait.
BOSSUET, Oraison funèbre de Michel Le Tellier.

6 L'unique soin des enfants est de trouver l'endroit faible de leurs maîtres, comme de tous ceux à qui ils sont soumis : dès qu'ils ont pu les entamer, ils gagnent le dessus, et prennent sur eux un ascendant qu'ils ne perdent plus.
LA BRUYÈRE, les Caractères, XI, 54.

7 Il sentirait d'abord l'empire et l'ascendant qu'on peut prendre sur son esprit, et il secouerait le joug par honte ou par caprice. LA BRUYÈRE, les Caractères, IV, 71.

8 On a de l'*empire* sur soi et sur les autres; on n'a de l'*ascendant* que sur les autres. De là découle la différence ultérieure : *empire* implique une action bien plus directe et bien plus voisine de la force; *ascendant* une action plus éloignée et dépendant davantage d'une supériorité d'esprit ou de caractère. LITTRÉ, art. *Ascendant.*

9 Il y avait longtemps que, sûre de son ascendant, la maîtresse *(de Talleyrand)* avait décidé de s'imposer comme épouse. Louis MADELIN, Talleyrand, II, 11, p. 126.

9.1 Le simple privilège du prestige personnel institue déjà cette polarité, met en lumière la présence et le rôle, entre celui qui en est doué et l'impose et celui qui en est privé et le subit, d'un mystérieux ascendant.
Roger CAILLOIS, l'Homme et le Sacré, p. 113.

Psychol. «Tendance ou aptitude d'un sujet à exercer sur les autres une influence, un commandement ou une domination» (Piéron).

♦ **4** Dr. Parent dont on descend. → **Ascendance** (1.), **ligne, parenté.** *Un ascendant en ligne directe.*

10 En ligne directe, le mariage est prohibé entre tous les ascendants et descendants légitimes ou naturels, et les alliés dans la même ligne. Code civil, art. 161.

11 Des successions déférées aux ascendants.
Code civil, art. 746 à 749.

12 On connaît mieux quelqu'un par l'histoire de ses ascendants que pour l'avoir pratiqué lui-même.
M. JOUHANDEAU, la Jeunesse de Théophile, p. 107.

CONTR. **Descendant.** ◊ HOM. 2. **Ascendant.**

2. **ASCENDANT, ANTE** [asɑ̃dɑ̃, ɑ̃t] adj. — 1503; lat. *ascendens,* p. prés. de *ascendere* «monter». → Ascendre.

♦ **1** Qui va en montant. *Ligne ascendante. Mouvement ascendant. Marée ascendante.*

Fig. *Marche ascendante.* → **Gradation, progression.**

1 Il n'y a rien d'important à examiner dans les cinq cents premières années de la monarchie, si ce n'est la marche ascendante de l'Église vers le plus haut point de sa domination. CHATEAUBRIAND, *in* LAROUSSE XIXᵉ s.

1.1 Tout le premier, Lamarck a vu le grand mouvement ascendant qui porte la vie à se compliquer et à se dépasser elle-même.
Jean ROSTAND, Esquisse d'une histoire de la biologie, p. 108.

♦ **2** (Emplois spéciaux). **a** (Concret). Anat. *Aorte* ascendante. Côlon* ascendant.*

Astron. Qui monte au-dessus de l'horizon. *Mouvement ascendant d'un astre.* Syn. : *ascendance.*

Astrol. *Astre ascendant* ou *ascendant,* n. m., (astre) qui monte au-dessus de l'horizon au moment de la naissance de qqn.

2 Bienheureux qui l'aura au point de sa naissance
Pour son astre ascendant (...)
Étienne PASQUIER, la Puce.

**b** (Fig.). Math. *Progression ascendante,* celle dont les termes vont en croissant.

Dr. et généalogie. *Ligne ascendante.* → **Ascendance.**

CONTR. **Descendant.** ◊ DÉR. **Ascendance,** 1. **ascendant.** – HOM. 1. **Ascendant.**

**ASCENDEUR** [asɑ̃dœʀ] n. m. — XXᵉ; de *ascendre** ou du lat. *ascendere* «gravir».

Alpin. Appareil qui permet de monter le long d'une corde lisse.

**ASCENDRE** [asɑ̃dʀ] v. tr. — V. 1270, v. intr., «monter» (en parlant d'un astre); repris 1801, Mercier; une var. *ascender,* XIVᵉ; lat. *ascendere* (→ Ascendant).

Vx. Monter sur, dans. *«J'ascende les trois marches de l'estrade»* (Verlaine, *Quinze jours en Hollande, in* T. L. F.). — Absolt. Faire une ascension en ballon.

**ASCENSEUR** [asɑ̃sœʀ] n. m. et adj. — 1867; «celui qui monte un cheval, cavalier», v. 1510; du lat. *ascensum,* supin de *ascendere* «monter», et suff. *-eur.*

♦ **1** Appareil qui sert à monter (et, en général, à descendre) des personnes aux différents étages d'un immeuble. (On dit parfois, pour préciser, *ascenseur-descenseur*). — Spécialt. La cabine où se tiennent les passagers. *Ascenseur et monte-charge*. Ascenseur hydraulique. Ascenseur électrique. Cage de l'ascenseur. Câbles d'un ascenseur. Manœuvre de l'ascenseur. Appeler, envoyer, prendre, renvoyer l'ascenseur. — L'ascenseur d'un grand magasin* (→ Manœuvrer, cit. 2). *Garçon d'ascenseur.* → **Liftier.** — *Les mineurs sont remontés du fond en ascenseur.*

— Au premier... Monsieur veut-il l'ascenseur? me jette le 0.1
concierge.
Ed. et J. DE GONCOURT, Journal, 18 déc. 1886.

Mᵐᵉ Ponto venait d'atterrir au belvédère de l'hôtel, et déjà 0.2
l'on entendait le glissement de l'ascenseur qui l'amenait des hauteurs de la maison au palier du premier étage (...)
A. ROBIDA, le Vingtième Siècle, p. 20.

Je fus monté en ascenseur jusqu'à mon étage non par le 1
liftier, mais par le chasseur louche (...)
PROUST, À la recherche du temps perdu, t. X, 3, p. 149.

Le building monte! Il va vivre : vingt puits d'ascenseurs 2
le perforent de bout en bout.
G. DUHAMEL, Scènes de la vie future, VIII, p. 112.

Mais ce bruit, ce long vrombissement continu, grandis- 3
sant... c'est l'ascenseur qui monte, il franchit le premier étage... dans quelques instants on entendra le cliquetis de la porte grillagée (...)
N. SARRAUTE, le Planétarium, p. 212.

Vx. Syn. de *monte-charge.*

*Ascenseur à poissons :* dispositif permettant aux poissons (notamment aux saumons) de franchir un barrage en remontant un cours d'eau.

Loc. fig. et fam. *Renvoyer l'ascenseur :* répondre à un acte (obligeant ou désobligeant) par un acte de même nature.

♦ **2** Adj. (1876). Vx. Qui monte ou fait monter.

**ASCENSION** [asɑ̃sjɔ̃] n. f. — 1620; *asention,* fin XIIᵉ; lat. *ascensio* «action de monter».

Action de monter, de s'élever. → **Montée.**

♦ **1** Théol. Élévation miraculeuse (de Jésus-Christ) dans le ciel.

*(Ascension de Jésus-Christ).* 1
Le Seigneur Jésus, après leur avoir ainsi parlé, fut élevé dans le ciel, et il est assis à la droite de Dieu.
BIBLE (SACY), Évangile selon saint Marc, XVI, 19.

Sa triomphante ascension *(de Jésus-Christ),* je dis triom- 2
phante, puisque ce retour au ciel fut un vrai triomphe, mais bien différent de ces vains triomphes dont l'antiquité honorait les conquérants.
BOURDALOUE, Exhortations sur la charité envers les prisonniers.

Par ext. Fête liturgique, jour anniversaire de ce miracle; jour où cette fête a lieu. *L'Ascension est quarante jours après Pâques. Pendant les trois jours qui précèdent l'Ascension, on fait des prières publiques et des processions* (→ **Rogation**). *Fête de l'Ascension; jour de l'Ascension; le jeudi de l'Ascension.*

Arts. Représentation du miracle de l'Ascension. *L'Ascension,* tableau de Rubens. *Une Ascension du XVIe siècle.*

♦ **2** (V. 1260, *acention, in* D. D. L.). Astron. **ASCENSION DROITE (d'une étoile) :** angle formé par le cercle horaire de l'étoile et celui qui passe par le *point vernal,* compté vers l'est. *L'ascension droite et la déclinaison sont les coordonnées* d'un astre.*

♦ **3** (1787, Saussure; *in* Petiot). Personnes. Action de gravir, de gagner à pied le sommet de (un relief d'accès difficile). *Faire l'ascension d'une montagne, d'un pic, d'une paroi rocheuse, de la face nord d'un massif. La première ascension du Mont-Blanc* (1786). → **Première.** *L'ascension de l'Himalaya.* → **Alpinisme; escalade.** *Faire des ascensions; aimer les ascensions.* → **Montagne.** *Ascension hivernale,* pratiquée l'hiver. → **Hivernale, n. f.**

3 Nous en étions arrivés à consulter davantage les baromètres, les thermomètres, comme si nous faisions quelque ascension et tentions de battre un record d'altitude.
GIRAUDOUX, Bella, VIII.

Par plais. *Faire l'ascension d'un fauteuil, d'une chaise,* grimper dessus (en parlant d'un enfant, par exemple).

♦ **4** (1796). Action de s'élever dans les airs. *L'ascension d'un aérostat, d'un ballon, d'un avion. Ascension libre, mécanique.* — Personnes. *Faire une ascension en ballon.*

4 En 1783, le 5 juin, la première ascension de montgolfière eut lieu à Annonay, pays des deux inventeurs *(les frères Montgolfier),* en présence des États provinciaux du Vivarais.
A. RAMBAUD, Hist. de la civilisation franç., t. II, p. 481.

5 L'ascension la plus utile aux sciences a été celle de Gay-Lussac, qui s'est élevé à sept mille seize mètres au-dessus du niveau de la mer, hauteur la plus grande à laquelle on soit encore parvenue.
LAPLACE, Exposition du système du monde, I, 16 (1796).

♦ **5** (1700). Sc. nat., phys. Montée (d'un fluide) dans des tubes, tuyaux, canaux. *L'ascension de l'eau dans une pompe, du mercure dans un baromètre, de la sève dans les végétaux.* → **Capillarité.**

6 Considérons le principal de ces phénomènes, celui de l'ascension et de la dépression des liquides dans les tubes étroits.
LAPLACE, Exposition du système du monde, IV, 17.

♦ **6** (Av. 1848, Chateaubriand). Fig. Fait de s'élever dans la hiérarchie sociale (→ ci-dessous, cit. 7, 9 et 10); fait de s'élever moralement, spirituellement (→ ci-dessous, cit. 8 et 11). → **Élévation, montée, progrès, progression.** *L'Ascension de Bonaparte,* ouvrage de Louis Madelin.

7 Après le règne de Charles VII, la monarchie, en ascension, devait monter au plus haut point de sa puissance.
CHATEAUBRIAND, *in* P. LAROUSSE.

8 La création est une ascension perpétuelle, de la brute vers l'homme, de l'homme vers Dieu.
HUGO, Post-Scriptum de ma vie, p. 60.

9 Ce n'est qu'un idéal bourgeois que, de nos jours, propose le bourgeois à l'ascension du prolétaire.
GIDE, Journal, 4 juil.1933.

10 (...) quand j'évoque, dans le secret de ma tristesse, les jeunes hommes pleins de génie que la mort a saisis à l'heure même de l'émergence et de l'ascension (...)
G. DUHAMEL, le Temps de la recherche, VI, p. 68.

«Dans l'ascension sans fin des êtres vers l'Esprit», songeait-elle, accablée, «chacun de nous doit s'avancer seul, d'épreuve en épreuve, et souvent d'erreur en erreur sur le chemin qui, de toute éternité, lui est réservé comme sien (...)» 11
MARTIN DU GARD, les Thibault, III, 9.

CONTR. **Chute, déclin, descente.** ◈ DÉR. **Ascensionnel, ascensionner, ascensionniste.**

**ASCENSIONNEL, ELLE** [asɑ̃sjɔnɛl] adj. — 1698; *ascensional,* 1557; de *ascension.*

Didactique.

♦ **1** Qui tend à monter. *Mouvement ascensionnel.*

Suivant le mouvement ascensionnel de la goutte d'eau ou sa descente dans les fonds pour les approvisionner, elle acceptait ce qui lui était caché. 1
Jean CAYROL, Histoire de la mer, p. 151.

(...) et je sentais aussi un nouveau souffle en moi qui me pressait et me défonçait la poitrine, mais cela parce qu'il était ample et ascensionnel, la poussée se portant du côté des épaules, laissant un répit aux flancs. 2
Maurice CLAVEL, le Tiers des étoiles, p. 234-235.

♦ **2** Qui tend à faire monter, qui permet l'ascension (dans les airs). *Parachute ascensionnel. Force ascensionnelle.*

Aviat. *Vitesse ascensionnelle :* altitude gagnée par un avion en une seconde.

♦ **3** Fig., par plais. Qui incite à monter.

(...) le commencement d'un mollet parfaitement tourné et donnant les meilleures idées ascensionnelles. 3
Th. GAUTIER, Mlle de Maupin, 7.

**ASCENSIONNER** [asɑ̃sjɔne] v. tr. — 1882; de *ascension.*

Faire l'ascension de (un sommet), gravir. *Ascensionner un sommet.*

Puis le voisin part pour un dur voyage à cheval (...) ascensionne des pics, couche dans la neige (...)
PROUST, Sodome et Gomorrhe, Folio, p. 29.

Par ext. *Ascensionner une rue. «Le fiacre ascensionne en sautillant les Champs-Élysées»* (Martin du Gard, *in* T. L. F.). → **Monter.**

**ASCENSIONNISTE** [asɑ̃sjɔnist] n. — 1872; de *ascension.*

♦ **1** Personne qui fait une ascension, des ascensions en montagne. → **Alpiniste, escaladeur.** *Cordée d'ascensionnistes.*

Après avoir quitté ce taillis, les ascensionnistes, se faisant la courte échelle, gravirent sur un espace de cent pieds un talus très raide, et atteignirent un étage supérieur, peu fourni d'arbres, dont le sol prenait une apparence volcanique. Il s'agissait alors de revenir vers l'est (...).
J. VERNE, l'Île mystérieuse, t. I, p. 123.

♦ **2** Fig., rare. Personne qui s'élève dans le domaine de la pensée (Barrès, *in* T. L. F.).

**ASCÈSE** [asɛz] n. f. — 1890; grec *askêsis* «exercice, pratique» au sens général (d'un art, etc.), d'après *ascète** et *ascétique.*

Discipline qu'une personne s'impose pour tendre vers la perfection morale, l'affranchissement de l'esprit, dans le domaine religieux ou intellectuel. → **Ascétisme.**

(*Ascèse* a le) même sens qu'*ascétisme,* mais avec une nuance : *ascèse* concerne moins les exercices ou les privations matérielles, et davantage la vie intérieure. 1
A. LALANDE, Voc. de la philosophie, p. 80.

Appelons *ascèse* l'effort héroïque de volonté qu'on s'impose à soi-même en vue d'acquérir l'énergie morale, la force et la fermeté de caractère. 2
DUGAS, Éducation du caractère, p. 232, *in* LALANDE.

3 Même poussée à l'extrême rigueur, l'ascèse, dans la morale religieuse et spécialement chrétienne, n'est pas la recherche de la douleur pour la douleur (...) elle n'est pas non plus expiation pénitentielle et mortification servile à base de crainte, mais elle est libération et croissance des puissances supérieures, preuve d'amour et moyen d'union, en dégageant l'homme de son égoïsme, de ses limites naturelles pour le faire participer à l'ordre de la charité. La «vie purgative» est condition intrinsèque de la «vie illuminative» et de la «vie intuitive».
M. BLONDEL, *in* LALANDE, Voc. de la philosophie, p. 80.

4 Le Saint et l'artiste sont amenés, l'un comme l'autre, après les tentations et les luttes, à se faire une vie d'ascèse.
A. MAUROIS, À la recherche de Marcel Proust, VI, 4.

5 Et si le mot d'ascèse peut se ramener sagement au sens originel, qui est celui d'exercice, il caractérise assez bien notre correspondance de guerre qui ne fut qu'une longue et mutuelle exhortation à la patience, au travail et même à la sérénité dans la pratique de chaque jour.
G. DUHAMEL, la Pesée des âmes, IX.

6 Dénuement moral si profond qu'il me faisait connaître, bien malgré moi, une sorte d'ascèse, ce qui me rend (malgré mes faiblesses) moins antipathique que je ne m'apparais lorsque je lis mon Journal de ces années-là.
Claude MAURIAC, le Temps immobile, p. 412.

7 Il donne une telle impression de force, de sérénité... il y a chez lui, dans sa façon de tout survoler, une espèce de renoncement... très rare... Il a réussi... je dois vous avouer que c'est ce que j'envie le plus aux autres dans la vie... une ascèse... Il y a en lui de l'unité, une grande pureté, aucun mélange... N. SARRAUTE, le Planétarium, p. 308.

REM. Sans être devenu courant ou familier, le mot a perdu le caractère didactique ou littéraire qu'il avait à la fin du XIXe s.

CONTR. **Hédonisme, jouissance, matérialisme, plaisir.**

**ASCÈTE** [asɛt] n. — 1580; lat. chrét. *asceta;* grec *askêtês* «celui qui exerce une profession, qui pratique un art».

♦ **1** Relig. Personne qui s'impose, par piété, des exercices de pénitence, des privations, des mortifications. → **Anachorète, cénobite, ermite, exercitant** (VX), **fakir, flagellant, gymnosophiste, moine, pénitent, santon, stylite, yogi.** *Une vie, une discipline d'ascète.*

1 Ascètes, c'est-à-dire exercitants.
BOSSUET, Obligation de l'état religieux, I.

2 Les ascètes, furieusement assaillis par des légions de damnés, se défendaient avec l'aide de Dieu et des anges, au moyen du jeûne, de la pénitence et des macérations.
FRANCE, Thaïs, p. 5.

3 Toutes les religions ont eu leurs ascètes. Le christianisme lui-même a eu ses stylites, ses flagellants, ses saints qui, par dédain du corps, lui refusaient les soins les plus élémentaires; il a proclamé qu'il était nécessaire de «mourir à la vie du corps» pour être sauvé.
A. CUVILLIER, Manuel de philosophie, t. II, p. 486.

♦ **2** Cour. Personne qui mène une vie austère. *Une frugalité d'ascète.*

4 Il menait une existence d'ascète.
MARTIN DU GARD, les Thibault, VII, 5.

Adj. *Il est plus ascète que son frère.*

CONTR. **Jouisseur, libertin, matérialiste, noceur, sensuel, sybarite, viveur.** ◊ DÉR. **Ascétiser, ascétisme.** — V. **Ascèse, ascétère, ascétique.**

**ASCÉTÈRE** [asetɛʀ] n. m. — 1800; lat. *asceterium,* du grec *askêtêrion,* de *askêtês.* → Ascète.

Religion.

♦ **1** Lieu où vivent les ascètes.

♦ **2** Rare. Ascète.

**ASCÉTIQUE** [asetik] adj. et n. — 1718, adj.; n. m., 1673, «traité d'ascétisme»; lat. chrét. *asceticus;* cf. forme substantivée *ascetica (vita)* «vie ascétique», de *asceta.* → Ascète.

**I** Adj. ♦ **1** Relig. Qui appartient aux ascètes, à l'ascétisme. *Une morale ascétique. Ouvrage ascétique. Vie ascétique.*

Qui enseigne l'ascétisme. *Philosophes ascétiques.*

♦ **2** Plus cour. (Style soutenu). En parlant d'un style de vie. Austère, rigoriste. — Spécialt. → **Érémitique, monacal.**

(...) éveils terribles du cœur et des sens, grandes révoltes, et puis retour à la vie ascétique du large, à la séquestration sur le couvent flottant (...) LOTI, Mon frère Yves, I. 1

Notre matérialisme chronique, mal contenu par les avertissements de l'Évangile, s'accroît encore sous le régime démocratique des masses, perdant contact avec une tradition ascétique qui avait été génératrice d'énergie et de force morale. 2
André SIEGFRIED, l'Âme des peuples, Conclusion, IV.

Je vous en voulais de me faire remarquer le cœur trop rouge d'une rose, une statue, la beauté brune d'un enfant qui passait; j'éprouvais, pour ces choses innocentes, une sorte d'horreur ascétique. Et, pour la même raison, j'eusse préféré que vous fussiez moins belle. 3
M. YOURCENAR, Alexis..., p. 102.

Qui résulte d'une recherche de pureté, d'une extrême économie de moyens (art, littérature). *Un style ascétique mais sans froideur.*

♦ **3** En parlant de l'apparence physique. *Visage ascétique. Maigreur ascétique.*

**II** N. ♦ **1** N. f. (Didact.). *L'ascétique,* partie de la morale traitant de l'ascèse et des pratiques ascétiques. *L'ascétique de Fénelon.*

♦ **2** N. m. (1719). Rare. Celui qui pratique l'ascétisme. Syn. de *ascète.*

Celui qui écrit des ouvrages traitant de l'ascétique. *Les théologiens et les ascétiques.*

(1673). Traité d'ascétique. *Les Ascétiques de saint Basile.*

CONTR. **Épicurien, hédoniste, libertin, matérialiste, sensuel.** ◊ DÉR. **Ascétiquement.** — HOM. **Acétique.**

**ASCÉTIQUEMENT** [asetikmɑ̃] adv. — 1808; de *ascétique.*

Didact. ou littér. D'une manière ascétique, à la manière d'un ascète.

M. Nissim Bernard, blessé, arrêta brusquement son récit et, se privant ascétiquement d'un grand plaisir, resta muet jusqu'à la fin du dîner.
PROUST, À l'ombre des jeunes filles en fleurs, Pl., t. I, p. 775.

**ASCÉTISER** [asetize] v. tr. — 1886; de *ascète,* et *-iser.*

Didact. ou littér. Rendre qqn ou qqch. ascétique. — (Le sujet est en général un inanimé). *Un désir de sainteté l'avait ascétisé, avait ascétisé sa vie.*

**ASCÉTISME** [asetism] n. m. — 1818; de *ascète.*

♦ **1** Mor., théol. Genre de vie religieuse des ascètes*, ensemble des pratiques ascétiques. → **Ascèse** (cit. 1), **austérité, expiation, flagellation, jeûne, macération, mortification, pénitence, piété, privation.** *Un ascétisme rigoureux.*

Ils ont conservé l'ascétisme et l'enthousiasme des premiers monastères. LAMARTINE, *in* P. LAROUSSE. 1

La perfection étant placée en dehors des conditions ordinaires de la société, la vie évangélique complète ne pouvant être menée que hors du monde, le principe de l'ascétisme et de l'état monacal était posé. 2
RENAN, Vie de Jésus, XIX.

♦ **2** Vie austère, faite de privations. → **Puritanisme, rigorisme.** *Son ascétisme est bien connu. Il est d'un ascétisme exigeant. Se priver, être frugal, chaste par ascétisme.*

3 (...) l'habitude de l'ascétisme était telle, qu'il me fallut d'abord m'efforcer vers la joie et ce n'est pas facilement que je parvenais à sourire.

GIDE, Journal, 10 oct. 1893.

3.1 (...) non pas tant pour des raisons d'économie – quoiqu'il n'eût à cette époque que très peu d'argent devant lui, – et encore moins d'ascétisme (...)

Claude SIMON, le Vent, p. 44.

Caractère ascétique d'un art, d'une discipline littéraire. *L'ascétisme de l'art clunisien, d'un style.* (En parlant d'une démarche intellectuelle). *L'ascétisme scientifique.*

♦ **3** Doctrine de perfectionnement moral fondée sur la modération des plaisirs, des exigences de la vie instinctuelle (sans finalité religieuse).

4 L'ascétisme ne nous convient pas plus que le sensualisme.

V. COUSIN, *in* P. LAROUSSE.

5 Deux erreurs sont communément commises sur l'ascèse et l'ascétisme. Étymologiquement et originellement, il ne s'agit ni d'un rigorisme ni encore moins d'une sorte de culte de la souffrance. Il s'agit d'abord de la mise en pratique des lois morales (...)

M. BLONDEL, *in* LALANDE, Voc. de la philosophie, p. 80.

CONTR. **Épicurisme, hédonisme, matérialisme; jouissance, libertinage, sensualité, sybaritisme.**

**ASCHARDS** [aʃaʀ] n. m. pl. → **Achards.**

**ASCIA** [asja] n. f. — 1848; mot lat., «hache».

Antiq. Outil figurant sur certains tombeaux gallo-romains, et formé d'un côté d'une sorte de pioche et, de l'autre, d'une hache.

**ASCIDIE** [asidi] n. f. — 1805; grec *askidion* «petite outre». → Asque.

♦ **1** Zool. Animal marin *(Protochordés, Tuniciers)* en forme d'outre qui se fixe habituellement par des prolongements aux objets environnants.

♦ **2** (1865). Bot. Organe en forme d'urne de plantes carnivores *(Sarracemia, Nepenthes, Utricularia).*

**ASCIENS** [asjɛ̃] n. m. pl. — 1694, Corneille; lat. *ascius* «sans ombre», grec *askios* «sans ombrage, qui ne projette aucune ombre», de *a-* priv., et *skia* «ombre».

Didact., vieilli. Habitants de la zone équatoriale qui, deux jours par an, ayant le soleil au zénith, ne voient pas d'ombre à midi. → **Amphisciens.** — Au sing. *Un ascien.*

**ASCIENTIFIQUE** [asjɑ̃tifik] adj. — 1954, *in* D. D. L.; de 2. *a-*, et *scientifique.*

Didact. Qui n'est pas conforme aux exigences d'objectivité, de précision et de méthode des sciences, de la science. — On rencontre aussi la graphie *a-scientifique.*

Et ces trois options, si appuyées soient-elles sur une masse de faits qu'elles groupent et clarifient sans effort, risquent à première vue de paraître a-scientifiques à beaucoup de ceux qui me liront.

TEILHARD DE CHARDIN, l'Apparition de l'homme, p. 297, *in* D. D. L., II, 14.

**ASCII** [aski] n. m. — 1982; acronyme de l'angl. *American Standard Code for Information Interchange* «code américain standard pour l'échange d'informations».

Inform. *Code ASCII :* code utilisé dans les échanges entre un périphérique et un ordinateur, ou pour le codage interne des données. *Le code ASCII traduit à l'aide de combinaisons de nombres binaires les caractères alphabétiques, alphanumériques et autres.*

1. **ASCITE** [asit] n. f. — 1363, Chauliac; lat. *ascites,* grec *askitês* «maladie qui fait gonfler le corps comme une outre». → Asque.

Méd. Épanchement de sérosité dans le péritoine. Par appos. Qui a les caractères de l'ascite. *Hydropisie ascite.*

DÉR. **Ascitique.** ◊ HOM. **2. Ascite.**

2. **ASCITE** [asit] n. m. — 1740; empr. au lat. chrét. *Ascitæ.*

Hist. des relig. Membre d'une secte hérétique du IIe siècle se comparant aux «outres remplies de vin nouveau» dont a parlé Jésus.

HOM. **1. Ascite.**

**ASCITIQUE** [asitik] adj. et n. — 1701, *in* D. D. L.; de 1. *ascite.*

Médecine.

♦ **1** Adj. Qui a rapport à l'ascite. *Tumeur ascitique, cirrhose ascitique.*

♦ **2** Adj. Atteint d'ascite. *Malade ascitique.* — N. *Un, une ascitique.*

**ASCLÉPIADACÉES** [asklepjadase] n. f. pl. — 1839, *asclépiadées;* de 1. *asclépiade,* et *-acées.*

Bot. Famille de plantes phanérogames angiospermes (dicotylédones gamopétales), ayant pour types principaux l'asclépiade, le gomphocarpe... *Chez les Asclépiadacées, les grains de pollen d'une même loge sont agglutinés en une masse unique : la pollinie*.* — Au sing. *Une asclépiadacée.*

1. **ASCLÉPIADE** [asklepjad] n. f. — 1823, Boiste; *asclepias,* 1545; lat. *asclepias, asclepiadis,* grec *asklêpias, asklêpiados* «dompte-venin officinal», littéralt «plante d'Asclépios».

Bot. Plante dicotylédone *(Asclépiadacées),* herbacée, vivace, cultivée pour ses fleurs roses odorantes et appelée aussi *dompte-venin, herbe à la ouate.*

*(L'asclépiade)* renferme, selon toute probabilité, un principe immédiat, l'asclépiadine, voisine de l'émétine. Son action éméto-cathartique, qui facilite l'expulsion des poisons, expliquerait son nom de dompte-venin. 1

P. POIRÉ, Dict. des sciences, p. 282.

REM. On trouve encore au XIXe s. la forme latine francisée *asclépias.*

(...) leur fruit, qui n'est ni celui du lierre, ni une cucurbite, ressemble exactement au fruit bien connu de l'asclépias (...) 2

Émile BURNOUF, la Science des religions, p. 247.

DÉR. **Asclépiadacées.**

2. **ASCLÉPIADE** [asklepjad] n. m. — 1740, adj.; lat. *asclepiadeum (metrum),* grec *asklêpiadeion (metron),* du nom du poète grec Asclépiade.

Métrique anc. Vers lyrique grec ou latin comportant quatre pieds et composé d'un spondée, deux choriambes et un iambe, ou d'un spondée, un choriambe et deux dactyles. *L'asclépiade* (quatre pieds) *correspond à l'alexandrin français* (douze syllabes). *La première ode d'Horace est en vers asclépiades* (Académie).

*Grand asclépiade :* vers de cinq pieds, composé d'un spondée, deux choriambes et un iambe, ou d'un spondée, deux choriambes et deux dactyles.

**ASCO-** Élément, tiré du grec *askos* «outre». Les composés désignent ou qualifient des organismes (champignons principalement, algues...) comportant des asques* ou des vésicules, et des organes en rapport avec les asques. — Ex. : *ascobole* [askɔbɔl] n. m. (1892 ; *ascobolus,* 1888) ; *ascocoque* [askɔkɔk] n. f. puis m. (1892 ; *ascococcus,* 1888) ; *ascohyménial* [askoimenjal] adj. (1964) ; *ascolichens* [askolikɛn] n. m. pl. (1960) ; *ascoloculaire* [askolɔkylɛʀ] adj. ; *ascophore* [askɔfɔʀ] n. m. et adj. (1842). Voir autres composés à l'ordre alphabétique.

**ASCOGÈNE** [askɔʒɛn] adj. — 1884, cit. ; de *asco-,* et *-gène.*

Bot. Qui donne naissance aux asques. *Cellule, hyphe ascogène. «(...) une première branche ascogène bientôt enveloppée de filaments couvrants* (chez *Aspergillus*)*»* (Van Tieghem, 1877 ou 1884, *in Encycl. Berthelot,* art. *Ascomycètes,* p. 80 b).

**ASCOGONE** [askɔgɔn; askogon] n. m. — 1892 ; de *asco-,* et *-gone.*

Bot. Organe monocellulaire ou pluricellulaire des champignons ascomycètes, fonctionnellement assimilable au gamète femelle.

**ASCOMYCÈTES** [askɔmisɛt] n. m. pl. — 1846 ; lat. sav. *ascomycetes,* terme dû au botaniste suédois Fries, 1836 ; de *asco-,* et *-mycètes.*

Bot. Ordre de champignons* à mycélium cloisonné dont les cellules reproductrices (ascospores) sont produites à l'intérieur d'un appareil spécial, l'asque*, dérivant d'une cellule mère dans laquelle a eu lieu la fusion de deux noyaux (caryogamie dangeardienne). *Les asques des ascomycètes contiennent le plus généralement huit ascospores, parfois six ou quatre.* → **Carpophore, hyménium, périthèce.** *On compte 45 000 espèces d'ascomycètes réparties en cinq groupes :* aspergillales (*moisissure :* aspergillus, penicillium) ; érysiphales (*parasites des plantes supérieures ;* ex. : oïdium) ; pyrénomycétales (claviceps, xylaria...) ; saccharomycétales (levures) ; discomycétales à carpophore massif (helvelle, morille, pezize, truffe). — Au sing. *Un ascomycète.*

Par appos. *Des champignons ascomycètes* (opposé à *basidiomycètes, protobasidiomycètes*).

**ASCOPHYLLE** [askɔfil] n. f. — 1907, Larousse ; lat. sav. *ascophyllum,* 1884 ; de *asco-,* et *-phylle.*

Bot. Algue brune *(Fucales)* très commune sur l'estran des côtes de la Manche et de l'Atlantique, dont les rameaux portent des vésicules aérifères (flotteurs) pouvant atteindre la taille d'un œuf de poule. *Ascophylle noueuse* (Ascophyllum nodosum).

**ASCORBIQUE** [askɔʀbik] adj. — 1932, Szent-Györgyi ; de2. *a-, scorb(ut),* et *-ique.*

Sc. *Acide ascorbique :* vitamine C, antiscorbutique.

(...) les animaux se divisent en deux catégories : ceux qui fabriquent les acides ascorbiques, et ceux qui le prennent à l'extérieur, dans leur nourriture (ascorbiquigènes et anascorbiquigènes). Or, la baleine a besoin de trouver son acide ascorbique à l'extérieur et elle se nourrit exclusivement soit de plancton, soit de petits crustacés planctonivores. Je devais donc trouver la vitamine C dans le plancton. L'analyse chimique vérifia cette hypothèse.

Alain BOMBARD, Naufragé volontaire, p. 31.

**ASCOSPORE** [askospɔʀ] n. f. — 1846, Bescherelle (*ascopore,* fautif) ; de *asco-,* et *spore.*

Bot. Spore qui se forme à l'intérieur des asques des ascomycètes.

**ASCOT** [askɔt] n. m. — D. i. ; de *Ascot,* champ de courses hippiques anglais.

Chapeau haut de forme en feutre gris clair, porté sur les champs de courses hippiques et pour les cérémonies.

**ASDIC** [asdik] n. m. — 1945 ; sigle correspondant à l'angl. *Anti-submarine detection investigation committee.*

Mar. Appareil de détection sous-marine par ultrasons. → **Sonar.**

**-ASE** Élément, tiré de *diastase,* servant à former de nombreux composés (noms féminins) qui désignent des enzymes. → **Albuminase, amylase, asparaginase, aspartase, carboxylase, catalase, décarboxylase, déshydrase, desmolase, hydratase, hydrolase, invertase, kinase, lactase, lipase, maltase, oxydase, pectase, phosphatase, protéase, réductase, saccharase, streptokinase, sucrase, synaptase, synase, thrombase, transaminase, tyrosinase, zymase.**

N. f. pl. *Les ases.* → **Enzyme.**

HOM. **Ases, haze.**

**ASÉBOTOXINE** [asebotɔksin] n. f. — 1882, Eykmann, *in* Wurtz, *Deuxième Suppl.,* art. *Andromédotoxine ;* du grec *asebês* «impie, sacrilège», par allusion à l'histoire d'Andromède (cf. le nom de l'arbre), et *toxine.*

Sc. Substance toxique extraite de l'*Andromeda japonica* et de plusieurs autres andromèdes*, composée de carbone, d'hydrogène et d'oxygène (syn. : *andromédotoxine*). *L'asébotoxine est, en même temps qu'un puissant émétique, un poison violent qui agit surtout sur la respiration ; l'acide chlorhydrique la dédouble en glucose et en résine.*

**ASÉISMICITÉ** [aseismisite] n. f. — XX^e ; de *aséismique.*

Didact. Absence de phénomènes sismiques (en un lieu).

**ASÉISMIQUE** [aseismik] adj. — XX^e ; de 2. *a-, séisme,* et *-ique.* → Sismique.

Didact. Qui ne présente pas de phénomènes sismiques (syn. : *asismique*). *Zone aséismique.*

DÉR. **Aséismicité.**

**ASÉITÉ** [aseite] n. f. — 1736, *in* Trévoux 1752 ; du lat. scolast. *aseitas,* de *a se* «par soi».

♦ **1** Théol. scolast. Caractère de l'être qui est par soi, increé, dont l'existence ne tient pas d'un autre. *L'aséité de Dieu.*

♦ **2** Philos. «Caractère de ce qui est en soi, possède son existence propre. Attribut commun à toutes les substances» (P. Foulquié et R. Saint Jean, *Dictionnaire de philosophie,* 1969). *L'aséité des choses.*

**ASELLE** [azɛl] n. m. — 1771 ; lat. *asellus* «petit âne».

Zool. Animal crustacé cavernicole *(Isopodes)* d'eau douce, qui vit dans les eaux des grottes, les étangs, fossés et mares, courant sur la végétation aquatique, se nourrissant de feuilles et de débris végétaux.

**ASELLINE** [azelin; azɛllin] n. f. — 1889 ; du lat. *asell(us)* «poisson de mer *(merlucius cyprinus)*», et *-ine.*

Sc. Base contenue dans l'huile de foie de morue.

**ASÉMANTICITÉ** [asemɑ̃tisite] n. f. — XX^e ; de *asémantique.*

Ling. Caractère d'une phrase, d'un énoncé asémantique.

**ASÉMANTIQUE** [asemɑ̃tik] adj. — XXᵉ; de 2. *a-*, et *sémantique*.

Ling. Se dit d'une phrase qui n'a pas de sens, bien qu'elle puisse être grammaticale. — Ex. : «*Le silence vertébral indispose la voile licite*» (Lucien Tesnière), transformation de la phrase sémantiquement et grammaticalement acceptable «le signal vert indique la voie libre»; «*les idées vertes incolores dorment furieusement*» (trad. d'un exemple classique de N. Chomsky).

La relation entre la phrase asémantique («ni vraie ni fausse») et la phrase fausse nous paraît plus étroite qu'on ne le dit d'ordinaire si l'on considère les phrases toujours fausses. La question est alors de savoir si une phrase toujours fausse en vertu de son contenu est obligatoirement asémantique, et les linguistes ne sont pas clairs sur ce point.
Josette REY-DEBOVE, le Sens de la tautologie, le Franç. moderne, oct. 1978, p. 326.

CONTR. **Sémantique.** ◊ DÉR. **Asémanticité.**

**ASÉMIE** [asemi] n. f. — 1900, *in* D. D. L.; de 2. *a-*, et du rad. du grec *sêmeion* «signe».

Méd. Incapacité de comprendre ou d'utiliser les moyens habituels de communication, les systèmes de signes (gestes, mimique, parole, écriture).

**ASEPSIE** [asɛpsi] n. f. — Av. 1890; de 2. *a-*, grec *sêptos* «qui engendre la putréfaction», et *-ie*.

♦ **1** Méd. Méthode préventive qui s'oppose aux infections en empêchant, par des moyens appropriés, l'introduction de microbes dans l'organisme. → **Antisepsie** (cit.), **désinfection, pasteurisation, prophylaxie, stérilisation.**

1 *(L'asepsie)* a pris naissance en France, où M. le professeur Terrier a été le premier à en poser les règles et à en indiquer les avantages («Revue de Chirurgie», 1888).
P. POIRÉ, Dict. des sciences.

2 *(L'asepsie)* diffère de l'antisepsie prophylactique en ce qu'elle n'emploie pas d'agents thérapeutiques.
M. GARNIER et V. DELAMARE, Dict. des termes techniques de médecine, 15ᵉ éd.

♦ **2** Méd. Absence de tout germe microbien.

♦ **3** Fig. «*Asepsie morale*» (A. Breton, *in* T. L. F.).

**ASEPTIQUE** [asɛptik] adj. — 1871, *in* D. D. L.; de 2. *a-*, et grec *sêptikos* «putréfié».

♦ **1** Méd. Qui a rapport à l'asepsie. → **Amicrobien.** *Méthode aseptique, opération aseptique.*

1 Un rapport du professeur Lister sur le traitement aseptique des plaies, a eu le plus grand succès.
J. LUCAS-CHAMPIONNIÈRE, *in* Journal de méd. et de chir. pratiques, 1879 (*in* D. D. L., II, 8).

2 Je fus initié soudainement à la méthode aseptique.
G. DUHAMEL, Biographie de mes fantômes, V.

♦ **2** Méd. et cour. Exempt de tout germe infectieux. *Pansement aseptique.*

Spécialt (en parlant d'une maladie). *Épanchement aseptique.*

*Animaux aseptiques :* animaux élevés dans des conditions d'asepsie.

♦ **3** Fig. Exempt de toute corruption, de toute impureté (dans le domaine moral). → **Aseptisé.** *Une œuvre aseptique* (généralt péjoratif).

CONTR. **Septique.** ◊ DÉR. **Aseptiquement, aseptiser.**

**ASEPTIQUEMENT** [asɛptikmɑ̃] adv. — 1910; de *aseptique.*

Méd. D'une manière aseptique; par l'asepsie; en suivant les méthodes de l'asepsie.

Une technique nouvelle consiste à «*conditionner aseptiquement*», c'est-à-dire sans la moindre contamination microbiologique, un produit préalablement stérilisé : elle apparaît sur le marché du lait.
L.-V. VASSEUR, J.-J. BIMBENET et M. HILLAIRET, les Industries de l'alimentation, p. 39.

**ASEPTISATION** [asɛptizasjɔ̃] n. f. — 1907; de *aseptiser.*

Méd. Action d'aseptiser. *Aseptisation d'un champ opératoire.* → **Désinfection, stérilisation.**

**ASEPTISER** [asɛptize] v. tr. — 1897; de *aseptique.* Médecine.

♦ **1** Rendre aseptique (un objet, un local). *Aseptiser des pansements à l'autoclave.* → **Stériliser.** *Aseptiser une salle.* → **Désinfecter.**

♦ **2** (1932). Soigner (qqn, un organisme) par l'asepsie.

♦ **3** Fig. Priver de toute impureté, de tout contact considéré comme dangereux (correspond à *aseptisé,* 2.).

◆ **ASEPTISÉ, ÉE** p. p. adj. (V. 1900).

♦ **1** Méd. et cour. Rendu aseptique.

♦ **2** Fig., cour. Débarrassé de toute impureté.

Les bidonvilles s'insinuent au cœur des beaux quartiers aseptisés, prolifèrent jusque sous les pilotis des édifices ultra-modernes. Régis DEBRAY, l'Indésirable, p. 90. 1

Péj. Privé de toute originalité, de toute chaleur humaine. *Confort aseptisé, vocabulaire aseptisé.*

(...) une planète de technocrates aseptisés, quelle horreur! 2
Jean-Louis CURTIS, le Roseau pensant, p. 151.

DÉR. **Aseptisation, aseptiseur.**

**ASEPTISEUR** [asɛptizœʀ] n. m. — XXᵉ; de *aseptiser.*

Techn. Appareil servant à aseptiser. *Installer des aseptiseurs dans un ensemble de conditionnement d'air.*

**ASES** [az] n. m. pl. — 1878, Leconte de Lisle; de l'anc. nordique *Asa.*

Esprits surnaturels de la mythologie scandinave.

HOM. **Haze.** V. **-ase.**

**ASEXUALITÉ** [asɛksɥalite] n. f. — 1970; *asexualisme,* 1920; de 2. *a-*, et *sexualité.*

Biol. État des organismes normalement dépourvus de sexe ou de fonction sexuelle.

**ASEXUÉ, ÉE** [asɛksɥe] adj. — 1866; de 2. *a-*, et *sexué* (ou lat. *sexus*); a remplacé *asexe,* employé par Rousseau et usité encore au XIXᵉ.

♦ **1** Biol. Qui n'a pas de sexe. *Être, organisme asexué. Fleur asexuée.* — Par ext. Qui ne se fait pas par des cellules sexuelles ou gamètes*, mais par d'autres parties de l'organisme. → **Gemmiparité, scissiparité, sporulation; végétatif.** *Multiplication asexuée.*

♦ **2** Fig. Qui ne semble pas appartenir à un sexe déterminé; qui n'évoque aucune sexualité. *Un personnage asexué et sans âge. Une voix atone, asexuée.*

Dans un cagibi fort encombré, la marchande, une dame sèche et asexuée guettait la clientèle (...) 1
R. QUENEAU, le Chiendent, p. 381.

Thauvin, quinquagénaire obèse et croulant, dont l'espèce de hideur asexuée inspire toujours des surnoms féminins (...) R. BARTHES, Mythologies, p. 15. 2

(Fin XIXᵉ). Péj. Se dit d'une personne sans besoins sexuels, ou qui semble l'être.

CONTR. **Sexué.**

**ASEXUEL, ELLE** [asɛksɥɛl] adj. — 1836, F. Raymond; de 2. *a-*, et *sexuel.*

♦ **1** Vx. → **Asexué.** *Reproduction asexuelle.*

♦ **2** Mod. Biol. (rare). Qui n'a pas de rapport avec le sexe, qui ne provient pas de l'union des sexes. *Espèces asexuelles :* espèces qui se reproduisent sans fécondation.

**ASFIR** [asfiʀ] n. m. — 1859; de l'arabe *usfūr*, plur. *asāfir* «passereau, tout petit oiseau».

Rare (employé par Hugo dans *la Fin de Satan*). Petit oiseau exotique. — Par appos. *L'oiseau asfir.*

**ASHKÉNAZE** [aʃkenaz] n. et adj. — XIX$^e$; nom propre hébreu, cité dans la Bible et appliqué au moyen âge à la diaspora d'Allemagne.

Membre d'une communauté juive d'un pays d'Europe non méditerranéenne, notamment des pays germaniques, puis slaves (XV$^e$-XVI$^e$ siècles) et d'Europe du Nord (XVII$^e$-XVIII$^e$ siècles), parlant souvent le judéo-allemand (yiddish), par opposition aux *sefardim.* → **Séfarade.** — On écrit aussi, sans accent, *ashkenaze.* — Plur. *Ashkenazim* [aʃkenazim], ou *ashkénazes.*

Adj. «*L'aristocratie ashkenaze du parti* (travailliste israélien)» (*le Nouvel Obs.*, n° 692, 13 févr. 1978, p. 97). *Le judaïsme ashkenaze (ashkénaze) s'est constitué vers le XI$^e$ siècle.*

**ASHRAM** [aʃʀam] n. m. — 1930 comme n. propre, *in* R. Rolland (*Mahatma Gandhi*); répandu comme n. commun v. 1960; mot sanskrit *āśrama-* «lieu de retraite pour l'ascèse».

Ermitage groupant des disciples autour d'un maître spirituel, aux Indes (→ 2. Gourou, 1.). → **Ascètère.**

1 Pourquoi a-t-on pu tellement l'attaquer *(Gandhi),* et aussi tellement l'admirer? Parce que sa pensée n'était pas politique. Elle a pris des formes politiques. Elle a eu des conséquences politiques. Mais il était le dernier des grands gourous. Je viens d'un ashram, et je sais que tout contact avec l'absolu passe par la méditation sur l'impermanence.
MALRAUX, Antimémoires, Folio, p. 195.

Par ext. Lieu où des disciples se groupent autour d'un gourou.

2 L'ashram de Swâmiji était composé de quelques huttes, maisons de terre à toit de chaume, sans électricité et sans route. Seuls des chars à bœufs ou des jeeps pouvaient y accéder et encore, pas en toutes saisons. Ces huttes étaient bâties au bord d'une petite rivière, qui avait une profondeur de 70 centimètres au mois de mars, et qui montait de 3 ou 4 mètres pendant la mousson, inondant le jardin de l'ashram et les plaines alentour. Elle coulait sous nos yeux entre des berges un peu hautes, faisant d'innombrables méandres et jouait un rôle important dans les entretiens avec Swâmiji.
Arnaud DESJARDINS, Pour une mort sans peur, p. 157.

3 — Non, non! Puisque tu crois que c'est mieux ainsi, va, va faire retraite à ton ashram. Ça s'appelle comme ça, je crois? Jean-Louis CURTIS, le Roseau pensant, p. 357.

Fig. «*L'ashram mystique où il s'est perdu*» (*l'Express*, p. 156, n° 1109, 9 oct. 1972).

**ASIADOLLAR** [azjadɔlaʀ] n. m. — 1973; de *Asie*, et *dollar*; → Eurodollar.

Écon. Devise créée sur les places financières d'Asie par des emprunts ou des crédits libellés en dollars des États-Unis.

**ASIALIE** [asjali] n. f. — 1855; de 2. *a-*, et grec *sialon* «salive».

Méd. Absence de salive. → **Aptyalisme, xérostomie.**

**ASIANIQUE** [azjanik] adj. et n. — Fin XIX$^e$; du grec *asianos*, d'après l'angl. *asianic* (1883).

♦ **1** Adj. Qui appartient, qui se rapporte aux anciens peuples de l'Asie antérieure. *Tribus asianiques. Langues asianiques* (élamite, sumérien, lydien, etc.), qui ont été parlées dans l'Asie antérieure.

Cette plante *(la vigne),* qui a enfanté chez les peuples asianiques le mythe du dieu qui meurt après avoir versé son sang, s'est mêlée en Grèce aux fêtes populaires et y a donné naissance à la tragédie (...)
Louis LEVADOUX, la Vigne et sa culture, p. 7.

♦ **2** N. *Les Asianiques :* les habitants de l'Asie antérieure.

**ASIARCAT** [azjaʀka] n. m. — 1771; aussi jusqu'en 1878 *asiarchat*; de *asiarque.*

Antiq. Dignité, fonction d'asiarque.

**ASIARQUE** [azjaʀk] n. m. — 1721; bas lat. *asiarcha*; grec *asiarkhês.*

Antiq. Magistrat de la province romaine d'Asie qui présidait aux fêtes et jeux sacrés organisés en l'honneur de l'empereur.

DÉR. **Asiarcat.**

**ASIATE** [azjat] n. et adj. — 1879; dér. régressif de *asiatique.*

Rare. Personne originaire de l'Asie. *Les yeux bridés d'un Asiate.* → **Asiatique.**

Adj. *Le christianisme asiate* (1879, Renan). «*Un gang de disquaires asiates*» (*le Point*, 29 mars 1981). «*Elle a le teint asiate*» (*F Magazine*, 7 août 1981). — REM. Cet adjectif a un sens vague, souvent péjoratif ou ironique.

**ASIATICO-AFRICAIN, AINE** [azjatikoafʀikɛ̃, ɛn] adj. — 1859, *in* D. D. L. : de *asiatique*, et *africain.*

Didact. Qui appartient à la fois à l'Asie et à l'Afrique.

**ASIATIQUE** [azjatik] adj. et n. — XVI$^e$; lat. *asiaticus*, de *Asia* «Asie».

**I** ♦ **1** Adj. Qui appartient à l'Asie ou qui en est originaire. *Continent asiatique, civilisations asiatiques.* Méd. *Choléra asiatique, grippe asiatique.*

♦ **2** Qui est particulier à, ou qui rappelle, la manière de vivre, la mentalité ou le goût des habitants de l'Asie. *Mœurs asiatiques.* — REM. Selon l'idée que l'on s'est faite de l'Asie et la partie de l'Asie que l'on a en vue, le mot a eu et a des connotations variables, parfois péjoratives (*un style asiatique d'architecture*, grandiose et très orné; *une éloquence asiatique*, emphatique, métaphorique).

Loc. *À l'asiatique :* à la manière asiatique. *Vivre à l'asiatique ou à l'européenne.*

Sociol. *Mode de production asiatique :* mode de production d'une société où l'État (en général une monarchie despotique) prélève le surplus de la production agricole et artisanale, et, en contrepartie, fait exécuter les travaux publics (notion marxiste).

**II** N. *Un, une Asiatique :* une personne qui habite l'Asie, ou qui en est originaire (→ **Asiate**). *Les Asiatiques sont en général des jaunes*.*

DÉR. **Asiatiquement, asiatiser, asiatisme.** ◊ COMP. **Afro-asiatique, asiatico-africain.**

**ASIATIQUEMENT** [azjatikmɑ̃] adv. — 1834, *in* D. D. L. : de *asiatique.*

À la manière des Asiatiques.

D'une manière asiatique (avec les diverses connotations de l'adjectif).

Un univers s'offrait, et Jâli, cessant peu à peu de résister, asiatiquement, à ce qui s'écarte des croyances héréditaire, l'aperçut, magnifique et terrifiant, avec son imagination neuve. Paul MORAND, Bouddha vivant, p. 38.

**ASIATISER** [azjatize] v. tr. — 1912; du rad. de *asiatique.*

Rare. Donner un caractère asiatique (ou présumé tel).

◆ **S'ASIATISER** v. pron. (1912, *in* D. D. L.).

♦ **1** Prendre le caractère asiatique (→ Américaniser, cit. 2).

1 Il est administrateur des colonies et, durant vingt ans passés au Yu-Nan, il s'est «asiatisé». B. COMBETTE, *in* N. R. F., n° 48, déc. 1912 (*in* D. D. L., II, 15).

♦ **2** Prendre parti pour l'Asie.

2 S'il devient manifeste que la Russie, sans même tenir compte de ce que lui coûterait une guerre atomique, et pour des raisons que le développement de la Chine explique assez, se reconnaît solidaire de l'Occident et renonce à «s'asiatiser», le parti communiste français tendra de plus en plus à devenir un parti comme les autres. F. MAURIAC, Bloc-notes 1953-1957, p. 187.

**ASIATISME** [azjatism] n. m. — 1923, Barrès; du rad. de *asiatique.*

Didactique, rare.

♦ **1** Caractère qui rappelle un des traits propres au genre de vie, à la mentalité ou au goût *des Asiatiques* (→ Asiatique, I., 2.).

♦ **2** Idéologie qui prend parti pour l'Asie.

**ASIC** [azik] n. m. — Mil. XX^e; acronyme de l'angl. *Application Specific Integrated Circuit* «circuit intégré d'application spécifique».

Électron., inform. Circuit intégré qui regroupe, sur une même puce, l'ensemble des fonctions nécessaires à une application spécifique. *Un ASIC.*

**ASIDÉEN, ENNE** [asideɛ̃, ɛn] adj. → **Assidéen,** 2.

**ASIEN, IENNE** [azjɛ̃, jɛn] adj. et n. — XX^e; angl. *asian.*

Ethnol. Indien ou Pakistanais habitant en Afrique orientale (en particulier au Kenya, en Tanzanie et en Ouganda).

**ASILAIRE** [azilɛʀ] adj. — 1955; de 1. *asile,* et *-aire.*

Admin. Relatif à l'asile de vieillards ou à l'hôpital psychiatrique. *«Les vieillards habitants du ghetto asilaire»* (*l'Express,* 30 mars 1970). *L'ordre asilaire.*

1. **ASILE** [azil] n. m. — 1355; lat. *asylum* «lieu inviolable, refuge», grec *asulon,* neutre substantivé de *asulos* «qui ne peut être pillé». REM. L'orth. *asyle* s'est conservée jusqu'au XIX^e s.

**I** ♦ **1** Hist. anc. et médiévale. Lieu inviolable où se réfugie une personne poursuivie. *Lieu d'asile. Un asile aux serfs fugitifs* (→ Neutre, cit. 2). *Se réfugier dans un asile. Violer un asile. Au moyen âge, les églises étaient des lieux d'asile* (→ 2. Ambitus). *Asile sacré.* → **Sanctuaire.**

1 Tout fuit; et sans s'armer d'un courage inutile,
Dans le temple voisin chacun cherche un asile.
RACINE, Phèdre, V, 6.

Romulus bâtit Rome, qu'il peupla de gens ramassés, bergers, esclaves, voleurs qui étaient venus chercher la franchise et l'impunité dans l'asile qu'il avait ouvert à tous les venants. BOSSUET, Disc. sur l'hist. universelle, III, 7. 2

(...) il n'était point d'asiles 3
Où l'avarice des Romains
Ne pénétrât alors et ne portât les mains.
LA FONTAINE, Fables, XI, 7.

Comme la Divinité est le refuge des malheureux, et qu'il n'y a pas de gens plus malheureux que les criminels, on a été naturellement porté à penser que les temples étaient un asile pour eux; et cette idée parut encore plus naturelle chez les Grecs, où les meurtriers chassés de leur ville et de la présence des hommes, semblaient n'avoir plus de maisons que les temples, ni d'autres protecteurs que les dieux. MONTESQUIEU, l'Esprit des lois, XXV, 3. 4

*Droit d'asile :* immunité* en vertu de laquelle une autorité peut offrir l'accès d'un lieu *(donner asile)* à une personne poursuivie et l'interdire à ses poursuivants. *Le droit d'asile des églises* (→ ci-dessous, cit. 12, 13, 14; reconnaître, cit. 19).

Figuré :

Il n'y a pour le génie qu'un lieu sur la terre qui jouisse du droit d'asile, c'est le tombeau. HUGO, Littérature et Philosophie mêlées, p. 57. 5

Mod. Dr. internat. *Droit d'asile diplomatique :* droit, fondé sur la notion d'exterritorialité, permettant à des personnes poursuivies pour des raisons politiques de se réfugier dans une ambassade ou une délégation. *Droit d'asile politique :* droit pour un État d'ouvrir ses frontières aux réfugiés politiques et de refuser leur extradition à l'État poursuivant. *Demander l'asile politique.*

♦ **2** Lieu où l'on se met à l'abri, en sûreté contre un danger. → **Abri, refuge.** *Chercher, trouver un asile. Demander un asile, demander asile pour la nuit.* → Pèlerin, cit. 1. *Donner, offrir, ouvrir un asile à qqn. Prêter asile à qqn. Asile sûr, inviolable, tranquille. Être sans asile,* sans gîte.

Et de cet asile ouvert aux illustres proscrits (...) 6
CORNEILLE, Sertorius, I, 1.

Assez d'autres États lui prêteront asile. 7
CORNEILLE, Sertorius, II, 4.

Mais chercher ton asile en la maison du mort! 8
Jamais un meurtrier en fit-il son refuge?
CORNEILLE, le Cid, III, 1.

Des peuples qui dix ans ont fui devant Hector, 9
Qui cent fois effrayés de l'absence d'Achille,
Dans leurs vaisseaux brûlants ont cherché leur asile.
RACINE, Andromaque, III, 3.

Laissez-moi ce refuge, il est inviolable; 10
N'enviez pas, ma mère, un asile au coupable.
VOLTAIRE, les Pélopides, I, 3.

Les statues des empereurs divinisés avaient constitué des lieux d'asile dans l'État païen; la même faveur fut reconnue aux temples chrétiens, leurs dépendances y comprises. Aucune autorité privée ou publique ne pouvait, en principe, en arracher ceux qui s'y étaient réfugiés (...) Les criminels de toute espèce pouvaient, en principe, user de cet asile (...) A. ESMEIN, Cours élémentaire d'hist. du droit franç., p. 149. 11

L'Église avait conservé dans la société féodale le droit d'asile; il était même d'une application très étendue, car tous les édifices consacrés au culte étaient lieux d'asile. On allait jusqu'à se demander si les croix des chemins ne participaient pas à ce privilège. A. ESMEIN, Cours élémentaire d'hist. du droit franç., p. 286. 12

Le droit d'asile des églises (...) était encore admis par l'ordonnance de 1539 (Villers-Cotterêts), mais il fut aboli par la jurisprudence des parlements. A. ESMEIN, Cours élémentaire d'hist. du droit franç., p. 632. 13

C'étaient ceux encore que la société déconcertait ou réprouvait, et qui se réfugiaient en vertu du droit d'asile dans un des rares points de l'univers où mouraient les préjugés. GIRAUDOUX, Bella, I. 14

15 L'asile qu'elle avait choisi pour défendre sa liberté (...)
BOSSUET, Oraison funèbre d'Anne de Gonzague.

16 Un cerf, s'étant sauvé dans une étable à bœufs,
Fut d'abord averti par eux
Qu'il cherchât un meilleur asile.
LA FONTAINE, Fables, IV, 21, 3.

17 La biche blessée et poursuivie par le chasseur y trouvait un asile inviolable.
BERNARDIN DE SAINT-PIERRE, l'Arcadie, II.

18 Arrêtons-nous, dit-il, car cet asile est sûr.
HUGO, la Légende des siècles, «La conscience».

19 L'idée essentielle de l'asile, c'est qu'on y est à l'abri, hors d'atteinte; celle du refuge, c'est qu'on s'y retire ou qu'on s'y jette. On est en sûreté dans l'asile; on se met en sûreté dans le refuge (...) L'asile est fait ou disposé pour nous mettre à l'abri; c'est notre sauvegarde, notre rempart; il arrive au refuge de nous mettre à couvert; c'est notre retraite. Dans l'asile, on est hors de danger, on n'a rien à craindre; dans le refuge, on échappe à la poursuite, ce mot n'en dit pas davantage.
LAFAYE, Dict. des synonymes, *Asile, refuge.*

Par anal. Lieu où l'on trouve la paix, le calme, la sérénité. → **Retraite.** *Un asile de paix, de calme, de silence.*

20 Cruels et lâches persécuteurs, faut-il donc que les cloîtres les plus retirés ne soient pas des asiles contre vos calomnies? PASCAL, les Provinciales, XVI.

21 Lieux que j'aimai toujours, ne pourrai-je jamais,
Loin du monde et du bruit, goûter l'ombre et le frais?
Oh! qui m'arrêtera sous vos sombres asiles?
LA FONTAINE, Fables, XI, 4.

22 Quand le soir approchait, je descendais des cimes de l'île, et j'allais volontiers m'asseoir au bord du lac, sur la grève, dans quelque asile caché (...)
ROUSSEAU, Rêveries..., 5e promenade.

23 J'ai rêvé de retraites idéales où les esprits assoiffés de méditation pourraient chercher asile contre un monde furieux. C'est une des gloires du Christianisme d'avoir ouvert de tels refuges à la vie contemplative et d'avoir su, pendant des siècles, les rendre presque inviolables aux pires passions des frénétiques.
G. DUHAMEL, Inventaire de l'abîme, IV.

23.1 Quand enfin l'on peut traverser sans risque, Sigismond va sur le trottoir central, grande étendue où le repos des solitaires, sous des arbres que l'on sait chargés d'oiseaux qui dorment, met une apparence d'asile.
A. PIEYRE DE MANDIARGUES, la Marge, p. 115.

Poét., littér. *L'asile des morts :* le cimetière. *Le dernier asile :* la tombe.

24 Aux plus infortunés la tombe sert d'asile.
LA FONTAINE, les Filles de Minée, 530.

25 Et rien ne pleure plus sur son dernier asile;
Et le rapide oubli, second linceul des morts,
A couvert le sentier qui menait vers ces bords (...)
LAMARTINE, Harmonies..., «Le premier regret».

(Abstrait). → **Défense, protection, refuge, sauvegarde, secours.**

26 Je vous plains de ne point aimer les histoires (...) c'est un grand asile contre l'ennui.
Mme DE SÉVIGNÉ, Lettres, 1253, 8 janv. 1690.

27 La vérité est mon seul asile, toute ma défense est dans ma conscience.
ROBESPIERRE, cité par MICHELET, Hist. de la Révolution franç., t. II, p. 1071.

28 Christophe savait d'ailleurs qu'il gardait, dans les retraites souveraines de l'âme, un asile inaccessible, inviolable, où l'ombre de Sabine était close.
R. ROLLAND, Jean-Christophe, III, 2.

Littér., vx (en parlant de personnes). → **Protecteur.**

29 Elle n'a que vous seul. Vous êtes en ces lieux
Son père, son époux, son asile, ses dieux.
RACINE, Iphigénie, III, 5.

♦ **3** Littér., vieilli. → **Habitation, demeure, maison, toit.**

30 Il voulait se construire un agréable asile.
François ANDRIEUX, le Meunier de Sans-Souci.

Fig. Séjour. *Asile du sommeil.*

Ou reposer dans des grottes tranquilles, 31
Sur le duvet de la mousse et des fleurs
Lits sans apprêts, véritables asiles
Du doux sommeil et des songes flatteurs (...)
MALFILÂTRE, Narcisse, I.

**II** Cour., vieilli. Établissement public ou privé, destiné à recueillir des personnes malades ou sans abri. → **Hospice**; (vx) **hôpital.** *Asile public, privé. Asile pour les orphelins* (vx). → **Orphelinat.** *Asile de vieillards* (vieilli). *Asile de nuit :* établissement qui recueille pendant la nuit des personnes qui n'ont pas de logement. *Asile d'aliénés* (vieilli). → **Hôpital** (psychiatrique).

Dans le langage administratif, **l'asile** se distingue de **l'hôpital** lequel est plus spécialement consacré aux soins des malades. Le mot **asile** semble au contraire synonyme du mot **hospice.** H. CAPITANT, Voc. juridique, p. 61. 32

Savez-vous ce qu'est devenue, dans cette ville *(Amsterdam),* l'une des maisons qui abrita Descartes? Un asile d'aliénés. 33
CAMUS, la Chute, p. 134.

Absolt. Fam. Asile d'aliénés. *Il mérite l'asile :* il est fou. *À l'asile!*

Vx(au XIXe). *Salle d'asile, asile :* établissement où l'on gardait les enfants en leur donnant des rudiments d'éducation (correspond aux modernes : *garderie, crèche*). *«Jusqu'à l'âge de six ans, je fréquentais l'asile (...) À l'asile succéda l'école communale»* (A. Bailly, *in* T. L. F.).

REM. Le mot, dans tous ses emplois, est abandonné par le langage officiel (administratif); dans la langue courante, il n'est vivant que pour désigner familièrement l'internement psychiatrique.

DÉR. **Asilaire.** ◊ HOM. 2. **Asile.**

2. **ASILE** [azil] n. m. — 1582; lat. *asilus* «taon».

Zool. Insecte diptère de grande taille, au corps poilu et allongé et au fort bourdonnement.

HOM. 1. **Asile.**

**ASILÉ** [azile] n. m. — 1942; de *asile.*

Administration.

♦ **1** Vx ou hist. Personne recueillie dans un asile.

♦ **2** Réfugié bénéficiant de l'asile politique. *«La création d'une nouvelle catégorie, les "asilés", fait de certains étrangers de véritables réfugiés au rabais»* (*le Nouvel Obs.,* no 415, 23-29 oct. 1972, p. 39).

**ASINAIRE** [azinɛʀ] ou **ASINAL, ALE, AUX** [azinal, o] adj. — XVIIIe; de *asine,* ou lat. *asinarius, asinalis.*

Rare. Propre à l'âne, à l'ânesse. — Fig. *«L'usuel diplôme asinal»* (Valéry, *in* T. L. F.).

**ASINE** [azin] adj. fém. et n. — 1307; déformation de *asinin, asinine,* XVIe, empr. lat. *asininus* «particulier à l'âne, de la nature de l'âne».

Didactique ou vieux.

♦ **1** Adj. (1620). Vieilli. *Bête asine :* âne ou ânesse.

**Bête asine,** pour signifier un âne; on se sert de ce mot au Palais et dans toutes les procédures de justice pour éviter le mot d'âne. FURETIÈRE, Dict. (1690).

Qui est relative aux ânes, qui appartient à l'âne. *Race asine, espèce asine. Oreilles asines,* d'âne.

♦ **2** N. f. (1307). Ânesse.

DÉR. V. **Asinaire** ou **asinal.**

**ASINIEN, IENNE** [azinjɛ̃, jɛn] adj. — XXe; reprise de *asinin,* XVIe. → Asine.

Zool. De l'âne.

**ASISMICITÉ** [asismisite] n. f. → **Aséismicité.**

**ASISMIQUE** [asismik] adj. — XX^e^; de 2. *a-*, et *sismique.*
Géogr. Syn. de *séismique.*

**DÉR. Asismicité.**

**ASKAR** ou **ASCAR** [askaʀ] n. m. — 1898; arabe *askari.*
Histoire.

♦ **1** Soldat de la garde particulière du sultan Sidi-Mohammed.

♦ **2** Soldat indigène dans les anciennes troupes coloniales allemandes et italiennes. — Au plur. *Des askari.*

**ASOCIABILITÉ** [asɔsjabilite] n. f. — 1963; de 2. *a-*, et *sociabilité.*
Sociol. Inaptitude à vivre en société. *L'asociabilité d'un marginal*.* «(L'îlot de maisons) *a une telle réputation d'asociabilité que les habitants de l'arrondissement l'ont baptisé la "Forteresse"*» (*l'Express*, 5 févr. 1968, p. 67, in *la Banque des mots*).

**CONTR. Sociabilité.**

**ASOCIAL, ALE, AUX** [asɔsjal, o] adj. et n. — Av. 1926, Duhamel; de 2. *a-*, et *social.*

**I** Adj. (Cour.). ♦ **1** (En parlant d'une personne). Qui n'est pas adapté à la vie en société. *Un enfant asocial.*

1 Victor, le Fou comme on l'appelait, qui avait fait merveille pendant la «drôle de guerre», et surtout pendant la débâcle. Caractériel, asocial et cyclothymique, Victor avait traîné dans tous les asiles psychiatriques de l'Île-de-France avec de brèves périodes de liberté qui s'étaient régulièrement achevées par des extravagances justifiant un réinternement.
M. TOURNIER, le Roi des Aulnes, p. 178.

♦ **2** (En parlant d'un inanimé abstrait). Didact. Qui n'est pas adapté, qui s'oppose à la société, à la vie en société. → **Antisocial.** *Le comportement asocial des criminels. Acte asocial.*

2 N'importe qui, au XX^e^ siècle comme au XV^e^ comme dans un autre siècle (...) peut avoir le sentiment anhistorique et fondamentalement asocial de la suprême étrangeté universelle et je me demande si ce sentiment insolite, si cet étonnement sans réponse et presque sans question n'est pas la réaction de ma conscience la plus profonde.
IONESCO, Journal en miettes, p. 70.

**II** N. (1927). Plus cour. Personne qui n'est pas intégrée à la société, à la vie en société. → **Marginal.** *Les alcooliques, les malades mentaux, les clochards, les criminels, les prostituées sont plus ou moins considérés comme des asociaux.* → **Désocialisation.**

3 Si vous ajoutez que le socialisme ne peut pas se construire par en haut, c'est-à-dire par une délégation de pouvoir à un parti et à ses dirigeants (...) mais par la base, c'est-à-dire par un pari sur les possibilités créatrices de l'homme et de tout homme, par une autodétermination des fins et une autogestion des moyens, alors vous apparaissez comme un danger non pas seulement pour un parti, mais pour tout parti. Un utopiste! Un hérétique! Un anarchiste! Un asocial! Ce qui est finalement vrai puisqu'il s'agit de la mise en cause de l'ensemble de cette société.
Roger GARAUDY, Parole d'homme, p. 260.

4 Les triangles d'étoffe cousus aux vêtements désignaient l'origine des prisonniers (...) Ceux qui portaient le triangle noir des «asociaux» étaient parfois des demi-fous, mais souvent, simplement, des tziganes.
MALRAUX, Antimémoires, Folio, p. 614.

5 — En vous laissant vivre, le Grand Reich fait preuve d'une mansuétude sans précédent. Les asociales, vous êtes une lèpre sur le corps de l'Allemagne. Les politiques, vous avez lâchement fait assassiner des soldats allemands.
MALRAUX, Antimémoires, Folio, p. 610.

**CONTR. Sociable, social; adapté.** ◊ **DÉR. Asocialité.**

**ASOCIALITÉ** [asɔsjalite] n. f. — 1946, Mounier; de *asocial.*
Sociol. État des asociaux; inadaptation à la vie en société. *Causes de l'asocialité. Prévention de l'asocialité.*

**ASOMATOGNOSIE** [asɔmatɔgnozi] n. f. — 1951, in *Larousse mensuel*; de 2. *a-*, *somato-*, et *-gnosie.*
Méd., psychopath. Incapacité de reconnaître une partie ou la totalité de son propre corps, de l'identifier comme sienne. *L'asomatognosie est un trouble du schéma corporel, de la somatognosie*.*

**ASPALATH** ou **ASPALATHE** [aspalat] n. m. — 1605; lat. *aspalathus.*
Rare.

♦ **1** Bot. Plante arbustive *(Légumineuses Papilionacées)* du cap de Bonne-Espérance. — On dit aussi *apalath.*

♦ **2** Techn. Bois employé en marqueterie, médecine, parfumerie.

**ASPALAX** [aspalaks] n. m. — 1804; grec *aspalax* «taupe».
Zool. → **Spalax.**

**ASPARAGÉ, ÉE, ÉES** [aspaʀaʒe], **ASPARAGINÉ, ÉE, ÉES** [aspaʀaʒine], **ASPARAGOÏDE** [aspaʀagɔid] adj. et n. — 1807, *asparagé*; *asparaginé*, 1822; rad. du lat. *asparagus* «asperge», et *-é*, *-iné*, *-oïde.*

♦ **1** Adj. Qui ressemble à l'asperge.

♦ **2** N. f. pl. Groupe de plantes *(Liliacées)* ayant pour fruit une baie, et dont le type est l'asperge. *Le muguet, l'aspidistra, le dracæna sont des asparagées, des asparaginées.* — Au sing. *Une asparaginée.*

**ASPARAGINASE** [aspaʀaʒinaz] n. f. — Attesté 1978; de *asparagine*, et *-ase.*
Pharm. Substance végétale dérivée de l'asparagine utilisée dans certains médicaments. *«Aujourd'hui on recourt à différentes substances végétales pour traiter le cancer : actinomycine, bléomycine, mitomycine, daunomycine, asparaginase et dérivés de la pervenche»* (*Sciences et Avenir*, sept. 1978).

**ASPARAGINE** [aspaʀaʒin] n. f. — 1817, *in* D. D. L. : du rad. du lat. *asparagus* «asperge», et *-ine.*
Chim. Acide aminé présent dans de nombreux végétaux (asperges, racine de guimauve), entrant dans la composition des protéines et doué de propriétés diurétiques. *«Un traitement par l'asparaginase, éliminant l'asparagine, aura un effet sur les cellules malignes (...)»* (*la Recherche*, oct. 1980).

**DÉR. Asparaginase. — V. Aspartique.**

**ASPARAGINÉ, ÉE, ÉES** [aspaʀaʒine] adj. et n. → **Asparagé.**

**ASPARAGOÏDE** [aspaʀagɔid] adj. et n. → **Asparagé.**

**ASPARAGUS** [aspaʀagys] n. m. — 1797; lat. *asparagus* «asperge», grec *asparagos.*

♦ **1** Bot. Asperge (en tant que genre botanique). *Asparagus officinalis.* → **Asperge.**

♦ **2** (1926). Bot., hortic. et cour. Variété de ce genre cultivée pour son feuillage très fin et décoratif utilisé pour faire des bouquets. *Asparagus plumeux, asparagus de Sprengor. Bouquet d'œillets et d'asparagus.*

**ASPARTAME** [aspaʀtam] n. m. — V. 1980 ; empr. à l'angl. *aspartame* (1972), acronyme de ***aspartic** acid phenyl**alanine** **m**ethyl**este**r.*

Pharm. Peptide composé d'acide aspartique et de phénylalanine, à fort pouvoir édulcorant, utilisé comme succédané du sucre (→ **Sucrette**). *Yaourts sucrés à l'aspartame.*

(...) il existe de nombreux produits qui provoquent la sensation de goût sucré, sans qu'ils aient chimiquement aucun rapport avec les hydrates de carbone. C'est le cas de molécules comme l'aspartame, un édulcorant fait à base de deux acides aminés (...)
La Recherche, juin 1988, p. 833.

REM. On trouve aussi *aspartam*.

**ASPARTASE** [aspaʀtaz] n. f. — Mil. XX^e ; du rad. de *aspartique*, et *-ase*.

Biochim. Dérivé de l'acide aspartique, enzyme existant chez certaines bactéries.

Il existe *(chez certaines bactéries)* un autre enzyme, appelé aspartase qui, lui aussi, agit exclusivement sur l'acide fumarique, à l'exclusion de tout autre corps, notamment de son isomère géométrique, l'acide maléique.
Jacques MONOD, le Hasard et la Nécessité, p. 74.

**ASPARTIQUE** [aspaʀtik] adj. — 1838 ; de *aspar(agine)*, *-ique*, et *t* fautif, selon Cottez, 1980.

Chim. *Acide aspartique :* diacide aminé qui a pour amide l'asparagine. *« (...) les cellules malignes ne peuvent pas transformer l'acide aspartique, un acide aminé, en un autre acide aminé, l'asparagine »* (*la Recherche*, oct. 1980).

DÉR. V. **Aspartase.**

**ASPASIE** [aspazi] n. f. — D. i. ; du nom d'Aspasie de Milet, femme célèbre qui devint la femme de Périclès.

Didact. et vieilli. Courtisane belle et spirituelle.

DÉR. **Aspasien.**

**ASPASIEN, IENNE** [aspazjɛ̃, jɛn] adj. — 1844 ; de *Aspasie*.

Didact. et vx. (En parlant d'une femme). Qui rappelle Aspasie de Milet.

Par ext. Qui tient de la courtisane. *« Mœurs aspasiennes »* (P. Larousse, *Nouveau Larousse illustré*, et *T. L. F.*).

**ASPE** [asp] ou **ASPLE** [aspl] n. m. — 1751 ; *hasple*, XIV-XV^e ; all. *Haspel* « dévidoir ».

Techn. Dévidoir sur lequel on place les écheveaux pour les dérouler.

Spécialt. Dévidoir servant à tirer la soie des cocons.

**ASPÉCIFIQUE** [aspesifik] adj. — 1963 ; de 2. *a-*, et *spécifique*.

Didact. Qui n'est pas spécifique.

**ASPECT** [aspɛ] n. m. — 1546 ; « regard », XV^e ; astrol., 1513 ; du lat. *aspectus* « regard ».

**I** Vx ou littér. Fait de s'offrir aux yeux, à la vue (inus.) ; apparence présentée par quelque chose. → **Vue, spectacle.** *L'aspect de ces merveilles l'exaltait. Son seul aspect fait peur. L'aspect de...* (quelque chose).

1 (...) Et que de leur haut rang la pompe la plus vaine
S'efface au seul aspect de la grandeur romaine.
CORNEILLE, Sertorius, II, 2.

2 Les démons ont le minois trop hideux, et leur seul aspect me ferait mourir de frayeur.
MOLIÈRE, le Mariage forcé, Ballet, II, 3.

3 (...) Cent brimborions dont l'aspect importune (...)
MOLIÈRE, les Femmes savantes, II, 7.

Tantôt à son aspect je l'ai vu s'émouvoir. 4
RACINE, Athalie, V, 2.

Leur aspect souhaité *(de ces lieux)* se découvre à mes yeux. 5
RACINE, Iphigénie, II, 3.

Cet aspect la fit frémir, je vis ses traits s'altérer, ses regards 6
s'en détourner avec une espèce d'horreur.
ROUSSEAU, Julie ou la Nouvelle Héloïse, VI, 11.

L'aspect du sang n'est doux qu'au regard des méchants. 7
HUGO, Odes, IV, 15.

Pour le physionomiste exercé, le premier aspect d'un 8
homme dit tout.
F. DE LAMENNAIS, *in* P. LAROUSSE (1866), art. *Aspect.*

(...) l'aspect des lieux aimés rappelle en moi le sentiment 9
des choses passées.
NERVAL, la Bohème galante, p. 103.

Aspect est purement objectif ; c'est-à-dire que dans la vue, 10
ce qui domine c'est l'idée du sujet qui voit et dans l'aspect, ce qui domine c'est l'idée de l'objet qui est vu (...) Mais quand on dit : à la vue des ennemis, à l'aspect des ennemis, il s'effraya, le sens est le même, attendu qu'il importe peu dans cet emploi de signaler s'il a vu les ennemis, ou si leur aspect s'est présenté à lui.
LITTRÉ, Dict., art. *Aspect.*

Fig. et vx. Fait de s'offrir à l'esprit. *L'aspect du danger, de la mort...* → **Idée, pensée, vision.**

Sur cette froide pierre en vain le regard tombe ; 11
O vertu, ton aspect est plus fort que la tombe (...)
LAMARTINE, Harmonies..., III, 7.

Loc. Mod. *À l'aspect de qqn, de qqch.* (→ ci-dessus cit. 1 et 4) : à la vue de, en voyant.

*Au premier aspect :* en voyant pour la première fois ; (fig.) en envisageant pour la première fois. → **Abord, coup** (d'œil), **regard, vue.** *Il fut séduit au premier aspect. Au premier aspect, la cause paraissait bonne* (Académie). — Var. : *dès le premier aspect.*

**II** ♦ **1** (1611). Ce qui, dans un objet, est perçu ; manière dont qqn, qqch. se présente aux yeux, à la vue. → **Apparence, air, allure, dehors, extérieur, figure, forme, tournure.** *Aspect du visage.* → **Faciès, masque, physionomie.** *L'aspect d'un pays, d'un lieu, d'un paysage. Aspect agréable, grandiose, imposant, pittoresque, riant... Aspect désagréable, froid, triste... Aspect effrayant. Changer d'aspect, prendre un aspect. Avoir, offrir, présenter l'aspect de...* (→ **Paraître**). *Donner, prendre l'aspect de... L'inondation donne à la plaine l'aspect d'un lac immense. Conserver, garder l'aspect de...*

Je le vis : son aspect n'avait rien de farouche (...) 12
RACINE, Iphigénie, II, 1.

C'en est fait : on dira que Phèdre, trop coupable, 13
De son époux trahi fuit l'aspect redoutable.
RACINE, Phèdre, III, 3.

Pour mieux enflammer des âmes héroïques 14
À l'imposant aspect de leurs dieux domestiques.
VOLTAIRE, Catilina, V, 3.

(...) le parc de Montboisier, dont on essayait alors de 15
raviver l'aspect défiguré par l'abandon.
CHATEAUBRIAND, Mémoires d'outre-tombe, t. II, p. 214.

Des aspects extraordinaires, décèlent de toutes parts une 16
terre *(la Judée)* travaillée par des miracles : le soleil brûlant, l'aigle impétueux, le figuier stérile, toute la poésie, tous les tableaux de l'Écriture sont là.
CHATEAUBRIAND, Mémoires d'outre-tombe, t. II, p. 373.

Rome (...) présente le triste aspect de la misère et de la 17
dégradation. M^me DE STAËL, Corinne, IV, 4.

(...) le tranchant de sa voix, l'aspect sévère de cette chambre 18
tapissée de livres.
Alphonse DAUDET, le Petit Chose, p. 89.

Sous les feux du couchant, la petite plate-forme avait l'as- 19
pect croulant et hiératique des sanctuaires de la vallée du Nil. M. BARRÈS, la Colline inspirée, p. 231.

L'auberge, solitaire et vieille, prend, sitôt que baisse la 20
lumière, des aspects de coupe-gorge.
LOTI, Ramuntcho, II, 9.

21 Le cabinet de toilette avait l'aspect d'une officine (...)
MARTIN DU GARD, les Thibault, IV, 2.

22 La nature aussi avait pris cet aspect décoloré et plat, cette maigreur de décor que donne le malheur aux paysages les plus sains, aux soirées les plus riches en relief.
GIRAUDOUX, les Aventures de Jérôme Bardini, p. 145.

23 J'aimais sortir avec mon père; et, comme il s'occupait de moi rarement, le peu que je faisais avec lui gardait un aspect insolite, grave et quelque peu mystérieux qui m'enchantait. GIDE, Si le grain ne meurt, I, 1.

24 Le ciel gardait son aspect campagnard, sa crudité des vacances, tandis que la ville s'assombrissait, prenait son air morose, frileux et pauvre de la semaine de Toussaint.
Valery LARBAUD, Amants, heureux amants, p. 184.

Arts. Image d'ensemble (d'une œuvre d'art), par oppos. à *détail.*

Rare (en parlant d'un pays ou d'une partie du corps). *Des aspects (de)* : des perspectives de.

Loc. *À l'aspect de* : en forme de. *Un personnage à l'aspect de clochard. — Sous l'aspect de* : sous la forme de. *Se présenter sous un aspect inattendu.*

(Non qualifié). Vieilli. *Avoir de l'aspect* (en général avec un sens négatif) : présenter une certaine originalité. *Ce monument a peu d'aspect.*

♦ **2** Fig. Manière dont une chose ou un être se présente à l'esprit. → **Angle, côté, face, jour, perspective, profil, visage, caractère.** *Aspect extérieur, général; des aspects variés. Je n'avais pas vu cet aspect du problème.* — (Avec *sous*). *Vous ne considérez qu'un seul aspect de la question, il faut l'envisager sous tous ses aspects. Examinée sous cet aspect, l'affaire paraît bonne.* → **Rapport** (sous ce rapport), **vue** (de ce point de vue). *L'affaire se présente désormais sous un aspect défavorable. L'avenir lui apparaît sous l'aspect le plus sombre.* → **Couleur.**

25 Des différences d'opinions qui sont inséparables de la faiblesse de l'esprit humain, de la multitude des aspects que présentent des objets si compliqués, et dont la diversité est utile à la chose publique.
MIRABEAU, Collection, t. I, p. 275, *in* LITTRÉ.

26 En associant ces deux noms si souvent unis (...) je ne les aborderai ici que par un seul aspect, et je considérerai uniquement MM. Villemain et Cousin comme critiques littéraires (...)
SAINTE-BEUVE, Causeries du lundi, 19 nov. 1849.

27 (...) infini et éternel, ce sont là les deux aspects de Dieu.
HUGO, Post-Scriptum de ma vie, p. 60.

28 Victor Hugo (...) rapproche les aspects parfois antithétiques des choses. F. BRUNOT (→ Apposition, cit. 3).

29 (...) maintenant elle lui apparaissait, au fond de ce lointain, sous un aspect nouveau.
LOTI, Mon frère Yves, XCIII.

30 (...) selon l'allure et le mouvement de la phrase dont il fait partie intégrante, il *(le mot)* prend des aspects différents (...) H. BERGSON, Matière et Mémoire, p. 124.

*Considérer une chose, une personne sous un certain aspect,* d'un certain point de vue.

**III** ♦ **1** (1513). Astrol. Situation respective des astres, par rapport à leur influence sur la destinée des hommes. *Observer l'aspect du ciel. «Les astrologues comptaient cinq aspects qu'ils nommaient* conjonction, sextil, quartil, trin et opposition» (Littré). *Bon, mauvais aspect. Aspect favorable, bénéfique. Aspect défavorable, maléfique. Être né sous un heureux aspect.*

31 Prince destiné à *(des)* choses si grandes (...) comme il appert par son horoscope, si une fois il échappe *(à)* quelque triste aspect en l'angle occidental de la septième maison.
RABELAIS, la Sciomachie, III, 394, *in* HUGUET.

32 *(Ne)* Puis-je pas à bon droit me nommer misérable,
Et maudire l'aspect sous lequel je fus né?
DESPORTES, Diane, I, 40.

33 L'homme, porté par les illusions des sens à se regarder comme le centre de l'univers, se persuada facilement que les astres influent sur sa destinée, et qu'il est possible de la prévoir par l'observation de leurs aspects au moment de la naissance.
LAPLACE, Exposition du système du monde, V, I, *in* LITTRÉ.

Astron. Position relative (d'astres) vue de la Terre; spécialement de deux planètes, ou d'une planète et du Soleil. → Planète, cit. 2.

♦ **2** Géogr. Représentation (d'un littoral, d'une terre) sur une carte marine.

**IV** Ling. Catégorie grammaticale exprimant la manière dont l'action exprimée par le verbe (ou le nom d'action) est envisagée dans sa durée, son déroulement ou son achèvement. → **Aspectuel.** *Aspect accompli, inaccompli, perfectif, imperfectif, inchoatif. L'aspect correspond à des formes précises dans les langues slaves. Particule marquant l'aspect.*

34 L'aspect est une forme qui, dans le système même du verbe, dénote une opposition transcendant toutes les autres oppositions du système et capable ainsi de s'intégrer à chacun des termes entre lesquels se marquent lesdites oppositions.
Gustave GUILLAUME, Temps et Verbe, p. 109.

DÉR. V. **Aspecter, aspectuel.**

**ASPECTER** [aspɛkte] v. tr. — 1933; du lat. *aspectare* «regarder». → Aspect (étymologie).

Rare (en parlant d'une construction). Être orienté, tourné vers. *Cette façade aspecte l'est.* → **Donner** (sur), **regarder.**

♦ **ASPECTÉ, ÉE** p. p. adj. Rare (en parlant d'une construction). *Aspecté à* : orienté vers.
Astrol. (en parlant d'une planète). Situé.

**ASPECTUEL, ELLE** [aspɛktɥɛl] adj. — D. i.; dér. sav. du lat. *aspectus.* → Aspect.

Didact. (ling.). Relatif à l'aspect (IV.) verbal. *Morphologie aspectuelle, dans les langues slaves.*

**ASPERGE** [aspɛʀʒ] n. f. — 1548, Rabelais; *esparge,* 1256; *esperge,* 1387; du lat. *asparagus.* → Asparagus.

♦ **1** Plante potagère *(Liliacées),* herbacée, vivace, à tige souterraine (→ **Griffe**) d'où naissent chaque année des bourgeons qui s'allongent en tiges charnues (→ **Turion**) aux extrémités comestibles. *Asperge sauvage.* → **Corrude.** *Asperge officinale* (asparagus officinalis) : asperge cultivée pour ses usages alimentaires. *Plants d'asperges.* → **Griffe, patte.** *Terrain planté d'asperges, plant d'asperge.* → **Aspergerie.** → ci-dessous cit. 1, Proust.

Bot. Genre comprenant cette plante et d'autres familles. → **Asparagus,** et aussi **asparagé.**

♦ **2** Partie comestible de cette plante, pointe et partie tendre de la tige. *Asperge verte. Asperge de Hollande. Asperge d'Argenteuil. Botte d'asperges. Asperges à l'huile, à la vinaigrette, à la crème. Les asperges sont diurétiques. Crème d'asperges, velouté d'asperges, potage aux pointes d'asperges. Soupe chinoise au crabe et aux asperges. Plat à asperges.*

Ce qu'on appelait «le plant d'asperges», espace assez nu 1
habituellement (...) et qui, au mois de juin (...) apparaissait aux yeux de Jean foisonnant de dix mille délicieuses asperges qui y dressaient en liberté sur leur corps bleuâtre et rosé leur tête verte et bouclée, enracinée *(dans la)* terre qui salissait de son limon leur tronc rose, comme si elles ne seraient pas, peut-être le soir même, servies dans son assiette, à jamais déracinées, chaudes, molles et pourtant encore telles qu'il les avait vues (ou plutôt il les avait vues, vivantes, telles qu'elles lui avaient été servies) hautes et minces, quelques-unes plus grosses, dures et roses, puis

bleuâtres avec une molle tête verte bouclée.
PROUST, Jean Santeuil, Pl., p. 330.

Loc. fam. *L'asperge du pauvre :* le poireau.

♦ **3** Par anal. de couleur. En appos. *Vert asperge :* vert pâle. *Un tissu vert asperge.*

♦ **4** Par anal. de forme. Fig. et fam. Personne grande et maigre. *Quelle asperge! C'est une grande asperge.*

2 La langue populaire abonde en transposition de cette espèce. Un homme volage est un papillon (...) grand, une asperge (...) BRUNOT, la Pensée et la Langue, p. 78.

♦ **5** Techn. (ébénisterie). Baguette dont le sommet se termine par une tête en pointe et renflée (fréquent dans le style Louis XVI).

♦ **6** Argot. Sexe de l'homme. → **Pénis.**

Loc. (en parlant d'une prostituée). *Aller aux asperges :* aller à la recherche de clients. Syn. : *faire le trottoir*.*

DÉR. **Aspergerie. —** V. aussi **Asparagé, asparagine.**

**ASPERGÉE** [aspɛʀʒe] n. f. — 1888; de *asperger.*

Rare. Aspersion.

HOM. **Asperger.**

**ASPERGER** [aspɛʀʒe] v. tr. [CONJUG.: *bouger.*] — XII^e; lat. *aspergere* «saupoudrer».

**ASPERGER (qqch., qqn) DE... :** répandre sur (qqch., qqn) sous forme de gouttes (un liquide).

♦ **1** Relig. (En général à l'aide d'un rameau ou d'un goupillon). → **Aspergès.** *Asperger d'eau lustrale un nouveau-né. Asperger un cercueil d'eau bénite avec un goupillon.*

1 Après avoir aspergé et purifié son corps d'eau nette (...)
J. AMYOT, Comparaison de Ménandre et d'Aristophane, *in* LITTRÉ.

2 M. le Curé prit de l'eau bénite dont il aspergea le malade et le lit.
FRANCE, la Rôtisserie de la reine Pédauque, p. 282.

♦ **2** Cour. Mouiller par la projection d'un jet d'eau, de liquide. → **Arroser.** *Action d'asperger.* → **Aspersion.** *Une voiture passant dans une flaque nous a aspergés d'eau sale.* → **Mouiller, (vx) flaquer.** (Sans compl. second). *On s'est fait asperger par une voiture.*

Fam. et vieilli. *Asperger un rôti d'un bon vin.* → **Arroser.**

3 Une aile de poulet aspergée de Saint-Émilion.
Alphonse DAUDET, le Petit Chose, p. 384.

(Sans compl. second). *Asperger du linge,* humecter d'eau en gouttes (avant de le repasser).

◆ **S'ASPERGER** v. pron. *S'asperger d'eau froide. S'asperger le visage d'eau froide. S'asperger de l'eau froide sur le visage. Elle s'est aspergée de parfum.*

4 Le rasoir au fourreau, mon père s'aspergeait d'eau froide, pour tonifier l'épiderme.
G. DUHAMEL, Chronique des Pasquier, III, 9.

Par métaphore. *«Les adversaires (...) s'aspergent d'un vinaigre de politesses»* (Cocteau, *in* T. L. F.).

◆ **ASPERGÉ, ÉE** p. p. adj. (1888). *Des passants aspergés qui protestent.*

DÉR. et HOM. **Aspergée.**

**ASPERGERIE** [aspɛʀʒəʀi] n. f. — XIX^e; de *asperge,* et *-erie.*

Rare. Champ planté d'asperges.

**ASPERGÈS** [aspɛʀʒɛs] n. m. — 1352; lat. *asperges* «tu aspergeras», de *aspergere.* → Asperger.

Religion catholique.

♦ **1** (1535). Moment où le prêtre fait l'aspersion d'eau bénite (accompagné, dans l'office en latin, de l'antienne *Asperges me,* ou, pendant le temps pascal, *Vidi aquam*).

Par métaphore. Aspersion d'un liquide dans un but bénéfique.

♦ **2** (1352). Goupillon qui sert à l'aspersion. → **Aspersoir.**

La Bussière arracha de la main du curé l'aspergès, comme il me voulait présenter l'eau bénite.
RETZ, V, 419, *in* LITTRÉ.

**ASPERGILLE** [aspɛʀʒil] n. f. ou **ASPERGILLUS** [aspɛʀʒi(l)lys] n. m. — 1751, *aspergillus; aspergille,* déb. XIX^e, Lamarck (1808, Boiste); lat. sc. *aspergillus,* bas lat. *aspergillum* «aspersoir».

♦ **1** Bot. Moisissure, champignon ascomycète *(Aspergillales)* qui se développe sur les substances végétales ou animales en décomposition, les substances sucrées (confitures) et parfois dans l'organisme où il provoque l'*aspergillose.*

♦ **2** Zool. Mollusque lamellibranche qui s'enfonce dans le sable grâce à son tube calcaire élargi à l'extrémité antérieure, et percé de trous.

DÉR. **Aspergillose.**

**ASPERGILLOSE** [aspɛʀʒi(l)loz] n. f. — 1897, *in* D. D. L.; de *aspergille,* et *-ose.*

Méd. Affection causée par le développement dans l'organisme (appareil respiratoire, œil, conduit auditif) de champignons parasites. → **Aspergille.**

**ASPERGILLUS** [aspɛʀʒi(l)lys] n. m. → **Aspergille.**

**ASPÉRITÉ** [asperite] n. f. — 1726; *asperiteit,* fin XII^e; *aspirité,* av. 1589; lat. *asperitas,* de *asper.* → Âpre.

♦ **1** Rare. État de ce qui est âpre (vx), inégal, raboteux, rude au toucher. → **Âpreté, inégalité, rudesse.** *L'aspérité du sol, d'un chemin.*

♦ **2** Cour. *(Une, des aspérités).* Partie saillante (d'une surface inégale). *Les aspérités d'un rocher.* → **Saillie.** *Une surface lisse, sans aspérités.* → **Rugosité.** *Les aspérités du sol.*

Avec les moules en terre dont on se servait auparavant, la surface des canons était toujours chargée d'aspérités et de rugosités. 1
BUFFON, Histoire naturelle, Introd. part. exp.

Aux reliefs de la voûte et aux aspérités du roc pendaient de longues et fines végétations (...) 2
HUGO, les Travailleurs de la mer, I, XII.

Il *(le soleil)* plonge enfin parmi les collines et disparaît, tout rouge et comme déchiré par les aspérités de l'horizon. 3
E. FROMENTIN, Une année dans le Sahel, p. 159.

Spécialt. Anat. *Les aspérités des molaires.*

Bot. *Les aspérités d'une tige.*

♦ **3** Fig. et vieilli. Caractère ou élément âpre. *L'aspérité de la voix, du caractère. — Les aspérités du style.* → **Rudesse; raboteux,** 2.

Sa voix avait pris de l'aspérité, et on y démêlait l'accent agité et impérieux des passions. 4
CHATEAUBRIAND, *in* P. LAROUSSE (1866), art. *Aspérité.*

Elle désarmait les colères, elle adoucissait les aspérités; elle vous ôtait la rudesse et vous inoculait l'indulgence. 5
SAINTE-BEUVE, Causeries du lundi, 26 nov. 1849.

CONTR. **Poli, velouté. — Douceur, égalité, souplesse.**

**ASPERMATISME** [aspɛʀmatism] n. m. — 1808; de 2. *a-, spermat-,* et *-isme.*

Méd. Manque d'émission du sperme par défaut d'éjaculation ou absence de sécrétion. → **Aspermie.**

**ASPERME** [aspɛʀm] adj. — 1838 ; grec *aspermos* «sans semence», de *a-* privatif, et *spermos*. → Sperme.

Didactique.

♦ **1** Bot. Qui ne produit pas de graines. *Fruit asperme.*

♦ **2** (1865). Méd. Vieilli. (Rare). Qui n'a pas de sperme.

**DÉR. Aspermatisme, aspermie.**

**ASPERMIE** [aspɛʀmi] n. f. — 1838 ; de 2. *a-*, *sperme*, et *-ie*.

♦ **1** Méd. Syn. d'*aspermatisme**. — *Absence d'éjaculation* (incorrect, pour : *anéjaculation*).

♦ **2** Bot. État d'une plante asperme.

**ASPERSEUR** [aspɛʀsœʀ] n. m. — V. 1970 ; de *aspersion*.

Dispositif d'arrosage qui répartit l'eau en fines gouttelettes à la surface du sol. *Asperseur à bras oscillants. «Asperseur escamotable à débit réglable»* (*le Point*, 2 janv. 1984, p. 77).

**ASPERSION** [aspɛʀsjɔ̃] n. f. — Av. 1680 ; *aspersion*, 1160-1170 ; lat. *aspersio* «action d'asperger», du supin de *aspergere*. → Asperger.

♦ **1** Action d'asperger. *Ranimer une personne par des aspersions d'eau froide.* → **Ablution, affusion, arrosement.**

1 Si l'air n'est pas froid, on usera d'aspersion d'eau froide.
Ambroise PARÉ, XX[bis], 10, *in* LITTRÉ.

Spécialt. Liturgie. Rite consistant à asperger d'eau lustrale, d'eau bénite. *Baptême par aspersion* (opposé à *par infusion, par immersion*). → **Aspergès, baptême, lustration.**

2 Je ferai sur vous une aspersion d'eaux pures, et vous serez purs (...) BIBLE (CRAMPON), Ézéchiel, XXXVI, 25.

3 Pour laver les Gentils par une sainte aspersion (...)
BOSSUET, Hist., II, 4, *in* LITTRÉ.

4 Le baptême, l'immersion dans l'eau, l'aspersion, la purification par l'eau, est de la plus haute antiquité (...) Les lustrations, les ablutions ôtaient les taches de l'âme (...)
VOLTAIRE, Dict. philosophique, Baptême.

Par métaphore. Impression que la grâce produit sur le cœur. *Avoir le cœur purifié par une aspersion intérieure.* → **Arrosement.**

♦ **2** Techn. *Glaçage par aspersion* : procédé qui consiste à asperger une pièce de céramique d'un produit destiné à la rendre imperméable.

**ASPERSOIR** [aspɛʀswaʀ] n. m. — 1553 ; *asperceur*, 1345 ; lat. médiéval *aspersorium* «goupillon», du rad. de *aspersio*. → Aspersion.

♦ **1** Liturgie. Goupillon* qui sert à jeter de l'eau bénite. → **Aspergès.** *Présenter l'aspersoir.*

— Et c'était quoi votre commerce, s'enquit Debu.
— Les objets du culte, mon bon monsieur.
— Les trucs pour les églises ?
— Comme vous dites, et croyez-moi, nous en avions en boutique des encensoirs, des ostensoirs, des bougeoirs, des aspersoirs, et même des ciboires... mais à la fin, ç'a été la consternation.
Pierre GOMBERT, le Prix d'un taxi, p. 37.

♦ **2** Techn. Pomme d'arrosoir à petits trous.

**ASPÉRULE** [aspeʀyl] n. f. — 1752 ; *aspertule*, 1600 ; du lat. *asper* «rude, âpre», et *-ule*.

Bot. Plante dicotylédone gamopétale *(Rubiacées)*, annuelle ou vivace, dont la variété odorante, *Aspérule odorata*, est appelée *reine des bois, petit muguet. Aspérule galioïde* : faux-gaillet.

**ASPHALTAGE** [asfaltaʒ] n. m. — 1866 ; de *asphalter*.

Action d'asphalter. *Procéder à l'asphaltage d'une rue, d'un trottoir.*

Revêtement d'asphalte. *Un asphaltage lisse.*

**ASPHALTE** [asfalt] n. m. — 1839 ; *asfalte*, v. 1160 ; *asphalti*, 1488 ; bas lat. *asphaltus*, grec *asphaltos* «bitume».

♦ **1** Minéralogie. Mélange noirâtre naturel de calcaire, de silice et de bitume* se ramollissant entre 50 et 100°. *Le nom de* bitume de Judée *donné à l'asphalte* (→ **Spalte,** 1.) *vient du premier gisement connu, celui de la mer Morte, appelé lui-même* lac asphaltite *par les Anciens. Le bitume qui, suivant la Genèse* (XI), *servit à la construction de la tour de Babel, serait de l'asphalte. Les Égyptiens se servaient de l'asphalte* (dit *baume de momie) pour embaumer leurs momies.*

(...) cette eau lourde de la mer Morte, immobile, si chargée de sel et d'asphalte que nulle vie n'y résiste, que le corps humain y flotte. Paysage de mort et de cataclysme ; grande comme le lac de Genève, cette nappe ne sert à rien, ne produit rien que du bitume pour momies. 1
DANIEL-ROPS, le Peuple de la Bible, II, 2, p. 122.

♦ **2** Techn. (Trav. publ.). Calcaire imprégné de bitume visqueux (→ **Malthe**) que l'on utilise principalement pour le revêtement des chaussées. *Asphalte pulvérisé. Mastic d'asphalte* : asphalte artificiel employé dans la construction des trottoirs.

Cour. Couche d'asphalte. → **Asphaltage.** *L'asphalte des trottoirs* (cit. 2).

(...) le vernis des chaussures jetait des flammes sur l'asphalte des trottoirs. 2
MAUPASSANT, Correspondance, Tombouctou.

(...) j'achève de me retourner vers la rue, m'apprêtant à descendre les trois marches de fausse pierre qui raccordent le seuil au niveau du trottoir, à l'asphalte rendu luisant par la pluie maintenant terminée, où les passants se hâtent dans l'espoir d'arriver chez eux avant la prochaine averse (...) 2.1
A. ROBBE-GRILLET, Projet pour une révolution à New York, p. 12.

Trois ou quatre hommes s'affairaient à dégager la rue d'un arbre qu'ils venaient d'abattre. La souche, d'une douce couleur de chair forcée, émergeait de l'asphalte au pied de la muraille. 2.2
François NOURISSIER, Le Maître de maison, p. 41.

La ville n'était faite que de pierres, immeubles de béton, plaques de marbres, rues de macadam (...) Des montagnes de pierre dure, hermétiques, verticales, debout au-dessus des plaines d'asphalte. 2.3
J.-M. G. LE CLÉZIO, les Géants, p. 109.

Cour. Chaussée asphaltée.

Le cheval n'avançait guère et semblait avec ses sabots jouer des castagnettes sur l'asphalte. 3
MARTIN DU GARD, Les Thibault, I, IX.

Fam. *Arpenter l'asphalte, polir l'asphalte* : flâner sur le trottoir.

Argot. *Faire l'asphalte* : se prostituer. → Faire le trottoir*.

**DÉR. Asphalter, asphalteux, asphaltier, asphaltique.** — V. **Asphaltite.**

**ASPHALTER** [asfalte] v. tr. — 1866 ; de *asphalte*.

Recouvrir d'asphalte. *Asphalter un trottoir.* → **Bitumer.**

♦ **ASPHALTÉ, ÉE** p. p. adj. (1898, *in* D.D.L.). Recouvert d'asphalte. *Chaussée asphaltée. Feutre asphalté pour l'isolation thermique* (*la Vie du rail*, 14 avr. 1963).

**DÉR. Asphaltage, asphalteur.**

**ASPHALTEUR, EUSE** [asfaltœʀ, øz] n. — 1877; de *asphalter.*

♦ **1** N. m. Ouvrier qui étend l'asphalte. *Asphaltateur-bitumier.* — REM. Le fém. est virtuel.

♦ **2** N. f. (1894). Fam. et vx (argot). Prostituée (qui fait le trottoir*, l'asphalte*).

**ASPHALTIER** [asfaltje] n. m. — Déb. XX^e^; de *asphalte.*

Mar. Navire aménagé pour le transport de l'asphalte. → **Bitumier.**

**ASPHALTIQUE** [asfaltik] ou **ASPHALTEUX, EUSE** [asfaltø, øz] adj. — 1751; de *asphalte,* et *-ique, -eux.*

♦ **1** Chim., minéralogie. Qui contient de l'asphalte. *Lac asphaltique :* la mer Morte, nommée ainsi parce qu'on y trouve des bitumes. *Bitume asphaltique. Huile asphaltique. Pétroles asphaltiques,* à forte teneur en asphalte.

♦ **2** Techn. Qui est à base d'asphalte. *Produit asphaltique.*

HOM. (De *asphalteuse*) V. **Asphalteur.**

**ASPHALTITE** [asfaltit] adj. et n. m. — Mil. XVIII^e^ au sens 1; du rad. de *asphalte.*

♦ **1** Adj. (V. 1750; lat. *asphaltites (lacus)*). *Lac asphaltite :* la mer Morte. → **Asphaltique** (1).

♦ **2** N. m. (1931; de *asphalte,* et *-ite*). Minéralogie. Mélange naturel de bitume et de matières organiques. *L'asphaltite est un bitume.*

1. **ASPHÈRE** [asfɛʀ] n. m. ou f. — 1845, Bescherelle ; de 2. *a-,* et *sphère.*

Zool. (Vx). Coléoptère tétramère dont le dernier article des tarses postérieurs n'est pas renflé en boule.

HOM. 2. **Asphère.**

2. **ASPHÈRE** [asfɛʀ] n. f. — 1858, G. Sand; de *sphère,* et *a-,* coupure fautive de *(l)a sphère* comme pour *bajoue-abajoue.*

Astrol. Figure représentant la sphère céleste.

HOM. 1. **Asphère.**

**ASPHÉRIQUE** [asfeʀik] adj. — Mil. XX^e^; de 2. *a-,* et *sphérique.*

Opt. Dont la surface est courbe mais non sphérique. *Lame asphérique.*

REM. Sans rapport avec 2. *asphère.*

**ASPHODÈLE** [asfɔdɛl] n. m. — 1553, Rabelais ; lat. *asphodelus,* grec *asphodelos.* REM. Certains écrivains l'emploient aussi au féminin.

Bot. et cour. Plante monocotylédone *(Liliacées)* qui pousse surtout dans les régions méditerranéennes, et dont la hampe florale nue se termine par une grappe de grandes fleurs étoilées très ornementales. *Asphodèle blanc,* appelé *bâton blanc,* ou *bâton royal. L'asphodèle jaune : bâton* ou *verge de Jacob. Asphodèle rameux.*

Fleur de cette plante. *Bouquet d'asphodèles.*

1 Et ne pensez pas que la béatitude des héros et semi-dieux, qui sont par les Champs Élyséens, soit en leur asphodèle, ou ambroisie ou nectar, comme disent ces vieilles ici.

RABELAIS, Gargantua, XIII.

2 Un frais parfum sortait des touffes d'asphodèles (...)

HUGO, la Légende des siècles, I, VI, «Booz endormi».

Servez vos mains, ce sont vos servantes fidèles; 3
Donnez à leur repos un lit tout en dentelles.
Ce sont vos mains qui font la caresse ici-bas
Croyez qu'elles sont sœurs des lys et sœurs des ailes;
Ne les méprisez pas, ne les négligez pas.
Et laissez-les fleurir comme des asphodèles.

Germain NOUVEAU, la Doctrine de l'amour, «Les mains», Pl., p. 501.

REM. «Chez les anciens, l'asphodèle était une plante sacrée qu'on entretenait autour des tombeaux comme le mets le plus agréable aux morts» (Bouillet, *Dictionnaire*).

**ASPHYXIANT, ANTE** [asfiksjɑ̃, ɑ̃t] adj. et n. m. — 1846; du p. prés. de *asphyxier.*

♦ **1** Adj. Techn. et cour. Qui asphyxie. *Vapeurs asphyxiantes. Fumée asphyxiante.* → **Suffocant.** *Gaz asphyxiant :* Gaz toxique (employé pendant la guerre de 1914-1918).

(...) des gaz asphyxiants analogues à ceux qu'émettait le Vésuve et des écroulements comme ceux qui ensevelirent Pompéi (...) 1

PROUST, le Temps retrouvé, Pl., t. III, p. 806.

Il est bien étonnant de penser que, par crainte des représailles, aucun des peuples en conflit dans la seconde guerre mondiale n'a fait, des gaz asphyxiants, un usage systématique. 2

G. DUHAMEL, la Pesée des âmes, VIII.

N. m. (Rare). Chim. Produit qui provoque l'asphyxie.

♦ **2** Adj. Cour. Se dit d'une atmosphère morale où l'on étouffe, où l'on s'étiole. → **Étouffant, irrespirable.** *Je me sentais étouffer dans cette atmosphère asphyxiante.*

Une des raisons de l'atmosphère asphyxiante, dans laquelle nous vivons sans échappée possible et sans recours, — et à laquelle nous avons tous notre part, même les plus révolutionnaires d'entre nous, — est dans ce respect de ce qui est écrit, formulé ou peint, et qui a pris forme, comme si toute expression n'était pas enfin à bout, et n'était pas arrivée au point où il faut que les choses crèvent pour repartir et recommencer. 3

A. ARTAUD, le Théâtre et son double, En finir avec les chefs-d'œuvre (1936), Idées/Gallimard, p. 103.

CONTR. **Vif, vivifiant.**

**ASPHYXIE** [asfiksi] n. f. — 1741; grec *asphuxia* «arrêt du pouls».

Médecine.

**A** ♦ **1** Vx. Arrêt du pouls; mort par arrêt des battements du cœur. → **Syncope.**

♦ **2** Mod. État pathologique déterminé par le ralentissement ou l'arrêt de la respiration pouvant entraîner la mort. *Asphyxie par submersion, strangulation, absorption de gaz irrespirables, compression du thorax, rétrécissement du larynx* (sténose laryngée), etc. → **Suffocation.**

(...) La respiration peut devenir même impossible : c'est l'asphyxie avec ses redoutables conséquences : l'arrêt des battements cardiaques et la mort si l'on n'intervient pas rapidement... 1
En résumé, l'air vicié ou une variation de la pression atmosphérique sont les causes habituelles de l'asphyxie, du moins chez l'individu bien portant.

P. VALLERY-RADOT, Notre corps cette merveille, p. 74-75.

*Asphyxie des nouveau-nés :* mort apparente causée par le défaut d'oxygénation du sang fœtal. → **Anoxémie.**

*Asphyxie locale* ou *symétrique des extrémités :* ralentissement ou arrêt de la circulation sanguine dans les doigts, les orteils (on dit aussi *acro-asphyxie*).

♦ **3** Bot. Dépérissement d'une plante, dû au manque d'oxygène.

2 La respiration est, pour les plantes, une fonction primordiale; la mort par asphyxie survient fatalement si tous leurs organes ne baignent pas dans une atmosphère renfermant de l'oxygène. Omnium agricole, p. 65.

**B** Fig. (avec un adj. ou un compl. en *de*...). Étouffement (de facultés intellectuelles ou morales) dû à la contrainte ou au milieu de vie. → **Dépérissement, étiolement, étouffement, oppression, paralysie.** *Asphyxie intellectuelle, morale. L'asphyxie de la conscience.*

3 Comme ces gens qui essaient de se faire mourir par le charbon et qui s'en repentent au dernier moment, lorsqu'il est trop tard et que déjà l'asphyxie les étrangle et les paralyse (...) moi pareillement, après cinq mois d'asphyxie morale, je humais à pleines narines l'air pur et fort de la vie honnête, j'en remplissais mes poumons (...)
Alphonse DAUDET, le Petit Chose, p. 363.

Arrêt du développement; paralysie des activités d'un pays, d'une industrie. *L'asphyxie d'une industrie.*

DÉR. **Asphyxier, asphyxique.**

**ASPHYXIÉ, ÉE** [asfiksje] adj. et n. — 1791; p. p. de *asphyxier.*

♦ **1** Rare. Qu'on a asphyxié, qui s'est asphyxié; victime d'une asphyxie.

1 Le patriotisme «est encore ici comme un corps asphyxié» qu'il faut rappeler à la vie.
Texte de 1793 cité par BRUNOT, Hist. de la langue franç., t. X, p. 66.

N. (Cour.). *Un asphyxié, une asphyxiée. Soins à donner aux asphyxiés* (procédés de réanimation). *Secours aux asphyxiés. Insuffler de l'air dans la bouche d'un asphyxié.*

1.1 Puis, c'était la musique (...) c'était le trio enflant ses joues, soufflant d'une poitrine pleine d'air pur et d'angoisse dans les haut-bois et les flûtes, avec la hâte, à la fois, et la lenteur de ceux qui soufflent dans les poumons des asphyxiés (...)
GIRAUDOUX, les Aventures de Jérôme Bardini, p. 98.

♦ **2** Fig. Dont l'activité mentale ou intellectuelle est étouffée par une contrainte ou le milieu de vie.

2 Il me semblait qu'on eût rendu l'air au monde asphyxié dix ans par la tyrannie.
LAMARTINE, *in* P. LAROUSSE.

Dont le développement, les activités économiques sont ralenties ou paralysées. *Une industrie asphyxiée.*

Qui est étouffé, paralysé par un régime d'oppression, de tyrannie. *Les libertés asphyxiées.*

Fam. Stupéfait.

**ASPHYXIER** [asfiksje] v. tr. — 1835; de *asphyxie.*

♦ **1** Causer, entraîner l'asphyxie de (qqn, un animal). → **Suffoquer.** *Asphyxier par submersion* (→ **Noyer**), *par strangulation* (→ **Étrangler, étouffer**), *par les gaz asphyxiants* (→ **Gazer**). *On a tenté de l'asphyxier. L'oxyde de carbone l'a asphyxié.* — Au p. p. *Ils sont morts asphyxiés par...* → (adj.) **Asphyxié.** Absolt. *L'oxyde de carbone asphyxie.*

Par exagér. *Il nous asphyxie, avec son feu! Tu m'asphyxies avec ton cigare.*

♦ **2** (1826). Fig. Étouffer par une contrainte ou la suppression d'une chose vitale.

◆ **S'ASPHYXIER** v. pron.

♦ **1** Causer, entraîner sa propre asphyxie (réfléchi); subir une asphyxie (passif).

Spécialt. Se donner la mort par asphyxie, se suicider (par le gaz, etc.). *Il a essayé de s'asphyxier.*

♦ **2** Par ext. (Choses : feu, flamme...). S'éteindre par manque d'air. *La flamme de la bougie s'asphyxie.*

♦ **3** Fig. Péricliter par suite de la paralysie des activités. *Ce pays s'asphyxie lentement.*

DÉR. **Asphyxiant, asphyxié.**

**ASPHYXIQUE** [asfiksik] adj. — 1823, Boiste; de *asphyxie.*

Méd. Relatif à l'asphyxie, caractérisé par l'asphyxie. *Paralysie asphyxique.*

De nombreuses actions portant sur les cellules cérébrales et gênant leur fonctionnement, provoquent un état qui présente des analogies avec le sommeil naturel, sauf que le sujet ne peut s'éveiller naturellement. Tels sont les divers comas : le coma asphyxique, causé par le manque d'oxygène (...) 1
Paul CHAUCHARD, le Système nerveux et ses inconnues, p. 99.

C'est la forme asphyxique, dit-il. Avertissez tout le monde. 2
Hervé BAZIN, le Cri de la chouette, p. 269.

**ASPI** [aspi] n. m. (fam.). → **Aspirant.**

1. **ASPIC** [aspik] n. m. — 1429; *espic,* 1250; *aspis,* 1121, *in* D. D. L.; lat. *aspis,* grec *aspic.*

♦ **1** Vipère d'Europe *(vipera aspis).*

Le crocodile ainsi tue en versant des pleurs, 1
La sirène en chantant et l'aspic sous les fleurs.
ROTROU, Bélisaire, V, 5.

Cette myriade de sonnettes avec leurs petites langues de cuivre lui semblaient autant de gueules d'aspics ouvertes, prêtes à mordre ou à siffler. 2
HUGO, Notre-Dame de Paris, II, 6.

Didact. *Aspic d'Égypte, de Cléopâtre :* serpent venimeux (naja* haje) d'Afrique et du Moyen-Orient.

Cléopâtre dit à Antoine «Je t'ai donné à baiser de mon bras les veines les plus bleues». Ce mot d'amoureuse, si doux, annonçait l'aspic terminal. 3
Léon DAUDET, la Femme et l'Amour, II, p. 42.

REM. On trouve aussi le féminin *une aspic.*

Donc le sorcier découvre le nid de couleuvres. Remontant vers des endroits plus rocailleux, il peut, à force de patience, découvrir la cachette d'une aspic. Il ne reste plus qu'à enfumer l'endroit (...) 3.1
Yambo OUOLOGUEM, le Devoir de violence, p. 194.

Didact. (Dans l'iconographie chrétienne médiévale). Animal fabuleux, emblème de la convoitise, de l'incrédulité, du mal, etc., représenté le plus souvent sous la forme d'un reptile court, sans pattes, ou sous celle d'un quadrupède ayant des pattes très courtes et une queue de serpent.

♦ **2** Par compar. et métaphore. (Vx ou littér.). *Une langue d'aspic :* une personne très médisante, une méchante langue. Vx. *Venin d'aspic :* calomnie.

Leurs langues sont cauteleuses, venin d'aspic est sous leurs lèvres. 4
CALVIN, Institution de la religion chrétienne, 207.

(...) Faugerolle, qui est une langue d'aspic, le plus venimeux de tous vos futurs collègues. 5
G. DUHAMEL, Chronique des Pasquier, X, 5.

Par métaphore. (Symbole du mal). «*L'âpre envie, aspic du chemin*» (Hugo, *in* T. L. F.).

♦ **3** Techn. (Anciennt). Canon utilisé au XVIe siècle lançant des boulets de 12 livres.

♦ **4** Techn. Outil ayant la forme d'une langue d'aspic, et servant à forer.

HOM. 2. **Aspic,** 3. **aspic.**

2. **ASPIC** [aspik] n. m. — 1560; XIe, *espig;* anc. provençal *espic* «épi». → Spic.

Didact. Variété de lavande *(lavandula spica)* [Labiées] qui donne par distillation une huile volatile, jaunâtre, d'odeur camphrée, employée pour la peinture. Syn. : *grande lavande, lavande mâle. Huile, essence d'aspic.*

On peut faire l'eau de lavande sans distiller, en y ajoutant un peu d'huile d'aspic ou un peu de musc.
Ambroise PARÉ, XXV, 47, *in* LITTRÉ.

HOM. **1. Aspic, 3. aspic.**

3. **ASPIC** [aspik] n. m. — 1742; orig. incert.; selon Dauzat les moules dans lesquels on coulait la *gelée d'aspic* avaient la forme d'un serpent roulé sur lui-même (hypothèse gratuite); selon Guiraud, de 2. *aspic* à cause de la translucidité du jus.

Plat composé de viande ou de poisson froid (parfois de légumes ou de fruits) recouvert de gelée prise dans un moule. *Aspics de volaille, de foie gras.* Par ext. Gelée utilisée pour la préparation de ces plats.

HOM. **1. Aspic, 2. aspic.**

**ASPID-, ASPIDO-** Élément tiré du grec *aspid(o)-*, signifiant «qui a des plaques, des écailles formant bouclier». → **Aspidosperma.** — Ex. : *aspidechinés* [aspidekine] n. m. pl. (1842); *aspidobranche(s)* [aspidobʀɑ̃ʃ] adj. et n. m. pl. (1842); *aspidocéphale* [aspidosefal] adj. (1842); *aspidonectes* [aspidonɛkt] n. m. pl. (1842); *aspidophore* [aspidofɔʀ] adj. (1809).

**ASPIDIACÉES** [aspidjase] ou **ASPIDIÉES** [aspidje] n. f. pl. — 1846 pour les deux formes; de *aspidi(um)*, et suff. *-acées, -ées.*

Bot. Dans certaines classifications, Division systématique (tribu ou famille) des fougères, comprenant le genre *Aspidium.* — Au sing. *Une aspidiacée, une aspidiée.*

**ASPIDISTRA** [aspidistʀa] n. m. — 1845; du grec *aspic, -idos* «bouclier», et un élément d'orig. obscure, selon l'*Oxford Dictionary*, d'après *(tup)istra*, n. d'une autre asparagée originaire des Indes (français *tupistre*, 1843, Landais).

Bot. et cour. Plante monocotylédone *(Asparagées)* vivace, à rhizome rampant, à feuilles radicales lancéolées, persistantes, d'un vert foncé luisant, ou panachées dans certaines variétés, à fleurs naissant sur le rhizome et s'épanouissant au ras du sol. *L'aspidistra est une plante verte d'appartement résistante et appréciée.*

Le guéridon est encore dans le salon de la vieille demeure : ovale, il luit de tout son acajou satiné sous la lumière qui tombe de la haute fenêtre. Il supporte en général une plante verte, un aspidistra ou «palmier des concierges», sorte de végétal qui a souvent sa place dans les magasins d'alimentation, et qui rappelle peut-être à Mme Laure, confusément, le temps de sa jeunesse.
Suzanne PROU, la Terrasse des Bernardini, p. 13.

**ASPIDIUM** [aspidjɔm] n. m. — 1866, Larousse, *aspidie*; 1846, Bescherelle, *aspidion*; 1834, Landais; lat. sav. dû à Swartz, du grec *aspidion* «petit bouclier», à cause de la forme de l'induvie recouvrant les sores.

Bot. Dans certaines classifications (vieillies), Genre de fougères (famille des Polypodiacées), comprenant 300 espèces autrement réparties entre les genres *Dryopteris, Polystichum* et *Tectaria. La fougère mâle (Aspidium* ou *Dryopteris,* ou *Polystichum,* ou *Nephrodium filix mas), espèce la plus commune d'*Aspidium, *en France.*

DÉR. V. **Aspidiacées, aspidiées.**

**ASPIDOSPERMA** [aspidospɛʀma] n. m. — XXe; du grec *aspis, aspidos* «bouclier», et *sperma* «semence».

Bot. Plante dicotylédone *(Apocynées)* de l'Amérique du Sud, dont l'écorce est très riche en tanin. → **Quebracho** *(Aspidosperma quebracho).*

**ASPIOLE** [aspjɔl] n. m. — 1821, Nodier; orig. obscure, peut-être de *aspi*, forme dial. (Ouest et Centre) de *aspic*, et suff. *-iole* (T. L. F.).

Rare. Créature mythique qui possède un pouvoir magique; fée, sylphe, génie malfaisant. — REM. Ce mot régional a été diffusé par les écrivains romantiques (Hugo, Gautier).

**ASPIRAIL, AUX** [aspiʀaj, o] n. m. — 1842; *aspirals* (plur.), 1563; *aspiraux* (plur.), 1808, Boiste; dér. de *aspirer*, et *-ail*, d'après *soupirail.*

Techn. (Rare). Ouverture, trou pratiqué dans un fourneau, un poêle pour permettre la circulation de l'air nécessaire à la combustion. *Des aspiraux. Ménager des aspiraux.*

**ASPIRANT, ANTE** [aspiʀɑ̃, ɑ̃t] adj. et n. — 1496; p. prés. de *aspirer.*

**I** Adj. Qui aspire. *Nez aspirant, bouche aspirante* (→ Aspirer, II., 1.).

Techn. *Pompe aspirante,* qui aspire de l'eau, l'élève en faisant le vide. *Pompe aspirante et foulante. Ventilateur aspirant, aspirant et soufflant.*

Phonét. *Consonne aspirante.*

**II** N. *Un aspirant, une aspirante.* ♦ **1** Vx. Personne qui aspire (à un titre, à une place). *Les aspirants à un emploi.* — Absolt. *Un aspirant.* → **Candidat.**

C'était d'abord un aspirant timide; 1
C'est maintenant un docteur intrépide (...)
J.-B. ROUSSEAU, Épîtres, II, 2.

Je n'ai fait que quarante visites, quatre-vingts révérences; 2
ce n'est rien pour un aspirant aux emplois académiques.
P.-L. COURIER, I, 136, *in* LITTRÉ.

— Toutes les mères, maintenant, veulent faire de leurs 2.1
filles des sous-préfètes, reprit le directeur; jadis on en faisait des maîtresses de piano, maintenant ce sont des journalistes ou des aspirantes députées. Tout le monde veut faire de la politique, on encombre la carrière!
A. ROBIDA, le Vingtième Siècle, p. 152.

Relig. *Aspirant au sacerdoce, au diaconat.*

Vx. Candidat (à un examen, à un concours). *Une aspirante au bachot.*

Vx. Soupirant. *Elle a de nombreux aspirants.*

♦ **2** Mod. **a** Titre des élèves officiers qui prennent rang entre l'adjudant-chef et le sous-lieutenant.

**b** Mar. Élève de deuxième année de l'École navale (fam. *aspi*, 1922).

Le galon d'or coupé par deux sabords bleus de l'aspirant 3
de deuxième classe n'est donc plus porté que par les élèves de deuxième année de l'École Navale et par les aspirants de réserve. R. GRUSS, Dict. de marine.

♦ **3** Techn. Extrémité percée de trous d'un tuyau d'aspiration.

♦ **4** Loc. Fam. *Aspirant de narine* (par calembour sur *aspirer*, et sur *marine*) : mouchoir.

**ASPIRATEUR, TRICE** [aspiʀatœʀ, tʀis] adj. et n. m. — 1826; de *aspirer*, et *-ateur (-eur).*

♦ **1** Adj. Didact. Qui aspire, produit l'aspiration. *La force aspiratrice des végétaux. Cône, tuyau, ventilateur aspirateur.*

Le tube ou tuyau dit *aspirateur*, doit avoir moins de 1
10 mètres au-dessus du niveau de l'eau dans le puits où plonge son extrémité inférieure (...)
G. LAMÉ, Cours de physique, t. I, p. 105 (1836).

Anat., zool. *Muscle aspirateur* (par exemple, *le diaphragme*).

Méd. *Méthode aspiratrice :* méthode qui permet de retirer des fluides au moyen d'instruments qui aspirent.

♦ **2** N. m. Didact. et cour. **a** (1892). Didact. Appareil qui aspire l'air, les liquides. *Aspirateur médical de Potain. La ponction de la plèvre s'exécute au moyen d'un aspirateur. Aspirateurs des laboratoires de chimie.*

**b** (1909, *aspirateur de poussière*). Spécialt, cour. Appareil ménager muni d'un moteur électrique et servant à aspirer la poussière, les débris, etc., pour nettoyer. *Nettoyer son appartement, des tapis avec un aspirateur. Aspirateur-batteur, aspirateur-traîneau, aspirateur-balai. Passer un tapis à l'aspirateur. Passer l'aspirateur sur la moquette. Vous passerez l'aspirateur dans le salon.*

2 L'électricité n'aime pas les hommes. Aucun homme ne sera jamais son maître. On lui a donné des filins d'acier et des pylônes pour qu'elle se rue. On lui a donné les moteurs, les ampoules, les tubes de néon, les aspirateurs, les sèche-cheveux, les mixers, les radiateurs, pour qu'elle use ses forces. J.-M. G. LE CLÉZIO, les Géants, p. 201.

**ASPIRATIF, IVE** [aspiʀatif, iv] adj. — 1839 au sens 1; de *aspiration*, et suff. *-if;* 1554, «qui sert à la respiration»; lat. *aspirativus* «aspiré», de *aspirare*. → Aspirer.

♦ **1** Phonét. Vx. Qui se prononce avec aspiration. *Lettre aspirative.* Qui indique l'aspiration. *Signe aspiratif.*

♦ **2** Relig. «Qui aspire à l'affection» (Littré); «qui aspire à Dieu» (Guérin, 1892).

Littér., vx. *«Un beau regard confiant, aspiratif et désolé»* (L. Daudet, *in* T. L. F.).

**ASPIRATION** [aspiʀasjɔ̃] n. f. — Déb. XIII^e; lat. *aspiratio*, du supin de *aspirare*. → Aspirer.

**I** ♦ **1** Vx. Action de souffler vers (sens étym.). Fig. *Aspiration divine :* souffle de Dieu, inspiration divine.

1 *(Pour être sage)* par aspiration divine et apte à recevoir bénéfice de divination. RABELAIS, Tiers livre, 37.

♦ **2** Phonét. Bruit causé par la friction de l'air expiré au niveau de la glotte ouverte pendant la prononciation de certaines consonnes. *Aspiration des occlusives sourdes germaniques. Aspiration des consonnes sonores de certaines langues indiennes* (sanskrit, hindi, ourdou), où le souffle se combine au son produit par la vibration des cordes vocales ligamenteuses. *Les occlusives romanes, prononcées glotte fermée, ne présentent pas d'aspiration.* Spécialt. Bruit de friction de l'air expiré au niveau de la glotte, accompagné ou non des vibrations des cordes vocales et fonctionnant comme un phonème dans certaines langues. *Aspiration du* h *anglais* (ex. : *hot*). → **Fricative glottale, laryngale.** *L'aspiration du* h *n'existe en français que dans certaines interjections (hep! houp!). L'aspiration du* h *en français.* → **H** (aspiré).

♦ **3** Mod. Action de porter ses désirs vers (un idéal). *L'aspiration de qqn vers un idéal. Aspiration vers Dieu, vers la gloire. Des aspirations révolutionnaires.* → **Élan, mouvement.** *Légitimes, nobles aspirations.* → **Désir, rêve, souhait; espérance, espoir.**

2 Oui, la prière, véritable aspiration de l'âme entièrement séparée du corps, emporte toutes les forces et les applique à la constante et persévérante union du Visible et de l'Invisible. BALZAC, Séraphita, Pl., t. X, p. 577.

3 Qui dit romantisme dit art moderne, — c'est-à-dire intimité, spiritualité, couleur, aspiration vers l'infini (...) BAUDELAIRE, Curiosités esthétiques, III, II.

Des profondeurs de la vie, je ne sais quelle chaleur monte, une féconde aspiration. Un souffle m'en passe à la face, et je me sens mille cœurs. MICHELET, la Femme, p. 353. 4

(...) c'est par là que nous valons quelque chose, l'**aspiration**; une âme se mesure à la dimension de son désir (...) FLAUBERT, Correspondance, t. II, p. 224. 5

Est-ce que vous ne sentez pas l'aspiration de mon âme monter vers la vôtre, et qu'elles doivent se confondre, et que j'en meurs? FLAUBERT, l'Éducation sentimentale, II, VI. 5.1

Une foule d'aspirations confuses, que je croyais mortes depuis longtemps, font en moi un bruissement de ruche. F. MAURIAC, l'Enfant chargé de chaînes, p. 151. 6

Au fond de toute perversité, au fond de toute concupiscence, dans le cœur de chaque assassin, derrière ce qui nous apparaît être jalousie, félonie, lâcheté, quelquefois même plus qu'à la base de toute vertu, de toute fidélité, il y a la quête d'une aspiration absolue, il y a la nostalgie sans nom. IONESCO, Journal en miettes, p. 124. 6.1

Écon., polit., psychol. *Niveau d'aspiration :* niveau de réussite qu'un sujet désire atteindre quand il est placé en face d'une tâche à exécuter.

Sociol. *Aspirations professionnelles :* attentes de satisfactions reliées au travail et à l'avenir professionnel.

*Aspiration à... L'aspiration au bonheur. L'aspiration à être heureux. — Aspiration vers... L'aspiration vers l'inconnu, l'infini* (ci-dessus, cit. 3). — *Aspiration de* (rare) : désir de. *L'aspiration de justice. — Aspiration pour* (vx) : goût très vif pour (quelque chose).

**II** ♦ **1** Action d'attirer l'air dans les poumons, mouvement de l'air attiré dans les poumons. → **Inspiration.** *L'aspiration et l'expiration.* → **Respiration.**

(...) et le drap de toile grise se soulevant sur la poitrine à chaque aspiration. MAUPASSANT, le Vieux, Pl., t. I, p. 1131. 7

♦ **2** Techn. Action d'aspirer des gaz, des liquides, des poussières, etc. *Soupape, tuyau d'aspiration* (→ **Aspirant**, II., 3.) *d'un corps de pompe. Ventilateur à aspiration. Nettoyage par aspiration.* → **Aspirateur.** *Aspiration d'un liquide. Aspiration de l'air chaud dans une cheminée.* → **Appel**, III., 2.

Premier temps du cycle des moteurs à quatre temps. *Soupape d'aspiration.*

Phénomène produit par la dépression créée derrière une voiture roulant à vitesse élevée.

Méd. Ponction (de liquides ou de gaz) par aspirateur*. *Aspiration gastrique, aspiration intestinale.* — Évacuation (du contenu de l'utérus) au moyen d'une canule branchée sur un aspirateur *(aspiration endo-utérine). Aspiration du placenta* (en cas de rétention après un accouchement, → aussi Curetage). *Méthode d'interruption de grossesse par aspiration* (ou méthode Karman).

Par métonymie. Mécanisme servant à aspirer. *L'aspiration est en panne.*

CONTR. (De II.) **Expiration; refoulement.** ◊ DÉR. **Aspiratif.**

**ASPIRATOIRE** [aspiʀatwaʀ] adj. — 1825; de *aspirer*.

Didact. Qui a rapport à l'aspiration, qui se fait par aspiration. *Mouvement aspiratoire d'une pompe, des poumons* (Académie).

**ASPIRER** [aspiʀe] v. tr. — V. 1165 «souffler de l'air» (jusqu'au XVI^e); 1262-1268 «respirer»; lat. *aspirare* «souffler vers», de *ad-*, (→ 1. A-), et *spirare* «respirer» (→ Expirer; respirer).

**I** V. tr. ind. (Sujet n. de personne). ♦ **1** Vx. (Encore au XVI^e). Souffler.

Zéphirus, le gracieux vent, commence à aspirer sur les arbres, plantes, herbes et arbustes. Anciennes poésies françaises, XII, 266, *in* HUGUET. 1

♦ **2** (XIVe). Fig.

**ASPIRER À :** porter ses désirs vers un objet. *Aspirer à un titre, à une dignité. Aspirer au pouvoir, à la présidence, à l'empire, à la couronne. Aspirer ardemment à la possession d'un bien.* → **Désirer, souhaiter; prétendre, tendre** (à), **courir, soupirer** (après). → Lever, porter les yeux* sur... *Aspirer à une dot. Je n'aspire à rien d'autre qu'à la paix.* → **Ambitionner.** — (Suivi de l'infinitif). *Aspirer à réussir, à plaire.* — Vx. *Aspirer de réussir.*

2 À de plus grands honneurs faut-il qu'un père aspire?
CORNEILLE, Horace, IV, 2.

3 Et monté sur le faîte, il aspire à descendre.
CORNEILLE, Cinna, II, 1.

4 Remarquez bien cette expression, lui disait-il *(Jean Racine à son fils)* avec enthousiasme. On dit : **aspirer à monter;** mais il faut connaître le cœur humain aussi bien que Corneille l'a connu, pour avoir su dire de l'ambitieux qu'il aspire à descendre.
Louis RACINE, Mémoires sur la vie de Jean Racine.

5 Je consens, ou plutôt j'aspire à ma ruine.
CORNEILLE, Polyeucte, IV, 2.

6 Il m'a plu sans peut-être aspirer à me plaire.
RACINE, Bajazet, I, 3.

7 On dit que tes désirs n'aspirent qu'à me plaire.
RACINE, Alexandre le Grand, IV, 3.

8 Qui ne sent pas ces nobles mouvements qui font aspirer aux grands postes, ne sent pas aussi ceux qui nous font oser de grandes actions.
MASSILLON, Bénédictions des drapeaux du régiment de Catinat.

9 Quand on aspire à la gloire, il faut se faire lire à Paris; quand on veut être utile, il faut se faire lire en province.
ROUSSEAU, Julie, t. I, p. 16.

10 Je n'aspire plus qu'à rentrer dans ma solitude et à quitter la carrière politique.
CHATEAUBRIAND, Mémoires d'outre-tombe, t. V, VII.

11 *(L'âme)* Aspire à la lumière et tend vers l'idéal.
HUGO (→ Alourdir, cit. 4).

12 Cette affreuse sensation de stérilité en cette saison où tout aspire à se reproduire.
MONTHERLANT, les Jeunes Filles, p. 153.

REM. On dit *le seul bien auquel j'aspire, ce à quoi j'aspire... Où** est archaïque dans *le seul bien où j'aspire :*

13 Et l'hymen d'Henriette est le bien où j'aspire.
MOLIÈRE, les Femmes savantes, I, 4.

14 C'est le genre de beauté où les plus vains puissent aspirer.
LA BRUYÈRE, les Caractères, XII, 32.

15 Là, je m'enivrerais à la source où j'aspire;
Là, je retrouverais et l'espoir et l'amour (...)
LAMARTINE, l'Isolement.

Vx. Être candidat. *Aspirer au bachot* (correspond au sens archaïque de *aspirant*).

Par métaphore. (Littér., vx). *Une tour qui aspire au ciel.*

Rare. *Aspirer après qqch.*, soupirer après. *Aspirer vers qqch.*, tendre vivement vers.

Absolt. *La faculté «d'aspirer, de prétendre et d'obtenir»* (Las Cases, *in* T. L. F.). — Vx. (Avec un adverbe). *Aspirer haut :* viser* haut.

**II** V. tr. dir. (1393, «attirer en inspirant»). (Sens de «attirer», seul cour. en emploi concret). ♦ **1** (Sujet n. d'être animé). Attirer (l'air...) dans ses poumons. → **Inspirer.** *Aspirer et expirer l'air.* → **Respirer.** *Aspirer une odeur par le nez, de l'air par la bouche.* → **Absorber, avaler, humer, inhaler, priser, renifler, sucer,** 1. **super.** *Aspirer l'air frais;* (littér.) *aspirer la fraîcheur de l'air.*

16 Et chaque souffle enfin que j'exhale ou j'aspire.
LAMARTINE, Harmonies..., I, 1.

17 Elle écoutait le chant du nocturne pêcheur,
De la brise embaumée aspirait la fraîcheur.
LAMARTINE, Harmonies..., Le premier regret.

18 (...) ils aspiraient à pleins poumons la fraîcheur de l'air.
FLAUBERT, Salammbô, VII.

Et il ouvrait les narines pour aspirer les bonnes odeurs 19
de la campagne, qui ne venaient pas jusqu'à lui.
FLAUBERT, Mme Bovary, I, 1.

Par métaphore ou fig., littér. → **Absorber.**

Et, comme le soleil aspire la rosée, 20
Dans ton sein à jamais absorbe ma pensée.
LAMARTINE, Méditations poétiques, «La prière».

Sur la seule figure expressive de Balzac, aspirant la vie par 21
les yeux, les narines, la bouche, aurait dû se concentrer l'attention.
Georges LECOMTE, Ma traversée, p. 220.

♦ **2** Attirer dans un vide ou attirer en faisant un vide.

**a** (Sujet n. d'être animé). Attirer (un fluide, une substance) dans le nez, la bouche. → **Absorber, avaler, humer, inhaler, priser, renifler, sucer.** *Aspirer une boisson avec une paille. Aspirer une prise de tabac.*

**b** (Fin XVIIe). (Le sujet désigne un dispositif, un mécanisme ou la personne qui le fait agir). Attirer les fluides en faisant le vide. *Les pompes aspirent, refoulent ou compriment les fluides* (→ **Aspirant** [I., A.], **aspirateur, compresseur, exhausteur, pneumatique, pompe, siphon, soufflet, ventilateur).** → **Absorber, pomper.**

Par comparaison (au passif) :

De toutes les cours, comme aspirés, les enfants refluaient 21.1
vers le collège (...)
MONTHERLANT, la Relève du matin, I, 4.

**c** (Sujet n. de chose).

Le crâne de Mamie luisait entre les mèches jaunes et sa 21.2
bouche vide aspirait les joues.
F. MAURIAC, le Sagouin, IV.

♦ **3** Attirer irrésistiblement. *Une vase «qui l'attire à elle, l'aspire, l'engloutit»* (A. Dumas père, *in* T. L. F.). — *Être aspiré par le vide.*

Techn. (dorure). *Une couleur qui aspire l'or,* qui l'attire, le retient.

◆ **ASPIRÉ, ÉE** p. p. adj. et n.

♦ **1** *Air aspiré et air expiré. — Air, fluide aspiré* (par une pompe, etc.).

♦ **2** Phonét. (repris au latin). *Consonne aspirée, occlusive aspirée,* dont la production s'accompagne d'un souffle dû à l'air expiré. → **Aspiration.** — Spécialt. H aspiré en anglais, en français (ex. : *hep!*). → **Aspiration, fricative, glottale, laryngale.** — Par ext. (emploi inexact). H *aspiré en français : h* initial qui interdit la liaison, dit aussi *h de disjonction,* opposé au *h muet**.

L'**h** dite **aspirée** ne comporte en réalité aucune aspiration 22
et note seulement qu'il ne doit pas y avoir de liaison ni d'élision avec le mot précédent : **c'est honteux, la hâte.**
Grammaire Larousse du XXe s., p. 42.

N. f. *Une aspirée :* une consonne aspirée.

Si l'aspiration est très forte, les aspirées tendent à passer 23
dans le groupe des affriquées.
Bertil MALMBERG, la Phonétique, p. 49.

CONTR. (De I.) **Dédaigner, négliger; renoncer** (à). — (De II.) **Expirer, souffler. — Refouler. — Gonfler.** ◊ DÉR. et COMP. **Aspirant, aspirateur, aspiratoire. Aspiré-soufflé. Préaspirée.**

**ASPIRÉ-SOUFFLÉ** [aspiʀesufle] n. m. — XXe; de *aspirer,* et *souffler.*

Techn. Procédé de formage du verre utilisant l'aspiration dans un moule et le soufflage d'une cavité dans la masse du verre.

**ASPIRINE** [aspiʀin] n. f. — 1894; empr. de l'all. *Aspirin* (nom déposé par Bayer en 1899, mais formé auparavant), formé du préf. *a-* représentant *acétyl* et le rad. priv. grec *a-*, du rad. du lat. sc. *spiræa* «spirée», et du suff. allemand *-in,* littéralement «qui est fait sans *spiræa (ulmaria)*» (cet acide synthétique n'est pas tiré de cette plante qui le contient naturellement); le nom est déposé en Belgique.

Pharm. et cour. Acide acétylsalicylique, remède analgésique et antithermique. *Comprimé, cachet d'aspirine. Tube d'aspirine. Aspirine vitaminée. Aspirine effervescente. Aspirine soluble.*

Alors, pour tâcher de le contraindre *(le thermomètre)* à modifier sa réponse, nous nous adressâmes à une autre créature du même règne, mais plus puissante, qui ne se contente pas d'interroger le corps mais peut lui commander, un fébrifuge du même ordre que l'aspirine, non encore employée alors.

PROUST, le Côté de Guermantes, Folio, p. 360.

Fam. *Blanc comme un cachet d'aspirine :* très clair, très blanc (teint, peau ; s'oppose à *bronzé, bruni, hâlé,* etc.).

Cour. Ce comprimé. *Prendre deux aspirines.*

**ASPLE** [aspl] n. m. → **Aspe.**

**ASPLÉNIE** [aspleni] n. f. — Après 1950 ; de 2. *a-, splén-* «rate», et suff. *-ie.*

Méd. Absence de rate.

**ASPLENIUM** [asplenjɔm] n. m. — 1866 ; *asplénie,* 1846 ; *aspléniens,* n. m. pl., 1808, Boiste ; lat. sav., grec *asplênion* (aussi *asplênon*), même sens, de *asplênios* (aussi *asplênos*) «bon pour les maladies de la rate».

Bot. Genre de plantes cryptogames filicinées *(Fougères),* annuelles ou vivaces, communément appelées *doradille. Asplenium ruta muraria* ou *rue des murailles. Asplenium nigrum* ou *capillaire noir.*

1. **ASPRE** [aspʀ] n. m. — 1519 ; *aspry,* 1517, *in* D. D. L. ; du grec *aspros* «blanc» ; bas grec *aspron* «monnaie neuve».

Didact. Ancienne petite monnaie turque.

1 Ceux-ci (...) lui mettent (...) en l'une *(poche)* vingt ducats d'or, et en l'autre la monnaie, qui sont mille Aspres. Ce sont petites pièces d'argent (...) plus carrées que rondes, cinquante desquelles valent un ducat.

THEVET, Cosmographie, XIX, 2, *in* HUGUET, Dict.

2 (...) il passait là des Turcs dont toute la défroque ne valait pas un aspre. Th. GAUTIER, Constantinople, p. 21.

HOM. 2. **Aspre.**

2. **ASPRE** [aspʀ] n. f. — D. i. ; du lat. *asper, aspera* «rocailleux», pris substantivement.

Régional, géogr. Dans le Roussillon, Colline caillouteuse adossée aux Pyrénées, et où prospèrent vigne et arbres fruitiers.

HOM. 1. **Aspre.**

**ASQUE** [ask] n. m. ou f. — 1845 ; du grec *askos* «outre». → Asco-.

♦ **1** Didact. (bot.). Cellule mère allongée à l'intérieur de laquelle se forment les *ascospores,* chez les champignons *ascomycètes* et certains autres végétaux. (On a dit aussi *thèque*). → **Sporange.** *Algues, lichens, champignons portant des asques.* → **Asco-** et composés. *Champignons supérieurs à asques, distingués des champignons à basides.*

Zool. Chez certains Polyzoaires *(Chilostomes* dits *ascophores),* sac ectodermique qui en se gonflant d'eau permet la sortie du lophophore.

♦ **2** Littér. Appendice végétal en forme d'outre.

Il passa sous un bouquet de fleurs roses, délicates et frivoles, élevées à quatre mètres du sol au-dessus d'un tronc épineux, barbelé de longs asques en forme de gousses ou de pénis géants.

P. GRAINVILLE, les Flamboyants, p. 25.

**ASSABLER** [asable] v. tr. — 1544, *in* D. D. L. ; de 1. *a-,* et *sable.*

Techn. Remplir de sable, avec du sable. *Assabler un port.* → **Ensabler.**

◆ **S'ASSABLER** v. pron. S'échouer dans le sable, s'ensabler.

**ASSA-FŒTIDA** [asafetida] n. f. — XVe, aussi *ase puante,* et 1611 *asse fétide ;* du lat. médiéval *asa* «résine de silphium», et de *foetida,* «fétide, puant».

Bot., méd., pharm. Gomme résine, d'une odeur désagréable, provenant de la racine d'une plante ombellifère *(ferula assa-fœtida),* utilisée en médecine comme antispasmodique. → **Férule.**

**ASSAGIR** [asaʒiʀ] v. — Fin XIVe ; *assagir de* «instruire de», 1188 ; de 1. *a-, sage,* et *-ir.*

**I** V. intr. Vx. Devenir sage (mod. *s'assagir,* voir ci-dessous le *v.* pronominal).

Vieillir n'est pas assagir ni quitter les vices, mais seulement les changer en pires. 1

Pierre CHARRON, De la sagesse, XXXVI (1601), *in* LITTRÉ.

**II** V. tr. ♦ **1** Mod. (le compl. d'objet est un animé). Rendre sage. *Le malheur assagit les hommes* (Académie).

Cette tête, que ces cheveux qui tombent n'assagissent point, 2
est tout aussi folle qu'elle l'était lorsque je te donnai l'être, fille aînée de mes illusions (...)

CHATEAUBRIAND, Mémoires d'outre-tombe, t. V, IV, II.

♦ **2** (Le compl. d'objet est un inanimé). Rendre plus calme, moins vif, moins exubérant. *Le temps assagit les passions.* → **Atténuer, calmer, diminuer, modérer, tempérer.**

Il *(Maurice Denis)* atténue les roses trop suaves de ses 3
nuages, assagit et tonifie ses harmonies.

GIDE, Journal, 9 janv. 1907.

*Assagir les cheveux,* faire en sorte qu'ils tiennent, ne s'ébouriffent pas.

◆ **S'ASSAGIR** v. pron. Devenir sage. — (Le sujet est animé). *Elle s'est bien assagie depuis son mariage. Il était plutôt turbulent, mais il s'assagit.* → **Ranger** (se). — (Le sujet est un inanimé). Choses. *Le style de ce peintre s'est assagi.*

◆ **ASSAGI, IE** p. p. adj. Rendu, devenu plus sage, plus calme. *Des enfants assagis. — Un style assagi.*

CONTR. **Débaucher, déchaîner, dévergonder, dissiper.**
◊ DÉR. **Assagissement.**

**ASSAGISSEMENT** [asaʒismɑ̃] n. m. — 1580, Montaigne ; XVe, «action de fournir des renseignements, des instructions» ; de *assagir.*

Action d'assagir, de s'assagir ; résultat de cette action. → **Amendement, modération.** *Son assagissement fut de courte durée. L'assagissement des esprits.* → **Apaisement.**

CONTR. **Déchaînement, dévergondage, dissipation.**

**ASSAI** [asaj] adv. — 1834, *in* D. D. L. ; mot ital. «beaucoup».

Mus. Très (terme augmentatif qui, joint à un autre, indique qu'un mouvement doit se jouer très vivement — *allegro assai* —, très lentement — *largo assai* —, etc.).

**ASSAILLANT, ANTE** [asajɑ̃, ɑ̃t] adj. et n. — XIIe; de *assaillir.*

**I** Adj. Rare. Qui assaille. *L'armée assaillante. Les forces assaillantes.*

**II** N. ♦ **1** *Un assaillant, une assaillante :* une personne qui assaille. → **Attaquant.** *Les assaillants furent mis hors de combat. Arrêter les assaillants.*

1 Chaque corps ennemi qui se présenta sur nos flancs comme assaillant fut assailli; la cavalerie fut refoulée dans le bois, et l'infanterie rompue à coups de sabre.
Ph. P. SÉGUR, Hist. de Napoléon, IV, 7.

2 (...) une large couche de morts et de blessés saignait et palpitait sous les pieds des assaillants qui, maintenant furieux se renouvelaient sans cesse.
HUGO, Notre-Dame de Paris, t. II, X, 4.

Collectif. *L'assaillant :* ceux qui assaillent. *L'assaillant ne s'attendait pas à une telle résistance* (Académie).

(En parlant d'engins). *Les assaillants aériens, sous-marins.*

♦ **2** Ancienn. Celui qui dans un tournoi, un duel, combattait le *tenant.*

3 Va, tu l'as pris en traître; un guerrier si vaillant
N'eût jamais succombé sous un tel assaillant.
CORNEILLE, le Cid, V, 6.

♦ **3** Fig., vx. Personne qui importune, qui harcèle.

CONTR. **Défenseur. — Tenant.**

**ASSAILLEMENT** [asajmɑ̃] n. m. — V. 1500; de *assaillir.*

Vx. Assaut.

**ASSAILLIR** [asajiʀ] v. tr. [CONJUG.: *j'assaille, nous assaillons; j'assaillais, nous assaillions; j'assaillis; j'assaillirai; que j'assaille, que nous assaillions; que j'assaillisse, que nous assaillissions; assaillant; assailli.*] — Xe, *asalir; asaillir,* 1100; du lat. pop. *assalire,* lat. class. *assilire* «sauter sur».

♦ **1** Vx. *Assaillir un lieu,* l'attaquer.

♦ **2** Mod. *Assaillir qqn :* se jeter sur qqn pour l'attaquer; attaquer avec violence. → **Agresser, attaquer; fondre, jeter** (se), **précipiter** (se), **sauter** (sur...). *L'ennemi assaillit le camp en pleine nuit. — Être assailli par des malfaiteurs. Nous fûmes assaillis d'une grêle de pierres* (Académie), *à coups de pierres.*

1 Assaillir, venant de *salire,* sauter, indique quelque chose de brusque et d'imprévu qui n'est pas dans attaquer.
LITTRÉ, Dict., art. *Assaillir.*

2 N'était-ce rien (...) d'entrer dans son Palais de nuit et à main armée de l'assaillir, et de le forcer?
BOSSUET, Hist. des Variations, II, 106.

3 Ses gens m'assaillirent tous ensemble, et me donnèrent tant de coups de bâton, qu'ils m'étendirent sans sentiment sur place. A. R. LESAGE, Gil Blas, III, 7.

Par ext. (Vieilli ou littér.). Entreprendre (une femme), chercher à séduire avec insistance.

4 De tous côtés se trouvant assaillie,
Elle se rend aux semonces d'Amour.
LA FONTAINE, Contes, II, V, «Oraison».

♦ **3 ASSAILLIR (qqn) DE, PAR...** → **Harceler; accabler, importuner, tourmenter.** *Les fâcheux vous assaillent de leurs importunités. Assaillir qqn par des réclamations continuelles. Je fus assailli, à mon retour, d'une foule de questions.* — (Sans compl. second). *Les importuns qui nous assaillent. Être assailli par une nuée de solliciteurs.*

♦ **4** Littér. (le sujet désigne un inanimé, notamment le mauvais temps). *L'orage, la tempête, l'ouragan les assaille.*

5 Pendant cela le mauvais temps l'assaille
De toutes parts; il n'en peut presque plus.
LA FONTAINE, Contes, «Oraison».

(...) mais, au retour, le flot l'assaillit, le frappa, le remporta au large (...) 6
V. BÉRARD, trad. de l'Odyssée d'Homère.

♦ **5** (Abstrait). Littér. — (Le sujet désigne une force psychologique). Agir avec force et de manière dangereuse (sur qqn, sa personnalité, etc.). *Les désirs, les tentations qui l'assaillent.* → **Exciter, solliciter.** *Être assailli par l'angoisse, par les soucis.* → **Tourmenter.** — (Le sujet désigne une réalité concrète, le compl. peut désigner une entité). *Les difficultés, les maux qui l'assaillent, qui assaillent le pays, le gouvernement.*

(...) Les désirs qui pourraient l'assaillir (...) 7
MOLIÈRE, l'École des maris, I, 2.

Avec cette blessure au cœur, comment le gouvernement du roi Louis-Philippe fit-il face aux difficultés nombreuses qui l'assaillirent dès les premiers jours? 8
RENAN, Philosophie de l'histoire contemporaine, II.

Du jour de ma naissance, d'incroyables malheurs les assaillirent *(mes parents)* par vingt endroits. 9
Alphonse DAUDET, le Petit Chose, p. 4.

(...) des images sombres et violentes venaient m'assaillir. 10
FRANCE (→ Angoisse, cit. 12).

Des souvenirs lancinants surgissent de l'oubli. L'un d'eux, plus pénible que tous les autres ensemble, l'assaillit avec une précision si brutale qu'il prit son front entre ses mains. 11
MARTIN DU GARD, les Thibault, II, 5.

CONTR. **Défendre, garantir, protéger, soutenir. — Délivrer, résister, riposter.** ◈ DÉR. **Assaillant, assaillement.**

**ASSAINIR** [aseniʀ] v. tr. — 1774, Buffon; de 1. *a-, sain,* et suff. verbal *-ir.*

♦ **1** Rendre sain ou plus sain. *Assainir l'air.* → **Purifier.** — Vx. *Assainir une plaie.* → **Désinfecter.**

Mod. *Assainir une habitation, une ville; assainir un marais en l'asséchant, en le drainant,* le rendre salubre. → **Désinfecter, épurer, nettoyer.** *Assainir une région marécageuse. Assainir un logement insalubre.*

En cet endroit, les eaux des deux courants mêlaient leurs teintes un peu différentes, et la Kama, rendant à la rive gauche le même service que l'Oka avait rendu à sa rive droite en traversant Nijni-Novgorod, l'assainissait encore de son limpide affluent. 0.1
J. VERNE, Michel Strogoff, p. 114.

♦ **2** Fig. Rendre plus pur. → **Purifier.** *Assainir les mœurs* (Académie).

Il *(le Père)* va assainir, purifier l'âme d'un mourant (...) 1
M. BARRÈS, la Colline inspirée, p. 254.

♦ **3** (1932). Écon. *Assainir une monnaie,* la rendre plus stable en éliminant les causes de dépréciation. *Assainir un marché,* le débarrasser des excédents de production qui *avilissent* les prix. → **Équilibrer, stabiliser.**

Il vient un moment où le marché est ce qu'on appelle «assaini» et où les organismes forts qui ont survécu à l'épidémie peuvent de nouveau respirer. 2
A. MAUROIS, le Cercle de famille, p. 301.

◆ **S'ASSAINIR** v. pron. Devenir sain ou plus sain. *Les eaux du lac se sont assainies depuis la construction du nouveau collecteur. — Le marché s'assainit.*

◆ **ASSAINI, IE** p. p. adj. *Une situation politique assainie.*

CONTR. **Corrompre, empester, empoisonner, infecter, infester.** ◈ DÉR. **Assainissant, assainissement, assainisseur.**

**ASSAINISSANT, ANTE** [asenisɑ̃, ɑ̃t] adj. — 1846, p. prés. de *assainir.*

Qui assainit.

**ASSAINISSEMENT** [asenismɑ̃] n. m. — XVIIIe (Mercier, *Néologie*, 1801); de *assainir.*

♦ **1** Action d'assainir; résultat de cette action. *L'assainissement d'une région, d'une ville, d'un local.* → **Désinfection, évacuation** (des eaux souillées), **nettoyage.** *Procéder à l'assainissement d'une agglomération,* à l'évacuation des eaux usées, au traitement des eaux d'égout. *Travaux d'assainissement. Adduction d'eau et assainissement.*

Spécialt. *Assainissement des terres par écoulement des eaux stagnantes.* → **Assèchement, dessèchement, drainage.**

1 L'assainissement des terres n'a pas seulement un résultat agricole, il contribue à l'hygiène publique en assurant à des localités ou même à des régions la salubrité qui leur manquait. Omnium agricole, p. 66.

1.1 Là, grâce aux assainissements obtenus par la canalisation du Tom, affluent de l'Irtyche qui passe à Kamsk, les marécages pestilentiels se sont transformés en pâturages de la plus grande richesse.
J. VERNE, Michel Strogoff, p. 223.

1.2 Ils travaillaient à l'assainissement d'un secteur de cinq cents hectares environ dépendant pour la plus grande part d'une grosse ferme sise à quelque distance de Moorhof.
M. TOURNIER, le Roi des Aulnes, p. 176.

♦ **2** Fig. Purification, épuration. *L'assainissement des mœurs, du goût.*

2 Tel étant notre socialisme, il est évident qu'il était, qu'il faisait un assainissement de la nation et du peuple, un renforcement encore inconnu, une prospérité, une floraison, une fructification.
Ch. PÉGUY, Notre jeunesse, p. 142.

♦ **3** Retour à l'équilibre, à la stabilité (finances, économie, politique). *L'assainissement d'une monnaie, d'un marché.*

3 (...) réaliser un assainissement monétaire immédiat.
Ch. DE GAULLE, Mémoires de guerre, t. II, p. 578.

CONTR. **Corruption, empoisonnement, envahissement** (des eaux, etc.), **infection.**

**ASSAINISSEUR** [asenisœʀ] n. m. — 1960; de *assainir.* Techn. Produit ou appareil pour détruire les mauvaises odeurs.

**ASSAISONNEMENT** [asɛzɔnmɑ̃] n. m. — 1538; de *assaisonner.*

♦ **1** Action d'assaisonner; résultat de cette action. → **Apprêt, préparation, ragoût** (vx), **sauce.** *À l'assaisonnement on connaît le cuisinier. L'assaisonnement d'une salade.*

1 Le grand cuisinier se reconnaît mieux à la perfection d'une pièce de bœuf, que dis-je ? à l'assaisonnement d'une salade, qu'à la richesse de ses entremets.
A. MAUROIS, les Discours du Dr O'Grady, VIII.

♦ **2** Ce qui sert à assaisonner; ingrédient utilisé en cuisine pour relever le goût des aliments, stimuler l'appétit ou exciter la sécrétion des sucs digestifs. — REM. La notion d'*assaisonnement* exclut le plus souvent celle de «goût sucré». → Garniture. *Servir d'assaisonnement à un plat. Assaisonnement d'une saveur très marquée.* → **Condiment.** *Assaisonnement aromatique.* → **Aromate, épice, herbe** (fines herbes). *Assaisonnement acide, gras, poivré, salé, sucré. Manger des artichauts sans autre assaisonnement que le sel.* → À la croque-au-sel.

2 Comme le mauvais goût, au physique consiste à n'être flatté que par des assaisonnements trop piquants et trop recherchés (...)
VOLTAIRE, Dict. philosophique, *Goût.*

3 (...) diverses manières de préparer le poisson, dont les assaisonnements sont évidemment irritants, tels que le caviar, les harengs saurs, le thon mariné, la morue, le stockfisch (...)
A. BRILLAT-SAVARIN, Physiologie du goût, VI, 41.

Les anciens considéraient le sel comme l'assaisonnement nécessaire de tous les repas (...) 4
FRANCE, la Rôtisserie de la reine Pédauque, p. 12 (→ Sel, cit. 4).

Syn. : *condiment.*

**Assaisonnement**est plus général. Il se dit de tout ce qui rend les aliments plus agréables (...) **Condiment**ne se dit guère de ce qui a une saveur très marquée. 5
LITTRÉ, Dict., art. *Condiment.*

*Principaux assaisonnements.* → **Ail, anchois, aneth, anis, basilic, beurre, cannelle, câpre, cari, cerfeuil, champignon, chile, ciboule, ciboulette, citron, civette, cochléaria, coriandre, cornichon, cresson, cubèbe, curry, échalote, estragon, fenouil, genièvre, gingembre, girofle** (clous de), **graisse, huile, laurier, macis, marjolaine, moutarde, muscade, nuoc-mâm, oignon, oseille, persil, piment, pimprenelle, poireau, poivre, radis, raifort, rocambole, romarin, safran, sassafras, sauge, sel, serpolet, tanaisie, thym, truffe, vanille, verjus, vinaigre.** → aussi **Cuisine.** — Par anal. *L'appétit* (cit. 13, 16) *est le meilleur assaisonnement.*

Leur appétit continuel *(des enfants),* qu'excite le besoin de croître, est un assaisonnement sûr qui leur tient lieu de beaucoup d'autres. ROUSSEAU, Émile, II. 6

♦ **3** Fig., vieilli. Ce qui ajoute de l'agrément, du piquant (à une chose, une action, une attitude, des paroles, etc.). → **Piment, piquant, sel.** *Trouver un assaisonnement à la vengeance, l'assaisonnement d'une vengeance.*

C'est un merveilleux assaisonnement aux plaisirs qu'on goûte que la présence des gens qu'on aime. 7
MOLIÈRE, le Misanthrope, V, 4, Billet de Célimène.

Absolt, vx. Piquant, sel.

Je suis ravie que Pauline lui plaise (...) il y a de l'assaisonnement dans son visage et dans ses jolis yeux. 8
Mme DE SÉVIGNÉ, 1196, 17 juil. 1689.

CONTR. **Fadeur.**

**ASSAISONNER** [asɛzɔne] v. tr. — 1209 «disposer, préparer, régler», c.-à-d. «approprier à la saison» (sens concret, agricole, 1371); de 1. *a-, saison,* et suff. verbal *-er.*

♦ **1** (1539; *asaisnie* «préparé», en parlant d'un plat, XIIIe). Accommoder (un mets) avec des produits qui en relèvent le goût. → **Accommoder, apprêter, épicer, relever; ailler, pimenter, poivrer, safraner, saler, vinaigrer; assaisonnement** (2.). *Assaisonner un plat avec des épices, des ingrédients divers. Assaisonner un poisson au fenouil.* — Sans compl. second. *Assaisonner une salade.*

On s'accoutume tellement aux choses de haut goût, que les viandes simplement assaisonnées deviennent fades. 1
FÉNELON, De l'éducation des filles, 5.

Les Grecs et les Romains, qui étaient moins avancés que nous dans l'art d'assaisonner les poissons, n'en faisaient pas moins très grand cas. 2
A. BRILLAT-SAVARIN, Physiologie du goût, VI, 40.

Par anal. *L'appétit* (cit. 16) *assaisonne tout.*

C'est ainsi que les aliments les plus simples soutiennent et renouvellent la vie du corps quand l'appétit les assaisonne et que les organes sont neufs et sains (...) 3
LAMARTINE, Graziella, I, 23.

♦ **2** (1572). Vieilli ou littér. Ajouter de l'agrément, du piquant à (un discours, des écrits, des actes). → **Accommoder, agrémenter; pimenter, rehausser, relever.** *Assaisonner un discours de, par des figures de rhétorique.* — Vx. *Assaisonner qqch. en louange* (→ ci-dessous, cit. 6). — Passif et p. p. (→ ci-dessous cit. 9 et 10).

C'est merveilleusement assaisonner la bonne chère, que d'y mêler la musique. 4
MOLIÈRE, le Bourgeois gentilhomme, IV, 1.

5 Ces flatteurs insipides, qui n'assaisonnent d'aucun sel les louanges qu'ils donnent.
MOLIÈRE, l'Impromptu de Versailles, 4.

6 Il n'y a rien de si impertinent et de si ridicule qu'on ne fasse avaler lorsqu'on l'assaisonne en louange.
MOLIÈRE, l'Avare, I, 1.

7 Assaisonné du sel de nos grâces antiques,
Et non du fade goût des ornements gothiques.
MOLIÈRE, la Gloire du Val-de-Grâce, 83.

8 Mais quoi? Si l'amour n'assaisonne
Les plaisirs que l'hymen nous donne,
Je ne vois pas qu'on en soit mieux.
LA FONTAINE, Fables, IX, 15.

9 (...) la vertu la plus nécessaire à une femme (...) c'est un peu d'inconstance, assaisonnée quelquefois de perfidie.
J. F. REGNARD, les Filles errantes, II, 3.

10 (...) nous fîmes tous trois un petit repas qui fut assaisonné de mille agréables discours.
A. R. LESAGE, Gil Blas, VII, 8.

11 Une caresse préalable assaisonne les trahisons.
HUGO, les Travailleurs de la mer, II, 1.

.1 Princesse, dit-il le gobelet à la main, il s'en faut beaucoup que nos Africains soient aussi raffinés dans l'art d'assaisonner l'amour de tous ses agréments que les Chinois (...)
A. GALLAND, les Mille et une Nuits, t. III, p. 174.

REM. Ce sens est archaïque, littéraire ou ironique, sauf lorsqu'il s'agit d'une métaphore explicite du sens 1.

12 À l'idée qu'elle était israélite, le peu qui subsistait chez Antoine de son éducation s'émut; juste assez pour assaisonner l'aventure d'un piment d'indépendance et d'exotisme. MARTIN DU GARD, les Thibault, III, 4.

♦ **3** Fam. Traiter mal (une personne). → **Arranger.** *Il s'est fait assaisonner par la critique.* → **Invectiver, rudoyer.**

.1 Des fois, quand je suis sur les nerfs, je lui en veux, je l'assaisonne à grands coups de bottine, mais après, j'ai le regret, je me dis, c'est la nature chétive, qu'est-ce qu'il en peut, pauvre conard.
M. AYMÉ, le Passe-muraille, p. 262.

.2 Et on vous a vu à l'auberge des *Trois-Rois* faire une partie de trictrac avec un compagnon. — Ha, pensai-je, assez dépité de me voir ainsi assaisonné, le trictrac! Comme à Clément Marot à Genève, on me fait grief de ce divertissement innocent!
Robert MERLE, En nos vertes années, p. 392-393.

◆ **ASSAISONNÉ, ÉE** p. p. adj.

♦ **1** *Salade assaisonnée, mal assaisonnée* (→ ci-dessus, cit. 1).

♦ **2** (XVII^e). Fig. et vx. Agréable, piquant, spirituel.

13 Ah! Que toute sa personne est assaisonnée, que sa physionomie est spirituelle.
M^me DE SÉVIGNÉ, 1244, 18 déc. 1689.

CONTR. Fade. ◇ DÉR. **Assaisonnement, assaisonneur.**

**ASSAISONNEUR, EUSE** [asɛzɔnœʀ, øz] n. m. et f. — 1606; de *assaisonner.*

Rare. Personne qui assaisonne (qqch.).

**ASSAKI** [asaki] n. f. — 1704; arabe *khasséki.*

Hist. Sultane favorite du Grand Turc (Gautier, *in* P. Larousse).

**ASSALIER** [asalje] n. m. — Attesté XX^e; mot provençal francisé, var. *assalé,* de *assalejar* (1554), *assalear* «donner du sel au bétail» (cf. anc. franç. *assaler* (1255) «fournir en sel»), du rad. du lat. *sal, salis.*

Régional. *Pierre d'assalier :* pierre sur laquelle on dépose du sel pour le bétail.

*Pierre d'assalier :* Dans les hautes pâtures, les bergers vont chercher des pierres plates et ils les alignent dans l'herbe. Ce sont les pierres à sel. Tous les soirs, les bergers versent sur le plat de ces pierres quatre ou cinq poignées de gros sel gris. C'est pour la brebis allaiteuse; c'est pour le jeune agneau tremblant; c'est pour le bon mouton froissé de froid ou celui qui s'est mis l'épine au pied; c'est une consolation et un remède (...)
J. GIONO, le Serpent d'étoiles, p. 169, note.

**ASSARMENTER** [asaʀmɑ̃te] v. tr. — Fin XV^e; de 2. *a-,* et *sarment.*

Techn. (vitic.). Débarrasser une vigne de ses sarments inutiles.

**ASSASSIN, INE** [asasɛ̃, in] n. m. et adj. — 1560 (aussi «assassinat» au XVI^e); cf. *hassissis* (fin XI^e), *asisims, asasi,* etc., au sens I., 1.; ital. *assassino, assessino* (début XIV^e) «tueur à gages», empr. à l'arabe *'assassin',* plur. de *'assas* «gardien», plutôt qu'à un dér. de *ḥašiš* «haschisch» (hypothèse de A. I. Silvestre de Sacy, 1809).

**I** N. m. ♦ **1** Hist. Vx (surtout *assacis, assassis*). Membre de la secte appelée au XIX^e haschischins*.

*Ismaéliens,* que l'on nomme aussi (...) *Assassins,* secte des Mahométans (...) 1
Dict. de MORÉRI, 1759, art. *Ismaéliens.*

Les Croisés nommèrent le vieux *(le cheikh)* des montagnards arabes, le vieil de la montagne, et s'imaginèrent que c'était un très grand prince, parce qu'il avait fait tuer et voler sur le grand chemin un comte de Montferrat, et quelques autres seigneurs croisés. On nomma ces peuples les assassins (...) 2
On a pendant six cents ans rebattu le conte du vieux de la montagne, qui enivrait de voluptés ses jeunes élus dans ses jardins délicieux (...) et les envoyait ensuite assassiner des rois au bout du monde pour mériter un paradis éternel.
VOLTAIRE, Dict. philosophique, art. *Assassin.*
(V. le conte de La Fontaine, «Féronde»).

♦ **2** **a** Vx. Tueur à gages.

**b** (1606). Mod. Personne qui a commis un meurtre avec préméditation ou guet-apens (cf. *Code pénal,* art. 296). → **Assassinat.** *L'assassin est recherché par la police.* → **Assassineur** (vx), **criminel, meurtrier;** suff. **-cide** (fratricide, etc.). *Assassin par le poison.* → **Empoisonneur.** *Assassin de profession, assassin professionnel.* → **Bravo** (vx), **sbire** (vx), **spadassin** (vx), **tueur.** *Des hommes de main, des nervis et des assassins. L'assassin de qqn.* → **Meurtrier.** *L'assassin était une femme. C'est elle, c'est lui l'assassin.*

Oui, c'est mon ennemi, l'objet de ma colère, 3
L'auteur de mes malheurs, l'assassin de mon père.
CORNEILLE, le Cid, IV, 5.

Punissons l'assassin, proscrivons les complices. 4
CORNEILLE, Cinna, IV, 2.

Le seul nom d'assassin l'épouvante et l'arrête. 5
RACINE, Andromaque, V, 2.

Soyons ses ennemis et non ses assassins. 6
RACINE, Andromaque, IV, 3.

Pourquoi me tuez-vous? — Eh quoi? ne demeurez-vous pas de l'autre côté de l'eau? Mon ami, si vous demeuriez de ce côté, je serais un assassin, et cela serait injuste de vous tuer de la sorte; mais puisque vous demeurez de l'autre côté, je suis un brave, et cela est juste. 7
PASCAL, Pensées (éd. Brunschvicg), V, 293.

Si l'on veut abolir la peine de mort, en ce cas, que messieurs les assassins commencent. 8
A. KARR, les Guêpes.

En face de la fureur de l'assassin qui s'épuise, celle de l'acteur tragique demeure dans un cercle pur et fermé. La fureur de l'assassin a accompli un acte, elle se décharge et perd le contact d'avec la force qui l'inspire, mais ne l'alimentera plus désormais. Elle a pris une forme, celle de l'acteur, qui se nie à mesure qu'elle se dégage, se fond dans l'universalité. 8.1
A. ARTAUD, le Théâtre et son double, Le théâtre et la peste, Œ. compl., t. IV, p. 31.

Loc. plais. *Les assassins du dimanche :* les automobilistes inexpérimentés qui causent des accidents, lors des jours de congé.

Spécialt. Personne qui est capable d'assassiner. *Il a tué dans un mouvement de fureur, mais ce n'est pas un assassin.*

Allus. littér. *«Voici le temps des assassins»* (Rimbaud, *les Illuminations,* «Matinée d'ivresse»).

8.2 (...) depuis les jours sinistres de mai *(1958)*, nous n'en pouvons plus douter, la prophétie de Rimbaud est accomplie : voici venu le temps des assassins.
F. MAURIAC, le Nouveau Bloc-notes : 1958-1960, p. 84.

*À l'assassin !*, cri de détresse pour appeler au secours, quand on se voit menacé d'être assassiné. *Crier à l'assassin.*

REM. La forme féminine *assassine* est littéraire et rare (Corneille, 1651, *Nicomède*, III, 8 : *«Et vous en avez moins à me croire assassine»*).

8.3 Le jeune Anglais ajoutait placidement et posément : «Moi j'ai les goûts cruels, mais je m'arrête aux hommes et aux animaux... Dans le temps, j'ai loué, avec un ami, une fenêtre, pour une grosse somme, afin de voir une assassine qui devait être pendue (...)»
Ed. et J. DE GONCOURT, Journal, t. II, p. 24.

Fig. (en parlant d'une chose).

8.4 (...) oui ! ta peinture, c'est elle, l'assassine, qui a empoisonné ma vie. ZOLA, l'Œuvre, p. 464.

♦ **3** Par ext. Celui qui est l'artisan de la mort (de qqn). *On accuse Talleyrand d'être le véritable assassin du duc d'Enghien. — Ce médecin est un assassin,* son ignorance ou sa négligence causent la mort de malades.

9 Dans Florence jadis vivait un médecin,
Savant hâbleur, dit-on, et célèbre assassin.
BOILEAU, l'Art poétique, IV.

10 Ton oncle, dis-tu, l'assassin,
M'a guéri d'une maladie.
La preuve qu'il ne fut jamais mon médecin,
C'est que je suis encore en vie.
BOILEAU, Épigramme à Perrault.

11 Vous êtes dans votre art *(la cuisine)* tous de francs assassins
Produits par les enfers, payés des médecins.
J.-F. REGNARD, Démocrite, III, 7.

11.1 En vérité notre société a la justice qu'elle mérite. Celle qui correspond au culte des assassins qui fleurit à la lettre à chaque coin de rue, sur les plaques bleues où sont proposés à l'admiration publique les noms des hommes de guerre les plus illustres, c'est-à-dire des tueurs professionnels les plus sanguinaires de notre histoire.
M. TOURNIER, le Roi des Aulnes, p. 57.

♦ **4** Vx. Petite mouche noire que les dames se mettaient au-dessous de l'œil pour «rehausser d'un teint la blancheur naturelle» (La Fontaine, IV, 3). → **Mouche.**

12 Encore un assassin, vous lui perciez le cœur.
CORNEILLE, la Comédie des Tuileries, 239.

13 Vous auriez beau être frisée,
Par anneaux tombant sur le sein,
Sans un amoureux assassin
Vous ne seriez guère prisée.
TALLEMANT DES RÉAUX, Historiettes, t. IV, p. 334.

N. f. *Assassine.* → **Mouche.**

14 La troisième mouche pouvait se comparer à *l'ex-assassine* de nos grand'mères.
BALZAC, la Cousine Bette, Pl., t. VI, p. 328.

14.1 Et quelle attention à jeter joliment ces amorces d'amour (...) à poser selon les règles, l'assassine au coin de l'œil, la majestueuse sur le front, l'enjouée dans le pli que fait le rire (...)
Ed. et J. DE GONCOURT, la Femme au XVIIIe siècle, II, p. 47.

**II** Adj. **ASSASSIN, ASSASSINE.** ♦ **1** Vx. Qui commet ou a commis un assassinat. — Fig. et par plais. *La gent assassine :* les médecins. — Par ext., vx. Se dit de l'arme, de la main qui a commis un meurtre. *Fer, poignard assassin. Main assassine.*

Moderne (littéraire) :

14.2 ... On le voit plus... il nous enchante !... un signe de croix !... et trois... quatre... cinq !... Ça n'empêche pas les horreurs !... les atrocités assassines !... Rien n'est conjuré !...
CÉLINE, Guignol's band, p. 14.

Fig. Qui cause de la souffrance.

♦ **2** Littér. ou plaisant. Qui trouble, blesse (une personne, spécialt, un homme amoureux). *Des yeux assassins, des regards assassins :* des regards si beaux, qu'ils font languir, soupirer et mourir amoureusement (Littré). *Œillade* assassine. Mouche* assassine* (→ ci-dessus *une assassine*, cit. 14.1, Goncourt).

Beaux yeux assassins, soyez plus doux, ou bien nargue de vous. SCARRON, *in* RICHELET. 15

Pendant ce temps, Porthos jouait serré : c'étaient des clignements d'yeux, des doigts posés sur les lèvres, de petits sourires assassins qui réellement assassinaient la belle dédaignée. 16
DUMAS, les Trois Mousquetaires, t. I, p. 367.

♦ **3** Littér. Qui manifeste des intentions de profonde malveillance. *Des sous-entendus assassins.*

(...) quelle colère désolée d'avoir à attendre de la sorte, pour sauver une existence, qu'elle eût fini cette affaire, dont sa fille parlait avec des regards assassins ! 17
ZOLA, Paris, t. I, p. 100.

À vingt ans j'écoutais en réfrénant une passion que l'on me disait trop exclusive Garine m'expliquer avec une douceur assassine que la disponibilité était le premier des devoirs envers soi-même et le plus bel hommage à déposer aux pieds de l'être aimé. 18
Benoîte et Flora GROULT, Il était deux fois, p. 124-125.

**ASSASSINANT, ANTE** [asasinɑ̃, ɑ̃t] adj. — XVIIe; de *assassiner.*

Rare, vieilli. Fig. Qui «assassine» (→ **Assassiner,** 4.), ennuie, fatigue. *Il est assassinant avec ses calembours !* → **Assommant.**

**ASSASSINAT** [asasina] n. m. — 1547; de *assassiner.*

♦ **1** Meurtre commis avec préméditation ou guet-apens. → **Assassinement** (vx), **attentat, crime, meurtre; fratricide, homicide, infanticide, parricide, régicide, tyrannicide** (→ suff. **-cide**). *L'assassinat du duc de Guise, de Jean Jaurès, du président Kennedy. Tentative d'assassinat.*

De nos crimes communs je veux qu'on soit instruit (...) 1
Je confesserai tout, exil, assassinats,
Poisons même (...) RACINE, Britannicus, III, 3.

Tout meurtre commis avec préméditation ou guet-apens, est qualifié assassinat. Code pénal, art. 296. 2

Tout coupable d'assassinat, de parricide et d'empoisonnement, sera puni de mort (...) 3
Code pénal, anc. art. 302 (abrogé).

REM. Depuis la loi du 9 oct. 1981, la peine de mort est abolie et remplacée par la réclusion criminelle à perpétuité.

Seront punis comme coupables d'assassinat, tous malfaiteurs, quelle que soit leur dénomination, qui pour l'exécution de leurs crimes, emploient des tortures ou commettent des actes de barbarie. Code pénal, art. 303. 4

♦ **2** Action de tuer injustement; exécution (d'un innocent). *L'assassinat du duc d'Enghien. Cette condamnation est un véritable assassinat.*

Il *(Talleyrand)* a été l'artisan le plus tenace de ce qu'il aura l'audace d'appeler — en s'en lavant les mains —, «un assassinat». Louis MADELIN, Talleyrand, 14, p. 147. 5

Acte qui risque de tuer, qui met la vie en danger. *Lui demander de sortir dans son état serait un véritable assassinat.* — Par ext., vx. Acte de violence injuste, odieuse (→ **Crime, iniquité**); acte qui détruit, tue (qqch.).

Quelque vol de mon cœur, quelque assassinat de ma franchise. MOLIÈRE, les Précieuses ridicules, 9. 6

♦ **3** Fig. Acte qui porte préjudice à (un groupe, un pays). → **Attentat.** *L'assassinat de la Pologne au XVIIIe siècle.*

♦ **4** Destruction morale. *L'assassinat de nos libertés* (→ **Liberticide**). «*L'assassinat de l'instinct et de la volonté*» (Flaubert).

**ASSASSINEMENT** [asasinmɑ̃] n. m. — 1544, inus. depuis le XIXᵉ; ital. *assassinamento,* de *assassinare.* → Assassiner.

Rare. Action d'assassiner. → **Assassinat.**

**ASSASSINER** [asasine] v. tr. — 1556; ital. *assassinare.*

♦ **1** Tuer (qqn) avec préméditation ou guet-apens (→ **Assassinat,** cit. 2). → **Tuer, abattre.** *Ravaillac assassina Henri IV d'un coup de poignard.* → **Poignarder.** *Le duc de Guise fut assassiné en 1563. Un tueur à gages a tenté d'assassiner le président.*

1 Cinna, tu t'en souviens, et veux m'assassiner.
CORNEILLE, Cinna, V, 1.

2 Pourquoi l'assassiner? Qu'a-t-il fait? À quel titre? Qui te l'a dit? RACINE, Andromaque, V, 3.

3 (...) je dois me battre avec mon homme, ou bien le faire assassiner. Assassiner, c'est le plus sûr et le plus court chemin. MOLIÈRE, le Sicilien, 13.

4 J'entends crier partout : Au meurtre! on m'assassine!
BOILEAU, Satires, VI, v. 103.

4.1 Elle me résistait, je l'ai assassinée!
DUMAS père, Anthony (dernière réplique).

Absolument (→ Allemand, cit. 2) :

5 Serait-on reçu à dire qu'on ne peut se passer de voler, d'assassiner? LA BRUYÈRE, les Caractères, VI, 75.

♦ **2** Causer la mort de (qqn), tuer injustement. *Condamner un innocent, c'est l'assassiner juridiquement. On a envoyé ces soldats sans armes au massacre, on les a assassinés!* → **Massacrer.**

6 Mes ordres n'ont encore assassiné personne.
Je n'ai pour ennemis que ceux du bien commun (...)
CORNEILLE, Sertorius, III, 2.

♦ **3** Par ext. Rendre malade ou mal en point. → (par ext.) **Tuer.**

7 Est-ce que vous avez envie de faire crever tout le monde? et Monsieur a-t-il invité des gens pour les assassiner à force de mangeaille? MOLIÈRE, l'Avare, III, 1.

Par ext., vx. Meurtrir, excéder de coups. → **Frapper.** *Assassiner qqn à coups de langue.* → **Calomnier.**

8 Les absents sont assassinés à coups de langue.
SCARRON, le Roman comique, 3.

9 Ah! infâme! ah! traître! ah! scélérat! c'est ainsi que tu m'assassines!
MOLIÈRE, les Fourberies de Scapin, III, 2.

Abstrait. Causer un grave préjudice, un cruel chagrin à (qqn). *Assassiner qqn par..., de...* (→ ci-dessous, cit. 12).

[a] Vieux, langue classique.

10 Et cet affreux devoir dont l'ordre m'assassine.
CORNEILLE, le Cid, III, 4.

11 Et *(il)* dit qu'il m'aime encore alors qu'il m'assassine.
CORNEILLE, Horace, II, 5.

12 Percé du coup mortel dont vous m'assassinez.
MOLIÈRE, le Misanthrope, IV, 3.

13 (...) Ah! tout est ruiné.
Je suis, je suis trahi, je suis assassiné!
MOLIÈRE, Dom Garcie, IV, 7.

[b] Moderne (par métaphore du sens 1).

14 Vous m'avez assassiné longuement, en détail, avec préméditation, et l'infâme Hudson a été l'exécuteur des hautes œuvres de vos ministres.
NAPOLÉON Iᵉʳ, Disc. du 19 avr. 1821, À la Maison régnante d'Angleterre.

15 Il est (...) des défaites qui assassinent, d'autres qui réveillent. SAINT-EXUPÉRY, Pilote de guerre, XXIV, p. 204.

♦ **4** (1633, *in* D.D.L.). Mod. Faire mourir d'ennui. → **Assommer, ennuyer, fatiguer, importuner.**

16 Pour être de fâcheux toujours assassiné!
MOLIÈRE, les Fâcheux, I, 1.

Vous deviez bien me nommer les quatre dames qui vous venaient assassiner; pour moi, j'ai le temps de me fortifier contre ma méchante compagnie. 17
Mᵐᵉ DE SÉVIGNÉ, 453, 6 oct. 1675.

Vous me fatiguez, repartit brusquement le jeune seigneur, vous m'assassinez. A. R. LESAGE, Gil Blas, III, 3. 18

Il ne s'agit pas d'assassiner le public avec des préoccupations cosmiques transcendantes. 18.1
A. ARTAUD, le Théâtre et son double, Le théâtre et la cruauté, Idées/Gallimard, p. 141.

*Assassiner qqn de reproches, de plaintes.* → **Accabler, importuner.**

Leur vicieuse coutume *(des auteurs)* d'assassiner les gens de leurs ouvrages. 19
MOLIÈRE, Critique de l'École des femmes, 6.

Je me suis servie de votre nom pour obliger la princesse à ne plus assassiner de reproches sa pauvre fille. 20
Mᵐᵉ DE SÉVIGNÉ, 831, 8 sept. 1680.

(...) une de ces femmes vertueuses qui, faute d'occasions pour faire autrement, assassinent les anges de leurs plaintes (...) 21
BALZAC, Melmoth réconcilié, Pl., t. IX, p. 279.

♦ **5** Fam. Traiter très mal (qqn). *Ce restaurateur nous a assassinés,* nous a fait payer trop cher. → **Assommer.** *Le coiffeur l'a assassiné : il est complètement rasé!* (→ **Massacrer**).

Spécialt. Traiter mal par la calomnie, la médisance, la dérision, etc.

— Non, je n'ai probablement pas assez d'esprit pour me moquer des autres, et ce défaut me fait beaucoup de tort. À Paris, on trouve moyen de vous assassiner un homme en disant : — Il a bon cœur. Cette phrase veut dire : — Le pauvre garçon est bête comme un rhinocéros. 21.1
BALZAC, Eugénie Grandet, éd. 1838, p. 153.

♦ **6** Compromettre gravement, détruire (qqch.). → **Abattre, supprimer.** *Assassiner un pays, la liberté.*

Notre conscience est un juge infaillible, quand nous ne l'avons pas encore assassinée. 22
BALZAC, la Peau de chagrin, Pl., t. IX, p. 129.

Fam. (au sens de *tuer* le temps*).

C'est long une nuit à assassiner. 23
J. VALLÈS, l'Enfant, p. 396.

◆ **S'ASSASSINER** v. pron. Récipr. Se donner la mort l'un à l'autre.

Il commençait à comprendre (...) qu'il ne s'agit pas de se mesurer, mais de s'assassiner. 24
MALRAUX, l'Espoir, p. 47.

Réfl. Se donner la mort à soi-même, se suicider.

◆ **ASSASSINÉ, ÉE** p. p. adj. et n.

♦ **1** Adj. Victime d'un assassinat, tué par un assassinat. *Mourir assassiné.*

Monsieur de Bergerac est mort assassiné. 25
Edmond ROSTAND, Cyrano de Bergerac, V, 6.

Fig. Abattu, détruit. *Un pays assassiné. Les libertés assassinées.*

♦ **2** N. *Un assassiné, une assassinée :* la victime d'un assassinat. → **Victime.** *Les assassinés de la morgue.* → **Cadavre.**

Par ext. Personne abattue, accablée. «*Une pauvre assassinée, n'ayant jamais rien osé (...)*» (L. Frappié, *in* T. L. F.).

DÉR. **Assassinant, assassinat, assassineur.** V. **Assassinement.**

**ASSASSINEUR, EUSE** [asasinœʀ, øz] n. — 1546, Rabelais; de *assassiner.*

Vx. Personne qui assassine. → **Assassin.**

JEAN ROUX.
Oui mon juge... Moi, voleur... moi assassineur... jamais... moi pas riche... moi malheureux... oui... *(Il pleure.)* Moi... pas noble... moi noble... moi riche... moi pas voleur... moi

pas noble... moi pas riche... moi scélérat... qu'on m'guillotine...
Henri MONNIER, Scènes populaires, La cour d'assises, p. 60.

**ASSAUT** [aso] n. m. — V. 1265; *asalt,* 1080; du lat. pop. *assaltus,* du lat. class. *assultus,* de *assilire.* → Assaillir.

♦ **1** Action d'assaillir, d'attaquer de vive force. → **Assaillement** (vx), **attaque, offensive.** *L'assaut d'une forteresse, d'une position ennemie. Assaut à la baïonnette.* → **Charge.** *Troupes, vagues* d'assaut. L'assaut d'un navire.* → **Abordage.** *Assaut des murailles d'une ville.* → **Escalade.** *Se préparer à l'assaut.*

**À L'ASSAUT.** *Aller, partir, passer, monter, bondir à l'assaut. — Donner l'assaut au retranchement. Diriger, livrer de furieux assauts contre une place. Assaut effroyable, rude; assaut général, final, suprême. Tenter l'assaut d'un rempart.* — Interj. *À l'assaut!*

**... D'ASSAUT** (employé avec quelques verbes). *Emporter, enlever, prendre une tranchée d'assaut.* → **Force** (de vive). — *Soutenir, repousser un assaut. Résister aux violents assauts de l'ennemi.*

1 *(Les)* glorieux assauts de plus de cent murailles.
CORNEILLE, Nicomède, III, 6.

2 Qu'une des plus fortes villes des Flandres ait ainsi été emportée d'assaut.
RACINE, Campagnes de Louis XIV.

3 Ils *(les Normands)* firent brèche, et donnèrent trois assauts. Les Parisiens les soutinrent avec un courage inébranlable.
VOLTAIRE, Essai sur les mœurs, 25.

4 Trois cents soldats, formés en trois troupes, furent les seuls qu'on put décider à monter à cet assaut; on vit ces hommes dévoués s'avancer résolument contre des milliers d'ennemis, sur une position formidable.
Ph.-P. SÉGUR, Hist. de Napoléon, X, 4, *in* LITTRÉ.

*Char d'assaut.* → **Char.** *Aviation d'assaut* : formation aérienne qui appuie les forces terrestres.

Spécialt (sports). → ci-dessous 3.

♦ **2** Fig. et littér. (correspond aux sens 2 et 5 de *assaillir*). Attaque violente, brutale, impérieuse. → **Choc, épreuve.** *Combattre les assauts de la tentation.*

5 Une femme d'honneur peut avouer sans honte
Ces surprises des sens que la raison surmonte;
Ce n'est qu'en ces assauts qu'éclate la vertu,
Et l'on doute d'un cœur qui n'a point combattu.
CORNEILLE, Polyeucte, I, 2.

6 Quels assauts, quels combats j'ai tantôt soutenus!
RACINE, Mithridate, II, 1.

7 Du Destin ennemi les assauts rigoureux (...)
MOLIÈRE, Psyché, I, 3.

8 Mille assauts qu'on livre à son innocence.
MASSILLON, Thom., *in* LITTRÉ.

9 (...) avec tous ses charmes, *(elle)* lui apparaît pour le tourmenter. Il soutient des assauts terribles, il combat corps à corps avec ses passions.
CHATEAUBRIAND, le Génie du christianisme, II, III, 8.

10 *(Gringoire)* n'était pas de cette espèce chevalière et mousquetaire qui prend les jeunes filles d'assaut.
HUGO, Notre-Dame de Paris, II, 7.

REM. Cet emploi est archaïque, sauf quand la valeur métaphorique du sens 1 reste entière.

Par métaphore (en parlant des éléments naturels). *Les assauts des éléments, de l'océan, du vent, de l'hiver.*

11 La montagne qui dans le Stromfiord reçoit à ses pieds les assauts de la mer et à sa cime des vents du nord.
BALZAC, Séraphîta, Pl., t. X, p. 459.

En parlant de microbes, de maladies.

12 (...) en certains moments de faiblesse et de fatigue, nous sommes à la merci du premier microbe qui donnera l'assaut à notre organisme.
A. MAUROIS, Études littéraires, t. I, p. 132.

(Personnes). *L'assaut des créanciers. Subir l'assaut des solliciteurs.* → **Sollicitation.** *L'assaut des clients.*

(...) les guichets des banques avaient, paraît-il, essuyé l'assaut des rentiers pris de panique. 1
MARTIN DU GARD, les Thibault, VII, 45.

Loc. *Prendre d'assaut* (un lieu), s'y précipiter nombreux.

Les pâtisseries étaient prises d'assaut. 1
MARTIN DU GARD, les Thibault, II, 3.

Spécialt (choses).

Le lierre, le chiendent, l'églantier sauvageon 1
Font, depuis trois cents ans, l'assaut de ce donjon.
HUGO, la Légende des siècles, XV, «Éviradnus», III.

(...) des très longs bas noirs, qui grimpent à l'assaut des jambes fines, escaladent les genoux (...) 1
COURTELINE, Messieurs les ronds-de-cuir, II, 1.

(...) ces ruelles familières, sombres et fraîches, coupées de paliers et de perrons, qui montaient à l'assaut de la cité (...)
MARTIN DU GARD, les Thibault, VII, 3.

♦ **3** Escr. Combat, rencontre courtoise au fleuret, à l'épée. *Faire un assaut d'armes. Un assaut à trois reprises.* — (1891, *in* Petiot). Par ext. *Assaut de boxe, de lutte.* → **Combat.** — Loc. *Faire assaut contre quelqu'un.*

Après trois mois de leçons, je tirais encore à la muraille, hors d'état de faire assaut. 1
ROUSSEAU, les Confessions, I, 5.

Depuis longtemps, il ne s'était senti aussi agile et vigoureux, et, devinant qu'il allait faire un excellent assaut, il se hâtait avec une impatience d'écolier qui va jouer. Dès qu'il eut devant lui son adversaire, il l'attaqua avec une ardeur extrême, et, en dix minutes, l'ayant touché onze fois, le fatigua si bien, que le baron demanda grâce. 1
MAUPASSANT, Fort comme la mort, éd. 1889, p. 101.

Alpin. Dernière partie d'une ascension, du camp le plus élevé en direction du sommet.

♦ **4** Rare. Lutte d'émulation. → **Compétition, concours, lutte, tournoi.** Cour. (loc.). **FAIRE ASSAUT** (d'élégance, d'esprit, de zèle) : lutter à qui l'emportera. → **Rivaliser.**

L'on fait assaut d'éloquence jusqu'au pied de l'autel. 1
LA BRUYÈRE, les Caractères, XV, 2.

Les beautés faisaient assaut de grâces et d'attraits. 2
Antoine HAMILTON, Mémoires du Comte de Gramont, 7.

Sur quelque sujet que se portât la conversation, l'esprit de Valéry et de Cocteau ne s'efforçait que de dénigrer; ils faisaient assaut d'incompréhension, de déni. 2
GIDE, Journal, 1889-1939, 3 nov. 1920, Pl., p. 685.

**HOM. Asseau.**

**ASSAUVAGIR** [asovaʒiʀ] v. intr. — XIIIe; de 1. *a-,* et *sauvage.*

Vx. Devenir sauvage. *Des porcs échappés dans la forêt assauvagissent.*

(1907). Rare. Retourner à l'état inculte, tomber en friche, en parlant des terres.

**CONTR. Apprivoiser.**

**ASSAVOIR** [asavwaʀ] v. tr. et conj. — 1174, v. tr.; conj., 1403; de 1. *a-,* et *savoir.*

**I** V. tr. Vx. *Faire assavoir qqch.* → **Connaître; savoir.**

**II** Conj. C'est-à-dire. — REM. On emploie plus couramment *à savoir.* → **Savoir** (I., B., 2.).

**ASSE** [as] n. f. — 1870; mot dial., var. de l'anc. franç. *aisse,* du lat. *ascia.* → Ascia; aissette.

Régional. Aissette (marteau de couvreur; outil de tonnelier).

**DÉR. Asseau.** ◊ **HOM. As.**

**-ASSE** Élément servant à former des noms et des adjectifs à valeur péjorative. — Ex. : *caillasse, filasse, godasse, paperasse, vinasse* (n. f.); *blondasse, fadasse, hommasse, molasse* (adj.).

**ASSEAU** [aso] n. m. — 1870; de *asse.*
Techn. Aissette (marteau de couvreur).

**HOM. Assaut.**

**ASSÉCHANT, ANTE** [aseʃɑ̃, ɑ̃t] adj. — D. i.; du p. prés. de *assécher.*

Adj. Qui assèche. *Une poussière asséchante; climat, air asséchant.* — Fig. *«Angoisse asséchante»* (Daudet, *in* T. L. F.).

**ASSÈCHEMENT** [asɛʃmɑ̃] n. m. — 1549; de *assécher.*
REM. La graphie *asséchement* est ancienne.

♦ **1** Action d'assécher; résultat de cette action. *Assèchement des marais, des sols marécageux.* → **Assainissement, dessèchement, drainage.** *Assèchement naturel d'un cours d'eau.*

En principe, prétendaient-ils, l'assèchement de la plaine ne pouvait faire l'objet que d'un plan gouvernemental, mais aucun règlement, à leur connaissance, n'interdisait à un concessionnaire de faire des barrages sur sa propre concession.
M. DURAS, Un barrage contre le Pacifique, p. 29.

Techn. Action de sécher; résultat de cette action. *L'assèchement du beurre.*

♦ **2** Fig. *Assèchement moral, intellectuel.*

**CONTR. Irrigation.**

**ASSÉCHER** [aseʃe] v. tr. et intr. [CONJUG. : *céder.*] — Début XIIe; lat. *adsiccare* «sécher», de *siccare,* même sens. → Sécher.

**I** V. tr. ♦ **1** Rendre sec (un sol, un terrain) en faisant s'écouler ou en éliminant l'eau, l'humidité. *Assécher un terrain marécageux.* → **Assainir, drainer.**

1 (...) détourner l'eau qui cause les marais (...) pour y assécher la terre et la rendre labourable.
J. AMYOT, César, 58.

♦ **2** Mettre à sec (un réservoir). *Assécher une citerne.* → **Tarir, vider.** *Assécher au moyen d'une pompe.* → **Pomper.** — Sujet n. de chose. *Le long été a asséché la citerne.* — Rare. Rendre sec (qqch.). → **Sécher.**

Fam. et vx. Boire jusqu'à la dernière goutte. *Assécher son verre.* — Par métaphore. Vider d'argent. *Ces sorties continuelles ont asséché mon portefeuille.*

**II** V. intr. Mar. Devenir sec. *Assécher à marée basse. Port qui assèche,* dont les fonds sont découverts à marée basse. *Cette roche assèche à marée basse* (Académie).

.1 — Ou cette caverne assèche complètement, répondit Cyrus Smith, et dans ce cas nous la parcourrons à pied, ou elle n'assèche pas, et un moyen quelconque de transport sera mis à votre disposition.
J. VERNE, l'Île mystérieuse, t. II, p. 793.

.2 Sa superficie *(du bassin d'Arcachon)* est évaluée à 15 000 ha dont les deux tiers assèchent chaque jour.
Louis LAMBERT, les Coquillages comestibles, p. 42.

◆ **S'ASSÉCHER** v. pron.

♦ **1** Devenir sec. *Dans ce pays, les rivières s'assèchent peu à peu jusqu'à tarir à la fin de l'été.* → **Tarir.**

♦ **2** Fig., rare. Devenir sec. *Sa voix s'assèche.*

◆ **ASSÉCHÉ, ÉE** p. p. adj. (De *assécher*). Devenu, rendu sec.

2 (...) le riot *(sic)* qui sort du bois au temps des pluies, et qui était maintenant quasiment tout asséché (...)
G. SAND, la Petite Fadette, VI.

Sa large face dûment asséchée, détergée, frictionnée (...) 3
G. DUHAMEL, Voyage de P. Périot, VII.

CONTR. **Arroser, déborder, inonder, irriguer, remplir.**
◊ DÉR. **Asséchant, assèchement.**

**ASSÉCUROSE** [asekyʀoz] n. f. — 1970, Manuila; du rad. du lat. *assecurare* (→ Assurer), et 2. *-ose.*
Méd. Comportement plus ou moins conscient d'un malade qui a tendance à exagérer les troubles dont il souffre, afin de tirer profit des prestations d'assurances sociales ou privées.

**ASSEDIC** [asedik] n. f. pl. — 1958; sigle.
Association pour l'emploi dans l'industrie et le commerce. *Les salariés versent une partie de leur salaire aux Assedic pour participer aux indemnités de chômage.*
Prestations versées par les Assedic. *Toucher les Assedic.*

**ASSEMBLABLE** [asɑ̃blabl] adj. — 1539; de *assembler,* et *-able.*
Qui peut être assemblé. *Des éléments facilement assemblables. Pièces assemblables instantanément.*

**ASSEMBLAGE** [asɑ̃blaʒ] n. m. — 1585; *assemblaige,* 1493; de *assembler,* et suff. *-age.*

♦ **1** Action de mettre ensemble, de réunir (des personnes ou des choses, des éléments) pour former un tout; ensemble d'éléments assemblés.

**a** Action, fait d'assembler. → **Réunion; accolement, agglomération, agrégat, amalgame, amas, arrangement, assortiment, collection, combinaison, composé, conjonction, construction, disposition, groupement, jonction, juxtaposition, liaison, rapprochement, recueil, union.** *Procéder à l'assemblage d'éléments, de parties, de matériaux. Faire un assemblage par couples.* → **Accouplement, couplage.** *L'assemblage d'appareils, d'accessoires.* → **Appareillage.** *L'assemblage de choses superposées* (→ **Échafaudage, superposition**). *Assemblage des pièces d'une machine. Assemblage des éléments d'une automobile.* → **Montage.** *Atelier d'assemblage.*

Ces ateliers étaient partagés en trois séries : la première dans laquelle on fabriquait les pièces les plus lourdes (...) la seconde où se faisaient les pièces les plus délicates (...) la troisième où se pratiquait l'assemblage et s'achevait la machine. 0.1
G. LEROUX, Rouletabille chez Krupp, p. 117.

Vx, littér. *Assemblage de personnes.* → **Réunion, union; association.** *Faire l'assemblage d'une personne avec une autre, de deux personnes, d'une personne et d'une autre* (→ ci-dessous cit. 5 et 9). *Peuple formé d'un assemblage de groupes, d'ethnies, de familles* (cit. 1).

*Assemblage en aveugle,* dans lequel l'opérateur ne voit pas les pièces qu'il assemble, ou ne peut pas y avoir facilement accès avec les mains.

Artill., chasse. *Assemblage des canons :* dans les armes bicanons, Réglage des canons qui doivent être solidement fixés l'un à l'autre, mais dans une position légèrement convergente.

Techn. (en parlant de liquides). *Assemblage de vins* (de Champagne) : mélange permettant d'obtenir une cuvée homogène.

Techn. et cour. Moyen par lequel on assemble (des éléments concrets). *Assemblage par application et collage; par soudure; par emboîtement.* — *Assemblage à onglet, à oreilles; à clous, à chevilles, à vis. Dispositif, modes, organes d'assemblage. Assemblages en bois; assemblages métalliques.*

→ **Abouchement, about, accouplement, adaptation, ajustage, application, aronde** *(assemblage à queue d'),* **articulation, attache, boucle, boulon, bride, charnière, chevauchement, chevillage, cheville, chouque, clavette, clef, clou, collier, contreventement, cornière, coupe** (coupe plate), **couplage, couture, couvre-joint, crampon, crénelure, crochet, écrou, emboîtement, emboîture, embrasse, embrèvement, empatture, encastrement, enchevêtrure, enfourchement, engraissage** (ou engraissement), **entaille, enture, ferrure, fourrure, goujon, goupille, gousset, grain** *(assemblage à grain d'orge),* **joint, jointure, languette, lien, ligature, longeron, manchon, moise, montage, monture, mordâne, mortaise, moufle, nœud, noulet, onglet** *(assemblage à onglet),* **oreille** *(assemblage à oreilles),* **patte, paume, raccord, raccordement, rainure,** 2. **recouvrement, renfort, rivet, rivetage, rivure, scellement, serrage, soudure, soupente, tenon** *(assemblage à tenon et mortaise),* **tire-fond, trait** *(assemblage à trait de Jupiter),* **trave, traverse, vis.**

Techn. Réunion de différentes pièces destinées à ne former qu'un seul corps. → **Charpente, chaudronnerie, construction, menuiserie, serrurerie.**

Couture. *Assemblage au point de chausson.*

... D'ASSEMBLAGE. *Bois d'assemblage,* servant à faire des assemblages. — *Porte, table d'assemblage,* faite d'éléments assemblés.

Psychol. *Test d'assemblage,* où le sujet doit reconstituer une image, un objet, avec ses éléments.

**b** Réunion de choses, de personnes assemblées. *Assemblage de pièces servant à maintenir, soutenir un ensemble.* → **Armature, bâti, carcasse, échafaudage.** *Assemblage de choses superposées.* → **Édifice.** *Assemblage de lattes, d'échalas* (treillage), *de poutres* (charpente), *de choses liées* (→ **Faisceau; botte, bouquet, gerbe,** etc.). *Assemblage de fils, de cheveux,* etc. *entrelacés.* → **Tortis, tresse.** *Assemblage de maisons formant un pâté de maisons, un bloc, une agglomération, un bourg, une ville.* — *Assemblage de choses assorties* (→ **Assortiment**), *de choses hétéroclites* (→ **Mélange**), *sans lien* (→ **Marqueterie, mosaïque**) → ci-dessous cit. 2, 3, 10, 12 et 13. *Assemblage bizarre, confus, désassorti, hétéroclite, informe, monstrueux* (→ **Confusion, mélange, ramas, ramassis**) → ci-dessous cit. 7, 10 et 13.

Imprim. et reliure. *Assemblage de feuilles de papier, des feuillets d'un livre.* → **Brochage, cahier, reliure.** *Un cahier est un assemblage de feuilles* (→ **Collection, ensemble, réunion**).

*Assemblage photographique :* photographies aériennes raccordées entre elles de façon à donner une représentation d'un seul tenant d'une partie de la surface de la Terre.

Mus. *Assemblage instrumental :* réunion de plusieurs instruments pour exécuter un morceau.

Vx, littér. Réunion de personnes. → **Réunion; armée, assemblée, colonie, nation, peuple, société, troupe.**

REM. Les emplois classiques du mot, et même ceux que l'on observe dans la littérature du XIXe s., donnent à *assemblage* la valeur de «action de réunir ou réunion effective d'éléments» quelle que soit leur nature, alors que le mot, de nos jours, suppose l'intention d'obtenir un tout cohérent et fonctionnel et s'applique essentiellement à des éléments concrets et même techniques.

1 Je vois d'abord que c'est un peuple *(le peuple juif)* tout composé de frères, et, au lieu que tous les autres sont formés de l'assemblage d'une infinité de familles, celui-ci, quoique si étrangement abondant, est tout sorti d'un seul homme (...) PASCAL, Pensées, IX, 620.

2 De tant d'objets divers le bizarre assemblage
Peut-être du hasard vous paraît un ouvrage.
RACINE, Athalie, II, 5.

Est-il de petits corps un plus lourd assemblage 3
Un esprit composé d'atomes plus bourgeois!
MOLIÈRE, les Femmes savantes, II, 7.

De tant de laquais le bruyant assemblage. 4
MOLIÈRE, Tartuffe, I, 1.

C'est une étrange chose que l'assemblage qu'on a fait d'une personne comme vous avec un homme comme lui. 5
MOLIÈRE, George Dandin, III, 5.

Je voudrais bien la voir mariée avec le marquis (...) le bel assemblage que ce serait d'une précieuse et d'un turlupin. 6
MOLIÈRE, Critique de l'École des femmes, 2.

(...) il fit un corps redoutable de cet assemblage monstrueux. 7
BOSSUET, Oraison funèbre de Henriette-Anne d'Angleterre.

La confession de Bâle dit que l'Église catholique est le saint assemblage de tous les saints. 8
BOSSUET, Hist. des variations, 15.

Nous outrons le fabuleux par un assemblage confus de dieux, de bergers, de héros, d'enchanteurs, de furies et de démons. SAINT-ÉVREMOND, *in* RICHELET. 9

(...) un architecte qui croit avoir tout fait, pourvu qu'il assemble de grandes colonnes et beaucoup de pierres bien taillées, sans penser à l'ordre et à la proportion des ornements de son édifice (...) son ouvrage n'est qu'un assemblage confus de parties magnifiques, qui ne sont point faites les unes pour les autres. 1
FÉNELON, Télémaque, XVII.

La ville est partagée en diverses sociétés (...) qui ont leurs lois, leurs usages (...) Tant que cet assemblage est dans sa force (...) l'on ne trouve rien de bien dit ou de bien fait que ce qui part des siens. 1
LA BRUYÈRE, les Caractères, VII, 4.

C'est donc à l'assemblage de ces parties si terrestres, si grossières, si corporelles (...) que je dois ce quelque chose qui est en moi, qui pense et que j'appelle mon esprit : ce qui est absurde. 1
LA BRUYÈRE, les Caractères, XVI, 36.

(...) quel est ce moi dont je m'occupe : un assemblage informe de parties inconnues; puis un chétif être imbécile, un petit animal folâtre (...) 1
BEAUMARCHAIS, le Mariage de Figaro, V, 3.

La société n'offre plus aux yeux du sage qu'un assemblage d'hommes artificiels et de passions factices. 1
ROUSSEAU, De l'inégalité parmi les hommes, 2.

*(Notre armée),* assemblage confus d'hommes faits, de vieillards, d'enfants (...) 1
CHATEAUBRIAND, Mémoires d'outre-tombe, I, 7.

Je dis (...) qu'à nous deux, 1
Monseigneur, nous faisons un assemblage infâme.
J'ai l'habit d'un laquais, et vous en avez l'âme.
HUGO, Ruy Blas, V, 3.

Ensemble d'éléments formant un tout fonctionnel (organe, organisme, structure, etc.). → aussi **Contexture, système.**

(...) de même qu'il est des corps d'animaux, des corps humains, c'est-à-dire des assemblages de cellules dont chacun, par rapport à une seule, est grand comme une montagne, de même il existe d'énormes entassements organisés d'individus qu'on appelle nations. 1
PROUST, À la recherche du temps perdu, t. XIV, p. 95.

Je contemple, comme du dehors, cet assemblage prodigieux de molécules, qui, pour quelque temps encore, est moi. MARTIN DU GARD, les Thibault, VIII. 1

REM. L'usage contemporain privilégie l'emploi du mot dans ce sens, notamment en parlant d'éléments concrets réunis par un projet pour former un tout fonctionnel (voir ci-dessus).

Par métaphore :

Un couple, au plus haut période de son bonheur, comporte une sorte d'écho ou — ce qui revient au même — un assemblage de miroirs parallèles. 1
VALÉRY, Variété, I, p. 72.

♦ **2** Réunion (de choses abstraites). → **Alliance** (cit. 13), **combinaison.**

**a** Vx. Réunion effective d'éléments, de caractères, de qualités dans un tout (choses, personnes).

0 Ce que nous prenons pour des vertus n'est souvent qu'un assemblage de diverses actions et de divers intérêts que la fortune ou notre industrie savent arranger (...)
LA ROCHEFOUCAULD, Maximes, 1.

1 J'épouse une princesse en qui les doux accords
Des grâces de l'esprit avec celles du corps
Forment le plus brillant, le plus noble assemblage
Qui puisse orner une âme et parer un visage.
CORNEILLE, Suréna, II, 1.

**b** En parlant d'un ouvrage de l'esprit, de productions du discours. *Assemblage de mots, d'idées.*

2 (...) les deux grandes conditions que demande Aristote aux tragédies parfaites, et dont l'assemblage se rencontre si rarement chez les anciens ni les modernes (...)
CORNEILLE, Examen du Cid.

3 Ma versification n'est point un assemblage de sentiments communs et d'expressions triviales que la rime seule soutienne; c'est une poésie mâle qui émeut le cœur et frappe l'esprit. A.-R. LESAGE, le Diable boîteux, XIV.

4 (...) une phrase française, c'est l'assemblage, autour d'une idée essentielle et d'une proposition principale (...) d'un nombre indéterminé d'idées exprimées dans des compléments ou des propositions.
F. BRUNOT, la Pensée et la Langue, p. 32.

♦ **3** Sc.; math. mod. «Succession de signes (...) écrits les uns à côté des autres, certains signes distincts des lettres pouvant être joints deux à deux par des traits qu'on appelle des liens» (N. Bourbaki).

Inform. Regroupement des parties d'un programme en vue de son traitement sur machine. *Langage d'assemblage* (→ **Assembleur**).

CONTR. **Désassemblage, disjonction, dislocation, dispersion, dissémination, éparpillement, séparation.**

**ASSEMBLÉ** [asɑ̃ble] n. m. — 1846; de *assembler.*

Danse classique. Saut où l'on retombe sur les deux pieds réunis.

L'assemblé est un saut vigoureux se déclenchant suivant une verticale ou une trajectoire oblique.
Au départ, une jambe s'écarte rapidement de côté, glisse sur le sol, puis s'élève alors que l'autre qui avait fléchi pendant cet intervalle s'unit à l'élan de la première pour projeter le corps et le recevoir ensuite avec élasticité sur les deux pieds réunis. Ce saut est très employé dans les danses dynamiques et pour obtenir des effets bondissants.
Marcelle BOURGAT, Technique de la danse, p. 53.

HOM. **Assemblée.**

**ASSEMBLÉE** [asɑ̃ble] n. f. — 1155; p. p. substantivé de *assembler.*

♦ **1** Vx. Action d'assembler plusieurs personnes en un même lieu pour un motif commun. → **Rassemblement, réunion.**

Milit. Batterie de tambour ou sonnerie de trompette pour rassembler les soldats. → **Rassemblement.** *Battre l'assemblée.*

Chasse. Endroit où l'on se rassemble.

♦ **2** Mod. Les personnes ainsi réunies; réunion d'un certain nombre de personnes assemblées en un même lieu pour un motif commun. → **Réunion, société.** *Réunir une assemblée. Cette fête a réuni une assemblée nombreuse, une assemblée choisie. En présence d'une nombreuse assemblée.* → **Assistance, auditoire, public.** *Le conférencier a parlé devant une assemblée principalement composée de jeunes gens. Une assemblée d'amis, une joyeuse assemblée.* → **Cercle, fête.** *Une assemblée secrète.* → **Conciliabule, conventicule.** *Une assemblée brillante. Une assemblée houleuse, tumultueuse.*

1 Le mot d'assemblée est celui qui convient le mieux, quand plusieurs personnes en assez grand nombre sont priées de venir perdre leur temps dans une maison dont on leur fait les honneurs, et dans laquelle on joue, on cause, on soupe, on danse, etc... S'il n'y a qu'un petit nombre de priés, cela ne s'appelle point assemblée; c'est un rendez-vous d'amis, et les amis ne sont jamais nombreux.
VOLTAIRE, Dict. philosophique, *Assemblée.*

(...) nous sommes ensemble tout le jour. Nous formons une assemblée perpétuellement délibérante et nous faisons notre loi au fur et à mesure de l'usage. 2
G. DUHAMEL, Chronique des Pasquier, V, 7.

(XVII^e). Vx. Réunion mondaine.

Ces sociétés déréglées 3
Qu'on nomme belles assemblées.
MOLIÈRE, l'École des femmes, III, 2.

J'aime le jeu, les visites, les assemblées. 4
MOLIÈRE, le Mariage forcé, 3.

Régional. Réunion de fête ou de marché. *Assemblée de village. Aller à l'assemblée.*

Certains jours de l'année, les habitants de la ville et de la campagne se rencontraient à des foires appelées assemblées. 5
CHATEAUBRIAND, Mémoires d'outre-tombe, I, 2.

(...) il retrouvait sa drôlerie de jeune paysan, une drôlerie toute puissante sur des assemblées de village, où le goût du merveilleux n'a d'égal que le goût de la farce. 6
M. BARRÈS, la Colline inspirée, p. 90.

Relig. *Assemblée des fidèles.* → **Église.**

L'assemblée même des fidèles leur était d'abord interdite *(aux pénitents publics)* comme à des anathèmes. 7
MASSILLON, Respect dans les Temples.

Et cependant du sang de la chair immolée 8
Les prêtres arrosaient l'autel et l'assemblée.
RACINE, Athalie, II, 2.

♦ **3** Rare. Choses assemblées. → **Assemblage.** — REM. L'emploi d'*assemblée* en parlant de choses suppose une figure anthropomorphique. «*Une stupéfiante assemblée de tuyaux de poêle*» (Loti, *in* T. L. F.).

♦ **4** Spécialt. **a** Réunion des membres d'un corps constitué ou d'un groupe de personnes, régulièrement convoqués pour délibérer en commun d'affaires déterminées, particulières ou publiques. *L'association a tenu son assemblée annuelle. Les assises d'une assemblée. Assemblées corporatives, commerciales, économiques, juridiques. Assemblées publiques. Assemblée de francs-maçons.* → **Convent.**

Les membres de ce corps. *Convoquer une assemblée. Délibérations, décisions d'une assemblée. — Assemblée des actionnaires d'une société (assemblée générale). Assemblée constitutive. Assemblée ordinaire, extraordinaire. — Assemblée des créanciers.* → **Faillite, liquidation.**

Il assiste chaque jour à quelque assemblée de créanciers, 9
partout syndic de direction.
LA BRUYÈRE, les Caractères, XI, 125.

*Assemblée de famille.* → **Conseil** (de famille).

*Assemblées de gens de lettres, de savants. Assemblées de l'Institut de France, de l'Académie française.*

Bien que depuis un an (...) nous eussions perdu (...) l'espérance de le revoir jamais *(M. de Corneille)* dans nos assemblées. RACINE, Discours à l'Académie. 10

*Assemblées ecclésiastiques.* → **Apostolique, capitulaire, concile, conciliabule, conclave, congrégation, consistoire, conventuel** (assemblée conventuelle), **couvent, diocésaine, discrétoire, revival, synode.**

Pour une déposition dans les formes, il fallait une assemblée générale de tous les évêques de la province. 11
FLÉCHIER, la Vie de Théodore le Grand, IV, 63.

*Assemblées judiciaires, juridictionnelles.* → **Cour, conseil** (Conseil d'État), **jury, tribunal.**

*Assemblées administratives et politiques. Assemblée consultative, délibérative. Assemblée de notables. Assemblée communale, municipale.* → **Municipalité.** *Assemblée d'arrondissement.* → **Conseil.** *Assemblée départementale.* → **Conseil** (général). *Assemblée* *provinciale.* → **État, province.** *Assemblée nationale. Assemblée générale des Nations-Unies* (voir ci-dessous, spécialt).

**b** Ensemble des membres d'un corps constitué, qu'ils soient ou non physiquement rassemblés.

Spécialt. — REM. *Assemblée* (non qualifié) se dit des *assemblées nationales, représentatives, consultatives* ou *souveraines, constituantes, législatives.* — *Nom de diverses assemblées nationales.* → **Aréopage, centurie, chambre, comice, congrès, constituante, convention, cortès, curie, diète, divan, junte, landtag, reichstag, tribunat.** *Assemblée unique.* → **Monocaméralisme.** *L'Assemblée nationale et le Sénat constituent le Parlement.* → **Chambre, conseil, législature, parlement.** *La Haute Assemblée :* le Sénat. *Constitution, composition, recrutement d'une assemblée.* → **Élection; cooptation.** *Les députés du Tiers se constituèrent en Assemblée nationale.* — Absolt. *L'Assemblée. Les députés, le président de l'Assemblée.* → **Député, membre, représentant.** *Siège de l'Assemblée. Bureau de l'Assemblée.* → **Président, questeur, secrétaire.** *Divisions de l'Assemblée.* → **Centre, droite, gauche; groupe, parti; majorité, minorité, opposition; comité, commission, conférence.** *Le président a ouvert la session, la séance de l'Assemblée. Vérification des pouvoirs de l'Assemblée. Travaux de l'Assemblée.* → **Ordre du jour; délibération, discussion, question** (préalable); **adresse, contre-projet, contre-proposition, motion, projet, proposition.** *Tribune de l'Assemblée.* → **Discours.** *Vote de l'Assemblée.* → **Acclamation, applaudissement, contre-épreuve, quorum, vote.** *Clore les débats de l'Assemblée. Procès-verbal des séances de l'Assemblée. Séparation, vacances de l'Assemblée. Assemblée permanente* (→ Permanence, cit. 3). *Les scissions de l'Assemblée. Les coulisses de l'Assemblée. Les assemblées :* le Parlement dans son ensemble (sénateurs et députés).

12 L'Assemblée nationale (...) considérant qu'une loi sur les émigrants est inconciliable avec les principes de la Constitution (...) MIRABEAU, Séance du 28 févr. 1791.

REM. Le terme *Assemblée nationale* est attesté en 1788.

13 Je discute dans une assemblée politique non parce que j'ai l'espoir d'y convaincre quelqu'un, mais parce que je désire faire connaître au monde mes opinions.
TALLEYRAND, cité par SAINT-AULAIRE, Talleyrand, p. 308.

14 (...) dans ces mémorables séances où il *(Mirabeau)* remuait l'assemblée comme de l'eau dans un vase.
HUGO, Littérature et Philosophie mêlées, p. 107.

15 (...) il fallait voir comme son souffle orageux faisait moutonner toutes les têtes de l'assemblée!
HUGO, Littérature et Philosophie mêlées, p. 115.

Par ext., fam. Le bâtiment où se réunit l'Assemblée (en France, la Chambre des députés). *Un bruit qui court dans les couloirs de l'Assemblée.*

Spécialt. (Au Canada). *Assemblée nationale :* Chambre des communes. — (En Suisse). *Assemblée fédérale :* autorité législative suprême de la Confédération, formée du Conseil national et du Conseil des États (cantons).

HOM. **Assemblé, assembler.**

**ASSEMBLEMENT** [asɑ̃bləmɑ̃] n. m. — Début XVII<sup>e</sup>; *asemblement,* v. 1040; de *assembler,* et *-ment.*

Vx, rare. Action d'assembler, résultat de cette action. → **Assemblage, rassemblement.** «*Les qualités (...) dont l'assemblement unique constituait sa personnalité*» (Martin du Gard).

**ASSEMBLER** [asɑ̃ble] v. tr. — 1539; *asembler,* v. 1040; du lat. vulg. *assimulare* «mettre ensemble», de *ad,* et *simul* «ensemble».

♦ **1** Mettre ensemble (des choses qui étaient séparées). *Assembler des parties éparses (assembler une partie et une autre, assembler des parties).* → **Accoler, agglomérer, amasser, assortir, collectionner, grouper, joindre, lier, masser, ramasser, rapprocher, recueillir, réunir, unir.** *Assembler de nouveau.* → **Rassembler.** *Assembler des matériaux pour bâtir, construire* (→ ci-dessous, cit. 2). *Assembler des sons* (→ ci-dessous, cit. 9), *des couleurs.*

En parlant des choses morales, des opérations de l'esprit. *Assembler des mots, des nombres* (cit. 8), *des idées, des théories, des pensées* (→ ci-dessous, cit. 1, 5, 7). → **Allier, combiner, composer.** *Je ne peux plus assembler deux idées.*

Que tous les disciples d'Aristote assemblent tout ce qu'il y a de fort dans les écrits de leur maître ou de ses commentateurs (...) 1
PASCAL, Traité de la pesanteur de la masse de l'air, Conclusion.

(...) pourvu qu'il *(cet architecte)* assemble de grandes colonnes et beaucoup de pierres bien taillées (...) 2
FÉNELON (→ Assemblage, cit. 10).

Assembler veut dire mettre ensemble ce qui est épars; joindre, rapprocher de manière que les choses se touchent; unir, joindre de manière qu'elles soient liées, attachées, qu'elles ne puissent plus se séparer. 3
LITTRÉ, Dict., art. *Assembler.*

Assembler, c'est mettre ensemble des personnes, des objets qui étaient auparavant dispersés (...) : Assembler des troupes, des livres; Le tailleur assemble les pièces d'un vêtement avant de les coudre. — Rassembler, c'est assembler de nouveau; c'est aussi réunir des personnes ou des choses qui étaient séparées à tort ou qui perdaient leur valeur dans cet état. 4
R. BAILLY, Dict. des synonymes de la langue franç., *Assembler.*

Quand le Ciel emploierait ses soins à composer une beauté parfaite, quand il assemblerait en elle tous les dons les plus merveilleux du corps et de l'âme (...) 5
MOLIÈRE, la Princesse d'Élide, III, 4.

Voilà le sort des gens qui veulent assembler les contradictoires, en contentant tout le monde. 6
RETZ, Mémoires, II, 111.

Tout le monde sent bien qu'il a une intelligence, qu'il reçoit des idées, qu'il en assemble, qu'il en décompose. 7
VOLTAIRE, les Oreilles du comte de Chesterfield, 4.

Nous disséquons des mouches, dit le philosophe, nous mesurons des lignes, nous assemblons des nombres, nous sommes d'accord sur deux ou trois points que nous entendons, et nous disputons sur deux ou trois mille que nous n'entendons pas. VOLTAIRE, Micromégas, 7. 8

Paul assemblait des sons, leur donnait la volée,
Scandait on ne sait quelle obscure strophe ailée. 9
HUGO, la Légende des siècles, LVII, «Petit Paul».

En parlant d'éléments psychologiques.

(...) il le sentait, ce cerveau, pareil à un moteur fou, tourner, tourner dans sa tête, et assembler sans répit ces incohérentes visions de kaléïdoscope, qu'il nommait «rêves». MARTIN DU GARD, les Thibault, VI, 7. 10

(...) mille éléments de tendresse existant en nous à l'état fragmentaire et qu'elle a assemblés, unis, effaçant toute cassure entre eux. 11
A. MAUROIS, Études littéraires, t. I, p. 133.

*Assembler des capitaux, des sommes importantes.* — Par ext., vx. Accumuler.

(...) je vois quels malheurs j'assemble sur ma tête. 12
RACINE, Mithridate, IV, 4.

♦ **2** Recueillir pour préparer un ensemble. → **Amasser, collectionner, rassembler.** *Assembler les pièces d'une collection. Assembler des papiers, des documents.* → **Réunir.**

♦ **3** Faire tenir ensemble ; réunir plusieurs éléments de façon précise pour élaborer un ensemble cohérent, fonctionnel (notamment concret et technique). *Manière d'assembler.* → **Assemblage ; attacher, coller, fixer, lier, réunir.**

Techn. et cour. (charpente, menuis.). Réunir (des pièces) en sorte qu'elles forment un tout. → **Assemblage.** *Assembler les pièces d'une charpente. Assembler les montants d'un cadre de porte. Assembler des tôles ou des profilés avec des rivets. Percer des trous dans les pièces à assembler. Des manchons assemblés par des boulons.* → **Aboucher, abouter, accoupler, adapter, ajuster, appliquer, articuler, attacher, boulonner, cheviller, claveter, clouer, coller, coupler, emboîter, embrever, empatter, encastrer, enchâsser, enchevêtrer, enter, fixer, goujonner, goupiller, joindre, lier, maintenir, monter, raccorder, réunir, river, riveter, sceller, serrer, souder, visser.** *Assembler les pièces d'un meuble.* — Par ext. *Assembler un meuble.* → **Monter ; kit.** — Par anal. *Assembler les pièces d'un jeu de construction.*

Techn. (textile). Juxtaposer et enrouler ensemble (des fils). *Machine à assembler.* → **Assembleuse.**

Couture. *Assembler les pièces d'un vêtement,* les réunir (par des épingles, un bâti), avant de les coudre.

3 Maître-tailleur (...) assembler un pourpoint.
MOLIÈRE, le Bourgeois gentilhomme, II, 5.

Reliure. *Assembler les feuilles pour le brochage, la reliure.* → **Brocher, relier.** — Absolt. *Assembler après le pliage.*

Inform. Intégrer des sous-programmes dans le programme principal, en langage symbolique. → **Assembleur,** 3.

♦ **4** Danse. *Assembler les pieds,* ou, absolt, *assembler :* mettre un pied devant l'autre, le talon droit touchant d'équerre le milieu du pied gauche (troisième position classique). → **Assemblé.**

♦ **5** Vx ou littér. Mettre (des personnes) ensemble, réunir en un même lieu ou pour un motif, un intérêt commun, par une chose commune. → **Grouper, réunir.** *Assembler les passants, la foule autour de soi.* → **Attrouper.** *Assembler des troupes en un même point.* → **Concentrer.** *Assembler des personnes dispersées.* → **Rallier, rassembler.** *Une communauté d'intérêts les assemble.* → **Associer, lier, unir ; rencontrer** (faire se rencontrer).

4 Heureux couple d'amants que le destin assemble.
CORNEILLE, Clitandre, II, 6.

5 (...) Un même malheur aujourd'hui nous assemble.
MOLIÈRE, la Pastorale comique, 13.

6 Souffrons qu'en un parti la raison nous assemble.
MOLIÈRE, le Grand Divertissement royal.

7 De raconter quel sort les avait assemblés,
Quoique sous divers points tous quatre ils fussent nés,
C'est un récit de longue haleine.
LA FONTAINE, Fables, X, 15.

8 Le hasard les assemble *(l'aigle et la pie)* en un coin détourné. LA FONTAINE, Fables, XII, 11.

9 (...) Une loi trop sévère
Va séparer deux cœurs qu'assemblait leur misère.
RACINE, Britannicus, I, 3.

0 Ils assemblent les hommes en âge de combattre.
FÉNELON, Télémaque, X.

Vx. Convoquer, réunir en assemblée. *Assembler les députés. Assembler les Chambres, les États.* → **Convoquer, réunir.**

1 Constantin assembla à Nicée, en Bithynie, le premier concile général.
BOSSUET, Disc. sur l'hist. universelle, I, 11.

J'ai ouï dire qu'un roi d'Aragon ayant assemblé les états d'Aragon et de Catalogne, les premières séances s'employèrent à décider en quelle langue les délibérations seraient conçues. MONTESQUIEU, Lettres persanes, 109. 22

Toutes les nations seront assemblées devant lui (...) 23
BIBLE (SACY), Évangile selon saint Matthieu (→ Asseoir, cit. 25).

♦ **S'ASSEMBLER** v. pron.

♦ **1** Vx. S'unir.

♦ **2** Mod. Se réunir (en parlant d'un groupe de personnes ou d'animaux).

Chiens, chasseurs, villageois, s'assemblent pour sa perte. 24
LA FONTAINE, Fables, X, 5.

Aujourd'hui l'on s'assemble, aujourd'hui l'on conspire. 25
CORNEILLE, Cinna, I, 2.

Ici je les vois *(les poissons)* s'assembler, 26
Se mêler et se démêler.
RACINE, Poésies diverses, 45.

*(Le 12 novembre 1778)* le Parlement de Paris avait fait défense aux artisans, compagnons et gens de métier de s'assembler. JAURÈS, Hist. socialiste..., t. I, p. 167. 27

Prov. *Qui se ressemble s'assemble.* → **Ressembler.**

(En parlant de corps constitués). Se réunir en assemblée.

Que les chambres du parlement s'assemblassent pour, en leur présence, y être fait ouverture du testament, et les duplicata dudit testament être envoyés à tous les parlements du royaume. 28
SAINT-SIMON, Mémoires, 364, 52.

♦ **3** Choses.

La haine, le mépris, contre moi tout s'assemble. 29
RACINE, Andromaque, III, 6.

(...) nulle race n'a été si bien dotée par la nature et il semble que toutes les circonstances se soient assemblées pour délier leur intelligence et aiguiser leurs facultés. 30
TAINE, Philosophie de l'art, IV, I, 1.

*Bien s'assembler.* → **Appareiller** (s') 2.

*Les nuages s'assemblent.* → **Accumuler** (s'), **amonceler** (s').

(...) les vapeurs errantes sur la mer de Biscaye s'assemblent toutes dans ce fond de golfe, s'arrêtent aux cimes pyrénéennes et se fondent en pluie. 31
LOTI, Ramuntcho, I, 18.

♦ **ASSEMBLÉ, ÉE** p. p. adj. (De *assembler*). *Devant les chambres assemblées. Les douze apôtres* (cit. 2) *assemblés autour de Jésus-Christ.*

Les apôtres (c'était encore au temps de la passion), assemblés autour de leur Maître, lui montraient le temple et les bâtiments d'alentour. 32
BOSSUET, Hist., II, 9, *in* LITTRÉ, art. *Apôtre.*

Et la loi de l'hymen qui vous tient assemblés (...) 33
CORNEILLE, Polyeucte, I, 3.

Ce n'est plus un vain peuple en désordre assemblé : 34
C'est d'un zèle fatal tout le camp aveuglé.
RACINE, Iphigénie, V, 3.

Une tenue d'État, où les chambres assemblées pour une affaire très capitale (...) 35
LA BRUYÈRE, les Caractères, VI, 72.

Techn. *Bois assemblé :* pièces de bois réunies par un système d'assemblage.

CONTR. **Désassembler** (techn.), **désunir, disjoindre, disloquer, disperser, disséminer, éparpiller, séparer.** ◊ DÉR. **Assemblable, assemblage, assemblé, assemblement, assembleur.** — COMP. **Désassembler, rassembler, rassemblement.**

**ASSEMBLEUR, EUSE** [asɑ̃blœʀ, øz] n. — Après 1650 ; *assembleor,* 1281 ; de *assembler.*

♦ **1** Techn. Ouvrier, ouvrière qui fait les assemblages. → **Ajusteur, monteur.** *Assembleur de charpente en fer. Assembleur de cartes géographiques.* — Imprim., reliure. Ouvrier, ouvrière qui assemble les feuilles, les cahiers d'un livre pour le brochage ou la reliure. → **Brochage, reliure.** — Textile. *Une assembleuse en dentelles.* → **Dentellière.** — Industr. de la chaussure. *Assembleuse de doublures.*

*Assembleur de pianos.* → **Facteur.**

N. f. Techn. Machine servant à un assemblage. — Spécialt. Machine pour assembler les feuilles imprimées. — Machine qui assemble les fils.

0.1 Les fils simples devant composer le *retors* sont d'abord *assemblés,* c'est-à-dire juxtaposés et enroulés ensemble sur une même bobine cylindrique, à l'aide d'une machine appelée *doubleuse* ou *assembleuse.*
Charles MARTIN, la Laine, p. 51.

♦ **2** Loc. Fig. et littér. (Vx). *L'assembleur de nuages :* Jupiter.

1 Et l'assembleur de nuages
Jura le Styx, et promit
De former d'autres orages (...)
LA FONTAINE, Fables, VIII, 20.

Iron. *Un assembleur de nuées.* → **Idéologue, rêveur, songe-creux, utopiste.**

2 Un assez bel assembleur de nuées.
FRANCE, la Rôtisserie de la reine Pédauque, p. 75.

(En parlant d'un artiste, d'un écrivain, qui assemble des mots, des images). *Un assembleur d'images.* — Péj. *Un assembleur de termes hétéroclites, de rimes.*

♦ **3** N. m. (V. 1965, de l'angl. *assembler language* «langage symbolique»). Inform. Programme écrit pour un ordinateur déterminé et destiné à traduire les instructions symboliques d'un langage d'assemblage (opérateurs, adresses) en langage machine.

3 Ils ont préféré une camarade de classe de Marie, manucure et un jeune programmeur qui travaille avec Jeannet, qui comme lui manie l'assembleur ou le cobol (...)
Hervé BAZIN, Cri de la chouette, p. 192.

Adj. *Langage assembleur.*

**ASSÉNEMENT** [asɛnmɑ̃] n. m. — Début XIII^e; de *assener.*

♦ **1** Vx, rare. Action d'asséner, de donner (un coup). «*Puissance d'assénement*» (Proust).

♦ **2** Dr. anc. Acte par lequel un père assigne certains biens à ses enfants pour les avantager.

**ASSENER** [asene] v. tr. [CONJUG.: *lever.*] — XIII^e; *asener,* v. 1138; anc. franç. *sen* «direction dans laquelle on marche», «raison, intelligence». REM. *Assener* s'écrit sans accent sur le premier *e* (sauf dans : *j'assène* [ʒasɛn] et formes analogues); mais on rencontre aussi *asséner,* conforme à la prononciation et retenu par l'Académie française en 1975.

♦ **1** Donner avec force (un coup) dans l'intention de faire mal. → **Appliquer, frapper, porter.** *Assener un coup sur la tête de qqn. Assener un coup de poing, une gifle* (à qqn).

1 Et pouvoir, à plaisir, sur ce mufle assener
Le plus grand coup de poing qui se puisse donner.
MOLIÈRE, Tartuffe, V, 4.

Pron. *S'assener un coup* (réfléchi). *Les deux boxeurs s'assenaient des coups formidables* (réciproque).

Par anal. *Assener une carte sur la table,* la jeter (l'effet peut être comparé à un coup).

♦ **2** Fig. Adresser avec hostilité et force. *Assener une réplique, une plaisanterie. Assener des injures à quelqu'un.*

2 Il me répondit brutalement : «S'il est malade ? Je crois bien (...) il ne passera pas la nuit». Ce fut bien assené, je vous en réponds. A. DAUDET, le Petit Chose, p. 372.

3 Les plaisanteries de Boileau, qui a de l'esprit, sont assenées d'une main sûre, mais un peu lourde.
Émile FAGUET, XVII^e s., Études littéraires, p. 255.

Elle *(ma vieille ennemie la solitude)* m'a assené tous les coups imaginables et il n'y a plus de place où frapper. 4
F. MAURIAC, la Pharisienne, p. 144.

(...) la propagande assenée par les journaux et les ondes (...) COLETTE, l'Étoile Vesper, p. 31. 5

Autrefois, je n'avais que la liberté à la bouche (...) J'assenais ce maître mot à quiconque me contredisait (...) 6
CAMUS, la Chute, p. 153.

♦ **3** Pêche. *Assener les filets,* les ouvrir, les étaler sur le rivage pour recueillir la pêche.

◆ **ASSENÉ, ÉE** p. p. adj. (De *assener*). Qui est bien appliqué. *Coup* (violemment) *assené.* — *Réplique assenée.*

DÉR. **Assénement.**

**ASSENT** [asɑ̃] n. m. — Attesté XX^e; transcription de la prononciation méridionale de *accent.*

Accent du Midi de la France, en français. *Avé* (avec) *l'assent.* — Plus rarement, en parlant du Sud-Ouest.

De Bordeaux natif ! Avec l'assent et le goût du pive !...
CÉLINE, Guignol's band, p. 62.

**ASSENTIMENT** [asɑ̃timɑ̃] n. m. — 1181; de 1. *assentir,* et *-ment.*

♦ **1** Cour. Acte par lequel on acquiesce expressément ou tacitement à une décision, une opinion, une proposition; adhésion de l'esprit à une manière de voir. → **Acceptation, accord, acquiescement, adhésion, approbation, consentement.** *Donner* (→ **Assentir** (vx)), *refuser son assentiment à qqch. Demander, obtenir l'assentiment de qqn. L'assentiment de la majorité de l'opinion.* → **Consensus.**

Il est précieux pour un pays que l'«assentiment national» soit nécessaire aux projets de guerre. 1
NECKER, 1792, *in* BRUNOT, Hist. de la langue franç., t. IX, p. 918.

Il faut, non pas l'assentiment tacite, mais le consentement formel de la nation pour légitimer les impôts. 2
MARMONTEL, *in* LAFAYE, Dict. des synonymes, *Assentiment...*

Vous donnez votre assentiment à une chose faite, établie, existant déjà indépendamment de votre voix que vous ajoutez. Le mot consentement marque concours (...) 3
LAFAYE, Dict. des synonymes, *Assentiment...* (→ Consentement).

La loi a dorénavant pour principe l'intérêt des hommes, et pour fondement l'assentiment du plus grand nombre. 4
FUSTEL DE COULANGES, la Cité antique, p. 365.

Absolt. *Donner un signe d'assentiment à qqn. Cligner de l'œil, incliner la tête en signe d'assentiment.*

Eh bien ! me répondit-il, fort de votre assentiment, tout de suite je me mets en campagne. 5
Georges LECOMTE, Ma traversée, p. 596.

Il fermait à demi les yeux (...) et, sans rien dire, marquait son assentiment par de légers mouvements de tête. 6
GIDE, les Faux-monnayeurs, I, 15.

♦ **2** Philos. Adhésion de l'esprit à (une idée, une vérité). *L'évidence force l'assentiment.*

Ce terme est plus général que certitude (...) Il suppose, de plus, que la proposition à laquelle nous donnons ou refusons notre assentiment nous est présentée en quelque façon d'une manière objective, soit par un autre, soit par un travail spontané de notre intelligence, auquel nous appliquons ultérieurement notre réflexion. 7
A. LALANDE, Voc. de la philosophie, art. *Assentiment.*

Spécialt. Adhésion à (une forme artistique, une œuvre, une façon de s'exprimer).

Donner, sur le témoignage de mes propres yeux, mon assentiment aux observations fines et justes d'un auteur, me paraît une véritable jouissance. 8
ROUSSEAU, *in* P. LAROUSSE.

CONTR. **Désapprobation, désaveu, négation, protestation, récusation, refus, résistance, veto.**

1. **ASSENTIR** [asɑ̃tiʀ] v. intr. — 1209; lat. *assentire* «approuver».

Vx. *Assentir à :* donner son assentiment à. → **Assentiment.**

DÉR. **Assentiment.**

2. **ASSENTIR** [asɑ̃tiʀ] v. intr. — Fin XIIe, trans.; intrans., XIVe; de 1. *a-*, et *-sentir.*

Vén. (en parlant des chiens de chasse). Reconnaître la voie du gibier à son odeur.

**ASSEOIEMENT** [aswamɑ̃] ou **ASSEYEMENT** [asɛjmɑ̃] n. m. — 1857, Goncourt; de *asseoir,* et *-ment.* Rare.

♦ **1** Fait de s'asseoir, d'être assis.

♦ **2** Fait d'asseoir, d'établir solidement sur une base (Claudel, *in* T. L. F.).

**ASSEOIR** [aswaʀ] v. tr. [CONJUG.: *j'assois, tu assois, il assoit* (ou, littér., *j'assieds, tu assieds, il assied*), *nous asseyons, vous asseyez* (ou, pop., *nous assoyons, vous assoyez*), *ils assoient* (ou, rare, *ils asseyent*); *j'asseyais* (ou, pop., *j'assoyais*); *j'assis; j'assiérai* (ou *j'assoirai*); *assieds, asseyons, asseyez* (ou, pop., *assois, assoyons, assoyez*); *que j'asseye* (ou *que j'assoie*); *que j'assisse* (rare); *asseyant* (ou *assoyant*); *assis.*] — Fin XIe; lat. pop. **assedere,* lat. class. *assidere.* → Seoir.

♦ **1** Mettre (qqn) sur un siège ou sur qqch. qui en tient lieu, dans la posture d'appui sur le postérieur (→ **Séant**). *Asseoir un enfant, un malade, sur une chaise, dans un fauteuil, sur le bord de son lit, contre un arbre, par terre, au soleil.* → **Installer, mettre, placer, poser.** *Je l'ai assis sur mes genoux. Elle asseyait sa poupée sur la table.*

1 On m'assit au soleil, le dos appuyé contre un mur, la tête tournée vers la pleine mer.
CHATEAUBRIAND, *in* P. LAROUSSE.

2 Il l'asseoit *(sic)* contre le talus.
BERNANOS, Monsieur Ouine, p. 130.

*Asseoir ses invités,* faire asseoir (→ ci-dessous cit. 3), inviter à s'asseoir. — Par ext., littér. → **Réunir.**

3 Chaque soir, une table aux suaves apprêts,
Assoira près de nous nos belles adorées.
André CHÉNIER, Pièce 101, *in* LITTRÉ.

Équit. *Asseoir un cheval, asseoir un cheval sur ses hanches,* le dresser à exécuter des airs de manège, la croupe étant plus basse que les épaules.

Fig. Établir une personne dans une situation honorifique, une dignité. *Asseoir un prince sur le trône*,* lui donner la couronne, la puissance souveraine.

4 Mais tu venais asseoir sur leur trône abattu *(celui des faux dieux)*
Le Dieu de vérité, de grâce et de vertu (...)
LAMARTINE, Harmonies, III, 5.

Vieilli. *Asseoir qqn sur la sellette*,* le mettre sur la sellette.

Vx. *Asseoir dans :* installer dans. *Asseoir qqn dans la misère, dans la honte.*

Spécialt. Fam. Déconcerter. *Cette réplique l'a assis* (plus cour. au passif et au p. p. → ci-dessous *assis*). → Clouer le bec, river son clou à qqn.

♦ **2** Poser (une chose) sur sa base, établir solidement. → **Établir, poser.** *Asseoir des fondations. Asseoir une maison sur le roc. Asseoir une statue sur son piédestal.*

5 Tous ceux qui bâtissent voudraient asseoir eux-mêmes chaque pierre qui entre dans leur bâtiment,
VOITURE, Lettres, 183, *in* LITTRÉ.

5.1 (...) forteresse plutôt que maison, aux contreforts inclinés comme pour asseoir une défense, percé d'ouvertures aux avarices de meurtrières (...)
François NOURISSIER, le Maître de maison, p. 41.

Aéron. *Asseoir l'appareil :* redresser l'appareil au moment de prendre contact avec le sol.

Milit. *Asseoir un camp.* → **Installer.**

Le galant donc près de la forteresse, 6
Assied son camp, vous investit Lucrèce.
LA FONTAINE, Contes, III, 2.

♦ **3** Abstrait. Établir solidement, fonder sur une base solide; rendre plus assuré, plus ferme, plus stable. → **Affermir.** *Asseoir un gouvernement, le crédit public, l'autorité, la paix, sa renommée, sa réputation. — Asseoir son opinion sur des preuves, une théorie, sur des faits.* → **Appuyer, fonder, motiver.** — Sans compl. second. *Asseoir son jugement,* l'arrêter définitivement.

Avant que d'asseoir son jugement (...) 7
BOSSUET, Sermons, *in* LITTRÉ.

Ses camarades eussent été fort embarrassés d'asseoir un jugement vrai sur lui. 8
BALZAC, les Marana, Pl., t. IX, p. 795.

Par anal., rare. *Asseoir (qqn),* l'établir dans la stabilité.

— N'importe, conclut M. Bejuin, Rougon a tort de ne pas se marier... Ça asseoit un homme. 8.1
ZOLA, Son Excellence Eugène Rougon, t. I, p. 13.

♦ **4** Fin. *Asseoir un impôt :* établir la base de l'imposition, en déterminer l'assiette*.

Supposons que l'esprit du gouvernement soit d'asseoir les taxes sur le superflu des richesses. 9
ROUSSEAU, Disc. sur l'économie politique, 3.

♦ **5** Par ellipse du pron. réfl. Faire asseoir (qqn). *Faire asseoir les élèves sur des bancs. Quand les visiteurs seront arrivés, vous les ferez asseoir dans mon bureau. Faire asseoir qqn au bout de la table.* → **Mettre, placer.**

Un dauphin le prit pour un homme 10
Et sur son dos le fit asseoir.
LA FONTAINE, Fables, IV, 7.

Disant ces mots, il fait connaissance avec elle, 11
Auprès de lui la fait asseoir,
Prend une main, un bras, lève un coin du mouchoir.
LA FONTAINE, Fables, IV, 4.

*Faire asseoir qqn à sa table.* → **Accueillir** (cit. 2), **admettre, inviter.**

♦ **S'ASSEOIR** v. pron.

♦ **1** Se mettre sur son séant, sur un siège ou sur qqch. qui en tient lieu. *S'asseoir sur une chaise, un fauteuil, un coussin. S'asseoir à califourchon*; en amazone* (cit. 5). *S'asseoir sur les talons, sur la croupe.* → **Accroupir** (s'). *S'asseoir par terre. S'asseoir à une table,* s'y mettre, s'y placer, s'y installer. → **Attabler** (s'). *S'asseoir en cercle autour de la table.* → **Disposer** (se), **installer** (s'). *Aller* (cit. 40) *s'asseoir. Assieds-toi et reste tranquille. Asseyez-vous.* → Assister, HOM.

Assoyez-vous là, répondirent-ils. 12
RABELAIS, le Cinquième Livre, 11.

Assy-toi sur mes genoux. 13
RONSARD, Amours diverses, «Chanson» (éd. Garnier), t. II, p. 294.

Chacun prendra place et parlera assis, hors les marquis, qui tantôt se lèveront et tantôt s'assoiront (...) 14
MOLIÈRE, l'Impromptu de Versailles, 3.

*(La mouche)* S'assied sur le timon, sur le nez du cocher. 15
LA FONTAINE, Fables, VII, 9.

Je hante les palais, je m'assieds à la table. 16
LA FONTAINE, Fables, IV, 9.

S'il s'assied, vous le voyez s'enfoncer dans un fauteuil, croiser les jambes l'une sur l'autre (...) 17
LA BRUYÈRE, les Caractères, VI, 83.

Monsieur, lui répondis-je (...) assoyez-vous. 18
MARIVAUX, les Caprices de Marianne, 9.

19 Le canard s'assied sur son derrière et remue doucement la queue.
CHATEAUBRIAND, Voyage en Amérique..., XVIII.

20 On s'arrête, on s'assied (...)
LAMARTINE (→ Arrêter, cit. 56).

21 (...) et ils s'assirent, étant fort las et recrus de fatigue.
FLAUBERT, Trois contes, La légende de saint Julien l'Hospitalier, II.

21.1 Fort myope, il semblait, malgré son pince-nez, ne jamais voir personne, et quand il s'asseyait on eût dit que toute l'ossature de son corps se courbait suivant la forme du fauteuil.
MAUPASSANT, Fort comme la mort, éd. 1889, p. 66.

22 Là, ils s'arrêtèrent et s'assirent sur l'herbe, dans l'ombre mince des buissons tout chargés de sansonnets (...)
M. BARRÈS, la Colline inspirée, p. 182.

23 Elle s'est assise, sur la descente de lit, entre les jambes de Vincent, pelotonnée comme une stèle égyptienne, le menton sur les genoux.
GIDE, les Faux-monnayeurs, I, 7.

23.1 S'il s'est assis aux tables les moins chères, c'est pour ne pas trop s'écarter de la rue, c'est pour demeurer dans une certaine banalité au milieu de laquelle il va comme s'il était contenu dans une bulle transparente (...)
A. PIEYRE DE MANDIARGUES, la Marge, p. 89.

REM. *Faire s'asseoir* est souvent remplacé par *faire asseoir* (→ ci-dessus 5.).

Par métaphore. *S'asseoir à une réunion, à un banquet,* y participer. — *S'asseoir dans un groupe, s'asseoir parmi,* être admis dans ce groupe.

Par anal. *L'oiseau s'assoit sur la branche.*

Par ext. Sports (escr., athlétisme). Fléchir sur les jarrets, les genoux.

♦ **2** Fig. et littér. *S'asseoir sur le trône :* devenir roi, régner. *S'asseoir sur le trône de la gloire.* → **Régner.**

24 Toutes les fois qu'il veut s'asseoir sur le trône de ses pères.
GUEZ DE BALZAC, le Prince, VI.

25 Lorsque le Fils de l'homme viendra dans sa gloire, avec tous les anges, il s'assiéra sur le trône de sa gloire. Toutes les nations seront assemblées devant lui (...)
BIBLE (SACY), Évangile selon saint Matthieu, XXV, 31 (→ Brebis).

♦ **3 VENIR S'ASSEOIR.** *Il est venu s'asseoir avec nous. Venez vous asseoir près de moi.*

26 Regarde ! Je viens seul m'asseoir sur cette pierre
Où tu la vis s'asseoir.
LAMARTINE, le Lac.

27 Devant ma table vint s'asseoir
Un pauvre enfant vêtu de noir
Qui me ressemblait comme un frère.
A. DE MUSSET, la Nuit de Décembre.

28 Les idées noires viennent s'asseoir en cercle autour de moi.
FRANCE, le Lys rouge, 27, p. 203.

♦ **4** Fam. *Votre autorité, je m'assois dessus,* je la tiens pour nulle, je la méprise. *La consigne, on s'assoit dessus.* → On n'en a rien à foutre, on s'en fout*.

28.1 Le règlement est formel, et pourtant, le règlement je m'assois dessus, vous voyez.
SAN-ANTONIO, Passez-moi la Joconde, *in* Œ. compl., I, p. 482.

◆ **ÊTRE ASSIS** v. passif ;

◆ **ASSIS, ASSISE** p. p. adj.

♦ **1** Être dans une position d'appui sur le séant. *Être assis sur sa chaise, dans une voiture. Assis à croupetons, à la turque, sur ses talons. Assis par terre. Rester assis, travailler assis. Posture d'un homme assis.* → **Séant.** *Les longues stations assises du sédentaire. Être bien, mal assis sur une selle. Tomber assis le derrière entre deux selles* (→ **Cul**). *Restez assis, ne vous dérangez pas !*

29 L'adroit, le vigilant et le fort sont assis
À la première table (...)
LA FONTAINE, Fables, X, 6.

30 Tandis que ce nigaud, comme un évêque assis,
Fait le veau sur son âne et pense être bien sage.
LA FONTAINE, Fables, III, 1.

31 Sous un ombrage épais, assis près d'un ruisseau.
LA FONTAINE, Fables, VIII, 26.

32 Dieux ! Que ne suis-je assise à l'ombre des forêts ?
RACINE, Phèdre, I, 3.

33 Moi-même, sur son trône, à ses côtés assise,
Je suis à cette loi comme une autre soumise.
RACINE, Esther, I, 3.

34 Debout ou assis *(au parterre comme aux meilleures places),* on peut donner un mauvais jugement.
MOLIÈRE, Critique de l'École des femmes, 5.

35 À table, au plus haut bout il veut qu'il soit assis.
MOLIÈRE, Tartuffe, I, 2.

36 Le roi et la reine mangent tristement, M^me^ de Richelieu est assise, et puis les dames, selon leurs dignités, les unes assises, les autres debout.
M^me^ DE SÉVIGNÉ, Lettres, 22 janv. 1674.

37 Vous qu'on ne voit assis dans le sanctuaire du Dieu vivant que pour avoir longtemps été debout dans les antichambres des grands (...)
MASSILLON, Villeroy.

38 Celui qui reste assis dix heures par jour obtient précisément la moitié plus de considération qu'un autre qui n'en reste que cinq.
MONTESQUIEU, Lettres persanes, 78.

39 (...) le domestique, assis à la turque (...)
LOTI, les Désenchantées, V, 38.

40 Nous passâmes cette première soirée chez nous, assis au coin du feu, comme en hiver (...)
Alphonse DAUDET, le Petit Chose, p. 364.

41 Il était assis ou plutôt affalé dans un fauteuil, les bras pendants, les jambes mortes.
G. DUHAMEL, Chronique des Pasquier, X, 15.

42 (...) la position assise est pour les fonctionnaires.
MARTIN DU GARD, les Thibault, VII, 14.

Fig. et fam. *Être, rester assis,* décontenancé, déconcerté. *Il en est resté assis.*

♦ **2 PLACE ASSISE,** où l'on peut s'asseoir. *Il y a vingt-cinq places assises dans cet autobus.*

♦ **3** *Magistrature assise* (ou *du siège*), par oppos. à *magistrature debout* (ou *du parquet*) : corps des magistrats qui rendent la justice assis sur leur siège, les autres parlant debout. *Les magistrats assis des cours et tribunaux civils sont inamovibles* (Capitant).

42 Charles-Augustin, à ce point, interrompt sa femme pour lui demander comment elle explique qu'un simple membre de la magistrature assise soit si bien en fonds.
M. YOURCENAR, Archives du Nord, p. 161.

♦ **4** Par anal., vx. Établi, placé, posé.

43 Les pléiades se touchent presque (...) une étoile paraît assise sur l'une de celles qui forment la queue de la Grande Ourse (...)
LA BRUYÈRE, les Caractères, XVI, 43.

44 La ville aux dômes d'or, la blanche Navarin,
Sur la colline assise entre les térébinthes (...)
HUGO, les Orientales, V.

♦ **5** Abstrait. → **Affermi, assuré, équilibré, ferme, stable.** *Vie régulière et assise. Les conventions, les vérités assises. Une institution, une coutume bien assise.*

45 (...) il y a toujours cent contre un à parier, en France, qu'une chose quelconque ne durera pas ; c'est à l'instant que le gouvernement paraît le mieux assis qu'il s'écroule.
CHATEAUBRIAND, Mémoires d'outre-tombe, IV, 5.

46 (...) elle lui en voulait de ce calme si bien assis, de cette pesanteur sereine, du bonheur même qu'elle lui donnait.
FLAUBERT, M^me^ Bovary, I, 7.

47 Les résultats acquis et les conquêtes faites (...) tous ne souhaitent plus que de les voir consacrés, assis, à jamais par un gouvernement fort (...)
Louis MADELIN, Hist. du Consulat et de l'Empire, t. III, 4.

48 (...) les caractères les mieux assis.
G. DUHAMEL (→ Accession, cit. 1).

♦ **6** *Gens assis :* personnes qui sont établies dans une situation (avec une connotation de conformisme et de passivité).

9 Un jour elle me dit, sur le ton de l'aveu, qu'elle était une grande bourgeoise parisienne un peu trop assise et que cette sauvagerie, qu'elle devinait en moi, l'effrayait.
Maurice CLAVEL, le Tiers des étoiles, p. 41.

N. *Un assis, une assise* : une personne assise.

0 Péremptoire, dans sa chaire, un vertical parle à des assis sur leurs chaises (...) Les assis l'écoutent avec une patience d'ange mais, sur les dalles, des grincements de pieds de chaise témoignent qu'ils font preuve en même temps d'une impatience du diable.
J. PRÉVERT, Choses et autres, p. 142.

N. m. *Voter par assis et levés,* les uns restant assis tandis que les autres se lèvent. → **Vote.**

Fig. Péj. Personne passive, installée dans le confort. (Cf. le poème de Rimbaud, *les Assis,* auquel la citation suivante fait allusion.)

1 J'aime les êtres qui sont en désarroi, disait Bergère; et je trouve que vous avez une chance extraordinaire. Car enfin cela vous a été donné. Vous voyez tous ces *porcs ?* Ce sont des assis. Il faudrait les donner aux fourmis rouges pour les asticoter un peu.
SARTRE, le Mur, p. 170.

CONTR. **Lever, mettre** (qqn) **debout; coucher** (V. aussi **Position). — Détrôner. — Démolir, enlever, renverser, ruiner. — Renvoyer, rejeter. — Lever** (se). **— Debout, couché** (V. aussi **Position).** ◊ DÉR. **Assise, asseoiement. —** V. **Assidu, assiette.** → COMP. **Rasseoir, rassis. Chien-assis.**

**-ASSER** Suffixe à valeur diminutive, dépréciative et/ou fréquentative servant à former de nombreux verbes. Ex. : *dormasser* (1876, Huysmans), *écrivasser* (1891, Valéry), *grognasser* (pop. et régional), *paperasser, rêvasser, traînasser, neigeasser, pleuvasser, brouillasser, brumasser.*

**ASSEREAU** [asʀo] n. m. — Av. 1898; probablt des formes dial. *assereau, asceriau* désignant des instruments tranchants, de *aisse, asse,* du lat. *ascia* «hache», par une métonymie («coupure») — plutôt que du lat. *asser, asseris* «chevron, poutre».

Mines. Coupure horizontale dans une couche de schiste ardoisier.

**ASSÉRITIF, IVE** [aseʀitif, iv] adj. — 1945, Merleau-Ponty; pour *assertif,* d'après les adj. à finale en *-itif.*

Psychol. Qui est affirmé à priori (par un enfant) sans qu'il puisse imaginer que ce soit faux. — *Délusion asséritive* (av. 1947, P. Janet, *in* Piéron) : méconnaissance systématique.

REM. Ne pas confondre avec *assertif**.

**ASSERMENTER** [asɛʀmɑ̃te] v. tr. — 1356; *asermenté,* XIIe; de 1. *a-,* et *serment.*

Dr. publ., rare. *Assermenter qqn,* le lier par serment. *Assermenter un garde-chasse,* lui faire prêter serment.

Vx, rare. *Assermenter qqch.,* l'affirmer par un serment.

◆ **S'ASSERMENTER** v. pron. Rare. Se lier par serment.

Rare. *S'assermenter qqch. :* affirmer par serment qqch. à soi-même.

◆ **ASSERMENTÉ, ÉE** p. p. adj. et n. m. (plus cour. que le verbe).

♦ **1** Qui a prêté serment, qui est lié par serment. *Expert*, témoin assermenté,* qui a prêté serment devant le tribunal. — *Fonctionnaire assermenté,* qui a prêté serment pour exercer une profession (garde-chasse, etc.).

Hist. *Prêtres assermentés* (par opposition aux *prêtres insermentés*) : prêtres qui avaient prêté le serment de fidélité à la Constitution civile du clergé (1790). — N. m. *Un assermenté :* un prêtre assermenté.

♦ **2** Fig. Qui est soumis à quelqu'un ou à quelque chose.

COMP. **Non-assermenté.**

**ASSERTER** [asɛʀte] v. tr. — 1845, *in* D. D. L.; de *assertion.*

♦ **1** Vx. Affermir.

♦ **2** Mod. (infl. de l'angl. *to assert*). Affirmer, soutenir (qqch.) comme vrai.

Il ne reste plus alors au discours qu'à asserter la perfection de chaque détail et à renvoyer le «reste» au code qui fonde toute beauté : l'Art.
R. BARTHES, S/Z, p. 40.

**ASSERTIF, IVE** [asɛʀtif, iv] adj. — 1521; de *assertion.*

♦ **1** Didact. *Jugement assertif,* qui exprime une vérité de fait. — Syn. : *jugement assertorique*.* — *Affirmation, croyance assertive.* → **Asséritif.**

♦ **2** Ling. *Phrase assertive,* qui a le statut de l'assertion* (par oppos. à *phrase interrogative* et à *phrase impérative*). — Syn. : *phrase déclarative.*

**ASSERTION** [asɛʀsjɔ̃] n. f. — 1294, *in* T. L. F.; lat. *adsertio,* d'abord «action de revendiquer pour qqn la condition de personne libre»; plus tard «affirmation», de *adserere, asserere* «affirmer».

Log. et cour. Proposition que l'on avance en énonçant un jugement et qu'on soutient comme vraie. → **Affirmation, dire, proposition, thèse.** *Assertion vraie ou fausse, gratuite, hardie, hasardée, mensongère. Les preuves d'une assertion; avancer, prouver une assertion; contredire une assertion. Les faits ont corroboré, justifié, vérifié ses assertions. Détruire les assertions de son adversaire. Théorie de l'assertion.* → **Apophantique.** *Qui a les caractères d'une assertion.* → **Assertif, déclaratif.**

Ils peuvent crier autant qu'il plaira qu'en me déclarant contre les sciences j'ai parlé contre mon sentiment : à une assertion aussi téméraire, dénuée également de preuve et de vraisemblance, je ne dois qu'une réponse. 1
ROUSSEAU, *in* LAFAYE.

L'affirmation est d'un homme qui croit, qui ne doute pas, qui juge et déclare que la chose est telle; au lieu que l'assertion est d'un homme qui propose à croire, qui dogmatise, qui prétend ou avance que la chose est telle ou telle, et qui est prêt à le soutenir. 2
LAFAYE, Dict. des synonymes, Suppl., Affirmation, assertion.

Il fallait voir dans son livre *(de Cabanis)* des observations et non des assertions. 2.1
STENDHAL, Journal, 20 juil. 1813, Pl., p. 1270.

(...) il faut que je prenne mes précautions en appuyant mes assertions de faits incontestables. 3
B. CONSTANT, Journal intime.

(...) pour empêcher le monde d'être dévoré par la superstition et livré sans défense à toutes les assertions de la crédulité. 4
RENAN, Réponses au disc. de réception de Pasteur à l'Académie, 27 avr. 1882 (→ Superstition, cit. 3).

(...) assertions sans contrôle, et trop intéressées pour être accueillies de confiance. 5
JAURÈS, Hist. socialiste, t. VI, p. 96.

«Mais je vous en réponds; c'est moi qui vous le dis», expression par laquelle elle cherchait d'habitude à étayer une assertion jetée un peu au hasard. 6
PROUST, À la recherche du temps perdu, t. XII, II, p. 96.

Par ext., très rare. *Assertion (d'une qualité) :* manifestation d'une qualité.

Log. et ling. Type de phrase censée dire le vrai et qui dépend de la phrase implicite «X dit à Y que» suivi d'une affirmation ou d'une négation (par opposition à l'interrogation «X demande à Y si» et à l'impératif «X ordonne à Y que», qui n'ont pas de caractère vrai ou faux).

7 Alors que les assertions inexactes sont naturelles, dans la mesure où elles opposent le sujet et son discours au monde (relation d'objet), les assertions mensongères opposent le sujet à son discours, de telle sorte que la parole devienne caduque par la schize du sujet de l'énonciation. Cette parole dissociée bloquant toute pensée et toute action, il a bien fallu admettre que «l'assertion est censée dire le vrai», sans jamais oublier qu'elle dit aussi le faux.
Josette REY-DEBOVE, le Métalangage, p. 247.

**ASSERTORIQUE** [asɛʀtɔʀik] adj. — 1838; *assertoire* (dér. de *assertion*), 1866; all. *assertorisch* (mot forgé par Kant).

Philos. *Jugement assertorique* (Kant), qui énonce une vérité de fait (et non une vérité nécessaire). → **Apodictique.** Syn. : *jugement assertif.*

Log. Se dit d'une proposition qui n'est qu'une assertion simple, qui ne comporte pas d'opérateur* modal.

**ASSERVIR** [asɛʀviʀ] v. tr. [CONJUG. : *finir.*] — V. 1200; de 1. *a-*, et *serf.*

♦ **1** (Compl. n. de personne). Réduire à la servitude, à l'esclavage, à une extrême dépendance. → **Assujettir, contraindre, dominer, emparer** (s'), **enchaîner, prendre** (possession de), **soumettre, subjuguer.** *Asservir des hommes, un peuple, une nation. Asservir un pays à un autre. Ce pays a asservi ses voisins. Ce pays est asservi par..., à...* (VX). *Ils sont asservis à un tyran. Un régime totalitaire, qui asservit l'homme.*

1 Soumettre et assujettir, c'est mettre dans la dépendance, sous soi, dans un état inférieur : subjuguer et asservir, c'est mettre dans une grande dépendance, puisque c'est mettre sous le joug ou dans la servitude.
LAFAYE, Dict. des synonymes, Soumettre..., asservir.

2 (...) Albe à Rome asservie. CORNEILLE, Horace, V, 3.

3 *(Le moi)* est incommode aux autres en ce qu'il les veut asservir; car chaque moi est l'ennemi et voudrait être le tyran de tous les autres. PASCAL, Pensées, VII, 455.

4 (...) se servant de leurs anciens esclaves pour en soumettre de nouveaux, ils ne songèrent qu'à subjuguer et asservir leurs voisins. ROUSSEAU, De l'inégalité, II.

5 Que des hommes épars soient successivement asservis à un seul (...) je ne vois là qu'un maître et des esclaves,
ROUSSEAU, Du contrat social, I, 5.

6 L'anarchie (...) asservit les indépendances individuelles.
CHATEAUBRIAND (→ Anarchie, cit. 4).

7 Je combattrai quiconque prétendra asservir à un individu comme à une masse d'individus, la liberté de l'homme.
SAINT-EXUPÉRY, Pilote de guerre, XXVII.

Au p. p. *Pays asservi.*

8 La Judée asservie et ses remparts fumants (...)
RACINE, Bérénice, II, 2.

Absolument :

9 Insensé qui croit asservir et se dispenser d'obéir.
P.-L. COURIER, I, 226, *in* LITTRÉ.

Rare. *Asservir qqn à faire qqch.*, l'obliger à...

♦ **2** (Compl. n. de chose). Maîtriser. *Asservir les éléments, les forces de la nature. Les hommes croient s'affranchir en asservissant la nature.* → **Maîtriser.**

10 (...) cette force qu'il avait été si fier d'asservir à des fins laborieuses, MARTIN DU GARD, les Thibault, III, 13.

♦ **3** (Compl. n. de personne ou caractère humain). Fig. *Asservir ses passions.* → **Dominer, dompter, juguler, régir, régner** (sur).

Littér., vieilli. *Être asservi à une passion, à qqn. Être asservi aux charmes d'une femme.* → **Enchaîner**; et aussi **captif, esclave, jouet, proie.**

11 Aux règles de l'art asservir son génie.
BOILEAU, Satires, 2.

12 Pour vivre sous tes lois à jamais asservie (...)
CORNEILLE, Polyeucte, V, 3.

13 (...) Votre âme, à l'amour en esclave asservie.
RACINE, Andromaque, I, 1.

14 Loin d'être aux lois d'un homme en esclave asservie (...)
MOLIÈRE, les Femmes savantes, I, 1.

15 Une coquette est un tyran qui veut tout asservir, pour le seul plaisir d'avoir des esclaves.
MARMONTEL, Contes moraux, Heureusement.

16 En n'asservissant les honnêtes femmes qu'à de tristes devoirs, on a banni du mariage tout ce qui pouvait le rendre agréable aux hommes. ROUSSEAU, Émile, V.

17 Ce sexe dangereux qui veut tout asservir,
S'il règne dans l'Europe, ici doit obéir.
VOLTAIRE, Zaïre, III, 6.

18 Ma vie est un combat et la frugalité
Asservit la nature à mon austérité.
VOLTAIRE, Mahomet, II, 4.

18.1 Oisive jeunesse
À tout asservie,
Par délicatesse
J'ai perdu ma vie.
RIMBAUD, Fêtes de la patience, «Chanson de la plus haute tour».

19 Jamais homme n'en fut ainsi la proie *(du génie).* Ce génie ne semblait pas de la même nature que lui; c'était un conquérant qui s'était rué en lui et le tenait asservi.
R. ROLLAND, Vie de Michel-Ange, p. 20.

♦ **4** (Choses concrètes). Rare. «*Une tige pouvait (...) asservir* (les robinets) *à un mouvement unique*» (Huysmans, *in* T. L. F.). — Spécialt (sc.). Relier par un dispositif d'asservissement. *Asservir un moteur.* → ci-dessous Asservi.

◆ **S'ASSERVIR** v. pron.

Se soumettre; se mettre dans la dépendance, devenir esclave, captif de qqn ou de qqch. *S'asservir aux lois.*

20 Donnant ma liberté, je me suis asservi.
Mathurin RÉGNIER, Satires, II.

21 Mon esprit impatient de toute espèce de joug ne peut s'asservir à la loi du moment.
ROUSSEAU, les Confessions, III.

22 On respecta son originalité parce qu'il *(La Fontaine)* n'eut jamais la sottise de la vouloir imposer ou étaler; il eut cette fortune de vivre dans une société brillante, et d'être aimé d'elle, sans être obligé de s'y asservir.
Émile FAGUET, Études littéraires, XVII^e s., p.241.

*S'asservir quelqu'un ou quelque chose.* → **Soumettre.**

23 Cet hymen m'asservit et le fils et la mère (...)
VOLTAIRE, Mérope, IV, 1.

24 Or il *(Napoléon)* avait, — M^me de Rémusat devait le remarquer avant les lecteurs de la Correspondance, — la constante habitude de se servir de l'histoire et presque de se l'asservir.
Louis MADELIN, Hist. du Consulat et de l'Empire, t. VI, XII.

25 Pendant des mois Pierre m'expliqua qu'il fallait, en politique comme en amour, savoir s'attacher sans se lier, pouvoir servir sans s'asservir, se battre ensemble, épaule contre épaule, mais sans être *collés.*
Claude ROY, Nous, p. 407.

◆ **ASSERVI, IE** p. p. adj. (de *asservir*).

Soumis à, esclave de (→ ci-dessus cit. 12, 13, 14, 18.1 et 19).

Dr. *Fonds asservi :* fonds qui est grevé d'une servitude.

(1875, → ci-dessous cit. 26). Sc. Relié par un dispositif d'asservissement. *Moteur électrique asservi.*

26 M. Farcot désigne, sous le nom de *servo-moteur* ou de *moteur asservi*, un système qui permet de faire faire à un organe, aussi lourd et aussi puissant qu'on puisse le supposer, les mêmes évolutions que l'on imprime, à la main ou autrement, à un simple bouton dont le déplacement n'exigerait qu'une très petite résistance.
L. FIGUIER, l'Année scientifique et industrielle 1876, p. 427 (1875).

N. Rare. *Un asservi, une asservie :* une personne réduite à la servitude.

CONTR. **Affranchir, délivrer, émanciper, libérer** (et p. p.).
◊ DÉR. **Asservissant, asservissement, asservisseur.**

**ASSERVISSANT, ANTE** [asɛʀvisɑ̃, ɑ̃t] adj. — 1835; de *asservir.*

Qui asservit. *Joug asservissant. Emploi, travail asservissant. Condition asservissante, lois asservissantes. Être soumis à des règles asservissantes.* → **Assujettissant.**

La philosophie technocratique elle-même est affectée de violence asservissante, en tant qu'elle est technocratique.
Gilbert SIMONDON, Du mode d'existence des objets techniques, p. 127.

**ASSERVISSEMENT** [asɛʀvismɑ̃] n. m. — 1443; de *asservir.*

♦ **1** Littér. ou style soutenu. Action d'asservir, de réduire à l'esclavage. *Un asservissement politique. Ce régime procède par l'asservissement des peuples.* — Par ext. *L'asservissement de la presse, des esprits, des consciences.*

♦ **2** État de ce qui est asservi. → **Servitude.** *Tenir des hommes dans l'asservissement.* → **Assujettissement, captivité, chaîne, dépendance, esclavage, soumission.** *L'asservissement d'un pays occupé par l'ennemi, gouverné par un despote, un tyran.* → **Contrainte, despotisme, joug, oppression, tyrannie.** *Vivre dans l'asservissement :* être asservi.

.1 (...) mais tant que notre infortune, notre patience à la supporter, notre bonne-foi, notre asservissement ne serviront qu'à doubler nos fers, nos crimes deviendront leur ouvrage, et nous serions bien dupes de nous les refuser, quand ils peuvent amoindrir le joug dont leur cruauté nous surcharge. SADE, Justine..., t. I, p. 36.

1 Solon ne survécut pas longtemps à l'asservissement de sa patrie.
BARTHÉLEMY, Anacharsis, Introduction 2, *in* HATZFELD.

2 En fait, ce sont les prodromes de l'asservissement total. Une fois le joug bien assujetti, on ne le secouera plus.
MARTIN DU GARD, les Thibault, VIII, 13.

3 On aboutit ainsi à la dictature d'un homme, d'un parti ou d'une bureaucratie et au bout de la route il y a l'asservissement dans un cadre que, par habitude, on continue pourtant encore d'appeler démocratique.
André SIEGFRIED, l'Âme des peuples, I, 2.

4 La participation humaine est pourtant encore considérable et le siècle de la vapeur est aussi celui où l'asservissement du travailleur manuel est le plus écrasant.
A. LEROI-GOURHAN, le Geste et la Parole, t. II, p. 49.

Fig. *Asservissement moral, asservissement de l'esprit.*

*Asservissement à :* soumission à. *Asservissement à un régime politique.* — Par ext. *Asservissement à la mode, aux usages, aux caprices de quelqu'un.*

♦ **3** Didact. État d'une grandeur physique qui impose ses variations à une autre grandeur sans être influencée par elle; relation entre ces deux grandeurs; dispositif basé sur cette relation. *Asservissement en chaîne. Dispositifs d'asservissement* (déclenchements, amplificateurs, tube électronique, etc.). → **Asservisseur; commande, régulation; servo-.** *Relier par un dispositif d'asservissement.* → **Asservir,** 4.

CONTR. **Affranchissement, délivrance, émancipation, libération.**

**ASSERVISSEUR, EUSE** [asɛʀvisœʀ, øz] adj. et n. — 1830; de *asservir.*

♦ **1** Adj. Littér. et rare. Qui asservit. «*Le machinisme asservisseur*» (R. Rolland, *in* T. L. F.).

♦ **2** N. Personne, entité qui asservit.

C'est le grand asservisseur des rois et des consciences, le grand despote religieux, Grégoire VII, qui (...)
VILLEMAIN, Cours de littérature franç., Moyen âge, *in* LITTRÉ.

♦ **3** Sc., techn. Dispositif d'asservissement.

CONTR. **Émancipateur, libérateur.**

**ASSESSEUR** [asesœʀ] n. m. — XIIIe, *assessour, accessors; acesseur,* 1283; lat. *assessor* «celui qui aide, conseille quelqu'un».

**I** ♦ **1** (XIIIe). Cour. Personne qui siège auprès de qqn, l'aide, l'assiste dans ses fonctions, ou le supplée en son absence. → **Adjoint, aide, assistant, auxiliaire, second.** *Assesseur du bureau de vote, du président, du doyen. Avoir pour assesseur, prendre qqn pour assesseur.* Fonction d'assesseur. → **Assessorat.**

Les deux plénipotentiaires sont accompagnés de trois assesseurs qui leur emboîtent le pas avec la même prestesse. Georges LECOMTE, Ma traversée, p. 476. 1

♦ **2** Dr. Juge siégeant aux côtés du président dans une juridiction collégiale et ayant voix délibérative. *L'assesseur du président de la cour d'assises.*

À partir du jour de l'ouverture de la session, le président des assises pourvoira au remplacement des assesseurs régulièrement empêchés et désignera, s'il y a lieu, les assesseurs supplémentaires. 2
Anc. Code d'instruction criminelle, art. 252.

De récents procès, — où les accusés, appuyés d'un auditoire menaçant, avaient parlé de faire tout sauter, osant même prétendre, en pleine cour d'assises, que l'honorable président et ses assesseurs en tremblaient «SUR LEURS TIBIAS», — démontraient l'irritation des nécessiteux. 3
VILLIERS DE L'ISLE-ADAM, Tribulat Bonhomet, p. 30.

L'estrade sur laquelle siégeait la Cour, était si basse, qu'il voyait à peine les fauteuils du président et des deux assesseurs. ZOLA, Paris, t. I, p. 120 (1898). 3.1

Par appos. *Juge assesseur.*

REM. Le mot n'a pas de fém. attesté; on emploie *assesseur* en parlant des femmes. *Elle est l'assesseur du bureau, du président, du juge; elle est juge assesseur.*

♦ **3** Relig. Prélat qui remplit les fonctions de secrétaire dans les congrégations dont le pape est le préfet (congrégation pour la doctrine de la foi, autrefois Saint-Office; congrégation pour les évêques; congrégation pour les Églises orientales).

Heureusement, Pierre, qui avait remarqué l'effet décisif que produisait le nom de l'assesseur du Saint-Office, eut l'idée de répondre : 4
— Certes, monseigneur, je n'entends pas vous occasionner le moindre embarras (...)
ZOLA, Rome, p. 420 (1896).

♦ **4** Sport. Juge de touche qui assiste l'arbitre au cours d'un match. «*Il y a un penalty flagrant, je suis désolé que son juge de touche ne le lui signale pas.* (...) *On les nomme désormais assesseurs. Ils doivent signaler les fautes*» (*L'Équipe,* 14 févr. 1997, p. 4).

**II** Régional (Canada). Personne qui répartit les impôts.

DÉR. (Du lat. *assessor*) V. **Assessoral, assessorat.**

**ASSESSORAL, ALE, AUX** [asesɔʀal, o] ou **ASSESSORIAL, IALE, IAUX** [asesɔʀjal, jo] adj. — 1877; du lat. *assessor.*

Didact. (dr.). Qui concerne l'assesseur, les fonctions de l'assesseur; qui est relatif, qui appartient à l'assesseur, à l'assessorat.

**ASSESSORAT** [asesɔʀa] n. m. — 1866; *assessoriat,* 1611; dér. sav. du lat. *assessor.*

Didact. (dr.). Fonction d'assesseur.

J'applaudis, notamment, à l'institution de l'assessorat qui, lorsque ces tribunaux auront à juger des crimes commis contre des Européens par des Indigènes, les complète par des assesseurs marocains.
L.-H. LYAUTEY, Paroles d'action, p. 98.

**ASSETTE** [asɛt] n. f. → **Aissette, asseau.**

**ASSEULÉ, ÉE** [asœle] adj. — Av. 1873, Flaubert; de 1. *a-,* et *seul.*

Régional. Solitaire. → **Esseulé.**

Ma nièce Caroline est venue ici passer six semaines, et sa gentille compagnie m'a fait du bien, mon existence ordinaire est si asseulée et farouche.
FLAUBERT, Correspondance, À Mme Roger des Genettes, 4 août 1873.

**ASSÉVÉRATIF, IVE** [aseveʀatif, iv] adj. — 1933, A. Martinet; bas lat. *asseverativus* «qui renforce, fortifie l'affirmation».

Ling. Qui renforce l'affirmation.

**ASSEZ** [ase] adv. — Fin Xe, *asez,* puis 1080; d'un lat. vulg. **adsatis,* renforçant le lat. class. *satis* «assez, d'une manière suffisante».

**I** Marque la suffisance. → **Suffisamment.** *L'avare n'a jamais assez. Juste assez :* en suffisance, en quantité suffisante. *Pas assez :* trop peu. *Plus qu'assez.* → **Trop.** *Bien assez* [bjɛ̃nase] : très suffisamment.

1 En amour assez est trop peu (...)
Quand on n'aime pas trop, on n'aime pas assez.
BUSSY-RABUTIN, Maximes d'amour.

2 Suffisamment exprime que ce qu'on a suffit, mais ne va pas au delà. Assez exprime que ce qu'on a non seulement suffit, mais encore satisfait amplement à ce que nous voulons. Ce qui suffit ne surabonde pas; ce qui est assez peut surabonder. De plus, au point de vue de la syntaxe, assez reçoit facilement un complément avec *de;* ce que suffisamment ne fait pas, au moins dans le style correct.
LITTRÉ, Dict., art. *Assez.*

♦ **1** Suivi d'un adj. Suffisamment. *La porte n'est pas assez large pour que ça passe.* — Par ext. D'une manière conforme à la norme, ou presque conforme; presque autant (→ ci-dessous, cit. 10). *Il est assez grand.* → **Plutôt, relativement.** — REM. (Vieilli, littér.). *Assez* peut parfois suivre l'adjectif, → ci-dessous, cit. 6 et 9.

3 Peu de gens gardent un trésor
Avec des soins assez fidèles.
LA FONTAINE, Fables, VIII, 7.

4 Je l'ai tissu de manière assez forte.
LA FONTAINE, Fables, X, 6.

5 Nulle peine n'était pour ce crime assez grande.
LA FONTAINE, Fables, XIII, 14.

6 Trou, ni fente, ni crevasse,
Ne fut large assez pour eux.
LA FONTAINE, Fables, IV, 6.

7 Dans ce monde il faut être un peu trop bon pour l'être assez.
MARIVAUX, le Jeu de l'amour et du hasard, I, 2.

8 Le ciel n'est-il pas assez vaste, cet amour n'est-il pas assez doux? FLAUBERT, l'Éducation sentimentale, 70.

9 Le chien porte un grelot d'un son léger. Doux assez pour ne point donner trop tôt l'éveil à l'oiseau.
Joseph DE PESQUIDOUX, Chez nous, I, p. 206, *in* GREVISSE.

10 (...) un ensemble de conditions, de climat et de sol, assez voisines des conditions auxquelles elle est adaptée (...)
E. DE MARTONNE (→ Acclimater, cit. 1).

10.1 Dans le français bizarre qu'on parle aujourd'hui se glissent des expressions qui font fortune. Par exemple, le mot *assez* qui devient une sorte de superlatif, le moins étant là pour le plus. Dans l'article d'un pasteur, je lis cette phrase à propos de la visite du pape à Genève : «Cette heure assez inouïe où la fine silhouette blanche du pape (...) se sera confondue avec toute une salle pour prier et chanter avec elle (...)»
J. GREEN, Ce qui reste de jour : 1966-1972, 4 juil. 1969, p. 170.

♦ **2** Suivi d'un adv. ou d'une loc. adv. Suffisamment. *Assez longtemps. Si je vis assez longtemps. Vous êtes venu assez à temps* (Académie).

On s'en va la chercher *(la fortune)* en des rives lointaines, 11
La trouvant assez tôt sans quitter la maison.
LA FONTAINE, Fables, VII, 12.

Par ext. D'une manière normale, relativement proche de. *Y allez-vous souvent? Assez souvent. Assez rarement.* → **Plutôt.**

♦ **3** Avec un verbe. D'une manière suffisante pour s'arrêter, terminer, changer (exprime un arrêt par rapport au processus verbal, avec diverses nuances). *Je l'ai assez vu. Vous avez assez travaillé. J'en ai assez mangé, ça suffit*.*

Autrement, un philosophe vous dira que vous devez être 12
rassasié d'années et de jours, et que vous avez assez vu les saisons se renouveler (...)
BOSSUET, Oraison funèbre de Michel Le Tellier.

Ces belles années, dont on ne peut assez admirer le cours 13
glorieux.
BOSSUET, Oraison funèbre de Michel Le Tellier.

*En savoir, en connaître assez. J'en ai assez entendu.*

(...) une femme en sait toujours assez 14
Quand (...) MOLIÈRE, les Femmes savantes, II, 7.

Sur vous l'on sait assez que je jette les yeux. 15
J.-F. REGNARD, le Joueur, II, 4.

(...) Ah! Seigneur, vous entendiez assez 16
Des soupirs qui craignaient de se voir repoussés.
RACINE, Andromaque, III, 6.

*En faire, en avoir fait assez.*

*(Les moralistes)* pensent (...) qu'ils ont assez fait en prê- 17
chant la bonne parole.
Pierre LOUŸS, les Aventures du roi Pausole, III.

**C'EST ASSEZ** [sɛtase] : c'est suffisant, il suffit. *C'est assez de..., que... C'est assez de deux assemblées. C'est assez de se faire comprendre. C'est assez que vous soyez averti* (Académie). *Ce n'est pas assez de découdre, il faut encore recoudre.* → **Tout** (ce n'est pas tout de). *C'est assez parlé, assez discuté; c'est assez parler, assez discuter. C'est assez. C'en est assez* [sɑ̃nɛtase] : n'en parlons plus, n'en disons pas davantage, tenons-nous-en là, c'est entendu. *En voilà assez sur ce chapitre, sur ce point.*

Ellipt. et exclam. *Assez!* : cesse, finis, ça suffit. → **Trêve** (→ fam. La barbe!).

Dans un si grand revers que vous reste-il? — Moi, 18
Moi, dis-je, et c'est assez (...) CORNEILLE, Médée, I, 5.

(...) Regardez bien, ma sœur, 19
Est-ce assez? Dites-moi. N'y suis-je point encore?
LA FONTAINE, Fables, I, 3.

C'est assez, dit le rustique; 20
Demain vous viendrez chez moi.
LA FONTAINE, Fables, I, 9.

Rentrons : c'en est assez. 21
MOLIÈRE, George Dandin, III, 5.

Narcisse, c'est assez, je reconnais ce soin. 22
RACINE, Britannicus, IV, 4.

J'ai fait ce que j'ai pu : vous régnez, c'est assez. 23
RACINE, Britannicus, IV, 2.

C'est bien assez pour moi de l'opprobre éternel 24
D'avoir pu mettre au jour un fils si criminel.
RACINE, Phèdre, IV, 2.

(...) et si on le peut quelquefois, ce n'est pas assez; il faut 25
encore le vouloir faire.
LA BRUYÈRE, les Caractères, Avant-propos.

Si c'est assez d'avoir à répondre de soi seul; quel poids, 26
quel accablement que celui de tout un royaume!
LA BRUYÈRE, les Caractères, X, 34.

17 On dit qu'il s'appuie constamment à l'Écriture. Ce n'est pas assez dire : il s'y appuie sans cesse, et surtout il y ramène toujours.
Émile FAGUET, Études littéraires, XVII^e s., p. 413.

*C'est assez de digressions, assez de discours.* — Ellipt. *Assez de digressions, assez de discours!*

**AVOIR ASSEZ DE QQCH.** *Avoir assez de fourrage, assez de vivres pour un mois. Avez-vous assez d'argent? J'en ai assez. Il n'en a jamais assez. C'est un dépensier, il n'a jamais assez. J'aurai assez de deux couvertures,* cela me suffira, je m'en contenterai. → **Contenter** (se), **satisfaire** (se). *J'en ai assez comme ça.*

18 Il est difficile qu'un fort malhonnête homme ait assez d'esprit. LA BRUYÈRE, les Caractères, XI, 14.

19 Pour naître et pour mourir *(tes créatures)* ont assez d'un moment. LAMARTINE, Harmonies..., IV, 4.

*Avoir assez de qqch.,* en être fatigué, rassasié. *Quand nous aurons assez de la promenade.* → **Satiété, trop.** *J'en ai assez de ce roman. J'en ai assez de tes idioties!* (→ fam. En avoir marre, sa claque*, plein le dos*, plein le cul*, ras* le bol).

21 Il faut entendre ces stupidités... ces insinuations... «Vos goûts... Vous avez de qui tenir... Ta carrière, mon chéri, tu inquiètes maman...» J'en ai assez. Elle va voir... j'en ai assez... N. SARRAUTE, le Planétarium, p. 86.

Fam. *J'ai assez avec* (mon travail, etc.).

Ellipt. (de *être assez* et de *avoir assez*). *Assez!* : ça suffit (injonction ou menace incitant qqn à arrêter une action, des paroles. → fam. Ça va, ça suffit comme ça, y en a marre). *Assez! la ferme!*

22 Ah! mesdames et messieurs, mon haleine n'incommode-t-elle pas ceux du premier rang? Était-ce bien ce soir que je devais parler? Assez, n'est-ce pas? vous n'en supporteriez pas davantage.
Francis PONGE, Douze petits écrits, Trois apologues, I.

*Assez de...!*

23 Assez de ces maisons droites comme un cri, de ces automobiles, toutes semblables, d'un noir bleu, luisantes, pareilles à des mouches à viande.
Paul MORAND, Bouddha vivant, p. 238.

♦ **4** *Assez de* (suivi d'un nom) : suffisamment de. — REM. Le nom pouvait parfois précéder *assez* dans la langue classique (→ ci-dessous, cit. 31). — *Il est tombé assez de pluie.*

30 Mais je croyais avoir déjà donné assez de temps aux langues (...) DESCARTES, Discours de la méthode, 1.

31 L'Olympe ne peut plus contenir tant de têtes
Ni l'an fournir de jours assez pour tant de fêtes.
LA FONTAINE, les Filles de Minée, V.

32 Un grand nous fait assez de bien quand il ne nous fait pas de mal.
BEAUMARCHAIS, le Barbier de Séville, I, 2.

Avec un plur. Beaucoup de. — *Assez de personnes :* un nombre assez grand de personnes (→ ci-dessous cit. 53 à 55).

Régional (Belgique). *Assez bien de :* beaucoup, une grande quantité de. *«Là aussi, il y avait assez bien de monde autour de moi»* (Simenon, *cité par M. Piron*).

♦ **5** Dans tous les emplois précédents, *assez... pour* marque le degré suffisant pour entraîner telle ou telle conséquence. *Ça sera toujours assez bon, assez bien pour ces minables.*

33 Les dieux t'ont laissé vivre assez pour ta mémoire,
Trop peu pour l'univers.
J.-B. ROUSSEAU, Odes, II, 10.

**BIEN ASSEZ.** *Tu as bien assez travaillé pour cet examen. Il est bien assez intelligent pour elle.*

*Assez... pour...* (suivi d'un inf.). *Avoir assez de place pour écrire. Être assez près pour voir. Être assez grand pour sortir seul. Soyez assez bon pour me conduire. Il est (bien) assez bête pour se laisser prendre.*

Un sot n'a pas assez d'étoffe pour être bon. 34
LA ROCHEFOUCAULD, Maximes, 367.

Aime assez ton mari pour n'en triompher point. 35
CORNEILLE, Horace, II, 7.

Il ne m'a pas trouvée assez bien faite pour m'adresser ses 36
vœux. MOLIÈRE, la Princesse d'Élide, V, 2.

Je ne demande qu'assez de vie pour pouvoir expier (...) 37
MOLIÈRE, Dom Juan, IV, 6.

Il croit que c'est assez d'un coup pour t'accabler. 38
MOLIÈRE, les Femmes savantes, III, 3.

Je t'en ai dit assez pour te tirer d'erreur. 39
RACINE, Phèdre, II, 5.

Deux pigeons s'aimaient d'amour tendre. 40
L'un d'eux, s'ennuyant au logis,
Fut assez fou pour entreprendre
Un voyage en lointain pays.
LA FONTAINE, Fables, IX, 2.

Les hommes sont-ils assez bons, assez fidèles, assez équi- 41
tables, pour (...) ne nous pas faire désirer (...)
LA BRUYÈRE, les Caractères, XVI, 19.

La plupart des citoyens qui ont assez de suffisance pour 42
élire n'en ont pas assez pour être élus.
MONTESQUIEU, l'Esprit des lois, II, 2.

(...) assez pervers pour affecter les dehors d'une tendresse 43
qu'il n'éprouvait pas. FRANCE, le Petit Pierre, XXXIV.

*Assez... pour que* (et le subj.).

Je ne lui offrais pas assez de garanties pour qu'il fît de 44
moi son débiteur, je lui en offrais assez pour qu'il fît de moi son gendre.
Émile AUGIER, le Gendre de M. Poirier, I, 2.

**II** Marquant une atténuation ou (emploi affectif et vx) un renforcement des mots auxquels il est joint. (Cet emploi est pris en charge par l'intonation, dans la langue parlée).

♦ **1** Atténuation, degré moyen, litote. → **Pas** (fam. : pas mal), **passablement, plutôt, près** (à peu près). *Elle est assez intelligente. Il est assez bon orateur. Cela paraît assez vraisemblable. Elle vient assez souvent.*

Le caractère de l'enfance paraît unique; les mœurs, dans 45
cet âge, sont assez les mêmes (...)
LA BRUYÈRE, les Caractères, XI, 52.

C'est ce que je fis avec assez de succès, mais toujours avec 46
dignité. ROUSSEAU, les Confessions, VIII.

C'est un homme d'affaires, dont les affaires sont incer- 47
taines, mais qui, dans l'ensemble, gagne assez d'argent.
Edmond JALOUX, la Chute d'Icare, p. 64.

♦ **2** Vx (emploi affectif). Trop, à l'excès. *Voilà qui est assez plaisant* (Académie). → **Très.** *Je m'en contenterais assez.* → **Bien.** — REM. Cet emploi était fréquent dans les phrases exclamatives ou interrogatives : *Me suis-je fait assez attraper! Est-il assez bête!* (→ **Comme**).

Angélique — «Ne devines-tu point de quoi je veux parler?» 48
Toinette — «Je m'en doute assez : de notre jeune amant.»
MOLIÈRE, le Malade imaginaire, I, 4.

Voilà une malade qui n'est pas tant dégoûtante, et je tiens 49
qu'un homme bien sain s'en accommoderait assez.
MOLIÈRE, le Médecin malgré lui, II, 4.

Je t'en veux dire un trait assez bien inventé. 50
LA FONTAINE, Fables, III, 1.

Cet homme se raillait assez hors de saison. 51
LA FONTAINE, Fables, III, 16.

REM. Lorsque le sens de l'adjectif ou de l'adverbe implique l'excès ou est péjoratif, il s'agit en fait du sens atténuatif (→ ci-dessus, II., 1.).

La science n'apporte pas l'explication du monde comme 52
l'avaient cru, assez naïvement, les hommes de la génération de Zola.
A. MAUROIS, Études littéraires, t. I, p. 39.

Vx. *Assez de personnes :* un nombre plus que suffisant de personnes. → **Beaucoup, nombreux.**

Rome ne manque point de généreux guerriers; 53
Assez d'autres sans moi soutiendront vos lauriers.
CORNEILLE, Horace, V, 2.

54 Assez de gens méprisent le bien, mais peu savent le donner. LA ROCHEFOUCAULD, Maximes, 301.

55 Assez de malheureux ici-bas vous implorent.
LAMARTINE, Méditations poétiques, «Le lac».

CONTR. **Insuffisamment, peu. — Exagérément, excessivement, trop.**

**ASSIBILATION** [asibilasjɔ̃] n. f. — 1877, Littré; de *assibiler.*

Phonétique.

♦ **1** Prononciation sifflante d'un son qui est représenté graphiquement par une lettre correspondant habituellement à une occlusive. *L'assibilation du* t *dans «action».*

♦ **2** Changement phonétique qui a pour résultat une sifflante. *L'assibilation du phonème* [k] *latin devant* e *ou* i *en français* (centum [kɛntum] *est devenu* cent [sɑ̃]); *du* r *intervocalique* (chaire *est devenu* chaise); *et de* t *devant* i (patience).

**ASSIBILER** [asibile] v. tr. — 1874; lat. *adsibilare* «siffler (contre)».

Phonétique.

♦ **1** Donner le son sifflant du *s.*

♦ **2** Imposer le changement phonétique de l'assibilation à (un son).

◆ **S'ASSIBILER** v. pron. Prendre le son sifflant du *s.*

DÉR. **Assibilation.**

**ASSIDÉEN, ÉENNE** [asideɛ̃, eɛn] n. et adj. — 1740, Trévoux; de l'hébr. *hasidim* «pieux».

♦ **1** Membre d'une secte juive très austère, attachée aux croyances des ancêtres, et qui a donné naissance aux pharisiens.

♦ **2** Membre d'une secte juive fondée en Pologne au XVIII^e siècle. — Var. : *asidéen, assidien, hasidéen, hasidim* (forme non francisée). — Adjectif :

Un des rabbins assidéens condamnait ou réprimandait sévèrement les rabbins ou les simples fidèles d'être trop détachés de la terre dans leur spiritualité excessive, comme il réprimandait également ceux qui étaient trop attachés à la terre.
IONESCO, Journal en miettes, p. 115.

**ASSIDU, UE** [asidy] adj. — XVI^e; *asidu,* fin XII^e-déb. XIII^e; lat. *assiduus* «qui se tient continuellement quelque part».

♦ **1** (1611). Qui est régulièrement présent en quelque endroit pour se conformer à ses obligations. *Élève assidu. Étudiant assidu aux cours. Employé assidu à son bureau. Magistrat assidu aux audiences.* → **Exact, ponctuel, régulier.**

1 (...) un serviteur dévoué et assidu (...)
COURTELINE, Messieurs les ronds-de-cuir, IV, 3.

Fig. (sans idée de présence). Qui a une application constante, soutenue. → **Appliqué.** *Un étudiant assidu. — Assidu à. Un élève assidu à l'étude. Assidu à sa tâche. Être assidu à travailler.*

2 D'écoliers libertins une troupe indocile,
Loin des yeux d'un préfet au travail assidu (...)
BOILEAU, le Lutrin, 3.

3 *(Les Juifs)* À prier avec vous jour et nuit assidus.
RACINE, Esther, I, 3.

♦ **2** (XVI^e). Qui est continuellement, fréquemment auprès de qqn. *Un compagnon, un ami assidu. Un médecin assidu auprès d'un malade.* — Spécialt. Empressé. *Un amoureux assidu auprès de sa belle.* → **Servant** (cavalier), **suivant.** *Un courtisan assidu. Trop assidu* (→ **Importun**).

4 Ceux qui sont toujours mécontents de la cour, ces suivants inutiles, ces incommodes assidus (...)
MOLIÈRE, l'Impromptu de Versailles, 4.

*(Toi qui)* Fus de mes premiers ans la compagne assidue (...) 5
RACINE, Esther, I, 1.

Qui est plus esclave qu'un courtisan assidu, si ce n'est un courtisan plus assidu? 6
LA BRUYÈRE, les Caractères, VIII, 69.

Qui va fréquemment dans un lieu, pour son plaisir ou son intérêt. *Être assidu aux dîners du mardi, aux concerts de X. — Assidu de qqch.,* habitué. *Être assidu des champs de course* (T. L. F.).

N. Littér. ou style soutenu (→ Habitué, plus cour.). *Un assidu, une assidue* : une personne qui va fréquemment dans un lieu, à une manifestation. *Les assidus et les visiteurs occasionnels.*

♦ **3** Par ext. (en parlant d'un comportement, d'une occupation). → **Constant, continu, diligent, obstiné, soutenu, zélé.** *Travail assidu. Soins assidus. Présence assidue.*

Vingt ans d'assidu service. 7
MOLIÈRE, Amphitryon, I, 1.

Après tant d'assidus hommages, de soins et de services que je lui ai rendus dans sa cuisine! 8
MOLIÈRE, le Bourgeois gentilhomme, III, 9.

Aussi bien ces soupçons, ces plaintes assidues 9
Ont fait croire à tous ceux qui les ont entendues (...)
RACINE, Britannicus, IV, 2.

Il n'avait plus pour moi cette ardeur assidue. 10
RACINE, Bérénice, I, 4.

CONTR. **Inexact, irrégulier, négligent; interrompu, relâché.**
◊ DÉR. **Assiduité, assidûment.**

**ASSIDUITÉ** [asidɥite] n. f. — 1559; *assidüité,* XII^e; lat. *assiduitas* «présence constante, persistance», de *assiduus.* → Assidu.

♦ **1** (1690). Présence* régulière en un lieu où l'on s'acquitte de ses obligations. *Assiduité d'un élève aux cours, d'un juge aux audiences, d'un employé à son bureau.* → **Exactitude, ponctualité, régularité.** *Manque d'assiduité.* → **Absentéisme,** 2. *Des fonctions qui exigent une assiduité fastidieuse.* → **Assujettissement, sujétion.** *Certificat d'assiduité.*

(XII^e). Fig. (sans idée de présence). Application constante à qqch., persévérance. → **Application, constance, continuité, diligence, obstination, ténacité, zèle.** *Assiduité au travail. Redoubler d'assiduité. Assiduité à apprendre.*

Son goût pour s'instruire, son assiduité à l'étude 1
VOLTAIRE, Lettre au comte de Schouvalof, 11 nov. 1759.

(...) la continuité qui seule mène à fin les grandes besognes. Les coups de collier intermittents, quelque énergiques qu'ils soient, y valent peu; ce qui y vaut, c'est l'assiduité qui ne s'interrompt jamais. 2
É. LITTRÉ, Comment j'ai fait mon Dictionnaire, p. 22.

Mon assiduité permanente au travail, ne se laissant détourner par aucune distraction ni par aucune fatigue, fut récompensée, et en 1865, je pus inscrire sur un dernier feuillet : «Aujourd'hui j'ai fini mon Dictionnaire.» 3
É. LITTRÉ, Comment j'ai fait mon Dictionnaire, p. 30.

♦ **2** (1638). Présence continuelle, fréquente auprès de qqn ou en un lieu où on va le voir. → **Fréquentation, visite.** *Assiduité d'un médecin auprès d'un malade. Fréquenter qqn, une maison, avec assiduité.*

En général au plur., souvent péj. Manifestation d'empressement. *Importuner, poursuivre une femme de ses assiduités.*

C'est donc à moi, Madame, à confesser mon crime. 4
L'amour naît aisément du zèle et de l'estime;
Et l'assiduité près d'un charmant objet
N'attend point notre aveu pour faire son effet.
CORNEILLE, Pulchérie, V, 3.

J'ai montré des assiduités, j'ai rendu des soins chaque jour. 5
MOLIÈRE, les Amants magnifiques, I, 2.

6 (...) mon cœur le peu d'amour qu'il m'avait inspiré pendant deux mois d'assiduités constantes.
A. DE MUSSET, les Caprices de Marianne, I, 2.

7 Auprès des assemblées comme auprès des femmes, l'assiduité sera toujours le premier mérite.
MICHELET, Hist. de la Révolution franç., Pl., t. I, p. 489.

8 Il ne fréquentait plus avec assiduité notre maison trop silencieuse pour lui.
FRANCE, le Crime de S. Bonnard, p. 395.

9 Il est des assiduités qu'une honnête femme ne saurait tolérer. DUMAS fils, *in* G. L. L. F.

CONTR. **Inexactitude, insouciance, irrégularité, négligence. — Cesse, interruption, relâche, relâchement.**

**ASSIDÛMENT** [asidymɑ̃] adv. — 1246, *assiduement; assidueusement,* XIIIe; de *assidu,* et *-ment.*

D'une manière assidue.

♦ **1** Vieilli. Avec empressement. *Fréquenter assidûment une personne. Faire assidûment la cour à une femme.*

1 Il coûte à un homme de mérite de faire assidûment sa cour, LA BRUYÈRE, les Caractères, II, 14.

♦ **2** Régulièrement et avec application. → **Exactement, ponctuellement.** *Remplir assidûment sa tâche, ses devoirs. Pratiquer assidûment un sport.*

2 Votre piété est renfermée dans vos devoirs constamment remplis (...) Elle consiste dans vos devoirs assidûment pratiqués,
BOURDALOUE, *in* LAFAYE, Dict. des synonymes, *Toujours..., assidûment...*

3 Constamment donne l'idée d'une loi qu'on suit invariablement, sans s'en laisser détourner par quoi que ce soit; au lieu que assidûment suppose une règle que d'ordinaire on se fait à soi-même et à laquelle on a soin de se conformer.
LAFAYE, Dict. des synonymes, *Toujours..., assidûment...*

4 En suivant ce cours de M. Lamarck, j'eus l'occasion d'y connaître un jeune homme d'esprit et de mérite qui y venait assidûment. SAINTE-BEUVE, Volupté, XII.

♦ **3** Régulièrement, fréquemment. *Fréquenter assidûment qqn, un lieu.* → **Constamment, continuellement, habituellement.**

5 Mais je me suis aperçu pour l'avoir assidûment fréquentée, qu'elle (...) FRANCE, le Petit Pierre, VIII.

CONTR. **Irrégulièrement.**

**ASSIÉGEANT, ANTE** [asjeʒɑ̃, ɑ̃t] adj. et n. — XVe; de *assiéger.*

Qui assiège (une forteresse, une ville). *Armée assiégeante. Troupes assiégeantes.* — Par métaphore. *Les vagues assiégeantes.*

N. *Un assiégeant, une assiégeante :* une personne qui assiège. *Repousser les assiégeants, l'assaut des assiégeants.* — Collectif. *L'assiégeant.*

Fig. → **Postulant.**

(...) vous avez pris du dépit, en entrant chez moi, de voir la place déjà entourée d'assiégeants.
G. SAND, la Mare au diable, XIII, p. 108.

CONTR. **Assiégé.**

**ASSIÉGER** [asjeʒe] v. tr. [CONJUG.: *céder* et *bouger.*] — 1536; *assegier,* XIVe; *asiger,* fin XIIIe; *aseger,* v. 1100; lat. pop. *assedicare,* de *sedicare* «siéger».

♦ **1** (V. 1100, *aseger*). Mettre le siège devant, faire le siège de. *Assiéger une place forte, une ville, une forteresse.* → **Encercler, envelopper, investir.**

1 On sait que Louis foudroie les villes plutôt qu'il ne les assiège; et tout est ouvert à sa puissance,
BOSSUET, Oraison funèbre de Marie-Thérèse d'Autriche.

Par ext. *Assiéger qqn dans un lieu,* l'y tenir enfermé pour qu'il se rende. *Assiéger une armée, une population dans une place,* l'y tenir enfermée. *Paris fut assiégé en 1870-1871.*

Séparée du reste de la France, pleine d'illusions sur la «sortie en masse», travaillée par les révolutionnaires, la grande ville *(Paris)* allait être assiégée pendant quatre mois. J. BAINVILLE, Hist. de France, p. 507. 2

♦ **2** (XIVe). Entourer; tenir enfermé dans un lieu. → **Assaillir, cerner, emprisonner, encercler, entourer.** *Les eaux, les flammes les assiégeaient de toutes parts.* — Passif et p. p. *Les habitants de ce village sont assiégés par les glaces durant tout l'hiver. Être assiégé par la neige, le froid, le soleil. Cette maison est assiégée par les ronces.* → **Prisonnier.**

Ma belle-fille est encore à Rennes, assiégée par les neiges. 3
Mme DE SÉVIGNÉ, Lettres, 1258, 25 janv. 1690.

Par ext., en parlant d'une foule. Se presser à l'entrée de quelque lieu, entourer, essayer de pénétrer dans, cerner. → **Presser** (se). *Assiéger un train, un magasin, un hôtel. Les manifestants assiégeaient l'ambassade.*

Quelquefois de fâcheux arrivent trois volées, 4
Qui du parc à l'instant assiègent les allées.
BOILEAU, Épîtres, 6.

En effet, le bureau était ouvert; des civils, des militaires assiégeaient les guichets. 5
MARTIN DU GARD, les Thibault, VII, 77.

(...) cette foule qui assiège la porte de l'hôpital (...) 6
G. DUHAMEL, Inventaire de l'abîme, IV.

Fig. *Assiéger la porte de qqn,* s'y présenter continuellement en solliciteur, en visiteur importun.

Du palais cependant il assiège la porte (...) 7
RACINE, Esther, II, 1.

♦ **3** (1565). Fig. et littér. *Assiéger qqn,* le fatiguer incessamment de ses assiduités, de ses instances, de ses sollicitations pressantes. → **Importuner, obséder, poursuivre.** — Cour. (au passif). *Être assiégé par des créanciers, des solliciteurs, des admirateurs.*

Triste destin des rois! Esclaves que nous sommes 8
Et des rigueurs du sort et des discours des hommes,
Nous nous voyons sans cesse assiégés de témoins;
Et les plus malheureux osent pleurer le moins!
RACINE, Iphigénie, I, 5.

Vieilli. *Assiéger une femme,* chercher à conquérir ses faveurs.

Je ne sais quelle envie perverse me prit de la gêner, de l'assiéger, de la contraindre dans sa dernière réserve. 9
E. FROMENTIN, Dominique, p. 190.

♦ **4** (XIIIe). Fig. (le sujet désigne des choses, des difficultés). Se presser de manière à occuper, à préoccuper, à fatiguer (qqn). → **Obséder, solliciter.**

(...) au milieu de tous les plaisirs, de toutes les séductions qui entourent et assiègent une actrice à la mode (...) 10
A. DE MUSSET, Bettine, 3.

*Les fléaux, les maux qui nous assiègent.* → **Accabler, assaillir, tourmenter, troubler.** *Être assiégé par le chagrin, le malheur, les ennuis.*

Les ravages, l'exil, la mort, l'ignominie. 11
Dès ma première aurore, ont assiégé ma vie (...)
VOLTAIRE, Mérope, V, 1.

*Les souvenirs, les pensées qui nous assiègent.* → **Obséder.**

Les charmes d'une maîtresse même absente assiègent vos yeux, sa voix assiège vos oreilles. Tout sert d'aliment à l'amour pour l'étendre et l'accroître. 12
C.-A. HELVÉTIUS, Notes, maximes et pensées.

Ces pensées, qui assiégeaient Jésus à sa sortie de Jérusalem. RENAN, la Vie de Jésus, XIV. 13

◆ **ASSIÉGÉ, ÉE** p. p. adj. et n. Qui subit un siège. *Château assiégé, ville assiégée.* — Fig. et littér. *Assiégé d'ennuis.*

N. (1564). *Un assiégé, une assiégée :* une personne qui est assiégée. *Affamer les assiégés. Les assiégés ont fait une sortie en masse et refoulé les assiégeants. Psychose des assiégés.* → **Obsidional** (fièvre obsidionale).

14 Les assiégés, la faim aux dents, allaient être obligés de leur demander grâce.
MICHELET, Hist. de la Révolution franç., t. II, p. 761.

Collectif. *L'assiégeant et l'assiégé.*

CONTR. **Abandonner, lever** (le siège). — **Délivrer, libérer.**
◊ DÉR. **Assiégeant, assiégeur.**

**ASSIÉGEUR, EUSE** [asjeʒœʀ, øz] n. — 1530, *assegeur,* fin XIVe ; *essoigeour,* v. 1290 ; *assigor,* début XIIIe ; de *assiéger,* et *-eur.*
Vx. Personne qui assiège. → **Assiégeant.**

1. **ASSIETTE** [asjɛt] n. f. — 1482 ; *assiete,* 1260 ; probablt de *assĕdita,* p. p. fém. substantivé de *adsedere.*
Vieux, littéraire ou spécialt (courant dans des locutions).

♦ **1** Vx, en parlant des personnes. Manière d'être assis, placé. Position, équilibre (de qqn). *Ce malade ne peut trouver une bonne assiette* (Académie).

1 (...) la plus forte et roide assiette est celle en laquelle on se tient planté sans bouger (...)
MONTAIGNE, Essais, I, 47.

2 Je ne démonte pas volontiers quand je suis à cheval, car c'est l'assiette en laquelle je me trouve le mieux (...)
MONTAIGNE, Essais, I, 48.

3 (...) la plaisante assiette qu'avait sur sa mule, un maître Pierre Pol *(qui avait coutume de)* se promener par la ville de Paris, assis de côté, comme les femmes.
MONTAIGNE, Essais, I, 48.

4 Si l'homme n'était posé que sur une jambe (...) son assiette serait beaucoup moins solide (...)
BERNARDIN DE SAINT-PIERRE, Études de la nature, 10.

Par ext. Position sociale stable.
(1559, *in* Petiot). Mod. Équit. Équilibre, tenue du cavalier en selle. *L'assiette du cavalier sur sa selle.* → **Tenue.** *Manquer d'assiette. Perdre son assiette.* → **Équilibre.** *Avoir une bonne assiette :* bien monter.

4.1 Ce fantasque coursier fut saisi brusquement d'une vigueur singulière, laquelle requit toutes les forces de Saint-Choul pour veiller à son assiette, qui devenait la chose la plus urgente.
G. CHEVALLIER, Clochemerle, p. 305 (→ aussi cit. 3).

♦ **2** (1580). Fig. et vx. État d'esprit, dispositions habituelles de l'humeur. *Une assiette ferme, tranquille* (→ **Contenance ;** → Ambition, cit. 5). *Sortir de son assiette,* de son état normal. — *Manquer d'assiette,* de fermeté, de solidité, de stabilité.

5 Jamais un de ces moments de vivacité qui ait pu marquer que sa grande âme était sortie de son assiette.
MASSILLON, Conti, *in* P. LAROUSSE.

5.1 Eh bien, mon fils, lui dit-elle (...) comment vous trouvez-vous ? En quelle assiette est votre esprit ?
A. GALLAND, les Mille et une Nuits, t. III, p. 4.

6 Laissant emporter son esprit, qui manque peut-être un peu d'assiette, au plaisir rapide de la surprise (...)
VAUVENARGUES, Alcippe, *in* LITTRÉ.

7 (...) car ce dérèglement acheva de le faire sortir de son assiette, et, à la moindre perte qu'il essuyait, il devenait furieux contre lui-même et méchant envers tout le monde.
G. SAND, François le Champi, IV.

Vieilli, avec un adj. *L'assiette naturelle de qqn.*

8 Tu n'es pas dans ton assiette ordinaire, mon enfant.
BALZAC, *in* P. LAROUSSE.

8.1 Madame de la Follette, avoua l'abbé Chevance, il y a beaucoup de vrai dans ce que vous venez de dire. Je ne vais pas bien (...) Oh ! je ne suis pas dans mon assiette ordinaire (...)
BERNANOS, l'Imposture, Pl., p. 484.

Loc. Mod. *Ne pas être dans son assiette :* ne pas être dans son état normal, dans un équilibre physique et moral.

Ce qui me plaît bien moi c'est les « Braoum ! » ça me 8.2
trouble... ça me rend vague... le son des cloches... surtout déjà éberlué, déjà pas bien dans mon assiette...
CÉLINE, Guignol's band, p. 249.

(...) et puis le soleil, les travaux épuisants, la bataille pour 8.3
l'eau, bref, nous n'étions pas dans notre assiette.
CAMUS, la Chute, p. 146.

♦ **3** (XIVe). En parlant de choses ; 1402. (Vx). Emplacement, situation (d'une ville, d'une forteresse). → **Emplacement, position, situation.** *L'assiette de cette place est avantageuse* (Académie). *L'assiette d'un camp.*

Puis considérant l'assiette de la ville, qui était en lieu haut 9
et avantageux (...) RABELAIS, Pantagruel, 48.

Techn. *Assiette d'une coupe de bois,* étendue de bois sur laquelle elle doit porter. *Arbre d'assiette,* qui est compris dans la coupe.
Fermeté, équilibre (d'un corps posé sur un autre). *L'assiette d'une pierre, d'une poutre. L'assiette d'une construction.* → **Soubassement.** *Caler un objet pour lui donner de l'assiette.* → **Assise.** — Par ext. Mar. *Assiette d'un navire,* manière dont il est assis dans l'eau, « sa situation quant à la différence des tirants d'eau arrière et avant » (Gruss) ; angle que fait l'axe longitudinal d'un bâtiment avec le plan horizontal. *L'assiette d'un sous-marin.* — Aéron. *Assiette d'un avion :* équilibre d'un avion dans l'air, angle que fait avec l'horizontale une ligne de référence longitudinale ou transversale liée à l'aéronef.
Ch. de fer. *Assiette de la voie :* solidarité entre le ballast et les diverses pièces qui forment la voie.
Techn. Élément qui sert de support. *Une roue montée sur une assiette.*
Fig. et littér. → **Assise, base, fond, fondement, solidité, stabilité.**

(...) le relief en est saisissant, et la scène entière s'impose 10
à l'œil et à l'esprit avec une force et une solidité d'assiette extraordinaire.
TAINE, Philosophie de l'art, t. II, III, 18.

La conviction de l'existence d'un objet éternel, embrassée 11
quand on est jeune, donne à la vie une assiette particulière de solidité. RENAN, Souvenirs d'enfance, IV, 2.

♦ **4** (1260). Dr. Base sur laquelle porte un droit, une opération administrative. — *Assiette d'une hypothèque :* biens sur lesquels elle porte.
Spécialt (plus cour.). *Assiette d'un impôt :* matière assujettie à l'impôt, déterminée en quantité et qualité. *Le cadastre détermine l'assiette de l'impôt foncier. Fixer l'assiette de l'impôt. Opération d'assiette.* — Spécialt. *Assiette de l'impôt :* « ensemble des règles qui gouvernent la détermination de la manière imposable, et des problèmes que cette détermination peut soulever » (*Lexique fiscal,* 1972, p. 4).

(...) déterminer la quotité, l'assiette, le recouvrement et la 12
durée *(de la contribution publique).*
Déclaration des droits de l'homme de 1791, art. 14.

2. **ASSIETTE** [asjɛt] n. f. — 1507 ; de 1. *assiette ;* s'est dit par extensions successives de la place tenue par un convive à table (1393), de la table à laquelle on s'asseyait, du service des repas par les taverniers et cabaretiers « tenant assiette », enfin des plats servis dans un repas.
Courant.

♦ **1** Pièce de vaisselle individuelle à fond plat dans laquelle chacun met ou reçoit ses aliments. → **Couvert,** et aussi **auge,** 1. (fam.). *Assiette de faïence, de porcelaine, d'argent, de* (ou *en*) *carton, en matière plastique. Assiette plate. Assiette creuse ;* régional

(Belgique) *assiette profonde. Assiette à soupe, à dessert, à gâteaux, à fondue, à huîtres, à escargots, à asperges. Service d'assiettes en porcelaine. Bord d'une assiette. Rebord décoré d'une assiette.* → **Marli.** *Une assiette d'étain à petit ourlet* (→ **Suage**). *Fond d'une assiette. Assiette à ombilic. Petite assiette.* → **Soucoupe.** *Assiette montée :* assiette munie d'un pied, destinée à contenir des desserts variés. *Trancher de la viande sur une assiette de bois* (→ **Tailloir**). *Assiette ébréchée, fêlée. Assiettes anciennes servant de décoration. Collection d'assiettes.* — Loc. *Avoir le nez dans son assiette, baisser les yeux sur son assiette :* ne pas regarder en face de soi.

13 Ce brouet fut par lui servi sur une assiette;
La cigogne au long bec n'en put attraper miette (...)
LA FONTAINE, Fables, I, 18.

14 Je vous trouve aujourd'hui l'âme tout inquiète,
Et les morceaux entiers restent sur votre assiette.
BOILEAU, Satires, III.

15 Les assiettes des conviés seront creuses, afin que l'on puisse se présenter du potage et s'en servir à soi-même, sans prendre cuillerée à cuillerée dans le plat.
Nicolas DE BONNEFONS, Délices de la campagne, *in* LITTRÉ (1863), art. *Assiette.*

16 (...) dans les assiettes à larges bordures, les serviettes, arrangées en manière de bonnet d'évêque, tenaient entre le bâillement de leurs deux plis chacune un petit pain de forme ovale. FLAUBERT, Mme Bovary, I, VIII.

17 Là-dessus, il se fourra le nez dans son assiette et se mit à manger avidement, sans dire un mot (...)
Alphonse DAUDET, Lettres de mon moulin, «Bixiou».

18 Je vis les bahuts, les lits bretons, les vieilles assiettes rangées au vaisselier. LOTI, Mon frère Yves, XVII.

*Casser une assiette. Se jeter des assiettes à la tête* (dans une violente dispute).

Loc., fam. *Un casseur d'assiettes :* un tapageur, un querelleur.

*Un jambon assiette,* servi dans une assiette et non en sandwich, au café.

♦ **2** Par métonymie. **a** Contenu d'une assiette. → **Assiettée.** *Une assiette de potage. Il a mangé deux assiettes de purée.* — (1907). *Assiette anglaise :* plat froid composé de viande froide, de charcuterie, etc. — Vieilli. *Assiette assortie.*

18.1 Lisa, irritée, déjà, jouant d'impatience avec le manche des couteaux, eut beau lui dire que la galantine était truffée, qu'elle ne pouvait en mettre que dans les assiettes assorties à trois francs la livre. L'autre continuait à fouiller les plats, cherchant ce qu'elle allait demander encore. Quand l'assiette assortie fut pesée, il fallut que la charcutière ajoutât de la gelée et des cornichons.
ZOLA, le Ventre de Paris, t. I, p. 112 (1875).

Vx (langue class.), au plur. Entremets.

19 Il n'oublie pas les hors-d'œuvre, le fruit et les assiettes (...)
LA BRUYÈRE, les Caractères, XI, 122.

*Assiette de...* (suivi du nom d'un mets). → **Plat.**

20 *(Deux marmitons crasseux)* portaient deux assiettes,
L'une de champignons avec des ris de veau,
Et l'autre de pois verts qui se noyaient dans l'eau.
BOILEAU, Satires, 3.

**b** *Un banquet de cinquante assiettes,* de cinquante places. → **Couvert.**

♦ **3** Loc., fam. *Piquer l'assiette :* courir après les dîners, vivre en parasite. — Vx. *Piqueur d'assiette.* — Mod. → **Pique-assiette.**

♦ **4** Loc., fig. et fam. *L'assiette au beurre :* place lucrative, source de profits. → **Beurre.**

21 Elle sent, au fond, que c'est fini; qu'elle ne gardera pas indéfiniment l'assiette au beurre.
MARTIN DU GARD, les Thibault, VII, 5.

♦ **5** Argot (jeu de mots avec *assises*). *Les assiettes :* la cour d'assises. → Beau, cit. 114.2. *Passer aux assiettes. Aux assiettes, il a pris vingt longes.*

DÉR. **Assiettée.** ◊ COMP. **Pique-assiette, porte-assiette.**

## ASSIETTÉE [asjete] n. f. — 1690; de *assiette,* et *-ée.*

Ce que contient ou peut contenir une assiette. → 2. **Assiette,** 2. *Il a mangé deux assiettées de potage.*

(...) elle va venir, répondit le comte, qui, après nous avoir servi avec empressement le potage, s'en donna une très ample assiettée et l'expédia merveilleusement vite. 1
BALZAC, le Message, Pl., t. II, p. 178.

Laissez donc tout cela (...) Prenez encore une assiettée de soupe. M. BARRÈS, la Colline inspirée, p. 241. 2

Lorsque la crème disparaît, une autre assiettée la remplace aussitôt. 3
J. GREEN, Journal, 19 oct. 1965, Vers l'invisible, p. 450.

## ASSIGNABLE [asiɲabl] adj. — fin XVIIe; de *assigner,* et *-able.*

Didact. ou littér. Qui peut être assigné (à qqn, qqch.).

Quand nous cherchons cette unité dans les corps, nous ne savons où la trouver; car nous y trouvons toujours deux parties assignables par la pensée. 1
BOSSUET, Traité du libre-arbitre, 4.

Il n'y a pas de limite assignable à la curiosité dans tout ce qui touche à l'histoire. 2
SAINTE-BEUVE, Correspondance, t. II, p. 21.

## ASSIGNAT [asiɲa] n. m. — 1522; *assinat,* v. 1395; de *assigner,* et *-at.*

♦ **1** (XVIe-XVIIIe). Ancienn. Constitution de rente.

♦ **2** Hist. Papier-monnaie émis sous la Révolution (décret du 19 décembre 1789) et qui était en principe assigné (gagé) sur les «biens nationaux» provenant de la sécularisation des biens du clergé.

Quatre cents millions d'assignats que nous regardons comme acquittés par la délégation déjà faite des domaines qui leur servent de gage. 1
MONTESQUIOU, Rapport du 27 août 1790, p. 8.

La création des assignats avait mis en circulation une masse de papier monnaie qui, dès les premiers jours, mal accréditée, avait rapidement subi l'effroyable dépréciation que l'on sait. 2
Louis MADELIN, Hist. du Consulat et de l'Empire, t. III, 11.

Mes punitions, à force d'être prodiguées, se déprécièrent et tombèrent aussi bas que les assignats de l'an IV (...) 3
Alphonse DAUDET, le Petit Chose, p. 111.

Par ext. Littér. Papier-monnaie dont la valeur est dépréciée.

## ASSIGNATAIRE [asiɲatɛʀ] adj. et n. — V. 1970; de *assigner.*

Dr., admin., fin. Qui affecte des recettes (→ **Assignation,** I., 1.). *Comptable assignataire,* qui règle des dépenses liquidées par un administrateur.

## ASSIGNATION [asiɲasjɔ̃] n. f. — 1283; *assignacion,* 1265; *essilnacion,* 1350; lat. *assignatio* «répartition, partage», de *assignare.* → Assigner.

**I** ♦ **1** Rare. Admin., milit. Affectation. *L'assignation de matériels.* — Fin. *Assignation des recettes :* affectation de fonds en vue d'un paiement.

♦ **2** (1265). Dr. et fin. Action d'assigner qqch. à qqn pour sa part. → **Attribution.** *Assignation de parts par le testateur* (→ **Assigner,** cit. 2). *Assignation sur un gage.* → **Assignat.** *Chèque d'assignation.*

Ils *(les assignats)* étaient simplement la reconnaissance d'une dette de l'État et une assignation donnée aux créanciers sur ce gage précis : les biens d'Église.
JAURÈS, Hist. socialiste..., t. II, p. 94.

♦ **3** Inform. *Assignation* (ou *attribution*) *sémantique :* détermination du contenu informationnel de chaque mot d'un langage informatique, par établissement d'une correspondance biunivoque entre l'ensemble des termes du langage et l'ensemble des objets à désigner. *Assignation sémantique en logique digitale.* → **Codification.**

**II** ♦ **1** (1283). Vx. Rendez-vous.

♦ **2** (1350). Dr. Action d'assigner (qqn) à comparaître. Exploit d'huissier par lequel une personne est appelée à comparaître en justice, soit comme défendeur (→ **Ajournement**), soit comme témoin (→ **Citation**). *Assignation à bref délai* (→ **Assigner**, cit. 17). *Assignation de jour à jour, d'heure à heure* (→ **Assigner**, cit. 18). *Assignation en appel* (→ **Appel**, cit. 21; **intimation**). — *Assignation à résidence :* obligation faite à un étranger de résider en un lieu déterminé. — *En assignation* (vx, en parlant des forçats) : autorisé à travailler hors du lieu de détention.

**ASSIGNER** [asiɲe] v. tr. — 1216; *asigner,* 1160; lat. *assignare* «attribuer», de *signum* «signe».

**I** **ASSIGNER QQCH.** ♦ **1** Vx. Déterminer. *Assigner les coordonnées d'un lieu, la base d'un calcul.*

♦ **2** Dr., admin. **ASSIGNER (qqch.) À (qqn) :** attribuer (un bien mobilier ou immobilier) à qqn pour sa part. → **Affecter, allotir, attribuer, distribuer, donner.** *Assigner à qqn un lot dans une répartition, une part dans un legs.*

1 Ils assignèrent à la tribu de Juda le premier lot.
BOSSUET, Hist., II, 3.

1.1 En actions de grâces au ciel, il assigna de grandes aumônes aux pauvres (...)
A. GALLAND, les Mille et une Nuits, t. II, p. 293.

2 Le legs sera réputé fait conjointement, lorsqu'il le sera par une seule et même disposition, et que le testateur n'aura pas assigné la part de chacun des colégataires dans la chose léguée. Code civil, art. 1044.

Par ext. (plus cour.). Destiner ou donner à qqn, de manière plus ou moins autoritaire. *Assigner une résidence, une place, un poste, un emploi, une tâche, un rôle, un but, un objectif à qqn.* → **Affecter, désigner, destiner, déterminer, fixer.**

Vx. *Assigner un rendez-vous à qqn.*

3 Il fallait donc qu'elle eût un séjour affecté (...)
L'auberge enfin de l'Hyménée
Lui fut pour maison assinée *(assignée).*
LA FONTAINE, Fables, VI, 20.

4 La loi assignait à chacun son emploi.
BOSSUET, Hist. universelle, III, 3.

5 Assigner à chacun sa place et l'y fixer, ordonner les passions humaines selon la constitution de l'homme, est tout ce que nous pouvons faire pour son bien-être.
ROUSSEAU, Émile, I, 2.

6 Je pouvais être tenté du rôle qu'on m'assignait.
CHATEAUBRIAND, Mémoires d'outre-tombe, IV, 5.

7 En quelques jours, le général en chef a pourvu à tout, assigné à chacun sa tâche (...)
Louis MADELIN, Hist. du Consulat et de l'Empire, t. II, p. 251

8 (...) un romancier *(Lacretelle)* sûr de son instrument, qui ne s'est assigné jusqu'à la guerre que des objectifs limités et les avait atteints sans effort (...)
A. MAUROIS, Études littéraires, t. II, p. 251.

9 La prétention de l'État est, chez bien des peuples puissants, de se substituer à la famille, de saisir l'enfant au berceau, de le conformer dès le biberon, de l'endoctriner dès l'école, de le juger, de le jauger, de lui assigner sans appel une place et une action.
G. DUHAMEL, le Temps de la recherche, II.

♦ **3** Dr. Affecter (une somme) à un emploi, à un paiement. *Assigner un fonds, une somme d'argent au paiement d'une dette, d'une rente.* → **Affecter.**

♦ **4** **ASSIGNER (qqch.) À (qqch.) :** attribuer, fixer. → **Donner, déterminer, fixer, marquer.** *Assigner un terme à une durée, des limites à une activité.* → **Délimiter.** *Assigner une valeur, une origine à. On ne peut pas toujours assigner la véritable cause des événements* (Académie), la déterminer, la faire connaître. — Donner, conférer (un caractère, une propriété).

Assigner à chaque mot son vrai sens. 10
MARMONTEL, Essai sur le goût.

Quoique la royauté actuelle ne semble pas viable, je crains toujours qu'elle ne vive au delà du terme qu'on pourrait lui assigner. 11
CHATEAUBRIAND, Mémoires d'outre-tombe, IV, 5.

À ces qualités mauvaises diverses, elle assignait une origine commune. FRANCE, le Petit Pierre, XVII, p. 106. 12

Je sais que par là, j'acquiesce à la commercialisation de certaines valeurs morales, que par là, je les déprécie et les avilis, que la vie, la mort, la souffrance, la joie, du fait même que je leur laisse assigner une valeur marchande, perdent une partie de leur valeur humaine (...) 13
G. DUHAMEL, Scènes de la vie future, XII, p. 197.

Vx. *Assigner qqn à qqn,* désigner qqn pour lui. *«Les servantes que maître Conrad lui avait assignées»* (Montalembert, *in* T. L. F.).

**II** **ASSIGNER QQN.** ♦ **1** Vx. Convoquer, donner rendez-vous à (qqn).

♦ **2** Dr. Convoquer, appeler par exploit d'huissier à comparaître en justice. → **Assignation; ajourner, citer.** — Au passif. *Être assigné en justice.*

N'imite pas ces fous (...) 14
Qui toujours assignants, et toujours assignés,
Souvent demeurent gueux de vingt procès gagnés.
BOILEAU, Épîtres, II.

Vous satisfaire, moi; mais je ne vous dois rien; 15
Faites-nous assigner, nous vous répondrons bien.
J.-F. REGNARD, les Ménechmes, IV, 5, *in* LITTRÉ.

En matière personnelle, le défendeur sera assigné devant le tribunal de son domicile (...) 16
Code de procédure civile, art. 59 (Des ajournements).

Dans les cas qui requerront célérité, le président, pourra, par ordonnance rendue sur requête, permettre d'assigner à bref délai. Code de procédure civile, art. 72. 17

Dans les cas qui requerront célérité, le président du tribunal pourra permettre d'assigner, même de jour à jour et d'heure à heure (...) 18
Code de procédure civile, art. 417.

*Assigner qqn à résidence,* l'obliger à résider en un lieu déterminé (→ **Assignation**, II., 2.).

♦ **ASSIGNÉ, ÉE** p. p. adj. et n. *Logement assigné, rendez-vous assigné, but assigné.*

N. *Un assigné, une assignée :* une personne qui est appelée à comparaître en justice. *Un assigné défaillant.* → **Défaillant, défaut.**

Si l'assigné ne comparaît pas ou refuse de répondre après avoir comparu, il en sera dressé procès-verbal sommaire et les faits pourront être tenus pour avérés. 19
Code de procédure civile, art. 330.

Vx. Forçat qui est autorisé à travailler chez un particulier.

**DÉR.** **Assignable, assignat, assignataire, assignation.**
◊ **COMP.** **Réassigner.**

**ASSIMILABILITÉ** [asimilabilite] n. f. — 1863, Littré; de *assimilable.*

Didact. Qualité, propriété de ce qui est assimilable. *«L'assimilabilité des phosphates»* (*Année sc. et industr.,* 1894, p. 465).

**ASSIMILABLE** [asimilabl] adj. — 1803; de *assimiler.* Qui peut être assimilé.

♦ **1** Qu'on peut assimiler à qqch., qu'on peut traiter comme semblable. → **Comparable, semblable.** *L'aliéné est assimilable à un mineur. Ces situations ne sont pas assimilables l'une à l'autre.*

♦ **2** Qui est susceptible d'assimilation (par un organisme). → **Animalisable** (vx). *Nourriture assimilable.*

1 L'appareil digestif exerce sur les aliments des actions à la fois mécaniques et chimiques destinées à les rendre assimilables. Entre le moment où ils sont ingérés et celui où ils passent dans le sang, s'écoule le temps compris entre la digestion et l'absorption.

P. VALLERY-RADOT, Notre corps..., p. 88.

*Éléments assimilables du sol :* éléments que les plantes peuvent absorber et assimiler.

Abstrait, en parlant des acquisitions de l'esprit. *Ces connaissances ne sont pas assimilables par un enfant.*

2 Plus le sujet sera difficilement assimilable, plus il faudra d'efforts pour arriver à le sentir.

Antoine ALBALAT, l'Art d'écrire..., 9e leçon.

♦ **3** En parlant des personnes. Qui peut être intégré à une culture, à une civilisation. *Tous les étrangers ne sont pas également assimilables.*

3 Je crois au contraire que les juifs sont extraordinairement assimilables et l'espèce d'hommes la plus plastique et malléable qui soit au monde.

FRANCE, l'Anneau d'améthyste, p. 230.

4 S'ils *(les noirs et les immigrants)* sont intégralement assimilables, physiquement et moralement, très bien. Mais s'ils n'ont reçu qu'un vernis, s'ils conservent une âme étrangère, sous l'uniforme social du moderne américain, quelle nation finira-t-on par avoir ?

André SIEGFRIED, les États-Unis d'aujourd'hui, p. 8.

CONTR. **Inassimilable.** ◊ DÉR. **Assimilabilité.**

**ASSIMILANT, ANTE** [asimilɑ̃, ɑ̃t] adj. — Av. 1892 ; p. prés. de *assimiler.*

♦ **1** Physiol. Qui assimile. *Tissu végétal assimilant.*

♦ **2** Rare. Qui assimile, intègre. *Une action assimilante.* → **Assimilateur.**

**ASSIMILATEUR, TRICE** [asimilatœʀ, tʀis] adj. et n. — 1626, *in* D. D. L. ; de *assimiler.*

Qui assimile, qui opère l'assimilation.

**I** Adj. ♦ **1** Biol., physiol. *Organes assimilateurs, fonctions assimilatrices.*

♦ **2** Qui est capable d'assimiler. *Le génie assimilateur de la France* (→ **Assimiler,** cit. 11 et 12). *Une intelligence assimilatrice.*

**II** N. (1860). Personne qui assimile.

Shakespeare était un puissant assimilateur. Il s'amalgamait le passé (...) Une insufflation sortait pour lui du lourd tas des chroniques. De ces in-folio il dégageait des fantômes. HUGO, Shakespeare, p. 132.

**ASSIMILATIF, IVE** [asimilatif, iv] adj. — V. 1580, Paré ; *assimulative,* v. 1256 ; de *assimilation,* et *-if.*

Vieux.

♦ **1** Physiol. Qui a la faculté d'assimiler. *Puissances assimilatives, forces assimilatives* (Littré, Guérin, 1892, *in* T. L. F.).

♦ **2** En parlant d'une personne. « Qui a la faculté ou le talent d'assimiler ce que les autres ont fait » (P. Larousse).

**ASSIMILATION** [asimilasjɔ̃] n. f. — 1503 en méd. ; *assimulation,* 1374 ; lat. *assimulatio* « simulation, feinte », de *assimiler.* → Assimiler.

♦ **1** (1611). Acte de l'esprit qui considère, regarde comme semblable à qqch. ce qui en est distinct dans la réalité. → **Identification ; comparaison, confusion, rapprochement, similitude.** *L'assimilation d'une chose à une autre, d'une chose avec une autre.*

Ce que l'esprit comprend, il le comprend par assimilation, ou par comparaison, ou par analogie. 1

DIDEROT, Opinions des anciens philosophes, Stoïcisme.

L'inquiétante assimilation de la vie humaine à un songe est une pensée commune aux deux philosophes *(Montaigne et Pascal).* 2

Émile FAGUET, Études littéraires, XVIIIe s., p. 189.

Par anal. Dr., admin. *Assimilation de l'interdit au mineur* (→ **Assimiler,** cit. 2). *Politique d'assimilation* (d'un pays à un autre). *Assimilation de fonctions, de grades.* → **Équivalence.**

♦ **2** Action de rendre semblable à (qqch.).

En emploi absolu. **a** Biol., physiol. (1503 ; le concept scientifique s'élabore aux XVIIIe et XIXe). Processus (→ **Anabolisme**) par lequel les êtres organisés transforment en leur propre substance les matières qu'ils absorbent. Synthèse de matière vivante grâce aux éléments pris au milieu et absorbés. → **Nutrition ; absorption, animalisation, digestion, élaboration.**

L'assimilation est la propriété la plus caractéristique des protoplasmes vivants ; c'est même, en définitive, la seule qui leur soit absolument exclusive. C'est donc la propriété vitale par excellence. 3

P. POIRÉ, Dict. des sciences, p. 293.

*Assimilation chlorophyllienne,* par laquelle la plante verte élabore des matières organiques à partir d'éléments minéraux, sous l'action de la lumière et en utilisant le gaz carbonique.

**b** (1838). Ling. Modification que subit un phonème au contact d'un phonème voisin (l'occlusive sonore [b] devient [p] sourd devant [s] dans *absolu*). *Assimilation consonantique.*

♦ **3** Abstrait, cour. Acte de l'esprit qui s'approprie, fait siennes les connaissances qu'il acquiert. → **Absorption, acquisition, adoption, appropriation, digestion** (fig.), **imprégnation, incorporation, transfusion.** *L'assimilation de connaissances nouvelles, de la pensée d'un auteur. Puissance, pouvoir d'assimilation.*

S'il continuait à s'instruire, dévorant tout, le manque de méthode rendait l'assimilation très lente, une telle confusion se produisait, qu'il finissait par savoir des choses qu'il n'avait pas comprises. ZOLA, Germinal, t. II, p. 21. 4

À mesure que nous lirons, nous remarquerons que le goût, la tournure d'esprit, les expressions d'un auteur se transfusent en nous, et que nous imitons sans le vouloir le style qui nous passionne. Il y a donc une assimilation possible par l'imitation. 5

Antoine ALBALAT, la Formation du style, I.

♦ **4** Action d'assimiler* des hommes, des peuples ; processus par lequel ces hommes, ces peuples s'assimilent ; résultat de ce processus. *L'assimilation progressive des immigrants, des naturalisés, des nouveaux sujets d'un pays. Assimilation culturelle.* → **Absorption, acculturation, adaptation, fusion, incorporation, intégration, melting pot** (et aussi les mots formés de noms de peuples et du suff. -isation : **américanisation, francisation,** etc.).

*(Les Gaulois)* avaient le don de l'assimilation, une aptitude naturelle à recevoir la civilisation gréco-latine qui, par Marseille et la Narbonnaise, avait commencé à les pénétrer. J. BAINVILLE, Hist. de France, p. 14. 6

La France possède un grand pouvoir d'assimilation, elle l'a montré : elle sait, en peu de temps, faire du Français avec des éléments disparates. 7

G. DUHAMEL, Biographie de mes fantômes, IV.

(...) l'assimilation de ces exotiques se révélait lente et laborieuse ; ils formaient dans les bas quartiers des grandes cités des blocs hétérogènes non digérés. 8

André SIEGFRIED, les États-Unis d'aujourd'hui, p. 7.

9 Dans quelle mesure y a-t-il véritable assimilation, c'est-à-dire absorption? Dans quelle mesure y a-t-il même simplement fusion c'est-à-dire mélange des autochtones et des nouveaux venus?

André SIEGFRIED, les États-Unis d'aujourd'hui, p. 28.

10 C'est alors que se pose dans toute son ampleur, un problème que l'Amérique connaissait déjà, mais qui devient aigu, celui de l'assimilation de ces immigrants, insérés dans l'organisme américain en doses massives.

André SIEGFRIED, l'Âme des peuples, VII, 2.

CONTR. **Différenciation, distinction, séparation; rejet. — Autonomie, indépendance, isolement.** ◈ DÉR. **Assimilatif.**

**ASSIMILATOIRE** [asimilatwaʀ] adj. — 1808; attestation isolée, XV^e; de *assimiler.*

♦ **1** Physiol. Vx. Assimilateur.

♦ **2** Ling., phonét. Qui concerne l'assimilation. *Changement assimilatoire.*

**ASSIMILER** [asimile] v. tr. — 1495; lat. *assimulare, assimilare* «simuler, feindre; reproduire en imitant».

**A** (1611). **ASSIMILER (qqn, qqch.) À...** ♦ **1** Rendre semblable (à). *Ces penchants honteux assimilent l'homme à la brute* (Académie). → **Rapprocher** (de); **transformer** (en); **égaler, identifier** (à).

♦ **2** Considérer, présenter, regarder, traiter comme semblable (à). *Comparer* deux choses et les assimiler l'une à l'autre. On ne peut assimiler le manœuvre à l'ouvrier qualifié.* → **Confondre.** *Assimiler un grade, un emploi, un traitement à un autre.*

1 Pourquoi donc assimiler les infortunes domestiques aux délits sociaux?

MIRABEAU, Lettre de cachet, I, p. 267.

2 L'interdit est assimilé au mineur, pour sa personne et pour ses biens : les lois sur la tutelle des mineurs s'appliqueront à la tutelle des interdits. Code civil, art. 509.

3 Assimilés dès lors aux Romains, ils purent *(les Italiens)* voter au forum; dans la vie privée, ils furent régis par les lois romaines.

FUSTEL DE COULANGES, la Cité antique, V, 5, p. 451.

4 Cette folie d'assimiler la réalité à l'apparence, le corps à l'âme, a produit une multitude d'opinions misérables et funestes (...) FRANCE, l'Orme du Mail, p. 75.

**B** **ASSIMILER (qqch.).** ♦ **1** Physiol. et cour. Transformer, convertir en sa propre substance. → **Assimilation; absorber, animaliser, digérer, élaborer.** — Absolt. *Il ne grossit pas : il doit mal assimiler.* — Au passif :

5 (...) la nourriture digérée est «assimilée», c'est-à-dire transformée en éléments vivants d'un type déterminé, et conforme à la nature de l'être qui se nourrit.

A. LALANDE, Voc. de la philosophie, art. *Assimilation.*

Par métaphore :

5.1 Il avait effleuré distraitement les choses, sans jamais vraiment s'en nourrir, les assimiler, les changer en sa substance.

Jean-Louis CURTIS, le Roseau pensant, p. 157.

♦ **2** Abstrait. Faire sien, intégrer (des éléments acquis, connaissances, influences) à sa vie intellectuelle. → **Absorber, acquérir, adopter, approprier** (s'), **digérer, imprégner** (s'), **incorporer** (s'), **recevoir.** *Assimiler une idée, un point de vue. Il n'arrive pas à assimiler Hegel, le style de Mallarmé, de Lacan. Il a beau tout savoir par cœur, il n'a rien assimilé.*

6 L'autre, *(l'imitation)* la vraie, est une imprégnation générale. C'est l'ensemble des idées et des images, en quelque sorte la tournure d'esprit d'un auteur, qui finissent par être assimilés; et c'est la combinaison de ces éléments digérés qui développe l'originalité personnelle. La bonne imitation conduit à l'assimilation et se confond avec elle.

Antoine ALBALAT, la Formation du style, II.

La lecture, pratiquée par eux, est toute passive; ils subissent les textes; ils ne les interprètent pas; ils ne leur font pas place dans leur esprit; ils ne les assimilent pas. 7

A. MAUROIS, Un art de vivre, III, 5.

(...) invention de Hugo, que Flaubert, reconnaissant son domaine de style, s'empresse d'assimiler. 8

THIBAUDET, Flaubert, p. 240.

(...) s'ils *(les fils des immigrants)* ont assimilé de suite l'ambition sans frein des Américains, c'est sans avoir acquis en même temps la traditionnelle et vigoureuse armature de la conscience puritaine. 9

André SIEGFRIED, les États-Unis d'aujourd'hui, p. 29.

S'il est vrai que vous avez cherché la Révolution comme l'assoiffé cherche la source, comment et pourquoi votre œuvre a-t-elle été absorbée, assimilée, intégrée? 9.1

Henri LEFEBVRE, la Vie quotidienne dans le monde moderne, p. 247.

♦ **3** Sociol. et cour. Rendre semblable au reste de la communauté, intégrer à une culture, à une civilisation. *Assimiler des hommes, des étrangers, des immigrants, des conquérants, des peuples coloniaux.* → **Assimilation; absorber, amalgamer, fondre, incorporer, intégrer**; et aussi **américaniser, angliciser, arabiser, franciser,** etc.

Au passif. *Ce peuple n'a jamais été assimilé par les conquérants.*

Pendant tout un siècle (...) les États-Unis ont accueilli, appelé l'étranger comme un collaborateur. La formule du «creuset», devenue presque classique, répondait à une doctrine généralement acceptée : chacun était persuadé que, par la vertu de ce melting-pot, le nouveau continent assimilerait, plus ou moins vite mais complètement, un nombre indéfini d'immigrants. 10

André SIEGFRIED, les États-Unis d'aujourd'hui, p. 9.

Sous les Mérovingiens, les Francs avaient été assimilés. 11

J. BAINVILLE, Hist. de France, III.

Le conquérant *(les Normands)* fut assimilé par sa conquête. J. BAINVILLE, Hist. de France, p. 53. 12

Oh! pourquoi l'Empire n'avait-il pas su mieux assimiler les Barbares? 13

Valery LARBAUD, Fermina Marquez, XIV.

◆ **S'ASSIMILER** v. pron.

♦ **1** Devenir semblable à.

Les mêmes gens que j'ai vus successivement dans ces deux générations si différentes, se sont, pour ainsi dire, assimilés successivement à l'une et à l'autre. 14

ROUSSEAU, Rêveries, 6^e promenade.

♦ **2** Se comparer* à, se considérer comme semblable, égal à. → **Égaler** (s'égaler à). *Pensez-vous que j'ose m'assimiler à ce grand homme?* (Académie).

♦ **3** Physiol. Convertir en sa propre substance (les aliments). *L'organisme s'assimile des éléments organiques et minéraux.* → ci-dessus, cit. 5.

Les êtres qui ont la puissance de convertir la matière en leur propre substance et de s'assimiler les parties des autres êtres, sont les plus grands destructeurs. 15

BUFFON, Hist. nat. des animaux, Reproduction.

Être assimilé. *Certains aliments qui s'assimilent plus ou moins facilement.* → **Assimilable.**

♦ **4** Fig. S'approprier* (un élément étranger), faire sien (→ *supra,* cit. 6 à 9). → **Imprégner** (s'), **incorporer** (s').

L'art nouveau prend le mouvement où il le trouve, s'y incruste, se l'assimile, le développe à sa fantaisie et l'achève s'il peut. HUGO, Notre-Dame de Paris, III, 1. 16

S'étant ainsi bien pénétré l'esprit du vieux conteur, s'étant assimilé sa façon naïve de sentir, sa façon simple de penser (...) 17

Gaston PARIS, Préface à J. BÉDIER, Tristan et Iseut.

Il s'assimilait lui-même des éléments de toutes provenances (...) 18

Gaston PARIS, Préface à J. BÉDIER, Tristan et Iseut (→ Accommodation, cit.).

19 Il semble que dans sa communion de tous les instants avec la nature, il ait fini par s'en assimiler les énergies profondes. R. ROLLAND, Vie de Beethoven, p. 77.

♦ **5** (Sujet n. de personne). Devenir semblable aux citoyens d'un pays en perdant les caractères propres à sa race ou à son pays d'origine. → **Absorber** (s'), **adapter** (s'), **confondre** (se), **fondre** (se), **fusionner, incorporer** (s'), **intégrer** (s'). *Ces immigrants, ces naturalisés s'assimilent progressivement. S'assimiler entièrement. Aux États-Unis, de nombreux immigrants se sont parfaitement assimilés.*

20 *(Aux États-Unis)* l'Irlandais catholique (...) qui parle anglais et dont les mœurs n'ont certainement rien de singulier, ne s'assimile pas à proprement parler : après deux ou trois générations, groupé par ses prêtres, il reste encore distinct. André SIEGFRIED, les États-Unis d'aujourd'hui, p. 22 (→ Angliciser, cit. 1).

21 Nous avons, quai des Orfèvres, des cartes où des sortes d'îlots sont marqués aux crayons de couleur, les Juifs de la rue des Rosiers, les Italiens du quartier de l'Hôtel de Ville, les Russes des Ternes et de Denfert-Rochereau (...)
Beaucoup ne demandent qu'à s'assimiler, et les difficultés ne viennent pas de ceux-là, mais il y en a qui, en groupe ou isolés, se tiennent volontairement en marge et mènent, dans la foule qui ne les remarque pas, leur existence mystérieuse. G. SIMENON, les Mémoires de Maigret, p. 130, Presses Pocket, 1951.

◆ **ASSIMILÉ, ÉE** p. p. adj. et n. m. (1560).

♦ **1** Adj. Rendu semblable; considéré comme semblable. *Les farines et les produits assimilés. Traitements assimilés. — Nourriture assimilée* (→ ci-dessus, cit. 5). *— Connaissances (mal) assimilées. — Populations assimilées.*

♦ **2** N. m. (XX^e). Milit. Militaire d'un service (médecin, intendant, etc.) ou membre d'un corps civil dont la situation est assimilée à celle des membres d'unités combattantes.

Cour. Personne qui a le statut d'une certaine catégorie sans avoir le titre qui est attaché à cette fonction. *Fonctionnaires et assimilés.*

Journalisme. Membre du personnel de rédaction d'un journal susceptible de recevoir la carte d'identité professionnelle de journaliste.

CONTR. **Différencier, distinguer, séparer; isoler, rejeter; garder** (ses caractères propres). ◊ DÉR. **Assimilable, assimilant, assimilateur, assimilation, assimilatoire.**

**ASSIS, ISE** [asi, iz] → **Asseoir.**

**ASSISE** [asiz] n. f. — Début XIII^e; *asise*, v. 1170; p. p. subst. de *asseoir.*

**I** *Une assise.* ♦ **1** (Début XIII^e). Rangée de pierres, de moellons, de briques qu'on pose horizontalement pour construire un mur. *Première, seconde assise. Assise supérieure bombée d'un quai, d'un parapet de pont.* → **Bahut.** *Assises de roches.* → **Enrochement.** *Égaliser les assises d'un mur.* → **Araser.** *L'assise d'un fût de colonne.* → **Tambour.** *Assises réglées :* assises formées de pierres de même hauteur, placées de telle façon que le milieu de chacune corresponde aux joints de l'assise inférieure. *Bâtir par assises réglées.*

1 (...) un maçon servi par un apprenti qui lui apporte tous les matériaux dont il a besoin, tandis qu'il les dispose par assises et par chaînes pour élever son édifice. BERNARDIN DE SAINT-PIERRE, Harmonie de la nature, Animal, V.

2 Les assises *(des pierres des édifices grecs)* arrivaient à un aplomb incroyable (...) CHATEAUBRIAND, Itinéraire..., 197.

3 (...) la tour du temple *(d'Our)*, sortie du sable qui l'enfouissait, découvre ses énormes assises. DANIEL-ROPS, Peuple de la Bible, I, 1.

Techn. Matériau compact servant de corps à une chaussée. *Assise naturelle, compactée.*

♦ **2** Par anal. Sciences. **a** Géol. (le plus souvent au plur.). Série de couches parallèles, ressemblant aux assises d'un mur. *Assises géologiques.* → **Couche, strate.**

**b** (1842). Géogr. *Les assises d'une montagne, d'un rocher :* les plans d'une montagne, d'un rocher disposés en gradins. → **Gradin.**

**c** Biol. Ensemble de cellules disposées sur une couche.

**d** Bot. *Assises génératrices, pilifères, libéro-ligneuses,* qui produisent les tissus secondaires : liège, liber, bois. *L'assise subéreuse.*

♦ **3** (1838). Métaphore (de 1.) ou fig. → **Base, fondation, fondement, soubassement.** *Une assise solide, profonde, inébranlable. Établir une entreprise sur des assises solides* (Académie). *Les assises d'une civilisation. Les assises d'une doctrine, d'une théorie. Les assises du capitalisme.* → Réforme, cit. 6. *Construire par assises. Servir d'assise à qqch.*

Les mathématiques et l'induction physique ont toujours été les éléments fondamentaux de mon esprit, les seules pierres de ma bâtisse qui n'aient jamais changé d'assise et qui servent toujours. 4
RENAN, Souvenirs d'enfance, IV, 2.

*(La chute de l'Empire romain)* nous enseigne encore la fragilité de la civilisation, exposée à subir de longues éclipses ou même à périr lorsqu'elle perd son assise matérielle, l'ordre, l'autorité, les institutions politiques sur lesquelles elle est établie. J. BAINVILLE, Hist. de France, p. 16. 5

**II** N. f. pl. *Les assises; des assises.* ♦ **1** (Av. 1280). Hist. (moyen âge). Assemblée de seigneurs sous la présidence du suzerain. — Par ext. Ordonnance rendue par ces assemblées. *Assises de Jérusalem :* recueil des lois et usages appliqués dans les royaumes de Palestine et de Chypre durant les Croisades. — *Séances judiciaires des baillis au moyen âge.*

*(Les baillis)* tenaient leurs «assises» périodiquement, dans les principales villes du bailliage, assistés du prévôt local, d'un conseil de praticiens ou d'hommes «jugeans». 6
O. MARTIN, Précis d'hist. du droit franç., 2^e éd., n° 450.

♦ **2** Mod. Dr. et cour.

**a** COUR D'ASSISES : juridiction criminelle française composée de magistrats et de jurés et chargée de juger les personnes renvoyées devant elle par un arrêt de mise en accusation. *Le président de la cour d'assises et ses deux assesseurs. Jury de la cour d'assises.* → Accusation, cit. 2 et 3.

**b** *Les assises :* la cour d'assises. *Président d'assises.* → Reconnaissance, cit. 17. *Être envoyé aux assises :* être jugé pour un crime. *Passer devant les assises* (argot, *les assiettes;* → Beau, cit. 114.1).

Il sera tenu des assises dans chaque département, pour juger les individus que la cour d'appel y aura renvoyés. 7
Anc. Code d'instruction criminelle, art. 251.

Le jour où les assises doivent s'ouvrir sera fixé par le président de la Cour d'assises. 8
Les assises ne seront closes qu'après que toutes les affaires criminelles qui étaient en état lors de leur ouverture, y auront été portées.
Anc. Code d'instruction criminelle, art. 250.

Par métonymie. Période pendant laquelle siège cette juridiction.

♦ **3** Réunion (d'un parti politique, d'un syndicat). → **Congrès.** *Les assises du parti.*

♦ **4** Loc. *Tenir des assises :* réunir un groupe de personnes pour discuter, décider de qqch.

Le vieux salon, où, trente-cinq ans de suite, dans une pénombre solennelle, M. Thibault avait tenu les assises familiales (...) 9
MARTIN DU GARD, les Thibault, VII, 14.

**ASSISTANAT** [asistana] n. m. — 1962; dér. irrég. de *assistant.*

Fonctions d'assistant, dans l'enseignement supérieur. *L'assistanat et la maîtrise (de conférences).*

**ASSISTANCE** [asistɑ̃s] n. f. — 1422, *assistence;* de *assister,* et *-ance.*

**I** ♦ **1** Vx, sauf dans quelques emplois. Action d'assister à qqch. → **Présence.** *Assistance à la messe. Assistance obligatoire.*

♦ **2** Mod. Personnes réunies en quelque lieu et qui participent à qqch. → **Assemblée; foule.** *Nombreuse assistance. L'assistance était clairsemée* (→ fam. Il y avait quatre pelés et un tondu). *Sa conférence a charmé l'assistance.* → **Auditoire, public.** *Une brillante assistance.*

1 (...) faire à l'assistance
Un discours où son art fut au long étendu (...)
LA FONTAINE, Fables, VI, 19.

2 Il faut employer quelque moyen tel qu'en fournit l'art oratoire pour avoir audience de l'assistance (...)
P.-L. COURIER, I, 222.

3 *(Le cardinal)* entra, salua l'assistance avec ce sourire héréditaire des grands pour le peuple (...)
HUGO, Notre-Dame de Paris, I, 3.

Relig. Corps des assistants qui composent le conseil de l'ordre, dans certains ordres. — Vaste circonscription régie par un assistant, dans l'ordre des Jésuites.

**II** Action d'assister qqn. ♦ **1** Fait de seconder qqn, en tant qu'assistant ou par fonction. *Le chirurgien a opéré le blessé avec l'assistance de ses aides, de plusieurs infirmières, d'un anesthésiste. Recourir à l'assistance de qqn.* → **Aide, concours.**

Dr. Intervention légale (d'une personne) dans les actes juridiques d'un incapable.

4 Il *(le mineur émancipé)* ne pourra intenter une action immobilière (...) sans l'assistance de son curateur, qui (...)
Code civil, art. 482.

5 Il peut être défendu aux prodigues de plaider, de transiger, d'emprunter (...) sans l'assistance d'un conseil qui leur est nommé par le tribunal. Code civil, art. 513.

6 En théorie, l'assistance diffère de l'autorisation en ce que celle-ci peut être donnée soit par la présence à l'acte, soit par un écrit énonçant les clauses et conditions de l'acte. En pratique cependant, on admet que le curateur ou le conseil judiciaire peut remplacer l'assistance par une autorisation écrite, sauf quand il s'agit pour l'incapable d'ester en justice. H. CAPITANT, Voc. juridique.

♦ **2** Action de venir en aide (à qqn); appui, secours donné ou reçu. → **Aide, appui, protection, secours, service, soin.** *Il nous a proposé, donné, prêté son assistance. Promettre, offrir son assistance. Refuser son assistance. Demander, implorer assistance auprès de qqn. Assistance à personne en danger*. Il a été condamné pour non-assistance à personne en danger.*

7 Il croit trouver en vous l'assistance d'un frère.
MOLIÈRE, le Dépit amoureux, II, 2.

8 Le trépas me doit seul prêter son assistance.
MOLIÈRE, l'Étourdi, V, 6.

9 Quelque petite assistance me rétablirait mes affaires.
MOLIÈRE, l'Avare, II, 5.

10 Elle m'avoua tout, implora mon assistance.
ROUSSEAU, les Confessions, I, 5.

11 Les époux se doivent mutuellement fidélité, secours, assistance. Code civil, art. 212.

♦ **3** Secours organisés. — Secours donnés aux personnes dans le besoin (→ **Assister,** p. p.), aux indigents. → **Bienfaisance, œuvre**(s). *Œuvres d'assistance aux indigents.* → **Aumône, charité.** *Assistance privée. Assistance médicale gratuite,* permettant aux malades sans ressources de recevoir des soins médicaux. *Droit à l'assistance publique.*

(...) ces douze pays *(d'Afrique)* ne disposent que de très faibles revenus en devises. Ils dépendent presque exclusivement de l'assistance publique internationale. 12
Jean ZIEGLER, Main basse sur l'Afrique, p. 20-21.

Anciennt (jusqu'à 1955). *Assistance* ou *Assistance publique,* ensemble des institutions publiques chargées de gérer ce service. — On dit maintenant *Aide sociale. L'administration de l'Assistance publique. L'Assistance* ou *l'Assistance publique :* les établissements chargés de la tutelle des enfants assistés. *Être élevé à l'Assistance. Un enfant de l'Assistance.* — On dit maintenant *Aide sociale à l'enfance.*

S'il me fallait à toute force me marier (...) je demanderais une enfant de l'Assistance Publique. 13
MONTHERLANT, le Démon du bien, p. 84.

*Administration de l'Assistance publique :* administration sanitaire et sociale qui s'occupe de la gestion des services d'aide sociale (dans quelques grandes villes : Paris, Marseille). *Hôpital de l'Assistance publique.*

Par ext. Aide sociale ou médicale continue donnée à une personne.

Le directeur de cet hôpital est un Français (...) médecin de grande valeur paraît-il, et qu'il est bien regrettable qu'un traitement suffisant n'ait pas pu retenir au Congo français, où l'assistance médicale fait si grand défaut. 14
GIDE, Voyage au Congo, *in* Souvenirs, Pl., p. 704.

*Assistance psychiatrique, mentale :* assistance aux malades mentaux pouvant être indépendante de l'hospitalisation. *Organismes et dispositifs de l'assistance psychiatrique : ateliers protégés ou thérapeutiques, dispensaires, hôpitaux psychiatriques, foyers d'accueil; dépistage, hôpital de jour, placement familial, service ouvert, post-cure.*

(...) nous avions fondé, en 1935 (...) un petit service libre auprès de notre service de Charenton *(destiné aux seuls névrosés)* qui nous a donné de très bons résultats (...) et c'est ainsi que, dans une lettre au ministre de la Santé Publique en 1938, nous avions conclu que service fermé, service libre et consultation externe devaient constituer au même endroit les trois pièces synergiques fondamentales de l'assistance mentale. 15
H. BARUK, Psychoses et Névroses, p. 132.

Dr. *Assistance judiciaire :* secours aux plaideurs indigents qui comporte la gratuité des frais de justice et la désignation d'un avocat commis d'office. — On dit maintenant *aide judiciaire. Obtenir l'assistance judiciaire.*

L'assistance judiciaire peut être accordée, en tout état de cause, à toutes personnes (...) lorsque, à raison de l'insuffisance de leurs ressources, ces personnes (...) se trouvent dans l'impossibilité d'exercer leurs droits en justice, soit en demandant, soit en défendant. 16
Loi du 10 juil. 1901, art. 1.

*Assistance technique :* aide technique apportée à un pays en voie de développement. *L'assistance technique des Nations-Unies.* — *Assistance maritime :* secours porté par un navire à un autre navire en perdition. — Par métonymie. Autom. Équipe de mécaniciens de course.

**III** Techn. Action d'assister qqch.; action d'un système, d'un dispositif qui aide le fonctionnement d'un processus; ce dispositif. *Assistance au freinage.* Cf. Freins assistés. — Méd. *Assistance circulatoire, respiratoire :* technique permettant de pallier temporairement une défaillance cardiaque ou respiratoire. — *Assistance à la création par ordinateur* (→ Assisté, 2.).

CONTR. **Abandon, préjudice.**

**ASSISTANT, ANTE** [asistɑ̃, ɑ̃t] n. — 1372; p. prés. de *assister.*

**I** ♦ **1** N. m. pl. *Les assistants :* les personnes qui assistent à qqch., les personnes présentes en un lieu. → **Assistance; auditeur, spectateur, témoin.** *L'un des assistants. La majorité des assistants. Être parmi les assistants* (dans l'assistance*); *compter au nombre des assistants. Parmi les assistants, il y avait beaucoup de femmes.*

1 Si la lyre de Mentor n'eût enlevé l'âme de tous les assistants (...) FÉNELON, Télémaque, 7.

2 Dehors, dans le préau, parmi les tombes, les assistants se répandent. LOTI, Ramuntcho, I, 4.

♦ **2** N. (même sens). *Il était le seul assistant, elle était la seule assistante à la réunion. Il y avait à cette réunion féministe de nombreuses assistantes et quelques hommes; quelques assistants.*

**II** (Av. 1604, relig.; extension de sens sous l'infl. de l'angl. *assistant,* au XVIIIe). Celui, celle qui assiste qqn pour le seconder. → **Adjoint, aide, auxiliaire.** — REM. Le mot est rare en emploi général; il désigne des professions précises, qualifiées par un adj. *(assistant technique, médical; assistant sanitaire...)* ou par un compl. de nom *(assistant des hôpitaux, d'enseignement supérieur,* etc.) souvent sous-entendu.

2.1 Le plus souvent, tu travailles au ménage. Ça mérite un salaire, cela. Tu pourrais très bien demeurer chez nous comme une espèce de dame de compagnie, d'assistante, de... De tout ce que tu voudras.
VAN DER MEERSCH, l'Empreinte du dieu, 1936, p. 155, *in* T. L. F.

**a** Emplois spéciaux. Relig. Prêtre qui seconde l'officiant. *L'assistant du prêtre célébrant, officiant. L'assistant de l'évêque consacrant.*

3 Le prélat fait l'action de grâce; l'assistant répond amen.
CHATEAUBRIAND, le Génie du christianisme, t. I, I, 8.

Religieux, religieuse qui assiste le ou la supérieur(e) général(e) d'un ordre. *Corps des assistants.* → **Assistance,** I., 2. *Assistant du général des Jésuites. L'assistante d'une abbesse.* — En appos. *La Mère assistante.*

**b** Personne qui assiste un médecin, un chirurgien, un dentiste. — Adj. *Médecin assistant.*

4 On me retire deux assistants *(dit le médecin principal)* et l'on m'envoie triple besogne.
G. DUHAMEL, les Sept Dernières Plaies, 2.

**c** Vx. Personne qui assiste un professeur. — Mod. Dans l'enseignement supérieur, Enseignant non pourvu du doctorat, de grade inférieur à celui de *maître-assistant* (→ **Assistanat**). *Il est assistant de fac, en fac. Elle est assistante à Jussieu.*

Dans l'enseignement secondaire, Enseignant de nationalité étrangère adjoint aux professeurs de langues vivantes (cf. *lecteur,* dans l'enseignement supérieur).

4.1 Mes travaux? Je n'ai encore rien pu entreprendre. L'année prochaine peut-être. Ce sera sans doute ma seule planche de salut : un poste d'assistante en Fac.
Yanny HUREAUX, la Prof, p. 128.

**d** *Assistant de laboratoire. Assistant de recherche* (→ **Chercheur**).

5 Voilà, mon petit père, ce que sont les véritables assistants de laboratoire. Les autres sont des tâcherons, des hommes de peine ou, si tu préfères, de simples salariés.
G. DUHAMEL, Chronique des Pasquier, VIII, 4.

**e** N. f. **ASSISTANTE SOCIALE :** fonctionnaire féminine chargée de diverses missions touchant l'assistance, l'hygiène, la santé publique. *Diplôme d'assistante sociale. Assistante médico-sociale. Assistante visiteuse.*

Le plus souvent, l'installation et la multiplication de centres de plan familial se heurtent à un manque de moyens : de médecins, d'infirmières, d'assistantes visiteuses, de matériel... 6
A. SAUVY, Croissance zéro?, p. 224.

**f** (Dans les professions de l'audio-visuel). *Assistant, assistante du metteur en scène, du réalisateur. Assistant à la réalisation, assistant réalisateur.* — *Assistant, assistante du son :* technicien, technicienne chargé(e) du son, au cinéma. — *Assistant monteur, assistante monteuse. Assistant opérateur.* — *Assistant, assistante de production* (radio, télévision).

DÉR. **Assistanat.**

**ASSISTER** [asiste] v. intr. et tr. — Début XIVe; lat. *adsistere (assistere)* «se tenir auprès de, aider».

**I** V. intr. **ASSISTER À (qqch.) :** être présent physiquement à... *Les personnes qui assistent à une conférence.* → **Entendre; auditeur.** *Assister à un match de tennis, à un spectacle.* → **Voir; spectateur.** *J'y ai assisté à la télévision. Assister à une cérémonie, à la messe. Vous avez manqué un beau spectacle en n'assistant pas à cette fête. Assister à une rixe.* → **Témoin** (être). *Assister à une discussion et y prendre part.* → **Participer.**

J'ai éprouvé diverses manières de vivre et j'estime que la meilleure est, s'adonnant à l'étude, d'assister en paix aux vicissitudes des hommes. 1
A. FRANCE, la Rôtisserie de la reine Pédauque, p. 250.

Assistez à la vie en spectateur indifférent; bien des drames tourneront à la comédie. H. BERGSON, le Rire, p. 5. 2

Comme un malade grâce à un anesthésique assiste avec une pleine lucidité à l'opération qu'on pratique sur lui (...) 3
M. PROUST, À la recherche du temps perdu, t. I, p. 39.

On assistait là à une de ces séances plaisantes, comme on en voit aux veillées lorraines, où les filles et les garçons échangent des facéties et des bouts rimés. 4
M. BARRÈS, la Colline inspirée, p. 91.

Comment connaissez-vous tous ces événements auxquels vous n'avez pas assisté? 5
F. MAURIAC, la Pharisienne, p. 43.

Être témoin de. *Les événements auxquels nous avons assisté. On assiste, nous assistons à une baisse du taux de natalité.*

Dr., vx. *Assister à un vol :* y participer en tant que complice — *Assister à un jugement :* faire partie du tribunal qui prononce le jugement.

**II** V. tr. **ASSISTER (qqn).** ♦ **1** Aider, seconder (qqn) dans ses fonctions, dans sa tâche, en se tenant auprès de lui ou à sa disposition. → **Aider, accompagner.** *Le témoin instrumentaire assiste l'officier de l'état civil, l'officier ministériel dans la rédaction de certains actes. Se faire assister par qqn. Se faire assister de deux avocats. Assister qqn dans son travail, de manière habituelle* (→ **Assistant**).

(...) Dieu sait si les zéphyrs, 6
Peuple ami du démon, l'assistaient dans sa tâche.
LA FONTAINE, Fables, VII, 6.

Nous étions trois, au début, pour assister notre patron *(le médecin principal),* et nul de trop dans un service débordé d'ordinaire. 7
G. DUHAMEL, les Sept Dernières Plaies, 2.

Spécialt. Dr. Remplacer (une personne frappée d'incapacité juridique) en intervenant dans les actes qui la concernent. *Le curateur assiste le mineur émancipé dans les hypothèses prévues par la loi.*

Assister une personne, c'est être présent à ses côtés au moment où elle agit, pour la guider, pour surveiller ses intérêts; c'est donc (en principe) une participation personnelle et directe qu'on exige du curateur. 8
M. PLANIOL, Traité de droit civil, 12e éd., n° 2010.

Liturgie (en parlant d'un diacre ou d'un sous-diacre). Servir (le célébrant) lors d'une messe solennelle.

♦ **2** Vx. **ASSISTER (qqn) DE (qqch.)** : aider (qqn) en lui prêtant le concours de ses services, mettre à sa disposition ce dont il a besoin. → **Aider** (de), **concourir, donner, secourir.** *Assister qqn de sa bourse, de ses aumônes, de son crédit.*

Mod. (le complément indirect est un terme abstrait). *Assister qqn de ses conseils, de son amitié.*

9 Il fallut que les religieuses assistassent de leurs charités quelques-uns de ses plus proches parents.
RACINE, Port-Royal.

10 L'intérêt des indigents semble être le sien ; il ne les assiste pas seulement de sa bourse, mais de ses soins.
ROUSSEAU, *in* P. LAROUSSE.

(Sans compl. second). Aider par des secours, une aide financière. *Assister des réfugiés, des rapatriés.*

♦ **3** Vieilli. *Assister qqn,* lui donner aide, appui, protection, secours, soins ; lui venir en aide. → **Secourir ; aider** (cit. 3)... *Assister son prochain, les pauvres, les malheureux. Assister un malade.* → **Soigner.**

11 Je meurs de faim si tu ne m'assistes (...)
BOSSUET, 1er sermon de la Toussaint, 1.

12 Je supplie avant tout les dieux de m'assister (...)
LA FONTAINE, Fables, XI, 7.

Loc. Vieilli. *Dieu vous assiste !* Se dit à un malheureux qu'on ne peut secourir. → **Protéger.** Vieilli, fam. Formule utilisée pour saluer une personne qui éternue (→ **Bénir**).

13 Il *(Ménalque)* entend la messe ; le prêtre vient à éternuer ; il lui dit : Dieu vous assiste !
LA BRUYÈRE, les Caractères, XI, 7.

Mod. Aider (qqn) par sa présence dans ses derniers moments, être aux côtés de (un mourant). *Assister un agonisant, un condamné. Le prêtre qui l'assistait.*

14 Assister un pécheur mourant (...)
BOURDALOUE, De l'impénitence finale, 2.

15 Un dominicain qui l'assistait d'office sur l'échafaud (...)
VOLTAIRE, Lettres, 27 mars 1762.

16 Il est mort aussi hors de France. Je n'ai pas pu l'assister dans ses derniers moments.
Edmond JALOUX, Fumées dans la campagne, II.

*Assister en justice un indigent.* → **Assistance** (judiciaire).

(1841). Venir en aide à un détenu du point de vue pécuniaire et moral. Absolt. *On assiste en envoyant des colis, des vêtements, de l'argent, en donnant des conseils, etc.*

♦ **4** Techn. (cinéma). *Assister un film,* participer à sa réalisation en tant qu'assistant.

◆ **ASSISTÉ, ÉE** p. p. adj. et n.

♦ **1** Qui reçoit une aide, une assistance (sociale, médicale, judiciaire). *Un détenu assisté. Les enfants assistés. Des populations assistées.*

16.1 D'habitude, il n'y a que ceux *(les détenus)* qui ne sont pas assistés qui travaillent (...)
J. BECKER et J. GIOVANNI, le Trou, *in* l'Avant-Scène, n° 13, p. 10.

17 Les Guadeloupéens y trouvaient-ils leur compte ? Exploités ou assistés ? Les deux, sans doute. Oncle Tom et Père Noël.
Claude COURCHAY, La vie finira bien par commencer, p. 123.

N. *(Un assisté, une assistée).* Personne qui bénéficie de l'assistance* publique. *Les assistés. L'assisté, sur le plan médical, bénéficie gratuitement des soins nécessités par son état de santé.* — Personne, population qui bénéficie d'une aide. *Refuser le statut d'assisté.*

♦ **2** (Choses). Qui est pourvu d'un système destiné à amplifier, à réguler ou à répartir l'effort exercé par l'utilisateur (système d'assistance*). *Freins assistés ; direction assistée* (d'une automobile). — *Ventilation* assistée.*

(Abstractions). *Conception assistée par ordinateur* (C. A. O.), dans laquelle les dessins sont réalisés par l'ordinateur à partir des programmes et des données qu'on y a introduits. — *Dessin assisté par ordinateur* (D. A. O.). *Publication assistée par ordinateur* (P. A. O.). *Enseignement assisté par ordinateur* (E. A. O.). *Traduction assistée par ordinateur* (T. A. O.). *Ingénierie assistée par ordinateur* (I. A. O.) : ensemble des techniques informatiques permettant l'étude d'un projet industriel. *Maintenance assistée par ordinateur* (M. A. O.).

CONTR. **Manquer. — Desservir, gêner, nuire. — Abandonner, délaisser.** ◊ DÉR. **Assistance, assistant.** ➛ HOM. La langue très fam. emploie un pseudo-verbe **assister,** à l'impératif, remplaçant *s'asseoir* (assistez-vous ! ; allez, assistons-nous...).*

**ASSOCIABILITÉ** [asɔsjabilite] n. f. — 1845 ; de *associable.*

Rare. Caractère de ce qui est associable.

**ASSOCIABLE** [asɔsjabl] adj. — 1355 ; de *associer.*

Qui peut être associé (avec autre chose ; ensemble). *Des mots, des idées qui ne sont pas associables. Chose difficilement associable à une autre.*

DÉR. **Associabilité.**

**ASSOCIATIF, IVE** [asɔsjatif, iv] adj. — 1488, repris fin XIXe ; de *associer,* et *-atif* (→ -if).

♦ **1** Philos., psychol. et cour. Relatif à l'association* des idées ; qui procède par association. *Rapports associatifs des idées. Mémoire* associative.*

♦ **2** Math., log. *Opération associative,* dans laquelle le groupement de facteurs consécutifs (et leur remplacement par le résultat de l'opération partielle effectuée sur eux) n'affecte pas le résultat. *Loi associative de composition des éléments d'un ensemble. Si une loi interne est à la fois associative et commutative*, le changement d'ordre des éléments ne change jamais le résultat.*

Une loi interne est *associative* si pour tout *a, b, c,* de E : $(a*b)*c = a*(b*c)$...
*Les lois de réunion et d'intersection* (des ensembles) *sont associatives* (...)
Gaston CASANOVA, l'Algèbre de Boole, p. 34.
REM. E est un ensemble ; *a, b, c,* ses éléments ; * représente une loi de composition.

♦ **3** Des associations (I., 4.) ; qui concerne les associations, et, spécialt (en France), les associations à but non lucratif régies par la loi du 1er juillet 1901. *La vie associative. Les bénévoles et les salariés du secteur associatif.*

DÉR. **Associativement, associativité.**

**ASSOCIATION** [asɔsjasjɔ̃] n. f. — 1751 ; *associacion,* 1408 ; de *associer.*

Action d'associer, de s'associer ; résultat de cette action. → **Assemblage, assemblée, groupe, groupement, organisation, rapprochement, réunion, société, solidarité, union.**

*(L'association)* est la plus générale probablement de toutes les lois qui gouvernent l'univers, puisqu'elle se manifeste non seulement dans les rapports des hommes vivant en société, mais aussi dans ceux qui unissent les mondes en systèmes solaires et les molécules ou les cellules en corps bruts ou organisés, et jusque dans les rapports qui nous 1

permettent de penser. Les animaux eux-mêmes connaissent les lois de l'association (...)
Charles GIDE, Cours d'économie politique, t. I, p. 233.

**I** Action d'associer (des individus); groupement qui en résulte. ♦ **1** *Association de (qqn) à (qqch.)* : action d'associer (qqn) à (qqch.). → **Collaboration, coopération, participation.** *L'association du fils aîné au trône du roi de France a assuré l'hérédité de la couronne aux Capétiens.*

2 Cette association à l'Empire qu'il lui avait fait obtenir (...)
CORNEILLE, Pulchérie, Au lecteur.

♦ **2** *Association de...* (choses, personnes) : action de s'associer (→ **Adhésion, admission, affiliation, participation**), de se réunir d'une manière durable; fait d'être associé. *Association symbiotique de plantes.* → **Symbiose.** *Association d'animaux, d'hommes vivant en société.* → **Agglomération, agrégation.** — Par métonymie. Ensemble des éléments associés. *Les associations humaines.* → **Clan, colonie, communauté, compagnie, groupe, nation, ordre, peuple, société, tribu.** — *Association de personnes unies par le sang ou l'alliance.* → **Alliance, mariage.** *La famille* est une association. L'association de deux amis.* → **Liaison; attelage.** *Une association amicale, fraternelle. Une association intéressée.*

3 La famille antique est une association religieuse plus encore qu'une association de nature.
FUSTEL DE COULANGES, la Cité antique, p. 41.

4 La plupart des amitiés ne sont guère que des associations de complaisance mutuelle, pour parler de soi avec un autre.
R. ROLLAND, Jean-Christophe, t. III, 1911, p. 24.

4.1 La femme, déclara nettement Charvet, est l'égale de l'homme; et, à ce titre, elle ne doit pas le gêner dans la vie. Le mariage est une association... Tout par moitié, n'est-ce pas, Clémence?
ZOLA, le Ventre de Paris, t. I, p. 169.

Didact. *Association microbienne* (1897, *in* D. D. L.) : réunion de plusieurs espèces qui vivent comme en symbiose dans une infection; ces espèces réunies. *Association végétale* : groupement de diverses espèces de plantes qui poussent habituellement ensemble. *Association moléculaire* : phénomène par lequel des molécules s'unissent pour former un ensemble unique et stable, sans que s'établisse de liaison de valence; cet ensemble. — *Association minérale* : ensemble des minéraux présents dans une roche mère ou dans un sol.

Pharm. *Association de médicaments* : groupement de deux médicaments de même action principale permettant de diminuer la dose de chacun d'eux. → **Synergie** (médicamenteuse). — Préparation comprenant plusieurs matières actives vendues dans un même emballage.

♦ **3** Groupement de personnes qui s'unissent en vue d'un but déterminé. *Former une association. Quelle forme d'association? Association libre, contractuelle, ou association obligatoire? Acte d'association. Adhérer, s'affilier, participer à une association. Adhésion, admission, affiliation, participation à une association. Rompre une association. Dissoudre une association. Association politique.* → **Parti; club.** *Association secrète.* → **Coterie, société.**

5 Que des hommes épars soient successivement asservis à un seul (...) c'est si l'on veut, une agrégation, mais non pas une association; il n'y a là ni bien public, ni corps politique.
ROUSSEAU, Du contrat social, I, 5.

6 Trouver une forme d'association qui défende et protège de toute la force commune la personne et les biens de chaque associé, et par laquelle chacun s'unissant à tous, n'obéisse pourtant qu'à lui-même, et reste aussi libre qu'auparavant. Tel est le problème fondamental dont le Contrat social donne la solution.
ROUSSEAU, Du contrat social, I, 6.

À l'instant, au lieu de la personne particulière de chaque contractant, cet acte d'association produit un corps moral et collectif. ROUSSEAU, Du contrat social, I, 6. 7

Le but de toute association politique est la conservation des droits naturels et imprescriptibles de l'homme. 8
Déclaration des droits de l'homme, 1791, art. 2.

*Associations internationales. Associations de villes, de cités.* → **Amphictyonie, hanse, ligue.** *Associations d'États.* → **Union, confédération, communauté** (Commonwealth britannique); **alliance, coalition, concert, entente, organisation, société.**

Il y avait dans la Grèce trois peuples considérables : les Étoliens, les Achaïens et les Béotiens; c'étaient des associations de villes libres, qui avaient des assemblées générales et des magistrats communs. 9
MONTESQUIEU, Grandeur et Décadence des Romains, 5.

*Associations poursuivant des fins corporatives, économiques, commerciales, financières. Association en participation* (cit. 4). *Associations d'avocats, de médecins, de notaires..., associations syndicales.* → **Cartel, chambre, coalition, comice, compagnie, compagnonnage, consortium, coopération, corporation, entente, entreprise, guilde, participation, société, syndicat, tontine, trust.** *La loi du 21 mars 1884 a abrogé la loi Le Chapelier des 14-17 juin 1791, qui prohibait la formation de toute association professionnelle.*

Sans doute, les maîtrises et jurandes de l'ancien régime constituaient un véritable monopole et elles devaient disparaître; mais c'était tout à la fois une erreur et une faute de prohiber les associations professionnelles ouvertes à tous et dans lesquelles personne n'était tenu d'entrer, associations telles qu'a voulu, tout au moins théoriquement, les réaliser le législateur de 1884 et de 1920. 10
L. DUGUIT, Traité de droit constitutionnel, t. V, p. 195.

*Association philanthropique* (cit.), *sans but lucratif* (→ ci-dessous, 4.).

♦ **4** Dr. Mise en commun permanente des activités de plusieurs personnes dans un but non lucratif (par opposition à *société*). *Contrat d'association. Liberté d'association.*

L'association est la convention par laquelle deux ou plusieurs personnes mettent en commun d'une façon permanente leurs connaissances ou leur activité dans un but autre que de partager des bénéfices (...) 11
Loi du 1er juil. 1901, relative au contrat d'association.

Cour. L'ensemble des personnes ainsi associées; l'entité juridique ainsi formée.
*Association déclarée* : association qui, moyennant une déclaration, jouit de la personnalité morale. *Association reconnue d'utilité publique* : association dont les objectifs sont reconnus conformes à l'intérêt général et qui, à ce titre, bénéficie d'une capacité juridique plus étendue que celle d'une association déclarée. *Fonder une association de la loi de 1901. Statuts d'une association. Personnalité civile des associations. Le président, le secrétaire, le trésorier d'une association. Les membres d'une association.* → **Adhérent, membre, sociétaire.** *Association amicale* (→ **Amicale**), *mutualiste* (→ **Mutuelle**), *sportive* (→ **Club**). → aussi **Bienfaisance, mutualité.** *Association religieuse, culturelle, diocésaine...* → **Confrérie, congrégation, patronage.**

REM. Au sens large, juridiquement, *association* englobe les sens 3 et 4 et inclut *associations* (4) et *sociétés*.

L'association implique un rapport de droit entre tous les associés, un but poursuivi en commun et un certain caractère de permanence, toutes choses qui n'existent pas dans la réunion. 12
L. DUGUIT, Traité de droit constitutionnel, t. V, p. 340.

13 Les associations formées en vue d'un but lucratif s'appellent dans la langue du droit, les sociétés civiles ou commerciales (...)
L. DUGUIT, Traité de droit constitutionnel, p. 617.

Loc. *Football association* (vx et fam. : l'assoce). → **Football.**

(Dans l'intitulé de ces groupes). *Association française de..., pour...* (souvent abrégé en *AF...*).

Dr. pén. *Association de malfaiteurs* (*Code pénal*, III, I, 5). → **Bande.**

14 Toute association formée, quelle que soit sa durée ou le nombre de ses membres, toute entente établie dans le but de préparer ou de commettre des crimes contre les personnes ou les propriétés, constituent un crime contre la paix publique. Code pénal, art. 265.

**II** (En parlant des choses). ♦ **1** Fig. Action de réunir en un ensemble des éléments divers pour former un tout; cet ensemble. *Association de sons. Une heureuse association de couleurs.* → **Accord, assortiment.** *L'association des mots dans une phrase.* → **Agencement, assemblage, combinaison, liaison.**

♦ **2** (Abstrait). Psychol. et cour. **ASSOCIATION DES IDÉES; ASSOCIATION :** propriété qu'ont les différents contenus du champ de conscience (représentations, concepts, sentiments, etc.) de s'appeler les uns les autres, sans intervention de la volonté ou même malgré elle.

REM. 1. «Il est d'usage d'employer (...) la formule *Association des idées* (...) bien que le mot *idée* présente dans le langage philosophique un sens purement intellectuel qui paraît restreindre arbitrairement la généralité de cette loi psychologique» (Lalande). → **Psychagogie,** cit. 2. Le terme s'oppose, en tant qu'il ne désigne pas un enchaînement volontaire d'idées, à *jugement, raisonnement, réflexion.*

*Rapports selon lesquels s'effectue l'association des idées.* → **Liaison** (associative); **attraction, enchaînement, évocation, rapprochement, suggestion, synthèse; inducteur, induit.** *Causes de l'association des idées.* → **Affinité, analogie, contiguïté, contraste, ressemblance, similitude.** *Lois de l'association des idées : loi d'intérêt, de rédintégration. Loi d'association systématique* (Paulhan) : loi selon laquelle les faits psychiques se groupent en systèmes en fonction d'une finalité interne. *Théorie de l'association des idées comme base de l'activité psychique.* → **Associationnisme.** — *Liaison effective (de deux ou plusieurs idées); groupe (d'idées, de représentations évoquées ensemble). Une association d'images, d'idées. Une association inattendue. Discours qui procède par associations. Association inconsciente d'idées, de sentiments...* → **Complexe.**

15 Les animaux sont incapables de former cette association d'idées que seule peut produire la réflexion.
BUFFON, Hist. nat. de l'homme.

16 (...) les célèbres lois qui régissent l'association des images et par suite celle des idées se ramènent à une loi plus simple. Ce qui suscite à tel moment telle image plutôt que telle autre, c'est un commencement de résurrection, et cette résurrection a commencé tantôt par similitude, parce que l'image ou la sensation antérieure contenait une portion de l'image ressuscitante, tantôt par contiguïté, parce que la terminaison de l'image antérieure se confondait avec le commencement de l'image ressuscitante.
TAINE, De l'intelligence, I, II, 2, t. I, p. 144.

17 (...) les travaux modernes qui ont mis en relief la loi d'intérêt dans l'association (déjà remarquée par Hamilton, et placée à côté de la loi de rédintégration) et l'idée générale de l'association systématique ne permettent pas de s'en tenir à l'énumération ci-dessus rapportée (contiguïté, ressemblance, contraste).
A. LALANDE, Voc. de la philosophie, p. 84.

18 Cette expression d'association des idées (...) est (...) assez mal choisie (...) il s'agit ici d'une évocation toute spontanée d'un ou de plusieurs états par un autre. Il ne s'agit nullement d'une liaison logique et réfléchie entre deux idées comme dans le jugement (...)
Le mot idées n'est guère moins critiquable (...) Ce ne sont pas seulement les concepts, mais, d'abord, toutes les représentations qui sont susceptibles de s'évoquer associativement.
A. CUVILLIER, Introd. à la psychologie, p. 335.

Il faut opérer par la dissociation, et non par l'association 19
des idées. Une association est presque toujours banale. La dissociation décompose et découvre des affinités latentes.
J. RENARD, Journal, 24 janv. 1890.

Il était coutumier de ces étranges associations d'images, 20
comme il s'en forme surtout au commencement de la vie, dans la tête des enfants (...)
LOTI, Pêcheur d'Islande, II, 9.

(...) curieux de s'interrompre au cours d'une rêverie pour 21
remonter la chaîne des associations d'idées, suivre en sens inverse le chemin de la pensée, jusqu'au point de départ.
MARTIN DU GARD, les Thibault, VIII, 16.

Psychan. *Méthode* ou *règle de libre association :* «méthode qui consiste à exprimer sans discrimination toutes les pensées qui viennent à l'esprit, soit à partir d'un élément donné (mot, nombre, image d'un rêve, représentation quelconque), soit de façon spontanée» (Laplanche et Pontalis, 1967, *in* T. L. F.). *Association libre.*

CONTR. **Autonomie, isolement. — Désunion, dissociation, dissolution, division, rupture, scission, séparation.** ◇ DÉR. **Associatif, associationnisme.**

**ASSOCIATIONNISME** [asɔsjasjɔnism] n. m. — 1877; angl. *associationism,* de *association* «association».

♦ **1** Philos. Doctrine qui ramène à l'*association* automatique *des idées* et des représentations toutes les opérations de la vie mentale (Hume, Stuart Mill, Bain, Taine, etc.). — Syn. : *atomisme mental.*

À cet égard, l'associationnisme de la psychologie nais- 1
sante du XIXe siècle, qui cherchait à tout expliquer par des associations mécaniques entre les éléments atomistiques préalables constitués par les sensations et les images, a peut-être rendu plus de services par ses exagérations et son impérialisme de départ que s'il se fût présenté sous une forme modérée comme une hypothèse parmi d'autres possibles.
J. PIAGET, Épistémologie des sciences de l'homme, p. 142-143.

Un empirisme non élaboré risque donc toujours de 2
déformer la réalité mentale en la réduisant à des «atomes» artificiels au lieu d'atteindre des structures d'ensemble. C'est ce qui est arrivé à l'associationnisme classique.
J. PIAGET, Épistémologie des sciences de l'homme, p. 147.

♦ **2** Sociol., écon. Doctrine des économistes qui cherchent la solution du problème social dans l'association volontaire de petits groupes de producteurs; socialisme coopératif (Owen, Fourier, Louis Blanc, etc.). → **Fouriérisme.**

DÉR. **Associationniste.**

**ASSOCIATIONNISTE** [asɔsjasjɔnist] adj. et n. — 1874; angl. *associationist,* de *association* «association».

Adj. Qui a rapport à l'associationnisme. *Doctrine, théorie associationniste.* — Qui est partisan de l'associationnisme. *Philosophes, socialistes associationnistes.*

Nous appelons socialistes associationnistes ceux qui ont cru que l'association libre pourra suffire à donner la solution de toutes les questions sociales pourvu qu'elle soit organisée dans certaines conditions — lesquelles varient d'ailleurs selon les systèmes.
GIDE et RIST, Hist. des doctrines économiques, 5e éd., p. 271.

N. *Un, une associationniste.* Partisan de l'associationnisme.

**ASSOCIATIVEMENT** [asɔsjativmɑ̃] adv. — 1916, Saussure; de *associatif.*

Philos., math., ling. Par association. → **Association,** cit. 18.

**ASSOCIATIVITÉ** [asɔsjativite] n. f. — 1888, Encycl. Berthelot; de *associatif.*

Math., log. Caractère, propriété d'une loi de composition*, d'une opération associative* (2.).

Psychol. *L'associativité caractérise certains systèmes d'opérations intellectuelles, certaines structures sensori-motrices.*

Que les structures *(opératoires)* existent, c'est donc à l'observateur à les détecter et à les analyser, mais le sujet les ignore à titre de structures et n'en distingue que les opérations particulières utilisées par lui (et encore pas toutes : il utilise sans cesse l'«associativité» et la «distributivité» sans s'en douter, et il en est souvent de même de la commutativité).

J. PIAGET, Épistémologie des sciences de l'homme, p. 210.

**ASSOCIÉ, ÉE** [asɔsje] n. — 1510; p. p. substantivé de *associer.*

♦ **1** Rare (ou dans des contextes particuliers). Personne qui est unie à une ou plusieurs autres par une communauté d'intérêt, qui en partage les occupations ou préoccupations. → **Adjoint, camarade, collaborateur, collègue, compagne, compagnon, compère, complice, confrère, coopérateur, partenaire.** *La vie a fait de ces deux êtres d'intimes associés.*

1 Ce mot *(associé)* est usité principalement, mais non uniquement en termes d'affaires : ainsi des complices sont des associés... les triumvirs étaient des associés. Voltaire appelle ses collaborateurs de l'Encyclopédie «des associés qui travaillent comme lui à la vigne du Seigneur» (...) «On m'associa pour cet examen *(des livres de Mme Guyon)* M. de Châlons et M. Tronson. Avec de tels associés, j'espérais tout». (Bossuet...).

LAFAYE, Dict. des synonymes, Compagnon... associé, p. 450.

Argot. *Associée,* n. f. : femme légitime.

En appos. ou adj. *Membre associé,* non titulaire. — N. *Associés étrangers, associés d'une académie :* membres qui jouissent de quelques-uns des droits des membres titulaires.

♦ **2** Cour. Personne qui met en commun son activité ou ses biens dans une entreprise quelconque.

2 La génisse, la chèvre et leur sœur la brebis
Avec un fier lion, seigneur du voisinage,
Firent société, dit-on, au temps jadis,
Et mirent en commun le gain et le dommage.
Dans les lacs de la chèvre un cerf se trouva pris.
Vers ses associés aussitôt elle envoie.

LA FONTAINE, Fables, I, 6.

3 (...) chacun se donnant à tous ne se donne à personne; et comme il n'y a pas un associé sur lequel on n'acquière le même droit qu'on lui cède sur soi (...)

ROUSSEAU, Du contrat social, I, 6.

Personne qui dirige une entreprise avec une ou plusieurs personnes en participant aux bénéfices et aux pertes. → **Coassocié, gérant, partenaire.** *Il n'est pas seul propriétaire de cette librairie, il a une associée. Sa femme est son associée.*

4 D'abord intéressé dans le commerce des Lalouette, il devint plus tard leur associé.

Alphonse DAUDET, le Petit Chose, p. 229.

4.1 — Écoute-moi, dit-elle, écoute-moi, Étienne Rousserand, je ne suis pas venue pour faire du sentimentalisme avec toi et échanger des fadeurs conjugales. Le temps en est passé.
— Hélas!
— Ce n'est pas ta femme, c'est ton associée, c'est Agathe Monier, la bailleuse de fonds de ton industrie, qui te parle.

Louise MICHEL, la Misère, t. II, p. 315.

♦ **3** Dr. et cour. Celui, celle qui fait partie d'une société. → **Actionnaire, adhérent, commanditaire, membre, sociétaire.**

*(Dans les sociétés en nom collectif)* Les noms des associés peuvent seuls faire partie de la raison sociale (...) 5

Code de commerce, art. 21.

La société anonyme (...) n'est désignée par le nom d'aucun des associés. 6

Code de commerce, art. 29. (→ Anonyme, cit. 5).

Dans les sociétés commerciales, le nom d'associés désigne ceux qui ont le double droit de participer aux bénéfices et de concourir à la direction des affaires sociales pour les distinguer des porteurs de parts de fondateur qui n'ont que le droit de participer aux bénéfices. Pour les associations, on dit plutôt sociétaires. 7

H. CAPITANT, Voc. juridique, p. 65.

Dr. internat. publ. Puissance qui a coopéré à la Première Guerre mondiale contre les empires centraux, sans traité d'alliance.

COMP. **Coassocié.**

**ASSOCIER** [asɔsje] v. tr. — 1263; *assoicher,* 1238; lat. *associare* «joindre, unir», formé sur *socius* «compagnon».

**I** (Compl. n. de personnes). ♦ **1** *Associer (qqn) à (qqch.) :* donner ou prendre pour compagnon, collaborateur, collègue, allié...; faire participer (qqn) à une activité commune, un bien commun. → **Adjoindre, allier, attacher, collaborer** (faire), **coopérer** (faire), **joindre, partager** (faire), **participer** (faire), **unir.** *Associer qqn à ses affaires, à ses travaux,* prendre pour associé, pour collaborateur. → **Adjoindre** (s'), **attacher** (s'). *Associer qqn à un groupe.* → **Agréger, incorporer.**

Spécialt. *Associer les travailleurs aux bénéfices de son entreprise, aux profits* (→ **Participation).**

Dans le domaine moral. *Associer qqn à sa fortune, à son sort, à ses responsabilités, aux dangers d'une expédition....* → **Lier, solidariser** (rendre solidaire). *Associer un néophyte aux mystères.* → **Initier.** *Associer un auditoire aux mouvements de son cœur et de sa pensée.* → **Communier** (faire).

(...) Mon âme n'aspire 1
Qu'à vous associer l'un et l'autre à l'Empire.

CORNEILLE, Héraclius, V, 3.

M. le Dauphin *(le fils de Louis XIV)* entre dans tous les conseils; n'approuvez-vous pas encore cette conduite? c'est proprement l'associer à l'empire (...) 2

Mme DE SÉVIGNÉ, 14 avr. 1691.

Dieu n'a pas voulu absoudre sans l'Église; comme elle a part à l'offense, il veut qu'elle ait part au pardon; il l'associe à ce pouvoir comme les rois les parlements. 3

PASCAL, Pensées, t. III, XIV, 870.

Ce Solyman jeta les yeux sur Roxelane. 4
Malgré tout son orgueil, ce monarque si fier
À son trône, à son lit daigna l'associer,
Sans qu'elle eût d'autres droits au rang d'impératrice
Qu'un peu d'attraits peut-être, et beaucoup d'artifice.

RACINE, Bajazet, II, 1.

Non, non, à mes tourments, je veux l'associer. 5

RACINE, Andromaque, III, 1.

Avec quelles marques d'estime la plus fameuse Faculté de l'univers vous a-t-elle adopté, associé dans son corps! 6

RACINE, Disc. à l'Académie, Réception de l'Abbé Colbert.

Quelle grande acquisition avez-vous faite en cet homme illustre *(Fénelon)!* À qui m'associez-vous!... Encore une fois, à quels hommes, à quels grands sujets m'associez-vous! 7

LA BRUYÈRE, Disc. à l'Académie, 15 juin 1693.

Que sont devenus ces importants personnages qui méprisaient Homère (...) qui ne daignaient pas l'associer à leur table (...)? 8

LA BRUYÈRE, les Caractères, VI, 56.

L'interrogation est l'un des procédés du style oratoire. Les prédicateurs, par exemple, s'en servent pour communiquer avec leur public, l'associer à leurs mouvements de pensée et de sentiment. 9

F. BRUNOT, la Pensée et la Langue, p. 488.

♦ **2** (Avec un compl. au plur.; le sujet est souvent un n. de chose abstraite). Réunir (deux ou plusieurs personnes) par une communauté de travail, d'intérêt, de sentiment. → **Association; agréger, allier, assembler, grouper, joindre, lier, marier, mêler, rapprocher, réunir, unir.** *Une communauté de vues les associe. Deux êtres que le malheur associe. — Associer des ouvriers en un syndicat.* → **Syndiquer.** *Associer des partis, des partenaires, des peuples.* → **Coaliser, confédérer, fédérer, liguer.** *Associer deux êtres par une union indissoluble.* Fig. *Associer deux destinées, deux vies.*

10 J'ai pensé et je pense encore qu'un vrai mariage consiste dans la libre union de deux êtres qui associent leurs destinées par leur choix personnel (...)
Paul BOURGET, Un divorce, IV, p. 151.

**II** (Compl. n. de choses). ♦ **1** *Associer une chose à, avec une autre.* → **Allier, joindre, unir.** *Elle associe les grâces les plus aimables à la vertu la plus pure. Associer le courage à la prudence.*

11 J'associai ma vie à ses travaux immenses *(de Mahomet).*
VOLTAIRE, Mahomet, I, 4.

12 Rameau aima mieux que son nom fût supprimé que d'y voir associer le mien (...)
ROUSSEAU, les Confessions, II, 7.

13 Quand on est jeune, on associe la réalisation future de ses rêves aux existences qui vous entourent; à mesure que ces existences disparaissent les rêves s'en vont.
FLAUBERT, Correspondance, t. II, p. 113.

14 Il associait le courage à la prudence, cela veut dire qu'il avait l'une et l'autre de ces qualités; il associait le courage avec la prudence, cela veut dire qu'il formait une union de ces deux qualités. LITTRÉ, Dict., art. *Associer.*

♦ **2** *Associer deux ou plusieurs choses,* les mettre ensemble. *Associer des couleurs.* → **Assortir, combiner.**
(Abstrait). *Associer* (en esprit) *des mots, des noms, des idées.* → **Association; évoquer, lier, rapprocher, unir...**

15 En associant ces deux noms si souvent unis, déjà bien anciens et toujours présents (...)
SAINTE-BEUVE, Causeries du lundi, 19 nov. 1849.

♦ **S'ASSOCIER** v. pron.

**I** (Sujet n. de personne). ♦ **1** *S'associer quelqu'un,* le prendre pour collaborateur, adjoint. → **Adjoindre** (s').

16 Pour prévenir les trahisons continuelles des soldats, les empereurs s'associèrent des personnes en qui ils avaient confiance (...)
MONTESQUIEU, Grandeur et Décadence des Romains, 17.

17 Les chrétiens disaient que Dioclétien avait perdu l'empire en s'associant trois collègues (...)
MONTESQUIEU, Grandeur et Décadence des Romains, 19.

♦ **2** *S'associer à qqn, avec qqn pour une opération, une entreprise...* → **Allier** (s'), **collaborer, commun** (faire cause commune), **coopérer, entendre** (s'), **joindre** (se), **lier** (se), **unir** (s'). En partic. Former une société avec qqn.
Spécialt. Fréquenter. *Il ne faut pas s'associer avec le premier venu.* → **Fréquenter, hanter.**

18 Ne nous associons qu'avec nos égaux (...)
LA FONTAINE, Fables, V, 2.

19 Je m'associai avec des chevaliers d'industrie (...)
A. R. LESAGE, Gil Blas, I, 5.

Fig. *S'associer aux desseins, aux vues de qqn,* y prendre part de manière intime. → **Adhérer.** *S'associer au malheur, au chagrin de qqn.* → **Part** (prendre), **participer.** *S'associer au crime de qqn.* → **Complice** (s'en faire).

Je resterai au milieu d'eux, m'associant de toute mon âme à leur épreuve. 20
G. DUHAMEL, Récits des temps de guerre, I, p. 122.

(...) ils *(les misérables)* étaient les victimes de cette civilisation, aux privilèges de laquelle il *(Tolstoï)* participait (...) Accepter le bénéfice de tels crimes, c'était s'y associer. Sa conscience n'eut plus de repos qu'il ne les eût dénoncés. 21
R. ROLLAND, Vie de Tolstoï, p. 97.

♦ **3** Absolt. (en parlant d'un État, d'un groupe politique, d'une collectivité nationale). Former société. → **Réunir** (se), **grouper.** *États qui s'associent.* → **Association; allier** (s'), **fédérer** (se).

Il est difficile que les États qui s'associent soient de même grandeur, et aient une puissance égale. 22
MONTESQUIEU, l'Esprit des lois, 3.

Deux Européens perdus au milieu de ces maisons aveugles et muettes, sous un soleil torride, ont tôt fait de s'associer. 23
M. BARRÈS, Un jardin sur l'Oronte, p. 2.

**II** (Sujet n. de choses). Former un ensemble (harmonieux, cohérent, fonctionnel). *Ces couleurs s'associent bien.* → **Accorder** (s'), **allier** (s'), **assortir** (s'), **combiner** (se), **marier** (se), **unir** (s'). *Mots, idées qui s'associent. Ce mot ne s'associe pas bien avec tel autre* (Académie). *On y voit l'élégance s'associer à la beauté.*

Le plaisir de la table (...) peut s'associer à tous les autres plaisirs, et reste le dernier pour nous consoler de leur perte. 24
A. BRILLAT-SAVARIN, Physiologie du goût, Aphor. 7.

(...) ces mondes divers s'associent bien *(dans l'Astrée),* et l'on s'accommode agréablement des fables de la mythologie, unies aux mensonges du roman. 25
CHATEAUBRIAND, Mémoires d'outre-tombe, t. II, p. 344.

Il *(Mirabeau)* voulait que la modération (...) s'associât au courage pour le rendre durable et invincible. 26
Louis BARTHOU, Mirabeau, p. 165.

Tout s'associe pour donner à ces œuvres *(Psaumes et Proverbes)* une beauté littéraire à laquelle nous demeurons sensibles. 27
DANIEL-ROPS, le Peuple de la Bible, III, 3, p. 204.

♦ **ASSOCIÉ, ÉE** p. p. adj. et n. (Pour le nom, voir ci-dessus à l'ordre alphabétique). (En emploi verbal) :

L'histoire, je le crains, ne nous permet guère de prévoir; mais associée à l'indépendance de l'esprit, elle peut nous aider à mieux voir. VALÉRY, Variété IV, p. 142. 28

(En emploi adj.). Spécialt. **a** Didact. Chim. *Molécules associées,* liées par des liaisons hydrogène.
Méd. *Avitaminoses associées.*
Math. *Matrice associée d'une matrice carrée :* matrice carrée obtenue à partir de la transposée de la matrice de départ en remplaçant chaque élément de cette transposée par son imaginaire conjugué.
Pharm. *Médicaments associés.* → **Association,** I., 2.
Physiol., psychol. *Mouvement associé :* mouvement incontrôlé et non fonctionnel exécuté en même temps qu'un autre mouvement, volontaire ou réflexe (le plus souvent symétrique). → **Syncinésie.** — Au plur. *Mouvements associés :* mouvements coordonnés d'organes de même fonction (yeux, par ex.).
Psychan. *Hallucinations associées :* «hallucinations se succédant dans un ordre logique : une voix annonce le courant électrique qui est aussitôt ressenti» (Piéron, 1973).
**b** Lié par un contrat d'association. *Partenaires associés.* → **Associé.** — Hist. *État associé :* ancien protectorat (Tunisie, Maroc, Viêt-nam, Cambodge, Laos), dans la Constitution de 1946.

CONTR. **Dissocier, diviser, isoler, scinder, séparer.** ◊ DÉR. **Associable, associatif, association, associé.**

**ASSOGUE** [asɔg] n. f. — 1752; esp. *azogue* «mercure» d'où «bateau transportant le mercure»; arabe *'āz-zāwūq*, proprt «mercure».

Hist. Navire espagnol qui transportait le mercure jusqu'aux mines d'or d'Amérique.

**ASSOIFFER** [aswafe] v. tr. — 1607 au p. p.; repris au XIXe; de 1. *a-*, *soif*, et *-er*.

♦ **1** (1888, Verlaine). Donner soif (rare à la forme active. → **Altérer**); faire souffrir de la soif (par privation de boissons). *Assoiffer qqn. La sécheresse nous a assoiffés.*

♦ **2** (1864, L. Dierx, *in* T. L. F.). Fig. *Assoiffer qqn de qqch. :* susciter un désir intense chez lui.

◆ **S'ASSOIFFER** v. pron.

♦ **1** Se donner soif. *Elle s'est assoiffée, à manger épicé.*

♦ **2** Fig. *S'assoiffer de qqch. :* se prendre d'un désir intense pour qqch.

◆ **ASSOIFFÉ, ÉE** p. p. adj. et n. (plus cour. que le verbe).

♦ **1** Qui a soif. *Être toujours assoiffé.* → **Soif** (Avoir toujours soif); → fam. Avoir le bec* salé, le gosier* sec, une éponge* dans le gosier, avoir la pépie*. *Les enfants sont assoiffés. Bêtes assoiffées.*

Poét. *Assoiffé de sang.* → **Altéré.**

N. *Un assoiffé, une assoiffée.*

0.1 Anne Desbaresdes but de nouveau comme une assoiffée.
M. DURAS, Moderato cantabile, p. 113.

♦ **2** (1856, Baudelaire). *Assoiffé de... Être assoiffé d'argent, de plaisirs, de considération.* → **Affamé, altéré, avide.**

1 (...) badaud insatiable et curieux de tout, assoiffé de musique, de théâtre, de lectures, je voulais tout voir, tout entendre, tout lire.
Georges LECOMTE, Ma traversée, p. 141.

2 (...) esprits assoiffés de méditations (...)
G. DUHAMEL (→ Asile, cit. 23).

N. Littér. Personne qui désire ardemment un bien matériel ou spirituel. *Un assoiffé de liberté, de justice.*

3 (...) les assoiffés d'un renouveau dramatique satisfaisaient leur curiosité en allant se réjouir au Chat Noir (...)
Georges LECOMTE, Ma traversée, p. 75.

CONTR. **Désaltérer.** — (Du fig.). **Rassasier.**

**ASSOLEMENT** [asɔlmɑ̃] n. m. — 1800; de *assoler*.

Agric. Action d'assoler; procédé de culture par succession et alternance sur un même terrain (pour conserver la fertilité du sol). → **Rotation** (des cultures); → Agronome, cit. 2. *La méthode des assolements permet la succession de cultures variées sur un même sol à intervalles réguliers. Traité des assolements ou l'art d'établir les rotations de culture* (Pictet, Genève, 1801).

Quand on examine l'assolement, on envisage l'ensemble du domaine avec ses diverses soles; quand c'est de la rotation que l'on s'occupe, on a en vue une sole sur laquelle se succèdent, d'année en année, chacune des cultures établies sur le domaine.
F. BERTHAULT, *in* Omnium agricole, p. 67.

Par ext. Ordre de rotation des cultures. *Assolement triennal; assolement à jachère triennale.* → **Jachère.** *Assolement de blé, betterave et trèfle.*

Terre sur laquelle on a pratiqué l'assolement.

Spécialt. Opération par laquelle un pied de vigne est rendu apte au rendement.

**ASSOLER** [asɔle] v. tr. — 1374; de 1. *a-*, *sole*, et suff. verbal.

Agric. Partager (des terres) en surfaces régulières ou *soles* afin d'y faire succéder les cultures dans un ordre déterminé. → **Alterner.** *Assoler un domaine.*

◆ **S'ASSOLER** v. pron. Être assolé. *Les terres s'assolent différemment selon leur nature et selon le climat.*

Spécialt. Rendre (un pied de vigne) apte à la production (compte tenu de la nature du sol et du climat).

◆ **ASSOLÉ, ÉE** p. p. adj. (de *assoler*). *Terre assolée :* terre soumise à l'assolement.

CONTR. **Dessoler.** ◊ DÉR. **Assolement.**

**ASSOLIR** [asɔliʀ] v. intr. — V. 1970; de 1. *a-*, *sol*, et *-ir*.

Astron. Aborder sur le sol, prendre contact avec le sol d'une planète. — REM. Mot proposé pour remplacer *atterrir**, jugé impropre par des puristes, en parlant d'un astre autre que la Terre.

**ASSOMBRIR** [asɔ̃bʀiʀ] v. tr. — 1597, repris fin XVIIIe; de 1. *a-*, *sombre*, et *-ir*.

♦ **1** (Concret). Rendre sombre. *Ces arbres assombrissent la maison. Les nuages assombrissent le ciel. Cette peinture trop foncée assombrit la pièce.* → **Obscurcir.**

Un bassin qu'assombrit le pin et le bouleau (...) 1
HUGO, la Légende des siècles, IX.

Peint. *Assombrir une toile,* utiliser des couleurs moins vives.

Par anal. Rendre grave (en parlant de sonorité).

♦ **2** (Abstrait). Rendre sombre. Fig. Rendre triste. → **Attrister.** *Les malheurs ont assombri sa jeunesse, son caractère.* Rendre soucieux. *Cette nouvelle a assombri les assistants, les visages.* → **Rembrunir; ombre** (jeter une ombre sur). — *Rendre inquiétant, menaçant. De graves menaces assombrissent l'avenir.* → **Menacer, peser** (sur).

Les soucis d'un amour maternel poussé jusqu'à la passion 2
assombrirent son caractère et troublèrent sa santé naturellement bonne.
FRANCE, le Petit Pierre, I.

Il y a une bonté qui assombrit la vie, une bonté qui est 3
tristesse, que l'on appelle communément pitié, et qui est un des fléaux humains.
ALAIN, Propos sur le bonheur, p. 173.

Tout conspire à la mélancolie de cette âme qu'assombrit 4
le regret d'un songe mal vécu.
Francis JAMMES, Almaïde d'Étremont, I.

Aimer la vérité, c'est ne consentir point à se laisser assom- 5
brir par elle. GIDE, Pages de journal, p. 78.

Obscurcir, rendre confus.

◆ **S'ASSOMBRIR** v. pron.

♦ **1** (Concret). Devenir sombre. *Le ciel s'assombrit.* → **Couvrir** (se), **obscurcir** (s').

Le ciel s'était assombri subitement; un brouillard épais 6
dansait sur le fleuve.
Alphonse DAUDET, le Petit Chose, p. 17.

♦ **2** (1791). Abstrait. Devenir triste, soucieux. *Son front, son regard, son visage s'assombrit.* → **Rembrunir** (se). — *Devenir inquiétant, menaçant. L'horizon politique s'assombrit. Tout sourit à la jeunesse, tout s'assombrit pour la vieillesse* (Académie, d'après Mirabeau).

Tout à coup son humeur s'assombrit. Elle perdit ses cou- 7
leurs. Ses yeux se cernèrent de noir. Elle maigrit.
FRANCE, la Vie en fleur, II.

(...) à la moindre allusion, même incertaine, il s'assombris- 8
sait, ne sachant s'il devait subodorer ou l'hommage ou la raillerie.
G. DUHAMEL, Chronique des Pasquier, IV, 2.

◆ **ASSOMBRI, IE** p. p. adj. (de *assombrir*).

♦ **1** (Concret). → **Obscur, sombre.** *Couleur assombrie.* → **Terni.**

9 Le ciel assombri et bas se remplissait de grésil (...)
Alphonse DAUDET, Lettres de mon moulin, «Douaniers».

♦ **2** (Abstrait). → **Triste.**

10 Pencher votre beau front assombri par instants (...)
HUGO, les Rayons et les Ombres, XXXIII.

11 Le regard assombri et comme rendu aveugle par ses pupilles dilatées (...)
M. BARRÈS, Un jardin sur l'Oronte, p. 105.

12 (...) subitement graves, les yeux assombris, les lèvres serrées, en proie à cette colère sacrée, qui fait que l'amour ressemble à la haine, ils se reprenaient, se mêlaient et cherchaient l'abîme. FRANCE, le Lys rouge, p. 255.

CONTR. **Éclaircir, éclairer. — Égayer, ravir. — Épanouir** (s').
◊ DÉR. **Assombrissant, assombrissement, assombrisseur.**

## ASSOMBRISSANT, ANTE [asɔ̃bʀisɑ̃, ɑ̃t] adj.

— 1927-1930, au sens 1; p. prés. de *assombrir.*

♦ **1** Qui rend sombre, en parlant de la lumière; grave, en parlant des sons.

♦ **2** (Attesté Gide, *Journal*, 1889-1939, *in* T. L. F.). Fig. Qui rend triste, attristant.

## ASSOMBRISSEMENT [asɔ̃bʀismɑ̃] n. m. — 1801; de *assombrir.*

Action d'assombrir ou de s'assombrir; état de ce qui est assombri.

♦ **1** (Concret). *L'assombrissement du ciel.* → **Obscurcissement.**

De lourdes pluies perpendiculaires et brèves nous cueillaient à l'improviste. Sans assombrissement sensible du ciel. S. BECKETT, Têtes-mortes, p. 45.

♦ **2** (Abstrait). *L'assombrissement de l'humeur.* → **Mélancolie, tristesse.**

CONTR. **Éclaircissement, éclairement.**

## ASSOMBRISSEUR [asɔ̃bʀisœʀ] n. m. — 1933; de *assombrir.*

Rare. Qui assombrit. — Personne qui assombrit, attriste.

Considérer les pessimistes comme des ennemis personnels. Et ce sont ceux-là mêmes, les assombrisseurs de la vie, qui se cramponnent le plus à la vie.
GIDE, Journal, 11 mars 1933.

## ASSOMMADE [asɔmad] n. f. — 1861, Goncourt; de *assommer,* et *-ade.*

Vx, rare. Action d'assommer; résultat de cette action. Syn. : *assommage, assommement.*

## ASSOMMAGE [asɔmaʒ] n. m. — 1859, *in* D. D. L.; *essomage, assomage,* 1464; de *assommer.*

Rare. Action d'assommer, résultat de cette action. Syn. : *assommade, assommement.*

L'assommage consiste à abattre les animaux par un ou plusieurs coups appliqués sur la tête.
J. ALLIBERT, *in* Encycl. pratique de l'agriculteur, I, 1859 (*in* D. D. L., II, 15).

## ASSOMMANT, ANTE [asɔmɑ̃, ɑ̃t] adj. et n. — Attesté XIX^e; p. prés. de *assommer.*

♦ **1** Rare. Qui assomme.

0.1 (...) c'est pour rendre ta chute plus assommante qu'on t'élève si haut!
A. GALLAND, les Mille et une Nuits, t. II, p. 338.

0.2 Serge marchait lentement (...) il regardait Nadine. Ses jambes surtout, longues et bronzées, et son petit short au ras des fesses. Droite et nette sous le soleil assommant.
H.-F. REY, les Pianos mécaniques, p. 43.

♦ **2** Fig. Qui accable.

Mod., fam. Qui ennuie. → **Ennuyeux,** et, fam. **casse-pied, chiant, emmerdant.** *Un travail assommant. Cette femme est assommante.* → **Fatigant.**

C'est autant de pris sur l'assommante longueur du temps. 1
ROUSSEAU, Émile, V.

(...) les sermons des pères et les rabâcheries des oncles sont aussi assommants sur le théâtre que dans la réalité. 2
Th. GAUTIER, M^lle de Maupin, VI.

Andrée m'exaspère. Elle est assommante. 3
PROUST, À la recherche du temps perdu, t. XII, p. 144.

Mes prétentions à la métaphysique sont ridicules; cette analyse perpétuelle de ses pensées, cette absence d'action, ces morales, sont la chose du monde la plus assommante, insipide et presque incompréhensible lorsqu'on en est sorti. GIDE, Journal, Honfleur, 1893. 4

Subst. Rare. *Un assommant, une assommante* : une personne qui assomme, ennuie.

CONTR. **Agréable, plaisant, réjouissant.**

## ASSOMMEMENT [asɔmmɑ̃] n. m. — 1502; de *assommer.*

♦ **1** Rare. Fait d'assommer. Syn. : *assommade, assommage.*

Techn. Procédé d'abattage des bêtes, en les assommant.

♦ **2** Fig. Torpeur qui ressemble à la mort. — (Abstrait). Anéantissement. — Fam., rare. Ennui extrême.

## ASSOMMER [asɔme] v. tr. — XV^e; *essomer, assomer,* v. 1175; de 1. *a-*, *somme,* et *-er.*

♦ **1** Sens étym. Endormir, étourdir.

*(Ils)* sont si endormis et assommés, qu'ils ne se peuvent aider. Ambroise PARÉ, XXIV, 28. 1

♦ **2** Par ext. Tuer* à l'aide d'un coup violent sur la tête. *Assommer un bœuf avec un merlin.* → **Abattre.** *Il a assommé sa victime d'un coup de massue.* → fam. **Estourbir.**

On assomma la pauvre bête. 2
Un manant lui coupa le pied droit et la tête.
LA FONTAINE, Fables, IV, 6.

L'ordre était de le battre, et non de l'assommer; 3
Et c'était sur le dos, et non pas sur la tête,
Que j'avais commandé qu'on fit choir la tempête.
MOLIÈRE, l'École des femmes, V, 1.

D'autres se défendirent à outrance; on les assomma de loin, sous des cailloux, comme des chiens enragés (...) 4
FLAUBERT, Salammbô, VIII.

♦ **3** Par métaphore. Vx. Accabler (qqn). → **Abrutir, accabler.** — REM. Dans la langue classique, cet emploi est beaucoup plus fort que dans la langue moderne.

Mais je lui disais, moi, qu'un froid écrit assomme (...) 5
MOLIÈRE, le Misanthrope, I, 2.

Je suis embarquée dans la vie sans mon consentement; il faut que j'en sorte, cela m'assomme. 6
M^me DE SÉVIGNÉ, 257, 16 mars 1672.

*Assommer* se dit figurément en Morale des choses qui abattent l'esprit. Cette affliction, la perte de ce procès l'a assommé. FURETIÈRE, Dictionnaire. 7

La formalité dont on assomme une ambassade. 8
VOLTAIRE, Épîtres, 26.

Vx. Accabler sous le poids des arguments. → **Confondre.**

Ah! Monsieur Lysidas, vous nous assommez avec vos grands mots... Pensez-vous qu'un nom grec donne plus de poids à vos raisons? 9
MOLIÈRE, Critique de l'École des femmes, 6.

Il croyait m'assommer avec saint Augustin et les autres Pères. ROUSSEAU, les Confessions, II. 10

♦ **4** Par exagér. (du sens 2). Accabler de coups*; battre, frapper sur (qqn) de manière à étourdir.

11 (...) On vous happe notre homme,
On vous l'échine, on vous l'assomme.
LA FONTAINE, Fables, XII, 22.

12 Je t'assomme, si tu ne parles.
MOLIÈRE, Dom Juan, III, 5.

13 Battez-moi, assommez-moi de coups, tuez-moi si vous voulez (...) MOLIÈRE, Dom Juan, V, 2.

14 Blanchet jura que si elle ne mettait pas ce Champi à la porte sans délibérer, il se promettait de l'assommer et de le moudre comme grain.
G. SAND, François le Champi, IX.

♦ **5** (XIIe; sujet n. de chose). Vx. (langue classique). Plonger dans l'abattement, la stupeur. → **Abasourdir, abattre, accabler, anéantir.**

15 Voilà, je vous l'avoue, un abominable homme!
Je n'en puis revenir, et tout ceci m'assomme.
MOLIÈRE, Tartuffe, IV, 6.

16 Notre maison de Paris m'assomme encore tous les jours et Livry m'achève.
Mme DE SÉVIGNÉ, Lettres, 26 mars 1671.

Vieilli. Affliger profondément. → **Déprimer.** «*La mort de M. du Mans m'a assommée*» (Mme de Sévigné). → ci-dessous, cit. 20.

Vieilli. Incommoder, abrutir (physiquement).

17 Toujours plus nombreux sont ceux qu'assomme le vacarme des autobus et des taxis, que le métro asphyxie.
F. MAURIAC, la Province, p. 41.

♦ **6** Mod. (1663; ce sens se dégage du sens 3 par atténuation). Accabler d'ennui. → **Ennuyer, excéder, fatiguer, importuner, lasser**; (fam.), **barber, emmerder, empoisonner, raser**; cf. Casser les pieds.

18 Son Monsieur Trissotin me chagrine, m'assomme (...)
Ses écrits, ses discours, tout m'en semble ennuyeux (...)
MOLIÈRE, les Femmes savantes, I, 3.

8.1 La campagne m'est nécessaire de temps en temps. Comme j'y travaille, elle ne m'assomme pas.
E. DELACROIX, Journal 1850-1854, 17 oct. 1853.

8.2 Est-ce assez rasant ce que je vous raconte-là!... Mais si, je vous assomme... Alphonse DAUDET, Sapho, II.

8.3 Les gens qui m'aiment par intérêt me désespèrent et les gens qui semblent m'aimer de façon désintéressée me déconcertent ou m'assomment.
G. DUHAMEL, le Voyage de P. Périot, III.

8.4 Les affaires publiques nous assommaient; mais nous escomptions que les événements se dérouleraient selon nos désirs sans que nous ayons à nous en mêler (...)
S. DE BEAUVOIR, la Force de l'âge, p. 19.

◆ **S'ASSOMMER** v. pron.

♦ **1** (Réfl.). Vx. Se tuer, volontairement ou non, en se heurtant contre, ou en utilisant qqch. de dur.

(Passif). Être assommé.

19 Un homme s'assomme par l'imprévu comme un bœuf par le merlin. HUGO, l'Homme qui rit, II, V, 3.

(Récipr.). S'entre-tuer, et, par ext., se donner mutuellement des coups. *Il essayait de séparer des voyous qui s'assommaient dans la rue.*

♦ **2** (Réfl.). Fig. S'ennuyer. *On s'assomme, dans cette réunion.*

9.1 La seule différence dans les orgies entre l'Est et l'Ouest, c'est que dans l'Est on s'assomme et que dans l'Ouest on s'amuse.
Jacques RENAUD, le Cassé, *in* Littératures de langue franç. hors de France, p. 527.

◆ **ASSOMMÉ, ÉE** p. p. adj. et n. *Un bœuf assommé d'un coup de maillet.*

9.2 On entendait, pulsation régulière et lamentable de la forêt, le coup assommé de la hache des bûcherons.
GIRAUDOUX, les Aventures de Jérôme Bardini, p. 108.

Fig. Accablé.

20 Je suis assommée de cette nouvelle.
Mme DE SÉVIGNÉ, Lettres, 252, 26 févr. 1672.

Qui subit le choc violent (de qqch.).

La rue, assommée de soleil (...) 21
G. DUHAMEL, Chronique des Pasquier, t. I, p. 323.

N. Rare. *Un assommé, une assommée.* Personne qui se fait assommer, qui est assommée.

**DÉR. Assommade, assommage, assommant, assommement, assommeur, assommoir.**

**ASSOMMEUR** [asɔmœʀ] n. m. — 1468; de *assommer.*

♦ **1** Personne qui assomme.

Les Hercules ici ne sont pas des héros, mais des assommeurs. Avec la musculature d'un taureau, ils en ont l'âme; et l'homme tel que l'a conçu Rubens, semble une florissante brute (...)
TAINE, Philosophie de l'art, t. II, V, 3, 5.

*Assommeur de bœufs* : boucher qui tue les bœufs en les assommant. → **Tueur.**

(1754, *in* D. D. L.). Hist. *Les assommeurs* : bande de voleurs armés d'un bâton dont l'extrémité comportait une fente dans laquelle était adaptée une pierre coupante, et qui sévirent à Paris en 1752.

♦ **2** Fig., rare. Celui qui ennuie, importune.

REM. Le fém. *assommeuse* est virtuel.

**ASSOMMOIR** [asɔmwaʀ] n. m. — 1700; de *assommer.*

♦ **1** (1700). Instrument qui sert à assommer. Spécialt. Bâton garni d'une balle de plomb à l'une des extrémités. → **Casse-tête.**

Debout sur la chaussée, un assommoir à la main, les chasseurs *(du castor)* sont attentifs (...) 1
CHATEAUBRIAND, Voyage en Amérique, 129.

Les étroites embrasures qui perçaient régulièrement l'enceinte n'en égayaient pas la monotonie rébarbative, pas davantage que les deux tours rondes aux toits pointus et obtus qui écrasaient de leur masse l'entrée étranglée, défendue par des assommoirs. 2
M. TOURNIER, le Roi des Aulnes, p. 245.

♦ **2** (Av. 1755). Fig. **COUP D'ASSOMMOIR** : événement soudain qui assomme, accable. — *C'est un coup d'assommoir* (en parlant du prix d'une chose) : c'est un prix exorbitant.

Que l'on juge donc du coup d'assommoir qu'il reçut, quand il entendit Phileas Fogg dire de sa voix calme : 3
Mais il y a d'autres navires que le *Carnatic,* il me semble, dans le port de Hong-Kong.
J. VERNE, le Tour du monde en 80 jours, p. 164.

♦ **3** (1834). Vx, fam. Personne ennuyeuse.

♦ **4** Piège* disposé de manière à assommer renards, blaireaux et autres bêtes qui s'y prennent.

Trébuchet utilisé pour capturer certains oiseaux.

♦ **5** (V. 1850; cf. Daudet, *Jack,* 1876). Vx. Fam. Cabaret où les consommateurs s'assomment d'alcool. — REM. Au sens de «cabaret populaire», ce mot est littéraire, après avoir été populaire, et ne survit que par le succès de l'œuvre de Zola qui porte ce titre (1877).

Les assommoirs de la place Maubert grouillaient d'une multitude en loques. Tous les débits d'ailleurs et les comptoirs offraient le même aspect décourageant. 4
Francis CARCO, Nostalgie de Paris, p. 171.

**ASSOMPTIF, IVE** [asɔ̃ptif, iv] adj. — 1578; lat. *assumptivus* «qui vient du dehors».

♦ **1** Blason. *Armes assomptives,* conférées après une action d'éclat.

♦ **2** Philos., log. «*Employé comme auxiliaire dans le cours d'une démonstration commencée avec d'autres principes*» (Académie, *Compl.,* 1842).

Ling. (en parlant du sens d'un morphème, d'une proposition). Qui exprime, concerne une hypothèse.

**ASSOMPTION** [asɔ̃psjɔ̃] n. f. — 1680; *asumption,* fin XIIe-début XIIIe, *asumpciun,* 1119; du lat. *assumptio* «action de prendre, d'ajouter, d'assumer».

♦ **1** Relig. cathol. Enlèvement miraculeux de la Sainte Vierge au ciel par les anges. *Dormition et assomption de la Sainte Vierge. L'ascension du Christ et l'assomption de la Vierge.*

Par ext. *L'Assomption* (avec la majuscule) : le jour où cette fête a lieu (15 août).

Arts. Œuvre représentant l'Assomption. *L'Assomption de la Vierge,* tableau du Greco. *Une assomption baroque, maniériste.*

Par ext. (littér. et rare). Élévation de l'esprit qui transfigure les valeurs, la réalité.

1 Elle s'éveillait à une conscience nouvelle d'elle-même, comme si elle eût rompu avec un âge de sa vie pour entrer soudainement dans un autre, comme si le voile de son âme d'enfant commençait à se déchirer dans une première assomption des sens moraux de la femme et du caractère de son sexe.

Ed. et J. DE GONCOURT, Sœur Philomène, p. 40.

♦ **2** Didact. Action d'assumer, de prendre en charge, à son compte. *L'assomption d'un risque. L'assomption de la souffrance. «L'assomption d'un peu de réel»* (Barthes, *Fragments d'un discours amoureux*).

2 C'est bien cette assomption par le sujet de son histoire, en tant qu'elle est constituée par la parole adressée à l'autre, qui fait le fond de la nouvelle méthode à quoi Freud donne le nom de psychanalyse (...)

Jacques LACAN, Écrits, p. 257.

Philos. Acceptation de ce que l'on est, de ce que l'on désire (dans l'existentialisme).

♦ **3** Log. [a] (1576; lat. *assumptio*). Seconde proposition d'un syllogisme. → **Mineure.** *Cette assomption est fausse.*

[b] (Anglic.). Action de prendre comme hypothèse. *L'assomption d'une proposition.* — La proposition assumée. → **Hypothèse.**

3 Cette pensée réfléchie caractéristique de l'adolescent prend naissance dès 11-12 ans, à partir du moment où le sujet devient capable de raisonner de manière hypothético-déductive, c'est-à-dire sur de simples assomptions sans relation nécessaire avec la réalité.

J. PIAGET, Psychologie de l'intelligence, p. 177, *in* FOULQUIÉ.

DÉR. (Du sens 1). **Assomptionniste.**

**ASSOMPTIONNISTE** [asɔ̃psjɔnist] n. m. — 1900, Mirabeau; de *assomption.*

Relig. cathol. Religieux appartenant à la congrégation des Augustins de l'Assomption fondée à Nîmes en 1843. — En appos. *Père Assomptionniste.*

**ASSONANCE** [asɔnɑ̃s] n. f. — 1690; esp. *asonancia* «accord des sons», dér. de *asonar* «être assonant», du lat. *assonare* «répondre en écho», de *a-*, et *sonare.*

Didactique ou littéraire.

♦ **1** Répétition à la finale d'un mot d'une voyelle accentuée qu'on a déjà rencontrée à la finale d'un mot précédent. — Répétition de la même voyelle accentuée à la fin de chaque vers (par ex. *belle* et *rêve*). *Assonance et rime**. *Composer avec des assonances.* → **Assonancer.** *Présenter des assonances.* → **Assoner.** *Assonances et allitérations**.

1 L'assonance, où cette sorte d'écho ne porte que sur la voyelle accentuée du dernier mot, est bien distincte de la rime, où non seulement la voyelle accentuée, mais les consonnes qui la précèdent ou la suivent sont identiques. L'assonance, qui est seule employée dans nos plus anciennes chansons de geste, comme la Chanson de Roland, s'est conservée dans certaines chansons populaires.

F. BRUNOT et Ch. BRUNEAU, Précis de grammaire historique de la langue franç., p. 701.

(...) souvent le mouvement et le rythme me viennent en vers; mais une invincible association d'idées me fait écarter l'assonance, que l'on m'avait habitué à regarder comme un défaut, et pour laquelle mes maîtres m'inspiraient une sorte de crainte. 2

RENAN, Souvenirs d'enfance, I, 2.

♦ **2** Fig. et littér. Concordance, harmonie.

(...) organes qui par plaisir rimaient aujourd'hui entre eux, assonances de joie vitale. 3

GIRAUDOUX, Juliette au pays des hommes, p. 148.

DÉR. **Assonancé, assonancer.**

**ASSONANCÉ, ÉE** [asɔnɑ̃se] p. p. et adj. — 1899, Gourmont; de *assonance,* confondu par la suite avec le p. p. de *assonancer.*

Didact. Qui présente une, des assonances. *Vers assonancés.*

**ASSONANCER** [asɔnɑ̃se] v. tr. — 1944; de *assonance.*

Didact. Composer (des vers) avec des assonances.

**ASSONANT, ANTE** [asɔnɑ̃, ɑ̃t] adj. — 1721; *asonanz,* 1165-70; lat. *assonans,* p. prés. de *adsonare* «répondre par un son».

Didact. Qui assone, produit une assonance. *France et branche sont assonants. Voyelle assonante, rimes assonantes.*

Quel désespoir était-ce pour tous les habitants de la terre, quelle douleur inconnaissable, quel assemblage précis et torturant de mille cris, de mille hurlements, assonants et rythmés, hymne de joie et de malheur frappé (...)

J.-M. G. LE CLÉZIO, le Déluge, p. 40.

**ASSONER** [asɔne] v. intr. — 1892, Guérin; formé à partir de l'adj. *assonant* considéré comme un p. prés.; lat. *assonare.* → Assonance.

Didact. Présenter, produire une assonance.

Les assonances de l'ancienne langue sont naturellement fondées sur des prononciations disparues. C'est ainsi que, dans la Chanson de Roland, fleur (flur) et preux (prod) assonent avec poumon (pulmun), non (nun), baron.

F. BRUNOT et Ch. BRUNEAU, Précis de grammaire historique de la langue franç., p. 734.

**ASSORTIMENT** [asɔʀtimɑ̃] n. m. — XVe; de *assortir.*

♦ **1** Action d'assortir; manière dont sont assemblées des choses de même sorte ou qui ont entre elles un rapport et qui produisent un effet d'ensemble (par leur ressemblance, leur convenance). → **Assortissement** (vx); **arrangement, assemblage, association, disposition.** *Un heureux assortiment de couleurs. Un assortiment du meilleur goût.* → **Accord, alliance, convenance, harmonie.** *Un bizarre assortiment; un assortiment de choses disparates.* → **Bariolage, bigarrure, mélange.**

Le bouquet fait, il commence à louer 1
L'assortiment (...)

LA FONTAINE, Contes, «La servante justifiée».

Si toutes choses sont bonnes en elles-mêmes, elles reçoivent une beauté et bonté nouvelle par leur ordre, par leur assemblage, par leur parfait assortiment et ajustement les unes avec les autres. 2

BOSSUET, *in* LAFAYE, Dict. des synonymes, Suppl.

♦ **2** (1690). Vx. Union des personnes entre elles. → **Mariage.**

Cet assortiment *(un mariage)* vint tout d'un coup dans son esprit, un jour que (...) 3

Mme DE SÉVIGNÉ, Lettres, 1283, 25 juin 1690.

Leurs caractères différents faisaient un assortiment complet et heureux (...) FONTENELLE, Varignon. 4

Iron. (par métaphore du sens 1). En parlant d'une union mal assortie :

5 C'est le plus bel assortiment de feu et d'eau que j'aie jamais vu, Mme de Brissac et elle.
Mme DE SÉVIGNÉ, Lettres, 544, 1er juin 1676.

♦ **3** Mod., cour. Assemblage complet, série complète de choses qui vont ordinairement ensemble. → **Ensemble; attirail, garniture, parure.** *Un assortiment de vaisselle, de linge de table.* → **Service.**

(1620). Collection, fonds* de marchandises de même sorte. → **Lot, stock,** et aussi **assortissage.** *Un assortiment de dentelles, de soieries...*

6 (...) pour faire voir son **assortiment** — on disait aussi *(au XVIIIe s.)* **assortissement** — la grande ressource était d'**étaler,** quoique les marchandises d'**étalage** fussent plus ou moins dépréciées.
BRUNOT, Hist. de la langue franç., t. VI, p. 345.

7 Il n'y a pas d'hôtel important qui n'en ait *(de vins)* une provision variée et choisie; cet assortiment fait sa gloire et son achalandage (...)
TAINE, Philosophie de l'art, t. I, p. 260.

Spécialt (par oppos. à *livres de fonds*). *Livres d'assortiment,* ceux que le libraire n'imprime pas lui-même, mais se procure chez les éditeurs. *Librairie d'assortiment :* librairie qui s'occupe de la vente de livres provenant de divers éditeurs.

Techn. Ensemble des caractères d'imprimerie (en plomb) nécessaires pour compléter une fonte ou effectuer une composition spéciale.

*Assortiment (à ancre) :* ensemble des pièces qui sont nécessaires à la fonction d'échappement à ancre.

Cour. Plat composé de diverses sortes d'aliments (charcuterie, poissons, etc.). *Assortiment de charcuterie. — Un assortiment de bonbons, de petits fours.*

**CONTR. Désassortiment, dépareillement.** ◊ **COMP. Désassortiment, rassortiment, réassortiment.**

**ASSORTIR** [asɔʀtiʀ] v. tr. et intr. — XIVe; de 1. *a-, sorte,* et *-ir.*

**I** V. tr. ♦ **1** Mettre ensemble (deux ou plusieurs choses qui se conviennent, se ressemblent) de manière à former un ensemble. → **Arranger, assembler, associer, disposer.** *Assortir des couleurs, des tons. Assortir diverses nuances les unes avec les autres. Assortir par paires, par couples.* → **Accoupler, appareiller, apparier, harmoniser, marier, nuancer, nuer.**

1 Le bon goût qui vous fait assortir vos habits et vos rubans.
Mme DE SÉVIGNÉ, Lettres, 410.

2 (...) assortir les volontés tellement ensemble qu'elles ne heurtent point les unes contre les autres (...)
BOURDALOUE, Pensées, t. II, p. 484.

3 Entre le simple et le sublime, il y a plusieurs nuances, et c'est l'art de les assortir qui contribue à la perfection de l'éloquence et de la poésie.
VOLTAIRE, Dict. philosophique, Genre de style.

4 (...) on sentait la joie avec laquelle il choisissait la couleur de tel timbre, l'assortissait aux autres.
PROUST, À la recherche du temps perdu, t. XII, p. 64.

5 **Assortir,** associer, faire que des choses soient compagnes les unes des autres, ne limite pas le nombre des choses; mais **appareiller** et **apparier,** du latin par, une paire, une couple, n'en supposent jamais que deux.
LAFAYE, Dict. des synonymes, Suppl., Assortir, appareiller.

*Assortir (une chose) à (une, plusieurs choses) :* faire qu'une chose soit en accord, en convenance, en harmonie avec une autre, qu'elle l'accompagne bien, qu'elle aille avec. *Assortir un manteau à sa robe. Assortir un tissu à un autre.* → **Réassortir.** *Assortir son style aux circonstances.* → **Accorder, adapter, conformer.**

(...) elle *(la politesse)* assortit (...) et conforme les dehors aux conditions. LA BRUYÈRE, les Caractères, XII, 26. 6

La perfection consisterait à savoir assortir toujours son style à la matière qu'on traite. 7
VOLTAIRE, Dict. philosophique, Genre de style.

Voilà une grande femme qui parle très haut, qui s'agite beaucoup, ce doit être une couturière; elle s'adresse à chaque commis, elle tient à la main un petit morceau d'étoffe qu'elle veut *rassortir* (ces dames ne disent jamais assortir); elle se fait montrer vingt pièces d'étoffes différentes; elle s'écrie : 7.1
— C'est cela... ah !... non... non... ce n'est pas cela... ceci est plus foncé.
Ch. PAUL DE KOCK, la Grande Ville, p. 246.

Vx. Ajouter de manière à compléter.

Son esprit et son humeur étaient faits pour assortir le reste. 8
Antoine HAMILTON, Mém. du comte de Grammont, 4.

Un prince (...) peu touché (...) de tous les (...) genres de mérite, si celui de la doctrine, des talents et de la piété ne les assortit. 9
MASSILLON, Sermon pour la fête de la Purification, 2.

*Assortir (qqch.) de (qqch.) :* ajouter une chose à une autre de manière à former un tout. → **Accompagner, compléter.** *Assortir un traité d'une clause.*

♦ **2** (1559). Mettre ensemble (des personnes qui se conviennent mutuellement). → **Assembler, associer, réunir, unir.**

Heureux ceux que l'amour assortit comme aurait fait la raison, et qui n'ont point d'obstacle à vaincre et de préjugés à combattre. 10
ROUSSEAU, Julie ou la Nouvelle Héloïse, II, 11.

Le salon de Mlle de Lespinasse, à part cinq ou six amis de fond, n'était lui-même formé que de gens assez peu liés entre eux, pris çà et là, et que cette spirituelle personne assortissait avec un art infini. 11
SAINTE-BEUVE, Causeries du lundi, 22 juil. 1850.

♦ **3** (XIVe-XVe). Vieilli. *Assortir... de...* Fournir des choses nécessaires, convenables. → **Approvisionner, fournir, garnir, munir, pourvoir.** *Assortir un magasin d'articles variés.* — Vx. *Allez chez tel marchand, il a de quoi vous assortir* (Académie).

Par métaphore (vx). Doter :

Et moi, pauvret, que nature voulut assortir d'un cœur généreux et hautain (...) 12
E. PASQUIER, *in* HUGUET, Dict. du XVIe s.

♦ **4** Techn. (élevage). **a** Joindre pour un emploi. *Assortir des bœufs de labour.*

**b** *Assortir une jument,* lui donner un étalon qui lui convienne.

♦ **5** Techn. (imprim.). *Assortir les caractères :* choisir les divers caractères d'imprimerie qui conviennent au genre d'un livre.

**II** V. intr. Vx. *Assortir (à) :* aller bien avec, être assorti, en accord. → **Convenir.** *Ce tableau n'assortit pas avec son pendant. Cette garniture assortit bien à la robe, avec la robe* (Académie). *Ces couleurs assortissent bien, n'assortissent pas bien ensemble.*

◆ **S'ASSORTIR,** v. pron.

♦ **1** Être assorti, être, se mettre en accord, en convenance, en harmonie. *Ces couleurs s'assortissent bien. Nos caractères ne s'assortissent pas.* → **Accorder** (s'), **cadrer.**

Vieilli. *S'assortir de :* s'accompagner de; se compléter harmonieusement de; être orné, enrichi de. *Le texte s'assortit de belles enluminures.*

♦ **2** Vieilli. Se fournir, se pourvoir. *Ce libraire s'assortit de tous les livres qui paraissent.* → **Réassortir.**

Je m'assortis de quelques livres pour les Charmettes, en cas que j'eusse le bonheur d'y retourner (...) 13
ROUSSEAU, les Confessions, VI.

◆ **ASSORTI, IE** p. p. adj.

♦ **1** Qui est en accord, en convenance, en harmonie, en parlant de choses ou de personnes mises ensemble. *Couleurs assorties. Pochette et cravate assorties.* → **Coordonné.** — *Époux bien assortis, mal assortis.* — Au sing. *Ensemble assorti,* dont les éléments sont assortis. *Couple bien assorti,* dont les membres sont bien assortis. Par ext. *Mariage bien assorti.*

Techn. (élevage). *Attelage assorti.*

14 Il est des nœuds secrets, il est des sympathies,
Dont par le doux rapport les âmes assorties
S'attachent l'une à l'autre, et se laissent piquer
Par ces je ne sais quoi qu'on ne peut expliquer.
CORNEILLE, Rodogune, I, 4.

15 Jamais couple ne fut si bien assorti qu'eux :
L'un bien fait, l'autre belle, agréables tous deux.
LA FONTAINE, les Filles de Minée.

16 Que d'un art délicat les pièces assorties
N'y forment qu'un seul tout de diverses parties (...)
BOILEAU, l'Art poétique, I.

17 (...) il sait que tout lui sied bien, et que sa parure est assortie. LA BRUYÈRE, les Caractères, II, 40.

18 Son mariage lui paraissait mal assorti de toutes les manières (...)
Antoine HAMILTON, Mém. du comte de Grammont, 8.

**ASSORTI À.** *Une cravate assortie à son costume. Une peine assortie à la faute.* → **Conforme, convenable, proportionné** (à). — *Une personne assortie à une autre.*

19 Après le rare bonheur de trouver une compagne qui nous soit bien assortie (...)
BERNARDIN DE SAINT-PIERRE, Paul et Virginie.

20 C'est là, selon moi, la bonne philosophie, la seule vraiment assortie au cœur humain.
ROUSSEAU, les Confessions, II.

21 Ève fut frappée d'un châtiment assorti à sa faute.
FRANCE, la Rôtisserie de la reine Pédauque, p. 118.

♦ **2 ASSORTI DE :** accompagné de. *Un traité assorti de clauses léonines.*

22 Que ces allégations (...) ne sont assorties d'aucune justification (...)
Texte d'un jugement cité par LITTRÉ, Suppl.

23 Sur une planchette fonctionnelle était posé un buisson d'appareils, assorti d'un bloc hérissé de fiches et de voyants multicolores. A. BLONDIN, Monsieur Jadis, p. 176.

24 À partir de là, les commentaires et suppositions sont allés bon train, assortis quelquefois de détails tout à fait saugrenus, dont Marchand lui-même se serait sans doute bien étonné.
A. ROBBE-GRILLET, la Maison de rendez-vous, p. 131.

♦ **3** Bien fourni en marchandises. *Magasin, rayon bien assorti.* (→ Achalandé, qui est couramment, mais à tort, pris dans ce sens).

♦ **4** Qui est composé d'éléments variés (aliments). *Bouquet* (de fines herbes) *assorti. Assiette assortie* (→ Assiette, cit. 18.1). — (Qualifiant les éléments). *Fromages assortis.*

CONTR. **Désassortir, dépareiller, dépourvoir** (dépourvu). — **Jurer** (avec), **disconvenir.** — **Démuni, dépourvu.** ◊ DÉR. **Assortiment, assortissage, assortissant, assortissement, assortisseur.** — COMP. **Désassortir, rassortir, réassortir.**

**ASSORTISSAGE** [asɔʀtisaʒ] n. m. — XVIe, «approvisionnement»; de *assortir.*

Techn., comm. Fait d'assortir; choix d'un assortiment varié (dans l'industrie de la plume, par ex.).

**ASSORTISSANT, ANTE** [asɔʀtisɑ̃, ɑ̃t] adj. — Déb. XVIIe, Fr. de Sales; p. prés. de *assortir.*

Vx. *Assortissant à... :* qui s'assortit bien à, qui va bien avec (qqch.). *Donnez-moi une couleur assortissante à celle-ci, à mon âge* (Académie). → **Assorti** (à). *Des actions assortissantes à ses principes.* → **Conséquent.**

(...) car, sans y songer, on prend des manières assortissantes aux choses qu'on dit, et il n'y a pas moyen de mettre à des discours sensés les grimaces de la coquetterie. 1
ROUSSEAU, Julie ou la Nouvelle Héloïse, II, Lettre 21.

Vx, absolt. → **Assorti.**

Trois gros mousquets tout garnis de nacre et de perles, avec les fourchettes assortissantes. 2
MOLIÈRE, l'Avare, II, 1.

REM. Le mot se rencontre encore au XIXe s. (Sainte-Beuve, E. About, *in* T. L. F.).

**ASSORTISSEMENT** [asɔʀtismɑ̃] n. m. — 1567; de *assortir.*

Vx. Action, manière d'assortir ou d'assembler des choses. Résultat de cette action. → **Assortiment.**

**ASSORTISSEUR, EUSE** [asɔʀtisœʀ, øz] n. — 1858; de *assortir* au p. prés., à l'imparfait.

Technique, commerce, industrie.

♦ **1** Personne qui est chargée d'assortir (I., 1. ou 3.). Objet qui a pour fonction d'assortir.

Ouvrier chargé du réassortiment des peaux. *Assortisseur-classeur :* ouvrier chargé du triage en qualité et couleur des peaux apprêtées.

Marchand qui vend de petits coupons d'étoffe.

♦ **2** Appareil servant à classer les pâtes à papier.

♦ **3** N. f. Inform. Machine servant à assortir les fiches perforées.

**ASSOTER** [asɔte] v. tr. — V. 1130; de 1. *a-, sot,* et *-er.*

Vieilli. Rendre sot, et, spécialt, rendre sot par excès d'amour (au passif et p. p.). *Être assoté de qqn.* → **Amoureux, épris.** *En rester tout assoté.*

Regarde la grosse Thomasse, comme elle est assotée du 1
jeune Robain (...) MOLIÈRE, Dom Juan, II, 1.

— Qu'est-ce que vous allez penser là ! 1.1
— Je me comprends. Des garçonnets dans son genre c'est tout autant malicieux que des filles, il n'y a pas plus vicieux, plus caressant. Jusqu'au petit juge qui a l'air d'en être assoté (...)
BERNANOS, Un crime, *in* Œ. roman., Pl., p. 815.

Comme dit fortement Mme Daroux, les tout-petits, on ne 1.2
s'occupe que de leur derrière. Puis on travaille des années à leur faire une tête, jusqu'à ce que, chez les tout-grands, on se retrouve assoté de l'ancien problème.
Hervé BAZIN, Cri de la chouette, p. 148.

◆ **S'ASSOTER** v. pron. Devenir sot, en particulier par amour excessif. *Il s'est assoté d'une femme qui le ruinera* (Académie).

REM. La var. *assotir* (v. 1200 et jusqu'au XVIe s.) semble avoir eu un léger regain de vie au XIXe s.

Je l'aime déjà tout plein, et j'en suis tout assoti. 2
RABELAIS, le Tiers Livre, 18.

Les mères s'indigneront. Tous leurs enfants sont parfaits. 3
Elles sont trop assoties de leurs fils pour croire l'évidence même. MICHELET, la Femme, p. 156.

Une personne sotte vous assotit. 4
E. DELACROIX, Journal 1823-1850, 19 févr. 1847.

**ASSOUPIR** [asupiʀ] v. tr. — XVIe; *assopi(es),* 1380; réfection de *assouvir,* du bas lat. *assopire* «satisfaire, rassasier», d'après lat. *sopire* «assoupir, endormir».

♦ **1** Porter à un demi sommeil; endormir à demi. *La drogue ne l'avait pas endormi complètement, mais seulement assoupi. Les fumées des vins assoupissaient les convives. Un débit monotone assoupit l'auditeur.*

Absolt. *Les vapeurs qui montent à la tête assoupissent* (Académie). → **Appesantir.**

♦ **2** Affaiblir, diminuer, suspendre momentanément (une fonction psychique, etc.). → **Apaiser, atténuer, calmer, engourdir, éteindre, étouffer.** (Le sujet est souvent un nom de chose abstraite). *Assoupir les sens, une douleur, une souffrance, une passion, un remords.*

1 (...) pour moi, je ne me suis endormie qu'à quatre heures : la joie n'est point bonne pour assoupir les sens (...)
Mme DE SÉVIGNÉ, Lettres, 362, 24 déc. 1673.

2 Dieu jeune, viens aider sa jeunesse. Assoupis,
Assoupis dans son sein cette fièvre brûlante
Qui dévore la fleur de sa vie innocente.
André CHÉNIER, Élégies antiques, «Le jeune malade».

Par métaphore du sens 1 (le compl. d'objet peut être un élément de la nature, bruit, lumière, un sentiment). Littér. Faire s'endormir, rendre faible ou inactif.

3 Le brouillard fait le silence sur l'océan ; il assoupit la vague et étouffe le vent.
HUGO, les Travailleurs de la mer, I, III, 4.

4 (...) cette saoulerie continue ne faisait qu'assoupir son épouvante qui se réveilla plus furieuse dès qu'il lui fut impossible de la calmer.
MAUPASSANT, l'Auberge, Pl., t. II, p. 794.

Vieilli. *Assoupir une querelle, un différend, une affaire,* en empêcher l'éclat, les suites fâcheuses. → **Apaiser, étouffer.** *Assoupir des discordes, une sédition, une guerre...* → **Arrêter.**

5 Ne vaudrait-il pas mieux assoupir et accommoder cette affaire ?
Mme DE SÉVIGNÉ, Lettres, 891, 23 janv. 1682.

6 (...) il écrivit au pasteur dont la salope était paroissienne, et fit en sorte d'assoupir l'affaire (...)
ROUSSEAU, les Confessions, t. III, L. XII.

◆ **S'ASSOUPIR** v. pron.

♦ **1** Se laisser aller doucement au sommeil, s'endormir à demi. → **Endormir** (s'), **somnoler.**

7 Le prélat resté seul calme un peu son dépit,
Et jusques au coucher se couche et s'assoupit.
BOILEAU, le Lutrin, I.

8 (...) elle s'assoupit doucement à la langueur mystique qui s'exhale des parfums de l'autel, de la fraîcheur des bénitiers et du rayonnement des cierges.
FLAUBERT, Mme Bovary, I, 6.

9 D'autres s'assoupissaient sous l'effort de la digestion.
G. DUHAMEL, le Voyage de Patrice Périot, IV.

♦ **2** (En parlant d'inanimés abstraits). → **Apaiser** (s'), **calmer** (se)... *Sa douleur s'assoupit. Les haines peu à peu s'assoupissent.* → **Effacer** (s'), **estomper** (s'), **oublier** (s'). *Son esprit, sa volonté s'est assoupi(e).*

10 La raison agit avec lenteur (...) à toute heure elle s'assoupit ou s'égare (...) PASCAL, Pensées, IV, 252.

11 Comme un enfant bercé par un chant monotone,
Mon âme s'assoupit au murmure des eaux.
LAMARTINE, Méditations poétiques, «Le vallon».

12 Son cœur, comme les gens qui ne peuvent endurer qu'une certaine dose de musique, s'assoupissait d'indifférence au vacarme d'un amour, dont il ne distinguait plus les délicatesses. FLAUBERT, Mme Bovary, III, 6.

13 Mais peu à peu ses membres s'engourdirent, sa pensée s'assoupit, devint incertaine, flottante.
MAUPASSANT, Contes de la Bécasse, «Un coq chanta».

(En parlant de personnes). S'engourdir, devenir sans énergie.

14 Et nous nous assoupissons volontiers dans de petites besognes médiocres.
G. DUHAMEL, Chronique des Pasquier, III, 8.

15 Vais-je m'assoupir dans la mollesse ?
G. DUHAMEL, Chronique des Pasquier, VII, 3.

Par métaphore du 1. (en parlant des bruits, des éléments de la nature...). Devenir plus faible. *Les vagues s'assoupissent.*

◆ **ASSOUPI, IE** p. p. adj. et n.

♦ **1** Endormi à demi. *Il semble assoupi.*

Par extension.

Il me semble bien à présent que ce n'est point avec des yeux endormis que je regarde ce papier, que cette tête que je branle n'est point assoupie (...) 16
DESCARTES, Méditations, I.

♦ **2** Fig. (en parlant d'un inanimé abstrait). Affaibli, diminué. → **Apaisé, insensible** (→ ci-dessous, cit. 18, 20, 21, 22, 23). — Par métaphore (en parlant des éléments de la nature). Devenu plus faible (→ ci-dessous, cit. 17, 26). — (En parlant de personnes). Qui est sans énergie, engourdi (→ ci-dessous, cit. 19, 24, 27). → **Amolli, engourdi, somnolent** (figuré).

Les vents sont assoupis, les bois dorment sans bruit. 17
RONSARD, *in* LITTRÉ.

De ces légions impies 18
Les fureurs sont assoupies (...)
RACAN, Psaumes, 75.

Il était assoupi dans l'amour du plaisir. 19
BOSSUET, III, Vêture, 2, *in* LITTRÉ.

Les haines publiques et particulières furent assoupies (...) 20
FLÉCHIER, Oraison funèbre de M. de Turenne.

(...) le moindre incident pourrait rallumer des passions plutôt assoupies qu'éteintes. 21
P. L. COURIER, Lettre à M. Dedon, 29 juin 1807, Pl., p. 747.

(...) le monde assoupi palpite et vit encore (...) 22
LAMARTINE, Harmonies..., II, 4.

C'est la nuit, la nuit noire, assoupie et profonde. 23
HUGO, les Châtiments, I, 14.

Dans la brute assoupie un ange se réveille. 24
BAUDELAIRE, les Fleurs du mal, «l'Aube spirituelle».

(...) les affections s'aggravent, les douleurs assoupies se réveillent. HUYSMANS (→ Aggraver, cit. 7). 25

Tranquille amour, vague assoupie qui venait mourir à quelques pas de mon rocher (...) 26
F. MAURIAC, le Nœud de vipères, I, 7.

(...) pécheur, assoupi dans ses souillures (...) 27
F. MAURIAC, Souffrances et Bonheur du chrétien, p. 63.

N. Rare. *Un assoupi, une assoupie.*

**CONTR. Éveiller, réveiller, ranimer. — Exciter, exalter... — Aggraver.** ◈ **DÉR. Assoupissant, assoupissement.**

**ASSOUPISSANT, ANTE** [asupisɑ̃, ɑ̃t] adj. — 1582 ; p. prés. de *assoupir.*

♦ **1** Qui assoupit. *Une drogue assoupissante.* → **Calmant, endormant, narcotique, soporifique.** *Une chaleur assoupissante.*

♦ **2** Fig. Qui endort à demi, du point de vue moral, intellectuel. → **Ennuyeux, soporifique.** *Une vie assoupissante.* → **Amollissant.** *Un débit assoupissant.* → **Ennuyeux, monotone.**

De l'assoupissante élégie 1
Je méprise trop les fadeurs (...)
J.-B.-L. GRESSET, Ma chartreuse.

(...) il s'accoutumait à la province, s'y enfonçait ; — et même son amour avait pris comme une douceur funèbre, un charme assoupissant. 2
FLAUBERT, l'Éducation sentimentale, I, 6.

**CONTR. Excitant, exaltant...**

**ASSOUPISSEMENT** [asupismɑ̃] n. m. — 1531 ; *assopissement,* 1556 ; de *assoupir* aux formes en *assoupiss-* (p. prés., etc.).

♦ **1** Action de s'assoupir ; état voisin du sommeil* ou précédant le sommeil. → **Appesantissement, endormissement, engourdissement, somnolence, torpeur.** *Léger assoupissement. Son débit monotone plonge l'auditoire dans l'assoupissement.*

1 Quelque accès violent sans doute va la prendre,
Lequel sera suivi d'un assoupissement :
Ordonnez qu'on apporte un fauteuil vitement.
J.-F. REGNARD, les Folies amoureuses, III, 10.

2 Je tombe soudainement (...) dans un assoupissement profond. FÉNELON, Télémaque, XII.

3 Il avait des assoupissements agités de songes, des somnolences épuisantes qui le baignaient de sueur.
LOTI, Matelot, XLVIII.

Spécialt. État analogue au sommeil. *Assoupissement pathologique profond.* → **Coma, sopor.** *Assoupissement léthargique.* → **Léthargie.** *Assoupissement narcotique.* → **Narcose.**

Par métaphore (en parlant des choses, d'un mouvement, d'un bruit). Fait de se calmer.

4 La vieillesse est le temps où la chrysalide entre dans l'assoupissement.
Joseph JOUBERT, Pensées, VII, XXXIII.

5 (...) l'assoupissement de la mer sur la grève par les nuits de clair de lune.
PROUST, À la recherche du temps perdu, t. XI, p. 83.

6 Nul souffle ne pouvait plus rien contre l'assoupissement des feuilles. F. MAURIAC, Génitrix, p. 81.

♦ **2** Rare, fig. *Assoupissement des sens, d'une douleur, d'un chagrin.* → **Apaisement, atténuation, calme.**

Rare. *L'assoupissement d'une querelle, d'un différend, d'une affaire.* → **Étouffement.**

♦ **3** Vieilli (personnes, facultés psychiques). Fig. État moral comparable au sommeil, indifférence extrême. *Assoupissement de l'esprit, de l'âme, de la conscience...* → **Indifférence, indolence, langueur, nonchalance, paralysie, paresse, torpeur.** *Sortir de son assoupissement.*

7 (...) un même homme, qui court la terre et les mers pour son intérêt, devient soudainement paralytique pour l'intérêt des autres; de là vient ce soudain assoupissement et cette mort que nous causons à tous ceux à qui nous contons nos affaires (...)
LA ROCHEFOUCAULD, Maximes, 510.

8 Quelle puissance fallait-il pour éveiller le genre humain d'un si prodigieux assoupissement?
BOSSUET, Hist. nat. de l'homme, II, 12.

9 Ô Christ! ô soleil de justice,
De nos cœurs endurcis romps l'assoupissement;
Dissipe l'ombre épaisse où les plonge le vice (...)
RACINE, Hymnes traduites du Bréviaire romain.

10 (...) l'âme tombe dans une espèce de léthargie et dans un profond assoupissement sur tout ce qui regarde ses devoirs (...)
BOURDALOUE, *in* LAFAYE, Dict. des synonymes, Suppl., Assoupissement, léthargie.

CONTR. **Éveil, résurrection, réveil. — Exaltation, excitation.**

**ASSOUPLIR** [asupliʀ] v. tr. — XIIe-XIIIe; de 1. *a-*, *souple*, et *-ir*.

♦ **1** (1564). Rendre souple, plus souple. *Assouplir une étoffe. Assouplir l'osier en le bassinant. Assouplir le cuir, les peaux* (→ **Corroyer, façonner).**

*Les exercices de gymnastique assouplissent le corps. La marche, le massage assouplissent les membres.* → **Délier, dénouer, déraidir.**

*Assouplir un cheval,* lui apprendre à faire agir ses membres avec souplesse.

♦ **2** Par métaphore ou fig. Rendre plus malléable, plus maniable, plus doux. *Assouplir le caractère d'un enfant violent.* → **Adoucir, former, polir.** *Un caractère indomptable, inflexible qu'on ne peut assouplir.* → **Apprivoiser, plier, soumettre.**

1 (...) celles *(épreuves)* que ses camarades plus anciens lui préparent pour le former à la société nouvelle où il pénètre et, comme ils disent, pour lui assouplir le caractère.
H. BERGSON, le Rire, III, p. 103.

(...) une culture savante s'était saisie de ses sentiments les plus tendres, les plus naturels, les meilleurs, pour les polir, les lustrer, les assouplir (...) 2
GIDE, Si le grain ne meurt, I, 10.

La logique a certainement assoupli les esprits; elle leur a donné une agilité qu'ils n'avaient pas (...) 3
A. MAUROIS, Un art de vivre, I, IV, 17.

*Assouplir des méthodes, des règles trop strictes.* → **Atténuer, corriger.**

Rendre plus agile. *Les vocalises assouplissent la voix.*

◆ **S'ASSOUPLIR** v. pron.

♦ **1** Devenir plus souple. *Le cuir s'assouplit à l'eau. Les articulations s'assouplissent.*

♦ **2** Fig. Devenir plus malléable, plus maniable. *Leurs caractères se sont assouplis. Il commence à s'assouplir.* → **Plier** (→ ci-dessous, cit. 6).

Devenir moins rigide. *Ce régime politique s'assouplit.*

(En parlant de littérature, d'arts plastiques, de musique). Devenir plus libre. *Son style s'assouplit. Son dessin, d'abord raide, s'est assoupli.*

La rigidité des anciennes figures s'est assouplie (...) 4
TAINE, Philosophie de l'art, t. II, III, 2, 3.

(...) ceux dont la langue s'est assouplie à ce bavardage médisant. 5
MAUPASSANT, Fort comme la mort, p. 12.

L'idée qu'il pouvait s'assouplir, plier, changer dans une mesure quelconque, cette idée me paraissait démente. 6
G. DUHAMEL, Chronique des Pasquier, VIII, 4.

Pourtant, j'avais savouré en mettant celui-là *(ce livre)* au monde, la volupté d'écrire, la lutte patiente contre la phrase qui s'assouplit, s'assoit en rond comme une bête apprivoisée, — l'attente immobile, l'affût qui finit par charmer le mot (...) 7
COLETTE, la Vagabonde, I, p. 32.

◆ **ASSOUPLI, IE** p. p. adj.

♦ **1** Rendu, devenu souple. *Un cuir assoupli. Un corps assoupli.*

♦ **2** Fig. Rendu, devenu plus maniable, plus malléable. *Caractère un peu assoupli.* — Littér. *Assoupli à qqch.,* adapté, par un assouplissement.

(En parlant d'un style). Rendu, devenu moins rigide. *Ligne mélodique, dessin, style assoupli.*

CONTR. **Contracter, durcir, raidir, roidir, tendre.** ◊ DÉR. **Assouplissant, assouplissement.**

**ASSOUPLISSANT, ANTE** [asuplisɑ̃, ɑ̃t] adj. et n.; — p. prés. de *assouplir.*

♦ **1** Adj. Qui rend souple, plus souple. *Pouvoir assouplissant d'une substance. Substance assouplissante.*

Fig. et littér. Qui rend plus malléable, plus doux. *Une expérience assouplissante. La « surprise qui rendait si salutaires et assouplissants pour moi ces rendez-vous... »* (Proust, *in* T. L. F.).

♦ **2** N. m. [a] Chim. Substance qui, dans un apprêt textile, assouplit les fibres.

[b] Cour. Produit ajouté à la lessive et destiné à rendre le linge plus doux. — Syn. : *assouplisseur.*

[c] Techn. (aviat.). Constituant destiné à rendre plus malléable un enduit.

CONTR. **Durcissant.**

**ASSOUPLISSEMENT** [asuplismɑ̃] n. m. — Av. 1866; du rad. du p. prés. de *assouplir,* et *-ment.*

♦ **1** Action d'assouplir*, fait de s'assouplir; état de ce qui est assoupli. *Assouplissement des membres, des muscles. Exercices d'assouplissement.* → **Gymnastique.** — *L'assouplissement du cuir par le corroyage.*

*Assouplissement d'un cheval* : dressage d'un cheval pour lui apprendre à avoir des mouvements souples.

♦ **2** Fig. Action de rendre plus malléable, plus doux, moins rigide; état de ce qui est ainsi assoupli. *L'assouplissement du caractère.* → **Adoucissement.** *L'assouplissement d'un style, du dessin, de la ligne mélodique... «L'assouplissement illimité du vers français»* (J. Benda, *in* T. L. F.).
Fait de rendre moins rigide. *Assouplissement des lois, d'une mesure administrative. L'assouplissement d'un système trop rigide.* → **Atténuation, correctif, correction, modification.** *Assouplissement d'une politique de contrôle.*

Toute petite société qui se forme au sein de la grande est portée ainsi, par un vague instinct, à inventer un mode de correction et d'assouplissement pour la raideur des habitudes contractées ailleurs et qu'il va falloir modifier.
H. BERGSON, le Rire, III, p. 103.

CONTR. **Contraction, durcissement, raidissement, tension.**

**ASSOUPLISSEUR** [asuplisœʀ] n. m. → **Assouplissant,** 2., b.

**ASSOURDIR** [asuʀdiʀ] v. tr. — V. 1590; *assurdir,* 1120; *assordir,* v. 1205; de 1. *a-, sourd,* et *-ir.*

♦ **1** *Assourdir qqn* : causer une surdité passagère; rendre comme sourd. → **Abasourdir, étourdir.** *Le canon les avait assourdis.* — Au passif. *On était complètement assourdis par la perforatrice.* — Absolt. *Le bruit du canon assourdit.*

1 Nos sens n'aperçoivent rien d'extrême, trop de bruit nous assourdit, trop de lumière éblouit (...)
PASCAL, Pensées, II, 72.

2 Tantôt ils se rapprochent tous à la fois, et nous assourdissent comme les sons des cloches d'une cathédrale.
BERNARDIN DE SAINT-PIERRE, Paul et Virginie, *in* LITTRÉ.

3 (...) assourdi par un roulement de tonnerre qui lui tambourine le tympan malgré les oreillettes de son casque.
MARTIN DU GARD, les Thibault, VII, 84.

♦ **2** Fig. (compl. nom de personne). Fatiguer par trop de bruit, de paroles... → **Accabler, bassiner** (fam.); **ennuyer, excéder, fatiguer, importuner.** *Il nous assourdit avec ses reproches, ses jérémiades.* Cf. Casser, rompre la tête, les oreilles à qqn. — Par ext. (Rare). *Assourdir les oreilles à qqn.*

4 Tant de sonnets, de madrigaux,
Tant de ballades, de rondeaux,
Où l'on célébrait vos merveilles,
Vous ont assourdi les oreilles.
A. DE MUSSET, Sur trois marches de marbre rose.

*Assourdir qqn de..., par...* — Au passif. *Être assourdi par les cris, les reproches de qqn.*

5 Soupe n'avait pas ouvert la bouche que déjà il l'assourdissait de ses rappels au silence (...)
COURTELINE, Messieurs les ronds-de-cuir, II, 1.

REM. Même en emploi concret (→ 1.), le v. *assourdir* peut comporter une figure rhétorique et ne pas impliquer un effet physique désagréable.

6 (...) délicieusement assourdi par le ronflement de la meule, le fracas de l'eau dans la roue, les mille chuchotis de la rivière (...) GIDE, Si le grain ne meurt, I, 2.

♦ **3** (Compl. nom de choses). Rendre moins sonore. → **Amortir, atténuer.** *Un tapis assourdit les pas.*

7 (...) sans être entendu de personne, grâce à la neige qui assourdissait comme un tapis le bruit de mes pas, je me glissai dans une des tonnelles.
Alphonse DAUDET, le Petit Chose, p. 145.

*Assourdir un lieu* : en atténuer la résonance. *Ces épaisses tentures assourdissent l'appartement.*
Mar. *Assourdir les avirons,* les envelopper de linge, pour en atténuer le bruit quand ils frappent l'eau.
Techn. Remplir (une cloison); doubler (une paroi) pour atténuer les bruits.

♦ **4** *Assourdir une couleur,* en diminuer l'éclat. — Peint. *Assourdir les teintes* : diminuer la lumière dans les demi-teintes.

◆ **S'ASSOURDIR** v. pron.

♦ **1** Devenir plus sourd. *Sa voix s'assourdit.*
Spécialt. *L'ouïe s'assourdit,* devient dure et insensible. → Sourd.
Phonét. (en parlant des consonnes sonores). Vieilli. Devenir moins sonore. — Mod. Prendre les traits d'une consonne sourde : [z] *qui s'assourdit en* [s]. → **Assourdissement,** 4.

♦ **2** Se rendre sourd. *Se boucher les oreilles pour s'assourdir.*

◆ **ASSOURDI, IE** p. p. adj.

♦ **1** (En parlant d'une personne). Rare. Devenu, rendu sourd de façon temporaire. *Personne assourdie après une explosion.*

♦ **2** (En parlant d'une chose). Dont le son, l'éclat sont très atténués. *Des pas assourdis. Les sons parviennent assourdis. «Chant lointain et assourdi»* (Zola, *in* T. L. F.).
Mus. *Le timbre assourdi d'un instrument. Le son assourdi d'une trompette bouchée. Accessoire utilisé pour assourdir un instrument.* → **Sourdine.**
Peint. *Une teinte assourdie,* rendue moins éclatante.

♦ **3** Fig. et littér. Qui est atténué. *Des sentiments assourdis.*

CONTR. **Amplifier** (le son, le bruit). ◊ DÉR. **Assourdissant, assourdissement.**

**ASSOURDISSANT, ANTE** [asuʀdisɑ̃, ɑ̃t] adj. — Attesté déb. XIXe, 1811, *in* T. L. F.; p. prés. de *assourdir.*

♦ **1** Qui assourdit. *Bruit, vacarme, tapage assourdissant.* → **Bruyant, étourdissant.** — Par métonymie (d'un lieu). → cit. 3, ci-dessous.

Ce bruit de ferraille doit être assourdissant et vous devez être là comme dans une prison. 1
A. DE MUSSET, Barberine, III, 5.

(...) le cercle assourdissant de ses oscillations. 2
HUGO, Notre-Dame de Paris, III, 2. (→ Clocher).

La rue assourdissante autour de moi hurlait. 3
BAUDELAIRE, les Fleurs du mal, Tableaux parisiens, XCIII.

Des gens se hâtaient, en tous sens, dans un vacarme assourdissant. 4
MARTIN DU GARD, les Thibault, VII, 36.

Au passage d'une rivière, un peuple de cigales fait un vacarme assourdissant. 5
GIDE, Voyage au Congo, *in* Souvenirs, Pl., p. 753.

(...) trois nègres commencent un assourdissant tam-tam, sur une calebasse et un énorme tambour de bois long comme une couleuvrine (...) 6
GIDE, Voyage au Congo, *in* Souvenirs, Pl., p. 705.

♦ **2** Fig. Qui fatigue par trop de bruit, de paroles. *Un bavard assourdissant.* → **Assommant, fatigant.** *Des discussions assourdissantes.*

**ASSOURDISSEMENT** [asuʀdismɑ̃] n. m. — 1596; du rad. du p. prés. de *assourdir.*

♦ **1** Action d'assourdir (qqn), de causer une surdité passagère. *L'assourdissement de qqch.,* causé par qqch.

Hé! sans le bruit de vos bastilles, 1
N'ai-je donc pas assez, mes filles,
De l'assourdissement des flots?
HUGO, les Orientales, 35.

2 (...) l'assourdissement des bruits dans la chaleur de la matinée (...)

PROUST, À la recherche du temps perdu, t. XIII, I, 78.

Fait de rendre sourd. — Spécialt. Fait d'assourdir une oreille pour étudier les caractéristiques de l'autre (dans l'étude audiométrique).

♦ **2** État d'une personne assourdie. *L'assourdissement de qqn. Mon assourdissement dura plusieurs minutes.*

♦ **3** Amortissement des sons de... *L'assourdissement des pas sur le gazon.* → **Amortissement.** *L'assourdissement d'un lieu :* l'amortissement des sons dans ce lieu.

♦ **4** Phonét. Transformation (d'un phonème) de sonore en sourd. Syn. : *dévoisement, dévocalisation.*

CONTR. (Du sens 3) **Amplification.**

**ASSOUVIR** [asuviʀ] v. tr. — 1270; *acevir,* fin XIIe-déb. XIIIe; *aseuvir,* fin XIIe (?); gallo-rom. *assopire* «calmer», du lat. *sopire* «endormir»; croisement avec l'anc. franç. *assevir* «achever».

♦ **1** Littér. Calmer complètement (une faim, un appétit, une soif... intense). → **Apaiser, calmer, contenter, rassasier, satisfaire.** *De quoi étancher sa soif et assouvir sa faim. Un appétit insatiable qu'on ne peut assouvir.*

1 Merci de moi, lui dit la mère :
Tu mangeras mon fils? l'ai-je fait à dessein *(enfanté pour)*
Qu'il assouvisse un jour ta faim?

LA FONTAINE, Fables, IV, 16.

Vieilli (compl. n. de personne ou d'animal). Rassasier complètement. *On ne peut assouvir cet enfant* (Académie).

♦ **2** Fig. Satisfaire pleinement (un violent désir, une passion). → **Satisfaire, passer** (une envie)... *Assouvir ses instincts, sa sensualité, la chair. Assouvir ses convoitises, sa curiosité, son ambition, son avarice, son avidité, sa colère, sa fureur, sa haine. Assouvir une vengeance.* — Par ext. Combler (qqn) dans ses désirs (cit. 2 et 5 ci-dessous).

2 Rien ne suffit aux gens qui nous viennent de Rome :
La terre et le travail de l'homme
Font pour les assouvir des efforts superflus.

LA FONTAINE, Fables, XI, 7.

3 Alger, tes maisons ne sont plus qu'un amas de pierres; dans ta brutale fureur, tu te tournes contre toi-même, et tu ne sais comment assouvir ta rage impuissante.

BOSSUET, Oraison funèbre de Marie-Thérèse d'Autriche.

4 Combien elle *(l'âme)* est difficile à assouvir (...)

LA BRUYÈRE, les Caractères, XVI, 3.

5 La célébrité la plus complète ne vous assouvit point (...)

FLAUBERT, Correspondance, t. II, p. 117.

6 La douleur est comme la passion. Pour s'en délivrer, il faut l'assouvir, toute.

R. ROLLAND, l'Âme enchantée, t. II, p. 369.

6.1 Elle n'espérait plus maintenant que sa passion lui donnerait de grandes joies, mais elle n'en avait pas changé. Seulement l'habitude de ne pas l'assouvir, au lieu d'exaspérer son désir, lui avait ôté de l'importance qu'il avait dans sa vie. PROUST, Jean Santeuil, Pl., p. 849.

◆ **S'ASSOUVIR** v. pron.

♦ **1** Vx. Se rassasier (de nourriture). *Un loup s'assouvissant dans une bergerie* (Littré). → **Repaître** (se).

7 Tous les raffinements dont nous nous servons pour couvrir nos tables suffisent à peine à nous déguiser les cadavres qu'il nous faut manger pour nous assouvir.

BOSSUET, Disc. sur l'hist. universelle, 174.

♦ **2** Littér. (en parlant d'un organe des sens, d'un désir sensuel, d'un sentiment, d'une passion). Se satisfaire, être satisfait. *Cette avarice ne pourra donc jamais s'assouvir?* (Académie). → **Apaiser** (→ ci-dessous, cit. 10). — (En parlant d'une personne). Se rassasier, être rassasié. *S'assouvir de carnage.*

Adraste (...) nage dans le sang et il ne peut s'assouvir de carnage. FÉNELON, Télémaque, XIII. 8

Laissez-moi m'assouvir dans mon courroux extrême 9
Et laver mon affront au sang d'un scélérat.

MOLIÈRE, Amphitryon, III, 5.

Une chair qui s'assouvit accompagne toujours un esprit incapable d'adhérer au surnaturel. 10

F. MAURIAC, Souffrances et Bonheur du chrétien, p. 56.

Une passion *(chez les hommes d'Église révoltés)* depuis des années refoulée, prend pour s'assouvir le masque de l'esprit. 11

F. MAURIAC, Souffrances et Bonheur du chrétien, p. 51.

◆ **ASSOUVI, IE** p. p. adj.

♦ **1** Vx. Rassasié de nourriture. → **Rassasié, repu.**

♦ **2** Fig. (en parlant d'un sentiment, d'une passion). *Être assouvi,* satisfait. → **Apaisé, contenté, satisfait** (→ *infra* cit. 12, 15). — (En parlant d'une personne). Souvent péj. Dont les instincts, les passions sont contentés (→ *infra* cit. 13, 14, 16). *Âme assouvie.*

L'ambition déplaît quand elle est assouvie (...) 12

CORNEILLE, Cinna, II, 1.

De tant de flots de sang non encore assouvie (...) 13

RACINE, Athalie, V, 2.

Enfin, après m'être assouvi de Rome, je voulus voir Naples. 14

LAMARTINE, Graziella, I, 7.

Dans leurs regards indifférents flottait la quiétude de passions journellement assouvies (...) 15

FLAUBERT, Mme Bovary, I, 8.

Qu'importe l'avenir? mon âme est assouvie. 16

SULLY PRUDHOMME, Tendresses et Solitude, p. 102.

CONTR. **Affamer; exciter. — Faim** (laisser, rester sur sa). **— Inassouvi, insatiable, insatisfait.** ◊ DÉR. **Assouvissable, assouvissance, assouvissement.** ➡ COMP. **Inassouvi, inassouvissable.**

**ASSOUVISSABLE** [asuvisabl] adj. — 1921, cit. *infra;* du rad. du p. prés. de *assouvir.*

Littér. Qui peut être assouvi, comblé.

*(La vie avait)* ajouté au désir charnel l'accompagnement (...) de ces désirs plus spirituels et moins assouvissables (...)

PROUST, le Côté de Guermantes, Pl., t. II, p. 362.

**ASSOUVISSANCE** [asuvisɑ̃s] n. f. — Après 1450; du rad. du p. prés. de *assouvir.*

Vx., littér. → **Assouvissement** (cit. 4 et *supra*).

**ASSOUVISSEMENT** [asuvismɑ̃] n. m. — 1340; du rad. du p. prés. de *assouvir.*

♦ **1** Rare. Action d'assouvir, de s'assouvir. → **Satisfaction.** *L'assouvissement de la faim, de la soif, des besoins naturels.* → ci-dessous, cit. 2.

Abstrait (plus cour.). *L'assouvissement des désirs, des convoitises... L'assouvissement amène la satiété et parfois le dégoût.*

(...) elle lut Balzac et George Sand, y cherchant des assouvissements imaginaires pour ses convoitises personnelles. 1

FLAUBERT, Mme Bovary, I, 9.

(...) il faut que le spectateur soit à demi dégagé des préoccupations grossières (...) que, par-delà l'exercice des muscles, le déploiement des instincts belliqueux et l'assouvissement des besoins corporels, il souhaite des jouissances fines ou nobles. 2

TAINE, Philosophie de l'art, t. I, II, 3.

L'assouvissement de ce désir apparaît comme une entreprise chaque jour plus difficile. 3

G. DUHAMEL, Scènes de la vie future, XV, p. 233.

REM. Flaubert, Baudelaire, etc. ont employé *assouvissance* pour *assouvissement.*

4 (...) quand elle courait à l'assouvissance de ses désirs (...)
FLAUBERT, Mme Bovary, III, 8.

♦ **2** État d'une personne assouvie. → **Apaisement, contentement, satiété, satisfaction; calme, paix, repos.** *Assouvissement complet, absolu. Un état d'assouvissement. Éprouver, ressentir un assouvissement. Assouvissement érotique, sexuel.*

5 (...) sa désillusion était complète! L'assouvissement de l'après justifiait l'inappétence de l'avant. Elle le répugnait et il se faisait horreur!
HUYSMANS, Là-bas, t. II, p. 47, *in* T. L. F.

6 Il éprouvait, d'ailleurs, un assouvissement, une satisfaction profonde. Sa joie de posséder une femme riche n'était gâtée par aucun contraste (...)
FLAUBERT, l'Éducation sentimentale, III, 4.

7 (...) il lui suffit *(au vice)* d'une seule victime et qu'une seule rencontre lui assure des années de paisible assouvissement. F. MAURIAC, la Pharisienne, p. 200.

CONTR. **Refoulement. — Excitation, surexcitation. — Inassouvissement, inquiétude, insatiabilité, insatisfaction.**

**ASSUÉTUDE** [asɥetyd] n. f. — 1885, Dechambre *in* Manuila; lat. *assuetudo* «habitude», pour traduire l'angl. *addiction.*

Didact. Accoutumance de l'organisme aux modifications du milieu. *Assuétude climatologique.* — Méd. État de très grande dépendance* à l'égard d'une substance toxique. *Assuétude médicamenteuse. L'assuétude aux drogues.* → **Toxicomanie.** — REM. Ce terme est à distinguer de *tolérance, accoutumance.*

L'*assuétude* caractérise les toxicomanies majeures. Le désir est devenu insurmontable, la privation du produit engendre un état de besoin pouvant être dramatique. À la dépendance psychique accusée, s'ajoute le plus souvent un véritable asservissement physique.
A. et M. POROT *in* POROT, Manuel alphabétique de psychiatrie, 1975, art. *Toxicomanies.*

**ASSUJETTIR** [asyʒetiʀ] v. tr. — 1694; *assujetir,* 1654; *s'assoubiectir,* 1539; *assugetty,* v. 1445; de 1. *a-, sujet,* et *-ir.*

♦ **1** Vx ou littér. Rendre sujet, ranger sous sa domination, sous ses lois; mettre dans sa dépendance. *Assujettir un pays, une nation. Les peuples que Rome avait assujettis.* → **Dominer, soumettre; conquérir, maître** (se rendre), **occuper; asservir** (cit. 1); **courber, plier** (sous sa loi); **opprimer, subjuguer.** *Assujettir une classe, un groupe social.*

1 Ils *(les Romains)* établirent comme une loi qu'il ne serait permis à aucun roi d'Asie d'entrer en Europe, et d'y assujettir quelque peuple que ce fût.
MONTESQUIEU, Grandeur et Décadence des Romains, 6.

2 Il s'agit pour chaque cité d'assujettir ou d'abaisser les autres, d'acquérir des vassaux, de conquérir ou d'exploiter autrui. TAINE, Philosophie de l'art, I, 2, 5.

♦ **2** Littér. ou techn. (concret). Maintenir (un être vivant, une partie du corps) dans une position déterminée ou dans l'immobilité.

Vx. *Assujettir qqn,* l'empêcher de bouger. → **Attacher, contenir, enchaîner, immobiliser, maintenir, tenir.** *Assujettir qqn par des liens.* → **Lier.**

Vétér. *Assujettir un cheval,* le maintenir dans la position requise pour une intervention (→ aussi ci-dessous, *infra* cit. 7).

Méd. *Assujettir un membre,* le maintenir en place ou immobile.

(Sujet n. de chose). *Des liens l'assujettissaient étroitement.*

♦ **3** Littér. Maintenir (qqn) dans la dépendance, l'obéissance, restreindre la liberté de (qqn). *Assujettir qqn en lui imposant une autorité, une discipline, une volonté.* → **Commander, discipliner, maîtriser.** *Assujettir qqn par la violence, la force.* → **Contraindre, forcer.**

Dominer par un ascendant moral, tenir (qqn) sous son empire. *Assujettir qqn par son ascendant.* → **Captiver, charmer, conquérir, dompter, envoûter, gagner, séduire, subjuguer.**

Et, si l'on m'obéit, ce n'est qu'autant qu'on m'aime. 3
— Et votre empire en est d'autant plus dangereux
Qu'il rend de vos vertus les peuples amoureux,
Qu'en assujettissant vous avez l'art de plaire,
Qu'on croit n'être en vos fers qu'esclave volontaire.
CORNEILLE, Sertorius, III, 2.

Enfin l'aimable Agnès a su m'assujettir. 4
MOLIÈRE, l'École des femmes, I, 4.

Je n'entends pas que vous soumettiez votre créance *(confiance, foi...)* sans raison, et ne prétends pas vous assujettir avec tyrannie (...) PASCAL, Pensées, VII, 430. 5

(...) la mainmise de l'État sur le travail et la pensée de tous les êtres qu'il assujettit. 6
G. DUHAMEL, le Temps de la recherche, XI, p. 151.

Littér., vx. Maintenir (un animal) dans la dépendance humaine. → **Domestiquer.** *Les animaux que l'homme a assujettis.*

Considère combien tu as d'avantage sur le reste des animaux, combien tu en assujettis de plus forts que toi (...) 7
MALHERBE, Trad. de SÉNÈQUE, Bienfaits, II, 29.

Spécialt (manège). *Assujettir un cheval,* le contraindre à marcher sans que les épaules et les hanches ne dévient (→ aussi ci-dessus, sens 2, emploi techn. en méd. vétérinaire).

Littér. (complément n. de chose : tendance, activité humaine, etc.). → **Contraindre.** *Assujettir l'ambition, les passions, les désirs de qqn. Assujettir l'activité, les travaux de qqn. — Assujettir la main, le bras de qqn* (par métaphore).

Il faut que Dieu, par sa puissance, assujettisse et lie, pour ainsi dire, cette convoitise indocile, pour arrêter ses contrariétés et ses répugnances (...) 8
FLÉCHIER, Panégyriques des saints, t. II, p. 501.

Par des mesures successives, par des empiétements calculés, l'État assujettit le travail des chercheurs; non seulement il en oriente l'application, mais il le sollicite et le détermine à l'origine. 9
G. DUHAMEL, le Temps de la recherche, XI, p. 149.

*(Le)* travail de l'imprimerie qui nous réunissait et qui, s'il assujettissait nos mains, nous laissait au moins quelque chance de palabre. 10
G. DUHAMEL, le Temps de la recherche, V.

♦ **4** ASSUJETTIR (qqn, qqch.) À... → **Soumettre; astreindre.** *Assujettir une personne ou une chose à une autre.*

Vx (langue class.). Soumettre (une personne, une tendance) à qqch., en imposant.

Je sais qu'ils se sont fait une superbe loi 11
De ne point à l'hymen assujettir leur foi.
RACINE, Bajazet, I, 3.

Corneille nous assujettit à ses caractères et à ses idées, Racine se conforme aux nôtres; celui-là peint les hommes comme ils devraient être, celui-ci les peint tels qu'ils sont. 12
LA BRUYÈRE, les Caractères, I, 54.

Vx. Soumettre (un être vivant) à (une action pénible, contraignante...).

Ses expériences n'avaient pu être faites sans assujettir un grand nombre d'animaux à des douleurs cruelles (...) 13
CONDORCET, Éloges des académiciens..., Haller.

Mod. (compl. n. de chose). Soumettre (à un ordre, une règle).

14 L'administration, au contraire, détruit le ressort des âmes en les assujettissant à une tutelle continue.
RENAN, Questions contemporaines, II, 3.

15 (...) tout vaut mieux qu'une doctrine qui prétend assujettir le langage d'aujourd'hui à des formes d'autrefois.
BRUNOT, la Pensée et la Langue, p. 785.

(Compl. n. de personne). *Assujettir qqn à des règles, à un travail.* — Par extension :

16 Il avait (...) rêvé de remodeler Cécile, de l'assujettir à ses songeries d'intellectuel inquiet (...)
G. DUHAMEL, Chronique des Pasquier, VII, 13.

Mod. (dr.). *Assujettir qqn à l'impôt.* → **Imposer.**

♦ **5** (Compl. n. de chose concrète). Rendre fixe, immobile, stable. → **Assurer, attacher, caler, clouer, coincer, fixer, lier, maintenir, river.** *Assujettir une table. Les Grecs assujettissaient la chlamyde sur l'épaule droite au moyen d'une agrafe.* → **Agrafer.** *Assujettir un navire au moyen d'accores.* → **Accorer.** *Assujettir une manœuvre, un cordage.* → **Amarrer, frapper.**

17 Les charpentiers assujettissaient à grands coups de maillet les fermes des baraques.
FRANCE, M. Bergeret à Paris, p. 432.

18 Et tout à coup, Athman, pris de lyrisme, quitte son burnous, assujettit sa gandourah et fait la roue au clair de lune.
GIDE, Journal 1889-1939, Feuilles de route, Biskra, 1896.

◆ **S'ASSUJETTIR** v. pron.

♦ **1** Assujettir à soi (qqn, qqch.). *S'assujettir un peuple, une nation.* → **Conquérir, dompter, gagner, subjuguer.**

19 Grande Reine, de qui les charmes
S'assujettissent tous les cœurs (...)
RACINE, la Nymphe de la Seine, À la Reine.

20 On sentait une puissante individualité, que la foi s'était assujettie, mais que la règle ecclésiastique n'avait pas domptée. RENAN, Souvenirs d'enfance..., IV, 2.

♦ **2** (Réfl.). Se soumettre à. → **Plier** (se), **soumettre** (se). *Il est trop indépendant pour s'assujettir à de telles règles. On s'assujettit à un usage, à une mode, aux heures de qqn, quand on s'y accommode sans cesse* (Lafaye).

21 Il est vrai qu'à la mode il faut m'assujettir (...)
MOLIÈRE, l'École des maris, I, 1.

22 Les hommes (...) qui s'assujettissent aux règles de la vertu, ne sauraient jamais être aussi agréables aux princes que leurs passions dominent. FÉNELON, Télémaque, 13.

♦ **3** (Récipr.). *Ils cherchaient à s'assujettir réciproquement.*

◆ **ASSUJETTI, IE** p. p. adj. et n.

♦ **1** Asservi, soumis. → **Soumis.**

REM. Les dict. de synonymes du XIX^e s. voulaient établir une distinction entre la contrainte acceptée *(assujetti, soumis)* et la contrainte imposée. Le vieillissement de *assujetti* rend ces distinctions inopérantes :

23 **Soumis** et **assujetti**, on obéit, on ne résiste guère, on est gagné; **subjugué** et **asservi**, il faut de nécessité qu'on obéisse, on ne saurait résister, on est forcé.
LAFAYE, Dict. des synonymes, Soumettre, assujettir, p. 962.

♦ **2** Passif et p. p. (**ÊTRE**) **ASSUJETTI À...** *Assujetti à qqn, à une règle. Être assujetti à un travail ingrat.* → **Attelé, condamné.**

24 (...) on ne veut être assujetti qu'à la raison ou à la justice.
PASCAL, Pensées, V, 325.

25 Dans ce que nous venons de voir, c'est-à-dire dans les opérations sensuelles, l'âme est assujettie au corps (...)
BOSSUET, Traité de la connaissance de Dieu..., II, 12.

26 Toute la terre reconnaît sa puissance et vous voyez que les dieux même sont assujettis à son empire *(de l'Amour).*
MOLIÈRE, la Princesse d'Élide, II, 1.

De libre et indépendant qu'était auparavant l'homme, le voilà, par une multitude de nouveaux besoins, assujetti pour ainsi dire à toute la nature, et surtout à ses semblables, dont il devient l'esclave (...) 27
ROUSSEAU, De l'inégalité parmi les hommes, II.

L'homme peut bien dompter la nature, mais il est assujetti à sa pensée. 28
FUSTEL DE COULANGES, la Cité antique, p. 149. (→ Croyance).

L'admission dans les écoles spéciales était assujettie à certaines conditions (...) RENAN, Œ. compl., t. I, p. 80. 29

Dr. *Assujetti à l'impôt* : soumis à l'impôt. *Matière assujettie à l'impôt. — Être assujetti à la Sécurité sociale.* → **Affilié, inscrit.**

♦ **3** Rendu fixe, immobile. — (En parlant d'un animal). Attaché. — (En parlant d'un objet). Fixé.

♦ **4** N. Dr., admin. *Un assujetti, une assujettie* : une personne qui est soumise à un impôt, une taxe, une prestation. → **Contribuable, débiteur, imposable, prestataire, redevable.**

Personne qui est affiliée à la Sécurité sociale.

Par anal. *Un assujetti à un examen* : un candidat anonyme à un examen.

CONTR. **Affranchir, décharger, dégager, délivrer, dispenser, exempter, exonérer, libérer. — Indépendant, libre.** ◊ DÉR. **Assujettissant, assujettissement.**

## ASSUJETTISSANT, ANTE [asyʒetisɑ̃, ɑ̃t] adj.

— 1688; p. prés. de *assujettir.*

♦ **1** (Choses). Qui assujettit, astreint, tient dans une grande sujétion, exige beaucoup d'assiduité. *Devoirs, travaux assujettissants. Fonctions assujettissantes.* → **Asservissant, astreignant, pénible, pesant, strict.**

Il y a un commerce *(échange)* ou un retour *(réciprocité)* de devoirs du souverain à ses sujets, et de ceux-ci au souverain : quels sont les plus assujettissants et les plus pénibles, je ne le déciderai pas. 1
LA BRUYÈRE, les Caractères, X, 28.

Il y a même un dégoût attaché à ce qui se trouve de gênant, de continuel, d'assujettissant dans nos ministères. 2
MASSILLON, Discours synodaux, Nécessité des retraites.

Rare (abstrait). Astreignant.

♦ **2** Vx (en parlant d'une personne). Autoritaire. «*L'oncle le plus commode, le moins assujettissant...*» (Balzac, *in* T. L. F.).

CONTR. **Agréable, léger, plaisant.**

## ASSUJETTISSEMENT [asyʒetismɑ̃] n. m. — 1572,

*assubjectissement*; du rad. du p. prés. de *assujettir.*

♦ **1** Vx ou littér. Action d'assujettir, d'asservir. → **Asservissement.** *L'assujettissement de la Grèce par les Romains.* → **Conquête, domination, occupation.**

♦ **2** Vx. Résultat de cette action; état de dépendance, de soumission. → **Dépendance, soumission, subordination, sujétion, vassalité,** et, par ext., **asservissement, captivité, esclavage, servitude.** *L'assujettissement d'un pays. L'assujettissement d'un peuple à un autre.*

Vx. *Assujettissement aux usages, aux modes.* → **Soumission** (à).

Une chose folle et qui découvre bien notre petitesse, c'est l'assujettissement aux modes (...) 1
LA BRUYÈRE, les Caractères, XIII, 1.

Ce péché étant un attachement excessif et un assujettissement infâme de l'esprit à la chair (...) 2
BOURDALOUE, Impureté.

Qu'est-ce que leur vie *(des mondains)*? (...) un assujettissement servile à la créature, c'est-à-dire au caprice, à la vanité, à la légèreté, à l'infidélité même. 3
BOURDALOUE, Carême, Sur la paix chrétienne.

*L'assujettissement de qqn à qqch.*

Mod., littér. État qui résulte des obligations assidues auxquelles on est soumis, de la répétition des mêmes contraintes *(l'assujettissement);* contrainte résultant d'une obligation *(un, des assujettissements).* → **Attache, chaîne, contention, contrainte, dépendance, discipline, enchaînement, esclavage, gêne, joug, lien, obéissance, obligation, servitude, soumission, sujétion.**

4 Ma vie a toujours été pleine d'agitations, d'assujettissements, de fatigues, de contrainte (...)
MASSILLON, Sermon pour le jour des morts, la Mort du Pêcheur.

5 (...) tous nos usages ne sont qu'assujettissement, gêne, et contrainte. ROUSSEAU, Émile, L, I.

6 Il n'y a point d'assujettissement si parfait que celui qui garde l'apparence de la liberté; on captive ainsi la volonté même. ROUSSEAU, Émile, L, II.

7 (...) les commodités dont il se munit sont autant d'assujettissements dans lesquels il s'embarrasse, et l'artifice de son confortable le tient captif.
TAINE, Philosophie de l'art, t. II, IV, 2, 1.

Vx. Contrainte. *Les assujettissements de la nourriture.*

♦ **3** Mod. (Dr.). *Assujettissement à l'impôt, à une taxe. Assujettissement à la Sécurité sociale.*

♦ **4** Méd. vétér. Ensemble des moyens permettant d'immobiliser un animal pour l'opérer (→ **Assujettir**).

CONTR. **Affranchissement, délivrance, exemption, exonération, indépendance, libération, liberté.**

**ASSUMER** [asyme] v. tr. — XV^e «prendre, recevoir» (concret); mil. XV^e en relig. (Dieu *assume* sa créature, «s'en charge»); lat. *assumere* «prendre pour soi».

♦ **1** Prendre sur soi, à son compte, se charger de. → **Charger** (se), **prendre; assomption,** 2. *Assumer une charge, un emploi, un rôle, une tâche. Assumer une responsabilité**, un risque.* → **Accepter, endosser, supporter.** *Assumer une initiative. Assumer la responsabilité d'un acte.* → **Prendre.**

Spécialt (le compl. désigne un acte répréhensible, ses conséquences). *Assumer un délit, une faute...,* s'en reconnaître coupable.

1 (...) une victime avait été immolée pour assumer les mauvaises chances qui eussent pu troubler le repos du mort.
Th. GAUTIER, le Roman de la momie, Prologue.

2 Il craignait d'aliéner une part trop grande de sa liberté en assumant une tâche considérable et absorbante.
Henri LICHTENBERGER, Richard Wagner, p. 26.

3 Je me suis reconnu le droit d'en assumer *(du rôle de père)* toutes les responsabilités, avec tous les devoirs.
Paul BOURGET, Un divorce, II.

4 (...) il fallut faire vite, et donc assumer tout ce qu'emporte de risques, d'imprudences et d'impuretés, la précipitation dans le travail. VALÉRY, l'Idée fixe, p. 9.

5 Il ne se détourne pas de ses douleurs, mais les assume dans leur plénitude. GIDE, Dostoïevsky, p. 24.

6 Ils ne voulaient à aucun prix accepter une responsabilité de cette sorte. L'idée qu'il se trouvait quelqu'un pour assumer joyeusement cette responsabilité aurait dû les soulager.
G. DUHAMEL, Chronique des Pasquier, X, 6.

7 Si P.M.F. n'avait rien voulu entendre, s'il avait renversé le gouvernement, quel traître il eût été! La ruine des finances, la perte de l'Algérie, il eût tout assumé. Il l'assumera d'ailleurs quoi qu'il arrive.
F. MAURIAC, Bloc-notes 1952-1957, p. 314.

8 Mais je vous ferai remarquer que je n'ai nullement l'ambition de délivrer des messages. J'assume, à ma façon, les devoirs de la conscience humaine.
Pierre GASCAR, les Bêtes, p. 189.

Absolt. *J'assume :* j'accepte la responsabilité.

(...) avec une sorte de miséricorde enflammée, par pitié, par tendresse, besoin de dévouement et par une propension naturelle à assumer toujours et ne se dérober devant rien, il épouse la veuve du forçat Issaiev, mère déjà d'un grand enfant fainéant ou impropre qui restera dès lors à sa charge. GIDE, Dostoïevsky, p. 25. 9

Rare (sens concret, étymologique).

Nous n'avions pu obtenir que quarante porteurs, de sorte que quelques charges, portées par deux jusqu'alors, devaient être assumées par un seul.
GIDE, Voyage au Congo, *in* Souvenirs, Pl., p. 760. 10

(Sujet n. de chose : organe, sens, collectivité, action, sentiment...). *Le groupe, la société assumera ces charges, ces responsabilités. L'action assume des risques. L'intelligence assume telle fonction.*

♦ **2** Psychol. Accepter consciemment (une situation, un état psychique, ses conséquences) au lieu de les vivre sans lucidité, passivement. *Assumer son caractère. Assumer pleinement la condition d'ouvrier. Assumer une situation difficile.*

Par ext. Accepter de prendre à son compte (un système de valeurs, un symbole...). *Assumer une culture, la France.*

♦ **3** (1924; angl. *to assume*). Anglic. Log. Supposer; prendre, recevoir à titre d'hypothèse. → **Assomption,** 3.

◆ **S'ASSUMER** v. pron. (sens 2). Se prendre en charge, s'accepter consciemment.

Nous ne sommes nous qu'aux yeux des autres, et c'est à partir du regard des autres que nous nous assumons comme nous. SARTRE, l'Être et le Néant, p. 494. 11

(...) semblable à ces pédérastes qui s'assument en s'affichant. R. BARTHES, Mythologies, p. 181. 12

Et pourquoi après tout ai-je si souvent honte de ce que je suis, imbécile que je suis? J'en avais marre soudain de tenter de faire miteux pour être à l'unisson avec les chaussures ridées ou les idées «gauche» d'Hascoët. Allez hop, assumons-nous.
Benoîte et Flora GROULT, Il était deux fois, p. 46. 13

REM. *Assumer* au sens 2 et *s'assumer* sont à la mode depuis les années 60.

CONTR. **Décharger** (se). — **Refuser, rejeter, repousser.**

**ASSURABLE** [asyRabl] adj. — 1864-65, cit. *infra;* de *assurer.*

Qui peut être assuré, garanti ou couvert par un contrat d'assurance. *Une personne assurable. Un risque assurable.*

Les compagnies d'assurance de New York ont déclaré non assurables les entrepôts de pétrole (...)
L. FIGUIER, l'Année scientifique et industrielle 1865, p. 220 (1864).

**ASSURAGE** [asyRaʒ] n. m. — 1970, *in* Petiot; de *assurer,* et *-age.*

Alpin. Ensemble des techniques permettant de prévenir ou d'enrayer une chute (en s'assurant, → **Assurance,** 6; **assurer,** I., 2). *Assurage statique,* avec blocage instantané de la corde. *Assurage dynamique,* avec freinage contrôlé de la corde.

**ASSURANCE** [asyRɑ̃s] n. f. — 1539; *asseurance,* v. 1164-85, et encore au XVI^e; de *asseurer, assurer,* et *-ance.*

♦ **1** (V. 1200). Vx. Sentiment de confiance en qqch. ou en qqn; fait de se rassurer, de se rasséréner. → **Confiance, quiétude, repos, sécurité, tranquillité.** *En assurance :* rassuré (→ ci-dessous, cit. 3 et 4). — REM. Ce sens correspond à l'ancienne valeur de *assurer* (→ Assurer, I., 1.) et à l'actuel *rassurer**.

Combien après la peur est douce l'assurance (...)
D'AUBIGNÉ, Printemps, I, 66, *in* HUGUET. 1

2 La pauvre femme eut si grand peur
Qu'elle chercha quelque assurance
Entre les bras de son époux.
LA FONTAINE, Fables, IX, 15.

3 Dispose de ma griffe et sois en assurance,
Envers et contre tous je te protégerai (...)
LA FONTAINE, Fables, VIII, 22.

4 Pourras-tu dans son lit dormir en assurance?
Et refusera-t-elle à son ressentiment
Le fer ou le poison pour venger son amant?
CORNEILLE, Nicomède, V, 1.

5 Je pris sur cet oracle une entière assurance (...)
CORNEILLE, Horace, I, 3.

Vieilli. **EN TOUTE ASSURANCE :** en toute confiance. *Vous pouvez prendre cette étoffe en toute assurance, elle est d'excellente qualité.*

Fauconn. Attitude de l'oiseau de chasse qui n'est pas effrayé et n'a pas besoin d'être tenu attaché. *Donner de l'assurance à un faucon.*

Loc. (Chasse). *Aller d'assurance* (cerf) : marcher sans témoigner de crainte.

♦ **2** (1539). Mod. Confiance en soi-même. → **Aisance, aplomb, audace, confiance, hardiesse, sang-froid.** *Parler avec assurance. Donner, prendre, montrer de l'assurance. Perdre son assurance* (→ **Démonter, se démonter**). *Perdre de son assurance. Un regard plein d'assurance.* → **Assuré.** *Une assurance excessive.* → fam. **culot, toupet.**

6 Pour voir clair en mes actions et marcher avec assurance dans cette vie (...)
DESCARTES, Discours de la méthode, 1.

7 Sous moi donc cette troupe s'avance,
Et porte sur le front une mâle assurance.
CORNEILLE, le Cid, IV, 3.

8 (...) On vit tant d'assurance
En ses discours et dans tout son maintien
Qu'on ne crut point qu'il se doutât de rien.
LA FONTAINE, Fables, VIII, 18.

9 Il a tant d'assurance qu'il finit par m'en inspirer.
BEAUMARCHAIS, le Mariage de Figaro, II, 3.

10 (...) l'assurance d'un homme qui a le vent en poupe.
MARTIN DU GARD, Jean Barois, II, Le calme, II.

11 Vient-il avec cette assurance et cet air glorieux m'annoncer qu'il dépose son bilan.
A. MAUROIS, Bernard Quesnay, XXIV.

11.1 Raté plusieurs coups de fusil, ce qui m'enlève beaucoup de mon assurance.
GIDE, Voyage au Congo, *in* Souvenirs, Pl., p. 753.

♦ **3** (V. 1164-85). Vieilli. *Assurance de :* sentiment de certitude ou d'intime conviction, d'espérance. → **Certitude, conviction, espérance, espoir, foi, persuasion.** *Vivre dans l'assurance de la réussite.* — (Suivi d'un inf.). *L'assurance d'être affranchi des misères de la vie* (→ 1. Mourir, cit. 6). *L'assurance de réussir. J'en ai l'assurance.*

12 Ce n'est pas avoir été captif que de l'avoir été avec *(l')* assurance d'être délivré dans soixante-dix ans (...)
PASCAL, Pensées, IX, 638.

♦ **4** *(Une, des assurances).* Ce que l'on donne ou affirme (à qqn) et qui est de nature à inspirer confiance, à procurer une garantie, une certitude. → **Caution, gage, garantie, preuve, sûreté.** *Demander, prendre, recevoir des assurances. Donner des assurances. Il ne nous a donné aucune assurance. Avoir, donner l'assurance de faire qqch., qu'on fera qqch.*

13 Quelle assurance ont-ils *(les impies)* contre la vengeance éternelle dont on les menace.
BOSSUET, Oraison funèbre d'Anne de Gonzague.

14 J'étais venu déjeuner avec Zamian dans le ferme propos d'obtenir de lui des renseignements précis, peut-être même une inspiration et des assurances, oui des assurances.
G. DUHAMEL, Cri des profondeurs, VII.

15 Zamian m'avait, à cet égard, donné des assurances.
G. DUHAMEL, Cri des profondeurs, IX.

Spécialt. Déclaration, paroles qui constituent une assurance. → **Affirmation, déclaration, promesse, protestation.** *Donner, fournir des assurances de loyauté, d'amitié. — Sur l'assurance de (qqn.).*

Sur l'assurance que je lui donnai de ne plus lui en faire 16
de semblables (...) PASCAL, les Provinciales, 7.

Sur cette assurance, je retournai chez mon docteur (...) 17
PASCAL, les Provinciales, I.

(...) après les obligeantes assurances que vous avez eu la 18
bonté de me donner de votre foi?
MOLIÈRE, l'Avare, I, 1.

J'avais besoin d'être consolé par les assurances touchantes 19
de votre amitié, que vous me donnez dans vos deux dernières lettres. VOLTAIRE, *in* P. LAROUSSE.

Il s'était appuyé sur elle, sur l'assurance qu'elle lui avait 20
donnée de lui garder fidélité, quoi qu'il arrivât (...)
F. MAURIAC, la Pharisienne, p. 243.

Dans une formule de politesse : affirmation (d'un sentiment). *Veuillez agréer l'assurance de mon respect, de mes sentiments respectueux,* etc. → **Expression.**

♦ **5** (1563-83). Mod. et cour. Contrat par lequel un assureur garantit à l'assuré, moyennant une prime ou une cotisation, le paiement d'une somme convenue en cas de réalisation d'un risque déterminé (→ **Risque, sinistre; dommage, préjudice).** *Contracter une assurance. Contrat d'assurance, police d'assurance.* → **Avenant, contrat, police.** *Assurance contre les accidents, le décès, les dégâts des eaux, la grêle, l'incendie, l'invalidité, la maladie, la mortalité du bétail, le recours des voisins, le risque locatif, la vieillesse, le vol... Assurance sur la vie. Assurance-vie. Assurance-décès. Assurance-automobile. Assurance tous risques,* couvrant tous les dommages que peut subir ou causer l'automobiliste. *Assurance tierce-collision. Assurance multirisque :* assurance de plusieurs risques par un même contrat. *Assurance multirisque-habitation. Assurance au tiers* (dommages causés à un tiers). *Assurance scolaire. Assurance-crédit. Assurance de natalité, de nuptialité. Assurance directe, indirecte, mixte. Assurances multiples, conjointes, cumulatives. Assurances terrestres. Assurances maritimes.* → **Avarie, dispache, lloyd.** — *Prestation d'assurances. Chambre d'assurances. Compagnie d'assurances. Portefeuille d'assurances. Agent d'assurances. Courtier d'assurances. Expert d'assurances.* → **Dispacheur, expert.** *Tables d'assurances.* → **Actuaire, table.** *Prime d'assurance.*

Le contrat aléatoire est une convention réciproque dont 21
les effets, quant aux avantages et aux pertes, soit pour toutes les parties, soit pour l'une ou plusieurs d'entre elles, dépendent d'un événement incertain.
Tels sont : le contrat d'assurance (...)
Code civil, art. 1964.

L'ordonnance de la Marine d'août 1681 (Livre III, titre VI) 22
contient un chapitre très détaillé «Des Assurances» (...)
BRUNOT, Hist. de la langue franç., t. VI, p. 363.

Je ne trouve vraiment pas ça malin; nous n'avons qu'une 23
assurance tierce-collision.
S. DE BEAUVOIR, les Belles Images, p. 188.

Prime d'assurance. *Est-ce que tu as payé l'assurance de la voiture? —* Quittance de prime. *Je mets l'assurance avec la carte grise.*

Fam. (plur. ou sing.). Compagnie d'assurances. *Il faut écrire aux assurances. Prévenir l'assurance.*

**ASSURANCES SOCIALES,** garantissant un groupe social (travailleurs, etc.) contre la maladie, les accidents du travail, le chômage. → **Sécurité** (sociale). *Cotisation d'assurances sociales. — Assurance :* prestation des assurances sociales. *L'assurance invalidité-vieillesse. Assurance maladie* (1909). *Assurance décès, maternité. Assurance-chômage* (1933, in D. D. L.). *Caisse d'assurance-maladie. — Cotisation* *d'assurances mutuelles.* → **Mutualité.** *Indemnité d'assurance.*

♦ **6** (Concret, «action d'assurer», 1934, *in* Petiot, I, 2). Alpin. Action d'assurer (→ **Assurage**), situation de celui qui est assuré. → **Auto-assurance.** *Corde d'assurance,* grâce à laquelle l'assureur maintient le grimpeur. → **Ancrage.**

24 (...) la technique de l'assurance a été poussée fort loin par les grimpeurs sportifs. L'assurance passive du début est devenue souple du fait d'une certaine action de l'assureur qui, au moment de la chute «accompagne» la corde (...)
Paul BESSIÈRE, l'Alpinisme, p. 40.

Ce qui assure. Techn. Support; élément servant de support.

Métall. Excédent de matière sur le poids présumé d'une pièce à couler, et qui est destiné à parer soit à des erreurs, soit à des accidents imprévus.

CONTR. **Crainte, défiance, doute, embarras, hésitation, incertitude, indécision, méfiance, réticence, timidité.** ◊ DÉR. **Assurantiel.** — COMP. **Auto-assurance, bancassurance, coassurance, contre-assurance, réassurance.**

**ASSURANTIEL, IELLE** [asyʀɑ̃sjɛl] adj. — Mil. XXe; de *assurance,* et *-iel.*

Admin. Qui est relatif à l'assurance (sociale). *On assiste alors à l'avènement successif d'idéologies assurantielles* (*le Monde,* n° 9974, p. 21, 23 févr. 1977).

**ASSUREMENT** [asyʀmɑ̃] n. m. — 1283, *asseürement; asegurement,* v. 1170; de *assurer,* et *-ement (-ment).* Vieux, droit ancien.

♦ **1** Sauvegarde, protection. → **Assurance.**

♦ **2** Renonciation à la vengeance privée et acceptation de la décision des tribunaux.

♦ **3** Affirmation.

**ASSURÉMENT** [asyʀemɑ̃] adv. — 1573, *asseurément; asseurement,* 1532; *aseureement,* v. 1160; du p. p. de *assurer* et *-ment.*

♦ **1** (V. 1160). Vx. D'une manière ferme, avec assurance.

1 Qui marche assurément n'a point peur de tomber (...)
CORNEILLE, Polyeucte, II, 6.

♦ **2** (1532). Mod. D'une manière certaine, avec certitude. → **Certainement, évidemment, immanquablement, incontestablement, indiscutablement, indubitablement, infailliblement, sûrement, véritablement, vraiment.** → Bien entendu, bien sûr, en vérité, sans doute. Exprimant ou renforçant une assertion (→ ci-dessous, cit. 2, 3, 4). *Assurément oui. Oui, assurément. Non, assurément. Assurément, il viendra. Assurément qu'il viendra. Assurément qu'il viendrait, si vous le vouliez,* bien sûr que... *Viendrez-vous? — Assurément :* oui, certainement.

2 Assurément il radotait (...)
LA FONTAINE, Fables, XI, 8.

3 — Les gens de qualité savent tout sans avoir jamais rien appris.
— Assurément, ma chère.
MOLIÈRE, les Précieuses ridicules, 9.

4 Assurément que vous avez raison si vous le voulez (...)
MOLIÈRE, Dom Juan, I, 2.

5 Ce n'est sans doute pas la religion qui a créé la famille, mais c'est elle assurément qui lui a donné ses règles.
FUSTEL DE COULANGES, la Cité antique, p. 41.

6 C'était bien la peine, assurément
De changer de gouvernement!
CLAIRVILLE, P. SIRAUDIN, V. KONING, la Fille de Mme Angot.

(Annonçant une restriction). → **Certes.** *Assurément, il est intelligent..., mais, cependant...*

CONTR. **Éventuellement, peut-être, probablement.**

**ASSURER** [asyʀe] v. tr. — V. 1175, *asseürer; s'assouret,* v. 1100; du bas lat. *assecurare* «mettre en sécurité, protéger», de *securus.* → Sûr.

**I** Rendre sûr. ♦ **1** Vx. (ou par archaïsme). Mettre (qqn) dans un état de sécurité, de confiance, exempt d'inquiétude. → **Tranquilliser.** — REM. Dans ce sens correspondant aux sens 1 et 2 de *assurance, assurer* a été remplacé par son composé. → Rassurer.

Et tâchons d'assurer la Reine, qui te craint. 1
CORNEILLE, Nicomède, IV, 3.

Fauconn. *Assurer un oiseau.* → **Assurance,** 1.

♦ **2** Vx ou techn. Mettre (une chose) dans une position stable, rendre solide, empêcher de bouger. → **Affermir, arrêter, assujettir, caler, consolider, étayer, fixer, immobiliser.** *Assurer une poutre, un volet, une persienne, une muraille.*

Il dit allégoriquement qu'il est bon dans une tempête d'avoir deux ancres pour assurer un vaisseau. 2
RACINE, Remarques sur Pindare.

Si l'on n'assure le fondement, on ne peut assurer l'édifice (...) 3
PASCAL, l'Art de persuader.

Vieilli ou littér. Rendre plus ferme, plus sûr. *Assurer son corps quand on est à cheval* (Académie). *Tenir un enfant par la main pour assurer ses pas. Assurer la main d'un écolier en lui faisant faire des pages d'écriture.* Par anal. *Assurer sa contenance, son maintien, son regard, sa voix.* → **Assuré.**

(1780, Saussure, *in* Petiot). Alpin. Donner à (la main, au pied) une prise solide. *Assurer son pied.* Dans une cordée, garantir la sécurité, empêcher la chute de (un alpiniste). *Alpiniste arrêté à un point de relais qui assure son camarade* (→ **Assurage, assurance,** 6.).

L'Américain, remarquable grimpeur, montait aisément, assuré par le porteur; c'était réellement une cordée homogène où chacun était à sa place et savait ce que les autres attendaient de lui. 3.1
R. FRISON-ROCHE, Premier de cordée, p. 43, (1941).

Pendant six heures qui lui parurent des minutes tant la tension de tout son être était forte, Servettaz assura la cordée. R. FRISON-ROCHE, Premier de cordée, p. 19. 3.2

Absolt. *Il est chargé d'assurer* (→ **Assureur,** 4.). *On assure mieux assis que debout.*

(1913, *in* Petiot). Par ext. Attacher, fixer (la corde) pour assurer qqn.

D'un bond, Fernand chevauche l'arête et s'élève de quelques mètres pour assurer sa corde autour d'un petit bec rocheux (...) 3.3
R. FRISON-ROCHE, Premier de cordée, p. 259.

Prenant son temps, il enfonça solidement son piolet jusqu'à la garde dans la neige, et assura la corde derrière le manche de frêne (...) 3.4
R. FRISON-ROCHE, Premier de cordée, p. 19.

Mar. Amarrer solidement. — *Assurer son pavillon,* l'arborer en tirant un coup de canon.

Techn. *Assurer un cheval,* «lui faire prendre une position franche, et l'habituer à exécuter avec régularité et précision tous les mouvements et les arrêts» *(Nouveau Larousse illustré).*

♦ **3** Mettre (une chose) en sûreté, à l'abri du danger. → **Défendre, garantir, préserver, protéger.** *Assurer ses frontières contre les attaques, les incursions de l'ennemi. Assurer ses arrières*,* ou (vx), *ses derrières.*

Il *(Alexandre)* ne partit qu'après avoir assuré la Macédoine contre les peuples barbares qui en étaient voisins. *(Il)* ne s'occupe qu'à affermir et à régler ses conquêtes. 4
MONTESQUIEU, l'Esprit des lois, X, 14.

♦ **4** Rendre (qqch.) certain, donner à (qqch.) un caractère durable. → **Affermir, garantir.** *Assurer sa fortune, son pouvoir. Assurer à qqn la possession d'un bien. Assurer le bonheur, le repos, le salut, la* *tranquillité de qqn. Assurer la paix, la liberté, l'indépendance , le succès, la victoire...*

4.1 Je les ai lues *(ces poésies)* pour *assurer* mon impression. Les ai trouvées au-dessous de ce que je croyais.
BARBEY D'AUREVILLY, Premier mémorandum, 3 janv. (1837).

*Assurer (qqch.) à (qqn) :* rendre certain et durable à son profit, pour lui. → **Donner, garantir.** *Cette action vous assure des droits à ma reconnaissance* (Académie). *Assurer aux citoyens la liberté. Sa fortune lui assure une indépendance totale.*

5 Le choix d'une demeure aux humains inconnue
Assurait leur félicité. LA FONTAINE, Fables, XII, 15.

6 Le grand nom de Pompée assure sa conquête (...)
RACINE, Mithridate, III, 1.

7 (...) au lieu qu'elle *(la mort)* semblait être faite pour nous dépouiller de tout, elle commence comme dit l'Apôtre, à nous revêtir et nous assure éternellement la possession de biens véritables.
BOSSUET, Oraison funèbre de Henriette-Anne d'Angleterre.

8 Pour assurer l'exécution de ce traité, on proposa d'assembler une armée conservatrice de cette neutralité singulière.
VOLTAIRE, Charles XII, 5.

9 L'exercice des droits naturels de chaque homme n'a de bornes que celles qui assurent aux autres membres de la société la jouissance de ces mêmes droits.
Déclaration des Droits de l'Homme, 1791, Art. 4.

10 Il est fâcheux pour moi que l'innocence de ma vie ne puisse assurer mon repos.
P. L. COURIER, Œ. compl., 10 juil. 1819, Pl., p. 10.

11 Cette préparation minutieuse assure la solidité du travail, mais ne lui enlève rien de sa spontanéité.
R. ROLLAND, Vie de Tolstoï, p. 68.

12 Sa notoriété dans le monde médical lui assurait une exceptionnelle indépendance.
MARTIN DU GARD, les Thibault, VIII, 13.

13 (...) les pauvres se privent de tout pour assurer leurs vieux jours.
G. DUHAMEL, le Temps de la recherche, IX, p. 122.

♦ **5** Spécialt (le compl. désigne un avantage, notamment financier). Garantir (un paiement régulier, un avantage) à qqn. *Assurer à qqn une somme annuelle, une pension, des mensualités. Assurer une rente à qqn,* lui en garantir l'octroi. *Assurer une dot à qqn.* → **Constituer.** *Assurer une situation convenable à qqn.*

14 (...) mon frère et moi, nous vous assurerons, notre vie durant, les mensualités que vous touchiez ici.
MARTIN DU GARD, les Thibault, VI, 8.

♦ **6** Dr. et cour. Garantir par un contrat d'assurance*. *Faire assurer sa maison par trois assureurs. La compagnie qui assure cet immeuble contre l'incendie. Faire assurer sa récolte contre la grêle.*

15 «Assurer» c'est se rendre propre le risque d'autrui sur tel ou tel objet.
F. VÉRON DE FORBONNAIS, Éléments du commerce, (1766), II, p. 53.

16 L'usage est dans le commerce de faire «assurer» les marchandises.
TURGOT, *in* BRUNOT, Hist. de la langue franç., t. VI, p. 363.

Faire garantir par un assureur. *Assurer sa voiture contre le vol. Assurer sa maison contre l'incendie.* *Assurer qqn,* garantir ses biens, sa vie, etc. → ci-dessous S'assurer et assuré.

(Au XIXe). Vx. *Assurer un jeune homme (contre le recrutement),* s'engager, contre une somme d'argent, à lui fournir un remplaçant.

♦ **7 ASSURER (qqch.) À (qqn) :** fournir (qqch.) d'une manière sûre et durable (à qqn). → **Approvisionner, procurer, ravitailler.** *Assurer des vivres et des munitions à l'armée. Assurer la subsistance des soldats, le ravitaillement d'une ville.*

♦ **8 ASSURER (qqch.) :** faire qu'une chose fonctionne, continue, ne s'arrête pas. *Assurer la marche, le fonctionnement d'un service.* → **Marcher** (faire). *Assurer une garde, une permanence, un service.* → **Assumer, pourvoir** (à), **prendre.**

S'il y eut jamais une conjoncture où il fallût montrer de la prévoyance et un courage intrépide, ce fut lorsqu'il s'agit d'assurer la garde des trois illustres captifs. 17
BOSSUET, Oraison funèbre de Michel Le Tellier.

— Je compte sur vous pour assurer le service de la division jusqu'à ce qu'on ait pourvu au remplacement de Monsieur le Médecin principal (...) 18
G. DUHAMEL, les Sept Dernières Plaies, 2.

C'était au tour de Stéfany d'assurer la permanence. 19
MARTIN DU GARD, les Thibault, VII, 18.

Fig. Faire le nécessaire pour que (qqch., une opération) réussisse. *Assurer l'élection de qqn. Assurer la sécurité.* — Absol., fam. Mettre tout en œuvre pour réussir en se gardant des risques inutiles. *À l'oral, ne cherche pas à éblouir l'examinateur : assure !*

**II** Donner, proposer pour sûr. ♦ **1** (Sujet n. de personne). Donner (qqch.) pour réel, vrai, sûr, certain. → **Affirmer, certifier, jurer, soutenir,** et aussi **reconnaître.**

**a** Vx (anc. franç.). *Assurer une chose,* la certifier, la garantir.

**b** Vieilli. **ASSURER QUE... :** affirmer, garantir que. → **Affirmer, attester, certifier, garantir.** *On assure que...* → **Dire, prétendre.** *Certains philosophes assurent que...*

Cette sagesse timide qui ne veut pas assurer que le bien soit bien. GUEZ DE BALZAC, *in* LITTRÉ, art. *Bien.* 20

Encore assure-t-on, si l'histoire en est crue, 21
Qu'en un de ses supports le temps l'avait rompue *(la table).*
LA FONTAINE, Appendice aux fables, IV.

Pendant qu'un philosophe assure 22
Que toujours par leurs sens les hommes sont dupés,
Un autre philosophe jure
Qu'ils ne nous ont jamais trompés.
LA FONTAINE, Fables, VII, 18.

Un homme du peuple, à force d'assurer qu'il a vu un prodige, se persuade faussement qu'il a vu un prodige. 23
LA BRUYÈRE, les Caractères, XIV, 4.

J'ose presque assurer que les hommes savent encore mieux prendre des mesures que les suivre (...) 24
LA BRUYÈRE, les Caractères, XI, 138.

Mod. *Assurer à qqn que... :* dire* avec insistance. *J'ai assuré à mes amis que j'étais sincère.* — (Plus cour.). *Je leur ai assuré que... Je vous assure, je t'assure qu'il n'est pas venu. Je le lui ai assuré. Il leur assura que la chose était vraie* (Académie).

Pour moi contre chacun je pris votre défense, 25
Et leur assurai fort que c'était médisance (...)
MOLIÈRE, le Misanthrope, III, 4.

Et l'on m'a assuré qu'elle portait d'ordinaire sur elle, bon an mal an, trente quintaux de chair (...) 26
SCARRON, le Roman comique, VIII.

Je vous assure qu'il y a beaucoup de passion dans l'affection que j'ai de vous servir (...) VOITURE, Lettres, 32. 27

J'avais qu'à exciter Robinson (...) en lui assurant qu'il n'y avait pas de climat meilleur. 27.1
CÉLINE, Voyage au bout de la nuit, p. 423.

Vx (langue class. ou style soutenu, écrit). **ASSURER QQN QUE...,** lui donner pour sûr, certain que... → **Affirmation** (cit. 2).

Je puis les assurer que tous leurs discours ne m'obligeront pas (...) BOILEAU, Avert. de la Satire X, *in* LITTRÉ. 28

Les insurgés croyaient encore les faux prophètes qui les assuraient que le jour du salut était venu (...) 29
BOSSUET, Hist., II, 8, *in* LITTRÉ.

(...) Vous pouvez l'assurer qu'un sergent 30
Lui doit porter pour moi tout ce qu'elle demande.
RACINE, les Plaideurs, II, 4.

Je t'assure ici, et te fais serment que (...) 31
MOLIÈRE, l'Amour médecin, I, 2.

32 Sur le point de les quitter *(ses disciples),* Jésus-Christ les assure qu'il sera présent avec eux jusqu'à la consommation des siècles (...)

MASSILLON, Divinité de Jésus-Christ, *in* LITTRÉ.

33 J'assure Votre Altesse Sérénissime qu'il *(le duc de Bourbon)* est appliqué et que j'en suis content.

LA BRUYÈRE, Lettres, 9.

REM. 1. Il ne semble pas y avoir de nuance de sens entre ces deux constructions ; mais la première seule est usuelle dans l'usage parlé. 2. Lorsque le n. ou le pron. est objet indirect *(assurer à qqn que...)* le participe ne s'accorde pas *(il leur a assuré que..., il nous a assuré que...)*, mais lorsqu'il est objet direct *(assurer qqn que...)* il s'accorde en principe *(il les a assurés que...*, et, si l'on interprète *nous* comme direct : *il nous a assurés que...*).

[c] Absolt. Mod. et cour. *Je t'assure, je vous assure.* → **Jurer, promettre** (je vous, je te jure, promets).

34 Et vous ferez le sot tout seul, je vous assure.

MOLIÈRE, le Dépit amoureux, V, 1.

35 Il faut avoir une fière santé morale, je vous assure, pour vivre à Paris, maintenant.

FLAUBERT, Correspondance, t. III, p. 82.

36 (...) cela en vaut la peine, je vous assure (...)

G. DUHAMEL, Cri des profondeurs, 6.

36.1 Boutonne ta redingote, papa. Papa, tu devrais remonter un peu tes bretelles, je t'assure.

J. RENARD, Journal, 24 déc. 1902.

REM. La formule ne sert pas seulement à mettre une assertion en relief (cit. 35 et 36 ci-dessus), mais aussi à marquer une injonction, avec un impér. *(allez, viens, je t'assure... !)*, et divers sentiments : indignation, etc. par la prise à témoin de l'interlocuteur *(non, mais quel salaud, je t'assure... !)*.

[d] Mod. *Assurer qqn de qqch.*, l'engager à y croire, le prier de n'en pas douter. → **Attester, certifier, répondre, témoigner.** *Assurez-le de mon dévouement, de ma reconnaissance. Vous pouvez l'assurer de mon appui, l'en assurer. On m'en a assuré.* → **Certain, sûr**; et ci-dessous, **assuré.**

37 (...) mon père, qui l'a vu *(ce fait)*, m'en a assuré (...)

GUEZ DE BALZAC, 1re hist.

38 Vous irez chercher autre part de quoi vous rendre agréable aux yeux de vos belles, je vous en assure (...)

MOLIÈRE, les Précieuses ridicules, 16.

39 Il y a deux vérités (...) dont je puis vous assurer également (...) MOLIÈRE, la Princesse d'Élide, II, 4.

40 (...) nous venons (...) l'assurer *(Votre Altesse)* de nos très humbles services.

MOLIÈRE, le Bourgeois gentilhomme, V, 4.

41 Chacun de ses trois fils l'en assure en pleurant.

LA FONTAINE, Fables, IV, 18.

REM. Les deux constructions, équivalentes par le sens, *assurer qqch. à qqn* et *assurer qqn de qqch.*, ne se distinguent que par l'archaïsme de la première et non par l'incorrection :

42 Des grammairiens ont prétendu que, au sens de certifier, assurer voulait la préposition à devant la personne à qui l'on parle, et qu'il fallait dire : assurez-lui que je ne l'oublierai, et non assurez-le que je ne l'oublierai. C'est une fausse décision quant à la seconde partie : assurer une chose à quelqu'un ou assurer quelqu'un d'une chose sont aussi bon français l'un que l'autre.

LITTRÉ, Dict., art. *Assurer.*

[e] **ASSURER** et l'inf. *Il assurait être satisfait, ne pas pouvoir faire cela... — Il assure à..., il nous assure être venu hier.*

[f] En incise. → **Dire.** *Je suis ravie, assura-t-elle.*

♦ **2** (Sujet n. de chose). *Assurer qqn de...*, permettre de croire, servir de témoignage. *Sa conduite passée nous assure de l'avenir.* → **Garantir, répondre, témoigner.** *Cet accueil l'assurait des bonnes dispositions du public.* → **Attester, certifier, convaincre, persuader.**

43 Le cogito assure l'homme de son existence comme être pensant, mais il l'enferme en lui-même.

Émile FAGUET, Études littéraires, XVIIe s., p. 69.

◆ **S'ASSURER** v. pron.

♦ **1** Prendre une position sûre, ferme, solide, stable. → **Affermir.** *S'assurer sur sa selle, en selle. Assurez-vous bien sur vos jambes avant de soulever ce poids.* → **Appuyer.**

(Faux pron.). *S'assurer la main*, la rendre sûre. Il faut au chirurgien une longue pratique pour se bien assurer la main, pour s'assurer la main* (Académie).

Alpin. *S'assurer.* → ci-dessus, I., 2.

♦ **2** Vx ou littér. **S'ASSURER CONTRE :** se mettre en sûreté. → **Défendre** (se), **garantir** (se), **garder** (se), **précautionner** (se), **prémunir** (se), **préserver** (se), **protéger** (se). *S'assurer contre les incursions de l'ennemi, les pièges de la perfidie, les surprises de la fortune...*

Il n'est pas mal de s'assurer un peu contre les soins des 44
surveillants (...) MOLIÈRE, le Sicilien, 6.

Contre mon ennemi laisse-moi m'assurer (...) 45

RACINE, Andromaque, II, 1.

Mod., cour. Contracter une assurance. *S'assurer contre les accidents, le vol, l'incendie. Il ne s'est pas assuré tous risques.*

♦ **3 S'ASSURER DE (qqn ; qqch.) :** faire qu'une chose ne manque pas, prendre ses précautions afin qu'elle ne vienne pas à manquer. Faire en sorte d'en garder l'usage, la possession ou la maîtrise. → **Pourvoir** (se), **procurer** (se). *S'assurer des vivres, des provisions pour l'hiver. Assurez-vous d'une voiture pour demain. S'assurer d'une place, d'une somme d'argent.* → **Réserver, retenir.** *Elles se sont assurées d'une retraite pour leurs vieux jours.* → **Ménager** (se). *Il fallait s'assurer des principaux ports avant de lancer l'offensive.* → **Maître** (se rendre).

Maxime et la moitié s'assurent de la porte ; 46
L'autre moitié me suit, et doit l'environner (...)

CORNEILLE, Cinna, I, 3.

Vous reconnaissez (...) que ceux qui (...) font des œuvres 47
dignes de leur foi, s'assurent de la vie éternelle.

BOSSUET, Hist., II, 13, *in* LITTRÉ.

(Même sens). **S'ASSURER QQCH.** *S'assurer la fidélité, la protection, la faveur, les bonnes grâces de qqn.*

— Je m'assure un port dans la tempête. 48

RACINE, Britannicus, I, 1.

(...) une femme indépendante, une femme qui se soit 49
assuré, par son travail, le droit de penser ce qui lui plaît (...) MARTIN DU GARD, les Thibault, VIII, 103.

Vx. **S'ASSURER DE QQN,** se ménager son appui, sa protection. → **Gagner, ménager** (se). *Je me suis assuré du ministre, je puis compter sur lui.*

Les Romains, pour attaquer avec sûreté de si redoutables 50
adversaires, s'assurèrent des Carthaginois (...)

BOSSUET, Hist., I, 8, *in* LITTRÉ.

Il *(le roi de Prusse)* se ligua d'abord avec le roi d'Angle- 51
terre (...) s'assura du landgrave de Hesse et de la maison de Brunswick (...)

VOLTAIRE, le Siècle de Louis XV, 32.

Vx ou littér. Garder un contrôle sur (qqn) ; s'en emparer ou le surveiller. → **Arrêter, saisir** (se).

(...) Allez dès aujourd'hui, 52
Soit qu'il résiste ou non, vous assurer de lui.

CORNEILLE, le Cid, II, 6.

Mais dans les États despotiques, où les frères du prince 53
sont également ses esclaves et ses rivaux, la prudence veut que l'on s'assure de leurs personnes.

MONTESQUIEU, l'Esprit des lois, V, 14.

♦ **4 S'ASSURER DE** (et subst.), **QUE** (et indic.), **SI** (et indic.). Contrôler par soi-même ; confirmer un fait ou acquérir une certitude. → **Contrôler, vérifier, voir.** *Assurez-vous si la porte est bien fermée. Assurez-vous que rien ne manque. Je vais m'en assurer. S'assurer d'une nouvelle avant de la publier.*

Moi-même j'ai voulu m'assurer de sa foi, 54

Et l'ai fait en secret amener devant moi.
RACINE, Bajazet, I, 3.

55 (...) le plus pressant intérêt d'une femme qui n'est plus libre (...) est moins de persuader qu'elle aime, que de s'assurer si elle est aimée.
LA BRUYÈRE, les Caractères, III, 72.

56 D'un coup d'œil, elle s'était assurée que rien ne manquait plus. ZOLA, le Rêve, II, 55.

57 J'éprouvais un brusque et poignant besoin de retrouver la maison, de voir si le malheur ne voletait pas à l'entour, de m'assurer que tout était en ordre, en place.
G. DUHAMEL, Chronique des Pasquier, II, 3.

Vx. Se persuader, se rendre sûr, certain. *Je m'assure qu'il fera ce que je lui demande* (Académie) : j'en suis (je m'en suis rendu) certain.

58 Il ne faut jamais moquer des misérables :
Car qui peut s'assurer d'être toujours heureux?
LA FONTAINE, Fables, V, 17.

59 J'aimais, et je pouvais m'assurer d'être aimée (...)
RACINE, Bajazet, I, 4.

60 Je m'assure qu'il vaut mieux (...)
RACINE, les Plaideurs, Préface.

61 Assurez-vous que je ne vous oublie pas (...)
BOSSUET, Lettres à Mme Cornuau, 120.

♦ **5** Vx. *S'assurer dans; S'assurer en* : mettre sa confiance dans, en... *Malheur à celui qui ne s'assure que dans ses richesses* (Académie).
*S'assurer sur...* : établir, fonder sa confiance sur... → **Reposer** (se).

62 Ainsi, sur l'avenir n'osant vous assurer
Vous croyez que sans vous Néron va s'égarer.
RACINE, Britannicus, I, 2.

63 Ne vous assurez point sur ce cœur inconstant (...)
RACINE, Phèdre, V, 3.

◆ **ASSURÉ, ÉE** p. p. adj. et n. REM. Accord du p. p. → cidessus, II., 1., *assurer à qqn que..., assurer qqn que...*

♦ **1** Qui est ferme, solide, stable. → **Ferme.** *Des pas mal assurés. Démarche assurée. Main assurée.* → **Expert, habile.**

64 Il n'est pas encore trop bien assuré sur ses jambes.
Mme DE SÉVIGNÉ, Lettres, 1075, 22 oct. 1688.

65 Je la vis retenir dans ses mains assurées
De l'État chancelant les rênes égarées.
VOLTAIRE, Sémiramis, II, 4.

66 (...) il est de taille bien prise et de démarche très assurée (...) GIDE, Journal 1889-1939, 1914, Koniah.

Vx ou littér. Qui a ou dénote de l'assurance, de la confiance en soi. → **Confiant, hardi, résolu.** *Un air assuré.* → **Sûr** (de soi).

67 Que sa façon est brave et sa mine assurée!
MALHERBE, II, 12, *in* LITTRÉ.

68 (...) est-il possible (...) qu'un homme si assuré dans la guerre soit si timide en amour.
MOLIÈRE, les Amants magnifiques, I, 1.

69 La mine résolue, la tête haute, les regards assurés.
MOLIÈRE, les Fourberies de Scapin, I, 3.

70 Avec un air assuré (...)
BOSSUET, Oraison funèbre du prince de Condé.

71 Giton a le teint frais (...) l'œil fixe et assuré (...) Il parle avec confiance (...) LA BRUYÈRE, les Caractères, VI, 83.

En mauvaise part. Vx. *Un assuré menteur.* → **Audacieux, fieffé, impudent.**

Équit. *Cheval assuré*, qui ne bronche pas.

♦ **2** (Choses). Vx. Qui met en sûreté, à l'abri du danger. → **Sûr.**

72 Il n'a pas besoin d'armer cette tête qu'il expose à tant de périls, Dieu lui est une armure plus assurée (...)
BOSSUET, Oraison funèbre du prince de Condé.

73 (...) on le verra l'assuré rempart de ses États.
BOSSUET, Oraison funèbre du prince de Condé.

74 Moïse se sauva d'Égypte en Arabie, dans la terre de Madian, où sa vertu, toujours secourable aux oppressés *(opprimés)*, lui fit trouver une retraite assurée (...)
BOSSUET, Hist., I, 3, *in* LITTRÉ.

Il lui parut plus assuré d'empoisonner Pygmalion (...) 75
FÉNELON, Télémaque, VIII, *in* LITTRÉ.

Mod. Qui est couvert par une assurance. *Voiture, maison assurée, assurée contre le vol, l'incendie.*

♦ **3** (Choses). Vx (langue class.). Qui est certain. → **Certain, constant, durable, évident, indubitable, inévitable, infaillible, sûr.** *Une aide assurée. Une perspective assurée, mal assurée. Je tiens ceci pour assuré.*

L'infaillible refuge et l'assuré secours (...) 76
MALHERBE, II, 1, *in* LITTRÉ.

Il n'est rien ici-bas d'éternelle durée; 77
Une chose qui plaît n'est jamais assurée (...)
MALHERBE, V, 4.

Respecter un amour dont mon âme égarée 78
Voit la perte assurée! CORNEILLE, le Cid, I, 6.

La santé de l'âme n'est pas plus assurée que celle du 79
corps (...) LA ROCHEFOUCAULD, Maximes, 188.

N'aimer guère en amour est un moyen assuré pour être 80
aimé. LA ROCHEFOUCAULD, Maximes, 636.

Un sou, quand il est assuré, 81
Vaut mieux que cinq en espérance (...)
LA FONTAINE, Fables, IV, 2.

(...) la possession d'un cœur est fort mal assurée, lorsqu'on 82
prétend le retenir par force. MOLIÈRE, le Sicilien, 6.

Il m'apparaît que vous êtes là, et il me semble que je vous 83
parle : mais il n'est pas assuré que cela soit (...)
MOLIÈRE, le Mariage forcé, 8.

Tout ce que j'ai prédit n'est que trop assuré (...) 84
RACINE, Britannicus, I, 1.

Mod. Dont on est assuré, rendu certain (→ **Assurer**). *Succès assuré. Réussite assurée.*

*(La mort)* terme assuré qui ne nous console ni ne nous 85
apaise (...) B. CONSTANT, Adolphe, VII.

♦ **4** (Personnes). Cour. Qui a, qui a acquis la certitude. → **Certain, sûr.** *Être assuré de* (et inf.), *que* (et indic.). *Être assuré de qqch. Soyez-en assuré.*

Le dernier précepte était de faire partout des dénombre- 86
ments si entiers et des revues si générales, que je fusse assuré de ne rien omettre.
DESCARTES, Discours de la méthode, II, 10.

*(Le lion)* Lui commanda de braire, assuré qu'à ce son 87
Les moins intimidés fuiraient de leur maison.
LA FONTAINE, Fables, II, 19.

Et par son alliance il se crut assuré 88
D'être plus redoutable et plus considéré.
CORNEILLE, Polyeucte, I, 3.

Vos yeux ne sont que trop assurés de lui plaire. 89
RACINE, Andromaque, IV, 2.

(...) car c'est être malheureux que de vouloir et ne pouvoir. 90
Or il *(l'homme)* veut être heureux et assuré de quelque vérité (...) PASCAL, Pensées, VI, 389.

♦ **5** (Personnes). Qui bénéficie d'une assurance.

N. *Un assuré, une assurée* : personne garantie par un contrat d'assurance.

(Emploi critiqué). *Les assurés sociaux* : les assurés affiliés aux assurances sociales. → **Assurance,** 5.

Le souci moderne de la sécurité avait transformé les 91
hommes en bureaucrates bénins. Plus de héros. Plus de saints. Plus d'aventuriers. Il ne restait plus que des assurés sociaux, des êtres pleutres et hagards, qui avaient peur de leur ombre.
Jean-Louis CURTIS, le Roseau pensant, p. 335-336.

CONTR. **Ébranler. — Compromettre, exposer, risquer. — Contester, nier. — Branlant, dangereux, douteux, hésitant, précaire, timide, vacillant.** ◊ DÉR. **Assurable, assurage, assurement, assurément, assureur.** — COMP. **Rassurer, réassurer.**

**ASSUREUR** [asyʀœʀ] n. m. — 1550, *asseureur;* de *assurer.*

♦ **1** Rare. Personne qui affirme, assure.

♦ **2** Cour. Celui qui assure, garantit qqch. par contrat d'assurance*. → **Agent, apériteur, courtier, inspecteur.** *Assureur agréé* (d'une compagnie).

*Assureur-conseil :* assureur qui guide son client dans le choix d'une assurance. *Assureur-vie :* assureur sur la vie. «*C'est avec votre assureur-vie que vous établirez le contrat réellement adapté à vos besoins*» (*le Nouvel Obs.*, n° 469, 5-11 nov. 1973, Publ., p. 72).

1 Un peu avant 1668, il y avait à Paris quelques assemblées d'assureurs qui furent autorisés par un Édit du Roi, de juin 1668, avec les titres de Chambre des Assurances et grosses Avantures *(aventures).* Le règlement ne fut arrêté que le quatrième décembre 1671.

F. VÉRON DE FORBONNAIS, Éléments du commerce (1766), II, p. 68.

Par métonymie. Compagnie d'assurances.

♦ **3** Argot. Voleur spécialiste du vol à la prime d'assurance.

♦ **4** (1967, *in* Petiot). Alpin. Alpiniste qui en assure un autre dans une cordée.

2 (...) si la corde ne s'est pas rompue, le piton peut sauter ou, enfin, l'assureur être arraché de sa position.

Paul BESSIÈRE, l'Alpinisme, p. 33.

**CONTR. Assuré.**

**ASSYRIEN, IENNE** [asiʀjɛ̃, jɛn] adj. et n. — 1540, *in* D. D. L.; *Assirien,* 1284; de *Assyrie.*

Adj. De l'Assyrie, partie septentrionale de la Mésopotamie. Qui est originaire d'Assyrie ou qui y habite. *Roi assyrien.* — Qui est propre à l'Assyrie. *Art, style assyrien.*

Il est instruit de la guerre des géants; il débrouille même l'horrible chaos des deux empires, le babylonien et l'assyrien; il connaît à fond les Égyptiens et leurs dynasties.

LA BRUYÈRE, les Caractères, V, 74.

N. *Un Assyrien, une Assyrienne.* Personne originaire d'Assyrie ou qui y habite. *L'écriture cunéiforme des Assyriens.*

N. m. (Vx). Style artistique propre à l'Assyrie. «*Un mélange d'Assyrien, de Roman, de Gothique* (à Fourvière)», Huysmans, *in* T. L. F.

N. m. Ling. Langue (morte) parlée par les Assyriens, appartenant au groupe sémitique du nord (comme l'hébreu).

**ASSYRIO-** Préf. signifiant : relatif à l'Assyrie, aux Assyriens. → les comp. **Assyriologie, assyriologue.**

**ASSYRIOLOGIE** [asiʀjɔlɔʒi] n. f. — Av. 1866, Larousse; de *assyrio-,* et *-logie.*

Didact. Étude, science de l'antiquité assyrienne, babylonienne (et parfois, sumérienne, akkadienne).

**ASSYRIOLOGUE** [asiʀjɔlɔg] n. — Av. 1866, Larousse; de *assyrio-,* et *-logue.*

Didact. Personne qui s'occupe d'assyriologie.

**ASSYRO-BABYLONIEN, IENNE** [asiʀobabilɔnjɛ̃, jɛn] adj. — D. i. (XX^e); du rad. de *assyrien,* et *babylonien.*

Didact. Qui a trait à la civilisation assyrienne de Babylone, de la Mésopotamie centrale (ou civilisation akkadienne), par opposition à la civilisation assyrienne de Sumer, de la Mésopotamie méridionale (ou civilisation sumérienne).

**ASTABLE** [astabl] adj. et n. m. — 1964; de 2. *a-,* et *stable.*

Électron. Qui comporte deux états instables, et bascule périodiquement de l'un à l'autre. *Circuit astable;* n. m. *Un astable.*

**CONTR. Stable.**

**ASTAC-, ASTACO-** Élément tiré du lat. *astacus* «écrevisse». Ex. : *astaciculture* [astasikyltyʀ] n. f. «élevage des écrevisses»; *astacidés* [astaside] n. m. pl. (zool.) «famille de crustacés dont l'écrevisse est le type»; *astacoïde* [astakɔid] (1920) adj.; (1892) n. m.

**ASTACUS** [astakys] n. m.

Nom latin de l'écrevisse*. → **Astac-.**

**ASTARTÉ** [astaʀte] n. f. — 1830; du nom de la déesse phénicienne Astarté.

**I** Zool. Mollusque bivalve vivant enfoui dans le sable, en particulier dans les mers boréales et glaciales.

**II** Arts (écrit avec un A majuscule). Représentation de la déesse Astarté. *Une Astarté phénicienne.*

**DÉR. Astartien.**

**ASTARTIEN, IENNE** [astaʀtjɛ̃, jɛn] n. m. et adj. — 1886, adj.; de *astarté,* et *-ien.*

N. m. Géol. (vx). Partie supérieure de l'étage corallien et séquanien*. — Adj. *Couche astartienne.*

**ASTASIE** [astazi] n. f. — 1888, P. Blocq; grec *astasia* «instabilité», de *astatos.* → Astate.

Méd. Trouble du sujet (→ **Astatique,** 2.) qui ne peut se tenir debout (paraplégie hystérique). *Astasie-abasie :* trouble du sujet qui ne peut se tenir debout *(astasie)* ni marcher *(abasie).*

**ASTATE** [astat] n. — 1808; grec *astatos* «instable».

**I** N. f. pl. Zool. (vx). *Les Astates :* sous-genre d'insectes de la famille des Guêpes ichneumons, genre des Sphex*. — Au sing. *Une astate.*

**II** N. m. (1956; découvert aux États-Unis en 1940). Chim. Élément instable (n° at. 85) halogène, radioactif découvert par bombardement de bismuth par des hélions accélérés (symb. : *At*). *L'isotope le moins instable de l'astate* (p. at. 210) *a une période de 8,3 heures.*

**ASTATIQUE** [astatik] adj. — 1837, cit.; de 2. *a-,* et *statique,* ou angl. *astatic* (1827).

♦ **1** Phys. En équilibre dans toutes ses positions. Spécialt. Dont le mouvement magnétique est nul. *Système astatique,* formé de deux aimants égaux disposés en sens inverse. *Aiguilles astatiques* (du galvanomètre) : aiguilles aimantées combinées et reliées entre elles de telle manière qu'elles soient soustraites à l'action du magnétisme terrestre. *Galvanomètre astatique :* galvanomètre à aimant mobile.

L'aiguille étant ainsi rendue astatique, c'est-à-dire indifférente à l'action du globe, on peut en approcher un aimant horizontal, qui aura seul une influence efficace pour lui donner une position d'équilibre.

G. LAMÉ, Cours de physique, t. II, p. 129.

♦ **2** (D'après *astasie*). Pathol. Qui se rapporte à l'astasie*; qui est atteint d'astasie.

**ASTE** [ast] n. f. — 1661; le sens 1 correspond au franç. *hast*, haste* (anc. franç. *aste,* fin XII^e); le sens 2 provient de l'occitan.

♦ **1** (1661). Vx, régional. Hampe, manche de certains outils; gros bâton.

♦ **2** (1796; mot occitan). Vitic. «Branche à fruit conservée plus ou moins longue sur un pied de vigne» (T. L. F.).

**HOM. Hast, haste** (V. 1. **Hâte**).

1. **ASTER** [astɛʀ] n. m. — 1549; du lat. *aster,* transcription du grec *astêr* «étoile».

Bot. et cour. Genre de plantes dicotylédones vivaces *(Composacées)* cultivées pour leurs fleurs de couleur blanche, rose, violette ou bleue qui ressemblent à des étoiles. *Aster amellus :* Œil-de-Christ. *Aster sinensis (Aster de Chine) :* Reine-marguerite. *Aster de septembre* (espèce tardive).

1 Tu es la sœur de l'aster de septembre.
Je demande la plage de sable infinie.
Marcel THIRY, Poèmes, «Quai Joseph Nocturne».

Fleur d'une plante de ce genre.

2 J'ai vu jadis finir la vieille Chine, et les ombres des renards filer à travers les asters violets des remparts, au-dessus de la procession des chameaux du Gobi couverts de gelée blanche. MALRAUX, Antimémoires, Folio, p. 513.

3 *Breizh* (la Bretagne pour ta gouverne) s'étire et s'ébroue dans une lumière plus nacrée que jamais, les bruits ne font pas le même bruit, les parasols se fanent un à un sur les plages, les asters commencent enfin à fleurir dans les jardins.
Benoîte et Flora GROULT, Il était deux fois, p. 385.

DÉR. V. **Astéracées.**

2. **ASTER** [astɛʀ] n. m. — 1883, Charpentier, *Traité... des accouchements;* du grec *astêr* «étoile».

♦ **1** Biol. Figure formée de lignes rayonnantes, qui apparaît pendant la mitose, autour du centrosome.

(...) la réaction de fécondation a pour effet l'achèvement de la maturation, c'est-à-dire l'expulsion du second globule polaire, et la reconstitution du pronucléus maternel. Entre temps, l'aster* spermatique s'est épanoui, puis a régressé, tandis que le pronucléus mâle s'imbibait de suc prélevé au cytoplasme voisin.
*En note : Gélification radiée du cytoplasme autour d'une aire claire qualifiée de centrosphère (...)
Albert DALCQ, l'Œuf et son dynamisme organisateur, p. 26.

♦ **2** Techn. (typogr.). Astérisque (1.).

**ASTÉR-, ASTÉRO-** Élément, du lat. *aster* et du grec *astêr* «étoile» (→ Astre), servant à former des composés, subst. ou adj. → aussi 1. **Astro-** et 2. **Astro-.**

♦ **1** Astron. Var. de 1. *astro-.* → aussi **Astérisme, astéroïde.** — Ex. : *astéro-génétique,* adj. (1948, *in* Teilhard de Chardin).

♦ **2** [a] Bot. Ex. : *astérales,* n. f. pl. (1960); *astérome,* n. m.; *astérophore,* n. m.; *astérophylle,* n. (1864); *astérophyl(l)ite,* n. f. (1864); *astérophyllitées,* n. f. pl. (1876); *astéroxylon,* n. m. (1960). [b] Zool. Ex. : *astérencriniens,* n. m. pl. (1842); *astérodactyle,* n. m. (1842); *astérophides,* n. m. pl. → aussi **Astérie, astéride.**

**ASTÉRACÉES** [asteʀase] n. f. pl. — Mil. XX^e; lat. sav. *asteraceæ,* dû au botaniste angl. Lindley, av. 1865 (→ 1. Aster, et -acées).

Bot. Syn. de *composacées.*

REM. *Astéracées* «tribu de la famille des Composées» (classification de Brongniart) est attesté 1846-1898.

**ASTÉRÉOGNOSIE** [asteʀeɔgnɔzi] n. f. — 1916, Garnier et Delamare, *in* D. D. L.; de 2. *a-,* grec *stereos* (→ Stéréo-), et *-gnosie.*

Méd., psychol. (Rare). Incapacité de reconnaître les formes (surtout par le toucher). → **Amorphognosie.** — (Cour., selon Delay). Incapacité de reconnaître les objets par le toucher (agnosie tactile), due à une agnosie intellectuelle *(astéréognosie sémantique)* ou à un trouble de la sensibilité, par ex. à une amorphognosie. (On dit aussi *stéréoagnosie.*) *L'astéréognosie sémantique, asymbolie tactile.*

CONTR. **Stéréognosie.**

**ASTÉRIDE** [asteʀid] adj. et n. m. pl. — 1838; de *astérie,* et *-ide.*

Zoologie.

♦ **1** Adj. (Vx). «Qui ressemble à une astérie» (Académie, *Compl.,* 1842); en étoile (en parlant d'un organisme). → (vx) **Astéroïde** (3.).

♦ **2** N. m. pl. *Les astérides :* classe d'échinodermes comprenant les astéries. — Au sing. *Un astéride.* Syn. : *astéroïde* (2.).

**ASTÉRIE** [asteʀi] n. f. — 1729; var. *asterias,* au XVIII^e; *asterice,* 1495, au sens 3; lat. *asteria, -æ,* nom d'une pierre précieuse.

♦ **1** Zool. Animal marin échinoderme de la classe des *stellérides* dont le nombre de bras souples varie de cinq à dix (syn. cour. : *étoile* de mer*). *Les astéries vivent en troupe, se nourrissant de proies mortes ou vivantes et surtout de mollusques.*

De rose, l'astérie devient écarlate.
Jean CAYROL, Histoire de la mer, p. 119.

♦ **2** Phys. (opt.). → **Astérisme.**

♦ **3** Minér. Variété d'opale présentant le phénomène de l'astérisme.

**ASTÉRION** [asteʀjɔ̃] n. m. — 1865, Littré-Robin; du grec *asterion,* adj. neutre «étoilé», de *astêr* «étoile».

♦ **1** Anat. Point de jonction, sur la surface externe du crâne, des trois sutures (→ **Fontanelle**) pariétomastoïdienne, lambdoïde et occipito-mastoïdienne.

♦ **2** Rare. Aster (plante; → 1. Aster).

**ASTÉRISME** [asteʀism] n. m. — 1690; du grec *astêr* «étoile», et *-isme.*

♦ **1** Astron. (Vx). Groupe d'étoiles. → **Constellation.**

L'ensemble me fascinait comme si un astérisme nouveau dans le ciel se fût proposé; comme si une constellation eût paru qui eût enfin signifié quelque chose.
VALÉRY, Variété II, p. 179.

♦ **2** Phys. (opt.). Réflexion radiée de la lumière sur certains minéraux (saphir, grenat, émeraude, etc.), formant l'apparence d'une étoile à six branches. Syn. : *astérie* (2.).

**ASTÉRISQUE** [asteʀisk] n. m. — 1570, var. *astérique;* lat. médiéval *asteriscus,* du grec *asteriskos* «petite étoile», de *astêr* «étoile».

♦ **1** Didact. et cour. Signe graphique en forme d'étoile (*) qui peut prendre diverses valeurs conventionnelles :

Placé avant ou après un mot, indique un renvoi, une forme hypothétique (en philologie), ou toute autre convention;

En interligne, marque la séparation entre différentes parties d'un texte;

Utilisé en général en triple, remplace un nom propre ou une partie du nom qu'on ne veut pas faire connaître *(M. D***).* → **Astéronyme.**

Il allait chez M^me de B***. 1
A. DE MUSSET, la Confession d'un enfant du siècle, III, 5.

C'était la voix de la duchesse de ***. — Je ne lèverai pas son masque d'astérisques; mais peut-être la reconnaîtrez-vous, quand je vous aurai dit que c'est la blonde la plus pâle de teint et de cheveux, et les yeux les plus noirs sous ses longs sourcils d'ambre, de tout le faubourg Saint-Germain. 2
BARBEY D'AUREVILLY, les Diaboliques, «Le plus bel amour de Don Juan».

Par abrév. Techn. (typogr.). *Aster.* → 2. Aster. *Les renvois sont signalés par des asters.*

♦ **2** Bot. Genre de plante de la famille des lichens, à fleurs disposées en étoiles.

♦ **3** Liturgie. Dans l'Église grecque, Étoile d'or placée sur la patène, par-dessus les hosties.

**ASTERNAL, ALE** [astɛʀnal] adj. — 1814, Nysten; de 2. *a-*, et *sternal.*

Didact. (anat.) *Côtes asternales,* qui ne s'articulent pas avec le sternum.

**ASTÉRO-** → **Astér-.**

**ASTÉROÏDE** [asteʀɔid] n. m. et adj. — 1752, Trévoux, n. f. «plante qui pousse une fleur radiée»; *astéroïde,* 1751; du grec *asteroeidês* «semblable à une étoile; étoilé». → Astér-, et -oïde.

♦ **1** N. m. (1815, *in* D. D. L.; probablt par l'angl. *asteroid,* Herschel, 1802). Astron. Petite planète du système solaire. *La plupart des astéroïdes circulent entre Mars et Jupiter et sont invisibles à l'œil nu; leur diamètre est inférieur à 700 km.*

Cour. Petit corps céleste passant dans l'atmosphère terrestre. → **Aérolithe, bolide, étoile** (filante), **météore.**

Par métaphore :

La meule de gruyère, l'astéroïde onctueux, ne roulerait plus dans les espaces chimériques (...)

Jacques PERRET, Bande à part, p. 49.

♦ **2** N. m. pl. Zool. *Les astéroïdes :* classe d'échinodermes ayant pour type l'astérie*. Syn. : *astéride.* — Sing. *Un astéroïde.*

♦ **3** Adj. (1820). Vx. En étoile (en parlant d'un organisme). → **Astéride** (1.).

**ASTÉRONYME** [asteʀɔnim] n. m. — XXe; de *astér-,* et *-onyme.*

Didact. Nom propre qu'on ne veut pas faire connaître et qui est remplacé graphiquement par des astérisques*. — Astérisques utilisés pour remplacer un nom. *Mme B***.*

**ASTHÉNIANT, ANTE** [astenjɑ̃, ɑ̃t] adj. — Av. 1952, *in* Porot, art. *Neurasthénie,* p. 286 a; de *asthénie.*

Méd. Qui provoque un état asthénique. *Alcalose asthéniante.*

**ASTHÉNIE** [asteni] n. f. — 1790; du grec *astheneia* «manque de vigueur», de *asthenês* «sans force», de *a-* priv., et *sthenos* «force».

Médecine.

♦ **1** Manque général de force, de vitalité sur les plans physique et psychique, avec sensation de lassitude, fatigabilité anormale, absence d'initiative, dégoût de l'action... *L'asthénie, faiblesse d'origine centrale* (à la différence de *l'adynamie**). *Asthénies dues à des troubles organiques* (avitaminose, intoxication, insuffisance rénale...), *au surmenage. Asthénie de convalescence. Asthénie des états dépressifs. Asthénie permanente avec fatigue plus accablante au réveil.* → **Neurasthénie.** *Asthénies névrotiques, psychosomatiques,* psychogènes. → **Psychasthénie.** — *Asthénie psychique :* état de fatigue psychique, avec affaiblissement de la mémoire, labilité de l'attention, ralentissement du travail intellectuel.

1 En somme, ceux-mêmes de ses amis, de ses parents, qui étaient férus de psychiatrie ne pouvaient rien lui reprocher, sinon, peut-être, devant ce manque chez lui d'inoffensives et délassantes lubies, devant son conformisme par trop obéissant, une légère tendance à l'asthénie.

N. SARRAUTE, Tropismes, p. 129.

(...) pendant ces cinq jours de voyage il lui semble qu'il dormi profondément, ou plutôt qu'il a été en proie à une sorte de maladie de faiblesse, à une extrême asthénie, et il ne veut ni ne saurait se rappeler le moindre point des mornes endroits ou des gens vulgaires qui ont passé devant ses yeux. 2

A. PIEYRE DE MANDIARGUES, la Marge, p. 22.

Avec BUGARD on peut considérer l'asthénie comme un phénomène global qui intéresse la totalité de l'homme *en situation* dans le monde; dans la perspective du travail, il faut surtout retenir que l'asthénie survient avec prédilection lorsque les motivations sont faibles et lorsque l'automatisation, la contrainte, la dysharmonie dans le milieu social prennent trop d'ampleur. 3

H. et B. AUBIN, *in* A. POROT, Manuel alphabétique de psychiatrie, 1975, art. *Asthénie.*

♦ **2** Affaiblissement des fonctions d'un organe ou d'un système (Manuila). *Asthénie cardiaque. Asthénie musculaire.* → **Myasthénie.**

♦ **3** Par métaphore ou fig. *Ce pays sombre dans l'asthénie.*

CONTR. **Force; euphorie, hypersthénie.** ◊ DÉR. **Asthéniant, asthénique.** — COMP. **Myasthénie, neurasthénie, psychasthénie.**

**ASTHÉNIQUE** [astenik] adj. et n. — 1814, Nysten; de *asthénie.*

♦ **1** Méd. Qui a rapport à l'asthénie, qui s'accompagne d'asthénie. *Symptômes asthéniques.*

Les émotions réagissent sur le psychisme de façon très variable suivant les cas.
Les unes accroissent l'activité mentale; ce sont les émotions dites sthéniques. L'imagination en reçoit un coup de fouet. Ces émotions rendent l'individu inventif, ingénieux, actif, entreprenant, lui confèrent de l'assurance et de l'à-propos.
Inversement, certaines émotions peuvent paralyser la pensée et l'action, ce sont les émotions dépressives ou asthéniques. André BINET, l'Amour, p. 23.

Qui est atteint d'asthénie. *Malade asthénique.*

N. *Un, une asthénique.* Personne atteinte d'asthénie.

♦ **2** Adj. Psychol. Qui présente, de manière plus accentuée, les caractères du leptosome*, dans la morphopsychologie de Kretschmer. *Type asthénique* (opposé à *athlétique, pycnique*).

N. *Tendance des asthéniques à la schizothymie.*

**ASTHÉNOPIE** [astenɔpi] n. f. — 1864, Liebreich, *Dict. de méd.;* du grec *asthenês* «faible», et *-ôpia* «vue». → -opie.

Méd. Fatigabilité des yeux, surtout lors de la lecture.

**ASTHÉNOSPHÈRE** [astenɔsfɛʀ] n. f. — Mot «créé par J. Barrel en 1914» (in *Encycl. Univ.,* vol. 15, p. 972 b); de *asthéno-* (→ Asthénie), et *sphère.*

Géol., géophys. Couche géologique de tension nulle et faiblement résistante, épaisse de plusieurs centaines de kilomètres, et sur laquelle se déplace la croûte terrestre. → **Lithosphère, manteau** (II., 6.). *«Puisqu'elle* (la lithosphère) *flotte sur le manteau sous-jacent (l'asthénosphère)...»* (*la Recherche,* no 88, avr. 1978). *«Dans le cas des arcs volcaniques, c'est-à-dire des points du globe où la lithosphère plonge dans l'asthénosphère»* (*Science et Vie,* no 680, mai 1974, p. 43).

DÉR. **Asthénosphérique.**

**ASTHÉNOSPHÉRIQUE** [astenɔsfeʀik] adj. — Mil. XXe; de *asthénosphère.*

Didact. Qui a rapport à l'asthénosphère. *Matériau asthénosphérique.*

**ASTHMATIQUE** [asmatik] adj. et n. — 1538; *asmatique*, XIVe; du lat. *asthmaticus*, grec *asthmatikos* «qui respire avec peine», de *asthma*. → Asthme.

♦ **1** Méd. et cour. Qui se rapporte à l'asthme. *Toux asthmatique*. — Qui a de l'asthme.

1 Outre cela, cette momie vivante était asthmatique, et toussait à chaque parole qui lui sortait de la bouche.
A.-R. LESAGE, Gil Blas, IV, 7.

N. *Un, une asthmatique*. Malade atteint d'asthme.

♦ **2** Fam. Par ext. Qui témoigne de fatigue, d'essoufflement. «*Une bonhomie essoufflée, une cordialité asthmatique*» (L. Bloy).

Var. plaisante (création d'auteur) :

2 (...) il a contracté la manie des points de suspension, ce qui lui donne parfois un air un peu asthmateux.
R. QUENEAU, Bâtons, chiffres et lettres, p. 18.

(Choses concrètes). Essoufflé, pénible et saccadé. (Bruits). *Un accordéon, un pianola, un vieux phono asthmatique*. — (Mouvements). *Un vieux tacot asthmatique*. → **Poussif.**

(Var. plaisante). *Asthmatisant* (formé sur le modèle de *rhumatisant*). Qui fait un bruit saccadé, ressemblant à la respiration d'un asthmatique.

3 Cinq minutes plus tard, le train repartait, asthmatisant.
R. QUENEAU, le Chiendent, p. 66-67.

**ASTHME** [asm] n. m. — 1611; *asthma*, v. 1580; *asme*, XIVe; *asme* «angoisse», v. 1265; du lat. *asthma*, grec *asthma* «essoufflement».

♦ **1** Méd. et cour. Difficulté à respirer (notamment à expulser l'air), accompagnée d'un bruit sifflant particulier. *Asthme (bronchique)* : maladie pulmonaire survenant par accès, causée par des spasmes au niveau de petites bronches avec augmentation des sécrétions bronchiques. *Asthme cardiaque* : gêne respiratoire en rapport avec une maladie cardiaque. → **Dyspnée.** *Asthme allergique. Crise d'asthme. Avoir de l'asthme.*

1 Un jour, il *(Proust)* fut pris d'une crise d'étouffement (asthme ou rhume des foins) si violente qu'il dut renoncer chaque année, au printemps, à tout contact avec la nature. Désormais il allait être un malade sans cesse sous le coup d'une attaque de suffocation.
A. MAUROIS, À la recherche de Marcel Proust, I, 3.

Vieilli. *Un asthme.*

2 Lorsqu'un asthme l'emporta, elle laissa à sa fille d'adoption toutes ses économies, une dizaine de mille francs.
ZOLA, le Ventre de Paris, t. I, p. 72.

♦ **2** Par métaphore. (Rare). Bruit saccadé, haletant. «*L'asthme haletant du bassin*» (A. Cœuroy, *in* T. L. F.). → **Asthmatique** (2.).

DÉR. **Asthmatique.** — V. aussi sous cette entrée les créations d'auteur **asthmateux, asthmatisant.** ◊ COMP. **Asthmomètre.**

**ASTHMOMÈTRE** [asmɔmɛtʀ] n. m. — XXe; attesté 1976; de *asthme*, et *-mètre*.

Techn. (horlog.), méd. Chronographe comportant un cadran permettant à partir d'un comptage court de fonctions respiratoires, de lire directement les valeurs correspondantes, par minute.

**ASTI** [asti] n. m. — 1894; ital. *asti spumante* «asti mousseux», de *Asti*, ville d'Italie.

Vin blanc (en général mousseux) récolté et fabriqué dans la région d'Asti.

**ASTIC** [astik] n. m. — 1721; déverbal d'un verbe *astiker*, du dial. hennuyer, correspondant au liégeois *astichî* «tendre, pousser en avant, pointer»; l'*astitcha* est un «objet servant à piquer qqch. pour l'amener à soi» (J. Haust, *Dict. liégeois*), du francique **stikkan*. → Asticoter, astiquer.

Technol. Outil en os de cheval, de mulet, en acier ou en buis, dont les cordonniers se servent pour polir les semelles, lisser le cuir. — Vx. Polissoir de giberne.

Par métonymie. Vx. Mélange de blanc d'Espagne, d'alcool et de savon dont se servent les militaires pour nettoyer leur fourniment. *Frotter avec de l'astic*. → **Astiquer.**

DÉR. **Astiquer.** ◊ HOM. Formes du v. **astiquer.**

**ASTICOT** [astiko] n. m. — 1828, Vidocq; orig. incert., probablt de *asticoter*, soit par le sens «agacer» — le ver servant à agacer, à taquiner le poisson — soit, comme *estiquet, estiquette* «brindille, bâtonnet», du sémantisme «objet pointu», francique **stikkan* «pointer».

Familier.

♦ **1** Petit ver blanc, larve de la mouche à viande, qui se développe dans la viande gâtée et sert d'appât pour la pêche. *Pêcheur à l'asticot*. → **Asticotier.**

Arrivé à la Marne, nous pêchions à la ligne. Je vous étais d'un grand secours, car vous détestez toucher les asticots.
J. GIRAUDOUX, Siegfried et le Limousin, p. 234.

Loc. fam. *Se faire manger, bouffer par les asticots* : être mort. — *Boîte à asticots* : cercueil. — *Se tortiller comme un asticot*, comme un ver*.

Abusivt. Petit ver rond et blanc. *Asticots du fromage*. — Ver de terre, lombric.

♦ **2** (1845). Fam. et péj. Homme. *Qu'est-ce que c'est que cet asticot ? Quel drôle d'asticot !* → **Type, zèbre.**

♦ **3** Loc. fam. (remplaçant *ver*). *N'être pas piqué des asticots* (var. argotique : *des astibloches*) : être extraordinaire dans son genre. → **Hanneton** (pas piqué des hannetons).

DÉR. **Asticotier.**

**ASTICOTAGE** [astikɔtaʒ] n. m. — 1779, Mme de Staël; de *asticoter*.

Fam. Fait d'asticoter (qqn), d'être asticoté.

Coriolis laissait Garnotelle revenir, non sans prendre 1
un secret plaisir aux chamaillades, aux petites disputes taquines, aux asticotages entre Anatole et Garnotelle, chaque fois qu'ils se rencontraient ensemble.
Ed. et J. DE GONCOURT, Manette Salomon, p. 333.

Néanmoins, bonne hôtesse, bonne boniche, elle persiste à 2
se taire, sourit aux asticotages de Pedro, reste automatique et active.
A. SARRAZIN, l'Astragale, p. 117.

**ASTICOTANT, ANTE** [astikɔtɑ̃, ɑ̃t] adj. — 1853, Labiche (cit.); de *asticoter*.

Fam. Qui asticote. → **Agaçant.**

— Mais qu'est-ce que ça lui fait au soldat ? guérie ! guérite ! ah ! voilà un mot asticotant !
E. LABICHE, Deux merles blancs, II, 2.

**ASTICOTER** [astikɔte] v. tr. — Av. 1765; orig. discutée, selon Wartburg, altér. du moy. franç. *dasticoter* «parler allemand», de l'all. *Dass dich Gott*... «que Dieu te...», début d'invectives; selon Guiraud, de *astic, estic* (formes dial. *astiquer* «agacer»), du francique **stikkan* «pointer».

Fam. Agacer, harceler (qqn) pour de petites choses.

— Ri ! on ne dit pas les carbonaro, on dit les carbonari (...) 1
— Ah ça ! qu'est-ce qu'il a donc à m'asticoter celui-là... Ro ! ri ! voulez-vous me laisser tranquille, vieux serpent à sonnettes !
E. LABICHE, le Club champenois.

Nicole le taquine, l'asticote inutilement. 2
MARTIN DU GARD, les Thibault, VIII, 4.

Par ext. Tripoter sans cesse (qqch.).

◆ **S'ASTICOTER** v. pron. (1865). Fam. S'agacer, se harceler mutuellement, à propos de rien.

3 «Comment qu'il s'appelle?» lança le père d'un air malin. «Simon, tiens! Qui veux-tu que ce soit?» Le père sursauta puis comprit : elle lui faisait une blague. Aussitôt il entra dans le jeu – il aimait bien s'asticoter avec sa fille.
Roger IKOR, les Fils d'Avrom, les Eaux mêlées, p. 511.

DÉR. **Asticotage, asticotant, asticoteur.**

**ASTICOTEUR, EUSE** [astikɔtœʀ, øz] n. — 1813; de *asticoter*, et *-eur*.

Fam. Personne qui asticote (quelqu'un).

J'aime pas les asticoteurs! *(Elle lui donne un coup de poing et sort par la droite).*
E. LABICHE, la Chasse aux corbeaux, II, 6.

**ASTICOTIER** [astikɔtje] n. m. — XX^e; de *asticot*, et *-ier*.

Techn. (pêche). Pêcheur de truite à l'asticot.

Argot de la pêche (péj.). Pêcheur amateur maladroit.

**ASTIEN** [astjɛ̃] n. m. — 1853; de *Asti*, ville d'Italie.

Didact. (géol.). Étage du pliocène.

**ASTIGMATE** [astigmat] adj. — 1877; *astigmatique*, 1865; dér. régressif de *astigmatique*, angl. *astigmatic*, 1849. → Astigmatisme.

♦ **1** Méd. Qui est atteint d'astigmatisme. → **Amétrope.** *Vue astigmate.*

N. *Un, une astigmate. «L'astigmate verra mieux les lignes horizontales que les lignes verticales, ou inversement»* (Poiré, *Dict. des Sciences*).

♦ **2** Opt. Se dit d'un instrument d'optique qui ne donne pas une image ponctuelle d'un point. (Opposé à *anastigmatique, stigmatique*). — REM. On dit aussi *astigmatique*, dans ce sens.

DÉR. et COMP. **Anastigmatique.** — V. **Stigmatique.**

**ASTIGMATISME** [astigmatism] n. m. — 1877; angl. *astigmatism*, 1817, Whewell, du grec *a-* priv., et *stigma* «piqûre», pris par convention dans le sens de *stigmê* «point».

♦ **1** Méd. (ophtalm.) et cour. Défaut de courbure des milieux réfringents de l'œil tel qu'un point lumineux objet se transforme en une tache, régulière ou irrégulière, sur la rétine. → **Amétropie.** *Instrument pour la mesure de l'astigmatisme.* → **Ophtalmomètre.**

Quand l'astigmatisme est assez prononcé pour gêner par trop la vision, on place devant l'œil des verres cylindriques, qui diminuent la distance focale dans le méridien où elle est trop grande.
P. POIRÉ, Dict. des sciences, art. *Astigmatisme.*

♦ **2** Opt. Défaut d'un instrument d'optique qui ne donne pas une image ponctuelle d'un point. *Correction de l'astigmatisme et de la coma, pour les objets voisins de l'axe optique, dans les systèmes aplanétiques.*

DÉR. et COMP. **Anastigmatisme.** — V. **Stigmatisme.**

**ASTIQUAGE** [astikaʒ] n. m. — 1866, E. Villars, *les Précieuses du jour*, in T. L. F.; de *astiquer*.

Action d'astiquer (qqch., d'abord dans le contexte militaire). *Corvée d'astiquage. L'astiquage des casseroles. Un astiquage énergique.*

Ça me démolit, moi, ces choses-là! Ça me coupe mes moyens, rasibus. J'voulais justement préparer ma revue de détails pour ed'main, astiquer mon fourbi et tout; et ben j'vas préparer peau de balle et peau de zébie, et en fait d'astiquage *(Il abat sur son lit un furieux coup de poing)* j'vas astiquer ma plaque de couche.
COURTELINE, les Marionnettes de la vie, Lidoire, 18, *in* D. D. L., II, 12.

**ASTIQUER** [astike] v. tr. — 1833; de *astic* ou directement du v. régional *astiker* (Liège). → Astic.

♦ **1** Nettoyer et faire briller en frottant avec l'astic* (des équipements de cuir, et, par ext., de métal, etc.). — REM. À l'origine, le terme appartient à l'argot militaire. *Astiquer son ceinturon.*

Par ext. Nettoyer en faisant briller, en frottant. → **Frotter, polir.** *Astiquer les cuivres, les casseroles. Astiquer les meubles, le parquet.* → **Cirer.** *Astiquer des boutons à l'aide d'une planchette appelé «patience».*

Il va sans dire que les quatre canons étaient en parfait état. Depuis qu'ils avaient été retirés de l'eau, le marin s'était donné la tâche de les astiquer consciencieusement. 0.1
J. VERNE, l'Île mystérieuse, t. II, p. 664.

(...) des cuivreries de lampes astiquées allumaient tout au fond une série d'étoiles. 1
COURTELINE, Messieurs les ronds-de-cuir, I, 2.

Les belles pommes rouges que les nègres astiquent en crachant dessus et en frottant ferme avec une loque de laine (...) 2
G. DUHAMEL, Scènes de la vie future, VI, p. 88.

Techn. Vieilli. Chez les cordonniers, Polir les semelles, lisser le cuir avec un astic.

(Compl. n. de personne).

Tandis que Jean se préparait, son brosseur achevait de l'astiquer, de lui donner ses affaires. 3
PROUST, Jean Santeuil, Pl., p. 569.

♦ **2** (1833, v. pron., Balzac). Fig. Battre, frapper (qqn). — Pron. Se battre. *S'astiquer les côtes. S'astiquer.*

◆ **S'ASTIQUER** v. pron. Fam. Faire minutieusement sa toilette; se pomponner.

◆ **ASTIQUÉ, ÉE** p. p. adj.

♦ **1** (En parlant d'une chose, d'un lieu). Propre et brillant. *Un meuble astiqué.* → ci-dessus, cit. 1.

♦ **2** (En parlant d'une personne). Fam. Propre, d'une tenue irréprochable. *«Le fameux Naudet (...) pommadé, astiqué, verni (...)»* (Zola).

CONTR. **Salir.** ◊ DÉR. **Astiquage, astiqueur.** — HOM. (De quelques formes) **Astic.**

**ASTIQUEUR, EUSE** [astikœʀ, øz] n. — 1884; de *astiquer*.

Rare. Personne qui astique (qqch.).

Par métaphore. *Un «astiqueur de rimes»* (A. Daudet, *Sapho*, in T. L. F.).

**ASTOME** [astom] adj. — 1898, en botanique; n. m. pl. «peuples fabuleux qui n'avoient point de bouche», 1771, Trévoux; «famille d'insectes diptères», 1834, Landais; de 2. *a-*, et grec *stoma* «bouche».

Didact. Qui n'a pas de bouche, pas d'ouverture.

Bot. *Mousse astome*, dont l'urne ne s'ouvre pas par un opercule.

(Mil. XX^e). Zool. *Infusoire cilié astome*, sans cytostome. — N. m. pl. *Les astomes.*

(1970, Manuila). Tératologie. Sans bouche. *Monstre astome.*

**ASTOMIE** [astomi] n. f. — 1907; de 2. *a-*, et grec *stoma* «bouche».

Didact. (tératologie). Absence congénitale de l'orifice et de la cavité de la bouche.

**ASTR-** → 2. **Astro-.**

**ASTRACAN** [astʀakɑ̃] n. m. → **Astrakan.**

1. **ASTRAGALE** [astʀagal] n. m. — 1546, Ch. Estienne; d'abord écrit *astragal*, encore *in* Cuvier, 1805; du lat. *astragalus*, du grec *astragalos* «vertèbre», «os du talon».

**I** Anat. Os du pied formant avec le calcanéum la rangée postérieure du tarse.

**II** ♦ **1** (1545, *astragalus*). Archit. Moulure ronde qui sépare le fût d'une colonne de son chapiteau. *Le chapiteau des colonnes ioniques s'ornait d'astragales.*

Par ext. Moulure, ornement. *Pignons festonnés d'astragales* (→ 1. Pignon, cit. 1).

1 S'il *(cet auteur)* rencontre un palais, il m'en dépeint la face (...)
Ce ne sont que festons, ce ne sont qu'astragales.
BOILEAU, l'Art poétique, I.

REM. Ce dernier vers est souvent cité pour critiquer les «faux brillants» d'un style surchargé d'ornements (→ ci-dessous, 3.).

2 Théophile Gautier m'avait fait aimer cette église à obélisques et astragales qui ressemble si parfaitement à l'ouverture du *Moïse* de Rossini.
Paul MORAND, Venises, p. 36.

3 Elle doit dater de la fin du XVIIIe siècle, quoiqu'elle ne porte aucune des frivolités de l'époque : ni astragales, ni lucarnes entourées d'amours ou de nymphes, ni rocailles, ni volutes.
Alain BOSQUET, les Bonnes Intentions, p. 184.

Moulure décorative sur l'arête d'un escalier, au-dessous de l'arête d'un plafond.

Cordon en cuivre ou en fer qui orne le haut des barreaux d'une grille, d'une rampe, d'un balcon.

♦ **2** Milit. Moulure circulaire, bourrelet autour d'une pièce d'artillerie.

♦ **3** Fig. (allus. aux vers de Boileau, ci-dessus). Fioritures d'un style, abus d'ornements d'un style pompeux (en général associé à *feston*).

4 L'ornement tient toute la place dans cette musique; ce ne sont que festons et astragales (...)
E. DELACROIX, Journal, 27 déc. 1853.

DÉR. 1. **Astragalé, astragalée.** ◊ COMP. **Sous-astragalien.** — HOM. 2. **Astragale.**

2. **ASTRAGALE** [astʀagal] n. f. — 1611; du lat. *astragalus*, grec *astragalos*, même mot que 1. *astragale*, par une métaphore.

Bot. Plante dicotylédone *(Légumineuses papilionacées)*, annuelle ou vivace, dont une espèce produit la gomme adragante. *Astragale épineuse*, dite aussi *barbe* de renard.*

(...) les regards qui les poignardent *(les hommes)* sous les astragales et les cyprès centenaires (...)
Alain BOSQUET, les Bonnes Intentions, p. 111-112.

DÉR. 2. **Astragalé, astragaloïde.**

1. **ASTRAGALÉ, ÉE** [astʀagale] adj. — 1901; de 1. *astragale*.

Didact., rare. Qui est comme entouré d'un astragale (→ 1. Astragale). — Var. rare : *astragalisé* (1921, R. de Montesquiou).

HOM. 2. **Astragalé, astragalée.**

2. **ASTRAGALÉ, ÉE** [astʀagale] adj. et n. f. — 1842; de 2. *astragale*.

Bot. Vieilli. Qui ressemble à l'astragale. Syn. : *astragaloïde.*

N. f. pl. *Astragalées* : groupe de plantes légumineuses qui comprend les astragales (→ 2. Astragale).

HOM. 1. **Astragalé, astragalée.**

**ASTRAGALÉE** [astʀagale] n. f. — 1842; de 1. *astragale*.

Archit. Profil d'une corniche terminée à sa partie inférieure par un astragale.

HOM. 1. **Astragalé**, 2. **astragalé.**

**ASTRAGALÉES** [astʀagale] n. f. pl. → 2. **Astragalé.**

**ASTRAGALO-** Élément tiré de 1. *astragale* et servant à former des termes d'anatomie et de botanique. Ex. (anat.) : *astragalo-calcanéen, astragalo-scaphoïdien*, adj. (P. Larousse); *astragalo-exmétatarsien*, adj. (1842); *astragalo-sus-phalangettien; astragalo-sus-phalangien*, adj. et n. m. (1842).

REM. Un homonyme correspond à 2. *astragale* : *astragalogie* (1842).

**ASTRAGALOÏDE** [astʀagalɔid] adj. — 1842; de 2. *astragale*, et *-oïde*.

Bot. Qui ressemble aux astragales (plantes).

**ASTRAKAN** ou **ASTRACAN** [astʀakɑ̃] n. m. — 1775; de *Astrakhan*, nom de la ville de Russie, située sur la Caspienne, d'où provenait cette fourrure, à l'origine.

♦ **1** Fourrure à poils bouclés d'agneau caracul tué peu après la naissance. → **Caracul; breitschwanz.** *Manteau, col d'astrakan. Pattes d'astrakan* (fourrure moins recherchée que le corps).

Si on sacrifie l'agneau *(caracul)* quelques heures après sa naissance, sa toison constitue le véritable astrakan. 1
P. POIRÉ, Dict. des sciences, Suppl., art. *Caracul.*

♦ **2** Littér. Poils bouclés comme l'astrakan, ou qui ont la couleur de l'astrakan (grise ou noire). → (fig.) **Toison.**

(...) la peau *(d'une fille d'Espagne)* brillante d'une couleur uniforme et foncée, où se détachent avec vigueur l'astrakan bouclé des sous-bras et les couronnes noires des seins. 2
Pierre LOUŸS, la Femme et le Pantin, V.

**ASTRAL, ALE** [astʀal] adj. — 1533; bas lat. *astralis*, du lat. class. *astrum*. → Astre. REM. Le masc. plur. est très rare : l'Académie et le Dictionnaire Général ne le donnent pas; le T. L. F. donne *astraux*, sans attestation. Il semble qu'on pourrait avoir : *astrals*.

♦ **1** Qui appartient aux astres, qui a quelque rapport avec les astres. *Monde astral.* → **Céleste, cosmique, sidéral, stellaire, universel, zodiacal; lunaire, solaire.** *Les immensités astrales.*

Vx. *Année astrale* : année sidérale.

Astrol. (*astral* est plus cour. avec cette valeur). *Influences, conjonctions astrales. — Thème astral* : carte céleste définissant la position des astres à la naissance de quelqu'un. → **Horoscope.**

Relig., myth. *Culte astral.*

Loc. CORPS ASTRAL : enveloppe subtile qui est supposée entourer le corps humain. → **Aura, double, ectoplasme.** Syn. : *périesprit* ou *périsprit. Fluide astral.* → **Éthérique.**

Les Dubardeau n'étaient que trop aptes à trafiquer avec le double astral des lois, l'ectoplasme des codes. 1
GIRAUDOUX, Bella, VIII.

Croyez-vous aux fantômes? Pour ma part, je n'aime pas ce monde-là où règne ce que certains nomment notre corps astral. 1.1
J. GREEN, La terre est si belle, 1976-1978, 25 juil. 1976.

Par métaphore du sens astrologique :

Disons en passant que c'est à l'aide de telles matérialisations, fussent-elles impondérables, par ces signes astraux enflammant toute une partie de l'atmosphère (...) 2
PROUST, À la recherche du temps perdu, t. IX, p. 320.

♦ **2** (1835). **LAMPE ASTRALE :** lampe dont la lumière tombe de haut en bas sans porter d'ombre par ses appuis. → **Globe, lumière, lustre.** — *Éclairage astral :* éclairage naturel ou artificiel venant par le plafond.

**ASTRANCE** [astʀɑ̃s] ou **ASTRANTIA** [astʀɑ̃sja] n. f. — 1751, *astrantia; astrance,* 1752; lat. mod. *astrantia,* de *astrum* «astre».

Bot. Herbe vivace, aromatique *(Ombellifères)* à fleurs blanches ou roses, et qui pousse principalement dans les Alpes et les Pyrénées. Syn. : *sanicle de montagne.*

Ici, dans ce cirque entouré de montagnes, tout était présent (...) le monde pour les fourmis géantes, le monde pour les scarabées, le monde pour les astrances, le monde pour les roseaux (...) J.-M. G. LE CLÉZIO, la Fièvre, p. 181.

**ASTRE** [astʀ] n. m. — XIIe; du lat. *astrum* «corps céleste», grec *astron.*

♦ **1** Astron. et cour. Corps céleste naturel visible (à l'œil nu ou dans un instrument) émettant un éclat propre ou réfléchissant l'éclat d'un autre corps céleste. → **Astérie, astérisme, astéroïde, comète, constellation, étoile, galaxie, globe** (littér.), **luminaire** (littér. et vx), **météore, nébuleuse, planète, satellite.** *Les astres du ciel.* → **Ciel, cosmos, firmament, monde, univers.** *Les astres du zodiaque. Le disque* d'un astre. Bord observé d'un astre.* → **Limbe.** *Le cours des astres,* leur mouvement apparent ou réel (mouvement propre). → **Ascendance, conjonction, déclinaison, éclipse, ellipse, épicycle, gravitation, nutation, occultation, opposition, orbite** (et **apside; apoastre, périastre**), **phase, révolution.** *Le lever, le coucher, le déclin d'un astre* (par rapport au soleil : → **Héliaque**). *Hauteur d'un astre. Ascension droite, déclinaison, coordonnées d'un astre. Grandeur apparente d'un astre.* → **Magnitude.** *Lumière, rayonnement des astres.* → **Irradiation, radiation, rayonnement; halo; aurore.** *Observer les astres.* → **Astronome, astronomie; astrolabe, lunette, observatoire, télescope.**

Spécialt (cour.). Les astres visibles, à l'exclusion du Soleil et de la Lune. → **Étoile, planète.** *Les astres brillent, luisent, scintillent... Astres errants* (poét.). *Les astres lointains, disparus.*

1 Le firmament se meurt, les astres font leur cours.
Le soleil nous luit tous les jours (...)
LA FONTAINE, Fables, II, 13.

2 (...) sous un ciel toujours nébuleux et privé d'astres, la Terre elle-même eût été pour nous éternellement inintelligible.
Henri POINCARÉ, la Valeur de la science, p. 165.

3 Elle resta ainsi sans bouger jusqu'au moment où les astres du ciel pâlirent, effacés par le jour qui montait.
Alphonse DAUDET, Lettres de mon Moulin, «Étoiles».

Vx. *Les sept astres géants :* les planètes du système solaire.

Poét. *L'astre du jour, le roi des astres,* ou, absolt, (vx) *l'astre :* le soleil. → **Soleil.**

4 Pour toi l'astre du jour prend des soins superflus.
LA FONTAINE, Fables, VIII, 1.

5 Les filles du limon tiraient du roi des astres
Assistance et protection.
LA FONTAINE, Fables, le Soleil et les Grenouilles.

6 Il voit l'astre qui nous éclaire (...)
RACINE, Esther, II, 3.

7 Tant que l'astre des temps éclairera le monde.
RACINE, Poésies diverses, 19.

7.1 Le soir est près de l'aurore;
L'astre à peine vient d'éclore
Qu'il va terminer son tour.
LAMARTINE, Harmonies..., II, 1.

Poét. *L'astre de la nuit, des nuits, l'astre au front d'argent :* la lune. → **Lune.**

On m'avait recommandé de me promener au clair de la lune (...) l'astre de la nuit, ce globe que l'on suppose un monde fini, promenait ses pâles déserts au-dessus des déserts de Rome. 8
CHATEAUBRIAND, Mémoires d'outre-tombe, t. II, p. 251.

(...) l'astre au front d'argent qui blanchit ta surface 9
De ses molles clartés. LAMARTINE, le Lac.

Loc. fig. (Vieilli). *Contempler les astres :* être distrait*, rêveur, avoir l'air absorbé dans la contemplation des astres, dans une profonde méditation. → Être dans la lune*.

♦ **2** Par métaphore ou fig. Vx. Personne illustre, brillante, célèbre. *Un astre de la scène.* → **Étoile, star** (anglic.), **vedette.** *Un astre naissant.*

Il est l'astre naissant qu'adorent mes États (...) 10
CORNEILLE, Nicomède, II, 1.

Quel astre à nos yeux vient de luire? 11
Quel sera quelque jour cet enfant merveilleux?
RACINE, Athalie, II, 9.

Quel astre brille davantage dans le firmament que le prince de Condé n'a fait en Europe? 12
BOSSUET, Oraison funèbre de Louis de Bourbon.

Mod. (par métaphore). « *Je suis content de l'avoir* (Valéry) *dès 1920 qualifié d'astre : il a tout d'un astre : intact (...) séparé toujours; inhumain (...)»* (Ch. du Bos, *in* T. L. F.). — Fam. (Vieilli). *Mon astre, mon bel astre :* mon amour.

REM. Les emplois fig. sont vieux (langue classique; → cit. 14), les emplois métaphoriques sont très littéraires (→ cit. 15, 16).

Ce jeune astre d'amour de tant d'attraits pourvu (...) 13
MOLIÈRE, l'École des femmes, I, 4.

Adieu, mon astre. 14
MOLIÈRE, le Dépit amoureux, I, 2.

Le rayon c'est l'amour, l'astre c'est la beauté. 15
HUGO, la Légende des siècles, «Le groupe des idylles», XXXVI, VII.

*(Ceux qui aiment)* ont un astre autour duquel ils gravitent, un pôle auquel ils tendent ardemment. 16
Th. GAUTIER, Mlle de Maupin, I.

Loc. mod. (Par compar.). *Être beau, belle comme un astre :* être resplendissant, superbe (souvent iron.). *Il est beau comme un astre, avec son nouveau costume. — Se faire beau, belle comme un astre.*

Par métaphore. *Voir monter l'astre* (d'une personne, d'un pays, d'une chose...) *au zénith.* → **Étoile.**

♦ **3** Astrol. Corps céleste considéré par rapport à son influence sur les hommes. *Consulter les astres. Influence des astres.* → **Ascendant, aspect, astrologie, horoscope, sidération.** *L'astre de quelqu'un :* l'astre sous l'ascendant duquel il ou elle est né(e). Vx (langue class.). *Mon..., son astre* (→ ci-dessous, cit. 18, 19 et 20).

Loc. mod. *Être né sous tel astre, sous un astre favorable.*

Sous quel astre ennemi faut-il que je sois née! 17
RACINE, Mithridate, I, 2.

Si son astre en naissant ne l'a formé poète (...) 18
BOILEAU, l'Art poétique, I, v. 4.

J'ignore pour quel sort mon astre m'a fait naître. 19
MOLIÈRE, l'École des maris, I, 2.

Mon astre me disait ce que j'avais à craindre. 20
MOLIÈRE, Dom Garcie, IV, 8.

L'homme, porté par les illusions des sens à se regarder comme le centre de l'univers, se persuada facilement que les astres influent sur sa destinée, et qu'il est possible de la prévoir par l'observation de leurs aspects au moment de la naissance. 21
LAPLACE, Exposition du système du monde, V, 1.

Myth. Corps céleste considéré comme divinité. *Adoration, culte des astres.* → **Astrolâtrie, sabéisme.** *Adorer, invoquer les astres. Avec l'aide des astres.*

DÉR. **Astrée.** ◊ COMP. **Apoastre ; périastre. — Astrifère.** — V. 1. **Astro-.**

**ASTRÉE** [astʀe] n. f. (masc., selon certains dictionnaires). — 1808, Boiste ; de *astre,* et suff. *-ée.*

Zool. «Sorte de polypier pierreux dont la surface est parsemée d'étoiles» (Littré).

Dans le liquide cristal de l'océan, nous y voyons réalisées les plus merveilleuses apparitions des contes féeriques de notre enfance : des buissons fantastiques portent des fleurs vivantes ; des méandrines et des astrées massives contrastent avec les explanarias touffus qui s'épanouissent en forme de coupe (...)

Jean CAYROL, Histoire de la mer, p. 55.

**ASTREIGNANT, ANTE** [astʀɛɲɑ̃, ɑ̃t] adj. — Av. 1869, Goncourt ; p. prés. de *astreindre.*

Qui astreint (en parlant de choses). *Une tâche astreignante. Un travail astreignant. Des obligations astreignantes.* → **Assujettissant.**

J'avais dit dans ma première Note qu'une morale souple est infiniment plus sévère, et plus astreignante, et plus exacte qu'une morale raide.

Ch. PÉGUY, Note conjointe sur M. Descartes, p. 273.

CONTR. **Agréable, doux, léger.**

**ASTREINDRE** [astʀɛ̃dʀ] v. tr. [CONJUG. : *peindre.*] — 1355 ; *astraindre,* fin XII^e ; du lat. *astringere* «lier, attacher».

Obliger strictement (qqn) à qqch., assujettir (qqn) à qqch. → **Assujettir, attacher, condamner, contraindre, enchaîner, forcer, lier, obliger, réduire, soumettre à ;** et aussi **imposer** (qqch. à qqn). *Astreindre qqn à des règles, à une discipline, à des travaux pénibles, à une corvée... Il avait astreint ses employés à des heures régulières. Astreindre un malade à un régime sévère, à s'imposer des privations. Astreindre qqn à faire qqch.* — Au passif. *Être astreint* (par qqn) *à des obligations, à faire qqch.*

1 Et Jupiter de leur dire : «Eh quoi ? votre désir
À ses lois croit-il nous astreindre ?»

LA FONTAINE, Fables, III, 4.

2 Toutes les religions et les sectes du monde ont eu la raison naturelle pour guide. Les seuls chrétiens ont été astreints à prendre leurs règles hors d'eux-mêmes (...)

PASCAL, Pensées, t. III, XIV, 903.

3 C'était la meilleure créature de Dieu ; mais on ne put jamais l'astreindre à travailler.

RENAN, Souvenirs d'enfance..., II, 3.

Rare (sujet n. de chose). *«L'ordre auquel les astreignaient* (ses cheveux) *leurs épingles»* (M. Butor, *in* T. L. F.).

◆ **S'ASTREINDRE** v. pron. S'imposer un effort, s'imposer de faire qqch. *S'astreindre à un rude labeur. S'astreindre à se lever tôt. Il faudra nous astreindre, que vous vous astreigniez à suivre ce régime.*

4 Sollicité par bien d'autres soins — et de quelle importance — et s'astreignant à examiner toutes les affaires, petites et grandes, il *(Bonaparte)* trouvait cependant le temps de venir lui-même assister aux séances, souvent si longues où étaient débattus les titres du code.

Louis MADELIN, Hist. du Consulat et de l'Empire, t. IV, XII.

CONTR. **Affranchir, décharger, dispenser, exempter, libérer, relever.** ◊ DÉR. **Astreignant, astreinte.**

**ASTREINTE** [astʀɛ̃t] n. f. — 1875, *Gazette des Tribunaux ;* p. p. fém. substantivé de *astreindre.*

♦ **1** Dr. Mesure coercitive par laquelle un tribunal peut astreindre un débiteur récalcitrant à payer une certaine somme pour chaque jour de retard dans l'exécution de son obligation. *Le juge l'a condamné à une astreinte de mille francs par jour de retard. Astreinte compensatoire.* → **Amende, contrainte.**

♦ **2** Par ext. Obligation rigoureuse, contrainte.

Quand il *(l'effort gratuit)* n'est pas favorisé de dons heureux, les tâches intellectuelles représentent pour lui des astreintes fort pénibles auxquelles il ne se résigne que sous la promesse d'un loyer manifeste et en quelque sorte garanti.

G. DUHAMEL, Inventaire de l'abîme, XI.

Spécialt. Contrainte (dans le domaine économique, industriel...). *«Fessenheim* (devait) *être une copie de la centrale américaine de* Beaver Valley (...) *Cette astreinte a d'ailleurs été une des premières causes du retard de sa réalisation»* (*le Monde,* 23 févr. 1977, p. 19).

♦ **3** Techn. (usage des techniciens de la distribution d'électricité et de gaz, notamment). *D'astreinte :* de garde (c'est-à-dire disponible, le plus souvent chez soi, pour toute nécessité de service). *Il est d'astreinte pour le pont du 1^er mai.*

**ASTRICTIF, IVE** [astʀiktif, iv] adj. — 1550, Paré ; dér. du lat. *astrictio.* → Astriction.

Méd. Vx. Qui a la vertu de resserrer. → **Astringent.** *Remède astrictif.* → aussi **Hémostatique.**

Ainsi (...) l'on étanche les flux de sang, *(ce)* que les remèdes astrictifs ne peuvent faire.

Ambroise PARÉ, VIII, 4.

Relatif à l'astriction.

CONTR. **Laxatif, relâchant.**

**ASTRICTION** [astʀiksjɔ̃] n. f. — 1337 ; lat. *astrictio,* de *astringere.* → Astringent.

♦ **1** Méd. Action de resserrer (les tissus). Effet produit par les substances astringentes. *Sensation d'astriction.*

♦ **2** Chir. Action de serrer. *L'astriction d'un fil mis autour d'une artère* (Littré).

**ASTRIFÈRE** [astʀifɛʀ] adj. — 1826, Champollion-Figeac, *in* D. D. L. ; de *astre,* et *-fère.*

Archéol. *Pierres astrifères,* où des astres sont figurés.

**ASTRINGENCE** [astʀɛ̃ʒɑ̃s] n. f. — 1816, *in* D. D. L. ; de *astringent.*

♦ **1** Méd. Caractère de ce qui est astringent.

♦ **2** Littér., rare. Resserrement.

**ASTRINGENT, ENTE** [astʀɛ̃ʒɑ̃, ɑ̃t] adj. et n. m. — 1537, *adstringent ;* lat. *astringens,* p. prés. de *astringere* «resserrer», de *ad-,* et *stringere* «serrer».

♦ **1** Adj. Méd. Qui exerce sur les tissus vivants un resserrement*, une sorte de crispation plus ou moins sensible. *Remède astringent.* → **Astrictif** (vx), **hémostatique, styptique.**

Par ext. (en parlant du goût, de l'odeur, d'une plante, d'une substance). *Saveur âpre et astringente.* → **Acerbe, âpre, austère** (I., vx) ; → Âpreté, cit. 5.

Plus, dudit jour, une potion anodine et astringente, pour faire reposer Monsieur, trente sols.

MOLIÈRE, le Malade imaginaire, I, 1.

Par métaphore. Fig. *Une parole astringente. «Tout petits baisers* (cit. 23) *astringents (...)»* (Verlaine).

♦ **2** N. m. *Un astringent :* substance qui a pour propriété de resserrer les tissus. *Les répercussifs** (2.) *sont en général des astringents. Principaux* *astringents* : → **Alun, bistorte, butée, cachou, cascarille, coing, diascordium, kino, kramerie** (racine de ratanhia), **matico, mélastome, orpin, renouée, sanguisorbe, tan** (poudre de), **tanin.**

CONTR. **Laxatif, relâchant.** ◊ DÉR. **Astringence.**

1. **ASTRO-** Élément, du grec *astron* ou du lat. *astrum* correspondant à *astre* et servant à former des noms et des adjectifs, en astronomie. → aussi **Aster-** (1.).

2. **ASTRO-** Élément, du grec *astêr* ou du lat. *aster* (→ 2. Aster), servant à former des noms et des adjectifs en biologie, botanique, zoologie. → aussi **Aster-** (2.). — Il apparaît, sous la forme *astr-*, dans *anastral.*

**ASTROBIOLOGIE** [astʀobjɔlɔʒi] n. f. — Av. 1953, R. Berthelot; de 1. *astro-*, et *biologie*.

♦ **1** Hist. des sc. Croyance en une loi (mathématique, esthétique) commune aux phénomènes cosmiques et à la vie.

♦ **2** Méd., psychol. Partie de l'astronomie et de la biologie qui étudie la vie ou les possibilités de vie sur les astres autres que la Terre.

DÉR. **Astrobiologique.**

**ASTROBIOLOGIQUE** [astʀobjɔlɔʒik] adj. — 1954, *in* D. D. L.; de *astrobiologie*.

Hist. des sc.; méd. Relatif à l'astrobiologie (1. et 2.).

**ASTROBLASTE** [astʀɔblast] n. m. — V. 1920, *Nouveau traité de méd.*; de 2. *astro-*, et *-blaste*.

Biol. → **Astrocyte.**

**ASTROBLÈME** [astʀoblɛm] n. m. — 1960, Dietz; de 1. *astro-*, et grec *blêma* «jet, coup, blessure», de *ballein* «jeter, frapper à distance».

Géol. Reste d'un cratère dû à l'impact d'une météorite heurtant la Terre à très grande vitesse. *La plupart des sites d'impact de météorites sur la surface terrestre sont des astroblèmes* (les autres présentent la morphologie propre du cratère).

(...) les points de chute *(de petites météorites)* de plus de dix mètres de diamètre mériteront déjà le nom de *cratères météoriques*, à condition toutefois que l'accident soit morphologiquement un cratère vrai, à muraille marginale en relief, donc géologiquement jeune. S'il s'agit d'une structure plus ancienne, préquaternaire, et, par conséquent déjà fortement érodée, parfois réduite à l'état de vestige plus ou moins oblitéré, de cicatrice ayant perdu tout ou partie de sa muraille bordière, on parlera alors d'*astroblème* (Dietz, 1960, étym. : étoile [astre] et blessure) ou de *cratère fossile*.

Théodore MONOD, *in* Encycl. Pl., Géologie, t. I, p. 288.

**ASTROCHIMIE** [astʀoʃimi] n. f. — Av. 1954; de 1. *astro-*, et *chimie*.

Sc. Étude de la constitution chimique des astres (rare; on parle en général d'*astrophysique**, en ce sens).

DÉR. **Astrochimique.**

**ASTROCHIMIQUE** [astʀoʃimik] adj. — Av. 1954, Teilhard de Chardin; de *astrochimie*.

Sc. Relatif à l'astrochimie.

**ASTROCYTAIRE** [astʀɔsitɛʀ] adj. — XX^e^ (→ Astrocyte); de *astrocyte*.

Biol. De l'astrocyte; qui comporte des astrocytes. *Névralgie astrocytaire.*

**ASTROCYTE** [astʀɔsit] n. m. — 1903, in *Rev. gén. des sc.*, n° 5, p. 287; de 2. *astro-* (→ 2. Aster-), et *-cyte*.

Biol. Cellule de la névroglie* (cellule gliale) garnie de ramifications nombreuses, et appelée aussi *cellule araignée*. Syn. anc. : *astroblaste. Astrocytes protoplasmiques de la substance grise; astrocytes fibreux de la substance blanche.*

DÉR. **Astrocytaire, astrocytome.**

**ASTROCYTOME** [astʀɔsitom] n. m. — 1920; de *astrocyte*, et *-ome*.

Méd. Tumeur du système nerveux central. *Astrocytome protoplasmique, astrocytome fibrillaire.*

**ASTRODÔME** [astʀodom] n. m. — XX^e^; de 1. *astro-*, et *dôme*.

Didact. ou technique.

♦ **1** Construction couverte par un dôme et servant à des démonstrations cosmographiques, astronomiques. → **Planétarium.**

♦ **2** Emplacement aménagé à la partie supérieure du fuselage d'un avion, dont la coupole transparente permet de faire le point astronomique.

**ASTRODYNAMIQUE** [astʀodinamik] n. f. — 1863, Littré; de 1. *astro-*, et *dynamique* (I.).

Astron. Branche de l'astronomie qui concerne la dynamique des astres ou l'étude des forces qui les meuvent.

**ASTROGRAPHE** [astʀɔgʀaf] n. m. — Av. 1961; de 1. *astro-*, et *-graphe*.

Astron. «Instrument destiné à l'observation des astres par la photographie» (Muller, 1964). → **Télescope.**

**ASTROGRAPHIE** [astʀɔgʀafi] n. f. — 1964; de 1. *astro-*, et *-graphie*.

Astron. Techniques photographiques utilisées pour l'observation des astres. Syn. : *astrophotographie.*

**ASTROÏDE** [astʀɔid] adj. et n. f. — 1838; de *astro-*, et 1. *-ide*.

**I** Adj. Bot. En forme d'étoile, d'aster (1. aster).

**II** N. f. Rare. Syn. de *astéroïde* (Nerval, *in* T. L. F.).

**ASTROÏTE** [astʀɔit] n. f. — 1672; *astriote*, 1584; lat. *astriotes* «pierre précieuse utilisée en magie», de *astrum* «astre».

Archéol. En Perse achéménide, Pierre à laquelle on attribuait un grand pouvoir.

**ASTROLABE** [astʀolab] n. m. — 1532; *astrelabe*, v. 1155; lat. médiéval *astrolabium*, grec *astrolabos* ou *astrolabion*.

Astronomie.

♦ **1** Anciennt. Instrument dont on se servait pour déterminer la hauteur des astres au-dessus de l'horizon. *Astrolabe de mer. Astrolabe armillaire**.

Un astrolabe en main, elle a dans sa gouttière 1
À suivre Jupiter passé la nuit entière (...)

BOILEAU, Satires, X.

(...) il tira de sa trousse un astrolabe fort propre, sortit de 2
ma chambre et alla au milieu de ma cour, d'un pas grave, prendre la hauteur du soleil.

A. GALLAND, les Mille et une Nuits, t. I, p. 414.

♦ **2** Mod. Instrument servant à déterminer les heures, les latitudes *(astrolabe impersonnel de Danjon).*

**ASTROLÂTRIE** [astʀɔlatʀi] n. f. — 1852; de 1. *astro-*, et *-lâtrie*.

Didact. Adoration, culte des astres. *Les Sabéens pratiquaient l'astrolâtrie.* → **Sabéisme.**

(...) l'astronomie renonce bientôt aux derniers souvenirs de l'astrolâtrie et de l'astrologie, assez longtemps mêlées aux recherches positives.
ALAIN, Abrégés pour les aveugles, *in* les Passions et la Sagesse, Pl., p. 822.

**ASTROLOGIE** [astʀɔlɔʒi] n. f. — V. 1260; lat. *astrologia* «étude des astres, astronomie»; grec *astrologia* «astronomie, astrologie», de *astron* «astre», et *-logia*. → -logie.

Art de déterminer le caractère et de prévoir le destin des hommes par l'étude des influences supposées des astres, des signes. → **Ascendant, aspect** (et : **conjonction, sextil, quartil, trin** ou **trigone, opposition), astre, astrologue, astromancie, avenir, cercle, ciel, horoscope** (et : **direction, domification, généthliologie, maison, maître, thème); influence, maison, méridien, naissance, planète** (et : **chute, déjection; configuration, conjonction, dignité, exil); position, sidération, sidéromancie, signe** (signes du zodiaque; signes de feu, de terre, d'air, d'eau), **zodiaque.**

*Astrologie divinatoire.* → **Astromancie.**

1 Maintenant même que la science des astres, que l'on nomme Astrologie, a pris si grand accroissement (...)
J. AMYOT, Demandes des choses romaines, 24.

1.1 (...) on ne saurait croire combien la croyance à l'Astrologie a été utile à l'humanité. Si Kepler et Tycho Brahé ont pu vivre, c'est parce qu'ils vendaient à des rois naïfs des prédictions fondées sur la conjonction des astres. Si les princes n'avaient pas été si crédules, nous continuerions peut-être à croire que la Nature obéit au caprice (...)
H. POINCARÉ, la Valeur de la science, VI.

Hist. Connaissance des correspondances célestes et terrestres. → **Hermétisme.**

(1549). *Astrologie judiciaire :* étude de l'influence supposée des astres sur les jugements déterminant les conduites (décisions, choix du moment d'agir, etc.).

2 Comme les maladies de l'esprit ne se guérissent guère, l'astrologie judiciaire et l'art de prédire par les objets vus dans l'eau d'un bassin avaient succédé, chez les chrétiens, aux divinations par les entrailles des victimes ou le vol des oiseaux, abolies par le paganisme.
MONTESQUIEU, Grandeur et Décadence des Romains, 21.

*Astrologie* et *hermétisme**, et *magie**, et *occultisme**.

3 L'astrologie pourrait s'appuyer sur de meilleurs fondements que la magie; car si personne n'a vu ni farfadets, ni lémures, ni dives, ni peris, ni démons, ni cacodémons, on a vu souvent des prédictions d'astrologues réussir (...)
VOLTAIRE, Dict. philosophique, Astrologie. (→ Astrologue).

Didact. *Astrologie onomantique :* détermination du destin par un système numérologique basé sur les données de la kabbale et sans intervention des positions astronomiques des corps célestes, pris seulement comme symboles.

*Astrologie naturelle :* étude de l'action des astres sur les éléments telluriques.

*Astrologie statique,* qui considère uniquement la carte du ciel à la date de la naissance (par oppos. à *astrologie dynamique*).

DÉR. **Astrologien, astrologique, astrologiser.**

**ASTROLOGIEN, IENNE** [astʀɔlɔʒjɛ̃, jɛn] n. — 1341; de *astrologie*, et *-ien*.

Vx. Astrologue. *Une astrologienne.*

**ASTROLOGIQUE** [astʀɔlɔʒik] adj. — Av. 1546, M. de Saint-Gelais, *in* D. D. L.; de *astrologie*, et *-ique*.

Qui appartient, qui est relatif à l'astrologie. *Calculs, prédictions, prévisions astrologiques. Thème astrologique :* carte du ciel de naissance établie suivant les règles de l'astrologie. *Symboles astrologiques ou généthliaques,* adoptés par les astrologues pour représenter les signes du zodiaque et les planètes.

DÉR. **Astrologiquement.**

**ASTROLOGIQUEMENT** [astʀɔlɔʒikmɑ̃] adv. — 1585; de *astrologique*, et *-ment*.

Selon les règles de l'astrologie, du point de vue de l'astrologie.

**ASTROLOGISER** [astʀɔlɔʒize] v. intr. — 1504; de *astrologie*, et *-iser*.

Péj., rare. Faire de l'astrologie en tirant des conclusions hasardeuses.

**ASTROLOGUE** [astʀɔlɔg] n. — XIVe; lat. *astrologus*, grec *astrologos* «astronome», puis «astrologue», de *astron* «astre», et *-logos*. → -logue.

Personne qui s'adonne à l'astrologie. → **Astrologien** (vx), **astronome** (1., vx); et aussi **augure, cabaliste, devin, généthliaque, mage, magicien.** *La baguette* sidérale des anciens astrologues. Consulter un astrologue* (→ Parturition, cit. 0.1), *croire aux astrologues.*

Un astrologue un jour se laissa choir 1
Au fond d'un puits. On lui dit : «Pauvre bête,
Tandis qu'à peine à tes pieds tu peux voir,
Penses-tu lire au-dessus de ta tête?»
LA FONTAINE, Fables, II, 13.

(...) les prédictions d'un astrologue (...) 2
DESCARTES (→ Alchimiste, cit. 1).

(...) que de deux astrologues consultés sur la vie d'un enfant et sur la saison, l'un dise que l'enfant vivra âge d'homme, l'autre non; que l'un annonce la pluie, et l'autre le beau temps, il est bien clair qu'il y en aura un prophète. 3
VOLTAIRE, Dict. philosophique (→ Astrologie, cit. 3).

Rome alors était pleine d'astrologues et de diseurs de bonne aventure (...) 4
DIDEROT, Essai sur Claude et sur Néron.

Les astrologues n'avaient garde de rechercher une précision qui aurait rendu leur art impraticable; et ceux qui les consultaient, curieux qu'on leur dît l'avenir, étaient contents, pourvu qu'on leur prédît quelque chose. 5
CONDILLAC, Traité des systèmes, 5.

Les dames de la cour de Catherine de Médicis n'eussent osé rien faire sans consulter quelque astrologue. 6
THIERS, Superstitions, XXII.

Je fais honnêtement l'astrologue, chose neuve. Je vous désigne du doigt ces grands signes du ciel, qui n'ont de sens que par le nom qui leur fut donné. Or ces métaphores sont pleines de sagesse. 7
ALAIN, Propos, 7 janv. 1933, Astrologie.

Loc. (Vx). *Ce n'est pas un grand astrologue :* il n'est pas très intelligent.

Par appos. *Un prêtre astrologue.*

En attribut. *Il, elle est astrologue.*

REM. Les dict. donnent ce mot pour masculin, mais le fém. *une astrologue* est virtuel et normal.

**ASTROMANCIE** [astʀɔmɑ̃si] n. f. — 1839, Boiste, aussi *astromantie; astronomancie* et *astromant*, n. m., 1834, Landais; de 1. *astro-*, et *-mancie*.

Didact. Divination par les astres. → **Astrologie.**

**ASTROMÈTRE** [astʀɔmɛtʀ] n. m. — 1771, Trévoux (→ Héliomètre); de 1. *astro-*, et *-mètre*.

Didact. (Vx). Appareil de mesure des diamètres apparents des corps célestes.

**ASTROMÉTRIE** [astʀɔmetʀi] n. f. — 1846; de 1. *astro-*, et *-métrie*.

Didactique.

♦ **1** Branche de l'astronomie de position qui détermine la position des astres sur la sphère céleste par des mesures d'angles (détermination des constantes astronomiques; calendrier; heure; mesure du temps). *Astrométrie photographique*.

♦ **2** Vx. Mesure du diamètre apparent des astres et des petites distances entre les étoiles, au moyen de l'astromètre.

DÉR. **Astrométrique, astrométriste.**

**ASTROMÉTRIQUE** [astʀɔmetʀik] adj. — 1843; de *astrométrie*.

Didact. De l'astrométrie.

**ASTROMÉTRISTE** [astʀɔmetʀist] n. — Mil. XIXe; de *astrométrie*.

Didact. Personne qui s'occupe d'astrométrie.

**ASTRONAUTE** [astʀonot] n. — 1928; de 1. *astro-*, et *-naute*.

Astron. et cour. Personne qui se déplace dans un véhicule spatial, hors de l'atmosphère terrestre. *Les astronautes américains ont débarqué pour la première fois sur la Lune le 21 juillet 1969 à 3 h 56 du matin (heure française).* → **Cosmonaute, spationaute.** *Les astronautes américains et les cosmonautes soviétiques. Une astronaute.*

**ASTRONAUTICIEN, IENNE** [astʀonotisjɛ̃, jɛn] n. — 1960; de *astronautique*.

Astron. Spécialiste de l'astronautique.

**ASTRONAUTIQUE** [astʀonotik] adj. et n. f. — 1842, *in* D.D.L.; de 1. *astro-*, et *-nautique*, du grec *nautikos* «qui concerne la navigation», sur le modèle de *aéronautique*.

**I** Adj. Didact. Qui est relatif à la navigation dans l'espace extraterrestre.

**II** N. f. Cour. ♦ **1** (1842, Mozin). Vx. Partie de l'astronomie utilisée par les navigateurs en haute mer.

♦ **2** (1910; forgé par le romancier Rosny aîné; diffusé en 1927 par Esnault-Pelleterie). Mod. Science qui a pour objet l'étude de la navigation interplanétaire.

DÉR. **Astronauticien.**

**ASTRONEF** [astʀonɛf] n. m. — Av. 1956; de 1. *astro-*, et *nef*; d'après *aéronef**.

Vieilli. Vaisseau interplanétaire. → **Engin, véhicule** (spatial).

J'aurais dû tranformer cet ascenseur en benne de mine ou en astronef. Le rendre apte à s'enfoncer dans les entrailles de la Terre ou à aborder, à travers les espaces, Arcturus ou Altaïr. P. GUTH, le Naïf locataire, p. 238 (1956).

**ASTRONOME** [astʀɔnɔm] n. — 1549; *astronomien*, v. 1260, B. Latini; du bas lat. *astronomus*, grec *astronomos*, de *astron* «astre», et *-nomos* «qui répartit, ordonne», de *nemein* «distribuer, posséder, administrer».

♦ **1** N. m. Vx. Astrologue.

♦ **2** Mod. Personne qui s'occupe d'astronomie; en particulier spécialiste des travaux concernant les mouvements et la structure des astres. → **Astrophysicien.**

Ce sont les travaux des astronomes qui nous donnent des yeux, et nous dévoilent la prodigieuse magnificence de ce monde presque uniquement habité par des aveugles (...) 1
FONTENELLE, Cassini.

Les anciens astronomes pensaient que l'étoile du soir et l'étoile du matin étaient deux astres différents (...) Ainsi, faute de connaître les rapports convenables, ils n'arrivaient point à relier ensemble ces deux systèmes d'apparences, comme nous faisons aujourd'hui. 2
ALAIN, 81 chapitres, De l'objet, *in* les Passions et la Sagesse, Pl., p. 1094.

Par appos. Qui s'occupe d'astronomie. *Un physicien, un chimiste astronome.* — En attribut. *Elle est devenue astronome après avoir fait un doctorat en mathématiques.*

**ASTRONOMIE** [astʀɔnɔmi] n. f. — 1160; lat. *astronomia*, repris du grec *astronomia*, de *astronomos*. → Astronome.

♦ **1** Vx. Étude, connaissance des astres, de quelque point de vue que ce soit (observation, prévision, symbolique, etc.) → **Astrologie.**

♦ **2** Mod. Science des astres, des corps célestes (y compris la Terre) et de la structure de l'univers. *Astronomie théorique* : étude de la mécanique céleste, des orbites, des perturbations (théorie des planètes, des satellites, des éclipses, des marées). *Astronomie physique.* → **Astrophysique.** *Astronomie solaire, planétaire. Astronomie stellaire*, qui étudie les étoiles, leurs ensembles (galaxies). → aussi **Radioastronomie, cosmogonie, cosmologie.** *Astronomie géométrique, d'observation* (vieilli); *astronomie de position* (mod.) : étude des positions des astres et des lois de leurs mouvements. → **Cosmographie; astrométrie.** *Astronomie mécanique* ou *Mécanique céleste* : étude des mouvements des astres dans leurs causes et dans leurs effets. *Astronomie nautique* : partie de l'astronomie qui concerne la navigation. → **Astronautique** (II., 1., vx).

De toutes les sciences naturelles l'astronomie est celle qui présente le plus long enchaînement de découvertes. 1
LAPLACE, Exposition du système du monde, Préface.

L'astronomie, cette micrographie d'en haut, est la plus magnifique des sciences parce qu'elle se complique d'une certaine quantité de divination. L'hypothèse est un de ses devoirs. HUGO, Post-Scriptum de ma vie, p. 70. 2

Par l'astronomie, la science humaine sort de la terre, embrasse l'univers, arrive à entrevoir comment la terre s'est formée dans le système solaire. 3
RENAN, Dialogues et Fragments philosophiques, p. 167.

Si Tycho *(Tycho-Brahé)* avait eu des instruments dix fois plus précis, il n'y aurait jamais eu ni Képler, ni Newton, en Astronomie. C'est un malheur pour une science de prendre naissance trop tard, quand les moyens d'observation sont devenus trop parfaits. 4
H. POINCARÉ, la Science et l'Hypothèse, p. 211.

L'Astronomie est utile, parce qu'elle nous élève au-dessus de nous-mêmes; elle est utile, parce qu'elle est grande; elle est utile, parce qu'elle est belle (...) 5
L'Astronomie ne nous a pas appris seulement qu'il y a des lois, mais que les lois sont inéluctables, qu'on ne transige pas avec elles (...) Elle nous a appris que les lois sont infiniment précises.
H. POINCARÉ, la Valeur de la science, VI.

REM. Les notions relatives à l'astronomie sont réparties dans un grand nombre d'articles. → principalement **Aberration, accrétion, acronyque** (astre), **aérolithe, alignement, almageste, almanach, amas, amplitude** (d'un astre), **angle** (angle de position), **anneau** (anneau de Saturne), **année** (année solaire, tropique, sidérale...), **année-lumière, annulaire** (éclipse), **anomalie, apex, aphélie, apoastre, apogée, apolune, apside, arc, armillaire** (sphère), **armilles, ascendant, ascension** (d'un astre), **aspect, astéroïde, astre, astrochimie, astrolabe, astrométrie, astronaute, astrophotographie, astrophotomètre, astrophysique, astrostatique, atmosphère, attraction, auréole, axe** (d'une planète...), **azimut, azimutal** (cercle), **bolide, céleste** (corps), **céphéide, cercle, chondrite, chromosphère, ciel, clair, collimateur** (lunette d'astronomie), **collimation, comète, compte, comput, conjonction, consécution, constellation, conversion, coordonnée, coronographe, corps** (corps céleste), **cosmique** (rayons cosmiques), **cosmodrome, cosmogonie, cosmographie, cosmonaute, cosmos, coucher** (d'un astre), **cours** (des astres), **culminant** (point), **cycle, décan, déclin, déclinaison, degré, descendant** (signe, nœud), **désorbitation, déviation, digression, direction, éclipse, écliptique, élongation, émersion** (d'un astre), **éphémérides, équatorial** (appareil), **équinoxe, étoile, évection, excentricité** (de l'orbite d'une planète), **galaxie, géante** (étoile), **géocentrique** (coordonnée), **gravitation, halo, hauteur** (d'un astre), **héliaque** (coucher, lever), **héliomètre, hélioscope, hélioscopie, heure** (heure solaire, heure sidérale), **holomètre, horizon, immersion** (d'une planète), **inclinaison; inégalité, irrégularité** (dans la marche des astres); **interastral, intergalactique, interplanétaire, intersidéral, interstellaire, ionosphère; lactée** (voie), **latitude, lever** (d'un astre), **longitude, lune, lunette, lunule, magnétosphère, magnitude, mappemonde, méridien, méridienne, météore, micro-météorite, monde, mouvement, nadir, naine, nébulaire, nébuleuse, nœud, nonagésime, nova, noyau, nuage, nucléosynthèse, nutation; observation, observatoire, occultation, octant, opposition, orbe, orbite, orbiter, parallaxe, parallèle, parsec, passage** (d'un astre), **péragration, périastre, périgée, périhélie, périlune, période, perturbation, phase, photosphère, planète, planétaire, planétoïde, planisphère, plasma, point, poussière** (cosmique...), **précession, protoétoile, pulsant, pulsar, quadrature, quart-de-cercle, quasar; radiant, radioastronome, radiogalaxie, radiosource, radiotélescope, récupération, rentrée, rétrogradation, révolution, satellite, sciographie, secteur, sélénographie, sélénostat, semi-étoile, sextant, sidéral, sidérostat, signe** (signes du zodiaque), **soleil, solaire** (système); **solstice, spallation, sphère** (sphère céleste...), **station** (d'une planète), **stationnaire** (planète), **supergéante, supernova, synodique** (révolution), **système, syzygie, télescope, temps, terre, théodolite, trajectographie, trigone, tropique, trou** (noir); **unité** (astronomique), **uranie, uranographie, uranologie, uranométrie, uranorama, vecteur, vent** (solaire, stellaire), **vernal** (point), **zénith; zodiaque, zodiacal.**

Par ext. Ensemble des connaissances astronomiques (d'un individu ou d'un peuple). *L'astronomie copernicienne.*

Par métonymie. Ouvrage traitant d'astronomie. *Acheter une astronomie ancienne.*

Icon. Personnification de l'astronomie.

**ASTRONOMIQUE** [astʀɔnɔmik] adj. — XIVe; grec *astronomikos,* de *astronomia.* → Astronomie.

♦ **1** Vx. Qui concerne l'étude des astres, en général. → **Astrologique.**

Qui concerne les croyances à la nature divine des astres.

♦ **2** Mod. Qui a rapport à l'astronomie. *Observations astronomiques.* → **Sidéral.** *Calculs, chiffres astronomiques. Tables astronomiques.* → **Éphéméride; longitude** (Annuaire du bureau des longitudes). *Carte astronomique. Lunette astronomique. Anneau astronomique. Année, jour, heure astronomique. — Unité astronomique :* unité conventionnelle de distance pratiquement égale au demi grand axe de l'orbite terrestre (environ 149 598 000 km).

Les calculs astronomiques, qui ne roulent que sur des à peu près, quoique extrêmement approchants, il les voulait amener à être des calculs algébriques, exempts de tout tâtonnement (...) FONTENELLE, Louville.

*Navigation astronomique,* qui utilise les données de l'astronomie.

♦ **3** Fam. [a] Vx. Très précis, très rigoureux. *Une précision astronomique.*

[b] Mod. Énorme, très élevé. *Prix astronomique. Chiffres astronomiques,* très élevés, exagérés.

DÉR. **Astronomiquement.**

**ASTRONOMIQUEMENT** [astʀɔnɔmikmɑ̃] adv. — XVIe; de *astronomique,* et *-ment.*

♦ **1** Suivant les principes, les méthodes de l'astronomie. Du point de vue de l'astronomie.

Toi donc qui veux savoir, sois astronome d'abord, et reste ensuite astronome par la patience, je dirai même par le respect. Et autant que tu peux, considère toutes choses astronomiquement; tel est l'ancien sens du mot considérer; oui, astronomiquement, ces hommes, cette guerre et cette paix; et même ton chien (...)
ALAIN, Propos, 30 avr. 1922, Astronomie.

♦ **2** Fam. D'une manière astronomique (3., b). *Le pétrole a augmenté astronomiquement.*

**ASTROPHORE** [astʀɔfɔʀ] n. m. — V. 1860, en biol.; de 1. *astro-,* et *-phore.*

♦ **1** Didact. Porteur d'astre.

♦ **2** Hist. nat. Qui porte des motifs en forme d'étoile.

**ASTROPHOTOGRAPHIE** [astʀofɔtɔgʀafi] n. f. — Fin XIXe, → Astrophotographique; de 1. *astro-,* et *photographie.*

Astron. Ensemble des techniques photographiques utilisées en astronomie. → **Astrographie.**

DÉR. **Astrophotographique.**

**ASTROPHOTOGRAPHIQUE** [astʀofɔtɔgʀafik] adj. — 1883; de *astrophotographie.*

Astron. De l'astrophotographie. «*Études astrophotographiques*» (*Année sc. et industr. 1883,* p. 21).

**ASTROPHOTOMÈTRE** [astʀofotomɛtʀ; astʀofɔtɔmɛtʀ] n. m. — Av. 1974, in *la Clé des mots;* de 1. *astro-,* et *photomètre.*

Astron. Télescope électronique permettant de déterminer les traces de poussière de l'environnement lunaire ainsi que la luminescence de la lumière zodiacale.

**ASTROPHYSICIEN, IENNE** [astʀofizisjɛ̃, jɛn] n. — 1964; de 1. *astro-,* et *physicien.*

Astron. Astronome spécialiste de l'astrophysique. *Une astrophysicienne de l'observatoire de Saint-Michel de Provence.*

**ASTROPHYSIQUE** [astʀofizik] n. f. et adj. — 1903, in *Rev. gén. des sc.,* no 9, p. 474, 1904; de 1. *astro-,* et *physique.*

Astronomie.

♦ **1** N. f. Branche de l'astronomie qui étudie physiquement les milieux spatiaux (étoiles, galaxies, quasars). → **Astrochimie** (rare). *L'astrophysique utilise notamment les méthodes spectroscopiques* (→ **Spectre, spectrographie**), *photométriques, radioélectriques.*

♦ **2** Adj. (1906). Qui concerne l'étude physique des astres. *Théories astrophysiques. Centre d'observations astrophysiques.*

**ASTROSOPHIE** [astʀɔzɔfi] n. f. — 1846; de 1. *astro-*, et *-sophie*.

Didact. (sc.). Étude des astres dans le cadre des sciences occultes. *L'astrosophie, science ésotérique. Lois de l'astrosophie.*

**ASTROSPHÈRE** [astʀɔsfɛʀ] n. f. — 1905, in *Rev. gén. des sc.*, n° 8, p. 376; de 2. *astro-*, et *sphère*.

Biol. Sphère située autour de l'aster (2. Aster).

**ASTROSTATIQUE** [astʀɔstatik] n. f. — 1829, Académie, *Suppl.*; de 1. *astro-*, et *statique*.

Didact. (astron.). Étude de la statique des astres.

**ASTRUCTUREL, ELLE** [astʀyktyʀɛl] adj. — 1967; de 2. *a-*, *structure*, et *-el*.

Didact. Qui n'a pas de structure.

**ASTUCE** [astys] n. f. — 1267; lat. *astutia* «savoir-faire, finesse».

♦ **1** Vieilli. Habileté, adresse à tromper son prochain en vue de lui nuire ou d'en tirer quelque avantage. → **Artifice, finesse, malice, roublardise, rouerie, ruse.** *Un politicien plein d'astuce. Une astuce perfide.* → **Machiavélisme, malignité, perfidie.** *Une astuce jésuitique.* → **Jésuitisme.**

1 (...) j'avais affaire à un tracassier, qui mettait l'astuce à la place du savoir, qui me tendait cent pièges avant que j'en aperçusse un, et tout déterminé à me prendre en faute, à quelque prix que ce fût.
ROUSSEAU, les Confessions, XII.

2 Vous voulez qu'un hypocrite adroit qui ne marche à ses fins qu'à force de ruse et d'astuce aille étourdiment se livrer à l'impétuosité de l'indignation contre tous les états, tous les partis?
ROUSSEAU, *in* LAFAYE, Dict. des synonymes, Habileté..., astuce...

3 L'astuce est une finesse pratique dans le mal, mais en petit : c'est la finesse qui nuit ou qui veut nuire.
MARMONTEL, *in* P. LAROUSSE.

4 La nécessité de l'astuce dans la politique (...)
MIRABEAU, De la population (éd. Guillaumin), p. 411.

5 L'astuce impure a ses grossièretés par où finalement elle se trahit. SAINTE-BEUVE, Volupté, XX.

♦ **2** Vx. *Une, des astuces.* Moyen élaboré pour tromper. *Des astuces de guerre. User de petites astuces. Les astuces d'un charlatan.* → **Artifice, machination, manège, ruse, stratagème.**

6 Félicité invariablement déjouait leurs astuces (...)
FLAUBERT, Trois contes, «Un cœur simple», II.

♦ **3** Mod. (sans idée défavorable). **a** *Une, des astuces.* Petite invention qui suppose une certaine adresse, de l'ingéniosité; tour qui dénote une certaine finesse. → **Artifice, ficelle, finesse, truc.** *Les astuces du métier.*

Invention ingénieuse, dispositif ingénieux (se dit aussi des choses concrètes).

7 (...) venait un couloir où diverses astuces combinées rendaient toute avance impossible.
R. QUENEAU, Pierrot mon ami, éd. L. de Poche, p. 12.

**b** Cour. Plaisanterie. *Il fait des astuces assez drôles. Il est ennuyeux avec ses astuces qu'il répète à chaque cours. Astuce vaseuse! Je n'ai pas compris son astuce.*

♦ **4** *L'astuce (de qqn)* : qualité d'une personne habile, ingénieuse et inventive. → **Finesse, habileté, ingéniosité.** *Elle a beaucoup d'astuce, elle est pleine d'astuce.* → **Astucieux** (cit. 4).

À chacune de leurs rencontres, elle devenait ingénieuse à l'interroger, sans qu'il s'en aperçût, pour lui faire dire ses opinions sur les gens qu'il avait vus, sur les maisons où il avait dîné, sur les impressions les plus légères de son esprit. Dès qu'elle croyait deviner l'influence possible de quelqu'un, elle la combattait avec une prodigieuse astuce, avec d'innombrables ressources. 8
MAUPASSANT, Fort comme la mort, éd. 1889, p. 54.

CONTR. **Candeur, droiture, franchise, loyauté, naïveté, rondeur, simplicité, sincérité.** ◊ DÉR. **Astucieux.**

**ASTUCIEUSEMENT** [astysjøzmɑ̃] adv. — 1532; de *astucieux*.

D'une manière astucieuse.

♦ **1** Vieilli. Avec ruse, dans l'intention de tromper.

♦ **2** Mod. Avec habileté. *Agir astucieusement. Il a astucieusement répondu à la question.*

**ASTUCIEUX, EUSE** [astysjø, øz] adj. — 1495; de *astuce*.

♦ **1** Vx. Qui a de l'astuce, une ruse malfaisante, qui est plein d'astuce. *Homme astucieux.* → **Rusé; artificieux, malicieux, malin, matois, patelin, roublard, roué.**

Elle *(la Cibot)* est plus forte, plus madrée, plus astucieuse, plus machiavélique que je ne le croyais, dit Pons (...) 1
BALZAC, le Cousin Pons, Pl., t. VI, p. 725.

À la fois prudent et astucieux, familier et contenu, il avait leur mélange d'arrogance, d'affection, de tact et d'impersonnalité. Edmond JALOUX, les Visiteurs, I. 2

REM. Certains emplois sont presque interprétables au sens moderne, ci-dessous :

Je ne le crois pas assez astucieux pour l'avoir composé (...) 3
MIRABEAU, Hist. secrète de la Cour de Berlin, VI, p. 38.

♦ **2** Mod. Qui a une habileté fine. → **Adroit, ingénieux, intelligent.** *Un étudiant plus astucieux que ses camarades. Elle est très astucieuse.*

(...) comme partout, on y aimait la réussite *(dans cette société)*, mais à condition qu'elle apparût comme le produit gratuit non pas même du génie ou de l'inspiration, sources de valeurs trop nobles, trop admirables, et le snobisme n'admire pas, mais de ce que l'on appelait l'*astuce*, mot qui, dans les conversations, revenait constamment. On ne disait jamais de quelqu'un qu'il était intelligent, mais *astucieux*. Ce n'était pas tout à fait un mot de marchand puisque la ruse et le gain immérité s'y coloraient d'une sorte d'élégance, de détachement, d'esprit de jeu. 4
Raymond ABELLIO, Ma dernière mémoire, t. II, p. 24.

♦ **3** (Choses). Qui dénote de l'astuce, de la finesse. *Physionomie astucieuse. Raisonnement astucieux. Réponse astucieuse.*

Rare (choses concrètes) :

(...) le bourdonnement (...) du sang se précipitant sous la peau brune du gitan et trop blanche de l'autre, se ruant en mugissant dans les ramifications astucieuses et compliquées des artères comme une plante déployée, un arbre délicat et bleu dessiné à l'encre sur le papier buvard. 5
Claude SIMON, le Vent, p. 87.

CONTR. **Candide, droit, franc, loyal, naïf, rond, simple, sincère.** ◊ DÉR. **Astucieusement.**

**ASTURIEN, IENNE** [astyʀjɛ̃, jɛn] adj. et n. m. — 1740; de *Asturies*, région du nord de l'Espagne.

♦ **1** Adj. Qui est originaire des Asturies, qui est relatif aux Asturies. *L'art asturien.*

♦ **2** N. m. Ling. *L'asturien* : langue parlée dans les Asturies. *L'asturien est la langue la plus ancienne (après le basque) de la péninsule hispanique.*

**ASTYNOME** [astinom] n. m. — 1704; grec *astunomos* «qui régit la ville».

Antiq. Dans certaines villes grecques, Magistrat chargé de la propreté et de la police des rues.

**ASURA** [asuʀa] n. m. — XIXe; sanscrit *asura-* «esprit», d'abord «esprit bénéfique, esprit suprême» (dans le *Rig-Veda*, qualifiant notamment Varuṇa), puis «esprit mauvais, démon», au plur., «classe de démons en opposition perpétuelle avec les dieux». — REM. À rapprocher de l'avestique *ahura-* (cf. *Ahura Mazdâ*, n. propre).

Didact. (myth., hist. des relig.). Au plur. : *asuras*, ou *asura*. Dans la religion védique, Esprits («souffles de vie») formant une classe de puissances célestes distincte de celle des dieux. — Au sing. *Un asura.*

1 (...) les brâhmanes avaient dépassé de bonne heure l'antique théorie des *asuras* ou principes de vie (...)
Émile BURNOUF, la Science des religions, p. 36.

2 Cet asura, c'est le soleil, qui par sa chaleur et sa lumière engendre la vie et la pensée.
Émile BURNOUF, la Science des religions, p. 215.

Dans le brahmanisme, Démons hostiles aux dieux, qui menacent l'ordre cosmique. *Assaut des asura, repoussé par Indra.*

**ASYLLABIE** [asi(l)labi] n. f. — 1928, *in* Larousse; de 2. *a-*, *syllabe*, et *-ie*.

Méd. Incapacité de former ou de lire les syllabes, sans perte de la capacité de reconnaître les lettres.

**ASYMBOLIE** [asɛ̃bɔli] n. f. — 1900, Claparède, *in* D. D. L.; mot all. (Finkelnburg), 1870 (→ 2. *a-*, symbole, et *-ie*).

Méd. Perte de la compréhension des signes (agnosie). → Apraxie (cit.). *Asymbolie tactile.* → **Astéréognosie** (sémantique).

**ASYMÉTRIE** [asimetʀi] n. f. — 1691; de 2. *a-*, et *symétrie*.

Défaut de symétrie. → **Irrégularité, opposition.** *L'asymétrie d'un bâtiment, d'une disposition décorative. Un effet d'asymétrie. Asymétrie de la tête, asymétrie des traits.*

Didact. Anomalie dans la disposition d'organes qui sont normalement symétriques.

Chim. Caractère d'un élément chimique (atome, ion, radical, molécule) qui ne peut se superposer à son image spéculaire.

CONTR. **Symétrie.** ◊ DÉR. **Asymétrique.**

**ASYMÉTRIQUE** [asimetʀik] adj. — 1825; de *asymétrie*.

♦ **1** Qui manque de symétrie. *Mouvements asymétriques. Des traits asymétriques. — Barres asymétriques :* appareil de gymnastique constitué de deux barres parallèles fixées à des hauteurs différentes.

Kim, debout en face de lui, de l'autre côté du bureau d'acajou couvert de feuilles manuscrites placées dans tous les sens, par-dessus lesquelles sa poitrine se penche (...) la ligne de sa hanche — accusée par la posture asymétrique — se détachant à contre-jour sur le fond de store vénitien dont les lamelles sont presque closes, Kim se redresse (...)
A. ROBBE-GRILLET, la Maison de rendez-vous, p. 76-77.

Chim. *Atome, molécule, radical asymétrique.*

♦ **2** Math. Se dit d'une relation binaire dans un ensemble, telle que pour chaque couple (x, y) d'éléments de l'ensemble la relation soit établie entre x et y ou entre y et x, mais pas les deux à la fois. *Relation transitive asymétrique* (→ Ordre, cit. 9).

DÉR. **Asymétriquement.**

**ASYMÉTRIQUEMENT** [asimetʀikmɑ̃] adv. — 1897; de *asymétrique*.

Didact. De manière asymétrique.

**ASYMPTOMATIQUE** [asɛ̃ptɔmatik] adj. — Mil. XXe; de 2. *a-*, et *symptomatique*.

Méd. *Porteur asymptomatique :* personne susceptible de transmettre une maladie qu'elle a sans en présenter les symptômes cliniques. *«Le choix du moment optimal pour commencer un traitement antirétroviral chez le patient asymptomatique continue d'être l'objet de débats»* (*le Monde*, 10 sept. 1999, p. 10). — *Maladie, infection asymptomatique*, sans symptômes.

**ASYMPTOTE** [asɛ̃ptɔt] n. f. et adj. — 1638; grec *asumptôtos* «qui ne s'affaisse pas» ou «ne rencontre pas», de *a-* priv. (→ 2. *a-*), et *sumpiptein* «tomber sur, entrer en contact avec», de *sun-* «avec» (→ Syn-), et *piptein* «tomber».

♦ **1** Math. Droite dont la distance aux points d'une courbe tend vers zéro lorsque le point s'éloigne sur la courbe à l'infini. *L'asymptote s'approche de la courbe sans jamais la rencontrer. Les asymptotes de l'hyperbole.*

Fig. (Littér.). Chose qui tend vers une autre sans parvenir à l'atteindre.

On ne fait rien dans Paris sans les femmes : ce sont comme des courbes dont les sages sont les asymptotes; ils s'en approchent sans cesse mais n'y touchent jamais. 1
ROUSSEAU, les Confessions, IX.

La science est l'asymptote de la vérité. Elle approche sans cesse, et ne touche jamais. 2
HUGO, Shakespeare, p. 39.

Le jour où l'asymptote rencontrera l'hyperbole, l'âme rencontrera Dieu. 3
HUGO, Post-Scriptum de ma vie, p. 60.

Argot scol. *Être asymptote à l'École polytechnique :* échouer au concours d'entrée.

♦ **2** Adj. *Courbe asymptote d'une autre courbe, d'un cercle. Droite asymptote à une courbe.*

DÉR. **Asymptotique.**

**ASYMPTOTIQUE** [asɛ̃ptɔtik] adj. — 1678; de *asymptote*, et *-ique*.

♦ **1** Math. Qui a rapport à l'asymptote. *Ligne asymptotique, courbe asymptotique.*

Si nous découvrons un jour que des quantités infimes de quelque acide aminé suffisent à empêcher la dégradation que nous appelons sénescence, si à 60 ans, nous pouvons avoir un cœur de 20, la courbe asymptotique que nous suivons pourra prendre quelque vague forme parabolique autorisant bien des espoirs.
A. SAUVY, Croissance zéro?, p. 130.

♦ **2** Par métaphore et fig. «*Le consentement est la marche asymptotique de la liberté vers la nécessité*» (P. RICŒUR, *Philosophie de la volonté*, *in* T. L. F.).

**ASYNARTÈTE** [asinaʀtɛt] adj. et n. m. — 1866; grec *asunartetoi* «vers incohérents, non liés».

Versification grecque et latine. Se dit d'un vers composé de deux membres qui peuvent être chacun considérés comme des vers indépendants, la coupe intérieure étant traitée comme une coupe finale.

N. m. *Un asynartète :* un vers asynartète.

**ASYNCHRONE** [asɛ̃kʀon; asɛ̃kʀɔn] adj. — 1905; de 2. *a-*, et *synchrone*.

Didact. Qui n'est pas synchrone. *Mouvement asynchrone. Moteur électrique asynchrone,* dont la vitesse dépend de la charge (et non de la fréquence du courant).

(...) un moteur synchrone ou asynchrone ne fournit une grande quantité d'énergie mécanique que lorsqu'il a atteint sa vitesse de régime (...)

Gilbert SIMONDON, Du mode d'existence des objets techniques, p. 52.

CONTR. **Synchrone, synchronisé.**

**ASYNCHRONISME** [asɛ̃kʀɔnism] n. m. — 1904, in *Rev. gén. des sc.*, n° 11, p. 563; de 2. *a-*, et *synchronisme.*

Didact. Absence de synchronisme.

Mauvaise synchronisation du son et de l'image cinématographiques; absence de synchronisation.

Méd. Apparition à des moments différents de phénomènes qui sont normalement synchrones.

**ASYNDÈTE** [asɛ̃dɛt] n. f. — 1863; bas lat. *asyndeton,* grec *asundeton* «style sans conjonctions», de *a-* privatif (→ 2. A-), et *sundein* «lier ensemble», de *sun-* «avec» (→ Syn-), et *dein* «lier».

Didact. Gramm. Absence de mot de liaison entre deux termes ou deux phrases, là où une norme grammaticale en demande un. *L'asyndète est rare en français moderne, mais commune dans d'autres langues* (anglais, allemand, etc.). *L'asyndète s'est maintenue dans certaines locutions : Bon gré mal gré; bon pied bon œil; à la vie à la mort.*

Figure de rhétorique par laquelle on supprime dans une phrase certaines particules ou conjonctions, pour donner plus de rapidité et d'énergie au discours. → **Ellipse.** *Il y a asyndète* (*de la conjonction de coordination* et) *dans les vers suivants :*

Français, Anglais, Lorrains, que la fureur assemble,
Avançaient, combattaient, frappaient, mouraient ensemble.

VOLTAIRE, Henri VI, *in* LITTRÉ.

Var., vx : *asyndéton* [asɛ̃detɔ̃] (encore attesté en 1842).

DÉR. **Asyndétique.**

**ASYNDÉTIQUE** [asɛ̃detik] adj. — 1933; de *asyndète.*

Didact. Relatif à l'asyndète.

**ASYNERGIE** [asinɛʀʒi] n. f. — 1843, *in* D. D. L. : de 2. *a-*, et *synergie.*

Méd. Manque de coordination des mouvements qui concourent à l'accomplissement d'un acte. *Asynergie cérébelleuse.*

Un neurologue fut appelé qui prononça des mots mystérieux : troubles de la coordination, asynergie (...)

A. BILLY, Sur les bords de la Veule, p. 39.

DÉR. **Asynergique.**

**ASYNERGIQUE** [asinɛʀʒik] adj. — 1906, *in* D. D. L.; de *asynergie.*

Méd. Qui a rapport à l'asynergie.

N. *Un, une asynergique :* malade atteint d'asynergie.

**ASYNTAXIQUE** [asɛ̃taksik] ou **ASYNTACTIQUE** [asɛ̃taktik] adj. — 1872, *asyntactique; asyntaxique,* 1912; de 2. *a-*, et *syntactique, syntaxique.*

Ling. Contraire à la syntaxe. → **Agrammatical.**

*Composés asyntactiques* ou *asyntaxiques :* composés pour lesquels la fonction syntaxique des composants s'est modifiée ou a disparu. Ex. : *chèvrepied* (*in* Marouzeau, *Lexique*).

**ASYSTÉMATIQUE** [asistematik] adj. — 1957; de 2. *a-*, et *systématique.*

Qui est indépendant de tout système; qu'on ne peut pas systématiser.

Dans notre mythologie la violence est prise dans le même préjugé que la littérature ou l'art : on ne peut lui supposer d'autre fonction que celle d'*exprimer* un fond, une intériorité, une nature, dont elle serait le langage premier, sauvage, asystématique; nous concevons bien, sans doute, que l'on puisse dériver la violence vers des fins réfléchies, la tourner en instrument d'une pensée, mais il ne s'agit jamais que de domestiquer une force *antérieure,* souverainement originelle.

R. BARTHES, l'Empire des signes, p. 139.

**ASYSTOLIE** [asistɔli] n. f. — 1855; de 2. *a-*, *systole,* et *-ie.*

Médecine.

♦ **1** Vx. Insuffisance cardio-vasculaire, troubles (dyspnée, œdèmes) qui en résultent.

♦ **2** Mod. Ensemble des phénomènes causés par l'insuffisance cardio-vasculaire et des troubles qui en résultent.

DÉR. **Asystolique.**

**ASYSTOLIQUE** [asistɔlik] adj. — 1889, *in* D. D. L.; de *asystolie.*

Méd. Qui a rapport à l'asystolie. — N. *Un, une asystolique.*

**-AT** Élément servant à former des substantifs masculins.

♦ **1** (État). Le dérivé désigne une dignité (ex. : *amiralat, mandarinat*), une fonction (ex. : *assistanat, directorat, inspectorat, rectorat, vedettariat*), et, par ext., le domaine local (ex. : *palatinat*), le temps où s'exerce la fonction (*septennat, consulat*). Le dérivé désigne un comportement ou un état. Ex. : *anonymat, mécénat.*

♦ **2** Le dérivé désigne un groupe de personnes exerçant la même fonction ou ayant le même mode de vie. Ex. : *artisanat, électorat, patronat, prolétariat.*

♦ **3** Le dérivé désigne un système, une organisation. Ex. : *actionnariat, commissariat, syndicat.*

♦ **4** Le dérivé désigne un produit industriel (ex. : *filtrat*) ou le résultat d'une action (ex. : *aggloméra*t, *conglomérat*).

**ATABEG** [atabɛg] ou **ATABEK** [atabɛk] n. m. — 1771, *atabek; atabeg,* 1845; turc *atabek,* formé de *atâ* «père», et de *bek, beg* «seigneur».

Hist. Titre turc porté par certains émirs qui usurpèrent le pouvoir dans des provinces de l'empire seldjoukide.

**ATACAMITE** ou **ATAKAMITE** [atakamit] n. f. — 1823, Boiste; de *Atacama,* n. de lieu (Chili), et *-ite.*

Minér. Oxychlorure de cuivre naturel, d'un beau vert émeraude. Syn. : *rémolinite.*

À côté des minerais sulfurés, voici un minerai chloré : l'*atacamite* chilien *(sic)* $CuCl_2 3Cu(OH)_2$ avec une teneur en cuivre de 59,4 %. On le classe souvent parmi les *minerais oxydés* (...)

Gaston COHEN, le Cuivre et le Nickel, p. 13.

**ATACTIQUE** [ataktik] adj. — Av. 1968; adapt. ital. *atattico,* G. Natta, de *a-* (→ 2. A-), et grec *taktikos.* → Isotactique.

Phys. Se dit d'une structure dont les motifs ou les conformations ne se répètent pas régulièrement.

CONTR. **Isotactique.**

**ATAGAN** ou **ATAGHAN** [atagɑ̃] n. m. → **Yatagan.**

**ATAMAN** [atamɑ̃] n. m. → **Atman.**

**ATARAXIE** [ataʀaksi] n. f. — 1580; grec *ataraxia* «absence de trouble, tranquillité d'âme».

♦ **1** Philos. Tranquillité de l'âme. Chez les Stoïciens, État d'une âme que rien ne trouble. → **Apathie, calme, détachement, impassibilité, imperturbabilité, quiétude, sérénité.** *Pour les Stoïciens, l'ataraxie est l'idéal du sage.* → **Bonheur.**

1 Le premier *(l'homme sauvage)* ne respire que le repos et la liberté; il ne veut que vivre et rester oisif, et l'ataraxie même du stoïcien n'approche pas de sa profonde indifférence pour tout autre objet.
ROUSSEAU, De l'inégalité parmi les hommes, 2.

2 Ataraxie! pensait-il, indifférence, quiétude, sérénité voluptueuse! qui des hommes vous appréciera?
Pierre LOUŸS, Aphrodite, V, 5.

3 Il n'y a point d'ivresse égale à celle d'un homme qui a gagné un million et qui se prépare à le perdre. Celui qui arrivera à cette ataraxie en mouvement peut se vanter d'être au-dessus du sort.
ALAIN, les Aventures du cœur, *in* les Passions et la Sagesse, Pl., p. 397-398.

4 Quel rajeunissement, quel bain de force originelle que d'être, seul, deux fois vingt-quatre heures entre ciel et mer. Et quelle apaisante beauté, — l'ataraxie découverte en plein cœur des pires tempêtes (j'en ai fait l'épreuve une fois de plus pendant la première de ces deux traversées) [...]
J.-R. BLOCH, Deux hommes se rencontrent, p. 198.

♦ **2** Méd. État de tranquillité, d'impassibilité provoqué par certains neuroleptiques (dits *ataraxiques*). — *Ataraxie digestive :* absence de troubles de l'appareil digestif. — *Ataraxie génitale :* impuissance.

CONTR. **Agitation, anxiété, émotivité, inquiétude, passion, trouble.** ◊ DÉR. **Ataraxique.**

**ATARAXIQUE** [ataʀaksik] adj. — 1866, *in* Larousse; de *ataraxie.*

♦ **1** Didact. Qui concerne l'ataraxie, l'état de calme absolu. *Avoir un tempérament ataraxique. Effets ataraxiques d'un climat, d'une drogue.*

Ces médicaments *(les tranquillisants)* sont quelquefois appelés ataraxiques, parce que l'ataraxie est par définition l'absence de trouble émotionnel, la condition imperturbable.
Jean DELAY, Introd. à la médecine psychosomatique, Notes et observations, p. 65.

Qui est dans l'ataraxie. — N. *Un, une ataraxique.*

♦ **2** Méd. Qui tranquillise. *Un médicament ataraxique.* → **Tranquillisant.**

**ATAVAL, ALE** [ataval] adj. — 1891, Verlaine; de *atav(isme),* et *-al.*

Didact., vx. Héréditaire, dû à l'atavisme.

**ATAVES** [atav] n. m. pl. — 1510; lat. *atavus.* → Atavisme.

Vx ou mod., par plais. Ancêtres. *Les aves et les ataves.*

COMP. **Atavofigures.**

**ATAVIQUE** [atavik] adj. — 1876; de *atavisme.*

♦ **1** Biol. Qui se transmet par atavisme. *Caractères ataviques.* → **Ancestral, héréditaire.**

♦ **2** Cour. Qui est lié à la transmission des caractères héréditaires; qui résulte de cette transmission. *Trait atavique.* Rare (avec un animé). *Un criminel atavique.*

1 Les jeunes, qui croient échapper à cette atavique folie, en sont atteints à leur tour, contre leur gré (...)
A. MAUROIS, Études littéraires, t. II, 2.

Cette inaptitude atavique à désespérer, qui est en moi 2
comme une infirmité contre laquelle je ne puis rien, finissait par prendre l'apparence de quelque heureuse et congénitale imbécillité (...)
R. GARY, la Promesse de l'aube, p. 253.

Qui est dû à des habitudes ancestrales. *Une haine atavique. Des croyances ataviques.*

CONTR. **Acquis** (caractère). ◊ DÉR. **Ataviquement.**

**ATAVIQUEMENT** [atavikmɑ̃] adv. — 1936, *in* T. L. F.; de *atavique.*

Rare. D'une manière atavique.

Il faudra attendre que naissent et meurent plusieurs générations avant que l'on reconnaisse l'existence d'une race américaine ataviquement attachée à son sol.
Maurice DENUZIÈRE, Louisiane, p. 271.

**ATAVISME** [atavism] n. m. — 1838; du rad. lat. *atavi (atave)* «quadrisaïeuls, ancêtres», et *-isme.*

♦ **1** Biol. Forme d'hérédité* dans laquelle l'individu hérite de caractères ancestraux qui ne se manifestaient pas chez ses parents immédiats. Réapparition d'un caractère primitif après un nombre indéterminé de générations.

Cette notion *(de l'atavisme),* introduite par Baudement 0.1
dans la science zootechnique, représente l'influence collective des aïeux à distance, suivant son expression, par opposition à l'hérédité, qui représente l'action immédiate et actuelle, l'influence individuelle du reproducteur. Plus une race est ancienne, plus la force de l'atavisme est grande; il arrive parfois que, dans une famille d'animaux, certains produits se distinguent par un ou plusieurs caractères saillants, qui les éloignent de leurs parents immédiats, pour les rapprocher de quelqu'un de leurs ancêtres, parfois très éloigné; c'est ce qu'on appelle coup en arrière.
Omnium agricole, p. 72.

Zool. «Présence dans une race d'un caractère ou d'une fonction qui n'a plus de raison d'être dans son état actuel, mais qui pourrait s'expliquer comme persistance d'un état antérieur» (Dict. de Lalande).

Bot. Retour progressif d'un hybride vers l'un des types naturels d'où il provient.

Zootechn. Naissance d'animaux de moindre valeur présentant les caractéristiques des animaux élevés avant l'amélioration des races.

Par métonymie. Trait réapparu de cette manière.

♦ **2** Cour. Hérédité biologique des caractères physiques ou psychologiques. *C'est de l'atavisme!* — Par ext. Hérédité des idées, des comportements.

Bah! affaire d'atavisme, ce sont les siècles d'éducation et 0.2
de croyance, derrière vous, qui protestent.
ZOLA, Paris, t. II, p. 87.

Tout un passé, toute une enfance personnelle et tout un 1
atavisme de foi revient momentanément au fond de nos cœurs, tandis que nous cheminons sans parler (...)
LOTI, Jérusalem, IV.

Son atavisme protestant le prédisposait assez bien, d'ail- 2
leurs, à cette idée que la société ne doit pas être soumise à un rigoureux conformisme (...)
MARTIN DU GARD, les Thibault, VII, 42.

♦ **3** Par anal. Transmission, dans une communauté (d'une connaissance, d'une façon de vivre...). *Faire une chose par atavisme.*

DÉR. **Ataval, atavique.**

**ATAVOFIGURES** [atavofigyʀ] n. f. pl. — 1916; de *ataves,* et *figure.*

Vx. Ensemble de traits hérités des ancêtres. → **Archétype.**

**ATAXIE** [ataksi] n. f. — 1741 ; grec *ataxia* «désordre, confusion», de *ataktos* «désordonné, irrégulier», de *a-* privatif, et *tassein* «ranger, assigner une place à».

♦ **1** Méd. Vx. Désordre ou irrégularité dans le cours d'une maladie.

♦ **2** Méd. Mod. Incoordination des mouvements causée par une affection des centres nerveux. *Ataxie locomotrice progressive.* → **Tabès.** *L'ataxie cinétique, trouble de l'exécution des mouvements volontaires distinct de l'apraxie.*

♦ **3** (1838). Par ext. Incohérence de l'esprit, dérangement, désordre psychique.

(...) l'incohérence, l'ataxie mentale des hommes qui nous gouvernent, paraissent être arrivées au point où elles ne peuvent plus croître. La folie qui s'est emparée de tous ces gens consiste à croire qu'ils sont juges de Dreyfus.
CLÉMENCEAU, Vers la réparation, 1899, p. 184, *in* T. L. F.

Psychol., psychiatrie. *Ataxie intrapsychique* : discordance*.

DÉR. **Ataxique.**

**ATAXIQUE** [ataksik] adj. et n. — 1798 ; de *ataxie.*

♦ **1** Adj. Qui a rapport à l'ataxie. *Démarche ataxique. Phénomènes ataxiques.*

Fig. En proie à une agitation convulsive.

1 (...) aux sons d'une trompette hystérique (...) un nègre ataxique projetait loin de lui sa compagne impondérable, la rattrapait, la divisait, la changeait en drapeau, en tourbillon, en fumée, et lui rendait tout à coup son aspect humain de petite étudiante fatiguée par la bringue (...)
H. TROYAT, la Tête sur les épaules, p. 167.

Fig. Irrégulier, désordonné. *Mouvement ataxique.*

♦ **2** N. *Un, une ataxique* : une personne atteinte d'ataxie.

1 Il suffit d'en être privé *(de la sensibilité profonde),* comme l'ataxique, par exemple, pour donner l'impression d'être paralysé. Celui-ci ne peut diriger ses mouvements que par le contrôle de la vue.
P. VALLERY-RADOT, Notre corps, p. 130.

2 (...) un mulet qui, de côté lance une jambe brisée, à la manière des ataxiques.
GIDE, Journal 1889-1939, Voyage en Andorre, Pl., p. 316.

3 Dans le silence, notre attention fut brusquement fixée par des trépidations lointaines qui allaient s'amplifiant sous les voûtes. On eût dit d'un marteau-piqueur manié par un ataxique (...)
Antoine BLONDIN, Monsieur Jadis, p. 154.

**ATCHOUM** [atʃum] interj. — 1890, *in* D. D. L. ; onomatopée.

Bruit produit par un éternuement. → **Éternuement.** *Il a fait : atchoum ! — Des atchoums sonores.*

Yo : perdido. Muy malo. Froid (oui, froin, commenta l'autre). Atchoum, dit Gerfaut dans une intention explicative et il fit un geste pour symboliser une bronchite, ce qui n'est pas si difficile qu'on croirait.
J.-P. MANCHETTE, Trois hommes à abattre, XV, p. 102.

Var. : *hatchou* (1937, Céline).

**-ATE** Élément servant à former de nombreux substantifs masculins, dans le domaine de la chimie.

♦ **1** Désigne les sels ou esters obtenus par l'action d'un acide en *-ique,* sur une base ou un alcool. Ex. : *alginate, carbonate, manganate, silicate ; citrate, salicylate.*

♦ **2** Plus rarement, désigne des corps qui ne sont pas des sels (ex. : *alcoolate, hydrate*).

**ATÈLE** [atɛl] n. m. — 1839 ; grec *atelês* «incomplet», à cause des mains sans pouce de cette espèce.

Singe de l'Amérique du Sud *(Cébidés),* dit *singe-araignée* à cause de la longueur démesurée et de la gracilité de ses membres et de sa queue. *L'atèle se sert de sa longue queue prenante pour saisir sa nourriture.*

HOM. **Attelle.**

**ATÉLECTASIE** [atelɛktazi] n. f. — 1865 ; du grec *atelês* «inachevé, incomplet», et *ectasie.*

Pathol. Affaissement des alvéoles pulmonaires qui ne contiennent plus d'air, à la suite d'un rétrécissement ou d'une obstruction des bronches.

**ATELET** [atlɛ] n. m. → **Hâtelet.**

**ATELIER** [atəlje] n. m. — 1362 ; *astelier,* 1332 ; de l'anc. franç. *astelle, attelle.*

♦ **1** Lieu de travail d'un artisan (→ ci-dessous, cit. 3), lieu où des artisans, des ouvriers travaillent en commun. → **Boutique, chantier, laboratoire, ouvroir.** *L'atelier d'un artisan. L'atelier du charpentier, du menuisier, du forgeron. Ouvrir un atelier de couture. Atelier de confection* (→ Montage, cit. 1.1). *Le personnel d'un atelier.* → **Apprenti, chef** (d'atelier), **contremaître, ouvrier.** *Règlement d'atelier* : règlement par lequel le chef d'entreprise détermine certaines conditions du travail dans l'atelier.

Il fait bâtir (...) une maison de pierre de taille (...) Il se promène tous les jours dans ses ateliers (...) 1
LA BRUYÈRE, les Caractères, XI, 124.

REM. Dans cet exemple, dont Littré cite la dernière phrase, on dirait aujourd'hui *chantiers.*

En le promenant d'atelier en atelier, ne souffrez jamais qu'il voie aucun travail sans mettre lui-même la main à l'œuvre (...) 2
ROUSSEAU, Émile, III.

Il désertait de plus en plus, pour ce métier rude, l'atelier en plein vent du charpentier, où elle l'avait mis en apprentissage (...) 3
LOTI, Ramuntcho, I, 1.

Peu à peu elle *(la foule)* s'était renforcée des arpettes, midinettes et grooms jaillis des ateliers et magasins d'alentour. 4
Georges LECOMTE, Ma traversée, p. 380.

(...) des femmes qui viennent déposer leurs enfants à la crèche, pour être libres d'aller trimer aux ateliers. 5
MARTIN DU GARD, les Thibault, VII, 42.

*Ateliers de la marine.* → **Arsenal.**

*Ateliers de charité.* — Anciennt. *Ateliers publics,* ouverts par l'État pour venir en aide aux chômeurs. — *Les ateliers nationaux de 1848.*

J'applaudis au très louable et très heureux accord de M. Bailly, quand il réclame l'établissement d'«ateliers publics» comme un soulagement véritable du peuple. 6
MIRABEAU, Disc. 16 mars 1790.

En vain ouvrit-on des «ateliers publics» *(sous la Révolution).* Simple changement de nom. Ce qui était atelier de charité devint «atelier national», et, pour les gens qui jugeaient froidement les résultats, ateliers de fainéantise. 7
BRUNOT, Hist. de la langue franç., t. IX, p. 1190.

Il fallut leur promettre *(aux insurgés de 1848)* le «droit au travail», au nom duquel furent créés les ateliers nationaux pour occuper les chômeurs. 8
J. BAINVILLE, Hist. de France, p. 476.

Photogr. Local aménagé pour la prise de vue. — *Atelier de montage* (cit. 2).

Techn. Chantier, dans une carrière, une mine. *Homme d'atelier* : ouvrier chargé du matériel, de travaux accessoires.

Par métaphore :

La vie est un vaste atelier 9
Où chacun faisant son métier,
Tout le monde est utile.
A. DE VIGNY, Chant d'ouvriers.

10 Le collège est l'atelier qui enseigne le doigté de la machine à penser.
R. ROLLAND, l'Âme enchantée, Mère et fils, t. III, p. 75.

♦ **2** Section d'une usine où des ouvriers travaillent à un même ouvrage. *Atelier de fabrication. Atelier de forge, de laminage, de montage, de réparations. Chef d'atelier.*

Lieu aménagé pour des travaux techniques, artisanaux, etc., dans une communauté. *Les ateliers d'un lycée technique. Atelier d'une prison.*

♦ **3** Par métonymie. L'ensemble des personnes qui travaillent dans un atelier. *Tout l'atelier regrette son départ* (Académie).

Ch. de fer. *Ateliers de substitutions :* groupes mobiles (brigades) d'ouvriers chargés de remplacer des portions de voie.

♦ **4** Spécialt. Lieu où travaille un artiste (peintre, sculpteur...), ou ce lieu transformé en logement. *Atelier d'artiste.* → **Studio.**

11 Combien de tableaux seraient demeurés des années entières dans l'ombre de l'atelier s'ils n'avaient point été exposés? DIDEROT, Salon de 1767.

12 Atelier froid et humide : cet entassement de plâtres, de moules, etc. E. DELACROIX, Journal, 3 avr. 1847.

*Charge, scène d'atelier,* fait dans l'atelier, et qui représente l'atelier lui-même. L'Atelier, *de Courbet, célèbre scène d'atelier.*

*Jour d'atelier :* le jour le plus propre à éclairer un tableau, une statue.

Par ext. L'ensemble des élèves, des artistes qui travaillent en atelier sous la direction d'un maître. *Rivalités d'atelier. Œuvre d'atelier :* «œuvre exécutée dans l'atelier du maître, sous sa direction et sous son contrôle, et parfois achevée par lui» (Malraux). *Chef d'atelier :* professeur à l'École des Beaux-Arts.

Par métaphore. L'activité, le lieu de l'activité du peintre.

13 L'atelier est devenu le creuset où le génie humain à son apogée de développement, remet en question non seulement ce qui est, mais recrée avec une nature fantastique et conventionnelle que nos faibles esprits, ne sachant plus comment accorder avec ce qui est, adoptent de préférence, parce que c'est notre misérable ouvrage.
E. DELACROIX, Journal, 1823, t. I, p. 19.

♦ **5** Dans la franc-maçonnerie, Compagnie de francs-maçons groupés sous un même vocable. Local où ils se réunissent.

14 Âgé d'une quarantaine d'années, grand blessé de guerre, ingénieur des Poudres, Nicolétis se trouvait être aussi l'un des principaux dignitaires de la Grande Loge de France, rue Puteaux, où il appartenait au même atelier que Gaston Moch.
Raymond ABELLIO, Ma dernière mémoire, t. II, p. 116.

♦ **6** Groupe de travail. *Atelier de travail théâtral, de théâtre. Le colloque est divisé en trois ateliers.*

*Atelier éducatif :* lieu où l'on pratique des activités manuelles de loisir. Cette activité elle-même.

♦ **7** (1680). Techn. *Atelier de vers à soie :* emplacement où les vers à soie filent leur cocon.

**ATÉLIOSE** [ateljoz] n. f. — 1917, in *Larousse mensuel,* août; du grec *a-* priv., et *teleiôsis* «achèvement, maturité».

Méd. Trouble du développement général dans lequel le sujet garde à l'âge adulte tout ou partie des caractères physiques de l'enfant, les proportions du corps restant normales. Syn. : *infantilisme primaire.*

**ATELLANE** [ate(l)lan] n. f. — 1557, adj., de *fabulae atellanae;* n. f., 1570; du lat. *atellana,* de *Atella,* ville de l'Italie ancienne.

Didact. (Antiq. rom.). Petite pièce de théâtre à caractère bouffon. → **Farce.**

(...) la pruderie moderne ne souffrirait pas qu'on essayât de rendre compte de ces folles atellanes, où les scènes lascives d'Aristophane se combinent avec les songes drôlatiques de Rabelais (...)
Th. GAUTIER, Constantinople, p. 17.

**ATÉMI** ou **ATEMI** [atemi] n. m. — 1950; mot japonais.

Sport. Coup que l'on porte avec une partie du corps (tranchant de la main, coude, genou, pied) sur un point sensible de l'adversaire, dans les arts martiaux japonais.

**A TEMPO** [atɛmpo] loc. adv. — 1842; mots ital. «à temps».

Mus. Indication de retour au mouvement primitif.

**ATEMPORALITÉ** [atɑ̃pɔʀalite] n. f. — 1943, Sartre; formé sur *atemporel* par anal. avec *temporalité.*

Philos., psychol. Caractère de ce qui est atemporel, de ce qui est en dehors du temps.

**ATEMPOREL, ELLE** [atɑ̃pɔʀɛl] adj. — 1933; de 2. *a-,* et *temporel.*

Didactique.

♦ **1** (1943). Philos. Qui n'est pas concerné par le temps. → **Intemporel.**

Je conservais suffisamment conscience de la réalité d'ici et de maintenant pour être paisible, heureux, détendu au sein de la plus grande tension, du plus profond malheur, de la plus tragique angoisse revécus, — la désolation des temps n'étant rien comparée à celle, atemporelle et que je croyais définitive, où j'étais enlisé.
Claude MAURIAC, le Temps immobile, p. 110.

♦ **2** (1933). Ling. Rare. Se dit d'une forme verbale qui n'exprime pas un temps. *Présent atemporel.*

DÉR. V. **Atemporalité.**

**ATERMOIEMENT** [atɛʀmwamɑ̃] n. m. — 1740; *attermoyemens,* 1605; de *atermoyer,* et *-ment.*

♦ **1** Dr. Délai* accordé à un débiteur pour l'exécution de ses engagements. → **Concordat, grâce.**

♦ **2** (Souvent au plur.). Littér. ou style soutenu. Action de différer, de remettre à un autre temps. → **Ajournement, délai, faux-fuyant, hésitation, remise, retard, tergiversation.** *Chercher des atermoiements, des atermoiements sans fin.*

D'un autre côté, on tire de l'extrême jeunesse des raisons d'atermoiements; quand on a beaucoup de temps à dépenser, on se persuade qu'on peut attendre. 1
CHATEAUBRIAND, Mémoires d'outre-tombe, IV, 9.

À force de précautions, d'atermoiements, et avec cette manie de réserver toujours pour de plus dignes temps le meilleur, il me semble que tout encore reste à dire et que je n'ai fait jusqu'à présent que préparer. 2
GIDE, Journal, 21 janv. 1917.

Enfin, après mille atermoiements, au printemps dernier, Mlle de Waise avait consenti à la séparation. 3
MARTIN DU GARD, les Thibault, IV, 7.

CONTR. **Hâte, précipitation; décision.**

**ATERMOYER** [atɛʀmwaje] v. tr. et intr. — 1571, v. pron.; *atermoier,* déb. XIIIe; *attermoyer,* 1604; de *à,* et de l'anc. franç. *termoier* «ajourner». → Terme.

♦ **1** V. tr. Vieilli. Dr. Renvoyer (un paiement) à un terme plus éloigné. → **Atermoiement.**

Par ext. Renvoyer (qqch.) à plus tard. *Atermoyer sa réponse.* → **Ajourner, retarder.**

♦ **2** V. intr. Mod. Littér. ou style soutenu. Différer de délai en délai, chercher à gagner du temps par des faux-fuyants. *Il ne cherche qu'à atermoyer en amusant le tapis. Il n'y a plus à atermoyer, il faut agir.* → **Attendre, différer, reculer, remettre**; et aussi **hésiter, tergiverser.**

1 Dans cette tragédie *(Hamlet),* qui est en même temps une philosophie, tout flotte, hésite, atermoie, chancelle, se décompose, se disperse et se dissipe, la pensée est nuage, la volonté est vapeur, la résolution est crépuscule, l'action souffle à chaque instant en sens inverse, la rose des vents gouverne l'homme. HUGO, Shakespeare, p. 72.

2 Frédéric-Guillaume reçoit le 6 octobre l'envoyé d'Alexandre : il hésite, atermoie, équivoque.
Louis MADELIN, Hist. du Consulat et de l'Empire, t. V, XX.

♦ **3** V. pron. Vx. *S'atermoyer :* prendre un arrangement avec ses créanciers pour obtenir des délais de paiement.

CONTR. **Activer, brusquer, décider** (se), **hâter, précipiter, presser.** ◇ DÉR. **Atermoiement, atermoyeur.**

**ATERMOYEUR, EUSE** [atɛʀmwajœʀ, øz] n. — 1866; *attermoyeur,* XIVe (?); de 1. *a-,* anc. franç. *termoier* «vendre à terme» *(atermoyer),* et *-eur.*

Rare, littér. Personne qui atermoie, renvoie quelque chose à plus tard.

**ATEUCHUS** [atøkys] n. m. — 1866, *in* Larousse; *ateucus,* 1834, Landais; *ateuche,* 1839, Boiste, *Index;* lat. sav. (genre établi par Weber, 1801), du grec *ateukhês* «non équipé, non armé», de *a-* priv., et *teukhos,* plur. *teukhea* «armes».

Didact. Genre de Coléoptères. → **Scarabée.** Scarabée sacré des Égyptiens *(ateuchus sacer).*

**-ATEUR, -ATRICE** Élément servant à former un grand nombre de noms d'agents, et d'adjectifs. Ce suffixe est une variante du suffixe *-eur.*

(...) confondant ces visages indécis (...) dans la gelée d'une seule grappe scintillatrice et tremblante.
PROUST, À l'ombre des jeunes filles en fleurs, Pl., t. I, p. 823.

Ex. : (n.) *créateur, créatrice, organisateur, organisatrice;* (adj.) *libérateur, libératrice, rémunérateur, rémunératrice.*

**ATHANOR** [atanɔʀ] n. m. — V. 1270; lat. médiéval *athanor;* arabe (')*ăl-tănnūr* «le four».

Alchim. Grand alambic à combustion lente. → Aludel (cit.).

(...) il se les figurait maniant la palette et les brosses, pilant des drogues dans un mortier ou feuilletant, près d'un athanor, un vieux traité d'alchimie.
FRANCE, la Révolte des anges, II, p. 27.

Chim. (vieilli). Fourneau de laboratoire permettant de faire plusieurs opérations différentes avec le même feu.

**ATHÉE** [ate] n. et adj. — 1547; grec *atheos* «qui ne croit pas aux dieux», de *a-* priv., et *theos.* → Théo-.

♦ **1** N. UN, UNE ATHÉE. Personne qui ne croit pas en Dieu, nie l'existence de Dieu, de toute divinité. → **Areligieux, athéiste** (vx), **incroyant, irréligieux.** *Platon appelle athées ceux qui ne croient pas aux dieux reconnus, Eschyle et Sophocle les considèrent comme impies. Les matérialistes* sont des athées.* — REM. En l'absence d'article et en attribut (→ ci-dessous, cit. 5, 12) les emplois adjectifs et substantifs se confondent.

Les athées doivent dire des choses parfaitement claires; or il n'est point parfaitement clair que l'âme soit matérielle. 1
PASCAL, Pensées, III, 221.

(...) le désespoir des athées, qui connaissent leur misère sans Rédempteur (...) 2
(...) je n'entreprendrai pas ici de prouver par des raisons naturelles, ou l'existence de Dieu, ou la Trinité, ou l'immortalité de l'âme (...) non seulement parce que je ne me sentirais pas assez fort pour trouver dans la nature de quoi convaincre des athées endurcis, mais encore parce que cette connaissance, sans Jésus-Christ, est inutile et stérile. PASCAL, Pensées, VIII, 556.

Alors *(dans les premiers siècles)* des athées devenaient chrétiens; maintenant des chrétiens deviennent athées. 3
BOURDALOUE, Pensées, t. I, p. 264.

L'homme pieux et l'athée parlent toujours de religion : l'un parle de ce qu'il aime, et l'autre de ce qu'il craint. 4
MONTESQUIEU, l'Esprit des lois, XXV, 1.

M. Bayle a prétendu prouver qu'il valait mieux être athée qu'idolâtre, c'est-à-dire, en d'autres termes, qu'il est moins dangereux de n'avoir point du tout de religion que d'en avoir une mauvaise. 5
MONTESQUIEU, l'Esprit des lois, XXIV, 2.

Ainsi le philosophe qui reconnaît un Dieu a pour lui une foule de probabilités qui équivalent à la certitude, et l'athée n'a que des doutes. 6
VOLTAIRE, Dict. philosophique, Athée.

J'étais un impie, un athée, un forcené, un enragé, une bête féroce, un loup. ROUSSEAU, les Confessions, XII. 7

Le déiste seul peut faire tête à l'athée, le superstitieux n'est pas de sa force. 8
DIDEROT, Pensées philosophiques, no 13.

Il n'y a de véritablement malheureux en quittant la terre que l'incrédule : pour l'homme sans foi, l'existence a cela d'affreux qu'elle fait sentir le néant (...) la vie de l'athée est un effrayant éclair qui ne sert qu'à découvrir un abîme. 9
CHATEAUBRIAND, Mémoires d'outre-tombe, t. II, p. 181.

L'athée est identique à l'aveugle. 10
HUGO, Post-Scriptum de ma vie, p. 62.

(...) athées (ce qui, du reste, en ce siècle, ne signifiait qu'une violente haine des prêtres). 11
MICHELET, Hist. de la Révolution franç, p. 533.

Ce n'est pas qu'il fût athée. Il tenait, au contraire, l'existence d'un principe créateur pour assez probable. 12
FRANCE, le Mannequin d'osier, p. 365.

L'athée déclaré sacrifie presque toujours au matérialisme; et le panthéiste, de son côté, se voit appliquer ce nom d'athée contre lequel il proteste. 13
RENOUVIER, Logique, IV, 54.

Entre un croyant et un athée, il y a un abîme tel qu'ils se combattraient toute une vie sans s'être compris. 14
MARTIN DU GARD, Jean Barois, I, La chaîne, 4.

L'athée éprouve autant que le croyant ou l'agnostique, la conscience d'un monde qui serait le même si lui, n'existait pas — la faille apportée par lui dans l'univers. 14.1
MALRAUX, l'Homme précaire et la Littérature, p. 298.

♦ **2** Adj. (1680). Qui nie l'existence de Dieu. *Il est athée. Il n'est pas athée, mais agnostique, sceptique, positiviste. Existentialisme athée. Une époque athée; un monde athée* (→ Apologie, cit. 4). → aussi **Irréligieux.**

Un dévôt est celui qui, sous un roi athée serait athée. 15
LA BRUYÈRE, les Caractères, XIII, 21.

Je ne voudrais pas avoir à faire à un prince athée, qui trouverait son intérêt à me faire piler dans un mortier; je suis bien sûr que je serais pilé. 16
VOLTAIRE, Dict. philosophique, Athéisme.

— Ah, fit Clovis, tout ça ne serait pas arrivé, s'il n'y avait pas eu un gouvernement athée. Cette guerre, c'est une punition de Dieu. R. QUENEAU, le Chiendent, p. 421. 17

Littér., rare. *Athée de... :* qui ne croit pas en...

Que j'avais connu de Pradés, réfugiés dans leur antre de néant! Athées de tout, et peut-être d'eux-mêmes. 18
MALRAUX, Antimémoires, Folio, p. 332.

CONTR. **Croyant, déiste, religieux, théiste.** ◇ DÉR. **Athéiser, athéisme, athéiste.**

**ATHÉISER** [ateize] v. — 1792; de *athée*, et *-iser.*

V. intr. Rare. Professer l'athéisme.

V. tr. Rendre athée. *Athéiser un pays, une population.* — P. p. adj. *Athéisé :* rendu athée. «*Ce pays athéisé*» (Barbey d'Aurevilly).

**ATHÉISME** [ateism] n. m. — 1555; de *athée*, et *-isme.*

♦ **1** Attitude ou doctrine de l'athée. → **Incroyance, irréligiosité, matérialisme.**

1 Tous ceux qui cherchent Dieu hors de Jésus-Christ (...) tombent ou dans l'athéisme ou dans le déisme que la religion chrétienne abhorre presque également.
PASCAL, Pensées, III, 55. (→ Déisme, cit.).

2 L'Écriture directement combattue, la voie ouverte au déisme, c'est-à-dire à un athéisme déguisé (...)
BOSSUET, Hist. des variations, V, 31.

3 Il y a un athéisme caché dans tous les cœurs qui se répand dans toutes les actions; on compte Dieu pour rien; on croit que, quand on a recours à Dieu, c'est que les choses sont désespérées et qu'il n'y a plus rien à faire.
BOSSUET, Pensées détachées, *in* LITTRÉ.

3.1 Quand l'athéisme voudra des martyrs, qu'il les désigne, et mon sang est tout prêt. SADE, Justine..., t. I, p. 81.

4 Une âme peut être opérée de l'athéisme comme une prunelle de la cataracte.
HUGO, Post-Scriptum de ma vie, p. 62.

5 (...) le monde de ceux qui ne croient à rien, pas même à l'athéisme, qui ne se dévouent, qui ne se sacrifient à rien.
Ch. PÉGUY, Notre jeunesse, p. 14-15.

Spécialt. Doctrine de ceux qui nient l'existence d'un Dieu personnel. → **Panthéisme.**

♦ **2** Philos. Négation de l'existence de Dieu.

6 L'athéisme du XVIIIe siècle avait des prétentions à la vérité et à la pensée. Il était raisonneur, sophiste, déclamatoire, surtout impertinent.
BARBEY D'AUREVILLY, les Diaboliques, p. 308.

7 Quand il parvint aux pages sur l'athéisme, il sentit qu'il détenait enfin une réponse; et l'âpre joie de la certitude compensa la tristesse que cette réponse fût négative.
Jean-Louis CURTIS, le Roseau pensant, p. 236.

CONTR. **Croyance, déisme, panthéisme, religion, 1. théisme.**

**ATHÉISTE** [ateist] adj. — 1549; de *athée*, et *-iste.*

Vx. Qui a le caractère de l'athéisme.

N. *(Un, une athéiste).* Athée.

DÉR. **Athéistique.**

**ATHÉISTIQUE** [ateistik] adj. — 1768, Voltaire; de *athéiste*, et *-ique.*

Didact. Relatif à l'athéisme.

**ATHÉMATIQUE** [atematik] adj. — 1888, Encycl. Berthelot; de 2. *a-*, et *thématique.*

♦ **1** Ling. Qui n'est pas thématique. *Les mots les plus fréquents* (mots grammaticaux, de relation) *sont athématiques.* → **Thématique** (2.).

Qui ne comporte pas de voyelle thématique; où les suffixes se rattachent directement à la racine.

♦ **2** Mus. Qui ne comporte pas de thème musical. *Musique athématique.*

♦ **3** Philos. Qui n'est pas thématique, ne trahit pas la nature profonde de l'individu. → **Thématique** (3.).

(...) si quelquefois les hallucinations sont neutres, indifférentes, athématiques, suivant l'expression de de Clérambault, dans bien des cas leur contenu exprime des sentiments très personnels conscients ou inconscients, mais provenant bien du fond de la personnalité (...)
H. BARUK, Psychoses et Névroses, p. 34.

CONTR. **Thématique.** ◊ DÉR. **Athématisme.**

**ATHÉMATISME** [atematism] n. m. — Fin XIXe; du rad. de *athématique.*

Mus. Caractère d'une musique qui ne comporte pas de thème.

**ATHÉNÉE** [atene] n. m. — 1740; bas lat. *athenæum*, grec *athênaion* «temple d'Athéna, lieu public consacré à Pallas Athéna, déesse des arts et des sciences».

♦ **1** Didact. [a] Lieu public où poètes et rhéteurs lisaient leurs œuvres, disputaient des concours.

[b] Institution de cours et de conférences parisienne (fin XVIIIe-déb. XIXe siècle).

♦ **2** En Belgique (après 1816), Établissement secondaire d'enseignement public (pour garçons, ou mixte), équivalent des lycées et collèges français. — REM. Avant 1980, *athénée* désignait un établissement pour les garçons, *lycée* étant réservé aux établissements pour les filles.

À partir du mois d'octobre suivant, comme son stage à l'institution privée lui avait permis de rattraper ses années de maladie et qu'il était entré en classe de poésie à l'athénée, il eut de fréquentes demi-journées à passer dans sa chambre.
Marcel THIRY, Simul et autres cas, p. 32.

**ATHÉNIEN, IENNE** [atenjɛ̃, jɛn] adj. et n. — V. 1165; lat. *atheniensis*, du grec.

♦ **1** Adj. Qui est né ou qui habite à Athènes; d'Athènes. *La population athénienne.*

Spécialt. De l'Athènes antique. → **Grec.** *La cité athénienne. L'acropole athénienne. Les archontes athéniens. L'aréopage athénien. Les héliastes athéniens. La fête athénienne des Panathénées. L'esprit athénien.* → **Atticisme, attique.**

*(Thésée)* réussit (...) à faire adopter dans toute l'Attique le culte d'Athénée Polias, en sorte que tout le pays célébra dès lors en commun le sacrifice des Panathénées (...) Il voulut que le prytanée d'Athènes fût le centre religieux de toute l'Attique. Dès lors, l'unité athénienne fut fondée (...) 1
FUSTEL DE COULANGES, la Cité antique, p. 148.

Vx. *Eau athénienne :* eau qui dégraisse et parfume les cheveux (E. Augier, 1869).

♦ **2** N. [a] Personne qui est née ou qui habite à Athènes, et, spécialt, dans la cité antique d'Athènes.

Voyez à quoi se passe la vie d'un Athénien. Un jour il est appelé à l'assemblée de son dème et il a à délibérer sur les intérêts religieux ou financiers de cette petite association (...) Une année sur deux, en moyenne, il était héliaste, c'est-à-dire juge (...) 2
FUSTEL DE COULANGES, la Cité antique, p. 395.

L'Athénien s'éloigne du Romain et du Spartiate par mille traits de caractère et d'esprit; mais il leur ressemble par la crainte des dieux (...) L'Athénien qu'on se figure si inconstant, si capricieux, si libre-penseur, a, au contraire, un singulier respect pour les vieilles traditions et les vieux rites. 3
FUSTEL DE COULANGES, la Cité antique, p. 260.

Les anciens avaient déjà remarqué les contrastes correspondants de la Béotie et de l'Attique, du Béotien et de l'Athénien. *(L'Athénien)* montrait dès sa naissance une finesse et une vivacité d'esprit singulière, inventait, goûtait, sentait, entreprenait sans relâche, ne se souciait point d'autre chose et semblait n'avoir en propre que sa pensée. 4
TAINE, Philosophie de l'art, t. II, p. 93. (→ Attique).

(...) mais les Athéniens eurent de l'esprit, c'est-à-dire les vraies joies, l'éternelle gaieté, la divine enfance du cœur. 5
RENAN, Souvenirs d'enfance..., II.

[b] Fig. Vieilli. Personne qui a un esprit fin, léger, comparable à celui qu'on attribue aux habitants d'Athènes. «*Un Athénien de Paris*» (P. Arène).

[c] Loc. fam. *C'est là que les Athéniens s'atteignirent* (ou *s'éteignirent*) : c'est là, c'est alors que rien n'alla (ou n'ira) plus.

6 Pas un mot avant l'audience ! Mais, le jour du jugement !... C'est là que les Athéniens s'atteignirent !... Je leur sortirai ça (...) ! Roger VERCEL, Capitaine Conan, XII, p. 218.

DÉR. **Athénienne.**

**ATHÉNIENNE** [atenjɛn] n. f. — 1801, Académie ; de *athénien.*

Didact. Vasque ou support soutenu par trois pieds et servant de console. *Une athénienne Louis XVI en malachite.*

(...) tables-coiffeuses, psychés, petites tables dites *lavabos, athéniennes* (...) un autre modèle d'athénienne, à usage, lui, de table à ouvrage ; le palais de Fontainebleau en présente un remarquable exemple, à table ronde, supportée par le trépied traditionnel, entre les montants duquel s'accroche une tablette triangulaire surmontée d'un corbillon.
Guillaume JANNEAU, le Mobilier français, p. 99.

**ATHERMANE** [atɛʀman] ou **ATHERMIQUE** [atɛʀmik] adj. — 1836, *athermane,* cit. ci-dessous ; *athermane,* de 2. *a-,* et *therman-,* rad. de *thermainein* « chauffer » ; *athermique,* de 2. *a-,* et *thermique.*

Techn. Se dit d'un corps qui ne se laisse pas traverser par les radiations calorifiques. Qui n'est pas conducteur de la chaleur. *Paroi athermane.* → **Chaleur.**

Les corps tels que les métaux qui ne paraissent pas donner passage à la chaleur rayonnante, même sur de très petites épaisseurs, et que l'on pourrait nommer par cette raison *corps athermanes,* doivent cependant être regardés comme se laissant réellement pénétrer par des rayons de chaleur jusqu'à une certaine profondeur, qui quoique insensible n'en existe pas moins.
G. LAMÉ, Cours de Physique, I, p. 325.

CONTR. **Diathermane.**

**ATHÉROMASIE** [ateʀomazi] n. f. → **Athéromatose.**

**ATHÉROMATEUX, EUSE** [ateʀɔmatø, øz] adj. — 1771, Trévoux ; dér. sav. du lat. *atheroma, -atis,* et *-eux.*

Méd. De la nature de l'athérome. *Maladie athéromateuse.* → **Athérosclérose.**

(Personnes). Atteint d'athérome. *Malade athéromateux.*

N. *Un athéromateux, une athéromateuse.* Personne atteinte d'athérome.

Quant aux lipides, spécialement ceux d'origine animale, ils seront limités au maximum, surtout chez les athéromateux, et remplacés par des corps gras liquides ou solides apportant des acides gras non saturés.
Léon BINET, Gérontologie et Gériatrie, p. 83.

**ATHÉROMATOSE** [ateʀɔmatoz] n. f. — 1958 ; *athéromasie,* 1892 ; lat. *atheroma, -atis,* et 2. *-ose.*

Méd. Affection caractérisée par des lésions de sclérose des parois internes des artères (notamment de la tunique dite *intima**). → **Athérome.** Syn. (rare) : *athéromasie.*

L'athéromatose correspond à une infiltration lipidique de la paroi interne des artères. L'athérosclérose s'en distingue en ce sens qu'il existe en outre une calcification (...)
A. GALLI et R. LELUC, les Thérapeutiques modernes, p. 75.

**ATHÉROME** [ateʀom] n. m. — Après 1550, A. Paré ; du lat. *atheroma,* du grec *athêrôma* « loupe de matière graisseuse ».

Médecine.

♦ **1** Vx. Loupe enkystée renfermant « une humeur semblable à la bouillie qu'on fait manger aux petits enfants » (Paré, V, 17).

♦ **2** Mod. Lésion circonscrite de la surface interne d'une artère, sous forme d'une plaque jaunâtre, pouvant parfois être disséminée *(athéromatose).* → **Artériosclérose, athérosclérose.** « *On l'utilise* (cette méthode) *également dans le monde entier pour rechercher les causes profondes — ou du moins les "facteurs facilitants" — des athéromes, c'est-à-dire des oblitérations artérielles* » (*Sciences et Avenir,* n° 375, mai 1978, p. 26).

DÉR. (Du lat. *atheroma*) V. **Athéromateux, athéromatose.**
◇ COMP. **Athérosclérose.**

**ATHÉROSCLÉROSE** [ateʀosklеʀoz] n. f. — 1904, Marchand, *in* Garnier ; de *athéro(me),* et *sclérose.*

Méd. Variété de sclérose artérielle. → **Athérome.** *L'infarctus du myocarde, manifestation type de l'athérosclérose.*

1 Ainsi depuis un quart de siècle vit-on sur l'idée qu'on peut prévenir et combattre l'athérosclérose (maladie provoquée par le dépôt progressif de cholestérol sur les parois des vaisseaux sanguins), en activant l'élimination du cholestérol par des médicaments appropriés et en réduisant, dans l'alimentation, la quantité des produits susceptibles d'augmenter sa formation dans l'organisme.
Dr SIMON, *in* le Nouvel Observateur, déc. 1967.

2 Cause majeure des infarctus du myocarde et des infarctus cérébraux, par occlusion des artères, l'athérosclérose, qui atteint des sujets de plus en plus jeunes, est responsable d'un nombre considérable de décès et de cas d'invalidité.
la Recherche, n° 86, févr. 1978, p. 131.

**ATHÉTOÏDE** [atetɔid] adj. — 1946 ; du rad. de *athétose.*

Méd. Qui ressemble à l'athétose. *Mouvements athétoïdes.*

**ATHÉTOSE** [atetoz] ou **ATHÉSIE** [atezi] n. f. — 1865, *athétose ; athésie,* 1953 ; angl. *athetosis,* 1871, Hammond, du grec *athetos* « sans place, sans position », suff. *-osis* (→ 2. -ose).

Méd. (neurologie). Maladie nerveuse caractérisée par des mouvements involontaires lents et ondulants, surtout des extrémités, accentués par les émotions et disparaissant pendant le sommeil. *Athétose pupillaire.* « *L'athétose est accompagnée d'état spasmodique et souvent de débilité intellectuelle* » (Garnier et Delamare, *Dict. des termes techniques de médecine*).

DÉR. **Athétoïde, athétosique.**

**ATHÉTOSIQUE** [atetozik] adj. — V. 1920 ; de *athétose.*

Méd. Relatif à l'athétose. — Atteint d'athétose.

N. *Un, une athétosique.*

**ATHLÈTE** [atlɛt] n. — 1327 ; lat. *athleta,* grec *athlêtês* « celui qui lutte pour le prix », de *athlein, de athlon* « prix », de *athlos* « combat ».

♦ **1** N. m. Antiq. Celui qui combattait dans les jeux publics, et, par ext., celui qui s'adonnait aux exercices gymniques*. → **Gymnaste ; agoniste** (1.), **discobole, pentathle.** *L'éducation des athlètes se faisait au gymnase sous la direction du gymnasiarque, des gymnastes et des pédotribes* (→ **Gymnase, palestre).** *Les athlètes sur le stade. Au pugilat les athlètes grecs se servaient de cestes, gantelets de cuir garnis de plomb. L'athlète vainqueur du pancrace.* → **Pancratiaste.**

1 Le corps d'un athlète et l'âme d'un sage, voilà ce qu'il faut pour être heureux (...)
VOLTAIRE, Lettre à Helvétius, 27 oct. 1740.

2 Ceux que l'on destinait à la profession d'athlète, fréquentaient, dès leur plus tendre jeunesse, les gymnases ou palestres, qui étaient des espèces d'académies, entretenues pour cela aux dépens du public (...)
ROLLIN, Hist. ancienne, t. V, p. 76.

3 On appelait en général stade, chez les Grecs, l'endroit où les athlètes s'exerçaient entre eux à la course, et celui où ils combattaient sérieusement pour le prix (...)
ROLLIN, Hist. ancienne, t. V, p. 76.

4 L'athlète vainqueur dans la course à pied donnait son nom à l'olympiade. TAINE, Philosophie de l'art, t. I, II, 5.

5 Platon, Chrysippe, le poète Timocréon avaient d'abord été athlètes : Pythagore passait pour avoir eu le prix au pugilat; Euripide fut couronné comme athlète aux jeux éleusiniens (...)
TAINE, Philosophie de l'art, t. II, p. 193.

6 Un beau corps d'athlète en qui la vigueur s'accorde avec la finesse et la sérénité.
TAINE, Philosophie de l'art, t. II, p. 134.

♦ **2** N. m. et f. (1611). Mod. — REM. La forme fém. *une athlète* apparaît en 1898 (*in* Petiot). On rencontre la variante fam. et plaisante *athlétesse* [atletɛs] n. f. (1924), qui semble péj. chez Drieu la Rochelle, et simplement comique chez Queneau *(Loin de Rueil)*. Personne qui pratique l'athlétisme (2.). → **Coureur, discobole, hurdler, jumper, lanceur, marcheur, perchiste, sauteur; décathlonien, pentathlonien, triathlonien; athlétisme.** *Une athlète. Les athlètes françaises présentes aux Jeux olympiques. Athlète qui tente son troisième essai. La musculature* (cit. 2) *d'un athlète.* — Par ext. (au masc.). *C'est un athlète, un véritable athlète,* un homme robuste. *Être taillé en athlète.*

7 Grand, maigre, de la maigreur des antiques, avec les bras musculeux, le col et la carrure d'un athlète (...)
LOTI, Mon frère Yves, III.

7.1 Et nous avons déjà su choisir entre les statues antiques, préférer les athlètes légers aux athlètes lourds, les coureurs, les Doryphores aux lutteurs et aux Hercules.
Jean PRÉVOST, Plaisirs des sports, p. 58.

*Athlète complet :* personne qui pratique tous les sports athlétiques.

Méd. **PIED D'ATHLÈTE :** dermatose mycosique (épidermophytie) des orteils et des pieds due à des champignons du genre *trichophyton* ou *épidermophyton.* — On dit aussi : *pied de Hong-kong, pied de Madagascar.*

♦ **3** (1554). Fig. Vx. Défenseur, personne qui lutte pour une idée. → **Champion.** *Les athlètes de la foi, de Jésus-Christ :* les martyrs. *Athlète de la liberté.*

8 Cours, généreux athlète, en l'illustre carrière
Où de la nuit du monde on passe à la lumière (...)
ROTROU, Saint-Genest, IV, 4.

DÉR. **Athlétisme.**

**ATHLÉTIQUE** [atletik] adj. et n. f. — 1534; lat. *athleticus,* grec *athlêtikos,* de *athlêtês.* → Athlète.

**I** Adj. ♦ **1** Qui a rapport aux athlètes; qui évoque l'athlète. *Les jeux athlétiques de l'ancienne Grèce.* → aussi **Olympique.** *Exercices athlétiques.* → **Gymnastique.** — *Mouvement athlétique,* demandant de la force et une technique sportive particulière.

1 Elle avait vingt-quatre ans (...) L'acte athlétique la transfigurait. Elle s'y échappait dans une humanité accomplie.
MONTHERLANT, les Olympiques, p. 89.

2 Les situations dramatiques et psychologiques ici ont passé dans la mimique même du combat, qui est fonction du jeu athlétique et mystique des corps, — et de l'utilisation, j'oserai dire ondulatoire, de la scène, dont l'énorme spirale se découvre plan par plan.
A. ARTAUD, le Théâtre et son double, Sur le Théâtre balinais, Idées/Gallimard, p. 101.

(1906, *in* Petiot). *Marche athlétique :* marche de vitesse (20 et 50 km), à allure conventionnelle (la jambe devant rester en extension) [on dit aussi, absolt, *marche*].

♦ **2** Fort et musclé. *Un corps athlétique. Il est athlétique. Une nageuse élancée et athlétique.* — *Formes athlétiques. Une musculature athlétique.*

Didact. (morphologie de Kretschmer). *Type athlétique :* type morphologique caractérisé par une ossature et une musculature fortes (dit aussi *musculaire;* opposé à *pycnique, leptosome, asthénique*).

Subst. Didact. Personne présentant le type morphologique caractérisé par une ossature et une musculature fortes. «*L'athlétique est fréquemment schizophrène, presque jamais cycloïde. Il est plutôt longiligne (...)*» (E. Mounier, *Traité du caractère*).

♦ **3** Par métaphore. Littér. → **Fort, vigoureux.**

(...) l'âme athlétique de l'adolescent (...) 3
R. ROLLAND, Vie de Michel-Ange, p. 39.

**II** N. f. (1752). Partie de la gymnastique des anciens, technique des athlètes. → **Gymnique.**

DÉR. **Athlétiquement.**

**ATHLÉTIQUEMENT** [atletikmɑ̃] adv. — 1599; de *athlétique,* et *-ment.*

D'une manière athlétique; comme un athlète. *Elle est bâtie athlétiquement.*

Ne rencontrant jamais dans la vie les corps de femmes de la statuaire grecque, ou de certains peintres d'autrefois, j'en avais conclu qu'ils n'étaient que des inventions de l'idéalisme. Mais en 1919 je vis dans les stades des jeunes filles entraînées athlétiquement, j'en vis d'autres développées selon la «méthode naturelle» de Georges Hébert, je lus l'indispensable livre de Hébert, *l'Éducation physique féminine.* Quelle révélation! Comme celle d'un nouveau sexe.
MONTHERLANT, les Olympiques, p. 87.

**ATHLÉTISME** [atletism] n. m. — 1855, *in* D. D. L.; de *athlète.*

♦ **1** Antiq. Technique de l'athlète (1.).

♦ **2** Cour. Ensemble des exercices physiques individuels auxquels se livrent les athlètes : course, marche et concours (sauts, lancers). *Championnat d'athlétisme. Athlétisme féminin. Piste, stade d'athlétisme. Athlétisme en salle* (anglic. *indoor*). *Épreuves combinées d'athlétisme* (→ **Décathlon, pentathlon, triathlon**). *Athlétisme lourd :* l'haltérophilie.

(...) je maintiens que l'athlétisme féminin — course, sauts, lancers — peut donner des joies de haute qualité, aussi bien sportives qu'esthétiques. Sans doute, la médiocrité sportive est plus difficile à soutenir pour une femme que pour un homme. Mais il y a, dans presque toute réunion d'athlétisme féminin, une poignée de femmes qui offrent un spectacle accompli, et de qui les exécutions n'ont pas, du point de vue technique, moins d'intérêt que celles des hommes. Et cela, vrai pour la France, l'est bien plus encore pour d'autre pays. 1
MONTHERLANT, les Olympiques, p. 85.

Je commence donc de nouveau à me lever et à faire quelques pas dans ma chambre, en me tenant aux barreaux du lit. C'est l'athlétisme au fond qui m'a perdu. D'avoir tant sauté et couru, boxé et lutté, dans ma jeunesse, et bien audelà pour certaines spécialités, j'ai usé la machine avant l'heure. J'avais dépassé la quarantaine que je lançais la perche encore. 2
S. BECKETT, Pour finir encore..., p. 32.

♦ **3** Fig. Vieilli. Qualité de ce qui est athlétique. *L'athlétisme de sa constitution.*

♦ **4** Rare, littér. (emploi d'auteur). Pratique des vertus, des qualités morales (comparée à la constance dans l'effort physique de l'athlète). «*Un athlétisme stoïcien de vertu*» (J. Maritain).

**ATHLOTHÈTE** [atlɔtɛt] n. m. — 1740; grec *athlothetês,* de *athlon* «compétition, prix (de lutte)», et *thetês* «celui qui organise».

Didact. (antiq. grecque). Magistrat chargé, pendant quatre ans, de présider les jeux publics, et d'en surveiller le déroulement.

**ATHMAN** [atman] n. m. → **Âtmâ.**

**ATHREPSIE** [atʀɛpsi] n. f. — 1874, Parrot (1865, Littré-Robin, selon T. L. F.); comp. sav., de *a-* priv., et du grec *threpsis* «nutrition».

Méd. Dénutrition et dépérissement des nouveau-nés à la suite de diverses affections, notamment de diarrhée chronique.

Par ext. *Athrepsie des aliénés :* dénutrition observée chez certains malades mentaux, comparable à celle des nouveau-nés.

DÉR. **Athrepsique.**

**ATHREPSIQUE** [atʀɛpsik] adj. — 1890; de *athrepsie.*

Méd. Relatif à l'athrepsie. — Qui est atteint d'athrepsie. *Un nouveau-né athrepsique.*

N. *Un, une athrepsique.* Malade atteint d'athrepsie.

**ATHYMIE** [atimi] n. f. — 1790; grec *athumia* «découragement, inquiétude», de *athumos* «découragé», de *a-* priv., et *thumos* «âme, coeur, courage».

Didact. Absence ou perte de l'affectivité, fréquente dans la schizophrénie.

HOM. **Atimie.**

**-ATIF, -ATIVE** → **-if.**

**ATIGER** [atiʒe] v. → **Attiger.**

**-ATILE** → **-ile.**

**ATIMIE** [atimi] n. f. — 1877; grec *atimia.*

Antiq. grecque. Privation totale ou partielle des droits civils et politiques.

HOM. **Athymie.**

**-ATION** Élément servant à former de nombreux substantifs, sur une base généralement verbale (verbes en *-er*). Ex. : *amélioration, hibernation, libération.*

Un des faits qui méritent d'être notés *(dans la vie des suffixes)*, c'est la concurrence due à la vulgarisation des mots d'origine savante, dont les suffixes s'imposent à l'esprit : **animation, conservation, vaccination. Ation** élimine ainsi peu à peu **aison** (...)

F. BRUNOT, la Pensée et la Langue, p. 62.

**-ATIQUE** Élément final de nombreux substantifs et adjectifs (du lat. *-aticus*). Ex. : (n.) *mathématiques, informatique;* (adj.) *aquatique, dramatique, lymphatique.*

1. **ATLANTE** [atlɑ̃t] n. m. — 1547; ital. *atlante,* grec *atlantes* «statues d'hommes colossales servant de colonnes pour soutenir l'entablement des édifices».

Archit. Figure d'homme soutenant un entablement (à la manière d'*Atlas* portant le ciel sur ses épaules). → **Cariatide, colonne, télamon.** *Un balcon à atlantes.*

2. **ATLANTE** [atlɑ̃t] n. et adj. — D. i. (XVIe ?); du lat. *Atlantis.* → Atlantide.

Didactique.

♦ **1** *Les Atlantes :* peuple de l'ancienne Afrique, sur le versant oriental de l'Atlas.

♦ **2** Habitant de l'Atlantide.

Adj. Relatif à l'Atlantide ou à ses habitants. *La race atlante. «Un roi atlante»* (P. Benoît, *l'Atlantide,* p. 153).

**ATLANTIDE** [atlɑ̃tid] n. f. — 1557, adj.; nom propre, lat. *Atlantis, idis,* île mythique située au-delà des Colonnes d'Hercule (Pline), grec *Atlantis* (Platon), de *Atlas,* son roi (→ Atlas).

Mythologie.

♦ **1** Didact. Île engloutie, terre disparue, comme l'Atlantide des Anciens. *Une, des atlantides.*

Par métaphore :

Pourquoi le souvenir de ma jeunesse revient-il me gêner dans mon travail ? Je ne veux pas de cette Atlantide qui remonte du gouffre.

J. GREEN, Journal 1958-1967 (Vers l'Invisible), 2 févr. 1958.

Adj. Qui a rapport à l'Atlantide (→ étym.), à une atlantide. *«L'hypothèse atlantide»* (P. Benoît).

♦ **2** Au plur.(n. propre). Filles d'*Atlas,* devenues les *Pléiades** (appelées aussi *sœurs atlantiques*).

**ATLANTIQUE** [atlɑ̃tik] adj. et n. — 1546; *athlantique,* XIVe; lat. *atlanticus,* grec *atlantikos,* de *Athlas,* cf. *Atlas,* nom de la montagne d'Afrique qui donna son nom à la mer voisine.

**I** ♦ **1** Didact. *Océan atlantique,* (vx) *mer atlantique,* qui sépare l'Europe et l'Afrique de l'Amérique.

Cour. N. m. (ou, vx, fém.). *L'Atlantique :* l'océan Atlantique. *L'Atlantique Nord, l'Atlantique Sud. Traverser l'Atlantique.* → **Transatlantique.** *Le mur** (*infra* cit. 8) *de l'Atlantique.*

♦ **2** Qui a rapport à l'océan Atlantique, aux pays qui le bordent. *Le littoral atlantique. La vague atlantique* (→ Plancton, cit.). *Poissons atlantiques.*

Les dernières vagues atlantiques se jettent sur une pointe de rochers brun pourpre et s'y déchirent. 1

Paul MORAND, New York, p. 5.

*Climat atlantique, de type atlantique.* → **Océanique.** — Géol. *Période* ou *phase atlantique :* période du quaternaire au cours de laquelle régnait un climat doux.

♦ **3** Hist., polit. *Pacte de l'Atlantique Nord,* (cour.) *Pacte Atlantique :* pacte signé à Washington, le 4 avril 1949 dans le cadre de l'O. N. U., par douze États (États-Unis, Canada, Grande-Bretagne, France, Belgique, Pays-Bas, Luxembourg, Norvège, Danemark, Italie, Portugal, Islande) auxquels vinrent s'adjoindre, en 1952, la Grèce et la Turquie, en 1955, l'Allemagne de l'Ouest et, en 1982, l'Espagne. *Le but du Pacte Atlantique est l'organisation d'une défense commune* (→ **O. T. A. N.**) *contre un éventuel agresseur, sous un commandement unifié. Alliance atlantique,* résultant de ce pacte.

En remettant la France à flot, P. M. F.[1] servira mieux l'alliance atlantique et la rendra plus efficace que ceux qui ont entretenu la guerre indochinoise de huit ans, qui ont ruiné l'amitié franco-marocaine et mis le feu à la Tunisie. L'alliance atlantique se fortifiera dans la mesure où nous redeviendrons forts. 2

F. MAURIAC, Bloc-notes 1952-1957, p. 108.

1. Pierre Mendès France.

Par ext. Relatif aux civilisations, aux pays de l'Atlantique Nord, à leur attitude politique (libéralisme), à leur économie (capitalisme). *Les nations atlantiques. La politique atlantique. Défense atlantique.*

**II** Imprim. *Format atlantique :* format du papier employé pour les atlas (on dit plutôt *format in-plano*).

**III** Myth., astron. *Les sœurs atlantiques :* les Atlantides, les Pléiades.

DÉR. (De I., 3.) **Atlantisme, atlantiste.** ◊ COMP. **Atlantosaure, subatlantique, transatlantique.**

**ATLANTISME** [atlɑ̃tism] n. m. — Mil. xx^e; du rad. de *atlantique*, et *-isme*.

Polit. Politique conforme à la Convention du Pacte Atlantique*, qui en admet les règlements, les principes.

(...) l'élargissement de la Communauté mène, qu'on le veuille ou non, à l'atlantisme. L'entrée de la Grande-Bretagne dans le Marché commun serait suivie de celle de presque tous les autres pays de l'Europe occidentale (...). Les États-Unis, avec le Canada, et très probablement le Japon voudraient alors participer à cette nouvelle zone de commerce de quelque 300 millions d'habitants (...). Il en résulterait un ensemble plus atlantique qu'européen.
l'Express, 17-23 juil. 1967.

**ATLANTISTE** [atlɑ̃tist] n. — Mil. xx^e; de *atlantique*.

Polit. Partisan du Pacte Atlantique, d'une politique favorable à l'alliance avec les États-Unis.

**ATLANTOSAURE** [atlɑ̃tozɔʀ] n. m. — 1898, Larousse; *Atlantosaurides*, 1890; lat. zool. *Atlantosaurus*, 1877 (en angl.); de *atlanto-* pour *atlantico-*, de *atlantique*, et *-saure*.

Paléont. Vieilli. Reptile fossile du crétacé (Archosauriens), le plus grand des Dinosauriens.

**ATLAS** [atlas] n. m. — 1585; nom d'un personnage de la mythologie grecque et latine, que l'on représentait portant la voûte céleste sur ses épaules. → Atlante.

♦ **1** Recueil de cartes géographiques (du nom donné par Mercator au recueil qu'il publia en 1585 et dont le frontispice représentait *Atlas*).

Quant à l'atlas, c'était un magnifique ouvrage, comprenant les cartes du monde entier et plusieurs planisphères dressés suivant la projection de Mercator, et dont la nomenclature était en français, — mais qui ne portait non plus ni date de publication, ni nom d'éditeur.
J. VERNE, l'Île mystérieuse, t. I, p. 324.

*Atlas linguistique :* recueil de cartes géographiques qui indiquent les zones où sont employés certaines formes, certains mots, certains phonèmes, ainsi que les limites d'emploi (isoglosses*). *Enquêtes dialectologiques pour l'élaboration d'un atlas linguistique.*

Par ext. Recueil de cartes, planches, plans, graphiques, tableaux... joint à un ouvrage. *Planches d'un atlas montées sur onglets.*

♦ **2** (1612). Anat. Première vertèbre cervicale, ainsi nommée parce qu'elle supporte la tête, comme *Atlas* le ciel. *Arc* antérieur, postérieur de l'atlas. L'atlas et l'axis*.*

DÉR. **Atlastique.**

**ATLASTIQUE** [atlastik] adj. — 1842, Banville; de *atlas*, et *(t)ique*.

Didact., littér. Relatif à l'Atlas, qui rappelle *Atlas*.

(...) ce groom était un gaillard doué
*D'épaules atlastiques, faites pour supporter*
*Le poids des plus puissantes monarchies,*
et il avait un dos aussi vaste que les plaines de Salisbury.
BAUDELAIRE, les Paradis artificiels, «Un mangeur d'opium», p. 395.

REM. Le passage en italique est une traduction de Milton.

**ÂTMÂ** [atma] ou **ÂTMAN** [atman] n. m. — xix^e; 1846, *âtmâ*; *âtman*, 1898; sanskrit *ātman-*, nominatif *ātmā* «soi, âme, principe de vie le plus haut».

Relig. Dans la philosophie hindoue, Âme unique universelle, ou bien âme individuelle qui se réunira finalement à l'âme suprême. → **Soi.**

1 (...) quand on parle de la pensée indienne, on pense avant tout au *Vedânta*. La réflexion védantique se fonde sur les vieilles théories des *Oupanishads* concernant les relations du soi à l'âme universelle. Selon Çankara (viii^e-ix^e siècles), fondateur ou restaurateur du non-dualisme radical, la seule réalité est le *brahman*, essence non qualifiée faite d'être et de conscience. L'*âtman* ou âme individuelle est identique en son fond au *brahman* (...) La «libération» consiste à reconnaître l'identité de l'*âtman* et du *brahman*, ou mieux encore à «réaliser» cette identité au-dedans de soi.
Louis RENOU, l'Hindouisme, p. 44.

REM. On rencontre parfois la graphie *athman*, à éviter :

L'Être absolu, l'Athman suprême comprend en lui le 2
jeu amoureux des milliers d'êtres qui composent les mondes (...)
M. YOURCENAR, Sur quelques thèmes érotiques et mystiques de la Gita-Govinda..., p. 14.

**ATMAN** [atmɑ̃] n. m. — 1757; var. de *hetman*.

Hist. Chef élu des cosaques d'Ukraine. → **Hetman.** Chef des armées, en Pologne et en Lituanie, du xv^e à la fin du xviii^e siècle. — Var. : *ataman*.

**ATMOSPHÈRE** [atmɔsfɛʀ] n. f. — 1665; composé du grec *atmos* «vapeur humide», et *sphaira* «sphère céleste». — Le mot a été aussi au masc. (Académie 1694) jusqu'à la fin du xviii^e.

♦ **1** Enveloppe gazeuse qui entoure le globe terrestre. *Selon les Anciens, l'éther* remplissait les espaces situés au delà de l'atmosphère. Couches de l'atmosphère. Régions de l'atmosphère, définies par la température, la composition chimique.* → **Mésosphère, stratosphère, thermosphère, troposphère; homosphère, hétérosphère, exosphère; ionosphère, magnétosphère.** → aussi **Aérosphère biosphère.** — *Région de l'atmosphère. La basse, la moyenne, la haute atmosphère. L'atmosphère supérieure. Étude de la moyenne et haute atmosphère.* → **Aéronomie.**

Comme les différentes couches de l'atmosphère sont capa- 1
bles de dilatation et de compression (...)
D'ALEMBERT, Œuvres, t. XIV, p. 29, *in* POUGENS.

Mais le système nerveux peut-il se concevoir vivant sans 2
l'organisme qui le nourrit, sans l'atmosphère où l'organisme respire, sans la terre que cette atmosphère baigne, sans le soleil autour duquel la terre gravite?
H. BERGSON, Matière et Mémoire, p. 9.

Astron. Enveloppe gazeuse (avec ou sans oxygène) qui entoure une planète. *L'atmosphère de Vénus, de Neptune. La Lune n'a pas d'atmosphère. L'atmosphère terrestre* (cf. ci-dessus l'emploi absolu).

Mars a une atmosphère dans laquelle on a pu, par le 3
spectroscope, constater la présence de la vapeur d'eau (...)
P. POIRÉ, Dict. des sciences, p. 2443.

De la planète Uranus, paraît-il, l'atmosphère serait si 3.
lourde que les fougères sont rampantes; les bêtes se traînent écrasées par le poids des gaz.
Jean GENET, Journal du voleur, p. 47.

Par anal. *Atmosphère stellaire :* région superficielle d'une étoile, qui émet son rayonnement. *Atmosphère solaire.* → **Photosphère.**

♦ **2** Spécialt (premier sens, historiquement). Partie de l'atmosphère terrestre la plus proche du sol, qui est le siège des hydrométéores (nuages, pluie, neige). *Étude de l'atmosphère. Phénomènes de l'atmosphère, variations de l'atmosphère* (→ **Météorologie; climat, courant, météore, nuage, perturbation, temps, vent).** *Limpidité, pureté, transparence de l'atmosphère. Masse, pesanteur de l'atmosphère* (en un point). → **Anticyclone, baromètre, isobare, pression;** et ci-dessous, 7. : unité de pression. *Humidité de l'atmosphère.* → **Hygromètre, hygrométrie.** *Pouvoir évaporant de l'atmosphère.* → **Évaporimètre** (instrument de mesure).

♦ **3** (1759). Air que l'on respire en un lieu. → **Air.** *Une atmosphère chaude, étouffante, pesante.* → **Chaleur, touffeur.** *Une atmosphère viciée. Une atmosphère empuantie par le tabac.*

4 *(La mer)* en adoucit la rigueur *(de l'hiver)* sur nos côtes, en attiédissant leur atmosphère par sa chaleur.
BERNARDIN DE SAINT-PIERRE, Harmonies de la nature, I, 5.

5 Nul souffle n'agitait l'atmosphère.
Th. GAUTIER, le Roman de la momie, I.

6 (...) une atmosphère pénétrée par une douce lumière d'un jaune mirabelle.
BARRÈS, la Colline inspirée, p. 8. (→ Ardoisé, cit. 1).

7 Une atmosphère étouffante, enflammée par le vent du sud et pleine de sable en poussière, pesait sur la foule immobile.
Pierre LOUŸS, Aphrodite, IV, 2.

8 L'atmosphère lui sembla s'être raréfiée tout à coup; il étouffait.
MARTIN DU GARD, les Thibault, t. I, p. 53.

9 (...) la chambre était tiède, l'atmosphère douceâtre (...)
MARTIN DU GARD, les Thibault, I, 8.

9.1 Une tornade pendant la nuit avait un peu rafraîchi l'atmosphère.
GIDE, Voyage au Congo, *in* Souvenirs, Pl., p. 704.

♦ **4** (XVIIIe). Par métaphore ou fig. Vieilli. *L'atmosphère d'une personne, d'une chose :* ce qui l'environne (comme un gaz), ce qui émane d'elle; l'influence qui semble se dégager des êtres et des choses. → **Ambiance, aura, climat, entourage, enveloppe, environnement, fluide, influence, milieu.** *Atmosphère bienfaisante* ou *dangereuse; naturelle* ou *factice. Atmosphère de corruption, de vices. Vivre dans l'atmosphère de quelqu'un.*

10 La plupart des parties du corps sont environnées, de tous côtés, d'une couche celluleuse plus ou moins abondante, qui leur forme, selon l'expression heureuse de Bordeu, une espèce d'atmosphère particulière, atmosphère au milieu de laquelle ils se trouvent plongés (...)
BICHAT, Anatomie générale, 1812, t. I, p. 22, *in* LITTRÉ.

11 Quelques auteurs, moins sages, ont admis une atmosphère nerveuse se propageant plus ou moins loin, de manière que, quoiqu'un organe n'eût point de nerf, il suffisait qu'il fût dans l'atmosphère d'un cordon nerveux pour être le siège de sensations (...)
BICHAT, Anatomie générale, 1812, t. I, p. 173, *in* LITTRÉ.

12 L'esprit est l'atmosphère de l'âme.
Joseph JOUBERT, Pensées, «De l'âme.»

13 Il y a une atmosphère des idées. Dans une cour de justice, les idées de la foule pèsent sur les juges, sur les jurés, et réciproquement.
BALZAC, Une ténébreuse affaire, Pl., t. VII, p. 615.

14 Quelle atmosphère étrange on respire autour d'elle!
A. DE MUSSET, Premières poésies, «Coupe», IV, 1.

15 (...) la paix nous a semblé l'atmosphère naturelle de l'esprit humain (...)
RENAN, Questions contemporaines, Réflexions sur l'état des esprits, 1849.

16 Il *(Racine)* plonge ses personnages le plus souvent dans une atmosphère lointaine, mystérieuse, légendaire et par conséquent poétique.
Émile FAGUET, XVIIe s., Études littéraires, p. 338.

17 (...) Ignorez-vous donc que chaque être a une atmosphère personnelle, qu'il répand autour de lui et dont on subit plus ou moins l'influence.
Edmond JALOUX, le Jeune Homme au masque, p. 84.

Loc. *Vivre dans l'atmosphère de qqn,* auprès de lui.

♦ **5** Mod. Le milieu, au regard des impressions qu'il produit sur nous, de l'influence qu'il exerce. → **Ambiance, climat, environnement.** *Une atmosphère de travail, de vacances. «Il arriva en toilette des dimanches, mal à son aise dans cette atmosphère lugubre»* (Flaubert).

18 Il tremblait dans l'air un murmure d'adieu presque serein, une atmosphère de malheur aisé.
Edmond JALOUX, les Visiteurs, XXX.

19 (...) sa santé, sa jeunesse apportèrent enfin dans ce lieu une atmosphère purificatrice.
MARTIN DU GARD, les Thibault, III, 7.

REM. Certains emplois ont à la fois cette valeur et celle du sens 4 :

C'est une fonction très mal payée, mais qui me permettra d'approcher un des hommes les plus intelligents de ce temps et de travailler dans son atmosphère. 20
G. DUHAMEL, Chronique des Pasquier, VI, 2.

Fam. *Changer d'atmosphère.* — REM. Cet emploi donne lieu à une réplique célèbre du dialogue du film *Hôtel du Nord* (Prévert et Carné) où, en réponse à son amant qui lui déclare qu'il veut *«changer d'atmosphère»,* le personnage joué par Arletty s'exclame *«Atmosphère! atmosphère!... Est-ce que j'ai une gueule d'atmosphère... !».*

♦ **6** (1701). Phys. Couche de fluide libre qui environne un corps isolé. *L'atmosphère d'un four à céramique.*

Un fluide rare, transparent, compressible et élastique, qui environne un corps, en s'appuyant sur lui, est ce que l'on nomme son atmosphère. 21
LAPLACE, Exposition du système du monde, IV, 10, *in* LITTRÉ.

♦ **7** (1793). Unité de mesure de la pression des gaz (poids d'une colonne de mercure de 1 $cm^2$ de base sur 76 cm de hauteur). *Une pression de dix atmosphères.* → aussi **Pascal; bar, barye, pièze.**

DÉR. **Atmosphérique.**

**ATMOSPHÉRIQUE** [atmɔsfeʀik] adj. — 1781; de *atmosphère.*

♦ **1** Qui a rapport à l'atmosphère (terrestre). *Humidité atmosphérique. Pression atmosphérique,* exercée par l'atmosphère sur tous les corps à la surface de la Terre (moyenne : 1033 g par $cm^2$;) et mesurée avec le baromètre. *Phénomènes atmosphériques.* → **Météore.** *Courant atmosphérique :* vent. *Conditions, perturbations, variations atmosphériques.* → **Météorologie, temps.** — *Pollution atmosphérique.*

Astron. D'une atmosphère (autre que celle de la Terre).

Télécommunications. *Parasites atmosphériques* (ou, subst., *atmosphériques,* n. m. pl.*)* : perturbations électro-magnétiques naturelles, qui provoquent des crépitements perçus dans les récepteurs radioélectriques.

♦ **2** Par métaphore. *«Les phénomènes atmosphériques de son âme»* (Baudelaire, *les Paradis artificiels,* 1860, p. 324, *in* T. L. F.).

**ATOCA** [atɔka] ou **ATACA** [ataka] n. m. — 1632; le mot est chez Chateaubriand, *Mémoires d'outre-tombe;* mot amérindien «airelle des marais»; l'esp. *atocha* désigne une autre plante.

Au Canada, Baie rouge de saveur acidulée. → **Canneberge.** *Poulet, dinde à l'atoca. «Elle réclame du blé d'Inde, des gadelles, du pimbina et de la gelée d'atoca; toutes sortes de nourritures qu'on ne trouve pas au couvent.»* (Anne Hébert).

Plante des marais qui produit l'atoca *(airelle des marais d'Amérique).*

**-ATOIRE** Élément final d'adjectifs et de substantifs formés sur une base verbale en *-er.* Ex. : (n.) *laboratoire, observatoire;* (adj.) *attentatoire, conservatoire.*

**ATOLL** [atɔl] n. m. — 1845, *attôle,* 1773; *atollon,* 1637; *atolon,* 1611; du maldive (indo-aryen) *atolu,* par l'anglais.

Île corallienne ou madréporique située en pleine mer et qui est formée d'une bande de terre émergée entourant une lagune. → **Lagon**; → substruction, cit. 2.

1 L'archipel des îles Maldives est constitué par un anneau subdivisé en dix-sept atolls secondaires, chacun d'eux étant formé lui-même par des atolls proprement dits, au nombre total de douze mille.
P. POIRÉ, Dict. des sciences, p. 297.

2 Quelle autre mauvaise nouvelle une fille pourrait-elle bien avoir à annoncer à sa mère depuis dix mille ans que les spermatozoïdes ont pour mission de foncer sur les ovules? J'imagine avoir ressenti exactement la même impression que les habitants d'un atoll du Pacifique auxquels on annonce l'arrivée d'un cyclone pour le lendemain.
Benoîte et Flora GROULT, Il était deux fois, p. 395.

**ATOME** [atom] n. m. — 1350-1400, *athome;* lat. *atomus,* du grec *atomos* «qu'on ne peut couper, indivisible», de *a-* privatif, et *tomein* «couper, diviser» → Tome, -tomie.

**I** Vx ou emplois fig. Particule matérielle, considérée comme indivisible. ♦ **1** **a** Vx ou hist. des sc., de la philos. Selon les *atomistes* anciens (Leucippe, Démocrite, Épicure, Lucrèce), Élément constitutif de la matière, indivisible et homogène. *Démocrite et Épicure ont prétendu que le monde était composé d'atomes, que les corps se formaient par la rencontre fortuite des atomes* (Académie).

1 *(Néoclès disait de son frère Épicure)* que jamais homme n'avait été si sage ni si savant qu'Épicurus, et que sa mère était bien heureuse, laquelle avait porté en son ventre tant d'atomes, c'est-à-dire tant de petits corps indivisibles, qui avaient, en s'amassant ensemble, formé un si savant personnage.
J. AMYOT, Œuvres morales et mêlées de Plutarque, 1575, t. I, 286.

2 Est-il de petits corps un plus lourd assemblage!
Un esprit composé d'atomes plus bourgeois!
MOLIÈRE, les Femmes savantes, II, 7.

3 Il est aussi très aisé de connaître qu'il ne peut pas y avoir d'atomes, c'est-à-dire de parties des corps ou de la matière, qui soient de leur nature indivisibles, ainsi que quelques philosophes ont imaginé. D'autant que, pour petites qu'on suppose ces parties, néanmoins, parce qu'il faut qu'elles soient étendues, nous concevons qu'il n'y en a pas une d'entre elles qui ne puisse être encore divisée en deux ou plus grand nombre d'autres plus petites, d'où il suit qu'elle est divisible.
DESCARTES, Principes de la Philosophie, II, 20.

4 Je subtiliserais un morceau de matière,
Que l'on ne pourrait plus concevoir sans effort,
Quintessence d'atome, extrait de la lumière (...)
LA FONTAINE, Fables, IX, 21.

5 (...) et quand chacun de ces grands corps *(célestes)* serait supposé un amas fortuit d'atomes qui se sont liés et enchaînés ensemble par la figure *(forme)* et la conformation de leurs parties, je prendrais un de ces atomes et je dirais : Qui a créé cet atome? est-il matière? est-il intelligence? (...) Bien plus, cet atome n'a-t-il point commencé? est-il éternel? est-il infini? Ferez-vous un dieu de cet atome? LA BRUYÈRE, les Caractères, XVI, 43.

6 Des atomes, c'est-à-dire des corpuscules insécables dont Épicure prétend que toutes choses sont composées.
FÉNELON, Épicure.

7 Épicure et Lucrèce, dis-je, admirent les atomes et le vide : Gassendi soutint cette doctrine, et Newton la démontra (...) On admet des atomes, des principes insécables, inaltérables, qui constituent l'immutabilité des éléments et des espèces (...) La seule question qu'on agite aujourd'hui consiste à savoir si l'auteur de la nature a formé des parties primordiales incapables d'être divisées, pour servir d'éléments inaltérables; ou si tout se divise continuellement, et se change en d'autres éléments.
VOLTAIRE, Dict. philosophique, Atomes.

8 Pour le matérialisme, il n'y a que l'atome qui existe pleinement.
RENAN, Dialogues et Fragments philosophiques, p. 91.

Loc. *Les atomes crochus.* → **Crochu.**

**b** Cour. et vieilli. Petite particule. → **Grain.**

La mine disparaissait maintenant sous un véritable tampon de papier doré, couvert de millésimes et d'effigies. 8.
Quelques atomes d'or véritable devaient entrer pour une part infime dans la composition de toute cette richesse clinquante.
Raymond ROUSSEL, Impressions d'Afrique, p. 68.

♦ **2** Vx. (littér., philos.). Chose d'une extrême petitesse ou sans importance (souvent en parlant de l'Homme, opposé à l'Univers).

Tout ce monde visible n'est qu'un trait imperceptible dans l'ample sein de la nature. Nulle idée n'en approche. Nous avons beau enfler nos conceptions, au delà des espaces imaginables, nous n'enfantons que des atomes, au prix de la réalité des choses. PASCAL, Pensées, II, 72. 9

Tous les espaces du monde entier ne sont qu'un point, qu'un léger atome, comparés à son immensité *(de Dieu),* qu'est-ce qu'un grain de poussière qu'on appelle la terre (...)? LA BRUYÈRE, les Caractères, XVI, 47. 10

Oh! que tes cieux sont grands! et que l'esprit de l'homme 11
Plie et tombe de haut, mon Dieu, quand il te nomme!
Quand, descendant du dôme où s'égaraient ses yeux,
Atome, il se mesure à l'infini des cieux!
LAMARTINE, Harmonies..., II, 4.

Dans l'abîme sans fond mon regard a plongé. 12
De l'atome au soleil j'ai tout interrogé.
LAMARTINE, Premières Méditations, «l'Homme».

Me voici! mais que suis-je! un atome pensant. 13
LAMARTINE, Premières Méditations, «l'Homme».

L'homme n'est qu'un atome en cette ombre infinie (...) 14
HUGO, les Contemplations, L, IV, 15.

On l'a dit justement : rien n'est indifférent, rien n'est impuissant dans l'univers; un atome peut tout dissoudre, un atome peut tout sauver! 15
NERVAL, Bohème galante, «Aurélia», p. 378.

Loc. mod. *Ne pas avoir un atome de... (bon sens, raison, intelligence),* en être tout à fait dépourvu.

Mais d'esprit, ô le plus lamentable des êtres, 16
Vous n'en eûtes jamais un atome, et de lettres
Vous n'avez que les trois qui forment le mot : sot!
Edmond ROSTAND, Cyrano de Bergerac, I, 4.

♦ **3** Mod. Élément physique discontinu et indivisible. — REM. Cet emploi est influencé par le sens scientifique moderne, mais il relève du sémantisme du sens I «insécable» et a une valeur métaphorique (→ Grain). *Atome d'électricité :* le photon. *Les atomes d'action.* → **Quantum.**

♦ **4** Didact. Dans un domaine d'études donné, Objet tenu pour terme ultime de l'analyse. *Atome logique. Atome social.*

**II** Sc., mod. et cour. ♦ **1** (Déb. XX^e^). Chim. Particule d'un élément chimique qui forme la plus petite quantité susceptible de se combiner. → Molécule, cit. 4. — REM. La définition moderne de l'*atome,* en chimie implique, selon les modèles scientifiques, les traits pertinents signalés plus bas : noyau, électrons, etc. *«Tous les atomes mis en présence dans une réaction chimique se retrouvent nécessairement dans les produits de la réaction; seules diffèrent les molécules que composent les groupements d'atomes»* (Marcel Peschard). → **Corps, molécule; isomère, monomère, polymère.** *Valence des atomes. Atome ionisé.* → **Ion.** *Masse des atomes. Atome-gramme :* voir ce mot. *La molécule d'eau* ($H_2O$) *contient deux atomes d'hydrogène et un d'oxygène.*

♦ **2** (1930). Chim. et phys. Cette particule en tant que système complexe (dont le modèle scientifique a évolué et s'est complexifié). *L'atome est formé d'un noyau** (→ **Nucléon; proton, neutron**) *et d'électrons*. La structure interne de l'atome.* → 2. Physique, cit. 2. *Atomes d'un corps simple n'ayant pas le même nombre de neutrons* (→ **Isotope**). *Atome radioactif*; atome marqué. Fission du noyau de *l'atome.* → **Atomique, nucléaire; désintégration, fission, scission, transmutation; masse** (critique), **période** (radioactive). *Le rayonnement des corps radioactifs provient du noyau instable de l'atome.* → **Radioactivité.** *Bombardement des noyaux d'atomes par des neutrons.* → **Énergie** (énergie atomique).

17 Poursuivant cette idée de Pascal, que l'univers reproduit dans l'infiniment petit une image diminuée de l'infiniment grand, on avait essayé de se représenter l'atome sur le modèle d'un système planétaire (...) Je suis convaincu, pour ma part, qu'il faut aller plus loin et abandonner l'idée qu'un électron ou un proton ou un neutron sont des objets analogues à des corpuscules individualisables et qu'on peut suivre dans leur comportement comme l'astronome suit une planète sur son orbite ou l'artilleur un projectile sur sa trajectoire.

LANGEVIN, l'Évolution humaine, Préface.

18 Et voici maintenant que le noyau de l'atome, attaqué par d'étranges projectiles appelés neutrons, livre peu à peu le secret de sa structure mystérieuse et libère son effrayante énergie interne. Les physiciens n'en sont qu'à leurs premiers pas dans le monde nouveau que constitue le noyau, et pourtant des prodiges ont été déjà accomplis : le «feu atomique» a été libéré, et le vieux rêve de transmutation, poursuivi avec tant d'aveugle opiniâtreté par les alchimistes du moyen âge, s'est accompli sous une forme insoupçonnée.

Marcel PESCHARD, Cours de chimie, I, p. 28.

19 Quand on fait en mécanique ondulatoire la théorie de l'atome, on commence par rappeler le modèle planétaire de Bohr et c'est à l'aide de cette image qu'on forme l'équation de propagation pour l'onde ψ de l'électron dans l'atome; cette équation obtenue, il est loisible de se placer au point de vue abstrait (...) et de réduire toute la théorie de l'atome à un système de formules.

L. DE BROGLIE, Continu et Discontinu en physique moderne, p. 107.

Cour. La connaissance de la structure atomique et les techniques qui en découlent. *L'époque, l'ère de l'atome. La civilisation de l'atome,* caractérisée par l'utilisation militaire et pacifique de l'énergie nucléaire, par les techniques qui en découlent. → **Atomique.**

20 La solitude, pour une nation comme la nôtre, n'est plus imaginable dans l'univers de l'atome.

F. MAURIAC, Bloc-notes 1952-1957, p. 282.

**DÉR. Atomique, atomiser, atomisme, atomiste.** ◊ **COMP. Antiatome, atome-gramme.**

**ATOME-GRAMME** [atomgʀam] n. m. — 1933; de *atome,* et *gramme.*

Chim. Vieilli. Masse (exprimée en grammes) d'une mole* d'atomes d'un élément. → **Atomique** (masse atomique). *Un atome-gramme de carbone 12 vaut 12 g.* — Plur. *Des atomes-grammes.*

REM. *Atome-gramme* s'emploie aussi parfois au sens de mole* d'atomes. «*Le nombre d'Avogadro apparaît (...) comme le rapport entre le volume* V *d'un atome-gramme de l'élément considéré et le volume* v *ainsi alloué à chaque atome "réel"*» (*la Recherche,* nº 52, janv. 1975, p. 60).

**ATOMICIEN, IENNE** [atɔmisjɛ̃, jɛn] n. — 1959; de *atomique,* et *-ien.*

«Technicien spécialisé dans la fabrication des engins atomiques et dans le fonctionnement des réacteurs nucléaires» (Neyron, 1970).

**ATOMICITÉ** [atɔmisite] n. f. — 1865, Littré-Robin; du rad. de *atomique,* et *-ité.*

♦ **1** Caractère de ce qui est formé d'atomes (I.), de ce qui est atomique* (I.).

♦ **2** Chim., vx. Valence. Nombre d'atomes constituant la molécule d'un corps pur.

♦ **3** Fig. Écon. *Atomicité d'un marché :* caractère d'un marché composé de nombreux partenaires, incapables d'exercer individuellement une influence sur lui. *L'atomicité est l'une des conditions de la concurrence parfaite.*

**ATOMIQUE** [atɔmik] adj. — 1585; de *atome.*

**I** Philos. et phys. anc. Qui a rapport aux atomes (I.). *Théorie atomique :* ensemble des spéculations physiques et philosophiques fondées sur l'existence d'atomes. → **Atomisme, atomiste, atomistique.**

**II** Sc., cour. ♦ **1** Qui a rapport aux atomes (II., 1.), pose l'existence d'atomes. *L'hypothèse atomique a triomphé au XIXe siècle.* → **Atomisme, atomiste** (II., 1.).

(...) on peut se demander (si étrange que le libellé de cette question puisse paraître) dans quelle mesure la Physique atomique contemporaine a réellement confirmé les idées des partisans de l'Atomisme. Il est certain qu'à l'heure actuelle les particules élémentaires de la matière ne peuvent plus être caractérisées par presque aucune des propriétés dont les douaient les conceptions un peu simplistes des Philosophes de l'Antiquité ou même les conceptions plus raffinées des physiciens qui au début de notre siècle reprenaient avec tant de succès la défense de l'hypothèse atomique et la vérification de ses conséquences. De toutes les propriétés intuitives attribuées il y a une trentaine d'années aux particules élémentaires, il ne reste plus guère d'intact aujourd'hui que leur caractère d'unités physiques permanentes dont le nombre reste constant au cours du temps : même la possibilité de les discerner constamment les unes des autres et de suivre leur individualité au cours du temps a, on le sait, disparu. 1

L. DE BROGLIE, Continu et Discontinu en physique moderne, p. 106.

De l'atome. (Qualifiant des noms désignant des grandeurs rapportées à une mole* d'atomes → 2. Molaire). *Masse atomique* ou (rare) *masse molaire atomique* (d'un élément), masse d'une mole* d'atomes de cet élément; le nombre qui mesure cette masse (→ **Atome-gramme**). *La masse atomique du carbone 12 (isotope* $C_6^{12}$ *du carbone) a été choisie comme base des masses atomiques des éléments; elle est égale à 12* (ou *12 g,* ou *12 g par mole*); *rapportée à l'entité élémentaire, elle sert à définir l'unité de masse atomique* (symb. *u*), *égale au douzième de la masse d'un atome de carbone 12* (soit environ 1,66056 $10^{-27}$ kg). *Masse atomique* et *poids atomique.* → **Poids** (I., 1.). *Chaleur spécifique atomique, volume atomique...*

*Notation atomique :* notation fondée sur les poids atomiques, en chimie. — *Nombre* ou *numéro atomique :* numéro d'ordre d'un élément dans la classification périodique de Mendeleïev, qui correspond au nombre de protons (et secondairement, à celui des électrons).

♦ **2** (Déb. XXe). Qui concerne l'atome, en tant que concept scientifique, ou en tant que modèle complexe, et notamment le noyau de l'atome et les phénomènes liés à sa modification (→ **Nucléaire**). *Structure atomique. Modèle atomique de Bohr. Désintégration, transmutation atomique.*

Lorsque Rutherford réussit en 1919, à transformer les noyaux des atomes les plus légers, avec émissions de protons, il montrait pour la première fois que les noyaux atomiques, quoique de si petites dimensions, n'étaient pas eux-mêmes des entités élémentaires, mais des édifices complexes formés d'unités plus petites. 2
Nous savons, par les pages précédentes, que provoquer la transmutation atomique, en frappant le minuscule noyau, est comparable à un problème d'artillerie.

J. THIBAUD, Vie et Transmutation des atomes, p. 130-131.

Qui étudie la matière au niveau des atomes. *Physique atomique.* → 2. Physique, cit. 2.

*Horloge atomique.* → **Horloge.**

*Énergie atomique,* libérée par la fission des noyaux d'atomes ou par la fusion. — Par ext. *Bombe atomique* (1945) : bombe dont la puissance destructive est produite par cette énergie, provenant de la fission (bombe A) ou de la fusion (bombe H) de noyaux d'hydrogène. → **Bombe.** *Armes, engins atomiques. Fusée atomique.*

3 La vitrification du sol, sous l'action de la bombe atomique ne dépassait pas, ne pourrait dépasser, dans les conditions présentes, un ou deux mètres de profondeur.
G. DUHAMEL, le Voyage de P. Périot, III.

Qui produit ou utilise l'énergie nucléaire (en dehors des armes destructrices). *Pile atomique* : réacteur où s'entretiennent des réactions en chaîne, dues à la fissibilité de l'uranium mélangé à un modérateur. → **Pile.** *Moteur atomique* : moteur actionné par l'énergie nucléaire. *Centrale atomique.*

Par ext. Qui concerne, qui utilise l'arme, l'armement atomique. → **Nucléaire.** *Politique atomique. La guerre atomique.* — Abusif. Qui possède des armes atomiques. *Les puissances atomiques.*

4 La guerre atomique implique une intense concentration des forces; elle reste entre les mains d'un tout petit nombre de responsables; sa puissance d'extermination elle-même en neutralise ou en suspend l'emploi jusqu'à un instant par lui seul décisif, car, selon toute probabilité, elle ne peut être qu'instantanée : le temps y est vainqueur de l'espace.
Raymond ABELLIO, les Militants, t. II, p. 45.

♦ **3** (Emploi critiqué). Qui est caractérisé par l'emploi (pacifique ou militaire) de l'énergie atomique. *L'époque, l'ère atomique.*

5 Voilà bien la part de l'Église dans l'ère atomique : tout ce que nie le matérialisme triomphant et dont il se moque, mais qui demeure à nos yeux plus réel que la matière : cette âme humaine qui échappe à toute désintégration, cette âme autonome, immortelle, dès ici-bas débordante de Dieu (...)
F. MAURIAC, le Nouveau Bloc-notes 1958-1960, p. 150.

Qui est causé par l'emploi des bombes atomiques.

6 (...) le ciel est désormais, sans métaphore, le champ d'apparition de la mort atomique.
R. BARTHES, Mythologies, p. 44.

*Abri atomique,* antiatomique.

7 Voici la chambre funèbre, dont la majesté tient aux proportions, à la géniale rigueur de l'architecture — ces pierres, comme celles des monuments mexicains semblent taillées au rasoir — et au caractère maléfiquement clos du lieu. Nous montons depuis longtemps, et l'air est raréfié comme celui des abris atomiques.
MALRAUX, Antimémoires, Folio, p. 60.

♦ **4** (V. 1950-55). Abusif et vieilli. Extraordinaire, «formidable» (dans le langage publicitaire, commercial; cf. la création du mot *bikini*).

REM. *Atomique,* dans ses emplois extensifs (et contestables) se spécialise plutôt dans l'allusion aux utilisations militaires de l'«atome», alors que *nucléaire,* dans des emplois analogues, concerne plutôt l'utilisation pacifique, mais écologiquement discutée, des techniques atomiques (cf. protestations *anti-nucléaires, le nucléaire*).

DÉR. **Atomicien, atomiquement.** ◊ COMP. **Antiatomique.**

**-ATOMIQUE** Chim. Élément de composition d'adjectifs qualifiant des corps, toujours précédé d'un préfixe indiquant le nombre d'atomes que comporte la molécule du corps qualifié. Ex. : *monoatomique, diatomique, triatomique, tétratomique* (ou, vieilli, *mono-atomique, di-atomique, tri-atomique, tétra-atomique*) : dont la molécule comporte un, deux, trois, quatre atomes. *L'oxygène, diatomique, prend le nom d'ozone sous sa forme triatomique.* — L'adjectif qualifiant la molécule :

La plupart des molécules des corps simples, azote, hydrogène, chlore, etc., sont formées par la juxtaposition de deux atomes, elles sont *di-atomiques;* quelques-unes (argon, hélium, xénon, néon, krypton, vapeur de mercure, etc.) ne comprennent qu'un atome et sont dites *mono-atomiques;* un très petit nombre, notamment celles de phosphore, d'arsenic, d'antimoine, sont *tétra-atomiques.*
Augustin BOUTARIC, la Vie des atomes, p. 36.

**ATOMIQUEMENT** [atɔmikmɑ̃] adv. — 1843; de *atomique,* et *-ment.*

♦ **1** En ce qui concerne les atomes.

Fig. Par très petites quantités. «*Nous travaillons, atomiquement mais réellement, à...*» (Teilhard de Chardin, *in* T. L. F.).

♦ **2** Au moyen d'armes, d'engins atomiques. Au moyen de l'énergie atomique.

**ATOMISATION** [atɔmizasjɔ̃] n. f. — 1927; de *atomiser.*

**I** Action d'atomiser (I., fig.), de disperser. *L'atomisation des forces politiques.* → **Dispersion, fractionnement.** *L'atomisation de la société.* «*La "juste mesure" de l'Américain déroute le Français et les normes des mœurs se sont diversifiées dans une "atomisation" destructrice*» (*Science et Vie,* n° 661, oct. 1972, p. 132).

**II** Anéantissement par les bombes ou les armes atomiques.

Violette est reconnaissante : depuis tant d'années, il la persuadait que donner le jour à un être, si aimé soit-il, c'est l'offrir à l'atomisation!
Alain BOSQUET, les Bonnes Intentions, p. 108.

**ATOMISER** [atɔmize] v. tr. — 1884, au p. p. dans une trad. de l'angl.; de *atome,* et *-iser,* d'après l'angl. *to atomize,* de *atom* «atome».

**I** ♦ **1** Réduire (un corps) en particules très ténues, en fines gouttelettes. → **Pulvériser, vaporiser.**

Fig. Diviser en de nombreuses petites parties.

L'alphabet, certes, est à la source du raisonnement logique et de la pensée scientifique. La civilisation occidentale tout entière est née de lui. Mais il est responsable aussi de l'individualisme séparateur; il a brisé, atomisé les cadres coutumiers de la tribu, du clan; et l'Homme contemporain n'est plus intégré dans une communauté vivante; il est seul et angoissé. 1
Jean-Louis CURTIS, le Roseau pensant, p. 273.

Emploi pron. (1927). **S'ATOMISER** : se diviser en parties très petites, s'éparpiller.

Figuré :

La société européenne (...) s'est rétrécie sur elle-même, elle s'est diversifiée, «atomisée». 2
Pierre NORA, les Français d'Algérie, p. 133.

♦ **2** Par métonymie. *Atomiser qqn, qqch.,* l'asperger à l'aide d'un atomiseur.

**II** Détruire par une bombe, un engin atomique.

◆ **ATOMISÉ, ÉE** p. p. adj.

♦ **1** (1884). Divisé en fines particules. *Un liquide atomisé.*

♦ **2** (1948, Camus). Détruit par la bombe atomique. *Une ville atomisée,* qui a subi les effets des radiations atomiques. → **Contaminer.**

N. *Un atomisé, une atomisée* : personne qui a subi les effets des radiations atomiques. *Les atomisés d'Hiroshima qui survécurent à l'explosion.*

DÉR. **Atomisation. — Atomiseur.**

**ATOMISEUR** [atɔmizœʀ] n. m. — 1928 ; de *atomiser,* et *-eur,* probabl. d'après l'angl. *atomizer.*

Petit flacon, petit bidon qui atomise le liquide qu'il contient lorsqu'on presse sur le bouchon. → **Aérosol, nébuliseur, pulvérisateur, vaporisateur.** *Atomiseur à parfum, à laque, à lotion. Grand atomiseur.* → **Bombe.**

**ATOMISME** [atɔmism] n. m. — 1751 ; de *atome,* et *-isme.*

**I** Didact. ♦ **1** Doctrine philosophique des Grecs (Démocrite, Épicure, Lucrèce) qui considère l'univers comme formé d'atomes associés en combinaisons fortuites. *L'atomisme est un matérialisme mécaniste.* → **Atome** (I.) ; **matérialisme, mécanisme.**

Psychol. *Atomisme mental :* doctrine rendant compte de la vie mentale par un jeu d'association entre les états psychiques (Piéron, 1973). → **Associationnisme** (1.).

♦ **2** Caractère de ce qui est constitué d'éléments insécables. *«L'atomisme de la sensation»* (Merleau-Ponty).

**II** Hist. des sc. Hypothèse et théorie atomique des chimistes (au XIX^e siècle). → **Atome** (II., 1.) ; **atomiste** (II., 1.). *L'atomisme de Dalton.*

REM. On ne parle pas d'*atomisme* au sens actuel de *atome* en physique, aucun scientifique ne contestant plus l'existence des atomes depuis le début du XX^e siècle.

**ATOMISTE** [atɔmist] adj. et n. — 1751 ; de *atome,* et *-iste.*

**I** Adj. (De *atome,* I.). ♦ **1** Philos. Qui est partisan de l'atomisme. — N. (1751). *Un, une atomiste convaincu(e).*

1 (...) toute chose matérielle est absolument dissoute en ses parties et en les parties de ses parties, chacune d'elles n'ayant propriété que les modifications qu'elle reçoit des voisines et, de proche en proche, de toutes.
Les atomistes ont, bien avant Descartes, saisi ce caractère de la chose ; et tout leur effort est à dire que l'atome n'est rien par lui-même, et au contraire reçoit du choc des autres toutes ses propriétés, en sorte que la science des choses revient à former des combinaisons, gravitations, courants et flux d'atomes.
ALAIN, Descartes, *in* les Passions et la Sagesse, Pl., p. 944.

♦ **2** Qui isole en constituants autonomes les éléments d'un ensemble. *Être atomiste en sociologie, en psychologie, en linguistique* (par oppos. à *structuraliste*).

**II** N. ♦ **1** Hist. des sc. Partisan de l'hypothèse atomique, en chimie, en physique (au XIX^e siècle).

2 À l'échelle des molécules et des atomes où nos représentations concrètes sont encore partiellement valables, les conceptions des atomistes ont orienté tous nos efforts et fourni les cadres des représentations sans lesquelles nous n'aurions pu progresser. Maintenant encore, les théories quantiques actuelles, malgré leur tendance abstraite, admettent ces cadres d'une façon plus ou moins avouée et utilisent les débris de conceptions dont elles nient par ailleurs l'exactitude.
L. DE BROGLIE, Continu et Discontinu en physique moderne, p. 107.

♦ **2** (1949, *in* D. D. L.). Sc. et cour. Physicien spécialiste de physique atomique* (II.).

Par appos. ou adj. *Des savants atomistes.*

DÉR. **Atomistique.**

**ATOMISTIQUE** [atɔmistik] adj. et n. f. — 1834 ; de *atomiste.*

Didactique.

**I** Adj. ♦ **1** (1834). Philos. Qui a rapport à l'atomisme. *Philosophie, théorie atomistique.*

♦ **2** Vx. Syn. de *atomique* (I.).

♦ **3** Par anal. Qui est caractérisé par une division en de très nombreuses petites parties.

(...) un pur empirisme conduit à un morcelage atomistique des conduites et exclut tout structuralisme (...) 1
J. PIAGET, Épistémologie des sciences de l'homme, p. 146.

Pendant longtemps, les biologistes ont considéré le génome comme un ensemble atomistique formé de gènes indépendants les uns des autres (...) 2
J. PIAGET, Épistémologie des sciences de l'homme, p. 150.

**II** N. f. ♦ **1** (1897). Hist. des sc. Théorie chimique et physique fondée sur la notion d'atome.

Syn. : *théorie atomique.*

L'astronomie est, avec l'atomistique, une des sciences qui nous réserve les plus grands sujets d'émerveillement (...) De son côté, l'atomistique nous révèle qu'une simple goutte d'eau renferme des milliers de milliers de milliards d'atomes, — c'est-à-dire plus que nous ne connaissons d'étoiles — et que l'atome est lui-même un microcosme au mécanisme très ténu (...) 3
J. THIBAUD, Vie et Transmutation des atomes, p. 184-185.

♦ **2** Mod. Partie de la physique qui traite de la structure des atomes.

**ATONAL, ALE, ALS** [atɔnal] adj. — 1914, cit. ; de 2. *a-,* et *tonal.*

Mus. Qui ne s'organise pas selon le système tonal, dans la composition musicale. *Musique atonale dodécaphonique* (à douze sons), utilisant le principe de la série*. → **Sériel.**

L'harmonie, construite sur une mélodie, est complètement atonale. Elle ne distingue plus de ton mineur ou majeur ; elle ne connaît pas davantage les tonalités liturgiques.
E. WELLESZ, Arnold Schoenberg, *in* les Cahiers d'aujourd'hui, n° 10, avr. 1914 (*in* D. D. L., II, 12).

CONTR. **Tonal.** ◊ DÉR. **Atonalisme.**

**ATONALISME** [atɔnalism] n. m. → **Atonalité.**

**ATONALITÉ** [atɔnalite] n. f. — 1924, A. Casella, à propos de Schoenberg ; de 2. *a-,* et *tonalité.*

Mus. Système musical qui n'obéit à aucune tonalité.

REM. On dit aussi *atonalisme.* *«Avec* Pierrot lunaire *(1912), nous sommes en plein atonalisme»* (Claude Rostand, *la Musique allemande,* p. 116, n° 894, 1960).

**ATONE** [atɔn] ; rare [aton] adj. — 1813 ; du grec *atonos* «non tendu, sans vigueur», de 2. *a-,* et *tonos.* → Ton.

♦ **1** Méd. Qui manque de ton*, de tonicité* (en parlant des tissus vivants). *Un intestin atone.* → **Paresseux.** *Lésion atone,* produisant l'atonie.

Par métonymie. (Personnes). Dont les lésions sont atones. *Malade, rhumatisant atone.*

♦ **2** Cour. Qui manque de vie, de vigueur, de vitalité, d'énergie. *Un être atone.* → **Amorphe, éteint, flasque, inerte, languissant, mou.**

Qui manque d'expression. *Regard, œil atone.* → **Fixe, immobile, inexpressif, morne.**

Il avait des yeux mornes, atones, aux regards accablés. 1
GAUTIER, *in* P. LAROUSSE.

(...) un œil atone, l'air absent. 2
Jules LEMAÎTRE, les Rois, p. 44.

Par anal. *Une voix atone,* uniforme. *Il lisait d'une manière atone et monocorde.*

♦ **3** Ling. (phonét.). Qui n'est pas accentué. *Voyelle, syllabe atone.* → **Inaccentué.**

Par anal. Mus. *Syllabe atone.*

CONTR. **Tonique. — Actif, alerte, énergique, vif. — Accentué, tonique.**

**ATONIE** [atɔni] n. f. — 1751; *athonie,* XIVe; grec *atonia* «relâchement, affaiblissement». → Atone.

♦ **1** Méd. Diminution, défaut de la tonicité*, de l'élasticité (d'un tissu, d'un organe contractile). *Atonie intestinale.* → **Paresse.** *Atonie musculaire.* → **Hypotonie, paralysie** (flasque).

0.1 Le grand spécialiste fut frappé par la bizarrerie du cas. Une tumeur interne s'était formée dans le poumon de Louise, et l'atonie de la partie malade rendait incomplète l'expulsion de l'air inspiré.
Raymond ROUSSEL, Impressions d'Afrique, p. 403.

♦ **2** Cour. (mais style soutenu ou littér.). Manque de vitalité, d'énergie (physique ou morale). → **Affaiblissement, apragmatisme, apraxie, engourdissement, inertie, langueur, léthargie, mollesse, somnolence, torpeur.** *Atonie sexuelle. Atonie intellectuelle. Cette assemblée paraît atteinte d'atonie* (Académie). *État d'atonie. Tomber dans l'atonie.*

0.2 Tous ces jours-ci, mélancolie vague, découragement, paresse, atonie du corps et de l'esprit.
Ed. et J. DE GONCOURT, Journal, 6 mai 1856.

1 Il y avait en lui quelque chose qui l'empêchait de trouver la paix. Mais dans notre paix, à nous, n'y a-t-il pas une atonie de l'âme?
M. BARRÈS, la Colline inspirée, p. 316.

2 Ses yeux, dans leur atonie fatiguée, gardaient une fixité farouche. LOTI, Mon frère Yves, VI.

3 Mon atonie de ces derniers jours (elle durait depuis trois semaines bientôt), je commençais sérieusement à croire que je n'en relèverais plus désormais.
GIDE, Journal, Hendaye, 1905.

Par métaphore :

4 (...) l'apparente atonie politique de ce peuple qui est là pourtant, comme l'océan est là, avec ses possibilités de tempête, avec ses remous, ses abîmes.
F. MAURIAC, le Nouveau Bloc-notes 1958-1960, p. 397.

Par ext. *L'atonie du regard, de l'expression..., de la voix.*

CONTR. **Hypertonie. — Activité, énergie, ressort, vie, vitalité.**
◊ DÉR. **Atonique.**

**ATONIQUE** [atɔnik] adj. et n. — 1585; de *atonie.*

♦ **1** Méd. Qui a rapport à l'atonie. *Intestin atonique.* → **Flasque, inerte.**

N. *Un, une atonique :* une personne dont le tempérament est caractérisé par un défaut de tension psychique.

♦ **2** Ling., vieilli. *Lettre atonique,* muette.

REM. Baudelaire (*Lettre à Sainte-Beuve,* 1858, *in* D. D. L.) emploie l'adj. *atonifiant,* qu'il oppose à *tonique* (en parlant des personnes).

**ATOUR** [atuʀ] n. m. — V. 1280, au plur.; *atur,* 1150-60; de *atourner.*

♦ **1** Ancienn. Toilette de femme noble (rare, sauf dans *dame d'atour;* → ci-dessous, 4.).

Coiffure de femme noble (aux XIVe et XVe siècles). — *Toile d'atour,* voile qui ornait ces coiffures; tissu utilisé pour ces voiles.

♦ **2** Vx. Parure recherchée. — REM. Cet emploi est encore attesté chez Proust, métaphoriquement.

1 Dégrafez-moi cet atour des dimanches (...)
LA FONTAINE, Contes, V, 10.

♦ **3** Mod. **ATOURS,** n. m. pl. Toilette et parure féminine (par plais. et seult dans quelques syntagmes). *Mettre, se parer de ses plus beaux atours.* — Littér. *De beaux, de grands, de riches atours.*

L'autre mois, on l'emploie à changer tous les jours 2
Quelque chose à l'habit, au linge, à la coiffure.
Le deuil enfin sert de parures,
En attendant d'autres atours.
LA FONTAINE, Fables, VI, 21.

L'autre, pour se parer de superbes atours (...) 3
RACINE, Esther, I, 1.

(...) elle portait sans distinction ses beaux atours (...) 4
G. SAND, la Mare au diable, XII, 105.

(...) une belle fille qui s'offre aux regards dans toute la 5
magnificence de ses atours.
TAINE, Philosophie de l'art, t. I, II, 6.

♦ **4** Loc. Hist. **D'ATOUR.** *Dame, demoiselle d'atour :* dame, demoiselle dont la charge était de présider à la toilette d'une reine, d'une princesse. *Femme, fille d'atour :* femme chargée de l'entretien des robes d'une reine, d'une princesse. → **Atourneuse** (vx).

Il veut faire Mlle de Grancey dame d'atour de Madame. 6
Mme DE SÉVIGNÉ, 163.

Par métaphore, vieux :

Plus l'obstacle est puissant, plus on reçoit de gloire 7
Et les difficultés dont on est combattu,
Sont les dames d'atour qui parent la vertu.
MOLIÈRE, l'Étourdi, V, 2.

(...) la dame s'était mise 8
En un habit à donner de l'amour.
La négligence, à mon gré si requise,
Pour cette fois fut sa dame d'atour.
Point de clinquant, jupe simple et modeste (...)
LA FONTAINE, Contes, II, 5.

**ATOURNER** [atuʀne] v. tr. — 1648; *atorner,* mil. XIe; de 1. *a-,* et *tourner.*

Vx. Parer, orner, embellir, vêtir (une femme).

Comme chacun parait sa fille et l'atournait d'ornements 1
et joyaux qui la pussent rendre agréable à ce nouvel amant (...) MONTAIGNE, Essais, III, 33.

La patiente attend sa destinée, 2
Bien blanchement et ce soir atournée.
LA FONTAINE, Contes, II, 2, «La mandragore».

Pron. *S'atourner :* se parer (en parlant d'une femme).

REM. Le mot semble encore usité régionalement, surtout au p. p. *«Elle avait paru à sa fenêtre (...) atournée et pouponnée...»* (H. Pourrat, *in* T. L. F.).

DÉR. **Atour, atourneur.**

**ATOURNEUR, EUSE** [atuʀnœʀ, øz] n. — 1538; de *atourner.*

Vx. Personne chargée de parer, d'habiller (→ Dame d'atour*).

**ATOUT** [atu] n. m. — 1440; de *à,* et *tout.*

♦ **1** Carte choisie ou retournée qui l'emporte sur les autres; carte de la couleur qui l'emporte. *Dans ce jeu, c'est la retourne qui détermine l'atout. Jouer un atout. Atout maître :* carte d'atout la plus forte de celles qui restent à jouer. *Abattre les atouts.*

Ensemble des cartes de cette couleur. *Avoir de l'atout. Jouer atout. As, valet d'atout. — Atout trèfle, atout cœur, atout carreau. — Sans atout :* partie où toutes les couleurs ont la même valeur. *Jouer à sans atout, à sans-atout, jouer sans atout* (au bridge). *Demander deux, trois sans-atout.*

♦ **2** Par métaphore (→ ci-dessous, cit. 1, 3 et 4) et fig. Moyen, possibilité de réussir. → **Avantage, chance.** *Mettre, avoir tous les atouts dans son jeu :* mettre, avoir toutes les chances de son côté. *C'est son dernier, le dernier atout.*

1 Un artiste vraiment fort est celui qui sait tourner ses défauts mêmes à son avantage et sait faire de toutes les cartes de son jeu, des atouts.
GIDE, Journal, 11 ou 12 avr. 1929.

2 (...) des positions qui, en Afrique, en Asie, en Amérique, deviendront des atouts dans le jeu européen lui-même.
Louis MADELIN, Talleyrand, I, 6.

3 À la vérité, la France possédait-elle encore, contre les apparences, bien des atouts maîtres, que sa déroute récente n'avait pas fait disparaître de son jeu.
Louis MADELIN, Talleyrand, IV, 27.

4 (...) ces gens qui avaient tenu en mains tous les atouts de cette partie prodigieuse...
G. DUHAMEL, Cri des profondeurs, IX.

5 J'ai un beau rire franc, ma poignée de main est énergique, ce sont là des atouts. CAMUS, la Chute, p. 49.

(XIXe, E. Sue). Pop., vx. Courage. *Avoir de l'atout :* être courageux. *Perdre l'atout :* perdre courage.

♦ **3** Pop., vx. Coup*. *Il a reçu un fameux atout.*

**À-TOUT-VA** [atuva] loc. adv. → **Tout.**

**ATOXICITÉ** [atɔksisite] n. f. — XXe; de *2. a-*, et *toxicité.*

Didact. Absence de toxicité.

Les glandes muqueuses *(des Amphibiens)* offrent toutes les phases de toxicité, depuis une atoxicité complète jusqu'à une activité comparable à celle du venin de Vipère.
Jean GUIBÉ, les Batraciens, p. 45-46.

**ATOXIQUE** [atɔksik] adj. — 1838; de *2. a-*, et *toxique.*

Méd. Qui n'est pas toxique. *«Les contraceptifs oraux sont atoxiques et efficaces»* (Dr R. Géraud, *la Limitation médicale des naissances, in* Dr Willy, *la Sexualité,* t. II, p. 112). *Caractère atoxique.* → **Atoxicité.**

Vx, didact. Qui n'a pas de venin.

CONTR. **Toxique.**

1. **A. T. P.** ou **ATP** [atepe] n. f. — Mil. XXe; sigle.

Biol. Adénosine* triphosphate. *La synthèse de l'ATP.*

2. **A. T. P.** [atepe] Abrév. de *action thématique programmée.* — Abrév. de *arts et traditions populaires.*

**ATRABILAIRE** [atrabilɛr] adj. — 1546; de *atrabile,* et *-aire.*

♦ **1** (XVIe-XVIIe). Méd. anc. Qui a rapport à l'*atrabile,* ou humeur noire. → **Bilieux, hypocondriaque, mélancolique.**

1 Et principalement s'il est d'un tempérament picrochole ou atrabilaire (...) Ambroise PARÉ, XX, 2, *in* LITTRÉ.

2 La quarte continue vient de l'humeur mélancholique (mélancolique) ou atrabilaire (...)
Ambroise PARÉ, XX, 17, *in* LITTRÉ.

3 Je l'appelle hypocondriaque pour la distinguer des deux autres (...) La première, qui vient du propre vice du cerveau, la seconde, qui vient de tout le sang, fait et rendu atrabilaire (...)
MOLIÈRE, Monsieur de Pourceaugnac, I, IX.

♦ **2** Fig. (Vx ou littér. et plaisant). Porté à la mauvaise humeur, à l'irritation, à la colère. → **Acariâtre, acrimonieux, aigre, bilieux, colère, coléreux, colérique, désagréable, irascible, irritable, morose, sombre, triste, violent.** *Caractère, humeur, tempérament atrabilaire.*

4 *(Charles IX)* d'un tempérament violent et atrabilaire.
VOLTAIRE, Essai sur les mœurs, 173.

5 Les fureurs atrabilaires des misanthropes, ennemis mortels du genre humain.
ROUSSEAU, *in* LAFAYE, Dict. des synonymes, Mélancolique, atrabilaire.

Qui exprime la mauvaise humeur, l'irritation. *Un ton atrabilaire.*

(Personnes). *Il est un peu atrabilaire.* — N. (1690). Vx ou littér. *Un, une atrabilaire :* une personne qui a un caractère désagréable, aigre, irritable (→ ci-dessous, cit. 7 et 10).

(...) les gens que nous allons voir *(en Angleterre)* sont fort atrabilaires. VOLTAIRE, Candide, 23. 6

L'atrabilaire est colère, méchant, incommode, violent (...) L'homme le plus mélancolique ne l'est toujours que pour lui-même (...) Mais l'atrabilaire l'est toujours contre les autres; sa folie n'est point innocente, mais presque toujours portée jusqu'à la fureur, à la rage, à la férocité. 7
LAFAYE, Dict. des synonymes, Mélancolique, atrabilaire.

(...) en réalité, il est sec, froid, calculateur, très attentif à ses intérêts et d'ailleurs, sous des dehors aimables foncièrement mélancolique et même atrabilaire. 8
Edmond JALOUX, Fumées dans la campagne, XIV.

(...) chacun est toujours atrabilaire un peu; tous aiment mieux supposer les hommes méchants, ignorants ou sots, que gastralgiques ou hypocondriaques, car c'est trouver d'honorables raisons de s'irriter. Ainsi la grammaire est souvent lacérée entre deux bilieux pendant que la jeunesse s'instruit comme elle peut. 9
ALAIN, les Idées et les Âges, *in* les Passions et la Sagesse, Pl., p. 172.

(...) un vieil atrabilaire que tout exaspère, qui ne supporte pas les jeux, les rires innocents (...) 10
N. SARRAUTE, Vous les entendez?, p. 29.

CONTR. **Aimable, gai.**

**ATRABILE** [atrabil] n. f. — 1575-90; var. *atrebile;* du lat. *atra bilis* «bile noire».

(XVIe-XVIIe). Méd. anc. Humeur noire que les anciens supposaient sécrétée par les capsules surrénales, et à laquelle ils attribuaient les accès d'hypocondrie. → **Hypocondrie, mélancolie.**

(...) atrebile *(atrabile)* ou humeur mélancholique *(mélancolique).* Ambroise PARÉ, XX, 29, *in* LITTRÉ.

Fig., vx. Mauvaise humeur.

DÉR. **Atrabilaire.**

**ATRAMENTAIRE** [atramɑ̃tɛr] adj. et n. m. — 1762; dér. sav. du lat. *atramentum* «encre».

Vieux.

♦ **1** Adj. (1838). Qui ressemble à l'encre. *Saveur atramentaire :* saveur âcre, qui rappelle celle de l'encre.

♦ **2** N. m. (1762). Sulfate de fer employé dans la fabrication de l'encre.

1. **ÂTRE** [ɑtr] n. m. — XIIe, *astre, atre;* du lat. vulg. *astracum* «dalle», puis «pavement»; du grec *ostrakon* «vaisselle, vase en terre cuite; tesson».

♦ **1** Partie dallée d'une cheminée où l'on fait le feu, et, par ext., cheminée. → **Foyer.**

On appelle en cette ville de Paris et en quelques autres lieux circonvoisins Un âtre ce qu'ailleurs est nommé Un foyer. H. ESTIENNE, Précellence, p. 174, *in* HUGUET. 1

(...) les réparations à faire : aux âtres, contrecœurs, chambranles et tablettes de cheminées (...) 2
Code civil, art. 1754.

Vois, la lampe pâlit, l'âtre scintille et fume. 3
HUGO, Ballades, 3.

D'un pied distrait dans l'âtre il poussait le tison. 4
HUGO, les Châtiments, I, 5.

L'âtre enfante le rêve, et l'on voit ondoyer 5
L'effroi dans la fumée errante du foyer.
HUGO, la Légende des siècles, XV, «Éviradnus», 3.

(...) elle enfouissait la bûche sous les cendres et s'endormait devant l'âtre, son rosaire à la main. 6
FLAUBERT, Un cœur simple, I.

(...) ces flammes de l'âtre et ces adjurations remplissent l'enfant du sentiment qui nous saisirait devant une assemblée infernale au fond des bois. 7
M. BARRÈS, la Colline inspirée, p. 305.

8 Une cheminée au tablier levé, mais sur un âtre sans chenets, aux cendres refroidies, occupe le milieu d'un des murs. A. ROBBE-GRILLET, Dans le labyrinthe, p. 64.

9 La joie le tint longtemps éveillé, le visage tourné vers l'âtre embrasé, petit théâtre incandescent où se déroulaient les fastes d'un opéra sans musique, plein de sourdes conspirations qui éclataient en lumineux cataclysmes.
M. TOURNIER, le Roi des Aulnes, p. 185-186.

*À l'âtre, devant l'âtre :* devant la cheminée.

♦ **2** Techn. *Âtre d'un four :* partie plane d'un four, au-dessous de la voûte, où l'on met le pain à cuire. Partie du foyer qui entoure immédiatement le combustible dans les fours et les hauts-fourneaux.

COMP. **Sous-âtre.** ◊ HOM. 2. **Âtre.**

**2. ÂTRE** [atʀ] adj. — 1808, *in* Boiste; du lat. *ater* «noir». Vx et rare. D'un noir mat. *Couleur âtre.*

HOM. 1. **Âtre.**

**-ÂTRE** Élément servant à former de nombreux adjectifs et noms, et exprimant un caractère approchant, ou une idée péjorative. — Ex. : *blanchâtre, jaunâtre, verdâtre, douceâtre, acariâtre, bellâtre* (adj.); *marâtre* (n. f.).

**ATRÉBATE** [atʀebat] adj. — Lat. *Atrebates,* mot celtique, de *ad-,* et *trebo* «peuple», mot apparenté à *tribus.* → Tribu.

Hist. Relatif à un peuple de l'ancienne Gaule (Gaule belgique) dont la capitale était *Nemetacum* (aujourd'hui *Arras*).

1 (...) ils prisent les beaux lainages tissus dans les ateliers atrébates (...)
M. YOURCENAR, Archives du Nord, p. 25.

2 Ceux-là, du temps de César, se seront réfugiés en Bretagne avec Komm, leur chef atrébate, inaugurant, ou continuant peut-être, le perpétuel va-et-vient de l'exil entre les côtes belgiques et la future Angleterre.
M. YOURCENAR, Archives du Nord, p. 26.

**ATRÉSIE** [atʀezi] n. f. — 1838; de 2. *a-,* et grec *trêsis* «trou».

Médecine.

♦ **1** Absence congénitale ou occlusion congénitale ou acquise, partielle ou complète (d'un conduit ou d'un orifice naturel).

♦ **2** Insuffisance dans le développement des maxillaires en largeur.

DÉR. **Atrésié, atrésique.**

**ATRÉSIÉ, ÉE** [atʀezje] adj. — 1928, *in* Larousse; de *atrésie.*

Méd. Qui présente une atrésie. *Aorte atrésiée.*

**ATRÉSIQUE** [atʀezik] adj. — Mil. XX^e (*in* Porot, 1952); de *atrésie.*

Méd. Propre à une atrésie. *Lésions atrésiques observées dans l'artériosclérose cérébrale.*

**ATRÉT-, ATRÉTO-** Élément signifiant «non perforé» et servant à former des termes d'anatomie. — Ex. : *atrétocéphalie* [atʀetosefali] n. f. (Larousse du XIX^e s.) «absence d'ouverture dans la partie céphalique»; *atrétogastrie* [atʀetogastʀi] n. f. (Larousse du XIX^e s.) «obstruction de l'estomac»; *atrétorhinie* [atʀetoʀini] n. f. (1845) «obstruction du nez, des fosses nasales»; *atréturétrie* [atʀetyʀetʀi] n. f. (1892) «obstruction de l'urètre».

**ATRI-, ATRO-** Élément signifiant «noir» et servant à former des termes de zoologie. — Ex. : *atricaude* [atʀikod] adj. (1842) «à queue noire»; *atricorne* [atʀikɔʀn] adj. (1842) «à cornes noires»; *atrocéphale* [atʀosefal] adj. (1842) «à tête noire».

**ATRIAU** [atʀijo] n. m. — D. i.; de *hâtereau,* anc. franç. *hasterel,* de *haste* «morceau de viande rôtie».

Régional (Suisse, Savoie, Franche-Comté). Crépinette ou saucisse de hachis de foie de porc épicé et persillé, façonné en boulette aplatie et frit à la poêle. — REM. S'emploie le plus souvent au pluriel.

L'hiver on frira les atriaux dans leur coiffe transparente qui saute à la chaleur du fourneau.
Jacques CHESSEX, Portrait des Vaudois, p. 109.

**-ATRICE** → **-ateur.**

**ATRICHIE** [atʀiki] n. f. — 1898; de 2. *a-,* et grec *trikhos* «poil».

Méd. Absence totale des poils, habituellement congénitale. → **Alopécie, calvitie.**

**ATRIO-VENTRICULAIRE** [atʀijovɑ̃tʀikylɛʀ] adj. — Déb. XX^e (attesté 1959); en angl. *atrioventricular,* 1879; de *atrio-,* en composition pour *atrium* «oreillette», et *ventriculaire.*

Anat. Relatif aux oreillettes et aux ventricules du cœur. — Syn. : *auriculo-ventriculaire. Nœud* atrio-ventriculaire,* qui commande la transmission vers les ventricules de l'excitation venue du nœud sinusal par les oreillettes.

**ATRIUM** [atʀijɔm] n. m. — 1547, *in* D. D. L.; mot latin.

♦ **1** Antiq. rom. Cour intérieure de la maison romaine, généralement entourée d'un portique couvert. *L'atrium avec son bassin central.* → **Impluvium.**

Par anal. → **Narthex** (cour des basiliques romaines), **patio.** Parvis situé devant les premières églises chrétiennes.

♦ **2** [a] (Guérin, 1892). Anat. Partie du cœur de l'embryon qui deviendra l'oreillette.

[b] Zool. Cavité située près d'un orifice, chez les Annélides, les Insectes, les Mollusques, les Myriapodes. *Atrium buccal, génital.* — Cavité centrale des Spongiaires.

**ATROCE** [atʀɔs] adj. — 1532; *atroxe,* 1392; lat. *atrox, atrocis,* même sens.

♦ **1** Qui est horrible, d'une grande cruauté (rare en parlant des personnes). *Un tyran atroce. Une âme atroce.* → **Criminel, hideux, infâme, noir, odieux.** — *Action, crime, guerre, vengeance atroce. Une atroce perfidie. D'atroces tourments. Des scènes atroces.* → **Abominable, affreux, barbare, cruel, effrayant, effroyable, épouvantable, horrible, monstrueux.** *Tortures atroces. Mais c'est atroce !*

Il faut éviter les lois pénales en fait de religion. Elles impriment de la crainte, il est vrai; mais comme la religion a ses lois pénales aussi qui inspirent de la crainte, l'une est effacée par l'autre. Entre ces deux craintes différentes, les âmes deviennent atroces. 1
MONTESQUIEU, Esprit des lois, XXV, 12.

(...) Une suite de supplices atroces, fondés sur les présomptions les plus frivoles. 2
VOLTAIRE, Dict. philosophique, Supplices, 2.

(...) J'avais à me reprocher une action atroce... La noirceur de mon forfait (...) ROUSSEAU, les Confessions, II. 3

(..) elle y eût lu — dans ce regard — comme un espoir vague de la plus atroce vengeance. 4
STENDHAL, le Rouge et le Noir, t. I, p. 82.

5 Il n'y eut jamais une scène plus atroce, un plus épouvantable carnaval de la mort *(le sac de Rome).*
MICHELET, Extraits historiques, p. 183.

5.1 Ils m'ont montré des photographies, les monstres !... des photographies atroces de pauvres prisonniers russes qu'ils ont martyrisés en Pologne... Des membres rompus... des seins arrachés par des tenailles brûlantes !... toutes les horreurs de l'enfer (...)
G. LEROUX, Rouletabille chez Krupp, p. 140.

Par exagér. *Il a des mots atroces.* → **Dur, méchant.**

♦ **2** (Sens passif). Très douloureux*, très violent*. Insupportable. *D'atroces souffrances. Une peur atroce. Une minute d'atroce anxiété** (cit. 9).

6 Ce n'était pas la peur, c'était une épouvante à la fois atroce et solennelle qu'il ne connaissait plus depuis son enfance.
MALRAUX, la Condition humaine, p. 13.

7 (...) souvent les souffrances atroces que nous a fait subir une femme (...) A. MAUROIS, Climats, p. 25.

8 Un dégoût, une haine atroce de moi-même surit toutes mes pensées dès le réveil.
GIDE, Journal, 20 sept. 1916.

♦ **3** Par exagér. Fam. Désagréable ou pénible. *Un temps, un climat atroce.* → **Mauvais.** *Un atroce bavard.* → **Insupportable.** *Il est d'une bêtise atroce.* → **Grand, insondable.** *Une laideur atroce. J'ai un travail atroce !* → **Accablant.** *Ce film est atroce,* très mauvais.

9 On n'arrive au style qu'avec un labeur atroce, avec une opiniâtreté fanatique et dévouée.
FLAUBERT, Correspondance, t. I, p. 128.

CONTR. **Bon, clément, doux. — Admirable, agréable, beau, charmant. — Léger.** ◊ DÉR. **Atrocement.**

**ATROCEMENT** [atʀɔsmɑ̃] adv. — 1611 ; *atrossement,* 1533 ; de *atroce,* et *-ment.*

♦ **1** D'une manière atroce, cruelle. → **Cruellement.** *Il s'est vengé atrocement.* — (Sens passif). *Il souffre atrocement. Il a été atrocement mutilé, torturé.*

♦ **2** (1866). Par ext. Excessivement. → **Terriblement.** *Il l'a trouvée atrocement laide. Ce livre est atrocement ennuyeux.*

Je ne veux pourtant pas me donner pour plus fort ni plus assuré que je ne suis, et certains de ces méjugements me sont atrocement pénibles.
GIDE, Journal, 29 nov. 1921.

**ATROCITÉ** [atʀɔsite] n. f. — 1507, *attroxitez ; attrocité,* mil. XIV^e ; lat. *atrocitas,* de *atrox, ocis.* → Atroce.

**A** *L'atrocité (de...).* ♦ **1** Vieilli. Affreuse cruauté. → **Barbarie, cruauté, monstruosité.** *L'atrocité d'une âme.*

1 Une atrocité morne, et qui, sans s'émouvoir,
Croit dans le sang humain se baigner par devoir (...)
VOLTAIRE, Scythes, V, 4.

♦ **2** Mod. Caractère de ce qui est affreusement cruel, horrible, odieux. *L'atrocité d'une action, d'un crime, d'un supplice.*

**B** *Une, des atrocités.* ♦ **1** Action atroce, affreusement cruelle. → **Crime, monstruosité, torture.** *Les atrocités nazies. Commettre des atrocités.*

2 Et c'est un crime affreux dont on vous doit punir,
Qu'à tant d'atrocités l'amour ait pu servir (...)
VOLTAIRE, Catilina, III, 2.

3 Le roi de France (...) favorisait en Italie ces crimes *(d'Alexandre VI).* Quelle politique, quel intérêt d'état, de seconder les atrocités d'un scélérat (...)
VOLTAIRE, Essai sur les mœurs, CXI.

4 Caligula, l'homme qui a peur ; l'esclave devenu maître, tremblant sous Tibère, terrible après Tibère, vomissant son épouvante d'hier en atrocités.
HUGO, Shakespeare, p. 24.

4.1 On racontait d'horribles atrocités commises par les envahisseurs, pillage, vol, incendie, meurtres. C'était le système de la guerre à la tartare.
J. VERNE, Michel Strogoff, p. 188.

(...) je commençais à me sentir tout à fait mal à mon aise quand il passa aux atrocités commises sur les champs de bataille (...) 5
A. MAUROIS, les Discours du D^r O'Grady, X.

♦ **2** Chose laide, repoussante, désagréable, qui heurte le sentiment du beau, de la décence... → **Horreur.** *Pourquoi laisse-t-on publier de telles atrocités ? Ce tableau est une atrocité.*

♦ **3** Propos blessants, imputation calomnieuse, déshonorante. → **Calomnie, horreur.** *Elle a débité des atrocités sur son compte.*

Ce ne sont pas tant les atrocités que mes ennemis répandent sur mon compte qui me font peine, que la foi que mon peuple y ajoute. LOUIS XVI, *in* P. LAROUSSE. 6

CONTR. **Bonté, clémence, douceur... — Bienfait. — Beauté, chef-d'œuvre. — Compliment.**

**ATROPE** [atʀɔp] ou **ATROPA** [atʀɔpa] n. f. — 1788, *atropa ; atrope,* 1866 ; du grec *Atropos,* nom de la Parque tranchant le fil de la vie, sans doute à cause des propriétés vénéneuses de l'atrope.

Bot. Plante vénéneuse (→ **Belladone**) gamopétale *(Atropabelladonna ; Solanacées)* qui croît dans les bois et dont on tire l'*atropine.*

**ATROPHIANT, ANTE** [atʀɔfjɑ̃, ɑ̃t] adj. — XX^e ; p. prés. de *atrophier.*

♦ **1** Bot., méd., vétér. Qui atrophie. *Encéphalopathie atrophiante.*

♦ **2** Fig. Qui atrophie intellectuellement ou moralement.

**ATROPHIE** [atʀɔfi] n. f. — 1538 ; lat. *atrophia* « consomption », du grec *atrophia* « dépérissement ».

♦ **1** (1538). Méd. et cour. Diminution de volume (d'une structure vivante, organe, tissu, cellule), par défaut de nutrition, manque d'usage, processus physiologique de régression, maladie, etc. → **Affaiblissement, amaigrissement, arrêt** (de croissance, de développement), **atrophiement** (rare), **dystrophie, dépérissement, infantilisme, nanisme.** *« L'atrophie mammaire est un stigmate d'infantilisme »* (A. Binet). *Atrophie anormale, pathologique. Atrophie et aplasie*. Atrophie congénitale.* → **Micro-** (microcéphalie, microcaulie, microdactylie, microdontisme, microglossie, micromélie, micrognathie, microrchidie, microstomie...). *Atrophie physiologique. Atrophie pathologique. Atrophie infantile.* → **Hypotrophie.** *Atrophie musculaire.* → **Amyotrophie, myopathie.**

Par comparaison :

Il y a là un manque de curiosité... comme une atrophie... Dans le vide qui s'est creusé en lui les mots se répercutent, sont renvoyés... Une atrophie... Oui, un manque de souplesse, une sorte de rigidité. C'est comme un muscle qui ne fonctionne pas. On a beau essayer (...) 1
N. SARRAUTE, Vous les entendez ?, p. 52.

♦ **2** (Av. 1847). Fig. Arrêt dans le développement ou déchéance (d'une faculté, d'un sentiment). → **Étiolement, régression, stagnation ;** et aussi **affaiblissement.** *Atrophie intellectuelle.*

Il reconnut alors ce qu'il s'était caché, la désillusion de ses sens. Cette atrophie sentimentale lui laissait la tête entièrement libre (...) 2
FLAUBERT, l'Éducation sentimentale, III, 4.

CONTR. **Hypertrophie. — Accroissement, croissance, développement...** ◊ DÉR. **Atrophier, atrophique.**

**ATROPHIEMENT** [atʀɔfimɑ̃] n. m. — 1869, cit. ; de *atrophier.*

Rare. État de ce qui est atrophié. → **Atrophie.**

(...) son fils, dans l'atrophiement de son cerveau et de sa langue, montrait, en grandissant, une faculté, un sens rare et unique, un véritable génie musical d'enfant (...)
Ed. et J. DE GONCOURT, Madame Gervaisais, p. 63 (1869).

**ATROPHIER** [atʀɔfje] v. tr. — 1572; de *atrophie.*

♦ **1** Faire dépérir par atrophie. *L'inaction prolongée atrophie les muscles.* → **Affaiblir, amaigrir.** — Passif et p. p. (→ ci-dessous, cit. 1 et 2).

1 Lorsque la partie affligée de paralysie demeure atrophiée (...) Ambroise PARÉ, VII, 12, *in* LITTRÉ.

2 Mais la plupart de nos arbres sont atrophiés par une sorte de gourme noirâtre, dont je ne trouve la description dans aucun livre (...) GIDE, Journal, 26 mars 1916.

3 Les bourgeons terminaux se développent toujours aux dépens des autres, jusqu'à les atrophier complètement.
GIDE, Journal, 8 janv. 1922.

♦ **2** Fig. Arrêter le développement, causer la déchéance de. → **Dégrader, détruire, éteindre, étioler.** *Ce vice atrophie l'intelligence. L'habitude atrophie les sensations.*

4 Les sophismes d'une philosophie niaise ont atrophié en lui le sens moral. PROUDHON, *in* P. LAROUSSE.

Plus rare. *Atrophier qqn,* le faire dépérir au point de vue moral.

◆ **S'ATROPHIER** v. pron.

♦ **1** Dépérir, perdre de son volume... par atrophie.

5 Les organes s'atrophient ou deviennent plus forts ou plus subtils selon que le besoin qu'on a d'eux croît ou diminue.
PROUST, À la recherche du temps perdu, t. IX, p. 286.

6 Du fait d'une affection survenue au cours de la vie intra-utérine, ces ovaires peuvent s'atrophier presque complètement.
A. BINET, les Régions génitales de la femme, p. 108.

(Av. 1845). Par ext. Diminuer de taille. *L'empire ottoman s'est progressivement atrophié.*

♦ **2** Fig. Se dégrader. *Si on n'exerce pas la mémoire, elle s'atrophiera* (cit. 5).

7 Je dégradais mon intelligence en laissant s'atrophier en moi les qualités délicates de la vie affective.
M. BARRÈS, Leurs figures, p. 341.

Dépérir au point de vue moral, intellectuel. *Son esprit s'atrophie; il s'atrophie intellectuellement.*

◆ **ATROPHIÉ, ÉE** p. p. (→ ci-dessus, cit. 1), adj. et n.

♦ **1** (Mil. XVIe). Se dit d'un organe, d'une partie du corps dont le volume est anormalement petit (par atrophie). *La jambe atrophiée d'un polio.*

Par ext. Dont les dimensions sont anormalement réduites.

♦ **2** Fig. Affaibli, dégradé. «*Mon intellect en est demeuré atrophié*» (Flaubert).

♦ **3** N. (1588). Rare. *Un atrophié, une atrophiée,* personne atteinte d'atrophie. → **Atrophique.**

CONTR. **Accroître, croître, développer, hypertrophier.** ◇ DÉR. **Atrophiant, atrophiement.**

**ATROPHIQUE** [atʀɔfik] adj. et n. — 1863, *in* Littré; de *atrophie.*

♦ **1** Adj. (Biol., méd.). Qui s'accompagne d'atrophie. *Cirrhose atrophique.* — Relatif à l'atrophie. *Évolution atrophique.*

Fig., littér. Congénitalement affaibli. *Conscience atrophique.* — Syn. : *atrophié* (plus courant).

♦ **2** N. (1928). Méd. *Un, une atrophique :* une personne atteinte d'atrophie congénitale.

**ATROPINE** [atʀɔpin] n. f. — 1836; de *atropa,* et *-ine.*

Chim., méd. Alcaloïde naturel extrait des feuilles de la belladone ou *atrope,* très amer, toxique, utilisé en médecine comme collyre, mydriatique (dilatateur de la pupille), antispasmodique. *L'intoxication par l'atropine* (atropisme) *est combattue par l'ésérine.*

DÉR. **Atropiniser.**

**ATROPINISATION** [atʀɔpinizasjɔ̃] n. f. — Fin XIXe; de *atropiniser.*

Méd. Administration d'atropine. — Spécialt. Introduction de gouttes d'atropine dans l'œil, destinée à provoquer une dilatation de la pupille.

**ATROPINISER** [atʀɔpinize] v. tr. — Fin XIXe; de *atropine.*

Méd. Soumettre à l'action de l'atropine. — P. p. adj. (1875, Vulpian). *Atropinisé :* soumis à l'action de l'atropine. *Pupille atropinisée.*

DÉR. **Atropinisation.**

**ATROPOS** [atʀɔpos; atʀɔpɔs] n. m. — 1808; de *Atropos,* nom de la Parque chargée, selon la mythologie grecque, de couper le fil de la vie humaine.

Zool. a Lépidoptère *(Sphingidés),* papillon crépusculaire portant sur le thorax un dessin en tête de mort. — Syn. : *sphinx tête-de-mort.*

b Insecte *(Psocoptères)* de petite taille, susceptible de causer des dommages importants dans les collections d'insectes, les herbiers et les bibliothèques.

**ATTABLEMENT** [atabləmɑ̃] n. m. — Av. 1907; de *attabler.*

Fait de s'attabler, d'être attablé. «*Cet attablement au café...*» (Huysmans).

**ATTABLER** [atable] v. tr. — 1443, *atablé;* de *à, table,* et *-er.*

Fam. Vieilli. Faire asseoir (qqn) à table (pour boire, manger, jouer). «*Si vous ne pouvez accorder ces paysans, attablez-les, et vous les concilierez bientôt*» (Académie). *Attabler les enfants ensemble. Attabler des amis autour d'un bon repas.* → **Réunir** (à table).

◆ **S'ATTABLER** v. pron. (Av. 1695). S'asseoir à table pour manger, boire. → **Table** (se mettre à, prendre place à). *S'attabler devant une bonne bouteille. S'attabler dans la salle à manger.*

S'attabler, c'est s'installer commodément autour d'une table et se disposer à y passer un temps assez long pour boire, manger, jouer ou causer : ce verbe a volontiers un sens dépréciatif. 1
René BAILLY, Dict. des synonymes, Se mettre à table, éd. Larousse, p. 571.

Ils redescendent s'attabler pour souper dans la salle d'entrée (...) LOTI, Ramuntcho, I, 15. 2

Nous sommes entrés chez un petit traiteur et nous nous sommes attablés dans l'arrière-boutique, déserte à ce moment-là. 3
G. DUHAMEL, Chronique des Pasquier, VI, 13.

Rare. S'asseoir devant une table (pour une autre activité que la nourriture). — Fig. «*Je m'attable à la besogne...*» (Flaubert).

Par métaphore. S'installer comme devant une table, afin de manger, de consommer.

◆ **ATTABLÉ, ÉE** p. p. adj. et n.

♦ **1** Adj. Installé à table. *Des convives attablés pour de joyeuses agapes. Bridgeurs attablés. Ils restèrent attablés toute la soirée autour du tapis vert.*

4 Courtisans ! attablés dans la splendide orgie,
La bouche par le rire et la soif élargie,
Vous célébrez César (...)
HUGO, les Châtiments, I, 10.

5 Quand Boubouroche et le monsieur furent attablés, au fond d'une brasserie où l'on buvait de la bière suisse, devant deux bocks qui ruisselaient de fraîcheur (...)
COURTELINE, Boubouroche, II, p. 37.

Par métaphore. Installé pour manger. « *Les gaillards, attablés jusqu'au menton, bouffaient la boutique* » (Zola, *in* T. L. F.).

♦ **2** N. Rare. *Un attablé, une attablée,* personne qui est installée à une table pour manger ou boire.

REM. Le T. L. F. signale un emploi extensif pour le pron. et le p. p. : « se mettre, s'asseoir devant un meuble autre qu'une table » ; ce sens ne paraît vivant que pour des meubles assimilables à une table et l'exemple du *Journal* de Delacroix, « *attablée au piano* », paraît anormal, si le piano en question n'est pas utilisé comme un support, comme une table.

DÉR. **Attablement.**

**ATTACHAGE** [ataʃaʒ] n. m. — XX^e ; de *attacher.*

Rare. Action d'attacher (une personne, une chose). — REM. *Attache,* dans ce sens, ne s'emploie plus que dans l'expression *à l'attache,* et *attachement* n'est plus usité qu'au figuré.

(...) la lecture du verdict de mort, la dégradation du militaire, le tirage au sort du peloton, le chargement des armes, l'attachage du condamné au poteau planté dans un fossé (...) B. CENDRARS, Bourlinguer, p. 162.

**ATTACHANT, ANTE** [ataʃɑ̃, ɑ̃t] adj. — XVII^e ; p. prés. de *attacher.*

♦ **1** Vieilli. Qui accapare l'attention, le temps. *Une occupation attachante. Le bien-fonds, « chose trop matérielle, trop attachante »* (J. Lemaître, *in* T. L. F.).

♦ **2** Vieilli, littér. Qui attache, retient fortement l'attention et l'intérêt. *Une théorie, une lecture attachante. Conversation attachante.* → **Agréable, attrayant, captivant, fascinant, intéressant, passionnant.**

1 Cette lecture est fort attachante.
M^me DE SÉVIGNÉ, Lettres, 572, 28 août 1676.

2 Alzire est une tragédie fort attachante (...)
CHATEAUBRIAND, le Génie du christianisme, II, II, 7.

3 Rien n'est plus attachant que ces ébauches du génie livré seul à ses études et à ses caprices ; il vous admet à son intimité ; il vous initie à ses secrets (...)
CHATEAUBRIAND, Mémoires d'outre-tombe, IV, 6.

3.1 Ils commencèrent par échanger leurs observations sur les gens qu'ils connaissaient, puis ils parlèrent d'eux-mêmes, ce qui est toujours la plus agréable et la plus attachante des causeries.
MAUPASSANT, Fort comme la mort, éd. 1889, p. 24.

♦ **3** Mod. Qui attache, retient en touchant la sensibilité. *Un esprit, un être attachant.* → **Attirant, curieux, séduisant.** *Un roman attachant. Il a une personnalité attachante. Un animal attachant. Le cocker est un chien très attachant.*

4 Et puis il n'était pas très attachant, non ! ni très ragoûtant, son pauvre « Sagouin » ! F. MAURIAC, le Sagouin, II.

CONTR. **Assommant, ennuyeux. — Insignifiant. — Dégoûtant, désagréable, rébarbatif, rebutant, repoussant.**

**ATTACHE** [ataʃ] n. f. — 1155, au sens II ; déverbal de *attacher.*

**I** Mil. XVI^e. ♦ **1** Vieilli. Action d'attacher, de garder attaché, de retenir par un lien quelconque. *Donner un pourboire pour l'attache de son cheval.*

À L'ATTACHE. *Devant l'auberge, un garçon d'écurie prend les chevaux à l'attache.*

♦ **2** Mod., dans des expressions. *À l'attache* (→ **Attachage**), *d'attache. Mode, système d'attache. Point d'attache.* — Vieilli. *Chien d'attache,* qu'on tient attaché*, enchaîné pendant le jour. — Fig. *Tenir qqn comme un chien d'attache, comme un chien à l'attache.* → **Assujettissement, chaîne, laisse.** — *Tenir qqn à l'attache* (même sens).

Philis tient mon cœur à l'attache. 1
MOLIÈRE, la Princesse d'Élide, 1^er intermède.

(...) une corde autour de son cou le retient à la portée de sa mère à l'attache (...) GIDE, Journal, août 1910. 2

Anciennt. *Bas d'attache :* grand bas de soie qui s'attachait au haut de chausses.

*Droit d'attache :* droit d'attacher une embarcation. → **Amarrage, ancrage.** *Borne d'attache d'un chaland.* — Fig. et cour. *Port d'attache :* port d'armement d'un navire, port où il est immatriculé. → **Port.**

Dr. anc. *Lettre d'attache :* lettre jointe à l'expédition de pièces de chancellerie, des arrêts, etc., auxquels elle donnait force exécutoire. *Lettre d'attache du roi, du gouverneur, du connétable.*

♦ **3** Dr., admin. Vx. Agrément, autorisation, consentement (d'une autorité).

Il ne suffit pas d'avoir des provisions d'une charge de finance pour être payé de ses gages, il faut prendre l'attache des trésoreries de France. FURETIÈRE, Dict. 3

Pensions, honneurs, tout leur convient et ne convient qu'à eux(...) ils ne comprennent point que sans leur attache *(leur agrément, leur assentiment)* on ait l'impudence de les espérer. LA BRUYÈRE, les Caractères, XVI, 26. 4

J'ai suspendu cette édition qui se faisait à Amsterdam pour avoir l'attache du ministère de France. 5
VOLTAIRE, Lettres, janv. 1738.

Mod. (Admin.). *Prendre l'attache du ministère* (en parlant d'un chargé de mission) : prendre contact et solliciter l'assentiment (d'une administration).

**II** (1155). *Une, des attaches :* ce qui attache, sert à attacher. ♦ **1** Objet servant à attacher. *Attache métallique. Attache de soulier, de vêtement, de harnais... Mots désignant des attaches.* → **Agrafe, aiguillette, amarre, anneau, ansette, bandage, boucle, bouton** (de boutonnière ou de ganse), **bride, câble, chaîne, chaînette, collier, corde, cordon, courroie, crampon, crochet, épingle, fermeture, fibule, ficelle, fil, jarretelle, jarretière, joug, jugulaire, lacet, laisse, lanière, licol** (ou licou), **lien, ligature, longe, menottes, mentonnière, nœud, ruban, sangle, tresse, trombone** (pour papier)...

Spécialt. Bijou* qui sert d'attache. → **Agrafe, broche, clip.** *Une attache de diamants.*

J'admire votre attache ; les diamants en sont fort nets (...) 6
BARON, l'Homme à bonne fortune, II, 5, *in* LITTRÉ.

On remarque néanmoins sur elle une riche attache (...) 7
LA BRUYÈRE, les Caractères, III, 73.

Archéol. Pièce d'orfèvrerie utilisée jusqu'au XVI^e siècle pour orner ou fermer certains vêtements.

Techn. Fil de fer utilisé pour maintenir ensemble des morceaux de faïence cassée. *Les attaches d'une assiette. Attaches et agrafes.*

*Attaches de voie ferrée,* utilisées pour fixer les rails entre eux ou sur les traverses.

Cordonnet ou ruban cousu sur le bord d'un vêtement pour le fermer ou le suspendre.

Morceau de métal utilisé pour réunir des feuilles de papier.

Sports (ski). *Attache de sécurité :* lanière s'accrochant à la chaussure et au câble de fixation, et permettant de retenir les skis en cas de chute.

Bot. *Les attaches d'une plante grimpante*.* → **Crampon, vrille.**

♦ **2** (1765). Endroit où est fixée l'extrémité d'un muscle, d'un tendon, d'un ligament. *Les attaches* (ou *points d'attache,* sens I.) *des muscles.* → **Insertion.**

8 Libres à leur partie moyenne, les muscles se fixent par leurs extrémités sur des surfaces qui sont appelées leurs points d'attache, ou leurs points d'insertion.
L. TESTUT, Traité d'anatomie, t. I, p. 756.

(1836). Partie qui joint un membre au corps, un membre au pied ou à la main. *Les attaches des membres. L'attache du cou.* → **Articulation, emmanchement, jointure.**

9 *(Dans l'art antique)* on ne féminisait pas les dieux ou les héros (...) on accentuait plus robustement les attaches des bras et des cuisses. Th. GAUTIER, Mlle de Maupin, 4.

Plur. (Cour.). *Les attaches :* le poignet et la cheville. *Avoir les attaches fines.* → **Cheville, poignet.**

10 D'habitude, la femme possède une ossature grêle (...) Les articulations, en particulier celles du poignet et de la cheville, sont minces et délicates. La femme a «les attaches fines». A. BINET, les Formes de la femme, p. 30.

Bot. Endroit où est fixée l'extrémité d'un élément végétal. *L'attache des feuilles.*

**III** (Abstrait). ♦ **1** (XIIIe). **a** Vx. Ce qui attache une personne, la lie à qqn ou à qqch. → **Attachement.** *«L'attache qu'il a pour son pays»* (Académie).

Loc. *Prendre de l'attache, avoir de l'attache à* (ou *pour*) *qqch.,* un intérêt passionné pour qqch. → **Attachement, goût, intérêt, passion.**

11 Ces misérables égarés, ayant regardé autour d'eux, et ayant vu quelques objets plaisants, s'y sont donnés et s'y sont attachés. Pour moi, je n'ai pu y prendre d'attache (...)
PASCAL, Pensées, XI, 693.

12 Je n'ai d'attache sur la terre qu'à la seule Église catholique, apostolique et romaine, dans laquelle je veux vivre et mourir. PASCAL, les Provinciales, 17.

13 Puisqu'enfin de son bien il s'est laissé priver
Par son trop peu de soin des choses temporelles,
Et sa puissante attache aux choses éternelles.
MOLIÈRE, Tartuffe, II, 2.

14 Se peut-il, mes frères, que nous ayons tant d'attache à cette vie et à ses plaisirs, si nous considérons attentivement combien est dure la condition avec laquelle on nous l'a prêtée ?
BOSSUET, Oraison funèbre du P. Bourgoing.

15 Une des plus grandes preuves de sa pitié *(de saint Thomas)* et du peu d'attache et de goût qu'il avait pour les choses de la terre (...) MASSILLON, saint Thomas, *in* LITTRÉ.

16 Je voudrais bien connaître cette femme-là, pour être à même de lui rendre service dans l'occasion, parce que vous lui avez conservé tant d'attache; il faut qu'elle soit une femme de bien.
G. SAND, François le Champi, XIII.

**b** Vieilli ou littér. Lien.

16.1 Beaucoup de gens aiment mieux nier les dénouemens, que de mesurer la force des liens, des nœuds, des attaches qui soudent secrètement un fait à un autre dans l'ordre moral.
BALZAC, Eugénie Grandet, éd. 1838, p. 181.

♦ **2** Au plur. Mod. Rapports affectifs ou relations d'habitude qui attachent, rattachent qqn à qqn ou à qqch. *Conserver des attaches avec son pays natal, son pays d'origine.* → **Lien, nœud, racine.** *Avoir des attaches dans un milieu, un groupe.* → **Accointance, liaison, relation.** *Rompre ses attaches.* → **Amarre, chaîne, nœud.**

17 Le sacrement libérateur *(l'extrême-onction)* rompt peu à peu les attaches du fidèle; son âme, à moitié échappée de son corps, devient presque visible sur son visage.
CHATEAUBRIAND, le Génie du christianisme, I, I, 11.

18 Tu vis en l'air, tu as tranché tes attaches bourgeoises, tu n'as aucun lien avec le prolétariat, tu flottes, tu es un abstrait, un absent. SARTRE, l'Âge de raison, VIII.

Sans avoir rompu ses attaches provinciales, il avait conscience de s'être bien acclimaté à la capitale : accent, habillement, manières; rien en lui, estimait-il, ne le distinguait d'un Parisien des beaux quartiers. 18
Jean-Louis CURTIS, le Roseau pensant, p. 14-15.

Au sing., vieux :

Homme fort ami de la joie, 19
Sans nulle attache, et sans souci (...)
LA FONTAINE, Contes, II, XIV.

Mod. (Par métaphore du sens concret, II.).

Libre enfin et sans plus d'attache, semblable au cerf volant dont on aurait soudain coupé la corde, je culbutais, piquant de l'âme vers le sol où je m'écrasais. 20
GIDE, Journal, 5 sept. 1938.

**ATTACHÉ, ÉE** [ataʃe] n. — 1795, *in* D. D. L.; de *attacher,* au sens I., B., 2.

♦ **1** Personne attachée à un service. — (1822). *Attaché(e) d'ambassade :* agent diplomatique le moins élevé en grade. *Attaché(e) d'administration :* fonctionnaire placé dans la hiérarchie entre l'administrateur civil et le secrétaire d'administration. — *Attaché(e) de presse :* personne qui exerce une mission d'information ou de propagande au siège d'une ambassade; personne chargée des relations avec les médias dans une entreprise, un organisme. — *Attaché militaire,* désigné par le ministre, qui a des fonctions de conseiller, d'informateur, d'organisateur des liaisons. *Attaché naval.* — (1919, masc.). *Attaché commercial. Attaché de cabinet. Attaché au parquet.*

L'attaché militaire de France à Belgrade ayant à plusieurs reprises réclamé mon extradition — à quoi s'opposaient les lois internationales — la police yougoslave usa d'un compromis : elle me reconduisit à la frontière du pays le plus proche de France, l'Italie.
J. GENET, Journal du voleur, p. 122.

♦ **2** (1795). Vx. Domestique attaché au service d'un grand, d'un prince.

♦ **3** Vieilli. Personne liée par un sentiment d'affection à une autre personne. *Votre bien affectueusement attaché* (Hugo, *Correspondance,* 1852, *in* T. L. F.).

COMP. V. **Attaché-case.**

**ATTACHÉ-CASE** [ataʃekɛz; ataʃekez] n. m. — V. 1960; mot angl., proprt «mallette d'attaché diplomatique», de *case* «étui, boîte», et *attaché,* empr. au français.

Anglic. Mallette rectangulaire plate et rigide qui sert de porte-documents. *Des attaché-cases.*

(...) dans une de ces villes où tel employé de l'ambassade des États-Unis arrivait à la préfecture comme un représentant de commerce avec son attaché-case (...) 1
Régis DEBRAY, l'Indésirable, p. 58.

Bernard Dorgerès serrait avec énergie la poignée de cuir noir de son attaché-case, attribut indispensable à tout Président-Directeur général. 2
Michèle PERREIN, le Buveur de Garonne, p. 151.

**ATTACHEMENT** [ataʃmɑ̃] n. m. — 1573; *atachemens,* 1231; de *attacher.*

**I A** ♦ **1** Sentiment qui unit une personne aux personnes ou aux choses qu'elle affectionne ou auxquelles elle est liée par dévouement, service, intérêt. — Spécialt. Lien psychologique tenant à un besoin affectif. *L'attachement de qqn pour qqn, son attachement. On aime celui pour qui on a de l'attachement.* → **Affection, amitié, amour, estime; lien, nœud, union.** *Un tendre attachement.* → **Tendresse.** *Un attachement constant, fidèle, immuable, indéfectible, inviolable.* → **Constance, fidélité.** *Un profond attachement. Un attachement sincère. Un attachement intéressé. Respectueux attachement.*

*Preuve, signe d'attachement. Inspirer de l'attachement à qqn. Conserver l'attachement de ses amis, de ses électeurs. Témoigner de l'attachement à, pour qqn. Montrer de l'attachement pour qqn. Rompre un attachement. Renoncer à toute espèce d'attachement.* → **Attache, liaison.** — (Pour des choses). *Attachement au sol natal. Un attachement passionné pour qqch.* → **Fanatisme, passion.** *On a de l'attachement pour les choses auxquelles on tient.* → **Goût, intérêt.** *L'attachement à la vie, aux honneurs, aux richesses. Il manifeste un attachement excessif à ses opinions.* → **Entêtement.** *L'attachement au passé, pour le passé.* — Vieilli. *L'attachement, les attachements de la vie, du monde* (relig. ; ci-dessous, cit. 1, 5 et 6).

1 Que voulez-vous de moi honteuses voluptés?
Honteux attachemens de la chair et du monde,
Que ne me quittez-vous, quand je vous ai quittés?
CORNEILLE, Polyeucte, IV, 2.

2 L'attachement ou l'indifférence que les philosophes avaient pour la vie n'était qu'un goût de leur amour-propre, dont on ne doit non plus disputer que du goût de la langue, ou du choix des couleurs.
LA ROCHEFOUCAULD, Maximes, 46.

3 Vous appuyez un peu trop sur l'argent; et l'intérêt est quelque chose de si bas qu'il ne faut jamais qu'un honnête homme montre pour lui de l'attachement.
MOLIÈRE, le Bourgeois gentilhomme, I, 1.

4 Je ne le cèle pas, je fais tout mon possible
À rompre de ce cœur l'attachement terrible (...)
MOLIÈRE, le Misanthrope, II, 1.

5 Je n'ai point d'autres pensées maintenant que de quitter entièrement tous les attachements du monde.
MOLIÈRE, Dom Juan, V, 3.

6 (...) nos attachements criminels et nos mauvaises habitudes (...)
BOSSUET, 2e sermon pour le jour de Pâques, 1.

7 Ce profond attachement que nous avons à nous-mêmes (...) BOSSUET, Hist., II, 11.

8 Un attachement inviolable pour le Roi (...)
BOSSUET, Oraison funèbre de Marie-Thérèse d'Autriche.

9 Son attachement immuable à la religion de ses ancêtres (...)
BOSSUET, Oraison funèbre de Henriette-Anne d'Angleterre.

10 L'attachement inviolable aux lois (...)
FÉNELON, Dialogue sur l'éloquence, 1.

11 Un homme peut tromper une femme par un feint attachement pourvu qu'il n'en ait point ailleurs un véritable.
LA BRUYÈRE, les Caractères, III, 69.

12 Je ne veux plus d'attachement qui trouble mon repos.
A.-R. LESAGE, Gil Blas, VII, 7.

13 Je suis toujours très languissant, mon âge avance, ma force diminue, mais mon attachement pour vous ne diminuera jamais.
VOLTAIRE, Lettres, Au marquis d'Argence, 21 mars 1767.

14 On nomme hardiment amour (...) une liaison sans attachement (...) VOLTAIRE (→ Amour, cit. 12).

15 L'attachement peut se passer de retour, jamais l'amitié.
ROUSSEAU, Émile, IV.

16 Tout attachement est un signe d'insuffisance : si chacun de nous n'avait nul besoin des autres, il ne songerait guère à s'unir à eux. ROUSSEAU, Émile, IV.

17 Quoique nous eussions peu d'occasions de faire preuve de notre attachement l'un pour l'autre, il était extrême, et non seulement nous ne pouvions vivre un instant séparés, mais nous n'imaginions pas que nous pussions jamais l'être. ROUSSEAU, les Confessions, I.

18 C'est une bonne et honnête fille, qui me sert depuis vingt ans avec l'attachement d'une fille à son père, plutôt que d'une domestique à son maître (...)
ROUSSEAU, Lettres, 426.

18.1 (...) l'attachement passionné, l'attachement obstiné de certaines femmes qui se donnent à un homme pour tout à fait et pour toujours.
MAUPASSANT, Fort comme la mort, éd. 1889, p. 52.

L'attachement à des lieux, à des arbres, à des murs, peut prendre chez quelques uns, surtout dans la prime jeunesse, une extrême puissance (...) 19
LOTI, Matelot, XVII.

Ce que j'ai pris pour un signe d'attachement à la propriété n'est que l'instinct charnel du paysan, fils de paysans, né de ceux qui depuis des siècles interrogent l'horizon avec angoisse. F. MAURIAC, le Nœud de vipères, II, 18. 20

(...) ils *(quelques apologistes)* font ressortir avec application tout l'éphémère des attachements humains. 21
F. MAURIAC, Souffrances et Bonheur du chrétien, p. 30.

Comprendrait-elle jamais que, à côté de l'attachement total qu'il lui avait voué, tout autre penchant ne pouvait être qu'éphémère? 22
MARTIN DU GARD, les Thibault, III, 7.

REM. Toujours en usage, la construction avec *à* introduisant l'objet de l'attachement (→ ci-dessus, cit. 7 et 9, Bossuet; 10, Fénelon; 18, Rousseau; 19, Loti; 20, Mauriac) semble archaïque ou littéraire.

(En parlant des animaux). *L'attachement d'un chien pour son maître.* → **Dévouement.**

Par métonymie (personne objet de l'attachement) :

Son moral ne répondait que bien faiblement à son physique. M. Potain était ombrageux, despote; je le comparai à un premier attachement (...) il ne put soutenir la comparaison. Je passai mes plus belles années avec ce Potain, dans les larmes, lorsque le ciel, qui eut pitié de moi, l'enleva (...) 22.1
Henri MONNIER, Scènes populaires, La victime du corridor, p. 272.

♦ **2** Fig., vx. Grande application. *Avoir de l'attachement à l'étude, à ses devoirs.* → **Application, assiduité, constance, zèle.**

Peut-on avoir plus d'attachement à tous ses devoirs? 23
Mme DE SÉVIGNÉ, *in* LITTRÉ.

♦ **3** Vx. Fait de s'attacher (en parlant des regards, de l'attention...).

**B** (1835). Archit., constr. Relevé* des travaux quotidiens exécutés par une entreprise de construction, de travaux publics. → **Attacheur** (2.). *Feuilles, fiches d'attachement. Les attachements servent de pièces justificatives à l'entrepreneur pour le règlement de ses mémoires. L'ingénieur, l'architecte a signé les attachements. Travaux par attachement,* payés d'après ces relevés.

**II** (1573, en archit.). Concret. Ce qui attache, retient lié; endroit où une chose est attachée.

Anat. (Vx). → **Attache** (II., 2.).

(...) les habitudes de la vie reparaissent aux yeux du chimiste moral, soit dans les sinus du crâne, soit dans les attachements des os de ceux qui ne sont plus. 24
BALZAC, Théorie de la démarche, p. 55.

Chir. dent. Fixation d'une prothèse dentaire.

REM. Ce sens «rare» (T. L. F.), qui correspond au subst. verbal de *attacher* (→ Attachage), semble bloqué par la fréquence de *attachement* au sens psychologique.

CONTR. **Détachement, rupture. — Aversion, dégoût, indifférence.**

**ATTACHER** [ataʃe] v. tr. — 1080, *Chanson de Roland;* altér. possible, par substitution de préfixe, de l'anc. franç. *estachier,* de *estache* «pieu», francique **stakka;* ou encore (Guiraud) d'un dér. du lat. *attingere (*attacticare)* «mettre la main sur» (→ Attaquer; atteindre).

**I** V. tr. **A** ♦ **1** Faire tenir au moyen d'une attache*, d'un lien*. → **Fixer, lier, maintenir, retenir, tenir** (faire).

**a** *Attacher qqch., qqn à, sur, contre qqch.* → **Mettre, placer.** *Attacher un grelot, une laisse au cou d'un chien, un licol au cou des bêtes, une longe à l'anneau du caveçon. Attacher des chevaux à une voiture.*

→ **Atteler.** *Attacher une chèvre à un arbre avec une chaîne.* → **Enchaîner.** *Attacher un condamné à qqch.* → **Lier; enchaîner.** *Attacher qqch. à un croc, à un crochet.* → **Accrocher, appendre, pendre, suspendre.**

1 Dès l'abord leur doyen *(des rats)*, personne fort prudente,
Opina qu'il fallait, et plus tôt que plus tard,
Attacher un grelot au cou de Rodilard (...)
La difficulté fut d'attacher le grelot.
La Fontaine, Fables, II, 2.

1.1 Il l'attacha *(la chèvre)* à un pieu, au plus bel endroit du pré, en ayant soin de lui laisser beaucoup de corde, et de temps en temps il venait voir si elle était bien.
Alphonse Daudet, Lettres de mon moulin, « La chèvre de M. Seguin ».

(Sans compl. prépositionnel). Faire tenir (qqch.), rendre stable ou immobile (qqch., un être vivant). *Il faut attacher le chien. Attacher une bête par la patte. — Attacher une remorque, un wagon.* — REM. Lorsqu'il s'agit de fixer, d'assujettir qqch., on emploie surtout des verbes spécifiques exprimant ces idées (→ Affermir, arrêter, assujettir, assurer, bloquer, consolider, immobiliser, maintenir, retenir, river, serrer).

Loc. fig. (→ ci-dessus, cit. 1). *Attacher le grelot :* faire le premier pas dans une affaire hasardeuse, une entreprise délicate. → **Grelot.**

**b** Joindre par une attache. *Attacher deux ou plusieurs choses ensemble en les rapprochant, en les réunissant.* → **Accoler, accoupler, ajuster, annexer, assembler, coupler, joindre, réunir, unir.** *Attacher des chevaux à la queue l'un de l'autre.* → **Accouer.** *Attacher des chiens par paires.* → **Harder.** — *Attacher les mains d'un prisonnier, les attacher avec des menottes*. — Attacher deux tissus par des épingles.* → **Épingler.** *Attacher par des points de couture*, des piqûres.* → **Coudre, piquer.** *Attacher ensemble les feuillets d'un livre.* → **Brocher, relier.** *Attacher (ensemble) des objets en les serrant*, en les entourant* d'un lien.* → aussi **Ceindre, encercler, enlacer, entortiller, envelopper.**

Fermer, ajuster par une attache. *Attacher qqch. avec une agrafe* (→ **Agrafer**); *un anneau* (→ **Cercler**); *une bande, un bandage* (→ **Bander**); *une boucle* (→ **Boucler**); *des boutons* (→ **Boutonner**); *une bride; des clous* (→ **Clouer**), *des boulons* (→ **Boulonner**), *des épingles* (→ **Épingler**), *des rivets* (→ **Riveter**), *des vis* (→ **Visser**). *Attacher avec de la colle.* → **Coller, encoller.** *Attacher avec une amarre* (→ **Amarrer**), *des cordages, câbles, bosses, filins, manœuvres...* (→ **Bosser, brider, chabler, élinguer, épisser, étalinguer, frapper, moucheter**); *avec une corde* (→ **Corder, ligoter**); *une courroie, une chaîne* (→ **Enchaîner**); *une ficelle* (→ **Ficeler**); *un lacet* (→ **Lacer**); *une ligature* (→ **Ligaturer**); *un nœud* (→ **Nouer**); *une sangle* (→ **Sangler**). *Attacher un paquet avec une ficelle.* → aussi **Cercler, emballer, empaqueter, envelopper.**

REM. Le verbe *attacher* est un générique ; dans tous les cas où un mode d'attache est spécifique (notamment en technique), on emploie plutôt les verbes énumérés ci-dessus.

Cour. Faire tenir (un ornement, un vêtement). *Attacher un collier.*

2 Qu'il mette sur son front le sacré diadème;
Je ne veux que l'honneur de l'attacher moi-même.
Racine, Phèdre, III, 1.

3 Attacher la ceinture au haut-de-chausses.
Richelet, Dict., art. *Attacher.*

4 Je voudrais bien savoir (...) si une demi-douzaine d'aiguillettes ne suffit pas pour attacher un haut-de-chausses?
Molière, l'Avare, I, 4.

*Attacher qqch. avec qqch.*(lien, attache...).

5 Atala fit ma première compresse qu'elle attacha avec une boucle de ses cheveux (...) Chateaubriand, Atala.

Loc. fig. et fam. *Ne pas attacher ses chiens avec des saucisses :* être très serré dans ses dépenses; être avare.

REM. En parlant des choses, et surtout des êtres vivants, *attacher* et *lier* sont quasi synonymes; la distinction ci-dessous est néanmoins effective quant à *lier* (mais on peut *attacher lâche, serré...*).

Un homme lié à un arbre ou à un mât est appliqué contre; 6
un animal qu'on attache à un arbre pour qu'il paisse à l'entour, peut s'en éloigner à une certaine distance : où la chèvre est attachée, il faut qu'elle broute.
Lafaye, Dict. des synonymes, art. *Lier, attacher.*

♦ **2** (Le sujet désigne la chose qui attache). Faire tenir, joindre ou fermer. *La corde, la chaîne qui attachait le prisonnier. La ficelle qui attache ce paquet.*

**B** (XII^e). Fig. ♦ **1** (Sujet n. de chose ou, moins cour., de personne). Lier (qqn) à une personne ou à une chose par un rapport de dépendance, de sujétion, de contrainte, ou par un sentiment d'amour, de convenance, de devoir, de fidélité, de reconnaissance. → **Lier; assujettir, astreindre, enchaîner, engager, maintenir, obliger, rattacher, retenir, river, soumettre, tenir** (tenir captif...), **unir.** *Le droit féodal attachait les serfs à la glèbe. Tout ce qui attache l'homme au sol natal. De tendres souvenirs m'attachent à mon village. De vieilles habitudes l'attachent à sa maison. Les sentiments qui m'attachent à vous. Une grande affection les attache l'un à l'autre.* — Vieilli. (Personnes). *La personne qui l'attache* (→ ci-dessous, cit. 16).

L'hymen qui nous attache en une autre famille 7
Nous détache de celle où l'on a vécu fille (...)
Corneille, Horace, III, 4.

*(Ils)* Mettaient toute leur gloire à devenir esclaves; 8
(...) pour mieux assurer la honte de leurs fers,
Tous voulaient à leur chaîne attacher l'univers (...)
Corneille, Cinna, I, 3.

Tout son crime est un père à qui le sang l'attache. 9
Corneille, Héraclius, III, 1.

Vous que l'amitié seule attache sur ses pas. 10
Racine, Bérénice, III, 1.

Et je romps tous les nœuds qui m'attachent à vous. 11
Racine, Iphigénie, IV, 6.

*(Les mouvements)* D'un zèle qui m'attache à tous vos inté- 12
rêts (...) Molière, le Misanthrope, III, 4.

Les cieux, par les liens d'une immuable ardeur, 13
Aux beautés d'Henriette ont attaché mon cœur.
Molière, les Femmes savantes, I, 4.

L'amour qui nous attache aux beautés éternelles 14
N'étouffe pas en nous l'amour des temporelles (...)
Molière, Tartuffe, III, 3.

Louis les animant du feu de son courage, 15
Se plaint de sa grandeur qui l'attache au rivage.
Boileau, Épitres, IV, 113.

REM. Ce dernier vers est parfois appliqué ironiquement à ceux qui, par lâcheté ou crainte de se compromettre, se tiennent à l'écart de quelque action.

Il ne manque souvent à un ancien galant, auprès d'une 16
femme qui l'attache, que le nom de mari.
La Bruyère, les Caractères, III, 19.

En nous attachant aux créatures, nous multiplions nos 17
liens. Massillon, Panégyrique Mart.

M^me la Dauphine ménagea ce qui lui restait de moments 18
précieux pour délier les nœuds qui l'attachaient encore au monde.
Fléchier, Oraison funèbre de M^me la Dauphine.

*(La nature)* Aura-t-elle à la glèbe attaché les humains, 19
Comme les vils troupeaux mugissants sous nos mains.
Voltaire, les Scythes, IV, 2.

Les lois les plus tyranniques sur les émigrations n'ont 20
jamais eu d'autres effets que de pousser le peuple à émigrer, contre le vœu de la nature, le plus impérieux de tous, qui l'attache à son pays (...)
Mirabeau, Hist. de l'Assemblée constituante, t. IV, p. 415, Séance du 28 févr. 1791.

Si je vous le disais, qu'une douce folie 21
A fait de moi votre ombre et m'attache à vos pas!
A. de Musset, À Ninon.

♦ **2** (Mil. XVII^e). Mettre (qqn) au service, à la disposition de. → **Adjoindre, affecter, engager, placer.** *Attacher un domestique à son service. Attacher un diplomate à une ambassade. Il l'a attaché à son cabinet.* → **Associer, prendre ; attaché.**

Vx. (Compl. nom abstrait) :

22 *(Je souhaitais fort)* Qu'un garçon comme toi (...)
À mon service un jour pût attacher son zèle (...)
MOLIÈRE, l'Étourdi, II, 7.

♦ **3** Vieilli ou littér. *Attacher son ambition, ses vœux à... Attacher son estime, sa haine à...* → **Appliquer, diriger, donner, porter, vouer.**

23 C'est où j'attache toute mon ambition (...)
MOLIÈRE, l'Avare, III, 7.

24 Si tu trouves où attacher tes vœux (...)
MOLIÈRE, la Princesse d'Élide, II, 4.

25 Rome à ce nom, si noble et si saint autrefois,
Attache pour jamais une haine puissante.
RACINE, Bérénice, II, 2.

26 Afin d'attacher toute notre estime à ce qu'elle embrassait avec tant d'ardeur (...)
BOSSUET, Oraison funèbre de Henriette-Anne d'Angleterre.

♦ **4** Mod. *Attacher ses yeux, ses regards, sa vue sur... :* regarder avec insistance. → **Arrêter, fixer...** — *Attacher les regards, les yeux de qqn.* → **Attirer.** *Sa beauté attache tous les regards.*

27 Elle *(la fresque)* a pour quelque temps fixé l'inquiétude,
Arrêté leur esprit, attaché leurs regards (...)
MOLIÈRE, la Gloire du Val-de-Grâce, 289.

28 (...) elle *(Thérèse)* continua un moment d'attacher sur lui, en silence, les regards de ses yeux clairs dont les paupières battaient. FRANCE, le Lys rouge, XIV, 127.

29 Swann ne peut s'empêcher d'attacher sur le corsage de celle-ci de longs regards de connaisseur dilatés et concupiscents.
PROUST, À la recherche du temps perdu, t. IX, p. 136.

(Abstrait). *Attacher l'esprit, l'intérêt de qqn.* → **Charmer, fixer, intéresser, passionner, retenir, séduire.** *Cette lecture l'attache.* → **Absorber.**

30 (...) nous attachant à des récits
Qui mènent à son gré les cœurs et les esprits (...)
LA FONTAINE, Fables, VII, Dédicace.

31 Inventez des ressorts qui puissent m'attacher (...)
BOILEAU, l'Art poétique, 3.

32 Un enfant qu'à six ans les romans attachent (...)
ROUSSEAU, les Confessions, II.

Absolt et vx. *Cette lecture, ce conférencier attache.* → **Attachant** (2.).

33 Vous dites que vous ne contez pas bien ; je ne connais personne qui attache autant que vous (...)
M^me DE SÉVIGNÉ, Lettres, 35, *in* LITTRÉ.

♦ **5** Mod. Attribuer (une qualité à qqch.). *Attacher du prix, de l'importance, de la valeur à qqch.* → **Accorder, attribuer, donner.**

34 Quelque prix que l'homme passionné puisse attacher aux tumultes des sentiments (...)
BALZAC, la Recherche de l'absolu, Pl., t. IX, p. 475.

35 (...) les qualités d'Odette ne justifiaient pas qu'il attachât tant de prix aux moments passés auprès d'elle.
PROUST, À la recherche du temps perdu, t. II, p. 31.

36 La chaste réserve des vierges doit son importance beaucoup au prix que le mâle y attache.
GIDE, Journal, 21 juin 1931.

37 Si l'on aime vraiment, il ne faut pas attacher trop d'importance aux actions des êtres qu'on aime.
A. MAUROIS, Climats, p. 276.

38 Encore que, pour narrer les histoires de mon jeune temps, j'attache moins d'importance aux documents péremptoires, aux pièces à conviction qu'à mes souvenirs et songeries, j'ai quand même (...)
G. DUHAMEL, le Temps de la recherche, I.

♦ **6** (1662). Littér. Adjoindre par l'esprit, rapporter à (qqch.). *Attacher un sens à un mot.* → **Attribuer, donner.** *Attacher une idée à une chose.* → **Accoler, associer.**

Le mot esprit, quand il signifie une qualité d'âme, est un de ces mots vagues, auxquels tous ceux qui les prononcent attachent presque toujours des sens différents (...) 39
VOLTAIRE, Dict. philosophique, Esprit, II.

La peine de mort est devenue une pratique intolérable, depuis qu'on n'y attache plus l'idée d'expiation, qui est toute théologique. 40
FRANCE, le Mannequin d'osier, p. 360.

♦ **7** Lier par un effet de conséquence à, faire dépendre de. → **Associer, lier, subordonner.** *Attacher son sort à... Attacher sa réputation au succès d'une entreprise.*

Rome n'attache point le grade à la noblesse. 41
CORNEILLE, Sertorius, II, 2.

Nommons des combattants pour la cause commune, 42
Que chaque peuple aux siens attache sa fortune (...)
CORNEILLE, Horace, I, 3.

(...) Attacher l'honneur de l'homme le plus sage 43
Aux choses que peut faire une femme volage (...)
MOLIÈRE, Sganarelle, 17.

Le ciel n'a point aux jours de cette infortunée 44
Attaché le bonheur de votre destinée (...)
RACINE, Iphigénie, V, 2.

*Attacher des avantages, des privilèges à une fonction, une charge.* → **Adjoindre.**

*Attacher son nom à une œuvre.* → **Donner ; nom.**

♦ **8** Loc. pop. *Attacher un bidon :* fausser compagnie à qqn.

**II** Fam. ♦ **1** V. tr. ind. *Attacher à qqch.,* y adhérer, y coller (spécialt, en parlant d'une préparation culinaire). *La boue attache aux souliers. Le riz a attaché à la casserole, au fond de la casserole.*

Absolt. *Le ragoût a attaché. Veillez à ce que le riz n'attache pas.* → **Adhérer, coller ; roussir.**

— Huit heures qui sonnent ! interrompit cruellement la patronne. L'haricot est sûr d'attacher ! 44.1
BERNANOS, l'Imposture, *in* Œ. roman., Pl., p. 488.

♦ **2** V. intr. (En parlant d'un ustensile de cuisine). *Poêle, casserole qui attache. Revêtement antiadhésif qui empêche une poêle d'attacher.*

◆ **S'ATTACHER (À...)** v. pron.

**I** ♦ **1** Être attaché (à qqch.). *Les muscles s'attachent aux points d'insertion.* → **Attache ; insérer** (s').

Se fixer. *Le lierre s'attache aux arbres et aux murailles par ses racines adventives et ses crampons d'attache.* → **Accrocher** (s'). *S'attacher à qqch. sans lâcher prise.* → **Agripper** (s'), **cramponner** (se).

Le lacs était tout prêt, il n'y manquait qu'un homme. 45
Celui-ci se l'attache, et se pend bien et beau.
LA FONTAINE, Fables, IX, 16.

Si la vigne et les autres plantes qui sont faites pour s'attacher aux grands arbres, en choisissent si bien les petits creux et s'entortillent si proprement aux endroits qui sont capables de les appuyer (...) 46
BOSSUET, Traité de la connaissance de Dieu, V, 2.

*(La terre grasse)* 47
S'amollit dans tes mains et s'attache à tes doigts.
Abbé DELILLE, les Géorgiques, 2.

Se fermer, s'ajuster (d'une certaine manière). *Ce collier s'attache avec un fermoir. Une robe qui s'attache derrière, par des boutons.*

Par métaphore. *Je meurs où je m'attache* (devise de fidélité éternelle associée au symbole du lierre).

♦ **2** Par ext. Se coller à, être collé à. *L'argile s'attache au soc de la charrue, la glu s'attache à la main.* → **Adhérer, agglutiner** (s'), **coller, prendre** (se). *La terre bolaire s'attache à la langue.* → **Happer** (à la langue).

Spécialt. Se coller, adhérer au fond d'une casserole, d'un plat (→ ci-dessus, II.).

**II** (1574). Fig. ♦ **1** Se joindre, s'unir, être uni à une chose, l'accompagner ou faire corps avec elle, la poursuivre. → **Incorporer** (s'). *Les avantages qui s'attachent à ce poste.*

48 Vous, riches, qui vivez dans les joies du monde, si vous saviez avec quelle facilité vous vous laissez prendre aux richesses que vous croyez posséder; si vous saviez par combien d'imperceptibles liens elles s'attachent, et pour ainsi dire, elles s'incorporent à votre cœur, et combien sont forts et pernicieux ces liens que vous ne sentez pas (...)
BOSSUET, Oraison funèbre de Michel Le Tellier (→ Empire [prendre de l']).

49 Objets inanimés, avez-vous donc une âme
Qui s'attache à notre âme et la force d'aimer?
LAMARTINE, Milly.

50 (...) son mauvais renom s'attachait à notre foyer.
FRANCE, le Crime de S. Bonnard, p. 387.

51 Nos actes s'attachent à nous comme la lueur au phosphore (...) GIDE, les Nourritures terrestres, p. 22.

52 La séduction qui s'attache aux femmes enfantines ne quittait pas sa maturité.
COLETTE, l'Étoile Vesper, p. 110.

♦ **2** (Sujet n. de personne). *S'attacher aux pas* de qqn,* le suivre partout, ne pas le quitter. → **Poursuivre, suivre.** *S'attacher au destin, à la fortune de qqn,* en faire dépendre, y lier son propre destin, sa propre fortune. → **Servir, suivre.**

53 Je m'attache, Madame, à tout votre destin (...)
MOLIÈRE, les Femmes savantes, V, 4.

Loc. vieillie. (Par métaphore du sens I.). *S'attacher au char* de qqn :* se mettre sous la dépendance, la domination de qqn (par allusion aux captifs qui suivaient le char du triomphateur antique). → **Enchaîner** (s'). *S'attacher au char de la fortune :* essayer de s'enrichir.

*S'attacher au service de qqn :* entrer au service de qqn pour une longue période.

♦ **3** Concevoir, prendre de l'attachement* pour (une personne, une chose); se lier, tenir à elle par le cœur, le sentiment du devoir, l'habitude, etc. *L'épagneul s'attache fidèlement à son maître.* → **Fidèle** (être). *Il s'est épris d'elle et s'y est attaché de plus en plus. Ils se sont attachés l'un à l'autre. S'attacher à des gens peu recommandables.* → **Accointer** (s'), **acoquiner** (s'), **enticher** (s'), **fréquenter, lier** (se). *Il s'est beaucoup attaché à ce pays.* → **Attaché; attachant.** — Absolt. *S'attacher, se détacher...* (→ ci-dessous, cit. 60 et 62). — (Récipr.). *S'attacher l'un à l'autre* (→ ci-dessous, cit. 55). *Ils ont fini par s'attacher.*

54 C'est pourquoi l'homme quittera son père et sa mère, et s'attachera à sa femme, et ils deviendront une seule chair.
BIBLE, Genèse, II, 25.

55 Il est des nœuds secrets, il est des sympathies,
Dont par le doux rapport les âmes assorties
S'attachent l'une à l'autre, et se laissent piquer
Par ces je ne sais quoi qu'on ne peut expliquer.
CORNEILLE, Rodogune, I, 4.

56 La constance en amour est une inconstance perpétuelle, qui fait que notre cœur s'attache successivement à toutes les qualités de la personne que nous aimons (...)
LA ROCHEFOUCAULD, Maximes, 175.

57 Les femmes s'attachent aux hommes par les faveurs qu'elles leur accordent; les hommes guérissent par ces mêmes faveurs. LA BRUYÈRE, les Caractères, 16.

58 Je remarquai d'abord un homme dont la simplicité me plut; je m'attachai à lui, il s'attacha à moi; de sorte que nous nous trouvions toujours l'un auprès de l'autre (...)
MONTESQUIEU, Lettres persanes, 48.

59 (...) je me suis toujours attaché aux gens moins à proportion du bien qu'ils m'ont fait que de celui qu'ils m'ont voulu (...) ROUSSEAU, les Confessions, L, III.

60 Homme insuffisant à toi-même, créature vide et inquiète, tu t'attaches, tu te détaches, tu t'affliges, tu te consoles; ta faiblesse partout éclate.
VAUVENARGUES, Éloge de P. du Seytres.

Nous ne nous attachons d'une manière durable aux choses que d'après les soins, les travaux ou les désirs qu'elles nous ont coûtés. 61
BALZAC, Physiologie du mariage, Pl., t. X, p. 672.

Le cœur de la femme s'attache par ce qu'il donne; le cœur de l'homme se détache parce qu'il reçoit. 62
HUGO, Post-Scriptum de ma vie, p. 55.

Les hommes ne s'attachent point à nous en raison des services que nous leur rendons, mais en raison des services qu'ils nous rendent. 63
LABICHE, le Voyage de Monsieur Perrichon, IV, 8.

Pour nous la maison est seulement un domicile, un abri; nous la quittons et l'oublions sans trop de peine, ou, si nous nous y attachons, ce n'est que par la force des habitudes et des souvenirs. 64
FUSTEL DE COULANGES, la Cité antique, p. 109.

(...) je sais ce qu'il en coûte de s'attacher à autrui et quelles fibres intimes sont déchirées par l'arrachement des adieux. 65
Edmond JALOUX, Fumées dans la campagne, II.

Ils l'avaient blâmé de s'attacher à une maîtresse, mais l'approuvaient d'adopter un chien. 66
A. MAUROIS, les Discours du Dr O'Grady, III.

(Faux pron.). *S'attacher qqn :* attacher (qqn) à soi, inspirer de l'attachement, se faire aimer. → **Attirer, conquérir, gagner.**

Les généraux commencèrent à s'attacher leurs soldats (...) 67
BOSSUET, Disc. sur l'Hist. universelle, III, 7.

Les rois s'attachaient le peuple; des clients et de la plèbe ils se faisaient un appui. 68
FUSTEL DE COULANGES, la Cité antique, p. 294.

♦ **4** Se fixer (en parlant des yeux, des regards).

Sur les deux combattants tous les yeux s'attachèrent. 69
VOLTAIRE, la Henriade, X.

♦ **5** (Abstrait; en parlant de l'esprit, de l'attention). *S'attacher à... :* s'appliquer* avec constance (à une chose). → **Concentrer** (se), **diriger** (se), **porter** (se), **tendre.** *S'attacher à une étude.* → **Adonner** (s'), **consacrer** (se), **livrer** (se livrer à). *S'attacher pleinement à son travail.* → **Absorber** (s'). *S'attacher passionnément aux lettres.* → **Cultiver, passionner** (se), **vouer** (se). *Il ne va pas au fond des choses, il ne s'attache qu'à leur superficie.* → **Considérer; égard** (avoir), **garde** (prendre garde à); **intéresser** (s'); **occuper** (s'), **préoccuper** (se préoccuper de ). *Il s'attache à la règle plus qu'à l'esprit de la loi.*

L'esprit s'attache par paresse et par constance à ce qui lui est facile ou agréable (...) 70
LA ROCHEFOUCAULD, Maximes, 482 (→ Agréable cit. 17.2).

L'éducation des enfants est une chose à quoi il faut s'attacher fortement (...) 71
MOLIÈRE, les Fourberies de Scapin, II, 1.

Chacun à son métier doit toujours s'attacher. 72
LA FONTAINE, Fables, V, 8.

Il ne s'attache à aucun des mets, qu'il n'ait achevé d'essayer de tous. 73 LA BRUYÈRE, les Caractères, XI, 121.

Ceux qui parlent avec tant de facilité ne s'attachent d'ordinaire qu'à l'écorce des choses (...) 74
SAINT ÉVREMOND, *in* RICHELET.

Philon a distingué deux ordres d'Esséniens : les uns s'attachaient à la pratique, et les autres qu'on nomme Thérapeutes à la contemplation. 75
DIDEROT, Opinion des anciens philosophes (Juifs).

Le vrai n'est jamais dans le présent; si l'on s'y attache, on y périt. 76 FLAUBERT, Correspondance, t. II, p. 212.

En m'attachant seulement à ce qui différencie les personnes, je perds de vue ce qu'elles ont de commun avec beaucoup d'autres (...) 77
Valery LARBAUD, Amants, Heureux amants, p. 141.

(Suivi d'un infinitif). *S'attacher à faire qqch.* → **Appliquer** (s'), **chercher, tendre, viser** (à); **efforcer** (s'efforcer de).

Je me suis attaché à vous découvrir les causes. 78
BOSSUET, Hist., III, 7.

79 En vain à l'observer jour et nuit je m'attache (...)
RACINE, Phèdre, I, 2.

80 À vous faire périr sa cruauté s'attache.
RACINE, Athalie, IV, 2.

81 S'attachant à découvrir le faux et le ridicule (...)
LA BRUYÈRE, Disc. de réception à l'Académie.

82 Les hommes ne s'attachent pas assez à ne point manquer les occasions de faire plaisir (...)
LA BRUYÈRE, les Caractères, XI, 11.

83 Il y a sans doute une part de système dans la tenace volonté avec laquelle l'auteur *(Jules Romains)* s'attache à décrire la «solidarité inconsciente» des groupes humains.
A. MAUROIS, Études littéraires, t. II, p. 131.

*S'attacher obstinément à qqch.* → **Acharner** (s'), **entêter** (s'), **obstiner** (s'), **opiniâtrer** (s'). *S'attacher opiniâtrement à une idée, une opinion, un préjugé.* → **Aheurter** (s'), VX; **épouser.**

84 L'âme de son dessein jusque là possédée,
S'attache aveuglément à sa première idée (...)
CORNEILLE, Cinna, III, 2.

85 Le sort dont la rigueur à m'accabler s'attache (...)
VOLTAIRE, Brutus, III, 5.

◆ **ATTACHÉ, ÉE** passif et p. p. adj. (de *attacher*).

♦ **1** Fixé par une attache, un lien... → **Fixe, fixé, joint, lié.** *Animaux attachés et animaux libres. Des prisonniers attachés. — Robe attachée dans le dos. Chose attachée à une autre.*

86 Elle sera charmée de votre haut de chausses, attaché au pourpoint avec des aiguillettes (...) et un amant aiguilleté sera pour elle un ragoût merveilleux.
MOLIÈRE, l'Avare, II, 5.

REM. Le passif et le p. p. peuvent se construire avec *à*; la construction avec *de* est archaïque. *Être attaché à qqch. par un membre.*

87 Chemin faisant il vit le col du chien pelé.
«Qu'est-ce là?» lui dit-il (...) — Le collier dont je suis attaché
De ce que vous voyez est peut-être la cause.
LA FONTAINE, Fables, I, 5.

88 Le rat fut à son pied *(de la grenouille)* par la patte attaché (...) LA FONTAINE, Fables, IV, 11.

88.1 — Tu es peut-être attachée de trop court, veux-tu que j'allonge la corde?
— Ce n'est pas la peine, monsieur Seguin.
Alphonse DAUDET, Lettres de mon moulin, «La chèvre de M. Seguin».

89 (...) six grands chameaux qui s'avançaient d'une allure bête, attachés à la queue leu leu par des ficelles.
LOTI, Aziyadé, V, 31.

89.1 À cette pensée sans cesse reparue, impossible à chasser, il était saisi par une envie animale de hurler à la façon des chiens attachés, car il se sentait impuissant, asservi, enchaîné comme eux.
MAUPASSANT, Fort comme la mort, éd. 1889, p. 279.

Par métaphore :

89.2 Il est attaché, bien sûr, il est attaché et il ne l'est pas, moi je serais attaché comme ça que je pourrais me détacher.
PROUST, le Temps retrouvé, Pl., t. III, p. 812.

Prov. *Où la chèvre est attachée, il faut qu'elle broute :* il faut s'accommoder de son état, se résoudre à vivre dans le lieu où l'on est établi.

♦ **2** Littér. *Des mains, des pieds finement attachés.* → **Attache** (II., 2.).

90 Elle avait de jolis pieds, plus remarquables par la grâce avec laquelle ils étaient attachés que par leur étroitesse, mérite vulgaire (...)
BALZAC, la Grenadière, Pl., t. II, p. 187.

♦ **3** Fig. et vieilli. Qui tient à qqch., ne lâche pas prise. *Un faucon attaché à sa proie.* → **Acharné** (étym.).

91 Ce n'est plus une ardeur dans mes veines cachée :
C'est Vénus tout entière à sa proie attachée (...)
RACINE, Phèdre, I, 3.

92 Mais sa haine sur vous autrefois attachée
Ou s'est évanouie ou bien s'est relâchée (...)
RACINE, Phèdre, I, 1.

Mod. et littér. *Un parfum qui demeure attaché...* → **Imprégné, tenace.**

(...) tout un bouquet de douces odeurs sombres et tenaces, qui demeuraient longtemps attachées aux paumes. 93
COLETTE, la Chatte, p. 103.

♦ **4** Cour. *Attaché à :* lié par un rapport de dépendance ou par un sentiment d'amitié, une habitude, un besoin, un goût. → **Tenir** (à). *Esclaves attachés aux terres, serfs attachés à la glèbe.* → **Captif, esclave, prisonnier.** *Attaché à la règle.* → **Attentif, discipliné, obéissant, respectueux, sensible.** *Être attaché à ses aises, à ses habitudes.* → **Chérir; jaloux** (de). *Elle lui est très attachée.* → **Dévoué, fidèle.** *Attaché à qqn ou à qqch. par affection, amitié, amour.* → **Ami, amoureux.**

Je me trouve attaché à un coin de cette vaste étendue, sans que je sache pourquoi je suis placé plutôt en ce lieu qu'en un autre (...) PASCAL, Pensées, III, 194. 94

Vous seul, Seigneur, vous seul, vous m'avez arrachée 95
À cette obéissance où j'étais attachée (...)
RACINE, Mithridate, IV, 4.

Vil esclave toujours sous le joug du péché, 96
Au démon qu'il redoute il demeure attaché (...)
BOILEAU, Épîtres, XII.

J'appelle mondains, terrestres ou grossiers, ceux dont l'esprit et le cœur sont attachés à une petite portion de ce monde qu'ils habitent, qui est la terre (...) 97
LA BRUYÈRE, les Caractères, XVI.

Le roi qui, dès son enfance, l'avait vu toujours attentif au bien de l'État et tendrement attaché à sa personne sacrée. 98
BOSSUET, Oraison funèbre de Michel Le Tellier.

Quiconque est plus attaché à sa vie qu'à son devoir ne saurait être solidement vertueux. 99
ROUSSEAU, Julie ou la Nouvelle Héloïse, I, 57.

Je resterai fidèle au compagnon de mes mauvais jours (...) je reste invariable dans mes opinions, comme je reste attaché à mes souvenirs. 100
CHATEAUBRIAND, Mémoires d'outre-tombe, t. II, p. 256.

*(Le Français)* très attaché aux habitudes de sa vie quotidienne. 101
Ch. SEIGNOBOS, Hist. sincère de la nation franç., p. 335.

REM. Lorsque cet emploi est métaphorique (→ ci-dessus, cit. 94 à 96), il est archaïque, comme le sens 3; les usages modernes (→ ci-dessus, cit. 100 et 101) sont lexicalisés et figurés.

♦ **5** Vieilli. (Personnes). Qui est au service, à la disposition de.

Attaché près de moi par un zèle sincère. 102
RACINE, Phèdre, I, 1.

Au milieu de tant d'importantes occupations, où le zèle de votre prince et le bien public vous tiennent continuellement attaché (...) RACINE, Bérénice, Épître. 103

♦ **6** *Regards attachés à..., sur qqn.*

Vos yeux tournés vers moi (...) vos regards attachés aux miens (...) MOLIÈRE, le Sicilien, 11. 104

Quand je verrai ces yeux armés de tous les charmes, 105
Attachés sur les miens, m'accabler de leurs larmes (...)
RACINE, Bérénice, IV, 4.

Pendant que je mangeais sans dire mot, je regardais souvent ce personnage, dont je trouvais toujours les yeux attachés sur moi. A.-R. LESAGE, Gil Blas, VII, 9. 106

♦ **7** (Choses). *Attaché à :* qui fait corps avec qqch., l'accompagne ou en découle, qui est associé à, joint à. → **Associé, dépendant** (de), **inhérent** (à). *Les avantages attachés à cette situation.*

La démangeaison de dire ses ouvrages est un vice attaché à la qualité de poète (...) 107
MOLIÈRE, la Comtesse d'Escarbagnas, I.

L'on peut définir l'esprit de politesse, l'on ne peut en fixer la pratique : elle suit l'usage et les coutumes reçues; elle est attachée aux temps, aux lieux, aux personnes (...) 108
LA BRUYÈRE, les Caractères, V, 32.

109 Les âges, les sexes et les conditions, et (...) les vices, les faibles et le ridicule qui y sont attachés.
LA BRUYÈRE, Disc. sur Théophraste.

110 Il y a dans quelques femmes une grandeur artificielle, attachée au mouvement des yeux, à un air de tête, aux façons de marcher, et qui ne va pas plus loin (...)
LA BRUYÈRE, les Caractères, III, 2.

111 Le bonheur n'est pas attaché à l'éclat des rangs et des titres.
MASSILLON, Malheur attaché à la vie du méchant.

112 On ne souhaite les fonctions que pour les rétributions qui y sont attachées, les mieux payées sont les plus courues (...)
MASSILLON, Conférences, Ambition.

113 Je suis un paresseux, mon cher philosophe, je crois que c'est une mauvaise qualité attachée au peu de santé que j'ai; je passe des six mois sans écrire à mes amis.
VOLTAIRE, Lettres, 19 juin 1741.

♦ **8** Occupé à, intéressé à. *Attaché à une idée, à ses devoirs.*

REM. Pour le nom *attaché,* voir à l'ordre alphabétique.

CONTR. **Détacher. — Arracher, défaire, délier, déprendre, diviser, écarter, isoler, rompre, séparer.** ◊ DÉR. **Attachage, attachant, attache, attaché, attachement, attacheur.** — COMP. **Rattacher.**

**ATTACHEUR, EUSE** [ataʃœr, øz] n. — Av. 1883; *atacheur,* v. 1270; de *attacher.*

♦ **1** Techn. (filature, etc.). Ouvrier chargé d'attacher qqch. — Spécialt. Fabricant de clous, boucles et plaques pour vêtements.

♦ **2** (Archit., constr.). Spécialiste des attachements (I., B.), des relevés de travaux.

♦ **3** (Av. 1883). Fig. et vx. *Attacheur de grelot :* personne qui entreprend une action difficile, une affaire hasardeuse. → **Attacher** (le grelot).

**ATTACUS** [atakys] n. m. — 1857; *attace,* 1845; lat. mod., du grec tardif *attakês* «sorte de sauterelle», bas lat. *attacus.*

Zool. Papillon de grande taille dont une variété exotique est appelée *bombyx de l'ailante. Les chenilles de certains attacus sont élevées comme vers à soie. Certaines espèces d'attacus servent à faire la soie tussah.*

**ATTAGÈNE** [ataʒɛn] n. m. — 1802; lat. zool. *attagenus,* du grec *attagên* «sorte d'oiseau», en franç. *attagène,* 1676.

Zool. Insecte coléoptère *(Dermestidés)* dont la larve s'attaque aux fourrures, matelas, tapis. *L'attagène adulte vit sur les fleurs comme l'anthrène.*

**ATTALEA** [atalea] n. m. — XX^e; *attalée,* 1846, *in* Bescherelle; *attale,* 1832, *in* Boiste *(Nomenclature d'histoire naturelle);* lat. moderne.

Bot. Genre de palmier de l'Amérique du Sud. *Les feuilles d'une espèce d'attalea fournissent des fibres employées dans la fabrication de balais, de brosses; d'autres fournissent de l'huile.*

**ATTAQUABLE** [atakabl] adj. — 1587; de *attaquer.*

♦ **1** Qui peut être attaqué. *Forteresse attaquable, difficilement attaquable.*

♦ **2** Qui est exposé aux attaques, qui présente un point faible. → **Vulnérable.** *La place n'est attaquable que d'un seul côté.*

Altérable. *Un métal attaquable.*

Fig. *Le côté attaquable d'une personne.* → **Faible.**

Ne pas donner prise est une perfection négative. Il est beau d'être attaquable. HUGO, Shakespeare, p. 33.

♦ **3** Critiquable. *Ce raisonnement est attaquable.* → **Critiquable, discutable, réfutable; faux, fautif, imparfait.** *Ce sondage, cette statistique est attaquable.*

♦ **4** Dr. Qui peut être attaqué en justice. *Ce testament est attaquable.* → **Annulable, illégal.**

CONTR. **Imprenable, inattaquable. — Parfait.**

**ATTAQUANT, ANTE** [atakɑ̃, ɑ̃t] adj. et n. — 1787, *ataquant;* p. prés. de *attaquer.*

**I** Adj. Qui attaque. ♦ **1** Rare. Qui engage le combat. *Les puissances attaquantes.*

♦ **2** Qui altère. *Substance attaquante.*

♦ **3** Fig. et rare. Qui critique, qui s'oppose. *Paroles attaquantes.*

**II** N. (Plus cour.). ♦ **1** Personne qui attaque, engage le combat. → **Agresseur, assaillant.** *Les attaquants furent repoussés. Dans la guerre moderne, l'attaquant s'assure souvent un avantage initial.*

Par métaphore. *Les attaquants et les défenseurs, lors d'un débat.*

♦ **2** Joueur qui fait partie de la ligne d'attaque, dans les sports d'équipe.

♦ **3** Fin. Personne, société qui est à l'origine d'une offre publique sur des titres. → **Raider.**

CONTR. **Défenseur.**

**ATTAQUE** [atak] n. f. — 1596; déverbal de *attaquer.*

**A** ♦ **1** (1611). Action d'attaquer*, de commencer le combat, une bataille, une guerre. → **Offensive; action, assaut, charge, sortie.** *Ordonner l'attaque générale. Donner le signal de l'attaque. Déclencher, lancer une attaque. — À l'attaque. Aller, s'avancer, marcher à l'attaque. Passer à l'attaque. — Soutenir une attaque. Subir une rude, une vigoureuse attaque, une attaque imprévue, soudaine.* → **Choc, coup.** *Attaque décisive, victorieuse.* → **Lutte.** *L'attaque s'est heurtée à une vive résistance. Résister à une attaque. Briser, repousser une attaque. Attaque d'artillerie*, de cavalerie*, d'infanterie*. Attaque aérienne.* → **Raid.** *Attaque* (d'avions) *en piqué. Attaque d'un navire.* → **Abordage.** *Attaque en territoire ennemi.* → **Incursion, invasion.** *Attaque non provoquée.* → **Agression** (cit. 1).

Plus la colonne anglaise avançait, plus elle devenait profonde et en état de réparer les pertes continuelles que lui causaient tant d'attaques réitérées (...) 1
VOLTAIRE, le Siècle de Louis XV, 15.

Le succès d'une dernière attaque était incertain. 2
VOLTAIRE, le Siècle de Louis XV.

L'attaque de la Bastille ne fut nullement raisonnable, ce fut un acte de foi. 3
MICHELET, Hist. de la Révolution franç., Pl., t. I, p. 145.

Spécialt. Mouvement que l'on fait pour attaquer une place assiégée. *Travaux d'attaque.* → **Approche** (travaux d'), **siège.**

♦ **2** Par anal. **a** (1751). Escr. Coup que porte le tireur pour toucher son adversaire. *Fausse attaque.* → **Feinte.**

**b** (1901, *in* Petiot). Dans les sports d'équipe (cyclisme, jeux de ballon), les compétitions, Initiative pour remporter un point, dépasser l'adversaire. — Par ext. Ensemble des joueurs qui attaquent. → **Attaquant.** *L'attaque et la défense. Ligne d'attaque, attaque,* les joueurs d'une équipe qui sont chargés des mouvements offensifs.

C (1912, *in* Petiot). Aviron. Premier des trois temps du coup d'aviron. « *L'attaque, la passée* (temps propulsif) *dans l'eau, le dégagé* ».

♦ **3** Acte de violence contre une ou plusieurs personnes. *Attaque nocturne. L'attaque d'une banque. Attaque à main armée.* → **Agression, attentat, guet-apens; braquage** (argot).

♦ **4** Équit. Coups d'éperon qui sont appliqués à divers endroits du corps du cheval, pour le faire obéir.

♦ **5** Vén. Action de lancer les chiens sur la piste du gibier. *Chien d'attaque.*

♦ **6** Pêche. Mouvement vif du poisson qui happe l'hameçon.

♦ **7** Action de chercher à surmonter, à vaincre un obstacle; début d'une opération.

Agric., mines, trav. publ. Action de commencer un travail à l'aide d'un outil. *L'attaque d'une tranchée. — Outil d'attaque, tranchée d'attaque.*

Alpinisme. Action d'entreprendre une escalade. *Attaque d'un pic.* — Point de départ d'une escalade. *Chercher un point d'attaque.*

♦ **8** (Dans *d'attaque*, loc. adj.) Techn. Fait d'entrer en contact avec un élément. *Angle* d'attaque. Bord d'attaque :* bord antérieur d'une aile, qui attaque l'air.

**B** Fig. ♦ **1** (1596). Généralement au plur. Paroles ou écrits qui critiquent durement. *Les attaques de la critique, de la calomnie...* → **Accusation, coup** (de griffe, etc.), **dénigrement, diatribe, imputation, incrimination, injure, insulte, provocation, querelle, sortie, trait.** *Les attaques de l'opposition contre le gouvernement. Être en butte à de constantes attaques. Des attaques fielleuses, hypocrites.* → **Insinuation.** *Répondre à de perfides attaques. Il est plus habile dans l'attaque que dans la défense.* → **Argumentation, débat.**

4 Combien d'âmes saintes et prédestinées ont souffert là-dessus les mêmes attaques que les plus déclarés impies.
BOURDALOUE, 15e dimanche après la Pentecôte, Dominicales, t. III, p. 451.

5 Je crus de bonne foi l'ouvrage tombé; la violence de l'attaque avait ébranlé ma conviction d'auteur.
CHATEAUBRIAND, Mémoires d'outre-tombe, t. III, V, p. 10.

6 Vous trouverez dans les poètes, chez l'Arioste, chez Ludovici le Vénitien, chez Pulci, les plus vives attaques contre les moines et les plus libres insinuations contre les dogmes. TAINE, Philosophie de l'art, II, 4.

7 Venant de ce côté-là toute attaque me fortifie.
GIDE, Journal, 24 févr. 1912.

8 Ce moqueur de génie a de quoi prévenir toutes les attaques, et, avant d'être touché lui-même, il fonce sur l'adversaire, le pique jusqu'au sang.
F. MAURIAC, la Vie de Jean Racine, XVIII.

♦ **2** Dr. (Sing.). Action d'attaquer en justice.

♦ **3** Brusque action d'un mal. *Les attaques de la gelée, du temps.* → **Atteinte, injure, outrage.** *Les attaques du sort.* → **Coup.**

9 Pour pouvoir résister aux attaques du sort (...)
MOLIÈRE, Sganarelle, 7.

10 Vous soutenez en paix une si rude attaque (...)
RACINE, Andromaque, IV, 2.

*L'attaque d'un acide.*

Chim. Interaction d'un corps sur un autre. *L'attaque d'un corps par un acide.*

(1669). Spécialt. Accès subit de certaines maladies, brusque retour d'un état morbide. → **Accès, crise.** *Avoir une attaque d'apoplexie, d'épilepsie, de paralysie* (cit. 1), ou, absolt, *une attaque. Une attaque l'avait paralysée* (cit. 2). *Attaque de nerfs.*

Emma se mit à rire d'un rire strident, éclatant, continu : elle avait une attaque de nerfs. 11
FLAUBERT, Mme Bovary, III, 15.

(...) le seul son de votre voix suffirait à me faire tomber dans des attaques d'épilepsie ! 12
COURTELINE, Messieurs les ronds-de-cuir, II, 2.

(...) un paralysé, atteint d'agraphie après une attaque (...) 13
PROUST (→ Agraphie, cit.).

En rentrant chez lui, il s'affaissa sous le coup d'une attaque (...) Louis MADELIN, Talleyrand, III, 25. 14

♦ **4** Mus. Action d'attaquer (une note, un morceau), de commencer vivement l'exécution de (un morceau, un air).

L'attaque vivement rythmée d'une valse coupa leur entretien. Marcel PRÉVOST, les Demi-vierges, II, 2. 15

Phonét. Début de l'émission (d'un son, d'un phonème).

Télécommunications. Appel (d'un poste téléphonique ou télégraphique).

♦ **5** Vieilli. Action de provoquer qqn à se confier, à accorder qqch. → **Provocation; appel, approche, avance, invite, sollicitation.** *Il m'a déjà fait une attaque là-dessus pour sonder mes intentions.*

Tentative de séduction. *Repousser les attaques d'un galant.*

**C** Loc. adv. (Fin XIXe). Fam. **D'ATTAQUE.** *Être d'attaque,* en forme, en pleine forme, prêt à affronter les fatigues.

À quatre-vingts ans, le bonhomme était toujours d'attaque. 16
BALZAC, *in* M. RAT, Petit dict. des locutions franç.

*(Je me sens)* Assez d'attaque pour prendre le train de 6 heures 50 du matin. GIDE, Journal, 6 août 1917. 17

Mais ma femme n'était pas d'attaque, elle n'en pouvait plus, à bout de course, recrue de fatigue (...) 18
F. MAURIAC, le Nœud de vipères, p. 192.

D'abord je ne suis plus assez d'attaque pour ce genre d'amusettes sportives. 19
COLETTE, Julie de Carneilhan, p. 206.

CONTR. **Défense, défensive, parade, résistance, riposte. — Protection. — Apologie.** ◊ COMP. **Contre-attaque.**

**ATTAQUER** [atake] v. tr. — 1578; *attacquer,* 1540; ital. *attacare* « assaillir, investir par la violence »; *attacare battaglia* « commencer la bataille »; *attaquer l'escarmouche,* XVIe (Rabelais, *Sciomachie,* III, 404); le verbe *attacher,* sous sa forme picarde *attaquer,* a aussi pris ce sens; l'ital. *attacare* vient soit de *tacca* « entaille », mot d'orig. gotique, soit de *staccare* « détacher », du gotique **stakha* « pieu », soit encore de **attacticare,* du lat. *attingere.* → Attacher.

**I A** (Concret). ♦ **1** Commencer le combat*, porter les premiers coups, livrer une bataille offensive. → **Combattre; frapper; commencer, déclarer** (la guerre); **engager** (la lutte, la bataille, le combat); **ouvrir** (le combat, le feu). → les loc. Rompre en visière*; tirer l'épée*; en venir aux mains*. *Attaquer l'ennemi le premier, sans provocation. À l'aube, l'armée allemande attaqua la Pologne.* → **Attaque** (lancer l'attaque, passer à l'attaque); **assaut** (donner l'); **offensive** (prendre l'; passer à l'). *Attaquer qqn brusquement, à l'improviste, par surprise.* → **Assaillir; foncer, fondre, jeter** (se), **ruer** (se), **tomber** (sur); **surprendre.** *Attaquer hardiment un ennemi redoutable.* → **Affronter.** *Avancer vers l'ennemi, marcher sur l'ennemi pour l'attaquer.* → **Aborder.** *Attaquer de front. Attaquer par derrière. Attaquer les flancs, les derrières d'une armée*. Les assiégeants nous attaquaient de toutes parts. Attaquer par terre, par mer.* → **Assiéger, cerner, encercler, entourer, envelopper, investir.** *Attaquer l'assiégé dans ses derniers retranchements. Attaquer sans arrêt.* → **Harceler.** *Attaquer au canon, à la bombe.* → **Bombarder, canonner.** *Attaquer les* *murs d'une forteresse.* → **Battre** (en brèche). *Attaquer par escalade.* → **Escalader.** *Attaquer à la baïonnette. L'infanterie attaqua vigoureusement, avec impétuosité, au pas de charge, et poursuivit l'ennemi sans relâche.* → **Charger, pousser, presser.** *Donner l'ordre d'attaquer.*

1 Attaquons dans leurs murs ces conquérants si fiers.
RACINE, Mithridate, III, 1.

2 On a proportionné les moyens de défensive aux armes de ceux qui attaquent. FÉNELON, t. XIX, p. 154.

3 Le Maréchal de Boufflers attaqua deux heures avant l'arrivée de son infanterie, dans la crainte que les ennemis *(ne)* se retirassent.
SAINT-SIMON, Mémoires, 119, 51, *in* LITTRÉ.

4 L'infanterie russienne débouchant de ses lignes venait attaquer celle de Charles.
VOLTAIRE, Histoire de Charles XII, 4.

5 Une foule de volontaires courut attaquer la contrescarpe.
VOLTAIRE, le Siècle de Louis XIV, 9.

6 *(Il)* leur fait attaquer quatre-vingts pièces de canon, comme Don Quichotte attaquait les moulins à vent.
VOLTAIRE, Lettre à Mme d'Argental, 15 août 1759.

7 La colonne était attaquée à la fois de front et par les deux flancs. VOLTAIRE, le Siècle de Louis XV, 15.

8 On s'y défendit comme des vainqueurs se défendent, en attaquant. Ph. P. SÉGUR, Hist. de Napoléon, IV, 7.

9 Il est possible que celui qui attaque ne soit pas l'agresseur (...)
LITTRÉ, Dict., art. *Agression* (→ Agression, cit. 1).

10 (...) le *Victory* ne s'avançait qu'assez lentement (...) Il put parvenir à 500 mètres du *Bucentaure* (...) que Nelson avait, primitivement, entendu attaquer (...)
(...) le vaisseau anglais alla attaquer le *Redoutable* par derrière et soudain l'accabla de boulets, puis l'aborda.
(...) Tandis que, fonçant, derrière Collingwood, dans la brèche, des vaisseaux anglais attaquaient en arrière les bâtiments adverses (...)
Louis MADELIN, Hist. du Consulat et de l'Empire, t. V, p. 24, Trafalgar.

♦ **2** Aborder (qqn) avec violence pour mettre à mal, voler, tuer. → **Agresser, assaillir, frapper, molester.** *Nous fûmes attaqués sur la route par une bande de voleurs. Attaquer qqn à main armée. Attaquer une banque, des convoyeurs de fond.* → **Braquer** (argot). *Elle s'est fait attaquer par un maniaque sexuel. Attaquer pour enlever des troupeaux, faire une razzia.* → **Razzier.** *Attaquer qqn à coups de poings, de bâton, de couteau, de fusil.* → **Battre, frapper.** *Attaquer qqn au couteau. Oser attaquer qqn.* → **Provoquer.** — (En parlant d'un animal). *Le tigre attaque sa proie.*

11 J'attaque en téméraire un bras toujours vainqueur (...)
CORNEILLE, le Cid, II, 2.

12 Jamais plus d'assassins ni de conspirateurs
N'attaqueront le cours d'une si belle vie.
CORNEILLE, Cinna, V, 3.

13 Ce loup rencontre un dogue aussi puissant que beau,
Gras, poli, qui s'était fourvoyé par mégarde,
L'attaquer, le mettre en quartiers,
Sire Loup, l'eût fait volontiers.
LA FONTAINE, Fables, I, 5.

14 En cas que les voleurs attaquent notre bande
Et que l'on en vienne au combat.
LA FONTAINE, Fables, IV, 12.

15 Quand le loup a besoin de défendre sa vie
Ou d'attaquer celle d'autrui,
N'en sait-il pas autant que lui ?
LA FONTAINE, Fables, XI, 6.

16 J'ai griffe et dent, et mets en pièces qui m'attaque.
LA FONTAINE, Fables, XII, 1.

17 Socrate montra si bonne contenance, que ceux qui poursuivaient les fuyards n'eurent jamais l'audace de l'attaquer.
FÉNELON, Socrate.

18 David vainquit les lions et les ours avant que d'oser attaquer Goliath (...)
MASSILLON, Mystère de la purification, 2.

Il sait combattre et vaincre sans jamais attaquer. 19
BUFFON, Hist. nat. des oiseaux, Le cygne.

Le lion n'attaque jamais l'homme à moins qu'il ne soit 20
provoqué. BUFFON, Hist. nat. des animaux, Le lion.

♦ **3** Équit. *Attaquer un cheval,* le piquer vigoureusement de l'éperon.
Vén. Déloger un animal en envoyant les chiens sur sa trace. → **Attaque** (A., 5.).
Loc. fig. *Attaquer le taureau par les cornes** (on dit plutôt : *prendre*).

♦ **4** (1859, escrime, *in* Petiot). Sports. Faire une attaque. — (Jeux de ballon). *Les avants attaquent,* s'efforcent de marquer l'essai*. — (1858, hippisme, *in* Petiot). Courses. Tenter de lâcher ou de remonter un adversaire.

♦ **5** (1735). Dr. *Attaquer qqn en justice,* intenter une action contre lui. → **Action, procès.**
*Attaquer un acte,* en contester la validité. → **Arguer** (de faux), **contester.**

♦ **6** Mar. Vx. *Attaquer la terre,* se diriger vers elle, s'en approcher pour atterrir. *Attaquer une île.*

**B** (Abstrait). ♦ **1** Chercher à remporter une victoire sur (qqn), à obtenir qqch. (avantage, faveur, confidence...) de (qqn). → **Presser, provoquer.** *Attaquer qqn par son côté faible, son faible.* → **Prendre.** — Vx. *Attaquer qqn d'amitié,* le prendre par l'amitié. — Spécialt. Tenter de provoquer l'amour de (qqn). → ci-dessous, cit. 21, 22 et 23.

— *(Je)* ne suis point personne à reculer, lorsqu'on m'attaque 21
d'amitié. — Et lorsque c'est d'amour qu'on vous attaque ?
MOLIÈRE, les Fourberies de Scapin, III, 1.

Il oppose à l'amour un cœur inaccessible : 22
Cherchons pour l'attaquer quelque endroit plus sensible.
RACINE, Phèdre, III, 1.

Les hommes s'imaginent toujours qu'ils nous attaquent; 23
et pourtant ils ne s'approchent guère de celles qui oublient de les regarder (...)
Pierre LOUŸS, les Aventures du roi Pausole, I.

(...) je ne pouvais réussir qu'en attaquant Bill par surprise, 24
et je gardai le secret sur mon offensive.
A. MAUROIS, les Discours du Dr O'Grady, V.

Loc. *Attaquer qqn dans son dernier retranchement*.*

Elle *(la moquerie)* attaque l'homme dans son dernier 25
retranchement qui est l'opinion qu'il a de soi-même; elle veut le rendre ridicule à ses propres yeux (...)
LA BRUYÈRE, les Caractères, XI, 78.

♦ **2** Critiquer la valeur de (qqn ou qqch.). → **Accuser, battre** (en brèche), **blâmer, calomnier, charger, combattre, critiquer, défier; dénigrer, élever** (s'); **imputer, incriminer, injurier, insulter; lutter; médire** (de); **protester** (contre), **plaindre** (se); **provoquer; tirer** (à boulets rouges sur); **tomber** (sur), **vilipender, vitupérer** (→ les loc. Dire du mal* de..., donner un coup de griffe* à..., diriger, lancer une attaque*, des traits* contre..., engager le combat*, la lutte* contre..., jeter la pierre* à..., prendre parti* contre..., prendre à partie*, rompre en visière* avec..., faire une sortie* contre..., tirer à boulets* rouges contre...). *Attaquer qqn, qqch. par l'écrit ou par des propos.* — Vx. *Attaquer qqn de paroles* (Académie). *Attaquer sous couleur de se défendre. Attaquer qqn sur sa naissance, sur ses actes, dans son honneur, dans sa réputation. Attaquer la mémoire, la probité, la réputation de qqn.* → **Traîner** (dans la boue). *Attaquer le gouvernement, la religion. Attaquer une opinion, des préjugés, des abus. Attaquer qqn devant un tribunal,* déposer* contre lui. *Je ne supporterai pas qu'on l'attaque devant moi.* → **Toucher** (à).

Je tâche d'y tourner le vice en ridicule, 26
Ne pouvant l'attaquer avec des bras d'Hercule.
LA FONTAINE, Fables, V, 1.

27 Tous les autres vices (...) sont exposés à la censure, et chacun a la liberté de les attaquer hautement (...)
MOLIÈRE, Dom Juan, V, 2.

28 À mon emportement ne donnez aucun blâme;
C'est votre jugement que je défends, Madame,
Dans le sonnet qu'il a l'audace d'attaquer.
MOLIÈRE, les Femmes savantes, III, 4.

29 Lorsqu'on attaque une pièce qui a eu du succès, n'est-ce pas attaquer plutôt le jugement de ceux qui l'ont approuvée, que l'art de celui qui l'a faite?
MOLIÈRE, Critique de l'École des femmes.

30 En blâmant ses écrits, ai-je d'un style affreux
Distillé sur sa vie un venin dangereux?
Ma muse, en l'attaquant, charitable et discrète,
Sait de l'homme d'honneur distinguer le poète.
BOILEAU, Satires, IX.

31 Cette Église toujours attaquée et jamais vaincue, est un miracle perpétuel et un témoignage éclatant de l'immutabilité des conseils de Dieu. BOSSUET, Hist., II, 13.

32 Quelle est la manie de quelques hommes qui, sans aucune animosité, se font un devoir d'attaquer les grandes réputations (...) VAUVENARGUES, Maximes, 59.

33 Si l'on n'osa pas les heurter de front *(les auteurs du XVII<sup></sup>e siècle)* on les attaque d'une manière indirecte (...)
CHATEAUBRIAND, le Génie du christianisme, I, I, 1.

34 Mon admiration pour Bonaparte a toujours été grande et sincère, alors même que j'attaquais Napoléon avec le plus de vivacité.
CHATEAUBRIAND, Mémoires d'outre-tombe, III, III, p. 285.

35 Les auteurs attaqués diraient les meilleures choses du monde qu'ils n'excitent que le sourire des esprits impartiaux et les moqueries de la foule. Ils se placent sur un mauvais terrain : la position défensive est antipathique au caractère français.
CHATEAUBRIAND, Mémoires d'outre-tombe, III, V, p. 10.

36 C'est un grand avantage dans les affaires de la vie que de savoir prendre l'offensive : l'homme attaqué transige toujours. B. CONSTANT, Journal intime.

37 On n'attaque pas un ennemi si l'on n'est sûr de le perdre, ou si on l'attaque, on se perd soi-même.
MICHELET, Hist. de la Révolution franç., t. II, p. 142.

38 Qui ne peut attaquer le raisonnement attaque le raisonneur. VALÉRY, Autres rhumbs, p. 192.

Prov. Vx. *Bien attaqué, bien défendu :* la défense a été aussi forte que l'attaque.

♦ **3** Chercher à surmonter, à vaincre (un obstacle). *Attaquer une difficulté. Il faut attaquer le problème sans plus attendre* (→ aussi III, ci-dessous).

39 Nul mieux que lui n'est capable de diviser la difficulté en parcelles et d'attaquer chacune de ces parcelles pour la résoudre comme il est recommandé dans le Discours de la Méthode.
G. DUHAMEL, Chronique des Pasquier, VI, 12.

Chercher à détruire. *Attaquer une maladie par des moyens appropriés. Attaquer le mal* dans sa source, dans ses racines.* Combattre.

40 La plupart répugnent visiblement à attaquer le mal dans ses racines, à combattre franchement l'esprit de subordination des masses allemandes devant la chose militaire (...) MARTIN DU GARD, les Thibault, VII, 6.

**II** (1743; sujet n. de chose). ♦ **1** Causer du dommage, du dégât, du mal. *La rouille attaque le fer. Les caustiques, les substances corrosives attaquent les corps. Les vers attaquent le bois. La gangrène attaque les chairs.* → **Altérer, atteindre, corroder, corrompre, détériorer, endommager, entamer, léser, miner, mordre, piquer, ronger...**

Chim. (En général au passif). Provoquer une réaction. *Le sodium est attaqué par l'eau.*

(En parlant de l'action des maladies). → **Agresser, atteindre.** *L'épidémie a attaqué l'équipage. Le poumon est attaqué. Sa constitution est attaquée.* → **Miner.** *Être attaqué par,* (vx) *de...* (une maladie).

41 Dans la maladie dont il est attaqué (...)
MOLIÈRE, Monsieur de Pourceaugnac, I, 6.

42 Ce mal dont vous craignez, dit-il, la violence
A souvent sans péril attaqué son enfance.
RACINE, Britannicus, V, 5.

43 Une fièvre brûlante, attaquant tes ressorts
Vient à pas inégaux miner ton faible corps (...)
VOLTAIRE, Discours, II, De la liberté.

♦ **2** Fig. Porter atteinte à. → **Atteindre; nuire** (à).

44 Les erreurs de la royauté n'attaquent pas la royauté seule; elles sont dommageables à la nation entière : un roi bronche et s'en va; mais la nation s'en va-t-elle?
CHATEAUBRIAND, Mémoires d'outre-tombe, IV, 4.

**III** (Sens issu de *attaquer un problème, une difficulté*). ♦ **1** Commencer. *Attaquer un sujet, un chapitre, un discours.* → **Commencer; aborder, entamer, entreprendre, entrer** (en matière).

45 J'aime à attaquer certains chapitres avec de certaines gens.
Mme DE SÉVIGNÉ, Lettres, 110, *in* LITTRÉ.

♦ **2** Fam. Commencer à manger*. *Attaquer la volaille, le pâté...* → **Entamer.**

46 Antoine, en pyjama, debout devant la cheminée, attaquait avec un criss malais un pavé de plum-cake.
MARTIN DU GARD, les Thibault, III, 10.

47 (...) quand, la fourchette et le couteau en mains, il attaquait la nourriture, il avait l'air de monter à l'abordage.
G. DUHAMEL, Chronique des Pasquier, X, 7.

♦ **3** Mus. *Attaquer un morceau,* en commencer l'exécution. *L'orchestre attaqua un paso-doble* (cit. 2). — (En parlant d'un chanteur). *Bien attaquer la note,* l'entonner avec justesse.

48 Au loin, les deux violons, le violoncelle et l'alto, attaquaient un air de menuet.
MARTIN DU GARD, les Thibault, VII, 25.

♦ **4** Commencer à faire qqch. qui exige un effort. *Attaquer un travail, une escalade, une côte.* — Absolt et fam. *Allez, on attaque!* — Spécialt. Commencer le travail, la journée de travail.

♦ **5** Mar., télécommunications. Commencer une liaison par signaux.

◆ **S'ATTAQUER** v. pron.

♦ **1** (Réfl.). *S'attaquer à... :* diriger une attaque (concrète ou abstraite) contre. → **Combattre.** *S'attaquer à qqn. Il ne faut pas s'attaquer à plus fort que soi. — S'attaquer aux préjugés, à une politique...* → **Prendre** (s'en).

49 Attaquer quelqu'un, c'est diriger contre lui une attaque, qui est un acte momentané. S'attaquer à quelqu'un, c'est le prendre à partie, en faire l'objet d'une poursuite qui peut durer longtemps. LITTRÉ, Dict., art. *Attaquer.*

50 On souffre aux entretiens ces sortes de combats,
Pourvu qu'à la personne on ne s'attaque pas (...)
MOLIÈRE, les Femmes savantes, IV, 3.

51 Du soir au matin, ce fut une colère formidable, qui ne sachant à qui s'en prendre, s'attaquait à tout, au soleil, au mistral (...) Alphonse DAUDET, le Petit Chose, p. 6.

52 Il ne faut jamais s'attaquer à ceux qu'on n'est pas sûr d'achever. M. BARRÈS, Leurs figures, p. 106.

Fam. et vieilli. S'adresser à qqn en l'interpellant.

*S'attaquer à qqn,* tenter de le séduire. *Il n'ose pas s'attaquer à elle.*

(Réfl.). Chercher à résoudre.

53 Les plus grands penseurs, depuis Aristote, se sont attaqués à ce petit problème *(le rire).* H. BERGSON, le Rire, I.

♦ **2** (Passif). Être attaqué (en parlant des choses). *Le poumon s'attaque* (Littré).

♦ **3** (Récipr.). *S'attaquer l'un l'autre.*

54 Corsaires à corsaires,
L'un l'autre s'attaquant, ne font pas leurs affaires.
Mathurin RÉGNIER, Satires, XII.

◆ **ATTAQUÉ, ÉE** p. p. adj.

♦ **1** Qui est l'objet d'une attaque. *Forteresse attaquée, armée attaquée.*

Fig. *Les auteurs attaqués,* critiqués (→ ci-dessus, cit. 35).

♦ **2** Atteint, abîmé. *Poumons attaqués.* — Gâté.

55 En même temps, tu diras au jardinier d'emballer deux paniers de pêches. (Remettant le petit panier qu'il tient à Adèle). Tiens, celles-ci sont attaquées, c'est pour nous; occupe-toi de ton dessert.
LABICHE, le Baron de Fourchevif, 2.

♦ **3** Vieilli. *Attaqué de. «Attaqué de la poitrine» :* tuberculeux (Stendhal, *la Chartreuse de Parme,* 1839, p. 472, *in* T. L. F.).

CONTR. **Défendre, parer** (les coups), **protéger, repousser, résister, riposter, soutenir** (une attaque). — **Contre-attaquer.**
◊ DÉR. **Attaquable, attaquant, attaque, attaqueur.** ← COMP. **Contre-attaquer.**

**ATTAQUEUR, EUSE** [atakœʀ, øz] n. et adj. — 1587; de *attaquer.*

Rare. Personne qui fait une attaque (sens propre et fig.). *«Les attaqueurs de Dieu»* (Goncourt).

Adj. «(Le caïd des Aït Arouen) *jovial, satyre, attaqueur de fermes...»* (Montherlant, *les Lépreuses, in* T. L. F.).

**ATTARDEMENT** [ataʀdəmɑ̃] n. m. — 1895, Daudet; *atardement,* av. 1453; de *attarder.*

Rare. Action d'attarder, de s'attarder; résultat de cette action. *Des attardements interminables.*

**ATTARDER** [ataʀde] v. tr. — Fin XIIe, *atarder;* de 1. *a-, tard,* et *-er,* ou de *tarder.*

♦ **1** Mettre en retard. *Attarder qqn. Une panne nous a attardés.* → **Retarder.**

♦ **2** Fig. Retarder les progrès, le développement intellectuel de qqn. *Attarder un enfant en le traitant comme un bébé.*

◆ **S'ATTARDER** v. pron. (Plus cour.).

♦ **1** Se mettre en retard*, se trouver (dans un lieu inhabituel) à une heure avancée de la nuit. → **Annuiter** (s'), **retarder** (se). *Il faut rentrer avant la nuit, ne nous attardons pas. Elle s'était attardée sur cette route dangereuse.*

Par ext. Demeurer quelque part au delà du temps* prévu, de l'heure habituelle. → **Demeurer, dépasser** (l'heure), **prolonger, rester.** *S'attarder dans une maison, chez qqn. S'attarder en chemin.* → **Amuser** (s'), **flâner, lambiner, muser, traîner.** *S'attarder à qqch., à faire qqch.*

1 On s'attardait (...) à boire, à discuter, à fumer.
Alphonse DAUDET, Jack, t. I, p. 256.

2 Il était constamment dehors, et s'attardait beaucoup, les soirs, à des équipées d'amour. LOTI, Matelot, IV.

3 Il était rare que M. de la Hourmerie ne s'attardât pas à la besogne jusqu'à six et sept heures du soir.
COURTELINE, Messieurs les ronds-de-cuir, III, I.

3.1 Le soldat a terminé son pain et son vin. Il n'a plus aucune raison de s'attarder dans cette demeure, malgré son désir de profiter encore un instant de cette chaleur relative, de cette chaise inconfortable et de cette présence circonspecte qui lui fait face.
A. ROBBE-GRILLET, Dans le labyrinthe, p. 72.

♦ **2** Se mettre en retard, rester en arrière. *Il s'est attardé derrière le groupe.*

♦ **3** (Abstrait). Perdre son temps à (en général avec complaisance). *S'attarder à des futilités, à de vains regrets. S'attarder dans les arguties* (→ cit. 1). — Ne pas avancer, ne pas progresser normalement. *S'attarder sur un sujet.* → **Appesantir** (s'), **arrêter** (s'), **étendre** (s'étendre sur).

Toutefois, il convient que la raison entreprenne sur le sentiment. Il ne faut pas s'attarder aux vains regrets du passé ni se plaindre des changements qui nous importunent puisque le changement est la condition même de la vie. 4
FRANCE, M. Bergeret à Paris, p. 303.

Une des grandes règles de l'art : ne pas s'attarder. 5
GIDE, Journal 1889-1939, 8 févr. 1927.

♦ **4** Fig. Rester en arrière de son temps, de l'évolution, du progrès. → ci-dessous, Attardé.

◆ **ATTARDÉ, ÉE** p. p. adj. et n. **A** Adj. ♦ **1** Qui est en retard; qui est dehors à une heure avancée. *Quelques passants attardés se hâtent.*

(...) Le voyageur attardé sur la plage, 6
Sentant passer la mort, se recommande à Dieu.
A. DE MUSSET, Nuit de mai.

Le rossignol attardé prolonge son chant de nuit jusque dans l'aurore. HUGO, l'Homme qui rit, II, II, 7. 7

♦ **2** Fig. Qui est d'un autre âge, appartient au temps passé, semble lui survivre. → **Persistance, prolongement, survivance, survivant.**

Il *(le Sultan rouge)* était un souverain d'autrefois, une grande figure du passé attardée dans notre XXe siècle (...) 8
LOTI, Suprêmes visions d'Orient, p. 135.

Car à la faveur du sommeil, il redevenait faible, chimérique, attardé dans les rets d'une interminable et douce adolescence. COLETTE, la Chatte, p. 22. 9

♦ **3** Qui reste en arrière du progrès. *Conceptions attardées.* → **Désuet, périmé, retardataire, suranné.**

Poètes, par nos chants, penseurs, par nos idées, 10
Hâtons vers la raison les âmes attardées.
HUGO, les Voix intérieures, 2.

♦ **4** Qui est en retard dans sa croissance, son développement, son évolution. *Un enfant attardé.* → **Arriéré.** *Il est un peu attardé.*

Par ext. Qui dure plus longtemps que la normale (en parlant du stade d'une évolution).

Du désespoir de ce lévite, à peine sorti d'une adolescence attardée, elle n'avait jamais très bien compris les raisons secrètes. F. MAURIAC, le Sagouin, I. 11

**B** N. *Un attardé, une attardée.* ♦ **1** Personne qui est en retard, ou qui se trouve hors de chez elle à une heure avancée. *Quelques attardés erraient encore dans la rue.*

♦ **2** Personne qui est en retard dans son développement intellectuel. → **Arriéré, demeuré.**

(...) il n'est pas exclu qu'il fût au contraire un attardé, un demeuré, un installé à demeure dans l'enfance, né au collège et condamné à y rester. 12
M. TOURNIER, le Roi des Aulnes, p. 27.

Personne qui est en retard sur son temps.

Au temps de la révolution sexuelle et de l'érotisme galopant, des happenings et de la nudité sur scène, allait-on se scandaliser de telle ou telle conduite amoureuse? Non! Libéralisme. Tolérance. Il se félicita de n'avoir pas frappé le jeune homme. Ceût été là un geste stupide, qui l'aurait catalogué irrémédiablement comme un attardé, un minus rétrograde... Il fallait être de son époque. 13
Jean-Louis CURTIS, le Roseau pensant, p. 200.

CONTR. **Avance** (en), **avancer, progresser.** — **Dépêcher** (se). — V. aussi **Tôt** (finir, partir, rentrer...). — **Précoce.** — **Moderne.**
◊ DÉR. **Attardement.**

**ATTE** [at] n. m. — 1823; orig. obscure; soit du grec attique *atto* «s'élancer, se précipiter»; soit de *Atta,* surnom romain appliqué à «celui qui marche sur le bout des pieds».

Zool. Arachnide qui capture sa proie par saut ou par course.

(1829). Insecte hyménoptère (famille des fourmis) de grande taille, portant un aiguillon.

**ATTEIGNABLE** [atɛɲabl] adj. — XX^e ; *attaignable,* XV^e ; du rad. du p. prés. de *atteindre,* et *-able.*

Rare. Qu'on peut atteindre. → **Accessible ; attingible.**

1 (...) les Morfontaine sont (...) des gens fort attentifs (...) Comment prendrais-je autrement le fait qu'à l'endroit le plus en vue et le plus aisément atteignable se soient trouvées, pour mon arrivée, mes œuvres complètes ?
ARAGON, Blanche..., III, II, p. 389.

2 Que Charlotte fût atteignable était un tel événement que le volume de ma journée en avait été gonflé.
Cécil SAINT-LAURENT, la Mutante, p. 188.

CONTR. **Inatteignable.**

**ATTEINDRE** [atɛ̃dʀ] v. tr. [CONJUG. : *peindre.*] — V. 1100, *ataindre, ateindre ;* lat. pop. *attangere,* réfection du lat. class. *attingere* « arriver à, parvenir à ».

**I** V. tr. dir. **A** Parvenir à toucher, à frapper. ♦ **1** Toucher, blesser (qqn) au moyen d'un projectile, d'une arme. → **Frapper, toucher.** *Il l'a atteint au front d'un coup de pierre.* — Passif et p. p. *Être atteint par un projectile, d'un projectile.*

1 Mortellement atteint d'une flèche empennée,
Un oiseau déplorait sa triste destinée (...)
LA FONTAINE, Fables, II, 6, 1.

2 Et des coups redoublés tout le rivage fume.
Déjà d'un plomb mortel plus d'un brave est atteint (...)
BOILEAU, Épîtres, IV.

Toucher (qqch.) au moyen d'un projectile. *Atteindre le but, la cible en visant. Diriger la ligne de mire sur l'objectif à atteindre. Ce canon atteint des objectifs situés à trente kilomètres.* → **Porter** (à). (En parlant du projectile qui touche, frappe, heurte...). *Les éclats d'obus l'atteignirent aux jambes.* → **Blesser.**

♦ **2** (Par analogie avec le coup qui frappe ; le sujet désigne un mal, un châtiment, un sentiment, etc.). Avoir un effet nuisible sur, faire du mal à (qqn). → **Toucher ;** et aussi **attente** (3.). *La gelée atteint les fruits.* → **Attaquer, endommager.** *Ce mal l'a atteint dans son enfance. Être gravement atteint.* → **Malade** (cf. fig. Avoir du plomb dans l'aile). *Le malheur qui l'atteint. Atteindre la réputation de qqn, le crédit du gouvernement.* → **Compromettre, ébranler** (cf. Porter un coup à). *Être atteint par des paroles malveillantes.*

3 Il n'est point tant enfant, qu'à le voir chaque jour
Je ne le croie atteint déjà d'un peu d'amour.
MOLIÈRE, Mélicerte, I, 4.

4 (...) Un cœur bien atteint veut qu'on soit tout à lui.
MOLIÈRE, le Misanthrope, I, 1 (→ Épris).

5 (...) Apaisez donc sa crainte
Et calmez la douleur dont son âme est atteinte.
CORNEILLE, Polyeucte, I, 1.

6 Phèdre atteinte d'un mal qu'elle s'obstine à taire.
RACINE, Phèdre, I, 1.

7 *(Le supplice)* Tôt ou tard atteint les pécheurs.
RACINE, Poésies diverses, 57.

8 De quel trouble nouveau tous mes sens sont atteints !
VOLTAIRE, Zaïre, II, 3.

9 Les événements ne comptent que pour ceux qui en pâtissent ou qui en profitent ; ils ne sont rien pour ceux qui les ignorent, ou qu'ils n'atteignent pas.
CHATEAUBRIAND, Mémoires d'outre-tombe, IV, 3.

10 Dieu sait atteindre qui le brave.
HUGO, les Orientales, I.

11 (...) des végétaux sont atteints par la gelée dans des fonds et ne le sont pas sur des hauteurs peu élevées (...)
BECQUEREL, Acad. des sciences, Comptes rendus, t. LIV, p. 312.

12 (...) il *(Robespierre)* atteignait en même temps par ricochet la Gironde. JAURÈS, Hist. socialiste, t. IV, p. 8.

13 Tout malheur qui ne m'atteint pas est un rêve.
J. RENARD, Journal, avr. 1898.

Faire un effet psychologique (le plus souvent pénible). *Rien n'atteint le sage.* → **Altérer** (la sérénité), **émouvoir, troubler.** *Atteindre qqn dans ses convictions, dans ses sentiments profonds.* → **Blesser, choquer, heurter, offenser.** *Atteindre qqn au vif.* → **Pénétrer, percer, piquer.** *Être atteint dans ses sentiments les plus sincères.*

Sans qu'il l'eût laissé voir, le reproche de M. Thibault l'avait atteint au vif. MARTIN DU GARD, les Thibault, VI, 2. 14

Racine est né frémissant : tout l'atteint, tous le blesse ; n'y aurait-il les hommes, la pensée de la mort suffit à le torturer (...) F. MAURIAC, la Vie de Jean Racine, XIII. 15

Atteint dans sa tendresse, dans ce sentiment des pères pour leurs filles, où il entre tant de respect, une pudeur si susceptible qu'ils ne pardonnent jamais à ceux qui, une seule fois, l'ont offensée.
F. MAURIAC, la Pharisienne, p. 126. 16

(...) quelques lecteurs *(de ces publications)* en parurent atteints jusqu'au scandale (...)
F. MAURIAC, Souffrances et Bonheur du chrétien, p. 10. 17

Les peuples, comme les hommes, sont parfois atteints du délire de la persécution.
A. MAUROIS, les Discours du D^r O'Grady, XXI. 18

Émouvoir, frapper l'esprit, l'âme. → **Émouvoir, remuer.**

(...) il faut plaindre
Ceux que le grand rayon du vrai ne peut atteindre.
HUGO, l'Année terrible, Mars, 2. 19

Cette révélation de la grandeur vraie et simple m'atteignit jusqu'au fond de l'être.
RENAN, Souvenirs d'enfance..., II, 1. 20

**B** Parvenir au niveau, au contact de (qqch.). ♦ **1** Parvenir à toucher, à prendre (qqch.). *Pouvez-vous atteindre ce livre sans vous déranger ?* → **Arriver** (à), **attraper, prendre, saisir.** *Atteindre une toile d'araignée avec une tête de loup, des fruits avec une perche... Montez sur un escabeau pour atteindre le dernier rayon de la bibliothèque.* Réussir à saisir, à prendre. *Elle atteignit sa clé au fond de son sac à main.*

♦ **2** (Sujet n. de chose). Parvenir à (un lieu, une hauteur, un niveau). → **Arriver** (à), **élever** (s'élever à), **monter** (à). *La rivière a atteint la cote d'alerte. La vigne atteint le premier étage.*

Des taillis les plus hauts mon front atteint le faîte (...)
LA FONTAINE, Fables, VI, 9. 21

♦ **3** Fig. Parvenir à (un état). *Atteindre une certaine valeur, un certain prix, une certaine mesure, un certain degré. Atteindre la limite, le maximum, son achèvement* (cit. 2). *Atteindre l'apogée* (cit. 3 et 4). *Atteindre une vogue inouïe. La douleur a atteint son paroxysme.*

C'est en vain qu'au Parnasse un téméraire auteur
Pense de l'art des vers atteindre la hauteur.
BOILEAU, l'Art poétique, I. 22

Le fond de La Rochefoucauld écrivain est bien (...) le modèle même du style travaillé jusqu'au dernier degré où l'art infatigable du plus habile et du plus persévérant ouvrier peut atteindre.
Émile FAGUET, XVII^e s., Études littéraires, p. 228. 23

(...) pour échapper, n'importe comment, avant qu'elle ait atteint son paroxysme, à cette souffrance dont l'étau se resserre ! MARTIN DU GARD, les Thibault, III, 14. 24

**ATTEINDRE À :**

Il comprit, à ce moment-là, que sa compassion, si intense fût-elle, n'atteindrait jamais à la mesure d'une telle douleur. MARTIN DU GARD, les Thibault, V, 12. 25

♦ **4** (Personnes ; actes). Égaler en mérite. → **Égaler.**

Ton premier coup d'épée égale tous les miens ;
Et d'une belle ardeur ta jeunesse animée
Par cette grande épreuve atteint ma renommée.
CORNEILLE, le Cid, III, 6. 26

27 Celui-ci *(Boileau)* passe Juvénal, atteint Horace (...)
LA BRUYÈRE, Disc. à l'Académie.

28 S'il n'atteint pas ses originaux, du moins il en approche (...)
LA BRUYÈRE, les Caractères, I, 64.

29 Ce n'est qu'en suivant l'exemple des hommes célèbres qu'on peut espérer de les atteindre ou même de les surpasser. P.-L. COURIER, Éloges de Buffon, Pl., p. 559.

♦ **5** Parvenir au but de son voyage, à un lieu dont on est plus ou moins éloigné. *À cette allure, nous atteindrons Paris avant la nuit.* → **Arriver, parvenir** (à); **gagner.** *Un funiculaire permet d'atteindre le sommet sans fatigue.* → **Accéder** (à). *La voiture atteignit le sommet sans difficulté.*

30 Gageons, dit celle-ci, que vous n'atteindrez point
Sitôt que moi ce but. LA FONTAINE, Fables, VI, 10.

Vieilli. Parvenir à rattraper (qqn). → **Joindre, rejoindre; attraper, rattraper.**

31 Que si ce loup t'atteint, casse-lui la mâchoire (...)
LA FONTAINE, Fables, VIII, 17.

32 Les femmes ne sont pas faites pour courir; quand elles fuient, c'est pour être atteintes. ROUSSEAU, Émile, V.

33 (...) venu d'abord à Annecy sur mes traces, il ne me suivit pas jusqu'à Chambéry, où il était moralement sûr de m'atteindre. ROUSSEAU, les Confessions, I.

34 Ses poignets sont crispés d'avance du plaisir
D'atteindre le fuyard et de le ressaisir.
HUGO, la Légende des siècles, XV, «Le petit prince de Galice», VIII.

Par ext. Mod. *Atteindre qqn par lettre, par téléphone,* réussir à communiquer avec lui. → **Joindre.**

(Abstrait). *Atteindre un but*. Atteindre l'objectif qu'on s'était assigné* (cit. 8). *Atteindre un idéal.* → **Accomplir, réaliser, rencontrer.**

35 *(Un homme)* continuellement affamé d'un idéal qu'il n'atteint jamais. FLAUBERT, Correspondance, I, p. 355.

36 *(L'idéal)* Nous le poursuivons sans jamais l'atteindre (...)
MAUPASSANT, la Vie errante, p. 123.

37 On dédaigne volontiers un but qu'on n'a pas réussi à atteindre, ou qu'on a atteint définitivement.
PROUST, À la recherche du temps perdu, t. XIII, IV, 308.

38 Les chefs ne s'étaient même pas entendus sur les buts à atteindre, même pas mis d'accord sur un plan tactique d'ensemble. MARTIN DU GARD, les Thibault, VII, 7.

39 La beauté est une chose qu'il est rare d'atteindre quand on la cherche.
CLAUDEL, Positions et Propositions, p. 229.

*Atteindre un âge, une époque...*

40 Vous n'aviez pas encore atteint l'âge où je touche (...)
RACINE, Phèdre, III, 5.

41 L'on craint la vieillesse que l'on n'est pas sûr de pouvoir atteindre (...) LA BRUYÈRE, les Caractères, XI.

42 La moitié *(des enfants)* dans plusieurs pays n'atteint pas la puberté, la première aurore d'amour.
MICHELET, la Femme, p. 96.

42.1 Madame de *Lorsange* qui se nommait pour lors *Juliette,* et dont le caractère et l'esprit étaient, à fort peu de chose près, aussi formés qu'à trente ans, âge qu'elle atteignait lors de l'histoire que nous allons raconter, ne parut sensible qu'au plaisir d'être libre, sans réfléchir un instant aux cruels revers qui brisaient ses chaînes.
SADE, Justine..., t. I, VIII.

**II** V. tr. ind. Littér. **ATTEINDRE À :** réussir à, parvenir avec effort, difficulté. *Atteindre à un sommet réputé inaccessible.* — (Abstrait). *Atteindre au sublime, à l'héroïsme.*

43 On doit dire atteindre un certain âge, parce qu'on atteint les années sans difficulté, sans effort. On doit dire atteindre à la perfection, parce que, pour parvenir à la perfection, il y a des difficultés à vaincre, des efforts à faire. Atteindre Paul et atteindre à Paul voudront dire : le premier, que l'on court après Paul et qu'on le rejoint; le second, que Paul est placé hors de notre portée, et que nous arrivons jusqu'à lui avec effort. En un mot, atteindre, verbe actif, a une signification générale, et peut aussi bien se dire quand il n'y a pas effort que quand il y a effort; atteindre à a une signification plus particulière et implique un effort quelconque.
LITTRÉ, Dict., art. *Atteindre.*

(...) Étant sur le point d'atteindre à la fenêtre. 44
MOLIÈRE, l'École des femmes, V, 2.

Mais, comme il n'y pouvait atteindre : 45
Ils *(les raisins)* sont trop verts, dit-il (...)
LA FONTAINE, Fables, III, 11.

Il y a bien des gens qui voient le vrai, et qui n'y peuvent 46
atteindre (...) PASCAL, Pensées, XIV, 915.

La découverte du calcul infinitésimal, que Newton a faite, 47
a donné lieu de dire au savant Halleu qu'il n'est pas permis à un mortel d'atteindre de plus près à la divinité (...)
VOLTAIRE, le Siècle de Louis XIV, 34.

Quand l'enfant tend la main avec effort sans rien dire, 48
il croit atteindre à l'objet parce qu'il n'en estime pas la distance. ROUSSEAU, Émile, I.

La journée atteignait à sa perfection. 49
MONTHERLANT, la Relève du matin, p. 90.

◆ **ATTEINT, EINTE** p. p. adj.

♦ **1** *Objectif, but atteint.*

♦ **2** Touché. *Son moral est atteint.*

Touché par un mal. *L'autre poumon est maintenant atteint.* — Fam. Troublé mentalement. *Il est bien atteint.* → **Malade.**

Après avoir lu ce qui précède, un ami me considéra d'un 50
air inquiet : «Vous étiez, me dit-il, encore plus atteint que je n'imaginais.» Atteint? je ne sais trop. Mon délire était manifestement travaillé. SARTRE, les Mots, p. 172.

♦ **3** Rare. (En parlant d'un objet). Détérioré, endommagé. *Le moteur est atteint.*

**CONTR.** **Échouer, manquer, rater. — Dépasser. — Surpasser.**
◈ **DÉR.** **Atteignable, atteinte.**

**ATTEINTE** [atɛ̃t] n. f. — XVIIe; *atainte,* v. 1295; subst. participial fém. de *atteindre.*

Action d'atteindre; résultat de cette action.

♦ **1** Possibilité d'atteindre. → **Portée.** — Rare. «*Un objet d'atteinte plus facile*» (E. Mounier, *in* T. L. F.). — Cour. **HORS D'ATTEINTE.** *Être hors d'atteinte.* — Vieilli. *Hors de l'atteinte de... Les fuyards sont hors de votre atteinte. Se mettre hors de l'atteinte des balles.* → **Abri** (à l').

J'ai besoin que le Roi, qu'elle-même vous craigne. 1
Retournez à l'armée (...)
Parlez la force en main, et hors de leur atteinte;
S'ils vous tiennent ici, tout est pour eux sans crainte (...)
CORNEILLE, Nicomède, I, 1.

Elle n'avait qu'un seul but : être le plus vite possible hors 2
d'atteinte; se fondre dans la foule, gagner le métro, s'y terrer. MARTIN DU GARD, les Thibault, VII, 37.

Fig. *Sa réputation est hors d'atteinte, hors de toute atteinte.* → **Inattaquable.**

*(Aminte)* Est femme sage, honnête, hors d'atteinte (...) 3
LA FONTAINE, Contes, «Confidente».

Grâces au Ciel, voilà mon bonheur hors d'atteinte (...) 4
MOLIÈRE, l'Étourdi, II, 7.

Il faut que, retranché dans le droit sacré du sacerdoce, 5
l'évêque soit hors d'atteinte aux traits de l'ambition (...)
MASSILLON, Villars.

♦ **2** Vx. Coup dont qqn est atteint. → **Attaque, blessure, coup, trait.** *Légère atteinte. Atteinte mortelle.*

Du perfide couteau comme eux il fut frappé. 6
Mais Dieu du coup mortel sut détourner l'atteinte (...)
RACINE, Athalie, IV, 3.

Mais c'est mourir deux fois que souffrir tes atteintes. 7
LA FONTAINE, Fables, III, 14.

Il fait partir de l'arc une flèche maudite, 8
Perce les deux époux d'une atteinte subite.
Chloris mourut du coup (...)
LA FONTAINE, les Filles de Minée, 442.

♦ **3** (XVII^e). Fig. Mod. Dommage matériel ou moral. *Les atteintes du temps, de l'hiver, du froid, de la gelée, des parasites. Les atteintes de la fortune, du sort.* → **Attaque; dégât, dommage, préjudice.** *Atteinte à la pudeur, à la liberté, au crédit de l'État.* → **Attentat.** *Atteinte à la sûreté de l'État, à la liberté individuelle, à la vie privée. C'est une atteinte au droit commun.* → **Attentatoire** (acte, mesure); **dérogation, entorse, violation.** *Atteinte à la réputation, à l'honneur de qqn.* → **Injure, insulte, outrage.** — Loc. **PORTER ATTEINTE À... :** attaquer de manière à atteindre (I.). → ci-dessous, cit. 13 et 14. *Porter atteinte à la réputation de qqn.* — Littér. *Cet acte porte une grave atteinte à l'autorité, au crédit, à la dignité, au prestige de...* → **Atteindre, battre** (en brèche), **décréditer, déshonorer, diminuer, discréditer** (jeter le discrédit), **entamer, ternir, tort** (porter). *Cette loi porte atteinte à la Constitution.* → **Déroger, violer.**

9 Percé jusques au fond du cœur
D'une atteinte imprévue aussi bien que mortelle (...)
CORNEILLE, le Cid, I, 6.

10 La douleur matérielle est ce qu'on sent le moins dans les atteintes de la fortune (...)
ROUSSEAU, Rêveries..., VII^e promenade.

11 Chaque blessure, chaque nouvelle atteinte a redoublé chez elle la patience, la résignation.
BALZAC, l'Envers de l'hist. contemporaine, Pl., t. VII, p. 331.

12 S'il *(le Capétien)* trouve fort bon que le pape fasse et défasse des empereurs en Allemagne, il ne souffre pas d'atteintes à l'indépendance de sa couronne.
J. BAINVILLE, Hist. de France, p. 63.

13 Je ne réfuterai pas pour la vingtième fois le reproche qu'on m'adresse de porter atteinte à la religion.
RENAN, Vie de Jésus, Avertissement.

14 Mais cette ivresse romantique ne porte jamais atteinte à la lucidité de son regard.
R. ROLLAND, Vie de Tolstoï, p. 29.

15 Il avait perdu l'habitude qu'on s'occupât de lui; la moindre attention lui paraissait une atteinte à son indépendance.
MARTIN DU GARD, les Thibault, V, 9.

Spécialt. Effet (d'une maladie). — Au sing. Vx. *Une légère atteinte de goutte.* — Au plur. Mod. → **Accès, attaque, crise.** *Ressentir les premières atteintes d'une maladie.*

16 Elle se figurait toujours ma grand'mère comme au-dessus des atteintes même de tout mal qui n'eût pas dû se produire (...)
PROUST, À la recherche du temps perdu, t. XIII, IV, 293.

17 (...) son Jean avait eu quelques atteintes des mauvaises fièvres de là-bas (...) LOTI, Matelot, XLII.

**ATTELABE** [atlab] ou **ATTELABUS** [atelabys] n. m. — 1839, *in* Boiste; lat. mod. *attelabus,* du grec *attelabos,* sorte de sauterelle.

Zool. Insecte coléoptère *(Rhynchitidés)* qui vit sur le chêne.

**ATTELABLE** [atlabl] adj. — 1845; de *atteler,* et *-able.*

Qui peut être attelé. *Cheval attelable.*

Mais, pour ne rien exagérer, un simple quadrupède attelable eût bien fait l'affaire de Pencroff, et comme la Providence avait un faible pour lui, elle ne le fit pas languir.
J. VERNE, l'Île mystérieuse, t. I, p. 396.

**ATTELAGE** [atlaʒ] n. m. — Av. 1607; *atlage,* av. 1589; *hastelage,* 1563; de *atteler.*

♦ **1** Action d'atteler des bêtes à un véhicule ou à une machine aratoire. → **Attellement.** *Assister à l'attelage des bœufs. Garçon d'attelage. Le joug sert à l'attelage des bœufs.* — Par anal. *L'attelage des wagons de chemin de fer.* → **Accrochage.**

*D'attelage :* qui sert à atteler. *Collier, harnais d'attelage. Pièces d'attelage. La flèche d'attelage d'une charrette. Chaînes, crochets d'attelage d'une voiture, d'une charrue.*

♦ **2** Dispositif servant à atteler. *L'attelage d'une voiture, d'une charrue.* — *L'attelage d'engins spatiaux.*

Les ornières cahotaient les grosses roues, les chaînes de l'attelage grelottaient au vent du matin. 1
HUGO, Quatre-vingt-treize, IV, 1.

Système de crochets et de vis de serrage articulés qui servent à atteler les wagons de chemin de fer. Loc. fig. *Ruer dans l'attelage* (Hugo) : ne pas accepter une contrainte (cour. : *ruer* dans les brancards*).

♦ **3** Manière d'atteler. *Attelage en file, en flèche, en tandem, en arbalète, à quatre. Attelage à la Daumont.*

♦ **4** Ensemble formé par le véhicule et les bêtes de trait attelées. → **Équipage.**

Souvent, dans les exploitations rurales, on compte par attelages, c'est-à-dire par le nombre d'instruments attelés de deux ou quatre bêtes de trait que l'on peut faire marcher simultanément. Omnium agricole, p. 72. 2

♦ **5** Par métonymie. [a] Les bêtes attelées ensemble. → **Attelée.** *Attelage de quatre chevaux. La voiture et son attelage. Un attelage fringant.*

L'attelage suait, soufflait, était rendu. 3
LA FONTAINE, Fables, VII, 9, 5.

De ces quatre chevaux échappés l'homme a fait 4
L'attelage de son quadrige.
HUGO, la Légende des siècles, XIV, I.

Les gens qui ne connaissent pas la campagne taxent de fable l'amitié du bœuf pour son camarade d'attelage. 5
G. SAND, la Mare au diable, II, p. 19.

Par comparaison :

Puis il s'assit en me heurtant comme un cheval qui rejoint au brancard son collègue cheval, reformant après tant d'années le vieil attelage avec lequel nous avions tiré bien des fardeaux, excepté la haine et la lamentation. 5.1
GIRAUDOUX, Siegfried et le Limousin, p. 30.

[b] Ch. de fer. *Doubler l'attelage :* mettre une deuxième machine pour assurer la traction d'un train.

[c] Fig. (En parlant de personnes unies par des intérêts communs, le mariage, etc.). → **Accouplement, appariement, assemblage, association.**

Comment pourrait celle *(la charrue)* du mariage 6
Ne mal aller, étant un attelage
Qui bien souvent ne se rapporte en rien?
LA FONTAINE, Contes, «Calendrier».

Plus tard, l'historien Jacques Bainville, plus jeune qu'eux, vint (...) compléter cet attelage de combat pour la Monarchie. Georges LECOMTE, Ma traversée, p. 579. 7

Argot, vieilli. *«Avoir attelage double, triple, etc.»* (Bruant, 1901) : avoir plusieurs maîtresses.

♦ **6** Par anal. (Chasse au canard dans les marais). Ensemble des appelants* disposés sur la mare (cf. Burnand, 1970, *in* T. L. F.).

CONTR. **Dételage.**

**ATTELÉE** [atle] n. f. — 1557, *attelee; atellee,* 1530; de *atteler,* et *-ée.*

Vieux.

♦ **1** Personnes, chevaux attelés ensemble. → **Attelage.**

Quelquefois, tirant de sa poche un petit carnet grand comme la moitié de la main, il jetait dessus deux ou trois de ces coups de crayon qui attrapent l'instantanéité d'un mouvement. Il fixait d'un trait l'effort d'une attelée de maçons (...)
Ed. et J. DE GONCOURT, Manette Salomon, p. 315.

♦ **2** Temps pendant lequel des animaux de trait sont attelés.

**ATTÈLEMENT** ou **ATTELLEMENT** [atɛlmɑ̃] n. m. — Av. 1520, *attelemens; attalemant,* 1300; de *atteler,* et *-ment.*

Rare. Action d'atteler; résultat de cette action. → **Attelage.**

Ces temps d'arrêt forcés ne plaisaient que médiocrement à Michel Strogoff. Aussi pressait-il le départ à chaque relais, excitant les maîtres de poste, stimulant les iemschiks, hâtant l'attellement des tarentass.
J. VERNE, Michel Strogoff, p. 170.

**ATTELER** [atle] v. tr. [CONJUG.: *appeler.*] — V. 1165; lat. *attelare,* issu par substitution de préf. du bas lat. *protelare* «conduire jusqu'au bout, atteler».

♦ **1** Attacher (une ou plusieurs bêtes de trait) à une voiture, à une charrue, etc. *Atteler des chevaux au timon d'une voiture, d'une charrue, des bœufs à la flèche d'une charrette.* → **Attelage.** *Atteler des bœufs au joug deux à deux. Atteler des chevaux en paire, en file, en arbalète.*

1 Elle *(Cérès)* leur présentait une charrue et y faisait atteler des bœufs. FÉNELON, Télémaque, XVII.

2 Voyez nos postillons atteler leurs chevaux; ils les poussent aux brancards à coups de botte dans le flanc, à coups de manche de fouet sur la tête, leur cassent la bouche avec les mors pour les faire reculer, accompagnant le tout de jurements, de cris et d'insultes au pauvre animal.
CHATEAUBRIAND, Mémoires d'outre-tombe, IV, 3.

2.1 Voici comment le postillon, l'iemschik, les avait attelés : l'un, le plus grand, était maintenu entre deux longs brancards qui portaient à leur extrémité antérieure un cerceau, appelé «douga», chargé de houppes et de sonnettes; les deux autres étaient simplement attachés par des cordes aux marchepieds du tarentass.
J. VERNE, Michel Strogoff, p. 121-122.

Ellipt. *Atteler une charrue, une voiture,* y atteler une bête.

(Sans compl. direct). Donner un attelage à une voiture. *Atteler à six chevaux, à la Daumont.*

Absolt. *Faites atteler. Dites au cocher d'atteler.*

Par anal. *Atteler une locomotive à un train, à un convoi.*

Par ext. *Atteler un wagon,* le rattacher au convoi (opposé à *détacher*).

♦ **2** Par ext. (Vx). *Atteler des rois à son char* (au propre et au figuré). → **Traîner.**

3 Il *(Sésostris)* fit atteler à un char les plus superbes d'entre les rois qu'il avait vaincus.
FÉNELON, Télémaque, XIX.

4 *(Napoléon)* attelait des rois aux chars de ses victoires (...)
HUGO, Odes, II, 4.

Fig. et vieilli. *Atteler qqn à son char :* entraîner qqn derrière soi. — *Atteler* (plusieurs personnes) *au même char,* les mettre ensemble.

♦ **3** Fig. *Atteler qqn à un travail, à une tâche,* l'y mettre (→ ci-dessous, S'atteler).

5 (....) j'attelle le comité à cette tâche.
Georges LECOMTE, Ma traversée, p. 392.

♦ **4** Techn. *Atteler* (une chose) *à* (une autre), l'y attacher pour qu'elle communique son mouvement, sa force, son énergie (se dit d'organes moteurs). *Atteler un moteur à une pompe.*

◆ **S'ATTELER** v. pron. (En parlant des personnes).

♦ **1** (Concret). *Ils s'attelèrent au chariot et le traînèrent.*

Loc. fig. (Vx et littér.). *S'atteler au char de qqn.* → **Attacher** (s'), **servir, suivre.** *S'atteler au char d'une femme :* s'assujettir, s'enchaîner à une femme.

Vieilli. *S'atteler avec qqn,* s'associer avec lui.

6 Il faut que M. de la Garde ait de bonnes raisons pour se porter à l'extrémité de s'atteler avec quelqu'un *(se marier)* mais enfin il faut venir au timon et se mettre sous le joug comme les autres.
M^me^ DE SÉVIGNÉ, Lettres, 17 mai 1676.

♦ **2** Fig. et cour. *S'atteler à un long travail, à une besogne qui laisse peu de loisirs.* → **Appliquer** (s'), **assujettir** (s'), **attacher** (s'), **dévouer** (se), **enchaîner** (s'), **livrer** (se livrer à). *L'ouvrage auquel il s'est attelé.*

7 Allons, cherchez, et à la besogne ! Il faut que vous soyez le fainéant que vous êtes, pour ne vous y être pas attelé, il y a beau jour. COURTELINE, Boubouroche, p. 23.

◆ **ATTELÉ, ÉE** p. p. adj.

♦ **1** (Animaux). Attaché pour tirer (une voiture, etc.).

8 Six chevaux attelés à ce fardeau pesant
Ont peine à l'émouvoir sur le pavé glissant (...)
BOILEAU, Satires, VI.

9 (...) Je vois qu'ils se soucient
D'avoir chevaux à leur char attelés
De même taille, et même chiens couplés.
LA FONTAINE, Contes, «Calendrier».

10 (...) deux chevaux attelés en paire (...)
COLETTE (→ Accorder, cit. 34).

Par anal. (Personnes). *Hommes attelés à une charrette, à une corde... «Hâleur attelé à une péniche»* (Martin du Gard). — Par métaphore :

11 (...) attelés tous deux au char de la fortune, et tous deux fort éloignés de s'y voir assis.
LA BRUYÈRE, les Caractères, VIII, 19.

*Voiture attelée,* la voiture et son cheval (ou ses chevaux) d'attelage.

♦ **2** *Pas attelé, trot attelé :* pas, trot d'un cheval attelé.

♦ **3** Mar. *Vapeur attelé,* accouplé à un bâtiment pour le remorquer.

♦ **4** Fig. → **Entraîné** (derrière, à la suite, à la poursuite). *C'est une charrette mal attelée,* se dit d'un couple mal assorti, d'associés qui ne s'accordent pas, l'un tirant à hue, l'autre à dia*.

CONTR. **Dételer.** ◊ DÉR. **Attelable, attelage, attelée, attèlement.**

**ATTELET** [atlɛ] n. m. → **Hâtelet.**

**ATTELLE** [atɛl] n. f. — 1606; *estelles,* fin XII^e^; *asteles,* 1155; bas lat. *astella* «éclat de bois, copeau», lat. class. *assula,* dimin. de *assis.* → Ais.

♦ **1** Techn. Partie du collier des chevaux de harnais à laquelle les traits sont attachés.

Par anal. Sangles attachées au cou d'une personne, et qui permettent de porter un lourd fardeau. — REM. On écrit aussi *attèle.*

L'emménagement d'un piano est un phénomène de plus en plus rare (...) De part et d'autre du piano échoué sur le trottoir, deux colosses à harnais de cuir faisaient la pause (...) Après quoi les deux colosses ajustèrent leurs attèles de cuir, fléchirent sur les jarrets (...) et, brusquement (...) échangèrent un bref signal (...)
Jacques PERRET, Bâtons dans les roues, p. 46.

♦ **2** (XII^e^, *estelle*). Chir. Planchette plus ou moins rigide (bois, métal, carton), destinée à maintenir immobile, en bonne position, un membre blessé, fracturé. — Lame ou plaque métallique qui sert à maintenir en place les fragments d'un os fracturé. → **Éclisse.**

Fig. Aide, soutien.

♦ **3** (1704). Techn. Manche, poignée en bois du fer à souder des plombiers, vitriers, etc.

*Bois d'attelle :* minces lames de hêtre qui étaient employées pour la fabrication de fourreaux d'épée.

♦ **4** Régional (Canada). Au plur. Bretelles.

HOM. **Atèle,** formes du v. **atteler.**

**ATTENANCES** [at(ə)nɑ̃s] n. f. pl. — 1611; *atenance*, v. 1165, «pensée, espoir...» (ce qui est en dépendance); de *attenir*, et *-ance*.

Vx. Dépendance contiguë. *Les attenances d'une propriété.* → **Dépendance.** — Fig. «*Des défaillances que je rapporte au cerveau ou à ses attenances*» (Sainte-Beuve, *Correspondance, in* T. L. F.).

Fig. et vx. Rapports, relations étroites.

1 Au reste, poursuivit mon institutrice, il y a ici des attenances et des parentés dont tu ne te doutes pas, et qu'il est bon de t'expliquer (...)
SADE, Justine..., t. I, p. 170.

Au sing. **D'ATTENANCE :** qui est attenant à (un lieu, un établissement), qui en dépend.

2 Toujours est-il qu'en apercevant tout à coup, sur sa droite, une de ces glaces étroites et longues comme sa personne — sortes de miroirs publics d'attenance, parfois, aux devantures d'estaminets marquants — il fit une halte brusque, se campa, de face, vis-à-vis de son image (...)
VILLIERS DE L'ISLE-ADAM, Contes cruels, «Le désir d'être un homme», p. 268.

**ATTENANT, ANTE** [at(ə)nɑ̃, ɑ̃t] adj., prép. et adv. — 1395, *atenant; atenans*, v. 1365; p. prés. de l'anc. v. *attenir;* lat. médiéval *attinens* «celui qui est proche, lié».

♦ **1** Adj. Qui tient, touche à (en parlant d'une pièce, d'une maison, d'un terrain). *La maison attenante à la ferme. Les maisons attenantes* (à qqch., ou l'une à l'autre). *Le château et les dépendances attenantes.* → **Adjacent, contigu, joignant, jouxtant, touchant, voisin.**

1 Un jardin assez propre et le clos attenant (...)
LA FONTAINE, Fables, IV, 4.

2 Il y avait deux autres allées attenantes, le long desquelles, ce jour-là, je disais aussi une prière (...)
SAINTE-BEUVE, Volupté, XXIV.

3 Un petit cabinet attenant *(au salon)* lui servait pour sa toilette. Paul BOURGET, Un divorce, IV, 137.

4 Le cimetière attenant à l'église.
FRANCE, la Rôtisserie de la reine Pédauque, p. 285.

Blason. *Écus attenants.* → **Accolé, joint.**

Fig. et littér. Qui touche à (en parlant d'une idée, d'un sentiment).

♦ **2** Prép. et adv. Vx. Prép. *Attenant... :* à côté de... — *Attenant de... :* près de.

Adv. *Tout attenant :* tout à côté. *Je demeure tout attenant.*

CONTR. **Distant, éloigné.**

**ATTENDANT, ANTE** [atɑ̃dɑ̃, ɑ̃t] adj. et n. — XIVe; *atendans*, XIIIe; *attendens*, 1269; p. prés. de *attendre*.

♦ **1** Adj. Rare. Qui attend. *Une personne attendante.* «*Abjecte et soumise et attendante*» (Claudel).

(Choses). Littér. et rare. *Réponse attendante.* «*L'attendante beauté de la nature*» (Gide).

N. *Un attendant, une attendante :* une personne qui attend.

Sur le quai, des tas d'êtres humains tout noirs attendaient (...) À chaque instant, le nombre des attendants augmentait. Les uns ouvraient à peine des yeux rongés par le sommeil; d'autres semblaient plus bas que jamais. Beaucoup étaient frais et dispos. Et presque tous avaient un journal à la main.
R. QUENEAU, le Chiendent, p. 36.

Hist. des relig. Membre d'une secte soutenant qu'aucune Église véritable n'était encore fondée.

♦ **2** Mus. *Cadence attendante :* cadence imparfaite à la quinte supérieure.

REM. Pour les formes du verbe (*en attendant*, etc.), → Attendre.

**ATTENDRE** [atɑ̃dʀ] v. tr. [CONJUG. : *tendre.*] — 1552; *atendre*, XIe; lat. *attendere*, de *ad*, et *tendere* «tendre vers, tendre son esprit vers», d'où «être attentif, prêter attention», sens conservé par *attendre* et *s'attendre* jusqu'au XVIe.

**I** V. tr. ♦ **1** *Attendre qqn, qqch., un événement :* se tenir en un lieu où qqn doit venir, qqch. se produire, et y rester jusqu'à cet événement. — *Attendre qqn quelque part, en un lieu. Je vous attendrai chez moi jusqu'à midi. J'irai vous attendre à la gare. Attendre qqn longtemps, quelques heures. Attendre qqn à dîner. Il m'attendit au rendez-vous fixé. Attendre qqn impatiemment, s'ennuyer en l'attendant. Attendre qqn à son passage.* → **Guetter.** — *Attendre qqch. Attendre l'arrivée, la venue de qqn. La foule attend l'arrivée des coureurs. Attendre qqn sur la route. N'attendons pas ces traînards! — Attendre sous un abri la fin de l'orage. — Attendre le bus, le train. Qu'attendez-vous ici? Faire la queue en attendant son tour*. Attendre une lettre à telle ou telle adresse. — Attendre un événement, le sommeil. Attendre la mort.* — (Le compl. désigne un moment dans le temps). *Attendre le soir, le lendemain. Attendre l'hiver. J'attendrai la semaine prochaine (pour faire qqch.).* — (Le sujet désigne un animal). *Le fauve attend sa proie.* — (Le sujet désigne une chose humanisée). Littér. (→ ci-dessous, cit. 2).

J'en attends des nouvelles *(de mes parents)* avec impatience, et j'en irai chercher moi-même, si elles tardent à venir. MOLIÈRE, l'Avare, I, 1. 1

Ils abordent sans peur, ils ancrent, ils descendent, 2
Et courent se livrer aux mains qui les attendent.
CORNEILLE, le Cid, IV, 3.

Tous fuyaient, tous tombaient au piège inévitable 3
Où les attendait le lion.
LA FONTAINE, Fables, II, 19, 17.

Encor si la saison s'avançait davantage! 4
Attendez les zéphyrs; qui vous presse?
LA FONTAINE, Fables, IX, 2.

Qu'attendez-vous, Seigneur? La princesse n'est plus. 5
RACINE, la Thébaïde, V, 5.

Au lieu de quatre amis qu'on attendait le soir, 6
Quelquefois de fâcheux arrivent trois volées.
BOILEAU, Épîtres, VI.

Mon antichambre n'est pas faite pour s'y ennuyer en m'attendant (...) LA BRUYÈRE, les Caractères, VI, 12. 7

Adieu, il y a une dame de la cour qui m'attend. 8
VOLTAIRE, Jeannot et Colin.

Les Russes ne l'attendirent pas, ils décampèrent (...) 9
VOLTAIRE, Charles XII, 4.

Il y était *(à Paris)* et m'attendait quand j'y arrivai. 10
ROUSSEAU, les Confessions, VII.

J'étais encore dans le salon voisin à attendre sa délivrance (...) 11
MARMONTEL, Mémoires, X (→ Délivrance).

Eh! quoi, Monsieur, répondis-je, cette fortune sur laquelle 11.1
vous ne comptiez pas, ne vous décide point à attendre patiemment la mort que vous voulez hâter? — Attendre, reprit brusquement le Comte, je n'attendrais pas deux minutes, *Thérèse*, songes-tu que j'ai vingt-huit ans, et qu'il est dur d'attendre à mon âge?
SADE, Justine..., t. I, p. 90-91.

*(Louis-Philippe)* attendit l'événement comme l'araignée 12
attend le moucheron qui se prendra dans sa toile.
CHATEAUBRIAND, Mémoires d'outre-tombe, III, 15.

Attendre trop longtemps un convive retardataire est un 13
manque d'égards pour tous ceux qui sont présents.
A. BRILLAT-SAVARIN, Physiologie du goût, 17.

Prêtez-moi seulement, vallons de mon enfance, 14
Un asile d'un jour pour attendre la mort (...)
LAMARTINE, Méditations, I, 6.

Le tigre attend sa proie et d'un seul bond l'accable. 15
HUGO, la Légende des siècles, II, «Les lions».

Il attendait alors dans une anxiété visible une réponse à 16
son envoi, réponse qui venait ou ne venait pas (...)
E. FROMENTIN, Dominique, III.

16.1 Il l'attendit avec cette impatience que le retard accroît de seconde en seconde. Elle était toujours exacte; donc, avant dix minutes, il la verrait entrer. Quand les dix minutes furent passées, il se sentit tourmenté comme à l'approche d'un chagrin, puis irrité qu'elle lui fît perdre du temps, puis il comprit brusquement que si elle ne venait pas, il allait beaucoup souffrir. Que ferait-il? Il l'attendrait! — Non —, il sortirait, afin que si, par hasard, elle arrivait fort en retard, elle trouvât l'atelier vide.
MAUPASSANT, Fort comme la mort, éd. 1889, p. 33.

17 Ces pensées le torturaient, par cette fin d'après-midi obscure de février où, fiévreux, agité, il attendait Maud chez lui. Marcel PRÉVOST, les Demi-vierges, I, 4, 25.

18 Tu es de ceux qui ratent leur affaire parce qu'ils attendent le dernier train.
Edmond JALOUX, les Visiteurs, XXVI.

19 M. Chasle (...) les épaules rondes, les mains aux genoux, semblait attendre le coup de grâce.
MARTIN DU GARD, les Thibault, VI, 3.

20 Le courage, le vrai, ça n'est pas d'attendre avec calme l'événement (...)
MARTIN DU GARD, les Thibault, III, 1 (→ Accepter, cit. 11).

20.1 Le camion ne suit plus. Il faut l'attendre.
GIDE, Voyage au Congo, *in* Souvenirs, Pl., p. 814.

20.2 J'attends une arrivée, un retour, un signe promis. Ce peut être futile ou énormément pathétique : dans *Erwartung (Attente),* une femme attend son amant, la nuit, dans la forêt; moi, je n'attends qu'un coup de téléphone, mais c'est la même angoisse. Tout est solennel : je n'ai pas le sens des *proportions.*
R. BARTHES, Fragments d'un discours amoureux, p. 47.

Prov. *Attendre qqn comme les moines font l'abbé.* → **Abbé.**

Loc. *Attendre qqn de pied ferme,* sans quitter son poste, sa place. — Fig. L'attendre tranquillement, sans crainte, prêt à soutenir ses attaques, à l'affronter (→ aussi ci-dessous, 9., *attendre qqn au tournant*).

21 Je m'étais rendu ici pour vous attendre de pied ferme.
MOLIÈRE, l'Avare, II, 1.

(À l'impér.). *Attends-moi! Attendez-moi ici, je reviens dans une minute.*

Loc. *Attendez-moi sous l'orme :* vous pouvez m'attendre, je ne viendrai pas (selon Littré et d'autres auteurs, ce dicton viendrait de l'époque médiévale où les assises judiciaires se tenaient sous un orme : «il arrivait souvent que les parties assignées manquaient aux rendez-vous et se faisaient attendre sous l'orme»).

22 Attendez-moi sous l'orme;
Vous m'attendrez longtemps.
J.-F. REGNARD, Attendez-moi sous l'orme, 22.

23 À d'autres! Seigneur don Raphaël, m'écriai-je en riant; dites-nous plutôt de vous attendre sous l'orme!
A.-R. LESAGE, Gil Blas, VI, 2.

♦ **2** (En parlant d'une femme). *Attendre un bébé, un enfant, un heureux événement :* être enceinte.

Régional. *Attendre famille* (Belgique); *attendre de la famille* (Suisse) : être enceinte (→ Famille, cit. 26.1 et 26.2).

Absolt. (Régional). *Attendre.*

23.1 — Il fréquente une jeune fille, dit-elle triste et fâchée.
Elle lève la tête :
— Tu ne sais pas qu'elle attend?
— Qui? La jeune fille ou Blanchette?
— Blanchette!
Violette LEDUC, la Folie en tête, p. 541.

♦ **3** Absolt. *Attendre :* rester dans un lieu pour attendre (1.) qqn ou qqch. (→ Attente, cit. 15.1; 1. patience, cit. 13 et 14). *Languir*, moisir*, se morfondre* en attendant.* → **Poireauter** (fam.). *Perdre son temps à attendre. Attendre longuement, vainement.* → les loc. Compter les clous* de la porte, croquer le marmot*, faire le pied* de grue, le poireau (fam.), faire une pause. *Depuis le temps qu'il attend, il a dû prendre racine. Il ennuie à qui attend. «Il est dur d'attendre»* (→ ci-dessus, cit. 11.1). *Le temps lui dure depuis qu'il est là à attendre.* → **Durer.** *Attendez! ne partez pas.* → **Patienter.** *Je suis resté deux heures à attendre; j'ai attendu (pendant) deux heures. Je ne puis attendre plus longtemps.* → **Demeurer, rester.** — *«J'ai failli attendre»,* phrase prêtée à Louis XIV.

Je suis las d'attendre, je m'en vais faire un petit escampativos (...) Charles SOREL, Francion, IV. 24

Attendez. Donnez-moi mon bâton. 25
MOLIÈRE, le Malade imaginaire, I, 3.

Ce vent qui était contraire à Hasaël le contraignit d'attendre. FÉNELON, Télémaque, V. 26

J'ai une affaire de conséquence, qui ne me permet pas d'attendre. 27
Florent DANCOURT, le Chevalier à la mode, II, 10.

Le supplice d'attendre est l'enfer des amants (...) 28
Louis DE BOISSY, l'Impatient, I, 1.

Il attend, tout frissonnant de la sueur froide et de l'angoisse du cauchemar. 29
Alphonse DAUDET, Contes du lundi, «Vision».

Il va falloir attendre dans cette chambre, ou bien errer dans les rues. 30
LOTI, Figures et choses..., 5 déc. 1894.

À quatre heures trente-cinq, Andrée n'était pas là. À cinq heures moins vingt, personne (...) En effet, insultes, déshonneur, abandon d'amour, perte de sa fortune, il eût supporté tout cela allègrement; mais il ne supportait pas d'attendre. 30.1
MONTHERLANT, Pitié pour les femmes, p. 121.

Prov. *Tout vient à point (à) qui sait attendre :* avec du temps et de la patience, on vient à bout de tout.

Interj. *Attends! Attendez! Attendez un peu, je n'ai pas fini.*

(Menace). *Attendez, petits chenapans, que j'aille vous frotter les oreilles! Attendez un peu, que je vous y reprenne!*

*Attendez!,* exclamation que l'on emploie pour interrompre son interlocuteur. *Attendez, j'ai trouvé un moyen... Attends, je vais t'expliquer.*

Loc. (1748, *in* D. D. L.). *Ne rien perdre pour attendre :* trouver finalement un avantage au retard de qqch. — Se dit aussi en manière de menace. *Vous y avez échappé cette fois, mais vous ne perdez rien pour attendre.*

Ils attendent un peu (...) ils veulent le rassurer, lui laisser croire que c'est fini maintenant, que la punition a assez duré, qu'on a jugé là-haut qu'il a eu son compte... ils jouissent de son soulagement, le pauvre ne sait pas qu'il ne perd rien pour attendre, que le moment va venir bientôt où, il n'y a rien à faire, il faudra recommencer (...) 30.2
N. SARRAUTE, Vous les entendez?, p. 19.

Mais ils ne perdent rien pour attendre, ils verront, on saura qui est le plus fort. 30.3
N. SARRAUTE, Vous les entendez?, p. 97.

(Factitif). *Faire attendre qqn :* tarder à venir, ou, encore, lui imposer une attente (cit. 15.2). — (1625, *in* D. D. L.). *Se faire attendre :* tarder à venir, être en retard. → **Tarder, retard** (être en). *Il m'a fait attendre longtemps.* → **Amuser, droguer** (fam.), **durer, languir, lanterner** (fam.). — Fig. *Faire attendre ses créanciers,* tarder à les payer.

Le meilleur moyen de faire attendre patiemment le public, c'est de lui affirmer qu'on va commencer tout de suite. 31
HUGO, Notre-Dame de Paris, I, 2.

REM. Il ne faut pas confondre ce tour factitif (*faire attendre qqn* «faire que qqn attende», emploi absolu) avec les emplois factitif et transitif (*faire attendre une chose à qqn* «tarder à lui donner satisfaction»). → **Désirer** (faire), **différer, remettre, surseoir, suspendre, tirer** (faire tirer la langue, fam.).

Une circonstance essentielle à la justice que l'on doit aux autres, c'est de la faire promptement et sans différer; la 32

faire attendre, c'est injustice (...)
LA BRUYÈRE, les Caractères, XII, 81.

*Se faire attendre* (en parlant des choses). *Le beau temps se fait attendre. Le châtiment ne s'est pas fait attendre. Le repas se fait attendre.*

33 On peut observer toutes les nuances de ces divers états dans tout salon où le dîner se fait attendre.
A. BRILLAT-SAVARIN, Physiologie du goût, IV, 23 (→ Exactitude).

♦ **4** *Attendre qqch.* : rester dans la même attitude, ne rien faire avant que qqch. ne se produise, n'arrive. *Attendre le moment, l'heure, l'époque... Attendre le commencement ou la fin d'une action. Attendre le moment, l'occasion favorable,* observer la situation avec attention pour agir au moment opportun. → **Saisir.** *Attendre un moment plus favorable. Attendre à demain, à plus tard. Attendre un autre jour. Attendre que le temps soit venu. Attendre que la poire soit mûre*. — Absolt. *Il vaut mieux attendre avant de vous décider, avant d'agir* (→ Laisser passer du temps; laisser, voir venir). → **Remettre** (à plus tard), **reporter** (à), **réserver** (se), **surseoir, temporiser; attentisme.**

34 Vivez, si m'en croyez, n'attendez à demain[1] :
Cueillez dès aujourd'hui les roses de la vie.
RONSARD, Sonnets à Hélène, XLIII.
1. N'attendez pas jusqu'à...

35 Gardez-vous bien surtout de remettre à l'automne;
L'hiver vient aussitôt : rien n'arrête le temps,
Clymène, hâtez-vous; car il n'attend personne.
LA FONTAINE, Clymène, 421.

36 Le père mort, les trois femelles
Courent au testament sans attendre plus tard.
LA FONTAINE, Fables, II, 20.

37 Mais attendons la fin (...)
LA FONTAINE, Fables, I, 22.

38 Le lion aiguisait ses dents et ses griffes, attendant le moment favorable. FÉNELON, Télémaque, XVIII.

39 Elle attendait avec une impatience inexprimable l'expiration des trois mois de séjour qu'on était forcé de faire dans ce palais.
Mme de GENLIS, Veillées du château, t. III, p. 400, *in* POUGENS.

*Attendre une chose, n'attendre qu'une chose pour* (et l'inf.). — Loc. fam. *Qu'est-ce que tu attends pour te décider, pour avancer... ? — Attendre qqn pour faire qqch. On n'attend plus que vous pour partir. — Attendre le moment favorable pour agir. J'attendrai la semaine prochaine pour me décider.*

(Sujet n. de chose). Rare. (→ ci-dessous, cit. 48).

40 Déjà les deux armées
D'une égale chaleur au combat animées
Se menaçaient des yeux, et marchant fièrement,
N'attendaient, pour donner, que le commandement.
CORNEILLE, Horace, I, 3.

41 Des vaisseaux dans Ostie armés en diligence
N'attendent pour partir que vos commandements.
RACINE, Bérénice, I, 3.

42 La joie et le plaisir de tous les conviés
Attend pour éclater que vous vous embrassiez.
RACINE, Britannicus, V, 2.

43 Et sans doute elle attend le moment favorable
Pour disparaître aux yeux d'une cour qui l'accable (...)
RACINE, Bérénice, I, 3.

44 Qu'attendons-nous pour nous convertir?
BOSSUET, Oraison funèbre de la Duchesse d'Orléans.

45 Il faut attendre, pour faire le compliment d'entrée, que les petits chiens aient aboyé (...)
LA BRUYÈRE, les Caractères, XIII.

46 Nous attendons toujours, pour nous exécuter, l'instant où nous sommes forcés par les circonstances.
MIRABEAU, Collection, t. IV, p. 70.

47 Debout! les régiments sont là dans les casernes,
Sac au dos, abrutis de vin et de fureur,
N'attendant qu'un bandit pour faire un empereur.
HUGO, les Châtiments, «Nox».

Telle pensée qui d'abord nous occupe et nous paraît éblouissante, n'attend que demain pour flétrir. 48
GIDE, Corydon, p. 10.

Quand les chirurgiens ont décidé l'amputation, ils n'attendent pas un mois pour prendre le couteau. 49
G. DUHAMEL, Chronique des Pasquier, X, 8.

*Attendre que...* (et subj.). *Nous attendons qu'il revienne pour nous en aller. J'attends que ça soit fini.*

Mais il crut mieux faire d'attendre 50
Qu'il eût un peu plus d'appétit.
LA FONTAINE, Fables, VII, 5.

Toutefois attendons que son sort s'éclaircisse (...) 51
RACINE, Mithridate, II, 6.

On attendait que les chefs de l'armée se déclarassent. 52
FÉNELON, Télémaque, XV.

Il se renferma seul dans une petite maison, où il attendit en philosophe que son âme délogeât de son corps pour passer dans un autre. 53
DIDEROT, Opinions des anciens philosophes, Sarrasins.

On attend que les barques soient pleines; on attend que le médecin de Grand-Bassam soit venu donner je ne sais quels certificats; on attend si longtemps (...) 53.1
GIDE, Voyage au Congo, *in* Souvenirs, Pl., p. 686.

Prov. *Il attend que les alouettes* lui tombent toutes rôties.*

♦ **5** Vx. *Attendre à* (suivi de l'inf.) : attendre pour. *J'attends à partir qu'il fasse moins chaud* (Académie, Huitième éd., 1932).

Qu'attendez-vous, chrétiens, à vous convertir, et pourquoi désespérez-vous de votre salut? 54
BOSSUET, Oraison funèbre de Anne de Gonzague.

♦ **6** *Attendre de* (suivi de l'inf.) : se réserver, différer jusqu'à... *Attendez d'être informé avant de vous prononcer* (→ ci-dessous, 8., pour le sens de «compter, espérer»).

Si vous attendez de vous convertir à la mort, vous mourrez dans votre péché (...) 55
MASSILLON, Carême, Impénitence.

Ils attendent de n'être plus propres au monde pour être propres au royaume de Dieu (...) 56
MASSILLON, Étienne.

Pour juger de ce qu'il est, attendez de savoir ce qu'il a fait (...) ROUSSEAU, Émile, V. 57

♦ **7** Fig. (Le sujet désigne une chose). Être prêt pour qqn. *Le dîner, la voiture vous attend.* → **Prêt, préparé.** *Le sort qui nous attend,* qui nous est destiné*, promis*, réservé*. *De cruelles déceptions l'attendent.* → **Menacer.** — Absolt. *Le train n'attend pas* (pour partir). *L'amour n'attend pas* (pour se déclarer, se manifester). *Le repas se fait attendre.*

Je suis jeune, il est vrai, mais aux âmes bien nées, 58
La valeur n'attend pas le nombre des années.
CORNEILLE, le Cid, II, 2.

REM. La construction en *à* est archaïque.

L'amour, toujours, n'attend pas la raison. 59
RACINE, Britannicus, II, 1.

Voyons quelle fortune en ce jour peut m'attendre (...) 60
MOLIÈRE, Amphitryon, III, 4.

De nouveaux outrages vous attendaient dans votre gloire (...) MASSILLON, les Indigents. 61

(...) une chute de cheval m'attendait au début de ma route (...) 62
CHATEAUBRIAND, Mémoires d'outre-tombe, t. II, p. 366.

Les suprêmes archipels de ce Paris légendaire attendent encore, avec résignation, l'assaut d'un destin fantasque. 63
G. DUHAMEL, Inventaire de l'abîme, I.

(En parlant de nourriture). Risquer de perdre ses qualités en n'étant pas consommé immédiatement. *Ce plat n'attend pas.*

Vx. *Un coup n'attendait pas l'autre :* les coups se succédaient sans interruption.

♦ **8** Compter sur (qqn, qqch. dont on souhaite ou redoute la venue), prévoir (un événement). → **Compter** (sur), **croire** (à); **escompter, imaginer, prévoir; espérer, promettre** (se), **souhaiter; craindre, redouter.** *Tout le monde attendait la guerre. Le contraire de ce qu'on attendait arriva.* — (Compl. n. de personne). *On attend un invité d'honneur. Vous êtes en retard, on ne vous attendait plus :* on ne comptait plus sur vous. *Il lui a fait attendre longtemps sa récompense.* → **Désirer.**

64 Monsieur, que j'ai de joie de vous voir converti ! il y a longtemps que j'attendais cela, et voilà grâce au ciel, tous mes souhaits accomplis. MOLIÈRE, Dom Juan, V, 2.

65 – Attendais-tu, Cléone, un courroux si modeste ?
– La douleur qui se tait n'en est que plus funeste (...)
RACINE, Andromaque, III, 3.

66 Quel serait mon dessein ? Qu'aurais-je pu prétendre ?
Quels honneurs dans sa cour, quel rang pourrais-je attendre ? RACINE, Britannicus, IV, 2.

67 Tous n'attendent qu'un chef contre la tyrannie.
RACINE, Mithridate, III, 1.

68 Du reste des humains je vivais séparée,
Et de mes tristes jours n'attendais que la fin.
RACINE, Esther, I, 1.

69 Les iniquités n'étaient pas au comble où il les attendait.
BOSSUET, Hist., II, 13, *in* LITTRÉ.

70 J'en suis frappé, Seigneur, et je n'attendais pas
Un courage aussi grand dans un rang aussi bas.
VOLTAIRE, Mérope, IV, 1.

71 Le temps passe, les choses que l'on attendait vous arrivent un jour.
Edmond JALOUX, le Dernier Jour de la création, X.

*Attendre le Messie.* → **Messie.**

(La chose attendue est ressentie comme un dû). *Attendre des explications, des excuses.*

*Attendre qqch. de qqn. N'attendre son salut que de soi-même.* → **Compter, espérer.** *Je n'en attends rien de bon. Qu'attendez-vous de moi ?* → **Espérer, exiger, vouloir.** *Attendre qqch. de l'avenir.*

72 N'attendez rien de bon du peuple imitateur,
Qu'il soit singe, ou qu'il fasse un livre.
LA FONTAINE, Fables, XII, 19, 12.

73 Consolez-vous ; ce n'est pas de vous que vous devez l'attendre *(la grâce de Jésus-Christ),* mais au contraire, en n'attendant rien de vous, que vous devez l'attendre.
PASCAL, Pensées, VII, 517.

74 Je ne puis vous dire combien je suis surpris de trouver une chose que j'attendais si peu de vous (...)
VOITURE, Lettres, 23.

75 Je n'attendais pas moins de cet amour de gloire.
RACINE, Bérénice, II, 2.

76 N'attendez pas de cette princesse des discours étudiés et magnifiques (...)
BOSSUET, Oraison funèbre de la Duchesse d'Orléans.

77 Ce service, Monseigneur, n'est pas le seul qu'on attend de vous (...)
BOSSUET, Oraison funèbre de Henriette-Anne d'Angleterre.

78 Mettre les terres en état de rendre tout ce qu'on en peut attendre, quand elles ont eu toutes les façons nécessaires (...) VAUBAN, Projet d'une dîme royale, p. 58.

79 J'ai mal connu les dieux ; j'ai mal connu les hommes,
J'en attendais justice, ils la refusent tous.
VOLTAIRE, Mérope, II, 3.

80 Tu me diras qu'il ne faut attendre aucune justice de la part des hommes et que le témoignage de notre conscience doit nous suffire ? F. MAURIAC, la Pharisienne, p. 189.

81 Il était par nature enclin (comme le fut Pascal) à attendre de Dieu des marques sensibles, un témoignage matériel.
F. MAURIAC, la Pharisienne, p. 199.

82 (...) elle n'approchait point aussi souvent des sacrements qu'on eût pu l'attendre d'une personne dont la dévotion était à ce point affichée.
F. MAURIAC, la Pharisienne, p. 232.

Un pays tombé dans l'anarchie, fruit d'épouvantables discordes et, par l'invasion imminente, menacé de mort, avait tout attendu de lui : le rétablissement de l'ordre (...) 83
Louis MADELIN, Hist. du Consulat et de l'Empire, XV, 1.

Loc. *Je n'en attendais pas tant (de...) :* cela dépasse mes espérances.

Vx. *Attendre de* (suivi de l'inf.) : compter (équivalent mod. : *s'attendre à ;* → ci-dessous, III., 3.).

N'attendez pas de la trouver sans imperfection. 84
FÉNELON, Télémaque, 12.

♦ **9** Fig. *Attendre qqn à...,* attendre qu'il s'engage dans une difficulté pour le juger ou pour le vaincre. — Loc. *C'est là que (où) je l'attends.*

Il ne faut plus qu'un pas. Mais c'est où je l'attends. 85
RACINE, Bajazet, I, 3.

Il est vrai, cette somme lui est due ; mais je l'attends à cette petite formalité ; s'il l'oublie, il n'y revient plus et il perd sa somme (...) LA BRUYÈRE, les Caractères, 14. 86

Fam. *Attendre qqn au tournant, au virage,* attendre jusqu'au moment où on pourra le prendre en défaut, prendre sur lui un avantage décisif.

**II** Loc. adv. **EN ATTENDANT :** jusqu'à tel moment. → **Provisoirement.** *Le train part dans une heure ; prenons un verre en attendant.*

Petit poisson deviendra grand, 87
Pourvu que Dieu lui prête vie ;
Mais le lâcher en attendant
Je tiens, pour moi, que c'est folie.
LA FONTAINE, Fables, V, 3.

En attendant, je suis obligé de travailler à des additions que je prépare pour une édition de Charles XII. 88
VOLTAIRE, Lettre à M. Formont, sept. 1732.

Loc. conj. *En attendant que :* jusqu'à ce que...

Il *(l'enfant)* enrichit continuellement sa mémoire, en attendant que son jugement puisse en profiter (...) 89
ROUSSEAU, Émile, II.

Le but (...) et l'utilité de cette méthode (...) était de tenir les savants des divers pays au courant des écrits nouveaux (...) en attendant qu'ils pussent se procurer l'ouvrage même. 90
SAINTE-BEUVE, Causeries du lundi, VII, 309.

Absolument :

À l'atelier elle accomplissait sa tâche, régulièrement, silencieusement, sans la moindre pensée d'avenir ou d'aisance. Tout ce qu'elle faisait avait l'air d'être en attendant. 90.
Alphonse DAUDET, Fromont jeune et Risler aîné, p. 49.

Loc. prép. *En attendant de* (suivi de l'inf.) : jusqu'au moment de. *En attendant de partir.*

**III** Vx ou régional. **ATTENDRE APRÈS...** *Attendre après une personne ou une chose,* l'attendre avec impatience, avoir besoin d'elle. *Il y a longtemps qu'on attend après vous* (→ Après, cit. 52 à 54). — *Attendre après qqch.,* en avoir besoin. *Je n'attends pas après votre aide. Rien ne presse, je n'attends pas après.*

Pop. *J'attends après l'autobus :* j'attends l'autobus. (Factitif). *Faire attendre après* (cit. 52 et 53) *soi.* → **Désirer** (faire).

◆ **S'ATTENDRE** v. pron.

♦ **1** (Récipr.). *Elles se sont attendues l'une l'autre, chacune de leur côté, et ne se sont pas rencontrées.*

♦ **2** (Passif). Vx. (Choses). Être attendu.

Oh ! oh ! oh ! celui-là *(ce trait)* ne s'attend point du tout (...) 91
MOLIÈRE, les Femmes savantes, III, 2.

♦ **3** (Réfl.). **a** **S'ATTENDRE À :** compter sur.

Vx (langue class.). *S'attendre à qqn,* compter sur lui, se fier à lui.

Ne t'attends qu'à toi seul, c'est un commun proverbe. 92
(...) Notre erreur est extrême,
Dit-il, de nous attendre à d'autres gens que nous.
LA FONTAINE, Fables, IV, 22.

Prov. *Ne t'attends qu'à toi seul :* ne compte que sur toi seul.

Mod. *S'attendre à qqch.*, penser que cette chose arrivera. → **Compter** (sur), **croire, escompter, imaginer, prévoir, savoir; espérer, craindre.** *De sa part, il ne faut s'étonner de rien, il faut s'attendre à tout.* — *S'attendre à...* (et l'inf.). *Je ne m'attendais pas à vous rencontrer ici.*

93 Je ne m'attendais pas à cette repartie.
MOLIÈRE, le Misanthrope, III, 4.

94 Il me le rendra... — Oui, attendez-vous à cela.
MOLIÈRE, le Bourgeois gentilhomme, III, 3.

95 Après ce coup, Narcisse, à quoi dois-je m'attendre ?
RACINE, Britannicus, II, 6.

96 Tu ne t'attendais pas sans doute à ce discours.
RACINE, Mithridate, I, 1.

97 Je sais ce qu'il faut croire de ce pays là; je ne m'attends pas du tout à m'y amuser (...)
Mme DE STAËL, Corinne, I, 3.

98 On me l'avait prédit. Je le savais. Je m'y attendais.
A. DE MUSSET, les Caprices de Marianne, II, 3.

99 Moi qui m'attendais pour le moins à une verte semonce, cet accueil me surprit.
Alphonse DAUDET, le Petit Chose, p. 30.

100 (...) au moment où il s'y attend le moins (c'est toujours à ce moment précis que les malheurs arrivent).
J. RENARD, Poil de carotte, p. 11.

101 On s'attend à trouver un dieu; on touche un homme... malade, pauvre (...) GIDE, Dostoïevsky, p. 8.

102 Attendez-vous, Monsieur le Président, à une amputation douloureuse, puisque vous parlez chirurgie.
G. DUHAMEL, Chronique des Pasquier, X, 8.

*Si je m'attendais (à...)*, exprime l'étonnement.

102.1 Ah bien ! si je m'attendais... Qui êtes-vous ? que voulez-vous ? ZOLA, l'Œuvre, p. 2.

**b** Vx. *S'attendre de...*

103 (...) On ne s'attendait guère
De voir Ulysse en cette affaire.
LA FONTAINE, Fables, X, 2.

104 Quand on voit le style naturel, on est tout étonné et ravi, car on s'attendait de voir un auteur et on trouve un homme. PASCAL, Pensées, I, 29.

**c** *S'attendre que...* — Vx (avec l'indic.). *Je m'attends qu'il me manquera de parole. Je m'attends que vous viendrez demain* (Académie). — REM. Le subj. est de règle après la négation. *Je ne m'attendais pas que les choses dussent tourner si mal* (Académie).

105 Ne t'attends pas que je t'aide un seul brin (...)
LA FONTAINE, Contes, IV, 5, « Le diable de Papefiguière ».

106 Et ne s'attendaient pas, lorsqu'ils nous virent naître,
Qu'un jour Domitius me dût parler en maître.
RACINE, Britannicus, III, 8.

107 L'erreur la plus pernicieuse est de nous attendre que Dieu nous attendra (...)
BOURDALOUE, Carême, II, Grâce, 243.

108 Louis XIV s'attendait encore moins que son arrière-petit-fils *(sur le trône d'Espagne)* abandonnerait les Français pendant quatre ans aux déprédations de l'Angleterre, maîtresse de Gibraltar.
VOLTAIRE, Lettre à Choiseul, 13 juil. 1761.

Mod. et littér. (avec le subj.) :

109 Il faut s'attendre que de telles transformations deviennent la règle.
VALÉRY, Regards sur le monde actuel, p. 46.

110 Je m'attendais que M. Lancelot jetât les hauts cris.
A. HERMANT, Xavier, p. 95, *in* GREVISSE.

Mod. et cour. *S'attendre à ce que...* (avec le subj.). *Il s'attend à ce que je revienne* (Académie). *On s'attend à ce qu'il soit élu au premier tour* (Brunot, *la Pensée et la Langue*, p. 544).

111 Je (...) m'attendais (...) à ce que mes fautes fussent découvertes. FRANCE, la Vie en fleur, p. 24.

112 Elle s'attendait à ce qu'il vînt à Paris.
A. MAUROIS, Bernard Quesnay, *in* GREVISSE, qui donne d'autres exemples, p. 815.

◆ **ATTENDU, UE** p. p., prép., loc. conj., adj. et n. **A** *(Être) attendu* (passif et p. p.).

Au brouet on le convie. 113
Il n'était pas attendu. LA FONTAINE, Fables, V, 7.

**B** Adj. ♦ **1** Qu'on attend, qu'on a attendu. *Un hôte, un événement attendu. « Après l'arrivée de l'être attendu »* (Proust).

C'était le coup de folie de la foi, l'impatience d'une secte 114
religieuse, qui, lasse d'espérer le miracle attendu, se décidait à le provoquer enfin.
ZOLA, Germinal, t. II, p. 46.

N. Rare. *« Le printemps est le grand attendu »* (Alain).

N. m. *L'attendu :* ce qui est attendu, doit se produire.

♦ **2** Prévu; auquel on s'attend.

Je souhaite toujours tracer la ligne la plus droite, la plus 115
subite et la moins attendue.
GIDE, Journal, 1er janv. 1930.

**C** Prép. *Attendu :* étant considéré, donné; eu égard à, vu*... *Attendu les circonstances atténuantes, la Cour ne l'a condamné qu'à...*

On les avait contraints de partir sans argent, 116
Attendu l'état indigent
De la république attaquée (...)
LA FONTAINE, Fables, VII, 3.

Attendu ses mœurs solitaires, il était à peine connu d'elles. 117
A. DE MUSSET, Mimi Pinson, 2, *in* GREVISSE.

Bonacieux cria longtemps; mais comme de pareils cris, 117.1
attendu leur fréquence, n'attiraient personne dans la rue des Fossoyeurs (...)
DUMAS, les Trois Mousquetaires, t. I, p. 228.

Loc. conj. **ATTENDU QUE :** étant donné que, vu que. → **Comme, parce que, puisque.**

J'eus un maître autrefois que je regrette fort 118
Et que je ne sers plus, attendu qu'il est mort.
DESTOUCHES, le Glorieux, I, 3.

Les parents de sa femme s'étaient opposés au mariage, 119
attendu qu'il n'était pas gentilhomme (...)
BERNARDIN DE SAINT-PIERRE, Paul et Virginie.

Dr. Sert à introduire les motifs d'un jugement.

**D** N. m. (généralt au plur.). Dr. *Les attendus d'un jugement :* les motifs. → **Considérant, motif.**

CONTR. **Aller** (s'en), **partir.** — **Agir, hâter, presser, précipiter.** — (Du p. p.) **Fortuit, inattendu, inopiné.** ◊ DÉR. **Attendant.** — V. **Attente, attentif, attention.**

**ATTENDRIR** [atɑ̃dʀiʀ] v. tr. — 1778; *atenroiier,* déb. XIIIe; *atenroier,* v. 1180; de 1. *a-, tendre,* et *-ir.*

**I** (Concret). Rendre plus tendre, moins dur, moins coriace. *La cuisson attendrit les aliments.* → **Amollir.** *Faire mariner une viande pour l'attendrir. Attendrir une viande à l'attendrisseur*.*

(...) je me saisis d'une grosse branche d'arbre qui traînait 0.1
à terre, et je le battis avec l'énergie obstinée des cuisiniers qui veulent attendrir un beefsteack.
BAUDELAIRE, le Spleen de Paris, « Assommons les pauvres ! ».

**II** (Moral). ♦ **1** (Sujet n. de personne ou de chose; compl. n. de personne ou d'entité humaine : *cœur,* etc.). Rendre qqn plus sensible, plus accessible aux sentiments de compassion, de pitié. → **Amollir, apitoyer, émouvoir, exciter** (la compassion, la pitié), **toucher; attendrissant, attendrissement.** *Ce douloureux spectacle l'a attendri. Attendrir le cœur de qqn* (→ Crever, remuer... le cœur). *Ses larmes l'ont attendri.* → **Fléchir** (faire céder). *Attendrir qqn sur qqch.*

Absolt. (→ ci-dessous, cit. 7).

Ah ! n'attendrissez point ici mes sentiments. 1
CORNEILLE, Horace, II, 8.

Orgon, se sentant attendrir : « Allons, ferme, mon 2
cœur (...) » MOLIÈRE, Tartuffe, IV, 3.

3 Je prends part à sa honte, et son deuil m'attendrit (...)
MOLIÈRE, le Dépit amoureux, III, 5.

4 Heureuse, si mes pleurs vous peuvent attendrir (...)
RACINE, Iphigénie, III, 5.

5 Pour attendrir mon cœur, on a recours aux larmes?
RACINE, Iphigénie, III, 6.

6 Les larmes attendrissent l'époux, l'adoucissent, l'apaisent, calment sa colère en contentant son amour.
BOSSUET, cité par LAFAYE, Dict. des synonymes, Apaiser, calmer...

7 Le sublime lasse, le beau trompe, le pathétique seul est infaillible dans l'art. Celui qui sait attendrir sait tout.
LAMARTINE, Graziella, II, 16.

8 (...) mais ces larmes attendrissaient et désolaient mon cœur plus que n'eussent pu faire des reproches.
GIDE, Si le grain ne meurt, II, 1.

Adoucir, tempérer un sentiment. *Attendrir la cruauté de qqn.*

♦ **2** Rendre plus tendre, plus doux.

8.1 Même la beauté de Laurent est impressionnante : il est d'une joliesse qui a su s'arrêter au point exact où commencerait la mièvrerie : des cils recourbés qui attendrissent son regard mais des yeux bleus très précis, un teint beige, le teint de Mâcherolles, et une peau où on a l'impression que les poils font mal quand ils poussent.
Benoîte et Flora GROULT, Il était deux fois, p. 114.

◆ **S'ATTENDRIR** v. pron.

♦ **1** Devenir plus tendre (en parlant des aliments). *Laisser faisander du gibier pour qu'il s'attendrisse.*

♦ **2** Littér. (en parlant des autres sensations). *Les couleurs s'attendrissent sous le soleil couchant.*

♦ **3** Fig. Devenir accessible à des sentiments de tendresse, de pitié. *S'attendrir sur le sort des malheureux.* → **Apitoyer** (s'), **compatir.** *Cet homme impitoyable s'est attendri.* → **Mollir.** *S'attendrir sans savoir pourquoi* (→ Multitude, cit. 4). *S'attendrir sur qqn, sur soi-même.*

9 Le peuple cependant, que ce spectacle étonne,
Vole de toutes parts, se presse, l'environne,
S'attendrit à ses pleurs (...)
RACINE, Britannicus, V, 8.

10 On dit qu'au désespoir son grand cœur est réduit,
Que la terreur l'accable, et qu'un dieu la poursuit.
Je m'attendris sur elle (...)
VOLTAIRE, Sémiramis, II, 1.

11 Le cœur s'attendrit plus volontiers à des maux feints qu'à des maux véritables.
ROUSSEAU, Lettre à M. d'Alembert.

12 Ce n'est que leur mine, et non pas leur âme qui s'attendrit pour vous : ce sont de belles images qui paraissent sensibles, et qui n'ont que des superficies de sentiment et de bonté. MARIVAUX, la Vie de Marianne, III, p. 131.

(En parlant d'un sentiment, d'un regret). S'adoucir, se tempérer. *Son désespoir s'attendrit.*

◆ **ATTENDRI, IE** passif, p. p. adj.

♦ **1** Qui a été rendu tendre. *Viande attendrie.*

♦ **2** Littér. «*Le ciel... d'une acidité attendrie*» (Gide), adoucie.

♦ **3** Fig. Qui est rendu plus sensible. — (Emplois verbaux et participiaux). *Être attendri par qqch.,* (vieilli) *être attendri d'émotion, en être attendri* (→ ci-dessous, cit. 13 et 17). — (Emplois adjectifs). → **Compatissant, ému, troublé** (→ ci-dessous, cit. 15, 16 et 18).

13 Je n'ai jamais vu couler de larmes sans en être attendri.
MONTESQUIEU, Cahiers, p. 6.

14 Toutes mes fibres attendries de larmes pleuraient ou priaient au lieu de chanter.
LAMARTINE, Premières méditations poétiques, Préface.

15 Il *(ce nom)* résonne de loin dans mon âme attendrie,
Comme les pas connus ou la voix d'un ami.
LAMARTINE, Harmonies, «Milly».

Quand nous aimons, il nous vient des besoins de confidence, des besoins attendris de parler ou d'écrire (...) 16
MAUPASSANT, Clair de lune, «Nos lettres».

Je le désirais avec une ardeur candide, dont j'étais moi-même attendri, tant j'y découvrais l'innocence enfantine et la puérilité touchante. 17
FRANCE, le Crime de S. Bonnard, p. 315.

Le je ne sais quoi d'achevé et d'attendri que donne le malheur lui manquait encore. 18
Émile FAGUET, XVIIe siècle, Mme de Sévigné.

Qui dénote un attendrissement. *Regard attendri. Regret attendri.*

N. Rare. *Un attendri, une attendrie* : une personne qui est facilement émue.

CONTR. **Durcir, endurcir, raidir.** — (Du p. p.) **Impitoyable, sec.** ◈ DÉR. **Attendrissable, attendrissant, attendrissement, attendrisseur.**

**ATTENDRISSABLE** [atɑ̃dʀisabl] adj. — 1866; du rad. du p. prés. de *attendrir.*

Rare. Qu'on peut facilement attendrir, qui se laisse attendrir.

**ATTENDRISSANT, ANTE** [atɑ̃dʀisɑ̃, ɑ̃t] p. prés. et adj. — 1718; p. prés. de *attendrir.*

♦ **1** Vieilli. Qui attendrit (II.), excite la compassion, l'émotion. → **Bouleversant, émouvant, touchant.** *Spectacle attendrissant.*

(...) ces scènes attendrissantes qui font verser des larmes (...) 1
VOLTAIRE, Dict. philosophique, Art dramatique (cf. Cœur).

Je cherche où est le charme attendrissant que mon cœur trouve à cette chanson : c'est un caprice auquel je ne comprends rien; mais il m'est de toute impossibilité de la chanter jusqu'à la fin sans être arrêté par mes larmes. 2
ROUSSEAU, les Confessions, I.

♦ **2** Mod. Qui porte à une indulgence attendrie. *Une naïveté attendrissante.* — (En parlant d'une personne). Qui attendrit. *Il est attendrissant de naïveté, de bonne volonté.*

CONTR. **Dur, froid, indifférent, sec, sévère.**

**ATTENDRISSEMENT** [atɑ̃dʀismɑ̃] n. m. — 1593; du p. prés. de *attendrir.*

Action d'attendrir ou de s'attendrir; résultat de cette action.

**I** (Concret). Action de rendre moins dur. *L'attendrissement d'une viande* à la cuisson.*

**II** (Moral). ♦ **1** Cour. Action, fait de s'attendrir ou d'être attendri; état d'une personne attendrie. → **Apitoiement, commisération, compassion, émotion, pitié, sensibilité, trouble.** — *L'attendrissement. Pleurer* d'attendrissement. Larmes d'attendrissement.* → **Larme, pleur.** *L'attendrissement de qqn, son attendrissement. Attendrissement pour qqn, qqch.*

Vous éprouvez l'attendrissement comme nous; mais vous gardez votre décorum (...) 1
VOLTAIRE, Lettre au roi de Prusse, 216.

Jamais je n'y suis entré *(à Genève),* sans sentir une certaine défaillance de cœur qui venait d'un excès d'attendrissement. ROUSSEAU, les Confessions, IV. 2

Le besoin de vivre avec elle me donnait des élans d'attendrissement qui souvent allaient jusqu'aux larmes. 3
ROUSSEAU, les Confessions, III.

Même les petits défauts de sa figure *(celle de sa maîtresse)...* donnent de l'attendrissement à l'homme qui aime, et le jettent dans une rêverie profonde, lorsqu'il les aperçoit chez une autre femme (...) STENDHAL, De l'amour, XVII. 4

*Un, des attendrissements :* un, des élans de tendresse, de sensibilité.

5 Un attendrissement subit, impossible à motiver, plus impossible encore à contenir, montait en moi comme un flot prêt à jaillir, mêlé d'amertume et de ravissement.
E. FROMENTIN, Dominique, III.

6 (...) ce visage où ne se lit aucune commisération, aucun attendrissement devant la souffrance humaine (...)
PROUST, À la recherche du temps perdu, t. I, p. 116.

7 (...) Un attendrissement peu compatible avec la sérénité d'un dominateur de lui-même.
Léon BLOY, la Femme pauvre, p. 63.

*Par attendrissement.*

8 Je ne pleurais pas seulement par attendrissement ou par repentir ; je pleurais surtout sur la misère qui se révélait à moi. Jacques DE LACRETELLE, Silbermann, p. 180.

♦ **2** Fig. Ce qui exprime un mouvement de sensibilité, de compassion. *Avoir de l'attendrissement dans la voix* (→ aussi ci-dessus, cit. 6).

CONTR. **Durcissement, dureté, endurcissement, froideur, impassibilité, indifférence, insensibilité, sécheresse. — Rire.**

**ATTENDRISSEUR** [atɑ̃dʀisœʀ] n. m. — V. 1960 ; du rad. du p. prés. de *attendrir.*

Appareil de boucherie pour attendrir la viande.

**ATTENDU, UE** [atɑ̃dy] p. p., prép., loc. conj., adv. et n. → **Attendre.**

**ATTENIR** [at(ə)niʀ] v. intr. — V. 1173, *atenir ;* lat. pop. *attenire,* du lat. class. *attinere* «tenir, toucher à, dépendre de».

Vx ou littéraire.

♦ **1** *Attenir à :* être situé immédiatement à côté de. *La salle à manger attenait à la cuisine.* → **Attenant.**
Par ext. Toucher à...

Le cou lui-même était emprisonné dans une fausse peau qui continuait le menton, et cette peau de gant, peinte comme de la chair, attenait au col de la chemise.
MAUPASSANT, le Masque, Pl., t. II, p. 1161.

♦ **2** Appartenir à une famille en tant que membre. *Attenir aux Condé.*

DÉR. **Attenances, attenant.**

**ATTENSITÉ** [atɑ̃site] n. f. — 1951 ; angl. *attensity.*

Psychol. (Rare). Fait, pour les sensations, de capter l'attention du sujet.

**ATTENTAT** [atɑ̃ta] n. m. — 1374 ; *attenta,* 1326 ; lat. *attemptatum, attentatum,* p. p. neutre de *attemptare* «attaquer qqn, entreprendre qqch. contre qqn».

♦ **1** Cour. Entreprise, tentative criminelle contre une personne (spécialt, contre une personne en vue ou dans un contexte politique), contre les droits, les biens de qqn. → **Agression, attaque, complot, crime.** *Attentat contre une personne sacrée.* → **Sacrilège.** *Attentat à la vie d'une personne. Préparer un attentat contre un souverain, un homme politique. Attentat terroriste. Commettre, perpétrer un attentat. Être victime d'un attentat. Les attentats de nihilistes russes, d'anarchistes, de militants autonomistes. Attentat au plastic.*

1 Elle *(l'Église)* a toujours puni l'homicide (...) comme un des plus grands attentats qu'on puisse commettre contre Dieu. PASCAL, les Provinciales, 14.

2 Sous couleur de punir un injuste attentat,
Des meilleurs combattants il affaiblit l'État.
CORNEILLE, le Cid, IV, 5.

3 De quoi l'accuse-t-il ? et par quel attentat
Devient-elle en un jour criminelle d'État.
RACINE, Britannicus, I, 2.

Spécialt, rare. *Attentat contre soi-même :* tentative de suicide.

♦ **2** Dr. Tentative criminelle contre qqch. ou qqn. *Attentat à la vie de qqn* (→ ci-dessous, cit. 4). *Attentat à la liberté* (*Code pénal,* III, I, 2). *Attentat à la sûreté de l'État :* crime, acte matériel ayant pour but de porter atteinte à l'État, sur le plan extérieur ou intérieur.

Est qualifié empoisonnement tout attentat à la vie d'une personne (...) 4
Code pénal, anc. art. 301 (→ Empoisonnement).

Une «Cour suprême de justice» ayant compétence (...) contre les auteurs d'attentats à la sûreté de l'État. 5
Georges VEDEL, Manuel élémentaire de droit constitutionnel, p. 262 (*in* T. L. F.).

Dr. et cour. **ATTENTAT À LA PUDEUR :** acte sexuel, généralement imposé (→ **Viol**) et légalement répréhensible. *Attentat aux mœurs* (*Code pénal,* III, II, 4) ; syn. : *outrage aux bonnes mœurs* (cit. 9).

(...) un homme traduit aux assises pour attentats aux mœurs. BALZAC, la Cousine Bette, p. 52. 6

Tout attentat à la pudeur consommé ou tenté sans violence sur la personne d'un enfant (...) 7
Code pénal, art. 331.

Quiconque aura commis un attentat à la pudeur, consommé ou tenté avec violence contre des individus de l'un ou l'autre sexe, sera puni de la réclusion (...) 8
Code pénal, art. 332.

Encore un attentat à la pudeur ; commis sur la personne de sa fille par un journalier de Barentin, père de cinq enfants dont l'aîné a douze ans. On demande le huis clos. 8.1
GIDE, Souvenirs de la Cour d'assises, 1913, p. 634.

Dr. Tentative criminelle pour détruire ou changer le gouvernement légal (qu'il y ait ou non *attentat* au sens courant).

L'attentat dont le but est, soit de détruire ou de changer le gouvernement ou l'ordre de successibilité au trône, soit d'exciter les citoyens ou habitants à s'armer contre l'autorité impériale, est puni de la peine de la déportation dans une enceinte fortifiée. 9
Code pénal, anc. art. 87 (applicable à l'attentat commis contre le gouvernement républicain).

L'attentat dont le but sera, soit d'exciter la guerre civile en armant ou en portant les citoyens à s'armer les uns contre les autres (...) sera puni de mort. 10
Code pénal, anc. art. 91.

REM. Les cit. 9 et 10 illustrent un emploi du mot *attentat* resté actuel dans la langue du droit, mais présentent un état de la législation devenu désormais caduc.

♦ **3** Fig. Acte qui heurte la raison, un principe, attaque qqch., viole la morale, etc. → **Crime, faute, offense, outrage, péché.** *Un attentat contre la raison, le bon sens, un principe.* — (Sans compl. en *contre*) :

Et souvent *(la satire)* sans rien craindre, à l'aide d'un bon mot, 11
Va venger la raison des attentats d'un sot.
BOILEAU, Satires, IX.

(...) le désespoir n'est pas seulement péché contre l'adorable bonté divine : les incroyants mêmes conviendront avec moi que c'est un attentat de l'homme contre lui-même et, si je puis dire, un suicide moral. 12
SARTRE, la Mort dans l'âme, II, p. 237.

D'ailleurs, on pouvait donner à l'entreprise une couleur démocratique : empêcher les réunions houillères était un attentat contre le principe même d'association. 13
FLAUBERT, l'Éducation sentimentale, p. 402.

DÉR. **Attentatoire.**

**ATTENTATOIRE** [atɑ̃tatwaʀ] adj. — 1690, Furetière ; de *attentat,* et *-oire.*

Dr., littér. (ou style soutenu).

♦ **1** **ATTENTATOIRE À... :** qui attente, porte atteinte à (en parlant d'un acte, d'une mesure). *Une mesure attentatoire à la liberté, à la justice...* → **Contraire, dérogatoire, injuste, opposé, préjudiciable.**

1 Tout cela *(les articles d'une thèse)* est attentatoire à notre autorité.
BOSSUET, Lettre à l'Archevêque de Paris, 15 août 1697.

2 (...) quelque acte arbitraire ou attentatoire (...) à la liberté (...)
Code pénal, art. 114 (→ Arbitraire, cit. 9).

♦ **2** Qui a les caractères d'un attentat (à la liberté, à la justice, aux bonnes mœurs...).

♦ **3** Dr. Qui va contre l'autorité d'une juridiction. *Procédure attentatoire.*

**CONTR. Conforme.**

**ATTENTE** [atɑ̃t] n. f. — 1567; *atente,* v. 1050; d'un p. p. fém. lat. *attendita,* pour *attenta,* de *attendere* «attendre».

♦ **1** Action, fait d'attendre*; temps pendant lequel on attend. *L'attente de qqn, de qqch., son attente. L'attente n'a pas été longue. Il m'a infligé une longue attente. Une attente prolongée, interminable.* → **Faction, pause, station.** *L'attente du chasseur embusqué.* → **Affût, guet.** *Passer de longues heures dans l'attente de qqn ou de qqch. Des heures d'attente. Languir, se morfondre dans l'attente.* → **Attendre.** *«Se consumer d'attente»* (→ ci-dessous, cit. 12). *Attente inutile, vaine. L'ennui de l'attente, d'une attente.* — **DANS L'ATTENTE DE** *(qqn, qqch.).* → ci-dessous, cit. 2, 8 (absolt), 11 et 14. — Littér. *L'attente de...* (et inf.). → ci-dessous, cit. 10.

1 Il est nécessaire que chaque acte laisse une attente de quelque chose.
CORNEILLE, Discours des trois unités.

2 L'ânier l'embrassait, dans l'attente
D'une prompte et certaine mort.
LA FONTAINE, Fables, II, 10.

3 Et, pour tromper l'ennui d'une attente importune,
Il entretint les dieux (...)
LA FONTAINE, Philémon et Baucis, 55.

4 Ils touchaient au moment *(de leur union);* l'attente en était sûre :
Hélas! il n'en est point de telle en la nature (...)
LA FONTAINE, les Filles de Minée, 465.
REM. Ce syntagme est archaïque.

5 L'Europe était dans l'attente de ce qui allait arriver.
RACINE, les Campagnes de Louis XIV.

6 L'attente d'un retour ardemment désiré
Donne à tous les instants une longueur extrême (...)
MOLIÈRE, Amphitryon, II, 2 (→ Absence, cit. 8).

7 Il n'y a plus qu'un peu de temps à attendre, et les temps destinés à cette attente sont dans leur dernière période (...)
BOSSUET, Hist., II, 4.

8 Là, les heures pour moi, s'allongeaient dans l'attente.
C. DELAVIGNE, le Paria, II, 5.

9 Lorsqu'on doit voir le soir la femme qu'on aime, l'attente d'un si grand bonheur rend insupportables tous les moments qui en séparent.
STENDHAL, De l'amour, XXIV.

10 Alors, le souvenir excitant l'espérance,
L'attente d'être heureux devient une souffrance.
A. DE MUSSET, Don Paëz, IV, 417.

11 Nous vivons dans l'attente de ce que Demain, Demain, roi du pays des fées, apportera dans son manteau noir, ou bleu, semé de fleurs, d'étoiles, de larmes.
FRANCE, le Lys rouge, p. 138.

12 (...) Plutôt se consumer d'attente et mourir de chagrin que tenter une chose pareille.
LOTI, Pêcheur d'Islande, I, 10.

13 Si tu savais, éternelle idée de l'apparence, ce que la proche attente de la mort donne de valeur à l'instant.
GIDE, les Nourritures terrestres, p. 57.

14 C'était comme une phrase musicale, ardente et belle, qui se déroulait et montait en arpège, dans l'attente aiguë de la dominante. A. MAUROIS, la Terre promise, XXXV.

15 Sala de espera. Quelle belle langue *(l'italien)* que celle qui confond l'attente et l'espoir!
GIDE, Journal, Vers Fez, mai-juin 1932.

Il sortait alors de lui comme on sort d'un songe, se regardait faire, non pas avec terreur mais seulement une immense curiosité. Curiosité impossible à définir, d'une nuance si pathétique à la fois et si délicate qu'on désespère d'en donner une analyse qui ne la trahisse point. Rien qui ressemblât moins à quelque repentir, même informe, à un mouvement de la grâce, ou simplement à la crainte. Bien au contraire il lui semblait alors que ce qui pouvait subsister en lui de douloureux ou de sensible se refermait brusquement et, dans la suspension d'une extraordinaire attente, il se sentait pétrifié. Attente est certes ici le mot qui convient, pourvu qu'on lui donne un sens absolu. A la fois acteur et témoin de ce phénomène étrange, il attendait quelque chose, il ne savait quoi, quelque chose qui allait peut-être naître de son orgueil exalté jusqu'au paroxysme, crispé ainsi qu'un muscle à la limite de son effort. 15.1
BERNANOS, l'Imposture, Pl., p. 447-448.

L'angoisse d'attente n'est pas continûment violente; elle a ses moments mornes; j'attends, et tout l'entour de mon attente est frappé d'irréalité : dans ce café, je regarde les autres qui entrent, papotent, plaisantent, lisent tranquillement : eux, ils n'attendent pas. 15.2
R. BARTHES, Fragments d'un discours amoureux, p. 48.

Dans le transfert, on attend toujours — chez le médecin, le professeur, l'analyste. Bien plus : si j'attends à un guichet de banque, au départ d'un avion, j'établis aussitôt un lien agressif avec l'employé, l'hôtesse, dont l'indifférence dévoile et irrite ma sujétion; en sorte qu'on peut dire que, partout où il y a attente, il y a transfert : je dépends d'une présence qui se partage et met du temps à se donner — comme s'il s'agissait de faire tomber mon désir, de lasser mon besoin. *Faire attendre :* prérogative constante de tout pouvoir, «passe-temps millénaire de l'humanité». 15.3
R. BARTHES, Fragments d'un discours amoureux, p. 50.

**D'ATTENTE.** *Salle, salon d'attente :* salle, pièce où l'on attend (→ Ombreux, cit. 3, 1. pas, cit. 8). *La salle d'attente d'un ministère.* → **Antichambre.** *Le salon d'attente d'un médecin.* — Spécialt. *Salle d'attente (d'une gare). La salle d'attente des secondes* (de la seconde classe). — *File d'attente.* → **File; queue.**

Mar. *Attente de chargement :* position d'un navire prêt à charger.

♦ **2** Techn. **a** Loc. ... **D'ATTENTE.**

(1676). **PIERRE D'ATTENTE :** pierre qu'on fait saillir à l'extrémité d'un mur en prévision d'une liaison ultérieure avec quelque construction. → **Amorce, arrachement, harpe.** — Fig. Chose qui sert de commencement, ou que l'on considère comme provisoire.

Certaines répétitions, certains vers lâches et décousus qui sont des pierres d'attente (...) 16
VOLTAIRE, Lettre au roi de Prusse, *in* LITTRÉ.

Le gouvernement provisoire formé depuis l'abdication de Bonaparte fut dissous par une espèce d'acte d'accusation contre la couronne; pierre d'attente sur laquelle on espérait bâtir un jour une nouvelle révolution. 17
CHATEAUBRIAND, Mémoires d'outre-tombe, t. IV, p. 43.

(1567). *Table d'attente :* tablette, plaque, pierre où il n'y a encore rien de gravé, de sculpté, de peint.

Milit. *Position, situation, phase d'attente,* précédant une action.

Aviat. *Circuit d'attente :* circuit effectué par les avions autour de l'aérodrome, leur permettant d'attendre leur tour d'atterrissage lorsque plusieurs avions se présentent en même temps.

(1860, *in* Petiot). Sports. *Course d'attente :* course cycliste où les concurrents s'attendent, le résultat étant obtenu par un sprint rapide déclenché par surprise.

Méd. *Ligature d'attente :* ligature provisoire.

*Phase d'attente* ou *attente* (terme proposé pour remplacer *stand-by*).

[b] ... EN ATTENTE... *Voyageurs, passagers en attente.* — Télécommunications. *Mettre qqn en attente,* lui indiquer qu'on n'est pas prêt à transmettre ou à recevoir sa communication.

♦ **3** Absolt. État de conscience de celui qui attend, qui anticipe sur ce qui doit ou peut se produire. *L'attente de qqn, son attente. Une attente pénible, insupportable, cruelle, angoissée, angoissante, anxieuse...* → **Angoisse, anxiété.** *Une attente passionnée.* → **Impatience.** *Une attente tranquille, patiente.*

18 La jeunesse est une attente mystérieuse; c'est pourquoi on marche volontiers la nuit, sans but.
HUGO, l'Homme qui rit, II, III, 4.

19 (...) les attentes passionnées qui font de l'âme des adolescents le canevas incohérent d'un infini roman d'amour.
MAUPASSANT, Fort comme la mort, p. 264.

20 (...) la laissant arriver à l'heure dite sans même regarder la pendule, ignorant encore la sensation de l'attente, ces grands coups à pleine poitrine qui sonnent le désir et l'impatience. Alphonse DAUDET, Sapho, II.

21 L'attente devint insupportable, l'espérance redoublait l'angoisse. E. ZOLA, Germinal, t. II, p. 52.

22 Que chaque attente, en toi, ne soit même pas un désir, mais simplement une disposition de l'accueil.
GIDE, les Nourritures terrestres, p. 31.

23 Notez tout de suite les principaux thèmes gidiens (...) besoin de disponibilité, d'attente.
A. MAUROIS, Études littéraires, t. I, p. 77.

24 Le sentiment d'attente ne s'ajuste qu'au seul printemps. Avant lui, après lui nous escomptons la moisson, nous supputons la vendange, nous espérons le dégel. On n'attend pas l'été, il s'impose; on redoute l'hiver.
COLETTE, l'Étoile Vesper, p. 11.

25 Un adjectif, un verbe, un complément vont donner leur physionomie aux attentes. Elles deviennent impatientes et anxieuses, ou bien tranquilles et sûres, elles espèrent et désirent ou bien redoutent. Mais où classer l'attente pure et simple? Calcul ou souhait?
F. BRUNOT, la Pensée et la Langue, p. 540.

♦ **4** *L'attente de qqch., de qqn (par qqn),* fait de compter sur (qqch. ou qqn). *L'attente d'un événement, d'un résultat, d'un développement heureux ou malheureux.* → **Calcul, expectative, prévision; crainte, désir, espérance, espoir, souhait.** *L'attente d'un miracle, du Messie*. Être dans l'attente de qqch., de qqn.*

*L'attente de qqn* (sans compl. second) : ce que qqn attend, escompte, ce sur quoi il compte. *Répondre à l'attente de qqn,* correspondre à ce qu'il escomptait. *Remplir, satisfaire l'attente de qqn. Passer, dépasser, surpasser l'attente (de qqn). Décevoir, démentir, frustrer, tromper l'attente (de qqn).* — Absolt. *Contre l'attente, contre toute attente :* contrairement à ce qu'on attendait, aux prévisions.

26 Après une action pleine, haute, éclatante,
Tout ce qui brille moins remplit mal son attente;
Il veut qu'on soit égal en tout temps, en tous lieux (...)
CORNEILLE, Horace, V, 2.

27 Je pourrais assez mal répondre à votre attente.
MOLIÈRE, le Dépit amoureux, II, 2.

28 Ce succès qui a passé mon attente (...)
MOLIÈRE, les Fâcheux, Épître.

29 L'événement n'a point démenti mon attente.
RACINE, Mithridate, V, 1.

30 Leur attente frustrée fait leur supplice.
BOSSUET, Hist., II, 13.

31 Tout prévenu que j'étais en ta faveur, reprit-il, je t'avoue que tu as surpassé mon attente.
A.-R. LESAGE, Gil Blas, VIII, 2.

32 (...) mais, contre l'attente de la belle-mère, Cadet Blanchet ne se fâcha presque point (...)
G. SAND, François le Champi, I.

33 Ce qui arrive accidentellement est un événement qui survient contre notre attente.
LITTRÉ (→ Accidentellement, cit.).

Philos. *Attente active, passive.*

♦ **5** (Av. 1662). Par métonymie. [a] *L'attente de qqn, son attente,* objet d'une attente, chose ou personne attendue.

Jésus-Christ que les deux Testaments regardent, l'Ancien comme son attente, le Nouveau comme son modèle, tous deux comme leur centre. PASCAL, Pensées, XII, 740. 34

Cet enfant de David, votre espoir, votre attente. 35
RACINE, Athalie, II, 7.

[b] (Chose mise en attente). *Attentes d'épaulettes :* sur les uniformes d'officiers, Pattes d'épaules brodées de cuivre, d'argent ou d'or.

**DÉR. Attentisme, attentiste.**

**ATTENTER** [atɑ̃te] v. — 1302; du lat. *attemptare, attentare* «entreprendre qqch. contre, attaquer».

♦ **1** V. intr. Vx. **ATTENTER SUR :** commettre un attentat (2.) sur... *Attenter sur qqn. Attenter sur la personne de qqn* (Académie, Huitième éd., 1932). — **ATTENTER CONTRE.** *Attenter contre la liberté publique* (Académie, Huitième éd., 1932). *Attenter contre la sûreté de l'État.*

De quel droit sur vous-même osez-vous attenter? 1
RACINE, Phèdre, I, 3.

Ils ne voulaient rien attenter contre le roi ni contre la reine (...) BOSSUET, Hist. des variations, 10. 2

♦ **2** V. tr. ind. Mod. **ATTENTER À :** faire une tentative criminelle contre (quel que soit le résultat de cette tentative). *Attenter à la vie de qqn,* tenter de lui donner la mort. — *Attenter à ses jours, à sa vie :* tenter de se suicider. — Dr. ou littér. *Attenter à la sûreté de l'État, aux libertés.*

Je recevrais de lui la place de Livie 3
Comme un moyen plus sûr d'attenter à sa vie (...)
CORNEILLE, Cinna, I, 2.

Ces deux vieillards qui attentèrent à la chasteté de Suzanne (...) BOURDALOUE, Impureté, I. 4

Quand l'autorité devient arbitraire et oppressive, quand elle attente aux propriétés (...) 5
MIRABEAU (→ Arbitraire, cit. 7).

L'homme qui attente à ses jours montre moins la vigueur de son âme que la défaillance de sa nature. 6
CHATEAUBRIAND, Mémoires d'outre-tombe, I, 3.

Il ne s'agit pas de s'attaquer aux libertés individuelles respectables; nous ne sommes pas l'État, n'attentons pas aux libertés. Ch. PÉGUY, Œ. compl., t. XII, p. 22. 7

Il eût attenté à ma vie plutôt que de renoncer à son projet. 8
LOTI, Aziyadé, II, 5.

Spécialt. *Attenter à la pudeur. Attenter aux mœurs.* → **Attentat.**

Par ext., littér. Porter atteinte à, entreprendre sur. *Attenter à la dignité de qqn.*

Vous croyez qu'abusant de mon autorité, 9
Je prétends attenter à votre liberté.
RACINE, Mithridate, I, 2.

**CONTR. Respecter.**

**ATTENTIF, IVE** [atɑ̃tif, iv] adj. — XIVe; du lat. *attentus,* de *attendere.* → Attendre; attention.

♦ **1** Qui écoute, regarde, agit avec attention*. *Auditeur, spectateur attentif. Être très attentif* (→ Être tout yeux, tout oreilles). — *Regarder, observer d'un œil* attentif. Regard attentif. Prêter une oreille* attentive.* — **ATTENTIF À...** (qqch.). *Être attentif à ce que l'on entend, à sa lecture. Attentif à la voix de qqn, à qqn.*

Écoutez bien ceci. Soyez attentif. 1
MOLIÈRE, le Médecin malgré lui, II, 4.

Prêtez-moi l'un et l'autre une oreille attentive. 2
RACINE, Athalie, II, 5.

Tu me contais alors l'histoire de mon père 3
Tu sais combien mon âme, attentive à ta voix,
S'échauffait au récit de ses nobles exploits (...)
RACINE, Phèdre, I, 1.

4 (...) l'enfant n'est attentif qu'à ce qui affecte actuellement ses sens (...)
ROUSSEAU, Émile, I.

5 (...) il ne fait rien, il ne dit rien; il n'est pas attentif, concentré tout entier dans un regard profond ou avide; il est au repos, détendu, sans fatigue.
TAINE, Philosophie de l'art, IV, II, 3.

Qui dénote l'attention. *Air attentif. Mine attentive.*

5.1 *(Je)* n'ai vu personne qu'on pût honorer de ce regard *attentif* qui naît devant la beauté dans nos sceptiques yeux.
BARBEY D'AUREVILLY, Premier mémorandum, 30 sept. (1836).

6 (...) trouverait-il jamais visage plus attentif que ce beau visage sérieux et délicat? Trouverait-il oreille plus accueillante (...)
G. DUHAMEL, Chronique des Pasquier, VIII, 12.

♦ **2** Vieilli ou littér. ATTENTIF À... : qui se préoccupe avec soin (de), qui veille avec attention (à), soucieux de. — *Attentif à qqch.* → **Vigilant.** *Être attentif à qqch.* → **Occupé, préoccupé; curieux, soucieux.** *Attentif à ce qui survient. Un homme très attentif à ses devoirs, à la règle.* → **Exact, fidèle, observateur, respectueux, scrupuleux.** *Un employé attentif aux intérêts de son entreprise.* → **Consciencieux, diligent.**

Vx. *Attentif en toutes choses* (→ ci-dessous, cit. 14). — Cour. *Attentif à...* (et inf.), → ci-dessous, cit. 9, 12, 15, 16 et 18. *Il est très attentif à vous plaire.* → **Appliqué, empressé** (à), **impatient, soigneux** (de). — Absolt. (Vieilli). *Être très attentif* (→ ci-dessous, cit. 11).

7 Bertrand dérobait tout; Raton, de son côté,
Était moins attentif aux souris qu'au fromage.
LA FONTAINE, Fables, IX, 17.

8 La sœur de Philomèle *(l'hirondelle)*, attentive à sa proie (...)
LA FONTAINE, Fables, X, 6.

9 Clio, sur son giron, à l'exemple d'Homère,
Vient de les retoucher, attentive à vous plaire (...)
LA FONTAINE, Appendice aux Fables, IV.

10 Le fidèle, attentif aux règles de sa loi (...)
BOILEAU, le Lutrin, VI.

11 La mort lui fut nuit et jour toujours présente; car il ne connaissait plus le sommeil (...) jamais il ne fut si attentif : je suis, disait-il, en faction (...)
BOSSUET, Oraison funèbre de Michel Le Tellier.

12 Attentive à peser toutes ses paroles (...)
BOSSUET, Oraison funèbre de Henriette-Anne d'Angleterre.

13 Avec cette prodigieuse compréhension de tout le détail et du plan universel de la guerre, on le voit toujours attentif à ce qui survient.
BOSSUET, Oraison funèbre du Prince de Condé.

14 Soyez donc attentif et considéré en toutes choses (...)
Il n'y a rien de moins attentif ni de moins considéré que les enfants.
BOSSUET, Politique tirée des propres paroles de l'Écriture sainte, V, II, 2.

15 Vous souffrez auprès de vous des gens contagieux, démons domestiques, toujours attentifs à vous séduire et à vous inspirer le poison qu'ils portent dans l'âme.
BOURDALOUE, Carême, t. I, p. 206.

16 Attentif à guetter l'opinion qu'on avait de lui (...)
MARMONTEL, Mémoires, V.

17 Ce périodique, d'ailleurs intéressant, reflétait les préoccupations d'une époque attentive aux tendances sociales en lutte (...) Georges LECOMTE, Ma traversée, p. 89.

18 (...) elle, attentive à me plaire, empressée jusqu'à l'humilité.
F. MAURIAC, la Pharisienne, p. 225.

19 (...) selon que nous sommes plus ou moins attentifs, dociles et souples pour épouser la volonté du Maître, et indifférents à la nôtre.
F. MAURIAC, la Pharisienne, p. 228.

20 Il y a des esprits analytiques comme il y a des esprits synthétiques : les uns plus attentifs, par nature, aux différences et aux oppositions; les autres, aux rapports et aux ressemblances; ceux-là plus impatients d'ordonner et de généraliser, ceux-ci plus soucieux de distinguer et de préciser.
P.-F. THOMAS, Cours de philosophie, 8e éd., p. 363.

♦ **3** Littér. Qui marque des attentions, de la prévenance. *Des soins attentifs.* → **Assidu, délicat, zélé.** — (Personnes). *Un ami attentif.* → **Attentionné.**

Alors, pendant quelques mois, elle eut ce qu'elle avait 21
toujours souhaité : l'amitié amoureuse, attentive mais respectueuse, d'un homme qu'elle admirait.
A. MAUROIS, Terre promise, XXXIII.

Spécialt, vieilli (en parlant d'un homme). *Être attentif avec, auprès d'une femme,* lui faire la cour.

CONTR. **Dissipé, distrait, étourdi, inattentif, indifférent.** — **Brutal, grossier, rude.** ◊ DÉR. **Attentivement.**

**ATTENTION** [atɑ̃sjɔ̃] n. f. — 1536; lat. *attentio* «action de tendre l'esprit vers», de *attentum,* supin de *attendere.*

♦ **1** (1536). Action de fixer son esprit sur qqch.; concentration de l'activité mentale (→ **Conscience**) sur un objet déterminé. → **Attentif** (être), **attentivement.** *L'attention de qqn pour qqch.* (→ ci-dessous, *supra* cit. 1). — (Sans compl. spécifiant la personne attentive ni l'objet de l'attention). *L'oreille est le sens préféré de l'attention* (→ Oreille, cit. 20). *Attention spontanée. Attention volontaire. Effort d'attention. Grande attention, attention suivie, soutenue, persévérante.* → **Application.** *Attention fatigante, pénible.* → **Contention, tension.** *Attention intérieure.* → **Introspection, méditation, réflexion.** — AVEC ATTENTION. *Regarder, considérer, contempler, examiner, observer qqn ou qqch. avec attention, avec une grande attention.* → **Regarder; épier, fixer, guetter, inspecter, surveiller...; œil, regard, vue** (et les loc. verb. comprenant ces noms). *Examiner qqch. avec beaucoup d'attention. Écouter* avec attention* (→ Dresser l'oreille*; prêter une oreille* attentive; ouvrir l'oreille*; être tout yeux*, tout oreilles). *Écouter* les paroles de qqn avec attention, avec une attention ardente, passionnée, avec avidité** (→ Être suspendu à ses lèvres). — *Défaut d'attention. Faute d'attention, il a échoué.* — (Verbes signifiant l'apport d'attention à...). *Donner de l'attention à qqch.;* (vieilli) *donner attention à...* — Vieilli. *Porter attention à...* — Mod. *Prêter attention à..., Ne donner (prêter) aucune attention à,* s'en moquer, n'en tenir aucun compte (→ Laisser tomber). — REM. La loc. verbale la plus fréquente est *faire attention* (→ ci-dessous, cit. 10, 15 et 37, et *infra* cit. 38). — *Attirer l'attention* (→ ci-dessous, cit. 4; et aussi agacerie, cit. 3; conversation, cit. 5.1). *Ce bruit attira l'attention.* → **Éveiller, frapper, retenir.** *Attirer l'attention sur qqch. Ce travail demande, exige, réclame, requiert une grande attention, une attention minutieuse.* — (Avec un compl. en *de* ou un possessif). *L'attention de qqn, son attention. Son attention était grande, vive, vigilante.* — (Dans des syntagmes verbaux). *Attirer, orienter* (cit. 4) *l'attention de qqn* (→ Montrer, cit. 36). *Publicité, titre de journal qui attire, retient, force l'attention.* → **Accrocher** (I., 5.). *J'attire, j'appelle votre attention sur ce détail :* je vous signale* ce détail. → **Appeler; avertir, aviser** (qqn de qqch.), **signaler, solliciter, souligner, soumettre.** *Cet ouvrage remarquable mérite toute votre attention, il est digne de toute votre attention. Captiver l'attention de son auditoire.* → **Capter, captiver, emparer** (s'), **exciter, fixer, forcer, retenir, tenir** (en haleine). *Cette étude occupe toute son attention.* → **Absorber, accaparer...** *Appliquer son attention. Concentrer toute son attention sur qqch.* → **Abstraire** (s'), **isoler** (s'), **plonger** (se plonger dans...); → bander, tendre son esprit. *Lasser l'attention de ses auditeurs. Détourner, distraire, relâcher son attention. Troubler l'attention de qqn. Son attention, sollicitée par mille riens, faiblit, se relâche, s'évade. Impossibilité de fixer son attention.* → **Aprosexie.** — (Avec un compl. qui spécifie l'objet de l'attention). *L'attention (de qqn) pour qqch.,* *pour qqn* (→ ci-dessous, cit. 5). — Vx. *Avoir attention pour qqch., à qqch.* (→ ci-dessous, cit. 8).

1 Je l'écoutais avec une attention si peu divertie, qu'il ne m'échappait pas un seul mot de ce qu'il disait (...)
GUEZ DE BALZAC, Aristippe ou De la cour, Avant-propos.

2 Lorsque je relâche quelque chose de mon attention (...)
DESCARTES, Méditations métaphysiques, III, 20.

3 Le défaut d'attention qui fait que l'on juge témérairement.
ARNAULD et NICOLE, Logique de Port-Royal, 1.

4 Dans cette recherche, le peuple juif attire d'abord mon attention par quantité de choses admirables et singulières qui y paraissent. PASCAL, Pensées, IX, 620.

5 Le trop d'attention qu'on a pour le danger
Fait le plus souvent qu'on y tombe (...)
LA FONTAINE, Fables, XII, 18.

6 Au milieu des déguisements et des artifices qui règnent parmi les hommes, il n'y a que l'attention et la vigilance qui nous puissent sauver des surprises.
BOSSUET, Politique tirée des propres paroles de l'Écriture sainte, V, II, 2.

7 C'est *(l'attention)* une application volontaire de notre esprit sur un objet (...) L'attention commence elle-même par la volonté de considérer et d'entendre (...) L'attention a quelque chose de pénible et veut être relâchée de temps en temps.
Notre attention est mêlée de volontaire et d'involontaire.
BOSSUET, Traité de la connaissance de Dieu, III, 17 et 18.

8 La France, sortie enfin des guerres civiles, commençait à donner le branle aux affaires de l'Europe. On avait une attention particulière à celles d'Italie (...)
BOSSUET, Oraison funèbre de Michel Le Tellier (→ Prêter).

9 Le lecteur, qui cherchait des faits, ne trouvant que des paroles sent mourir à chaque pas son attention.
RACINE, Disc. à l'Acad.

10 Si l'on faisait (une sérieuse) attention à tout ce qui se dit de froid, de vain et de puéril dans les entretiens ordinaires, l'on aurait honte de parler ou d'écouter (...)
LA BRUYÈRE, les Caractères, V, 5.

11 Souvent, après avoir écouté ce que l'on lui a dit, il veut faire croire qu'il n'y a pas eu la moindre attention.
LA BRUYÈRE, les Caractères de Théophraste, I (→ Prêter).

12 (...) mais un fils qui s'épanche et raconte ses aventures ne saurait lasser l'attention d'un père et d'une mère (...)
A.-R. LESAGE, le Diable boiteux, IX.

13 *(Ces facéties)* sont indignes d'une attention sérieuse (...)
VOLTAIRE, Défense de mon oncle, XXI.

14 Pourquoi dit-on prêter l'oreille, et que prêter les yeux n'est pas français ? N'est-ce point qu'on peut s'empêcher à toute force d'entendre, en détournant ailleurs son attention, et qu'on ne peut s'empêcher de voir quand on a les yeux ouverts ?
VOLTAIRE, Commentaires sur Corneille, Remarques sur Rodogune, V, 3.

15 Comme si ce n'était pas trop honorer de pareilles espèces que de faire attention à leurs procédés (...)
ROUSSEAU, les Confessions, XII.

16 Son regard en dessous observait tout avec une ombrageuse attention (...) MARMONTEL, Mémoires, IV.

17 Vous jurez et promettez devant Dieu et devant les hommes d'examiner avec l'attention la plus scrupuleuse (...)
Code d'instruction criminelle, art. 312 (→ Accusé, cit. 2).

18 Ils admirent la force de son génie et la facilité avec laquelle il *(Napoléon)* déplace et fixe où il lui plaît toute la puissance de son attention (...)
Ph.-P. SÉGUR, Hist. de Napoléon, VIII, II.

19 L'attention de l'empereur était alors fixée sur sa droite, quand tout à coup, vers sept heures, la bataille éclata à sa gauche (...) Ph.-P. SÉGUR, Hist. de Napoléon, VII, 9.

20 L'attention de celui qui écoute sert d'accompagnement dans la musique du discours.
Joseph JOUBERT, Pensées, VIII, 62.

21 Il faut porter en soi cette indulgence et cette attention qui font fleurir les pensées d'autrui.
Joseph JOUBERT, Pensées, VIII, 63.

*(L'histoire)* ne mérite guère l'attention des hommes sensés. 22
P.-L. COURIER, I, 145.

J'ai le regret de ne pouvoir satisfaire la curiosité qui s'est éveillée dans votre esprit (...) mon attention ne s'est portée que sur nos vieux chants liturgiques. 23
FRANCE, l'Anneau d'améthyste, p. 152.

Elle m'observa avec plus d'attention que par le passé et cet examen ne me fut pas favorable. 24
FRANCE, le Petit Pierre, XVII, p. 106.

(...) elles attiraient mon attention par quelques agaceries. 25
FRANCE (→ Agacerie, cit. 3).

Elle avait beau faire, le nœud de son attention se défaisait toujours. R. ROLLAND, l'Âme enchantée, p. 166. 26

Puis tout aussitôt, et comme pour m'empêcher d'insister, en détournant mon attention (...) 27
GIDE, les Faux-monnayeurs, I, 18.

(...) une jeune femme, au bord de la Garonne, est accoutumée à cette gloutonnerie du regard, à cette attention goulue des hommes. F. MAURIAC, Génitrix, p. 46. 28

(...) elle ne prêtait pas grande attention à la mauvaise humeur de Jenny. 29
MARTIN DU GARD, les Thibault, III, 5.

(...) il eut envie de capter davantage cette attention inaccoutumée (...) MARTIN DU GARD, les Thibault, III, 6. 30

Antoine écoutait distraitement, l'attention requise par la route, le rythme du moteur. 31
MARTIN DU GARD, les Thibault, VII, 25.

Son attention est concentrée sur elle-même, sur ses sentiments, sur ses impressions, sur ses lectures (...) 32
A. MAUROIS, Terre promise, XXXVI.

(...) une attention inflexible. 33
A. MAUROIS, Études littéraires, t. I, p. 215.

L'hyperbole n'est là que pour attirer, pour forcer l'attention du lecteur moutonnier. 34
A. MAUROIS, Études littéraires, t. II, p. 84.

Il est capable de fixer son attention pendant huit ou dix heures de suite, ce qui me semble prodigieux. 35
G. DUHAMEL (→ Application, cit. 10).

Impossible de fixer cette attention défaillante. Impossible de combler cette espèce de vide qui sépare parfois l'intelligence de son œuvre. 36
G. DUHAMEL, Chronique des Pasquier, VIII, 7.

*(Il)* ne fait pas plus attention à moi qu'à une muraille ou qu'à une borne. 37
G. DUHAMEL, le Voyage de P. Périot, I.

L'enfant y est à sa place, assis à même le sol sur ses jambes repliées ; on dirait qu'il veut se glisser tout à fait sous le banc. Pourtant il continue d'observer vers l'avant de la scène, avec une attention dont témoigne, à défaut d'autre chose, la grande ouverture de ses yeux. 37.1
A. ROBBE-GRILLET, Dans le labyrinthe, p. 47.

Elle le regarde en plissant un peu les paupières, semblant guetter la suite de ses paroles avec une attention exagérément tendue, vu l'importance que lui-même leur accorde. 37.2
A. ROBBE-GRILLET, Dans le labyrinthe, p. 71-72.

— Naturellement, poursuivit Hubert, certains auteurs d'aujourd'hui ne sont pas accessibles à tout le monde. Ils demandent une attention soutenue (...) 37.3
Jean-Louis CURTIS, le Roseau pensant, p. 43.

Vx. **AVOIR ATTENTION QUE...** veiller à ce que...

Le magistrat doit veiller à ce que l'esclave ait sa nourriture et son vêtement : cela doit être réglé par la loi. 38
Les lois doivent avoir attention qu'ils soient soignés dans leurs maladies et dans leur vieillesse.
MONTESQUIEU, l'Esprit des lois, XV, 17.

**FAIRE ATTENTION À (qqch.),** l'observer, s'en occuper, et, par ext., en avoir conscience. → **Apercevoir** (s'), **aviser** (s'), **noter, remarquer.** *Je viens seulement d'y faire attention. Faites bien attention, très attention à ma question,* pensez, songez-y bien. — *Faire attention :* se méfier, prendre garde. *Fais attention !* (→ fam. Fais gaffe).

*Faire attention que* (suivi de l'indic.). → **Noter.** — *Faire attention que, à ce que* (suivi du subj.). → **Prendre garde, veiller** (que, à ce que). *Faites attention que, à ce que personne ne vous voie.*

39 Elle ne faisait pas toujours attention à ce qu'il n'y eût personne dans la chambre voisine.
PROUST, À la recherche du temps perdu, t. I, p. 74.

Ellipt. *Attention ! :* prenez garde ! → **Gare ; (pop.) gaffe.** *Attention à la voiture ! Attention au commandement ! Eh ! attention, vous ! :* faites attention ! *Attention, les flics !* → Vingt-deux ! (fam.).

À L'ATTENTION DE... : mention utilisée en tête d'une lettre, pour préciser son destinataire.

Mar. *Pavillon d'attention :* pavillon hissé pour indiquer qu'on a vu ou compris un signal.

♦ **2** Absolt. **L'ATTENTION,** en tant que faculté humaine (→ aussi ci-dessus, cit. 6 et 7).

39.1 L'attention est la tendance à passer de l'état inactif à l'état actif de l'esprit. Ce à quoi l'on fait attention, on s'y incarne un peu, on accumule pour agir brusquement, on se retient, on laisse venir, on imite peu à peu l'objet de l'attention, on en forme la représentation — on prend la pose la plus favorable pour arriver à un déclenchement juste et puissant. C'est l'état d'être prêt — le passage au pied de guerre. VALÉRY, Cahiers, Pl., t. II, p. 253.

39.2 L'attention est à la perception générale ce que l'accommodation est à la rétine /percep[tion] visuelle./
VALÉRY, Cahiers, Pl., t. II, p. 259.

Psychol. *Attention constituante :* effort de mise en train. *Attention constituée,* se manifestant d'elle-même grâce à l'intérêt suscité par la mise en train.

Psychan. **ATTENTION FLOTTANTE :** technique d'écoute idéale préconisée par Freud dans une psychanalyse, requérant de l'analyste la suspension des motivations (présupposés théoriques, préjugés conscients, voire défenses inconscientes) qui orientent habituellement son attention.

39.3 Ainsi, dans cet état d'attention flottante qui lui est recommandé, le psychanalyste doit pouvoir accueillir sans privilège établi ce que le patient, invité à laisser venir sans discrimination, dit au cours de la séance. Telle est la situation dans son paradoxe, qui évoque volontiers quelque folle entreprise où le navigateur aveugle et sans compas inviterait son passager à prendre le vent comme il souffle.
Serge LECLAIRE, Psychanalyser, p. 23.

39.4 (...) la voie authentique pour atteindre ce que la classique formule de l'attention diffuse, voire distraite, de l'analyste n'exprime que très approximativement. Car l'essentiel est de savoir ce que cette attention vise : assurément pas, tout notre travail est fait pour le démontrer, un objet au-delà de la parole du sujet, comme certains s'astreignent à ne le jamais perdre de vue. J. LACAN, Écrits, p. 253.

Philos. Premier acte de la sensation transformée, dans le système de Condillac.

Théol. Conscience nécessaire pour être moralement responsable de ses actes.

♦ **3** (XVII^e). a Vx ou littér. *(L'attention).* Disposition à la prévenance, aux soins attentifs envers qqn. → **Amabilité, délicatesse, empressement, obligeance, prévenance, soin, sollicitude, zèle.** *Être plein d'attention pour qqn. Donner à qqn des marques, des preuves, des témoignages d'attention.*

40 Je vous suis obligé de l'attention que vous avez eue à m'en donner avis. BOSSUET, Lettres, 231, *in* LITTRÉ.

41 (...) j'étais d'une assiduité, d'une attention, d'un zèle, qui charmaient tout le monde.
ROUSSEAU, les Confessions, III.

b (1552). Mod. *(Une, des attentions).* Attitude, comportement prévenant. *Avoir de grandes attentions pour qqn.* → **Égards, gentillesse ; attentionné** (2.). *Une attention charmante, délicate. Entourer qqn d'attentions empressées.* → **Choyer, soin** (être aux petits soins). → Prévenance, cit. 3.

42 Cette femme, que je comblais d'attentions, de soins, de petits cadeaux, et dont j'avais extrêmement à cœur de me faire aimer (...) ROUSSEAU, les Confessions, VIII.

43 Il n'était point d'attentions, de délicatesses, de chatteries qu'elle n'eût pour son mari.
MAUPASSANT, Clair de lune, «Les bijoux».

Et les jours où par hasard elle avait encore été gentille et tendre avec lui, si elle avait eu quelque attention (...) 44
PROUST, À la recherche du temps perdu, t. II, p. 82.

(...) elle avait non seulement pour ses amies, mais pour les domestiques, pour les pauvres, des attentions délicates, longuement méditées, un désir de faire plaisir (...) 45
PROUST, À la recherche du temps perdu, t. III, p. 136.

Jamais un élan vers eux, jamais une parole gentille, jamais une «attention». Même, les «attentions» qu'ils avaient pour elle, elle en était mécontente. 46
MONTHERLANT, Pitié pour les femmes, p. 18.

CONTR. **Inattention. — Absence, dispersion, dissipation, distraction, étourderie, inadvertance. — Brutalité, grossièreté, rudesse. — Vexation.** ◊ DÉR. et COMP. **Attentionné, attentionner** (s'). **Inattention.**

**ATTENTIONNÉ, ÉE** [atɑ̃sjɔne] adj. — 1819; de *attention.*

♦ **1** (Av. 1866). Vx. (En parlant d'une personne). Qui fixe son attention. Syn. : *attentif.*
(En parlant d'un inanimé abstrait). Vigilant.

♦ **2** (1823). Mod. Qui est plein d'attentions, d'amabilités, de prévenances. → **Aimable, empressé, prévenant.** *Il est très attentionné avec ses vieux parents.*

Le mieux qu'il peut être avec moi, c'est attentionné. La politesse a depuis longtemps remplacé chez lui l'amitié.
GIDE, Journal, 27 sept. 1914.

**ATTENTIONNER (S')** [atɑ̃sjɔne] v. pron. — 1853; de *attention.*

Rare. *S'attentionner à :* s'intéresser à, devenir attentif à.

À l'atelier, le vacarme des maillets et des tôles lui ouvrait l'ouïe. En lieu silencieux, il s'attentionnait pour distinguer un cri.
Pierre HAMP, la Peine des hommes (Moteurs), p. 23 (1942).

REM. On rencontre, exceptionnellement, l'emploi transitif. *«La figure angoissée de M. Freysse l'attentionne»* (Adam, Moréas, *les Demoiselles Goubert,* in T. L. F.).

**ATTENTISME** [atɑ̃tism] n. m. — V. 1918; de *attente.*

♦ **1** Attitude politique consistant à attendre que les événements s'annoncent pour prendre une décision. → **Immobilisme, opportunisme.**

En somme, on lui reprochait de prendre parti à une époque où la plupart des gens se «vautraient dans l'attentisme». 1
Patrick MODIANO, les Boulevards de ceinture, p. 132.

♦ **2** Par ext. Attitude d'attente passive.

(...) devant les adresses floues données par des voix hésitantes et l'attentisme un peu lâche de Clarisse qui comptait toujours sur un coup de fil «incessamment», nous avons décidé d'agir. Les moyens du bord ayant échoué, nous nous rallions au plan de détresse nº 2 : un médecin, à Rennes. 2
Benoîte et Flora GROULT, Il était deux fois, p. 426.

**ATTENTISTE** [atɑ̃tist] adj. et n. — V. 1918; de *attente.*

♦ **1** Adj. Qui adopte l'attentisme, en politique. → **Expectant, opportuniste.**

Nom :

On disputa des collabos à Paris, des attentistes vichyssois, des nuances de la Résistance, de la fin de la France, de la justice, de Dieu, de la vérité de l'Art. 1
Jacques LAURENT, les Bêtises, p. 217.

♦ **2** Adj. Par ext. Qui adopte une politique d'attente (dans quelque domaine que ce soit). → **Opportuniste.**

2 *(Question)* Que pensez-vous de l'avenir immédiat, et moins immédiat, du cinéma français ? Êtes-vous optimiste, pessimiste, ou attentiste ?
*(Réponse)* J'attends la fin du Cinéma avec optimisme.
J.-L. GODARD, Jean-Luc Godard, *in* Coll. des Cahiers du cinéma, p. 344.

**ATTENTIVEMENT** [atɑ̃tivmɑ̃] adv. — 1538; de *attentif.*

D'une manière attentive. *Regarder, écouter, lire attentivement.*

Qui considère les hommes attentivement, y est rarement trompé (...) La nature a imprimé sur le dehors une image du dedans.
BOSSUET, Politique tirée des propres paroles de l'Écriture sainte, V, II, 2.

CONTR. **Distraitement.**

**ATTÉNUANCE** [atenɥɑ̃s] n. f. — 1838; *attenuiance,* v. 1350; du rad. de *atténuer,* et *-ance.*

Vx. Fait d'affaiblir, d'atténuer la force ; résultat de cette action.

**ATTÉNUANT, ANTE** [atenɥɑ̃, ɑ̃t] adj. — D. i.; du p. prés. de *atténuer.*

♦ **1** Méd. anc. Qui atténue la consistance des humeurs. *Remède atténuant.*

♦ **2** Dr. Qui atténue. *Circonstances atténuantes :* faits qui atténuent la gravité d'une infraction (seul ce syntagme est d'usage cour.). — Fig. *Il a quelques circonstances atténuantes.* → **Excuse.** — *Excuse atténuante,* qui entraîne une atténuation de la peine.

1 Les peines prononcées par la loi contre celui ou ceux des accusés reconnus coupables, en faveur de qui le jury aura déclaré les circonstances atténuantes, seront modifiées ainsi qu'il suit (...) Code pénal, art. 463.

2 (...) il *(le jury)* doit en faire la déclaration en ces termes : « A la majorité, il y a des circonstances atténuantes en faveur de l'accusé ». Code d'instruction criminelle, art. 341.

CONTR. **Aggravant.**

**ATTÉNUATEUR, TRICE** [atenɥatœʀ, tʀis] adj. et n. m. — 1948; de *atténuer,* et *-(at)eur.*

Techn. Se dit d'un dispositif destiné à atténuer (un son, un phénomène physique). — N. m. *« Deux amplificateurs, avec atténuateur et filtres individuels »* (*Revue du Son,* n° 160-161, p. 356).

(...) l'audiomètre comprend au moins deux parties distinctes qui ne peuvent être autostabilisées par le même milieu associé : le générateur de fréquences d'une part et l'amplificateur-atténuateur d'autre part.
Gilbert SIMONDON, Du mode d'existence des objets techniques, p. 62.

**ATTÉNUATION** [atenɥasjɔ̃] n. f. — 1498, *attenuation; attenuacion,* 1375; *atenuation,* 1345; lat. *attenuatio* « affaiblissement », du supin de *attenuare.* → Atténuer.

♦ **1** Littér. ou didact. Action d'atténuer ; résultat de cette action. → **Amoindrissement, diminution, réduction.** *Atténuation des forces.* — (Vx). *Être dans un état d'atténuation.* → **Affaiblissement.** *Atténuation d'une douleur.* → **Adoucissement, rémission.** *Atténuation des sensations, des impressions. Atténuation de l'expression. — Une, des atténuations.* → **Adoucissement.**

Sans doute, dans les autres cités, la rigueur de la discipline antique s'était adoucie ou était moindre. Néanmoins, avec des atténuations, on allait au même but par un chemin pareil. TAINE, Philosophie de l'art, I, II, 5.

Méd., biol. **a** Vx. Action des remèdes atténuants.

**b** Mod. Affaiblissement de la virulence d'un microorganisme, en particulier pour la préparation des vaccins. *Atténuation d'un virus.*

Techn. (brasserie). Diminution de l'extrait fermenté de bière lors de la fermentation ; par ext., calcul du pourcentage de sucre fermenté. *Atténuation principale, secondaire, limite, réelle, finale.*

Chim. Action de rendre un fluide moins dense.

(1564). Phys. Opération permettant de réduire un corps en parties extrêmement petites.

♦ **2** Fig. Action de diminuer, d'affaiblir ; résultat de cette action.

Dr. *Atténuation de peine,* par application d'excuses ou de circonstances atténuantes. → **Atténuant.**

CONTR. **Aggravation, augmentation.**

**ATTÉNUEMENT** [atenymɑ̃] n. m. — 1801; de *atténuer,* et *-ment.*

Vx. Atténuation (au sens de « affaiblissement »).

**ATTÉNUER** [atenɥe] v. tr. — 1525; lat. *attenuare* « amincir, amoindrir, affaiblir », de *ad,* et *tenuare,* de *tenuis.* → Ténu.

♦ **1** Vx. Rendre plus mince, moins fort (en parlant d'une personne). → **Affaiblir, amaigrir, amincir, diminuer, exténuer.** *Les jeûnes, les veilles, les fatigues l'ont extrêmement atténué, l'ont atténué* (Académie). — REM. Même dans l'anc. usage, l'emploi trans. est rare ; en revanche le passif et le p. p. se rencontrent souvent, surtout au XVIe siècle.

(...) hommes si affaiblis et si atténués (...) faute de manger, que plusieurs en mouraient de faim. 1
J. AMYOT, Trad. DIODORE, XIII, 28.

Elle le voyait maladif, atténué et alangui. 2
BRANTOME, Dames..., IX, 144, *in* HUGUET.

Par ext. (Mod., littér.). Rendre moins sensible (→ ci-dessous, le sens 2.).

Au p. p. :

(...) chez Beato Angelico, des corps atténués, dissimulés sous les chapes et les robes rayonnantes, réduits à l'état de fantômes glorieux, des poitrines effacées (...) 3
TAINE, Philosophie de l'art, V, III, 5.

(Av. 1590). Méd. anc. *Atténuer les humeurs,* les rendre moins épaisses.

Chim. *Atténuer un fluide,* diminuer sa densité.

(1721). Phys. Rare. Diviser en très petites parties.

♦ **2** Cour. Rendre moins grave, moins vif, moins violent... Rendre moindre. → **Amoindrir, diminuer, réduire.** *Atténuer un mal, une douleur. Les calmants atténuent la douleur.* → **Adoucir, apaiser, assoupir, lénifier, pallier, soulager, tempérer.** *Atténuer une sensation, une impression.* → **Amortir, émousser.** *La moquette a atténué le bruit de ses pas.* → **Assourdir, étouffer.** *Raisons qui atténuent une faute.* → **Excuser.** *Cela atténue sa responsabilité. Atténuer une difficulté, un désaccord.* → **Aplanir** (fig.). *Atténuer les inégalités sociales.* — Diminuer la force (d'un mot, d'une expression). *Atténuer ses expressions. Cette lettre est trop brutale, il faut en atténuer les termes.* → **Adoucir, modérer, modifier.** *Atténuer l'intensité d'une couleur.* → **Appauvrir.**

Les véritables passions, plus rares qu'on ne pense parmi les hommes, le deviennent de jour en jour davantage ; l'intérêt les élime, les atténue, les engloutit toutes (...) 4
ROUSSEAU, 2e dialogue.

L'Assemblée, toujours attentive à atténuer le choc, obtient *(de Sieyès)* qu'il substitue au mot de sommation le mot d'invitation. JAURÈS, Hist. socialiste..., t. I, p. 276. 5

C'était dit sur un ton dolent et affectueux qui atténuait beaucoup le reproche. LOTI, les Désenchantées, I, 2. 6

(...) les excuses rappellent la faute plus certainement qu'elles ne l'atténuent (...) 7
Pierre LOUŸS, les Aventures du roi Pausole, III, 11.

8 Sa faute ayant été sans ivresse, rien n'était capable d'en atténuer l'amertume et l'humiliation.
Léon BLOY, la Femme pauvre, p. 47.

9 (...) atténuer certaines affirmations (...)
F. BRUNOT (→ Affirmation, cit. 1).

◆ **S'ATTÉNUER** v. pron.

♦ **1** (1771). Vx. Devenir plus faible, plus maigre.

♦ **2** Fig. et mod. Devenir moins fort, moins vif, moins violent.

10 Mais à peine entrée dans la haute pièce sévère et drapée, la clarté joyeuse du ciel s'atténuait, devenait douce, s'endormait sur les étoffes, allait mourir dans les portières (...)
MAUPASSANT, Fort comme la mort, p. 1.

11 Il fallait laisser le temps de disparaître aux symptômes qui ne pouvaient aller qu'en s'atténuant si je n'apprenais rien de nouveau (...)
PROUST, À la recherche du temps perdu, t. VII, p. 3 (→ Aigre, cit. 13).

12 (...) tout ce qu'elle souffre s'atténuera vite (...)
LOTI (→ Anesthésie, cit.).

◆ **ATTÉNUÉ, ÉE** p. p. adj.

♦ **1** Vx. Affaibli, moins fort (→ ci-dessus, cit. 1 à 3).

♦ **2** Fig. et cour. Affaibli, moins violent. *Douleur atténuée.*

Méd. *Virus atténué,* rendu moins virulent, en particulier pour la préparation des vaccins.

CONTR. **Aggraver, augmenter, exacerber, exagérer. — Grandir.** ◊ DÉR. **Atténuance, atténuant, atténuateur, atténuement.**

**ATTERRAGE** [ateʀaʒ] n. m. — 1542, *aterrage;* de 2. *atterrer.*
Marine.

♦ **1** Espace de la mer situé au voisinage de la terre. → **Parage.**

1 Dès lors, le navire, fuyant sous le vent, avait dû être chassé sur les atterrages de l'île Mas a Tierra, au lieu de dériver librement dans le vide marin de cent soixante-dix milles qui s'étend entre cette île et la côte chilienne.
M. TOURNIER, Vendredi..., p. 16.

(En parlant d'un étang, d'un lac). Voisinage du bord.

2 Bientôt, voici qu'il s'aventurait, par les sentiers sombres, vers la retraite de ses chanteurs préférés — vers l'étang dont l'eau peu profonde, et bien sondée en tous endroits, ne lui dépassait pas la ceinture. Et, sous les voûtes de feuillée qui en avoisinaient les atterrages, il assourdissait son pas, au tâter des branches mortes.
VILLIERS DE L'ISLE-ADAM, Tribulat Bonhomet, p. 15.

♦ **2** (1542). Action d'atterrer*, d'arriver dans le voisinage d'une terre.

3 (...) lorsque vient le moment de s'en rapprocher *(de la côte),* ces atterrages constituent précisément les épisodes délicats du voyage (...) J.-R. BLOCH, Sur un cargo, p. 199.

♦ **3** (1702). Lieu où l'on peut prendre terre. *Un atterrage difficile, praticable. Des atterrages bien reconnus.*

4 Cyrus Smith croyait alors que le rivage occidental pouvait offrir refuge, soit à un bâtiment en détresse, soit à un navire en cours régulier de navigation; mais, du moment que ce littoral ne présentait aucun atterrage, il fallait chercher sur celui du sud de l'île ce qu'on n'avait pu trouver sur celui de l'ouest.
J. VERNE, l'Île mystérieuse, t. I, p. 355.

5 Le pilote avait disposé ses feux de position, — précaution indispensable à prendre dans ces mers très fréquentées aux approches des atterrages. Les rencontres de navires n'y étaient pas rares, et, avec la vitesse dont elle était animée, la goélette se fût brisée au moindre choc.
J. VERNE, le Tour du monde en 80 jours, p. 174.

**ATTERRANT, ANTE** [atɛʀɑ̃, ɑ̃t] p. prés. et adj. — Fin XVII^e, cit. 1; de 1. *atterrer.*

Qui atterre, qui jette dans la consternation. → **Accablant, affligeant, affreux, attristant, triste.** *Une nouvelle atterrante. Sa nullité est atterrante.*

Oui, cette parole foudroyante et atterrante, Nunc autem cruciaris, maintenant vous êtes tourmenté, il *(le mauvais riche)* l'entendra toujours. BOURDALOUE, Enfer, 3. 1

Sous tout cela la poésie demeure une diffuse notion de sublime qui ne se perçoit plus que sous son aspect atterrant. 2
A. ARTAUD, Dossier du Théâtre et son double, *in* Œ. compl., t. IV, p. 280.

**ATTERREMENT** [atɛʀmɑ̃] n. m. — 1845, *in* Bescherelle; «action de renverser par terre», XIV^e; de 1. *atterrer,* et *-ment.*

♦ **1** Vx, littér. Fait de renverser par terre, d'abattre; fait de toucher terre (cf. F. Ponge, *in* T. L. F.).

♦ **2** Mod., littér. Abattement, accablement d'une personne atterrée. *Une expression d'atterrement.*

1. **ATTERRER** [ateʀe; atɛʀe] v. tr. — 1160; de 1. *a-, terre,* et *-er.*

♦ **1** Vx. Renverser par terre. → **Abattre, terrasser.**

Hercule le saisit, le combat et l'atterre. 1
DELILLE, les Géorgiques, 2.

♦ **2** Fig., vx. Écraser, anéantir (un personnage puissant, un ennemi, l'autorité de quelqu'un).

Par ext. *Une raison «qui atterre toute objection»* (Mérimée).

♦ **3** Vx. Jeter dans l'abattement, la consternation, la stupéfaction. → **Abattre, accabler, consterner, foudroyer, stupéfier.** *Atterrer qqn, son esprit.* — Mod. (Littér.). Au passif. *Être atterré par, de* (vx) *quelque chose.*

Le coup, le rude coup dont je suis atterré. 2
MOLIÈRE, Don Garcie, III, 2.

Il semble que la consternation qui avait si longtemps atterré l'esprit des Génois eût passé dans les Allemands. 3
VOLTAIRE, le Siècle de Louis XV, 21.

(...) je méditais une Histoire du Valais, un plan de tragédie en prose, dont le sujet, qui n'était pas moins que Lucrèce, ne m'ôtait pas l'espoir d'atterrer les rieurs 4
ROUSSEAU, les Confessions, VIII (→ Confondre).

◆ **ATTERRÉ, ÉE** p. p. adj. Consterné.

Sitôt que l'Empereur fut sorti de l'appartement, deux ecclésiastiques vinrent auprès du Saint-Père, et l'emmenèrent en le soutenant sous chaque bras, atterré, ému et tremblant. 5
A. DE VIGNY, Servitude et Grandeur militaires, III, 6.

DÉR. **Atterrant, atterrement.** ◊ HOM. **2. Atterrer.**

2. **ATTERRER** [ateʀe; atɛʀe] v. intr. — 1153; de 1. *a-,* et *terre.*

♦ **1** Mar. (Vieilli). Approcher de terre. → 2. **Atterrir, atterrage.**

Par ext. Venir à terre; échouer à terre (en parlant de choses, d'épaves...).

♦ **2** Aéron. Vx. Atterrir (en parlant d'un aérostat). Cf. Nadar, 1864, *in* L. Guilbert.

DÉR. **Atterrage.** ◊ HOM. **1. Atterrer.**

1. **ATTERRIR** [ateʀiʀ] v. tr. — 1344, pron., sens I.; de 1. *a-, terre,* et *-ir.*

Vx. Remplir de terre. → **Atterrissement.**

Pron. Se remplir de terre. *L'étang s'atterrit.*

DÉR. **1. Atterrissement.** ◊ HOM. **2. Atterrir.**

2. **ATTERRIR** [ateʀiʀ] v. intr. — 1686; de 1. *a-,* et *terre.*

♦ **1** Mar. Toucher terre ; spécialt, « reconnaître la terre que l'on a aperçue et préciser la position du bateau par rapport à elle » *(Cours de navigation des Glénans).* → **Atterrage ;** 2. **atterrer** (vieux).

♦ **2** (Fin XVIII^e, en aérostation, selon G. L. L. F.). Cour. Prendre contact avec le sol. *Ballon, avion, hélicoptère qui atterrit.* — Opposé à *décoller, s'envoler.* → **Poser** (se). *Nous allons bientôt atterrir. Le mauvais temps nous a contraints d'atterrir. Endommager son avion en atterrissant brutalement* (→ argot Casser du bois).

Un aérostat fut fabriqué et mis à la disposition de Jonathan Forster, que cinq de ses compagnons devaient suivre dans les airs. Ils étaient munis d'armes, pour le cas où ils auraient à se défendre en atterrissant, et de vivres, pour le cas où leur voyage aérien se prolongerait.
J. VERNE, l'Île mystérieuse, t. I, p. 19.

Par ext. Se poser sur le sol (d'un astre autre que la Terre). *Atterrir sur la lune* **(→ Alunir),** *sur une planète* **(→ Assolir).**

♦ **3** Fig., fam. Arriver finalement (dans un lieu). *Après deux heures de marche, nous avons atterri dans une petite auberge. Il a fini par atterrir chez nous.*

◆ **ATTERRI, IE** p. p. adj. Mar. Qui a pris terre. *Navire atterri.*

CONTR. **Partir. — Appareiller, lever** (l'ancre). **— Décoller, envoler** (s'). ◊ DÉR. **Atterrissage. —** 2. **Atterrissement, atterrisseur.** — COMP. V. **Aquatir.** — HOM. 1. **Atterrir.**

**ATTERRISSAGE** [ateʀisaʒ] n. m. — 1835, Académie ; du p. prés. de 2. *atterrir,* et *-age.*

♦ **1** Mar. Action d'atterrir (2. Atterrir). *Manœuvres d'atterrissage. L'atterrissage est facile lorsque l'atterrage est sans écueil* (Gruss, *Dict. de marine*).

1 La mission, où nous devons loger, est à plus d'un kilomètre du point d'atterrissage (...)
GIDE, Voyage au Congo, *in* Souvenirs, Pl., p. 707.

2 Nous avons jeté l'ancre devant une île inhabitée (...) Le soir tombait. Nous avons mis pied à terre, mais sans nous écarter beaucoup du point d'atterrissage (...)
GIDE, Voyage au Congo, *in* Souvenirs, Pl., p. 829.

*Phares de grand atterrissage :* phares très puissants, de longue portée (toujours à éclats blancs), permettant aux navires de se situer lorsqu'ils arrivent près des côtes au terme d'une traversée océanique. *Les phares de grand atterrissage de Bishop Rock, au large des côtes anglaises, et du Créac'h d'Ouessant, au large des côtes françaises, balisent l'entrée de la Manche.*

♦ **2** (1904, *in* Petiot). Cour. Action d'atterrir, de se poser à terre (en parlant d'un engin volant). *L'atterrissage d'un avion, l'amerrissage* d'un hydravion. Atterrissage impeccable. Atterrissage brusque, brutal. Atterrissage forcé. Atterrissage sans visibilité. Atterrissage en douceur. — Aire, terrain d'atterrissage. Le terrain d'atterrissage est balisé.* → **Aérodrome, aviation.** *Atterrissage au radar, atterrissage automatique.* → **Pilotage.** *Manœuvres d'atterrissage.* → **Approche, arrondi.** — Loc. (1912, in *Année sc. et industr.* 1913, p. 63). *Train** (IV., 2.) *d'atterrissage :* dispositif portant les roues, leur dispositif de freinage, sur un avion. *Avion à train d'atterrissage rentrant, amovible.* — Ellipt. *Sortir le train,* le train d'atterrissage.

Par ext. Fait de se poser sur le sol, sur la surface d'un astre autre que la Terre. *L'atterrissage du module lunaire.* → **Alunissage.**

CONTR. **Départ. — Appareillage** (mar.). **— Démarrage. — Décollage, envol** (aviat.).

1. **ATTERRISSEMENT** [ateʀismɑ̃] n. m. — 1332, *aterrissement ;* de 1. *atterrir.*

Vx ou dr. Amas de terre, de sable, de limon, formé par les cours d'eau ou par la mer. → **Accroissement, accrue, alluvion, laisse, sédiment.** *Droit d'atterrissement.* → **Accession, accroissement** (cit. 7).

Les îles, îlots, atterrissements, qui se forment dans le lit des fleuves, ou des rivières navigables ou flottables, appartiennent à l'État s'il n'y a titre ou prescription contraire. 1
Code civil, art. 560.

Les îles et atterrissements qui se forment dans les rivières non navigables et non flottables, appartiennent aux propriétaires riverains du côté où l'île s'est formée (...) 2
Code civil, art. 561.

(...) là, des palans enlevaient des fardeaux, tandis que des grues descendaient des pierres, et que des cure-môles creusaient des atterrissements. 3
CHATEAUBRIAND, Mémoires d'outre-tombe, I, 2.

(...) les Pays-Bas sont une plaine détrempée ; trois grands fleuves, la Meuse, le Rhin, l'Escaut, et plusieurs petits l'ont formée de leurs atterrissements. 4
TAINE, Philosophie de l'art, t. II, VI, 2.

CONTR. V. **Avulsion.** ◊ HOM. 2. **Atterrissement.**

2. **ATTERRISSEMENT** [ateʀismɑ̃] n. m. — D. i. (attesté XIX^e) ; « lieu où un navire atterrit », 1696 ; de 2. *atterrir.*

Vieux.

♦ **1** Mar. Atterrissage.

(...) l'officier s'enquit tout haut du point de départ du brick, de sa route, de ses atterrissements, et à toutes les questions le capitaine satisfit sans hésitation et sans difficulté. 1
DUMAS, les Trois Mousquetaires, t. II, p. 566.

En effet, ce n'était ni un continent, ni même une île, qui s'étendait au-dessous d'eux. L'espace n'offrait pas un seul point d'atterrissement, pas une surface solide sur laquelle leur ancre pût mordre. 2
J. VERNE, l'Île mystérieuse, t. I, p. 5.

♦ **2** (1863, *in* Guilbert). Atterrissage (2.).

HOM. 1. **Atterrissement.**

**ATTERRISSEUR** [ateʀisœʀ] n. m. et adj. — 1944 ; de 2. *atterrir.*

♦ **1** Géol. Qui provoque un atterrissement (1. Atterrissement).

♦ **2** (1928). Aéron. Vx. Syn. de *train d'atterrissage**.

Oui, c'est une machine fabuleuse. Il *(l'avion)* est équipé d'une double commande et de démarreurs à air comprimé. *L'atterrisseur* comprend seize roues.
Cécil SAINT-LAURENT, Clarisse, p. 325.

**ATTESTATEUR, TRICE** [atɛstatœʀ, tʀis] adj. — 1890 ; de *attester.*

Rare. Qui atteste.

Rosny, après avoir aujourd'hui vanté la solidité de sa santé et déploré le manque d'une maladie, en général attestatrice du talent chez un écrivain, confesse cependant qu'il est un angoisseux (...)
Ed. et J. DE GONCOURT, Journal, 1888, p. 891, *in* T. L. F.

**ATTESTATION** [atɛstasjɔ̃] n. f. — Mil. XIII^e ; lat. *attestatio* « témoignage », de *attestari.* → Attester.

♦ **1** Action d'attester ; acte par lequel une personne atteste l'existence, la réalité (d'un fait). → **Affirmation, assurance, déclaration ; témoignage.** *L'attestation de qqch. par qqn. — L'attestation de qqn (sur, à propos de qqch.). Il a refusé son attestation.*

Par ext. Écrit, pièce qui atteste (qqch.). → **Certificat, garantie, légalisation, vidimus, visa.** *Une attestation de bonne conduite.* → **Certificat, satisfecit.** *Délivrer une attestation en bonne et due forme. En foi de quoi, j'ai signé la présente attestation.* → **Foi.** — Loc.

(1668). *Attestation de vie et mœurs :* certificat de bonne vie et mœurs.

1 Une attestation où je déchargeais Mme Guyon de toutes choses.
BOSSUET, Lettre sur l'affaire du quiétisme, 41.

♦ **2** Marque, preuve.

2 (...) ces multitudes de vieux petits bouddhas rongés par le lichen, semblent ne plus être que l'attestation de séries d'existences antérieures aux nôtres et tout à fait perdues dans le recul mystérieux des temps.
LOTI, Mme Chrysanthème, XXI.

♦ **3** Ling. Exemple, passage, fragment de discours qui atteste l'usage de (une forme linguistique, notamment une forme lexicale).

CONTR. **Contestation, démenti, dénégation, désaveu, infirmation, négation.**

**ATTESTER** [atɛste] v. tr. — V. 1200, *atester ;* lat. *attestari,* de *ad,* et *testis* «témoin».

♦ **1** (V. 1200 ; sujet n. de personne). Rendre témoignage (de qqch.), verbalement ou par écrit. → **Affirmer, assurer, certifier, déclarer, déposer, garantir, témoigner.** *J'atteste la vérité, la réalité de ce fait. Attester qqch. à qqn.* — Au passif. *Le fait est attesté par tous les témoins.* → **Témoignage** (porter) ; **confirmer.**

1 Il *(Jésus-Christ)* leur ordonne *(aux apôtres)* de porter témoignage de ce qu'ils ont vu, de ce qu'ils ont ouï, et de ce qu'ils ont touché... Ainsi leur prédication est inébranlable ; le fondement en est un fait positif, attesté unanimement par ceux qui l'ont vu.
BOSSUET, Discours sur l'Histoire universelle, II, 19.

*Attester que... J'atteste (je vous atteste) que cet homme est innocent. Attester que la copie est conforme.* — Au passif :

2 Il est attesté par tous les jurisconsultes anciens que deux hommes ne pouvaient être agnats (...)
FUSTEL DE COULANGES, la Cité antique, II, 5 (→ Agnat, cit.).

Rare. *Attester de qqch. :* porter témoignage sur qqch.

♦ **2** (Sujet n. de chose). Fig. Servir de témoignage. → **Démontrer, indiquer, marquer, montrer, prouver ; témoigner** (de) ; **foi** (faire foi). *Ses ouvrages attestent son érudition. Son regard atteste la candeur.* → **Annoncer, révéler.** — *L'événement atteste que..., atteste à tout le monde que...*

3 Dieu même a parlé sur ces bords *(en Judée) :* les torrents desséchés, les rochers fendus, les tombeaux entr'ouverts, attestent le prodige (...)
CHATEAUBRIAND, Mémoires d'outre-tombe, t. II, p. 373.

4 (...) leur tête, leur visage et l'ensemble de toutes leurs formes attestent, tantôt, comme dans Michel-Ange, l'énergie et la sublimité de la volonté ; tantôt, comme dans Raphaël, la douceur et la paix immortelle de l'âme.
TAINE, Philosophie de l'art, t. II, V, III, 5.

5 La cruauté est un reste de servitude : car elle atteste que la barbarie du régime oppresseur est encore présente en nous. JAURÈS, Hist. socialiste..., t. I, p. 305.

6 Dans ce visage d'enfant, brûlait un regard attestant la maturité, l'autorité.
G. DUHAMEL, Chronique des Pasquier, II, 2.

♦ **3** (V. 1618). Vx. Prendre à témoin, invoquer le témoignage (de qqn). → **Témoignage** (appeler en témoignage ; invoquer le témoignage). *Attester le ciel, les dieux (que...). J'en atteste le ciel.*

7 Il atteste les dieux, la perfide s'en moque (...)
LA FONTAINE, Fables, IV, 11.

8 J'atteste le Ciel que j'étais dans la maison (...)
MOLIÈRE, George Dandin, III, 7.

9 J'en atteste les dieux, je le jure à sa mère.
RACINE, Andromaque, V, 3.

10 Je vous atteste, voyageurs qui, revenant de loin, eûtes toutes facilités de mentir et en usâtes pleinement.
FRANCE, M. Bergeret à Paris, p. 475.

Littér. Donner, rappeler (qqch.) pour preuve*, citer à l'appui de son affirmation. → **Invoquer, référer** (se référer à...). *J'en atteste l'autorité de ce savant.*

Non (...) je le soutiens, et j'en atteste l'effroi des lecteurs ; 11
les massacres des gladiateurs n'étaient pas si barbares que ces affreux spectacles.
ROUSSEAU, Lettre à d'Alembert.

♦ **4** Fournir une attestation de...

Ling. Fournir un exemple d'une forme, d'un emploi linguistique qui en atteste l'usage. → **Attestation** (3.). *Chrétien de Troyes, Froissart attestent ce mot.*

◆ **S'ATTESTER** v. pron. *Quelque chose s'atteste,* est atteste, démontré.

Par ext., rare. Se révéler.

◆ **ATTESTÉ, ÉE** p. p. adj. Dont il existe des exemples connus, sûrs. *Mot, emploi attesté* (par des textes). *Forme non attestée,* hypothétique, reconstituée.

CONTR. **Contester, contredire, démentir, dénier, désavouer, infirmer, nier, récuser** (un témoignage). ◇ DÉR. **Attestateur.**

**ATTICISME** [atisism] n. m. — 1543 ; lat. *atticismus,* grec *attikismos,* de *attikos.* → Attique.
Didactique.

♦ **1** Ling. Forme particulière au dialecte attique. → **Athénien, attique.**

Atticisme est un mot grec, attikismos, qui a été transporté 1
dans notre langue et qui avait signifié primitivement la manière de parler, le dialecte, des habitants de l'Attique et particulièrement des Athéniens.
LAFAYE, Dict. des synonymes, Suppl., Atticisme.

Par ext. Forme ou construction attique apparaissant dans une autre langue.

♦ **2** Ensemble des qualités propres aux écrivains attiques : sens de la mesure, délicatesse de langage, finesse. → **Attique** (cit. 8). *Cette finesse qu'on appelle l'atticisme* (Cicéron).

(...) l'atticisme des Grecs et l'urbanité des Romains. 2
LA BRUYÈRE, les Caractères, XII, 18.

Plaisanteries qui n'avaient rien de l'atticisme grec. 3
VOLTAIRE, Histoire de Jenny, 7.

Qualités d'élégance, de mesure, de délicatesse propres aux Attiques.

♦ **3** (1687). Littér. Se dit d'un style élégant et pur.

Il y a une grande qualité de style qui ne repousse pas 4
l'antithèse, mais qui ne la recherche pas, qui vise la clarté plus que la profondeur et qui, par le naturel et la simplicité, donne la sensation du style français éminemment spontané et classique.
Cette qualité, nous l'appellerons l'atticisme.
Antoine ALBALAT, la Formation du style, XIV.

(...) le talent de conversation et cet atticisme si familiers 5
à Paris (...) BALZAC, Honorine, Pl., t. II, p. 247.

(...) cette sorte d'atticisme qui n'a plus d'autre patrie que 6
la France.
GIDE, Feuillets, *in* Journal 1889-1939, Pl., p. 661.

(Dans d'autres domaines artistiques). Idéal de beauté, de délicatesse, comparable à celui des écrivains attiques.

CONTR. **Béotisme.** ◇ DÉR. V. **Atticiste.**

**ATTICISTE** [atisist] n. m. — 1835 ; de *attique,* et *-iste* ou de *atticisme.*

Didact. Écrivain grec antique qui s'efforçait de reproduire le style des écrivains attiques. *Lucien est un atticiste* (Académie).

Adj. Qui rappelle l'atticisme. *Tendances atticistes.*

**ATTICURGE** [atikyʀʒ] adj. — 1676 ; lat. *atticurges,* du grec *attikourges,* de *attikos.*

Archit. ant. Qui est exécuté dans le style attique. *Porte atticurge :* porte dont le seuil est plus large que le linteau et dont, par conséquent, les montants ne sont pas parallèles. *Colonne atticurge :* colonne carrée.

**ATTIÉDIR** [atjediʀ] v. tr. — 1559; *atiedir,* XIIIe; *atevir,* fin XIIe; de 1. *a-,* et *tiédir.*

♦ **1** Rendre tiède* (en refroidissant ou en réchauffant). *Attiédir un bain trop chaud en y ajoutant de l'eau froide.* → **Refroidir.** *Cette eau est trop froide, le soleil l'attiédira* (Académie). → **Chauffer, réchauffer.**

1 Les vents purifient l'air, attiédissent les saisons brûlantes, et tempèrent la rigueur des hivers.
FÉNELON, *in* P. LAROUSSE.

2 Lorsque la mer flue de la zone torride (...) pendant notre hiver, non seulement elle en adoucit la rigueur sur nos côtes, en attiédissant leur atmosphère par sa chaleur (...)
BERNARDIN DE SAINT-PIERRE, Harmonies de la nature, I, 5.

Rare. (En parlant d'autres sensations). Rendre moins vif.

♦ **2** Fig. (En parlant des sentiments). Rendre moins ardent, moins vif. → **Adoucir, affaiblir, amortir, diminuer, émousser, endormir, modérer, tempérer.** *Le temps, qui fortifie l'amitié, attiédit l'amour. Ces échecs ont attiédi son zèle.* → **Refroidir.**

3 (...) qui par douces paroles lui cède et condescent à son vouloir, il attiédit cette première fureur bouillante.
J. AMYOT, Hist. Æthiop., *in* LITTRÉ.

4 Vos froids raisonnements ne feront qu'attiédir
Un spectateur toujours paresseux d'applaudir.
BOILEAU, l'Art poétique, III, 21.

5 (...) d'autres goûts avaient un peu attiédi l'affection paternelle depuis que je vivais loin de lui.
ROUSSEAU, les Confessions, II.

6 De peur que le goût de la contemplation ne m'attiédît sur l'exercice de mes devoirs. ROUSSEAU, Émile, IV.

7 L'amitié que la présence attiédit, que l'absence efface.
CHATEAUBRIAND, René, *in* LITTRÉ.

Rendre agréable. *Sa présence attiédit la maison.*

◆ **S'ATTIÉDIR** v. pron.

♦ **1** Devenir tiède (moins chaud ou moins froid). → **Tiédir.** *Votre café est trop chaud, laissez-le s'attiédir.* → **Refroidir.** *L'eau s'est attiédie au soleil.* → **Réchauffer** (se).

♦ **2** (1559). Fig. Devenir moins ardent, moins vif (en parlant des sentiments). *Son ardeur, son amitié s'est attiédie.*

8 Tout est léger; mais je crains que votre âme
Ne s'attiédisse et s'endorme en sa flamme.
LA FONTAINE, Élégie pour M. L. C. D. C.

9 L'amour vrai ne se blase point. Étant tout âme, il ne peut s'attiédir. Une braise se couvre de cendre, une étoile non.
HUGO, l'Homme qui rit, II, II, 9.

10 L'absence fait s'exalter les grandes passions, mais s'attiédir le simple sentiment.
RIBOT, Psychologie des sentiments.

11 Avec le temps, ce désir s'attiédissait (...)
FRANCE, le Petit Pierre, XXX, p. 210.

◆ **ATTIÉDI, IE** p. p. adj.

♦ **1** Rendu, devenu tiède. *Brise attiédie.*

Par métaphore :

12 Ainsi qu'un astre éteint sur un horizon vide,
La foi, de nos aïeux la lumière et le guide,
De ce monde attiédi retire ses rayons.
LAMARTINE, Harmonies..., I, 6.

♦ **2** Fig., littér. Rendu moins ardent, moins vif. *Sensibilité attiédie.*

CONTR. Augmenter. — **Attiser, aviver, enflammer, exalter, fortifier, ranimer, raviver, réchauffer, renforcer, réveiller.**
◊ DÉR. **Attiédissement.**

**ATTIÉDISSEMENT** [atjedismɑ̃] n. m. — 1690; *atiedissement,* 1594; de *attiédir.*

♦ **1** Action d'attiédir, de s'attiédir; résultat de cette action. → **Tiédissement;** et aussi **réchauffement, refroidissement.** *L'attiédissement de cette eau sera long* (Académie).

Rare. *Attiédissement du climat.*

Bouhours dit : «L'auteur... fait ce qu'il peut pour établir attiédissement. Je ne sais pourquoi cet écrivain ne se sert jamais de tiédeur, qui est le mot propre (Remarques sur la langue).» Attiédissement s'est établi dans l'usage malgré les difficultés qu'il a rencontrées, avec d'autant plus de raison que la remarque de Bouhours n'est pas juste : la tiédeur est l'état de ce qui est tiède, et l'attiédissement l'état de ce qui le devient. LITTRÉ, Dict., art. *Attiédissement.* 1

♦ **2** Fig. État de ce qui est moins ardent, moins vif. *L'attiédissement d'un sentiment, du zèle, de la foi...* → **Affaiblissement, refroidissement.**

Quel attiédissement as-tu remarqué dans sa tendresse? 2
ROUSSEAU, Émile, V.

L'attiédissement de l'amour de la patrie (...) 3
ROUSSEAU, Du contrat social, III, 15.

CONTR. (Du 2.) **Exaltation, réchauffement, réveil.**

**ATTIFAGE** [atifaʒ] n. m. — 1574; repris 1849, Sand; de *attifer,* et *-age.*

Rare. Action de s'attifer; résultat de cette action. Manière d'être attifé. → **Attifement.**

(...) tout mon tort envers les autres, c'est de ne point chercher à quêter leur pitié ou leur indulgence pour ma laideur. C'est de me montrer à eux sans aucun attifage pour la déguiser (...) G. SAND, la Petite Fadette, XIX. 1

Mais je n'enregistrais pas ces charmes, ces séductions, ces attifages, ces afféteries, j'allais surprendre leur personnalité. *Lumière! on tourne!* 2
B. CENDRARS, Trop c'est trop, «Un homme heureux», p. 190.

**ATTIFEMENT** [atifmɑ̃] n. m. — V. 1250, *atiffement;* rare jusqu'au XIXe; de *attifer.*

Ordinairement péj. Action d'attifer, de s'attifer. — Syn. (rare) : *attifage.*

Désirée Delobelle présidait à l'attifement de Sidonie. 1
Alphonse DAUDET, Fromont jeune et Risler aîné, p. 31.

Résultat de cette action; manière d'être habillé, mise, tenue. → **Accoutrement, habillement.**

Jamais autant qu'à cette époque les femmes ne bénéficièrent du merveilleux privilège qu'elles ont de paraître toujours belles à leurs contemporains, même sous leurs attifements les plus saugrenus. 2
Georges LECOMTE, Ma traversée, p. 60.

**ATTIFER** [atife] v. tr. — 1613; *atifer,* v. 1220; de 1. *a-,* et anc. franç. *tifer* «parer».

♦ **1** Vx. Orner, parer.

Nonobstant que les dames y soient bien parées et bien attifées, et qu'il y en ait beaucoup de belles (...) 1
Chronique de Boucicaut, XVe s., IV, 7, *in* LITTRÉ.

♦ **2** Mod. (Légèrement fam. et souvent péj.). Habiller, orner, parer avec une recherche excessive ou d'une manière bizarre. → **Accoutrer, habiller.** *Elle attife ses enfants d'une manière ridicule* (Académie). — Au p. p. *Il était drôlement, bizarrement attifé de...*

Il était chaussé d'alpargates *(espadrilles)* et attifé de guenilles passementées et dorées, et d'un gilet de paillon, luisant sous sa cape, comme un ventre de poisson. 2
HUGO, l'Homme qui rit, p. 50.

Elle était parée, cette fois, comme une châsse, pomponnée, attifée, tout or et tout rubans. 3
MÉRIMÉE, Carmen, III.

Avec horreur je me voyais attifé d'énormes choux non de rubans mais de baudruches obscènes. 3.1
Jean GENET, Journal du voleur, p. 70.

♦ **3** (1613). Littér. Orner, enjoliver avec mauvais goût.

Par métaphore :

4 Ils attifent leurs mots, enjolivent leur phrase,
Affectent leur discours (...)
Mathurin RÉGNIER, Satires, IX.

*Attifer qqch. de...*

4.1 (...) ils attifaient sa musique de teintes impressionnistes (...)
R. ROLLAND, Jean-Christophe, Dans la maison, 1909, p. 1031, *in* T. L. F.

◆ **S'ATTIFER** v. pron.

♦ **1** Vx. Se parer. *Il passe chaque matin une heure à s'attifer, se bichonner, se pomponner.*

5 Madame est encore après à se coiffer et attifer, en son cabinet. MONTAIGNE, Essais, III, 9.

♦ **2** Mod. S'habiller d'une manière recherchée, souvent bizarre, et de mauvais goût.

6 Moi, c'est moralement que j'ai mes élégances.
Je ne m'attife pas ainsi qu'un freluquet,
Mais je suis plus soigné si je suis moins coquet.
Edmond ROSTAND, Cyrano de Bergerac, I, 4.

Par métaphore :

7 Je n'aime pas la pensée qui s'attife ; mais bien celle qui se concentre et raidit. GIDE, Pages de journal, I, 11.

◆ **ATTIFÉ, ÉE** p. p. adj. Vx. Habillé. *Des « dames coquettement attifées »* (Gautier). — Mod. Accoutré (→ ci-dessus, cit. 3).

**DÉR. Attifage, attifement, attifet, attifeur, attifiaux.**

**ATTIFET** [atifɛ] n. m. — 1480 ; *tatiffet,* v. 1420 ; de *attifer.*
Vx ou régional. Ornement, parure de femme ; coiffure de femme en usage au XVIe siècle, et, particulièrement, coiffure de veuve.

(...) l'autre vêtue en garce, coiffée d'un attifet emperlé.
MONTAIGNE, Essais, I, 25.

**ATTIFEUR, EUSE** [atifœʀ, øz] n. — 1587, Ronsard ; de *attifer.*
Vx. Personne qui attife, qui fait profession d'attifer.

**ATTIFIAUX** [atifjo] n. m. pl. — D. i. ; de *attifer,* et suff. dial. *-iau.*
Régional. Parure avec laquelle on s'attife. → **Affutiau.**

**ATTIGER** ou **ATIGER** [atiʒe] v. [CONJUG. : *bouger.*] — 1808 ; altér. de *aquiger,* 1596, par infl. de *tige ; aquiger* serait apparenté à l'esp. *aquejar* « tourmenter » (Esnault).

♦ **1** V. tr. (1808). Argot, vx. Abîmer, blesser.
Loc. *Attiger la cabane :* dépasser la mesure (Céline, *Mort à crédit*). → **Charrier, cherrer** (dans les bégonias).

♦ **2** V. intr. (1922). Mod., fam. Exagérer. *Il attige un peu, le mec ! Tu trouves pas que le gouvernement attige, en ce moment ?*

**DÉR. Attigeur.**

**ATTIGEUR** [atiʒœʀ] n. m. — 1826, « bourreau » ; de *attiger.*
Argot, fam. Celui qui attige. — REM. On rencontre aussi la graphie *atigeur* (Hugo, *in* T. L. F.). — Le fém. *attigeuse* [atiʒøz] est virtuel.

**ATTIGNOLE** [atiɲɔl] n. f. — 1876, Richepin ; mot du parler normand, diminutif de *hatille* « abats, bas morceaux de viande ».

♦ **1** Régional. Boulette de charcuterie cuite dans la graisse.

♦ **2** Fig., pop. (Vx). Coup de poing.

**ATTIKAMEK** [atikamɛk] n. et adj. (invar. en genre) — 1979 (*Gazette officielle du Québec,* 25 août, p. 8025) ; mot amérindien.
Personne appartenant au peuple amérindien du Canada portant ce nom *(les Attikameks). Un, une Attikamek.*
Adj. Relatif à ce peuple. *La culture attikamek. Projets attikameks.*

**ATTINGENT, ENTE** [atɛ̃ʒɑ̃, ɑ̃t] adj. — 1886, Bloy ; lat. *attingens,* p. prés. de *attingere* « toucher à, atteindre ». → Atteindre.
Littér., rare (latinisme). Qui touche à. → 1. **Afférent, attenant.**

**ATTINGIBLE** [atɛ̃ʒibl] adj. et n. — 1883, Renan ; du rad. du lat. *attingere* « toucher à, atteindre » (→ Atteindre), et suff. *-ible.*
Littér., philos. Qu'il est possible de connaître, de concevoir.
N. *L'attingible :* ce qu'il est possible d'atteindre. *« Les dernières limites de l'attingible »* (Renan).

**ATTIQUE** [atik] adj. et n. m. — Av. 1560 ; *actique,* 1539 ; lat. *atticus* « d'Attique, d'Athènes », grec *attikos.*

**I** ♦ **1** Adj. Didact. Qui a rapport à l'Attique, à Athènes, aux Athéniens. *Goût, finesse attique.* → **Atticisme.** *Littérature attique. Les philosophes attiques.* — Archit. *Dans le style attique.* → **Atticurge.** *Colonne attique.*

(...) toutes les urbanités attiques. 1
E. DOLET, *in* HUGUET, Dict. XVIe s.

L'élégance attique dont vous me parlez fut-elle jamais plus pure à Athènes (...) ? 2
VOITURE, Lettres, 176, *in* LITTRÉ.

On ne peut nier que ce ne soit *(Lucien)* un des plus beaux esprits de son siècle, qui a partout de la mignardise et de l'agrément, avec une humeur gaie et cette urbanité attique que nous appellerions en notre langue une raillerie fine et délicate. D'ABLANCOURT, Lucien, Épître. 3

(...) il ne se voit rien où le goût attique se fasse mieux remarquer, et où l'élégance grecque éclate davantage. 4
LA BRUYÈRE, Disc. sur Théophraste.

(1672). Littér. **SEL ATTIQUE :** finesse de pensée qui était particulière aux Athéniens, plaisanterie fine et délicate dans le goût attique.

Il est *(ce sonnet)* de sel attique assaisonné partout, 5
Et vous le trouverez, je crois, d'assez bon goût.
MOLIÈRE, les Femmes savantes, III, 2.

Au sel attique, au riant badinage, 6
Il faut mêler la force et le courage.
VOLTAIRE, Épîtres, 3, *in* LITTRÉ.

(...) les Neuchâtelois, avec tout leur esprit, ne sentent guère le sel attique ni la plaisanterie, sitôt qu'elle est un peu fine. 7
ROUSSEAU, les Confessions, XII.

♦ **2** (En parlant du style). Empreint d'atticisme.

(...) le goût « attique », c'est-à-dire le sentiment des nuances, la grâce légère, l'ironie imperceptible, la simplicité du style, l'aisance du discours, l'élégance de la preuve. 8
TAINE, Philosophie de l'art, t. II, IV, I, 2.

♦ **3** Ling. *Dialecte attique, grec attique :* dialecte grec ancien. — N. m. *Parler l'attique.*
*Les auteurs attiques ;* n. m. pl., *les attiques,* écrivains ayant employé ce dialecte.
Par ext. (En parlant d'un écrivain, d'une œuvre). Qui a les qualités des auteurs attiques.

♦ **4** Astron. *Année attique :* année luni-solaire en usage chez les Grecs, et comprenant 12 mois dans les années ordinaires et 13 mois dans les années à mois supplémentaire.

**II** N. m. (1639). ♦ **1** Archit. ATTIQUE (par ellipse de *étage attique*) : étage placé au sommet d'une construction, et de proportions moindres que l'étage inférieur. Petit étage qu'on élève au-dessus d'un pavillon d'angle ou au milieu d'un bâtiment. *On a couronné ce bâtiment d'un attique pour en cacher le toit* (Académie). — REM. Le féminin, rare, est également attesté, notamment chez Zola.

9 Et, pour toute décoration, les hautes fenêtres du rez-de-chaussée, barrées d'énormes grilles saillantes, dans la crainte sans doute de quelque siège, étaient posées sur de grandes consoles et couronnées par des attiques qui reposaient elles-mêmes sur des consoles plus petites.
ZOLA, Rome, p. 43.

*Faux attique* : piédestal soutenant la partie inférieure d'un entablement, rehaussant des bases qui sans cela seraient masquées par une corniche saillante.

♦ **2** Anat. Partie supérieure de la caisse du tympan.

DÉR. et COMP. **Atticiste, attiquement. Néo-attique.**

**ATTIQUEMENT** [atikmɑ̃] adv. — 1539; de *attique*. Didact., rare. À la manière attique.

**ATTIRABLE** [atiʀabl] adj. — 1743; de *attirer*. Rare. Qui est susceptible d'être attiré.

La propriété d'être attirable à l'aimant appartient uniquement au fer qui a passé par le feu.
BUFFON, Hist. nat. des minéraux, Le fer.

**ATTIRAIL** [atiʀaj] n. m. — 1669; *atirail*, XV^e; de l'anc. franç. *atir(i)er* «accommoder, arranger».

♦ **1** Ensemble d'objets divers nécessaires pour tel ou tel usage. → **Appareil, assortiment, équipage, équipement.** *Attirail de guerre.* → **Armement, bagage.** *Attirail de soldat.* → **Équipement, fourniment, harnachement;** fam. **barda, fourbi.**

1 La vaisselle d'argent, les cuvettes, les brocs,
Les magasins de malvoisie,
Les esclaves de bouche, et, pour dire en deux mots,
L'attirail de la goinfrerie.
LA FONTAINE, Fables, II, 20.

2 L'éléphant devait sur son dos
Porter l'attirail nécessaire (...)
LA FONTAINE, Fables, V, 19.

3 Je ne sais où tu as été déterrer cet attirail ridicule.
MOLIÈRE, Dom Juan, III, 1.

4 Tu te trompes, Philémon, si avec ce carrosse brillant, ce grand nombre de coquins qui te suivent et ces six bêtes qui te traînent, tu penses que l'on t'en estime davantage : l'on écarte tout cet attirail qui t'est étranger, pour pénétrer jusques à toi, qui n'es qu'un fat.
LA BRUYÈRE, les Caractères, II, 27.

5 Napoléon se dégagea en silence de l'immense attirail qu'il entraînait après lui, et s'avança sur la vieille route de Kalougha. Ph.-P. SÉGUR, Hist. de Napoléon, IX, 1.

5.1 Le grand attirail de soldat en campagne paraît cependant indiquer, plutôt, qu'il s'agit vraiment du début de la guerre, car un fantassin en permission ne vient pas chez lui dans un accoutrement si peu commode, en temps normal.
A. ROBBE-GRILLET, Dans le labyrinthe, p. 67-68.

REM. Rare au plur. *Des attirails encombrants.*

♦ **2** (1669). Fam., péj. Grande quantité de choses inutiles, bagage superflu que l'on traîne après soi. Équipement compliqué, encombrant ou ridicule. *Fourrer tout son attirail dans une malle.* → **Bataclan, bazar** (fam.). *L'attirail du campeur, du photographe.* → **Barda, fourbi** (fam.), **fourniment.**

6 Elle ôta tout l'attirail dont on se défait.
Antoine HAMILTON, Mémoires... du comte de Gramont, 4.

7 Elle n'avait gardé que ses bijoux sonores,
Dont le riche attirail lui donnait l'air vainqueur.
BAUDELAIRE, les Fleurs du mal, «Les bijoux».

Ces filles du néon vivaient avec ce qu'elles portaient sur elles, un attirail futile et encombrant qu'elles déposaient dans l'arrière-salle d'un bistrot tolérant pour dormir, ou sur la banquette d'une voiture de course pour tourner en rond, l'espace d'un caprice. 7.1
A. BLONDIN, Monsieur Jadis, p. 33.

Fig., vieilli. *L'attirail de la mort. Un attirail lugubre.*

À son réveil il trouve 8
L'attirail de la mort à l'entour de son corps,
Un luminaire, un drap des morts (...)
LA FONTAINE, Fables, III, 7.

À quoi servent les cérémonies et tout l'attirail lugubre qu'on fait paraître à un mourant dans ses derniers moments, qu'à lui exagérer la perte qu'il va faire? 9
MONTESQUIEU, Lettres persanes, 40.

♦ **3** Vx. *Un attirail de gens.* → **Assemblage, ramassis.**

Cet attirail de gens que vous faites venir. 10
MOLIÈRE, le Bourgeois gentilhomme, III, 3.

♦ **4** Fig. Ensemble d'éléments qui accompagnent inutilement une idée, une attitude.

Le romantisme banal, qui allait s'épandre et se vulgariser jusqu'à bercer de sa musiquette le sentimentalisme facile de la bourgeoisie allemande, emprunta son attirail poétique à Heine et, à travers lui, au plus gracieux des grands lyriques romantiques : à Eichendorff. 11
BÉGUIN, l'Âme romantique et le Rêve, 1939, p. 313, *in* T. L. F.

**ATTIRANCE** [atiʀɑ̃s] n. f. — 1855, Baudelaire; de *attirer*, et *-ance*. — REM. Le subst. de *attirer* était *attirement*; *attirance* est absent de la plupart des dict. avant 1920; le moyen franç. *atirance* «convenance» n'a pas de rapport.

♦ **1** Rare. Effet d'une force qui attire. *L'attirance d'un aimant.*

Par métaphore. *L'attirance du gouffre.*

Des cieux spirituels l'inaccessible azur, 1
Pour l'homme terrassé qui rêve encore et souffre,
S'ouvre et s'enfonce avec l'attirance du gouffre (...)
BAUDELAIRE, les Fleurs du mal, «Aube spirituelle», XLVI.

*(Il)* éprouvait la vertigineuse horreur de la chute mêlée d'attirance qu'inspire la suspension au-dessus d'un gouffre. 2
Th. GAUTIER, le Capitaine Fracasse, 17.

♦ **2** Fig. Force qui s'exerce sur les êtres et qui les attire vers qqn ou vers qqch. *L'attirance de la volupté.* → **Aimantation** (littér.), **attraction, attrait, charme, séduction.** *«Cette attirance d'un milieu d'art»* (Goncourt).

À côté de cette attirance vers les littératures étrangères que suscite ce très vif besoin de renouvellement, il faut rappeler, comme une caractéristique de cette même époque, l'essor de la littérature féminine (...) 3
Georges LECOMTE, Ma traversée, p. 100.

CONTR. **Éloignement, répugnance, répulsion.**

**ATTIRANT, ANTE** [atiʀɑ̃, ɑ̃t] adj. — XVI^e; du p. prés. de *attirer*.

♦ **1** Rare. Qui attire, exerce une attraction physique sur une chose. → **Attractif** (force attractive).

Si nous voulons que la force newtonienne soit affectée de cette façon par la transformation de Lorentz, nous ne pouvons plus admettre que cette force dépend uniquement de la position relative du corps attirant et du corps attiré à l'instant considéré. Elle devra dépendre en outre des vitesses des deux corps. 0.1
Henri POINCARÉ, la Mécanique nouvelle, Mémoire..., p. 65.

♦ **2** Cour. Qui attire, exerce un attrait, une séduction. *C'est une personne fort attirante.* → **Séduisant.** *Elle est attirante et attachante.* → **Attachant.** *Des manières, des paroles attirantes.* → **Aimable, engageant.** *Une publicité adroite, alléchante, attirante, pour un spectacle. Un lieu attirant.* → **Attrayant.**

1 Rien n'est tant *(si)* attirant qu'un butin.
BRANTÔME, *in* HATZFELD, Dict. général.

2 Ces charmes attirants, ces doux je ne sais quoi.
CORNEILLE, Poésies diverses, 6.

3 Parlez, bontés attirantes d'un Dieu.
BOSSUET, Jugement de Dieu, II.

4 Elle *(Mme de Longueville)* était quelquefois jalouse de Mlle de Vertus, qui était plus égale, et plus attirante.
RACINE, Port-Royal.

5 (...) une jeune marchande de si bonne grâce et d'un air si attirant, que, malgré ma timidité près des dames, je n'hésitai pas d'entrer, et de lui offrir mon petit talent.
ROUSSEAU, les Confessions, II.

6 Si l'on a soin de rendre ces jeux attirants pour le public.
ROUSSEAU, le Gouvernement de Pologne, 4.

7 Madame de Staël avait la taille assez forte, la peau d'une qualité médiocrement attirante.
MICHELET, *in* P. LAROUSSE.

8 Il aurait pu être beau, spirituel, distingué, attirant, tels qu'ils étaient sans doute, ceux qu'avaient épousés ses anciennes camarades du couvent.
FLAUBERT, Mme Bovary, I, 7, p. 33.

9 Et les coins attirants où l'on vient pour songer.
Jules LEMAITRE, Nostalgie.

N. m. *L'attirant* : ce qui attire.

CONTR. **Dégoûtant, désagréable, rébarbatif, rebutant, repoussant, répulsif.**

**ATTIREMENT** [atiʀmɑ̃] n. m. — Déb. XIIIe, *atirement* ; de *attirer.*

Vx ou littér. Action d'attirer (qqch.); force qui attire. → **Attirance** (mod.).

(...) et glissant aux choses religieuses comme par un attirement irrésistible à la pente d'un doux abîme, elle s'abandonnait à l'angoisse et à la langueur d'une conscience absolument découragée.
Ed. et J. DE GONCOURT, Madame Gervaisais, p. 142.

**ATTIRER** [atiʀe] v. tr. — 1534, Rabelais; *atyrer*, v. 1275; de 1. *a-*, et *tirer*, sur l'anc. franç. *atir(i)er* ; l'anc. franç. employait surtout *attraire**.

♦ **1** (1580). Tirer vers soi, faire venir à soi par une action matérielle. → **Tirer.** — (Sujet et compl. n. de chose). *L'aimant attire le fer. Machine qui attire les fluides en faisant le vide.* → **Aspirer, pomper.** *La pente attire l'eau vers la mer.* → **Affluer** (faire), **dériver, drainer, emporter.** *Les objets élevés attirent la foudre.* → **Tomber** (faire). *La colère attire le sang à la tête.* → **Monter** (faire), **porter.** *Les vésicatoires attirent les sérosités et déterminent des ampoules.* → **Épispastique** (grec epispaô «j'attire»). *Tout corps attire d'autres corps par la gravitation.* → **Attraction.** — (Sujet n. d'être animé; compl. n. de chose). *Attirer l'air dans ses poumons en aspirant. Attirer qqch. dans sa bouche en suçant.* → **Absorber.** — (Sujet et compl. n. de personne). *Prendre qqn par le bras et l'attirer dans un coin.* → **Amener, conduire, prendre.** — (Sujet n. de chose; compl. n. de personne). → ci-dessous, cit. 3.1.

1 À quoi répondit Gargantua : «Il n'y a rien de si vrai que le froc et la cagoule tirent à soi les opprobres, injures et malédictions du monde, tout ainsi comme le vent, dit Cecias, attire les nues». RABELAIS, Pantagruel, XL.

2 Comme l'aimant attire une aiguille.
MONTAIGNE, Essais, I, 266.

3 Écoutez, reprit Léonard en l'attirant dans un endroit isolé (...) G. SAND, la Mare au diable, XIII, 108.

3.1 La descente était extrêmement périlleuse, mais ils ne comptaient pas avec le danger, ils n'étaient plus maîtres d'eux-mêmes, et une irrésistible attraction les attirait vers ce point mystérieux, comme l'aimant attire le fer.
J. VERNE, l'Île mystérieuse, t. II, p. 790.

4 Tous les corps de la nature s'attirent réciproquement. Le soleil attire les planètes qui se meuvent autour de lui, la terre attire la lune, son satellite; elle attire les corps situés à proximité d'elle et les fait tomber vers elle; les molécules des corps s'attirent les unes les autres.
P. POIRÉ, Dict. des sciences (→ Attraction).

♦ **2** (Compl. n. d'être animé). Inciter, inviter, déterminer (un être vivant) à venir (→ **Venir** [faire]), à aller (dans un lieu). *Attirer un animal dans un lieu, quelque part;* (sans compl. second) *attirer un chien. Le miel attire les mouches. Le miroir attire l'alouette. — Attirer un animal au moyen d'un appât.* → **Affriander, affrioler, agrainer, allécher, amorcer, appâter, appeler** (appeau), **attraire** (vieilli), **leurrer...** *Attirer le poisson dans ses filets, le gibier dans des lacs, lacets, pièges...* — (Compl. n. de personne). *Attirer qqn dans un guet-apens.* → **Entraîner.** *Ce spectacle attire tout Paris.* → **Courir** (faire). *Ses succès attirent beaucoup de monde chez elle. La publicité attire l'acheteur. Elle attire sur ses pas une foule d'adorateurs.* → **Traîner** (après, derrière soi). *Attirer des partisans, des recrues.* → **Racoler, recruter.** *Attirer qqn par l'espoir d'une récompense.* — (Sujet n. de chose; compl. n. d'être animé, parfois avec un compl. second en à). *Son intelligence, sa beauté attire, lui attire des admirateurs* (→ ci-dessous, 5.).

Un loup survient à jeun, qui cherchait aventure, 5
Et que la faim en ces lieux attirait (...)
LA FONTAINE, Fables, I, 10.

Le fantôme brillant attire une alouette (...) 6
LA FONTAINE, Fables, VI, 15.

Elle fait la blessée, et va traînant de l'aile, 7
Attirant le chasseur et le chien sur ses pas.
LA FONTAINE, Disc. à Mme de La Sablière, IX, 87.

(...) Votre accueil retient ceux qu'attirent vos yeux. 8
MOLIÈRE, le Misanthrope, II, 1.

(...) madame de Bassigny, très désireuse d'attirer chez elle 9 ce célibataire bien tourné, porteur d'un grand nom, s'était montrée infiniment aimable pour lui.
GYP, le Mariage de Chiffon, p. 47, *in* T. L. F.

Il n'y a que le profit et la commodité qui attirent les étran- 10 gers chez vous; si vous leur rendez le commerce moins commode et moins utile, ils se retirent insensiblement (...)
FÉNELON, Télémaque, III.

Surpris, après m'être longuement époumoné, de ne voir 11 paraître ni dames ni demoiselles qu'attirât la beauté de ma voix. ROUSSEAU, les Confessions, II.

L'instinct de la femme, c'est d'être consolatrice : la douleur 12 les attire comme le miroir les alouettes.
Th. GAUTIER, Fortunio, «La toison d'or», 4.

La Catherine a de quoi attirer les épouseurs, et elle n'aura 13 que l'embarras du choix.
G. SAND, la Mare au diable, XII, 103.

Les littérateurs attirent les folles, comme un bout de 14 viande faisandée attire les mouches.
MONTHERLANT, Pitié pour les femmes, p. 151.

Fig. (Compl. n. de chose). Faire venir.

Le trop de confiance attire le danger (...) 14.1
CORNEILLE, le Cid, II, 6.

*Attirer qqch. sur..., dans..., vers...*

Vous pourriez bien ici sur votre noir jupon 14.2
Monsieur l'huissier à verge, attirer le bâton.
MOLIÈRE, Tartuffe, V, 4.

Ce corps si tendre couche sur la dure; la psalmodie de la 15 nuit et le travail de la journée y attirent le sommeil (...)
BOSSUET, Sermon pour Mlle La Vallière, 2.

♦ **3** Fig. (Sujet n. de chose ou de personne). Capter, solliciter (le regard ou l'attention). → **Appeler, arrêter, fixer, solliciter.** *Attirer l'œil*. L'éclat des couleurs attire le regard. Attirer l'attention* (cit. 34). → **Capter** (→ Conversation, cit. 5.1). *Attirer l'attention par un manège d'agaceries* (cit. 3). → **Aguicher, provoquer.**

La curiosité, cette faiblesse si commune aux hommes, 16 cesse presque d'en être une, quand elle a pour objets des temps et des hommes qui attirent les regards de la postérité. VOLTAIRE, le Siècle de Louis XIV.

Spécialt. (Avec le même n. de chose pour sujet et compl., équivalant à un pron.). *La sympathie attire la sympathie* (→ ci-dessous, cit. 23). *L'abîme attire l'abîme**. *L'argent attire l'argent.* → **Appeler.**

♦ **4** Inspirer à (qqn) un sentiment agréable qui incite à vouloir qqch., à se rapprocher de qqn. — (Sujet n. de chose). *Son charme attire tout le monde.* → **Captiver, charmer, engager, enjôler, gagner, séduire.** *Ce pays, cette ville ne m'attire pas. Une grande sympathie, de grandes affinités les attirent l'un vers l'autre.* → **Entraîner, pousser, rapprocher.** *Ce projet l'attire davantage.* → **Plaire, tenter.** — (Sujet n. de personne). *Attirer qqn par de belles promesses.* → **Allécher.** *Attirer qqn, le public par des choses qui flattent l'esprit ou les sens* (→ **Attirant, attrayant**). *Attirer les lecteurs, les spectateurs par des artifices.* → **Abuser, leurrer, tromper.**

17 Quel charme, malgré vous, vers elle vous attire?
RACINE, Andromaque, II, 5.

18 Les charmes d'un empire ont paru le toucher :
Athènes l'attirait, il n'a pu s'en cacher.
RACINE, Phèdre, III, 1.

19 Vos prières me pourront attirer après vous (...)
GUEZ DE BALZAC, Lettres, VI, 2.

20 Une société qui n'était pas de celles que la faveur attire et que la défaveur éloigne (...)
MARMONTEL, Mémoires, X.

21 Il n'y a rien en lui qui me repousse ou qui m'attire.
A. DE MUSSET, Fantasio, II, 5.

22 Il paraît que ce qui attire les uns rebute les autres (...)
G. SAND, la Mare au diable, XIII, 110.

23 Elle avait tant d'affection à dépenser que nul ne lui semblait étranger; comme la sympathie attire la sympathie, à nul elle ne restait une étrangère longtemps.
R. ROLLAND, l'Âme enchantée, p. 21.

*Attirer les esprits, les cœurs.*

24 Ceux qui ont l'habitude d'être aimés accomplissent, d'instinct, tous les gestes et disent toutes les paroles qui attirent les cœurs. F. MAURIAC, le Nœud de vipères, p. 227.

Absolt. *Le leurre attire. Rien n'attire comme l'espoir du gain.*

25 La rêverie attire, enjôle, leurre, enlace, puis fait de vous son complice (...) HUGO, l'Homme qui rit, II, III, 8.

26 Et le rayonnement du précipice attire.
HUGO, l'Année terrible, Févr., 5.

27 L'homme cherche, la vierge attend, la femme attire.
HUGO, la Légende des siècles, «L'amour», XXXIX.

28 (...) son œil, tel que l'œil du serpent, fascine et attire (...)
F. DE LAMENNAIS, Paroles d'un croyant, p. 72.

29 Ce geste simple et naturel *(de la Vénus de Syracuse)*, plein de pudeur et d'impudicité, qui cache et montre, voile et révèle, attire et dérobe, semble définir toute l'attitude de la femme sur la terre.
MAUPASSANT, la Vie errante, p. 122.

♦ **5** *Attirer* (qqch.) *à, sur* (qqn), lui faire avoir qqch. d'heureux ou de fâcheux.

(Avec *à*). *Sa bonne humeur lui attira la bienveillance de l'auditoire.* → **Concilier, obtenir, procurer, valoir; incliner, porter** (à). *Ses succès lui attirèrent une grande réputation. Attirer à soi l'approbation, la bénédiction, la considération, la vénération... Ses procédés lui attireront des ennuis.* → **Causer, entraîner, occasionner.**

(Avec *sur*). *Attirer le déshonneur, la disgrâce, la honte, le mépris sur qqn. Attirer la colère sur qqn.* → **Éveiller, exciter, provoquer, soulever.** *Attirer sur sa tête, sur soi la haine de tout un peuple.* → **Accumuler, appeler.**

30 Ceux qui sont dissimulés et doubles de cœur attirent sur eux la colère de Dieu. BIBLE (SACY), Job, XXXVI, 13.

31 Les spectacles, les dons, invincibles appâts,
Vous attiraient les cœurs du peuple et des soldats.
RACINE, Britannicus, IV, 2.

Le mal que nous faisons ne nous attire pas tant de persécution et de haine que nos bonnes qualités. 32
LA ROCHEFOUCAULD, Maximes, 29.

Le moindre petit caprice 33
Nous attire leur courroux.
MOLIÈRE, Amphitryon, I, 1.

J'ai cru que notre mariage n'était qu'un adultère déguisé, qu'il nous attirerait quelque disgrâce d'en haut (...) 34
MOLIÈRE, Dom Juan, I, 3.

N'attirez point sur vous des périls superflus (...) 35
RACINE, Mithridate, IV, 4.

Ma manière d'agir, ma critique et mes ris 36
M'attireraient bientôt un monde d'ennemis.
J.-F. REGNARD, Démocrite, I, 6.

Mais je payai bien l'aisance pécuniaire où me mit cette pièce *(Le Devin de village)*, par les chagrins infinis qu'elle m'attira. ROUSSEAU, les Confessions, VIII. 37

Mon air froid m'attira son aversion. 38
ROUSSEAU, les Confessions, XI.

Il commença par apostropher vivement, mais en général, les mères de famille qui appellent indiscrètement chez elles des jeunes gens sans état et sans nom, dont le commerce n'attire que honte et déshonneur à celles qui les écoutent. 39
ROUSSEAU, Julie ou la Nouvelle Héloïse, I, Lettre LXIII.

◆ **S'ATTIRER** v. pron.

♦ **1** (Récipr.). Être attiré l'un vers l'autre. *Souvent les contraires s'attirent. Les astres s'attirent selon les lois de la gravitation.* → **Attraction** (→ ci-dessus, cit. 4).

Jupiter et Saturne s'attirent plus fortement l'un l'autre quand ils sont proches (...) 40
FONTENELLE, Philosophie de Newton.

Ces astres, asservis à la loi qui les presse, 41
S'attirent dans leur course et s'évitent sans cesse.
VOLTAIRE, la Henriade, VII.

♦ **2** Fig. *S'attirer qqch.*, l'attirer à soi, sur soi (→ ci-dessus, 5.). *S'attirer une querelle, une méchante affaire* (cit. 46). *S'attirer des amis, des ennemis. Elle s'est attiré beaucoup d'ennemis. S'attirer des applaudissements, des compliments, des louanges... S'attirer l'estime, la sympathie. S'attirer un blâme, des réprimandes, des reproches.* → **Encourir.** *S'attirer le mépris, la haine de tous.*

Vx. *S'attirer qqn*, attirer ses bonnes grâces, ses faveurs (→ ci-dessous, cit. 45). → **Concilier** (se).

On est bien aise d'avoir à rendre ce témoignage d'amitié, et à s'attirer la réputation de tendresse sans rien donner. 42
PASCAL, Pensées, VII, 452.

Voilà ce que vous vous êtes attiré par vos extravagances (...) MOLIÈRE, les Précieuses ridicules, 16. 43

Qui en choque un *(des gens du parti)* se les attire tous sur les bras. MOLIÈRE, Dom Juan, V, 2. 44

Le cardinal de Rohan était attentif à se mettre bien avec les évêques, à se les attirer, et à se conserver l'attachement de toute la gent doctrinale (...) 45
SAINT-SIMON, Mémoires, 245, 32.

Bernadotte, ayant commandé le corps d'armée français en Poméranie, s'était attiré l'estime des Suédois (...) 46
CHATEAUBRIAND, Mémoires d'outre-tombe, III, II, p. 185.

◆ **ATTIRÉ, ÉE** p. p. adj.

♦ **1** *Attiré, comme par un aimant* (cit. 2). → **Entraîné, poussé.**

♦ **2** (Personnes). Fig. → **Séduit.**

Où courez-vous, mortels abusés, et pourquoi allez-vous errants de vanités en vanités, toujours attirés et toujours trompés, par des espérances nouvelles! 47
BOSSUET, Panégyrique de sainte Thérèse, 1.

**CONTR. Chasser, détourner, éloigner, rebuter, refouler, repousser.** — (De *attiré*) **Attracteur.** ◇ **DÉR. Attirable, attirance, attirant, attirement.**

**ATTISANT, ANTE** [atizɑ̃, ɑ̃t] adj. — 1874, cit.; p. prés. de *attiser*.

Littér., rare. Qui attise, excite (les passions).

L'attisante main, dont je sentais le contact sur ma main depuis vingt-quatre heures, ne manqua pas de revenir chercher la mienne, comme la veille, par-dessous la table.
BARBEY D'AUREVILLY, les Diaboliques, «Le rideau cramoisi».

**ATTISE** [atiz] ou **ATTISÉE** [atize] n. f. — Av. 1876; de *attiser*.

Régional (Nord de la France, Canada). Quantité de bois que l'on met en une fois dans le feu; flambée.

— C'est froid ici!
— Une bonne attisée va arranger cela. Tenez, fouillez dans les grands vaisseaux là, y a des couvertes de laine. Accrochez-les aux murs pour les dégourdir.
Jean-Yves SOUCY, Un dieu chasseur, p. 103.

**ATTISEMENT** [atizmɑ̃] n. m. — XVI^e; de *attiser*.

Rare. Action d'attiser (au propre et au fig.). *L'attisement du feu. L'attisement des haines, des convoitises, des passions.* → **Embrasement, excitation.**

Ainsi, par l'attisement de leurs ardents regards, *(ils)* se consumaient mutuellement.
YVER, XVI^e s., *in* LITTRÉ.

CONTR. **Assoupissement, étouffement, extinction.**

**ATTISER** [atize] v. tr. — XII^e; *atisier*, fig., 1140; du lat. pop. *attitiare*, de *titio* «tison».

♦ **1** (V. 1175). Aviver, ranimer (le feu) en rapprochant les tisons, en soufflant, etc. → **Feu.** *Attiser le feu avec un attisoir, un éventoir, un soufflet. Attiser l'incendie.*

1 Delamain remit une bûche dans le feu, puis la souleva avec des pincettes pour attiser la flamme.
A. MAUROIS, Bernard Quesnay, IX.

Par métaphore. *Attiser le feu de la guerre.* → **Feu** (mettre de l'huile sur le feu, souffler sur le feu).

2 Quand on se brûle au feu que soi-même on attise,
Ce n'est pas accident, mais c'est une sottise.
Mathurin RÉGNIER, Satires, 14.

♦ **2** (1140). Fig. Rendre plus vif, exciter. *Attiser l'ardeur, les convoitises, les désirs de qqn.* → **Embraser, enflammer, exciter.** *Attiser les haines, la discorde, une querelle.* → **Aigrir, envenimer, irriter.** — *Attiser qqn*, l'exciter (notamment, sensuellement; → **Aguicher**, et → ci-dessous, cit. 6).

3 *(Loin d'oser...)* Approuver la fureur de votre emportement, Loin que par mes discours je l'attise moi-même (...)
RACINE, Iphigénie, III, 6.

4 Mon agitation crût au point que, ne pouvant contenter mes désirs, je les attisais par les plus extravagantes manœuvres.
ROUSSEAU, les Confessions, III.

5 L'Espoir, dont l'éperon attisait ton ardeur.
BAUDELAIRE, les Fleurs du mal, 80, «Le goût du néant».

6 Cette belle dame qui n'a même pas la loyauté de livrer son corps aux malheureux qu'elle attise.
Léon BLOY, Choix de textes, p. 128.

7 La femme est faite pour donner la vie, non pour l'ôter, pour pacifier les querelles, non pour les attiser, pour panser les plaies, non pour les aviver.
Léon DAUDET, la Femme et l'Amour, V, p. 102.

8 Le cabinet de Saint-James ne cessera d'attiser ces haines, d'armer ces hostilités.
Louis MADELIN, Hist. du Consulat et de l'Empire, t. V, XII.

◆ **S'ATTISER** v. pron. *Le feu s'attise.* — Par métaphore. «*Je m'attisais sous vos coups comme cette flamme sous le vent*» (Montherlant, *les Olympiques, in* T. L. F.).

Fig. (Récipr.). *Ils s'attisent l'un l'autre.*

CONTR. **Éteindre, étouffer. — Assoupir, calmer, pacifier.**
◊ DÉR. **Attisant, attise, attisement, attiseur, attisoir.**

**ATTISEUR** [atizœʀ] n. m. — 1470, *atisseur*; *atiseor*, XIII^e; de *attiser*.

Rare. Celui qui attise (le feu, les passions).

REM. Le fém. *attiseuse* [atizøz] est virtuel.

**ATTISOIR** [atizwaʀ] n. m. — 1808, *in* Boiste; de *attiser*.

Techn. Ustensile servant, dans certains métiers, à attiser le feu. → 1. **Ringard; tisonnier.**

**ATTITRER** [atitʀe] v. tr. — 1762; *atitrer*, 1764; *atitler*, 1245; *atiteler à*, v. 1170; de 1. *a-*, *titre*, et *-er*.

♦ **1** Vx. Donner la préférence à (qqn) pour ce qui concerne sa profession ou son commerce.

♦ **2** Chasse. *Attitrer les chiens*, les placer dans un relai pour qu'ils y attendent le gibier.

◆ **ATTITRÉ, ÉE** p. p. adj.

♦ **1** Qui est en titre, chargé par un titre* de telle ou telle fonction. *Représentant attitré. Fournisseur attitré de la cour d'Angleterre.* → **Patenté.**

Vieilli. (Rare, péj.). Qui est chargé d'une fonction malhonnête ou criminelle. *Assassin attitré.*

Chasse. *Chiens attitrés*, placés dans un relai.

♦ **2** Habituel. *Marchand attitré*, celui chez qui l'on a l'habitude de se servir. — *Amoureux* (cit. 14) *attitré.*

**ATTITUDE** [atityd] n. f. — 1637, Poussin, en art; le sens étendu se dégage au XVIII^e; ital. *attitudine*, du lat. pop. *actitudo, -udinis*, du bas lat. *aptitudo*. → Aptitude.

♦ **1** Cour. (En parlant des êtres vivants). Manière de tenir son corps. *Attitude naturelle, gracieuse, gauche, forcée, nonchalante, rigide. Aisance, raideur d'une attitude.* → **Contenance, maintien, port, pose, position, posture, station, tenue;** et aussi **air, allure, geste.** *Attitude de repos.* → **Station.** *Attitudes et mouvements*. Attitude verticale.* → **Debout, droit, équilibre; aplomb.** *Attitude hanchée, cambrée. Attitude de l'homme à genoux.* → **Agenouillement.** *Attitude accroupie* (cit. 6). *Attitude d'un homme assis* (position, station assise). *Attitude horizontale.* → **Couché, décubitus.** *Aspects des parties du corps dans les différentes attitudes.* Cf. les noms des parties du corps : taille (cambrée...), épaule (effacée), tête (penchée, inclinée, renversée, redressée)... *Prendre une attitude.* → **Placer** (se), **tenir** (se). *Garder une attitude. La noble attitude du lion.* — Arts (peint., sculpt.). Position du corps (ci-dessous, cit. 1, 2, 4 et 5.1). — Chorégr. Position dans laquelle le corps est en équilibre sur une seule jambe, l'autre étant repliée en arrière à la hauteur des hanches (s'oppose à *mouvement*). → ci-dessous, cit. 3. — REM. Dans la langue classique, la référence aux arts plastiques est toujours présente.

J'ai trouvé une certaine distribution pour le tableau de M. de Chantelou et certaines attitudes naturelles, qui font voir dans le peuple juif la misère et la faim où il était réduit. 1
POUSSIN, Lettre à Stella, 1637.

Le tout dépend des attitudes qu'on donne aux personnes qu'on peint (...) 2
MOLIÈRE, le Sicilien, 11.

Un petit essai des plus beaux mouvements et des plus belles attitudes dont une danse puisse être variée (...) 3
MOLIÈRE, le Bourgeois gentilhomme, I, 2.

Ce prince humain et bienfaisant *(Louis XIV)*, que les peintres et les statuaires nous défigurent, vous tend les bras, vous regarde avec des yeux tendres et pleins de douceur; c'est là son attitude. 4
LA BRUYÈRE, Disc. à l'Académie, 15 juin 1693.

Cependant il *(Charles XII)* avait eu la force, en expirant d'une manière si subite, de mettre par un mouvement naturel la main sur la garde de son épée, et était encore dans cette attitude. 5
VOLTAIRE, Charles XII, 8.

5.1 Autre chose est une attitude, autre chose est une action (...)
DIDEROT, Essai sur la peinture, I.

6 Qu'il apprenne à faire tous les pas qui favorisent les évolutions du corps, à prendre dans toutes les attitudes une position aisée et solide (...) ROUSSEAU, Émile, II.

7 Ils prennent en songeant les nobles attitudes
Des grands sphinx allongés au fond des solitudes (...)
BAUDELAIRE, les Fleurs du mal, «Spleen et idéal», LXVI.

8 Les attitudes, gestes et mouvements du corps humain sont risibles dans l'exacte mesure où ce corps nous fait penser à une simple mécanique.
H. BERGSON, le Rire, IV, 22.

9 Il ne saurait être question d'énumérer les manières d'être diverses qu'aperçoit l'esprit humain, et de classer les aspects sous lesquels des êtres, des idées, et des actes peuvent lui apparaître (...) Qu'on pense aux seules attitudes : debout, dressé sur la pointe des pieds, penché, plié, courbé, à genoux, à croupetons, assis, à cheval, renversé, étendu, etc. et là dedans ne sont pas considérées les positions des membres : bras, mains, jambes, pieds. De même pour les mouvements.
F. BRUNOT, la Pensée et la Langue, p. 653.

10 Lorsque l'attitude *(dans la position verticale)* est correcte, la tête est droite, le cou vertical, les épaules sont portées en arrière, la poitrine est ouverte, le ventre est en retrait par rapport à une ligne verticale tangente au sternum.
A. BINET, les Formes de la femme, p. 60.

Vétér. Physionomie que présente un animal au repos ou en inaction et qui permet de se rendre compte de son état de santé.

♦ **2** Manière de se tenir (et, par ext., comportement) qui correspond à une certaine disposition psychologique. → **Air, allure, aspect, expression, extérieur, geste, manière, mouvement, physionomie.** *Une attitude arrogante, hautaine, provocante, ferme, décidée, évasive. L'attitude de la rêverie, de l'extase. Prendre, adopter, affecter une attitude. Changer d'attitude. L'attitude de qqn, son attitude. Modifier son attitude.*

11 Son attitude est celle du commandement, sa tête regarde le ciel et présente une face auguste sur laquelle est imprimé le caractère de sa dignité.
BUFFON, Hist. nat. de l'homme.

12 Son bras menu pendait avec l'inertie qu'une pensée profonde imprime à l'attitude.
BALZAC, l'Enfant maudit, Pl., t. IX, p. 721.

13 L'expérience journalière nous montre que chaque passion est accompagnée de gestes qui lui sont propres : expressions du visage ou attitudes de la tête, du tronc et des membres.
A. DE ROCHAS, les Sentiments, la Musique et les Gestes, 1900, p. 3.

14 À leurs traits, à la rudesse de leurs manières, à la franchise salubre de leurs attitudes, on croirait voir un de ces tableaux (...) M. BARRÈS, la Colline inspirée, p. 85.

15 Et tout en mâchant sa douleur, il affectait de garder une attitude insouciante et amusée (...)
M. BARRÈS, Un jardin sur l'Oronte, p. 214.

16 Son attitude cabrée, le feu de son regard, exprimaient un orgueil démesuré, aveugle, insolemment agressif.
MARTIN DU GARD, les Thibault, VII, 75.

17 Mme de F. ayant changé d'attitude : il y avait une expression de défi sur son front levé.
MARTIN DU GARD, les Thibault, I, 39.

18 Elle portait haut la tête et rien dans son attitude, ne trahissait l'accablement.
F. MAURIAC, la Pharisienne, p. 188.

19 Elle se fait un masque d'une attitude qui a été autrefois son naturel. A. MAUROIS, Climats, p. 267.

20 L'innocent accusé d'espionnage se trouble. Toute son attitude l'accuse (...)
COCTEAU, Discours du grand sommeil, Prologue.

♦ **3** Fig. Disposition, état d'esprit (à l'égard de qqn ou de qqch.); ensemble de jugements et de tendances qui pousse à un comportement. → **Disposition, position.** *Quelle est son attitude à l'égard de ce problème? Adopter, garder, maintenir une attitude nette, intransigeante dans une affaire. Il était hostile à ce projet, mais il a depuis modifié son attitude. Le gouvernement par son attitude a rassuré les amis de la paix* (Littré). → aussi **Comportement, conduite, décision.**

En politique il faut toujours se composer, au mieux des circonstances, l'attitude d'un homme qui n'envisage rien que l'avantage général. 21
M. BARRÈS, Leurs figures, p. 350.

L'attitude de l'Allemagne nous dicte la nôtre (...) 22
MARTIN DU GARD, les Thibault, VII, 66.

La bonne attitude c'est d'indiquer sa position et de s'y tenir, sans qu'il soit même nécessaire de dire pourquoi. 23
André SIEGFRIED, l'Âme des peuples, IV, 2.

À vrai dire, Athènes et Jérusalem incarnent parfaitement l'une et l'autre des deux attitudes adverses de l'esprit : celle qui demande à l'intelligence seule l'explication du monde, de la vie et de l'homme, et celle qui, pour cette élucidation suprême, ne se repose que sur la foi. 24
DANIEL-ROPS, le Peuple de la Bible, IV, 2.

Collectivt. *L'attitude passive d'une partie de la population.*

♦ **4** Spécialt, péj. Manière de se tenir (→ ci-dessus, 1.) ou disposition psychologique (→ ci-dessus, 2.) affectée et peu sincère. → **Affectation.** *Ce n'est pas là ce qu'il pense, c'est une attitude* (Académie). *Se composer une attitude.*

Loc. (Vx). *Être en attitude :* prendre des poses.

**ATTO-** Métrol. Préfixe du système international (symb. : *a*), du danois *atten* «dix-huit», qui divise par $10^{18}$ l'unité devant laquelle il est placé.

**ATTORNEY** [atɔʀnɛ] n. m. — V. 1803; mot angl., de l'anc. franç. *atorné* (1217), de *ato(u)rner* «régler, assigner».

En Grande-Bretagne, Homme d'affaires agissant pour son client et dont les fonctions correspondent à celle d'un notaire. — Aux États-Unis, Homme de loi remplissant une partie des fonctions de l'avocat* et du notaire* français. *Les attorneys.*

Roger *(Nimier)* et Monsieur Jadis se retrouvèrent au commissariat local de Richmond, gentille bâtisse dans le style windsor, à la façade tapissée de lierre, où les mots constable, attorney, coroner, incarnés par des personnages charmants, prirent soudain un sens concret. 1
A. BLONDIN, Monsieur Jadis, p. 210.

(1837; attestation isolée, 1698). *Attorney général* (en Grande-Bretagne) : procureur général; (aux États-Unis) : garde des Sceaux, ministre de la Justice.

Ils se sont connus alors que le Syndicat du crime avait décidé d'expédier à vingt pieds sous terre l'attorney général Thomas Dewey, accusé de répression illégitime. 2
Roger BORNICHE, Gringo, p. 270.

(Syntagme anglais). *District attorney* (attorney de district).

Mélangé à d'autres détenus, il *(Balestrero dans The Wrong Man – Faux coupable – d'A. Hitchcock)* est transporté dans la grande prison de Long Island en attendant de comparaître devant le district attorney. 3
J.-L. GODARD, Jean-Luc Godard, *in* Coll. des Cahiers du cinéma, p. 75.

**ATTOUCHEMENT** [atuʃmɑ̃] n. m. — XIIIe; *atochement,* après 1170; de *attoucher.*

♦ **1** Rare. Le toucher. *«Nous acquérons l'idée d'espace par la vue et l'attouchement»* (Coste, trad. de Locke).

♦ **2** Action de toucher, notamment avec la main. — REM. Le mot est vieilli ou rare en emploi général.

Spécialt. [a] Fait de se toucher la main. *Attouchement franc-maçonnique :* manière de se toucher la main, signe de reconnaissance maçonnique.

[b] Caresse légère, délicate. *De légers attouchements répétés produisent une sensation de chatouillement.* → **Caresse, frôlement.**

0.1 C'est sa faute, il le sait, il a été maladroit, il a fait un mouvement trop osé, trop fort... ils sont si sensibles, si délicats... ils ne peuvent pas supporter ces attouchements... il faut prendre les plus grandes précautions...
N. SARRAUTE, Vous les entendez ?, p. 42.

[c] Action de toucher en causant un plaisir et en exprimant l'affection, l'attrait physique. — Par euphémisme. Caresse sexuelle ; masturbation.

0.2 Le père Taupe entre en vacillant et commande un litre de blanc, pour lui tout seul ; lorsque Ernestine le lui apporte, le père Taupe se permet des attouchements précis et audacieux qui le font sauter d'aise sur son banc et glousser.
R. QUENEAU, le Chiendent, p. 85.

[d] Méd. Action de toucher un organe pour l'ausculter.

[e] Action de toucher (avec les mains ou un objet) pour guérir. *Les rois de France passaient pour tenir du ciel le don de guérir, par l'attouchement, les écrouelles* (Littré).

1 (...) guérir en un moment et par un seul attouchement une fièvre ou une maladie (...) PASCAL, Pensées, XIII, 3.

(Avec un compl.). *Attouchement de qqn par qqn. L'attouchement d'une main.*

2 Elle s'imaginait que l'amitié et la volonté d'une personne en bonne santé, et l'attouchement d'une main pure et bien vivante peuvent écarter le mal.
G. SAND, la Petite Fadette, XXXV.

**ATTOUCHER** [atuʃe] v. tr. — 1536 ; *atuchier,* 1121 ; de 1. *a-,* et *toucher.*

♦ **1** Toucher légèrement, caresser avec la main. — REM. Rare en emploi général. *Attoucher le visage, les yeux de quelqu'un.*

Spécialt. [a] (Dans le but de guérir). *Attoucher une plaie, un membre malade.* — Par métaphore :

(...) un homme semant le bien, approchant les malades, attouchant la souffrance.
Ed. et J. DE GONCOURT, Madame Gervaisais, p. 144.

[b] Caresser sexuellement.

♦ **2** (Choses). Rare, littér. Effleurer.

♦ **3** V. tr. ind. Vx. *Attoucher à (qqch.)* (P. Borel, *in* T. L. F.).

◆ **S'ATTOUCHER** v. pron. Se toucher légèrement, se caresser.

**DÉR. Attouchement, attoucheur.**

**ATTOUCHEUR, EUSE** [atuʃœʀ, øz] adj. — 1869, cit. ; de *attoucher.*

Rare. Qui attouche, touche légèrement, effleure.

(...) ses impressions, ses désirs, ses demandes, les secrets de sa secrète petite existence étouffée, allaient à sa mère en gestes attoucheurs et caressants, remontant le long de son bras, vers son cou avec de petits serrements pressés, une espèce de pianotage, errant et expressif promené sur elle.
Ed. et J. DE GONCOURT, Madame Gervaisais, p. 62 (1869).

**ATTRACTANT, ANTE** [atʀaktɑ̃, ɑ̃t] n. m. et adj. — 1972 ; angl. *attractant,* n., 1926, de *(to) attract,* v., «attirer». → Attraction.

Physiol. Anglic. N. m. Substance biochimique spécifique capable d'exercer une attraction sur certains individus de l'espèce envisagée. → **Attractif** (II., 2.), **phéromone.** «*Des "attractants" sexuels, aujourd'hui identifiés dans de nombreuses espèces d'Insectes, attirent les mâles vers les femelles à de grandes distances*» (*Encycl. Universalis,* art. *Olfaction,* p. 45 c, 1972).

Adj. Qui exerce une attraction par voie biochimique ; relatif à une telle attraction. *Produit attractant.* «*L'effet attractant maximal* (d'une phéromone composée) *était obtenu pour un mélange des deux isomères*» (*la Recherche,* nov. 1973, p. 979).

**ATTRACTEUR, TRICE** [atʀaktœʀ, tʀis] adj. — XVIe ; dér. sav. du lat. *attractum,* supin de *attrahere.* → Attraire.

Didact. Qui agit par attraction, exerce une action attractive. → **Attractif.** *Le corps attracteur et le corps attiré.*

(XVIe). Méd., vx. *La vertu attractrice de la rate* (A. Paré, *in* Huguet).

**CONTR. Attiré.**

**ATTRACTIF, IVE** [atʀaktif, iv] adj. et n. m. — XVe ; *actratif,* XIVe ; *adtractif,* 1270 ; lat. *attractivus,* de *attractum,* supin de *attrahere.* → Attraire.

[I] Adj. ♦ **1** Qui a la propriété d'attirer. → **Attraction.** *La puissance attractive du soleil. Force attractive de l'aimant. Centres attractifs de l'aimant. Force attractive et positive de deux masses magnétiques.*

Quand les corps tournent autour d'un centre commun, dont par conséquent ils sont attirés et qu'ils attirent, leurs forces attractives varient dans la raison renversée des carrés de leurs distances à ce centre. 1
FONTENELLE, Newton, *in* LITTRÉ.

Il est presque impossible de déterminer par l'expérience l'intensité de la force attractive des molécules des corps (...) 2
LAPLACE, Exposition du système du monde, IV, 17.

Par métaphore. *Le centre attractif d'une ville.*

Chez Wagner, la musique est le noyau du drame, le foyer rayonnant et le centre attractif ; elle absorbe tout ; elle est reine absolue. 3
R. ROLLAND, Musiciens d'aujourd'hui, p. 200.

*La force attractive du regard.* → **Fascinateur, magnétique.**

*(L'oiseau)* attiré par quelque force attractive du chat. 4
MONTAIGNE, Essais, I, 21.

♦ **2** Fig., littér. Qui exerce ou peut exercer une attraction ; qui attire. *Le charme attractif des monuments anciens.* → **Attachant, captivant.**

(...) une vertu attractive s'exhale de ces vestiges de grandeur, de ces traces des arts dont on est environné. 5
CHATEAUBRIAND, Mémoires d'outre-tombe, IV, 6.

Vx. Qui attire en séduisant. → **Alléchant, appétissant, attirant, séduisant.**

(...) Le sexe, à Paris, a la mine jolie, 6
L'air attractif, surtout la croupe rebondie ;
Mais il est diablement sujet à caution.
J.-F. REGNARD, le Bal, 7.

♦ **3** Phys. Vx. *Réfraction attractive :* double réfraction.

♦ **4** Mus. *Sons attractifs.* → **Appellatif** (2.).

[II] N. m. Didact. ♦ **1** (1865). Méd. Vx. Médicament externe qui attire les fluides naturels (sang, pus...).

♦ **2** Substance capable d'attirer (une espèce animale). *Attractif ajouté à un appât.* — Spécialt. Substance chimique capable de provoquer un chimiotactisme positif chez les insectes. → **Attractant.**

**CONTR. Répulsif.** ◇ **DÉR. Attractivité.**

**ATTRACTION** [atʀaksjɔ̃] n. f. — 1638 ; *atration,* 1265 ; bas lat. *attractio* «action de tirer à soi», de *attractum,* supin de *attrahere.* → Attraire.

[I] (1265, «aspiration»). Action d'attirer ; force qui attire. ♦ **1** (1688, compte-rendu de Newton). Sc. Force qui attire les corps matériels entre eux. → **Gravitation.** *Loi de l'attraction universelle* (de Newton), selon laquelle tous les corps matériels s'attirent en raison directe de leurs masses et en raison inverse du carré de leurs distances. → **Gravitation, pesanteur** (cit. 2). *L'attraction d'un corps, du Soleil, de la Terre.* → **Pesanteur.**

1 L'attraction (...) est le grand ressort qui fait mouvoir toute la nature. VOLTAIRE, Lettres philosophiques, 15.

2 (...) vous n'entendez pas plus le mot d'impulsion que celui d'Attraction (...) Si vous ne concevez pas pourquoi un corps tend vers le centre d'un autre corps, vous n'imaginez pas plus par quelle vertu un corps en peut pousser un autre.
VOLTAIRE, Éléments de la philosophie de Newton (→ Impulsion).

3 Il y a une attraction évidente entre le soleil et les planètes, une tendance mutuelle de tous les corps les uns vers les autres.
VOLTAIRE, Éléments de la philosophie de Newton, II, 7 (→ Tendance).

(1733, trad. de Brown). Force qui s'exerce entre corps chargés électriquement et de signes contraires. → **Négatif, positif.** *Attraction électrique, magnétique.*

4 (...) l'aimant entraîne à sa suite, par une attraction qui se transmet de proche en proche, les brins de limaille de fer suspendus les uns aux autres.
H. BERGSON, le Rire, p. 64.

(1821, Maine de Biran). *Attraction moléculaire* : force de cohésion* qui s'exerce entre les molécules d'un corps.

5 Cet ensemble de phénomènes s'accomplit sous l'influence d'une force qu'on appelle attraction universelle ou gravitation universelle et qui dans certains cas prend le nom de pesanteur (chute des corps), d'attraction moléculaire (attractions réciproques des particules d'un même corps ou d'un corps sur un autre).
P. POIRÉ, Dict. des sciences, art. *Attraction* (→ Attirer, cit. 4).

♦ **2** (1761, Rousseau). Fig. Force qui tend à attirer les êtres vers qqn ou vers qqch. → **Attirance, attrait, entraînement, fascination.** *L'attraction mutuelle de deux êtres.* → **Sympathie.** *L'attraction de qqn* : celle qu'il (elle) exerce. *L'attraction de qqn sur qqn. — Force, puissance d'attraction.* — (Collectivités, abstractions). *L'attraction qu'exerce un parti, une idéologie.*

6 C'est l'union des cœurs qui fait leur véritable félicité ; leur attraction ne connaît point la loi des distances, et les nôtres se toucheraient aux deux bouts du monde.
ROUSSEAU, Julie ou la Nouvelle Héloïse, II, 15.

7 Dans le vide qui se forme autour de son ombre gigantesque *(de Napoléon),* s'il entre quelques soldats, ils sont invinciblement entraînés par l'attraction de ses aigles.
CHATEAUBRIAND, Mémoires d'outre-tombe, III, 4.

8 Son immense ennui, son agitation *(de la foule)*
M'entraînent faible et seul dans son attraction.
LAMARTINE, Jocelyn, VIII.

9 Graziella, qui se tenait ordinairement un peu loin, se rapprochait insensiblement de moi, comme si elle eût été fascinée par une puissance d'attraction cachée dans le livre. LAMARTINE, Graziella, II, 13.

10 Le cœur peut s'émouvoir souvent à la rencontre d'un autre être, car chacun exerce sur chacun des attractions et des répulsions.
MAUPASSANT, Fort comme la mort, p. 253.

11 Les déséquilibrés d'une même espèce sont portés par une secrète attraction à se rechercher les uns les autres.
H. BERGSON, le Rire, p. 168.

12 La «Ville éternelle» exerçait sur lui *(Napoléon)* une sorte de mystérieuse attraction qu'il n'avouait qu'à peine (...)
Louis MADELIN, Hist. du Consulat et de l'Empire, t. VI, XII.

13 Par son front atlantique, elle regarde vers le dehors, avec une fenêtre ouverte sur le grand large : elle *(la France)* subit de ce fait des attractions extra-continentales, la tentation des aventures lointaines.
André SIEGFRIED, l'Âme des peuples, III, 1.

14 (...) elle *(la religion)* qui transforme l'effroi du mystère en une attraction sublime (...)
MARTIN DU GARD, Jean Barois, III, Le crépuscule, 2.

Il retournait vers cette chambre du mort, qui exerçait sur lui une attraction nostalgique (...) 15
MARTIN DU GARD, les Thibault, VI, 7.

Je lui racontais sans franchise ma soirée au *Royal Saint-Germain*, je cachais l'attraction qu'exerçait sur moi Nathalie Sarraute. 15.1
Violette LEDUC, la Folie en tête, p. 98.

♦ **3** (1838 ; repris au lat.). Ling. Modification d'une lettre, d'une forme, d'un mode... par l'influence d'une lettre, d'une forme, d'un mode voisin. *Attraction de formes. Attraction de modes. C'est par attraction de la proposition principale que cette subordonnée est au subjonctif. Attraction des genres* (ex. : *un* espèce d'idiot).

Cette attraction, extrêmement commune dans la langue classique, se fait encore de nos jours : quoiqu'il prétende qu'ils sachent un peu l'anglais, ils n'en comprennent pas un mot (FLAUBERT, Corresp., 3e sér., 8) [...] 16
F. BRUNOT, la Pensée et la Langue, p. 520.

Mus. Appel des notes dissonantes vers les notes consonantes.

**II** (1835, Balzac ; angl. *attraction* ; répandu v. 1860). ♦ **1** Ce qui attire le public ; centre d'intérêt. *Une attraction pour les touristes. La tour Eiffel, le centre Beaubourg sont parmi les principales attractions de Paris.*

Fam. Chose ou personne qui attire un intérêt de curiosité.

(...) cet académicien, ce prix Nobel, ce leader du *Figaro* et cette attraction de l'*Express*, ce directeur de conscience (...) 17
F. MAURIAC, Bloc-notes 1952-1957, p. 124.

Vous voyez. Je suis renseignée. On parle beaucoup de vous, vous savez. Z'êtes la grosse attraction. 18
Claude SIMON, le Vent, p. 65.

♦ **2** (Souvent au plur.). Spectacle de variétés, dans un autre spectacle (cinéma, etc.), au cours d'une soirée, d'un gala. *Les attractions d'une boîte de nuit. A quelle heure passent les attractions ?*

Élément d'un spectacle (music-hall, cirque). *Son numéro est la plus belle attraction du spectacle.* → **Clou** (fam.).

La musique fait le roulement qui annonce une attraction. 19
Sacha GUITRY, Ils étaient 9 célibataires, p. 290.

Spécialt. Dans une foire, Entreprise de distraction populaire. *Comme attractions, il y a des manèges, un scenic-railway. Parc d'attractions.*

Le patron du Palace de la Rigolade, avisé par les autorités compétentes que son attraction serait fermée le reste de la soirée, entre (...) 20
R. QUENEAU, Pierrot mon ami, éd. L. de Poche, p. 16.

CONTR. (Du I.) **Éloignement, répulsion.** ◊ DÉR. et COMP. **Attractionnaire** ou **attractionniste. Interattraction.**

**ATTRACTIONNAIRE** [atʀaksjɔnɛʀ] ou **ATTRACTIONNISTE** [atʀaksjɔnist] adj. et n. — 1748, *attractionnaire* ; *attractionniste*, 1866 ; de *attraction*, et *-aire*, *-iste*.

Hist. des sc. Partisan du système de l'attraction de Newton.

N. *Un, une attractionnaire ; un, une attractionniste.*

**ATTRACTIVITÉ** [atʀaktivite] n. f. — 1972 ; de *attractif*.

Caractère de ce qui est attirant, attrayant. → **Attirance, attrait.** *L'attractivité d'une région, d'un métier. «L'éligibilité des parts de ces sociétés au PEA renforcerait leur attractivité»* (*le Monde*, 22 sept. 1999). — REM. Néologisme prétentieux et peu utile, par rapport à *attrait*.

**ATTRAIRE** [atʀɛʀ] v. tr. [CONJUG. : *traire*.] — V. 1100, *atraire* ; lat. *attrahere* «attirer (qqn)», de *ad-*, et *trahere* «tirer».

Vieux.

♦ **1** Rare. Attirer.

Fig. Exercer une séduction sur (qqn, qqch.). — Absolt. «(Vous) *ne plaisez, n'attrayez que par la sensibilité*» (Balzac, *Correspondance, in* T. L. F.).

♦ **2** Dr. *Attraire qqn en justice,* le poursuivre en justice.

**DÉR. Attrait, attrayant.**

**ATTRAIT** [atʀɛ] n. m. — V. 1175, *atret ;* p. p. subst. de *attraire.*

**I** Vx. Action d'attirer. → **Appel, attraction, direction, entraînement.** — Théol. Action par laquelle Dieu attire les âmes vers lui, leur révèle leur vocation. *L'attrait de Dieu.*

1 Il faut être sous la main de Dieu, et se laisser manier conformément à son attrait (...)
BOSSUET, Lettre à M. Cornuau, 13 oct. 1693.

2 Il n'y a jamais qu'un bon attrait pour chaque âme, qui est de suivre celui que Dieu donne (...) Les voies de Dieu sont infinies (...) BOSSUET, Lettres, 29 mars 1695.

*L'attrait de la vocation,* qu'exerce la vocation.

3 Combien d'âmes appelées sont infidèles à l'attrait de leur vocation ! MASSILLON, Prof., 1, *in* LITTRÉ.

**II** Mod. ♦ **1** Littér. Caractère, qualité qui attire (en qqch.), est de nature à plaire. → **Agrément, allèchement** (rare), **attirance, attraction, charme, enchantement, fascination, invitation, invite, séduction, tentation.** *L'attrait du plaisir. L'attrait des plaisirs sensuels.* → **Concupiscence.** *L'attrait charnel* (→ 1. Physique, cit. 6). *L'attrait de l'aventure, du danger, de la difficulté. L'attrait de la nouveauté.* → **Ragoût** (vx). *L'attrait de la gloire, du merveilleux.* → **Mirage, prestige.** *Éprouver, ressentir, subir l'attrait d'un lieu. Éprouver un attrait extraordinaire pour la montagne* (cit. 10). *Un puissant attrait.* — *L'attrait de qqch. pour qqn* (→ ci-dessous, cit. 9). — Vx. *Un, des attraits* (→ ci-dessous, cit. 5, 6, 7 et 10.1). *Avoir des attraits pour qqn* (→ ci-dessous, cit. 4).

4 Quels attraits penses-tu qu'ait pour nous la couronne ?
CORNEILLE, Rodogune, II, 4.

5 De l'aimable vertu doux et puissants attraits !
RACINE, Esther, II, 7.

6 Les attraits enchanteurs de la prospérité.
LA FONTAINE, Élégie aux nymphes de Vaux, I.

7 Par lui, l'erreur, toujours finement apprêtée,
Sortant pleine d'attraits de sa bouche empestée (...)
BOILEAU, Satires, XII.

8 Elle était régulièrement belle ; l'on remarquait sur son visage je ne sais quoi de vertueux et de passionné dont l'attrait était irrésistible.
CHATEAUBRIAND, Atala, p. 23.

9 L'arène de la guerre a pour nous tant d'attrait.
HUGO, Odes, III, 7.

10 Combien la solitude a d'attraits pour le poète.
Aloysius BERTRAND, Gaspard de la nuit, p. 15.

10.1 Elles n'attirent point ; elles fascinent par une certaine majesté d'impudeur, par des attraits de force, de volonté, de hardiesse.
Ed. et J. DE GONCOURT, la Femme au XVIIIe siècle, t. II, p. 40.

11 L'attrait du danger est au fond de toutes les grandes passions. FRANCE, le Jardin d'Épicure, p. 18.

12 Elle *(Thérèse)* garda quelque temps une immobilité profonde qui ajoutait à l'attrait de sa chair le charme des choses que l'art a créées.
FRANCE, le Lys rouge, I, 18.

13 Pour un peu, je ne consentirais à voir dans ses poursuites qu'un sport dont la difficulté surtout fait l'attrait.
GIDE, Journal, 1905, Lundi.

14 Un aveugle imaginerait plus facilement les couleurs, qu'un insensible le mystérieux attrait émanant de l'aspect d'un corps. GIDE, Journal, 28 août 1921.

15 La mer fascinera toujours ceux chez qui le dégoût de la vie et l'attrait du mystère ont devancé les premiers chagrins.
PROUST, les Plaisirs et les Jours, p. 235.

♦ **2** Spécialt. Au plur. (Mot proposé pour rendre l'angl. *amenities*). Facteurs qui concourent à rendre agréable l'habitation, le cadre de vie. → **Agrément.**

♦ **3** Plur. Vx ou littér. *Les attraits d'une femme,* les beautés qui en elle attirent. → **Agrément, appât** (II. : appas, et cit. 13), **beauté, charme, grâce, trésor.** *Les trompeurs attraits d'une sirène*.*

16 Sévigné de qui les attraits
Servent aux Grâces de modèle,
Et qui naquîtes toute belle,
À votre indifférence près (...)
LA FONTAINE, Fables, IV, 1.

17 L'une fait fuir les gens, et l'autre a mille attraits.
LA FONTAINE, Fables, VI, 21.

18 Mon peu d'appas n'a rien qui vous engage.
D'où me vient-il ? Je m'en rapporte à vous.
N'est-il pas vrai que naguère, entre nous,
À mes attraits chacun rendait hommage ?
LA FONTAINE, Contes, III, 6.

19 Elle brillait de mille attraits, et ce n'était qu'agrément et que charmes que toute sa personne.
MOLIÈRE, les Fourberies de Scapin, I, 2.

20 De grâces et d'attraits je vois qu'elle est pourvue.
MOLIÈRE, le Misanthrope, II, 4.

21 Il lui restait ce qui ne périt point avec les attraits, un esprit très agréable. ROUSSEAU, les Confessions, IV.

22 Attraits, Appas, Charmes (dans une femme). Ces trois mots expriment les beautés qui dans une femme saisissent les yeux et les captivent. Les attraits, c'est ce qui attire ; les appas, c'est ce qui amorce ; les charmes, c'est ce qui exerce une sorte d'enchantement. LITTRÉ, Dict., art. *Attrait.*

♦ **4** Fait d'être attiré, de se sentir attiré vers qqn ou vers qqch. → **Attirance, attraction, goût, inclination, penchant, sympathie.** *Éprouver, ressentir, se sentir de l'attrait, un attrait instinctif, un vif attrait pour...*

23 Vous ne connaissez pas l'attrait qui vous engage.
LA FONTAINE, Fables, X, 9, 29.

24 (...) il éprouvait un attrait romantique pour le malheur.
Jacques DE LACRETELLE, le Retour de Silberman, p. 53.

**CONTR. Dégoût, éloignement, répulsion.**

**ATTRAPABLE** [atʀapabl] adj. — 1850, Balzac ; de *attraper.*

♦ **1** Fam. Qu'on peut attraper. — (En parlant d'un mal, d'une maladie) :

1 Les indigènes dans ces parages souffraient jusqu'au marasme de toutes les maladies attrapables (...)
CÉLINE, Voyage au bout de la nuit, p. 156.

♦ **2** Fig. Qu'on peut tromper. → **Attraper** (I., 3.).

2 (...) elle est de ces esprits qui sont puissants dans le cabinet, dans l'intelligence, et fort attrapables sur le terrain des réalités.
BALZAC, Lettres à l'étrangère, t. I, 1850, p. 464, *in* T. L. F.

**ATTRAPADE** [atʀapad] n. f. — 1926, *in* D. D. L. ; de *attraper* (I., 5.), et *-ade.*

Fam. Attrapage*. → **Gronderie ; engueulade** (fam.). *Une attrapade en règle.*

C'était magnifique, vrai présent du ciel, une histoire pareille ! Et pas simple broutille de discussion sans lendemain, pas mince attrapade de maison à maison.
G. CHEVALLIER, Clochemerle, p. 110.

**ATTRAPAGE** [atʀapaʒ] n. m. — 1869 ; de *attraper* (I., 5.).

♦ **1** Fam. Critique, réprimande. → **Attrapade, engueulade** (fam.), **gronderie, savon** (fam.). *Ce journal s'en est pris à lui violemment : quel attrapage !*

♦ 2 Querelle soudaine, violente; parfois pugilat. *Avoir un attrapage avec qqn. Ils ont eu un sérieux attrapage.*

**ATTRAPE** [atʀap] n. f. — 1751; *atrape,* v. 1240; déverbal de *attraper.*

♦ 1 Objet servant à prendre ou à retenir.
(XV^e^). Vx. Piège* pour prendre les animaux.

♦ 2 Vieilli. Action par laquelle on trompe qqn pour s'amuser. *Il lui a fait une attrape.* → **Attrape-nigaud, malice, plaisanterie.**

Mod. Objet destiné à tromper qqn. *Nous avions acheté une boîte d'attrapes pour leur faire des farces.* — *Farces-attrapes* ou (plus cour.) *farces et attrapes.* → **Farce.**

Au milieu de huit ou dix boîtes d'attrapes une autre boîte garnie de bonbons. ROUSSEAU, Émile, II.

♦ 3 (1541). Littér. Apparence destinée à duper, mystifier. → **Duperie, mystification, tromperie.** *Ce prétendu remède n'est qu'une attrape* (Académie). *Se laisser séduire par une attrape* (→ Mordre à l'hameçon).

**ATTRAPE-COUILLON** [atʀapkujɔ̃] n. m. — XX^e^; de *attraper,* et *couillon,* d'après *attrape-nigaud.*

Très fam. Attrape-nigaud.

**ATTRAPE(-)GOGO** [atʀapgogo] n. m. — 1936, Céline; de *attraper,* et *gogo.*

Fam. Ruse grossière qui attrape les personnes naïves. → **Attrape-nigaud** (plus cour.). *«Un mythe?... Disons plutôt un attrape-gogo»* (le Nouvel Obs., 5 déc. 1977, p. 86). — On rencontre la graphie *un attrape-gogos.*

1 Positif, voilà, mon frère est un esprit positif. A ses yeux les «artistes» sont des zozos. Ils passent leur temps au petit jeu bien connu «tu es vessie je te fais lanterne», bel attrape-gogos, vessie est la vessie et la lanterne lanterne.
J.-L. BORY, Ma moitié d'orange, p. 15.

2 Cependant le premier ministre Sagasta prétendait faire montre de libéralisme et instituait le suffrage universel. Ce n'était qu'un trompe-l'œil, un attrape-gogo.
Denyse VAUTRIN, le Reste de l'âge, p. 81.

**ATTRAPE-MOUCHE** [atʀapmuʃ] n. m. — 1700; de *attraper,* et *mouche.*

♦ 1 Bot. Nom de plantes dont les feuilles ou les fleurs se referment sur les insectes qui viennent à s'y poser. → **Dionée, droséra.** *Des attrape-mouche* ou *des attrape-mouches.*

♦ 2 Piège à mouches.

J'ai récité le chapelet, lavé chaque jour la voiture, accroché des attrape-mouches dans les salles, les cuisines, le fumoir et les cabinets privés de l'évêché.
Conrad DETREZ, l'Herbe à brûler, p. 103.

**ATTRAPE-NIAIS** [atʀapnjɛ] n. m. → **Attrape-nigaud.**

**ATTRAPE-NIGAUD** [atʀapnigo] n. m. — 1798; de *attraper,* et *nigaud.*

Ruse grossière qui ne peut attraper qu'un nigaud; tromperie, mystification. *Des attrape-nigaud* ou *des attrape-nigauds.* — On a dit dans le même sens *attrape-lourdaud, attrape-niais.* → **Attrape-couillon** (très fam.), **attrape-gogo.**

1 Déformation professionnelle : dès que m'attire un décor, un objet, je me demande à quelle motivation j'obéis. Elle flaire l'attrape-nigaud, la mystification et tous ces raffinements l'excèdent et même à la longue l'irritent.
S. DE BEAUVOIR, les Belles Images, p. 195.

REM. La forme *(une) attrape-nigaude* «attrape-nigaud destiné à une femme» n'est pas lexicalisée.

(...) je me sens hérétique depuis l'âge de dix-sept ans, 2
depuis que je suis sûre qu'une femme «ce n'est pas pareil», depuis que j'ai perçu en toute religion la construction mentale non de Dieu mais de l'homme, depuis que je suis sensible à l'attrape-nigaude qu'est la prière de Marie (...)
Michèle PERREIN, Entre chienne et louve, p. 181.

**ATTRAPER** [atʀape] v. tr. — XIV^e^; *atraper,* 1165; de 1. *a-, trappe,* et *-er.*

**I** (Idée de «prendre»). *Attraper qqn, un animal.* ♦ 1 Vx. Chasse. Prendre (un animal) à un piège*, prendre comme dans un piège (un ennemi, etc.).

De là naîtront engins à vous envelopper, 1
Et lacets pour vous attraper (...)
LA FONTAINE, Fables, I, 8.

Quand reginglettes et réseaux 2
Attraperont petits oiseaux (...)
LA FONTAINE, Fables, I, 8.

*(Un vieux renard)* Fut enfin au piège attrapé. 3
LA FONTAINE, Fables, V, 5.

REM. Ce sens, qui évoque l'étymologie *(trappe),* n'est plus motivé, et l'emploi est compris aujourd'hui au sens 2.

♦ 2 (XIV^e^). Rejoindre (qqn, un animal) et s'en saisir. *Les gendarmes, les policiers ont fini par attraper le voleur.* → **Emparer** (s'). — Prov. *Il courra bien si on ne l'attrape :* on finira par le prendre. — *L'escroc s'est fait attraper.* → **Prendre; empoigner;** fam. **agrafer, choper, paumer, piquer, poisser, sauter.** *Gare à toi si je t'attrape! Elle court plus vite que toi, tu ne l'attraperas pas.* → **Rattraper.** — REM. Lorsqu'il s'agit de personnes ou de véhicules en mouvement, on emploie normalement *rattraper,* s'il n'y a pas de prise de possession. Pour la prise de possession sans idée de mouvement, de poursuite, → ci-dessous, II., 1.

♦ 3 (XIII^e^). Fig. Surprendre par artifice ou tromperie; tromper par une ruse, «prendre au piège». → **Abuser, duper, leurrer, surprendre, tromper.** *Attraper qqn par une fausse apparence.* → **Change** (donner le). *Attraper qqn par des flatteries.* → **Séduire; embabouiner** (vx), **enjôler, enquinauder** (vx), **piper** (vx)... *Il m'a bien attrapé* (→ fam. Il m'a eu). *Se laisser attraper comme un sot.* → **Mordre** (à l'hameçon), **gober** (le morceau). *Bien fin qui pourrait l'attraper. Moyen pour attraper les nigauds.* → **Attrape-nigaud** (et syn.). *Se faire attraper, être attrapé par qqn, par une ruse* (vx), *à une ruse. Il s'y est fait attraper, il s'y est laissé attraper.*

J'appréhende furieusement le distinguo; j'y ai déjà été 4
attrapé. PASCAL, les Provinciales, 4.

Un mariage ne lui coûte rien (...) Il ne se sert point d'autres 5
pièges pour attraper les belles.
MOLIÈRE, Dom Juan, I, 1.

Le stratagème dont il s'est servi pour attraper sa dupe (...) 6
MOLIÈRE, les Fourberies de Scapin, III, 3.

Par ext. Séduire, attirer à soi (de manière plus ou moins insincère). → **Conquérir, séduire.**

Larmes de crocodile, jeux lascifs, doux langage, 7
Soupirs, souris *(sourires)* flatteurs, tout est mis en usage,
Quand il s'agit d'attraper un amant.
LA FONTAINE, *in* L. DOCHEZ, Nouveau dict. de la langue franç.

(...) c'était un minois à piper les plus fins; j'y aurais moi- 8
même été attrapé. A.-R. LESAGE, Gil Blas, IV, 5.

(1656). *Être attrapé, bien attrapé :* avoir subi une déception, un mécompte, une surprise désagréable (qu'on ait été trompé ou non). *En arrivant au théâtre, je fus bien attrapé : il y avait relâche. Vous le prenez pour un ami? Vous seriez bien attrapé si vous saviez ce qu'il dit de vous.*

Je dis que vos ennemis seront bien attrapés. 9
MOLIÈRE, les Fourberies de Scapin, III, 2.

9.1 Si on venait t'annoncer que ce projet est à l'eau, tu serais bien attrapée.
S. DE BEAUVOIR, les Mandarins, p. 173.

Spécialt. Être la victime d'une attrape, d'une farce.

♦ **4** (1564). Fig. *Attraper qqn à* (et l'inf.), le prendre sur le fait. → **Surprendre.** *Que je vous y attrape encore à venir voler mes raisins* (Académie). — Ellipt. *Ah ! je vous y attrape ! vous lisez en cachette.* → **Prendre.**

♦ **5** (1866). Fam. Faire de vifs reproches, de vives critiques à. → **Réprimander, gronder.** *Il, elle s'est fait attraper par ses parents. Je suis arrivé en retard et me suis fait attraper. Attraper qqn de la belle manière.* → **Éreinter.**

9.2 Anatole se trouvait blessé du ton de Garnotelle à son égard, et il était bien rare que sous l'excitation du vin, de la causerie, il n'*attrapât* pas son ancien camarade.
Ed. et J. DE GONCOURT, Manette Salomon, p. 333.

REM. Ce sens, qui apparaît dans les dictionnaires en 1866 (P. Larousse) dans un contexte d'adultes *(«son chef de bureau l'a attrapé d'importance»)*, est aujourd'hui caractéristique du vocabulaire familial (rapports parents-enfants), comme *gronder* ; il est à peine familier par rapport à *enguirlander, engueuler.*

**II** (Idée d'«obtenir»). *Attraper qqn, qqch.* ♦ **1** Arriver à prendre, à saisir ; s'emparer de (qqn, qqch.). → **Saisir.** *Il attrape avidement tout ce qu'il voit.* → **Agripper, gripper.** *L'hirondelle attrape les insectes au vol.* → **Happer.** *Attraper une balle, un ballon à la volée. Vite, attrape ! Attraper qqch. au vol. Les cancres qui attrapent les mouches* (→ Bâcler, cit. 3). — *Attraper qqn,* s'en saisir, le maîtriser (si l'idée de mouvement n'est pas exprimée par le contexte, ce sens peut se confondre avec I., 2.).

10 Çà qu'on l'attrape, qu'on le grippe *(agrippe),*
Çà qu'on le châtre, qu'on l'étripe (...)
SCARRON, Virgile travesti, IV.

11 Si jamais je l'attrape, je saurai me venger de lui.
MOLIÈRE, les Fourberies de Scapin, II, 7.

12 Laisse-moi faire, je t'attraperai sans courir.
MOLIÈRE, le Sicilien, 8.

13 La cigogne au long bec n'en put attraper miette (...)
LA FONTAINE, Fables, I, 18.

14 *(Le pâtre)* Voulut à toute force attraper le larron.
LA FONTAINE, Fables, VI, 1.

15 Goinfre, elle attrape au vol tout ce qui tombe. Elle avale – plouc ! – les gros morceaux (...)
COLETTE, la Paix chez les bêtes, «La chienne Bull».

Fam. *Attrape qui peut ! :* que le plus adroit s'en saisisse. *Je leur ai jeté une poignée de pièces, et puis attrape qui peut !*

♦ **2** (1618). Vx. Obtenir adroitement. *Attraper l'argent de qqn.* → **Dérober, escamoter, subtiliser, voler ;** (fam.) **chauffer, chiper, choper, faucher, piquer.**

16 Un tour qui vient d'être joué par un fils à son père, pour en attraper de l'argent.
MOLIÈRE, les Fourberies de Scapin, III, 3.

♦ **3** **a** Gagner, obtenir (une chose heureuse), soit après des efforts (idée de «rattraper à la course»), soit par chance et par habileté (→ ci-dessous, II., 1. : *attraper au vol*). *Il a attrapé la prime, le gros lot. Il a fini par attraper la place.*

16.1 – Il paraît qu'il a attrapé une position magnifique, ce gaillard-là !
LABICHE, les Petites Mains, III, 4.

**b** (1694). Plus cour. Recevoir, subir (une chose fâcheuse). *Attraper un coup, un mauvais coup.* → **Recevoir.** — Spécialt. *Attraper un rhume, une maladie.* → **Contracter, gagner.** *Attraper un coup de soleil.*

17 Attrapé un fameux coup de soleil sur presque tout le corps, à me laisser rissoler hier sur la plage.
GIDE, Journal, 6 juin 1908.

Marc, qui a dû attraper un coup de soleil, est assez souffrant. 17.
GIDE, Voyage au Congo, *in* Souvenirs, Pl., p. 773.

Il ne semble pas que les uns aient pensé le bouddhisme, les autres, le communisme : ils ont attrapé le bouddhisme, le communisme, le nationalisme, comme ils auraient attrapé le paludisme. 17.
– Pour les grandes religions, et même pour le communisme russe ou chinois, des millions d'hommes y sont nés. Ils n'ont rien eu à attraper.
MALRAUX, Antimémoires, Folio, p. 469.

Fam. *Attrape-toi cela !* (Littré), se dit en frappant qqn, en le punissant. *Tiens, attrape !*

♦ **4** Fig. Saisir, percevoir par surprise, par hasard. *Attraper quelques bribes de conversation. Attraper qqch. du coin de l'œil.*

(...) en passant devant les derniers groupes de bourgeois fermant leurs portes, il attrapait quelque lambeau de leurs conversations (...) HUGO, Notre-Dame de Paris, II, 4. 18

♦ **5** Réussir à atteindre (un véhicule qui part) ; arriver à temps pour prendre. *Attraper le train, l'autobus. J'ai couru pour attraper mon train, je l'ai attrapé à la dernière minute, de justesse. Je n'ai pas pu attraper le dernier métro, je l'ai manqué, raté.*

Mais il était trop tard pour attraper le train. 19
MARTIN DU GARD, les Thibault, III, 13.

♦ **6** (1666). Fig. Arriver à saisir par l'esprit, l'imitation. → **Exprimer ; rendre, reproduire.** — *Attraper une ressemblance. Il l'a bien attrapé.* → **Contrefaire, imiter.**

Je vois bien que vous voulez attraper ce genre d'écrire. 20
RACINE, Lettre à l'auteur des «Hérésies imaginaires».

Il n'y en a point *(d'acteurs)* qu'on ne pût attraper par quelque endroit, si je les avais bien étudiés (...) 21
MOLIÈRE, l'Impromptu de Versailles, 1.

(...) il dessine correctement et attrape la ressemblance (...) 22
A.-R. LESAGE, le Diable boiteux, XI.

Par métaphore des sens I., 1. («prendre au piège») et I., 2. («rattraper, se saisir») :

Quand on court après l'esprit, on attrape la sottise. 23
MONTESQUIEU, Variétés.

Et moi, dit le poète, pour attraper les images et les idées, il me suffit de cet appât de papier blanc, les dieux n'y passeront point sans y laisser leurs traces comme les oiseaux sur la neige. CLAUDEL, Feuilles de saints, p. 113. 24

♦ **7** (1669). Fam. Atteindre (un but). *Il a attrapé le but, c'est un excellent tireur.* — (Choses). *Une pierre l'a attrapé à la tête.* → **Frapper, heurter.**

Fig. *Attraper le bout de l'année,* y parvenir.

(...) je n'entasse guère 25
Un jour sur l'autre : il suffit qu'à la fin
J'attrape le bout de l'année.
LA FONTAINE, Fables, VIII, 2.

◆ **S'ATTRAPER** v. pron.

♦ **1** (Réfl.). Se faire prendre au piège. *On ne s'attrape pas deux fois au même piège.*

S'accrocher, adhérer. *Les capitules de la bardane s'attrapent aux vêtements.*

♦ **2** (Récipr.). *S'attraper à la gorge :* se saisir à la gorge.

Fam. Échanger de vifs reproches. *Ils se sont sérieusement attrapés.* — Se battre. *Elles se sont attrapées aux cheveux.* → **Battre** (se), **crêper** (se crêper le chignon).

♦ **3** (Passif). Être contracté par contagion. *Cette maladie s'attrape.* → **Gagner** (se).

Votre manie de discuter rationnellement toutes les choses, elle s'attrape comme une maladie. 26
MARTIN DU GARD, les Thibault, VII, 9.

◆ **ATTRAPÉ, ÉE** p. p. adj. (→ ci-dessus, I., 3.). Désagréablement surpris. → **Déçu, dépité.**

27 (...) l'œil avec dedans ce regard doux, triste, enfantin, attrapé comme celui d'une petite fille, à laquelle on aurait abîmé sa poupée.
Ed. et J. DE GONCOURT, Journal, 19 nov. 1863.

28 L'air stupide, mauvais, jobard ou dupe, narquois et attrapé des morts. VALÉRY, Cahiers, t. II, Pl., p. 586.

CONTR. **Échapper** (laisser), **lâcher, relâcher.** — **Louper** (fam.), **manquer.** — **Satisfaire** (l'attente de quelqu'un).
◊ DÉR. **Attrapable, attrapade, attrapage, attrape, attrapeur, attrapoire.** — COMP. **Attrape-couillon, attrape-gogo, attrape-mouche, attrape-nigaud.** — **Rattraper.**

**ATTRAPEUR, EUSE** [atʀapœʀ, øz] n. — 1542; *attrapar*, 1524; de *attraper*.

Vieux.

♦ **1** Personne qui attrape (un animal), le prend à un piège.

♦ **2** Personne qui attrape par adresse, artifice... *C'est un attrapeur de filles, un attrapeur de successions* (Académie).

(1542). Personne qui trompe.

**ATTRAPOIRE** [atʀapwaʀ] n. f. — 1574; *attrapoir*, n. m., 1575; *atrapouere*, 1547; de *attraper*, et *-oire*.

Vx. Piège pour animaux. — Fig. Fourberie, tromperie.

REM. Ce mot semble hors d'usage à partir du XVIIe s.; il est conservé par le *Dictionnaire* de l'Académie jusqu'en 1878.

**ATTRAYANT, ANTE** [atʀɛjɑ̃, ɑ̃t] adj. — 1283; de *attraire*.

♦ **1** Vieilli. Qui a de l'attrait, qui attire (personnes, qualités ou aspects d'une personne). *Une beauté attrayante.* → **Séduisant; aimable, attirant, charmant, engageant, gracieux.** *Cette femme n'a rien d'attrayant* (Académie). — *Air, charme attrayant, apparence attrayante.*

1 Tant la trouva gracieuse et gentille,
D'esprit si doux et d'air tant attrayant (...)
LA FONTAINE, Contes, «Le berceau».

2 On y voit des grâces qu'on ne voit point aux autres bouches; et cette bouche, en la voyant, inspire des désirs, est la plus attrayante, la plus amoureuse du monde.
MOLIÈRE, le Bourgeois gentilhomme, III, 9.

3 (...) les charmes attrayants d'une conquête à faire.
MOLIÈRE, Dom Juan, I, 2.

♦ **2** Mod. Qui exerce de l'attrait, qui plaît (spectacles, attractions). → **Agréable, plaisant.** *Son projet est assez attrayant. C'est une idée attrayante. La grande idée de Fourier était de rendre le travail attrayant.* — *Spectacle attrayant.*

4 (...) l'illusion offre aux malheureux de si attrayants mirages, que la jeune femme finit par trouver un espoir dans cette tranquillité.
BALZAC, l'Enfant maudit, Pl., t. IX, p. 662.

CONTR. **Dégoûtant, déplaisant, désagréable, rebutant, repoussant.** — **Antipathique.**

**ATTREMPER** [atʀɑ̃pe] v. tr. — 1580; var. *atremper* «modérer», XIe; de 1. *a-*, et *tremper*.

Technique.

♦ **1** Vx. Tremper (le fer). → **Tremper** (I., 4.).

♦ **2** Mod. Chauffer progressivement en portant à un très haut degré de chaleur.

**ATTRIBUABLE** [atʀibɥabl] adj. — V. 1510; de *attribuer*.

Qui peut être attribué (à). *Ce phénomène, attribuable à* (telle cause)... *Cet échec, attribuable à sa maladie.* → **Dû.** *Cet accident ne lui est pas attribuable.* → **Imputable.**

**ATTRIBUER** [atʀibɥe] v. tr. — 1313; lat. *attribuere* «attribuer, donner», de *ad*, et *tribuere*, d'abord «répartir entre les tribus».

♦ **1** (1313). *Attribuer qqch. à qqn :* donner, allouer (qqch. à qqn) à titre de part (dans un partage, une répartition). → **Donner.** *Attribuer une part à un héritier, un lot à un copartageant.* → **Adjuger, allotir, allouer, assigner, départir, doter, lotir.** *Partager*, répartir* des biens en les attribuant à plusieurs personnes. Attribuer à chacun sa part.* → **Distribuer.**

La Cour de cassation semblait admettre que pour qu'il y ait partage et application de l'article 883, il suffit qu'un des héritiers ait été définitivement alloti de sa part et que les autres n'aient plus aucun droit sur le bien à lui attribué. 1
A. COLIN et H. CAPITANT, Cours élémentaire de droit civil franç., t. III, p. 549.

Par ext. Accorder (un avantage) à qqn, attacher (une prérogative) à un emploi, une fonction. → **Accorder.** *De nombreux avantages lui ont été attribués. Attribuer une dignité à qqn.* → **Conférer, décerner.** *Attribuer une faveur.* → **Concéder, octroyer; impartir.** *Attribuer un commandement à un général.* → **Affecter.** *De grands privilèges sont attribués à cette charge.* → **Adjoindre, annexer, attacher, joindre, rattacher.** *Attribuer un crédit à une dépense.* → **Affecter, consacrer, destiner; imputer.** *Attribuer à une juridiction la connaissance de tel ou tel genre d'affaires.* → **Connaître** (donner, habiliter à), **compétence** (donner, reconnaître la).

Le roi défendit aux princes et aux pairs d'aller opiner dans le parlement de Paris sur des affaires dont il attribuait la connaissance à son Conseil privé. 2
VOLTAIRE, Précis du siècle de Louis XV, 36.

Vous avez saisi mon système : il consiste à attribuer concurremment le droit de faire la paix ou la guerre aux deux pouvoirs que la Constitution a consacrés. 3
MIRABEAU, Collection, t. III, p. 340.

♦ **2** *Attribuer qqch. à qqn, à qqch. :* considérer comme propre à, supposer (un caractère, une qualité) à qqn ou à qqch. → **Accorder, appliquer; gratifier** (de), **prêter, reconnaître, supposer.** *N'attribuez pas aux autres vos propres défauts. Vous attribuez à ce mot un sens qu'il n'a pas. Attribuer une importance capitale à une réforme insignifiante.* → **Attacher.**

(...) J'attribuerais à l'animal 4
Non point une raison selon notre manière,
Mais beaucoup plus aussi qu'un aveugle ressort.
LA FONTAINE, Fables, IX, XXI.

Il n'est pas permis d'attribuer à l'Écriture les sens qu'elle ne nous a pas révélé qu'elle a. 5
PASCAL, Pensées, X, 687.

On lui attribuait un courage à toute épreuve (...) 6
Antoine HAMILTON, Mém... du comte de Gramont, 6.

On attribue à la cigogne des vertus morales dont l'image est toujours respectable : la tempérance, la fidélité conjugale, la piété filiale et paternelle. 7
BUFFON, Hist. nat. des oiseaux, La cigogne.

Michèle (...) lui attribuait des arrière-pensées malveillantes (...) F. MAURIAC, la Pharisienne, p. 248. 8

(...) attribuer à l'auteur des intentions qu'il n'a jamais eues. 9
A. THIBAUDET, Gustave Flaubert, p. 219.

(...) aussi longtemps que le préjugé public attribuera une valeur de premier ordre à la connaissance de pures conventions d'écriture (...) 10
F. BRUNOT, la Pensée et la Langue, p. 8.

♦ **3** (1370). Mettre sur le compte de, considérer comme étant le fait, l'effet, le résultat de cette action de... → **Rapporter.** *Attribuer un acte, un changement à qqn :* considérer qqn comme étant la cause, l'auteur de... *À quoi attribuer ce phénomène,* *ce changement ? Attribuer une invention à qqn. Attribuer à qqn tout le mérite d'un succès.* → **Appliquer; honorer; reporter** (sur...). *Attribuer à qqn un accident, une faute, une responsabilité...* → **Imputer, mettre** (sur le compte, le dos... de qqn); **prêter, rejeter** (sur). *On lui attribue de nombreux méfaits,* on l'en accuse*.

11 Notre cœur se sent déchiré entre des efforts contraires. Mais il serait bien injuste d'imputer cette violence à Dieu qui nous attire, au lieu de l'attribuer au monde qui nous retient.
PASCAL, Pensées, VII, 498.

12 Dans ma confusion que Roxane, madame,
Attribuait encore à l'excès de ma flamme (...)
RACINE, Bajazet, III, 4.

13 Peut-on m'attribuer ces sottises étranges ?
BOILEAU, Épîtres, VI.

14 Le peuple attribue tous les maux aux personnes plus qu'aux choses.
MICHELET, Hist. de la Révolution franç., t. II, p. 972.

15 On souffre trop d'attribuer tout son échec à sa propre faute (...)
M. BARRÈS, Leurs figures, p. 345.

16 Les hommes ont inventé le destin, afin de lui attribuer les désordres de l'univers, qu'ils ont pour devoir de gouverner.
R. ROLLAND, Au-dessus de la mêlée, p. 26.

17 Je n'ai jamais protesté contre les jugements que l'on m'attribue le plus officiellement, que l'on me prête le plus formellement.
Ch. PÉGUY, Clio, Œuvres posthumes, 1909-1914, p. 152.

Syn. : *imputer.*

18 Imputer veut dire que l'on met sur le compte de; attribuer, que l'on attache à, que l'on rapporte à. Par conséquent, attribuer a une signification plus générale. Ce qu'on attribue n'implique rien de favorable ni de défavorable. Ce qu'on impute n'est pas indifférent, c'est un blâme, ou quelquefois une louange; car on impute aussi à bien, à mérite. Attribuer des vers à quelqu'un, c'est dire seulement, à tort ou à droit, qu'il en est l'auteur; imputer des vers à quelqu'un, ce serait faire entendre que les vers dont on parle méritent l'animadversion.
LITTRÉ, Dict., art. *Attribuer.*

Spécialt. *Attribuer une œuvre à qqn :* authentifier une œuvre, la considérer comme provenant de (un auteur : écrivain, artiste). → **Attribution,** (I., 4.).

Spécialt. *Attribuer (un document) à une certaine date,* considérer qu'il existe depuis cette date.

◆ **S'ATTRIBUER** v. pron. (1541). *S'attribuer (qqch.) :* attribuer à soi, se donner en partage (une chose matérielle ou morale). → **Adjuger** (s'), **donner** (se), **revendiquer.** *S'attribuer un titre auquel on n'a pas droit.* → **Appliquer** (s'), **approprier** (s'), **arroger** (s'), **emparer** (s'); **targuer** (se), **usurper, vanter** (se). *Il s'attribue la qualité, le titre de...* (→ Il s'érige en..., il se pose en..., il se qualifie de...). *Il s'attribue certains hauts faits.* (→ Se faire gloire*, honneur* de...).

19 Aussitôt que le char chemine
Et qu'elle voit des gens marcher,
Elle s'en attribue uniquement la gloire (...)
LA FONTAINE, Fables, VII, 9.

20 Et soyons de concert auprès des malades, pour nous attribuer les heureux succès de la maladie, et rejeter sur la nature toutes les bévues de notre art.
MOLIÈRE, l'Amour médecin, III, 1.

21 (...) on n'est considéré à l'étranger qu'en rapport de la considération que l'on s'attribue soi-même (...)
FLAUBERT, Correspondance, t. I, p. 211.

◆ **ATTRIBUÉ, ÉE** p. p. adj. *Parts attribuées. Privilèges attribués.* — Spécialt. *Œuvres attribuées et œuvres anonymes.* → **Attribution** (I., 4.).

CONTR. **Ôter, refuser, reprendre, réserver, retenir, retirer. — Décliner, dénier, rejeter, renoncer** (à), **repousser.** ◈ DÉR. **Attribuable.**

**ATTRIBUT** [atʀiby] n. m. — XIVe; du lat. médiéval *attributum,* de *attribuere.* → Attribuer.

♦ **1** Ce qui est propre, appartient particulièrement à un être, à une chose et qui permet de le, de la distinguer. → **Caractère, caractéristique, manière** (d'être), **marque, particularité, propriété, qualité, signe** (distinctif), **trait.** *Les attributs de la divinité. La raison est un attribut essentiel de l'homme,* un élément essentiel, inhérent à la nature de l'homme. *Le droit de grâce est un attribut du chef de l'État.* → **Prérogative.**

Ces divins attributs *(de Dieu)* paraissent-ils mieux dans les cieux qu'il a formés de ses doigts, que dans ces rares talents qu'il distribue comme il lui plaît aux hommes extraordinaires ? 1
BOSSUET, Oraison funèbre du prince de Condé.

L'univers, selon Platon, est un exemplaire de la divinité : le temps, l'espace, le mouvement, la matière sont des images de ses attributs. 2
BUFFON, Hist. nat. des animaux, Système de la reproduction.

Être intelligent, n'est-ce pas Savoir, Vouloir et Pouvoir, les trois attributs de l'Esprit Angélique. 3
BALZAC, Séraphîta, Pl., t. X, p. 513.

Si l'on veut définir le citoyen des temps antiques par son attribut le plus essentiel, il faut dire que c'est l'homme qui possède la religion de la cité. 4
FUSTEL DE COULANGES, la Cité antique, p. 227.

Le droit de grâce (...) était un des attributs du droit divin. Le roi ne l'exerçait que parce qu'il était au-dessus de la justice humaine comme représentant de Dieu sur la terre. 5
FRANCE, le Mannequin d'osier, p. 360.

Spécialt. Partie du corps propre à un être animé. *Attributs féminins, attributs virils.* → **Organe.**

Ce qui est propre à un groupe.

Philos. Propriété essentielle (d'une substance). *« La compréhension d'un terme embrasse tous les attributs des termes supérieurs »* (Goblot).

♦ **2** Par ext. Emblème caractéristique qui accompagne une figure mythologique, un personnage, une chose personnifiée. *Le caducée est l'attribut de Mercure, le sceptre celui de la royauté, la marotte celui de la folie.* → **Emblème, symbole.** *Il se revêtit de tous les attributs de sa fonction, de son rang.* → **Accessoire, décoration, signe** (représentatif).

Il ne faut pas confondre attribut avec symbole : car l'attribut accompagne le personnage, tandis que le symbole est une abstraction qui le remplace. 6
Louis RÉAU, Dict. d'art et d'archéologie, p. 35.

(...) il fut retenu un instant par les panneaux tendus de velours vert, chargés d'attributs et d'encadrements dorés. 7
ZOLA, Son Excellence Eugène Rougon, t. I, p. 3.

♦ **3** Log. et ling. Ce qui s'affirme ou se nie du sujet d'une proposition. *Dans cette proposition :* tout homme est mortel, *mortel est l'attribut* (Littré). → **Prédicat, propos.**

♦ **4** (1680). Gramm. Terme relié au sujet ou au complément d'objet par le verbe *être,* un verbe d'état *(paraître, devenir). Adjectif, nom en position d'attribut. Attribut du sujet, du complément.* — Appos. *Adjectif, nom attribut.*

Une variété extrême d'éléments linguistiques peuvent se construire derrière les verbes en qualité d'attributs du sujet (...) La construction de l'attribut est tantôt directe, tantôt indirecte. 8
F. BRUNOT, la Pensée et la Langue, p. 620-621.

Quant aux adjectifs en position d'épithète, ils sont construits, par des transformations généralisées, à partir des adjectifs en position d'attribut. 9
Nicolas RUWET, Introd. à la grammaire générative, p. 406.

**ATTRIBUTAIRE** [atʀibytɛʀ] adj. et n. — 1874; dér. sav. de *attributum,* supin du lat. *attribuere.* → Attribuer.

♦ **1** Dr. Personne qui a bénéficié d'une attribution. → **Bénéficiaire.** *L'héritier attributaire, l'attributaire de telle part. Le cohéritier attributaire du prix de l'adjudication. Le colicitant, le copartageant attributaire. Les attributaires.*

Plus apparente encore est la ressemblance du partage avec une vente, lorsque le lotissement comporte une soulte ou complément en argent que l'un des attributaires s'engage à verser de ses propres deniers pour compenser l'élévation de la valeur des biens mis dans son lot.
A. COLIN et H. CAPITANT, Cours élémentaire de droit civil franç., t. III, p. 539.

♦ **2** Admin. Personne à qui est versé le montant des prestations familiales.

**ATTRIBUTIF, IVE** [atʀibytif, iv] adj. — 1516; dér. sav. du lat. *attributum,* supin de *attribuere.* → Attribuer.

♦ **1** Dr. Qui attribue. *Acte attributif de droit,* celui qui attribue un droit (opposé à *acte déclaratif*). *Acte attributif de compétence,* qui confère la compétence à une juridiction.

♦ **2** Log. *Proposition attributive,* qui affirme ou nie un attribut, une qualité d'un sujet. *Jugement attributif.*

(1866). Ling. *Verbe attributif :* verbe qui relie l'attribut au sujet. *«Être», «devenir», «sembler» sont des verbes attributifs. Proposition attributive :* proposition qui contient un verbe attributif et un attribut. *Syntagme attributif :* syntagme qui contient une copule *(être)* et un attribut.

**ATTRIBUTION** [atʀibysjɔ̃] n. f. — 1610; *attribucion,* 1370; lat. *attributio* «assignation, action d'attribuer», de *attributum,* supin de *attribuere.* → Attribuer.

**I** Action d'attribuer. ♦ **1** Action d'attribuer (qqch. à qqn); résultat de cette action. *Concours pour l'attribution d'un prix. L'attribution de véhicules neufs à un service.* → **Allocation, concession, distribution, dotation, octroi, remise.** *L'attribution des parts, des primes à...*

1 L'attribution des tableaux d'honneurs et des prix d'excellence créait des inimitiés sans merci.
M. AYMÉ, Uranus, p. 168.

♦ **2** Dr. Action d'attribuer un bien, un droit dans un partage*; résultat de cette action. *L'attribution d'une part, d'un lot, d'un immeuble, du prix d'adjudication, d'une créance à un cohéritier.*

*Compétence* d'attribution.*

Fin. *Attribution des réserves* (à un capital).

Inform. Fait d'attribuer (un programme, des données) à une mémoire. *Attribution statique, dynamique. Attribution sémantique.* → **Assignation** (sémantique).

♦ **3** (1866). Gramm. *Complément d'attribution :* complément d'objet indirect désignant la personne ou la chose dans l'intérêt de laquelle se fait l'action. *Dans Il a donné un sou à un pauvre, Mourir pour la patrie, Pauvre, Patrie sont des compléments d'attribution* (Académie).

♦ **4** Action de considérer (qqch. comme étant sous la responsabilité de qqn). *L'attribution d'une responsabilité à quelqu'un.*

Spécialt. Action d'attribuer une œuvre (à un peintre, un sculpteur, un écrivain, etc.). *Une attribution douteuse, sûre, erronée.*

**II** Au plur. Ce qui est attribué. (1768). Pouvoirs attribués au titulaire d'une fonction, à un corps ou service. → **Compétence, droit, fonction, pouvoir, prérogative, privilège, rôle.** *Définir, déterminer, délimiter les attributions d'un fonctionnaire, d'un employé.* → **Champ** (d'action), **domaine, sphère** (d'activité). *Cela n'est pas, n'entre pas, ne rentre pas dans ses attributions. Cela est en dehors de ses attributions, excède ses attributions. Les attributions qui lui sont dévolues. Empiéter sur les attributions de qqn. Accroître, étendre, diminuer, limiter, restreindre les attributions de qqn, d'un conseil, d'une juridiction.*

Les autres magistratures romaines qui furent, en quelque sorte, des membres successivement détachés du consulat, réunirent comme lui des attributions sacerdotales et des attributions politiques (...) car dans la pensée des anciens toute autorité devait être religieuse par quelque côté. 2
FUSTEL DE COULANGES, la Cité antique, p. 212.

CONTR. **Reprise, retrait.** ◊ DÉR. **Attributionnisme.**

**ATTRIBUTIONNISME** [atʀibysjɔnism] n. m. — Av. 1965; de *attribution.*

Habitude, manie des attributions d'œuvres anonymes.

La mode était à l'«attributionnisme», et il en est résulté, dans l'histoire des arts et particulièrement de la peinture, une extraordinaire confusion. Il fallait tout rapporter à des noms illustres.
A. CHASTEL, *in* le Monde, 17 sept. 1965.

**ATTRISTANT, ANTE** [atʀistɑ̃, ɑ̃t] adj. — 1581; p. prés. de *attrister.*

Qui attriste. → **Affligeant, chagrinant, désespérant, désolant, navrant.** *Nouvelles attristantes. Spectacle attristant.* → **Pénible, triste.** *Une attristante médiocrité.* → **Déplorable.**

Sa plus grande passion fut l'amour ardent de la vérité. Il *(Descartes)* la poursuivait d'une chasse éternelle, dût-elle être désagréable et attristante.
Émile FAGUET, Études littéraires, XVIIe s., p. 7.

CONTR. **Consolant, divertissant, égayant, réconfortant, réjouissant. — Gai.**

**ATTRISTEMENT** [atʀistəmɑ̃] n. m. — 1856, Ed. et J. de Goncourt; de *attrister,* et *-ment.*

Littér., rare. État d'une personne attristée.

**ATTRISTER** [atʀiste] v. tr. — XVe; de 1. *a-, triste,* et *-er.*

Rendre (qqn) triste. → **Affliger, assombrir, chagriner, consterner, désespérer, désoler, embrumer, fâcher, navrer, obscurcir, peiner, rembrunir.** *Attrister qqn. Vous m'attristez, avec vos jérémiades. Ses ennuis finissent par m'attrister. Ça m'attriste. — Attrister les pensées, les rêves... de qqn.* — Par ext. Donner une apparence triste à (qqch.). → ci-dessous, cit. 1.

Et dès que l'aquilon, ramenant la froidure, 1
Vient de ses noirs frimas attrister la nature (...)
BOILEAU, Satires, VIII, 28.

Bientôt la mort va me dérober au présent qui m'attriste et à l'avenir qui m'effraye. 2
Mme DE MAINTENON, Au cardinal de Noailles, 31 déc. 1711.

(...) la rêverie me délasse et m'amuse, la réflexion me fatigue et m'attriste. 3
ROUSSEAU, Rêveries..., 7e promenade.

(...) tout ce qui tient au sentiment de mes besoins attriste et gâte mes pensées, et jamais je n'ai trouvé de vrais charmes aux plaisirs de l'esprit qu'en perdant tout à fait de vue l'intérêt de mon corps. 4
ROUSSEAU, Rêveries..., 7e promenade.

Chasse le noir passé qui nous attriste encore; 5
Sois à nos yeux comme une aurore!
HUGO, Odes, VIII.

6 Il faut d'abord remarquer que les malheurs qui attristent le public attristent aussi l'artiste.
TAINE, Philosophie de l'art, I, II, 3.

7 La joie m'attriste quand elle est passée, les jours de fêtes ont toujours pour moi de tristes lendemains.
FLAUBERT, Correspondance, t. I, 33.

8 L'idée de se retrouver dans cette chambre vide l'attristait horriblement.
Alphonse DAUDET, le Petit Chose, p. 293.

9 (...) comment voulez-vous que j'aime ce qui ne peut plus que m'attrister ? VALÉRY, Mon Faust, p. 76.

Absolument :

10 La bêtise consterne et ne donne guère l'envie de rire. Plutôt elle attriste et nous rend bête par contagion.
COCTEAU, la Difficulté d'être, p. 184.

◆ **S'ATTRISTER** v. pron. (1564). Devenir triste ; prendre un air de tristesse. — (Choses). *La nature s'attriste.*

11 Les enfants ont une disposition qui les porte à tellement égayer comme à grandir ce qui les entoure, que plus tard tout diminue et s'attriste sans cause apparente et seulement parce que le point de vue n'est plus le même.
E. FROMENTIN, Dominique, III, p. 47.

*S'attrister de* (et infinitif) :

12 Il ne sait pas combien maman s'attriste de voir qu'il vient si peu cette année.
MARTIN DU GARD, les Thibault, III, 8.

◆ **ATTRISTÉ, ÉE** p. p. adj. Rendu triste. *Air attristé.* → **Triste.**

12.1 L'homme attristé (...) est sombre, pensif, absorbé en lui-même, songeant à des maux passés ou possibles (...)
LAFAYE, Dict. des synonymes, Attristé..., mortifié.

13 Il rend tous ses voisins attristés de sa joie.
BOILEAU, le Lutrin, III, 18.

14 Que peut cacher la tombe à ton œil attristé ?
HUGO, Odes, IV, 14.

Au passif. *Être attristé par qqch. ;* (littér.) *de quelque chose.*

15 On dirait que les pousses nouvelles sont attristées du passé profond des bois et portent le deuil de tant de printemps morts.
PROUST, les Plaisirs et les Jours, Préface, p. 7.

CONTR. **Amuser, consoler, dérider, divertir, égayer, enchanter, ravir, réconforter, réjouir.** ◇ DÉR. **Attristant, attristement.**

**ATTRITION** [atʀisjɔ̃] n. f. — 1541 ; *attricion,* 1314 ; lat. *attritio* «action de broyer» ; fig., «action de réprimer (un vice)».

**I** ♦ **1** Phys. Action de deux corps durs qui s'usent par frottement. → **Abrasion, frottement.**

♦ **2** Méd. Érosion de la peau ou d'une autre surface (émail dentaire), par frottement. — Contusion importante. — Chir. Écrasement (d'une partie dure).

♦ **3** (1972). Écon. Usure des effectifs d'une entreprise. *L'attrition s'exprime par le pourcentage du nombre des départs annuels par rapport à l'effectif moyen annuel.*

Publicité. *Taux d'attrition :* proportion dans laquelle les résultats d'une sollicitation publicitaire et commerciale diminuent, lorsque cette sollicitation est répétée.

**II** Théol. Regret d'avoir offensé Dieu, causé par la crainte des peines. → **Contrition, regret.**

1 L'attrition ne suffit pas pour sauver un homme.
PASCAL, les Provinciales, 10.

2 Dire que la contrition soit nécessaire, et que l'attrition toute seule ne suffit pas avec le sacrement (...)
PASCAL, les Provinciales, 10.

2.1 Notre ami a déjà été si cruellement puni de son péché, — s'il l'a commis — que l'attrition, au moins, a touché son cœur et que Dieu, dans sa miséricorde, lui a sans doute pardonné. Louise MICHEL, la Misère, t. I, p. 74.

Cœur tant de fois gorgé 3
D'ambitions,
Cœur tant de fois forgé
D'attritions.
Ch. PÉGUY, Quatrains, Œ. poétiques compl., Pl., p. 483.

**ATTROUPEMENT** [atʀupmɑ̃] n. m. — Fin XVIe ; de *attrouper.*

♦ **1** Vx. Action d'attrouper, de se rassembler en troupe, de s'attrouper. → **Rassemblement.** *Empêcher l'attroupement des badauds.*

♦ **2** Mod. Réunion de personnes sur la voie publique (spécialt, qui trouble l'ordre public). → **Manifestation, rassemblement.** *Former, faire un attroupement. Se trouver dans un attroupement. Un attroupement de quelques personnes. Un attroupement immense, très important.*

Dr. *Attroupement séditieux.*

Sera réputé attroupement séditieux et puni comme tel, tout rassemblement de plus de quinze personnes s'opposant à l'exécution d'une loi, d'une contrainte ou d'un jugement. 1
Décret du 26 juil. 1791 (relatif à la réquisition et à l'action de la force publique contre les attroupements), art. 9.

Si par les progrès d'un attroupement ou émeute populaire, ou par toute autre cause, l'usage rigoureux de la force devient nécessaire, un officier civil (...) se présentera sur le lieu de l'attroupement ou du délit, prononcera à haute voix ces mots : «Obéissance à la loi ; on va faire usage de la force ; que les bons citoyens se retirent.» Le tambour battra un ban avant chaque sommation. 2
Décret du 26 juil. 1791, art. 26.

Toutes personnes qui formeront des attroupements sur les places ou sur la voie publique, seront tenues de se disperser à la première sommation des préfets, sous-préfets (...) 3
Loi du 10 avr. 1831, Contre les attroupements.

Vers neuf heures, les attroupements formés à la Bastille et au Châtelet refluèrent sur le boulevard. 4
FLAUBERT, l'Éducation sentimentale, III, 1.

(...) une de ces vieilles pauvresses imbéciles qui font des attroupements sur les chemins !... 5
LOTI, Pêcheur d'Islande, II, 16.

(...) si les ouvriers se plaignaient, c'était isolément et sans former aucun attroupement. 6
Louis MADELIN, Hist. du Consulat et de l'Empire, t. IV, I.

Dehors, un service d'ordre improvisé s'efforçait de disperser l'attroupement qui s'était amassé devant l'immeuble, et qui obstruait le carrefour. 7
MARTIN DU GARD, les Thibault, VII, 63.

CONTR. **Dispersion.**

**ATTROUPER** [atʀupe] v. tr. — 1205, *atroper ;* de 1. *a-, troupe,* et *-er.*

Assembler en troupe, en groupe nombreux, souvent de manière tumultueuse et afin de troubler l'ordre public. → **Ameuter, assembler, grouper, rassembler.** *Ses cris attroupèrent les passants. Attrouper la foule, les badauds.*

(...) des charlatans, de leur art idolâtres, 1
Attroupent un vain peuple au pied de leurs théâtres.
VOLTAIRE, *in* BESCHERELLE, Dict.

◆ **S'ATTROUPER** v. pron.

♦ **1** Se rassembler en troupe bruyante, tumultueuse. *Les manifestants commencent à s'attrouper.*

Les Juifs commençaient à s'attrouper autour de lui. 2
BOSSUET, Disc. sur l'Hist. universelle, II, 9.

Pour dissiper la canaille qui s'était attroupée devant la maison de mon oncle (...) 3
A.-R. LESAGE, Gil Blas, X, 2.

♦ **2** Fig., littér. Se réunir, se grouper.

(Animaux). «*Les oiseaux de nuit qui s'attroupaient*» (H. Pourrat).

◆ **ATTROUPÉ, ÉE** p. p. adj. (En parlant de personnes, ou parfois d'animaux). Rassemblé(s). *Badauds attroupés.*

(Collectif; au sing.). *Foule attroupée.*

N. m. pl. Rare. *Des attroupés.*

CONTR. **Disperser.** ◈ DÉR. **Attroupement.**

**-ATURE** Élément, du lat. *atura,* servant à former des substantifs sur une base nominale. — Ex. : *magistrature, villégiature.*

Ature peut (...) se joindre à des radicaux substantifs, et il exprime l'ensemble des caractères qu'indique le radical, du moins dans les mots de dérivation nouvelle comme arcature, caricature, filature, musculature (...)
DARMESTETER, *in* Dict. général.

**ATURIEN, IENNE** [atyʀjɛ̃, jɛn] n. m. et adj. — Fin XIXe; du nom latin de l'*Adour,* fleuve.

Didact., vx. Étage du crétacé supérieur, défini par Munier-Chalmas et de Lapparent en 1893. — REM. Les géologues actuels préfèrent le terme de *sénonien supérieur.*

Adj. *Étage aturien, bocage aturien.*

**ATYPIE** [atipi] n. f. — V. 1970; de 2. *a-*, et *type.*

Biol. Absence de conformité par rapport à un type de référence; caractère atypique*.

**ATYPIQUE** [atipik] adj. et n. — 1808, *in* Boiste; de 2. *a-*, *type,* et *-ique.*

Didactique.

♦ **1** Biol., méd. Qui n'a pas de type régulier ou ne présente pas le type commun. *Maladie atypique. Formes atypiques de certaines psychoses.*

1 Les cellules cancéreuses présentent des anomalies de leurs noyaux, des divisions atypiques, témoignant d'une grande activité métabolique ou d'une multiplication désordonnée.
Jean VERNE et Simone HÉBERT, la Culture de tissus, p. 109.

2 Freud a mis en évidence le fait que la sexualité se développe très tôt chez l'enfant, et qu'elle peut présenter des phases de développement *atypiques,* si l'on peut dire, tel le *sadomasochisme anal* ou d'autres investissements (...) de la *libido.*
H. BARUK, De Freud au néo-paganisme moderne, *in* la Nef, no 31, p. 142.

♦ **2** Qui n'a pas de type déterminé (permettant une identification, un classement, etc.).

3 Il se borna à énumérer une douzaine de noms en *-witz, -ski, -witzki, -ovitch,* et *-son,* d'autres de sonorité germanique, et quelques-uns nettement atypiques, qui devaient être hébreux.
Roger IKOR, les Fils d'Avrom, Les eaux mêlées, p. 574.

(Personnes) :

4 Je n'étais pas dans cette situation avant guerre. Et comme, de surcroît, j'étais «atypique» (...) le respect que j'ai acquis de l'information m'oblige à vous mettre en garde et à insister sur la subjectivité de mon témoignage.
F. GIROUD, Si je mens, p. 61-62.

N. *Un, une atypique. «Je suis un atypique dans une société atypique»* (*l'Express,* 2 oct. 1978, p. 104).

CONTR. **Typique.**

**Au** [ay] Symbole chimique de l'or.

**AU, AUX** [o] Forme contracte de l'article défini après la préposition *à.* → **À, le.**

**AUBADE** [obad] n. f. — 1432; *albade,* déb. XVe; anc. provençal *albada* «aubade», provençal mod. *aubada.* → Aube.

♦ **1** Concert donné, à l'aube ou dans la matinée, sous les fenêtres de qqn. *Donner une aubade à une jeune fille.* Air composé pour ce concert.

À peine étais-je endormi, qu'une suave musique vint m'éveiller; une vieille aubade d'autrefois, une mélodie gaie et orientale, fraîche comme l'aube du jour, des voix humaines accompagnées de harpes et de guitares. 1
LOTI, Aziyadé, II, 5.

Abusivt. Musique jouée en l'honneur de qqn, devant chez lui (quelle que soit l'heure). → **Sérénade.**

Un bruit confus se fit devant la grille : les jeunes gens de l'orphéon nouvellement créé à Saint-Bernard venaient donner l'*aubade* aux habitants du château. C'était dans le programme. 1.1
Louise MICHEL, la Misère, t. II, p. 354.

♦ **2** Plais. (Vx ou régional). Tapage fait dans l'intention de se moquer de qqn, de le huer. → **Charivari, insulte, vacarme.**

Qu'il aille au diable avec sa sérénade; 2
Je vais songer à lui donner l'aubade.
J.-F. REGNARD, la Sérénade, I.

Lefranc fait bien tout ce qu'il peut pour m'attirer cette aubade *(les sifflets).* 3
VOLTAIRE, Lettres, *in* LITTRÉ.

Loc. fig. (Vieilli). *Donner l'aubade, une aubade à qqn,* lui donner des coups. → **Danse** (fig.).

CONTR. **Sérénade.** ◈ DÉR. **Aubader.**

**AUBADER** [obade] v. — 1548; de *aubade,* et *-er.*

Rare.

♦ **1** V. intr. Donner une aubade.

♦ **2** V. tr. [a] Donner une aubade à (qqn).

[b] (1901). Pop., vx. Réprimander, insulter. — Pron. «*Quand vous aurez fini de vous aubader...*» (A. Bruant).

**AUBAGE** [obaʒ] n. m. — 1845; de 3. *aube-*, et *-age.*

Technique.

♦ **1** Ancienn. Planche mince utilisée pour faire les panneaux et les enfonçures de charrettes.

♦ **2** Mod. Ensemble des surfaces rigides qui reçoivent un fluide en écoulement. *Aubages mobiles* (roue, turbine*).

*(Une turbine)* se compose d'un certain nombre d'étages placés en série; chaque étage se composant d'aubages fixes et d'aubages mobiles (...)
Dans un étage de turbine, la seule perte d'énergie est l'énergie cinétique du fluide à la sortie de l'aubage mobile. On peut récupérer cette énergie au moyen d'un deuxième aubage mobile précédé d'un aubage fixe dont le seul but est de redresser la vitesse du fluide (...) Le premier aubage fixe s'appelle le *distributeur*; le second est nommé *redresseur.*
Michel CHASSELOUP et Louis LE MAÎTRE, les Centrales thermiques, p. 46-47.

**AUBAIN, AUBAINE** [obɛ̃, obɛn] n. m. et adj. — Mil. XIIe; anc. franç. *albain, aulbain,* d'étym. douteuse, p.-ê. d'un dérivé du lat. *alibi* «ailleurs».

♦ **1** Dr. anc. [a] N. m. Étranger qui, en échange de la protection du seigneur, était soumis à divers droits et taxes. → **Aubaine.**

(...) les «aubains», ces gens venus d'ailleurs qui payaient cher leur patronage, la ville leur procurait beaucoup plus de deniers que n'importe quelle seigneurie rurale. 1
Georges DUBY, Guerriers et Paysans, VIIe-XIIe s., p. 275.

[b] Adjectif :

Les Genevois ne sont point aubains en France; ils jouissent de tous les privilèges des Suisses. 2
VOLTAIRE, Lettre à d'Argental, 2 mars 1766.

♦ **2** Littér. Étranger.

3 Malgré la sympathie ou l'amitié que m'inspiraient ces visiteurs occasionnels, j'avoue que leur présence à Carnetin n'augmentait pas mon plaisir (...) nos aubains se trouvaient introduits dans une tribu dont ils connaissaient mal les coutumes, sous un climat qui ne leur était pas familier. Ce n'est, bien entendu, pas comme «étrangers» qu'ils me paraissaient peu désirables, mais parce que cette qualité d'étrangers eût nécessité de notre part, pour qu'ils ne se sentissent pas dépaysés, un effort (...)
Francis JOURDAIN, Sans remords ni rancune, Ceux de Carnetin, p. 167.

4 (...) parlant langue d'aubain parmi les hommes de mon sang (...) SAINT-JOHN PERSE, Amers, 5, p. 190.

CONTR. **Aborigène.** ◊ DÉR. **Aubaine.**

**AUBAINE** [obɛn] n. f. — 1611; *aubene,* 1237; de *aubain.*

♦ **1** Dr. anc. Succession aux droits d'un aubain. *Droit d'aubaine :* droit en vertu duquel le seigneur recueillait les biens que l'*aubain* laissait en mourant. *Le droit d'aubaine devint un droit presque exclusivement régalien à partir du XVI^e siècle. Loi du 14 juillet 1819 relative à l'abolition du droit d'aubaine...*

1 *(Le droit d'aubaine)* est un droit qu'a le roi de succéder aux biens des étrangers qui meurent en France et qui n'y sont point naturalisés. BOILEAU, Satires, VIII, Note.

(Chez Proudhon). *Droit d'aubaine,* le profit, en régime capitaliste.

♦ **2** (1668). Mod. Avantage, profit inattendu, inespéré. → **Occasion, profit.**

2 (...) lorsque ce premier versement en or leur fut fait, ils semblaient, dit un témoin, n'en croire leurs yeux, ni leurs oreilles, et tâtaient cet acompte comme s'il s'agissait d'une aubaine miraculeuse.
Louis MADELIN, Hist. du Consulat et de l'Empire, t. III, XIV.

Fig. → **Chance.** *Quelle bonne aubaine ! Profiter de l'aubaine, de la bonne aubaine.*

3 (...) cette jeune personne vient apparemment de perdre son père ou sa mère, magnifique aubaine pour un gigolo : quelle femme, en pareille circonstance, n'aurait pas besoin d'une détente ?
MONTHERLANT, le Démon du bien, p. 19.

4 Elle devait profiter de l'aubaine pour se laver les cheveux (...) A. BLONDIN, Monsieur Jadis, p. 26.

♦ **3** Régional (Canada). Vente à prix réduit. → **Solde.**

CONTR. **Perte. — Malchance.**

1. **AUBE** [ob] n. f. — V. 1170; *albe,* v. 1100; du lat. pop. *alba,* fém. de *albus* «blanc».

♦ **1** Première lueur du soleil levant qui commence à blanchir l'horizon.

Par ext. Moment de cette lueur. → **Point** (du jour); **jour** (le jour point...; jour naissant; première clarté, premières lueurs du jour), **matin.** *L'aube se lève, paraît. L'aube précède l'aurore.* → **Aurore, crépuscule** (du matin). *Dès l'aube :* de très bonne heure. → **Chant** (au chant de l'alouette, au chant du coq); **potron-jaquet, potron-minet** (dès).

1 Comme on voit sur la branche au mois de mai la rose (...)
Quand l'aube de ses pleurs au point du jour l'arrose.
RONSARD, les Amours de Marie, II, 4.

2 L'aube du jour arrive, et d'amis point du tout.
LA FONTAINE, Fables, IV, 22.

3 Et du temple déjà l'aube blanchit le faîte.
RACINE, Athalie, I, 1.

4 L'aube pâle a blanchi les arches colossales.
HUGO, Ballades, 14.

5 L'aube paraissait à peine; tout était encore baigné du sombre de la nuit. HUGO, Quatre-vingt-treize, IV, 1, 2.

L'aube sur les grands monts se leva frémissante. 6
HUGO, la Légende des siècles, X, «Le jour des Rois», 1.

Après la froide nuit, vous verrez l'aube éclore. 7
HUGO, la Légende des siècles, IX, «L'Islam».

L'aube était encore indécise, le ciel gardait une couleur métallique (...) 8
MARTIN DU GARD, les Thibault, t. I, p. 63.

L'aube se passe autour du cou 8
Un collier de fenêtres.
ÉLUARD, l'Amour la Poésie, Pl., t. I, p. 232.

Mais déjà, en ces quelques instants, l'aube tropicale, qui est d'une brièveté saisissante, avait fait place à l'aurore. 8
J. KESSEL, le Lion, p. 13.

Au ras de l'horizon, une longue lueur grise commençait à s'étendre : l'aube, avec son reflet lunaire sur les nuages très élevés du zénith, comme si elle allait apparaître au milieu du ciel. 8
MALRAUX, Antimémoires, Folio, p. 371.

REM. Les exemples suivants explicitent la source des valeurs métaphoriques.

Jeunes amours, si vite épanouies, 9
Vous êtes l'aube et le matin du cœur.
HUGO, les Contemplations, I, 11.

Je n'aime rien tant que ce qui va se produire : et jusque dans l'amour, je ne trouve rien qui l'emporte en volupté sur les premiers sentiments. De toutes les heures du jour, l'aube est ma préférée. C'est pourquoi je veux voir avec une tendre émotion, poindre sur cette vivante, le mouvement sacré. VALÉRY, l'Âme et la Danse, p. 35. 1

(...) le pommeau de sa canne remonte à l'aube du siècle (...) 1
Alain BOSQUET, les Bonnes Intentions, p. 62.

♦ **2** Littér. Lueur, rayonnement (comparable à l'aube). *«L'aube fugitive des fusées»* (Dorgelès).

♦ **3** (1575-1615). Par métaphore, fig. (Littér.). → **Commencement, début, matin** (fig.). *L'aube de la vie. L'aube d'une civilisation. À l'aube de la révolution.*

Fait d'apparaître, de commencer à se manifester (idées, sentiments, etc.). *Une aube d'espoir.* → **Lueur** (fig.).

♦ **4** Loc. **L'AUBE DES MOUCHES :** l'heure où le soleil est dans toute sa force et où les taons piquent avec le plus d'âpreté (Sainéan).

Au tiers jour, à l'aube des mouches, nous apparaît une île (...) RABELAIS, le Quart Livre, 9. 1

CONTR. **Brune, crépuscule** (du soir). ◊ HOM. 2. **Aube,** 3. **aube.**

2. **AUBE** [ob] n. f. — 1174; *albe,* v. 1040; du lat. *alba.*

Vêtement ecclésiastique de lin blanc que les officiants portent par-dessus la soutane pour célébrer la messe. → **Robe.** *Le prêtre revêt la chasuble par-dessus l'aube et l'étole.*

L'aube, dont le nom latin rappelle et le lever du jour et la blancheur virginale, offre de douces consonances avec les idées religieuses (...) 1
CHATEAUBRIAND, le Génie du christianisme, IV, I, 2.

(...) elle avait fini par être une assez habile ouvrière, brodant finement des aubes, des devants d'autel. 2
ZOLA, Lourdes, p. 274.

(...) il regardait aussi sans comprendre la sueur ruisseler sur ses mains. Le sacristain qui, la messe dite, repliait l'aube avant de la glisser dans un tiroir, s'étonnait de la trouver trempée de sueur. 3
BERNANOS, l'Imposture, *in* Œ. roman., Pl., p. 448.

Longue robe blanche des premiers communiants.

HOM. 1. **Aube,** 3. **aube.**

3. **AUBE** [ob] n. f. — 1283, «planchette reliant les deux arçons de la selle»; *auve,* après 1190; *alve,* v. 1100; probablt du lat. pop. *alapa* «gifle», primitivement «paume de la main», d'où «palette».

Techn. et cour. (dans *bateau... à aubes*). Palette d'une roue hydraulique. *Les aubes d'une roue de moulin. Navire à aubes. Aubes de turbine.* → **Aubage.**

1 Chaque aube, suspendue entre deux tiges étroites, semblait prête à faire tourner une courroie de transmission qui, enserrant à gauche une portion libre du mince moyeu, dressait verticalement ses deux rubans parallèles.
Raymond ROUSSEL, Impressions d'Afrique, p. 126.

2 (...) une longue gravure encadrée montre un bateau à aubes aquarellé taché de brun et dessiné d'un trait filiforme sur des flots en filasse.
Tony DUVERT, Paysage de fantaisie, p. 114.

DÉR. **Aubage.** ◊ HOM. **1. Aube, 2. aube.**

**AUBÉPINE** [obepin] n. f. — 1268, *aubespin; albespin,* XIIIe; du lat. pop. *albispinum,* lat. class. *alba spina* «épine *(spina)* blanche».

Arbuste ou arbre épineux *(Rosacées)* à fleurs odorantes blanches ou roses, à floraison précoce, à baies rouges, utilisé pour les haies vives. → aussi **Azerolier;** → 1. Charme, cit. — Par ext. Branche fleurie, fleur de cet arbre. *Un bouquet d'aubépine.*

1 Une blanche aubépine, une fleur, comme lui *(l'enfant)*
Dans le grand ravage oubliée.
HUGO, les Orientales, XVIII.

2 C'est au mois de Marie que je me souviens d'avoir commencé à aimer les aubépines (...) elles faisaient courir au milieu des flambeaux et des vases sacrés leurs branches attachées horizontalement les unes aux autres en un apprêt de fête, et qu'enjolivaient encore les festons de leur feuillage sur lequel étaient semés à profusion, comme sur une traîne de mariée, de petits bouquets de boutons d'une blancheur éclatante.
PROUST, Du côté de chez Swann, Pl., t. I, p. 112.

REM. La forme masc. *aubépin* [obepɛ̃] est une réfection de l'anc. et moy. franç. *aubespin.*

DÉR. **Aubépinier.**

**AUBÉPINIER** [obepinje] n. m. — 1905; de *aubépine,* et *-ier.*

Rare. Buisson d'aubépine.

Mais c'était aussi le moment où les soixante aubépiniers arborescents, de la taille d'un pommier ou d'un cerisier, qui faisaient cercle autour de la pièce d'eau apparaissaient *(avec)* leurs longs bras horizontaux, leurs mains fines et tendues, attachées, nouées d'innombrables pompons de fleurs roses, si bien que par endroits on ne voyait plus de feuillage, mais comme un arbre de fête qui ne portait que des fleurs, dont les rameaux étaient pomponnés comme des houlettes Louis XVI.
PROUST, Jean Santeuil, Pl., p. 280.

**AUBER** [obɛʀ] n. m. → **Aubert.**

**AUBÈRE** [obɛʀ] adj. et n. m. — 1573; esp. *hobero;* p.-ê. arabe *hubārā,* proprt «outarde», par référence au plumage de l'oiseau.

Hippol. Se dit d'un cheval dont la robe est mélangée de poils blancs et de poils rouges. *Une jument aubère.*

N. m. La couleur d'un cheval aubère. *Un aubère clair. Un aubère rougeâtre.*

HOM. **Aubert, haubert;** formes du v. **obérer.**

**AUBERGE** [obɛʀʒ] n. f. — 1606; *aulberge,* 1477; provençal mod. *aubergo,* d'orig. germanique. → Héberger.

♦ **1** Anciennt (ou dans des civilisations non industrielles). Maison, petit hôtel simple, généralement à la campagne, où l'on trouve à loger et à manger en payant. → **Hôtel, hôtellerie, restaurant; cabaret, gargote, guinguette, taverne.** *Une petite auberge sur la route.* → **Tournebride** (vx). *Auberges traditionnelles d'Orient.* → **Caravansérail, fondouk.** *Une auberge mal tenue.* → **Cambuse.** *L'enseigne d'une auberge. La salle d'une auberge; une salle d'auberge. Garçon, fille, servante d'auberge. — Descendre à l'auberge. Loger, prendre pension à l'auberge.*

(...) L'hôtesse d'une auberge à dix sous par repas. 1
BOILEAU, Satires, X.

*(Oronte)* s'est logé dans une auberge, où il a, dit-il, le plaisir 2
de ceux qui voyagent, sans leurs peines, parce qu'il voit tous les jours à souper de nouveaux visages.
VAUVENARGUES, Oronte.

De guerre lasse, il dut s'accommoder d'une mauvaise 3
chambre à l'auberge.
M. BARRÈS, la Colline inspirée, p. 133.

Auberge suppose moins de confort, plus de rusticité, une 4
clientèle aussi plus ordinaire qu'hôtellerie.
R. BAILLY, Dict. des synonymes, art. *Hôtel.*

Mod. Hôtel ou restaurant, souvent d'une classe élevée, mais d'apparence rustique.

Vue du jardin, l'auberge avait un aspect campagnard et 4.1
cossu et je ne manquai pas de lui en faire la remarque.
Patrick MODIANO, les Boulevards de ceinture, Folio, p. 41.

Loc. *Tenir auberge chez soi :* recevoir tout le monde à sa table. *Prendre la maison de qqn pour une auberge,* s'y installer, aller y dîner souvent sans être invité, ni désiré comme convive.

Loc. **AUBERGE ESPAGNOLE :** lieu, situation où l'on ne trouve que ce que l'on a apporté, d'après la réputation des auberges d'Espagne au XIXe siècle.

(...) il en est de la lecture comme des auberges espagnoles 5
(...) on n'y trouve que ce qu'on y apporte.
A. MAUROIS, Un art de vivre, III, 5.

Loc. fam. *On n'est pas sorti de l'auberge :* les difficultés augmentent, vont nous retenir, nous retarder.

Je devenais nerveux, fallait surveiller ça. Si le traczin *(trac,* 6
*peur)* me prenait maintenant rien qu'à évoquer les poulets, j'étais pas sorti de l'auberge! Il me restait plus qu'à aller bosser au charbon.
Albert SIMONIN, Touchez pas au grisbi, p. 123.

Je ne suis pas sorti de l'auberge, il s'en faut, mais je n'ai 7
pas non plus ma physionomie avenante dans la poussière et c'est l'essentiel pour l'instant.
SAN-ANTONIO, Ne mangez pas la consigne, p. 187.

♦ **2** Spécialt. **AUBERGES DE LA JEUNESSE, DE JEUNESSE :** centres d'accueil économique (abri, camping, refuge) réservés aux membres de l'association. → **Ajiste.**

(...) le style plein air, toile de tente, gros souliers, le culte de 8
la jeunesse saine, studieuse, rieuse, chanteuse en chœur, bronzée, héritière des Auberges de la jeunesse et même des Maisons de la culture.
Jacques LAURENT, les Bêtises, p. 192.

DÉR. **Auberger, aubergiste.**

**AUBERGER** [obɛʀʒe] v. tr. — 1675; de *auberge.*

Vx. Héberger (archaïsme qui se rencontre au XIXe s.; cf. Balzac, *les Proscrits*).

**AUBERGINE** [obɛʀʒin] n. f. et adj. invar. — 1750, Geoffroy; catalan *albergina,* arabe *'ăl-bādĭndjān.*

♦ **1** N. f. Plante potagère *(Solanées)* originaire de l'Inde, appelée scientifiquement *solanum* (→ **Morelle**), et aussi *mélongène,* cultivée pour ses fruits oblongs et arrondis, en général violets. Fruit de cette plante, consommé comme légume. *L'aubergine violette longue. Aubergines farcies; aubergines au gratin, à l'italienne, à la grecque.*

(...) le violet sombre d'une grappe d'aubergines (...) 1
ZOLA, le Ventre de Paris, t. I, p. 42.

(En franç. d'Afrique). *Aubergine, tomate aubergine :* fruit *(Solanum anomalum)* de forme analogue à celle de la tomate.

2 Le Vieux Soriba se redresse, soulève le couvercle du plat et fait une moue dégoûtée : il a vu une sauce claire, sans gombo ni ces aubergines vertes qu'il prise tant (...)

Massa Makan DIABATÉ, le Boucher de Kouta, p. 11.

♦ **2** N. f. Par anal. (de couleur). [a] Pop., vx. Bouteille de vin rouge. — Évêque. — Nez rouge et allongé.

[b] (1977-1978). Anciennt. Fam. Auxiliaire féminine de la police parisienne, vêtue d'un uniforme aubergine. *Les aubergines ont cédé la place aux pervenches**.

♦ **3** Adj. invar. De la couleur violet foncé de l'aubergine. *Teinte aubergine. Des costumes aubergine.*

3 Elle sortit d'un coffre oriental deux larges écharpes aubergine (...)

GIDE, les Faux-monnayeurs, I, VII, *in* Romans, Pl., p. 979.

**AUBERGISTE** [obɛʀʒist] n. — 1667; de *auberge.*

Anciennt. Personne qui tient une auberge. → **Hôte, hôtelier, restaurateur.** *Un aubergiste qui logeait à pied et à cheval,* qui recevait les piétons et les cavaliers. *Une aubergiste avenante.* — Mod., par plais. (Dans un café, un restaurant). *Holà, aubergiste!*

(...) les aubergistes sont un peu ce que les fait le voyageur. Vous arrivez fier, exigeant, rogue (...) voilà la nature du contrat établi par vous-même : on vous sert de son mieux, avec empressement, avec respect; service, empressement, respect se retrouvent sur la note (...)

Rodolphe TÖPFFER, Voyages en zigzag, Aux Alpes et en Italie, 3e journée, p. 11.

REM. Le mot évoque les auberges du passé; la personne qui tient un établissement hôtelier dénommé aujourd'hui *auberge* est un hôtelier, un restaurateur; à la campagne, parfois un cafetier, un cabaretier.

**AUBERON** [obʀɔ̃] n. m. — Probablt XVe; attesté *in* Furetière, 1690; orig. incertaine.

Techn. (serrur.). Anneau de fer fixé au moraillon du couvercle d'un coffre ou d'une malle. *L'auberon pénètre dans une fente de l'auberonnière et reçoit le pêne au moyen d'un tour de clef.*

DÉR. **Auberonnière.**

**AUBERONNIÈRE** [obʀɔnjɛʀ] n. f. — 1416-1418, *in* Godefroy, *Compl.*; de *auberon.*

Techn. Plaque de métal fixée sur un coffre, une malle, et dans laquelle est pratiquée une fente qui reçoit l'auberon*.

**AUBERT** ou **AUBER** [obɛʀ] n. m. — 1455, Coquillards; *auber,* 1790; du lat. *albus* «blanc».

Argot. Argent, monnaie.

1 Leurs bourses *(de mes plaideurs)* étaient vides (...) plus d'aubert n'était en fouillouse *(plus d'argent en poche).*

RABELAIS, le Tiers Livre, 41.

2 Il aurait pu faire du pognon, lui pourtant affreux pour l'auber, d'où son sobriquet, le sordide, un monstre à becter du rat, avare à peler un penny, il aurait fait commerce d'arêtes s'il avait eu quelque part preneur, mais du côté de la musique, il prenait si tellement son pied qu'il oubliait tous ses penchants (...)

CÉLINE, Guignol's band, p. 185.

HOM. **Aubère, haubert**; formes du v. **obérer.**

**AUBETTE** [obɛt] n. f. — Fin XVe, *aubette* (dernier quart du XVe, Molinet) ou *hobette* (1491, Lille); en France et en Belgique (liégeois *houbète,* namurois *obète*), «cabane, maisonnette», fin XVIIIe; «adaptation française d'un emprunt dialectal apparu... dans les parlers du nord gallo-roman» (M. Piron); de l'anc. franç. *hobe,* moy. haut all. *hûbe* «ce qui coiffe un édicule»; graphie mod. sous l'infl. de *aube.*

♦ **1** Hist. milit. Bureau où les sous-officiers d'une garnison allaient à l'ordre; où les hommes faisaient vérifier leurs permissions. *L'aubette de la place Kléber, à Strasbourg.*

♦ **2** (Après 1850). Régional. [a] (Belgique). Kiosque à journaux; abri sur la voie publique aux arrêts des transports en commun.

C'est un plaisir de grammairien de s'entretenir avec le cocher qui vous fait voir la ville *(de Bruxelles).* Il appelle les kiosques à journaux des aubettes et les appartements des quartiers. 1

Jean-Jacques WEISS, À propos de théâtre, 1893, cité par DE RUDDER, Visions de Belgique, p. 153.

Ainsi se voyait-il dans les vitrines des grands magasins, puis dans celles de l'aubette en attendant Léontine, au départ du tram. Vera FEYDER, Caldeiras, p. 217. 2

[b] (Ouest de la France). Abri aux arrêts des transports publics.

(...) Le passage de l'ange essoufflé qui m'appelle 3
À l'aubette perdue dans les genêts du ciel
Où le train qui vous mène est enfin arrivé.

René-Guy CADOU, Hélène ou le Règne végétal, II, «La tristesse».

Le cœur de Nantes battra toujours pour moi avec les coups de timbre métalliques des vieux tramways jaunes virant devant l'aubette de la place du Commerce (...) 4

J. GRACQ, Lettrines, p. 216, cité par M. PIRON (1967).

Que penser maintenant de l'introduction d'*aubette* dans le français universel? Mais tout simplement que ce nom d'excellente origine remplacerait avantageusement la périphrase *kiosque à journaux,* autant qu'il fixerait la dénomination de ce que (...) le français appelle *abri* ou *refuge,* ou *cabane* (...) 5

M. PIRON, Pour une contribution du franç. régional de Belgique au franç. universel, p. 8 (étude dont sont tirés les éléments de cet article).

REM. Ce terme est recommandé officiellement pour remplacer *abribus,* en France.

**AUBIER** [obje] n. m. — 1344; *ambour,* v. 1330; *aubrier,* XIIIe; *albor,* v. 1160; *aubor,* v. 1150; du lat. *alburnum,* de *albus* «blanc».

♦ **1** Partie tendre et blanchâtre qui se forme chaque année entre le bois dur (cœur) et l'écorce d'un arbre, et où circule la sève. *L'aubier est la partie fonctionnelle de l'arbre. L'aubier, bois imparfait ou faux bois, durcit progressivement pour se transformer en bois parfait.*

Dans l'utilisation du bois des arbres, l'équarrissage a pour objet d'enlever l'aubier qui est moins dur et se conserve moins longtemps, étant plus sujet à l'attaque des insectes et à l'action des agents extérieurs. 1

Omnium agricole, p. 73.

Beauté c'est la couronne ardente 2
c'est la rumeur qui parcourt l'arbre
du cœur à l'écorce par l'aubier.

Michel LEIRIS, Haut mal, p. 61.

♦ **2** Régional. Viorne* *(viorne obier)* utilisée en vannerie.

**AUBIFOIN** [obifwɛ̃] n. m. — 1542; *aubefain,* XIVe; soit de *aube,* et *foin,* soit du lat. *albifoenum* «foin blanc», le bleuet étant associé au foin.

Régional. Bleuet*.

**AUBIN** [obɛ̃] n. m. — 1688; *hobin,* 1478, encore dans Rabelais (→ cit.); *obin,* XIIIe; de l'anc. franç. *hober* «bouger, remuer».

Allure* défectueuse d'un cheval qui galope du train de devant et trotte du train de derrière (ou inversement). *Ce cheval va l'aubin.* → **Aubiner.**

(...) un beau grand cheval [...] *(qu'il)* faisait penader, sauter, voltiger, ruer et danser tout ensemble, aller le pas, le trot, l'entrepas, le galop, les ambles, le hobin, le traquenard (...)
RABELAIS, Gargantua, 12.

DÉR. **Aubiner.**

**AUBINE** [obin] n. f. — 1928, in *Larousse du XXᵉ s.*; de *Aubine,* nom de l'inventeur.

Techn. (ch. de fer). Pédale disposée le long du rail, abaissée au passage par les roues du train, qui coupe la transmission du signal et assure ainsi sa fermeture. — En appos. *Pédale aubine.*

**AUBINER** [obine] v. intr. — 1733; de *aubin.*

Équit. Aller l'aubin* (en parlant d'un cheval).

**AUBOUR** [obuʀ] n. m. — V. 1200, *auborc; arc d'aubor,* v. 1150. → Aubier.

♦ **1** Vx. Aubier*.

♦ **2** Régional. Cytise.

**AUBRIÉTIA** [obʀijesja], **AUBRIÈTE** [obʀijɛt] ou **AUBRIÉTIE** [obʀijesi] n. f. — 1845, *aubriétie; aubrieta,* 1763; du nom de Claude *Aubriet,* peintre d'histoire naturelle, et *-ie.*

Bot. Plante dicotylédone, dont l'espèce principale, l'*aubriétie deltoïde,* est une plante ornementale *(Crucifères),* à fleurs violettes en grappes, cultivée dans les jardins.

**AUBURN** [obœʀn] adj. invar. — 1835; *auburn hair,* 1817, Stendhal; mot angl., de l'anc. franç. *auborne* «blond», du lat. *albus* «blanc».

Se dit d'une couleur de cheveux châtain roux aux reflets cuivrés. *Auburn foncé.* → **Acajou.** *Des cheveux auburn. Chevelure auburn.*

Je la croyais brune, elle est blonde; mais cette chevelure d'or est si épaisse que l'or se brunit par la force de son épaisseur. — C'est le plus magnifique auburn, — comme disent les Anglais, car nous n'avons pas en français de nom exact pour cette couleur (...) — de l'or se fonçant jusqu'au bronze sans cesser pour cela d'être de l'or.
BARBEY D'AUREVILLY, 3ᵉ Memorandum, 1856, p. 57.

**AUBURNIEN, IENNE** [obœʀnjɛ̃, jɛn] adj. — 1898; de *Auburn,* ville des États-Unis, près de New York.

Hist. Se dit d'un système pénitentiaire dans lequel les détenus travaillent en commun pendant la journée, et sont isolés seulement pendant la nuit.

**AUBUSSON** [obysɔ̃] n. m. — 1897; de *(tapis d')Aubusson.*

Tapis ras, velouté, fabriqué à Aubusson.

Aux fenêtres du palais, des tapisseries tiraient la langue, des aubussons descendaient les marches, venaient tremper dans le Canal.
Paul MORAND, Venises, p. 162.

**AUCOUMEA** [okumea] n. m. — XXᵉ (1928, *aucoumé*); lat. mod.; → Okoumé.

Bot. Plante dicotylédone *(Térébinthacées),* arbre de grande taille qui fournit la plus grande partie des exportations de bois du Gabon (*bois d'okoumé;* → **Okoumé**).

**AUCUBA** [okyba] n. m. — 1796; orig. obscure, le mot japonais *aoki* désignant cette plante n'explique pas la forme française.

Plante dicotylédone *(Cornacées),* arbuste ornemental à feuilles persistantes d'un vert pâle marbré de jaune, à petites fleurs brunes en grappes, à fruits rouges. *Aucuba du Japon. Des bacs garnis d'aucubas devant une terrasse de café.*

Une villa donc, avec sans doute un prunus en fleurs sur le gazon, un portail peint en blanc, une allée tournante de gravier entre les haies d'aucubas aux feuilles tachetées (...) 1
Claude SIMON, la Route des Flandres, p. 181.

(...) le narrateur — disons «je», ça sera plus simple — cherche longuement, un peu à l'écart, s'il ne reste plus rien derrière le massif d'aucubas (...) 2
A. ROBBE-GRILLET, Projet pour une révolution à New York, p. 73.

**AUCUN, UNE** [okœ̃, yn] adj. et pron. — 1209; *alcun,* 980, pron.; lat. pop. *aliquunus,* de *aliquis* «quelqu'un», et *unus* «un». — REM. PHONÉT. En liaison, devant un nom commençant par une voyelle ou une h muette, on prononce [okœ̃n]; ex. : *aucun ami* [okœ̃nami].

**I** Adj. **A** Vx (langue class.) ou littér. (avec une valeur positive). Quelque*, quelque... que ce soit, qu'il soit. ♦ **1** Dans les phrases comparatives, dubitatives ou hypothétiques. *Cet ouvrage est le meilleur qu'on ait fait dans aucun pays sur ce sujet* (Académie). → **Quelque** (dans quelque pays que ce soit).

Le lion accourut de pitié voir si elle s'était fait aucun mal. 1
RABELAIS, Pantagruel, II, 15.

Non que pour moi, sans vous, ce trône ait aucun charme (...) CORNEILLE, Othon, IV, 1. 2

J'étais en l'une des plus célèbres écoles de l'Europe, où je pensais qu'il devait y avoir de savants hommes, s'il y en avait en aucun endroit de la terre. 3
DESCARTES, Disc. de la méthode, I.

Une des meilleures critiques qui ait été faite sur aucun sujet est celle du «Cid». 4
LA BRUYÈRE, les Caractères, I, 30.

Pour moi, je sais que la mémoire d'un si beau jour me touche plus, me charme plus, me revient plus au cœur que celle d'aucuns plaisirs que j'aie goûtés en ma vie. 5
ROUSSEAU, les Confessions, IV.

REM. Le pluriel *aucuns* n'est plus employé aujourd'hui qu'avec une négation. On dirait aujourd'hui : «... d'aucun plaisir que j'aie goûté en ma vie.»

Comme si la raison pouvait mépriser aucun fait d'expérience! M. BARRÈS, la Colline inspirée, p. 4. 6

♦ **2** Dans les phrases interrogatives. *Croyez-vous que le pouvoir ait aucun charme pour moi?* (Académie).

Ont-ils dans notre armée aucun commandement? 7
CORNEILLE, Sertorius, I, 2.

(...) Est-il aucun moment 8
Qui vous puisse assurer d'un second seulement?
LA FONTAINE, Fables, XI, 8.

**B** Mod., cour. (avec une valeur négative). ♦ **1** (Accompagné de la particule *ne* ou précédé de *sans*). → **Pas** (un); **nul.** *Aucun physicien n'ignore que... Il ne fait aucun cas de mon expérience. N'avoir aucun bien, aucun talent. Il n'y a plus aucun remède. Sans aucun doute. Sans aucune exception. Cette certitude ne laisse place à aucune espèce de doute.* → **Moindre.** *L'amour naît brusquement, sans aucune réflexion.* → **Autre.** *On ne peut comparer cette aventure à aucune autre. En aucune façon, en aucune manière.* → **Aucunement.** *Il n'en a fait aucun cas.*

Votre sévérité, sans produire aucun fruit, 9
Seigneur, jusqu'à présent a fait beaucoup de bruit.
CORNEILLE, Cinna, IV, 4.

*(Un homme)* Qui vous jette en passant un coup d'œil égaré, 10
Et, sans aucune affaire, est toujours affairé.
MOLIÈRE, le Misanthrope, II, 4.

11 Sans me nommer pourtant en aucune manière,
Ni faire aucun semblant que je serai derrière.
MOLIÈRE, l'École des femmes, IV, 9.

12 L'époux alors ne doute en aucune manière
Qu'il ne soit citoyen d'enfer.
LA FONTAINE, Fables, III, 7.

13 Et que, par conséquent, en aucune façon
Je ne puis troubler sa boisson.
LA FONTAINE, Fables, I, 10.

14 (...) tout alla de façon
Qu'il ne vit plus aucun poisson.
LA FONTAINE, Fables, VII, 4.

15 Aucun chemin de fleurs ne conduit à la gloire.
LA FONTAINE, Fables, X, 13.

16 (...) Les mutins n'entendent aucune raison (...)
LA BRUYÈRE, les Caractères, I, 51.

N. B. Cet emploi est archaïque, *entendre raison* étant devenu une expression figée.

17 Il n'y a aucun métier qui n'ait son apprentissage.
LA BRUYÈRE, les Caractères, XIV.

18 J'ai l'approbation de mes amis. Malheureusement l'approbation ne me fait aucun plaisir, le blâme ne me ferait aucune peine. B. CONSTANT, Journal intime.

19 Aucune autre affection *(celle qu'on porte à sa mère)* n'est comparable à celle-là.
MAUPASSANT, Fort comme la mort, II, 1.

19.1 Alors, sans aucun calcul, sans aucune détermination réfléchie, elle sentit croître en elle le désir naturel de le séduire, et y céda.
MAUPASSANT, Fort comme la mort, éd. 1889, p. 28.

20 Votre chien ni aucun chien, au monde ne vous la pourrait rapporter. Jean AICARD, l'Illustre Maurin, p. 86.

21 Dans aucun parti on ne fait difficulté d'admettre un voleur, s'il a du gosier et de l'estomac (...)
M. BARRÈS, Leurs figures, p. 19.

22 Aucune vie n'est assez courte pour que l'ennui n'y trouve pas sa place. J. RENARD, Journal, 5 mars 1906.

23 Elle ne perdait aucune occasion de recruter des adeptes.
MARTIN DU GARD, les Thibault, VII, 43.

23.1 Aucun bref sourire ne passe sur ses lèvres serrées ni entre les longs cils de ses paupières.
A. ROBBE-GRILLET, Projet pour une révolution à New York, p. 115.

Littér. *Aucun* se place parfois après le nom précédé de *sans.*

24 Croyez-moi, bourrez-vous, et sans réserve aucune,
Contre les coups que peut vous porter la fortune (...)
MOLIÈRE, Sganarelle, 7.

24.1 (...) le fût s'élance sans branche aucune et d'un seul jet jusqu'au couronnement de verdure (...)
GIDE, Voyage au Congo, *in* Souvenirs, Pl., p. 715.

(XVII$^e$). Vx. Avec *ne pas* ou *ne point.*

25 Cet état si violent (...) n'a pas eu le loisir de faire aucune impression. M$^{me}$ DE SÉVIGNÉ, Lettres, 24 juil. 1691.

Mod. Avec *plus* et *jamais. Je n'y vois plus aucun remède* (Académie). *Depuis qu'il est malade, il ne fait plus aucun projet.* → **Plus.** *Aucun grammairien n'a jamais critiqué cette tournure.* → **Jamais.**

26 Mais je n'ai plus, madame, aucun combat à faire (...)
CORNEILLE, Don Sanche, IV, 5.

27 Je n'ai jamais fait aucun mal (...)
FÉNELON, Télémaque, XIV.

REM. Le pluriel *aucuns, aucunes* est rare aujourd'hui (sauf devant les noms qui n'ont pas de singulier : *aucuns frais, aucuns ciseaux*), mais il est toléré (Arrêté ministériel du 26 févr. 1901). *Ne faire aucun projet* ou *aucuns projets.*

28 La république n'avait ni aucunes troupes régulières aguerries ni aucun officier expérimenté.
VOLTAIRE, le Siècle de Louis XIV, 21.

♦ **2** Avec négation sous-entendue. → **Nul.**

29 Son élégance, froissée par aucun contact (...)
M. BARRÈS, le Jardin de Bérénice, p. 94, *in* GREVISSE, n° 447.

Aucun est devenu négatif à lui tout seul : Acceptez-vous la doctrine de l'Académie ? — En aucune façon. Il faut sans doute sous-entendre : Je ne l'accepte. Dans avez-vous reçu un ordre ? — Aucun ; il n'est que d'ajouter : Je n'en ai reçu !
F. BRUNOT, Observations sur la grammaire, p. 58-59.

**II** Pron. ♦ **1** Vx ou littér. Avec une valeur positive. *Aucun de :* quiconque parmi, l'un de. *Je ne crois pas qu'aucun puisse y parvenir* (Littré). *Je doute qu'aucun d'eux réussisse. Pensez-vous qu'aucun de vos amis intervienne ? Il travaille plus qu'aucun de ses condisciples.*

Un savetier chantait du matin jusqu'au soir :
C'était merveilles de le voir,
Merveilles de l'ouïr ; il faisait des passages,
Plus content qu'aucun des sept Sages.
LA FONTAINE, Fables, VIII, 2.

Penses-tu qu'aucun d'eux veuille subir mes lois ?
BOILEAU, Épîtres, 2.

Vx. **AUCUNS :** quelques-uns.

Phèdre était si succinct qu'aucuns l'en ont blâmé (...)
LA FONTAINE, Fables, VI, 1.

Pour Gabrielle, en son apoplexie,
Aucuns diront qu'elle parle longtemps.
VOLTAIRE, Stances, 17.

Aucuns disent, et je n'ai pas de peine à le croire, que (...)
P.-L. COURIER, Lettres I, 102.

Vx ou littér. (repris dans un style soutenu, un peu prétentieux). **D'AUCUNS :** certains, plusieurs. *D'aucuns croiront que j'en suis amoureux* (Académie). *D'aucuns pourront critiquer cette attitude. D'aucuns disent, prétendent...*

Il y en a d'aucunes qui prennent des maris seulement pour se tirer de la contrainte de leurs parents (...)
MOLIÈRE, le Malade imaginaire, II, 1.

♦ **2** Cour. Avec une valeur négative (accompagné de *ne* ou de *sans*). *Je ne connais aucun de ses amis, aucun d'eux. Parmi tant de livres, je n'en ai aucun de relié* (Académie). *J'attendais plusieurs amis, il n'en est venu aucun.* → **Pas** (pas un seul). *Il a parlé sans qu'aucun le contredît.* → **Nul, personne.** *Je n'ai confiance en aucun autre que lui. Je n'en ai aucune de terminée. Aucun ne m'a plus intéressé que lui. Je n'en ai jamais rencontré aucune.*

Deux jours s'étaient passés sans qu'aucun vînt au puits.
LA FONTAINE, Fables, XI, 6.

Aucun n'est prophète chez soi.
LA FONTAINE, Fables, VIII, 26.

Aucun n'était content ; la sentence arbitrale
À nul des deux ne convenait.
LA FONTAINE, Fables, XII, 24.

On entreprend assez, mais aucun n'exécute (...)
CORNEILLE, Cinna, II, 1.

Que chacun se retire et qu'aucun n'entre ici.
CORNEILLE, Cinna, II, 1.

(...) Qu'aucun par un zèle imprudent (...)
Ne sorte avant le temps et ne se précipite (...)
RACINE, Athalie, IV, 5.

*Aucun de ...*

Aucun de nos grands écrivains n'a travaillé dans le genre de l'épopée (...)
VOLTAIRE, Essai sur la poésie épique, IX.

Tout cela nous file dans les jambes ; je ne comprends pas comment aucun de nous n'a été bousculé.
GIDE, Voyage au Congo, *in* Souvenirs, Pl., p. 852.

Ellipt. *Lui connaissez-vous des amis ? Aucun* (sous-entendu : je ne lui en connais aucun). *Lequel préférez-vous ? — Aucun.*

CONTR. **Beaucoup, maint, plusieurs, tout** (tous). ◊ DÉR. **Aucunement.**

**AUCUNEMENT** [okynmɑ̃] adv. — XIIIᵉ; *alcunement,* XIIᵉ; de *aucun,* et *-ment.*

**I** (Avec une valeur positive). ♦ **1** Vx. Dans une certaine mesure, jusqu'à un certain point (sens déjà vieilli au XVIIIᵉ).

1 L'heureux moment approche où votre destinée
Semble être aucunement à la nôtre enchaînée (...)
CORNEILLE, Rodogune, III, 4.

♦ **2** Vieilli. De quelque façon, en quelque façon (encore employé dans un style très littéraire, bien que vieilli, dans les phrases interrogatives). *Croyez-vous qu'on puisse aucunement soutenir cette opinion?* (Académie).

**II** Mod. (avec une valeur négative). En aucune façon, en rien. ♦ **1** Accompagné de *ne* ou de *sans.* → **Nullement, pas, point** (point du tout).

2 Maintenant, Mesdames, en l'état qu'ils sont, vous pouvez continuer vos amours avec eux tant qu'il vous plaira; nous vous laisserons toute sorte de liberté pour cela, et nous vous protestons (...) que nous ne serons aucunement jaloux. MOLIÈRE, les Précieuses ridicules, 15.

3 Je ne crains guère de choses et ne crains aucunement la mort. LA ROCHEFOUCAULD, Portrait par lui-même.

4 C'est un simple fait qu'il avance, sans prétendre l'expliquer aucunement. F. DE LAMENNAIS, *in* P. LAROUSSE.

♦ **2** Ellipt. Avec une négation sous-entendue. *Est-ce votre avis? Aucunement* (Académie).

REM. *Mais* précédant *aucunement* peut jouer le rôle d'une négation : *Il s'agit de papiers officiels de grande importance, mais aucunement de lettres intimes* (Durrieu, *Parlons correctement,* p. 36). → Nullement.

*Et aucunement :*

5 (...) il faut lui donner le bien et aucunement le mal.
CLAUDEL, le Soulier de satin, p. 805, *in* T. L. F.

**-AUD, -AUDE** Élément à valeur péjorative servant à former sur une base adjective ou nominale des adjectifs et des substantifs qualifiant ou désignant des personnes. Ex. : adj. : *courtaud, lourdaud, noiraud, pataud, penaud;* subst. : *salaud, soûlaud.*

**AUDACE** [odas] n. f. — 1130; du lat. *audacia,* de *audax, audacis.*

♦ **1** (1387). Disposition ou mouvement qui porte à des actions difficiles et dangereuses, au mépris des obstacles et des dangers. *Avoir de l'audace, beaucoup d'audace. L'audace le pousse à oser, à aller de l'avant. Affronter, braver les périls avec audace. S'engager, se jeter avec beaucoup d'audace dans une entreprise périlleuse. Avoir l'audace d'attaquer un ennemi plus fort que soi. Faire preuve d'audace, user d'audace.* — Loc. *Payer* d'audace.* — *Manquer d'audace. Montrer une grande audace dans le danger. Les timides prennent parfois de l'audace.* → **Enhardir** (s'). *La confiance en soi donne de l'audace.* → **Assurance, bravoure, cœur, courage, cran, décision, énergie, hardiesse, intrépidité, résolution...**; fam. **culot, estomac.** *L'audace de qqn, son audace. Une audace inconsidérée, téméraire.* → **Témérité.** *Une imprudente audace.* → **Imprudence.** *Cette folle audace dans la pensée et dans l'action* (→ 1. Matamore, cit. 1). *Acte, trait, coup d'audace. Audace physique, morale, intellectuelle. L'audace d'une pensée, d'une démarche intellectuelle.*

1 C'est Hector, disait-elle, en l'embrassant toujours
Voilà ses yeux, sa bouche, et déjà son audace.
RACINE, Andromaque, II, 5.

2 Tu me verras souvent à te suivre empressé,
Pour monter à cheval rappelant mon audace,
Apprenti cavalier, galoper sur ta trace.
BOILEAU, Épîtres, VI.

Cent guerriers s'y jetant signalent leur audace. 3
BOILEAU, Épîtres, IV.

Socrate montra si bonne contenance, que ceux qui poursuivaient les fuyards n'eurent jamais l'audace de l'attaquer (...) FÉNELON, le Socrate chrétien. 4

La crainte fit les dieux : l'audace a fait les rois. 5
CRÉBILLON, Xerxès, I, 1.

Le succès fut toujours un enfant de l'audace (...) 6
VOLTAIRE, Catilina, III, 5, *in* LITTRÉ.

(...) celui de tous mes écrits où ces principes sont manifestés avec le plus de hardiesse, pour ne pas dire d'audace (...) 7
ROUSSEAU, les Confessions, t. II, IX, p. 246.

Pour les vaincre *(les ennemis),* Messieurs, il nous faut de l'audace, encore de l'audace, toujours de l'audace, et la France est sauvée! 8
DANTON, 2 sept. 1792, *in* le Moniteur du 4 sept.

Il est de ces instants où l'audace est prudence (...) 9
C. DELAVIGNE, les Vêpres siciliennes, IV, 2.

(...) ces fiers guerriers dont l'audace 10
Faisait un trône d'un pavois. HUGO, Odes, II, 3.

Robespierre n'avait point l'audace politique, le sentiment de la force qui fait qu'on prend autorité. 11
MICHELET, Hist. de la Révolution franç., p. 489.

C'était l'audace de la peur. 12
MICHELET, Hist. de la Révolution franç., t. II, p. 444.

Il essaya de se relever par un coup d'audace. 13
MICHELET, Hist. de la Révolution franç., t. I, p. 900.

(...) l'audace réussit à ceux qui savent profiter des occasions (...) 14
PROUST, À la recherche du temps perdu, t. V, p. 205.

Une fois encore, en payant d'audace, nous nous tirons d'affaire. LOTI, Aziyadé, III, 26. 15

Elle se sent bien maintenant (...) C'est ce qui lui manque, à elle, cette passion, cette liberté, cette audace, elle a toujours peur, elle ne sait pas... 15.1
N. SARRAUTE, le Planétarium, p. 74.

*Une, des audaces. Il a toutes les audaces.*

Elle entra; elle était seule. 15.2
Il eut une grande audace, immédiatement.
— Savez-vous ce que je me demandais en vous attendant?
— Mais non, je ne sais pas.
— Je me demandais si je n'étais pas amoureux de vous.
MAUPASSANT, Fort comme la mort, éd. 1889, p. 34.

(...) jamais rien de grand ne s'est fait sans des audaces morales, des entorses aux principes, qui auraient suffoqué les petits esprits. 16
J. ROMAINS, les Hommes de bonne volonté, t. II, p. 236.

♦ **2** Spécialt (surtout au pluriel). Procédé, détail qui brave les habitudes, les goûts dominants. → **Innovation, originalité.** *Les audaces de la mode. D'heureuses audaces de style* (Académie).

L'exemple de Debussy montre qu'un vrai musicien peut tout oser et faire de ses audaces des beautés nouvelles. 16.1
R. ROLLAND, Deux hommes se rencontrent, p. 96.

♦ **3** (V. 1543). Péj. Hardiesse excessive, impudente, critiquable. → **Aplomb, arrogance, crânerie** (vieilli), **culot** (fam.), **effronterie, fierté, impertinence, impudence, inconvenance, insolence, outrecuidance, présomption, sans-gêne, toupet.** *Cet individu ne manque pas d'audace. Il a de l'audace! — L'audace de* (et inf.). *Il a eu l'audace de me contredire, il n'a pas craint de m'infliger ce démenti. Aura-t-il l'audace de soutenir une pareille chose?* → **Front.** — *Il a baissé le ton, il parle avec moins d'audace. Geste plein d'audace. Quelle audace!*

Où prends-tu cette audace et ce nouvel orgueil, 17
De paraître en des lieux que tu remplis de deuil?
Quoi! je verrai, seigneur, qu'on borne vos États (...)
CORNEILLE, le Cid, III, 1.

18 Que de vous menacer on a même l'audace (...)
CORNEILLE, Nicomède, II, 3.

19 À ce compte, arrogante, un fantôme nouveau
Te donne cette audace et cette confiance (...)
CORNEILLE, Héraclius, I, 2.

20 Si jusqu'à l'approcher *(la porte)* tu pousses ton audace
Je fais sur toi pleuvoir un orage de coups.
MOLIÈRE, Amphitryon, I, 2.

21 Mais voyez quelle audace ! A-t-on jamais vu une fille parler de la sorte à son père ? MOLIÈRE, l'Avare, I, 4.

22 Comment, pendard, tu as l'audace d'aller sur mes brisées ?
MOLIÈRE, l'Avare, IV, 3.

23 À cette audace étrange,
J'ai peine à me tenir et la main me démange (...)
MOLIÈRE, Tartuffe, V, 4.

24 Ils ont tous deux l'audace de vouloir comparer leurs professions à la mienne !
MOLIÈRE, le Bourgeois gentilhomme, II, 3.

25 De mes accusateurs qu'on punisse l'audace (...)
RACINE, Britannicus, IV, 2.

26 — Parlez.
— Ô Dieu, confonds l'audace et l'imposture !
RACINE, Esther, III, 4.

27 Cependant, à les voir enflés de tant d'audace
Te promettre en leur nom les faveurs du Parnasse,
On dirait qu'ils ont seuls l'oreille d'Apollon,
Qu'ils disposent de tout dans le sacré vallon.
BOILEAU, Discours au roi.

♦ **4** (1688, *in* D. D. L.). Vx. Ganse qui relevait le bord d'un chapeau.

28 (...) avec son audace au chapeau et cette cravate noire.
Mme DE SÉVIGNÉ, Lettre à Mme de Grignan, 27 déc. 1688.

CONTR. **Couardise, crainte, honte, lâcheté, peur, poltronnerie, pusillanimité, timidité. — Humilité, modestie, pudeur, réserve, respect, retenue.** ◊ DÉR. **Audacieux.**

**AUDACIEUSEMENT** [odasjøzmɑ̃] adv. — 1490; *audessement,* 1330; de *audacieux,* et *-ment.*

Vieilli ou littér. Avec audace*; d'une manière audacieuse.

♦ **1** (Audace, 1.). En parlant d'actions extraordinaires, dangereuses. *Affronter audacieusement un péril. Combattre audacieusement.*

♦ **2** (Audace, 2.). En parlant d'un procédé qui brave les habitudes. *Elle était audacieusement vêtue, dévêtue.*

♦ **3** (Audace, 3.). Avec une hardiesse critiquable. *Mentir audacieusement.*

CONTR. **Timidement.**

**AUDACIEUX, EUSE** [odasjø, øz] adj. et n. — V. 1500; de *audace* (cf. lat. *audax, audacis*).

**I** Adj. ♦ **1** (1611). Littér. ou style soutenu. Qui a de l'audace* (1.). *Un homme audacieux. Un audacieux général.* → **Courageux, brave, décidé, déterminé, énergique, entreprenant, hardi, intrépide, résolu**; fam. **culotté, gonflé.** *Un garçon audacieux, qui n'a pas froid aux yeux*. Audacieux jusqu'à la témérité. Trop audacieux.* → **Aventureux, hasardeux, imprudent, téméraire.**

1 (...) un de ces esprits remuants et audacieux *(Cromwell)* qui semblent être nés pour changer le monde. Que le sort de tels esprits est hasardeux, et qu'il en paraît dans l'histoire à qui leur audace a été funeste !
BOSSUET, Oraison funèbre d'Henriette-Anne d'Angleterre.

2 (...) on est souvent ferme par faiblesse, et audacieux par timidité. LA ROCHEFOUCAULD, Maximes, 11.

3 Marat était audacieux, mais nullement brave.
MICHELET, Hist. de la Révolution franç., t. II, p. 63.

*Un cœur audacieux, une âme audacieuse.*

♦ **2** Mod. (Choses). Qui est plein d'audace, dénote de l'audace, est fait avec de l'audace. *Une entreprise trop audacieuse.* → **Risqué.** *Un audacieux cambriolage.* — (Choses). *Une audacieuse réalisation. Un pont audacieux.*

Littér. et vieilli. Qui s'élance à une grande hauteur. *Roc audacieux.*

(Abstrait). Qui s'écarte des règles, des voies ordinaires. *Conceptions, théories audacieuses.* → **Hardi, neuf, nouveau, novateur.**

N'est-ce pas l'homme enfin dont l'art audacieux 4
Dans le tour d'un compas a mesuré les cieux ?
BOILEAU, Satire VIII.

(...) les traits de son visage (...) avaient une expression audacieuse. FRANCE, Les dieux ont soif, p. 185. 5

(...) intelligence claire et vive, sûre d'elle-même jusqu'à la présomption, audacieuse parfois jusqu'à la témérité, un Fouché est, on doit le reconnaître, l'homme qu'il fallait là. 6
Louis MADELIN, Hist. du Consulat et de l'Empire, t. V, x.

(Personnes). *Un architecte audacieux. — Un esprit audacieux.*

♦ **3** (Fin XVe-déb. XVIe). Vieilli. Qui est d'une hardiesse impudente. → **Arrogant, cavalier, cynique, effronté, éhonté, impertinent, impudent, inconvenant, indiscret, insolent, osé, outrecuidant, présomptueux, téméraire.** *Il est audacieux et sans scrupules* (Académie). *Allégation audacieuse. Je n'aime pas cet air, ce ton audacieux.* → **Tranchant.**

Spécialt (dans le domaine de la galanterie). *Propos audacieux.* → **Gaillard, licencieux, osé.** *Il s'est montré bien audacieux auprès d'elle.* → **Entreprenant, hardi, irrespectueux.**

Si elle vous nomme audacieux, vous l'appellerez cruelle; les femmes aiment beaucoup qu'on les appelle cruelles (...) 7
BEAUMARCHAIS, le Barbier de Séville, IV, 5.

**II** N. *Un audacieux, une audacieuse.* ♦ **1** (Av. 1577). Personne qui a de l'audace. *La fortune sourit aux audacieux* (lat. *audaces fortuna juvat*). *Un audacieux qui aime le risque, qui n'a peur de rien.* → **Casse-cou, risque-tout.**

Je croy que la fortune nous eust ry : car on dict qu'elle aime les audacieux. 8
Blaise DE MONTLUC, Commentaires, IV, *in* Dict. hist. de l'Acad. franç.

Que ferait-il, hélas ! si quelque audacieux 9
Allait pour son malheur lui dessiller les yeux (...)
BOILEAU, Satire IV.

D'un jeune audacieux, que les arrêts du sort 10
Et ses propres fureurs ont conduit à la mort (...)
VOLTAIRE, Mérope, II, 2.

L'audacieux préfère son risque à sa vie, et même à sa gloire. Il arrive que la vie et la gloire relèvent le défi. 11
BERNANOS, le Scandale de la vérité, p. 46.

♦ **2** (1636). Péj. Personne qui est d'une hardiesse impudente. → **Audace,** 3. *Un jeune audacieux, insolent, effronté.*

D'un jeune audacieux punissez l'insolence (...) 12
CORNEILLE, le Cid, II, 8.

CONTR. **Couard, craintif, honteux, lâche, peureux, poltron, pusillanime, timide. — Humble, modeste, pudique, réservé, respectueux.** ◊ DÉR. **Audacieusement.**

**AU-DEÇÀ** [od(ə)sa], **AU-DEDANS** [od(ə)dɑ̃], **AU-DEHORS** [odəɔʀ], **AU-DELÀ** [od(ə)la], loc. adv. et prép. → **Deçà** (2.), **dedans** (II., 3.), **dehors** (I., 3. et I., 4.), **delà** (II., 3.).

**AU-DELÀ** [od(ə)la] n. m. — 1866, Amiel, *in* T. L. F.; de *au,* et *delà.* → Delà, II., 3.

♦ **1** Absolt. Ce qui est au-delà de la mort; les réalités supposées être après la mort (selon les religions, les philosophies). *Croire en l'au-delà, en un au-delà. Des au-delàs. Si nous nous retrouvons dans l'au-delà...*

1 Nous ne connaissons pas l'Au-delà parce que cette ignorance est la condition *sine qua non* de notre vie à nous.
J. RENARD, Journal, 24 sept. 1890, Pl., p. 70.

2 (...) la présence d'un autre monde. Pas nécessairement infernal ou paradisiaque, pas seulement monde d'après la mort : un au-delà présent.
MALRAUX, la Métamorphose des dieux, p. 9.

♦ **2** Qualifié. Littér. (En général avec *de*). *«L'au-delà divin de la beauté»* (Zola, *in* T. L. F.). → **Delà**, II., 3.

**AU-DESSOUS** [od(ə)su], **AU-DESSUS** [od(ə)sy], **AU-DEVANT** [od(ə)vɑ̃] loc. adv. et prép. → 2. **Dessous** (8.), 2. **dessus** (6.), 2. **devant** (2.).

**AUDI-** → **Audio-**.

**AUDIBILITÉ** [odibilite] n. f. — V. 1897; de *audible*.

Didact. Qualité de ce qui est audible. *Limite, seuil, maximum d'audibilité. Audibilité insuffisante, normale.*

Phys. et psychol. «Ensemble des propriétés nécessaires pour qu'un son engendre une sensation auditive» (Piéron, 1973).

**AUDIBLE** [odibl] adj. et n. m. — 1488; du bas lat. *audibilis* «qu'on peut entendre», de *audire* «entendre».

♦ **1** Adj. Qui est perceptible par l'oreille. *Sons à peine audibles.*

1 Le crissement à peine audible d'un doigt faisant courir ses empreintes sur les rainures sèches et poudreuses d'une peau de cuisse de jeune femme.
J.-M. G. LE CLÉZIO, le Déluge, p. 30.

Par ext. Qui peut être entendu. *«Nous avions cessé (...) d'être l'un pour l'autre audibles»* (Proust, *le Côté de Guermantes*, Pl., t. II, p. 136).

♦ **2** N. m. (1937). *L'audible :* l'ensemble des sons perceptibles (par l'oreille humaine).

2 Suivent diverses interjections, toutes proférées par Folcoche, dont la voix se promène maintenant dans les plus hautes notes de la gamme et va, si ça continue, dépasser l'audible.
Hervé BAZIN, Vipère au poing, p. 188.

CONTR. **Inaudible.** ◊ DÉR. **Audibilité.**

**AUDIENCE** [odjɑ̃s] n. f. — V. 1165; lat. *audientia*, de *audire* «entendre».

♦ **1** Vx ou littér. Action de bien vouloir écouter qqn; attention que l'on donne à celui qui parle. → **Attention.** *Cela mérite votre audience, est digne de votre audience. Donnez-lui un moment d'audience.*

1 (...) ce serait une cause beaucoup plus digne de votre audience.
Henri ESTIENNE, Précellence du langage françois, Épître au Roy.

2 (...) Je n'ai pu gagner un moment d'audience (...)
CORNEILLE, le Cid, V, 7.

3 Je vous demande un moment d'audience (...)
MOLIÈRE, George Dandin, III, 8.

4 Il faut employer quelque moyen tel qu'en fournit l'art oratoire pour avoir audience de l'assistance (...)
P.-L. COURIER, I, 222, *in* LITTRÉ.

5 (...) Ou souffrir, ou mourir. — *Aut pati, aut mori.* Il est digne de votre audience de comprendre solidement toute la force de cette parole (...)
GIDE, Journal 1889-1939, Littérature et Morale, p. 90.

5.1 (...) les gens qui étaient attirés par Mme Pragen étaient toujours ceux sur qui elle pouvait sans risque tenter ses effets incroyablement gros. Elle semblait, toujours satisfaite de ces audiences médiocres, ignorer qu'il aurait pu y en avoir d'autres d'un peu plus difficiles.
DRIEU LA ROCHELLE, la Comédie de Charleroi, p. 18.

Par ext. Intérêt porté à qqch. par le public.

C'est un des rares ouvrages (*«les Thibault» de Martin du Gard)* qui aient eu à la fois l'audience du lecteur moyen et l'estime du lecteur délicat. 6
A. MAUROIS, Études littéraires, t. II, p. 168.

Loc. *Donner audience à...* → **Écouter.** *«J'ai toujours donné audience à tous les avis»* (Littré). — Figuré :

(...) il avait besoin d'y voir clair dans son âme, et de donner audience à la foule de sentiments qui l'agitaient. 7
STENDHAL, le Rouge et le Noir, *in* Œ. roman., Pl., t. I, p. 61.

♦ **2** Plus cour. Réception où l'on admet qqn pour l'écouter. → **Entretien, réception, rendez-vous.** *Demander, solliciter, obtenir une audience. Demander une audience au président de la République. Accorder, refuser une audience. — Donner audience à qqn. L'ambassadeur a été reçu en audience particulière. Avez-vous une lettre d'audience?*

L'ambassadeur romain me demande audience (...) 8
CORNEILLE, Nicomède, II, 2.

Le roi donne audience à l'ambassadeur de Hollande (...) 9
Mme DE SÉVIGNÉ, Lettres, 109.

(...) de toute la matinée, M. Thibault n'avait pu donner audience à son secrétaire. 10
MARTIN DU GARD, les Thibault, V, 1.

Plusieurs personnes attendaient audience dans la galerie (...) MARTIN DU GARD, les Thibault, VII, 56. 11

♦ **3** (1541). Dr. et cour. Séance d'un tribunal. *Les jugements doivent être lus à l'audience. Audience publique. Audience à huis clos. Audience civile, correctionnelle, criminelle, commerciale. — Audience de vacation. Audience de rentrée. Audience solennelle de la cour d'appel, de la Cour de cassation, de la Cour des comptes. Police de l'audience. Délit d'audience. — Audience foraine,* hors du siège de la juridiction. *Tenir audience. Appeler une cause à l'audience. Ouvrir, suspendre, reprendre, lever l'audience. Paraître* (cit. 27) *à l'audience. Renvoyer une cause à l'audience faute de conciliation. Poursuivre l'audience :* poursuivre la procédure.

Mais où dormirez-vous, mon père? — À l'audience. 12
RACINE, les Plaideurs, I, 4.

Un jour que quelques conseillers parlaient un peu trop haut à l'audience, M. de Harlay, premier président, dit : «Si ces messieurs qui causent ne faisaient pas plus de bruit que ces messieurs qui dorment, cela accommoderait fort ces messieurs qui écoutent.» 13
CHAMFORT, Maximes et Pensées.

Le président renvoie à l'audience les affaires qui, d'après les explications des avocats et au vu des conclusions échangées et des pièces communiquées, lui paraissent prêtes à être jugées sur le fond. 14
Code de procédure civile, art. 760.

Les personnes qui assistent à l'audience doivent observer une attitude digne et garder le respect dû à la justice. 15
Code de procédure civile, art. 438.

Je tiens le greffe, je tiens la plume, aux audiences de je ne sais quelle cause. Pourquoi vouloir que ce soit la mienne, je n'y tiens pas. BECKETT, Textes pour rien, p. 145. 16

♦ **4** (1548-1585). Par ext., vieilli. Les personnes à qui on donne audience ou qui assistent à une audience. Ceux qui écoutent qqn, un orateur. → **Assistance, auditoire.** *Toute l'audience en fut scandalisée, en fut émerveillée* (Académie).

Que je puisse représenter à cette auguste audience l'incomparable beauté d'une âme (...) 17
BOSSUET, Oraison funèbre de Marie-Thérèse d'Autriche.

REM. Ce sens vieilli, admis par l'Académie, est aujourd'hui senti comme un anglicisme, l'angl. *audience* signifiant «auditoire, assistance».

(Anglic.). Canada. Auditoire.

(Mil. XXe; angl. *audience* «auditoire, public»). Media. Public touché par un medium d'information. *Analyse de l'audience :* analyse de la composition de ce public. *Audience instantanée; audience cumulée* (au cours d'une période donnée). *Mesure de l'audience* (→ Indice, taux d'écoute) *d'une chaîne de télévision* (→ **Audimètre**). *Points d'audience.* — Par ext. Taux d'écoute (élevé). «*Je veux faire de l'audience*» (J.-P. Elkabbach, in *le Point,* 6 nov. 1987).

♦ **5** (1715-1735; esp. *audiencia*). **a** Hist. Cour souveraine de justice dans les colonies espagnoles; les provinces correspondantes.
**b** Mod. Tribunal jugeant en appel des sentences rendues par les corregidors et les alcades.

DÉR. **Audiencier.**

**AUDIENCIER, IÈRE** [odjɑ̃sje, jɛʀ] adj. et n. — 1566; *audienchier,* XIVe; de *audience.*

♦ **1** Adj. (1690) et n. m. Dr. *Huissier-audiencier,* ou *audiencier :* huissier* chargé du service de l'audience (3.). — Huissier.

♦ **2** N. Vx. Personne qui suit les audiences.

**AUDIMAT** [odimat] n. m. — 1981; nom déposé, de *audi(mètre),* et *(auto)mat(ique).*

Audimètre relié au réseau téléphonique, permettant de mesurer l'audience des diverses chaînes de télévision; système d'évaluation de cette audience. → **Médiamat.** — Par ext. L'audience mesurée. *Les chiffres de l'audimat.* «*L'inquiétude de l'audience, ce sont plutôt les champions de l'audimat qui devraient l'avoir*» (*l'Express,* 17 avr. 1987, p. 53). *Des audimat* ou *des audimats.* — Adj. invar. *Les points audimat.*

**AUDIMÈTRE** [odimɛtʀ] n. m. — 1836 «audiomètre»; repris 1964; de *audi-,* et *-mètre.*

Techn. Appareil qui permet de mesurer l'audience* des émissions de radio ou de télévision.

DÉR. et COMP. **Audimat, audimétrie.**

**AUDIMÉTRIE** [odimetʀi] n. f. — 1985; de *audimètre,* et *-métrie.*

Techn. Mesure du taux d'écoute des chaînes de radio ou de télévision. «*L'audimétrie ne peut dire si devant un poste allumé on trouve réellement un ou plusieurs spectateurs attentifs*» (*le Monde,* 16 juil. 1987, p. 20).

DÉR. **Audimétrique.**

**AUDIMÉTRIQUE** [odimetʀik] adj. — 1985; de *audimétrie.*

Techn. Relatif à l'audimétrie. *Les techniques audimétriques.* «*Médimétrie travaille à la mise au point d'un panel audimétrique consacré à la mesure des chaînes du câble et du satellite*» (*le Monde,* 31 oct. 1998, p. 22). — Par ext. De l'audimat. «*La gloire audimétrique*» (*Libération,* 5 févr. 1988, p. 6).

**AUDI-MUTITÉ** [odimytite] n. f. — 1909; de *audi-,* et *mutité.*

Méd. Mutité congénitale non associée à une surdité.

**AUDIO-, AUDI-** Élément, du lat. *audio* «j'entends», servant à former de nombreux adj. et subst. dans les domaines médical et technique. Voir à l'ordre alphabétique.

**AUDIO** [odjo] adj. invar. — 1982; de l'élément *audio-.*
Qui concerne l'enregistrement ou la transmission des sons (s'oppose à *vidéo*). *Il a de nombreuses cassettes audio.*

**AUDIOCONFÉRENCE** [odjokɔ̃feʀɑ̃s] n. f. — 1978; de *audio-,* et *conférence.*
Réunion organisée entre des participants éloignés, par l'intermédiaire du réseau de télécommunication, en utilisant le téléphone et la télécopie. *Participer à une audioconférence.*

**AUDIOFRÉQUENCE** [odjofʀekɑ̃s] n. f. — V. 1960; de *audio-,* et *fréquence.*

Sc. Fréquence à laquelle une vibration d'un milieu matériel est perceptible par l'oreille humaine normale (on dit aussi *fréquence acoustique, fréquence musicale*).

**AUDIOGRAMME** [odjogʀam] n. m. — 1951; de *audio-,* et *-gramme.*

Techn. Représentation graphique (généralement obtenue à partir d'un audiomètre*) traduisant le degré de l'acuité auditive.

**AUDIOLOGIE** [odjɔlɔʒi] n. f. — 1949, *in* D. D. L.; de *audio-,* et *-logie.*

Méd. Étude de l'audition.

COMP. **Phono-audiologie.**

**AUDIOMÈTRE** [odjɔmɛtʀ] n. m. — 1865; de *audio-,* et *-mètre.*

Techn. Appareil servant à pratiquer l'audiométrie*. — Var. (vx) : *audimètre. Audiomètre radioélectrique. Les mesures obtenues par l'audiomètre permettent d'établir des audiogrammes*.*

**AUDIOMÉTRIE** [odjɔmetʀi] n. f. — Mil. XXe; de *audiomètre.*

Techn. Technique utilisant un appareil électroacoustique (→ **Audiomètre**) pour l'étude et la mesure de l'acuité auditive, en particulier du seuil d'audition (→ aussi **Acoumétrie**). *Audiométrie tonale,* utilisant les tons purs; *audiométrie vocale,* utilisant la voix humaine. *Audiométrie objective,* fondée sur des techniques ne nécessitant pas la participation consciente du sujet.

REM. Ce mot est attesté dans un sens plus général, «mesure de perceptions auditives».

(...) l'audiométrie exige soit que l'on opère en plaine et rase campagne, soit que l'on fasse les mesures dans une chambre sourde, avec une suspension anti-microphonique du plancher et de grandes épaisseurs de laine de verre sur les murs.

Gilbert SIMONDON, Du mode d'existence des objets techniques, p. 61 (1969).

DÉR. **Audiométriste.**

**AUDIOMÉTRISTE** [odjɔmetʀist] n. — 1973, in *la Clé des mots;* de *audiométrie.*

Spécialiste de la mesure de l'acuité du sens auditif.

**AUDION** [odjɔ̃] n. m. — 1920; du lat. *audire* «entendre», et *-on.*

Phys. Forme primitive de la lampe à trois électrodes (réalisée en 1906-1907 par Lee de Forest). → **Triode.**

L'ensemble constitue une *lampe à trois électrodes,* ou *triode,* appelée également *audion,* du nom que lui a donné son inventeur : DE FOREST.

Augustin BOUTARIC, la Vie des atomes, p. 93.

**AUDIONUMÉRIQUE** [odjonymeʀik] adj. — 1983; de *audio-*, et *numérique*.

Techn. *Disque audionumérique* : disque sur lequel les informations permettant la reproduction des sons enregistrés sont codés de manière numérique. *Enregistrement audionumérique.*

**AUDIO-ORAL, ALE, AUX** [odjoɔʀal, o] adj. — Mil. XXe; de *audio-*, et *oral*, d'après *audio-visuel*.

Didact. Qui participe de l'écoute et de la parole (sans impliquer d'éléments visuels). Se dit d'une méthode pédagogique faisant largement appel à l'expression orale des élèves (opposé à *audio-visuel*). → **Audiophonologie.** *L'enseignement du français «s'intéresse particulièrement aux messages écrits, mais il ne peut négliger les messages audio-oraux et audio-visuels...»* (Circulaire ministérielle du 29 avr. 1977, no 77-156; in Brochure C.N.D.P., no 6092, p. 15). — REM. Sauf dans l'opposition avec *audiovisuel*, ce mot constitue un pléonasme par rapport à *oral*, à *parlé*.

**AUDIOPHILE** [odjofil] n. — V. 1980; de *audio-*, et *-phile*.

Amateur d'électroacoustique et, spécialt, de haute-fidélité. *Une audiophile passionnée. De nouveaux matériels pour les audiophiles. Les mélomanes et les audiophiles.*

**AUDIOPHONE** [odjofɔn] n. m. — 1898; *audiphone*, 1879, *Année sc. et industr.* 1880, p. 389; de *audio-*, et *-phone*.

Petit appareil acoustique servant à renforcer les sons, que les gens qui entendent mal portent près de l'oreille. → **Sonotone** (marque).

**AUDIOPHONOLOGIE** [odjofɔnɔlɔʒi] n. f. — Mil. XXe; de *audio-*, et *phonologie*.

Didact. Discipline qui étudie les problèmes psychophysiologiques (éducation, réadaptation, etc.) de la communication humaine orale.

**AUDIOPROTHÉSISTE** [odjopʀɔtezist] n. — V. 1960; de *audio-*, et *prothésiste*.

Méd. Prothésiste spécialiste des déficiences de l'ouïe. *L'audioprothésiste lui a adapté une prothèse auditive.*

**AUDIOTUTORIEL, ELLE** [odjotytɔʀjɛl] adj. — V. 1980; de *audio-*, et *tutoriel*, de l'angl. *tutorial*.

Didact. Se dit d'une méthode d'enseignement individualisé dans laquelle le cours est programmé*, enregistré sur bandes magnétiques, et accompagné de documents écrits ou audiovisuels.

**AUDIOTYPIE** [odjotipi] n. f. — Mil. XXe; de *audiotypiste*, sur le modèle des mots en *-typie* (→ -typie).

Travail, technique de l'audiotypiste. *Le texte de la conférence, établi par audiotypie, a pu être polycopié.*

**AUDIOTYPISTE** [odjotipist] n. — Mil. XXe; de *audio-*, et de l'angl. *typist* «dactylographe».

Dactylographe travaillant avec écouteurs et machine à dicter.

**AUDIOVISUALISER** [odjovizɥalize] v. tr. — 1974, in *la Clé des mots*; de *audiovisuel*.

Didact. Transmettre une information, un enseignement par le son et l'image; rendre audiovisuel.

**AUDIOVISUALISTE** [odjovizɥalist] n. — 1974, in *la Clé des mots*; de *audiovisuel*.

Didact. et rare. Spécialiste de la communication, de la pédagogie audiovisuelle.

**AUDIOVISUEL, ELLE** [odjovisɥɛl] adj. et n. m. — 1947; de *audio-*, et *visuel*. REM. On écrit encore souvent *audio-visuel*.

♦ **1** Didact. Qui concerne simultanément la sensibilité, la perception auditive et visuelle. *L'équilibre audiovisuel d'un spectacle, d'un film.*

1 Ces discussions, auxquelles Tiffauges assistait sans y prendre part, l'ancraient peu à peu dans l'idée que la guerre n'était qu'un affrontement de chiffres et de signes, une pure mêlée audio-visuelle sans autre risque que des obscurités ou des erreurs d'interprétation.
M. TOURNIER, le Roi des Aulnes, p. 148.

Spécialt, cour. Qui ajoute aux éléments du langage l'utilisation de l'image, dans la communication. *Moyens audiovisuels de la communication de masse* : cinéma, télévision. *Matériel audiovisuel* (diapositives sonorisées, magnétoscope, vidéodisque... → **Vidéo**).

2 Mais j'avais un dada : transformer l'enseignement par l'emploi généralisé des moyens audiovisuels. Seuls le cinéma et la radio étaient alors en cause; on pressentait la télévision. Il s'agissait de diffuser les cours de maîtres choisis pour leurs qualités pédagogiques, pour apprendre à lire comme pour découvrir l'histoire de France. L'instituteur n'aurait plus pour fonction d'enseigner mais d'aider les enfants à apprendre.
MALRAUX, Antimémoires, Folio, p. 121-122.

3 En effet, nous entrions dans une nouvelle galaxie, celle de l'image. De plus en plus, ce sont les moyens de communication audiovisuels, les mass media, qui véhiculent les connaissances.
Jean-Louis CURTIS, le Roseau pensant, p. 273.

♦ **2** Pédag. (le mot s'est répandu dans ce contexte). Se dit des méthodes pédagogiques qui joignent le son à l'image (notamment dans l'apprentissage des langues). → **Audiotutoriel.** *Méthodes audiovisuelles et méthodes audio-orales*, en classe.*

4 En ce temps-là, on n'en était qu'aux premiers balbutiements du langage audio-visuel, et il m'aurait (...) paru tout aussi insensé de prétendre exprimer à l'usage d'un Chinois, d'un Samoan ou d'un Bourguignon, sur l'espace limité d'une pancarte, avec un minimum de traits, les tournants (...) de la route qui mène à un passage à niveau.
ARAGON, Blanche..., III, I, p. 363.

5 (...) l'anglais du président est encore déplorable, malgré ses cours accélérés par méthode audiovisuelle (...)
Régis DEBRAY, l'Indésirable, p. 221.

♦ **3** N. m. *L'audiovisuel* : les moyens, les procédés de communication, d'apprentissage audio-visuels. *Les métiers de l'audiovisuel.*

6 Mais voyons! Le public d'un écrivain, je parle d'un écrivain véritable, est très limité de nos jours. La masse est complètement conditionnée par l'audiovisuel (...)
F. MALLET-JORIS, le Jeu du souterrain, p. 188.

7 Or, l'audio-visuel apporte à l'imaginaire des moyens aussi limités que ceux du théâtre : ils ne saisissent directement que l'homme extérieur.
MALRAUX, l'Homme précaire et la Littérature, p. 30.

DÉR. **Audiovisualiser, audiovisualiste.**

**AUDIT** [odit] n. m. — 1970, in Höfler; angl. *audit*, du lat. *auditus* «audition; ouïe».

Anglicisme.

♦ **1** Révision et contrôle de la comptabilité, de la gestion (d'une entreprise). → **Auditeur,** 2. *Cabinet d'audit. Audit externe, interne* (hors de ou dans l'entreprise). → **Vérification** (1.).

♦ **2** Professionnel qui pratique l'audit. → **Auditeur,** 2.

DÉR. **Auditer.**

**AUDITER** [odite] v. tr. — Av. 1977 ; de *audit.*

Anglic. Contrôler financièrement et sur le plan de la gestion. *Directeur chargé «de conseiller, d'assister et d'auditer les équipes Marketing»* (Annonce — offre d'emploi —, *l'Express,* 31 oct. 1977). → **Vérifier.**

1. **AUDITEUR, TRICE** [oditœR, tRis] n. — 1230 ; lat. *auditor.*

♦ **1** (V. 1262). Personne qui écoute. → **Écoutant** (vieilli). *Les auditeurs d'un conférencier, d'un prédicateur, d'un professeur, d'un chanteur, d'un musicien...* → **Assemblée, assistance, assistant, audience, auditoire, public, salle.** *Les auditeurs d'une pièce de théâtre.* → **Spectateur.** *Un auditeur attentif. Captiver* ou *lasser l'attention de ses auditeurs* (→ **Attention**). *Charmer, émouvoir... ses auditeurs.*

1 Cotin, à ses sermons trainant toute la terre,
Fend les flots d'auditeurs pour aller à sa chaire (...)
BOILEAU, Satire IX.

2 Il est donc certain, mes chers auditeurs, que (...)
BOURDALOUE, Sermon du 2e dimanche après Pâques.

3 Un discours qui paraît trop beau met l'auditeur en défiance. FÉNELON, Dialogues sur l'éloquence, 3.

4 Il aimait à conter et contait bien, paraissant moins songer à l'effet qu'il pouvait produire sur ses auditeurs que (...)
CONDORCET, Éloge de M. de Maurepas.

5 Plus ce récit se déroulait, plus il semblait attacher nos simples auditeurs. LAMARTINE, Graziella, II, 14.

Ling. *Le locuteur et l'auditeur.*

(XXe). Spécialt. Personne qui écoute la radio. *Les auditeurs d'une émission. Chers auditeurs, chères auditrices. Auditeurs et téléspectateurs*.*

♦ **2** *Auditeur (libre) :* personne admise à assister à un cours de faculté sans y être inscrite. *Assister à un cours en qualité d'auditeur libre, d'auditeur bénévole. Ce cours attire de nombreuses auditrices.*

♦ **3** Dr. *Auditeur au Conseil d'État, Auditeur à la Cour des comptes :* fonctionnaire recruté au concours et qui débute au Conseil d'État, à la Cour des comptes (→ **Conseil**). *Auditeur de seconde classe. Auditeur de première classe.* → **Auditorat.**

6 Je vois un paquet adressé chez M. Daru et contresigné : Le ministre secrétaire d'État. J'ouvre, et vois une lettre ainsi conçue : Le ministre secrétaire d'État s'empresse de prévenir monsieur de Beyle qu'il a été nommé auditeur au Conseil d'État, par décret du 1er de ce mois. Il a l'honneur de renvoyer à monsieur de Beyle les lettres officielles qui étaient jointes à sa lettre du 1er de ce mois. Saint-Cloud, le 3 août 1810. STENDHAL, Journal, t. III, p. 146.

*Auditeur de Justice,* «élève de l'École Nationale de la Magistrature recruté par concours, sur titre ou sur épreuves» (*Lexique de termes juridiques,* Dalloz, 1974).

Dr. anc. *Auditeur du Châtelet :* magistrat attaché au Châtelet de Paris jugeant des procès minimes. — *Auditeur des comptes :* officier de la Chambre des Comptes qui était chargé de vérifier les comptes. — *Juge-auditeur.*

(En Italie, en Allemagne ; av. 1798). *Auditeur général.*

Dr. canon. *Auditeur de Rote :* membre du tribunal ecclésiastique de la Rote.

♦ **4** Hist. des relig. (dans l'Église primitive). Catéchumène qui, n'étant pas encore digne de recevoir le baptême, pouvait écouter les instructions. — Pénitent qui était arrivé au second degré de son épreuve mais qui n'était pas encore digne de communier.

CONTR. **Acteur, artiste, conférencier, musicien, orateur, prédicateur.** ◊ DÉR. **Auditorat.**

2. **AUDITEUR** [oditœR] n. m. — Après 1950 ; de l'angl. *auditor.*

Anglicisme.

**I** (Canada). *Auditeur général :* fonctionnaire du Parlement chargé de vérifier les comptes publics.

**II** Personne chargée de la révision comptable dans une entreprise. → **Audit.** *Cabinet international d'auditeurs.*

**AUDITIF, IVE** [oditif, iv] adj. et n. — 1370 ; du lat. *auditum,* supin de *audire* «entendre».

**I** Adj. ♦ **1** Qui appartient à l'organe de l'ouïe, qui se rapporte à l'ouïe. *Appareil auditif.* → **Oreille.** *Sensations, impressions auditives.* → **Audition, son.** *Mémoire auditive,* des sons. *Troubles auditifs. Hallucinations auditives ; sensations auditives anormales* (→ **Acouphène**). *Mesure de l'acuité auditive.* → **Acoumétrie ; audiométrie.** *Appareils de correction auditive,* permettant d'améliorer l'audition des malentendants. → **Audiophone, sonotone** (marque).

On sait que, pour les impressions auditives, l'organe récepteur est constitué par les cellules auditives des organes de Corti situés dans le limaçon de l'oreille interne. Ces cellules sont impressionnées par les vibrations sonores, recueillies par le tympan et transmises par la chaîne des osselets. Les vibrations de même amplitude déterminent des sons ; les mélanges de vibrations déterminent des bruits. 1
A. CUVILLIER, Petit voc. de la langue philosophique, I, p. 177 (1954).

(...) cette enveloppe de représentations auditives et visuelles qu'est le langage, signe des idées. 2
Gustave LANSON, l'Art de la prose, p. 125.

Didact. *Langage auditif* (par oppos. à *langage visuel*). — (1916, Saussure). *Image auditive* (ou *image acoustique*) : résultante psychologique de la production phonétique d'un élément de langage, en relation avec le «concept» qui lui correspond. → **Signifiant.**

♦ **2** Anat. Qui se rapporte aux organes de perception des sons, et, spécialt, à l'oreille (→ **Auriculaire ; otique**). *Artères auditives, nerf auditif.*
*Conduit auditif externe,* canal de la base du rocher qui s'étend de la conque de l'oreille au tympan. *Conduit auditif interne,* «canal de la face postérieure du rocher qui reçoit le nerf auditif» (*in* Littré-Robin).

Zool. *Vésicule auditive. Organes auditifs des invertébrés.*

**II** N. (1892). *Un auditif, une auditive :* personne qui donne plus d'importance aux sensations auditives qu'aux sensations visuelles. *C'est un auditif.*

**AUDITION** [odisjɔ̃] n. f. — 1370 ; *audistion,* 1295 ; lat. *auditio,* de *auditum,* supin de *audire.*

♦ **1** (Av. 1590). Phys. et psychol. Exercice, fonction du sens de l'ouïe*. *Appareil de l'audition. Mécanismes de l'audition.* → **Auditif, oreille, son.** *Seuil d'audition. Étude de l'audition.* → **Audiologie.** *Troubles de l'audition. Audition passive,* ou *audition proprement dite :* fait d'entendre. *Audition active,* ou *auscultation :* action d'écouter.
*Audition colorée :*

L'audition colorée consiste en ce fait que les sujets voient une couleur déterminée chaque fois qu'ils entendent un son déterminé. 1
P. POIRÉ, Dict. des sciences, art. *Audition.*

*Audition gustative :* sensation gustative spécifique provoquée par l'audition de certains sons.

♦ **2** Cour. Action d'entendre ou d'être entendu. → **Écoute.** *À l'audition de cette symphonie... Une audition interminable. À la deuxième audition, j'aime moins ce disque. L'audition d'un discours, d'un disque.*

Dr. *Audition de témoins :* action d'entendre les témoins en justice. *Procéder à l'audition des témoins.*

♦ **3** Action de faire entendre, de présenter (une œuvre musicale, théâtrale...). *L'audition, la première audition d'une œuvre (par un public). Juger d'une pièce de théâtre à la première audition. J'ai mieux apprécié cette pièce à la lecture qu'à l'audition. Audition transmise de l'auditorium d'une station radiophonique.* → **Émission, concert.**

(1837). Spécialt. Action d'entendre un artiste en vue de l'engager. (En parlant d'un artiste). Action de présenter son numéro en vue de se faire engager. *L'audition d'un artiste par le directeur de théâtre.* → **Essai ; épreuve, examen.** *Passer une audition.* → **Auditionner.**

Par ext. Séance de musique pendant laquelle on écoute une œuvre, un artiste. *Audition improvisée, privée. La première audition mondiale d'une œuvre.*

DÉR. **Auditionner.**

**AUDITIONNER** [odisjɔne] v. — 1793, «entendre des témoins» ; de *audition.*

♦ **1** V. intr. (1922). Donner une audition pour obtenir un engagement (en parlant d'un musicien, d'un comédien).

1 De leurs récits dialogués, il ressort que Pierre Humble, directeur du Théâtre du Petit-Monde, a eu le coup de foudre pour Micheline. Il la voit absolument dans le rôle le plus important de *La Médaille des braves !* (...) — Naturellement, Chouchou doit auditionner.
Denyse VAUTRIN, le Reste de l'âge, p. 56.

♦ **2** V. tr. (1953). Écouter (un artiste) qui donne une audition dans l'intention de l'engager.

2 Hier chez un ami où m'attendaient Mercure et Marcel Karsenty pour entendre, pour auditionner, comme on dit, un jeune acteur dans le rôle de Ian. Le garçon était blême, avait visiblement le trac.
J. GREEN, Journal 1950-1954, 20 déc. 1952.

Abusivt. [a] Écouter pour juger. *Auditionner un disque.*

[b] Admin. Entendre, procéder à l'audition (2.) de...

3 Il me faut auditionner les victimes et les témoins.
Roger BORNICHE, Flic story, p. 198.

**AUDITOIRE** [oditwaʀ] n. m. — 1253-1289 ; lat. *auditorium,* de *auditum,* supin de *audire.*

♦ **1** Lieu où se tiennent des auditeurs. → **Salle.** Spécialt. Lieu où se tiennent les audiences d'un tribunal*.

1 La vente sera annoncée par placards affichés (...) à la porte de l'auditoire de la justice de paix.
Code de procédure civile, art. 629.

♦ **2** (1440). L'ensemble des personnes qui écoutent. → **Auditeur ; assemblée, assistance, audience, public, réunion, salle.** *Il a joué devant un nombreux auditoire. Charmer, émouvoir, ravir, toucher... son auditoire. Je n'aime pas ce conférencier qui cherche à éblouir l'auditoire.* → **Galerie, spectateur.** *Faire évacuer l'auditoire de la salle d'audience.* → **Salle.**

2 L'auditoire était sourd aussi bien que muet.
LA FONTAINE, Fables, X, 10.

3 Si aujourd'hui je me vois contraint de retracer l'image de nos malheurs, je n'en ferai point d'excuses à mon auditoire, où, de quelque côté que je me tourne, tout ce qui frappe mes yeux me montre une fidélité irréprochable.
BOSSUET, Oraison funèbre de Michel Le Tellier.

4 Je répondis qu'on admirait toujours ses homélies, mais qu'il me semblait que la dernière n'avait pas si bien que les autres affecté l'auditoire.
A.-R. LESAGE, Gil Blas, VII, 4.

Il est permis d'endormir son auditoire, mais non pas de l'impatienter. 5
ROUSSEAU, Julie ou la Nouvelle Héloïse, V, Lettre XIII.

Barnave était un de ces hommes qui prennent chaque matin la mesure de leur auditoire ; qui tâtent le pouls de leur public (...) 6
HUGO, Littérature et Philosophie mêlées, p. 108.

Dans le complet silence de cet auditoire, son vigoureux discours fit le bruit d'une masse pesante qui tombe. 7
M. BARRÈS, Leurs figures, p. 182.

(...) ce sobre discours, cri de son âme délivrée, tout frémissant d'une émotion qui, peu à peu, gagne l'auditoire ! 8
Georges LECOMTE, Ma traversée, p. 489.

Ensemble des personnes qui ont écouté ou écouteront une œuvre.

Fig. L'ensemble des lecteurs.

Je fais des vœux pour que ce bon ouvrage rencontre l'auditoire qu'il mérite (...) 9
G. DUHAMEL, Préface d'Agnès FORSTNER, Lui que j'aimais.

♦ **3** Par métonymie. Vx ou régional. [a] Lieu de réunion pour écouter. *«Dans un coin de ce vaste auditoire»* (Barrès, *in* T. L. F.).

[b] Dr. Vx. Salle des plaidoiries, dans un tribunal.

[c] Régional (Belgique ; Suisse). Auditorium, amphithéâtre. — Grande salle de cours ou de conférence d'un établissement scolaire.

Nous étions une cinquantaine d'étudiants dans l'auditoire de la faculté de Philosophie et Lettres. 10
Edmond PICARD, l'Amiral, p. 12 (1883).

Dans les couloirs de l'Université, dans les auditoires même, jusqu'au moment où le professeur montait en chaire, partout on discutait, partout on pérorait. 11
Georges ROSMEL, Histoires estudiantines, p. 34 (1888).

*(L'Université de Louvain)* «désire dédoubler certains cours, de manière à éviter un trop grand nombre d'étudiants dans un même auditoire.» 12
Lettre du recteur Edouard MASSAUX *in* le Soir, 9 mars 1966 (Bruxelles).

**AUDITORAT** [oditɔʀa] n. m. — Av. 1755 ; dér. sav. de *auditeur.*

♦ **1** Admin. Fonction d'auditeur au Conseil d'État, à la Cour des comptes, au Centre national d'Études judiciaires. *Se préparer à l'auditorat.*

♦ **2** Hist. Fonction de juge-auditeur (avant la réforme de 1830).

En Italie, en Allemagne, Fonction d'auditeur général (1. Auditeur).

**AUDITORIUM** [oditɔʀjɔm] n. m. — 1866 ; lat. *auditorium* «lieu, salle où l'on s'assemble pour écouter», de *auditum,* supin de *audire.*

♦ **1** Hist. rom. Lieu de réunion, en particulier, lieu où des personnes s'assemblaient pour écouter des orateurs, des poètes, des auteurs.

♦ **2** (1888, *Encycl. Berthelot ;* répandu sous l'infl. de l'angl. *auditorium,* déb. XX^e^). Salle de conférence, de concert, etc. ; salle aménagée pour les *auditeurs.*

L'ouvrage de M. Jules Huret explique l'extraordinaire fortune du prophète Dowie, et comment il entraîna des multitudes persuadées, dans l'Auditorium de Chicago, qu'il était la troisième incarnation d'Élie. 1
Paul ADAM, Vues d'Amérique, p. 207 (1906).

Or, la lecture est un remède excellent contre la délinquance juvénile, surtout si la bibliothèque se transforme, un soir par semaine, en auditorium où les jeunes gens viendront s'initier à la musique classique (...) 2
Alain BOSQUET, les Bonnes Intentions, p. 224.

(1937). Salle spécialement aménagée pour les émissions radiophoniques ou télévisées.

**AUGE** [oʒ] n. f. — 1080; du lat. *alveus* «vase, récipient».

♦ **1** (V. 1268). Bassin en pierre, en bois ou en métal qui sert à donner à boire (→ **Abreuvoir**) ou à manger (→ **Mangeoire**) aux animaux domestiques. *Auge à eau d'une écurie. Les râteliers sont placés au-dessus des mangeoires ou auges. Crèches et auges des bergeries.* → **Crèche.** *Petite auge d'oiseau.* → **Auget.**

0.1 Gervaise fut changée en ânesse et placée devant une auge pleine de son appétissant; mais, dès qu'elle s'approchait de l'abondante pitance, une sorte de séton lui entravait subitement la mâchoire et l'empêchait de satisfaire sa fringale.
Raymond ROUSSEL, Impressions d'Afrique, p. 328.

Spécialt. Mangeoire du porc. *Les auges d'une porcherie.*

1 Il était enfermé dans son plaisir comme ces jeunes porcs charmants qu'il est drôle de regarder à travers la grille, quand ils reniflent de bonheur dans leur auge (...)
F. MAURIAC, *in* A. MAUROIS, Études littéraires, t. II, p. 28.

Fam. et vieilli. Assiette. «*Avance ton auge, que je te donne la soupe*» (Bruant).

Par métaphore (et allus. à l'auge des porcs). → Boue, fange.

2 Le tyran est doublé du valet; et le monde
Va de l'antre du fauve à l'auge de l'immonde.
HUGO, la Légende des siècles, XX, 2.

Loc. fig. (vx). *Manger à l'auge :* vivre aux frais de quelqu'un.

*Les auges :* supplice des anciens Perses (enfermement dans deux auges se recouvrant, la tête et les pieds sortant, enduits de miel et exposés au soleil et aux insectes).

♦ **2** (1446, «pétrin»; 1567, *auge de charpentier*). Techn. Récipient de bois dans lequel les maçons délaient le plâtre. — Récipient de bois où les lavandières lavaient le linge.

3 Après le déjeuner, on leur montre, toujours au même étage, une salle avec quelques cuvettes crasseuses, et une autre salle, avec une auge centrale où les prisonniers peuvent nettoyer eux-mêmes leur linge, c'est le lavoir.
G. LEROUX, Rouletabille chez Krupp, p. 196.

Papet. Caisse de bois où l'on faisait tremper les rognures de papier. — Récipient au bout d'un moule à plomb.

♦ **3** Techn. Godet d'une roue hydraulique. *Roue à auges.* → **Auget,** 3.

Bassin circulaire dans lequel se meut une meule. → **Ripe.** *Auge d'un broyeur, d'un concasseur.* → **Trémie;** → Auget, cit., J. Verne.

♦ **4** Géol., géogr. **AUGE GLACIAIRE :** vallée au fond large et plat creusée par un glacier.

*Auge marginale :* lagune qui s'étendait à la limite des domaines marin et continental aux ères primaire et secondaire.

♦ **5** Zool. Chez le cheval, vide entre les deux branches du maxillaire.

**DÉR. Augée, auget, augette.**

**AUGÉE** [oʒe] n. f. — V. 1450; de *auge.*

Vx. Ce que peut contenir une auge. *Une augée de plâtre, de mortier.*

**AUGERON, ONNE** [oʒʀɔ̃, ɔn] adj. et n. — 1845, Bescherelle; de *Auge.*

Du pays d'Auge. *Cheval augeron.*

**AUGET** [oʒɛ] n. m. — V. 1190; dimin. de *auge.*

♦ **1** (V. 1393). Rare. Petite auge pour oiseaux. → **Augette.**

♦ **2** Petite auge de lavandière.

♦ **3** (1798). Techn. Petits seaux ou godets fixés à la circonférence d'une roue pour recevoir l'eau motrice. *Roue à augets.* → **Auge** (3.), **godet.**

Petite auge de la trémie (d'un moulin, d'un broyeur, d'un concasseur).

Quant aux diverses parties du mécanisme intérieur, la boîte destinée à contenir les deux meules, la meule gisante et la meule courante, la trémie, sorte de grande auge carrée, large du haut, étroite du bas, qui devait permettre aux grains de tomber sur les meules, l'auget oscillant destiné à régler le passage du grain, et auquel son perpétuel tic-tac a fait donner le nom de «babillard», et enfin le blutoir, qui, par l'opération du tamisage, sépare le son de la farine, cela se fabriqua sans peine.
J. VERNE, l'Île mystérieuse, t. II, p. 534.

♦ **4** Pièce qui reçoit la cartouche et permet de la placer sur l'élévateur. *L'auget d'un fusil Lebel, d'une Winchester 1866.*

**AUGETTE** [oʒɛt] n. f. — 1415; de *auge,* et *-ette.*

♦ **1** Vx ou régional. Petite auge. → **Auget.** Petit récipient comparable à une auge.

Il venait manger dans leur augette le pain des poules qui lui béquetaient méchamment la tête.
M. JOUHANDEAU, la Jeunesse de Théophile, p. 132.

♦ **2** Minér. Récipient où on lave le minerai.

**AUGITE** [oʒit] n. f. — 1751 (masc.); 1801 (fém.); du grec *augetis,* ou *augitis* «sorte de pierre précieuse».

Minér. Pyroxène noir ou vert qu'on trouve abondamment dans les roches volcaniques.

**AUGMENT** [ɔgmɑ̃; ogmɑ̃] n. m. — XIIIe-déb. XIVe; lat. *augmentum,* de *augmentare.* → Augmenter.

♦ **1** (XIIIe-déb. XIVe). Vx. Augmentation, accroissement. «*L'impression d'augment de la vie, de décuplement des forces*» (L. Daudet, *in* T. L. F.).

Méd. Augmentation de l'intensité (des symptômes de maladie). *Phase d'augment.*

♦ **2** (XVIe). Dr. anc. *Augment (de dot) :* biens dotaux que la loi permettait de donner à la veuve. — *Contre-augment :* gain de survie qui permettait au veuf de retenir une portion de la dot de sa femme décédée.

♦ **3** (1680). Ling. Dans diverses langues indo-européennes, notamment en grec, Élément *(e)* préposé au verbe à certaines formes du passé, soit qu'il augmente le mot d'une syllabe devant une consonne *(augment syllabique),* soit qu'il s'unisse à la voyelle initiale pour l'allonger *(augment temporel).*

**AUGMENTABLE** [ɔgmɑ̃tabl; ogmɑ̃tabl] adj. — V. 1510; de *augmenter.*

Que l'on peut augmenter. «*Il semble que la réceptivité à l'agression microbienne ou cellulaire soit augmentée ou augmentable sur un tel terrain*» (Dr R. Géraud, *la Limitation médicale des naissances, in* Dr Willy, *la Sexualité,* t. II, p. 112).

**AUGMENTATEUR, TRICE** [ɔgmɑ̃tatœʀ, tʀis; ogmɑ̃tatœʀ, tʀis] n. — V. 1501, *in* D. D. L.; du lat. *augmentator,* ou de *augmenter,* et *-ateur.*

♦ **1** (Sens général). Rare. Personne qui augmente, accroît.

Il s'en déclare l'auteur, c'est-à-dire, selon l'étymologie, l'*augmentateur*, celui qui confère la portée et l'importance.
Roger CAILLOIS, Esthétique généralisée, p. 9.

♦ **2** Didact. Personne qui fait des *augmentations* ou additions à un ouvrage, en l'éditant.

♦ **3** N. m. Techn. *Augmentateur de poussée :* dispositif servant à accroître la poussée d'un turboréacteur.

**AUGMENTATIF, IVE** [ɔgmɑ̃tatif, iv; ogmɑ̃tatif, iv] adj. et n. m. — 1370; de *augmenter.*

**I** Adj. (1370). Rare. Qui augmente quelque chose. (1680). Ling. Se dit de morphèmes ou de mots qui renforcent le sens (d'un mot, d'un syntagme). *Préfixes, suffixes augmentatifs.* Par *et* re *sont des préfixes augmentatifs dans parfaire, parsemer, rechercher, ressentir* (Académie).

Il y a également des suffixes augmentatifs : ail, as, on : portail, coutelas, caisson.
F. BRUNOT, la Pensée et la Langue, p. 657.

**II** N. m. (1812). Particule, mot servant à renforcer le sens. *Les diminutifs et les augmentatifs.*

CONTR. **Diminutif.**

**AUGMENTATION** [ɔgmɑ̃tasjɔ̃; ogmɑ̃tasjɔ̃] n. f. — 1690; *augmentacion,* av. 1304; *amentacion,* 1372; bas lat. *augmentatio* «ce qui accroît, augmente (qqch.)», de *augmentatum,* supin de *augmentare.* → Augmenter.

♦ **1** Action d'augmenter*; résultat de cette action. → **Accroissement, agrandissement, croissance.** *L'augmentation de qqch. par addition, par multiplication d'éléments. Une augmentation graduelle, progressive, successive.* → **Gradation.** *L'augmentation de la surface d'un terrain par accession, par la retraite des eaux* (→ **Accession, accroissement, accrue).** *Augmentation de volume.* → **Amplification, crue** (liquides), **développement, dilatation, distension, élargissement, enflure, extension, foisonnement, gonflement, grossissement, renflement, tension, tuméfaction, tumescence, turgescence.** *Augmentation d'un domaine, d'un État.* → **Arrondissement.** *Augmentation de richesses.* → **Accumulation, enrichissement.** *Augmentation de longueur, de durée.* → **Allongement, étirement, extension, prolongation, prolongement, rallonge.** *Augmentation de hauteur.* → **Élévation, exhaussement, hausse, montée, rehaussement, remontée, surhaussement.** *Augmentation de nombre, de quantité.* → **Addition, décuplement, doublement, multiplication, redoublement.** *Augmentation de prix, des prix, du coût de la vie.* → **Élévation, enchérissement, exagération, hausse, grossissement, majoration, montée, renchérissement, surenchérissement.** *Augmentation de valeur.* → **Plus-value, valorisation.** *Augmentation des moyens de paiement.* → **Inflation.** *Augmentation de qualité.* → **Amélioration, enrichissement, gain, progrès, progression.** *Augmentation d'intensité.* → **Accentuation, augment, élévation, graduation, intensification, redoublement, renforcement.** *Augmentation de force, d'énergie, de vigueur...* → **Exaltation, poussée, réconfort, renforcement, renfort, stimulation...** *Augmentation d'un mal.* → **Aggravation, exacerbation, irritation, recrudescence, surexcitation.** *L'augmentation du poids des impôts, des charges... ; l'augmentation des prix, du coût de la vie.* → **Aggravation, alourdissement, hausse.** *Augmentation de la vitesse.* → **Accélération.**

1 (...) il ordonna qu'on déchargeât le peuple des augmentations de tributs que la nécessité des affaires passées avait fait imposer.
FLÉCHIER, la Vie de Théodose le Grand, IV, 73.

La quantité des marchandises et denrées croît par une augmentation de commerce; l'augmentation de commerce, par une augmentation d'argent qui arrive successivement, et par de nouvelles communications avec de nouvelles terres et de nouvelles mers, qui nous donnent de nouvelles denrées et de nouvelles marchandises. 2
MONTESQUIEU, l'Esprit des lois, XXII, 8.

(...) persuadé qu'une politique brillante a nécessairement pour résultat une augmentation de forces et de ressources (...) Georges LECOMTE, Ma traversée, p. 363. 3

*Augmentation de capital :* opération par laquelle, après une décision de l'Assemblée générale extraordinaire ou du Conseil d'administration, une société élève son capital social. *Procéder à une augmentation de capital.*

♦ **2** Absolt. Accroissement d'appointements, de traitement, de salaires. *Demander, réclamer, recevoir une augmentation. Accorder, donner, refuser une augmentation.*

(...) j'offre timidement une augmentation de cent francs à titre de compensation. Il accepte. 4
COURTELINE, Messieurs les ronds-de-cuir, III, 3.

♦ **3** Ce que l'on ajoute à l'édition nouvelle d'un ouvrage. → **Addition.**

(...) je pris soin de lui désigner *(au public)* cette seconde augmentation par une marque particulière et telle qu'elle se voit par apostille. 5
LA BRUYÈRE, les Caractères, Préface.

♦ **4** Mus. Prolongement de la durée de certaines valeurs rythmiques, dans le contrepoint; exposition du sujet, de la réponse dans un mouvement plus lent (souvent deux fois plus long).

CONTR. **Diminution; baisse, décroissance, réduction.**

**AUGMENTER** [ɔgmɑ̃te; ogmɑ̃te] v. tr. et intr. — 1340-1370; lat. *augmentare,* du class. *augere* «augmenter».

**I** V. tr. ♦ **1** (L'objet désigne une chose, un caractère, une pluralité de choses; le sujet désigne une personne ou une chose). Rendre plus grand, plus considérable par addition d'une chose de même nature. → **Accroître, agrandir** (cit. 1), **ajouter, compléter.** *Augmenter les dimensions de qqch. Augmenter l'étendue* (→ **Étendre**), *la hauteur* (→ **Élever, exhausser, hausser, lever, monter** [faire], **rehausser, remonter, surhausser**), *la profondeur* (→ **Approfondir**), *l'épaisseur* (→ **Épaissir**) *de qqch. Augmenter le volume de qqch.* → **Amplifier, développer, dilater, distendre, élargir, enfler, épaissir, étendre, gonfler, grossir, renfler.** *Augmenter son domaine, ses revenus, sa fortune...* → **Arrondir.** *Augmenter ses richesses en accumulant*.* *Augmenter la longueur, la durée de...* → **Allonger, étendre, étirer, prolonger, rallonger, traîner** (faire traîner en longueur). *Augmenter le nombre, la quantité de...* → **Multiplier; décupler, doubler, quadrupler, redoubler, tripler...** *Augmenter les prix, les salaires, la valeur...* → **Élever, enchérir, exagérer, hausser, grossir, majorer, renchérir, surenchérir, valoriser.** *Augmenter les impôts, les charges.* → **Alourdir, hausser.** — *Augmenter la vitesse...* → **Accélérer, forcer.** — (Abstrait). *Augmenter la qualité.* → **Améliorer, enrichir.** *Augmenter le degré, l'intensité.* → **Accentuer, élever, graduer, intensifier, redoubler, rehausser, renforcer.** *Augmenter la force, les forces, l'énergie, la vigueur.* → **Conforter, consolider, exalter, fortifier, ranimer, revigorer, remonter, renforcer.** *Augmenter l'appétit.* → **Aiguiser, exciter, ouvrir, stimuler.** *Augmenter la gravité, le poids d'un mal, d'une douleur, d'une souffrance...* → **Aggraver, exacerber, irriter, surexciter.** *Augmenter l'intensité, la force d'un sentiment. Cela a augmenté son impatience, sa colère. Augmenter sa propre insatisfaction par..., en faisant quelque chose.*

1 Que nos plaisirs passés augmentent nos supplices!
Qu'il est dur d'éprouver, après tant de délices,
Les cruautés du sort! LA FONTAINE, Psyché, II.

2 À force d'accumuler péché sur péché, rechute sur rechute, et d'augmenter par là chaque jour le poids de leur iniquité (...)
BOURDALOUE, *in* LAFAYE, Amasser, accumuler.

3 Les rapports que nous y trouvons *(entre les idées)* établissent entre elles des liaisons très propres à augmenter et à fortifier la mémoire, l'imagination, et, par contrecoup, la réflexion.
CONDILLAC, Essai sur l'origine des connaissances humaines, II, 6.

4 Diminuer la lourdeur de l'impôt n'est pas en matière de finance diminuer l'impôt, c'est le mieux répartir; l'alléger, c'est augmenter la masse des transactions en leur laissant plus de jeu (...)
BALZAC, les Employés, Pl., t. VI, p. 879.

5 Adam Smith a très ingénieusement remarqué combien ce qu'il a le premier appelé la division du travail, augmente sa puissance productive.
Jean-Baptiste SAY, Cours d'économie politique pratique (1823-1830), t. I, p. 165.

6 (...) j'augmentais mon agitation en me prêchant un calme qui était l'acceptation de mon infortune.
PROUST, À la recherche du temps perdu, t. I, p. 49.

7 Nous avons vu la Russie multiplier ses voies stratégiques en Pologne, la France augmenter ses effectifs et ses armements. MARTIN DU GARD, les Thibault, VII, 48.

8 Ce qui ajoute à une chose, en est un accessoire, un accompagnement, un appendice; ce qui l'augmente, s'y incorpore, en devient partie et la rend plus grande. Ajouter ne suppose pas, et augmenter suppose, que ce qu'on met en sus est de même nature ou de même origine que ce à quoi on le joint.
LAFAYE, Dict. des synonymes, Ajouter, augmenter.

*Augmenter un ouvrage,* lui ajouter de nouveaux développements.

♦ **2** (L'objet désigne une personne).

[a] Littér., rare. Rehausser (qqn). → **Grandir.**

[b] Cour. *Augmenter qqn :* augmenter ses appointements, son traitement, son salaire. → **Augmentation** (2.). *J'ai été augmenté ce mois-ci.*

[II] V. intr. ♦ **1** Devenir plus grand, plus considérable (en quantité, volume, etc.). → **Croître, grandir, monter**; → ci-dessous S'augmenter. *La population augmente de plus en plus, chaque année, de jour en jour, tous les jours. Augmenter en nombre. Augmenter à vue d'œil. Augmenter lentement, progressivement, vite, de plus belle. Aller en augmentant.* → **Crescendo.** *L'épidémie va en augmentant,* s'étend de proche en proche. *Augmenter de, en volume. Un organe qui augmente de volume par érection, tuméfaction, tumescence, turgescence...* → **Enfler, gonfler.** — *Augmenter de valeur* (en parlant d'une monnaie). → **Apprécier** (s'). *Augmenter de prix. Augmenter en quantité, en nombre.* → **Affluer, foisonner, gagner.** (Abstrait). *Sa bêtise ne fait qu'augmenter. L'expérience augmente avec l'âge, avec le temps.* — Vieilli (abstrait). Devenir plus fort, plus actif (esprit; être humain). → ci-dessous, cit. 9, 11.

9 Mon esprit diminue, au lieu qu'à chaque instant
On aperçoit le vôtre aller en augmentant.
LA FONTAINE, Fables, XII, 1.

10 Ceux-ci augmentèrent de courage (...)
SAINT-ÉVREMOND, II, 60, *in* LITTRÉ.

11 Plus Jésus-Christ diminue dans votre cœur, plus l'homme de péché augmente et se fortifie.
MASSILLON, Exhortation à la charité envers les nouveaux catholiques.

12 L'usure augmente dans les pays mahométans à proportion de la sévérité de la défense; le prêteur s'indemnise du péril de la contravention.
MONTESQUIEU, l'Esprit des lois, XXII, 19.

La caducité commence à l'âge de soixante et dix ans; elle va toujours en augmentant, la décrépitude suit. 13
BUFFON, De la vieillesse et de la mort.

Un bien qui n'augmente point est sujet à diminuer par mille accidents (...) 14
ROUSSEAU, Julie ou la Nouvelle Héloïse, V, Lettre II.

Les vertus religieuses ne font qu'augmenter avec l'âge; elles s'enrichissent de la ruine des passions et de la perte des plaisirs. Les vertus purement humaines, au contraire, en diminuent et s'en appauvrissent. 15
Joseph JOUBERT, Pensées, VII, XXVI.

(...) le vain bruit de ma vie augmente à mesure que le silence réel de cette vie s'accroît. 16
CHATEAUBRIAND, Mémoires d'outre-tombe, IV, 7.

♦ **2** Devenir plus élevé (prix), plus cher (produit, marchandise). *Les prix, le coût de la vie ne cessent d'augmenter. Le papier a augmenté.* → **Renchérir.**

◆ **S'AUGMENTER** v. pron. (V. 1355). Devenir plus grand, plus considérable (→ ci-dessus, II., 1.).

L'ordre et la discipline s'augmentent avec les armées. 17
BOSSUET, Oraison funèbre de Marie-Thérèse d'Autriche.

Durant tout ce temps et dans les tourments inouïs de sa dernière maladie où ses maux s'augmentèrent jusqu'aux derniers excès, elle n'a eu à se repentir que d'avoir une seule fois souhaité une mort plus douce (...) 18
BOSSUET, Oraison funèbre d'Anne de Gonzague.

Il *(le régent)* se garderait bien de lâcher à l'empereur la courroie assez longue pour que sa puissance pût s'augmenter. SAINT-SIMON, *in* LITTRÉ. 19

*S'augmenter de qqch. «Tout homme sent son amour s'augmenter de son bonheur»* (Th. Gautier).

J'appréciais ces mérites intérieurs, et le charme que j'éprouvais à la voir s'en augmentait. 20
SAINTE-BEUVE, Volupté, III.

◆ **AUGMENTÉ, ÉE** p. p. adj.

♦ **1** (En parlant d'une nouvelle édition d'un ouvrage). Qui a reçu des additions. *Édition revue et augmentée.*

♦ **2** Mus. *Intervalle augmenté,* rendu plus grand par un dièse à la note supérieure (→ **Diésé**) ou un bémol à la note inférieure (→ **Bémolisé**).

**CONTR. Diminuer; baisser, décroître, réduire.** ◇ **DÉR. Augmentable, augmentateur, augmentatif.**

**AUGURAL, ALE, AUX** [ogyʀal, o] adj. — 1548; lat. *auguralis,* de *augur.* → Augure.

Antiquité.

♦ **1** Qui est relatif aux prêtres tirant des présages de certains signes. → 1. **Augure.** *Bâton augural.* → **Litus.** *Droit augural.*

Les évêques ont seulement conservé le bâton augural, qu'on appelle crosse, et qui était une marque distinctive de la dignité des augures (...) 1
VOLTAIRE, Dict. philosophique, Augure.

Littér. Digne d'un augure. *Geste augural.*

L'homme qui maniait les cartes ainsi devait être leur maître (...) Il y avait dix ans de tripot dans cette foudroyante et augurale manière de donner. 2
BARBEY D'AUREVILLY, les Diaboliques, «Le dessous de cartes...», p. 225.

♦ **2** Relatif aux augures (2.), aux présages. *Art augural. Science augurale.*

**DÉR. Auguralement.**

**AUGURALEMENT** [ogyʀalmɑ̃] adv. — 1921, Montesquiou, *in* T. L. F.; de *augural.*

Rare. D'une manière augurale.

**AUGURAT** [ogyʀa] n. m. — 1846; de 1. *augure.*

Didact. Dignité, fonction d'un augure (1.).

1. **AUGURE** [ogyʀ] n. m. — 1355; lat. *augur.*
Didactique ou littéraire.

♦ **1** Antiq. Prêtre qui était chargé d'observer certains signes (éclairs, tonnerre, vol, nourriture et chant des oiseaux, etc.) afin d'en tirer des présages. → **Aruspice,** 1. **auspice, devin.** *Les augures étaient regardés comme les interprètes de la volonté des dieux. Collège des augures.*

1 C'est une remarque digne des sages, que Cicéron, qui était du collège des augures, ait fait un livre exprès pour se moquer des augures.
VOLTAIRE, Dict. philosophique, Augure.

2 Les anciens demandèrent-ils jamais à l'augure dans quelle contrée il avait reçu le jour, sur quel chêne reposait l'oiseau fatidique qui leur annonçait une victoire ou une défaite?
G. T. RAYNAL, Hist. philosophique..., II, 26.

2.1 Et là, dans ce lieu véritablement sublime il examinait le vol des oiseaux qui passaient sur la mer, écoutant le vent, regardant le ciel, à la façon des anciens augures, non comme un présage de l'avenir, mais plutôt, à ce que j'ai compris, comme un ressouvenir du passé (...)
PROUST, Jean Santeuil, Pl., p. 186.

*Deux augures ne peuvent se regarder sans rire,* sentence de Caton rapportée par Cicéron (*De Divinatione,* II, 24).

3 Ils se regardaient, avec une solennité vaniteuse, un peu ridicule, à la façon de deux augures, de deux initiés.
MARTIN DU GARD, les Thibault, VII, 75.

♦ **2** Mod., littér. Personne qui fait des conjectures, prétend annoncer, prédire l'avenir. *Je ne suis pas augure, un bon augure.* → **Devin, prophète.** *Consulter les augures. Prendre un ton d'augure* (Académie).

**DÉR. Augurat.**

2. **AUGURE** [ogyʀ] n. m. — V. 1150; lat. *augurium.*

♦ **1** Didact. (Antiq.). Observation et interprétation des signes par les prêtres qui en étaient chargés. → 1. **Augure,** 2. **auspice.** *Prendre les augures.* — Présage* tiré de cette observation. *L'augure est bon, favorable, heureux; défavorable, malheureux, mauvais, sinistre.*

4 CÉSAR
Quoi! lorsqu'il faut régner, différer d'un moment!
Qui pourrait m'arrêter, moi?
DOLABELLA
Toute la nature
Conspire à t'avertir par un sinistre augure.
VOLTAIRE, la Mort de César, III, 5.

5 Allez, Catilina ne craint pas les augures (...)
VOLTAIRE, Catilina, I, 3.

♦ **2** [a] Mod. (dans : *bon, mauvais augure*). Ce qui semble annoncer, présager, faire pressentir qqch., signe par lequel on juge de l'avenir. *Tirer un bon, un mauvais augure de qqch.* — Cour. **DE (BON...) AUGURE.** *Être de bon, de mauvais augure :* être un présage favorable, défavorable.

5.1 (...) il fut étonné du sang répandu qu'il aperçut près de la porte, et il en prit un mauvais augure.
A. GALLAND, les Mille et une Nuits, t. III, p. 275.

[b] Vx ou littér. (dans d'autres emplois). *Augure favorable; augure sinistre, funèbre. Tirer (un) bon augure de qqch. Accepter l'augure de qqch.* → **Présage.**

6 (...) la postérité, dans toutes les provinces,
Donnera votre exemple aux plus généreux princes.
— J'en accepte l'augure, et j'ose l'espérer.
CORNEILLE, Cinna, V, 3.

7 Mon cœur même en conçut un malheureux augure.
RACINE, Britannicus, I, 1.

8 Tout pour notre départ montre une hâte extrême;
L'augure en est heureux, notre sort va changer (...)
LA FONTAINE, Appendice aux Fables, V.

9 Je tire bon augure de cette réponse (...)
BOSSUET, Lettre sur l'affaire du quiétisme, 410.

Je ne tirai pas de cette aventure un augure favorable pour mon voyage. 10
A.-R. LESAGE, Gil Blas, I, 2.

Le suintement rouge du ciel à l'horizon lui parut d'un si funèbre augure qu'il referma la croisée, ouverte d'abord pour voir la campagne (...) 11
M. BARRÈS, la Colline inspirée, p. 70.

Loc. cour. *Oiseau de bon, de mauvais augure :* personne dont l'arrivée est d'un heureux ou d'un mauvais présage, ou qui annonce de bonnes, de mauvaises nouvelles.

Eh bien! prenez la peine, mon cher seigneur, de chasser à l'instant cet oiseau de mauvais augure (...) 12
FAVART, Soliman, II, 1.

**HOM.** Formes du v. **augurer.**

**AUGURER** [ogyʀe] v. tr. — 1355; lat. *augurare,* de *augur.* → 1. Augure.

♦ **1** Antiq. En parlant des augures, Observer les signes et en tirer des présages. → **Prédire.**

♦ **2** (Av. 1614). Vieilli. Inférer (un événement futur) d'une observation, d'un signe annonciateur ou symptomatique. → **Conjecturer, deviner, prédire, prévoir.** *Augurer qqch. Augurer que...* (et conditionnel ou futur).

Que d'autres augurent, s'ils le peuvent, ce qu'il *(Louis XIV)* veut achever dans cette campagne. 1
LA BRUYÈRE, Disc. à l'Académie.

Les plaisirs de la table avec quelques étrangers attirés à Moscou par le ministre Gallitzin, ne firent pas augurer qu'il *(Pierre le Grand)* serait un réformateur. 2
VOLTAIRE, Hist. de l'Empire de Russie..., I, 6.

S'il est des effets rétroactifs et symptomatiques des événements futurs, j'aurais pu augurer le mouvement et le fracas de l'ouvrage *(le Génie du christianisme)* qui devait me faire un nom, aux bouillonnements de mes esprits et aux palpitations de ma muse. 3
CHATEAUBRIAND, Mémoires d'outre-tombe, t. II, p. 130.

(Littér. ou style soutenu). *Augurer une chose d'une autre :* conjecturer, déduire, présager une chose, en se basant sur une autre. *Nous pouvons augurer son succès de ses premiers essais; nous pouvons en augurer son succès.* — Vx. *Augurer qqch. de qqn, augurer de qqn qu'il fera, qu'il sera...* (→ ci-dessous, cit. 7). — Conjecturer (une chose) à propos d'une autre. *Je n'augure rien de bon de l'avenir.* → **Présumer, pressentir.**

Absolt (plus cour.). *Augurer bien, mal, favorablement... de qqch. Je n'augure pas bien de...*

C'est par là que j'ai toujours bien auguré de sa judiciaire, qualité requise pour l'exercice de notre art (...) 4
MOLIÈRE, le Malade imaginaire, II, 6.

Quelle est cette aventure? et qu'en puis-je augurer? 5
MOLIÈRE, Amphitryon, II, 3.

Hélas! — De ce soupir que faut-il que j'augure? 6
RACINE, Iphigénie, I, 3.

Quand les hommes augurent d'un jeune prince qu'il sera grand (...) 7
MASSILLON, Grand., *in* LITTRÉ.

(...) il était dans le dessein de se convertir, dit-on; il en parlait tous les jours : et là-dessus, on se calme sur sa destinée; on augure favorablement de son salut. 8
MASSILLON, Sur l'impénitence finale, *in* LITTRÉ.

Jean Renaud, qui augurait plutôt mal de l'aventure, avait en vain demandé la permission de suivre. 9
LOTI, les Désenchantées, III, 12.

Le temps présent est sombre, et je n'augure pas bien de l'avenir prochain. 10
RENAN, Souvenirs d'enfance, Préface, p. 15.

Mon père m'avait averti qu'un séminariste m'attendrait à la gare de Beauvais. Il n'y avait personne. J'en augurai bien, estimant que pour un temps au moins les choses se devaient de sortir de leur cours prévu. 11
M. TOURNIER, le Roi des Aulnes, p. 69.

**AUGUSTAT** [ogysta] n. m. — 1823; de 1. *auguste.*
Didact. Dignité, fonction d'un empereur romain.

1. **AUGUSTE** [ogyst] adj. et n. m. — 1243; lat. *augustus*.

♦ **1** N. m. Hist. Titre porté par les empereurs romains à partir d'Octave.

1 Le 16 janvier (27 avant J.-C.), le Sénat témoignait officiellement sa reconnaissance à Octavien en lui conférant le titre sacré d'Auguste sous lequel on le désignera désormais. L'historien Florus (Épit., II, 34) résume à la fois, avec précision, la signification du terme et le sens de l'acte : «On délibéra, dans le Sénat, si, pour avoir fondé l'Empire, il ne serait pas appelé Romulus. Mais le nom d'Auguste, jugé plus saint et plus vénérable — sanctius et reverentius —, fut préféré comme un titre qui devait pendant son séjour sur la terre lui conférer d'avance l'immortalité».
Léon HOMO, Auguste, p. 112-113.

Adj. Didact. *Histoire auguste :* recueil contenant l'histoire des empereurs depuis Hadrien.

♦ **2** Adj. (XV^e). Littér. (ou style soutenu). Qui inspire un grand respect, de la vénération ou qui en est digne. → **Grand, imposant, majestueux, noble, respectable,** 1. **sacré, saint, solennel, vénérable.** *Personnage auguste. — Air auguste. Un auguste nom.* — (Choses concrètes). *Monument auguste.*

REM. Sans être aujourd'hui absolument archaïque, cet emploi était beaucoup plus courant dans la langue classique qu'en français moderne.

2 Je me réduisis donc à ne toucher qu'un petit nombre d'Importuns; et je pris ceux qui s'offrirent d'abord à mon esprit, et que je crus les plus propres à réjouir les augustes personnes devant qui j'avais à paraître (...)
MOLIÈRE, les Fâcheux, Avertissement.

3 Le beau sujet à divertir la cour, que Monsieur Boursaut! Je voudrais bien savoir de quelle façon on pourrait l'ajuster pour le rendre plaisant, et si, quand on le bernerait sur un théâtre, il serait assez heureux pour faire rire le monde. Ce lui serait trop d'honneur que d'être joué devant une auguste assemblée (...)
MOLIÈRE, l'Impromptu de Versailles, 3.

4 (...) Il profane
Notre auguste nom, traitant d'âne
Quiconque est ignorant, d'esprit lourd, idiot.
LA FONTAINE, Fables, XI, 5.

5 Vengez la reine, immolez tous
Ce traître à ses augustes mânes.
LA FONTAINE, Fables, VIII, 14.

6 De votre auguste père accompagnez les pas.
RACINE, Athalie, I, 3.

7 L'auguste majesté sur votre front empreinte (...)
RACINE, Esther, II, 7.

8 Il imagina qu'il fallait attirer la vénération du peuple par un habit qui eût quelque chose d'auguste et de magnifique.
RACINE, Port-Royal.

9 De l'auguste chapelle ils montaient les degrés (...)
BOILEAU, le Lutrin, 3.

10 L'auguste et saint ministère de la justice (...)
BOSSUET, Oraison funèbre de Michel Le Tellier.

11 Ceux qui ont vu de quel front il *(Charles 1^er)* a paru dans la salle de Westminster et dans la place de Whitehall, peuvent juger aisément combien il était intrépide à la tête de ses armées, combien auguste et majestueux au milieu de son palais et de sa cour.
BOSSUET, Oraison funèbre de Henriette-Anne d'Angleterre.

12 Voyez comme elle abaisse cette tête auguste devant laquelle s'incline l'univers.
BOSSUET, Oraison funèbre de Marie-Thérèse d'Autriche.

13 Chacun veut contempler son auguste visage (...)
VOLTAIRE, Mérope, V, 8.

14 *(L'ombre)* Semble élargir jusqu'aux étoiles
Le geste auguste du semeur.
HUGO, Chansons des rues et des bois, II, 3.

15 La Beauté est une si grande et si auguste chose, que des siècles de barbarie ne peuvent l'effacer à ce point qu'il n'en reste des vestiges adorables.
FRANCE, le Crime de S. Bonnard, p. 313.

CONTR. **Bas, méprisable, profane, vulgaire.** ◊ DÉR. **Augustat, augustement.** — V. 2. **Auguste.** — HOM. 2. **Auguste,** 3. **auguste.**

2. **AUGUSTE** [ogyst] n. m. — 1898; adapt. d'une expression allemande d'après 1. *auguste,* par antiphrase.

Type de clown au maquillage violent et caricatural (s'oppose aux «clowns blancs», ou *clowns* proprement dits). *Auguste de soirée,* qui intervient entre deux numéros. — REM. Dans la langue courante, on appelle (improprement) les augustes *clowns.*

Un apport plus important — et inattendu — pouvant être celui du cirque, des facéties des clowns et en particulier du rôle de l'«Auguste», dont l'activité consiste à imiter de travers et dont la maladresse ou la stupidité provoque des catastrophes burlesques.
Roger CAILLOIS, l'Homme et le Sacré, p. 205-206.

HOM. 1. **Auguste,** 3. **auguste.**

3. **AUGUSTE** [ogyst] n. m. — Mil. XVIII^e, Voltaire, *in* Littré; lat. *augustus.*

Vx et rare. Août*.

Il est mort le 5 auguste 1778, laissant sept enfants, dont quatre garçons.
RESTIF DE LA BRETONNE, la Vie de mon père, p. 149.

HOM. 1. **Auguste,** 2. **auguste.**

**AUGUSTEMENT** [ogystəmɑ̃] adv. — 1508; de 1. *auguste.*

Littér. et rare. De façon auguste (1. Auguste, 2.).

**AUGUSTIN, INE** [ogystɛ̃, in] n. et adj. — XIV^e; de *(saint) Augustin.*

♦ **1** N. Religieux, religieuse qui suit la règle de saint Augustin. *Couvent d'augustines. Les augustins de l'Assomption.* → **Assomptionniste.**

♦ **2** Adj. Relatif à ces religieux. *Une abbaye augustine.*

**AUGUSTINIEN, IENNE** [ogystinjɛ̃, jɛn] adj. — 1666, *in* D. D. L.; de *(saint) Augustin.*

♦ **1** Qui concerne saint Augustin, sa pensée. *Tradition, pensée augustiniennes. — Études augustiniennes.*

♦ **2** Qui adopte la théorie de saint Augustin sur la grâce. — Spécialt. Janséniste.

N. *(Un augustinien, une augustinienne).*

DÉR. **Augustinisme** ou **augustinianisme.**

**AUGUSTINISME** [ogystinism] ou (rare) **AUGUSTINIANISME** [ogystinjanism] n. m. — 1845, *augustinisme; augustinianisme,* 1848; de *augustinien.*

Didact. Doctrine de saint Augustin, ou de ses disciples. — Jansénisme issu de la doctrine augustinienne.

**AUJOURD'HUI** [oʒuʀdɥi] adv. et n. m. — XII^e; de *au, jour, d',* et *hui;* forme renforcée de *hui,* du lat. *hodie* «en ce jour», de *hoc,* et *die.*

**I** Adv. ♦ **1** En ce jour même, au jour où l'on est; par ext., n. m., ce jour même. *Ne remettez pas à demain ce que vous pouvez faire aujourd'hui même. Il y a aujourd'hui huit jours qu'il est arrivé. Il part aujourd'hui à midi. Il doit partir dès aujourd'hui. L'affaire a été renvoyée à aujourd'hui après-midi. La journée d'aujourd'hui est plus belle que celle d'hier* (Académie). *C'est tout pour aujourd'hui. Aujourd'hui que nous voilà réunis... Je ne l'ai pas vu d'aujourd'hui,* de toute la journée. *Cela date d'aujourd'hui. Je ne le sais que d'aujourd'hui. Ce n'est pas d'aujourd'hui que je le connais :* je le connais depuis longtemps. *À partir d'aujourd'hui, depuis aujourd'hui, dès aujourd'hui. D'il y a un* *mois à (jusqu'à) aujourd'hui. Aujourd'hui à onze heures, avant midi.* — REM. À la différence de *hier*, de *demain, aujourd'hui* ne peut se construire avec des oppositions comme *matin, soir*, etc.

1 Vivez, si m'en croyez, n'attendez à demain;
Cueillez dès aujourd'hui les roses de la vie.
RONSARD, À Hélène, V.

2 Aujourd'hui l'on s'assemble, aujourd'hui l'on conspire,
L'heure, le lieu, le bras se choisit aujourd'hui (...)
CORNEILLE, Cinna, I, 2.

3 Je ne veux point aujourd'hui d'autres affaires que de plaisir (...) MOLIÈRE, le Sicilien, XIX.

4 Eh ! mon ami, la mort te peut prendre en chemin.
Jouis dès aujourd'hui : redoute un sort semblable
À celui du chasseur et du loup de ma fable.
LA FONTAINE, Fables, VIII, 27.

5 Si l'on travaille tous les jours aussi doucement qu'aujourd'hui, le procès durera encore un temps infini (...)
Mme DE SÉVIGNÉ, Lettres, 24 nov. 1664.

6 Je ne l'ai point encore embrassé d'aujourd'hui (...)
RACINE, Andromaque, I, 4.

7 Ce n'est pas d'aujourd'hui qu'ils méditent ce dessein (...)
PASCAL, les Provinciales, 19.

8 Qui a vécu un seul jour a vécu un siècle (...) rien ne ressemble mieux à aujourd'hui que demain.
LA BRUYÈRE, les Caractères, XVI, 32.

9 (...) D'aujourd'hui je commence
A sentir tout le poids de ma triste puissance (...)
VOLTAIRE, l'Orphelin de la Chine, IV, 1.

9.1 Chaque soir en s'endormant il pense : «À demain.» Chaque matin en se réveillant il se dit : «Je la vois aujourd'hui.» Une nuit, se réveillant à une heure du matin, il se rendort en souriant, car il a pensé : «C'est déjà Aujourd'hui.»
PROUST, Jean Santeuil, Pl., p. 250.

Fam. *Le jour d'aujourd'hui. Au jour d'aujourd'hui.*

10 (...) L'univers est à lui *(Dieu)*,
Et nous n'avons à nous que le jour d'aujourd'hui !
LAMARTINE, Méditations..., «L'homme».

REM. Tout en constatant que *Le jour d'aujourd'hui* est un «pléonasme populaire et fort peu recommandable», Littré estime qu'il n'a pas été mal employé dans le vers de Lamartine.

**JUSQU'AUJOURD'HUI,** ou **JUSQU'À AUJOURD'HUI.** *J'ai sans cesse remis ma décision jusqu'aujourd'hui* ou *jusqu'à aujourd'hui.* — (Vx). *Jusques* aujourd'hui.*

11 Je condamnai mes pleurs, et jusques aujourd'hui
Je l'ai pressé de feindre, et j'ai parlé pour lui.
RACINE, Bajazet, I, 4.

12 Je n'en savais rien jusqu'à aujourd'hui.
Edmond JALOUX, l'Alcyone, 15.

*Aujourd'hui,* (vx) *d'aujourd'hui en huit, en quinze :* le jour de la semaine où l'on se trouve, mais dans une, deux semaines. *Ce sera prêt pour aujourd'hui en huit. Revenez aujourd'hui en quinze.*

13 Je retournerai d'aujourd'hui en huit à Paris.
BOSSUET, Lettre sur l'affaire du quiétisme, 392.

*D'aujourd'hui à un, deux ans :* dans un an à partir d'aujourd'hui.

Loc. fam. *C'est pour aujourd'hui (ou pour demain)?*, exprime l'impatience.

♦ **2** Par ext. Au temps où nous sommes; par ext., n. m., le temps où nous sommes. → **Actuellement, époque** (à l'époque actuelle), **heure** (à l'heure qu'il est...), **jour** (de nos jours), **maintenant, moment** (en ce), 1. **présent** (à présent, dans le temps présent), **présentement.** *Ah ! les jeunes d'aujourd'hui... Les États-Unis d'aujourd'hui.*

14 Tant ceux du temps passé que du temps d'aujourd'hui (...)
LA FONTAINE, Fables, I, 7.

15 Comment ! ce peuple qui se pique
D'être le plus subtil des peuples d'aujourd'hui.
LA FONTAINE, Fables, II, 20.

16 J'ai regret que ce mot soit trop vieux aujourd'hui (...)
LA FONTAINE, Fables, IV, 11.

Cette rapidité fut alors nécessaire; 17
Peut-être elle serait aujourd'hui téméraire.
LA FONTAINE, Fables, XII, 1.

Enfin, pour épargner les discours superflus. 18
Vous êtes aujourd'hui ce qu'autrefois je fus.
CORNEILLE, le Cid, I, 4.

Le divorce aujourd'hui si commun aux Romains (...) 19
CORNEILLE, Pompée, II, 1.

Polyeucte, aujourd'hui qu'on nous hait en tous lieux 20
Qu'on croit servir l'État quand on nous persécute,
Qu'aux plus âpres tourments un chrétien est en butte,
Comment en pourrez-vous surmonter les douleurs,
Si vous ne pouvez pas résister à des pleurs ?
CORNEILLE, Polyeucte, I, 1.

Mais que fait ce discours aux choses d'aujourd'hui ? 21
MOLIÈRE, Tartuffe, V, 3.

*(Cela)* Se pratique aujourd'hui par force gens de bien (...) 22
MOLIÈRE, Sganarelle, 17.

Et fait comme je suis, au siècle d'aujourd'hui, 23
Qui voudra s'abaisser à me servir d'appui.
BOILEAU, Satires, 1.

Les maris aujourd'hui, monsieur, sont si courus; 24
Et que peut-on hélas ! avoir pour vingt écus ?
J.-F. REGNARD, le Légataire universel, V, 3.

Aujourd'hui où ce vice a infecté tous les âges (...) 25
MASSILLON, Prod., *in* LITTRÉ.

On dégagea l'or pur de tout cet alliage, et l'Église parvint 26
par degrés à l'état où nous la voyons aujourd'hui.
VOLTAIRE, Essai sur les mœurs, Introd., 32.

Hier n'existait pas pour elle; elle vivait dans la plénitude 27
d'aujourd'hui.
HUGO, les Travailleurs de la mer, III, 13.

(...) les hommes ont été de tout temps ce qu'ils sont 28
aujourd'hui, égoïstes, violents, avares et sans pitié.
FRANCE, le Lys rouge, p. 119.

Depuis les origines de la vie jusqu'aujourd'hui, la terre est 29
vouée au meurtre. FRANCE, la Vie en fleur, p. 263.

Il la connaissait depuis plusieurs années et la cotait à son 30
prix de jeune fille d'aujourd'hui.
COLETTE, la Chatte, p. 4.

C'est sous cet angle qu'il faut envisager les États-Unis d'au- 31
jourd'hui si l'on se soucie de les comprendre.
André SIEGFRIED, l'Âme des peuples, VII, 3.

En ce temps-là qui n'est pas fort lointain *(vers 1890)*, on ne 32
disait pas encore «les affaires» avec l'accent spécial qu'on y met aujourd'hui. On disait, de façon plus modeste et plus précise, «le commerce».
G. DUHAMEL, Chronique des Pasquier, I, 11.

♦ **3** À un certain moment (opposé à un autre moment, passé : *hier*, ou futur : *demain*).

Tel aujourd'hui donne la loi 33
Qui demain ne sera que poudre (...)
CORNEILLE, Imitation de J.-C., I, 23.

Aujourd'hui dans *(sur)* le trône, et demain dans la 34
boue (...) CORNEILLE, Polyeucte, IV, 3.

(...) Et leurs jambes *(des souris)* coupées 35
Firent qu'il les mangeait à sa commodité,
Aujourd'hui l'une et demain l'autre (...)
LA FONTAINE, Fables, XI, 9.

Aujourd'hui nous lui jurons *(à Dieu)* un attachement invio- 36
lable, et demain nous secouons le joug et nous révoltons (...)
BOURDALOUE, Exhortations sur le couronnement de J.-C.

Aujourd'hui dans un casque et demain dans un froc, 37
Il change à tout moment d'esprit comme de mode :
Il tourne au moindre vent, il tombe au moindre choc (...)
BOILEAU, Satires VIII.

**II** N. m. Littér. Le jour présent. — Le temps où nous vivons.

Il semble que nous nous croyions immortels et que 38
nous devions au moins passer de plusieurs siècles cet aujourd'hui que (...)
BOURDALOUE, Pensées, t. II, p. 59, *in* LITTRÉ.

Le vierge, le vivace et le bel aujourd'hui (...) 38.1
MALLARMÉ, Plusieurs sonnets, II.

39 (...) les politiciens passent tous les aujourd'huis à nous déclarer que tous les demains nous serons libres de faire de la morale.
Ch. PÉGUY, la République, ..., Œ. compl., t. XII, p. 367-369.

**CONTR. Anciennement, autrefois, hier. — Demain.**

**AULA** [ola] n. f. — 1866; all. *Aula* «salle des fêtes, etc.», mot lat., «cour intérieure».

♦ **1** Hist. Vestibule, cour intérieure d'une maison romaine.

♦ **2** Mod. Grande salle d'une université. → **Amphithéâtre.** — Spécialt (Suisse). Salle de conférences d'un établissement scolaire, d'un musée.

**HOM. Holà.**

**AULÈTE** [olɛt] n. m. — 1829, Académie, *Suppl.;* mot grec, de *aulos* «flûte».

Didact. Joueur de flûte *(aulos),* dans l'Antiquité grecque.

**DÉR. Aulétique.**

**AULÉTIQUE** [oletik] adj. et n. f. — Mil. XIX^e; de *aulète.* Didact. Relatif à l'art de la flûte, dans l'Antiquité grecque.

**AULIQUE** [olik] adj. et n. f. — 1546; lat. *aulicus,* de *aula.* → Aula.

♦ **1** Adj. (Littér.). Relatif à la cour d'un souverain. *Coutumes auliques. Splendeur aulique.*

(1710). Hist. Qui constitue les institutions suprêmes de l'ancien Empire germanique. *Cour aulique. Conseil aulique :* tribunal suprême de l'ancien Empire germanique. — *Conseiller aulique,* membre de ce tribunal. — Par ext. Membre du conseil de certains États de l'Empire.

♦ **2** N. f. (1710). Ancienn. Thèse soutenue pour obtenir le doctorat en théologie.

**AULNAIE** [onɛ; olnɛ] ou **AUNAIE** [onɛ] n. f. — XV^e; 1260, *aunoie;* n. m., *auneiz,* v. 1170; du bas lat. *alnetum,* de *alnus.* → Aulne.

Lieu planté d'aulnes. → **Aulnette.**

C'était une succession de champs de seigle mûr, presque blancs (...) entourés par la sombre toison d'une aulnaie (...)
M. TOURNIER, le Roi des Aulnes, p. 180.

**AULNE** ou **AUNE** [on] n. m. — XII^e; lat. *alnus.*

Arbre *(Bétulinées)* qui croît en Europe dans les lieux humides. → **Vergne, verne.** *Bois d'aune. Le Roi des Aulnes,* titre français (Nodier) de la ballade de Goethe *Erlkönig;* titre d'un roman de M. Tournier. *Aune commun, grisâtre. Bouquet, bois d'aulne.*

1 Deux chèvres y broutaient, qui s'enfuirent à mon approche, me laissant maître de la place, où je m'assis auprès de jeunes aunes qui croissent en ce lieu.
Rodolphe TÖPFFER, Nouvelles genevoises, 1839, p. 334, *in* T. L. F.

2 Le bois *(d'aune)* est apprécié pour le travail des tourneurs, des menuisiers, pour la fabrication des sabots, des perches, des échalas, etc...; il peut servir pour les travaux hydrauliques, parce qu'il se conserve bien dans l'eau; comme il brûle rapidement en donnant une chaleur vive, il est recherché pour le chauffage des fours.
Omnium Agricole, p. 75.

Régional. *Aune noir.* → **Bourdaine.**

**DÉR. Aulnette.** ◊ **HOM. Aune.**

**AULNETTE** [onɛt] n. f. — 1690; de *aulne.*

Rare.

♦ **1** Lieu planté d'aulnes. → **Aulnaie.**

♦ **2** Aulne. *«Un bouquet d'aulnettes très fourré»* (Daudet, *in* T. L. F.).

**AULOFFÉE** [olɔfe] n. f. — 1771, *olofee,* Trévoux; de *au lof,* et suff. *-ée.*

Mar. Mouvement du bateau qui lofe, qui vient au vent (opposé à *abattée*). — REM. On écrit aussi *aulofée.*

Un choc sourd secoua le navire, tandis que le fanal accusait un angle de quarante-cinq degrés avec le plafond. Une soudaine auloffée avait amené *la Virginie* presque en travers du vent (...) M. TOURNIER, Vendredi..., p. 7.

**CONTR. Abattée.**

**AULX** [o] n. m. pl. → **Ail.**

**AUMAILLE** [omaj] n. f. — Déb. XII^e, *almaille;* lat. *animalia,* plur. de *animal.*

Vx. Gros bétail.

Aussitôt que l'enfant vit les grands bœufs (...) il se sentit chatouillé dans son orgueil d'avoir une si belle aumaille au bout de son aiguillon. 1
G. SAND, la Petite Fadette, IV.

(...) sur un très haut versant de terre rouge chargé d'offrandes et d'aumaille (...) 2
SAINT-JOHN PERSE, Amers, II, éd. Seghers, p. 195.

Tête de bétail. *Un troupeau de deux cents aumailles.*

**AUMÔNE** [omon] n. f. — 1175, *aumosne;* déb. X^e, *almosne;* du lat. pop. **alemosina,* du lat. ecclés. d'orig. grecque *elemosyna.*

♦ **1** Don charitable fait aux pauvres, prescrit par une religion; action de donner aux pauvres. → **Assistance, bienfait, charité, 1. don, faveur, libéralité, obole, offrande, secours.** *Donner, recevoir une aumône, des aumônes.* — Loc. *Vivre d'aumône, d'aumônes :* mendier. *La misère l'a réduit à vivre d'aumône. Les bégards du moyen âge vivaient d'aumônes. Demander l'aumône (à qqn). Tendre la main pour demander l'aumône. — Donner l'aumône à qqn; donner qqch. en aumône à qqn.* → **Aumôner** (3.). *Faire l'aumône à un mendiant.* → **Donner.** *Faire l'aumône à un pauvre, à un indigent pour le secourir, soulager sa misère. Les dames de charité ont recueilli des aumônes pour les malheureux.* → **Quête; quêter.** *Tronc* des aumônes. L'élémosinaire* était chargé de la distribution des aumônes.* → **Aumônerie** (1.), **1. aumônier.** *Accepter, recevoir, refuser une aumône. — L'aumône de qqch.,* qui consiste en qqch. — *L'aumône de qqn,* qu'il ou elle fait. *Ses aumônes aux pauvres.*

Fais l'aumône de ton bien, et ne détourne point ton visage d'aucun pauvre; car il arrivera ainsi que le visage de Dieu ne se détournera point de toi. De la manière que tu le pourras, sois miséricordieux. Si tu as beaucoup de bien, donne largement; si tu en as peu, aie soin de partager ce peu de bon cœur. Tu t'amasseras ainsi un grand trésor pour le jour du besoin. Car l'aumône délivre de tout péché et de la mort, et elle ne laissera point l'âme descendre dans les ténèbres. L'aumône sera, pour tous ceux qui l'auront faite, un grand sujet de confiance devant le Dieu souverain. BIBLE (CRAMPON), Tobie, IV, 7-12. 1

Quand donc tu fais l'aumône, ne fais pas sonner de la trompette devant toi, comme font les hypocrites dans les synagogues et dans les rues (...) quand tu fais l'aumône, que ta main gauche ne sache pas ce que fait ta main droite, afin que ton aumône soit dans le secret; et ton Père, qui voit dans le secret, te le rendra. 2
BIBLE, Évangile selon saint Matthieu, VI, 2-3.

C'est la vraie grâce de l'aumône, en soulageant les besoins des pauvres, de diminuer en nous d'autres besoins (...) 3
BOSSUET, Oraison funèbre d'Anne de Gonzague.

Le rude hiver des années dernières acheva de la dépouiller de ce qui lui restait de superflu (...) et l'aumône lui apprenait à se retrancher tous les jours quelque chose de nouveau (...) 4
BOSSUET, Oraison funèbre d'Anne de Gonzague.

5 Que de pauvres (...) ont subsisté, pendant tout le cours de sa vie, par l'immense profusion de ses aumônes !
BOSSUET, Oraison funèbre de Henriette-Anne d'Angleterre.

6 Leur destinée est de vivre misérablement d'aumônes conventuelles et de coucher au coin d'une place ou sous le portique de quelque église (...)
G.-T. RAYNAL, Hist. philosophique, VII, 10.

7 Un gueux des environs de Madrid demandait noblement l'aumône ; un passant lui dit : « N'êtes-vous pas honteux de faire ce métier infâme quand vous pouvez travailler ? — Monsieur, répondit le mendiant, je vous demande de l'argent et non pas des conseils. »
VOLTAIRE, Dict. philosophique, Amour-propre.

8 (...) ressembler à ces mendiants qui appellent les passants monseigneur, et qui les maudissent s'ils n'en reçoivent point d'aumône (...)
VOLTAIRE, le Siècle de Louis XIV, Écrivain Maynard.

9 Ne faites pas seulement l'aumône, faites la charité ; les œuvres de miséricorde soulagent plus de maux que l'argent (...) ROUSSEAU, Émile, II.

10 L'aumône est une action d'homme qui connaît la valeur de ce qu'il donne, et le besoin que son semblable en a.
ROUSSEAU, Émile, II.

11 Le prélat garde ces aumônes pour en assister les veuves, les orphelins (...)
CHATEAUBRIAND, le Génie du christianisme, I, 1, 8.

12 Donnez, riches ! L'aumône est sœur de la prière.
HUGO, Feuillets d'automne, XXXII.

13 (...) ils tendaient leurs mains, leurs sébiles, leurs chapeaux, pour recevoir des aumônes (...)
LOTI, Pêcheur d'Islande, IV, 6.

14 Je viens de faire l'aumône. En donnant deux sous, j'ai goûté la joie honteuse d'humilier mon semblable (...)
Je me suis humilié en l'humiliant. Car l'aumône avilit également celui qui la reçoit et celui qui la fait.
FRANCE, M. Bergeret à Paris, p. 440.

14.1 Mais les gens qui font l'aumône n'aiment pas beaucoup la jeter, ce geste a quelque chose de méprisant qui répugne aux sensibles. Sans compter qu'ils doivent viser.
S. BECKETT, Nouvelles, p. 98.

Par ext. Le fait de recevoir habituellement des aumônes. *La misère l'a réduit à l'aumône.*

Par compar. ou fig. Faveur sollicitée humblement ou accordée par grâce. → **Grâce.** *Demander, mendier, quêter, solliciter qqch. comme une aumône. Faites-moi, accordez-moi l'aumône d'un regard.*

15 Cette façon de demander harmonieusement l'aumône commence, si je ne me trompe, à Pindare ; on ne peut tendre la main plus emphatiquement (...)
VOLTAIRE, Dict. philosophique, Flatterie.

Don fait de manière méprisante ou insuffisante. *Nous demandons notre dû, pas une aumône. Les syndicats ont refusé l'aumône proposée par la direction.*

♦ **2** Vx. Hospice religieux. → **Aumônerie** (1.).

♦ **3** Hist. Donation faite par un seigneur à l'Église. — Par ext. Ensemble des biens de l'Église.

**DÉR. Aumôner, aumônière, aumônieux.** ◊ **HOM.** Formes du v. **aumôner.**

**AUMÔNER** [omone] v. tr. — 1133, *eumoner* ; de *aumône.*

♦ **1** Vx. Donner une aumône à (qqn). *Aumôner les pauvres.*

♦ **2** Littér. et rare. *Aumôner qqn de qqch.*, lui donner comme une aumône (de manière méprisante, insuffisante...). *« Elle l'avait aumôné d'une misérable somme d'argent... »* (Goncourt, *in* T. L. F.).

♦ **3** Vx. Donner en aumône (qqch.). *« Le schelling aumôné par jour aux émigrés »* (Chateaubriand, *in* T. L. F.).

**AUMÔNERIE** [omonʀi] n. f. — 1190 ; de *aumônier.*

♦ **1** Charge d'aumônier (1. ou 2. Aumônier). — Hist. *La grande aumônerie de France :* la charge du grand aumônier*.

♦ **2** Ensemble des aumôniers (2. Aumônier), administration qui s'occupe des aumôniers. *L'aumônerie militaire.*

♦ **3** Lieu où un aumônier (2. Aumônier) exerce ses fonctions. *Rendez-vous à l'aumônerie du lycée.*

1. **AUMÔNIER** [omonje] n. m. — 1174, *aumosnier ; almosnier* « personne qui reçoit l'aumône », XIe ; lat. chrét. *elemosynarius,* de *elemosyna.* → Aumône.

♦ **1** Anciennt. **a** Personne chargée de la distribution des aumônes. → **Élémosinaire.** — REM. On trouve parfois le fém. *aumônière* en ce sens.

**b** Ecclésiastique qui desservait la chapelle d'un grand, d'un prélat. → **Chapelain.**

Le prudent Gilotin, son aumônier fidèle (...) 1
BOILEAU, le Lutrin, I.

*Grand aumônier de France :* premier aumônier de la cour des rois de France.

♦ **2** Mod. Ecclésiastique chargé de l'instruction religieuse, de la direction spirituelle dans un établissement, un corps. *Aumônier militaire* (→ Bonnet, cit. 2.1). *L'aumônier du lycée, du régiment.* → **Ministre** (du culte).

Lorsqu'on croyait encore à quelque chose, on aimait à voir un aumônier dans une tente ouverte, près d'un champ de bataille, célébrer une messe des morts sur un autel formé de tambours. 2
CHATEAUBRIAND, le Génie du christianisme, IV, I, XI.

**DÉR. Aumônerie.** — V. aussi 2. **Aumônier.** ◊ **HOM.** 2. **Aumônier.**

2. **AUMÔNIER, IÈRE** [omonje, jɛʀ] adj. — 1155 ; de *aumône* ou de 1. *aumônier.*

Vx. Qui fait volontiers l'aumône. → **Aumônieux** (vx), **charitable, libéral** (littér.).

(...) elle se montra toujours fort aumônière et même dans certaines occasions, auprès de grands malades, très capable de payer de sa personne. 1
F. MAURIAC, la Pharisienne, p. 164.

(...) la réputation d'un homme libéral, aumônier, généreux, ne vaut pas même à l'instant où il en jouit le mieux, le plus léger plaisir des sens. 2
SADE, Justine..., t. I, p. 22.

**HOM.** (Du masc.) 1. **Aumônier.** — (Du fém.) **Aumônière,** n. — V. aussi 1. **Aumônier.**

**AUMÔNIÈRE** [omonjɛʀ] n. f. — 1176, *aumosniere ;* de *aumône.*

Anciennt. Bourse* à coulant qu'on portait autrefois à la ceinture.

(...) une aumosnière *(aumônière) :* lequel nom quelques femmes donnent encore aujourd'hui à leur boursette (...) 
H. ESTIENNE, Précellence, p. 198, *in* HUGUET.

Mod. *Aumônière de première communiante.*

**AUMÔNIEUX, EUSE** [omonjø, øz] adj. — 1866 ; de *aumône.*

Littér. Qui fait volontiers l'aumône (Renan, Verlaine, *in* T. L. F.). → 2. **Aumônier.**

**AUMUSSE** [omys] n. f. — XIIIe ; après 1190, « coiffure », du lat. médiéval *almutia, almucia,* p.-ê. formé sur le modèle de *capuce,* et du lat. *almus* « doux » (P. Guiraud).

Anciennt. Fourrure que les chanoines et les chantres portaient sur le bras en allant à l'office.

Déjà l'aumusse en main, il *(le chantre)* marche vers l'église (...) BOILEAU, le Lutrin, IV. 1

Cette fourrure, symbole du canonicat.

2 (...) en ce moment, occupé de caresser sa chimère, un désir déjà vieux de douze ans, un désir de prêtre, désir qui, formé tous les soirs, paraissait près de s'accomplir, il s'enveloppait trop bien dans l'aumusse d'un canonicat pour sentir les intempéries de l'air.
En effet, pendant la soirée, les personnes habituellement réunies chez madame de Listomère lui avaient presque garanti sa nomination à une place de chanoine (...)
BALZAC, les Célibataires, éd. 1834, p. 34.

Hist. Au moyen âge, Capuchon fourré, couvrant les épaules.

**AUNAGE** [onaʒ] n. m. — 1322, *aunaige*; «droit payé par les marchands de toile», 1318; de *auner*.

♦ **1** Anciennt. Action de mesurer avec une aune.

1 Le marchand (...) a (...) un mauvais aunage pour en livrer *(de sa marchandise)* le moins qu'il se peut.
LA BRUYÈRE, les Caractères, VI, 43.

Nombres d'aunes contenues dans une pièce d'étoffe (correspond au moderne *métrage*).

♦ **2** Mod. Action de mesurer (une pièce d'étoffe). *Faire l'aunage avec un mètre.*

2 Il n'envoya point l'étoffe, il l'apporta. Puis il revint pour l'aunage; il revint sous d'autres prétextes, tâchant chaque fois de se rendre aimable, serviable, s'inféodant, comme eût dit Homais, et toujours glissant à Emma quelques conseils sur la procuration.
FLAUBERT, Mme Bovary, III, II.

Longueur d'étoffe.

3 Que ces dames Barraud (...) vous disent bien ce qu'elles veulent : les couleurs, les petits et les grands dessins, les prix et l'aunage.
Laure SURVILLE DE BALZAC, Lettres 1831-1837, 23 mai 1832, p. 18.

**AUNAIE** [onɛ] n. f. → **Aulnaie.**

1. **AUNE** [on] n. f. — 1080, *alne*; du francique **alina* «avant-bras».

♦ **1** Anciennt. Mesure de longueur valant 1,18 m, puis 1,20 m (aune métrique). *L'aune fut supprimée en 1840. Longueur d'une aune.* → **Aunée.** *Mesurer à l'aune.* → **Auner.** — Longueur d'une aune. *Trois aunes de drap.*

0.1 Ils voyaient Astier-Réhu dans sa chaire, le front fumant, la toque en arrière, une aune de ruban rouge sur le noir de sa toge (...) Alponse DAUDET, l'Immortel, p. 89.

Instrument de mesure, long d'une aune.

Loc. fig. Vx. *Tout du long de l'aune :* excessivement. — Mod. (littér.). *Mesurer qqn à son aune :* le juger d'après soi-même.

1 C'est véritablement la Tour de Babylone;
Car chacune y babille, et tout du long de l'aune (...)
MOLIÈRE, Tartuffe, I, 1.

♦ **2** Loc. mod. *Long, large d'une aune :* très long, très large.

2 Ta bouche déjà s'ouvre large d'une aune (...)
BOILEAU, Épîtres, XI.

3 Les yeux écarquillés et tirant une langue d'une aune, stupide, je contemplai mon ouvrage.
FRANCE, le Petit Pierre, VI, p. 28.

4 (...) d'étranges personnages vêtus de cire, avec des nez longs d'une aune, des yeux de verre, et montés sur des sortes de souliers japonais (...) passent, psalmodiant des litanies absurdes (...)
A. ARTAUD, le Théâtre et son double, Le théâtre et la peste, Œ. compl., t. IV, p. 29.

*Savoir ce qu'en vaut l'aune :* savoir d'expérience comment juger de ce dont il est question. *Ses belles promesses, nous savons depuis longtemps ce qu'en vaut l'aune.*

CONTR. 1. **Aunée.** ◊ HOM. **Aulne**; formes du v. **auner.**

2. **AUNE** [on] n. m. → **Aulne.**

1. **AUNÉE** [one] n. f. — Fin XIIIe, *ausnee*; de 1. *aune.*

Anciennt. Longueur d'une aune. *Acheter une aunée d'étoffe.*

HOM. 2. **Aunée**; formes du v. **auner.**

2. **AUNÉE** [one] n. f. — 1547; *elnée*, XIIIe; du lat. pop. **elena*, de *(h)elenium*, d'orig. grecque.

Bot. ou régional. Plante *(Composacées)* des lieux humides, à fleurs jaunes. *Grande aunée*, ou *aunée officinale :* variété d'aunée dont la racine est tonique et aromatique. → **Inuline.**

HOM. 1. **Aunée**; formes du v. **auner.**

**AUNER** [one] v. tr. — V. 1180; de *aune.*

Anciennt. Mesurer avec une aune. *Auner une pièce de drap.*

(...) les plaisanteries de son interlocuteur et l'expression ignoble de ses petits yeux qui disparaissent dans son rire niais sont en harmonie avec les gestes d'un commis habitué à auner de l'étoffe. 1
E. DELACROIX, Journal, 17 août 1854, t. II, p. 414.

Je devins très vite habile à auner le gros drap d'Écosse, la douce toile de Preston, le taffetas, le satin, la gaze et le tapissendis venu de France. 2
Jean RAY, les Derniers Contes de Canterbury, p. 88.

Loc. fig. *Auner les choses, les gens à sa mesure*, les juger d'après son optique particulière.

Il *(le voyageur de commerce)* a son mètre particulier pour tout auner à sa mesure; enfin son regard glisse sur les objets et ne les traverse pas. 3
BALZAC, l'Illustre Gaudissart, Pl., t. IV, p. 11.

DÉR. **Auneur.** ◊ HOM. 1. et 2. **Aunée.**

**AUNEUR** [onœʀ] n. m. — V. 1270; de *auner.*

Hist. Vérificateur des mesures de longueur. *Auneur juré.*

**AUPARAVANT** [opaʀavɑ̃] prép. et adv. — XIVe; de *au, par*, et *avant.*

**I** Prép. Vx. Avant.

Connaissiez-vous M. B. longtemps auparavant votre mariage? 0.1
RESTIF DE LA BRETONNE, la Vie de mon père, p. 199.

**II** Adv. Avant un événement, une action servant de référence et dont il est question (priorité dans le temps). → **Abord** (d'), **antérieurement, avant, préalable** (au), **préalablement, précédemment, tôt** (plus tôt). *Vous me raconterez cela, mais auparavant asseyez-vous. Je l'en avais averti longtemps auparavant* (Académie). *Un mois auparavant, il s'était embarqué pour...*

La terreur des choses passées 1
Faisait prévoir à leurs pensées
Plus de malheurs qu'auparavant (...)
MALHERBE, II, 4, *in* LITTRÉ.

Rien n'eut cours ni débit. Le luxe et la folie 2
N'étaient plus tels qu'auparavant.
LA FONTAINE, Fables, VII, 14.

— Dis-moi donc ce que c'est, et puis je me réjouirai peut-être. 3
— Non : je veux que vous vous réjouissiez auparavant (...)
MOLIÈRE, l'Amour médecin, III, 4.

— Calchas, dit-on, prépare un pompeux sacrifice. 4
— Puissé-je auparavant fléchir leur injustice?
RACINE, Iphigénie, II, 2.

(...) elle *(la naissance de Notre-Seigneur)* est arrivée environ l'an 4000 du monde. Les uns la mettent un peu auparavant, les autres un peu après, et les autres précisément en cette année. 5
BOSSUET, Hist. universelle, I, 10.

6 (...) il embrasse les genoux de cet homme, qu'il ne daignait pas, une heure auparavant, honorer d'un de ses regards.
FÉNELON, Télémaque, XI.

7 Le Turc revint, après cette expédition, aussi bonhomme qu'auparavant (...)
CHATEAUBRIAND, Itinéraire..., p. 147.

(Exprimant la priorité d'ordre d'une chose sur une autre). → **Avant, premier** (en).

8 – Vous l'abandonnez donc? reprit-il.
– Quoi? dit-elle vivement; la musique? ah! mon Dieu, oui! n'ai-je pas ma maison à tenir, mon mari à soigner, mille choses enfin, bien des devoirs qui passent auparavant!
FLAUBERT, Mme Bovary, II, V.

N. m. Littér. Rare. Ce qui s'est passé avant.

9 (...) Mme Rezeau est là parce que nous ayant raccrochés, pour des raisons qui ne sont pas toutes claires, elle en avoue deux évidentes : celle de se maintenir et celle de témoigner de ce que l'auparavant surclassait l'ensuite.
Hervé BAZIN, Cri de la chouette, p. 196.

CONTR. **Après, ensuite.**

**AUPRÈS** [opʀɛ] loc. prép. et adv. — 1424; de *au*, et *près*.

**I** Loc. prép. **AUPRÈS DE.** ♦ **1** Tout près de. *Auprès de quelqu'un.* → **Côté** (à), **près, proximité** (à). *Il est resté toute la nuit auprès du malade,* à son chevet. *Approchez-vous, venez vous asseoir auprès de moi.* → **Contre.** — Littér. *Tout auprès de...* (→ ci-dessous cit. 9 et 10). *Venir d'auprès de qqn. «Elle s'échappait d'auprès de sa mère»* (Gide). → ci-dessous cit. 4 et 5. — (Vieilli). *Auprès de qqch.* (→ ci-dessous cit. 3, 7 et 8). *Ma maison est située auprès du bois, tout auprès de la sienne. «La rivière qui passe* près *d'une ville peut en être encore à une certaine distance; la rivière qui passe* auprès *d'une ville la touche»* (Lafaye, *Dict. des synonymes*). — Dans l'entourage de. *Il s'est rendu auprès de sa mère malade.* → **Chez.** *Vivre auprès de quelqu'un. Être auprès de ceux qu'on aime.* → **Avec** (→ ci-dessous cit. 11).

1 Reprends auprès de moi ta place accoutumée (...)
CORNEILLE, Cinna, V, 3.

2 Disant ces mots, il fait connaissance avec elle,
Auprès de lui la fait asseoir (...)
LA FONTAINE, Fables, IV, 4.

3 Le pigeon profita du conflit des voleurs,
S'envola, s'abattit auprès d'une masure (...)
LA FONTAINE, Fables, IX, 2.

4 Je n'ai bougé toute *(la nuit)* d'auprès d'elle.
LA FONTAINE, Contes, «Le berceau».

5 Il vous dira (...) que, durant qu'il dormait, je me suis dérobée d'auprès de lui (...)
MOLIÈRE, George Dandin, III, 7.

6 Et soyons de concert auprès des malades, pour nous attribuer les heureux succès de la maladie, et rejeter sur la nature toutes les bévues de notre art.
MOLIÈRE, l'Amour médecin, III, 1.

7 Ses deux grands-pères vendoient du drap auprès de la porte Saint-Innocent (...)
MOLIÈRE, le Bourgeois gentilhomme, III, 12.

8 Allez toujours m'attendre auprès du logis de votre maîtresse (...) MOLIÈRE, le Médecin malgré lui, III, 1.

9 Tout auprès de son juge il s'est venu loger.
RACINE, les Plaideurs, I, 5.

10 Je l'ai vu périr tout auprès de moi (...)
FÉNELON, Télémaque, 13.

11 Être avec des gens qu'on aime, cela suffit; rêver, leur parler, ne leur parler point, penser à eux, penser à des choses plus indifférentes, mais auprès d'eux, tout est égal.
LA BRUYÈRE, les Caractères, IV, 23.

12 (...) j'allai me promener hors de la ville, le cœur plein de son image et du désir ardent de passer mes jours auprès d'elle (...) Enivré du charme de vivre auprès d'elle (...)
ROUSSEAU, les Confessions, I, I, III.

13 Le peintre, sous la grande lumière, les contemplait l'une auprès de l'autre, la mère et la fille.
MAUPASSANT, Fort comme la mort, I, 3.

La misère a une bonne petite sœur invisible, qui est toujours auprès d'elle et qui la console en secret : l'insouciance. J. RENARD, Journal, 13 nov. 1904. 14

*Avoir accès* auprès de qqn. Interdire l'accès, fermer l'accès* (vx) *auprès de qqn.*

Ce jaloux maudit (...) me fermera toujours tout accès auprès d'elle? MOLIÈRE, le Sicilien, 5. 15

♦ **2** (1647). Rapports que l'on a avec une personne, une collectivité. *L'ambassadeur de Sa Majesté britannique auprès de la République française. Agir auprès de qqn pour obtenir qqch. S'enquérir de qqch. auprès de qqn. Se renseigner auprès d'un ami. Trouver protection auprès de qqn. Être le messager, le représentant de qqn auprès de qqn.*

♦ **3** (1662). Point de vue. Dans l'opinion (de qqn). *Il passe pour un impoli auprès d'elle,* à ses yeux, dans son esprit, dans son opinion. *Il est fort bien auprès de ses chefs* (Académie). *Être en faveur auprès de qqn. Avoir du succès auprès des spectateurs, du public. Se justifier, s'excuser auprès de qqn.*

C'est passer trop longtemps pour traître auprès de lui. 16
CORNEILLE, Héraclius, IV, 5.

(...) Mon cœur n'ambitionnera 17
Que d'être auprès de vous tout ce qu'il vous plaira.
MOLIÈRE, l'Étourdi, V, 3.

Je ne voudrais pas qu'il fît mal sa cour auprès de 18
Madame (...)
MOLIÈRE, Critique de l'École des femmes, 7.

Clitandre auprès de vous me fait son interprète (...) 19
MOLIÈRE, les Femmes savantes, II, 3.

(...) et toutes deux 20
Ont acquis un nom fameux
Auprès des Parques cruelles (...)
LA FONTAINE, Fables, VII, 17.

L'on s'insinue auprès de tous les hommes (...) en compatissant aux infirmités qui affligent leur corps (...) 21
LA BRUYÈRE, les Caractères, XI, 109.

Les agents de change et les gros coulissiers s'employaient auprès du gouvernement afin d'obtenir un moratoire (...) 22
MARTIN DU GARD, les Thibault, VII, 55.

♦ **4** (1569). En comparaison* de. → **Prix** (au prix de). *Ce service n'est rien auprès de ce qu'il a fait pour moi. Je ne suis rien auprès de lui.*

Mais à bien regarder ceux *(les maux)* où le ciel me plonge, 23
Les vôtres auprès d'eux vous sembleront un songe.
CORNEILLE, Horace, III, 4.

Enfin, l'on ne voit rien de si beau sous le ciel; 24
Et la fête de Pan, parmi nous si chérie,
Auprès de ce spectacle est une gueuserie.
MOLIÈRE, Mélicerte, I, 3.

Tout disparaît dans Rome auprès de sa splendeur *(de l'empereur...)* RACINE, Bérénice, III, 2. 25

Que la réalité était triste et ennuyeuse auprès de mon songe. FRANCE, le Petit Pierre, XXXIII, p. 246. 26

Auprès de a remplacé au prix de, qui était très classique, et que Vaugelas soutenait. 27
F. BRUNOT, la Pensée et la Langue, p. 730.

**II** Adv. (1671). Littér. Tout près*, dans le voisinage. *Les lieux situés auprès :* les lieux adjacents, voisins, proches. *Sa maison est tout auprès.* → **Contre.**

Un ruisseau coule auprès et forme un doux murmure (...) 28
LA FONTAINE, le Songe de Vaux, I.

N'allons jamais au loin, quand ce que nous cherchons est tout auprès (...) 29
VOLTAIRE, Dict. philosophique, Influence.

Une travailleuse en bois de merisier déteint remplissait l'embrasure, et le petit fauteuil d'Eugénie Grandet était placé tout auprès. 30
BALZAC, Eugénie Grandet, éd. 1838, p. 52.

(...) les cuisiniers préparent le pain avec de grands rires et des chants. Je ne sais comment les autres, étendus tout auprès, font pour dormir. 31
GIDE, Voyage au Congo, *in* Souvenirs, Pl., p. 698.

CONTR. **Loin.**

**AUQUEL** [okɛl] pron. relatif. → **Lequel.**

**AURA** [ɔʀa; oʀa] n. f. — 1793; lat. sc. *aura vitalis* «souffle vital», 1577; forme francisée *aure vitale*, av. 1553; *aure* «souffle du vent», après 1170, repris comme archaïsme par Chateaubriand; mot lat. «souffle, atmosphère». REM. On trouve parfois *aura* au masc. : *«cet étrange aura»* (R. Abellio, *in* T. L. F.).

♦ **1** Hist. des sc. Émanation ou principe subtil (d'un corps, d'une substance). *Pour Bacon, l'«âme sensible» est une substance matérielle mais invisible, une aura* («fluide» ou «souffle*») *composée de l'essence du feu et de celle de l'air. L'aura vitalis :* le principe vital selon les anciens physiologistes. *L'aura seminalis :* le principe de la fécondation. → **Semence.**

♦ **2** Mod. Sc. occultes. Halo enveloppant le corps, visible aux seuls initiés.

0.1 Quant aux «auras», ces émanations diversement colorées qui auréoleraient la tête ou doubleraient, pour ainsi dire, la silhouette d'un individu, leur existence a été affirmée, perçue, disent-ils, par de nombreux «voyants». Des fraudes sont parfois à l'origine de ces phénomènes lumineux; d'autres fois, il suffit de présenter à contrejour une main aux doigts légèrement écartés pour qu'entre ces doigts une banale illusion d'optique fasse naître l'«aura». Enfin, la vision de l'«aura» peut être hallucinatoire (...)

R. AMADOU, la Parapsychologie, 1954, p. 68, *in* T. L. F., art. *Auréoler.*

(1923). Fig. Littér. Atmosphère qui entoure ou semble entourer un être. *Il flottait autour d'elle une aura de mystère.* → **Ambiance, atmosphère, émanation.**

1 (...) l'être ne meurt pas tout de suite pour nous, il reste baigné d'une espèce d'aura de vie qui n'a rien d'une immortalité véritable mais qui fait qu'il continue à occuper nos pensées de la même manière que quand il vivait.

PROUST, À la recherche du temps perdu, t. XIII, p. 117.

1.1 Régnier écoutait en battant la mesure sous la table. Vincent ne pouvait s'empêcher de regarder cet homme. Ce qu'il avait bu d'alcool lui donnait une présence supplémentaire, une aura.

Henri-François REY, les Pianos mécaniques, p. 152.

1.2 Une aura rend plus immobiles encore nos interlocuteurs. Bien différente de la trouble curiosité qui s'est établie lorsqu'ils ont attendu ce qu'il allait dire de la résurrection de la Chine. Il semble que nous parlions de la préparation secrète d'une explosion atomique.

MALRAUX, Antimémoires, Folio, p. 545.

♦ **3** (1846). Méd. Ancienn^t (terminologie de Galien). «Sensation d'une sorte de vapeur qui semble sortir du tronc ou des membres, avant l'invasion des attaques d'épilepsie et d'hystérie» (Littré).

Mod. Sensation ou ensemble de symptômes qui marque le début d'une attaque d'hystérie, d'une crise d'épilepsie, d'asthme, etc., ou représente un accès partiel. — REM. Ce dernier emploi, à propos de l'épilepsie, est critiqué par le *Dictionnaire de médecine et de biologie* (Manuila) qui recommande l'usage de *crise, crise partielle* (de nature déterminée). *Aura hystérique. Dans l'épilepsie, l'aura, sensorielle, sensitive, psychique... renseigne sur le foyer conditionnant la crise. Les «auras merveilleuses» de Dostoïevski* (Carrette, *in* Porot, 1975).

2 Peut-être une douleur secrète qui me traversera la poitrine, précédant, comme une aura, l'éclair de la foudre.

G. DUHAMEL, Inventaire de l'abîme, III.

Par ext. (littéraire) :

3 À qui d'entre nous n'est-il pas arrivé au cours de son existence d'éprouver tout à coup, au passage d'une femme dans une rue, ou un salon, sur une route, une sorte d'aura, de frisson physique et moral, exaltant pour un moment la réalité de ce qui nous environne (...)

Léon DAUDET, la Femme et l'Amour, II.

HOM. Forme du v. **avoir.**

**AURANTIACÉES** [ɔʀɑ̃tjase; oʀɑ̃tjase] n. f. pl. — 1846; du lat. bot. *aurantium* «oranger», de *aurum* «or», et *-acées.*

Bot. Famille de plantes dicotylédones dialypétales, à laquelle se rattachent l'oranger trifoliolé, le kumquat et les divers *citrus.* → **Agrume.** — Au sing. *Une aurantiacée.*

**AURÉLIACÉES** [ɔʀeljase] n. f. pl. — Mil. XIX^e; de *auréli(e),* et *-acées.*

Zool. Groupe de méduses à ombrelle entourée de tentacules nombreux (type : *l'aurélie*).

**AURÉLIE** [ɔʀeli; oʀeli] n. f. — 1845; de l'ital. *aurelio* «doré», du lat. *aurum* «or».

Méduse du groupe des Auréliacées *(Acalèphes),* rose, blanche, mauve, fréquente dans les mers de la zone tempérée.

DÉR. **Auréliacées.**

**AURÉOLAIRE** [ɔʀeɔlɛʀ; oʀeɔlɛʀ] adj. — 1845; de *auréole.*

Littér. Qui a la forme d'une auréole (Verhaeren, *in* T. L. F.).

**AURÉOLE** [ɔʀeɔl; oʀeɔl] n. f. — 1291, *oreole; auriole,* XIV^e; lat. ecclés. *(corona) aureola* «(couronne) d'or».

♦ **1** Cercle (ou zone) doré ou coloré qui entoure conventionnellement les représentations de la tête de Jésus-Christ, de la Vierge et des saints. → **Nimbe.** — Par ext. *L'auréole entourant le personnage entier est réservée à Dieu et à la Sainte Vierge.* → **Gloire, mandorle.**

Les graves pensées dont l'amour inondait son âme, et la dignité de la femme aimée donnèrent à ses traits cette espèce d'éclat que les peintres figurent par l'auréole (...) 0.

BALZAC, Eugénie Grandet, éd. 1838, p. 275.

♦ **2** [a] Zone circulaire un peu floue qui entoure la tête de qqn (à la manière d'une auréole). *Une auréole de cheveux blonds. Sa coiffe formait une auréole autour de son visage.*

*En auréole :* en forme d'auréole.

[b] Cercle ou zone de lumière visible autour d'un objet. *Auréole de la lune, du soleil.* → **Couronne, halo.** *Une auréole de fumée, de brume.*

Le crapaud, sans effroi, sans honte, sans colère, 1
Doux, regardait la grande auréole solaire (...)

HUGO, la Légende des siècles, «Le crapaud», III.

Emma tâtonnait en clignant des yeux, tandis que les gouttes de rosée suspendues à ses bandeaux faisaient comme une auréole de topaze tout autour de sa figure. 2

FLAUBERT, M^me Bovary, II, 9.

[c] Par métaphore ou fig. Degré de gloire qui distingue les saints dans le ciel.

Par ext. Gloire, prestige qui résulte de (qqch.). *L'auréole du martyre, de la vertu, de la victoire.* → **Éclat.** — Absolt. *Entourer, parer quelqu'un d'une auréole.* → **Auréoler.**

Éclat qui semble émaner de quelqu'un. → **Atmosphère, aura, émanation.**

REM. Les emplois correspondant à ces valeurs viennent de la métaphore religieuse et de l'image poétique au sens figuré.

Quand son nom gigantesque, entouré d'auréoles, 3
Se dresse dans mon vers de toute sa hauteur.

HUGO, les Orientales, 40.

O palais, sois béni! sois bénie, ô ruine! 4
Qu'une auguste auréole à jamais t'illumine!

HUGO, les Rayons et les Ombres, II.

5 Dépouille ta grandeur, quitte ton auréole.
HUGO, les Châtiments, IV, 13.

6 Pour ceux dont le mal est l'idéal, l'opprobre est une auréole. HUGO, les Travailleurs de la mer, I, VI, 6.

7 (...) la richesse et le bonheur répandent une auréole autour de leurs favoris.
BALZAC, l'Envers de l'Histoire contemporaine, Pl., t. VII, p. 289.

8 Une adorable lueur émane d'elle à son insu, une voluptueuse auréole, et justement quand elle a honte et qu'elle rougit d'être si belle, elle répand autour d'elle le vertige du parfum d'amour. MICHELET, la Femme, p. 184.

9 L'homme qui escorte une jolie femme se croit toujours coiffé d'une auréole (...)
MAUPASSANT, Correspondance, «Mes 25 jours».

10 Il y a dans le tribun toute une auréole, tout un halo qui n'est pas dans la tribune.
Ch. PÉGUY, Œ. compl., t. XII, p. 89.

11 Jeanne d'Arc, après l'apothéose de Reims, eut un de ces pressentiments qui ne la trompaient pas : sa mission était finie. Il ne lui manquait plus que l'auréole du martyre.
J. BAINVILLE, Hist. de France, p. 116.

12 Elle l'avait trouvé à Paris paré de l'auréole que tout un monde, gouvernants et opposants, mettait autour de l'homme, entouré d'une vraie petite cour dans son hôtel princier et considéré comme l'oracle de son temps.
Louis MADELIN, Talleyrand, V, 34.

♦ **3** Trace circulaire au contour peu net, laissée sur le papier, le tissu, par une tache qui a été nettoyée. *Produit qui détache sans laisser d'auréoles.*

DÉR. **Auréolaire, auréoler.**

**AURÉOLER** [ɔʀeɔle; oʀeɔle] v. tr. — 1867; p. p., 1856; de *auréole.*

♦ **1** Entourer d'une auréole. *Le peintre a auréolé les anges.* Plus cour. au passif. *Les têtes sont auréolées d'or.* — Par ext. *Sa tête était auréolée d'une masse, par une masse de cheveux bouclés; une masse de cheveux auréolait sa tête.* → **Ceindre.**

♦ **2** Fig. Donner de l'éclat, du prestige à (qqch., qqn). → **Glorifier, magnifier.**
*Auréoler (qqn, qqch.) de :* attribuer à (qqn, qqch.) le prestige de. → **Couronner, parer.** *Il l'auréole de toutes les vertus.* — Pron. *S'auréoler de vertu, de mystère.*

1 La Provence se faisait toujours plus lointaine dans leur souvenir; mais aussi, de plus en plus, elle s'auréolait de couleurs d'or, comme les Édens perdus.
LOTI, Matelot, XX.

2 Il *(Mirabeau)* a laissé un grand nom, que la légende auréole, mais son destin fut inférieur à son génie.
Louis BARTHOU, Mirabeau, p. 315.

3 Il s'auréolait de prestige à mes yeux, et positivement m'enthousiasmait. GIDE, Si le grain ne meurt, I, 3.

◆ **AURÉOLÉ, ÉE** p. p. adj. *Saints auréolés. Tête auréolée.* — *«La tête auréolée par sa coiffe paysanne»* (Genevoix).

4 Ses portraits de femmes sont, pour ainsi dire, auréolés (...)
BAUDELAIRE, Trad. E. POE, Histoires extraordinaires, I.

Figuré :

5 Auréolé d'une gloire qui semble surnaturelle, il *(Alexandre)* plie à sa volonté les peuples et les espaces, les destins et les événements.
DANIEL-ROPS, le Peuple de la Bible, IV, 2.

**AURÉOMYCINE** [ɔʀeomisin; oʀeomisin] n. f. — V. 1950; du lat. *aureus* «d'or», *-myc(e)* et *-ine* → Streptomycine.

Antibiotique *(Streptomyces aureofaciens)* utilisé sous la forme d'une poudre jaune d'or, qui agit sur de nombreuses bactéries. *«Découverte par Duggar en 1948, l'auréomycine est produite par le* Streptomyces aurifaciens*»* (*Dict. odonto-stomatologique, Suppl.* n° 16, 6 avr. 1967).

**AUREUS** [ɔʀeys; oʀeys] n. m. — 1845, Bescherelle; mot lat. adj. «d'or».

Antiq. Pièce d'or servant d'unité monétaire, à Rome. Plur. *Des aureus* (francisé), *ou des aurei* (plur. lat.). — REM. On écrit parfois, en francisant, *auréus.*

Il y avait longtemps que ces bouts de métal s'en allaient vers le domaine doux de l'usure. (...) les aureus montrant la tête d'Auguste en train de sourire, avec écrit, d'un côté Caesar, de l'autre Augustus, les deniers de Brutus et de Cassius, les livres des Osques, tout cela était fini depuis des siècles. J.-M. G. LE CLÉZIO, la Fièvre, p. 41.

**AURICHALQUE** [ɔʀikalk; oʀikalk] n. m. → **Orichalque.**

**AURICULAIRE** [ɔʀikylɛʀ; oʀikylɛʀ] adj. et n. m. — 1532; du bas lat. *auricularius,* de *auricula.* → Oreille.

**I** ♦ **1** Vx (parce que sa petitesse permet de l'introduire dans le conduit de l'oreille). *Doigt auriculaire.*

Le cuboïde soutient le doigt annulaire et *(le doigt)* auriculaire. Ambroise PARÉ, IV, 38, *in* LITTRÉ. 1

(1866). Mod. *L'auriculaire :* le plus petit doigt, extérieur, de la main humaine. Syn. plus cour. : *petit doigt**.

♦ **2** Didact. Qui a rapport à l'oreille (anatomiquement). *Pavillon auriculaire. Artères, veines, muscles, nerfs auriculaires. Point auriculaire :* centre de l'orifice du conduit auditif externe.

♦ **3** Vx. Qui se produit par l'oreille. → **Auditif.** *Sensation auriculaire.*

(1561). Mod. Relig. *Confession auriculaire,* qui se fait de bouche à oreille (par oppos. à *confession publique*).

Plus de confession auriculaire. La confession générale suffit. 1.1
J. GREEN, Journal 1958-1967 (Vers l'invisible), 17 juin 1966.

(1690). Littér. *Témoin auriculaire,* qui a entendu de ses propres oreilles ce qu'il raconte ou dépose (par oppos. à *témoin oculaire*).

(...) le témoignage de Barère, si oculaire et si auriculaire qu'il soit, ne vaut même pas comme une présomption (...) 2
Louis BARTHOU, Danton, p. 270.

(...) en réalité je n'en fus, en ce qui concerne la pensée, qu'un témoin auriculaire à retardement, grâce au récit souvent répété que mon père et ma mère en firent devant moi. Georges LECOMTE, Ma traversée, p. 10. 3

**II** (1824). Anat. Qui a rapport aux oreillettes et aux auricules du cœur. *Appendice auriculaire. Arrêt auriculaire.*

DÉR. **Auriculairement.**

**AURICULAIREMENT** [ɔʀikylɛʀmɑ̃; oʀikylɛʀmɑ̃] adv. — Av. 1866; de *auriculaire.*

Didact. Par l'oreille. → **Auditivement.**

**AURICULE** [ɔʀikyl; oʀikyl] n. f. — 1838; 1377, «oreillette»; lat. *auricula.* → Oreille.

**I** ♦ **1** Anat. Diverticule prolongeant les oreillettes du cœur. *Auricule droite. Auricule gauche.*

♦ **2** Didact. (sc. nat.). Appendice ressemblant plus ou moins à une oreille (des feuilles de certaines plantes, etc.).

**II** Bot. ♦ **1** Champignon ascomycète à carpophore gélatineux, appelé communément *oreille de Judas.*

♦ **2** Plante dicotylédone *(Primulacées)* appelée aussi *oreille** *d'ours.*

DÉR. **Auriculé.** ◊ COMP. **Auriculo-ventriculaire.** V. **Auriculothérapie.**

**AURICULÉ, ÉE** [ɔʀikyle; oʀikyle] adj. — 1834, Landais; *auriculée*, n. f., 1829, Académie, *Suppl.*; de *auricule*.

Didact. Qui comporte des auricules (I.).

**AURICULOTHÉRAPIE** [ɔʀikyloteʀapi] n. f. — V. 1970; du lat. *auricula* (→ Auricule), et *thérapie*.

Méd. Méthode thérapeutique dérivée de l'acupuncture* consistant à traiter différentes affections ou à causer des réactions en stimulant par des piqûres des points déterminés du pavillon de l'oreille.

**AURICULO-VENTRICULAIRE** [ɔʀikylovɑ̃tʀikylɛʀ] adj. — 1814, Nysten; de *auricule*, et *ventriculaire*.

Anat. Relatif à l'oreillette (ou, rare, à l'auricule) et au ventricule du cœur. *Fibrillation auriculo-ventriculaire.* Syn. : *atrio-ventriculaire.*

(...) chaque oreillette *(du cœur)* communique largement avec le ventricule placé au-dessous par un orifice dit auriculo-ventriculaire, muni de replis membraneux appelés valvules.

P. VALLERY-RADOT, Notre corps..., p. 35.

**AURIFÈRE** [ɔʀifɛʀ; oʀifɛʀ] adj. — 1535; lat. *aurifer*, de *aurum* «or», et *-fer*, du v. *ferre* «porter».

Qui contient de l'or. *Sable, rivière, terrain aurifère. Montagne aurifère.*

Il allait sans hésitation, de la marche de ceux qui vont secrètement nourrir un évadé ou creuser dans un terrain aurifère, avec des arrêts qui semblaient vouloir tromper, non les hommes absents mais les arbres et les fourrés, sur le vrai but de sa promenade (...)

GIRAUDOUX, les Aventures de Jérôme Bardini, p. 118.

**AURIFICATION** [ɔʀifikasjɔ̃; oʀifikasjɔ̃] n. f. — 1858, Dict. de Nysten; de *aurifier*.

Didact. Action d'aurifier. *L'aurification d'une dent.*

On a calculé qu'avec l'aurification des dents, générale chez tout le monde aux États-Unis, il y avait 750 millions d'or dans les cimetières.

Ed. et J. DE GONCOURT, Journal (1890), p. 1241, *in* T. L. F.

**AURIFIER** [ɔʀifje; oʀifje] v. tr. — 1863; dér. sav. du lat. *aurum* «or».

Obturer (une dent) avec de l'or.

1 Depuis longtemps, bien qu'il eût les dents très saines, il rêvait de s'en faire arracher quelques-unes et de se faire aurifier la mâchoire. Il lui plaisait d'imaginer l'ensemble à la fois cossu et gracieux qu'auraient composé sa mâchoire en or et son chapeau noir à bord roulé.

M. AYMÉ, le Vin de Paris, Traversée de Paris, p. 53.

Au p. p. *Dents aurifiées.*

2 Les lèvres s'épanouissent, découvrent une denture puissante, aurifiée.

Pierre MOUSTIERS, la Mort du pantin, p. 59.

**DÉR. Aurification.** ◊ **HOM. Horrifier.**

**AURIGE** [ɔʀiʒ; oʀiʒ] n. m. — 1823; popularisé, fin XIXe, par les découvertes de Delphes; lat. *auriga* «cocher».

Antiq. Conducteur de char, dans les courses. *L'aurige de Delphes,* célèbre bronze grec trouvé dans ce sanctuaire.

C'est ce qui nous émeut en face du petit aurige de Delphes. Immobile et stable, ses orteils bien rangés les uns à côté des autres, il semble venir du fond des siècles et continuer sa route sur place, avec la canne blanche des aveugles. Il m'a toujours frappé comme représentatif de la duperie des perspectives du temps-espace. Il y a laissé un bras, son char, son quadrige... Il me figure *l'éternel présent.* Il en est une exquise, une étonnante petite borne.

COCTEAU, Journal d'un inconnu, p. 216.

**AURIGNACIEN, IENNE** [ɔʀiɲasjɛ̃, jɛn; oʀiɲasjɛ̃, jɛn] adj. et n. m. — 1907, Breuil; de *Aurignac.*

Se dit de l'industrie préhistorique d'Aurignac (début du paléolithique supérieur) qui présente les premières œuvres d'art. — N. m. Période de cette industrie. *L'aurignacien se situe entre le solutréen et le moustérien.*

(...) une Vénus magdalénienne se situe après une Vénus aurignacienne, les bisons d'Altamira se situent après ou avant ceux de Lascaux, mais aussi dans le présent où celui qui les admire *éprouve* leur présence commune.

MALRAUX, l'Homme précaire et la Littérature, p. 280.

1. **AURIQUE** [ɔʀik; oʀik] adj. — 1788; néerl. *oorig.*

Mar. *Voile aurique :* voile qui a la forme d'un quadrilatère irrégulier et qui est fixée à un étai, à une draille ou une corne.

Qui est gréé avec des voiles de ce type. *Cotre aurique.*

2. **AURIQUE** [ɔʀik; oʀik] adj. — 1842; dér. sav. du lat. *aurum* «or».

Chim. Qui contient ou se rapporte à l'or trivalent. *Chlorure aurique. Traitement aurique.*

**AURISTE** [ɔʀist; oʀist] n. m. — 1860, *in* D. D. L.; du lat. *auris* «oreille».

Didact. et vx. Médecin spécialiste des maladies d'oreille. → **Oto-rhino-laryngologiste.**

J'ai pris l'initiative de convoquer un auriste, Lanquetot. Nous avons trouvé toutes les complications possibles; mastoïdite, naturellement; infection du sinus latéral, etc.

MARTIN DU GARD, les Thibault, IV, 3.

**AUROCHS** [ɔʀɔk; oʀɔk] n. m. — V. 1752; *aurox*, 1611; *ouroflz*, 1414; all. *Auerochs*, de *Ochs* «bœuf», et germanique *Auer* qui a donné le lat. *urus.* → Urus.

Mammifère ongulé (*Bovidés-bovinés*; n. sc. *Bos primigenius*), bœuf sauvage de grande taille dont l'espèce est disparue. → **Urus.** *Corne d'aurochs.*

Il *(ce sous-genre)* était assez répandu en Allemagne et en 1
Angleterre du temps de César, et le poème des Niebelungen donne la description d'un de ces aurochs qu'il appelle Ur, tué par le héros Siegfried. La tête de l'animal est représentée encore sur de vieilles enseignes allemandes. C'était un gros taureau noir, très fort, très agile.

P. POIRÉ, Dict. des sciences, art. *Aurochs.*

(...) un troupeau de bêtes énormes, noires, velues comme 2
des ours, bossues comme des bisons. Tiffauges reconnut des taureaux, sans doute, mais d'un type évidemment préhistorique, tels que les figurent les gravures rupestres néolithiques, des aurochs en somme, avec leurs cornes courtes comme des dagues et leur garrot bosselé par une crinière épaisse.

M. TOURNIER, le Roi des Aulnes, p. 215.

REM. La graphie *aurochs* étant sentie comme un plur., on rencontre l'orthographe fautive *auroch.*

**AURONE** [ɔʀɔn; oʀɔn] n. f. — XVe, *aurosne*; 1213, *abrogne*; du lat. *abrotanum.*

Armoise à feuilles odorantes, cultivée dans les jardins. → **Citronnelle.** *Aurone des champs, aurone sauvage. Aurone femelle.* → **Santoline.**

REM. On écrit aussi *auronne.*

**AURORAL, ALE, AUX** [ɔʀɔʀal, o; oʀɔʀal, o] adj. — 1859; de *aurore.*

♦ **1** Didact. De l'aurore, et, spécialt, de l'aurore polaire. *Radiations aurorales.*

♦ **2** Littér. Qui évoque une aurore, un commencement, une aube. *«Une joie aurorale»* (Mallarmé).

L'herbe aurorale
Chant des fontaines disparues (...)

ÉLUARD, Cours naturel, «Panorama», *in* Œ. compl., Pl., t. I, p. 819.

**AURORE** [ɔRɔR; ORɔR] n. f. — XIIIe; lat. *aurora.*

**I** ♦ **1** Lueur brillante et rosée qui suit l'aube et précède le lever du soleil (→ Nuance, cit. 1); moment où le soleil se lève. → **Aube, crépuscule** (du matin). *La lumière, la lueur, les lueurs, les feux de l'aurore. Le lever de l'aurore. L'aurore point, commence à paraître, se lève.* Vx. *L'aurore levée :* le jour étant levé — *Se lever à l'aurore, dès l'aurore, avant l'aurore. Devancer l'aurore :* se lever avant le jour (cit. 3, ci-dessous). *«Le soir est près de l'aurore»* → Astre, cit. 7.1.

1 L'âne d'un jardinier se plaignait au Destin
De ce qu'on le faisait lever devant l'aurore.
LA FONTAINE, Fables, VI, 11.

2 L'un commence : «Il a dit que, l'aurore levée,
L'on fit venir demain ses amis pour l'aider».
LA FONTAINE, Fables, IV, 22.

3 (...) Quel important besoin
Vous a fait devancer l'aurore de si loin?
À peine un faible jour vous éclaire et me guide.
RACINE, Iphigénie, I, 1.

4 Il n'en est pas ainsi de celui qui te craint :
Il renaîtra, mon Dieu, plus brillant que l'aurore (...)
RACINE, Esther, II, 8.

5 Tous les objets paraissent sombres et en confusion, le matin, aux premières lueurs de l'aurore (...)
FÉNELON, Télémaque, XVIII.

6 Dès que l'aurore vint dorer l'horizon (...)
FÉNELON, Télémaque, XXI, p. 337.

7 Les feux de l'aurore ne sont pas si doux que les premiers regards de la gloire.
VAUVENARGUES, Maximes et Réflexions, 375.

8 L'aurore un matin me parut si belle, que, m'étant habillé précipitamment, je me hâtai de gagner la campagne pour voir lever le soleil. ROUSSEAU, les Confessions, IV.

9 O nuit, nuit douloureuse! ô toi, tardive aurore,
Viens-tu? Vas-tu venir? Es-tu bien loin encore?
André CHÉNIER, Élégies, XXI.

10 Je dis à cette nuit : «Sois plus lente»; et l'aurore
Va dissiper la nuit. LAMARTINE, le Lac.

11 Il voyait chaque jour sur la Terre arrosée,
L'aurore se dissoudre en perles de rosée (...)
LAMARTINE, Harmonies..., II, 12.

12 Le soir est près de l'aurore
L'astre à peine vient d'éclore
Qu'il va terminer son tour (...)
LAMARTINE, Harmonies..., II, 1 (→ Astre, cit. 7.1).

13 Laissons l'aurore poindre et luire, et le zéphir
Frissonner à travers les branchages profonds.
HUGO, les Années funestes, XVIII, 2.

14 Au premier bonjour de l'aurore, une aurore d'automne, paresseuse et froide, il se leva lestement.
Alphonse DAUDET, le Petit Chose, p. 350.

15 Une longue jonque de nuages (...) amarrée au ras de l'horizon, retardait seule le premier feu de l'aurore.
COLETTE, Naissance du jour, p. 191.

Fam., par plais. (avec une intention archaïsante). **AUX AURORES :** aux premières heures du jour. *Se lever aux aurores. Partir aux aurores.*

15.1 Cette journée, commencée aux aurores (...), ne se terminait pas trop mal. Guy des CARS, l'Envoûteuse, p. 262.

15.2 Moi, si j'avais été Friloux, le matin du 6, je me serais levé aux aurores.
Jeanne CORDELIER, la Passagère, p. 261.

Poét. *L'aurore, avant-courrière, messagère du jour. Les larmes, les pleurs, les présents de l'aurore :* la rosée du matin.

16 Telle tous les matins l'aurore
Sur le sein émaillé de Flore
Verse la rosée et le jour (...)
CORNEILLE, la Toison d'Or, II, 4.

17 Elle porta chez lui ses pénates un jour
Qu'il était allé faire à l'Aurore sa cour
Parmi le thym et la rosée.
LA FONTAINE, Fables, VII, 16.

Allus. littér. *L'aurore aux doigts de rose* (trad. du grec de l'Odyssée).

Dans son berceau de brume, à peine avait paru l'Aurore aux doigts de roses (...) 18
Victor BÉRARD, trad. de l'Odyssée d'Homère.

(...) quand l'Aurore avec ses doigts de rose entr'ouvrira les portes dorées de l'Orient et que les chevaux du Soleil, sortant de l'onde amère répandront les flammes du jour pour chasser devant eux toutes les étoiles du ciel (...) 19
FÉNELON, Télémaque, IV.

Quand une nation se dégrossit, elle est d'abord émerveillée de voir l'aurore ouvrir de ses doigts de rose les portes de l'Orient, et semer de topazes et de rubis le chemin de la lumière; Zéphyre caresser Flore, et l'Amour se jouer des armes de Mars. 20
Toutes les images de ce genre, qui plaisent par la nouveauté, dégoûtent par l'habitude. Les premiers qui les employaient passaient pour des inventeurs, les derniers ne sont que des perroquets.
VOLTAIRE, Dict. philosophique, Lieux communs.

Par métonymie. Vx. Jour, journée.

Ma vie à peine a commencé d'éclore, 21
Je tomberai comme une fleur
Qui n'a vu qu'une aurore. RACINE, Esther, I, 5.

Adj. (1666). *Couleur aurore :* couleur orangé clair ou jaune doré. *Des rubans aurore.* — N. m. *Un ruban d'un bel aurore.*

En appos. *Sauce aurore :* sauce composée d'un fond de volaille ou de veau additionné de purée de tomate.

♦ **2** (XVIIe). Fig. et littér. **a** Jeunesse.

Le crépuscule de mes jours 22
S'embellira de votre aurore (...)
VOLTAIRE, Épître, 73 (→ Âge, cit. 24).

*(Qu'un autre)* Pleure de son printemps l'aurore évanouie (...) LAMARTINE, Méditations..., «la Foi». 23

**b** Par métaphore (du sens 1) :

Elle a seize ans, et tant d'aurore sur la tête 24
Qu'elle semble marcher au milieu d'une fête.
HUGO, la Légende des siècles, XXXVI, le Groupe des idylles, XVII.

**c** Littér. Début, commencement. → **Aube, ébauche, matin, origine.** *À l'aurore du XVIIIe siècle, des temps modernes.*

Ces actes ne sont qu'une ébauche et comme l'aurore de la réforme (...) BOSSUET, Hist. des variations, 15. 25

Les Français, sous Louis XIII, commencèrent à se rendre recommandables par les grâces et les politesses de l'esprit : c'était l'aurore du bon goût (...) 26
VOLTAIRE, Essai sur les mœurs, 176.

Rayon divin, es-tu l'aurore 27
Du jour qui ne doit pas finir?
LAMARTINE, Méditations..., «le Soir».

Littér., vieilli. Espoir, renouveau.

J'ai voté la fraternité, la concorde, l'aurore. 28
HUGO, les Misérables, I, I, 10.

Nous, croyants de l'avenir, qui mettons la foi dans l'espoir et regardons vers l'aurore (...) 29
MICHELET, Hist. de la Révolution franç., p. 412.

(...) ils sentaient comme une aurore se lever dans leur âme. FLAUBERT, Bouvard et Pécuchet, VIII. 30

Nous avons comme un pain partagé notre aurore 30.1
Ce fut au bout du compte un merveilleux printemps
ARAGON, le Roman inachevé, p. 85.

♦ **3** Côté où se lève le soleil. → **Est, levant, orient.**

Un roi qui naguère, avec quelque apparence, 31
De l'aurore au couchant portait son espérance (...)
RACINE, Mithridate, III, 1.

**II** (1646, *aurore boréale*). **AURORE POLAIRE :** arc lumineux (jet d'électrons solaires) qui apparaît dans les régions polaires de l'atmosphère. *Aurore boréale* (→ Pôle, cit. 4), *australe.* — REM. Le syntagme *aurore boréale,* plus courant, désigne dans la langue non scientifique toute aurore polaire (qu'elle soit boréale ou australe).

32 La philosophie pénètre dans le Nord; l'impératrice de Russie dit que ce n'est qu'une aurore boréale; et moi je pense que cette nouvelle lumière sera permanente.
VOLTAIRE, Lettre à Marmontel, 20 déc. 1766.

33 Une troupe d'aurores boréales arrive du nord, virevolte et danse dans un déploiement de jupes diaphanes puis s'en retourne par-delà l'horizon.
Jean-Yves SOUCY, Un dieu chasseur, p. 166.

Sc. *Aurore équatoriale. «Le phénomène que nous avons appelé "aurore équatoriale" et qui est lié à la précipitation des protons dans la basse atmosphère équatoriale après des orages magnétiques»* (*la Recherche,* janv. 1974, p. 58).

**III** (1809, Boiste). Insecte lépidoptère *(Piérides),* papillon diurne à ailes blanches tachées de rouge dont les chenilles se trouvent sur les crucifères.

CONTR. (Du sens I) **Brune, couchant, coucher** (du soleil), **crépuscule, soir.** ◊ DÉR. **Auroral.**

**AUSCULTATION** [ɔskyltasjɔ̃; oskyltasjɔ̃] n. f. — 1819, Laennec; «action d'écouter, examen», 1570; lat. *auscultatio,* du supin de *auscultare.* → Ausculter.

♦ **1** Action d'écouter les bruits qui se produisent à l'intérieur de l'organisme, pour faire un diagnostic. → **Exploration, percussion, succussion.** *Auscultation immédiate,* par application de l'oreille sur la partie à explorer. *Auscultation médiate,* par interposition d'un instrument. *Auscultation à l'aide d'un plessimètre, d'un stéthoscope. Percevoir à l'auscultation un râle sibilant, un bruit de souffle, de soufflet. L'auscultation a permis de déceler, a révélé...*

Je n'ai pas encore pu faire de radioscopie; et, à l'auscultation, ceux qui me soignent affirment qu'ils ne trouvent rien. MARTIN DU GARD, les Thibault, VIII, 33.

♦ **2** Phys. et psychol. → **Audition** (active).

♦ **3** (1862, Hugo). Par métaphore ou fig. Examen attentif. *L'auscultation des bruits d'une machine. L'auscultation de son entourage par un homme politique.*

DÉR. **Auscultatoire.**

**AUSCULTATOIRE** [ɔskyltatwaʀ; oskyltatwaʀ] adj. — Av. 1869, Verlaine (dans un texte ironique, avec plusieurs adj. en *-oire* «comme on rime chez les symbolistes»); de *auscultation.*

Didact. (méd.). Qui a rapport à l'auscultation. *Signes auscultatoires. Méthode auscultatoire.*

**AUSCULTER** [ɔskylte; oskylte] v. tr. — 1819; Laennec n'emploie pas le verbe dans son *Traité de l'auscultation...;* «examiner», 1510; lat. *auscultare* «écouter».

♦ **1** Explorer les bruits (de l'organisme, d'un organe...) par l'auscultation. *Ausculter les bronches, le cœur. Ausculter un malade. «En m'auscultant il découvrit à mon abdomen des cavités inquiétantes»* (Gide).

♦ **2** Par métaphore ou fig. Examiner attentivement. → **Étudier, sonder.** *Ausculter la situation économique, politique.*

(...) il décrétait le temps qu'il fera demain. Il auscultait le vent; il tâtait le pouls à la marée.
HUGO, les Travailleurs de la mer, I, V, 1.

DÉR. **Auscultation, auscultatoire. — Ausculteur** ou **auscultateur.**

**AUSCULTEUR** [ɔskyltœʀ] ou **AUSCULTATEUR** [ɔskyltatœʀ] n. m. — 1866; de *ausculter.*

Didact. et rare. Médecin qui ausculte. — REM. Les fém. *ausculteuse, auscultatrice,* sont virtuels.

**AUSONIEN, IENNE** [ozɔnjɛ̃, jɛn] adj. — 1542; de *Ausonie,* partie méridionale de l'Italie.

Littér. Relatif à l'Ausonie. — Par ext., vx. Italien. *«Montagnes ausoniennes»* (Chateaubriand, *in* T. L. F.). *«Muses ausoniennes»* (A. France, *in* T. L. F.).

1. **AUSPICE** [ospis; ɔspis] n. m. — 1697; lat. *auspex, auspicis.*

Antiq. Prêtre qui tirait des présages de l'observation des oiseaux. → 1. **Augure, devin.**

HOM. 2. **Auspice, hospice.**

2. **AUSPICE** [ɔspis; ɔspis] n. m. — 1366, *euspices;* v. 1355, *auspice* «heureux présage»; du lat. *auspicium,* de *avis* «oiseau», et *spicere* «examiner».

♦ **1** Antiq. rom. (au plur.). Observation des oiseaux, présage tiré du vol, des mouvements, de l'appétit, du chant des oiseaux, etc. → 2. **Augure, présage, signe.** *Prendre les auspices. Les auspices se sont montrés favorables, défavorables. Sa magistrature a commencé sous d'heureux auspices.*

Par ext. Droit de prendre les auspices. *Avoir les auspices.*

Un magistrat en charge, c'est-à-dire un homme déjà en possession du caractère sacré et des auspices, indiquait parmi les jours fastes celui où le consul devait être nommé. Pendant la nuit qui précédait ce jour, il veillait, en plein air, les yeux fixés au ciel, observant les signes que les dieux envoyaient, en même temps qu'il prononçait mentalement le nom de quelques candidats à la magistrature. Si les présages étaient favorables, c'est que les dieux agréaient ces candidats. 1
FUSTEL DE COULANGES, la Cité antique, III, 10.

♦ **2** Fig. et mod. Circonstances permettant d'envisager l'avenir. (Rare sauf dans des constructions avec *sous*). *Sous de favorables, d'heureux, de riants auspices. Sous de fâcheux, de funestes, de tristes auspices.* → **Condition, influence, présage.**

Pour achever ce jour sous de meilleurs auspices. 2
RACINE, Britannicus, V, 5.

(...) pour commencer mon intendance sous d'heureux auspices. A.-R. LESAGE, Gil Blas, VII, 1. 3

(...) deux jeunes époux, unis sous d'heureux auspices (...) 4
ROUSSEAU, Émile, V, p. 611.

Ainsi commencèrent, sous de funestes auspices, des liaisons dont je ne pus plus longtemps me défendre (...) 5
ROUSSEAU, les Confessions, X.

♦ **3** **a** Hist. (Antiq. rom.). **SOUS LES AUSPICES DE (qqn) :** sous la direction du magistrat, du commandant que les auspices ont désigné. *L'armée a marché et triomphé sous ses auspices.* → **Conduite, direction, égide, tutelle.**

Que vous marchiez au camp conduit sous mes auspices (...) RACINE, Britannicus, IV, 2. 6

**b** Mod. Avec l'appui, la protection de qqn, en invoquant sa recommandation. *Il s'est présenté sous les auspices du ministre. Faire, entreprendre une chose sous les auspices de qqn.* → **Appui, direction, égide, faveur, patronage, protection, sauvegarde.**

Sous vos seuls auspices, ces vers 7
Seront jugés, malgré l'envie (...)
LA FONTAINE, Fables, À M^me de Montespan.

Mon attachement pour Votre Excellence et mon goût pour l'ouvrage entrepris sous vos auspices (...) 8
VOLTAIRE, Lettre à Schouvalof, 9 nov. 1761.

C'est sous les auspices de cet homme respectable que tu vas entrer dans le monde; c'est à l'appui de son crédit, c'est guidé par son expérience que tu vas tenter de venger le mérite oublié des rigueurs de la fortune. 9
ROUSSEAU, *in* LAFAYE, Dict. des synonymes.

Faire une chose sous les auspices d'un homme, c'est la faire, étant favorisé de lui, lui s'y intéressant, fort de son crédit, de sa bienveillance, de ses conseils ou de sa médiation. LAFAYE, Dict. des synonymes, Auspices... 10

HOM. 1. **Auspice, hospice.**

**AUSSI** [osi] adv. et conj. — Déb. XII^e, *alsi;* du lat. pop. **alidsic*, de *aliud* «autre», et *sic* «ainsi»; a éliminé l'anc. franç. *altresi (autresi)*, de même sens.

**I** Adv. ♦ **1** Terme de comparaison accompagnant un adjectif ou un adverbe, exprimant un rapport d'égalité. → **Autant.** *Il est aussi grand que vous, mais il n'est pas aussi fort. Il est aussi modeste qu'habile. On n'est jamais aussi malheureux qu'on l'imagine. Il s'est conduit aussi mal, tout aussi mal que la dernière fois. Il conduit aussi bien que toi. Je vous en donnerai aussi peu que vous voudrez. On n'a rien fait aussi longtemps qu'il reste quelque chose à faire. Je vous serai fidèle aussi longtemps que vous m'aimerez.* → **Tant.** *Il fait aussi chaud qu'hier. J'ai aussi froid, aussi chaud que vous.*

Prov. *On n'est jamais aussi bien servi que par soi-même.* → **Si.**

REM. Le complément introduit par *que* est souvent sous-entendu (cit. 15 et 16.1). Il ne faut pas confondre cet emploi avec le sens 2.

1 Certain loup, aussi sot que le pêcheur fut sage
Trouvant un chien hors du village (...)
LA FONTAINE, Fables, IX, 10.

2 Ce loup rencontre un dogue aussi puissant que beau (...)
LA FONTAINE, Fables, I, 5.

3 Au lieu qu'un rossignol, chétive créature
Forme des sons aussi doux qu'éclatants (...)
LA FONTAINE, Fables, II, 17.

4 J'admire, Madame, comme le Ciel a pu former deux âmes aussi semblables en tout que les nôtres.
MOLIÈRE, la Princesse d'Élide, IV, 1.

5 Les hommages d'un cœur aussi cher que le vôtre (...)
MOLIÈRE, les Femmes savantes, V, 1.

6 S'il fait d'aussi belles cures qu'il fait de beaux discours (...)
MOLIÈRE, le Malade imaginaire, II, 5.

7 Aussi vivant par l'esprit qu'il était mourant par le corps (...)
BOSSUET, Oraison funèbre de Michel Le Tellier.

8 Si les femmes avaient le visage aussi allumé qu'elles se le font par le rouge (...) LA BRUYÈRE, les Caractères, 3.

9 L'âne est d'un naturel aussi sensible, aussi patient, aussi tranquille que le cheval est fier, ardent, impétueux (...)
BUFFON, Hist. nat. des animaux, Âne.

10 (...) aussi simple et aussi novice qu'auparavant je ne restai pas même affriandé de jolies femmes.
ROUSSEAU, les Confessions, II (→ Affriander, cit.).

11 (...) il est aussi dangereux d'encourir sa faveur que de mériter sa disgrâce.
CHATEAUBRIAND, *in* Mercure de France, t. XXIX, juil. 1807 (→ Abjection, cit. 1).

12 Il a été aussi amical et aussi ouvert avec moi que le permet son caractère froid (...) STENDHAL, Journal, p. 142.

13 (...) Et Charles lui semblait aussi détaché de sa vie, aussi absent pour toujours, aussi impossible et anéanti, que s'il allait mourir et qu'il eût agonisé sous ses yeux.
FLAUBERT, M^me Bovary, p. 120.

14 Nous ne sommes pas aussi fortes que vous, nous autres femmes.
FLAUBERT, l'Éducation sentimentale, p. 143.

15 Jamais ils n'avaient encore réussi à accoler aussi étroitement et aussi près d'eux des amants brouillés et les deux descendants de familles ennemies.
GIRAUDOUX, Bella, VI.

16 Je m'incline devant la compétence de monsieur Rumelles, et suis aussi sensible que quiconque à la force de son argumentation (...)
MARTIN DU GARD, les Thibault, VII, p. 40.

16.1 Jadis un directeur de théâtre dépensait des centaines de mille francs pour consteller de vraies émeraudes le trône où la diva jouait un rôle d'impératrice. Les ballets russes nous ont appris que de simples jeux de lumière prodiguent, dirigés là où il faut, des joyaux aussi somptueux et plus variés. PROUST, la Prisonnière, Pl., t. III, p. 10.

REM. *Aussi*, employé avec un adj. peut permuter, dans certaines conditions avec *autant*. → Autant.

On peut se servir indifféremment d'aussi et d'autant quand on compare deux qualités : un jardin aussi fertile qu'agréable; — Un jardin fertile autant qu'agréable. Mais il faut prendre garde à la place de l'adverbe. 17
F. BRUNOT, la Pensée et la Langue, p. 124.

AUSSI... AUSSI... (en corrélation). Littér. «*Aussi bizarre était alors son attitude, aussi naturelle me semble-t-il maintenant. Aussi vite s'est-il attendri, aussi vite il se rebiffe*» (Jouhandeau, *in* Grevisse).

AUSSI... QUE..., AUSSI...

Aussi vite qu'elle s'était tout à l'heure endormie, aussi vite elle s'était réveillée. 17.1
PROUST, la Prisonnière, Pl., t. III, p. 75.

**AUSSI BIEN QUE :** de même que (→ l'emploi de *Aussi*, 3.). → **Autant** (que), **comme.** *Les bons périrent aussi bien que les méchants. Il médit de toi aussi bien que des autres. La paresse est un défaut chez les parents aussi bien que chez les enfants. La candeur du juge aussi bien que son mérite.* → **Ainsi** (cit. 24). *Aristote, aussi bien que Platon, affirme* (ou *affirment*) *que...*

Et que tout l'univers, sachant ce qui m'anime, 18
S'étonne du supplice aussi bien que du crime (...)
CORNEILLE, Cinna, V, 2.

Mais nous verrons bientôt si la fière Antigone 19
Aussi bien que mon cœur dédaignera le trône.
RACINE, la Thébaïde, III, 6.

Un pauvre bûcheron, tout couvert de ramée, 20
Sous le faix du fagot, aussi bien que des ans (...)
LA FONTAINE, Fables, I, 16.

L'absence est aussi bien un remède à la haine 21
Qu'un appareil contre l'amour (...)
LA FONTAINE, Fables, X, 2.

Cela n'empêche pas que toute sa divinité, aussi bien que toute son humanité, n'y soit dans une conjonction nécessaire (...) PASCAL, les Provinciales, 16. 22

Celui qui écoute aussi bien que celui qui parle, seront enveloppés dans une même ruine. 23
FLÉCHIER, Sermons, I, 351.

Un génie aussi bien qu'une montagne, une assemblée aussi bien qu'un chef-d'œuvre, vus de trop près, épouvantent. HUGO, Quatre-vingt-treize, II, III, 1. 24

(...) la chère aveugle a tellement l'habitude des longues aiguilles qu'elle tricote aussi bien que du temps de ses yeux. Alphonse DAUDET, le Petit Chose, II, 16. 25

Il *(le livre)* réclame une place dans notre vie temporelle aussi bien que dans notre vie spirituelle. 26
G. DUHAMEL, Défense des lettres, I, 8, p. 57.

Loc. **AUSSI LOIN.** *D'aussi loin que je la vis...* → **Loin,** IV.

Lui-même, d'aussi loin qu'il nous a vus paraître : 27
«Adorez, a-t-il dit, l'ordre de votre maître (...)».
RACINE, Bajazet, V, 11.

J'ignore quel conseil prépara ma disgrâce : 28
Quoi qu'il en soit, Néron, d'aussi loin qu'il me vit
Laissa sur son visage éclater son dépit.
RACINE, Britannicus, I, 1.

*Aussi loin que...* (spatial ou temporel).

(...) et jamais personne ne s'est donné la peine d'étendre et de conduire son esprit aussi loin qu'il pourrait aller. 29
LA ROCHEFOUCAULD, Maximes, 482.

Mes pères, aussi loin que nous pouvons remonter, étaient voués aux navigations lointaines. 30
RENAN, Souvenirs d'enfance, II, 1.

Aussi loin que la vue allait, tout était nu, d'un gris jaune, ardent et superbe. 31
MAUPASSANT, Au soleil, Le Zar'ez.

REM. On trouve parfois *aussi* précédant un nom. *J'ai toujours aussi faim que tout à l'heure.*

Nulle part au monde on ne prend aussi soin du client que chez Mouillefarine (...) 31.1
René FALLET, le Triporteur, p. 214.

♦ **2** (Sans comparaison). À ce point (parfois en concurrence avec *si*). *Je n'ai jamais rien vu d'aussi joli.* → **Si.** *Avez-vous jamais entendu parler d'une aventure aussi étrange? Comment un homme aussi* *minutieux a-t-il pu commettre une pareille erreur?* → **Si, tellement.** *Il est bien difficile de juger d'aussi loin.*

32 Je ne me propose point d'autre ordre dans une matière aussi importante (...)
MASSILLON, Carême, Petit nombre.

33 La voyant dans une situation aussi brillante, je l'ai suppliée de vous envoyer quelques secours (...)
BERNARDIN DE SAINT-PIERRE, Paul et Virginie.

34 On ne saurait, sans péril, mépriser l'enseignement d'une histoire aussi féconde, aussi riche, aussi glorieuse.
G. DUHAMEL, Défense des lettres, I, 5, p. 43.

Avant le verbe, au sens de *bien que.* → **Pour, quelque, si.** *Aussi sage qu'il soit, Aussi sage soit-il.* — REM. Cette construction, naguère critiquée, est usuelle (cf. Grevisse, n° 1031, et Hanse, p. 110).

35 Ce corps contre son corps, aussi léger qu'il fût, l'empêchait de respirer.
F. MAURIAC, Thérèse Desqueyroux, XI, p. 194.

36 Il restait juste le temps de ramasser un pécule, aussi léger fût-il.
Jérôme et Jean THARAUD, Quand Israël est roi, p. 37.

37 Il faut voir les choses en face, et ne pas se laisser duper par des sentiments, aussi admirables, aussi légitimes soient-ils. DANIEL-ROPS, Éléments de notre destin, p. 36.

38 Si je devais vous prendre au mot, si — aussi invraisemblable que cela me paraisse — vous ne vouliez pas de mon amour (...) MONTHERLANT, les Jeunes Filles, p. 93.

♦ **3** De la même façon. → **Pareillement.**
(En phrase affirmative). *La sensibilité est une qualité, mais c'est aussi, parfois, un défaut. Lorsque le physique est atteint, le moral l'est aussi. C'est aussi mon avis.* → **Également.** *Je veux bien admettre aussi que...* → **Encore, marché** (par-dessus le), **outre** (en), **plus** (de). *Ce n'est pas tout d'abattre, il faut aussi reconstruire. Et moi aussi.* → **Itou** (pop.). *Dormez-bien. — Vous aussi.* → **Même** (de même).
*Aussi bien. Je pourrais aussi bien refuser* (→ ci-dessus 1. : Aussi bien que...).
Pareillement et de plus. → **Encore, outre** (en), **plus** (en). *Il parle l'anglais et aussi l'allemand. Apprendre ne suffit pas, il faut aussi retenir. Non seulement... mais aussi... Son frère, mais aussi ses parents étaient venus le chercher.*

39 Monsieur Fleurant, ce n'est pas tout que d'être civil, il faut être aussi raisonnable et ne pas écorcher les malades (...)
MOLIÈRE, le Malade imaginaire, I, 1.

40 Je mets aussi sur la scène
Des trompeurs, des scélérats (...)
LA FONTAINE, Fables, IX, I.

41 Comme les dieux sont bons, ils veulent que les rois
Le soient aussi : c'est l'indulgence
Qui fait le plus beau de leurs droits,
Non les douceurs de la vengeance (...)
LA FONTAINE, Fables, XII, 12.

42 J'ai souvenance
Qu'en un pré de moines passant,
La faim, l'occasion, l'herbe tendre, et, je pense
Quelque diable aussi me poussant,
Je tondis de ce pré la largeur de ma langue.
LA FONTAINE, Fables, VII, I.

43 Elle achète un office, une maison aussi.
LA FONTAINE, Fables, VII, 15.

44 Celui qui met un frein à la fureur des flots
Sait aussi des méchants arrêter les complots (...)
RACINE, Athalie, I, 1.

45 Je vous enverrai ce morceau non seulement pour réjouir mon cœur, mais aussi pour profiter de vos lumières.
ROUSSEAU, *in* LAFAYE, Dict. des synonymes, Aussi, encore.

46 Moi aussi je suis allé là où vous avez été.
ALAIN-FOURNIER, le Grand Meaulnes, p. 154.

47 (...) mais le regret aussi est un amplificateur du désir.
PROUST, À la recherche du temps perdu, t. XIII, p. 110.

Nos actes les plus sincères sont aussi les moins calculés; l'explication qu'on en cherche après coup reste vaine. 48
GIDE, Si le grain ne meurt, II, 2.

(En phrase négative, lorsque la négation est sentie comme un fait positif). Vx ou fam. Non plus.

Et vous aussi, mon cher Augustin, lui dis-je, vous n'êtes pas heureux? E. FROMENTIN, Dominique, X. 49

**II** Conj. Marque un rapport de conséquence avec la proposition qui précède. *L'égoïste n'aime que lui, aussi tout le monde l'abandonne.* → **Conséquence** (en), **pourquoi** (c'est pourquoi). *Ces étoffes sont belles, aussi coûtent-elles cher.*

Aussi je les compare à ces femmes jolies 50
Qui par les affiquets se rendent embellies (...)
Mathurin RÉGNIER, Satires, IX.

Il suivait les laboureurs et chassait (...) les corbeaux qui s'envolaient (...) Aussi poussa-t-il comme un chêne. 51
FLAUBERT, Mme Bovary, I, 1.

Aussi observait-elle cette précaution de ne jamais offrir les fruits confits trop tôt, mais au moment où elle sentait que la patience risquait de faiblir. 52
GIDE, Si le grain ne meurt, I, 9.

**III** Adv. de phrase. ♦ **1** Littér. **AUSSI BIEN.** → **Ailleurs** (d'), **surplus** (au). → En tout état* de cause.

Vous êtes, aussi bien, le véritable roi (...) 53
CORNEILLE, Nicomède, II, 2.

Il n'importe : aussi bien ai-je à vous dire ensuite 54
Un secret dont il faut que vous soyez instruite (...)
MOLIÈRE, les Femmes savantes, III, 2.

Aussi bien nous fera-t-il ici besoin pour apprêter le souper. 55
MOLIÈRE, l'Avare, III, 5.

Je m'en tais; aussi bien les Ris et les Amours 56
Ne sont pas soupçonnés d'aimer les longs discours.
LA FONTAINE, Fables, XII, 1.

Aussi bien ce n'est pas la première injustice 57
Dont la Grèce d'Achille a payé le service (...)
RACINE, Andromaque, I, 2.

Qu'il périsse! Aussi bien il ne vit plus pour nous (...) 58
RACINE, Andromaque, V, 1.

Il ne s'agit pas de réfuter ces rêveries des Platoniciens qui, aussi bien, tombent d'elles-mêmes (...) 59
BOSSUET, Disc. sur l'Hist. universelle, II, 12.

Aussi bien, j'étais un homme fait. 60
G. DUHAMEL, Défense des lettres, II, I, p. 121.

♦ **2 MAIS AUSSI.** Mais au surplus, d'ailleurs. *Mais aussi, pourquoi a-t-il accepté? Mais aussi qu'est-ce qu'il faisait en un pareil endroit?* → **Diable** (que).

Mais aussi n'est-ce pas ce dont je m'inquiète (...) 61
MOLIÈRE, Amphitryon, III, 3.

Mais aussi je ne puis croire que le public me sache mauvais gré de lui avoir donné une tragédie qui a été honorée de tant de larmes, et dont la trentième représentation a été aussi suivie que la première (...) 62
RACINE, Bérénice, Préface.

Mais aussi Bosy ne me plaisait guère (...) 63
GIDE, Si le grain ne meurt, II, 3.

COMP. **Aussitôt.**

**AUSSIÈRE** ou **HAUSSIÈRE** [osjɛʀ] n. f. — 1803, *aussière; haussière,* 1382; du lat. pop. **helciaria,* du lat. class. *helcium* «collier de trait», avec infl. de *hausser.*
Mar. Gros cordage servant à touer ou à amarrer. *Lancer, attraper une aussière. Amarrer une aussière. Aussières en acier.* → Vérin, cit.

**AUSSITÔT** [osito] adv. et prép. — XIIIe; de *aussi,* et *tôt.*

**I** Adv. ♦ **1** Dans le moment même, au même instant. *J'ai compris aussitôt qu'il voulait me flatter.* → **Abord** (dès l'). *Il déguerpit aussitôt, tout aussitôt.* → **Illico** (fam.), **immédiatement, incontinent, instantanément** (→ les loc. À l'instant*, sans délai*, sans retard*, sans tarder*, sur-le-champ*, sur l'heure*, tout de suite*). *Aussitôt après son départ. Le complot, aussitôt* *démasqué, échoua. Je finis mon travail et je suis aussitôt à vous. Le coup partit; presque aussitôt, l'homme s'écroula. Pierre, aussitôt, répondit : «Ce n'est pas possible.»* — (Avec ellipse du verbe). *Gilles, aussitôt : «Oui, bien sûr.»*

1 Aussitôt la femme est sur pieds :
Elle manqua son aventure.
LA FONTAINE, Fables, II, 18.

2 Aussitôt, sans l'attendre et sans être attendue
Je reviens le chercher, et dans cette entrevue
Dire tout ce qu'aux cœurs l'un de l'autre contents
Inspirent des transports retenus si longtemps.
RACINE, Bérénice, I, 5.

3 On raconte de cet empereur superstitieux *(Julien)* qu'assistant un jour à une évocation de démons, il fut tellement effrayé à leur apparition, qu'il fit le signe de la croix et qu'aussitôt les démons s'évanouirent (...)
DIDEROT, Opinions des anciens philosophes, Éclectisme, *in* LITTRÉ.

4 Il reprit aussitôt son air flambant (...)
Alphonse DAUDET, le Petit Chose, XIII.

5 (...) Aucun afflux d'argent qui ne fût aussitôt absorbé par les dettes. GIDE, Dostoïevski, p. 15.

6 (...) l'administrateur Rémy, que nous avons alerté et qui va tout aussitôt procéder à une enquête.
GIDE, Journal, p. 1298.

7 Mais après, aussitôt après, quoi qu'il advînt, elle partirait!
MARTIN DU GARD, les Thibault, III, 7.

REM. L'emploi de *aussitôt*, avec ellipse du verbe et suivi de *de* et d'un inf., est propre à la langue classique.

8 Grenouilles aussitôt de sauter dans les ondes,
Grenouilles de rentrer en leurs grottes profondes.
LA FONTAINE, Fables, II, 14.

9 Le lion sort, et vient d'un pas agile.
Le fanfaron aussitôt d'esquiver :
Ô Jupiter, montre-moi quelque asile,
S'écria-t-il, qui me puisse sauver.
LA FONTAINE, Fables, VI, 2.

Vx. **DÈS AUSSITÔT** [dɛzosito]. *«Arrivés de bonne heure à Pontorson et y bâillant dès aussitôt, nous allâmes (...) traîner notre ennui le long d'une promenade»* (Flaubert, *in* T. L. F.).

♦ **2** Loc. conj. **AUSSITÔT QUE.** *Il le reconnut aussitôt qu'il le vit. Aussitôt que vous aurez fini, vous pourrez partir.* → **Dès** (dès que, dès l'instant que...). *Aussitôt qu'il fut parti, l'autre arriva.* → **Sitôt.**

10 Donc il faut le croquer aussitôt qu'on le happe.
LA FONTAINE, Fables, XI, 9.

Ellipt (littér.). *Aussitôt qu'arrivés* (aussitôt qu'ils furent arrivés). — (Cour.). *Aussitôt arrivé, il se coucha. Aussitôt la lettre reçue, vous partirez.*

11 J'en cache les deux tiers aussitôt qu'arrivés (...)
CORNEILLE, le Cid, IV, 3.

11.1 Mais aussitôt sa réponse reçue, si elle ne revenait pas j'irais la chercher. PROUST, la Fugitive, Pl., t. III, p. 475.

Loc. (1594, *in* D. D. L.). *Aussitôt dit aussitôt fait.* — Var. anc. *Aussitôt fait que dit.* — Par anal. *Aussitôt pris, aussitôt perdu.*

12 Aussitôt fait que dit : le fidèle émoucheur
Vous empoigne un pavé, le lance avec raideur (...)
LA FONTAINE, Fables, VIII, 10.

**II** Prép. Vx ou littér. Au moment de, juste après. → **Dès.** *Aussitôt leur départ. Aussitôt le jour.*

13 M. Darzac m'a ouvert lui-même. Heureusement, il n'y avait personne de blessé.
— Aussitôt mon départ de la tour, $M^{me}$ Darzac était donc rentrée chez elle?
— Aussitôt (...)
G. LEROUX, le Parfum de la dame en noir, p. 248.

REM. Cette utilisation de *aussitôt*, acceptée par Littré, est condamnée par certains puristes.

**AUSTÉNITE** [ostenit; ɔstenit] n. f. — 1903; du nom de *Austen*, métallurgiste anglais.

Techn. Constituant micrographique des aciers (à face cubique centrée) contenant une solution d'environ 2 % de carbone. → **Ferrite.**
Variété cristalline d'acier, provenant de fer cémenté à plus de 910 °C.

Quand la température descend au-dessous de 727 °C, l'austénite se sépare en deux éléments. L'un est la ferrite, ou fer pur. L'autre est le carbure de fer appelé cémentite. Cette séparation en deux phases, que l'on appelle réaction eutectoïde, donne naissance à la microstructure d'une variété d'acier appelé perlite : des couches alternées de ferrite et de cémentite.
les Débuts de l'âge de fer, *in* Pour la Science, n° 2, déc. 1977, p. 16-17.

DÉR. **Austénitique, austénitisation.**

**AUSTÉNITIQUE** [ostenitik; ɔstenitik] adj. — 1933; de *austénite.*

Techn. Qui contient de l'austénite. *Aciers austénitiques.*

(...) les fontes austénitiques contenant 13 à 20 % de nickel et qui résistent à de nombreux agents chimiques, même à des températures élevées.
Gaston COHEN, le Cuivre et le Nickel, p. 85.

**AUSTÉNITISATION** [ostenitizasjɔ̃; ɔstenitizasjɔ̃] n. f. — D. i. ($XX^e$); de *austénite.*

Techn. Transformation en austénite (d'un mélange de ferrite et de cémentite) par chauffage.

**AUSTER** [ostɛr; ɔstɛr] n. m. — Déb. $XIV^e$; v. 1120, *austre;* mot lat.

Vx, littér. Vent chaud du midi (d'où le sens de *austral*).

HOM. **Austère.**

**AUSTÈRE** [ostɛr; ɔstɛr] adj. — 1120; «âpre», $XV^e$; lat. *austerus,* du grec *austêros.*

**I** ($XV^e$-$XVII^e$). Vx. Qui dessèche la langue, qui a une saveur astringente. *Vin austère.* → **Âpre.**

Gros vin noir et austère. 1
Ambroise PARÉ, VI, 19, *in* LITTRÉ.

**II** Mod. ♦ **1** Qui se montre sévère pour soi, ne s'accorde aucun luxe ou plaisir. *Un homme austère. Un vieillard austère.* → **Ascète, dur, frugal, puritain, rigide, rigoriste, sévère, spartiate.** — Par ext. Que cette sévérité rend triste, peu agréable à fréquenter. *Un compagnon austère.*

Un philosophe austère, et né dans la Scythie, 2
Se proposant de suivre une plus douce vie (...)
LA FONTAINE, Fables, XII, 20.

Il est vrai qu'elle vit en austère personne; 3
Mais l'âge dans son âme a mis ce zèle ardent,
Et l'on sait qu'elle est prude à son corps défendant.
MOLIÈRE, Tartuffe, I, 1.

Combien voit-on de gens austères pour les autres, doux 4
pour eux-mêmes! FLÈCHIER, I, p. 196.

(Choses). Dur, rigoureux; empreint d'austérité. *La vie austère d'un ascète.* → **Ascétique.** *Morale, règle, discipline austère. L'austère sentier de la vertu.* → **Rude.** *Une vertu austère.* — (Sans contenu relig.). *Manières, sentiments austères.* → **Grave, rigide, sévère.** *Abord, mine austère. Affecter un air austère.*

Ces filles dont la vie est si pure et si austère (...) 5
PASCAL, les Provinciales, 16.

Ces mœurs austères dont vous parlez sont proprement le 6
caractère d'un sauvage et d'un farouche.
PASCAL, les Provinciales, 9.

L'excès de son avarice et la manière austère dont il vit avec 7
ses enfants. MOLIÈRE, l'Avare, I, 1.

(...) vous leur faites observer des jeûnes si austères *(aux* 8
*chevaux),* que ce ne sont plus rien que des idées ou des fantômes, ou des façons de chevaux.
MOLIÈRE, l'Avare, III, 1.

9 (...) je n'ai point d'autres pensées maintenant que de quitter entièrement tous les attachements du monde (...) et de corriger désormais par une austère conduite tous les dérèglements criminels où m'a porté le feu d'une aveugle jeunesse. MOLIÈRE, Dom Juan, V, 3.

10 (...) elle *(l'Antiquité)* nous dira que ses plus célèbres philosophes ont donné des louanges à la Comédie, eux qui faisaient profession d'une sagesse si austère, et qui criaient après les vices de leur siècle.
MOLIÈRE, Préface de Tartuffe.

11 Et parfois, n'en déplaise à votre austère honneur
Il est bon de cacher ce qu'on a dans le cœur.
MOLIÈRE, le Misanthrope, I, 1.

12 Pour moi, je suis peu fait à cet amour austère
Qui dans les seuls regards trouve à se satisfaire.
MOLIÈRE, le Dépit amoureux, I, 2.

13 Je conçois vos douleurs. Mais un devoir austère,
Quand mon père a parlé, m'ordonne de me taire.
RACINE, Andromaque, III, 4.

14 À l'austère devoir pieusement fidèle (...)
ARVERS, Sonnet.

15 L'enveloppe austère et glaciale de Claude Frollo, cette froide surface de vertu escarpée et inaccessible, avait toujours trompé Jehan.
HUGO, Notre-Dame de Paris, VII, 4.

16 Ses disciples menaient une vie fort austère, jeûnaient fréquemment et affectaient un air triste et soucieux.
RENAN, Vie de Jésus, V.

17 Mais un sourire tempérait ses propos les plus austères (...)
GIDE, Si le grain ne meurt, I, 5.

(En parlant d'une chose concrète). Qui est empreint d'austérité. *La cellule austère d'un trappiste. — Le style austère des bâtiments cisterciens.*

18 Il était laid. Des traits austères
La main plus rude que le gant.
HUGO, la Légende de la nonne.

♦ **2** Par ext. (sans contenu moral). Triste et froid; sans ornement. → **Sévère.** *Cette robe est un peu austère. Un monument austère.* → **Froid, nu.**

19 Il n'y a qu'à voir ce dessin (...) tout à fait le style de Meidias en plus austère, en moins orné (...)
N. SARRAUTE, le Planétarium, p. 296.

CONTR. **Dissolu, doux, sensuel, voluptueux; aimable, enjoué, gai.** ◊ DÉR. **Austèrement.** — HOM. **Auster.**

**AUSTÈREMENT** [ostɛʀmɑ̃; ɔstɛʀmɑ̃] adv. — 1212; de *austère.*

Rare. D'une manière austère. *«Nature austèrement passionnée»* (Sainte-Beuve). *Elle est austèrement habillée.*

**AUSTÉRITÉ** [osteʀite; ɔsteʀite] n. f. — XIIIe; lat. *austeritas,* de *austerus* → Austère.

♦ **1** Caractère de ce qui est austère (2.). *L'austérité de l'ascète, du cénobite, du puritain, du spartiate, du stoïcien.* → **Ascétisme, puritanisme, rigorisme, sobriété, stoïcisme.** *L'austérité d'une vie, des mœurs, d'une morale.* → **Sévérité; dureté, rigidité, rigueur.** — *Austérité des manières.* → **Gravité; froideur, raideur, sécheresse.** — *L'austérité du cloître.*

1 On le retient fort mal *(ce sexe)* par tant d'austérité.
MOLIÈRE, l'École des maris, I, 2.

2 Et des vœux les plus saints blâmant l'austérité (...)
BOILEAU, Satires XII.

3 Profanes amateurs de spectacles frivoles,
Dont l'oreille s'ennuie au son de mes paroles,
Fuyez de mes plaisirs la sainte austérité;
Tout respire ici Dieu, la paix, la vérité.
RACINE, Esther, Prologue.

4 Ma vie est un combat et la frugalité
Asservit la nature à mon austérité (...)
VOLTAIRE, Mahomet, II, 4.

5 Mais la franchise plaît, et non l'austérité (...)
VOLTAIRE, Tancrède, I, 2.

L'œil étonné aperçoit les pics des Alpes, toujours couverts de neige, et leur austérité sévère lui rappelle des malheurs de la vie ce qu'il en faut pour accroître la volupté présente. 6
STENDHAL, la Chartreuse de Parme, II.

(...) elle tenait en haute estime l'austérité de l'éducation aristocratique et religieuse. 7
FRANCE, le Mannequin d'osier, p. 396.

(...) petite créature à part, pensive et fière, élevée dans un milieu d'austérité protestante, hautement dédaigneuse jusqu'à ce jour pour celles que des galants reconduisaient (...) 8
LOTI, Matelot, XXXII.

Très sobre et de peu de besoins, prenant son austérité un peu chagrine pour la seule forme de la vertu révolutionnaire, il *(Roland)* était plutôt l'homme des restrictions et des censures moroses que l'homme des impulsions audacieuses. 9
JAURÈS, Hist. socialiste..., t. IV, p. 5.

Mixte, bâtarde, équivoque, d'une austérité de monastère, elle *(la caserne)* est juste, au Ministère, ce que l'Institution Petdeloup est au lycée (...) 10
COURTELINE, Messieurs les ronds de cuir, I, 2.

L'austérité de la doctrine est en raison directe des exigences de l'instinct. 11
A. MAUROIS, les Discours du D[r] O'Grady, III.

Son austérité puritaine, son accent héroïque, s'opposent rudement aux rigueurs efféminées de l'art léonardesque. 12
R. ROLLAND, Michel-Ange, p. 49.

Caractère de ce qui est sans ornement, sévère, d'aspect froid (→ **Austère,** 2.). *L'austérité d'un style..., d'un paysage* (→ ci-dessus, cit. 6).

♦ **2** Plur. Vx, littér. Exercices, pratiques austères. → **Abstinence, ascèse, mortification, pénitence.**

L'abandon à la volonté de Dieu est un moyen plus efficace que toutes les austérités extraordinaires. 13
BOSSUET, Lettres à Mme Cornuau, 10 oct. 1694.

Ne faites point d'austérités particulières que par ordre de Madame votre abbesse ou de votre confesseur : il semble qu'à force de multiplier les pénitences, vous vouliez arracher les grâces de Dieu. 14
BOSSUET, Lettre à Mme Cornuau, 28 fév. 1695.

Demandez à Dieu son secours, ne parlez qu'en charité et avec mesure, ne donnez rien à votre humeur; voilà les austérités que je vous ordonne. 15
BOSSUET, Lettre à Mme Cornuau, 26 sept. 1693.

Elle aimait tout dans la vie religieuse, jusqu'à ses austérités et à ses humiliations. 16
BOSSUET, Oraison funèbre de Anne de Gonzague.

Catherine, malgré ses continuelles infirmités affligeait son corps par des austérités continuelles. 17
RACINE, Épitaphe de C. F. de Bretagne.

♦ **3** Gestion stricte de l'économie d'un pays, comportant des mesures de restriction de la consommation, de prélèvements fiscaux, etc. *La crise rend nécessaire une politique d'austérité. Les syndicats contestent les mesures d'austérité prises par le gouvernement.* — REM. Cet emploi ne semble pas correspondre à un usage analogue de l'adj. *austère.*

CONTR. (Du sens I) **Apparat, débauche, douceur, enjouement, facilité, indulgence, plaisir, sensualité, volupté.**

**AUSTRAL, ALE, ALS** [ostʀal; ɔstʀal] adj. — 1372; lat. *australis,* de *auster* «vent du midi».

Qui est au sud du globe terrestre. *Pôle austral.* → **Antarctique, sud.** *Hémisphère austral. Afrique australe. L'alizé* (cit. 1) *austral.* — Spécialt. *Terres australes,* avoisinant le pôle sud. — Didact. *Aurore* (II.) *australe.*

Les magnifiques constellations de ce ciel austral resplendissaient. Au zénith, brillaient d'un pur éclat la splendide Antarès du Scorpion, et, non loin, cette β du Centaure que l'on croit être l'étoile la plus rapprochée du globe terrestre. Puis, à mesure que s'évasait le cratère, apparurent Fomalhaut du Poisson, le Triangle austral, et enfin, presque au pôle antarctique du monde, cette étincelante Croix du Sud, qui remplace la Polaire de l'hémisphère boréal.
J. VERNE, l'Île mystérieuse, t. I, p. 129.

CONTR. **Boréal.**

**AUSTRALANTHROPE** [ostʀalɑ̃tʀɔp; ɔstʀalɑ̃tʀɔp] n. — V. 1960; de *austral*, et *-anthrope.*

Didact., rare. Anthropoïde découvert en Afrique australe. → **Australopithèque**; → Outil, cit. 2.2.

Les Hominiens authentiques les plus anciens qu'on connaisse aujourd'hui (les Australopithèques, que Leroi-Gourhan, avec raison, préfère appeler «Australanthropes») possédaient déjà, c'est ce qui les définit d'ailleurs, les caractéristiques qui distinguent l'Homme de ses plus proches cousins, les Pongidés (c'est-à-dire les singes anthropoïdes). Les Australanthropes avaient adopté la station debout, associée non seulement à une spécialisation du pied, mais à de nombreuses modifications du squelette et de la musculature, notamment de la colonne vertébrale et de la position du crâne par rapport à celle-ci.

Jacques MONOD, le Hasard et la Nécessité, p. 168.

DÉR. **Australanthropien.**

**AUSTRALANTHROPIEN** [ostʀalɑ̃tʀɔpjɛ̃; ɔstʀalɑ̃tʀɔpjɛ̃] n. m. — V. 1970; de *australanthrope.*

Didact. Hominien apparenté à l'australanthrope.

**AUSTRALIANISME** [ostʀaljanism] n. m. — D. i. (xxe); angl. *australianism* (1891, *in* Oxford, *Suppl.*), de *australian* «australien».

Forme linguistique (mot, tournure ...) propre à l'anglais d'Australie (par rapport à l'anglais britannique). *Dictionnaire d'australianismes.*

**AUSTRALIEN, IENNE** [ostʀaljɛ̃, iɛn; ɔstʀaljɛ̃, iɛn] adj. et n. — 1842; de *Australie.*

Relatif à l'Australie, à ses habitants. *L'économie australienne. Les aborigènes australiens. — Langues australiennes,* des aborigènes d'Australie.

N. *Un Australien, une Australienne. Australiens autochtones.* → **Aborigène; australoïde.** *Australiens d'origine britannique.*

DÉR. **Australoïde.**

**AUSTRALOÏDE** [ostʀalɔid; ɔstʀalɔid] adj. — 1936, Lowie; de *Australien*, et *-oïde.*

Anthrop. Se dit des ethnies dont les caractères anthropologiques sont voisins de ceux des aborigènes australiens. *On a qualifié les Aïnus (Aïnous) d'ethnies australoïdes.*

**AUSTRALOPITHÈQUE** [ostʀalopitɛk; ɔstʀalopitɛk] n. m. — Av. 1955; lat. sav. *Australopithecus africanus,* créé par l'angl. R. A. Dart, 1925, de *australis* «austral», et grec *pithêkos* «singe».

Anthropoïde fossile (Hominiens), découvert en Afrique du Sud, qui savait tailler la pierre et faire du feu. → **Australanthrope,** cit.; **paranthrope,** cit.

1 Entre les Primates et l'homme, la distance était encore bien grande et de nombreux paléontologistes cherchaient les chaînons manquants. En 1925, en Afrique du Sud au nord de Kimberley, A. Dart découvrait dans les tufs calcaires une tête osseuse incomplète (...) La face est projetée en avant et les mâchoires sont très robustes, avec un volume du cerveau assez faible, mais une denture tout à fait humaine.
Est-ce le fameux chaînon manquant? Il en est si peu sûr qu'après avoir hésité entre l'homme et le singe, il l'appelle Australopithèque, c'est-à-dire singe du monde austral (...) Cet Australopithèque n'aurait peut-être pas fait une grande carrière si R. Broom ne s'y était intéressé : «Il ne s'agit pas d'un singe mais d'un humain» et R. Broom cherche longtemps le fossile adulte qui devait clarifier le problème. Il le trouva dans la poche d'un gamin, sous la forme de quatre dents extraites à coups de caillou d'une mâchoire que Broom parvint à peu près à reconstituer et ce fut le Paranthrope.

Jules CARLES, le Premier Homme, p. 19-20.

2 On se perd en conjectures sur les manœuvres auxquelles se livrèrent les australopithèques *(par exemple)* pour empêcher leurs rejetons imberbes d'acquérir la fonction du langage et la capacité d'inventer des outils.

R. QUENEAU, Bâtons, chiffres et lettres, p. 149.

**AUSTRASIEN, ENNE** [ostʀazjɛ̃, ɛn; ɔstʀazjɛ̃, ɛn] adj. et n. — Mil. xvie; de *Austrasie,* royaume de la Gaule mérovingienne.

Hist. Relatif à l'Austrasie, à ses habitants.

N. *Les Austrasiens.*

**AUSTRO-** Élément, du lat. *Austria* «Autriche», signifiant «autrichien». Ex. : *austro-hongrois, oise; austro-russe; austro-sarde. — Austrophile* [ostʀɔfil] adj. et n. Qui aime l'Autriche.

**AUSWEIS** [awsvajs] n. m. — 1941; mot allemand, même sens.

Laissez-passer, et, spécialt, laissez-passer qui permettait, pendant l'occupation allemande en France, de circuler entre la zone libre et la zone occupée.

Nous étions cinq en zone libre, et quatre dans l'autre, (...) 1
Le Préfet insista, me promit un ausweis et s'offrit à me faire retenir une couchette dans le train.

Francis CARCO, Nostalgie de Paris, p. 266.

Comment franchir la ligne de démarcation? Je renonçai 2
vite à obtenir un ausweis. L'ennui m'épouvantait de remplir des formulaires, de rassembler des attestations, d'attendre dans des bureaux; pour m'en dispenser, je pris prétexte des quelques échecs dont la rumeur me parvint de gens qui avaient les meilleures raisons du monde, même les plus impérieuses, d'aller en zone libre, que les Allemands avaient fait languir des semaines, puis repoussés. Je passerais en fraude.

Jacques LAURENT, les Bêtises, p. 69.

**AUTAN** [otɑ̃] n. m. — 1545, *aultan;* mot provençal, du lat. *altanus* «vent de la haute mer».

Régional (Midi de la France) ou littér. Vent orageux qui souffle du Sud ou du Sud-Ouest. — Poét. *Les autans :* les vents impétueux.

Il dit : et les autans troublent déjà la plaine. 1

LA FONTAINE, Philémon et Baucis, 104.

L'aquilon s'époumone, et l'autan se harasse. 2

HUGO, la Légende des siècles, «Éviradnus».

Une lueur qui tremble au souffle de l'autan (...) 3

HUGO, la Légende des siècles, «Pleine mer».

HOM. **Autant.**

**AUTANT** [otɑ̃] adv. — 1190, *altant;* du lat. *alterum* «autre», et *tantum* «tant».

**A** *Autant que...* ♦ **1 AUTANT DE** (et subst.) **QUE...** Marque une relation d'égalité entre deux termes de comparaison. *Produire autant d'avoine que de blé. Il est né autant de garçons que de filles. Il en a autant que de... — Tu as eu autant de chance que lui, sinon plus. J'ai autant d'estime pour son livre que pour le vôtre. — Vous avez autant de temps que vous voudrez. Il a mangé autant de fraises qu'il a pu en ramasser en une heure. — Il n'avait pas autant d'expérience que maintenant, qu'aujourd'hui.*

L'esclave n'a qu'un maître : l'ambitieux en a autant qu'il y 1
a de gens utiles à sa fortune.

LA BRUYÈRE, les Caractères, VIII, 70.

Il y a autant de faiblesse à fuir la mode qu'à l'affecter. 2

LA BRUYÈRE, XIII, 11.

(Sans le compl. en *de*...). Nominal. *Cette bouteille contient autant que l'autre. Nous avons produit autant que l'année dernière.* — REM. L'emploi absolu (sans compl. en *que*...) est traité sous B., ci-dessous.

♦ **2 AUTANT QUE...** Marque une relation d'égalité entre deux termes d'une comparaison. → **Comme.** *Rien ne plaît autant que la nouveauté. Ce pantalon me convient autant qu'un autre. Vous le connaissez presque autant que moi. J'en souffre autant que vous. On le craint autant que la peste. Il travaille autant qu'il peut. Il est capable de se battre autant* *que de rentrer sa colère.* — (Sert à relier deux parties d'un sujet complexe). *Son père, autant que son frère, sont de grands buveurs.*

3 Leur amitié fut courte autant qu'elle était rare;
Le sang les avait joints, l'intérêt les sépare (...)
LA FONTAINE, Fables, IV, 18.

4 Quel esprit ne bat la campagne?
Autant les sages que les fous (...)
LA FONTAINE, Fables, VII, 10.

5 L'art de persuader consiste autant en celui d'agréer qu'en celui de convaincre.
PASCAL, l'Esprit géométrique, 2.

6 Je lis la Bible autant que l'Alcoran.
BOILEAU, Lutrin, 4.

7 Toute la nature veut honorer Dieu et adorer son principe autant qu'elle en est capable.
BOSSUET, Sermon sur le culte dû à Dieu.

8 Vouloir être justes et ne voir, autant qu'on le peut, les choses que comme elles sont (...)
VOLTAIRE, Lettre à Mme du Deffand, 29 juil. 1771.

9 Folle dont je suis affolé,
Je te hais autant que je t'aime!
BAUDELAIRE, les Fleurs du mal, CXXIX, « À celle qui est trop gaie ».

10 Leur aisance à s'exprimer en français surprenait André Lhéry autant que leur audace apeurée.
LOTI, les Désenchantées, II, 6.

11 Chez ces jeunes et ces simples, qui vivent là isolés du reste du monde, l'être individuel s'annihile, autant que dans les communautés religieuses (...) LOTI, Matelot, XXI.

12 *(Une affirmation)* qui risque de choquer autant que de surprendre. F. BRUNOT (→ Affirmation, cit. 1).

13 On ne souffre jamais autant qu'on le croit.
Edmond JALOUX, Fumée dans la campagne, XIX.

13.1 (...) Du train dont ils mènent leur barque, il pourrait bien leur en arriver autant qu'aux Bonnardel (...)
Alphonse DAUDET, Fromont jeune et Risler aîné, p. 229.

Fam. *Être autant* (qqch.) *que* (qqch.), aussi bien que...

13.2 Je comprenais qu'ils avaient glissé tous les deux dans l'herbe contre la hutte et ce qui me parvenait aurait pu être autant des sanglots, que les roucoulements des pigeons d'Ingrattière.
Henri MONNIER, les Filles du feu, p. 287.

Pop. (régional et rural). *Autant comme...* : autant que...

13.3 (...) c'est juste qu'on profite du soir. Vous y avez droit autant comme n'importe qui.
M. AYMÉ, la Vouivre, p. 93.

*Autant comme autant* : selon la circonstance. — Régional (Bretagne). *Autant que l'on peut en désirer* : en grande quantité.

♦ **3 AUTANT QUE...** Loc. conj. Dans la mesure où. *On n'est respecté qu'autant qu'on est juste* (Académie). *Cela n'a d'intérêt qu'autant qu'on en profite. Autant qu'il est possible.* — Loc. *Autant que possible* (fam. et par plais. *autant que po-po). Autant que faire se peut. Autant que je sache. — Autant que j'en puis juger, que j'en puisse juger. Autant qu'il m'en souvient, autant qu'il m'en souvienne.*

14 Tu n'as crédit ni rang qu'autant qu'elle t'en donne (...)
CORNEILLE, Cinna, V, 1.

15 Il n'est plus mon sujet qu'autant qu'il le veut être (...)
CORNEILLE, Nicomède, II, 1.

16 Que j'ai sur votre vie un empire suprême,
Que vous ne respiriez qu'autant que je vous aime?
RACINE, Bajazet, II, 1.

17 Vous qui ne respirez qu'autant que mon courroux,
Retenu trop longtemps, s'est arrêté sur vous.
VOLTAIRE, la Mort de César, I, 3.

18 (...) on ne peut connaître son caractère et surtout l'influence qu'on a sur lui, qu'autant qu'on a passé par beaucoup d'alternatives de joie et de malheur.
STENDHAL, Souvenirs d'égotisme, p. 198.

19 La plupart des hommes ne pensent qu'autant qu'ils parlent. R. ROLLAND, Musiciens d'aujourd'hui, p. 40.

Malheureusement, je n'avais pas le temps de prolonger indéfiniment ces visites, car je voulais, autant que possible, ne pas rentrer après mon amie. 19.1
PROUST, la Prisonnière, Folio, p. 41.

Aussi longtemps que. *Je resterai près d'elle autant qu'elle vivra. Autant que vous vivrez, autant que votre vie.* → **Toujours.** *Durer autant que...*

Puisse ce sentiment que je vous inspire aujourd'hui durer autant que ma vie, dit Corinne, ou du moins puisse ma vie ne pas durer plus que lui! 20
Mme DE STAËL, Corinne, V, 3.

Les gouvernements impopulaires durent autant que les autres. FRANCE, M. Bergeret à Paris, p. 384. 21

Littér. (introduit une opposition). *Autant qu'il ait bu, il tient encore debout.*

Autant qu'il ait plu, le sable d'Argelouse ne retient aucune flaque. 22
F. MAURIAC, Thérèse Desqueyroux, XII, p. 217.

*Pour autant que..., pour autant.* → **Pour** (cit. 68, 69).

♦ **4 AUTANT** (et adj.) **QUE...** (marquant un rapport d'égalité dans une comparaison). [a] Vx. → **Aussi.**

(...) mille artifices autant indignes qu'inutiles (...) 23
BOSSUET, Oraison funèbre de Anne de Gonzague.

Passons chez Octavie, et donnons-lui le reste 24
D'un jour autant heureux que je l'ai cru funeste.
RACINE, Britannicus, V, 3.

Un raffinement d'intempérance autant indigne de mes éloges qu'une artificieuse simplicité (...) 25
ROUSSEAU, Disc. contre les sciences.

[b] Mod. **AUTANT QUE...** (et adj.).

Votre belle âme est haute autant que malheureuse, 26
Mais elle est inhumaine autant que généreuse.
CORNEILLE, Polyeucte, IV, 6.

Charitable autant que peu sage (...) 27
LA FONTAINE, Fables, VI, 13.

Douce, familière, agréable autant que ferme et vigoureuse, elle savait persuader et convaincre aussi bien que commander, et faire valoir la raison non moins que l'autorité. 28
BOSSUET, Oraison funèbre de Henriette-Marie de France.

[c] (Adj.) Archaïque et littér. **AUTANT QUE...** (et subst.).

Un essaim de menues occupations harcelantes autant que des mouches (...) GIDE, Journal, 23 janv. 1932. 29

**B** (Emplois sans *que*, avec la même valeur que A., 1.).

♦ **1** Absolt (nominal). Compl. en *que* sous-entendu. *Cette bouteille contient autant. La maison concurrente a gagné autant. Sa voiture vaut autant, tout autant. — Il fera autant pour vous.*

Mettez une pierre à la place, 30
Elle vous vaudra tout autant (...)
LA FONTAINE, Fables, IV, 20.

S'il en faut faire autant afin que l'on me flatte. 31
LA FONTAINE, Fables, IV, 5.

Loc. fam. *Autant pour moi* : je reconnais que je me suis trompé (plus ou moins confondu avec *au temps*, cit. 12.2, *pour moi*).

En fonction de compl., antéposé. Vx ou littér. **AUTANT VAUT** (et inf.). *Autant vaut se taire. Autant vaudrait parler à un sourd.*

(...) Autant vaut mon enfant (...) 32
J.-F. REGNARD, le Bal, 4.

Absolt, vx. *Ou autant vaut* : ou peu s'en faut. *C'est un homme mort ou autant vaut.*

Notre boussole est trouvée, ou autant vaut (...) 33
ROUSSEAU, Émile, III.

Ellipt. *Autant en rire* : on peut aussi bien en rire. *Autant se taire. Autant dire tout de suite qu'il ne viendra pas.*

— Non, laissez-moi! reprenait l'apothicaire, laissez-moi! fichtre! Autant s'établir épicier, ma parole d'honneur! 34
FLAUBERT, Mme Bovary, III, 2.

Autant vaudrait, pour recommander le silence, tirer des pétards et (...) 35
G. DUHAMEL, Défense des Lettres, I, 9.

Régional (belgicisme). Telle somme, telle quantité. → **Tant.** *Je gagne autant par mois. Je dépense autant pour ma voiture.*

♦ **2** Avec *en* suivi d'un inf. correspond à *autant de... que...* (ci-dessus A., 1.). *Tâchez d'en faire autant*, de faire la même chose, de faire autant. *Je ne peux pas en dire autant. Fais-en autant !*

36 J'aimerais pouvoir en dire autant de mes confrères écrivains (...) G. DUHAMEL, Défense des lettres, II, 6.

♦ **3 AUTANT DE** (et subst. reprenant une proposition antérieure avec un sujet au pluriel ou à sens collectif, → cit. 37) : chacun (des éléments en question) étant... «*Tous ses discours sont autant d'impostures*» (Académie).

37 Tout cela n'est qu'autant de propos superflus.
CORNEILLE, la Galerie du Palais, I, 8.

38 *(Ces hommages qu'on lui rendait)* étaient autant d'offrandes qu'elle faisait intérieurement à Jésus-Christ crucifié.
FLÉCHIER, Oraison funèbre de Marie-Thérèse d'Autriche.

39 (...) ces servantes ou esclaves jour et nuit aux aguets, suivant l'usage (...) comme autant de chiens de garde familiers et indiscrets. LOTI, les Désenchantées, III, 28.

♦ **4** Prov. (*autant* est en fonction de complément, antéposé). *Autant en emporte le vent* : tout (ce dont il est question) sera emporté, détruit (se dit de promesses en l'air, de paroles, d'actes sans effet durable).

40 On fait dessein, au fort de sa colère,
De la quitter, et l'on en fait serment.
Mais des serments que le dépit fait faire
Contre un objet qu'on aime chèrement,
Autant en emporte le vent.
BUSSY-RABUTIN, Maximes d'amour.

♦ **5** (Sans comparaison, même implicite). Une quantité aussi grande, aussi importante. → **Tant, tel** (une telle quantité de...). — *Autant de...* et n. *Je ne pensais pas qu'il aurait autant de patience.* — (Avec un verbe). *Comment un homme qui a autant voyagé peut-il avoir de tels préjugés !*

**C AUTANT..., AUTANT...** (devant deux propositions), introduisant les éléments d'une comparaison. *Autant il est charmant avec elle, autant il est désagréable avec nous.*

41 Autant que de David la race est respectée,
Autant de Jézabel la fille est détestée (...)
RACINE, Athalie, I, 2.

42 Autant que ses armées navales *(de la Hollande)* étaient disciplinées, autant ses troupes de terre étaient mal tenues et méprisables (...)
VOLTAIRE, le Siècle de Louis XIV, 10.

43 Autant le toucher concentre ses opérations autour de l'homme, autant la vue étend les siennes au delà (...)
ROUSSEAU, Émile, II.

44 On compare en se servant de propositions coordonnées : autant je l'estimais jadis, autant je le méprise maintenant (...) F. BRUNOT, la Pensée et la Langue, p. 731.

45 Autant la technique du théâtre au XVII^e siècle imposait à l'auteur l'unité de lieu, autant la technique de l'écran enseigne au XX^e siècle la simultanéité et l'ubiquité.
A. MAUROIS, Études littéraires, t. II, p. 144.

*Autant de... autant de...* : il y a le même nombre de... que de... Prov. *Autant d'hommes, autant d'avis.*

**D** (Loc. adv. et conj.). ♦ **1** Loc. adv. **D'AUTANT** : à proportion. *Cela augmente d'autant son profit.* — Loc. Vx. *Boire d'autant* : boire beaucoup. → cit. 48, 49.

46 *(Femme)* qui fait la froide pour allumer d'autant celui qui la poursuit. (...)
MALHERBE, Trad. SÉNÈQUE, Bienfaits, IV, 14.

47 J'ôte le superflu, dit l'autre, et l'abattant,
Le reste en profite d'autant (...)
LA FONTAINE, Fables, XII, 20.

48 Tous trois burent d'autant (...)
LA FONTAINE, Fables, II, 10.

Je n'aurais qu'à chanter, rire, boire d'autant (...) 49
BOILEAU, Satires, II.

À mesure que, dans chaque nation, une de ces causes agit avec plus de force, les autres lui cèdent d'autant. 50
MONTESQUIEU, l'Esprit des lois, XIX, 4.

Loc. conj. **D'AUTANT QUE** : vu, attendu que.

Dans ces matières-là, il faut procéder avec circonspection : (...) d'autant que les fautes qu'on y peut faire sont (...) d'une dangereuse conséquence. 51
MOLIÈRE, l'Amour médecin, II, 5.

Il s'assimilait lui-même des éléments de toutes provenances, parfois assez disparates, et dont la disparité ne le choquait ni le gênait, d'autant qu'il leur faisait souvent subir une sorte d'accommodation qui suffisaient à leur donner une homogénéité superficielle. 52
Gaston PARIS, *in* J. BÉDIER, le Roman de Tristan et Iseut, Préface, p. 4.

♦ **2** **a** Loc. conj. **D'AUTANT PLUS QUE** [dotɑ̃plykə] : encore plus à mesure que, encore plus pour cette raison que...

Je l'aime d'autant plus que plus elle te fâche (...) 53
CORNEILLE, Horace, IV, 4.

(...) un exemple fabuleux, et qui s'insinue avec d'autant plus de facilité et d'effet qu'il est plus commun et plus familier ? LA FONTAINE, Fables, Préface. 54

La chaleur était suffocante, d'autant plus qu'on ne sentait pas comme à Indret l'espace et le vent de la mer. 55
Alphonse DAUDET, Jack, t. II, p. 566.

Le monde des affaires était en d'autant plus mauvais arroi que depuis quelque temps, les finances publiques ellesmêmes se trouvaient en crise (...) 56
Louis MADELIN, Hist. du Consulat et de l'Empire, t. V, XXI.

**b** Loc. adv. **D'AUTANT PLUS.**

(...) Cinna seul dans sa rage s'obstine 57
Et contre vos bontés d'autant plus se mutine.
CORNEILLE, Cinna, IV, 1.

(...) Un coupable aimé triomphe *(du plus bouillant courroux)* 58
D'autant plus aisément, Madame, quand l'offense
Dans un excès d'amour peut trouver sa naissance (...)
MOLIÈRE, Dom Garcie, III, 1.

(...) si on lui objecte que ce préfet est protestant, il répond qu'il devait y aller d'autant plus. 59
Louis MADELIN, Hist. du Consulat et de l'Empire, t. VI, II.

♦ **3** **a** Loc. adv. **D'AUTANT MIEUX** : encore mieux à cause de cela. *Il a lui-même participé à ce travail et en connaît d'autant mieux les défauts.*

Il voit la servitude où le Roi s'est soumis, 60
Et connaît d'autant mieux les dangereux amis.
CORNEILLE, Nicomède, III, 2.

**b** Loc. conj. **D'AUTANT MIEUX QUE** : encore mieux pour la raison que. *La chaleur se conserve d'autant mieux que vous fermez plus vite la marmite.*

Le vénérable auditeur remplissait d'autant mieux cette condition (...) que son attention ne pouvait être distraite par aucun bruit. HUGO, Notre-Dame de Paris, VI, 1. 61

♦ **4** **a** Loc. adv. **D'AUTANT MOINS** : encore moins pour cette raison. *Il avait peu d'argent et osait d'autant moins en emprunter.*

**b** Loc. conj. **D'AUTANT MOINS QUE** : encore moins pour la raison que. → Moins, cit. 13. *J'ai d'autant moins envie de le faire que je l'ai déjà fait une fois.*

Et je dois d'autant moins oublier la vertu 62
Qu'elle même s'oublie (...) RACINE, Esther, II, 3.

CONTR. **Moins, plus.** ◊ HOM. **Autan, ôtant** (du v. ôter).

**AUTARCIE** [otaʀsi] n. f. — 1931; *autarchie*, 1896; *autarcie* «sobriété, frugalité; bien-être», 1793; grec *autarkeia*, de *autos* «soi-même», et *arkein* «suffire».

Didact. État d'un groupe, d'un pays qui se suffit à lui-même, n'a pas besoin de l'étranger pour satisfaire à ses besoins; économie fermée. *Vivre en autarcie. Politique d'autarcie, d'isolement économique.* → **Autoconsommation, autosuffisance.**

Par ext. État de ce qui se suffit à soi-même, n'entretient pas d'échanges avec l'extérieur. *Autarcie intellectuelle.* → **Autonomie.**

DÉR. **Autarcique.**

**AUTARCIQUE** [otaʀsik] adj. — 1938; *autarchique,* 1928; de *autarcie.*

Didact. Fondé sur l'autarcie. *Politique, économie autarcique.*

**AUTEL** [otɛl; ɔtɛl] n. m. — V. 1080; *alter,* fin XI^e; du lat. *altare,* de *altus* «haut».

♦ **1** Dans l'Antiquité, Tertre de gazon, table de pierre à l'usage des sacrifices offerts aux dieux. *Dresser, élever un autel aux dieux. Autel domestique.* → **Laraire.** *Autel funéraire. Autel votif. Autel du feu sacré.* → **Foyer, pyrée.** *Autel des sacrifices, des holocaustes. Immoler une victime sur l'autel des holocaustes. Déposer les offrandes sur l'autel. Autel consacré à Jupiter. Briser un autel. Profaner, souiller un autel.*

1 Et Yahweh dit à Moïse : «(...) Tu m'élèveras un autel de terre, sur lequel tu offriras tes holocaustes et tes sacrifices pacifiques, tes brebis et tes bœufs (...) Si tu m'élèves un autel de pierre, tu ne le construiras point en pierres taillées, car en levant ton ciseau sur la pierre, tu la rendrais profane (...)» BIBLE (CRAMPON), Exode, XX, 24-25.

2 Tels furent les dons des princes d'Israël pour la dédicace de l'autel, le jour où on l'oignit (...)
BIBLE (CRAMPON) Nombres, VIII, 84.

3 J'ai profané leur temple et brisé leurs autels (...)
CORNEILLE, Polyeucte, V, 3.

4 En vain sur les autels ma main brûlait l'encens (...)
RACINE, Phèdre, I, 3.

5 On verra de David l'héritier détestable
Abolir tes honneurs, profaner ton autel,
Et venger Athalie, Achab et Jézabel (...)
RACINE, Athalie, V, 6.

6 «Si, dans un sacrifice auguste et solennel,
Une fille du sang d'Hélène,
De Diane, en ces lieux, n'ensanglante l'autel (...)»
RACINE, Iphigénie, I, 1.

7 On dresse deux autels de gazon. L'encens fume, le sang des victimes coule. FÉNELON, Télémaque, 24.

8 La maison d'un Grec ou d'un Romain renfermait un autel; sur cet autel il devait toujours y avoir un peu de cendre et des charbons allumés (...) car si le feu s'éteignait, c'était un dieu qui cessait d'être.
FUSTEL DE COULANGES, la Cité antique, I, 3.

9 L'autel du feu sacré fut personnifié; on l'appela estia, Vesta; le nom fut le même en latin et en grec, et ne fut pas d'ailleurs autre chose que le mot qui dans la langue commune et primitive désignait un autel.
FUSTEL DE COULANGES, la Cité antique, I, 3.

10 C'était là (sur le parvis des prêtres du temple de Salomon) que se trouvait l'autel des holocaustes au feu perpétuel (...)
DANIEL-ROPS, Peuple de la Bible, III, 2, p. 196.

Loc. littér. *Dresser, élever des autels à qqn* (au propre ou au fig.), *à la gloire de qqn,* l'égaler à une divinité. *Mériter des autels,* des honneurs extraordinaires.

11 Cependant à Pompée élevez des autels;
Rendez-lui les honneurs qu'on rend aux immortels (...)
CORNEILLE, Pompée, III, 2.

12 L'apologue est un don qui vient des immortels,
Ou, si c'est un présent des hommes,
Quiconque nous l'a fait mérite des autels.
LA FONTAINE, À M^me de Montespan.

13 Nous sommes trois, Diderot, d'Alembert et moi, qui vous dressons des autels (...)
VOLTAIRE, Lettre à Catherine II, 8.

14 L'antiquité eût élevé des autels à ce vaste et puissant génie *(Franklin)* qui, au profit des mortels, embrassant dans sa pensée le ciel et la terre, sut dompter la foudre et les tyrans (...) MIRABEAU, Collection, t. III, p. 394.

Par métaphore. Objet d'adoration, d'idolâtrie, d'amour, de culte, de vénération.

Donc tu fais de toi l'axe et le sommet des êtres! 15
Ton ventre est ton autel et tes sens sont tes prêtres (...)
HUGO, la Légende des siècles, XLIV, «Passé et avenir».

Toute femme est un autel, la chose pure, la chose sainte, où l'homme, ébranlé par la vie, peut à chaque heure trouver la foi, retrouver sa propre conscience, conservée plus pure qu'en lui. MICHELET, la Femme, p. 163. 16

Loc. métaphorique. *Mettre, placer, élever sur un autel.* → Mettre sur un piédestal*.

(...) la chute de l'objet aimé est d'autant plus profonde qu'ils l'avaient érigé sur un plus sublime autel; leur idéalisme déçu a de terribles retours. 17
F. MAURIAC, le Jeune Homme, p. 46.

**AUTEL** : symbole d'immolation, de sang, de sacrifice. *Sacrifier* (qqch. ou qqn) *sur l'autel de...*

L'humilité est l'autel sur lequel Dieu veut qu'on lui offre des sacrifices. LA ROCHEFOUCAULD, Maximes, 537. 18

(...) La terre entière, continuellement imbibée de sang, n'est qu'un autel immense où tout ce qui vit doit être immolé sans fin, sans mesure, sans relâche, jusqu'à la mort de la mort. 19
J. DE MAISTRE, les Soirées de St-Pétersbourg, 7^e entretien.

Il écrivit ces lignes un peu pour se libérer de la hargne, pour immoler quelqu'un symboliquement, sur l'autel de la colère. G. DUHAMEL, le Voyage de P. Périot, V. 20

**AUTEL DE LA PATRIE** : autel symbolisant la patrie. *Un colossal autel de la patrie fut érigé au milieu du Champ-de-Mars pour la fête de la Fédération* (1790).

Au centre de cette cour, un «autel de la patrie» se dressait, que le général *(Bonaparte)* viendrait saluer (...) 21
Louis MADELIN, Hist. du Consulat et de l'Empire, t. II, 15.

(1735, Le Roux). Spécialt (vx). *L'autel de Vénus, de l'amour, d'Éros...,* absolt, *l'autel* : les parties génitales (de la femme), et, par ext., toute partie du corps utilisée érotiquement (syn. : *temple*).

Tantôt il *(le membre viril)* se niche là (...) c'est sa route ordinaire (...) la bouche, le sein, les aisselles lui présentent souvent encore des autels où brûle son encens (...) 21.
SADE, la Philosophie dans le boudoir, p. 32.

♦ **2** Table où l'on célèbre la messe catholique. *L'autel d'une église, d'une basilique, d'une chapelle. L'autel principal* (ou *maître-autel*) *se dresse au milieu du chœur dans le sanctuaire* ordinairement entouré d'une balustrade* (→ **Chancel, table**). — *Table d'autel. Pierre d'autel :* pierre sur laquelle le prêtre consacre et qui a été auparavant consacrée par un évêque. — *On scelle dans la pierre d'autel les reliques que tout autel doit contenir. Autel portatif :* pierre consacrée qui peut être transportée hors de l'église pour célébrer la messe en pleine campagne. *Autel temporaire.* → **Reposoir.** *Coffre d'autel des premiers chrétiens. Le tabernacle* renfermant le ciboire*, est placé au-dessus de la table de l'autel. Canon* d'autel. Décoration, ornements de l'autel.* → **Baldaquin** (ciborium), **chandelier, cierge, custode, dais, diptyque, gradin, nappe, parement, retable, triptyque, vase.** *Parer le devant d'un autel. Linge d'autel.* → **Corporal.** *Le côté droit de l'autel :* le côté de l'Épître. *Le côté gauche de l'autel :* le côté de l'Évangile. *Une crédence est placée à droite de l'autel. — Sacrifice de l'autel.* → **Messe.** *Le saint sacrement de l'autel.* → **Eucharistie, sacrement.**

Un prêtre fervent est à l'autel le ministre de toutes les grâces répandues sur le corps de l'Église (...) 22
MASSILLON, Conférences, Excellence du sacerdoce.

Et ces autels chrétiens, modelés comme des tombeaux antiques, et ces images du soleil vivant renfermées dans nos tabernacles (...) 23
CHATEAUBRIAND, le Génie du christianisme, IV, I, 2.

24 Alors le sacrificateur monte à l'autel, s'incline, et baise avec respect la pierre qui, dans les anciens jours, cachait les os des martyrs.
CHATEAUBRIAND, le Génie du christianisme, IV, I, 6.

24.1 (...) un très bel autel roulant, recouvert de plaques d'argent gravé, don d'une grande dame, que l'on ne risquait d'ailleurs que pendant les pèlerinages riches, de crainte que l'humidité ne l'abîmât. ZOLA, Lourdes, p. 4.

25 (...) elle s'assoupit doucement à la langueur mystique qui s'exhale des parfums de l'autel (...)
FLAUBERT, Mme Bovary, I, 6.

*Maître-autel :* l'autel principal (d'une église). → **Maître** (cit. 108 et *supra*).

25.1 Une grille toute dorée, transparente comme une dentelle, fermait le chœur, où le maître-autel, de marbre blanc, couvert de sculptures, avait une somptuosité de candeur virginale. ZOLA, Lourdes, p. 123.

Loc. *S'approcher* (cit. 36, 62) *de l'autel* (en parlant des fidèles) : communier. — (En parlant du prêtre). Dire la messe.

Loc. fig. (vieilli). *Aller à l'autel :* se marier. *Conduire, suivre une personne à l'autel,* l'épouser. *Mener* (1. Mener, cit. 5) *une femme à l'autel. Traîner une personne à l'autel,* l'épouser contre son gré.

26 Venez, et qu'à l'autel ma promesse accomplie
Par des nœuds éternels l'un à l'autre nous lie.
RACINE, Mithridate, IV, 4.

27 On attendait la dispense de Rome pour aller à l'autel (...)
MARMONTEL, Mémoires, VIII.

♦ **3** Fig. **L'AUTEL** : la religion, l'Église. *Le trône et l'autel.*

28 Et les droits de l'autel sont avant ceux du trône (...)
François RAYNOUARD, les États de Blois, II, 5.

Par métaphore du sens 1. *Relever les autels :* restaurer le culte chrétien.

29 (...) s'il *(Napoléon)* a «relevé les autels», c'est qu'il a voulu que reprît vigueur la morale chrétienne – ce qu'il appelait «la religion des Dix Commandements».
Louis MADELIN, Hist. du Consulat et de l'Empire, t. IV, 12.

Loc. *Élever autel contre autel :* faire un schisme dans l'Église. — Par ext. Former une entreprise rivale.

30 On élève autel contre autel (...)
BOSSUET, Annonciation de la Sainte-Vierge, I, *in* LITTRÉ.

Prov. *Le prêtre vit de l'autel. Qui sert à l'autel doit vivre de l'autel :* chacun vit de sa profession.

31 Le prêtre, dit saint Paul, doit vivre de l'autel.
SANLECQUE, Épître sur la fausse dévotion, *in* GUERLAC.

*Ami jusqu'aux autels :* ami à tout faire, excepté à agir contre la religion, contre la conscience.

**HOM. Hôtel.**

**AUTEUR** [otœʀ] n. m. — V. 1160, *auctur* «écrivain»; 1174, *autor* «celui qui est à l'origine (de qqch.)»; du lat. *auctor* «celui qui accroît, qui fonde», de *augere* «accroître, augmenter».

♦ **1** Personne (ou principe personnel) qui est la première cause (d'une chose), qui est à l'origine (d'une chose), qui a fait (une chose). → **Cause, créateur, principe.** *Le divin, le souverain auteur, l'auteur du monde, l'auteur de l'univers, de la nature, des choses, de toutes choses.* → **Dieu.** *Être l'auteur de son destin, de ses propres maux.* → **Artisan.** *L'auteur d'un système.* → **Fondateur.** *L'auteur d'une découverte, d'un procédé, d'un plan, d'un projet.* → **Inventeur.** *L'auteur d'une traduction, d'une constitution. Elle nie être l'auteur du crime. L'auteur d'une infraction, d'un accident.* → **Coupable, responsable.** *Ils sont les principaux auteurs de la sédition.* → **Initiateur, promoteur.**

Jésus-Christ (...) l'auteur et le consommateur de la vertu aussi bien que de la foi. 1
GUEZ DE BALZAC, 2e Discours sur la cour.

Grâce à l'auteur de l'univers, 2
Je suis oiseau, voyez mes ailes. LA FONTAINE, II, 5.

Et souvent la perfidie 3
Retourne sur son auteur.
LA FONTAINE, Fables, IV, 11.

Le miracle en est grand; Amour en fut l'auteur : 4
Il en fait tous les jours de diverse manière (...)
LA FONTAINE, les Filles de Minée, 476.

Que toujours son auteur *(d'une offense)* impute à l'offensé 5
Un vif ressentiment dont il le croit blessé (...)
CORNEILLE, Rodogune, I, 5.

J'en suis le seul auteur, elle n'est que complice (...) 6
CORNEILLE, Cinna, V, 2.

Auteur de tous mes maux, crois-tu qu'il les ignore? 7
RACINE, Andromaque, III, 6.

(...) les principaux auteurs de sa chute *(de Robespierre)* furent les deux pires hommes de France, Tallien et Fouché. 8
MICHELET, Hist. de la révolution franç., p. 905.

Molière a été le principal auteur de la révolution littéraire de 1660 (...) 9
Émile FAGUET, XVIIe s., Études littéraires, p. 266.

«Dieu soit donc loué!» répondit Harbert, dont le cœur pieux était plein de reconnaissance pour l'Auteur de toutes choses. J. VERNE, l'Île mystérieuse, t. I, p. 48. 9.1

Littér., vx ou par plais. *Les auteurs d'une race,* ceux dont elle descend. → **Ancêtre.** *Les auteurs de nos jours :* nos parents. — Spécialt. *L'auteur de ses jours :* son père.

Madame, au nom des dieux auteurs de notre race (...) 10
RACINE, Iphigénie, III, 1.

La mort m'avait ravi les auteurs de mes jours (...) 11
RACINE, Esther, I, 1.

La source de mon sang et l'auteur de mon être. 12
MOLIÈRE, l'Étourdi, V, 9.

(1606, *autheur*). Dr. (par oppos. à *ayant cause*). Personne de qui on tient un droit, une obligation.

Ses héritiers ou ayants cause *(de celui auquel on oppose un acte sous seing privé)* peuvent se contenter de déclarer qu'ils ne connaissent point l'écriture ou la signature de leur auteur. Code civil, art. 1323. 13

(...) la reprise *(par les époux)* des apports et capitaux tombés dans la communauté, du chef de leur auteur. 14
Code civil, art. 1525.

Dr. Personne qui est responsable d'un acte (même s'il n'en est pas l'initiateur). *L'auteur juridique d'un acte.* (Opposé à *ayant cause*). — Pop. (usage non technique) et vieilli. *Être l'auteur que :* être responsable du fait que, être la cause de ce que.

— Bon? v'là sa mère, ne disons rien (...) 14.1
— Vous voyez, monsieur Théodore, c'est vous qu'êtes l'auteur que ma fille, depuis que vous êtes dans la maison, est toujours à pleurnicher (...)
— De quoi! de quoi! moi, madame Badoulard?
Henri MONNIER, Scènes populaires, «La victime du corridor», p. 262.

♦ **2** *Auteur de* (un livre, une œuvre d'art) : personne qui a écrit (un livre), réalisé (une œuvre d'art). *L'auteur et son œuvre* (cit. 22). *L'auteur d'un livre. Elle est l'auteur d'un traité de... L'auteur d'un manuel, d'une algèbre, d'une géométrie, d'une géographie. Les auteurs, les collaborateurs d'un ouvrage collectif* (→ Mr X et alii). *Les auteurs d'un dictionnaire, d'une encyclopédie* (→ **Encyclopédiste, lexicographe**; et aussi **rédacteur**). *L'auteur d'un roman, d'un poème.* — (Sans compl.). Désigne en général un écrivain auteur d'un livre. *Une lettre autographe de l'auteur. L'auteur a signé son livre. Hommage de l'auteur.* → **Dédicace.** *L'auteur est un* *anonyme, un inconnu. Le pseudonyme de l'auteur. — Décret des 19-24 juillet 1793 relatif aux droits de propriété des auteurs d'écrits en tout genre, des compositeurs de musique, des peintres et des dessinateurs. Un auteur d'opérettes. L'auteur d'un film, d'une bande dessinée, d'un tableau. L'auteur d'un article de journal, d'une pétition. L'auteur de ces lignes. Auteur d'une musique.* → **Compositeur.** *Auteur d'ouvrages signés par un autre.* → **Nègre.**

15 Ne considère point si l'auteur d'un tel livre
Fut plus ou moins savant;
Mais s'il dit vérité, s'il t'apprend à bien vivre,
Feuillette-le souvent (...)
CORNEILLE, l'Imitation de J.-C., I, 5.

16 Je soutiens qu'on ne peut en faire de meilleur *(sonnet);*
Et ma grande raison, c'est que j'en suis l'auteur.
MOLIÈRE, les Femmes savantes, III, 3.

17 C'est ainsi que l'a dit le principal auteur;
Passons à son imitateur.
LA FONTAINE, Fables, VI, 1.

18 Boileau, correct auteur de quelques écrits (...)
VOLTAIRE, Épîtres, XCV.

19 Infatigables auteurs de pièces médiocres, grands compositeurs de riens (...)
VOLTAIRE, Lettre à l'abbé Trublet, 17 avr. 1761.

20 L'auteur a un mérite infaillible pour être lu, le mérite rare de faire conversation avec son lecteur (...)
D'ALEMBERT, Éloges, Abbé de Choisi.

21 L'auteur de cet ouvrage est inconnu; quelques-uns le donnent à Tacite, d'autres à Quintilien, mais sans beaucoup de fondement (...)
ROLLIN, Hist. ancienne, t. XI, 2, *in* POUGENS.

22 *(Il n'entre pas)* dans la pensée de l'auteur d'amoindrir la haute valeur de l'enseignement historique.
HUGO, la Légende des siècles, Préface.

♦ **3** Absolt. Personne qui a fait un ou plusieurs ouvrages littéraires. → **Écrivain, lettre** (homme, femme de lettres). *Un auteur* (homme ou femme). *Cet auteur a beaucoup écrit. Un excellent auteur. Ne lire que les bons auteurs. — L'œuvre d'un auteur* (→ **Bagage, écrit, livre, œuvre, ouvrage, production, publication**). *L'auteur et sa création. Six personnages en quête d'auteur* (titre français d'une pièce de Pirandello). *Cet auteur n'a plus rien écrit, plus rien donné depuis longtemps. Cet auteur a publié, fait éditer, fait imprimer ses œuvres complètes. Cet auteur a signé un contrat avec son éditeur. L'auteur et ses lecteurs*, et son public.*

23 **Auteur** est plus général qu'**écrivain;** il se dit de toute composition littéraire ou scientifique, en prose ou en vers; un poète en composant une tragédie, et un mathématicien en composant un traité de géométrie sont des **auteurs.** Mais **écrivain** ne se dit que de ceux qui ont écrit en prose des ouvrages de belles-lettres ou d'histoire; ou du moins, si on le dit des autres, c'est qu'alors on a la pensée fixée sur leur style : Descartes est un **auteur** de livres de philosophie et de mathématiques, mais c'est aussi un **écrivain.** Racine est un grand **écrivain,** par la même raison, parce que son style est excellent, car eu égard à la forme du langage employé on dira toujours que c'est un grand poëte.
LITTRÉ, Dict., art. *Écrivain.*

Dr. *Droit d'auteur :* droit de propriété incorporelle exclusif et opposable à tous, conféré à celui sous le nom de qui une œuvre de l'esprit est divulguée. → **Copyright.** — Cour. (au plur.). Argent que perçoit un auteur, proportionnellement au nombre d'exemplaires vendus, de représentations, de reproductions, etc.

24 La durée des droits accordés par les lois antérieures aux héritiers, successeurs irréguliers, donataires ou légataires des auteurs, compositeurs ou artistes, est portée à cinquante ans, à partir du décès de l'auteur.
Loi du 14 juil. 1866 (abrogée).

*Publication à compte d'auteur* [akɔ̃tdotœʀ], dans laquelle l'auteur d'un livre paie lui-même les frais d'impression.

(...) sa secrétaire allait m'apporter l'ensemble de l'œuvre (...) il me chargeait de faire éditer celle-ci et (...) il mettait à ma disposition la somme nécessaire pour que cette publication à compte d'auteur fût effectuée dans les deux mois. 24.1
Jacques LAURENT, les Bêtises, p. 512.

*Un bon auteur, un auteur brillant, original. Un mauvais auteur.* → **Barbouilleur, cacographe, compilateur, écrivailleur, écrivassier, folliculaire, gâte-papier, gratteur** (de papier), **gribouilleur, grimaud, pisse-copie, pisseur** (de copie), **plumitif.** *Un auteur apocryphe. Auteurs anciens (auteurs classiques, romantiques, symbolistes, réalistes), modernes, contemporains. Auteur comique, dramatique, tragique :* auteur de comédies, de drames, de tragédies. → **Dramaturge.** *Auteur sacré, profane,* d'ouvrages sacrés, profanes. *Un auteur connu, célèbre, à succès. Auteur méconnu, maudit. L'auteur et le traducteur* d'une œuvre. — Femme auteur* (→ ci-dessous, cit. 39). → **Autoresse** (péj.). *Elle est auteur* (→ ci-dessous, cit. 26). — REM. Le féminin *autrice* est de plus en plus employé, parfois par ironie (→ ci-dessous cit. 41.5, ainsi que la forme *auteuresse*). *Auteuse* est un barbarisme. *Auteure,* attesté en français québécois, n'est pas en usage en français de France. — *Les auteurs d'un éditeur. Jeune auteur. — Société des auteurs et compositeurs dramatiques. — Le genre* d'un auteur.* → **Anecdotier, biographe, chroniqueur, conteur, critique, diariste, échotier, épistolier, fabuliste, fantaisiste, feuilletoniste, gazetier, glossateur, hagiographe, historien, historiographe, libelliste, librettiste, littérateur, logographe, mémorialiste, mimographe, moraliste, musicographe, mythographe, nomographe, nouvelliste, pamphlétaire, parémiographe, parodiste, pasticheur, parolier, poète, polémiste, polygraphe, pornographe, préfacier, prosateur, publiciste, revuiste, rhétoriqueur, romancier, satirique, sermonnaire, vaudevilliste.** — N. B. Outre les mots ci-dessus, qui correspondent aux syntagmes *auteur de...* (anecdotes, biographies, chroniques...) et qui relèvent des genres littéraires ou didactiques, on se reportera aux noms des sciences et spécialités (ex. : *ethnographe, physicien...*) et au suff. *-graphe.* — Par métonymie. Œuvre, texte d'un auteur. *Nous étudierons trois auteurs, cette année. Citer un auteur.*

Vous savez qu'entre nous autres auteurs, nous devons parler des ouvrages les uns des autres avec beaucoup de circonspection. 25
MOLIÈRE, Critique de l'École des femmes, VII.

Les femmes d'à présent sont bien loin de ces mœurs : 26
Elles veulent écrire et devenir auteurs.
MOLIÈRE, les Femmes savantes, II, 7.

Le défaut des auteurs, dans leurs productions, 27
C'est d'en tyranniser les conversations,
D'être au Palais, au Cours, aux ruelles, aux tables,
De leurs vers fatigants lecteurs infatigables.
MOLIÈRE, les Femmes savantes, III, 3.

On nous voit tous pour l'ordinaire, 28
Piller le survenant, nous jeter sur sa peau,
La coquette et l'auteur sont de ce caractère,
Malheur à l'écrivain nouveau.
LA FONTAINE, Fables, X, 14.

Un auteur gâte tout quand il veut trop bien faire. 29
LA FONTAINE, Fables, V, 1.

Quand on voit le style naturel, on est tout étonné et ravi, car on s'attendait de voir un auteur, et on trouve un homme. 30
PASCAL, Pensées, t. I, 29.

Sans la langue en un mot, l'auteur le plus divin, 31
Est toujours, quoi qu'il fasse, un méchant écrivain (...)
BOILEAU, l'Art poétique, I.

Seuls dans leurs doctes vers ils pourront vous apprendre 32
Par quel art sans bassesse un auteur peut descendre,
Chanter Flore, les champs, Pomone, les vergers (...)
BOILEAU, l'Art poétique, II.

Oh! Que j'aime bien mieux cet auteur plein d'adresse 33
Qui, sans faire d'abord de si hautes promesses,

Me dit d'un ton aisé, doux, simple, harmonieux (...)
BOILEAU, l'Art poétique, III.

34 Qui dit froid écrivain dit détestable auteur (...)
BOILEAU, l'Art poétique, IV.

35 C'est un métier que de faire un livre, comme de faire une pendule : il faut plus que de l'esprit pour être auteur.
LA BRUYÈRE, les Caractères, I, 3.

36 Il y a des esprits, si j'ose le dire, inférieurs et subalternes, qui ne semblent faits que pour être le recueil, le registre ou le magasin de toutes les productions des autres génies; ils sont plagiaires, traducteurs, compilateurs; ils ne pensent point, ils disent ce que les auteurs ont pensé (...)
LA BRUYÈRE, les Caractères, I, 62.

37 Écrivains grecs et latins, auteurs anciens et modernes, livres imprimés et manuscrits, amis absents et présents, j'ai tout mis à contribution pour faire entrer dans mon ouvrage le plus de beautés et de richesses qu'il m'a été possible (...) Charles ROLLIN, Traité des Études.

38 Mais on dit qu'aux auteurs la critique est utile :
— La critique est aisée, et l'art est difficile.
Ph. DESTOUCHES, le Glorieux, II, 5.

39 Une de mes chances était d'avoir toujours dans mes liaisons des femmes auteurs (...)
ROUSSEAU, les Confessions, IX.

40 Chaque auteur a son dictionnaire et sa manière. Il s'affectionne à des mots d'un certain son, d'une certaine couleur, d'une certaine forme, et à des tournures de style, à des coupes de phrase où l'on reconnaît sa main, et dont il s'est fait une habitude. Il a, en quelque sorte, sa grammaire particulière, sa prononciation, son genre, ses tics et ses manies. Joseph JOUBERT, Pensées, XXII, 62.

41 Tous les sujets deviennent bons par le mérite de l'auteur.
E. DELACROIX, Écrits, t. II, p. 93.

41.1 AUTEUR. On doit «connaître des auteurs»; inutile de savoir leurs noms.
FLAUBERT, Dictionnaire des idées reçues.

41.2 Le fait n'était pas isolé en Allemagne de ces pèlerinages autour d'écrivains sans production ou de peintres sans tableau. Il n'y a plus d'œuvres, ou à peu près, en ce pays; il n'y a plus que des auteurs.
GIRAUDOUX, Siegfried et le Limousin, p. 157.

41.3 (...) la plupart des hommes de lettres ont été des monstres d'égoïsme et de vanité. La littérature dessèche le cœur, elle nous habitue à nous regarder, à nous servir de nos sentiments comme de matériaux, à les exagérer et les fausser, à les exposer devant le public en vue d'un effet à produire. Un auteur est un acteur toujours en scène et toujours préparé à utiliser ce qu'il sent.
CLAUDEL, Journal, 9 juin 1924.

41.4 Comme institution, l'auteur est mort : sa personne civile, passionnelle, biographique, a disparu; dépossédée, elle n'exerce plus sur son œuvre la formidable paternité dont l'histoire littéraire, l'enseignement, l'opinion avaient à charge d'établir et de renouveler le récit; mais dans le texte, d'une certaine façon, *je désire* l'auteur (...)
R. BARTHES, le Plaisir du texte, p. 46.

41.5 Ils m'ont quand même fait rire, les auteurs, les autrices, les traducteurs, les traducteresses, les plagieurs, les plagistes, les plagitereuses, les plagiteresses, les plagiaires, les plagios-traducteuros-auteuresses, leurs mauvais plats, leurs platitudes, ils venaient me faire du plat dans mon bureau, à plat ventre, pour des petites faveurs, toucher leurs droits.
Jacques BELLEFROID, Voyage de noces, p. 128-129.

Par ext. Personne qui écrit des textes de chansons. → **Chansonnier, parolier, poète.** *Auteur-compositeur,* qui écrit les paroles et compose la musique. *Auteur-interprète :* auteur-compositeur qui interprète ses œuvres. *Auteur-compositeur-interprète.*

♦ **4** Par ext. Personne de qui on tient une nouvelle. *Citer, nommer son auteur.*

42 Elle découvrit ce qu'elle en avait appris *(de la conjuration)* à des personnages de considération, sans cependant nommer son auteur.
VERTOT, Histoire des Révolutions de la république romaine, XII, p. 171, *in* LITTRÉ.

**HOM. Hauteur.** ◊ **DÉR. Autoresse.** — V. **Autoriser, autorité.**

**AUTHENTICITÉ** [otɑ̃tisite; ɔtɑ̃tisite] n. f. — 1748; *authentiquité,* emploi isolé, 1557; de *authentique.*

Caractère de ce qui est authentique.

♦ **1** Dr. *Authenticité d'un acte public, notarié :* qualité d'un acte reçu avec les solennités requises par un officier public compétent et capable d'instrumenter. → Authentique, cit. 4. *L'incapacité ou l'incompétence de l'officier public enlève à l'acte son caractère d'authenticité* (*Code civil,* art. 1318). *L'authenticité confère à l'acte une valeur probante particulière. Présomption d'authenticité. Contester, nier l'authenticité d'un acte. L'enregistrement d'un acte lui confère une authenticité de date.* — Cour. *Ce cachet, cette estampille, ce sceau garantit l'authenticité du diplôme.*

(..) L'acte se présente accompagné de signes extérieurs difficiles à imiter (...) Par suite, l'acte public, dont l'apparence est régulière, jouit d'une présomption d'authenticité, qui renverse sur ce point le fardeau de la preuve (...) c'est à l'adversaire, qui nie l'authenticité, à démontrer la fausseté de l'acte, et il ne peut faire cette preuve que par la voie périlleuse de l'inscription de faux. 1
M. PLANIOL, Traité élémentaire de droit civil, t. II, p. 35-36.

♦ **2** Caractère d'un écrit, d'un discours, d'une œuvre authentique; de ce qui émane réellement de l'auteur auquel on l'attribue. *Vérifier l'authenticité d'un document, d'un tableau. Cet ouvrage est apocryphe, son authenticité n'est pas établie. L'authenticité des livres saints. La critique historique discute l'authenticité de ce témoignage. La légalisation atteste, certifie l'authenticité de cette signature.* — Qualité d'un objet qui possède réellement les caractères qu'on peut lui attribuer à première vue. *L'authenticité d'un vase grec, d'une inscription rupestre.*

Par ext. Qualité d'un fait qui mérite d'être cru, qui est conforme à la vérité. *L'authenticité d'un événement historique, d'un témoignage.* → **Véracité.**

J'envoie à Votre Grandeur quelques passages qui prouvent l'authenticité des livres qu'on nomme Deutérocanoniques. 2
MONTFAUCON, Lettre à Bossuet, 1688.

Les papes se sont débattus contre l'authenticité de ce canon (...) VOLTAIRE, Philosophie, III, 377. 3

Tous disent qu'ils ont vu, et leur déposition a toute l'authenticité possible (...) 4
DIDEROT, Pensées philosophiques, 54.

On me dit qu'il conclut à l'authenticité, mais à des interpolations. SAINTE-BEUVE, Correspondance, t. II, p. 21. 5

J'ai néanmoins plus d'une fois paru un conservateur dans les discussions relatives à l'âge et à l'authenticité des textes. 6
RENAN, Souvenirs d'enfance..., VI, 3.

Lu l'appendice que je trouve à mon édition de la Vulgate, sur l'authenticité des Évangiles. 7
GIDE, Journal, 4 mars 1916.

(...) Vous dites : vérité, et vous pensez : authenticité. Ce n'est pas la même chose. Il faut s'attacher à voir la vérité, non pas dans le fait lui-même, mais dans la signification morale de ce fait (...) On peut accepter le sens fondamental que renferme le mystère de l'Incarnation ou celui de la Résurrection sans, pour cela, admettre qu'ils soient des événements authentiques, historiquement exacts, comme la capitulation de Sedan ou la proclamation de la République. 8
MARTIN DU GARD, Jean Barois, I, La comparaison symboliste, II.

♦ **3** (XXe). Qualité (d'une personne, d'un sentiment, d'un événement) authentique (5.). → **Sincérité; naturel, vérité.** *L'authenticité d'une fête folklorique. L'authenticité d'un sentiment.*

Ce qui me plaît en lui *(Montherlant)* c'est un accent d'indéniable authenticité (pour laisser le mot sincérité tranquille). GIDE, Journal, 27 oct. 1927. 9

(...) Une authenticité qui sonne dans chaque mot *(chez Saint-Exupéry).* 10
A. MAUROIS, Études littéraires, t. II, p. 255.

11 Roman : genre trop étroit et usé. Il faudrait inventer une nouvelle forme littéraire qui concilierait la plus grande authenticité possible avec une composition aussi complexe et aussi libre que celle des œuvres inventées.
Cl. MAURIAC, le Temps immobile, p. 135.

12 Certains Cercles de la montagne sont uniquement constitués de paysans et de paysannes qui n'ont aucune rupture dans leurs manifestations festivales. L'authenticité de leurs danses et de leurs chants est éclatante, outre qu'ils parlent tous un breton qui coule de source.
P.-J. HÉLIAS, le Cheval d'orgueil, p. 522.

**CONTR. Fausseté, imitation, incertitude, inexactitude.**

**AUTHENTIFICATION** [otɑ̃tifikasjɔ̃; ɔtɑ̃tifikasjɔ̃] n. f. — 1933; de *authentifier.*

Action d'authentifier. *L'authentification d'un tableau, d'un record. Expertise d'authentification.*

**AUTHENTIFIER** [otɑ̃tifje; ɔtɑ̃tifje] v. tr. — 1860; de *authentique,* d'après *certifier* (→ Authentiquer).

♦ **1** Dr. Rendre authentique. *L'intervention de l'état civil authentifie les naissances, les mariages et les décès.* → **Certifier, constater, légaliser.** *Un cachet, une estampille, un sceau authentifie cette pièce, ce diplôme.* → **Authentiquer.**

♦ **2** Reconnaître comme authentique. *Authentifier une sculpture ancienne. Authentifier un Vinci.* → **Attribuer.** — *Authentifier un sentiment,* le reconnaître pour authentique.

(...) il manquait jusqu'ici à cette passion la preuve dont les moins grossiers d'entre nous se servent pour authentifier l'amour (...)
M. YOURCENAR, le Coup de grâce, p. 200.

**DÉR. Authentification.**

**AUTHENTIQUE** [otɑ̃tik; ɔtɑ̃tik] adj. — 1211, *autentique; auctentique,* 1403; lat. jurid. *authenticus,* grec *authentikos.*

♦ **1** Dr. *Acte authentique* (par oppos. à *acte sous seing privé*), *acte reçu par officiers publics sous les conditions définies par le Code* (→ ci-dessous, cit. 2). → **Notarié, public, solennel.** *Testament authentique. Contrat, instrument, pièce, titre authentique.*

1 Et déjà le notaire a, d'un style énergique,
Griffonné de ton joug l'instrument authentique.
BOILEAU, Satires, X.

2 L'acte authentique est celui qui a été reçu par officiers publics ayant le droit d'instrumenter dans le lieu où l'acte a été rédigé, et avec les solennités requises.
Code civil, art. 1317.

3 L'acte authentique fait pleine foi de la convention qu'il renferme entre les parties contractantes et leurs héritiers ou ayants cause. Code civil, art. 1319.

4 Les officiers publics qui rédigent des actes authentiques sont très nombreux : citons les notaires, les huissiers, les greffiers, les officiers de l'état civil, et tous les agents de la police judiciaire ayant le droit de dresser des procès-verbaux. Les actes passés dans la forme administrative sont assimilés aux actes authentiques.
M. PLANIOL, Traité élémentaire de droit civil, t. II, p. 34.

5 La personne qui produit un acte authentique régulier en apparence n'a pas à en prouver l'authenticité.
M. PLANIOL, Traité élémentaire de droit civil, t. II, p. 35 (→ Authenticité).

Par ext. Qui est attesté, certifié conforme à l'original. *Copie authentique.*

6 Moïse fit déposer auprès de l'Arche, l'original de la Loi : mais de peur que dans la suite des temps elle ne fût altérée par la malice ou par la négligence des hommes (...) on en faisait des exemplaires authentiques, qui soigneusement revus et gardés par les prêtres et les lévites, tenaient lieu d'originaux.
BOSSUET, Disc. sur l'Hist. universelle, II, 3.

Par ext. Vx. Entouré de formes solennelles. → **Éclatant, formel, solennel.**

Çà, mon père, il faut faire un exemple authentique : 7
Jugez sévèrement ce voleur domestique !
RACINE, les Plaideurs, II, 14.

Dieu qui les a faits *(ces miracles)* [...] que pouvait-il faire de 8
plus authentique pour en conserver la mémoire, que de laisser entre les mains de tout un grand peuple les actes qui les attestent (...)
BOSSUET, Disc. sur l'Hist. universelle, II, 17.

♦ **2** Qui est véritablement de l'auteur auquel on l'attribue. *Livre authentique* (par oppos. à *apocryphe*). *Évangiles authentiques.* → **Canonique.** *Un tableau authentique. Un Rembrandt authentique. Ce n'est pas un Dufy authentique,* c'est un faux, une copie. Qui est vraiment ce qu'il paraît être. *Un authentique bronze ancien.* — Iron. Que l'on prétend authentique. *«Les plus authentiques des faux papiers»* (F. Ambrière, *in* T. L. F.).

(...) en buvant un Cliquot authentique, à six roubles la 8.1
bouteille, généreusement fait avec la sève fraîche des bouleaux du voisinage.
J. VERNE, Michel Strogoff, p. 100-101.

Je le prédis : le mot d'*authentique,* qui fut, pendant maintes 9
années, le terme sacramentel de l'antiquaire, avant peu n'aura plus de sens.
MALLARMÉ, Exposition de Londres, 1872, Pl., p. 680.

♦ **3** Dont l'autorité, la réalité, la vérité ne peut être contestée. → **Assuré, avéré, certain, établi, exact, inattaquable, incontestable, indéniable, indiscutable, indubitable, réel, sûr, véridique, véritable, vrai.** *Fait, histoire authentique.*

Dieu (...) a commis tout un peuple pour la garde de ce 10
livre, afin que cette histoire fût la plus authentique du monde, et que tous les hommes pussent apprendre par là une chose si nécessaire à savoir, et qu'on ne pût la savoir que par là. PASCAL, Pensées, t. III, IX, 622.

Ce discours *(de Pierre le Grand),* s'il est authentique, est un 11
morceau très précieux (...)
VOLTAIRE, Lettre au comte de Schouvalof, 11 nov. 1759.

Une histoire de Charles XII, une de Pierre le Grand, fon- 12
dées toutes les deux sur les monuments les plus authentiques (...) VOLTAIRE, Lettre à Albergati, 3 déc. 1760.

On peut dire que, parmi les anecdotes, les discours, les 13
mots célèbres rapportés par les historiens, il n'y en a pas un de rigoureusement authentique.
RENAN, Vie de Jésus, Introduction.

Et l'on a discuté jusqu'à quel point est authentique, ou du 14
moins véridique, son acte de baptême *(de Napoléon).*
Ch. MAURRAS, Anthinéa, p. 157.

♦ **4** [a] Conforme à son apparence ou à sa désignation. → **Vrai,** I., 3., a, c et d. *C'est un authentique génie, un génie authentique. Un authentique crétin.* → **Complet, parfait.**

[b] (Choses concrètes). Qui n'est pas altéré, dénaturé, imité.

(...) ces plats possibles à découvrir dans les livres délicieux 14.1
de Pampille, mais dans la réalité devenus si rares, où les gelées, le beurre, le jus, les quenelles sont authentiques, ne comportent aucun alliage, et même où on fait venir le sel des marais salants de Bretagne (...)
PROUST, le Côté de Guermantes, Pl., t. II, p. 502.

♦ **5** (XXe). Qui exprime une vérité profonde de l'individu et non des habitudes superficielles, des conventions; qui n'a pas subi d'influence déformante. → **Sincère; juste, naturel, vrai.** *Un choix, une option authentique. Sentiment authentique. Un folklore parfaitement authentique.*

La psychologie *(de ce livre)* en reste toute arbitraire et con- 15
ventionnelle, et Ghéon ne parle pas de lui plus vraiment qu'il ne fait du diable ou de Dieu. Le dialogue du second chapitre, entre le chrétien et l'artiste, pourrait être beau, s'il était authentique; mais dès le début, tout est faussé.
GIDE, Journal, 20 juin 1923.

16 L'amas sur notre esprit de toutes connaissances acquises s'écaille comme un fard et, par places, laisse voir à nu la chair même, l'être authentique qui se cachait.
GIDE, la Symphonie pastorale, p. 82.

17 Je voudrais, tout le long de ma vie, au moindre choc, rendre un son pur, probe, authentique. Presque tous les gens que j'ai connus sonnent faux. Valoir exactement ce qu'on paraît, ne pas chercher à paraître plus qu'on ne vaut. GIDE, les Faux-monnayeurs, II, 4.

18 La délicatesse des femmes est rarement authentique; elles nomment ainsi leur horreur de toute promiscuité inconnue, l'excès de leur réserve vis-à-vis d'elles-mêmes, et certaine vanité susceptible toujours en éveil (...)
Edmond JALOUX, l'Alcyone, p. 126.

(Personnes). *Il n'est pas très authentique.* → **Sincère.**

♦ **6** Mus. Se dit des quatre modes impairs de la musique liturgique romaine (dits abusivt *tons*). Opposé à *plagal.*

♦ **7** Vx (langue class.). «Qui a de l'autorité, qui mérite qu'on y ajoute foi» (Académie, 1694).

19 Je vous exhorte là-dessus au désaveu le plus authentique (...)
D'ALEMBERT, Lettre à Voltaire, 13 déc. 1756.

CONTR. **Apocryphe, falsifié, faux, inauthentique. — Douteux, incertain, irréel. — Arbitraire, conventionnel.** ◊ DÉR. **Authenticité, authentifier, authentiquement, authentiquer.**

**AUTHENTIQUEMENT** [otɑ̃tikmɑ̃, ɔtɑ̃tikmɑ̃] adv. — Déb. XIV^e; de *authentique.*

♦ **1** D'une manière authentique. *La ratification confirme authentiquement les traités.*

♦ **2** (Au sens 4, a de *authentique*). Vraiment, réellement. *Il est authentiquement ruiné.*

(...) Félicien Guérillot, lequel, après bien des aventures qui mériteraient d'être contées, a fini par si bien prendre goût au vin qu'il sucre authentiquement les fraises.
M. AYMÉ, le Vin de Paris, p. 114.

**AUTHENTIQUER** [otɑ̃tike; ɔtɑ̃tike] v. tr. — 1316, *autentiquer; autenticier,* v. 1260; de *authentique.*

Vx. Rendre (un acte) authentique par une attestation officielle, un cachet, un sceau... → **Authentifier, certifier, légaliser.**

1 Pourvu que nous eussions signature de la main de St Pierre (...) ne fût-elle authentiquée que d'un (...) simple tabellion apostolique.
Ph. DE MARNIX, *in* HUGUET, Dict. XVI^e s.

2 S'il fallait authentiquer la pièce, le scribe y apposait son sceau, un cachet en forme de petit cylindre, sur lequel était gravée une scène religieuse (...)
DANIEL-ROPS, le Peuple de la Bible, I, 3, p. 76.

**AUTISME** [otism; ɔtism] n. m. — 1923; all. *Autismus,* Bleuler, 1912; du grec *autos* «soi-même».

Psychopath. Détachement de la réalité extérieure, la vie mentale du sujet étant occupée tout entière par son monde intérieur. *Tendance à l'autisme.* → **Égocentrisme, introversion.** *L'autisme est l'attitude mentale propre aux schizophrènes.*

1 L'autisme (...) constitue la conduite favorite des êtres faibles hantés par le sentiment de leur infériorité, qui trouvent un réconfort dans les fictions de l'imagination. Il est l'attitude normale de l'enfant, qui a une prédilection pour le rêve et le jeu.
R. LACROZE, *in* FOULQUIÉ, Dict. de la langue philosophique.

2 Freud a commencé par expliquer ce symbolisme inconscient par des mécanismes de camouflage dus au refoulement, mais il s'est rallié à la conception plus large de Bleuler qui, avec l'«autisme», expliquait le symbolisme par la centration sur le moi et il a prolongé ses recherches dans la direction des symboles artistiques.
J. PIAGET, Épistémologie des sciences de l'homme, p. 355.

DÉR. **Autiste, autistique.**

**AUTISTE** [otist; ɔtist] adj. et n. — 1913, adj., *in* D. D. L.; de *autisme.*

Didact. Atteint d'autisme. *Un enfant autiste.* — N. *Un, une autiste. La pensée déréelle des autistes.* Relatif à l'autisme. → **Autistique.**

(...) la promiscuité qui ressort des rituels de propreté après les repas où tout le monde se lave les mains, se gargarise, éructe et crache dans la même cuvette, mettant en commun dans une indifférence terriblement autiste, la même peur de l'impureté associée au même exhibitionnisme.
Claude LÉVI-STRAUSS, Tristes tropiques, p. 364.

**AUTISTIQUE** [otistik; ɔtistik] adj. — 1913, *in* D. D. L.; de *autisme,* p.-ê. par l'all. *autistisch.*

Didact. Relatif à l'autisme; caractérisé par de l'autisme. → **Égocentrique, introverti.**
*Pensée autistique :* «nom donné par Bleuler, dans ses travaux sur la psychanalyse, à la pensée associative et symbolique du rêve et de la rêverie parce que son caractère est d'être strictement individuelle» (Lalande, *Voc. de la philosophie*).

La psychanalyse freudienne, aidée en cela par les travaux de Bleuler sur la pensée «autistique» et suivie par l'école dissidente de Jung, a mis en évidence l'existence d'une «pensée symbolique» individuelle visible dans le rêve, dans le jeu des enfants et dans diverses manifestations pathologiques.
J. PIAGET, Épistémologie des sciences de l'homme, p. 354.

1. **AUTO** [oto; ɔto] n. f. — 1896, *in* Petiot; abrév. de *automobile;* souvent masc. jusqu'en 1915-1920.

Automobile. *Une auto.* → **Voiture** (plus cour.). *Parcs* (cit. 5) *à autos. — L'auto.* → **Automobile, automobilisme.** *Le Salon de l'auto.*

(...) je commandais, pour mon malheur, une automobile 1
à Saint-Fargeau (...) Albertine, laissée par moi dans l'ignorance, fut surprise en entendant devant l'hôtel le ronflement du moteur, ravie quand elle sut que cette auto était pour nous (...) Aimé, nous rencontrant dans l'escalier, fier de l'élégance d'Albertine et de notre moyen de transport, car ces voitures étaient assez rares à Balbec, se donna le plaisir de descendre derrière nous.
PROUST, Sodome et Gomorrhe, Folio, p. 447.

L'auto est un levier qui grandit tous nos vices et n'exalte 2
pas nos vertus.
G. DUHAMEL, Scènes de la vie future, VI, p. 98.

Alibi pour l'érotisme, alibi pour l'aventure, alibi pour «l'ha- 3
biter» et la sociabilité urbaine, l'Auto est une pièce de ce «système» qui tombe en débris dès qu'on le découvre.
Henri LEFEBVRE, la Vie quotidienne dans le monde moderne, p. 193.

Spécialt. Engin, voiture de course (dans les milieux spécialisés, *auto* semble constituer le terme des initiés, *voiture,* non marqué, étant employé par les profanes).
Spécialt (cour.). *Autos électriques des foires. Autos tamponneuses.* → **Tamponneur** (cit. 1 et 2).

(...) les autos électriques à ressorts commençaient à se tam- 4
ponner sur la piste du Scooter Perdrix.
R. QUENEAU, Pierrot mon ami, Folio, p. 8.

Voiture miniature. *Une auto à pédales. Elle joue avec ses petites autos.*

COMP. **V. Auto-, II. — Autos-couchettes.**

2. **AUTO** [awto] n. m. — 1842, Gautier; mot esp. «acte».
Didact. (littér.). Drame religieux espagnol (XVI^e-XVII^e siècles). — On dit aussi *auto sacramental. — Les autos de Lope de Vega.*

**AUTO-** Élément invariable.

**I** Du grec *autos* «soi-même, lui-même» (opposé à *un autre*), il se combine avec des noms désignant des processus, des opérations, leurs résultats (œuvres;

*autobiographie,* etc.); avec des adjectifs (*automobile :* mobile par soi-même), et même des verbes (→ ci-dessous, cit. 4). — Outre les nombreux mots traités ci-dessous, on peut mentionner des créations libres, didactiques ou plaisantes.

1 (...) l'excès de pullulement de l'espèce ayant ainsi à la longue l'effet d'auto-asphyxie bien connu des biologistes.
J. ROMAINS, les Hommes de bonne volonté, t. XXIV, p. 151.

2 Je passe devant une chambre, et j'entends des claques. Autre chambre, autres claques. Le *Raffles* était devenu le refuge des colères de tous les couples de Singapour. Dès que nous nous sommes couchés, j'ai compris.
— Ces autoclaques menaçaient les moustiques dont nous parlions avec Clappique ?
— Juste ! Aujourd'hui, comme vous le constatez, il n'y a plus de moustiques.
MALRAUX, Antimémoires, Folio, p. 471.

3 Il esquissa de rage une gigue imprudente, se fit un autocroc-en-jambes et roula sur le dallage de l'entrée (...)
René FALLET, le Triporteur, p. 118.

4 (...) les femmes qui dévorent ou s'autodévorent, ce qui fait partie d'une même démarche (...)
Michèle PERREIN, Entre chienne et louve, p. 126.

4.1 Autodiscussion infinie (...)
VALÉRY, Cahiers, t. I, Pl., p. 5.

5 (...) l'unique tache noire formée par les deux hommes se déforma, se distendit, s'étrangla en son milieu, l'isthme les reliant s'amincissant, finissant par se rompre (comme dans un film documentaire ces cellules qui se reproduisent, se multiplient par auto-division).
Claude SIMON, le Vent, p. 191.

6 La lettre qui accompagne les brochures est un Te Deum d'auto-remerciement pour services rendus à la cause des colons.
G. DEBIEN, *in* Revue d'histoire des colonies, 365, 1956, *in* D. D. L., II, 14.

Dans le langage technique et didactique, on trouve non seulement de nombreux noms, mais des adjectifs et des verbes. — Ex. : [a] Noms. *Auto-inversion* [otoɛ̃vɛʀsjɔ̃] n. f. (magnétique, *Science et Vie,* n° 588, p. 60) ; *auto-oscillation* [otoɔsilasjɔ̃] n. f. (*Revue du Son,* n° 160, p. 355) ; *autoécologie* [otoekɔlɔʒi] n. f. (écologie d'une seule espèce ; syn. : *synécologie*) ; *autoeffacement* [otoefasmɑ̃] n. m. ; *autosurveillance* [otosyʀvɛjɑ̃s] n. f. (*le Nouvel Obs.,* 25 mai 1978) ; *autoémulsification* [otoemylsifikasjɔ̃] n. f. (*Sciences et Avenir,* mai 1978) ; *autolicenciement (du personnel)* [otolisɑ̃simɑ̃] n. m. (*l'Express,* 1974, n° 1183) ; *autonettoyage* [otonetwajaʒ] n. m. (*l'Express,* 2 oct. 1978).
[b] Adjectifs et verbes. *Autoprotégé* [otopʀɔteʒe] adj. (*tubes* [de téléviseur] *autoprotégés,* in *Science et Vie,* n° 595, p. 136) ; *autovideur* [otovidœʀ] (*cockpit autovideur,* in *Bateaux,* n° 100, p. 10) ; *autolustrant* [otolystʀɑ̃] (*émulsion autolustrante,* in *le Nouvel Obs.,* 7 mars 1977) ; *automodelant* [otomɔdlɑ̃] (*doublage automodelant,* in *Science et Vie,* n° 12, 1972) ; *autoréparer* [otoʀepaʀe] (*autoréparer une fracture,* in *Science et Vie,* n° 6, 1973).

La même productivité de préfixe se retrouve dans certains discours scientifiques, dont Teilhard de Chardin fournit un bon exemple : *auto-adoration* [otoadɔʀasjɔ̃] n. f. (*l'Avenir de l'homme,* p. 239), *auto-arrangement* [otoaʀɑ̃ʒmɑ̃] n. m. (*l'Activation de l'énergie,* p. 241), *s'autoarranger* [otoaʀɑ̃ʒe] v. pron. (*l'Activation de l'énergie,* p. 178), *autocentration* [otosɑ̃tʀasjɔ̃] n. f. (*l'Activation de l'énergie,* p. 112), *autocentre* [otosɑ̃tʀ] n. m., *autocentrique* [otosɑ̃tʀik] adj., *autocentrisme* [otosɑ̃tʀism] n. m., *autoconvergence* [otokɔ̃vɛʀʒɑ̃s] n. f., *auto-organisation* [otoɔʀganizasjɔ̃] n. f.

[II] De *automobile,* servant à former des noms, d'où peuvent être dérivés des adj. (ex. : *autoroutier,* de *autoroute*), signifiant : ♦ **1** Qui concerne l'automobile. → par exemple Autoberge, auto-école, auto-stop. — On peut citer aussi *auto-banque* [otobɑ̃k] n. f. «banque pour automobilistes» (*in* T. L. F.), *autogramme* [otogʀam] n. m. «télégramme envoyé à un automobiliste» (*in* T. L. F.).

♦ **2** Qui est automobile. → par exemple Autobus, autocanon, autochenille, automitrailleuse. — On peut citer également *auto-taxi* [ototaksi], n. m. (vx) «taxi» ; *autocycle* [otosikl], n. m. (vx) «vélomoteur» ; *autobalayeuse* [otobalɛjøz], n. f. (Larousse du XX^e s.) ; *auto-arroseuse* [otoaʀozøz], n. f. (Larousse du XX^e s.).

**AUTO-ACCUSATEUR, TRICE** [otoakyzatœʀ, tʀis] n. — 1901, *in* D. D. L. ; de *auto-* (I.), et *accusateur,* d'après *auto-accusation.*

Psychiatrie. Personne qui s'accuse elle-même de méfaits réels ou imaginaires, pour des raisons pathologiques (délire de culpabilité, etc.).

**AUTO-ACCUSATION** [otoakyzasjɔ̃] n. f. — 1900, *in* D. D. L. ; de *auto-* (I.), et *accusation.*

Didact. ou littér. Fait de s'accuser soi-même. — Psychiatrie. Fait de s'accuser de fautes réelles ou imaginaires pour satisfaire un besoin pathologique (auto-punition, mystification, etc.). *L'auto-accusation est surtout fréquente dans la mélancolie. Délire d'auto-accusation.*

CONTR. **Autojustification.** ◊ DÉR. V. **Auto-accusateur.**

**AUTO-ADHÉSIF, IVE** [otoadezif, iv] adj. et n. m. — 1972 ; de *auto-* (I.), et *adhésif.*

Autocollant. *Papier auto-adhésif.* — N. m. *Un auto-adhésif.*

**AUTO-ALARME** [otoalaʀm] n. m. — Mil. XX^e ; de *auto-* (I.), et *alarme.*

Mar. Récepteur radio retransmettant automatiquement les signaux de détresse.

**AUTO-ALIMENTATION** [otoalimɑ̃tasjɔ̃] n. f. — XX^e ; de *auto-* (I.), et *alimentation,* fig.

Techn. Dispositif qui maintient un contacteur enclenché après que l'impulsion initiale a cessé.

**AUTO-ALLUMAGE** [otoalymaʒ] n. m. — 1904, *la France automobile ;* de *auto-* (I.), et *allumage.*

Techn. (autom.). Allumage spontané anormal du mélange carburant dans un cylindre de moteur à explosion.

**AUTO-AMORÇAGE** [otoamɔʀsaʒ] n. m. — 1956 ; de *auto-* (I.), et *amorçage.*

Techn., didact. Amorçage spontané (d'une réaction, d'un processus ; d'une machine).

**AUTO-ANALYSE** [otoanaliz] n. f. — 1914, *in* D. D. L. ; de *auto-* (I.), et *analyse,* repris pour traduire l'all. *Selbstanalyse,* employé par Freud en 1910.

Didact. «Investigation de soi par soi, conduite de façon plus ou moins systématique, et qui recourt à certains procédés de la méthode psychanalytique» (Laplanche et Pontalis, *Vocabulaire de la psychanalyse*). *Des auto-analyses. L'Auto-analyse,* ouvrage de D. Anzieu (1950). *De l'auto-analyse.* → **Auto-analytique.**

J'ai insisté tout spécialement dans les *Vases communicants,* sur le fait que l'auto-analyse est, à elle seule, dans bien des cas, capable d'*épuiser* le contenu des rêves (...)
A. BRETON, l'Amour fou, p. 94, Folio.

**AUTO-ANALYSTE** [otoanalist] n. — 1933, en critique littér., Maurois ; de *auto-* (I.), et *analyste.*

Didact. (psychan.). Praticien de l'auto-analyse.

**AUTO-ANALYTIQUE** [otoanalitik] adj. — 1909, Martin du Gard; de *auto-* (I.), et *analytique*.

Didact. (psychan.). De l'auto-analyse.

**AUTO-ANTICORPS** [otoɑ̃tikɔʀ] n. m. — V. 1960; de *auto-* (I.), et *anticorps*.

Didact. Anticorps* susceptible d'apparaître spontanément dans l'organisme (sans apport d'antigène*).

(...) la connaissance actuelle d'auto-anticorps induite par une agression (...)
V. VIC-DUPONT, la Maladie infectieuse, p. 50.

**AUTO-ASSURANCE** [otoasyʀɑ̃s] n. f. — 1943, *in* Petiot; de *auto-* (I.), et *assurance*.

Alpin. Assurance prise par un alpiniste qui grimpe ou descend seul. *Auto-assurance par le nœud-spirale.*

**AUTOBERGE** [otobɛʀʒ] n. f. — V. 1960; de *auto-*, II., et *berge*.

Voie sur berge pour les automobiles.

**AUTOBIOGRAPHIE** [otobjɔgʀafi] n. f. — 1836, L. Reybaud, *in* D. D. L.; de *auto-* (I.), et *biographie*.

Biographie d'un auteur faite par lui-même. → **Biographie, confession**(s), **mémoire**(s), **vie.** — Œuvre littéraire qui y correspond. *Écrire son autobiographie.*

1 L'autobiographie, qui paraît au premier abord le plus sincère de tous les genres, en est peut-être le plus faux.
A. THIBAUDET, Flaubert, p. 82.

2 Pour moi chaque voyage important amorce une mue en profondeur. Alain Bosquet a senti cela quand il a écrit que chez moi l'autobiologie prenait le pas sur l'autobiographie.
M. TOURNIER, le Vent Paraclet, p. 269.

DÉR. **Autobiographique.**

**AUTOBIOGRAPHIQUE** [otobjɔgʀafik] adj. — 1832; de *autobiographie*.

Qui concerne la vie de l'auteur, ses souvenirs sur lui-même. *Détail autobiographique. Récit autobiographique.*

Hilaire Dupoignet est un héros flûtencul de la guerre du Tonkin, où il se signala comme infirmier. Les troupiers l'avaient surnommé *Cinq contre un*, à cause d'une habitude honteuse qu'il se hâta de révéler à ses contemporains dans un roman autobiographique d'une invraisemblable fétidité. Léon BLOY, le Désespéré, p. 204.

**AUTOBLOQUANT, ANTE** [otoblɔkɑ̃, ɑ̃t] adj. — 1994; de *auto-*, et p. prés. de *bloquer*.

Qui peut se bloquer, se maintenir dans la même position. *Porte autobloquante. Crochets autobloquants.*

**AUTOBRONZANT, ANTE** [otobʀɔ̃zɑ̃, ɑ̃t] adj. et n. m. — 1981; de *auto-*, et p. prés. de *bronzer*.

Se dit d'un produit cosmétique qui permet de bronzer sans soleil. *Gel autobronzant. Crèmes autobronzantes.*

N. m. «*Si la grisaille perdure et que vous n'êtes pas parti, précipitez-vous sur les autobronzants, toujours plus performants*» (*le Figaro*, 22 août 1988, p. 29).

**AUTOBUS** [otobys; ɔtɔbys] n. m. — 1906, fam. (→ cit. 2); de *auto(mobile)*, et *(omni)bus*.

Véhicule automobile pour le transport en commun des voyageurs, dans les villes. → **Bus;** et aussi l'élément **-bus.** *La plateforme d'un autobus. Des autobus. Ligne d'autobus. Prendre l'autobus. Arrêt* d'autobus.* → Panonceau, cit. 1. *L'autobus et le métro et le trolleybus. Attendre l'autobus. Voie réservée aux autobus. L'autobus est prioritaire en quittant l'arrêt. Autobus à deux étages, à impériale.*

Lorsqu'au début de 1907 la Compagnie des omnibus (omnibus qui étaient alors à chevaux...) lança le nouveau type d'«omnibus automobiles», le mot autobus jaillit spontanément sur toutes les lèvres, dans tous les journaux. Ce néologisme populaire était senti, au début, comme un composé, mot composé de deux abréviations, une auto qui était en même temps un bus. 1
A. DAUZAT, Étude de linguistique française, p. 246.

Donc nous aurons le 15 mai (...) un premier service d'omnibus automobiles, d'autobus, comme les appellent dans leur argot les employés de la Compagnie, sur la ligne Saint-Germain-des-Prés-Montmartre. 2
l'Automobile, I (1906), p. 209, *in* le Franç. moderne, 42, 248.

Des gens attendaient un autobus sous un réverbère à bande verte. Quand il arriva, il y eut des discussions parce qu'il n'y avait plus de numéros d'appel. 3
G. SIMENON, Pietr-le-Letton, p. 72.

Un jour vers midi du côté du parc Monceau sur la plate-forme arrière d'un autobus à peu près complet de la ligne 84, j'aperçus un personnage au cou fort long qui portait un feutre mou entouré d'un galon tressé au lieu de ruban. 4
R. QUENEAU, Exercices de style.

(Au Canada, trad. recommandée de l'angl. *school bus*). *Autobus scolaire* : car de ramassage scolaire.

**AUTOCABRAGE** [otokabʀaʒ] n. m. — 1976; de *auto-* (I.), et *cabrage*.

Aviat. Mouvement d'un avion qui se cabre spontanément. — Terme proposé pour traduire l'angl. *pitch-up*.

**AUTOCANON** [otokanɔ̃] n. m. — 1916; de *auto-* (II.), et *canon*.

Vieilli. Canon automoteur.

**AUTOCAR** [otokaʀ ɔtɔkaʀ] n. m. — 1896, en Belgique; de *auto-* (II.), et *car*.

Grand véhicule automobile pour le transport des personnes hors des villes (→ Autobus). *Autocar de ligne régulière, de tourisme, d'excursion. Autocar pullman, de luxe.* → **Car;** et aussi **bus** (anglic.). *Service d'autocar. Autocar de ramassage scolaire.* → **Bus.**

Tout le monde guette dans la rue, et sur le bord de la route, les enfants en haillons attendent l'arrivée de l'autocar bleu, ou le passage des gros camions qui apportent le gas-oil, le bois, le ciment. J.-M. G. LE CLÉZIO, Désert, p. 174. 1

REM. La graphie avec trait d'union, *auto-car*, encore usitée par P. Morand, n'est plus en usage.

La petite pagode et les tripots de Mott Street ne sont plus que des centres de jeux paisibles, où les autos-cars amènent des provinciaux avides de sensations exotiques. 2
Paul MORAND, New York, p. 81.

DÉR. **Autocariste.**

**AUTOCARAVANE** [otokaʀavan] n. f. — 1980; de *auto-* (II.), et *caravane*.

Au Canada, surtout, Camping-car* (t. normalisé, *Office de la langue française*, 3 oct. 1980).

**AUTOCARISTE** [otokaʀist; ɔtɔkaʀist] n. — 1962; de *autocar*.

Comm. Propriétaire, exploitant, gérant, etc., d'une compagnie d'autocars.

**AUTOCASSABLE** [otokasabl] adj. — V. 1970; de *auto-* (I.), et *cassable.*

*Ampoule autocassable,* dont le verre aux extrémités a été traité de manière à pouvoir être cassé sans avoir à se servir d'une lime.

**AUTOCASTRATION** [otokastʀasjɔ̃] n. f. — 1952, Porot, *Manuel alphabétique de psychiatrie*; de *auto-* (I.), et *castration.*

Didact. Castration qu'on s'inflige à soi-même, automutilation* des organes génitaux.

(...) le fait se voit surtout chez les obsédés génitaux et l'on a cité plusieurs tentatives d'autocastration n'aboutissant souvent qu'à des mutilations regrettables.
A. POROT, Manuel alphabétique de psychiatrie, art. *Mutilation.*

**AUTOCATALYSE** [otokataliz] n. f. — 1904, in *Rev. gén. des sc.*, n° 1, p. 51; de *auto-* (I.), et *catalyse.*

Chim. Phénomène par lequel une réaction chimique engendre elle-même un produit lui servant de catalyseur.

(1952). Par extension :

Une accumulation étendue de glace influence le climat régional, abaisse les isothermes et attire les précipitations. Cet enchaînement des tendances vers une extension glaciaire (...) a été appelée autocatalyse par Cailleux (1952). L'accumulation de glace, en élevant le niveau de la surface, peut augmenter l'aire nourricière.
Eugène WEGMANN, Physique des glaciers, *in* Encycl. Pl., la Terre, p. 514.

Biol. Duplication de l'A. D. N.

DÉR. **Autocatalytique.**

**AUTOCATALYTIQUE** [otokatalitik] adj. — Mil. XX^e (*in* G. L. E., 1960); de *autocatalyse.*

Chim. De l'autocatalyse. — Biol. *Fonction autocatalytique des chromosomes :* la duplication de l'A. D. N. (par autocatalyse).

**AUTOCENSURE** [otosɑ̃syʀ] n. f. — V. 1960; de *auto-* (I.), et *censure.*

Didact., admin. Censure exercée sur soi-même. *La rédaction du journal, le producteur de film exercent parfois une autocensure pour éviter l'interdiction, les poursuites.*

Psychan. Censure.

Privée de ma liberté par un jeu de barrages et d'autocensures, je n'ai su ni créer un personnage ni tracer un portrait. S. DE BEAUVOIR, la Force de l'âge, p. 351.

DÉR. **Autocensurer** (s').

**AUTOCENSURER (S')** [otosɑ̃syʀe] v. pron. — Après 1960; de *auto-*, et *censurer.*

Pratiquer l'autocensure (sur ses écrits, ses œuvres). *Journaliste qui s'autocensure.*

**AUTOCENTRÉ, ÉE** [otosɑ̃tʀe] adj. — Mil. XX^e; de *auto-* (I.), et *centré.*

Didact. Centré sur soi-même, sur son objet propre. «*La science économique, hier autocentrée, s'attache de plus en plus aux facteurs sociologiques*» (J.-P. Courthéoux, *la Politique des revenus,* p. 6). *Pays au développement autocentré,* dont l'économie est basée sur ses seules ressources.

**AUTOCÉPHALE** [otosefal] adj. et n. m. — 1723; de *auto-* (I.), et *-céphale.*

Hist. relig. Se dit d'une Église qui refuse de reconnaître un chef unique. *L'Église grecque, l'Église bulgare sont autocéphales.*

N. m. Évêque ne relevant pas de la juridiction des patriarches, dans l'Église orthodoxe grecque.

**AUTOCHENILLE** [otoʃnij] n. f. — 1922; de *auto-* (II.), et *chenille.*

Techn. (autom., milit.). Véhicule automobile dont un train au moins (en principe, le train arrière) est constitué par des chenilles. *Chenilles motrices et roues directrices d'une autochenille.*

De là vient, dans le raid des autochenilles, d'inconnu et d'inutilisable que j'étais au départ d'Alger, que mon influence croissait à chaque kilomètre de désert. 1
GIRAUDOUX, Juliette au pays des hommes, p. 191.

Une autre vision subjuguait les cohues rassemblées : c'étaient les dix autochenilles porteuses de missiles gracieux dressés en direction de l'azur. 2
P. GRAINVILLE, les Flamboyants, p. 154.

**AUTOCHIR** [otoʃiʀ] n. f. — V. 1914; de *auto-* (II.), et *chir,* abrév. de *chirurgie.*

Vx (hist.). Ambulance* militaire chirurgicale automobile (en 1914-1918).

**AUTOCHROME** [otokʀom] adj. — 1906, in *Rev. gén. des sc.*, n° 13, p. 599; de *auto-* (I.), et *-chrome.*

Techn. Qui enregistre les couleurs. *Plaque photographique autochrome. Procédé autochrome.*

DÉR. **Autochromie.**

**AUTOCHROMIE** [otokʀɔmi] n. f. — 1907, *Larousse mensuel*; de *autochrome.*

Techn. Procédé autochrome.

**AUTOCHTONE** [otokton; ɔtɔktɔn] adj. et n. — 1560, n.; adj., 1835; grec *autokhthôn,* de *autos* (→ Auto-, I.), et *khthôn* «terre».

♦ **1** Qui est issu du sol même où il habite, qui est censé n'y être pas venu par immigration. → **Aborigène, indigène, naturel, originaire.** *Peuple, race autochtone.*

Relatif aux habitants du pays. *Coutumes autochtones. Artisanat autochtone.*

N. *Les autochtones.* → Aborigène, cit.

Les Athéniens se nommaient autochtones. 1
POSTEL, *in* HUGUET, Dict. XVI^e s.

Sur un fonds d'autochtones ibères, préceltiques, une série d'invasions issues du continent a superposé des Celtes, des Romains, des Saxons, des Normands. 2
André SIEGFRIED, l'Âme des peuples, IV, 1.

Figuré :

(...) les conditions extérieures du champ sensoriel ne le déterminent pas partie par partie et n'interviennent qu'en rendant possible une organisation autochtone. 3
MERLEAU-PONTY, Phénoménologie de la perception, p. 18.

♦ **2** Didact. (géol.). Qui s'est formé sur place. *Terrains autochtones* (opposé à *allochtone*).

♦ **3** Myth. Né de la Terre.

CONTR. **Étranger**; v. aussi **allogène,** 1. ◊ DÉR. **Autochtonie.**

**AUTOCHTONIE** [otoktɔni; ɔtɔktɔni] n. f. — Mil. XIX^e, *Revue d'anthropologie,* in Littré, *Suppl.*; de *autochtone.*

Didactique.

♦ **1** Qualité, état d'autochtone.

L'examen séparé d'une religion, prise au hasard, nous la montre s'isolant de toutes les autres et affirmant son autochtonie ou tout au moins son originalité.
Émile BURNOUF, la Science des religions, p. 167.

♦ **2** Géol. Formation sur place (d'un minéral).

♦ **3** Myth. Fait d'être né de la Terre, pour l'Homme (→ Lévi-Strauss, *Anthropologie structurale,* p. 239-240).

**AUTOCINÉTIQUE** [otosinetik] adj. — XX^e^; du grec *autokinêtos;* de *auto-* (I.), et *cinétique.*

Didact. Dont le principe de mouvement est en lui-même; capable de se mouvoir sans recevoir d'impulsion extérieure.

S'il s'agit d'un organisme fixé, il puise à même le sol et le milieu aérien ou aqueux; s'il s'agit d'un organisme autocinétique, il se déplace en quête de nourriture.

F. MEYER, *in* Encycl. Pl., Logique et Connaissance scientifique, p. 785.

**AUTOCLAVAGE** [otoklavaʒ; ɔtɔklavaʒ] n. m. — 1941; de *autoclave.*

Techn. Fait de chauffer (qqch.) dans un autoclave. *Autoclavage de produits en béton.*

**AUTOCLAVE** [otoklav; ɔtɔklav] adj. et n. m. — 1820; comp. sav. de *auto-* (I.), et lat. *clavis* «clé».

Qui se ferme de soi-même. *Appareil, marmite autoclave.* — N. m. Récipient métallique à fermeture extérieure hermétique, et résistant à des pressions élevées, servant notamment à chauffer des substances qui se décomposeraient sous la pression atmosphérique et à la même température, ou à stériliser des objets. → **Étuve.** *Désinfecter, stériliser des pansements, des vêtements à l'autoclave. Stérilisation de conserves à l'autoclave.*

DÉR. **Autoclavage.**

**AUTO-COAT** ou **AUTOCOAT** [otokot] n. m. — 1957, *in* Höfler; de *auto-* (II.), et angl. *coat* «manteau».

Faux anglic. Vieilli. Manteau trois-quarts destiné en principe aux automobilistes.

(...) pour acheter un manteau à mon fils, le catalogue d'un magasin me donne l'embarras du choix entre un *auto-coat,* un *winter-coat,* voire un *school-coat* (...)

Pierre DANINOS, Un certain Monsieur Blot, p. 161.

**AUTOCOLLANT, ANTE** [otokɔlɑ̃, ɑ̃t; ɔtɔkɔlɑ̃, ɑ̃t] adj. et n. m. — 1971; de *auto-* (I.), et *collant.*

♦ **1** Qui adhère sans être humecté. *Étiquettes, enveloppes autocollantes.* On dit aussi *auto-adhésif.*

♦ **2** N. m. Petit morceau de papier, de plastique autocollant portant une inscription. *Autocollant publicitaire. Mettre des autocollants sur sa voiture.*

Passez vos commandes directement aux usines Scotch, en Angleterre. Ils vous feront des autocollants sur mesure, et qui tiendront!

Philippe BERNERT, S. D. E. C. E. Service 7, p. 224.

**AUTOCOMMUTATEUR** [otokɔmytatœʀ] n. m. — 1911, *autocommutateur téléphonique,* in *Rev. gén. des sc.,* n° 3, p. 113 (également adj., *système autocommutateur,* p. 118); de *auto-* (I.), et *commutateur.*

Techn. Dispositif capable de commuter automatiquement une ligne téléphonique. — Appos. ou adj. *«Les dix-huit millions d'abonnés français sont reliés par un réseau à deux étages. La cellule de base de cet édifice bâti au fil des ans est un "central autocommutateur". C'est lui qui dirige les communications, soit vers un autre abonné si celui-ci habite la même zone téléphonique, soit vers un centre de transit interurbain comme en possède chaque grande ville»* (*le Point,* 24 mai 1982, n° 505, p. 117).

**AUTOCONCURRENCE** [otokɔ̃kyʀɑ̃s] n. f. — 1973, in *la Clé des mots;* de *auto-* (I.), et *concurrence.*

Concurrence qu'une entreprise se fait à elle-même, en fabriquant des produits concurrents soit directement *(autoconcurrence directe),* soit par l'intermédiaire d'une concession de licence *(autoconcurrence indirecte).*

**AUTOCONDUCTION** [otokɔ̃dyksjɔ̃] n. f. — 1894, *Année sc. et industr.* de *auto-* (I.), et *conduction.*

♦ **1** Électr. Production de courants, dans un corps non relié à un circuit, mais placé à l'intérieur d'un solénoïde.

♦ **2** (1909, Toulouse et Mignard). Psychol., psychiatrie. Faculté de synthèse qui contrôle et coordonne les diverses fonctions mentales en vue d'un but harmonieux et utile à l'individu. *«L'auto-conduction est troublée dans la plupart des affections psychiatriques»* (Sutter, *in* Porot, 1952).

**AUTOCONSERVATION** [otokɔ̃sɛʀvasjɔ̃] n. f. — Mil. XX^e^; de *auto-* (I.), et *conservation.*

Didact. Conservation (d'un schème de pensée) par le sujet, de façon autonome.

La conservation du souvenir pose donc un problème spécial, tandis que la conservation des schèmes ne fait qu'un avec leur existence même et la durée de cette conservation dépend entièrement de leur fonctionnement, qui dure par autoconservation ou autorégulation et n'a pas besoin d'être reconnu ou évoqué en des souvenirs particuliers pour durer.

J. PIAGET, Épistémologie des sciences de l'homme, p. 198.

**AUTOCONSOMMATION** [otokɔ̃sɔmasjɔ̃] n. f. — 1952; de *auto-* (I.), et *consommation.*

Écon. Consommation des produits par leur producteur. → **Autosubsistance.** *Économie d'autoconsommation.* → **Autarcie.** *«L'autoconsommation de produits frais (...) était la règle* (au moyen âge)*»* (L.-V. Vasseur, J.-J. Bimbenet et M. Hillairet, *Industries de l'alimentation,* p. 5).

**AUTOCONTESTATION** [otokɔ̃tɛstasjɔ̃] n. f. — Après 1968; de *auto-* (I.), et *contestation.*

Didact. Contestation de son propre comportement, de ses propres actes.

Le retour est, lui aussi, révélateur, mais dans une dimension d'autocontestation : vous vous éprouvez comme infiniment misérable, tricheur, vous vous interrogez sur votre existence (...)

Claude OLIEVENSTEIN, Il n'y a pas de drogués heureux, p. 292.

**AUTOCOPIANT** [otokɔpjɑ̃; ɔtɔkɔpjɑ̃] adj. m. — Déb. XX^e^; de *autocopier.*

Techn. Se dit d'un papier qui, par pression, reproduit un tracé.

**AUTOCOPIE** [otokɔpi; ɔtɔkɔpi] n. f. — 1917, *in* D. D. L.; de *auto-* (I.), et *copie.*

Techn. Procédé par lequel on reproduit un écrit, un dessin à un certain nombre d'exemplaires.

DÉR. **Autocopier.**

**AUTOCOPIER** [otokɔpje; ɔtɔkɔpje] v. tr. — 1922, Larousse; de *autocopie.*

Techn. Reproduire par autocopie.

DÉR. **Autocopiant.**

**AUTOCORRECTIF, IVE** [otokɔʀɛktif, iv] adj. — Mil. XX^e^; de *autocorrection,* et *correctif.*

Didact. Qui concerne l'autocorrection, procède par autocorrection. *«Certains professeurs font suivre le travail collectif d'un travail individuel sur fiches autocorrectives qui permet aux élèves de réfléchir sur des tournures parallèles à celles sur lesquelles ils ont commis des erreurs et d'appliquer ce qu'ils ont appris»* (Circulaire ministérielle du 29 avr. 1977, n° 77-156, in *Brochure C. N. D. P.* n° 6092, p. 45).

**AUTOCORRECTION** [otokɔʀɛksjɔ̃] n. f. — Mil. XXᵉ; de *auto-* (I.), et *correction.*

Didact. Correction par le sujet (homme, organisme vivant, système...) de ses propres comportements ou erreurs.

(...) ceux des logiciens qui, dépassant les problèmes de pure formalisation, s'interrogent sur les relations entre les structures logiques et les activités du sujet s'orientent naturellement dans la direction des systèmes autorégulateurs qui sont susceptibles de rendre compte de l'autocorrection propre aux mécanismes logiques.
J. PIAGET, Épistémologie des sciences de l'homme, p. 352.

DÉR. **Autocorrectif.**

**AUTOCOUCHETTES** [otokuʃɛt] adj. invar. → **Autos-couchettes.**

**AUTOCRATE** [otokʀat; ɔtɔkʀat] n. et adj. — 1768; grec *autokratês* «qui gouverne par lui-même», de *auto-* et *kratein* «gouverner».

**I** N. ♦ **1** Souverain dont la puissance n'est soumise à aucun contrôle. → **Despote, dictateur, tyran.** — Péj. Monarque absolu qui abuse de ses pouvoirs. — Spécialt. Titre des anciens tsars de Russie.

1 Les Asiatiques qui viennent contempler l'admirable autocratrice (...)
VOLTAIRE, Lettre à Catherine II de Russie, 6 oct. 1774.

2 Vous ne confondrez plus le despote et l'«autocrate».
Éphémérides du Citoyen, année 1768.

REM. La forme latino-grecque *autocrator* n. m. s'est employée, ainsi que son fém. *autocratrice,* au XVIIIᵉ s., au sens de «tsar; tsarine». *L'autocratrice Catherine II. «L'autocratrice de toutes les Russies»* (Voltaire, 1759). En histoire, on emploie parfois *autocrator* pour désigner des souverains absolus (empereurs byzantins, etc.).

♦ **2** N. m. Personne qui prétend imposer sa volonté à tout le monde. → **Tyran.** *Un vieil autocrate.*

**II** Adj. ♦ **1** Qui possède les pleins pouvoirs. *Tsar autocrate.*

♦ **2** Qui abuse de ses pouvoirs.

DÉR. **Autocratiser, autocratisme.**

**AUTOCRATIE** [otokʀasi; ɔtɔkʀasi] n. f. — 1794; grec *autokrateia* de *autokratês.* → Autocrate.

Forme de gouvernement où le souverain exerce lui-même une autorité sans limite. → **Absolutisme, arbitraire, autocratisme, despotisme, dictature, tyrannie.**

1 L'expérience prouve que le despotisme des assemblées est cent fois pire que l'autocratie d'un seul.
PROUDHON, *in* P. LAROUSSE.

Pouvoir exercé de façon abusive. *Autocratie parlementaire, sénatoriale.*

2 Et quand je m'efforce d'affirmer l'autocratie d'une philosophie quelconque — (alors qu'il y en a autant que d'individus) — lorsque je me bats les flancs, enfin, pour défendre les arguties de la Science, — si vaine en ses résultats réels, si orgueilleuse en ses troublantes apparences, — je conviens, oui, je conviens que je réprime toujours en moi-même une immense envie de rire.
VILLIERS DE L'ISLE-ADAM, Tribulat Bonhomet, p. 127.

CONTR. **Aristocratie, démocratie.** ◊ DÉR. **Autocratique.**

**AUTOCRATIQUE** [otokʀatik; ɔtɔkʀatik] adj. — 1768, cit. 1; de *autocratie.*

♦ **1** Qui appartient à un autocrate, à l'autocratie. *Gouvernement, régime autocratique.* → **Absolu, arbitraire, despotique, dictatorial, tyrannique.**

(...) un despote dont l'autorité serait «autocratique» (...) 1
Éphémérides du Citoyen, année 1768.

Tout pouvoir sans contrepoids, sans entraves, autocratique, mène à l'abus, à la folie. 2
BALZAC, la Cousine Bette, Pl., t. VI, p. 310.

Le grand maître de police ne répondit rien, mais il était évident qu'il n'était pas partisan des demi-mesures. (...) Comment! plus de condamnation à perpétuité pour d'autres crimes que les crimes de droit commun! Comment! des exilés politiques revenaient de Tobolsk, d'Iakoutsk, d'Irkoutsk! En vérité, le grand maître de police, habitué aux décisions autocratiques des ukases qui jadis ne pardonnaient pas, ne pouvait admettre cette façon de gouverner! Mais il se tut, attendant que le czar l'interrogeât de nouveau. J. VERNE, Michel Strogoff, p. 19-20. 2.1

♦ **2** Rare. Qui exerce son autorité de manière absolue, abusive, sans admettre la moindre contestation. — Qui révèle un caractère autoritaire. *Air, geste, manière autocratique* (*in* T. L. F.).

Le mépris flamboyait dans les yeux de Laurence, son front pâle et ses lèvres dédaigneuses insultaient à ces hommes encore plus que le geste autocratique avec lequel elle avait traité Corentin en bête venimeuse. 3
BALZAC, Une ténébreuse affaire, Pl., t. VII, p. 525.

CONTR. **Démocratique.** ◊ DÉR. **Autocratiquement.**

**AUTOCRATIQUEMENT** [otokʀatikmɑ̃; ɔtɔkʀatikmɑ̃] adv. — 1852, La Châtre; de *autocratique.*

Rare. En autocrate. *Agir, gouverner autocratiquement.*

**AUTOCRATISER** [otokʀatize; ɔtɔkʀatize] v. tr. — 1876; de *autocrate.*

Rare. Rendre autocratique. — Pron. *«La République s'autocratise»* (Clemenceau, *in* T. L. F.).

**AUTOCRATISME** [otokʀatism; ɔtɔkʀatism] n. m. — 1913, Martin du Gard, *in* T. L. F.; de *autocrate,* et *-isme.*

Didact. Caractère de ce qui est autocratique; système d'autorité absolue. — Par ext. *«L'autocratisme patronal»* (*Traité de sociologie,* 1967, p. 486; T. L. F.).

**AUTOCRITIQUE** [otokʀitik] n. f. — 1866, *autocritique;* de *auto-* (I.), et *critique.*

♦ **1** Didact. (psychol., psychiatrie). Critique de soi-même, de ses comportements. *Le fléchissement ou le retour de l'autocritique ont une valeur clinique en psychiatrie. «L'auto-critique n'est pas une fonction autonome : elle met en jeu chacune des composantes de la personnalité : conscience, jugement, mémoire, affectivité, etc.»* (Sutter, *in* Porot, 1952).

L'étude constante de soi-même, l'auto-critique de ses impressions mobiles augmente cette sensitivité qui peut devenir maladive et dangereuse... 1
H. F. AMIEL, Journal intime, 1866, p. 165.

♦ **2** (1930, M. Thorez, traduisant le russe *samokritika*). Polit. (marxisme) et cour. Critique de son propre comportement.

On fait grand cas là-bas, de ce qu'on appelle l'«autocritique». Je l'admirais de loin et pense qu'elle eût pu donner des résultats merveilleux, si sérieusement et sincèrement appliquée. GIDE, Retour de l'U. R. S. S., III, p. 51. 2

(...) ici aussi, on a reconnu. On l'a dit. Nous avions eu tort. Ça s'appelle l'autocritique. Je ne sais pas, moi, avec les communistes, ce qui m'étonne le plus : quand ils s'entêtent à avoir raison même quand ils ont eu tort, ou alors, au contraire, quand ils veulent absolument avoir eu tort. 3
ARAGON, Blanche..., III, II, p. 413.

REM. Si le mot est utilisé dans d'autres domaines, le sens politique est généralement sous-jacent à ces emplois.

Polit. *Faire son autocritique* : reconnaître ses erreurs par rapport à la ligne politique en vigueur. *Un membre du comité central a fait publiquement son autocritique.* — Fam. Reconnaître ses torts. → **Autocritiquer** (s').

4 Il est vraiment trop facile — faisons ici notre autocritique ! — d'avoir la bouche pleine du «Commonwealth français» comme de notre tarte à la crème.
F. MAURIAC, Bloc-notes 1952-1957, p. 290.

DÉR. **Autocritiquer** (s').

**AUTOCRITIQUER (S')** [otokʀitike] v. pron. — V. 1950 ; de *autocritique*.

Fam. Faire son autocritique.

Et comment un boxeur qui s'autocritique ne serait-il pas un futur vainqueur ?
J. CAU, la Pitié de Dieu (1955), p. 242.

**AUTOCUISEUR** [otokɥizœʀ] n. m. — 1917, *in* D. D. L. ; de *auto-* (I.), et *cuiseur*.

Appareil pour cuire les aliments sous pression, plus rapidement. → **Cocotte, digesteur.**

Un jour la violence cessera de détruire parce qu'elle sera libre. La pression de la pensée cessera d'être à l'intérieur des espèces d'autocuiseurs, et se répandra au-dehors.
J.-M. G. LE CLÉZIO, les Géants, p. 96.

**AUTODAFÉ** [otodafe] n. m. — 1689, *auto da fé* ; port. *auto da fe* «acte *(auto)* de foi *(fe)*».

♦ **1** Cérémonie au cours de laquelle les hérétiques condamnés au supplice du feu par l'Inquisition étaient solennellement conviés à faire *acte de foi* pour mériter leur rachat dans l'autre monde. *Des autodafés.* — Supplice du feu.

1 Seigneur cavalier, vous venez apparemment dans cette ville pour voir l'auguste cérémonie de l'auto-da-fé... Vous verrez, reprit-il, une des plus belles processions qui aient jamais été faites : il y a, dit-on, plus de cent prisonniers parmi lesquels on en compte plus de dix qui doivent être brûlés (...)
J'aperçus bientôt les Dominicains qui marchaient les premiers, précédés de la bannière de l'Inquisition. Ces bons pères étaient immédiatement suivis des tristes victimes que le Saint-Office voulait immoler ce jour-là (...)
A.-R. LESAGE, Gil Blas, XII, 1 (→ San-benito).

2 Une Juive de dix-huit ans, brûlée à Lisbonne au dernier autoda-fé (...)
MONTESQUIEU, l'Esprit des lois, XXV, 12.

3 Après le tremblement de terre qui avait détruit les trois quarts de Lisbonne, les sages du pays n'avaient pas trouvé un moyen plus efficace pour prévenir une ruine totale que de donner au peuple un bel autodafé ; il était décidé par l'université de Coïmbra que le spectacle de quelques personnes brûlées à petit feu, en grande cérémonie, est un secret infaillible pour empêcher la terre de trembler.
VOLTAIRE, Candide, VI.

4 Cependant, si Newton était né en Portugal, et qu'un dominicain eût vu une hérésie dans la raison inverse du carré des distances, on aurait revêtu le chevalier Isaac Newton d'un san-benito dans un autoda-fé.
VOLTAIRE, Dict. philosophique, Newton et Descartes.

5 Je sèmerai les feux, les brandons, les clartés, les braises, et partout, au-dessus des cités, je ferai flamboyer l'autodafé suprême, joyeux, vivant, céleste ! — O, genre humain, je t'aime !
HUGO, Torquemada, Prologue, p. 56.

♦ **2** (Av. 1838, *in* D. D. L.). Action de détruire par le feu. *Faire un autodafé de livres.*

**AUTO-DÉBRAYAGE** [otodebʀɛjaʒ] n. m. — Attesté 1983 ; de *auto-* (I.), et *débrayage*.

Système automatique de sécurité qui arrête un moteur de machine. *L'auto-débrayage d'une tondeuse à gazon.*

**AUTODÉCONTRACTION** [otodekɔ̃tʀaksjɔ̃] n. f. → **Autorelaxation.**

**AUTODÉFENSE** [otodefɑ̃s] n. f. — 1936 ; de *auto-* (I.), et *défense*.

Défense par les moyens dont on dispose. *Groupe d'autodéfense.*

(...) le revolver ne tirait qu'à blanc. C'est un pétard d'autodéfense. Inoffensif. Ça sert à foutre la trouille. 1
J. CAU, la Pitié de Dieu, p. 105.

Par ext. Défense de soi-même par soi-même.

Par nécessité d'autodéfense, nous *(les femmes)* voilà partagées, nous voilà contraintes d'entrer dans la manière des hommes, dans la bagarre. C'est un peu gros, non ? 2
Michèle PERREIN, Entre chienne et louve, p. 155.

Méd. Réaction d'un organisme contre la menace d'un agent pathogène.

**AUTODÉRISION** [otodeʀizjɔ̃] n. f. — 1975 ; de *auto-*, et *dérision*.

Fait de se moquer de soi-même. *Un exercice d'autodérision. Pratiquer l'autodérision. «Cette allègre comédie intègre l'efficacité des téléfilms américains destinés au public adolescent sans se départir d'une ironie bienveillante et d'une autodérision amusée»* (*le Monde,* 22 janv. 1999, p. 29).

**AUTODESTRUCTIF, IVE** [otodɛstʀyktif, iv] ou **AUTODESTRUCTEUR, TRICE** [otodɛstʀyktœʀ, tʀis] adj. — 1948, *autodestructif* ; *autodestructeur*, 1946 ; de *auto-* (I.), et *destructif, ive.* REM. Parfois écrit *auto-destructif, ive.*

Qui a trait à l'autodestruction.

La projection de l'instinct de mort, autodestructif, sur les objets extérieurs donne les tendances destructives. 1
Daniel LAGACHE, la Psychanalyse, p. 28.

Qui se détruit soi-même.

Très généralement, les précautions que l'homme prend pour la conservation de l'objet technique ont pour fin de maintenir ou d'amener son fonctionnement dans les conditions qui le rendent non auto-destructif, c'est-à-dire dans les conditions où il exerce sur lui-même une réaction négative stabilisante ; au delà de certaines limites, les réactions deviennent positives, et par conséquent destructives ; c'est le cas du moteur qui, s'échauffant trop, commence à gripper... 2
Gilbert SIMONDON, Du mode d'existence des objets techniques, p. 80.

**AUTODESTRUCTION** [otodɛstʀyksjɔ̃] n. f. — 1898, L. Daudet, *in* D. D. L. ; de *auto-* (I.), et *destruction.* REM. Parfois écrit *auto-destruction.*

Destruction de soi (matérielle ou morale) par soi-même. *Travail, pouvoir d'autodestruction. Autodestruction par autophagie.*

Tout mouvement nous coûte un effort surhumain et douloureux. La faim est devenue famine ; de l'état aigu elle est passée à l'état chronique. Nous commençons à consommer nos propres protéines, c'était de l'auto-destruction. Nous ne pensons plus, nous dormons ou somnolons les trois quarts du temps. 1
Alain BOMBARD, Naufragé volontaire, p. 90.

Une dernière direction que je voudrais signaler en vue d'éventuelles études psychanalytiques dans le domaine artistique serait celle de l'analyse de l'art et de la littérature actuels en fonction des forces d'autodestruction de l'*instinct de mort.* 2
G.-E. CLANCIER, Psychanalyse, littérature et critique, *in* la Nef, nº 31, p. 109.

**AUTODÉTERMINATION** [otodetɛʀminasjɔ̃] n. f. — 1907, biol. ; de *auto-* (I.), et *détermination.*

♦ **1** Le fait de se déterminer, d'être déterminé par des caractères internes. *Autodétermination et liberté humaine.*

Biologie :

1 En fait, comme on l'a vu, lorsque ces performances sont analysées à l'échelle microscopique, moléculaire, elles apparaissent entièrement interprétables en termes d'interactions chimiques spécifiques, électivement assurées, librement choisies et organisées par des protéines régulatrices; et c'est dans la structure de ces molécules qu'il faut voir la source ultime de l'autonomie, ou plus exactement de l'autodétermination qui caractérise les êtres vivants dans leurs performances.

Jacques MONOD, le Hasard et la Nécessité, p. 104.

♦ **2** (1955; dans le contexte algérien). Cour. Détermination du statut politique d'un pays par ses habitants. *Le droit à l'autodétermination.*

2 J'y vois, quant à moi, la preuve que l'adversaire ne se dérobe pas, comme nous l'avions craint. Il attend (et comment s'en étonner?) des assurances touchant les conditions et les garanties de l'autodétermination : «Si le peuple algérien doit librement se prononcer, il est légitime de s'interroger sur les greffiers chargés d'enregistrer statistiquement sa sentence, et sur l'identité de l'huissier appelé à l'exécuter».

F. MAURIAC, le Nouveau Bloc-notes 1958-1960, p. 273.

3 Vous saurez (...) lui faire comprendre que la thèse du général de Gaulle n'a jamais été l'intégration, mais l'autodétermination.

Jean LARTÉGUY, les Prétoriens, p. 672.

Libre détermination par les membres d'une collectivité de leur orientation. *L'autodétermination des élèves d'un lycée.*

DÉR. **Autodéterminer** (s').

**AUTODÉTERMINER (S')** [otodetɛʀmine] v. pron. — 1965, ci-dessous; de *autodétermination.*

Procéder à l'autodétermination; décider du sort de son peuple, de son pays.

*(Un banquier)* : Vous avouerez messieurs, que c'est de bonne logique si Léo *(Léopoldville)* obtient qu'on s'autodétermine.
Soit! Nous ne pouvons l'empêcher (...)

Aimé CÉSAIRE, Une saison au Congo, VI, p. 32 (1965).

**AUTODÉTRUIRE (S')** [otodetʀɥiʀ] v. pron. — Mil. XXe; de *auto-* (I.), et *détruire*; d'après *autodestruction.*

Se détruire soi-même, pratiquer l'autodestruction*.

Cela suppose que la civilisation occidentale, où nous sommes, cesse de se haïr parce qu'elle aura la vigueur de se renouveler plutôt que de s'autodétruire (...)

F. GIROUD, Si je mens, p. 109.

**AUTODICTÉE** [otodikte] n. f. — Av. 1978 (→ la cit.); de *auto-* (I.), et *dictée.*

Exercice scolaire pour l'apprentissage de l'orthographe, reproduction de mémoire d'un texte écrit appris par cœur.

D'autres *(exercices d'orthographe)* dont l'objet est plus précis, ont été assez largement pratiqués au cours des années antérieures; ils n'en gardent pas moins leur efficacité. Ce sont par exemple :
la simple copie d'un texte, qui a la double vertu de mobiliser l'attention et d'exercer un effet d'imprégnation;
l'autodictée qui oblige le rédacteur, en l'absence d'un support matériel, à justifier mentalement la restitution graphique d'un texte mémorisé;
la reconstitution de texte, immédiate ou différée, qui exige que soient retrouvés non seulement le sens et la structure d'un texte entendu et vu, mais encore chaque élément dans sa littéralité.

Circulaire ministérielle n° 78-390 du 16 nov 1978, *in* Brochure C.N.D.P. n° 6092, p. 76.

**AUTODIDACTE** [otodidakt; ɔtɔdidakt] adj. et n. — 1580; «que l'on apprend sans maître», 1557; grec *autodidaktos*; de *auto-* (I.), et *didaskein* «s'instruire». REM. L'orthographe *auto-didacte* adoptée par Valéry relève évidemment de la volonté de souligner l'étymologie du mot.

Qui s'est instruit lui-même, sans maître. *Un écrivain autodidacte, fils de ses œuvres. Il est plus ou moins autodidacte. — Un, une autodidacte.*

L'auto-didacte ne sait rien dont il n'ait eu envie ou besoin, et qui ne lui ait coûté une peine sensible. 1

VALÉRY, Cahiers, Pl., t. II, p. 1564.

Le poète Wilfred Owen, être tyrannique, les poches bourrées de livres, essaie de se faire à la maison une éducation qui remplacera l'inaccessible Oxford. Ce farouche autodidacte est aussi un magicien. 2

J. GREEN, Ce qui reste de jour : 1966-1972, 27 nov. 1969.

Le nombre des autodidactes de l'art ne cesse de s'accroître, heureusement; que seraient d'autre les scientifiques artistes? 3

MALRAUX, l'Homme précaire et la Littérature, p. 202.

DÉR. **Autodidactie, autodidactique.**

**AUTODIDACTIE** ou **AUTODIDAXIE** [otodidaksi; ɔtɔdidaksi] n. f. — 1960; de *autodidacte.*

Didact. Fait de s'instruire tout seul, sans maître. *«Autodidaxie assistée»* (*le Nouvel Obs.*, n° 408, p. 58).

Partant de l'autodidactie et du métier de copiste comme Babeuf, Fourcroy (...) était déjà parvenu à l'Académie des Sciences.

M. DOMMANGET, Babeuf et l'Éducation, *in* Annales d'hist. de la Révolution franç., 1960, 32, *in* D.D.L., II, 14.

REM. On emploie aussi *autodidactisme* [otodidaktism].

**AUTODIDACTIQUE** [otodidaktik; ɔtɔdidaktik] adj. — 1837, *in* D.D.L.; de *autodidacte.*

Didact. Relatif à l'autodidacte, à ses connaissances. *Connaissances autodidactiques. Encyclopédie, méthode autodidactique.*

**AUTODIRECTEUR** [otodiʀɛktœʀ] n. m. — 1976, *Journal officiel*; de *auto-* (I.), et *directeur.*

Milit. Dispositif permettant de guider automatiquement un missile ou une torpille vers son objectif. — Appos. ou adj. *Dispositif autodirecteur.*

**AUTODIRIGÉ, ÉE** [otodiʀiʒe] adj. — 1951, Teilhard de Chardin, en biol.; de *auto-* (I.), et *diriger.*

Qui se dirige soi-même. *Une évolution autodirigée. «Lacheraf oppose à un nationalisme formel le profond mouvement révolutionnaire des paysans "autodirigés"»* (*le Monde,* 10 juil. 1965; *in* D.D.L.). → aussi **Autogéré.**

**AUTODISCIPLINE** [otodisiplin] n. f. — 1919; de *auto-* (I.), et *discipline.*

Discipline que s'impose un individu ou un groupe, sans intervention coercitive extérieure.

Lorsque Trotski nous parle d'autodiscipline, il veut rire et se moque de nous.

Cl. ANET, la Révolution russe, 4, p. 88, *in* D.D.L., II, 7.

**AUTODROME** [otodʀom] n. m. — 1900, *la France automobile*; de *auto-* (II.), et *-drome.*

Piste fermée pour courses ou essais d'automobiles. → **Circuit.** *L'autodrome de Montlhéry.*

**AUTO-ÉCOLE** [otoekɔl] n. f. — 1906; de *auto-* (II.), et *école.*

École de conduite des automobiles, qui prépare les candidats au permis de conduire. *Des auto-écoles. Apprendre à conduire dans une auto-école. Passer le permis sans passer par une auto-école. Moniteur d'auto-école.*

(...) j'allai (...) lécher les vitrines d'un antiquaire, d'un marchand de meubles anglais, d'une auto-école.
Vladimir VOLKOFF, le Retournement, p. 76.

**AUTOÉCOLOGIE** [otoekɔlɔʒi] n. f. — Déb. XXe; de *auto-* (I.), et *écologie.*

Didact. Partie de l'écologie qui étudie les relations entre l'individu, l'espèce et le milieu (opposé à *synécologie*).

**AUTO-ÉPURATEUR, TRICE** [otoepyʀatœʀ, tʀis] adj. — XXe; de *auto-* (I.), et *épurateur.*

Techn. De l'auto-épuration. *Système auto-épurateur. Station auto-épuratrice.*

**AUTO-ÉPURATION** [otoepyʀasjɔ̃] n. f. — 1903, in *Rev. gén. des sc.,* n° 19, p. 991; de *auto-* (I.), et *épuration.*

Techn. Élimination des déchets contenus dans un milieu par ce milieu lui-même.

**AUTO-ÉROTIQUE** [otoeʀɔtik] adj. — Mil. XXe; *autoérotique,* 1918, *in* D. D. L.; de *auto-érotisme.*

Didact. (psychol., psychan.). Qui a le caractère de l'auto-érotisme. *Activité auto-érotique d'un enfant.*

(...) ou bien la sensualité privée de direction précise vers un objet extérosexuel, loin d'avoir désarmé, s'abrite dans les recoins, se fait tortueuse, honteuse, compliquée, et toujours plus ou moins auto-érotique. Les cas les plus bénins se résolvent en habitudes masturbatoires.
E. MOUNIER, la Relation sexuelle, tiré du «Traité du caractère» (1948), *in* Dr WILLY, la Sexualité, t. I, p. 37.

Par ext. *Activités auto-érotiques.* → **Masturbation, onanisme.**

DÉR. **Auto-érotiquement.**

**AUTO-ÉROTIQUEMENT** [otoeʀɔtikmɑ̃] adv. — Mil. XXe; de *auto-érotique.*

Didact. (psychol., psychan.). D'une manière auto-érotique. «*Sensualité génitale fixée auto-érotiquement*» (E. Mounier, *Traité du caractère,* 1948, *in Dr Willy, la Sexualité,* t. I, p. 37).

**AUTO-ÉROTISME** [otoeʀɔtism] n. m. — 1916, H. Havelock Ellis, 1898; de *auto-* (I.), et *érotisme.*

Didact. Érotisme qui prend sa source dans le sujet même, et non dans une relation d'objet. *L'auto-érotisme est une manifestation normale de la sexualité infantile. Auto-érotisme et narcissisme*, et masturbation*.*

*Auto-érotisme.* — Phénomène d'émotivité sexuelle spontanée en l'absence de tout stimulus externe direct ou indirect. Sa forme typique est l'orgasme pendant le sommeil. Par extension, on englobe parfois sous ce nom toute émotion sexuelle spontanée ou provoquée en l'absence de partenaire.
P. SIVADON, *in* PIÉRON, Voc. de la psychologie, art. *Auto-érotisme* (1951).

DÉR. **Auto-érotique.**

**AUTO-ÉVOLUER** [otoevɔlɥe] v. intr. — 1951, Teilhard de Chardin; de *auto-* (I.), et *évoluer.*

Didact. Évoluer de soi-même, sans influence extérieure.

DÉR. **Auto-évolutif, auto-évolution.**

**AUTO-ÉVOLUTIF, IVE** [otoevɔlytif, iv] adj. — 1951, Teilhard de Chardin; de *auto-évoluer.*

Didact. Qui auto-évolue; relatif à l'auto-évolution.

**AUTO-ÉVOLUTION** [otoevɔlysjɔ̃] n. f. — 1947; de *auto-évoluer.*

Didact. Fait d'auto-évoluer.

C'est seulement par finalité réfléchie, lentement conquise, que la Vie peut espérer s'élever désormais plus outre, par effet d'auto-évolution (...)
TEILHARD DE CHARDIN, l'Avenir de l'homme, p. 258, *in* D. D. L., II, 5.

**AUTO-EXCITATEUR, TRICE** [otoɛksitatœʀ, tʀis] adj. — 1881, cit.; de *auto-* (I.), et *excitateur.*

Électr. Dont le courant est fourni par l'induit. *Machine auto-excitatrice.*

Dans un modèle très employé construit par M. Gramme, la *machine excitatrice* est placée sur le même arbre que la machine à courants alternatifs et tourne avec la même vitesse. C'est ce qui lui a fait donner le nom de machine *auto-excitatrice.*
Louis FIGUIER, l'Année scientifique et industrielle 1882, p. 454 (1881).

**AUTO-EXTINGUIBLE** [otoɛkstɛ̃gibl; otoɛkstɛ̃gɥibl] adj. — 1967; de *auto-* (I.), et *extinguible.*

Didact. Qui s'éteint de soi-même (en parlant d'une substance enflammée), dès qu'on l'éloigne de la flamme. «*(...) les fabrications à base de résine seront armées par tissus de verre et teintées dans la masse. Il serait souhaitable que les résines utilisées soient du type auto-extinguible*» (Brochure de la Fédération française de camping et caravaning, p. 17 [1967]).

**AUTOFÉCONDATION** [otofekɔ̃dasjɔ̃] n. f. — 1888, *Encycl. Berthelot;* de *auto-* (I.), et *fécondation.*

Bot. Fécondation d'une plante par ses propres organes mâles et femelles (→ **Autogame; autofertilité**). *Mécanisme s'opposant à l'autofécondation.* → **Auto-incompatibilité.** — Zool. *Autofécondation des animaux hermaphrodites.* → **Autogamie** (cit.).

Si la visite d'un insecte, c'est-à-dire l'apport de la semence 1
d'une autre fleur, est habituellement nécessaire pour féconder une fleur, c'est que l'autofécondation, la fécondation d'une fleur par elle-même (...) amènerait la dégénérescence (...)
PROUST, Sodome et Gomorrhe, Pl., t. II, p. 603.

L'étude des descendances provenant d'autofécondations et 2
de croisement permet de connaître les lois qui régissent la transmission des principaux caractères par voie sexuée (...)
Louis LEVADOUX, la Vigne et sa culture, p. 125.

**AUTOFÉCONDER (S')** [otofekɔ̃de] v. pron. — 1931, J. R. Bloch; de *auto-* (I.), et *féconder,* d'après *autofécondation.*

Biol. Se reproduire par autofécondation.

**AUTOFERTILITÉ** [otofɛʀtilite] n. f. — XXe; de *auto-* (I.), et *fertilité.*

Biol. Fertilité par autofécondation.

(...) l'autofertilité est l'aptitude d'une variété à la nouaison à la suite de l'autofécondation (...)
H. BOULAY et Ph. MAINIÉ, Arboriculture et production fruitière, p. 67.

**AUTOFICTION** [otofiksjɔ̃] n. f. — 1977, S. Doubrovsky; mot-valise, de *autobiographie,* et *fiction;* composé mal formé.

Didact. Récit où se mêlent la fiction et le récit autobiographique (sans aller jusqu'à l'autobiographie, même romancée). «*Le romancier refuse l'impudeur et la délivrance de l'autofiction. Il se retire dans la neutralité caustique du compte rendu*» (*le Monde,* 9 juil. 1999, p. 4).

**AUTOFINANCEMENT** [otofinɑ̃smɑ̃] n. m. — 1943; de *auto-* (I.), et *financement.*

Fin. Financement d'une entreprise par ses propres capitaux (affectation de profits aux investissements). *Recourir à l'autofinancement ou à un emprunt. — Marge* brute d'autofinancement* (M. B. A.). Syn. (anglic.) : *cash-flow.*

Alors qu'avant-guerre l'autofinancement ne représentait qu'un tiers de l'épargne totale de la Nation, il représente actuellement plus des deux cinquièmes. Dans le cadre même des entreprises, *les deux tiers des investissements sont désormais effectués par autofinancement.*
Jean-Paul COURTHÉOUX, la Politique des revenus, p. 98.

**AUTOFINANCER (S')** [otofinɑ̃se] v. pron. — 1966; de *auto-* (I.), et *financer,* d'après *autofinancement.*

Fin. Se procurer des capitaux par l'autofinancement. *«Comment* (les chefs d'entreprise) *s'autofinanceront-ils?»* (*France-Europe,* n° 16, p. 9).

**AUTOFOCUS** [otofɔkys] adj. et n. m. — V. 1980; mot angl. (1973, dans Barnhardt), de *auto-,* et *to focus* «faire le point», de *focus* «foyer».

Photogr. Se dit d'un appareil photo, d'une caméra, d'un projecteur équipé d'un système de mise au point automatique. *Une caméra autofocus.* — N. m. *Un autofocus* : un appareil équipé de ce système.

**AUTOFRETTAGE** [otofʀetaʒ] n. m. — 1933, Larousse; de *auto-* (I.), et *frettage.*

Techn. Procédé permettant de réaliser le frettage d'un tube à froid et sous pression intérieure.

**AUTOGAME** [otogam; ɔtɔgam] adj. — Av. 1951; de *auto-* (I.), et *-game.*

Biol. Qui est caractérisé par l'autogamie. *Plante autogame* (ou *cléistogame*), dont la fécondation (→ **Autofécondation**) est assurée par le pollen de la fleur elle-même (opposé à *plante allogame,* caractérisée par la fécondation par le pollen d'une autre fleur). → **Autogamie.**

**AUTOGAMIE** [otogami; ɔtɔgami] n. f. — 1904, in *Rev. gén. des sc.,* n° 12, p. 603; de *auto-* (I.), et *-gamie.*

Biol. Mode de reproduction par union de gamètes provenant du même individu, observé chez quelques protozoaires et surtout chez des végétaux (algues, champignons, certaines plantes supérieures, dites *autogames**), plus rare dans le règne animal (invertébrés hermaphrodites : ver de terre, escargot). Syn. : *autofécondation.*

L'hermaphrodisme est dit effectif lorsque aucune impossibilité ne vient entraver le fonctionnement des organes mâle et femelle dont est pourvu le même individu; celui-ci peut parfois se féconder lui-même (autogamie) ou au contraire le fonctionnement de ses organes étant successif l'autogamie est impossible.
Jean GUIBÉ, les Batraciens, p. 51.

CONTR. **Allogamie.**

**AUTOGÈNE** [otoʒɛn; ɔtɔʒɛn] adj. — 1840, Landais, au sens 1; de *auto-* (I.), et *-gène.*

Didactique.

♦ **1** Philos. (vx). Qui a été fait par soi-même, existe par soi-même. *Dieu est autogène.*

♦ **2** (1855, Nysten, «nom donné par Owen — naturaliste anglais, 1846 — aux parties qui se développent ordinairement de centres distincts et indépendants»). Physiol. Qui se développe à l'aide de ses éléments propres, sans secours extérieur. *«En anatomie pathologique, les éléments autogènes d'une tumeur sont ceux qui lui donnent ses caractères propres»* (*Nouveau Larousse illustré*).

Les symptômes *(des maladies)* ne sont pas forcément fixes, et sous des influences diverses, soit hétérogènes, soit autogènes, leurs caractères et leurs modalités changent.
Pierre VANNIER, l'Homéopathie, p. 96.

*Training autogène* (anglic.) : autorelaxation (recomm. off.).

♦ **3** (1885). Cour. *Soudure autogène.* → **Soudure** (1.). — *Broyeur* autogène.*

**AUTOGÉRÉ, ÉE** [otoʒeʀe] adj. — 1964; de *auto* (I.), et *géré.*

Qui est géré, dirigé par ceux qui y travaillent, y ont une activité (→ **Autogestion**). *Entreprise, usine autogérée,* gérée par le personnel (dont émane la direction et le conseil de gestion). *Secteur autogéré de l'économie d'un pays. Centre de vacances autogéré,* pris en charge par l'ensemble des participants. *Commune autogérée,* gérée par les habitants eux-mêmes.

Mais tout se passe comme si l'île était une coopérative (...) Autogérée, diriez-vous, puisque le Conseil en fait est à la fois une assemblée municipale, un parlement, un syndicat et un comité de gestion.
Hervé BAZIN, les Bienheureux de la désolation, p. 241-242.

Relatif à l'autogestion. *Structures industrielles autogérées.*

**AUTOGESTION** [otoʒɛstjɔ̃] n. f. — 1960; de *auto-* (I.), et *gestion.*

Gestion (d'une entreprise, d'une collectivité) par l'ensemble des gens concernés. *Rôle de l'autogestion dans le socialisme yougoslave. Autogestion d'une école, d'un hôpital, d'une usine. Autogestion par les producteurs, par les consommateurs. Autogestion pédagogique.*

(...) l'autogestion, c'est-à-dire la gestion par la base, ne se 1
réduit nullement à un système de coopératives : c'est une conception de la société globale, dans laquelle chaque individu devient un centre d'initiative, de création et de responsabilité à tous les niveaux : celui de l'économie, de la politique, de la culture, une conception qui ne soit ni individualiste ni totalitaire, mais fondée, pour toutes les activités sociales, sur des communautés de base.
Roger GARAUDY, Parole d'homme, p. 195 (1975).

L'autogestion ne désigne pas une technique particulière 2
d'organisation du travail ou des rapports sociaux. C'est un concept limite, l'horizon de toutes les recherches et de toutes les tentatives pour transformer radicalement le travail. Roger GARAUDY, Parole d'homme, p. 140.

Le 22 mars de cette année-là, des groupes gauchistes (...) 3
s'étaient accordés pour diriger un mouvement d'autogestion selon le principe de la démocratie directe.
Jean-Louis CURTIS, Horizon, p. 296.

DÉR. **Autogestionnaire.**

**AUTOGESTIONNAIRE** [otoʒɛstjɔnɛʀ] adj. — 1970; de *autogestion.*

Relatif à l'autogestion. *Socialisme autogestionnaire, en Yougoslavie.*

(...) Un jour, les universités seraient largement autogestionnaires. Jean-Louis CURTIS, Horizon, p. 295.

**AUTOGIRE** [otoʒiʀ; ɔtɔʒiʀ] n. m. — 1923; esp. *autogiro,* comp. sav. de *auto-* (I.), et grec *guros* «cercle».

Appareil volant à rotor où ce dernier n'assure que la sustentation (et non la propulsion; → Hélicoptère). — REM. Le mot s'est surtout employé avant la diffusion de l'hélicoptère (1923-1945); en français, il s'écrirait normalement *autogyre.*

**AUTOGNOSE** [otognoz] ou **AUTOGNOSIE** [otognozi] n. f. — 1863; de *auto-* (I.), et grec *gnosis* «connaissance».

Psychol. Connaissance de soi-même. Cf. *Gnothi se autôn.*

**AUTOGRAPHE** [otogʀaf; ɔtɔgʀaf] adj. et n. m. — 1580; grec *autographos;* de *auto-* (I.), et *graphein* «écrire».

Qui est écrit de la propre main de quelqu'un. *Lettre, manuscrit autographe. Dédicace autographe.*

1 Je trouvai un manuscrit autographe du savant Quaresmius.
CHATEAUBRIAND, Itinéraire de Paris à Jérusalem, III, 37.

2 Antoine reprit le fascicule et chercha la dédicace autographe. MARTIN DU GARD, les Thibault, V, 5.

N. m. (Plus cour.). Texte écrit à la main par une personne célèbre. *Une collection d'autographes. Le fac-similé d'un autographe. Il a trouvé un autographe de Hugo. Signer des autographes à la sortie d'un récital.*

3 — Que fait Zelten?
— Que veux-tu qu'il fasse! Il attend Kleist, il attend Thomas Mann, il attend sa lettre de Gorki, sa lettre d'Anatole France! Les dictateurs collectionnent les autographes et disparaissent.
GIRAUDOUX, Siegfried et le Limousin, p. 245.

CONTR. **Copie, reproduction.**

**AUTOGRAPHIE** [otogʀafi; ɔtɔgʀafi] n. f. — 1800; de *auto-* (I.), et *-graphie.*

Techn. Procédé qui permet de reproduire par impression un écrit, un dessin tracés avec une encre spéciale.

DÉR. **Autographier, autographique.**

**AUTOGRAPHIER** [otogʀafje; ɔtɔgʀafje] v. tr. — 1829; de *autographie.*

Littér. ou didact. Reproduire un manuscrit, un dessin par l'autographie.

*(Dubus)* Revient au vers avec une césure, au vers classique! de Racine, veut faire autographier ses poésies (...)
J. RENARD, Journal, 4 mars 1890.

**AUTOGRAPHIQUE** [otogʀafik; ɔtɔgʀafik] adj. — 1829; de *autographie.*

Techn. Qui a rapport à l'autographie. *Procédé, encre, papier autographique.*

**AUTOGREFFE** [otogʀɛf] n. f. — 1920; de *auto-* (I.), et *greffe.*

Biol. Greffe dans laquelle le greffon provient du sujet lui-même (on dit alors *autogreffon* [otogʀɛfɔ̃], n. m.). → **Autoplastie.** — S'oppose à *hétérogreffe.*

**AUTOGRUE** [otogʀy] n. f. — 1973, in *la Clé des mots;* de *auto(mobile)* → Auto- (II.), et *grue.*

Techn. Grue montée sur un véhicule automobile.

**AUTOGUIDAGE** [otogidaʒ] n. m. — 1951; de *auto-* (I.), et *guidage.*

Procédé par lequel un mobile dirige lui-même son mouvement. *Autoguidage actif, passif.*

(...) ces tendances organicistes, nées en partie indépendamment de modèles mathématiques, se sont trouvées converger avec l'une des découvertes fondamentales de notre époque : celle des mécanismes d'autorégulation ou d'autoguidage étudiés par la cybernétique.
PIAGET, Épistémologie des sciences de l'homme, p. 324 (1970).

**AUTOGUIDÉ, ÉE** [otogide] adj. — 1949, in D. D. L.; de *auto-* (I.), et *guidé.*

Qui se dirige lui-même par autoguidage. *Engin, projectile autoguidé.* → **Autopropulsé.** *«Il n'existe (...) qu'une parade contre les torpilles téléguidées ou autoguidées, c'est l'abri souterrain très profond»* (*Science et Vie,* n° 590, p. 117).

**AUTOGYRE** n. m. → **Autogire.**

**AUTOHÉMOTHÉRAPIE** [otoemoteʀapi] n. f. — 1920; de *auto-* (I.), *hémo-,* et *-thérapie.*

Didact. (méd.). Injection du sang du malade dans ses propres muscles.

Les démangeaisons dont je souffrais depuis des mois étant devenues, ces derniers temps, intolérables, surtout la nuit — je me suis décidé à me soumettre à une cure d'autohémothérapie; comble du narcissisme. Chaque jour le Dr Sourdel prélève du sang de mon bras, qu'il injecte dans ma cuisse. GIDE, Journal, 10 mai 1931.

DÉR. **Autohémothérapique.**

**AUTOHÉMOTHÉRAPIQUE** [otoemoteʀapik] adj. — 1931; de *autohémothérapie.*

Méd. Relatif à l'autohémothérapie. *Traitement autohémothérapique.*

**AUTO-HYPNOSE** [otoipnoz] n. f. — XXe (*in* Manuila, 1970); de *auto-* (I.), et *hypnose.*

Hypnose provoquée par autosuggestion.

**AUTO-IMMUN, UNE** [otoi(m)mœ̃, yn] adj. — 1973, au fém. *(maladie auto-immune),* dans le titre des Actes d'un congrès de méd.; de *auto-* (I.), et *immun.*

Méd. *Maladie auto-immune,* qui est liée au processus pathologique d'auto-immunisation (que celui-ci apparaisse comme la cause ou comme la conséquence de la maladie). — Au masc. (moins cour.). *Anticorps auto-immuns. «On sait depuis longtemps que le système immunitaire sait faire la différence entre le "soi" et le "non-soi" et que, sauf accident comme les maladies auto-immunes, il ne s'agresse pas lui-même»* (*la Recherche,* oct. 1981, p. 1056).

**AUTO-IMMUNISATION** [otoi(m)mynizasjɔ̃] n. f. — 1969; de *auto-* (I.), et *immunisation.*

Méd. État pathologique d'un organisme produisant des anticorps contre ses propres constituants.

**AUTO-IMPOSITION** [otoɛ̃pozisjɔ̃] n. f. — 1956; de *auto-* (I.), et *imposition.*

Admin. Assujettissement des services publics à l'impôt.

**AUTO-INCOMPATIBILITÉ** [otoɛ̃kɔ̃patibilite] n. f. — Mil. XXe; de *auto-* (I.), et *incompatibilité.*

Physiol. Mécanisme physiologique s'opposant aux possibilités d'autofécondation, chez les Angiospermes (chez de nombreux Thallophytes, l'auto-incompatibilité porte le nom d'*hétérothallisme*).

**AUTO-INDUCTANCE** [otoɛ̃dyktɑ̃s] n. f. → **Self-inductance.**

**AUTO-INDUCTION** [otoɛ̃dyksjɔ̃] n. f. — 1890; de *auto-* (I.), et *induction.*

Techn. Induction produite dans un réseau électrique par les variations du courant qui le parcourt. *Coefficient d'auto-induction d'un circuit.* → **Inductance.** — Syn. : *self-induction.*

**AUTO-INFECTION** [otoɛ̃fɛksjɔ̃] n. f. — 1883, *Année sc. et industr.*; de *auto-* (I.), et *infection.*

Physiol., méd. Infection par des éléments déjà présents dans l'organisme (et affaiblissement des défenses).

**AUTO-INTOXICATION** [otoɛ̃tɔksikasjɔ̃] n. f. — 1887; de *auto-* (I.), et *intoxication.*

Biol. Troubles produits par la mauvaise élimination des toxines (déchets de l'organisme). *Auto-intoxication urémique.* — Fig. Le fait de s'intoxiquer (fig.) soi-même.

**AUTO-IONISATION** [otojɔnizasjɔ̃] n. f. — 1903, in *Rev. gén. des sc.*, n° 19, p. 970; de *auto-* (I.), et *ionisation.*

Sc. Ionisation d'un atome provoquée par l'éjection d'un de ses électrons, auquel a été transmise l'énergie de l'atome préalablement excité.

**AUTOJUSTIFICATION** [otoʒystifikasjɔ̃] n. f. — Mil. XX^e; de *auto-* (I.), et *justification.*

Littér. Le fait de se justifier soi-même.

En dépit de son art de l'autojustification, Christian eut un léger pincement au cœur en prononçant cette dernière phrase dont le sens sinistre lui apparut dans toute son horreur. Philippe DAUDY, la Force du Destin, p. 88.

CONTR. **Auto-accusation.**

**AUTOLÂTRE** [otolatʀ] adj. et n. — 1853, Flaubert; de *auto-* (I.), et *-lâtre.*

Littér. Qui s'idolâtre soi-même. — N. *Un, une autolâtre.*

DÉR. V. **Autolâtrie.**

**AUTOLÂTRIE** [otolatʀi] n. f. — 1852, Leconte de Lisle; de *auto-* (I.), et *-lâtrie* ou de *autolâtre.*

Littér. État d'une personne autolâtre; adoration de soi-même.

**AUTOLIMITATION** [otolimitasjɔ̃] n. f. — 1911; de *auto-* (I.), et *limitation.*

Limitation par soi-même. — REM. On écrit aussi *auto-limitation.*

Si les gouvernements acceptaient l'auto-limitation de leur prérogatives, il n'est pas démontré que les gouvernés y consentissent *(sic).* COMBES DE LESTRADE, la Vie internationale, p. 135 (1911), *in* D. D. L., II, 15.

**AUTOLOCOMOTEUR, TRICE** [otolɔkɔmɔtœʀ, tʀis] adj. — 1860; de *auto-* (I.), et *locomoteur.*

Loc. Qui se déplace tout seul. → **Automobile,** 1. «*La sainte hélice des appareils prétendus autolocomoteurs*» (*les Mondes,* in L. Guilbert, *le Vocabulaire de l'aviation*).

**AUTOLOCOMOTION** [otolɔkɔmosjɔ̃] n. f. — 1863, Nadar; de *auto-* (I.), et *locomotion.*

Vx. Fait de se déplacer de soi-même. «*Appareil d'auto-locomotion aérienne*» (Banville, *in* D. D. L.).

**AUTOLUBRIFIANT, ANTE** [otolybʀifjɑ̃, ɑ̃t] adj. — Déb. XX^e; de *auto-* (I.), et *lubrifiant.*

Techn. Qui ne demande pas de lubrification par un agent extérieur.

(...) un système plus régulier de graissage dans un moteur, l'utilisation de paliers autolubrifiants, l'emploi de métaux plus résistants ou d'assemblages plus solides sont de cet ordre de perfectionnements mineurs. Gilbert SIMONDON, Du mode d'existence des objets techniques, p. 38 (1969).

**AUTOLYSE** [otoliz] n. f. — 1903, in *Rev. gén. des sc.*, n° 1, p. 6; de *auto-* (I.), et *-lyse.*

Biol. Destruction des tissus par leurs enzymes (ex. : la putréfaction).

Les agents de la maturation sont essentiellement les enzymes bactériens libérés par l'autolyse incessante des bactéries lactiques ou autres : protéinases, peptidases, lipases, décarboxylases, et désaminases. André ECK, le Lait et l'Industrie laitière, p. 57.

DÉR. **Autolyser** (s').

**AUTOLYSER (S')** [otolize] v. pron. — 1909; de *autolyse.*

Biol. Se détruire par autolyse.

(...) la plupart *(des levures)* meurent, s'autolysent et leurs composants passent dans le vin. Jules CARLES, la Chimie du vin, p. 101.

**AUTOMASSAGE** [otomasaʒ] n. m. — Mil. XX^e; de *auto-* (I.), et *massage.*

Massage que l'on pratique sur soi-même (notamment à l'aide d'un *automasseur*).

**AUTOMASSEUR** [otomasœʀ] n. m. — Mil. XX^e; de *auto-* (I.), et *masseur,* 2.

Appareil électrique d'automassage. → **Vibromasseur.** *Les automasseurs sont des appareils à sangles (lisses ou munies de billes de bois ou de métal), auxquels est imprimé un mouvement vibratoire permettant un pétrissage en profondeur des tissus graisseux. Automasseurs à pied, sans pied.* — Adj. *Boules automasseuses des appareils d'esthétique corporelle.*

**AUTOMATE** [otomat; ɔtɔmat] n. m. et adj. — 1532, adj.; grec *automatos* «qui se meut de soi-même»; de *auto-* (I.), et grec *memona* «être passionné; désirer; avoir l'intention de»; rad. indo-européen *matta* «pensée» cf. lat. *mens* «esprit».

**I** N. m. ♦ **1** Vx ou didact. (hist. sc.). Machine animée par un mécanisme intérieur. *Une horloge est un automate* (Académie).

Le corps d'un homme vivant diffère autant de celui d'un 1
homme mort que fait une montre ou autre automate (c'est-à-dire autre machine qui se meut de soi-même), lorsqu'elle est montée et qu'elle a en soi le principe corporel des mouvements pour lesquels elle est instituée (...) DESCARTES, les Passions de l'âme, I, 6.

(...) combien de divers automates, ou machines mou- 2
vantes, l'industrie des hommes peut faire sans y employer que fort peu de pièces, à comparaison de la grande multitude des os, des muscles, des nerfs, des artères, des veines et de toutes les autres parties qui sont dans le corps de chaque animal (...) DESCARTES, Discours de la méthode (→ Animal, cit. 17.)

Mod. (Inform.). Dispositif réalisant des algorithmes, des opérations automatiquement enchaînées.

♦ **2** (1611). Cour. Appareil mû par un mécanisme intérieur et imitant les mouvements d'un être vivant. *Les automates de Vaucanson. Automate à forme humaine.* → **Androïde, robot.** *Collection d'automates. Fabricant d'automates.* → **Automatiste** (vx).

Par comparaison :

Si on osait penser ici, on serait accablé de cette pensée; 3
mais on les rejette et on en est comme un automate. M^me DE SÉVIGNÉ, Lettres, 1040, 27 sept. 1687.

♦ **3** (1669). Par compar. (cit. 6), fig. Personne qui agit comme une machine, sans liberté. → **Machine; fantoche, jouet, marionnette, pantin, robot** (fig.).

Le sot est automate, il est machine, il est ressort; le poids 4
l'emporte, le fait mouvoir (...) LA BRUYÈRE, les Caractères, XI, 142.

5 Automates pensants, mus par des mains divines.
VOLTAIRE, Sept Discours en vers sur l'homme, 2e discours.

6 (...) je marchai comme un automate.
G. DUHAMEL, Chronique des Pasquier, III, 5.

7 On reproche traditionnellement au machinisme : 1° de substituer des automates à des êtres conscients qui deviennent superflus ; 2° de faire servir ces automates par des êtres conscients ; 3° de transformer à la longue ces derniers en automates.
MARSAL, *in* LALANDE, Voc. de la philosophie.

**II** Adj. Vx. ♦ **1** Mû par un mécanisme. *Machine automate.*

♦ **2** Fig. Qui agit machinalement, par automatisme, par routine. *«L'industriel automate»* (C. Koechlin, *in* D. D. L.).

**DÉR. Automatique, automatisme.**

**AUTOMATICIEN, IENNE** [otomatisjɛ̃, jɛn; ɔtɔmatisjɛ̃, jɛn] adj. et n. — V. 1960 ; de *automatique.*

Rare. Spécialiste de l'automatique. → Informaticien (cour.).

**AUTOMATICITÉ** [otomatisite; ɔtɔmatisite] n. f. — 1906 ; de *automatique.*

Didact., techn. Caractère de ce qui est automatique. → **Automatisme.**

L'évolution des techniques d'embouteillage, de capsulage (...) a aidé l'industrie laitière à atteindre cet objectif *(que le consommateur trouve sur sa table le lait tel qu'il est sorti du pasteurisateur)* ; l'automaticité des opérations, excluant tout contact manuel, facilitant certains traitements (...) permet réellement de conserver au lait les qualités qu'il avait après la pasteurisation.
André ECK, le Lait et l'Industrie laitière, p. 32.

**AUTOMATION** [otomasjɔ̃; ɔtɔmasjɔ̃] n. f. — 1955 ; mot anglais.

Anglic. Automatisation. — Industr. Fonctionnement automatique d'un ensemble productif, sous le contrôle d'un programme unique. Recomm. off. : *automatisation.*

1 Au temps des fusées et de l'automation, les gens gardent la même mentalité qu'au XIXe siècle.
S. DE BEAUVOIR, les Belles Images, p. 10.

2 Or, en fait, l'automatisme est un assez bas degré de perfection technique. Pour rendre une machine automatique, il faut sacrifier bien des possibilités de fonctionnement, bien des usages possibles. L'automatisme, et son utilisation sous forme d'organisation industrielle que l'on nomme *automation,* possède une signification économique ou sociale plus qu'une signification technique.
Gilbert SIMONDON, Du mode d'existence des objets techniques, p. 11.

3 (...) en fonction des exigences de la nouvelle mutation scientifique et technique — celle de l'ordinateur et de l'automation —, réaliser la nouvelle «inversion des rapports du sujet et de l'objet» par laquelle le travail humain retrouvera sa dimension fondamentale : la conscience et le choix autonome de ses fins.
Roger GARAUDY, Paroles d'homme, p. 140.

**AUTOMATIQUE** [otomatik; ɔtɔmatik] adj. et n. — 1751 ; de *automate.*

**I** Adj. ♦ **1** Qui s'accomplit sans la participation de la volonté. *Mouvement, réflexe automatique.* → **Inconscient, involontaire, machinal, mécanique, spontané.** *Marche automatique du nouveau-né. Les gestes automatiques du somnambule.*

1 (...) le lent et minutieux travail *(de recherche dans sa mémoire)* s'accomplit. On aurait tort de croire qu'il est involontaire, automatique. Il est au contraire, tout à fait délibéré.
G. DUHAMEL, Inventaire de l'abîme, V.

Loc. *Écriture automatique.* → **Écriture** (cit. 18 et *supra*). *Poème automatique :* poème écrit par les procédés de l'écriture automatique.

Il s'agissait, en l'espèce, d'un poème *automatique :* tout de premier jet ou si peu s'en fallait qu'il pouvait passer pour tel en 1923, quand je lui donnai place dans *Clair de Terre.* 1.1
A. BRETON, l'Amour fou, p. 79.

♦ **2** (1839). Cour. Qui, une fois mis en mouvement, fonctionne de lui-même ; qui opère par des moyens mécaniques. *Appareil automatique. Transporteur automatique. Frein automatique. Portillon* (cit. 2) *automatique, à fermeture automatique. Boîte de vitesses automatique* (opposé à *mécanique*), et, par ext., *voiture automatique ; conduite automatique* (→ ci-dessous *l'automatique,* cit. 4). *Tourne-disque automatique,* dont le bras s'abaisse et se relève automatiquement. *Commande automatique ou manuelle. Montre automatique,* que l'on n'a pas besoin de remonter à la main. *Répondeur automatique. Distributeur* automatique.* — (1903, in *Rev. gén. des sc.,* n° 8, p. 411). *Téléphone automatique. — Signaux automatiques. Arme automatique,* dans laquelle la pression des gaz de combustion est utilisée pour réarmer. → **Semi-automatique.** *La mitrailleuse est une arme automatique. Browning* (cit. 2) *automatique* (→ ci-dessous, II.).

De nouveau c'est l'attaque, le bruit sec et saccadé des armes automatiques, plus ou moins proche derrière le petit bois (...) 1.2
A. ROBBE-GRILLET, Dans le labyrinthe, p. 160.

Si l'on remplaçait les garde-barrière par des appareils automatiques robustes et bien conçus, les accidents se résorberaient presque complètement. C'est la surveillance automatique qui, jointe aux machines-transfert, a rendu possible l'automatisation complète des usines (...) 1.3
A. DAVID, la Cybernétique et l'Humain, 1965, p. 64, *in* T. L. F., art. *Automatisme.*

Qui se fait sans intervention humaine, par des machines. *Traduction* automatique.* → **Informatisé, programmé.** *Documentation automatique* (utilisant la mécanographie ou l'électronique). *Rendre un processus technique automatique.* → **Automatisation ; automation.**

♦ **3** (1878). Fig. Qui s'accomplit avec une régularité déterminée. *Une répression automatique, aveugle. L'avancement automatique des fonctionnaires. «Nous avons un système de relèvement automatique des salaires quand le coefficient du prix de la vie augmente»* (Maurois). *Prélèvements automatiques sur un compte chèque.*

Un mécanisme inséré dans la nature, une réglementation automatique de la société (...) 2
H. BERGSON, le Rire, I, p. 36.

♦ **4** Fam. Qui doit forcément se produire. → **Forcé, sûr.** *Il va se ruiner, c'est automatique.*

**II** N. m. ♦ **1** Pistolet automatique. → **Browning.** *Un automatique à la ceinture.*

Gerfaut (...) sortit le Star de sa veste. Précipitamment et maladroitement, il ôta la sûreté de l'automatique. 3
— Haut les mains ! cria-t-il avec niaiserie.
J.-P. MANCHETTE, Trois hommes à abattre, XI, p. 82.

♦ **2** Téléphone automatique, sans intervention de standardiste. *L'automatique, après avoir équipé les réseaux urbains, est progressivement étendu aux réseaux interurbains nationaux et à certaines liaisons internationales. Le «cadran d'un automatique»* (→ Téléphone, cit. 1.1).

Excusez-moi, dit Antoine, il faut que je téléphone. 4
Il courut jusqu'à chez lui, se disputa avec une dame des P. T. T. qui tardait à lui expliquer le fonctionnement de l'automatique dans le Var (...)
F. SAGAN, la Chamade, p. 163.

**III** N. f. ♦ **1** Sc. Ensemble des disciplines scientifiques et des techniques utilisées pour la conception et l'emploi des dispositifs qui fonctionnent sans intervention d'un opérateur humain. → **Automatisme, cybernétique, informatique.** *Spécialiste de l'automatique.* → **Automaticien.**

♦ **2** Montre automatique.

♦ **3** Utilisation du changement de vitesse automatique (dans une automobile).

5 En souplesse, le mastodonte décolla. Il n'y avait pas de changement de vitesse. – Ça vous plaît, l'automatique, mon capitaine? Ça ne manque pas un peu de nerf? – Tout dépend de la puissance du moteur.
Vladimir VOLKOFF, le Retournement, p. 312.

CONTR. **Conscient, délibéré, intentionnel, médité, prémédité, réfléchi, volontaire.** ◇ DÉR. **Automaticien, automaticité, automatiquement, automatiser.**

**AUTOMATIQUEMENT** [otomatikmɑ̃; ɔtɔmatikmɑ̃] adv. — 1801, *in* D. D. L.; de *automatique.*

♦ **1** D'une manière automatique. *Le réflexe succède automatiquement à l'excitation du nerf sensitif. La distribution se fait automatiquement.*

(...) j'ai maintenant devant moi une mécanique qui fonctionne automatiquement. Ce n'est plus de la vie, c'est de l'automatisme installé dans la vie et imitant la vie.
H. BERGSON, le Rire, I, p. 25.

Rare. Comme un automate. *Marcher automatiquement.*

♦ **2** D'une manière déterminée d'avance. *Il changera automatiquement d'échelon au bout de deux ans d'ancienneté.*

♦ **3** Fam., cour. Forcément, inévitablement. *Automatiquement, ça devait lui arriver.*

CONTR. **Consciemment, délibérément, intentionnellement, volontairement.**

**AUTOMATISABLE** [otomatizabl; ɔtɔmatizabl] adj. — Mil. XX^e^; de *automatiser.*

Qui peut être automatisé. *Processus, technique automatisable. Analyse, traduction automatisable, difficilement automatisable.*

**AUTOMATISATION** [otomatizasjɔ̃; ɔtɔmatizasjɔ̃] n. f. — 1875, M. Alcan, *in* Littré, *Suppl.*; de *automatiser.*

♦ **1** Emploi de machines, d'automatismes pour la réalisation d'un processus. → **Automation, automatiste,** 2. «*Pour tout cycle de chargement ou de déchargement de wagons de chemin de fer* (ces équipements) *permettent une automatisation complète des manœuvres*» (*France-Europe,* n° 16, 1966, p. 30).

♦ **2** Transformation d'un procédé ou d'une installation en vue de les rendre automatiques*. *Automatisation d'une imprimerie.*

**AUTOMATISER** [otomatize; ɔtɔmatize] v. tr. — Av. 1784, Diderot *in* Littré; de *automatique.*

Rendre automatique. *Automatiser une production.* (Compl. n. de personne). Rendre semblable à un automate.

◆ **AUTOMATISÉ, ÉE** p. p. adj. «*Grâce au système (...) de commande à distance* (l'appareil) *peut être incorporé aux installations automatisées*» (*France-Europe,* n° 16, p. 57). «*Fabrication automatisée permettant une production de masse ne nécessitant qu'un personnel très réduit*» (J. Dezoteux et R. Petit-Jean, *les Transistors,* p. 120). — *Comportement automatisé des travailleurs à la chaîne.*

Et si, d'ailleurs, à force de vouloir respecter les «grands principes» (...) il *(l'analyste)* réussissait à rester froid et automatisé, aussi bien en surface qu'en profondeur, il serait un bien piètre analyste.
R. HELD, le Processus de guérison, *in* la Nef, n° 31, p. 28.

DÉR. **Automatisable, automatisation, automatiste.**

**AUTOMATISME** [otomatism; ɔtɔmatism] n. m. — V. 1740; de *automate.*

♦ **1** Didact. (physiol., psychol.). Accomplissement de mouvements, d'actes, d'opérations mentales sans participation de la volonté; activité d'un organe sans intervention du système nerveux central. (On dit aussi *automaticité*). «*On oppose quelquefois le* réflexe *à l'*automatisme, *en réservant le premier de ces deux mots aux réactions qui n'ont jamais été volontaires, et le second à celles qui résultent d'anciens actes volontaires transformés, comme dans l'habitude*» (Lalande, *Voc. de la philosophie,* art. *Réflexe*).

*Automatisme du centre respiratoire. Automatismes psychologiques. Automatisme ambulatoire des somnambules.* → **Somnambulisme.**

Presque tous les processus intellectuels (...) sont soumis au régime de l'automatisme : association des idées, des images, mémoire, habitudes professionnelles. Y échappent en partie : l'attention dirigée, le calcul, certaines opérations de réflexion et de jugement; par contre, certains auteurs ajoutent au domaine de l'automatisme le rêve, la rêverie, la distraction, l'intuition, l'inspiration, mais cette conception est loin d'être admise par tous les psychologues. 0.
A. POROT, Manuel alphabétique de psychiatrie, 1952, art. *Automatisme mental.*

Cour. Activité rendue automatique par habitude. *En confiant à l'automatisme une grande part de nos mouvements, l'habitude libère notre activité* (Cuvillier).

Automatisme, raideur, pli contracté et gardé, voilà par où une physionomie nous fait rire. 1
H. BERGSON, le Rire, I, p. 19.

(...) imiter quelqu'un, c'est dégager la part d'automatisme qu'il a laissée s'introduire dans sa personne. 2
H. BERGSON, le Rire, I, p. 25.

(...) l'automatisme facile des habitudes contractées. 3
H. BERGSON, le Rire, I, p. 14.

Avancer en âge, c'est s'enrichir d'habitudes, se soumettre aux automatismes profitables, c'est connaître ses limites et s'y résigner. 4
F. MAURIAC, le Jeune Homme, p. 15.

Syn. de *écriture* automatique.*

Et l'automatisme? dit Katov. C'est l'abstrait dans l'écriture. – L'automatisme en soi, c'est de la blague. C'est le contenu qui a fait le surréalisme. Voyez : maintenant qu'il n'y a plus de position politique officielle parmi les artistes, autrement dit qu'ils sont tous officieusement des bourgeois, l'automatisme, c'est du vent. La vertu, c'était la révolte. 4.1
Christiane ROCHEFORT, le Repos du guerrier, II, III, p. 170.

(V. 1926, Clérambault). Psychiatrie. **AUTOMATISME MENTAL** : fait d'éprouver comme étrangères certaines de ses propres pensées. *Automatisme mental avec hallucinations auditives.* → **Voix.** *Le syndrome d'automatisme mental marque souvent le premier temps d'une psychose délirante chronique.*

♦ **2** Automatique* (III., 1.). → **Automation,** cit. 2.

(1803). Fonctionnement automatique d'une machine.

Dans les appareils (...) comme par exemple le téléphone, l'automatisme est au contraire une perfection : plus de méprises, plus de caprices, plus de distractions. 5
MARSAL, *in* LALANDE, Voc. de la philosophie.

Mécanisme, processus dont le fonctionnement est automatique.

5.1 Les doctrinaires libéraux des premiers temps croyaient à la perfection réalisée par les automatismes.
A. SAUVY, Croissance zéro, p. 312.

♦ **3** Régularité dans l'accomplissement de certains actes, le déroulement d'événements. *Un automatisme aveugle.* → **Formalisme, raideur.**

6 L'automatisme parfait sera, par exemple, celui du fonctionnaire fonctionnant comme une simple machine, ou encore l'inconscience d'un règlement administratif s'appliquant avec une fatalité inexorable et se prenant pour une loi de la nature.
H. BERGSON, le Rire, I, p. 35.

7 Le souci constant de la forme, l'application machinale des règles, créent ici une espèce d'automatisme professionnel, comparable à celui que les habitudes du corps imposent à l'âme (...)
H. BERGSON, le Rire, I, p. 41.

8 Automatisme, c'est, pour moi, un développement entièrement déterminé par un événement initial quelconque.
VALÉRY, l'Idée fixe, p. 129.

*Un, des automatismes :* déroulement automatique d'un processus; processus ou procédé automatique, réglé d'avance.

9 L'histoire n'est ni le déroulement d'aveugles automatismes, ni le résultat de hasards obscurs (...)
DANIEL-ROPS, le Peuple de la Bible, IV, 2, p. 314.

10 On peut parler sans penser. Il y a pour cela à notre disposition les clichés, c'est-à-dire les automatismes.
IONESCO, Journal en miettes, p. 48.

CONTR. **Conscience, liberté; hasard.**

**AUTOMATISTE** [otomatist; ɔtɔmatist] n. m. — Av. 1866; de *automatiser.*

Didactique.

♦ **1** Vx. Fabricant d'automates (R. Houdin, *in* P. Larousse).

♦ **2** Techn. Spécialiste des problèmes concernant l'automatisation.

♦ **3** Occultisme. Personne capable d'effectuer des activités automatiques, guidées par un pouvoir occulte. → **Médium.**

**AUTOMÉDICATION** [otomedikasjɔ̃] n. f. — 1966, *in* D. D. L.; de *auto-* (I.), et *médication.*

Didact. Emploi de médicaments sans prescription médicale. *L'automédication est plus forte dans les couches les plus aisées de la population.*

**AUTOMÉDON** [otomedɔ̃] n. m. — 1776; nom du cocher d'Achille dans Homère.

Par plais. Cocher. — Par métaphore. *«Les automédons de la pensée»* (L. Bloy).

**AUTOMÉDUSES** [otomedyz] n. f. pl. — D. I.; de *auto-* (I.), et *méduse.*

Zool. Classe d'hydrozoaires* *(Cnidaires)* comprenant seulement des formes méduses.

**AUTOMITRAILLEUSE** [otomitʀajøz] n. f. — 1906, in *la Nature;* de *auto-* (II.), et *mitrailleuse.*

Automobile blindée armée d'une ou de plusieurs mitrailleuses.

Il savait bien que Vichy fermerait les yeux sur la disparition d'un simple capitaine, à la condition de retrouver au complet son escadron d'autos-mitrailleuses *(sic)* avec ses conducteurs (...)
Roger NIMIER, le Hussard bleu, p. 65 (1950).

**AUTOMNAL, ALE, AUX** [otɔnal, o; ɔtɔnal, o] adj. — 1119; lat. *automnalis,* de *automnus.* → Automne.

Littér. D'automne. *Des fleurs automnales. Les brumes automnales.*

REM. Le masc. plur. est rare ou littéraire : *«Mirages automnaux des arbres effeuillés...»* (H. de Régnier, *in* T. L. F.).

Vers quatre heures du soir, le soleil couchant à qui ce qui restait des feuillages automnaux présentait de riches palettes rouge, vert, jaune et or, en tirait des effets magiques : une sorte d'aurore se peignait dans le ciel bleu et rose sous les feuilles lumineuses et fantastiques.
PROUST, Jean Santeuil, Pl., p. 308.

Astron. *Point automnal,* correspondant à l'équinoxe d'automne. → **Équinoxial.**

Par métaphore, fig. (littér.). Qui évoque l'automne, la mélancolie de cette saison.

**AUTOMNE** [otɔn; ɔtɔn] n. m. — 1231; *auptonne,* 1405; lat. *autumnus.*

♦ **1** Saison qui succède à l'été et précède l'hiver, caractérisée par le déclin des jours, la chute des feuilles (dans le climat de la France : 22/23 sept.-21 déc.). *Équinoxe d'automne. Les jours déclinent à l'automne. Les brumes d'automne, de l'automne. Le brouillard d'automne* (→ Vergogneux, cit.). *Les arbres à feuilles caduques se défeuillent à l'automne. Durant, pendant l'automne. La fin de l'automne et le commencement de l'hiver.* → **Arrière-automne, été** (de la Saint-Martin, été indien); **arrière-saison.** *L'automne, saison des labours, des semailles, des vendanges.*

Une rose d'automne est plus qu'une autre exquise. 1
D' AUBIGNÉ, les Tragiques, IV, «Les Feux».

Quand voulez-vous aimer que dans votre printemps ! 2
Gardez-vous bien surtout de remettre à l'automne :
L'hiver vient aussitôt; rien n'arrête le temps.
Clymène, hâtez-vous, car il n'attend personne.
LA FONTAINE, Clymène (→ Attendre, cit. 35).

De la dépouille de nos bois 3
L'automne avait jonché la terre
Et sur la branche solitaire
Le rossignol était sans voix (...)
MILLEVOYE, Chute des feuilles, *in* LITTRÉ.

Tes jours, sombres et courts comme les jours d'automne, 4
Déclinent (...)
LAMARTINE, Méditations poétiques, I, 6.

Oui dans ces jours d'automne où la nature expire 5
À ses regards voilés, je trouve plus d'attraits.
LAMARTINE, Méditations poétiques, I, 29.

Pas même un saule vert qui s'effeuille à l'automne. 6
HUGO, les Rayons et les Ombres, «Oceano Nox».

(...) au premier frisson de l'automne, on redescend au mas. 7
Alphonse DAUDET, Lettres de mon moulin, «Installation».

Un matin d'automne enveloppait de brume l'eau calme, 8
la rouille des bois en face d'eux.
Alphonse DAUDET, Sapho, II.

L'automne était pluvieux et triste. Les feuilles rouges, au 9
lieu de craquer sous les pieds, pourrissaient dans les ornières, sous les lourdes averses.
MAUPASSANT, Clair de lune, «Une veuve».

C'est l'automne, la saison où, sous un soleil refroidi, 10
chacun recueille ce qu'il a semé.
M. BARRÈS, la Colline inspirée, p. 113.

Il n'est vendange que d'automne (...) Peut-être qu'en amour 11
aussi (...) COLETTE, la Naissance du jour, p. 50.

Un caractère moral s'attache aux scènes de l'automne : 12
ces feuilles qui tombent comme nos ans, ces fleurs qui se fanent comme nos heures, ces nuages qui fuient comme nos illusions, cette lumière qui s'affaiblit comme notre intelligence, ce soleil qui se refroidit comme nos amours, ces fleuves qui se glacent comme notre vie, ont des rapports secrets avec nos destinées.
CHATEAUBRIAND, Mémoires d'outre-tombe, I, II.

Oh ! l'automne l'automne a fait mourir l'été 12.1
APOLLINAIRE, Alcools, «Automne».

REM. Jusqu'au XIXe, et encore au XXe s. dans la langue littéraire, on peut trouver *automne* au féminin.

Mon Automne éternelle ô ma saison mentale 12.2
Les mains des amantes d'antan jonchent ton sol

Une épouse me suit c'est mon ombre fatale
Les colombes ce soir prennent leur dernier vol
APOLLINAIRE, Alcools, «Signe».

♦ **2** (1405, surtout utilisé au XIXe). **L'AUTOMNE,** symbole de maturité ou de déclin. *L'automne de la vie. «L'automne de la peinture byzantine»* (R. Escholier, *in* T. L. F.).

13 Qu'il coule gaiement son automne,
Que son hiver soit encor loin !
BÉRANGER, Doct. et mal, *in* LITTRÉ.

14 Comment décrire la vie d'un couple amoureux au temps de l'automne de l'amour ?
A. MAUROIS, Un art de vivre, II, 6.

CONTR. **Jeunesse, printemps.** ◊ COMP. **Arrière-automne.**

**AUTOMOBILE** [ɔtɔmɔbil; otomɔbil] adj. et n. f. — 1861 ; de *auto-* (I.), et lat. *mobilis* «mobile», d'après *locomobile.*

♦ **1** Adj. (1861). Qui se meut de soi-même ; qui est mû par un moteur à explosion, à réaction, un moteur électrique, un gazogène, etc. → **Autolocomoteur, automoteur.** — (1893, *in* Petiot). *Véhicule, voiture automobile.* → **Auto, autobus, autocar, autochenille, automitrailleuse, automoteur, autorail, camion, camionnette, char, chasse-neige, motocycle, taxi, tracteur.** *Arroseuse, balayeuse automobile. Canot automobile.*

1 Rien de si ingénieux, de si facile à conduire que la voiture automobile à air comprimé que l'on voit fonctionner sur le tramway de l'Arc de Triomphe à Neuilly.
Journal des Débats, 30 mars 1876, *in* LITTRÉ, Suppl.

1.1 (...) le Polonais, Mlle Fulber (...) étaient montés en chaloupe automobile (...)
G. LEROUX, Rouletabille chez Krupp, p. 32.

♦ **2** N. f. (V. 1890 ; aussi masc. jusque v. 1920). Véhicule à trois, quatre roues (ou plus), progressant de lui-même à l'aide d'un moteur, à l'exclusion des grands véhicules utilitaires (camions) et de transport collectif (autobus, autocar). → **Véhicule ; machine ;** fam. **bagnole, bousine, caisse, chignole, chiotte, tire ;** péj. **clou, guimbarde, tacot.** — REM. Le mot est vieilli dans l'usage courant (on emploie *auto**, *voiture**) ; son usage mod. est restreint au discours technique, didactique et administratif. — *Une automobile de tourisme. Modèles, types d'automobiles* (berline, break, cabriolet, conduite intérieure, coupé, limousine, torpédo ; coach, roadster, etc.). *Automobile décapotable. Marques d'automobiles. Banc d'essai des automobiles. Courses automobiles. La cylindrée d'une automobile. Automobile de 8 chevaux, d'une puissance de 8 chevaux** (fiscaux ; en France). *Carrosseries* d'automobiles. Carte verte, carte grise, vignette, numéro d'immatriculation, plaque minéralogique d'une automobile. Assurance d'une automobile. Accident d'automobile* (→ 2. **Capotage, collision, dérapage, embardée, tête-à-queue, tonneau).** *Chauffeur, conducteur d'une automobile.* → **Automobiliste.** *Conduire une automobile.* → **Accélérer, appuyer** (sur le champignon), **arrêter, bloquer, braquer, changer** (de vitesse), **débrayer, démarrer, embrayer, marche** (mettre en marche, faire marche arrière...), **manœuvrer, piloter, ralentir, reprise, rétrograder, rouler** (→ fam. Rouler à plein gaz, gazer, rouler plein pot), **tourner, virer** (prendre les virages), **volant** (tenir le). *Essayer une automobile. Roder une automobile. Cette automobile tient bien la route. Tenue de route d'une automobile. Panne* d'automobile. Graisser, vidanger, réparer une automobile dans un garage. Garer une automobile sur un parking. Dépanner une automobile. Louer une automobile, location d'automobiles. Automobile à moteur électrique, à explosion, à combustion interne, à turbine. Organes de transmission d'une automobile* (→ **Changement** [de vitesse], **différentiel, embrayage, transmission).** *Automobile à boîte automatique ; à traction avant. Roues** (→ **Pneu, pneumatique),** *direction*, suspension*, freinage* d'une automobile.* → aussi **Amortisseur, pneumatique.** *Éclairage d'une automobile.* → **Phare ; cataphote, code, feu, lanterne, plafonnier ; clignotant.** *Moteur d'une automobile.* → **Moteur ; accélérateur, admission, alésage, alimentation, allumage, arbre, batterie, bielle, bloc** (bloc moteur), **bobine, boîte** (de direction, de vitesses), **bougie, came, carburateur, carter, chemise, circulation** (d'eau), **compression, culasse, culbuteur, cylindre, delco, distribution, échappement** (et **pot**), **gicleur, magnéto, pignon, piston, pompe, radiateur, refroidissement, segment, soupape, ventilateur, vilebrequin, vis** (platinée). *Automobile à moteur Diesel, à moteur à turbine, à injection*. Pièces de la carrosserie et du châssis* d'une automobile.* → **Aile, ailette, becquet, calandre, capot, capote, carcasse, cardan, coque, coffre** (à bagages), **custode, enjoliveur, essieu, essuie-glace, garde-boue, glace, hayon, longeron, marchepied, nourrice, pare-boue, pare-brise, pare-chocs, pare-clous, porte, portière, réservoir, rétroviseur, siège, spider, toit, vitre ;** et aussi **empattement, voie.** *Avertisseur d'une automobile.* → **Corne, klaxon, trompe.** *Tableau de bord d'une automobile.* → **Compte-tours, compteur, indicateur** (de vitesse...), **manette, poussoir, starter, allume-cigare.** *Volant* ; levier* (de changement de vitesse) ; *pédales* (de frein, d'accélérateur) *d'une automobile. Ceinture de sécurité, boîte à gants, vide-poches automobile.*

REM. On rencontre l'emploi au masc. jusque vers 1920 (→ cit. 3, Proust).

Le mot d'automobile n'était pas encore inventé *(vers 1900).* 2
Les curieux disaient, comme dans les journaux : «C'est une voiture sans chevaux».
G. DUHAMEL, Inventaire de l'abîme, VI.

Il peut sembler que mon amour pour les fééries 3 voyages en chemin de fer aurait dû m'empêcher de partager l'émerveillement d'Albertine devant l'automobile qui mène, même un malade, là où il veut, et empêche — comme je l'avais fait jusqu'ici — de considérer l'emplacement comme la marque individuelle, l'essence sans succédané des beautés inamovibles. Et sans doute, cet emplacement, l'automobile n'en faisait pas, comme jadis le chemin de fer, quand j'étais venu de Paris à Balbec, un but soustrait aux contingences de la vie ordinaire, presque idéal au départ et qui, le restant à l'arrivée, à l'arrivée dans cette grande demeure où n'habite personne et qui porte seulement le nom de la ville, la gare, a l'air d'en promettre enfin l'accessibilité, comme elle en serait la matérialisation. Non, l'automobile ne nous menait pas ainsi fériquement dans une ville que nous voyions d'abord dans l'ensemble que résume son nom, et avec les illusions du spectateur dans la salle. Il nous faisait entrer dans la coulisse des rues, s'arrêtait à demander un renseignement à un habitant. Mais, comme compensation d'une progression si familière, on a les tâtonnements mêmes du chauffeur incertain de sa route et revenant sur ses pas, les chassés-croisés de la perspective faisant jouer un château aux quatre coins avec une colline, une église et la mer, pendant qu'on se rapproche de lui, bien qu'il se blottisse vainement sous sa feuillée séculaire, ces cercles, de plus en plus rapprochés, que décrit l'automobile autour d'une ville fascinée qui fuyait dans tous les sens pour échapper, et sur laquelle finalement il fonce tout droit, à pic, au fond de la vallée où elle reste gisante à terre ; de sorte que cet emplacement, point unique, que l'automobile semble avoir dépouillé du mystère des trains express, il donne par contre l'impression de le découvrir, de le déterminer nous-même comme avec un compas, de nous aider à sentir d'une main plus amoureusement exploratrice, avec une plus fine précision, la véritable géométrie, la belle «mesure de la terre».
PROUST, Sodome et Gomorrhe, Pl., t. II, p. 1005-1006.

Et cette sensation que, seule, l'automobile peut donner, car 4 les chemins de fer, qui ont leurs voies prisonnières, toujours pareilles (...) ne traversent réellement pas les pays (...)

cette sensation tout-à-fait nouvelle, que de fois j'en goûtai la force et le charme, au cours de ce voyage exquis, où je retrouve constamment mon admiration et, je puis le dire, ma reconnaissance pour cette maison roulante idéale, cet instrument docile et précis de pénétration qu'est l'automobile (...)

O. MIRBEAU, la 628-E8, Dédicace, p. IX (1907).

5 Un jour, son fils, qui était un intellectuel, lui avait expliqué que le goût masculin pour l'automobile a été depuis longtemps répertorié par la psychanalyse : il se rattache à des phantasmes d'affirmation sexuelle, l'homme à son volant se sent deux fois plus mâle.

Jean-Louis CURTIS, le Roseau pensant, p. 14.

*L'automobile* : la conduite des automobiles, le sport (→ **Automobilisme**); les activités économiques liées à la construction, à la vente des automobiles. *Salon de l'automobile (de l'auto). L'argus* de l'automobile.*

*Automobile-club* (nom propre) : club d'automobilistes.

♦ **3** Adj. (1895, *in* Petiot). Relatif aux véhicules automobiles. *Construction, industrie automobile. La Chambre syndicale des constructeurs automobiles.* → Automobilisme, cit. 1. *Compétition, course automobile.* → **Formule; rallye.** *Sport automobile. Circulation automobile. Convoi automobile. Assurances automobiles. Circuit automobile.* → **Autodrome.**

Vx. *Route automobile.* → **Carrossable; automobilisable.**

6 Nous les retrouverons, partie au «Grand Marigot», point terminus de la route automobile, partie à Bambio, où ils arriveront vers midi (...)

GIDE, Voyage au Congo, *in* Souvenirs, Pl., p. 736.

DÉR. **Automobilisable, automobilisme, automobiliste.**

**AUTOMOBILISABLE** [ɔtɔmɔbilizabl; otomɔbilizabl] adj. — 1925; de *automobile*, et *-isable*.

Rare. Adapté à la circulation automobile. → **Carrossable.**

Arrivés hier soir à Bosoum où nous retrouvons la route automobilisable (...) C'est ici que l'auto de Lamblin doit nous rejoindre, pour nous mener à Archambault.

GIDE, Voyage au Congo, *in* Souvenirs, Pl., p. 797.

**AUTOMOBILISME** [ɔtɔmɔbilism; otomɔbilism] n. m. — 1895; de *automobile*.

♦ **1** Vieilli. Ensemble de ce qui concerne l'automobile (techniquement, commercialement, socialement, etc.); conduite des automobiles.

1 Aujourd'hui que le commerce de l'automobilisme se développe de tous côtés, amène une concurrence formidable (...) les garages voudraient bien réfréner le mal qu'ils ont déchaîné (...) Dans l'espoir de faire disparaître une partie de ces abus qui finissaient par les discréditer, eux aussi, la chambre syndicale des constructeurs d'automobiles a décidé de refuser impitoyablement, aux mécaniciens (conducteurs, chauffeurs), des commissions sur les réparations des voitures qu'ils mènent.

O. MIRBEAU, la 628-E8, p. 15 (1907).

2 (...) mais Valentin, tout à la joie de l'automobilisme passif, ne répondait que par des indistinctions.

R. QUENEAU, le Dimanche de la vie, p. 227.

♦ **2** Mod. Le sport automobile.

**AUTOMOBILISTE** [ɔtɔmɔbilist; otomɔbilist] n. — 1897, *in* Petiot; de *automobile*.

Personne qui conduit une automobile de tourisme. *Un, une automobiliste.* → **Conducteur.** → Négligence, cit. 6.

1 Elle s'était présentée au volant d'une quadrillette Peugeot délabrée, visiblement flattée de l'étonnement que suscitait, plus encore à l'époque qu'aujourd'hui, une femme-automobiliste.

M. TOURNIER, le Roi des Aulnes, p. 14.

La piste restait aux enfants. Quand un automobiliste en écrasait un il s'arrêtait parfois, payait un tribut aux parents et repartait. Le plus souvent il repartait sans rien payer, les parents étant loin. 2

M. DURAS, Un barrage contre le Pacifique, p. 331.

**AUTOMORPHE** [otomɔʀf] adj. — 1905, *Rev. gén. des sc.*, n° 11, p. 510; de *auto-* (I.), et *-morphe*.

Didactique.

♦ **1** Minér. *Minéraux automorphes,* qui ne se rencontrent que sous les formes cristallines de leur espèce (s'oppose à *xénomorphe*).

♦ **2** Math. *Formes, fonctions automorphes,* isomorphes sur elles-mêmes.

**AUTOMORPHISME** [otomɔʀfism] n. m. — 1949 en psychol., *in* D. D. L.; de *auto-* (I.), et *-morphisme*.

Math. Pour une même structure*, isomorphisme* d'un ensemble sur lui-même. *Automorphisme de groupe, d'anneau. Un automorphisme dans E* (dans l'ensemble E) *est un isomorphisme de E vers E. L'automorphisme est un endomorphisme* bijectif.*

**AUTOMOTEUR, TRICE** [otomɔtœʀ, tʀis; ɔtɔmɔtœʀ, tʀis] adj. et n. m. — 1834; de *auto-* (I.), et *moteur*, adj.

Adj. Qui se meut de soi-même; qui est conçu, équipé pour se déplacer tout seul (sans l'aide d'un tracteur, d'un remorqueur, d'un pousseur, etc.). → **Automobile,** 1. *Péniche automotrice.* — Spécialt (d'un objet, d'un équipement habituellement sans moteur). *Affût automoteur de canon antiaérien.*

N. m. Péniche à moteur. — Par appos. (ou adj. invar.) :

(...) vers l'eau où glissait une péniche automoteur venue de Suisse, bleue et jaune et pavoisée de lessives.

P. GASCAR, les Bêtes, p. 195.

DÉR. **Automotrice.**

**AUTOMOTRICE** [otomɔtʀis; ɔtɔmɔtʀis] n. f. — 1896; de *automoteur*.

Partie motrice d'un autorail*.

**AUTOMUTILATEUR, TRICE** [otomytilatœʀ, tʀis] n. et adj. — 1906, *in* D. D. L.; de *automutiler (s')*.

N. Didact. (psychiatrie). Malade mental qui présente une tendance à l'automutilation, qui s'automutile.

Adj. *Tendances automutilatrices.*

**AUTOMUTILATION** [otomytilasjɔ̃] n. f. — 1902, *in* D. D. L.; de *auto-* (I.), et *mutilation*.

Didact. Mutilation qu'on s'inflige à soi-même. *Automutilation pour créer une invalidation dont on tire avantage* (par ex. refus du service militaire) ou *mutilation volontaire. Automutilation pathologique,* chez les obsédés, les anxieux, etc. *Automutilation des organes génitaux.* → **Autocastration.** — *Automutilation réflexe,* chez certains animaux. → **Autotomie.**

**AUTOMUTILER (S')** [otomytile] v. pron. — Mil. XXe; de *auto-* (I.), et *mutiler*, d'après *automutilation*.

Rare. Se mutiler soi-même. REM. La var. *s'auto-mutiler* est attestée.

Le sujet *(épileptique)* brise les objets, les meubles, s'automutile ou tente de se suicider.

J. CAU, la Pitié de Dieu, p. 115.

DÉR. **Automutilateur.**

**AUTONEIGE** [otonɛʒ] n. f. — 1934; mot canadien, de *auto(mobile)*, et *neige*.

Régional (Canada). Véhicule automobile à plusieurs places, monté sur chenilles pour circuler sur la neige.

**AUTONETTOYANT, ANTE** [otonetwajɑ̃, ɑ̃t] adj. — 1973; de *auto-* (I.), et *nettoyer.*

Techn. Qui se nettoie par un procédé ne demandant pas d'intervention de l'homme. *Filtre autonettoyant.* Spécialt. (Cour.). *Four autonettoyant :* four qui brûle après usage les dépôts graisseux par pyrolyse ou catalyse. — *Cassette autonettoyante :* cassette que l'on utilise pour nettoyer la tête de lecture d'un magnétophone ou d'un magnétoscope.

**AUTONOME** [otonom; ɔtɔnɔm] adj. et n. — 1751; grec *autonomos* «qui se régit par ses propres lois», de *auto-* (I.), et *nomos* «loi».

♦ **1** Qui s'administre lui-même. *Gouvernement autonome.* → **Indépendant, libre, souverain.** *Les Dominions sont des États autonomes au sein de la communauté britannique. Province autonome.*

1 Celui-ci *(l'Empire romain),* pendant les deux premiers siècles, n'était guère autre chose qu'un État fédératif, où les cités représentaient de petits États en principe autonomes, et où le pouvoir impérial figurait l'autorité fédérale. Puis (...) les cités avaient peu à peu vu décroître leur autonomie; elles étaient devenues surtout des instruments de l'administration impériale (...)

A. ESMEIN, Cours élémentaire d'histoire du droit franç., p. 5.

2 Il y a des provinces décentralisées ou des colonies d'États unitaires qui sont plus autonomes que les membres des États fédéraux.

L. LE FUR, Précis de droit international public, nº 194.

Qui est administré par une collectivité autonome. *Budget, caisse, port, régie autonome.*

*Syndicat autonome,* qui n'est relié à aucune des grandes centrales syndicales.

♦ **2** (1815). Philos. Qui se détermine selon des règles librement choisies. *Individu, volonté autonome.* → **Libre.**

3 Oui, sans doute, l'homme est un être individuel, autonome ayant conscience de cette autonomie; mais il est en même temps un être social, et l'oublier c'est méconnaître toute une partie de la réalité.

L. DUGUIT, Traité de droit constitutionnel, t. I, p. 84.

4 L'individu autonome ne vit pas sans règles; mais il n'obéit qu'aux règles qu'il a choisies après examen.

B. JACOB, Devoirs, p. 25, *in* LALANDE, Voc. de la philosophie, art. *Autonomie.*

5 Dans tout être humain se manifeste une tension dialectique entre une volonté autonome et une action hétéronome. La volonté est sa propre causalité; l'action a lieu dans le déterminisme général de la nature. Que devient une volonté autonome ou, ce qui revient au même, une causalité libre, lorsque l'action fait partie du déterminisme naturel?

H. J. DE VLEESCHAUWER, *in* la Révolution kantienne, p. 68.

Cour. Qui ne dépend de personne. *Mener une vie autonome. Maintenant qu'il travaille, il est autonome. Mes deux aînés sont complètement autonomes.*

Qui existe indépendamment du reste.

6 (...) il n'y a pas de psychologie physiologique autonome parce que l'événement physiologique lui-même obéit à des lois biologiques et psychologiques.

MERLEAU-PONTY, Phénoménologie de la perception, p. 16.

♦ **3** *Gestion autonome,* gestion où chaque unité de production, dans une entreprise, est considérée comme autonome.

♦ **4** Inform. Qui n'est pas connecté à un calculateur central; qui est indépendant des autres éléments d'un système. *Unité, calculateur autonome.* Syn. : *non connecté* (angl. *off-line*).

♦ **5** Qui se réclame de l'autonomie. *Militant, groupe autonome. Thèses autonomes.* — N. Partisan de l'autonomie. *On a accusé les autonomes de violences au cours de la manifestation.*

CONTR. **Dépendant; assujetti, hétéronome, soumis, subordonné, sujet, vassal.**

**AUTONOMIE** [ɔtɔnɔmi; otonɔmi] n. f. — 1596, repris 1751; grec *autonomia,* de *autonomos.* → Autonome.

♦ **1** Droit, fait de se gouverner par ses propres lois. → **Indépendance, liberté, self-government.** *Autonomie politique complète.* → **Souveraineté.** *Donner l'autonomie à des colonies.* → Protectorat, cit. 3. *Personne qui réclame l'autonomie.* → **Autonomiste, nationaliste, particulariste, sécessionniste, séparatiste.** *Autonomie administrative, communale.* → **Décentralisation, personnalité.**

Chaque ville *(de la Grèce antique)* tenait fort à son autonomie, elle appelait ainsi un ensemble qui comprenait son culte, son droit, son gouvernement, toute son indépendance religieuse et politique. 1

FUSTEL DE COULANGES, la Cité antique, III, 14, p. 240.

Les libertés locales (...) c'est-à-dire celles qui assurent aux habitants d'une circonscription l'autonomie administrative, en leur donnant droit de diriger eux-mêmes la gestion des intérêts locaux. 2

A. ESMEIN, Cours élémentaire d'histoire du droit franç., p. 2.

Autonomie ou intégration? Eh bien les deux routes demeurent ouvertes. De Gaulle s'arrête au carrefour et il attend. 2.1

F. MAURIAC, le Nouveau Bloc-notes 1958-1960, p. 111.

Par ext. *Autonomie financière :* gestion financière indépendante. *Autonomie économique.* → **Autarcie.**

♦ **2** (Av. 1815). Philos. *Autonomie de la volonté :* chez Kant, Caractère de la volonté pure qui ne se détermine qu'en vertu de sa propre essence. → 2. Anomie, cit. — Par ext. Cour. Droit pour l'individu de déterminer librement les règles auxquelles il se soumet. → **Liberté.** *L'autonomie de la personne humaine.*

Les doctrines néo-individualistes (...) prétendent que l'objet primordial de toute norme sociale est le respect de l'autonomie individuelle, puisque l'individu reste dans la société maître de lui-même, que la société n'existe et ne vit que par l'individu (...) 3

L. DUGUIT, Traité de droit constitutionnel, t. I, p. 84.

Mais, au fond, l'homme, qu'on dit animal social, n'est social que par surcroît. Le sentiment de son intimité, de son autonomie, est chez lui d'un ordre bien supérieur à celui de cette solidarité, dont la certitude ne joue qu'à la surface de l'être, tandis que l'autre se tient à son cœur. 3.1

Raymond ABELLIO, Ma dernière mémoire, t. I, p. 15.

Cour. Liberté, indépendance matérielle ou intellectuelle. *Il tient à son autonomie.*

Dr. *Principe de l'autonomie de la volonté :* principe en vertu duquel les volontés individuelles déterminent librement les formes, les conditions et les effets des actes juridiques sous réserve de respecter les lois qui intéressent l'ordre public et les bonnes mœurs.

La volonté des particuliers n'est ni absolument libre, ni absolument assujettie par la loi; elle jouit d'une autonomie partielle (...) La liberté est la règle; la volonté privée est autonome, sauf les limites fixées par la loi. 4

M. PLANIOL, Traité élémentaire de droit civil, t. I, p. 119 (→ Intention).

Polit. Attitude politique d'indépendance absolue par rapport aux structures politiques existantes et utilisation de méthodes d'action originales, parfois violentes.

♦ **3** (xx^e). Distance que peut franchir un véhicule, un avion, un navire sans être ravitaillé en carburant. *Ce bateau a une autonomie de 500 milles. Autonomie de vol.*

Il ne savait pas exactement quelle était l'autonomie de vol du Pilatus *(un avion)*, sans compter que Geoffrey l'avait certainement trafiqué.
Daniel ODIER, l'Année du lièvre, p. 246.

CONTR. **Dépendance; assujettissement, hétéronomie, soumission, subordination, tutelle, vassalité.** ◊ DÉR. **Autonomisme, autonomiste.**

**AUTONOMISATION** [otonomizasjɔ̃] n. f. — 1980, *in* Cottez; de *autonome*, et *-isation*.

Didact., ling. Fait de lexicaliser (un morphème ou une forme lexicale qui n'existait auparavant qu'à l'état lié). Ex. : Ose *provient, par autonomisation, de* -ose *dans* glucose, maltose..., *et* osmose *de* -osmose *dans* endosmose, exosmose.

**AUTONOMISME** [otonɔmism; ɔtɔnɔmism] n. m. — 1926, trad. de Lénine; de *autonomie, autonomiste*.

Didact. Profession d'autonomie, revendication d'autonomie. *Un autonomisme déterminé, farouche. L'autonomisme breton, basque, catalan* (catalanisme), *corse, occitan* (occitanisme), *jurassien.* → **Régionalisme.** *Autonomisme économique, politique; autonomisme absolu* (→ **Nationalisme; indépendantisme).**

**AUTONOMISTE** [otonɔmist; ɔtɔnɔmist] n. et adj. — 1868; de *autonomie*.

♦ **1** N. Partisan de l'autonomie (en matière politique). → **Nationaliste, particulariste, sécessionniste, séparatiste.** *Les autonomistes alsaciens, bretons, corses...* (→ **Autonomisme).**

*30 janvier* — Visite d'un ami breton, il me parle du grand nombre d'autonomistes bretons (...) L'âme de la Bretagne, c'est sa langue. Paris envoie là-bas des fonctionnaires qui ne comprennent pas un mot de ce qui se dit ouvertement devant eux, en breton.
J. GREEN, Ce qui reste de jour : 1966-1972, 30 janv. 1969.

♦ **2** Adj. Qui concerne l'autonomie politique; partisan de l'autonomie. *Mouvement, tendance autonomiste. Thèse autonomiste.*

**AUTONYME** [otonim; ɔtɔnim] adj. — 1866, P. Larousse; de *aut-* (→ Auto-, I.), et *-onyme*, d'après *homonyme*, etc.

Didactique.

♦ **1** Rare. Se dit d'un ouvrage publié sous le nom de son auteur (ni anonyme, ni avec pseudonyme).

♦ **2** (1957, Blanché, d'après l'all. *autonym* (1934, Carnap), à l'orig. «mot qui se désigne lui-même»). Log., ling. Se dit d'un mot métalinguistique qui signifie un mot de même signifiant, et qui est toujours un nom (ex. : *géniaux dans géniaux est au pluriel*). — N. m. Mot autonyme.

DÉR. **Autonymie.**

**AUTONYMIE** [otonimi; ɔtɔnimi] n. f. — 1970; de *autonyme*.

Didact. (log., ling.). Caractère d'un mot, d'un énoncé autonyme (2.). *La mention d'un mot (et non l'usage d'un mot) crée l'autonymie. L'autonymie est souvent marquée par les guillemets ou le soulignage. Autonymie et métalangage*.*

DÉR. **Autonymique.**

**AUTONYMIQUE** [otonimik] adj. — 1970; de *autonymie*.

Didact. Caractérisé par l'autonymie. *Connotation autonymique.*

**AUTO-OBSERVATION** [otoɔpsɛʀvasjɔ̃] n. f. — xx^e (attesté 1973); de *auto-* (I.), et *observation*.

Observation de soi-même. *L'auto-observation, une des fonctions du surmoi, selon Freud.*

**AUTOPALPATION** [otopalpasjɔ̃] n. f. — 1978; de *auto-*, et *palpation*.

Méd. Examen qui consiste pour une femme à palper ses seins de manière à y déceler une éventuelle tumeur. *Autopalpation des seins. Les gynécologues recommandent de pratiquer l'autopalpation.*

**AUTO-PÉDESTRE** [otopedɛstʀ] adj. — V. 1970; de *auto(mobile)*, et *pédestre*.

*Circuit, sentier auto-pédestre,* que l'on parcourt à pied, mais au départ duquel on peut se rendre en voiture.

**AUTOPHAGE** [otofaʒ; ɔtɔfaʒ] adj. — 1854; de *auto-* (I.), et *-phage*.

Didactique.

♦ **1** Qui se mange soi-même, se nourrit par autophagie.

(...) il faut bien qu'elle consomme quelque chose pour ne pas mourir de faim! Certainement, et ce quelque chose n'est autre qu'elle-même. La marmotte est «autophage», vous diront les savants : elle se mange elle-même. Mais, comme son fonctionnement organique produit des matières qu'il faut éliminer, sous peine de mourir empoisonnée, elle se réveille, de temps en temps, pour cette opération, et se rendort. Carnivore, vivant sur sa propre substance, elle justifie, pleinement, le proverbe *Qui dort dîne.*
Roger SIMONET, le Froid, p. 40.

♦ **2** Fig. Qui se détruit lui-même. *«Le progrès technique est dans une certaine mesure* autophage» (J.-P. Courthéoux, *la Politique des revenus*, p. 98).

DÉR. **Autophagie.**

**AUTOPHAGIE** [otofaʒi; ɔtɔfaʒi] n. f. — 1854; de *autophage*.

Didactique.

♦ **1** Entretien de la vie aux dépens des propres ressources de l'animal.

♦ **2** Fig. Autodestruction.

J.-G-N *(Germain Nouveau)* fut violemment repris de sa haine folle contre son grand ouvrage, de sa rage de destruction à l'égard du chef-d'œuvre (...) Prévenu à temps de cet excès d'autophagie, je fis copier à la hâte «La Doctrine de l'amour» et fus en mesure de rendre au poète son propre manuscrit.
Léonce DE LARMANDIE, Histoire de J.-G-N., dit Humilis, *in* Germain NOUVEAU, Œ., Pl., p. 1048.

DÉR. **Autophagique.**

**AUTOPHAGIQUE** [otofaʒik; ɔtɔfaʒik] adj. — xx^e; de *autophagie*.

Didact. De l'autophagie. *Phénomènes autophagiques. Nutrition autophagique.*

**AUTOPHILIE** [otofili; ɔtɔfili] n. f. — 1900, *in* D.D.L.; t. dû à Ball; de *auto-* (I.), et *-philie*.

Didactique (psychiatrie).

♦ **1** Tendance exagérée à avoir de soi une opinion avantageuse. → aussi **Autosatisfaction.** *Autophilie des persécutés.*

♦ **2** (1952). Comportement sexuel caractérisé par l'habitude exclusive de pratiques solitaires (→ **Masturbation, onanisme).**

DÉR. **Autophilique.**

**AUTOPHILIQUE** [otofilik; ɔtɔfilik] adj. — XX^e (attesté 1975); de *autophilie.*

Didact. (psychiatrie). Qui se caractérise par l'autophilie (2.). *Érotisme autophilique.*

**AUTOPILOTE** [otopilɔt] n. m. — XX^e (attesté 1971); de *auto-* (I.), et *pilote*, p.-ê. par l'angl. *autopilot* (1935).

Techn. (Aviat.). Pilote automatique. *Débrayer l'autopilote pour passer en pilotage manuel.*

**AUTOPISTE** [otopist] n. f. — 1964, *in* D. D. L.; de *auto(mobile)*, et *piste.*

Piste aménagée pour les automobilistes. → **Autoroute.**

L'autopiste enthousiasma l'ingénieur (...) C'était assurément le plus important travail d'art réalisé en Amérique du Sud depuis le canal de Panama. Elle ne semblait cependant pas gigantesque, car sa largeur, l'ampleur de ses courbes, s'accordaient aux dimensions de la Cordillère, que ses tunnels transperçaient, dont les viaducs de ciment précompressé (...) enjambaient les abîmes.

Roger VERCEL, l'Île des revenants, p. 89.

**AUTOPLASTIE** [otoplasti] n. f. — 1836; de *auto-* (I.), et grec *plassein* «façonner».

Chir. Implantation chirurgicale de greffon provenant de l'individu même *(autogreffe).*

DÉR. **Autoplastique.**

**AUTOPLASTIQUE** [otoplastik] adj. — 1845; de *autoplastie.*

Chir. Relatif à l'autoplastie. *Opération autoplastique.*

**AUTOPOLAIRE** [otopɔlɛʀ] adj. — 1904, in *Rev. gén. des sc.*, n° 17, p. 834; de *auto-* (I.), et *polaire.*

Math. Se dit d'un triangle dont chacun des côtés est la polaire du sommet opposé, cette polaire étant prise par rapport à une conique donnée, et particulièrement par rapport à un cercle.

**AUTOPOLYMÉRISANT, ANTE** [otopɔlimeʀizɑ̃, ɑ̃t] adj. — XX^e; de *auto-* (I.), et *polymériser.*

Chim. Qui se polymérise de soi-même. *Résine autopolymérisante* (→ **Polymérisable**) : résine qui se polymérise d'elle-même à la température de la bouche. *Toutes les résines utilisées pour les obturations dentaires sont autopolymérisantes.*

**AUTOPOMPE** [otopɔ̃p] n. f. — 1928; de *auto-* (II.), et 2. *pompe.*

Camion automobile équipé d'une pompe à incendie. → Fourgon*-pompe.

**AUTOPORTÉ, ÉE** [otopɔʀte] adj. — Mil. XX^e; de *auto-* (II.), et *porter.* → Héliporté, aéroporté.

Milit. Transporté sur un engin automobile.

(...) l'artillerie autoportée de l'assaillant (...)

M. TOURNIER, le Roi des Aulnes, p. 387.

**AUTOPORTEUR, EUSE** [otopɔʀtœʀ, øz] ou **AUTOPORTANT, ANTE** [otopɔʀtɑ̃, ɑ̃t] adj. — 1957, *autoporteur; autoportant,* 1948; de *auto-* (I.), et *porteur, portant.*

Archit. Dont la stabilité est assurée par la forme (sans support). *Voûte autoportante.* — Techn. *Carrosserie autoporteuse. Le carton ondulé est autoporteur.*

(...) ce chef-d'œuvre de la technique Vespa inspirée de l'automobile : «Coque autoporteuse faisant châssis, commandes groupées sur la direction.»

P. GUTH, le Mariage du naïf, XVII, p. 186.

**AUTOPORTRAIT** [otopɔʀtʀɛ] n. m. — 1928; de *auto-* (I.), et *portrait.*

Portrait d'un dessinateur, d'un peintre exécuté par lui-même. *Les autoportraits de Rembrandt, de Goya, de Van Gogh.*

(...) à gauche le peintre avec sa palette à la main (autoportrait de l'auteur du tableau[1]) [...] 1

Michel FOUCAULT, les Mots et les Choses, «Les Suivantes», p. 30.

1. Vélasquez, dans le tableau dit *Les Suivantes.*

Si nul ne croit plus que l'autoportrait, voire le portrait, n'eut d'autre souci que d'imiter son modèle, depuis les effigies des sculpteurs égyptiens jusqu'aux toiles cubistes, on continue à le croire du portrait littéraire. 2

MALRAUX, Antimémoires, Folio, p. 15.

Un autoportrait est toujours un reflet dans un miroir, mais dans celui-ci on dirait que le miroir a disparu, le peintre est vraiment là. 3

J. GREEN, Journal, 6 juin 1978, La terre est si belle, p. 289.

Par ext. *Autoportrait littéraire.*

**AUTOPOSITION** [otopozisjɔ̃] n. f. — 1945, cit. *infra;* de *auto-* (I.), et *position.*

Philos. Le fait, pour le sujet, de se poser.

Si le Je est le Je transcendantal de Kant, nous ne comprendrons jamais qu'il puisse en aucun cas se confondre avec son sillage dans le sens intime, ni que le moi empirique soit encore un moi. Mais si le Je est une temporalité, alors l'autoposition cesse d'être une contradiction, parce qu'elle exprime exactement l'essence du temps vivant.

MERLEAU-PONTY, Phénoménologie de la perception, p. 486-487.

**AUTOPROCLAMER (S')** [otopʀɔklame] v. pron. — 1971, *autoproclamé.*

Se décerner à soi-même de sa propre autorité un titre, une fonction. *Le colonel X s'est autoproclamé président.* — Par ext. Prétendre à un statut. *Certaines dictatures s'autoproclament républiques populaires.*

◆ **AUTOPROCLAMÉ, ÉE** p. p. adj.

Qui s'est décerné un titre, une fonction. *Président autoproclamé. — Une élite autoproclamée.*

**AUTOPROPULSÉ, ÉE** [otopʀɔpylse] adj. — 1950, *in* D. D. L.; de *auto-* (I.), et *propulsé.*

Qui est propulsé par ses propres moyens (se dirige sans pilote). → **Autoguidé.** *Engin, projectile autopropulsé* (muni d'un *autopropulseur*).

COMP. **Semi-autopropulsé.**

**AUTOPROPULSEUR** [otopʀɔpylsœʀ] n. m. — Après 1950; de *auto-*, et *propulseur.*

Dispositif qui assure la propulsion automatique d'engins, de projectiles.

**AUTOPROPULSION** [otopʀɔpylsjɔ̃] n. f. — 1932, *auto-propulsion, in* D. D. L.; de *auto-* (I.), et *propulsion.*

Propulsion d'engins par un dispositif automatique, sans intervention humaine à bord.

COMP. **Semi-autopropulsion.**

**AUTOPROTECTION** [otopʀɔtɛksjɔ̃] n. f. — 1973, *Journal officiel;* de *auto-* (I.), et *protection.*

Techn. Protection contre les rayonnements dans la partie interne d'une matière absorbante (trad. angl. *self-shielding*).

**AUTOPSIE** [otɔpsi; ɔtɔpsi] n. f. — 1573; grec *autopsia* «action de voir de ses propres yeux», de *aut-* (→ auto-, I.), et *-opsia,* de *opsis* «vue».

♦ **1** Méd. Examen de toutes les parties d'un cadavre. → **Dissection.** *Ordonner l'autopsie. Faire l'autopsie d'un cadavre. Autopsie d'un animal.* — Vx. *Autopsie cadavérique.*

1 On a proposé, avec raison, de substituer **nécropsie** ou **nécroscopie** à **autopsie,** qui ne présente pas un sens déterminé, et qui est cependant beaucoup plus usité.
LITTRÉ, Dict., art. *Nécroscopie.*

2 S'il m'arrivait de mourir demain, d'une maladie prise au labo (...) je demande que l'on fasse mon autopsie et je souhaite qu'elle rende service à la cause de la science.
G. DUHAMEL, Chronique des Pasquier, VI, 16.

3 Ce n'est pas un meurtre (...) Faites-le transporter à l'hospice, je vais faire l'autopsie.
A. MAUROIS, Bernard Quesnay, XVII.

4 Le commentaire couche Shakespeare sur la table d'autopsie, la traduction le remet debout; et après l'avoir disséqué, nous le retrouvons en vie.
HUGO, Shakespeare, p. 133.

♦ **2** (1827). Fig. Examen attentif, approfondi. → **Analyse, dissection.** «*Autopsie d'un meurtre*», titre français d'un film de Otto Preminger (en angl. *Anatomy of a murder*).

♦ **3** (1751). Rare. Didact. État contemplatif qui, pour les Grecs, permettait d'arriver à la connaissance de la divinité.

DÉR. **Autopsier.**

**AUTOPSIER** [otɔpsje; ɔtɔpsje] v. tr. — 1866; du précédent.

Faire l'autopsie de. *Autopsier la victime d'un meurtre par empoisonnement.*

**AUTOPUNITIF, IVE** [otopynitif, iv] adj. — XX^e^; de *auto-,* et *punitif.*

Qui relève de l'autopunition. *Comportement autopunitif. Conduite autopunitive.*

(...) une lubie autopunitive d'avarice qui sèche mon réservoir et me force à pédaler.
Jacques RÉDA, les Ruines de Paris, pp. 73-74.

**AUTOPUNITION** [otopynisjɔ̃] n. f. — 1929; de *auto-* (I.), et *punition.*

Psychol. Conduite par laquelle le sujet prévient ou atténue un sentiment de culpabilité en s'infligeant une punition. *Masochisme et autopunition. Réaction d'autopunition.*

L'agressivité qui ne peut trouver d'issue à l'extérieur (...) se retourne contre le sujet lui-même et engendre un désir d'auto-punition dont la manifestation est l'angoisse qui représente ici une peur justifiée de soi-même.
Jean DELAY, Introd. à la médecine psychosomatique, p. 33.

**AUTOR (D')** [dotɔʀ] loc. adv. — 1830, *in* D. D. L.; apocope de *d'autorité**.

Fam. (d'abord argotique). Avec énergie, d'une manière qui n'admet pas de réplique. *Il l'a emmenée d'autor.*

(...) entrer en caïd, s'asseoir d'autor à la table de Josy et commencer un gringue terrible devant la galerie, sachant que ça serait rapporté avant la fin de la soirée à Riton, c'était pas explicable.
Albert SIMONIN, Touchez pas au grisbi, p. 40.

**AUTORADIO** [otoʀadjo] adj. et n. m. — 1956; de *auto(mobile),* et *radio.*

*Poste autoradio* : poste de radio conçu pour être fixé sur le tableau de bord d'une automobile. *Des postes autoradio.* N. m. *Des autoradios. Autoradio à lecteur de cassettes. Il s'est fait voler son autoradio. Installation d'autoradios.*

**AUTORADIOGRAPHIE** [otoʀadjɔgʀafi] n. f. — 1952; de *auto-* (I.), et *radiographie.*

Sc. Radiographie obtenue en plaçant une émulsion sensible à proximité d'un corps radioactif. *Analyse d'un alliage métallique par autoradiographie. Étude du déplacement d'un radio-indicateur par autoradiographie.*

**AUTORAIL** [otoʀaj; ɔtɔʀaj] n. m. — 1928; de *auto-* (I.), et de *rail.*

Véhicule automoteur (généralement muni d'un ou de plusieurs moteurs Diesel) pour le transport sur rail. → **Automotrice.** *Autorail sur pneus.* → **Micheline.** *Prendre l'autorail. Les autorails sont utilisés pour les liaisons à faible trafic. Autorail à turbines.* → **Turborail** (cit.).

Je propose (...) d'écarter **autorail** (...) et de recommander 1
**micheline** — d'une jolie facture, si française, — au moins comme terme courant.
A. DAUZAT, Études de linguistique franç., p. 200.

En France, on désigne parfois à tort les **autorails** sous 2
le nom de **michelines** : c'est ainsi que Michelin, qui fut un véritable novateur en matière d'autorails légers et contribua grandement à leur succès, appela les autorails sur pneumatiques de sa création. En toute rigueur, ce terme doit être réservé aux autorails montés sur pneus.
M. DESPOUY, Chemins de fer, 1952, *in* Science et Vie, déc. 1951.

**AUTORÉFÉRENTIEL, IELLE** [otoʀefeʀɑ̃sjɛl] adj. — V. 1970; de *auto-* (I.), et *référentiel.*

Didact. Qui ne renvoie à aucun élément qui n'ait été préalablement défini.

L'ambiguïté, en outre, est souvent liée à l'absence de contexte linguistique ou «situationnel». Chomsky ne nie pas cette évidence (*Aspects* [de la théorie de la syntaxe] p. 38). Mais pour qu'il puisse construire son système sur des définitions *a priori* et des règles de combinaison, il faudrait que l'objet qu'il traite soit, comme celui du mathématicien, autoréférentiel.
Claude HAGÈGE, la Grammaire générative, Réflexions critiques, p. 140.

**AUTORÉGLAGE** [otoʀeglaʒ] n. m. — 1960; *autoréglage,* 1932, *in* D. D. L.; de *auto-* (I.), et *réglage.*

Techn. Rétablissement automatique d'un régime après une perturbation; propriété d'un système (matériellement, d'une installation) qui retrouve son régime fonctionnel après toute perturbation sans recours à une régulation extérieure. → **Autorégulation.** *L'autoréglage d'un processus.*

Par contre, il se peut faire que la structure ne soit point achevée, et, en ses états de formation, il va de soi que son autoréglage n'impliquera pas encore un système de règles mais une autorégulation dont le fonctionnement pourra comporter de multiples variantes. Il peut surtout se faire qu'une structure ne soit pas susceptible de «fermeture» et dépende constamment d'échanges avec l'extérieur.
J. PIAGET, Épistémologie des sciences de l'homme, p. 309-310 (1970).

**AUTORÉGULATEUR, TRICE** [otoʀegylatœʀ, tʀis] adj. — 1866; de *auto-* (I.), et *régulateur.*

Didact. Qui produit une autorégulation, qui régularise ses propres fonctions. *Mécanismes biologiques autorégulateurs.* «*La science (...) tend à devenir autorégulatrice*» (*Science et Vie,* n^o^ 590, p. 58).

**AUTORÉGULATION** [otoʀegylasjɔ̃] n. f. — 1878, *Larousse du XIX^e^ s., Deuxième Suppl.*; de *auto-* (I.), et *régulation.*

Didact. Régularisation (d'un processus, d'une machine, d'une fonction) par l'organisme, par l'ensemble fonctionnel lui-même, sans intervention extérieure. *Autorégulation de la pression artérielle.*

*Importance de la notion d'autorégulation en cybernétique* (→ Rétroaction).

1 (...) la glycémie est réglée par *deux mécanismes principaux antagonistes,* qui sont uniquement d'ordre hormonal, ayant chacun son *autorégulation* commandée par la teneur même du sang en glucose.
Pierre REY, les Hormones, p. 76.

2 Force est donc, en plus des facteurs de maturation, vie sociale ou expérience, que l'on invoque communément pour expliquer le développement, de considérer un facteur de coordination non innée des actions, mais s'affirmant au cours de leur déroulement fonctionnel lui-même et que l'on peut appeler le facteur d'équilibration. Il ne s'agit pas d'une balance des forces, au sens gestaltiste, mais bien d'une autorégulation au sens de la biologie et de la cybernétique, c'est-à-dire d'un facteur qui montre la liaison essentielle de l'intelligence avec ce qu'on sait aujourd'hui des multiples homéostasies propres à la vie organique.
J. PIAGET, Épistémologie des sciences de l'homme, p. 208-209.

**AUTORÉGULÉ, ÉE** ou **AUTO-RÉGULÉ, ÉE** [otoʀegyle] adj. — 1969; de *auto-* (I.), et *réguler.*

Techn. Qui est régularisé par autorégulation.

Tel est l'automatisme de la machine, et telle est son autorégulation : il y a, au niveau des régulations, fonctionnement, et non uniquement causalité ou finalité; dans le fonctionnement auto-régulé, toute causalité a un sens de finalité, et toute finalité un sens de causalité.
Gilbert SIMONDON, Du mode d'existence des objets techniques, p. 119 (1969).

**AUTORELAXATION** [otoʀ(ə)laksasjɔ̃] n. f. — XX^e (attesté 1970); de *auto-* (I.), et *relaxation.*

Psychol. Méthode de relaxation par concentration de la conscience sur des cénesthésies choisies, avec réalisation d'un état favorable à la suggestion. (On dit aussi *autorelaxation* ou *autodécontraction concentrative*). Syn. : *training* (autogène).

**AUTOREMBLAYAGE** [otoʀɑ̃blɛjaʒ] n. m. → **Foudroyage.**

**AUTOREPRODUCTEUR, TRICE** [otoʀ(ə)pʀɔdyktœʀ, tʀis] adj. — 1955; de *auto-* (I.), et *reproducteur.*

Didact. Qui se reproduit sans intervention extérieure, qui contribue à une autoreproduction. *Particule autoreproductrice.*

**AUTOREPRODUCTION** [otoʀ(ə)pʀɔdyksjɔ̃] n. f. — 1955; de *auto-* (I.), et *reproduction.*

Didact. Capacité à se reproduire par soi-même; propriété d'une structure cellulaire à assimiler, à organiser des structures plus complexes et à opérer la duplication synchrone de ces structures. *Les virus sont incapables d'autoreproduction.*

**AUTORESSE** [otɔʀɛs; ɔtɔʀɛs] n. f. — 1900; 1864, *authoress;* de *auteur,* d'après *poétesse,* etc., et d'après l'angl. *authoress.*

Fam., par plais. (péj.). Femme auteur. → **Auteur.**

(...) Renaud, assis sur des poufs, écoutait, pâmé, les morceaux où l'amour s'enchevêtrait avec la botanique dans le parfum d'iris dont l'autoresse était de surcroît imprégnée.
C. ROCHEFORT, le Repos du guerrier, II, II, p. 159.

**AUTORISATION** [otɔʀizasjɔ̃; ɔtɔʀizasjɔ̃] n. f. — 1593, *authorisation; auctorizacion,* 1419; de *autoriser.*

♦ **1** Dr. et cour. Action d'autoriser. *L'autorisation de qqn,* donnée par qqn. *L'autorisation des parents au mariage de leurs enfants mineurs.* → **Accord, approbation, consentement, permission.** *Autorisation (à qqn) de...* (et inf.). *Autorisation d'exploiter une chute d'eau.* → **Concession.** *Autorisation d'assigner* (cit. 17) *à bref délai. Autorisation du tuteur, du conseil de famille, de justice. Le mineur émancipé ne peut faire le commerce sans autorisation.* → **Habilitation.** *Autorisation préalable, nécessaire.*

(...) le conseil de famille (...) statuera sur la demande d'autorisation à mariage (...) Code civil, art. 160. 1

La femme ne peut ester en jugement sans l'autorisation de son mari (...) Code civil, anc. art. 215. 2

Les actes faits par la femme sans le consentement du mari, et même avec l'autorisation de la justice, n'engagent point les biens de la communauté, si ce n'est lorsqu'elle contracte comme marchande publique et pour le fait de son commerce. Code civil, anc. art. 1426. 3

Droit accordé par la personne qui autorise. *J'ai l'autorisation de sortir.* → **Permission.** *Autorisation de bâtir.* → **Permis.** *Autorisation d'exécuter un jugement, un acte étranger.* → **Exequatur.** *Autorisation d'imprimer.* → **Imprimatur.** *Autorisation de partir.* → **Congé, faculté.** *Autorisation de ne pas faire...* → **Dispense, exemption, faculté.** *Demander, obtenir, accorder, donner, refuser une autorisation.*

Fin. *Autorisation de dépense, d'engagement, de programme.* → **Crédit.**

♦ **2** Acte, écrit par lequel on autorise. → **Permis, permission; ausweis, bon, congé, dispense, laissez-passer, licence, pouvoir.** *Montrer, exhiber une autorisation. Autorisation de sortie du territoire, pour les mineurs. Il a perdu son autorisation.*

DÉR. **Défense, empêchement, interdiction, prohibition, refus.**

**AUTORISER** [otɔʀize; ɔtɔʀize] v. tr. — XIII^e, *autorizer; actorizer,* fin XII^e; lat. médiéval *auctorizare,* de *auctor* «garant». → Auteur.

♦ **1** Vx. Revêtir (qqn) d'une autorité. → **Accréditer.** *C'était le Roi qui autorisait les magistrats* (Académie). *Le chef de l'État autorise les ambassadeurs.*

♦ **2** Vx ou littér. Donner de l'autorité, du crédit à (qqn, qqch.). → **Accréditer, appuyer, confirmer, fortifier, justifier, renforcer.** *Autoriser un porte-parole* (→ ci-dessous, p. p., 4.).

Que peut-on penser de là *(cela),* sinon qu'ils *(les Dominicains)* autorisent les Jésuites? 1
PASCAL, les Provinciales, 2.

Plus ils marquent de faiblesse en ma personne, plus ils autorisent ma cause. PASCAL, Pensées, t. III, 921. 2

*Autoriser... à...* → **Encourager.**

Il sait qu'en nous condamnant les uns les autres, nous autorisons le monde à nous refuser à tous également son respect et sa docilité. 3
MASSILLON, Conférences, Zèle contre les vices.

(Compl. n. de chose). *Autoriser des abus, des injustices.* → **Permettre.**

Il faut fermer les yeux à des désordres que vous autorisez par vos mœurs. 4
MASSILLON, Petit carême, Vice et vertus.

Ils ne se servent de la pensée que pour autoriser leurs injustices, et n'emploient les paroles que pour déguiser leurs pensées. 5
VOLTAIRE, Dialogue du chapon et de la poularde.

♦ **3** Cour. **AUTORISER (qqn) À :** accorder à (qqn) un droit, une permission; le droit de faire qqch. *Un décret l'a autorisé à exploiter cette mine.* → **Autorisation.** *M'autorisez-vous à parler en votre nom? Autoriser qqn à ne pas faire qqch.* → **Dispenser, exempter.** *Autoriser un établissement public à recevoir un legs.* Par ext. (sujet n. de chose). *Voici le papier qui m'autorise à sortir.*

Dr. *Autoriser un incapable à contracter.* → **Habiliter.**

(Sujet n. de chose abstraite). Donner le droit, la faculté, la possibilité. → **Permettre.** *La confiance que vous m'accordez m'autorise à vous dire que... Ces considérations m'autorisent à conclure, à penser, à supposer, à espérer que... Rien ne vous autorise à dire, à penser ceci; rien ne vous y autorise.*

**AUTORISER (qqch.)** : rendre licite, permettre. → **Accepter.** *Maintenant, le médecin autorise les sorties. Autoriser une association syndicale. Autoriser l'exécution d'un acte* (en parlant de l'autorité judiciaire, administrative, législative...). → **Homologuer, ratifier.** *L'Assemblée a autorisé les poursuites contre le député X.*

Autoriser qqch. à qqn. → **Permettre.**

5.1 Heureusement il y avait les parties de foot sur la plage, les osselets de Virgilio et le cinéma le dimanche après-midi lorsque les aînés nous l'autorisaient.
Joseph JOFFO, Un sac de billes, p. 132.

Permettre, rendre possible. *Aucune situation n'autorise l'orgueil ni l'insolence.* → **Justifier.** *Cette découverte autorise un nouvel espoir.*

6 Si le mari refuse d'autoriser sa femme à ester en jugement, le juge peut donner l'autorisation.
Code civil, anc. art. 218.

7 Le tuteur ne pourra transiger au nom du mineur, qu'après y avoir été autorisé par le conseil de famille.
Code civil, anc. art. 467.

8 Puisque votre exemple m'autorise.
MOLIÈRE, la Princesse d'Élide, IV, 1.

9 Je veux, pour donner cours à mon ardente haine,
Que sa fureur au moins autorise la mienne.
RACINE, la Thébaïde, IV, 1.

10 Cette pensée autorise tous mes sentiments.
Mme DE SÉVIGNÉ, Lettres, 729 bis, 13 sept. 1679.

11 C'était à l'Académie à s'en faire justice elle-même, puisque ses statuts l'autorisent et même l'obligent à destituer un académicien qui aurait fait quelque action indigne d'un homme d'honneur.
D'OLIVET, Hist. de l'Académie, t. II, p. 47.

12 Il est clair que la forme de lettres, que j'adoptai pour les deux récits, était un simple artifice qui permettait plus d'abandon, m'autorisait à me découvrir un peu plus moi-même, et me dispensait de toute méthode.
E. FROMENTIN, Un été dans le Sahara, Préface, 1874.

13 Je suis passionné pour la vérité et pour les mensonges qu'elle autorise. J. RENARD, Journal, 23 juil. 1898.

14 (...) rien ne m'autorisant à croire Sodome plus peuplée aujourd'hui qu'hier. GIDE, Journal, 8 déc. 1929.

15 En effet, où donc est le papier qui l'autorise à jouir d'un repas, d'un beau soir, d'une fille, des hommes? Qu'il nous le montre. Toute la société se dresse comme un agent civil et le lui demande. COCTEAU, le Grand Écart, p. 8.

◆ **S'AUTORISER** v. pron.

♦ **1** Vx. Acquérir de l'autorité. *Les coutumes s'autorisent par le temps et acquièrent force de loi* (Académie). → **Fortifier** (se).

♦ **2 S'AUTORISER À** : s'accorder le droit, la permission de.

16 Et vous vous saisissez d'un prétexte frivole
Pour vous autoriser à manquer de parole.
MOLIÈRE, Tartuffe, II, 4.

**S'AUTORISER (qqch.)** : s'accorder. *S'autoriser un peu de répit.*

6.1 Il avait le front bombé du jeune général jacobin un peu génial, la patience explicative du vieux bolchevik, une vraie culture, et un sens de l'humour que le sérieux de sa vie atténuait en ironie : les temps étaient trop graves pour s'autoriser le rire *destructeur.*
Claude ROY, Nous, p. 249.

♦ **3 S'AUTORISER DE (qqch.)** : s'appuyer sur, prendre prétexte de. → **Prétexter, prévaloir** (se). *Il n'y a rien dans ce passage dont puisse s'autoriser une telle opinion.*

Dr. *S'autoriser d'un acte, d'une pièce.* → **Exciper.**

Et d'oracles menteurs *(il)* s'appuie et s'autorise. 17
RACINE, Athalie, III, 3.

Il en revient à s'autoriser du nom de saint François de Sales. BOSSUET, Rem., *in* LITTRÉ. 18

(...) les sarcasmes et le reproche d'hypocrisie, que lui ont jetés ses ennemis, trop heureux de son exemple et s'en autorisant pour nier sa doctrine. 19
R. ROLLAND, Vie de Tolstoï, p. 186.

◆ **AUTORISÉ** p. p. adj. (XIIIe).

♦ **1** Vx. Qui jouit d'une grande autorité.

Notre siècle, qui n'avait point vu de chancelier si autorisé, vit en celui-ci autant de modération et de douceur que de dignité et de force. 20
BOSSUET, Oraison funèbre de Michel Le Tellier.

♦ **2** Qui fait autorité, est digne de créance. *Personne autorisée. Un critique autorisé.* → **Qualifié.** *Les milieux autorisés démentent la nouvelle.* → **Influent, officiel.** *Avis autorisé. On apprend, de source autorisée...*

Lettres qui fussent assez autorisées pour obtenir créance. 21
BOSSUET, Lettre, 116.

Il lisait tous les ouvrages de philosophie, de politique, de législation, de morale et d'histoire les plus autorisés de son temps. 22
SAINTE-BEUVE, Causeries du lundi, t. VIII, p. 327.

Les conseils autorisés du capitaine Julian nous dissuadèrent de différer notre départ, eu égard à l'approche de la mauvaise saison. GIDE, Si le grain ne meurt, II, 1. 23

♦ **3** Qui a reçu autorité ou autorisation. *Association autorisée. Étalon autorisé.* → **Approuvé.**

♦ **4** (Personnes). *Un porte-parole autorisé. — Je me crois autorisé à dire.* → **Fondé; droit** (en droit de). *Personne n'est plus autorisé que lui à décider dans ce cas.*

♦ **5** *Autorisé par... :* permis* par... → **Admis, toléré.** *Tournure autorisée par l'usage.*

CONTR. **Défendre, empêcher, exclure, interdire, prohiber, proscrire, refuser.** ◈ DÉR. **Autorisation.**

**AUTORITAIRE** [otɔritɛr; ɔtɔritɛr] adj. — 1863; de *autorité.*

♦ **1** Qui aime l'autorité; qui en use ou abuse volontiers. *Une politique autoritaire. L'Empire autoritaire* (opposé à *l'Empire libéral* que Napoléon III inaugura en 1860). *Régime autoritaire,* à exécutif non contrôlé. → **Absolu, absolutiste, dictatorial.**

À mesure que la Révolution *(de 1848)* était vaincue par l'armée, le gouvernement restaurait le régime autoritaire. 1
Ch. SEIGNOBOS, Hist. comparée des peuples d'Europe, XVIII, 375.

♦ **2** Qui aime à être obéi. *Homme, caractère autoritaire.* → **Cassant, despotique, dur, impérieux, intransigeant, raide, sec.** *Un chef autoritaire. Elle est trop autoritaire avec ses enfants.*

Elle est autoritaire... possessive... Elle donne pour dominer, pour nous garder éternellement en tutelle... 2
N. SARRAUTE, le Planétarium, p. 51.

*Un caractère, un air autoritaire et hautain, et méprisant. Ton, voix autoritaire :* qui exprime le commandement, n'admet pas la contradiction. → **Impératif, impérieux.**

(...) une voix s'éleva, forte, vibrante, autoritaire, une voix qui criait rudement (...) 3
G. DUHAMEL, Chronique des Pasquier, IX, 1.

N. *Un autoritaire qui tyrannise son entourage.* → **Tyran** (tyran domestique), **despote.**

L'autoritarisme est, lui aussi, une fausse énergie de faible. Il se situe généralement aux frontières de la névrose, et il alterne souvent dans la même famille avec les maladies du scrupule. On dit justement de l'autoritaire qu'il est, contre les apparences, un aboulique social. 4
E. MOUNIER, Traité du caractère, p. 511.

**CONTR.** **Conciliant, doux, faible; libéral.** ◊ **DÉR.** **Autoritairement, autoritarisme, autoritariste.**

**AUTORITAIREMENT** [otɔʀitɛʀmɑ̃; ɔtɔʀitɛʀmɑ̃] adv. — 1875; de *autoritaire*.

Littér. D'une manière autoritaire.

Il s'est levé, par instinctif besoin de dominer; il se tient à présent tout dressé, oublieux et insoucieux de sa douleur physique, et pose gravement, tendrement, autoritairement la main sur l'épaule de Marguerite.
GIDE, les Faux monnayeurs, *in* Romans, Pl., p. 948.

**AUTORITARISME** [otɔʀitaʀism; ɔtɔʀitaʀism] n. m. — 1870; de *autoritaire*.

Caractère d'un régime politique, d'un gouvernement autoritaire. Caractère, comportement d'une personne autoritaire. → **Autorité; autoritaire,** cit. 4.

Quelques-uns de ceux à qui je n'ai pu donner satisfaction, ou dont je gênais les habitudes ou secouais l'apathie, m'ont parfois accusé d'autoritarisme et de dictature.
Georges LECOMTE, Ma traversée, p. 361.

**CONTR.** **Libéralisme.**

**AUTORITARISTE** [otɔʀitaʀist; ɔtɔʀitaʀist] adj. et n. — 1900; de *autoritaire*.

Polit. Partisan d'un régime autoritaire. *«M. Fanfani, un Toscan, impulsif et autoritariste»* (*l'Express*, nº 1095, p. 80, 1972).

**AUTORITÉ** [otɔʀite; ɔtɔʀite] n. f. — 1119, *auctorité*; lat. *auctoritas*, de *auctor* «auteur».

♦ **1** Droit de commander, pouvoir (reconnu ou non) d'imposer l'obéissance. → **Commandement, domination, force, puissance, souveraineté, supériorité.** *Autorité de droit, de fait. L'autorité du souverain, du chef de l'État. L'autorité du monarque sur ses sujets.* → **Sceptre** (fig.). *La confusion de l'autorité politique et de l'autorité religieuse dans la personne d'un roi. Confusion entre autorité et pouvoir.* → 2. Pouvoir, cit. 13. *L'autorité d'un comité, d'un organisme. L'autorité du supérieur sur ses subordonnés, du chef sur ses soldats.* → **Hiérarchie.** *Autorité paternelle, parentale. Autorité du tuteur sur le mineur.* → **Tutelle.** *L'autorité du patron sur ses employés. Autorité légitime, établie, reconnue. Autorité de fait. Autorité illégale, usurpée. Imposer son autorité. S'arroger une autorité tyrannique. Autorité absolue, despotique, dictatoriale, discrétionnaire, oppressive, rigoureuse, sévère, sans limite, sans contrôle. Régime d'autorité.* → **Absolutisme, autocratie, autoritarisme, caporalisme, césarisme, despotisme, dictature, domination, omnipotence, oppression, totalitarisme, tyrannie.** *Soumettre les peuples à son autorité* (→ **Hégémonie, prééminence, prépotence**). *Détenir une autorité. Avoir autorité sur qqn. Être sous l'autorité de..., soumis à l'autorité de... Exercer l'autorité. Faire acte d'autorité. User, abuser de l'autorité. Abus* d'autorité. Donner, conférer, déférer, déléguer l'autorité. Investir, revêtir d'une autorité. Perdre, abdiquer l'autorité. Reprendre, ressaisir l'autorité. Être jaloux de son autorité. Brider, contrebalancer, limiter, partager l'autorité. Refus de l'autorité.* → **Anarchisme.** *Respecter l'autorité de qqn. Son autorité s'affaiblit, est contestée.*

REM. *Autorité,* sans compl., peut désigner l'autorité de droit (ci-dessous, cit. 3, 15) ou de fait (cit. 4, 10, etc.); l'autorité divine (cit. 8 : *suprême autorité*) ou humaine, l'autorité politique, collective (cit. 17, 19, 20) ou privée (cit. 10).

1 L'autorité de l'homme est de peu d'importance,
Et passe en un moment;
Mais cette vérité que le ciel nous dispense
Dure éternellement.
CORNEILLE, l'Imitation de J.-C., I, 5.

Que veux-tu que je fasse contre l'autorité d'un père. 2
MOLIÈRE, l'Amour médecin, I, 4.

Celui qui, sans autorité, tue un criminel, se rend criminel 3
lui-même. PASCAL, les Provinciales, 14.

Elle savait persuader et convaincre aussi bien que com- 4
mander, et faire valoir la raison non moins que l'autorité.
BOSSUET, Oraison funèbre de Henriette-Anne d'Angleterre.

Charlemagne exerça dans Rome même l'autorité souve- 5
raine en qualité de patrice. BOSSUET, Hist., I, 11.

C'était leur fermer la bouche par l'autorité du souverain. 6
BOSSUET, Hist. des Variations, 14.

De là nous pouvons juger que la première idée de com- 7
mandement et d'autorité humaine, est venue aux hommes de l'autorité paternelle.
BOSSUET, Politique tirée des propres paroles de l'Écriture sainte, t. XXIII, p. 518.

Quand la suprême autorité 8
Dans ses conseils a toujours auprès d'elle
La justice et la vérité (...) RACINE, Esther, III, 3.

Vous croyez qu'abusant de mon autorité, 9
Je prétends attenter à votre liberté (...)
RACINE, Mithridate, I, 2.

L'autorité seule ne fait jamais bien; la soumission des infé- 10
rieurs ne suffit pas : il faut gagner les cœurs.
FÉNELON, Télémaque, III.

Santillane, me dit-il un jour, tu as vu le duc de Serne jouir 11
d'une autorité qui ressemblait moins à celle d'un ministre favori qu'à la puissance d'un monarque absolu (...)
A.-R. LESAGE, Gil Blas, XI, 8.

(...) ne cherchez jamais à employer l'autorité là où il ne 12
s'agit que de raison (...)
VOLTAIRE, Dict. philosophique, Autorité.

Quand l'autorité devient arbitraire (...) 13
MIRABEAU (→ Arbitraire, cit. 7).

La justice est le point d'appui de l'autorité. 14
MARMONTEL, Bélisaire, XV.

Le principe de toute souveraineté réside essentiellement 15
dans la Nation. Nul corps, nul individu ne peut exercer d'autorité qui n'en émane expressément.
Déclaration des droits de l'homme, 1791, art. 3.

De même que dans la famille l'autorité était inhérente au 16
sacerdoce, et que le père, à titre de chef du culte domestique, était en même temps juge et maître, de même, le grand-prêtre de la cité en fut aussi le chef politique.
FUSTEL DE COULANGES, la Cité antique, III, 9, p. 206.

Lorsque l'autorité cesse de paraître juste aux sujets, il faut 17
encore du temps pour qu'elle cesse de le paraître aux maîtres.
FUSTEL DE COULANGES, la Cité antique, III, 9, p. 310.

L'autorité publique s'est évanouie : c'est le chaos social et 18
politique. J. BAINVILLE, Hist. de France, p. 41.

Du golfe Persique aux collines d'Harran, et par la Syrie, 19
jusqu'en Égypte, son influence *(de Babylone)* s'exerçait suivant toutes les nuances de l'autorité, du protectorat ou de la domestication.
DANIEL-ROPS, le Peuple de la Bible, IV, 1, p. 264.

Elle *(l'Angleterre)* nous a enseigné, et prouvé par l'exemple, 20
que liberté et autorité ne sont pas des notions contradictoires, qu'on peut obéir aux lois de son pays sans sacrifier sa dignité, que liberté ne signifie pas nécessairement désordre, ni autorité tyrannie.
André SIEGFRIED, l'Âme des peuples, IV, 3.

Partisans d'une autorité persuasive, ils préconisent leur 21
façon de voir avec la dernière violence.
G. DUHAMEL, Récits des temps de guerre, t. II, p. 27.

Qu'est-ce qui m'a retenu de donner ordre? (...) la crainte 21
de je ne sais quoi, mais surtout l'extrême répugnance que j'ai de faire prévaloir mon désir, de faire acte d'autorité, de commander.
GIDE, Voyage au Congo, *in* Souvenirs, Pl., p. 845.

*Autorité de justice :* pouvoir permettant aux juges d'ordonner des mesures relatives aux personnes ou aux biens. *Décision par autorité de justice. Vente par autorité de justice.*

Elle *(l'action)* n'a pas lieu dans les ventes faites par autorité 22
de justice. Code civil, art. 1649.

Loc. Vx. *Coup d'autorité :* acte décisif, coup de force contre ceux qui résistent.

23 (...) Je n'y vois plus de remède, si Messieurs de l'Académie ne bannissent, par un coup d'autorité, ce mot barbare de Sorbonne. PASCAL, les Provinciales, I.

24 Quelques coups d'autorité que l'on ait faits de nos jours en France sur les monnaies dans deux ministères consécutifs, les Romains en firent de plus grands (...)
MONTESQUIEU, l'Esprit des lois, XXII, 11.

♦ **2** Ensemble des organes du pouvoir. *L'autorité publique. Les actes, les décisions, les agents, les représentants de l'autorité.* → **Gouvernement; administration.** *Intervention de l'autorité,* de la force armée. *L'autorité législative. L'autorité administrative. L'autorité judiciaire. L'autorité militaire.*

Au plur. (1790). *Les autorités :* les personnes qui exercent l'autorité. *Les autorités civiles, militaires, religieuses.* → **Dignitaire, officiel.** *Les autorités constituées.* — Au sing. (Rare). *Une autorité.*

25 (...) le plaisir de dogmatiser sans être repris ni contraint par aucune autorité ecclésiastique ni séculaire (...)
BOSSUET, Oraison funèbre de Henriette-Anne d'Angleterre.

26 (...) ceux qui, sans ordre des autorités constituées (...)
Code pénal, art. 341 (→ Arrêter, cit. 35.).

27 Aux noms d'autorités, corps, pouvoirs, on prend l'habitude *(sous la Révolution)* d'ajouter «constitués» (...) Cependant, bien entendu, «autorités» s'emploie *(encore)* seul.
BRUNOT, Hist. de la langue franç., t. IX, p. 1055.

28 Avec l'assentiment tacite des autorités, les fidèles du gouvernement affichent leur programme sur papier blanc (...)
Georges LECOMTE, Ma traversée, p. 30.

29 On devine en lui *(Péguy)* un de ces hommes pour qui tout l'appareil des puissances temporelles, les puissances politiques, les autorités de tout ordre, intellectuelles, mentales même, ne pèsent pas une once devant un mouvement de conscience propre.
MARTIN DU GARD, Jean Barois, II, Le vent précurseur, II.

♦ **3** Force obligatoire d'un acte de l'autorité publique. *L'autorité de la loi*.* → **Souveraineté.** — Loc. Dr. *Autorité de la chose jugée :* présomption de vérité qui s'attache à ce qui a été définitivement jugé et qui interdit de le remettre en cause.

30 L'autorité de la chose jugée n'a lieu qu'à l'égard de ce qui a fait l'objet du jugement (...) Code civil, art. 1351.

♦ **4 DE L'AUTORITÉ DE...; D'AUTORITÉ.** *Agir de son autorité privée, de sa propre autorité,* avec l'autorité qu'on s'attribue, de son propre mouvement, sans droit, sans autorisation de personne.

31 C'est à l'opinion publique à faire justice de ces petits tribunaux qui s'élèvent de leur propre autorité.
BERNARDIN DE SAINT-PIERRE, Préambule, la Chaumière indienne.

*D'autorité :* d'une manière impérative, impérieuse, sans donner le temps de répondre ou de réfléchir. → **Autor** (d'), fam.

32 On nous arrête d'autorité pour souper chez M. de Marsillac. Mme DE SÉVIGNÉ, Lettres, 174.

33 Pourtant ces imbéciles l'avaient classée, d'autorité, dans la catégorie des maniaques qui harcèlent les hommes consacrés. F. MAURIAC, le Sagouin, I.

♦ **5** Attitude autoritaire ou très assurée. *Un air, un ton d'autorité. Agir avec autorité. Une autorité tranchante, sèche.*

34 *(Télémaque)* court à la porte par où Mentor était sorti; il se la fait ouvrir avec autorité.
FÉNELON, Télémaque, XI.

35 Sa fière autorité veut de la déférence.
VOLTAIRE, Sémiramis, I, 4.

36 *(Il)* luttait contre la timidité par des effets d'autorité tranchante qui m'exaspéraient.
A. MAUROIS, Climats, p. 92.

♦ **6** Capacité à se faire obéir. *Ce professeur manque d'autorité. Avoir de l'autorité, beaucoup d'autorité. Il est d'un tempérament autoritaire*, mais il manque d'autorité.*

(...) par manque d'autorité naturelle, on cherche à régner par la terreur. 36.1
GIDE, Voyage au Congo, *in* Souvenirs, Pl., p. 693.

♦ **7** Supériorité de mérite ou de séduction qui impose l'obéissance sans contrainte, le respect, la confiance. → **Ascendant, considération, crédit, empire, influence, magnétisme, poids, prestige, réputation, séduction.** *Cet homme a une grande autorité. L'autorité qui émane de sa personne séduit, subjugue tout le monde.* → **Charisme.** *Son autorité inspire une crainte respectueuse. L'autorité dont il jouit lui donne voix au chapitre*, fait de lui l'arbitre* de la situation. Avoir, acquérir, prendre de l'autorité sur qqn. Donner de l'autorité à qqn.* → **Accréditer.** *Prendre de l'autorité sur...* → ci-dessous, cit. 37. *Perdre de son autorité.* → **Discréditer** (se). — (Choses). Fait de s'imposer, de servir de référence, de règle, par le mérite reconnu. *L'autorité de l'Église. Avoir, prendre de l'autorité; les coutumes acquièrent de l'autorité avec le temps. Invoquer, s'abriter derrière l'autorité d'une source, d'un auteur, des textes.*

Ma raison, il est vrai, dompte mes sentiments; 37
Mais quelque autorité que sur eux elle ait prise,
Elle n'y règne pas, elle les tyrannise (...)
CORNEILLE, Polyeucte, II, 2.

Il y a deux manières de persuader les vérités de notre religion : l'une par la force de la raison, l'autre par l'autorité de celui qui parle. PASCAL, Pensées, t. III, 561. 38

(...) cette fable n'est fondée que sur l'autorité de ceux qui disent celle des Septante, qui montre que l'Écriture est sainte. PASCAL, Pensées, t. III, 634. 39

On m'a dit qu'il faudrait lui faire parler encore par des gens qui eussent plus d'autorité sur son esprit. 40
RACINE, Lettres.

Saint François, un évêque d'une si grande autorité (...) 41
BOSSUET, Oraison funèbre, 8, *in* LITTRÉ.

Que peuvent des évêques qui ont anéanti eux-mêmes l'autorité de leur chaire (...) en condamnant ouvertement leurs prédécesseurs. 42
BOSSUET, Oraison funèbre de Henriette-Anne d'Angleterre.

Les chefs, qui le regardaient de près, furent étonnés et éblouis du feu divin qui éclatait dans ses yeux. Il parut avec une majesté et une autorité qui est au-dessus de tout ce qu'on voit dans les plus grands d'entre les mortels. Le charme de ses paroles (...) 43
FÉNELON, Télémaque, IX.

Invoquerai-je contre vous l'autorité des deux Testaments? 44
FRANCE, la Rôtisserie de la reine Pédauque, p. 159.

L'autorité se conquiert lentement. 45
M. BARRÈS, Leurs figures, p. 17.

L'éclat de ses erreurs n'enlevait rien à l'autorité de ses prophéties. A. MAUROIS, Bernard Quesnay, I. 46

C'est un splendide moment dans la vie des grands créateurs que celui où ils ont acquis leur autorité, affranchi leur génie en conservant encore la fougue et le charme de la jeunesse. 47
Éd. HERRIOT, la Vie de Beethoven, p. 129.

Il n'y a d'autorité vraie que basée sur l'amour et le respect, le seul respect profond, le respect intérieur. 48
G. DUHAMEL, Récits des temps de guerre, t. II, p. 29.

♦ **8** État d'une personne, d'une chose qui se fait croire.

Je parle de lui avec une autorité que je ne confonds pas avec l'infaillibilité. COLETTE, l'Étoile Vesper, p. 146. 49

Loc. **FAIRE AUTORITÉ :** s'imposer auprès de tous comme incontestable, servir de règle dans un domaine. *Ce livre fait autorité. Un historien, un savant qui fait autorité.*

50 Aucune prophétie ne saurait faire autorité pour moi (...)
ROUSSEAU, Émile, IV.

51 Il a droit d'exiger que son témoignage fasse autorité parmi tout un peuple (...) ROUSSEAU, Émile, III.

*(Une, des autorités).* Personne, chose (texte...) qui fait autorité. *Ce chercheur est une autorité dans le domaine. Alléguer, citer, invoquer, mettre en avant une autorité à l'appui de sa thèse* (→ **Citation**). *S'appuyer sur une autorité.*

52 Ayant établi sa foi sur une autorité si ferme.
BOSSUET, Hist., II, 13, *in* LITTRÉ.

53 On se propose, en somme, de rationaliser l'univers, et de construire une véritable science des phénomènes indépendante de toute religion et de toute métaphysique. Une telle entreprise exige le recours exclusif à l'observation et à l'expérience, qui désormais seront tenues pour les seules autorités valables.
Jean ROSTAND, Esquisse d'une histoire de la biologie, p. 9-10.

**CONTR. Infériorité, soumission; subordination, sujétion. — Anarchie.** ◊ **DÉR. Autoritaire.**

**AUTOROUTE** [otoʀut] n. f. ou m. — 1927, a remplacé *autostrade**; de *auto(mobile)*, et *route.*

Large route réservée aux véhicules automobiles, protégée, sans croisements ni passages à niveau, et normalement à deux chaussées, réservées chacune à un sens de circulation. *Les autoroutes d'Allemagne, des États-Unis. Réseau d'autoroutes* (→ **Autoroutier**). *L'autoroute de l'Ouest, du Sud* (de Paris). *L'autoroute Bruxelles-Anvers, Montréal-Québec. Bretelle d'autoroute* (→ aussi **Antenne**). *Les échangeurs* d'une autoroute. Autoroute à péage. Prendre, quitter l'autoroute. Les aires de repos; la bande* d'arrêt d'urgence d'une autoroute. Motels, restaurants* (→ **Restauroute** (nom déposé)) *d'une autoroute. Autoroutes en site urbain* (→ Pénétrante, rocade, et aussi boulevard). *Écrans antibruit en bordure d'une autoroute.*

1 N'est-il pas logique (...) de penser à créer pour ce monde épris tout à la fois de vitesse et de sécurité une route qui lui soit propre, entretenue et gardée comme une voie ferrée? Une autoroute en un mot (...) Les États-Unis ont ouvert la voie (...) en construisant l'autoroute de Long Island dès 1904 (...) Comme on le voit, sous des noms divers : autoroute, autovia, autostrasse, autostrada, motor-road, la même idée fait son chemin.
R. ULMITA, Un point d'autoroute en France, *in* l'Illustration, 3 oct. 1931.

2 Pour éviter l'asphyxie menaçante, les spécialistes ne voient plus qu'une seule solution : renonçant à construire un réseau d'autoroutes à douze voies, d'ores et déjà jugé insuffisant, ils se rallient à la formule des supertrains à grand débit. l'Express, 10-16 juil. 1967.

3 (...) des dédales interminables de rues grises, où le soleil ne vient jamais, des côtes et des vallonnements, des ponts en béton volant au-dessus des autoroutes (...)
J.-M. G. LE CLÉZIO, le Déluge, p. 43.

4 Mais l'État venait de reprendre en main la construction des voies de communication et les autoroutes à péage se multipliaient.
S. DE BEAUVOIR, Tout compte fait, p. 306.

5 Nous voyons bien que nos autoroutes minent nos forêts et nous savons bien qu'aux déboisements répondent les déserts. Emmanuel BERL, le Virage, p. 163.

Par métaphore. *Autoroute de l'information :* système de télécommunication assurant la transmission de très nombreuses données numérisées (textes, images, sons...). *«L'autoroute de l'information, ce sera un tuyau qui branchera directement les foyers sur des sources d'information (images, musiques, magasins, bases de données), les mixera ensemble et donnera à l'utilisateur la liberté de les transformer»* (*le Nouvel Obs.*, 23 juin 1994, p. 70). — REM. On trouve aussi l'expression *autoroute de la communication.* Le terme *inforoute,* utilisé en français du Canada, n'est pas recommandé.

**DÉR. Autoroutier.**

**AUTOROUTIER, IÈRE** [otoʀutje; jɛʀ] adj. — 1957, *Larousse mensuel*; de *autoroute.*

Qui concerne les autoroutes; d'une autoroute ou des autoroutes. *«Le programme autoroutier en 1965»* (titre du journal *le Monde,* 31 janv. 1965). *Réseau autoroutier de France, d'Allemagne. Plan autoroutier. Système autoroutier.*

**AUTO SACRAMENTAL** [awtosakʀamɑ̃tal] n. m. → 2. **Auto.**

**AUTOSATISFACTION** [otosatisfaksjɔ̃] n. f. — 1963; de *auto-* (I.), et *satisfaction.*

♦ **1** Satisfaction de soi-même, vanité exprimée. *Le ministre «a affiché dans tous ses propos une autosatisfaction...»* (*Libération,* 13 nov. 1964). *Tendance pathologique à l'autosatisfaction.* → **Autophilie.**

Il n'y a pas de juste milieu concevable entre l'autosatisfaction et l'autocongratulation que chaque lecteur, chaque jour et chaque semaine, lit dans la presse, et cette critique radicale (...) 1
Henri LEFEBVRE, la Vie quotidienne dans le monde moderne, p. 245.

Et là-dessus Licia me fit un sourire bizarre, mélange d'autosatisfaction et de cruauté, d'amusement aussi : un sourire piège. 2
Edmonde CHARLES-ROUX, Elle, Adrienne, p. 205.

♦ **2** Psychol. Satisfaction égoïste de ses désirs, de ses besoins propres.

Replié sur ses désirs et sur son autosatisfaction, le sujet névrotique ne voit d'issue que dans la suppression des difficultés et donc dans la suppression du point de vue de l'autre. 3
H. BARUK, De Freud au néo-paganisme moderne, *in* la Nef, nº 31, p. 143.

**AUTOSCOPIE** [otoskɔpi] n. f. — 1903; de *auto-* (I.), et *-scopie.*

♦ **1** Psychol. Hallucination par laquelle on croit se voir soi-même, en totalité ou en partie. *L'autoscopie externe présente au sujet son double*, l'autoscopie interne, la perception visuelle ou cénesthésique d'un organe, d'une région du corps.*

♦ **2** Technique pédagogique consistant à filmer et enregistrer un sujet qui peut ainsi observer son comportement de l'extérieur.

**AUTOS-COUCHETTES** [otokuʃɛt] adj. invar. — 1964, *in* D. D. L.; de *auto-* (II.), et *couchette.*

*Train autos-couchettes :* train de nuit transportant à la fois les voyageurs en couchettes et leur voiture. Syn. : *train autos accompagnées. Prendre un train autos-couchettes.* — REM. On écrit aussi *autocouchettes.*

**AUTOSITAIRE** [otozitɛʀ] adj. — 1891; de *autosite.*

Pathol. Qui est un autosite. *Monstre autositaire.*

**AUTOSITE** [otozit] n. m. — D. i. (XXᵉ ou fin XIXᵉ → Autositaire); de *auto-* (I.), et grec *sitos* «nourriture».

Pathol. Monstre suffisamment développé pour avoir une vie autonome, plus ou moins longue, après la naissance.

**DÉR. Autositaire.**

**AUTOSOME** [otozom] n. m. — 1936; de *auto-* (I.), et *(chromo)some.*

Biol. Chromosome identique pour chaque sexe (opposé à *allosome, gonosome, hétérochromosome*).

Les chromosomes qui diffèrent suivant le sexe sont appelés gonosomes, par opposition au reste des chromosomes, qui sont dits autosomes.
Jean ROSTAND, Idées nouvelles de la génétique, p. 61, note.

DÉR. **Autosomique.**

**AUTOSOMIQUE** [otozɔmik] adj. — Mil XXe (attesté 1975); de *autosome.*

Biol. Propre aux autosomes, formé d'autosomes. *Aberration chromosomique atteignant une paire autosomique.*

**AUTOSTABILISÉ, ÉE** [otostabilize] adj. — 1969; de *auto-* (I.), et *stabiliser.*

Techn. Qui tend à rester de soi-même dans son état initial. — REM. On écrit aussi *auto-stabilisé.*

(...) entre l'alimentation régulée et les oscillateurs il y aurait alors un échange par causalité réciproque; ce serait l'ensemble des structures techniques qui serait auto-stabilisé; ici au contraire, seule l'alimentation est autostabilisée et elle ne réagit pas aux variations fortuites de la fréquence de l'un des oscillateurs.
Gilbert SIMONDON, Du mode d'existence des objets techniques, p. 62.

**AUTOSTABILITÉ** [otostabilite] n. f. — XXe; de *auto-* (I.), et *stabilité.*

Techn. Caractère (d'un avion, d'une aile) autostable.

**AUTOSTABLE** [otostabl] adj. — XXe; de *auto-* (I.), et *stable.*

Techn. (aviat.). Qui tend à revenir à sa position d'équilibre quand il en a été écarté (→ **Autostabilité**). *Profil autostable d'une aile.*

**AUTOSTATIQUE** [otostatik] adj. — Mil. XXe; de *auto-* (I.), et *statique.*

Méd. Qui garde seul la position qu'on lui donne. *Pince autostatique.*

La «pince de Péan», dont les modèles vont se multiplier, est encore utilisée de nos jours. Son principe est à la base de la plupart de nos instruments autostatiques. L'efficacité de cet instrument améliore les conditions techniques de l'opération dans des proportions qu'il nous est difficile de juger aujourd'hui.
Claude D'ALLAINES, Histoire de la chirurgie, p. 74.

**AUTO-STOP** ou **AUTOSTOP** [otostɔp] n. m. — 1941; de *auto* (II), et angl. *stop.*

Fait d'arrêter une voiture pour se faire transporter gratuitement (syn. fam. : *stop*). *«J'eus quelques démêlés avec des camionneurs : je n'en continuai pas moins à pratiquer l'auto-stop»* (Beauvoir). *Faire de l'auto-stop. Voyager en auto-stop.*

1 Elle est partie, c'est certain. Elle a dû faire de l'auto-stop.
Jean DUTOURD, les Horreurs de l'amour, p. 657.

2 À un tournant, une vieille arrêtée, avec, posé près d'elle, un panier gonflé, fit signe à la voiture. Le chauffeur, d'un geste brutal comme un coup, repoussa la tentative d'auto-stop. Roger VERCEL, l'Île des revenants, p. 69.

DÉR. **Auto-stoppeur.**

**AUTO-STOPPEUR, EUSE** ou **AUTOSTOPPEUR, EUSE** [otostɔpœr, øz] n. — 1953, *auto-stoppeur;* de *auto-stop.*

Personne qui fait de l'auto-stop. Syn. : *stoppeur.*

1 Ils seraient arrivés au château le lendemain soir, ou le surlendemain matin seulement, parce qu'ils auraient pris un ou plusieurs auto-stoppeurs (il prenait toujours les auto-stoppeurs).
F. MALLET-JORIS, le Jeu du souterrain, p. 285.

2 (...) l'auto-stoppeuse psychotique obsédée par les problèmes de la pollution, qui fuit vers les neiges de l'Alaska.
S. DE BEAUVOIR, Tout compte fait, p. 207.

**AUTOSTRADE** [otostrad] n. f. — 1925; n. m., 1930; ital. *autostrada,* de *auto* «automobile», et *strada* «route».

Vx. Autoroute.

L'Italie a pris une telle avance qu'il faut lui reconnaître l'invention de la route spécialisée, en lui empruntant communément, même en français, son expression *autostrade!* Pourquoi pas l'*autostrasse* ou le *schellstrasse* des Allemands? Nous avons dans notre langue le mot *autoroute;* tenons solidement pour lui. 1
BAUDRY DE SAULNIER, *in* l'Illustration, 1er oct. 1927.

REM. Le mot est encore employé de nos jours; cet emploi est normal dans le contexte italien.

Entre Bordeaux et Paris tous les vieux arbres sont abattus le long de la route (...) L'avenir est aux autostrades. 2
F. MAURIAC, Bloc-notes 1952-1957, p. 231.

Sur l'autostrade, en contrebas, des autos filent, étincelantes. S. DE BEAUVOIR, les Belles Images, p. 177. 3

**AUTOSUBSISTANCE** [otosybzistɑ̃s] n. f. — 1972; de *auto-* (I.), et *subsistance.*

Fait de subvenir à ses besoins par sa propre production. → **Autarcie, autoconsommation, autosuffisance.**

La phrase du président Mao Tsé-toung la plus souvent citée par les autorités locales est que chaque collectivité «doit compter sur ses propres forces», c'est-à-dire développer sa capacité d'autosubsistance.
Marc ULLMANN, *in* l'Express, p. 54, no 1099, 31 juil.-6 août 1972.

**AUTOSUFFISANCE** [otosyfizɑ̃s] n. f. — 1964; de *auto-* (I), et *suffisance.*

Écon. État d'un pays, d'un groupe qui produit suffisamment pour subvenir à ses besoins. → **Autarcie, autosubsistance.**

[...] *(Les)* intéressantes aberrations de l'autosuffisance, du retour à l'artisanat généralisé.
Guy SITBON, *in* le Nouvel Observateur, no 406, 21 août 1972, p. 23.

**AUTOSUFFISANT, ANTE** [otosyfizɑ̃, ɑ̃t] adj. — V. 1970; de *auto-* (I.), et *suffisant.*

Écon. Dans une situation d'autosuffisance. *Pays autosuffisants.*

**AUTOSUGGÉRÉ, ÉE** [otosygʒere] adj. — XXe; de *auto-* (I.), et *suggéré,* d'après *autosuggestion.*

Didact. Provoqué par autosuggestion.

**AUTOSUGGESTION** [otosygʒɛstjɔ̃; otosygʒesjɔ̃] n. f. — 1887, *auto-suggestion, in* D. D. L.; de *auto-* (I.), et *suggestion.*

Suggestion* exercée sur soi-même, volontairement ou non. — Méthode thérapeutique utilisant ce mécanisme. — REM. On écrit aussi *auto-suggestion.*

Lui seul, après s'être enquis de l'hérédité de la malade, venait de soupçonner le simple état d'auto-suggestion où elle se maintenait obstinément, sous l'ébranlement, la violence première de la douleur (...) 1
ZOLA, Lourdes, p. 98 (1894).

**Auto-suggestion,** celle *(la suggestion)* qu'on se donne à soi-même volontairement ou non; par exemple, dans le cas d'une personne qui se croit atteinte d'une maladie, et qui en éprouve certains symptômes par le seul fait d'en avoir lu la description, et d'en avoir eu l'imagination frappée. 2
A. LALANDE, Voc. de la philosophie, art. *Suggestion.*

Aucune sensation de bonheur. Pas la moindre vie. C'était une illusion. C'était de l'autosuggestion. Tout est creux. Vide. Vide. Vide. Entièrement vide. Du néant. 3
N. SARRAUTE, le Planétarium, p. 192.

DÉR. **Autosuggestionner** (s'). — V. aussi **Autosuggéré.**

**AUTOSUGGESTIONNER (S')** [otosygʒɛstjɔne; oto sygʒesjɔne] v. pron. — 1903, Huysmans; de *autosuggestion.*

Se suggestionner soi-même. — P. p. adj. *Être autosuggestionné.*

En fait, le vin, j'aime pas tellement. J'étais surtout en pleine littérature. Autosuggestionné comme c'est pas permis. Je goûtais le «divin piot» avec ma tête plus qu'avec mes papilles. CAVANNA, les Ritals, p. 168.

**AUTOTOMIE** [ototɔmi] n. f. — 1882; de *auto-* (I.), et *-tomie.*

Zool. Mutilation réflexe d'une partie du corps chez certains animaux (crustacés, lézards) pour échapper à un danger, ou au cours d'un phénomène de régénération (amphibiens). → **Automutilation.**

DÉR. **Autotomiser** (s').

**AUTOTOMISER (S')** [ototɔmize] v. pron. — 1897, *l'Année biol.*; de *autotomie.*

Zool. Pratiquer l'autotomie; sectionner son propre corps.

Tel patient très vite abandonnera son symptôme majeur, à l'instar du lézard qui s'autotomise de sa queue pour s'évader de la main qui l'emprisonnait, afin de se libérer de l'analyse.
R. HELD, le Processus de guérison, *in* la Nef, nº 31, p. 25.

**AUTOTOPOAGNOSIE** [ototopoagnozi] n. f. — Déb. XXe (in Piéron, 1951); de *auto-* (I.), *topo-*, et *agnosie.*

Méd., psychol. Incapacité de localiser correctement les diverses parties de son propre corps, liée à un trouble de l'orientation de l'image corporelle.

**AUTOTOUR** [ototuʀ] n. m. — 1988; de *auto(mobile)*, et 3. *tour.*

Forfait proposé par un voyagiste, comprenant la location d'un véhicule et l'hébergement, sur un circuit touristique déterminé.

**AUTOTOXINE** [ototɔksin] n. f. — 1904, in *Rev. gén. des sc.*, nº 6, p. 311; de *auto-* (I.), et *toxine.*

Didact. Toxine bactérienne produite par la bactérie elle-même.

Par ext. Poison produit par l'organisme.

**AUTOTRACTÉ, ÉE** [ototʀakte] adj. — 1968; de *auto-* (I.), et *tracté.*

Techn. Conçu pour être tracté par un dispositif intégré. *Tondeuse à gazon autotractée.* → aussi **Automoteur.**

Depuis le début de la guerre, ce canon autotracté commandé par un aspirant de réserve semblait avoir pour principal but d'échapper à la vue de l'ennemi.
Michel DÉON, les Vingt Ans du jeune homme vert, p. 16.

**AUTOTRANSFUSION** [ototʀɑ̃sfyzjɔ̃] n. f. — 1932; de *auto-*, et *transfusion.*

Méd. Injection qui nécessite une transfusion du sang du sujet lui-même. «*Le but de l'autotransfusion consiste donc à augmenter le volume de l'hémoglobine de manière à accroître l'oxygénation du sang et des divers tissus qu'il irrigue*» (*La Recherche*, juil.-août 1984, p. 1006).

**AUTOTROPHE** [ototʀɔf] adj. — 1905, *in* Cottez; de *auto-* (I.), et *-trophe.*

Biol. Qui est capable d'élaborer ses propres substances organiques à partir d'éléments minéraux. *Seuls les végétaux chlorophylliens sont autotrophes.*

CONTR. **Hétérotrophe.** ◊ DÉR. **Autotrophie.**

**AUTOTROPHIE** [ototʀɔfi] n. f. — Mil. XXe; de *autotrophe.*

Biol. Caractère d'un organisme autotrophe.

1. **AUTOUR** [otuʀ] adv., **AUTOUR DE** [otuʀdə] loc. prép. — V. 1200, adv.; loc. prép., fin XIVe; de *au*, et *tour;* a remplacé *entour*.*

**I** Loc. prép. **AUTOUR DE.** ♦ **1** Dans l'espace qui environne (qqch., qqn). → **Alentour, entour** (→ Amphi-, circon-, péri-). *Il y a des arbres autour de la maison. Faire cercle, s'assembler, se disposer, se mettre, s'empresser, se presser, se ranger... autour de qqn, de qqch.* (→ **Entourer, environner**). *Creuser des douves autour d'un château. Être autour de...* (→ **Cerner, encercler**). *Mettre une chose autour d'une autre* (→ **Ceindre, envelopper**). *Jeter ses bras autour du cou de qqn. Les planètes gravitent autour du soleil. Les voitures circulent autour de l'obélisque. Les chiens rôdent autour de la maison. Regarder autour de soi avec circonspection. Dans un rayon de plusieurs kilomètres autour de la ville. Tourner* autour de qqn, autour du pot** (loc. fig.), *autour d'une question, autour d'une pensée. Mouvement de rotation autour d'un axe.* → **Circumduction.** *Ils se sont assis autour de la table. L'espace qui est autour d'un lieu* (→ **Abord, alentour, bordure, ceinture, enceinte, entour, environ, voisinage**). *Navigation autour d'un continent.* → **Circumnavigation.** — *Tout autour de... :* complètement autour de... (avec un sujet au plur.).

Ses compagnons d'abord s'assemblent autour d'elle (...) 1
LA FONTAINE, les Filles de Minée, 514.

La terre est une des planètes qui circulent autour du 2
soleil (...)
LAPLACE, Exposition du système du monde, II, Préface.

Dans un sens plus vague :

(...) cet arome de cédrat qui flottait toujours autour de 3
Jérôme après sa toilette.
MARTIN DU GARD, les Thibault, III, 7, p. 234.

(...) la mer tout autour de moi, à perte de vue. 4
MARTIN DU GARD, les Thibault, II, 8.

Monsieur Couture, inquiétant personnage du tiers ordre, 5
qui rôde autour des femmes et masque ses lubriques approches de religieuses exhortations.
A. MAUROIS, Études littéraires, François Mauriac, t. II, p. 38.

♦ **2** Dans l'entourage, le voisinage de (qqn). → **Auprès, près; côté** (aux côtés). *Les personnes qui vivent autour de nous.* → **Entourage.** *Faire le vide autour de soi.*

Le trop riant espoir que vous leur présentez 6
Attache autour de vous leurs assiduités (...)
MOLIÈRE, le Misanthrope, II, 1.

Et les soins et les peines qu'elle prend autour de moi (...) 7
MOLIÈRE, le Malade imaginaire, III, 11.

Ses rivaux obscurcis autour de lui croassent (...) 8
BOILEAU, Épître, VII.

Que vois-je autour de moi, que des amis vendus. 9
RACINE, Britannicus, I, 4.

Les harpes et les voix célestes forment un concert autour 10
d'elle (...)
CHATEAUBRIAND, le Génie du christianisme, I, V, 5.

Je réunis autour de moi une société d'écrivains pour 11
donner de l'ensemble à mes combats.
CHATEAUBRIAND, Mémoires d'outre-tombe, t. IV, X, p. 224.

(...) cette glu de séduction que répand autour d'elle la 12
femme en qui s'éveille le besoin d'être aimée.
MAUPASSANT, Fort comme la mort, p. 30 (→ Émaner).

(...) il suffit qu'Antoine paraisse pour que se répande 13
autour de lui un peu de son élan vital.
MARTIN DU GARD, les Thibault, IV, 7.

À propos de (qqch.). *On a fait beaucoup de bruit autour de son élection. Faire le silence autour de quelque chose.*

14 Puis, après une pause, et, d'une voix basse qui semblait appeler le silence autour de cet aveu, elle ajouta : (...)
MARTIN DU GARD, les Thibault, III, 11.

♦ **3** *Autour de* (un nombre) : approximativement, environ. *Il a autour de cinquante ans. Il gagne autour de cinq mille francs par mois.*

15 Il est mort ayant autour de cinquante ans.
SAINT-SIMON, Mémoires, III, 99.

16 Le baron de Bressé avait du roi autour de 20 000 livres de rente, et était lieutenant-général.
SAINT-SIMON, Mémoires, 129, 176.

**II** Adv. Dans l'espace qui environne. → **Alentour.** *La ville est dans une vallée, et autour il y a des montagnes. Tout autour :* dans tout l'espace qui entoure. À proximité, dans le voisinage. *N'osant entrer dans la maison, il restait traîner autour.*

17 J'ai laissé tout autour une troupe éplorée.
CORNEILLE, Polyeucte, III, 5.

18 Un rat, sans plus, s'abstient d'aller flairer autour.
LA FONTAINE, Fables, III, 18.

19 La campagne autour est couverte d'hommes (...)
LA BRUYÈRE, les Caractères, 6.

20 Alors qu'un oiseau voyez-vous, ou un papillon, me voltigeant autour en travers de ma route, tout ce qui bouge, en travers de mon chemin, un limaçon tenez, se mettant sous mes pieds, non, pas de quartier.
S. BECKETT, Têtes mortes, p. 9.

Loc. fam. *Il ne faut pas confondre autour et alentour :* il ne faut pas confondre (deux choses apparemment semblables).

HOM. 2. **Autour.**

2. **AUTOUR** [otuʀ] n. m. — XV^e; 1398, *authoure ; hostur, ostur,* 1080 ; bas lat. *auceptor,* class. *accipiter* «épervier».

Oiseau rapace voisin de l'épervier. *L'autour est utilisé pour la chasse de bas vol.* → **Fauconnerie.**

1 Mais la pauvrette avait compté
Sans l'autour aux serres cruelles.
LA FONTAINE, Fables, V, 17.

2 *(Les autours se reconnaissent)* à leur bec très recourbé et à leur queue courte, ce qui les distingue des Éperviers, dont la queue est longue.
L'autour est un des Rapaces les plus voraces et les plus insatiables (...) P. POIRÉ, Dict. des sciences, p. 312.

DÉR. **Autourserie, autoursier.** ◊ HOM. 1. **Autour.**

**AUTOURSERIE** [otuʀsəʀi] n. f. — XV^e, *autrusserie ;* de 2. *autour.*

Chasse. Dressage des autours pour la chasse ; activité, art de l'autoursier. → **Fauconnerie.**

**AUTOURSIER** [otuʀsje] n. m. — 1226, *ostorier ;* de 2. *autour.*

Chasse. Dresseur d'autours. → **Fauconnier.**

**AUTOVACCIN** [otovaksɛ̃] n. m. — 1926 ; de *auto-* (I.), et *vaccin.*

Méd. Vaccin préparé par culture des germes du malade lui-même (procédé de l'*autovaccination*).

À la même époque, en 1833, Lux, vétérinaire à Leipzig, écrit :
«Toutes les maladies inoculables renferment dans leur propre substance d'inoculation le remède approprié à leur guérison», prévoyant ainsi les autovaccins modernes.
Pierre VANNIER, l'Homéopathie, p. 37.

**AUTOZOÉCIE** [otozɔesi] n. f. → **Zoécie.**

**AUTRE** [otʀ] adj., pron., n. m. — 1220 ; *altre,* pron., fin X^e ; adj., v. 1040 ; lat. *alter,* accusatif *alterum.*

**I** Adj. épithète. **A** Épithète antéposée. ♦ **1** Qui n'est pas le même, qui est distinct (→ éléments **Allo-, hétéro-**). *Adressez-vous à une autre personne. Est-il plus heureux que les autres hommes ?* → **Autrui.** *Tous les autres passagers ont péri.* → **Reste** (le), **restant** (le). *«Aucune autre affection* (cit. 6) *n'est comparable à celle-là.» Bien* d'autres, beaucoup* d'autres périls nous attendent. Il m'a dit ceci et beaucoup d'autres choses encore. J'ai encore d'autres preuves à vous apporter. En un autre lieu.* Loc. *Autre part.* → 1. **Part** (III., 1.) : **ailleurs.** *L'autre monde*, l'autre vie*.* → **Delà** (au-delà). *D'un autre côté*. L'autre côté de la rivière. Sur l'autre rive. Montre-moi l'autre main. Voyez un autre service, un autre guichet. Il a pris un autre train, un autre avion. Je ne vois aucun autre moyen. Avez-vous trouvé une autre solution ? Toute autre place serait indigne d'elle. Il faut écarter toute autre considération.* → **Étranger.** *En d'autres termes. Il n'a pas pris d'autre avis. Quelque chose d'un autre genre, d'une autre sorte.* — **AUTRE...**(subst.) **QUE.** *Il n'a pas réalisé d'autres films que celui-là. Une autre femme que la sienne. Elle a d'autres désirs que dans sa jeunesse. Il m'a donné un autre livre que celui qu'il m'avait promis.*

Voici que du fleuve montaient sept vaches grasses (...) Et voici qu'après elles, montaient sept autres vaches, maigres (...) BIBLE, Genèse, XLI, 18-19. 1

Pour grands que soient les rois, ils sont ce que nous sommes : 2
Ils peuvent se tromper comme les autres hommes (...)
CORNEILLE, le Cid, I, 3.

Nous nous pardonnons tout, et rien aux autres hommes. 3
LA FONTAINE, Fables, I, 7.

Le loup l'emporte, et puis le mange 4
Sans autre forme de procès.
LA FONTAINE, Fables, I, 10.

Un paon muait, un geai prit son plumage 5
puis après se l'accommoda ;
Puis parmi d'autres paons tout fier se panada (...)
LA FONTAINE, Fables, IV, 9.

(...) écoutez humains, un autre conte (...) 6
LA FONTAINE, Fables, VII, 4.

Et comme si les mêmes pensées ne formaient pas un autre corps de discours, par une disposition différente, aussi bien que les mêmes mots forment d'autres pensées par leur différente disposition ! PASCAL, Pensées, I, 22. 6.1

(...) Je soupire après d'autres conquêtes. 7
RACINE, Alexandre le Grand, III, 6.

(...) Croyez-moi, l'amour est une autre science. 8
RACINE, Britannicus, III, 1.

Et pour tout autre objet ton âme indifférente 9
Dédaignait de brûler d'une flamme innocente.
RACINE, Phèdre, IV, 2.

J'aurais trop de regret si quelque autre guerrier 10
Au rivage troyen descendait le premier.
RACINE, Iphigénie, I, 2.

Ils ne songeaient qu'à se distinguer des autres hommes. 11
BOSSUET, Hist., II, 5.

Cette autre sorte de douleur qu'on appelle repentir (...) 12
BOSSUET, Traité du libre arbitre, 2.

L'amour naît brusquement, sans autre réflexion, par tempérament ou par faiblesse. 13
LA BRUYÈRE, les Caractères, IV, 3.

Les grands croient être seuls parfaits, n'admettent qu'à peine dans les autres hommes la droiture d'esprit, l'habileté, la délicatesse. 14
LA BRUYÈRE, les Caractères, IX, 19.

Nicoclès *(se)* faisait gloire de n'avoir jamais connu d'autre femme que la sienne pendant tout le temps de son règne (...) 15
ROLLIN, Hist. ancienne, Œ. t. V, p. 456, *in* POUGENS.

Vous faut-il d'autre conseil que moi quand il s'agit de donner bataille ? 16
VOLTAIRE, le Siècle de Louis XIV, 18.

17 Je vois que, le danger de sa fille effaçant toute autre considération, elle ne serait pas fâchée de vous voir ici.
ROUSSEAU, Julie ou la Nouvelle Héloïse, I, 27.

18 Tous les citoyens (...) sont également admissibles à toutes dignités (...) sans autre distinction que celle de leurs vertus et de leurs talents.
Déclaration des droits de l'homme, 1791, art. 6.

19 Nous avons deux poids et deux mesures : nous approuvons, pour une idée, un système, un intérêt, un homme, ce que nous blâmons pour une autre idée, un autre système, un autre intérêt, un autre homme.
CHATEAUBRIAND, Mémoires d'outre-tombe, I, 7.

20 J'ai vu sous le soleil tomber bien d'autres choses
Que les feuilles des bois et l'écume des eaux.
A. DE MUSSET, Poésies nouvelles, «Souvenir».

21 Je n'entends pas d'autre bruit que celui du vent dans la toile des tentes et dans les arbres du jardin.
E. FROMENTIN, Un été dans le Sahara, p. 89.

22 (...) la voix infatigable et exténuée hurlant seulement : «Une autre bière?», et lui disant : «Non», la tête baissée, restant là sous le double regard, méprisant et réprobateur, de la fille et du garçon (...) Claude SIMON, le Palace, p. 31.

Prov. *Autres temps, autres mœurs** (→ Instruire, cit. 3). Vx. *D'autres temps, d'autres mœurs.* — Variante : «*D'autres temps, d'autres soins...*» (Racine, *Mithridate*, III, 1).

**SANS AUTRE** (n. de chose) : sans plus de..., sans (chose) supplémentaire. *Il m'a raconté cela sans autre détail. Sans autre forme de procès. Sans autre distinction que celle de l'argent.*

Loc. adv. (1926). Régional (Suisse). *Sans autre* (loc. adv.) : purement et simplement, sans discussion, bien entendu. *Je compte sur vous sans autre.*

*Une autre fois, un autre jour :* à un moment différent. *Une autre fois, tu préviendras. C'était cette fois? Non, une autre fois.* — Spécialt. Un peu plus tard. *Je repasserai une autre fois.* — La prochaine fois. *Une autre fois, je préférerais aller à la piscine.* — *D'autres fois :* à d'autres moments.

23 Soyez une autre fois plus sage, je vous prie.
LA FONTAINE, Fables, V, 11.

24 (...) Une autre fois je t'ouvrirai mon âme.
RACINE, Andromaque, I, 3.

25 D'autres fois, il écrivait, debout à une table d'architecte (...)
Paul BOURGET, le Disciple, IV.

*L'autre fois, l'autre année :* la dernière fois (année), la fois (l'année) précédente — *L'autre jour :* un de ces derniers jours, récemment.

26 Ces ouvrages (...) deviennent des almanachs de l'autre année. LA BRUYÈRE, les Caractères, I, 58.

27 J'étais l'autre jour dans une société où je me divertis assez bien. MONTESQUIEU, Lettres persanes, 52.

28 Je l'ai même encore vu à la fin de l'autre semaine.
MAUPASSANT, Pierre et Jean, V, *in* GREVISSE.

(Plus rare). *L'autre année, l'autre semaine :* l'année, la semaine prochaine.

29 Mes infirmités me rendent si faible! Cependant j'aurais pu vivre jusqu'à l'autre hiver, encore!
FLAUBERT, la Tentation de saint Antoine, *in* GREVISSE.

29.1 (...) je ne penserai plus, je serai trop pris, à tenir debout, à me tenir debout, à changer de place, à tenir le coup, à parvenir au lendemain, à l'autre semaine (...)
S. BECKETT, Textes pour rien, p. 30.

**D'AUTRE PART.** → **Part** (*infra* cit. 16).

(Dans une énumération). *Tomates, choux-fleurs, artichauts et autres légumes.* — REM. Le dernier terme de l'énumération représente normalement une classe qui englobe tout ce qui a été précédemment cité. On peut cependant employer cette construction de façon plaisante, le dernier terme désignant une catégorie de même niveau. *Il écrivait des pamphlets, factums, et autres libelles.*

29.2 Lui, trop vieux pour courir le papillon, consentait à l'entretien de son grand dadais de fils, à condition bien entendu qu'il se chargeât de l'approvisionnement d'hyménoptères, stresiptères et autres névroptères.
René FALLET, le Triporteur, p. 219.

(Coordonné à *l'un*). Vx. *L'un(e) et l'autre...* (chose, personne). *L'une et l'autre saison est favorable, sont favorables.* → aussi ci-dessous, cit. 103 et 104.

Comme elle *(Sabine)* je perdrai dans l'une et l'autre armée. 29
CORNEILLE, Horace, I, 2.

Mod. *Un* (et substantif) ... *l'autre* (sans substantif). *Un jour ou l'autre. D'un instant, d'un moment, d'un jour* à l'autre.* — *De part** (cit. 17) *et d'autre. De temps** (I., B., 3.) *à autre.* — *D'un endroit à l'autre. D'une illusion à l'autre.* — (Tour répandu par référence à Céline : *D'un château l'autre*). *D'un... l'autre :* à l'autre.

Mauriac, Achille, Gœbbels, Tartre!... ça que vous les voyez si nerveux, si alcooliques, d'un cocktail l'autre, d'une confession l'autre, d'un train l'autre, d'un mensonge l'autre! d'une Cellule l'autre... d'une déconnerie l'autre! 29
CÉLINE, D'un château l'autre, p. 69.

♦ **2** *Un autre* (suivi d'un nom propre, d'un pronom) : qqn, qqch. qui ressemble à qqn, à qqch. trait pour trait. *C'est un autre César. C'est un autre Versailles. C'est un autre moi-même.* → **Alter ego.** — (Suivi d'un nom qualifié). *C'est un autre paysan du Danube, un autre fils de ses œuvres...*

Je le répète encor : c'est un autre moi-même. 30
RACINE, Mithridate, III, 5.

*(Il)* parle comme un autre Élie 31
Devant cette autre Jézabel. RACINE, Athalie, II, 9.

Il fallut réveiller d'un profond sommeil cet autre Alexandre (...) 32
BOSSUET, Oraison funèbre du prince de Condé.

♦ **3** (Souvent précédé de *tout, bien...*). Différent par quelque supériorité, importance, difficulté. *C'est une tout autre musique. On lui a fait de bien autres propositions.*

Si les souverains de l'Europe n'avaient pas aujourd'hui de bien autres affaires à démêler, ils pourraient charger de quelque pièce nouvelle un écu déjà si noblement compliqué (...) 33
BARBEY D'AUREVILLY, les Diaboliques, «Le dessous de cartes...»

**AUTRE... QUE.** *C'étaient d'autres militants que ceux de maintenant! Ce sera un autre gaillard que son père.* → Amoureux, cit. 9. (Avec ellipse du premier terme de la comparaison). *C'est une autre question, une autre affaire** (cit. 28), *une autre chanson*, une autre paire de manches**.

**B** Épithète postposée. ♦ **1** Littér. *Une couleur autre* (Proust, *in* T. L. F.). — Cour. ... **AUTRE QUE...** *Une pensée autre que celle de ses prédécesseurs.*

Pour la première fois, les valeurs autres que sportives ou noceuses existaient pour lui. 3
PROUST, Albertine disparue, Folio, p. 283.

L'hétérogénéité des «états de conscience» condamne toute forme de saisie autre que l'introspection. 3
J.-F. LYOTARD, la Phénoménologie, p. 50.

♦ **2** ... **ET AUTRES** (à la fin d'une énumération d'adjectifs).

vous étudierez ici, pour les soumettre au gouvernement, quelles conditions, morales, sociales, politiques, économiques et autres vous paraissent pouvoir être progressivement appliquées dans chacun de nos territoires. 3
Ch. DE GAULLE, Mémoires de guerre, t. II, p. 557.

♦ **3** (Après les pron. pers. *nous**, *vous** pour opposer le groupe désigné au reste). *Nous autres, nous partons.* → **Nous**, B., 2. *Entre* (→ 1. Entre, cit. 26) *nous autres, savants...* Fam. *Eux autres.* — Pop. *Nous aut', vous aut'* [nuzot; vuzot].]

Nous autres, bénissons notre heureuse aventure (...) 3
CORNEILLE, Polyeucte, V, 6.

Et nous aimons mieux, nous autres gens d'étude, 3
Une comparaison qu'une similitude (...)
MOLIÈRE, le Dépit amoureux, IV, 2.

32.7 Vous autres, à qui donc croyez-vous avoir affaire ?
SAINT-SIMON, Mémoires, I, 474.

**II** Pronominal (nominal ou représentant un nom) : **L'AUTRE, UN AUTRE, LES AUTRES.** ♦ **1** (Pron.). *Prendre qqn pour un autre* (une autre personne), *une chose pour une autre. Moi et les autres. Ce livre et l'autre. Tous les autres. Beaucoup d'autres. Tendre une main, puis l'autre. D'une part** (*supra* cit. 16)... *de l'autre...*

33 On cherche les rieurs, et moi, je les évite.
Cet art veut sur tout autre un suprême mérite.
LA FONTAINE, Fables, VIII, 8.

34 Une maxime qui comprend toutes les autres (...)
PASCAL, les Provinciales, 14.

35 Ainsi les tableaux vus de trop loin et de trop près ; et il n'y a qu'un point indivisible qui soit le véritable lieu : les autres sont trop près, trop loin, trop haut ou trop bas.
PASCAL, Pensées, t. II, VI, 381.

36 Ainsi la première victoire fut le gage de beaucoup d'autres (...)
BOSSUET, Oraison funèbre du prince de Condé.

37 Ces faits et les autres sont de la dernière conséquence (...)
BOSSUET, Relation sur le Quiétisme, *in* LITTRÉ.

38 (...) dans un temps court, et dans le même lieu, il ne peut y avoir probablement qu'une seule action principale ; les autres sont accessoires.
MONTESQUIEU, Cahiers, p. 79.

39 (...) la répudiation se fait par la volonté et pour l'avantage d'une des deux parties, indépendamment de la volonté et de l'avantage de l'autre (...)
MONTESQUIEU, l'Esprit des lois, XVI, 15.

40 Trahi d'une partie de mes amis et délaissé des autres (...)
ROUSSEAU, les Confessions, X.

41 (...) le premier abus toléré en amène un autre (...)
ROUSSEAU, Émile, IV.

42 Pourquoi celle-là *(cette femme)* plutôt qu'une autre ?
A. DE MUSSET, la Confession d'un enfant du siècle, III, 6, p. 164.

43 On y a laissé quelques Arabes seulement pour gardiens ; les autres sont descendus au ravin (...)
E. FROMENTIN, Un été dans le Sahara, p. 100.

44 *(Une femme)* qui n'est, chaque fois, ni tout-à-fait la même
Ni tout à fait une autre (...)
VERLAINE, Poèmes saturniens, VI, « Mon rêve ».

45 Pas un soir ne ressemblait à un autre, pas une femme ne ressemblait à une autre ; et cependant tous les soirs étaient pareils, toutes les femmes semblables.
Edmond JALOUX, les Visiteurs, XX.

45.1 Un silence se fit dans un déclin du jour.
Une plainte expira, puis un soupir d'amour.
Puis une pomme chut, une autre encore, et d'autres,
Dans l'herbe haute et chaude et l'ombre d'émeraude.
Charles VAN LERBERGHE, la Chanson d'Ève, « Un silence se fit... ».

45.2 Tout l'effort consiste, au contraire (...) à faire du texte *un objet de plaisir comme les autres.*
R. BARTHES, le Plaisir du texte, p. 93.

(Pour demander un bis* à la fin d'un concert, pour acclamer quelqu'un qui a chanté une chanson). *Une autre, une autre !*

(Nominal). *Un autre :* un autre homme. *Une autre :* une autre femme. *Les autres :* les autres hommes, les autres femmes. → **Autrui.** *Faire qqch. tout comme un autre, aussi bien qu'un autre :* aussi bien que quiconque, très bien. *Il en aime une autre. Il subira le sort de tant d'autres. « La Tête des autres »*, pièce de M. Aymé. *Cela n'arrive qu'aux autres* (→ **Arriver,** II., B., 1.). — (Sujet). *Un autre est venu* → ci-dessous, cit. 50, 51.

46 Nous sommes si accoutumés à nous déguiser aux autres qu'à la fin nous nous déguisons à nous-mêmes.
LA ROCHEFOUCAULD, Maximes, 119.

47 Si tu veux qu'on t'épargne, épargne aussi les autres.
LA FONTAINE, Fables, VI, 15.

48 Mais je veux consentir qu'elle *(cette lettre)* soit pour un autre. MOLIÈRE, le Misanthrope, IV, 3.

Et je faisais claquer mon fouet tout comme un autre. 49
RACINE, les Plaideurs, I, 1.

Une autre de César a surpris la tendresse (...) 50
RACINE, Britannicus, III, 4.

Une autre cependant a fléchi son audace ; 51
Devant ses yeux cruels une autre a trouvé grâce (...)
RACINE, Phèdre, IV, 5.

Baruc, Daniel, sans compter les autres (...) 52
BOSSUET, Hist., II, 13, *in* LITTRÉ.

Il devait subir la destinée de tous les autres (...) 53
BOSSUET, Hist., III, 1, *in* LITTRÉ.

Il évite de donner dans le sens des autres et d'être de l'avis de quelqu'un (...) LA BRUYÈRE, les Caractères, V. 54

Quelle lâcheté de se sentir découragé du bonheur des autres et d'être accablé de leur fortune. 55
MONTESQUIEU, les Caractères, Cahiers, p. 11.

Aimer, c'est avoir pour but le bonheur d'un autre, se subordonner à lui, s'employer et se dévouer à son bien. 56
TAINE, Philosophie de l'art., V, 3, 2.

Aimer en d'autres le peu de toi qu'elles contiennent. 57
A. MAUROIS, Climats, p. 139.

Certains autres se rassuraient (...) 57.1
M. DURAS, Moderato cantabile, p. 69.

*« L'enfer, c'est les autres »* (Sartre, *Huis-clos*).

*Un autre que... Un autre que moi vous l'expliquera. D'autres que... « Ne parlez pas de cela à d'autres que vos amis »* (Littré). *J'aime mieux que vous l'appreniez d'un autre que de moi* (Académie).

REM. Malgré l'opinion de Littré et de quelques grammairiens, l'usage admet la répétition des prépositions après *un autre que...* Les exemples littéraires montrent qu'elle est facultative :

Ce sang qui tout sorti fume encore de courroux 58
De se voir répandu pour d'autres que pour vous (...)
CORNEILLE, le Cid, II, 8.

Et je le donnerais à bien d'autres qu'à moi 59
De se voir sans chagrin au point où je me vois (...)
MOLIÈRE, Sganarelle, 16.

Mais je ne serai point à d'autre qu'à Valère. 60
MOLIÈRE, Tartuffe, II, 4.

Je suis au désespoir que vous ayez eu Bajazet par d'autres que par moi. Mme DE SÉVIGNÉ, 257, 16 mars 1672. 61

Il l'aime : elle vivra pour un autre que lui. 62
RACINE, Iphigénie, IV, 8.

Je ne sais même encor, quoi qu'il m'ait pu promettre, 63
Sur d'autres que sur moi si je dois m'en remettre.
RACINE, Andromaque, IV, 4.

Pourquoi faut-il que j'apprenne de tes nouvelles par d'autres que par toi ? 64
MONTESQUIEU, Lettres persanes, 51.

Je n'y vais que pour vous, cher ange que vous êtes ; je ne puis me montrer à d'autres qu'à vous. 65
VOLTAIRE, Lettre à d'Argental, 30 déc. 1774.

Tu ne seras touché par un autre que moi (...) 66
HUGO, Hernani, II, 3.

Autant que je puis croire (...) cette adorable fille venait pour un autre que pour moi (...) 67
FRANCE, la Rôtisserie de la reine Pédauque, 1 t. VIII, p. 200.

Littér. *Quelque autre vous le dira mieux que moi* (Académie). *Quel autre que vous ? Tout autre. Aucun autre. Nul autre.* — (Vx ou littér.). *Personne autre.*

Tout autre que mon père 68
L'éprouverait sur l'heure. CORNEILLE, le Cid, I, 5.

Il m'a donnée à vous, et nul autre que moi 69
N'a droit de l'en dédire et me choisir un roi (...)
CORNEILLE, Nicomède, I, 1.

Toute autre se serait rendue à leurs discours. 70
RACINE, Britannicus, IV, 2.

Personne autre que moi peut-être n'y était venu et n'y viendra, et moi-même, aujourd'hui, je ne saurais plus le retrouver. 71
E. FROMENTIN, Un été dans le Sahara, I, 8.

Cour. ... **D'AUTRE.** *Qui d'autre proposez-vous ? C'était quelqu'un d'autre. Personne d'autre n'acceptera. Que faire d'autre ? Il n'y a rien d'autre. Ce n'est rien d'autre qu'un escroc. Je ne demande rien d'autre.*

72 (...) Sa goutte le rendait nerveux et, quand il n'avait personne d'autre à qui témoigner son agacement, c'est à la duchesse qu'il le manifestait.
PROUST, À la recherche du temps perdu, t. XIII, II, 205.

73 Ces *hommes* qui ne *recherchent* que l'*esprit*, ne sont *rien* d'autre que des *génies froids*, sans *flamme* de sentiment qui les anime (...)
Émile FAGUET, XVII^e s., Études littéraires, p. 354.

Fam. *L'autre, cet autre,* désigne avec mépris une personne. *Regarde, vise un peu l'autre ! Écoutez ce que nous dit cet autre.*

Loc. (1613, *in* D. D. L.). *Comme dirait l'autre, comme dit l'autre :* comme on* dit, comme l'usage populaire le laisse entendre.

74 Mais tout ça, comme dit l'autre, n'a été que de l'onguent.
MOLIÈRE, le Médecin malgré lui, III, 2.

75 On apprend à hurler, dit l'autre, avec les loups.
RACINE, les Plaideurs, I, 1.

Fam. *À d'autres ! :* allez conter cela à de plus crédules. *Ça va, à d'autres !*

76 À d'autres, je vous prie (...) MOLIÈRE, Sganarelle, 6.

77 Non ; à d'autres, dit-il ; on connaît votre style (...)
BOILEAU, Épîtres, VI.

78 — Eh bien, Mademoiselle, que fait-on de l'égalité, de la liberté et de la fraternité ?
Elle eut une moue qui signifiait « à d'autres » (...)
MAUPASSANT, Fort comme la mort, éd. 1889, p. 9.

79 — À d'autres, dit la mère, grossière tout à coup et pour tenter de prendre le ton de Joseph.
M. DURAS, Un barrage contre le Pacifique, p. 95.

Vieilli. *En voici bien d'une autre :* voici une chose encore plus surprenante.

80 En voici bien d'une autre, dit-il en le retirant *(son filet)* et en dégageant de ses mailles une boîte d'une forme élégante et d'une matière précieuse (...)
Ch. NODIER, Trilby, p. 185.

**ENTRE AUTRES :** parmi plusieurs (personnes, choses). *J'ai visité les cathédrales d'Espagne, entre autres celle de Tolède. Il y avait entre autres, deux médecins, un ingénieur.*

81 M^me H. m'a joué d'infâme musique moderne, entre autres, comme régal, les deux morceaux que les voisines du jardin ont écorchés tout l'été.
E. DELACROIX, Journal, I (1852), p. 191.

82 Il y a, entre autres, deux principales espèces *(d'histoire).*
J. AMYOT, Préface, XX, 47.

83 Leur reprochant, entre autres, certaines dévotions.
RACINE, Port-Royal.

**D'AUTRES :** d'autres choses. — Loc. *Il n'en fait jamais d'autres :* il commet toujours les mêmes sottises, les mêmes étourderies. *Il en sait bien d'autres* (malice, tours, etc.). *J'en ai vu bien d'autres* (choses extraordinaires). *Parler de choses et d'autres.*

83.1 Elle ne veut pas comprendre que je vis là des journées confiantes et préservées, que si-je-n'en-fais-jamais-d'autres, du moins je ne fais rien de mal.
A. BLONDIN, Monsieur Jadis, p. 111.

♦ **2** (Opposé à *un*). **L'UN... L'AUTRE ; LES UNS... LES AUTRES.** *L'un est riche, l'autre est pauvre. Les uns sont de cet avis, les autres n'en sont pas* (*Dictionnaire de l'Académie,* art. *Un*). *L'un vaut l'autre :* l'un n'est pas meilleur que l'autre. *Qui voit l'un voit l'autre,* il n'y a pas de différence entre eux. *Aller tantôt chez l'un, tantôt chez l'autre. Parler d'une chose puis d'une autre. Dire d'une façon et faire d'une autre.* — Loc. (Vx). *Dire d'un, puis d'un autre :* varier dans son langage.

84 Considérez toutes les œuvres du Très-Haut, vous les trouverez ainsi deux à deux et opposées l'une à l'autre (...)
BIBLE (SACY), Ecclésiastique, XXXIII, 15.

*(Des animaux)* les uns sont plus faciles à dresser que les 85
autres. DESCARTES, Discours de la méthode, V.

(...) ceux qui ont voulu la paix se sont partagés en deux 86
sectes. Les uns ont voulu renoncer aux passions et devenir dieux ; les autres ont voulu renoncer à la raison et devenir bêtes brutes. PASCAL, Pensées, VI, 413.

Quelquefois l'un se brise où l'autre s'est sauvé, 87
Et par où l'un périt un autre est conservé.
CORNEILLE, Cinna, II, 1.

L'une fait fuir les gens, et l'autre a mille attraits. 88
LA FONTAINE, Fables, VI, 21.

Un Tiens vaut, ce dit-on, mieux que deux Tu l'auras : 89
L'un est sûr, l'autre ne l'est pas.
LA FONTAINE, Fables, V, 3.

*(Il)* Vous les prenait sans peine *(les poissons)* un jour l'un, 90
un jour l'autre. LA FONTAINE, Fables, X, 4.

Je trouve bien mieux mon compte avec l'un qu'avec l'autre. 91
MOLIÈRE, 2^e Intermède de la Princesse d'Élide.

L'un tient de moi la vie, à l'autre je la dois (...) 92
VOLTAIRE, Alzire, III, 5.

Autant l'œil bleu du militaire était franc, autant l'œil vert 93
de Corentin annonçait de malice et de fausseté ; l'un possédait nativement des manières nobles, l'autre n'avait que des façons insinuantes ; l'un s'élançait, l'autre se courbait ; l'un commandait le respect, l'autre cherchait à l'obtenir (...)
BALZAC, les Chouans, II, Pl., t. VII, p. 835.

**L'UN ET L'AUTRE :** les deux ou l'un aussi bien que l'autre. *L'un et l'autre est venu, sont venus. Ils sont partis l'un et l'autre. Il en veut à l'un et à l'autre. Les uns et les autres sont partis.*

Il est également bien dit : l'un et l'autre vous a obligé, et 94
l'un et l'autre vous ont obligé.
VAUGELAS, Remarques, t. I, p. 226, *in* POUGENS.

À demeurer chez soi l'une et l'autre *(la laie et la chatte)* 95
s'obstine. LA FONTAINE, Fables, III, 6.

L'une et l'autre trouva de la sorte son compte (...) 96
LA FONTAINE, Fables, III, 8.

L'un et l'autre approcha, ne craignant nulle chose. 97
LA FONTAINE, Fables, VII, 16.

REM. L'accord de *l'un et l'autre* peut se faire au singulier ou au pluriel.

L'une et l'autre est bonne, sont bonnes. 98
Dict. de l'Académie.

Par le rapport des deux Testaments on prouve que l'un et 99
l'autre est divin. BOSSUET, Hist., II, 13, *in* LITTRÉ.

L'un et l'autre, à mon sens, ont le cerveau troublé. 10
BOILEAU, Satires, IV.

L'un et l'autre rival, s'arrêtant au passage, 10
Se mesure des yeux, s'observe, s'envisage.
BOILEAU, le Lutrin, V.

Mais tous deux en ces lieux que pouvaient-ils attendre ? 10
L'un et l'autre à la reine ont-ils osé prétendre ?
RACINE, Mithridate, II, 3.

REM. La tournure *l'un et l'autre* s'emploie aussi en fonction d'adjectif, dans la langue classique (→ ci-dessus, I., A., 1.).

L'un et l'autre consul vous avaient prévenue. 10
RACINE, Britannicus, I, 2.

S'étant ensuite informé plus en détail de ce qui s'était passé 10
dans l'une et l'autre armée. VOLTAIRE, Babouc.

*Chez l'un et chez l'autre.*

Une singularité que j'ai observée chez l'un et chez l'autre. 10
VALÉRY, Disc. sur Verhaeren.

*Être l'un et l'autre :* réunir en soi deux qualités.

— Est-ce à votre cocher, Monsieur, ou bien à votre cuisinier, 10
que vous voulez parler ? car je suis l'un et l'autre. — C'est à tous les deux. MOLIÈRE, l'Avare, III, 1.

Spécialt. *Les uns et les autres :* tout le monde sans distinction. *Il ne sait pas garder sa langue, il va raconter ses affaires aux uns et aux autres.*

**L'UN OU L'AUTRE.** *Vous devez choisir entre ces deux objets et prendre l'un ou l'autre. Il ne peut être que chez Pierre ou chez Jacques ; vous le trouverez chez l'un ou chez l'autre. Être toujours chez l'un ou chez l'autre :* être souvent en visite.

107 Le moyen de choisir de deux grandes beautés
Égales en naissance et rares qualités?
Rejeter l'une ou l'autre est un crime effroyable,
Et n'en choisir aucune est bien plus raisonnable.
MOLIÈRE, Mélicerte, I, 5.

108 L'un ou l'autre cas est digne des siècles les plus barbares.
VOLTAIRE, Lettre à Mme de Florian, 20 mai 1762.

109 On doit donc reconnaître, sous peine de l'absurde, que le domaine de l'art et celui de la nature sont parfaitement distincts. La nature et l'art sont deux choses, sans quoi l'une ou l'autre n'existerait pas.
HUGO, Cromwell, Préface.

Loc. *C'est tout l'un ou tout l'autre* : il n'y a pas de milieu, il faut prendre tel parti ou tel autre.

**NI L'UN NI L'AUTRE.** *Ni l'un ni l'autre ne viendra* (Académie). *Ni l'un ni l'autre n'a fait son devoir* (Académie). *Ils ne sont arrivés ni l'un ni l'autre. Il rejette les deux propositions, il n'accepte ni l'une ni l'autre, ne veut ni de l'une ni de l'autre.*

110 La postérité jugera qui vaut le mieux des deux *(Corneille et Racine)*; car je suis persuadé que les écrits de l'un et de l'autre passeront aux siècles suivants; mais jusqu'ici ni l'un ni l'autre ne doit être mis en parallèle avec Euripide et avec Sophocle, puisque leurs ouvrages n'ont point encore le sceau qu'ont les ouvrages d'Euripide et de Sophocle, je veux dire l'approbation de plusieurs siècles.
BOILEAU, Réflexions sur Longin, VII.

*Un* représentant le sujet, *autre* le compl. d'objet (avec un verbe pronominal). *L'un l'autre, l'une l'autre, les uns les autres, les unes les autres,* marquent la réciprocité. *«Aimez-vous les uns les autres». Se congratuler l'un l'autre.*

111 En ce monde il se faut l'un l'autre secourir.
LA FONTAINE, Fables, VI, 16.

112 Vous savez qu'entre nous autres auteurs, nous devons parler des ouvrages les uns des autres avec beaucoup de circonspection.
MOLIÈRE, Critique de l'École des femmes, VII.

113 Comme on voit tous ses vœux l'un l'autre se détruire.
RACINE, Athalie, III, 3.

114 Les deux nations se contiennent l'une l'autre.
MONTESQUIEU, l'Esprit des lois, X, 15.

115 Ces hordes se conquièrent sans cesse les unes les autres.
MONTESQUIEU, l'Esprit des lois, XVIII, 19.

**L'UN... L'AUTRE** (séparés par une prép.). *L'un à l'autre. S'unir l'un à l'autre. Ils se succédaient les uns aux autres* (Académie). *Aller de l'un à l'autre.*

116 L'un à l'autre attachés depuis notre naissance.
VOLTAIRE, Zaïre, II, 2.

117 (...) ce que les peuples se doivent les uns aux autres.
CONDILLAC, Hist. des anciennes lois, I.

118 Les lois générales enchaînent les uns aux autres les phénomènes qui semblent les plus disparates (...)
LAPLACE, Exposition du système du monde, IV, 14.

119 Ils adhéraient l'un à l'autre par le regard.
MARTIN DU GARD, les Thibault, VI, 5.

*Marcher l'un après l'autre, l'un avec l'autre, l'un à côté de l'autre, l'un derrière l'autre, l'un devant l'autre, l'un vers l'autre. Mettre un objet l'un sur l'autre, l'un dans l'autre. Rester l'un à côté de l'autre, l'un près de l'autre, l'un en face de l'autre* ou... *à côté l'un de l'autre, près l'un de l'autre, en face l'un de l'autre. Se battre les uns contre les autres. Dépendre l'un de l'autre. Vivre l'un par l'autre, l'un pour l'autre.*

120 Quand les ordres du ciel nous ont fait l'un pour l'autre,
(...) C'est un accord bientôt fait que le nôtre.
CORNEILLE, la Suite du Menteur, IV, 1.

121 Tous les événements sont produits les uns par les autres, je l'avoue; si le passé est accouché du présent, le présent accouche du futur.
VOLTAIRE, Dict. philosophique, Chaîne des événements.

122 À les voir l'un à côté de l'autre, on eût dit de belles médailles grecques frappées à la même empreinte.
Alphonse DAUDET, Contes du lundi, «Siège Berlin».

Assis en face l'un de l'autre. 123
Alphonse DAUDET, Sapho, VII.

Les deux sentiments étaient si étroitement mêlés qu'elle ne les pouvait distinguer l'un de l'autre. 124
A. MAUROIS, le Cercle de famille, p. 162.

Loc. fig. **L'UN DANS L'AUTRE :** en faisant la moyenne, tout compte fait. *L'un dans l'autre, j'ai bien fait d'y aller.* — Vx. *L'un portant l'autre* (même sens).

**III** Adj. attribut. Vx ou littér. ♦ **1** En attribut du complément.

Sans faire passer ces choses pour autres qu'elles ne sont. 125
VOITURE, Lettres, 82.

Vous avez montré à ceux qui vous renvoyaient à Dôle qu'ils vous prenaient pour un autre (...) 126
VOITURE, Lettres, 83.

♦ **2** En attribut du sujet. Différent de ce qu'il était. *Devenir autre, tout autre.*

Je suis toujours moi-même, et mon cœur n'est point autre (...) 127
CORNEILLE, Cinna, III, 4.

Avec un autre sort il prit un cœur tout autre (...) 128
CORNEILLE, Pertharite, I, 1.

Oui, je deviens tout autre avec son entretien; 129
Il m'enseigne à n'avoir affection pour rien (...)
MOLIÈRE, Tartuffe, I, 5.

Il n'aime plus cette personne qu'il aimait il y a dix ans. Je crois bien; elle n'est plus la même, ni lui non plus; il était jeune et elle aussi; elle est tout autre. Il l'aimerait peut-être encore, telle qu'elle était alors. 130
PASCAL, Pensées, II, 123.

(...) cette maison (...) où elle croyait ne plus trouver que des étrangers, tellement l'air lui semblait autre, glacial. 131
ZOLA, l'Argent, p. 293.

(...) au temps ancien dont je parlais, le petit noyau était autre et le ton différent pas seulement parce que les fidèles étaient plus jeunes. 132
PROUST, la Prisonnière, Folio, p. 240.

Dans l'illusion de Müller-Lyer, l'une des lignes cesse d'être égale à l'autre sans devenir «inégale» : elle devient «autre». C'est-à-dire qu'une ligne objective isolée, et la même ligne prise dans une figure cessent d'être, pour la perception, «la même». 133
MERLEAU-PONTY, Phénoménologie de la perception, p. 18.

**IV** Loc. (Sans article). **AUTRE CHOSE** [otʀəʃoz], fam. [otʃoz]. *C'est autre chose, c'est tout autre chose* : c'est différent. *Ce n'est pas autre chose que...* : c'est bien cela. *Parlons d'autre chose. C'est cela, et pas autre chose. — Autre chose de bon.* → ci-dessous, cit. 134. — Spécialt. *C'est autre chose!* : c'est beaucoup mieux. *C'est tout autre chose que ce que je croyais.*

Après le nominal indéfini *autre chose,* on emploie *de* et un adjectif ou participe masculin : *Autre chose de bon, de bien.* 134
J. HANSE, Nouveau dict. des difficultés du franç. moderne, p. 131.

N'avez-vous, Nicomède, à lui dire autre chose? 135
CORNEILLE, Nicomède, II, 3.

Je ne veux point d'autre chose pour témoigner qu'elle *(cette comédie)* ne vaut rien. 136
MOLIÈRE, Critique de l'École des femmes, 5.

Un époux beau, bien fait, jeune, et tout autre chose 137
Que le défunt. LA FONTAINE, Fables, VI, 21.

Moi cesser d'être amant! et puis-je être autre chose? 138
LA FONTAINE, Élégie, IV.

(...) la parabole est-elle autre chose que l'apologue (...) 139
LA FONTAINE, Fables, Préface.

(...) ça n'est pas autre chose qu'une «affaire»; une «combine» de vaste envergure. 140
MARTIN DU GARD, les Thibault, VII, 40.

(Pour introduire un nouvel élément dans une discussion, un exposé). *Autre chose; nous n'avons pas encore évoqué les problèmes de recrutement.*

Pop. *Tiens, voilà autre chose* (prononcé [otʃoz] et souvent noté : *aut'chose*). *Ah ben, v'là aut'chose!* : exclamation d'agacement devant ce qui est considéré comme déplaisant et étonnant.

Littér. **AUTRE CHOSE... AUTRE CHOSE...** opposant deux propositions. *Autre chose est... autre chose (est)...*

141 Autre chose est la culture, autre chose la conduite de la vie.
Marcel BRION, Laurent le Magnifique, p. 144, *in* GREVISSE.

Avec ellipse du verbe *être :*

142 Autre chose d'agir avec un père, autre chose de répondre devant un juge (...) BOSSUET, Pénitence, I.

Vx (elliptique). *Autre est promettre, autre est donner* (Académie).

143 Autre est de danser et de faire des festins ; autre de connaître la nature des choses.
CHATEAUBRIAND, le Génie du christianisme, II, 16.

144 Autre est de savoir en gros l'existence d'une chose, autre d'en connaître les particularités.
CHATEAUBRIAND, Mémoires d'outre-tombe, t. III, p. 151.

**V** N. m. ♦ **1** Philos. Ce qui n'est pas le sujet, ce qui n'est pas moi, nous. *«L'autre est indispensable à mon existence»* (Sartre). → **Autrui.**

145 (...) perdu au milieu du texte (...) il y a toujours l'autre, l'auteur. R. BARTHES, le Plaisir du texte, p. 45.

♦ **2** Vx. *L'autre :* Satan, le démon.

146 (...) I prononça hardiment la formule bien connue :
*— Si tu es de Dieu, parle ; si tu es de l'Autre, laisse-nous en paix.* MÉRIMÉE, Mosaïque, 1833, p. 53, *in* T. L. F.

CONTR. **Identique, même, pareil, semblable, tel.** ◊ DÉR. **Autrement, autrui.** — COMP. **Autrefois.**

**AUTREFOIS** [otʀəfwa] adv. — 1160, *autrefeiz ;* de *autre,* et *fois.*

Dans un temps passé. → **Anciennement, jadis.** *Les mœurs d'autrefois.* → **Antan.** *Cela s'est passé autrefois. Cette ville autrefois si belle.*

1 Vous êtes aujourd'hui ce qu'autrefois je fus.
CORNEILLE, le Cid, I, 3.

2 Ses rides sur son front ont gravé ses exploits,
Et nous disent encor ce qu'il fut autrefois (...)
CORNEILLE, le Cid, I, 1.

3 Ce qui n'était point une règle autrefois l'est devenu maintenant (...) CORNEILLE, Disc. des trois unités.

4 (...) il y a eu autrefois dans l'homme un véritable bonheur, dont il ne lui reste maintenant que la marque et la trace toute vide (...) PASCAL, Pensées, VII, 425.

5 Autrefois à Racan Malherbe l'a conté.
LA FONTAINE, Fables, III, 1.

6 Sion, jusques au ciel élevée autrefois,
Jusqu'aux enfers maintenant abaissée.
RACINE, Esther, I, 2.

7 La main du temps s'était appesantie sur cet homme autrefois si énergique.
STENDHAL, le Rouge et le Noir, t. I, p. 458.

7.1 Autrefois, Olivier Bertin allait chaque été passer six semaines ou deux mois à Roncières ; mais depuis trois ans des rhumatismes l'avaient entraîné en des villes d'eaux lointaines qui avaient tellement ravivé son amour de Paris, qu'il ne le pouvait plus quitter en y rentrant.
MAUPASSANT, Fort comme la mort, éd. 1889, p. 13.

8 *(Saint-Saëns)* apporte à notre inquiétude artistique un peu de la lumière et de la douceur d'autrefois.
R. ROLLAND, Musiciens d'aujourd'hui, p. 96.

9 (...) des détails insignifiants d'autrefois qui, dans sa mémoire dépeuplée, s'amplifiaient soudain, comme un son dans les volutes d'un coquillage.
MARTIN DU GARD, les Thibault, V, 2.

10 Plus familière qu'autrefois, comme si les années de guerre avaient aboli d'anciennes distances.
MARTIN DU GARD, les Thibault, VIII, 7.

N. m. (1848, Bescherelle). Temps passé, époque révolue. *«Le bonheur des autrefois»* (Verhaeren, *in* D. D. L.). — REM. L'emploi régional de *les autrefois,* pour *autrefois* (cf. G. Sand, *in* T. L. F.) est encore vivant dans le Sud-Ouest.

CONTR. **Actuellement, aujourd'hui, encore, maintenant, naguère** (dans un temps peu éloigné), **présent** (à). — **Avenir** (dans l').

**AUTREMENT** [otʀəmɑ̃] adv. — 1080, *altrement,* sens 2 ; mil. XIIe, sens 1 ; de *autre.*

♦ **1** D'une façon autre, d'une manière différente. → **Différemment.** *Faisons autrement. Il faut agir autrement, tout autrement. Il n'a pas pu faire autrement. Il ne peut en être autrement. Il n'a pu faire autrement que d'y aller. Il veut toujours faire autrement que les autres. Il agit autrement qu'il parle* ou *qu'il ne parle* (Académie). *Il n'agit pas autrement qu'il parle. J'avais compris tout autrement.*

Le maître de ces lieux en ordonne autrement (...) 1
LA FONTAINE, Fables, X, 7.

Puis-je autrement marcher que ne fait ma famille ? 2
Veut-on que j'aille droit quand on y va tortu ?
LA FONTAINE, Fables, XII, 10.

Il est incapable de s'imaginer que les grands (...) pensent autrement de sa personne qu'il fait lui-même (...) 3
LA BRUYÈRE, les Caractères, II, 14.

(...) une histoire qu'elle avait d'abord arrangée tout autrement dans son imagination. 4
MÉRIMÉE, Arsène Guillot, I.

Oui, l'on vit autrement, mais c'est ainsi qu'on aime ! 5
A. DE MUSSET, Poésies nouvelles, «Sonnet».

(...) il envisagea cette mort tout autrement que d'habitude (...) MARTIN DU GARD, les Thibault, IV, 13. 6

Vx (suivi d'un nom propre). Qu'on appelle aussi. → **Alias.** *Henri Beyle, autrement Stendhal.*

George Sand, autrement Madame Dudevant, ayant parlé dans la Revue des Deux Mondes, je la remerciai (...) 7
CHATEAUBRIAND, Mémoires d'outre-tombe, IV, 9.

(Suivi d'un nom commun). En d'autres termes (→ C'est-à-dire).

Le thermomètre (j'en ai fait les observations) descend en hiver jusqu'à quatre degrés, et dans la forte saison, touche vingt-cinq, trente centigrades tout au plus, ce qui nous donne vingt-quatre Réaumur au maximum, ou autrement cinquante-quatre Fahrenheit (mesure anglaise), pas davantage ! FLAUBERT, Mme Bovary, II, II. 8

Mod. **AUTREMENT DIT.** *Martin, autrement dit le boucher, doit passer tout à l'heure. Joseph, autrement dit Jojo-la-bulle.* Par ext. (introduit une proposition). *Elle a prévenu qu'elle ne dînait pas là ce soir, autrement dit elle ne rentrera pas avant deux ou trois heures du matin.*

Vous connaissez l'*Hôtel du Chien Jaune,* au bout du quai ? Elle y a dîné et est ensuite restée assise dans un coin de la salle du café jusqu'à onze heures. Autrement dit, elle a repris le train de onze heures quarante. 8.1
G. SIMENON, l'Amie de Mme Maigret, p. 55.

♦ **2** Dans un autre cas, dans le cas contraire. → **Sans** (sans cela, sans quoi), **sinon.** *Faites attention, autrement vous aurez affaire à moi. Partez tout de suite, autrement vous allez être en retard. Si vous me le promettez, j'accepte, autrement je refuse.* → **Faute** (faute de cela, faute de quoi).

Il pria le cheval de l'aider quelque peu : 9
Autrement il mourrait (...)
LA FONTAINE, Fables, VI, 16.

Il faudrait autrement être fort indiscret. 10
MOLIÈRE, l'Étourdi, IV, 5.

Il n'y a pas que ça dans la vie, autrement elle ne vaudrait pas la peine d'être vécue. 11
Maurice DONNAY, la Patrie, II, 2.

Pop. *Autrement que ça.*

Il aurait voulu pouvoir dire autour de lui : «J'ai mis un complet neuf parce que je vais voir des amis, autrement que ça, je travaille tous les jours». 11.1
M. AYMÉ, Maison basse, p. 59.

♦ **3 PAS AUTREMENT :** pas beaucoup. → **Guère, peu.** *Cela n'est pas autrement utile. Je ne m'en étonne pas autrement. Sans autrement se plaindre.*

12 (...) ce pouvoir (...) qui fait tant de bruit pour rien et sans savoir autrement ce qu'il demande.
PASCAL, Rép. aux deux premières lettres à un provincial, *in* LITTRÉ.

13 Sans se contraindre autrement dans leurs passions (...)
FLÉCHIER, Sermons, I, 19.

14 Notre fumeur ne fut pas autrement ému de cette apparition. A. R. LESAGE, le Diable boiteux, 7.

♦ **4** Comparatif de supériorité (portant sur un adjectif ou un adverbe). → **Plus; beaucoup.** *Elle est autrement jolie, autrement mieux que sa sœur. C'est un travail autrement bien fait. Il y en a autrement plus que dans la première édition. Bien autrement. Tout autrement. Ceci est tout autrement intéressant.* — Absolt. *Bien autrement, tout autrement :* beaucoup plus, beaucoup mieux. *Quand c'est pour lui, il se débrouille tout autrement.*

15 On ne peut nier que cette méthode-ci agrée tout autrement au monde que (...) PASCAL, les Provinciales, 9.

16 Les héros chez Quinault parlent bien autrement (...)
BOILEAU, Satires, III.

17 Notre maison, nos meubles, sont des compagnons autrement fidèles que nos habits.
Marcel PRÉVOST, Lettres à Françoise mariée, p. 167.

(Renforçant un comparatif de supériorité ou d'infériorité). *C'est autrement moins réussi. Autrement plus...* (→ cit. 18). *Autrement plus grand.* → **Beaucoup.**

18 L'usage qui tend à s'introduire, de «autrement», suivi de «plus» (...) me paraît (...) déplorable. Je lis, par exemple (...) : «Il eût été, semble-t-il, autrement plus utile...». «Autrement» suffisait; ou «bien plus utile».
GIDE, Journal, 14 juin 1941.

19 Un «merveilleux» autrement plus vaste (...)
MARTIN DU GARD, les Thibault, VIII, p. 290 (cf. GREVISSE, n° 365).

**AUTRICE** [otʀis] n. f. → **Auteur** (3.).

**AUTRICHIEN, IENNE** [otʀiʃjɛ̃, jɛn] adj. et n. — Av. 1590, *austrichien;* de *Autriche.*

De l'Autriche. *La population, l'économie autrichienne; le gouvernement autrichien. Pâtisserie autrichienne* (→ **Viennois**). *Les parlers autrichiens.* → **Allemand.** — Hist. *Réunion des territoires autrichien et allemand.* → **Anschluss.** *Nationaliste italien soulevé contre la domination autrichienne sur les provinces du Nord.* → **Irrédentiste.**

N. *Un Autrichien, une Autrichienne :* un habitant, une habitante de ce pays, ou une personne qui en est originaire.

Cuis. *À l'autrichienne :* préparé avec du paprika et de la crème.

COMP. V. **Austro-.**

**AUTRUCHE** [otʀyʃ] n. f. — 1556; *ostruce,* 1130; *oustruche,* 1515; d'après l'ital.; du bas lat. *avis struthio,* grec *strouthiôn.*

♦ **1** Oiseau coureur de grande taille (le plus grand oiseau actuel), de l'ordre des Ratites (famille des *Struthionidés*) vivant en Afrique, à ailes rudimentaires, incapable de voler. *L'autruche, qui vit en bandes, est élevée pour les plumes de ses ailes et de sa queue. Élevage d'autruches.* → **Autrucherie.** *Toque garnie d'une plume d'autruche. Écharpe en plumes d'autruche* (→ **Boa**).

1 L'autruche se nourrit surtout d'herbes, mais elle peut manger aussi de petites proies animales. Elle avale en outre des corps durs, des pierres, des objets en métal, etc., sans doute pour aider à la trituration des aliments dans le gésier. P. POIRÉ, Dict. des sciences, p. 312.

Loc. *Avoir un estomac d'autruche :* tout supporter, tout digérer.

... ils s'esclaffent... de l'«effort», leur travail, leur effort à eux, jour après jour... ne renâclant jamais... jamais rebutés, lassés... Estomacs d'autruche. Gloutonnerie. Avidité. Glanant partout, amassant, thésaurisant (...) 2
N. SARRAUTE, Vous les entendez?, p. 88.

*Intelligence, cervelle d'autruche :* très faible (→ d'oiseau*, de dinde).

♦ **2** [a] Loc. fig. *Pratiquer la politique de l'autruche; faire l'autruche :* refuser de voir le danger (comme l'autruche qui se cache la tête pour échapper au péril).

Le plus grand effort culturel du siècle, que ce soit Marx ou Freud, fut en faveur des prises de conscience : nous avons désappris à nous ignorer. Au détriment du bonheur, qui est pour une grande part paix de l'esprit et qui fait toujours l'autruche. 3
R. GARY, Au-delà de cette limite votre ticket n'est plus valable, p. 140.

[b] *Une autruche :* une personne qui refuse d'examiner le danger. *«Je ne suis pas une autruche, je regarde les choses en face»* (L. de Vilmorin, *in* T. L. F.).

DÉR. **Autrucherie, autruchon.**

**AUTRUCHERIE** [otʀyʃʀi] n. f. — 1890; de *autruche.*
Techn. Lieu où l'on élève des autruches.

**AUTRUCHON** [otʀyʃɔ̃] n. m. — 1374, *ostruçon;* de *autruche.*

Rare. Petit de l'autruche.

**AUTRUI** [otʀɥi] pron. — 1262; *altrui,* 1080; cas régime de *autre.*

Un autre; les autres hommes. → **Prochain.** — Cour. (en compl. prépositionnel). *Agir pour le compte d'autrui, au nom d'autrui. Vivre en parasite aux dépens d'autrui. Les dépouilles d'autrui. Convoiter le bien d'autrui. S'approprier les pensées d'autrui. L'amour d'autrui, l'intérêt pour autrui.* → **Altruisme,** et aussi **altérocentrisme.** *Compatir aux peines d'autrui. Ne fais pas à autrui ce que tu ne voudrais pas qu'on te fasse.* Littér. ou didact. (en sujet ou compl. direct.) → ci-dessous, cit. 9 (compl.), 28 (sujet). *Il ne faut pas juger autrui, il faut respecter autrui.*

(...) frotter et limer notre cervelle contre celle d'autrui. 1
MONTAIGNE, Essais, I, 25, De l'institution des enfants.

La vue des angoisses d'autrui m'angoisse matériellement. 2
MONTAIGNE, Essais, XXXI, Force de l'imagination.

(...) Regarde en autrui 3
Tout ce qui t'y déplaît, tout ce qu'on y censure,
Et déracine en toi ce qui te choque en lui.
CORNEILLE, l'Imitation de J.-C., I, 25.

Dans le bonheur d'autrui je cherche mon bonheur. 4
CORNEILLE, le Cid, I, 2.

Nous avons tous assez de force pour supporter les maux d'autrui. LA ROCHEFOUCAULD, Maximes, 19. 5

T'attendre aux yeux d'autrui, quand tu dors, c'est erreur (...) LA FONTAINE, Fables, XI, 3. 6

Le moins qu'on peut laisser de prise aux dents d'autrui, 7
C'est le mieux (...) LA FONTAINE, Fables, X, 9.

Manger l'herbe d'autrui! quel crime abominable! 8
LA FONTAINE, Fables, VII, 1.

Tel, comme dit Merlin, cuide engeigner autrui, 9
Qui souvent s'engeigne soi-même.
LA FONTAINE, Fables, IV, 11.

Je m'érigerai en censeur des actions d'autrui, jugerai mal de tout le monde (...) MOLIÈRE, Dom Juan, V, 2. 10

Le sentiment d'autrui n'est jamais pour lui plaire (...) 11
Et ses vrais sentiments sont combattus par lui
Aussitôt qu'il les voit dans la bouche d'autrui (...)
MOLIÈRE, le Misanthrope, II, 4.

12 Un noble cœur ne peut soupçonner en autrui
La bassesse et la malice
Qu'il ne sent point en lui (...) RACINE, Esther, III, 9.

13 Le roi s'était flatté toute sa vie de faire pénitence sur le dos d'autrui (...)
SAINT-SIMON, Mémoires, 250, 77, *in* LITTRÉ.

14 Nous n'avons pas assez d'amour-propre pour dédaigner le mépris d'autrui. VAUVENARGUES, Maximes, 549.

15 J'ai toujours eu pour principe de ne faire jamais par autrui ce que je pouvais faire par moi-même.
MONTESQUIEU, Cahiers, p. 7.

16 Au peu d'esprit que le bonhomme avait,
L'esprit d'autrui par supplément servait;
Il entassait adage sur adage,
Il compilait, compilait, compilait (...)
VOLTAIRE, le Pauvre Diable.

17 Celui qui t'entretient des défauts d'autrui entretient les autres des tiens.
DIDEROT, Opinions des anciens philosophes, Sarrasins.

18 La liberté consiste à pouvoir faire tout ce qui ne nuit pas à autrui.
Déclaration des droits de l'homme, 1791, art. 4.

19 Sa haine le portait à blâmer chez autrui ce qu'il conseillait lui-même (...) Louis BARTHOU, Mirabeau, p. 252.

20 Toute notre critique, c'est de reprocher à autrui de n'avoir pas les qualités que nous croyons avoir.
J. RENARD, Journal, 29 juil. 1895.

21 Il advient le plus souvent que l'on ne prête à autrui que les sentiments dont l'on est soi-même capable (...)
GIDE, Pages de journal, p. 113.

22 La complaisance envers autrui n'est pas beaucoup moins ruineuse que celle envers soi-même.
GIDE, Journal, 25 nov. 1905.

23 Mon cœur ne bat que par sympathie; je ne vis que par autrui (...) GIDE, les Faux-monnayeurs, I, 8.

24 Chacun de nous croit être aux yeux d'autrui ce qu'il est aux siens propres.
Edmond JALOUX, les Visiteurs, XV.

25 (...) Je sais ce qu'il en coûte de s'attacher à autrui et quelles fibres intimes sont déchirées par l'arrachement des adieux.
Edmond JALOUX, Fumées dans la campagne, II.

26 (...) ma pitié, ou du moins cette sorte de malaise devant la misère d'autrui, que nous avons accoutumé d'appeler ainsi. F. MAURIAC, la Pharisienne, p. 156.

27 Par nature, il aimait à se mêler des affaires d'autrui, ce qui était bien une forme d'indiscrétion.
J. ROMAINS, les Hommes de bonne volonté, VII, p. 245.

28 Autrui, le temps et l'histoire font éclater le champ transcendantal, parce qu'ils sont constitutifs de l'être de l'Ego lui-même et du mouvement qui le porte à la conscience de soi.
J.-T. DESANTI, Phénoménologie et Praxis, p. 133.

N. m. Didact. : *L'autrui; des autruis.* → **Prochain, semblable.**

29 Ce qu'elle dit, ce qui anime, illumine tel autrui — il lui importe peu que ce soit par des paroles ou par des formes.
VALÉRY, Cahiers, Pl., t. II, p. 1330.

30 *(Le sadique)* appréhende les autres soit comme des victimes soit comme des complices, mais dans aucun des deux cas ne les appréhende comme des autruis, toujours au contraire comme des Autres qu'autrui.
G. DELEUZE, *in* M. TOURNIER, Vendredi..., p. 282.

DÉR. V. **Altruisme. — Autruicide** ou **altruicide.**

**AUTRUICIDE** [otʀɥisid] ou **ALTRUICIDE** [altʀɥisid] n. m. — Mil. XX^e^; de *autrui.*
Didactique.

♦ **1** Meurtre d'autrui.

Toute perversion est un autruicide, un altruicide, donc un meurtre des possibles.
G. DELEUZE, *in* M. TOURNIER, Vendredi..., p. 281.

Fig. Fait de ne pas prendre autrui en considération.

♦ **2** Adj. et n. Meurtrier d'autrui.

**AUTUNIEN, IENNE** [otynjɛ̃, jɛn] adj. et n. m. — 1893, Munier-Chalmas et Lapparent; de *Autun.*

Géol. Se dit de l'étage inférieur du permien*. *Étage autunien. Terrains autuniens. — L'autunien.*

**AUTUNITE** [otynit] n. f. — 1866; de *Autun,* ce minerai ayant été exploité tout près de la ville d'Autun.

Minér. Phosphate naturel d'uranium et de calcium. *Extraction de l'autunite.*

**AUVENT** [ovɑ̃] n. m. — 1180, var. *anvant;* croisement du celtique *talo-penno* (par une série de mots régionaux) et du lat. *alapa,* ou plus simplement (P. Guiraud) var. de *au-devant,* lat. pop. **ante-abante.*

♦ **1** Petit toit en saillie pour garantir de la pluie. → **Abri.** *Toit en auvent* (appentis). *Auvent vitré.* → **Marquise, véranda.** *Auvents d'espaliers.* — Par ext. *L'auvent de toile d'une tente.*

Pour éviter la pluie à l'abri de l'auvent (...) 1
Mathurin RÉGNIER, Satires, X.

(...) devant lui voici un petit auvent qui abrite une porte 1.1
ouverte en direction de la mer.
A. PIEYRE DE MANDIARGUES, la Marge, p. 37.

Sous la capote de toile en auvent, conservée en prévision 1.2
des pluies soudaines (...) le siège est garni d'un coussin (...)
A. ROBBE-GRILLET, la Maison de rendez-vous, p. 22.

Techn. *Auvent du capot d'une voiture.* Loc. (fig., rare). *Sourcils en auvent.*

Joffre, grave et fin, avec son calme regard clair sous 2
l'épaisse broussaille de ses sourcils en auvent (...)
Georges LECOMTE, Ma traversée, p. 488.

Figuré, littéraire :

(...) ses sourcils jetés en avant formèrent un auvent au- 3
dessus de ses yeux (...)
Jacques LAURENT, les Bêtises, p. 347.

♦ **2** Vx. Persienne, abat-jour.

(...) la femme de chambre, après avoir ouvert les rideaux 4
et les auvents, apporta le thé (...)
MAUPASSANT, Fort comme la mort, p. 177.

**AUVERGNAT, ATE** [ovɛʀɲa, at] adj. et n. — 1213; de *Auvergne.*

D'Auvergne. *Bourrée auvergnate. Accent auvergnat.* → **Auverpin** (péj.). — N. *Les Auvergnats. Charbonnier auvergnat.* → **Bougnat.**

Elle est à toi cette chanson
Toi, l'Auvergnat qui sans façon
M'as donné quatre bouts de bois
Quand dans ma vie il faisait froid.
Georges BRASSENS, Chanson pour l'Auvergnat.

*L'auvergnat :* les parlers dialectaux (occitans) d'Auvergne.

**AUVERNAT** [ovɛʀna] n. m. — 1564, *auvernas;* altér. de *auvergnat,* le cépage étant originaire d'Auvergne.

Agric. Cépage produisant un vin rouge coloré. *Auvernat gris, noir.*

Vx. Vin provenant de ce cépage (au XVII^e^ siècle, gros vin rouge) :

(...) Un laquais effronté
M'apporte un rouge-bord d'un auvernat fumeux.
BOILEAU, Satires, 3.

**AUVERPIN** [ovɛʀpɛ̃] n. m. — 1854; de *auvergnat.*

Argot, péj. Auvergnat.

Mais tu es là, tu as toujours quelque chose à me donner, quelque chose qui élargit le cœur et la tête. J'en ai souvent honte, moi qui n'ai rien, qui ne suis qu'un auverpin ergoteur, un petit esprit rogneux, un raisonneur prétentieux. M. AYMÉ, le Chemin des écoliers, p. 162.

**AUX** [o] → **Au.**

**AUX-** Élément de mots savants, du grec *auxein* «accroître», qui signifie «faire croître, augmenter» (par ex. dans *actinauxisme, auxine*). → aussi **Auxèse.**

**AUXÈSE** [oksɛz] ou **AUXÈSIS** [oksezis] n. f. — Av. 1969; grec *auxêsis* «croissance, accroissement».
Didact. Accroissement irréversible de la taille d'une cellule végétale dans une dimension *(élongation),* ou dans les trois dimensions. *La croissance des êtres pluricellulaires s'effectue par auxèsis* (auxèse) *et mérésis** (mérèse). *L'auxine* stimule électivement l'auxèsis de certaines cellules.*

**AUXILIAIRE** [oksiljɛʀ; ɔksiljɛʀ] adj. et n. — 1512; lat. *auxiliaris,* de *auxilium* «secours».

♦ **1** (Personnes, choses). Qui agit, est utilisé en second lieu, à titre de secours. — (Choses). *Secours, moyen, organe auxiliaire.* → **Accessoire, adjoint, adjuvant, annexe, complémentaire, second.** — Techn. *Alimentation auxiliaire d'un circuit électrique. Réservoir auxiliaire. Moteur auxiliaire* (sur un bateau à voile). *Oscillateur auxiliaire.* Littér. *Une force auxiliaire.*

1 Les passions (...) donnent à l'âme comme une force auxiliaire pour agir (...)
Émile FAGUET, XVIIe s., Études littéraires, p. 30.

Mar. *Navires auxiliaires,* non combattants. *Flotte auxiliaire,* flotte de commerce réquisitionnée en temps de guerre. *Croiseur, dragueur auxiliaire.*
(Personnes). *Personnel auxiliaire. Armée auxiliaire. Troupes, services, navires auxiliaires. Médecin, pharmacien auxiliaire* (de l'Armée). *Le service auxiliaire de l'Armée* (par oppos. au *service armé*).

2 (...) Ceux *(les jeunes gens)* qui, étant atteints d'une infirmité relative, sont reconnus bons pour le service auxiliaire.
Loi du 1er avr. 1923, art. 20.

3 Hubert était mobilisé dans les services auxiliaires.
F. MAURIAC, le Nœud de vipères, X.

Recruté à titre provisoire par l'administration (non fonctionnaire). → aussi **Vacataire.** *Agent auxiliaire de l'administration. Maître, maîtresse auxiliaire.* → ci-dessous, 3.

3.1 Et madame Désagneaux, qui s'essuyait les mains, se fâchait contre ces dames auxiliaires qui avaient toutes disparu, précisément le matin où l'on aurait eu besoin d'elles.
ZOLA, Lourdes, p. 64.

♦ **2** N. Personne qui aide en apportant son concours. → **Aide; adjoint, assistant, collaborateur.** *Se servir d'auxiliaires pour la préparation de son travail. Une précieuse auxiliaire. Faire de qqn son auxiliaire.* — (Choses). Ce qui aide, sert de secours, de soutien. *La nature est le plus puissant auxiliaire du médecin. Le législateur se fait parfois l'auxiliaire de l'injustice et de la malhonnêteté.* → **Complice.**

4 Les femmes! quelle puissance! Avec de tels auxiliaires, qu'est-il besoin de la presse? Leur parole est un véhicule bien autrement efficace.
MICHELET, Hist. de la Révolution franç., Pl., t. I, p. 467.

5 Pour eux *(les Hollandais)* les obstacles se sont changés en auxiliaires. TAINE, Philosophie de l'art, t. I, III, I, 2.

6 Le nom seul de Bonaparte est un auxiliaire qui doit tout aplanir.
TALLEYRAND, *in* SAINT-AULAIRE, Talleyrand, p. 129.

7 (...) pour un ambassadeur, un bon chef de cuisine est un auxiliaire peut-être plus précieux qu'un bon chef de cabinet. Louis MADELIN, Talleyrand, V, 37.

*Les auxiliaires d'une armée :* combattants qui ne font pas partie d'une armée régulière, mais qui sont placés sous l'autorité de son commandant.

8 Ils *(les Huns)* servirent les Romains en qualité d'auxiliaires, et ils formèrent leur meilleure cavalerie.
MONTESQUIEU, Grandeur et décadence des Romains, 20.

(Surtout au plur.). Soldat affecté dans un service auxiliaire. *Les auxiliaires. Une auxiliaire féminine de l'armée de terre* (A. F. A. T.).

♦ **3** Employé recruté à titre provisoire par l'Administration (non fonctionnaire). → **Auxiliariat.** *Auxiliaire temporaire. Auxiliaires de l'enseignement.*

— Nous, les auxiliaires, et tu le sais, Thérèse, nous sommes des milliers, nous sommes vraiment les dindons de la farce. Qu'est-ce que tu veux, c'est de l'or en barre pour le ministre. Nous sommes licenciés. Nous faisons le boulot des certifiés et on nous paie comme des manœuvres. 8.1
Yanny HUREAUX, la Prof, p. 158.

*Auxiliaire de justice :* personne qui participe au fonctionnement de la justice (par ex. les avocats, avoués, huissiers).
Méd. Technicien qui seconde un technicien plus qualifié. *Auxiliaires médicaux, hospitaliers.*
(Collectif). *L'auxiliaire :* la catégorie des services auxiliaires de l'Armée. *Il a été versé dans l'auxiliaire.*

Je les considérais du même œil qu'un type de l'auxiliaire voit un combattant de première ligne. 8.2
F. MAURIAC, Bloc-notes 1952-1957, p. 142.

♦ **4** (1680). Gramm. *Verbe auxiliaire,* et, n. m., *un auxiliaire :* forme verbale réduite à la seule fonction grammaticale de formation des temps composés des verbes. Avoir *et* être *sont les auxiliaires purs du français. Semi-auxiliaires* (ou *verbes en fonction d'auxiliaires*) : ceux qui servent à construire des formes composées mais gardent un sens *(venir, aller, devoir, faire, laisser). Auxiliaires de temps, de mode, d'aspect.*

**Avoir** et **être** sont dits **verbes auxiliaires** parce qu'ils dépouillent leur sens propre de «posséder» et d'«exister» pour jouer le rôle de simples éléments formateurs d'un système verbal. Grammaire de l'Académie, p. 96. 9

♦ **5** Élément ou objet servant d'aide, d'apport. — Rare en emploi général.

Elle avait un motif, une raison et comme un auxiliaire à son attachement. 10
FLAUBERT, Mme Bovary, t. II, p. 25, *in* T. L. F.

Spécialt. *Auxiliaire de commande.*
N. m. pl. (Mar.). Machines non motrices.
CONTR. **Adverse, contraire. — Principal.** ◊ DÉR. **Auxiliairement, auxiliariat.**

**AUXILIAIREMENT** [oksiljɛʀmɑ̃; ɔksiljɛʀmɑ̃] adv. — 1866; de *auxiliaire.*
Rare. D'une manière auxiliaire, accessoire. → **Accessoirement.**

**AUXILIARIAT** [oksiljaʀja; ɔksiljaʀja] n. m. — 1941, *l'Œuvre, in* T. L. F.; de *auxiliaire.*
Situation des auxiliaires de l'Administration. *Les problèmes de l'auxiliariat.*

**AUXILIATEUR, TRICE** [oksiljatœʀ, tʀis; ɔksiljatœʀ, tʀis] adj. — 1866; n. m., v. 1450; lat. *auxiliator, -trix,* de *auxiliatum,* supin de *auxiliare,* de *auxilium.* → Auxiliaire.

♦ **1** Relig. Qui aide, qui secourt. *La Vierge auxiliatrice. Saints auxiliateurs.*

♦ **2** Littér. Qui apporte son aide.

**AUXINE** [oksin; ɔksin] n. f. — V. 1931; t. créé en all., Kögl et Haagen Smit, 1931; de *aux-,* et *-ine.*
Didact. Hormone végétale mise en évidence par son action sur l'élongation cellulaire (facteur de croissance; → Auxèsis), qui intervient comme stimulant ou inhibiteur de nombreux phénomènes (pousse des racines, formation des bourgeons...) selon sa concentration, la présence de substances

synergiques ou antagonistes, l'espèce végétale envisagée. *Auxines de synthèse, utilisées pour le désherbage sélectif des prairies, le débroussaillement...*

(...) deux substances de constitutions chimiques très voisines, auxquelles on a donné le nom d'*auxines* a *et* b (...) On a également extrait de l'urine une troisième substance de croissance, *l'hétéroauxine* (...)
Pierre REY, les Hormones, p. 56.

DÉR. et COMP. **Auxinique, auxinologie.**

**AUXINIQUE** [oksinik; ɔksinik] adj. — XX^e (attesté 1969); de *auxine.*

Didact. Qui est ou renferme une auxine. *Solution auxinique. Substance auxinique.* — Propre aux auxines. *Activité auxinique.*

**AUXINOLOGIE** [oksinɔlɔʒi; ɔksinɔlɔʒi] n. f. — XX^e (attesté 1969); de *auxine,* et *-logie.*

Didact. Étude des auxines.

**AUXOTROPHE** [ɔksɔtʀɔf] n. m. — 1956; du gr. *auxein* «accroître», et *trophê* «nourriture».

Microbiol. Mutant qui ne peut se développer dans un milieu où croît le type sauvage dont il dérive. — Adj. *Micro-organismes, moisissures auxotrophes.*

**AUXQUELS, AUXQUELLES** [okɛl] pron. rel. et interrog. → **Lequel.**

**AVA** [ava] n. m. — 1806, *in* D. D. L.; polynésien *kava* «eau-de-vie».

Liqueur fermentée fabriquée en Polynésie à partir de lait de coco et de la racine d'un poivrier (nommé aussi *ava*).

**AVACHI, IE** [avaʃi] adj. — 1542; p. p. de *avachir.* → Avachir.

♦ **1** Rendu, devenu informe pour avoir été trop porté (vêtements, tissus...). → **Déformé, flasque.** *Chaussures avachies.*

1 Veston et pantalon, qui n'auraient plus chaque jour comme forme l'être pour lequel ils avaient été faits, étaient avachis pour toujours.
GIRAUDOUX, les Aventures de Jérôme Bardini, p. 31.

2 Ces deux petits pieds qui avaient fui les hommes ennoblissaient les souliers avachis, gardaient chacun son privilège de pied droit et de pied gauche.
GIRAUDOUX, les Aventures de Jérôme Bardini, p. 144.

♦ **2** (Personnes). Sans aucune énergie, sans fermeté. *Un être avachi.* → **Mou; indolent, veule; vache** (II., 1., VX).

**AVACHIR** [avaʃiʀ] v. — 1395; du francique **valkjan* «amollir», avec influence de *vache.*

♦ **1** V. tr. Rendre mou, flasque. → **Amollir, déformer, ramollir.**

[a] (Concret). *L'usage, le temps a avachi ces pantoufles.*

[b] (Abstrait). Rendre mou, veule. *Avachir qqn.* — Absolt. *L'inaction avachit.* — Fig. Priver de son énergie, de son entrain.

1 Il faut être jeune et vert. Il ne faut pas se laisser avachir.
G. DUHAMEL, Chronique des Pasquier, t. I, p. 265.

Au passif et p. p. (→ aussi **Avachi,** adj.) :

1.1 À vau-l'eau le respect, la résignation, l'obéissance et le vieil honneur! Tout est avachi, pollué, diffamé, mutilé, irréparablement destitué et fricassé, de ce qui faisait tabernacle sur l'intelligence.
Léon BLOY, le Désespéré, p. 115.

♦ **2** V. pron. *S'avachir.* [a] Devenir mou, flasque. → **Affaisser** (s'), **aplatir** (s'), **déformer** (se). *Ces souliers commencent à s'avachir.*

[b] (Personnes). Fam. Être déformé (par la graisse, etc.). *Il s'est avachi. Sa taille s'avachit* (Académie). Vx. (Abstrait). Se laisser aller. *S'avachir à ne rien faire.* → **Relâcher** (se), **acagnarder** (s').

2 (...) c'est *(de ma part)* paresse et négligence inexcusable (...) Je (...) ne cherche qu'à m'anonchalir et avachir.
MONTAIGNE, Essais, III, 9.

Par ext. (Choses). — Au p. p. :

3 *(Ils)* prosternent, cagneux, devant sa majesté,
Leur bassesse avachie en imbécillité.
HUGO, les Châtiments, VI, 5.

CONTR. **Affermir, durcir, raffermir, raidir. Stimuler.** ◊ DÉR. **Avachi, avachissant, avachissement.**

**AVACHISSANT, ANTE** [avaʃisɑ̃, ɑ̃t] adj. — XIX^e; p. prés. de *avachir.*

Rare. Qui avachit, provoque l'avachissement. *Paresse avachissante* (Goncourt). *Atmosphère avachissante* (L. Daudet).

CONTR. **Stimulant.**

**AVACHISSEMENT** [avaʃismɑ̃] n. m. — 1851, *in* D. D. L.; de *avachir.*

Fait de s'avachir; état de ce qui est avachi. → **Ramollissement, relâchement.** *L'avachissement d'un vieux tissu. — Il ne fait plus rien, se laisse tomber dans l'avachissement le plus complet.*

Quelque idée que j'aie de leur avachissement, je me fais rougir moi-même, quand je blesse cette pudeur dont le dehors au moins ne devrait pas les abandonner.
E. DELACROIX, Journal, 13 sept. 1822.

CONTR. **Affermissement, durcissement. Stimulation.**

1. **AVAL** [aval] n. m. — 1080; de *à,* et *val.*

♦ **1** [a] *L'aval* (par oppos. à *l'amont*) : le côté vers lequel descend un cours d'eau; la partie inférieure d'un cours d'eau, d'une vallée. *Pays d'aval. En allant vers l'aval.*

1 Le phare, planté sur les rochers (...) jetait ses rayons, l'espace d'un éclair, sur la falaise d'aval qui naissait et mourait, fantomatique.
G. SIMENON, Pietr-le-Letton, p. 144.

2 *(Il)* fonça en reprenant le pas de course vers la jetée d'aval.
G. SIMENON, Pietr-le-Letton, p. 143.

Ski. Côté de la vallée. — Adj. *Ski aval* (opposé à *ski amont*). *Faire porter le poids du corps sur le ski aval.* — Adv. *Virer aval :* exécuter un virage en coupant la ligne de pente.

[b] **EN AVAL DE :** plus bas que (le point considéré) en suivant le fil de l'eau, en descendant la vallée dans le sens du courant. *Le moulin est à un kilomètre en aval du pont. Rouen est situé sur la Seine, en aval de Paris.* — Absolt. *Les aulnes qui bordent le torrent en aval.*

3 Visite aux villages du bord du fleuve, en aval de Bangui.
GIDE, Voyage au Congo, *in* Souvenirs, Pl., p. 714.

Par ext. *Vent d'aval,* qui vient de l'aval d'une rivière; sur certaines côtes, vent qui vient du large.

♦ **2** Fig. Ce qui vient après le point considéré, dans un processus. *Les produits d'aval. — En aval (de...). L'impression d'un livre est en aval de la composition. Si la production se ralentit, cela créera des problèmes en aval.*

CONTR. **Amont.** ◊ HOM. 2. **Aval.**

2. **AVAL** [aval] n. m. — 1673; ital. *avallo;* arabe *hăwālăh* «délégation; mandat».

Engagement par lequel une personne (le *donneur d'aval*) s'oblige à payer un effet* de commerce en cas de défaillance du débiteur principal. *Donner son aval à une traite.* → **Avaliser.** *Le donneur d'aval fait généralement précéder sa signature des mots* Bon pour aval.

1 Ces mots «pour aval» signifient pour faire valoir (...)
Jacques SAVARY, le Parfait Négociant, p. 377.

2 Le payement d'une lettre de change, indépendamment de l'acceptation et de l'endossement, peut être garanti par un aval. Code de commerce, art. 141.

3 Cette garantie est fournie, par un tiers, sur la lettre même ou par acte séparé.
Le donneur d'aval est tenu solidairement et par les mêmes voies que les tireurs et endosseurs, sauf les conventions différentes des parties. Code de commerce, art. 142.

Fig. Soutien, caution. *Donner son aval à une politique.*

**DÉR. Avaliser, avaliseur.** ◊ **HOM.** 1. **Aval.**

**AVALABLE** [avalabl] adj. — V. 1355; de *avaler*, II.

Que l'on peut avaler (surtout en tournure négative). *Ce potage est brûlant : il n'est pas avalable. Ce n'est pas vraiment bon, mais c'est avalable.*

**AVALAGE** [avalaʒ] n. m. — 1415; «droit levé sur un bateau qui descend une rivière», 1280; de *avaler*, I.

Vx. Action de descendre. *L'avalage d'une rivière par un bateau. L'avalage d'une pièce de vin dans une cave.*

**AVALAISON** [avalɛzɔ̃] ou **AVALASSE** [avalas] n. f. — 1787, *avalaison*; *avalasse*, 1511; *avaleson*, 1235; de *avaler* «descendre».

♦ **1** Cours d'eau torrentiel qui descend soudainement des montagnes à la suite de pluies abondantes ou de fontes des neiges.

♦ **2** Pêche. AVALAISON : descente d'une rivière par des poissons migrateurs, en direction de la mer.

Les Anguilles (...) entreprennent la descente des rivières vers la mer. Cette descente ou *avalaison* commence en octobre et se fait très rapidement.
R. et M.-L. BAUCHOT, les Poissons, p. 120.

**AVALANCHE** [avalɑ̃ʃ] n. f. — 1611; *lavanche*, XVI^e; mot savoyard *lavantse*; du bas lat. *labina* «glissement de terrain», de *labi* (→ Labile); altér. d'après *aval*.

♦ **1** Masse de neige qui se détache d'une montagne, qui dévale en entraînant des pierres, des boues. *Le hameau fut enseveli sous une avalanche. — Chien d'avalanche*, dressé pour retrouver les personnes enfouies sous une avalanche.

1 Soudain l'avalanche sauvage
Roule et l'entraîne dans son sein.
MILLEVOYE, la Fleur du souvenir.

Chute de cette masse de neige. *Risque d'avalanche. Couloir, cône d'avalanche* (→ ci-dessous, cit. 7.2). *Site favorable aux avalanches; zone d'avalanches. L'avalanche a emporté une cordée d'alpinistes. Déclencher des avalanches. Prévention des avalanches.*

1.1 À mi-chemin, nous rencontrons des touristes qui redescendent. Une avalanche, mais véritable celle-ci, croule avec un bruit majestueux le long des rochers qui supportent le glacier des Bois, et les traînards d'accourir. On leur montre la place où elle a eu lieu, mais c'est l'avalanche qu'ils voulaient voir.
Rodolphe TÖPFFER, Voyages en zigzags, Chamonix (1840), 4^e journée, p. 213.

2 Il neigeait. L'âpre hiver fondait en avalanche.
HUGO, les Châtiments, V, 13.

3 Les empires ont leurs crises comme les montagnes ont leur hiver. Une parole dite trop haut y produit une avalanche.
HUGO, Littérature et Philosophie mêlées, p. 56.

Ainsi donc les avalanches se font quelquefois au moyen 4
d'un caillou gros comme le bout du doigt.
A. DE MUSSET, Lorenzaccio, III, 2.

Avalanche, veux-tu m'emporter dans ta chute? 5
BAUDELAIRE, les Fleurs du mal, LXXX.

Il se sent emporté comme un fétu dans une avalanche; 6
impossible de s'accrocher à rien; tout a chaviré, tout sombre avec lui (...)
MARTIN DU GARD, les Thibault, VI, 1.

Nous ignorons presque toujours les infiniment petits qui 7
sont à l'origine de nos actions; c'est toujours l'exemple de l'avalanche, que déclenche au début la moindre pierre.
Edmond JALOUX, l'Alcyone, 29.

Dans l'Isère, la nouvelle de cette effroyable avalanche, l'ir- 7.1
ruption de la neige dans une salle à manger pleine de jeunes gens qui déjeunaient gaiement. La masse blanche d'une force irrésistible a balayé la maison et pulvérisé des voitures.
J. GREEN, Journal, 16 févr. 1970, Ce qui reste du jour.

Les avalanches suivent, généralement, sur les flancs des 7.2
montagnes, les mêmes parcours, auxquels on a donné le nom de «*couloirs d'avalanches*». Certains massifs présentent un grand nombre de ces couloirs; après les grands éboulements, il se forme à leur base des amoncellements qu'on nomme *cônes d'avalanches.*
Roger SIMONET, le Froid, p. 22.

♦ **2** Fig. *Avalanche de... :* grande quantité de (choses désagréables et arrivant rapidement). *Une avalanche d'injures, de coups, de catastrophes.* → **Pluie; averse, déluge.**

Une pluie, un déluge, une avalanche se disent de choses 8
qui semblent tomber (...)
F. BRUNOT, la Pensée et la Langue, p. 115.

Sur sa tête à demi vénérable déjà, d'antiques cartons, arra- 9
chés violemment à l'étreinte de leurs alvéoles, s'ouvraient, lâchant des avalanches de paperasses qui se répandaient par le vide (...)
COURTELINE, Messieurs les ronds de cuir, I, 3.

Grande quantité.

(...) il rêvait au bord de la fosse, apercevant dans l'avenir 10
des montagnes de fruits, des débordements de fleurs, des avalanches de légumes.
FLAUBERT, Bouvard et Pécuchet, II.

**DÉR. Avalancher, avalancheux.**

**AVALANCHER** [avalɑ̃ʃe] v. intr. — D. i.; cf. *avalancher, avalanchié* (Dauphiné), *s'avalanchar* (Provence), *in* Wartburg; cf. aussi anc. provençal *slavanchar*, 1531 et moy. franç. *s'esvalancher* (XVI^e) «s'écrouler»; de *avalanche.*

Régional. Tomber en avalanche; former une avalanche.

L'homme sort enfin de la montagne au cœur de laquelle une roche avalanche avec bruit.
Jean-Yves SOUCY, Un dieu chasseur, p. 31.

**AVALANCHEUX, EUSE** [avalɑ̃ʃø; øz] adj. — D. i. (XX^e); de *avalanche.*

Régional ou didactique.

♦ **1** Qui constitue ou peut constituer une avalanche. *Neige avalancheuse. Amas avalancheux.*

La température de la neige superficielle étant normalement plus basse que celle de la neige profonde, celle-ci subit partiellement une sublimation pour se recristalliser aux niveaux supérieurs plus froids. Ce mécanisme donne naissance à ce que l'on a appelé des cristaux «en gobelets», qui donnent une neige particulièrement avalancheuse.
Charles-Pierre PÉGUY, la Neige, p. 63-64.

♦ **2** Se dit d'un lieu où il se produit des avalanches. *Couloir avalancheux. Pente avalancheuse.*

**AVALANT, ANTE** [avalɑ̃, ɑ̃t] adj. — 1827; *avalens*, 1415, «qui descend le cours de l'eau»; p. prés. de *avaler*, XII^e, «descendre».

Batellerie. Qui descend le cours d'une rivière, en parlant d'un bateau. *Les péniches avalantes.* — N. m. *Les avalants doivent prendre le canal de droite.*

1 Il n'y avait presque rien dans le bief : deux moteurs avalants, un moteur montant, qui a éclusé l'après-midi (...)
G. SIMENON, le Charretier de la providence, p. 450.

2 À ce moment, il y avait dans le port, au-dessus de l'écluse 14 (...) deux péniches à moteur avalantes, un bateau en déchargement et une vidange.
G. SIMENON, le Charretier de la providence, p. 447.

CONTR. **Montant.**

**AVALASSE** [avalas] n. f. → **Avalaison,** 1.

**AVALEMENT** [avalmɑ̃] n. m. — 1539; «descente», 1190; de *avaler,* I.

♦ **1** Rare. Action d'avaler (I., 1. ou 2.). — Le fait de s'avaler, de s'effondrer, de pendre. — REM. Le mot est fréquent dans le «style artiste» et symboliste (Goncourt, Bloy...).

♦ **2** Ski. Technique d'absorption des inégalités de terrain, par la «projection des pieds vers l'avant en début de virage» (Petiot).

*L'avalement est une espèce de «carpé»,* en langage gymnique, mouvement qui s'effectue au cours d'un saut et durant lequel les abdominaux tirent d'une part les jambes vers l'avant et vers le haut, d'autre part le buste vers l'avant et vers le bas, les mains venant toucher la pointe des pieds. La flexion-extension qui précède l'avalement facilite ce carpé : elle le prépare musculairement, comme la flexion prépare l'extension.
Georges JOUBERT, Pour apprendre soi-même à skier, p. 128-129.

**AVALER** [avale] v. — 1080; de 1. *aval.*

**I** Vx ou techn. ♦ **1** V. tr. Vx. Faire descendre. *Avaler une pièce de vin dans la cave.* → **Avalage, avalement** (vx). Mod. Techn. (alpinisme). Faire descendre (qqch.) à soi. *Avaler une corde détendue.*

(Hortic.). *Avaler une branche.*

♦ **2** V. intr. Mod. Techn. Descendre une rivière. *Les anguilles avalent. Une péniche avale.* → **Avalant.**

♦ **3** V. pron. *S'avaler :* pendre, descendre trop bas. *Le ventre de cette jument s'avale. Des bajoues qui s'avalent.*

**II** Cour. V. tr. ♦ **1** Faire descendre par le gosier. → **Absorber, boire, ingérer, ingurgiter, manger.** *Avaler une gorgée d'eau. Avaler d'un trait, d'un seul coup, cul sec, un grand verre de vin. Avaler une bouchée de pain. Avaler une pastille* (cit. 2). *Je n'ai plus faim, je ne peux plus rien avaler.* → **Manger.** *Avaler les morceaux avidement, gloutonnement, goulûment, sans mâcher.* → **Engloutir, friper** (vx). *Avaler de l'air en mangeant. Avaler sa salive* (cit.). *Avaler un œuf cru.* → **Gober.** — *Le poisson a avalé l'hameçon. Le chien a avalé une boulette empoisonnée.* — Absolt. (→ cit. 5).

1 (...) je l'allai décoiffer *(la bouteille)* en mon étude, où j'avalai de bonnes gorgées.
Charles SOREL, Francion, IV, p. 150.

2 (...) il ne peut avaler une bouchée.
G. SAND, François le Champi, IX.

3 (...) enfin, se sentant aussi agité que s'il eût avalé de la poudre à canon, il s'appuya contre l'arbre qui abritait les deux enfants et les regarda dormir.
G. SAND, la Mare au Diable, X, p. 86.

4 (...) il faisait, en avalant sa soupe, un gloussement à chaque gorgée. FLAUBERT, Mme Bovary, I, 9.

5 Les bouches s'ouvraient, se fermaient sans cesse, avalaient, mastiquaient, engloutissaient férocement.
MAUPASSANT, Boule de suif, I, p. 25.

Le député reprit salive, comme un malade avale une pilule (...) M. BARRÈS, Leurs figures, p. 328. 6

C'était une perche hérissée, épineuse, qui, goulue comme toutes ses pareilles, avait avalé l'hameçon jusqu'au ventre. 7
J. RENARD, Histoires naturelles, p. 88.

La femme de journée devrait être là d'un moment à l'autre et, d'après ce qu'elle m'a dit hier soir, Maman ne tardera pas non plus. Tâche d'avaler quelque chose, quand même. 7.1
Hervé BAZIN, Cri de la chouette, p. 276.

(1856). *Avaler (qqch) de travers,* l'épiglotte ayant laissé passer des particules alimentaires dans la trachée. Par métaphore (et absolument) :

Quand ma supériorité dînait à trente sous au pays latin, elle avalait de travers, gênée par les regards dont elle se croyait l'objet. 8
CHATEAUBRIAND, Mémoires d'outre-tombe, t. II, p. 179.

Loc. fig. Fam. *Avoir soif à avaler sa langue, à avaler la mer et les poissons :* avoir très soif. — *Il avalerait la mer et les poissons :* il est cupide, insatiable.

*S'ennuyer à avaler sa langue. Avaler sa langue d'ennui.* Pron. :

Deux créatures qui ne se conviennent pas pourraient aller chacune de son côté : eh bien! (...) il faut qu'elles restent là en face l'une de l'autre à se bouder, à se maugréer, à s'aigrir d'humeur, à s'avaler la langue d'ennui, à se manger l'âme et le blanc des yeux (...) 8.1
CHATEAUBRIAND, Mémoires d'outre-tombe, IV, 1.

Loc. fig. Fam. *Avoir avalé sa langue :* garder le silence; refuser de parler. *Tu ne dis plus rien; tu as avalé ta langue?* — *Avaler sa salive :* taire ce qu'on est tenté de dire. — *Avoir l'air d'avoir avalé une canne, son parapluie :* être guindé. — *Il a avalé un chat* par la queue :* il est enroué. — *On dirait qu'il va l'avaler, l'avaler tout cru :* il le regarde avec des yeux furieux. — *Avaler son bulletin de naissance, son extrait de naissance :* mourir*.

Le défunt Riton, il venait de payer cher ses conneries, d'accord! n'empêche qu'il passait la main quand même à mézigue, pour la suite ... J'avale mon extrait de naissance, arrange-toi, mon pote ... Bonne pince! 8.2
Albert SIMONIN, Touchez pas au grisbi, p. 178.

*Avaler la tasse.* → **Boire** (la tasse).

Fig. (Concret). Faire rentrer dans la bouche. — REM. Senti comme un figuré du sens II, ce sens procède probablement aussi du sens I, 3.

Le père Soupe était un petit vieux à lunettes, de qui l'édentement peu à peu avait avalé les minces lèvres. 9
COURTELINE, Messieurs les ronds-de-cuir, II, 1.

♦ **2** Fig. Dissimuler. *Avaler sa rage,* ne pas l'extérioriser; dissimuler l'indignation, la colère que l'on éprouve.

Mais, elle s'était tue, avalant sa rage dans un stoïcisme muet, qu'elle garda jusqu'à sa mort. 10
FLAUBERT, Mme Bovary, I, 1.

*Avaler ses mots en parlant :* prononcer indistinctement.

(Sujet n. de chose). Littér. Absorber, faire disparaître.

La nuit nous avala. 10
Jacques LAURENT, les Bêtises, p. 152.

♦ **3** Par métaphore (de 1.), fig. Fam. *Il veut tout avaler,* se dit d'un homme avide, arriviste, présomptueux (fam. un *avale-tout**, un *avale tout-cru*) qui prétend tout conquérir. → **Bouffer**; → Avoir les dents* longues. *Avaler un livre, un roman,* le lire avec avidité. → **Dévorer.**

Pour Pauline, cette dévoreuse de livres, j'aime mieux qu'elle en avale de mauvais que de ne point aimer à lire. 11
Mme DE SÉVIGNÉ, 1255, 15 janv. 1690.

Ceux qui ont beaucoup de temps à eux et beaucoup de livres, en avalent tant qu'ils peuvent et se mettent tant de sortes de choses dans la tête que le Bon Dieu n'y connaît plus goutte. G. SAND, François le Champi, VI. 12

Par métaphore explicite du sens II, 1 :

13 Pour digérer le savoir il faut l'avoir avalé avec appétit.
FRANCE, le Crime de S. Bonnard, p. 430.

(1891, *in* Petiot). Sports. *Avaler l'obstacle,* le franchir sans peine, à vive allure.

*Auto qui avale la route, les kilomètres,* qui roule très vite.

Loc. *Avaler (qqch., qqn) des yeux,* le contempler avec avidité.

14 Ils l'avalent des yeux *(l'huître),* du doigt ils se la montrent (...) LA FONTAINE, Fables, IX, 9.

♦ **4** [a] Fig. Accepter sans critique; croire. *Il avale tout ce qu'on lui raconte. Faire avaler quelque chose à quelqu'un. C'est une histoire difficile à avaler, c'est un peu dur à avaler.* — Loc. Vx. *Avaler qqch. doux comme lait, comme des confitures.*

15 Elle avalait cela plus doux que les confitures (...)
Antoine HAMILTON, Mém. du comte de Gramont, 9.

16 On juge au hasard, on n'examine rien, on avale la calomnie comme du vin de Champagne (...)
VOLTAIRE, Lettre à Damilaville, 15 oct. 1762.

16.2 Prêts à tout avaler sans examen, non par esprit de foi, mais par indifférence et manque de culture.
F. MAURIAC, Bloc-notes 1952-1957, p. 74.

Accepter sans réagir. → **Supporter.** *Une injure difficile à avaler.* REM. La langue classique connaît un emploi de valeur analogue, mais où la métaphore du sens concret reste toujours sensible :

17 La bise de Grignan qui vous fait avaler tous les bâtiments de vos prélats me fait mal à votre poitrine (...)
Mme DE SÉVIGNÉ, 1113, 29 déc. 1688.

18 J'avale ce voyage comme une médecine (...)
Mme DE SÉVIGNÉ, 1154, 23 mars 1689.

19 Monsieur le Prince fut contraint aussi d'avaler des louanges (...) Mme DE SÉVIGNÉ, 799, 12 avr. 1680.

[b] Loc. métaph. ou fig. (où *avaler* a le sens II, 1). *Avaler la pilule, le morceau :* supporter sans protester une chose désagréable.

20 Ma sœur, tout doucement avalez la pilule (...)
J.-F. REGNARD, le Joueur, II, 9.

21 C'est ainsi que son Excellence me dora la pilule, que j'avalai tout doucement, non sans en sentir l'amertume.
A.-R. LESAGE, Gil Blas, XII, 3.

22 (...) j'avalais à longs traits la coupe empoisonnée (...)
ROUSSEAU, les Confessions, IX.

22.1 Je souhaiterais que les colons qui m'ont écrit ces ignobles lettres avalent enfin et digèrent la suprême pilule que me sert l'ingénieur des Mines (...)
F. MAURIAC, Bloc-notes 1952-1957, p. 21.

*Avaler des couleuvres* (cit. 4, 5) : subir des affronts sans protester.

23 Il faut savoir regarder d'un œil sec tout événement, avaler des couleuvres comme de la malvoisie.
CHATEAUBRIAND, Mémoires d'outre-tombe, t. V, XIII.

24 (...) tout occupés qu'ils sont d'avaler l'amère couleuvre.
G. DUHAMEL, Scènes de la vie future, IX, p. 161.

[c] Par métaphore ou figuré. **FAIRE AVALER (qqch. à qqn) :** amener à accepter, supporter. *Ça, tu ne me le feras pas avaler!* — Par métaphore. *Faire avaler le morceau à qqn* (même sens). *Faire avaler des avanies à qqn. Faire avaler la pilule* (→ cit. 31), même sens que ci-dessus : *avaler la pilule.*

25 C'est à vous de l'y résoudre et de lui faire avaler la chose du mieux que vous pourrez (...)
MOLIÈRE, le Médecin malgré lui, III, 6.

26 De ces femmes aux beaux et louables talents
Qui savent accabler leurs maris de tendresse,
Pour leur faire avaler l'usage des galants (...)
MOLIÈRE, Amphitryon, I, 4.

27 Il n'y a rien de si impertinent et de si ridicule qu'on ne fasse avaler lorsqu'on l'assaisonne en louange.
MOLIÈRE, l'Avare, I, 1.

Des poires d'angoisse que vos cruautés me font avaler tous les jours (...) 28
MOLIÈRE, la Comtesse d'Escarbagnas, IV, Billet de M. Tibaudier.

Il faut songer à ceux qui sont plus malheureux que nous, pour nous faire avaler nos tristes destinées. 29
Mme DE SÉVIGNÉ, 793, 26 mars 1680.

Après il faut l'histoire; si on a besoin de lui pincer le nez pour lui faire avaler, je la plains (...) 30
Mme DE SÉVIGNÉ, 1255, 15 janv. 1690.

(...) je comptais bien de lui parler avec adresse, et de lui faire avaler la pilule tout doucement. 31
A.-R. LESAGE, Gil Blas, VII, 4.

Un fâcheux morceau qu'il *(le roi)* voulait faire avaler. 32
SAINT-SIMON, Mémoires, VIII, 13.

On luy a doré la pilule pour la luy faire avaler. 33
FURETIÈRE, Dict.

REM. Alors que le sens dominant dans la langue classique est «faire supporter», les emplois modernes de *faire avaler* correspondent surtout à «faire croire» : *tu ne me feras jamais avaler ça!*

◆ **AVALÉ, ÉE** p. p. adj. (1339, «déprécié»).

♦ **1** Vx (sens I du verbe). Qui tombe. → **Pendant, tombant.** *Avoir les joues avalées, les épaules avalées* (Académie). *Un chien à oreilles avalées.*

Taille courte, cuisses longues, figure avalée, moustache triste (...) 34
CHATEAUBRIAND, Mémoires d'outre-tombe, t. II, p. 72.

Le verrat doit avoir la tête grosse, le groin court et camus, le cou grand et épais, le ventre avalé (...) 35
BUFFON, Hist. nat. des animaux, Le cochon.

Ils avaient tout à fait bonne mine, de grands yeux bleus, les épaules bien avalées, le corps droit et bien planté, plus de taille et de hardiesse que tous ceux de leur âge (...) 36
G. SAND, la Petite Fadette, II.

Loc. *À bride avalée.* → **Bride** (à bride abattue).

♦ **2** (Sens II, plus ou moins croisé avec le sens I). *Lèvres avalées,* pincées (→ ci-dessus, cit. 9).

DÉR. (De I.) **Avalage, avalaison, avalant, avalement, avaloir** (I.), **avaloire, avalure.** — (De II.) **Avalable, avaleur, avaloir** (II.). ◈ COMP. (De II.) **Avale-tout.**

**AVALE-TOUT** [avaltu] n. invar. — 1881, cit.; de *avaler,* et *tout.*

♦ **1** Fam. Personne qui a un grand appétit, qui mange beaucoup.

Avec ça on n'aurait plus faim à la maison. Ces petites avale-tout : Louise et Sophie, pourraient s'en mettre jusque-là de soupe et de pain.
Louise MICHEL, la Misère, t. II, p. 420 (1881).

♦ **2** Fig., vieilli. Personne avide, ou arrogante, qui veut tout avaler (II., 3.). Syn. : *avale-tout-cru.*

**AVALEUR, EUSE** [avalœr, øz] n. — 1422, «ouvrier qui descend le vin»; «glouton», v. 1510; de *avaler.*

♦ **1** Vx. Personne qui avale. → **Avale-tout, glouton.**

Loc. mod. *Avaleur de sabres :* personne, banquiste qui introduit (ou fait mine d'introduire) une lame dans son tube digestif. — *Avaleur de feu.* → **Cracheur** (de feu).

Tout un côté du terre-plein était envahi le soir par des peintres qui essayaient de vendre leurs toiles, par des marchands de ballons rouges : on y voyait même un avaleur de feu. S. DE BEAUVOIR, Tout compte fait, p. 248.

♦ **2** Techn. Dispositif permettant de ramasser quelque chose très rapidement. *Avaleur de spi d'un dériveur léger.*

**AVALISER** [avalize] v. tr. — 1875; de 2. *aval*, a remplacé *avaler*, éliminé par l'homonymie.

♦ **1** Dr. Donner son aval à, cautionner par un aval. *Avaliser un effet de commerce. Avaliser la signature de quelqu'un.*

♦ **2** (V. 1950). Fig. Appuyer, donner caution à. *Avaliser la politique du gouvernement. Nous ne voudrions pas avaliser une décision aussi dangereuse.*

**DÉR. Avaliseur, avaliste.**

**AVALISEUR** [avalizœʀ], **AVALISTE** [avalist] adj. et n. m. — 1934, *avaliseur; avaliste*, 1846; de 2. *aval*.
Dr. Qui donne son aval.

**AVALOIR** [avalwaʀ] n. m. — 1272, t. de pêche; *avaler*.

**I** (De *avaler*, I., «descendre»). Techn. ♦ **1** → **Avaloire.**

♦ **2** (1701). Anciennt. Outil de chapelier servant à faire descendre la ficelle sur la forme.

**II** (1615, n. f.; de *avaler*, II. «faire descendre par le gosier»). ♦ **1** Fam. et vieilli. (E. Sue, *in* T. L. F.). Gosier d'un glouton. *Quel avaloir!* — On a dit aussi *une avaloire*, n. f.

♦ **2** Techn. Partie inférieure du conduit d'une cheminée, de forme tronconique, par où s'échappent les gaz et fumées de combustion. *Avaloir préfabriqué en béton. La hotte* faisait office d'avaloir dans les anciennes cheminées de campagne. Avaloir monobloc.* Par appos. *Hotte avaloir.*

**HOM. À-valoir, avaloire.**

**À-VALOIR** [avalwaʀ] n. m. invar. — XX^e^; de *à*, et *valoir*.
Paiement partiel. → **Acompte.** *C'est un à-valoir sur votre créance.*

Figuré :

Le même élève lorsqu'il commettrait quelque chose de mal pourrait échapper à la punition en remettant en guise de paiement l'à-valoir que sa bonne conduite lui avait valu sur sa mauvaise.
Jacques LAURENT, les Bêtises, p. 386.

**HOM. Avaloir, avaloire.**

**AVALOIRE** [avalwaʀ] n. f. — XIII^e^, *avaleoire; de avaler*.

♦ **1** Techn. Pièce de harnais qui descend derrière les cuisses de cheval de limon et sur laquelle il s'appuie pour freiner le véhicule ou le faire reculer. — On dit aussi *un avaloir*, n. m.

♦ **2** Fam. et vx. Gosier. → **Avaloir,** II., 1.

**HOM. Avaloir, à-valoir.**

**AVALURE** [avalyʀ] n. f. — 1678; de *avaler* «descendre».

♦ **1** Techn. Corne qui pousse normalement autour du sabot d'un cheval, de sa partie supérieure vers sa partie inférieure. *L'avalure progresse d'environ un centimètre par mois; elle est compensée par l'usure due à la marche.*

♦ **2** Rare. Mouvement, forme de ce qui est avalé, de ce qui tombe. «*Une pittoresque avalure de falaise*» (Goncourt).

**AVANCE** [avɑ̃s] n. f. — Fin XIV^e^, «fait d'avancer; avantage, profit»; de *avancer*.

♦ **1** (1473). Vx. Ce qui est en avant, en saillie par rapport à autre chose. *Ce mur forme une avance sur la rue, sort de l'alignement. Cette avance est frappée d'une servitude de reculement.* → **Avancée, bec, pointe.**

Son bon destin, par un très grand hasard, 1
Lui fit trouver une petite avance
Qu'avait un toit (...)
LA FONTAINE, Contes, II, 5.

♦ **2** (1468). Mod. Action d'avancer. **a** Vx. *Avance vers un lieu*, déplacement, marche.

**b** Mod. *L'avance d'une armée. Accroître, ralentir son avance. Arrêter l'avance de l'ennemi. La foudroyante avance des armées allemandes en 1940, des armées alliées en août 1944.* → **Marche, progression.**

C'est toujours à une surprise que les successives avances 2
allemandes furent dues.
GIDE, Journal, 10 mai 1918.

(...) les péripéties et les arrêts de l'avance allemande en 3
Russie (...)
G. DUHAMEL, Cri des profondeurs, VIII, p. 137.

Vx. *Aller à l'avance de quelqu'un* : aller au devant de quelqu'un.

Mod. Techn. Déplacement de l'outil d'une machine-outil vers la partie à travailler.

♦ **3** (1694). Espace qu'on a parcouru avant qqn, distance qui en sépare (dans quelques emplois). *Avoir, prendre de l'avance sur qqn.* → **Gagner.** *Accentuer, garder, perdre son avance. Il augmente son avance à chaque tour de terrain* (→ **Grignoter,** II., 2.). *Le premier coureur a un kilomètre d'avance sur le second.*

À peine séparés par une courte avance, 4
Les fuyards n'avaient plus qu'une faible espérance (...)
LAMARTINE, Jocelyn, III, 7.

(...) si l'on s'arrête — comme j'ai fait, seul, ayant pris de 4.1
l'avance sur le reste de la troupe, perdu dans cette immensité.
GIDE, Voyage au Congo, *in* Souvenirs, Pl., p. 760.

(Dans le temps). Anticipation sur un moment prévu, sur un temps donné. *Une avance d'un quart d'heure sur l'horaire. Avoir une heure d'avance sur ses concurrents.*

(1904, in *Rev. gén. des sc.*, n^o^ 1, p. 31). Techn. *Avance à l'allumage* (dispositif qui déclenche l'allumage un peu avant le temps théorique). Fig. et fam. *Il a de l'avance à l'allumage* : il va vite, il se décide rapidement.

♦ **4** Vx. Avantage.

Ils pourraient bien s'aimer, et je vois... — Franc abus. 5
Pour elle, passe encore, elle a deux ans de plus;
Et deux ans, dans son sexe, est une grande avance.
Mais pour lui, le jeu seul l'occupe tout, je pense (...)
MOLIÈRE, Mélicerte, I, 4.

Iron. *La belle avance!* : à quoi cela avance-t-il? → **Avantage.**

Mod. Régional (Belgique). *Il n'y a pas d'avance à* (faire qqch.), cela n'avance* à rien de.

♦ **5** Loc. adv. **À L'AVANCE :** avant le moment fixé pour l'exécution (d'une opération, d'une combinaison). *Tout a été préparé à l'avance. Repli sur des positions préparées à l'avance. Deux jours; une heure à l'avance.*

**D'AVANCE :** avant le temps, avant un moment quelconque. *Payer d'avance. Merci d'avance.*

**EN AVANCE :** avant le temps fixé, l'horaire prévu (en attribut). *Il est en avance, en avance d'une heure* (opposé à *en retard*). *Être en avance sur son temps. Être, arriver, partir en avance, en avance sur l'horaire.* — Fam. *Très en avance.*

**PAR AVANCE** (littér.) : à l'avance; d'avance. *Éprouver, sentir, ressentir qqch. par avance.*

Dites-moi, de grâce, à l'avance, 6
De quel air il vous plaît que ceci soit traité.
MOLIÈRE, Amphitryon, II, 1.

Oui, je vais à Madame annoncer par avance 7
La part que vous prenez à sa convalescence (...)
MOLIÈRE, Tartuffe, I, 5.

8 (...) J'ai cru vous devoir avertir par avance (...)
RACINE, Bajazet, III, 8.

9 Du trouble de mon cœur jouissant par avance (...)
RACINE, Bajazet, I, 3.

10 Je sens par avance l'horreur des jours qui viendront (...)
Mme DE SÉVIGNÉ, 938, 4 oct. 1684.

11 Hé! quel expédient trouver? Nous avons fait argent de tout; les revenus sont touchés d'avance.
J. F. REGNARD, le Retour imprévu, 4.

12 J'épuise en quelque façon mon malheur d'avance; plus j'ai souffert à le prévoir, plus j'ai de facilité à l'oublier (...)
ROUSSEAU, les Confessions, XI.

13 On sait d'avance ce qu'on va se dire; les âmes s'entendent, les lèvres se taisent.
A. DE MUSSET, la Confession d'un enfant du siècle, III, 6.

14 Prédestiné signifie destiné par avance au bonheur ou au malheur.
BALZAC, Physiologie du mariage, Pl., t. X, p. 639.

15 C'était une habitude parmi les autres, et comme un dessert prévu d'avance, après la monotonie du dîner.
FLAUBERT, Mme Bovary, I, 7.

15.1 La tzigane savait d'avance
Nos deux vies barrées par les nuits
APOLLINAIRE, Alcools, p. 91.

16 Mais je trouvais toujours Bella au pied du vrai arbre ou au centre de la vraie écluse, en avance toujours sur l'heure (...)
GIRAUDOUX, Bella, II.

17 Très en avance, mais non pas très impatient. Il se sentait capable d'attendre bien plus sans éprouver nulle trace d'ennui.
J. ROMAINS, les Hommes de bonne volonté, t. I, p. 66.

18 (...) dans une France non préparée, non minée d'avance (...)
J. ROMAINS, cité par A. MAUROIS, Études littéraires, t. II, p. 157.

19 J'étais maintenant résignée d'avance à tout.
A. MAUROIS, Climats, p. 226.

20 N'est-ce pas qu'il fallait qu'il y eût quelque chose de préétabli, d'harmonieusement réglé d'avance pour nous par ces puissantes influences qui régissent les destinées?
Émile HENRIOT, le Diable à l'hôtel, XXXIX.

♦ **6** (1478). *Une avance :* une somme (prêt ou emprunt) que l'on paye par anticipation. *Faire une avance, des avances* (le plur. est moins courant, à cause du sens 7) *à un employé. Demander une avance sur salaire, sur traitement, sur pension. Avance à titre de provision. Verser telle somme à titre d'avance sur le règlement. Une avance à valoir sur le règlement.* → **Acompte, arrhes, provision.** *Avance bancaire.* → **Crédit, escompte, prêt.** *Avance sur marchandises.* → **Warrant.** *Avance sur titres. Rembourser une avance. Avance du Trésor. Faire à qqn une avance de 1 000 F. Il lui a fait l'avance de son loyer.*

21 Il affectait d'ailleurs de considérer cette aide pécuniaire comme une avance, à lui consentie par son fils, et qu'il rembourserait dès que possible.
MARTIN DU GARD, les Thibault, VII, 20.

22 Joseph et Ferdinand (...) nous ont demandé tous les deux de leur consentir, sur cet argent de la tante Mathilde, une avance assez considérable.
G. DUHAMEL, Chronique des Pasquier, III, 1.

Spécialt. Au plur. *Avances :* fonds investis dans une entreprise. *Faire des avances. Récupérer ses avances.* → **Fonds, investissement, mise.**

23 (...) s'ils *(les Tyriens)* cessaient de faire les grandes avances qui sont nécessaires pour rendre leurs marchandises parfaites (...) FÉNELON, Télémaque, III.

*Avance d'hoirie :* somme consentie en avancement d'hoirie. → **Avancement.**

24 Il dit qu'il retrouvera forcément son argent, mais il aurait besoin d'une avance (...) Il appelle ça une avance d'hoirie (...) F. MAURIAC, le Nœud de vipères, I, 8.

J'ajoutai (...) que par ailleurs, si je n'avais plus de rente à 24.1
payer, l'avance d'hoirie devenait remboursable et que ma part de succession n'y suffirait pas.
Hervé BAZIN, Cri de la chouette, p. 292.

♦ **7** (1662). Plur. **AVANCES :** premières démarches auprès d'une personne pour nouer ou renouer des relations avec elle. → **Approche, démarche, ouverture.** *Faire des avances amicales à qqn. Répondre aux avances de qqn.* — Spécialt (dans le domaine amoureux). *Elle lui a fait des avances.* — Vx. *Faire les avances d'une amitié* (cit. 28, ci-dessous), *faire des avances pour...* (cit. 30), *envers qqn* (cit. 29).

Ce n'est point un effet de la coutume, c'est une obligation 25
de la nature, que les hommes fassent les avances pour gagner l'amitié d'une dame.
PASCAL, Disc. sur les passions de l'amour, p. 135.

Il faut qu'à frais communs se fassent les avances (...) 26
MOLIÈRE, le Misanthrope, III, 1.

Le monde n'est point dupe; et j'en vois qui sont faites 27
À pouvoir inspirer de tendres sentiments,
Qui chez elles pourtant ne fixent point d'amants;
Et de là nous pouvons tirer des conséquences,
Qu'on n'acquiert point leurs cœurs sans de grandes avances,
Qu'aucun pour nos beaux yeux n'est notre soupirant,
Et qu'il faut acheter tous les soins qu'on nous rend.
MOLIÈRE, le Misanthrope, III, 4.

J'ai fait toutes les avances de cette amitié (...) 28
Mme DE SÉVIGNÉ, 119, 10 déc. 1670.

Jamais les Sacramentaires n'avaient fait de si grandes 29
avances envers les Luthériens (...)
BOSSUET, Hist. des Variations, 14.

Elle avait fait toutes les avances pour s'emparer de sa con- 30
fiance
Antoine HAMILTON, Mém. du comte de Grammont, 9.

Comme la bonne Béatrix était une de ces personnes qui 31
sont obligées d'offrir leurs faveurs, parce qu'on ne les leur demanderait pas, je ne fus nullement tenté de profiter de ses avances. A.-R. LESAGE, Gil Blas, IV.

L'impératrice *(Marie d'Aragon, femme d'Othon III)* ayant 32
fait des avances à un jeune comte italien qui les refusa par vertu (...) VOLTAIRE, Essai sur les mœurs, 45.

Qui est-ce qui peut penser que *(la nature)* ait prescrit indif- 33
féremment les mêmes avances aux uns et aux autres, et que le premier à former des désirs doive être aussi le premier à les témoigner? (...) ROUSSEAU, Émile, V.

Une répugnance naturelle m'empêcha longtemps de 34
répondre à ses avances.
ROUSSEAU, les Confessions, VIII.

Soit qu'elle me trouvât trop jeune, soit qu'elle ne sût point 35
faire les avances, soit qu'elle voulût sérieusement être sage, elle avait alors une sorte de réserve qui n'était pas repoussante, mais qui m'intimidait sans que je susse pourquoi.
ROUSSEAU, les Confessions, II.

Son amour-propre ne se révolta pas un instant de ce que 36
je ne répondais pas à tant d'avances, car l'orgueil sort du cœur le jour où l'amour y entre (...)
Th. GAUTHIER, Mlle de Maupin, VII.

Nos communes avances raccourcirent de moitié la route 37
que l'orgueil de chacun de nous avait à faire.
R. RADIGUET, le Diable au corps, p. 27.

(...) par manque de temps, je refusais beaucoup d'avances. 37.1
J'oubliais ensuite, pour la même raison, mes refus. Mais ces avances m'avaient été faites par des gens dont la vie n'était pas pleine et qui, pour cette même raison, se souvenaient de mes refus. CAMUS, la Chute, p. 93.

(...) dès qu'ils ont compris mon geste (...) alors ce sont des 37.2
cris, des hurlements, des trépignements, de la part des femmes surtout, un délire d'étonnement et de joie que le voyageur blanc consente à tenir compte de leurs avances, y réponde avec cordialité.
GIDE, Voyage au Congo, *in* Souvenirs, Pl., p. 732.

REM. Cet emploi connote de nos jours l'affectivité ou l'érotisme; il ne s'emploierait guère que par allusion plaisante ou stylistiquement dans le domaine des relations intellectuelles, d'affaires, etc. (→ ci-dessus, cit. 29).

On trouve aussi dans la langue classique un emploi analogue au singulier :

38 Je n'aime point qu'on me fasse d'avance (...)
LA FONTAINE, Contes, «La courtisane amoureuse».

CONTR. **Creux, renfoncement. — Recul, repli, retraite. — Arrêt. — Retard.**

**AVANCÉ** n. m. ou **AVANCÉE** n. f. [avɑ̃se] — 1771, fortif., n. f.; de *avancer.*

**I** N. f. **AVANCÉE.** ♦ **1** Partie en avant, qui forme saillie (syn. de *avance* et *avancement* au sens 1). *L'avancée d'un toit* (avant-toit). *L'avancée d'un môle.* → **Musoir.**

0.1 (...) j'allais attendre ma mère à la sortie de la messe, à San Moïse, dont la façade tout en avancées, en retraits, tout en hors-d'œuvre, était blanche (...)
Paul MORAND, Venises, p. 36.

Petit poste situé en avant de la porte d'une citadelle, d'une place forte.

1 (...) Je vois de loin les soldats à leur poste; j'accours (...) Il était trop tard. A vingt pas de l'avancée, je vois lever le premier pont. ROUSSEAU, les Confessions, I.

♦ **2** Techn. Partie la plus avancée, extrémité d'une galerie de mine qu'on creuse.

♦ **3** Techn. (Pêche). Partie de la ligne qui est près de l'hameçon. → **Bas-de-ligne.**

♦ **4** Fait d'avancer. → **Marche, progression.**

(Choses) :

2 Sous les stratifications de cailloux, au plus profond, c'est toujours le roc. La cassure millénaire qui court le long de la terre, et que l'avancée imperceptible de la masse de la rivière use, use sans repos.
J.-M. G. LE CLÉZIO, la Fièvre, p. 177.

(Personnes). *L'avancée d'une armée.* → **Avance.**

**II** (1931, n. m.). Ski. **UN AVANCÉ,** n. m.; ou **UNE AVANCÉE,** n. f. : flexion vers l'avant que fait le skieur pour effectuer certains mouvements (dérapages, virages) ou pour maintenir son équilibre (changement de pente, changement de qualité de neige, etc.). *Prendre de l'avancé. Position d'avancé.* → **Agenouillement,** cit. 5 (opposé à *recul*).

3 *L'avancé* du skieur, cette position très inclinée qu'il lui faut prendre pour alléger l'arrière de ses skis, et qu'il doit accentuer d'autant plus que la pente est plus forte.
François GAZIER, les Sports de la montagne, p. 78.

**AVANCEMENT** [avɑ̃smɑ̃] n. m. — 1174, «progrès, marche en avant» (fig.); 1290, «avance d'argent»; de *avancer.*

♦ **1** (Av. 1570). Vx. Partie en saillie. → **Avance, avancée.** *L'avancement d'une jetée. L'avancement d'un toit.*

Fait d'être en avant, en saillie. *«L'avancement, le retrait des saillies étaient voulus»* (Élie Faure, *in* T. L. F.).

♦ **2** Mouvement en avant, position qui en résulte. *L'avancement d'un pied devant l'autre. Position d'avancement* (danse), les pieds se présentant l'un devant l'autre. — *Résistance à l'avancement.*

0.1 Puis, il repartit, avec une furie nouvelle, jetant un chiffre de la main à chaque enchérisseur, surprenant les moindres signes, les doigts levés, les haussements de sourcils, les avancements de lèvres, les clignements d'yeux (...)
ZOLA, le Ventre de Paris, t. I, p. 154-155.

♦ **3** Littér. Fait d'avancer, de progresser (dans l'espace). *L'avancement de l'heure.*

Fait d'être en avance. *«Le retard ou l'avancement des saisons»* (E. de Guérin, *in* T. L. F.).

♦ **4** État de ce qui avance, progresse (dans le temps). → **Progrès.** *L'avancement des travaux. L'état d'avancement des plans.*

♦ **5** Littér. Progrès dans le domaine moral. → **Amélioration, développement, élévation, perfectionnement.** *L'avancement d'une personne; son avancement moral. L'avancement des techniques, des connaissances.* → **Progrès.**

(...) Pour moi; qui toujours penche plus fortement 1
Vers l'imperfection que vers l'avancement.
CORNEILLE, l'Imitation de J.-C., 4078.

Tout l'ouvrage de votre avancement spirituel est arrêté par 2
ce déréglement.
BOSSUET, Avantages de la retraite, *in* LITTRÉ.

Les grandes choses que le Roi a faites pour l'avancement 3
de la religion catholique.
RACINE, Hist. de Port-Royal.

(...) il ne paraît pas que l'avancement des connaissances 4
et la multiplicité des inventions aient beaucoup amélioré les mœurs. FRANCE, la Vie en fleur, XXVIII.

Il est presque inévitable que les vertueux de profession 5
se fassent une idée exagérée de la valeur de leurs actes, qu'ils se constituent les juges de leur propre avancement, et que se comparant aux autres, leur propre vertu ne leur donne parfois le vertige.
F. MAURIAC, la Pharisienne, p. 230.

♦ **6** (1762; «enrichissement», 1690). Cour. Fait de s'élever dans la voie hiérarchique ou dans celle des honneurs (en parlant d'une personne). → **Promotion.** *Son avancement est compromis. Avancement dans la carrière administrative. Avancement des fonctionnaires, des militaires. Avancement à l'ancienneté ou au choix. Tableau d'avancement. Avoir, obtenir, recevoir de l'avancement. Il vient d'avoir de l'avancement. Fêter son avancement. Donner de l'avancement à qqn.*

Je vous souhaite l'avancement que vous méritez, et au roi 6
beaucoup d'officiers qui pensent comme vous.
VOLTAIRE, Lettre à La Motte-Geffard, 25 juil. 1762, *in* LITTRÉ.

(...) comme il ne parlait jamais de lui-même, on n'avait 7
point pensé à lui et il n'avait point eu d'avancement.
A. DE VIGNY, Servitude et Grandeur militaires, III, 8.

Le jeune Racine songe à son avancement, ainsi que tous 8
les garçons de son âge.
F. MAURIAC, la Vie de Jean Racine, II.

Pour demeurer auprès de leur famille, les Bordas avaient 9
renoncé à un avancement qui eût été rapide.
F. MAURIAC, le Sagouin, II.

Vers la fin du mois d'octobre, Lapeyre, qui venait de rece- 10
voir de l'avancement, fut changé d'affectation.
G. DUHAMEL, Récits des temps de guerre, t. II, p. 177.

♦ **7** Dr. **AVANCEMENT D'HOIRIE :** libéralité faite à un héritier présomptif, par anticipation, sur ce qui doit lui revenir dans la succession du donateur. *Donation en avancement d'hoirie.* → **Avance** (d'hoirie).

CONTR. **Creux, renfoncement. — Recul, reculement, rétrogradation. — Décadence, déchéance. — Arrêt, stagnation.**

**AVANCER** [avɑ̃se] v. [CONJUG.: *placer.*] — XII^e; du lat. pop. **abantiare,* de *abante.* → Avant.

**I** V. tr. ♦ **1** (1278). Pousser, porter en avant. *Avancer une chaise. Avancer un pion sur l'échiquier. Avancer la main, la joue* (par rapport à qqch., vers qqn). → **Tendre.** *Avancez votre fauteuil, approchez-vous.* → **Rapprocher.** *La voiture de Madame est avancée. Avancer les lèvres en faisant la moue.*

Et pour le désarmer il avance le bras (...) 1
RACINE, la Thébaïde, V, 3.

Le luthier pose, avance ou recule l'âme d'un violon sous 2
le chevalet (...)
VOLTAIRE, Questions sur l'Encyclopédie, Âme.

Il tendit la main, elle avança la sienne, et de ses lèvres, il 3
effleura le bout des doigts gantés.
MARTIN DU GARD, les Thibault, III, 2.

3.1 — Le gérant me prie de vous dire que M. et Mme Mortimer ont fait avancer leur voiture.
G. SIMENON, Pietr-le-Letton, p. 69.

♦ **2** (1299). Fig. Proposer, exprimer à titre de proposition, d'hypothèse. → Mettre en avant*. *Avancer une proposition, une thèse. C'est à celui qui avance un fait à le prouver.* → **Affirmer, alléguer, énoncer, prétendre.** *Soutenir, prouver ce qu'on avance. Ce qu'il avance est insoutenable.* → **Allégation**(s).

4 N'est-ce pas une témérité insupportable d'avancer des impostures si noires non seulement sans la moindre preuve mais sans la moindre ombre et sans la moindre apparence? PASCAL, les Provinciales, 2.

5 Je n'avance rien que je ne prouve (...)
PASCAL, les Provinciales, 7.

6 Maintenant il faut que j'appuie
Ce que j'avançai lors de quelque trait encor.
LA FONTAINE, Fables, IX, 10.

7 J'ai pris soin de ne rien avancer qui ne fût conforme à l'histoire des Turcs. RACINE, Bajazet, 1re préface.

8 Des raisons qu'on aurait honte d'avancer devant des hommes sérieux (...) MASSILLON, Conv., *in* LITTRÉ.

9 Lorsqu'on avance que la légitimité arrivera forcément, qu'on ne saurait se passer d'elle, qu'il suffit d'attendre, pour que la France à genoux vienne lui crier merci, on avance une erreur.
CHATEAUBRIAND, Lettre à Mme la Dauphine, 30 juin 1833, *in* Mémoires d'outre-tombe, t. VI, p. 147.

♦ **3** (XVIe). Faire arriver avant le temps prévu ou normal. *Avancer l'heure du dîner, le dîner.* → **Hâter; accélérer, précipiter.** *Il a avancé la date de son retour.* → **Anticiper.**

10 Le temps (...) d'un pas insensible avancera la mort,
Qui bornera ma peine au repos de la tombe (...)
MALHERBE, V, 2, *in* LITTRÉ.

11 Et pour avancer tout, hâte cet entretien (...)
CORNEILLE, Nicomède, I, 4.

12 J'attendais vendredi de vos lettres (...) J'ouvre mes paquets, je n'en trouve point; je pensai m'évanouir (...) Le moyen d'attendre et d'avancer les moments jusqu'à lundi?
Mme DE SÉVIGNÉ, 508, 1er mars 1676.

13 (...) elles me prient de leur fixer dès à cette heure le temps de mon départ, afin d'avancer leur joie.
Mme DE SÉVIGNÉ, 1255, 15 janv. 1690.

14 Sa mort avancera la fin de mes ennuis (...)
RACINE, Andromaque, I, 4.

15 Je sais que j'ai moi seule avancé leur ruine.
RACINE, Britannicus, I, 1.

16 Je veux même avancer l'heure déterminée.
RACINE, Athalie, III, 6.

17 Qu'elle nous parut au-dessus de ces lâches chrétiens qui s'imaginent avancer leur mort quand ils préparent leur confession (...)
BOSSUET, Oraison funèbre de Henriette-Anne d'Angleterre.

18 N'est-il pas quelquefois des maladies désespérées à un point que les remèdes ne peuvent qu'avancer la mort?
ROLLIN, Hist. ancienne, t. VIII, p. 55.

Spécialt. *Avancer une montre, une horloge, une pendule,* lui faire marquer une heure plus tardive.

♦ **4** Faire progresser* qqch. *Avancer son travail, son ouvrage. Avancer ses affaires.* → **Gagner** (du terrain).

19 Je n'ai pu rien avancer par un long discours (...)
DESCARTES, Rép. 2., *in* LITTRÉ.

20 *(Ce métal)* En amour, comme en guerre, avance les conquêtes (...) MOLIÈRE, l'École des femmes, I, 4.

21 (...) ayant si utilement travaillé, il en a aussi avancé l'exécution *(de ces grandes décisions).*
BOSSUET, Oraison funèbre de Nicolas Cornet.

22 Pendant que notre victorieux monarque avance tous les jours l'ouvrage de la paix par ses victoires (...)
BOSSUET, Panégyrique de sainte Thérèse, *in* LITTRÉ.

23 L'hôtesse (...) devint furieuse, et ses brutalités avancèrent encore mes affaires auprès de la petite, qui, n'ayant d'appui que moi seul dans la maison, me voyait sortir avec peine et soupirait après le retour de son protecteur.
ROUSSEAU, les Confessions, VII.

*Avancer la production d'un arbre fruitier.* → **Forcer** (forçage), **activer, pousser.**

(Sujet n. de chose; compl. pron. pers.). **AVANCER (qqn) à... :** lui être utile pour..., lui apporter un avantage pour... (le compl. en *à* est un pron. indéf. *(rien, quelque chose),* un interrog. *(quoi)* ou certaines complétives). *À quoi cela vous avancera-t-il? Cela ne nous a avancés à rien.*

JACOB.— Dire qu'on aime n'avance à rien. Tu vas voir ton amant mourir. 23.1
TESSA.— Aimer avance à tout, je vais voir mon amant sauvé. GIRAUDOUX, Tessa, I, I, 13.

♦ **5** *Avancer de l'argent, une somme d'argent :* payer par avance. *J'ai avancé ces fonds pour son compte. Avancer de l'argent à qqn.* → **Prêter.**

J'espère que vous voudrez bien prendre la peine d'avancer pour nous les mois qu'il faudra à la nourrice. 24
RACINE, Lettres.

**II** V. intr. (XIIIe). **A** (Spatial). ♦ **1** (Avec mouvement). Aller, se porter en avant. *Avancer lentement, rapidement... Avançons!* → **Aller, marcher.** *Avancer pas à pas.* → Piocher, cit. 1. *Avancer d'un pas. Avancer avec difficulté. Ne pas avancer d'une semelle.* → **Piétiner** (→ aussi Marcher, cit. 26). *Avancer sur l'eau.* → **Glisser.** *Avancez vers moi, avancez!* → **Approcher, venir.**

Allons, monsieur, la révérence. Votre corps droit... L'épaule gauche plus quartée. La tête droite. Le regard assuré. Avancez. Le corps ferme... Avancez. Partez de là... 25
MOLIÈRE, le Bourgeois gentilhomme, II, 2.

Au-delà de ce lieu gardez-vous d'avancer; 26
C'est des ministres saints la demeure sacrée (...)
RACINE, Athalie, III, 2.

Par mon ordre en ces lieux elle avance vers vous (...) 27
VOLTAIRE, Tancrède, I, 2.

Enfin *(sous le feu de l'artillerie française)* les Russes s'arrêtèrent, n'osant avancer davantage et ne voulant pas reculer (...) Ph.-P. SÉGUR, Hist. de Napoléon, VII, 10. 28

Les horizons aux horizons succèdent : 29
On avance toujours, on n'arrive jamais (...)
HUGO, Caravane.

Nous avancions en silence et gravissions péniblement, pendus aux crins de nos chevaux, de longs escarpements dont chacun nous coûtait une heure à franchir. 30
E. FROMENTIN, Un été dans le Sahara, p. 13.

(...) les rivières où des barques s'évertuent sans avancer. 31
PROUST, À la recherche du temps perdu, t. IV, p. 69.

Une troupe qui ne peut plus avancer, devra, coûte que coûte, garder le terrain conquis et se faire tuer sur place plutôt que de reculer. 32
JOFFRE, Message du 6 sept. 1914.

*Faire avancer (qqch., qqn),* en menant, emportant, tirant, poussant. *Faire avancer un tonneau en le roulant.* → **Pousser.** *Faire avancer les troupes. Faire avancer sa voiture.* → **Approcher.**

♦ **2** (Statique). Être placé en avant, faire saillie (→ **Avancée, avancement**). *Ce cap avance loin dans la mer. Le balcon avance d'un mètre sur le mur.* → **Saillir; déborder, dépasser, sortir** (en dehors). *Les rochers avancent au-dessus de nos têtes.* → **Surplomber.** *Ses labours avancent sur le champ du voisin.* → **Empiéter, gagner, mordre.**

M. de Monaco avait un gros ventre en pointe qui faisait peur, tant il avançait en saillie. 33
SAINT-SIMON, Mémoires, XXVI, 1697, Pl., t. I, p. 368.

La lèvre inférieure *(de Stendhal)* avançait légèrement (...) 34
SAINTE-BEUVE, *in* STENDHAL, De l'amour, Préface, p. 38.

(...) Ottomar et Abraham aiment tous deux 34.1
Lia aux yeux de brebis et dont le ventre avance un peu.
APOLLINAIRE, Alcools, p. 115.

**B** (Temporel). ♦ **1** Avoir déjà fait beaucoup. → **Progresser.** *Avancer dans son travail. Il se tue de travail et n'avance pas.* — (Choses). Aller vers son achèvement (→ ci-dessous, cit. 37). *L'ouvrage avance lentement; n'avance guère. Ça n'avance pas, pressons!*

35 Vous avancerez plus en m'importunant moins (...)
CORNEILLE, Polyeucte, III, 4.

36 Chacun avance plus ou moins selon son génie, son goût, ses besoins, ses talents, son zèle (...)
ROUSSEAU, Émile, I.

37 Vers la fin de novembre, voyant que les réparations de ma chaumière n'avançaient pas, je pris le parti de les aller surveiller.
CHATEAUBRIAND, Mémoires d'outre-tombe, t. III, V, p. 4.

38 (...) le travail réglé, la tâche quotidienne et le devoir qu'on s'est fait d'avancer d'un pas chaque jour dans son œuvre.
ZOLA, Discours à la jeunesse.

♦ **2** S'écouler, être en train de passer (temps) approcher de sa fin (durée). *La nuit avance, il est déjà bien tard.*

39 Je suis toujours très languissant, mon âge avance, ma force diminue, mais mon attachement pour vous ne diminuera jamais.
VOLTAIRE, Lettre au marquis d'Argence, 21 mars 1767.

(Personnes; êtres animés). *Avancer en âge.* → **Vieillir.**

40 Avancer en âge, c'est s'enrichir d'habitudes, se soumettre aux automatismes profitables; c'est connaître ses limites et s'y résigner. F. MAURIAC, le Jeune Homme, p. 15.

♦ **3** Être en avance. *Ma montre avance* (opposé à *retarder*). *La pendule avançait de 10 minutes.*

40.1 Les journaux sont comme certaines montres qui ont la manie d'avancer, et ils avaient prématurément annoncé l'achèvement de la ligne.
J. VERNE, le Tour du monde en 80 jours, p. 79.

**C** (Métaphore de A.). Abstrait. Progresser. *Les connaissances, les idées ont beaucoup avancé depuis.*

Spécialt. (Personnes). Obtenir de l'avancement. *Avancer en grade.* — Absolt. Rare. *Il a trop de protecteurs pour ne pas avancer* (Académie).

40.2 Il *(le peuple)* appelle faire fortune, se pousser. «Mon fils, mon neveu se poussera.» Les honnêtes gens disent, s'avancer, avancer, arriver, termes adoucis, qui écartent l'idée accessoire de force, de violence, de grossièreté, mais qui laissent subsister l'idée principale.
CHAMFORT, Maximes et Pensées, p. 22 (1794).

◆ **S'AVANCER** v. pron. (1155, *sei avancier,* fig. «progresser»).

♦ **1** (1172). Aller, se porter en avant. *Le voici qui s'avance vers nous.* → **Approcher, venir.** *S'avancer en procession. Il s'avança jusqu'à l'eau. S'avancer péniblement.* → **Traîner** (se).

41 Quand notre dictateur devant les rangs s'avance (...)
CORNEILLE, Horace, I, 3.

42 *(Ils)* Trouvent l'ours qui s'avance et vient vers eux au trot.
LA FONTAINE, Fables, V, 20.

43 Un autre bataillon s'est avancé vers nous (...)
RACINE, Mithridate, V, 5.

44 On voit ces hommes dévoués s'avancer résolument contre des milliers d'ennemis, sur une position formidable.
Ph.-P. SÉGUR, Hist. de Napoléon, X, 4 (→ Assaut, cit. 4).

45 (...) il faut la voir s'avancer à petits pas, mais droite, la tête haute, son grand œil hardiment levé sur moi (...)
E. FROMENTIN, Un été dans le Sahara, p. 150.

46 (...) cet équipage difficile à mener s'avance avec des à-coups, des arrêts, des sauts et des ruades.
LOTI, Figures et Choses..., V.

♦ **2** Fig. Émettre des idées peu sûres, peu fondées, ou compromettantes. *Tu t'avances, en affirmant qu'il sera élu.* → **Hasarder** (se). *Il ne s'est jamais trop avancé.* → **Compromettre** (se), **engager** (s'). *S'avancer à dire, s'avancer jusqu'à dire que...*

Il y en avait même qui s'avançaient jusqu'à dire qu'il n'était pas sûr que ce prince voulût avouer une action aussi hardie (...) 47
VERTOT, Hist. des révolutions du Portugal, p. 95, *in* LITTRÉ.

On s'était trop avancé pour reculer. 48
MICHELET, Hist. de la révolution franç., t. II, p. 1070.

Elle était coquette, cependant, d'une coquetterie agressive et prudente qui ne s'avançait jamais trop loin. 49
MAUPASSANT, Fort comme la mort, p. 28.

♦ **3** (1559). Choses. Faire saillie. → **Forjeter.** *La façade de l'église s'avance sur la rue. Un piton rocheux s'avance dans la mer.*

Le vieux petit café (...) s'avançant sur pilotis vers l'eau tranquille, n'avait pas changé (...) 50
LOTI, les Désenchantées, III, 11.

(...) une plante charnue avec des feuilles en forme de main qui s'avancent au-dessus de lui (...) 50.1
A. ROBBE-GRILLET, la Maison de rendez-vous, p. 27.

♦ **4** (Personnes). Vx. Progresser. *S'avancer dans la carrière, dans les honneurs* (→ ci-dessus, Avancer, cit. 40.2).

S'avançant ardemment dans la carrière qu'il s'est proposée (...) 51
BOSSUET, Panégyrique de sainte Thérèse, *in* LITTRÉ.

Entrer dans la carrière veut dire : s'avancer dans le chemin de la vie. J. VALLÈS, le Bachelier, p. 7. 52

«Dans l'ascension sans fin des êtres vers l'Esprit», songeait-elle, accablée, «chacun de nous doit s'avancer seul, d'épreuve en épreuve, et souvent d'erreur en erreur sur le chemin qui, de toute éternité, lui est réservé comme sien (...)» MARTIN DU GARD, les Thibault, III, 9. 53

Vieilli. *S'avancer dans un travail, dans la connaissance d'un art. S'avancer dans les charges,* et, absolt, *s'avancer :* réussir.

Souffre que dans leur art s'avançant chaque jour, 54
Par leurs ouvrages seuls ils te fassent leur cour.
MOLIÈRE, la Gloire du Val-de-Grâce.

Le service et le bien de l'État étaient le moyen le plus sûr pour s'avancer dans les charges (...) 55
BOSSUET, Hist., III, 6, *in* LITTRÉ.

(...) le mérite est dangereux dans les cours à qui veut s'avancer. LA BRUYÈRE, les Caractères, VIII. 56

♦ **5** (Temps). S'écouler. *L'heure s'avance. La nuit s'avance rapidement.*

(Personnes). Vx. *S'avancer en âge* (on dit aujourd'hui *avancer*).

Encore si la saison s'avançait davantage! 57
Attendez les zéphyrs (...)
LA FONTAINE, Fables, IX, 2.

Cependant Moïse s'avançait en âge. 58
BOSSUET, Hist., I, 2, *in* LITTRÉ.

◆ **AVANCÉ, ÉE** p. p. adj. (1507, «avantagé»).

♦ **1** Qui est placé en avant ou en saillie. → **Saillant.**

Le nez est la partie la plus avancée (...) du visage. 59
BUFFON, Hist. nat. de l'homme, Le nez.

Milit. *Poste avancé,* situé en avant des lignes, près de l'ennemi. → **Avant.** *Ouvrage avancé :* ouvrage de fortification qui n'est pas contigu au corps de la place et qui contribue à la couvrir.

Flanquée d'un bastion avancé au Nord-Est où la Hollande vivait sous notre protectorat, la République s'était trouvée, également, flanquée d'un bastion avancé au Sud-Est, le bastion italien. 60
Louis MADELIN, Hist. du Consulat et de l'Empire, t. VI, X.

*Sentinelle avancée.*

♦ **2** (XVI<sup>e</sup>). Qui est en avance (sur les autres). *Une végétation avancée pour la saison. Un enfant avancé pour son âge.* → **Précoce.**

61 Je suis étonné qu'on vous montre en rhétorique les fables de Phèdre, qui semblent une lecture plus proportionnée à des gens moins avancés (...)
RACINE, Lettre à son fils.

62 Quoique jeune, je me sentais capable de me conduire prudemment. Je puis dire que j'étais bien avancé pour mon âge. A.-R. LESAGE, Gil Blas, V, 1.

Perfectionné. *Technique, civilisation avancée.*

♦ **3** (1839). *Opinions, idées avancées,* qui sont à l'avant-garde des idées du temps (souvent iron. et péj.). — *Un homme avancé,* qui professe des opinions avancées.

62.1 Vous me paraissez un peu molle comme citoyenne libre; moi, je suis avancée, tout à fait avancée ! Voyez-vous, il faut lutter pour la suprématie féminine, l'avenir est là !
A. ROBIDA, le Vingtième Siècle, p. 162.
REM. Cet ouvrage, écrit en 1883, est une anticipation.

63 Bonhomme au fond, il n'avait jacobinisé et terrorisé, lui aussi, que par la peur de ne point paraître assez avancé et d'y laisser sa tête (...)
Louis MADELIN, Hist. du Consulat et de l'Empire, t. III, VIII.

64 Le libéralisme fait désormais figure auprès des gens avancés ou qualifiés tels, de doctrine démodée.
André SIEGFRIED, l'Âme des peuples, I, 2.

65 La dame parlait d'une voix puissante, et, faisant état d'opinions qu'elle disait «avancées» (...)
G. DUHAMEL, le Voyage de P. Périot, IX.

65.1 Au cours de ses études, la jeune fille s'était trouvée mêlée à un monde d'étudiants et d'étudiantes dont les doctrines très avancées avaient déteint sur elle (...)
Raymond ROUSSEL, Impressions d'Afrique, p. 410.

♦ **4** Vx. Qui se produit avant terme. *Couches avancées.* → **Prématuré.**

66 L'agitation continuelle (...) fait une couche avancée, qui est très souvent mortelle.
M^me^ DE SÉVIGNÉ, 164, 6 mai 1671.

♦ **5** Qui se rapproche du terme, du but, touche à sa fin, à sa conclusion. *Son ouvrage est déjà très avancé. La construction est bien avancée.*

67 (...) je ne le trouverais pas beaucoup avancé pour son salut.
PASCAL, Pensées, t. III, VIII, 556.

68 *(Notre travail sur)* Charles VIII est fort avancé ; les guerres de Bretagne sont sur leur fin (...) Ainsi nous touchons à François I^er^. LA BRUYÈRE, À Condé, 3 avr. 1685.

69 Du projet d'un hymen déjà fort avancé (...)
BOILEAU, Satires, X.

70 (...) quoiqu'il y eût déjà cinq ou six ans que je travaillais à cet ouvrage, il n'était encore guère avancé.
ROUSSEAU, les Confessions, IX.

71 Les choses étaient trop avancées pour qu'on voulût en avoir le démenti. ROUSSEAU, les Confessions, II.

(Personnes). Loc. *En être plus avancé :* tirer un avantage, avoir progressé.

Iron. *Vous voilà bien avancé ! :* ce que vous avez fait ne vous a servi à rien. → **Content, satisfait.**

72 Quand vous saurez parler de comédies et de romans, vous n'en serez guère plus avancé pour le monde.
RACINE, Lettres.

73 Quel regret de s'être fait tant de violence, et de n'en pas être plus avancé pour le ciel !
MASSILLON, Mort, *in* LITTRÉ.

73.1 Je voudrais bien savoir pourquoi, au moins.
Tu en seras bien plus avancé ! dit Athos.
DUMAS, les Trois Mousquetaires, t. I, p. 235.

73.2 J'ai compris que je n'avais pas d'amis. Du reste, même si j'en avais eu, je n'en serais pas plus avancé.
CAMUS, la Chute, p. 87.

♦ **6** (Temps). Dont une grande partie est écoulée. *La saison, la nuit est déjà bien avancée. À une heure avancée de la nuit.* → **Tardif.** *Il est d'un âge* (cit. 39) *très avancé.* — (Personnes). *Il, elle est très avancé(e) en âge* (même sens). Vx. *Avancé dans la vie, dans la vieillesse.* → **Âgé, vieux.**

Comme il était déjà assez avancé dans la vieillesse, il accepta la condition aisément. 74
CORNEILLE, Au lecteur de Pulchérie.

Je me trouve un peu avancé en âge pour elle. 75
MOLIÈRE, le Mariage forcé, 8.

Quand il fut avancé en âge (...) 76
BOSSUET, Hist., III, 3, *in* LITTRÉ.

Et dans l'âge avancé 77
Le présent s'embellit des vertus du passé (...)
SAINT-LAMBERT, Saisons, Hiver, *in* LITTRÉ.

D'ailleurs la saison est fort avancée (...) 78
ROUSSEAU, Julie ou la Nouvelle Héloïse, I, 22.

La nuit était avancée, il était deux heures. 79
MICHELET, Hist. de la révolution franç., p. 216.

♦ **7** Qui commence à se gâter. *Ce poisson est un peu avancé ! Viande avancée.*

(...) au bout d'un moment l'odeur âcre de tabac s'affaiblit, 80
le lavabo se remettant tranquillement à puer, la suffocante puanteur de latrines, de melon avancé et d'huile rance refluant de nouveau (...)
Claude SIMON, le Palace, p. 140.

Plaisant (en parlant d'une personne) :

(...) or, hier soir, plus vieux de quatre ou cinq années, je 81
me suis apparu à moi-même beaucoup moins avancé (au sens de faisandé) que dans le film.
F. MAURIAC, le Nouveau Bloc-notes 1958-1960, p. 158.

CONTR. **Éloigner** (s'), **reculer, replier** (se), **retirer** (se), **rétrograder. — Arrêter, contenir. — Arrêter** (s'), **piétiner. — Attarder** (s'). **— Arriérer, différer, retarder. — Rentrer** (angle rentrant). **— Emprunter, rembourser.** ◊ DÉR. **Avance, avancé, avancée, avancement, avançon.**

**AVANÇON** [avɑ̃sɔ̃] n. m. — 1846; de *avancer.*

Pêche. Petite allonge qu'on fixe sur les lignes de fond (→ **Harouelle**) pour recevoir les hameçons. → **Avancée** (I., 3.).

Pour la pêche en mer, l'empile qui est appelée avançon, ou empis par les morutiers, est faite de chanvre tressé ou de métal. Celle utilisée pour la pêche en eau douce, désignée aussi sous le nom de bas-de-ligne ou avancée est faite de soie ou de crin.
R. GRUSS, Dict. de marine, art. *Empile.*

**AVANIE** [avani] n. f. — 1287, *aveinie,* attestation isolée ; *avanye,* 1557 ; ital. *avania,* du grec médiéval ; p.-ê. de l'arabe *hăwānāh* «traîtres» ; la première attestation correspondant probablement à l'anc. franç. *venie* «pénitence».

♦ **1** Vx. (Au plur.). Mauvais traitements que les Turcs infligeaient aux chrétiens dans le Levant (notamment pour leur extorquer de l'argent).

Les Vénitiens avaient fait jusque-là le commerce des Indes 1
par le pays des Turcs et l'avaient poursuivi au milieu des avanies et des outrages.
MONTESQUIEU, l'Esprit des lois, XXI, 21.

Au sens mod., mais avec une allus. à l'étymologie :

J'avais été prévenu de ne me laisser jamais plaisanter par 2
un Turc, si je ne voulais m'exposer à mille avanies (...)
CHATEAUBRIAND, Itinéraire..., 57.

♦ **2** (1713, *avanie*). Mod. Traitement humiliant, affront public. → **Affront, brimade, humiliation, insulte, offense, outrage, vexation.** *Faire, infliger une avanie à qqn. Essuyer, recevoir, souffrir, subir une avanie.* — Plus cour. au plur. *Supporter les avanies de quelqu'un.*

La dîme royale le délivrerait *(le peuple)* tout d'un coup de 3
toutes les vexations et avanies des collecteurs, des receveurs des tailles et de leurs suppôts (...)
VAUBAN, Projet d'une dîme royale, p. 57.

Il *(Pétion)* reçut une avanie ; les gardes nationaux du 4
bataillon des Filles Saint-Thomas l'accablèrent d'injures et de menaces (...)
MICHELET, Hist. de la Révolution franç., t. I, p. 929.

5 Un homme sorti de si bas, et qui avait dû essuyer tant d'avanies jusqu'au jour de sa fortune, était cuirassé contre les humiliations.
R. ROLLAND, Musiciens d'autrefois, p. 111.

6 (...) j'ai tout supporté, les fatigues, les dangers, les coups, les avanies, la prison, tout.
MARTIN DU GARD, les Thibault, III, 14.

7 Nulle avanie ne lui fut épargnée.
Valery LARBAUD, Fermina Marquez, IX.

CONTR. **Attention, prévenance, service.**

**AVANT** [avɑ̃] prép., adv., n. m. — Xe, comme adv. temporel «auparavant»; 1000, comme prép. au sens spatial, puis au sens temporel (fin XIIIe); lat. impérial *abante;* de *ab,* et *ante* «avant».

**I** (Opposé à *après,* I.). Préposition qui marque : ♦ **1** Priorité de temps, antériorité (→ les préf. Anté-, anti-, pré-; avant-, I.). *Avant le jour. Avant la nuit. Avant le déluge. Avant la guerre. Trois jours avant les examens. Peu avant son évasion. Avant le café du matin. Dès avant la fin de l'année. Arriver avant (qqn).* → **Devancer, précéder.** *Avant cela. Avant 10 heures. Avant 1789. Avant Jésus-Christ* (abrév. : *av. J.-C.*). *Qui arrive avant le temps prévu.* → **Précoce, prématuré.** *S'inscrire avant l'âge* (normal). *Arriver avant l'heure* (prévue). *Les enfants mangeront avant les adultes.*

1 Le père mort, les fils vous retournent le champ,
Deçà, delà, partout, si bien qu'au bout de l'an
Il en rapporta davantage.
D'argent, point de caché, mais le père fut sage
De leur montrer, avant sa mort
Que le travail est un trésor (...)
LA FONTAINE, Fables, V, 9.

2 — Sans doute; et dès avant l'aurore
Vous vous en êtes retourné (...)
MOLIÈRE, Amphitryon, II, 2.

3 Tout cela se démêlera avant la fin de l'année (...)
Mme DE SÉVIGNÉ, Lettres, 392.

4 Mauvaise herbe est précoce et croît avant le temps.
C. DELAVIGNE, les Enfants d'Édouard, I, 2.

5 L'espère! Quel joli nom pour désigner l'affût, l'attente du chasseur embusqué et ces heures indécises où tout attend, espère, hésite encore entre le jour et la nuit. L'affût du matin un peu avant le lever du soleil, l'affût du soir au crépuscule.
Alphonse DAUDET, Lettres de mon moulin, «En Camargue», III.

Loc. *Avant la lettre*.*

(Sans art.). *Avant dîner, déjeuner, souper. Naître avant terme. Soldes avant travaux.*

*Il n'arrivera pas avant demain. Avant peu* (de temps), avant longtemps.*

Avec un nom propre. *Le théâtre anglais avant Shakespeare.*

6 Je ne puis penser que la «Nature» était inconnue avant Rousseau; ni la méthode avant Descartes; ni l'expérience avant Bacon; ni tout ce qui est évident avant quelqu'un. Mais quelqu'un a battu le tambour.
VALÉRY, Rhumbs, p. 39.

Loc. prép. **AVANT DE** (et l'inf.). *Réfléchissez bien avant de vous décider. Ne faites rien avant d'avoir reçu ma lettre. Il tira avant seulement de voir sur qui. Elle jeta le papier avant même de l'avoir lu. Une semaine avant de partir en vacances.*

7 (...) il *(Ménalque)* se fouille néanmoins, et tire celle de l'évêque de ***, qu'il vient de quitter, qu'il a trouvé malade auprès de son feu, et dont, avant de prendre congé de lui, il a ramassé la pantoufle (...)
LA BRUYÈRE, les Caractères, XI, 7.

8 Mais avant de mourir elle sera vengée (...)
VOLTAIRE, Tancrède, III, 2.

9 Il fut lui-même entraîné dans la fuite générale de son armée, qui se dispersa avant d'être vaincue (...)
VOLTAIRE, Hist. de Charles XII, 2.

Avant de monter sur le char qui devait la ramener en arrière, la reine des Goths s'arrêta au bord de la route. 10
Augustin THIERRY, Récits des temps mérovingiens, I.

Malheur à celui qui se livra à une douce rêverie, avant de savoir où sa chimère le mène (...) 11
A. DE MUSSET, les Caprices de Marianne, I, 1.

(...) il révisait les rédactions de Chavarax avant de les envoyer au visa d'approbation du Directeur. 12
COURTELINE, Messieurs les ronds-de-cuir, III, 1.

Ces amarres que les marins se lancent d'une barque à l'autre et qui retombent dix fois à l'eau avant d'être saisies au vol (...) 13
MARTIN DU GARD, les Thibault, VII, p. 24.

(...) beaucoup de vies qui (...) se traînent et stagnent avant de s'anéantir dans l'oubli. 14
F. MAURIAC, la Pharisienne, VIII.

Vx. *Avant* (suivi de l'inf.). Dr. *Jugement avant dire droit, avant faire droit.* — Mod. *Prendre un médicament avant manger.*

Langue class. ou littér. *Avant que de... :* avant de... — *Dès avant que de... Avant même que de...*

Avant que de combattre ils s'estiment perdus (...) 15
CORNEILLE, le Cid, IV, 3.

Ne verrez-vous point Phèdre avant que de partir? 16
RACINE, Phèdre, I, 1.

Avant donc que d'écrire apprenez à penser (...) 17
BOILEAU, l'Art poétique, I.

Il voudrait bien ne pas mourir avant que d'avoir été en Provence (...) 18
Mme DE SÉVIGNÉ, Lettres, 182, 12 juil. 1671.

Il y a des gens qui parlent un moment avant que d'avoir pensé. LA BRUYÈRE, les Caractères, V, 15. 19

Il disait les grandes nouvelles du jour, dès avant que de quitter son pardessus. 20
G. DUHAMEL, Chronique des Pasquier, III, 1.

Avant même que de savoir lire. 21
Émile HENRIOT, Temps innocents, p. 263.

Le lâche croit que tout est impossible et renonce avant que d'avoir entrepris (...) 22
A. MAUROIS, Un art de vivre, III, 1, p. 99.

Loc. conj. (1258). **AVANT QUE** (avec le subj.). *Ne parlez pas avant qu'il ait fini. Avant même qu'il se lève. Avant seulement qu'il ait réagi... Un an avant qu'il meure.*

Écoutez ce récit avant que je réponde (...) 23
LA FONTAINE, Fables, III, 1.

Et le voir en ces lacs pris avant que je parte (...) 24
LA FONTAINE, Fables, VI, 1.

Avant qu'on l'ouvrît *(la cédule),* les amis du prince soutinrent que (...) LA FONTAINE, Fables, «La vie d'Ésope». 25

Les blés d'alentour mûrs avant que la nitée 26
Se trouvât assez forte encor
Pour voler et prendre l'essor (...)
LA FONTAINE, Fables, IV, 22.

Avant que Babylone éprouvât ma puissance (...) 27
RACINE, Bajazet, IV, 3.

Avant qu'on eût conclu ce fatal hyménée (...) 28
RACINE, Andromaque, V, 1.

Avant qu'il sorte de sa maison, il en loue l'architecture. 29
LA BRUYÈRE, les Caractères de Théophraste.

Le roi voulut voir ce chef-d'œuvre *(le Tartuffe)* avant même qu'il fût achevé (...) 30
VOLTAIRE, le Siècle de Louis XIV, 25.

Tous les grands ouvrages de Montesquieu avaient paru avant que Grimm commençât sa correspondance. 31
SAINTE-BEUVE, Nouveaux lundis, t. VII, p. 317.

Les traits les plus marquants d'un caractère se forment et s'accusent avant qu'on en ait pris conscience. 32
GIDE, Si le grain ne meurt, VIII, p. 215.

Pourtant, deux heures se passèrent en palabres administratives avant qu'ordre nous fût donné d'aller enfin sur le quai rejoindre nos bagages. 33
G. DUHAMEL, Scènes de la vie future, I, p. 35.

*Avant que* peut être suivi de *ne* explétif. *Avant qu'il ne parte. Avant que je ne fusse venu* (Académie). *Sortez avant qu'il ne pleuve* (Littré).

34 (...) la source, qui tarit presque toujours avant que sa soif ne s'éteigne (...)
BUFFON, Hist. nat. des animaux, Le tigre.

35 Les grammairiens ont essayé de faire une distinction entre **avant que** sans **ne**, et **avant que** avec **ne**, disant qu'on doit faire usage de la négative **ne** après **avant que**, toutes les fois qu'il y a du doute sur la réalité de l'action exprimée par le verbe qui vient après **avant que**; et que l'on doit supprimer le **ne** toutes les fois que le verbe qui suit **avant que** exprime une action sur l'existence de laquelle il ne s'élève aucun doute. Cette distinction n'est pas justifiée; et le **ne** est ici un gallicisme, pour lequel l'oreille seule intervient.
LITTRÉ, Dict., art. *Avant.*

36 L'usage courant est assez logique. **Avant que** implique une sorte de comparaison d'époque. Dans les comparaisons, *ne* a sa place, que personne ne discute : **Pierre sera alors plus grand qu'il n'est.** D'où par analogie : **Pierre sera grand avant que deux ans ne soient passés.**
F. BRUNOT, Observations sur la grammaire de l'Acad. franç., p. 111.

♦ **2** Antériorité dans l'espace (→ Avant-, II.); priorité de situation ou d'ordre; priorité dans une hiérarchie (→ les préf. Arch-, archi-). *C'est la maison juste avant le bois sur votre gauche.* — Loc. prov. *Mettre la charrue avant (devant) les bœufs,* la fin avant le commencement. — *La Bruyère comparant Corneille et Racine ne met pas l'un avant l'autre.* → **Dessus** (au-dessus). *Faire passer qqn avant les autres. Avant le valet, il y a la dame.* — *Avant toute chose :* d'abord, sans attendre; d'une manière essentielle, primordiale.

37 «(...) et cependant j'ai faim.
Qui pourvoira de nous au dîné de demain?
Ou plutôt, sur quelle assurance
Fondez-vous, dites-moi, le soupé d'aujourd'hui?
Avant tout autre, c'est celui *(le souper)*
Dont il s'agit : votre science
Est courte là-dessus; ma main y suppléera.»
LA FONTAINE, Fables, X, 15.

38 Vous voulez bien, mon frère, que je vous demande, avant toute chose de ne point vous échauffer l'esprit, dans notre conversation.
MOLIÈRE, le Malade imaginaire, III, 3.

39 Le cœur doit marcher avant l'esprit, et l'indulgence avant la sévérité.
Joseph JOUBERT, Pensées, V, 73.

**AVANT DE** (suivi de l'inf.). *Il a des amis avant d'avoir une famille.*

♦ **3** Loc. adv. **AVANT TOUT.** *Cela doit passer avant tout.* → **Abord** (d'). *Avant tout, il faut éviter la guerre.* → **Essentiellement, principalement.** *D'abord et avant tout.*

40 En cette année 1939, se dit-il *(l'homme d'État)* par exemple, la France doit, avant tout : maintenir la paix, assurer sa protection aérienne (...)
A. MAUROIS, Un art de vivre, IV, 6.

**II** Adv. ♦ **1** Temps (opposé à *après,* II). Dans un temps, à un moment antérieur. *Ce qui s'est passé avant. C'est arrivé, cela a eu lieu avant, bien avant. Quelques jours avant.* → **Tôt** (plus); **antérieurement, auparavant.** *Le jour, la nuit d'avant,* précédent(e). *Réfléchissez avant, vous parlerez après.* → **Abord** (d'), **préalablement.**

41 Je veux m'y trouver plutôt avant qu'après.
MOLIÈRE, les Fâcheux, III, 1.

42 Tel on déteste avant, que l'on adore après (...)
VOLTAIRE, Catilina, I, 1, *in* LITTRÉ.

43 Au contraire, depuis nos doux aveux, souvent
Elle est plus caressante et plus libre qu'avant (...)
LAMARTINE, Jocelyn, IV, 163.

♦ **2** (Espace : ordre ou situation). *Voyez avant.* → **Dessus** (ci-dessus), **haut** (plus haut), **supra.** *J'en ai parlé avant, dans l'introduction. Lequel des deux doit-on mettre avant?* → **Tête** (en).

♦ **3** Littér. **AVANT** (le plus souvent précédé de *assez, bien, plus, si, trop*), marque un éloignement du point de départ. *Le fer n'avait pas pénétré bien avant. S'enfoncer trop avant dans la forêt.* → **Loin, profondément.** — (Temporel). *Bien avant dans la nuit.* → **Tard.**

N'allons point plus avant. Demeurons, chère Œnone. 44
RACINE, Phèdre, I, 3.

Le repas ne finit que bien avant dans la nuit (...) 45
Antoine HAMILTON, Mém. du comte de Grammont, 4.

(...) il fuyait sur le rivage devant leurs grandes volutes écumeuses et mugissantes qui le poursuivaient bien avant sur la grève (...) 46
BERNARDIN DE SAINT-PIERRE, Paul et Virginie.

L'œil ose à peine atteindre à sa face sereine *(du glacier),* 47
Tant il est avant dans les cieux!
HUGO, les Feuilles d'automne, 7.

(...) je m'engageai plus avant dans le couloir (...) 48
PROUST, À la recherche du temps perdu, t. V, p. 48.

(...) c'est Platon lui-même qui nous avertit, et qui nous montre, en ce grand préambule, quelle est l'erreur que nous devons premièrement secouer de nous, si nous voulons savoir plus avant. 48.1
ALAIN, Platon, *in* les Passions et la Sagesse, Pl., p. 862.

La joie est peut-être aussi vive; mais elle entre en moi moins avant (...) 48.2
GIDE, Voyage au Congo, *in* Souvenirs, Pl., p. 690.

Certains autres se rassuraient, prétendant que le vent frais qui soufflait sur la ville tenait le ciel en haleine et qu'il l'empêcherait encore de s'ennuager trop avant. 48.3
M. DURAS, Moderato cantabile, p. 69.

Fig. *Aller plus avant dans une recherche; s'y plonger bien avant, plus avant... «Il est mêlé bien avant dans cette affaire»* (Académie). — REM. Tant au concret, qu'au figuré, ce sens était extrêmement fréquent dans la langue classique.

Mais je vais trop avant et deviens indiscrète (...) 49
CORNEILLE, le Cid, I, 4.

Sans nous être tous deux expliqués plus avant. 50
CORNEILLE, Œdipe, V, 2.

Cette aventure en soi, sans aller plus avant, 51
Peut servir de leçon à la plupart des hommes.
LA FONTAINE, Fables, II, 5.

(...) C'est ainsi que le plus souvent, 52
Quand on pense sortir d'une mauvaise affaire,
On s'enfonce encore plus avant.
LA FONTAINE, Fables, V, 6.

Sans chercher plus avant quel intérêt vous presse. 53
MOLIÈRE, Dom Garcie, II, 4.

Quand vous croirez l'affaire assez avant poussée (...) 54
MOLIÈRE, Tartuffe, IV, 4.

Et la plus noble chose, ils la gâtent souvent 55
Pour la vouloir outrer et pousser trop avant.
MOLIÈRE, Tartuffe, I, 5.

Moi, je l'excuserais? Ah! vos bontés, Madame, 56
Ont gravé trop avant ses crimes dans mon âme (...)
RACINE, Andromaque, IV, 3.

Le sang et la fureur m'emportent trop avant (...) 57
RACINE, Mithridate, V, 4.

— Je me suis engagé trop avant (...) 58
RACINE, Phèdre, II, 2.

Quoique plongé fort avant dans les affaires du siècle (...) 59
RACINE, Port-Royal.

(...) ces rois antiques, dont l'origine se cache si avant dans l'obscurité des premiers temps. 60
BOSSUET, Oraison funèbre de Henriette-Marie de France.

*(Il)* s'enfonça à cœur joie dans les mauvaises pensées, et, à mesure qu'il y plongeait plus avant, il sentait éclater en lui-même un rire de Satan. 61
HUGO, Notre-Dame de Paris, IX, 1.

**III** (XIe, spatial; d'abord *a en avant,* X[e]; opposé à *en arrière*). **EN AVANT.** ♦ **1** Loc. prép. **EN AVANT DE,** marque la position par rapport à qqn ou à qqch.

*L'éclaireur marche en avant de la troupe.* → **Devant.** *La région précordiale est située en avant du cœur.*

62 La position qu'il occupe en avant d'un défilé est dangereuse et nécessite un mouvement rétrograde (...)
Ph. P. SÉGUR, Hist. de Napoléon, VIII, II.

63 Ils ont plusieurs sentinelles établies en avant de la colline (...)
E. FROMENTIN, Un été dans le Sahara, p. 205.

64 (...) à quelques pas en avant de l'étendard, chevauchaient, l'un près de l'autre (...) un vieillard à barbe grisonnante, un tout jeune homme sans barbe.
E. FROMENTIN, Un été dans le Sahara, p. 233.

Fig. et vieilli. «*Cet auteur était fort en avant de son siècle*» (Académie).

♦ **2** Loc. adv. **EN AVANT :** vers le lieu, le côté qui est devant, devant soi. *Aller, se porter en avant. Pousser son cheval en avant. Se pencher en avant. Votre coiffure est trop en avant. Marcher en avant. Envoyer un éclaireur en avant. Faire un bond en avant.* — (Abstrait). *Le bond* en avant de l'économie japonaise. Fuite* en avant.*

Du côté qui est devant. *Il est très loin en avant.* → **Tête** (en). *Courir la lance en avant.*

65 Il faut faire d'abord une révérence en arrière, puis marcher vers elle avec trois révérences en avant (...)
MOLIÈRE, le Bourgeois gentilhomme, II, 1.

66 Les ennemis, plus soigneux de s'avancer solidement et commodément que de se hâter de pénétrer, avaient préféré les grands sièges pour se porter plus sûrement et plus durablement en avant.
SAINT-SIMON, Mémoires, 245, 13.

67 Puis le pied qui est en arrière quitte le sol pour se porter en avant. Paul RICHER (→ Appui, cit. 1).

68 Elle avait une façon de se tenir un peu penchée en avant qui lui donnait toujours l'air d'accourir vers un ami (...)
MARTIN DU GARD, les Thibault, II, 11.

68.1 Contre le mont poussèrent des ombres vivaces
De profil ou soudain tournant leur vagues faces
Et tenant l'ombre de leurs lances en avant.
APOLLINAIRE, Alcools, p. 61.

(Temporel). «*Quelque durée en avant et en arrière du présent*» (Alain, *in* T. L. F.). *Regarder en avant,* vers l'avenir. — Vx. *Aller en avant :* avancer dans la vie.

69 J'espère que, plus vous irez en avant, plus vous trouverez qu'il n'y a de véritable bonheur que celui-là (...)
RACINE, Lettre à son fils.

70 Il *(Talleyrand)* se crut prophète en se trompant sur tout : son autorité n'avait aucune valeur en matière d'avenir; il ne voyait point en avant, il ne voyait qu'en arrière.
CHATEAUBRIAND, Mémoires d'outre-tombe, t. VI, p. 295.

Loc. **METTRE (qqch.) EN AVANT.** → **Alléguer, avancer, produire, proposer.** «*Vous mettez en avant un principe fort dangereux*» (Académie).

71 Une des causes qui poussa l'un des Gracques à mettre en avant la loi agraire (...)
VOITURE, Lettres, 125, *in* LITTRÉ.

*Mettre qqn en avant,* le mettre en vue (pour le mettre en valeur, l'engager dans une action, ou pour s'abriter soi-même derrière lui).

71.1 «Ah! mon respectable ami, je le sens, je l'avoue! Depuis quelques mois je commets des imprudences, je me laisse mettre en avant, je tente sottise sur sottise... Ne me les faites pas payer trop cher!»
BERNANOS, l'Imposture, *in* Œ. roman., Pl., p. 342.

*Se mettre en avant :* se produire; attirer l'attention pour se mettre en valeur.

71.2 Je n'aimais pas à me mettre en avant.
M. YOURCENAR, Alexis, p. 66.

(Exclamation pour inciter des gens à se mettre en route). *En avant! En avant, marche! Et en avant la musique!*

71.3 Rien n'est vanité; à la science, et en avant! crie l'Ecclésiaste moderne, c'est-à-dire tout le monde.
RIMBAUD, Une saison en enfer, p. 95.

Ellipt. *Marche* avant :* marche en avant.

**IV** N. m. (1678; «avance», 1422). ♦ **1** Partie antérieure. *L'avant d'un navire :* partie qui s'étend du centre de gravité à l'étrave. → **Proue.** *Le navire est trop chargé de l'avant.* → **Nez** (être sur le). *Gaillard d'avant. Le mât de misaine est à l'avant, sur l'avant du navire.* «*Nous nous tenions sur l'avant*» (Académie).

À «l'avant», fief de l'état-major, l'officier en second et un jeune pilotin m'ont pris en sympathie et m'aident à pénétrer le secret des droites crépusculaires par les étoiles, les planètes et la lune. 71
Bernard MOITESSIER, Cap Horn à la voile, p. 27.

*L'avant d'une voiture. Vous serez mieux à l'avant. Vers l'avant du train. L'avant d'un défilé. L'avant de la maison,* la façade. *Il y a un petit jardin sur l'avant,* devant la façade de la maison. *L'avant d'un meuble. L'avant de sa chaussure lui fait mal.*

Loc. **ALLER DE L'AVANT :** faire du chemin en avançant. — Fig. S'engager résolument dans une affaire et la pousser avec hardiesse. *Allez de l'avant sans hésiter, sans vous laisser arrêter par les obstacles.*

Le chemin qu'on a pris est toujours le meilleur, pourvu qu'il permette d'aller de l'avant! 72
MARTIN DU GARD, les Thibault, III, 4.

♦ **2** La région des combats. → **Front.** *Il revient de l'avant* (opposé à l'*arrière,* plus courant).

♦ **3** (Précédant un repère temporel). La période située avant. *L'avant et l'après Mai 68. L'avant guerre.* → **Avant-Guerre** (cette construction peut produire des comp.; → Avant-, I.).

♦ **4** (1901, *in* Petiot; *joueur avant,* 1888). *Un, des avants.* Joueur placé près de la ligne médiane du terrain (au football, etc.). *La ligne des avants au football* (avant-centre*, inter, ailier). *Avant de pointe,* qui pénètre le plus loin dans la défense adverse. *Les avants sont des attaquants*. Le paquet* (cit. 14.1) *des avants.* → **Pack.** — Abrév. de *avant-centre. L'avant et les deux ailiers au hand-ball.*

Le demi de mêlée tient déjà la balle; cinq avants bleus s'égrènent mais trois autres au bord de la touche sont en paquet; celui du milieu attrape la balle lancée raide, pendant que les deux autres sur ses flancs le protègent (...) 73
Jean PRÉVOST, Plaisirs des sports, p. 127.

♦ **5** Adj. invar. Qui est à l'avant. *Les roues, les sièges, les places avant d'une voiture. Plage avant d'un navire. — Traction* avant.* — (Temporel). *La semaine avant :* la semaine précédente.

CONTR. **Après, depuis, ensuite. — Arrière, derrière.** ◊ DÉR. **Auparavant, dorénavant. — Avantage.** — HOM. **Avent, havant** (du v. *haver*).

**AVANT-** Premier élément de substantifs, se combinant avec un substantif. — REM. Dans les composés de *avant-,* seul le deuxième élément peut varier : *des avant-bassins.*

**I** Exprimant une antériorité dans le temps. → ci-dessous **Avant-nuit, avant-première, avant-printemps,** etc. Très productif dans le langage courant : *avant-bonheur* (Bachelard, *in* T. L. F.), *avant-combat* (d'Esparbès, *in* T. L. F.), *avant-Noël* (E. Triolet, *in* T. L. F.), *avant-souper* (Stendhal, *in* T. L. F.).

**II** Exprimant la situation de ce qui, dans l'espace, est devant. → ci-dessous **Avant-bassin, avant-cour, avant-foyer,** etc. Ce préfixe est très productif dans la langue technique : *avant-chambre* (d'une conduite d'eau), n. f., *avant-creuset,* n. m., etc., ainsi que dans le langage courant : *avant-classe,* n. f., «pièce en avant de la classe» (Colette, *in* T. L. F.), *avant-cime,* n. f., «cime située en bordure d'une chaîne de montagnes» (J. Gourdault, 1893, *in* D. D. L.).

**AVANTAGE** [avɑ̃taʒ] n. m. — 1160; aussi «ce qui produit une différence»; de *avant.*

**I** ♦ **1** Ce par quoi une personne est supérieure (qualité ou biens); supériorité. → **Atout, avance, dessus, prééminence, prérogative, supériorité.** *Un avantage naturel, acquis, reconnu... Avantage important, énorme; faible avantage. Devancer, dépasser ses concurrents, ses rivaux par un avantage. L'emporter sur qqn grâce à de nombreux avantages. Bénéficier, jouir d'un avantage. «Vous avez sur lui cet avantage, que...»* (Académie). *Les circonstances lui donnent l'avantage. — Avoir l'avantage de la naissance, de la fortune, de l'âge, de l'expérience, du nombre, du terrain.* — Vx. *Les avantages de la naissance* (→ ci-dessous, cit. 4). — *Avec de pareils avantages on joue sur le velours. Profiter, jouir, abuser de ses avantages. Faire valoir ses avantages. Faire parade de ses avantages. Conserver, garder, perdre ses avantages. C'est un avantage de* (et l'inf.). → ci-dessous, cit. 14 et 18. — Vieilli. *Avoir un avantage sur qqn, qqch.,* être supérieur. — Vx. *Avoir un, l'avantage au-dessus de qqn* (→ ci-dessous, cit. 10). — (Choses). → cit. 1, 11 et 12. — (Collectif). *Avoir de l'avantage sur qqn.*

1 Mais, quand l'univers l'écraserait, l'homme serait encore plus noble que ce qui le tue, parce qu'il sait qu'il meurt, et l'avantage que l'univers a sur lui, l'univers n'en sait rien.
PASCAL, Pensées, VI, 347.

2 Que la noblesse est un grand avantage, qui, dès dix-huit ans, met un homme en passe, connu et respecté, comme un autre pourrait avoir mérité à cinquante ans; c'est trente ans gagnés sans peine. PASCAL, Pensées, V, 322.

3 (...) il est vrai qu'il faut honorer les gentilshommes, mais non pas parce que la naissance est un avantage effectif (...)
PASCAL, Pensées, V, 335.

4 (...) Vante-lui adroitement ma personne et les avantages de ma naissance (...)
MOLIÈRE, la Princesse d'Élide, III, 5.

5 Certes, vous vous targuez d'un bien faible avantage,
Et vous faites sonner terriblement votre âge.
MOLIÈRE, le Misanthrope, III, 4.

6 C'est un avantage dont je n'ai point (...) joui.
MOLIÈRE, la Princesse d'Élide, Intermède, IV, 2.

7 Aimez; et possédez l'avantage charmant
De voir toute la terre adorer votre amant.
RACINE, Alexandre, V, 3.

8 Quel avantage ils ont que n'ait pas un autre homme.
LA FONTAINE, Fables, IV, 20.

9 Sire Oudinet, raisonnant sur cela,
Dit : «Il est vrai que Tiennette a sur Jeanne
De l'avantage, à ce qu'il semble aux gens (...)»
LA FONTAINE, Contes, «Les troqueurs».

10 Je songeai (...) à l'avantage qu'ont les hommes au-dessus des femmes, dont tous les pas sont comptés et bornés.
M<sup>me</sup> DE SÉVIGNÉ, Lettres, 1271, 18 mars 1690.

11 Quel avantage n'a pas un discours prononcé sur un ouvrage qui est écrit!
LA BRUYÈRE, les Caractères, XV, 27.

12 L'avantage de l'amour sur la débauche, c'est la multiplication des plaisirs. MONTESQUIEU, Cahiers, p. 26.

13 Le droit de commander n'est plus un avantage
Transmis par la nature ainsi qu'un héritage (...)
VOLTAIRE, Mérope, I, 3.

14 C'est un terrible avantage de n'avoir rien fait, mais il ne faut pas en abuser. RIVAROL, Pensées et Maximes.

15 Je trouve que les autres ont toujours sur moi une supériorité quelconque, et si je me sens par hasard un avantage, j'en suis tout embarrassé.
CHATEAUBRIAND, Mémoires d'outre-tombe, I, 2, p. 70.

16 Il *(l'homme qui aime)* s'exagère en moins ses propres avantages, et en plus les moindres faveurs de l'objet aimé.
STENDHAL, De l'amour, XII.

17 La première audience fut levée sur cette audacieuse allégation, qui surprit les jurés et donna l'avantage à la défense.
BALZAC, Une ténébreuse affaire, Pl., t. VII, p. 603.

Lisette a du moins sur sa rivale l'avantage de posséder un corps souple et musclé, des jambes minces et enveloppantes comme des lierres. 18
F. MAURIAC, l'Enfant chargé de chaînes, p. 175.

Fam. et vieilli (au plur.). *Les avantages d'une femme,* ses rondeurs, ses appas; spécialt, ses seins. → **Appas** (vx).

Un mannequin sans tête prêtait ses avantages à une veste en lainage écossais marron et noir, à Brandebourgs. 18.1
H. TROYAT, les Semailles et les Moissons, p. 257.

Au sing. (euphémisme employé pour la rime dans certaines chansons). Pucelage (emploi rendu plausible par le sens précédent).

Je ne pleure ni père ni mère 18.2
Ni quelqu'un de mes parents
J'ai perdu mon avantage
Qui s'en fut la voile au vent
La feuille s'envole, chanson populaire de l'Aunis.

♦ **2** (Dans un combat, une lutte). *Prendre, perdre, ressaisir l'avantage.* → **Dessus** (le). Vx. *Emporter, obtenir, remporter l'avantage, (grand) avantage.* → **Gain, succès, victoire.**

Celui-ci sur son concurrent 19
Voulait emporter l'avantage (...)
LA FONTAINE, Fables, VIII, 19.

C'est par l'honneur qu'il a de rimer à *(en)* latin 20
Qu'il a sur son rival emporté l'avantage.
MOLIÈRE, les Femmes savantes, IV, 5.

*Un, des avantages* (avec les mêmes verbes).

Les Perses remportèrent de grands avantages. 21
BOSSUET, Hist., I, 11, *in* LITTRÉ.

(...) ses amis répandent partout que c'est un livre victorieux, qu'il y remporte sur moi de grands avantages. 22
BOSSUET, *in* LITTRÉ, Dict., art. *Victorieux.*

Remporter quelque grand avantage sur eux par les armes. 23
FÉNELON, Télémaque, 15.

*Donner l'avantage à quelqu'un :* déclarer, reconnaître, en qualité de juge, d'arbitre, la supériorité de quelqu'un. → **Préférence.**

Mais aux stoïciens je donne l'avantage. 24
MOLIÈRE, les Femmes savantes, III, 2.

Sports. **a** (1855, *in* Petiot). *Avoir, prendre l'avantage sur son adversaire.* → **Meilleur** (II., 3. : le meilleur); *accorder, concéder donner l'avantage à l'adversaire au début d'une compétition, d'une épreuve sportive.* → **Point** (rendre des points); **handicap.**

(Jeux de ballon). *L'avantage du terrain :* le profit moral que tire une équipe du fait qu'elle joue sur son terrain.

*Règle de l'avantage,* permettant à l'arbitre de laisser se poursuivre la partie si la faute commise par un joueur profite à l'équipe adverse.

**b** (1898, *in* Petiot). Tennis. *(Un, des avantages).* Point marqué par un joueur ou un camp, lorsque la marque est à 40 partout. *Avantage au service, avantage dedans,* quand le serveur a l'avantage; *avantage dehors. Avantage détruit :* 40 partout. *Avantage de jeux,* lorsqu'un des deux joueurs n'a plus qu'un jeu à remporter pour gagner le set.

L'homme répondit : 24.1
— M. Bertin est dans le verger, en train de faire une partie de lawn-tennis avec mademoiselle.
Elle les entendit de loin crier les points.
L'une après l'autre, la voix sonore du peintre et la voix fine de la jeune fille annonçaient : quinze, trente, quarante, avantage, à deux, avantage, jeu.
MAUPASSANT, Fort comme la mort, éd. 1889, p. 198.

♦ **3** Dr. *(Un, des avantages).* Ce qui rompt l'égalité au profit de quelqu'un (libéralité, don). *Avantage au profit d'un associé, d'un créancier, avantage matrimonial.* → **Préciput, privilège.** *Marquer sa préférence, sa prédilection à l'égard d'un enfant en lui* *faisant un avantage direct ou indirect. Avantages particuliers.*

25 S'il résulte du partage (...) que l'un des copartagés aurait un avantage plus grand que la loi ne le permet, celui ou ceux des copartagés qui n'auront pas reçu leur réserve entière pourront demander la réduction à leur profit du lot attribué au préciputaire.
Code civil, ancien art. 1079.

26 Les simples bénéfices résultant (...) des économies faites sur les revenus respectifs, quoique inégaux, des deux époux, ne sont pas considérés comme un avantage fait au préjudice des enfants du premier lit.
Code civil, ancien art. 1527.

27 Le préciput n'est point regardé comme un avantage sujet aux formalités des donations, mais comme une convention de mariage. Code civil, ancien art. 1516.

28 Quand le divorce est prononcé aux torts exclusifs de l'un des époux, ceui-ci perd de plein droit toutes les donations et tous les avantages matrimoniaux que son conjoint lui avait consentis, soit lors du mariage, soit après.
Code civil, art. 267.

29 Le créancier qui aura stipulé, soit avec le failli, soit avec toutes autres personnes, des avantages particuliers à raison de son vote dans les délibérations de la faillite, ou qui aura fait un traité particulier duquel résulterait en sa faveur un avantage à la charge de l'actif du failli, sera puni correctionnellement (...)
Code de commerce, art. 597.

30 Lorsqu'un associé fait un apport qui ne consiste pas en numéraire, ou stipule à son profit des avantages particuliers la première assemblée générale fait apprécier la valeur de l'apport ou la cause des avantages stipulés.
Loi du 24 juil. 1867, art. 4.

**II** ♦ **1** (V. 1175; opposé à *inconvénient*). *Un, des avantages.* Ce qui est utile, profitable. → **Bien; bénéfice, intérêt, profit.** *Précieux, inappréciable avantage. Un avantage appréciable, réel. Faible, léger, mince avantage. Avantage illusoire. Cette solution apporte, offre, présente de grands avantages. Vous n'en recueillerez, vous n'en retirerez, vous n'y trouverez que des avantages. Ces projets sont également intéressants, chacun a ses avantages. Ces avantages sont contrebalancés par les inconvénients.*

(Souvent au plur.). Chose, possibilité accordée à qqn, à titre exceptionnel. *Accorder, offrir, procurer, garantir de notables avantages à qqn. Avantage pécuniaire.* → **Gain, rémunération, rétribution.** *Avantages en nature*. Il bénéficie, jouit de nombreux avantages. Donner de considérables avantages à qqn* (→ Faire un pont* d'or). *Abandonner un avantage réel pour un profit illusoire.* → Lâcher la proie pour l'ombre* (1. Ombre, cit. 44).

Vieilli. Intérêt. *L'avantage du service passe avant l'intérêt particulier. Avoir, trouver un avantage, de l'avantage à... Pour l'avantage de qqn.* — Mod. **AVOIR AVANTAGE À (FAIRE QQCH.).** → ci-dessous cit. 43. — *Vous auriez avantage à vous taire* : vous feriez* mieux de vous taire. *Il n'y aurait pas grand avantage à...*

31 Les avantages que nous donne la lunette d'approche (...)
PASCAL, Traité du vide, Préface.

32 Chaque forme de gouvernement a ses avantages (...)
BOSSUET, Hist., III, 5.

33 Quoi qu'en pense le libertinage, il y a toujours un avantage infini à faire son devoir.
BOURDALOUE, Pensées, t. I, p. 403.

34 On se demande si, en comparant ensemble les différentes conditions des hommes, leurs peines, leurs avantages on n'y remarquerait pas un mélange ou une espèce de compensation de bien ou de mal, qui établirait entre elles l'égalité, ou qui ferait du moins que l'une ne serait guère plus désirable que l'autre.
LA BRUYÈRE, les Caractères, IX.

35 (...) il faut gagner les cœurs, et faire trouver aux hommes leur avantage pour les choses où l'on veut se servir de leur industrie. FÉNELON, Télémaque, 3.

L'un des avantages des bonnes actions est d'élever l'âme et de la disposer à en faire de meilleures. 36
ROUSSEAU, les Confessions, I, 6.

La France trouvera de l'avantage dans la vente de ses grains, si (...) 37
CONDILLAC, le Commerce et le Gouvernement, I, 29.

Cette force *(publique)* est donc instituée pour l'avantage de tous et non pour l'utilité particulière de ceux auxquels elle est confiée. 38
Déclaration des droits de l'homme, 1791, art. 12.

Le contrat de bienfaisance est celui dans lequel l'une des parties procure à l'autre un avantage purement gratuit. 39
Code civil, art. 1105.

Cette autorisation ne devra être accordée *(au mineur)* que pour cause d'une nécessité absolue, ou d'un avantage évident. Code civil, art. 457. 40

(...) l'attitude d'un homme qui n'envisage rien que l'avantage général. M. BARRÈS, Leurs figures, p. 350. 41

(...) le nouveau, quel qu'il fût, aurait demandé des avantages exorbitants, une participation aux bénéfices, peut-être même des actions de la société (...) 42
G. DUHAMEL, Cri des profondeurs, XI.

Nous avons beau faire, nous ne pouvons pas être absolument naturels, et nous n'avons pas grand avantage à l'être. 43
Valery LARBAUD, Amants, heureux amants..., p. 135.

En tout temps, en tous lieux, ceux qui font le plus de sacrifices aux patries sont ceux qui en obtiennent le moins d'avantages. 44
Éd. HERRIOT, la Vie de Beethoven, p. 339.

♦ **2** (Politesse). Plaisir, honneur. *Avoir l'avantage de rencontrer qqn. Il n'a pas eu l'avantage de vous plaire. J'ai l'avantage de connaître M. votre père.* — Vx. *À l'avantage de vous revoir* (Littré).

Et à quoi dois-je, à cette heure inopinée, l'avantage de votre visite ? 45
COURTELINE, Messieurs les ronds-de-cuir, III, 3.

REM. Ces formules sont vieillies ou ironiques (*avoir l'honneur et l'avantage de...*, plus encore).

**III** Loc. (où *avantage* a la valeur de I.). **TIRER AVANTAGE DE (qqch.),** en tirer un bénéfice, un profit, ou une occasion d'affirmer une supériorité quelconque. *Tirer avantage de quelque chose contre quelqu'un.*

Il n'y a point d'accidents si malheureux dont les habiles gens ne tirent quelque avantage, ni de si heureux que les imprudents ne puissent tourner à leur préjudice. 46
LA ROCHEFOUCAULD, Maximes, 59.

Le cardinal de Rohan avait une facilité de parler admirable et un désinvolte merveilleux pour conserver tous les avantages qu'il pouvait tirer de sa princerie et de sa pourpre (...) SAINT-SIMON, Mémoires, 245, 32. 47

Bref, il tirait argument et avantage de ce qu'il m'en coûtait de céder à mon désir plutôt que de le briser encore. 48
GIDE, Feuillets, *in* Journal 1889-1939, Pl., p. 607.

(...) il appartenait au seul Directoire de tirer de ses victoires, à lui, les avantages qui conviendraient (...) 49
Louis MADELIN, Hist. du Consulat et de l'Empire, t. II, 8.

**À L'AVANTAGE DE (qqn, qqch.) :** de manière à lui donner le dessus, une supériorité. *Parler à l'avantage de qqn* (Académie). *La contestation s'est terminée, a tourné à son avantage. Il en est sorti à son avantage. Dire qqch. à son avantage.* — (En attribut). *Être, se montrer, paraître à son avantage :* être momentanément supérieur à ce qu'on est d'habitude. *Elle est plutôt à son avantage, avec cette robe :* cette robe l'avantage.

S'il s'y trouve quelque différence, elle est à l'avantage de la question présente (...) PASCAL, les Provinciales, 17. 50

Et bientôt le combat tourne à son avantage. 51
RACINE, la Thébaïde, V, 3.

La fortune tourne tout à l'avantage de ceux qu'elle favorise. 52
LA ROCHEFOUCAULD, Maximes, 60.

53 Si l'auteur s'avise d'assortir ensemble Agamemnon et Thersite, soyez sûr qu'Agamemnon n'en sortira pas à son avantage (...) FONTENELLE, Jugement de Pluton.

54 La mode domine les provinciales; mais les parisiennes dominent la mode et la savent plier chacune à son avantage (...)
ROUSSEAU, Julie ou la Nouvelle Héloïse, II, 21.

55 (...) dire une chose fausse à son avantage n'est pas moins mentir que si on la disait au préjudice d'autrui, quoique le mensonge soit moins criminel.
ROUSSEAU, Rêveries..., IVe Promenade.

56 Mais toutes ces disgrâces tournaient à son avantage par l'occasion qu'elles lui donnèrent de montrer sa douceur inaltérable. FRANCE, le Petit Pierre, XXXII, p. 230.

57 Un artiste vraiment fort est celui qui sait tourner ses défauts mêmes à son avantage et sait faire, de toutes les cartes de son jeu, des atouts.
GIDE, Journal, 11 avr. 1929.

CONTR. **Désavantage, détriment, disgrâce, dommage, échec, inconvénient, insuccès, perte, préjudice.** ◊ DÉR. **Avantager, avantageux.** — COMP. **Davantage, désavantage.** — HOM. Formes du v. **avantager.**

**AVANTAGER** [avɑ̃taʒe] v. tr. [CONJUG.: *bouger.*] — XIIIe, *avantagier;* de *avantage.*

Accorder l'avantage (I.) à qqn; rendre supérieur par une qualité, un bien, un don (→ Avantage, II.). → **Doter, douer, favoriser, gratifier.** *La nature l'a avantagé, lui a donné en partage* des qualités peu communes.*

1 Dieu n'a rien de plus cher que l'homme qu'il a fait à sa ressemblance. Rien par conséquent n'est mieux ordonné que ce qui touche cette créature chérie, et si avantagée par son Créateur. BOSSUET, Providence, I.

Pronominal :

1.1 Je ne tiens pas à m'avantager, et ce que j'expose le plus volontiers, je crois que ce sont mes faiblesses.
GIDE, Feuillets, II, *in* Journal 1889-1939, Pl., p. 1290.

Faire valoir les avantages naturels de (qqn). → Être à son avantage* (III.). *Cette robe l'avantage.*

2 (...) elle excellait à leur faire des robes qui avantageaient la tournure. LOTI, Pêcheur d'Islande, V, 4.

Dr. Faire un avantage à (quelqu'un).

3 On peut avantager une femme en ce cas.
MOLIÈRE, l'École des femmes, IV, 2.

4 (...) le pauvre vieux cher La Pérouse, qui s'inquiète et voudrait faire à son testament je ne sais quel codicille pour avantager son petit-fils. GIDE, Journal, 1905.

◆ **AVANTAGÉ, ÉE** p. p. adj. *Personnes avantagées dans un partage.*

CONTR. **Désavantager, déshériter, desservir, frustrer, léser, nuire, préjudicier.**

**AVANTAGEUSEMENT** [avɑ̃taʒøzmɑ̃] adv. — V. 1422; de *avantageux.*

♦ **1** D'une manière avantageuse, favorable, flatteuse. → 1. **Bien, favorablement.** *Il est connu avantageusement.* → **Honorablement.** *Paraître* (cit. 26) *avantageusement à la cour.*

1 Vos soupçons se trouvent dissipés le plus avantageusement du monde. MOLIÈRE, George Dandin, II, 8.

2 (...) vous jugerez, par la réception qu'il vous fera, si je lui ai parlé de vous avantageusement.
A.-R. LESAGE, Gil Blas, VII, 2.

2.1 Il voulait créer des épreuves nettes et fines, dignes d'être avantageusement placées devant tous les yeux.
Raymond ROUSSEL, Impressions d'Afrique, p. 366.

♦ **2** (Au sens 4 de *avantageux*). *Sourire avantageusement.*

3 (..) une sorte d'état flasque de l'âme, qu'on appelait mélancolie, qui pâlissait avantageusement le front du poète et chargeait de nostalgie son regard.
GIDE, les Nouvelles Nourritures, p. 109.

**AVANTAGEUX, EUSE** [avɑ̃taʒø, øz] adj. — 1418; de *avantage.*

♦ **1** Qui offre, procure un avantage. → 1. **Bon; beau, bienfaisant, favorable, heureux, intéressant, précieux, profitable, salutaire, utile.** *Marché, traité avantageux. Une place avantageuse. Occasion avantageuse. Prix avantageux.* → **Économique.** — Par métonymie. *C'est avantageux. Les bananes sont avantageuses, cette année.*

Ce qu'il y a d'avantageux pour vous, c'est qu'il est amoureux de votre fille. 1
MOLIÈRE, le Bourgeois gentilhomme, IV, 5.

Il est dangereux de trop faire voir à l'homme combien il est égal aux bêtes sans lui montrer sa grandeur (...) Mais il est très avantageux de lui représenter l'un et l'autre. 2
PASCAL, Pensées, VI, 418.

La condition d'un mariage avantageux est aussi souhaitable suivant le monde qu'elle est vile et préjudiciable selon Dieu. 3
PASCAL, Extrait d'une lettre à Mme Périer, 1659.

Les Capétiens purent citer à leur cour de justice des princes plus puissants qu'eux comme les Plantagenets. En somme, le roi de France retenait de la féodalité ce qu'elle avait d'avantageux pour lui : c'était un article d'exportation. J. BAINVILLE, Hist. de France, p. 58. 4

Elle devrait gagner de l'argent; les fruits sont avantageux, cette année (...) ZOLA, le Ventre de Paris, t. I, p. 52. 4.1

♦ **2** (1527). Qui est à l'avantage de qqn, propre à le flatter, à lui faire honneur. → **Favorable, flatteur.** *Présenter qqch. sous un jour avantageux* (Académie). *Il a une idée assez avantageuse de lui-même.* — Vieilli. *Un portrait, un rôle avantageux. Coiffure, couleur avantageuse.* → **Seyant.**

Parbleu! Chevalier, tu jouerais là-dedans un rôle qui ne te serait pas avantageux. 5
MOLIÈRE, la Critique de l'École des femmes, 6.

Il me montra toute l'affaire exécutée d'une manière, à la vérité, beaucoup plus galante et plus spirituelle que je ne puis faire, mais où je trouve des choses trop avantageuses pour moi. MOLIÈRE, l'École des femmes, Préface. 6

(...) croyant le blâmer *(mon discours)* ils en ont donné l'idée la plus avantageuse que je pouvais moi-même désirer. 7
LA BRUYÈRE, Disc. de réception à l'Acad., Préface.

Il en avait fait un portrait fort avantageux. 8
Antoine HAMILTON, Mém. du comte de Gramont, 4.

Si j'avais fait concevoir une opinion avantageuse de moi chez Phénice, tous les comédiens en jugèrent encore plus favorablement lorsque j'eus dit en leur présence une vingtaine de vers seulement. 9
A.-R. LESAGE, Gil Blas, VII, 7.

Le roi s'en expliqua même à son dîner d'une manière peu avantageuse pour le parlement (...) 10
SAINT-SIMON, Mémoires, I, 320.

♦ **3** Vx ou littér. Bien fait, agréable à voir. → **Beau.** *Taille avantageuse.*

Il y a ici une demoiselle (...) d'une taille fort avantageuse. 11
RACINE, Lettres.

Charles XII était d'une taille avantageuse et noble (...) 12
VOLTAIRE, Hist. de Charles XII, 8.

(Personnes) :

J'aurais dû, peut-être, en finir une bonne fois avec toutes ces sales places et sauter le pas, carrément, de la domesticité dans la galanterie, ainsi que tant d'autres que j'ai connues et qui — soit dit sans orgueil — étaient «moins avantageuses que moi». 12.1
O. MIRBEAU, le Journal d'une femme de chambre, p. 20.

♦ **4** (Fin XVIe). Qui tire vanité des avantages qu'il possède ou qu'il s'attribue. → **Fat, orgueilleux, présomptueux, suffisant, vaniteux.** *Un homme avantageux.*

Le nom de petits-maîtres qu'on applique à la jeunesse avantageuse et mal élevée (...) 13
VOLTAIRE, le Siècle de Louis XIV, 4.

14 Ce cadet de Gascogne (...) avantageux, confiant en lui-même, plein de jactance, brillant d'ailleurs et aimable, un peu comique (...)
Louis MADELIN, Hist. du Consulat et de l'Empire, t. IV, III.

15 (...) je parcourais les routes de la Champagne en société d'un pédant avantageux, nanti de moins de lettres que de toupet. G. DUHAMEL, Discours aux nuages, I, p. 10.

16 S'il est un domaine où la modestie devrait être la règle, n'est-ce pas la sexualité, avec tout ce qu'elle a d'imprévisible? Mais non, c'est à qui sera le plus avantageux, même dans la solitude. CAMUS, la Chute, p. 75.

*Un air, un ton avantageux. Prendre des poses avantageuses.*

N. (surtout au masc.). Vieilli. *Faire l'avantageux.*

CONTR. **Désavantageux. — Contraire, défavorable, fâcheux, funeste, nuisible, pernicieux, préjudiciable.** ◈ DÉR. **Avantageusement.**

**AVANT-BASSIN** [avɑ̃basɛ̃] n. m. — 1888, Encycl. Berthelot; de *avant-*, et *bassin.*

Techn. Partie d'un port qui précède les bassins de chargement et de déchargement, les darses. *Mouiller dans l'avant-bassin, dans l'avant-port. Des avant-bassins.*

**AVANT-BEC** [avɑ̃bɛk] n. m. — 1488; de *avant-*, et *bec.*

Archit. Éperon en angle aigu qui, dans une pile de pont, fend l'eau du côté d'amont (opposé à *arrière-bec*).

**AVANT-BRAS** [avɑ̃bʀa] n. m. — 1553; «partie de l'armure recouvrant le bras», 1291; de *avant-*, et *bras.*

Partie du bras qui va du coude au poignet (en anat., s'oppose à *bras**). → aussi **Arrière-bras** (→ Accoudoir, cit. 2; dextrorsum, cit.). *Os de l'avant-bras.* → **Cubitus, radius.** *Muscles de l'avant-bras :* abducteur, cubital, extenseur, fléchisseur, palmaire, pronateur, radial, supinateur. *Des avant-bras.*

Le soldat a conservé sa position : les deux coudes sur la toile cirée, les deux avant-bras allongés à plat devant lui, les deux mains tachées de cambouis ramenées l'une vers l'autre (...)
A. ROBBE-GRILLET, Dans le labyrinthe, p. 146.

REM. Dans la langue usuelle *bras* s'emploie pour *avant-bras.*

**AVANT-CALE** [avɑ̃kal] n. f. — 1831; de *avant-*, et *cale.*

Techn. Partie d'une cale de halage qui se prolonge sous l'eau.

**AVANT-CENTRE** [avɑ̃sɑ̃tʀ] n. m. — 1900, *in* Petiot; de *avant-*, et *centre.*

Joueur qui, dans un sport d'équipe (football, handball, etc.) est placé le plus près du centre du terrain. → **Avant** (IV., 4.). *L'avant-centre est placé au centre de la ligne d'attaque. Des avant-centres. — Jouer avant-centre.*

Il jouait avant-centre droit, avec ceux qui conduisent l'attaque. J.-M. G. LE CLÉZIO, Désert, p. 300.

REM. En franç. de Belgique, on dit *centre-avant.*

**AVANT-CHŒUR** [avɑ̃kœʀ] n. m. — 1846; de *avant-*, et *choeur.*

Archit. Partie d'une église entre la grille de chœur et le maître-autel.

**AVANT-CLOU** [avɑ̃klu] n. m. — 1825, régional, *in* Wartburg; de *avant-*, et *clou.*

Techn. Petit instrument servant à percer le bois avant d'enfoncer des clous. → **Vrille.** *Des avant-clous.*

**AVANT-CORPS** [avɑ̃kɔʀ] n. m. invar. — 1658; de *avant-*, et *corps.*

Archit. Partie d'un bâtiment qui est en saillie sur l'alignement de la façade (opposé à *arrière-corps*).

**AVANT-COUR** [avɑ̃kuʀ] n. f. — 1564; de *avant-*, et *cour.*

Archit. ou rare. Cour qui précède la cour principale (opposé à *arrière-cour*). *Ils franchirent l'avant-cour, pénétrèrent ensuite dans la cour d'honneur du château.*

**AVANT-COUREUR** [avɑ̃kuʀœʀ] n. m. et adj. — XIVe; de *avant-*, et *coureur.*

**I** N. m. ♦ **1** Vx. Personne qui court en avant pour annoncer l'arrivée de qqn, d'un événement. → **Avant-courrier, éclaireur, fourrier.**

Ils *(les Juifs)* soutiennent (...) qu'ils sont formés exprès pour être les avant-coureurs et les hérauts de ce grand avènement (...) PASCAL, Pensées, IX, 619. 1

♦ **2** Vx. ou littér. Chose qui précède, annonce. → **Prélude, présage, prodrome.**

Un jour dans son jardin il vit notre écolier, 2
Qui, grimpant sans égard sur un arbre fruitier,
Gâtait jusqu'aux boutons, douce et frêle espérance,
Avant-coureurs des biens que promet l'abondance.
LA FONTAINE, Fables, IX, 5.

Dieu détruira le siècle au jour de sa fureur; 3
Un vaste embrasement sera l'avant-coureur (...)
LA FONTAINE, Odes, VI.

Un malheur nous est toujours l'avant-coureur d'un autre. 4
MOLIÈRE, les Fourberies de Scapin, III, 6.

(...) cet esprit d'imprudence et d'erreur, 5
De la chute des rois funeste avant-coureur (...)
RACINE, Athalie, I, 2.

REM. On peut parfois trouver un fém. *avant-coureuse.*

**II** Adj. (1682). Mod. Qui annonce, qui laisse prévoir. *Symptômes avant-coureurs d'une maladie.* → **Annonciateur, précurseur; prémonitoire.**

Signes avant-coureurs d'un funeste accident (...) 6
ROTROU, le Véritable Saint-Genest, II, 6.

Réveillé au bruit de la chute de la Bastille comme au bruit avant-coureur de la chute du trône, Versailles avait passé de la jactance à l'abattement. 7
CHATEAUBRIAND, Mémoires d'outre-tombe, V, p. 214.

Déjà, dans l'époque précédente, on voit les signes avant-coureurs du changement qui se prépare. 8
TAINE, Philosophie de l'art, III, II, 2.

CONTR. **Successeur, postérieur.**

**AVANT-COURRIER, IÈRE** [avɑ̃kuʀje, jɛʀ] n. et adj. — XVIe; de *avant-*, et *courrier.*

**I** ♦ **1** Anciennt. Cavalier qui allait devant une voiture de poste pour faire préparer les relais.

♦ **2** Littér. Chose, fait qui précède, annonce. *L'aurore, avant-courrière du jour. Les brumes sont les avant-courrières de l'automne* (Académie). → **Annonciateur, avant-coureur, messager.**

Une cigale, avant-courrière des chaleurs (...) 1
R. BELLEAU, II, 309, *in* HATZFELD.

(...) l'édition plus ample que je prépare et dont celle-ci est l'avant-courrière. 2
J. BÉDIER, la Chanson de Roland, Avant-propos, XII.

**II** Adj. Littér. Qui précède, annonce. → **Avant-coureur.** *Les remous avant-courriers des révolutions.*

**AVANT-DERNIER, IÈRE** [avɑ̃dɛʀnje, jɛʀ] adj. — 1740; de *avant-*, et *dernier.*

Qui est avant le dernier. *L'avant-dernière syllabe d'un mot.* → **Pénultième.**

1 De plus une barbe blanche pointue ornait son visage dans lequel clignotaient deux yeux percés à la vrille; la barbe atteignait l'avant-dernier bouton du gilet en commençant par en haut. R. QUENEAU, le Chiendent, p. 67.

2 De la dernière ou de l'avant-dernière marche de l'escalier je le vis nu jusqu'à la ceinture (...)
Jean GENET, Journal du voleur, p. 214.

Littéraire (adjectif postposé) :

2.1 La nuit avant-dernière, Laura Douviers, assise sur les marches de l'escalier qui mène à l'appartement des Molinier, avait attendu Vincent jusqu'à trois heures (...)
GIDE, les Faux-monnayeurs, *in* Romans, Pl., p. 961.

N. *Il est l'avant-dernier de sa classe. Elle a été reçue avant-dernière de la promotion.*

3 M... avait, pour exprimer le mépris, une formule favorite : c'est l'avant-dernier des hommes. — Pourquoi l'avant-dernier? lui demandait-on. — Pour ne décourager personne, car il y a presse.
CHAMFORT, Caractères et Anecdotes, p. 431.

**AVANT-DEUX** [avãdø] n. m. — 1822; de *avant-*, et *deux.*

Danse. Seconde figure du quadrille ordinaire (dit aussi *été*, et s'opposant au *quadrille croisé*).

**AVANT-DÎNER** [avãdine] n. m. — 1836; «fin de la matinée», 1502; de *avant-*, et *dîner.*

Vx ou régional. Période de la journée qui précède le repas du soir; fin de l'après-midi.

La bouteille de Bordeaux blanc était dans le puits, au frais, depuis l'avant-dîner.
Denyse VAUTRIN, le Tourbillon des jours, I, p. 107.

**AVANT-FOYER** [avãfwaje] n. m. — Attesté mil. XX^e^; aussi *avant-foyer de l'Opéra,* in *Nouveau Larousse universel;* de *avant-*, et *foyer.*

Techn. Partie du sol d'une cheminée située devant le foyer. *Un avant-foyer en briques.*

**AVANT-GARDE** [avãgaʀd] n. f. — XII^e^, *avantgarde;* de *avant-*, et 2. *garde.*

♦ **1** Partie (d'une armée) qui marche en avant du gros des troupes. *L'avant-garde éclaire* la marche.* → **Éclaireur.** *Des avant-gardes.* — *Être à l'avant-garde :* faire partie de l'avant-garde.

Par métaphore. → **Tête; pointe** (à la).

1 La petite Rome du Rhône *(Avignon)* se mettait, pour son coup d'essai, à l'avant-garde du monde dans la guerre de la liberté.
MICHELET, Hist. de la révolution franç., t. I, p. 794.

*D'avant-garde. Combats d'avant-garde.*

♦ **2** (XVI^e^). Ensemble des groupes, des mouvements qui jouent ou prétendent jouer un rôle de précurseurs, par leurs audaces. *L'avant-garde littéraire. L'avant-garde politique. L'avant-garde de la recherche technologique.*

Loc. (métaphore du sens 1). *Être à l'avant-garde* (d'un combat, d'une lutte politique ...).

*D'avant-garde :* qui se réclame de l'avant-garde. *Cinéma, film d'avant-garde. Théâtre, littérature, peinture, sculpture d'avant-garde. Théories, positions d'avant-garde.* → **Avancer** (au p. p.). — *Salle d'avant-garde :* salle spécialisée dans les productions d'avant-garde (cinéma, théâtre).

2 De nos jours, où il y a tant de désordre, de disproportions, de complaisances et de snobisme, où certain pédantisme d'avant-garde commet autant d'injustices que naguère celui d'arrière-garde, où l'esprit de clan et de petite chapelle peut être aussi funeste que jadis celui des corps attardés (...)
Georges LECOMTE, Ma traversée, p. 265.

*(Le) Studio 28*, salle d'avant-garde qui, il y a trente ans déjà, présentait sur triple écran le *Napoléon* d'Abel Gance. 3
J.-L. GODARD, Jean-Luc Godard, *in* Coll. des Cahiers du cinéma, p. 36.

Parfois nous allons au cinéma, dans une de ces salles d'avant-garde à allure de chapelle. 4
Benoîte et Flora GROULT, Il était deux foix, p. 419.

Adjectivement :

Vivi, tout le monde le savait, était «avant-garde», «moderne». 5
F. MALLET-JORIS, le Jeu du souterrain, p. 8.

CONTR. **Arrière-garde.** ◊ DÉR. **Avant-gardisme, avant-gardiste, avant-gardité.**

**AVANT-GARDISME** [avãgaʀdism] n. m. — 1918, *in* D. D. L.; de *avant-garde.*

Didact. ou littér. Le fait d'être de l'avant-garde. *«(...) Leur tonitruant avant-gardisme n'est sûrement pas le plus révolutionnaire»* (*le Nouvel Obs.*, 21 janv. 1966). *Un avant-gardisme inaccessible.*

**AVANT-GARDISTE** [avãgaʀdist] adj. et n. — 1918, *in* D. D. L., «milicien fasciste italien», 1932; emprunt à l'ital. *avanguardista;* de *avant-garde.*

Didact. ou littér. Qui appartient à l'avant-garde littéraire, artistique. — Nom :

(...) à une date fatidique de l'histoire musicale (...) un système qui fut vénérable, que le temps a usé, s'écroule tout à coup, à la consternation des uns, à l'étonnement des autres, tandis que quelques avant-gardistes frénétiques affirment avoir déjà tout trouvé. 1
Pierre SCHAEFFER, la Musique concrète, p. 6.

Ingmar Bergman est sans aucun doute le seul *(cinéaste moderne)* à ne pas renier ouvertement les procédés chers aux avant-gardistes des années 30. 2
J.-L. GODARD, Arts, n° 680, 30 juil. 1958,*in* Coll. des cahiers du cinéma, p. 137.

**AVANT-GARDITÉ** [avãgaʀdite] n. f. — 1964; de *avant-garde.*

Rare. Caractère d'une production littéraire ou artistique d'avant-garde.

On peut très bien imaginer que la Télévision française prenne un roman, du Nouveau Roman, par exemple, parce que c'est à la mode et parce que c'est un gage d'avant-gardité, et en fasse une adaptation aussi conventionnelle et aussi périmée que possible.
A. ROBBE-GRILLET, Interview à l'Express, 19 oct. 1964.

**AVANT-GOÛT** [avãgu] n. m. — 1610; de *avant-*, et *goût.*

♦ **1** Rare. Goût qu'on a par avance de qqch. *«Un avant-goût de la saveur du fruit»* (Pesquidoux, *in* T. L. F.).

♦ **2** Fig., cour. Sensation que procure l'idée d'une chose, d'un événement à venir. → **Anticipation, préfiguration, pressentiment.** *Avoir l'avant-goût de qqch. Donner à qqn un avant-goût de ... Ce soleil a un avant-goût de vacances.*

Enfin il paraît *(le Sauveur)* et il nous donne comme un avant-goût de la félicité qu'il nous prépare. 1
BOSSUET, Deuxième dimanche de carême, Soumission.

(...) cette plénitude de vie, à la fois tourmentante et délicieuse, qui, dans l'ivresse du désir, donne un avant-goût de la jouissance. ROUSSEAU, les Confessions, III. 2

L'assurance de son amour le délectait comme un avant-goût de la possession, et puis le charme de sa personne lui troublait le cœur plus que les sens. 3
FLAUBERT, l'Éducation sentimentale, II, 6.

4 Ce dont je venais d'avoir l'avant-goût et d'apprendre le présage, c'était pour un instant seulement ce qui plus tard serait chez moi un état permanent, une vie où je ne pourrais plus souffrir pour Albertine, où je ne l'aimerais plus.
PROUST, À la recherche du temps perdu, t. III, p. 42.

5 Qu'aimes-tu tant dans les départs, Ménalque? Il répondit : – L'avant-goût de la mort.
GIDE, les Nourritures terrestres, p. 111.

5.1 On s'enfonce dans d'étroites allées pour prendre un avant-goût de la forêt tropicale.
GIDE, Voyage au Congo, *in* Souvenirs, Pl., p. 685.

6 (...) l'excès même des douleurs procure parfois aux victimes une trêve qui est en qelque sorte un avant-goût de l'anéantissement, le prélude des délices de la mort.
G. DUHAMEL, Récits des temps de guerre, II, 162.

**AVANT-GUERRE** [avɑ̃gɛʀ] n. m. ou f. — 1913; de *avant,* et *guerre.*

Période qui a précédé une guerre, et, notamment, l'une des deux guerres mondiales. *Pendant l'avant-guerre. L'Europe d'avant-guerre.*

1 Je lui ai dit que c'était un prix d'avant-guerre et que désormais il devrait payer le poulet un franc.
GIDE, Voyage au Congo, *in* Souvenirs, Pl., p. 830.

Loc. adv. *Avant-guerre :* dans les années qui ont précédé la guerre. *C'était autre chose, avant-guerre.*

(Adj. attribut, avec un sujet n. de personne). Rare.

2 Ayant dit depuis longtemps qu'elle le trouvait usé, fini, plus démodé dans ses prétendues audaces que les plus pompiers, elle résumait maintenant cette condamnation et dégoûtait de lui toutes les imaginations en disant qu'il était «avant-guerre».
PROUST, le Temps retrouvé, Pl., t. III, p. 764.

CONTR. **Après-guerre.**

**AVANT-HIER** [avɑ̃tjɛʀ] adv. — 1220; *avant ier,* v. 1170; de *avant-,* et *hier.*

Dans le jour qui a précédé hier. → aussi **Avant-veille.** *Il est parti avant-hier. Il n'est arrivé que d'avant-hier.*

Le bruit court qu'avant-hier on vous assassina (...)
BOILEAU, Épîtres, VI.

N. m. *Avant-hier s'était très bien passé, mais il y a eu une rechute hier.*

**AVANT-MAIN** [avɑ̃mɛ̃] n. — 1575; de *avant-,* et *main.*

♦ **1** N. f. Vx. Partie antérieure de la main. *Des avant-mains.*

♦ **2** «Coup donné de droite à gauche avec l'endroit de la raquette» (Luze, *Hist. du Jeu de Paume,* 1933), au jeu de paume.

♦ **3** N. m. (1721). Partie antérieure du cheval, en avant de la main du cavalier (opposé à *arrière-main*).

**AVANT-MÉTRÉ** [avɑ̃metʀe] n. m. — XXe; de *avant-,* et *métré.*

Techn. Mesure, d'après les plans, d'un ouvrage de construction, servant à établir le devis. *Des avant-métrés.*

**AVANT-MIDI** [avɑ̃midi] n. m. invar. — 1772; de *avant-,* et *midi.*

Régional. Matin, matinée. *Des avant-midi.*

Les choses en étaient donc là, en cet avant-midi de lundi.
Jean FOLLONIER, la Sommelière, p. 109.

**AVANT-MONT** [avɑ̃mɔ̃] n. m. — 1899, *avants-monts;* de *avant-,* et *mont.*

Géogr. Petite chaîne montagneuse en avant de la chaîne principale. *Des avant-monts.*

**AVANT-NUIT** [avɑ̃nɥi] n. f. — Mil. XXe; de *avant-,* et *nuit.*

Littér. ou régional. Moment qui précède la nuit. → **Crépuscule.** *Des avant-nuits.*

Et moi, enfant de cette histoire, je ne sais pas encore que la Lézarde *(une rivière)* continue vers le soir et la mer noire, ainsi accomplissant sa mort et sa science; qu'à six heures lorsque va tomber le serein, la fine humidité de l'avant-nuit, la Lézarde n'a plus de secrets (...)
Édouard GLISSANT, la Lézarde, VI, p. 31.

**AVANT-PAYS** [avɑ̃pei] n. m. invar. — 1913, *in* D. D. L.; de *avant-,* et *pays.*

Géogr. Partie d'une région qui se trouve en avant (d'un lieu) par rapport à la mer (opposé à *arrière-pays*).

**AVANT-PIED** [avɑ̃pje] n. m. — XVIe, Paré; *avanpié* «empeigne», v. 1172; de *avant-,* et *pied.* → Avant-bras.

Anat. Partie antérieure du pied (→ Métatarse). *Des avant-pieds.*

On l'avait amputé de l'avant-pied seize jours avant. Mais la cicatrisation ne se faisait pas, la circulation ne s'était pas rétablie dans la jambe (...)
M. DRUON, la Chute des corps, IV, X, p. 353.

**AVANT-PLAN (À L')** [alavɑ̃plɑ̃] loc. adv. — D. i. (attesté XXe); de *avant-,* et *plan,* d'après *arrière-plan.*

Régional (Belgique). Au premier plan. «*Le problème de Bruxelles revient à l'avant-plan*» (Charles Rebuffat, in *le Soir,* 20-21 févr. 1972, Bruxelles).

L'articulation reste à l'avant-plan.
Éric BUYSSENS, Linguistique historique, p. 117.

CONTR. **Arrière-plan.**

**AVANT-PORT** [avɑ̃pɔʀ] n. m. — 1792; de *avant-,* et *port.*

Entrée d'un port qui se trouve en avant des divers bassins (opposé à *arrière-port*). → **Avant-bassin.** *S'abriter, attendre la marée, mouiller dans l'avant-port. Des avant-ports.*

Donc, tous les jours sauf le dimanche, le *Trident* quittait Guernesey à deux heures un quart de l'après-midi. On pouvait le suivre aux jumelles, dès sa sortie de l'avant-port, durant quelques minutes.
Geneviève DORMANN, le Bateau du courrier, p. 25.

**AVANT-POSTE** [avɑ̃pɔst] n. m. — 1799; de *avant-,* et *poste.*

Milit. Poste avancé. *Réseau d'avant-postes. Attaquer un avant-poste ennemi.*

Des cacolets revenant des avant-postes avec les blessés qui se balancent aux flancs des mules et geignent doucement comme des agneaux malades. 1
Alphonse DAUDET, Contes du lundi, «Mères».

L'Agence Havas annonce ce soir que nos troupes de couverture ont pris leurs avant-postes (...) 2
MARTIN DU GARD, les Thibault, VII, 62.

Par métonymie. Ensemble des hommes qui occupent un avant-poste. *Les avant-postes se sont rendus.*

**AVANT-PREMIÈRE** [avɑ̃pʀəmjɛʀ] n. f. — 1892; de *avant-,* et *première (représentation).*

♦ **1** Réunion d'information pour présenter une pièce, un film, une exposition avant la présentation au public, avant l'ouverture. *Avant-première en présence de l'auteur. Des avant-premières.* — Article publié par un journaliste convié à cette réunion.

♦ **2** *En avant-première :* avant la présentation officielle, publique. *Projeter un film en avant-première.*

**AVANT-PRINTEMPS** [avɑ̃pʀɛ̃tɑ̃] n. m. invar. — 1933; de *avant-*, et *printemps.*

Littér. Époque qui précède et annonce le printemps.

1 (...) une touffe de romarin bleu, le premier parfum de la terre, le premier cri de l'avant-printemps.
A. ARNOUX, Suite variée, p. 30.

2 (...) cet avant-printemps aussi frais que le premier chant du coucou.
Guy de POURTALÈS, la Pêche miraculeuse, p. 74.

**AVANT-PROJET** [avɑ̃pʀɔʒɛ] n. m. — 1845; de *avant-*, et *projet.*

Rédaction provisoire d'un projet de loi, de contrat. — Plan sommaire, maquette ou esquisse d'une construction, d'une œuvre d'art. *Dresser, établir un avant-projet. Des avant-projets.*

**AVANT-PROPOS** [avɑ̃pʀɔpo] n. m. invar. — 1556; de *avant-*, et *propos.*

Courte introduction (présentation, avis au lecteur, etc.). → **Avertissement, introduction, préface.**

Le premier qui mit en œuvre **Avant-propos** pour **Prologue,** fut Louis Le Charond en ses Dialogues (...)
Étienne PASQUIER, Recherches de la France, VIII, 3.

CONTR. **Conclusion, postface.**

**AVANT-PUITS** [avɑ̃pɥi] n. m. invar. — XXe; de *avant-*, et *puits.*

Techn. Commencement d'un puits en cours de forage (mines, pétrole).

**AVANT-SCÈNE** [avɑ̃sɛn] n. f. — 1570; de *avant-*, et *scène.*

♦ **1** Antiq. Partie du théâtre où jouaient les acteurs. → **Proscenium.**

♦ **2** (1790). Mod. Partie d'une scène de théâtre comprise entre la rampe et le rideau (opposé à *arrière-scène*). — *Loge d'avant-scène :* loge située sur les côtés de l'avant-scène.

1 Je sortais d'un théâtre où tous les soirs je paraissais aux avant-scènes en grande tenue de soupirant.
NERVAL, les Filles du feu, «Sylvie».

2 L'acteur annonçait le nom de l'auteur, cueillait celui-ci dans l'avant-scène pour l'amener au milieu du plateau.
G. SIMENON, Pietr-le-Letton, p. 72.

Loge placée près de la scène. *Des avant-scènes.*

2.1 Sidonie, au contraire, toutes voiles dehors, étalée au-devant des loges, riait de tout son cœur aux histoires du grand-père, heureuse d'être descendue des troisièmes ou des secondes, ses places d'autrefois, à ces belles avant-scènes ornées de glaces, dont le bord de velours lui semblait fait exprès pour ses gants clairs, sa lorgnette d'ivoire et son éventail à paillettes.
Alphonse DAUDET, Fromont jeune et Risler aîné, p. 102.

3 Mortimer sortit trois fois de sa loge, parut dans une avant-scène, puis au parterre, s'entretint avec un ancien président du Conseil (...)
G. SIMENON, Pietr-le-Letton, p. 71.

♦ **3** Fam. (Par anal. avec *balcon*). Au sing. Seins (d'une femme).

**AVANT-TOIT** [avɑ̃twa] n. m. — 1397, *avant-toict;* de *avant-*, et *toit.*

Techn. ou vieilli. Avancée, saillie d'un toit. *Des avant-toits.* → **Auvent.** *Double rangée de tuiles formant un avant-toit.* → **Battellement.**

1 Lorsque (...) les cheminées sont fermées par le haut (...) elle *(l'hirondelle)* se réfugie sous les avant-toits.
BUFFON, Hist. nat. des oiseaux, L'hirondelle de cheminée.

2 Sept marches (...) conduisent au palier
Qu'un avant-toit défend du vent et de la neige.
LAMARTINE, Jocelyn, VI, 226.

**AVANT-TRAIN** [avɑ̃tʀɛ̃] n. m. — 1704; *avantrein,* 1628; de *avant-*, et *train.*

♦ **1** Avant d'une voiture à cheval (roues de devant et timon). *Des avant-trains.*

♦ **2** (1835). Partie antérieure du corps d'un quadrupède (opposé à *arrière-train*).

**AVANT-VEILLE** [avɑ̃vɛj] n. f. — XIIIe; de *avant-*, et *veille.*

Jour qui précède la veille. → **Avant-hier;** (vx) **surveille** (→ Outrecuidant, cit.; radeau, cit.). *La veille ou l'avant-veille. L'avant-veille de son départ. Les avant-veilles.*

Les départs d'Islandais avaient commencé depuis l'avant-veille (...) 1
LOTI, Pêcheur d'Islande, V, 2.

(...) mais déjà je trouvais aussi le souvenir de la veille, de l'avant-veille et des deux soirs précédents, c'est-à-dire le souvenir des quatre soirs écoulés depuis le départ d'Albertine (...) 2
PROUST, Albertine disparue, Folio, p. 48.

**AVARE** [avaʀ] adj. et n. — 1527; lat. *avarus;* cf. anc. franç. *aver* (XIIe), de *avere* «désirer vivement».

♦ **1** Adj. Qui a la passion des richesses et se complaît à les amasser sans cesse. → **Avaricieux, avide, chiche, cupide, mesquin, parcimonieux** (cit. 2), **pingre, radin** (fam.), **rapiat, regardant; avarice** et aussi **économe.** *Il est sordidement avare. Elle est économe* et presque avare. Être avare comme un pou, un rat*.*

S'il donne, il est prodigue, et s'il épargne, avare (...) 1
ROTROU, Venceslas, I, 1.

Mais cette soif de l'or qui le brûlait dans l'âme (...) 2
Le fit, dans une avare et sordide famille,
Chercher un monstre affreux sous l'habit d'une fille (...)
BOILEAU, Satires, X.

C'est une société de gens avares qui prennent toujours et ne rendent jamais; ils accumulent sans cesse des revenus pour acquérir des capitaux. 3
MONTESQUIEU, Lettres persanes, 118.

Un fils dissipateur succède à un père avare (...) 4
G.-T. RAYNAL, Hist. philosophique..., IV, 1.

Madame de Coislin, avare de même que beaucoup de gens d'esprit, entassait son argent dans des armoires. Elle vivait toute rongée d'une vermine d'écus qui s'attachait à sa peau : ses gens la soulageaient. 5
CHATEAUBRIAND, Mémoires d'outre-tombe, t. II, p. 338.

Parcimonieuse et même avare, elle se montrait pour lui follement prodigue. 6
FRANCE, le Petit Pierre, XXII, p. 158.

Il n'était certes pas avare, mais strict dans ses dépenses. 7
G. DUHAMEL, Chronique des Pasquier, III, 5.

C'est tout juste si elle ne fait pas ses robes elle-même, par économie. Elle est avare comme un pou. 7.1
G. SIMENON, les Vacances de Maigret, p. 75.

Vx. Avide (→ Achéron, cit. 3). *Caractère avare. Cœur avare.*

Tu céderas ou tu tomberas sous ce vainqueur, Alger, riche des dépouilles de la chrétienté; tu disais en ton cœur avare : je tiens la mer sous mes lois, et les nations sont ma proie. 8
BOSSUET, Oraison funèbre de Marie-Thérèse d'Autriche.

Les Français travaillent pour amasser et dépenser soudain. Il semble, disais-je, qu'ils aient une main avare et une autre prodigue. 9
MONTESQUIEU, Cahiers, p. 174.

Prov. *À père avare, fils prodigue.*

À père avare, dit-on, fils prodigue; à parents économes, enfants dépensiers. 10
A. DE MUSSET, les Deux Maîtresses, Pl., p. 388.

♦ **2** N. Personne qui amasse et garde tout ce qu'elle a, et notamment tout son argent. → **Cancre** (vx), **fesse-mathieu** (vx), **grigou, grippe-sou, harpagon, ladre** (vx), **lésineur, liardeur** (vx), **pingre,**

**pleure-misère** (vx), **pouacre** (vx), **radin** (fam.), **rapace, racle-denier** (vx), **rapiat** (fam.), **rat, thésauriseur, vilain** (vx). — N. B. La plupart de ces termes sont archaïques. *Un vieil avare, une vieille avare. Son avare de père ne lui donne pas un sou. L'avare accumule, amasse, entasse, épargne, thésaurise et vit chichement. L'avare plaint, pleure le pain qu'il mange. Il est tellement avare qu'il couperait les sous en quatre; qu'il tondrait un œuf* (→ On tirerait plutôt de l'huile d'un mur*, un pet* d'un âne mort, qu'un sou de sa bourse). *On représente l'avare avec des ongles crochus, des serres. L'avare qui a perdu son trésor* (La Fontaine, IV, 20). *L'Avare*, comédie de Molière (1668).

11 L'avare n'aura jamais assez d'argent et celui qui aime les richesses n'en recueillera point de fruit (...) De quoi donc sert-il *(le bien)* à celui qui le possède, sinon qu'il voit de ses yeux beaucoup de richesses?
BIBLE (SACY), l'Ecclésiaste, V, 9-10.

12 L'avare, d'autre part, n'aime que la richesse;
C'est son roi, sa faveur, sa cour et sa maîtresse (...)
Mathurin RÉGNIER, Satires, IX.

13 L'usage seulement fait la possession.
Je demande à ces gens de qui la passion
Est d'entasser toujours, mettre somme sur somme,
Quel avantage ils ont que n'ait pas un autre homme (...)
*(Cet avare)* ne possédait pas l'or, mais l'or le possédait (...)
LA FONTAINE, Fables, IV, 20 (cf. aussi Fables, VII, 12; VIII, 27; IX, 16; XII, 3).

14 Vous êtes la fable et la risée du monde, et jamais on ne parle de vous que sous le nom d'avare, de ladre, de vilain et de fesse-mathieu. MOLIÈRE, l'Avare, III, 5.

15 Il est allé trouver ce chien d'avare.
MOLIÈRE, les Fourberies de Scapin, III, 3.

16 Un avare idolâtre et fou de son argent,
Rencontrant la misère au sein de l'abondance (...)
BOILEAU, Satires, IV.

17 (...) ce vieillard qui compte de l'or et de l'argent; c'est un avare. Admirez ce vieux fou, avec quel plaisir il contemple ses richesses; il ne peut s'en rassasier.
A. R. LESAGE, le Diable boiteux, III.

18 L'avare se moque du prodigue, le prodigue de l'avare (...)
RIVAROL, Notes, pensées et maximes, t. II, p. 12.

18.1 Tout pouvoir humain est un composé de patience et de temps. Les gens puissans veulent et veillent. Or, la vie de l'avare est un constant exercice de la puissance humaine mise au service de la *personnalité*. En effet, il ne s'appuye que sur deux sentimens : l'amour-propre et l'intérêt; mais l'intérêt étant en quelque sorte l'amour-propre solide et bien entendu, l'attestation continue d'une supériorité réelle, ce sont deux parties d'un même tout, l'égoïsme. De là vient peut-être la prodigieuse curiosité qu'excitent les avares habilement mis en scène. Chacun tient par un fil à ces personnages. Ils s'attaquent à tous les sentimens humains, parce qu'ils les résument tous. Où est l'homme sans désir, et quel désir social se résoudra sans argent?
BALZAC, Eugénie Grandet, éd. 1838, p. 185.

19 Plaute avait mis en scène Euclion, l'avare pauvre; Molière reprend le même personnage et fait Harpagon, l'avare riche. TAINE, Philosophie de l'art, V, I, 1.

19.1 Il y a de l'humilité dans l'avare; et le secret de cette humilité, c'est le refus d'humiliation (...) Mais je ne fais attention présentement qu'à cette fuite immobile de l'être, qui ne veut point du tout persuader ni communiquer, et qui ne se fie donc qu'à l'intérêt bien entendu. Cette passion est celle où il entre le moins de vanité; on ne peut lui plaire en lui obéissant sans la comprendre (...) L'avare est secret; et non pas seulement par peur d'être volé, mais par l'horreur de tout mouvement du dedans au dehors. Un vrai avare doit faire le sourd et le muet; faire le muet est ce qui noue cette bouche comme une bourse.
ALAIN, les Aventures du cœur, *in* les Passions et la Sagesse, Pl., p. 410.

20 Le père Grandet qu'a si bien décrit Balzac n'est pas proprement un avare, c'est un homme qui n'est à l'aise que dans la nécessité.
CLAUDEL, Positions et Propositions, p. 20.

REM. L'adjectif et le nom *avare*, sans être archaïques, n'ont plus, et de loin, la fréquence qu'ils avaient dans la langue classique.

♦ **3** Adj. Littér. AVARE DE (qqch.) : qui ne prodigue pas. → **Économe, ménager, parcimonieux.** *Il est assez avare de compliments. Il n'est pas avare de promesses. — Être avare de son temps.*

Le bras qui la versait *(la grâce)* en devient plus avare (...) 21
CORNEILLE, Polyeucte, I, 1.

On dit aussi au figuré, Dieu n'est point *avare* de ses grâces, quand on les lui demande avec dévotion. 22
FURETIÈRE, Dict., art. *Avare.*

Marius de leur sang eût été moins avare (...) 23
VOLTAIRE, la Mort de César, I, 4.

(...) devenant aussi avare de regards agaçants que j'en avais jusqu'alors été prodigue. 24
A. R. LESAGE, Gil Blas, VII, 7.

Uniquement occupé à découvrir, et avare du temps qu'il y employait, il *(Newton)* ne se hâtait nullement de rédiger ses découvertes, encore moins de les publier (...) 25
MAIRAN, Éloges des Académiciens, Halley.

Hélène eut alors un de ces gestes gracieux dont elle n'était pas avare. 26
G. DUHAMEL, Chronique des Pasquier, III, 5.

♦ **4** Adj. (Sujet n. de chose). Qui accorde parcimonieusement. → **Parcimonieux.** *Une terre avare.* → **Aride.** *Un jour, une lumière avare.* → **Rare.**

Il y a grande disette d'eau par toute cette contrée, et le ciel lui est aussi avare que la terre (...) 27
VAUGELAS, Trad. QUINTE-CURCE, 231.

Il fallut qu'au travail son corps rendu docile 28
Forçât la terre avare à devenir fertile (...)
BOILEAU, Épîtres, III.

Poussée contre cette fenêtre, la table de M. B. en recevait les reflets d'un jour avare et sordide. 29
FRANCE, le Mannequin d'osier, p. 225.

Quant à ses romans mondains, qu'il produisait d'une veine avare. 30
J. ROMAINS, les Hommes de bonne volonté, t. III, p. 177.

CONTR. **Dépensier, dilapidateur, dissipateur, gaspilleur, généreux, large, libéral, prodigue. — Fertile, fécond, productif.** ◊ DÉR. **Avarement.**

**AVAREMENT** [avaʀmɑ̃] adv. — XVI^e; «avec avidité», 1554; de *avare.*

Rare. Avec avarice (surtout, 2.), d'une manière parcimonieuse.

(...) les yeux altérés cherchaient partout encore un peu de cette nuance délicieuse qui leur était trop avarement mesurée : il y avait clair de lune.
PROUST, la Prisonnière, Folio, p. 490.

**AVARICE** [avaʀis] n. f. — 1265; *averice*, 1121; lat. *avaritia.* → Avare.

♦ **1** Attachement excessif à l'argent, passion d'accumuler, de retenir les richesses. → **Avidité, crasse, cupidité, ladrerie, lésine, mesquinerie, pingrerie** (fam.), **pouillerie, rapacité, sordidité**; et aussi **avare.** *Une avarice sordide. Péché d'avarice. L'avarice est une «perversion de l'instinct de conservation»* (Bardenat, *in* Porot, 1952). *L'avarice, vice naturel* (cit. 10), *fondamental et durable.*

Ayez soin de vous bien garder de toute avarice (...) 1
BIBLE (SACY), Évangile selon saint Luc, XII, 15.

Il y a plusieurs sortes d'avarice. Il y en a une triste et sordide, qui amasse sans fin et sans jouir : «Qui n'ose toucher à ses richesses et qui semble, comme dit le Sage, ne s'être réservé sur elle aucun droit que celui de les regarder et de dire : Je les ai.» 2
BOSSUET, Méditations sur l'Évangile, 35^e journée (→ Avare, cit. 11).

Les passions en engendrent souvent qui leur sont contraires : l'avarice produit quelquefois la prodigalité, et la prodigalité l'avarice (...) 3
LA ROCHEFOUCAULD, Maximes, 11.

L'avarice est plus opposée à l'économie que la libéralité. 4
LA ROCHEFOUCAULD, Maximes, 167.

5 L'avarice perd tout en voulant tout gagner.
LA FONTAINE, Fables, V, 13.

6 Voilà où les jeunes gens sont réduits par la maudite avarice des pères (...) MOLIÈRE, l'Avare, II, 1.

7 J'ai vu toute ma vie des gens qui perdaient leur fortune par ambition et se ruinaient par avarice (...)
MONTESQUIEU, Cahiers, p. 100.

8 (...) on comprendra sans peine une de mes prétendues contradictions, celle d'allier une avarice presque sordide avec le plus grand mépris pour l'argent.
ROUSSEAU, les Confessions, I, 1.

9 (...) d'une telle avarice, que s'il avait eu le malheur de perdre son âme, il ne l'aurait jamais rachetée.
CHATEAUBRIAND, Mémoires d'outre-tombe, t. II, p. 114.

10 L'avarice commence où la pauvreté cesse.
BALZAC, Illusions perdues, I, Pl., t. IV.

10.1 L'avare est tout dans le geste qui ne s'éloigne point du corps et dans un mouvement de se ramener sur soi. La peur est l'âme de l'avarice; les provisions et trésors sont des précautions, l'ordre est un moyen d'en faire revue; et la crainte du prodigue y est peut-être plus naturelle que la crainte des voleurs. L'avare craint le bruit et le changement; c'est qu'il craint la fatigue; et, dans le fond, il craint de s'intéresser. Je suppose qu'il craint aussi d'aimer.
ALAIN, les Aventures du cœur, *in* les Passions et la Sagesse, Pl., p. 366.

11 Duperrier s'imposa de dures disciplines, comme de rester sur sa gourmandise, et parvint à se tailler, parmi ses voisins et connaissances, une solide réputation d'avarice.
M. AYMÉ, le Vin de Paris, «La grâce», p. 94.

♦ **2** Littér. (aux sens 3 et 4 de *avare*). Parcimonie. *Son avarice de compliments, de promesses. — L'avarice d'une terre.*

**CONTR. Désintéressement, dissipation, gaspillage, générosité, largesse, libéralité, prodigalité.** ◊ **DÉR. Avaricieux.**

**AVARICIEUX, IEUSE** [avaʀisjø, jøz] adj. et n. — 1283; de *avarice.*

♦ **1** Vx ou plais. Qui se montre d'une avarice mesquine. → **Avare.**

1 — Quoi! moi! j'aurais légué sans aucune raison,
Quinze cents francs de rente à ce maître fripon (...)?
— Ne vous repentez pas d'une œuvre méritoire,
Voulez-vous, démentant un généreux effort,
Être avaricieux même après votre mort?
J.-F. REGNARD, le Légataire universel, V, 7.

1.1 Je pourrais, certes (...) dépeindre des rustres avaricieux remplissant des bas de laine.
M. YOURCENAR, Archives du Nord, p. 166.

Qui dénote l'avarice.

1.2 Je ne sais s'il faut nommer désir le resserrement avaricieux; peut-être est-ce une nuance de l'avarice que de craindre son propre désir (...)
ALAIN, les Aventures du cœur, *in* les Passions et la Sagesse, Pl., p. 385.

Par métonymie :

1.3 Enfin libérée des clôtures, des enceintes, des maçonneries qu'élève l'avaricieuse histoire de l'Europe entre les champs cultivés, les pays, les cœurs et les corps aussi.
Régis DEBRAY, l'Indésirable, p. 130.

Nom (1370) :

2 La peste soit de l'avarice et des avaricieux!
MOLIÈRE, l'Avare, I, 3.

3 Un avaricieux qui aime devient libéral (...)
PASCAL, Disc. sur les passions de l'amour.

4 Avaricieux pour lui-même, encore plus modeste dans ses habits que son père, il *(Louis XI)* trouvait quatre cent mille écus pour acheter une province.
J. BAINVILLE, Hist. de France, p. 122.

♦ **2** Vx. *Avaricieux de... :* qui n'est pas prodigue de... *Elle est avaricieuse de sa peine.*

**CONTR. Généreux, libéral.**

**AVARIE** [avaʀi] n. f. — 1599; «frais causés par une avarie», v. 1200; ital. *avaria;* arabe *'awār* «dommage».

♦ **1** Dommage* survenu à un navire ou aux marchandises qu'il transporte. *La cargaison a subi des avaries. Réparer les avaries. Avaries communes, avaries particulières* (*Code de commerce,* art. 400 et 403).

Il *(le commissionnaire qui se charge d'un transport)* est garant des avaries ou pertes de marchandises et effets, s'il n'y a stipulation contraire dans la lettre de voiture, ou force majeure. Code de commerce, art. 98. 1

Toutes dépenses extraordinaires faites pour le navire et les marchandises, conjointement ou séparément (...) 2
Tout dommage qui arrive au navire et aux marchandises, depuis leur chargement et départ jusqu'à leur retour et déchargement (...)
Sont réputés avaries. Code de commerce, art. 397.

La panse n'avait point d'avarie visible; affourchée comme elle était, elle donnait peu de prise; mais la carcasse de la **Durande** était en détresse. 3
HUGO, les Travailleurs de la mer, III, VI.

La **Sémillante** a dû perdre son gouvernail; car, il n'y a pas de brume qui tienne, sans une avarie, jamais le capitaine ne serait venu s'aplatir ici contre. 4
Alphonse DAUDET, Lettres de mon moulin, «Sémillante».

Dommage survenu au cours d'un transport terrestre ou aérien.

*(Les voituriers)* sont responsables de la perte et des avaries des choses qui leur sont confiées, à moins qu'ils ne prouvent qu'elles ont été perdues ou avariées par cas fortuit ou force majeure. Code civil, art. 1784. 5

♦ **2** Fig., littér. Accident, détérioration. *Les avaries d'un monument ancien. Une avarie de moteur.*

(...) il y a des liaisons soi-disant indestructibles dans lesquelles elle *(l'absence)* fait d'irrémédiables avaries; elle accumule des mondes d'indifférence sur des promesses de souvenirs éternels. 6
E. FROMENTIN, Dominique, II.

♦ **3** Fam. Vx. Syphilis (→ **Avarier, p. p.).**

**DÉR. Avarier, avaro.**

**AVARIER** [avaʀje] v. tr. — 1723; de *avarie.*

♦ **1** Causer une avarie à. → **Endommager.** *Le navire a été avarié par la tempête.* — Au p. p. *Navire, avion avarié.*

Le vaigrage, avarié en plusieurs endroits, commençait à s'entr'ouvrir. Tout le navire était plein d'un bruit monstrueux. HUGO, Quatre-vingt-treize, t. II, 5. 1

♦ **2** Détériorer (des marchandises périssables). *La pluie a avarié les foins.* → **Gâter, pourrir.** — (Pron. ou au p. p.). Cour. *Ces denrées se sont avariées à l'entrepôt. Marchandises avariées. Viande avariée.*

(...) c'est un lot de produits avariés qui n'a pu trouver acheteur sur le marché de Bordeaux. 1.1
GIDE, Voyage au Congo, *in* Souvenirs, Pl., p. 688.

◆ **AVARIÉ, ÉE** p. p. adj.

♦ **1** → **Avarier** (1. et 2.).

♦ **2** Fam. Malade, blessé.

Attendez, sergent j'ai une patte avariée, mais les reins et les bras sont encore solides. Je vais vous donner un coup de main. E. SUE, *in* Pierre LAROUSSE. 2

♦ **3** Fam. et vieilli. Atteint de maladie (vénérienne). *Les Avariés,* pièce de Brieux (1905).

**AVARO** [avaʀo] n. m. — 1874, typogr., *in* Esnault; de *avarie,* et suff. argotique *-o, -ot.*

Pop. Désagrément, accident, tuile (figuré).

Il y a là une puissance maligne et implacable, à laquelle nous n'opposons d'ailleurs aucune résistance : nous nous laissons rouler vers l'avaro, nous nous regardons faire des conneries, nous sommes engourdis, soumis, et pourtant lucides (...) A. SARRAZIN, la Cavale, p. 441.

**AVATAR** [avataʀ] n. m. — 1800; sanscrit *avatāra* «descente».

♦ **1** Dans la religion hindoue, Incarnation (de Visnu).

1 (...) ce que j'envie le plus aux dieux monstrueux et bizarres de l'Inde, ce sont leurs perpétuels avatars et leurs transformations innombrables.
Th. GAUTIER, Mlle de Maupin, éd. Charpentier, p. 100.

2 Balzac, comme Vichnou, le dieu indien, possédait le don d'avatar c'est-à-dire celui de s'incarner dans des corps différents et d'y vivre le temps qu'il voulait (...)
Th. GAUTIER, Portraits contemporains, p. 63.

2.1 L'Inde s'accommode du Christ comme des autres dieux, et voit facilement en lui un avatar (avatar signifie descente, incarnation...).
MALRAUX, Antimémoires, Folio, p. 345.

♦ **2** (1822). Fig. Métamorphose, transformation.

3 Une déesse rayonnante guidait dans ces nouveaux avatars l'évolution rapide des humains.
NERVAL, la Bohème galante, p. 345.

4 Par quelles interventions de prodigieux avatars, de lentes transformations, de nuances insensibles, Gabrielle était devenue Tata?
COURTELINE, Messieurs les ronds-de-cuir, II, 1.

5 Un jour viendra, on le sait, où cette **Cisalpine** s'appellera **République italienne**, puis, par un nouvel avatar, Royaume d'Italie (...)
Louis MADELIN, Hist. du Consulat et de l'Empire, t. II, XI.

6 *(Avatar)* s'emploie au figuré pour désigner les incarnations successives ou les rôles d'un même individu, les situations sociales diverses qu'il a occupées. — (Ce mot est pris parfois à contre-sens, par suite sans doute de sa ressemblance avec **aventure**).
A. LALANDE, Voc. de la philosophie, art. *Avatar.*

7 Ce n'est pas l'origine qui compte ici, mais au contraire l'issue, le but final, découverts à travers toute sorte d'avatars.
G. DELEUZE, *in* M. TOURNIER, Vendredi..., p. 256.

♦ **3** (1916). Par contresens. (Généralt au plur.). Mésaventure, malheur. *Les avatars de la vie.*

♦ **4** (empr. à l'angl. *avatar*, du sens 1). Personnage choisi par un utilisateur de la réalité virtuelle (dans un jeu, notamment) pour le représenter au sein de ce monde virtuel. *«Il a fallu créer des avatars, une sorte de double numérique, que chacun revêt d'un clic de souris, avant d'entrer sur le site»* (*le Nouvel Obs.*, 11 nov. 1999, p. 28).

**À VAU-L'EAU** [avolo] → **Val.**

**AVE** [av] n. m. — 1130; lat. *avus.*
Loc. Vx et plais. *Aves et ataves :* aïeux.

**AVÉ** [ave] ou **AVE MARIA** [avemaʀja] n. m. invar. — 1310; lat. *ave* «salut», début de la prière.

♦ **1** Salutation angélique, prière que l'on adresse à la Sainte Vierge. *Dire cinq Pater et cinq Avé* (Académie).

Moi, pauvre pécheur que Dieu pousse,
Diseur de Pater et d'Ave,
Sans oreiller que le pavé (...)
G. NOUVEAU, la Doctrine de l'amour, «Hymne», Pl., p. 508.

Moment de la messe où l'on récite cette prière. *Partir après l'Avé.*

♦ **2** (1690). Grain du chapelet sur lequel on dit l'*Avé. Il y a dans le rosaire quinze Pater et cent cinquante Avé.*

REM. La graphie latine *ave* est attestée dans les deux sens (cf. ci-dessus cit. G. Nouveau).

HOM. Haver.

**AVEC** [avɛk] prép. et adv. — 1284; *avoc, avuec,* fin XIe; variantes *auec, ovec, ove, ovoec* au XIIe; *avecques,* XIVe, XVe; les formes *avecque, avecques* restent très employées au XVIIIe, et même plus tard avec une intention archaïsante (→ cit. 49.1 ci-dessous; benzène, cit.); du lat. pop. **apud hoque,* de *apud hoc,* de *apud* «auprès de», et *hoc* «cela».

**I** ♦ **1** (Marque le rapport : présence physique simultanée; accord moral, entre une personne et qqn). En compagnie de (qqn, un animal). → préf. **Co-**. *Aller se promener avec qqn, avec son chien. Mon plus grand plaisir est de sortir avec vous* (→ Accompagner, cit. 5). *Déjeuner, dîner, souper avec un ami. Vivre avec qqn. Jouer avec des enfants. Parler avec qqn. Partager avec les amis.*

*Être avec qqn,* en sa compagnie. *Ils sont toujours l'un avec l'autre. Être avec des gens qu'on aime.* → **Auprès** (auprès de; cit. 11). *Je n'ai pu discerner qui était avec elle. Elle était au théâtre avec sa sœur. — Avoir qqn avec soi. La vie avec qqn. Cette promenade avec vous.*

Sa maîtresse *(de Joseph)* le prit par son manteau, et lui dit encore : Dormez avec moi (...) 1
BIBLE (SACY), Genèse, XXXIX, 12.

*(Les mages)* trouvèrent l'enfant avec Marie, sa mère, et se prosternant, ils l'adorèrent. 2
Évangile selon saint Matthieu, II, 11.

Ma commère la carpe y faisait mille tours 3
Avec le brochet son compère.
LA FONTAINE, Fables, VII, 5.

Capitaine renard allait de compagnie 4
Avec son ami bouc des plus haut encornés.
LA FONTAINE, Fables, III, 5.

Ne plaise aux dieux que je couche, 5
Avec vous sous même toit.
LA FONTAINE, Fables, V, 7.

Outre qu'il est assez ennuyeux (...) 6
D'avoir toute sa vie une bête avec soi (...)
MOLIÈRE, l'École des femmes, I, 1.

On ne pousse, avec lui, que d'honnêtes soupirs. 7
MOLIÈRE, les Femmes savantes, IV, 2.

On apprend à hurler, dit l'autre, avec les loups. 8
RACINE, les Plaideurs, I, 1.

Et tout ingrat qu'il est, il me sera plus doux 9
De mourir avec lui, que de vivre avec vous (...)
RACINE, Andromaque, IV, 3.

Nous allâmes l'autre jour prendre l'air à Auteuil, et nous y dînâmes avec toute la petite famille, que M. Despréaux régala le mieux du monde. 10
RACINE, Lettres à son fils.

Lorsque je lis que Périclès sacrifiait tous les matins aux Grâces, ce que j'entends par là, c'est que tous les jours Périclès déjeunait avec Aspasie. 11
MARMONTEL, Mémoires, VII.

Et ce n'était pas seulement elle qui était devenue un être d'imagination c'est-à-dire désirable, mais la vie avec elle (...) PROUST, Albertine disparue, Folio, p. 53. 11

(...) ils ont avec cette femme des heures vraiment douces (...) PROUST, Albertine disparue, Folio, p. 68. 11

(...) je n'aurais plus à craindre le souvenir des promenades avec elle jusqu'à l'aube tôt levée. 11
PROUST, Albertine disparue, Folio, p. 95.

(Abstrait). En utilisant (qqn, un animal). *Chasser avec son chien. Il a réussi cette entreprise avec deux collaborateurs.*

M. de Villèle a déclaré qu'on ne pouvait gouverner ni avec moi ni sans moi. 12
CHATEAUBRIAND, Mémoires d'outre-tombe, t. IV, X, p. 258.

Loc. *Être avec qqn,* vivre avec lui.

Elle était maintenant avec un homme très riche, un Russe (...) 13
FLAUBERT, l'Éducation sentimentale, II, VI.

Du parti de. *Dans la lutte, nous resterons toujours avec les travailleurs. À l'issue de la discussion, il était avec nous.* — Loc. *Être de cœur* avec quelqu'un, de tout cœur avec quelqu'un.*

3.1 Des escouades d'agents travaillaient à dégager la sortie, mais sans brutalité. La police avec nous, scandaient les jeunes gens à brassard.
M. AYMÉ, Travelingue p. 226.

*Le Seigneur soit avec vous,* vous protège. *(Que) la paix soit avec toi, avec vous.*

14 Le Seigneur était avec lui *(Joseph),* et tout lui réussissait heureusement (...) BIBLE (SACY), Genèse, XXXIX, 2.

15 Jésus vint, et se tint au milieu d'eux, et leur dit : La paix soit avec vous.
BIBLE (SACY), Évangile selon saint Jean, XX, 19.

(Conformité). *Je pense avec cet auteur que...* → **Comme.**

♦ **2** (Présence simultanée d'une personne et d'une chose). En tenant, en portant, en ayant (qqch.). *Porter, tenir qqch. avec soi. Elle est sortie ce matin avec sa belle robe et son sac tout neuf. Voyager avec un billet de première. Marcher avec des espadrilles.* — REM. Dans les phrases de ce genre, *avec* prête parfois à ambiguïté (accompagnement ou moyen ?). *Il fut arrêté avec une épée.*

16 Au pied du trône était la mort, pâle et dévorante, avec sa faux tranchante (...) FÉNELON, Télémaque, 18.

♦ **3** (Présence de qqch. dans qqch.). Qui comporte. *Une robe avec des dentelles.* → **À** (le subst. qui suit avec est souvent construit sans déterminant). *Une chambre avec vue sur la mer. Condamnation avec sursis. Billet avec réduction.*

6.1 Cet imbécile a gardé un appartement trop cher, ce n'est plus possible, il faudrait lui louer quelque chose avec deux pièces. PROUST, la Prisonnière, Folio, p. 391.

(Présence simultanée de deux ou plusieurs choses). En même temps que... → **Et.**

17 J'épouse une princesse en qui les doux accords
Des grâces de l'esprit avec celles du corps
Forment le plus brillant et plus noble assemblage (...)
Qui puisse orner une âme et parer un visage.
CORNEILLE, Suréna, II, 1.

18 La grammaire, du verbe et du nominatif,
Comme de l'adjectif avec le substantif,
Nous enseigne les lois.
MOLIÈRE, les Femmes savantes, II, 6.

8.1 J'allais acheter avec les automobiles le plus beau yacht qui existât alors (...)
PROUST, Albertine disparue, Folio, p. 70.

8.2 (...) la présence, en écartant de nous la seule réalité, celle que l'on pense, adoucit les souffrances, et l'absence les ranime, avec l'amour.
PROUST, Albertine disparue, Folio, p. 142.

♦ **4** (Avec des verbes ou loc. marquant l'accord, l'association). *Être d'accord avec qqn. Être bien, mal avec qqn. Accorder avec...* (→ Accorder, cit. 3, 6, 25, 26, 27, 28, 30 et 31). *Aller avec...* (→ Aller, *supra* cit. 76). *Allier avec...* (→ Allier, cit. 2, 6, 7 et 8). *Agir conjointement avec qqn, de concert avec qqn. Ces races se sont mêlées les unes avec les autres. Il s'est fiancé, il s'est marié avec M^lle^...* → **À.** *S'entendre avec ses collègues. Comparer avec autre chose. Identifier quelque chose avec quelque chose.*

19 *(Rome)* N'admet avec son sang aucun sang étranger (...)
RACINE, Bérénice, II, 2.

20 J'appelle raisonnable celui qui accorde sa raison particulière avec la raison universelle (...)
FRANCE (→ Accommoder, cit. 17).

21 **À** et **Avec** ont été longtemps en concurrence derrière certains verbes ; ils le sont encore : **assembler à, joindre à, attacher à,** ou bien **avec. Marier à** et **marier avec, unir à** et **unir avec** se rencontrent également en langue moderne. F. BRUNOT, la Pensée et la Langue, p. 713.

♦ **5** (Simultanéité). En même temps que. *Se lever avec le jour, se coucher avec les poules. Arriver avec la nuit.*

Tous les jours je me couche avecque le soleil (...) 22
BOILEAU, Satires, VI.

Je vous gardais un temple dans mes vers : 23
Il n'eût fini qu'avecque l'univers.
LA FONTAINE, Fables, XII, 15.

Et ce vainqueur, suivant de près sa renommée, 24
Hier avec la nuit arriva dans l'armée.
RACINE, Iphigénie, I, 1.

L'amour (...) si impétueux dans les animaux, mais s'allu- 25
mant et s'éteignant tour à tour avec les saisons (...)
RIVAROL, Disc. préliminaire au Nouveau dict. de la langue franç.

(Concomitance). *Ces symptômes apparaissent avec telle maladie.* → **Sym-, syn-.** *Cet adjectif s'emploie avec tel substantif. Le poisson passe avec la sauce. — Faire passer une chose avec une autre.*

Le conte fait passer le précepte avec lui. 26
LA FONTAINE, Fables, VI, 1.

(Addition, adjonction). → **Ainsi** (que).

Une chèvre, un mouton, avec un cochon gras, 27
Montés sur même char, s'en allaient à la foire.
LA FONTAINE, Fables, VIII, 12.

Leur coutume *(de ces femmes)* est de peindre (...) leurs 28
épaules, qu'elles étalent avec leur gorge, leurs bras et leurs oreilles (...) LA BRUYÈRE, les Caractères, VIII, 74.

Ragotski (...) leur tue quelque six mille hommes, avec bon 29
nombre d'officiers prisonniers.
RACINE, Notes historiques.

Je fais voir l'Italie à Son Altesse (...) Je lui ai appris ces 30
derniers jours la Suède, le Danemark, la Scandinavie et l'Angleterre avec l'Écosse et l'Irlande, assez scrupuleusement. LA BRUYÈRE, Lettres, t. II, p. 477.

♦ **6** (1633, *in* D. D. L.). Fam. **AVEC CELA** [avɛksəla], **AVEC ÇA** [avɛksa] : en plus, en outre. → **Encore, marché** (par-dessus le), **surcroît** (par).

Avec cela, une femme forte, qui ne croit ni à Dieu ni au 31
diable, mais qui accepte aveuglément les prédictions des somnambules et du marc de café.
Alphonse DAUDET, le Petit Chose, p. 308.

*Et avec ça, et avec cela ?* (phrase des commerçants qui viennent de servir un client). *Et avec ça, Monsieur ? — Ce sera tout, merci.*

On additionne aussi (...) au moyen de **avec :** et avec cela, 32
Madame ?
F. BRUNOT, la Pensée et la Langue, p. 126.

(1820, *in* D. D. L.). Fam. *Avec cela que..., avec ça que... :* ajoutez que..., d'autant plus que..., sans compter que...

Ah ! mon Dieu ! dit une vieille dans l'auditoire, avec cela 33
qu'il y a eu une considérable pestilence l'an passé, et qu'on dit que les Anglais vont débarquer en compagnie à Harefleu. HUGO, Notre-Dame de Paris, IV, 1.

(...) Avec cela que la police est si mal faite (...) Avec cela 34
que Monseigneur a l'habitude de toujours dire d'entrer (...)
HUGO, les Misérables, Fantine, II.

(Suivi d'une affirmation iron.). Comme si...

Avec cela qu'il est facile de travailler en face de quelqu'un 35
qui pleure tout le temps.
Alphonse DAUDET, Jack, p. 475.

♦ **7** (Marque des relations quelconques entre personnes). *Être en relations avec qqn. Je n'ai rien à faire avec lui. Faire, lier connaissance* avec qqn. Comment se comporte-t-il avec vous ?* → **Égard** (à l'), **endroit** (à l'endroit de), **envers, vis-à-vis** (de). *Il faut compter avec les autres.* — (En tête de phrase). *Avec vous, avec lui, il n'y a que l'argent qui compte,* à vous entendre, à l'entendre. — En ce qui concerne (qqn). *Avec lui, on ne sait jamais à quoi s'en tenir.*

Voyez si je ne procède pas de bonne foi avec vous 36
VOITURE, Lettres, 134.

37 Disant ces mots, il fait connaissance avec elle,
Auprès de lui la fait asseoir (...)
LA FONTAINE, Fables, IV, 4.

38 Vous êtes-vous engagé (...) avec celle que vous aimez ?
MOLIÈRE, l'Avare, I, 2.

39 Mais on trouve avec lui *(le Ciel)* des accommodements (...)
MOLIÈRE, Tartuffe, IV, 5.

40 En repos avec moi-même.
MOLIÈRE, la Princesse d'Élide, IV, 6.

41 Avec moi vous n'avez rien à craindre.
MOLIÈRE, George Dandin, I, 6.

42 Ce n'est point avec toi que mon cœur se déguise (...)
RACINE, Andromaque, IV, 1.

43 Cette paix où nous devons vivre les uns avec les autres, est un des plus grands biens que nous puissions désirer.
BOURDALOUE, Exhortations, Paix avec le prochain, 1.

44 Le plus désolant est qu'on ne peut compter sur rien avec elle (...)
ROUSSEAU, Julie ou la Nouvelle Héloïse, VI, 11.

45 (...) ils éprouvent le besoin de cimenter leur amitié avec eux, de l'affirmer par mille témoignages aimables.
LOTI, Figures et Choses..., XIX, 4.

46 (...) les liens sympathiques, les affinités mystérieuses qui, en certains moments, m'unissent si étroitement avec tout ce qui est aimable et beau. LOTI, Aziyadé, XL.

46.1 Quand j'étais arrivé à supporter le chagrin d'avoir perdu celle-ci, c'était à recommencer avec une autre, avec cent autres. PROUST, Albertine disparue, Folio, p. 88.

46.2 (...) elle usait avec son amie des mêmes mots qu'avec moi quand nous sortions tous deux.
PROUST, Albertine disparue, Folio, p. 89.

*Être bien, mal avec qqn,* en bonnes, mauvaises relations avec lui.

47 N'êtes-vous pas à merveille avec Bandol ?
M^me^ DE SÉVIGNÉ, Lettres, 32.

48 Comment êtes-vous avec M. d'Aix ?
M^me^ DE SÉVIGNÉ, Lettres, 496.

48.1 Il n'était plus rien avec M. de Charlus, mais le revoyait de temps en temps pour lui demander un service.
PROUST, Albertine disparue, Folio, p. 251.

♦ **8** (Opposition). *La guerre avec l'Allemagne.* → **Contre.** *Le conflit de la Russie avec le Japon* (→ **Entre**). *Elle n'arrête pas de se battre avec son frère.*

49 L'ours a-t-il, dans les bois, la guerre avec les ours ?
BOILEAU, Satires, VIII.

49.1 Mais on voit (...)
Avecque l'arc-en-ciel tout le troupeau lutter (...)
G. NOUVEAU, le Calepin du mendiant, Pl., p. 695.

♦ **9** (Simultanéité, concomitance). **a** (Présence simultanée d'éléments qui contrastent). → **Malgré.** *Avec tant de dons, il n'a pas réussi. Avec tout le respect* que je vous dois. Avec la meilleure volonté du monde, on n'y arrivera pas. Avec tout cela :* malgré tout cela.

50 Comme il y a de bonnes viandes qui affadissent le cœur, il y a un mérite fade, et des personnes qui dégoûtent avec des qualités bonnes et estimables.
LA ROCHEFOUCAULD, Maximes, 155, variante.

51 (...) Avec toute sa diablerie
Il faut que je l'appelle et mon cœur et M'amie.
MOLIÈRE, les Femmes savantes, II, 9.

52 Mais avec tout cela, quoi que je puisse faire,
Je confesse mon faible, elle a l'art de me plaire.
MOLIÈRE, le Misanthrope, I, 1.

53 Ce n'est pas qu'avec tout cela votre fille ne puisse mourir (...) MOLIÈRE, l'Amour médecin, II, 5.

54 Théodote avec un habit austère a un visage comique, et d'un homme qui entre sur la scène.
LA BRUYÈRE, les Caractères, VIII, 61.

55 Il a avec de l'esprit l'air d'un stupide.
LA BRUYÈRE, les Caractères, VI, 83.

56 Ah ! jalouse entre les jalouses !
Si belle avec ce cœur d'acier !
HUGO, les Orientales, XII.

**b** Étant donné la présence de. *Avec tous ces touristes, le village est bien agité.* → **Cause** (à cause de). *Avec ce mauvais temps, les fruits pourriront sur pied.*

Avec la buée chaude qui régnait là-dedans, le petit jardin en quinconces sous les fenêtres, on se serait cru dans quelque vaste établissement de bains. 57
Alphonse DAUDET, Jack, p. 601.

Avec nos revenus, il me semble qu'amortir dix mille francs pendant trois ans ce n'est pas impossible. 57
PROUST, la Prisonnière, Folio, p. 391.

**c** Quand il s'agit, quand il s'est agi de. → **Pour.**

Les appréciations flatteuses des professionnels blasés mais courtois, et prudents surtout (sait-on jamais ? Vous avez vu, avec Proust ?) [...] 57
J.-P. CHABROL, les Rebelles, p. 30.

**II** (Marque le moyen, la manière). ♦ **1** À l'aide de, grâce à, au moyen de. *Combattre avec la baïonnette.* → **À.** *Il se ruine avec ces dépenses.* → **En.** *Il croit m'éblouir avec ses grands airs.* → **Par.** *Avec telle somme, vous pouvez l'obtenir.* → **Moyennant.** *Avec de la patience, on arrive à tout.* → **Force** (à). *Il n'est pas à prendre avec des pincettes. Battre qqn avec un fouet. Manger avec les doigts.*

Là-dessus il cita Virgile et Cicéron, 58
Avec force traits de science.
LA FONTAINE, Fables, IX, 5.

Avec plus de raison nous aurions le dessus 59
Si mes confrères savaient peindre.
LA FONTAINE, Fables, III, 10.

L'un d'eux était de ces conteurs 60
Qui n'ont jamais rien vu qu'avec un microscope.
LA FONTAINE, Fables, IX, 1.

Et tu crois m'éblouir avec cet artifice ? 61
CORNEILLE, Héraclius, IV, 5.

Et tantôt je saurai confondre 62
Cette fureur, avec deux mots.
MOLIÈRE, Amphitryon, III, 5.

Moi-même je frémis de ce que tu t'apprêtes, 63
Avec ces impudents propos.
MOLIÈRE, Amphitryon, III, 2.

Ce sont souvent les maris, qui, avec leurs vacarmes, se font eux-mêmes ce qu'ils sont. 64
MOLIÈRE, George Dandin, II, 1.

Le Mufti (...) se retire (...) en dansant et chantant avec plusieurs instruments à la turquesque. 65
MOLIÈRE, le Bourgeois gentilhomme, Cérémonie turque.

Vous avez fait de belles affaires avec vos beaux sentiments. 66
MOLIÈRE, le Bourgeois gentilhomme, III, 13.

N'as-tu pas honte (...) de faire une honteuse dissipation du bien que tes parents t'ont amassé avec tant de sueurs ? 67
MOLIÈRE, l'Avare, II, 2.

(...) Rectifier le mal de l'action 68
Avec la pureté de notre intention.
MOLIÈRE, Tartuffe, IV, 5.

Avec un fer maudit, qu'à grands bruits il apprête, 69
De cent coups de marteau me va fendre la tête (...)
BOILEAU, Satires, VI.

On sent Dieu avec l'âme, comme on sent l'air avec le corps. 70
Joseph JOUBERT, Pensées, I, 5.

C'est avec son couteau qu'il coupait le pain dur (...) C'est avec son couteau qu'il exerçait tous les arts de la vie. 71
FRANCE, le Mannequin d'osier (→ Couteau).

On interroge sur le moyen, l'instrument, à l'aide de : **Comment, avec quoi, à l'aide de quel outil, par quel moyen ?** F. BRUNOT, la Pensée et la Langue, p. 666. 72

*Avec le temps :* au fur et à mesure que le temps s'écoule. *Nous en viendrons à bout avec le temps* (Académie). *Tout s'arrange avec le temps.*

Peut-être avec le temps j'oserai davantage. 73
RACINE, Bajazet, II, 1.

À partir de, en prenant pour base. *On fait les pâtes alimentaires avec de la farine de blé dur. Une sculpture réalisée avec de vieux bidons. — Déjeuner avec des chips et du jambon.* → **De.**

3.1 Nous faisons de la perception avec du perçu.
MERLEAU-PONTY, Phénoménologie de la perception, p. 11.

*Faire avec (qqch.)* : se débrouiller avec (qqch.). *Il faudra faire avec ce qu'on a, avec les moyens du bord.* — Régional. S'accommoder de, utiliser.

3.2 Dans les campagnes, cependant, et même dans le bourg où je suis né, la langue quotidienne est toujours le breton. Presque tout le monde sait aussi «faire avec le français», certains même fort bien.
P.-J. HÉLIAS, le Cheval d'orgueil, p. 504.

♦ **2** Manière. (Indiquant un comportement, un sentiment). *Avec joie. J'accepte avec plaisir, avec grand plaisir. Agir avec une prudence excessive. Il le regardait avec des yeux exorbités. Voir avec peu d'intérêt, beaucoup d'étonnement. Il l'a dit avec raison. Travailler avec acharnement. Partir avec l'idée de ne pas revenir.*

74 Quiconque regarde une femme avec convoitise a déjà commis l'adultère avec elle, dans son cœur.
Évangile selon saint Matthieu, V. 27-28.

75 Sire, avec déplaisir, mais avec patience (...)
CORNEILLE, Horace, V, 2.

76 Mais vous, avec quels yeux verrez-vous un volage?
MOLIÈRE, Dom Garcie, V, 5.

77 Ne forçons point notre talent;
Nous ne ferions rien avec grâce (...)
LA FONTAINE, Fables, IV, 5.

78 Avec grand bruit et grand fracas
Un torrent tombait des montagnes (...)
LA FONTAINE, Fables, VIII, 23.

79 La moitié s'épouvante et sort avec des cris.
RACINE, Britannicus, V, 5.

80 Je répondrai, Madame, avec la liberté
D'un soldat, qui sait mal farder la vérité.
RACINE, Britannicus, I, 2.

81 Hélas! ils se voyaient avec pleine licence.
RACINE, Phèdre, IV, 6.

82 (...) avec quel respect devons-nous recevoir ses enseignements sur un point qu'il *(Jésus)* a eu si fort à cœur, et avec quelle fidélité devons-nous accomplir ses ordres!
BOURDALOUE, Exhortations, Paix avec le prochain, 1.

83 La guerre recommença avec plus d'animosité que jamais.
VOLTAIRE, Essai sur les mœurs, 125.

84 (...) l'esprit et l'adresse avec lesquels il jouait ses mauvais tours (...) FRANCE, le Petit Pierre, XXXVI.

85 (...) l'âpreté avec laquelle il soutenait les opinions philosophiques et théologiques qu'il avait une fois adoptées.
M. BARRÈS, la Colline inspirée, p. 24.

85.1 (...) je lui avais mis comme dédicace sur cette photographie : «avec la certitude d'être providentiel» (...)
PROUST, Albertine disparue, Folio, p. 75.

(Caractérisant une personne par un élément particulier). *Le voilà encore avec ses histoires.*

86 Dirait-on qu'elle y touche avec sa mine froide?
MOLIÈRE, le Dépit amoureux, II, 1.

87 Avec un si bon dos, ma foi, Monsieur Loyal,
Quelques coups de bâtons ne vous siéraient pas mal.
MOLIÈRE, Tartuffe, V, 4.

88 (...) Où court-il avec un tel effroi?
MOLIÈRE, la Princesse d'Élide, 164.

89 Vous voilà avec vos soupçons ridicules.
MOLIÈRE, le Bourgeois gentilhomme, III, 4.

90 C'est un bon impertinent que votre Molière avec ses comédies. MOLIÈRE, le Malade imaginaire, III, 3.

**III** D'AVEC (marque la séparation). → **De.** *Séparer l'ivraie d'avec le bon grain. Divorcer d'avec qqn. Distinguer une chose d'avec une autre.*

91 Que tu discernes mal le cœur d'avec la mine!
CORNEILLE, Polyeucte, V, 1.

92 Ce monarque (...)
Qui séparant le bon d'avec son apparence,
Décide sans erreur, et loue avec prudence (...)
MOLIÈRE, la Gloire du Val-de-Grâce.

L'important, c'eût été de pouvoir bien discerner ce qui était vérité d'avec ce qui était imagination romanesque 93
MARTIN DU GARD, les Thibault, V, 5.

(...) ma séparation d'avec elle n'ouvrait nullement pour moi le champ des plaisirs possibles que j'avais cru m'être fermé par sa présence. 93.1
PROUST, Albertine disparue, Folio, p. 94.

**IV** Adv. Fam. *Il a pris son manteau et il est parti avec. Son copain est venu le chercher et il est parti avec. Il faudra bien faire avec!*

Il avait dans la terre une somme enfouie, 94
Son cœur avec (...) LA FONTAINE, Fables, IV, 20.

Autrefois les bûchers flambaient et mes ancêtres avec. 95
R. QUENEAU, le Chiendent, p. 314.

Fam. (régional : Nord de la France, Belgique). *Tu viens avec?*, avec moi.

En plus. *Il a été bien traité et il a encore eu de l'argent avec* (Académie).

**CONTR. Sans.**

**AVE, CÆSAR** (ou **IMPERATOR**), **MORITURI TE SALUTANT** [avesezaʀ] (ou [impeʀatɔʀ]) [mɔʀity ʀitesalytɑ̃t].

Mots latins signifiant «Salut, César, ceux qui vont mourir te saluent!», formule que les gladiateurs romains prononçaient, avant le combat, devant la loge impériale (Martial, V, 10).

(...) lorsqu'ils *(les gladiateurs)* arrivaient à la hauteur de la loge impériale, ils se tournaient vers le prince, et, la droite étendue (...) en signe d'hommage, lui adressaient l'acclamation lugubre et véridique : «Bonjour, Empereur! Ceux qui vont mourir te saluent. **Ave, Imperator, morituri te salutant.**»
J. CARCOPINO, la Vie quotidienne à Rome..., p. 277.

**AVEINDRE** [avɛ̃dʀ] v. tr. [CONJUG.: *peindre.*] — 1545; *avoindre* «parvenir à», fin XII^e; lat. vulg. **advenire*, lat. class. *advenire.*

♦ **1** Vx ou régional. Prendre, saisir; atteindre (quelque chose).

Et jamais de son coffre elle ne l'aveignait *(ce linge)*... 1
RONSARD, Hymne de l'hiver.

Puisque nous ne la pouvons aveindre *(la grandeur)*, vengeons-nous à en médire. 2
MONTAIGNE, Essais, III, 7.

Le prêtre Jean joignit par cet artifice aisément le Mufle (...) l'aveignit de la coquille avec la poignée fourchue de l'épée (...) 2.1
A. JARRY, Gestes et Opinions du docteur Faustroll, Pl., p. 691.

(...) j'aveignis sous la table la brique plate (...) 3
COLETTE, la Naissance du jour, p. 149.

♦ **2** Régional (Canada). *Aveindre quelqu'un*, le rejoindre, l'atteindre.

**DÉR. Aveiniau.**

**AVEINIAU** [avɛnjo] n. m. — 1855; de *aveindre.*

Régional. Épuisette (Genevoix, *Raboliot*).

**AVEINIER, IÈRE** [avenje, jɛʀ] adj. et n. → **Avenier.**

**AVELINE** [av(ə)lin] n. f. — 1393; *avelaine, avelane,* 1256, et jusqu'au XIX^e; lat. *(nux) abellana* «noisette d'Abella (ville de Campanie)».

Régional. Fruit oblong de l'avelinier, ressemblant à une noisette*.

Mon oncle de Perpignan m'avait envoyé une pâtisserie que j'adore : le touron. Dans un bloc de sucre sont enchâssées des amandes et des grosses noisettes, dites avelines. 1
P. GUTH, le Naïf locataire, p. 246.

Adj. *Noix, noisette aveline.*

2 Et maintenant que l'on me donne des noix avelines, une boulette de pain tendre et des graines.
Jean RAY, les Derniers Contes de Canterbury, p. 36.

DÉR. **Avelinier.**

**AVELINIER** [av(ə)linje] n. m. — 1751; *avelanier*, XIIIe; de *aveline.*

Régional. Variété de noisetier à noisettes allongées (avelines). → **Coudrier.**

**AVEN** [avɛn] n. m. — 1889, géol.; anc. franç. *avenc* «gouffre», mot régional (Rouergue), d'orig. prélatine.

Didact. ou régional. Puits naturel creusé par les eaux d'infiltration. → **Gouffre, igue, tindoul.** *L'Aven Orgnac. Spéléologues qui explorent un aven.*

1 Les eaux météoriques ou les eaux courantes pénètrent dans les plateaux calcaires par des **points d'absorption** d'aspect assez variable. Le type le plus répandu est celui des **abîmes** ou **puits naturels,** aussi appelés suivant les pays **avens** (Ardèche), **tindouls** (Rouergue), **igues** (Quercy), **chourouns** (Dévoluy).
Émile HAUG, Traité de géologie, t. I, p. 361 (→ Doline).

2 On entend les insectes siffler partout, parce qu'il y a des sources d'eau minuscules entre les roches, et de grands puits cachés dans les avens où l'eau froide attend.
J.-M. G. LE CLÉZIO, Désert, p. 101.

1. **AVENANT, ANTE** [avnɑ̃, ɑ̃t] adj. — 1080; p. prés. de l'anc. v. *avenir.* → Advenir.

**I** Adj. ♦ **1** Qui plaît par son bon air, sa bonne grâce. → **Accort, accueillant, affable, agréable, aimable, gracieux, plaisant.** *Une femme avenante. Des manières avenantes. Une figure avenante. Un aubergiste avenant. Une lettre avenante.*

1 Elle était jeune, agréable et touchante,
Blanche surtout, et de taille avenante (...)
LA FONTAINE, Contes, «Oraison».

2 Il a les yeux sereins et l'accueil avenant.
J.-F. REGNARD, le Joueur, III, 6.

3 Elle était encore très belle femme et très avenante, vive quoique corpulente et fraîche comme une guigne.
G. SAND, François le Champi, VII.

4 Dommage que ces maisons très avenantes soient dans un paysage si ingrat. GIDE, Journal, 28 sept. 1929.

5 (...) et avec lui *(le représentant soviétique)* on ne sait jamais sur quel pied danser, tantôt c'est un diplomate aux manières avenantes, tantôt une sorte de Mérovingien égaré au vingtième siècle.
André SIEGFRIED, l'Âme des peuples, VI, 3.

♦ **2** Vx. *Bien, mal avenant pour :* qui est bon, mauvais pour..., qui advient bien ou mal.

**II** Loc. adv. (1283; de *avenir* «arriver»). **À L'AVENANT** [alav(ə)nɑ̃] : en accord, en conformité, en rapport. → **Même** (de), **pareillement.**

6 Nous allons bien tous les deux et l'humeur est à l'avenant.
FLAUBERT, Correspondance, t. I, p. 218.

Loc. prép. (1278). **À L'AVENANT DE.** *Le dessert fut à l'avenant du repas.*

CONTR. (Du sens I) **Désagréable, mésavenant, rebutant, revêche.** — (Du sens II) **Inverse** (à l'), **opposé** (à l'). ◊ COMP. **Mésavenant.**

2. **AVENANT** [avnɑ̃] n. m. — 1759; «ce qui revient *(avient)* à qqn», XIIIe; «ce qui convient à qqn», v. 1175; de *avenir.* → Advenir.

Dr., admin. Acte additionnel à une police d'assurance, qui a pour objet de constater les modifications *advenant* au contrat.

Les modifications au contrat, s'il en a(d)venait, donnaient lieu *(au XVIIIe)* comme aujourd'hui à un «avenant».
F. BRUNOT, Hist. de la langue franç., t. VI, p. 364.

**AVÈNEMENT** [avɛnmɑ̃] n. m. — XIIIe; «arrivée», v. 1160; de *avenir* «arriver». → Advenir, avenant.

Le fait d'arriver.

♦ **1** Relig. chrét. *L'avènement du Messie. Le premier, le second avènement du Rédempteur.* → **Arrivée, venue.**

(...) ils nous ont appris (...) que le Rédempteur serait spirituel, qu'il y aurait deux avènements : l'un de misère pour abaisser l'homme superbe, l'autre de gloire, pour élever l'homme humilié (...) PASCAL, Pensées, t. III, 678. 1

L'Apocalypse (...) ne contient presque autre chose que l'histoire de ce qui s'était passé depuis le premier avènement de Jésus-Christ, et les prophéties de ce qui doit arriver jusqu'à la consommation des siècles. 2
BIBLE (SACY), Apocalypse, Arguments.

Fig. *L'avènement d'une ère nouvelle. L'avènement de la bourgeoisie, du prolétariat* (→ Révolution, cit. 17), *d'un nouvel ordre social.*

La paix, si jamais elle existe, ne reposera pas sur la crainte de la guerre mais sur l'amour de la paix; elle ne sera pas l'abstention d'un acte, elle sera l'avènement d'un état d'âme. 3
Julien BENDA, la Trahison des clercs, p. 225.

Travailler mieux à la destruction de la société actuelle pour l'avènement d'un monde meilleur (...) 4
MARTIN DU GARD, les Thibault, VII, 11.

♦ **2** (1360). Accession au trône, élévation au pouvoir souverain. *L'avènement de Hugues Capet en 987. Louis XIV prit effectivement le pouvoir en 1661, dix-huit ans après son avènement. Don de joyeux avènement :* don que l'on faisait au roi lors de son avènement au trône. *L'avènement de Napoléon à l'empire. L'avènement de Pie XII au pontificat.*

Par ext. *L'avènement d'un président de la république.*

♦ **3** Rare. Succès.

Après un début triomphal à vingt-huit ans (...) j'étais retombé dans l'oubli (...) Au fond j'avais tendance à considérer ce premier avènement comme imposture (...) 5
Maurice CLAVEL, le Tiers des étoiles, p. 33.

**AVENIER, IÈRE** [avənje, jɛʀ] adj. et n. — V. 1200, n.; adj., mil. XVIe; du lat. *avena* «avoine».

Vieux ou régional. (Var. : *aveinier, ière* [avenje, jɛʀ]).

♦ **1** Adj. Qui pousse, vit dans les champs d'avoine.

♦ **2** N. m. Hist. Personne chargée de nourrir les chevaux, de leur donner l'avoine.

♦ **3** N. f. (*Aveinière* chez Chateaubriand). Champ d'avoine.

1. **AVENIR** [avniʀ] n. m. — 1491, *advenir; temps advenir* «à venir», 1427; *avenir* «succès dans le futur», 1360. → Advenir.

♦ **1** Temps à venir; ce qui se produit, arrive dans le temps, après le moment où l'on parle ou après un moment de référence. → **Demain, futur, lendemain.** *Le passé* (cit. 14), *le présent et l'avenir. Attendre l'avenir. Avenir prévisible, attendu, déterminé, prédestiné. Avenir inattendu, inconnu. — Dans un proche* avenir, un avenir prochain.* → **Bientôt, demain, prochainement, tantôt** (→ aussi loc. À bref délai*, avant longemps*, sous peu*). *Dans un avenir indéterminé.* → **Ultérieurement** (→ Un jour*, plus tard*; → aussi Sine die). *Dans un avenir lointain. — Se préparer un avenir sombre, un avenir de tranquillité. Penser, songer à l'avenir. Préparer l'avenir. Réserver l'avenir. Se réserver pour l'avenir. Anticiper, devancer, escompter, hypothéquer l'avenir. Craindre l'avenir, s'inquiéter de l'avenir, trembler pour l'avenir. Ce mur* (cit. 21)*-là, c'est l'avenir. Augurer mieux de l'avenir. Espérer en l'avenir. Agir en prévision de l'avenir. «L'avenir est à ceux qui savent attendre»* (→ 1. Patience, cit. 14). — **... D'AVENIR.** *Perspectives d'avenir. Calculs, projets d'avenir. — Connaissance, prescience de l'avenir* (divination, prédiction, prophétie). → suff. **-mancie.** *Interroger l'avenir. Annoncer, augurer, conjecturer, découvrir, deviner, dévoiler, prédire, présager, prévoir, pronostiquer l'avenir. Lire l'avenir dans les cartes, les lignes de la main. Personne qui prédit l'avenir.* → **Devin; aruspice,** 1. **augure,** 2. **augure, diseur** (de bonne aventure), **oracle, sibylle.** *Le présent est gros de l'avenir* (Leibniz). *Le passé répond de l'avenir. Prévision scientifique de l'avenir.* → **Futurologie, prospective.** *Récit qui se passe dans l'avenir.* → **Anticipation.** — *Les techniques de l'avenir* (→ De pointe*, d'avant*-garde).

1 On peut voir l'avenir dans les choses passées (...)
ROTROU, Venceslas, II, 6, *in* LITTRÉ.

2 Le passé est un abîme qui engloutit toutes choses, et l'avenir un autre abîme impénétrable.
NICOLE, *in* Pierre LAROUSSE.

3 Nous anticipons l'avenir comme trop lent à venir, comme pour hâter son cours (...) PASCAL, Pensées, II, 172.

4 Le passé et le présent sont nos moyens, le seul avenir est notre fin. PASCAL, Pensées, II, 172.

5 Ma foi, sur l'avenir bien fou qui se fiera,
Tel qui rit vendredi, dimanche pleurera.
RACINE, les Plaideurs, I, 1.

6 Le présent est pour les riches, et l'avenir pour les vertueux et les habiles. Homère est encore et sera toujours.
LA BRUYÈRE, les Caractères, VI, 56.

7 Bientôt la mort va me dérober au présent qui m'attriste et à l'avenir qui m'effraye (...)
Mme DE MAINTENON, Lettre au cardinal de Noailles, 31 déc. 1711.

8 Le présent accouche, dit-on, de l'avenir.
VOLTAIRE, Dict. philosophique, Chaîne.

9 Je lis dans l'avenir un sort épouvantable.
VOLTAIRE, Œdipe, IV, 1.

10 Le plus grand embarras pour les anciens était d'expliquer par quel heureux privilège ces sibylles avaient le don de prédire l'avenir (...)
VOLTAIRE, Dict. philosophique (→ Sibylle).

11 Qui voudrait vivre, mon fils, s'il connaissait l'avenir? Un seul malheur prévu nous donne tant de vaines inquiétudes!
BERNARDIN DE SAINT-PIERRE, Paul et Virginie, p. 108.

12 L'avenir, fantôme aux mains vides,
Qui promet et qui n'a rien!
HUGO, les Voix intérieures II, «Sunt lacrymae».

13 Non, l'avenir n'est à personne!
Sire! l'avenir est à Dieu.
HUGO, les Chants du crépuscule, «Napoléon II».

14 On cause du passé, couleur de deuil, de l'avenir, couleur de rose. Alphonse DAUDET, le Petit Chose, p. 50.

15 Ne me demande pas de prophétiser. Ce n'est pas sans raison que les anciens ont considéré le pouvoir de percer l'avenir comme le don le plus funeste que puisse recevoir un homme. FRANCE, M. Bergeret à Paris, p. 445.

16 Le projet est le brouillon de l'avenir.
J. RENARD, Journal, 2 févr. 1902, p. 490.

17 L'avenir, par définition, n'a point d'image. L'histoire lui donne les moyens d'être pensé.
VALÉRY, Regards sur le monde actuel, p. 16.

18 La génération qui allait faire la Révolution était enthousiaste, animée d'une confiance naïve dans l'avenir (...)
Ch. SEIGNOBOS, Hist. sincère de la nation franç., p. 234.

19 Le respect enthousiaste du mot avenir et de tout ce qu'il cache est à ranger parmi les plus naïves idéologies du XIXe siècle. G. DUHAMEL, Scènes de la vie future, Introd.

20 Nous regardons avec curiosité, avec avidité vers l'avenir inconnaissable.
G. DUHAMEL, le Temps de la recherche, IX, p. 119.

20.1 Mais nous nous représentons l'avenir comme un reflet du présent projeté dans un espace vide, tandis qu'il est le résultat, souvent tout prochain, de causes qui nous échappent pour la plupart.
PROUST, la Prisonnière, Folio, p. 385.

Loc. *L'avenir le dira, nous le dira :* nous ne pouvons rien en savoir aujourd'hui; nous ne pourrons le savoir que plus tard.

Je ne sais pas, je ne peux rien savoir à l'avance, ni après, ni pendant, l'avenir le dira, un instant proche, ou lointain, je n'entendrai pas, je ne comprendrai pas, tant tout meurt, à peine né. S. BECKETT, Textes pour rien, p. 175. 20.2

Loc. adv. (fin XVIe). **À L'AVENIR :** à compter de ce jour, à partir d'à présent. → **Désormais, dorénavant.** *À l'avenir, soyez plus prudent.*

Et ceci seul me semblait être suffisant pour m'empêcher de rien désirer à l'avenir que je n'acquisse (...) 21
DESCARTES, Discours de la méthode, 3.

♦ **2** *L'avenir de qqn, son avenir, un avenir :* l'état, la situation de qqn dans le temps à venir. → **Carrière, destin, destinée, sort.** *Assurer son avenir et celui de ses enfants. Avoir un brillant avenir devant soi. Votre avenir dépend de vous-même* (→ Comme on fait son lit*, on se couche). *Se ménager, se préparer un bel avenir.*

Mon imagination effarouchée qui ne me fait prévoir que de cruels avenirs. ROUSSEAU, les Confessions, VII. 22

Demain, après-demain, c'était un avenir de vie commune, peut-être pour toujours, qui commence (...) 22.1
PROUST, Albertine disparue, Folio, p. 89.

Les actions les plus décisives de notre vie, je veux dire : celles qui risquent le plus de décider de tout notre avenir, sont le plus souvent des actions inconsidérées. 23
GIDE, les Faux-monnayeurs, III, 15.

Spécialt. Évolution (d'une personne), situation future. — *Un grand, un brillant avenir.* — Réussite, possibilité de réussite future. *Il n'a aucun avenir. Briser son avenir. Son avenir scientifique. Il y va de votre avenir.*

Un mois de plus de cette vie et votre avenir artistique est brisé (...) PROUST, la Prisonnière, Folio, p. 373. 23.1

Pour elle, plus d'avenir : l'écroulement du passé équivalait à l'effondrement total. 24
MARTIN DU GARD, les Thibault, VI, 8.

Or, il y allait de son unique patrimoine, de sa sécurité matérielle, de tout son avenir (...) 25
MARTIN DU GARD, les Thibault, III, 13.

Il était parmi les plus jeunes chirurgiens à qui tout le monde prédisait le plus brillant avenir. 26
G. DUHAMEL, Biographie de mes fantômes, X.

Et, une fois de plus, je me dis qu'elle mène dans cette maison une vie malsaine et triste, sans projets, sans surprises, sans avenir possible. 26.1
A. ROBBE-GRILLET, Projet pour une révolution à New York, p. 94.

Loc. fam. *Son avenir est derrière lui :* il a déjà réalisé, obtenu tout ce qu'il pouvait faire, avoir.

(...) il en arrivait à penser que jeune encore son avenir était déjà comme disait son futé de papa, derrière lui. 26.2
R. QUENEAU, Loin de Rueil, p. 140.

(Collectivités). *L'avenir d'un peuple, d'un pays, de l'Europe, de l'humanité, du monde.*

Que le passé d'un homme est étroit et court, à côté du vaste présent des peuples et de leur avenir immense. 27
CHATEAUBRIAND, Mémoires d'outre-tombe, I, II.

(Choses). *L'avenir d'un projet. Cette idée a de l'avenir, elle fera du chemin. L'Avenir de la science,* œuvre de Renan.

Une des plus douces jouissances des hommes qui possèdent une fortune acquise et non transmise, est le souvenir des peines qu'elle a coûtées et l'avenir qu'ils donnent à leurs écus : ils jouissent à tous les temps du verbe. 28
BALZAC, le Cabinet des antiques, Pl., t. IV, p. 395.

Le procédé le plus récent *(de formation de noms nouveaux),* mais qui a de l'avenir, c'est l'apocope; on coupe et on abrège : **photo, kilo, ciné, moto, typo, métro, vélo, aéro, pneu, sténo-dactylo.** 29
F. BRUNOT, la Pensée et la Langue, p. 58.

Le vrai artiste ne s'occupe pas de l'avenir de son œuvre. 30
R. ROLLAND, Jean-Christophe, t. V, p. 230.

Loc. adj. *D'avenir :* qui a de l'avenir, qui doit réussir. *C'est un garçon d'avenir. — Une découverte, une technique d'avenir.*

♦ **3** Les générations futures. → **Postérité.** *Le jugement de l'avenir. Travailler pour l'avenir.*

31 Ce sont faits inouïs, grand Roi, que tes victoires !
L'avenir aura peine à les bien concevoir.
MOLIÈRE, Sonnet au Roi.

32 Que vous sert-il qu'un jour l'avenir vous estime ?
BOILEAU, Satires, IX.

33 O haine de Vénus ! O fatale colère !
Dans quels égarements l'amour jeta ma mère
Oublions-les, Madame ; et qu'à tout l'avenir
Un silence éternel cache ce souvenir (...)
RACINE, Phèdre, I, 3.

34 Pendant la vie le bonheur peut avoir son mérite ; après la mort il perd son prix ; aux yeux de l'avenir, il n'y a de beau que les existences malheureuses.
CHATEAUBRIAND, Mémoires d'outre-tombe, IV, 7.

CONTR. **Passé, présent.** ◊ HOM. **2. Avenir.**

2. **AVENIR** [avniʀ] n. m. — 1680, *à venir ;* de *à* et *venir.* Dr. Acte par lequel un avoué somme l'avoué de l'adversaire de comparaître à l'audience. *Faire signifier un avenir.*

Lorsqu'on sait, par le bulletin du greffier, le jour où l'affaire doit venir devant le tribunal, il faut prévenir l'autre partie. On le fait au moyen d'un « avenir ». C'est un acte d'avoué à avoué prévu par le code de procédure, article 80. Paul CUCHE, Précis de procédure civile, n° 236.

HOM. **1. Avenir.**

**AVENT** [avɑ̃] n. m. — 1217 ; *advent,* 1119 ; lat. *adventus* « arrivée, venue (de Jésus-Christ) », de *advenire.* → Advenir.

♦ **1** Temps pendant lequel l'Église catholique se prépare à la fête de Noël. *Les quatre dimanches de l'avent. Jeûner l'avent,* pendant l'avent.

1 Un rat plein d'embonpoint, gras et des mieux nourris,
Et qui ne connaissait l'avent ni le carême (...)
LA FONTAINE, Fables, IV, 11.

2 1er dimanche de l'Avent. — Tout l'office insiste sur l'idée de proximité (...) Augmentation du désir par la proximité. L'Avent est le temps du désir, l'attente dans le froid et dans la neige, la pluie et le vent.
CLAUDEL, Cahier VI, nov. 1928, *in* Journal, Pl., t. I, p. 838.

(Av. 1692). Sermon prêché à cette période. *Prêcher l'avent.*

♦ **2** Littér., rare. Venue, arrivée.

HOM. **Avant, havant** (du v. *haver*).

**AVENTURE** [avɑ̃tyʀ] n. f. — XIe, *adventure ;* lat pop. **adventura,* du part. futur *adventurum,* de *advenire.* → Advenir.

♦ **1** Vx. Ce qui doit arriver à qqn. → **Avenir, destin, destinée, sort.** *La bonne et la mauvaise aventure :* ce qui doit arriver d'heureux, de malheureux. → **Heur.**

1 Artisan de sa bonne ou mauvaise aventure (...)
Mathurin RÉGNIER, Satires, XVI.

2 Le destin de qui le compas
Marque à chacun son aventure (...)
MALHERBE, V, 17, *in* LITTRÉ.

Mod. **BONNE AVENTURE.** *Dire la bonne aventure à qqn,* lui prédire son avenir par la divination. *Diseur, diseuse de bonne aventure.*

3 Il faut que je me fasse dire par elles ma bonne aventure.
MOLIÈRE, le Mariage forcé, 9.

4 Un fils qu'il aima trop, jusques à consulter
Sur le sort de sa géniture
Les diseurs de bonne aventure.
LA FONTAINE, Fables, VIII, 16.

Rome alors était pleine d'astrologues et de diseurs de bonne aventure (...) 5
DIDEROT, Essai sur les règnes de Claude et de Néron.

♦ **2** Ce qui arrive d'imprévu, de surprenant ; ensemble d'événements qui concernent qqn. *Une fâcheuse aventure.* → **Accident, affaire, histoire, mésaventure.** *Les péripéties d'une aventure. Une aventure comique, burlesque, romanesque, tragi-comique. Une drôle d'aventure. Une merveilleuse aventure. Le plaisant, le piquant de l'aventure, c'est que... Voyage plein d'aventures.* → **Odyssée.** *Il leur est arrivé toutes sortes d'aventures. En route pour de nouvelles aventures ! L'aventure de la vie. L'aventure humaine. — Conter, raconter une aventure. Récit d'aventures. Aventures imaginaires, légendaires. Les aventures d'un héros. Roman, film d'aventures,* où des péripéties mouvementées sont narrées.

Je reviendrai dans peu conter de point en point 6
Mes aventures à mon frère.
LA FONTAINE, Fables, IX, 2.

Que bien que mal elle arriva 7
Sans autre aventure fâcheuse.
LA FONTAINE, Fables, IX, 2.

(...) une vieille masure 8
Fut la scène où devait se passer l'aventure.
LA FONTAINE, Fables, IX, 16.

(...) il lui échappera des mains une coupe ou quelque autre vase ; et il rira ensuite de cette aventure, comme s'il avait fait quelque chose de merveilleux. 9
LA BRUYÈRE, les Caractères de Théophraste, « D'un vilain homme ».

Les enfants aiment avec passion les contes ridicules : on les voit tous les jours transportés de joie, ou versant des larmes au récit des aventures qu'on leur raconte (...) 10
FÉNELON, De l'éducation des filles, 6.

Il lui faisait un détail de bras cassés, de jambes démises, d'épaules disloquées et d'autres aventures curieuses et divertissantes. 11
Antoine HAMILTON, Mém. du comte de Grammont, 7.

Pourquoi donc revenait-il ? quelle combinaison d'aventures le replaçait dans sa vie ? 11.1
FLAUBERT, Mme Bovary, II, XV.

Ce qui distingue un romancier, un dramaturge, du reste des hommes, c'est justement le don de voir de grands arcanes dans les aventures les plus communes. Toutes les aventures sont communes, mais non leurs secrets ressorts. 12
F. MAURIAC, la Province, p. 52.

(...) vous vivez une des rares aventures qui soient dignes d'être vécues : un grand amour. 13
A. MAUROIS, Un art de vivre, II, 6.

(...) pour que l'événement le plus banal devienne une aventure, il faut et il suffit qu'on se mette à le raconter. 13.1
SARTRE, la Nausée, p. 58.

Loc. Littér. *Chercher aventure.*

Un loup survint à jeûn qui cherchait aventure (...) 14
LA FONTAINE, Fables, I, 10.

(Dans des titres). *Les aventures de... Les aventures extraordinaires de...*

♦ **3** Spécialt. Relation amoureuse passagère. → **Intrigue, passade.** *Aventure galante, amoureuse, sentimentale. Il avait eu plusieurs aventures.*

Le mariage ne doit jamais arriver qu'après les autres aventures. 15
MOLIÈRE, les Précieuses ridicules, V.

On but encore à la santé de l'hôte, 16
Et de l'hôtesse, et de celle des trois
Qui la première aurait quelque aventure (...)
LA FONTAINE, Fables, III, 3.

Cherchant l'aventure et courant après l'amour. 17
Antoine HAMILTON, Mém. du comte de Grammont, 4.

Il entama le chapitre des aventures sentimentales. Elle se plaignait des désastres de la passion, mais était révoltée par les turpitudes hypocrites (...) 17.1
FLAUBERT, l'Éducation sentimentale, I, V.

17.2 Il avait eu, chez les femmes du demi-monde, des aventures rapides dues à sa renommée, à son esprit amusant (...)
MAUPASSANT, Fort comme la mort, I, I, p. 21.

18 (...) à l'idée qu'elle était peut-être israélite, le peu qui subsistait chez Antoine de son éducation s'émut : juste assez pour assaisonner l'aventure d'un piment d'indépendance et d'exotisme.
MARTIN DU GARD, les Thibault, t. II, p. 168.

19 S'il est vrai que beaucoup de garçons peuvent demeurer fidèles à une jeune fille aimée, beaucoup d'autres n'établissent aucun rapport entre l'amour qu'ils ont au cœur et des passades sensuelles. Une seule femme existe à leurs yeux, et ils s'exaspèrent qu'on ose soumettre à une commune mesure le culte d'adoration qu'ils lui vouent et de médiocres aventures où la chair seule est intéressée.
F. MAURIAC, la Pharisienne, XIII.

♦ **4** Entreprise dont l'issue est incertaine. *Il faut tenter l'aventure* (→ **Aventurer**). *Pousser l'aventure jusqu'au bout.*

♦ **5** (Surtout au plur.). Entreprise hasardeuse, périlleuse. *Coureur d'aventures. Mener une vie d'aventures. Les aventures de chevalerie.* → **Roman.** — Au sing. Loc. Vieilli. *Courir la haute* (vx), *la grande aventure.*

20 Je vous ferai voir qu'Amadis de Gaule, sous le titre de damoisel de la mer, mit fin à ses plus belles aventures, et qu'Amadis de Grèce, lorsqu'il était appelé le damoisel de l'ardente épée, occit un grand lion et délivra le roi Magadan. VOLTAIRE, Letttres, 46.

21 Son frère *(le chien)* ayant couru mainte haute aventure
Mis maint cerf aux abois (...)
LA FONTAINE, Fables, VIII, 23.

22 Il allait par monts et par vaux, cherchant périls et aventures, il traversait d'antiques forêts, de vastes bruyères, de profondes solitudes.
CHATEAUBRIAND, le Génie du christianisme, IV, 5, 4.

23 Cet oncle, courant là-bas la grande aventure.
LOTI, Ramuntcho, I, 9.

24 Dans toute aventure de ce genre, on se lance dans l'aléatoire, et rien ne sert de dire ensuite : «Je n'avais pas voulu cela»; car c'est cela précisément qu'il importait de prévoir.
GIDE, Journal, 29 août 1933.

Absolt. **L'AVENTURE** : ensemble d'activités, d'expériences qui comportent du risque, de la nouveauté, et auxquelles on accorde une valeur humaine. → **Hasard, péril.** *L'appel, l'attrait de l'aventure. L'esprit d'aventure* (→ **Aventureux; aventurier**).

25 Tout un décor de vagabondage et d'aventure, qu'il fallait quitter (...) MARTIN DU GARD, les Thibault, V, 7.

26 (...) doué d'un certain flair malgré sa légèreté, servi aussi par son esprit d'aventure, il misait parfois sur une entreprise fructueuse.
MARTIN DU GARD, les Thibault, III, 12.

26.1 — Dans un instant, se dit-il, j'irai vers mon destin. Quel beau mot : l'aventure! Ce qui doit advenir. Tout le surprenant qui m'attend.
GIDE, les Faux-monnayeurs, I, VI.

26.2 Soekarno va se faire ratatiner, ça n'a d'ailleurs aucun intérêt. L'indépendance, on s'en fout. La Thaïlande et le Viêt-nam, bien sûr! Nonobstant, ce n'est plus l'aventure, c'est ce que les minables appellent l'Histoire. Des chars, des avions, quoi encore? Un aventurier, ce n'est pas un général en chef! Pourquoi pas un ambassadeur?
MALRAUX, Antimémoires, Folio, p. 385.

♦ **6** Dr. mar. *Prêt à la grosse aventure,* ou, ellipt, *prêt à la grosse :* contrat par lequel un prêteur s'associe aux risques d'une expédition maritime, la somme prêtée étant perdue pour lui en tout ou partie si les risques se réalisent, mais rapportant un gros intérêt si l'expédition se termine heureusement.

Fig., vx. *Mettre ses fonds à la grosse aventure :* se lancer dans une entreprise comportant un gros risque.

27 Je fis voir que lâcher ce qu'on a dans la main,
Sous espoir de grosse aventure;
Est imprudence toute pure.
LA FONTAINE, Fables, IX, 10.

L'homme sage, s'il veut risquer avec moins de désavantage, ne doit jamais mettre ses fonds à la grosse aventure, il faut les partager (...) 28
BUFFON, Essai d'arithmétique morale, *in* LITTRÉ.

♦ **7** Loc. adv. **À L'AVENTURE :** au hasard, sans dessein arrêté, sans réflexion. *Marcher, errer à l'aventure.* — Fig. *Jeter son cœur à l'aventure.* → **Gribouillette** (à la).

Mon récit ne peut plus marcher qu'à l'aventure, et selon que les idées me reviendront dans l'esprit. 29
ROUSSEAU, les Confessions, XI.

Je cheminai quelque temps à l'aventure et m'assis découragé sur un banc de pierre. 30
FRANCE, le Crime de S. Bonnard, p. 307.

♦ **8** Loc. adv. Littér. **D'AVENTURE, PAR AVENTURE :** par hasard*.

Ce n'est que par aventure que l'on m'a adressé à lui. 31
MOLIÈRE, l'Avare, II, 2.

Le moindre vent qui d'aventure 32
Fait rider la face de l'eau
Vous oblige à baisser la tête.
LA FONTAINE, Fables, I, 22.

D'aventure, est-ce que vous auriez des desseins à mon endroit? Th. GAUTIER, Mlle de Maupin, II. 33

(...) les spécialistes eux-mêmes sont toujours pris en défaut quand d'aventure un naïf les interroge. 34
G. DUHAMEL, le Temps de la recherche, III.

DÉR. **Aventurer, aventureux, aventurier, aventurine, aventurisme, aventuriste.** ◊ COMP. **Mésaventure.** — HOM. Formes du v. **aventurer.**

**AVENTURER** [avɑ̃tyʀe] v. tr. — 1269; «se hasarder», v. 1240; p. p. *aventuree* «arrivé par hasard», XIIe; de *aventure.*

Exposer avec un certain risque. → **Hasarder, risquer.** *C'est une folie d'aventurer son argent dans une pareille entreprise.* → **Jouer.** *Aventurer sa vie dans une action téméraire. Aventurer sa réputation.* → **Commettre, compromettre.**

Dire (qqch.) sans savoir quelles seront les réactions. *Aventurer une réflexion.*

Je regardais M. Capoulié pendant qu'il aventurait ses observations et les effets de ce regard particulier ne tardaient pas à se faire sentir. 1
G. DUHAMEL, Cri des profondeurs, II.

◆ **S'AVENTURER** v. pron. (réfl.). Se risquer, aller avec un certain risque. *S'aventurer la nuit sur une route peu sûre. S'aventurer trop loin. Sans trop s'aventurer. S'aventurer seul. S'aventurer dans une affaire hasardeuse.* → **Embarquer** (s'). *Je ne pense pas m'aventurer beaucoup en affirmant que...*

Or c'était un soliveau, 2
De qui la gravité fit peur à la première
Qui, de le voir s'aventurant,
Osa bien quitter sa tanière.
LA FONTAINE, Fables, III, 4.

Les meilleurs généraux hasardent des batailles, et ne les risquent que quand la nécessité l'exige; les mauvais les risquent pour s'être trop aventurés. 3
CONDILLAC, *in* LAFAYE, Dict. des synonymes, *Hasarder...*

Le vieillard et son petit-fils ne s'aventuraient plus en pleine mer à cause des coups de vent fréquents de cette saison. 4
LAMARTINE, Graziella, III, 14.

Il allait courir des dangers terribles en s'aventurant seul avec son casque à pointe, par la campagne. 5
MAUPASSANT, Contes de la Bécasse, «L'aventure de Walter Schnapps».

Et cependant, comme on aime, en voyageant, connaître un peu d'avance la région où l'on s'aventure! 6
MAUPASSANT, Au soleil, p. 269.

Nous nous aventurons au hasard. 7
GIDE, Journal, 9 mai 1914.

Loc. fig. *S'aventurer sur un chemin, sur un terrain glissant** : risquer de commettre une erreur, une maladresse.

S'AVENTURER À (et l'inf.) : se risquer à. *S'aventurer à traverser l'Atlantique. Je ne m'y aventurerais pas, à votre place.* — Passif et participe passé :

7.1 (...) elle le trouvait vaguant et musant de chapelle en chapelle, parfois même aventuré sur la porte.
Ed. et J. DE GONCOURT, Madame Gervaisais, p. 242.

◆ **AVENTURÉ, ÉE** p. p. adj. Exposé avec risque. *Une opinion aventurée.* → **Hasardeux, risqué, téméraire.**

8 Le tien *(ton argent)* est bien aventuré.
MOLIÈRE, l'Impromptu de Versailles, 3.

9 (...) comme une âme aventurée dans le vestibule de l'enfer, perdue dans les antres de la cabale, tâtonnant dans les ténèbres des sciences occultes.
HUGO, Notre-Dame de Paris, IV, 5.

10 Il y a des parties excellentes dans cet ouvrage. On y trouve aussi des hypothèses fantaisistes, des affirmations aventurées. G. DUHAMEL, Chronique des Pasquier, VI, 9.

CONTR. **Garder. — Protéger** (se). — (Du p. p.) **Assuré, certain, prudent.**

**AVENTUREUSEMENT** [avɑ̃tyʀøzmɑ̃] adv. — 1611; «par hasard», v. 1360; de *aventureux.*

Littér. D'une manière aventureuse, en s'exposant à des risques.

**AVENTUREUX, EUSE** [avɑ̃tyʀø, øz] adj. — 1123; aussi *aventuros* «qui arrive bien ou mal», 1160; «où l'on est exposé au danger», 1165; de *aventure.*

♦ **1** Qui aime l'aventure, se lance volontiers dans les aventures. → **Audacieux, hardi, imprudent, téméraire.** *Homme, esprit aventureux. Humeur, imagination aventureuse.*

1 Rien ne rend aventureux comme de ne pas sentir la place de son gousset. HUGO, Notre-Dame de Paris, II, 6.

2 (...) il est visible qu'elle *(la nation)* ne désire pas passionnément éviter la guerre, qu'elle n'en prévoit pas tous les périls et qu'au fond de son âme je ne sais quoi d'inquiet, d'ardent et d'aventureux l'appelle.
JAURÈS, Hist. socialiste..., t. III, p. 70.

N. (rare au fém.). *C'est un aventureux.*

♦ **2** Qui est plein d'aventures. *Une vie, une existence aventureuse.*

3 Sa vie aventureuse et romanesque a prêté à des mémoires apocryphes fabriqués de son vivant.
SAINTE-BEUVE, *in* Pierre LAROUSSE.

♦ **3** Qui est plein d'aléas, de risques. → **Aléatoire, dangereux, hasardeux, risqué.** *Un projet aventureux. Une entreprise aventureuse. C'est un peu aventureux.*

CONTR. **Circonspect, prudent, sage. — Sûr.** ◇ DÉR. **Aventureusement.**

**AVENTURIER, IÈRE** [avɑ̃tyʀje, jɛʀ] n. et adj. — XVe; de *aventure.*

♦ **1** Vx. Personne qui cherche des aventures.

1 Ainsi s'avançaient pas à pas,
Nez à nez, nos aventurières.
LA FONTAINE, Fables, XII, 4.

2 Celui-ci, qui ne passa que pour un aventurier audacieux, parce qu'il ne réussit pas (...)
VOLTAIRE, le Siècle de Louis XIV, 3.

♦ **2** Vx. Soldat volontaire, corsaire, pirate. → **Mercenaire; conquistador.**

3 Les gens étaient quinze mille hommes d'armes (...) quatre-vingt-neuf mille harquebusiers, cent quarante mille adventuriers (...) RABELAIS, Gargantua, 47.

Il *(le duc de Ferrare)* lui mena quatre cents gentilshommes volontaires qu'on nomme là **Adventuriers.** 4
BRANTÔME, *in* HUGUET, Adventurier.

Seigneur aventurier, s'il te prend quelque envie 5
De voir ce que n'a vu nul chevalier errant (...)
LA FONTAINE, Fables, X, 13.

Eurymaque savait la guerre (...) C'était un aventurier qui s'était donné à Nestor et qui avait gagné sa confiance. 6
FÉNELON, Télémaque, 13.

C'étaient d'abord *(les flibustiers)* des aventuriers français qui avaient tout au plus la qualité de corsaires. 7
VOLTAIRE, Dict. philosophique, Flibustier.

♦ **3** Mod. Personne qui cherche l'aventure, par curiosité et goût du risque, sans que les scrupules moraux l'arrêtent. *Un explorateur, un chercheur aiment l'aventure sans être des aventuriers.* — Fig. *«(...) les pères* (cit. 13) *de famille, ces grands aventuriers du monde moderne»* (Péguy).

En Bretagne, une vaste conspiration s'ourdissait, sous la main d'un aventurier audacieux (...) 8
JAURÈS, Hist. socialiste..., t. VI, p. 6.

Il n'y avait chez lui, quoi qu'on en dût écrire plus tard, rien d'un **condottiere,**rien d'un **aventurier,**rien surtout d'un révolutionnaire. 9
Louis MADELIN, Hist. du Consulat et de l'Empire, t. II, XV.

Personne qui vit d'intrigues, d'expédients. → **Intrigant.** *Un aventurier sans scrupules, à demi escroc.*

Vous pensez bien qu'il n'y a qu'un aventurier pour épouser cette fille-là. Il paraît que c'est un Monsieur Dupont ou Durant quelconque. 9.1
PROUST, Albertine disparue, Folio, p. 358.

(Au fém.). *Une dangereuse aventurière.*

Ils se retirèrent ensuite chez eux, aussi contents de l'avoir appareillé avec une aventurière, que s'ils eussent fait son mariage avec une princesse. 10
A.-R. LESAGE, Gil Blas, VIII, 11.

♦ **4** Adj. Vx. Aventureux*. — Personnes :

Il y a dans les cours des apparitions de gens aventuriers et hardis (...) LA BRUYÈRE, les Caractères, VIII, 16. 11

(...) de ces hommes alertes, empressés, intrigants, aventuriers, esprits dangereux et nuisibles (...) 12
LA BRUYÈRE, les Caractères, IX, 13.

(Choses). Par métaphore :

(...) de ces mots aventuriers qui paraissent subitement, durent un temps, et que bientôt on ne revoit plus? 13
LA BRUYÈRE, les Caractères, V, 11.

Loc., littér. *Muse aventurière* : inspiration audacieuse.

D'un jeune auteur la muse aventurière (...) 14
J.-B. ROUSSEAU, Épîtres, II, 2.

Souvent ma muse aventurière 15
S'enivrant de rêves soudains,
Ceignit la cuirasse guerrière
Et l'écharpe des paladins. HUGO, Odes, III, 3.

Il est des esprits aventuriers qui n'attendent et ne reçoivent leurs idées que du hasard. 16
Joseph JOUBERT, Pensées, IV, 20.

Qui va à l'aventure.

L'Empereur étonné, se jetant en arrière 17
Suspend du destrier la marche aventurière.
A. DE VIGNY, le Cor.

**AVENTURINE** [avɑ̃tyʀin] n. f. — Av. 1680; p.-ê. de *aventure,* parce que la pierre artificielle aurait été découverte «par hasard»; l'antériorité du sens 1 rend cependant cette explication douteuse.

♦ **1** Pierre naturelle (variété de quartz), diversement colorée et comportant des inclusions de mica.

(...) cet œil gauche, pareil à une bille d'aventurine (...)
COLETTE, la Maison de Claudine, La «merveille», éd. L. de Poche, p. 139.

♦ **2** (1690). Vx. Pierre artificielle utilisée en décoration, faite de verre renfermant dans sa masse de la limaille.

**AVENTURISME** [avɑ̃tyʀism] n. m. — 1906; de *aventure.*

Tendance à prendre des décisions hâtives et dangereuses (en politique). *Les conservateurs accusent les progressistes d'aventurisme. «Une ligne politique où l'on trouve des éléments d'aventurisme petits-bourgeois»* (*le Monde,* 31 déc. 1967).

1 Toute une avant-garde intellectuelle qui avait cru, à travers la scientificité du marxisme, à la mission historique de l'intelligence, se trouva dès 1935 coupée des «masses» et rejetée soit à l'esthétisme soit à l'aventurisme.
Raymond ABELLIO, les Militants, t. II, p. 150.

2 C'est ça, renchérit mon censeur, on ne lit rien et on fonce, et naturellement on se casse la gueule. L'aventure ! je l'avais bien dit : du pur aventurisme ! Une révolution d'ignorants !
Conrad DETREZ, l'Herbe à brûler, p. 225.

**AVENTURISTE** [avɑ̃tyʀist] adj. et n. — 1918; de *aventure.*

Partisan de l'aventurisme politique. *Mots d'ordre aventuristes.* — N.

Les mencheviki sont nuls. Même les socialistes-révolutionnaires gauches, grâce à leur politique d'aventuristes, sont devenus minimes. Seuls, les bolcheviki dominent.
R. ROLLAND, Journal des années de guerre 1914-1919 (1918), p. 1479, *in* D. D. L., II, 7.

**AVENU, UE** [avny] adj. — 1765; *bien avenus* «qui adviennent par succession», 1265; p. p. de l'anc. v. *avenir,* parfois sous la forme *advenu* (vx). → Advenir.

Vx ou littér. *Choses avenues, non avenues,* qui sont, ne sont pas arrivées.

Mod. **NON AVENU :** qui existe, a existé, mais est considéré comme n'ayant pas de valeur. **NUL ET NON AVENU** [nylenɔnavny] : inexistant. *Je considère cette déclaration comme non avenue, comme nulle et non avenue.*

1 On reprit les choses où elles s'étaient arrêtées; ce qui s'était passé fut comme non avenu.
CHATEAUBRIAND, Mémoires d'outre-tombe, III, p. 316.

2 (...) Je ne trouve nulle part Voltaire nommé dans ses Œuvres *(de Daguesseau),* et je ne vois pas non plus qu'il ait nommé une seule fois Molière. Molière et Voltaire semblent avoir été pour lui comme non avenus et comme inconnus (...)
SAINTE-BEUVE, Causeries du lundi, t. III, p. 413.

3 (...) une qualité particulière du silence, que je ne trouve qu'à Woroïno, suffisent à rendre non avenus tant de pensées, d'événements et de peines, qui me séparent de cette enfance. M. YOURCENAR, Alexis, p. 23.

HOM. **Avenue.**

**AVENUE** [avny] n. f. — 1549; *advenue,* de *avenu* subst. participial de l'anc. v. *avenir* «arriver». → Advenir.

**A** (Concret). ♦ **1** Vx. Chemin par lequel on arrive en un lieu. → **Accès, entrée.**

1 L'advenue de la grande porte du palais (...)
RABELAIS, la Sciomachie.

2 Des soldats qui (...) occupent par pelotons toutes les avenues de votre maison.
MOLIÈRE, les Fourberies de Scapin, III, 2.

3 *(Étienne Ier Bathory)* leur donna des lois *(aux Cosaques),* pour s'en servir dans le besoin de la guerre et pour garder les avenues de la Russie. RACINE, Notes historiques.

4 (...) les amants de Pénélope ont occupé toutes les avenues du port (...) FÉNELON, Télémaque, 7.

♦ **2** (1680). Mod. Voie plantée d'arbres qui conduit à une habitation. → **Allée.** *Une avenue de marronniers conduit au château. «La large avenue à double bas-côté, que bordait la perspective solennelle du château»* (Martin du Gard).

♦ **3** (Plus cour.). Large voie urbaine **(→ Boulevard, cours).** *Avenue de l'Opéra. Les avenues de l'Étoile, à Paris.*

Les avenues étaient désertes. 5
MARTIN DU GARD, les Thibault, III, p. 5.

L'avenue plate s'étendait, avec ses lignes de grands arbres 5.1
et de maisons basses, ses larges trottoirs grisâtres, tachés de l'ombre des branches, les trous sombres des rues transversales, tout son silence et toutes ses ténèbres (...)
ZOLA, le Ventre de Paris, t. I, p. 11.

Dans les villes à plan en damier (notamment, celles du continent américain), Voie perpendiculaire aux voies appellées *rues* (→ Parallèle, cit. 1). *À New York, les avenues* (angl. *avenue*) *sont tracées du nord au sud et les rues* (angl. *street*) *d'est en ouest.* Times Square est au carrefour de Broadway et de la Septième Avenue.

New York est fendu dans toute sa longueur par un certain 5.2
nombre d'avenues, dont les unes sont désignées par des lettres (A, B, C, D), les autres par des numéros (de 1 à 14), et quelques-unes, exceptionnellement, par des noms (Lexington, Park, Madison Avenues et Broadway).
Paul MORAND, New York, p. 111.

(...) le plan de New York se lit d'ici aisément : simplicité 5.3
de ce grillage énorme, où les avenues sont ensoleillées et les rues transversales pleines d'une ombre bleue et glacée.
Paul MORAND, New York, p. 48

**B** Par métaphore ou fig. (Littér.). Voie d'accès. *Les avenues du pouvoir. Les avenues de la fortune.*

Je suis engagé dans les avenues de la vieillesse (...) 6
MONTAIGNE, Essais, II, 17.

(...) quelques visites reçues ou rendues, et qui me firent 7
mieux connaître les chemins de son village qu'elles ne m'ouvrirent les avenues discrètes de son amitié.
E. FROMENTIN, Dominique, I, p. 17.

(...) qu'elle soit imputée à Dieu ou au diable, l'idée de la 8
Révolution s'aperçoit au bout de toutes les avenues de la pensée.
A. THIBAUDET, Histoire de la littérature, p. 109.

La science n'avance que parce qu'il existe de ces héros qui 9
savent, quand il le faut, se jeter dans le maquis du réel hors des avenues tracées.
Julien BENDA, Lettres à Mélisande.

HOM. **Avenu.**

**AVÉRER** [aveʀe] v. tr. et pron. [CONJUG.: *céder.*] — V. 1260; «réaliser», 1125; lat. médiéval *a(d)verare,* de *verus* «vrai», et préfixe *ad.* → 1. A-.

♦ **1** V. tr. Vx ou didact. Donner comme certain. *Avérer un fait.*

(...) Scipion l'Africain ayant été après souper trouvé mort 1
en sa maison, on ne sut jamais avérer ni savoir comment il était mort. J. AMYOT, Romulus, 27.

*(De pareils forfaits)* Sans les bien avérer ne s'imputent 2
jamais. MOLIÈRE, Sganarelle, 12.

◆ **AVÉRÉ, ÉE** p. p. adj. (1549). Cour. Reconnu vrai. → **Certain, sûr.** *C'est un fait avéré. Il est avéré que... — Être avéré par... :* rendu certain, prouvé, attesté par...

La chose est avérée, et je tiens dans mes mains 3
Un bon certificat du mal dont je me plains (...)
MOLIÈRE, Sganarelle, 6.

Le crime est avéré : lui-même il le confesse (...) 4
RACINE, les Plaideurs, III, 3.

C'est un fait avéré par l'histoire de M. de Thou, et par celle 5
de la Popelinière, auteurs non suspects (...)
BOSSUET, Défense de l'Hist. des variations.

Les faits (...) seront (...) déniés ou reconnus dans les trois 6
jours; sinon ils pourront être tenus pour confessés ou avérés. Code de procédure civile, art. 252.

Si l'assigné ne comparait pas ou refuse de répondre après 7
avoir comparu, il en sera dressé procès-verbal sommaire, et les faits pourront être tenus pour avérés.
Code de procédure civile, art. 330.

8 (...) il est évident, sûr, certain, avéré, manifeste, clair, acquis, établi, reconnu (...) qu'elle a toujours fait son devoir (...)

F. BRUNOT, la Pensée et la Langue, p. 500-501 (→ Affirmation, cit. 2).

♦ **2** V. pron. (1836). Mod. **S'AVÉRER.** [a] Vx ou littér. Être reconnu vrai, être confirmé. *La nouvelle s'avérera bientôt* (*Larousse* XIX*e siècle*).

9 C'est assez que la chose, au gré de mon désir,
S'est naguère entre nous pleinement avérée.

LA FONTAINE, *in* P. LAROUSSE.

10 C'est alors que Pirithoüs sut inventer (...) un subterfuge où s'avéra sa fertile ingéniosité. GIDE, Thésée, p. 79.

10.1 (...) si le diagnostic d'une sclérose en plaque que j'avais moi-même porté s'était avéré.

Jacques LAURENT, les Bêtises, p. 559.

[b] Mod. (Impersonnel). *Il s'avère, il s'est avéré que vous aviez raison, que c'était une contrefaçon.*

Plus cour. (et critiqué). Suivi d'un adj., d'un nom ou d'un inf. *La médecine s'est avérée impuissante. Ce raisonnement s'est avéré juste. L'entreprise s'avère difficile.* → **Apparaître, montrer** (se), **paraître, révéler** (se), **trouver** (se), **vérifier** (se). *L'opération s'est avérée une totale réussite. Il s'est avéré faire partie des services secrets.* — (Abusif). *S'avérer faux, inexact.* — (Pléonasme). *S'avérer vrai.*

11 Un critique sévère reprochait une fois à un romancier académicien l'usage d'une expression qui remonte au style «artiste» de 1880 et qui semble à la fois incorrecte et démodée. Peut-on dire d'une conjecture **qu'elle s'avère improbable** ou d'une assertion **qu'elle s'avère fausse**? Au premier abord la catachrèse est fort choquante, puisque **avérer** veut dire **tenir** ou **reconnaître pour vrai** (...) Il y a en tout état de cause une faute de style et de rhétorique à juxtaposer **avérer** et **faux** qui sont contradictoires d'origine, même si on admet qu'**avérer** a pris un sens très différent de son origine.

A. THÉRIVE, Querelles de langage, t. II, p. 24.

12 Les médecins (...) envisageaient tour à tour maints procédés de traitement, qui s'avérèrent, à l'usage, aussi inopérants les uns que les autres.

DANIEL-ROPS, le Cœur complice, p. 68 (*in* GREVISSE, qui donne de nombreuses illustrations de l'usage moderne, p. 534, nº 701, 5).

CONTR. **Démentir, infirmer.** — (Du p. p.) **Contestable, douteux, faux.**

**AVERNE** [avɛʀn] n. m. — Av. 1662; lat. *Avernus,* nom d'un lac de Campanie censé être l'entrée des enfers.

Vx et littér. Enfer.

**AVERRHOA** [avɛʀɔa] n. m. — 1845; de *Averrhoès.* → Averroïsme.

Bot. Arbre indien *(Oxylidacées)* dont les fleurs forment des grappes, et dont le fruit sert à fabriquer des limonades. → **Carambolier.**

**AVERROÏSME** [avɛʀɔism] n. m. — 1838; de *Averrhoès,* médecin et philosophe arabe du XIIe.

Didact. Doctrine d'Averrhoès ou de ses continuateurs. — REM. On écrit aussi *averrhoïsme.*

DÉR. **Averroïste.**

**AVERROÏSTE** [avɛʀɔist] adj. et n. — 1847; de *averroïsme.*

Didact. Relatif à l'averroïsme. *L'école averroïste. Doctrines averroïstes.* — REM. On écrit aussi *averrhoïste.*

Nom :

Siger de Brabant, hérétique notoire et condamné par l'Église, adversaire de S. Thomas d'Aquin, Averroïste, négateur de l'immortalité de l'âme, placé par Dante au Paradis présenté par S. Th*(omas)* lui-même!

CLAUDEL, Cahier IV, 28 mars 1920, *in* Journal, t. I, Pl., p. 473.

**AVERS** [avɛʀ] n. m. — 1866; «revers», 1845; du lat. *adversus* «qui est en face».

♦ **1** Didact. Face (d'une monnaie, d'une médaille). → **Face, obvers.** *Cette médaille porte une effigie sur l'avers.*

(...) il y eut des Expositions où l'on distribua des médailles d'or aux millésimes différents sur l'avers et le revers (...)

ARAGON, Anicet, I, p. 12.

♦ **2** Littér. Endroit. *«L'envers et l'avers d'une même idée»* (J. R. Bloch, *in* T. L. F.). *«Le revers et l'avers du manteau»* (Huygue, *in* T. L. F.).

CONTR. **Envers, revers.** ◊ HOM. Formes du v. **avérer.**

**AVERSE** [avɛʀs(ə)] n. f. — 1688, *averse d'eau;* de *pleuvoir à la verse* (1642). → Verse.

♦ **1** Pluie soudaine et abondante. → **Douche** (fam.), **grain, ondée, sauce** (fam.), **saucée** (fam.). *Essuyer, recevoir une averse. Averse passagère* (cit. 3). *Averse orageuse. Rester sous l'averse. Averse de printemps.* → **Avrillée** (régional), **giboulée.** *Une forte averse.* → **Allevasse** (régional).

Il survint de si fréquentes et de si grandes averses *(d'eau),* que tout le jardin paraissait être devenu un étang. 1

LA QUINTINIE, Instructions pour les jardins fruitiers, II, 111, 6.

Tandis qu'à leurs œuvres perverses 2
Les hommes courent, haletants,
Mars qui rit, malgré les averses,
Prépare en secret le printemps.

Th. GAUTIER, Émaux et Camées, «Premier Sourire du printemps».

Il pleut. J'entends le bruit égal des eaux; 3
Le feuillage, humble et que nul vent ne berce,
Se penche et brille en pleurant sous l'averse (...)

SULLY PRUDHOMME, Stances, «Pluie».

En entendant ces mots, M. Grandet s'asseyait près du lit et agissait comme un homme qui, voyant venir une averse, se met tranquillement à l'abri sous une porte cochère. Il écoutait silencieusement sa femme, et ne disait rien. 3.1

BALZAC, Eugénie Grandet, éd. 1838, p. 305.

La pluie, toujours la pluie! La plaine et les villages, autour de la colline, se recueillent sous les longues averses qui flattent leur verdure. 4

M. BARRÈS, la Colline inspirée, p. 217.

Le ciel était comme une harpe, où se tendaient les fils d'argent de l'averse, de haut en bas. 5

Francis JAMMES, le Roman du lièvre, I.

Et parfois le vent imitait dans les frondaisons le bruit d'une averse. F. MAURIAC, le Nœud de vipères, I, 4. 6

Mais cette brève et violente averse, loin de rafraîchir l'atmosphère, avait laissé dans les rues une buée d'étuve. 7

MARTIN DU GARD, les Thibault, VII, 49.

Par compar. et fig. Eau qui coule en abondance.

(...) les robinets des angles coulaient à la fois, à grande eau. C'était un bruit d'averse, un ruissellement de jets roides qui sonnaient et rejaillissaient (...) 7.1

ZOLA, le Ventre de Paris, t. I, p. 158.

Techn. (météor.). Précipitation isolée et abondante. *Une averse de grêle, de neige.*

♦ **2** Par métaphore ou fig. *Une averse de...*

Une averse de soleil tombait sur ce désert blanc, éclatant et glacé, l'allumait d'une flamme aveuglante et froide. 8

MAUPASSANT, l'Auberge, Pl., t. II, p. 785.

Grande quantité (de ce qui est déversé). → **Pluie; avalanche, déluge, multitude.** *Une averse de discours. Une averse de larmes. Une averse de coups, d'insultes. Une averse de gifles* (→ 1. Mornifle, cit. 2, Verlaine).

(...) la singulière aptitude qu'avait cet étrange garçon à répandre des averses de larmes allait chaque jour en augmentant. Alphonse DAUDET, le Petit Chose, p. 8. 9

♦ **3** Loc. fam. (fig. de 1.). *De la dernière averse :* de la dernière pluie*; tout récent.

10 Aujourd'hui, les filets de l'actualité ne parviennent pas à retenir dans leurs mailles toutes les stars nées de la dernière averse, et le garçon qu'elles ont quitté, et celui qu'elles épouseront demain (...)
F. MAURIAC, le Nouveau Bloc-notes 1958-1960, p. 256.

**AVERSION** [avɛʀsjɔ̃] n. f. — 1636; «révulsion», méd., 1537; «égarement», XIIIe; lat. *aversio,* de *avertere* «détourner», de *a-,* et *vertere* «tourner».

Grande répugnance, violente répulsion. → **Antipathie** (cit. 2), **dégoût, éloignement, exécration, haine, horreur, inimitié, répulsion, répugnance; -phobie.** *Éprouver, manifester de l'aversion pour... Une aversion de la littérature, contre les mathématiques, pour le sport. Avoir de l'aversion pour qqn, contre qqn.* → **Abominer, abhorrer; détester, haïr.** *Il avait trop d'aversion pour la contrainte.* → **Ennemi** (être ennemi de...). *Causer, inspirer de l'aversion à qqn :* dégoûter (→ Soulever le cœur*). *Il était d'une laideur repoussante et inspirait de l'aversion. Faire qqch. avec aversion.* → **Contre-cœur** (à contre-cœur). *Vaincre, surmonter son aversion. Une aversion insurmontable, irraisonnée, excessive, naturelle, profonde, violente.*

1 Moi qui ai une aversion naturelle contre les panégyriques.
CORNEILLE, Lettres.

2 Mais cette indifférence est une aversion,
Lorsque je la compare avec ma passion (...)
CORNEILLE, Rodogune, I, 5.

3 Les femmes n'ont point de sévérité complète sans aversion.
LA ROCHEFOUCAULD, Maximes, 333.

4 Ses airs éventés me le rendirent insupportable, et mon air froid m'attira son aversion.
ROUSSEAU, les Confessions, XI.

5 Il y a plus. La contrainte d'accord avec mon désir, suffit pour l'anéantir et le changer en répugnance, en aversion même pour peu qu'elle agisse trop fortement.
ROUSSEAU, Rêveries..., VIe Promenade.

6 L'aversion a moins de flexibilité que le désir, c'est une force défensive, une résistance qui protège l'individu.
E. DE SENANCOUR, De l'amour..., p. 10.

7 L'homme va de l'aversion à l'amour; mais, quand il a commencé par aimer et qu'il arrive à l'aversion, il ne revient jamais à l'amour.
BALZAC, Physiologie du mariage, Pl., t. X, p. 673.

8 Mes amis véritables m'ont toujours donné cette preuve suprême d'attachement : une aversion spontanée pour l'homme que j'aimais (...)
COLETTE, la Naissance du jour, p. 16.

9 Si je vous accueille, quand vous rentrerez, ce soir, par des aboiements hargneux, et si je boude longuement, si je vous donne, enfin, toutes les marques de la plus théâtrale aversion (...)
COLETTE, Paix chez les bêtes, «Poucette».

9.1 J'en viens à douter s'il *(Poussin)* aurait eu pour le *Radeau de la Méduse* de Géricault l'aversion violente que devait plus tard manifester Ingres.
GIDE, Feuillets d'automne, l'Enseignement de Poussin, p. 168-169.

10 J'ai (...) marqué, tout au long de mes jours, de l'aversion pour les situations sédentaires, pour le régulier et l'irrévocable. G. DUHAMEL, le Temps de la recherche, IV.

11 Sa fille (...) ne cherchait en aucune manière à celer l'espèce d'aversion qu'elle éprouvait à notre égard.
G. DUHAMEL, le Temps de la recherche, VII, p. 96.

Loc. (Littér.). **EN AVERSION.** *Avoir en aversion :* détester, abhorrer. *Avoir qqn, qqch. en aversion. Prendre en aversion.* → **Grippe** (prendre en).

Loc. Vx. *Bête d'aversion :* personne, chose pour laquelle on éprouve une insurmontable aversion. → **Bête** (noire).

Didact. (psychol., psychan.). *Appétition*-aversion.*

CONTR. **Amitié, amour, goût, inclination, intérêt, penchant, prédilection, sympathie, vocation.**

**AVERTIN** [avɛʀtɛ̃] n. m. — 1256; dér. du lat. *vertigo, inis* «action de tourner», avec infl. du lat. *avertere* «détourner».

♦ **1** Vx. Trouble de l'esprit entraînant des actes de violence.

♦ **2** (1379). Vétér. (Vieilli). Maladie des moutons qui se manifeste par un tournoiement de la bête atteinte. → **Tournis.**

**AVERTIR** [avɛʀtiʀ] v. tr. — 1250; «tourner, revenir à soi», XIIe; *soi avertir* «s'apercevoir», 1160; lat. pop. **advertire,* lat. class. *advertere* «tourner *(vertere)* vers *(ad)*».

♦ **1** Informer (qqn) de qqch. afin qu'il y prenne garde, que son attention soit appelée sur elle. → **Annoncer, apprendre, aviser, éclairer, informer, instruire, prévenir.** *Avertir qqn de qqch., d'une arrivée, d'un accident, d'un danger. On ne m'en a pas averti. Avertir qqn (de qqch.) par un signal* (→ **Signaler**), *par un coup de sonnette* (→ **Sonner**). → Avertisseur. *Avertir qqn d'un danger en criant : gare!* → **Crier** (crier gare, casse-cou...). *Je vous en avertis!* (→ ci-dessous, cit. 4). *Avertir adroitement, discrètement qqn qu'il est sur le point de commettre une maladresse. Il m'a poussé du coude pour m'avertir. Avertir qqn de ses intentions, de ses projets. Avertir qqn en l'informant, en lui faisant remarquer que... Avertir qqn de faire, d'avoir à faire telle chose.* — (Sujet n. de chose). → ci-dessous, cit. 9, 10. *Des signes prémonitoires l'avaient averti. Un pressentiment, un secret instinct, une voix mystérieuse l'en avait averti.* — Pron. (réfl.). *S'avertir soi-même* (→ ci-dessous, cit. 1). — (Passif). *Être averti de..., que... Soyez-en averti.*

Absolt. *Il est venu sans avertir* (→ ci-dessous, cit. 8).

La mort ne surprend point le sage : 1
Il est toujours prêt à partir,
S'étant su lui-même avertir
Du temps où l'on se doit résoudre à ce passage.
LA FONTAINE, Fables, VIII, 3.

Un domestique accourt, l'avertit qu'à la porte 2
Deux hommes demandaient à le voir promptement.
LA FONTAINE, Fables, I, 14.

Puis, tousserez, afin de m'avertir (...) 3
LA FONTAINE, Fables.

(...) vos cavernes creuses 4
Ne vous sauveront pas, je vous en avertis (...)
LA FONTAINE, Fables, III, 18.

Don Sanche, taisez-vous, et soyez averti 5
Qu'on se rend criminel à prendre son parti.
CORNEILLE, le Cid, II, 6.

(...) je dois avertir ceux qui seraient prêts à consentir au 6
mensonge qu'ils ne le doivent pas croire (...)
PASCAL, Pensées, t. II, p. 471.

Ils ne sont pas adroits d'avoir ainsi averti tout le monde 7
de leur intention. PASCAL, les Provinciales, 19.

Sans menacer, sans avertir, la mort se fait sentir tout 8
entière dès le premier coup.
BOSSUET, Oraison funèbre de Henriette-Anne d'Angleterre, *in* LITTRÉ.

*(Toute la nature)* Conspire à t'avertir par un sinistre 9
augure. VOLTAIRE, la Mort de César, III, 5.

Doux bocage, adieu, je succombe; 10
Tu m'avertis de mon destin;
De ma mort la feuille qui tombe
Est le présage trop certain.
MILLEVOYE, la Chute des feuilles.

(...) le président *(des assises)* avertira l'accusé d'être attentif 11
à ce qu'il va entendre.
Code d'instruction criminelle, art. 313.

Le président de la cour ou du tribunal doit, après avoir 12
prononcé la suspension *(de la peine),* avertir le condamné qu'en cas de nouvelles condamnations dans les conditions de l'article 1er, la première peine sera exécutée (...)
Code pénal, Loi du 26 mars 1891, art. 3.

13 Il *(l'acquéreur)* doit aussi avertir le fermier de biens ruraux, au moins un an à l'avance. Code civil, art. 1748.

14 Qui donc es-tu ? — Tu n'es pas mon bon ange ;
Jamais tu ne viens m'avertir.
Tu vois mes maux (c'est une chose étrange !)
Et tu me regardes souffrir.
A. DE MUSSET, la Nuit de Décembre.

15 Si tu vois quelque chose qui te donne à penser, tu m'en avertiras tout doucement.
G. SAND, la Mare au diable, VI, p. 51.

16 Un secret pressentiment l'avertit que s'il allait chez la dame du premier, les yeux noirs pleureraient, et Jacques aurait de la peine.
Alphonse DAUDET, le Petit Chose, p. 294.

17 (...) un secret tressaillement de joie l'avertit. Il tient enfin un sujet à sa taille, à la taille de son génie.
GIDE, Dostoïevski, p. 61.

18 (...) son instinct l'avertissait de ne pas se fier à Mamie (...)
F. MAURIAC, le Sagouin, I.

19 (...) on ne manque jamais d'amis, quand il s'agit de nous avertir du mal qu'on dit de nous.
R. ROLLAND, l'Âme enchantée, t. III, Mère et fils, p. 311.

20 Carnot, décrété d'arrestation, fut averti à temps et put s'évader par une poterne du Luxembourg (...)
Louis MADELIN, Hist. du Consulat et de l'Empire, XII.

♦ **2** Spécialt (rare). Faire fonctionner l'avertisseur d'une automobile (terme recommandé). → **Klaxonner.**

♦ **3** (Par menace ou réprimande. → Avertissement). *Je vous avertis, je vous en avertis : tenez-vous tranquille. Je vous avertis qu'il faudra changer de conduite. Avertir sévèrement qqn.* → **Admonester, menacer, représenter, réprimander...** (→ Mettre en garde* [1. Garde]).

♦ **AVERTI, IE** p. p. adj. *Averti de qqch.*, prévenu.

21 Qu'ainsi, quand il irait en guerre,
De sa marche avertis, ils s'enfuiraient sous terre.
LA FONTAINE, Fables, II, 2.

22 Heureux si, averti par ces cheveux blancs du compte que je dois rendre de mon administration, je réserve au troupeau que je dois nourrir de la parole de vie les restes d'une voix qui tombe et d'une ardeur qui s'éteint.
BOSSUET, Oraison funèbre du prince de Condé.

Adj. (XVI^e). Qui connaît bien, qui est au courant. → **Expérimenté, instruit, avisé** (→ fam. À la coule*, au parfum*). — Prov. (1643, *in* D. D. L., II, 19). *Un homme averti* (vx *un bon averti*) *en vaut deux. Un critique averti. Des lecteurs avertis. — Œil, regard averti.*

23 Desaix (...) soldat intelligent et averti (...)
MADELIN, Hist. du Consulat et de l'Empire, t. III, XX. (→ Allant, cit. 3.)

24 (...) ils ont grand soin que leur «aveux» soient de telle sorte et si spécieusement dissimulés que seuls des lecteurs très avertis puissent lire entre les lignes.
GIDE, Journal, 8 déc. 1929.

24.1 Celui qui sait bien voir peut y trouver trace de tout ; mais il faut un œil averti, tant la touche, souvent, est légère.
GIDE, Voyage au Congo, *in* Souvenirs, Pl., p. 684.

25 Si je vous disais que nous sommes considérés, par les gens les plus avertis d'Europe, comme ayant des arrière-pensées belliqueuses ?
MARTIN DU GARD, les Thibault, t. IV, p. 6.

Spécialt. *Le film est pour un public averti :* il ne doit pas être vu par tous. → **Adulte.** *Elle est déjà avertie.* → **Émancipé.**

N. *(Un averti, les avertis).*

26 Le destin est ironique. Il laisse passer les insouciants à travers les mailles de son filet ; mais ce qu'il se garde bien de manquer, ce sont ceux qui se défient, les prudents, les avertis. R. ROLLAND, Jean-Christophe, t. VII, p. 27.

*Averti de qqch.*, au courant, au fait. *Il est assez averti de ces problèmes. — Se tenir pour averti :* tenir compte d'un avertissement (menace ou appel à l'attention). *Tenez-vous pour averti.*

Boubouroche s'était tenu pour averti. Jamais plus il n'avait fait allusion à coucher ailleurs que chez soi (...) 27
COURTELINE, Boubouroche, I, p. 33.

**CONTR. Aveugler, taire. — Surprendre, tromper. — Ignorant, innocent.** ◊ **DÉR. Avertissement, avertisseur.**

**AVERTISSEMENT** [avɛʀtismɑ̃] n. m. — XIV^e, «préface» ; de *avertir.*

♦ **1** (1427). Action d'avertir ; appel à l'attention, à la prudence. → **Mise** (en garde). *Donner à qqn un avertissement charitable. Écouter, suivre, négliger un avertissement.* → **Avis, conseil, information, instruction, recommandation.** *Un sage avertissement. Écouter, recevoir, entendre, refuser, négliger un avertissement. — Un avertissement du ciel. Un mystérieux avertissement.* → **Appel, préavis, prémonition, présage ; pressentiment, rappel, signe, signal.**

Il suffit de lui avoir donné un petit avertissement. 1
MOLIÈRE, George Dandin, I, 4.

Nous sommes sourds à tous les sages avertissements, 2
aveugles aux voies de salut qui nous sont montrées (...)
BOSSUET, Hist. universelle, II, 21.

Fermant l'oreille à tous les avertissements (...) 3
BOURDALOUE, Sur l'impénitence finale, I.

Ce songe mystérieux était un avertissement divin (...) 4
FÉNELON, Télémaque, IV.

Ne crains pas d'être franc et sincère, je recevrai cet aver- 5
tissement comme une marque d'affection pour moi.
A. R. LESAGE, Gil Blas, VII, 3.

Les enfants sont rassurés comme ils sont effarouchés, sans 6
qu'on sache pourquoi. Ils ont on ne sait quels avertissements intérieurs. HUGO, Quatre-vingt-treize, I, 1.

Les avertissements des pères sont farouches, 7
Mais bons (...)
HUGO, la Légende des siècles, XXI, «la Paternité».

Je négligeais ces sages avertissements, et j'eus lieu de m'en 8
repentir. FRANCE, le Petit Pierre, VII.

*Les avertissements de la sagesse, du bon sens, de la raison.* → **Voix.** — *Les avertissements de l'âge :* les signes, les symptômes du vieillissement. — Spécialt. Réprimande (donnée à qqn par qqn ; → ci-dessus, cit. 1, 7 et 8). *Un avertissement sévère, exemplaire, salutaire, solennel.* → **Admonestation, admonition, leçon, monition, observation, remontrance, semonce.**

Je me suis juré mille fois d'accueillir avec sérénité, peut- 9
être même avec allégresse, en tous cas avec une vaillance lucide, ce qu'on nomme «les avertissements de l'âge».
G. DUHAMEL, Chronique des Pasquier, I, p. 10.

Le cœur ne vieillit pas en même temps que le corps (...) Le 10
cœur ne tient pas compte des avertissements de la chair.
F. MAURIAC, Souffrances et Bonheur du chrétien, p. 86.

Spécialt. Mesure disciplinaire. *«L'affaire va être étouffée après quelques avertissemens et sanctions»* (Gide). *Au bout de trois avertissements, on pouvait être exclu d'un lycée.* — Abrév. fam. : *averto.*

Voilà un monsieur qui a empêché Charlie de venir à une 10.
répétition parce qu'il n'y était pas convié. Aussi il va avoir un avertissement sérieux, j'espère que cela lui suffira, sans cela il n'aura qu'à prendre la porte.
PROUST, la Prisonnière, Folio, p. 292.

♦ **2** Petite préface pour attirer l'attention du lecteur sur quelques points particuliers d'un ouvrage. → **Avis, introduction.** *Avertissement au lecteur.*

Au commencement de l'Esprit des lois se trouve une pré- 11
face qui se rapporte à tout l'ouvrage, puis un avertissement sur ce qu'il faut observer pour bien entendre les quatre premiers livres.
LAFAYE, Dict. des synonymes, Suppl., Préface...

♦ **3** Dr. Déclaration par laquelle un particulier ou une autorité publique attire l'attention de qqn sur un droit, une obligation. → **Avertir ; avis, préavis.** *Avertissement du greffier de la justice de paix.* → **Convocation, invitation** (à comparaître).

12 Les parties pourront comparaître volontairement et sur simple avertissement, sans qu'il soit besoin de citation.
Code d'instruction criminelle, art. 147 (Tribunaux de police).

Dr. fisc. *Avertissement au contribuable :* écrit destiné à faire connaître au contribuable le montant de l'impôt dont il est débiteur. *Premier avertissement sans frais.*

**AVERTISSEUR, EUSE** [avɛʀtisœʀ, øz] n. et adj. — 1281; de *avertir.*

♦ **1** Vx. Personne qui avertit. *«Il y a un avertisseur, au théâtre, pour que l'acteur ne manque pas son entrée»* (Académie). — REM. Dans ce sens, le fém. *avertisseuse* est virtuel.

♦ **2** N. m. (1852, La Châtre). Mod. Appareil destiné à avertir, à donner un signal. → **Signal, sonnerie, sonnette.** *Avertisseur d'incendie. Avertisseur d'automobile, avertisseur sonore.* → **Bruiteur** (2.), **corne, klaxon, trompe.** *Avertisseur auto-alarme d'un navire.* — Mar. *Avertisseur sonore :* signal sonore, en mer. *Avertisseur sonore électrique, électro-dynamique, mécanique, pneumatique.*

1 (...) les cryptes à coffres-forts, vastes caves blindées, protégées contre les voleurs par un système d'avertisseurs électriques (...)
A. ROBIDA, le Vingtième Siècle, p. 7 (1883).

2 (...) la voiture empêche de passer celles qui se trouvent derrière et qui déjà marquent leur impatience en donnant de petits coups d'avertisseurs.
A. ROBBE-GRILLET, la Maison de rendez-vous, p. 123.

Loc. *Un concert d'avertisseurs,* de klaxons.

3 (...) un concert exaspéré d'avertisseurs s'éleva de la file, devenue considérable, des véhicules.
CAMUS, la Chute, p. 63.

♦ **3** Adj. Qui avertit. *Panneau avertisseur. Sifflet avertisseur.*

4 Hum !... fit Mme Tiercelet dans une petite toux avertisseuse.
O. MIRBEAU, le Journal d'une femme de chambre, p. 219.

5 Je songe à des circonstances, trop petites pour que je vous les rapporte, que je ne remarquais pas alors, mais où je distingue maintenant les premiers frémissements avertisseurs (...) comme ce souffle de Dieu dont parle l'Écriture.
M. YOURCENAR, Alexis, p. 23.

**AVESTIQUE** [avɛstik] adj. et n. — 1899, Encycl. Berthelot, art. *Perse;* de *Avesta;* on disait auparavant *zend.*

Didact. De l'Avesta, livres sacrés mazdéens. — N. m. *L'avestique,* langue de l'Avesta, de la famille iranienne. — Syn. anc. (désignation erronée) : *zend.* → **Zend.**

Var. anc. : *avestéen, éenne* [avɛsteɛ̃, eɛn] (1876). *Textes avestéens.*

**AVETTE** [avɛt] n. f. — 1385; *evete,* v. 1170; de l'anc. franç. *ef* «abeille», ou du lat. vulg. **apitta,* lat. class. *apis.*

Vx ou archaïsme littér. Abeille.

1 Tu vois en ce temps nouveau
L'essaim beau
De ces pillardes avettes
Voleter de fleur en fleur (...)
Rémy BELLEAU, Bergeries, I.

2 Ni la rosée aux prés ni les blondes avettes (...)
RONSARD, *in* LITTRÉ.

3 Aujourd'hui que malgré le froid le jour s'annonce clair et limpide, surveille tes ruches et prends tes dispositions d'hiver. Les avettes si rudes au travail sont faibles sous les longues nuits.
J. GIONO, les Vraies Richesses, p. 209.

L'oiseau t'embrasse d'un coup d'aile 4
sur tes bonnes joues bien rondes.
Blonde avette, noire aronde
Mon pays, peau de chagrin.
Paul NEUHUYS, le Secrétaire d'acajou, «Mon pays».

**AVEU** [avø] n. m. — 1283; des anc. formes de *avouer : j'aveue.*

**I** ♦ **1** Hist. Déclaration écrite constatant l'engagement du vassal envers son seigneur, à raison du fief qu'il en a reçu. → **Hommage.**

Le seigneur et le vassal sont liés personnellement l'un à l'autre par une cérémonie symbolique, la foi et hommage (...) Elle se complète assez vite par un engagement écrit (aveu), suivi d'une description minutieuse du fief reçu (dénombrement) que le seigneur conserve dans ses archives. 1
O. MARTIN, Précis d'hist. du droit franç., n° 486.

**(Homme) SANS AVEU,** qui n'était lié à aucun seigneur, ne pouvait invoquer aucune protection. — Mod. Homme sans feu ni lieu, sans répondant. → **Vagabond ; aventurier.**

Des gens sans aveu (...) des écumeurs d'aventures, des chasseurs d'expédients, des chimistes de l'espèce escroc (...) les fruits secs de l'improbité, les existences en banqueroute, les consciences qui ont déposé leur bilan (...) 2
HUGO, les Travailleurs de la mer, V, 6.

♦ **2** (1387). Vx ou littér. Action de déclarer qu'on agrée, qu'on autorise. → **Agrément, approbation, autorisation, consentement.** *Je ne veux rien faire sans votre aveu.*

Vos règles vous défendent de rien imprimer sans l'aveu de vos supérieurs qui sont rendus responsables des erreurs de tous les particuliers (...) 3
PASCAL, les Provinciales, 17.

Jusqu'à ce que ma flamme ait eu l'aveu d'un père (...) 4
CORNEILLE, le Menteur, V, 6.

*(Je suis criminel)* D'avoir fait tout ceci sans l'aveu paternel (...) MOLIÈRE, le Dépit amoureux, V, 7. 5

Chloris ne voulut donc couronner tous ces biens 6
Qu'au sein de sa patrie, et de l'aveu des siens.
LA FONTAINE, les Filles de Minée, 335.

Donc, on nous marie sans notre aveu, comme des brebis ou des pouliches. LOTI, les Désenchantées, II, 7. 7

**II** Mod. ♦ **1** (Av. 1626). Action d'avouer, de confesser qqch., de reconnaître certains faits plus ou moins pénibles à révéler; ce que l'on avoue. → **Confession, déclaration, reconnaissance, révélation.** *Un aveu franc, sincère, véritable. Faire un aveu.* → **Avouer.** *Faire l'aveu d'un secret, d'une faute, d'un crime. Aveu du pécheur.* → **Mea-culpa, peccavi.** *Recevoir un aveu. Arracher un aveu à qqn. «L'effet cathartique de l'aveu est (...) largement utilisé par la psychanalyse»* (Bardenat, *in* Porot, 1975). — Par exagér. *Il faut que je vous fasse un aveu : je n'aime pas Stendhal.*

Spécialt (au plur.). Le fait d'admettre sa culpabilité; en droit, reconnaissance de l'imputabilité des faits faisant l'objet de la poursuite. *Arracher des aveux à un suspect. Il a fini par passer aux aveux* (→ ci-dessous, cit. 19 et 19.1). *Faux aveux d'un innocent. Aveux obtenus sous la contrainte. Extorquer des aveux. Revenir sur ses aveux. Passer* (cit. 129.1) *des aveux complets.*

À vous en faire un aveu véritable, 8
L'époux, Alcmène, a commis tout le mal (...)
MOLIÈRE, Amphitryon, II, 6.

Non, non, un franc aveu n'a rien que j'appréhende. 9
MOLIÈRE, le Misanthrope, V, 2.

C'est le sincère aveu que je voulais vous faire ! 10
RACINE, Britannicus, IV, 2.

Madame, elle vous veut faire l'aveu fidèle 11
D'un secret important qui vous touche plus qu'elle.
RACINE, Bajazet, V, 5.

12 Je meurs, pour ne point faire un aveu si funeste.
RACINE, Phèdre, I, 3.

13 Que de peine à faire un aveu sincère !
BOSSUET, Eucharistie, 2, *in* LITTRÉ.

14 Les mauvais succès sont les seuls maîtres qui peuvent (...) nous arracher cet aveu d'avoir failli, qui coûte tant à notre orgueil (...)
BOSSUET, Oraison funèbre de Henriette-Anne d'Angleterre.

15 (...) tout est vain en nous, excepté le sincère aveu que nous faisons devant Dieu de nos vanités (...)
BOSSUET, Oraison funèbre de Henriette-Anne d'Angleterre.

16 (...) Je n'ai jamais pu prendre sur moi de décharger mon cœur de cet aveu dans le sein d'un ami.
ROUSSEAU, les Confessions, II.

17 Par un aveu, combien de fautes tu pourrais racheter.
PROUST, À la recherche du temps perdu, t. II, p. 102.

18 Heureux de se sentir écouté, compris, et, pensait-il sans doute, approuvé, il débordait d'aveux.
GIDE, les Faux-monnayeurs, III, 1.

19 Mais le conseiller d'État avait cependant entendu confesser l'homme et lui arracher des aveux sur la conspiration.
Louis MADELIN, Hist. du Consulat de l'Empire, t. V, 9.

19.1 L'interrogatoire de Michel Henriot avait repris sur ces entrefaites, entraînant assez vite des aveux : c'est lui qui avait tué, il niait seulement le mobile d'intérêt.
A. BRETON, l'Amour fou, Folio, p. 158.

20 (...) il vit ses paupières s'abaisser en signe d'aveu, et sa tête s'incliner deux fois.
MARTIN DU GARD, les Thibault, VIII, 14.

21 Anne s'était dérobée à tout aveu.
MARTIN DU GARD, les Thibault, VII, 25.

22 Tu ne peux imaginer cette délivrance après l'aveu, après le pardon. F. MAURIAC, Thérèse Desqueyroux, II.

23 Je n'étais pas inquiet et ne fis rien pour provoquer tes aveux. F. MAURIAC, le Nœud de vipères, I, 1.

23.1 (...) il s'agit toujours de dévoiler un secret, d'*avouer.* L'aveu chrétien avait été la rançon du pardon, la voie de la pénitence. Le talent n'est pas un pardon, mais il agit de façon aussi profonde.
MALRAUX, Antimémoires, Folio, p. 13.

Spécialt. *L'aveu d'un amour.* → **Déclaration.** — Absolt (vieilli ou plais.). *De doux, de tendres aveux.*

24 J'ai fait l'indigne aveu d'un amour qui l'outrage (...)
RACINE, Phèdre, III, 3.

25 Voilà longtemps que je vous aime :
– L'aveu remonte à dix-huit ans !
Th. GAUTIER, Émaux et Camées, «Dernier vœu».

Dr. Reconnaissance par une partie du fait qui est allégué contre elle. *Aveu judiciaire, extrajudiciaire.*

26 La présomption légale est celle qui est attachée par une loi spéciale à certains actes ou à certains faits; tels sont (...) 4° La force que la loi attache à l'aveu de la partie ou à son serment. Code civil, art. 1350.

27 L'aveu qui est opposé à une partie est ou extra-judiciaire ou judiciaire. Code civil, art. 1354.

28 L'aveu judiciaire est la déclaration que fait en justice la partie ou son fondé de pouvoir spécial.
Il fait pleine foi contre celui qui l'a fait.
Il ne peut être divisé contre lui.
Il ne peut être révoqué, à moins qu'on ne prouve qu'il a été la suite d'une erreur de fait. Il ne pourrait être révoqué sous prétexte d'une erreur de droit.
Code civil, art. 1356.

♦ **2** Loc. **DE L'AVEU DE... :** au témoignage de...

29 Et d'abord il est certain, de l'aveu des Juifs, que la vengeance divine (...) BOSSUET, Hist. universelle, II, 21.

30 La chose s'était passée, de son aveu, en tout bien tout honneur (...)
Antoine HAMILTON, Mém. du comte de Grammont, 9.

31 (...) par ce seul fait que la comédie de Molière existait, avait la vogue, de l'aveu des contemporains, elle (...)
Émile FAGUET, XVIIe s., Études littéraires, p. 268.

CONTR. **Désaveu, dénégation, rétractation. — Refus, opposition. — Silence, secret.** ◇ COMP. **Désaveu.**

**AVEUGLANT, ANTE** [avœglɑ̃, ɑ̃t] adj. — Mil. XVIe; de *aveugler.*

♦ **1** Qui éblouit. *Un soleil aveuglant.* → **Éblouissant.**

Du zénith aveuglant le jour tombe d'aplomb. 1
J. M. DE HÉRÉDIA, Les Trophées, «Vision de Kem».

Les grands souffles secs, embaumés, l'aveuglante réverbération du soleil sur la roche nue sont enivrants comme le vin. GIDE, Si le grain ne meurt, I, 2. 2

♦ **2** Qui éclate avec force. *Une vérité, une évidence aveuglante.*

♦ **3** Qui empêche de voir les choses lucidement. *Une passion aveuglante.*

**AVEUGLE** [avœgl] adj. et n. — Fin XIe, *avogle;* lat. **ab oculis,* de *oculus* «œil», calque du grec.

**I** Adj. **A** ♦ **1** Qui est privé du sens de la vue. → **Amaurose, cécité.** *Une personne aveugle. Un cheval aveugle. Devenir aveugle :* perdre ses yeux. *Être aveugle de naissance.* → Aveugle-né (*infra,* II.). *Être aveugle comme une taupe*. Je vois bien, je ne suis pas aveugle.*

Je deviens à peu près aveugle, monsieur. Un petit garçon qui passe pour être plus aveugle que moi, et qui vous a servi comme s'il était clairvoyant, s'est un peu mêlé des affaires de Ferney. 1
VOLTAIRE, Lettre à l'abbé de Chauvelin, 13 févr. 1763.

Si jamais un philosophe aveugle et sourd de naissance fait un homme à l'imitation de celui de Descartes, j'ose vous assurer, Madame, qu'il placera l'âme au bout des doigts. 2
DIDEROT, Lettre sur les aveugles, 1 t. II, p. 200, *in* POUGENS.

– Le maître dit que s'il ne peignait plus, il lui semblerait qu'il est devenu aveugle. Et plus qu'aveugle : seul. 2.1
MALRAUX, la Condition humaine, p. 160.

Loc. prov. *Changer, troquer son cheval borgne contre un aveugle :* changer une chose défectueuse contre une autre plus défectueuse encore, une position médiocre contre une autre pire.

♦ **2** Anat. *Point aveugle :* partie de la rétine qui ne comporte pas de cellules visuelles. — Par métaphore. *Le point aveugle d'une théorie.*

♦ **3** Qui ne voit pas, ne perçoit pas par la vue. *Un regard aveugle.*

(...) le buste est penché en avant, la tête inclinée, dans une contemplation fixe — ou aveugle — du sable pâle devant ses chaussures vernies. 2.2
A. ROBBE-GRILLET, la Maison de rendez-vous, p. 27.

**B** Fig. ♦ **1** Dont la raison, le jugement, est incapable de rien discerner (→ Avoir un bandeau*, des écailles* sur les yeux, un voile* [1. Voile] devant les yeux). *La passion le rend aveugle. Aveugle à qqch., sur qqch. Aveugle à tout.*

Je ne suis pas ensemble aveugle et téméraire; 3
Je connais bien l'erreur que l'amour m'a fait faire (...)
MALHERBE, V, 30, *in* LITTRÉ.

Nous sommes sourds à tous les sages avertissements, aveugles aux voies de salut (...) 4
BOSSUET, Disc. sur l'Hist. universelle, II, 21.

Les amis sont aveugles aux défauts de leurs amis. 5
RACINE, Livres annotés.

Il faut que le monde soit bien aveugle s'il vous croit. 6
PASCAL, Pensées, t. III, 937.

Si l'on ne se connaît plein de superbe, d'ambition, de concupiscence, de faiblesse, de misère et d'injustice, on est bien aveugle. PASCAL, Pensées, t. II, 450. 7

Les hommes (...) sont aveugles et sur le bien et sur le mal. 8
FÉNELON, Télémaque, XIV.

Craintive je te sers, aveugle je te suis (...) 9
VOLTAIRE, Mahomet, III, 2.

10 Aveugles, ceux qui ne voient pas le miracle de cette grande âme; incarnation de l'amour fraternel dans un siècle ensanglanté par la haine.
R. ROLLAND, Vie de Tolstoï, p. 174.

11 (...) cette forme d'intelligence inflexible, obstinée, aveugle, sourde, stérilement calculatrice, que je suis bien obligé d'appeler l'intelligence allemande (...)
G. DUHAMEL, le Temps de la recherche, VII, p. 92.

12 Proust n'est nullement aveugle aux déficiences des Guermantes.
A. MAUROIS, À la recherche de Marcel Proust, IX, 4.

12.1 Elle était aveugle à beaucoup de choses; mais elle réagissait vivement à ce qu'elle voyait et sans jamais tricher (...)
S. DE BEAUVOIR, les Mandarins p. 79.

♦ **2** (Sentiments, passions). Qui trouble le jugement. *Une haine, une colère aveugle. Un amour, une passion aveugle.*

13 À mon aveugle amour tout sera légitime.
RACINE, Iphigénie, V, 2.

14 Dissimulez, Seigneur, cet aveugle courroux.
RACINE, Esther, III, 1.

15 Quand Dieu voulut sauver la ville de Béthulie, il tendit, dans la beauté de Judith, un piège imprévu et inévitable à l'aveugle brutalité d'Holopherne.
BOSSUET, Oraison de Henriette-Anne d'Angleterre.

16 Son attitude cabrée, le feu de son regard, exprimaient un orgueil démesuré, aveugle, insolemment agressif.
MARTIN DU GARD, les Thibault, VIII, p. 46.

17 (...) la fureur aveugle n'a qu'un jour, et le patient labeur est le pain de tous les jours.
R. ROLLAND, Au-dessus de la mêlée, p. 59.

♦ **3** Qui ne permet ni réflexion, ni raisonnement. *Une soumission, une obéissance, une confiance, une foi aveugle.* → **Absolu, total.** *Un attachement aveugle pour une opinion. — Le fondement de son aveugle confiance* (→ Montrer, cit. 38). *Dévouement aveugle* (→ Ressource, cit. 3).

18 Vous les verrez soumis rapporter dans Byzance
L'exemple d'une aveugle et basse obéisssance.
RACINE, Bajazet, I, 1.

19 La bonne façon d'en juger *(des pièces de théâtre)* qui est de se laisser prendre aux choses, et de n'avoir ni prévention aveugle, ni complaisance affectée, ni délicatesse ridicule.
MOLIÈRE, Critique de l'école des femmes, 5.

20 La prévention du peuple en faveur des grands est si aveugle (...) que s'ils s'avisaient d'être bons, cela irait à l'idolâtrie.
LA BRUYÈRE, les Caractères, IX, 1.

21 M'y exposer par une aveugle témérité, ce serait me rendre indigne de votre assistance, ce serait courir à ma perte.
BOURDALOUE, Pensées, t. II, p. 84.

22 La charité ne doit point dégénérer dans une tolérance aveugle et pusillanime (...)
BOURDALOUE, Pensées, t. II, p. 473.

23 Mais me réponds-tu bien de leur aveugle zèle?
VOLTAIRE, Mérope, I, 4.

24 Que donne le chef à ses hommes en échange de cette aveugle soumission? Il leur donne «des directives».
A. MAUROIS, Études littéraires, t. II, p. 258.

25 Seul, Christophe, avec son besoin d'expansion et son trop-plein de vie, les enveloppait tous, sans qu'ils le sussent, de sa vaste sympathie, aveugle et clairvoyante.
R. ROLLAND, Jean-Christophe, VII, 2.

♦ **4** (Personnes). Qui agit sans discernement. *Il était l'aveugle instrument du destin, de sa colère.* — Fig. *L'amour, le sort, la fortune sont aveugles.*

26 Le hasard, aveugle et farouche divinité, préside au cercle des joueurs (...)
LA BRUYÈRE, 6, *in* LITTRÉ.

27 La fortune ne paraît jamais si aveugle qu'à ceux à qui elle ne fait pas de bien.
LA ROCHEFOUCAULD, Maximes, 391.

28 Suis-je libre en effet? ou mon âme et mon corps
Sont-ils d'un autre agent les aveugles ressorts?
VOLTAIRE, 2ᵉ Discours.

29 Faut-il ainsi poursuivre (...)
Et l'argent et l'amour, aveugles déités?
André CHÉNIER, 171.

Nul, dans notre âge aveugle et vain de ses sciences, 30
Ne sait plier les deux genoux.
HUGO, Ballades, 8.

**C** Par métonymie. ♦ **1** Littér. Qui ne permet pas de voir. → **Sombre, obscur.**

Sombre nuit, aveugles ténèbres (...) 31
Fuyez, le jour s'approche, et l'olympe blanchit (...)
RACINE, À laudes, *in* LITTRÉ.

♦ **2** Qui ne laisse pas passer le jour. *Arcade, fenêtre aveugle,* feinte, simulée.

Il se souvenait de certaines grosses fermes picardes dont toutes les façades s'ouvraient à l'intérieur de la cour, et qui n'offraient que des murs aveugles à l'extérieur. 31.1
M. TOURNIER, le Roi des Aulnes, p. 175.

♦ **3** Effectué par une personne qui ne contrôle pas visuellement. *Bombardement aveugle.*
Chir. *Opération aveugle,* qui s'effectue sans que le praticien puisse voir la partie opérée.

(...) Si ces opérations se rapportent bien à des maladies intra-cardiaques, elles n'ont pas pour effet l'ouverture du cœur. Ce sont des opérations aveugles, au cours desquelles un doigt ou des instruments tranchants sont introduits dans le cœur, sans qu'à aucun moment le chirurgien puisse voir le travail qu'il effectue. 31.2
Claude D'ALLAINES, Chirurgie du cœur, p. 20.

♦ **4** *Encre aveugle,* invisible pour l'œil humain, mais déchiffrable par un lecteur optique. → **Invisible.**

♦ **5** Géol. *Vallée aveugle :* vallée fermée en aval par une falaise.

**II** N. ♦ **1** Personne privée du sens de la vue. → **Non-voyant.** *Les aveugles et les voyants*, et les mal* (III., 4.)*-voyants. Un aveugle de naissance. L'aveugle-né rapporte tout à l'extrémité de ses doigts* (→ Palpable, cit. 1). *La canne blanche des aveugles. Chien d'aveugle. L'alphabet, l'écriture des aveugles.* → **Anaglyptique** (écriture), **braille, cécographie.** *L'hôpital fondé par Saint Louis pour les aveugles.* → **Quinze-Vingts.** *L'institut des jeunes aveugles.*

Laissez-les : ce sont des aveugles qui conduisent des aveugles. Or, si un aveugle conduit un aveugle, ils tomberont tous deux dans une fosse. 32
BIBLE (Jérusalem) Évangile selon saint Matthieu, XV, 14.

Comment l'aveugle que voici (...) perdit la lumière (...) 33
LA FONTAINE, Fables, XII, 14.

Les démons chassés, les aveugles-nés guéris, les morts de quatre jours ressuscités. 34
BOURDALOUE, Mystère de la résurrection de J.-C., t. I, p. 320.

Si pourtant il est permis à un aveugle de chercher son chemin à tâtons (...) 35
VOLTAIRE, Memmius, XIV, *in* LITTRÉ.

L'aveugle-né, opéré, ne peut distinguer ce qu'il avait jugé rond d'avec ce qu'il avait jugé angulaire. 36
VOLTAIRE, Philosophie de Newton, II, 5.

L'analyse, qui est le bâton que la nature a donné aux aveugles. 37
VOLTAIRE, Philosophie, Traité de métaphysique, 4.

Les aveugles sont gais, parce que leur esprit n'est pas distrait de la représentation des choses qui peuvent leur plaire et qu'ils ont encore plus d'idées que nous n'avons de spectacles. C'est un dédommagement que le ciel leur accorde. 38
Joseph JOUBERT, Pensées, V, XVIII.

(...) il n'y avait plus rien que le noir, ce noir absolu qui doit exister seulement dans l'œil éteint des aveugles. 39
E. FROMENTIN, Un été dans le Sahara, p. 32.

(...) on est comme des aveugles, tâtonnant et trébuchant sous un déluge, avec une musique de pluie aux oreilles, qui vous rend sourd. 40
LOTI, Ramuntcho, II, 9.

*Crier comme un aveugle qui a perdu son bâton :* crier beaucoup pour un léger mal.
*Juger d'une chose comme un aveugle des couleurs,* en juger sans la connaître.

Sans doute il parlait de vertu comme un aveugle des couleurs (...) 41
A. MAUROIS, Ariel..., p. 187.

*C'est un aveugle qui en conduit un autre :* il ne montre pas plus d'habileté que celui qu'il dirige. Prov. *Au royaume des aveugles, les borgnes sont rois :* les médiocres brillent lorsqu'ils se trouvent parmi des sots; cf. «Au milieu d'ignorants, un demi-savant est un puits de science» (Martel).

♦ **2** Loc. adv. **EN AVEUGLE :** sans discernement, sans réflexion. → **Aveuglément.** *Juger en aveugle.*

42 Je me livre en aveugle au transport qui m'entraîne (...)
RACINE, Andromaque, I, 1.

43 Ah! Prince où courez-vous? Quelle ardeur inquiète
Parmi vos ennemis en aveugle vous jette?
RACINE, Britannicus, I, 3.

44 Je marche en aveugle, sans savoir ma destinée (...)
Mme DE SÉVIGNÉ, Lettres, 362, *in* LITTRÉ.

45 (...) ennuyée de la prudence, elle néglige toute précaution et se livre en aveugle au bonheur d'aimer.
STENDHAL, De l'amour, III.

Techn. *Assemblage** (de pièces) *en aveugle.*

♦ **3** Vx ou littér. **À L'AVEUGLE :** sans voir. — Fig. Sans discernement. *Agir à l'aveugle.* → **Aveuglette** (à l').

46 L'auteur oublie à chaque page ce qu'il vient de dire dans l'autre, s'enferrant lui-même à l'aveugle dans ses propres raisonnements.
MICHELET, Hist. de la Révolution franç., t. I, p. 440.

47 Et elle fit même en sorte, amenée malgré elle par la promenade à la tombe de Lise Moeller, de s'arrêter adossée à la pierre (...) Dos à la morte, elle toucha de la main les lettres gravées, vérifiant à l'aveugle l'inscription pleine de mousse, la caressant (...)
J. GIRAUDOUX, les Aventures de Jérôme Bardini, p. 101.

CONTR. **Clairvoyant, éclairé, lucide, voyant.** ◇ DÉR. **Aveuglement, aveuglément, aveugler, aveuglette.** ← HOM. Formes du v. **aveugler.**

**AVEUGLEMENT** [avœgləmɑ̃] n. m. — 1130, *avoglement;* de *aveugle.*

♦ **1** Vieilli. Privation du sens de la vue. → **Cécité.** *Supplice de l'aveuglement.*

1 M. Cassini avait l'esprit égal, tranquille (...) son aveuglement même ne lui avait rien ôté de sa gaieté ordinaire (...)
FONTENELLE, Cassini.

2 Il *(un opéré de la cataracte)* n'avait eu pendant le temps de son aveuglement que des idées faibles des couleurs (...)
BUFFON, Hist. nat. de l'homme, De la vue.

♦ **2** (Fin XIIe-déb. XIIIe). Fig. État de celui dont la raison est obscurcie, le discernement troublé. → **Égarement, trouble, erreur, folie, illusion.** → par métaphore Bandeau, écaille; et aussi avoir des œillères* (2. Œillère). *L'aveuglement de qqn, son aveuglement. Un étrange, un grand aveuglement. Son indulgence va jusqu'à l'aveuglement. Aveuglement volontaire.* → **Fermer** (fermer les yeux sur...). *Aveuglement pour, à l'égard de, sur qqch. On donne pour emblème à la fortune, à l'amour un bandeau*, pour signifier leur aveuglement. Frapper qqn d'aveuglement. — L'aveuglement de son esprit. L'aveuglement de la passion. Dans l'aveuglement de son orgueil, de sa colère...*

3 Dans son aveuglement pensez-vous qu'il persiste?
CORNEILLE, Polyeucte, III, 3.

4 C'est un aveuglement pour elle bien fatal (...)
CORNEILLE, Horace, II, 1.

5 Ce grand aveuglement où chacun est pour soi.
MOLIÈRE, le Misanthrope, III, 4.

6 *(Le Ciel)* a dessillé mes yeux, et je regarde avec horreur le long aveuglement où j'ai été (...)
MOLIÈRE, Dom Juan, V, 1.

7 Tel est de mon amour l'aveuglement funeste (...)
RACINE, Andromaque, II, 2.

8 L'aveuglement des hommes est le plus dangereux effet de leur orgueil : il sert à le nourrir et à l'augmenter (...)
LA ROCHEFOUCAULD, Maximes, 585.

En voyant l'aveuglement et la misère de l'homme, en regardant tout l'univers muet, et l'homme sans lumière, abandonné à lui-même, et comme égaré dans ce recoin de l'univers (...) PASCAL, Pensées, t. III, 693. 9

Ils *(les bienheureux)* ont le transport de l'ivresse, sans en avoir le trouble et l'aveuglement (...) 10
FÉNELON, Télémaque, XIV.

L'illusion est un effet nécessaire des passions, dont la force se mesure presque toujours au degré d'aveuglement où elles nous plongent. 11
C. A. HELVÉTIUS, Notes, Maximes et Pensées, De l'esprit, I, 3.

Serions-nous donc pareils au peuple déicide, 12
Qui, dans l'aveuglement de son orgueil stupide,
Du sang de son Sauveur teignit Jérusalem?
LAMARTINE, Harmonies..., I, 6.

Rien ne fait mieux sentir l'aveuglement, l'imbécillité, qui présida aux massacres. 13
MICHELET, Hist. de la Révolution franç., t. I, p. 1089.

De quoi ne serait-il pas capable dans l'aveuglement de la colère si Adèle, en effet, le trompait? 14
COURTELINE, Boubouroche, III, p. 48.

Les écailles me sont tombées des yeux. Mon aveuglement a cessé. 15
Edmond JALOUX, Fumées dans la campagne, XXIV.

CONTR. **Clairvoyance, discernement, lucidité, perspicacité, sagacité.**

**AVEUGLÉMENT** [avœglemɑ̃] adv. — 1555; *aveuglement,* 1468; de *aveugle.*

♦ **1** Vx. En aveugle, comme un aveugle; sans rien voir. — Par métaphore :

Car, puisque la fortune aveuglément dispose 1
De tout (...) Mathurin RÉGNIER, Satires, IV.

♦ **2** Sans réflexion. *Obéir, croire, aimer, répéter aveuglément. Suivre qqn aveuglément. Se lancer aveuglément dans une entreprise.* → **Aveuglette** (à l'), **étourdiment, follement.**

J'accepte aveuglément cette gloire avec joie (...) 2
CORNEILLE, Horace, II, 3.

L'âme, de son dessein jusque-là possédée, 3
S'attache aveuglément à sa première idée (...)
CORNEILLE, Cinna, III, 2.

Suivons aveuglément ma triste destinée (...) 4
CORNEILLE, Rodogune, V, 4.

Je jure d'obéir, Madame, aveuglément (...) 5
CORNEILLE, Don Sanche, I, 3.

Deux jours après, notre étourdie 6
Aveuglément se va fourier
Chez une autre belette aux oiseaux ennemie.
LA FONTAINE, Fables, II, 5.

Il s'attache aveuglément aux opinions de nos anciens. 7
MOLIÈRE, le Malade imaginaire, II, 6.

N'accusons pas aveuglément le naturel des habitants de l'île la plus célèbre du monde (...) 8
BOSSUET, Oraison funèbre de Henriette-Anne d'Angleterre.

Il aime aveuglément sa patrie et son père. 9
VOLTAIRE, Brutus, II, 4.

Avec cela, une femme forte, qui ne croit ni à Dieu ni au diable, mais qui accepte aveuglément les prédictions des somnambules et du marc de café. 10
Alphonse DAUDET, le Petit Chose, II, 11.

Ce qu'un grand nom recommande a chance d'être loué aveuglément. FRANCE, le Jardin d'Épicure, p. 175. 11

Elle voulait les mêmes choses que lui, il le savait bien. Elle le suivait aveuglément, avec une confiance totale. 12
F. MAURIAC, le Sagouin, II.

CONTR. **Lucidement, prudemment.**

**AVEUGLER** [avœgle] v. tr. — V. 1210; *avogler,* fin XIe; de *aveugle.*

♦ **1** Rendre aveugle. *On l'aveugla en lui crevant les yeux. À la longue, le grand soleil, le grand éclat de la* *neige peut aveugler* (Académie). *Aveugler un chien par méchanceté.*

1 Ce n'était pas de mort mais de cécité qu'allait être frappé Michel Strogoff. Perte de la vue, plus terrible peut-être que la perte de la vie ! Le malheureux était condamné à être aveuglé. J. VERNE, Michel Strogoff, p. 342.

♦ **2** Cour. (Sujet n. de chose). Gêner la fonction de la vue par un trop vif éclat; empêcher de voir. → **Éblouir, offusquer** (la vue). *Une tempête de sable les aveuglait.*

1 (...) comme il arrive aux gens dont un excès de lumière a troublé la vue, je n'apercevais rien au delà du confus éblouissement qui m'aveuglait.
E. FROMENTIN, Dominique, VI.

Par métonymie (en parlant d'un lieu). Au p. p. :

.1 (...) je me voyais (...) suivant dans quelque quartier neuf de la banlieue, pareil à celui où à Balbec habitait Bloch, les rues aveuglées de soleil (...)
PROUST, la Prisonnière, Pl., t. III, p. 411.

♦ **3** Fig. Priver de l'usage de la raison, du jugement. *La passion aveugle les hommes.* → **Affoler, égarer, troubler.** — Au p. p. *Il est complètement aveuglé par ses préjugés.* — (Compl. n. de chose). Empêcher de fonctionner normalement (une faculté). *Aveugler la prudence de qqn. Aveugler la raison, l'esprit.*

2 L'intérêt, qui aveugle les uns, fait la lumière des autres.
LA ROCHEFOUCAULD, Maximes, 40.

3 (...) le même amour-propre qui les aveugle (...)
LA ROCHEFOUCAULD, Maximes, 494.

4 J'ai de l'ambition, mais je sais la régler ;
Elle peut m'éblouir, et non pas m'aveugler.
CORNEILLE, Pompée II, 3.

5 Votre amour vous aveugle en faveur de l'ingrat (...)
RACINE, Phèdre, V, 3.

6 Faut-il que l'amour-propre aveugle les esprits
D'une si terrible manière
Qu'un vil et rampant animal
À la fille de l'air ose se dire égal ?
LA FONTAINE, Fables, IV, 3.

7 Jésus-Christ est venu aveugler ceux qui voyaient clair, et donner la vue aux aveugles (...)
PASCAL, Pensées, III, 771.

8 On n'entend rien aux ouvrages de Dieu, si on ne prend pour principe qu'il a voulu aveugler les uns, et éclairer les autres. PASCAL, Pensées, III, 566.

9 La petite vérole l'avait éborgné, mais la fortune l'avait aveuglé (...) SAINT-SIMON, Mémoires, I, 236.

10 Mais cet espoir m'anime et ne m'aveugle pas (...)
VOLTAIRE, la Mort de César, I, 1.

11 Mon désespoir m'aveugle, il m'emporte trop loin (...)
VOLTAIRE, Mérope, II, 1.

12 (...) lorsque *(mon âme)* délivrée de ce corps qui l'offusque et l'aveugle (...)
ROUSSEAU, Rêveries..., IVe Promenade.

13 Sa vanité de diplomate *(Dumouriez)* aveuglait complètement sa prudence politique.
MICHELET, Hist. de la Révolution franç., p. 387.

3.1 (...) un éclair d'une nature qu'il n'est pas au pouvoir de la logique humaine d'expliquer, aveugla tout mon entendement (...)
VILLIERS DE L'ISLE-ADAM, Tribulat Bonhomet, p. 164.

14 (...) le vieillard aveuglé par son aversion pour les protestants (...) MARTIN DU GARD, les Thibault, V, 2.

♦ **4** (Compl. n. de chose : ouverture...). Rendre aveugle, boucher. *Aveugler une voie d'eau.* → **Boucher, calfater.** *Aveugler une fenêtre,* la boucher.

Au p. p. *Balustrade aveuglée* (ou *feinte*), dont les découpures sont appliquées sur un fond de maçonnerie.

Par métaphore (au p. p.). Bouché, sans issue.

15 Le siècle était sans horizon et toutes les avenues aveuglées, sauf celles de la chamaille, du ressentiment (...)
G. DUHAMEL, le Voyage de P. Périot, XI.

◆ **S'AVEUGLER** v. pron.

♦ **1** Se rendre aveugle. — Par ext. S'éblouir, s'empêcher de voir.

Ils n'osaient bouger, ils s'aveuglaient à regarder les flammes ardentes (...) 16
ZOLA, Thérèse Raquin, 1867, p. 148, *in* T. L. F.

♦ **2** Se cacher la vérité, refuser de la voir.

Ne vous aveuglez point quand sa mort est visible (...) 17
CORNEILLE, Cinna, I, 2.

Mais vous vous aveuglez au milieu du danger (...) 18
CORNEILLE, Sertorius, V, 3.

Crois-moi, détache-toi de cette erreur extrême, 19
Tu te flattes, mon cher, et t'aveugles toi-même.
MOLIÈRE, le Misanthrope, III, 1.

Il ne s'aveuglait pas sur les défauts de ses amis. 20
FLÉCHIER, Oraison funèbre de M. de Montausier.

Il est bon quelquefois de s'aveugler soi-même, 21
Et bien souvent l'erreur est le bonheur suprême.
Ph. DESTOUCHES, le Glorieux, II, 4.

Pourquoi suis-je venu me battre ici, sinon pour qu'advienne le temps où il soit possible de rester fidèle jusqu'au bout sans jamais s'aveugler ? 22
Régis DEBRAY, l'Indésirable, p. 297.

◆ **AVEUGLÉ, ÉE** p. p. adj. Voir ci-dessus à l'article.

CONTR. **Désaveugler, dessiller, ouvrir** (les yeux). — **Vue** (donner, rendre la). — **Éclairer, guider, illuminer, instruire ; détromper...** ◊ DÉR. **Aveuglant.**

**AVEUGLETTE (À L')** [alavœglɛt] loc. adv. — 1762 ; loc. adv. *a veuglettes,* 1457 ; adv. *aveuglectes,* XVe ; de *aveugle.*

♦ **1** Sans y voir clair. → **Aveugle** (en). *Chercher quelque chose à l'aveuglette.* → **Tâtons** (à). *Il ouvrit la porte à l'aveuglette.*

Et tâtant à l'aveuglette, Ramuntcho trouve en effet ce tronc d'arbre, mouillé, glissant et rond. 1
LOTI, Ramuntcho, II, 9.

Combat d'un lézard et d'un serpent d'un mètre de long, noir lamé de blanc, très mince et agile, mais si occupé par la lutte que nous pouvons l'observer de très près. Le lézard se débat, parvient à échapper, mais abandonnant sa queue, qui continue longtemps de frétiller à l'aveuglette. 1.1
GIDE, Voyage au Congo, *in* Souvenirs, Pl., p. 687.

Il arrive aussitôt devant l'escalier, en face du soldat, qui, pour éviter la rencontre des deux corps dans le noir, tend les mains à l'aveuglette autour de lui, à la recherche d'un mur contre lequel il pourrait s'effacer. 1.2
A. ROBBE-GRILLET, Dans le labyrinthe, p. 60.

♦ **2** Fig. Au hasard, sans prendre de précautions. → **Aveuglément.** *Se lancer à l'aveuglette dans une aventure. Agir à l'aveuglette.*

(...) lesquels votent, pour la plupart, tu sais comment : à l'aveuglette, sous la pression de racontars de bistros ! 2
MARTIN DU GARD, les Thibault, VII, 61.

**AVEULIR** [avøliʀ] v. tr. — 1876 ; «anéantir», XIVe ; de 1. *a-,* et *veule.*

Littéraire.

♦ **1** Rendre veule. → **Affaiblir, amollir.** *Une vie trop facile avait aveuli cette jeunesse dorée.*

Pitoyable situation, deux fois pitoyable lorsqu'on songe quelle génération, naguère pleine d'énergie, semblait maintenant s'aveulir. 1
Louis MADELIN, Hist. du Consulat et de l'Empire, t. III, III.

♦ **2** Rare. Rendre plus mou, moins net.

Et puis, il faut bien l'avouer, le tableau de cette année témoigne d'étranges défaillances. Le modelé s'est aveuli et l'air s'est raréfié. Les mains de la paysanne de M. Lepage ne sont pas des mains de femme qui tripote la terre, ce sont les mains de ma bonne qui époussète le moins possible et lave la vaisselle, à peine. 1.1
HUYSMANS, l'Art moderne, 1883, p. 49, *in* T. L. F.

◆ **AVEULI, IE** p. p. adj.

2 (...) la bourgeoisie de Paris, complètement aveulie ou méfiante, refusait de se laisser enrôler.
Louis MADELIN, Hist. du Consulat et de l'Empire, t. II, XII.

Fig. Rendu faible, médiocre.

3 Il se promenait par l'atelier, ne se fâchait plus contre les maquettes aveulies de concessions, tolérait l'affreux buste lui-même. ZOLA, l'Œuvre, p. 224.

CONTR. **Affermir, durcir, endurcir, galvaniser, raffermir.**
◊ DÉR. **Aveulissant, aveulissement.**

**AVEULISSANT, ANTE** [avølisɑ̃, ɑ̃t] adj. — 1890; p. prés. de *aveulir.*

Littér. Qui aveulit. *Une vie aveulissante. Mœurs aveulissantes.* → **Amollissant.**

L'atmosphère y est lourde et aveulissante, obscurcie par la fumée, les becs de gaz y brillent à peine.
P. DE LABAUME, *in* l'Ermitage, mai 1890, *in* D. D. L., II, 15.

**AVEULISSEMENT** [avølismɑ̃] n. m. — 1884; de *aveulir.*

Littér. Action d'aveulir, de s'aveulir; état d'une personne aveulie. *L'aveulissement de son courage.* → **Affaiblissement, amollissement.**

Ceux-là n'étaient pas si «détrempés» mais ils participaient néanmoins à l'aveulissement des caractères qui vouait leurs congénères à la défaite.
Louis MADELIN, Talleyrand, V, 40.

CONTR. **Affermissement, régénération.**

**AVEUVÉ, ÉE** [avœve] adj. — Fin XIIe, *aveuve;* de 1. *a-*, et *veuf.*

Vx, littér. Rendu veuf. — Fig. *«Cœur aveuvé»* (Sainte-Beuve).

**AVIAIRE** [avjɛʀ] adj. — 1897, G. M. Debove et Ch. Achard, *Manuel de médecine, in* D. D. L.; du lat. *aviarius* «relatif à l'oiseau», de *avis.*

Didactique.

♦ **1** Des oiseaux. → **Avien.** *Variole aviaire, peste aviaire. Virus aviaire.*

♦ **2** Rare. Relatif au vol.

Il faut donc que l'homme s'accoutume à être moins fort que son cerveau artificiel, comme ses dents sont moins fortes qu'une meule de moulin et ses aptitudes aviaires négligeables auprès de celles du moindre avion à réaction.
A. LEROI-GOURHAN, le Geste et la Parole, t. II, p. 75.

**AVIATEUR, TRICE** [avjatœʀ, tʀis] n. et adj. — 1863, La Landelle; du verbe *avier* «voler dans les airs», créé par le même, mais qui n'a pas vécu; du lat. *avis* «oiseau».

♦ **1** Adj. Vx. Qui permet de voler. *Appareil aviateur.* — Qui travaille dans l'aviation. *Personnel aviateur.*

♦ **2** N. (1896; «personne qui s'intéresse à l'aviation», en 1865). Mod. Personne qui pilote un avion, qui appartient au personnel navigant de l'aviation. → **Pilote; navigateur, mécanicien, météorologiste, observateur, radio.** *Brevet de pilote aviateur. «Il portait une combinaison d'aviateur en toile bleue»* (Martin du Gard). *Insigne d'aviateur.*

1 (...) on apprenait, vers la fin d'Août, que l'aviateur infortuné avait trouvé la mort (...)
L. FIGUIER, l'Année scientifique et industrielle 1897, p. 112 (1896).

2 Un jour elle m'avait raconté qu'elle avait été à un camp d'aviation, qu'elle était amie de l'aviateur (sans doute pour détourner mes soupçons des femmes, pensant que j'étais moins jaloux des hommes); que c'était amusant de voir comme Andrée était émerveillée devant cet aviateur, devant tous les hommages qu'il rendait à Albertine, au point qu'Andrée avait voulu faire une promenade en avion avec lui. PROUST, la Fugitive, Pl., t. III, p. 612.

**AVIATION** [avjasjɔ̃] n. f. — 1863, La Landelle; du verbe *avier* «voler» (→ Aviateur); du lat. *avis* «oiseau».

♦ **1** Activité, pratique de la locomotion aérienne et, particult, emploi des avions*; ensemble des techniques et des activités relatives à la circulation, au transport aériens. → **Aéronautique, air; aérien.** *Aviation civile, privée, commerciale, marchande, postale. Aviation militaire, côtière, maritime, navale, sanitaire. Aviation d'assaut. Compagnie d'aviation. Techniques de l'aviation.* → **Aérien; aéronaval, aérospatial.** *Lignes, réseaux, routes d'aviation. Aviation de tourisme. Club d'aviation. Atelier, usine d'aviation. Camp*, champ*, terrain* d'aviation.* → **Aérodrome, aéroport, aérogare.** *Balisage, hangars, infrastructures d'un terrain d'aviation. Personnel de l'aviation.* → **Aviateur, pilote; aiguilleur** (du ciel), **commandant, équipage, escadre, escadrille, hôtesse** (de l'air), **ingénieur, moniteur, steward, technicien; navigant, volant** (personnel). *Meeting, coupe, rallye, records d'aviation. Salon de l'aviation. Les héros, les pionniers de l'aviation.*

Laissons de côté, pour cette fois, le mode de locomotion des oiseaux, l'aviation, comme disent depuis quelque temps, — malheureusement pour nos oreilles — les gens qui voudraient nous inventer des ailes. 1
le National, de 1869, *in* LITTRÉ, Suppl.

Beaucoup de villes pour le pilote ne sont qu'un camp d'aviation, qu'un terrain d'atterrissage. Qu'il aille à Melbourne ou à Chung-King, à Calcutta ou à New York, à Tunis ou à Rio, il verra des pistes, des hangars, un camion d'essence, du sable, de la terre battue et peut-être au loin quelques arbres. 2
A. MAUROIS, Études littéraires, t. II, p. 264.

L'histoire de l'aviation commerciale montre combien l'exploitation est scabreuse sans une infrastructure (...) 3
F. RAYMOND, la Radionavigation, p. 124.

Milit. Arme aérienne; armée de l'air. *Aviation de chasse, de bombardement, de reconnaissance. Aviation navale.* → **Aéronavale.** *Être affecté dans l'aviation. Capitaine d'aviation.* — Ensemble d'avions (et d'engins volants) militaires. *Une puissante aviation de chasse, de combat. L'aviation et la marine des États-Unis. Les réfugiés ont été bombardés par l'aviation. Aviation embarquée sur un porte-avions.*

L'aviation d'assaut (1916) accompagnant les vagues de fantassins, et l'aviation d'attaque au sol (1941) engendrèrent cette cavalerie de l'air qui, déjà en 1918 sur le front de Lorraine, accompagna les chars. 4
Edmond BLANC, l'Aviation, p. 356.

♦ **2** Industrie et techniques de la fabrication des engins aériens. → **Aéronautique.** *Travailler dans l'aviation. Une usine d'aviation.*

**AVICOLE** [avikɔl] adj. — XXe; «parasite des oiseaux», 1878; du lat. *avis* «oiseau», et *-cole.*

Didact. De l'aviculture. *Établissement, coopérative, ferme avicole. — Étude avicoles.*

**AVICULAIRE** [avikylɛʀ] adj. et n. — 1838; dér. sav. du lat. *avicula* «petit oiseau».

Didactique, sciences naturelles.

♦ **1** Adj. Qui se nourrit d'oiseaux. *Mygale aviculaire.* N. f. (vx). Mygale américaine de grande taille.

♦ **2** N. m. Bot. (vx). Renouée.

♦ **3** N. m. Zool. Chez certains bryozoaires *(Chilostomes),* Zoécie différenciée en forme de pince, de tête d'oiseau, dont le rôle est de défendre la colonie.

**AVICULE** [avikyl] n. f. — 1803; lat. *avicula* «petit oiseau», par analogie de forme.
Zoologie.

♦ **1** Mollusque lamellibranche *(Anisomyaires)* qui vit surtout dans les mers chaudes. *La coquille de l'avicule rappelle par sa forme la queue de l'hirondelle.*

♦ **2** Vx. Oiseau-mouche.

**AVICULTEUR, TRICE** [avikyltœʀ, tʀis] n. — 1881; du lat. *avis* «oiseau», et *-culteur.*
Éleveur (éleveuse) d'oiseaux, de volailles. — Le mot, comme *aviculture,* semble plus usuel que *avicole.*

**AVICULTURE** [avikyltyʀ] n. f. — 1888; du lat. *avis* «oiseau», et *-culture.*
Élevage des oiseaux, des volailles. → **Avicole, aviculteur.**

L'aviculture pratique (...) comprend l'élevage en grand des coq reproducteurs, des poules pondeuses, des poulets, des oies, des canards, des dindons comestibles et de toutes les volailles grasses. C'est une véritable science, possédant des règles bien établies, fondée sur la théorie et sur la pratique.
Omnium agricole, p. 78.

**AVIDE** [avid] adj. — 1470; lat. *avidus,* de *avere* «désirer vivement». → Avare.

♦ **1** Qui a un désir ardent, immodéré de nourriture. *Il est avide et glouton.* → **Affamé, glouton, goulu, insatiable, vorace.** *Un bébé avide. Il absorbe, avale, engloutit, ingurgite d'une manière avide et n'est jamais rassasié. — Être avide comme un loup-cervier, une harpie, une hyène, un rapace un tigre.* AVIDE DE... *Avide de nourriture, de viande.*

1 Chez lui sirops exquis, ratafias vantés,
Confitures surtout, volent de tous côtés :
Car de tous mets sucrés, secs, en pâte, ou liquides,
Les estomacs dévots furent toujours avides.
BOILEAU, Satires, X.

(Animaux). *Un rapace, un fauve avide.*

2 Quelquefois, aux appâts d'un hameçon perfide,
J'amorce en badinant le poisson trop avide.
BOILEAU, Épîtres, 6.

Par ext., poétique :

3 Une horrible maigreur creuse leurs flancs avides *(des harpies),*
Qui toujours s'emplissant, demeurant toujours vides (...)
Abbé DELILLE, Énéide, III.

Cour. *Un estomac avide.*

♦ **2** *Avide de...* [a] Loc. littér. *Être avide de sang, de carnage :* se plaire à répandre le sang; être cruel, féroce. → **Altéré, assoiffé.** *Avide de meurtres, de vengeance.*

4 Ils s'étonnent comment leurs mains, de sang avides,
Volaient, sans y penser, à tant de parricides (...)
CORNEILLE, Horace, I, 4.

5 (...) La flamme à la main, et de meurres avide.
RACINE, Iphigénie, II, 5.

6 Sa fureur, de sang avide,
Poursuit partout l'innocent. RACINE, Esther, III, 3.

[b] (Choses). Apte à absorber une grande quantité de matière. «*Les tissus vivants sont avides d'oxygène*» (A. Carrel). *Notre économie est avide de sources d'énergie, avide de pétrole.*

♦ **3** (Abstrait). [a] (Sans compl.). Qui désire immodérément les biens. → **Cupide, rapace.** *Un héritier avide. Il est intelligent, mais arriviste et avide.*

7 L'on remarque dans les cours, des hommes avides (...) si vous demandez : «que font ces gens à la cour?» ils reçoivent, et envient tous ceux à qui l'on donne.
LA BRUYÈRE, les Caractères, VIII, 46.

D'Aquin était grand courtisan, mais resta avare, avide (...) 8
SAINT-SIMON, Mémoires, I, 104.

Un homme *(Talleyrand)* vil, avide, bas, intrigant. C'est de 9
la boue et de l'argent qu'il lui faut. Pour de l'argent, il vendrait son âme, et il aurait raison, car il troquerait son fumier contre l'or.
MIRABEAU, cité par Louis BARTHOU, Mirabeau, p. 157.

En héritier avide, chaque vice avait marqué sa part du 10
cadavre encore vivant.
BALZAC, Massimilla Doni, Pl., t. IX, p. 324.

[b] *Avide de* (suivi d'un nom). Qui désire avec passion. *Être avide d'argent, de gain, de richesses.* → **Âpre** (âpre au gain, etc.). *Être avide du bien d'autrui.* → **Convoiteux, envieux.** *Être avide de gloire, d'honneurs.*

Mais égoïste, avide de soins et d'amour, je voulais que 11
l'univers entier s'occupât de moi (...)
FRANCE, le Petit Pierre, XIX, p. 125.

Avide de gloire, enfin, j'étalais devant elle ma supério- 12
rité (...) FRANCE, le Petit Pierre, XXVIII, p. 191.

Très pur, et d'une tendresse avide de câlineries, sans 13
aucun des appétits de brute (...)
COURTELINE, Boubouroche, I, p. 30.

Elle était avide des êtres, et un tiers qui la connaissait trop 13.1
bien, comme moi, en l'empêchant de se livrer, l'empêchait de goûter auprès d'eux un plaisir complet.
PROUST, la Fugitive, Pl., t. III, p. 597.

*Avide de* (suivi d'un inf.). *Être avide d'apprendre, de connaître, de savoir.* → **Curieux, anxieux, désireux, empressé, impatient.**

(...) cloîtré et comme muré dans ses livres, avide avant 14
tout d'étudier et d'apprendre (...)
HUGO, Notre-Dame de Paris, IV, 2.

(...) l'intelligence parisienne elle-même, aiguë, fiévreuse, 15
toujours en mouvement, avide de connaître, prompte à se lasser, excellente à saisir aujourd'hui les grands côtés d'une œuvre, et demain ses défauts (...)
R. ROLLAND, Musiciens d'aujourd'hui, p. 212.

(...) n'était-ce donc pas moi qui les *(tous ces détails)* avais 15.1
souhaités, moi ou plutôt ma douleur affamée, avide de croître et de se nourrir d'eux?
PROUST, la Fugitive, Pl., t. III, p. 474.

Absolt. Qui prête une attention passionnée.

Dans l'ombre, au clair de lune, à travers les buissons, 16
Avides, nous pourrons voir à la dérobée,
Les satyres dansants qu'imite Alphésibée.
HUGO, les Voix intérieures, VII.

♦ **4** (1704). Choses. Qui exprime l'avidité. *Des lèvres avides. Des regards, des yeux avides.* → **Ardent, concupiscent, passionné.** *Les mains, les doigts avides de l'avare. Écouter d'une oreille avide.*

Tous ces yeux qu'on voyait venir de toutes parts 17
Confondre sur lui seul leurs avides regards (...)
RACINE, Bérénice, I, 5.

Le regard d'un homme accoutumé à tirer de ses capi- 17.1
taux un intérêt aussi énorme, contracte nécessairement, comme celui du voluptueux, du joueur ou du courtisan, certaines habitudes indéfinissables, des mouvements furtifs, avides, mystérieux qui n'échappent point à ses coreligionnaires : ce langage secret forme en quelque sorte la *franc-maçonnerie* des passions.
BALZAC, Eugénie Grandet, éd. 1838, p. 34.

Et toujours elle l'interrogeait, vibrante de curiosité, les yeux 18
fixés sur lui, l'oreille avide de ces choses un peu inquiétantes à entendre, mais si charmantes à écouter.
MAUPASSANT, Fort comme la mort, p. 38.

Il se jeta sur elle, ardent, les bras avides. 19
FRANCE, le Lys rouge, XXI, p. 159.

Je m'étonne encore qu'elle ne sentit pas tous nos regards 20
curieux et avides collés pour ainsi dire à son bras nu.
Valery LARBAUD, Fermina Marquez, IV.

CONTR. **Désintéressé, détaché, inattentif, indifférent. — Satisfait, assouvi, rassasié. — Généreux, prodigue.** ◊ DÉR. **Avidement.**

**AVIDEMENT** [avidmɑ̃] adv. — 1555; de *avide.*

♦ **1** D'une manière avide. *Manger avidement.*

♦ **2** (Fin XVI^e-déb. XVII^e). Fig. *Prendre, saisir avidement qqch. Regarder, contempler, écouter avidement. Lire avidement une lettre. — Chercher, souhaiter avidement la réussite.*

1 L'amour avidement croit tout ce qui le flatte (...)
RACINE, Mithridate, III, 4.

2 Que mon cœur, chère Ismène, écoute avidement
Un discours qui peut-être a peu de fondement (...)
RACINE, Phèdre, II, 1.

3 Le peuple écoute avidement, les yeux élevés et la bouche ouverte (...) LA BRUYÈRE, les Caractères, I, 8.

4 Alors les livres les plus platement atroces, les plus stupidement impies, les plus monstrueusement obscènes étaient avidement dévorés par une société malade (...)
HUGO, Littérature et Philosophie mêlées, p. 64.

5 (...) il considérait avidement toutes ces affaires de femme étalées autour de lui (...)
FLAUBERT, Mme Bovary, II, XII (→ Affaire, cit. 64).

6 Là-dessus, il se fourra le nez dans son assiette et se mit à manger avidement, sans dire un mot (...)
Alphonse DAUDET, Lettres de mon moulin, «Bixiou».

7 Je lus la Bible avidement, gloutonnement, mais avec méthode. GIDE, Si le grain ne meurt, I, 8.

8 Le visage avidement tendu vers le Ministre (...) Émile Ollivier écoutait.
Georges LECOMTE, Ma traversée, p. 517.

**AVIDITÉ** [avidite] n. f. — 1382; lat. *aviditas* de *avidus.* → Avide.

Désir ardent, immodéré de qqch.; vivacité avec laquelle on le satisfait. — (Correspond à *avide,* 1.). *Manger avec avidité.* → **Appétit, faim, gloutonnerie, voracité.** — (Correspond à *avide,* 3.). *Désirer quelque chose avec avidité.* → **Concupiscence, convoitise, cupidité, désir, envie.** *Écouter, lire avec avidité. L'avidité de qqn (pour qqch.). L'avidité des désirs :* le caractère avide des désirs. *L'avidité de la gloire :* l'avidité pour la gloire (de qqn). *L'avidité de tout connaître. — L'avidité n'est pas tant un désir que la vivacité avec laquelle on se satisfait au moment de la jouissance* (Condillac).

1 Qu'est-ce donc que nous crie cette avidité et cette impuissance, sinon qu'il y a eu autrefois dans l'homme un véritable bonheur (...) PASCAL, Pensées, II, 425.

2 Courir avec une folle avidité après un monde qui nous fuit (...)
MASSILLON, Profession religieuse, Sermon 4, *in* LITTRÉ.

3 S'il avait pu conquérir le monde entier, il en aurait cherché un nouveau pour satisfaire l'avidité de ses désirs.
ROLLIN, Histoire ancienne, 1 t. VI, p. 583, *in* POUGENS.

4 On lui apporta un couvert; il se jeta d'abord sur l'omelette avec tant d'avidité qu'il semblait n'avoir mangé de trois jours. A.-R. LESAGE, Gil Blas, I, 2.

5 (...) ils l'écoutaient avec avidité, et les moindres choses qu'il disait faisaient sur eux une vive impression de douleur ou de joie. A.-R. LESAGE, le Diable boiteux, IX.

6 Deux passions gâtent ses qualités : son amour exclusif de ses enfants, son avidité insatiable d'accroître sa fortune (...)
CHATEAUBRIAND, Œ. compl., t. IV, 9.

7 (...) je cherchais le lieu noir
Avec l'avidité morne du désespoir (...)
HUGO, les Contemplations, «À celle qui est restée en France», II.

8 Dans l'avidité gloutonne de la bouche qui pressait la sienne, Gabrielle, pourtant, avait fui.
COURTELINE, Messieurs les ronds-de-cuir, IV, 2.

9 Nous regardons avec curiosité, avec avidité vers l'avenir inconnaissable (...)
G. DUHAMEL, le Temps de la recherche, IX, p. 119.

10 Les gens ont de plus en plus peur (...) ils vivent en état de panique et d'avidité perpétuelles.
F. SAGAN, la Chamade, p. 85.

(1751). Spécialt. Cupidité financière et avarice.

CONTR. **Détachement, inattention, indifférence, insouciance. — Satisfaction, apaisement, assouvissement... — Générosité, prodigalité.**

**AVIEN, IENNE** [avjɛ̃, jɛn] adj. — 1903, in *Rev. gén. des sc.,* n° 11, p. 621; du lat. *avis* «oiseau».

Didact. Qui concerne les oiseaux; des oiseaux. → **Aviaire** (1.). *Le monde avien. La vie avienne. Peuplement avien. «Dans le monde avien, les manchots sont les nageurs et les plongeurs dont l'adaptation est la plus poussée»* (*la Recherche,* oct. 1978, p. 834).

**AVIFAUNE** [avifon] n. f. — 1966, in *Bêtes et Nature,* n° 33; du lat. *avis* «oiseau», et 2. *faune* (lat. *faunus*).

Didact. Ensemble des oiseaux, de la faune ailée. *«L'avifaune sauvage et migratrice des marais et des rivages, si elle disparaissait, ne pourrait être remplacée par aucun oiseau domestique»* (*Pêche et chasse,* n° 366, Au bord de l'eau).

**AVIFUGE** [avifyʒ] adj. et n. m. — V. 1970; du lat. *avis* «oiseau», et *-fuge.*

Didact. Qui éloigne les oiseaux. *Un produit avifuge.* — N. m. *Un avifuge.*

**AVILIR** [aviliʀ] v. tr. — XIII^e, *avillir;* de 1. *a-,* et *vil.*

♦ **1** (Sujet n. de personne ou de chose). Rendre vil, indigne de respect, méprisable. → **Abaisser, corrompre, déconsidérer, dégrader, déshonorer, discréditer, flétrir, prostituer, rabaisser, ravaler, souiller.** *Avilir qqn. Avilir le caractère de qqn. Humilier et avilir qqn. Violences, tortures qui avilissent l'homme.* — REM. Alors que *humilier* désigne un effet sur la psychologie subjective, *avilir* concerne la nature même de l'être.— Faire considérer comme méprisable. *Avilir qqn aux yeux de la société. Avilir les sentiments de qqn.* — (Sujet n. de chose). *Un tel comportement l'avilit.* — Absolt. *Le pouvoir avilit.*

La cour de Claudius, en esclaves fertile (...) 1
Qui tous auraient brigué l'honneur de l'avilir *(César).*
RACINE, Britannicus, I, 2.

Souffrir qu'on insulte et qu'on avilisse devant eux la foi de leurs pères ! MASSILLON, Respect de la religion, 2. 2

Ta secte obscure et basse avilit les mortels (...) 3
VOLTAIRE, Mahomet, II, 5.

Que vous avilissiez l'honneur de votre rang 4
Jusqu'à vous compromettre avec un misérable (...)
VOLTAIRE, les Scythes, IV, 1.

(...) de soi-disant amis, qui (...) commencèrent par travailler à m'avilir, pour parvenir dans la suite à me diffamer. ROUSSEAU, les Confessions, VIII. 5

(...) la commisération qu'il *(Grimm)* feignait d'avoir pour moi tendait bien moins à me servir qu'à m'avilir. 6
ROUSSEAU, les Confessions, IX.

(...) Tout leur faisait croire, à Grimm et à elle *(Mme d'Épinay)* qu'en me poussant à la dernière extrémité, ils me réduiraient à crier merci, et à m'avilir aux dernières bassesses (...) ROUSSEAU, les Confessions, X. 7

L'éclat de toutes les vertus ornait à mes yeux l'idole de mon cœur; en souiller la divine image eût été l'anéantir. J'aurais pu commettre le crime, il a cent fois été commis dans mon cœur; mais avilir ma Sophie ? Ah ! cela se pouvait-il jamais ? ROUSSEAU, les Confessions, IX. 8

Un roi qu'on avilit tombe. 9
HUGO, la Légende des siècles, XV, «Le petit roi de Galice», IV.

(...) si l'esclavage ne déshonore pas la domesticité avilit. 10
HUGO, Bug-Jargal, p. 7.

(...) l'aumône avilit également celui qui la reçoit et celui qui la fait. 11
FRANCE, M. Bergeret à Paris, p. 440 (→ Aumône, cit. 14).

12 (...) le désordre et le péché qui partout ternissent, avilissent, tachent et déchirent ce monde.
GIDE, la Symphonie pastorale, p. 38.

12.1 Il était et il est impossible à une victime des camps de concentration d'expliquer à ceux qui l'avilissent qu'ils ne doivent pas le faire.
CAMUS, Actuelles I, Le témoin de la liberté, *in* Essais, Pl., p. 402.

♦ **2** Spécialt ou littér. Abaisser la valeur de. → **Déprécier.** *L'abondance de cette marchandise l'a avilie, en a bien avili le prix* (Académie). *L'inflation avilit la monnaie.* — Fig. *Avilir des valeurs morales.*

13 Je sais que par là, j'acquiesce à la commercialisation de certaines valeurs morales, que par là, je les déprécie et les avilis, que la vie, la mort, la souffrance, la joie, du fait même que je leur laisse assigner une valeur marchande, perdent une partie de leur valeur humaine (...)
G. DUHAMEL, Scènes de la vie future, XII, p. 197.

◆ **S'AVILIR** v. pron. (1587).

♦ **1** Devenir vil, abject. *S'avilir soi-même. S'avilir par ses bassesses, ses platitudes, ses lâchetés. S'avilir dans une vie abjecte, dans la fréquentation de gens interlopes.* → **Dégrader** (se).

14 N'est-ce pas s'avilir soi-même que de dépriser à ce point toute l'humanité?
MASSILLON, Petit carême, Humanité des grands.

15 Et je vous apprendrai qu'on peut, sans s'avilir,
S'abaisser sous les dieux, les craindre, et les servir.
VOLTAIRE, Sémiramis, II, 7.

16 Moi, jaloux! qu'à ce point ma fierté s'avilisse!
VOLTAIRE, Zaïre, I, 5.

17 (...) elle *(la liberté)* ne s'évanouit dans notre âme que quand le cœur se flétrit et que l'esprit s'avilit ou se décourage.
LAMARTINE, Graziella, I, 4, 9.

18 (...) il s'avilissait, se ravalait peu à peu au niveau de ce peuple d'ivrognes (...) LOTI, Mon frère Yves, LVIII.

19 Vasselage où l'esprit s'avilit.
GIDE, Journal, 18 mai 1930.

20 (...) les désirs troubles, les obscures pensées, qui le poussent traîtreusement à s'avilir et à s'anéantir (...)
R. ROLLAND, Jean-Christophe, p. 207.

♦ **2** (1690). Perdre de sa valeur, de son prix. → **Déprécier** (se), **dévaluer** (se). *Ces marchandises se sont avilies. Les cours se sont avilis,* effondrés. → **Baisser.** *La monnaie s'avilissait un peu plus chaque jour.*

21 Et qu'on ne dise pas que je répands ici de fausses terreurs, que les billets de la caisse d'escompte ne s'avilissent point (...) MIRABEAU, Collection, t. II, p. 402.

Figuré :

22 Saint-Augustin dit que ces merveilles *(de l'univers)* se sont avilies par leur répétition (...)
FÉNELON, Traité de l'existence de Dieu, 3.

◆ **AVILI, IE** p. p. et adj. → **Vil; abject, déprécié, méprisable.**

23 (...) plonger plus avant *(sous le joug)* leurs peuples avilis (...)
CORNEILLE, Sertorius, II, 1.

24 Après avoir quitté la suprême puissance, vous êtes demeuré avili, obscur, inutile, abattu (...)
FÉNELON, Dial. des morts anciens, 38.

25 Où sont-ils ces hommes grossiers qui ne prennent les transports de l'amour que pour une fièvre des sens, pour un désir de la nature avilie?
ROUSSEAU, Julie ou la Nouvelle Héloïse, II, Lettre XIII.

26 Je ris de ces peuples avilis qui, se laissant ameuter par des ligueurs, osent parler de liberté sans même en avoir l'idée et, le cœur plein de tous les vices des esclaves, s'imaginent que, pour être libres, il suffit d'être des mutins.
ROUSSEAU, Du contrat social, Politique, VI.

27 Je sentis, en m'éveillant le lendemain, un si profond dégoût de moi-même, je me trouvai si avili, si dégradé à mes propres yeux (...)
A. DE MUSSET, la Confession d'un enfant du siècle, II, 1.

(...) en peignant la misère si laide, si avilie, parfois si vicieuse et si criminelle, leur but est-il atteint, et l'effet en est-il salutaire, comme ils le voudraient? 28
G. SAND, la Mare au diable, I.

La voix a le vieil accent parisien, dont celui des faubourgs actuels sous une forme dégénérée, avilie (...) 29
J. ROMAINS, les Hommes de bonne volonté, t. I, p. 27.

Par quel affreux miracle ce pays si grand, si varié (...) se trouve-t-il avili, enlaidi? 30
G. DUHAMEL, Scènes de la vie future, VII, p. 115.

Dans les régions que nous avons traversées ce n'étaient que races piétinées non tant viles peut-être qu'avilies, esclavagées, n'aspirant qu'au plus grossier bien-être (...) 31
GIDE, Voyage au Congo, *in* Souvenirs, Pl., p. 815.

CONTR. **Élever, ennoblir, relever; exalter, glorifier, honorer, réhabiliter. — Enchérir, hausser, monter, renchérir. — Améliorer, revaloriser.** ◈ DÉR. **Avilissant, avilissement, avilisseur.**

**AVILISSANT, ANTE** [avilisɑ̃, ɑ̃t] adj. — 1771; de *avilir.*

Littér. ou style soutenu. Qui avilit, rend vil (en parlant des choses). *Une dépendance avilissante.* → **Abaissant, dégradant, déshonorant, humiliant.** *Une conduite avilissante.* → **Abject, bas, honteux, indigne, infamant, infâme, méprisable, servile.** *Un compromis avilissant.*

Ô de la servitude effets avilissants! 1
VOLTAIRE, les Scythes, I, 3.

C'est une chose bien avilissante pour la France que le Journal des savants soit négligé parce qu'il est sage, et qu'on ait soutenu les feuilles des Desfontaines et des Fréron (...) 2
VOLTAIRE, Lettre à Marmontel, II, avr. 1772.

Je vous épargne le récit des précautions que je pris contre moi-même; elles me semblent plus avilissantes que des fautes. M. YOURCENAR, Alexis, p. 75. 3

CONTR. **Digne, fier, glorieux, honorable, noble...**

**AVILISSEMENT** [avilismɑ̃] n. m. — 1587; de *avilir.*

♦ **1** Littér. ou style soutenu. Action d'avilir, de s'avilir; état d'une personne avilie. → **Abaissement, abjection, corruption, déshonneur, discrédit, flétrissure, humiliation, opprobre, rabaissement, ravalement, souillure.** *Tomber au plus bas degré de l'avilissement. Un tel avilissement ne peut inspirer que le mépris. L'avilissement de qqn, de sa volonté. L'avilissement d'une fonction, d'un titre.* — Vx. État de discrédit (de qqch.). → ci-dessous cit. 4 et 5. — Absolt. Corruption (→ ci-dessous cit. 8, Rousseau).

Le mépris des richesses était dans les philosophes un désir caché de venger leur mérite de l'injustice de la fortune, par le mépris des mêmes biens dont elle les privait; c'était un secret pour se garantir de l'avilissement de la pauvreté; c'était un chemin détourné pour aller à la considération qu'ils ne pouvaient avoir par les richesses. 1
LA ROCHEFOUCAULD, Maximes, 54.

L'homme de robe ne saurait guère danser au bal, paraître aux théâtres, renoncer aux habits simples et modestes, sans consentir à son propre avilissement (...) 2
LA BRUYÈRE, les Caractères, XIV, 47.

Quel décri et quel avilissement pour le prince dans l'opinion des cours étrangères! 3
MASSILLON, Sermon pour la fête de la Purification, I.

Les belles-lettres sont dans un étrange avilissement à Paris. 4
VOLTAIRE, Lettre à Damilaville, 30 mars 1764.

Je vous supplie instamment de vous joindre à moi pour empêcher l'avilissement le plus odieux qui puisse déshonorer la scène française et achever notre décadence (...) 5
VOLTAIRE, Lettre à Mlle Clairon, 18 oct. 1760.

Sans avilissement, à tout elle s'abaisse (...) 6
VOLTAIRE, les Scythes, I, 1.

Ce n'est donc pas par l'avilissement des peuples asservis qu'il faut juger des dispositions naturelles de l'homme 7 pour ou contre la servitude, mais par les prodiges qu'ont faits tous les peuples libres pour se garantir de l'oppression. ROUSSEAU, De l'inégalité parmi les hommes.

8 En ces temps d'avilissement, qui sait à quel point de vertu peut atteindre encore une âme humaine? ROUSSEAU, Émile, I.

8.1 Oui, continue-t-il, punissons-la mille fois davantage que si nous prenions sa vie, marquons-la, flétrissons-la; cet avilissement joint à toutes les mauvaises affaires qu'elle a sur le corps, la fera pendre ou mourir de faim; elle souffrira du moins jusque-là, et notre vengeance plus prolongée en deviendra plus délicieuse (...) SADE, Justine..., t. I, p. 132.

9 (...) son triste scepticisme et son expérience des gens lui avaient fait connaître l'avilissement inévitable des volontés par la misère. R. ROLLAND, Jean-Christophe, t. V, p. 38.

10 Car le plus précieux de tous les biens imaginables, la vie, va, pour de longues années, tomber dans le mépris et dans l'avilissement. G. DUHAMEL, le Temps de la recherche, XVII, p. 244.

10.1 (...) la torture existe depuis des siècles; et même ceux qui ont chanté dans les supplices. Ce qui n'avait pas encore existé, c'est cette organisation de l'avilissement. MALRAUX, Antimémoires, Folio, p. 613.

♦ **2** (1710). Techn. ou littér. Le fait de se déprécier (valeurs, prix). → **Baisse, dépréciation, dévaluation.** *L'avilissement des marchandises, de la terre. L'avilissement des prix, de la monnaie.*

11 L'avilissement de l'argent, la cherté de la vie, conséquence de la guerre et peut-être aussi de l'afflux subit de l'or américain, avaient créé du mécontentement *(sous Henri II).* J. BAINVILLE, Hist. de France, p. 154.

Fig. *L'avilissement d'un mot, d'une expression, d'une idée,* sa dépréciation par banalisation.

CONTR. **Élévation, ennoblissement, exaltation, glorification, réhabilitation, relèvement. — Dignité, gloire, honneur... — Enchérissement, hausse, montée, renchérissement, revalorisation.**

**AVILISSEUR, EUSE** [avilisœʀ, øz] n. — 1794, *infra;* de *avilir.*

Rare. Personne qui cherche, aime à avilir.

1 L'avocat des nobles, Desmoulins va reprendre sa plume pour prouver que je suis un ultra, un avilisseur des autorités constituées. HÉBERT, le Père Duchesne, nº 353, mars 1794, *in* D. D. L., II, 11.

2 Un critique de profession est un Avilisseur perpétuel. S. MERCIER, Néologie, t. I, p. 60, *in* T. L. F.

**AVINÉ, ÉE** [avine] adj. — Fin XIIIe; p. p. de *aviner.*

♦ **1** Techn. (Choses). Imbibé de vin. *Un tonneau aviné. Une outre avinée.*

♦ **2** Cour. (Personnes). Qui a trop bu de vin. → **Ivre.**

0.1 Dans le calme absolu de ce quartier, j'entendais devant moi des paroles et des rires qui devaient venir de promeneurs à demi avinés qui rentraient. PROUST, le Côté de Guermantes, Pl., t. II, p. 97.

*Une haleine avinée,* qui sent le vin. *Regard, face avinée. Une démarche avinée,* d'un homme pris de vin.

1 C'est que vous ne pourrez peut-être pas soutenir ce personnage difficile. Cavalier (...) pris de vin (...) Pas mal, en vérité; vos jambes seulement un peu plus avinées. BEAUMARCHAIS, le Barbier de Séville, I, 4.

2 Les masques avinés, se croisant dans la fange,
S'accostaient d'une injure ou d'un refrain banal.
A. DE MUSSET, Lettre à Lamartine.

**AVINER** [avine] v. tr. — XIIIe; «fournir de vin», v. 1180; de 1. *a-,* et *vin.*

♦ **1** Techn. Imbiber de vin. *Aviner un tonneau, une barrique.*

♦ **2** S'AVINER v. pron. Vx. Boire avec excès, se prendre de vin. → **Enivrer** (s'); **aviné.** *Cet homme s'avine au cabaret* (Académie).

DÉR. et HOM. **Aviné.**

**AVION** [avjɔ̃] n. m. — 1875, n. pr. *(l'Avion I, l'Avion II)* de l'appareil inventé par Clément Ader; «aéroplane militaire», v. 1914; a remplacé peu à peu *aéroplane,* beaucoup plus usuel jusqu'en 1920; du lat. *avis* «oiseau».

(...) le mot **avion** est resté français, exclusivement français. 1
Mais dans nos frontières, il a vaincu **aéroplane** (...) A. THÉRIVE, Querelle de langage, II, p. 140.

♦ **1** Appareil de locomotion aérienne plus lourd que l'air, muni d'ailes et d'un organe propulseur. → **Aérodyne, aéronef, aéroplane, appareil, hydravion** (→ fam., Coucou, taxi, zinc). *Avions, hélicoptères et planeurs. Avion à voilure tournante.* → **Giravion.** *Groupe motopropulseur d'un avion.* → **Turbopropulseur, turboréacteur; statoréacteur.** *Avion à hélice. Avions à réaction.* → **Jet** (anglic.). *Avion monomoteur, bimoteur, quadrimoteur. La poussée* d'un avion à réaction. Avion monoplan, biplan, multiplan.* — (V. 1960). *Avion à flèche variable,* ou, abusivt, *à géométrie variable :* avion dont les ailes changent d'aspect selon la vitesse de vol. *Aile articulée de l'avion à flèche variable, capable de se déplacer d'avant en arrière, et d'assurer en tous régimes le meilleur rendement aérodynamique. Avion supersonique à flèche variable. Avion sans queue,* sans empennage horizontal. *Avion composite.* → **Composite.** *Avion monoplace, biplace, multiplace. Avion léger. Petit avion.* → **Piper-cub** (type), **pou** (du ciel). *Petit avion de sport, de construction très légère.* → **U. L. M.** *Avion lourd, avion géant.* → **Gros-porteur; jumbo-jet** (anglic.). *Avion moyen-porteur. Avion supersonique, sonique, subsonique. — Avion civil, privé, commercial, marchand. Avion postal. Avion militaire, sanitaire. Avion de lutte contre les incendies de forêt.* → **Bombardier** (à eau), **canadair** (marque). *Avion de tourisme, de croisière. Avion école* (→ **Avion-école);** *avion d'entraînement. Avion de course. Avion d'affaires. Avion de ligne. Avion de transport. Avion long-courrier, à long rayon d'action. Avion moyen-courrier. Avion court-courrier. Avion affrété, nolisé.* → **Charter** (anglic.). *Louer un avion.* → **Avion-taxi.** *Avion transbordeur.* → **Bac** (aérien). *Avion pour passagers. Avion de fret.* → **Avion-cargo.** *Avion ravitailleur.* → **Avion-citerne.** *Avion à conversion rapide,* que l'on peut transformer rapidement de la version fret à la version passager. — REM. On désigne les avions de transport pour passagers par le nom des modèles (DC 10, etc.; *Boeing* et nombre caractéristique; *Airbus, Caravelle, Concorde*...). — Techn. *Avion à stabilité commandée. Avion à décollage et atterrissage courts* (→ **A. D. A. C.**), *verticaux* (→ **A. D. A. V.**). *Avion atomique, à hydrogène.*

*Avion militaires. Avion de guerre, de combat, d'assaut, d'attaque, d'appui, d'interception, d'observation, de patrouille, de reconnaissance, de renseignement, de transport. Avion de bombardement.* → **Bombardier.** *Avion de chasse.* → **Chasseur; ailier, intercepteur.** *Le Mystère, avion de chasse français. Avion antichar, antimissile, destroyer, dragueur, lance-bombes, remorqueur, anti-sous-marin, torpilleur. Avion tactique, avion stratégique. Groupe d'avions.* → **Escadrille, flotte, flottille, formation.** *Raid d'avions. Objectif d'un avion. Bombardement par avions.* → **Pilonnage.** *L'avion a parachuté des troupes.* → **Parachutage.** *Duel d'avions. Abattre un avion ennemi. Avions abattus. Défense, batteries contre avions.* → **D. C. A.** *Détection des avions au* *radar. Avion sans pilote, télécommandé. — Avion-canard,* dont l'empennage est situé à l'avant, l'aile à l'arrière (anciens avions et certains avions très rapides).

*Description, organes de l'avion.* → **Aérofrein, aile, aileron, amortisseur, cabine, capot, carlingue, cellule, commande, coque** (hydravion), **dérive, empennage, feu, frein, fuselage, gouvernail, gouverne, hauban, haubanage, hélice, karman, levier** (de commande), **manche** (à balai), **manette, moteur, nageoire** (hydravion), **nez, pale** (d'hélice), **palier** (hélice), **palonnier, pare-brise, pédale, plan, propulseur, redan, réservoir, roue, servocommande, siège** (et siège éjectable), **soute, stabilisateur, sustentation, tableau** (de bord), **train** (d'atterrissage), **voilure, volet.** *Équipement, instrument de bord d'un avion.* → **Altimètre, anémomètre, antenne, badin, chronomètre, clinomètre, compas, contrôleur** (de vol), **dégivreur, gyromètre, gyropilote, girouette, gyroscope, indicateur, navigraphe, pilote** (automatique), **projecteur, radar, radio, radiocompas, radiogoniomètre, trépidomètre, tube** (acoustique), **variomètre.**

*Conduite, manœuvre, pilotage, vol d'un avion.* → **Aviation, pilotage, visibilité, vol, voler; envolée** (franç. canadien); **embarquement; décollage, catapultage, envol; altitude, ascension, montée, plafond; assiette; plafonner, planer, survoler, virer; vitesse; descente; piquer; rase-mottes; couper** (les gaz); **freiner; atterrissage, amerrissage; rentrer** (à sa base). → aussi **Acrobatie; carrousel, chandelle, cloche, évolution, looping, tonneau, voltige, vrille.** *Ravitailler un avion en carburant.* → **Avitailler.** *Lecture de la liste de contrôle, avant le décollage de l'avion.* → **Check-list** (anglic.). *Contrôle, sécurité du vol des avions.* → **Code** (de l'air), **radioguidage, téléguidage, tour** (de contrôle). *Conditions, incidents, accidents de vol d'un avion.* → **Cheminée, trou** (d'air); **équilibre, équilibrage, hypersustentation, vibration** (et buffètement); **capotage, collision, déportement, givrage, mur** (sonique), **panne.**

*Équipage d'un avion : pilote, copilote, hôtesse, steward.* → **Aviateur.** *Les passagers d'un avion. Le poste de pilotage, les cabines des passagers, les soutes à fret d'un avion. Le compartiment de la classe «touriste», de la première classe dans un avion. Billet d'avion. Place d'avion. Prendre l'avion. Monter en avion. Aller pour la première fois en avion.* → **Baptême** (de l'air). *L'avion décolle, monte, prend de l'altitude, descend, pique, se pose, atterrit, s'écrase. Accident d'avion. Un avion passe dans le ciel. Traînée blanche, bang* d'un avion à réaction. Le bourdonnement d'un avion. L'avion pour Madagascar. L'avion de Montréal, de Paris,* qui va à... *L'avion de Paris est arrivé,* celui qui vient de Paris. *Survoler un pays en avion. Voyager par avion* (→ ci-dessous, 2.).

1.1 Quand (...) tu auras abattu ton cinquième avion boche, tu pourras en causer.
PROUST, le Temps retrouvé, Pl., t. III, p. 813.

2 La navigation aérienne trouve son origine dans une double servitude : celle de l'air, élément mouvant qui présente, à l'instar de la mer, ses courants et ses écueils; celle de la terre qui a su maintenir son emprise et dont la force de l'avion, telle celle du géant Antée, demeure indissociable.
GAUTIER et MARAIS, les Transports aériens, p. 18.

3 Il est impossible de décrire un type d'avion commercial, les qualités de ce dernier étant fonction des caractéristiques de la ligne sur laquelle l'appareil doit être utilisé : climat, relief, infrastructure, ressources du pays (...), ainsi que des missions à remplir : poste, fret, passagers, et enfin du mode d'utilisation : service de nuit ou de jour, service saisonnier ou permanent.
Edmond BLANC, l'Aviation, p. 364.

4 (...) avions en cercle vertical revenant sans cesse à la manière des chevaux d'un manège pour attaquer les blockhaus ou les chars (...) en Macédoine, en avril 1941, mille bombardier étaient associés aux chars de 30 tonnes. L'avion intervenait directement dans la mêlée «chars contre chars» (...) La cavalerie de l'air fournit de véritables **corsaires du sol**désorganisant les arrières.
Edmond BLANC, l'Aviation, p. 356.

L'avion développait ses ailes; de mouche, il tournait à l'épervier; d'épervier, il allait passer aigle. 5
Edmond JALOUX, la Chute d'Icare, p. 272.

(...) des avions tournent et ronflent. Ces avions évoquent des idées de guerre, de bombardement aérien, de sirènes mugissant dans la nuit. 6
A. MAUROIS, Un art de vivre, I, 1.

On cabre pour sauver son altitude, l'avion perd sa vitesse et devient mou : on s'enfonce toujours. 7
SAINT-EXUPÉRY, Terre des hommes, p. 46.

À la fois graves et aiguës, vibrant sourdement à ras de terre et vrillant très haut dans l'air comme un avion à réaction, les ondes se propageaient en avant (...) 8
J.-M. G. LE CLÉZIO, le Déluge, p. 107.

*Par avion :* transporté par voie aérienne. *Lettre par avion.*

♦ **2** Aviation, vol, voyage en avion. *Aimer l'avion, avoir peur de l'avion. Je préfère l'avion au bateau.*

**DÉR. Avionique, avionnerie, avionnette, avionneur.** ◊ **COMP. Avion-cargo, avion-cible, avion-citerne, avion-école, avion-suicide, avion-taxi. — Giravion, hydravion.** → **HOM.** Formes du v. avoir.

**AVION-CARGO** [avjɔ̃kaʀgo] n. m. — Mil. XX^e; de *avion,* et *cargo.*

Avion de gros tonnage destiné aux transports lourds. *Des avions-cargos.*

**AVION-CIBLE** [avjɔ̃sibl] n. m. — Mil. XX^e; de *avion,* et *cible.*

Avion servant de cible lors d'exercices. *Des avions-cibles.*

**AVION-CITERNE** [avjɔ̃sitɛʀn] n. m. — Mil. XX^e; de *avion,* et *citerne.*

Avion transporteur de liquides, souvent de carburants destinés au ravitaillement d'autres appareils en vol (dit aussi *avion ravitailleur**). *Des avions-citernes.*

**AVION-ÉCOLE** [avjɔ̃ekɔl] n. m. — 1928; de *avion,* et *école.*

Avion utilisé pour les leçons de pilotage. *Des avions-école.*

**AVIONIQUE** [avjɔnik] n. f. — V. 1960; de *avion,* et *(électro)nique.*

Techn. Électronique appliquée à l'aviation.

**AVIONNERIE** [avjɔnʀi] n. f. — 1890, Cl. Ader; mot canadien, de *avion,* d'après *aciérie, armurerie,* etc.

Usine de constructions aéronautiques.

(...) je visitais les nouvelles manufactures d'armement (...), les canonneries, les avionneries (...)
B. CENDRARS, Bourlinguer, p. 290.

**AVIONNETTE** [avjɔnɛt] n. f. — 1920, *infra;* dimin. de *avion,* ou esp. *avionete.*

Petit avion qui prend quelques passagers (spécialt, en Amérique du Sud, au Mexique).

L'avionnette, comme vous le pensez, est à l'avion ce qu'est la voiturette à l'automobile. Je ne tire aucune fatuité d'avoir créé ce néologisme au lendemain de l'armistice. C'est la première invention que j'avais réclamée. 1
la Vie au grand air, 20 févr. 1920, «Les avionnettes».

Mais elle *(Singapour)* n'est plus l'Empire, déjà les jets et les avionnettes ont remplacé les paquebots et les *praus.* 2
MALRAUX, Antimémoires, Folio, p. 396.

**AVIONNEUR** [avjɔnœʀ] n. m. — 1890, Cl. Ader; de *avion*.

Rare. Constructeur d'avions, et, spécialt, de cellules d'avions. «*Les industriels n'ont pas de quoi financer une deuxième aventure* (analogue à la construction du Concorde) ... *Nécessité oblige : des rapprochements s'opèrent entre avionneurs et motoristes de part et d'autre de la Manche*» (*l'Express*, 9 juin 1979, p. 102).

**AVION-SUICIDE** [avjɔ̃sɥisid] n. m. — 1944; de *avion*, et *suicide*.

Syn. de *kamikaze*. *Des avions-suicides.*

**AVION-TAXI** [avjɔ̃taksi] n. m. — 1925, *infra*; de *avion*, et *taxi*.

Avion qu'un particulier ou une société peut louer pour effectuer un parcours quelconque. «*L'avion-taxi. Plus de trente sociétés françaises exploitent cette faculté de louer un véhicule de "grande remise", mais volant*» (*Science et Vie*, n° 593, p. 97).

1 Pour l'instant, l'aéroport prévu sur le parc est une station d'avions-taxis reliée à l'aérodrome *(situé dans la zone asservie)*.
LE CORBUSIER, Urbanisme, p. 180, 1925, *in* D. D. L., II, 15.

2 Ce «Beaver» est un avion-taxi; la banquette arrière a été enlevée pour former une soute à bagages.
R. FRISON-ROCHE, Peuples chasseurs de l'Arctique, p. 28.

On dit aussi *taxi aérien*.

**AVIRON** [aviʀɔ̃] n. m. — 1155; de l'anc. franç. *viron* «tour, cercle». → Virer.

♦ **1** Mar. Syn. de *rame* (mot qui n'est pas employé en marine). *Les avirons d'une embarcation*, d'une barque, d'un canot, d'une chaloupe, d'un chébec. Une paire, un jeu d'avirons. Aviron que l'on arme sur le tableau arrière.* → **Godille.** *La poignée, le manche, la pelle* (pale ou plat) *d'un aviron. L'anneau fixé au manche de l'aviron.* → **Erseau, estrope.** *Les tolets retiennent les avirons à l'embarcation.* «*De doubles tolets font office de dames et permettent de manœuvrer l'aviron sans estrope*» (Gruss, *Dict. de marine*). → **Dame, tolet.** *Armez les avirons!* — Collectivt. *Manier l'aviron. Coup d'aviron. Naviguer à l'aviron. Aller à l'aviron.* → **Nager** (1.), **ramer, tirer** (I., A., 2.).

1 Tu veux nager sans aviron.
MARTIN DE SAINT-ÉTIENNE, *in* LITTRÉ.

2 Par ses soins cependant trente légers vaisseaux
D'un tranchant aviron déjà coupent les eaux.
BOILEAU, Épîtres, IV.

3 À chaque coup d'aviron, le ressac des flots la soulevait par l'avant.
FLAUBERT, la Légende de saint Julien l'Hospitalier, III.

Cour. Rame légère, à long manche, des embarcations sportives. *Le rythme des avirons* (→ Barreur, cit. 2). «*Le rameur tire "en pointe" des deux mains avec un seul aviron, ou nage "en couple" avec deux avirons manœuvrés d'une seule main*» (Petiot).
(1636). Régional (Canada). → **Pagaie.**

♦ **2** Sport nautique pratiqué sur des embarcations (yoles, outriggers) propulsées à l'aide d'avirons. *Faire de l'aviron.* → **Canotage; rowing.** *Équipe d'aviron. L'aviron féminin. Courses d'aviron, à deux avirons de couple* (skiff*, double scull*, quatre* sans barreur), *à deux avirons de pointe* (deux* sans barreur, quatre* barré, huit* barré...).

DÉR. **Avironnier.**

**AVIRONNIER** [aviʀɔnje] n. m. — 1803, Boiste; de *aviron*.

Techn. Fabricant d'avirons, de rames.

**AVIS** [avi] n. m. — V. 1170; 1135, *ce m'est à vis*, du lat. *(mihi est) visum* «il m'a semblé bon».

♦ **1** Ce que l'on pense, ce que l'on exprime sur un sujet. → **Jugement; estimation, opinion, pensée, point de vue, sentiment.** *L'avis de qqn, son avis sur qqch. Dire, donner, exprimer, faire connaître son avis. Donner un avis, son avis sur qqch., à propos de qqch. Émettre un avis. Je partage votre avis.* → Abonder dans le sens* de..., opiner. *Se ranger, se conformer, se rendre à l'avis de qqn. Combattre, contredire l'avis de qqn. Les avis sont partagés :* tout le monde n'est pas du même avis. *Son avis l'a emporté, a prévalu. Son avis a été rejeté.* — (Introduit par de...). *Être de tel avis, du même avis que... Je suis de votre avis.* → **Accord** (d'). *Être de l'avis, d'un avis contraire, opposé. Ceux qui sont de l'avis de X,* du même avis que lui. *Être tantôt d'un avis, tantôt d'un autre.*

Nous ne trouvons guère de gens de bon sens que ceux qui sont de notre avis. 1
LA ROCHEFOUCAULD, Maximes, 347.

C'est là mon sentiment. Achillas et Septime 2
S'attacheront peut-être à quelque autre maxime :
Chacun a son avis; mais, quel que soit le leur,
Qui punit le vaincu ne craint point le vainqueur.
CORNEILLE, Pompée, I, 1.

Mon Dieu! ne jurez point, de peur d'être parjure. 3
Si le sort l'a réglé, vos soins sont superflus,
Et l'on ne prendra pas votre avis là-dessus.
MOLIÈRE, l'École des femmes, IV, 8.

Pour moi, je m'y soumets entièrement, et je déclare que cette voie me semble la plus raisonnable. 4
— Je suis de même avis, et le Ciel ne saurait rien faire où je ne souscrive sans répugnance.
MOLIÈRE, les Amants magnifiques, III, 1.

Les frères désunis sont tous d'avis contraire (...) 5
LA FONTAINE, Fables, IV, 18.

Il évite de donner dans les sens des autres et d'être de l'avis de quelqu'un (...) LA BRUYÈRE, les Caractères, 5. 6

Vous êtes seule de votre avis (...) 7
Mme DE SÉVIGNÉ, 215.

Cependant les avis ne sont point partagés; tout le monde tient qu'il y a eu quelque chose de surnaturel dans les oracles (...) FONTENELLE, Oracles, 1re dissertation. 8

C'est un particulier qui dit son avis dans un gros livre qu'on ne lit point (...) VOLTAIRE, Dialogues, 2. 9

*Changer d'avis.*

(...) et ceux qui autrefois firent les dégoûtés, ont bien changé d'avis (...) P.-L. COURIER, I, 118. 10

Loc. prov. *Changer d'avis comme de chemise*, très souvent.

C'est une question de propreté : il faut changer d'avis comme de chemise. 10.1
J. RENARD, Journal, 17 oct. 1902, p. 533.

(1350). **ÊTRE D'AVIS DE** (et inf.). *Être d'avis qu'on fasse quelque chose.*

Si les choses vont toujours de même, je suis d'avis de m'en tenir toute ma vie à la médecine. 11
MOLIÈRE, le Médecin malgré lui, III, 1.

Je suis d'avis qu'on l'y laisse *(dans cette humeur)*. 12
MOLIÈRE, l'Amour médecin, I, 3.

L'autre blâmait la face, et tous étaient d'avis 13
Que les appartements en étaient trop petits.
LA FONTAINE, Fables, IV, 17.

Comme il était d'avis de hâter cette minute, pour tous apaisante (...) MARTIN DU GARD, les Thibault, VI, 8. 14

(Avec à...). *À mon avis, à mon humble avis. À votre avis, selon votre avis.* — (Avec de...). *De l'avis de tous, de tout le monde, de l'avis unanime.*

15 À votre avis est-ce pour avoir vaincu les Suisses que François Ier est appelé grand (...)
GUEZ DE BALZAC, Livre I, Lettre 9.

16 Qui désignai-je, à votre avis,
Par ce rat si peu secourable ?
Un moine ? Non, mais un dervis (...)
LA FONTAINE, Fables, VII, 3.

17 Le plus sot animal, à mon avis, c'est l'homme.
BOILEAU, Satires VIII.

Vx ou régional (de *ce m'est avis*, orig. du mot). *M'est avis que... :* il me semble que...

18 M'était avis (...) qu'il y avait un siècle que je ne l'avais vue (...) MALHERBE, Lettre 1, *in* HATZFELD.

19 M'est avis que cet enchaînement de sottises et d'atrocités qu'on appelle Histoire ne mérite guère l'attention des hommes sensés (...) P.-L. COURIER, Lettres I, 145.

20 M'est avis, donc, que le bonheur intime et propre n'est point contraire à la vertu.
ALAIN, Propos sur le bonheur, 89.

21 M'est avis est un peu familier : m'est avis que vous méritez ce qui vous arrive.
F. BRUNOT, la Pensée et la Langue, p. 286.

Prov. *Autant de têtes, autant d'avis.* → Autant, *supra* cit. 41.

♦ **2** Spécialt. Opinion exprimée dans une délibération. → **Suffrage, voix, vote.** *Les avis des membres de la commission furent unanimes* (Littré). *Les avis furent partagés. Tous les membres ont émis un avis, ont donné leur avis.*

Opinion d'un corps consulté sur une question. → **Consultation.** *L'avis a été pris à la majorité des voix. Avis consultatif. Avis ayant force de décision. Après avis de la commission. Avis favorable. — Avis du Conseil d'État. — Avis de jurisconsultes.*

22 Le recours à l'avis du Conseil d'État est, en principe, facultatif pour le gouvernement, s'il n'en est autrement ordonné par les textes (...)
Sauf texte contraire exigeant l'avis conforme du Conseil d'État, l'avis formulé (...) ne lie pas le gouvernement.
H. CAPITANT, Voc. juridique.

23 Le tuteur ne pourra transiger au nom du mineur, qu'après y avoir été autorisé par le conseil de famille, et de l'avis de trois jurisconsultes désignés par le procureur de la République (...) Code civil, art. 467.

*L'avis de parents, l'avis du Conseil de famille. Avis d'expert, des experts.*

24 La vente des immeubles appartenant à des mineurs ne pourra être ordonnée que d'après un avis de parents énonçant la nature des biens et leur valeur approximative.
Code de procédure civile, art. 953.

25 Le tribunal ordonnera que le conseil de famille (...) donne son avis sur l'état de la personne dont l'interdiction est demandée. Code civil, art. 494.

26 Les experts dresseront un seul rapport ; ils ne formeront qu'un seul avis à la pluralité des voix.
Ils indiqueront néanmoins, en cas d'avis différents, les motifs des divers avis, sans faire connaître quel a été l'avis personnel de chacun d'eux.
Code de procédure civile, art. 318.

♦ **3** (1356). Opinion que l'on donne à qqn touchant la conduite qu'il doit avoir en telle ou telle circonstance. → **Conseil, directive, exhortation, instruction, recommandation.** *Donner, recevoir un avis amical, charitable, salutaire. Demander, solliciter, prendre l'avis de qqn. Écouter, suivre les avis de son père. Ses avis devaient être suivis à la lettre.* → Oracle, cit. 7. *Tenir compte, faire cas d'un avis. Négliger un avis.*

27 Il n'avait point de répugnance à suivre l'avis que lui donnait le père de sa femme (...)
SCARRON, le Roman comique, II, 3.

28 On va d'un pas plus ferme à suivre qu'à conduire,
L'avis est plus facile à prendre qu'à donner (...)
CORNEILLE, Imitation de J.-C., II, 9.

29 Un conseiller me choque en cette occasion,
Et je ne prend avis que de ma passion.
MOLIÈRE, Don Garcie, IV, 7.

(...) songez seulement à profiter de mon avis. 30
MOLIÈRE, Dom Juan, IV, 6.

Je sais sur leurs avis corriger mes erreurs (...) 31
BOILEAU, Épîtres, VII.

Votre avis est fort bon, dit quelqu'un de la troupe (...) 32
LA FONTAINE, Fables, V, 5.

Elle donnera dans un jour cent avis, et dans toute une 33
année elle n'en voudra pas recevoir un seul (...)
BOURDALOUE, Pensées, t. I, 432.

*Donner* (à qqn) *avis que* (et subjonctif).

*Donneur d'avis :* personne qui donne constamment des conseils, même lorsqu'on ne lui demande rien. *«Offreur d'avis»* (Hugo, *in* T. L. F.).

Pour fermer la bouche une fois pour toutes, à tous ces 34
donneurs d'avis (...)
ROUSSEAU, les Confessions, XII.

*Sauf meilleur avis :* si rien de mieux ne vient à être proposé, conseillé.

Prov. *Deux avis valent mieux qu'un.*

Vx. *La nuit porte avis.* → **Conseil.**

Il sera demain jour et la nuit porte avis. 35
CORNEILLE, le Menteur, III, 6.

Spécialt. Opinion autorisée, professionnelle, officielle. *Prendre l'avis d'un spécialiste, d'un médecin.* → **Consulter.**

♦ **4** (Fin XIVe). Ce que l'on porte à la connaissance de qqn. → **Annonce, communication, information, message, note, notification, nouvelle, renseignement.** *Avis préalable.* → **Préavis.** *Avis au public. Avis important. Avis de décès, de mariage. Partir au premier avis. J'ai agi sur avis. Sur l'avis de X...* → **Indication, ordre.** *Jusqu'à nouvel avis :* tant que des directives nouvelles n'auront pas été données. *Sauf avis contraire.* (Vieilli). *Nous avons de sûrs avis sur les projets de l'ennemi. Recevoir un avis secret.* — (Ellipt.). *Avis à la population ! Avis aux amateurs. Il reste encore du cassoulet : avis aux amateurs !*

Vx. *Donner avis de..., que...* → **Annoncer, aviser.** — *Envoyer, porter un avis, l'avis de...* (même sens).

Oui, Madame, je crois que de cette visite, 36
Comme vous l'assurez, vous n'étiez point instruite.
Mais, Seigneur, vous deviez nous faire au moins l'honneur
De nous donner avis de ce rare bonheur (...)
MOLIÈRE, Don Garcie, III, 3.

Je viens (...) vous donner avis d'une chose à laquelle il faut 37
que vous preniez garde.
MOLIÈRE, le Malade imaginaire, II, 7.

— Si le Ciel me donne un avis, il faut qu'il parle un peu 38
plus clairement (...) MOLIÈRE, Dom Juan, V, 4.

(...) vous avez mis votre bien entre les mains d'Argante et 39
de Damon, et je vous donne avis qu'en même jour ils ont fait tous deux banqueroute.
MOLIÈRE, les Femmes savantes, V, 4.

Ma commère, dit-il, allez tout à l'instant 40
Porter un avis important
À ce peuple ; il faut qu'il périsse (...)
LA FONTAINE, Fables, X, 3.

Littér. et vx. Avertissement*. *Les avis du ciel, du destin.*

Quel coup de foudre, ô ciel ! et quel funeste avis ! 41
RACINE, Phèdre, IV, 5.

Un bruit, que j'ai pourtant soupçonné de mensonge, 42
Appuyant les avis qu'elle a reçus en songe (...)
RACINE, Athalie, III, 4.

Loc. *Avis d'exécution, avis d'opéré* (d'un ordre de Bourse, etc.). *Avis de sort, avis d'encaissement* (d'une traite). *Avis de réception d'une lettre recommandée* (envoyée avec accusé de réception). *Avis de réception d'une marchandise par une compagnie de transport. Avis au public.* → **Communiqué.** *Avis par affiche*. Avis divers des journaux. Avis de concours. — Avis préalable.* → **Préavis.**

Comm. *Lettre d'avis,* document informant d'une expédition.

Mar. *Avis urgents aux navigateurs* (abrév. : AVURNAV) : bulletin d'informations maritimes indiquant la présence de dangers momentanés, de modification du balisage.

*Avis au lecteur :* explication mise au début d'un livre (→ **Avertissement, introduction, préface**); fig. conseil, reproche adressé indirectement.

43 Voilà un avis au lecteur qui me rendra sage à l'avenir (...)
MOLIÈRE, le Malade imaginaire, III, 12.

COMP. **Contravis, préavis.**

**AVISÉ, ÉE** [avize] adj. — 1191; p. p. de *aviser.*

Littér. ou style soutenu. Qui agit avec à-propos et intelligence après avoir mûrement réfléchi. → **Averti, fin, habile, prudent, réfléchi.** *Un homme avisé. L'homme avisé est ingénieux à découvrir les inconvénients, les pièges, et à trouver des expédients pour y échapper.* — Par ext. *Esprit avisé. Conduite avisée. — Regard, sourire avisé. — Être bien, mal avisé :* agir avec, sans à-propos. *Vous seriez bien avisé de prendre des précautions. Être, ne pas être bien avisé en faisant... — Être très avisé;* (vx) *mieux avisé; plus avisé.*

1 (...) Les bons esprits, à vaincre accoutumés,
Qui savent, avisés, avec *(que)* différence,
Séparer le vrai bien du fard de l'apparence.
Mathurin RÉGNIER, Satires, V.

2 Dans les instants de crise la jeunesse est communément mieux avisée que la vieillesse (...)
DIDEROT, Essai sur Claude, II.

3 Tu es la fille la plus avisée que j'aie jamais rencontrée.
G. SAND, la Mare au diable, VIII, 71.

4 Les Nouvelles littéraires ne sont peut-être pas bien avisées en ouvrant une «grande enquête sur l'influence des lettres françaises actuelles à l'étranger».
GIDE, Journal, Cuverville, 1924.

5 Bonaparte était cependant trop avisé pour se dissimuler les périls de sa situation, qui, si belle, n'en était que plus dangereuse.
Louis MADELIN, Hist. du Consulat et de l'Empire, t. II, 15.

6 Il était trop calculateur pour n'avoir pas mesuré la portée de sa motion et trop avisé pour n'en avoir pas prévu — au moins en partie — les conséquences.
Louis MADELIN, Talleyrand, I, 3.

CONTR. **Imprévoyant, imprudent, irréfléchi, malavisé, sot.**
◊ COMP. **Malavisé.**

**AVISER** [avize] v. tr. — 1050; de 1. *a-*, et *viser.*

**I** V. tr. ♦ **1** Vx ou littér. Apercevoir, commencer à regarder. → **Apercevoir, distinguer, remarquer, voir.**

1 Furieuse elle approche; et le loup qui l'avise
D'un langage flatteur lui parle et la courtise.
Mathurin RÉGNIER, Satires, III.

2 Comme dit l'autre, je les ai le premier avisés (...)
MOLIÈRE, Dom Juan, II, 1.

3 Le roi, après avoir parlé à quelques-uns, avise enfin ce chapeau gris (...) SAINT-SIMON, Mémoires, 60, 8.

4 Il ne fallut pas que le champi regardât la meunière par deux fois pour aviser ses yeux rouges et sa figure toute blêmie. G. SAND, François le Champi, IX.

4.1 Le père Grandet pensait alors à se marier et voulait déjà monter son ménage. Il avisa cette fille rebutée de porte en porte. BALZAC, Eugénie Grandet, éd. 1838, p. 54.

Mod. Apercevoir tout à coup. Apercevoir inopinément qqch. (pour le prendre, s'en servir). *Il avise un portefeuille oublié sur un banc, il le ramasse.*

5 *(Il)* se met en quête d'un cabaret à portée de son escarcelle (...) Juste en face les casernes, il en avise un propret, reluisant, avec une belle enseigne toute neuve (...)
Alphonse DAUDET, le Petit Chose, p. 47.

5.1 (...) la pluie devenant sérieuse, ils avisèrent, au fond d'un bouquet d'arbres, une sorte de chalet, un petit café-restaurant, où ils coururent se réfugier.
ZOLA, Paris, t. II, p. 9.

(...) J'aperçois une boutique d'antiquaire; j'entre, je regarde, j'avise une statuette ravissante, la Vénus Callipyge en terre cuite, je tombe en arrêt : ma vue se trouble, mon cœur se serre (...) 6
Émile HENRIOT, le Diable à l'hôtel, XIV.

♦ **2** (1275; de *avis*). Littér. ou admin. Avertir (qqn de qqch.) par un avis. → **Apprendre, avertir, conseiller, informer, prévenir.** *Mon correspondant m'a avisé que les marchandises étaient arrivées.*

Va le faire aviser que je suis ici (...) 7
MOLIÈRE, la Princesse d'Élide, III, 4.

Plus cour. (au passif). Sans compl. *Elle avait été avisée du mariage de son frère. Je n'ai pas été avisé.*

Quand, plus tard, par exemple, il apprit mon mariage, il fut presque offensé de n'avoir pas été sinon pressenti, du moins précocement avisé. 8
G. DUHAMEL, le Temps de la recherche, V, p. 62.

♦ **3** Vx. *Aviser (qqn) de faire qqch. :* donner ordre, conseiller à (qqn) de faire quelque chose.

Le prince de Conti et M. de Luxembourg avisèrent Clermont de s'attacher à la Choin, et de paraître vouloir l'épouser (...) SAINT-SIMON, Mémoires, XXIV, 18. 9

(...) il y a trois semaines, nous avons écrit au Gouverneur, sur sa demande, pour l'aviser de la date de notre arrivée (...) 9.1
GIDE, Voyage au Congo, *in* Souvenirs, Pl., p. 797.

Vx. *Aviser (qqn) :* donner des conseils à (quelqu'un).
Prov. *Un fou avise bien un sage :* les bons avis viennent parfois de sources inattendues.
Vx. *Un verre de vin avise bien un homme :* le vin est parfois bon conseiller, il aide à l'inspiration.

**II** V. tr. ind. *Aviser à qqch., à faire qqch.,* réfléchir, songer, penser à. *Avisons aux moyens de nous tirer d'affaire. Aviser au plus pressé.* → **Parer.** *Aviser à faire qqch. Aviser à ce que qqch. se fasse. J'y aviserai.*

Une seconde fois avisez, s'il vous plaît, 10
À traiter Laodice en reine comme elle est (...)
CORNEILLE, Nicomède, II, 3.

C'est à moi de choisir, c'est à vous d'aviser 11
À quel choix vos conseils doivent me disposer.
CORNEILLE, Pompée, I, 1.

C'est à vous, Monsieur, d'aviser promptement aux moyens de sauver des fers un fils que (...) 12
MOLIÈRE, les Fourberies de Scapin, II, 7.

J'aviserai à ce que je dois faire pour vous prévenir d'une étourderie de jeunesse. 13
G. SAND, la Petite Fadette, XXIX.

(...) il serait toujours temps d'aviser à combattre ses raisons. 14
PROUST, À la recherche du temps perdu, t. XII, p. 239.

Tout cela ne signifie rien, me dis-je, c'est même meilleur que je ne pensais, car comme elle ne pense rien de tout cela, elle ne l'a évidemment écrit que pour frapper un grand coup, afin que je prenne peur. Il faut aviser au plus pressé, c'est qu'Albertine soit rentrée ce soir. 15
PROUST, la Fugitive, Pl., t. III, p. 421.

Sa réponse me calma, car tant qu'elle était là je sentais que je pouvais aviser à l'avenir (...) 15.1
PROUST, la Prisonnière, Pl., t. III, p. 400.

Au p. p. :

C'est prudemment avisé. 16
MOLIÈRE, Monsieur de Pourceaugnac, I, 4.

C'est fort bien avisé : allons prendre nos places. 17
MOLIÈRE, le Bourgeois gentilhomme, V, 6.

Absolt. *Il est temps d'aviser. Avisons!*

◆ **S'AVISER** v. pron. (XIIIe).

♦ **1** Faire attention à quelque chose que l'on n'avait pas remarqué tout d'abord; trouver une idée à laquelle on n'avait pas encore songé. *Je me suis brusquement avisé de cela.* → **Apercevoir** (s'), **découvrir, penser** (à), **songer, trouver.** *Il s'est avisé qu'il n'y avait plus personne.* — Prov. *On ne s'avise jamais de tout.* — REM. Sans être vieilli, cet emploi, très courant dans la langue class., est aujourd'hui marqué (style soutenu). — Vx (langue class.). *S'aviser de faire qqch.*, s'y décider (ci-dessous cit. 21 à 25).

18 Je m'avisai de faire une revue des diverses occupations qu'ont les hommes en cette vie (...)
DESCARTES, Disc. de la méthode, 1.

19 Sans leur ouvrir les yeux *(à nos maris)* et leur faire prendre garde à des choses dont ils ne s'avisent pas (...)
MOLIÈRE, l'Impromptu de Versailles, 5.

20 Qui diable vous a fait aussi vous aviser
À quarante-deux ans de vous débaptiser?
MOLIÈRE, l'École des femmes, I, 1.

21 De quel côté porter mes pas? Où m'aviserai-je d'aller?
MOLIÈRE, les Amants magnifiques, V, 1.

22 Mon Dieu, Scapin, fais-nous un peu ce récit (...) du stratagème dont tu t'es avisé pour tirer de l'argent de ton vieillard avare.
MOLIÈRE, les Fourberies de Scapin, III, 1.

23 (...) on s'avisa à la fin de lui donner de l'émétique.
MOLIÈRE, Dom Juan, III, 1.

24 On ne s'avise plus de se tuer soi-même, et la mode en est passée (...) MOLIÈRE, George Dandin, III, 6.

25 On ne s'avise guère d'assassiner que ses ennemis.
PASCAL, les Provinciales, 7.

26 On ne s'était pas encore avisé de faire un métier de la justice. BOSSUET, Disc. sur l'Hist. universelle, III, 3.

27 Le monarque des dieux s'avisa, pour bien faire,
De transporter le temps où l'aigle fait l'amour
En une autre saison (...) LA FONTAINE, Fables, II, 8.

28 Lorsque ce bref fut arrivé, on s'avisa tout à coup qu'il serait inutile (...)
RACINE, Abrégé de l'hist. de Port-Royal, Compl. des var., var. VI.

29 (...) s'ils *(les grands)* s'avisaient d'être bons, cela irait à l'idolâtrie. LA BRUYÈRE, les Caractères, IX, 1.

30 Personne presque ne s'avise de lui-même du mérite d'un autre. LA BRUYÈRE, les Caractères, II, 5.

31 Son naturel était bon et sincère, mais peu caressant; il ne s'avisait guère de ce qui pouvait faire plaisir aux autres.
FÉNELON, Télémaque, 16.

32 Le premier qui, ayant enclos un terrain s'avisa de dire (...)
ROUSSEAU, De l'inégalité parmi les hommes, I.

33 Il s'avisa seulement après coup que, en acquiesçant à ces paroles, il acceptait aussi l'échec de sa démarche.
MARTIN DU GARD, les Thibault, V, 1.

♦ **2** (Av. 1577; de *avis*). Être assez audacieux, assez téméraire pour... *S'il s'avise de bavarder, cet élève sera puni.* → **Aventurer** (s'), **essayer, hasarder** (se), **mêler** (se), **oser, permettre** (se), **tenter.** *Parce qu'un homme s'avise de nous épouser...* → Mari, cit. 4. *Ne t'avise pas de désobéir!*

34 Je voudrais que quelqu'un s'avisât de vous donner des coups de bâton, vous verriez de quelle manière (...)
MOLIÈRE, Dom Juan, IV, 4.

35 Jouez ces pièces à Nankin; mais ne vous avisez pas de les représenter aujourd'hui à Paris ou à Florence (...)
VOLTAIRE, Lettre à l'Acad. franç.

36 Un soir à table, je m'avisai de mettre une pincée de poivre sur la part de tarte à la crème (...)
FRANCE, le Petit Pierre, XVII, p. 107.

37 Prends! Et ne t'avise pas de refuser si tu ne veux pas que (...) COLETTE, la Naissance du jour, p. 53.

38 Si les gens s'avisent de rire, je leur montrerai ma façon de penser.
G. DUHAMEL, Chronique des Pasquier, III, 7.

Iron. Avoir l'idée bizarre, incongrue. *Il s'est avisé d'attraper un rhume à la plage!*

DÉR. **Avisé.** ◊ COMP. **Raviser** (se).

**AVISO** [avizo] n. m. — 1772; esp. *aviso*, de *barca de aviso* «barque d'avis»; cf. Patache d'avis, 1601.

Mar. Petit bâtiment de guerre rapide, employé d'abord pour porter des messages, puis comme escorteur.

*(Les avisos)* sont en général aujourd'hui des bâtiments de flottille de quelques centaines de tonnes aménagés comme patrouilleurs ou comme dragueurs. 1
GRUSS, Dict. de marine, art. *Aviso.*

Ne pouvant dans ces conditions accepter de demeurer plus longtemps à bord d'un bateau anglais et ayant remarqué dans la rade un aviso battant le pavillon tricolore, je me déshabillai et piquai une tête dans l'eau. 2
R. GARY, la Promesse de l'aube, p. 301.

**AVITAILLEMENT** [avitajmɑ̃] n. m. — 1467; «approvisionnement en vivres», 1417; de *avitailler.*

Technique.

♦ **1** Action d'avitailler (un navire, un avion).

♦ **2** Ensemble des provisions (d'un navire). *Embarquer l'avitaillement à quai.* → **Ravitaillement.**

**AVITAILLER** [avitaje] v. tr. — 1386; XIIIe, «approvisionner»; de l'anc. franç. *vitaille* «vivres».

Technique.

♦ **1** Approvisionner (un navire).

♦ **2** Mod. Ravitailler en carburant (un aéronef). *Avitailler un avion.*

◆ **S'AVITAILLER** v. pron. *Les bateaux de pêche peuvent s'avitailler dans ce port. S'avitailler en vivres, en eau* (→ **Aiguer**, régional), *en combustible* (→ **Souter**). Cf. Faire (I., 4.) de l'eau, des vivres...

Avec ellipse du pron. *Le chalutier a relâché à Saint-Pierre pour avitailler.*

DÉR. **Avitaillement, avitailleur.**

**AVITAILLEUR** [avitajœr] n. m. — V. 1570; fin XIVe, *advitailleur* «celui qui fournit des vivres»; de *avitailler.*

♦ **1** Vx. Personne qui approvisionne (un navire). — REM. Dans ce sens, le fém. *avitailleuse* est virtuel.

♦ **2** Mod., aviat. Dispositif servant à approvisionner un avion en carburant.

**AVITAMINOSE** [avitaminoz] n. f. — 1919; de 2. *a-*, *vitamine* et *-ose.*

Méd. Maladie déterminée par la privation de vitamines (maladie de carence, par carence). *Avitaminose A* (carence en vitamine A), *B* (→ **Béribéri**), *C* (→ **Scorbut**), *D* (→ **Rachitisme**). *Avitaminoses associées.*

Faute de vitamines et d'amino-acides, on voit apparaître des phénomènes bizarres longtemps inexpliqués, mais qui, à la longue, retentissent gravement sur l'organisme de l'enfant ou de l'adolescent : arrêt du poids et de la taille, troubles nerveux cutanés, oculaires, sanguins, osseux, etc., tous symptômes en rapport avec ces étranges maladies dites de carence ou avitaminoses qui peuvent aboutir à la mort. P. VALLERY-RADOT, Notre corps, p. 99. 1

Au fond ce qui a désaxé ce gentil Hervé c'est peut-être une de ces avitaminoses mystérieuses dont nous ne savons presque rien. 2
G. DUHAMEL, le Voyage de P. Périot, VIII.

**AVIVAGE** [avivaʒ] n. m. — 1723; de *aviver.*

Techn. Action d'aviver, de donner de l'éclat. *Avivage d'une étoffe, d'un métal, de la feuille d'étain d'un miroir.*

**AVIVÉ** [avive] n. m. — XXe; p. p. de *aviver.*

Techn. Bois présentant des arêtes vives (syn. : *bois aligné, parallèle, déligné* : bois débité en scierie).

Les ébauches de diverses longueurs, largeurs et épaisseurs provenant d'avivés séchés, tronçonnés et délignés, subissent d'abord les opérations fondamentales de *dégauchissage* et de *rabotage.*
J.-C. REGGIANI, Industries et Commerce du bois, p. 81.

**AVIVEMENT** [avivmɑ̃] n. m. — V. 1175, «animation»; techn., 1638; de *aviver.*

♦ **1** Rare. Fait d'aviver. *L'avivement d'une couleur.*

♦ **2** (1833). Méd. Action de mettre une plaie *à vif,* afin de favoriser la cicatrisation. «*Ce deuxième temps comprend l'avivement de la fistule*» (*Transactions médicales,* XII, avr. 1833, p. 279, *in* D. D. L.).

**AVIVER** [avive] v. tr. — V. 1160; v. 1121, «s'animer»; de 1. *a-,* et *vif.*

♦ **1** Rendre plus vif, plus ardent ou plus éclatant. → **Animer.** *Aviver le feu.* → **Activer, attiser.** *Aviver le teint. Aviver l'éclat de qqch.,* le faire ressortir. → **Accentuer, rehausser.** — (1723). Techn. *Aviver une couleur.*

1 Les clartés des candélabres avivaient le fard de ses joues, l'or de ses vêtements, la blancheur de sa peau (...)
FLAUBERT, Salammbô, X.

2 Les cheveux blancs, drus et courts, avivaient son œil sous d'épais sourcils gris.
MAUPASSANT, Fort comme la mort.

3 Madame de B., les roses de sa chair avivées par la course (...) FRANCE, l'Anneau d'améthyste, p. 56.

4 Les pêchers formaient des bouquets d'une blancheur avivée de rose. FRANCE, le Petit Pierre, XXX, p. 211.

5 L'amour avive l'éclat de ses couleurs et son aigrette *(du paon)* tremble comme une lyre.
J. RENARD, Histoires naturelles, p. 21.

*Aviver un tableau,* en rendre les couleurs plus vives (→ aussi le sens 4., technique).

♦ **2** (Abstrait). Rendre plus vif, plus fort. *Aviver une blessure, une douleur, des regrets.* → **Augmenter, irriter.** *Aviver une querelle.* → **Allumer, attiser, envenimer, ranimer, réveiller** (→ Jeter de l'huile* sur le feu). *Aviver un souvenir, les idées* (→ **Exciter, exalter).**

6 Aviver la querelle de la robe contre l'épée (...)
D'AUBIGNÉ, Lettres, I, 572.

7 La marche a quelque chose qui anime et avive mes idées (...) ROUSSEAU, les Confessions, IV.

8 Charles la supposait affligée et il se contraignait à ne rien dire, pour ne pas aviver cette douleur qui l'attendrissait (...)
FLAUBERT, Mme Bovary, IV, II.

9 (...) le besoin d'oublier, un reste de peur, tout avivait, irritait sa tendresse. FRANCE, le Lys rouge, p. 255.

10 (...) en lui la jalousie était une torture physique, une plaie avivée, élargie par toutes les tenailles de l'imagination.
FRANCE, le Lys rouge, p. 392.

11 La femme est faite pour donner la vie, non pour l'ôter, pour pacifier les querelles, non pour les attiser, panser les plaies, non pour les aviver.
Léon DAUDET, la Femme et l'Amour, V, p. 102.

12 Je me la rappelle, entre plusieurs, parce que les événements en ont bien souvent, depuis, du moins à mon égard, avivé le souvenir.
G. DUHAMEL, Chronique des Pasquier, III, 9.

13 Mon désir de connaissance n'en était pas apaisé, mais avivé.
G. DUHAMEL, le Temps de la recherche, VII, p. 91.

Pron. (Fin XIIe, «s'animer»). Devenir plus vif.

14 (...) tout ce qu'il y a en nous d'idées, de sentiments, se réveille et s'avive comme la flamme du punch que l'on agite. LOTI, Aziyadé, III, 40.

♦ **3** (1838, *Journal de méd. et de chir. pratique, in* D. D. L.). *Aviver une plaie* (→ **Avivement).**

♦ **4** (1392). Techn. Donner un aspect plus brillant, plus poli. *Aviver un métal, l'or, l'argent* (en bijouterie). *Aviver le bronze,* le gratter avant de le dorer. *Aviver une taille,* lui donner plus de brillant (en gravure). — *Aviver l'étain* (miroiterie).

♦ **5** Techn. Rendre plus vif, plus aigu. *Aviver les arêtes d'une pierre. Aviver une poutre,* la tailler à arêtes vives.

◆ **AVIVÉ, ÉE** p. p. adj. (1907). Rendu plus vif. *Feu avivé.* — Mis à vif. *Plaie, blessure, douleur avivée.*

CONTR. **Amortir, adoucir, apaiser, calmer, effacer, éteindre, modérer, oblitérer, ternir.** ◊ DÉR. **Avivage, avivé, avivement, avivoir.** ← COMP. **Raviver.**

**AVIVOIR** [avivwaʀ] n. m. — 1723; de *aviver.*

Techn. Outil de doreur servant à étaler l'or sur un objet.

**AVOCAILLON** [avɔkajɔ̃] n. m. — 1892, E. Bergerat, *les Soirées de Calibangrève, in* D. D. L.; de 1. *avocat.*

Fam. et péj. Petit avocat sans importance, piètre avocat.

**AVOCASSER** [avɔkase] v. intr. — 1320; de 1. *avocat.*

♦ **1** Vx. Exercer la profession d'avocat.

♦ **2** (1718). Fam. et vieilli. Exercer dans la médiocrité et l'obscurité la profession d'avocat; employer des arguments de mauvais avocat. *Cet orateur ne discute pas en homme d'État, il avocasse.*

DÉR. **Avocasserie.**

**AVOCASSERIE** [avɔkasʀi] n. f. — 1355; de *avocasser.* Péjoratif.

♦ **1** Vx. Profession d'avocat.

(...) l'antipathie que toute âme un peu bien située se sent pour cet odieux métier de l'avocasserie (...) 1
Th. GAUTIER, les Grotesques, 212.

♦ **2** (XVIIe). Mod. Mauvaise chicane d'avocat.

Le duel est un prétexte à avocasseries, à phrases creuses, à sentences de mirliton. 2
J. RENARD, Journal, 31 déc. 1890.

**AVOCASSIER, IÈRE** [avɔkasje, jɛʀ] adj. — 1823, Boiste; de 1. *avocat.*

Fam. et péj. Qui concerne les avocats. *La gent avocassière.* «*Ces gens amollis par des mœurs avocassières*» (Barrès).

1. **AVOCAT, ATE** [avɔka, at] n. — 1160, *advocat*; lat. *advocatus* (→ Avoué); fém. : XIVe, au fig.; 1750, Marivaux, *la Colonie,* sc. XIII, au propre.

♦ **1** Personne qui, régulièrement inscrite à un barreau, conseille en matière juridique ou contentieuse, assiste et représente ses clients en justice. *Consulter un avocat, un avocat-conseil. Avocat plaidant, avocat à la Cour* (→ **Plaider; défendre, défense, défenseur).** *Avocat d'affaires. Avocat consultant. Avocat demandeur :* celui qui se présente en demande, qui engage le procès. *Avocat défendeur,* celui qui se présente en défense. *Noms argotiques de l'avocat :* → **Bavard, baveux, bêcheur, blanchisseur, vermine** (cit. 4). — **AVOCAT-DÉFENSEUR :** avocat, ayant aussi fonction d'avoué, en Afrique francophone (cf. Avoué plaidant). *Des avocats-défenseurs.* — *La profession d'avocat* (→ **Barre, barreau; palais).** *Le costume de l'avocat.* → **Robe, toge; épitoge; toque.** *Confraternité des avocats.* → **Confrère.** *L'ordre* (cit. 37) *des avocats.* → **Barreau, bâtonnier, conseil** (de l'ordre). *Le tableau de l'ordre des avocats près la Cour d'appel de..., près le Tribunal de première instance de... Admission dans l'ordre des avocats. Prestation de serment* par le nouvel avocat. Certificat d'aptitude à la profession d'avocat* (→ **C. A. P. A.**), *précédant le stage de l'avocat. Avocat stagiaire. La conférence du stage des avocats.* → **Stage; colonne, conférence.** *Le cabinet de l'avocat. La rétribution de l'avocat.* → 2. **Honoraire, provision.** *Commettre un avocat d'office.* → **Assistance** (judiciaire), **office.** *Avocat commis d'office. Un avocat sans* *cause. Avocat honoraire. On dit «maître» à l'avocat, à l'avocate. — L'avocat de qqn, son avocat. Je ne parlerai qu'en présence de mon avocat.*

*Avocat général :* membre du ministère public qui supplée le procureur général.

*Avocat au Conseil d'État et à la Cour de cassation :* officier ministériel jouissant du monopole de représenter les parties et de plaider devant le Conseil d'État, la Cour de cassation...

REM. 1. La profession d'avocat a été réformée en France en 1971 (conditions requises pour être avocat; établissement des avocats en barreaux, suppression des avoués devant les juridictions du premier degré). 2. Si le féminin *avocate* est désormais courant, on peut trouver, en parlant d'une femme, *femme-avocat* (vieilli), ou *avocat* (usage adopté par de nombreuses avocates). *Maître Sophie X, avocat à la Cour. Madame Une Telle, Maître Une Telle, avocat à la Cour.*

1 Devant le singe il fut plaidé,
Non point par avocats, mais par chaque partie.
LA FONTAINE, Fables, II, 3.

2 L'affaire est consultée, et tous les avocats,
Après avoir tourné le cas (...)
LA FONTAINE, Fables, II, 20.

3 Je vais consulter un avocat et aviser des biais que j'ai à prendre (...)
MOLIÈRE, les Fourberies de Scapin, II, 1.

4 Ce n'est point à des avocats qu'il faut aller; car ils sont d'ordinaire sévères et s'imaginent que c'est un grand crime de disposer en fraude de la loi; ce sont gens de difficultés et qui sont ignorants des détours de la conscience (...)
MOLIÈRE, le Malade imaginaire, I, 9.

5 La fonction de l'avocat est pénible, laborieuse, et suppose dans celui qui l'exerce un riche fonds et de grandes ressources (...) il prononce de graves plaidoyers devant des juges qui peuvent lui imposer silence, et contre des adversaires qui l'interrompent; il doit être prêt sur la réplique; il parle en un même jour, dans divers tribunaux, de différentes affaires (...) Quand on a ainsi distingué l'éloquence du barreau de la fonction de l'avocat, et l'éloquence de la chaire du ministère du prédicateur, on croit voir qu'il est plus aisé de prêcher que de plaider, et plus difficile de bien prêcher que de bien plaider.
LA BRUYÈRE, les Caractères, XV, 26.

6 Exempte de toute sorte de servitudes, la profession d'avocat arrive à la plus grande élévation sans perdre aucun des droits de sa première liberté, et, dédaignant tous les ornements inutiles à la vertu, elle peut rendre l'homme noble sans naissance, riche sans biens, élevé sans dignités, heureux sans le secours de la fortune.
D'AGUESSAU, Éloges et Devoirs de la profession d'avocat, cité par J. APPLETON, Traité de la profession d'avocat.

7 Un avocat est un homme qui, n'ayant pas assez de fortune pour acheter un de ces brillants offices sur lesquels l'univers a les yeux, étudie pendant trois ans les lois de Théodose et de Justinien pour connaître la coutume de Paris, et qui enfin, étant immatriculé, a le droit de plaider pour de l'argent, s'il a la voix forte.
VOLTAIRE, Dict. philosophique, Avocat.

8 Comment démêler la vérité dans les chaos des plaidoiries? Combien de fois les juges ne pourraient-ils pas dire aux avocats (...)? MARMONTEL, Œuvres, t. V, p. 11.

9 Les avocats, qui y étaient en majorité *(dans l'Assemblée nationale)* parlaient beaucoup et longtemps, croyaient trop à la parole.
MICHELET, Hist. de la Révolution franç., p. 129.

10 (...) avocat sans cause, profession commune aujourd'hui.
A. DE MUSSET, Deux maîtresses.

11 On devait, par affectation de bon sens, dénigrer toujours les avocats, et servir le plus souvent possible ces locutions : «apporter sa pierre à l'édifice, — problème social, — atelier.» FLAUBERT, l'Éducation sentimentale, III, I.

11.1 Avocats. Trop d'avocats à la Chambre. — Ont le jugement faussé. — Dire d'un avocat qui parle mal : Oui, mais il est fort en droit. FLAUBERT, Dict. des idées reçues.

11.2 Préférez-vous le barreau? vous n'avez qu'à continuer vos études de droit (...) En deux ans, vous pouvez être reçue avocate (...) Les membres du barreau féminin ont un avenir brillant devant elles, on abandonne de plus en plus les avocats masculins.
A. ROBIDA, le Vingtième Siècle, p. 19.

On ne voit plus guère maintenant dans la salle des pas 11.3
perdus du Palais de Justice que des avocats féminins (...)
A. ROBIDA, le Vingtième Siècle, p. 101.
N. B. Il s'agit d'une œuvre d'«anticipation» publiée en 1893.

J'étais devenu un avocat d'affaires surmené et salué déjà 12
comme un jeune maître dans ce barreau (...)
F. MAURIAC, le Nœud de vipères, I.

L'accusée ne voulut pas choisir d'avocat. Gendre d'un de 13
leurs amis, je fus commis d'office pour sa défense (...)
F. MAURIAC, le Nœud de vipères, I.

En décembre 1925, les femmes-avocats ont pu fêter avec 13.1
grand succès le vingt-cinquième anniversaire de la loi qui leur a ouvert le barreau.
J. APPLETON, Traité de la profession d'avocat, n° 106.

♦ **2** Fig. *Avocat, avocate de :* personne qui défend (une cause, une personne). → **Défenseur; apôtre, champion, intercesseur, serviteur.** *Se faire l'avocat d'une bonne, d'une mauvaise cause.*

(...) l'honneur qu'elle me fait de se rendre auprès de vos 14
beautés l'avocat de ma flamme.
MOLIÈRE, la Comtesse d'Escarbagnas, 5.

Ils n'étaient que des avocats subtils et véhéments de la 15
plus mauvaise de toutes les causes (...)
VOLTAIRE, Lettre à Mme du Deffand, mars 1765.

(...) je vois en lui *(M. de Montalembert)* un orateur des 16
plus distingués, l'avocat ou plutôt le champion, le chevalier intrépide et brillant d'une cause (...)
SAINTE-BEUVE, Causeries du lundi, 5 nov. 1849.

Être un serviteur de la science, tel était sans aucun doute 17
le but unique de sa vie; mais devenir aussi l'avocat de la science, son apôtre, son prophète, aborder sereinement les grands problèmes moraux et philosophiques de la science, les résoudre sans passion, avec noblesse et fermeté, telle était peut-être sa destinée à lui, Laurent Pasquier.
G. DUHAMEL, Chronique des Pasquier, VIII, 9.

(En parlant d'une chose). Littéraire :

Il eut été bien mieux défendu là que dans ma cour *(c'est* 18
*Napoléon qui parle);* son éloignement eût été son meilleur avocat.
LAS CASES, le Mémorial de Sainte-Hélène, t. I, p. 600 (*in* T. L. F.).

Au fém. *Elle s'est faite l'avocate de sa sœur.* Loc. *L'avocate des pécheurs :* la Sainte Vierge.

— Monseigneur, répondit la dame, je crois que le gentil 19
chevalier et vaillant prud'homme n'a nulle avocate fors moi (...) FROISSART, III, IV, 30, *in* LITTRÉ.

Soyez donc notre avocate, tournez vers nous ces yeux qui 20
ne sont que miséricorde.
CORNEILLE, Vêpres et Compl., «Antienne de la Sainte Vierge».

Relig. **AVOCAT DU DIABLE :** celui qui est chargé, dans la chancellerie romaine, de contester les mérites d'une personne dont la canonisation est proposée. — (1800). Fig. et cour. Personne qui se fait l'avocat d'une cause peu défendable, ou qui oppose systématiquement des arguments contraires à une thèse, à une opinion, pour mieux l'examiner et pouvoir la faire sienne en conscience si elle résiste à l'examen.

**DÉR. Avocaillon, avocasser, avocasserie, avocassier.** ◊ **HOM.** 2. **Avocat.**

2. **AVOCAT** [avɔka] n. m. — 1716; *avocate,* 1684; *aguacate,* 1640; esp. *avocado,* empr. du caraïbe.

Fruit de l'avocatier, de la grosseur d'une poire, à peau verte, dont la chair a la consistance du beurre et un goût rappelant celui de l'artichaut. *Avocats à la vinaigrette, au crabe, au roquefort. Beurre d'avocat.*

**DÉR. Avocatier.** ◊ **HOM.** 1. **Avocat.**

**AVOCATIER** [avɔkatje] n. m. — 1771; de 2. *avocat.*

Arbre originaire du Mexique *(Lauracées)* dont le fruit est l'avocat. *L'avocatier est cultivé pour ses fruits en Amérique, en Afrique, en Israël...*

**AVOCETTE** [avɔsɛt] n. f. — 1760; ital. *avocetta,* p.-ê. rattaché au lat. *advocare* «appeler» (Guiraud).

Oiseau échassier, à bec recourbé vers le haut.

1 La lanière flexible et l'arc rebroussé du bec de l'avocette la réduisent à vivre d'un aliment mou (...)
BUFFON, Hist. nat. des oiseaux, «Avocette».

2 Grosse comme un faisan court l'avocette étrange
Avec son bec orange
ARAGON, le Voyage de Hollande et autres poèmes, p. 55.

**AVODIRÉ** [avɔdiʀe] n. m. — 1928; mot africain.

Techn. Arbre de la Côte d'Ivoire, dont le bois tendre et blanc est utilisé dans l'industrie du contreplaqué et en menuiserie d'ameublement.

**AVOINE** [avwan] n. f. — V. 1200; *aveine,* XIIe; du lat. *avena.*

♦ **1** Plante graminée (céréale) à épillets en panicules, dont le grain sert à l'alimentation des chevaux et des volailles et forme la base de certaines préparations culinaires. *Avoine commune. Donner de l'avoine aux chevaux. Picotin d'avoine. Farine, paille d'avoine. Avoine élevée.* → **Fromental.** *Avoine stérile,* ou (cour.), *folle avoine. Gruau d'avoine :* grain dépourvu de sa balle. *Avoine d'hiver, avoine fourragère. — Flocons* d'avoine. Bouillie d'avoine. — Balle d'avoine.*

1 L'avoine est non seulement un excellent aliment pour les chevaux et les animaux domestiques, mais elle jouit de propriétés stimulantes et excitantes (...)
Le *gruau d'avoine,* c'est-à-dire le grain dépourvu de sa *balle* ou enveloppe coriace sert à faire des potages, comme le riz et l'orge. On l'emploie aussi pour préparer des tisanes diurétiques et émollientes. La farine d'avoine s'emploie en bouillie, et quelquefois mélangée à la farine de blé pour faire du pain.
La paille d'*avoine* est enfin une des meilleures pailles pour la nourriture du gros bétail.
P. POIRÉ, Dict. des sciences, p. 315.

2 (...) les enfants restaient derrière, s'amusant à arracher les clochettes des brins d'avoine (...)
FLAUBERT, Mme Bovary, I, IV.

3 Le soir, pour partir, les chevaux gorgés d'avoine jusqu'aux naseaux eurent du mal à rentrer dans leurs brancards.
FLAUBERT, Mme Bovary, I, IV.

4 (...) l'enfant apprend (...) à distinguer le chiendent de la folle-avoine, ou les Jersey des lourdes vaches flamandes.
M. YOURCENAR, Archives du Nord, p. 208.

*Couleur d'avoine,* d'un blond pâle. Appos. ou adj. invar. *Des tissus avoine.*

♦ **2** Par métonymie. Champ d'avoine, avenière. *Se promener dans les avoines.*

♦ **3** Loc. pop. *Gagner son avoine :* gagner sa nourriture, sa vie.

♦ **4** Loc. Vx. *Avoine des cochers :* coup de fouet pour exciter un cheval.

Fam. *Une avoine :* une volée de coups, une correction. *Recevoir une avoine* (→ Avoiner, 2.).

5 Je t'avais dit qu'on voulait plus te revoir! Tes con ou tu veux vraiment une avoine?
Martin ROLLAND, la Rouquine, p. 47.

DÉR. **Avoiner.** — (Du lat. *avena*) V. **Avenier.**

**AVOINER** [avwane] v. tr. — 1893 au sens 1; de *avoine.*

♦ **1** Régional. Nourrir d'avoine (un cheval).

Jerry faisait les courses au village, la cuisine, le ménage, nettoyait les écuries, pansait les chevaux, les avoinait et les sortait deux heures chaque matin.
Michel DÉON, Un taxi mauve, p. 146.

♦ **2** (XXe). Argot. Battre, corriger. (→ Avoine, 4). *Se faire avoiner.*

1. **AVOIR** [avwaʀ] v. tr. [CONJUG.: *j'ai, tu as, il a, nous avons, vous avez, ils ont; j'avais, nous avions; j'eus, tu eus, il eut, nous eûmes, vous eûtes, ils eurent; j'ai eu; j'aurai; j'aurais; aie, ayons, ayez; que j'aie, que tu aies, qu'il ait, que nous ayons, que vous ayez, qu'ils aient; que j'eusse, que nous eussions; ayant; eu.*] — 881; du lat. *habere.*

**I** (Statique : établit l'existence d'une relation). **A** Posséder ou disposer de... ♦ **1** (Sujet n. de personne). **a** (Biens matériels; argent). Être en possession de..., en jouissance de... (un bien, une chose), par un droit (droit de propriété). → **Posséder.** *Avoir une maison, des propriétés, des terres. Depuis son anniversaire, il a une bicyclette, une montre. Elle a au moins vingt paires de chaussures. Avoir des biens, du bien. Garder, donner ce qu'on a, tout ce qu'on a. Quelle voiture avez-vous?* Fam. *Qu'est-ce que vous avez comme voiture? — Avoir un atelier d'artiste pour, comme logement. — Avoir de l'argent, beaucoup d'argent. Avoir de l'argent, assez d'argent pour un voyage. Avoir des mille et des cents. Avoir des revenus. Avoir un beau salaire. — N'avoir pas, ne plus avoir d'argent. En avoir ou pas,* trad. de *To Have or Have not* (titre de Hemingway). *N'avoir pas le sou, pas un centime,* (fam.) *pas un radis, pas le rond. — Avoir trop, avoir peu* (de qqch.). *Le peu qu'il avait, il l'a dépensé.*

Reposez-vous. Usez du peu que nous avons : 1
L'aide des dieux a fait que nous le conservons (...)
LA FONTAINE, Philémon et Baucis.

*(Clitie)* Avait du bien, possédait un château (...) 2
LA FONTAINE, Contes, «Le faucon».

Mais j'ai des biens en foule, et je puis m'en passer. 3
— On n'en peut trop avoir (...) BOILEAU, Satires, VIII.

Les hommes veulent tout avoir, et ils se rendent malheureux par le désir du superflu. 4
FÉNELON, Télémaque, V.

Prov. *La plus belle fille du monde ne peut donner que ce qu'elle a* (joue sur plusieurs sens de *avoir*).

La plus belle fille ne donne que ce qu'elle a (...) 5
A. DE MUSSET, Carmosine, III, 3.

Loc. fig. *Avoir plusieurs cordes* à son arc.*

Absolt. Posséder des biens matériels. *Le désir, le plaisir d'avoir.*

Lorsqu'on désire, on se rend à discrétion à celui de qui l'on espère : est-on sûr d'avoir, on temporise, on parlemente (...) 6
LA BRUYÈRE, les Caractères, XI, 20.

(...) le plaisir d'avoir ne vaut pas la peine d'acquérir (...) quand l'occasion de dépenser agréablement se présente, on ne peut trop la mettre à profit. 7
ROUSSEAU, les Confessions, I.

Loc. *Avoir de quoi* :* avoir suffisamment, assez... *Avoir de quoi vivre.*

C'est un garçon de quarante ans, qui a de quoi vivre. 8
A. R. LESAGE, le Diable boiteux, 10.

**b** (Le compl. désigne une abstraction, un bien dont le sujet profite). Bénéficier de..., disposer de... *Avoir des diplômes, des décorations. Avoir un métier, un bon métier, une situation. — Avoir un droit*, le droit de...* → **Bénéficier, jouir** (de). *Avoir le temps, la place, les moyens de...* → **Disposer** (de). — *Avoir des relations, des rapports avec qqn.* Vx. *Il a relation avec des savants* (La Bruyère).

**c** (Abstrait). Disposer de (un droit, une possibilité). *Avoir de la chance* (fam. *avoir du bol, du pot*). *Avoir la liberté, la possibilité de...*

♦ **2** Spécialt. (Sujet n. de personne, d'animal). Disposer de, bénéficier de... (une chose concrète ou un avantage) sans posséder. *J'ai l'appartement jusqu'à la fin du mois : le propriétaire me le laisse. D'ici, on a une vue fantastique. Ton chien a une belle niche.* — (N'excluant pas la possession). *Nous n'avons pas la voiture en ce moment : elle est en réparation.* — Disposer de (qqch.) pour vendre (magasins, restaurants, etc.). *Est-ce que vous avez des bières belges ? Qu'est-ce que vous avez comme bordeaux; comme marques de lessive ? J'ai de belles salades pas chères.* — (En parlant des circonstances atmosphériques). *Nous avons eu des orages, du beau temps, de la pluie pendant le week-end.*

9 Je vous félicite du beau temps que nous avons ici, car je crois que vous l'avez aussi à Auteuil.
RACINE, Lettres.

*Avoir le temps de faire qqch. Il n'a jamais le temps. On a le temps ! Avoir une semaine pour faire un travail. Avoir un mois devant soi. Avoir sa soirée libre, à soi.*

♦ **3** (Personnes, animaux). Porter sur soi, tenir (à un moment donné, que l'objet soit ou non une possession). *Il avait un chapeau et une canne. Est-ce qu'elle avait ses lunettes ? Avoir des lunettes sur le nez, à la main. Il avait un vieux costume. — Avoir... sur soi. Avoir de l'argent, des papiers sur soi. Tu as ton passeport sur toi ? Avez-vous un briquet, des allumettes,* (par métonymie) *du feu ? Auriez-vous une cigarette, un stylo ?*(pour me l'offrir, me le prêter). *Je n'ai pas ma montre.* Par métonymie. *Avez-vous l'heure ?*

10 Alors seulement un peu remis de ma frayeur je remarquai que notre maître avait sa belle redingote verte.
Alphonse DAUDET, Contes du lundi, «Dernière classe».

**B** ♦ **1** (Personnes et choses). Présenter en soi (une partie, un aspect de soi, une caractéristique concrète).

**a** (Personnes). *Il, elle a de grandes jambes, des yeux bleux. Tu commences à avoir des cheveux blancs.* — REM. Lorsque le complément désigne un attribut normal de l'espèce, il est qualifié par un adj. sur lequel porte la caractérisation *(cet oiseau a un long bec, de petites ailes)*; lorsqu'il désigne une caractéristique accidentelle, le subst. peut ne pas être qualifié *(il a une verrue sur le nez; elle a des boutons)*. — *Il, elle a un air*, une apparence, une allure bizarre. Son visage a quelque chose d'étrange, d'effrayant.* — Loc. *Il a tout* du clochard* (toutes les apparences).

11 Un loup n'avait que les os et la peau (...)
LA FONTAINE, Fables, I, 5.

12 Je le vis; son aspect n'avait rien de farouche.
RACINE, Iphigénie, II, 1.

13 Il a l'oreille rouge et le teint bien fleuri (...)
MOLIÈRE, Tartuffe, II, 3.

14 La duchesse de Bourgogne avait un grand air, une taille noble (...) VOLTAIRE, le Siècle de Louis XIV, 27.

(Sens faible). Présentant l'attribut, le compl. ou l'adv. qui détermine le subst. compl., qui peut désigner une caractéristique permanente *(elle a les yeux bleus et les cheveux blonds,* → ci-dessus) ou accidentelle *(elle a un bras cassé).* → **Être** (ses yeux sont bleus; son bras est cassé). *Avoir l'estomac, le ventre creux. Avoir le teint frais. Avoir bonne mine. Avoir l'oreille fine, les doigts déliés, les mains jointes.* Fig. *Avoir la tête* dure. Avoir la parole facile. Avoir une mauvaise santé. — Avoir une santé de fer, un teint de jeune fille. Ce que son aspect a de déplaisant.*

15 Sophie était seule; elle avait les coudes appuyés sur sa table, et la tête penchée sur sa main (...)
DIDEROT, le Père de famille, I, 7.

Les hommes que l'on entrevoyait avaient tous les prunelles ardentes, le teint pâle, des figures amaigries par la faim, exaltées par l'injustice. 16
FLAUBERT, l'Éducation sentimentale, II, p. 135.

Ses cheveux (...) l'embellissaient encore, en adoucissant ce que son visage avait d'un peu fier et de presque dur. 17
Alphonse DAUDET, le Petit Chose, II, 10.

REM. La distinction entre le sens fort «possessif» et cette valeur faible est parfois subtile; le déterminant du compl. peut la marquer : *elle a des yeux bleus :* elle possède le caractère «œil bleu»; *elle a les yeux bleus :* ses yeux sont bleus.

On dit : **Elle a des cheveux noirs,** comme on dit : **elle a un bonnet blanc.** Rien de particulier. Au contraire, **elle a les cheveux noirs** est une phrase faite, non pas pour dire ce qu'elle a, ce qu'elle possède, mais comment elle a ce que chacun possède : **des cheveux.** Comparez : **elle a les yeux bleus, le teint mat,** etc. 18
F. BRUNOT, la Pensée et la Langue, p. 629.

(Le subst. compl. de *avoir* étant caractérisé par un compl., par un adv.). *Il a les mains dans les poches, les coudes sur la table* (→ ci-dessus, cit. 15 où le subst. est caractérisé par un p. p. qui a lui-même un compl.). *Avoir la tête qui tourne. Cette voiture a le moteur à l'avant. Vous avez l'esprit ailleurs. J'ai cette chose en horreur.*

Loc. fig. *Avoir du plomb dans l'aile* (ellipt, *en avoir dans l'aile*). → **Aile,** cit. 20. — Vulg. *Avoir du poil au cul, des couilles* au cul.* Ellipt. *Il en a :* il est courageux. *Il n'en a pas, celui-là.*

**AVOIR DE (qqn) :** ressembler à... → **Tenir.** *«J'avais du sauvage, du chasseur et du missionnaire»* (Chateaubriand).

**b** (Choses). Exprimant qu'un ensemble comporte un élément (sens dit «possessif»). *La maison a un beau toit. L'église a des chapiteaux remarquables.*

Elle *(cette petite ville)* a une forêt épaisse qui la couvre des vents froids et de l'aquilon. 18.1
LA BRUYÈRE, les Caractères, V, 49.

La chambre à coucher avait un grand lit, une commode à ventre, des fauteuils (...) 18.2
HUYSMANS, Là-bas, I, p. 122.

♦ **2** (Personnes). Abstrait. Présenter en tant que caractère, que qualité. *Avoir beaucoup de qualités, de défauts. Avoir du caractère, du tempérament, de l'esprit, de la distinction, de l'audace, du courage, du culot. Avoir du cœur. Avoir l'âme d'un conspirateur. Avoir des œillères. Avoir du coup d'œil.* — Loc. métaphorique. *Avoir le nez creux, les mains crochues, les dents longues... — Avoir trente ans. Quel âge avez-vous ?*

L'un et l'autre avaient la conscience assez large (...) 19
SCARRON, le Roman comique, 13.

On n'est jamais si ridicule par les qualités que l'on a que par celles que l'on affecte d'avoir. 20
LA ROCHEFOUCAULD, Maximes, 289.

Chacun a son défaut où toujours il revient (...) 21
LA FONTAINE, Fables, III, 7.

Le peuple s'étonna comme il se pouvait faire 22
Qu'un homme seul eût plus de sens
Qu'une multitude de gens.
LA FONTAINE, Fables, II, 20.

Si l'on doit le nom d'homme à qui n'a rien d'humain, 23
À ce tigre altéré de tout le sang romain.
CORNEILLE, Cinna, I, 3.

Il a de l'esprit, mais dix fois moins, de compte fait, qu'il ne présume d'en avoir (...) 24
LA BRUYÈRE, les Caractères, XI.

Je me suis d'abord adressé aux dames parce qu'elles ont le coup d'œil juste et le tact fin (...) 25
A. BRILLAT-SAVARIN, Physiologie du goût, Médit. VI, 44.

Qu'a-t-elle de plus que moi qui n'ai su que me faire platement épouser par un mari que je n'aurais jamais eu si elle ne l'avait pas repoussé ? Oui, qu'a-t-elle ? 25.1
G. LEROUX, le Parfum de la dame en noir, p. 131.

*Avoir du bon*, du mauvais :* présenter des caractéristiques (partielles) bonnes, mauvaises.

26 *(Ces malheureux rois)*
Dont on dit tant de mal, ont du bon quelquefois.
François ANDRIEUX, le Meunier de Sans-Souci.

(Suivi d'un nom sans prédéterminant). Dans des expressions. *Avoir dessein de... Avoir soin de... N'avoir cure de... Avoir droit, intérêt à... Avoir obligation de... Avoir raison. Avoir tort.*

Loc. *Avoir pour soi :* posséder comme avantage. *Elle avait pour elle son jeune âge. Il a pour lui de n'avoir jamais été condamné.*

♦ **3** (Sert à présenter une action instantanée). Manifester, produire (à un moment précis). *Elle eut un gracieux mouvement, un sourire gêné en l'apercevant.* → **Faire.** *Il eut un cri de surprise, une exclamation.* → **Pousser.** *Tu as eu un mot malheureux, une parole aimable.* → **Prononcer.** *Il a eu une réaction très vive.*

♦ **4** Éprouver dans son corps, sa conscience. → **Ressentir, sentir.**

(Expressions figées, avec un subst. sans déterminant). *Avoir faim, soif; avoir besoin, envie de. Ce que j'ai soif!;* (fam.) *qu'est-ce que j'ai faim! — Avoir chaud, froid, trop chaud, un peu froid. — Avoir mal à la tête, au cœur. Aïe, j'ai mal! Où as-tu mal? — Avoir confiance, foi en qqn, qqch. Avoir honte, peur, pitié.* — REM. Les expressions formées avec *avoir* et adjectif dérivent probablement de cet emploi (→ ci-dessous, 11).

(Avec un subst. déterminé). *Avoir la fièvre, des douleurs, le vertige. Avoir une grande joie, du chagrin, le cafard. Avoir de la sympathie, de l'amour, de la haine... pour qqn. Avoir du plaisir à... Avoir une passion pour qqn. J'ai le regret de... Avoir des soucis. — Avoir l'impression que... J'ai comme l'impression que ça ne lui a pas plu.*

27 (...) l'on est plus heureux par la passion que l'on a que par celle que l'on donne.
LA ROCHEFOUCAULD, Maximes, 259.

28 J'ai beaucoup de plaisir à voir les choses que j'avais imaginées (...) VOITURE, Lettres, 38.

29 Que j'ai de douleur de voir que Dieu vous abandonne!
PASCAL, les Provinciales, 17.

30 Nous avons chaud, nous autres, il n'y a plus qu'en Provence où l'on ait froid. Mme DE SÉVIGNÉ, 197.

31 Mme de Brissac avait aujourd'hui la colique.
Mme DE SÉVIGNÉ, 277.

31.1 Qu'est-ce que j'ai chaud tiens.
Tony DUVERT, Paysage de fantaisie, p. 200.

*Avoir qqch. :* manifester une gêne, une douleur, un mécontentement (inconnu d'autrui). *Qu'est-ce qu'il a? Il a sûrement qqch. Je ne sais pas ce qu'il a à pleurer ainsi.* → **Pourquoi.** *Sais-tu ce qu'il a sur le cœur, dans la tête...* Fam. *Il a qu'il s'ennuie.*

32 Vous me semblez toute mélancolique : qu'avez-vous, Madame Jourdain?
MOLIÈRE, le Bourgeois gentilhomme, III, 5.

33 Tu ne veux pas me dire ce que tu as.
MOLIÈRE, l'Amour médecin, I, 2.

34 – Qu'est-ce donc? Qu'avez-vous, Martine? – Ce que j'ai?
– Oui. – J'ai que l'on me donne aujourd'hui mon congé.
MOLIÈRE, les Femmes savantes, II, 5.

35 Qu'avez-vous donc, dit-il, que vous ne mangez point?
Je vous trouve aujourd'hui l'âme toute inquiète,
Et les morceaux entiers restent sur votre assiette.
BOILEAU, Satires, III.

35.1 Je n'aime pas quand on doit deviner tout seul ce que peuvent bien avoir les gens, dit-il. Les gens qui ne vous aident pas (...)
M. DURAS, les Petits Chevaux de Tarquinia, p. 69.

Emploi négatif. *Il, elle n'a rien :* il, elle n'est pas blessé(e), n'a pas de maladie. *Il est tombé du sixième étage, et il n'a rien eu. Il dit qu'il est malade, mais en fait il n'a rien.*

(Se dit aussi des choses qui ne marchent pas). *Qu'est-ce qu'elle a, cette radio? La voiture a sûrement quelque chose.*

♦ **5** [a] **EN AVOIR À, CONTRE,** fam. **APRÈS (qqn),** employé surtout en phrase interrogative ou dubitative : être mécontent de... → **Prendre** (s'en prendre à), **vouloir** (en vouloir à). *Je ne sais contre qui, après qui il en a. À qui, contre qui en avez-vous?*

Que veut dire cela? à qui en avez-vous? 35.
MOLIÈRE, Monsieur de Pourceaugnac, I, 3.

En face, sur le trottoir, la foule s'attroupait, se retournait, pour voir à qui en avait ce grand diable, habillé de coutil jaune. 35.
ZOLA, Son Excellence Eugène Rougon, t. I, p. 105.

Absolt. Loc. *En dépit* que j'en aie, malgré* qu'il en ait, quoi* qu'il en ait.*

Loc. *En avoir gros sur le cœur. En avoir de bonnes*. Tu en as de bonnes, toi!*

Loc. fam. *En avoir jusque*-là. En avoir assez*, plus qu'assez. En avoir marre*. En avoir ras* le bol, ras* le cul* (vulg.). *En avoir plein le dos*, plein les pattes*.*

— Oh là là, j'en ai jusque-là. J'espère que tu vas liquider tout ça en vitesse! s'écria brusquement Jeannet qui n'avait consenti à venir que sur les instances de Marie, restée seule en clinique. 35.
Hervé BAZIN, Cri de la chouette, p. 287.

[b] **EN AVOIR POUR** (suivi d'un nom exprimant le temps) : avoir besoin de, mettre (un certain temps) pour une action.

Stève avait pensé qu'ils en avaient pour dix ans au moins avant de revoir une rue, un trottoir. 35.
G. SIMENON, Feux rouges, p. 61.

♦ **6** (Sujet et compl. n. de personne).

[a] (Se dit des relations de parenté, de hiérarchie, d'affection, etc.). Être en relation avec (une personne caractérisée dans sa relation avec le locuteur). *Avoir un père, une mère. Avoir encore son père. Avoir un mari, une femme. Ils ont trois enfants. Elle a encore ses grands-parents. Avoir un amant, une maîtresse, des amis. Avoir qqn (n'avoir personne) dans sa vie :* avoir un amant, une maîtresse (n'en avoir pas). *Avoir un bon médecin. Avoir un chef, des employés, des domestiques. Il a deux cents ouvriers. Il a une bonne.*

Tout marquis veut avoir des pages. 36
LA FONTAINE, Fables, I, 3.

*(Je puis)* D'un vieux parent que j'ai vous offrir la maison. 37
MOLIÈRE, l'Étourdi, II, 7.

(...) Regardez l'honnête homme de père 38
Que vous avez du Ciel, comme on le considère.
MOLIÈRE, l'Étourdi, I, 7.

Elle a un fils du roi (...) Mme DE SÉVIGNÉ, 216. 39

Elle n'a que vous seul. Vous êtes en ces lieux 40
Son père, son époux, son asile, ses dieux.
RACINE, Iphigénie, III, 5.

(Dans quelques contextes). Pouvoir bénéficier de l'aide, des soins, etc., de (qqn). *S'il (si elle) ne l'avait pas* (sa femme, son mari, son ami, etc.), *je me demande comment il (elle) ferait. Heureusement que je vous ai; je n'ai que vous* (comme ami, comme appui).

Je t'ai toujours considéré comme un imbécile, dit Léonie. Tu manques de dignité. Si tu ne m'avais pas eue, tu te serais fait rouler par tout le monde. 40.
R. QUENEAU, Pierrot mon ami, éd. L. de Poche, p. 29.

Depuis plus de vingt ans, je leur fais une vie facile à ces trois-là. Ils peuvent s'estimer heureux de m'avoir. 40.
Jean-Louis CURTIS, le Roseau pensant, p. 189.

*Avoir qqn pour...* (suivi d'un nom qualifiant un type humain et une relation). *Je l'ai pour ami, pour chef, pour complice. Il a pour fils un parfait idiot. — Avoir comme. Avoir qqn comme secrétaire.*

[b] *Avoir qqn* (chez soi), le recevoir. *J'ai mon frère ce soir. J'ai du monde à dîner. Nous avons eu telle personne à notre soirée.*

0.3 Risler s'excusa de son mieux. Il s'était attardé chez lui, Sidonie avait du monde.
Alphonse DAUDET, Fromont jeune et Risler aîné, p. 114.

[c] *Avoir qqn,* l'avoir avec soi. → **Garder.** → ci-dessous, II., 2.

41 (...) tu ne partiras plus, tu ne retourneras plus dans cette sale Indochine, je t'ai, je te garde.
Jacques LAURENT, les Bêtises, p. 427.

[d] *Avoir qqn* (chez soi, pour travailler). *Nous avons les peintres jusqu'à demain.*

[e] Être en communication avec. *Avoir qqn au téléphone, au bout du fil. J'ai appelé trois fois, je n'ai pas pu l'avoir. Puisque je vous ai...*

♦ **7** (Sens impersonnel). *On a, vous avez, tu as...,* il existe, il se trouve (→ Il y a, ci-dessous IV). *Nous avons, vous avez des gens qui... On n'a que lui qui... Tu as aussi le cas inverse.*

Fam. *J'ai ma mère qui doit venir me voir,* ma mère doit...

42 On n'a que lui qui puisse écrire de ce goût.
MOLIÈRE, les Femmes savantes, III, 2.

43 Vous avez, Monsieur, un certain M. de Pourceaugnac qui doit épouser votre fille.
MOLIÈRE, Monsieur de Pourceaugnac, II, 2.

44 Nous avons aussi mon neveu le chanoine qui a pensé mourir de la petite vérole.
MOLIÈRE, Monsieur de Pourceaugnac, I, 4.

45 Quant au raisonnement du mariage, vous avez deux savants, deux philosophes vos voisins, qui sont gens à vous débiter tout ce qu'on peut dire sur ce sujet.
MOLIÈRE, le Mariage forcé, III.

(Emploi ostensif; langue parlée.) *Vous avez :* vous voyez. → **Voici, voilà,** et → ci-dessous, IV., *il y a. À droite, vous avez un nouvel hôtel.* — Var. *Tu as..., on a... Derrière la maison, tu as le jardin.*

♦ **8** Loc. **N'AVOIR QUE FAIRE DE (qqn, qqch.)** : ne pas avoir besoin de; ne savoir que faire de.

46 Nous n'avons que faire de mes livres, ici, Vial.
COLETTE, la Naissance du jour, p. 169.

♦ **9 AVOIR... POUR** (vx ou littér.) : considérer comme, tenir pour. *Avoir qqn pour suspect. Je l'ai pour le dernier des lâches* (vx). *Avoir pour agréable* (cit. 4 et 5). *Il ne fera cela qu'autant que vous l'aurez pour agréable* (Académie).

**AVOIR (qqch.) POUR...** *Avoir pour but la réussite, de réussir. Avoir qqch. pour objet, pour résultat. — Avoir pour habitude de...*

♦ **10** (Dans certaines loc.). **AVOIR (qqn, qqch.) EN...** (et subst. non déterminé). *J'ai en horreur la salade. Il avait son collaborateur en estime.*

Fam. *Avoir qqn dans le nez*.*

♦ **11** Loc. **AVOIR** (et adj.).

Régional (Belgique et diverses régions de France). *Avoir bon :* trouver bon, agréable. *Avoir mauvais* (→ La trouver mauvaise). *Il aurait meilleur de* (et inf.) : ce serait mieux pour lui de... *Avoir facile, avoir difficile de..., à...* (et inf.). *Avoir dur de...*

47 Là-bas, quand nous éprouvons une certaine satisfaction, nous disons : J'ai bon!
Henriette GROSJEAN pseudonyme de Hubert-Joseph ÉVRARD, À Liège, il y a quarante ans, t. II, 1877, p. 128.

.1 Diogène aurait bien difficile à trouver un homme.
Julos BEAUCARNE, Écrit pour vous, 1975, p. 17.

**AVOIR BEAU** (et inf.). → **Beau** (cit. 79 à 84.1 et *supra*).

[II] (Dynamique). ♦ **1** [a] Entrer en possession de. → **Obtenir, procurer** (se). *J'ai eu ce livre chez un bouquiniste.* → **Acheter, acquérir.** *Il a eu cette maison à bon compte. Il a eu son bachot,* il a été reçu. *Avoir un prix.* → **Recevoir, remporter.** *Avoir des éloges. Vous aurez des compensations. Avoir une communication téléphonique. Il n'a pas eu son train.* → **Attraper.** — (Abstrait). *Vous avez la parole.*

(...) une multitude de gens (...) qui crient en musique pour en avoir *(des livres).* 48
MOLIÈRE, le Bourgeois gentilhomme, Ballet des Nations, Première entrée.

Enfin, à force de battre le fer, il en est venu glorieusement à avoir ses licences. 49
MOLIÈRE, le Malade imaginaire, II, 5.

*Avoir qqch. en échange de... On n'a rien pour rien. J'ai eu ce livre, cette voiture pour presque rien, pour pas grand-chose. Avoir un objet pour X francs.*

**EN AVOIR POUR :** avoir, obtenir une quantité d'une chose moyennant... *Il en a eu pour cent francs. — En avoir pour son argent. Il en a eu pour son argent :* il a eu suffisamment, normalement pour son argent; il a fait une affaire avantageuse. *On en a pour son argent :* la chose vaut son prix. → On n'est pas volé*.

Spécialt. Avoir un enfant (le sujet désigne la mère ou, collectivt, les parents). *Ils ont eu un bébé l'an dernier. Elle a eu un fils de son mari, de son amant. «Elle a un fils du roi»* (→ ci-dessus, cit. 39).

(Sujet n. de chose). *La voiture a eu un accident. Son roman a eu, n'a pas eu de succès.*

Il raconte une autre fois quels applaudissements a eus un discours qu'il a fait dans le public. 50
LA BRUYÈRE, les Caractères de Théophraste, Du grand parleur.

Loc. prov. *Un tiens vaut mieux que deux tu l'auras,* une chose obtenue vaut mieux que deux choses promises.

Un Tiens vaut, ce dit-on, 51
Mieux que deux Tu l'auras.
LA FONTAINE, Fables, V, 3.

[b] Recevoir (un coup, un projectile). *Il l'a eu en plein sur le nez.* — Loc. vulg. (métaphore de la sodomie). *L'avoir dans le baba*, dans le cul*,* (→ *être eu,* ci-dessous, 3.).

♦ **2 AVOIR QQN,** l'obtenir pour soi, garder avec soi. *Je la veux, je l'aurai* (→ ci-dessus, cit. 41, dans un sens voisin, mais distinct). Spécialt. *Avoir une femme,* la posséder physiquement. *Avoir un homme.*

(...) Venez dire résolument à votre père, que si vous ne l'avez *(Cléonte),* vous ne voulez épouser personne. 52
MOLIÈRE, le Bourgeois gentilhomme, III, 12.

(...) pourvu que j'obtienne un bonheur si charmant, 53
Pourvu que je vous aie, il n'importe comment.
MOLIÈRE, les Femmes savantes, V, 1.

Je n'ai jamais désiré que vous pour amant, et je ne vous ai pas eu. 54
Th. GAUTIER, Mlle de Maupin, I.

Les débauchés (...) ne disent pas : «Cette femme m'a aimé»; ils disent : «J'ai eu cette femme (...)». 55
A. DE MUSSET, la Confession d'un enfant du siècle, V, 4, p. 291.

♦ **3** Fam. *Avoir qqn,* le tromper, le vaincre. *Courage, on les aura!* → **Battre, vaincre.** *Il nous a bien eus.* → **Posséder, rouler; (fam.) baiser, dedans** (mettre dedans). *Se laisser avoir, se faire avoir.* → Être bon* (*infra* cit. 59), être bonard*. *Je vous aurai au tournant. Ils ont été eus jusqu'au trognon, jusqu'à l'os.* Syn. vulg. : *l'avoir dans le cul* (ci-dessus, 1., b). — Par plais. (barbarisme). *Il s'est fait eu.*

Il *(le guichet)* nous attend, comme une trappe, comme un piège. Il nous aura, comme il nous a si copieusement eus déjà. 56
G. DUHAMEL, Récit des temps de guerre, Entretiens dans le tumulte, XXXI.

«(...) Mathieu ne peut pas seulement mettre son nez à la fenêtre qu'on ne dise : "Cette fois, Arsène ne s'en tirera 56.1

pas, Mathieu va l'avoir." Hé bien, quoi, c'est moi qui l'ai eu.»
BERNANOS, Nouvelle histoire de Mouchette, *in* Œ. roman., Pl., p. 1284.

56.2 J'eus immédiatement honte de ce que je prenais pour de la dureté en moi, et qui était méchanceté, vengeance à l'égard d'un gosse qui venait de «m'avoir».
Jean GENET, Miracle de la rose, p. 84.

57 Trois jeunes Français barbus, soucieux de ne pas «se faire avoir», discutaient le prix du passage avec une arrogance qui couvrait mal leur avarice (...)
S. DE BEAUVOIR, la Force de l'âge, p. 315.

Par ext. Attraper (qqch. ou qqn). *Je vise, je tire ; je l'ai eu !* → **Toucher.** S'oppose à *rater.*

**III** **AVOIR À...** (et inf.). Verbe auxiliaire de mode. (XI^e).
♦ **1** Être dans l'obligation de. → **Devoir.** — (Avec un compl. dir.). *Avoir des lettres à écrire. Je n'ai rien à faire. Il a sa famille à nourrir. Sans avoir à s'en occuper. Vous n'avez qu'un instant à attendre.*

58 Nous avons maintenant autre chose à conclure.
MOLIÈRE, les Femmes savantes, V, 3.

59 Elle aurait fort à faire, et ses soins seraient grands
D'avoir à déterrer le mérite des gens.
MOLIÈRE, le Misanthrope, III, 5.

60 J'ai à vous dire que je vous abandonne à votre mauvaise constitution (...)
MOLIÈRE, le Malade imaginaire, III, 5.

61 J'ai à vous prier d'une chose qu'il faut absolument que vous m'accordiez.
MOLIÈRE, la Princesse d'Élide, IV, 3.

62 Vous avez à combattre et les dieux et les hommes (...)
RACINE, Iphigénie, V, 3.

♦ **2** Avoir la possibilité, l'occasion de. → **Pouvoir.** *Il n'a rien à dire.* — (Sans compl. dir.). *Elle n'a pas à se plaindre.*

63 Vous avez à vous plaindre (...)
MOLIÈRE, le Misanthrope, III, 5.

64 Et contre ce témoin on n'a rien à répondre.
MOLIÈRE, le Misanthrope, IV, 3.

65 Hé quoi ? n'avez-vous rien, Madame, à me répondre ?
RACINE, Mithridate, II, 4.

(Sans compl. dir). Par ellipse. *J'ai à faire :* j'ai qqch. à faire. — Avec un v. intr. (ou trans. indir.). *J'ai à vous parler.*

*Avoir à faire* (telle chose) *de...,* pouvoir utiliser à... *Qu'avons-nous à faire de cela !* — Cour. et fam. *J'en ai rien à faire !* (plus cour. *à foutre !*).

65.1 (...) le Don Juan (...) pensant dans sa fatuité, son orgueil : «Encore une. Mais qu'est-ce que j'en ai à faire ?»
Claude SIMON, le Vent, p. 57.

**N'AVOIR QU'À :** avoir seulement à. *Vous n'avez qu'à tourner le bouton pour allumer* (→ ci-dessous, *il n'y a qu'à...*). *Il n'a qu'à* (fam. *il a qu'à*) *bien se tenir ! Ils n'ont* (fam. *ils ont* [izɔ̃]) *qu'à s'en aller.* — (Valeur d'impératif, à la 2^e pers. ; → cit. 66 et 69). *Tu n'as qu'à* (fam. *t'as qu'à* [taka]) *partir, si tu n'es (t'es) pas content ! Vous n'aviez qu'à faire attention :* vous auriez dû faire attention. — *N'avoir plus qu'à :* ne plus avoir d'autre solution que...

66 Vous n'avez qu'à y venir, je vous promets que vous serez reçu comme il faut. MOLIÈRE, George Dandin, I, 6.

67 *(La nuit)* N'a plus qu'à plier tous ses voiles.
MOLIÈRE, Amphitryon, I, 3.

68 (...) Si je n'avais qu'à former des désirs (...)
MOLIÈRE, le Misanthrope, I, 1.

69 Vous n'avez qu'à marcher de vertus en vertus.
RACINE, Britannicus, IV, 3.

70 Crois-tu qu'un juge n'ait qu'à faire bonne chère ?
RACINE, les Plaideurs, I, 4.

70.1 L'origine de tous les maux politiques doit s'attribuer à ces fortunes immenses, accumulées sur quelques têtes (...) Tout état qui favorisera par ses loix cette injuste disproportion, n'a qu'à étendre son code pénal.
L. S. MERCIER, Tableau de Paris, t. I, p. 41-42 (1782).

— Il mérite une raclée, dit la bonne, il a foutu de la sauce plein la nappe. 70.
— Il a eu raison, dit Diana, ils n'ont qu'à pas mettre de nappe. Une nappe ici, c'est de la folie.
M. DURAS, les Petits Chevaux de Tarquinia, p. 59.

**IV** (XVI^e). **IL Y A** [ilja] fam. [ja] (parfois écrit *y a).* Expression impersonnelle servant à présenter une chose comme existant. *Il y a de l'argent, des billets dans le portefeuille. Hier il y avait du brouillard, aujourd'hui il n'y en a pas, plus. Derrière la poste, il y a un café* (→ ci-dessus, *vous avez, infra* cit. 45). *Il y avait de quoi manger. Il pourrait y en avoir beaucoup.* — Prov. *«Quand il y en a pour un, il y en a pour deux». «Quand il y en a pour deux, il y en a pour trois» :* on peut toujours partager avec un nouvel arrivant non prévu. — *Combien de personnes y aura-t-il ? Il y avait beaucoup de monde. C'est un homme comme il y en a peu, comme il n'y en a plus. Il y a des gens qui disent... Il y en a* (des gens) *qui vont jusqu'à prétendre que... Que peut-il y avoir, qu'est-ce qu'il peut y avoir dans cette armoire ?* → **Trouver** (se). — *Il n'y a pas que lui :* il n'est pas le seul. — *Il n'y a pas plus gourmand que ce gosse.* — (Suivi de *à* et l'inf.). *Il y a beaucoup à gagner. Il y a gros à parier que... Il y a de la folie à prétendre que...*

Il y a des gens qui n'auraient jamais été amoureux s'ils n'avaient jamais entendu parler de l'amour. 71
LA ROCHEFOUCAULD, Réflexions et maximes, 136.

Il y a fort à gagner à fréquenter vos nobles. 72
MOLIÈRE, le Bourgeois gentilhomme, III, 3.

Il y aurait de la folie à douter d'une vérité si universellement reconnue (...) 73
BOILEAU, Réflexions critiques sur Longin, Traité du sublime, 32.

Quelle convention peut-il y avoir entre Jésus-Christ et Bélial, et comment peut-on accorder le temple de Dieu avec les idoles ? BOSSUET, Hist., II, 12, *in* LITTRÉ. 74

Ce qu'il y a eu en lui de plus éminent, c'est l'esprit qu'il avait sublime (...) LA BRUYÈRE, les Caractères, I. 75

Il y a parler bien, parler aisément, parler juste, parler à propos. LA BRUYÈRE, les Caractères, V, 23. 76

Que penses-tu d'une pareille dame ? — Je pense, Monsieur, que c'est une femme comme il n'y en a point. Quel bonheur pour vous de l'avoir. 77
A. R. LESAGE, Gil Blas, X, 12.

Il faut convenir que ces Juifs sont des hommes comme il n'y en a point. 78
DIDEROT, Nouvelles maximes philosophiques, 25.

Il n'y a de vrai que la richesse. 79
A. DE MUSSET, la Confession d'un enfant du siècle, I, 2.

(...) il n'y a pas plus puritain que certains de leurs libres-penseurs... GIDE, les Faux-monnayeurs, p. 81. 80

Il n'y a de purs que l'ange et que la bête. 81
VALÉRY, Mon Faust, p. 126.

La joie se balançait tout au long des hauteurs et le long des vallées 81
Aux arbres y avait la feuille et le bouton
Aux champs y avait l'herbe la vache et le mouton
Aux cieux y avait l'oiseau et de doux mirlitons
Aux murs y avait l'lézard et le colimaçon
À la ville y avait l'homme avec une chanson
R. QUENEAU, Chêne et Chien, «La fête au village», p. 87-88.

Loc. fam. *Quand il n'y en a plus, (il) y en a encore :* il y en a toujours, c'est inépuisable.

(...) tâchez de les bien régaler à leur gré de châtaignes dorées sous la braise, en les arrosant largement de vin blanc doux, frais sorti de la cuvée, et qui mousse comme un charme. Quand il n'y en aura plus, il y en aura encore (...) Charles NODIER, Contes, p. 386. 81

*Il n'y a pas... que, qui...* (suivi du subj. ou de l'indic. (certitude)).

Il n'y a point de père qui puisse me contraindre. 82
MOLIÈRE, les Fourberies de Scapin, I, 3.

83 Je pensais qu'il n'y eût que nous qui en fussions capables.
MOLIÈRE, le Sicilien, XV.

84 Il n'y a point de vice qui n'ait une fausse ressemblance avec quelque vertu (...)
LA BRUYÈRE, les Caractères, IV.

85 Il n'y a pas le moindre doute que nous ne pouvons plus vivre ensemble.
A. DE MUSSET, la Confession d'un enfant du siècle, V, 6.

86 Il n'y a pas de doute que la famille ait joué sa partie dans les combats pour la France.
René BAZIN, Il était quatre petits enfants, XVI, *in* GREVISSE.

87 Il n'y avait pas jusqu'aux domestiques qui ne montrassent un zèle inusité à me servir.
R. BOYLESVE, le Meilleur Ami, p. 119, *in* GREVISSE.

*Il n'y a pas de... sans... Il n'y a pas de roses sans épines.*

*Il y a... et...*, pour exprimer des différences de qualité. *Il y a champagne et champagne,* il en est de bon et de mauvais.

87.1 Ensuite, j'ai compris que cela n'était rien, qu'il y avait amis et amis (...)
Roger PEYREFITTE, les Amitiés particulières, p. 153.

*Il y a de quoi* : il y a une raison valable. *Il a eu peur, mais je t'assure qu'il y avait de quoi. Il y avait de quoi attraper une insolation. — Il n'y a pas de quoi* (remercier), formule de politesse, réponse à un remerciement. — *Qu'est-ce qu'il y a?* : que se passe-t-il? → **Passer.** *Il y a que tout le monde proteste. Il y a, il doit y avoir qqch. Il y a qqch. qui ne va pas.*

88 Oh sus! mon fils, savez-vous ce qu'il y a? C'est qu'il faut songer, s'il vous plaît, à vous défaire de votre amour.
MOLIÈRE, l'Avare, IV, 3.

*Il y a* (fam. *y a*) *de ça.* → 1. **Ça** (cit. 2.3 et *supra*).

Loc. fam. (souvent iron.). *Tout ce qu'il y a de* (et adj.) : tout à fait, ce qu'on fait de mieux dans le genre. *Une dame bien habillée, tout ce qu'il y a de chic.* → **Très.**

88.1 J'avoue que je me plais beaucoup avec lui, tout ce qu'il y a de plus lié avec les La Rochefoucauld.
PROUST, Jean Santeuil, Pl., p. 666.

Loc. fam. *Comme il n'y (en) a pas* : incroyablement, de façon inimaginable (→ Comme on n'en fait pas). *Il est pingre comme il n'y en a pas, comme il n'y a pas.*

**IL Y A...** (suivi d'une indication de temps ou de distance). *Combien* (de kilomètres) *y a-t-il de Paris à Lyon? Combien y a-t-il de temps que vous ne l'avez vu? Il y a deux ans que je l'ai vu ou il y a deux ans que je ne l'ai vu. Ses souvenirs d'il y a environ dix ans. «Il y a longtemps que je t'aime, jamais je ne t'oublierai»* (chanson). *C'était il y aura demain trois mois.*

89 Il y a quelque temps que j'entends chanter à ma porte.
MOLIÈRE, le Sicilien, IV.

90 La mode en est passée, il y a longtemps.
MOLIÈRE, George Dandin, III.

**IL N'Y A QU'À** (et inf.) : il faut seulement, ou simplement (→ ci-dessus, III., 2., *n'avoir qu'à...*). *Il n'y avait qu'à les ramasser.* (Formule). *Il n'y a qu'à* (parlé : *n'y a qu'à* [njaka], *y a qu'à* [jaka]) : il suffit de...; cour. dans certains contextes (politique, etc.). *Il n'y a qu'à créer des emplois. Y avait qu'à négocier.*
(Valeur d'impératif). *Il n'y a qu'à attendre* : attendons.

**IL N'Y EN A QUE POUR (lui, elle...)** : il (elle...) prend beaucoup de place, on ne s'occupe, on ne parle que de lui (elle...).

90.1 (...) il faut que ce soit lui la vedette, qu'il parle, qu'il fasse la roue (...) Il n'y en a que pour lui (...)
N. SARRAUTE, le Planétarium, p. 27.

Pierre Lagarde prend le commandement de ses confrères; il n'y en a que pour lui; on dirait que c'est lui qui a élu Troyat. 90.2
Claude MAURIAC, le Temps immobile, p. 61.

*Il n'y a pas de* (suivi d'un mot ou d'un énoncé rapporté) : il est inutile de dire... *Il n'y a pas de «mais»; obéissez!*

Coffrez-moi Blaireau. — Mais, monsieur le maire... — Il n'y a pas de *monsieur le maire.* Coffrez-moi Blaireau au plus vite. 90.3
A. ALLAIS, l'Affaire Blaireau, p. 24.

Fam. Vieilli. *Tant il y a;* (vx) *tant y a...* : quoi qu'il en soit. *Je ne sais s'il a pris froid, tant y a qu'il est enrhumé.*

Tant y a qu'il n'est rien que votre chien ne prenne (...) 91
RACINE, les Plaideurs, III, 3.

Fam. (sans *il*). *Y en a beaucoup. Y en a qui sont contents. Y en a, je te jure!* : il y a des gens (odieux, qui exagèrent, etc.).
*Y a, y en a* et adj., s'emploie par plais. pour simuler un sabir. *Y a bon!*

**V** (Auxiliaire de temps). Auxiliaire servant à former, avec le participe passé, tous les temps composés des verbes transitifs, de la plupart des intransitifs, ceux de *être* et de *avoir. J'ai écrit. Quand il eut terminé. Vous l'aurez voulu. Sans l'avoir voulu.* — Auxiliaire de *avoir* lui-même. *Il a eu faim. Quand il a eu fini.* — (De *être*). *J'ai été heureux. J'ai été dehors* (équivaut à je suis allé*).

Qu'est, ou plutôt qu'était le prétérit antérieur surcomposé? Eh bien! c'est un passé antérieur qui se conjugue avec un double auxiliaire avoir (...) 92
G. DUHAMEL, Discours aux nuages, p. 46 (→ Antérieur, cit. 6).

(Avec des intransitifs). *Avoir marché. Il a vécu.*

REM. Certains verbes ont *avoir* et *être* pour auxiliaires. → Augmenter, baisser, changer, convenir, crever, croître, diminuer, disparaître, échouer, enlaidir, grandir, grossir, maigrir, paraître, prendre pourrir, vieillir.

◆ **EU, EUE** p. p. *Les choses qu'il a eues. Les combats qu'il a eu* (ou *qu'il a eus*) *à soutenir.*

Les ennemis que j'ai eus à combattre, et les ennemis que j'ai eu à combattre. Il y a entre les deux locutions une distinction qui, quelquefois à peine sensible, l'est d'autres fois assez pour qu'on veuille choisir. Dans le premier cas, j'ai eu des ennemis, et je les ai combattus; dans le second, il m'a fallu combattre des ennemis. 93
LITTRÉ, Dict., art. *Avoir.*

Quelque course que précisément il avait eu à faire. 94
GIDE, les Faux-monnayeurs, p. 100, *in* GREVISSE.

Adj. Rare. *Les choses eues,* possédées. — (Au sens II, 3). *Il est eu, possédé. J'ai été eu* : j'ai été trompé, dupé.

CONTR. **Manquer. — Abandonner, laisser, perdre, quitter.**
◈ COMP. **Ayant cause, ayant droit. — Ravoir.**

2. **AVOIR** [avwaʀ] n. m. — V. 1040; du v. *avoir.*

♦ **1** Ensemble de ce qu'une personne (un groupe) possède. → **Argent, bien, fortune, possession, richesse.** *Il dilapide son avoir.*

Devenue veuve, elle gérait avec une sévère économie son modique avoir. 1
FRANCE, le Petit Pierre, XVII, p. 105.

(...) le père dépense au cabaret tout son avoir. 2
LOTI, Mon frère Yves, I.

L'héritage de son père, tout son avoir, avait été placé par Hirsch dans une huilerie qui, jusqu'ici, marchait à merveille et servait d'appréciables revenus. 3
MARTIN DU GARD, les Thibault, III, 13.

Vx. Bien que l'on possède. *Cette maison se loue bien, c'est un bel avoir* (Académie).

♦ **2** (1689). Comptab. Partie d'un compte où l'on porte les sommes dues. *Le doit et l'avoir.* → **Actif, crédit.** — *Document attestant qu'un commerçant doit de l'argent à un client. Se faire faire un avoir. Je vous rembourse ou je vous fais un avoir?*

**AVOIR FISCAL :** partie du dividende d'une valeur mobilière versée directement au fisc par la société émettrice, portée comme revenu sur la déclaration d'impôts, puis déduite de l'impôt brut.

4 (...) un régime d'*avoir fiscal* pourrait permettre aux entreprises d'imputer sur leurs dettes fiscales un certain *pourcentage* d'immobilisations, le bénéfice de cet avantage dépendant (...) de l'importance, de la nature et de la localisation des investissements.
J.-P. COURTHÉOUX, la Politique des revenus, p. 56.

Par ext. *Un avoir :* la somme portée en avoir. *Son avoir a beaucoup diminué. Votre avoir est de tant de francs.*

♦ **3** Didact. (philos.). Le fait d'avoir, de posséder. *L'être et l'avoir.*

5 L'essentiel de la politique marxiste c'est de créer les conditions économiques, sociales, politiques, pour que chaque homme soit un homme, un participant actif et conscient à la création continuée, et cela dans la lutte contre toutes les formes de l'*avoir* (propriété, État, idéologie) qui sont des aliénations de l'*être.*
Roger GARAUDY, Parole d'homme, p. 258.

**COMP. Sans-avoir.**

**AVOIRDUPOI(D)S** [avwardypwa] n. m. — 1824, *avoir-du-pois ;* attestation isolée, 1669 ; mot angl. (XVe), empr. au français.

Didact. Système de mesure de masse des pays anglo-saxons, dans lequel la livre vaut 453,592 g, et qui s'applique à toutes les marchandises autres que les métaux précieux et les médicaments.

Il exposa sur une sorte d'autel (...) les étalons du pouce, du pied, du yard (...) du gallon, du grain, de la drachme, de l'once avoirdupois et de la livre avoirdupois.
M. TOURNIER, Vendredi..., p. 70.

**AVOISINANT, ANTE** [avwazinɑ̃, ɑ̃t] adj. — 1793 ; de *avoisiner.*

Qui est voisin, situé dans le voisinage. → **Adjacent, attenant, circonvoisin, contigu, proche, voisin.** *Les populations avoisinantes. Les pays avoisinants.*

1 Les terres avoisinantes étaient sévèrement gardées contre les braconniers et les pêcheurs.
G. SAND, *in* P. LAROUSSE.

2 Des milliers d'étudiants, de femmes, d'ouvriers (...) se sont massés dans cet étroit espace et dans les rues avoisinantes.
Georges LECOMTE, Ma traversée, p. 459.

**CONTR. Éloigné, lointain.**

**AVOISINER** [avwazine] v. tr. — 1555 ; *s'avoisiner de,* 1375 ; de 1. *a-,* et *voisin.*
Vieilli ou littér., régional.

♦ **1** Être dans le voisinage, à proximité de. *Les villages qui avoisinent la forêt.* → **Avoisinant.** «*Les États qui avoisinent la France*» (Académie). *Les bois avoisinant la ville.*

1 Tout ce qui avoisinait Chantilly était envié par Monsieur le prince (...)
SAINT-SIMON, Mémoires, I, 46.

2 Les archipels qui avoisinent l'Inde à l'orient et au midi.
VOLTAIRE, Essai sur les mœurs, 3.

2.1 (...) je me hâte, le sentier s'élargit un peu, j'aperçois enfin quelques haies et bientôt après le Couvent ; rien de plus agreste que cette solitude, aucune habitation ne l'avoisinait, la plus prochaine était à six lieues, et des bois immenses entouraient la maison de toutes parts (...)
SADE, Justine..., I, p. 137.

Vx ou littér. *Avoisiner quelqu'un.*

3 Mais Auteuil sous l'averse, et les jardins qui m'avoisinent, trempés, ruisselants, fleuris, m'apparaissent plus charmants que jamais.
GIDE, Journal, 1905, Pl., p. 151.

3.1 «En quelle compagnie me suis-je mis !» se dit Sigismond, que la lourdaude avoisine (...)
A. PIEYRE DE MANDIARGUES, la Marge, p. 40.

♦ **2** Fig. Être proche de, ressembler à. *Un calme qui avoisine l'indifférence.*

(...) la prétention avoisine la bêtise (...) 4
PROUST, À la recherche du temps perdu, t. XIV, p. 60.

Eh quoi ! voici ce savant dont la patience, dans l'observation de la nature, avoisine la sainteté, qui, dans ce grand livre ouvert (...) 5
GIDE, Journal, 19 juin 1910.

(...) car le plus souvent l'opinion de ce bon lettré avoisinait la mienne. 6
Georges LECOMTE, Ma traversée, p. 449.

(...) son expérience avoisinait la mienne (...) 6.1
M. YOURCENAR, le Coup de grâce, p. 156.

◆ **S'AVOISINER** v. pron. Vieux.

♦ **1** Se rapprocher.

Le rocher s'avoisine, vous en distinguez l'arête, le voilà. 6.2
Mme DE GASPARIN, Vesper, 1862, *in* LITTRÉ.

♦ **2** *S'avoisiner de :* s'approcher de.

Pour s'apprivoiser à la mort (...) il n'y a que de s'en avoisiner. 7
MONTAIGNE, Essais, II, 6.

♦ **3** *S'avoisiner à :* être assez semblable à. → **Apparenter** (s'). *Le guépard s'avoisine à la panthère.*

◆ **AVOISINÉ, ÉE** p. p. adj. Vx. *Être bien avoisiné :* avoir de bons voisins.

**CONTR. Éloigner** (être éloigné, s'éloigner de). ◈ **DÉR. Avoisinant.**

**AVORTEMENT** [avɔʀtəmɑ̃] n. m. — 1190 ; de *avorter.*

♦ **1** Fait d'avorter.

Méd. et cour. Expulsion (→ aussi Accouchement) d'un embryon ou d'un fœtus avant terme, naturelle *(fausse couche)* ou provoquée. *Avortement traumatique. Avortement thérapeutique :* avortement effectué sur décision médicale, dans les cas où la grossesse menace gravement la santé de la mère. *Pratiquer un avortement. Avortement par curetage, par aspiration. Drogue ou dispositif qui provoque l'avortement.* → **Abortif.** *Séquelles psychologiques de l'avortement.*

L'avortement ou fausse couche est l'expulsion du produit de la conception avant le 180e jour. Après cette date, l'enfant étant médicalement et légalement reconnu viable, on dit qu'il y a accouchement prématuré. 1
P. VALLERY-RADOT, le Grand Mystère de la cellule à l'homme, p. 120.

Vétér. *Avortement d'une vache, d'une brebis.*

Cour. Interruption volontaire de la grossesse. *Campagne pour l'avortement légal. Mouvement pour la Liberté de l'Avortement et de la Contraception. L'avortement a été légalisé en France, sous certaines conditions, en 1975.* → **Interruption** (de grossesse), **I. V. G.**

Dans le langage courant, on désigne par fausse couche l'avortement spontané, par blessure, l'avortement accidentel et par avortement l'avortement provoqué criminel. 2
GARNIER et DELAMARE, Dict. des termes techniques de médecine.

L'avortement, crime puni par l'article 317 du Code pénal, est essentiellement distinct de l'infanticide ; il ne peut s'exercer que sur un enfant qui n'a pas encore vu le jour, tandis que l'infanticide consiste dans l'homicide volontaire d'un enfant nouveau-né. 3
DALLOZ, Dict. de droit, Avortement (→ Infanticide).

Je comprendrai jamais pourquoi l'avortement, c'est seulement autorisé pour les jeunes et pas pour les vieux. 3.1
É. AJAR (R. GARY), la Vie devant soi, p. 242.

♦ **2** Agric. Arrêt du développement (d'un organe formé). *L'avortement du seigle, des fruits.* → **Coulure.**

♦ **3** Fig. Échec (d'une entreprise, d'un projet). → **Échec, insuccès.**

4 Après l'éclatant avortement de son coup d'essai théâtral, il n'osait rentrer dans le logis qu'il occupait (...)
HUGO, Notre-Dame de Paris, II, 1.

5 Ce qui l'abattait, c'était l'avortement évident de sa tentative sur l'esprit du vicaire.
RENAN, Souvenirs d'enfance..., I, 4.

6 Le romantisme ne survécut pas à la Révolution. L'enthousiasme, déçu par l'avortement des grandes espérances de 1848 (...)
Ch. SEIGNOBOS, Hist. sincère de la nation franç., p. 301.

CONTR. **Aboutissement, réussite, succès.**

**AVORTER** [avɔʀte] v. — V. 1174; déb. XII^e, p. p. subst., «enfant mort-né»; lat. *abortare.*

**I** V. intr. ♦ **1** (Le sujet désigne une femme). Accoucher avant terme d'un embryon ou d'un fœtus non viable, naturellement ou par intervention. → **Avortement.** — REM. Pour l'avortement naturel, on dit *faire une fausse couche.*

Spécialt, cour. Supprimer le fœtus avant terme (→ 2. Enceinte, cit. 4). *Un remède qui fait avorter.* → **Abortif.** *Avorter dans une clinique, dans un local de fortune.*

1 L'état de grossesse révéré dans le monde est une certitude de réprobation parmi ces infâmes (...) combien de fois est-ce à force de coups qu'ils font avorter celle dont ils se décident à ne pas recueillir le fruit (...)
SADE, Justine..., t. I, p. 170.

(Animaux). Mettre bas avant terme. *Cette vache a avorté.*

♦ **2** Par ext. (fruit, fleurs). Ne pas arriver à son plein développement (opposé à *mûrir*). *La gelée a fait avorter les fruits. Les fruits ont avorté, n'ont pas noué.* → **Couler.**

♦ **3** Fig. Être arrêté dans son développement. «*Ces projets ont avorté par sa faute*» (Littré). *L'affaire avorta.* → **Échouer.** *Faire avorter une affaire.* — REM. L'emploi métaphorique (→ cit. 3) est archaïque.

2 La conjuration s'en allait dissipée,
Vos desseins avortés, votre haine trompée (...)
CORNEILLE, Cinna, III, 4.

3 Ces petits souverains qu'il *(le peuple)* fait pour une année,
Voyant d'un temps si court leur puissance bornée,
Des plus heureux desseins font avorter le fruit,
De peur de le laisser à celui qui les suit.
CORNEILLE, Cinna, II, 1.

4 Pour le discréditer, et faire avorter toutes ses entreprises (...) SAINT-SIMON, III, 62.

5 Combien de génies qu'une méthode contraire a fait avorter! combien de talents étouffés ou dégénérés dès leur naissance, par une culture mal entendue!
BONNET, Essai de psychologie, 79, *in* LITTRÉ.

6 Le meilleur moyen de faire avorter la Révolution, c'est de trop demander.
MIRABEAU, cité par Louis BARTHOU, Mirabeau, p. 168.

7 Une certaine tempérance morale est nécessaire pour que certains talents se développent; si elle manque, ils avortent. TAINE, Philosophie de l'art, I, II, 2.

8 (...) mais l'univers ne connaît pas le découragement; il recommencera sans fin l'œuvre avortée (...)
RENAN, Souvenirs d'enfance..., Préface.

9 (...) le complot, enfin découvert, allait brusquement avorter.
Louis MADELIN, Hist. du Consulat et de l'Empire, t. V, IV.

10 Devant la menace d'une invasion étrangère, tout mouvement d'insurrection avorterait.
MARTIN DU GARD, les Thibault, VII, 55.

**II** V. tr. ♦ **1** Faire subir un avortement à (une femme), et, spécialt, un avortement volontaire. *Le médecin qui l'a avortée.* — Passif et factitif (plus cour.). *Être avortée. Se faire avorter.*

(...) la cruelle habitude *(chez les sauvages)* où sont les femmes de se faire avorter, afin que leur grossesse ne les rende pas désagréables à leurs maris (...) 11
MONTESQUIEU, Lettres persanes, 121.

Presque toutes les femmes de l'Asie, de l'Afrique et de l'Amérique, se font avorter sans encourir de blâme; *Cook* retrouva cet usage dans toutes les îles de la mer du Sud. 12
SADE, Justine..., t. I, p. 126.

Des centaines de femmes continueront d'être avortées dans les centres de Paris ou de province et d'autres plus nombreuses encore, d'être dirigées vers les Pays-Bas ou l'Angleterre. Le Monde, 14 nov. 1973, p. 22. 13

♦ **2** Par métaphore (avec la même valeur que I., 3.). Littér. et rare :

Lui, ne voit qu'écorces, épluchures, 14
fragments honteux de masques qui s'incurvent,
et décide d'avorter la Mémoire
mère des Muses.
Francis PONGE, le Parti pris des choses, p. 140.

◆ **AVORTÉ, ÉE** p. p. adj.

♦ **1** *Femme avortée.*

♦ **2** Dont le développement a été interrompu. *Fruits avortés.* — Abstrait. → ci-dessus, cit. 2 et 8.

CONTR. **Aboutir, développer** (se), **mûrir, réussir.** ◊ DÉR. **Avortement, avorteur, avortoir, avorton.**

**AVORTEUR, EUSE** [avɔʀtœʀ, øz] n. — 1894; de *avorter.*

♦ **1** Péj. Personne qui pratique un avortement. *Une avorteuse* (→ Faiseuse d'anges*).

♦ **2** Par métaphore ou figuré :

Un homme d'action n'est pas déshonoré par une défaite. Ce qui le déclasse, c'est d'être un avorteur.
J. ROMAINS, les Hommes de bonne volonté, t. V, p. 126.

**AVORTOIR** [avɔʀtwaʀ] n. m. — V. 1970; de *avorter.*

Péj. Lieu où l'on pratique des avortements en grand nombre, ou dans de mauvaises conditions. «*Les défenseurs inconditionnels de la loi de 1920 et le Conseil de l'Ordre des médecins, son plus puissant rempart, avaient déjà dénoncé les "avortoirs", "lieux spécialement affectés à cette besogne", et disposant d'un "personnel d'exécution particulier"*» (*l'Express,* 21 mai 1973, p. 77).

**AVORTON** [avɔʀtɔ̃] n. m. — Déb. XIII^e; de *avorter.*

♦ **1** Vx. Fœtus venu avant terme.

Enfant prématuré et insuffisamment développé.

Une petite fille de deux ans, un pauvre avorton, né avant terme (...) MARTIN DU GARD, les Thibault, IV, 3. 1

Par métaphore, vx. Produit avorté (de...).

Si quelque avorton de l'Envie 2
Ose encore lever les yeux (...) MALHERBE, III, 3.

♦ **2** Être, animal ou végétal, qui s'est trouvé arrêté dans son évolution ou qui n'a pas atteint le développement normal dans son espèce.

J'ai vu en Russie des sapins auprès desquels ceux de nos climats ne sont que des avortons (...) 3
BERNARDIN DE SAINT-PIERRE, Études de la nature, V.

♦ **3** Cour. Être chétif, faible, mal conformé; être très petit. → **Aztèque** (fam. et vx), **demi-portion** (fam.), **fausse-couche** (fam.), **microbe** (fam.), **nabot, nain.** — Personne méprisable.

Tous ces petits avortons *(ces poètes)* 4
Jasent comme leurs maîtresses *(les Piérides changées en pies).* RACINE, Lettre à La Fontaine, 4 juil. 1662.

(En valeur d'adjectif) :

(...) un éléphant nain, pygmée, avorton, 5
Propre à mettre au bout d'un bâton (...)
LA FONTAINE, Fables, X, 13.

*Un avorton de... :* un, une..., qui est un avorton.

6 Un avorton de mouche en cent lieux le harcèle (...)
LA FONTAINE, Fables, II, 9.

♦ **4** Par métaphore et vx. Entreprise avortée, ouvrage mal fait.

7 Son esprit ne saurait jamais rien produire que des avortons aveugles et imparfaits (...)
BOILEAU, Réflexions critiques sur Longin, Traité du sublime, 12.

**AVOUABLE** [avwabl] adj. — 1302, repris 1849; de *avouer.*

Qui peut être avoué sans honte. *Un but avouable. Des motifs honorables et avouables.* → **Honnête.** *C'est à peine avouable, ce n'est pas très avouable.*

1 Si jamais j'éprouve pour lui un sentiment de quelque tendresse, ce sentiment sera chaste et avouable devant Dieu.
BALZAC, *in* Pierre LAROUSSE.

2 Je pouvais donc le voir comme je voulais, aller à lui, lui serrer la main, lui donner ce que j'avais. Pour l'approcher, je possédais le plus avouable des prétextes : ma camaraderie pour un ancien colon et ma fidélité à Mettray.
Jean GENET, Miracle de la rose, p. 67.

CONTR. **Inavouable.**

**AVOUÉ** [avwe] n. m. — Après 1207; «défenseur», 1080; lat. *advocatus.* → Avocat.

♦ **1** Anc. dr. franç. Laïque qui était chargé par les seigneurs ecclésiastiques de défendre les droits des églises ou abbayes. Par ext. Représentant en justice.

1 Il y avait, dans la seconde race, un avoué de la partie publique (...)
MONTESQUIEU, l'Esprit des lois, XXVIII, 36.

♦ **2** (1790). Mod. Officier ministériel chargé de représenter les parties devant les cours d'appel, d'y faire les actes de procédure (naguère, devant tous les tribunaux). *Avoué colicitant* (dans une vente sur licitation). *Avoué d'office,* commis d'office. *Charge, cabinet, étude d'avoué. Fusion des fonctions d'avocat* et d'avoué. Constituer qqn avoué.* → **Constitution** (d'avoué). *Maître X..., avoué près la Cour d'appel, occupe pour M. Z... dans cette cause. Acte d'avoué à avoué.* → **Exploit.** *Clerc d'avoué. Chambre nationale des avoués près les cours d'appel. Avoué honoraire. Rétribution d'un avoué.* → 2. **Honoraire, provision.** *Consulter son avoué. D'après mon avoué...*

2 Les procureurs *(de l'ancien régime)* furent supprimés *(par la Révolution de 1789).* Mais il fallait des rédacteurs qui fissent les pièces de procédure, on alla chercher avoué dans les «ténèbres du moyen âge»; on espérait sans doute qu'il ferait illusion, puisqu'il avait proprement le sens de protecteur, d'homme qu'une ville, une église acceptent pour défendre leurs intérêts.
F. BRUNOT, Hist. de la langue franç., t. IX, p. 650.

3 Les juges et avoués sont déchargés des pièces cinq ans après le jugement des procès. Code civil, art. 2276.

4 Le défendeur sera tenu, dans les délais de l'ajournement, de constituer avoué, ce qui se fera par acte signifié d'avoué à avoué (...) Code de procédure civile, art. 75.

5 (...) le juge le plus dur, l'avoué le plus incrédule, l'usurier le moins facile (...)
BALZAC, Eugénie Grandet, éd. 1838, p. 230.

**AVOUER** [avwe] v. tr. — 1155, *avoer;* du lat. *advocare* «appeler auprès de soi».

**I** ♦ **1** Anciennt. Reconnaître pour seigneur (celui dont on tenait un fief). → **Aveu.**

♦ **2** Littér. Reconnaître pour sien. — *Avouer (qqn) pour. «Avouer quelqu'un pour fils, pour sœur»* (Académie). — (Sans compl. en *pour*). → ci-dessous, cit. 2, 5. *Avouer un enfant. Avouer un écrit.*

Ils l'avaient avoué pour Seigneur et maître, et lui avaient obligé leur foi. 1
CALVIN, Institution de la religion chrétienne, XI.

Nous devons reconnaître pour membres de l'Église, tous ceux qui (...) avouent un même Dieu, et un même Christ avec nous. 2
CALVIN, Institution de la religion chrétienne, IV.

Mon père ne peut plus l'avouer pour sa fille. 3
CORNEILLE, Horace, IV, 6.

Voudra-t-il avouer pour épouse une fille 4
Qu'il verra sans appui de biens et de famille?
MOLIÈRE, le Dépit amoureux, IV, 1.

Tout honnête homme doit avouer les livres qu'il publie. 5
ROUSSEAU, Julie ou la Nouvelle Héloïse, Préface de la 1^re^ éd.

♦ **3** Littér. *Avouer qqch.,* reconnaître comme valable. → **Approuver, ratifier.** *«Ce sont des principes que la morale peut avouer»* (Académie).

Les dieux n'avoueront point un combat plein de crimes. 6
CORNEILLE, Horace, III, 2.

♦ **4** Littér. *Avouer qqn de,* approuver ses actes, s'en porter garant.

Voisin, reprit-elle, prenez-en cent pièces d'or : c'est beaucoup. Je ne sais même si mon mari m'avouera. 6.1
A. GALLAND, les Mille et une Nuits, t. III, p. 251.

Vx. *Avouer qqn de qqch.,* prendre la responsabilité de ce qu'il a fait, le couvrir de son autorité. *«Je l'avouerai de tout ce qu'il fera, en tout ce qu'il fera»* (Académie). — Passif. *Être avoué, bien avoué* (par qqn) *de...*

Vous serez bien avoué de tout ce que vous ferez. 7
M^me^ DE SÉVIGNÉ, 1002, 9 nov. 1686.

Monterey, sans être avoué du Conseil d'Espagne, renforça l'armée du prince d'Orange (...) 8
VOLTAIRE, le Siècle de Louis XIV, 11.

Parle, écris, je t'avouerai de tout, pourvu que tu m'aides à sortir de cette botte *(l'Italie)...* 9
P.-L. COURIER, Lettres, I, 164.

**II** Cour. ♦ **1** Reconnaître (qu'une chose est ou n'est pas); reconnaître pour vrai (en général avec une certaine difficulté : honte, pudeur). → **Accorder, admettre, concéder, convenir, déclarer, dire, reconnaître.** *J'avoue qu'il a raison. Il faut avouer que c'est bien difficile. Je dois avouer que j'avais tort.* — (En incise). *C'est, on l'avouera, un succès remarquable.* — *Avouer qqch. Je vous avoue mon ignorance.* — *Avouer* et inf. *Il avoua n'être pas de taille, s'être grossièrement trompé.*

Je l'avoue, il est vrai, j'étais sans défiance (...) 10
Mathurin RÉGNIER, Élégies, 3.

L'homme est, je vous l'avoue, un méchant animal! 11
MOLIÈRE, Tartuffe, V, 6.

Il faut vous avouer que vous êtes un homme d'une grande prévention, et que vous voyez les choses avec d'étranges yeux. 12
MOLIÈRE, le Malade imaginaire, III, 6.

C'est moi qui suis Sosie, et tout Thèbes l'avoue : 13
Amphitryon jamais n'en eut d'autre que moi.
MOLIÈRE, Amphitryon, I, 2.

Il faut avouer que la religion chrétienne a quelque chose d'étonnant. 14
PASCAL, Pensées, t. III, IX, 615.

J'avoue qu'il est besoin d'un long exercice pour s'accoutumer à regarder les choses de ce biais (...) 15
DESCARTES, Discours de la méthode, 2.

(...) j'avoue franchement que je n'ai pas si mauvaise opinion de moi. 16
GUEZ DE BALZAC, Livre I, Lettre 12.

Je suis âne, il est vrai, j'en conviens, je l'avoue (...) 17
LA FONTAINE, Fables, III, 1.

*(Les Français)* avouent de bon cœur que les autres peuples sont plus sages, pourvu que l'on convienne qu'ils sont mieux vêtus (...) 18
MONTESQUIEU, Lettres persanes, 100.

Napoléon ne se décide encore ni à rester ni à partir; vaincu dans ce combat d'opiniâtreté, il remet de jour en jour à avouer sa défaite (...) 19
Ph.-P. SÉGUR, Hist. de Napoléon, VIII, 11.

20 Ce spectacle me laissa froid, je l'avoue.
A. DAUDET, le Petit Chose, p. 6.

0.1 (...) quand un homme de cette sorte avoue une ignorance, c'est pour en tirer vanité (...)
R. ROLLAND, Jean-Christophe, t. IV, p. 70.

0.2 (...) il faut bien avouer que cette remontée de l'Oubangui est désespérément monotone.
GIDE, Voyage au Congo, *in* Souvenirs, Pl., p. 710.

*Avouer un secret. Avouer son amour.* → **Confier.** *Il, elle n'ose pas avouer son âge.*

21 L'homme qui marche est miraculeusement allégé par le jeu des muscles. Il se délie; il s'abandonne (...) Il avouera certainement à la faveur de la marche (...) mille secrets délicats dont il ne soufflerait pas mot dans l'ombre et dans le silence.
G. DUHAMEL, le Temps de la recherche, X, p. 138.

Pron. passif :

1.1 Mais voilà quatre ans que je patiente et que je souffre! (...) Un amour comme le nôtre devrait s'avouer à la face du ciel!
FLAUBERT, Mme Bovary, II, XII.

♦ **2** Reconnaître (une chose considérée comme blâmable) après avoir tenté de dissimuler. *Avouer une faute, un tort, une faiblesse, un péché, un crime.* → **Confesser.** — *Avouer que...* (dans un contexte analogue). *Elle a avoué qu'elle avait tué.*

22 Une femme d'honneur peut avouer sans honte (...)
CORNEILLE, Polyeucte, I, 2 (→ Assaut, cit. 5).

23 Contrainte d'avouer tant de forfaits divers,
Et des crimes peut-être inconnus aux enfers!
RACINE, Phèdre, IV, 6.

24 On doit se consoler de ses fautes quand on a la force de les avouer.
LA ROCHEFOUCAULD, Maximes, 641.

25 Nous n'avouons de petits défauts que pour persuader que nous n'en avons point de grands (...)
LA ROCHEFOUCAULD, Maximes, 327.

26 Les sentiments les plus naturels sont ceux qu'on avoue avec le plus de répugnance, et la fatuité est un de ces sentiments-là.
BALZAC, Gambara, Pl., t. IX, p. 417.

27 (...) les hommes avouent volontiers la cruauté, la colère, l'avarice même, mais jamais la lâcheté, parce que cet aveu les mettrait (...) en danger mortel.
FRANCE, Les dieux ont soif, p. 197.

♦ **3** Absolt. Faire des aveux, passer aux aveux. *L'assassin a avoué. Le voleur a fini par avouer.* → **Affaler** (s') argot, **allonger** (s') pop., **déboutonner** (se), **décharger** (sa conscience), 1. **parler** (*supra* cit. 23). → Manger le morceau*, vider son sac*, se mettre à table*. *Cuisiner qqn pour le faire avouer. Il a avoué et a dénoncé ses complices. — N'avouez jamais.*

♦ **4** [a] **S'AVOUER** (et adj.) : reconnaître qu'on est. *S'avouer coupable.* → **Accuser** (s'). *S'avouer vaincu.*
[b] *S'avouer, qqch.*, reconnaître, admettre (souvent à contrecœur).

28 (...) mes belles anglaises lui avaient permis *(à ma mère)* de refuser l'évidence de ma laideur. Déjà, pourtant, mon œil droit entrait dans le crépuscule. Il fallut qu'elle s'avouât la vérité.
SARTRE, les Mots, p. 85.

29 Un homme est bien fort quand il s'avoue sa faiblesse.
BALZAC, la Peau de chagrin, Pl., t. IX, p. 140.

30 Décidément, s'avouait à soi-même M. Nègre, cet homme-là est trop fort pour moi.
COURTELINE, Messieurs les ronds-de-cuir, VI, 1.

◆ **AVOUÉ, ÉE** p. p. adj. et n. m. (Au sens I). Vx. *Une personne avouée pour... Des principes avoués.* — (Au sens II). Mod. *Un secret, un sentiment avoué.* — Que l'on reconnaît. *Des moyens d'existence avoués.* → 2. Moyen, cit. 22. — *Un crime avoué.* — Loc. prov. *Faute avouée est à moitié pardonnée* : reconnaître ses torts est déjà un mérite qui les atténue.

N. m. Ce qui est communément avoué, reconnu.

31 La croyance indistincte, indéfinissable, à je ne sais quoi d'autre, à côté du réel, du quotidien, de l'avoué, m'habita durant nombre d'années (...)
GIDE, Si le grain ne meurt, I, p. 27.

CONTR. **Cacher, contester, désavouer, disconvenir, dissimuler, nier, taire.** ◊ DÉR. **Aveu, avouable.** → COMP. **Désavouer.**

**1. AVOYER** [avwaje] n. m. — 1319, *avoyé;* forme romande de *avoué.*

Hist. et régional. Premier magistrat de quelques cantons suisses.

Vous ne communiquerez ce petit mot qu'à M. l'avoyer.
D'AUBIGNÉ, Lettre à M. Manuel.

**2. AVOYER** [avwaje] v. tr. — D. i. (XXe) dans ce sens; le v. est attesté en anc. franç. : *aveier, avoier* «mettre sur la voie», etc.; de 1. *a-, voie,* et suff. verbal.

Techn. Donner de la voie (I., C., 2.) à (une scie), augmenter l'écartement latéral de ses dents pour lui donner du mordant et accroître l'épaisseur du trait de scie. *Affûter et avoyer la lame d'une égoïne* (au moyen du tiers-point* et de la *pince à avoyer*).

**AVRIL** [avʀil] n. m. — 1119; *avrill,* v. 1080; du lat. *aprilis.*

Le quatrième mois de l'année grégorienne. *Avril a été pluvieux. Le septième mois du calendrier révolutionnaire se terminait le 19 avril.* → **Germinal.** *La lunaison d'avril est accompagnée de gelées.* → **Lune** (rousse). *En avril, au mois d'avril. Début d'avril.*

Avril, l'honneur et des bois 1
Et des mois (...)
Rémy BELLEAU, Bergeries, I.

S'il n'y avait pas le mois d'avril, on serait bien plus vertueux, 2
Les buissons en fleurs, tas de complices!
HUGO, l'Homme qui rit, II, IV, 1.

Avril jonche la terre en fleur d'un frais tapis. 3
J. M. DE HEREDIA, les Trophées, «Hortorum Deus».

Loc. prov. *En avril ne te découvre pas d'un fil; en mai, fais ce qu'il te plaît.*

Pendant le mois d'avril, personne ne se découvrit d'un fil, mais le mois de mai fut superbe. 3.1
R. QUENEAU, le Chiendent, p. 417.

(Précédé d'un déterminant). Rare. *La splendeur de l'avril battait* (cit. 44) *son plein. L'avril n'est pas commencé* (→ Cep, cit.).

L'hiver est mort tout enneigé 3.2
On a brûlé les ruches blanches
Dans les jardins et les vergers
Les oiseaux chantent sur les branches
Le printemps clair l'avril léger
APOLLINAIRE, Alcools, «Chanson du mal-aimé», p. 29.

Fig., poét. Printemps.

Ô bois, ô prés, ô monts, qui me fûtes jadis 4
Dans l'avril de mes jours un heureux paradis (...)
Mathurin RÉGNIER, Plainte.

Sans doute en mon avril, ne sachant rien à fond (...) 5
HUGO, les Voix intérieures, 30.

(1762). **POISSON D'AVRIL** : plaisanterie, mystification traditionnelle du 1er avril. *Donner* (vx), *faire un poisson d'avril à qqn. Poisson d'avril!* — Ellipt. *Faire un poisson* (cit. 16) *à qqn.*

L'électeur parut en chaire, regarda la compagnie de tous côtés, puis tout à coup se prit à crier : Poisson d'avril! Poisson d'avril! 6
SAINT-SIMON, Mémoires, 287, 149.

Je vais à l'autre bout de la ville, on se met à rire, et l'on me dit : Poisson d'avril! 7
P.-L. COURIER, Lettres, II, 56.

DÉR. **Avrillée.**

**AVRILLÉE** [avʀile] n. f. — 1848; de *avril.*

Régional. Courte averse de printemps.

**AVULSION** [avylsjɔ̃] n. f. — XIVe; lat. *avulsio*, de *avellere* «arracher».

♦ **1** Didact. Action d'arracher, de détacher. → **Arrachement.** *L'avulsion d'une dent.* → **Extraction.**

♦ **2** Dr. Séparation (d'une portion de la rive d'un cours d'eau). *L'avulsion d'un champ par les eaux d'un fleuve ou d'une rivière.*

CONTR. **Accession; alluvion, atterrissement.**

**AVUNCULAIRE** [avɔ̃kylɛʀ] adj. — Fin XVIIIe; dér. sav. du lat. *avunculus* «oncle».

Didact. Qui a rapport à un oncle ou une tante. *Relation avunculaire.* — Relatif à l'avunculat*.

Par plais. De l'oncle, d'un oncle.

Profitant de ce désarroi, Florette chatouille Clovis, mais ce dernier n'est pas d'humeur à s'amuser. Il partage l'anxiété avunculaire. R. QUENEAU, le Chiendent, p. 291.

DÉR. **Avunculairement.**

**AVUNCULAIREMENT** [avɔ̃kylɛʀmɑ̃] adv. — 1834, E. Cabanon, *in* D. D. L.; de *avunculaire*.

Plais. À la manière d'un oncle. «*Je baise avunculairement vos menottes*» (Colette, *in* T. L. F.).

**AVUNCULAT** [avɔ̃kyla] n. m. — 1936; du rad. du lat. *avunculus* «oncle».

Didact. (ethnol.). Système social dans lequel l'autorité de l'oncle maternel est prééminente; ensemble des droits et des devoirs de l'oncle maternel dans ce système.

Comme dans les tribus primitives soumises aux justes principes de l'avunculat, il venait chez nous pour répartir et compléter les rôles : au père la rigueur, à l'oncle la mansuétude et la clémence.
Raymond ABELLIO, Ma dernière mémoire, t. I, p. 133.

**AVUNCULOCAL, ALE, AUX** [avɔ̃kylɔkal, o] adj. — Mil. XXe; du lat. *avunculus* «oncle», et *-local*, d'après *matrilocal*, etc.

Ethnol. Se dit du type de résidence* du nouveau couple, lorsque celle-ci est déterminée par la résidence du frère de la mère de l'épouse. → aussi **Amitalocal.** *Résidence avunculocale.* — Par ext. (→ **Avunculat**) :

Les systèmes matrilinéaires, notamment chez les Yao et les Cewa, connaissent la *résidence avunculocale*; le garçon, après la petite enfance, habite la concession de l'oncle maternel qui se charge de son éducation et répond des engagements du jeune homme (...)
Louis-Vincent THOMAS, *in* Encycl. Pl., Ethnologie régionale, p. 813.

**AWALÉ** [awale] n. m. → **Walé.**

**AXE** [aks] n. m. — 1372; du lat. *axis* «essieu».

♦ **1** Ligne idéale autour de laquelle s'effectue une rotation. — Astron. Ligne droite autour de laquelle s'effectue le mouvement de rotation d'un corps céleste. *L'axe d'une planète.*

1 Si le soleil est fixe ou tourne sur son axe (...)
BOILEAU, Épîtres, V.

2 (...) un monde qui, par la force de l'habitude, tourne à peu près, malgré tout, sur son axe archirodé (...)
MARTIN DU GARD, les Thibault, VII, 17.

Par métaphore :

3 Donc tu fais de toi l'axe et le sommet des êtres!
Ton ventre est ton autel et tes sens sont tes prêtres.
HUGO, la Légende des siècles, XLIV, «Passé et avenir».

Géom. Droite autour de laquelle tourne une courbe plane pour engendrer une surface de révolution. *L'axe d'un cylindre, d'un cône, d'une sphère. Axe de rotation, de révolution.*

♦ **2** Math. Droite munie d'un vecteur unitaire et d'une origine. *L'axe est une droite orientée. Système d'axes cartésiens* (ou repère cartésien). *Axes de coordonnées; axe des abscisses, des ordonnées, des cotes* (→ **Coordonnée).** *L'axe des x, l'axe des y, l'axe des z.*

*Axe de symétrie :* droite servant à déterminer une symétrie orthogonale. *Axe de symétrie d'une figure. Axe focal (d'une conique) :* axe de symétrie de la conique passant par le (ou les) foyer(s) de la conique. *Axe non focal (d'une conique) :* axe de symétrie perpendiculaire à l'axe focal. *Axe focal* (ou *grand axe*), *axe non focal* (ou *petit axe*) *d'une ellipse.*

♦ **3** (XVIIe; fig. de 1.). Concret. Pièce allongée qui sert à faire tourner un objet sur lui-même ou à assembler d'autres pièces en les articulant. → **Arbre, charnière, essieu, pivot.** *L'axe d'une roue. L'axe d'un balancier. Un excentrique mobile autour d'un axe. Axe ou pivot de ciseaux. Fixer l'axe central d'une pièce.* → **Centrer.** *Axe permettant de fixer une roue sur le moyeu. Boulonner un axe.*

(...) tel administrateur (...) reçoit trente roues de brouettes, mais ne peut obtenir les axes et les boulons pour les monter. 3.1
GIDE, Voyage au Congo, *in* Souvenirs, Pl., p. 854.

(...) il se rappelle les étranges façons que Sergine a de jouer avec le miroir de sa table à coiffer, quand elle le fait pivoter lentement sur l'axe horizontal (...) 3.2
A. PIEYRE DE MANDIARGUES, la Marge, p. 14.

Poét. → **Essieu.**

L'or reluisait partout aux axes de tes chars (...) 4
André CHÉNIER, Études et Fragments, *in* HATZFELD, Dict. général.

♦ **4** [a] Cour. Ligne qui passe par le centre, dans la plus grande dimension. *L'axe du corps. L'axe d'une rue. L'axe d'un escalier. Axe vertical, longitudinal. — Mettre une pièce dans l'axe. Tu n'es pas bien dans l'axe.*

(...) il changea de banquette pour venir s'asseoir à côté de l'étudiant, tout contre lui, posa le carnet sur ses genoux, dans le sens de la largeur (c'est-à-dire le côté le plus long des feuilles perpendiculaire à l'axe de ses cuisses jointes) (...) 4.1
Claude SIMON, le Palace, p. 48.

Par ext. Voie routière ou fluviale importante. *L'axe Paris-Lyon. Les grands axes de la circulation. Prenez plutôt les grands axes que les départementales.*

[b] Sc., bot. Partie d'un végétal qui porte des appendices latéraux (→ Axile). — Anat. *Axe cérébro-spinal* ou *névraxe.*

Sc. *Axes cristallographiques; les axes d'un cristal. L'axe d'une lentille. L'axe optique d'une lunette. L'axe d'oscillation d'un pendule. Répartition d'un système mécanique par rapport à l'axe d'un cylindre.* → **Axisymétrique.**

♦ **5** (Abstrait). Direction générale. → **Ligne.** *L'axe d'un discours, d'un raisonnement. Les grands axes d'une politique.* → **Orientation.** «*Cheminons sans écart dans l'axe de notre sujet*» (Barrès).

Ah! Le schéma que bâtiront plus tard les historiens! Les axes qu'ils inventeront pour donner une signification à cette bouillie! 5
SAINT-EXUPÉRY, Pilote de guerre, p. 126.

Je pense aux Goncourt dont le premier volume parut le 2 décembre. Qu'elle est loin de moi l'émotion du «lancement», quand Grasset cherchait *un axe de publicité!* 6
F. MAURIAC, Bloc-notes 1952-1957, p. 103.

♦ **6** Polit., hist. Alliance conclue entre l'Allemagne nazie, l'Italie fasciste et leurs alliés (Japon, Hongrie, Bulgarie, Roumanie). *Les puissances de l'Axe. L'axe Rome-Berlin.*

7 Quant au plan britannique de sécurité il semble compromis : comment la Yougoslavie, désormais encerclée, pourrait-elle y adhérer ? Sans doute ne peut-elle maintenant que se plier aux exigences de l'axe Rome-Berlin.
Claude MAURIAC, le Temps immobile, p. 53.

DÉR. et COMP. **Axer, axial. Biaxe.** — (Du lat. *axis*) V. **Axile, axiomètre,** 1. **axis, axisymétrique.**

**AXEL** [aksɛl] n. m. — 1961, *in* Petiot ; n. du patineur suédois *Axel Polsen.*

Sports. Figure de patinage artistique, saut au cours duquel le patineur (la patineuse) tourne une fois et demie sur lui-même (sur elle-même). *Axel double ; triple axel. Des axels.*

**AXÈNE** [aksɛn] ou **AXÉNIQUE** [aksenik] adj. — Mil. XX^e ; de 2. *a-*, et *-xène*, du grec *xenos* «étranger».

Méd., bactér. Qui se développe ou est élevé dans un milieu stérile. *Une naissance axène. — Animal axénique, élevé en laboratoire.*

**AXÉNISATION** [aksenizasjɔ̃] n. f. — 1972, C. N. R. S. ; de 2. *a-*, et du rad. grec *xenos* «étranger».

Méd., bactér. Purification par élimination d'éléments étrangers.

**AXER** [akse] v. tr. — 1562 ; de *axe.*

♦ **1** Vx ou techn. Fixer sur un axe.

♦ **2** (1892). Cour. Orienter, diriger selon un axe.

♦ **3** (1928). Fig. → **Orienter.** *Axer sa vie sur un principe. Axer un raisonnement sur une hypothèse.* — (Passif et p. p.). *Il est axé sur cette idée. Politique commerciale axée sur l'expansion, l'investissement, le profit.*

◆ **AXÉ, ÉE** p. p. adj. Didact. Qui comporte un axe. *Végétaux axés. Organisme axé* (symétrie bilatérale).

**AXÉROPHTOL** [akserɔftɔl] n. m. — 1939 ; de 2. *a-*, et *xéroph(talmie).*

Chim., pharm. Vitamine A nécessaire à la croissance et dont la carence peut provoquer la xérophtalmie.

**AXIAL, IALE, IAUX** [aksjal, jo] adj. — 1853 ; de *axe.*

Qui a rapport à l'axe, qui est dans l'axe. *Direction axiale. Zone axiale. Plan axial,* d'un plissement, d'un pli montagneux. *Éclairage axial d'une voie publique,* au moyen d'appareils placés dans l'axe de cette voie. *Symétrie axiale,* par rapport à un axe. *Symétrie axiale de la tige d'une plante.*

Math. *Vecteur axial* (opposé à *polaire*).

Chim. *Liaisons axiales :* dans un composé cyclique, liaisons perpendiculaires au plan général du cycle (opposé à *équatorial*).

**AXILE** [aksil] adj. — 1697 ; lat. sc. **axilis,* de *axis.*

Sc. Qui forme un axe ; relatif à un axe. *Filaments axiles.*

Bot. *Placentation* axile,* où les placentas se soudent avec l'axe. *Organes axiles :* la racine, la tige... (opposé à *appendiculaire*). *Graine axile,* attachée à l'axe du fruit.

**AXILLAIRE** [aksi(l)lɛʀ] adj. — 1363 ; dér. sav. du lat. *axilla.* → Aisselle.

♦ **1** Anat. Qui a rapport à l'aisselle. *Creux axillaire. Nerf axillaire. Ganglions axillaires. Veine, artère axillaire,* ou, n. f., *l'axillaire.*

Le chyle (...) va se mêler au sang dans la veine axillaire (...)
MALEBRANCHE, De la recherche de la vérité, II, 1, 2.

♦ **2** (1808). Bot. Se dit des organes qui naissent dans l'angle formé par la tige et le rameau ou la feuille. *Bourgeon, inflorescence axillaire. Pédoncules axillaires des bractées.*

♦ **3** Zool. Qui est relatif à la base d'une pièce (aile, plaque brachiale...), chez les insectes.

**AXINITE** [aksinit] n. f. — Av. 1800, Daubenton ; du grec *axinê* «hache», et *-ite.*

Minér. Minéral à cristaux tranchants colorés (violet, vert, gris...) formé de borosilicate de calcium, manganèse, fer et aluminium. *Cristaux d'axinite.*

**AXIOLOGIE** [aksjɔlɔʒi] n. f. — 1902, Lapie ; du grec *axios* «qui vaut», et *-logie.*

Didact. Science et théorie des valeurs. *Axiologie morale, éthique. «L'axiologie est une sorte de métaphysique de la sensibilité et du vouloir»* (Lavelle).

DÉR. **Axiologique.**

**AXIOLOGIQUE** [aksjɔlɔʒik] adj. — 1927, Le Senne ; de *axiologie.*

Didact. De l'axiologie. Relatif aux valeurs (opposé à *ontologique*). *Hiérarchie axiologique,* de valeurs.

Dès lors, on peut poser l'existence de niveaux relatifs d'individualisation des objets techniques. Ce critère a une *valeur axiologique :* la cohérence d'un ensemble technique est maximum lorsque cet ensemble est constitué par des sous-ensembles possédant le même niveau d'individualisation relative.
Gilbert SIMONDON, Du mode d'existence des objets techniques, p. 62 (1969).

N. m. *L'axiologique :* l'ensemble des valeurs.

**AXIOMATIQUE** [aksjɔmatik] adj. et n. f. — 1547 ; grec *axiomatikos,* de *axiôma.* → Axiome.

Didactique.

**I** Adj. ♦ **1** Des axiomes ; qui a le caractère des axiomes. → **Évident, indémontrable.** *Valeur axiomatique.*

♦ **2** Qui peut servir de base à un système de déduction ; qui procède déductivement. *Base axiomatique ; méthode axiomatique.*

Quelque respect que l'on témoignât à la construction axiomatique d'Euclide, on n'avait pas été sans y relever plus d'une imperfection, et cela dès l'antiquité. 1
N. BOURBAKI, Éléments d'histoire des mathématiques, p. 28.

♦ **3** (XX^e). Qui a pour objet des symboles (et non leur contenu). → **Formalisé.** *Méthode axiomatique. Sémantique axiomatique. Système axiomatique* (ou *axiomatisé*). → ci-dessous, II.

♦ **4** Littér. Qui procède par axiome (2.), par expression péremptoire de vérités.

Cette cascade d'affirmations péremptoires, ce style axiomatique et sentencieux de Saint-Just. 2
CAMUS, l'Homme révolté, p. 159.

**II** N. f. (1921, trad. d'Einstein). Didact. Recherche et organisation systématique des axiomes d'une science (d'un ensemble d'hypothèses et de déductions). *L'axiomatique d'une science, une axiomatique :* l'ensemble des axiomes. *Axiomatique formalisée,* où l'on ne considère que les relations logiques.

3 Les plus célèbres de ces ouvrages furent celui de Peano, écrit dans son langage symbolique, et surtout les «*Grundlagen der Geometrie*» de Hilbert, parus en 1899, livre qui, par la lucidité et la profondeur de l'exposé, devait aussitôt devenir, à juste titre, la charte de l'axiomatique moderne, jusqu'à faire oublier ses devanciers.

N. BOURBAKI, Éléments d'histoire des mathématiques, p. 28-29.

**DÉR. Axiomatiquement, axiomatiser.**

**AXIOMATIQUEMENT** [aksjɔmatikmɑ̃] adv. — XX^e (1936, chez Gonseth); de *axiomatique*.

Didact. En utilisant une méthode axiomatique.

L'éthique de la connaissance ne s'impose pas à l'homme; *c'est lui au contraire qui se l'impose* en en faisant *axiomatiquement* la condition d'authenticité de tout discours ou de toute action. Le *Discours de la Méthode* propose une épistémologie normative, mais il faut le lire aussi et avant tout comme méditation morale, comme ascèse de l'esprit.

Jacques MONOD, le Hasard et la Nécessité, p. 220.

**AXIOMATISABLE** [aksjɔmatizabl] adj. — XX^e; de *axiomatiser*.

Didact. Qui peut être axiomatisé.

**AXIOMATISATION** [aksjɔmatizasjɔ̃] n. f. — 1936, Gonseth; de *axiomatiser*.

Didact. Action d'axiomatiser; état de ce qui a été axiomatisé. → **Formalisation.** *L'axiomatisation d'une science. L'axiomatisation de la logique, de l'arithmétique.*

1 D'autre part, ces notions (de droite, de point, d'espace) ne prennent leur aspect rationnel que du fait de l'axiomatisation, c'est-à-dire de l'acte mental qui aboutit à la création du *schéma abstrait.*

F. GONSETH, les Mathématiques et la Réalité, p. 88 (1936).

2 Si notre axiomatisation a pour objet de décrire un processus d'abstraction, de suggérer une schématisation et d'évoquer systématiquement les notions que l'esprit doit accueillir (...), la logique consiste alors simplement à parler une langue efficace, à employer les mots et à mettre en mouvement les associations d'idées qui conviennent au but à atteindre.

F. GONSETH, les Mathématiques et la Réalité, p. 136.

**AXIOMATISER** [aksjɔmatize] v. tr. — 1935, p. p., *in* Actes du congrès international de philosophie des sciences; de *axiomatique.*

Didact. Organiser sous forme axiomatique, par un système déductif ou par la formalisation.

(...) il existe aussi «en deçà» des frontières que la logique aurait pour tâche de formaliser ou d'axiomatiser et qui consisterait non pas en la pensée consciente du sujet, mais en ses structures opératoires.

J. PIAGET, Épistémologie des sciences de l'homme, p. 226 (1970).

Au p. p. *Théorie partiellement axiomatisée.*

**DÉR. Axiomatisable, axiomatisation.**

**AXIOME** [aksjom] n. m. — 1547; lat. *axioma,* grec *axiôma,* de *axioun* «juger digne, valable».

♦ **1** Philos. Vérité indémontrable mais évidente pour quiconque en comprend le sens (principe premier), et considérée comme universelle. *Postulat et axiome.* → **Évidence, prémisse.** *La proposition* «deux quantités égales à une troisième sont égales entre elles» *est un axiome. Un axiome mathématique, un axiome de géométrie. Un axiome philosophique. Le postulat n'est pas comme l'axiome une proposition assez évidente pour qu'il soit impossible de la mettre en doute.* → **Postulat.** *Le principe de contradiction, axiome fondamental de la théorie de la science chez Aristote.*

Ces propositions claires et intelligibles par elles-mêmes s'appellent axiomes ou premiers principes (...) 1

BOSSUET, Traité de la connaissance de Dieu..., I, 13.

Cette identité est admise par l'école comme un postulat ou pour mieux dire, comme un axiome. Elle n'a pas besoin d'être démontrée (...) C'est un principe (...) trop évident pour qu'on se soit jamais arrêté à le considérer. 2

LÉVY-BRUHL, les Fonctions mentales dans les sociétés inférieures, p. 7, *in* LALANDE, Voc. de la philosophie, art. *Axiome.*

♦ **2** Cour. Proposition admise par tout le monde sans discussion (incluant le postulat). *Fonder sa vie sur un axiome.* — Par ext. → **Adage, aphorisme, apophtegme, maxime, sentence.** *Il ne parle que par axiomes. Un axiome populaire.*

Ce qui distingue **axiome** des mots d'un sens analogue, tels que **maxime, sentence, apophtegme, aphorisme,** c'est que axiome exprime une proposition évidente de soi, échappant à toute démonstration, et s'imposant par un principe d'évidence ou autrement de certitude qui entre dans la constitution de l'esprit humain. 3

LITTRÉ, Dict., art. *Axiome.*

Il est des axiomes généraux qu'on met devant soi comme des gabions; placé derrière ces abris, on tiraille de là sur les intelligences qui marchent. 4

CHATEAUBRIAND, Mémoires d'outre-tombe, IV, 4.

Vingt siècles après, la science humaine approuve l'Apôtre, et traduit ses images en axiomes. 5

BALZAC, Séraphîta, Pl., t. X, p. 559.

Mais les généraux allemands professaient comme un axiome que la Russie ne pouvait, en aucun cas, accepter l'éventualité d'une guerre immédiate (...) 6

MARTIN DU GARD, les Thibault, VII, 51.

L'axiome d'après lequel il faut écarter tout parent d'une opération devrait suffire à éloigner l'auteur un peu intelligent des répétitions. 7

GIRAUDOUX, Littérature, p. 269.

Et, pour mieux prouver à M^lle Pastif que son ignorance en matière de patiences aurait dû lui interdire de critiquer le talent réel de Philippe, elle s'ingéniait à n'avancer que des axiomes quintessenciés d'obscurs secrets techniques, d'abstraites élévations à une science ésotérique du jeu. 8

H. TROYAT, le Vivier, p. 67.

(Dans un domaine déterminé). *Axiomes juridiques, économiques, politiques. Des axiomes de politique.*

♦ **3** (XX^e). Didact. (sc., log., math.). Hypothèse dont on tire des conséquences logiques (→ **Théorème**) en vue de l'élaboration d'un système *(axiomatique*).* → **Postulat; énoncé, hypothèse, lemme, prémisse, principe, proposition.** *Axiome de l'infini. Axiome d'Archimède* (→ Archimédien, cit.). *Les axiomes de la géométrie euclidienne et ceux des géométries non euclidiennes sont contradictoires et également valables.*

(...) on peut maintenant déclarer : 9

*Si les axiomes A, B, C... sont acceptés pour vrais, et si l'énoncé H en est une conséquence authentique, H doit être également tenu pour vrai.*

Il est dès lors tout à fait clair que les systèmes d'axiomes qu'on a le droit de «tenir pour vrais» ne sont pas ceux qui sont aperçus comme vrais du fait d'une évidence toute spéciale, mais simplement ceux qui n'impliquent pas contradiction.

F. GONSETH, les Mathématiques et la Réalité, p. 106.

Il n'y a pas d'axiome sans un concret où il fonde sa signification extérieure et un abstrait à la structure duquel il participe. 10

F. GONSETH, les Mathématiques et la Réalité, p. 237.

C'est qu'en effet, non content d'y donner un système complet d'axiomes pour la géométrie euclidienne, Hilbert classe ces axiomes en divers groupements de nature différente, et s'attache à déterminer la portée exacte de chacun de ces groupes d'axiomes, non seulement en développant les conséquences logiques de chacun d'eux isolément, mais encore en discutant les diverses «géométries» obtenues lorsqu'on supprime ou modifie certains de ces axiomes 11 (géométries dont celles de Lobatschevsky et de Riemann n'apparaissent plus que comme des cas particuliers); il met ainsi clairement en relief, dans un domaine considéré jusque-là comme un des plus proches de la réalité sensible, la liberté dont dispose le mathématicien dans le choix de ses postulats.

N. BOURBAKI, Éléments d'histoire des mathématiques, p. 28-29.

**AXIOMÈTRE** [aksjomɛtʀ] n. m. — 1782; du lat. *axis* «axe», et *-mètre.*

Mar. Instrument indiquant, au moyen d'un index qui se déplace sur un cadran, l'angle fait par le gouvernail d'un navire avec sa position droite.

1. **AXIS** [aksis] n. m. — 1696, attestation isolée; repris au XIXe; également *axe,* 1801; lat. *axis* «axe».

Anat. Deuxième vertèbre du cou qui sert d'axe pour les mouvements de rotation de la tête. → **Atlas.**

2. **AXIS** [aksis] n. m. — V. 1562, attestation isolée; repris XVIIIe; lat. *axis,* dans Pline, «boeuf sauvage de l'Inde».

Petit cerf d'Asie à bois courts, au pelage roux tacheté de blanc *(Cervidés).* — Par appos. *Cerf axis.* — Syn. : *cerf tacheté de l'Inde, cerf du Gange, daim du Bengale.*

La vie saute et bondit de tous côtés. Les moutons grimpent sur l'échelle de leurs kiosques, de jeunes axis, penchés sur le côté, s'inclinent en patinant sur le sol où ils tournent (...)

Ed. et J. DE GONCOURT, Manette Salomon, p. 439.

**AXISYMÉTRIQUE** [aksisimetʀik] adj. — 1972; du lat. *axis* «essieu, axe», et *symétrique.*

Techn. Se dit d'un système mécanique où la répartition symétrique se fait par rapport à l'axe d'un cylindre.

**AXOLOTL** [aksɔlɔtl] n. m. — 1751, *axoloti*; mot aztèque, emprunté à l'esp. *ajolote,* cité en franç. dès 1640.

Zool. Larve d'amblystome* qui peut se reproduire à l'état larvaire.

(...) l'axolotl ou le protée qui ornent de leurs larves blanchâtres et branchiteuses *(munies de branchies)* les aquariums du Vivarium du Jardin des Plantes. L'un, celui avec le tl dans son nom qui fait tellement aztèque, veut bien devenir adulte chez lui, et amblystome, mais, en captivité, rien à faire, il se reproduit bien qu'insuffisamment développé.

R. QUENEAU, Bâtons, chiffres et lettres, p. 147.

**AXONE** [akson; aksɔn] n. m. — 1899, *l'Année biol.*; angl. *axon,* du grec *axon* «axe».

Anat. Prolongement constant, unique, de la cellule nerveuse. → **Cylindraxe** (et aussi **dendrite, neurone).**

La cellule nerveuse (ou *neurone)* comprend un corps ou centre cellulaire (...) De ce corps cellulaire partent des fibres nerveuses en nombre variable; l'une souvent très longue et peu ramifiée est le *cylindraxe* ou *axone* (...)

Paul CHAUCHARD, le Système nerveux..., p. 15.

**AXONGE** [aksɔ̃ʒ] n. f. — 1498; *axungie,* 1320; *amxunge,* déb. XIVe; lat. *axungia* «graisse à oindre les essieux».

Didact. Graisse fondue des animaux. → **Saindoux.** *L'axonge est utilisée comme excipient en pharmacie.*

**AXONOMÉTRIE** [aksɔnɔmetʀi] n. f. — XXe; de *axonométrique.*

Didact. Représentation d'une figure à trois dimensions par projection orthogonale ou oblique.

L'axonométrie ou perspective parallèle suppose une projection sur le tableau dont le centre O est rejeté à l'infini et dont les rayons sont parallèles. En *axonométrie orthogonale,* les rayons sont «normaux» perpendiculaires au tableau; en *axonométrie oblique* ou perspective cavalière, les rayons sont obliques.

A. FLOCON et R. TATON, la Perspective, p. 88.

**AXONOMÉTRIQUE** [aksɔnɔmetʀik] adj. — 1866, Larousse; du grec *axon, axonos* «axe», et *-métrique.*

Didact. De l'axonométrie. *Perspective axonométrique.*

DÉR. **Axonométrie.**

**AXOPODE** [aksɔpɔd] n. m. — XXe (in *Grand Larousse encycl.,* 1960); de *axe,* et *-pode.*

Zool. Expansion du cytoplasme des protozoaires, caractéristique de la classe des actinopodes.

**AY** ou **AÙ** [ai] n. m. → 3. **Aï.**

**AYA** [aja] n. f. — 1913, Valery Larbaud; anglo-indien *ayah,* du port. *aia;* lat. *avia* «grand-mère».

Anciennt. Femme de chambre indigène, en Inde, ou femme de chambre indienne (dans d'autres pays colonisés).

**AYAN** [ajan], **AYAM** [ajam] n. m. — 1827, Mérimée, *ayan; ayam,* 1835; turc *ayān;* arabe *'ā'yan,* plur. de *'āyn* «œil», d'où «personne qui surveille».

Anciennt. En Turquie, Chef de village; notable.

**AYANT** [ɛjɑ̃] p. prés. du verbe *avoir.*

**AYANT CAUSE** [ɛjɑ̃koz] n. m. — 1337; de *avoir,* et *cause.*

Dr. Personne physique ou morale, qui a acquis d'une autre (l'auteur*) un droit ou une obligation. → **Acheteur, donataire, héritier, légataire.** *Les ayants cause. Ayant cause à titre particulier, ayant cause à titre universel, ayant cause universel.*

On est censé avoir stipulé pour soi et pour ses héritiers 1
et ayants cause, à moins que le contraire ne soit exprimé ou ne résulte de la nature de la convention.

Code civil, art. 1122.

Si nous regimbons, les tribunaux nous y forcent et le pre- 2
mier vendeur, s'il est encore en vie, ou ses ayants cause et héritiers reprennent leur bien comme ils le trouvent (...)

G. SAND, François le Champi, XIX.

**AYANT DROIT** [ɛjɑ̃dʀwa] n. m. — 1835; de *avoir,* et *droit.*

Droit.

♦ **1** Ayant cause.

♦ **2** Personne qui a des droits à qqch. *Les ayants droit à une prestation.* → **Allocataire.**

**AYAPANA** [ajapana] n. m. — 1845; mot d'Amérique du Sud.

Bot. Eupatoire originaire des bords de l'Amazone *(Composacées).*

**AYATOLLAH** [ajatɔla] n. m. — Répandu 1978; mot arabe, «verset de Dieu *(Allah)*».

Religieux musulman chiite d'une haute dignité; titre donné à certains sages hors de toute hiérarchie. *«Trois ayatollahs, hautes autorités musulmanes chiites»* (*le Nouvel Obs.,* 10 avr. 1978, p. 20). *«"La révolution iranienne a complètement bouleversé l'équilibre stratégique de la région", déclare Arafat, qui rend hommage à* "notre *Imam, l'ayatollah Ruhollah Khomeiny*"» (*l'Express,* 24 févr. 1979, p. 79). *L'ayatollah Khomeiny est devenu l'imam* Khomeiny.*

Fig. (v. 1960). Représentant, partisan conservateur (d'une tendance, d'une pratique). *«Cet ouvrage fera hurler les ayatollahs du circonflexe* (l'accent circonflexe)» (*Maison française,* 7 janv. 1995).

**AYE-AYE** [ajaj] n. m. — 1782; 1845, *aya-aya;* mot indigène; onomatopée.

Zool. Mammifère lémurien de Madagascar, de la taille d'un chat, à gros yeux et à longue queue (n. sc. : *cheiromys**).

*(les naturalistes)* citent l'exemple d'animaux tels que le Dronte, qui n'ont plus été retrouvés; l'Aye-aye, qui n'a été vu qu'une seule fois *(sic)*; et l'Aï, ou Paresseux, qui ne tardera pas à disparaître.
J. Prévert, Choses et autres, p. 123.

**AYMARA** [ɛmaʀa] n. et adj. — 1838; mot de cette langue, du Pérou.

Membre d'une tribu péruvienne de civilisation antérieure aux Incas. *Les Aymaras.*

Adj. *Légende aymara.* — N. m. (1842). Langue indienne des Aymaras.

**AYUNTAMIENTO, OS** [ajuntamjɛnto, ɔs] n. m. — 1846; mot espagnol.

En Espagne, Municipalité. *Des ayuntamientos.*

**AZALÉE** [azale] n. f. ou m. — 1803; *azalea,* fin XVIIIe; du grec *azaleos* «desséché».

Arbuste à feuilles ovales, vertes et luisantes, cultivé pour ses fleurs *(Ericacées).* Offrir à qqn un pot d'azalées. *L'azalée ressemble au rhododendron*.* — *Fleur de cet arbuste. Azalée rouge, rose.*

1 Des azaléas formaient un buisson de corail (...)
Chateaubriand, les Natchez, III, 14, 1.

2 (...) tantôt je lui *(Atala)* faisais des colliers avec des graines rouges d'azalea (...) Chateaubriand, Atala, p. 79.

3 Cette atmosphère assoupie, cet oiseau invisible comme dans le sommeil, ces deux villas au milieu des azalées et des arbres en fleurs dans un bruit d'eau courante et cette solitude enchantée.
Claudel, Journal, 31 août-4 sept. 1918, Pl., t. I, p. 420.

*Variétés d'azalées : azalée souci* (à fleurs jaune foncé), *azalée coccinée* (à fleurs écarlates), *azalée nudiflore, à fleurs nues* (rouge foncé), *azalée visqueuse.*

**AZE** [az] n. m. — 1583, au fig.; anc. provençal *aze,* du lat. *asinus.* → Âne.

Vx et régional. Âne. — REM. Le mot est resté en français central jusqu'au XIXe s. dans des locutions et des composés (→ Viédaze).

**AZÉDARAC** [azedaʀak] n. m. — 1694; *azeadarach,* v. 1500; arabo-persan *'āzāddirāht,* proprt «arbre qui pousse à l'état sauvage».

Bot. Arbuste originaire du Moyen-Orient *(Méliacées),* dont les fruits servent à faire des chapelets. → **Mélia.** — REM. Plusieurs var. *azédarach, adrézarach* par métathèse. «*Un collier de grains d'adrézarach*» (Hugo).

**AZÉOTROPE** [azeɔtʀɔp] ou **AZÉOTROPIQUE** [azeɔtʀɔpik] adj. — 1933; de 2. *a-,* grec *zein* «bouillir», et *-trope.*

Didact. *Mélange azéotrope,* formé de deux liquides, dont la distillation se fait à température constante.

CONTR. et DÉR. **Zéotrope.**

**AZEROLE** [azʀɔl] n. f. — 1694; *azerolle,* 1651; *asarole,* 1553; esp. *acerola,* arabe *(')āz-zū'rūr.*

Bot. Fruit jaune ou rouge, ressemblant à une petite pomme, de l'azerolier.

DÉR. **Azerolier.**

**AZEROLIER** [azʀɔlje] n. m. — 1690; *azarolier,* 1698; de *azerole.*

Variété d'aubépine, à fleurs blanches ou roses, à fruits jaunes ou rouges (azeroles), des régions méditerranéennes. Syn. : *épine d'Espagne, néflier de Naples.*

Un sentier de chèvre pierreux, rapide, inégal, ombragé de figuiers sauvages et d'azeroliers.
Lamartine, Voyage en Orient, juil. 1836, Œ. compl., t. V, p. 73.

**AZERTY** [azɛʀti] adj. invar. — V. 1980; suite des lettres des six premières touches d'une machine à écrire puis d'un clavier d'ordinateur, conçus pour le français.

*Clavier AZERTY :* clavier français (par oppos. à *QWERTY*).

**AZILIEN, IENNE** [aziljɛ̃, jɛn] adj. et n. m. — 1893; de Mas d'*Azil,* commune de l'Ariège où furent trouvés des gisements de ce type.

Didact. Relatif à un âge du mésolithique caractérisé par de très petits outils de silex de forme régulière. *Industrie azilienne.*

N. m. *L'azilien se situe vers 8000 av. J.-C.*

**AZIMUT** [azimyt] n. m. — 1415, *azimuth,* Fusoris, *Traité de l'Astrolabe,* p. 98, *in* D. D. L.; 1680, *azimut;* de l'arabe *'āz-sāmt,* proprt «le chemin».

♦ **1** Astron. Angle formé par le plan vertical d'un astre et le plan méridien du point d'observation. *Les azimuts se mesurent avec le théodolite.* — *Azimut magnétique :* angle formé par une horizontale quelconque avec le méridien magnétique.

On rencontre encore l'ancienne graphie *azimuth :*

(...) l'ombre d'un arbre exprime aussi l'azimuth et la hauteur du soleil (...) 0.1
Alain, Jules Lagneau, *in* les Passions et la Sagesse, Pl., p. 765.

♦ **2** Fam. *Dans tous les azimuts :* dans toutes les directions, dans tous les sens.

On nous a fait une feuille de démobilisation, parfaitement en règle, parce que nous n'avions plus de livret militaire, plus rien, tout avait foutu le camp dans les azimuts. 1
Jean Ferniot, Pierrot et Aline, p. 132.

Techn. (milit.). *Pièce d'artillerie tous azimuts,* pouvant tirer dans toutes les directions. — Par ext. *Défense tous azimuts,* capable d'intervenir dans toutes les directions.

«Notre stratégie doit être tous azimuts», a notamment déclaré le général de Gaulle en s'adressant samedi aux officiers du Centre des hautes études militaires à l'occasion de sa traditionnelle inspection privée des écoles militaires. «Il faut que vous le sachiez, que vous le voyiez et que vos études et votre état d'esprit s'y habituent.» 2
(...) À propos de la stratégie tous azimuts, le président de la République a remarqué qu'il s'agissait d'une réforme militaire sans comparaison avec les réformes antérieures. «C'est un système nouveau destiné à une très longue période de temps.» le Monde, 30 janv. 1968.

Fig. *Répression tous azimuts. Vendre tous azimuts,* par tous les moyens et avec les objectifs les plus variés.

DÉR. **Azimutal, azimuter.**

**AZIMUTAL, ALE, AUX** [azimytal, o] adj. — 1579, H. Estienne; de *azimut.*

Astron. Qui a rapport aux azimuts. *Plan azimutal. Cercles azimutaux. Compas azimutal.*

Phys. (1940, T. Kahan). *Quantum azimutal* ou *nombre quantique azimutal.*

**AZIMUTER** [azimyte] v. tr. — 1892, argot milit.; de *azimut.*

Fam. Regarder, observer. *Se faire azimuter* (d'abord argot de l'École Navale) : se faire repérer. — Au p. p. *Être azimuté :* attirer l'attention, être repéré.

◆ **AZIMUTÉ, ÉE** p. p. adj. (1937). Qui a perdu son bon sens; qui a perdu la boussole*, le nord*. → **Cinglé, fou.** → Névrosé, cit. 2.

**AZINE** [azin] n. f. — 1898; de *(hydr)azine.*

Chim. Composé obtenu par l'action des aldéhydes (ou des cétones) sur l'hydrazine.

DÉR. **Azinique.**

**AZINIQUE** [azinik] adj. — 1931; de *azine.*

Chim. Se dit d'une série de colorants dérivés du noyau de la phénazine. *Colorants aziniques.*

**AZO-** Premier élément de composés, en chimie, désignant des combinaisons où entre l'azote (ex. : *azocarbone*), des composés azoïques (2. Azoïque).

**AZOBACTER** [azobaktɛʀ] n. m. → **Azotobacter.**

1. **AZOÏQUE** [azɔik] adj. — 1866; de 2. *a-,* et *-zoïque.*

Didact. Privé de vie animale. *Milieu azoïque.* — Spécialt (géol.). *L'ère azoïque.*

2. **AZOÏQUE** [azɔik] adj. — 1885; de *azote.*

Chim. Se dit de colorants renfermant dans leur molécule le groupement –N=N– (appelé *groupement azoïque*). *Colorant, substance azoïque.*

**AZOOSPERMIE** [azoospɛʀmi] n. f. — 1890; de 2. *a-,* grec *zôon* «animal», et *sperma* «semence».

Méd. Absence de spermatozoïdes dans le sperme.

**AZOTATE** [azɔtat] n. m. — 1823; de *azote.*

Chim. (vieilli). → **Nitrate.** *Azotate d'argent* (employé comme collyre). *Azotate de potasse* (de potassium). *Azotate de chaux* (de calcium). *Azotate de soude* (de sodium).

Il fallait encore à Cyrus Smith, en vue de sa préparation future, une autre substance, l'azotate de potasse, qui est plus connu sous le nom de sel de nitre ou de salpêtre.

J. VERNE, l'Île mystérieuse, t. I, p. 222 (1874).

**AZOTE** [azɔt] n. m. — 1787, cit. 1; de 2. *a-,* et grec *zôê* «vie».

Corps simple (symb. *N,* pour *nitrogène,* vx; p. at. 14,008; n° at. 7, densité 0,967), gaz incolore, inodore, chimiquement peu actif, qui entre dans la composition de l'atmosphère (4/5) et des tissus vivants, animaux et végétaux (protéines). *L'azote est impropre à la respiration, d'où son nom. Présence d'azote dans les tissus.* → **Aéroembolisme.** *Azote trivalent.* — *Cycle de l'azote :* circulation des composés de l'azote dans la nature, par l'intermédiaire des organismes végétaux, animaux. *Fixation de l'azote atmosphérique,* pour obtenir les composés de l'azote (engrais, etc.). *Peroxyde d'azote* ($NO_2$). *Protoxyde d'azote* ($N_2O$) : gaz hilarant; et *autres composés de l'azote* (→ **Azoteux, azotique, nitrate, nitrure).**

1 Noms nouveaux ou adoptés : «Azote ou radical nitrique», noms anciens : «Base de l'air phlogistiqué ou de la mofète atmosphérique».

G. DE MORVEAU, LAVOISIER, BERTHOLLET et DE FOURCROY, Méthode de nomenclature chimique (Tableau de la nomenclature, p. 100 (1787)).

Les propriétés chimiques de la partie non-respirable de l'air atmosphérique n'étant pas encore très-bien connues, nous nous sommes contentés de déduire le nom de sa base de la propriété qu'a ce gaz de priver de la vie les animaux qui le respirent; nous l'avons donc nommé azote, de l'α privatif des Grecs, et de ζωε, vie, ainsi la partie non respirable de l'air sera le gaz azotique (...) 2
Nous ne nous sommes pas dissimulé que ce nom présentait quelque chose d'extraordinaire; mais c'est le sort de tous les noms nouveaux, ce n'est que par l'usage qu'on se familiarise avec eux (...)

LAVOISIER, Traité élémentaire de chimie, an IX (1803), t. I, p. 55.

DÉR. et COMP. 2. **Azoïque, azotate, azoté, azotémie, azoteux, azotique, azotite, azotobacter, azoture, azoturie.** — V. **Azo-, azoto-.**

**AZOTÉ, ÉE** [azɔte] adj. — 1826; de *azote.*

Qui contient de l'azote. *Aliments azotés. Engrais azotés :* fumier, guano, nitrate de sodium, de calcium, sulfate d'ammonium.

**AZOTÉMIE** [azɔtemi] n. f. — 1909, *in* D. D. L.; de *azote,* et *-émie.*

Méd. Quantité d'azote du sang (sous forme d'urée, d'acides aminés). *Augmentation de l'azotémie.* → **Hyperazotémie, urémie.**

Hyperazotémie. *Troubles neurologiques et mentaux liés à l'azotémie.*

DÉR. **Azotémique.**

**AZOTÉMIQUE** [azɔtemik] adj. — 1906, in *Rev. gén. des sc.,* n° 5, p. 250; de *azotémie.*

Méd. De l'azotémie. *Taux azotémique.* — Dû à une azotémie excessive. *Néphrite azotémique.* — N. *Un, une azotémique :* une personne affectée d'hyperazotémie.

**AZOTEUX** [azɔtø] adj. m. — 1823; de *azote.*

Chim. Qui contient de l'azote (et, spécialt, de l'azote trivalent). → **Nitreux.** *Acide azoteux* ($HNO_2$) : acide oxygéné de l'azote (ou acide nitreux). *Anhydride, oxyde azoteux.*

**AZOTHYDRIQUE** [azɔtidʀik] adj. — 1890, cit.; de l'all.; → Azote, et hydrique.

Chim. *Acide azothydrique* ($HN_3$) : acide instable, explosif à l'état anhydre.

Le professeur Curtius, de Kiel, a découvert en 1890 un nouveau composé, fort curieux, auquel il a donné le nom d'*acide azothydrique.*

L. FIGUIER, l'Année scientifique et industrielle 1890, p. 240 (1889).

**AZOTIQUE** [azɔtik] adj. — 1787, *gaz azotique*; de *azote.*

Chim. Syn. : *nitrique**. *Acide azotique* ($HNO_3$) : acide liquide, incolore, corrosif (→ **Eau forte).** *Anhydride azotique* $N_2O_5$.

**AZOTITE** [azɔtit] n. m. — 1838; de *azote.*

Chim. Sel de l'acide azoteux (→ **Nitrite).**

**AZOTO-** Premier élément de mots de chimie, signifiant la présence d'azote (ex. : *azotobacter**). → **Nitro-.**

**AZOTOBACTER** [azɔtobaktɛʀ] n. m. — 1961; de *azote,* et *bactér(ie).*

Biol. Bactérie capable d'assimiler l'azote atmosphérique, qui vit sur les racines des légumineuses, en formant des nodosités symbiotiques. — On dit aussi *azobacter* [azɔbaktɛʀ].

**AZOTURE** [azɔtyʀ] n. m. — 1812; de *azote.*

Chim. Sel de l'acide azothydrique $HN_3$.

**AZOTURIE** [azɔtyʀi] n. f. — 1855; de *azote,* et *-urie.*

Méd. Quantité d'azote éliminée par les urines. Élimination exagérée d'urée et d'autres composés azotés.

**AZT** [azɛdte] n. m. — 1985; de ***az**ido**t**hymidine.*

Méd. Médicament antiviral, inhibiteur de la transcriptase inverse, utilisé dans le traitement du sida. → **Zidovudine.** *Sidéens traités à l'AZT. «Pas plus pour l'AZT que pour d'autres produits, peut-être intéressants (...) on ne peut jusqu'ici parler de drogue miracle»* (*le Point,* 1er déc. 1986, p. 98).

Stéphane dit (...) qu'il ne faut pas recommencer ici les bêtises qui ont été faites aux États-Unis aux débuts de l'AZT, quand les malades se jetaient sur ce produit qu'ils se procuraient au marché noir et engloutissaient des doses si importantes qu'ils en crevaient.
Hervé GUIBERT, le Protocole compassionnel, p. 85 (1991).

**AZTÈQUE** [astɛk] adj. et n. — 1838; mot mexicain.

♦ **1** Qui a rapport aux Aztèques, ancien peuple du Mexique. *La langue aztèque. Art aztèque.*

1 Là... dans la ligne de sa joue, de sa paupière, de son front... il y a quelque chose qui fait penser à ce qu'il a découvert, à ce qu'il a prélevé sur certaines têtes de statues précolombiennes, aztèques (...)
N. SARRAUTE, le Planétarium, p. 94.

♦ **2** (1861, *aztec,* à cause de faux Aztèques exposés dans une foire). Fam. et vx. Personne chétive, malingre. → **Avorton.**

2 Aux yeux des nains, des avortons, des aztèques, des myrmidons et des pygmées, à jamais noués dans le rachitisme, la croissance est apostasie.
HUGO, Shakespeare, III, II, éd. Nelson, p. 332, *in* D. D. L., II, 12.

**AZULEJO** [azulexo] n. m. — 1669, F. Bertaut, *Journal du voyage d'Espagne,* p. 147; var. *ezzuleia,* 1556, *in* D. D. L. II, 21; mot esp., de *azul* «bleu», ou d'orig. arabe.

Carreau de faïence émaillée, orné de dessins (ordinairement de couleur bleue), employé au revêtement des murailles ou des sols. *Des azulejos* [azulexos].

Vu 3 magnifiques églises : la 1re comme une grande grotte dorée, la seconde *(Tertiaires franciscains)* avec son petit cloître bleu et ses azulejos représentant une quantité de scènes populaires *(peintures).*
CLAUDEL, Journal, 26 nov. 1918, Pl., t. I, p. 428.

**AZUR** [azyʀ] n. m. — 1080; esp. *azul*; arabe pop. *lāzūrd,* arabe class. *lāzăwărd*; du persan. → Lapis-lazuli.

♦ **1** Anciennt. Lapis-lazuli, encore appelé *pierre d'azur.*

Techn. Verre coloré en bleu par l'oxyde de cobalt (dit aussi *bleu d'azur,* bleu de Saxe, verre de cobalt), que l'on obtient par grillage de *smaltine* ou de *cobaltine.* → **Safre, smalt.** *De l'azur en boules. Azur de premier, deuxième feu...* (selon l'éclat de sa couleur).

1 On se sert du bleu d'azur pour azurer le linge, les tissus blancs, la pâte à papier; comme couleur destinée à la peinture à l'huile et au badigeonnage, pour colorer les verres et les émaux.
P. POIRÉ, Dict. des sciences, art. *Bleu.*

♦ **2** Littér. Couleur d'un bleu clair et intense, et, poét., la couleur du ciel, des flots. *L'azur des océans. Un ciel d'azur. D'un bleu d'azur.* → **Azuré, azuréen, azurin, cérulé.**

2 Le soleil se couchait dans une nuée d'or et d'azur.
VOITURE, Lettres, 10.

Ils *(les rayons de lumière)* le font voir *(l'air)* avec une couleur bleue qui répand une teinte de même couleur sur tous les objets aperçus dans le lointain et qui forme l'azur céleste (...) 3
LAPLACE, Exposition du système du monde, 16.

L'azur du ciel est moins beau que le bleu de tes yeux; le chant des bengalis moins doux que le son de ta voix. 4
BERNARDIN DE SAINT-PIERRE, Paul et Virginie.

Toi, mon enfant, dans l'azur de tes yeux 5
Mets ton âme!
HUGO, les Contemplations, I, 1.

Sur la rive, je poursuis de grands papillons noirs lamés d'azur. 6
GIDE, Voyage au Congo, *in* Souvenirs, Pl., p. 706.

Loc. *La Côte d'Azur :* la côte de la Méditerranée, en France, entre Toulon et la frontière italienne (Menton). → Riviera.

♦ **3** Blason. *Le bleu,* l'un des neuf émaux des armoiries.

♦ **4** Poét. (1794). Le ciel, l'air. → **Azuré.** *L'oiseau se perd dans l'azur.*

Des cieux spirituels l'inaccessible azur, 7
Pour l'homme terrassé qui rêve encore et souffre,
S'ouvre et s'enfonce avec l'attirance du gouffre.
BAUDELAIRE, les Fleurs du mal, «Spleen et idéal», XLVI.

Il faudra passer les arches détruites 8
Du soleil d'hier qui niait l'espace
Salir d'un pas lourd les sons de l'azur
Ternir d'un regard les empreintes d'or (...)
ÉLUARD, Poésie et Vérité 1942, «L'horizon droit», Pl., t. I, p. 1126.

La mer, les flots. *«Ces rois de l'azur»* (les albatros). Baudelaire, *«L'albatros».*

REM. Dans ce sens, le mot a un pluriel : *des azurs.*

Et dès lors, je me suis baigné dans le poème 9
De la Mer, infusé d'astres, et lactescent,
Dévorant les azurs verts; où, flottaison blême
Et ravie, un noyé pensif parfois descend (...)
RIMBAUD, Poésies, «Le bateau ivre», Pl., p. 101.

*L'Azur* (ou *l'azur*), symbole de l'idéal, de l'absolu :

En vain! l'Azur triomphe, et je l'entends qui chante 10
Dans les cloches. (...)
Où fuir dans la révolte inutile et perverse?
*Je suis hanté.* L'Azur! l'Azur! l'Azur! l'Azur!
MALLARMÉ, l'Azur, 1898, Pl., p. 38.

DÉR. **Azuré, azuréen** (1.), **azurer, azurin, azurine, azurite.** — (De *Côte d'Azur*) **Azuréen** (2.).

**AZURAGE** [azyʀaʒ] n. m. — 1846; de *azurer.*

Techn. Opération effectuée après le blanchiment, consistant à parfaire l'effet de blancheur de certaines matières (textiles, linge, papier) en leur donnant une légère coloration bleutée. *Agent d'azurage optique.* → **Azurant.**

La très légère teinte jaune qui subsiste parfois après le blanchiment *(de la laine)* peut être masquée par un azurage. Cette opération n'est autre qu'une teinture qui donne à la fibre une faible coloration bleutée complémentaire du jaune et provoque une sensation de blanc.
Charles MARTIN, la Laine, p. 32.

**AZURANT** [azyʀɑ̃] n. m. — Mil. XXe; antérieur comme adj.; p. prés. de *azurer.*

Techn. *Azurant optique :* produit utilisé pour l'azurage (on dit aussi *blanc optique*).

**AZURÉ, ÉE** [azyʀe] adj. — XIIIe; de *azur.*

♦ **1** Littér. ou style soutenu. Qui est de la couleur de l'azur. → **Azurin; bleu.** *Une teinte azurée. Les flots azurés.* — Poét. *La voûte azurée :* le ciel. *La plaine azurée :* la mer.

Qui de nous des clartés de la voûte azurée 1
Doit jouir le dernier?
LA FONTAINE, Fables, XI, 8.

2 Les flots azurés (...)
MOLIÈRE, les Amants magnifiques, 1er intermède.

3 Ses yeux, sous l'ombre azurée des cils, brillaient de désir en regardant ma montre posée sur la table.
FRANCE, Histoire comique, IX, p. 146.

4 (...) celle-ci *(sa compagne)* se met en route vers la maison aux reflets azurés (...)
A. ROBBE-GRILLET, la Maison de rendez-vous, p. 27.

♦ **2** Techn. Qui a subi l'azurage. *Linge azuré.*

**AZURÉEN, ÉENNE** [azyreɛ̃, eɛn] adj. — Attesté XXe; de *azur.*

♦ **1** Littér. Qui est de la couleur de l'azur. → **Azur, azuré, azurin; bleu.**

1 Je m'arrête, stupéfait : tout est bleu. Pas d'un bleu léger azuréen, d'un vrai bleu, d'un gros bleu, d'un bleu épais.
Joseph JOFFO, Baby-foot, p. 188.

2 Mais, dit Samson, ouvrant tout grand ses yeux azuréens et les fixant sur moi avec un air de douce bonne foi qui me gonfla le cœur, je ne sais pas feindre, tu le sais.
Robert MERLE, En nos vertes années, p. 26.

♦ **2** (De *Côte d'Azur*). Style journalistique. De la Côte d'Azur. *L'équipe azuréenne. Un club azuréen. «Les agents de tourisme vendent désormais "une vie de village", dans un site intact — le béton azuréen s'arrête juste en face, à Sainte-Maxime»* (*le Monde,* 4 mars 2000, p. 12).

**AZUREMENT** [azyrmɑ̃] n. m. — 1874, Gautier, *in* Littré, *Suppl.;* de *azurer.*

♦ **1** Rare. Action d'azurer. → **Azurage.**

♦ **2** Littér. État de ce qui est azuré; teinte azurée. *«L'azurement bleuâtre du lointain»* (Gautier).

**AZURER** [azyre] v. tr. — 1549; XIVe, «remplir de l'azur céleste»; de *azur.*

♦ **1** Donner la couleur de l'azur à; peindre, teindre en bleu d'azur.

0.1 Ce salon, entièrement peint de ce bleu faux qu'affectionne le peuple italien et dont il azure jusqu'à ses chambres, avait un plafond aux poutres et aux poutrelles blanches (...)
Ed. et J. DE GONCOURT, Madame Gervaisais, p. 274.

Fig. (→ Azur, 4.).

1 Le regard, à travers ce rideau de verdure,
Ne voit rien que le ciel et l'onde qu'il azure (...)
LAMARTINE, Méditations, II, 24.

◆ **S'AZURER** v. pron. Prendre une couleur bleue. → **Bleuir.**

2 C'était l'heure où des champs les profondeurs s'azurent (...)
HUGO, la Légende des siècles, LIII, «Le crapaud».

♦ **2** Techn. Procéder à l'azurage de. *Azurer du linge, du papier* (→ Azur, cit. 1). *Bleu, smalt à azurer.*

DÉR. **Azurage, azurant, azurement.**

**AZURIN, INE** [azyrɛ̃, in] adj. — 1420; de *azur.*

Vx ou littér. D'un bleu pâle, tirant sur l'azur. → **Azuré, azuréen** (2.); **bleu.**

Ô beaux yeux azurins, ô regards de douceur.
BAÏF, Amour de Francine, II.

**AZURINE** [azyrin] n. f. — 1870; de *azur,* et *-ine.*

Techn. Matière colorante bleue dérivée de l'aniline; variété de bleu qui lui correspond.

**AZURITE** [azyrit] n. f. — 1838; de *azur.*

Minér. Carbonate naturel de cuivre, de couleur bleue *(azur de cuivre).*

Vx. Lapis-lazuli.

**AZYGOS** [azigos] adj. et n. f. — 1540; grec *azugos* «non accouplé».

Anat. *Veine azygos,* ou, n. f., *l'azygos :* importante veine impaire qui relie le système de la veine cave inférieure au tronc de la veine cave supérieure, cheminant au flanc antérieur droit de la colonne vertébrale du thorax.

**AZYMAL, ALE** [azimal] adj. — 1928; de *azyme.*

Didact. Relatif au pain azyme.

Toute nouveauté dans l'Histoire de l'Église même sur des points secondaires de liturgie et de discipline comme par ex*(emple)* la date de Pâques, la communion azymale, etc., a laissé comme témoins des schismes, des hérésies ou du moins des controverses.
CLAUDEL, Journal, 13 janv. 1928, Pl., t. I, p. 798.

**AZYME** [azim] adj. et n. m. — 1690; XIIIe, *azime,* n. m.; lat. *azymus,* du grec *azumos,* de *zumê* «levain».

♦ **1** Adj. Qui est sans levain.

**PAIN AZYME :** pain que les juifs mangent au temps de Pâque; pain dont on fait les hosties (pain à chanter).

Trois fois par an, des fêtes rassemblaient tout le peuple *(d'Israël)*; la plus solennelle était celle des Azymes, de la Pâque, en mémoire du temps où Yahweh avait fait sortir Israël de l'Égypte et de ce pain sans levain qu'alors on avait mangé. 1
DANIEL-ROPS, le Peuple de la Bible, II, 2, p. 117.

Jérôme, d'habitude, récriminait devant un pareil repas sans sauce, sans spécialité, sans goût. Aujourd'hui il en fut heureux. C'était pour lui une espèce de communion. On n'aime pas trouver de goût au pain azyme. 2
GIRAUDOUX, les Aventures de Jérôme Bardini, p. 25.

Fig. et littér. Qui est sans impureté, sans goût (Balzac, P. Borel, *in* T. L. F.).

♦ **2** N. m. Pain azyme. *La fête des azymes, les Azymes :* la Pâque (juive).

DÉR. **Azymal.**

**AZZIMINIA** [aziminja] n. f. — 1812; ital. *azzimina,* arabe *agemina*; 1546, en franç. *azemine,* de l'arabe *agami,* par le vénitien.

Technique de damasquinage avec des hachures d'or.

DÉR. **Azziministe.**

**AZZIMINISTE** [aziminist] adj. et n. m. — 1892; de *azziminia.*

♦ **1** Adj. Incrusté par le procédé de l'azziminia. *Coffret azziministe.*

♦ **2** N. m. Damasquineur utilisant les techniques de l'azziminia.

# B

**B** [be] n. m.

**I** ♦ **1** Seconde lettre et première consonne de l'alphabet, servant à noter l'occlusive bilabiale sonore [b]. → aussi 1. Bêta. B *(majuscule)* ou b (*minuscule* ou *petit b*). *La lettre b se prononce en fin de mot* (excepté dans *Doubs, plomb* et *radoub*) : *baobab, nabab, snob, tub.*

♦ **2** Loc. fig. *Ne savoir ni a ni b. Prouver par a + b.* → **A.** — Fam., vx. *Les b et les f :* les mots *bougre* et *foutre. Ne parler que par B et par F :* être grossier, jurer constamment.

Les B, les F, voltigeaient sur son bec (...)
J.-B.-L. GRESSET, Ver-Vert, 4.

→ aussi **A b c, b. a.-ba.**

**II** ♦ **1** Astron. *Étoiles B :* «étoiles chaudes (de 15 000 à 20 000 °C)... Ce sont des étoiles brillantes de la constellation d'Orion» (Muller, *Dict. de l'astronomie,* 1966).

♦ **2** Chim. Symb. du *bore.*

♦ **3** Méd. L'un des quatre groupes sanguins. → **Groupe.**

♦ **4** (Ital. *b molle* «b à panse ronde»). Mus. La note *si* (vx, notation grégorienne en français ; encore utilisé en anglais ; en allemand, correspond à *si bémol*). — Vx. *Un B mol.* → **Bémol ; bécarre.**

♦ **5** Mar. Deuxième pavillon du Code international de signaux, signifiant «je charge ou décharge, ou transporte des marchandises dangereuses».

♦ **6** Phys. Symb. de *bougie nouvelle* (→ **Candela**).
Abrév. de *degré de Baumé.*
Symb. du *bel**.
Désignation de l'induction magnétique.

**Ba** [bea] Symb. chimique du *baryum.*

**B. A.** [bea] n. f. — V. 1920 ; abrév. de *bonne action.*

Bonne action, dans le langage des scouts. *Faire une B. A.*

1 Baden-Powell avait pressenti qu'il n'était pas d'autre réalisation totale de l'individu que dans l'amour des autres. L'accomplissement du scout, c'est la B. A., la «Bonne Action» (...) Petits plaisirs ou actions d'éclat, humbles services ou sauvetages pouvant aller jusqu'à l'oubli complet de soi et au sacrifice suprême, tout se résout pour le scout dans le geste discret du petit nœud fait le matin à son foulard, et dénoué quand la B. A. est accomplie.
H. VAN EFFENTERRE, Histoire du scoutisme, p. 67.

Souvent employé iron. hors du milieu scout (→ le sens iron. de *boy-scout*).

2 Alors vous faites des B. A. vous aussi ?
— Mais oui, mais oui...
— Et vous vous levez aussi dans le métro pour donner votre place aux vieilles dames ? (...)
— Tu vois, j'ai fait ma B. A. tous les jours depuis le temps où j'étais louveteau comme toi (...)
Boris VIAN, le Dernier des métiers, p. 10-17.

**B.A.-BA** [beaba] n. m. sing. — 1870 ; de l'épellation *b a* qui fait *ba,* premier rudiment de lecture.

Fam. Première connaissance élémentaire très facile, rudiment. → **A b c.** *Le b.a.-ba des mathématiques.*

1 Mon service à l'Institut est assez nigaud. J'enseigne le B-A-BA à quelques mioches de 9 à 13 ans (...)
J.-R. BLOCH, *in* Deux hommes se rencontrent, p. 207.

2 Le nouveau venu qui tâte la Bourse apprend très vite quelques principes fondamentaux qui sont le b a ba de la carrière financière.
Pierre DANINOS, Un certain Monsieur Blot, p. 249.

1. **BABA** [baba] adj. invar. — 1790 ; p.-ê. onomat. *rester comme baba,* de *ébahi* ou d'un nom propre *(comme Baba),* ou encore (P. Guiraud) du rad. de *babines.*

Fam. Frappé d'étonnement. → **Abasourdi, ahuri, ébahi, étonné.** *Il en est resté baba.* → Bouche bée*.

J'étais baba. Il y avait autrefois des rois légendaires qui laissaient le bonheur sur leur passage et de bons génies dans les bouteilles ou ailleurs qui faisaient cesser le malheur d'un geste plein d'autorité, mais c'était pas rue du Sentier.
É. AJAR (R. GARY), l'Angoisse du roi Salomon, p. 14.

CONTR. **Froid, impassible, imperturbable.**

2. **BABA** [baba] n. m. — 1767, Diderot ; mot polonais qui a pu être répandu en France par la cour de Stanislas Leszczynski.

Gâteau à pâte légère arrosé d'un sirop alcoolisé. *Des babas au rhum.*

Ne sachant que faire pour nous témoigner sa bienveillance, la princesse arrêta le premier *(marchand)* qui passa ; il n'avait plus qu'un pain de seigle (...) D'autres marchands s'approchèrent, elle remplit mes poches de tout ce qu'ils avaient, de paquets tout ficelés, de plaisirs, de babas et de sucres d'orge.

PROUST, À l'ombre des jeunes filles en fleurs, Pl., t. I, p. 699-700.

3. **BABA** [baba] n. f. — 1660; mot russe.

Vieille femme russe, habillée à l'ancienne.

1 *(Les médecins)* disent aussi que les vieilles Babas, comme ils parlent, empoisonnent les hommes et leur donnent ce mal en leur faisant manger certains tourteaux.

G. LE VASSEUR DE BEAUPLAN, Description d'Ukraine, p. 74, cité par J. SUCHY, *in* D. D. L., I, 2.

2 Les babas sont les bonnes femmes russes. C'est pas une méchanceté, c'est le vrai mot russe. La baba : une boule sur une boule. La plus petite boule, la tête ronde entortillée dans le grand châle blanc, juste le nez qui dépasse, rond aussi, le nez, et tout court, rond et court comme une petite patate, c'est le nez ukrainien, le châle pour finir fait deux ou trois fois le tour du cou, serré serré, et se noue devant. Le reste de la baba, la plus grosse boule, un capitonnage de kapok ou de je ne sais quelle espèce de bourre piquée machine entre deux épaisseurs, ça fait un édredon avec des manches, c'est chaud, terrible, bien plus chaud que tous nos chandails, mais ça t'épaissit citrouille à pattes, les babas marchent les bras écartés du corps. Ce qu'on peut voir des jambes est matelassé d'épaisseurs de journal enveloppées de chiffons et saucissonnées de ficelle. Aux pieds, des galoches de camp, en toile, à pataudes semelles de bois. Il n'y a pas plus attentif à se protéger du froid que les Russes. CAVANNA, les Russkoffs, p. 223 (1979).

4. **BABA** [baba] n. m. — 1905, Esnault, «sexe féminin», p.-ê. du rad. de *babines,* comme 1. *baba,* par le sémantisme assimilant le postérieur à un visage joufflu (P. Guiraud).

♦ **1** Argot (plais.). Postérieur, fessier. *Une grande claque sur le baba.*

1 (...) ce que je me demande, c'est dans son idée ce qu'elle aurait de mieux que moi la gonzesse qu'il trouverait par le journal : le baba en or ou quoi ?

R. QUENEAU, Zazie dans le métro, Folio, p. 76.

♦ **2** Loc. Fam. *L'avoir dans le baba, se le faire mettre dans le baba :* se faire duper, posséder, se faire avoir.

2 Tu crois qu'ils vont se battre ? commençait Giovanna. — Mais non, pour qui, contre qui ? Il y aura une petite mise en scène, chacun sauvera ses meubles. Et les ouvriers, comme d'habitude, dans le baba.

Max GALLO, la Baie des anges, III, p. 233.

5. **BABA** [baba] n. — V. 1976; mot hindi *bābā* «papa», par l'anglais.

Fam. Personne jeune, plus ou moins marginale, non violente, influencée par l'écologie et la mystique orientale, et adoptant un mode de vie nomade, souvent communautaire, opposé à celui des sociétés industrialisées. *Les babas ont succédé aux hippies*.* → **Beatnik.** *C'est une baba.*

Souvent dans l'expression (anglic.) *baba cool* [babakul]. → **Cool.** *Un, une baba cool; des babas cool. «Tous les Jésus-Christ "écolos"* (→ **Écologiste)** *et autres "babas cools* (sic)*" aux toisons opulentes»* (*le Point,* n° 310, 28 août 1978).

Les hippies et les folkeux (de *folk* [song]), Frank et ses copains les traitent bien sûr de babas cool. Parfois les babas traversent l'avenue et viennent le bousculer : «Pourquoi tu mets du cuir ? T'es un facho, c'est ça ?» Il répond «Vous les babas, vous avez inventé le mot flipper, s'angoisser par peur de s'assumer tout seul. Et je n'aime pas vos uniformes : tous en jeans et pull-overs aux genoux.»

Actuel, n° 4, févr. 1980, p. 59.

**BABEL** [babɛl] n. f. — XVIIIe; attestation isolée, XVIIe; *Babel,* n. m., «lieu rempli de confusion», 1555; nom hébreu de *Babylone;* la Genèse donne comme étymologie «confusion», en réalité le mot signifie «porte du dieu» : *Bab-El.*

♦ **1** (N. propre). *La Tour de Babel :* tour construite par les fils de Noé pour tenter d'atteindre le ciel.

Ils dirent : «Allons ! Bâtissons-nous une ville et une tour dont le sommet pénètre les cieux ! Faisons-nous un nom et ne soyons pas dispersés sur toute la terre !» 1

Or Yahvé descendit pour voir la ville et la tour que les hommes avaient bâties. Et Yahvé dit : «Voici que tous font un seul peuple et parlent une seule langue, et tel est le début de leurs entreprises ! Maintenant, aucun dessein ne sera irréalisable pour eux. Allons ! Descendons ! Et là, confondons leur langage pour qu'ils ne s'entendent plus les uns les autres.»

Yahvé les dispersa de là sur toute la face de la terre et ils cessèrent de bâtir la ville. Aussi la nomma-t-on Babel, car c'est là que Yahvé confondit le langage de tous les habitants de la terre et c'est de là qu'il les dispersa sur toute la face de la terre.

BIBLE (Jérusalem), Genèse, XI.

La tour de Babel fut un ouvrage d'orgueil : les hommes à leur tour semblèrent vouloir menacer le ciel qui s'était vengé par le déluge et se préparer un asile contre les inondations, dans la hauteur de ce superbe édifice. 2

BOSSUET, Élévation à Dieu..., VII.

Par ext. Ce qui est gigantesque et inutile.

♦ **2** Fig. *Une tour de Babel, une Babel :* lieu où, tout le monde parlant à la fois, personne ne peut s'entendre. Par ext. Assemblée formant une masse bruyante, disparate et confuse. → **Confusion.**

Le nom de Babel, qui signifie confusion, demeura à la tour, en témoignage de ce désordre *(des langues et des nations)...* 3

BOSSUET, Disc. sur l'Hist. universelle, II, 1.

Grande ville où l'on entend parler un grand nombre de langues. *Une babel cosmopolite.*

Il *(Paris)* bâtit au siècle où nous sommes, 4
Une babel pour tous les hommes,
Un panthéon pour tous les dieux (...)

HUGO, les Voix intérieures, IV, 2.

Et l'ensemble caractérise bien cette Babel des religions qui est Jérusalem (...) LOTI, Jérusalem, XIII. 5

N. m. Désordre, confusion (en matière de langage).

Des mots, des mots, la mienne ne fut jamais que ça, que pêle-mêle le babel des silences et des mots, la mienne de vie, que je dis finie, ou à venir, ou toujours en cours, selon les mots, selon les heures, pourvu que ça dure encore, de cette étrange façon. 6

S. BECKETT, Textes pour rien, p. 158.

REM. Au sens fig., le mot peut s'écrire avec ou sans majuscule.

DÉR. **Babelesque, babélique, babélisme.**

**BABELESQUE** [babelɛsk] adj. — D. i. (attesté XXe); de *Babel,* et *-esque;* cf. *babélique,* in *Larousse du XXe siècle.*

Littér. Qui évoque la confusion des langues de la tour de Babel. *Atmosphère babelesque.*

(...) et maintenant Georges et Blum se tenaient debout sur le seuil de la grange, à l'abri de l'enfoncée du mur, en train de regarder de Reixach aux prises avec un groupe d'hommes gesticulant, s'échauffant, s'affrontant, les voix se mêlant en une sorte de chœur incohérent, désordonné, de babelesque criaillerie, comme sous le poids d'une malédiction (...)

Claude SIMON, la Route des Flandres, p. 50.

REM. On trouve aussi *babélien* [babeljɛ̃] (1849, Proudhon, *in* T. L. F.). Cf. *le jargon babélien,* le *babélien,* n. m. (Étiemble).

**BABÉLIQUE** [babelik] adj. — 1803; de *Babel,* et *-ique.*

Didact. De très grandes dimensions, gigantesque, comme la tour de Babel. *Monument babélique.*

Ce travail *(de Pallas et de Catherine II),* dont l'idée vraiment philosophique a pour but d'éclaircir et de diminuer la confusion *babélique* des langues, a été imprimé en *caractères russes.*

C.-F. VOLNEY, Tableau du climat et du sol des États-Unis, Appendice 5, *in* D. D. L., II, 7.

**BABÉLISME** [babelism] n. m. — 1866, Amiel ; de *Babel.*

Didact. Confusion de paroles appartenant à des langues diverses. Confusion de paroles, de jugements de toutes sortes.

Jadis l'artiste était entouré d'une conspiration du silence. L'artiste moderne est entouré par une conspiration du bruit. Rien dont on ne discute et qu'on ne dévalorise (...) Au milieu d'un tel babélisme, le poète devra se féliciter de construire et conduire sa morale avec la solitude d'un innocent qui reste sourd au procès qu'on lui intente (...)

COCTEAU, Journal d'un inconnu, p. 20.

**BABEURRE** [babœʀ] n. m. — 1530, « petit lait, lait de beurre » ; de *bas,* et *beurre.*

Techn. ou régional. Liquide blanc, appelé parfois *lait de beurre,* qui reste du lait après le barattage de la crème dans la préparation du beurre.

**BABIL** [babil ; babi] n. m. — V. 1450 ; de *babiller.*

♦ **1** Vx ou littér. Abondance de paroles futiles. → **Babillage, bavardage, caquet.** *Un spécieux* (cit. 3) *babil.*

1 Riches, pour tout mérite, en babil importun (...)

MOLIÈRE, les Femmes savantes, IV, 3.

2 Ce que quelques-uns appellent babil est proprement une intempérance de la langue qui ne permet pas à un homme de se taire.

LA BRUYÈRE, les Caractères de Théophraste, VII.

3 Il a comme assassiné de son babil chacun de ceux qui ont voulu lier avec lui quelque entretien.

LA BRUYÈRE, les Caractères de Théophraste, VII.

Plus cour. Bavardage agréable et vif (d'enfants, de jeunes filles...). → **Gazouillis, ramage.** *Babil enfantin, charmant.*

4 Les jeunes filles acquièrent vite un petit babil agréable (...)

ROUSSEAU, Émile, V.

5 Nos tête-à-tête étaient moins des entretiens qu'un babil intarissable (...) ROUSSEAU, les Confessions, III.

Caractérisant les sons spécifiques d'une langue :

5.1 (...) à dix pas de la haie seulement il reconnut le babil gascon, et comme il savait déjà que ces hommes étaient des mousquetaires, il ne douta pas que les trois autres ne fussent ceux qu'on appelait les inséparables, c'est-à-dire Athos, Porthos et Aramis.

DUMAS, les Trois Mousquetaires, t. II, p. 595.

♦ **2** Chant (de certains oiseaux). → **Caquetage, gazouillement.** *Babil d'une colombe, d'une perruche.*

6 (...) L'homme d'Horace
Disant le bien, le mal, à travers champs, n'eût su
Ce qu'en fait de babil y savait notre agasse.

LA FONTAINE, Fables, XII, 11.

Bruit léger et continu (comparé à celui d'une voix qui babille). *Le babil d'une source, d'un ruisseau.* → **Murmure.**

♦ **3** Psychol. → **Babillage,** 2.

**BABILAN** [babilɑ̃] n. m. — 1739, De Brosses ; ital. *babbilano,* du nom de *Babilano* Pallavicino (XVIIe) auquel fut intenté un procès pour impuissance.

Vx. Homme sexuellement impuissant. *Un babilan.*

Avez-vous lu le *Mémorial de Sainte-Hélène* (...) ? Dans ce livre se trouve la mort de la république de Venise (...) Ce qu'il transcrit, je le vois ; on m'a même envoyé le voir, dans cet heureux pays, dont le nom porta bonheur à certain Babilan, qui se rendait à Rome, en 1740, suivant le président de Brosses.

STENDHAL, Lettre à Domenico Fiore, 12 juin 1832, *in* Correspondance, t. II, Pl., p. 446.

DÉR. **Babilanisme.**

**BABILANISME** [babilanism] n. m. — XXe ; de *babilan.*

Vx. Impuissance sexuelle.

**BABILLAGE** [babijaʒ] n. m. — 1583, repris 1832 ; de *babiller.*

♦ **1** Action de babiller. → **Babil, babillard** (cit. 4), **bavardage, babillement, caquetage, gazouillis, jacassement.**

♦ **2** Psychol. Sons émis par le jeune enfant, phase prélinguistique qui débute vers deux mois et demi. → **Babil, gazouillis, lallation.** — Spécialt. Stade initial de l'organisation linguistique des sons — vers le 5e mois — postérieur au gazouillis et à la lallation.

**BABILLARD, ARDE** [babijaʀ, aʀd] adj. et n. — Fin XVe ; de *babiller.*

♦ **1** Adj. Vx ou littér. Qui aime à babiller. → **Bavard.**

Quand on l'accuserait d'être plus babillard qu'une hirondelle, il faut qu'il parle. 1

LA BRUYÈRE, les Caractères de Théophraste, VII.

Jugez, seigneurs, du dépit que j'eus d'être tombé entre les mains d'un barbier si babillard et si extravagant ! 1.1

A. GALLAND, les Mille et une Nuits, t. I, p. 415.

Déjà, je savais beaucoup de lui. Hélène, interrogée, avait livré un être aussi craintif dans sa vie privée que babillard dans sa profession. 1.2

Geneviève DORMANN, le Chemin des dames, p. 166.

(Choses). Où l'on babille.

L'amitié du secrétaire et de Mme Alfieri s'est nouée au cours de ces thés babillards (...) 1.3

BERNANOS, Un mauvais rêve, Œ. roman., Pl., p. 898.

Par anal. Se dit de certains oiseaux tels que la pie, le perroquet. → **Parleur, jaseur.**

Babillarde aronde, tais-toi. BAÏF, la Belle Aronde. 2

♦ **2** N. *Un babillard intarissable.* → **Bavard.** *Une incorrigible babillarde.* → **Caillette, péronnelle, pie.**

Caquet bon bec, ma mie ; adieu ; je n'ai que faire 3
D'une babillarde à ma cour (...)

LA FONTAINE, Fables, XII, 11.

Quel diable de babillard ! 4

MOLIÈRE, le Mariage forcé, 6.

Avec notre éducation babillarde, nous ne faisons que des babillards. ROUSSEAU, Émile, III. 5

La différence entre babillage et bavardage indique la différence entre **babillard** et **bavard.** Le babillage est facile et futile ; il n'est pas nécessairement ennuyeux et fatigant ; au lieu que le bavardage n'a rien qui le rachète. De même le **babillard** n'est point déplaisant de nécessité ; il ne l'est que par le temps, la circonstance et l'excès ; au lieu que le **bavard** est nécessairement déplaisant, étant dépourvu de l'agrément que le babil a quelquefois chez les enfants, chez les femmes, et dans les circonstances qui le comportent. LITTRÉ, Dict., art. *Babillard.* 6

Vx, par métaphore :

(...) l'auget oscillant destiné à régler le passage du grain, et auquel son perpétuel tic-tac a fait donner le nom de « babillard ». J. VERNE, l'Île mystérieuse, t. II, p. 534. 7

♦ **3** N. f. (1725). Fam. *Une babillarde* (ou *une babille*) : une lettre. → **Bafouille.**

Il recevait un courrier de ministre et il répondait à toutes les babillardes de ses amoureuses, leur écrivant des longues épîtres, pleines de hauts faits héroïques imaginaires qui devaient les faire trembler et des couplets les plus enivrants de ses chansons qui devaient les faire pleurer. Dans chaque lettre, il glissait une de ses photographies (...) 8

B. CENDRARS, la Main coupée, *in* Œ. compl., t. X, p. 19.

CONTR. (Du sens 1) **Muet, réservé, silencieux, taciturne ; discret.**

**BABILLEMENT** [babijmɑ̃] n. m. — 1584, Delboulle; de *babiller.*

Rare. Action de babiller; abondance de paroles. → **Babillage.**

**BABILLER** [babije] v. intr. — V. 1170, «bégayer»; sens actuel XIIIe; d'une rac. onomat. *bab-* exprimant le mouvement des lèvres, commune aux langues romanes et germaniques.

♦ **1** Parler beaucoup d'une manière futile. → **Bavarder, cailleter, papoter, gazouiller.** *Cette péronnelle ne cesse de babiller.*

1 Adieu : je perds le temps; laissez-moi travailler :
Ni mon grenier, ni mon armoire,
Ne se remplit à babiller.

LA FONTAINE, Fables, IV, 3.

2 Vous aviez grande envie de babiller; et c'est avoir bien de la langue que de ne pouvoir se taire (...)
MOLIÈRE, les Fourberies de Scapin, III, IV.

3 C'est véritablement la tour de Babylone,
Car chacun y babille, et tout du long de l'aune.

MOLIÈRE, Tartuffe, I, 1.

4 Deux femmes qui ont des secrets aiment à babiller ensemble. ROUSSEAU, les Confessions, IX.

4.1 Albert avait été soldat, il avait de l'expérience, il avait aussi des souvenirs, la parole facile, un bel accent, l'imagination fertile, il savait disserter avec les femmes d'âge et babiller avec les filles du village.
Edmonde CHARLES-ROUX, l'Irrégulière, p. 44.

Dire du mal (de qqn). *Je sais que l'on babille sur moi.* → **Cancaner** (fam.), **jaser, médire.**

♦ **2** Parler d'une manière vive et agréable (se dit notamment des enfants, des jeunes filles).

5 (...) on les entendait babiller et chantonner ensemble comme deux merles dans une branche.
G. SAND, la Petite Fadette, p. 18.

6 L'enfant se reprend à babiller. Cette voix de l'enfant (...) Celle qui chantonne le soir, la chanson balbutiante, la chanson qui précède le sommeil et le célèbre déjà, la chanson qui, pour cet innocent, ressemble à une prière.
G. DUHAMEL, Chronique des Pasquier, VII, 17.

♦ **3** Pousser son cri, en parlant de certains oiseaux tels que la pie, le merle. → **Caqueter, gazouiller, jaser.**

CONTR. **Taire** (se taire). ◊ DÉR. **Babil, babillage, babillard, babillement.**

**BABINE** [babin] n. f. — V. 1460; rac. *bab-* exprimant les mouvements des lèvres (→ Babiller), ainsi que le gonflement des joues.

♦ **1** Lèvre pendante (de certains animaux). *Le chien retrousse ses babines.*

1 (...) l'oreille tendue (...) les babines retroussées jusqu'aux yeux, elle menace seulement sa camarade d'une grimace.
COLETTE, la Paix chez les bêtes, «Chiens savants».

♦ **2** (1526). Fam. Les lèvres d'une personne (dans un nombre restreint de constructions). → **Lèvre, badigoinces...** *S'essuyer les babines. Se lécher, se pourlécher les babines :* se lécher les lèvres en signe de satisfaction après un bon repas. — Fig. *S'en lécher les babines :* se réjouir à la pensée d'une chose délectable. — (Vieilli). *S'en donner par les babines :* bien manger.

2 Hérode, Blazius et Scapin, qui étaient sur leur bouche et gourmands comme chats de dévote, se pourléchaient les babines à cette éloquence si grasse, si succulente.
Th. GAUTIER, le Capitaine Fracasse, XI.

REM. Le mot est utilisé le plus souvent au pluriel. Var. argotique : *babouine.*

**BABIOLE** [babjɔl] n. f. — XVIe; ital. *babbola* «bêtise, sottise, enfantillage», sans doute d'une rac. *bab-* (→ Babiller); Guiraud suppose une forme en lat. pop. **babbiola.*

♦ **1** Vx. Jouet d'enfant. → **Joujou.**

On voulait, disait Alberoni, tromper le roi d'Espagne, et le traiter comme un enfant : on lui montrait de loin une babiole (...) SAINT-SIMON, Mémoires, 494, 206. 1

♦ **2** Objet de peu de valeur, et, au fig., chose sans importance. → **Amusette, bagatelle, bêtise, bibelot, bibus** (vx), **bricole, brimborion, broutille, frivolité, futilité, niaiserie, rien.** *Une vitrine remplie de babioles. — Je n'ai pas le temps de m'occuper de ces babioles.*

Elle pendit cette médaille à son col *(cou)* avec les autres babioles que femmes et filles y portent communément. 2
CARLOIX, Mémoires, VIII, 26, *in* LITTRÉ.

Et cent autres babioles que je sais quelquefois par cœur (...) Mme DE SÉVIGNÉ, 346. 3

Les artistes mettent un prix arbitraire à leurs babioles (...) 4
ROUSSEAU, Émile, III.

(...) elle avait mis en évidence ces délicieuses babioles que produit Paris, et que nulle autre ville ne pourra produire (...) des statuettes et des albums, tous ces colifichets qui valent des sommes folles (...) 5
BALZAC, la Cousine Bette, Pl., t. VI, p. 329.

(...) Je commence à m'attacher à des babioles, à une tasse, à une assiette, à un bougeoir (...) 6
G. DUHAMEL, le Voyage de P. Périot, I.

Cette babiole d'aspect nickelé, jointe à un immense ruban bleu circulaire passé dans sa bague de suspension, constituait le *Grand Cordon de l'Ordre du Delta,* dont le détenteur devait enrichir les actionnaires bien avisés qui avaient eu foi en lui. 7
Raymond ROUSSEL, Impressions d'Afrique, p. 192.

**BABIROUSSA** [babiʀusa] n. m. — 1764, Buffon; malais *bābi-rūsa* «porc-cerf».

Zool. Mammifère ongulé *(Suidés),* sanglier de Malaisie aux défenses recourbées, à la peau brune, dure et épaisse.

**BÂBORD** [babɔʀ] n. m. — 1484, Garcie; néerl. *bakboord* «côté du dos», parce que le pilote manoeuvrait en tournant le dos au côté gauche.

Mar. Le côté gauche d'un navire, en tournant le dos à la poupe (s'oppose à *tribord**). *Recevoir le vent par bâbord.* Loc. adv. *Bâbord amures*.* — Adj. *Le côté bâbord. Les couchettes bâbord.*

Pare les écoutes! Pare les boulines! Amure bâbord! 1
RABELAIS, le Quart Livre, 22.

Tous appuyés en bâbord (...), ils parlèrent des choses du pays (...) LOTI, Pêcheur d'Islande, III, 11. 2

Côté gauche, par rapport au navire. *Laisser une île à bâbord.* → **Gauche.** Loc. adv. *À bâbord, sur bâbord.* (Langage des marins). Gauche. *Il y a un bistrot à bâbord, allons-y! à bâbord toute!*

Loc. fig. (vx). *Faire feu de tribord et de bâbord :* faire usage de toutes ses ressources.

DÉR. **Bâbordais.**

**BÂBORDAIS** [babɔʀdɛ] n. m. — 1694, Corneille; de *bâbord.*

Mar. Homme d'équipage de la bordée de bâbord (s'oppose à *tribordais*).

Les hommes de l'équipage sont classés en deux moitiés, dont l'une, appelée les bâbordais, a ses hamacs à bâbord, et l'autre, comprenant les tribordais, couche à tribord; chacune de ces moitiés monte à son tour sur le pont pour faire le quart, appelé de là quart de bâbord et quart de tribord (...) LEGOARANT, *in* LITTRÉ.

**BABOUCHE** [babuʃ] n. f. — 1727; *papouch,* 1546; arabe *bābūdj,* persan *pāpūj.*

Pantoufle de cuir sans quartier ni talon, servant de chaussure dans les pays d'Islam.

1 Le Turc partit en traînant majestueusement ses babouches (...) CHATEAUBRIAND, Itinéraire..., 74.

2 Comme on ne marche guère qu'en babouches *(à Constantinople).* CHATEAUBRIAND, Mémoires d'outre-tombe, II, 4.

3 (...) les pantoufles au talon de bois blanc, qui résonnaient tout le jour sur la terrasse comme les babouches retentissantes des femmes esclaves de l'Orient. LAMARTINE, Graziella, XV, 101.

4 Aziyadé, qui était fidèle à la petite babouche de maroquin jaune des bonnes musulmanes, sans talon ni dessus de pied, en consommait bien trois paires par semaine. LOTI, Aziyadé, XXXVI, 124.

Cette pantoufle, avec ou sans talon, utilisée comme chaussure ou chausson. → **Chaussure, mule.**

5 Il y a de gens de tous les pays du monde, qui parlent toutes sortes de langues; des gens très noirs, aux yeux étroits, vêtus de longues robes blanches et de babouches de plastique. J.-M. G. LE CLÉZIO, Désert, p. 252.

**BABOUIN, INE** [babwɛ̃, in] n. — V. 1220; rac. *bab-* (→ Babiller), à partir du mouvement des lèvres (babines), P. Guiraud rattache l'élément *bouin* (attesté au sens de «tertre, borne») à un lat. pop. **bobinus.*

♦ **1** Singe cynocéphale aux lèvres proéminentes. → **Papion** (cit.). → Orang-outan, cit. 1 et 2.

♦ **2** Vx. Enfant mal élevé. *Petit babouin. Faites taire ces petites babouines* (Académie).

(...) Ah ! le petit babouin !
Voyez, dit-il, où l'a mis sa sottise !
LA FONTAINE, Fables, I, 19.

Vieillard laid et ridicule. *C'est un vieux babouin* (Académie).

♦ **3** Vx. Épouvantail.

♦ **4** N. f. *Babouine.* Argot. → **Babine.**

**BABOUVISME** [babuvism] n. m. — 1840, R. Lahautière, *in* D.D.L.; de *Babeuf,* révolutionnaire français (1760-1797).

Doctrine de Babeuf, tendant à un communisme égalitaire. *Le babouvisme influença les doctrines socialistes du XIXe siècle français.*

**BABOUVISTE** [babuvist] adj. et n. — 1797; de *Babeuf.* → Babouvisme.

Relatif au babouvisme. *Socialisme babouviste.* — Partisan de Babeuf. *Un babouviste, être babouviste.*

**BABY** [bebi; babi] n. m. — 1841, Balzac; dans un contexte anglais, 1704; mot anglais.

Anglicisme.

♦ **1** Vx. Bébé, très jeune enfant (style prétentieux). *Des babies* ou *babys.*

1 Il y avait dans cette bande des types assez bizarres, entre autres un jeune garçon obèse, tout blond, tout joufflu, tout rose, qui avait l'air d'un énorme baby anglais travesti en turc (...) A. GALLAND, les Mille et une Nuits, t. I, p. 415 (1704).

2 Et la pauvre grand'mère me remerciait, me comblait de reconnaissance et de bénédictions, et de cadeaux... comme une nourrice à qui l'on a confié un baby presque mort et qui, de son lait pur et sain, lui refait les organes (...) un sourire (...) une vie (...) O. MIRBEAU, le Journal d'une femme de chambre, p. 145.

♦ **2** Adj. invar. (V. 1950). Mod. Pour les bébés ou d'une taille inférieure à la moyenne. *Taille baby. Un whisky baby,* ou, ellipt., *un baby.* — REM. Premier élément (invar.) de mots empruntés à l'angl. → ci-dessous composés.

♦ **3** N. m. pl. (1894, *in* Höfler). Chaussures à bride (à l'origine, chaussures d'enfant). *Des babies* ou *babys vernis. «Optez pour le baby à une ou deux brides en marine, vert ou rouge»* (*Figaroscope,* 8 févr. 1995, p. 18).

♦ **4** Par abrév. → **Baby-foot.**

COMP. (De l'angl. *baby*) **Baby-boom, baby-club, baby doll, baby-food, baby-foot, baby-sitter.**

**BABY-BOOM** [bebibum; babibum] n. m. — 1958; *babyboom,* 1954, *in* Höfler; de l'angl. *baby* «bébé», et *boom* «hausse».

Anglic. Forte augmentation de la natalité. «... *en 1964, les premiers-nés du baby-boom ont 20 ans, l'âge de procréer»* (*l'Express,* 8 sept. 1979, p. 117).

**BABY-CLUB** [bebiklœb; babiklœb] n. m. — V. 1970; de *baby,* et *club.*

Anglic. Dans un club de vacances, lieu réservé aux très jeunes enfants. *«(...) il faut avoir plus de 6 ans pour suivre des cours de ski. Avant cet âge, dans les miniclubs et les baby-clubs, les enfants jouent, dessinent, se promènent, font de la luge»* (*l'Express,* no 1378, 5 déc. 1977, p. 101).

**BABY DOLL** [bebidɔl; babidɔl] n. m. invar. — V. 1960; expression angl., de *baby,* appellatif fam. adressé à une jeune femme, et *doll* «poupée», d'après le vêtement porté par l'héroïne d'un film américain célèbre, ainsi surnommée.

Anglic. Chemise de nuit de femme, s'arrêtant en haut des cuisses. *Des baby doll.*

Il ne tarde pas à faire de la lisse, de la sage, de l'attachante Violette son modèle favori qu'il fixe en *baby-doll* avec poupée, capeline et jupons volants. J.-L. BORY, *in* le Nouvel Obs., no 706, 22 mai 1978.

**BABY-FOOD** [bebifud; babifud] n. m. — V. 1957; mot angl. des États-Unis, «aliment de bébé».

Anglic. Aliment diététique infantile à base de légumes, fruits, poisson, viande de premier choix. *Les baby-foods sont présentés et vendus en pots. «Par leur composition, leur consistance, les "Baby-Foods" permettent l'éducation progressive de l'absorption et de la digestion par l'enfant d'aliments normaux, assurant ainsi la transition entre l'alimentation variée des adultes. Ils apportent des garanties de pureté bactériologique et hygiénique»* (*Guérir,* oct. 1967, Santé et gastronomie de bébé).

**BABY-FOOT** [babifut] n. m. invar. — V. 1950; de *baby,* et *foot,* abrév. de *foot-ball.*

Anglic. Football de table pour deux ou quatre joueurs, représentant un terrain de football et ses deux camps et muni de tringles transversales mobiles sur lesquelles sont fixés des joueurs en bois avec lesquels on frappe une bille pour l'envoyer dans le but adverse. *La plupart des salles de jeu, certains cafés ont des baby-foot. Une partie de baby-foot.* — Par abrév. *Un baby. Faire un baby :* jouer une partie de baby-foot.

Les cafés se succédaient. Derrière les vitres du dernier, quatre jeunes garçons aux coiffures à crans, jouaient au baby-foot. Patrick MODIANO, Villa triste, p. 137. 1

Nous avons quitté l'époque des rondes, des trottinettes et des balles. Nous avons pénétré dans le temps du baby-foot. Joseph JOFFO, Baby-foot, p. 21. 2

**BABYLONIEN, IENNE** [babilɔnjɛ̃, jɛn] adj. — 1550, *babilonien*; de *Babylone.*

♦ **1** De Babylone ou de Babylonie. *La civilisation babylonienne.*

♦ **2** Littér. Imposant, énorme (comme l'architecture de Babylone).

(...) ses mains appuyées aux fraîches et babyloniennes parois de briques vernissées (...)
Claude SIMON, le Palace, p. 184.

**BABY-SITTER** [bebisitœʀ; babisitɛʀ] n. — 1953; n. m., 1950; mot angl., de *baby* «bébé», et *sitter* «poule couveuse», de *to sit* «couver».

Anglic. Personne qui, moyennant rétribution, garde à la demande, de jeunes enfants, en l'absence de leurs parents. *Des baby-sitters.*

Un laboratoire tenu par des savants de huit à douze ans mettait au point un baby-sitter électronique et le vieillissement précoce pour garçonnets *(comment avoir des cheveux blancs et des rides en quelques heures).*
Jean CAYROL, Histoire de la mer, p. 171.

**BABY-SITTING** [bebisitiŋ; babisitiŋ] n. m. — 1960, *in* Höfler; mot angl. des États-Unis, de *baby* «bébé», et *sitting* «couvaison».

Anglic. Garde de jeunes enfants par un, une baby-sitter. *Elle gagne son argent de poche en faisant du baby-sitting.*

1. **BAC** [bak] n. m. — 1160, Benoît de Sainte-Maure; du lat. pop. **baccus* «récipient», p.-ê. de *bacchia* «coupe», de *baccheus* «de Bacchus» (Guiraud).

**I** Bateau à fond plat servant à passer un cours d'eau, un lac. → **Bachot, toue, traille, traversier** (Canada), **va-et-vient.** *Le passeur* (cit. 1) *du bac. Un ferry-boat* a remplacé le bac.*

0.1 À dix heures, ils descendirent à Bonnières; ils prirent le bac, un vieux bac craquant et filant sur sa chaîne; car Bennecourt se trouve de l'autre côté de la Seine.
ZOLA, l'Œuvre, p. 182.

1 (...) un bac, un de ces immenses radeaux où l'on embarque les voitures (...)
Alphonse DAUDET, Contes du lundi, I, 14.

2 Là, il fit signe au passeur, dont le bac nous porta dans l'île verte.
FRANCE, la Rôtisserie de la reine Pédauque, p. 106.

*Bac aérien :* avion qui transporte des voitures automobiles avec leurs passagers pour une courte traversée (Recomm. off. pour *air ferry*).

**II** ♦ **1** (XVII^e). Récipient servant à divers usages. *Bac à eau, bac à laver.* → **Auge, baquet, bassin, cuve.** *Le bac d'une tondeuse,* qui reçoit l'herbe coupée.

Récipient mobile dans un réfrigérateur. *Bac à légumes. Bac à glace,* placé dans le congélateur où se forment les cubes de glace. *Bac de dégivrage.*

♦ **2** Tiroir ou petit meuble métallique servant au classement de documents. *Un bac à cartes perforées, à fiches.*

**DÉR. Baquet.** — V. 1. **Bachot,** 1. **bassin.**

2. **BAC** [bak] n. m. — 1880; abrév. de *baccalauréat.*

Fam. Baccalauréat. *Passer le bac.* → 2. **Bachot.** *Elle a eu son bac l'année dernière.*

**BACANTE** [bakɑ̃t] n. f. → 2. **Bacchante.**

**BACCALAURÉAT** [bakalɔʀea] n. m. — 1680; lat. médiéval *baccalaureatus,* dér. de *baccalaureus,* altér. de *baccalarius* «bachelier» (forme usuelle de **baccalaris.* → Bachelier), rapproché de *bacca laurea* «baie de laurier».

♦ **1** Grade universitaire français (créé en 1808) conféré à la suite d'examens qui terminent les études secondaires. → 2. **Bac,** 2. **bachot.** (Anciennt). *La première, la seconde partie du baccalauréat. Passer le baccalauréat. Préparer le baccalauréat.* → **Bachotage, bachoter.** *Titulaire du baccalauréat.* → **Bachelier.**

Sur mes seize ans je passai, à la diable, un affreux petit examen nommé baccalauréat, bien fait pour avilir en même temps les candidats et les examinateurs. Il y avait alors *(vers 1860)* un baccalauréat ès sciences et un baccalauréat ès lettres. FRANCE, la Vie en fleur, XII.

♦ **2** *Baccalauréat en droit :* grade conféré aux étudiants en droit qui ont subi avec succès les deux premiers examens en vue de la licence.

♦ **3** Au Canada. *Baccalauréat ès sciences** (abrév. B. Sc.). *Baccalauréat ès arts* (abrév. B. A.).
Au Québec, Diplôme du 1^er cycle, de certaines universités, donnant accès au 2^e cycle ou *maîtrise.*

**BACCANTE** [bakɑ̃t] n. f. → 2. **Bacchante.**

**BACCARA** [bakaʀa] n. m. — 1851; p.-ê. empr. au provençal *bacarra* «jeu de cartes», où *carrat* est la forme méridionale de *carré,* le mot étant selon Guiraud, une variante de *bécarre,* au figuré.

♦ **1** Jeu de cartes où le dix, appelé *baccara,* équivaut à zéro. *Le baccara se joue entre un banquier et des joueurs appelés pontes. Une variété de baccara se joue avec chaque joueur successivement pour banquier.* → **Chemin de fer.**

Eh bien, moi, je rentre, je suis un peu las. Il se sentait, 1
au contraire, fort animé, mais il désirait s'en aller, par crainte des fins de soirée qu'il connaissait si bien autour de la table de baccara du Cercle.
MAUPASSANT, Fort comme la mort, éd. 1889, p. 108.

Par métaphore :

L'amour comme rapports avec un autre vivant, est une 2
espèce de baccara.
VALÉRY, Cahiers, Pl., t. II, p. 466.

♦ **2** (Au XVIII^e, *faire bacara* «jeûner, se passer de»). Argot. Faillite. *Avoir baccara :* être perdant.

Loc. argotique. *Être en plein baccara,* dans les ennuis (→ Être dans de beaux draps*).

**HOM. Baccarat.**

**BACCARAT** [bakaʀa] n. m. — 1898; de *Baccarat,* ville de Meurthe-et-Moselle.

Cristal de la manufacture de Baccarat. *Des verres en baccarat.*

**HOM. Baccara.**

**BACCHANAL** [bakanal] n. m. — 1559, Amyot; *baquenas,* 1145; *baquenal,* av. 1317; lat. *bacchanalis,* du dieu *Bacchus.*

Fam. et vx. Grand bruit, tapage. *Faire du bacchanal.* → **Chahut, tapage, tumulte.**

Une épaisse fumée minutieusement sculptée, s'échappant à nouveau du brasier, créa devant l'agonisant un joyeux bacchanal; des femmes exécutaient une danse fiévreuse pour un groupe de débauchés aux sourires blasés; dans le fond traînaient les restes d'un festin, tandis qu'au premier plan celui qui semblait jouer le rôle d'amphitryon désignait à l'admiration de ses hôtes les danseuses souples et lascives.
Raymond ROUSSEL, Impressions d'Afrique, p. 156.

**HOM. Bacchanale.**

**BACCHANALE** [bakanal] n. f. — 1355; lat. *Bacchanalia* «fêtes de Bacchus», de *Bacchus.*

♦ **1** Plur. Antiq. Fêtes que les anciens Romains célébraient en l'honneur de Bacchus, avec danses, jeux et célébration des mystères par les initiés. → **Bacchante, bachique, dionysiaque, orgiaque, phallique** (culte ithyphallique)... — Au singulier :

1 (...) un marbre grec qui aurait pris vie tout-à-coup pour quelque bacchanale antique.
LOTI, Mon frère Yves, 25.

♦ **2** Sing. Chorégr. Danse tumultueuse (dans un ballet, un opéra).

Mus. Pièce très colorée et très rythmée, sans forme définie, en honneur à partir du XIX^e siècle. *La bacchanale de Tannhaüser.*

Peint. Tableau, peinture représentant une danse de bacchantes et de satyres. *Les bacchanales du Titien, de Poussin.*

2 Il *(Poussin)* est tendu dans ses sujets romains, dans ses sujets religieux; il l'est dans ses bacchanales; ses faunes et ses satyres sont un peu trop retenus et sérieux.
E. DELACROIX, Journal, 6 juin 1851, t. II, p. 63.

♦ **3** (Attesté 1785). Fig., vx. Débauche bruyante. → **Débauche, orgie.** *Des priapées* (cit. 2) *et des bacchanales.*

3 Ou plutôt n'était-ce que ce sarcophage avec son enragée bacchanale, qui éveillait l'idée de la mort prochaine, au fond même des obscures voluptés de l'amour, sous le baiser inassouvi des amants? ZOLA, Rome, p. 560.

Par métaphore :

4 Une agitation de vie arrêtée par un cerne de lumière blanche vient tout à coup butter sur des bas-fonds innommés. Un bruit livide et grinçant s'élève de cette bacchanale de larves où des meurtrissures de peau humaine ne rendent jamais la même couleur.
A. ARTAUD, le Théâtre et son double, Lettre sur le langage, Idées/Gallimard, p. 113.

HOM. **Bacchanal.**

1. **BACCHANTE** [bakɑ̃t] n. f. — 1559, masc.; lat. *bacchans, bacchantes* «qui célèbre les mystères de Bacchus».

♦ **1** Didact. Prêtresse de Bacchus, femme qui célébrait les Bacchanales. → **Ménade, thyade.** *Les bacchantes, portant les attributs de Bacchus* (→ **Ciste, thyrse**), *faisaient entendre leur cri* (→ **Évoé**) *en l'honneur d'Evan, surnom de Bacchus.*

1 Semblable à une bacchante qui remplit l'air de ses hurlements (...) FÉNELON, Télémaque, VI.

2 Vêtues d'une tunique très courte et largement échancrée, laissant le sein à découvert, les Bacchantes suivaient le cortège du dieu en se livrant à la joie la plus tumultueuse et la plus effrénée, en répondant aux agaceries libertines des satyres. Francis DE MIOMANDRE, Danse, p. 9.

♦ **2** Fig., vieilli. Se dit d'une femme lubrique, avinée ou bruyante. → **Furie.**

3 Voudrait-il d'une furie, d'une bacchante, quand même il la pourrait ravoir?
M^me DE SÉVIGNÉ, 891, 23 janv. 1682.

4 (...) Je ne l'ai point vue *(Madame Sand)* boire à la coupe des bacchantes et fumer indolemment assise sur un sofa comme une sultane.
CHATEAUBRIAND, Mémoires d'outre-tombe, IV, 9.

2. **BACCHANTE, BACANTE** ou **BACCANTE** [bakɑ̃t] n. f. — 1878, «favoris»; de l'all. *Backe* «joue», avec infl. de 1. *bacchante.*

Fam. (Le plus souvent au plur.). Moustache. *De belles bacchantes.*

«Messieurs, quand l'armée nous fait l'honneur de siéger à notre modeste table, ne lui donnons pas le spectacle des dissensions civiles! Trinquons». Ils trinquèrent et le vin rouge dégoulina dans les bacchantes de Ferry.
ARAGON, les Beaux Quartiers, p. 264, *in* CELLARD et REY.

**BACCHUS** [bakys] n. m. — 1680; nom du dieu du vin chez les Romains.

♦ **1** Vx. Vin.

♦ **2** (Nom propre, dans des syntagmes). Rare. *L'arbre de Bacchus* : la vigne. *Les trésors de Bacchus* : les raisins et le vin.

*Disciple de Bacchus :* amateur de bon vin. *Suppôt de Bacchus :* ivrogne.

DÉR. (Du lat. *Bacchus*) **Bacchanal, bacchanale,** 1. **bacchante, bachique.** — V. 1. **Bac.**

**BACCIFÈRE** [baksifɛʀ] adj. — 1562; lat. *bacca* «baie», autre forme de *baca* (→ 3. Baie), et *-fère.*

Bot. Qui porte des baies. *Une plante baccifère.*

**BACCIFORME** [baksifɔʀm] adj. — 1819; lat. *bacca* «baie», et *-forme.*

Didact. (bot.). Qui a la forme et la consistance d'une baie.

(...) ce sont surtout les Mammifères et les Oiseaux qui réalisent la dispersion des semences. Un grand nombre de graines de fruits bacciformes sont transportées dans le tube digestif des Oiseaux, où elles sont protégées par leur tégument épais et lignifié (...)
Encycl. franç. (DE MONZIE), t. V, p. 5'38-13 (1937).

**BACCIVORE** [baksivɔʀ] adj. — 1834; lat. *bacca* «baie», et *-vore* «qui mange».

Didact. Qui se nourrit de baies. *Oiseau baccivore.* → **Frugivore.**

**BACHA** [baʃa] n. m. (vx). → **Pacha.**

**BACH-AGA** ou **BACHAGA** [bakaga] n. m. — XIX^e; du turc *bach* «tête», et *aga* ou *agha* «chef».

Chef traditionnel, en Algérie et en Tunisie. *Le titre de bach-aga est intermédiaire entre celui d'aga et de khalifa.*

**BÂCHAGE** [baʃaʒ] n. m. — XIX^e; de *bâcher.*

Action de couvrir d'une bâche. *Le bâchage du chargement d'un camion.*

**BÂCHE** [baʃ] n. f. — XV^e, désignant un vêtement (→ II.); 1572, «filet, hotte en osier» (sens I); anc. franç. *baschoe, baschole* «baquet»; du lat. d'orig. gaul. *bascauda* plus ou moins contaminé par la forme *bache,* de la famille de 1. *bac,* lat. pop. **baccus.*

**I** ♦ **1** Techn. Réservoir destiné à contenir l'eau d'alimentation d'une machine à vapeur, d'une chaudière, ou l'eau refoulée par une pompe. *Bâche alimentaire d'une chaudière à vapeur.*

♦ **2** Hortic. Coffre recouvert d'un châssis et servant de petite serre pour la culture forcée.

♦ **3** Carter d'une turbine hydraulique.

**II** ♦ **1** (1741; évolution de sens obscure; p.-ê. par métonymie de ce qui est protégé à ce qui protège). Cour. Pièce de forte toile imperméabilisée qui sert à préserver les marchandises des intempéries. → **Banne, couverture, prélart.** *Recouvrir un wagon, une péniche, un étalage d'une bâche.* → **Bâcher.**

(...) la route était couverte de camions aux bâches jaunes de poussière. MALRAUX, l'Espoir, I, III, 2. 1

Le 5 mars, on est de nouveau en panne. Tout le monde est sur le pont. Il fait un bon soleil. La voie d'eau est enfin aveuglée. L'équipage est content, il prépare des bâches pour recueillir la pluie qu'on attend pour le soir. On est sans eau potable à bord, impossible de tremper la tambouille. B. CENDRARS, l'Or, *in* Œ. compl., t. II, p. 64. 2

♦ **2** (1881). Pop. Drap de lit. *Se mettre dans les bâches.*

♦ **3** (1878). Fam. Casquette. → **Gâpette.** *Une belle bâche toute neuve.*

3 *(Il)* inclinait cette couronne sur l'oreille de la boniche où elle resta jusqu'au soir, selon l'inclinaison audacieuse que donnaient parfois les miliciens et les matelots à leurs bérets, les poisses à leur bâche et les Frisés au calot noir.
Jean GENET, Pompes funèbres, *in* Œ. compl., t. III, p. 107.

DÉR. **Bâcher.** — V. **Bâchi, bachotte.**

**BACHELETTE** [baʃlɛt] n. f. — 1460, Villon; altér., sous l'infl. de *bachelier,* de l'anc. franç. *baisselette,* de *baissele* «jeune fille, servante», selon Guiraud d'un lat. pop. **bacacea.* → 2. Bagasse.

♦ **1** Vx, rare. Jeune fille gracieuse. → **Jouvencelle.**

1 Ces statues antiques sont bien faites (...) mais (...) les jeunes bachelettes de nos pays sont mille fois plus avenantes.
RABELAIS, le Quart Livre, IV, 11.

2 *(Un jouvenceau)* vous cajolait la jeune bachelette (...)
LA FONTAINE, Contes, «Clochette».

3 Et quand la bachelette en larmes
Revint s'asseoir, le cœur rempli d'alarmes,
Sur la tant vieille tour de l'antique châtel,
Elle entendit les flots gémir, la triste Isaure,
Mais plus n'entendit la mandore
Du gentil Ménestrel!
HUGO, le Dernier Jour d'un condamné, XXIII.

♦ **2** (V. 1960, avec infl. de 2. *bachot*). Plais. Lycéenne qui prépare le baccalauréat.

**BACHELIER, IÈRE** [baʃəlje, jɛʀ] n. — 1080, *bacheler* (sens 1); du lat. pop. **baccalaris,* p.-ê. d'orig. gaul. ou (Guiraud) de *baccalaria* «domaine agricole», qui pourrait venir de *bacchus* («vin», d'où «vignoble»).

♦ **1** N. m. Sous la féodalité, Jeune gentilhomme qui aspirait à devenir chevalier, et s'y préparait sous la conduite d'un seigneur.

Par ext. Vx. Jeune garçon. → **Bachelette.**

1 Dans la Touraine, un jeune bachelier (...)
LA FONTAINE, Contes, «Clochette».

♦ **2** N. m. (XIVe). Vx. Celui qui avait obtenu, dans une faculté, le premier des trois grades universitaires. *Bachelier ès-lettres, ès-sciences.*

1.1 (...) mais, étant bachelier ès lettres... je me suis cru poète!... Me croyant poète, j'ai commis des vers (...)
E. LABICHE, la Chasse aux corbeaux, I, 4.

Spécialt. Celui qui, dans la faculté de droit canon, soutenait une thèse, après trois années d'études.

2 Une thèse qu'un bachelier breton se préparait à soutenir (...) RACINE, Port-Royal, II.

3 Un bachelier est un homme qui apprend, et un docteur un homme qui oublie.
FURETIÈRE, le Roman bourgeois, II, 77.

♦ **3** Mod., cour. Personne qui a passé avec succès le baccalauréat. *Une jeune bachelière. Le Bachelier,* roman de J. Vallès.

4 (...) j'ai passé le pont aux ânes, je suis bachelier.
SAINTE-BEUVE, P.-J. Proudhon, p. 31.

DÉR. 2. **Bachot.**

**BÂCHER** [baʃe] v. tr. — 1752; attestation isolée, XVIe, *bâché* «vêtu»; de *bâche.*

Couvrir, recouvrir d'une bâche. *Bâcher une voiture. Un camion bâché.*

◆ **SE BÂCHER** v. pron. (1878). Fam. Se mettre au lit, se coucher. → **Bâche** (II., 2.).

CONTR. **Découvrir.** ◇ DÉR. **Bâchage.**

**BÂCHI** [baʃi] n. m. — Attesté XXe; probablt de *bâche* (II., 3.).

Béret de marin.

Il eut l'idée de retrousser son caban et de mettre ses mains dans les poches ouvertes sur le ventre, mais il préféra du doigt toucher son bâchi, le rejeter en arrière, presque sur la nuque, de façon que le bord frôlât le bord du col relevé.
Jean GENET, Querelle de Brest, p. 32.

**BACHI-BOUZOUK** [baʃibuzuk] n. m. — 1860, *Revue des deux mondes;* mot turc, proprt «mauvaise tête».

Hist. Cavalier de l'ancienne armée turque, enrôlé en temps de guerre. *Les bachi-bouzouks étaient réputés pillards et indisciplinés.*

(...) notre lanterne s'était éteinte, et cela nous exposait à être arrêtés par des bachibozouks *(sic)* de patrouille (...) 1
LOTI, Aziyadé, XXXII, p. 120.

(...) le bachi-bouzouck albanais a la face allongée, le nez en bec d'aigle, l'arc des sourcils très prononcé, les paupières épaisses et voilant l'œil, les cheveux pendant en mèches plates, l'expression décidée et volontiers féroce. Le costume se compose du fez, de la fustanelle, d'une longue veste blanche, d'un caban de couleur foncé et d'un musée d'artillerie passé dans la ceinture; la plupart du temps les pieds sont nus. Th. GAUTIER, l'Orient, t. I, p. 61. 2

On a écrit aussi *bachi-bouzouck.*

REM. Le mot est l'une des invectives privilégiées du capitaine Haddock, dans *Tintin et Milou.*

**BACHIQUE** [baʃik] adj. — 1490; lat. *bacchicus,* de *Bacchus.*

♦ **1** Didact. Qui a rapport à Bacchus ou à son culte. *Culte bachique. Fêtes bachiques.* → **Bacchanale.**

♦ **2** Littér. Relatif au vin. *La liqueur bachique.* → **Vin.** Relatif à l'ivresse.

Par moments, il manifeste une gaieté bachique ou une sensibilité larmoyante, puis, tout d'un coup, il se fâche au point de m'effrayer positivement! 0.1
GIDE, Dostoïevski, p. 241.

*Chanson bachique :* chanson à boire.

*(Un des conviés)* Lamentant tristement une chanson bachique (...) BOILEAU, Satires, III. 1

Il se levait et susurrait imperceptiblement une chanson bachique de Désaugiers : versez encore (...) 2
FRANCE, la Vie en fleur, p. 251.

*Genre, scènes bachiques :* genre et scènes représentant des buveurs, des scènes d'ivresse, et dont le ton est gai, plein de vie.

J'ai écrit il y a une quinzaine de jours un conte bachique assez cocasse (...) 3
FLAUBERT, Lettre à Ernest Chevalier, 13 sept. 1839, *in* Correspondance, t. I, Pl., p. 51.

1. **BACHOT** [baʃo] n. m. — 1539; dimin. de *bache* (régional) «bac à passer l'eau», fém. de 1. *bac.*

Petit bac, petite barque à fond plat.

Védrine se tournait vers sa femme à genoux dans le bachot, occupée à empaqueter les enfants (...) 1
Alphonse DAUDET, l'Immortel, p. 309.

Devant eux, un bachot que le courant berçait au bout de sa chaîne, froissait les roseaux secs (...) 2
MARTIN DU GARD, les Thibault, t. I, p. 195.

DÉR. 1. **Bachoteur.** ◇ HOM. 2. **Bachot.**

2. **BACHOT** [baʃo] n. m. — 1856; de *bachelier.*

Fam. Baccalauréat. → 2. **Bac.** *Préparer son bachot par passe-temps* (cit. 4). *Passer le bachot. Être reçu au bachot. Avoir ses deux bachots* (les deux parties de l'ancien baccalauréat).

(...) à cette époque de sa rhétorique orageuse, de ses recalages au bachot (...) il était déjà un homme de génie (...) 1
PROUST, À la recherche du temps perdu, t. XIII, p. 232.

2 L'année prochaine, Théo passera son bachot. On a bon espoir; on se crève assez pour lui.
R. QUENEAU, le Chiendent, p. 54.

Péj. *Boîte à bachot :* école privée qui prépare au baccalauréat de manière intensive, en pratiquant le bachotage.

DÉR. **Bachoter, 2. bachoteur.** ◊ HOM. **1. Bachot.**

**BACHOTAGE** [baʃɔtaʒ] n. m. — 1892; de *bachoter.*

Fam. Action de bachoter. *Ce n'est pas intéressant, ce n'est que du bachotage* (→ Bourrage de crâne).

**BACHOTER** [baʃɔte] v. intr. — 1892; de 2. *bachot.*

Fam. Préparer un examen de façon intensive en vue du seul succès pratique. *Il ne fait rien pendant l'année scolaire, mais se met à bachoter un mois avant les examens.*

DÉR. **Bachotage.**

1. **BACHOTEUR** [baʃɔtœʀ] n. m. — 1735; de 1. *bachot.*
Rare. Batelier qui conduit un bachot (→ **1. Bachot**).

HOM. **2. Bachoteur.**

2. **BACHOTEUR, EUSE** [baʃɔtœʀ, øz] n. — 1946; «professeur qui fait bachoter», 1892; de 2. *bachot* «baccalauréat».

Fam. Élève qui bachote.

HOM. **1. Bachoteur.**

**BACHOTTE** [baʃɔt] n. f. — D. i., du lat. d'orig. gaul. *bascauda* (→ Bâche), ou de *bache* (→ 1. Bachot).

Régional. Petit baquet pour le transport des poissons vivants.

**BACILLAIRE** [basi(l)lɛʀ] adj. et n. — 1884, *in* D. D. L.; de *bacille.*

Médecine.

♦ **1** Dû à un bacille. *Dysenterie bacillaire.*

♦ **2** N. Malade (tuberculeux) qui élimine des bacilles tuberculeux. *Un, une bacillaire.* — S'emploie aussi comme adj. *Il n'est plus bacillaire.*

**BACILLARIOPHYCÉES** [basi(l)laʀjofise] n. f. pl. → **Diatomées.**

**BACILLE** [basil] n. m. — 1842; lat. *bacillum* «baguette, bâtonnet».

♦ **1** (1872, lat. sc.). Micro-organisme du groupe des bactéries, en forme de bâtonnet. *Malade porteur de bacilles. La plupart des bacilles sont pathogènes.* → **Charbon** (B. anthracis), **botulisme, brucellose, colibacillose** (Escherichia coli), **coqueluche** (B. pertussis), **diphtérie** (B. de Löffler), **lèpre** (B. de Hansen), **tuberculose** (B. de Koch), **typhoïde** (B. d'Éberth), ... *Certains bacilles sont des agents de fermentation*.* → **Amylobacter, lactique** (ferment),... *Le mycoderme du vinaigre est un bacille* (bacillus aceti). *Bacille intestinal.* → **Colibacille.**

♦ **2** (1842). Zool. Insecte herbivore ressemblant à une brindille, muni de longues pattes et dépourvu d'ailes, seul phasme d'Europe (Chélentoptères, famille des *phasmidés*).

DÉR. et COMP. **Bacillaire, bacilliforme, bacillose, bacillurie.**

**BACILLIFORME** [basi(l)lifɔʀm] adj. — 1846; de *bacille,* et *-forme.*

Didact. Qui a la forme d'un bacille.

**BACILLOSE** [basi(l)loz] n. f. — 1896; de *bacille,* et *-ose.*

Médecine.

♦ **1** Rare. Maladie due à un bacille.

♦ **2** (Plus cour.). Tuberculose. *Bacillose pulmonaire, rénale.*

Le 26 décembre 1916. Le sujet se cachectise de plus en plus et des symptômes de bacillose du sommet droit se précisent. Brusquement, sans qu'aucune cause puisse être relevée, le malade est pris d'un délire confusionnel avec onirisme (...)
La gravité de son état ne le frappe pas et, au contraire, il manifeste depuis quelques jours une euphorie qui contraste avec la réalité.
B. CENDRARS, Moravagine, *in* Œ. compl., t. IV, p. 258.

**BACILLURIE** [basi(l)lyʀi] n. f. — 1909, *in* D. D. L.; de *bacille,* et *-urie.*

Méd. Présence de bacilles de Koch dans les urines. *La bacillurie est un des signes de la tuberculose rénale.*

**BACKFISCH** [bakfiʃ] n. m. — 1901, Colette; mot all. «jeune poisson destiné à la friture».

Fam., vx. Fillette ingénue, jouvencelle à l'âge ingrat.

Par le sentier en lacets qui mène à la chapelle ogivale, des hommes à pantalon havane et à chapeau hérissé tenaient à chaque main un backfisch à jupe rouge, à chevelure noire en coquille, et à chaînette d'or. 1
GIRAUDOUX, Siegfried et le Limousin, p. 71.

On rencontre aussi *backfisch* au féminin :

On se mettait à table. Il était loin de Vladimir et loin de Nicole, entre un vieux hauptmann, qui se vantait d'être le plus vieil employé de l'usine et une petite backfisch de seize à dix-huit ans, cousine de Hans, qui ne cessa de bavarder et de raconter à Rouletabille dans ses plus grands détails, un voyage de huit jours qu'elle avait fait à Paris. 2
G. LEROUX, Rouletabille chez Krupp, p. 197.

**BACKGAMMON** [bakgamɔn] n. m. — 1834; du moy. angl. *gamen* (*game* «jeu»), et *back* «en arrière», certaines pièces pouvant revenir sur le jeu après en être sorties.

Anglic. Jeu de hasard avec des dés et des pions qui, comme au jacquet, se répartissent sur les triangles noirs et blancs d'un double tableau articulé en son milieu. → **Jacquet.**

Une mode actuelle, dont il faut espérer qu'elle se maintiendra, consiste en la remise au goût du jour de jeux anciens plus ou moins tombés en désuétude. Tel est le cas du Back Gammon *(sic)* qui connut la gloire que l'on sait sous le nom de jacquet et dont les antécédents remontent à l'Antiquité *(jeu d'Uz).*
O. CAZENEUVE, le Miroir des sociétés, *in* Sciences et Avenir nº spécial, 1981, la Science des jeux, p. 11.

**BACKGROUND** [bakgʀawnd] n. m. — 1953; mot angl., de *back* «qui est derrière», et *ground* «sol».

Anglic. Arrière-plan, cadre, contexte (d'une action, d'un événement). «*L'important dans cette histoire c'était le background géographique et social*» (*France-Observateur,* 15 sept. 1955, p. 28).

Ensemble des connaissances acquises, des travaux effectués pouvant servir de référence à qqn. *Quel est le background du candidat à ce poste ?*

**BÂCLAGE** [baklaʒ] n. m. — 1751; de *bâcler;* → Débâcle, embâcle.

♦ **1** Rare. Action de bâcler, de fermer au moyen d'une bâcle, de bâcles. *Bâclage d'une porte, d'une fenêtre.* — Spécialt, techn. Fermeture (d'un port, d'une rivière) à l'aide de chaînes, de câbles, etc.

♦ **2** Fam. Action d'expédier à la hâte un travail; résultat de cette action. → **Sabotage.** *Le bâclage d'un travail, d'un contrat.*

Nos cérémonies ont perdu une partie de leur sens; nous croyons pour la plupart devoir nous en excuser dans l'indifférence ou l'ironie. Il faudra bien que viennent d'autres temps où les sincères croiront de nouveau à la fête. Pour l'instant nous sommes installés dans le bâclage et la confusion. Hervé BAZIN, Cri de la chouette, p. 199.

**BÂCLE** [bakl] n. f. — 1866; de *bâcler*, I.

Techn. Barre de bois ou de fer avec laquelle on ferme par dedans une porte, une fenêtre. *La bâcle est assujettie au moyen de montants fixes.*

**BÂCLER** [bakle] v. tr. — 1292; lat. pop. **bacculare*, de *baculum* «bâton».

**I** Vx. Fermer une porte, une fenêtre au moyen d'une barre (→ **Bâcle**), un port, une rivière au moyen de chaînes (→ **Bâclage**).

**II** ♦ **1** (1680; du sens concret «fermer» à «conclure»). Vx, fam. Conclure à la hâte. *Bâcler une affaire.*

1 Le mariage fut bâclé de la sorte (...)
SAINT-SIMON, Mémoires, II, 318.

♦ **2** Cour., fam. Expédier (un travail) à la hâte et avec négligence. → **Gâcher, saboter, sabrer.** *Bâcler la besogne. Menuisier qui bâcle son travail. Écolier qui bâcle ses devoirs. C'est du travail bâclé.* — Absolt. *Il ne sait pas travailler : il bâcle.*

2 Tout comme Hugo, Balzac a trop de confiance en son génie; souvent, pressé par le besoin sans doute, il bâcle.
GIDE, Journal, 14 mai 1935.

3 (...) le surveillant d'étude qui bâille sur ses auteurs de licence, les paresseux qui bâclent leur thème, et les cancres qui attrapent des mouches (...)
Valery LARBAUD, Fermina Marquez, VIII, 56.

CONTR. **Fignoler** (fam.), **soigner.** ◊ DÉR. **Bâclage, bâcle.** → COMP. **Débâcler, embâcle.**

**BACON** [bekɔn] n. m. — 1834, *in* Höfler; fin XIIe et jusqu'au XVIe, prononcé [bakõ] : «jambon»; déb. XIIe, «flèche de lard»; repris à l'angl. XIXe; francique **bakko* «jambon».

♦ **1** Lard fumé, assez maigre, consommé en tranches fines généralement frites. *Œufs au bacon.*

Que diriez-vous si nous ajoutions à ce menu deux œufs au bacon? Guy DES CARS, la Vipère, p. 37.

♦ **2** En France, Filet de porc fumé et maigre. *Un plat de lentilles au bacon.*

**BACONIEN, IENNE** [bekɔnjɛ̃, jɛn] adj. — 1842, Renouvier, *in* T. L. F.; du nom de Francis *Bacon*, philosophe anglais (1561-1626), par l'angl. *baconian* (1812).

Didact. De Francis Bacon (en logique, en philosophie). *Induction baconienne* (ou *amplifiante*).

Dans l'entreprise baconienne, il n'est pas question de ne vouloir aller que du certain au certain, il faut se risquer : qui tient à commencer par la certitude finira par le doute, mais qui supporte au début le doute et se conduit bravement finira par trouver quelque certitude.
Sur ce point, une congruence existe donc entre l'épistémologie baconienne et le récit de *La Nouvelle Atlantide*.
Michèle LE DŒUFF et Margaret LLASERA, Voyage dans la pensée baroque, p. 93, *in* Trad. Francis BACON, la Nouvelle Atlantide.

REM. L'emploi de l'adj. à propos de *Roger Bacon* (1214-1294) est virtuel.

**-BACTER** Élément de noms formés en lat. sav., de *bacterium* «bactérie», grec *baktêrion* «petit bâton». Ex. : *acétobacter, amylobacter, nitrobacter.*

**BACTÉRIACÉES** [bakterjase] n. f. pl. — 1872; de *bacterium* (→ Bactérie), et *-acées.*

Didactique.

♦ **1** Famille de bactériales en forme de bâtonnet. — Au sing. *Une bactériacée.*

♦ **2** Vx. Ensemble des bactéries.

**BACTÉRIALES** [bakterjal] n. f. pl. — 1940; de *bacterium* (→ Bactérie), et *-ales.*

Biol. Ordre de bactéries asporulées de forme allongée, droite ou légèrement incurvée. — Au sing. *Une bactériale.*

**BACTÉRICIDE** [bakterisid] adj. — 1893; de *bactérie*, et *-cide.*

Didact. Qui tue les bactéries. → **Antibactérien.** *Produit bactéricide.*

**BACTÉRIDIE** [bakteridi] n. f. — 1865; de *bactérie.*

Didact., vx. Bactérie *(Bacillus anthracis)* responsable du charbon.

**BACTÉRIE** [bakteri] n. f. — 1842, *Dictionnaire universel d'histoire naturelle*; de *bacterium*, nom créé en 1838 par Ehrenberg, d'après le grec *baktêrion* «petit bâton».

Micro-organisme unicellulaire formant un règne autonome, ni animal ni végétal, les *Schizomycètes* ou *Protistes procaryotes*, présentant des formes très variées et pouvant vivre en saprophyte (sol, eau, organismes vivants) ou en parasite de l'homme, des animaux ou des plantes (→ **Microbe, protiste**). *Paroi, cytoplasme, appareil nucléaire d'une bactérie. De très nombreuses bactéries sont pigmentées. Les bactéries se reproduisent généralement par scissiparité. Pouvoir pathogène de certaines bactéries. Bactéries de forme arrondie.* → **-coque** (microcoque, diplocoque, gonocoque, pneumocoque, staphylocoque, streptocoque...; sarcine). *Bactéries en forme de bâtonnet.* → **Bacille.** *Bactéries de forme spiralée.* → **Spirille, spirochète, vibrion.** *Groupe de bactéries agglutinées.* → **Zooglée.**

Par suite du fonctionnement des enzymes, la bactérie synthétise encore plus d'enzymes et augmente de taille. Le noyau se divise, finalement la bactérie elle-même se divise, donnant naissance à deux cellules-filles. 1
André LWOFF, l'Ordre biologique, p. 26.

Une bactérie renferme environ deux mille gènes et deux mille enzymes. 2
André LWOFF, l'Ordre biologique, p. 76.

Une fille avec la vitalité d'une bactérie, je ne sais s'il y aurait beaucoup de garçons pour lui parler d'amour. 3
Henri MICHAUX, Face aux verrous, p. 79.

DÉR. et COMP. **Azotobacter, bactéricide, bactéridie, bactériémie, bactérien, cyanobactéries.** — V. **Bactériacées, bactériales, bactériologie; bactério-.**

**BACTÉRIÉMIE** [bakteriemi] n. f. — XXe; de *bactérie*, et *-émie.*

Méd. Présence passagère de bactéries dans le sang.

**BACTÉRIEN, IENNE** [bakterjɛ̃, jɛn] adj. — 1887; de *bactérie.*

Qui se rapporte à une bactérie. *La structure de la cellule bactérienne.*

La machine bactérienne travaille, synthétise, croît et se divise. André LWOFF, l'Ordre biologique, p. 27. 1

Relatif aux bactéries. *Physiologie bactérienne. Anévrisme bactérien.* → **Infectieux.** *Contamination bactérienne.*

Tous les chantages deviennent faciles. Qu'il possède une solution bactérienne pouvant empoisonner l'eau d'alimentation d'une ville ou une bombe atomique miniaturisée 2 dont la fabrication artisanale n'est déjà nullement inconcevable, un tel «militant» peut traiter d'égal à égal avec n'importe quel État, et pour n'importe quel motif, généreux, crapuleux, utopique ou dément.

Raymond ABELLIO, Ma dernière mémoire, t. II, p. 46.

COMP. **Antibactérien.**

**BACTÉRIO-** Élément, du grec *baktêria* «bâton», employé au sens de «bactérie». → **Bactériolyse, bactériolysine, bactériophage, bactériostatique, bactériothérapie.**

**BACTÉRIOCHLOROPHYLLE** [bakteʀjoklɔʀɔfil] n. f. — Empr. à l'all. *Bacterio-chlorophyll* (1934); de *bactério-*, et *chlorophylle*.

Biochim. Forme de chlorophylle présente chez les bactéries photosynthétiques vertes et pourpres.

**BACTÉRIOCINE** [bakteʀjɔsin] n. f. — 1953; de *bactério-*, et *(coli)cine*.

Microbiol. Toxine protéique synthétisée par de nombreuses espèces bactériennes et active seulement sur d'autres souches de la même espèce. *La colicine est une bactériocine.*

**BACTÉRIOLOGIE** [bakteʀjɔlɔʒi] n. f. — 1888; de *bacterium* (→ Bactérie), et *-logie*.

Didact. Partie de la microbiologie qui concerne les bactéries. — Abrév. fam. *bactério* [bakteʀjo] n. f.

DÉR. **Bactériologique, bactériologiste.**

**BACTÉRIOLOGIQUE** [bakteʀjɔlɔʒik] adj. — 1888, Encycl. Berthelot, art. *Bactérie*; de *bactériologie*.

Qui se rapporte à la bactériologie. *Analyse bactériologique.* — Par ext. *Arme bactériologique,* qui utilise le pouvoir pathogène des bactéries. *Guerre bactériologique.*

COMP. **Cytobactériologique.**

**BACTÉRIOLOGISTE** [bakteʀjɔlɔʒist] ou **BACTÉRIOLOGUE** [bakteʀjɔlɔg] n. — 1891, *bactériologiste*; *bactériologue*, 1885; de *bactériologie*.

Biologiste, médecin spécialiste de bactériologie.

**BACTÉRIOLYSE** [bakteʀjɔliz] n. f. — 1904, in *Rev. gén. des sc.*, n° 22, p. 1055; angl. *bacteriolysis* «liquéfaction par les bactéries», 1897; de *bactério-*, et *-lyse*.

Didact. Destruction des bactéries par dissolution sous l'action de certaines substances qui se trouvent dans le sang. Syn. : *lyse bactérienne.*

Le pouvoir bactériolytique du sérum est rarement obtenu (...) le staphylocoque, le streptocoque, le pneumocoque (...) ne donnent jamais lieu à l'apparition de bactériolyse.

V. VIC-DUPONT, la Maladie infectieuse, p. 58.

DÉR. **Bactériolytique.**

**BACTÉRIOLYSINE** [bakteʀjɔlizin] n. f. — 1903, in *Rev. gén. des sc.*, n° 2, p. 60; p.-ê. angl. *bacteriolysin*, 1900; de *bactério-*, *-lyse*, et *-ine*.

Didact. Anticorps qui, en présence du complément, peut déclencher la lyse des bactéries.

Les *bactériolysines* (...) furent individualisées en 1894 par Pfeiffer et Israël (...) Un cobaye est vacciné par des injections de doses croissantes de vibrions cholériques. À un moment donné (...) une injection de vibrions cholériques dans la cavité péritonéale de l'animal est rapidement suivie de leur disparition.

V. VIC-DUPONT, la Maladie infectieuse, p. 58.

**BACTÉRIOLYTIQUE** [bakteʀjɔlitik] adj. — 1922; de *bactériolyse*.

Didact. Qui concerne la bactériolyse (→ Bactériolyse, cit.). *Action bactéricide et action bactériolytique.*

**BACTÉRIOPHAGE** [bakteʀjɔfaʒ] n. m. — 1918; de *bactério-*, et *-phage*.

Didact. Virus qui détruit certaines bactéries. Syn. : *virus des bactéries, phage.*

1 Dans le cas de maladies transmissibles des plantes, comme la mosaïque (en particulier celle du Tabac), le biologiste américain, W.M. STANLEY, a pu, tout récemment (1936), isoler ces virus *à l'état cristallisé*. L'étude de ces *virus-ferments* (auxquels se rattachent les substances appelées *bactériophages...*) est un des problèmes les plus récents, les plus activement étudiés et les plus importants (...)

Maurice CAULLERY, les Étapes de la biologie, p. 79.

2 Sans doute cependant, l'exemple le plus spectaculaire que l'on connaisse aujourd'hui de construction spontanée d'un édifice moléculaire complexe, est-il celui de certains bactériophages.

Jacques MONOD, le Hasard et la Nécessité, p. 101.

**BACTÉRIOSTATIQUE** [bakteʀjostatik] adj. — 1945; de *bactério-*, et *-statique*.

Didact. Qui arrête la prolifération des bactéries. → **Antibiotique.** *Produit bactériostatique. «Pourquoi certains* antibiotiques *sont-ils seulement* "bactériostatiques", *c'est-à-dire qu'ils se contentent d'empêcher la multiplication des microbes, sans les tuer vraiment, le reste du travail incombant alors au globule blanc qui doit les digérer?»* (*Science et Vie*, n° 593, p. 62, Alerte aux antibiotiques!).

**BACTÉRIOTHÉRAPIE** [bakteʀjoteʀapi] n. f. — 1891; de *bactério-*, et *-thérapie*.

Didact. Emploi de certaines cultures bactériennes à des fins thérapeutiques.

**BACUL** [baky] n. m. — Mil. XV^e; de *bat*, du v. *battre*, et *cul*.

Techn. Croupière que l'on met aux bêtes de trait. *Le bacul d'un mulet.*

Pourtant, on aurait dit le tintement d'une chaîne de bacul. Et ce battement au loin? Les sabots d'un trot de cheval!

Jean-Yves SOUCY, Un dieu chasseur, p. 84.

**BACULITE** [bakylit] n. f. — 1834; du lat. *baculus* «petit bâton».

Zool. Mollusque céphalopode fossile du crétacé, à coquille droite, et appartenant au groupe des ammonites.

**BADA** [bada] n. m. — 1925; orig. incert., p.-ê. de *badaboum*.

Argot fam. Chapeau. → **Bitos, galure, galurin.** *Des badas. Porter le bada* (loc. fig.), le chapeau. → **Chapeau.**

1 Il saisit le type par le col de son veston, le tire sur le palier et le projette vers les régions inférieures. Ça fait du bruit : un bruit feutré. Le bada suit le même chemin. Il fait moins de bruit quoiqu'il soit melon.

R. QUENEAU, Zazie dans le métro, Folio, p. 67.

2 C'est Larpin, un des poulets, qui a téléphoné le premier, sans quitter la salle des yeux.
Il avait rejeté son bada en arrière, comme dans les films.

Albert SIMONIN, Touchez pas au grisbi, p. 16.

**BADABOUM** [badabum] interj. — 1873, n. m.; de *boum*, p.-ê. d'après *patatras*.

Onomatopée évoquant un bruit de chute suivie de roulement. → **Boum, patatras.**

1 Il est venu un moment où tous les paquets sont tombés par terre. Badaboum !
J. DUTOURD, les Horreurs de l'amour, p. 277.

2 (...) je n'hésite pas à susciter en moi les tentations les plus criminelles pour me donner le plaisir de les repousser : si je me levais en criant «Badaboum !»?
SARTRE, les Mots, p. 18.

N. m. *Tomber en faisant un grand badaboum.*

DÉR. V. **Bada.**

**BADAMIER** [badamje] n. m. — 1790; du persan *bâdâm* «amande».

♦ **1** Plante dicotylédone *(Combretacées),* arbre exotique ornemental dont le fruit renferme une amande comestible. Syn. : *amandier de Cayenne.*

♦ **2** Fruit de cet arbre, à goût de noisette. → **Myrobolans.**

**BADAUD, AUDE** [bado, od] adj. et n. — 1532, Rabelais; provençal *badau,* de *badar* «regarder bouche bée», du lat. pop. *batare* (→ Béer).

♦ **1** Vx. Sot, niais, nigaud...

1 Le peuple de Paris est tant *(si)* sot, tant badaud, et tant inepte de nature, qu'un bateleur, un porteur de rogatons, un mulet avec ses cymbales, un vielleux au milieu d'un carrefour assemblera plus de gens que ne ferait un bon prêcheur évangélique. RABELAIS, Gargantua, 17.

2 Un des derniers se vantait d'être
En éloquence si grand maître
Qu'il rendrait disert un badaud,
Un manant, un rustre, un lourdaud (...)
LA FONTAINE, Fables, VI, 19.

♦ **2** (1552). Rare au fém. Personne qui s'attarde à regarder, à observer ce qu'il ne connaît pas et, spécialt, qui s'attarde à regarder le spectacle de la rue. → **Curieux, flâneur, gobe-mouches.** *La foule des badauds* (cf. Badaudaille, n. f., au XVI^e). *Attrouper, rassembler les badauds.* — Adj. *Les oisifs sont volontiers badauds. Cette femme est bien badaude* (Académie).

3 Paris est un grand lieu plein de marchands mêlés (...)
Et, parmi tant d'esprits plus polis et meilleurs,
Il y croît des badauds autant et plus qu'ailleurs (...)
CORNEILLE, le Menteur, I, 1.

4 Les rossignols sont curieux et même badauds.
BUFFON, Hist. nat. des oiseaux, le Rossignol.

5 (...) ce pauvre badaud qu'on appelle un poète
Par tous les temps qu'il fait s'en va le nez au vent (...)
A. DE MUSSET, Après une lecture.

6 (...) badaud insatiable et curieux de tout, assoiffé de musique, de théâtre, de lectures, je voulais tout voir, tout entendre, tout lire.
Georges LECOMTE, Ma traversée, p. 141.

DÉR. **Badauder, badauderie.**

**BADAUDER** [badode] v. intr. — 1690; de *badaud.*

Vieilli. Faire le badaud. → **Bayer** (aux corneilles), **flâner, errer, muser.** *Il perd son temps à badauder.*

1 (...) Anatole était à se promener sur le quai de la Ferraille, longeant le parapet, badaudant (...)
Ed. et J. DE GONCOURT, Manette Salomon, p. 383.

Rare (d'un animal) :

2 Quelques chiens badaudaient, sans se douter qu'ils étaient en jeu, étonnés de recevoir des coups s'ils léchaient par politesse une main pendante.
GIRAUDOUX, Provinciales, p. 103.

**BADAUDERIE** [badodʀi] n. f. — 1547; de *badaud.*

Vieilli ou littéraire.

♦ **1** Caractère du badaud (1.). → **Sottise, niaiserie.**

Nous allâmes au Palais-Royal où la badauderie des courtisans m'étonna plus que celle des bourgeois (...) 1
RETZ, Mémoires, III, 60 (→ Niaiserie).

Son cylindre sur la nuque donnait à sa mine éveillée, à son regard hardi une badauderie affectée. 1.1
Louise MICHEL, la Misère, t. I, p. 152.

Je pourrais mentionner d'autres détails plus affreux encore, mais les récits de cet ordre oscillent entre le sadisme et la badauderie. 1.2
M. YOURCENAR, le Coup de grâce, p. 140.

♦ **2** Action de badauder; attitude du badaud.

Un peu de badauderie ne messied point au voyageur nouveau débarqué. 2
Th. GAUTIER, le Capitaine Fracasse, XI.

Figuré :

Ma badauderie littéraire. Je vais de livre en livre. Je m'excite d'idée en idée. Je m'arrête quelques minutes devant un projet, et je passe. 3
J. RENARD, Journal, 28 févr. 1906.

♦ **3** Ensemble de badauds; les badauds (pris collectivement).

(...) de loin la badauderie parisienne mettait des noms sur des visages reconnus (...) 4
Alphonse DAUDET, l'Immortel, p. 183.

**BADELAIRE** [badlɛʀ] n. m. — XII^e; lat. tardif *badelare, badelaris* (cf. du Cange).

Didact. Ancienne épée courte à lame large et recourbée. → **Cimeterre.**

**BADERNE** [badɛʀn] n. f. — 1773; orig. incert., p.-ê. du provençal *baderno* «grosse tresse faite avec de vieilles cordes»; cf. esp. ou ital. *baderna,* la série relevant de l'élément *bad-,* de *badaud,* selon Guiraud.

♦ **1** Mar. (Vx). Tresse faite de plusieurs torons dont on garnit les endroits que l'on veut protéger du frottement ou que l'on cloue sur le pont pour empêcher la cargaison de glisser. *La baderne est faite de vieux cordages.*

♦ **2** (1845). Fam. **a** Vx. Chose hors d'état de servir. **b** (1889). Mod. *Baderne, vieille baderne :* homme (souvent : militaire) âgé et borné.

(...) une baderne qui ne connaissait que sa consigne (...)
Jules LEMAITRE, les Rois, p. 125.

**BADGE** [badʒ] n. m. — Mot angl. (XIV^e), «insigne d'un chevalier et de ses suivants», puis «insigne», «emblème»; 1897, *in* Höfler; 1862, *in* le Tour du monde 1867, 1, p. 283 (Alfred Erny, *Voyage au pays de Galles*) dans un contexte britannique.

♦ **1** (Parfois considéré comme n. f.). Insigne métallique rond, porté par les scouts, qui correspond à un brevet de spécialité sanctionnant une compétence particulière. *«J'ai déjà mes badges de bricoleur, de conducteur de locomotive, de terrassier, de nœuds, de code morse»* (B. Vian).

Chacun choisit et pousse la spécialité ou les spécialités qu'il aime : gabier, signaleur, botaniste, cuisinier, traqueur, etc. Comme chaque capacité est ici encore sanctionnée par un insigne et qu'un garçon est fier de porter un grand nombre de ces «badges», il n'y a pas à craindre un excès de spécialisation. 1
H. VAN EFFENTERRE, Histoire du scoutisme, p. 65.

♦ **2** Insigne porté à la façon d'une broche, où est inscrit le nom de la personne qui l'arbore et permet son identification, dans une réunion, dans un service public, etc. *Badge de vendeur dans une exposition.*

Deux femmes en blouse bleue, avec un badge «Prisunic», discutent en vitesse avant de reprendre leur travail. 2
Frantz-André BURGUET, les Meurtrières, p. 26.

(1966). Insigne muni d'un dessin, d'une inscription humoristique ou revendicative, porté sur un vêtement. *Tee-shirt orné d'un badge.*

3 Les musiciens de l'orchestre se démenaient, eux aussi avaient des badges à leurs chemises de couleurs criardes.
René MASSON, Drugstore, p. 254-255.

♦ **3** Document d'identité codé, comportant des perforations ou une piste magnétique, permettant l'accès à certains locaux et éventuellement le pointage. *Il faut un badge pour entrer dans l'usine.*

**BADGÉ, ÉE** [badʒe] adj. — V. 1980; de *badge.*
Qui porte un badge (2.). «*Mon voisin badgé F.O. discute de France-Autriche, la rencontre de football, avec sa voisine badgée C.F.D.T. qui, visiblement, s'en fout*» (*Libération,* 29 mars 1984).

**BADGER** [badʒe] v. intr. — V. 1990; de *badge.*
Introduire un badge (3.) dans un lecteur spécial (*badgeuse* n. f.) pour entrer et sortir d'un local ou pour enregistrer ses horaires de travail (ce qui se faisait en pointant, avec l'horloge de pointage). *Les employés doivent badger matin et soir.*

**BADIANE** [badjan] n. f. — 1681, «fruit de la badiane»; du persan *bādiān* «anis, fenouil».
Plante dicotylédone *(Illiacées),* arbuste dont le fruit (anis étoilé) est utilisé en pharmacie pour la préparation d'infusions stomachiques (on l'appelle aussi *badianier* [badjanje], n. m., ou *bois sacré*). *Badiane de Chine, du Japon.*
Fruit de cette plante. *L'essence de badiane, très aromatique, est utilisée pour la fabrication de boissons alcoolisées au goût anisé* (anis, anisette).

**BADIGEON** [badiʒɔ̃] n. m. — 1676; orig. obscure; selon Guiraud, apparenté à *baderne* «chose, substance qui protège». → Baderne.

♦ **1** Couleur en détrempe à base de lait de chaux, dont on peint les murailles, l'intérieur des églises, etc. → **Enduit, peinture.** *Donner un coup de badigeon. Passer au badigeon.*

1 (...) et les murs étaient restés enduits d'un vieux crépi rose vif qui buvait la lumière comme un badigeon italien.
MARTIN DU GARD, les Thibault, t. II, p. 251.

2 La vieille façade, zébrée de raccords de céruse, n'attendait plus, pour rajeunir, qu'un coup de badigeon.
MARTIN DU GARD, les Thibault, t. V, p. 152.

3 (...) ce sanctuaire étrange aux murailles attristées par un badigeon verdâtre.
G. DUHAMEL, le Voyage de P. Périot, II.

Pâte avec laquelle on bouche les trous dans une sculpture, un ouvrage de bois.
Fam. Couche excessive de maquillage. → **Fard.**

♦ **2** Par métaphore. Aspect de nouveauté (que l'on donne à une théorie, etc.).
Connaissance superficielle. *Un badigeon de culture qui permet de parler en public.* → **Teinture.** «*Un badigeon de savoir*» (Proust).
**DÉR. Badigeonner.**

**BADIGEONNAGE** [badiʒɔnaʒ] n. m. — 1820; de *badigeonner.*

♦ **1** Action de badigeonner; résultat de cette action. *Le badigeonnage de ce mur a pris quatre heures. — Ce badigeonnage est mal fait. Un badigeonnage épais.*
Par ext. *Le badigeonnage de la gorge est à renouveler plusieurs fois par jour.*
Fam. et péj. *Le visage couvert d'un horrible badigeonnage.*

♦ **2** Par métaphore. *Le badigeonnage d'une ancienne théorie.*

**BADIGEONNER** [badiʒɔne] v. tr. [CONJUG.: *bouger.*] — 1701; de *badigeon.*

♦ **1** [a] Enduire de badigeon. *Badigeonner un mur. Badigeonner une surface en vert pâle.* → **Enduire, peindre.**
[b] Enduire (une partie du corps) d'une substance qui s'étale. *Badigeonner de bleu de méthylène. Se badigeonner la gorge avec un produit pharmaceutique.* — (1852, *in* D. D. L.). *Badigeonner de fard, de maquillage.* → **Farder.** *Clown qui se badigeonne la figure en blanc.*

Enfin il revint à l'enfant, souleva le petit bras inanimé, le badigeonna d'iode (...) 1
MARTIN DU GARD, les Thibault, t. II, p. 146.

(...) marchant sur les traces des athlètes lacédémoniens qui s'oignaient d'huiles parfumées, il inventa de se badigeonner, depuis les pieds jusqu'à la tête, avec de l'huile de foie de morue (...) 2
COURTELINE, Messieurs les ronds-de-cuir, V, 1.

♦ **2** Par métaphore. Modifier légèrement (une idée) pour lui donner un air de nouveauté. *Ce parti n'évolue pas, mais badigeonne de frais ses anciennes théories.*
Donner à (qqn) une connaissance superficielle de (qqch.). — Au p. p. «*Les gens badigeonnés d'une légère couche de christianisme*» (L. Bloy, *le Désespéré,* 1886, *in* T. L. F.).
Pron. *Se badigeonner* (sans mention de la partie du corps) : se farder avec excès ou maladresse.
**DÉR. Badigeonnage, badigeonneur.**

**BADIGEONNEUR, EUSE** [badiʒɔnœʀ, øz] n. — 1820; de *badigeonner.*

♦ **1** Techn. Ouvrier qui badigeonne. → **Peintre.**

♦ **2** Péj. Mauvais peintre. → **Barbouilleur.** *Il se croit du talent, mais ce n'est qu'un vulgaire badigeonneur.*

**BADIGOINCES** [badigwɛ̃s] n. f. pl. — 1532, Rabelais; orig. incert., probablt d'un v. *bader* «bavarder», rattaché au rad. *bad-* de *badaud,* et de *goincer,* attesté dans les dialectes «crier comme un porc» (Maine), P. Guiraud.
Vx. fam. (parfois repris par plais.). Lèvres. *Se lécher les badigoinces.* → **Babine.**

Les petits chiens de son père mangeaient en son écuelle (...) Il leur mordait les oreilles; (...) ils lui léchaient les badigoinces. 1
RABELAIS, Gargantua, 11.

Les papilles du palais convenablement excitées, s'imprégnaient d'une gorgée de ce nectar; la langue la promenait autour des badigoinces et l'envoyait enfin au gosier avec un clappement approbatif. 2
Th. GAUTIER, le Capitaine Fracasse, XII.

1. **BADIN, INE** [badɛ̃, in] adj. et n. m. — 1452; mot provençal, probablt de *badar* «regarder bouche bée», lat. pop. *batare.* → Badaud.

♦ **1** Vx. Sot. → **Badaud** (1.).

Moi jaloux! Dieu m'en garde, et d'être assez badin 1
Pour m'aller emmaigrir *(amaigrir)* avec un tel chagrin!
MOLIÈRE, le Dépit amoureux, I, 2.

♦ **2** Littér. Qui aime à rire, à plaisanter. → **Enjoué, espiègle, folâtre, fou** (fig. et fam.), **gai, mutin.**

Ce n'est que pour toi seul qu'elle est fière et chagrine; 2
Aux autres elle est douce, agréable, badine (...)
BOILEAU, Satires, X.

3 Riez, Zélie, soyez badine et folâtre à votre ordinaire (...)
LA BRUYÈRE, les Caractères, XIII, 25.

4 Badin, folâtre, inépuisable, séduisant dans la conversation, souriant toujours et ne riant jamais, il disait du ton le plus élégant les choses les plus grossières, et les faisait passer. ROUSSEAU, les Confessions, IV.

5 Chez les Grecs, peuple d'ailleurs assez badin, tout était grave et sérieux sitôt qu'il s'agissait de la patrie (...)
ROUSSEAU, Lettre à d'Alembert, p. 221.

5.1 Ses compagnes, pensionnaires badines, jouaient au pied de l'arbre (...)
M. JOUHANDEAU, la Jeunesse de Théophile, p. 150.

N. m. Vieilli. *Faire le badin.* → **Badiner;** → Minauder, cit. 3.

Par ext. (vx en parlant d'actes concrets, → cit. 6). *Esprit badin, humeur badine, ton badin.* → **Enjoué, léger.** *Tenir des propos badins.* → **Badiner.**

6 L'âme du singe fit tant de tours plaisants et badins, que l'inflexible roi des enfers ne peut s'empêcher de rire (...)
FÉNELON, Œuvres, t. XIX, 54, *in* LITTRÉ.

7 Le ton de la conversation y est *(à Paris)* savant sans pédanterie, gai sans tumulte, poli sans affectation, galant sans fadeur, badin sans équivoque (...)
ROUSSEAU, Julie ou la Nouvelle Héloïse, II, 14.

(Choses). *Style badin. Vers Badins. Littérature badine.*

CONTR. **Grave, réservé, sérieux, sévère.** ◊ DÉR. **Badinage, badiner.**

2. **BADIN** [badɛ̃] n. m. — 1949; du nom de l'inventeur.

Techn. Anémomètre qui sert à indiquer la vitesse relative d'un avion.

**BADINAGE** [badinaʒ] n. m. — 1663; «sottise, niaiserie», 1541; de 1. *badin.*

Littéraire.

♦ **1** Suite de propos badins, discours badin, léger. *Un charmant, un innocent badinage. Un badinage galant.* → **Badinerie, fleurette, marivaudage.**

1 Pensez-vous qu'ébloui de vos vaines paroles,
J'ignore qu'en effet tous ces discours frivoles
Ne sont qu'un badinage, un simple jeu d'esprit?
BOILEAU, Satires, X.

2 Imitons de Marot l'élégant badinage
Et laissons le burlesque aux plaisants du Pont-Neuf.
BOILEAU, l'Art poétique, I, 96.

3 Dans quelque prévention où l'on puisse être sur ce qui doit suivre la mort, c'est une chose bien sérieuse que de mourir; ce n'est point alors le badinage qui sied bien, mais la constance. LA BRUYÈRE, les Caractères, XVI, 8.

4 Quand il n'était question que de plaisirs, on eût dit qu'il n'avait étudié toute sa vie que l'art si difficile quoique frivole, des agréments et du badinage (...)
FONTENELLE, d'Argenson, *in* LITTRÉ.

5 Il faut pour plaire aux femmes (...) une espèce de badinage dans l'esprit (...)
MONTESQUIEU, Lettres persanes, 63.

6 Au sel attique, au riant badinage,
Il faut mêler la force et le courage.
VOLTAIRE, Épîtres, 3.

7 À l'abri de ce badinage, je dis des vérités
VOLTAIRE, Lettres, 11 janv. 1732.

♦ **2** Fait de badiner, attitude légère, enjouée. → **Amusement, jeu, plaisanterie.** *Va-t-il cesser ce badinage? Un ton de badinage et de raillerie* (→ **Amusette,** cit. 2).

8 Il tentait de prendre la chose en badinage (...)
LOTI, les Désenchantées, IV, 21.

CONTR. (Sens 2) **Gravité, sérieux, sévérité.**

**BADINE** [badin] n. f. — 1781; p.-ê. de *badiner,* par l'idée de «chose avec laquelle on ne fait rien d'utile», ou plutôt (Guiraud) du provençal *badino,* de *bade* «perche de marinier», du rad. *bad-* par l'idée d'écartement. → le sens 3.

♦ **1** Baguette mince et souple. *Coup de badine. L'enfant frappait les herbes avec une badine ramassée en chemin.*

♦ **2** Canne mince et flexible. → Jonc, stick. *Élégant muni d'une badine.*

Et Mme Bovary les admirait d'en haut, appuyant sur des badines à pomme d'or la paume tendue de leurs gants jaunes. FLAUBERT, Mme Bovary, II, XV. 1

(...) un homme d'une quarantaine d'années, très grand et assez gros, avec des moustaches très noires, et qui, tout en frappant nerveusement son pantalon avec une badine, fixait sur moi des yeux dilatés par l'attente. 2
PROUST, À l'ombre des jeunes filles en fleurs, Pl. t. I, p. 751.

♦ **3** N. f. pl. (1743). Vx. Petites pincettes.

**BADINER** [badine] v. intr. — 1549; de 1. *badin.*

♦ **1** Littér. Agir, écrire, parler d'une façon plaisante, enjouée. → **Amuser** (s'), **jouer, plaisanter, rire.** *Badiner follement.* → **Folâtrer.** *Badiner galamment.* → **Marivauder.**

Cour. (dans une construction négative; → cit. 9, 12, 13). → **Plaisanter, rigoler** (fam.). *C'est un homme qui ne badine pas,* sérieux, grave, sévère. *Ne pas badiner avec* (une chose abstraite), prendre très au sérieux, n'admettre aucune négligence vis-à-vis de. → **Blaguer.** *C'est un ancien militaire : il ne badine pas avec la discipline.*

Il pouvait, sans sortir, contenter son envie, 1
Avec ses compagnons tout le jour badiner,
Sauter, courir, se promener.
LA FONTAINE, Fables, VIII, 16.

Allons, petit garçon... qu'on ne s'amuse pas à badiner. 2
MOLIÈRE, le Mariage forcé, IV.

Tout cela doit être dit en badinant (...) 3
Mme DE SÉVIGNÉ, 1202, 2 août 1689.

Pour badiner avec grâce (...) 4
LA BRUYÈRE, les Caractères, V, 4.

Un homme qui n'a de l'esprit que dans une certaine médiocrité est sérieux et tout d'une pièce; il ne rit point, il ne badine jamais; il ne tire aucun fruit de la bagatelle. 5
LA BRUYÈRE, les Caractères, XI, 89.

(...) elle *(la véritable grandeur)* rit, joue et badine, mais avec dignité. LA BRUYÈRE, les Caractères, II, 42. 6

Je suis sémillant, je badine, je folâtre, je papillonne, je voltige de l'une à l'autre, je les amuse toutes (...) 7
BOISSY, le Français à Londres, 6.

La maladie de nos jours est de vouloir badiner de tout (...) 8
VAUVENARGUES, Sur les anciens et les modernes, *in* LITTRÉ.

(...) je puis vous jurer qu'il n'y a pas à badiner avec ce qu'on appelle la Garde Impériale. 9
BALZAC, Une ténébreuse affaire, Pl., t. VII, p. 561.

(...) elle courait après tout le monde, soit pour regarder par curiosité, soit pour rire, jouer et badiner avec ceux qui étaient de bonne humeur, soit pour tancer et railler ceux qui ne l'étaient point. 10
G. SAND, la Petite Fadette, p. 82.

(...) il a été frappé *(Girardin)* à première vue des défauts, des travers, des ridicules du temps, et il les a raillés, il en a badiné avec un côté de raison sérieuse et piquante (...) 11
SAINTE-BEUVE, Causeries du lundi, t. I, p. 9.

On ne badine pas avec l'amour. 12
A. DE MUSSET (Titre d'une comédie).

J'allais atteindre mes sept ans, bientôt j'irais à l'école, il fallait pas qu'on m'égare... C'était plus le moment de badiner. 13
CÉLINE, Mort à crédit, p. 69.

*Un cheval qui badine avec son mors.* → **Jouer.**

♦ **2** Vx et littér. (Choses). Voltiger, flotter légèrement. *Un voile, un ruban, qui badine, faute d'être assujetti. Dentelle qui badine. «Les deux petits rouleaux de cheveux qui badinaient sur son épaule»* (Colette, *in* T. L. F.)

DÉR. **Badine, badinerie.**

**BADINERIE** [badinʀi] n. f. — Déb. XVIe; de *badiner.*

♦ **1** Littér. Caractère de ce qui est badin, genre badin. *Tomber dans la badinerie. — (Une, des badineries).* Chose faite, dite en badinant. → **Badinage, plaisanterie.** *Ce livre n'est qu'une suite de badineries.* — Par ext. → **Enfantillage, puérilité.**

1 Si le lecteur est scandalisé de toutes les badineries qu'il a vues dans ce livre, il fera fort bien de n'en lire pas davantage (...)
SCARRON, le Roman comique, 12.

2 Les pensées de l'enfance sont d'elles-mêmes assez enfantines sans y joindre encore de nouvelles badineries (...)
LA FONTAINE, Fables, Préface.

3 C'est une idée qui m'avait passé une fois par la tête, et que j'ai laissée là comme une bagatelle, une badinerie, qui peut-être n'aurait point fait rire.
MOLIÈRE, l'Impromptu de Versailles, I.

4 Si j'appréhende quelque chose, c'est que des personnes un peu sérieuses ne traitent de badineries le procès du chien et les extravagances du juge (...)
RACINE, les Plaideurs, Préface.

5 De vous dire bien sérieusement qu'il fallait consulter la célèbre Faculté de Louvain, pour savoir si c'était un crime d'aimer sa femme, vous devait paraître une assez grande badinerie.
Mme DE SÉVIGNÉ, 1333, 15 sept. 1691.

6 Les génies les plus élevés tombent quelquefois dans la badinerie (...)
BOILEAU, Réflexions critiques sur Longin, 7.

7 **Badinage** se dit d'une plaisanterie légère, non dépourvue d'une certaine élégance de style, qui peut rebondir et durer un assez long temps. **Badinerie,** qui dit moins ne fait pas penser à l'action, à la manière d'agir qu'implique **badinage,** mais seulement au produit, au résultat de celle-ci, lequel est simplement une saillie, un trait d'esprit.
BAILLY, Dict. des synonymes, art. *Plaisanterie.*

8 (...) son entretien ne sera que de choses solides, et non pas d'habillements, d'ajustements, d'ornements et de mille autres badineries qui doivent faire pitié à tout homme de bon sens.
A. GALLAND, les Mille et une Nuits, t. III, p. 448.

9 Cette «badinerie» a un tel succès qu'on décide de la renouveler l'année suivante.
J. GREEN, Journal 1958-1967 (Vers l'invisible), 17 déc. 1959, p. 167.

♦ **2** Mus. Petite composition de caractère enjoué et léger. *Cette suite de Corelli comprend une gigue et une badinerie.*

**BADLANDS** [badlɑ̃d(s)] n. f. pl. — 1960; *bad-lands,* 1941; angl. des États-Unis, calque du franç. «mauvaises terres».

Géogr. Terrains argileux ravinés par l'érosion, à végétation rare ou absente. *«Les pentes raides couvertes par la vase présentent en conséquence une topographie ravinée qui ressemble à celle qu'on trouve dans les "badlands", les "mauvaises terres", à l'air libre»* (*la Recherche,* no 107, janv. 1980, p. 69).

**BADMINTON** [badmintɔn] n. m. — 1882, *in* Höfler; mot angl., de *Badminton House,* nom d'un château du Gloucestershire.

Anglic. Sport apparenté au tennis, dans lequel on renvoie un volant par-dessus un filet tendu au milieu du terrain. *Le volant de badminton, renvoyé par des raquettes très légères, ne doit pas rebondir à terre entre les échanges.*

**BÆCKEOFE** ou **BÄKEOFE** [bɛkəɔfə] n. m. — XXe; mot alsacien «four de boulanger», de *Beck, Bäck* «boulanger» et *Ofe, Ofen* «four».

Régional. Plat alsacien, potée de viande (porc, mouton, bœuf), de pommes de terre, d'oignons, cuite au four de boulanger.

Cet entretien dure jusqu'au moment où le Baechenoffe, apporté de chez nous le matin et mis dans le four, est à point. Oui, le Baechenoffe est aussi un palladium de l'Alsace. Inconnu ailleurs. Je me souviens que les nouveaux-venus, en 1918, prenaient le Baechenoffe pour un mets russe.
R. REDSCOB, Sous le regard de la cathédrale, p. 141.

REM. On écrit aussi *bäckeoffe* et (ci-dessus) *baechenoffe* (*n* non prononcé [bɛkəɔfə]).

**BAFFE** [baf] n. f. — 1750; cf. *baffe* «coup de poing», 1283; d'un rad. onomat. *baf,* exprimant la notion de «gonflé, boursouflé», d'où la notion de «coup». → Bâfrer.

Fam. Gifle. *Donner, recevoir une paire de baffes.* → **Beigne, torgnole.** *Tais-toi, ou je te fous une baffe!*

Il me faisait des petits sermons sur le sérieux dans l'existence, en revenant des livraisons. Les baffes, ça suffit pas tout de même. 1
CÉLINE, Mort à crédit, p. 69.

Mouscaillot fit trotter son cheval au même niveau que celui de son seigneur, mais en essayant de maintenir entre eux la distance nécessaire pour éviter une baffe subite. 2
R. QUENEAU, les Fleurs bleues, p. 71.

REM. On trouve aussi les formes *baffre* ou *bâfre* [bafʀ], par confusion avec *bâfrer.*

**BAFFLE** [bafl] n. m. — 1948, attestation isolée; mot angl., proprement «écran».

Anglicisme.

♦ **1** Techn. Panneau sur lequel est monté le diffuseur d'un haut-parleur et qui permet de séparer le rayonnement de la face avant du haut-parleur de celui de la face arrière, afin d'améliorer la sonorité. Recomm. off. : *écran.*

♦ **2** Cour. (abusif en techn.). Enceinte acoustique. *Les baffles d'une chaîne haute-fidélité. «Deux baffles clos extra-rigides de 400 dm²»* (*Revue du son,* no 160-161, p. 372).

De deux baffles surélevés s'éparpilla, s'ébroua dans la pièce tout un essaim de mandolines de Vivaldi.
René FALLET, Y a-t-il un docteur dans la salle?, p. 43.

**BAFOUAGE** [bafwaʒ] n. m. — 1884; de *bafouer.*

Rare. Action de bafouer (qqn, qqch.). — REM. Le syn. *bafouement* [bafumɑ̃], n. m., est attesté en 1616.

**BAFOUER** [bafwe] v. tr. — 1532, Rabelais; du provençal *bafar* «se moquer»; orig. onomat.; → Baffe; la finale *-ouer* est obscure.

Traiter (qqn, une chose abstraite, une œuvre...) avec un mépris outrageant, tourner en dérision, en ridicule. → **Moquer** (se), **outrager, persifler, railler, ridiculiser.** *On le bafoua devant tout le monde.* → **Conspuer, vilipender.**

Il se vit bafoué, 1
Berné, sifflé, moqué, joué (...)
LA FONTAINE, Fables, IV, 9.

Docteur, je bafoue la science; gentilhomme, je déchire mon nom; prêtre, je fais du missel un oreiller de luxure, je crache au visage de mon Dieu! 2
HUGO, Notre-Dame de Paris, XI, 1.

(...) Olier croit bien faire en bafouant la nature humaine, en la traînant dans la boue. 3
RENAN, Souvenirs d'enfance, I, p. 155.

À chaque séance, il *(Marmet)* était persiflé avec une férocité et bafoué de telle sorte que, malgré sa douceur, il se fâcha. 4
FRANCE, le Lys rouge, I.

5 (...) son expressive statue de Balzac *(de Rodin)* bafouée et vilipendée (...)
Georges LECOMTE, Ma traversée, p. 213.

5.1 On nous persécute! On nous piétine! On nous bafoue! On me déshonore! Et que trouves-tu à répondre? Que j'exagère! C'est le comble!
CÉLINE, Mort à crédit, p. 76.

Sujet n. de chose :

6 (...) le dédain ne s'exprime encore que par un spirituel persiflage, qui bafoue les conventions du monde.
R. ROLLAND, Musiciens d'aujourd'hui, p. 130.

CONTR. **Exalter, louer.** ◊ DÉR. **Bafouage.**

**BAFOUILLAGE** [bafujaʒ] n. m. — 1878; de *bafouiller.*

♦ **1** Fam. Action de bafouiller. → **Bafouillis, bredouillage.**

1 (...) dans une certaine mesure, un léger bafouillage — bien entendu pas trop accentué — révélateur d'une pensée qui cherche sa forme et la trouve devant l'auditoire, fait partie de l'éloquence.
Georges LECOMTE, Ma traversée, p. 319.

♦ **2** Propos incohérents.

2 (...) le seul *(le peuple français)* qui eût conservé (...) la tradition de la philosophie contre le bafouillage hégélien (...)
Ch. PÉGUY, la République..., p. 156.

**BAFOUILLANT, ANTE** [bafujɑ̃, ɑ̃t] adj. — D. i.; de *bafouiller.*

Qui bafouille. → **Bégayant, bredouillant.**

**BAFOUILLE** [bafuj] n. f. — 1876; de *bafouiller.*

Fam. Lettre. → **Babillard** (3.). *Recevoir, lire une bafouille.*

Je torchais des bafouilles au Chef, mettant en doute la capacité de ses comptables, l'intégrité de ses registres et la réalité de sa santé mentale; mon parafe équivalait à l'expression de mon mépris le plus intégral.
A. SARRAZIN, la Cavale, p. 48.

**BAFOUILLER** [bafuje] v. — 1867; étym. incert.; selon Guiraud, de *fouiller,* et *baffe* «joue», de l'onomat. *baf,* au sens de «parler la bouche pleine» (→ Bâfrer), ou altér. de *barfouiller,* du préf. péj. *bar-.* → Cafouiller.

Familier.

♦ **1** V. intr. Parler d'une façon embarrassée, incohérente. → **Bredouiller.** *L'émotion la fait bafouiller.*

1 Tout le monde était reçu finalement! L'inspecteur d'Académie l'a proclamé sur l'estrade (...) Il bafouillait un petit peu, il s'est gouré dans tous les noms... Ça n'avait aucune importance... CÉLINE, Mort à crédit, p. 139.

Par ext. (en parlant d'un moteur). Avoir des ratés. → **Cafouiller.**

♦ **2** V. tr. Dire de façon embarrassée, en marmonnant. *Bafouiller une vague réponse, des excuses.*

2 C'était pas fini pour tout le monde... Il restait des mômes (...) Ils bafouillaient leurs confidences, par-dessus le tapis... la Carte de France, les continents...
CÉLINE, Mort à crédit, p. 138.

CONTR. **Articuler.** ◊ DÉR. **Bafouillage, bafouillant, bafouille, bafouilleur, bafouillis.**

**BAFOUILLEUR, EUSE** [bafujœʀ, øz] n. et adj. — 1878; de *bafouiller.*

Personne qui bafouille. — Par ext. Personne qui s'exprime mal, ou exprime des idées confuses. *Ce critique est un bafouilleur.*

Ras le bol... ras le bol d'une connasse pareille, bafouilleuse de mes fesses *(il s'agit d'une présentatrice).*
Jacqueline MONSIGNY, le Miroir aux pingouins, p. 268.

**BAFOUILLIS** [bafuji] n. m. — V. 1960; de *bafouiller,* et suff. péj. *-ouillis,* avec infl. de *cafouillis.*

Bafouillage dans lequel les mots semblent inintelligibles («bouillie» de mots). → **Borborygme** (péjoratif).

**BÂFRE** [bafʀ] n. f. — 1863; de *bâfrer.*

Vieilli et fam. Fait de bâfrer. *Il ne songe qu'à la bâfre.* → **Bouffe.**

**BÂFRÉE** [bafʀe] n. f. — 1863; de *bâfrer.*

Vieilli et fam. Repas où l'on mange beaucoup. → **Ripaille.**

**BÂFREMENT** [bafʀəmɑ̃] n. m. — 1929; de *bâfrer.*

Rare. Action de bâfrer. → **Bâfrerie.**

**BÂFRER** [bafʀe] v. tr. — 1740, Académie; 1507, *baufrer;* du rad. onomat. *baf.* → Baffe, bafouer, bafouiller.

Fam. Manger gloutonnement et avec excès. → **Manger;** 2. **bouffer** (cit. 1), **briffer** (vx); → Goinfre, cit. 5 et 6.

Disparaîtrez-vous un jour, petits bistros de chez nous, 1
petites salles basses, chaudes, enfumées, où trois bougres, épaule contre épaule, autour d'un infime guéridon de fer, bâfrent le bœuf bourguignon, se racontent des histoires et rigolent, tonnerre! rigolent en sifflant du piccolo?
G. DUHAMEL, Scènes de la vie future, XIV, p. 210.

Sans complément :

Théo, le nez plongé dans son assiette, bâfre; c'est la crois- 2
sance. R. QUENEAU, le Chiendent, p. 54.

DÉR. **Bâfre, bâfrée, bâfrement, bâfrerie, bâfreur.**

**BÂFRERIE** [bafʀəʀi] n. f. — 1838; de *bâfrer.*

Rare. Gloutonnerie. → **Bâfrement, goinfrerie.**

Les hommes lui avaient tout pardonné, ses inconséquences, sa démarche inconsidérée chez le colonel, ses sautes d'humeur, sa bâfrerie, à cause de ça. On pouvait lui demander un effort énorme, mais non un effort continu.
B. CENDRARS, la Main coupée, Œ. compl., t. X, p. 12 (1946).

**BÂFREUR, EUSE** [bafʀœʀ, øz] n. — 1740; *bauffreur,* 1571; de *bâfrer.*

Fam. Personne qui bâfre. → **Glouton, goulu;** (fam.) **goinfre** (→ Biberonneur, cit.). — REM. Le fém. *bâfreuse* est peu usité.

Adjectif :

Et une femme seule au milieu de ces milliers et milliers de soudards nus, bâfreurs et obscènes.
ARAGON, Blanche..., II, III, p. 223.

**BAGAD** [bagad] n. m. — D. incert.; mot breton «ensemble».

Régional (Bretagne). Formation d'instruments de musique bretons (bombardes, cornemuses, tambours) destinés à la musique de marche. *Le bagad de Lann-Bihoué. Bagad d'un cercle celtique.* Plur. breton. *Des bagadou.*

**BAGAGE** [bagaʒ] n. m. — V. 1265, au sens 1; *baguage,* au sing., peut provenir de *bagues**, attesté plus tard, ou de l'une des orig. plausibles de ce mot (angl. *bag,* anc. scandinave, etc. → Bagues); P. Guiraud suppose une variante de *vacua* «vide», **bacua;* les emplois mod. (XVIIIe) semblent influencés par l'angl. *baggage* (XVe; du français).

♦ **1** Vx. Matériel d'une armée. → **Équipement.** *Le bagage d'une troupe, d'un régiment.* — Au pluriel :

L'armée eut ordre de charger les gros bagages avec défense 1
de détendre et de rien remuer (...)
SAINT-SIMON, Mémoires, 47, 49.

2 Depuis la veille, quatre mille traîneurs et trois mille soldats étaient morts ou égarés, les canons et tous les bagages perdus; à peine restait-il à Ney trois mille combattants et autant d'hommes débandés (...)
Ph.-P. SÉGUR, Hist. de Napoléon, X, 9.

Loc. *Avec armes et bagages. Se rendre, capituler avec armes et bagages,* avec tout le matériel d'équipement et de guerre dont on dispose. — Fig. Ne plus opposer de défense dans une lutte où l'on s'est trouvé en butte à plus fort que soi, et où l'on est contraint de s'incliner (dans le domaine sentimental notamment).

♦ **2** (1765). Effets, objets que l'on emporte avec soi en déplacement, en voyage, en expédition. → **Attirail** (fam.), **bagot** (vx et argot), **barda** (fam.), **équipage** (vx), **équipement, fourbi** (fam.). *Voilà tout mon bagage. Gros, menu bagage. Le bagage du soldat.* → **Barda** (fam.), **fourbi** (fam.), **paquetage.**

(Au plur.). L'ensemble des paquets, valises qu'emporte un voyageur. *Faire ses bagages. Ses bagages sont sur le quai.* → **Baise-en-ville** (fam.), **ballot, caisse, colis, malle, paquet, sac, valise, vanity-case...** *Fourgon à bagages. Bagages accompagnés. Faire enregistrer ses bagages.* → **Enregistrement.** *Consigne des bagages. Bulletin de bagages. Excédent de bagages. Dispositifs de délivrance des bagages, dans les aérogares* (carrousels*, tapis* diplodocus).

*Porter des bagages.* → **Bagoter** (vx). *Faire porter ses bagages* (→ **Porteur**). *Charrette à bagages.* → **Surtout** (vx). *Chariot à bagages.* → **Caddie** (anglic.). *Bagages à main.*

3 Que léger soit le bagage de qui poursuit la fortune.
BALZAC, la Peau de chagrin, Pl., t. IX, p. 88.

4 Pour des gens si pauvres, ils s'encombraient vraiment de beaucoup d'inutiles bagages.
LOTI, Matelot, XVI, p. 59.

5 Quand il eut changé de chaussures et bouclé son bagage, il s'approcha de son frère.
MARTIN DU GARD, les Thibault, t. IV, p. 112.

6 Antoine, pris entre les voyageurs et les bagages qui encombraient le passage (...)
MARTIN DU GARD, les Thibault, p. 115.

7 Ferdinand se mit à planter des clous et Claire à défaire ses bagages.
G. DUHAMEL, Chronique des Pasquier, IV, XI.

8 Pourtant, deux heures se passèrent en palabres administratives avant qu'ordre nous fût donné d'aller enfin sur le quai rejoindre nos bagages.
G. DUHAMEL, Scènes de la vie future, I, p. 35.

8.1 J'ai été chercher, à la gare, des bagages que nous avions fait expédier par le train.
Au-dessus de la porte, j'ai lu cette inscription, en deux langues, encore :
Sortie des voyageurs sans bagages, et des autres aussi.
O. MIRBEAU, la 628-E 8, Bruxelles, p. 58.

(Au sing.). Vx. L'ensemble des biens (mobilier, etc.) des gens pauvres.

9 La demoiselle était juchée comme une poule au haut de leur bagage (...) SCARRON, le Roman comique, I, 1.

Loc. *Plier bagage :* partir, s'enfuir. → **Déloger, déguerpir.**

10 — Il faut d'ici déloger sans trompette.
... Il faut partir, Monsieur, sans dire adieu,
... il faut plier bagage. MOLIÈRE, Misanthrope, IV, 4.

11 Toutes les ambassades pliaient bagage.
LOTI, les Désenchantées, XLIV, p. 227.

♦ **3** (Abstrait). La somme des ouvrages déjà écrits par un auteur. *Cet écrivain a un bagage impressionnant.*

12 Il paraît même, dit son fils en levant sa fourchette et en plissant ses yeux d'un air diaboliquement ironique, qu'il *(Bergotte),* va se présenter à l'Académie. — Allons donc! il n'a pas un bagage suffisant, répondit M. Bloch le père qui ne semblait pas avoir pour l'Académie le mépris de son fils et de ses filles. Il n'a pas le calibre nécessaire.
PROUST, À l'ombre des jeunes filles en fleurs, Pl., t. I, p. 773.

Ensemble des connaissances acquises. *Son bagage scientifique est quasi nul.*

DÉR. **Bagagerie, bagagiste, bagot.** ◊ COMP. **Porte-bagages.** → HOM. **Baguage.**

**BAGAGERIE** [bagaʒʀi] n. f. — 1968, marque déposée par une société commerciale spécialisée dans la fabrication et la vente des bagages; de *bagage.*

Compartiment à bagages, dans certaines voitures de chemin de fer.

**BAGAGISTE** [bagaʒist] n. m. — 1922; de *bagage.*

Employé d'hôtel chargé de la manutention des bagages (notamment, de porter les bagages dans les chambres ou aux véhicules). Dans un aéroport, employé chargé de la manutention des bagages (entre l'appareil et les services au sol, à la différence du porteur*, qui transporte les bagages avant ou après cette manutention). *Donner un pourboire au bagagiste.*

Il lui faudrait surveiller attentivement le chargement et il s'attendait à ce que les bagagistes fussent des policiers.
Paul RIBEAUD, le Paria, p. 19.

**BAGARRE** [bagaʀ] n. f. — 1628; du basque, par le provençal *bagarro.*

♦ **1** Mêlée confuse de gens qui se battent *(une, des bagarres).* → **Bataille, rixe.** *Manifestation qui dégénère en bagarre. Se trouver pris dans une bagarre. Bagarre d'enfants. Une bagarre de cinéma.*

Par ext. Guerre, conflit armé (→ cit. 5); révolution (→ cit. 3). → **Bataille, combat.**

Fig. et fam. Lutte violente (sans échange de coups). *La bagarre pour le pouvoir. Bagarre entre deux concurrents. Il y a peu de places au concours, la bagarre sera rude.*

Il y avait des gens ahuris qui sortaient des maisons, qui y rentraient, qui sortaient encore et qui erraient dans la bagarre, éperdus. 1
HUGO, Quatre-vingt-treize, III, 2, 3.

(...) des échauffourées de pensées, des bagarres d'esprit (...) 2
HUYSMANS, En route, p. 38.

Ils *(Metternich et Talleyrand)* étaient faits pour se comprendre, tous deux nobles d'Ancien Régime aventurés dans l'énorme bagarre que la Révolution française avait déchaînée (...) Louis MADELIN, Talleyrand. 3

Il y avait de la bagarre dans l'air cette nuit. 4
MARTIN DU GARD, les Thibault, VII, 43.

La France, dans toutes ses fibres, dans toutes ses couches sociales, est essentiellement pacifique! Et si, par impossible, nous étions jamais entraînés dans une bagarre européenne, une chose en tout cas ne fait aucun doute : c'est que personne ne pourrait accuser la France d'avoir rien fait pour ça (...) 5
MARTIN DU GARD, les Thibault, t. V, p. 184.

♦ **2** Le fait de se bagarrer. *Il aime, il cherche la bagarre.* → **Bagarreur.**

DÉR. **Bagarrer** (se).

**BAGARRER** [bagaʀe] v. — 1905, intr.; de *bagarre.*

Familier.

♦ **1** V. pron. *Se bagarrer :* se battre. *Les enfants se bagarrent sans arrêt.* — Par ext. Se quereller. *Ils se sont bagarrés à coup d'articles dans les journaux.*

Il n'y a pas moyen d'entrer au «Grand Bazar». On fait la queue devant les portes de cuivre qui battent sans arrêt et il faut se bagarrer pour approcher des étalages.
G. SIMENON, Pedigree, II, IV.

Fig. Combattre.

♦ **2** V. intr. [a] Vieilli. Se battre. *Un sportif qui bagarre.* — Impers. *Ça bagarrait dur.*

[b] Mod. Lutter (pour). *Il va falloir bagarrer pour l'obtenir.*

DÉR. Bagarreur.

**BAGARREUR, EUSE** [bagaʀœʀ, øz] adj. et n. — 1927; de *bagarrer.*

Fam. Qui aime la bagarre. → **Batailleur.**

Le peuple est bagarreur à ce point que les conversations ont dû être interdites. Il en résultait trop de coups et de blessures mortelles. Le pays eût été en peu de temps entièrement dépeuplé. Henri MICHAUX, Ailleurs, p. 107.

Qui n'hésite pas à lutter pour obtenir quelque chose, pour arriver à un résultat. → **Combatif.** *Un jeune homme persévérant et bagarreur, plein d'avenir.* → **Battant.**

N. *Cet enfant est un bagarreur. Un personnage de bagarreur, au cinéma.*

1. **BAGASSE** [bagas] n. f. — 1719, *in* D. D. L.; de l'esp. *bagazo* (1600), probablt du port. *bagaço* «marc de raisin»; de *bago,* port. et esp., «grain de raisin», du lat. *baca* «fruit».

Techn. Résidu des tiges de canne à sucre dont on a extrait le jus.

Résidu des tiges d'indigotier retirées de la cuve après la fermentation.

2. **BAGASSE** [bagas] n. f. — 1581; provençal *bagassa* «prostituée», d'un lat. pop. **bacacea,* de *baca, Baccha.* → Bacchante (P. Guiraud).

♦ **1** Vx. Prostituée. — REM. On a écrit *bagace.* — Terme de mépris à l'égard d'une femme (sans péjoration sexuelle particulière).

1 Bagasse, ouvriras-tu? Mathurin RÉGNIER, Satires, XI.

2 On n'entend que ces mots : chienne! louve! bagace! MOLIÈRE, l'Étourdi, V, 14.

3 Ces bagasses ne bougent non plus que chèvres mortes. Th. GAUTIER, le Capitaine Fracasse, t. I, V.

♦ **2** Juron provençal (équivalant à *putain!*). *Oh! bagasse! la belle petite!*

**BAGASSIER** [bagasje] n. m. — 1846; de *bagasse* «fruit», → 1. Bagasse.

Arbre de la Guyane, de la famille des Ulmacées, à fruit comestible et dont le bois renferme une matière colorante jaune.

**BAGASSIÈRE** [bagasjɛʀ] n. f. — 1922, *in* T. L. F.; de 1. *bagasse.*

Techn. Pièce du moulin à sucre (de canne) qui transfère la pulpe broyée du cylindre d'entrée au cylindre de sortie.

**BAGATELLE** [bagatɛl] n. f. — 1547, N. du Fail; ital. *bagatella* «tour de bateleur»; du lat. *baca* «baie».

♦ **1** Concret. (Vieilli). Objet de peu de valeur et de peu d'utilité. → **Amusette, babiole, bibelot, bricole, brimborion, colifichet, franfreluche, frivolité, rien...**

1 L'achat de quelque bague, ou telle bagatelle
Que tu trouveras bon. MOLIÈRE, l'Étourdi, I, 6.

2 Il ne lui manque aucune de ces curieuses bagatelles que l'on porte sur soi, autant pour la vanité que pour l'usage (...) LA BRUYÈRE, les Caractères, II, 27.

3 De chaque côté de la croisée, deux étagères montrent leurs mille bagatelles précieuses, les fleurs des arts mécaniques écloses au feu de la pensée. BALZAC, Une fille d'Ève, Pl., t. II, p. 61.

Mod. Somme d'argent peu importante, ou, par antiphrase, somme considérable. *Acheter quelque chose pour une bagatelle. Il a dépensé en une soirée la bagatelle de 10 000 francs.* → **Misère.**

Tout ce qu'il a touché jusqu'ici n'est rien que bagatelle au prix de ce qui reste. 4
MOLIÈRE, l'Impromptu de Versailles, IV.

♦ **2** (Abstrait). Chose (acte, écrit, parole, préoccupation) futile, insignifiante, sans importance. → **Amusement, amusoire, badinerie** (cit. 3), **broutille, futilité, jeu, plaisanterie, rien, sornette.** *S'amuser à des bagatelles. Perdre son temps à des bagatelles, à enfiler des perles*. Dire, écrire des bagatelles.* → **Baliverne, bêtise, fadaise, sornette.** *C'est une bagatelle, il n'y a pas de quoi se fâcher.* → Il n'y a pas de quoi fouetter un chat*. *Ils se sont fâchés pour une bagatelle.* → **Vétille.**

Sur de pareilles matières, ce qui n'est qu'une bagatelle devient fort criminel lorsqu'il est défendu. 5
MOLIÈRE, le Sicilien, XVI.

Vous voilà bien embarrassés tous deux pour une bagatelle! C'est bien là de quoi se tant alarmer! 6
MOLIÈRE, les Fourberies de Scapin, I, 2.

Il s'impute à péché la moindre bagatelle (...) 7
MOLIÈRE, Tartuffe, I, 6.

Mais de ce mariage on m'a dit la nouvelle, 8
Et j'ai traité cela de pure bagatelle.
MOLIÈRE, Tartuffe, II, 1.

Il y a une grande différence de toutes ces bagatelles à la beauté des pièces sérieuses. 9
MOLIÈRE, Critique de l'école des femmes, VI.

Ce qu'en français on nomme bagatelle, 10
Un jeu dont je voudrais Voiture pour modèle (...)
LA FONTAINE, Clymène.

Entre amants tel dépit n'est qu'une bagatelle; 11
Je veux dès aujourd'hui vous remettre avec elle (...)
J.-F. REGNARD, les Ménechmes, IV, 4.

Il est (...) difficile d'exprimer la bagatelle qui les a fait rompre, qui les rend implacables l'un pour l'autre. 12
LA BRUYÈRE, les Caractères, V, 47.

(...) c'est l'attention qu'on donne aux bagatelles qui seule en fait des objets importants. 13
ROUSSEAU, Julie ou la Nouvelle Héloïse, I, 35.

Des bagatelles légères comme l'air semblent à un jaloux des preuves aussi fortes que celles que l'on puise dans les promesses du saint Évangile. 14
STENDHAL, De l'amour, XXXV, p. 135.

Je dois chercher à me donner beaucoup de temps pour le travail; pour cela, m'appliquer à en perdre le moins possible en bagatelles. STENDHAL, Journal, p. 23. 15

Allus. littér. *Bagatelles pour un massacre,* texte de Céline.

Absolt, vx. *La bagatelle :* les frivolités qui occupent le monde.

Je me jette à corps perdu dans la bagatelle pour me dissiper. Mme DE SÉVIGNÉ, 164, 6 mai 1671. 16

Jusqu'à quand le charme de la bagatelle nous fascinera-t-il les yeux? 17
BOURDALOUE, Pensées, Sermon sur le bonheur du ciel, I.

(1687). Vx. Amourette, galanterie.

Pour moi, madame, je ne m'amuse point à la bagatelle. 18
BARON, Fausse prude (1687), II, 4, *in* LITTRÉ.

Mod., fam. *La bagatelle :* l'amour physique, le sexe. *Être porté sur la bagatelle.*

Et son cœur saigne encore lorsqu'elle voit sa fille Florette traîner ses yeux cernés sur la braguette de tous les hommes. Enfant de vieux, Florette montre de remarquables dispositions pour ce que Mme Pic appelle le vice et Meussieu Pic la bagatelle. 18.1
R. QUENEAU, le Chiendent, p. 263.

Vx. Sous forme d'exclamation exprimant le peu de cas que l'on fait de quelque chose.

Je vous dis que cela sera — Bagatelles. — Il ne faut point dire bagatelles. 19
MOLIÈRE, les Fourberies de Scapin, I, 6.

Vx. *Les bagatelles de la porte :* les choses accessoires, sans importance, par allusion au boniment des parades foraines.

♦ **3** Littér. Petite pièce agréable et superficielle.

Mus. Œuvre courte, généralement pour piano. *Une bagatelle de Beethoven.*

**BAGNARD, ARDE** [baɲaʀ, aʀd] n. — 1831, *in* T. L. F. ; de *bagne.*

Forçat interné dans un *bagne.* → **Forçat** (cit. 6).

1 Et le coup de pioche du bagnard, qui humilie le bagnard, n'est point le même que le coup de pioche du prospecteur, qui grandit le prospecteur.
SAINT-EXUPÉRY, Terre des hommes, p. 206.

REM. Rare au féminin :

2 J'explique à Mona le mode de vie en Centrale, avec l'air docte et fatal des vieilles bagnardes.
A. SARRAZIN, la Cavale, 1965, p. 64.

**BAGNE** [baɲ] n. m. — 1637 ; ital. *bagno* «bain», par allus. aux anciens bains de Constantinople où les chrétiens destinés aux galères étaient détenus.

♦ **1** Établissements pénitentiaires français où étaient internés les forçats après la suppression des galères, d'abord en France (Brest, Rochefort, Toulon), puis outre-mer (Guyane). → **Forçat; bagnard, chiourme, galérien** (par ext. ; cit. 1) ; **argousin, garde-chiourme.** *La loi du 30 mai 1854 sur l'exécution de la peine des travaux forcés remplaça le régime du bagne par celui de la transportation dans une colonie.*

1 À mesure qu'ils *(les forçats)* arrivaient, on les poussait entre deux haies de gardes-chiourme, dans la petite cour grillée, où la visite des médecins les attendait. C'est là que tous tentaient un dernier effort pour éviter le voyage, alléguant quelque excuse de santé (...) Mais presque toujours on les trouvait bons pour le bagne (...)
HUGO, le Dernier jour d'un condamné, 13.

2 Les cieux n'ont plus d'enfers, les lois n'ont plus de bagnes.
HUGO, les Châtiments, «Lux», II.

♦ **2** Lieu de transportation où des condamnés purgent la peine des travaux forcés. → **Pénitencier, pré** (argot), **transportation.**

La peine des travaux forcés. *Trente ans de bagne. Mériter le bagne.* Par métaphore. *Mériter le bagne :* être d'une moralité exécrable — *Graine de bagne :* futur bagnard.

3 Eh ! graine de bagne, viens ici : où as-tu été arrêté, toi.
Louise MICHEL, la Misère, t. III, p. 564.

♦ **3** Séjour où l'on est astreint à un travail pénible, odieux. *Ce camp, cette usine est un bagne.* → **Enfer, galère.** *Quel bagne !*

Spécialt (argot). Lieu de travail.

DÉR. **Bagnard.**

**BAGNOLE** [baɲɔl] n. f. — 1840 ; mot dialectal, de *banne* «tombereau», d'après *carriole* «mauvaise voiture».

Familier.

♦ **1** Mauvaise voiture (d'abord, voiture à bras, à traction animale). — (1907). Vieille automobile. → **Clou, tacot.**

1 Une **bagnole** est, dit-on, dans les Ardennes, une mauvaise voiture. **Bagnole** se dit couramment en Normandie dans le même sens. C'est probablement un péjoratif de **banne, banneau.**
LITTRÉ, Dict., Suppl. (1877).

♦ **2** Automobile. *Une belle bagnole.*

2 Ensuite de quoi, a s'rait allé chez l'marchand d'bagnoles. Une bathouze qu'elle aurait dit, avec un capot long comme ça, et des coussins bien rembourrés. Quéque chose qui fasse impressionnant.
R. QUENEAU, le Chiendent, p. 362.

**BAGOT** [bago] n. m. — Fin XIXe ; de *bagage.*

Vx, argot. Bagage.

DÉR. **Bagoter, bagotier.**

**BAGOTER** [bagɔte] v. intr. — 1901 ; de *bagot.*

Vieux.

♦ **1** Porter des bagages.

Argot milit. Faire des exercices ou des marches pénibles.

♦ **2** Par ext. Se dépêcher, courir.

Oui, c'était c'te femme que j'ai jamais su approcher avant, tu sais, — que j'voyais d'loin, sans pouvoir jamais y toucher, comme des diamants. Elle courait, tout partout, tu sais. Elle bagotait dans les lignes. Un jour, elle a dû r'cevoir une balle, et rester là, morte et perdue, jusqu'au hasard de c'te sape. H. BARBUSSE, le Feu, t. II, II, XVII, p. 9.

**BAGOTIER** [bagɔtje] n. m. — 1892, Esnault ; de *bagot.*

Vx, argot. Porteur occasionnel de bagages.

Les bagotiers étaient ces gros gars qui revenaient des gares avec vous quand vous aviez des bagages, ou qui partaient de chez vous, dès qu'ils apercevaient des malles sur le toit d'un fiacre à galerie.
H. LAWICK, Jupon et Hauts-de-forme, p. 80.

**BAGOU** ou **BAGOUT** [bagu] n. m. — Fin XVIIIe ; *bagos,* XVIe ; de *bagouler* «parler inconsidérément», 1447 ; de *gula* «goule», et *batare* «béer», p.-ê. par un lat. pop. **batagulare* (Guiraud).

Loquacité tendant à convaincre, à faire illusion ou à duper. → **Bavardage, éloquence, faconde, loquacité, verbiage, verve, volubilité.** *Avoir un bagou. Ce camelot a du bagou. Un formidable, un sacré bagou. «Un bagout du tonnerre de Dieu»* (→ Bonimenter, cit. Queneau). *Quel bagou !*

(...) elle ne le cédait à aucune marchande du carreau pour le **bagout**et la platine (style commercial d'alors). 1
NERVAL, Contes et facéties, «La main enchantée», VI.

Après avoir tâté de divers emplois sans y réussir, Ignace, fils d'un petit entrepreneur qui avait essayé en vain de l'utiliser, avait été engagé comme démarcheur à la succursale nancéenne de l'Agence Immobilière universelle où son bagout lui avait fait conclure quelques difficiles affaires. 2
A. BILLY, Sur les bords de la Veule, p. 43.

Shannon avait une belle désinvolture irlandaise, et un bagout qui désarmait. 3
Paul MORAND, Bouddha vivant, p. 101.

**BAGOUSE** ou **BAGOUZE** [baguz] n. f. — 1919 ; de *bague,* et suff. argotique *-ouse.*

Argot. Bague.

Une bonne femme est en train de se laver les pognes. Elle a enlevé sa bagouze. Elle l'a posée sur le coin du lavabo. Si elle l'oublie, je te l'apporte. Il a l'air d'y avoir un gros diam. P. GUTH, le Naïf locataire, p. 66. 1

(...) je lui demandais mon alliance et c'était tout. Tout soudain cette bagouze prenait un volume et un sens énormes : c'était une tonne de jonc *(or).* 2
A. SARRAZIN, la Cavale, p. 84.

REM. L'orthographe logique serait *baguouse.*

**BAGUAGE** [bagaʒ] n. m. — 1842, Académie ; de 1. *baguer.*

Rare. Action de baguer ; son résultat.

Spécialt. [a] Arbor. Incision annulaire pour arrêter la descente de la sève.

Quand on veut arrêter la sève descendante d'un arbre fruitier et empêcher les fruits de couler, on pratique dans l'écorce une incision annulaire ; cette opération s'appelle **baguage.** 1
P. POIRÉ, Dict. des sciences, art. *Baguage.*

**b** Techn. Action de baguer un oiseau pour le distinguer des autres. *Baguage des pigeons voyageurs.*

2 La distraction, c'était plutôt le baguage : Ulric et lui, seuls, savaient attraper les oiseaux et dans une gloire de plumes les amener (...) aux spécialistes qui dataient, bouclaient l'anneau.
Hervé BAZIN, les Bienheureux de la désolation, p. 133.

**c** Techn. Interposition d'une bague d'usure entre une pièce mécanique et un axe.

**HOM.** Bagage.

**BAGUE** [bag] n. f. — 1360, *wage* «anneau», Froissart; p.-ê. du moy. néerl. *bagge*, même sens; p.-ê. (Guiraud) avec infl. du lat. *vacua* «objet évidé, vide». → Bagage.

♦ **1** Anneau* que l'on met au doigt. *Porter une bague au doigt.* → **Bagouse** (argot). *Une bague d'or, d'argent, en or, en argent* (→ **Bijou**). *Bague de fiançailles. Bague de mariage.* → **Alliance.** — *Bague magique, talismanique* (cit. 2). — *Tête d'une bague.* → **Chaton.** *Enchâsser une pierre dans le chaton d'une bague* (→ **Sertir**). *Monter un diamant en bague. Bague à large chaton.* → **Chevalière.** *Bague à chaton allongé.* → **Marquise.** *Bague sans chaton.* → **Jonc.** *Une bague à sept anneaux.* → **Semaine.** *Coffret à bagues.* → **Baguier.** *Diamant, pierre en bague,* serti(e), sur une bague (cit. 2).

1 Comme il *(le garde des Sceaux)* était extrêmement bijoutier, et qu'il avait toujours les doigts pleins de petites bagues (...)
RETZ, Mémoires, III, 143.

2 (...) j'ai rencontré un orfèvre qui, sur le bruit que vous cherchez quelque beau diamant en bague (...)
MOLIÈRE, le Mariage forcé, 5.

3 (...) des bagues aux chatons finement travaillés (...)
Th. GAUTIER, le Roman de la momie, II.

4 (...) un excès de bagues étincelantes aux mains délicates, abandonnées sur la couverture de satin (...)
LOTI, les Désenchantées, II, p. 13.

5 On apporta les bagues, les unes, les plus rares, seules en des écrins spéciaux, les autres enrégimentées par genres en de grandes boîtes carrées, où elles alignaient sur le velours toutes les fantaisies de leurs chatons. Le peintre s'était assis entre les deux femmes et il se mit, comme elles, avec la même ardeur curieuse, à cueillir un à un les anneaux d'or dans les fentes minces qui les retenaient.
MAUPASSANT, Fort comme la mort, éd. 1889, p. 259.

Fig., vx. *C'est une bague au doigt,* se dit d'une chose de prix dont on peut toujours se défaire facilement, d'une sinécure, etc. *«Votre place vous laisse du loisir, c'est une bague au doigt»* (Académie).

Loc. *La bague au doigt,* avec promesse de mariage.

♦ **2** Anneau que l'on passe à la patte d'un oiseau pour le reconnaître (→ **Baguer**). *La bague d'un pigeon-voyageur.*

♦ **3** Anneau que des cavaliers, des coureurs, devaient enlever au bout d'une lance. *Courir la bague. «Il court (...) la bague»* (Régnier, *Satires,* 1608, *in* Petiot).

*Jeu de bagues :* jeu dans lequel les cavaliers d'un carrousel devaient décrocher des anneaux suspendus à un poteau fixe.

♦ **4** (Objets de forme annulaire).

Archit. Moulure circulaire qui divise horizontalement une colonne. → **Annelure.** *Colonne à bagues.*

*Bague de baïonnette :* anneau qui fixe la baïonnette au canon du fusil.

Mar. Anneau de métal, de bois ou de cordage. *«Les voiles à drailles sont enverguées au moyen de bagues en fer ou en bois»* (Gruss).

Mus. Anneau soudé sur le corps d'un tuyau d'orgue. — Partie métallique de la hausse (d'un archet). — Virole (d'un instrument à vent).

Dentisterie. Anneau de métal adapté autour d'une dent (couronnes, etc.). *Bagues d'orthodontie.*

Techn. Anneau, cercle métallique servant à accoupler joindre, maintenir deux pièces, deux organes d'une machine. → **Collier, manchon.** *Bague d'arrêt, de serrage, de graissage. Bague d'excentrique d'une bielle. Bague de rotor. Bague de roulement.*

Contre la base conique du support en fonte, évasée vers 6
le bas, entourée de plusieurs bagues plus ou moins saillantes, s'enroulent de maigres rameaux d'un lierre théorique, en relief (...)
A. ROBBE-GRILLET, Dans le labyrinthe, p. 16.

Électr. *Bague de calibrage, de déphasage. Bague collectrice.*

Photogr. *Bague-allonge :* élément cylindrique destiné à s'interposer entre l'appareil et un objectif mobile.

Anneau de papier, souvent doré, entourant un cigare. *Cigare à bague.*

Collerette de verre d'une bouteille, sans le goulot.

**DÉR.** Bagouse, 1. baguer, baguier. — V. 3. Baguenaudier.
◊ **HOM.** Bagues.

1. **BAGUENAUDE** [bagnod] n. f. — XV^e; provençal et languedocien *baganaudo* «fruit» (Mistral), et «niaiserie» (fin XVI^e); de *baga* «poche, sac» (→ Bague), avec les suff. *in-, en-* et *-aude* (→ Chiquenaude), selon Guiraud.

♦ **1** Bot. Fruit du baguenaudier*, petite gousse remplie d'air, qui éclate avec bruit lorsqu'on la presse.

♦ **2** (1416). Vx. Niaiserie à laquelle on perd son temps.

**DÉR.** Baguenauder, 1. baguenaudier.

2. **BAGUENAUDE** [bagnod] n. f. — 1919; de *baguenauder.*

Fam. Promenade où l'on flâne. *Être en baguenaude.* → **Balade.**

**BAGUENAUDER** [bagnode] v. intr. — 1466; de 1. *baguenaude,* 2.

♦ **1** Vx. S'amuser à des choses vaines et frivoles (comme les enfants qui font éclater des baguenaudes). → **Muser.**

Ton goût est de baguenauder en amour (...) 1
Antoine HAMILTON, Mémoires du comte de Gramont, 4.

Je m'en vais musant et baguenaudant jusquà Naples (...) 2
P.-L. COURIER, Lettres, II, 64.

♦ **2** (XVIII^e). Mod. *Baguenauder* (intrans.) ou *se baguenauder* (pron.) : se promener en flânant. → **Balader** (se).

Mais, me disais-je, à baguenauder ainsi dans les sentiers 3
je n'irai pas loin. GIDE, Dostoïevski, p. 236.

Des gens se baguenaudaient par les allées, mais ce n'était 4
pas assez compact pour bien s'amuser.
R. QUENEAU, Pierrot mon ami, Folio, p. 8.

**DÉR.** 2. Baguenaude, baguenauderie, 2. baguenaudier. — V. 3. Baguenaudier.

**BAGUENAUDERIE** [bagnodʀi] n. f. — Mil. XVI^e; de *baguenauder.*

Rare. Action de baguenauder. → 1. **Baguenaude, frivolité, niaiserie.**

1. **BAGUENAUDIER** [bagnodje] n. m. — 1539, R. Estienne; de 1. *baguenaude.*

Bot. Plante dicotylédone (*légumineuse,* famille des *papilionacées*) se présentant sous la forme d'un arbrisseau à fleurs jaunes en grappes que l'on nomme parfois *séné d'Europe* ou *faux séné.* (N. sc. : *colutea.*) *Le baguenaudier produit la baguenaude.*

(...) le baguenaudier tout tintinnabulant de cosses vésiculeuses (...)
COLETTE, Flore et Pomone, *in* Gigi, p. 178.

2. **BAGUENAUDIER, IÈRE** [bagnodje, jɛʀ] n. et adj. — XVIe; de *baguenauder.*

Rare.

♦ **1** N. Personne qui baguenaude. On dit aussi *baguenaudeur* [bagnodœʀ].

♦ **2** Adj. Qui aime à baguenauder.

3. **BAGUENAUDIER** [bagnodje] n. m. — 1762, Académie; de *baguenauder,* et *bague.*

Vx. Jeu qui consiste à enfiler et désenfiler des anneaux dans un certain ordre.

L'impératrice, assise au milieu d'elles, leur apprenait patiemment le jeu du baguenaudier, tandis que quelques hommes, derrière les fauteuils, suivaient la leçon avec gravité.
ZOLA, Son Excellence Eugène Rougon, t. I, p. 200 (1876).

1. **BAGUER** [bage] v. tr. — 1902, au p. p. «garni de bagues»; *baguer une femme* «doter de robes, bijoux, trousseaux», XVe; de *bague.*

♦ **1** Garnir de bagues ou d'anneaux. *Baguer un doigt, une main.* — (Plus cour. au p. p.). *Doigt bagué d'or.* (Personnes). Qui porte une bague.

1 Voiturier n'eût jamais consenti à un gendre bagué et pommadé qui renâclait à la glèbe.
M. AYMÉ, la Vouivre, p. 143.

(Sujet n. de chose). Entourer comme d'une bague. — (Passif et participe passé) :

2 (...) la forêt des minarets, qui a poussé sur toute cette pointe du sérail, est entièrement baguée de couronnes de feux. LOTI, Suprêmes visions d'Orient, p. 255.

♦ **2** Régional. *Baguer une jeune fille,* lui offrir une bague de fiançailles, de mariage; l'épouser.

3 (...) vous êtes un bon garçon (...) plein de bonnes intentions et qui aurait dû se trouver une jeune fille un peu plus âgée que moi (...) pour baguer sans histoires une vraie Mme Méliset.
Hervé BAZIN, Qui j'ose aimer, IX, p. 88.

♦ **3** (1838). Arbor. Enlever un anneau d'écorce à (un arbre). → **Baguage, incision.**

Mar. Fixer (les voiles) au moyen de bagues.

♦ **4** Entourer d'un anneau de papier doré (les cigares de marque). *Baguer un cigare.* — Au p. p. *Cigare bagué d'or.*

♦ **5** Fixer un anneau à la patte de (un oiseau migrateur, une volaille) en vue d'observations scientifiques. *Baguer un pigeon voyageur.* — Au p. p. *Animaux bagués.*

♦ **6** Dentisterie. *Baguer qqn,* le munir de bagues d'orthodontie. — Au p. p. *Enfant bagué.*

◆ **BAGUÉ, ÉE** p. p. adj. Voir à l'article.

DÉR. **Baguage.**

2. **BAGUER** [bage] v. tr. — 1450, «emballer, lier»; de *bagues*.*

Cout. Maintenir (deux épaisseurs de tissu) à grands points allongés, invisibles sur l'endroit. → **Faufiler.**

**BAGUES** [bag] n. f. pl. — XIVe; orig. incert., à rapprocher de l'anc. provençal *bagg* «sac» ou de l'angl. *bag* «sac», et de l'anc. scandinave *baggi* «paquet» ou (Guiraud) d'un lat. pop. **bacua,* var. de *vacua* «vide, creux». → Bagage.

Vx. Bagages. *Sortir vie et bagues sauves :* sortir d'une ville assiégée, sain et sauf, avec ses bagages.

Fig., vx (loc.). *Sortir, revenir bagues sauves,* sain* et sauf.

DÉR. 2. **Baguer.** — V. **Bagage.** ◊ HOM. **Bague.**

**BAGUETTE** [bagɛt] n. f. — 1510, Carloix; ital. *bacchetta,* de *bacchio* «bâton»; lat. *baculum.*

♦ **1** Petit bâton* mince et flexible. → **Badine, canne, houssine, jonc, stick** (anglic.), **verge.** *Tenir une baguette à la main. Coup de baguette. Certains officiers publics dans l'exercice de leurs fonctions portaient une baguette* (→ **Verge**). *L'attribut de Mercure est une baguette surmontée de deux ailes.* → **Caducée.**

Une vipère étendue et semblable de loin à une baguette de bois tordu (...) 1
E. FROMENTIN, Un été dans le Sahara, I.

Loc. *Commander, mener les gens à la baguette :* commander avec autorité et rigueur. *Obéir, se laisser mener à la baguette :* obéir sans discuter.

Harlay, le premier président, menait ce grand corps *(le parlement)* à la baguette. 2
SAINT-SIMON, Mémoires, I, 133.

Vx. *Peine des baguettes :* ancienne punition militaire qui consistait à faire passer le délinquant entre deux rangs de soldats qui le frappaient à coups de baguettes (syn. : *verges*). *Passer par les baguettes.*

On lui demanda juridiquement ce qu'il aimait le mieux d'être fustigé trente-six fois par tout le régiment, ou de (...) Il se détermina (...) à passer trente-six fois par les baguettes (...) VOLTAIRE, Candide, II. 3

♦ **2** Emplois spéciaux. [a] *Baguette magique, baguette de fée, baguette :* la baguette avec laquelle les fées, les enchanteurs, les magiciens accomplissent leurs prodiges. — Loc. *Accomplir qqch. d'un coup de baguette magique, d'un coup de baguette,* comme par enchantement.

La femme de Montchevreuil était une grande créature maigre, jaune, qui riait niais, et montrait de longues et vilaines dents, dévote à outrance, d'un maintien composé, à qui il ne manquait que la baguette pour être une parfaite fée. SAINT-SIMON, Mémoires, 4, 64. 4

Je vais d'un seul coup de baguette, endormir la vigilance, éveiller l'amour, égarer la jalousie, fourvoyer l'intrigue (...) 5
BEAUMARCHAIS, le Barbier de Séville, I, 6.

(...) donnez enfin à votre sympathie son plus large épanouissement : comme sous un coup de baguette magique vous verrez les objets les plus légers prendre du poids (...) 6
H. BERGSON, le Rire, I, 1.

Les Capétiens n'allaient pas, d'un coup de baguette magique, guérir les effets de l'anarchie. 7
J. BAINVILLE, Hist. de France, IV.

(...) il fut là — les ailes déjà repliées, parfaitement immobile — sans qu'ils l'aient vu arriver, comme s'il avait non pas volé jusqu'au balcon mais était subitement apparu, matérialisé par la baguette d'un prestidigitateur (...) 7.1
Claude SIMON, le Palace, p. 7.

*Baguette sidérale :* étroite tablette, couverte de signes cabalistiques, dont se servaient les astrologues.

*Baguette de coudrier des sourciers,* ou (vieilli) *baguette divinatoire :* baguette utilisée en rhabdomancie*.

Pour découvrir l'existence de filons extasiés dans les profondeurs mouvantes de ton corps mes doigts sont des baguettes de sourcier. 7.2
Michel LEIRIS, Haut mal, p. 61.

[b] *Baguettes de tambour :* les deux petits bâtons avec lesquels on bat la caisse. — *Baguettes d'une grosse caisse.* → **Mailloche.** — Par compar. *Des cheveux comme des baguettes (de tambour) :* des cheveux très raides.

*La baguette du chef d'orchestre :* bâton mince avec lequel il dirige.

[c] Anciennt. *Baguette de fusil, de pistolet :* baguette dont on se servait pour enfoncer la charge que l'on mettait dans le canon des anciennes armes à feu.

8 On le *(Candide)* fait tourner à droite, à gauche, hausser la baguette, remettre la baguette, coucher en joue, tirer, doubler le pas, et on lui donne trente coups de bâton (...)
VOLTAIRE, Candide, II.

[d] Techn. Baguette attachée à une fusée pour la faire monter en ligne droite. *Baguette d'artificier :* petit tube de bois employé pour la confection de pièces d'artifice.

[e] Objet de forme fine et allongée. — Chim. *Baguette de verre* (des laboratoires). → **Agitateur; broche, jauge, tige, tringle, tube.**

♦ **3** Ornement, forme allongée.

[a] Techn. (archit., menuis.). Petite moulure arrondie ou plate. → **Moulure.** *Baguettes décoratives, baguettes sculptées.* → **Asperge, chapelet, cordelière, frette, listel** (menuis.), **membron.** *«Pièce lambrissée (...) aux murs décorés de baguettes à moulures...»* (C. Simon). — Spécialt. *Baguette électrique,* dans laquelle on dissimule les fils électriques.

Moulure ou fausse moulure peinte, linéaire, sur une carrosserie de voiture.

[b] Cout. Ornement linéaire vertical sur les côtés (d'un bas, d'une chaussette). *Bas à baguettes à la mode vers 1920.*

8.1 Que de souvenirs liés aux baguettes rouges des chaussettes bleues!
GIRAUDOUX, les Aventures de Jérôme Bardini, p. 24.

♦ **4** (En France, notamment à Paris). Pain long et mince de 250 g. *Donnez-moi une baguette, une demi-baguette et deux croissants* (→ **Flûte**).

♦ **5** Généralt au plur. Chacun des deux instruments en forme de baguette avec lesquels on mange en Extrême-Orient. *Manger du riz avec des baguettes. Une paire de baguettes. Baguettes japonaises.* → **Hashi.**

8.2 La baguette a bien d'autres fonctions que de transporter la nourriture du plat à la bouche (qui est la moins pertinente, puisque c'est aussi celle des doigts et des fourchettes), et ces fonctions lui appartiennent en propre. Tout d'abord, la baguette — sa forme le dit assez — a une fonction déictique : elle montre la nourriture, désigne le fragment, fait exister par le geste même du choix, qui est l'index; mais par là, au lieu que l'ingestion suive une sorte de séquence machinale, où l'on se bornerait à avaler peu à peu les parties d'un même plat, la baguette, désignant ce qu'elle choisit (et donc choisissant sur l'instant ceci et non cela), introduit dans l'usage de la nourriture, non un ordre, mais une fantaisie et comme une paresse : en tout cas, une opération intelligente, et non plus mécanique.
R. BARTHES, l'Empire des signes, p. 27.

♦ **6** *Baguettes d'encens, de parfum,* utilisées dans certaines cérémonies orientales.

9 On sent dès l'entrée l'odeur suave des baguettes de parfum que les prêtres brûlent constamment devant les dieux.
LOTI, Mme Chrysanthème, XL, p. 202.

♦ **7** Diamant rectangulaire, à angles vifs. *Taille en baguette.*

**BAGUIER** [bagje] n. m. — 1562; de *bague.*

♦ **1** Coffret où l'on renferme des bagues, des bijoux; coupe où on les dépose.

(...) c'est un précieux baguier d'où le joyau a disparu.
M. BARRÈS, Un jardin sur l'Oronte, p. 135.

♦ **2** Techn. (en bijouterie). Ensemble d'anneaux de toutes tailles, numérotés, au moyen duquel le bijoutier détermine, d'après le doigt de son client, la dimension d'une bague.

**BAH** [ba] — 1170, *ba* marquant le doute; 1794, *bah* marquant l'indifférence.

Interjection exprimant l'étonnement, le doute et le plus souvent l'indifférence, l'insouciance. *Ah bah! est-ce possible? Bah! j'en ai vu bien d'autres.*

Vilaine marée! se disait Pencroff, en fixant d'un coup de poing son chapeau que le vent disputait à sa tête. Mais bah! on en viendra à bout tout de même! 1
J. VERNE, l'Île mystérieuse, t. I, p. 24.

Maintenant, je me sais par cœur. Le cœur aussi. Bah! toute la terre est marquée, tous les pavillons couvrent les territoires (...) 2
VALÉRY, Monsieur Teste, p. 31.

Enver Pacha lui a affirmé que *les Allemands avaient trouvé une invention si extraordinaire que, d'ici quelques mois, rien, vous entendez rien, absolument, ne pourrait leur résister!* (...) 3
— Ah! bah! Et c'est sérieux cette invention-là? (...)
— Elle m'en a parlé très sérieusement, mon cher! (...)
G. LEROUX, Rouletabille chez Krupp, p. 68.

**BAHR** [baʀ] n. m. — 1890; arabe *băhr* «mer; fleuve».

Géogr. Cours d'eau, au Soudan.

(...) il rame des pieds et des mains, et, lorsque le vent l'aide, traverse en peu de temps des bahrs assez larges.
GIDE, Voyage au Congo, *in* Souvenirs, Pl., p. 835.

HOM. 1. **Bar,** 2. **bar,** 3. **bar, bard, barre.**

**BAHUT** [bay] n. m. — XIIIe, var. *baiul, bahus;* on a proposé diverses origines germaniques dont l'anc. francique **baghûdi, *baghôdi* «garde, conservation des choses, bahut», composé du francique **bage* (Cf. moy. néerl. *bagge, bage* «paquet, botte», attesté seulement au plur. dans ce sens, *bagen* «bagages»), et du francique **hôdi, *hûdi* «cache, protection» correspondant à l'élément franç. *-hut* et que l'on retrouve comme radical de nombreux mots germaniques. Pour P. Guiraud, le mot vient du rad. *bab-, bob-* «gonflé», et la forme *bahul,* lat. pop. **babulus,* serait première (esp. *baul,* ital. *baule*).

♦ **1** Vx. Coffre* souvent garni de cuir clouté, et dont le couvercle est bombé.

*(La vieille)* Fouille au bahut; choisit pour cette fête 1
Ce qu'ils avaient de linge plus honnête.
LA FONTAINE, Contes et nouvelles, III, V.

♦ **2** (1831, *in* D. D. L.). Mod. Meuble* de forme ancienne, buffet rustique large et bas. — REM. «Ce terme est appliqué abusivement à toutes sortes de meubles en bois sculpté» (Réau). → **Armoire, buffet, cabinet.**

Les bahuts et les lits avaient des fermoirs d'acier découpé qui reluisaient comme des armures. 2
LOTI, Mon frère Yves, XVIII, p. 67.

Je vis les bahuts, les lits bretons, les vieilles assiettes rangées au vaisselier. 3
LOTI, Mon frère Yves, XVII.

♦ **3** Archit. Chaperon bombé d'un mur d'appui, d'un parapet.

Mur bas surélevant un comble.

Hortic. Bombement de la terre d'une allée, etc.

♦ **4** (1832, *in* Esnault). Argot des grandes écoles. *Le bahut spécial :* l'école spéciale militaire de Saint-Cyr. — Par ext., fam. Lycée, école, pension. → **Boîte** (fam.).

Quand j'étais gosse il m'arrivait de recevoir au bahut — pas souvent, mais quand même — mes étrennes par la poste. 4
BERNANOS, Un mauvais rêve, Œ. roman., Pl., p. 952.

Fam., vx. Logis, chambre (Goncourt, Huysmans, *in* T. L. F.).

♦ **5** Fam. Voiture de place à taximètre, et, par ext., taxi. *Piquer un bahut au vol.* — Automobile.

5 Dans la rue de Vanves, personne ne nous filait le train. On a dû marcher jusqu'à l'avenue du Maine pour trouver un bahut convenable, une traction noire toute neuve.
Albert SIMONIN, Touchez pas au grisbi, p. 13.

6 Il est rien moche son bahut, dit Zazie. — Monte, dit Gabriel, et sois pas snob.
R. QUENEAU, Zazie dans le métro, Folio, 1972, p. 13.

DÉR. **Bahuter, bahutier.**

**BAHUTER** [bayte] v. — V. 1830; dans un sens concret au p. p. : *vin bahuté,* 1387; attestation isolée, 1633; de *bahut.*

Argot, vieilli.

♦ **1** V. intr. Chahuter, faire du tapage.

♦ **2** V. tr. Bousculer, secouer. *Être bahuté dans une voiture* (Richepin).

COMP. **Transbahuter.**

**BAHUTIER** [baytje] n. m. — 1611; *bahurier* «celui qui fait ou transporte des coffres», 1292; de *bahut.*

Vx. Ouvrier qui fabrique des coffres, des bahuts.

**BAI, BAIE** [bɛ] adj. et n. — XII^e; du lat. *badius* «brun».

♦ **1** Adj. D'un brun rouge, en parlant de la robe d'un cheval*. *Un cheval bai. Une jument baie.* — (En emploi substantivé, avec un qualificatif). *Des juments bai foncé.*

Je fis trois charges sur mon excellent courtaut bai brun (...)
SAINT-SIMON, Mémoires, XII, 139.

♦ **2** N. m. Cheval bai. *Un bai brun, un bai clair.*

HOM. 1. **Baie,** 2. **baie,** 3. **baie, bey.**

1. **BAIE** [bɛ] n. f. — 1364, nom propre; 1422, écrit *bee;* probablt déverbal de *ba(i)er, beer* «être ouvert», comme 2. *baie;* Guiraud postule un lat. pop. **bahire,* d'où l'anc. franç. *bahi* et *ébahi.*

Échancrure d'une côte, plus ou moins ouverte sur le large. *Baie abritée propice à l'ancrage des bateaux.* → **Rade.** *Petite baie.* → **Anse, conche, crique.** *Baie resserrée de la côte méditerranéenne.* → **Calanque.** *Vaste baie.* → **Golfe.**

0.1 Le brick allait-il s'enfoncer dans la baie? C'était la première question. Une fois en baie, y mouillerait-il? C'était la seconde. Ne se contenterait-il pas seulement, après avoir observé le littoral, de reprendre le large sans débarquer son équipage? On le saurait avant une heure.
J. VERNE, l'Île mystérieuse, t. II, p. 608.

(Dans des noms propres). *La baie d'Audierne est très ouverte, celle de Douarnenez presque fermée. La baie d'Hudson. Le golfe de Gascogne, autrefois nommé «baie de Biscaye».*

1 (...) si le passage par le nord est possible, ce ne peut être qu'en prenant la route de la baie d'Hudson.
BUFFON, Additions à la théorie de la terre, Œ. compl., t. XII, p. 493.

2 Saint-Marc, qui n'a que deux cents maisons, mais agréablement bâties, se présente au fond d'une baie couronnée d'un croissant de collines (...)
G.-T. RAYNAL, Hist. philosophique, XIII, 40.

3 (...) mon navire étant venu par hasard mouiller dans une baie des environs. LOTI, Mon frère Yves, XV, p. 59.

4 Les fiords, répondait Yann, — des grandes baies, comme ici celle de Paimpol par exemple (...)
LOTI, Pêcheur d'Islande, IV, 8, p. 265.

CONTR. **Cap, pointe, promontoire.** ◊ HOM. **Bai,** 2. **baie,** 3. **baie, bey.**

2. **BAIE** [bɛ] n. f. — 1119, Ph. de Thaon; anc. franç. *bäee,* du v. *baer* «être ouvert». → 1. Baie, bayer, béer.

♦ **1** Ouverture* pratiquée dans un mur ou dans un assemblage de charpente pour faire une porte*, une fenêtre*. *Baie de porte. Baie de fenêtre. Une large baie. Baie vitrée. Fenêtres* (cit. 3.1) *larges comme des baies. Tableau* de baie,* les parois latérales qui l'encadrent. *Les montants d'une baie, le linteau d'une baie.* → **Dosseret, jambage.** *Seuil d'une baie de porte. L'appui, l'allège d'une baie de fenêtre. Baie à meneaux.*

(...) l'ameublement du petit salon (...) qu'on apercevait par l'ouverture d'une grande baie, sans rideaux (...) 1
Marcel PRÉVOST, les Demi-vierges, I, p. 5.

Bernard admira la rusticité des boiseries, le plafond aux poutres noires et blanches, la grande baie sur le jardin fleuri. A. MAUROIS, Bernard Quesnay, III, p. 18. 2

Techn. (ch. de fer). Fenêtre (de train).

♦ **2** Techn. Châssis vertical ou armoire destiné à supporter des équipements électriques ou électroniques. *Montage en baie.* → 2. **Rack** (anglic.). — Par ext. L'ensemble de ces équipements. *Baie d'amplification, baie de mesure.*

♦ **3** Fig., vx. Tromperie, mystification que l'on fait à qqn et qu'il accepte bouche bée. *Donner la baie à qqn. Se donner la baie :* s'abuser soi-même.

Mon esprit (...) 3
Qui dans les caprices s'égaie
Et souvent se donne la baie (...)
Mathurin RÉGNIER, Épîtres, III.

Le sort a bien donné la baie à mon espoir (...) 4
MOLIÈRE, l'Étourdi, II, 13.

Je fus aussi sensible à cette baie que je l'ai été dans la suite aux plus grandes disgrâces qui me sont arrivées. 5
A.-R. LESAGE, Gil Blas, I, 3.

HOM. **Bai,** 1. **baie,** 3. **baie, bey.**

3. **BAIE** [bɛ] n. f. — V. 1220; XI^e, «fruit du laurier»; du lat. *baca.*

Bot. et cour. Fruit indéhiscent* dont le péricarpe* entièrement charnu renferme des graines ou pépins. *Baies du raisin, de la groseille.* → **Grain.** *Baies du gui, du houx.* → **Boule.** *Baies du sorbier, de la myrtille. Baies de la canneberge. Certaines baies* (melon, citrouille) *possèdent une écorce* (→ **Péponide**), *d'autres* (citron, orange, etc.) *ont un péricarpe à deux épaisseurs. La baie du grenadier* (grenade ou balauste*) *a un péricarpe coriace. La datte est une baie dont le noyau est en réalité la graine.*

Cour. Petit fruit en boule (qu'il soit une *baie* au sens des botanistes ou une drupe). *Cueillir, manger des baies.*

On eût dit que ses joues *(de Clodion)* étaient peintes du vermillon de ces baies d'églantiers qui brillent au milieu des neiges (...) CHATEAUBRIAND, les Martyrs, 202. 1

Des branches d'églantine, dont l'une portait déjà de petites baies, fleurissaient un buisson en travers du sentier. 2
MARTIN DU GARD, les Thibault, t. II, p. 260.

Souvent, l'estomac tenaillé par la faim, il n'osait mordre aux fruits éclatants qui pendaient des arbres; il avait peur de ces baies aux reflets métalliques, dont les bosses noueuses suaient le poison. 3
ZOLA, le Ventre de Paris, t. I, p. 138.

DÉR. (Du lat. *bacca,* autre forme de *baca*) **Baccifère, bacciforme, baccivore.** ◊ HOM. **Bai,** 1. **baie,** 2. **baie, bey.**

**BAIGNADE** [bɛɲad] n. f. — 1796; de *baigner.*

♦ **1** Action de se baigner (en mer, dans un lac, une rivière). → **Bain.** *Une agréable baignade en rivière.*

Voici le mois d'août : en course, camarades;
La chasse le matin, et le soir les baignades.
BRIZEUX, *in* Pierre LAROUSSE.

Rare. Tableau représentant une baignade. → aussi **Baigneur.**

♦ **2** Endroit (d'un cours d'eau, d'un lac) où l'on peut se baigner. *La municipalité vient d'aménager une baignade et un terrain de camping au bord de la rivière.*

♦ **3** Rare. Action de se baigner (dans une baignoire).

**BAIGNAGE** [bɛɲaʒ] n. m. — 1892; de *baigner.*

Rare. Action de baigner, de tremper (quelque chose dans un liquide).

Agric. *Baignage des prés.* → **Irrigation.**

CONTR. **Séchage.**

**BAIGNER** [beɲe] v. tr. et intr. — XII^e, Godefroy; du bas lat. *balneare,* du lat. class. *balneum.* → Bain.

**I** V. tr. ♦ **1** (Le sujet désigne un être animé, une personne). Mettre et tenir (un corps, un objet) dans l'eau, dans un liquide pour laver, nettoyer, rafraîchir, imbiber. → **Aiguayer, immerger, plonger, tremper** (et faire tremper). *Baigner un enfant, un animal; baigner un malade. Baigner ses pieds dans l'eau. Baigner un membre malade. Baigner qqn dans une boue médicinale.* → **Illuter.** — *Se baigner* (suivi d'un compl. désignant une partie du corps) : tremper dans un liquide. *Se baigner le front, le visage.*

♦ **2** (Le sujet désigne un liquide). Couler* dans, auprès, autour (cours d'eau); entourer, toucher (mer). → **Arroser.** *La rivière qui baigne cette contrée. La mer qui baigne cette côte. L'eau, le courant baigne les remparts, le pied des maisons.*

1 J'ai, malgré leurs efforts, soumis à votre règne
Ce que le Tibre lave et que le Gange baigne (...)
ROTROU, Bélisaire, I, 6.

2 Il paraît, par les échancrures de toutes les terres que l'Océan baigne, que les deux hémisphères ont perdu plus de 2 000 lieues de terrain.
VOLTAIRE, Essais sur les mœurs, Changements.

3 Les mers qui baignent cette longue côte sont faciles, ouvertes, débarrassées de tous les obstacles qui pourraient gêner la navigation.
G.-T. RAYNAL, Hist. philosophique, XIII, 9.

Par métaphore ou fig. → **Envelopper, entourer, imprégner, inonder, pénétrer, remplir.** *Un ardent soleil, une lumière éclatante baignait la plaine.* — (Au passif). *Un paysage baigné de douceur et de calme* (→ les cit. 18 et 19, ci-dessous).

4 Elle *(la lumière)* vous baigne également, comme une seconde atmosphère, de flots impalpabes. Elle enveloppe et n'aveugle pas.
E. FROMENTIN, Un été dans le Sahara, I.

5 Baigné d'air chaud, pénétré de silence et sous l'empire de sensations extraordinairement douces et perfides (...)
E. FROMENTIN, Une année dans le Sahel, p. 84.

6 Il faisait un temps doux, rayonnant, un soleil tamisé d'une brume argentée et flottante, qui baignait toute l'atmosphère (...) Alphonse DAUDET, Sapho, XII.

7 Lorsque la lumière baignait à plein la chair du visage et incendiait la chevelure, ce devenait une fatigue pour les yeux de la regarder longtemps.
MARTIN DU GARD, les Thibault, t. III, p. 69.

8 (...) cette sollicitude lui causa une impression de douceur, comme si, au fond de lui, un souffle tiède était venu baigner des fibres longtemps engourdies.
MARTIN DU GARD, les Thibault, t. IV, p. 82.

9 Au dehors, la brume bleue et dorée, si particulière à la vallée de la Seine, baignait les arbres du quai.
A. MAUROIS, la Terre promise, XVI, p. 109.

10 J'eusse pu la peindre dans un tout autre éclairage que celui dont ces pages la baignent si cruellement.
F. MAURIAC, la Pharisienne, p. 130.

Poét. Inonder de lumière, d'éclat.

Un si touchant regard baigne votre prunelle (...) 11
HUGO, les Feuilles d'automne.

♦ **3** Mettre en contact avec un liquide en mouillant plus ou moins abondamment (→ **Arroser, inonder; tremper; humecter).** *Baigner ses tempes, ses yeux d'eau glacée. Se baigner le front avec du vinaigre.* — Spécialt. Le sujet à l'actif, le compl. second au passif désigne les larmes, la sueur... (souvent au passif). → **Mouiller; arroser, inonder...** *Les larmes baignaient son visage. Visage baigné de larmes. Il était baigné de sueur. Des yeux baignés de pleurs.* → **Noyer.**

Chimène est au palais, de pleurs toute baignée. 12
CORNEILLE, le Cid, III, 1.

Sa face était de pleurs toute baignée (...) 13
LA FONTAINE, Fables, V, 1.

Elle prend ses enfants et les baigne de pleurs (...) 14
RACINE, Phèdre, V, 5.

(Sujet n. de chose; le compl. désigne les pleurs, la sueur).

Ainsi quand meurt la rose aux royales couleurs, 15
Sa feuille, que l'aurore en vain baigne de pleurs,
Tombe, et son doux parfum s'envole!
HUGO, Odes, V, 20.

Il avait des assoupissements agités de songes, des somnolences épuisantes qui le baignaient de sueur. 16
LOTI, Matelot, XLVIII.

**II** V. intr. ♦ **1** Être plongé entièrement dans un liquide. *Des cornichons baignant dans du vinaigre.* → **Tremper.** *Faire baigner des herbes dans un liquide.* → **Macérer.**

Loc. fam. *Ça (tout, etc.) baigne dans l'huile (le beurre, la margarine),* ou (sans compl.), *ça baigne* : ça ne pose aucun problème, ça va très bien. *«À Val (d'Isère), Flo nous prête son studio, ça baigne»* (P. de Nussac, *«Le Français des moins de 20 ans ou l'aide-mémoire des adultes "débranchés"»,* in *Signature,* n° 133, 1981).

♦ **2** Par ext. Être en contact avec un liquide (→ ci-dessus I., 2.).

(...) la vieille ville, harmonieusement étagée, depuis son soubassement de verdure qui baignait dans l'eau (...) 17
MARTIN DU GARD, les Thibault, t. V, p. 41.

Par exagér. *Baigner dans son sang* : perdre beaucoup de sang, en être couvert.

Fig. Être empreint, imprégné de; être enfoncé, plongé dans... → **Nager** (nager dans le bonheur). — REM. L'emploi passif du sens I., 2. est exactement synonyme de cet emploi; ainsi *être baigné dans* (tel milieu) → cit. 18 et 19, et *baigner dans...* expriment la même idée.

Elle paraît baignée dans l'excès de la joie. 18
M^me DE SÉVIGNÉ, Lettres, 437.

(...) l'abrupt rocher de la Sainte-Victoire tout baigné d'horreur dantesque, quand on l'aborde par le vallon aux terres sanglantes (...) M. BARRÈS, la Colline inspirée, p. 1. 19

Elle-même, parfois, elle s'étonnait de cette atmosphère apaisée où baignait maintenant son chagrin. 20
MARTIN DU GARD, les Thibault, t. IX, p. 99.

Vous êtes moins un homme qu'un élément dans lequel ma vie baigne comme on baigne dans de l'air ou de l'eau. 21
MONTHERLANT, les Jeunes Filles, p. 14.

◆ **SE BAIGNER** v. pron.

♦ **1** Se plonger complètement dans un liquide, prendre un bain pour le plaisir. *Se baigner dans une rivière, dans une piscine, dans la mer. Il est allé à la plage pour se baigner.*

Les anciens, qui rapportaient tous leurs exercices à ceux de la guerre, s'accoutumaient de bonne heure à se baigner et à nager (...) 22
ROLLIN, Hist. ancienne, 1 t. VI, p. 606, *in* POUGENS.

Un fruit de chair se baigne en quelque jeune vasque. 23
VALÉRY, Poésies, «Baignée», p. 23.

3.1 Joseph forçait toujours Suzanne à rentrer dans l'eau. Il aurait voulu qu'elle sache bien nager pour se baigner avec lui dans la mer, à Ram. Suzanne était réticente.
M. DURAS, Un barrage contre le Pacifique, p. 30.

Spécialt. Prendre un bain dans une baignoire. → **Laver** (se).

(Avec ellipse du pronom, en construction factitive). *Faire baigner un enfant. — Faire baigner des chevaux.* → **Guéer.**

♦ **2** Fig. a Loc. *Se baigner dans le sang :* faire mourir beaucoup de personnes, se plaire à répandre le sang. *«Ce tyran s'est baigné dans le sang de ses sujets»* (Académie).

24 Songe aux fleuves de sang où ton bras s'est baigné (...)
CORNEILLE, Cinna, IV, 2.

25 *(Une impie étrangère)* Se baigne impunément dans le sang de nos rois (...) RACINE, Athalie, I, 1.

b Fig., poét. Se plonger, s'abîmer dans...

26 Et, dès lors, je me suis baigné dans le poème
De la mer, infusé d'astres et lactescent (...)
RIMBAUD, le Bateau ivre, p. 138.

27 Quelle sorte de bonheur se baigne dans la fatigue!
VALÉRY, Autres Rhumbs, p. 45.

DÉR. **Baignade, baignage, baignoire.** — V. **Baigneur.**

**BAIGNEUR, EUSE** [bɛɲœʀ, øz] n. — XIVe; du bas lat. *balneator* «maître de bains», de *balneare.* → Baigner.

♦ **1** Ancienn (jusqu'au XIXe). Personne qui tenait des bains publics.

1 Sire baigneur, ôtez-moi de souci;
Où lave-t-on ceux que l'on lave ici?
LA FONTAINE, Fables, Épigramme.

2 La Vienne, baigneur à Paris, fort à la mode (...)
SAINT-SIMON, 30, 96.

♦ **2** Mod. Personne qui fait le service dans un établissement de bains. Syn. : *garçon de bain.*

Vieilli. Celui qui surveille les gens qui se baignent. *«Il faillit se noyer, mais le baigneur le sauva»* (Académie). → Mod. **Nageur** (maître-nageur).

REM. Dans les sens 1. et 2., le mot n'est attesté qu'au masculin.

♦ **3** (1680). Personne qui se baigne, et, par ext., qui est en villégiature dans une station balnéaire. *La plage était envahie de baigneurs. Un des baigneurs faillit se noyer. D'élégantes baigneuses.*

3 (...) il regardait d'un air sarcastique les joueurs de tennis vêtus de flanelle blanche, les baigneuses en maillot dont les seins pointaient sous l'étoffe inutile.
A. MAUROIS, Bernard Quesnay, XX, p. 138.

3.1 Ce ruissellement lui donnait une grâce frissonnante de baigneuse, au bord d'une source, les vêtements mal rattachés encore. ZOLA, le Ventre de Paris, t. I, p. 181.

3.2 Tout était plein, villas, hôtels, maisons garnies; les six mille cabines établies sur les plages ne désemplissaient pas, et le soir les soixante casinos, espacés de deux kilomètres en deux kilomètres, ne pouvaient contenir la foule des baigneurs accourus pour les bals, les jeux et les concerts. A. ROBIDA, le Vingtième Siècle, p. 350.

Spécialt. Personne en traitement dans une station thermale. → **Buveur, curiste.** *Il y a peu de baigneurs cette année.*

4 Ayant racheté dans son pays une source thermale oubliée, avec son établissement moisi, il avisait au moyen d'y ramener les baigneurs. FRANCE, Jocaste (1879), XIV.

Peint. (souvent au fém.). Tableau représentant des baigneurs. *Une baigneuse d'Ingres, de Renoir. Les Baigneuses de Fragonard. Les Baigneurs de Cézanne.*

♦ **4** N. m. Poupée de celluloïd figurant un bébé. *Un baigneur.* — Par anal. Petite poupée de porcelaine qui remplace parfois la fève du gâteau des Rois.

♦ **5** N. f. Anciennt. **BAIGNEUSE** : bonnet de femme à plis serrés.

*Suzanne entre avec un grand bonnet...* 5
LA COMTESSE
Est-ce là ma baigneuse?
BEAUMARCHAIS, le Mariage de Figaro, II, 6.

*Bonnet, robe en baigneuse,* à petits plis.

Vieilli. Peignoir de bain.

**BAIGNOIRE** [bɛɲwaʀ] n. f. — XIIIe; «bassin où l'on se baigne», de *baigner.*

♦ **1** Cuve plus ou moins allongée, où une personne peut se baigner, élément essentiel de la salle de bains. → **Bain** (A., 4.). *Une baignoire en bronze, en zinc, en marbre, en porphyre, en porcelaine, en céramique... Une baignoire en tôle émaillée. Les Anciens avaient des baignoires, mais ils utilisaient plutôt des cuves creusées dans le sol.* → **Bassin, piscine.** *Baignoire sabot*. Baignoire à pieds. Baignoire encastrée,* dont la cuve est masquée par une murette verticale revêtue de céramique, etc. — Ensemble formé par la cuve, ses accessoires et son revêtement. *Les robinets, la bonde, la cuve d'une baignoire.*

Une belle cuve de marbre blanc, supportée par des griffes dorées, occupe le fond de la salle (...) Musidora vient d'être apportée par Jacinthe jusqu'au bord de la baignoire; pendant que deux belles filles plongent leurs bras roses dans l'eau tiède et fumante pour que la chaleur soit bien égale à la tête et aux pieds (...) Th. GAUTIER, Fortunio, 6. 1

(...) vous pensez bien que les salles de bains sont rares, surtout dans la classe bourgeoise, dans la petite propriété, qui a bien trouvé le moyen de faire un lit dans un divan, mais qui n'a pas encore songé à en faire un dans une baignoire... cela viendra peut-être... nous inventons tous les jours. 1.1
Or donc, pour ceux qui n'ont point de baignoire chez eux, il fallait recourir aux établissements de bains lorsqu'on éprouvait le besoin ou le désir de se plonger dans l'eau; ces établissements ne sont point rares à Paris.
Ch. PAUL DE KOCK, la Grande Ville, p. 18 (1842).

*Supplice de la baignoire,* consistant à plonger la tête de qqn dans l'eau d'une baignoire pour l'amener à parler.

Quelques-uns de ces prisonniers étaient revenus. Il y en avait un dans notre chambrée. Il raconta le supplice de la baignoire, avec l'humour noir des prisons : 1.2
— C'est pas que ça fasse tellement mal, mais ça recommence tout le temps, on finit par plus rien comprendre. Alors comme ils gueulent et cognent, si on faisait pas très attention, on finirait par répondre.
MALRAUX, Antimémoires, Folio, p. 246.

♦ **2** (1831, Balzac; par anal. de forme avec le sens 1). Loge de rez-de-chaussée, dans une salle de spectacle. *J'ai loué une baignoire au théâtre.*

La princesse était fort riche; elle avait à toutes les premières une grande baignoire (...) 2
PROUST, À la recherche du temps perdu, t. X, p. 23.

♦ **3** Mar. *Baignoire d'un yacht.* → **Cockpit.** — (1940). *Baignoire d'un sous-marin,* la partie supérieure du kiosque qui sert de passerelle.

♦ **4** Alpin. Marche anormalement large, taillée dans la glace pour l'escalader.

Il se taille à coups de piolet une confortable plate-forme pour les deux pieds : ce n'est plus une marche, mais une baignoire, comme on dit dans le métier. 3
R. FRISON-ROCHE, Premier de cordée, p. 291 (1941).

Ski. Grand trou que l'on fait dans la neige en tombant. *Faire une baignoire dans la profonde*.*

**BAIL, BAUX** [baj, bo] n. m. — 1264, «contrat par lequel on cède la jouissance d'une chose pour un prix et pour un temps»; de *bailler.*

♦ **1** Dr., cour. Contrat par lequel l'une des parties (→ **Bailleur**) s'oblige à faire jouir l'autre (→ **Preneur, locataire, fermier**) d'une chose pendant un certain temps, moyennant un certain prix (→ **Loyer, fermage**) que celle-ci s'oblige de lui payer. → **Louage** (louage des choses : art. 1709 du Code civil). — REM. Dans la langue courante, *bail* s'emploie surtout en parlant de l'acte de location d'un logement. — *Baux ruraux. Bail à cheptel, à colonage partiaire, à complant, à convenant ou domaine congéable, à ferme.* → **Cheptel, colonage, complant, congéable** (domaine), **ferme.** *Bail à portion de fruits.* → **Métayage.** *Baux à loyer. Le bail d'une maison. Bail d'un fonds de commerce.* → **Propriété** (propriété commerciale, industrielle). *Bail à rente.* → **Rente, viager.** *Bail à nourriture. Durée d'un bail. Terme, expiration d'un bail. Bail de trois, six, neuf années. Bail à long terme. Bail emphytéotique :* de 18 à 99 ans. → **Emphytéose.** *Les baux à vie ne peuvent être faits pour plus de trois générations. Faire, passer un bail. Bail verbal. Bail écrit, sous seing privé, authentique. Signer un bail.* → **Acte.** *Les baux doivent être enregistrés. Reconduire, renouveler un bail.* → **Reconduction.** *Résilier un bail.* → **Résiliation.**

1 Il faut faire payer exactement toutes les rentes que doit Lajarie tout au long de son bail (...)
M^me^ DE SÉVIGNÉ, Lettres, 23 mars 1687.

2 On appelle bail à loyer, le louage des maisons et celui des meubles; bail à ferme, celui des héritages ruraux (...); bail à cheptel, celui des animaux dont le profit se partage entre le propriétaire et celui à qui il les confie.
Code civil, art. 1711.

3 Le preneur a le droit de sous-louer, et même de céder son bail à un autre, si cette faculté ne lui a pas été interdite.
Code civil, art. 1717.

4 Les baux que le mari seul a faits des biens de sa femme pour un temps qui excède neuf ans (...)
Les baux de neuf ans et au-dessous que le mari a passés ou renouvelés des biens de sa femme (...)
Code civil, art. 1429 à 1430.

5 Les marchands proposaient eux-mêmes des loyers avantageux pour les boutiques, à condition de porter les baux à dix-huit années de jouissance.
BALZAC, la Cousine Bette, Pl., t. VI, p. 441.

6 Le renouvellement des baux à loyer des locaux et immeubles qui s'exploite, depuis au moins deux années (...) un fonds de commerce ou d'industrie, est régi par les règles ci-après.
Loi du 30 juin 1926, art. 1.

7 Au lieu de vendre leur bien à rente viagère, on voit certaines personnes préférer qu'on prenne envers elles un autre engagement. Elles stipulent qu'elles seront logées, nourries, entretenues et défrayées de tout, leur vie durant, par celui avec qui elles traitent. Une pareille promesse constitue une obligation de faire, et la convention qui l'engendre porte ordinairement dans la pratique le nom de bail à nourriture.
M. PLANIOL, Traité élémentaire de droit civil, t. II (11^e^ éd.), p. 758.

Loc. *Donner, céder à bail.* → **Affermer, louer; bailler** (vx); → Perception, cit. 1. *Prendre à bail.* → **Louer.**

♦ **2** Fam. *Vingt ans qu'ils sont mariés, c'est un bail !,* c'est bien long. *Il y a, cela fait un bail :* voilà bien longtemps.

♦ **3** Fig., vx (langue class.). *Faire un nouveau bail avec la vie :* recouvrer, consolider sa santé. *Bail de vie* (même sens).

8 C'est pour faire une dernière lessive que l'on m'a principalement envoyée *(à Vichy)* C'est comme si je renouvelais un bail de vie et de santé.
M^me^ DE SÉVIGNÉ, Lettres, 28 mai 1676.

9 J'assurai Chamillart qu'il serait bien reçu *(du roi),* quand bien même il embarrasserait le roi; et que, de cette époque, ce serait un nouveau bail passé avec lui (...)
SAINT-SIMON, Mémoires, 299, 150.

COMP. **Cession-bail, sous-bail.** ◊ HOM. **Baille;** formes des verbes **bailler, bâiller, bayer.** — **Bau, baud, beau, bot.**

**BÂILLANT, ANTE** [bajɑ̃, ɑ̃t] adj. — XII^e^; du p. prés. de *bâiller.*

♦ **1** Qui bâille (2.); qui est entrouvert. → **Béant, ouvert.** *Des chaussures éculées et bâillantes. Coquilles bâillantes.*

Il était vêtu d'un pardessus usé jusqu'à la corde (...) La grande poche de côté restait bâillante, bien qu'on sentît qu'elle était vide; dans le coin l'étoffe avait cédé.
GIDE, les Faux-monnayeurs, I, XI, *in* Romans, Pl., p. 998.

♦ **2** (Personnes). Qui bâille (1.).

**BAILLE** [baj] n. f. — 1325; du bas lat. *bajula* «chose qui porte; récipient renfermant une substance».

♦ **1** Mar. Baquet* (autrefois, en bois), servant à divers usages. *Baille à lavage. Baille à incendie. Baille à drisse.*

Nus, semblables à des antiques avec leurs bras forts, ils 1
se lavaient à grande eau froide; ils plongeaient de la tête et des épaules dans les bailles, couvraient leur poitrine, d'une mousse blanche de savon, et puis s'associaient deux à deux, naïvement, pour se mieux frotter le dos.
LOTI, Mon frère Yves, XC, p. 216.

♦ **2** Argot mar. Bateau mauvais marcheur. → **Rafiot.** Par ext. Fam. Bateau.

(...) auprès de ce rêve qu'il caresse de ses beaux yeux bruns 2
poétiques, le commandement d'une grande baille de six mille tonneaux (...) lui paraît d'un faible prix.
J.-R. BLOCH, Sur un cargo, p. 36.

Roulant leur bosse depuis de nombreuses années, ils con- 3
naissent presque tous les bateaux, les bons comme les mauvais, et espèrent trouver un embarquement prochain sur le navire de leur choix mais se contenteraient probablement de n'importe quelle baille, pourvu qu'elle parte vite.
Bernard MOITESSIER, Cap Horn à la voile, p. 29.

(V. 1865). Argot scol. *La Baille :* l'École navale (installée jusqu'en 1914 dans un vaisseau réformé mouillé en rade de Brest).

♦ **3** (1767). Argot mar. Eau; l'eau. — Par ext. (argot cour.). L'eau, la mer (où l'on se baigne, où l'on risque la noyade). *La grande baille. Filer (qqn) à la baille,* le jeter à l'eau.

J'ai vu Calibou qui traversait le boulevard en direction du 4
fleuve. Il marchait à grandes enjambées mais ne gesticulait plus. J'ai dit, inquiet : Il va se jeter à la baille. Ça le rafraîchira, le sale fumier, m'a répondu Lairdin.
Jean HOUGRON, la Gueule pleine de dents, p. 68.

HOM. **Bail.** Formes des verbes **bailler, bâiller** et **bayer.**

**BÂILLEMENT** [bajmɑ̃] n. m. — V. 1120; de *bâiller.*

♦ **1** Action de bâiller (1.). *Un bâillement bruyant. Étouffer un bâillement d'ennui. Retenir un bâillement.* → Péroraison, cit. 1. *La pandiculation s'accompagne souvent de bâillements.*

Conduit de bâillement en bâillement dans un sommeil 1
léthargique (...)
MONTESQUIEU, Lettres persanes, III.

(...) la princesse Seniavine, qui, superbe, cachait sous son 2
éventail des bâillements de panthère (...)
FRANCE, le Lys rouge, XXXII.

♦ **2** (1840, Balzac, *in* D. D. L.). Action de bâiller (2.), état de ce qui bâille. — Par ext. Petite ouverture*. → **Entrebâillement.**

(...) par le bâillement postérieur de son faux-col, on dis- 3
tingue sa nuque en forme de gouttière (...)
COURTELINE, Messieurs les ronds-de-cuir, I, 2.

REM. On rencontre à la fin du XIX^e^ s. le synonyme *bâillée,* n. f. *Il «murmurait dans une bâillée placide...»* (A. Daudet, *l'Immortel,* p. 223, 1883).

CONTR. **Fermeture, jointure.** ◊ COMP. **Entrebâillement.**

**BAILLER** [baje] v. tr. — V. 1150; du lat. *bajulare* «porter», de *bajula*. → Baille.

♦ **1** (Dès le XVIIe). Vx ou par archaïsme. Donner. — Spécialt (avec un compl. prép.). Donner des coups.

1 Je te baillerai sur le nez, si tu ris davantage.
MOLIÈRE, le Bourgeois gentilhomme, III, 2.

2 Une de ses habiletés *(du démon)* consiste à nous bailler pour triomphantes nos défaites.
GIDE, les Faux-monnayeurs, I, 16.

REM. *Bailler* est encore d'usage dans certaines régions, surtout en milieu rural.

Littéraire, rare :

2.1 (...) elles lui baillent la beauté, elles lui baillent la durée, elles lui baillent le refus de cette beauté et de cette durée.
P. ÉLUARD, l'Immaculée conception, Pl., t. I, p. 312.

♦ **2** Dr., vx. Mettre à la disposition de qqn. *Bailler par contrat.* → **Bail** (donner à), **bailleur.** *Bailler des fonds.*

♦ **3** Loc. mod. (1594). *Vous me la baillez belle, vous me la baillez bonne :* vous cherchez à m'en faire accroire (expression du jeu de paume).

3 Vous (...) me la baillez bonne (...)
MOLIÈRE, l'Étourdi, III, 4.

4 — Monsieur... vraiment... je ne comprends pas...
— Vous ne comprenez pas ! Vous me la baillez bien bonne. Vous ne comprenez pas ! Mais vous devriez comprendre, mon ami.
R. QUENEAU, le Vol d'Icare, p. 70.

CONTR. **Recevoir.** ◊ DÉR. **Bail, bailleur.** — HOM. **Bayer.**

**BÂILLER** [baje] v. intr. — XIIe ; anc. franç. *bäailler*, du lat. pop. *bataculare*, de *batare* «tenir la bouche ouverte» ; → Bayer, béer.

♦ **1** Ouvrir involontairement la bouche par un mouvement de large inspiration, accompagné d'une contraction spasmodique des muscles du gosier. *On amène en bâillant une plus grande quantité d'air au poumon. Bâiller de sommeil, de fatigue, de faim, d'ennui. Bâiller à se décrocher la mâchoire. Lecture, spectacle, discours qui fait bâiller,* qui ennuie, qui endort. *«On ne sifflait pas, on bâillait à cette pièce»* (Académie).

1 (...) En ouvrant la bouche aussi grande qu'un four, à force de bâiller (...)
SCARRON, le Roman comique, I, 6.

2 (...) non que bâiller soit le signe de la fatigue, mais plutôt c'est le congé donné à l'esprit d'attention et de dispute, par cette profonde aération du sac viscéral.
ALAIN, Propos sur le bonheur, p. 61.

3 Joseph Pasquier ouvrit une bouche énorme et bâilla, prodigieusement. Cela faisait un bruit de vocalise chromatique et s'achevait comme une plainte.
G. DUHAMEL, Chronique des Pasquier, X, 1.

Trans. Littér. *Bâiller sa vie :* traîner dans l'ennui.

4 Tout me lasse ; je remorque avec peine mon ennui avec mes jours, et je vais partout, bâillant ma vie.
CHATEAUBRIAND, *in* Pierre LAROUSSE.

♦ **2** Par anal. Être entrouvert, mal fermé ou ajusté. *Une porte qui bâille. Bâiller comme une huître. Col qui bâille.*

5 Parmi tant d'huîtres toutes closes,
Une s'était ouverte, et, bâillant au soleil (...)
D'aussi loin que le rat voit cette huître qui bâille :
Qu'aperçois-je ? dit-il ; c'est quelque victuaille (...)
LA FONTAINE, Fables, VIII, 9.

6 Les nénuphars dont bâillent les fleurs indolentes !
Aloysius BERTRAND, Gaspard de la nuit, p. 14.

7 (...) un soupirail bâillant sur le cloître (...)
GIDE, Journal, Feuilles de route, 1896.

*Cette étoffe, cette dentelle bâille,* elle n'est pas assez tendue.

♦ **3** → **Bayer.**

Outre la vanité de son art mensonger, 8
C'est l'image de ceux qui bâillent aux chimères (...)
LA FONTAINE, Fables, II, 13.

Pauvre petite femme ! ça bâille après l'amour, comme une carpe après l'eau sur une table de cuisine. 9
FLAUBERT, Mme Bovary, II, 7.

DÉR. **Bâillant, bâillement, bâilleur, bâillon.** ◊ COMP. **Entrebâiller.**

**BAILLERESSE** [bajRɛs] n. f. → **Bailleur.**

**BAILLET** [bajɛ] adj. m. — XIVe, de l'anc. franç. *baille* «couleur baie».

Vx. Qui a le poil roux tirant sur le blanc (couleur paille, chair), en parlant d'un cheval. *Cheval baillet.*

**BAILLEUR, BAILLERESSE** [bajœR, bajRɛs] n. — 1321 ; de *bailler*.

♦ **1** Dr. Personne qui donne une chose à bail. → **Bail.** *Bailleur d'immeuble. Le bailleur et le preneur.*

Le bailleur est obligé (...) 1o De délivrer au preneur la chose louée (...) 1
Code civil, art. 1719.

(...) le pouvoir est passé du bailleur au preneur. La terre (...) n'est pas à celui qui la possède, mais à celui qui entre dedans. 2
Hervé BAZIN, Cri de la chouette, p. 89.

♦ **2** *Bailleur, bailleuse de fonds :* personne qui fournit des fonds pour une entreprise déterminée. → **Commanditaire, commandite.** *Les bailleurs de fonds d'un politicien aux abois* (→ Argument, cit. 7).

Ce n'est pas ta femme, c'est ton associée, c'est Agathe Monier, la bailleuse de fonds de ton industrie, qui te parle. 3
Louise MICHEL, la Misère, t. II, p. 315.

REM. Le fém. *(une société bailleresse)* s'est répandu aux dépens de *bailleuse*.

**BÂILLEUR, EUSE** [bajœR, øz] n. — 1690, *in* Furetière ; de *bâiller*.

Personne qui bâille. Personne sujette aux bâillements. — Loc. prov. *Un bon bâilleur en fait bâiller sept.*

Le bâilleur, stupéfait, bredouillait parfois une excuse, parfois, épouvanté, se levait en hâte, tirait la ficelle et quittait la voiture.
G. DUHAMEL, Chronique des Pasquier, I, p. 109.

**BAILLI** [baji] n. m. — XIIe ; aussi *baillif* (encore au XVIIe) ; de l'anc. franç. *baillir* «administrer», de *bail* «gouverneur», lat. *bajulus* «porteur», → Bailler, ou du dér. lat. *bajulivum*.

Didactique (histoire).

♦ **1** Fonctionnaire royal d'abord chargé d'inspecter les prévôts, puis de représenter le roi dans une circonscription. → **Bailliage.**

♦ **2** Officier d'épée ou de robe qui rendait la justice au nom du roi ou d'un seigneur. *Les baillis et les sénéchaux.* → **Sénéchal.** *Les assises du bailli* (→ Assise, cit. 6). *Bailli seigneurial.*

Il n'y eut point de loi qui ordonnât de créer des baillis ; ce ne fut point par une loi qu'ils eurent le droit de juger. Tout cela se fit peu à peu, et par la force de la chose (...) La seule ordonnance que nous ayons sur cette matière *(de l'an 1287)* est celle qui obligea les seigneurs de choisir leurs baillis dans l'ordre des laïques.
MONTESQUIEU, l'Esprit des lois, XXVIII, 43.

♦ **3** Nom de magistrats, en Allemagne, en Suisse, en Grande-Bretagne. *Bailli de l'Empire* (germanique).

♦ **4** Dignité supérieure à celle de commandeur, dans l'ordre de Malte. *Baillis capitulaires. Baillis conventuels. Le bailli de Suffren.*

DÉR. **Bailliage, baillive.**

**BAILLIAGE** [bajaʒ] n. m. — 1312, *in* Godefroy; de *bailli.*
Hist. Circonscription, juridiction, tribunal du bailli. *Bailliages et sénéchaussées.*

Votre présence est réclamée à Paris. Le délégué du bailliage d'Auge manque beaucoup dans les rangs de la Noblesse (...) R. QUENEAU, les Fleurs bleues, p. 191.

DÉR. **Bailliager.**

**BAILLIAGER, ÈRE** [bajaʒe, ɛʀ] adj. — 1611; de *bailliage.*
Hist. Qui appartient à un bailliage. *Assemblée bailliagère.*

**BAILLIVE** [bajiv] n. f. — XVIe; de *bailli.*
Rare. Femme d'un bailli*.

Vous irez visiter (...) Madame la baillive (...)
MOLIÈRE, Tartuffe, II, 3.

**BÂILLON** [bajɔ̃] n. m. — 1462; de *bâiller.*

♦ **1** Morceau d'étoffe, (autrefois, souvent de bois, de fer), qu'on met entre les mâchoires de qqn pour l'empêcher de parler, de crier. — *La poire* (cit. 8) *d'angoisse était un bâillon perfectionné.* — Par ext. Bandeau, tampon, ayant même usage.

1 Lorsqu'on mit un bâillon à Lalli et qu'on lui eut coupé la tête pour avoir été malheureux et brutal (...)
VOLTAIRE, Lettre à d'Argental, 23 mai 1769.

♦ **2** Panier destiné à maintenir fermée la gueule d'un animal. → **Muselière.** — Agric. Panier muselant un veau afin qu'il ne puisse pas téter.

♦ **3** Fig. Empêchement à la liberté d'expression. *Mettre un bâillon à qqn.* → **Museler.**

2 L'art n'a que faire des lisières, des menottes, des bâillons (...) HUGO, les Orientales, Préface.

3 Si l'on met un bâillon à la bouche qui parle, la parole se change en lumière, et l'on ne bâillonne pas la lumière.
HUGO, les Châtiments, Préface de l'éd. 1853.

DÉR. **Bâillonner.** ◊ HOM. Forme du verbe **bâiller.**

**BÂILLONNEMENT** [bajɔnmɑ̃] n. m. — 1842; de *bâillonner.*

♦ **1** Action de bâillonner, de mettre un bâillon. *Le bâillonnement de la victime.*

♦ **2** Fig. Action d'empêcher la liberté d'expression. *Le bâillonnement de la presse, de l'opposition par les pouvoirs publics.*

**BÂILLONNER** [bajɔne] v. tr. — 1530; de *bâillon.*

♦ **1** Mettre un bâillon à (une personne, un animal). *Les voleurs bâillonnaient leur victime avec une poire d'angoisse* (→ **Angoisse**). Passif :

0.1 Qu'ajouterai-je de plus? J'ai été ligotée, bâillonnée dans l'obscurité, et je me suis évanouie de terreur.
G. LEROUX, Rouletabille chez Krupp, p. 36.

Au p. p. *Un prisonnier bâillonné et enchaîné.*

Nom :

1 Les décollés, les bâillonnés, les brûlés, les incarcérés (...)
VOLTAIRE, Lettre d'Argental, 6 août 1766.

Par anal. *Bâillonner une porte,* la fermer en dehors avec une pièce de bois (Académie).

♦ **2** (1796). Fig. Empêcher la liberté d'expression, réduire au silence par la contrainte. *Bâillonner l'opposition, la presse.* → **Museler.**

2 Eh bien! toute monarchie nouvelle sera forcée, ou plus tôt ou plus tard, de bâillonner cette liberté.
CHATEAUBRIAND, Mémoires d'outre-tombe, III, 15.

3 Mais lorsque Bonaparte saisit le pouvoir, que la pensée fut bâillonnée (...) la vérité disparut.
CHATEAUBRIAND, Mémoires d'outre-tombe, II, 6.

♦ **BÂILLONNÉ, ÉE** p. p. adj. → ci-dessus, cit. 1.

DÉR. **Bâillonnement.**

**BAIN** [bɛ̃] n. m. — 1080, *Chanson de Roland;* du lat. *balneum.*

**A** ♦ **1** Action de plonger dans un liquide (le corps ou une partie du corps) afin de laver ou dans une intention thérapeutique.

**a** (Sens général; avec un déterminant). Rare. *Bain entier,* où tout le corps est baigné. *Demi-bain,* où la moitié inférieure du corps est baignée. Cour. *Bain de siège,* où seul le siège (IV.), le milieu du corps est immergé. — Rare. *Bain de main.* → **Manuluve** (didact.). — Cour. *Bain de pieds.* → **Pédiluve** (didact.). *Prendre un bain de pieds avec de la moutarde.*

Le fils Larigot ne se montra pas inconsolable en apprenant la mort de son père; lui-même périt d'une manière funeste quelques temps après, en prenant un bain de pied dans une assiette à soupe. 0.1
E. CORBIÈRE, la Mer et les Marins, V, II, 1833, *in* D. D. L., II, 14.

(Le déterminant exprime la finalité). *Bain d'hygiène, de propreté :* → **Ablution, lotion** (vx), **toilette.** *Bain thérapeutique, médical.* → **Balnéothérapie.** (Sans précision, le liquide est l'eau. → **Hydrothérapie**). *Bains émollients* (vx). — *Bain local, bain topique* (vx), à but thérapeutique. Cour. *Bain de bouche,* par lequel on fait circuler dans la bouche une solution antiseptique liquide (pour apaiser des douleurs dentaires, calmer une inflammation, etc.). — (Le déterminant exprime la nature du liquide). *Bain de lait. Bain de boue.* → **Illutation.** *Bains* (médicaux) *alcalins, émollients, d'iode, de sel marin; bains mercuriels, sulfureux, sinapisés.* → **Balnéation, balnéothérapie.** — Par anal. *Bain de vapeur; bain gazeux.*

Mais cette époque de ma vie je ne puis trop la décrire. Ma mémoire voudrait l'oublier. Il semble qu'elle en veuille troubler les contours, la poudrer de talc, lui proposer une formule comparable à ce bain de lait que les élégantes du XVIe siècle appelaient un *bain de modestie.* 0.2
Jean GENET, Journal du voleur, p. 87.

**b** Spécialt, cour. (en général sans déterminant). Le fait de plonger le corps dans l'eau contenue dans un récipient approprié (→ **Baignoire; tub...**) pour le laver, le nettoyer, se délasser. *Prendre un bain :* plonger son corps dans l'eau. *Prendre un bain chaud, tiède, froid, glacé. Aimer prendre des bains. Préférer le bain à la douche*. Un bon bain délassant.* — *Donner un bain à un bébé, à un chien.* — *Prendre un bain parfumé, un bain moussant. L'eau du bain* (→ ci-dessous, c). *Appareil pour chauffer l'eau des bains.* → **Chauffe-bain, hypocauste.** — *Établissement de bains* (→ ci-dessous, 5.; baignoire, cit. 1.1). *Les Romains prenaient des bains dans les thermes.* Loc. *Salle de bains* (vx *salle de bain, salle à bains*). → **Salle;** → *infra,* 5. — *Bloc-bain.* → **Bloc.**

Action d'entrer dans l'eau pour le plaisir et éventuellement dans l'intention d'y séjourner, de nager. *Bain de rivière. Bain de mer.* → **Baignade.** *Bain en piscine. Un bain très court, un petit bain.* → **Trempette** (fam.). *Prendre un bain; aller au bain.* — *Costume, maillot, caleçon, culotte, slip de bain.* → **Bikini, deux-pièces, maillot, monokini.** *Bonnet de bain. Cabine de bain.*

Elle allégua pourtant les délices du bain (...) 1
LA FONTAINE, Fables IV, 11.

Le déshabillé du bain est d'une grande commodité (...) 2
Antoine HAMILTON, Mémoires du comte de Grammont, II.

Cet usage du bain une fois établi ne doit plus être interrompu, et il importe de le garder toute sa vie. 3
ROUSSEAU, Émile, I, p. 38.

Loc. *Peignoir de bain,* que l'on met après le bain. *Serviettes de bain en tissu éponge. Sortie* (III.) *de bain.*

[c] Par ext. L'eau, le liquide dans lequel on se baigne (dans le contexte du bain pris dans une baignoire). *Préparer un bain. Faire couler le bain. Entrer dans le, dans son bain. Sortir du bain. Le bain est brûlant. Dépêche-toi, ton bain va être froid! Se tremper dans un bain acidulé* (cit. 2), *aromatique. Un bain ambré* (cit. 1). — *Bain moussant.* — Par métonymie. Substance utilisée pour faire mousser l'eau du bain. *Acheter du bain moussant.*

Loc. (1823, *in* D. D. L.). *Bain de pieds :* petite flaque de liquide (notamment dans une soucoupe).

[d] Loc. fig. Fam. *Envoyer qqn au bain,* le renvoyer comme on fait d'un importun. → **Éconduire, envoyer** (promener, etc.).

**Dans le bain.** *Être dans le bain, tremper dans le bain :* participer à une affaire (→ **Coup** [être dans le coup]), être compromis, impliqué dans l'accusation... *Être dans le bain :* être pleinement engagé, plongé dans quelque entreprise, et aussi être dans les dispositions favorables pour entreprendre quelque chose.

3.1 En dehors de la révolution bien que je fusse dans le bain, comme on dit, au beau milieu et jusqu'au cou.
Régis Debray, l'Indésirable, p. 139.

*Être dans le même bain* (que qqn), dans la même situation.

*Mettre* (qqn) *dans le bain :* engager, au besoin compromettre qqn dans une affaire en l'y associant, avec son approbation ou à son insu. *Il faut essayer de le mettre dans le bain.* — *Mettre dans le même bain :* assimiler en esprit une personne à une autre citée en référence. *Elle et vous, je vous mets dans le même bain,* je vous juge de la même manière (en relation avec une circonstance particulière).

3.2 (...) ce qui donne envie de courir, de le saisir par les épaules et de lui crier ses vérités, la vérité pas bonne à dire, très mauvaise à dire pour lui si on osait, c'est d'avoir eu l'audace de la mettre dans le même bain, d'insinuer qu'elle aussi, comme cette famille de fous (...)
N. Sarraute, le Planétarium, p. 46.

*Se mettre dans le bain :* s'accoutumer à une nouvelle ambiance, à un nouveau travail.

Loc. fig. *Jeter le bébé* avec l'eau du bain.*

[e] Loc. *Bain de jouvence :* bain pris dans la fontaine de jouvence; fig., ce qui rajeunit qqn. → **Jouvence,** cit. 3.

♦ **2** Par anal. **Bain de soleil :** exposition volontaire au soleil pour bronzer*, se soigner. → **Héliothérapie.** — Par anal. *Un bain d'air, de lumière.*

Par appos. *Robe bain de soleil,* sans manches avec le dos nu. — N. m. *Un bain de soleil :* un corsage à dos nu.

♦ **3** Littér. ou vieilli. **Bain de...** (suivi d'un nom exprimant métaphoriquement un liquide ou figurément un milieu abstrait) : action de se plonger dans, de s'imprégner de...

[a] Fig. *Un bain d'innocence, de pureté. Le bain de la pénitence.*

4 Le bain sacré de la pénitence où il venait laver les souillures de son âme.
Massillon, Oraison funèbre, Villars.

4.1 Éviter la vindicte divine ou, au contraire, se soumettre à la volonté des forces inconnues : quel bain de suprême inconscience!
Alain Bosquet, les Bonnes Intentions, p. 129.

Concret. Poét. *Un bain de pénombre* (cit. 2).

[b] Par métaphore. Vx. *Prendre un bain dans le sang de ses victimes.* → **Baigner** (se). — Loc. *Un bain de sang :* du sang répandu en quantité; mise à mort de nombreuses victimes dans une bataille, un massacre... (→ **Hécatombe, holocauste**).

Assez insensé pour imaginer que le bain dans le sang des enfants pouvait corriger le sang des vieillards (...) 5
Voltaire, Philosophie, v, 12.

Les bains de sang ont-ils rendu l'impudicité d'un révolutionnaire plus chaste que les bains de lait ne rendaient virginale la souillure d'une Poppée? 6
Chateaubriand, Mémoires d'outre-tombe, iv, 1.

[c] Par métaphore (littér. et rare). *Prendre un bain, des bains de... :* s'absorber entièrement dans (une étude, un travail).

(...) tu mènes une vie de séminariste qui a fait des vœux, de bénédictin qui prend des bains de science pour calmer la chair (...) 7
E. Fromentin, Dominique, x.

[d] Loc. fig. (1960). *Bain de foule :* action de se mêler à la foule (spécialt, d'un personnage éminent). *Un bain de multitude* (cit. 8).

♦ **4** Récipient où l'on se baigne. → **Baignoire, tub.** *Remplir, vider le bain. «Mettre de l'eau dans le bain»* (Académie). — *Bain de pieds, bain de siège :* récipients servant à prendre ces bains.

Techn. Cuve servant à la teinture des étoffes.

♦ **5** N. m. pl. Vx. **Bains :** lieu où l'on prend les bains (1.); appartement réservé aux bains. *«Les bains sont dans telle partie de l'édifice»* (Académie). — *Salle* de bains.*

Mod. Établissement public où l'on prend des bains. *Bains publics.* → **Thermes** (antiq.). *Bains turcs, bains maures,* où l'on prend des «bains de vapeur». → **Hammam.**

Ces thermes *(de Trajan),* en effet, n'étaient pas seulement des bains où l'on trouvait réunies, au prix des agencements les plus ingénieux, les formes de bain les plus diverses : la sudation à sec et le bain proprement dit, le bain froid et le bain chaud, les piscines et les baignoires (...) À proximité des entrées étaient disposés les vestiaires (...) Puis le **tepidarium,** large pièce voûtée dont la température n'était qu'attiédie, s'interposait entre le **frigidarium,** au nord, le **caldarium** au sud. 8
J. Carcopino, la Vie quotidienne à Rome..., p. 296.

Lieu où l'on va prendre des bains de mer ou des eaux thermales. → **Balnéaire, thermal** (station thermale). *Aller aux bains de mer* (vx). → **Plage.** *Les bains de Plombières. Les bains d'Aix* (Aix-les-Bains).

Il venait tous les ans aux bains d'Aix, où se rassemble la bonne compagnie des pays voisins. 9
Rousseau, les Confessions, v.

[B] Techn., sc. (désignant le liquide par la même métonymie que dans A., 1., c). ♦ **1** Préparation liquide dans laquelle on plonge un corps pour le transformer. *Un bain de mercure, d'or, d'argent.* — Solution de colorants dans laquelle on plonge les objets à teindre. *Bain de bouse,* composé de bouse de vache et d'eau, dans lequel sont plongés certains tissus pour être dégommés avant la teinture.

Mar. *Bain de cachou :* bain dans lequel on plonge les filets de pêche pour les faire durer plus longtemps.

Photogr. Dissolution dans laquelle on plonge les préparations sensibles.

De même que : 1° dans le bain photographique des taches apparaissent sans signification, çà et là — puis à un moment un objet se fait reconnaître — un rien l'achève — une addition infiniment petite change le tout en objet connu (...) 9.1
Valéry, Cahiers, Pl., t. II, p. 74.

♦ **2** Substance par l'intermédiaire de laquelle on chauffe un récipient (→ **Bain-marie**). *Une éprouvette mise au bain de vapeur, au bain de sable.*

10 M. Bucquet avait fait, avec M. Lavoisier, une suite d'expériences sur la manière dont la chaleur se communique à différents fluides plongés dans un même bain (...)
CONDORCET, Bucquet.

♦ **3** État de fusion parfaite d'un métal. *Bain d'acier, de fonte.*

DÉR. (Du lat. *balneum*) **Balnéaire, balnéation, balnéothéraphie.** ◊ COMP. **Bain-marie, chauffe-bain.** → HOM. 2. **Ben.**

**BAIN-MARIE** [bɛ̃maʀi] n. m. — 1516; *baing marie, in* Godefroy, *Compl.*, p.-ê. antérieur; de *bain* et du nom de *Marie-la-Juive* connue comme alchimiste.

Liquide chaud (eau, le plus souvent) dans lequel on met un récipient contenant ce qu'on veut faire chauffer. *Faire prendre une crème au bain-marie. Des bains-marie.*

C'est une véritable cristallisation *(du vinaigre concentré et soumis au froid)* qui s'opère alors ; mais elle est si fusible, qu'une chaleur de bain-marie, très faible, la résout en liqueur (...)
CONDORCET, Courtanvaux.

Par ext. Récipient qui contient ce liquide chaud. *Un bain-marie ancien en cuivre.*

**BAÏONNETTE** [bajɔnɛt] n. f. — 1575; de *Bayonne*, où cette arme fut d'abord fabriquée.

♦ **1** Arme pointue qui s'ajuste au canon du fusil et que l'on peut retirer à volonté. → **Lame, lardoire** (vx), **poignard.** *Fixer la baïonnette au canon du fusil. Baïonnette au canon! Anneau, bague, virole de baïonnette. Poignée, croisière, douille, quillon, lame de baïonnette. Épée-baïonnette. Sabre-baïonnette. Remettre la baïonnette au fourreau. Attaque, assaut, charge à la baïonnette. Croiser la baïonnette. Enlever un poste à la pointe de la baïonnette.*

1 L'usage de la baïonnette au bout du fusil est de son institution *(Louis XIV).* Avant lui on s'en servait quelquefois, mais il n'y avait que quelques compagnies qui combattissent avec cette arme (...) Le premier régiment qui eut des baïonnettes, et qu'on forma à cet exercice, fut celui des fusiliers, établi en 1671.
VOLTAIRE, le Siècle de Louis XIV, 29.

2 Notre infanterie (...) a pris le parti de la bayonnette *(baïonnette),* et le succès le plus complet a répondu à cette arme des Républicains.
BARÈRE DE VIEUZAC, Rapport à la Convention, 28 mess., 16 juil. 1794.

3 L'étroite entrée était gardée par une section de fantassins, baïonnette au canon.
MARTIN DU GARD, les Thibault, t. VIII, p. 23.

3.1 Seul le dessus de la table, sous l'abat-jour conique de la lampe, est éclairé, ainsi que la baïonnette posée au milieu. Sa forte et courte lame à deux tranchants symétriques présente, de part et d'autre de l'axe médian, deux plans de pente contraire d'acier poli, dont l'un renvoie les rayons de la lampe vers le centre de la chambre.
A. ROBBE-GRILLET, Dans le labyrinthe, p. 80.

*La puissance des baïonnettes.* — Fig. La force militaire (→ Arracher, cit. 40; national, cit. 5 Mirabeau).

4 (...) il *(Bonaparte)* estimait qu'un gouvernement fondé sur l'émeute ou établi par les baïonnettes n'a qu'un avenir incertain et, dans les débuts, une autorité médiocre parce que contestée (...)
Louis MADELIN, l'Ascension de Bonaparte, XV.

Fig., vx. Soldat d'infanterie. *Cent mille baïonnettes.*

♦ **2** Techn. Assemblage de deux pièces dont le mode de fixation rappelle celui de la baïonnette. *Objectif à fixation baïonnette.* Spécialt. *Ampoule, douille à baïonnette.*

COMP. **Épée-baïonnette, sabre-baïonnette.**

**BAÏOQUE** [bajɔk] n. f. — XVI^e; ital. *baiocco* «monnaie de peu de valeur, sou», orig. incert.

Hist. Petite monnaie de cuivre qui avait cours dans les États pontificaux.

— Alors (...) ce sera deux baioques *(sic)* pour chaque paire (...) C'est le petit profit de la *serva.*
— Eh bien, la serva aura ses deux baioques *(sic)*...
Ed. et J. DE GONCOURT, Madame Gervaisais, p. 8.

**BAÏRAM** [bajʀam] ou **BEÏRAM** [bɛjʀam] n. m. — 1533; mot turc.

Nom des deux grandes fêtes musulmanes qui se célèbrent pour l'une après le Ramadan, pour l'autre soixante jours plus tard. *Petit et grand baïram.*

Le beïram est une cérémonie dans le genre des baisemains officiels d'Espagne, où tous les grands dignitaires de l'empire viennent faire leur cour au padischa.
Th. GAUTIER, Constantinople, p. 241.

**BAISABLE** [bɛzabl] adj. — XIX^e; de 1. *baiser* au sens II.

Fam., vulg. Susceptible de provoquer le désir sexuel; que l'on peut baiser. → **Désirable.** *Ce type n'est pas baisable. Il est tout à fait baisable.*

Il est vrai que, rien que d'en juger par ta gueule, ta viocque, elle doit guère être baisable. Faudrait être des terribles pour y toucher. 1
Roger NIMIER, le Hussard bleu, p. 265.

Ne doit-on pas profiter d'une occasion au bord de la mer, la veille d'un 15 août, sans s'occuper de l'âge de la partenaire du moment qu'elle est baisable? 2
Denyse VAUTRIN, le Reste de l'âge, p. 41.

**BAISANT, ANTE** [bɛzɑ̃, ɑ̃t] adj. — 1869, Goncourt; du p. prés. de 1. *baiser*, au sens II.
Familier, vulgaire.

♦ **1** Qui baise. — Par ext. Qui excite le désir sexuel. → **Bandant, sexy.**

Qui est disposé(e) à l'acte sexuel. — Par métaphore :
Mais chez nous, n'est-ce pas, elles sont couchées, les villes, au bord de la mer ou sur les fleuves, elles s'allongent sur le paysage, elles attendent le voyageur, tandis que celle-là, l'Américaine, elle ne se pâmait pas, non, elle se tenait bien raide, là pas baisante du tout, raide à faire peur.
CÉLINE, Voyage au bout de la nuit, p. 186.

♦ **2** Fig. Excitant, passionnant. → **Bandant.**

**BAISE** [bɛz] n. f. — Fin XIX^e; déverbal de 1. *baiser.*
Familier.

♦ **1** Vulg. Action de baiser (1. Baiser, II.). → **Amour.** «*La "bouffe" et la "baise" : les deux mamelles du bonheur selon la sainte Consommation*» (*le Nouvel Obs.*, 4 juin 1973).

*Une, des baises :* acte sexuel.

Tout, tu m'entends, jusqu'au moindre appel téléphonique, jusqu'à ses baises avec Nancy, tout était enregistré dans le détail.
Jeanne CORDELIER, la Passagère, p. 128.

♦ **2** Régional (Belgique, Nord de la France). Petit baiser affectueux. → **Bise, bisou.** «*Baise est populaire chez nous, mais combien plus affectueux que le solennel baiser!*» (*la Voix du Nord*, 20 déc. 1977).

**BAISE-EN-VILLE** [bɛzɑ̃vil] n. m. invar. — 1934; de 1. *baiser* au sens II., et *en ville* «hors de chez soi».

Fam. Petite valise, sac de voyage qui peut contenir ce qu'il faut pour passer la nuit hors de chez soi (→ 1. Bis, cit. 4).

**BAISEMAIN** [bɛzmɛ̃] n. m. — 1306, Guiart; de 1. *baiser* (I.), et *main.*

♦ **1** Hommage que le vassal rendait au seigneur en lui baisant la main. Cérémonie d'étiquette qui consistait à baiser la main du roi.

♦ **2** Geste de politesse qui consiste, pour un homme, à baiser la main d'une dame. *Faire le baisemain à qqn. Un baisemain très mondain.*

Plur. Vx. Présenter ses compliments, ses civilités. *Faire ses baisemains à qqn.*

**BAISEMENT** [bɛzmɑ̃] n. m. — Fin XII^e, *Floire et Blancheflor;* de 1. *baiser.*

Vx ou relig. Action de baiser (I.), en signe d'adoration, de vénération religieuse. *Le baisement des pieds* (de treize personnes, le Jeudi Saint), *de la mule du Pape* (→ **Baise-pied**). *Le baisement de la croix.*

**BAISE-PIED** [bɛzpje] n. m. — 1896; de 1. *baiser* (I.), et *pied.*

Vx et relig. Action de baiser le pied du pape en signe de respect.

(...) sur une estrade basse, est le trône *(du pape).* À côté se trouve le coussin, pour le baise-pied.
ZOLA, Rome (1896), *in* T. L. F.

1. **BAISER** [beze] v. tr. — X^e, «en signe d'affection ou de respect»; XII^e, trans. dans les relations amoureuses; du lat. *basiare.*

**I** ♦ **1** Appliquer, poser sa bouche sur le visage, la main ou sur une partie du corps de (qqn) par affection, amour, respect... → **Baiser** (n. m.); **embrasser**; fam. **baisoter, bécoter, biser, bisouter.** *Baiser qqn à la bouche, à la joue, au front, sur la bouche, sur les deux joues... — Baiser la main d'une dame. Baiser le front, la joue de...*

1 Viens baiser cette joue, et reconnais la place
Où fut jadis l'affront que ton courage efface (...)
CORNEILLE, le Cid, III, 6.

2 Et baiser une main qui nous perce le cœur (...)
CORNEILLE, Horace, IV, 4.

3 Sans cesse, nuit et jour, je te caresserai,
Je te bouchonnerai, baiserai, mangerai (...)
MOLIÈRE, l'École des femmes, V, 4.

4 L'empereur devait baiser les pieds du pape, lui tenir l'étrier (...) VOLTAIRE, Essai sur les mœurs, 48.

5 Chacun baise en tremblant la main qui nous enchaîne.
VOLTAIRE, Mort de César, II, 2 (Brutus).

6 Ma bouche, au lieu de trouver des paroles, s'avisa de se coller sur sa main, qu'elle retira doucement après qu'elle fut baisée, en me regardant d'un air qui n'était point irrité.
ROUSSEAU, les Confessions, IV.

6.1 (...) il vient à moi, me considère dans cette humiliation, puis m'ordonne de me relever, et de le baiser sur la bouche; il savoure ce baiser plusieurs minutes et lui donne toute l'expression... toute l'étendue qu'il est possible d'y concevoir. SADE, Justine..., t. I, p. 179.

7 Car j'eusse avec ferveur baisé ton noble corps,
Et depuis tes pieds frais jusqu'à tes noires tresses
Déroulé le trésor des profondes caresses.
BAUDELAIRE, les Fleurs du mal, XXXII.

7.1 Françoise repoussait vivement Jean, mais il avait oublié d'embrasser son cou, il le voyait là tout près de lui, il ne pouvait exactement s'en rappeler l'odeur, et courait encore une fois à elle, la baisait vite au cou et, allant se placer loin d'elle, comme la porte allait s'ouvrir, avait soin de lui dire, pour qu'elle ne lui comptât pas cette faveur : «C'était trop vite, je n'ai pas eu le temps de sentir.»
PROUST, Jean Santeuil, Pl., p. 764.

7.2 Ah que je suis malheureux je n'ai qu'une bouche ne peux en baiser qu'une à la fois.
R. RADIGUET, À plusieurs voix, *in* DADA, IV, V.

REM. Par suite de son évolution (→ ci-dessous, II.), *baiser* est généralement remplacé par *embrasser. Baiser qqn,* et, absolt, *baiser* ne sont plus d'usage décent, comme ils l'étaient à l'époque classique (où ils pouvaient d'ailleurs être l'occasion de sous-entendus).

8 — *(Argan).* Allons, saluez Monsieur.
— *(Thomas Diafoirus).* Baiserai-je?
MOLIÈRE, le Malade imaginaire, II, 5.

(Le compl. désigne un objet symbolique). Appliquer la bouche sur... *Baiser des reliques avec effusion, avec ferveur. Baiser l'anneau de l'évêque, la mule du pape. Baiser un crucifix, une image sainte.* → **Baisement, baise-pied.**

Combien de fois pria-t-il le Sauveur des âmes, en baisant la croix, que son sang répandu pour lui ne le fût inutilement. 9
BOSSUET, Oraison funèbre de Louis de Bourbon.

Paul s'en saisit aussitôt, la baisa avec transport *(la lettre de Virginie).* 10
BERNARDIN DE SAINT-PIERRE, Paul et Viginie.

O lignes que sa main, que son cœur a tracées! 11
O nom baisé cent fois! craintes bientôt chassées!
André CHÉNIER, Élégies, III.

Mais l'autre ne faisait que pleurer et gémir et demander pardon! et il voulait embrasser les pieds de Nicole et il baisait le bas de sa jupe et il la suppliait de lui dire si elle l'aimait toujours! 11.1
G. LEROUX, Rouletabille chez Krupp, p. 138.

Loc., vx. *Baiser les mains à qqn,* lui faire ses compliments, dans le style épistolaire.

Sur cela je vous baise très humblement les mains. 12
M^me DE SÉVIGNÉ, Lettres, 10.

Fig. *Baiser les pas, la trace des pas de qqn,* lui témoigner un grand respect, une grande reconnaissance.

Vous êtes trop heureux de voir et d'entendre tous les jours M. de Turenne, vous n'avez que lui de parent et de père; baisez les pas par où il passe. 13
M^me DE SÉVIGNÉ, Lettres, 204.

Fig. *Baiser les pieds de qqn, à qqn :* s'humilier devant lui en signe de soumission ou de réconciliation.

♦ **2** Poét. (Le sujet désigne un élément naturel). Toucher* légèrement. → **Caresser, effleurer.**

L'onde qui baise ce rivage, 14
De quoi se plaint-elle à ses bords?
LAMARTINE, Méditations..., II, 15.

De grosses vagues venaient baiser les plaies béantes de la corvette, baisers redoutables. 15
HUGO, Quatre-vingt-treize, I, II, 6.

**SE BAISER,** v. pron. (V. *supra* cit. 8 la remarque qui s'applique également au verbe réciproque).

Et le cristal poli, reflétant leurs images, les montrait debout et se baisant les lèvres avant de se séparer. 16
MAUPASSANT, les Sœurs Rondoli, «Rencontre», p. 240.

**II** (Attesté XVI^e). Fam. ♦ **1** Posséder sexuellement (une femme).

Si l'on ne baise aux Enfers 17
N'espérez plus d'être baisée.
MAINARD, Poésies, *in* LE ROUX, Dict. comique, art. *Baiser.*

Quand tu iras à Paris va chez ce brave Pradier. Passe aussi rue de la Paix, n° 2. Tu donneras de mes nouvelles et tu baiseras la dame du logis. Ça te fera plaisir et à moi aussi. 18
FLAUBERT, Lettre à L. Bouilhet, 2 juin 1850, Correspondance, Pl., t. I, p. 632.

Avec d'autres gens tu discutes, dit Nadine, dont la voix brusquement s'aigrit, avec moi tu ne veux jamais; je suppose que c'est parce que je suis une femme; les femmes, c'est juste bon à se faire baiser. 19
S. DE BEAUVOIR, les Mandarins, p. 155 (1954).

P. p. subst. (V. 1970). **MAL-BAISÉ, ÉE** n. : personne frustrée dans sa vie sexuelle.

D'ailleurs, dans leur Mouvement de Libération de la Fesse, c'est tout un tas de vieilles gouinasses qui la ramènent, des mal-baisées! des qu'ont jamais joui correctement! 20
Alphonse BOUDARD, Manouche se met à table, p. 121.

Absolt. Faire l'amour (homme ou femme). *Il, elle baise bien.*

Elle ne se préoccupe pas le moins du monde d'avec qui je baise, mais prétend me dicter pour qui je vote! 21
ARAGON, Blanche..., II, I, p. 180.

22 — Alors, Lamélie, dit Cidrolin, en attendant de te marier, veux-tu te distraire ou t'instruire?
— Non, papa, ce que je veux, c'est baiser.
R. QUENEAU, les Fleurs bleues, p. 62 (1965).

REM. L'emploi du verbe avec un sujet désignant une femme est récent.

♦ **2** Fam. Posséder, tromper. *Il s'est fait baiser.* → **Avoir, berner, rouler.**

23 Il (...) s'esclaffait de la sottise des flics qu'il avait, selon ses propres termes, «baisés du commencement à la fin».
J. DUTOURD, Au bon beurre, p. 225.

Prendre sur le fait, surprendre en tort. *Se faire baiser par le contrôleur.*

24 (...) ils sont déterminés, sûrs que vous préparez un coup fumant, une coopérative de vente rassemblant contre eux tous les armements artisanaux, pour briser leur monopole et les baiser. Pierre ACCOCE, le Polonais, p. 24.

♦ **3** Argot scol. (Compl. n. de chose). Comprendre. *On n'y baise rien.* → **Biter** (vulg.), **piger.**

DÉR. et COMP. (Du sens I) **Baise,** 2., **baisemain, baisement, baise-pied,** 2. **baiser,** n., **baiseur,** I., **baisoter,** 1. et v. pron., **baisure.** — (Du sens II) **Baisable, baisant, baise,** 1., **baise-en-ville, baiseur,** II., **baisodrome, baisoter,** 2.

2. **BAISER** [beze] n. m. — XIe; infinitif subst. du v. *baiser.*

♦ **1** Action de poser ses lèvres sur le visage, la main ou une autre partie du corps d'une personne. Résultat de cette action. *Un baiser sur la joue, sur la bouche.* → 1. **Baiser** (I.); fam. **bécot, bise, bisou, poutou.** *Baiser d'affection. Baiser d'amour. Baiser affectueux, chaste, innocent. Doux, tendres baisers. Petit baiser. Gros baiser. Baiser sonore. Baiser amoureux, ardent, avide, brûlant, caressant, enivrant, langoureux, languissant, voluptueux. Premier baiser. Dernier baiser. Baiser d'adieu. La tendresse, l'ardeur, la chaleur d'un baiser. Donner, appliquer* (cit. 33), *déposer, poser, planter un baiser. Prendre, cueillir, dérober, ravir, voler un baiser à qqn. Recevoir, rendre un baiser. Demander, refuser un baiser. Couvrir, manger, dévorer quelqu'un de baisers.* → **Caresse.** — (Baiser intra-buccal). *Baiser profond, prolongé. Baiser langue en bouche.* → fam. **Galoche, patin, pelle;** → Langue fourrée*.

1 Et cependant viens recevoir
le baiser d'amour fraternelle.
LA FONTAINE, Fables, II, 15.

2 (...) ce baiser dont la chaleur lui faisait connaître que c'était un véritable baiser d'amour, et non un baiser de simple galanterie (...)
LA FONTAINE, les Amours de Psyché, II.

3 En cet endroit, mille baisers de flamme
Furent donnés, et mille autres rendus.
LA FONTAINE, Contes, «La fiancée du roi de Garbe.»

4 (...) de prendre un baiser il forma le dessein (...)
LA FONTAINE, Contes, «La fiancée du roi de Garbe.»

5 Donnez-moi donc un petit baiser pour gage de votre parole. MOLIÈRE, Dom Juan, II, 11.

6 L'Amour refuse les baisers qu'il veut qu'on lui ravisse.
HELVÉTIUS, Notes et maximes, p. 272.

7 (...) On ne prend guère de baisers coupables sur la même bouche où l'on en prit d'innocents.
ROUSSEAU, Julie ou la Nouvelle Héloïse, VI, 2.

8 Mes baisers, à l'entendre, étaient froids, insensibles.
André CHÉNIER, Élégies, XIX.

8.1 Et, comme en disant cela, l'interprète des Dieux lui avait passé la main sous le menton, en lui donnant un baiser beaucoup trop mondain pour un homme d'Église, *Justine* qui ne l'avait que trop compris, le repoussa en lui disant : «Monsieur, je ne vous demande ni l'aumône ni une place de servante (...)» SADE, Justine..., t. I, p. 11-12.

9 Son âme avait passé dans ce dernier baiser.
LAMARTINE, Jocelyn, IX, 324.

(...) Tu pleurais; sur ta bouche adorée 10
Tu laissas tristement mes lèvres se poser
Et ce fut ta douleur qui reçut mon baiser.
A. DE MUSSET, Lucie.

Les lèvres qu'un baiser vient d'unir devant Dieu. 11
A. DE MUSSET, Lettre à Lamartine.

Poète, prends ton luth, et me donne un baiser (...) 12
A. DE MUSSET, Nuit de Mai.

Ô baiser! mystérieux breuvage que les lèvres se versent comme des coupes altérées! 13
A. DE MUSSET, Confession d'un enfant du siècle, III, 11.

— Oh! que n'ai-je aussi, moi, des baisers qui dévorent (...) 14
Des caresses qui font mourir!
HUGO, Odes, XV, IV, 15.

Qu'est-ce que ton baiser? — Un lèchement de flamme. 15
HUGO, la Légende des siècles, «Épopée du ver», XIII.

Trop de paradis, l'amour en arrive à ne pas vouloir cela. Il lui faut la peau fiévreuse, la vie émue, le baiser électrique et irréparable, les cheveux dénoués, l'étreinte ayant un but. 16
HUGO, L'Homme qui rit, p. 143.

Ils s'étreignirent, et toute leur rancune se fondit comme une neige sous la chaleur de ce baiser. 17
FLAUBERT, Mme Bovary, II, 11.

(...) le plus grand baiser d'amour qu'elle eût jamais donné. 18
FLAUBERT, Mme Bovary, III, 8 (→ Crucifix).

De ces baisers puissants comme un dictame (...) 19
BAUDELAIRE, les Fleurs du mal, «Le portrait».

Mère des jeux latins et des voluptés grecques, 20
Lesbos, où les baisers languissants ou joyeux,
Chauds comme les soleils, frais comme les pastèques (...)
BAUDELAIRE, les Fleurs du mal, «Lesbos».

(...) on a sur les lèvres le goût de ses baisers (...) 21
MAUPASSANT, les Sœurs Rondoli, III.

Se penchant un peu plus, elle affleura son front, puis ses yeux, puis ses joues de baisers lents, légers, délicats comme des soins. Elle le touchait à peine du bout des lèvres, avec ce petit bruit de souffle que font les enfants qui embrassent. Et cela dura longtemps, très longtemps. Il laissait tomber sur lui cette pluie de douces et menues caresses qui semblait l'apaiser, la rafraîchir, car son visage contracté tressaillait moins qu'auparavant. 21.1
Puis il dit :
— Any?
Elle cessa de le baiser pour entendre.
MAUPASSANT, Fort comme la mort, éd. 1889, p. 344.

Et je sens des baisers qui me viennent aux lèvres. 22
RIMBAUD, Poésies, «À la musique».

Longs baisers plus clairs que des chants, 23
Tout petits baisers astringents
Qu'on dirait qui vous sucent l'âme,
Bons gros baisers d'enfants, légers
Baisers danseurs, telle une flamme.
Baisers mangeurs, baisers mangés,
Baisers buveurs, bus, enragés,
Baisers languides et farouches,
Ce que t'aimes bien, c'est surtout,
N'est-ce pas? les belles boubouches.
VERLAINE, Parallèlement, «L'impénitent».

Quel singulier baiser, appuyé et pourtant froid, inutile et nécessaire! Baiser de lèvres absentes sur une joue qui n'a aucune saveur, ni celle de la chair, ni celle du bois. Il ne sent rien à sa joue, moi, rien à mes lèvres. Le frisson reste au cœur. J. RENARD, Journal, 13 déc. 1896. 23.1

(...) Un baiser, mais à tout prendre, qu'est-ce? (...) 24
Un point rose qu'on met sur l'i du verbe aimer (...)
Edmond ROSTAND, Cyrano de Bergerac, III, 9.

L'amour humain ne se distingue du rut stupide des animaux que par deux fonctions divines : la caresse et le baiser. Pierre LOUŸS, Aphrodite, II, 5. 25

Et son divin baiser, frémissant et farouche, 25.1
Était comme une fleur qu'on cueille avec la bouche.
Charles VAN LERBERGHE, Entrevisions, «Elle défit le nœud de sa ceinture», 1898.

(...) L'homme (...) n'en possède aucun *(d'organe)* qui serve au baiser. 26
PROUST, À la recherche du temps perdu, t. VII, p. 232.

27 Chaque baiser appelle un autre baiser. Ah ! dans ces premiers temps où l'on aime, les baisers naissent si naturellement ! Ils foisonnent si pressés les uns contre les autres ; et l'on aurait autant de peine à compter les baisers qu'on s'est donnés pendant une heure que les fleurs d'un champ au mois de mai.
PROUST, À la recherche du temps perdu, t. II, p. 33.

28 Mais s'aimaient-ils vraiment ? Peut-être qu'au fond ils n'aimaient que les baisers qu'ils se donnaient ?
Valery LARBAUD, Amants, heureux amants..., p. 28.

29 Elle se pencha, vite, très vite, et mit sur la tempe du jeune homme un baiser d'oiseau, une caresse imperceptible, mais si tiède et si tendre qu'elle acheva de le bouleverser.
G. DUHAMEL, Chronique des Pasquier, VIII, 12.

29.1 Séil-kor, pris de vertige, entoura son amie de ses bras et déposa sur ses joues fraîches deux chastes baisers qui le laissèrent ivre et chancelant.
Raymond ROUSSEL, Impressions d'Afrique, p. 226.

Loc. relig. *Baiser de paix,* qui se donne en signe de réconciliation. Cérémonie qui a lieu pendant la grand-messe.

30 Il n'a donné à J.-C. le baiser de paix que pour le trahir (...)
MASSILLON, Rech., I, *in* LITTRÉ.

*Baiser de Judas :* baiser perfide, par allusion au baiser donné par Judas à Jésus, pour le désigner aux soldats romains. → **Traître** (baiser de traître). → 1. Porter, cit. 5.

31 Celui à qui je donnerai un baiser *(dit Judas)* c'est lui : arrêtez-le.
BIBLE (CRAMPON), Évangile selon saint Matthieu, XXVI, 48.

*Baiser Lamourette :* réconciliation éphémère, par allusion au rapprochement ébauché par Lamourette à l'Assemblée législative (1792) où des adversaires s'embrassèrent.

*Baisers* (*mille, tendres, gros,* etc.) : formule finale affectueuse dans une lettre.

♦ **2** Fig., poét. (Le sujet désigne un élément naturel). Ce qui effleure doucement. → **Caresse, contact.** *Les baisers de l'onde, du soleil.*

32 *(Elle)* se livre sans voile aux baisers du zéphyr.
DELILLE, Trois règnes, VI.

**BAISEUR, EUSE** [bɛzœʀ, øz] n. et adj. — Déb. XIV^e ; de 1. *baiser.*

**I** Vx. Personne qui aime donner des baisers.

**II** Fam. Personne qui aime, recherche les rapports sexuels (→ 1. Baiser, II.). *C'est un sacré baiseur.* → **Bandeur.**

1 Et ma femme, tiens, ma femme, des baiseuses comme ma femme, t'en as pas connu beaucoup.
Robert MERLE, Week-end à Zuydcoote, p. 24 (1949).

Adjectif :

2 Ce sont des péchés qu'on le veuille ou non d'être baiseurs et pauvres.
CÉLINE, Voyage au bout de la nuit, p. 326 (1932).

3 Vous êtes un mignon petit jeune homme, plutôt baiseur, habitué à de mignonnes petites jeunes filles plutôt baiseuses avec qui vous tramez de délicieux dialogues de comédie américaine.
Cecil SAINT-LAURENT, les Passagers pour Alger, p. 475.

**BAISODROME** [bɛzodʀom] n. m. — V. 1940 ; de 1. *baiser,* II., et d'après *hippodrome,* etc.

Fam., plais. Lieu réservé aux ébats amoureux (pièce, garçonnière, etc.). → Aimoir.

Antioche venait de disparaître dans le petit baisodrome privé contigu à la salle de danse et dans lequel s'entassaient les manteaux.
B. VIAN, Vercoquin, p. 42.

**BAISOTER** [bɛzɔte] v. tr. — 1556, Ronsard ; de 1. *baiser,* suff. *-oter.*

♦ **1** Fam., vieilli. Donner de petits baisers répétés. *Elle est toujours à baisoter cet enfant* (Académie). → **Bécoter.**

♦ **2** Fam., vulg. Faire l'amour de façon routinière et médiocre. → **1. Baiser, II.**

◆ **SE BAISOTER** v. pron. (Du sens 1).
Se donner l'un à l'autre, ou les uns aux autres, de petits baisers secs et rapides.

Puis tout le monde se baisotta *(sic).*
R. QUENEAU, le Dimanche de la vie, p. 146.

**BAISSANT, ANTE** [bɛsɑ̃, ɑ̃t] adj. — D. i. ; de 1. *baisser.*

Rare. Qui s'affaiblit, qui décline (le soleil, le jour, etc.).

N. m. Reflux de la mer. → **Jusant.** *Au baissant de l'eau.*

**BAISSE** [bɛs] n. f. — 1577, Montluc ; déverbal de 1. *baisser.*

♦ **1** Action de baisser de niveau, de descendre à un niveau plus bas. → **Diminution, mouvement ; abaissement, affaissement, descente.** *Baisse de niveau. La baisse des eaux, de la marée.* → **Décrue, reflux.**

Action de diminuer de force ou d'intensité. *Baisse de température. Baisse de pression.* → **Chute, perte.** — Fig. *Baisse d'autorité, d'influence.* → **Affaiblissement, déclin.**

En parlant de la réduction d'une quantité numérique. *Baisse des effectifs dans les écoles. Baisse de la natalité.*

♦ **2** (1740, Desfontaine). Diminution de prix, de valeur. *La baisse du blé, de la monnaie, du change, des actions, des valeurs, de la rente. Une forte baisse des prix. Une baisse considérable de la monnaie.* → **Affaissement, chute, effondrement.**

Puisque le change, dans son cours, éprouve nécessairement des hausses et des baisses alternatives (...) 1
CONDILLAC, le Commerce et le gouvernement..., I, 17.

La hausse des denrées tenait peut-être pour une part à leur rareté, mais elle tenait surtout à la baisse énorme, au discrédit toujours croissant de l'assignat. 2
JAURÈS, Hist. socialiste..., t. VIII, p. 227.

Loc. Bourse. *Être à la baisse. L'or est à la baisse.* — *Jouer à la baisse :* spéculer sur la baisse des marchandises ou des valeurs. *Le spéculateur à la baisse vend à terme.* → **Baissier.**

On peut transporter à la hausse l'article de la baisse. On a beaucoup crié contre ceux qui jouaient à la hausse et à la baisse avec l'argent du peuple français. Mais ceux qui le gouvernaient en donnaient les premiers l'exemple. 3
COUSIN JACQUES, Dict. néologique, *in* D. D. L., II, 11 (1800).

La Bourse ferma à sept heures juste, mais à partir de cette date elle ouvrit chaque jour pendant vingt minutes, à la vive joie des spéculateurs, dont un grand nombre, sans se préoccuper du résultat final, ne songeaient qu'à faire des coups d'audace sur la hausse et la baisse, en faisant circuler dans ce but des bruits de toutes sortes. 4
Raymond ROUSSEL, Impressions d'Afrique, p. 324.

Fig. *Réviser, revoir à la baisse,* en diminuant ses objectifs.

EN BAISSE. *Les cours sont en baisse.* Fig., fam. *Ses actions sont en baisse :* son crédit diminue, ses affaires vont mal. → **Baisser.**

CONTR. **Élévation, exhaussement, hausse, montée, relèvement. — Augmentation, renchérissement.**

**BAISSEMENT** [bɛsmɑ̃] n. m. — XII^e; de *baisser.*
Rare. Le fait de baisser. → **Baisse; abaissement.** *Baissement de tête.*

1 (..) étant donnée *(sic)* l'angoisse et ses constructions gigantesques de carton-pâte (...) qui, en moins d'un baissement de paupières, remplacent tout (...)
A. BRETON, l'Amour fou, VI, p. 149.

2 M^me Molé, à qui on tâchait de faire entendre en parlant assez fort, qu'on parlait d'elle, tout en s'efforçant de lui montrer par des baissements de voix qu'on n'aurait pas voulu être entendu d'elle, reniait lâchement Brichot qu'elle égalait en réalité à Michelet.
PROUST, le Temps retrouvé, Pl., t. III, p. 791.

CONTR. **Élévation.**

1. **BAISSER** [bese] v. — 1080, *baissier, Chanson de Roland; du lat. pop. bassiare,* de *bassus* «bas».

**I** V. tr. ♦ **1** Mettre plus bas. → **Abaisser** (cit. 1), **descendre** (et faire descendre). *Baisser un store, un rideau. Baisser la glace d'une automobile. La vitre est baissée. Baisser une crémaillère d'un cran. — Baisser le col de sa chemise, la visière de son casque.* → **Rabattre.** *Baisser à nouveau.* → **Rabaisser.**

1 Elle *(Vénus)* baissa son voile pour cacher la rougeur de ses joues. FÉNELON, Télémaque, 8.

2 On les suspendait *(les corps)* à de longues bascules, qu'on élevait et qu'on baissait tour à tour.
VOLTAIRE, Philosophie, II, 24.

3 Puis il baissa comme une cagoule le capuchon de sa pèlerine, et tendit la main.
MARTIN DU GARD, les Thibault, t. IV, p. 74.

Mar. *Baisser un mât.* → **Caler.** Vx. *Baisser pavillon* (d'un navire), pour montrer que l'on se rend à l'ennemi. → **Amener** (le pavillon, les couleurs). Fig. *Baisser pavillon devant qqn,* lui céder, reconnaître sa supériorité, s'avouer battu.

4 Louis XIV fait baisser le pavillon aux amiraux espagnols devant le sien (...)
VOLTAIRE, le Siècle de Louis XIV, 29.

5 Nous ne sommes déjà que les traducteurs de leurs romans *(des Anglais)*; n'avons-nous pas assez baissé pavillon devant l'Angleterre? C'est peu d'être vaincus, faut-il être copistes?
VOLTAIRE, Lettre à M^me d'Argental, 18 oct. 1760.

6 (...) il eut le sec «Permettez» devant lequel on n'a plus qu'à baisser pavillon (...)
COURTELINE, Messieurs les ronds-de-cuir, II.

Loc. fam. *Baisser son pantalon, son froc :* se soumettre; avouer.

♦ **2** Incliner vers la terre, en parlant d'une partie du corps. *Baisser la main, le bras.* Fig. *Baisser les bras* : renoncer à agir. Baisser la tête, le front*.* → **Courber, fléchir, incliner, pencher.** Fam. *Baisse la tête, t'auras l'air d'un coureur!* Fig. *Baisser la tête, le front,* en signe de soumission, de pudeur, d'humilité, d'abattement, de résignation. *Aller, donner, se jeter tête baissée* (dans quelque chose), sans tenir compte du danger.

7 Et, baissant la tête, il rendit l'esprit. BIBLE, XIX, 30.

8 L'œil morne maintenant et la tête baissée (...)
RACINE, Phèdre, V, 6.

9 Il faut baisser la tête et souffrir (...)
M^me DE SÉVIGNÉ, Correspondance, 563.

10 Il faut se soumettre et baisser la tête (...)
M^me DE SÉVIGNÉ, Correspondance, 576.

11 Saint Augustin baissait la tête sous l'autorité de l'Église (...)
BOSSUET, Instruction pastorale, I.

Fig. *Baisser le nez :* être confus, honteux. *il avait baissé le nez* (cit. 32) *dans sa tasse.*

12 Durtal baissa le nez, car cet argument le démentait.
HUYSMANS, En route, p. 297.

*Baisser les oreilles,* en parlant du chien, du cheval, etc. — Fig. *Baisser les oreilles :* être découragé, penaud (→ **Oreille**).

*Baisser les yeux,* les diriger vers la terre. → **Regarder.** *Baisser les yeux par timidité, pudeur, humilité, confusion, honte,* etc. *Faire baisser les yeux à quelqu'un.*

13 *(Vous)* baissez devant moi vos yeux mal assurés.
RACINE, Iphigénie, IV, 4.

14 La modestie fait baisser les yeux.
BOSSUET, l'Honneur, 3.

15 S'il marche par la ville, et qu'il découvre de loin un homme devant qui il est nécessaire qu'il soit dévot, les yeux baissés, la démarche lente et modeste, l'air recueilli lui sont familiers : il joue son rôle.
LA BRUYÈRE, les Caractères, XIII, 24.

16 Elle leur donna leur fait si sec et si serré qu'elle les fit taire et leur fit baisser les yeux (...)
SAINT-SIMON, Mémoires, III, 343.

17 Qui? moi, baisser les yeux devant ces faux prodiges!
VOLTAIRE, Mahomet, I, 1.

18 Je baissai les yeux à un discours si flatteur, et je ne sus y répondre qu'en rougissant.
MARIVAUX, la Vie de Marianne, p. 150.

19 Hélène sourit, baissa ses paupières ornées de longs cils couleur tabac (...)
G. DUHAMEL, Chronique des Pasquier, III, V.

♦ **3** Diminuer la hauteur de (qqch.). → **Diminuer.** *Baisser un mur, un toit, une maison.*

♦ **4** Diminuer la force, l'intensité de (un son). *Baisser la voix, baisser le ton.* — Ellipt., fam. *Baisser la radio, la stéréo.* → **Adoucir, amortir, atténuer.** Par anal. *Baisser les lumières. Baisser une lampe.* Loc. fig. *Baisser le ton* (et parfois, *baisser d'un ton*) : perdre de son insolence, être moins arrogant. *Faire baisser le ton, le caquet, la chanterelle.* → **Rabaisser, rabattre.**

20 Assez, s'il vous plaît, maître François, dit la Mariette en baissant le ton, mais en devenant toute rouge de dépit (...)
G. SAND, François le Champi, XX.

Mus. *Baisser le ton, la tonalité* d'un morceau, d'un instrument. — Par métonymie. *Baisser un instrument :* l'accorder* dans un ton plus bas, plus grave.

21 (...) alors pour assurer la justesse de cette finale, on la marque deux fois, en séparant cette répétition par une troisième note, que l'on baisse d'un degré en manière de note sensible (...) ROUSSEAU, Dict. de musique.

♦ **5** Fig. *Baisser le prix d'un produit* : le vendre moins cher. → **Diminuer, réduire.** *La concurrence fait baisser les prix.* → **Tomber** (faire tomber); → ci-dessous, II., 3.

**II** V. intr. ♦ **1** Diminuer de hauteur. → **Diminuer, décliner, décroître, descendre.** *Le niveau de l'eau a baissé. La rivière a baissé d'un mètre. La mer baisse. La marée baisse.* → **Déchaler, refluer.** *Le soleil baisse sur l'horizon. Le baromètre, le thermomètre a baissé.*

22 C'est ainsi qu'une demi-once de sel volatil d'urine et trois onces de vinaigre, en fermentant, font baisser le thermomètre de neuf à dix degrés.
VOLTAIRE, Essai sur la nature du feu, III, 1.

23 Le niveau du liquide ne baisse pas vite dans la seringue de verre (...)
MARTIN DU GARD, les Thibault, t. IV, p. 184.

♦ **2** Diminuer d'intensité. — (Lumière). *Le jour baisse,* sa clarté diminue. *La lampe baisse.*

24 Mais le jour baisse et l'air s'est épaissi (...)
DUCIS, Othello, V, 2.

25 Rien ne manque à ces lieux qu'un cœur pour en jouir,
Mais hélas! l'heure baisse et va s'évanouir!
LAMARTINE, Harmonies..., III, 2.

(Son). *Le ton de la conversation baisse.* — (Forces physiques et intellectuelles, acuité des sens). → **Affaiblir** (s'), **décliner, décroître, diminuer, faiblir.** *Sa santé baisse. Ses forces baissent. Sa vue baisse. Son talent, son* *esprit, son intelligence baissent.* Absolt. *Ce malade baisse,* ses forces déclinent. — Par ext. Se dit d'une personne qui, par l'effet de l'âge, perd sa vigueur et ses moyens intellectuels. *Il a beaucoup baissé depuis cinq ans.*

26 Il *(Salomon)* s'abandonne à l'amour des femmes, son esprit baisse, son cœur s'affaiblit et sa piété dégénère en idolâtrie.
BOSSUET, Hist., I, 6, *in* LITTRÉ.

27 Je suis bien malade : tout baisse chez moi, hormis mes tendres sentiments pour vous.
VOLTAIRE, Lettre à Damilaville, 5 avr. 1765.

28 La vue des vieillards baisse, comme leur oreille devient plus dure, leur clairvoyance s'obscurcit, la fatigue même fait faire relâche à leur vigilance.
PROUST, À la recherche du temps perdu, t. XV, p. 195.

8.1 Je dis à Mme de Guermantes que j'avais rencontré M. de Charlus. Elle le trouvait plus «baissé» qu'il n'était, les gens du monde faisant des différences, en ce qui concerne l'intelligence, non seulement entre divers gens du monde chez lesquels elle est à peu près semblable, mais même chez une même personne à différents moments de sa vie.
PROUST, le Temps retrouvé, Pl., t. III, p. 991.

♦ **3** Diminuer de valeur, de prix. *Le vin a baissé. Les cours, les prix ont considérablement baissé.* → **Effondrer** (s').

29 Les imbéciles vendent quand tout baisse, achètent quand tout hausse, et s'étonnent de se ruiner (...)
A. MAUROIS, Bernard Quesnay, XXV, p. 163.

Fig. Perdre de son influence, de son crédit. *Ses actions baissent,* son crédit diminue.

♦ **4** Mus. Ne pas tenir exactement la tonalité initiale, descendre dans l'échelle des sons. → **Détonner.** *Une corde neuve baisse souvent.*

◆ **SE BAISSER** v. pron. → **Abaisser** (s'), **courber** (se), **incliner** (s'), **pencher** (se). *Il faut se baisser pour passer sous cette voûte. Se baisser pour s'asseoir, pour s'accroupir.*

30 L'un se baissait déjà pour ramasser la proie (...)
LA FONTAINE, Fables, IX, 9.

Loc. prov. *Il n'y a qu'à se baisser pour les ramasser :* il y en a en grande quantité. *Il n'y a qu'à se baisser et à prendre :* c'est une chose facile, aisée.

31 (...) Il semble à vous entendre
Que vous n'ayez ici qu'à vous baisser et prendre.
J.-F. REGNARD, les Ménechmes, V, 6.

32 Lahrier gagne ici deux mille quatre cents francs par an, qui lui coûtent juste, en gros et en détail, la peine de se baisser pour les prendre (...)
COURTELINE, Messieurs les ronds-de-cuir, IV, III.

◆ **BAISSÉ, ÉE** p. p. adj. *Vitre baissée. Capuchon baissé. — Tête baissée* (→ ci-dessus, cit. 8). *Nez baissé. — Lumières baissées.*

Fig. *Prix baissés.*

CONTR. **Élever, exhausser, hausser, lever, monter, relever. — Augmenter** (un prix, etc.), **enchérir.** ◊ DÉR. **Baissant, baisse, baissement,** 2. **baisser,** n., **baissier, baissière.** — COMP. **Abaisser, rabaisser, rebaisser, surbaisser.**

2. **BAISSER** [bese] n. m. — XIXe; de 1. *baisser.*

♦ **1** Rare. Action de baisser; moment où l'on baisse quelque chose. *Le baisser du rideau.*

♦ **2** Vx. Moment où le soleil, le jour baisse. → **Tombée.** *Il est parti vers le baisser du soleil.*

CONTR. **Lever,** n. m. (plus cour.).

**BAISSIER** [besje] n. m. — 1823; de 1. *baisser.*

T. de Bourse. Spéculateur qui joue à la baisse sur les valeurs mobilières, les marchandises.

Hélène aperçoit de temps en temps sa cousine Barbe, très sérieusement occupée à défendre contre les tentatives des baissiers la très importante affaire du tunnel sous-marin transatlantique, une création de la maison Ponto, attaquée assez déloyalement par un syndicat de spéculateurs.
A. ROBIDA, le Vingtième Siècle, p. 301.

CONTR. **Haussier.**

**BAISSIÈRE** [bεsjεʀ] n. f. — V. 1170, «dépression de terrain»; de 1. *baisser.*

Technique.

♦ **1** Agric. Enfoncement d'une terre labourée, d'un champ, retenant l'eau de pluie.

♦ **2** (1307). Reste de vin, de cidre, de bière dans un tonneau quand il approche de la lie.

**BAISURE** [bεzyʀ] n. f. — XVIe; de 1. *baiser.*

Vx. Marque produite sur un pain par le contact d'un autre dans le four.

**BAJOCIEN, IENNE** [baʒɔsjɛ̃, jɛn] adj. et n. m. — V. 1843, A. d'Orbigny; du lat. *Bajoce,* Bayeux.

Didact. (géol.). Se dit de l'étage inférieur du jurassique moyen (Dogger). — N. m. *Le bajocien, sous-étage inférieur du bathonien.*

**BAJOUE** [baʒu] n. f. — 1390, Evrart de Conty; de *bas* et *joue.*

♦ **1** Partie latérale inférieure de la tête (de certains animaux de boucherie), de l'œil à la mâchoire. *Bajoues de porc, de veau.*

♦ **2** Fam. Joue grosse et pendante (d'une personne). → **Abajoue.**

DÉR. **Abajoue, bajoyer.**

**BAJOYER** [baʒwaje] n. m. — 1751, *Encyclopédie;* de *bajoue.*

Techn., trav. publ. Paroi latérale d'une chambre d'écluse. — Mur qui consolide les berges d'une rivière, une digue.

**BAKCHICH** [bakʃiʃ] n. m. — 1846, Nerval; répandu mil. XXe; mot turc; arabe vulg. *bāhšīš* «pourboire».

Pourboire, pot-de-vin, dessous-de-table (dans les pays d'Orient). — Par ext. → **Gratification, matabich.**

Au moindre regard qu'on leur adresse, c'est une pluie de demandes de bakchiches. 1
GIDE, Carnets d'Égypte, *in* Souvenirs, Pl., p. 1055.

(...) le principal est que Fred soit d'accord. Contre un petit bakchich, bien entendu, que nous rajouterons au principal. 2
Hervé BAZIN, Cri de la chouette, p. 128.

REM. On rencontre de nombreuses variantes graphiques. L'orthographe de la cit. 3 est anglaise : *baksheesh, bakshish (Oxford Dict.).*

Mais j'ai tout de suite compris que pour ce petit-là, ce n'était pas le baksheesh qu'il fallait, c'était le prestige. 3
Robert MERLE, Week-end à Zuydcoote, p. 66 (1949).

**BAKÉLISER** [bakelize] v. tr. — 1928; de *bakélite.*

Techn. Enduire de bakélite. — Au p. p. *Papier bakélisé.*

Les papiers bakélisés sont des isolants précieux, employés dans l'appareillage électrique. Collés ensemble à chaud, ils donnent des masses appelées stratifiés, suffisamment solides pour qu'on en fasse des engrenages silencieux, par exemple ceux qui entraînent l'arbre de commande des soupapes dans les moteurs d'automobile.
F. MEYER et L.-J. OLMER, le Papier et les Dérivés de la cellulose, p. 72.

**BAKÉLITE** [bakelit] n. f. — 1907, marque déposée ; de *Baekeland*, nom de l'inventeur.

Chim. Résine* synthétique, matière plastique obtenue en traitant le formol par le phénol et qui imite l'ambre (nom déposé).

Les plaques d'amiante, la bakélite noire comme la nuit, les peintures glacées captent la lumière des yeux, elles se nourrissent de cette lumière.
J.-M. G. LE CLÉZIO, les Géants, p. 117 (1973).

DÉR. **Bakéliser.**

**BAKLAVA** [baklava] n. m. — 1853 ; répandu mil. XX$^{e}$ ; mot turc.

Gâteau à pâte feuilletée, au miel et aux amandes, très gras et très sucré, consommé surtout en Méditerranée orientale. *Acheter des baklavas dans une épicerie grecque.*

1 Quelques-uns (...) se faisaient tailler de grandes parts de baklava ou se gorgeaient de sucreries (...)
Th. GAUTIER, Constantinople, VII, Une nuit de Ramadan, p. 97.

2 Il termina son repas par un délicieux baklava et un café turc. Daniel ODIER, l'Année du lièvre, p. 101.

**BAKUFU** [bakufu] n. m. — D. i. (répandu XX$^{e}$) ; mot japonais, littéralt «gouvernement de la tente».

Histoire.

♦ **1** Gouvernement féodal militaire de l'ancien Japon, administré par les shoguns (périodes de Kamakura, Muromachi et Edo).

♦ **2** Pouvoir politique des samouraïs.

**BAL** [bal] n. m. — Fin XII$^{e}$ ; de *baller**, vx, «danser», du bas lat. *ballare* ; → aussi Baladin, ballade, ballet.

♦ **1** Ancienn (jusqu'au XVI$^{e}$). Danse*.

♦ **2** Mod. Réunion où l'on danse (soit de grand apparat, soit populaire). → **Danser.** — *Bal public. Bal privé. Le bal officiel d'une association. Bal de bienfaisance. Le bal des petits lits blancs. Bal champêtre. Bal populaire, bal musette,* où l'on danse au son de l'accordéon. → **Bastringue, guinche** (pop.). *Bal guinguette. Bal de barrière. Petit bal sans cérémonie.* → **Sauterie.** *Bal blanc* (vx), où les jeunes filles dansent entre elles. *Bal d'enfants. Bal costumé, paré, masqué, travesti. Bal de têtes,* où seules les têtes sont travesties. — *Costume, robe de bal. Robe de bal masqué.* → **Domino.** *Salle de bal. Carnet de bal,* où les dames inscrivaient le nom de leurs danseurs. *Commissaire du bal* (vx) : ordonnateur du bal. *Animateur du bal. La reine du bal.* — *Donner un grand bal. Aller au bal. Être invité à un bal. Courir les bals :* les fréquenter assidûment. *Ouvrir le bal :* y danser le premier. *Assister à un bal sans danser.* → **Tapisserie** (faire tapisserie). *Conduire le bal.*

1 Le bal se donnait tous les soirs, où de très méchants danseurs dansèrent de très mauvaises courantes (...)
SCARRON, le Roman comique, II, XVII.

2 Ce n'est ici qu'un bal à la hâte ; mais, l'un de ces jours, nous vous en donnerons un dans les formes.
MOLIÈRE, les Précieuses ridicules, 13.

3 (...) Courir le bal la nuit, et le jour les brelans ?
RACINE, les Plaideurs, I, 4.

4 Notre duchesse de Bourgogne, qui, malgré tout son mérite, est un peu trop engouée de la danse, des bals et des mascarades (...)
M$^{me}$ DE MAINTENON, Lettre au duc de Noailles, 25 janv. 1711.

5 M$^{me}$ de la C..., reine du bal et de la fête, était fort parée (...)
FONTENELLE, Lettres galantes, II, 19.

6 Palavicin rapporte qu'en 1562 les Pères assemblés au concile de Trente délibérèrent de donner un bal à Philippe II, roi d'Espagne, que toutes les dames de la ville y furent invitées, que le cardinal de Mantoue ouvrit le bal, et que Philippe II et tous les Pères du concile dansèrent.
SAINT-FOIX, Essai d'hist. sur Paris, 1 t. IV, p. 132, *in* POUGENS.

On trouvait dans chaque ville un bal masqué ou paré (...) 7
VOLTAIRE, le Siècle de Louis XIV, 26.

Quoi ! vous voudriez faire rentrer un vieux boiteux dans 8
la salle de bal ?
VOLTAIRE, Lettre à Chabanon, 3 août 1775.

Elle aimait trop le bal, c'est ce qui l'a tuée. 9
Le bal éblouissant ! le bal délicieux !
HUGO, les Orientales, 33.

Après un petit bal, une sauterie de jeunes cousines qui ne 10
se prolongerait point (...)
MAUPASSANT, Clair de lune, «L'enfant».

*Le bal des Ardents.* → **Ardent,** III., 2.

Par métaphore (en parlant de la société, du monde) :

Ce monde est un grand bal où des fous (...) 11
Pensent enfler leur être et hausser leur bassesse.
VOLTAIRE, Disc., 1.

Loc. fig. *Conduire, mener le bal :* être le responsable (d'une action collective).

♦ **3** Lieu où se donnent des bals, local où l'on danse. *Le bal Bullier eut son temps de célébrité. Un petit bal musette de Montmartre.* → **Bastringue, guinguette,** et aussi **boîte** (boîte de nuit), **dancing.**

♦ **4** Fam., vx. *Donner le bal à qqn,* le battre, lui donner des coups. → **Danse, valse.**

HOM. 1., 2., 3., 4. **Balle.**

**BALADE** [balad] n. f. — 1856 ; déverbal de (se) *balader.*

Familier.

♦ **1** Action de se balader, de se promener sans but précis. → **Promenade.** *Faire une balade. Être en balade.*

♦ **2** Sortie d'agrément vers des lieux assez proches. *Une belle balade.* → **Excursion, sortie, tour, voyage.**

HOM. **Ballade.**

**BALADER** [balade] v. tr. — 1422, «chanter des ballades» ; 1837, Vidocq, v. intr. «flâner» ; sous sa forme pron., mil. XIX$^{e}$ ; de *ballade.*

Fam. Promener* sans but précis. *Balader ses enfants dans les rues.* — Par ext. Promener, traîner avec soi.

Pauvre petit Bonty, qui balade partout son entérite chro- 1
nique et sa bouteille de lait cacheté !
COLETTE, la Vagabonde, I.

(...) des pères de famille, des retraités, des bonnes femmes 1.1
qui baladaient leurs mômes, un public en or, quoi.
R. QUENEAU, Zazie dans le métro, Folio, p. 57.

Loc. fam. *Envoyer balader* (qqn) : se débarrasser de (qqn) ; éconduire, renvoyer. → **Envoyer** (promener ; et fam. bouler, dinguer, paître, valser). *Il m'a envoyé balader.*

♦ **SE BALADER** v. pron.

Se promener sans but. → **Baguenauder** (2.), **errer, flâner, musarder, muser, promener** (se).

Çaurait été fameux de se balader rue Pigalle, au clair de 2
lune, en sifflant un petit air.
SARTRE, l'Âge de raison, I, p. 28.

Excursionner, voir du pays. *«On a tout juste quinze jours pour se balader»* (Beauvoir).

Fig., fam. (en parlant des choses). Être dispersé, en désordre. *Ses habits se baladent dans toute la chambre.*

DÉR. **Balade, baladeur.**

**BALADEUR, EUSE** [baladœʀ, øz] n. et adj. — 1455, argot, «escroc»; XIXe, «rôdeur»; de *balader.*

♦ **1** N. Fam., rare. Celui, celle qui aime à se balader. → **Flâneur, promeneur.**

♦ **2** Adj. *Avoir l'humeur baladeuse :* aimer à se promener, à se déplacer, à changer de résidence.

Fam. *Main baladeuse,* qui s'égare en attouchements érotiques, en caresses indiscrètes.

1 (...) j'ai dit la complicité des hommes appelés normaux lorsqu'on rapporte devant eux ces histoires de mains baladeuses.
Michèle PERREIN, Entre chienne et louve, p. 95 (1978).

Figuré :

2 *Je-t-aime* est sans emplois. Ce mot, pas plus que celui d'un enfant, n'est pris sous aucune contrainte sociale; ce peut être un mot sublime, solennel, léger, ce peut être un mot érotique, pornographique. C'est un mot socialement baladeur.
R. BARTHES, Fragments d'un discours amoureux, p. 176.

(1905, *in* D. D. L.). Autom. *Train baladeur :* train d'engrenages d'un changement de vitesses.
*Lampe baladeuse* (on dit aussi *une baladeuse*). → **Baladeuse,** 2.

Radio, télév. *Micro baladeur :* microphone transportable utilisé dans une assemblée qui ne dispose pas de microphones individuels.

♦ **3** N. m. Équivalent proposé de l'anglicisme *walkman.*

DÉR. **Baladeuse.**

**BALADEUSE** [baladøz] n. f. — 1872; de *baladeur.*

♦ **1** Petite voiture de marchand ambulant. — Voiture accrochée à la motrice d'un tramway. → **Jardinière, remorque.**

1 Autrefois un tramway blanc faisait le service de Bayonne à Biarritz; l'été, on y attelait un wagon tout ouvert, sans coupé : la baladeuse. R. BARTHES, Roland Barthes.

♦ **2** Appareil d'éclairage mobile, lampe électrique entourée d'une grille de protection et munie d'un long fil.

2 À la lueur de la baladeuse, deux fois, au fond d'un tunnel, il a rencontré des pierres.
F. MALLET-JORIS, le Jeu du souterrain, p. 206.

**BALADIN, INE** [baladɛ̃, in] n. — 1545, Marot; p.-ê. mot provençal, de *balar* «danser», du lat. *ballare.* → Bal.

♦ **1** Vx (jusqu'au XVIIe). Danseur de ballets, de corde, de théâtre ambulant.

1 Baladin! Êtes-vous en âge de danser des ballets?
MOLIÈRE, le Bourgeois gentilhomme, V, 1.

Rare. **BALADINE.** → **Ballerine, danseuse.** — Péj. Femme de vertu légère.

2 Ces trois guéchas *(sic)* sont bien les mêmes... Je les traite un peu en baladines à mes ordres (...)
LOTI, Mme Chrysanthème, LI.

3 Quelle était la vie de ces femmes *(les danseuses égyptiennes)* au charme étrange? (...) Baladines, le mot dit tout, il suggère à la fois l'idée de gymnastique et l'idée de pantomime, le spectacle et la saltation.
Francis DE MIOMANDRE, la Danse, p. 6.

♦ **2** Vx. Bouffon de comédie, comédien ambulant. *Arlequin et Scaramouche sont des noms de baladins* (Littré). → **Acteur, amuseur, bateleur, bouffon, comédien, farceur, histrion, paillasse, saltimbanque.**

4 Un Hésiode, un Homère ont été négligés au point d'aller errant, mendiant par tout l'univers, et chantant leurs vers de ville en ville comme de vils baladins.
ROUSSEAU, *in* LAFAYE, Dict. des synonymes, Suppl., Bouffon..., baladin...

Dans la plaine les baladins 5
S'éloignent au long des jardins
APOLLINAIRE, Alcools, p. 78.

Des baraques improvisées montraient des jongleurs et 6
des mimes. Sur une estrade, des baladins à cabrioles se jetaient des poignards et des flammes.
GIDE, le Voyage d'Urien, *in* Romans, Pl., p. 16.

Vx, fig. Mauvais comédien. → **Cabot, cabotin** (fam.). Mauvais plaisant. → **Farceur.**

DÉR. **Baladinage.**

**BALADINAGE** [baladinaʒ] n. m. — Mil. XVIIIe; de *baladin.*

Vx. Plaisanterie bouffonne et de mauvais goût. → **Farce.**

**BALAFON** [balafɔ̃] n. m. — 1698; guinéen *balafo* «jouer du *bala*», nom de cet instrument.

Mus. Instrument à percussion de l'Afrique noire, formé de lames, comme le xylophone, de calebasses servant de résonateurs.

Les Malinké, les meilleurs peut-être des «balafonniers» 1
d'Afrique occidentale, et dont les balafons, avec leurs dix-huit lames, leur série de calebasses à mirliton servant de résonateurs (...) semblent être identiques à ceux qui furent décrits au début du XVIIe siècle par un voyageur portugais.
Gilbert ROUGET, la Musique d'Afrique noire, *in* Encyl. Pl., Histoire de la musique, t. I, p. 223.

REM. Var. littér. conforme à l'étymologie (rare) : *balafo.* Var. graphique : *balafong* (Senghor).

Les guitares, les tamtams, les tambours, les balafos, 2
mêlaient leurs bruits aux décharges de mousqueterie. C'était quelque chose d'un sabbat.
HUGO, Bug-Jargal, 1826.

DÉR. **Balafonnier** ou **balafoniste.**

**BALAFONNIER** [balafɔnje] ou **BALAFONISTE** [balafɔnist] n. m. — XXe; de *balafon.*

Joueur de balafon* (cit. 1). — REM. Seul *balafoniste* semble usité en franç. d'Afrique (IFA). — Var. : *balafongiste* (Senghor).

**BALAFRE** [balafʀ] n. f. — 1505, «longue entaille»; de l'anc. franç. *leffre* «(grosse) lèvre», avec infl. de *balèvre**; l'élément *ba-* étant, selon Guiraud, assimilable à un lat. pop. **bata* «ouverture». → Bée.

Longue entaille faite par une arme tranchante, particulièrement au visage. → **Blessure, coupure, estafilade, taillade.** *Les étudiants allemands se faisaient des balafres au cours de leurs duels.* — Par ext. Cicatrice de cette blessure. → **Cicatrice, couture.**

Il avait la tête carrée, le front court et traversé d'une profonde balafre.
MARTIN DU GARD, les Thibault, t. VIII, p. 197.

DÉR. **Balafrer.**

**BALAFRER** [balafʀe] v. tr. — 1546, Rabelais; attestation isolée av. 1507, *brelaffrez* p. p.; de *balafre.*

♦ **1** Blesser (qqn, une partie du corps : visage, etc.) par une balafre. → **Couper, taillader.**

Le duc d'Orléans ayant commandé à un officier de faire 1
marcher un escadron, il le refusa, sur quoi le prince lui balafra le visage (...)
SAINT-SIMON, Mémoires, 163, 154.

♦ **2** Par anal. Creuser, marquer (qqch.) à la manière d'une balafre. → **Déchirer, érafler, griffer, labourer.**
Fig. Rayer, biffer, barrer d'un trait.

◆ **BALAFRÉ, ÉE** p. p. adj. *Un visage balafré.* — N. *Henri de Guise, le Balafré.* — Fig. :

Je vis, dans la glace, mon front balafré de cendre. 2
F. MAURIAC, le Nœud de vipères, XVIII.

**BALAI** [balɛ] n. m. — XIIIe; v. 1170, *balain* «faisceau de genêts»; orig. incert.; p.-ê. empr. au breton *balazn* «genêt» (gaul. **banalto*, par métathèse **balatno*); soit issu du gaul. **banalto*, **balatno* avec adapt. de la finale d'après les mots lat. en *-aium* ou avec infl. de l'anc. franç. *baloier* «aller çà et là»; l'emploi de *balai* au sens de «genêt» dans le Centre et le Midi de la France infirme l'hypothèse d'une orig. bretonne; selon Guiraud, déverbal de *balayer* qui serait un fréquentatif de *baller*.

♦ **1** Ustensile composé d'un manche auquel est fixé un faisceau de brindilles, crins, plumes ou une brosse à longs poils (→ **Balai-brosse**), et qui sert à enlever la poussière, à pousser des détritus, des ordures (→ **Balayer**). *Balai de bouleau, de bruyère, de chiendent, de crin, de genêt, de jonc, de paille, de soies, de sparte, de nylon. Balai de houx.* → **Houssoir.** *Balai de plumes.* → **Plumail, plumard, plumeau.** *Balai de rameaux.* → **Ramon** (vx). *Balai à épousseter.* → **Époussette.** *Balai de plafond.* → **Tête-de-loup.** *Balai à nettoyer les bouteilles.* → **Goupillon.** — *Balai de chiottes* (fam.) : balayette employée pour nettoyer les cabinets. — *Balai mécanique :* appareil pour balayer, à brosses roulantes, monté sur un petit chariot. — *Petit balai.* → **Balayette, brosse.** *Balai de marine.* → **Écoupe, écouvillon, faubert, goret, vadrouille.** *Balai métallique :* outil de jardinage, sorte de rateau à très longues dents ressemblant à un balai. *Passer le balai* (→ **Balayer**). — Appos. *Aspirateur*-balai. Manœuvre-balai :* balayeur. — *Placard à balais.*

Loc. **Manche à balai.** Le bâton par lequel on tient le balai. — Fig., fam. Personnage maigre. *C'est un vrai manche à balai.* — Par anal. de forme. Aviat. Commande du gouvernail de profondeur et de direction.

*Le manche à balai des sorcières,* qui leur servait de monture pour se rendre au sabbat.

1 Le meuble et l'équipage aidaient fort à la chose :
Quatre sièges boiteux, un manche de balai ;
Tout sentait son sabbat et sa métamorphose.
La Fontaine, Fables, VII, 15.

2 Tous les sorciers du siècle passé croyaient aller au sabbat sur une verge magique ou sur un manche à balai qui en tenait lieu (...)
Voltaire, Dict. philosophique, Verge.

*Le balai magique de l'Apprenti Sorcier* (→ **Apprenti**, cit. 13).

**Coup de balai.** *Donner un coup de balai à une pièce,* y effectuer un balayage rapide. *Coup de balai :* licenciement du personnel (d'une entreprise, d'une administration). → **Nettoyage.**

3 Autre toile tissue, autre coup de balai :
Le pauvre bestion tous les jours déménage.
La Fontaine, Fables, III, 8.

4 Point de coup de balai qui l'oblige à changer.
La Fontaine, Fables, III, 8.

5 (...) dans la crainte des coups de balai, ils étaient toujours du côté du manche. Zola, la Terre, t. I, p. 80.

Fam. *Du balai ! :* allez-vous-en ! dehors !

*Être du balai, ramasser les balais :* être le bon dernier.

Fam. *Con comme un balai :* complètement con.

Fam. *Peau* de balle et balai de crin.*

Loc. fig. (vx). *Rôtir le balai :* en être réduit à le brûler, faute de bois, d'où, fig., passer sa vie dans une condition subalterne (vieilli), et, par ext., mener une vie de désordre, de galanterie, particulièrement en parlant d'une femme. → Décemment, cit. 1.

6 La duchesse de la Ferté avait encore une fille qui avait un peu rôti le balai (...) Saint-Simon, Mémoires, II, 91.

7 Notre hôtesse elle-même avait rôti le balai : il n'y avait là que moi seul qui parlât et se comportât décemment.
Rousseau, les Confessions, VII.

Frénilly — à la vérité fort malveillant — écrira qu'elle (*Joséphine*) y passait pour avoir «beaucoup rôti le balai». 8
Louis Madelin, Hist. du Consulat et de l'Empire, Ascension de Bonaparte, p. 24.

♦ **2** Fig., fam. Se dit d'aliments rafraîchissants et laxatifs. *L'épinard est un véritable balai de l'estomac.*

♦ **3** Fauconn. Queue (des oiseaux).

Chasse. Extrémité de la queue (des chiens).

♦ **4** Électr. Frottoir en charbon établissant le contact dans une dynamo. *Balais de dynamo.*

♦ **5** *Balai d'essuie-glace :* accessoire d'automobile, bras métallique muni d'une lame de caoutchouc et actionné par un moteur électrique, qui sert à appuyer les gouttes d'eau tombées (pluie) ou projetées (lave-glaces) sur le pare-brise, la vitre arrière.

♦ **6** Mus. Instrument formé d'un manche court et d'un faisceau métallique et servant à produire un bruit rythmé par contact et frottement sur certaines caisses (caisse claire, par ex.). *Battre avec des balais. Balais de percussionniste.*

♦ **7** Fam. Dernier métro ou autobus de la journée. — (1911, *in* Petiot). *Voiture-balai,* qui recueille les coureurs cyclistes qui ont abandonné la course.

♦ **8** Argot fam. Année d'âge. *Je ne me suis jamais laissé marcher sur les pieds, c'est pas à cinquante balais que ça va commencer.* → 3. **Pige.**

DÉR. **Balayer, balayette.** ◇ COMP. **Balai-brosse.** — HOM. **Balais, ballet.**

**BALAI-BROSSE** [balɛbʀɔs] n. m. — Mil. XXe; de *balai*, et *brosse*.

Brosse de chiendent montée sur un manche à balai, pour frotter le sol. *Des balais-brosses.*

**BALAIS** [balɛ] adj. m. — XIIIe; lat. médiéval *balascus*; arabe *bălăhs*, de *bălăhšăn*, nom de la région de l'Asie centrale, près de Samarcande, où l'on trouve ce rubis.

Minér. *Rubis balais :* rubis de couleur rouge violacé ou rose. — REM. Ne s'emploie qu'en épithète, avec *rubis*; l'emploi en attribut est vieux :

Vous avez là (...) un beau rubis ; est-il balais ?
La Bruyère, les Caractères, XI, 7.

HOM. **Balai, ballet.**

**BALAISE** [balɛz] adj. et n. → **Balès.**

**BALALAÏKA** [balalaika] n. f. — 1768, J. Chappe d'Auteroche; mot russe.

Mus. Instrument de musique à cordes pincées, comprenant un manche et une caisse à table triangulaire, à fond bombé, utilisé dans la musique populaire traditionnelle russe (analogue au luth, à la mandoline). *Vieille chanson russe chantée avec un accompagnement de balalaïka et de bandonéon.*

**BALAN** [balɑ̃] n. m. — 1697, *ballan* «balance»; de *balancer*.

Loc. Régional (Suisse). *Être en balan, sur le balan,* en équilibre; au fig., être dans l'incertitude.

**BALANÇAGE** [balɑ̃saʒ] n. m. — 1952, *in* Esnault; de *balancer* (un copain) «dénoncer, donner».

♦ **1** Argot. Dénonciation, délation.

Tu te rends compte que je pourrais te lessiver sur place 1
sans que personne sache jamais d'où ça t'est venu ?... Sans qu'on puisse rien prouver contre moi, même en cas de balançage !
Albert Simonin, Touchez pas au grisbi, p. 108.

2 (...) de deux choses l'une : ou bien c'est un ordre du Bureau, et ça, ça n'arrive jamais qu'après un coup de balançage. Or, il n'y a que nous quatre au coup, et...
Et le chœur des vierges enchaîne :
– ... et nous sommes des femmes de mentalité.
A. SARRAZIN, la Cavale, p. 75.

♦ **2** (1900, *in* Petiot). Cyclisme. «Manœuvre déloyale — geste du bras, brusque écart — qui coupe la ligne suivie par l'adversaire et peut provoquer sa chute» (Petiot).

**BALANÇANT, ANTE** [balɑ̃sɑ̃, ɑ̃t] adj. — Fin XIX^e^; de *balancer.*

Rare. Qui se balance.

Il portait des lorgnons à chaîne, une chaîne de montre, une épingle de cravate à perle balançante, de sorte qu'à chacun de ses mouvements un fil à plomb de nacre et d'or indiquait l'axe auquel Lemançon renonçait.
GIRAUDOUX, Juliette au pays des hommes, p. 137.

1. **BALANCE** [balɑ̃s] n. f. — XII^e^; du lat. pop. **bilancia,* du lat. vulg. *bilanx,* de *bis* «deux fois», et *lanx* «plateau (de balance)».

**I** ♦ **1** Instrument qui sert à peser*, formé d'un fléau mobile et de plateaux dont l'un porte la chose à peser, l'autre les poids marqués. → **Pesée.** *Le fléau de la balance.* → **Fléau** (bras du fléau), **joug, traversant, traversin, verge.** *L'aiguille de la balance indique la position du fléau.* → **Languette.** *Le fléau de la balance est muni de trois prismes d'acier à fines arêtes* (→ **Couteau**), *dont l'un, le couteau du milieu, sert de point de suspension, et les deux autres supportent les récipients* (→ **Bassin, plateau**). *Ajuster une balance. Équilibrer les deux plateaux d'une balance.* → **Tare.** *La balance, levier* du premier genre. Une balance fidèle, juste, sensible. Une balance folle, indifférente, paresseuse. Le contrôle, le poinçonnage des balances. Tenir la balance juste,* la tenir en équilibre (Académie). *Faire pencher, faire trébucher la balance.*

*Balance de précision,* dans laquelle les plateaux sont en général suspendus aux couteaux par l'intermédiaire d'un étrier. *Balance d'essai,* pour les monnaies. → **Ajustoir, microbalance, pesette, trébuchet.** *Balance à cavaliers,* pour les pesées très précises. → **Cavalier.** *Balance automatique, à un plateau,* dont l'aiguille indique le poids et le prix sur un cadran. *Balance à bascule,* à bras inégaux pour le pesage des lourdes charges. → **Bascule, poids** (poids public). *Balance à levier coudé.* → **Pèse-lettre, peson.** *Certaines balances et bascules servent à un seul usage.* → **Pèse-bébé, pèse-grains** (→ aussi les comp. en **Pèse-**). *Balance romaine,* à poids constant et mobile par rapport au point de suspension. → **Romaine.** — REM. Au plur. *balances* s'emploie parfois avec le sens du sing., à cause des deux plateaux.

1 Il *(Montaigne)* dit : «Que sais-je?» dont il fait sa devise, en la mettant sous des balances (...)
PASCAL, Épictète et Montaigne.

2 Grands compositeurs de riens, pesant gravement des œufs de mouche dans des balances de toile d'araignée (...)
VOLTAIRE, Lettre à Trublet, 27 avr. 1761.

3 Quand la balance est parfaitement égale, une paille suffit pour la faire pencher.
ROUSSEAU, Disc. sur l'économie politique.

*La balance,* attribut de Thémis (symbole de la justice et de l'équité).

4 La Justice passa, la balance à la main.
BOILEAU, Épîtres, 2.

5 O juges malheureux, qui dans nos faibles mains,
Tenons aveuglément le glaive et la balance.
VOLTAIRE, Tancrède, IV, 6.

Turf. *Salle des balances,* et, ellipt, *balances,* n. f. pl. : lieu où l'on pèse les jockeys avant et après la course. *Pavillon des balances,* dans lequel se situe la salle des balances.

(...) elle lui donnant ses ordres au pesage, ou encore lui 5.1
souillé et crotté (...) tenant sur le bras sa minuscule selle de poupée d'où pendent les étriers qui s'entrechoquent avec un tintement argentin, marchant à côté d'elle vers les balances derrière le cheval trempé et fumant (...)
Claude SIMON, la Route des Flandres, p. 42 (1960).

♦ **2** Astron. Constellation zodiacale de l'hémisphère austral figurant une balance.

Astrol. Septième signe du zodiaque* (23 sept.-22 oct.). Ellipt. *Il est balance :* il est né sous le signe de la balance.

♦ **3** Techn., sc. Appareil servant à mesurer des quantités (autres que des poids). *Balance algébrique, arithmétique, hydrostatique, magnétique, aérodynamique.* → **Baroscope.** *Balance de torsion. Balance élastique d'horloger.*

Techn. Potentiomètre permettant d'équilibrer le niveau de sortie des deux canaux dans un amplificateur stéréophonique.

♦ **4** Pêche. Petit filet conique monté sur cadre circulaire et destiné à la pêche aux crustacés, aux crevettes, aux écrevisses. → **Caudrette, truble.**

**II** ♦ **1** Par métaphore. Moyen ou manière d'apprécier, de juger les personnes et les choses. *La balance de la raison, du jugement.* → **Appréciation, jugement.**

Du côté du cœur, mes balances sont bien différentes des 6
vôtres. M^me^ DE SÉVIGNÉ, Lettres, 842.

Jusques à quand aurons-nous deux consciences, deux 7
mesures, deux balances, l'une en notre faveur, l'autre à la ruine du prochain?
G.-T. RAYNAL, Hist. philosophique, XVIII, 32.

Il serait fort utile d'avoir une balance où l'on pût, pour 8
ainsi dire, peser les règles; on verrait qu'elles ne méritent pas toutes une égale autorité.
FONTENELLE, Réflexions poétiques, 1 t. III, p. 129.

Bayle en sait plus qu'eux tous; je vais le consulter : 9
La balance à la main, Bayle enseigne à douter.
VOLTAIRE, Poème sur le désastre de Lisbonne.

Alors (...) je me suis amusé à repasser et comparer ce que 10
j'avais lu, à peser chaque chose à la balance de la raison, et à juger quelquefois mes maîtres.
ROUSSEAU, les Confessions, VI.

On pèse leurs plus indifférentes actions dans une balance 11
rigoureuse.
DIDEROT, les Règnes de Claude et de Néron, I, 95.

*Mettre dans la balance :* mettre en parallèle, examiner en comparant. → **Comparer.** — **EN BALANCE.** *Mettre en balance :* examiner, opposer le pour et le contre. → **Opposer, peser.**

Quand on rend la justice, on met tout en balance. 12
CORNEILLE, le Cid, IV, 5.

Penses-tu qu'un instant ma vertu démentie 13
Eût mis dans la balance un homme et la patrie?
VOLTAIRE, la Mort de César, III, 2.

*Entrer en balance :* être mis en comparaison.

Lorsqu'on fait des projets d'une telle importance, 14
Les intérêts d'amour entrent-ils en balance?
CORNEILLE, Sertorius, I, 1.

Loc. *Mettre, jeter un poids dans la balance,* un argument décisif pour emporter la décision.

(...) Toutefois j'ose encore lui dire 15
Qu'il doit avant ce coup affermir son empire,
(...) et que dans la balance
Mon nom peut-être aura plus de poids qu'il ne pense.
RACINE, Britannicus, I, 2.

*(L'événement qui)* avait décidé Grey à jeter enfin l'épée bri- 16
tannique dans la balance (...)
MARTIN DU GARD, les Thibault, t. VII, p. 157.

*Peser dans la balance* se dit également d'une personne ou d'une force dont le *poids* entre en jeu.

17 *(Le gouvernement, puissance neutre chargée)* de maintenir la liberté de la lutte, non de peser dans la balance pour l'un des partis.
RENAN, Philosophie de l'Hist. contemporaine, III, p. 57.

*Tenir la balance égale entre deux personnes, entre deux opinions,* ne point favoriser l'une aux dépens de l'autre, se montrer impartial. → **Impartialité, pondération.**

18 Jamais le juge ne tenait
À leur gré la balance égale (...)
LA FONTAINE, Fables, XII, 27.

19 Entre le peuple et la royauté, dont le double concours lui est également indispensable, il tient la balance égale, ne pouvant pour atteindre son but sacrifier ni les droits de l'une ni ceux de l'autre.
Louis BARTHOU, Mirabeau, p. 168.

20 En réalité, Bonaparte, inaugurant l'entreprise de «fusion» continuait à vouloir simplement tenir, entre les anciens partis, la balance égale.
Louis MADELIN, le Consulat, XVI.

*Faire pencher la balance, incliner la balance, emporter la balance :* faire qu'une personne l'emporte sur une autre, qu'un parti prévale. → **Avantager.**

21 Et ta beauté sans doute emportait la balance.
CORNEILLE, le Cid, III, 4.

22 *(Son père)* Du côté d'Hippolyte emporte la balance.
MOLIÈRE, l'Étourdi, IV, 71.

23 Et le Ciel, qui pour moi fit pencher la balance (...)
RACINE, Esther, I, 1.

24 Mais il n'était pas possible d'être si impartial que la balance ne penchât de quelque côté.
J. BAINVILLE, Hist. de France, IX.

♦ **2 EN BALANCE :** dans l'indécision, l'incertitude, en suspens. *Tenir en balance. Être, rester en balance.* → **Hésitant, hésiter.**

25 La victoire fut plus de deux heures en balance.
RACINE, Campagnes de Louis XIV.

26 Cessez d'être en balance et de vous défier.
CORNEILLE, le Menteur, III, 5.

27 Il ne tient pas un seul moment l'auditeur en balance.
MOLIÈRE, Tartuffe, Préface.

♦ **3** Fig. État d'équilibre. — Polit. *La balance des pouvoirs. La balance des forces.* → **Équilibre, pondération, rapport.**

28 La Grèce se maintenait dans une espèce de balance; les Lacédémoniens étaient pour l'ordinaire alliés des Éoliens; et les Macédoniens l'étaient des Achaïens.
MONTESQUIEU, Grandeur et Décadence des Romains, 5.

29 Quoique le système de la balance de l'Europe n'ait été développé que dans les derniers temps (...)
VOLTAIRE, Essai sur les mœurs, 51.

30 L'art, la science unique d'un grand nombre de ministres a été contenu dans ces mots : la «balance», l'équilibre de l'Europe.
MIRABEAU, Lettres de cachet, I, 110.

♦ **4** Comm. *La balance de l'actif et du passif d'un compte.* → **Bilan, compte, différence, solde.** *Balance d'entrée, de sortie. Balance générale. Arrêter, clore un compte par la balance des profits et des pertes.*

Écon. *Balance commerciale :* comparaison entre les importations et les exportations d'un pays donné. *La balance est favorable, en excédent :* les exportations l'emportent sur les importations. *La balance est défavorable, en déficit :* les importations sont supérieures aux exportations.

*Balance des capitaux :* document rendant compte des mouvements de capitaux qui sont intervenus entre les nations.

*Balance des paiements :* «relevé systématique de toutes les transactions économiques intervenues pendant une certaine période, entre résidents du pays et résidents des autres pays dits étrangers». (*Fonds monétaire international,* Annuaire 1949-1950).

**DÉR.** 2. **Balancelle, balancer,** 1. **balancier.** ◊ **COMP. Microbalance, thermobalance.**

2. **BALANCE** [balɑ̃s] n. f. — D. i. (répandu v. 1983); déverbal de *balancer.*

Argot. Personne qui en balance (→ Balancer, I., 2., C.) une autre; dénonciateur, dénonciatrice. → **Donneur** (I., 3.).

**BALANCÉ** [balɑ̃se] n. m. — Déb. XIX^e^; du p. p. de *balancer.*

♦ **1** Mouvement de balancement. *Le balancé des bras. — Le balancé d'un cheval.*

♦ **2** Harmonie, équilibre des parties (dans une œuvre d'art). → **Balancement** (2.).

♦ **3** Pas de danse dans lequel l'exécutant se balance d'un pied sur l'autre sans se déplacer. — Patin. Figure courbe dessinée par le patineur sur la glace.

1. **BALANCELLE** [balɑ̃sɛl] n. f. — 1823; génois *barancella* (de *paransella* «navire de pêche» et *bãnsa* «balance»), avec infl. de 1. *balance.*

Mar. «Embarcation pointue aux deux extrémités, munie d'un immense beaupré et d'un grand mât très incliné sur l'avant» (Gruss). *Balancelle qui rebondit balin-balan* (cit. Giono), *le vent en poupe.*

*(La balancelle est une)* embarcation dont les Napolitains paraissent avoir fait usage les premiers, et qui, pointue par les deux bouts, porte un seul mât, une voile latine, et peut border de seize à vingt avirons (...) 1
JAL, Dict. de marine, *in* LITTRÉ.

Il vint au port un après-midi. Il n'y avait pas de voilier à quai : des barquettes seulement et une balancelle qui portait des blocs de marbre au temple de Cypris-de-l'onde-bleue. 2
J. GIONO, Naissance de l'Odyssée, p. 23.

Si les vents ont cru bon 3
De me couper les ponts,
J'prendrai la balancelle
Pour rejoindre ma belle (...)
G. BRASSENS, Je rejoindrai ma belle.

**HOM.** 2. **Balancelle.**

2. **BALANCELLE** [balɑ̃sɛl] n. f. — XX^e^ (1927, Gide); de 1. *balance* (sens 1), *se balancer* (sens 2).

♦ **1** Plateau suspendu par des crochets, sur lequel on place des objets à transporter; chacun de ces crochets.

«Tu vas décharger les balancelles.» Dupré m'explique. Les caisses peintes des 2 CV arrivent directement sur la grande chaîne, mais nues. Toutes les pièces détachées (portières, capots, ailes, coffres) arrivent de l'atelier de peinture à l'atelier de la grande chaîne par une sorte de chaîne aérienne, suspendues à des crochets spéciaux (les «balancelles»). 1
Robert LINHART, l'Établi, p. 47-48.

♦ **2** Siège de jardin à plusieurs places, avec un toit en tissu et des coussins assortis, mobile comme une balançoire.

Elle me fit asseoir à ses côtés sur une balancelle et me dit : «Cette fois, ne bouge plus.» Ses pieds n'arrivant pas au sol, du bout des miens je bloquai l'oscillation de la banquette. 2
Maurice CLAVEL, le Tiers des étoiles, p. 180.

**HOM.** 1. **Balancelle.**

**BALANCEMENT** [balɑ̃smɑ̃] n. m. — 1487; de *balancer.*

♦ **1** Mouvement alternatif* d'un corps de part et d'autre de son centre d'équilibre. → **Balancer; balancé, ballant, ballottement, battement, bercement, branle, brimbalement, cadence, dandinement, flottement, fluctuation, flux** et **reflux, ondoiement, ondulation, oscillation, roulis, tangage, vacillation, va-et-vient.** *Balancement lent, rapide, fort, faible. Le balancement du corps dans la marche. Un balancement continuel de la tête.* → **Dodelinement, nutation.** *Le balancement excessif, outré, de ses hanches.* → **Tortillement.** *Le balancement d'un hamac, d'un pendule. La houle imprime un balancement au navire.* → **Bricole, roulis, tangage.** *Le balancement apparent de la lune autour de son axe.* → **Libration.**

1 Comme le mouvement du flux et reflux est un balancement égal des eaux, une espèce d'oscillation régulière (...)
BUFFON, Théorie de la Terre, 2e disc.

2 Quelque mal de cœur que me causât le balancement de la voiture (...) MARMONTEL, Mémoires, II.

3 Nous nous endormîmes ainsi entre deux lames, bercés par le balancement insensible d'une mer qui faisait à peine incliner le mât. LAMARTINE, Graziella, IV, 23.

.1 (...) le vent souffle dans les feuilles, entraînant les rameaux entiers dans un balancement, dans un balancement, balancement, qui projette son ombre sur le crépi blanc des murs.
A. ROBBE-GRILLET, Dans le labyrinthe, p. 9.

.2 Chez le Mammifère sauvage en captivité on voit la déviation des chaînes opératoires corporelles conduire vers une rythmicité factice, des balancements périodiques qui reconstituent pour le sujet captif un véritable cadre dans lequel il est intégré spatialement et temporellement.
A. LEROI-GOURHAN, le Geste et la Parole, t. II, p. 103.

Ski. Mouvement d'oscillation du corps destiné à accélérer la descente.

Sports. Mouvement alternatif du bras, de la jambe, de part et d'autre d'un centre d'équilibre (lancers, gymnastique...).

Par métonymie. *Zone de balancement des marées :* zone du littoral que la mer couvre et découvre, selon les marées.

Fig. (Vx ou littér.). Mouvement par lequel on *balance* entre plusieurs partis, inclinant tantôt d'un côté, tantôt d'un autre. → **Flottement, hésitation.**

4 C'est alors qu'il se fait un balancement douteux entre la vérité et la volupté (...)
PASCAL, De l'esprit géom., 2e fragment.

♦ **2** Fig., rare. État d'équilibre. → **Balance, équilibre, pondération.** *Un balancement harmonieux.* → **Harmonie.**

Spécialt. Dans une œuvre d'art, Disposition équilibrée des parties. → **Balancé,** 2. *La symétrie est le plus rigoureux des balancements* (Réau).

5 (...) on aime la symétrie : il faut une espèce de pondération ou de balancement, et un bâtiment avec une aile, ou une aile un peu plus courte qu'une autre, est aussi peu fini qu'un corps avec un bras, ou avec un bras trop court.
MONTESQUIEU, Goût, Symétrie.

6 Il a découvert que chaque courbe du corps humain s'accompagne d'une courbe réciproque qui lui fait face et lui répond. L'harmonie qui résulte de ces balancements tient du théorème. GIDE, Journal, 25 avr. 1909.

*Le balancement des phrases dans le discours. Le balancement d'une période :* l'équilibre de ses parties.

CONTR. (Du sens 1). **Arrêt, blocage, immobilisation; décision.** — (Du sens 2) **Déséquilibre.**

**BALANCER** [balɑ̃se] v. tr. et intr. [CONJUG. : *placer.*] — Fin XIIe; de *balance.*

**I** V. tr. ♦ **1** Mouvoir tantôt d'un côté, tantôt d'un autre. → **Agiter, aller** (faire aller et venir), **mouvoir, osciller** (faire osciller), **remuer.** *Balancer alternativement les bras et les jambes. Cet enfant ne cesse de balancer ses jambes, sa tête.* → **Brandiller** (vx), **dandiner.** *Balancer les hanches, le derrière en marchant.* → **Onduler, tortiller.** *Balancer doucement la tête.* → **Bercer, dodeliner** (la tête, un enfant). — (Sujet n. de chose). *Les vagues balancent les navires à l'ancre.* → **Ballotter.**

Le magnolia n'a d'autre rival que le palmier, qui balance auprès de lui ses éventails de verdure. 1
CHATEAUBRIAND, Atala, Prologue.

(...) il balançait sa tête avec une insouciance de napolitain. 2
HUGO, Notre-Dame de Paris, I, 4, p. 48.

Dans sa couche enfantine il erre au gré du vent; 3
L'eau le balance, il dort, et le gouffre mouvant
Semble le bercer dans sa tombe.
HUGO, Odes, III, IV, 3.

Et du fond des boudoirs les belles indolentes 4
Balançant mollement leurs tailles nonchalantes (...)
A. DE MUSSET, À la Mi-Carême.

Elles balançaient leurs hanches mollement, au son du gong, tenant leurs mains en l'air et leurs doigts écartés comme des fantômes. 5
LOTI, Mon frère Yves, XXVIII, p. 93.

Au plafond, les hélices des ventilateurs bourdonnaient sans répit, balançant les pendeloques des lustres, les palmes des plantes vertes, et soulevant autour des couples de danseurs, le pan des écharpes de mousseline. 6
MARTIN DU GARD, les Thibault, t. II, p. 92.

Par ext. Mar. *Balancer les machines,* leur faire effectuer quelques minutes d'essai en avant, puis en arrière.

♦ **2** **a** Fam. Jeter (avec un mouvement de balancement, de bascule). → **Jeter.** «Balancer *arrive au sens de jeter parce qu'on balance le bras avant de lancer un objet au loin»* (Dauzat, *Argot de la guerre,* p. 155). *«Qu'est-ce qu'ils nous ont balancé comme marmites!»* (Bauche). → **Envoyer.** — REM. Ce sens que la langue populaire a fait renaître est l'un des plus anciens du verbe. On le trouve dès le XIIe s. Cf. Littré qui donne également cet exemple du XIVe s. (dont nous modernisons l'orthographe) :

*(Les Anglais)* Ont par-dessus Français 7
Jeté et balancé
Chaude eau, vive chaux et aussi poix bouillie.
GUESCLIN, 19734, *in* LITTRÉ.

Fam. *Balancer une gifle, un coup de poing à qqn.*

Par anal., fam. Faire passer, communiquer (une information). *«L'information a été "balancée" immédiatement sur l'antenne dans ce pays où la plupart des citoyens sont habitués à garder jalousement leurs secrets»* (*l'Express,* no 1372, 24 oct. 1977). → **Envoyer.** *Balancer des blagues. Qu'est-ce qu'il a pu balancer comme vannes!* — (Le compl. est une proposition). → **Dire.**

Personne ne doit savoir, personne ne doit pouvoir balancer combien j'aime Maria. Dans une taule collective, il faut cacher ses amitiés plus soigneusement que ses haines. 7.1
A. SARRAZIN, la Cavale, p. 116.

**b** Fig. Se débarrasser de (qqch., qqn). → **Rejeter.** *Il a balancé toutes ses vieilleries.* → **Bazarder** (fam.). *Il a balancé cet employé.* → **Balayer, congédier, renvoyer; balanstiquer** (argot), **lourder, virer.** *Il a balancé sa maîtresse; il s'est fait balancer.* → **Larguer, plaquer** (fam.).

**c** Argot. Dénoncer. → **Balanstiquer, donner** (I., C., 3.); **balançage,** 2. **balance.**

— Jamais tu ne me feras croire que Silien ne m'a pas balancé (...) 7.2
— Ah! bon?... Mais à qui crois-tu devoir ta libération?
J.-P. MELVILLE, le Doulos (scénario), *in* l'Avant-Scène, p. 38.

7.3 Le mec s'est bien comporté. Il ne connaissait que moi, mais il ne m'a pas balancé.
Henri CHARRIÈRE, Papillon, p. 264.

♦ **3** Didact. ou littér. Mettre en équilibre. → **Équilibrer.** Mar. *Balancer la voilure :* équilibrer les voiles, les disposer de telle sorte que le vent ne fasse pas pencher le navire d'un côté plus que de l'autre. *Balancer une cargaison.*

Art. *Balancer une composition, des masses...* pour qu'elles forment un ensemble harmonieux.

Par anal. *Balancer ses phrases,* en parlant d'un écrivain. *Bossuet balance admirablement ses phrases. Il balance si exactement ses phrases qu'elles s'annulent* (cit. 8) *les unes les autres.*

Compt. *Balancer un compte :* rendre égales les sommes du crédit et du débit en ajoutant un solde à la moins élevée. → **Balance, solde.**

♦ **4** Fig., vx. Mettre en balance*. → **Comparer, opposer, peser.** *Balancer le pour et le contre, les avantages et les inconvénients... Après avoir tout balancé, on résout...* (Littré).

8 Il se juge en autrui, se tâte, s'étudie,
Examine en secret sa joie et ses douleurs,
Les balance, choisit, laisse couler des pleurs (...)
CORNEILLE, Pompée, III, 1.

9 Mais, tout bien balancé, j'ai pourtant reconnu
Que de ces contes vains le monde entretenu
N'en a pas de l'hymen moins vu fleurir l'usage (...)
BOILEAU, Satires, X.

♦ **5** Fig. (vx ou littér.). Faire équilibre à... → **Compenser, contrebalancer, corriger, égaler** (en importance), **équilibrer.** *Force qui balance une force contraire.* → **Neutraliser.**

10 Les bienfaits dans un cœur balancent-ils l'amour ?
RACINE, Bajazet, III, 7.

11 La joie que l'on reçoit de l'élévation de son ami est un peu balancée par la petite peine qu'on a de le voir au-dessus de nous. LA BRUYÈRE, les Caractères, IV, 51.

11.1 Cette pensée désolante m'accable à un point que j'en mourrais, si je n'étais pas persuadée que vous m'aimez. Mais une si douce consolation balance mon désespoir et m'attache à la vie.
A. GALLAND, les Mille et une Nuits, t. II, p. 33.

12 Condillac ne peut seul balancer Locke, Descartes, Malebranche et Leibnitz (...)
CHATEAUBRIAND, le Génie du christianisme, III, II, 3.

13 Il n'existe pas dans la création une loi qui ne soit balancée par une loi contraire : la vie en tout est résolue par l'équilibre de deux forces contendantes.
BALZAC, Physiologie du mariage, Pl., t. X, p. 672.

*Les recettes ne balancent pas les dépenses.* → **Couvrir.**

**II** V. intr. ♦ **1** Vx. Osciller.

Danse. «Osciller sans fléchissement d'avant en arrière et d'arrière en avant, les pieds servant de pivots» (M. Bourgat). → **Balancé.**

♦ **2** Fig. (vieilli ou littér.). Être incertain, pencher d'un côté puis de l'autre. → **Hésiter ; flotter, vaciller.** *«On hésite devant un obstacle; on balance entre divers objets. En général, celui qui balance a plusieurs partis à prendre; celui qui hésite peut n'en avoir qu'un»* (Littré).

14 Balancer, c'est mettre deux choses dans la balance, en comparer le poids, examiner laquelle l'emporte sur l'autre, chercher à s'éclairer sur leur valeur relative (...)
Hésiter c'est ne pouvoir se résoudre, ne pouvoir prendre sur soi de faire une chose. Balancer marque l'incertitude, et hésiter l'irrésolution. Quand vous balancez, vous ne savez que faire ; quand vous hésitez, vous n'osez pas faire (...)
LAFAYE, Dict. des synonymes, Balancer, hésiter.

Partout où est l'infini, et où il n'y a point infinité de hasards de perte contre celui du gain, il n'y a point à balancer, il faut tout donner. PASCAL, Pensées, t. II, p. 151. 15

J'ai balancé (...) entre l'impatience de donner à mon livre plus de rondeur (...) et la crainte de faire dire (...) 16
LA BRUYÈRE, les Caractères, Introd.

Ce n'est pas que mon cœur (...) 17
alance pour t'offrir un encens qui t'est dû (...)
BOILEAU, Disc. au roi.

Un de ces jeunes gens dit : s'il fallait prendre des libertés avec la reine ou avec Mme Scarron, je ne balancerais pas, j'en prendrais plutôt avec la reine (...) 18
Mme DE CAYLUS, Souvenirs, *in* POUGENS.

Je flotte, je balance entre trois femmes charmantes : loin de m'être déclaré, je ne suis pas encore fixé moi-même. 19
Louis PICARD, le Capitaine Belronde, I, 4.

J'aurais fait sans balancer le sacrifice de mes jours à ces nobles sentiments, qui seuls donnent du prix à la vie et de la dignité à la mort. 20
CHATEAUBRIAND, Mémoires d'outre-tombe, II, 5.

Elle réprima sa répugnance, et, sans balancer davantage, s'y rendit *(à cette adresse).* 21
MARTIN DU GARD, les Thibault, t. I, p. 53.

Il ne balance pas un instant, il n'hésite pas une minute ; et il montre par là combien peu comptent toutes les barrières qui pourraient lui être opposées. 21
A. ARTAUD, le Théâtre et son double, Idées/Gallimard, p. 39.

Vx. (Choses). Rester, demeurer en suspens.

Le général accoutumé à une victoire prompte, étonné de la voir balancer si longtemps (...) 22
MASSILLON, Oraison funèbre du prince de Conti.

♦ **3** (Personnes ; musique). Avoir un rythme vivant. → **Swinguer.**

◆ **BALANCÉ, ÉE** p. p. adj.

♦ **1** Qui balance, se balance. *Trot balancé. Démarche balancée.* → **Chaloupé.**

♦ **2** Équilibré, harmonieux. *«Les phrases balancées de Chateaubriand»* (Sartre). — Fam. (personnes). *Bien balancé :* bien bâti, bien fait*. *Une femme rudement bien balancée.*

♦ **3** *Tout bien balancé...* (→ ci-dessus, cit. 9).

♦ **4** *Balancé entre...* → **Hésitant ; ballotté, indécis.**

Il faut vous présenter les hommes balancés entre la damnation et la rédemption. 23
FRANCE, la Rôtisserie de la reine Pédauque, XVIII.

Un gouvernement informe, instable, une organisation politique primitive, balancée entre la démocratie et l'oligarchie (...) J. BAINVILLE, Hist. de France, I. 24

◆ **SE BALANCER** v. pron.

♦ **1** Se mouvoir alternativement d'un côté et de l'autre. → **Osciller.** *Le bateau se balance.* → **Rouler, tanguer.** *Cette femme se balance trop en marchant* (Académie). → **Dandiner** (se), **onduler, tortiller** (se). *Se balancer sur ses jambes, d'une jambe sur l'autre* **(→ Vaciller, tituber).**

Une ou deux voiles à l'horizon qui se balançaient sur des collines écumeuses. 25
E. FROMENTIN, Une année dans le Sahel, p. 3.

Par moments, les palmiers se balancent comme pour secouer la poussière du jour. 26
E. FROMENTIN, Un été dans le Sahara, III.

Elle s'avançait en se balançant sur ses hanches, comme une pouliche des haras de Cordoue. 27
MÉRIMÉE, Carmen, III.

(...) la mélodie, comme incertaine, semblait se balancer quelque temps, flotter entre le rire et les larmes, pour s'épanouir enfin dans une région supérieure où la joie et la douleur n'existent plus. 28
MARTIN DU GARD, les Thibault, t. II, p. 269.

*Se balancer sur sa chaise, une berceuse, un rocking-chair, une balançoire, une escarpolette.* — Être sur une balançoire en mouvement. *Pousser un enfant qui se balance.*

♦ **2** Être compensé, être égal. *Pour que les recettes et les dépenses se balancent. Les avantages et les inconvénients se balancent.*

Comptab. *Le compte se balance par telle somme au crédit ou au débit.* → **Solde.**

29 – Il faudra faire nos comptes, dit-il à demi-voix.
Certainement, ce soir, murmura-t-elle. D'ailleurs, ça doit se balancer. J'ai déjeuné avec toi quatre fois, n'est-ce pas? mais je t'ai prêté cent sous, la semaine dernière.
ZOLA, le Ventre de Paris, t. I, p. 168 (1875).

♦ **3** Art, littér. S'équilibrer, se correspondre, se faire pendant. *Ces groupes, ces masses, ces phrases se balancent* (→ ci-dessus, *balancé*).

♦ **4** (1914). Fam., cour. *S'en balancer :* s'en moquer.

CONTR. **Arrêter, immobiliser. — Décider. — Déterminer** (se déterminer à). ◇ DÉR. **Balançage, balançant, balancé, balancement,** 2. **balancier, balancine, balançoire, balanstiquer.** ◆ COMP. **Antibalançant.**

**BALANCETIQUER** [balɑ̃stike] v. tr. → **Balanstiquer.**

1. **BALANCIER** [balɑ̃sje] n. m. — XIII^e; de 1. *balance.*
Vx ou techn. Celui qui fabrique et vend des balances, des poids étalonnés. — REM. Le féminin *balancière* [balɑ̃sjɛʀ] est virtuel.

HOM. 2. **Balancier.**

2. **BALANCIER** [balɑ̃sje] n. m. — 1590; de *balancer.*

♦ **1** Pièce dont les oscillations régularisent le mouvement (d'une machine, d'un instrument). *Le balancier d'une horloge, d'une pendule, d'une montre. Une montre à balancier compensateur.* → **Chronomètre.** *On attache à l'extrémité inférieure du balancier d'une pendule un petit poids de cuivre pour en abaisser le centre de gravité. Balancier de métronome* (cit.).

1 Évariste attendait, et, comme au balancier d'une horloge, il mesurait le temps aux battements de son cœur.
FRANCE, Les dieux ont soif, p. 40.

2 La pendule du cabaret dont le balancier va et vient dans le silence chargé d'ombres.
A. ARTAUD, Scenari, *in* Œ. compl., t. III, p. 41.

Fig. *Le balancier des élections anglaises ramène tour à tour au pouvoir les conservateurs et les travaillistes.*

Par anal. Long bâton dont se servent les danseurs de corde, les funambules pour maintenir leur équilibre. → **Contrepoids.**

♦ **2** Pièce servant à transmettre un mouvement, une force. — Mécan. *Balancier d'une machine à vapeur :* pièce qui transmet le mouvement de va-et-vient du piston et le transforme en un mouvement de rotation par l'intermédiaire d'une bielle ou d'une manivelle.

3 Un énorme balancier s'élevait et s'abaissait successivement au-dessus du pont; à l'une de ses extrémités s'articulait la tige d'un piston, et à l'autre celle d'une bielle, qui, transformant le mouvement rectiligne en mouvement circulaire, s'appliquait directement à l'arbre des roues.
J. VERNE, le Tour du monde en 80 jours, 1873, p. 207.

Techn. Bras horizontal de la pompe d'un puits de pétrole.

Mar. Pièce de bois fixée sur une pirogue pour l'empêcher de chavirer. Loc. *Pirogue à balancier.*

4 Voilà, on a fait le tour. Non, j'oubliais la pirogue à balancier sous les cocotiers de la plage, avec laquelle O'Conor pêche de temps en temps (...)
Bernard MOITESSIER, Cap Horn à la voile, p. 150.

♦ **3** Zool. Chacun des deux petits appendices remplaçant les ailes postérieures des diptères (comme la mouche), qui sont des organes d'équilibre en vol.

HOM. 1. **Balancier.**

**BALANCINE** [balɑ̃sin] n. f. — 1516; de *balancer.*

♦ **1** Mar. Cordage partant du sommet d'un mât et servant à soulager un espar (vergue, bôme) ou à régler son apiquage (tangon).

Fam. (vieilli). Au plur. Bretelles.

♦ **2** Aviat. Chacune des roulettes au bout des ailes, servant de stabilisateur au sol (planeurs et avions à train monotrace).

**BALANÇOIRE** [balɑ̃swaʀ] n. f. — 1530; de *balancer,* suff. *-oire.*

♦ **1** Pièce de bois mise en équilibre sur un point d'appui et sur laquelle se balancent deux personnes placées chacune à un bout. → **Bascule.**

♦ **2** Planchette, nacelle suspendue entre deux cordes et sur laquelle on se balance debout ou assis. → **Brandilloire** (vx), **escarpolette.**

♦ **3** Vx. Propos en l'air, conte ayant pour but d'amuser ou de tromper. *Conter des balançoires.* → **Baliverne, faribole, mystification, niaiserie, sornette.**

C'est très bien, mais je n'entends pas que ce serment soit une balançoire. 1
E. LABICHE, *in* P. LAROUSSE.

♦ **4** Fam. *Envoyer qqn à la balançoire,* l'envoyer promener.

Après avoir lu un article odieux de Léon Daudet sur Zola, 2
*Le Grand Fécal,* irai-je tout de même dîner ce soir avec Léon Daudet chez Goncourt?
Est-ce que je ne devrais pas envoyer toute cette Académie à la balançoire? Oui, si j'étais riche.
J. RENARD, Journal, 27 mars 1908.

**BALANDRAN** [balɑ̃dʀɑ̃] ou **BALANDRAS** [balɑ̃dʀa] n. m. — Fin XVI^e; p.-ê. du provençal **balandra* ou *balandrau,* de *balandrar* «brimbaler».

Anciennt. Long manteau de voyage destiné à se protéger de la pluie (syn. : *chape à pluie*).

**BALANDRE** [balɑ̃dʀ] n. f. — 1721; de *bélandre*,* avec infl. de *palandre* «vaisseau servant au transport des chevaux».

Techn. → **Bélandre.**

**BALANE** [balan] n. m. ou f. — 1551; lat. *balanus,* grec *balanos* «gland».

Zool. Animal crustacé entomostracé *(Cirripèdes),* qui vit enfermé dans une loge cylindrique calcaire, accroché aux rochers sous-marins, aux mollusques, aux coques de navires. Syn. : *gland de mer.*

**BALANIFÈRE** [balanifɛʀ] adj. — XIX^e; du lat. *balanus* «gland», et *-fère.*

Bot. Qui porte des glands, qui a des glands pour fruit. → **Cupulifère.**

**BALANITE** [balanit] n. f. — 1843; grec *balanos* «gland».

Méd. Inflammation de la muqueuse du gland de la verge.

**BALANSTIQUER** ou **BALANCETIQUER** [balɑ̃stike] v. tr. — 1882, *in* Esnault; de *balancer* «jeter».

Argot.

♦ **1** [a] Se débarrasser de, jeter, rejeter. → **Balancer** (I., 2.). *«On balanstique sa maîtresse, on balanstique son vieux chapeau»* (Rossignol, *in* Lacassagne, *l'Argot du milieu*).

Et le soir du Pont d'or quand j'ai balanstiqué le caïd par- 1
dessus la rampe?
R. DORGELÈS, Tout est à vendre, p. 375.

**b** Donner, balancer (une gifle, des coups) à qqn.

2 Du temps qu'ils y étaient ils ont balanstiqué plusieurs tartes à ma femme...
SAN-ANTONIO, Des gueules d'enterrement, p. 210.

♦ **2** Dénoncer, trahir. → **Balancer** (I., 2., c.), **donner** (I., C., 3.).

3 Vous parlez d'une salade, on a toutes été appelées et cuisinées par le Chef, l'une après l'autre. Mais personne n'a osé me balanstiquer, et comme après tout il y avait faute administrative (...) le Chef a préféré écraser le coup.
A. SARRAZIN, la Cavale, p. 61.

**BALATA** [balata] n. m. — 1722, P. Labat; esp. *balata*, probablt d'orig. tupi.

Gomme d'un arbre tropical d'Amérique *(Sapotacées)*, utilisée dans l'industrie; cet arbre.

(...) des chercheurs de balata et d'or.
Henri CHARRIÈRE, Papillon, p. 398.

**BALAUSTE** [balost] n. f. — 1314; lat. *balaustium*, empr. au grec.

♦ **1** Bot. Fruit du grenadier *(balaustier)*. → **Grenade.** — Par ext. Terme général pouvant désigner tout fruit morphologiquement semblable au fruit du grenadier. → **Baie.**

♦ **2** Pharm. Fleur du grenadier sauvage aux propriétés astringentes.

**BALAYAGE** [balɛjaʒ] n. m. — 1776; attestation isolée, 1633; de *balayer*.

♦ **1** Action de balayer. → **Nettoyage.** *Le balayage d'une chambre. Le balayage des chaussées, des voies publiques.* → **Balayeuse; nettoiement** (service du nettoiement). *Taxe de balayage.*

♦ **2** Fig. Suppression qui fait place nette. → **Élimination, extermination.**

Les hauts penseurs qui décrètent professionnellement le balayage de toute notion religieuse ont cette amusante contradiction d'exiger que les chrétiens dont la foi résiste à leurs récurages et à leur potasse soient, au moins, des saints.
Léon BLOY, le Désespéré, p. 40.

♦ **3** Techn. Action de parcourir une étendue donnée avec un faisceau d'ondes ou de particules.

*Balayage électronique* : exploration ponctuelle systématique d'un objet par un faisceau d'électrons de faible section. *Microscope électronique à balayage. Balayage au moyen d'un scanner.* → **Scannage, scanning** (anglicismes remplaçables par *balayage*). *Balayage en ligne.* — *Radiomètre de balayage.* → 2. **Scanner,** 3. et **scanneur.** — Spécialt. Examen radiologique au scanner. → **Scanning,** 1.

Télév. Déplacement commandé d'un spot sur l'écran d'un tube cathodique. *Balayage horizontal* ou *balayage de ligne. Balayage vertical* ou *balayage de trame.*

♦ **4** Éclaircissement de la chevelure par la décoloration légère de fines mèches. *Se faire faire un balayage.*

**BALAYER** [baleje] v. tr. [CONJUG.: *je balaye* ou *je balaie, nous balayons; je balayais, nous balayions; je balayai, nous balayâmes; j'ai balayé; je balayerai* ou *je balaierai, nous balayerons* ou *nous balaierons; je balayerais* ou *je balaierais; balaye* ou *balaie, balayons, balayez; que je balaie, que nous balayions; que je balayasse; balayant; balayé.*] — 1280, *baloier*; de *balai*, ou (selon Guiraud) fréquentatif de *baller* «secouer, faire sauter».

♦ **1** Pousser, enlever avec un balai*. *Balayer des ordures, des détritus, la poussière, la boue, la neige.* → **Déblayer.** — Par ext. Nettoyer* avec un balai. → **Épousseter.** *Balayer une chambre. Balayer les voies publiques.* → **Balayeur, balayeuse, boueux, éboueur.** — Au p. p. → cit. 1.

Il faut que le linge soit blanc, la vaisselle bien écurée, les salles où l'on mange balayées régulièrement tous les jours après les repas. ROLLIN, Traité des Études, VI, II. 1

Les matrones balayaient le pavé, et l'ordre se faisait. 2
G. SAND, la Mare au diable, Appendice III, 169.

Absolt. *Tu balayes ou tu passes l'aspirateur?*

♦ **2** Entraîner la poussière. *Elle balaye la poussière avec sa robe.* — (Sujet n. de chose). *Son manteau balaye la terre.* → **Traîner.**

Quand tu vas balayant l'air de ta jupe large, 3
Tu fais l'effet d'un beau vaisseau qui prend le large.
BAUDELAIRE, les Fleurs du mal, LII, «Le beau navire.»

Il s'était mis au-dessus de la table, de sorte qu'il réussit à ne pas trop en perdre, balayant soigneusement le surplus éparpillé sur le plateau de la table en un petit tas qu'il poussa du côté de la main jusqu'au bord, fit tomber dans la paume de son autre main placée en coupe au-dessous et versa à son tour dans l'étui vide (...) 3.1
Claude SIMON, le Palace, p. 139.

♦ **3** D'un fluide : air (vent), eau (vagues, etc.); avec une idée de rapidité, de force, de violence. Parcourir (un espace); déplacer (qqch.). *Balayer les nuages*, en parlant du vent. → **Chasser.** *La bise a balayé le ciel.* → **Dégager, purifier.** *Un vent glacé balaye les steppes de Sibérie.* → **Souffler** (souffler en tourbillon sur). *Crue dévastatrice qui balaye tout sur son passage.*

Autour de Bosserville les grands vents tourmentent le ciel et balayent la Lorraine, dont le cœur sommeille. 4
M. BARRÈS, la Colline inspirée, p. 45.

(...) la place balayée par un vent tout à l'heure vif, mais qui faiblit et tombe comme une aile fatiguée (...) 5
COLETTE, la Vagabonde, III.

*La mer balaie le pont*, l'inonde de ses paquets. *Une masse d'eau s'abattit sur le pont, balayant tout sur son passage.* → **Emporter.**

(...) c'était le moment où une épaisse masse d'eau allait balayer l'air et peut-être vous balayer aussi. 6
LOTI, Mon frère Yves, XXVII, p. 88.

*L'artillerie balaye la plaine*, envoie ses projectiles sur toute sa surface. *Une mitrailleuse* (cit. 1) *a balayé la zone...*

L'artillerie française, placée sur les parties saillantes du terrain, balayait la plage de ses boulets. 7
THIERS, *in* Pierre LAROUSSE.

(1796, *in* D. D. L.). Passer sur (sans idée de violence). *Les phares balaient la mer. Les projecteurs balaient le ciel.*

Jaillis de tous les points de l'horizon, des faisceaux lumineux balayaient la voûte nocturne, allongeant et entrecroisant leurs traînées laiteuses (...) 8
MARTIN DU GARD, les Thibault, t. IX, p. 133.

La serveuse, du reste, n'a pas découvert de sujet d'intérêt dans ce secteur et son regard achève de balayer circulairement la salle (...) 8.1
A. ROBBE-GRILLET, Dans le labyrinthe, p. 173.

*Un faisceau électronique balaie l'écran d'un tube cathodique.* → **Balayage.**

♦ **4** Fig. Pousser dehors, repousser, faire disparaître. → **Chasser, débarrasser** (se), **disperser, écarter, nettoyer, rejeter, repousser, ruiner, supprimer.** *Balayer les ennemis. Balayer les résistances, les obstacles. Balayer les préjugés, les soucis... Il eut tôt fait de balayer les arguments de son adversaire.*

L'Assemblée législative installée le 1er octobre 1791, roula dans le tourbillon qui allait balayer les vivants et les morts. 9
CHATEAUBRIAND, Mémoires d'outre-tombe, I, 7.

On s'endort au bruit des royaumes tombés pendant la nuit, et que l'on balaye chaque matin devant notre porte. 10
CHATEAUBRIAND, Mémoires d'outre-tombe, III, 10.

11 (...) Delphes n'a plus d'oracles;
Le temps a balayé le temple et les miracles (...)
LAMARTINE, Harold, I.

12 Mais le Directeur, de la main, balaya cette proposition.
COURTELINE, Messieurs les ronds-de-cuir, III, 3.

13 (...) elle devait se détacher de Yann (...) chasser absolument ces pensées, tout balayer; se dire que c'était fini, fini à jamais (...) LOTI, Pêcheur d'Islande, III, 15, p. 209.

14 (...) cette étape de mon existence (...) est passée sans retour, et le temps peut-être en balayera jusqu'au souvenir.
LOTI, Aziyadé, XVI, p. 197.

15 Et, sur le moment, cette petite satisfaction suffit presque à balayer son souci.
MARTIN DU GARD, les Thibault, t. III, VII, p. 174.

16 Dans ces pays perdus, les patrons, qui faisaient encore figure de potentats, préparaient, par leur imprudence et leur aveuglement, l'énorme mouvement social qui, maintenant, les paralyse et finira par les balayer.
G. DUHAMEL, la Pesée des âmes, XIII.

Fam. *Balayer qqn. Balayer le personnel d'un bureau.* → **Balancer** (fam.), **renvoyer, vider.**

Méd., vx. Purger un organe. *Le séné balaye l'estomac.*

17 Un bon clystère détersif (...) pour balayer, laver, et nettoyer le bas ventre de Monsieur.
MOLIÈRE, le Malade imaginaire, I, 1.

**DÉR. Balayage, balayeur, balayure. — V. Balai.**

**BALAYETTE** [balɛjɛt] n. f. — 1810; attestation isolée, XIIIe, *baliete*; de *balai*.

Petit balai à manche court. — Spécialt. Ce balai, utilisé pour nettoyer une cuvette de W.-C.

Loc. vulg. (exprimant un refus teinté de dérision et de mépris). *Dans le cul, au cul la balayette* : rien à faire; pas question. *Verser un supplément? Au cul la balayette, le boulot est trop salopé!*

**BALAYEUR, EUSE** [balɛjœʀ, øz] n. — XIIIe, *balaieor*; de *balayer*.

♦ **1** Adj. Qui balaie.

♦ **2** N. Employé(e) de la voirie qui balaie les rues. *Un balayeur de rues.* → **Boueux, éboueur.** *Les balayeurs de l'atelier, de l'usine.* → Manœuvre-balai*.

1 Et, au milieu de la cohue, du fond du carrefour, une armée de balayeurs s'avançait, sur une ligne, à coups réguliers de balai; tandis que des boueux jetaient les ordures à la fourche dans des tombereaux qui s'arrêtaient, tous les vingt pas, avec des bruits de vaisselles cassées.
ZOLA, le Ventre de Paris, t. I, p. 54-55.

♦ **3** N. f. (1878). Techn. Véhicule muni d'une brosse rotative et destiné au balayage des voies publiques. *Une arroseuse-balayeuse.* — Bac à roulettes muni d'une brosse rotative pour nettoyer les pelouses.

Anciennt. Ganse ou volant cousu au bas des robes longues.

2 Une couturière, dont c'est la spécialité, remet, de-ci, de-là, un bout de ruban défraîchi, une balayeuse salie, et la robe part pour Quimper-Corentin ou Brive-la-Gaillarde, faire pâmer de jalousie les élégantes naïves qui ne connaissent pas le truc des marchandes à la toilette.
GORON, l'Amour à Paris, t. II, p. 669.

3 La robe rose de soie brochée traînait-elle dans la boue? On la laissait faire. Si le volant de la balayeuse se détachait pour se tordre longtemps derrière elle, on n'en avait cure.
M. JOUHANDEAU, la Jeunesse de Théophile, p. 175.

**BALAYURE** [balejyʀ] n. f. — 1387, *balieure*; de *balayer*.

♦ **1** (Le plus souvent au pluriel). Ce que l'on amasse, enlève avec un balai. → **Ordure; débris, détritus, immondice.** *Les boueurs enlèvent les balayures des rues.* → **Voirie.**

Par anal. *Balayures de mer* : les plantes, les débris que la mer rejette sur le rivage.

♦ **2** Fig., littér. Tout ce qui est méprisé. → **Lie, rebut.**

C'était *(les premiers chrétiens)* la balayure du monde. 1
BOSSUET, Panégyrique de saint Victor, 3.

Cet homme *(Saint Paul)* méprisé de la foule, rejeté comme 2
les balayures du monde (...)
CHATEAUBRIAND, Itinéraire, I, 143.

**BALBISME** [balbism] n. m. — XXe (*in* Piéron, 1951); du lat. *balbus* «bègue».

Méd., psychol. Bégaiement idiopathique.

**BALBUTIANT, ANTE** [balbysjɑ̃, ɑ̃t] adj. — 1846; p. prés. de *balbutier.*

♦ **1** Qui balbutie. *Elle répondit, toute balbutiante.*

♦ **2** Fig. Qui en est encore dans ses débuts. → **Commençant.** *Une science, un système balbutiant.* Informe, confus (en parlant d'une œuvre de l'esprit).

C'est la fable naïve, spirituelle encore (...) mais languissante et balbutiante du moyen âge.
SAINTE-BEUVE, *in* Pierre LAROUSSE.
(→ Abstrus, cit. Hugo).

**BALBUTIE** [balbysi] n. f. — XVIe; de *balbutier.*

Vx. État de celui qui balbutie. → **Bégaiement.** *La balbutie de l'enfance.* — Fig. :

Notre langue est celle qui a retenu le moins de ces négligences que j'appellerai volontiers des restes de la balbutie des premiers âges.
DIDEROT, Lettre sur les sourds et muets.

**BALBUTIEMENT** [balbysimɑ̃] n. m. — 1750; de *balbutier.*

♦ **1** Action de balbutier, manière de parler de celui qui balbutie. → **Prononciation.** *Le balbutiement d'un enfant.* → **Ânonnement, babil.** *Le balbutiement du bègue.* → **Bégaiement.** *Le balbutiement d'un ivrogne. Un grand trouble cause le balbutiement.* → **Bredouillement.**

Le balbutiement est un parler mal articulé soit à cause de 1
l'âge (enfance ou vieillesse), soit à cause d'une émotion. Le bégayement est une maladie convulsive des organes vocaux, qui consiste en un empêchement de prononcer certaines syllabes et une répétition saccadée, de certaines autres. Le bredouillement consiste à rouler les paroles les unes sur les autres et à les confondre.
LITTRÉ, Dict., art. *Balbutier.*

Tout en me promenant, je faisais ma prière qui ne con- 2
sistait pas en un vain balbutiement des lèvres.
ROUSSEAU, les Confessions, VI.

Il n'est point un ivrogne à balbutiement et à hoquets (...) 3
VOLTAIRE, Lettre à d'Argental, 4 juin 1770.

Son allégresse s'épancha dans des balbutiements de 4
gâteux : ... ba... bou... bibi... ne sais comment exprimer.
COURTELINE, Messieurs les ronds-de-cuir, VI.

Ce n'était là pour eux qu'un balbutiement de province, un 5
zézaiement, alors qu'ils comprenaient la langue la plus perfectionnée de la terre entière.
GIRAUDOUX, Bella, I.

♦ **2** Fig. Surtout au pluriel. Première tentative maladroite (dans un art auquel on n'est pas exercé). → **Commencement.** *Les balbutiements de l'art sont gravés sur les parois des grottes préhistoriques.*

Je n'ai jamais été plus modeste qu'en me contraignant à 6
écrire quotidiennement dans ce carnet des pages que je sais et sens si pertinemment médiocres, des redites, des balbutiements si peu propres à me faire valoir, admirer ou aimer. GIDE, Journal, 1916.

(Dans tout domaine). *Les balbutiements de l'aviation, de l'astronautique.* → **Début.**

**BALBUTIER** [balbysje] v. intr. et tr. — 1390; lat. *balbutire*, de *balbus* «bègue».

♦ **1** V. intr. Articuler d'une manière hésitante et imparfaite les mots que l'on veut prononcer. → **Parler, prononcer; balbutiement** (cit. 1). *Cet enfant commence à balbutier.* → **Babiller.** *La timidité, l'émotion, l'ivresse le fait balbutier. L'écolier se trouble et balbutie.* → **Bafouiller, bégayer, bredouiller, troubler** (se).

1 J'hésite à chaque mot, je me crois déjà dans l'illustre assemblée, je me trouble, je balbutie, ma tête se perd (...)
ROUSSEAU, les Confessions, XI.

2 Quand il commence à balbutier *(l'enfant)*, ne vous tourmentez pas si fort à deviner ce qu'il dit.
ROUSSEAU, Émile, II.

3 Quand la mémoire vacille, la langue balbutie.
ROUSSEAU, Émile, I.

4 (...) il s'empêtrait en ses compliments et ne faisait que balbutier.
Th. GAUTIER, le Capitaine Fracasse, XVIII.

5 (...) je le vis tout-à-coup pâlir, balbutier, perdre contenance (...) Alphonse DAUDET, le Petit Chose, I, 13.

6 Il se trouble. Il balbutie.
COCTEAU, le Grand Écart, I.

7 Il balbutia, sans presque mouvoir les lèvres (..)
MARTIN DU GARD, les Thibault, t. VIII, p. 73.

8 Il fit un effort, et, d'une voix entrecoupée, déchirante, il balbutia (...)
MARTIN DU GARD, les Thibault, t. III, p. 187.

8.1 — Je crois comprendre, enfin, — balbutia-t-il après un silence, — que vous me proposez quelque chose comme... Il s'arrêta par une pudeur dont je lui sus gré.
— Une femme légitime, lieutenant.
VILLIERS DE L'ISLE-ADAM, Tribulat Bonhomet, p. 55.

Fig. S'exprimer confusément ou maladroitement. *On balbutie, parce qu'on commence, par ce qu'on n'est pas encore suffisamment instruit ou exercé* (Lafaye).

9 Cette voix que je cherchais et qui balbutiait sur mes lèvres d'enfant, c'était la poésie.
LAMARTINE, Premières méditations, Préface, II.

10 (...) ces sciences commençantes, ces sciences où l'hypothèse balbutie et où l'imagination reste maîtresse, elles sont le domaine des poètes autant que des savants.
ZOLA, le Dr Pascal, t. I, p. 45.

♦ **2** V. tr. Dire, exprimer, en balbutiant. *Balbutier une réponse, des excuses.* → **Bégayer, bredouiller.** *Balbutier une prière.* → **Marmotter.**

11 Je leur avais balbutié la veille un discours.
LA BRUYÈRE, Disc. à l'Académie, Préface.

12 (...) je balbutiai je ne sais quoi de déraisonnable, et, perdant tout-à-fait la tête, étourdiment, sottement je pris la fuite (...) E. FROMENTIN, Dominique, V.

13 Il balbutiait des mots d'enfant, des mots incohérents et tendres pour étancher cette douleur qu'il ne pouvait pas comprendre.
G. DUHAMEL, Chronique des Pasquier, IX, 22.

(En incise). *Je ne pourrai pas, balbutia-t-elle.*

Fig. ou par métaphore. Exprimer confusément ou commencer maladroitement à exprimer (quelque chose).

14 (...) le poète et le musicien savent tout (...) ils expriment dans leur rythme ce que la pensée conçoit à peine et ce que la langue balbutie confusément.
Th. GAUTIER, le Roman de la momie, I.

15 Il y a un moment où la lumière commence à s'en prendre aux choses, à leur faire *balbutier* leurs formes, et puis leurs noms successifs, à partir de celui-ci même de «choses» qui est le commencement.
VALÉRY, Cahiers, t. II, Pl., p. 1035-1306.

CONTR. **Articuler, prononcer** (distinctement). ◊ DÉR. **Balbutiant, balbutie, balbutiement, balbutieur.**

**BALBUTIEUR, EUSE** [balbysjœʀ, øz] adj. — 1755, Saint-Simon; de *balbutier.*

Littér., rare. Qui balbutie, s'exprime confusément.

**BALBUZARD** [balbyzaʀ] n. m. — 1770, Buffon; angl. *bald buzzard* «busard chauve».

Zool. Oiseau rapace diurne, piscivore, scientifiquement appelé *pandion* et communément *aigle balbuzard* ou *aigle pêcheur.*

**BALCON** [balkɔ̃] n. m. — 1565, Ph. Delorme; 1404, *barcon*; ital. *balcone*, du germanique **balko* «poutre».

♦ **1** Plate-forme en saillie sur la façade d'un bâtiment et qui communique avec les appartements par une ou plusieurs ouvertures, baies ou fenêtres. *L'avancée d'un balcon sur l'alignement de la rue.* → **Avance, avancée, saillie.** *Balcon en encorbellement. Support d'un balcon.* → **Colonne, console.** *Balcon à colonnes. La balustrade d'un balcon. L'arcade d'un balcon disposé en fer à cheval. Un balcon en avant-corps fermé de jalousies.* → **Méniane, moucharabieh.** *Un balcon fleuri.* → **Balconnière, jardinière.** *Se mettre au balcon. Apparaître au balcon. Regarder du haut d'un balcon. Se pencher au balcon.*

J'étais sur le balcon à travailler au frais. 1
MOLIÈRE, l'École des femmes, II, 5.

(...) déjà le peuple, retiré chez lui, laissait les rues libres 2
aux amants qui voulaient chanter leurs peines ou leurs plaisirs sous les balcons de leurs maîtresses (...)
A.-R. LESAGE, le Diable boiteux, I.

Elle attacha à un balcon une échelle de soie que le comte 3
lui avait donnée, et fit entrer par là ce seigneur dans l'appartement de sa maîtresse (...)
A.-R. LESAGE, le Diable boiteux, 4.

Une espèce de petit balcon vers le haut, en saillie et 4
soutenu en dessous par deux chevrons et deux poutres debout (...) DIDEROT, Salon de 1767.

Loc. fam. *Il y a du monde au balcon* : elle a une poitrine opulente (→ Avant-scène, fam.).
*Les cocus au balcon!*, injure à l'adresse des curieux qui se mettent au balcon pour voir ce qui se passe dans la rue.

Par ext. Ouvrage de serrurerie ou de menuiserie servant d'appui aux personnes qui regardent d'une fenêtre ou d'un balcon. *S'appuyer, s'accouder au balcon.* → **Appui.**

Des balustres pansus soutenaient l'appui des balcons. 5
Th. GAUTIER, le Capitaine Fracasse, t. I, 5.

Par anal. Plate-forme dominant un lieu et généralement entourée d'une balustrade ou d'un parapet. *Balcon de fortification*.* → **Mâchicoulis.** *Un balcon domine le gouffre.*

♦ **2** Première galerie d'une salle de spectacle s'étendant d'une avant-scène à l'autre. *Le balcon de l'Opéra. Fauteuils, loges de balcon. Il n'y a plus de place au balcon, mais il en reste à l'orchestre.*

Voilà un homme (...) que j'ai vu quelque part (...) Est-ce 6
(...) aux Tuileries dans la grande allée, ou dans le balcon à la comédie? LA BRUYÈRE, les Caractères, VII, 13.

♦ **3** Mar. Galerie ouverte sur l'arrière des navires. — Garde-corps avant et arrière d'un bateau de plaisance. *Le balcon avant.*

Mais ma place préférée se trouve sur le balcon du bout- 7
dehors, où je passe de longs moments dans un état de semi-hypnose. C'est là que je peux vraiment sentir la pleine puissance de *Joshua*, cette harmonie de force et de de douceur qui jaillit de l'étrave (...)
B. MOITESSIER, Cap Horn à la voile, p. 144.

DÉR. **Balconnet, balconnière.**

**BALCONNET** [balkɔnɛ] n. m. — 1926; dimin. de *balcon.*

♦ **1** Archit. Balustrade de protection.

♦ **2** Soutien-gorge découvrant largement le haut de la poitrine.

Les boutiques de frivolités étaient également méconnaissables : on y vendait des guêpières, des bustiers et des balconnets.
G. CESBRON, Voici le temps des imposteurs, p. 67.

♦ **3** Étagère, amovible ou non, dans la porte d'un réfrigérateur.

**BALCONNIÈRE** [balkɔnjɛʀ] n. f. — 1974; de *balcon.*
Caisse disposée le long d'un balcon et destinée à contenir des pots de fleurs, des plantes en terre, etc. → **Jardinière.**

**BALDAQUIN** [baldakɛ̃] n. m. — 1352; ital. *baldacchino* «étoffe de soie de *Baldacco*», forme ital. anc. de *Bagdad.*

♦ **1** Ouvrage soutenu par des colonnes et couronnant un trône, un autel. → **Dais.** *Le baldaquin du grand autel de Saint-Pierre de Rome. Le baldaquin des anciennes basiliques chrétiennes.* → **Ciborium.**

0.1 (...) le monstrueux baldaquin du Cavalier Bernin dont les quatre pattes et le ventre de mammouth couvrent l'autel comme pour le conchier.
M. TOURNIER, le Roi des aulnes, p. 80 (1970).

♦ **2** Ouvrage de tapisserie en forme de dais et garni de rideaux, placé au-dessus d'un lit (→ **Ciel** [ciel de lit]), d'un catafalque, d'un trône.

1 (...) son trône de mariage, très pompeux, surélevé par une estrade à deux ou trois marches, et couronné d'un baldaquin d'où retombent des rideaux de satin bleu (...)
LOTI, les Désenchantées, II, 4, p. 49.

2 Mme de Vauclère, navrée (...) abandonna en pleurant son lit à baldaquin et ses fauteuils de damas rouge et se réfugia au deuxième étage.
A. MAUROIS, les Discours du Dr O'Grady, I, p. 5.

**BALE** [bal] n. f. → 3. **Balle.**

**BALEINE** [balɛn] n. f. — 1080, *Chanson de Roland,* à propos de Jonas; lat. *ballæna,* du grec *phallaina.*

**I** ♦ **1** Cour. Grand mammifère marin à corps pisciforme, appartenant à l'ordre des Cétacés*.

REM. Dans l'usage commun, *baleine* désigne tout cétacé de très grande taille, considéré d'abord comme un énorme poisson (XIe-XVIIIe s.), puis comme un mammifère marin. Dans tous les emplois ci-dessous, la baleine proprement dite (sens 2) n'est pas distinguée ou mal distinguée d'autres grands cétacés, cachalots* (dans l'expression : *blanc de baleine,* notamment), baleinoptères*, hyperoodons. — *Baleine franche :* la baleine (2.) proprement dite. *Baleine à bosse* (ou bossue, n. f.). → **Jubarte, mégaptère.** — *Baleine bleue* ou rorqual* bleu. *Baleine blanche.* → **Bélouga.** — *Baleine à bec* (→ ci-dessous, 3.). — *Bouche, fanons* de baleine. Les baleines se nourrissent essentiellement de plancton et de crevettes pélagiques* (→ **Krill).** *Les baleines soufflent de la vapeur d'eau par leurs évents*. Pêche à la baleine,* au harpon, au canon lance-harpon, sur des navires spécialisés (→ **Baleinier, baleinière).** *Extermination des baleines par une chasse excessive. — Huile de baleine,* tirée du lard de baleine et utilisée dans l'industrie. *Blanc de baleine :* matière grasse extraite de l'huile de baleine et, surtout, de la cervelle de cachalot (→ **Cétine** [cit.], **spermaceti),** dont on se sert pour la fabrication de certains produits de beauté (cold-cream, notamment).

Vieil océan, il n'y aurait rien d'impossible à ce que tu caches dans ton sein de futures utilités pour l'homme. Tu lui as déjà donné la baleine. 0.1
LAUTRÉAMONT, les Chants de Maldoror, I, 9.

(...) nous allâmes jusqu'au pont de la Concorde voir la Seine prise, dont chacun et même les enfants s'approchaient sans peur comme d'une immense baleine échouée, sans défense, et qu'on allait dépecer. 0.2
PROUST, Du côté de chez Swann, Pl., t. I, p. 398.

Loc. fam. *Être gros comme une baleine,* énorme. — *Rire, se tordre comme une baleine :* rire en ouvrant la bouche toute grande (par allusion à la bouche démesurément fendue de la baleine).

Au ciné vous êtes là dans le noir à vous marrer comme des baleines et c'est la meilleure chose que vous pouvez faire dans le noir. 0.3
É. AJAR (R. GARY), l'Angoisse du roi Salomon, p. 232.

Fig. Personne très grosse (et grande); obèse.

(1906; École navale). Argot. Grosse lame d'eau qui embarque sur le pont.

♦ **2** Zool. (emploi spécial par rapport au 1.). Animal cétacé, du sous-ordre des *mysticètes* (porteurs de fanons*) et de la famille des *balænidæ* (s'oppose aux *baleinoptères**); syn. :*baleine franche.*

Depuis quelques jours, on avait pu observer en mer, à deux ou trois milles au large, un énorme animal qui nageait dans les eaux de l'île Lincoln. C'était une baleine de la plus grande taille, qui, vraisemblablement, devait appartenir à l'espace australe, dite «baleine du Cap». 0.4
J. VERNE, l'Île mystérieuse, t. I, p. 433.

*Les baleines :* la famille de cétacés mysticètes où l'on classe ces animaux.

♦ **3** Zool. *Baleine à bec :* animal cétacé du sous-ordre des *odontocètes* (porteurs de dents) et de la famille des *ziphidæ.* → aussi **Hyperoodon.**

**II** (1268). Lame flexible et forte, tirée des fanons de la baleine (I., 1.) et dont on se servait pour renforcer un tissu, notamment pour la garniture des corsets (→ **Busc**); cette garniture. *Corps de baleine, corset de baleine* (vx) : corset ainsi renforcé.

Il n'y a jamais de dents chez les véritables baleines; on trouve, en place de grandes lames composées de fibres cornées que l'on connaît sous le nom de baleine ou busc; on les appelle fanons; lorsque les pêcheurs ont détaché ces barbes de la mâchoire des baleines, ils les pendent et les débitent pour en faire des buscs, des rayons de parapluie, etc. BAUDRILLART, Dict. des pêches, art. *Baleine.* 1

Les femmes grecques ignoraient l'usage de ces corps de baleine, par lesquels les nôtres contrefont leur taille, plutôt qu'elles ne la marquent. ROUSSEAU, Émile, V. 2

Quant ton sein, ô Madeleine, 3
Sort du corset de baleine,
Libre enfin du velours noir (...) HUGO, Ballades, 9.

Derrière, à chaque coup, sa robe de mérinos noir se levait légèrement; tandis que les baleines de son corset marquaient sur l'étoffe tendue du corsage. 4
ZOLA, le Ventre de Paris, t. I, p. 101.

(1761, *in* D. D. L.). Par ext. Tige ou lame flexible (de métal, de caoutchouc durci, de matière plastique, etc.) servant à renforcer, à tendre un tissu (→ **Baleiné).** *Baleine de parapluie. Un vieux parapluie aux baleines cassées. Baleines pour les cols des chemises d'hommes.*

DÉR. (De I.) **Baleineau, baleinier,** n., **baleinier,** adj., **baleinière.** — (De II.) **Baleiné, baleiner.** ◊ COMP. V. **Baleinoptère.**

**BALEINÉ, ÉE** [balene] adj. — 1364; de *baleine.*
Maintenu en forme par des baleines (II.). *Corsage, corset, parapluie, col baleiné.*

**BALEINEAU** [balɛno] n. m. — 1694; *balenon,* 1575; de *baleine.*
Petit de la baleine, très jeune baleine. *Les baleineaux peuvent mesurer jusqu'à six mètres à la naissance.*

**BALEINER** [balene] v. tr. — XXe; de *baleine.*

Munir de baleines (II.). *Baleiner un parapluie, un soutien-gorge.* → **Baleiné.**

1. **BALEINIER** [balenje] n. m. — 1385, attestation isolée; repris au XIXe; de *baleine.*

♦ **1** Marin qui pêche la baleine.

♦ **2** Navire équipé pour recevoir et traiter les baleines tuées à partir des baleinières.

La vie de ces forbans qu'il avait rencontrés sur les baleiniers d'Océanie ou dans les lieux de plaisir des villes de La Plata (...) LOTI, Mon frère Yves, VI, p. 30.

Mod. Navire-usine équipé pour le traitement industriel des baleines capturées par de plus petits bateaux (→ **Chasseur**).

2. **BALEINIER, IÈRE** [balenje] adj. — 1821; attestation isolée, *nef balengheire,* Froissart, 1389; de *baleine.*

Relatif à la pêche à la baleine. *Un navire baleinier. L'industrie baleinière.*

**BALEINIÈRE** [balɛnjɛʀ] n. f. — Déb. XVe, attestation isolée, *balyngere,* repris au XIXe; de *baleine.*

Embarcation longue et fine, à partir de laquelle les baleines étaient harponnées puis remorquées jusqu'au baleinier*, ou à terre. — Canot de bord, de forme identique.

Tous les navires, même non baleiniers, ont généralement une baleinière, ce genre d'embarcation se manœuvrant facilement avec ses avirons ou ses voiles. R. GRUSS, Dict. de marine, art. *Baleinière.*

**BALEINOPTÈRE** [balɛnɔptɛʀ] n. m. — 1803-1804, Lacépède, *in* D. D. L.; formé en lat. sav. sur *ballæna* «baleine», et suff. *-ptère.*

Zool. Mammifère marin de l'ordre des Cétacés *(Mysticètes)* et de la famille des *balænopteridæ,* caractérisé par sa nageoire dorsale et son ventre creusé de sillons longitudinaux. *Le baleinoptère ou rorqual* est souvent appelé* baleine (dans la langue commune : baleine à bosse, baleine bleue); *il appartient au même sous-ordre de Cétacés.*

Le bruit d'échappement de vapeur ou de formidable scie circulaire que fait quelque baleinoptère ou quelque mégaptère en venant respirer à la surface de l'eau. CHARCOT, Expédition antarctique française, p. 9 (1906), *in* T. L. F.

*Les baleinoptères :* la famille de cétacés mysticètes où l'on classe ces animaux (s'oppose aux *baleines* ou *balænidæ* → **Baleine,** I., 2.). Var. graphique : *balénoptère.*

**BALÈSE** [balɛz] adj. et n. → **Balèze.**

**BALÈVRE** [balɛvʀ] n. f. — XIIe, «les deux lèvres»; de *ba-,* de l'anc. bas francique **balu* «mauvais» ou altér. du préf. *bes* (lat. *bis*), et *lèvre.*

♦ **1** Rare. Grosses lèvres saillantes.

♦ **2** Archit. Saillie d'une pierre sur les autres dans un mur. *Abattre les balèvres.*

Techn. (désignant une saillie produite par une opération technique). Bavure à la surface d'une pièce fondue ou coulée, faisant saillie sur cette surface. *Limer, meuler les balèvres.* — Petite saillie sur un ouvrage en béton, aux joints du coffrage.

**BALÈZE** ou **BALÈSE** [balɛz] adj. et n. — 1927; en argot milit. 1916; empr. au provençal mod. *balès* «grotesque, gros».

♦ **1** Fam. Grand et fort. *Elle est balèze, la fille!*

1 Tu te ressembles en eux pourtant deux fois plus grands et balèzes que toi. Hélène CIXOUS, Souffles, p. 31.

N. m. *Un gros balèze. Des balèzes qui n'ont peur de rien.*

(...) il était normal que l'on eût la frousse de Tony le 2
docker. C'était un balèse et une brute, capable d'y aller à l'hypocrite. Jean GENET, Querelle de Brest, p. 205.

♦ **2** Compétent, calé. → 1. **Fort, trapu.** *Il est balèze en maths.*

♦ **3** (Intensif) Fort, remarquable, exceptionnel.

Non seulement il connaissait Charles et Véra, mais il avait 3
lu un de mes bouquins, «un truc vachement balèze», ainsi qu'il me l'affirmait. Philippe DJIAN, Maudit manège, p. 200.

Var. graphiques : *balaise, balaize* [balɛz]. Var. graphique et phonétique : *baleste* [balɛst].

CONTR. **Avorton, gringalet.**

**BALIN-BALAN** [balɛ̃balɑ̃] loc. adv. — XXe; loc. provençale, de *balan* «mouvement d'un poids, secousse»; franç. *ballant,* de *baller.* → Bal.

Régional (Provence). Clopin-clopant, cahin-caha.

La balancelle qui croisait dans la nuit claire en face de l'aiguade courba son sillage sous le holà de Photiadès, prit les trois hommes et rebondit balin-balan, le vent en poupe, déroulant les cheveux roux de son fanal. J. GIONO, Naissance de l'Odyssée, p. 27.

**BALISAGE** [balizaʒ] n. m. — 1467; de *baliser.*

♦ **1** Action de poser des balises* et autres signaux pour indiquer au navigateur les dangers à éviter ou la route à suivre. *Le nombre des dangers* rend le balisage très délicat.*

Système des signaux utilisés pour baliser. *Le balisage des côtes de France. Balisage latéral, cardinal. Marques* de balisage.* — Ensemble des signaux utilisés pour baliser (un endroit précis). *Le balisage d'un port, d'un chenal.* → **Balise, bouée, feu, réflecteur.** *Le balisage d'un aérodrome.*

Le son de ce moteur lointain devenait de plus en plus dense. Il mûrissait. On donna les feux. Les lampes rouges du balisage dessinèrent un hangar, des pylônes de T. S. F., un terrain carré. SAINT-EXUPÉRY, Vol de nuit, p. 35.

♦ **2** Ensemble de balises placées dans l'axe du tracé d'une route, d'une voie de chemin de fer, etc. *Le balisage d'une piste de ski.*

♦ **3** Inform. Action de munir un texte de balises (4).

COMP. **Radiobalisage.**

1. **BALISE** [baliz] n. f. — 1475; port. *baliza,* dér. mozarabe du bas lat. *palitium* (→ Palissade), du lat. *palus* «pieu».

♦ **1** Ouvrage destiné à guider les navires ou les avions en signalant les endroits dangereux ou en indiquant la route à suivre. *Les balises d'une piste d'atterrissage, d'un chenal. Service des phares et balises. Poser des balises.* → **Marque.**

Tous les soirs que fait l'engoulevent, il regagne, moi en croupe, son poste d'aiguilleur, d'où il a la haute main sur les cônes, trompes, lanternes, balises, pavillons et flammes. A. BRETON, Signe ascendant, p. 159.

Mar. Perche (→ **Espar**) élevée au-dessus de l'eau, généralement surmontée d'un voyant. *Balise cardinale Nord. Balises et tourelles signalant les dangers d'une passe, d'une entrée de port.*

♦ **2** Émetteur radio-électrique permettant au pilote d'un navire ou d'un avion de se diriger. → **Radioguidage.**

♦ **3** Géod. Perche disposée de distance en distance sur le tracé d'une route, d'une voie de chemin de fer, etc.

♦ **4** Inform., imprim. Dans un texte à composer, Code servant à indentifier certains éléments soit formels (titre, paragraphe...), soit sémantiques (catégorie de mots, de noms) et à leur attribuer certaines caractéristiques (typographiques, notamment). *Balises indiquant les débuts de paragraphe, les caractères en gras, en italique.*

DÉR. **Baliser** ◊ COMP. **Radiobalise.** → HOM. 2. **Balise.**

2. **BALISE** [baliz] n. f. — 1832; de *balisier.*

Rare. Fruit du balisier*, baie noire qui servait à faire des grains de chapelet.

HOM. 1. **Balise.**

**BALISER** [balize] v. — XV^e; de 1. *balise.*

**I** V. tr. ♦ **1** Garnir de balises, jalonner au moyen de balises. → **Balisage, balise.** *Baliser un port, un chenal, un tracé de route, un aérodrome.*

(Sujet n. de chose). «*(...) quatre lampes à incandescence, à faisceau dirigé, balisent le couloir central de circulation quand l'éclairage général n'est pas en service*» (*la Vie du rail*, n° 892, 14 avr. 1963, p. 22).

Fig. Marquer comme par des balises. → **Ponctuer.**

1 Mais tel que je l'ai connu *(Saint-Exupéry)*, je le vois trop bien, à court d'essence et peut-être d'espoir, monter, comme l'un de ses héros, vers quelque champ céleste tout balisé d'étoiles.
A. MAUROIS, Études littéraires, t. II, p. 283.

2 Tous les mots qui avaient balisé ma vie étaient à jeter par-dessus bord. Régis DEBRAY, l'Indésirable, p. 126.

♦ **2** Inform. Munir (un texte, une information) de balises. *Texte long et compliqué à baliser.*

**II** V. intr. (V. 1982; orig. incert., p.-ê. du visage qui accuse l'émotion par la rougeur ou la pâleur, comparé aux balises qui marquent une piste d'aérodrome). Fam. (employé surtout dans le langage des adolescents, en milieu urbain). Avoir peur. «*"Chirac doit faire très gaffe. S'il massacre un coin de Paris, le monde entier va lui tomber dessus. Autrefois, avec le préfet, personne n'était responsable des conneries faites. Avec un maire, c'est fini." Eh oui, Chirac doit baliser. Il transforme Paris sous surveillance quasi-internationale*» (*Actuel*, n° 48, oct. 83, p. 99).

◆ **BALISÉ, ÉE** p. p. adj.

(Du sens I) *Chemin balisé :* chemin où le parcours est indiqué d'un trait de peinture sur un arbre, une pierre. *Les chemins de grande randonnée sont balisés.*

DÉR. (Du sens I) **Balisage.**

**BALISEUR** [balizœʀ] n. m. — 1516; de *baliser.*

♦ **1** Personne qui pose des balises. — Le fém. *baliseuse* est virtuel.

♦ **2** Mar. *Bateau baliseur* ou *baliseur :* bâtiment spécialement équipé pour la pose des balises, bouées, etc., et assurant le ravitaillement et la relève des gardiens de phares isolés.

Il se rappelait le phare debout sur son socle étroit, au milieu de remous tortueux (...) Il l'avait vu de près, un jour qu'il avait accompagné l'ingénieur sur le baliseur des Ponts et Chaussées.
Roger VERCEL, Remorques, p. 120.

**BALISIER** [balizje] n. m. — 1651; *balliri,* 1645; empr. à *baliri,* mot des Caraïbes, avec altér. de la finale, p.-ê. sous l'infl. de 1. *balise.*

Plante monocotylédone *(Cannacées)* d'origine tropicale, cultivée en Europe pour l'ornement des jardins. → **Canna.** *Fleurs rouges, baies noires* (→ 2. **Balise)** *du balisier.*

DÉR. 2. **Balise.**

1. **BALISTE** [balist] n. f. — 1546; lat. *ballista,* tiré du grec *ballein* «lancer». → Arbalète.

Antiq. Machine de guerre qui servait à lancer des traits, des projectiles. → **Catapulte, onagre.** *Les balistes romaines. Pline attribue l'invention de la baliste aux Phéniciens.*

(...) on voit encore les brèches ouvertes par les catapultes, les balistes, les béliers et cette gigantesque coulevrine (...) 1
Th. GAUTIER, Constantinople, p. 225.

Les catapultes s'appelaient également des onagres (...) et les balistes des scorpions, à cause d'un crochet dressé sur la tablette, et qui, s'abaissant d'un coup de poing, faisait partir le ressort. FLAUBERT, Salammbô, XIII. 2

DÉR. **Balistique.**

2. **BALISTE** [balist] n. m. — 1770; lat. sc. *balistes,* 1738; lat. *ballista.* → 1. Baliste.

Zool. Poisson plectognathe (*Sclérodermes;* famille *Balistidés)* au corps couvert d'écailles osseuses, muni d'un aiguillon qui, se redressant brusquement, permet de frapper l'adversaire. *La forte denture des balistes les rend très nuisibles aux parcs d'huîtres perlières.*

**BALISTICIEN, IENNE** [balistisjɛ̃, jɛn] n. — 1907, au masc; de *balistique.*

Sc. Spécialiste de la balistique* (2.).

**BALISTIQUE** [balistik] adj. et n. f. — 1647, subst.; adj., 1649; lat. sc. *ballistica,* du lat. *ballista.* → 1. Baliste.

♦ **1** Adj. Relatif aux projectiles. *Pendule balistique,* qui sert à mesurer la vitesse, la force d'expansion des projectiles d'armes à feu. *Puissance, onde balistique. Machine balistique,* qui sert à lancer des projectiles. *Engin balistique :* engin qui se déplace à la manière d'un projectile. *Engin balistique intercontinental.* → **Fusée.**

Le coefficient balistique de la balle, son énergie à la bouche (...) je sais tout là-dessus. 1
Jacques TEBOUL, Vermeer, p. 154.

♦ **2** N. f. Science du mouvement des projectiles et des engins uniquement soumis aux forces de gravitation. → **Cinématique, cinétique, dynamique, mécanique; astronautique.**

La **balistique** est une science qui s'occupe de l'étude du mouvement des projectiles. Elle se divise en deux parties : la **balistique extérieure,** qui s'occupe de déterminer toutes les conditions du mouvement du projectile en dehors de l'arme qui l'a lancé; et la **balistique intérieure,** qui traite du mouvement du projectile dans l'âme de la pièce. P. POIRÉ, Dict. des sciences. 2

DÉR. **Balisticien, balistiquement.**

**BALISTIQUEMENT** [balistikmɑ̃] adv. — XX^e; de *balistique.*

Sc. Du point de vue balistique.

**BALIVAGE** [balivaʒ] n. m. — 1669; de *baliveau.*

Techn. Choix et marque (→ **Martelage)** des baliveaux qui doivent être conservés dans les coupes de forêts.

**BALIVEAU** [balivo] n. m. — 1549; *boiviau,* XIII^e; p.-ê. de l'anc. franç. *baïf* «étonné», de *baer.* → Bayer.

Techn. Arbre réservé dans la coupe des taillis pour qu'il puisse croître en futaie. → **Lais.**

Les baliveaux que l'ordonnance oblige de laisser dans les bois (...) 1
BUFFON, Expérience sur les végétaux, 2^e mémoire.

Quand il *(le baliveau)* a l'âge du taillis, on dit qu'il **est de l'âge,** qu'il a une **révolution.** Un baliveau qui a deux révolutions est un **moderne.** Les baliveaux plus âgés sont 2

des **anciens,** qui sont de **deuxième classe** s'ils ont trois révolutions, de **première classe** s'ils en ont quatre. Au-dessus, ce sont de vieilles écorces.
P. POIRÉ, Dict. des sciences.

3 Tiffauges poussa son cheval dans de vastes coupes semées de rares baliveaux qui débouchaient sur des landes violettes (...) M. TOURNIER, le Roi des Aulnes, p. 313.

DÉR. **Balivage.**

**BALIVERNE** [balivɛʀn] n. f. — 1464, *Pathelin*; p.-ê. déverbal de *baliverner* malgré la chronologie.

(Généralement au pluriel). Propos* futile et creux. *Conter, débiter, dire des balivernes.* → **Baliverner; bagatelle, balançoire, billevesée, bourde, calembredaine, chanson, conte, coquecigrue** (vx), **enfantillage, facétie, fadaise, faribole, futilité, histoire, niaiserie, puérilité, sornette.** — *Trêve de balivernes! :* revenons à des choses plus sérieuses. — *Occupation frivole. S'amuser de balivernes, à des balivernes.* → **Bagatelle.**

1 Je n'entends rien à toutes ces balivernes (...)
MOLIÈRE, les Précieuses ridicules, V.

2 Dès que Mme d'Argental sera en pleine convalescence, et qu'elle pourra s'amuser de balivernes (...)
VOLTAIRE, Lettre à d'Argental, 18 août 1767.

3 (...) les balivernes, que plusieurs coteries veulent faire passer pour des vérités.
STENDHAL, Souvenirs d'égotisme, p. 304.

4 Et, à l'appui de ces balivernes, il me citait, avec un sang-froid de Groënlandais, des textes qui — chose assez surprenante — paraissaient d'abord les plus rationnels, les plus logiques, les plus scientifiques et les plus irréfutables, — mais, qui, évidemment, ne pouvaient être, au fond, qu'un mauvais jeu d'esprit, fruit de l'ignorance et du charlatanisme.
VILLIERS DE L'ISLE-ADAM, Tribulat Bonhomet, p. 90.

DÉR. V. **Baliverner.**

**BALIVERNER** [balivɛʀne] v. tr. et intr. — 1548; d'après P. Guiraud, composé tautologique de *baller**, et dial. *verner* «tourner», de même orig. que *virer.* → Tournevirer.

♦ **1** V. tr. (1845). Rare. Tromper (qqn) en lui disant des balivernes. *Cessez donc de le baliverner.*

♦ **2** V. intr. Dire des balivernes, s'occuper de balivernes. *Ne faire que baliverner* (Académie). *«Elle s'occupait du thé (...) et ne balivernait plus»* (Huysmans, *in* T. L. F.).

**BALKANIQUE** [balkanik] adj. — 1886; de *Balkans,* nom géographique.

Des Balkans. *Péninsule balkanique,* la plus orientale des péninsules méditerranéennes (Grèce, Albanie, Bulgarie, majeure partie de la Yougoslavie, petite enclave turque). *Les pays balkaniques. Guerres balkaniques.*

DÉR. **Balkanisation, balkaniser.**

**BALKANISATION** [balkanizasjɔ̃] n. f. — 1941, repris en 1966, à propos d'autres pays; de *balkanique.*

Polit. Éclatement en petites unités nationales d'un territoire jusqu'alors uni par des conditions géographiques ou historiques (à l'image de la diversité des États balkaniques). *«La balkanisation du continent noir»* (*le Monde,* 24 avr. 1968).

Fig. Émiettement, éclatement d'un ensemble en petites unités indépendantes. *La «balkanisation dans l'organisation hospitalière française»* (*le Monde,* 31 janv. 1969). → **Atomisation.**

**BALKANISER** [balkanize] v. tr. — V. 1950; de *balkanique.*

Faire éclater (un pays, une zone) en nombreuses petites unités. → **Balkanisation.** — Pron. *Se balkaniser :* se morceler en de nombreuses petites unités. *Continent qui se balkanise.* — P. p. adj. *«Nations balkanisées par les firmes»* (*le Nouvel Obs.,* 22 mai 1978).

**BALLADE** [balad] n. f. — 1260; anc. provençal *ballada,* de *ballar* «danser», du lat. *ballare.* → Bal.

♦ **1** Anciennt. Chanson à danser et danse qu'elle accompagnait.

On voit accourir (...) de vagabonds troubadours qui ne savent chanter que des ballades à refrain (...) 1
CHATEAUBRIAND, le Génie du christianisme, I, V, 5.

La demoiselle du château dansait une ballade avec le fiancé. 2
CHATEAUBRIAND, le Génie du christianisme, II, I.

♦ **2** Petit poème de forme régulière, composé de trois couplets ou plus, avec un refrain et un envoi. *La Ballade des pendus,* de François Villon. *Ballade redoublée,* dans laquelle chaque stance a un ou deux vers répétés.

La ballade, à mon goût, est une chose fade : 3
Ce n'en est plus la mode; elle sent son vieux temps (...)
MOLIÈRE, les Femmes savantes, III, 3.

Marot bientôt après, fit fleurir les ballades (...) 4
BOILEAU, l'Art poétique, I.

La ballade, asservie à ses vieilles maximes, 5
Souvent doit tout son lustre au caprice des rimes.
BOILEAU, l'Art poétique, II.

Loc. (Vx). *Le refrain de la ballade :* ce que l'on répète sans cesse, à tout propos.

*(Ils)* Vous disent : «Mais, Monsieur, me donnez-vous cela?» 6
C'est toujours le refrain qu'ils ont à leur ballade (...)
Mathurin RÉGNIER, Satires, II.

♦ **3** (Depuis le Romantisme). Poème de forme libre, d'un genre familier ou légendaire. *Les ballades allemandes sont le texte de nombreuses mélodies.* → **Lied.** *Les ballades de Schiller. La légende du roi des Aulnes, celle de l'Apprenti sorcier sont des sujets de ballades. Odes et Ballades,* de Victor Hugo.

♦ **4** Mus. Morceau de forme quelconque qui illustre le texte d'une ballade (3.).

En haut, on jouait du piano, une de ces ballades de Chopin qui creusent les plaies et rongent les blessures de l'âme, avec les dents acérées de leurs accords. 7
Edmond JALOUX, le Jeune Homme au masque, IX, p. 140.

(...) comme l'évolution de notre amour avait été rapide, et malgré quelques retardements, interruptions et hésitations du début, comme dans certaines nouvelles de Balzac ou quelques ballades de Schumann, le dénouement rapide! PROUST, Albertine disparue, Folio, p. 117. 8

Jazz. Thème de tempo très lent, se prêtant à des improvisations à caractère expressif et lyrique.

DÉR. **Balader.** ◊ HOM. **Balade.**

**BALLANT, ANTE** [balɑ̃, ɑ̃t] adj. et n. m. — 1687, sens 2.; p. prés. de *baller* «danser». → Bal.

♦ **1** Adj. Qui oscille, se balance mollement, pend nonchalamment (surtout en parlant des membres). *Marcher les bras ballants. Des enfants assis sur un banc, les jambes ballantes.*

(...) Henri perché sur un haut fauteuil remuait ses jambes ballantes.
CHATEAUBRIAND, Mémoires d'outre-tombe, IV, 4.

Je restais là, bras ballants et bouche bée (...)
FRANCE, le Crime de S. Bonnard, II, 3.

Victorine, son énorme poitrine ballante dans un caraco de toile bleue, était penchée sur son fourneau.
A. MAUROIS, le Cercle de famille, I, p. 19.

Mar. Qui n'est pas tendu. *Un câble ballant.*

♦ **2** N. m. Mar. La partie d'une manœuvre amarrée qui ne travaille pas.
Mouvement d'oscillation. *Une voiture chargée en hauteur a du ballant. Donner du ballant à un câble, à un filin.*
Spécialt (cirque). Mouvement d'oscillation, balancement du corps avant l'exécution d'un saut, d'un équilibre.

DÉR. V. Baller, 2.

**BALLAST** [balast] n. m. — 1375, «lest»; mot scandinave, par le moy. bas allemand.

♦ **1** Mar. Anciennt. Amas de sable, de gravier servant de lest. Mod. Compartiment d'un navire que l'on remplit plus ou moins d'eau de mer, afin de l'équilibrer. — (XX^e^). Réservoir de plongée d'un sous-marin (en ce sens on dit aussi *water-ballast*).

♦ **2** (1840; par l'angl.). Techn., cour. Pierres concassées que l'on tasse sous les traverses d'une voie ferrée. *Machine pour le concassage du ballast.* → **Casse-pierres.**

1 Le ballast est (...) une couche de matière sèche, le plus souvent du gravier, dans laquelle on noie les traverses. Elle a pour effet de fixer la voie et forme une espèce de matelas qui amortit les chocs et répartit la pression (...) Le gravier, la pierre concassée en morceaux de 6 à 8 cm, le mâchefer et les laitiers de hauts fourneaux sont de bons matériaux pour la confection du ballast.
P. POIRÉ, Dict. des sciences.

2 Vous étiez étendue sur le ballast. C'était une position incommode, mais sans danger. Le train était passé.
J. ANOUILH, la Valse des toréadors, IV, p. 185.

♦ **3** (1903, in *Rev. gén. des sc.*, n° 5, p. 232). Électr. Résistance qui stabilise le courant dans un circuit.

DÉR. **Ballaster, ballastière.**

**BALLASTAGE** [balastaʒ] n. m. — 1863; de *ballaster.*

♦ **1** Techn. Action de placer du ballast sur (une voie de chemin de fer).

♦ **2** Mar. Action d'équilibrer (un navire) par le remplissage ou la purge des ballasts.

**BALLASTER** [balaste] v. tr. — 1855, in Höfler; «lester un navire», 1618; de *ballast.*

♦ **1** Techn. Répartir du ballast sur (une voie de chemin de fer).

♦ **2** Mar. Équilibrer (un navire) en remplissant ou en vidant ses ballasts. *Ballaster un pétrolier.*

DÉR. **Ballastage.**

**BALLASTIÈRE** [balastjɛʀ] n. f. — 1863; de *ballast.*
Techn. Carrière à ballast.

1. **BALLE** [bal] n. f. — 1534; ital. *balla,* forme dial. de *palla.*

**I** ♦ **1** Petite sphère élastique dont on se sert pour divers jeux. → 1. **Ballon, pelote.** *Balle de base-ball, de cricket, de golf, de hockey, de ping-pong, de tennis...* — Anciennt. *Balle de paume.* → **Éteuf.** *L'art des exercices de la balle dans l'Antiquité.* → **Sphéristique.** *Jouer à la balle. Lancer, envoyer, recevoir, relancer, renvoyer la balle. Empaumer la balle. Crosser la balle,* la pousser avec une crosse (hockey). *La balle rebondit.* → **Bond, rebond.** *Prendre la balle au bond, en volée, de volée, en demi-volée* (au tennis). — *Couper la balle,* la frapper de manière à lui imprimer un mouvement de rotation sur elle-même (notamment au tennis). *Donner de l'effet à une balle.* (Tennis). *Balle amortie, brossée, liftée, smashée, travaillée... Balle let*; balle out*.*

Par ext. Coup. — Au tennis. *Faire des balles, faire quelques balles :* faire quelques échanges sans compter les points, pour se mettre en train. *Balle de service. Balle de jeu, de set, de match :* le coup qui décide du jeu, du set, du match. *Une belle balle :* un beau coup. *Une balle bien placée. Une bonne balle, une balle qui marque.*

D'abord on joua à la paume de la main nue ou avec un gant double, dans la suite quelques-uns mirent à leur main des cordes et tendons pour renvoyer la balle avec plus de force, et de là on imagina la raquette. 1
SAINT-FOIX, Essai d'une histoire sur Paris.

Annette, d'un côté, sa jupe noire relevée, nu-tête, montrant ses chevilles et la moitié du mollet lorsqu'elle s'élançait pour attraper la balle au vol, allait, venait, courait, les yeux brillants et les joues rouges, fatiguée, essoufflée par le jeu correct et sûr de son adversaire. 1.1
Lui, la culotte de flanelle blanche serrée aux reins sur la chemise pareille, coiffé d'une casquette à visière (...) attendait la balle avec sang-froid, jugeait avec précision sa chute, la recevait et la renvoyait sans se presser, sans courir, avec l'aisance élégante, l'attention passionnée et l'adresse professionnelle qu'il apportait à tous les exercices (...) Cette distraction d'une seconde la perdit. La balle passa contre elle, rapide et basse, presque roulante, toucha terre et sortit du jeu.
MAUPASSANT, Fort comme la mort, p. 199-200.

(...) le chat bondit sur le parquet, plus mol et plus élastique que la balle de laine qui nous sert de joujou. 2
COLETTE, Histoires pour Bel-Gazou, XIV.

A la fin je la lui ai donnée et il l'a prise dans sa gueule, doucement, doucement. Une petite balle de caoutchouc, vieille, noire, pleine, dure (...) J'aurais pu la garder (...) Mais je l'ai donnée au chien. 2.1
S. BECKETT, la Dernière Bande.

La grosseur en est à peu près celle d'une balle de tennis, mais la matière fait penser davantage à celles — beaucoup plus petites — qu'on utilise au jeu de ping-pong : une sorte de celluloïd blanc, opalescent, translucide, très brillant, qu'on prendrait de loin pour du verre d'une extrême minceur. 2.2
A. ROBBE-GRILLET, Souvenirs du triangle d'or, p. 157.

*Balle-au-chasseur :* jeu qui consiste à atteindre de la balle l'un ou l'autre des joueurs du jeu, dans sa course.

Je me souviens d'avoir passé toute une récréation enfermé dans les cabinets tant j'avais peur de la «balle-au-chasseur» lancée contre moi à bout portant (...) 2.3
F. MAURIAC, Un adolescent d'autrefois, p. 26.

*Balle au panier.* → **Panier** (cit. 8.2); **basket-ball.**
Par compar. (→ 2., renvoyer la balle) :

Analysez le dialogue entre la mère et l'enfant, vous verrez que l'enfant renvoie les mots comme des balles, et admire qu'il s'entende lui-même comme il entend l'autre (...) 2.4
ALAIN, les Arts et les Dieux, Pl., p. 1225.

(Sports; sous l'infl. de l'angl. *ball* «ballon»). Ballon. *Brosser la balle. Contrôle de la balle.* → **Amorti, blocage.** *Balle au centre. La balle est entrée dans les buts. Passe-moi la balle !* → **Boule.**

♦ **2** Loc. fig. *Prendre, saisir la balle au bond :* saisir avec à-propos une occasion favorable.

Je saisis donc la balle au bond pour prendre, sur Mme Lenoir, une revanche éclatante des deux ou trois moments que les paradoxes, assez serrés, de Lenoir m'avaient fait passer — et dont mon cœur ne pardonnerait jamais l'humiliation. 2.5
VILLIERS DE L'ISLE-ADAM, Tribulat Bonhomet, p. 117 (1887).

*À vous, à lui la balle :* c'est à vous, à lui de parler ou d'agir. *La balle est dans votre (son...) camp* (même sens).
Vx. *Au bon joueur, au joueur la balle :* l'occasion d'agir, de parler, se présente pour celui qui le mérite.

Il m'est tombé des nues le plus beau chapelet du monde; c'est assurément parce que je le dis si bien : la balle au bon joueur. 3
M^me^ DE SÉVIGNÉ, Lettres, 818, 12 juin 1680.

*Renvoyer la balle, se renvoyer la balle :* répliquer avec vivacité, discuter avec animation, et aussi se décharger sur quelqu'un d'une obligation ennuyeuse.

4 Le roi ne prit pas son parti *(de Chamillart),* et le laissa malmener par Boufflers et Harcourt, qui se renvoyaient la balle. SAINT-SIMON, Mémoires, 232, 99.

(1690; interprété comme «fils du maître d'un jeu de paume»; selon Guiraud, il s'agit de 2. *balle,* et de *enfant* «membre d'une association» de merciers ou mercelots). *Enfant de la balle :* personne (comédien, artiste de cirque, etc.) née dans le métier.

5 (...) un homme qui n'était pas enfant de la balle, et qui avait appris la musique tout seul. ROUSSEAU, les Confessions, VII.

6 Loin d'avoir été amenée à l'état que je fais par catastrophes du sort, ruines inouïes ou aventures romanesques, j'y suis née, étant, comme on dit, enfant de la balle. Th. GAUTIER, le Capitaine Fracasse, t. I, VI.

Fam. *Raide comme balle :* avec rudesse.

6.1 (...) Rouletabille (...) me dirait mon fait, raide comme balle. G. LEROUX, le Parfum de la dame en noir, p. 150.

**II** (XVI^e^). Petit projectile métallique dont on charge les armes portatives, les armes automatiques et certaines pièces d'artillerie. → **Tir.** *Balle de revolver, de fusil, de mitraillette, de mitrailleuse.* → **Plomb**; (fam. ou argot) **bastos, berlingot, prune, pruneau, valda.** *Petite balle.* → **Chevrotine.** *Obus à balles.* → **Shrapnell.** *Balle de plomb, d'acier. Balle blindée. Balle sphérique, cylindrique; cylindro-ogivale. Le calibre d'une balle. La douille et l'amorce d'une balle.* → **Cartouche.** *Balle explosible, explosive. Balle dum-dum. Balle traçante. Boîte à balles :* boîte à mitraille. *Moules à balles,* dans lesquels on coule le métal fondu pour la fabrication des balles. *Tirer à balles. Arme chargée à balles. Mettre, loger une balle dans la cible, dans le but. La trajectoire d'une balle. Le sifflement d'une balle. Voiture à l'épreuve des balles.* → **Pare-balles.** *Balle morte,* qui n'a plus assez de force pour blesser qqn. *Balle perdue. Être atteint, blessé, frappé par une balle. Être blessé par balle. Tomber percé, criblé de balles. Se tirer une balle dans la tête.* Fam. *Recevoir douze balles dans la peau :* être exécuté par le peloton.

7 On lui demanda juridiquement ce qu'il aimait le mieux d'être fustigé trente-six fois par tout le régiment, ou de recevoir à la fois douze balles de plomb dans la cervelle (...) VOLTAIRE, Candide, 2.

8 Je n'ai jamais vu un pareil regard : quand la colère y montait, la prunelle étincelante semblait se détacher et venir vous frapper comme une balle. CHATEAUBRIAND, Mémoires d'outre-tombe, I, 1.

9 Deux ou trois balles sifflent encore, plus rasantes, celles-ci; on les voit ricocher, comme des sauterelles dans l'herbe. LOTI, Pêcheur d'Islande, III, p. 136.

10 Dans son esprit simple et nu, les idées se logent comme des balles dans un mur. FRANCE, le Lys rouge, III.

11 Il fut tué dès 1914. La balle entra par l'épaule, et chemina jusqu'au cœur, comme un ver (...) GIRAUDOUX, Bella, V.

12 Depuis l'instant où ce garçon d'hôtel (...) avait annoncé d'une voix rogue que «le monsieur de la chambre 9 venait de se tirer une balle dans la tête» (...) toute sa pensée avait été pour le blessé. MARTIN DU GARD, les Thibault, t. V, p. 236.

12.1 Ah! dame, s'il y a des gosses trop tendres qui ont une hésitation, on les fusille immédiatement, douze balles dans la peau, vlan! PROUST, le Temps retrouvé, Pl., t. III, p. 748.

Loc. *Trou de balle.* → **Trou.**

Fig. *Faire balle :* frapper comme fait une balle (expression empruntée des chasseurs); atteindre au point sensible. → **Mouche** (faire mouche), **toucher.**

13 (...) une commotion produite par mille observations oubliées dont la réunion subite *fait balle* pour employer une expression aux chasseurs. BALZAC, le Cousin Pons, Pl., t. VI, p. 581.

Malgré lui *(l'empereur),* fusait parfois, une brève objection qui faisait balle (...) 14
Louis MADELIN, Hist. du Consulat et de l'Empire, t. VI, p. 59.

**III** (Par métaphore de 1. *balle* ou 2. *balle*). ♦ **1** Fam. Figure. *Avoir une bonne balle,* une figure, une tête sympathique. → **Bille, bouille, boule.**

♦ **2** Pop., vx. Testicule (Flaubert, *Correspondance*). → **Boule** (boule d'amour).

Loc. *Peau de balle :* absolument rien. → **Peau** (cit. 26). *Peau de balle et balai de crin!*

COMP. **Passe-balles, tire-balles, pare-balles.** ◈ HOM. **Bal,** 2. **balle,** 3. **balle** ou **bale,** 4. **balle.**

2. **BALLE** [bal] n. f. — 1268, *bale;* selon Wartburg, du francique **balla,* cf. all. *Ballen* «ballot» (→ Déballer, emballer), mais Guiraud fait remonter le mot au lat. *ballare* «danser», d'où «fouler».

♦ **1** Gros paquet de marchandises généralement enveloppé de toile et lié de cordes. → **Sac.** *Faire, défaire une balle de coton. Expédier par bateau mille balles de laine. Marchandise en balles. Mettre en balle.* → **Emballer.** *Petite balle.* → **Ballot, colis.** *Mise en balle.* → **Emballage.** *Une balle de café.* → **Farde.**

Les charges étaient toutes faites et, sur chaque balle, on lisait en gros caractères : POUR BAGDAD. 0.
A. GALLAND, les Mille et une Nuits, t. II, p. 349.

Les emballeurs, chargeurs et déchargeurs sous corde pour faire toutes sortes de balles, ballots... 1
Arrêt du Conseil d'État, 15 oct. 1622.

Céluta tomba évanouie sur des balles de marchandises qui couvraient le quai (...) 2
CHATEAUBRIAND, les Natchez, II, 242.

Des tonneaux d'huile, des balles de laine, des caisses de fils jalonnaient la longue cour de l'usine. 3
A. MAUROIS, Bernard Quesnay, III, p. 20.

Agric. *Balle de paille, de fourrage :* gros paquet de paille, de fourrage, compressé et ficelé par une lieuse mécanique. → **Botte.**

♦ **2** Vx. Ballot d'un colporteur, qui contient sa marchandise. *Marchandise de balle.*

Ne vous inquiétez pas du terme d'avance; vous payerez après; nous ravitaillerons même votre balle de colporteur (...) 4
Louise MICHEL, la Misère, t. III, p. 486.

Fig., péj. *De balle :* de mauvaise qualité, sans valeur. *Rimeur de balle.*

♦ **3** *Enfant de la balle* (étym. possible). → 1. **Balle** (I., 2.).

DÉR. **Ballot, balluchon.** ◈ HOM. **Bal,** 1. **balle,** 3. **balle** ou **bale,** 4. **balle.**

3. **BALLE** ou **BALE** [bal] n. f. — 1549; attestation isolée, v. 1220; gaul. **balu,* cf. anc. franç. *baler* «vanner».

Enveloppe des graines de céréales. → **Glume, glumelle.** *On détache les balles de l'épi par le battage. Les balles sont un riche aliment pour les animaux. La balle d'avoine est employée pour faire des paillasses.*

REM. Le mot, par suite des nombreuses homonymies, est rare en emploi isolé (les syntagmes, comme *balle d'avoine,* sont plus usuels).

HOM. **Bal,** 1., 2., 4. **balle.**

4. **BALLE** [bal] n. f. — 1655, «livre», puis «franc»; orig. incert., p.-ê. de 1. *balle* par l'idée de rondeur. → Rond.

(Toujours au plur. et avec un numéral). Fam. Franc. *Une pièce de dix balles. J'en ai eu pour deux cents balles.*

1 – Je suis heureux de vous avoir rencontré, lui dit-il en empochant les cinq balles (...)
R. QUENEAU, le Chiendent, p. 68.

2 Recevez de mon notaire les 30 balles ces jours-ci.
G. NOUVEAU, Lettre à Verlaine, janv. 1878, Correspondance, Pl., p. 851.

REM. Appliqué aux anciens francs jusqu'à la réforme monétaire, le mot est utilisé indifféremment pour «franc» (nouveau) ou «centime». *T'as pas cent balles ?* (un franc). *J'ai payé ce bouquin cent balles* (cent francs).

HOM. **Bal,** 1., 2. **balle,** 3. **balle** ou **bale.**

**BALLE-PEAU** [balpo] interj. et pron. indéf. — 1928; inversion (verlan) de *peau (de) balle.*

Argot fam. Rien; rien du tout. Syn. : *peau* (cit. 26) *de balle* (1. Balle, III., 2.). — Loc. *Faire balle-peau :* faire chou blanc (*in* Cellard et Rey). — On écrit parfois *balpeau.*

Courtial avait bien espéré (...) qu'il allait pouvoir prendre du large... Prendre la direction d'un mouvement de haut parage philosophique... «Les Amis de la Raison Pure»... Et puis point du tout! Balle-Peau!
CÉLINE, Mort à crédit, p. 282.

**BALLER** [bale] v. intr. — Fin XIIe, «danser»; «remuer», av. 1249; du bas lat. *ballare* «danser»; grec *ballein* «jeter». → Bal.

♦ **1** Vx, littér. (archaïsme). Danser.

1 Car il *(le singe)* parle, on l'entend : il sait danser, baller (...)
LA FONTAINE, Fables, IX, 3.

2 À cette époque, mon père tenait table ouverte. On ballait pendant trois jours : les maîtres, dans la grande salle, au raclement d'un violon; les vassaux, dans la Cour Verte, au nasillement d'une musette.
CHATEAUBRIAND, Mémoires d'outre-tombe, I, 2.

Fam., vx. *Envoyer baller* (qqn) : rejeter brutalement, rabrouer sans ménagement. → **Balader, paître, promener** (envoyer).

♦ **2** (Déb. XXe, de *ballant*). Littér. Balancer, osciller, pendre, être ballant. → **Ballant.**

3 *(Il)* portait sur son cœur, soulevé de terre, un enfant presque endormi de giration, qui laissait baller sa tête et pendre ses bras (...)
COLETTE, la Naissance du jour, p. 210.

4 Des étuves suffocantes où les quartiers de bidoche ballent dans la vapeur, nous passons aux chambres froides (...)
G. DUHAMEL, Scènes de la vie future, VIII.

5 L'ombre des feuillages ballait dans la clarté.
G. DUHAMEL, le Temps de la recherche, V.

6 Exprès, il laissait sa tête baller en arrière aux cahots de la course.
COCTEAU, les Enfants terribles, II.

7 Mathieu pousse la tête du bout du pied : elle balle lourdement sur le cou aux vertèbres fracassées.
Jean-Yves SOUCY, Un dieu chasseur, p. 12.

DÉR. **Bal, ballant.**

**BALLERINE** [balʀin] n. f. — 1858; ital. *ballerina,* de *ballare* «danser», bas lat. *ballare.* → Bal.

♦ **1** Danseuse de ballet. *Les ballerines de l'Opéra.*

♦ **2** (1952, *in* D. D. L.). Chaussure de femme totalement plate et très décolletée, rappelant les chaussons de danse, à la mode après 1945. *Des ballerines de daim noir.*

Sage, Domi, tranquille, les couettes au vent, les cils rapprochés et les ballerines posées l'une contre l'autre.
Geneviève DORMANN, Saint Jules, p. 134.

**BALLET** [balɛ] n. m. — 1598; ital. *balletto,* dimin. de *ballo* «bal», même orig. que *bal**.

♦ **1** Danse* figurée, exécutée sur scène par plusieurs personnes. *Danser un ballet. L'art du ballet.* → **Chorégraphie.** *Auteur, compositeur de ballet.* → **Chorégraphe.** *Ballets d'un opéra. Les divertissements de danse sont à l'origine des ballets. Une figure de ballet, une entrée de ballet.* — *Maître de ballet :* technicien qui dirige les répétitions des danseurs. *Le corps des ballets de l'Opéra :* l'ensemble des danseurs* qui exécutent les ballets. — *Troupe de ballets.*

Les ballets, qui sont des comédies muettes (...) 1
MOLIÈRE, le Mariage forcé (1664), Argument.

Les ballets, dont il me reste à vous parler, sont la partie 2
la plus brillante de cet opéra (...)
ROUSSEAU, Julie ou la Nouvelle Héloïse, II, 23.

L'opéra est le centre de la vie mondaine *(sous la Révolution),* et le ballet la cellule-mère de cet organisme. 3
Francis DE MIOMANDRE, la Danse, p. 32.

Les ballets ne sont que de la sculpture qui bouge. 3.1
J. GREEN, Journal, 17 déc. 1971, Ce qui reste de jour, p. 341.

L'ensemble de la troupe. *Arrivée d'un ballet soviétique, américain à Paris.* — *Les Ballets russes,* célèbre troupe de danseurs fondée par Serge Diaghilev en 1909.

De sorte que des visages, peut-être construits de façon 3.2
peu dissemblable, selon qu'ils étaient éclairés, par les feux d'une rousse chevelure, d'un teint rose, par la lumière blanche, d'une mate pâleur, s'étiraient ou s'élargissaient, devenaient une autre chose, comme ces accessoires des ballets russes, consistant parfois, s'ils sont vus en plein jour, en une simple rondelle de papier, et que le génie d'un Bakst, selon l'éclairage incarnadin ou lunaire où il plonge le décor, fait s'y incruster durement comme une turquoise à la façade d'un palais, ou s'y épanouir avec mollesse, rose de bengale au milieu d'un jardin. Ainsi en prenant connaissance des visages, nous les mesurons bien, mais en peintres, non en arpenteurs.
PROUST, À l'ombre des jeunes filles en fleurs, Folio, p. 621.

Musique sur laquelle on danse un ballet. *Le Lac des cygnes,* ballet de Tchaïkovsky. *Les grands ballets de Stravinsky.*

Spectacle constitué par un ballet. *Aller voir un ballet. Un amateur de ballets.* → **Balletomane.**

Les étoiles de ces ballets sont considérées comme des 4
héroïnes, des personnages à demi légendaires.
Francis DE MIOMANDRE, la Danse, p. 32.

*Opéra-ballet, comédie-ballet.* Anciennement, Opéra, comédie comprenant des ballets ou des divertissements.

*Ballet-pantomime,* ou *ballet :* spectacle musical représentant une action mimée par les danseurs.

Par anal. *Le Ballet mécanique,* film de Fernand Léger.

*Ballets roses* (par allusion à un scandale de mœurs, réunion de fillettes qui dansaient clandestinement devant des messieurs d'un certain âge) : réunion de petites filles qui, sous un prétexte convenable inventé par des hommes âgés, satisfont la perversion de ces derniers. *C'est un amateur de ballets roses.* — REM. On dit *ballets bleus* s'il s'agit de garçons.

Non que je mette sur le même plan ce qui fut le drame 5
et la passion de Gide et ces «ballets roses»; mais c'est un fait que le climat littéraire semble convenir mieux que le climat politique à la satisfaction de certaines fantaisies interdites par la loi.
F. MAURIAC, le Nouveau Bloc-notes 1958-1960, p. 165.

(...) l'affaire des ballets roses dont on parle beaucoup 6
(détournement de mineures, scènes équivoques au pavillon du Butard, beaucoup de personnes impliquées).
J. GREEN, Journal, 7 mai 1959, Vers l'invisible, p. 107.

♦ **2** Fig. Activité intense accompagnée de changements, d'échanges. *L'incessant ballet des abeilles dans une ruche.* «*Ballet diplomatique*» (*le Nouvel Obs.*, 10 janv. 1968), «*ballet de ministres*» (*le Nouvel Obs.*, 15 mai 1968).

COMP. **Balletomane, comédie-ballet, opéra-ballet.** ◊ HOM. **Balai, balais.**

**BALLETOMANE** ou **BALLETTOMANE** [baletoman] n. — 1921, Stravinsky, *in* D. D. L.; de *ballet*, et *-mane.*

Littér. Amateur de ballets, de danse classique.

1. **BALLON** [balɔ̃] n. m. — 1557; «bombe pour feu d'artifice», 1549; ital. *ballone*, forme dial. de *pallone*, de *palla* «balle» (→ 1. Balle), et *-one*, suff. augmentatif.

♦ **1** Vessie de caoutchouc gonflée d'air et recouverte d'une enveloppe de cuir, de peau ou de caoutchouc épais, utilisée dans certains jeux ou dans certains sports. → 1. **Balle.** *Jouer au ballon. Le ballon rond du basket-ball, du football, du hand-ball, du water-polo.* → **Cuir** (argot sportif), **sphère.** *Le ballon ovale du rugby. Le ballon d'entraînement des boxeurs.* → **Punching-ball.**

0.1 Avec mes étrennes, je pus cette année-là acheter l'objet de mes rêves, un vrai ballon. Non pas un ballon de rugby, qui exige de grands espaces (d'ailleurs je ne me sentais pas *digne* du rugby) mais de football, bon pour tous usages et mieux adapté à ma condition.
Raymond ABELLIO, Ma dernière mémoire, t. I, p. 157.

0.2 Les historiens des religions ont montré le caractère très général des jeux de ballon comme symbole de l'année solaire : communs en Amérique, ils ont, en Chine et jusqu'à nos jours au Japon, donné lieu à des cérémonies de caractère cosmogonique très élaboré (...)
A. LEROI-GOURHAN, le Geste et la Parole, t. II, p. 164.

Par métonymie. Sport où l'on utilise un ballon. *Un champion du ballon ovale*, du rugby.

Grosse balle de caoutchouc gonflée d'air dont on se sert pour jouer.

Sphère plus légère que l'air, formée d'une pellicule très mince gonflée de gaz. *Marchand de ballons. Les enfants tiennent leurs ballons par une ficelle pour qu'ils ne s'envolent pas. Ballon de baudruche*. Petit ballon.* → **Ballonnet.**

Par anal. *Pneu ballon.* → **Pneu.** — *Manche ballon :* manche courte, bouffante, qui semble gonflée comme un ballon.

0.3 Il posa même aux chars mortuaires de parade des jantes creuses et des pneus ballon.
Paul MORAND, Bouddha vivant, p. 44.

Fig. *Être enflé, gonflé comme un ballon :* être bouffi d'orgueil.

1 Il n'en fallut pas plus. Notre souffleur à gageSe gorge de vapeurs, s'enfle comme un ballon (...)
LA FONTAINE, Fables, VI, 3.

Fig. Chose vide et fragile; théorie, discours sans consistance. *Crever des ballons :* dénoncer des illusions, des mensonges.

2 Les disputes métaphysiques ressemblent à des ballons remplis de vent que les combattants se renvoient; les vessies crèvent, l'air en sort; il ne reste rien.
VOLTAIRE, Jenni, 7.

3 Ennemi de l'enflure et des grands airs, il *(Girardin)* a aidé à désabuser de bien des déclamations en vogue; il a crevé à coups d'épingle bien des ballons.
SAINTE-BEUVE, Causeries du lundi, t. I, p. 18.

4 Notre vie est ainsi bizarrement suspendue à des ballons qui ne signifient rien, qui se succèdent sans intérêt véritable, et qui semblent, grâce à leurs bulles pleines d'air, nous soutenir au-dessus du vide.
Edmond JALOUX, la Chute d'Icare, p. 188.

♦ **2** (1782). *Ballon aérostatique* (VX) ou *ballon :* aérostat* gonflé d'un gaz plus léger que l'air (hydrogène, hélium...) et qui peut s'élever dans l'atmosphère sans organe de propulsion. *Ballon libre. Ballon sphérique. Monter en ballon. Les premières ascensions* (cit. 4 et 5) *en ballon.* → **Montgolfière.** *Cinq semaines en ballon*, roman de Jules Verne. «*Le ballon s'abaissait...*» → Ovoïde, cit. J. Verne. *L'enveloppe* (ballon proprement dit) *et la nacelle d'un ballon. L'appendice, manchon ou manche, pour l'introduction du gaz dans le ballon. Un ballon lesté de sacs de sable. Délester le ballon. La soupape de dégonflement et le guiderope* (corde) *du ballon. L'ancre d'atterrissage du ballon. Ballon pour sondages aérologiques.* → **Ballon-sonde.**

Nous avions un papier «ad hoc» pour la conduite des pourparlers avec un en-tête de bon goût «Section Parisienne des Amis du Ballon Libre»... 4.1
CÉLINE, Mort à crédit, II, Folio, p. 399.

*Ballon d'essai :* petit ballon qu'on lance pour connaître la direction du vent. — Fig. Expérience que l'on tente pour sonder les dispositions des gens, tâter l'opinion. *Cette nouvelle n'est qu'un ballon d'essai* (Académie). *Lancer un ballon d'essai.*

L'opposition prétendait voir dans la brochure un ballon d'essai. 5
SAINTE-BEUVE, *in* Pierre LAROUSSE.

J'en ai beaucoup connu de tous ces prétendus diplomates de la méthode empirique, qui mettaient tout leur espoir dans un ballon d'essai que je ne tardais pas à dégonfler. 5.1
PROUST, Albertine disparue, Folio, p. 298.

*Ballon captif :* ballon retenu à terre par des cordes ou câbles qui l'empêchent de s'élever au-dessus d'une certaine hauteur. *Ballons de protection, ballons de barrage*, contre les raids aériens. → **Saucisse.**

C'était le ballon de ses débuts, un «captif» entièrement «carmin», une baudruche d'énorme envergure. 5.2
CÉLINE, Mort à crédit, II, p. 399.

Une quinzaine de ces ballons captifs que les troupiers appellent des «saucisses» formaient un demi-cercle aérien, et veillaient. 6
G. DUHAMEL, Récits des temps de guerre, I, V.

*Ballon dirigeable.* → **Dirigeable, zeppelin.**

♦ **3** Sphère d'une matière quelconque, comparée à un ballon (1.). *Ballon d'amarrage des bateaux. Ballon d'eau chaude. Ballon de signalisation.*

(...) ces architectures des lignes de haute tension enjambant le décor champêtre avec les petits ballons-balises qui les ponctuent, leur rouge, leur bleu, leur vert métalliques. 7
ARAGON, Blanche..., III, II, p. 385.

♦ **4** (1690). Chim. Vase de verre à col, de forme sphérique, utilisé dans les laboratoires pour recevoir des liquides ou stocker des gaz.

Cour. Verre à boire de forme sphérique muni d'un pied plus ou moins long.

Je venais de sortir la grande fine, la Napoléon. J'emplissais les ballons, essayant de masquer le tremblement de ma main. On a trinqué. Aussi sec. 8
Albert SIMONIN, Touchez pas au grisbi, p. 29.

Par appos. *Un verre ballon.*

Par métonymie. Contenu d'un tel verre. *Servir un ballon de rouge. Un ballon de beaujolais et un sandwich !*

Il y avait au quartier Latin une brasserie de femmes (...) Très correctement, des servantes élégantes y offraient le ballon traditionnel. 9
GORON, l'Amour à Paris, t. II, p. 714.

Régional (Suisse). Dans un restaurant, Verre d'une contenance d'un décilitre. *Un ballon de blanc, un ballon de Dôle.*

♦ **5** Méd., cour. *Ballon d'oxygène :* vessie ou bouteille remplie d'oxygène et munie d'un tube d'aspiration pour faire respirer et ranimer qqn. — Fig. Ce qui ranime, empêche l'asphyxie. → **Ballonnet** (3.).

(V. 1960). *Ballon d'alcootest*, destiné au contrôle du taux d'alcoolémie.* — Absolt. *Souffler dans le ballon.*

♦ **6** Fam., vieilli. Ventre. — Loc. mod. *Faire ballon :* se passer de qqch. → **Bomber** (se). → Se serrer la ceinture*.
*Avoir le ballon, attraper le ballon :* être, devenir enceinte.

♦ **7** (Mil. xxe; amér. *balloon* «balle»). Bulle (d'une bande dessinée). → 1. **Bulle** (*supra* cit. 8). «*Le ballon, c'est le petit nuage blanc dans lequel sont inscrites les paroles prêtées aux héros du récit*» (*le Nouvel Obs.*, 19 mai 1967).

**DÉR. Ballonner, ballonnet.** ◊ **COMP. Ballon-sonde.** — **HOM.** 2., 3. **Ballon.**

2. **BALLON** [balɔ̃] n. m. — 1871; de *emballer* «emmener», selon Esnault, d'après 1. *ballon.*

Argot. Prison.

1 Mets-toi à leur place à ces deux femmes, mets-y-toi un peu...! Tu le méritais cent fois, qu'elles t'envoyent au ballon. CÉLINE, Voyage au bout de la nuit, p. 405.

2 — Allons donc, m'sieur le commissaire, fit la prisonnière, moi me tirer? c'est pas la peine. Au Ballon ou à la boîte où vous m'avez emballée, c'est kif-kif.
GORON, l'Amour à Paris, t. II, p. 1024.

**HOM.** 1., 3. **Ballon.**

3. **BALLON** [balɔ̃] n. m. — 1561; calque de l'all. *Belchen,* confondu avec *Bällchen,* dimin. de *Ball* «balle» par étymologie populaire.

Montagne des Vosges. *Le Ballon d'Alsace.*

Il y a des Ballons dans les Vosges septentrionales, formés de grès, à cime aplatie. Nulle part, la forme même des montagnes n'a déterminé l'emploi de Ballon. Au point de vue de l'étymologie et pour ne pas induire en erreur sur la configuration exacte des montagnes décorées de ce nom, il faudrait écrire Bâlon.
Charles GRAD, l'Alsace, 1909, p. 364.

**HOM.** 1., 2. **Ballon.**

**BALLONNÉ** [balɔne] n. m. — 1857, *in* Matoré; de *ballonner.*

Danse. Léger saut sur une seule jambe, l'autre effectuant des battements de côté.

**HOM. Ballonner** (et p. p.).

**BALLONNEMENT** [balɔnmɑ̃] n. m. — 1814, *in* D. D. L.; de *ballonner.*

♦ **1** État de ce qui est gonflé comme un ballon. *Le ballonnement d'une jupe.*

♦ **2** Gonflement de l'abdomen, dû à l'accumulation des gaz intestinaux. → **Flatulence, flatuosité, météorisme.**

Un certain docteur (...) persuada ma mère que tous mes malaises nerveux ou autres étaient dus à des flatuosités; en m'auscultant il découvrit à mon abdomen des cavités inquiétantes et une disposition à enfler (...) et prescrivit le port d'une ceinture orthopédique (...) pour prévenir mon ballonnement. GIDE, Si le grain ne meurt, I, 5.

**BALLONNER** [balɔne] v. tr. — 1584; de *ballon.*

♦ **1** V. tr. (Sujet n. de chose). Gonfler comme un ballon; rendre rond comme un ballon. *Le vent ballonne les vêtements étendus sur le fil. Les épaisseurs de chandails ballonnaient sa silhouette.* — Au p. p. :

1 Un grand vent s'est levé sur le soir. Il a séché la pluie, emporté les grosses outres molles des nuages ballonnés, porteurs de bénigne humidité.
COLETTE, la Naissance du jour, p. 231.

2 (...) les flancs ballonnés d'un épais nuage ourlé de feu blanc (...) COLETTE, la Vagabonde, III.

Faire enfler l'abdomen de... *Les fourrages verts ballonnent les bestiaux.*

♦ **2** Intrans. (Le sujet est une partie du corps). S'arrondir, s'enfler comme un ballon.

(...) car elle était fort coquette en dépit de ses formes ballonnant de toutes parts, et de son âge. 3
Christine DE RIVOYRE, la Mandarine, p. 109.

— Ce n'est pas la poitrine que j'ai creuse, c'est mon ventre qui ballonne. 4
Michel DÉON, le Jeune Homme vert, p. 327.

◆ **SE BALLONNER** v. pron.

Devenir ballonné. *Il a grossi, son visage s'est ballonné.*

Spécialt. *Le ventre se ballonne dans certaines maladies.*

◆ **BALLONNÉ, ÉE** p. p. adj. *Jupe ballonnée. Ventre ballonné.*

**DÉR. Ballonné, ballonnement.**

**BALLONNET** [balɔnɛ] n. m. — 1874, Littré, *Suppl.*; de 1. *ballon,* 1. ou 2.

♦ **1** Petit ballon. *Des grappes de ballonnets accrochés à l'entrée de la baraque foraine.*

♦ **2** Techn. Ballon placé à l'intérieur de l'enveloppe d'un dirigeable. *Ballonnet de dirigeable.*

♦ **3** Ballon (5.). *Ballonnet d'oxygène.*

Tristesse insondable des écoles et des cours de récréation vidées par les vacances de Noël. Comment vivre sans ces petits îlots de fraîcheur vivifiante, sans ces ballonnets d'oxygène qui font oublier quelques instants la pestilence de l'adultat?
M. TOURNIER, le Roi des Aulnes, p. 107.

**BALLON-SONDE** [balɔ̃sɔ̃d] n. m. — 1896, cit.; de 1. *ballon,* 2., et *sonde.*

Ballon libre sans équipage, muni d'appareils enregistreurs pour l'étude météorologique de la haute atmosphère. *Des ballons-sondes.*

Parti de Paris le 21 mars 1893, le *ballon-sonde* atterrit près de Joigny, après avoir atteint l'altitude de 16 000 m.
L. FIGUIER, l'Année scientifique et industrielle 1897, p. 115 (1896).

**BALLOT** [balo] n. m. — 1406; de 2. *balle.*

**I** Petite balle de marchandises. → 2. **Balle** (cit. 1), **colis.** — Spécialt. Paquet individuel (de vêtements, d'affaires personnelles). → **Balluchon** (fam.). *Un ballot d'effets. Un ballot de livres. Faire, défaire un ballot. Mettre en ballot.* → **Emballer.** *Apposer une marque, une contre-marque sur un ballot. L'oreille d'un ballot :* le coin de toile en forme d'oreille qui sert à porter le ballot. *Le ballot que le marin emporte sans payer de fret.* → **Pacotille** (vx).

Vous avez bien fait de laisser vos ballots à Grignan (...) 1
Mme DE SÉVIGNÉ, Lettres, 328.

Il replie son ballot et s'en va. ROUSSEAU, Émile, II. 2

**II** (1884). Fig. (ou métaphore), fam. Niais, imbécile. → **Balluche** (fam.), **idiot, sot.** *Rester planté, figé comme un ballot. Espèce de ballot! Les ballots au bout du quai :* tous les imbéciles ensemble.

(...) l'émotion l'annihile *(le potache),* et il reste là comme un ballot. MONTHERLANT, les Jeunes Filles, p. 93. 3

Et qu'est-ce que tu veux faire d'autre, ballot? attendre les gendarmes?... 4
MARTIN DU GARD, les Thibault, t. VII, p. 278.

Le professeur Vladimir n'est pas le premier venu! Il ne donne point ses leçons à tout le monde! Dans «la haute» on en raffole! Ah! la guerre lui a fait bien du mal! Mais ce n'est pas un «ballot», et il s'en tire tout de même! Il faut bien! G. LEROUX, Rouletabille chez Krupp, p. 61. 5

Adj. m. *Tu es un peu ballot. Ce qu'elle peut être ballot! Ça, c'est ballot :* c'est bête.

**BALLOTE** [balɔt] n. f. — 1545; lat. *ballōtē* (Pline), grec *ballôtê*, même sens.

Plante dicotylédone *(Labiacées),* herbacée, vivace, dont une variété à fleurs mauves et à odeur fétide *(Ballota fœtida)* est commune le long des chemins, dans les décombres. → **Marrube** (marrube noir).

**HOM. Ballotte.**

**BALLOTIN** [balɔtɛ̃] n. m. — Mil. XX^e; «petit ballot», 1771; de *ballot.*

Emballage de carton pour les confiseries, fermé par quatre rabats. *Un ballotin de chocolats.*

**BALLOTTADE** [balɔtad] n. f. — 1611; de *ballotter.*

Équit. Saut d'un cheval qui s'enlève des quatre jambes à la fois et présente les fers de derrière sans ruade.

**BALLOTTAGE** [balɔtaʒ] n. m. — 1835; «vote», 1520; de *ballotte.*

Dans une élection au scrutin majoritaire à deux tours, Résultat négatif d'un premier tour, aucun des candidats n'ayant réuni la majorité absolue des suffrages exprimés. *Le ballottage était prévisible dans cette circonscription. Ballottage favorable, défavorable* (à l'un des candidats). *Désistements après le ballottage. Candidats en ballottage* (entre le premier et le second tour). *Scrutin de ballottage :* nouveau tour de scrutin.

L'issue des élections était encore incertaine. Il fallut les désistements du ballottage pour que le Front populaire l'emportât nettement, bien que cette victoire n'eût en fait déplacé, c'était désormais la règle en France, qu'un nombre infime de voix.
Raymond ABELLIO, Ma dernière mémoire, t. II, p. 257.

**BALLOTTANT, ANTE** [balɔtɑ̃, ɑ̃t] adj. — 1836, Balzac; p. prés. de *ballotter.*

Qui ballotte. *Des seins ballottants.*

À cette heure, dans Rakowomir, les plus coquettes des jeunes filles doivent errer encore dans les maisons, dépeignées, dépoitraillées; quant aux vieilles commères, vieilles avant l'âge, tout le jour elles traînent leurs savates, gorge ballottante, peau molle, perruque de travers, et elles ne se surveillent un peu qu'aux fêtes.
Roger IKOR, les Fils d'Avrom, La greffe de printemps, p. 93.

**BALLOTTE** [balɔt] n. f. — Fin XIII^e, *belote* «boule pour voter», *in* Arveiller; XV^e, *ballotte;* XIV^e, «petite boule»; dimin. de l'ital. dial. *ballota.* → 1. Balle.

Anciennt. Petite balle. Spécialt. Boule pour voter.

Il échappa et fut absous de trente ballottes et suffrages seulement.
J. AMYOT, Eschine, *in* HUGUET, Dict. du XVI^e s.

**DÉR. Ballottage, ballotter.** ◊ **HOM. Ballote.**

**BALLOTTEMENT** [balɔtmɑ̃] n. m. — 1829; de *ballotter.*

Fait de ballotter (2.); mouvement d'un corps qui ballotte. → **Brimbalement, cahotement.**

(...) dans ce couloir où ils étaient parqués comme des bestiaux, dans le ballottement et le tintamarre du train (...)
MARTIN DU GARD, les Thibault, t. IV, p. 115.

Méd. Mouvement communiqué au fœtus pour constater l'état d'une grossesse.

**BALLOTTER** [balɔte] v. tr. et intr. — 1611; de *ballotte.*

♦ **1** V. tr. Faire aller alternativement dans un sens et dans l'autre et de façon désordonnée. → **Agiter, balancer, remuer, secouer.** — Surtout passif et p. p. *Nous avons été bien ballottés dans cette vieille voiture.* → **Cahoter.** *Un canot ballotté par la tempête.*

Le chalutier repartit encore, courant sur le dos des flots, ballotté, secoué, ruisselant, souffleté par des paquets d'eau (...) 1
MAUPASSANT, Contes de la Bécasse, «En mer».

Fig., vx. *Ballotter quelqu'un,* se jouer de lui en le renvoyant de l'un à l'autre, en le faisant passer par des alternatives d'espoir et de déception.

C'est ainsi que le sort, qui m'a toujours mis en même temps trop haut et trop bas, continuait à me ballotter d'une extrémité à l'autre, et tandis que la populace me couvrait de fange, je faisais un Conseiller d'État. 2
ROUSSEAU, les Confessions, XII.

Surtout au passif. *Être ballotté entre des sentiments contraires.* → **Indécis, tiraillé.**

J'ai été tellement agité, ballotté, tiraillé par les passions d'autrui, que (...) j'aurais peine à démêler ce qu'il y a du mien dans ma propre conduite (...) 3
ROUSSEAU, Rêveries..., X.

De nombreux emplois impliquent une figure portant sur le sens concret; là aussi le passif et le p. p. sont plus courants.

Ballottée entre deux guerres civiles sur les bords de la Tamise, elle *(la reine d'Angleterre)* rencontre les crimes sérieux des révolutions (...) 4
CHATEAUBRIAND, les Quatre Stuart, Henriette-Marie.

Et sur les flots du doute à tout vent ballotté (...) 5
LAMARTINE, Méditations..., 2.

Sa raison, ballottée dans les espaces imaginaires, ne tenait plus qu'à ce fil. HUGO, Notre-Dame de Paris, II, 7. 6

Deux ans plus tard, l'affaire n'avait pas fait un pas. Ballottée de cartons en cartons, elle flottait par les bureaux des Dons et Legs, tiraillée (...) 7
COURTELINE, Messieurs les ronds-de-cuir, I, III.

♦ **2** V. intr. Être agité, secoué en tous sens. → **Baller, remuer.** *Ce violon ballotte dans son étui* (Académie).

«Vous ne voulez pas une autre bière?», et alors il se leva et sortit très vite, la bière tiède ballottant dans son estomac comme une sorte de corps étranger, inassimilable et pourri. Claude SIMON, le Palace, p. 22. 9

◆ **BALLOTTÉ, ÉE** p. p. (en emploi adj.; → cit. 1) :

Tassées sans soin ni méthode dans des caisses à savon, à produits pharmaceutiques, dans des barils à farine, ballottées, entrechoquées pendant leurs longs voyages, les oranges arrivaient à destinations dans un état déplorable. 8
Paul ROBERT, les Agrumes, p. 69.

**DÉR. Ballottade, ballottant, ballottement.**

**BALLOTTINE** [balɔtin] n. f. — 1739; de *ballotte,* terme de cuisine.

♦ **1** Pièce de viande désossée, roulée et ficelée. → **Galantine.** *Ballottine de volaille.*

♦ **2** (Abusif). Galantine (préparation de charcuterie).

**BALL-TRAP** [baltʀap] n. m. — 1880, *in* Höfler; angl. *ball trap,* de *ball* «balle», et *trap* «appareil à ressort».

Anglicisme.

♦ **1** Appareil à ressort lançant une cible (pigeon d'argile), grâce auquel les chasseurs s'entraînent à tirer sur les oiseaux prenant leur essor. *Des ball-traps. S'exercer au ball-trap.*

♦ **2** (1910). Sport consistant à tirer sur les cibles lancées par cet appareil. *Concours de ball-trap.*

Ils *(les marrons)* pètent dans un bruit éclatant de chargeur à répétition. On se croirait à un concours de ball-trap.
Catherine PAYSAN, l'Empire du taureau, p. 183.

**BALLUCHE** [balyʃ] n. m. — 1898; de *balluchon* «imbécile», 1889; → Ballot.

Fam. Imbécile. *Quel balluche!* → **Ballot.** — Adj. *Il, elle est un peu balluche.*

**BALLUCHON** (Académie) ou **BALUCHON** [balyʃɔ̃] n. m. — 1821; argot «ballot de butin», 1833; de 2. *balle.*

Fam. Petit paquet d'effets maintenus dans un carré d'étoffe noué aux quatre coins. → **Ballot** (1.). *Porter son balluchon à la main, sur l'épaule, au bout d'un bâton.*

(...) elle soufflait dans un remous de la foule, croulante sous son balluchon.
CÉLINE, Mort à crédit, Folio, p. 65.

*Faire son balluchon :* partir. *Tu peux faire ton balluchon.* → **Valise.**

**BALNÉAIRE** [balneɛʀ] adj. — 1865, Littré-Robin; du lat. *balnearius,* de *balneum* «bain». → Bain.

Qui est relatif aux bains de mer, en tant qu'activité hygiénique, thérapeutique (à l'origine), puis touristique. *Station, établissement balnéaire.*

1 La voici, la vraie concurrence à Monaco, dit Philippe quand il descendit à terre avec Hélène : la vieille ville des empereurs et des sultans est devenue la plus importante station balnéaire du monde entier... Voici, comme à Mancheville, les rangées de cabines des établissements de bains; voici les casinos où l'on danse tous les soirs; enfin, voici, là-haut sur la colline, à la place du vieux Sérail, un palais de la Roulette qui ne le cède en rien à celui de Monaco. A. ROBIDA, le Vingtième Siècle, p. 376.

2 C'est un grand charme ajouté à la vie dans une station balnéaire comme était Balbec, si le visage d'une jolie fille, une marchande de coquillages, de gâteaux ou de fleurs, peint en vives couleurs dans notre pensée, est quotidiennement pour nous dès le matin le but de chacune de ces journées oisives et lumineuses qu'on passe sur la plage.
PROUST, À l'ombre des jeune filles en fleurs, Folio, p. 286.

Par ext. *La vie balnéaire,* dans les stations balnéaires. *Tourisme balnéaire.*

**BALNÉATION** [balneasjɔ̃] n. f. — 1866; lat. médiéval *balneatio.*

Méd. Action de prendre ou de donner des bains à des fins thérapeutiques.

Assis sur une pierre plate et large qu'il avait choisie avec soin, Étienne suivait d'un œil distrait l'activité amoindrie de ses collègues en balnéation.
R. QUENEAU, le Chiendent, p. 236.

**BALNÉOTHÉRAPIE** [balneoteʀapi] n. f. — 1865; du lat. *balneum,* et *-thérapie.*

Méd. Traitement médical par les bains. → **Hydrothérapie, thalassothérapie.**

1. **BALOURD, OURDE** [baluʀ, uʀd] adj. et n. — 1482, n. m.; 1597, adj.; réfection du moy. franç. *bellourd,* formé de *bes-,* préfixe péj., et *lourd,* d'après l'ital. *balordo.*

Personne grossière et maladroite. *C'est un gros balourd qui sort de sa province.* → **Rustaud, rustre.** *Un balourd plein de brutalité.* → **Butor.**

Adj. Plus cour. *Bien que fréquentant le monde, il est resté assez balourd. Sa timidité le rend balourd. Elle est un peu balourde.* → **Empoté** (fam.), **fruste, gauche, grossier, lourd, maladroit, stupide.**

Par ext. *Mouvements balourds. Esprit balourd. Style, dessin... balourd* (→ cit. 2).

1 Les comédiens sont des balourds de commencer la pièce du Cid par la querelle du comte et de don Diègue (...)
VOLTAIRE, Lettre à d'Argental, 15 août 1761.

2 La plaisanterie y est assénée *(dans les Pays-Bas),* les traits d'esprit y sont émoussés; une grosse jovialité ou une grosse colère en font tous les frais; les caricatures elles-mêmes nous semblent balourdes.
TAINE, Philosophie de l'art, t. I, p. 253.

Si je n'étais pas l'obstiné, le maladroit, le balourd que je suis (...) 3
G. DUHAMEL, Chronique des Pasquier, III, XII.

Parce que vous savez tout. Vous allez lui éviter un horrible faux pas à ce balourd. Et il va accepter bien sûr, l'hypocrite! Trop heureux de jouer le petit jeu! 4
J. ANOUILH, la Répétition, IV.

Le balourd ne sait pas accorder l'humeur, le ton et le sens; il attriste ses idées gaies, ou bien il égaie sa tristesse, comme on voit que certains se mettent à rire aux choses sérieuses sans avoir assez averti. 5
ALAIN, les Aventures du cœur, *in* les Passions et la Sagesse, Pl., p. 401.

CONTR. **Adroit, délicat, fin, spirituel, subtil.** ◊ DÉR. 2. **Balourd, balourdement, balourdise.** — HOM. 2. **Balourd.**

2. **BALOURD** [baluʀ] n. m. — 1909; de 1. *balourd.*

Mécan. *Balourd statique :* déséquilibre des masses d'une pièce dont le centre de gravité n'est pas sur l'axe de rotation. *Balourd dynamique :* déséquilibre d'un ensemble qui tourne, et dont les masses ne sont pas réparties symétriquement par rapport à l'axe de rotation. *Pièce, ensemble qui a du balourd.*

J'ai l'honneur de vous confirmer mon télégramme de ce jour, ainsi conçu :
Avez commis erreur dans vérification balourd obus 75 couteaux devraient porter en dehors évidement qui peut être excentré pour corriger balourd. Arrêtez vérifications supplémentaires. Explications suivent lettre (...) Il n'en est pas de même pour les obus qui ont été retouchés pour cause de balourd, la surface du corps n'est plus une surface de révolution... Il faut donc faire rouler sur le renflement et sur la tranche comprise entre la ceinture et le culot... P. NIZAN, Antoine Bloyé, p. 239.

HOM. 1. **Balourd.**

**BALOURDEMENT** [baluʀdəmɑ̃] adv. — 1838, Barbey d'Aurevilly, *in* T. L. F.; de 1. *balourd.*

Rare. D'une manière balourde, avec balourdise.

Le sourd remua la tête balourdement, et balança un : — Non, — à demi formulé dans un sourire d'idiot.
Ed. et J. DE GONCOURT, Manette Salomon, p. 263.

**BALOURDISE** [baluʀdiz] n. f. — 1640; de 1. *balourd.*

Vieilli ou littéraire.

♦ **1** Propos ou action du balourd. → **Bêtise, gaffe** (fam.), **maladresse, stupidité.** *Dire, faire des balourdises. Laisser échapper une balourdise.*

J'avais fait une balourdise énorme en ajoutant à la réponse (...) 1
VOLTAIRE, Lettre à d'Argental, 27 nov. 1764.

Comment se conduire, dénué de tout impromptu dans l'esprit? Si je me force à parler aux gens que je rencontre je dis une balourdise infailliblement : si je ne dis rien, je suis un misanthrope, un animal farouche, un ours. 2
ROUSSEAU, les Confessions, X.

Le fanatisme s'empare des esprits, des femmes crient, des fous se débattent, des imbéciles croyent, et voilà le plus méprisable des êtres, le plus maladroit fripon, le plus lourd imposteur qui eût encore paru, le voilà Dieu, le voilà fils de Dieu égal à son père; voilà toutes ses rêveries consacrées, toutes ses paroles devenues des dogmes, & ses balourdises des mystères. 2.1
SADE, Justine..., t. I, p. 79-80.

♦ **2** Caractère de ce qui est balourd, d'une personne balourde. *Il est d'une balourdise étonnante. — Une bévue d'une rare balourdise.* → **Gaucherie, lourdeur, maladresse.**

(...) cette fausse légèreté, cette désinvolture frauduleuse dont le résultat est plus désastreux que les effets d'une vraie gaffe. Celle-ci, en effet, par sa balourdise, peut paraître dépasser l'intention de son auteur (...) 3
Edmond JALOUX, les Visiteurs, XXIII, p. 175.

CONTR. **Adresse, à-propos, délicatesse, finesse, subtilité.**

**BALOUTCHE** [balutʃ] ou **BALOUTCHI** [balutʃi] adj. et n. → **Béloutche.**

**BALSA** [balza] n. m. — 1752; mot espagnol.

♦ **1** Arbre tropical *(Bombacacées),* dont on utilise le bois. *Tronc de balsa.*

♦ **2** Bois très léger et résistant de cet arbre, utilisé notamment dans la construction de maquettes. *Planche de balsa.*

**BALSAMIER** [balzamje] n. m. — 1165; du lat. *balsamum* «baumier, baume».

Bot. Arbre ou arbuste dicotylédone des régions chaudes *(Burséracées),* appelé aussi *baumier* [bomje] ou *balsamodendron* [balzamodɛ̃dʀɔ̃], qui produit en brûlant une résine aromatique (→ **Myrrhe).**

**BALSAMINACÉES** [balzaminase] n. f. pl. — 1867; de *balsamine.*

Bot. Famille de plantes dicotylédones herbacées, aux fleurs très irrégulières, essentiellement formée des balsamines.

Au sing. *Une balsaminacée.*

**BALSAMINE** [balzamin] n. f. — 1545; lat. *balsamum* «baume».

Bot. Plante dicotylédone herbacée, de la famille des Balsaminacées, à fleur très irrégulière, et dont les capsules éclatent dès qu'on les touche, libérant les graines. → **Impatiente.** *Balsamine des bois.* → **Noli-me-tangere.**

DÉR. **Balsaminacées.**

**BALSAMIQUE** [balzamik] adj. — 1516; du lat. *balsamum* «baume».

♦ **1** Qui a des propriétés comparables à celles du baume. *Vertus balsamiques d'une plante. Substances balsamiques.* → **Benjoin, copaïer.** *Drogue, pilule balsamique,* qui contient un baume.

1 (...) du laudanum, du storax et d'autres drogues balsamiques et odoriférantes (...)
BUFFON, Hist. nat des animaux, Les quadrupèdes.

*Air balsamique :* air chargé du parfum des plantes. → **Embaumé.**

2 Rouvrant les yeux à la lumière, respirant l'air balsamique du printemps (...) DIDEROT, Sur les saisons.

3 Des jeunes rosiers le balsamique ombrage (...)
André CHÉNIER, Élégies, 10.

4 (...) cet air vierge et balsamique qui doit ranimer mes forces (...)
CHATEAUBRIAND, Mémoires d'outre-tombe, IV, 2.

4.1 Cette aube avait une odeur si balsamique, que Florent se crut un instant en pleine campagne, sur quelque colline. Mais Claude lui montra, de l'autre côté du banc, le marché aux aromates.
ZOLA, le Ventre de Paris, t. I, pp. 39-40.

(Calque de l'ital. *aceto balsamico*). *Vinaigre balsamique :* vinaigre de moût de raisin, cuit et vieilli en fût, de couleur foncée et au goût très parfumé, originaire de la région de Modène. — N. m. *Du balsamique.*

♦ **2** Fig., littér. Qui calme, qui apaise l'âme, l'esprit. → **Apaisant, calmant, lénifiant.**

5 Certaine quiétude et douce et balsamique.
J.-F. REGNARD, le Légataire universel, IV, 6.

6 (...) ils se firent de petits signes de tête dont les expressions balsamiques pansèrent les douleurs du gravier introduit par la présidente dans le cœur de Pons.
BALZAC, le Cousin Pons, Pl., t. VI, p. 568.

CONTR. **Irritant.**

**BALSAMITE** [balzamit] n. f. — XIIIe, repris au XIXe; du lat. *balsamum* «baume».

Bot. Variété de tanaisie, appelée aussi *grande baume.* → **Tanaisie.** — En appos. *Tanaisie balsamite.*

**BALSAMODENDRON** [balzamɔdɛ̃dʀɔ̃] n. m. — 1846; du rad. du lat. *balsamum* «baume», et grec *dendron* «arbre».

Bot. Arbre exotique appelé aussi *baumier* ou *balsamier,* dont on retire une substance résineuse balsamique, la myrrhe*.

**BALTE** [balt] adj. et n. — XXe; de *Baltique.*

Se dit des pays et des populations qui avoisinent la mer Baltique. *Les pays baltes* (Estonie, Lettonie, Lituanie). — Originaire de ces pays. *Les populations baltes.* — N. *Les Baltes.*

**BALTHAZAR** ou **BALTHASAR** [baltazaʀ] n. m. — 1851; du nom d'un personnage biblique (Daniel, V), roi de Babylone, célèbre pour avoir offert un festin à mille grands du royaume alors que sa ville était assiégée.

♦ **1** Vx. Festin, repas copieux et agité. → **Banquet, gueuleton** (fam.). *Un vrai balthazar.*

La préfète de Sarthe-et-Cher commence à inviter par séries 1
les maires et les adjoints du département à des dîners que la chronique locale a qualifiés de balthazars intimes. Le mot n'est pas de trop, Messieurs, car dans les comptes de la préfecture de Sarthe-et-Cher je trouve une allocation supplémentaire de 25 000 francs pour frais de table et 15 000 francs d'achats de vins ! Ce n'est pas tout, non contente de festoyer abusivement avec les maires du département, la préfète donne des soirées et des bals (...)
A. ROBIDA, le Vingtième Siècle, p. 159.

Quel festin de viandes ! Quel balthazar de gibiers et de 2
rôts ! R. SABATIER, les Enfants de l'été, p. 282.

♦ **2** (1854). Mod. Grosse bouteille* de champagne équivalant à 16 bouteilles champenoises de 75 centilitres.

**BALUCHON** [balyʃɔ̃] n. m. → **Balluchon.**

**BALUSTRADE** [balystʀad] n. f. — Mil. XVIe; ital. *balaustrata,* de *balaustro.* → Balustre.

♦ **1** Rangée de balustres* portant une tablette d'appui. *Une balustrade ajourée. Une balustrade aveuglée, feinte, pleine. Une balustrade servait de clôture.*

La plate-forme était entourée d'une balustrade de marbre 1
blanc de cinquante pieds de hauteur qui portait les statues colossales de tous les rois et de tous les grands (...)
VOLTAIRE, la Princesse de Babylone, I.

♦ **2** Clôture à hauteur d'appui et à jour. → **Garde-corps.** *La balustrade d'une terrasse, d'une galerie, d'un balcon, d'une passerelle* (→ **Rambarde**), *d'un escalier* (→ **Rampe**), *d'un pont* (→ **Garde-fou, parapet**). *Une petite balustrade.* → **Balustre.** *Entourer d'une balustrade.* → **Balustrer** (vx). *Être accoudé à la balustrade. Enjamber la balustrade.*

Thérèse, accoudée à la balustrade, baignait ses yeux dans 2
la lumière. FRANCE, le Lys rouge, VIII.

(...) la balustrade de bois ajouré qui clôt cette terrasse (...) 3
COLETTE, la Vagabonde, III.

**BALUSTRE** [balystʀ] n. m. — 1529; ital. *balaustro.*

♦ **1** Archit. Courte colonnette renflée, supportant un appui. *Parties d'un balustre.* → **Chapiteau, piédouche** (piédestal), **tige** ou **vase** (comprenant le col et la panse). *Un balustre ionique, dorique, corinthien, toscan. Un balustre à ceinture, à urne. Balustre cannelé. Un ensemble de balustres formant clôture.* → **Balustrade.** *Couronnement en balustre figurant une torchère.* → **Candélabre** (archit.).

1 Des balustres pansus soutenaient l'appui des balcons.
Th. GAUTIER, le Capitaine Fracasse, t. I, 5.

2 (...) des petits ponts courbes aux balustres de granit rongés par le lichen. LOTI, Mme Chrysanthème, XLII, p. 212.

♦ **2** Assemblage de balustres (→ **Balustrade**) servant de clôture dans une chambre d'apparat, dans une église. *Un balustre entoure le lit du roi. Un balustre ferme le chœur de l'église.*

3 Un riche balustre faisait la séparation de la chambre d'avec l'alcôve (...)
LA FONTAINE, le Songe de Vaux, 2.

4 Le roi fit entrer Portland dans le balustre de son lit, où jamais étranger n'était entré (...)
SAINT-SIMON, Mémoires, 54, 150.

Fig., vx. *Entrer dans le balustre :* avoir l'honneur d'approcher un prince à table ou au lever.

♦ **3** Techn. En ébénisterie, Colonnette ornant le dos d'un siège. *Chaises à balustres.*

♦ **4** Techn. Compas dont l'ouverture peut être réglée avec précision au moyen d'une tête à ressort (qui lui donne la forme d'un *balustre,* au sens 1) et d'une vis antagoniste. *Boîte de compas garnie de deux compas, d'un balustre et d'un tire-ligne.* — Cette tête, ce ressort (dans le syntagme *compas à balustre*).

DÉR. V. **Balustrade, balustrer.**

**BALUSTRER** [balystʀe] v. tr. — 1546, au p. p., *in* D. D. L.; de *balustre.*

Rare, vx. Entourer d'une balustrade. — Au p. p. *Une terrasse balustrée.*

**BALZACIEN, IENNE** [balzasjɛ̃, jɛn] n. et adj. — 1833, Gautier, voir *infra*; 1857, adj.; de *(Honoré de) Balzac.*

**I** N. Spécialiste ou amateur de l'œuvre de Balzac.

1 Qu'est-ce qui tient pour *la Peau* (de Chagrin)? — Moi, — moi, — moi! — C'est bien : passez par là, dit Philadelphe. Les Balzaciens se rangèrent à sa droite.
Th. GAUTIER, les Jeunes-France, 1833, p. 222.

**II** Adj. ♦ **1** Relatif à Balzac ou à son œuvre.

2 L'argent (...) ne serait-il pas mieux employé à subventionner quelque recueil analogue aux publications des «Shakespeare Societies» ou au «Moliériste», mort faute de documents? Sur Balzac les documents seraient très abondants; on ferait entrer dans cette «Revue Balzacienne» l'étude des mondes particuliers qui gravitèrent autour de lui.
R. DE GOURMONT, *in* Mercure de France, nº 114 (1889), *in* D. D. L., II, 12.

♦ **2** Qui ressemble à un personnage de Balzac. *Héros, type balzacien.*

3 — Mais regarde-les donc, ils tremblent pour leurs économies. Ça n'est pas possible, il doit y avoir autre chose dans ce pays que cette affreuse passion pour l'argent, balzacienne, démodée, odieuse, grandiloquente.
B. CENDRARS, Moravagine, Œ. compl., t. IV, p. 232.

REM. *Balzacien* se dit aussi en parlant de Guez de Balzac, mais cet emploi est rendu difficile par l'homonymie.

4 Cette manière de renaissance balzacienne que Sainte-Beuve remarque en 1808.
A. THIBAUDET, *in* N. R. F., 1933, nº 243.

**BALZACISME** [balzasism] n. m. — 1888, A. France; du nom de Balzac.

Rare. Doctrine littéraire qui s'inspire de l'œuvre d'Honoré de Balzac.

Les romanciers de l'époque précédente, les Bourget et les Prévost, avaient et ont encore gardé plus de balzacisme, d'invention, de disponibilité (...) Est-ce pour (...) imposer au roman une cure de balzacisme qu'un nombre inattendu de romanciers, au tournant de 1930, se sont attachés à cette chronique non plus discontinue, mais continue, et longuement continue, d'un groupe compact : le roman-fleuve?
A. THIBAUDET, Hist. de la littérature franç., p. 543-544.

**BALZAN** [balzɑ̃] adj. m. — 1584, Du Bartas; ital. *balzano,* du lat. pop. *balteanus* «rayé».

Qui a des taches blanches aux pieds, en parlant d'un cheval (noir ou bai).

**BALZANE** [balzan] n. f. — 1553; même étym. que *balzan.*

Tache blanche aux pieds d'un cheval. *Un cheval bai avec des balzanes aux pieds.*

Les balzanes, c'est-à-dire les marques blanches des pieds, avec lesquelles les chevaux naissent (...) 1
O. DE SERRES, 301, *in* LITTRÉ.

Tous les beaux mots de chanfrein, de liste en tête, de balzane, étaient tombés de ces chevaux, comme les pièces d'une cuirasse tombent, quand ils se sont rendus indignes, des chevaliers. 2
J. GIRAUDOUX, Juliette au pays des hommes, p. 77.

**BAMBÉE** [bɑ̃be] n. f. — D. i. (attesté XXe); du rad. *bamb-* «sot, niais, puéril», le flâneur étant assimilé au niais qui marche sans but. Cf. le savoyard *bamban* «nigaud, flâneur».

Régional (Savoie). Balade, virée.

Georges à la Clarisse et Fernand, repris par leur véritable passion, discutaient déjà courses nouvelles et bambées impressionnantes.
R. FRISON-ROCHE, Premier de cordée, p. 251 (1941).

**BAMBIN, INE** [bɑ̃bɛ̃, in] n. — 1575, rare av. XVIIIe; ital. *bambino,* d'abord terme de peinture désignant l'enfant Jésus, d'un rad. onomat. *bamb-* «sot, niais, puéril».

♦ **1** Fam. (généralement en contexte majoratif). Petit garçon, petite fille. → **Chérubin, enfant, gamin, gosse.** *De jolis, de charmants bambins.*

En voyant tous nos petits bambins jouer ensemble. 1
ROUSSEAU, Julie ou la Nouvelle Héloïse, IV, 1.

Marius en s'éloignant fut remplacé par Bob, le dernier des frères, ravissant blondin de quatre ans aux grands yeux bleus et aux longs cheveux bouclés. 1.1
Avec une maîtrise inouïe et un talent d'une miraculeuse précocité, le charmant bambin commença une série d'imitations accompagnées de gestes éloquents (...)
Raymond ROUSSEL, Impressions d'Afrique, p. 41.

REM. La forme fém. *bambine* et le dimin. *bambinette* sont rares.

La tante, le frère, la sœur, les marchands, les pèlerins, les bambinettes, vous êtes au courant (...) Des bambinettes je serai la nourrice. 1.2
J. AUDIBERTI, Opéra parlé, II, *in* D. D. L., II, 14.

♦ **2** N. m. Par ext., péj. Gamin, jeune homme sans expérience.

Il n'y a pas de grimaud sortant du collège qui n'ait rêvé être le plus malheureux des hommes; de bambin qui à seize ans n'ait épuisé la vie, qui ne se soit cru tourmenté par son génie (...) 2
CHATEAUBRIAND, Mémoires d'outre-tombe, II, 1.

Si vous le permettez, je vais aller vous chercher ma fille pour vous la présenter. Elle est là-bas qui cause avec le petit Mortemart et d'autres bambins sans intérêt. Je suis sûre qu'elle sera une gentille amie pour vous. 3
PROUST, le Temps retrouvé, Pl., t. III, p. 1028.

**BAMBOCHADE** [bɑ̃bɔʃad] n. f. — Mil. XVIIIe; de l'ital. *bambocciata,* désignant les peintures à la manière de P. de Laer, surnommé *il bamboccio* «le pantin». → Bamboche.

♦ **1** Peint. Tableau ou dessin représentant des scènes champêtres populaires ou burlesques.

Un peintre hollandais, P. de Laer, qui vivait à Rome sous le pontificat d'Urbain VIII, y peignait des scènes populaires, appelées **bambocciate.** De là le surnom qu'on lui donna de **Bamboche.** Le mot et le genre passèrent de bonne heure en France. Il y eut un «opéra de bamboches» (1674). Les «**bambochades**» désignaient à peu près les mêmes productions qu'en Italie.
BRUNOT, Hist. de la langue franç., t. VI, p. 758.

♦ **2** Fam., vx. Petite débauche. → **Bamboche, bamboula.**

**BAMBOCHE** [bɑ̃bɔʃ] n. f. — 1680, *in* Richelet «marionnette»; ital. *bamboccio* «pantin»; d'orig. onomat. → Bambin; au sens 2, XVIIIe.

♦ **1** Anciennt. Marionnette de grande taille. — Par anal., vx. Personne mal faite et de petite taille.

♦ **2** Fam., vieilli. Petite débauche. *Faire bamboche.* → **Bambochade, bamboula, bombe, bringue, noce, nouba, ripaille.** *Aimer la bamboche.*

DÉR. **Bambocher.**

**BAMBOCHER** [bɑ̃bɔʃe] v. intr. — 1805, *in* D. D. L.; de *bamboche.*

Fam., vieilli. Faire bamboche, bombance. → **Nocer, ripailler.**

Plus que jamais nous bambochons (...)
RIMBAUD, Chant de guerre parisien, Pl., p. 73.

DÉR. **Bambocheur.**

**BAMBOCHEUR, EUSE** [bɑ̃bɔʃœʀ, øz] n. et adj. — V. 1814, n.; 1833, adj., *in* D. D. L.; de *bambocher.*

Fam. Personne qui aime à faire bamboche. → **Bringueur, fêtard, noceur, viveur.** — Adj. *Jeune homme bambocheur.*

(...) cette ville immense, où l'observateur voit passer tour à tour devant ses yeux le tableau du plaisir et celui de la souffrance; le riche dans son équipage, le pauvre honteux n'osant tendre la main; l'ouvrier bambocheur qui mange en un jour le produit de sa semaine, et le petit savoyard qui travaille et amasse pour sa mère.
Ch. PAUL DE KOCK, la Grande Ville, Au lecteur, p. 5.

REM. On trouve aussi *bambochard,* n. m.

**BAMBOU** [bɑ̃bu] n. m. — 1598; mot port. emprunté d'une langue de la côte ouest de l'Inde.

♦ **1** Plante arborescente de l'ordre des Graminées, cultivée dans les pays tropicaux et constituée d'une tige cylindrique ligneuse avec nœuds cloisonnants. *Le bambou croît très vite et peut atteindre trente mètres de hauteur. Un bois de bambous.*

1 (...) ce bouquet de bambous qui fait dans la plaine comme un îlot de plumes (...)
LOTI, Pêcheur d'Islande, III, 1, p. 137.

1.1 Les derniers arbres de la forêt du Far-West venaient mourir à cette pointe, et, parmi eux, le jeune garçon reconnut d'épais bouquets de bambous.
– Bon! dit-il, voilà une précieuse découverte.
– Précieuse? répondit Pencroff.
– Sans doute, reprit Harbert. Je ne te dirai point, Pencroff, que l'écorce de bambou, découpée en latte flexible, sert à faire des paniers ou des corbeilles; que cette écorce, réduite en pâte et macérée, sert à la fabrication du papier de Chine; que les tiges fournissent, suivant leur grosseur, des cannes, des tuyaux de pipe, des conduites pour les eaux; que les grands bambous forment d'excellents matériaux de construction, légers et solides, et qui ne sont jamais attaqués par les insectes.
J. VERNE, l'Île mystérieuse, p. 1028.

♦ **2** Tige ligneuse de cette plante. *Une charpente, une cabane, une case de bambou.* Fam. (appos.). *La cabane bambou. Objets de vannerie en bambou. Papier de Chine en fibres de bambou.*

2 (...) des stores en bambou abaissés du côté du soleil (...)
LOTI, Mme Chrysanthème, XX, p. 101.

Par ext. (vieilli). Canne de bambou. *J'ai changé mon bambou contre une canne plus solide* (Académie).

Cuis. chinoise. *Pousses de bambou :* bourgeon, turion de la plante, utilisé comme légume. → 1. Pousse, cit. 2.1. *Poulet aux pousses de bambou.*

♦ **3** *Coup de bambou.* [a] (1919). Fig., fam. *Attraper un coup de bambou,* une insolation. — *Avoir le coup de bambou :* avoir un accès de folie, un comportement bizarre.

[b] Facture excessive, trop élevée. Cf. Coup de fusil (plus cour.), coup de barre.

♦ **4** (En franç. d'Afrique). Long pétiole de la feuille du palmier raphia* (*in* I. F. A.). *Paroi de case en bambous.*

DÉR. **Bambouseraie.**

**BAMBOULA** [bɑ̃bula] n. m. et f. — 1688, *bombalon;* 1797, *bamboula;* empr. à une langue de Guinée.

[I] N. m. ♦ **1** Vx. Tambour en usage chez les Noirs d'Afrique. → **Tam-tam.**

♦ **2** Argot, vx. Nègre, noir d'Afrique (terme raciste et condescendant).

[II] N. f. ♦ **1** Vx. Danse africaine exécutée au son du bamboula. Par ext. Danse primitive et violente. *Certaines danses américaines passent pour dériver de la bamboula.* — Musique d'une telle danse (→ cit. 2).

Les nègres aiment beaucoup à danser, on leur permettra d'inviter les noirs des habitations voisines; ils donneront des bamboulas, et tout l'argent y passera. 1
TERNAUX-COMPANS, Annales maritimes et coloniales, t. 93 (1845), *in* D. D. L. II, 12.

(...) ne croyez-vous pas qu'il y aurait mieux à faire que de tanguer sans grâce au son d'une atroce bamboula? 2
A. MAUROIS, les Discours du Dr O'Grady, XV, p. 167.

♦ **2** (1913, argot milit.). Fam., vieilli. *Faire la bamboula :* faire la noce, la bombe. → **Nouba.**

**BAMBOUSERAIE** [bɑ̃buzʀɛ] n. f. — Mil. XXe; de *bambou.*

Plantation de bambous.

1. **BAN** [bɑ̃] n. m. — XIIe; du francique *ban «proclamation». → Bannir.

♦ **1** [a] Hist. Proclamation officielle, publique, de qqch., en particulier d'un ordre, d'une défense.

[b] Proclamation solennelle d'un futur mariage à l'église. *Les bans de mariage sont affichés à la porte de l'église. On a publié les bans.* → **Publication** (de mariage).

(...) tant de jours pour réunir les papiers, tant de jours pour publier les bans à l'église : oui, cela ne mènerait jamais qu'au 20 ou 25 du mois pour les noces (...) 1
LOTI, Pêcheur d'Islande, I, II, 17, p. 221.

♦ **2** Roulement de tambour précédant la proclamation d'un ordre, la remise d'une décoration. *Ouvrir, fermer le ban.* — Arrêté municipal (issu d'un ancien droit féodal) fixant la date de l'ouverture de certains travaux agricoles. *Ban de vendange, de moisson.*

Par ext., fam. Applaudissements rythmés. *Un ban pour le vainqueur!*

♦ **3** Hist. Dans le système féodal, Convocation des vassaux par le suzerain, et, par ext., le corps de la noblesse ainsi convoqué. *Convoquer le ban et l'arrière-ban* (au propre et au fig.). → **Arrière-ban.**

Louis XIV fut conseillé de faire marcher le ban et l'arrière-ban. VOLTAIRE, le Siècle de Louis XIV, 12. 2

Hist. (sens extensif) :

2.1 (...) le *bannum,* le «ban», la mission de maintenir l'ordre, le droit de commander et de punir, est à l'origine d'importants transferts de richesses et légitime de nouvelles ponctions sur les ressources de la paysannerie.

G. DUBY, Guerriers et Paysans, VIIe-XIIe s., p. 54 (1973).

♦ **4** [a] Dr. féod. Exil qui était imposé par proclamation. → **Bannissement.** *Mettre qqn au ban.* → **Bannir.** — (Jusqu'au XIXe). Dr. pénal. Mesure équivalant à l'interdiction* de séjour. *Rompre son ban :* revenir au lieu où l'on n'a pas la permission de résider. *Être en rupture de ban,* se dit encore de l'interdit de séjour qui enfreint le jugement qui l'a condamné. → **Rupture.**

3 Le ban qui a mis l'exilé hors de son pays, semble l'avoir mis hors du monde (...)

CHATEAUBRIAND, le Génie du Christianisme, I, V, 7.

4 La loi le condamne à mort *(l'exilé),* pour avoir rompu son ban. CHATEAUBRIAND, les Natchez, VII, 289.

4.1 (...) comme un voyageur apprenant que faire le tour du monde c'est revenir à son point de départ,
comme un émigré constatant qu'ici ou là il sera toujours mis au ban,
comme Lazare pleurant — à en croire Oscar Wilde — d'avoir été ressuscité,
comme un qui crie «Au secours!» après s'être jeté à l'eau,
comme le chef d'État qui regrette l'époque où il luttait pour prendre le pouvoir (...)

Michel LEIRIS, Frêle bruit, p. 119.

Fig. *En rupture de ban :* affranchi des contraintes de son état.

5 Cet universitaire en rupture de ban se complaît dans les explications de textes et dans les évocations de textes.

A. MAUROIS, Études littéraires, Péguy, t. I, p. 236.

[b] Hist. *Mettre un prince au ban de l'empire* (dans l'ancienne constitution germanique), le déclarer déchu de ses droits et privilèges.

6 Charles V l'avait mis au ban de l'empire (...)

BOSSUET, Hist. des Variations, 2.

[c] Fig. *Mettre qqn au ban de la société, un pays au ban des nations,* le déclarer indigne, le dénoncer au mépris public.

7 En province, tous les conseils municipaux socialistes ont voté des ordres du jour pour célébrer la Patrie menacée, exhorter à la défense nationale, mettre l'Allemagne au ban des nations civilisées!

MARTIN DU GARD, les Thibault, VIII, p. 36.

♦ **5** (Du sens 2). Régional (Franche-Comté, Suisse). Loc. *Mettre à ban :* interdire, par décision judiciaire, l'accès de. *Mettre à ban les vignes,* en interdire l'accès dès que le raisin mûrit. *Lever le ban, les bans :* permettre l'accès aux vignes, pour tous les travaux nécessaires et pour les vendanges — *À ban,* formule d'interdiction d'entrer (pour un véhicule).

**DÉR. Banal, banneret, bannière.** ◊ **COMP. Arrière-ban.** — V. **Banlieue, banvin; forban.** ⁃ **HOM.** 2. **Ban, banc.**

2. **BAN** [bɑ̃] n. m. — 1697; mot croate.

Gouverneur d'une province croate, chef d'un *banat.*

**HOM.** 1. **Ban, banc.**

**BANAL, ALE** [banal] adj. — 1247; *bannel,* 1269; de 1. *ban.*

[I] (Plur. : *banaux*). ♦ **1** Dr. féod. Qui appartient au *ban,* circonscription du suzerain. *Fours, moulins banaux,* dont les gens d'une seigneurie étaient tenus de se servir en payant une redevance au seigneur.

♦ **2** Par ext. Qui est à la disposition de tous les habitants d'une commune. → **Communal.** *Four banal. Forêts banales.*

(...) quelques prairies banales où les plus gênés *(les pauvres)* menaient pacager leurs vaches (...) 1

E. FROMENTIN, Dominique, II.

[II] (Plur. : *banals;* exceptionnellement, *banaux;* 1778). ♦ **1** Fig. Qui est extrêmement commun, sans originalité. → **Commun, courant, impersonnel, insignifiant, insipide, ordinaire, pauvre, plat, quelconque, trivial, vulgaire.** *Propos banals. Phrases, idées banales.* → **Banalité, cliché...** *Ne pas s'écarter des routes banales.* → **Battu** (sentier). *Question banale, sujet banal.* → **Bateau, rebattu.** *Plaisanterie banale.* → **Usé, vieux.** *Un propos, un style banal et sentencieux.* → **Prudhommesque.** *Un esprit banal,* manquant d'originalité.

(...) une forte protestation contre tout ce qui est plat et banal. 2

RENAN, Souvenirs d'enfance..., Broyeur de lin.

(...) certaines phrases de la sonate (...) apparaissaient comme tellement banales qu'on ne pouvait pas comprendre comment elles avaient pu exciter tant d'admiration. 3

PROUST, À la recherche du temps perdu, t. XII, p. 76.

— C'est pas vrai, vous avez peur de Joseph, et même une trouille pas banale. 3.1

M. DURAS, Un barrage contre le Pacifique, p. 106.

N. m. Caractère de ce qui est banal. → **Banalité.**

Il avait moins que Gide l'horreur du banal, de l'ordinaire, «qui sont le pain quotidien de l'homme et du roman». 4

A. MAUROIS, Études littéraires, t. II, p. 166.

♦ **2** Inform. *Mémoire banale,* qui peut enregistrer des nombres, des adresses ou des instructions.

Math. *Solution banale d'une expression :* solution qui est nulle. → **Trivial.**

♦ **3** Ch. de fer. *Voie banale,* sur laquelle les trains circulent dans les deux sens (→ **Banaliser,** 3.).

**CONTR. Curieux, délicat, extraordinaire, nouveau, original, rare, recherché, remarquable.** ◊ **DÉR. Banalement, banaliser, banalité.**

**BANALEMENT** [banalmɑ̃] adv. — Av. 1845; de *banal.*

D'une manière banale. *Il s'exprime banalement.*

Nehru répondait banalement au speech banal d'un ministre des Affaires étrangères scandinave, et je me répétais : quand ai-je éprouvé ce sentiment d'assister à un spectacle condamné, avec ce sentiment de «déjà» vu?

MALRAUX, Antimémoires, Folio, p. 217.

**CONTR. Remarquablement.**

**BANALISATION** [banalizasjɔ̃] n. f. — 1906, Gide; de *banaliser.*

♦ **1** Action de rendre banal, généralisation. *La banalisation du tourisme.*

Je suppose que lorsque s'épanouit un Hitler, les conditions qui ont favorisé sa venue ont en même temps réveillé toutes sortes de petits sous-Hitler. Il y a donc dans le phénomène banalité ou banalisation.

Michèle PERREIN, Entre chienne et louve, p. 193.

♦ **2** Action de banaliser* (2.). *La banalisation d'un campus universitaire.*

♦ **3** Ch. de fer. Action de banaliser* (3.). → **Banal,** II., 3. — Équipement et mise en circulation d'une voie de chemin de fer dans les deux sens.

♦ **4** Suppression de toutes marques distinctives (sur un véhicule, etc.). *La banalisation des voitures de police.* → Banalisé.

**BANALISER** [banalize] v. tr. — 1842, J. B. Richard de Radonvilliers; de *banal.*

♦ **1** Rendre banal, ordinaire. *Cette coiffure le banalise.*

1 (...) époque terrible et grandiose que tant de livres, de tableaux, de lithographies, de romances, de mélodrames ne sont pas encore parvenus à banaliser.
Alphonse DAUDET, *in* LITTRÉ, Dict., Suppl.

Pron. *Se banaliser.*

2 Comme toute comparaison originale doit forcément, à la longue, se banaliser, n'en jamais faire.
J. RENARD, Journal, 1893, p. 145.

2.1 L'accumulation des meubles *rares* et des tapisseries *uniques* avait un effet curieux : ils se banalisaient par manque d'espace et l'appartement manquait d'une âme comme on manque d'air.
J. GREEN, Journal, 9 juin 1977, La terre est si belle, p. 149.

(Abstrait).

3 Mais j'ai eu sitôt ensuite le grand tort de fumer, ce qui a aussitôt banalisé et engourdi mon euphorie.
GIDE, Journal, 1923.

♦ **2** Dr. Mettre (un bâtiment administratif) sous le régime du droit commun. *Banaliser un campus universitaire.*

♦ **3** Techn. (ch. de fer). *Banaliser une locomotive,* la faire conduire par plusieurs équipes successives de machinistes. — *Banaliser une voie de chemin de fer,* la mettre en circulation tantôt dans un sens, tantôt dans l'autre ; l'équiper d'une double signalisation. → **Banal,** II., 3.

♦ **BANALISÉ, ÉE** p. p. adj. *Idées banalisées.* — *Bâtiment banalisé, voie banalisée.*

Dépourvu de ses signes distinctifs. → **Banalisation,** 2. *«(...) On peut prévoir que les voitures "banalisées" plus couramment appelées "voitures-pièges" seront une fois de plus utilisées»* (*le Monde,* 22 mars 1967).

4 (...) des agents de la sécurité veillent, aux carrefours, dans des voitures banalisées.
Philippe BERNERT, S. D. C. E., Service 7, p. 54.

DÉR. **Banalisation.**

**BANALITÉ** [banalite] n. f. — Mil. XVI^e ; de *banal.*

**I** Dr. féod. Obligation pour les gens d'une seigneurie de se servir du four, du moulin banal, moyennant redevance.

**II** Cour. ♦ **1** (XIX^e). Caractère de ce qui est banal (II., 1.). *Être en pleine banalité ; sortir de la banalité. La banalité de qqch., de qqn. D'une affligeante banalité.*

1 La banalité de la vie est à faire vomir de tristesse quand on la considère de près.
FLAUBERT, Correspondance, t. II, p. 36.

2 (...) ces gradins qui bordent la place étaient garnis d'une foule cosmopolite, à l'aspect navrant de banalité.
LOTI, Figures et Choses..., «Danse des épées».

3 (...) ses souvenirs, d'heure en heure, s'effaçaient davantage, sombraient sous la banalité ambiante.
LOTI, les Désenchantées, II, 5, p. 65.

4 Il ne faut jamais avoir peur de la banalité d'un sujet s'il vous émeut réellement.
A. MAUROIS, Bernard Quesnay, XXII, p. 146.

5 Et cette brève histoire d'amour, dans sa simplicité, on pourrait presque dire dans sa banalité humaine, trop humaine, est d'une mélancolie singulièrement prenante.
Henri LICHTENBERGER, Wagner, p. 57.

5.1 — Après ? répondit celui-ci : — suivez, je vous prie, ce raisonnement, dont, encore un coup, la miraculeuse banalité a cela de mortel *qu'elle ne peut sembler qu'un paradoxe.*
VILLIERS DE L'ISLE-ADAM, Tribulat Bonhomet, p. 32.

♦ **2** *(Une, des banalités).* Idée, propos, écrit banal. *Il ne débite que des banalités, il ne parle que de la pluie et du beau temps. Ce livre est un tissu de banalités.* → **Cliché, évidence, lieu** (commun), **pauvreté, platitude, poncif, stéréotype, truisme.**

(...) les conversations sont dignes et élevées, il s'y mêle peu de banalités et de commérages. 6
RENAN, Souvenirs d'enfance..., «Séminaire de Saint-Sulpice».

Cela *(le voyage)* donne d'ailleurs dans le monde une multitude de sujets de conversation et permet de débiter des banalités artistiques qui semblent toujours profondes. 7
MAUPASSANT, les Sœurs Rondoli, III.

Le duc de Réveillon parlait peu dans le monde. Et encore en parlant répétait-il plutôt une de ces banalités, un de ces lieux communs impersonnels, comme un usage auquel on se conforme, et qui ne pouvait passer pour l'expression individuelle de sa pensée particulière. 8
PROUST, Jean Santeuil, Pl., p. 78.

CONTR. (De II., 1.) **Nouveauté, originalité, relief.**

**BANANA SPLIT** [bananasplit] n. m. invar. — V. 1960 ; mot angl. des États-Unis, de *banana* «banane», et *split* «tranche».

Anglic. Dessert glacé composé d'une banane coupée en deux dans le sens de la longueur, accompagnée de glace à la vanille et de crème chantilly garnie d'amandes pilées. — On écrit aussi *banana-split.*

Banana-split, c'est la gourmandise provocante et puérile, l'appétit brut. Quand on vous l'apporte, les clients des tables voisines lorgnent l'assiette avec un œil goguenard. Car c'est servi sur assiette, le banana-split, ou dans une vaste barquette à peine plus discrète (...) le banana-split s'étale : c'est un plaisir à ras de terre. Un vague empilement de la banane sur les boules de vanille et de chocolat n'empêche pas la surface, exacerbée par une dose généreuse de chantilly ringarde.
Philippe DELERM, la Première Gorgée de bière..., p. 43.

**BANANE** [banan] n. f. — 1602, dans la trad. d'un ouvrage en lat. ; *bannana,* 1598 ; du port., lui-même emprunté à une langue bantou.

♦ **1** Fruit des zones tropicales, baie oblongue, à pulpe farineuse, à peau épaisse, que produit la grappe de fleurs du bananier (→ **Régime**) ; spécialt, ce fruit lorsqu'il est mûri pour pouvoir être consommé cru. *Bananes d'Afrique, des Antilles. Petites bananes des Canaries. Peler une banane. Peau, pelure de banane. Cueillir des bananes. Faire mûrir des bananes ; mûrisserie de bananes. Cargo transporteur de bananes.* → **Bananier,** 2. *Bananes flambées. Glace à la banane. Coupe glacée à la banane* (angl. *banana split*). *Glisser sur une peau de banane.*

Une ménagère entre : elle veut du gros sel, des bananes bien blettes, une boîte de sardines portugaises (...) 1
R. QUENEAU, les Enfants du limon, I, 1.

*Banane plantain,* consommée cuite (aux Antilles, en Afrique).

REM. En franç. d'Afrique et des Antilles, *banane,* employé seul, renvoie en général à la *banane à cuire ;* la banane sucrée est dite *banane douce,* ou *petite banane* (Zaïre ; *in* I. F. A.), *banane dessert, figue banane* ou même *figue* (figue sucrée, figue pomme...).

Loc. fig. **PEAU DE BANANE :** procédé déloyal destiné à «faire tomber» qqn. *Glisser une peau de banane à qqn.*

Adj. (1909). De la couleur de la banane mûre (jaune brun). *Feutre, robe de chambre banane.*

♦ **2** (1917). Fam. Médaille militaire (ruban jaune à liseré vert). — Par ext. Médaille, décoration.

Le capitaine est en permission. Il lui faut une femme. Allez donc faire un tour au bar. Balancé comme il l'est avec ses bananes ça ne traînera pas. 2
J. KESSEL, Tous n'étaient pas des anges, p. 486.

♦ **3** **a** Partie saillante verticale (butoir) d'un parechocs (d'automobile).

**b** Grand hélicoptère à deux rotors.

**c** T. d'antiquaire. Meuble déformé.

**d** Électr. et cour. *Fiche-banane* ou *banane :* fiche mâle à broche unique, d'usage courant en radio-électricité.

**e** (V. 1955). Coiffure masculine consistant en une épaisse mèche gominée enroulée au-dessus du front. *«Leurs cheveux luisants de gomina, ramenés sur le front en "banane" comme dans les films de Travolta»* (*le Nouvel Obs.*, 16 oct. 1978, p. 79). — *Chignon banane,* où les cheveux sont ramassés derrière la tête de manière à former un rouleau vertical.

DÉR. **Bananeraie, bananier.**

**BANANERAIE** [bananʀɛ] n. f. — 1928; de *banane;* a remplacé *bananerie* (1842).

Plantation de bananiers.

**BANANIER, IÈRE** [bananje, jɛʀ] n. m. et adj. — 1604, *bannanier; bananier,* 1640; de *banane.*

**I** N. m. Arbre des régions chaudes, plante monocotylédone *(Musacées)* herbacée et arborescente, dont les fruits disposés en grappes (régimes) sont les bananes. *Bananier textile,* qui donne le chanvre de Manille. → **Abaca.** *Bananier d'Abyssinie,* acclimaté en France. *Plantation de bananiers.* → **Bananeraie.**

1 (...) des bananiers, qui donnent toute l'année de longs régimes de fruits avec un bel ombrage (...)
BERNARDIN DE SAINT-PIERRE, Paul et Virginie, p. 21.

2 Des drapeaux déchiquetés, enlevés à l'ennemi : ses feuilles lacérées; et son corps est noir comme s'il sortait du feu. C'est ainsi qu'il est quand il est vieux, le bananier.
H. MICHAUX, Ecuador, p. 67.

3 La mère feignait de croire que ses bananiers, exceptionnellement soignés, donneraient des fruits exceptionnellement beaux et qu'elle pourrait les vendre. Mais surtout elle aimait planter, n'importe quoi et jusqu'à des bananiers dont la plaine regorgeait.
M. DURAS, Un barrage contre le Pacifique, p. 114-115.

**II** Adj. ♦ **1** *Cargo bananier,* ou, n. m., *un bananier :* cargo spécialement équipé pour le transport et le mûrissage des bananes.

♦ **2** Polit. *République bananière :* république qui présente une apparence de démocratie mais qui est en fait régie par les intérêts privés de la prévarication (comme les régimes d'Amérique centrale dominés par de grandes sociétés agricoles). *«On se croirait en plein roman policier dans une république bananière avec création de sociétés fictives, témoins douteux* (...)*»* (*le Monde,* 12 juil. 2000, p. 1).

**BANBAN** [bɑ̃bɑ̃] adj. et n. invar. — XIX^e; réduplication de la première syllabe de *bancal,* ou du rad. *bamb-.* → Bambin.

Fam., péj. Qui boite. *Elle est un peu banban.* → **Boiteux.** *Démarche banban.* — N. *Une banban.* — REM. Ce mot semble s'employer surtout au féminin.

(...) nous l'avions surnommé Bamban *(sic)* à cause de sa démarche plus qu'irrégulière (...)
Alphonse DAUDET, le Petit Chose, VI, p. 77.

**BANC** [bɑ̃] n. m. — V. 1040, *Alexis;* du germanique **bank,* anc. haut all. *banch.* → 1. Banque, banquet.

**I** Long siège, avec ou sans dossier, sur lequel plusieurs personnes peuvent s'asseoir côte à côte. → **Bancelle** (VX), 1. **banquette.** *Banc de pierre, de bois, de fer. Banc de jardin. Un banc adossé à la maison* (→ Adosser, cit. 3). *Les bancs d'un amphithéâtre.* → **Gradin.**

En classe un banc de chêne, usé, lustré, splendide, 1
Une table, un pupitre (...)
HUGO, les Rayons et les Ombres, XLIV.

Il regardait sur les bancs les pauvres assis, ceux pour qui 1.1
la chaise était une trop forte dépense.
MAUPASSANT, Fort comme la mort, p. 116.

*Les bancs de l'école. Nous avons été ensemble sur les bancs du collège. Il quitte à peine les bancs de l'école.* Par métonymie. L'école, l'université. *Être, se mettre sur les bancs :* aller à l'école, à l'université.

Il était sur les bancs de l'école de théologie (...) 2
BOSSUET, Oraison funèbre de François Bourgoing, I.

Siège réservé dans une assemblée. *Le banc des ministres,* à l'Assemblée nationale. *Banc des avocats. Banc des accusés,* au tribunal. *Siéger au banc du ministère public.* → 1. Palais, cit. 7. *Banc d'église :* place réservée dans une église. *Banc d'œuvre,* réservé aux marguilliers. *Banc de la presse.*

Ils allument des allumettes-bougies pour regarder les 2.1
sculptures du banc-d'œuvre. On baisse les sièges, on les relève.
J. RENARD, Journal, 15 oct. 1906.

Mar. *Les bancs d'une barque. Banc de quart,* sur lequel on peut s'asseoir pendant le quart. *Banc de rameurs* (VX), ou *banc de nage.*

Tout à coup elle aperçut les débris d'un navire qui venait 3
de faire naufrage, des bancs de rameurs mis en pièces (...)
FÉNELON, Télémaque, I.

(...) l'âpre et mélancolique insomnie du banc de quart. 4
RENAN, Souvenirs d'enfance..., Mon oncle Pierre, III.

Un banc à l'arrière, un second banc au milieu, pour main- 4.1
tenir l'écartement, un troisième banc à l'avant, un platbord pour soutenir les tolets de deux avirons, une godille pour gouverner, complétaient cette embarcation, longue de douze pieds, et qui ne pesait pas deux cents livres.
J. VERNE, l'Île mystérieuse, t. I, p. 311.

Loc. *Char à bancs.* → **Char.**

**II** Techn., comm. ♦ **1** Bâti, assemblage de montants et de traverses servant dans divers métiers. *Banc d'établi.*

(Dans des syntagmes, parfois réduit au mot isolé). *Banc à tirer,* pour l'étirage des métaux. *Banc à couper, à river. — Un banc de tourneur, de menuisier.* → **Établi, table.** — *Banc de verrier; banc à bardelles.* — Arm. *Banc d'épreuve pour mesurer la résistance des canons d'armes à feu. — Banc à broches :* appareil utilisé dans la filature du coton. *Banc d'étirage.*

♦ **2** Étal de marchand; table d'exposition et de vente dans un marché en gros.

Après les criées, lorsque Florent commençait son tour 4.2
d'inspection, à petits pas, le long des allées ruisselantes d'eau, il voyait parfaitement la belle Normande qui le suivait d'un rire effronté. Son banc, à la deuxième rangée, à gauche, près des bancs de poissons d'eau douce, faisait face à la rue Rambuteau.
ZOLA, le Ventre de Paris, t. I, p. 177-178.

♦ **3** Cin., télév. **BANC-TITRE** (n. m.) : dispositif comportant une caméra fixée sur un support mobile, destiné à l'intégration de textes à l'image (génériques, titres ...) et à la réalisation de certains truquages, par prise de vues image par image.

♦ **4 BANC D'ESSAI.** **a** Techn. Bâti sur lequel on monte les moteurs pour les éprouver.

À l'arrêt des bancs d'essai un délicieux silence se posa sur 4.3
les maisons (...) Les procès intentés à la Société par les propriétaires conjugués avaient déterminé la construction des tunnels pour étouffer le vacarme mais l'augmentation de la puissance des moteurs rendait cette correction insuffisante.
Pierre HAMP, la Peine des hommes (Moteurs), p. 109.

**b** (1927, «épreuve cycliste pour les débutants»). Fig. Concours organisé pour des débutants, où ils s'essayent. *Cette émission de télévision est un banc d'essai pour les jeunes comédiens.* — Ce par quoi on éprouve (une personne, une chose).

4.4 Le Congo n'est pas seulement un pays, un État, un malheureux État qui sollicite notre aide (...) C'est aussi pour le service public international que veut être notre Organisation *(l'O. N. U.)*, un banc d'essai; le banc d'essai par excellence!

Aimé CÉSAIRE, Une saison au Congo, I, XII.

**III** Amas (de diverses matières) formant une couche plus ou moins horizontale. ♦ **1** Géogr., mar. et cour. *Banc de sable, de vase...* → **Écueil.** *Banc de glace.* → **Banquise.** *Banc de sable, écueil sur lequel la houle se brise.* → **Barre; brisant.** *Banc de coraux.* → **Récif.** *Les bancs de Terre-Neuve.* → **Haut-fond.**

5 Nous présumons encore que non seulement le Groënland a été joint à la Norvège et à l'Écosse, mais aussi que le Canada pouvait être uni à l'Espagne par les bancs de Terre-Neuve, les Açores et les autres îles et hauts-fonds qui se trouvent dans cet intervalle des mers.

BUFFON, Œ. compl., t. XII, p. 276.

6 L'entrée de la rivière de Surinam est assez difficile à cause de ses bancs de sable (...)

G.-T. RAYNAL, Hist. philosophique..., XII, 27.

(1722). Au Canada. **BANC DE NEIGE :** amas de neige entassée naturellement (→ **Congère**), ou mécaniquement lors d'un déneigement. *Bancs de neige qui barrent la route.* — REM. Cet emploi, adapté de l'angl. *snow bank*, est critiqué au Québec même, où l'emploi de *congère*, peu naturel, ne semble pas le remplacer.

Fig. *Un banc de fumée, de nuages, de poussière, de brume.*

7 (...) des bancs de brume voyageaient au ras des eaux.

LOTI, Pêcheur d'Islande, p. 126.

♦ **2** *Banc de poissons :* grande quantité de poissons ou de mammifères marins d'une espèce, se déplaçant ensemble. → **Bande, colonie, formation.** *Un banc de harengs, de maquereaux. Banc de marsouins. Banc d'huîtres.* → **Huîtrière.**

8 (...) c'étaient des bancs de poissons volants qui s'étaient heurtés à nous et que nous avions réveillés.

LOTI, Mon frère Yves, XI, 51.

9 (...) on était au milieu d'une immense peuplade de poissons, d'un banc voyageur, qui, depuis deux jours, ne finissait pas de passer. LOTI, Pêcheur d'Islande, p. 12.

♦ **3** Géol., mines. Couche géologique composant un terrain. *Banc d'argile, de craie, de marne... Banc de pierre :* chaque lit de pierre dans une carrière, une mine. → **Assise, couche.**

DÉR. et COMP. **Bancal, bancelle, banche, bancroche,** 2. **banque.** — V. 1. **Banquette.** ◊ HOM. 1., 2. **Ban.**

**BANCABLE** ou **BANQUABLE** [bɑ̃kabl] adj. — 1877, Littré; du rad. de *banque.*

Commerce, finances.

♦ **1** Se dit des effets de commerce remplissant les conditions voulues pour être escomptés ou réescomptés par la Banque de France. *Le papier bancable doit porter au moins trois signatures de personnes notoirement solvables.*

♦ **2** Facilement négociable (se dit d'un effet, d'une valeur).

**BANCAIRE** [bɑ̃kɛʀ] adj. — Début XIXe; de *banque.*

Cour. Qui a rapport aux banques, aux opérations de banque. *Opération, organisation, régime, secteur, système bancaire. Chèque bancaire* (par oppos. à *chèque postal*). *Crédit, prêt bancaire.*

DÉR. **Bancarisation, bancarisé.**

**BANCAL, ALE, ALS** [bɑ̃kal] adj. et n. m. — 1747, Caylus; de *banc,* les pieds d'un banc étant souvent divergents ou de longueurs inégales.

**I** Adj. ♦ **1** Se dit d'une personne ou d'un animal qui a une jambe ou les jambes torses et dont la marche est inégale. → **Bancroche, boiteux, claudicant; banban** (fam.). *Des enfants bancals.*

♦ **2** Se dit d'un meuble dont les pieds sont inégaux, et qui n'est pas d'aplomb. → **Branlant; boiteux.** *Un siège, un tabouret, un escabeau bancal. Une table bancale.* — Qui n'est pas d'aplomb. *Une petite maison toute bancale.*

♦ **3** (Abstrait). Qui manque de rigueur, d'équilibre, de fondement. → **Aberrant, erroné, incorrect.** *Un raisonnement complètement bancal.*

On eût dit que les combinaisons équivoques, les solutions bancales, la misère morale et physique, le ratage sous toutes les formes l'attiraient irrésistiblement. 1

H. TROYAT, la Malandre, p. 23.

**II** N. m. (Déb. XIXe). Vx. Sabre de forme recourbée. *Un bancal, des bancals* (→ Bélière, cit.).

Titubant, son grand sabre cognant et s'embarrassant à tous les meubles, sans autre bonjour qu'un blasphème, *(le soudard)* lui signifiait, éructant et braillant, qu'elle eût à sortir son argent et à se hâter. Plusieurs fois même, comme elle tardait à s'exécuter, il avait à moitié dégainé son bancal et menacé la sainte fille de la partager en deux dans le sens de la longueur. 2

M. AYMÉ, le Passe-muraille, p. 153.

**BANCARISATION** [bɑ̃kaʀizasjɔ̃] n. f. — 1973; du rad. de *bancaire.*

Fin. Importance relative, dans la population, du nombre de titulaires d'un compte en banque. *Indice, taux de bancarisation. «Il y a vingt ans, ce taux de bancarisation* [français] *frisait tout juste les 30 %. Aujourd'hui, c'est le record du monde»* (*Elle,* 9 nov. 1987, p. 90).

**BANCARISÉ, ÉE** [bɑ̃kaʀize] adj. — 1984; du rad. de *bancaire.*

Fin. *Pays bancarisé,* dont la plupart des habitants possèdent un compte bancaire. *La France est l'un des pays les plus bancarisés du monde.*

**BANCASSURANCE** [bɑ̃kasyʀɑ̃s] n. f. — 1988; de *banque,* et *assurance.*

Fin. Distribution de produits d'assurance par les réseaux bancaires. *«La banque devient bancassurance, tandis que l'assurance s'efforce de devenir assurbanque* [sic]*»* (*le Monde,* 2 juin 1999, p. 6).

**BANCELLE** [bɑ̃sɛl] n. f. — 1479, *banc selle,* n. m.; 1597, *bancelle,* n. f.; de *banc,* et *selle* «siège sans dossier».

Vx, régional. Banc long et étroit à deux ou quatre pieds.

(...) posés sur une bancelle, des pains allongés et blondoyants. Corinna BILLE, le Sabot de Vénus..., p. 60.

**BANCHAGE** [bɑ̃ʃaʒ] n. m. — Mil. XXe; de *bancher.*

Techn. (maçonn.). Technique de coffrage du béton pour la construction des murs.

**BANCHE** [bɑ̃ʃ] n. f. — 1785; dial. fém. de *banc.* → 2. Banque.

Techn. (maçonn.). Côté d'un moule employé dans la construction d'un mur en pisé, en béton; le moule.

DÉR. **Banchée, bancher.**

**BANCHÉE** [bɑ̃ʃe] n. f. — 1785, *Encycl. méthodique*; de *banche*.

Techn. (maçonn.). Contenu du moule à pisé, à béton; assise de mur de la hauteur de la banche.

**BANCHER** [bɑ̃ʃe] v. tr. — 1953; de *banche*.

Techn. (maçonn.). Couler (du béton, du pisé) dans des banches. P. p. adj. (plus cour. que l'actif). *Béton banché.*

DÉR. **Banchage.**

1. **BANCO** [bɑ̃ko] adj. et n. m. — 1679; mot ital. «banc; comptoir de banque», var. de *banca*. → 1. Banque.

♦ **1** Adj. Vx. S'est dit des valeurs en banque indépendantes des variations du change. *Florin banco.*

♦ **2** N. m. (Au baccara et à d'autres jeux). *Faire banco* : tenir seul l'enjeu contre la banque. *Un banco de 50 000 francs.*

Interj. *Banco !*, utilisée pour annoncer qu'on tient le banco.

(Au jeu* des mille francs). Épreuve consistant en une question, plus difficile que les précédentes, qui permet en cas de réussite de gagner les 1 000 francs en jeu. *Tenterez-vous le banco ? Avoir l'accès au banco.*

♦ **3** Pop. Somme gagnée. «*Vingt louis de boni faisaient (...) un assez joli banco*» (Murger, *in* T. L. F.).

Vx. *Faire banco à qqn*, le défier.

Mod. Interj. *Banco !* formule par laquelle on relève un défi, on accepte une tâche difficile. «*Si c'était à refaire, elle dirait banco*» (*Téléobs.*, 1^er^ déc. 1994, p. 10).

HOM. 2. **Banco.**

2. **BANCO** [bɑ̃ko] n. m. — D. i.; d'une langue du Niger, selon I. F. A.

Franç. d'Afrique. Matériau de construction traditionnel en Afrique sahélienne, pisé «fait de terre argileuse délayée avec de la paille hachée et parfois du sable et du gravier» (*in* I. F. A.). → **Pisé.** *Villas en dur et cases en banco. Du banco.*

Amadou jeta un coup d'œil circulaire sur les murs en *banco*, d'un jaune frais.
Ousmane SEMBENE, Ô pays, mon beau peuple !, p. 51.

HOM. 1. **Banco.**

**BANCOULIER** [bɑ̃kulje] n. m. — 1808, Boiste; de *bancoul*, de *Bancoulen*, nom d'une ville de Sumatra.

Grand arbre des îles de la Sonde *(Euphorbiacées)*, l'une des deux principales espèces d'aleurite*. *Noix de bancoulier, de bancoul,* son fruit.

**BANCROCHE** [bɑ̃kʀɔʃ] adj. et n. — 1730; de *banc*, et de l'anc. adj. *croche* «crochu».

Fam. Qui a les jambes tordues. → **Bancal.** *Cette vieille est toute bancroche.*

N. *Un, une bancroche* (cf. Huysmans, Verhaeren, *in* T. L. F.).

**BANDAGE** [bɑ̃daʒ] n. m. — 1508, sens II; de *bander*, I.

**I** ♦ **1** (XVII^e^). Action de bander (I.), fait de recouvrir d'une bande ou d'un bandeau.

0.1 (...) le photographe prit des photos de tout le déroulement de la cérémonie, la lecture du verdict de mort (...) l'attachage du condamné au poteau planté dans un fossé, le bandage des yeux (...)
B. CENDRARS, Bourlinguer, p. 163.

Spécialt. Action de bander* une partie du corps, d'appliquer méthodiquement des bandes ou autres pièces destinées à fixer un pansement, à maintenir un organe (→ **Appareil**). *Le bandage de la tête d'un blessé.*

♦ **2** L'ensemble des pièces ainsi appliquées. *L'application d'un bandage. Enrouler, serrer, refaire, arracher, défaire un bandage. Maintenir un emplâtre* avec un bandage. Bandage simple.* → **Bande, écharpe, ligature, pansement.** *Bandage compressif, contentif. Bandage composé, en T, en fronde, en épi* (→ **Spica**). *Bandage formant coiffe ou bonnet.* → **Capeline.** *Bandage inamovible. Bandage ouaté, plâtré.* → **Cravate, drapeau, étrier, mentonnière, oreillette.** *Bandages mécaniques. Bandage herniaire.* → **Brayer.** *Bandage orthopédique.* → **Orthopédie.**

Il *(l'enfant)* est entouré de linges et de bandages de toute espèce (...) 1
ROUSSEAU, Émile, 1.

Ses jambes ! Entières... Vivantes ? Des bandages les emmaillottent, et elles sont garrottées, des genoux aux chevilles, sur des éclisses arrachées sans doute à quelque ancienne caisse d'emballage (...) 2
MARTIN DU GARD, les Thibault, t. VIII, p. 159.

♦ **3** (1521). Cercle métallique qui entoure la jante d'une roue. *Bandages d'une voiture hippomobile, des charrettes, des brouettes.*

Bientôt, les ouvriers apportent dans de grandes pinces le premier bandage de fer qui est déposé sur la couronne ardente et ne tarde pas à rougir. On amène alors la grande roue en bois toute neuve. 3
P. J. HÉLIAS, le Cheval d'orgueil, p. 231.

(1895). Bande de caoutchouc posée autour de la jante d'une roue. *Bandage de caoutchouc plein des premières automobiles.* — Par ext. Vx. *Bandage pneumatique.* → **Pneumatique.** — Mod. Partie extérieure d'un pneumatique, qui entoure la chambre à air.

(...) la poussière du chemin présentait des marques de pneumatiques, à bandages antidérapants. 4
M. LEBLANC, l'Aiguille creuse, p. 18.

**II** Rare. Action de tendre, de bander. *Le bandage d'un arc, d'une arbalète, d'un ressort.*

DÉR. **Bandagiste.**

**BANDAGISTE** [bɑ̃daʒist] n. — 1701; de *bandage*.

Techn., méd. Personne qui fabrique, qui vend des bandages chirurgicaux. → **Orthopédiste.**

**BANDAISON** [bɑ̃dɛzɔ̃] n. f. — 1837, Flaubert; de *bander* (II.).

(Rare). Fam., érotique. Érection du pénis; fait de bander (II.).

La bandaison, papa
Ça n'se commande pas
Georges BRASSENS, Fernande.

**BANDANA** [bɑ̃dana] n. m. — Répandu v. 1985; de l'hindi *bandhnu*, probablt par le portugais.

Petit carré de coton imprimé, servant de foulard ou de serre-tête. *Elle porte un bandana pour retenir ses cheveux. Des bandanas.*

Son bandana noué à la flibustier sur le capuchon du sweat, Momo essayait de battre son record de descente aux quartiers.
Yann QUEFFÉLEC, Disparue dans la nuit, p. 155.

**BANDANT, ANTE** [bɑ̃dɑ̃, ɑ̃t] adj. — 1920, argot; répandu v. 1975; de *bander* (II.).

Familier, érotique.

♦ **1** Qui provoque l'excitation sexuelle, qui fait bander (II.).

C'est que tu es vachement bandante, disait-il. Tu me rends fou tu sais.
Christiane ROCHEFORT, les Petits Enfants du siècle, p. 131.

♦ **2** Qui donne du plaisir, qui intéresse. → **Baisant.** *Ce n'est pas bandant.* → **Passionnant.**

1. **BANDE** [bɑ̃d] n. f. — Déb. XIIe, *bende;* francique **binda* «lien».

♦ **1** [a] Morceau d'une matière mince ou souple, plus long que large, qui sert à lier, maintenir, recouvrir, border ou orner qqch. → **Bandeau, lien, ligature; bandoulière, bretelle, lanière, ruban; banderole, rouleau.** *L'enfant découpait des bandes de papier. Bande d'expédition d'un journal. Mettre un journal sous bande. Faire sauter la bande d'un journal. Coller une bande sur une affiche. Bande de collage des cartes, des estampes.* → **Onglet.** — *Bande de toile, de tissu.* → **Laize, lé.**

0.1 (...) de solides volets, ôtés le matin, remis et maintenus le soir avec des bandes de fer boulonnées.
BALZAC, Eugénie Grandet, éd. 1838, p. 26.

0.2 En compagnie de quelques autres étudiants nous passâmes notre soirée à mettre des journaux sous bande.
R. ABELLIO, Ma dernière mémoire, t. II, p. 34.

Spécialt. *Bande utilisée pour fixer un pansement* (cit. 4), *un appareil chirurgical.* → **Bandage, bandelette, écharpe.** *Bande de coton, de tarlatane, de crêpe, de flanelle. Les chefs* (extrémités) *et le plein d'une bande de pansement. Rouler une bande à un ou deux globes. Bande de coton élastique, de caoutchouc. — Bande de sparadrap* (→ **Adhésif; agglutinatif**). *Défaire une bande. — Bande Velpeau* (ou, ellipt., *Velpeau,* n. f.) : bande élastique de crêpe de coton ou de laine, servant à maintenir des pansements.

[b] Partie ajoutée sur le bord d'un vêtement. *Manteau orné d'une bande de fourrure. Les bandes pourpres de la tunique des chevaliers* (angusticlave), *des sénateurs* (laticlave) *romains. — Accessoires vestimentaires de tissu, en forme de bande.* → **Bretelle, ceinture, écharpe, entre-deux** (broderie, dentelle), **épaulette, étole, frange, galon, guiche, jarretelle, jarretière, patte, ruban, ruche, volant.** *Bandes molletières*. Tapis fait de bandes de tissu* (→ **Catalogue**). *Accessoires de cuir en forme de bande.* → **Bandoulière, baudrier, bourdaloue, brayer, ceinture, ceinturon, courroie, dragonne, lanière, sangle, trépointe.** — *Bande de feutre aux joints d'une fenêtre, d'une porte.* → **Bourrelet.** — *Bande de fer, d'acier,* de la jante d'une roue. → **Bandage, embattage.** *Bande de fer soutenant un gond de porte, de volet.* → **Penture.**

1 Un long morceau de fer arrondi ou carré est une **barre** de fer; mais s'il est aplati, mince, beaucoup plus large qu'épais, c'est une **bande** (...) Les bandes sont comme des lames, des rubans, de larges barres ou de larges raies.
LAFAYE, Dict. des synonymes, Barre, bande...

[c] Ruban (d'une matière quelconque). — Spécialt. Film cinématographique, qui a la forme d'une bande. → **Pellicule.** *La bande a sauté à la projection. Bande sonore,* ou *bande-son :* support matériel de l'enregistrement sonore (d'un film). *Bande-image, bande-effets, bande-musique.* — Par métonymie. *Bande-annonce d'un film.* → **Annonce.** *Bande vidéo promotionnelle.* → 2. **Clip.**

1.1 Et qui a vu tourner la moindre scène de film, comprendra exactement ce que nous voulons dire. Nous voulons disposer, pour un spectacle de théâtre, des mêmes moyens matériels qui, en éclairage, en figuration, en richesses de toutes sortes, sont journellement gaspillés pour des bandes, sur lesquelles tout ce qu'il y a d'actif, de magique dans un pareil déploiement, est à jamais perdu.
A. ARTAUD, le Théâtre et son double, p. 191.

On fait repasser les Juifs non plus au four crématoire ou à la chambre à gaz, mais à la bande-son et à la bande-image, à l'écran cathodique et au microprocesseur. L'oubli, l'anéantissement atteint enfin par là à sa dimension esthétique — il s'achève dans le rétro, ici enfin élevé à la dimension de masse. La télé : véritable «solution finale» à l'événement. 1.2
J. BAUDRILLARD, De la séduction, p. 217-218.

*Bande magnétique d'un magnétophone, d'un ordinateur.* → **Ruban.** *Bande vidéo :* bande magnétique pour l'enregistrement des images et du son. → **Magnétoscope; vidéo.** *Pistes d'une bande magnétique. — Enregistrer sur bande. La bande a cassé. Passer une bande. Enregistrer une bande.* — Spécialt (par oppos. à *cassette**). *Magnétophone à bandes. — Bande sans fin*, montée en bande de Moebius* (→ ci-dessous, 6.).

*(Démontrer)* qu'il était possible de faire chanter et danser des personnages avec une musique sur bande. 1.3
Pierre SCHAEFFER, la Musique concrète, p. 23.

*20 Mai 1938.* Chez Karl F. qui possède un étrange appareil américain grâce auquel on peut enregistrer sur des bandes magnétiques — puis faire entendre à nouveau — tous les bruits recueillis par un microphone auquel un très long fil confère une certaine mobilité. 1.4
M. TOURNIER, le Roi des Aulnes, p. 85.

*Bande-amorce.* → **Amorce.**

*Bande perforée d'ordinateur, de télex :* bande de papier ou de plastique, perforée selon un code qui permet de transmettre l'information.

♦ **2** Partie étroite et allongée de qqch. *Bande de terrain, de terre.* → **Plate-bande.** *Une bande de fraisiers longe le verger. Exploiter une forêt par bandes. Les bandes d'un arc-en-ciel.* — Mar. *Bande de ris*.*

*Bandes d'une chaussée :* parties limitées par une ligne. *Chaussée à trois bandes. Bande d'arrêt d'urgence :* sur une autoroute, Voie aménagée le long de chacune des chaussées, sur laquelle on peut stationner en cas de panne ou d'incident. *Bande d'atterrissage des avions* (trad. angl. *landing strip*).

Des trois bandes ou régions qui divisaient devant nous la plaine d'Athènes, nous traversâmes les deux premières (...) 2
CHATEAUBRIAND, Itinéraire..., II, 169.

L'azur du ciel, traversé par des bandes verdâtres, sembla se décomposer dans une lumière louche. 3
CHATEAUBRIAND, les Martyrs, II, 239.

Les fuseaux horaires divisent assez exactement le continent en bandes de civilisation. 4
André SIEGFRIED, l'Âme des peuples, II, p. 203.

Large rayure. → **Raie.** *Tissu à bandes vertes. Les bandes d'un drapeau. Les bandes du pelage d'un animal.* → **Zébrure.** *Marqué de bandes.* → **Fascié** (zool.), **rayé, bandé.**

C'est un papier gris pâle, rayé verticalement de bandes à peine plus foncées; entre les bandes foncées, au milieu de chaque bande claire, court une ligne de petits dessins, tous identiques, d'un gris très sombre. 5
A. ROBBE-GRILLET, Dans le labyrinthe, p. 19.

Mar. Rayure horizontale sur un phare, une balise (par opposition à la *raie,* verticale).

Blason. Pièce honorable allant de l'angle dextre du chef de l'écu à l'angle senestre de la pointe (par opposition à la *barre*).

♦ **3** Ensemble d'objets placés bout à bout, constituant une forme longue et étroite. *Une bande de clichés aériens. Bande de mitrailleuse,* sur laquelle sont fixées les cartouches. *Bande de timbres-poste.* Archit. *Immeuble en bande.* → **Barre** (II., 1.).

♦ **4** (Attesté 1940 (contrats de *Opera Mundi*); aurait été employé par P. Winkler après 1930, pour traduire l'angl. *comic strip*). N. f. **BANDE DESSINÉE :** suite de dessins qui racontent une même histoire ou présentent un même personnage dans un journal, une publication. → **B.D.** (ou **bédé**); **comics** (anglic.). *Acheter* *le journal pour les bandes dessinées. Dessinateur* (→ Cartoonist), *scénariste de bandes dessinées. Bulles**, *ballons; cases**, *vignettes de bandes dessinées. Histoire en bandes dessinées. Récit de bandes dessinées. Page* (→ **Blanche**), *album de bandes dessinées.* → aussi les anglicismes **Comic book,** 2. **strip** (cit.). *Journal, périodique, revue de bandes dessinées.*

6 Sur la troisième *(vitrine du kiosque)*des journaux d'enfants, la plupart des bandes dessinées. Besson regarda les petits bonshommes habillés en cow-boys; une bulle blanche sortait de la bouche ouverte de l'un deux (...)

J.-M. G. LE CLÉZIO, le Déluge, II, p. 81.

Par métaphore :

7 La légende sérieuse, ce sera la Légende Dorée, non le *Roman d'Alexandre*, bande dessinée du merveilleux. Les conquérants ne sont pas édifiants.

MALRAUX, l'Homme précaire et la Littérature, p. 25.

Absolt. *Lire la dernière bande d'un auteur. Les bandes d'un quotidien.*

Genre littéraire que constituent ces ouvrages. *La bande dessinée contestataire. La bande underground. La bande dessinée américaine. La bande dessinée d'humour, d'anticipation. La bande dessinée pour enfants. Essai sur la bande dessinée.*

♦ **5** Rebord élastique qui entoure le tapis d'un billard (→ 3. **Bande**). *Toucher la bande. Jouer par la bande.*

Fig. *Prendre qqn, faire qqch. par la bande,* de biais, par des moyens indirects, en n'attaquant pas de front.

8 À vrai dire ces grands beaux musclés du cinéma, tous ces bouffis d'arrogance, finiraient par fonctionner à vide si quelques figures sans éclat apparent ne venaient par la bande donner leur mot.

Annie LECLERC, Parole de femme, p. 26.

♦ **6** Math. Région d'un plan limité par deux droites parallèles. — *Bande de Mœbius :* figure dans l'espace (surface) dont on obtient une image en collant l'une contre l'autre les deux extrémités d'une bande de papier préalablement torsadée une fois (elle n'a qu'un seul côté et une seule face).

(1882). Phys. Ensemble des fréquences comprises entre deux limites. *Spectre de bandes :* spectre optique composé d'un ensemble de bandes lumineuses. → **Raie.**

(Attesté 1903, in *Rev. gén. des sc.*, n° 2, p. 112). *Bande d'absorption d'un spectre :* zone sombre due à l'absorption de radiations par certaines substances. → **Raie.**

Télécomm. *Bande de fréquences :* ensemble des fréquences comprises entre deux limites. *Largeur de bande :* différence entre la fréquence la plus haute et la fréquence la plus basse d'un tel ensemble. *Fréquence porteuse d'une bande. Bandes latérales (inférieure, supérieure) d'une bande de fréquences. Bande latérale unique* (abrév. : B. L. U.) : émission restreinte à l'une des deux bandes latérales de la bande de fréquences. *Bandes latérales indépendantes* (abrév. : B. L. I.) : émission dont les deux bandes sont indépendantes. *Bandes de fréquences réservées aux amateurs. Bande marine. Bande chalutiers.* (Au Québec). *Bande publique* (recomm. off. pour *citizen band*). → **Citizen band; cibiste.** *Bande passante d'un appareil destiné à la reproduction des sons,* l'ensemble des fréquences qu'il peut reproduire.

9 Or, pour diminuer le bruit de fond, on peut diminuer la bande passante, ce qui diminue aussi le rendement en information du canal envisagé.

Gilbert SIMONDON, Du mode d'existence des objets techniques, p. 134.

DÉR. **Bandé, bandeau, bandelette, bander, bandereau.** ◊ COMP. **Bibande, longibande, passe-bande, plate-bande, sous-bande, télébande.** ◆ HOM. 2. **Bande,** 3. **bande.**

2. **BANDE** [bɑ̃d] n. f. — 1360; *banda* «bande» (→ Bannière); du germanique *bandwa* «étendard».

♦ **1** Vx. Groupe d'hommes rangés sous une même bannière, un même chef. → **Armée, compagnie, troupe.** *Des bandes armées, des bandes rebelles.*

Il faut donner un chef à votre illustre bande. 1

CORNEILLE, Héraclius, II, 6.

L'armée ennemie (...) est composée de ces vieilles bandes wallonnes. 2

BOSSUET, Oraison funèbre du prince de Condé.

♦ **2** Groupe organisé et stable de personnes associées pour quelque dessein. → **Association, compagnie, équipe, groupe, troupe.** *Une bande d'adolescents, de jeunes. Une dangereuse bande. Une bande de brigands, de pirates.* → **Gang.** *Bande d'apaches* (→ 2. **Apache,** cit. 1). *Le chef, le meneur de la bande. Être de telle ou telle bande. Faire qqch. avec sa bande. La bande à Bonnot.*

Il demanda si on n'avait pas entendu parler de cette bande de jeunes gens qui avaient fait tant de fracas dans les environs (...) 3

VOLTAIRE, Jenni, 7.

(...) les vagabondages imprévus, avec une bande de petits amis dont j'étais le chef indiscuté (...) 4

LOTI, Figures et Choses..., p. 28.

Une fois là pourtant la bande commença à s'égrener. 5

ALAIN-FOURNIER, le Grand Meaulnes, p. 216.

Toute une équipe nous étions... Toute une bande de *durs*... qu'est-ce qu'ils sont devenus? 6

MARTIN DU GARD, les Thibault, t. V, p. 59.

Par dénigrement. → **Clan, clique, coterie, ligue, parti.** Fam. *Toute la bande.*

Les dieux en furent étourdis, 7
Et Jupiter, et Némésis,
Et les juges d'enfer, enfin toute la bande.

LA FONTAINE, Fables, XII, 14.

(...) rien que des gens de cour, des mandarins, bandes ténébreuses qui gouvernent et pressurent ce vieux royaume de poussière. 8

LOTI, Figures et Choses..., p. 250.

Si de nos jours on parle dans la presse de bandes formées par des déserteurs américains et des voyous français il ne s'agit pas d'organisation, mais d'accidentelles et brèves collaborations entre trois ou quatre hommes au plus. 8.1

Jean GENET, Journal du voleur, p. 105.

Regroupement occasionnel de personnes ayant des points communs. *Aller en bande. Une joyeuse bande. Une bande d'étudiants sort de la faculté. Bande d'écoliers. Faire partie d'une bande, appartenir à une bande. Une bande de débauchés traîne dans la rue.*

André Vasling s'était pris d'amitié pour les deux matelots norvégiens. Aupic faisait aussi partie de leur bande, qui se tenait généralement à l'écart, désapprouvant hautement toutes les nouvelles mesures. 8.2

J. VERNE, Un hivernage dans les glaces, p. 301.

Terme d'insulte collective. *Bande d'idiots! Bande de lâches!...* → **Tas.**

♦ **3** (Mil. XVI^e). *Faire bande à part :* se retirer, se mettre à l'écart d'un groupe (au propre et au fig., en parlant de plusieurs personnes).

(...) les dames et Albertine, faisant bande à part pour ne pas gêner la conversation, se tenaient éloignées (...) 9

PROUST, À la recherche du temps perdu, t. X, p. 227.

♦ **4** Groupe d'animaux. *Une bande de loups affamés. Les perdreaux vont par bandes* (→ Alerte, cit. 3). → **Banc, horde, meute.**

Toute la bande des amours 10
Revient au colombier (...)

LA FONTAINE, Fables, VI, 21.

DÉR. 2. **Débander.** ◊ HOM. 1., 2. **Bande.**

3. **BANDE** [bɑ̃d] n. f. — 1616; prov. *banda* «côté»; du germanique *bandwa*. → 2. Bande.

♦ **1** Mar. Vx. Côté.

♦ **2** Mod. Inclinaison que prend un navire sur un bord. → **Gîte.** Loc. **DONNER DE LA BANDE.** *Bateau qui donne de la bande* (cour.).

On roulait beaucoup. Le cargo piquait droit dans le sud, traversant le golfe du Mexique. Comme il était sur lest, il me semblait qu'il donnait toujours plus de la bande. Les machines cognaient par à-coups.
B. CENDRARS, Moravagine, *in* Œ. compl., t. IV.

HOM. 1., 2. **Bande.**

**BANDÉ, ÉE** [bɑ̃de] adj. — 1690, Furetière, art. *Bande* — certainement antérieur —; de 1. *bande*.

Blason. Qui porte plusieurs bandes. *Écu bandé d'or et de sable.*

HOM. **Bander** (p. p.).

**BANDEAU** [bɑ̃do] n. m. — 1105, *bendel*; de 1. *bande*.

♦ **1** Bande* qui sert à ceindre le front, la tête. → **Serre-tête, tour** (tour de tête), **turban.** *Bandeau servant à maintenir en arrière des cheveux longs. Skieur qui porte un bandeau pour se protéger les oreilles du froid. Bandeau de soie, noué. Bandeau élastique. Mettre un bandeau à un blessé.* → **Bandage.** *Bandeau de front.* → **Frontal, fronteau.** *Le bandeau d'un képi. Le bandeau d'une coiffe. Bandeau de religieuse, d'infirmière.* → **Coiffe, fronteau.** *Bandeau royal,* dont les anciens rois ceignaient leur front. → **Couronne, diadème.**

0.1 Un mouchoir ceignait son front comme le bandeau d'une blessure, et comprimait les touffes d'une chevelure drue (...) Th. GAUTIER, le Capitaine Fracasse, p. 107.

1 Je vous ceins du bandeau préparé pour sa tête.
RACINE, Andromaque, III, 7.

2 Et ce bandeau royal fut mis sur votre front
Comme un gage assuré de l'empire de Pont (...)
RACINE, Mithridate, I, 3.

(1805, *in* D. D. L.). Par anal. Cheveux plaqués et tirés sur les côtés de la tête.

3 (...) une charmante figure de jeune fille romaine élégamment vêtue, et dont les cheveux noirs, tressés en bandeaux autour du front, étaient rattachés derrière par deux longues épingles d'or (...) LAMARTINE, Graziella, I, 1.

3.1 Ses bandeaux, doucement bombés vers les oreilles, luisaient d'un éclat bleu; une rose à son chignon tremblait sur une tige mobile, avec des gouttes d'eau factices au bout de ses feuilles. FLAUBERT, Mme Bovary, I, VIII.

♦ **2** Morceau d'étoffe qu'on met sur les yeux de quelqu'un pour l'empêcher de voir. *Mettre un bandeau pour jouer à colin-maillard. Borgne qui porte un bandeau sur l'œil. On mit un bandeau sur les yeux du condamné.* → **Bander,** I.

4 Ceux qu'on condamne au supplice affectent quelquefois une constance et un mépris de la mort qui n'est en effet que la crainte de l'envisager; de sorte qu'on peut dire que cette constance et ce mépris sont à leur esprit ce que le bandeau est à leurs yeux.
LA ROCHEFOUCAULD, Maximes, 21.

*On représente la justice avec un bandeau pour marquer qu'elle doit être impartiale; l'Amour et la Fortune pour signifier leur aveuglement.* → **Amour** (cit. 44). — Fig. → **Aveuglement.** *Avoir un bandeau sur les yeux :* être aveuglé sur quelque chose. → **Aveugle.** *Arracher, ôter, faire tomber le bandeau des yeux de qqn.* → **Arracher** (cit. 16); **dessiller, ouvrir** (les yeux).

5 Otez le bandeau qui me cache moi-même à moi-même (...)
MASSILLON, Lazare.

6 Le bandeau de l'erreur aveugle tous les yeux (...)
VOLTAIRE, la Henriade, 6.

Aux superstitions j'arrache le bandeau (...) 7
VOLTAIRE, Pour et contre.

*(La maturité)* fait tomber le bandeau de la crédulité (...) 8
VOLTAIRE, Mahomet, II, 6.

Les enfants ne se doutent de rien, et ils arrivent à l'âge de vivre à leur tour avec un bandeau sur les yeux et sur l'esprit (...) MAUPASSANT, Clair de lune, «Pardon». 9

On pourrait comparer Napoléon III à un homme qui marchait avec un bandeau sur les yeux tandis que son ennemi voyait clair. J. BAINVILLE, Hist. de France, XX. 10

♦ **3** Archit. Plate-bande unie, autour d'une baie de porte ou de fenêtre. → **Frise, moulure, plate-bande.** *Bandeau sculpté.*

COMP. **Bandoline.**

**BANDELETTE** [bɑ̃dlɛt] n. f. — 1377; dimin. de 1. *bande,* ou de *bandel*. → Bandeau.

♦ **1** Bande étroite. *Les bandelettes du maillot des nouveau-nés.* → **Emmaillotement.** *Bandelettes agglutinatives pour les pansements* (→ **Adhésif**). *Bandelettes métalliques renforçant un pneu. Les bandelettes des momies égyptiennes.*

Une mince bandelette enroulant ses spirales infinies autour des membres (...)
Th. GAUTIER, le Roman de la momie.

Spécialt. (Au plur.). Petites bandes dont les prêtres païens se ceignaient le front, dont on parait les victimes. → **Infule.** *Les bandelettes sacrées.*

♦ **2** Archit. Moulure plate, peu saillante, plus étroite que la bande. → **Bande, bandeau, plate-bande.**

**BANDER** [bɑ̃de] v. tr. — Av. 1150; de 1. *bande*.

**I** ♦ **1** Entourer d'une bande que l'on serre. *Bander une plaie, une blessure. Bander le front d'un blessé.* → **Bandage, panser.**

Au p. p. *Une momie entièrement bandée.*

Octave passant s'est donné le souci de bander ma blessure (...) ROTROU, Venceslas, IV, 2. 1

Couvrir (les yeux) d'un bandeau*. *Au colin-maillard, on bande les yeux de l'un des partenaires. Bander les yeux d'un condamné avant de le fusiller.*

On bandait les yeux de ceux qu'on décapitait pour crimes de trahison envers le roi et l'État (...) 2
SAINT-FOIX, Œuvres, t. IV, p. 217.

Il accomplissait sa petite tâche quotidienne à la manière du cheval de manège qui tourne en place, les yeux bandés, ignorant de la besogne qu'il broie. 3
FLAUBERT, Mme Bovary, I, 1.

♦ **2** **a** Tendre* avec effort. *Bander la corde d'un arc. Bander une arbalète, un arc* (→ **Arc,** cit. 3). *Bander un ressort. Bander un tambour,* serrer les cordes pour tendre la peau.

De son arc toutefois il bande les ressorts. 4
LA FONTAINE, Fables, VIII, 27.

(...) Chrysanthème est gentille, lançant ses flèches, la taille cambrée en arrière pour mieux bander son arc (...) 5
LOTI, Mme Chrysanthème, I, 11, p. 78.

(...) chaque fois que le ressort commençait à être bien bandé, crac, il échappait au cran d'arrêt : tout était à recommencer! 6
MARTIN DU GARD, les Thibault, t. IV, p. 179.

**b** Fig. Vx ou littér. Tendre*. *Bander ses muscles. Bander son esprit,* l'appliquer fortement à qqch. (→ **Application, attention, contention**). *Bander sa volonté.*

Cette contention de l'âme trop bandée et trop tendue à son entreprise. MONTAIGNE, Essais, I, 10. 7

Bandant bien tous les ressorts de son esprit (...) 8
SCARRON, le Roman comique, II, 15.

Il se dressa, se raidit, bandant tous ses muscles pour ne pas perdre une ligne de sa taille. 9
G. DUHAMEL, le Désert de Bièvre, II.

C Archit. *Bander un arc, une voûte,* en poser le dernier claveau, qui formera la clef de voûte. **Se bander** v. pron.

Au propre et au fig. → **Raidir** (se), **roidir** (se), **tendre** (se). Le sujet désigne les muscles, les nerfs, la volonté, etc. (le sens II, 2 fait qu'il est presque impossible d'employer le pronominal avec un sujet nom de personne).

10 Les muscles s'affermissent, les nerfs se bandent.
BOSSUET, Traité de la connaissance de Dieu, II, 12.

11 Dans la fièvre ardente qui le brûlait, sa volonté, au fond d'elle, semblait se bander et résister au délire, tellement elle craignait de parler. ZOLA, la Terre, t. II, p. 170.

12 Car Édouard est un de ces êtres dont les facultés, qui dans le tran-tran coutumier s'engourdissent, sursautent et se bandent aussitôt devant l'imprévu.
GIDE, les Faux-monnayeurs, I, 14.

II V. intr. ♦ **1** Vx. Être tendu. *Cette corde bande trop* (Académie).

♦ **2** (1677). Fam., érotique. Cour. Être en érection. → **Bandaison, bandeur.**

13 L'imagerie populaire a persuadé les femmes qu'un résistant était un personnage noble, vaillant et qui bandait sans cesse. Roger NIMIER, le Hussard bleu, p. 160 (1950).

14 Mais à vingt-cinq ans il bande encore, l'homme moderne, physiquement aussi, de temps en temps, c'est le lot de chacun, moi-même je n'y coupais pas, si on peut appeler cela bander. Elle s'en aperçut naturellement, les femmes flairent un phallus en l'air à plus de dix kilomètres (...)
S. BECKETT, Premier amour, p. 21.

15 J'ai compris ce jour-là ce que signifiait bander. Un cep de vigne, galbé et regimbant sous mes jeans, la trique permanente, sans un temps mort, l'être résumé dans la culotte. André HARDELLET, Lourdes, lentes..., p. 29.

16 Quand je pense à Fernande,
Je bande, je bande,
Quand j'pense à Félici',
Je bande aussi,
Quand j'pense à Léonore,
Mon Dieu, je bande encore,
Mais quand j'pense à Lulu,
Là, je ne bande plus. Georges BRASSENS, Fernande.

(1813, cit.). Fig., fam. Être très excité (par qqch.), avoir un vif intérêt (pour qqch.). *Bander pour qqch. L'électrotechnique, ça ne me fait pas tellement bander.* → **Bandant** (2.).

17 Je ne b... pour aucun livre, et ce n'est que dans cet état heureux que je lis avec fruit, avec augmentation de mon magasin d'idées.
STENDHAL, Journal, 15 sept. 1813, p. 1276.

18 *(Les)* agissements de Marcel, responsable, cette ordure, de la déchéance de Monique. Scandalisé, bandant pour l'ordre et la justice, le directeur du Nid se mit en rapport avec la police.
Martin ROLLAND, la Rouquine, p. 117-118.

CONTR. (Du I.) 1. **Débander, détendre,** 2., **relâcher.** — (Du II.) **Débander.** ◊ DÉR. (Du I.) **Bandage.** — (Du II.) **Bandaison, bandant, bandeur.** — COMP. **Sous-bandé.** — HOM. **Bandé.**

**BANDEREAU** [bɑ̃dʀo] n. m. — 1636; de 1. *bande.*

Techn. Cordon servant à porter une trompette en bandoulière.

**BANDERILLE** [bɑ̃dʀij] n. f. — 1782; mot esp., dimin. de *bandera* «bannière».

Dard orné de bandes multicolores que les toreros (soit les banderilleros, soit le matador lui-même) plantent dans le garrot du taureau, pendant la corrida. *Planter, poser des banderilles* (on rencontre parfois le v. *banderiller*). *Exciter le taureau avec des banderilles.*

1 Le taureau (...) mal habitué encore au déchirement lacérant des banderilles qui battaient son épaule (...) cherchait l'ennemi qui le faisait souffrir.
Joseph PEYRÉ, Sang et Lumières, p. 289.

Par métaphore ou fig. *Planter des banderilles :* effectuer des attaques brèves (contre qqn, une institution).

Cette banderille, encore qu'hypothétique, plantée dans son dos, Martial vit rouge. 2
Jean-Louis CURTIS, le Roseau pensant, p. 93.

DÉR. (De l'esp.) **Banderillero.**

**BANDERILLERO** [bɑ̃deʀijeʀo] n. m. — 1782; mot esp., de *banderilla* «banderille».

Torero spécialisé dans la pose des banderilles. *Les banderilleros et les picadors.*

La grosse masse à panse velue pivote
fonce
et les broderies dorées du banderillero se reflètent à ses flancs
en dentelle de sang.
Michel LEIRIS, Haut mal, p. 147.

**BANDEROLE** [bɑ̃dʀɔl] n. f. — 1578; *bannerolle,* 1446; ital. *banderuola,* de *bandiera* «bannière».

♦ **1** Petite bannière en forme de flamme. *Des banderoles flottaient aux mâts et aux vergues du navire.* → **Flamme.**

En tête, une bande d'Arabes dansent au son du tam-tam, 1
en agitant en l'air de longues perches enroulées de banderoles d'or. LOTI, Aziyadé, XXI, p. 62.

♦ **2** Mod. Grande bande de tissu qui porte une inscription. *Accrocher des banderoles sur les façades des maisons pour souhaiter la bienvenue à un chef d'État étranger. Banderole revendicative dans une manifestation. Porter, brandir une banderole* (→ Calicot). *Défiler sous les banderoles d'un syndicat.*

D'où ils se trouvaient (...) ils (...) ne pouvaient pas encore 2
lire ce qui était écrit sur la banderole : elle aussi semblait flotter un peu en arrière du corbillard et légèrement décalée sur le côté, entraînée au gré des remous, se tordant, se détendant, s'affalant, se redressant, fragile et inconsistante... Claude SIMON, le Palace, p. 86.

REM. Le dér. *banderoler* «orner de banderole» est attesté :

Tu as raison de banderoler la limite obscure, 3
toute brillante de nuit.
ÉLUARD, Ode à Salvador Dali, Pl., t. I, p. 859.

**BANDEUR, EUSE** [bɑ̃dœʀ, øz] n. — XXe; de *bander,* II.

Vulg. Personne (d'abord : homme) toujours disposée à l'acte sexuel (→ **Bander, II.**).

Tiens, si je prends l'exemple de Marinette, faut l'entendre baratiner les clients; des fois je me marre en l'écoutant... Ils doivent la prendre pour une vieille bandeuse, les caves, à sa façon de détailler, au ton qu'elle met.
Albert SIMONIN, Touchez pas au grisbi, p. 166.

**BANDIÈRE** [bɑ̃djɛʀ] n. f. — 1305; soit de l'anc. provençal *bandiera,* de *banda* (→ 2. Bande) avec infl. de *bannière,* soit de l'ital. *bandiera* «bannière» lui-même empr. à l'anc. provençal.

Vx. Bannière. — Loc. *Front de bandière :* ligne des drapeaux devant une troupe campée ou déployée.

Les Samoièdes, les Lapons, les Kamshatkadiens n'ont jamais marché en front de bandière pour détruire leurs voisins.
VOLTAIRE, Dict. philosophique, Armes, armées.

**BANDIT** [bɑ̃di] n. m. — 1621; ital. *bandito* «banni, hors la loi», de *bandire,* «bannir», même orig. que bannir. → Forban.

♦ **1** Vx. Malfaiteur vivant hors la loi. *Bandit d'honneur. Bandit corse. Un bandit de grands chemins,* qui opérait sur les principales routes, s'attaquant aux voyageurs. *Un bandit vivant de vols et de meurtres. Repaire de bandits.* → **Apache, arsouille, assassin, bandolier** (vx), **brigand, criminel,**

**coupe-jarret, écumeur, escarpe, filou, flibustier, forban, gangster, incendiaire, malandrin, malfaiteur, miquelet** (espagnol), **pirate, terreur, vagabond, vaurien, voleur.**

REM. Alors que *bandit* garde dans la langue classique et encore quelquefois dans l'usage moderne sa valeur étymologique (celui qui fuit les lois), le mot n'implique plus aujourd'hui, en général, que le comportement délictueux, asocial et violent. Il a d'ailleurs vieilli, à la différence de *banditisme*, et tend à se cantonner dans un vocabulaire naïf ou enfantin.

1 Courir comme un bandit qui n'a ni feu ni lieu (...)
BOILEAU, Satires, VIII.

2 Dans les mœurs des bandits, une pareille vengeance *(un assassinat)* (...) n'est pas sans exemple.
MÉRIMÉE, Colomba, 6.

♦ **2** Homme sans scrupules, sans conscience. *Ce commerçant est un bandit.* → **Brigand, filou, flibustier, forban, gangster, gredin, pirate, requin.** — Par exagér. Fam. *Ce petit bandit joue à ses parents des tours pendables. Son bandit de fils.* → **Brigand, chenapan, coquin, drôle** (mauvais drôle), **gredin, misérable, sacripant, sujet** (mauvais sujet), **vaurien.** *Alors, vieux bandit, comment ça va ?*

♦ **3** (N'impliquant qu'une apparence physique, dans des compar. et des emplois fig.). *Il a l'air d'un bandit de grands chemins. J'ai rencontré une espèce de bandit, de vagabond. Une vraie mine de bandit.*

3 Quoi ! ce Bohémien, ce galeux, ce bandit ?
Ce zafari ? ce gueux, ce va-nu-pieds ?
HUGO, Ruy Blas, IV, 2.

4 C'est un vieux Grec en haillons, à barbe blanche, à mine de bandit. LOTI, Aziyadé, LVII, p. 163.

♦ **4** (Calque de l'angl. des États-Unis *one-armed bandit*). Exotisme peu répandu. *Bandit manchot :* machine à sous, jackpot. *«Les seize casinos qui ont installé des bandits manchots ont vu leur chiffre d'affaires doubler en une saison* (...)» (*l'Express*, 27 janv. 1989, p. 43).

DÉR. **Banditisme.**

**BANDITISME** [bãditism] n. m. — 1853, Flaubert; de *bandit.*

♦ **1** Mœurs des bandits. → **Brigandage.** *Actes de banditisme.*

♦ **2** Actions criminelles des bandits. *Le banditisme sévit dans certaines régions. Lutte contre le banditisme. Grand banditisme :* ensemble des actes criminels les plus graves, lorsqu'ils sont délibérés et organisés (attaques à main armée, enlèvements, etc.). *Office central pour la répression du banditisme* (O. C. R. B.), dépendant du ministère français de l'Intérieur.

**BANDOLIER** [bãdɔlje] ou **BANDOULIER** [bãdulje] n. m. — 1466, *bandelier;* catalan *bandoler* «hors-la-loi».

Vx. Bandit de grands chemins. — Spécialt. Contrebandier des Pyrénées.

**BANDOLINE** [bãdɔlin] n. f. — 1844, Vidocq; de *bandeau,* et du suff. de *lanoline,* mot commercial.

Vx. Cosmétique* fabriqué à partir des pépins de coing, utilisé pour aplatir et faire briller les cheveux. → **Brillantine, gomina.**

(...) une robe d'été, blanche, à pois jaunes, pendait, oubliée à un clou, tandis que, sur la planche qui servait de toilette, derrière le pot à eau, un flacon de bandoline renversé avait laissé une grande tache.
ZOLA, le Ventre de Paris, t. I, p. 172.

**BANDONÉON** [bãdɔneɔ̃] n. m. — 1905, *in* D. D. L.; mot all. *Bando-neon,* de Heinrich *Band,* nom de l'inventeur, et la finale *-éon* (de l'all. *Orphéon*) dans *accordéon,* diffusé par l'esp. d'Argentine.

Petit accordéon hexagonal, surtout en usage dans les orchestres de tango et dans la musique russe traditionnelle. — Abrév. fam. *Un bando* (1965, Sarrazin, *l'Astragale, in* D. D. L.).

Dédaignant de poursuivre, il se lève pour décrocher son bandonéon et se met à pianoter des arpèges distraits, en faisant bâiller lentement le soufflet.
A. SARRAZIN, l'Astragale, p. 49.

**BANDOULIÈRE** [bãduljɛʀ] n. f. — 1586; catalan *bandolera,* de bandoler «hors-la-loi» (→ Bandolier), de *banda* «bande, faction».

Bande de cuir ou d'étoffe, etc. que l'on passe comme une écharpe sur l'épaule et qui supporte une arme ou tout autre objet. *Une bandoulière de tissu, de corde. La bandoulière d'une trompette* (→ **Bandereau**), *d'un sac. La bandoulière d'un carquois.* → **Archère.** *Sac à bandoulière réglable.*

De simples milices qui n'avaient que des cordes pour bandoulières. 1
VOLTAIRE, Hist. de l'Empire de Russie..., II, 4.

Plus cour. **EN BANDOULIÈRE :** porté avec une bandoulière passant sur une épaule, en diagonale. *Fusil en bandoulière,* suspendu derrière le dos au moyen de la bretelle*. *Porter un appareil photographique, un sac à main, une guitare en bandoulière.* → Photographier, cit. 1. *Il avait une couverture roulée en bandoulière.*

À ce moment, un homme d'une trentaine d'années, qui 2
portait sur le dos une scie en bandoulière, entra dans le bar (...)
MARTIN DU GARD, les Thibault, t. VII, p. 138.

Il ne s'apprête pas à tirer; le canon de son fusil, resté en 3
bandoulière, dépasse derrière son épaule gauche.
A. ROBBE-GRILLET, la Maison de rendez-vous, p. 28.

**BANG** [bãg] interj. et n. m. — 1953; empr. anglais.

♦ **1** Interjection exprimant un bruit d'explosion. *Bing, bang, boum ! tout a sauté !*

«Arrête de tirer, sale lâche», hurle le moribond — Bang! 1
Bang! — «Ne tire plus, par pitié» — Bang! Bang! — «Mais ne tire plus, je meurs, tu le vois bien» — Bang! Bang! Bang!
J.-L. GODARD, Jean-Luc Godard (à propos de *Forty Guns,* de Samuel Fuller), *in* Coll. des Cahiers du cinéma, p. 95.

♦ **2** N. m. (1953, *in* Höfler). Spécialt. *Le bang des avions à réaction :* la déflagration qui accompagne le franchissement du «mur du son».

Un avion supersonique me coupe d'un bang la pensée, et 2
laisse après lui dans le ciel son paraphe silencieux, frisé, frisé, blanc (...) ARAGON, Blanche..., III, II, p. 425.

(...) des fermes séculaires s'effondraient, disloquées par le 3
bang des avions supersoniques.
Jean-Louis CURTIS, l'Horizon dérobé, pp. 146-147.

Astron. *Théorie du big bang.* → **Big bang.**

**BANIAN** [banjã] n. m. — 1842, Hugo; *arbre Bannian,* 1633 (cf. angl. *banian tree,* 1634); de *Banian* «commerçant hindou, dans l'ouest de l'Inde», 1611 (var. anc. *bancani,* 1575, port. *bancan*), angl. *Bannian* (1599), port. *banian,* du tamoul *vāniyan,* du sanscrit *vānij* «commerçant»; le sens mod. par allus. à un de ces arbres, sous lequel des Banians avaient un temple.

Figuier de l'Inde *(Ficus indica),* grand arbre à racines adventives aériennes. — On écrit parfois *banyan* (graphie anglaise).

Les banyans avec leurs racines en contreforts, sont des piliers de cloître qui, cassés par l'ogive, s'abaisseraient pour repousser, toujours condamnés à renaître (...)
Paul MORAND, Rien que la terre, p. 205.

**BANJO** [bɑ̃dʒo] n. m. — 1857; mot angl. des États-Unis, altér. de l'esp. *bandurria* «mandore»; probablt du grec *pandoura* «luth à trois cordes». → Mandore, mandoline.
Instrument de musique à cordes pincées, analogue à la guitare, et dont la caisse de résonance est formée d'une membrane tendue sur un cercle de bois. → **Mandoline.** *Des banjos. Joueur de banjo.* → **Banjoïste.** *Le banjo est caractéristique des petites formations de jazz Nouvelle Orléans. Banjo alto,* à quatre ou cinq cordes simples. *Banjo guitare, mandoline,* dont les cordes sont montées comme celles d'une guitare (six cordes simples), d'une mandoline (quatre cordes doubles).

— Hou, hou, cria-t-on plus fort.
— Encore une Canadienne et son joueur de banjo, murmura Cidrolin sous son mouchoir.
R. QUENEAU, les Fleurs bleues, p. 37.

**DÉR. Banjoïste.**

**BANJOÏSTE** [bɑ̃dʒɔist] n. — 1924, *in* Höfler; de *banjo.*
Joueur, joueuse de banjo.

**BANK-NOTE** [bɑ̃knɔt] n. m. ou f. — 1836; attestation isolée, 1804; *banknote,* attestation isolée, 1790; mot angl., de *bank* «banque», et *note* «billet».
Vx. Billet de banque (dans les pays anglo-saxons).

1 Le fait dont il était question, que les divers journaux du Royaume-Uni discutaient avec ardeur, s'était accompli trois jours auparavant, le 29 septembre. Une liasse de bank-notes, formant l'énorme somme de cinquante-cinq mille livres, avait été prise sur la tablette du caissier principal de la Banque d'Angleterre.
J. VERNE, le Tour du monde en 80 jours, p. 16.

REM. On trouve aussi les graphies *bank note, banknote.*

2 Jacques, continuant à jouer au *Tour du Monde* chuchota qu'il faudrait prendre garde au passage devant la cabine d'un Anglais féroce, portant des favoris rouges, une sacoche de banknotes et un voile en tulle de filets à papillons. COCTEAU, le Grand Écart, p. 92.

1. **BANLIEUE** [bɑ̃ljø] n. f. — XVIIe; 1185, «territoire d'environ une lieue autour d'une ville sur lequel s'étendait le *ban,* la juridiction de celle-ci» de *ban,* et *lieue,* d'après le lat. médiéval *banleuca.*
Ensemble des agglomérations qui entourent une grande ville et qui dépendent d'elle pour une ou plusieurs de ses fonctions. *La banlieue de Paris, de Londres, de Tokyo. La banlieue immédiate d'une ville.* → **Périphérie.** *La grande banlieue :* la banlieue la plus éloignée. → **Environs.** *Banlieue industrielle. Banlieue ouvrière. Banlieue résidentielle. Pavillon de banlieue. Les grands ensembles, les H. L. M. de la banlieue parisienne.* — Absolt. La banlieue de Paris (→ **Couronne,** II., 3.). *Avoir une maison, habiter en banlieue.* → **Banlieusard.** *Train de banlieue.*

0.1 Mais, cher ami, précisément, elles n'en finissent pas, les villes; puis, après elles, c'est la banlieue... Tu me parais oublier la banlieue — tout ce qu'on trouve entre deux villes. Maisons diminuées, espacées, quelque chose de plus laid encore... de la ville en traînasses; des potagers!
GIDE, Paludes, *in* Romans, Pl., p. 111.

1 Le wagon se faisait déjà cahoter par les aiguillages de la banlieue parisienne.
MARTIN DU GARD, les Thibault, IV, p. 313.

2 (...) banlieue, pays des petites maisons, des petits jardins, des petits rêves et des ambitions malingres (...)
G. DUHAMEL, Vue de la terre promise, VI.

3 On ne saurait comparer cette situation à celle du banlieusard, tout entier polarisé et même absorbé par sa ville, et qui n'appartient pas du tout à un lieu spécifique, puisque la banlieue, agrégation cancéreuse proliférant au flanc de la cité, reste sans relation avec un temps et un espace réellement vivants.
Raymond ABELLIO, Ma dernière mémoire, t. I, p. 47.

*Une banlieue :* une localité de la banlieue d'une grande ville. *Une banlieue populaire, une banlieue chic. Il rentre tous les soirs dans une lointaine banlieue.*

**DÉR. Banlieusard.**

2. **BANLIEUE** [bɑ̃ljø] n. m. — D. i. (XXe); abrév. de *train de banlieue.*
Régional (Belgique). Train omnibus desservant la banlieue d'une grande agglomération urbaine. *La suppression de certains banlieues a provoqué des mécontentements.*

**BANLIEUSARD, ARDE** [bɑ̃ljøzaʀ, aʀd] n. et adj. — V. 1889, *in* D. D. L.; de *banlieue.*
Personne qui habite la banlieue de Paris.

Il a eu honte de lui-même, honte de ne s'élever jamais, 1
dans ses liaisons, au-dessus de l'employée, de la secrétaire, de la petite banlieusarde (...)
J. DUTOURD, les Horreurs de l'amour, p. 406.

Adj. De banlieue. *Mode de vie banlieusard. Une villa banlieusarde de pierre meulière.*

Les effets ignobles et banlieusards de la construction (...) 2
DRIEU LA ROCHELLE, la Comédie de Charleroi, p. 273.

La route banlieusarde qui menait d'Orly à Paris était sale. 3
Jacqueline MONSIGNY, le Miroir aux pingouins, p. 120.

**BANNE** [ban] n. f. — 1268; *bene,* 1195, lat. impér. *benna,* d'orig. gauloise, «véhicule léger en osier». → Bagnole et benne, var. dialectales.
Technique ou régional.

♦ **1** Véhicule servant au transport du charbon, du fumier, etc. → **Tombereau.**
Grand panier d'osier servant à transporter des fruits ou des légumes. → 2. **Manne.**

♦ **2** Grosse toile servant à couvrir les marchandises. → **Bâche.** *La banne d'une charrette.*
Toile tendue au-dessus d'une devanture pour protéger les marchandises. → **Auvent.**

Il est recouvert à l'extérieur de toiles et de bannes dont la couleur motive le nom qu'il porte (...)
Th. GAUTIER, Constantinople, p. 242.

**DÉR. Banneau, banneton, bannette.**

**BANNEAU** [bano] n. m. — 1690; *beniel* «tombereau», XIIIe; de *banne.*
Techn. ou régional. Petit panier. *Banneau utilisé pour les vendanges.* — Petit tombereau.

**BANNERET** [banʀɛ] adj. et n. m. — 1283; de 1. *ban.*
Féod. Qui pouvait lever bannière en réunissant ses vassaux. *Seigneur banneret.* — N. m. *Un banneret.*

**BANNETON** [bantɔ̃] n. m. — 1284; de *banne.*
Technique ou régional.

♦ **1** Caisse percée de trous, qu'on immerge pour conserver le poisson vivant. → **Boutique, vivier.**

♦ **2** (1751). Petit panier d'osier sans anses utilisé par les boulangers.

**BANNETTE** [banɛt] n. f. — XIIIe; de *banne.*

♦ **1** Techn. ou régional. Petite banne en osier.

Ensuite Mlle d'Andervilliers ramassa des morceaux de brioche dans une bannette, pour les porter aux cygnes sur la pièce d'eau et on s'alla promener dans la serre chaude, où des plantes bizarres, hérissées de poils, s'étageaient en pyramides sous des vases suspendus (...)
FLAUBERT, Mme Bovary, I, VIII.

♦ **2** Mar. Couchette faite d'une forte toile tendue sur une armature légère (de tubes, etc.). — Par ext. Toute couchette.

**BANNI, IE** [bani] adj. et n. → **Bannir.**

**BANNIÈRE** [banjɛʀ] n. f. — Fin XIIe; p.-ê. de *ban,* et suff. *-ière* indiquant que ce mot désignait à l'orig. le lieu où était plantée l'enseigne, symbole du droit de ban. → 1. Ban, bandière.

♦ **1** Féod. Enseigne, drapeau du seigneur à la guerre (→ **Bandière...**), et, par ext., vassaux rangés sous cette enseigne. *La bannière du banneret. Lever bannière. La bannière fleurdelisée du roi de France. Science des bannières.* → **Vexillologie.**

1 *(Au convoi de Duguesclin)* huit jeunes écuyers, dont les uns portaient des casques, et les autres des pennons et des bannières aux armes de Duguesclin (...)
SAINT-FOIX, Essai d'une histoire sur Paris, 1 t. IV, p. 151, *in* POUGENS.

2 Contre le croissant déployant leur bannière (...)
VOLTAIRE, Tancrède, III, 4.

Fig., mod. Signe de ralliement, parti sous lequel on se range (dans quelques expressions). → **Drapeau, étendard.** *Combattre, marcher, se ranger sous la bannière de quelqu'un. Arborer, déployer, lever la bannière de :* se préparer à la lutte, en donner le signal.

3 La discorde (...)
En tout lieu cependant déploya ses bannières (...)
BOILEAU, Satires, XII.

4 L'homme faible ou ignorant et l'homme pervers sont également dangereux; l'un et l'autre peuvent marcher au même but, sous la bannière de l'intrigue et de la perfidie.
ROBESPIERRE, *in* JAURÈS, Hist. socialiste..., t. IV, p. 21.

♦ **2** Vx, mar. Le pavillon* qui indique la nationalité du navire.

5 L'article 4e du traité de 1666 portant que les Français qui seront pris sous quelque bannière que ce soit, seront mis en liberté (...)
Lettre de Louis XIV à Duquesne, *in* LITTRÉ.

♦ **3** Mod. (angl. *banner*). *La bannière étoilée :* le drapeau des États-Unis.

♦ **4** (1557). Mod. Étendard que l'on porte aux processions et qui sert à distinguer une paroisse ou une confrérie. → **Oriflamme.**

6 Les processions se battaient les unes contre les autres pour l'honneur de leurs bannières (...)
VOLTAIRE, le Siècle de Louis XIV, 2, *in* LITTRÉ.

6.1 (...) les bannières sans nombre déroulaient de tous côtés leur soie, leur satin et leurs velours, brodés de Cœurs saignants, de Saints victorieux, de Vierges dont le bon sourire enfantait des miracles. ZOLA, Lourdes, p. 125.

7 Toutes les vieilles bannières de l'église étaient là, éclairées par ce soleil qu'elles connaissent depuis des siècles, mais qu'elles ne voient qu'une ou deux fois l'an, aux jours consacrés. LOTI, Ramuntcho, I, XXI, p. 176.

Loc. **LA CROIX ET LA BANNIÈRE.** *Aller au-devant de qqn avec la croix et la bannière,* en grand appareil. Fig., fam. *C'est la croix et la bannière pour... :* c'est beaucoup d'histoires, toute une affaire.

L'étendard (d'une corporation, d'une société). — Par plais. *Porter la bannière :* être le premier, le plus en vue.

Quand tous cocus s'assembleront, tu porteras la bannière. 8
RABELAIS, le Tiers Livre, 25.

♦ **5 EN BANNIÈRE.** [a] (1690). Mar. *Voile en bannière :* voile dont les coins inférieurs ne sont pas fixés par les écoutes et qui flotte au vent comme une bannière.

[b] Blason. *Armes en bannière :* armes carrées, plus honorables qu'armes en écusson ou pointe (Littré).

♦ **6** (1828). Fam. Pan de chemise, chemise. *Se balader en bannière.*

Ainsi, ce sacré Hubert trottait comme une femme, bannière au vent, dans les corridors d'une discrète retraite (...) 9
Jean-Louis CURTIS, le Roseau pensant, p. 283.

♦ **7** Pêche. Longueur de ligne entre l'extrémité de la canne et le flotteur. *«(...) Pour que la ligne reste en bonne position malgré la poussée du vent sur la bannière...»* (*Au bord de l'eau,* no 366, p. 13-14).

**BANNIR** [baniʀ] v. tr. — 1209; «proclamer par ban», v. 1155; du francique **bannjan* «proclamer; convoquer des troupes». → 1. Ban, bandit.

♦ **1** Condamner (qqn) à quitter un pays, avec interdiction d'y rentrer. → **Ban** (mettre au), **chasser, exclure, exiler, expulser, forbannir** (vx), **interdire, ostraciser** (vx), **proscrire, reléguer.** Proscrire, bannir *et* exiler *sont relatifs au lieu d'où on oblige de sortir, tandis que* reléguer *et* confiner *le sont uniquement au lieu où on ordonne de rester désormais* (Lafaye). *On est* banni *par acte de l'autorité judiciaire,* exilé *par acte de l'autorité souveraine,* proscrit *par l'arbitraire et la violence. Bannir quelqu'un de sa patrie.* → **Expatrier.**

Les rois furent bannis *(de Rome)* et l'empire consulaire fut établi suivant les projets de Servius Tullius. 1
BOSSUET, Hist., I, 8.

L'empereur ne le fit point condamner *(Ovide)* par un arrêt du sénat, et il se servit du terme de reléguer, qui, dans le droit romain, était plus doux que le terme bannir (...) 2
ROLLIN, Hist. ancienne, XXV, 1, 22.

On bannissait, il n'y a pas bien longtemps, du ressort de la juridiction, un petit voleur, un petit faussaire, un coupable de voies de fait. Le résultat était qu'il devint grand voleur, grand faussaire, et meurtrier dans une autre juridiction. C'est comme si nous jetions dans les champs du voisin les pierres qui nous incommoderaient dans les nôtres. 3
VOLTAIRE, Dict. philosophique, Bannissement.

♦ **2** [a] Éloigner (qqn). *Bannir qqn. Bannir qqn d'un endroit. Je l'ai banni de ma maison.* Cf. Fermer la porte à. *Bannir les animaux de son entourage.* → **Éloigner; chasser, écarter, exclure, limoger, repousser.**

De chez Antiochus elle l'a fait bannir (...) 4
CORNEILLE, Nicomède, I, 5.

Mais plus on fait d'efforts afin de l'en bannir *(de chez moi),* 5
Plus j'en veux employer à l'y mieux retenir (...)
MOLIÈRE, Tartuffe, III, 6.

Lorsque de sa présence il semble me bannir. 6
RACINE, Britannicus, I, 2.

*(Le lion)* Bannit des lieux de son domaine 7
Toute bête portant des cornes à son front.
LA FONTAINE, Fables, V, 4.

La ville de Sybaris sera décriée à jamais par la mollesse de ses habitants, qui avaient banni les coqs de peur d'en être réveillés (...) 8
FONTENELLE, Deuxième dialogue des morts anciens.

Charlemagne avait tâché de bannir absolument de Paris les femmes publiques; il avait ordonné qu'elles seraient condamnées au fouet, et que ceux qui les auraient logées, 9

ou chez qui on les aurait trouvées, les porteraient sur leur cou jusqu'au lieu de l'exécution (...)
SAINT-FOIX, Essai d'une hist. sur Paris, 1 t. III, p. 72.

b Ne pas admettre (qqch.). → **Interdire, proscrire.** *Bannir un usage, une coutume.* → **Écarter, supprimer.** *Bannir un sujet de la conversation. Bannir un mot du vocabulaire. Bannir une mauvaise pensée de son esprit.* → **Arracher, chasser, ôter, rejeter, repousser.** *J'ai banni complètement le café.* → **Éviter, supprimer.**

REM. Bien que fréquent, cet emploi reste du style soutenu, notamment écrit.

10 Heureux qui peut bannir de toutes ses pensées
Les vains amusements de la distraction.
CORNEILLE, l'Imitation de J.-C., I, 21.

11 Bannissez une frayeur si vaine (...)
CORNEILLE, Horace, I, 1.

12 Raisonner est l'emploi de toute ma maison,
Et le raisonnement en bannit la raison.
MOLIÈRE, les Femmes savantes, II, 7.

13 Le ciel a banni de mon âme toutes ces indignes ardeurs.
MOLIÈRE, Dom Juan, IV, 6.

14 Bannissez ces soupçons qui troublaient notre joie.
RACINE, Iphigénie, III, 1.

15 Ceci soit dit sans nul soupçon d'amour,
Car c'est un mot banni de votre cour,
Laissons-le donc (...) LA FONTAINE, Fables, XII, 15.

16 Non qu'il faille bannir certains traits délicats :
Vous les aimez, ces traits; et je ne les hais pas.
LA FONTAINE, Fables, V, 1.

17 De ce poème il bannit la licence (...)
BOILEAU, l'Art poétique, 2.

18 Une petite ville, d'où l'on a banni les caquets.
LA BRUYÈRE, les Caractères, 5.

19 Autrefois la raillerie
Était permise à la cour :
On en bannit en ce jour
Même la plaisanterie. LA FARE, Épigrammes.

20 Fuis les longueurs, évite les redites
Bannis enfin tous ces mots parasites
Qui, malgré vous, dans le style glissés,
Rentrent toujours, quoique toujours chassés.
J.-B. ROUSSEAU, Épîtres, I, 1.

21 Toutes ces expressions impropres, hasardées, lâches, négligées, employées seulement pour la rime, doivent être soigneusement bannies (...)
VOLTAIRE, Commentaires sur Corneille, Remarques sur Rodogune, I, 7.

22 Que cette amitié commence par bannir les cérémonies.
VOLTAIRE, Lettre à Le Clerc, 16 mai 1764.

23 En n'asservissant les honnêtes femmes qu'à de tristes devoirs, on a banni du mariage tout ce qui pouvait le rendre agréable aux hommes. ROUSSEAU, Émile, V.

24 Car il faut peu pour bannir, de la vie d'une jeune fille, la réalité et la vraisemblance.
COLETTE, l'Étoile Vesper, p. 101.

25 J'en arrivais à bannir de moi la sympathie, n'y voyant plus que la reconnaissance d'une émotion commune.
GIDE, les Nourritures terrestres, p. 201.

25.1 Il parlait, et sans pouvoir préciser les motifs ni l'étendue de la proscription, on constatait qu'un grand nombre de mots étaient bannis de son discours.
VALÉRY, M. Teste, p. 21.

◆ **SE BANNIR** v. pron.

S'exiler. *Il s'est banni de son pays. Par ses mauvaises manières, son intempérance de langage, il s'est banni des cercles qui l'avaient d'abord accueilli.* → **Exclure** (s').

26 De l'univers entier je voudrais me bannir.
RACINE, Phèdre, V, 7.

27 M. Patru, qui était une des lumières de l'Académie, s'en bannit volontairement longtemps avant sa mort, parce qu'il fut scandalisé de la longueur énorme du temps que l'on fut à disputer si la lettre A devait être qualifiée simplement voyelle, ou si c'était un substantif masculin.
FURETIÈRE, Factums, t. I, p. 186.

(...) j'aimai mieux laisser subsister l'offense, et me bannir pour jamais de ma patrie, que d'y rentrer par des moyens violents et dangereux. ROUSSEAU, Confessions, XII. 28

◆ **BANNI, IE** p. p. adj.

Qui est banni de son pays.

Bannis avec lui et exclus du paradis. 29
BOSSUET, Disc. sur l'hist. universelle, II, 1.

Le monde, une fois banni, n'eut plus de retour dans son cœur. 30
BOSSUET, Oraison funèbre de Henriette-Anne d'Angleterre.

N. *Un banni. Rappeler un banni.* → **Exilé, proscrit.**

Les Athéniens firent un décret qui rappelait tous les bannis (...) ROLLIN, Hist. ancienne, 1 t. III, p. 208. 31

Encor si ce banni n'eût rien aimé sur terre ! 32
HUGO, les Chants du crépuscule, V.

(...) pendant cette journée que Goulven était venu passer à Plouherzel, en se cachant comme un banni (...) 33
LOTI, Mon frère Yves, LXXXVII, p. 208.

(...) je m'éloigne, tête basse, moins en élu qu'en banni (...) 34
COLETTE, la Paix chez les bêtes, «Le matou».

*Un banni en rupture de ban* (→ **Ban**).

Si le banni, avant l'expiration de sa peine, rentre sur le territoire de la République, il sera, sur la seule preuve de son identité, condamné à la détention criminelle pour un temps au moins égal à celui qui restait à courir jusqu'à l'expiration du bannissement, et qui ne pourra excéder le double de ce temps. Code pénal, art. 33. 35

CONTR. **Amnistier, gracier, rappeler. — Accueillir, adopter.**
◈ DÉR. **Bannissable, bannissement.**

**BANNISSABLE** [banisabl] adj. — 1661, cit.; de *bannir*.
Dr. pén. Qui encourt la peine du bannissement. *Le ministre qui a commis un attentat à la liberté est bannissable aux termes de l'article 115 du Code pénal.* Qui mérite d'être banni.

Allez, vous êtes un impertinent, mon ami, un homme ignare de toute bonne discipline, bannissable de la république des lettres. MOLIÈRE, le Mariage forcé, 6.

**BANNISSEMENT** [banismɑ̃] n. m. — 1283; «proclamation d'un ban», déb. XIII^e; de *bannir*.

♦ **1** Action de bannir*; résultat de cette action : le fait de bannir qqn, d'être banni; temps pendant lequel une personne est bannie. *Le bannissement d'un criminel. Un long bannissement.* — Dr. (En France). Peine criminelle infamante (art. 8 du Code pénal), réservée aux crimes politiques, qui consiste à interdire à qqn le séjour dans son pays. *Le bannissement emporte la dégradation civique* (art. 28 du Code pénal). *Le bannissement perpétuel des chefs de familles ayant régné en France* (loi de 1886, abrogée par la loi du 24 juin 1950). *Le bannissement temporaire frappe certains criminels récidivistes* (art. 56 du Code pénal), *les ministres coupables d'attentats à la liberté* (art. 115), *les fonctionnaires qui concertent des mesures contre l'exécution des lois ou les ordres du gouvernement* (art. 124). *Infraction à la sentence de bannissement.* → **Ban** (rupture de); → Bannir, cit. 35.

Bannissement à temps ou à vie, peine à laquelle on condamne les délinquants, ou ceux qu'on veut faire passer pour tels. 1
VOLTAIRE, Dict. philosophique, Bannissement.

Quiconque aura été condamné au bannissement sera transporté, par ordre du Gouvernement, hors du territoire de la République. 2
La durée du bannissement sera au moins de cinq années, et de dix ans au plus. Code pénal, art. 32.

♦ **2** Fig. Rare. Action d'éloigner (qqn); action d'écarter. *Le bannissement de mauvaises habitudes, des soupçons.*

3 Mais, si de tels soupçons ont de quoi vous déplaire,
Il vous est bien facile, hélas ! de m'y soustraire ;
Et leur bannissement, dont j'accepte la loi,
Dépend bien plus de vous, qu'il ne dépend de moi.

MOLIÈRE, Dom Garcie, I, 3.

CONTR. **Amnistie, grâce, rappel. — Accueil, adoption.**

**BANON** [banɔ̃] n. m. — Attesté 1960 ; de *fromage de Banon,* localité des Alpes-de-Haute-Provence.

Fromage de lait de vache, de chèvre ou de brebis, à pâte molle et croûte naturelle, présenté dans une feuille de châtaignier.

1. **BANQUE** [bɑ̃k] n. f. — 1458 ; de l'ital. *banca,* n. f. «banc» ; «comptoir de vente» (XIVe) ; «établissement de prêt» (XVe) de même orig. que *banco** et *banc*.*

♦ **1** Commerce de l'argent* et des titres fiduciaires de toute nature, effets de commerce et valeurs de bourse. *Le commerce de la banque.* → **Banquier.** *Les opérations de banque.* → **Bourse** (titre, valeur, coupon, encaissement...), **change** (arbitrage, devise, lettre de change, monnaie, transfert...), **crédit** (accréditer, accréditif, avance, escompte, ouverture de crédit, prêt...), **dépôt** (compte courant), **recouvrement** (traite...). *Chèque de banque* (bancaire). → **Chèque.** *Virements en banque. Compensation en banque.* → **Clearing, compensation, transfert, virement.** *Commission, bénéfice sur les opérations de banque.* → **Agio, garde** (droits de), **intérêt.** *Les milieux de la banque.* → **Finance.**

♦ **2** Établissement où se fait le commerce de banque. *Banque d'État, banque privée. Banque agricole, industrielle, coloniale, populaire. Banque d'affaires. Banque de dépôt et d'escompte. Banque hypothécaire. Banque cambiste. Banque centrale,* ou *banque d'émission*. Billet de banque.* → **Billet ; bank-note, circulation, coupure, devise, monnaie, papier.** *Banque de France. Le gouverneur, les sous-gouverneurs, les régents et les censeurs de la Banque de France. L'encaisse, le stock, le portefeuille de la Banque de France. Le plafond d'émission de la Banque de France. La Banque de France ne peut accepter à l'escompte que du papier bancable.* → **Bancable.** *Emprunter à la banque. Fournir une situation*, un état de situation à la banque. Avoir une provision*, une couverture*, un découvert* à la banque. Avoir de l'argent, un compte* en banque. Comptoir, succursale de banque. Le personnel de la banque. Le directeur de la banque. Les employés de la banque, d'une banque. Employé de banque.*

1 Dans les États qui font le commerce d'économie, on a heureusement établi des banques, qui, par leur crédit, ont formé de nouveaux signes des valeurs.

MONTESQUIEU, l'Esprit des lois, XX, 10.

2 Tout ce qui était valeur, effet, papier quelconque, se négociait, se cédait, se vendait, s'achetait, était négociable ou commerçable en banque. C'était la «marchandise papier», ou «marchandise argent».

BRUNOT, Hist. de la langue franç., t. VI, I, p. 161.

3 La «Banque de France», qu'on avait depuis si longtemps en vue, fut instituée le 24 Germinal An XI.
Au début la Banque de France était complètement indépendante de l'État et ne jouissait d'aucun monopole. Elle n'eut le privilège exclusif de l'émission à Paris des billets que le 24 germinal, an XIII. On peut considérer que c'est à ce moment qu'entre dans l'usage général l'expression «billet de banque».

BRUNOT, Hist. de la langue franç., t. IX, II, p. 1088.

♦ **3** Bureau, local où l'on peut effectuer les opérations de banque, succursale, agence* d'une banque. *Aller chercher de l'argent à la banque. La banque est encore ouverte, j'ai juste le temps de prendre de l'argent. Habiter près d'une banque. Les caisses, les guichets d'une banque. Le caissier de la banque. Le garçon de recettes de la banque. Déposer de l'argent, des titres dans une banque. Se faire ouvrir un compte à la banque, dans une banque. Attaquer une banque.*

(...) ce qui était maintenant une banque, avec son soubassement de marbre, son péristyle de marbre, ses colonnes de marbre froid entre les baies garnies de grilles (...) 3.1

Claude SIMON, le Palace, p. 102 (1962).

♦ **4** (1680). Jeu. Somme que l'un des joueurs tient devant lui pour payer ceux qui gagnent. *Tenir la banque. Faire sauter la banque :* gagner tout l'argent de celui qui tient le jeu.

(...) il *(Talleyrand)* alla, dans une maison de jeu, si favorisé par la chance, qu'en peu d'heures, il faisait sauter la banque, rentrait chez lui les poches bourrées d'or (...) 4

Louis MADELIN, Talleyrand, I, IV.

Joueur qui tient la banque. *Tenir l'enjeu contre la banque.* → **Banco** (faire banco).

♦ **5** Réserve (de qqch.) mise à la disposition du public. (Ne s'emploie que dans les domaines suivants). (D'après l'angl.). Réserve de tissus vivants ou de fragments d'organes utilisables en chirurgie, pour des greffes, etc. *Banque d'organes. Banque d'yeux* (ou *des yeux*), où l'on conserve des cornées prélevées sur des volontaires, immédiatement après leur mort. *Banque du sang. Banque du sperme.*

Ce sont surtout les besoins considérables de sang au cours des deux guerres mondiales qui ont permis de mettre au point le stockage du sang conservé. Des banques de sang ont été organisées, dont le nombre s'est vite multiplié (...) 5

Cl. D'ALLAINES, la Chirurgie du cœur, p. 31.

*Banque de données* (angl. *data bank*) : ensemble d'informations relatives à un domaine de connaissance qui sont stockées, centralisées, traitées par ordinateur et tenues à la disposition d'utilisateurs. *Banque de données statistiques. Banque de terminologie. Banque d'images. Transformer une base* de données en banque de données.*

DÉR. **Bancable, bancaire, banquer. —** V. **Banqueroute, banquier.** ◊ COMP. **Bancassurance.**

2. **BANQUE** [bɑ̃k] n. f. — Av. 1615, sens I ; sens II, 1549 ; forme fém. de *banc*.* → Banche.

**I** Vx. ♦ **1** Théâtre, boutique de bateleur.

♦ **2** *La banque :* le milieu des bateleurs, des saltimbanques. → **Banquiste.**

Cette place est un des rares coins de Paris où la Banque (je veux dire la banque des banquistes, et non celle des banquiers), comme chante Plessis, se soit réfugiée. Autrefois, dans mon enfance, c'était un luxe inouï de phénomènes, d'acrobates, de bateleurs, de charlatans, de montreurs de rats, de montreurs de riens.

Germain NOUVEAU, Petits tableaux parisiens, Avenue de l'Observatoire, 1882, Pl., p. 459.

**II** Régional. Couche de matériaux formant un talus. → 2. **Banquette.**

DÉR. 2. **Banquette.**

**BANQUER** [bɑ̃ke] v. intr. — 1899, trans. ; de 1. *banque.*

Fam. Payer, fournir l'argent nécessaire. *Ne vous privez pas, c'est papa qui banque !* → **Casquer, financer, raquer.**

Je ne veux pas m'exhiber avec ce vieux. Je vais le faire banquer et me faire jouir, voler son lit et m'enfuir avant l'aube.

A. SARRAZIN, l'Astragale, p. 187.

**BANQUEROUTE** [bɑ̃kʀut] n. f. — 1466 ; ital. *bancarotta,* de *banca* «banque», et *rotta* «rompue», le comptoir du banquier étant brisé à la suite de la banqueroute.

♦ **1** Faillite accompagnée d'actes délictueux. → **Faillite ; déconfiture, dépôt** (de bilan), **krach.** *Faire banqueroute. S'enfuir après avoir fait banqueroute* (→ Faire un trou* à la lune). *Banqueroute frauduleuse :* crime dont le failli s'est rendu coupable en commettant des actes frauduleux. *Banqueroute simple :* délit commis sans intention frauduleuse par le failli. *Être en banqueroute.* → **Banqueroutier.**

1 On connaissait peu de banqueroutes en France avant le seizième siècle. La grande raison, c'est qu'il n'y avait point de banquiers (...) Ce n'est pas que beaucoup de gens ne se ruinassent; mais cela ne s'appelait point *banqueroute;* on disait *déconfiture;* ce mot est plus doux à l'oreille.
VOLTAIRE, Dict. philosophique, Banqueroute.

1.1 À cette époque fatale pour la vertu de deux jeunes filles, tout leur manqua dans un seul jour : une banqueroute affreuse précipita leur père dans une situation si cruelle, qu'il en périt de chagrin. Sa femme le suivit un mois après au tombeau. SADE, Justine..., t. I, p. 7-8.

2 Les cas de banqueroute simple seront punis des peines portées au Code pénal, et jugés par les tribunaux de police correctionnelle, sur la poursuite des syndics, de tout créancier, ou du ministère public.
Code de commerce, art. 584.

3 Ceux qui, dans les cas prévus par le Code de commerce seront déclarés coupables de banqueroute, seront punis ainsi qu'il suit :
Les banqueroutiers frauduleux seront punis de la peine des travaux forcés à temps;
Les banqueroutiers simples seront punis d'un emprisonnement d'un mois au moins et de deux ans au plus.
Code pénal, art. 402.

*Banqueroute d'État :* défaillance d'un État qui n'exécute pas les contrats d'emprunt qu'il a conclus, viole les engagements qu'il a pris à l'égard des créanciers de la dette publique.

4 La banqueroute, la hideuse banqueroute est là, et vous délibérez! MIRABEAU, Disc. du 26 sept. 1789.

5 (...) la hideuse banqueroute. L'expression n'a pas été inventée par Mirabeau. Mais il lui a donné une consécration immortelle.
BRUNOT, Hist. de la langue franç., t. IX, p. 1076.

6 Le Directoire, menacé de façon pressante, avait dû se résigner à une banqueroute des deux tiers qui, en ruinant ses anciens prêteurs, lui interdisait radicalement d'en trouver de nouveaux.
Louis MADELIN, De Brumaire à Marengo, XI.

♦ **2** Par métaphore ou fig. Échec total. → **Faillite, ruine.**

7 (...) les existences en banqueroute, les consciences qui ont déposé leur bilan (...)
HUGO, les Travailleurs de la mer, I, V, 6.

8 Tout croulait, du moment que l'idée de liberté faisait banqueroute, que la liberté n'était plus l'unique bien, le fondement même de la république, qu'ils avaient si chèrement achetée, d'un si long effort. ZOLA, Paris, t. II, p. 36.

DÉR. **Banqueroutier.**

**BANQUEROUTIER, IÈRE** [bɑ̃kʀutje, jɛʀ] n. — 1536; de *banqueroute.*

Personne qui a fait banqueroute*. *Banqueroutier frauduleux. Banqueroutier simple.*

1 Sera déclaré banqueroutier simple tout commerçant failli qui (...) Code de commerce, art. 585.

2 Sera déclaré banqueroutier frauduleux, et puni des peines portées au Code pénal, tout commerçant failli qui aura soustrait ses livres, détourné ou dissimulé une partie de son actif, ou qui (...) se sera frauduleusement reconnu débiteur de sommes qu'il ne devait pas.
Code de commerce, art. 591.

3 À bord, il y a Johann August Suter, banqueroutier, fuyard, rôdeur, vagabond, voleur, escroc.
B. CENDRARS, l'Or, *in* Œ. compl., t. II, p. 141.

Adj. *Une société banqueroutière.*

Fig. *Les banqueroutiers de l'honneur.*

**BANQUET** [bɑ̃kɛ] n. m. — Fin XIVe; ital. *banchetto* «petit banc», sur lequel on s'asseyait dans un banquet, de *banco* «banc», var. de *banca.* → 1. Banque.

♦ **1** Cour. Repas d'apparat qui réunit de nombreux convives. → **Agape, balthazar** (VX), **festin, frairie, repas.** *Être convié, assister, s'asseoir à un banquet.* → **Banqueter.** *Un banquet de cent couverts. Banquet nuptial, banquet de noces. Donner un banquet en l'honneur de qqn. Banquet annuel d'une association. — Salle pour noces et banquets.*

Autour du grand banquet siège une foule avide; 1
Mais bien des conviés laissent leur place vide (...)
HUGO, les Orientales, XXXIII, 1.

Les hommes vulgaires passent auprès des trésors, ils sont 2
au spectacle de la nature comme des convives à un banquet où ils n'ont ni faim ni soif.
E. DELACROIX, Écrits, t. II, p. 79.

Le banquet annuel des Éventualistes, sous la Haute- 2.1
présidence du docteur Tribulat Bonhomet, s'achevait en toasts paisibles.
VILLIERS DE L'ISLE-ADAM, Tribulat Bonhomet, p. 29.

♦ **2** Didact. (emplois spéciaux). Dans la Grèce antique, Repas suivi d'une discussion d'idées; ouvrage relatant ce type de réunion. *Le Banquet,* de Platon, de Xénophon. — Relig. grecque. *Le banquet des dieux :* réunion des dieux avec Zeus. *S'asseoir au banquet des dieux,* par métaphore : être admis à la fréquentation des grands esprits.

Relig. chrét. *Le banquet des élus, «des félicités éternelles»* (G. Sand, *Lélia,* in T.L.F.) : la béatitude céleste, l'état des élus, réunis en Dieu. — *Banquet eucharistique, sacré, spirituel :* la communion, considérée comme une consommation partagée de Dieu (idée de la Pâque*, de l'eucharistie*, du repas sacré).

Enfin je suis parvenue au banquet divin (...) 3
BOSSUET, Oraison funèbre de Anne de Gonzague.

♦ **3** Par métaphore, littér. Se dit des biens, des félicités partagées par les hommes. *Le banquet de la vie, du bonheur. Le «grand banquet civique»* (Michelet).

Au banquet de la vie, infortuné convive, 4
J'apparus un jour, et je meurs.
N.J.L. GILBERT, Odes, IX, *in* LITTRÉ.

Au banquet de la vie à peine commencé, 5
Un instant seulement mes lèvres ont pressé
La coupe en mes mains encor pleine.
André CHÉNIER, la Jeune Captive.

La vie est chère à l'homme, entre les dons du ciel; 6
Nous bénissons toujours le Dieu qui nous convie
Au banquet d'absinthe et de miel.
HUGO, Odes, IV, 4.

Au banquet du bonheur, bien peu sont conviés (...) 7
HUGO, les Feuilles d'automne, 32.

DÉR. **Banqueter.**

**BANQUETER** [bɑ̃kte] v. intr. [CONJUG.: *jeter.*] — Fin XIVe; de *banquet.*

♦ **1** Prendre part à un banquet. *Banqueter à l'occasion d'une noce. Ils ont banqueté pendant quatre heures. Il banquette depuis huit heures du soir.*

♦ **2** Faire bonne chère. → **Festoyer.** *À Noël, au jour de l'an, la France entière banquette.*

DÉR. **Banqueteur.**

**BANQUETEUR** [bɑ̃ktœʀ] n. m. — 1532, Rabelais; de *banqueter.*

Rare. Celui qui a l'habitude de banqueter. *Un grand banqueteur.* REM. Les dict. n'enregistrent pas le féminin, qui est virtuel.

1. **BANQUETTE** [bɑ̃kɛt] n. f. — 1681; «selle», attesté comme mot du Languedoc, 1417; de l'anc. provençal *banqueta* «banquette», dér. de *banc*.

Siège à plusieurs places, relativement dur, avec ou sans dossier. *Banquette de piano. Banquette cannée, rembourrée, d'une salle d'attente. Banquette en bois des anciens wagons. Les banquettes d'un café, d'un restaurant. S'asseoir sur une banquette. La banquette arrière d'une automobile. Banquette-lit* (→ 1. Camion, cit. 6).

1 (...) une petite route caillouteuse qui faisait sauter les voyageurs sur les banquettes du break.
MAUPASSANT, Notre cœur, p. 95.

2 Elle leva les mains, regarda Florent une dernière fois, s'assit sur la banquette rembourrée du comptoir, ne desserra plus les dents.
ZOLA, le Ventre de Paris, t. I, p. 113.

3 Ça, c'était la banquette. C'est-à-dire le dossier, ces trucs avec des barres de cuivre où on peut mettre son chapeau et son pardessus. Claude SIMON, le Palace, p. 51.

Loc. fam. *Faire banquette :* attendre.

4 Jupien vint me chercher dans l'antre obscur où je n'osais faire un mouvement. «Entrez un moment dans le vestibule où mes jeunes gens font banquette, pendant que je monte fermer la chambre; puisque vous êtes locataire, c'est tout naturel.» Le patron y était, je le payai.
PROUST, le Temps retrouvé, Pl., t. III, p. 829.

Loc. (voc. du théâtre). *Jouer devant les banquettes, pour les banquettes :* jouer devant une salle vide ou presque vide.

HOM. 2. **Banquette.**

2. **BANQUETTE** [bɑ̃kɛt] n. f. — 1636, art milit.; de 2. *banque,* II.

♦ **1** Amas de terre formant un talus; plate-forme naturelle ou artificielle. *Une étroite banquette rocheuse.*

Techn. (milit.). Plate-forme située derrière le parapet d'un rempart ou le revers d'une tranchée, et de laquelle on peut tirer à couvert. *Banquette de tir.*

(1855, *banquette,* sans déterminant, *in* Petiot). *Banquette irlandaise :* talus gazonné qui sert d'obstacle dans les courses de chevaux.

(1743). Replat, talus allongé destiné à la culture. *Des banquettes de fleurs.*

*Banquette de sûreté :* parapet de terre établi le long d'une route; petit chemin pour les piétons le long d'une voie. → **Trottoir.** *Banquette de halage,* le long d'un canal. *Banquette de la voie,* le long d'une voie de chemin de fer.

Loc. techn. **EN BANQUETTE.**

Près d'une tranchée que les terrassiers creusent, il y a un vieux qui travaille «en banquette», c'est-à-dire à rejeter par côté la terre qu'on lui envoie d'en bas.
Georges NAVEL, Travaux, p. 173.

♦ **2** [a] Archit. Banc en pierre pratiqué dans l'embrasure d'une fenêtre; tablette d'un mur d'appui.

[b] Tablette en saillie d'un pigeonnier.

[c] Appui de fenêtre assez bas, surmonté d'une barre.

[d] Pièce de bois horizontale, au bas d'un comble.

♦ **3** Hortic. Palissade* à hauteur d'appui.

HOM. 1. **Banquette.**

**BANQUIER** [bɑ̃kje] n. m. — 1244; de l'ital. *banchiero,* dér. de *banca.* → 1. Banque.

♦ **1** Personne qui fait le commerce de la banque, dirige une banque*. → **Financier.** *Consortium de banquiers. Banquier cambiste,* qui se livre aux opérations de change. *Banquier malhonnête. La fille d'un riche banquier. Femme banquier.* → **Banquière.**

1 Dans l'antiquité, au moyen âge et jusqu'à la fin du XVIII^e siècle, les banquiers étaient avant tout des trafiquants de métaux précieux, des changeurs de monnaies, des transporteurs de capitaux d'une place sur une autre, des caissiers au service de leurs clients (...)
Paul REBOUD, Précis d'économie politique, 6^e éd. Dalloz, n° 629.

(...) de bonnes lettres de change endossées par les plus fameux banquiers de Londres. 2
BERNARDIN DE SAINT-PIERRE, la Chaumière indienne.

Les plus riches financiers, les banquiers les plus habiles ou tout autre intermédiaire ne peuvent pas plus augmenter l'importation de l'or et de l'argent en France qu'ils ne peuvent la diminuer. 3
NECKER, Compte rendu au roi, janv. 1781.

Il m'a raconté toute sa vie, comme on confie sa fortune à un banquier en lui disant : «Occupez-vous de mes affaires, je m'en rapporte à vous». 4
MARTIN DU GARD, les Thibault, II, p. 215.

Figuré :

(...) il *(Jésus)* répétait souvent : «Soyez de bons banquiers» c'est-à-dire : faites de bons placements pour le royaume de Dieu (...) RENAN, Vie de Jésus, XI. 5

Adj. (1784). *L'aristocratie banquière de l'Europe* (Proudhon). *Une civilisation commerçante et banquière.* → **Financier** (adj.).

♦ **2** Par ext., fam. Personne qui prête de l'argent à une autre à titre privé, et sans intention commerciale. *Croyez-vous que je vais être votre banquier?*

♦ **3** (1680). Jeu (baccara, etc.). Personne qui tient la banque. *Le banquier et les pontes.*

**BANQUIÈRE** [bɑ̃kjɛʀ] n. f. — V. 1570, au fig., «entremetteuse»; fém. de *banquier.*

♦ **1** (Fin XVII^e). Vx. Femme d'un banquier.

♦ **2** (Fin XIX^e, cit.). Mod. Femme qui dirige une banque ou qui occupe un poste important dans une banque. *«Mme L. M., cinquante-six ans, est une banquière pressée...»* (*le Monde,* 20 févr. 1982, p. 30, «Une banquière de gauche»).

(...) la banquière, importante et sèche, donnant des ordres d'une voix brève (...)
A. ROBIDA, le Vingtième Siècle, p. 301.

(Au sens 2 de *banquier*). Femme qui prête de l'argent à qqn.

REM. Le fém. n'est pas attesté au sens 3 de *banquier.*

**BANQUISE** [bɑ̃kiz] n. f. — 1773; empr. à une langue scandinave; de l'anc. nordique *pakki* «paquet», et *iss* «glace», avec influence de *banc* (III., 1.), et assimilation de *iss* au suff. *-ise.*

♦ **1** Amas de glaces flottantes formant un immense banc. *Fragments détachés de la banquise.* → **Iceberg.** *La dérive de la banquise. Navire pris dans la banquise. Navire équipé pour faire route à travers la banquise.* → **Brise-glace.**

(...) ce pays si grand, si varié, qui va des tropiques à la banquise (...)
G. DUHAMEL, Scènes de la vie future, VII.

Par métaphore et compar. *Être froid comme une (la) banquise. Elle est glaciale; c'est une vraie banquise.*

♦ **2** Par anal. Couche de glace, de crème glacée.

**BANQUISTE** [bɑ̃kist] n. m. — 1789; de 2. *banque.*

Dans les cirques et les spectacles forains, Celui qui présente et vante le spectacle. → **Bonimenteur.**

Par ext. Forain, saltimbanque. *La banque* (→ 2. **Banque,** cit.) *des banquistes.*

En l'absence des banquistes, les uns et les autres en tournée, c'est le vétérinaire qui a hébergé notre dogue la toute dernière fois que nous l'avons mis en pension. Sans doute, l'ancien chef de ménagerie reviendra-t-il dans la région pour y installer définitivement un chenil, sur un autre terrain que le précédent.
Michel LEIRIS, Frêle Bruit, p. 165.

**BANTAM** [bantam] adj. et n. m. — 1908; «race de poules de très petite taille, d'origine anglaise mais importée de *Bantam* (Java) et dont le mâle est un coq de combat», 1766; angl. *Bantam*, issu du toponyme.

Vx (boxe). De la catégorie des poids coq. *Des poids Bantam.* — N. m. *Un bantam, des bantams.*

**BANTOU, OUE** ou **BANTU** (invar.) [bɑ̃tu] n. et adj. — 1885; bantou *ba-ntu* «hommes».

♦ **1** Africain appartenant à un groupe d'ethnies qui s'étendent du Cameroun à l'Afrique du Sud.

Adj. *Les cultures bantoues. Civilisation bantu.*

♦ **2** Famille de langues parlées par ces ethnies. *Études des classes nominales en bantou. Bantu comparé.*

Adj. *Le swahili et le lingala, langues bantoues, langues bantu.*

DÉR. **Bantouiste, bantouistique.**

**BANTOUISTE** [bɑ̃tuist] n. — Fin XIXᵉ; de *bantou.*

Didact. Spécialiste des langues et civilisations bantoues.

**BANTOUISTIQUE** [bɑ̃tuistik] n. f. — Fin XIXᵉ; de *bantou.*

Didact. Étude des langues et civilisations bantoues.

**BANTOUSTAN** [bɑ̃tustɑ̃] n. m. — V. 1960; de l'afrikaans (néerlandais d'Afrique du Sud) *bantustan* «territoire bantou».

Hist. Territoire qui était attribué à une population noire, en Afrique du Sud, du temps de l'apartheid. — On emploie aussi l'anglicisme *homeland* [ɔmlɑ̃d].

**BANVIN** [bɑ̃vɛ̃] n. m. — 1208; de 1. *ban*, et *vin.*

Féod. Ban* par lequel le seigneur autorisait les particuliers à vendre leur vin; monopole de la vente du vin par le seigneur pendant une période déterminée par la coutume. *Droit de banvin.*

**BANYULS** [banjyls; banjuls] n. m. — 1891, Verlaine; de *Banyuls-sur-Mer*, ville des Pyrénées-Orientales.

Vin doux naturel du Roussillon. *Banyuls rouge, blanc.*

**BAOBAB** [baɔbab] n. m. — 1775; *bahobab*, 1757; «fruit d'un arbre africain», 1592; arabe *būhibāb* «fruit aux nombreuses graines».

♦ **1** Arbre tropical au tronc énorme, plante de la famille des Malvacées (*Adansonia*). *Le fruit du baobab renferme une pulpe comestible appelée* pain de singe. *Les feuilles séchées et pulvérisées du baobab forment un aliment appelé* lalo.

1 Ces émouvantes paroles transforment soudain le Luxembourg en jardin féerique avec des baobabs et des palétuviers, des nénuphars géants et des cacatoès bleuâtres.
Alain BOSQUET, les Bonnes Intentions, p. 245.

2 Je fis remarquer au petit prince que les baobabs ne sont pas des arbustes, mais des arbres grands comme des églises et que, si même il emportait avec lui tout un troupeau d'éléphants, ce troupeau ne viendrait pas à bout d'un seul baobab. SAINT-EXUPÉRY, le Petit Prince, p. 22.

♦ **2** (En franç. d'Afrique). Très grand arbre (quelle que soit l'espèce). — On dit aussi *faux baobab.*

**BAOU** [bau] n. m. — 1867; anc. provençal *baus* «rocher saillant», du lat. *balteus.*

Régional. Mont escarpé, dans la région de Vence (Alpes-Maritimes). *Le Baou de Saint-Jeannet.*

Nous quittons Vence par le Nord et nous engageons sur la route qui contourne le Baou des Blancs. 1
P. BROCCHI, Annuaire du Club alpin français, 4ᵉ année, 1877, p. 536.

(…) les villages qu'il apercevait collés aux parois des baous, falaises bleu sombre ou clair suivant l'heure et le temps. 2
Max GALLO, la Baie des anges, p. 206.

**BAPTÊME** [batɛm] n. m. — XIᵉ, *batesma;* 1160, *baptesme*, du lat. chrét. *baptisma;* empr. au grec, de *baptizein* «immerger».

♦ **1** Immersion qui purifie l'âme de ses souillures, initiation à la vie spirituelle (dans quelque religion que ce soit). → **Ablution** (cit. 1), **bain; purification, régénération, renaissance.** *Laver son âme, renaître par le baptême. Le baptême des néophytes, des prosélytes. Baptême par l'eau, le feu, l'imposition des mains…*

Le déluge lava le monde, le renouvela et fut l'image du baptême (…) 1
BOSSUET, Élévation à Dieu sur tous les mystères de la religion chrétienne, VIII, 5.

Les fidèles apprennent que le vrai Dieu, le Dieu d'Israël, le Dieu un et indivisible auquel ils sont consacrés par le baptême, est tout ensemble Père, Fils et Saint-Esprit (…) 2
BOSSUET, Hist., II, 6.

Parmi les sacrements de ces hérétiques, il faut remarquer principalement leur imposition des mains pour remettre les péchés : ils l'appelaient la consolation; elle tenait lieu de baptême et de pénitence tout ensemble. 3
BOSSUET, Hist. des Variations, XI, 56.

Le baptême, l'immersion dans l'eau, l'aspersion, la purification par l'eau, est de la plus haute antiquité (…) 4
VOLTAIRE, Dict. philosophique, Baptême.

Le baptême était devenu une cérémonie ordinaire de l'introduction des prosélytes dans le sein de la religion juive, une sorte d'initiation. 5
RENAN, Vie de Jésus, VI, p. 147.

♦ **2** Dans la religion chrétienne, Sacrement* destiné à laver du péché originel et à faire chrétien celui qui le reçoit. → **Baptiser.** *Donner, administrer, conférer le baptême. Recevoir le baptême. Le baptême de Jésus-Christ par saint Jean-Baptiste. L'eau du baptême. Le baptême par immersion,* dans l'Église primitive, dans l'Église grecque, chez les baptistes… (→ **Anabaptiste, baptiste**). *Le baptême par infusion*, le baptême par aspersion :* le baptême que le prêtre administre en versant de l'eau sur la tête du catéchumène et en prononçant des paroles sacramentelles (→ **Invocation**). *L'onction du baptême.* → **Chrême.** *Baptême administré par ondoiement* en cas de nécessité. Le séjour des enfants morts sans baptême.* → **Limbes.** *La cérémonie du baptême. Les fonts du baptême.* → **Baptistère; baptismal.** *Tenir un enfant sur les fonts du baptême.* → **Compère, parrain; commère, marraine; filleul.** *Linge d'église pour le baptême.* → **Tavaïolle.** *Robe de baptême.* → Marraine, cit. 1. *Le bonnet de baptême.* → **Chrémeau.** *Registre de baptême.* → **Baptistaire.** *Extrait de baptême. La confirmation de la grâce reçue au baptême.* → **Confirmation.**

La foi au baptême est la source de toute la vie des chrétiens, et des convertis. PASCAL, Pensées, VII, 520. 6

(…) En l'Église naissante, on enseignait les catéchumènes, c'est-à-dire ceux qui prétendaient au baptême, avant que de le leur conférer (…) 7
PASCAL, Comparaison des chrétiens des premiers temps avec ceux d'aujourd'hui.

On a vu les illusions des Anabaptistes, et on sait que c'est en suivant les principes de Luther et des autres réformateurs qu'ils ont rejeté le baptême sans immersion. 8
BOSSUET, Hist. des Variations, XV, p. 123.

9 Le baptême par immersion avait été changé en infusion (...) BOSSUET, Hist. des Variations, XV, p. 15.

10 L'union ineffable qu'il a contractée avec lui *(Jésus)* dans son baptême.
MASSILLON, Carême, Communion des indigents.

11 Voyez si leur vie soutiendra un seul des engagements de leur baptême (...)
MASSILLON, Mystère sur la ferveur des premiers chrétiens.

12 Le Baptême est un bain qui rend à l'âme sa vigueur première.
CHATEAUBRIAND, le Génie du christianisme, I, I, 6.

*Nom de baptême* : prénom que l'on donne à celui qui est baptisé. → **Baptiser,** 2.

13 Ne sont-ce pas vos noms de baptême?
MOLIÈRE, les Précieuses ridicules, V.

Par ext. *Le baptême d'une cloche, d'un navire,* etc. : la bénédiction au cours de laquelle on lui attribue un nom.

*Baptême de la ligne, du tropique* : cérémonie burlesque qui se déroule à bord d'un navire lors du passage de l'équateur, d'un tropique.

♦ **3** Cérémonie qui accompagne le baptême. *Aller à un baptême. Repas de baptême.*

♦ **4** (Dans des expressions : *baptême de, du...*). Initiation. *Recevoir le baptême du feu* : aller au feu pour la première fois. *Baptême de l'air* : premier voyage en avion. *Le baptême du sang* : le martyre. *Le baptême du malheur* (→ Acheter, cit. 13).

14 «Fils de Saint Louis, montez au ciel», dit le prêtre qui assistait Louis XVI au baptême du sang.
CHATEAUBRIAND, Mémoires d'outre-tombe, IV, 9.

15 Il avait aimé une femme, et cette femme l'avait aimé. Par elle, il avait reçu ce baptême qui révèle à l'homme le monde mystérieux des émotions et des tendresses.
MAUPASSANT, Fort comme la mort, p. 293.

16 Ceux qui reviendront de ce baptême de sang seront des hommes régénérés (...)
MARTIN DU GARD, les Thibault, t. VII, p. 297.

17 (...) préfère-t-elle recevoir le baptême de l'air : ce serait merveilleux, non, de survoler tout le Cotentin, le Mont-Saint-Michel, et peut-être d'atterrir à Jersey?
Alain BOSQUET, les Bonnes Intentions, p. 141.

♦ **5** Argot. Viol collectif d'une jeune fille, vierge ou non (*in* Esnault, Lacassagne).

DÉR. (Du lat. *baptisma*) **Baptismal, baptisme.**

**BAPTISER** [batize] v. tr. — XI^e; lat. chrét. *baptizare,* du grec *baptizein* «immerger».

♦ **1** [a] Administrer le baptême* à. *Baptiser un nouveau-né, un catéchumène, un néophyte. Cet enfant n'est qu'ondoyé, il faut le porter à l'église pour le faire baptiser* (Académie). → **Ondoyer.**

1 Jean dit devant tout le monde : Pour moi, je vous baptise dans l'eau mais il en vient un autre qui est plus puissant que moi, et à qui je ne suis pas digne de dénouer les cordons des souliers. C'est celui-là qui vous baptisera dans le Saint-Esprit et dans le feu.
BIBLE (SACY), Évangile selon saint Luc, III, 16.

2 Allez, dit-il, enseignez toutes les nations, les baptisant au nom du Père, du Fils et du Saint-Esprit, et leur apprenant (...) BOSSUET, Hist., II, 6.

3 On sait assez que l'Église romaine n'a jamais rebaptisé ceux qui avaient été baptisés par qui que ce fût au nom du Père, du Fils et du Saint-Esprit.
BOSSUET, Hist. des Variations, XI, 176.

Par ext. *Baptiser une cloche, un navire,* les bénir en leur donnant un nom.

[b] (1580). Fig., fam. *Baptiser du vin, du lait,* y mettre de l'eau. → **Couper.**

4 Les goguenards de Basse-Bretagne dirent qu'il ne fallait pas baptiser son vin (...) VOLTAIRE, l'Ingénu, 4.

♦ **2** Donner un nom de baptême à (qqn). — Par ext. Donner un sobriquet à (qqn), décorer (qqch.) de tel ou tel nom. → **Appeler.**

Ayons recours aux noms profanes, faisons-nous baptiser sous ceux d'Annibal, de César, de Pompée (...) 5
LA BRUYÈRE, les Caractères, 9, 23.

(...) Pour ceux que du nom de galants on baptise (...) 6
MOLIÈRE, l'École des femmes, I, 6.

La pièce voisine (...) servait au besoin pour de petites opérations. Léon l'avait baptisée «le laboratoire»; c'était une salle de bains désaffectée. 7
MARTIN DU GARD, les Thibault, t. III, p. 112.

♦ **3** Fam., vieilli. Célébrer (une chose nouvelle, un événement assimilé à un enfant) par des réjouissances, des boissons (assimilées à l'eau du baptême).

Le journal fût baptisé (...) dans des flots de vin et de plaisanterie. 8
BALZAC, Une fille d'Ève, 1839, p. 130, *in* T. L. F.

◆ **BAPTISÉ, ÉE** p. p. adj. *Enfant baptisé, chrétien baptisé.*

N. *Les baptisés.*

Fig. *Vin baptisé,* mêlé d'eau.

CONTR. **Débaptiser.** ◊ DÉR. **Baptiseur.** — (Du lat. *baptizare*) **Baptistaire.** ← COMP. **Débaptiser, rebaptiser.**

**BAPTISEUR** [batizœʀ] n. m. — 1495; *bautizeor,* XIII^e; de *baptiser.*

Rare. Celui qui baptise. → **Baptiste.**

(...) le stoïcisme, Platon, Socrate lui-même et ceux que de son temps on appelait orphiques, pythagoriciens ou baptiseurs, croyaient, enseignaient et pratiquaient des maximes venues du même point de l'Asie d'où vinrent aussi les doctrines évangéliques.
Émile BURNOUF, la Science des religions, 1876, p. 183.

**BAPTISMAL, ALE, AUX** [batismal, o] adj. — XII^e; formé sur le lat. *baptisma.* → Baptême.

Didactique (religion) ou littéraire.

♦ **1** Qui a rapport au baptême. *L'eau baptismale. Les enfants nouveaux baptisés portaient pendant une semaine la robe baptismale. La grâce baptismale. La pureté, l'innocence baptismale,* que confère le baptême.

M. de Noailles *(l'évêque)* porta au siège de Châlons-sur-Marne son innocence baptismale, et y garda une résidence exacte. SAINT-SIMON, Mémoires, 32, 116. 1

(Cour.). *Les fonts baptismaux.* → **Fonts.**

On garde dans la chapelle de Vincennes les fonts baptismaux qui servent aux enfants de France. 2
SAINT-FOIX, Essai d'une histoire sur Paris, 1 t. IV, p. 139.

♦ **2** Fig., littér. Pur, innocent (avec des noms comme *azur, clarté, pureté*).

**BAPTISME** [batism] n. m. — 1863, Renan; formé sur le lat. *baptisma.* → Baptême.

Religion.

♦ **1** Doctrine ou pratique religieuse fondée sur le baptême (1.). REM. Renan *(Vie de Jésus)* applique le mot au sabéisme chaldéen.

♦ **2** (Angl. *baptism*). Dans le christianisme, Doctrine selon laquelle le baptême doit être administré aux adultes, ou du moins à des personnes en âge et en état d'assumer ce sacrement, conféré par immersion. → **Baptiste; anabaptiste.**

**BAPTISTAIRE** [batistɛʀ] adj. — 1564; du lat. *baptizare* «baptiser». → Baptême.

Didact. (relig.). Qui constate un baptême. *Registre, extrait baptistaire.* — N. m. *Le baptistaire :* l'extrait de baptême.

**HOM. Baptistère.**

**BAPTISTE** [batist] adj. — 1751; lat. chrét. *baptista;* repris au XIXe (Académie, 1842) à l'angl. *baptist.*

Qui a rapport au baptisme. *La doctrine baptiste.* — N. Partisan du baptisme.

(...) le baptiste ne pratique, il est vrai, l'immersion du baptême qu'au moment où le croyant adulte confirme sa foi (...)
A. MAUROIS, les Discours du Dr O'Grady, II, p. 14.

**HOM. Batiste.**

**BAPTISTÈRE** [batistɛʀ] n. m. — 1080; lat. chrétien *baptisterium,* de *baptisma.* → Baptême.

Édifice annexé à une cathédrale pour y administrer le baptême. *Les baptistères étaient en général ronds ou polygonaux. Le baptistère de Florence.*

À partir du XIIe siècle, quand l'immersion fut remplacée par une simple infusion, les baptistères isolés (...) disparurent, et on se contenta de réserver à l'entrée de chaque église paroissiale une chapelle des Fonts baptismaux.
Louis RÉAU, Dict. d'art et d'archéologie, art. *Baptistère.*

Par ext. Chapelle des fonts baptismaux; par ext., fonts baptismaux.

**HOM. Baptistaire.**

**BAQUET** [bakɛ] n. m. — 1299; dimin. de *bac* «récipient».

♦ **1** Récipient de bois, à bords bas, servant aux usages domestiques. → **Bac, cuve, cuvier, jale, souillarde.** *Remplir d'eau un baquet. Vider un baquet. Baquet de marine.* → **Baille.** *Baquet pour les chevaux.* → **Barbotière.** *Baquet pour le transport de la vendange.* → **Comporte.** *Baquet pour le transport du poisson.* → **Bachotte.** *Baquet en bois de sapin.* → **Sapine.** *Baquet pour le soutirage du vin* (→ **Seillon**). *Le baquet de la lessive. Mesmer utilisait un baquet pour ses expériences thérapeutiques. Se soulager dans un baquet. Baquet d'aisances. Colle de baquet.* → **Colle.**

**REM.** Le mot a des emplois techniques spéciaux en céramique, dorure, gravure, papeterie, imprimerie.

Hortic. Grand récipient où l'on fait pousser les plantes aquatiques.

♦ **2** (1905, *in* Petiot). *Siège baquet,* ou, ellipt., *un baquet :* siège bas et très emboîtant des voitures de sport et de course. *«De rares voitures de sport offrent des baquets qui vous corsettent de la hanche à l'épaule»* (*A. A. T.,* mai 1970).

Argot. Voiture.

1 Parvenu à la bifurcation, je remise mon baquet sur le bord du fossé, je mets mon feu de position et je fais basculer le dossier de mon siège afin de pouvoir en écraser.
SAN-ANTONIO, le Secret de Polichinelle, p. 92.

♦ **3** Argot. Ventre. *Un coup de tatane en plein baquet.*

2 Une nausée me tarabuste le baquet.
— Chef, fais-je, je ne proteste pas sur la nécessité de cette mission. Je vous exprime simplement mon peu d'enthousiasme.
SAN-ANTONIO, Au suivant de ces messieurs, p. 26.

**DÉR. Baqueter, baquetures.**

**BAQUETER** [bakte] v. tr. [CONJUG.: *jeter.*] — 1364; de *baquet.*

Vx. Puiser, vider (l'eau) d'un baquet avec une écope ou une pelle. *Baqueter de l'eau.*

**BAQUETURES** [baktyʀ] n. f. pl. — 1719; de *baquet.*

Techn. Vin qui tombe dans le baquet (→ **Seillon**) placé au-dessous du tonneau en perce, pendant le soutirage ou la mise en bouteilles.

1. **BAR** [baʀ] n. m. — 1857; aussi *bar-room,* en français, 1833; angl. *bar* «barre de comptoir», puis «comptoir» (XVe); aussi *bar-room,* en anglais, 1807.

♦ **1** Débit de boissons où l'on consomme debout ou assis sur de hauts tabourets, devant un comptoir. → **Café;** → aussi 1. Pub, saloon (cit. 2). *Bar américain**. *Faire la tournée des bars. Fréquenter un bar.* — Fam. *Pilier* de bar.*

**REM.** Au XIXe s., le mot ne s'emploie guère qu'en parlant des pays anglo-saxons (→ cit. 1); il peut alors avoir le sens de «buffet». Il se répand en France au XXe s. avec une connotation de mode et de modernité (le *bar* chic s'oppose volontiers au *café,* au *bistrot* traditionnel); mais cette opposition peut se neutraliser (→ cit. 2).

Il n'y a pas *(à New York)* de cafés comme en France; mais les bars, les buvettes sont partout. 1
Revue des Deux-Mondes, 1er janv. 1875, *in* LITTRÉ, Dict., Suppl.

Tu es debout devant le zinc d'un bar crapuleux 2
Tu prends un café à deux sous parmi les malheureux
APOLLINAIRE, Alcools, p. 13.

Je déjeunais dans sa chambre et le soir, quand Sylvia travaillait, nous dînions ensemble. Ensuite nous allions, de bar en bar, pour nous saouler. 3
Jean GENET, Journal du voleur, p. 133.

Dans le bar encore éclairé, comme le docteur l'avait prévu, on apercevait quelques silhouettes, et une vieille marchande de fleurs, au comptoir, buvait un café arrosé qui répandait une forte odeur de rhum. 4
G. SIMENON, Maigret et les braves gens, p. 163.

Dans des comp. *Café-bar.* → **Café.** *Bar-tabac :* bar ou café comportant un débit de tabac.

Débit de boissons analogue dans un théâtre, un hôtel, un paquebot, etc. *Se retrouver au bar de son hôtel. Le bar des premières, dans un Boeing 747.*

Le rez-de-chaussée de l'hôtel était occupé par un immense «bar», sorte de buffet ouvert *gratis* à tout passant. 5
J. VERNE, le Tour du monde en 80 jours, p. 216.

(En franç. d'Afrique). Café, restaurant où l'on danse.

♦ **2** (1883, *in* Höfler; attestation isolée, 1865). Comptoir où sont posées les consommations et devant lequel se placent les consommateurs. → **Zinc.** *Le bar d'un café, d'un restaurant. Tarif au bar et en salle. Tabouret de bar. Garçon, serveuse qui se tient derrière le bar.* → **Barmaid, barman.**

(...) et maintenant il était assis ou plutôt perché devant un bar sur un siège de moleskine rouge à accoudoirs, porté comme une sorte de champignon par un tube d'acier à peu près de la grosseur du bras (...) 6
Claude SIMON, le Palace, p. 16.

Par ext. *Installer un bar dans un coin de son appartement.*

Petit meuble servant à ranger boissons et verres. *Le bar est encore vide : il faut acheter des apéritifs.*

**DÉR.** (De l'angl. *bar*) **Barmaid, barman.** ◊ **HOM. Bahr, bard,** 2. **bar,** 3. **bar, barre.**

2. **BAR** [baʀ] n. m. — 1180; moyen néerl. *baerse.*

Poisson de mer (famille des *Serranidés*) très vorace, à la chair très estimée. → **Loup** (A., 7.). *Le bar est très recherché par les pêcheurs sportifs. Préparer un bar au court-bouillon.* — **REM.** Le synonyme *loup* est employé dans le Midi de la France, et, à cause de recettes empruntées à cette région, dans la restauration.

(...) les thons, lisses et vernis, pareils à des sacs de cuir noirâtre; les bars arrondis, ouvrant une bouche énorme, faisant songer à quelque âme trop grosse, rendue à pleine

gorge, dans la stupéfaction de l'agonie.
ZOLA, le Ventre de Paris, t. I, p. 149 (1875).

HOM. **Bahr, bard, 1. bar, 3. bar, barre.**

3. **BAR** [baʀ] n. m. — 1917; grec *baros* «pesanteur».

Sc. (phys.). Unité de mesure de pression des fluides, utilisée notamment en météorologie pour mesurer la pression atmosphérique, et valant $10^5$ pascals* (soit une hectopièze). → aussi **Atmosphère** (7.). *Le bar vaut $10^6$ baryes. Le centième* (→ **Centibar, pièze**), *le millième* (→ **Millibar**) *du bar.*

HOM. **Bahr, bard, 1. bar, 2. bar, barre.**

**BAR-, BARO-** Préfixe, élément de composition, du grec *baros* «pesanteur, pression» (→ 3. **Bar, baresthésie, barographe, baromètre, baroscope, barosensible, barotraumatisme; -bare**).

**BARAGNE** [baʀaɲ] n. f. — Attesté en franç. littéraire chez Giono, 1932; provençal mod. *baragnas,* apparenté à *brébaigne.*

Régional (Provence). Haie. «*Cette baragne de ronces*» (Giono, *in* T. L. F.).

**BARAGNOSIE** [baʀagnozi] n. f. — XX^e; du grec *baros,* et *agnosie.*

Méd. Incapacité d'évaluer correctement le poids des objets. → **Baresthésie.**

**BARAGOUIN** [baʀagwɛ̃] n. m. — 1532; terme d'injure xénophobe, 1391; p.-ê. du breton *bara* «pain», et *gwin* «vin», mots avec lesquels les pèlerins bretons demandaient l'hospitalité dans les auberges — étym. vraisemblable mais non prouvée; ou de *barater* «s'agiter», et *gouiner, couiner* (Guiraud).

Fam. Langage incorrect et inintelligible, et, par ext., langue que l'on ne comprend pas et qui paraît barbare. → **Charabia, galimatias, jargon.**

1 Autrement c'est pour moi du baragouin étrange.
Mathurin RÉGNIER, Satires, XV.

2 Je pense qu'elles sont folles toutes deux, et je ne puis rien comprendre à ce baragouin.
MOLIÈRE, les Précieuses ridicules, V.

DÉR. **Baragouiner.**

**BARAGOUINAGE** [baʀagwinaʒ] n. m. — 1546, Rabelais; de *baragouiner.*

Fam. Action de baragouiner; discours en baragouin. *Un affreux baragouinage.*

**BARAGOUINER** [baʀagwine] v. intr. et tr. — 1580, Montaigne; de *baragouin.*

♦ **1** V. intr. Fam., péj. Parler une langue incompréhensible, barbare (du point de vue de ceux qui ne la comprennent pas). *Ces étrangers baragouinent entre eux* (Académie).

1 En buvant et baragouinant nous achevâmes de nous familiariser et dès la fin du repas nous devînmes inséparables.
ROUSSEAU, les Confessions, IV.

Trans. (vieilli) :

1.1 Rencontré sur un autre bâtiment un petit mousse qui baragouinait le *breton* (...)
E. DELACROIX, Journal, 27 août 1854.

♦ **2** V. tr. Fam. Parler (une langue) en l'estropiant; prononcer mal et confusément ou en faisant de nombreuses fautes par rapport à l'usage. *Baragouiner un discours, une déclaration.* → **Bafouiller, bredouiller.**

2 (...) baragouiner un peu toutes les langues.
HUGO, les Travailleurs de la mer, I, II, 1.

3 (...) j'entends très bien l'italien, il y a du moins peu de choses qui m'échappent quand on ne le parle pas trop vite; pour ce qui est de le parler, je baragouine quelques mots.
FLAUBERT, Correspondance, t. II, p. 16.

4 (...) la noce sur un seul rang de chaises, écoutant Monseigneur Adriani, le nonce du pape, baragouiner une interminable homélie qu'il lisait, tout imprimée, dans un cartulaire à enluminures.
Alphonse DAUDET, l'Immortel, p. 366.

◆ **BARAGOUINANT, ANTE** p. prés. adj. *Des voix baragouinantes.*

◆ **BARAGOUINÉ, ÉE** p. p. adj. *Un discours baragouiné.*

DÉR. **Baragouinage, baragouineur.**

**BARAGOUINEUR, EUSE** [baʀagwinœʀ, øz] n. — 1669, Molière; de *baragouiner.*

Fam. Personne qui baragouine.

Deux carognes de baragouineuses me sont venues accuser (...)
MOLIÈRE, Monsieur de Pourceaugnac, II, 10.

**BARAKA** [baʀaka] n. f. — 1903, in *Rev. gén. des sc.,* n° 6, p. 318; mot arabe «bénédiction».

♦ **1** Faveur divine qui donne de la chance à l'homme.

1 Mais il possède la baraka, le souffle divin est en lui.
Jérôme et Jean THARAUD, Marrakech, p. 225.

♦ **2** Fam. Chance.

2 (...) le président du Conseil français avait la *baraka.*
F. MAURIAC, Bloc-notes 1952-1957, p. 281.

**BARALIPTON** [baʀaliptɔ̃] n. m. — 1534; terme créé par les scolastiques, à consonance grecque (*paralepton* «(chose) acceptable, recevable»), où les voyelles A et I correspondent respectivement à «proposition universelle affirmative» et «proposition particulière affirmative».

Log. (vieilli dès le XVII^e). Terme mnémotechnique pour rappeler une forme de syllogisme du type «tout chien est un mammifère, tout roquet est un chien, donc quelque mammifère est un roquet» (ou : «il y a des mammifères qui sont des roquets»). *Argumenter en baralipton.*

Ce n'est pas barbara et baralipton qui forment le raisonnement.
PASCAL, De l'esprit géométrique.

REM. Sauf en histoire de la logique, le mot n'est guère employé que pour évoquer le formalisme aristotélicien (→ Barbara) de manière péjorative.

**BARANDAGE** [baʀɑ̃daʒ] n. m. — Av. 1765, *Encyclopédie;* provençal *baranda* «clôture».

Techn. Pêche qui consiste à barrer une rivière par un filet. *Le barandage est interdit par la loi.*

**BARAQUE** [baʀak] n. f. — V. 1500; esp. *barraca,* XIII^e, «hutte», par l'anc. provençal; le mot peut remonter au lat. *vara* «barre en travers».

♦ **1** Construction provisoire en planches. → **Abri, cabane, hutte, loge.** *La vieille caserne a été démolie et remplacée par des baraques. Ensemble de baraques.* → **Baraquement.** *Des baraques de forains. Une baraque pour remiser des outils. Une petite baraque servant de boutique.* → **Échoppe.**

1 Ces longues baraques en planches, alignées sur le sol battu, sec et dur de décembre.
Alphonse DAUDET, Contes du lundi, p. 173.

2 Il fut décidé que nous devions nous replier jusqu'au village de Baleicourt où se trouvait un groupe de ces baraques dites baraques Adrian.
G. DUHAMEL, la Pesée des âmes, VI.

♦ **2** Fam. [a] Maison mal bâtie, de peu d'apparence. → **Bicoque, cassine, masure.** *Cette vieille baraque commence à s'écrouler.* Fam., péj. Maison où l'on ne se trouve pas bien. *On gèle dans cette baraque.*

[b] Fam., péj. Entreprise. *Il va démissionner de cette baraque.* → **Boîte, boutique.**

3 (...) avec le personnel de la baraque (...) je veux dire du collège (...) J. VALLÈS, l'Enfant, p. 55.

[c] (Sans valeur péj.). Maison. *Ils se sont fait construire une belle baraque. «L'été on loue une grande baraque en Dordogne, où les amis passent, restent une semaine, deux semaines»* (*Actuel*, nº 4, févr. 1980, p. 53).

♦ **3** Loc. fam. *Casser la baraque :* ruiner les projets (de qqn). *Il m'a cassé la (ma) baraque.* (En t. de spectacle). Obtenir un triomphe.

4 Bientôt, tous les intoxiqués de Jésus-Christ new-look jetteront leur white-jean aux orties et les lanceurs de disques du show business et du Box-office casseront la baraque avec de sensationnelles opérettes opérationnelles démoniaques anti-néo-chrétiennes et pop-lucifériennes.
J. PRÉVERT, Choses et autres, p. 296.

DÉR. **Baraqué,** 1. **baraquer.**

**BARAQUÉ, ÉE** [baRake] adj. — XXe ; de *baraque* «bâtiment».

Fam. Fait, bâti (d'une personne). *Il est bien baraqué,* grand et fort. *Un gars rudement baraqué.* → **Balaise.** — Absolt. Bien bâti. *Il est baraqué, ce mec !*

1 Ce n'est pas lui qui conduit mais un chauffeur, un certain Giani, genre baraqué (...) il a l'air de donner des ordres aux flics qui sont de garde devant la maison (...)
Régis DEBRAY, l'Indésirable, p. 289.

2 (...) il déteste ça, les filles mal coiffées, Michou, mais pardon, il la trouverait bien baraquée, la jambe comme il faut dans son pantalon de toile.
Christine DE RIVOYRE, les Sultans, p. 114.

CONTR. **Maigrichon, malbâti.**

**BARAQUEMENT** [baRakmɑ̃] n. m. — 1574 ; de 1. *baraquer.*

♦ **1** Vx. Action de baraquer. *Le baraquement des troupes en campagne.*

♦ **2** Ensemble de baraques, et, par ext., syn. de *baraque,* logement provisoire. *Construire des baraquements pour abriter les réfugiés. S'installer dans un baraquement.*

1. **BARAQUER** [baRake] v. — XVIIe ; de *baraque.*

Vieux.

[I] V. tr. ♦ **1** Installer des troupes dans des baraques. *On baraqua le régiment* (Académie). — Pron. (rare). *Les troupes se baraquèrent dans la plaine.*

♦ **2** Fam. Loger.

[II] V. intr. S'établir, loger dans des baraques, des baraquements. *Le régiment baraquait depuis une semaine.* → Camper.

DÉR. **Baraquement.** ◊ HOM. 2. **Baraquer.**

2. **BARAQUER** [baRake] v. intr. — XXe, attesté 1937, Thorand ; de l'arabe *baraka* «s'agenouiller».

S'accroupir, en parlant du chameau ou du dromadaire. *Le chameau baraque. Faire baraquer son chameau.*

HOM. 1. **Baraquer.**

**BARATERIE** [baRatRi] n. f. — 1306, de l'anc. franç. *barater* «tromper» ; 1643 au sens 2, empr. à l'ital. *barat-teria ;* orig. inconnue mais probablt commune pour les deux sens.

♦ **1** Vx. Fraude, escroquerie. *Baraterie involontaire. Baraterie frauduleuse.*

♦ **2** Spécialt. Dr. mar. Faute commise dans l'exercice de ses fonctions par le capitaine, maître ou patron du navire. *L'assureur n'est pas responsable, en principe, des barateries de patron, mais il peut accepter de les couvrir par les polices.*

L'assureur n'est point tenu des prévarications et fautes du capitaine et de l'équipage, connues sous le nom de *baraterie de patron,* s'il n'y a convention contraire.
Code de commerce, art. 353.

**BARATHRE** [baRatR] ou **BARATHRUM** [baRatRɔm] n. m. — XIIe ; grec *Barathron,* par l'intermédiaire du lat., nom du gouffre, proche d'Athènes, où l'on précipitait les condamnés à mort.

Didact. Gouffre ; enfer.

L'égout était sans fond. L'égout, c'était le barathrum. 1
HUGO, les Misérables, t. II, p. 516, *in* T.L.F.

Dans toute ville un peu propre, et qui tient à son hygiène, 2 il devrait y avoir un barathre, où l'on jetterait toutes les croûtes mal venues, pas viables, pour l'exemple !...
Ed. et J. DE GONCOURT, Manette Salomon, p. 122.

Mais à quel barathre, à quelles gémonies, à quelle 3 géhenne, Guilbert ne vouait-il pas les restaurateurs imbéciles de ce monument *(le Parthénon) !*
Roger PEYREFITTE, l'Oracle, p. 125.

**BARATIN** [baRatɛ̃] n. m. — 1926, Esnault, argot des voleurs ; d'abord «portefeuille vide substitué par un complice» (1911) ; de *barat,* déverbal de *barater* «tromper». → Baraterie.

♦ **1** Fam. Discours abondant, particulièrement celui qui tend à en faire accroire, à circonvenir. → **Boniment, moulin** (moulin à paroles). *Faire, taper le baratin à qqn.* → **Baratiner.** — *Un baratin interminable. Le baratin d'un camelot.* — Spécialt. *Faire du baratin à qqn,* chercher à le séduire. → **Boniment.** *Ça va, arrête ton baratin, on se laisse pas draguer par des mecs comme toi.*

♦ **2** Aptitude à la parole ; parole aisée. *Il a du baratin. Il est fort pour le baratin, mais il ne faut pas compter sur lui. Il nous a eus au baratin.*

DÉR. **Baratiner.**

**BARATINER** [baRatine] v. — 1926 ; de *baratin.*

Familier.

♦ **1** V. intr. Faire du baratin. → **Bavarder.** *Il passe son temps à baratiner.*

♦ **2** V. tr. Essayer de séduire ou d'abuser par un baratin. → **Embobiner.** *Baratiner un client ; une femme.*

Quelques mètres plus loin, une blonde, très fardée, queue 1 de cheval, est en grande conversation avec Dupré, le chef d'équipe. Il est visiblement en train de la baratiner et la femme, appuyée sur sa table de travail, souriante, ne le décourage pas. Robert LINHART, l'Établi, p. 56.

Hier au soir, j'ai levé une petite. Pas besoin de la baratiner 2 longtemps. Elle marche tout de suite pour aller au cinoche.
Jean LARTÉGUY, les Prétoriens, p. 532.

DÉR. **Baratineur.**

**BARATINEUR, EUSE** [baRatinœR, øz] n. — 1935 ; de *baratiner.*

Fam. Personne qui baratine, a du bagou, dit tout ce qu'il faut pour séduire, convaincre (même des mensonges). *Ce vendeur est un fameux baratineur. Les baratineurs du bal du dimanche.*

Un baratineur qui s'encanaillait, dit Solange, détachant bien les syllabes, je viens d'être plaquée par un baratineur qui s'encanaillait avec moi.
Christine DE RIVOYRE, les Sultans, p. 73.

Adj. *Il est baratineur comme c'est pas permis.*

**BARATTAGE** [baʀataʒ] n. m. — 1845; de *baratter.*

Action de baratter (la crème) pour obtenir le beurre. → **Beurre, babeurre.**

REM. On rencontre plus rarement la forme *barattement* [baʀatmɑ̃], n. m.

**BARATTE** [baʀat] n. f. — 1549; de *baratter.*

Instrument ou machine à battre le lait pour en extraire le beurre. *Baratte à beurre. Baratte bretonne à récipient fixe* (baril en bois, jatte) *avec agitateur mobile* (→ **Baratton, batte, ribot**). *Baratte à récipient mobile autour d'un axe* (tonnelet, tonneau). *Baratte mécanique.* → **Baratteuse.** *Baratte-malaxeur.*

Quels qu'en soient le type et les dimensions, une bonne baratte doit être simple, d'un service facile pour l'introduction du liquide, pour la sortie du petit-lait ou babeurre; le nettoyage doit en être commode.
Omnium agricole, p. 97.

DÉR. **Baratton.**

**BARATTER** [baʀate] v. tr. — XVI^e; «s'agiter», XII^e; orig. incert. p.-ê. du scandinave *barâtta* «combat, tumulte» ou (Guiraud) du préf. *bar-* exprimant l'opposition, l'échange et lat. *actitare,* de *agere* «agir».

♦ **1** Battre la crème du lait dans une baratte.

♦ **2** Agiter, brasser (une substance quelconque).

Fig., littér. (rare et généralt à la forme passive). «*Baratté par des passions de vieillard*» (Huysmans). *Se baratter la cervelle :* s'agiter, se tourmenter pour rien.

Baratté d'ailes, le ciel s'animait par instants de brusques rafales, qui rabattaient les vols au ras de l'eau, puis les laissaient repartir pour de grands tournoiements.
Hervé BAZIN, les Bienheureux de la désolation, p. 239.

DÉR. **Barattage, baratte, baratteuse.**

**BARATTEUSE** [baʀatøz] n. f. — 1879, L. Cladel, *in* T. L. F.; de *baratter.*

Techn. Machine à baratter; baratte mécanique.

Un homme en blouse alignait des baratteuses et des presses à fruits.
Félix VALLOTTON, Corbehaut, p. 31.

**BARATTON** ou **BARATON** [baʀatɔ̃] n. m. — XVI^e; de *baratte.*

Techn. (agric.). Bâton, agitateur de baratte.

**BARBACANE** [baʀbakan] n. f. — XII^e; orig. incert. (soit arabe, soit persane); probablt de *barbakh* «tuyau, canal», et *khâneh* «écoulement».

♦ **1** Fortif. (Moyen âge). Ouvrage avancé, percé de meurtrières. — Meurtrière pratiquée dans le mur d'une forteresse pour tirer à couvert.

Des pierrailles remplissaient les barbacanes des tours.
Th. GAUTIER, le Capitaine Fracasse, I.

♦ **2** Archit. Ouverture verticale et étroite dans le mur d'une terrasse pour l'écoulement des eaux. — Fenêtre longue et étroite dans le mur, la crypte d'une église; par ext., ouverture haute et étroite.

**BARBACOLE** [baʀbakɔl] n. m. — XVII^e, La Fontaine; de *Barbacola,* nom d'un maître d'école dans une mascarade de Lulli, *le Carnaval* (1675).

Vx. Maître d'école vieux ou pédant. → **Magister.**

Humains, il vous faudrait encore à soixante ans 1
Renvoyer chez les barbacoles (...)
LA FONTAINE, Fables, XII, 8.

(...) il se montrait aussi attique et aussi cicéronien, peu s'en faut, qu'on peut l'être dans une troupe de petits grimauds régie par d'honnêtes barbacoles. 2
FRANCE, le Livre de Pierre, II, 10.

**BARBADINE** [baʀbadin] n. f. — Av. 1902; probablt de *Barbades.*

Régional (franç. des Caraïbes). Passiflore* des régions équatoriales, à fruit comestible.

L'extraordinaire fruit des barbadines (passiflores). 1
GIDE, Voyage au Congo, *in* Souvenirs, Pl., p. 698.

(...) la grande maison des maîtres, à la tête du morne, était entourée d'une vaste terrasse à barbadines et à parapet. 2
André SCHWARZ-BART, la Mûlatresse solitude, p. 127.

**BARBANT, ANTE** [baʀbɑ̃, ɑ̃t] adj. — 1907; de *barber.*

Fam. Qui barbe*, qui gêne, qui ennuie. → **Assommant, barbifiant** (vx), **rasant.** *Un professeur, un cours barbant.* — REM. Le mot a été à la mode jusque vers 1950 (cf. Tristan Bernard, 1907; Proust, 1918, *in* T. L. F.); comme *barber,* il a vieilli.

CONTR. **Distrayant, intéressant, plaisant.**

**BARBAQUE** [baʀbak] n. f. — XIX^e (1873, Esnault); orig. incert., p.-ê. empr. à l'esp. du Mexique *barbacoa* «gril servant à fumer la viande» qui aurait pris le sens de «viande fumée» (→ Barbecue), ou roumain *berbec* «mouton»; P. Guiraud préfère y voir une suffixation argotique de *barbis,* pronont. pop. de *brebis.*

Fam. Mauvaise viande. → **Bidoche.**

À peine on est un peu tranquille dans ce creux : pan. Le 2^e bataillon vient de se faire enfoncer : il faut contre-attaquer. Nous foutons la barbaque et les pommes de terre dans des sacs de toile et en route. 1
DRIEU LA ROCHELLE, la Comédie de Charleroi, p. 213.

(...) je sais bien que ce n'est qu'un rêve, et, qu'aussitôt rassasié, j'aurais des démangeaisons, et, qu'aussitôt assis, je voudrais enfiler mes vieilles godasses qui ont fait le tour du monde, et manger encore la sale barbaque de la cambuse (...) mais, que voulez-vous, cette fois-ci j'étais pincé, sérieusement pincé. 2
B. CENDRARS, Moravagine, Œ. compl., t. IV, p. 202.

Par ext. Viande. *La barbaque est bonne, dans ce restau?*

**BARBARA** [baʀbaʀa] n. m. — XV^e; mot créé par les scolastiques à partir de la lettre A symbolisant une proposition universelle affirmative.

Didact. (log.). Terme mnémotechnique pour désigner le premier mode de la première figure du syllogisme. → **Baralipton.**

**BARBARE** [baʀbaʀ] adj. et n. — 1308; lat. *barbarus,* du grec *barbaros* «étranger».

♦ **1** Vx ou hist. Étranger, pour les Grecs et les Romains, et, plus tard, pour la chrétienté. *Les Ostrogoths, les Wisigoths, les Vandales, les Huns, etc., peuples barbares. Les invasions barbares.*

(...) Ce peuple barbare (...) 1
Sous notre discipline est devenu romain.
CORNEILLE, Sertorius, I, 1.

Il *(Alexandre)* ne partit qu'après avoir assuré la Macédoine contre les peuples barbares qui en étaient voisins (...) 2
MONTESQUIEU, l'Esprit des lois, X, 14.

2.1 Un peu auparavant, Eusèbe faisait remarquer dans son *Histoire ecclésiastique* que les chrétiens étaient appelés barbares, comme appartenant à une religion étrangère et venue du dehors (...)
Émile BURNOUF, la Science des religions, p. 256.

N. *Un barbare. Une jeune barbare. Les barbares furent assimilés* (→ Assimiler).

3 Songez qu'une barbare en son sein l'a formé *(Hippolyte).*
RACINE, Phèdre, III, 1.

4 Rome, devenue la proie des barbares, a conservé par la religion son ancienne majesté (...)
BOSSUET, Disc. sur l'Hist. universelle, III, 1.

5 Théodose, averti le matin qu'un bataillon de barbares avait déserté, fut bien aise d'être défait de ces soldats infidèles (...) FLÉCHIER, Hist. de Théodose, III, 92.

6 Le Père de la Rédemption s'embarque à Marseille (...) il aborde le dey d'Alger, il lui parle au nom de ce roi céleste dont il est l'ambassadeur. Le Barbare s'étonne à la vue de cet Européen, qui ose seul, à travers les mers et les orages, venir lui redemander des captifs (...)
CHATEAUBRIAND, le Génie du christianisme, IV, III, 6.

♦ **2** Vieilli. Qui n'est pas civilisé. *Peuple barbare.* → **Arriéré, primitif, sauvage.** — N. *Un pays de barbares.*

7 Tous les étrangers ne sont pas barbares, et tous nos compatriotes ne sont pas civilisés (...)
LA BRUYÈRE, les Caractères, XII, 22.

8 La plupart des peuples des côtes de l'Afrique sont sauvages ou barbares.
MONTESQUIEU, l'Esprit des lois, XXI, 2 (→ Barbaresque).

9 La France a été longtemps barbare, et, aujourd'hui qu'elle commence à se civiliser, il y a encore des gens attachés à l'ancienne barbarie. VOLTAIRE, Dialogues, 21.

10 Il se peut que longtemps avant les empires de la Chine et des Indes il y ait eu des nations instruites, polies, puissantes, que des déluges de barbares auront ensuite replongées dans le premier état d'ignorance et de grossièreté qu'on appelle l'état de pure nature (...)
VOLTAIRE, Essai sur les mœurs, Avant-propos.

11 Au nom de Tamerlan on s'imagine un barbare approchant de la brute. VOLTAIRE, Essai sur les mœurs, 88.

12 Dans la progression des lumières croissantes, nous paraîtrons nous-mêmes des barbares à nos arrière-neveux.
CHATEAUBRIAND, Mémoires d'outre-tombe, X.

13 Ce qui caractérise les **sauvages,** c'est l'isolement et l'amour de l'indépendance (...) Ce qui caractérise les **barbares,** c'est la grossièreté et la rudesse des mœurs : (...) ils sont sans politesse (...) ils sont insensibles aux charmes de la poésie, de l'éloquence et de la musique, n'ayant d'estime que pour la force du corps et pour la valeur guerrière. «Il y a toujours des barbares dans les nations les plus polies, et dans les temps les plus éclairés.» VOLTAIRE (...)
Les sauvages sont donc moins avancés en civilisation et plus voisins de l'état de nature que les barbares.
LAFAYE, Dict. des synonymes, Suppl.

*Coutumes barbares. Époque barbare. — Des gens barbares, incultes.* — (Dans des contextes laudatifs). *Force, vitalité barbare. Un art, une beauté barbare.* → **Sauvage.**

14 (...) une époque barbare où l'on ne jugeait ni la violence ni la ruse comme nous avons coutume de le faire dans nos lois et dans nos livres sinon dans nos comportements.
DANIEL-ROPS, le Peuple de la Bible, III, I, p. 181.

Fig. *C'est un barbare :* c'est un homme grossier et incapable d'apprécier les beautés de l'art. → **Béotien, brute, ignorant.** — REM. Ce sens a vieilli par suite de l'évolution des jugements portés sur les sociétés et les cultures différentes.

♦ **3** Qui choque, qui est contraire aux règles, au goût, à l'usage. → **Grossier, malsonnant, rude.** *Langue, style, terme, musique barbare. Une façon de parler barbare.* → **Incorrect; barbarisme.**

15 D'un seul nom quelquefois le son dur et bizarre
Rend un poëme entier, ou burlesque ou barbare.
BOILEAU, l'Art poétique, III.

Une barbare (...) orthographe. 16
MOLIÈRE, les Fâcheux, III, 2 (Placet de Caritidès).

L'esprit y est toujours naturel et exempt de ce jargon ridicule, à la fois puéril et barbare, dont plusieurs de nos pièces modernes sont si cruellement infectées (...) 17
D'ALEMBERT, Éloges, Boissi.

Vingt jargons barbares succèdent à cette belle langue latine qu'on parlait du fond de l'Illyrie au mont Atlas. 18
VOLTAIRE, Essai sur les mœurs, 12.

Par ext. (le mot peut alors être laudatif). D'une force puissante et non policée.

Il m'apparaît parfois que ce livre barbare (*Jean-Christophe, de R. Rolland*), mal équarri, sans art, sans grâce et de qualités en apparence si peu françaises, reste ce qui a été produit en France de plus important, ou du moins de plus typique, par notre génération. 19
GIDE, Journal, 1917.

♦ **4** Vx, ou archaïsme. Qui a la cruauté du barbare. → **Cruel, dur, farouche, féroce, impitoyable, inhumain, sauvage, vandale.** *Une lutte barbare. Un cœur barbare* (→ Affection, cit. 8). *Barbare époux* (→ Arracher, cit. 25).

Père barbare, achève, achève ton ouvrage (...) 20
CORNEILLE, Polyeucte, V, 5.

La gazelle s'allait ébattre innocemment, 21
Quand un chien, maudit instrument
Du plaisir barbare des hommes,
Vint sur l'herbe éventer les traces de ses pas.
LA FONTAINE, Fables, XII, 15.

Pour étouffer les cris que poussaient les malheureuses victimes *(dans les sacrifices humains),* on faisait retentir, pendant cette barbare cérémonie, le bruit des tambours et des trompettes (...) 22
ROLLIN, Hist. ancienne, 1 t. I, p. 190.

Immoler, égorger soi-même ses propres enfants et les jeter de sang-froid dans un brasier ardent ! des sentiments si dénaturés, si barbares, adoptés cependant par des nations entières et des nations très policées (...) 23
ROLLIN, Hist. ancienne, t. I, p. 195.

La populace, toujours extrême, toujours barbare quand on lui lâche la bride, va déterrer le corps de Concini, inhumé à Saint-Germain l'Auxerrois (...) 24
VOLTAIRE, Essai sur les mœurs, 175.

Tous les animaux se défient de l'homme et n'ont pas tort ; mais sont-ils sûrs une fois qu'il ne leur veut pas nuire, leur confiance devient si grande qu'il faut être plus que barbare pour en abuser (...) 25
ROUSSEAU, les Confessions, VI.

Mod. (Choses). *Un crime barbare.*

Que dis-je ? il n'était plus tems : son horrible conduite, ses barbares desseins avaient anéanti tous les sentimens que mon faible cœur osait concevoir, et je ne voyais plus en lui qu'un monstre (...) SADE, Justine..., t. I, p.89. 25.1

N. (rare au fém.). *Un odieux barbare.* → **Assassin, tigre.**

Un juge qui, autorisé par la loi à punir d'une moindre peine, prononce la peine de mort, est un assassin et un barbare. 26
VOLTAIRE, Politique et Législation, Relation de la mort du chevalier de la Barre.

CONTR. **Civil, civilisé, éclairé, poli, policé. — Correct, délicat, fin, raffiné. — Bon, chrétien, humain.** ◊ DÉR. **Barbarement, barbariser. — V. Barbaresque, barbarie, barbarisme.**

**BARBAREMENT** [barbarmɑ̃] adv. — 1529, «contrairement au bon usage de la langue», 1615; de *barbare.*

Vx. D'une façon barbare, et, spécialt, cruelle.

Les Turcs ne traitent pas toujours les chrétiens aussi barbarement que nous nous le figurons. 1
VOLTAIRE, Essai sur les mœurs, 91.

J'avais barbarement porté le poignard dans son cœur sensible (...) ROUSSEAU, Rêveries..., I. 2

Il faut raconter barbarement un âge barbare, et prendre un cœur d'airain, mettre en saillie ce qui domine tout, la brutalité de la guerre, et son rude outil, le soldat. 3
MICHELET, Extraits historiques, p. 216.

CONTR. **Civilement, poliment. — Correctement, humainement.**

**BARBARESQUE** [baʀbaʀɛsk] adj. et n. — 1534; ital. *barbaresco* «barbare». → 2. Barbe.

Vx ou hist. Qui a rapport aux pays autrefois désignés sous le nom de *Barbarie* (Afrique du Nord). → aussi **Berbère.** *Les États barbaresques. Les pirates barbaresques.*

N. Personne qui habite la «Barbarie».

**BARBARIE** [baʀbaʀi] n. f. — 1495, sens 4; lat. *barbaria,* de *barbarus.* → Barbare.

♦ **1** Hist. Le monde barbare, les pays étrangers par rapport aux Grecs et aux Romains, et, plus tard, par rapport à la chrétienté.

(N. propre). Nom autrefois donné aux pays de l'Afrique du Nord. → **Barbaresque** (États barbaresques), **berbère.** *Figuier de Barbarie.* → **Figuier.**

♦ **2** Manque de civilisation, état d'un peuple non civilisé. → **Sauvagerie, primitivisme.** *La barbarie primitive* (→ Aligner, cit. 4). *Des siècles d'obscure barbarie.* → **Ténèbres.** *La plus épaisse barbarie. Tirer un peuple de l'état de barbarie. Retomber dans la barbarie. Flot de barbarie* (→ Acropole, cit. 2). — REM. Sans être vieillie comme l'emploi correspondant de *barbare,* cette acception est d'usage écrit et littéraire.

1 Il n'y a rien de barbare et de sauvage en cette nation (...) sinon que chacun appelle barbarie ce qui n'est pas de son usage. MONTAIGNE, Essais, I, 30.

2 Le czar Pierre né dans une barbarie si épaisse, et, avec tant de génie, créateur d'un peuple nouveau. FONTENELLE, Sébastien.

3 Il faut avouer que la nation française, aussi polie qu'aucune nation, est encore dans cette barbarie, qu'elle doute si les sciences poussées à une certaine perfection ne dérogent point, et s'il n'est point plus noble de ne rien savoir (...) FONTENELLE, l'Hospital.

4 Vous êtes depuis longtemps enfoncés dans la fange de notre antique barbarie; il est triste d'être ignorants, mais il est affreux d'être lâches et corrompus (...) VOLTAIRE, Politique et Législation, Anne Dubourg à ses juges.

5 L'Ukraine, la Russie, les plaines du Danube, le peuple slave enfin, c'est un trait d'union entre l'Europe et l'Asie, entre la civilisation et la barbarie. BALZAC, la Cousine Bette, Pl., t. VI, p. 331.

6 Dans les derniers temps de l'Empire, il y eut, chez les âmes élevées, chez les évêques éclairés, chez les lettrés, un vrai sentiment de «la paix romaine», opposé au chaos menaçant de la barbarie. RENAN, Questions contemporaines, Qu'est-ce qu'une Nation?, 2 mars 1882.

7 Des restes de barbarie traînent encore, dit M. Bergeret, dans la civilisation moderne. FRANCE, le Mannequin d'osier, XI.

8 Je ne doutais plus que la civilisation, comme on la nomme, ne fût une barbarie savante et je résolus de devenir un sauvage. FRANCE, le Jardin d'Épicure, p. 229.

8.1 Sans doute, il *(Baudelaire)* a parlé «d'une barbarie inévitable, synthétique, enfantine, qui reste souvent visible dans un art parfait (mexicaine, égyptienne ou ninivite) et qui dérive du besoin de voir les choses grandement»; c'est en marge d'une étude sur Guys, et jamais il ne s'est référé avec quelque détail aux œuvres qui montrent cette barbarie; il célèbre seulement Michel-Ange et Puget. MALRAUX, la Métamorphose des dieux, p. 2.

♦ **3** Vieilli. Absence de goût, grossièreté digne d'un barbare. → **Grossièreté, ignorance, rudesse.** *Barbarie de style, des termes.* → **Incorrection.**

9 On fut bien davantage choqué du style confus et embarrassé, de la barbarie des termes (*des* Maximes des Saints, *de Fénelon*). SAINT-SIMON, Mémoires, I, 408.

10 Si deux ou trois personnes ne soutenaient le bon goût dans Paris, nous dégringolerions dans la barbarie (...) VOLTAIRE, *in* LITTRÉ.

11 Il y a une espèce de barbarie à latiniser des noms français que la postérité méconnaîtrait; et les noms de Rocroi et de Fontenoy font un plus grand effet que les noms de Rocrosium et de Fonteniacum. VOLTAIRE, le Siècle de Louis XIV.

♦ **4** (Style écrit). Cruauté de barbare. → **Cruauté; brutalité, férocité, inhumanité, sauvagerie, vandalisme.** *«La barbarie est indépendante du caractère des individus; elle tient à l'état des mœurs»* (Lafaye, *Dict. des synonymes*). *Une abominable, une horrible, une odieuse barbarie. Commettre des actes de barbarie* (→ Assassinat, cit. 4).

Tour à tour la victoire autour d'eux en furie 12
A poussé leur courroux jusqu'à la barbarie (...)
CORNEILLE, Sertorius, I, 1.

La barbarie des bourreaux se lasse sur un corps formé 13
par l'Esprit-Saint. MASSILLON, Carême, Passion.

Les dieux ne sont-ils pas des monstres de barbarie d'avoir 14
fait naître un Tantale pour qu'il mangeât son fils en ragoût? VOLTAIRE, Dialogues, XXIX, 3.

Je ne crois pas que les hommes soient bons naturellement. 15
Je vois plutôt qu'ils sortent péniblement et peu à peu de la barbarie originelle. FRANCE, M. Bergeret à Paris, XVII.

*(Une, des barbaries).* Acte de barbarie. *Tant de barbaries l'avaient rendu la terreur de ses sujets* (Académie).

Ne m'imputez point la barbarie que nous allons faire. 16
M^me^ DE SÉVIGNÉ, 347.

Mod. Moment historique de cruauté, de violence, d'oppression. *Barbarie nazie. — La Barbarie à visage humain,* essai de B. Henri-Lévy.

Ainsi les intellectuels de l'Altenburg étudiaient-ils les bar- 17
baries historiques, comme des civilisations particulières. La vraie barbarie, c'est Dachau; la vraie civilisation, c'est d'abord la part de l'homme que les camps ont voulu détruire. MALRAUX, Antimémoires, p. 624.

CONTR. **Civilisation; civilité, politesse; progrès. — Finesse; correction, délicatesse, douceur, raffinement. — Bonté, humanité.**

**BARBARISER** [baʀbaʀize] v. tr. — 1534; «parler comme un barbare», XVIII^e^; de *barbare.*

Littér. Rendre barbare. — Pron. *«Un civilisé qui se barbarise»* (Flaubert). *Langue, société qui se barbarise.*

**BARBARISME** [baʀbaʀism] n. m. — 1265; lat. *barbarismus,* grec *barbarismos,* de *barbaros.* → Barbare.

♦ **1** Faute grossière de langage, particulièrement celle qui consiste à employer des mots forgés ou déformés, à se servir d'un mot dans un sens qu'il n'a pas. → **Impropriété, incorrection, solécisme.** — Mot ainsi employé. *Solutionner* (au lieu de *résoudre*) *une question* est un barbarisme.

Mon esprit n'admet point un pompeux barbarisme, 1
Ni d'un vers ampoulé l'orgueilleux solécisme.
BOILEAU, l'Art poétique, I.

Il n'a manqué à Molière que d'éviter le jargon et le barba- 2
risme, et d'écrire purement (...)
LA BRUYÈRE, les Caractères, I, 38.

De fréquents barbarismes, une latinité africaine, déshono- 3
rent les ouvrages de ce grand orateur *(Tertullien).*
CHATEAUBRIAND, Génie du christianisme, III, IV, 2.

*— Rosus, Rosa, Rosum!...* 3.1
— Le malheureux! il fait des barbarismes en société!
E. LABICHE, Deux merles blancs, II, 6.

♦ **2** Vx ou littér. Faute contre le goût. → **Incongruité.**

Vous n'avez pas ici un repas fort savant, et vous y trou- 4
verez des incongruités de bonne chère, et des barbarismes de bon goût.
MOLIÈRE, le Bourgeois gentilhomme, IV, 1.

1. **BARBE** [baʀb] n. f. — 1040; lat. *barba.*

♦ **1** Poil du menton, des joues et de la lèvre supérieure (→ ci-dessous cit. 7.1); spécialt, poil du menton et du bas des joues (à l'exclusion de la moustache, des favoris...). → **Barbouze** (fam.). *Poils de barbe, de la barbe.* → **Côtelette, favori, mouche, moustache, patte** (pattes de lapin), **rouflaquette.** *Avoir de la barbe. Un homme à barbe.* → **Barbu.** *Une femme à barbe.* → **Virilisme** (virilisme pilaire). *N'avoir pas de barbe. Un visage sans barbe, un menton vierge de barbe.* → **Glabre, imberbe.** *Barbe naissante. Première barbe.* → **Duvet.** *Se laisser pousser la barbe.* → 2. Poilu, cit. 3. *Porter la barbe, toute sa barbe. Une longue, une belle barbe. Les Anciens représentaient les fleuves sous les traits d'un vieillard à barbe épaisse. Une barbe à flocons, large, ample, bien plantée, bien fournie, drue, touffue. Une barbe de capucin*, de sapeur. Une barbe négligée, mal peignée, hirsute, mêlée, en broussaille, broussailleuse. Une barbe rare, clairsemée, inculte. Une barbe bien soignée, coupée, taillée. Coupes, tailles de barbe. Barbe à deux pointes. Petite barbe pointue.* → **Barbiche, bouc; impérial** (impériale, n. f.). *Barbe en collier, collier de barbe. Barbe carrée. Barbe en fer à cheval. Barbe blonde, rousse, ardente* (→ Ardent, cit. 6), *brune, noire, grise, argentée, blanche. Une barbe sel et moutarde.* → Poussif, cit. 2. *Un vieillard à barbe blanche, chenue, fleurie, neigeuse. Se teindre la barbe. La légende de Charlemagne, l'empereur à la barbe fleurie. Se faire faire la barbe chez le coiffeur.* → **Barbier; barbifier.** *Se raser la barbe, faire raser* (→ **Raser**), *couper sa barbe. Brosse à barbe.* → **Blaireau.** *Plat à barbe.* → **Plat,** cit. 22 et 22.1. *Savon à barbe. Faire l'étrenne de sa barbe à qqn :* embrasser qqn ou se faire embrasser par lui après s'être rasé. *Une barbe de huit jours,* qui n'a pas été rasée depuis huit jours. *Une fausse barbe, une barbe postiche.*

1 Quoi? se peut-il, Monsieur, qu'avec l'air d'homme sage,
Et cette large barbe au milieu du visage (...)
MOLIÈRE, Tartuffe, II, 2.

2 Autant de jugement que de barbe au menton (...)
LA FONTAINE, Fables, III, 5.

3 Son menton nourrissait une barbe touffue (...)
LA FONTAINE, Fables, XI, 7.

4 Il entre : ah! que sa barbe est rébarbative!
LA FONTAINE, Contes, «Le Florentin», I, 6.

4.1 (...) ce qu'il aurait pu retrancher, c'est sa barbe de capucin.
Mme DE SÉVIGNÉ, 366, 23 août 1671.

5 Je vous dirai une nouvelle la plus grande et la plus extraordinaire que vous puissiez apprendre, c'est que Monsieur le Prince fit faire hier sa barbe; il était rasé : ce n'est point une illusion, ni des choses qu'on dit en l'air, c'est une vérité; toute la cour en fut témoin (...)
Mme DE SÉVIGNÉ, 772, 17 janv. 1680.

6 Le prieur (...) remarqua que l'Ingénu avait un peu de barbe; il savait très bien que les Hurons n'en ont point. Son menton est cotonné, il est donc fils d'un homme d'Europe (...) VOLTAIRE, l'Ingénu, 2.

7 Cymodocée, flattant son vieux père de ses belles mains et caressant sa barbe argentée (...)
CHATEAUBRIAND, les Martyrs, I.

7.1 Véritable Américain du nord, maigre, osseux, efflanqué, âgé de quarante-cinq ans environ, il grisonnait déjà par ses cheveux ras et par sa barbe, dont il ne conservait qu'une épaisse moustache.
J. VERNE, l'Île mystérieuse, t. I, p. 13.

8 La barbe amincie vers l'oreille dessine les os maxillaires; il est impossible de voir une barbe mieux plantée (...)
E. FROMENTIN, Un été dans le Sahara, II, 160.

9 (...) je remarquai un homme qui avait une drôle de barbe, séparée en petites boucles comme les plus antiques statues de ce pays (...) LOTI, Aziyadé, VII, p. 13.

10 (...) embelli peut-être, à cause de sa naissante barbe noire, qu'il avait laissée pousser à l'ordonnance sur le menton et sur les joues. LOTI, Matelot, XIX, p. 69.

11 (...) un petit vieux monsieur au crâne nu, au visage mangé de barbe grise.
COURTELINE, Messieurs les ronds-de-cuir, I, II.

De ses joues creuses pendait une barbe décolorée. 12
FRANCE, Jardin d'Épicure, p. 179.

Je vous la souhaite bonne, dit une voix dans une barbe, 13
sous un chapeau de paille.
FRANCE, le Mannequin d'osier, V.

Une barbe de plusieurs jours dévorait les joues jusqu'aux 14
pommettes. F. MAURIAC, la Pharisienne, 36.

Les sourcils broussailleux, la barbe de chèvre, étaient 15
devenus tout à fait blancs (...)
MARTIN DU GARD, les Thibault, t. IX, p. 105.

(...) il m'observait de ses yeux vifs, en fourrageant dans sa 16
barbe (...)
MARTIN DU GARD, les Thibault, t. IV, p. 99.

(...) une large barbe grisonnante suspendue à des joues 17
massives.
G. DUHAMEL, Chronique des Pasquier, I, V.

Il vint donc m'ouvrir lui-même, le rasoir aux doigts, car 18
il était en train de se faire la barbe.
(...) Si vous le permettez, je vais en finir avec cette barbe. Vous savez que c'est un supplice, car j'ai le poil très dur.
G. DUHAMEL, Chronique des Pasquier, III, IV.

Charlemagne, le sage empereur «à la barbe fleurie» de la 19
Chanson de Roland, vit dans nos mémoires autant que le terrible soldat à longues moustaches qui fit massacrer dix mille saxons (...)
DANIEL-ROPS, le Peuple de la Bible, III, I, p. 198.

Son visage est grisâtre; les traits en sont tirés, et don- 19.1
nent l'impression d'une extrême fatigue; mais peut-être une barbe de plus d'un jour est-elle pour beaucoup dans cette impression.
A. ROBBE-GRILLET, Dans le labyrinthe, p. 16.

Fam. *Barbe à poux :* barbe sale, mal tenue, hirsute (terme d'injure plaisante).

*La barbe, symbole du sexe fort.*

Du côté de la barbe est la toute-puissance. 20
MOLIÈRE, l'École des femmes, III, 2.

*N'avoir pas de barbe au menton :* être jeune. — Vx (langue class.). *Avoir la barbe grise :* être vieux. → **Barbon, grison.** — Par métonymie. → cit. 22.

Ils n'apprenaient cette leçon 21
Qu'ayant de la barbe au menton (...)
LA FONTAINE, Contes, «Nicaise».

Allez, grande barbe *(le cardinal Bessarion),* pédant hérissé 22
de grec, vous perdez le respect qui m'est dû (...)
FÉNELON, *in* LITTRÉ.

Je finis par mener une vie patriarcale; c'est un don de 23
Dieu qu'il ne nous fait que quand on a barbe grise : c'est le hochet de la vieillesse (...)
VOLTAIRE, Lettre à Mme de Lutzelbourg, 24 mars 1756.

Mod. (Fam.; de *barbant, barber*). *Une vieille barbe :* un vieil homme ennuyeux. → **Birbe.**

Marchez avec les années, mon cher Vallès; pour l'amour 23.1
du diable, ne soyez pas une vieille barbe, l'Homère entêté d'une épopée ratée.
A. GILL, Lettre à Vallès, mi-janv. 1877, *in* D. D. L., II, 6.

**BARBE À PAPA :** confiserie faite de longs filaments de sucre étirés à chaud et enroulés en une grosse pelote autour d'un bâtonnet. *Marchand forain qui vend de la guimauve et de la barbe à papa.*

Un jour, au fond d'un lointain boulevard extérieur, nous 23.2
découvrîmes une fête foraine.
Nous goûtâmes *la barbe à la papa.* Cette mousse de sucre blanche et rose qu'on enroule dans une bassine tournoyante autour d'un petit bout de bois.
«Ze manze la barbe de Victor Hugo», dit-elle.
P. GUTH, le Mariage du naïf, XV, p. 164.

♦ **2** Loc. *Au nez* et à la barbe de qqn. À la barbe de qqn,* en sa présence, en dépit de lui.

(...) Ma femme est ma femme, 24
Et vouloir à ma barbe en faire votre bien (...)
MOLIÈRE, Sganarelle, 21.

(...) la nature s'était amusée à sauver le malade à la barbe 25
du médecin. HUGO, Notre-Dame de Paris, VIII, 6.

Et ainsi l'on rentre à Landachkoa, village de France, pas- 26
sant sur le pont de la Nivelle, à la barbe des carabiniers d'Espagne. LOTI, Ramuntcho, II, IX, p. 276.

Fig. *Rire dans sa barbe,* en cachette, à part soi.

27 Chamillart s'était contenté de rire dans sa barbe.
SAINT-SIMON, Mémoires, VI, 406.

♦ **3** Fam. *La barbe!,* exclamation pour : assez, cela suffit. *Quelle barbe que cette réception,* quel ennui. → **Barbant, barber, barbifier** (fam.). *C'est la barbe!* (→ Sandow, cit.).

28 (...) elle (*M^me de Citri*) ne se donnait même pas la peine de dire «la barbe» mais se contentait de faire passer sa main, comme un barbier, sur son visage.
PROUST, À la recherche du temps perdu, t. IX, p. 115.

♦ **4** Longs poils que certains animaux ont à la mâchoire, au museau. *Barbe de chèvre, de bouc, de singe, de chat...* → **Barbiche.**

*Barbe de coq,* les deux morceaux de chair qui pendent sous le bec. → **Barbillon.** — *Barbes de poisson :* cartilages qui servent de nageoires à certains poissons plats (ex. : limande; barbue).

*Barbes de baleine,* crins qui garnissent l'extrémité des fanons.

29 L'Esquimau va prendre des peaux de loup marin; il les étend avec des barbes de baleine; il en forme un long canot. CHATEAUBRIAND, les Natchez, VIII, 340.

♦ **5** [a] (Qualifié). Filet délié. — Bot. *Barbe d'un épi :* chacune des pointes effilées des glumes de certains épis (ex. : orge). → **Arête.**

[b] Par métaphore des sens 1 et 4, dans des noms de plantes. *Barbe-de-bouc :* salsifis sauvage. — (1790, *in* D. D. L.). *Barbe-de-chèvre :* plante dont les feuilles portent des pointes piquantes et sont prolongées par des petites fleurs blanches. — *Barbe-de-capucin :* chicorée sauvage qui donne par étiolement la witloof. → **Nigelle.** — *Barbe-de-moine* (syn. : *barbe-de-chanoine*) : fleur blanc rosé dépourvue de feuilles. — *Barbe-de-Jupiter :* arbrisseau ornemental aux feuilles argentées. — *Barbe-de-renard :* astragale épineuse.

[c] Zool. Chacun des filaments serrés formant la plume (de chaque côté du tuyau). → **Barbule.**

[d] Frange (d'un tissu qui s'effiloche).

30 (...) autour du poignet terreux la manche du spencer s'effilochait en barbes inégales, le poignet de la chemise s'effilochait aussi (...) Claude SIMON, le Palace, p. 21.

♦ **6** [a] *Barbes :* petites irrégularités (menues aspérités, filaments piquants ou coupants) d'une pièce (surtout, d'une pièce de métal) qui a été soumise à l'action d'un outil travaillant par tranchage, déchiquetage ou abrasion. *Enlever des barbes à la lime, à la meule.* → **Ébarber.** *Barbes d'un outil tranchant fraîchement affûté.* → **Morfil.** — (Sing. collectif). *Barbe qui reste au flan des monnaies.* → **Barbille.**

[b] Matière végétale d'aspect filamenteux qui croît de manière désordonnée, envahissante (algues sur la carène d'un bateau, moisissures sur certaines denrées, etc.). *Le bateau n'a pas été caréné depuis longtemps, il commence à avoir de la barbe.*

31 Le pâtissier aura beaucoup d'honneur, si ses perdrix sont arrivées sans barbe, par le temps pourri que nous essuyons depuis un mois.
VOLTAIRE, Lettre à d'Argence, 29 janv. 1769.

[c] Minér. Trichite*.

DÉR. **Barbé, 2. barbeau, barbelé, barbelure, barber, barbet, barbette, barbiche, barbier, barbifier, barbille, barbouze, barbule.** — V. **1. Barbeau, barbu.** ◊ COMP. **Ébarber, rébarbatif, sous-barbe.** → HOM. **2. Barbe.**

## 2. BARBE [baʀb] adj. et n. m. — 1534, adj., Rabelais; 1619, n.; ital. *barbero,* dér. de *Barberia* «Barbarie».

Se dit d'un cheval d'Afrique du Nord. *Cheval, jument barbe.*

(...) ils faisaient déjà ployer le cheval barbe qui les portait, 1
et près duquel un saïs marchait la main appuyée sur la croupe. Th. GAUTIER, Constantinople, p. 251.

N. m. *Un barbe :* un cheval barbe.

Les chevaux arabes sont les plus beaux que l'on connaisse 2
en Europe; ils sont plus grands et plus étoffés que les barbes. BUFFON, Hist. nat. des animaux, Le cheval.

HOM. **1. Barbe.**

## BARBÉ, ÉE [baʀbe] adj. — XII^e; de *barbe.*

♦ **1** Blason. Se dit de quelques animaux à barbe, lorsque la barbe est d'un autre émail que le reste de la pièce. *Un coq barbé.*

♦ **2** Bot. Garni de barbes. *Épi barbé.* → **Barbu.** — Avec un compl. *Feuille barbée de longs poils.*

Voici la longue feuille pointue, barbée de soie.
A. BRETON, l'Amour fou, V, p. 105.

## 1. BARBEAU [baʀbo] n. m. — 1178; du lat. pop. **barbellus,* rac. *barba;* à cause des barbillons, mais avec infl. de *barbot,* de *barboter.*

♦ **1** Poisson d'eau douce de la famille des cyprinidés *(Barbus),* dont la mâchoire est garnie de barbillons. → **2. Barbet, 2. barbillon, 1. barbot.** — REM. La fréquence du sens 2 fait que cet emploi est rare.

♦ **2** (1866). Fam. Souteneur. → **Maquereau.** *Jeune barbeau.* → **2. Barbillon.** *«On n'est pas chez les barbeaux. On les respecte les filles»* (*le Nouvel Obs.,* 16 oct. 1978).

Jupien les avait recommandés à la bienveillance du baron 1
en lui jurant que c'étaient tous des «barbeaux» de Belleville et qu'ils marcheraient avec leur propre sœur pour un louis. PROUST, le Temps retrouvé, Pl., t. III, p. 824.

Quoique popularisé par l'image, la charge, le théâtre et le 2
café-concert, le «barbeau» reste fidèle au chandail ou à la chemise de couleur sans col, à la casquette (...)
COLETTE, la Vagabonde, I.

J'ai travaillé avec des voleurs et des barbeaux dont l'auto- 3
rité m'entraînait, mais peu se montrèrent vraiment audacieux quand celui qui le fut le plus — Guy — était sans violence. Jean GENET, Journal du voleur, p. 14.

DÉR. **2. Barbillon.** — V. **Barbiquet.** ◊ HOM. **2. Barbeau, 1., 2. barbot.**

## 2. BARBEAU [baʀbo] n. m. — 1642; de *barbe.*

Régional. Plante à fleur bleue. → **Bleuet, centaurée.**

Adj. *Bleu barbeau :* espèce de bleu clair. — REM. On trouve aussi la graphie *barbot.*

## BARBECUE [baʀbəkju; baʀbəky] n. m. — 1948, *in* Höfler; mot angl. (1697), de l'esp. *barbacoa;* mot haïtien. → Barbaque.

Anglicisme.

♦ **1** Brasero à charbon de bois, pour faire des grillades en plein air.

C'est ce qu'a tout de suite compris l'astucieux restaura- 1
teur : s'il avait installé son barbecue à Venise même, la clientèle intéressante, trouvant cela trop simple, ne serait pas venue.
Pierre DANINOS, Un certain Monsieur Blot, p. 209.

Par appos. Grillé au barbecue. *Côtelette barbecue.*

La viande barbecue, c'est de la viande cuite à la broche, 2
simplement.
S. DE BEAUVOIR, l'Amérique au jour le jour, 1948, p. 340.

♦ **2** (1949, *in* Höfler). Réunion en plein air, piquenique où l'on mange des viandes grillées au barbecue. *Être invité à un barbecue à la campagne.*

**BARBELÉ, ÉE** [baʀbəle] adj. et n. m. — 1120; de l'anc. franç. *barbel* «pointe», dimin. de *barbe*.

♦ **1** Adj. Qui est garni de pointes disposées comme les barbes d'un épi. *Flèche barbelée.*

1 Je la vois cette crête, découpée sur le ciel d'incendie, hérissée de pieux barbelés, tous penchés dans le même sens, comme bousculés par un cyclone.
MARTIN DU GARD, les Thibault, t. IX, p. 241.

Cour. *Fil de fer barbelé :* fil de fer muni de pointes utilisé pour les clôtures ou comme matériel de défense militaire. → **Ronce.**

(Rare). Fait de fil de fer barbelé.

2 Quelques arpents (...) soigneusement enclos de treillages barbelés. G. DUHAMEL Scènes de la vie future, VI.

♦ **2** N. m. Fil de fer barbelé. *Des barbelés. Réseau de barbelés.* — (Collectif). *Acheter du barbelé.*

Ouvrage, clôture de fil de fer barbelé. *Vaches derrière des barbelés. Enclore un terrain de barbelés.* → **Barbeler.** — Spécialt. Clôture d'un camp de prisonniers. *Il est derrière les barbelés.*

3 Je fus pris dans les barbelés d'un fort où j'entendais marcher et chuchoter des sentinelles.
Jean GENET, Journal du voleur, p. 120.

DÉR. **Barbeler.**

**BARBELER** [baʀbəle] v. tr. [CONJUG.: *appeler* ou *geler.*] — 1892, Verlaine, cit. *infra; de barbelé.*

Rare. Entourer de fils de fer barbelés. *Le Français «barbèle au besoin son jardin»* (→ Clôture, cit. 5.1).

Figuré :

Droit au but ils volent, ces vers, traits primesautiers d'esprit franc du collier, pointes de sentiments délicates que barbelle bien deci et delà *(sic)* quelque malice sans fiel.
VERLAINE, À la bonne franquette, Œ. en prose, Pl., p. 749.

**BARBELURE** [baʀbəlyʀ] n. f. — XIVe, *in* Godefroy; de l'anc. franç. *barbel* «pointe», dimin. de *barbe*.

Techn. Pointes disposées en barbes d'épi; réseau formé par ces pointes (→ **Barbelé**). *Les barbelures des grilles de jardins, de parcs.* — Spécialt, techn. *Alésoir de dentiste à grosses barbelures.*

**BARBER** [baʀbe] v. tr. — 1882; «raser (la barbe)», 1397; de *barbe*.

Fam. Ennuyer, assommer. → **Barbifier** (vx), **raser, tanner.** *Il commence à nous barber, il nous barbe avec ses histoires. Ça me barbe d'aller à cette conférence.*

1 Je l'ai querellée sur ces cachoteries (...)
— Bah ! m'a-t-elle répondu, je n'allais pas te barber avec ça. J. DUTOURD, Pluche, VIII, p. 99.

◆ **SE BARBER** v. pron.

S'ennuyer. → **Raser** (se). *On s'est barbés pendant trois heures. On se barbe à cent sous de l'heure. Se barber à faire, en faisant qqch.*

2 Marie-Blanche m'annonçait que la chasse était ouverte et qu'elle se devait d'y être; le reste du temps, elle se barbait à des cours de droit.
Geneviève DORMANN, le Chemin des Dames, p. 196.

CONTR. **Distraire, intéresser.** ◇ DÉR. **Barbant.**

1. **BARBET, ETTE** [baʀbɛ, ɛt] n. — Fin XIIIe, sens 1; sens 2, 1845; de *barbe*.

♦ **1** Chien d'arrêt à poil long (comme l'épagneul) et frisé (comme le caniche). *Un petit barbet.* → 1. **Barbichon.** *Métis de l'épagneul et du barbet.* → **Bichon.**

1 C'est un double métis qui vient du petit épagneul et du petit barbet.
BUFFON, Hist. nat. des animaux, Le chien.

Adj. *Un chien barbet.*

Circé (...) changeait en chiens barbets les compagnons d'Ulysse. VOLTAIRE, Épîtres, 97. 2

Les chiens barbets ont beau avoir la réputation d'être les meilleurs amis du monde, ils ne nous valent pas. 3
VOLTAIRE, Lettre à Schomberg, 31 août 1769.

Loc. vieillie. *Être crotté comme un barbet,* couvert de boue. — *Suivre qqn comme un barbet,* le suivre partout. — REM. La forme fém. est rare.

♦ **2** N. m. [a] → 1. Barbeau (1.).

[b] Rouget (en appos. : *rouget barbet*).

DÉR. (Du 1.) V. 1. **Barbichon.** ◇ HOM. 2. **Barbet.**

2. **BARBET** [baʀbɛ] n. m. — 1544, «hérétique vaudois»; «contrebandier des régions alpines» (1796, in *le Néologisme français*), XVIIIe; de *barbe* «pasteur des barbets» emprunté à un dial. de l'Italie du N.-O., où ce terme est employé comme marque de respect; p.-ê. du lat. *barba* «barbe», la barbe symbolisant la sagesse.

Hist. Brigand, contrebandier qui sévissait dans le Sud-Est de la France.

HOM. 1. **Barbet.**

1. **BARBETTE** [baʀbɛt] n. f. — 1294; de 1. *barbe;* le sens «petite barbe» n'est attesté qu'au XIVe.

Hist. Guimpe de religieuse qui couvre la poitrine et le cou.

HOM. 2. **Barbette.**

2. **BARBETTE** [baʀbɛt] n. f. — 1752; probablt de *barbes* «partie du bordage de l'avant d'un navire», mais d'autres étym. ont été proposées.

Techn. Fortif. Plate-forme assez élevée pour que les canons puissent tirer par-dessus le parapet.

Mar. Vx. *Batterie à barbettes :* canons placés sur le pont supérieur pour tirer à ciel ouvert.

HOM. 1. **Barbette.**

**BARBEYER** [baʀbeje] v. intr. — XVIIe; orig. incert., p.-ê. croisement de *barboter* et *faséyer.*

Mar. Vx. S'agiter et onduler en parlant d'une voile dans laquelle le vent ne donne pas bien (Académie). → **Barboter, faséyer, ralinguer.**

**BARBICHE** [baʀbiʃ] n. f. — 1842; n. m., 1794, «homme barbu»; au XVIIe (Académie, 1694), «petit barbet (chien)»; de 1. *barbe*, et suff. *-iche.*

♦ **1** Petite barbe qu'on laisse pousser au menton. → **Bouc, impérial** (impériale, n. f.). *Petite barbiche.* → **Barbichette,** 2. **barbichon.**

(...) les lourdes moustaches effilées et la barbiche de Napoléon III, que certains d'entre eux persistaient à porter encore (...) Georges LECOMTE, Ma traversée, p. 35.

Fam., vieilli. Personne qui porte une barbiche. *De vénérables barbiches* (*in* T. L. F.). → **Barbichu.**

♦ **2** Zool. Poils de la mâchoire inférieure de la chèvre, du bouc, etc. → **Barbe.**

DÉR. **Barbichette,** 2. **barbichon, barbichu.**

**BARBICHETTE** [baʀbiʃɛt] n. f. — 1913, Péguy; de *barbiche.*

Fam. Petite barbiche. *«Je te tiens, tu me tiens Par la barbichette Le premier de nous deux qui rira Aura une tapette»* (chanson enfantine accompagnant un jeu traditionnel).

Premiers pas, tenu par un volant de ma robe blanche, et chutes. Quelque temps encore j'ai joué à «Tu me tiens, je te tiens par la barbichette», la main serrée sur le bouc paternel, jusqu'au beau jour où, lâchant les saillies, je suis parti dans un élan, château branlant, sur mes jambes courtes. Henri CALET, la Belle Lurette, p. 11.

Loc. fig. *Se tenir par la barbichette* : être dans une dépendance réciproque (notamment en politique).

1. **BARBICHON** [baʀbiʃɔ̃] n. m. — V. 1587; du rad. de 1. *barbet*, et suff. diminutif.

Petit barbet (chien). → **1. Barbet, 1.**

DÉR. **1. Bichon.** ◊ HOM. **2. Barbichon.**

2. **BARBICHON** [baʀbiʃɔ̃] n. m. — 1813; de *barbiche.*

♦ **1** Fam. Petite barbiche.

♦ **2** (1928; var. de *barbillon*). Fam. Jeune souteneur. → **2. Barbillon.**

HOM. **1. Barbichon.**

**BARBICHU, UE** [baʀbiʃy] adj. et n. m. — 1927; de *barbiche*, d'après *barbu.*

Qui porte une barbiche. *Un vieillard barbichu. — Une face barbichue.*

1 Car il l'avait, son toit en terrasse. L'architecte, un petit jeune homme parfumé et barbichu, le lui avait garanti imperméable.

Roger IKOR, les Fils d'Avrom, Les eaux mêlées, p. 637.

2 Un peu plus loin, il crut reconnaître deux des Russes de la baraque incendiée : le moujik en blouse aux épais sourcils et l'intellectuel barbichu.

Guy DE POURTALÈS, la Pêche miraculeuse, p. 272.

N. m. *Un vieux barbichu.*

**BARBIER** [baʀbje] n. m. — V. 1230; «chirurgien», v. 1220; de 1. *barbe.*

♦ **1** Anciennt, hist. Celui dont le métier est de faire la barbe au rasoir à main (profession qui était exercée conjointement à celle de chirurgien). *Barbier du prince.*

1 *(Je suis)* son barbier, son chirurgien, son apothicaire (...)

BEAUMARCHAIS, le Barbier de Séville, I, 4.

*Le type du barbier-chirurgien d'autrefois existait encore récemment en pays musulman.*

2 Les barbiers ont établi leurs ateliers dans la rue et opèrent en plein air; les bons musulmans se font gravement raser la tête. LOTI, Aziyadé, XXIV, p. 210.

REM. Si *coiffeur** a détrôné *barbier* dans l'usage courant, ce dernier subsiste au Canada (régional) en parlant d'un coiffeur pour hommes.

♦ **2** (Fin XVIe, Montaigne). Régional. Nom donné à plusieurs poissons (généralement à cause des nageoires dorsales qui ressemblent à des lames). → **Lépadogastre.**

**BARBIFIANT, ANTE** [baʀbifjɑ̃, ɑ̃t] adj. — Début XXe; du p. prés. de *barbifier.*

Fam., vieilli. Ennuyeux. → **Assommant, barbant, rasant.**

Je vous dirai tout nûment que je le trouve le plus barbifiant des raseurs.

PROUST, À la recherche du temps perdu, t. IX, p. 269.

**BARBIFICATION** [baʀbifikasjɔ̃] n. f. — 1892; de *barbifier.*

Rare.

♦ **1** Action de raser ou de se raser la barbe (Courteline, *in* T. L. F.).

♦ **2** Fam. Le fait de se barbifier (2.), de s'ennuyer.

**BARBIFIER** [baʀbifje] v. tr. — 1752; de 1. *barbe.*

♦ **1** Fam. Raser, faire la barbe. *Se faire barbifier* (Académie). — Pron. *Se barbifier*, se faire la barbe.

Je philosophe en me barbifiant.

VALÉRY, Cahiers, t. II, Pl., p. 1281.

♦ **2** (1899). Fam., vieilli. Ennuyer. → **Barber, raser.** — Pron. *Se barbifier* : s'ennuyer.

DÉR. **Barbifiant, barbification.**

**BARBILLE** [baʀbij] n. f. — 1751; dimin. de 1. *barbe.*

Techn. Filaments qui restent parfois au flan des monnaies. → **Barbe** (7.).

1. **BARBILLON** [baʀbijɔ̃] n. m. — Fin XIVe, «petit poil de barbe»; «radicelle d'une plante»; de 1. *barbe.*

♦ **1** Zool. Filament charnu qui se trouve aux bords de la bouche de certains poissons (par exemple, chez le barbeau). → **Palpe.**

Beaucoup de poissons écailleux ont des barbillons. 1

BERNARDIN DE SAINT-PIERRE, Harmonies de la nature, V.

Pli charnu qui pend sous le bec du coq, du dindon, de la pintade.

Chez les coqs un ou deux barbillons garnissent les côtés de la partie inférieure du bec. 2

BUFFON, Hist. nat. des animaux, Le coq.

*Barbillons du cheval, du bœuf*, les replis de la muqueuse de la bouche situés sous la langue.

♦ **2** *Barbillon d'un hameçon, d'une flèche* : petite languette qui empêche le poisson de se décrocher; chacune des petites pointes qui empêchent la flèche de sortir de sa cible.

En revanche, un gros poisson se débattant une partie de la nuit au bout d'un hameçon (nous ne passons pas notre existence sur le pont) finira par se déchirer la bouche, surtout le thon dont la bouche est fragile. Cela ne se produit presque plus depuis que nous utilisons les gros hameçons doubles sans barbillon des pêcheurs professionnels (un nœud à boucle sur la ligne permet de savoir si un poisson a mordu). 3

Bernard MOITESSIER, Cap Horn à la voile, p. 119.

2. **BARBILLON** [baʀbijɔ̃] n. m. — 1300, *in* Arveiller; de 1. *barbeau.*

♦ **1** Petit barbeau (poisson), jeune barbeau.

Quant à Suzel, elle était blonde et rose. Elle avait dix-sept ans et ne détestait point de pêcher à la ligne. Singulière occupation que celle-là, pourtant, et qui vous oblige à lutter d'astuce avec un barbillon. 1

J. VERNE, le Docteur Ox, p. 41.

(...) il fut cueilli comme une poire mûre, pêché comme un gros barbillon. 2

COURTELINE, Boubouroche, Nouvelle, V.

Et puis c'était le dîner, les grands dîners du canot, les barbillons au beurre et les matelotes dans les chambres de pêcheurs et les salles de bal abandonnées, les faims dévorant les pains de huit livres. 3

Ed. et J. DE GONCOURT, Manette Salomon, p. 99.

♦ **2** (1835). Fam. Barbeau, souteneur (jeune, ou sans expérience). → **Demi-sel; 2. barbichon, barbiquet.**

Les condés, inutile d'en parler. Depuis ce matin ils se déchaînaient; ça avait été descente sur descente dans les hôtels, les tapis et les bars du coin. Au passage, quelques barbillons sans méfiance s'étaient fait emporter, arrachés du page dans leur premier sommeil! 4

Albert SIMONIN, Touchez pas au grisbi, p. 145.

**BARBIQUET** [baʀbikɛ] n. m. — 1952; du rad. de *barbeau* «souteneur», var. de *barbillon*, et *biquet.*

Argot. Jeune souteneur. → 2. **Barbillon.**

1 Au moment de choisir un costard dans la penderie, j'ai mesuré à quel point on pouvait varier en un rien de temps. Mes bleu-pétrole, mes Prince-de-Galles, mes fil-à-fil, qui excitaient tant d'envie chez les barbiquets, ils me semblaient soudain détestables.
Albert SIMONIN, Touchez pas au grisbi, p. 185.

2 Tu oses m'aimer alors que tu n'as jamais cessé de coucher avec cette larve, ce morpion, ce barbiquet d'eau de vaisselle.
René FALLET, Y a-t-il un docteur dans la salle ?, p. 164.

**BARBITAL** [baʀbital] n. m. — 1959 ; de *barbit(urique)*, et suff. *-al.*

Méd. Barbiturique hypnotique et sédatif à action lente. — Syn. mod. de *Véronal.* On tire du *barbital* de nombreux dérivés : *le phénobarbital** (gardénal), *le sécobarbital* (imménoctal), *le nébubarbital* (nembutal)...

**BARBITOMANE** [baʀbitɔman] n. — XXe (*in* Porot, 1952, p. 48 b) ; de *barbit(urique)*, *-o-* de liaison, et *-mane.*

Didact. Toxicomane qui fait usage de barbituriques.

**BARBITOMANIE** [baʀbitɔmani] n. f. — XXe (*in* Porot, 1952) ; de *barbit(urique)*, *-o-* de liaison et *-manie.*

Didact. Toxicomanie barbiturique.

**BARBITURATE** [baʀbityʀat] n. m. — 1898, Larousse ; de *barbitur(ique)*, et *-ate.*

Chim., pharm. Sel ou ester de l'acide barbiturique. *Usage thérapeutique des barbiturates.* → **Barbiturique.** *Intoxication par les barbiturates.* → **Barbitomanie, barbiturisme.**

**BARBITURIQUE** [baʀbityʀik] adj. et n. m. — 1864 ; de *barbitur-*, premier élément de l'all. *Barbitursaüre*, mot composé par Baeyer à partir de *Barbitur-*, orig. inconnue (le barbital, synthétisé par Fischer et von Mering le jour de la Sainte-*Barbara*, ne le fut qu'en 1903), et *Saüre* «acide», et de *-urique.*

♦ **1** Adj. Chim., pharm. *Acide barbiturique :* acide (dit aussi *malonylurée*, n. f.) dont les dérivés sont utilisés comme sédatifs, somnifères (barbital, gardénal, luminal).

♦ **2** N. m. (1936). Pharm. et cour. Acide barbiturique et dérivés de cet acide. *Barbituriques d'action brève* (ex. : penthotal), utilisés en anesthésie générale... *Barbituriques d'action lente* (ex. : gardénal), utilisés comme sédatifs ou anticonvulsivants. *Prendre un barbiturique.*

1 Tu pourras dormir ?
— En tout cas, je ne forcerai pas sur les barbituriques, si c'est ce qui t'inquiète.
S. DE BEAUVOIR, les Belles Images, p. 70.

♦ **3** Adj. Par ext. *Sommeil barbiturique*, dû à un barbiturique.

2 Le traitement des troubles mentaux par un sommeil barbiturique prolongé pendant plusieurs jours fut préconisé par Klaesi.
Jean DELAY, Introd. à la médecine psychosomatique, Notes et observations, p. 67.

**DÉR. Barbital, barbitomane, barbitomanie, barbiturate, barbiturisme.** ◊ **COMP. Allobarbital.**

**BARBITURISME** [baʀbityʀism] n. m. — XXe (*in* Porot, 1952) ; de *barbiturique.*

Méd. Intoxication par les barbituriques. *Barbiturisme chronique.* → **Barbitomanie.**

**BARBON** [baʀbɔ̃] n. m. — XVIe ; ital. *barbone* «grande barbe».

Vieilli ou plais. Homme d'âge plus que mûr. → **Birbe.** — Surtout avec l'adj. *vieux.*

Lui déjà vieux barbon, elle jeune et jolie (...) 1
LA FONTAINE, le Petit Chien.

Je n'appréhende point que, dans ma vieillesse, on me 2
compte parmi ces barbons voluptueux à qui les coquettes vendent leurs bontés au poids de l'or.
A.-R. LESAGE, Gil Blas, III, 1.

Quel imbécile il avait été de s'attacher à cette femme qui ne 3
voyait en lui qu'un fournisseur de tableaux et un barbon ! Il avait beau se répéter qu'à notre époque la cinquantaine n'est pas la vieillesse, que c'est même encore, dans une certaine mesure, la jeunesse, il sentait monter en lui un écœurement, un désespoir, une envie de maudire la vie qu'il n'avait jamais ressentie si forte.
A. BILLY, Sur les bords de la Veule, p. 78.

**CONTR. Blanc-bec.**

1. **BARBOT** [baʀbo] n. m. — 1810 ; de *barboter.*

Régional.

♦ **1** Barbeau (poisson). — Lotte commune. → **Barbote.**

♦ **2** Barbeau (plante). → 2. **Barbeau.**

**HOM. Barbeau, 2. barbot.**

2. **BARBOT** [baʀbo] n. m. — 1862 ; déverbal de *barboter.*

Argot, vx. Le fait de barboter, voler (→ **Barbotage, II.**) ; fouille, vol dans une caisse (aussi : *vol au barbot*).

**HOM. Barbeau, 1. barbot.**

**BARBOTAGE** [baʀbɔtaʒ] n. m. — Fin XIXe ; «breuvage», fin XVIe ; «action de marmotter» ; de *barboter.*

**I** ♦ **1** Action de barboter dans l'eau. *Le barbotage des canards.*

♦ **2** Techn., chim. Passage d'un gaz dans un liquide pour le purifier ou le combiner avec un corps contenu dans ce liquide.

♦ **3** Par métonymie. Agric. Farine ou son délayé dans de l'eau et servant de boisson rafraîchissante pour le bétail.

**II** Vol commis en fouillant. → 2. **Barbot.** *Le barbotage d'un portefeuille par un pickpocket.*

**BARBOTE** [baʀbɔt] n. f. — XIIIe ; de *barboter.*

Régional. Nom commun à deux poissons de rivière.

**a** Lotte de rivière (appelée aussi *barbot*).

**b** Loche franche.

**BARBOTEMENT** [baʀbɔtmɑ̃] n. m. — XIVe ; de *barboter.*

Rare. Le fait de barboter ; bruit qui en résulte. — REM. La graphie *barbottement* est rare.

Il disparut un instant derrière une portière. On entendit un grand barbottement d'eau. Il reniflait, il soufflait.
ZOLA, Son Excellence Eugène Rougon, t. II, p. 51.

**BARBOTER** [baʀbɔte] v. — Fin XIIe, «marmotter» ; anc. franç. *barbeter*, p.-ê. de *bourbe.* → Bourbe.

**I** V. intr. (Déb. XIIIe). ♦ **1** S'agiter, remuer dans l'eau ou dans la bourbe. *Les canards barbotent dans la mare* (→ **Barbotière**). *Une bécassine barbotait et fouillait dans la vase* (→ **Fouiller**).

Par anal. (Sujet n. de personne). *Ces enfants ne font que barboter et gargouiller dans l'eau. Barboter dans son bain.*

1 Il est allé aux bains froids *(un homme de notre temps)*, il a contemplé ce marécage grotesque dans lequel barbotent toutes les difformités humaines.
TAINE, Philosophie de l'art, t. I, p. 200.

2 Les matins pour se débarbouiller, il tirait un seau d'eau dans lequel il barbotait à la façon des vieux soldats en se frottant vaguement la barbiche.
ALAIN-FOURNIER, le Grand Meaulnes, p. 18.

3 Le colonel, enfoncé jusqu'au menton dans l'eau tiède, barbotait avec volupté (...)
MARTIN DU GARD, les Thibault, t. VII, p. 25.

Marcher dans une eau bourbeuse. *Le jardin est inondé, on y barbote partout* (Académie). → **Patauger.**

Par métaphore. → **Vautrer** (se).

4 Les descendants des Camille, des Brutus, barbotaient dans la fange (...) VOLTAIRE, Philosophie, II, 409.

5 (...) un pauvre innocent philosophe barbotant dans les ténèbres de la calamité, avec son gousset vide qui résonne sur son ventre creux.
HUGO, Notre-Dame de Paris, X, 5.

Se troubler, s'embrouiller dans ce qu'on dit, dans ce qu'on fait. → **Embourber** (s'), **empêtrer** (s'), **patauger.** *Barboter dans ses explications.*

♦ **2** Vx (jusqu'au XVIIIe). Prononcer confusément entre ses dents. → **Balbutier, bredouiller, marmonner, marmotter.**

6 J'appelle Messes privées tant celles qui sont à cause des chants et hauts cris nommées grandes messes que celles où le prêtre seul murmure et barbotte *(barbote)*.
CALVIN, Institution de la religion chrétienne, XII, *in* HUGUET.

6.1 – Je ne voudrais pas que vous vous méprissiez sur ce que je pense de vous. Mais je ne saurais, sans barboter... Tenez, déjà je barbote !
J. RENARD, Journal, 13 févr. 1895.

REM. La graphie *barbotter* est rare.

7 Il dit Qu'il a crié de tout son cœur. En quoi il nous signifie qu'il n'a point seulement barboté comme font les hypocrites.
CALVIN, Sermon sur le Psaume CXIX, *in* HUGUET.

Trans. Marmonner.

8 Je mis de l'encens dans le feu, faisant semblant de barboter quelques prières.
J. AMYOT, Hist. de l'Éthiopie, IV, 41, 5.

9 Grondant entre mes dents, je barbote une excuse.
Mathurin RÉGNIER, Satires, 10.

10 Il *(l'abbé de Pompadour)* avait un laquais à qui il donnait tant par jour pour dire son bréviaire en sa place et qui le barbotait dans un coin des antichambres où son maître allait. SAINT-SIMON, Mémoires, 284, 107.

♦ **3** Techn., chim. Se dit d'un gaz qui en s'échappant agite un liquide, qui traverse un liquide. *Faire barboter un gaz dans un appareil.* → **Barboteur.**

♦ **4** Mar. *Le navire barbote,* il n'avance pas.

**II** V. tr. (1843). Fam. Voler. *On lui a barboté son portefeuille.* → **Chiper, faucher, piquer.**

10.1 Ce fut alors la bombe, la vraie bombe dans toute l'acception du mot ; pendant huit jours, les Pieds Nickelés, grâce à l'argent barboté au chand d'vin, ne dessoûlèrent pas. Ils passèrent leurs journées et leurs nuits à se trimbaler de mastroquet en mastroquet, buvant et chantant à tue-tête.
L. FORTON, les Aventures des Pieds-Nickelés, *in* l'Épatant, 1908, p. 28.

11 Il (...) saisit une valise qu'il avait cachée sous un meuble, en retira une grande enveloppe et revint à Bernard.
– Méfie-toi qu'on te la barbote, murmura-t-il en la lui remettant.
Francis CARCO, les Belles Manières, p. 39.

DÉR. **Barbot, barbotage, barbote, barboteur, barboteuse, barboteux, barbotière, barbotine. – Barbotement. –** V. **Barbeyer.**

**BARBOTEUR, EUSE** [baʀbɔtœʀ, øz] n. — XVIe ; « personne qui marmotte », XIXe ; de *barbotter.*

**I** ♦ **1** Rare. Personne qui barbote (I., 1.). — Par métaphore (vx). *Les « Barboteurs des Marais du Parnasse »* (Cousin Jacques, *Dict. des néologismes,* 1800, *in* D. D. L.).

Adj. Qui barbote.

Est-ce une rivière, un canal ? où se baignaient les filles (...) 1
et les enfants barboteurs.
ARAGON, Blanche..., II, III, p. 215.

N. m. Canard domestique.

♦ **2** N. m. Chim. Appareil dans lequel on fait *barboter* un gaz en le faisant passer au travers d'un liquide.

En d'autres termes, il mêle dans les barboteurs l'iodure de 2
potassium à l'arsénite de potasse neutre et pur (...)
L. FIGUIER, l'Année scientifique et industrielle, 1877, p. 185.

Techn. Récipient pour le lavage de certains minerais.

**II** Fam. Personne qui barbote (II.), vole.

**BARBOTEUSE** [baʀbɔtøz] n. f. — 1920, cit. *infra* ; de *barboter.*

Vêtement d'enfant qui laisse les membres à nu. *« Barboteuse en toile ou en serge, pour fillette de 5 à 7 ans »* (*Petit écho de la mode,* 4 juil. 1920).

**BARBOTEUX, EUSE** [baʀbɔtø, øz] adj. — 1858 ; de *barboter.*

Rare. D'apparence boueuse, sale. *Des tons sales et barboteux* (Goncourt, *in* T. L. F.).

**BARBOTIÈRE** [baʀbɔtjɛʀ] n. f. — 1863 ; de *barboter.*

Agric. Mare où barbotent les canards. — Baquet servant à contenir le barbotage des chevaux, du bétail.

**BARBOTIN** [baʀbɔtɛ̃] n. m. — 1863, Littré ; n. de l'inventeur.

♦ **1** Mar. Couronne de métal sur laquelle viennent s'engrener les maillons d'une chaîne. *Le barbotin empêche la chaîne de glisser.*

♦ **2** Techn. Roue dentée entraînant la chenille d'un véhicule.

**BARBOTINE** [baʀbɔtin] n. f. — 1532, Rabelais ; de *barboter.*

Technique.

♦ **1** Pâte délayée que l'on emploie pour fixer les ornements rapportés sur les pièces céramiques ainsi que dans la technique du coulage.

(...) on trouve dans les tumulis des poteries faites à la main, moulées ou tournées, séchées au soleil ou cuites au four, ornées soit par incision, soit en relief, en trochisque ou pastillage, enduites de barbotine ou sobrement dessinées, recouvertes de motifs décoratifs abstraits, pleins d'invention et infiniment variés, qui sont souvent les premiers signes d'écriture (...)
B. CENDRARS, Moravagine, *in* Œ. compl., t. IV, p. 185.

♦ **2** Poterie obtenue par ce procédé.

**BARBOUILLAGE** [baʀbujaʒ] n. m. — 1588, Montaigne ; de *barbouiller.*

♦ **1** Action de barbouiller. *Le barbouillage d'une surface, d'un mur* (par qqn).

♦ **2** Résultat de cette action. *Une feuille de papier couverte de barbouillages.* → **Gribouillage, gribouillis, griffonnage.** *Un barbouillage de cambouis.*

1 Vous me demandez le portrait d'un homme qui vous aime autant qu'il vous estime; je n'ai plus qu'une mauvaise copie (...) je vous enverrai ce barbouillage (...)
VOLTAIRE, Lettre à Damilaville, 5 avr. 1765.

2 (...) tu as la bonté de lire jusqu'au bout mes indéchiffrables barbouillages (...) Th. GAUTIER, Mlle de Maupin, VI.

3 (...) avec un barbouillage de jaune sale, de lie de vin, de gris brouillé, de noirceurs vagues çà et là piquées d'une tache vive, il *(Rembrandt)* parvient à remuer la partie la plus intime de notre être.
TAINE, Philosophie de l'art, t. I, p. 277.

♦ **3** Spécialt. Mauvaise peinture. → **Barbouille.**

4 — Il a peut-être l'intention de me vendre son barbouillage. (Haut) Monsieur, je vous accorde la permission de faire mon rocher... Mais, si c'est pour me le vendre, je vous préviens que je n'achète pas ces machines-là.
— Rassurez-vous, monsieur; quand je commence un tableau, il est vendu.
E. LABICHE, le Baron de Fourchevif, 5.

**BARBOUILLE** [baʀbuj] n. f. — 1927; déverbal de *barbouiller* «salir».

Familier et péjoratif.

♦ **1** Mauvaise peinture.

REM. À la différence de *barbouillage* qui désigne un «mauvais tableau», *barbouille* ne s'emploie guère qu'en nom d'action *(la barbouille)*.

1 Il est impossible qu'un artiste doué, ayant au départ tous les moyens de produire une œuvre de premier ordre, et qui, vers la trentaine, abdique, se met à faire exprès de la mauvaise peinture, demeure intérieurement quelqu'un de bien (...) Je n'arrive pas à m'intéresser à son travail. À mes yeux, c'est de la barbouille indigne.
J. DUTOURD, Pluche, III, p. 19.

♦ **2** Peinture, activité de l'artiste peintre (ou du peintre en bâtiment).

2 La «terrible Suzanne» *(S. Valadon)* ressemblait encore au portrait que Lautrec avait fait d'elle. La légende affirmait qu'elle avait été écuyère dans un cirque (...) Utrillo qu'elle forma — comme on vous forme au cirque — avec toute la rigueur du style et l'épreuve quotidienne de la difficulté vaincue, lui doit d'avoir trouvé sa voie. C'est pour l'empêcher de boire qu'elle s'avisa d'en faire un peintre. N'était-elle pas venue, elle-même, à la «barbouille» en posant dans les ateliers à la suite d'un accident de piste?
Francis CARCO, Nostalgie de Paris, p. 162.

**BARBOUILLER** [baʀbuje] v. tr. — XVe, au sens 5; p.-ê. de *barboter* avec substitution de finale d'après des v. comme *brouiller, souiller.*

♦ **1** (1550). Couvrir d'une substance salissante. → **Embarbouiller, maculer, salir, souiller, tacher.** *Barbouiller qqch. de boue, d'encre. Barbouiller une feuille de noir.* → **Mâchurer, noircir.** *Barbouiller qqch. avec une matière gluante.* — Au p. p. *Le visage barbouillé de confiture.* → **Empoisser.**

1 Thespis fut le premier qui, barbouillé de lie,
Promena par les bourgs cette heureuse folie *(la tragédie).*
BOILEAU, l'Art poétique, III.

2 Quand elle approchait de mon visage son museau sec et noir, barbouillé de tabac d'Espagne (...)
ROUSSEAU, les Confessions, IV.

Le sujet désigne la matière qui salit :

3 Un flot de sang échappé de la bouche barbouillait son menton et son cou, imbibait la neige.
COCTEAU, les Enfants terribles, I.

♦ **2** Étendre grossièrement une couleur avec une brosse sur (une surface). → **Enduire.** *Barbouiller un mur.*

3.1 Je constate de plus que nous ne sommes que cinq matelots pour les travaux de peinture, et qu'à nous cinq, nous avons barbouillé cette coque de 16 000 tonnes en neuf heures de travail, de la flottaison au pont, avant de quitter New York (peinture au rouleau).
B. MOITESSIER, Cap Horn à la voile, p. 28.

(Av. 1654). Par ext. Peindre grossièrement. *Barbouiller des toiles.* → **Peinturer, peinturlurer; barbouillage, barbouille.**

Je ne veux plus peindre; mais je veux encore moins barbouiller (...) GUEZ DE BALZAC, Avis écrit. 4

Nous avions surtout un goût de préférence pour barbouiller du papier, dessiner, laver, enluminer, faire un dégât de couleurs. ROUSSEAU, les Confessions, I. 5

(...) un amateur qui barbouille des toiles le dimanche comme on pêche à la ligne. 6
SARTRE, l'Âge de raison, VI, 82.

♦ **3** Charger de gribouillages, de griffonnages. *Barbouiller du papier.* → **Gribouiller, griffonner.** — (Abstrait). Faire beaucoup d'écritures inutiles; écrire en mauvais style des choses de peu de valeur. → **Gâcher** (du papier). *Barbouiller du papier par, en* (→ ci-dessous, cit. 7), *de...* — Au p. p. *Du papier barbouillé,* griffonné.

Tout le papier qu'en sonnets on barbouille. 7
MOLIÈRE, Bouts-rimés.

De là vient l'extrême difficulté que je trouve à écrire. Mes manuscrits, raturés, barbouillés, mêlés, indéchiffrables, attestent la peine qu'ils m'ont coûtée. 8
ROUSSEAU, les Confessions, III.

Après avoir barbouillé déjà beaucoup de papier avec mes souvenirs d'enfance (...) 9
FRANCE, le Petit Pierre, XXXIII.

♦ **4** Fig., fam., vx. Dire d'une manière confuse, embrouillée. → **Bafouiller.** *Barbouiller un discours, un compliment* (Académie).

Desmarets demeura court et barbouilla quelque chose entre ses dents (...) SAINT-SIMON, Mémoires, VI, 406. 10

(Intrans.). Parler en bafouillant.

C'est un pauvre homme de bien, qui n'y voit guère, heurte, choppe, qui barbouille, ne sait trop ce qu'il dit. 11
MICHELET, Hist. de la révolution franç., I, p. 285.

♦ **5** Fig., fam. *Barbouiller l'estomac, le cœur :* donner la nausée. *Cette promenade en barque l'a tout barbouillé.* — Au p. p. *Avoir l'estomac barbouillé, tout barbouillé.* → **Brouillé** (brouiller, *infra* cit. 30.1), **embarrassé.**

◆ **SE BARBOUILLER** v. pron. *Elle s'est barbouillée de confiture.*

Tous les guerriers se barbouillent de noir et de rouge (...) ceux-ci se font des barres longitudinales ou transversales sur les joues (...) 12
CHATEAUBRIAND, Voyage en Amérique, La guerre.

Fig. *Se barbouiller de grec et de latin,* en surcharger confusément sa mémoire. → **Apprendre.**

Pour avoir employé neuf à dix mille veilles 13
À se bien barbouiller de grec et de latin (...)
MOLIÈRE, les Femmes savantes, IV, 3.

(1812, *in* D. D. L.). *Le temps se barbouille :* le ciel se charge de nuages, le temps se gâte. → **Assombrir, couvrir, noircir.**

Vx. Se compromettre, se rendre ridicule. *Il s'est barbouillé dans cette affaire.*

◆ **BARBOUILLÉ, ÉE** p. p. adj. → ci-dessus à l'article.

CONTR. **Débarbouiller, laver, nettoyer. — Éclaircir.** ◊ DÉR. **Barbouillage, barbouille, barbouilleur, barbouillon.** — COMP. **Débarbouiller, embarbouiller.**

**BARBOUILLEUR, EUSE** [baʀbujœʀ, øz] n. — 1480, «querelleur»; de *barbouiller.*

Celui, celle qui barbouille. *Les graffiti des barbouilleurs de murs.* → **Gribouilleur.** — Fig. et fam. *Un barbouilleur de papier* (ci-dessous, cit. 1 et 4). → Folliculaire. *Un barbouilleur de toiles :* un mauvais peintre. *Un barbouilleur de mur, d'enseigne* (ci-dessous, cit. 3). — Absolt. Mauvais écrivain; mauvais peintre (ci-dessous, cit. 2, 5, 6).

1 Allez, petit grimaud, barbouilleur de papier!
MOLIÈRE, les Femmes savantes, III, 3.

2 (...) c'est comme si un barbouilleur voulait toucher à un tableau de Raphaël (...)
Mme DE SÉVIGNÉ, Lettres, 761, *in* POUGENS.

3 Le barbouilleur des murs d'un cabaret critiquait les tableaux des grands peintres (...)
VOLTAIRE, la Princesse de Babylone, 10.

4 (...) d'un auteur distingué que je pouvais être, je n'aurais été qu'un barbouilleur de papier.
ROUSSEAU, les Confessions, IX.

5 Ces peintures, faites par des barbouilleurs de province, prenaient de la barbarie même du travail un aspect hétéroclite et formidable.
Th. GAUTIER, le Capitaine Fracasse, I.

6 (...) ce n'est pas un tableau restauré qu'on vous donne, mais un autre tableau, celui du misérable barbouilleur qui s'est substitué à l'auteur du tableau véritable qui disparaît sous les retouches.
E. DELACROIX, Journal, 29 juil. 1854.

(Emploi adj.). Qui barbouille (qqch.).

7 Picasso déforme tout, et il n'aime que la laideur, tandis que les autres peintres se contentent de petites taches, de petites lignes, de petits gestes barbouilleurs où le poing et l'auriculaire conçoivent plus que le cerveau.
Alain BOSQUET, les Bonnes Intentions, p. 244.

**BARBOUILLON** [baʀbujɔ̃] n. m. — XIVe; de *barbouiller.*
Vx. Celui qui barbouille (2., 3.), fait mal son travail. → **Gâcheur.**

Nous fûmes bientôt liés par notre goût commun pour la musique (...) avec cette différence qu'il était vraiment musicien, et que je n'étais qu'un barbouillon.
ROUSSEAU, les Confessions, V.

**BARBOUZE** [baʀbuz] n. f. — 1926; de *barbe.*
Familier.

♦ **1** Barbe. *Il a une belle, une grande barbouze.* — REM. L'orthographe *barbouse* est moins courante et vieillie.

1 Rien que de regarder les barbouses d'Hippocrate — car, en plus de celui du mur, il y en avait un autre, en bronze, sur la cheminée — ça me rendait neurasthénique.
André SOUBIRAN, les Hommes en blanc, t. III, p. 259.

♦ **2** (1961, à cause de la fausse barbe qu'il porte parfois). Agent secret (police, espionnage) spécialisé dans les coups de main. *Les barbouzes l'ont rattrapé à la frontière. Une barbouze se tenait devant la porte.*

2 Ah! bon, encore un, fit le chauffeur, philosophe. Plus que des barbouzes dans ce pays.
Vladimir VOLKOFF, le Retournement, p. 21.

REM. S'emploie aussi au masc. *(un barbouze),* et adj. *«... la grande centrale "barbouze"» :* la police secrète (*l'Express,* 6 sept. 1965, *in* Gilbert).

DÉR. **Barbouzerie.**

**BARBOUZERIE** [baʀbuzʀi] n. f. — 1965; de *barbouze.*
Fam. et par plais. L'ensemble des barbouzes, la police «parallèle». *«plongé par un sale coup du destin dans l'univers de la barbouzerie (...)»* (*Libération,* no 106, 16 sept. 1981, p. 13).

Me croit-il impressionné par ses relations dans le monde de la politique, de la barbouzerie et de la pègre?
Philippe BERNERT, S. D. E. C. E. Service 7, p. 288.

**BARBU, UE** [baʀby] adj et n. m. — 1213; du lat. pop. *barbutus,* de *barba.* → Barbe.

♦ **1** Qui a de la barbe, porte la barbe (1. Barbe, 1.). → **Poilu.** *Un homme barbu. Une femme barbue. Une figure barbue. La chèvre est un animal barbu* (Académie).

1 Il était grand, serré dans son uniforme, et barbu jusqu'aux yeux.
MAUPASSANT, Un duel, Pl., t. I, p. 948.

N. m. *Un barbu :* un homme barbu. Fam. *Le barbu :* le Père Noël. *Il croit au barbu :* il est très naïf.

La locution «croire au Père Noël» ou «croire au barbu» est 1.1
devenue la base de toute discussion populaire, sinon le ferment des dialectiques les plus distinguées, chaque fois qu'il est question de l'âme et du corps, du Ciel et de la terre (...) Ne brûlons pas le barbu sans avoir fait convenablement l'inventaire de sa hotte.
Jacques PERRET, Bâtons dans les roues, p. 165.

Spécialt. Fam. Intégriste musulman, portant la barbe. *«Les intégristes ne sont pas les bienvenus chez les Hocine. Comme la plupart des musulmans de France, ils voient d'un mauvais œil ces barbus qui veulent changer leurs coutumes et bousculer leur foi tranquille»* (*le Nouvel Obs.,* 8 déc. 1994, p. 16).

♦ **2** (Choses). Qui est garni de touffes de poils, de filaments, de barbes. *Un épi barbu. Blé barbu. Liane barbue. «Grains d'avoine barbue»* (Colette).
(Avec un compl. en *de*). Garni de prolongements filiformes. → **Hérissé.**

(...) une fontaine à demi gelée et toute barbue de stalac- 2
tites (...) A. MAUROIS, le Cercle de famille, II, p. 160.

Spécialt. Recouvert de moisissures. *«Du fromage barbu»* (Hugo, *in* T. L. F.).

♦ **3** N. m. Argot. Toison pubienne de la femme; sexe de la femme. Syn. argotique : *barbouzin.*

CONTR. **Glabre, imberbe, rasé. — Lisse.** ◊ DÉR. et HOM. 1. **Barbue,** 2. **barbue** (n. f.).

1. **BARBUE** [baʀby] n. f. — XIIIe; de *barbu,* d'après *barbe.*
Poisson plat des mers d'Europe *(Pleuronectidés),* du même genre que le turbot, à chair estimée. *Filets de barbue.*

Et, comme elle s'approchait enfin, et qu'elle flairait une barbue, avec la moue rechignée que prennent les clientes pour payer moins cher :
— Pesez-moi ça, continua la belle Normande, en lui posant sur la main ouverte la barbue enveloppée d'une feuille de gros papier jaune. La bonne, une petite Auvergnate toute dolente, soupesait la barbue, lui ouvrait les ouïes, toujours avec sa grimace, sans rien dire.
ZOLA, le Ventre de Paris, t. I, p. 185.

(Au Canada). *Barbue d'Amérique :* poisson d'eau douce (du genre *Ictalurus*) vivant en Amérique du Nord.

HOM. **Barbu,** 2. **barbue.**

2. **BARBUE** [baʀby] n. f. — Attesté XXe; dér. de *barbe.*
Régional (Suisse). Vitic. Jeune plant de vigne.

Les nouvelles «barbues», ces bâtons bruns et luisants qui deviendront ceps.
Renée MOLLIEX, Chantevin, p. 152.

HOM. **Barbu,** 1. **barbue.**

**BARBULE** [baʀbyl] n. f. — 1838; dimin. de *barbe.*
Zool. Chacun des petits crochets qui relient une barbe de plume à la barbe contiguë.

**BARCA** [baʀka] interj. — 1886, «rien de plus»; adj., «impossible», 1868; arabe maghrébin *bārākā r'las* «de grâce, assez!», de *bārākā* «bénédiction», et *r'las* «assez, c'est fini».
Pop. Assez, ça suffit.

M. le curé ouvrit le tabernacle et lui montra l'ostensoir : un 1
point c'est tout. Langlois regarda et, après avoir regardé, s'en alla. Vingt minutes, puis Langlois sortit de l'église et, un peu après, M. le curé aussi. Et barca, comme aurait dit Langlois, car jamais plus on ne vit Langlois à l'église, ni pour des messes, ni pour des vêpres, ni pour rien.
J. GIONO, Un roi sans divertissement, p. 104.

Loc. *Chouïa barca* (un peu, ça suffit).

Par ext. Rien à faire, pas question. *Vous m'aidez à terminer le travail ? Barca !*

REM. On trouve parfois *barka.*

2 Et barka ! allez, le jeu recommence.
Henri CHARRIÈRE, Papillon, p. 284.

**BARCAROLLE** [barkarɔl] n. f. — 1767, Voltaire ; ital. *barcar(u)ola,* de *barcar(u)olo* «gondolier», de *barca* «barque».

♦ **1** Chanson des gondoliers vénitiens.

La plupart des ariettes de Lulli sont des airs du Pont-Neuf et des barcarolles de Venise (...)
VOLTAIRE, Lettre à Chabanon, 18 déc. 1767.

♦ **2** Par ext. Pièce de musique vocale ou instrumentale sur un rythme berceur à trois temps.

Loc. fam., par plais. *Pousser la barcarolle :* se mettre à chanter de manière un peu ridicule.

REM. On trouve dans la littérature (Lamartine, Apollinaire, *in* T. L. F.) le n. m. *barcarol, barcarole,* italianisme romantique désignant le gondolier vénitien.

**BARCASSE** [barkas] n. f. — 1820 ; de *barque,* et suff. péj. *-asse.*

Mar. Grosse embarcation. *Barcasse pour le débarquement des passagers d'un navire.* — Par ext. et fam. Mauvaise barque.

**BARCELONNETTE** [barsəlɔnɛt] n. f. → **Bercelonnette.**

**BARD** [bar] n. m. — Fin XII^e, *baiart ; beart,* 1239 ; *bar,* XVI^e ; *bard,* 1752, *in* Trévoux ; probablt du rad. de *baier* «bâiller» et *béer* «barres écartées».

Grande civière à claire-voie pour le transport à bras de fardeaux (→ **Bardage**). *Charge d'un bard.* → **Bardée.** *Charger qqch. sur un bard.* → 1. **Barder.**

Des femmes passèrent dans la cour avec un bard d'où dégouttelait du linge. FLAUBERT, Trois contes, I, 3.

REM. On trouve aussi les formes *bayard* et *bayart.*

DÉR. **Bardée,** 2. **bardelle,** 1. **barder, bardeur.** ◊ COMP. **Débarder, débardeur.** — HOM. **Bahr,** 1. **bar,** 2. **bar,** 3. **bar, barre.**

**BARDA** [barda] n. m. — 1848, *berdâa,* Daumas ; arabe maghrébin *bărdă'a* «bât» et «selle». → 2. Barde.

♦ **1** Argot milit. (puis fam.). L'équipement du soldat. → Revue, cit. 4.

♦ **2** Fam. Bagage, chargement encombrant. *Prenez tout votre barda.*

1 Et les pitons à glace ?
— J'en ai douze. Même que ça pèse rudement, et avec ça quatre mousquetons, plus la cagoule, plus les crampons, les mitaines, les lunettes, quel barda !
R. FRISON-ROCHE, Premier de cordée, p. 275 (1941).

2 (...) mais posez là votre barda, nobles étrangers, et prenez donc un glass avant de repartir.
R. QUENEAU, les Fleurs bleues, éd. Gallimard, p. 19.

♦ **3** (1953, Esnault ; même métaphore que *sac**). Argot. Billet de cent francs (parfois de mille ; → **Sac**).

3 Cent bardas n'étaient pas pour le faire délirer et, moins encore, lui donner un fallacieux sentiment de sécurité financière. Un faux pas sur la pente des caprices, et les cent papiers pouvaient se trouver engourdis, vite fait ! (...) Cent biffetons, c'était pas le Pactole !
Albert SIMONIN, Hotu soit qui mal y pense, p. 15.

**BARDACHE** [bardaʃ] n. m. — 1568 ; *bardaiche,* 1537 ; de l'ital. *bardasso* «jeune garçon, fillette», de l'arabe *bărdădj* «esclave».

Argot, vieilli. Jeune garçon servant d'amant aux homosexuels. → **Giton, mignon.**

Puisque nous causons de bardaches, voici ce que j'en sais. On avoue sa sodomie et on en parle à table d'hôte. Quelquefois on nie un petit peu, tout le monde alors vous engueule et cela finit par s'avouer. 1
FLAUBERT, Correspondance, 15 janv. 1850, Pl., t. I, p. 572.

Abbas-Pacha a des pigeons qui portent des colliers de diamants, il fait venir des chiens de toutes les parties du monde, il a beaucoup de bardaches et un magnifique bouquin à son chibouk. 2
FLAUBERT, Correspondance, 21 juil. 1850, Pl., t. I, p. 653.

REM. Flaubert, qui emploie souvent ce mot, lui donne des sens extensifs (personnage mielleux, complimenteur (→ Putain, cit. 3) ; ami complaisant).

**BARDAGE** [bardaʒ] n. m. — 1837 ; «charge d'un bard», 1638 ; de 1. *barder.*

Technique.

**I** Vieilli. Transport sur des bards.

Mod. Transport des matériaux lourds, sur un chantier.

**II** (XX^e). Revêtement protecteur aménagé autour d'un ouvrage d'art. *Bardage en planches* (→ **Bardeau,** 1.), *en ardoises* (→ **Armement,** IV.).

**BARDANE** [bardan] n. f. — XV^e ; lat. médiéval *bardana,* altér. de *dardana* «grande bardane», p.-ê. sous l'infl. de *barba* «partie d'une plante pouvant évoquer une barbe» ; mais P. Guiraud rattache le mot — comme *barder* — à un rad. lat. pop. **baritare,* du gallo-roman **barare* «s'opposer à, diverger».

Bot. Plante dicotylédone *(Composacées),* appelée scientifiquement *Lappa communis* et communément *glouteron. Les capitules de la bardane portent des bractées terminées par une pointe qui s'accroche aux vêtements, aux toisons. La racine de bardane est utilisée en médecine comme remède contre la teigne* (herbe aux teigneux) *et comme sudorifique. Poudre de bardane, tisane de bardane.*

Cet apaisement qui nous vient dans l'amitié d'une montagne, cet appétit pour les forêts, cette ivresse qui nous balance, regard éteint et pensée morte, parce que nous avons senti l'odeur des bardanes humides, des champignons, des écorces, cette joie d'entrer dans l'herbe jusqu'au ventre, ce ne sont pas des créations de nos sens, ça existe autour de nous et ça dirige plus nos gestes que ce que nous croyons. 1
J. GIONO, le Chant du monde, Pl., t. II, p. 537.

(...) elle revoyait certains chemins sablonneux, doux au pied des montures, bordés d'ajoncs qui cardent les crins des chevaux, de mûres aigres et de bardanes griffues (...) 2
COLETTE, Julie de Carneilhan, p. 208.

1. **BARDE** [bard] n. m. — 1512, J. Lemaire de Belge ; lat. *bardus,* mot gaulois.

♦ **1** Hist. Poète celtique, qui célébrait les héros et leurs exploits. → **Bardique ; bardit.** — REM. La forme *bard* est vieille.

Nos *(vieux)* poètes gaulois appelés bards chantaient au son des instruments les faits des hommes illustres : *(d'où)* vient qu'en Bretagne, ils nomment bard ceux que nous appelons menestriers. 1
FAUCHET, Langue et Poésie françaises, I, 6, *in* HUGUET, Dict. du XVI^e s.

♦ **2** Littér. Poète héroïque, lyrique. → **Aède, rhapsode.**

Ce que je viens de dire sur des affinités d'imagination et de destinée entre le chroniqueur de René et le chantre de Childe-Harold n'ôte pas un seul cheveu à la tête du barde 2

immortel *(Byron).*
CHATEAUBRIAND, Mémoires d'outre-tombe, I, 9.

**DÉR. Bardique.**

2. **BARDE** [baʀd] n. f. — 1260, au sens 2; arabe *bărdă'a* «selle de cheval» (→ Barda), croisé, selon Guiraud, avec le rad. *bard-* signifiant «bombé». → Bardane, barder.
Didactique.

♦ **1** (V. 1450). Armure faite de lames de fer, qui protégeait le poitrail et la croupe du cheval.

(...) la barde de crinière et la barde de poitrail.
FRANCE, l'Anneau d'améthyste, p. 62 (→ Armure, cit. 4).

♦ **2** Selle rembourrée. → 1. **Bardelle.**

**DÉR.** 3. **Barde, bardeau,** 1. **bardelle,** 2. **barder, bardis.**

3. **BARDE** [baʀd] n. f. — 1680; de 2. *barde.*
Mince tranche (de lard) dont on entoure les volailles, les pièces de gibier qu'on fait rôtir. *Barde de lard, barde.*

1 (...) une barde de lard, s'il vous plaît, bien mince!
Th. GAUTIER, le Capitaine Fracasse, XI.

2 — Ah bien! s'écria la Sarriette avec son rire tendre, j'allais oublier d'acheter du lard... Madame Quenu, coupez-moi douze bardes, mais bien minces n'est-ce pas? pour des alouettes (...) ZOLA, le Ventre de Paris, t. I, p. 107.

**DÉR.** 3. **Barder.**

4. **BARDE** [baʀd] n. f. — 1927; d'un emploi régional de 4. *barder* «aller vite en bringuebalant».
Loc. fam. *À toute barde :* à toute allure (syn. fam. : *à tout berzingue*).

**BARDÉ, ÉE** [baʀde] p. p. adj. → 2. **Barder.**

**BARDEAU** [baʀdo] n. m. — 1359; orig. obscure, p.-ê. de 2. *barde,* et du rad. *bard-* exprimant l'écartement (Guiraud).
Technique ou régional.

♦ **1** Petite planche clouée sur volige employée pour couvrir certaines constructions, en particulier pour remplacer tuiles et ardoises dans la couverture des maisons. *Un toit de bardeaux.* → 2. **Aisseau, essente, tavaillon, tavillon** (Suisse).

(...) un toit en colombage que les ans ont fait plier, dont les bardeaux pourris ont été tordus par la pluie et par le soleil. BALZAC, Eugénie Grandet, éd. 1838, p. 25.

Planchette en bois supportant l'aire d'un plancher et posée en travers sur les solives.
Cloison entre deux chambres, dans une mine.
Petit train de bois.

♦ **2** Imprim. Boîte servant de réserve de caractères. → **Casse.**

**HOM. Bardot.**

**BARDÉE** [baʀde] n. f. — 1642; de *bard.*
Techn. Charge d'un bard.

1. **BARDELLE** [baʀdɛl] n. f. — XI^e; de 2. *barde.*
Techn. Selle de grosse toile et de bourre. → 2. **Barde.**

2. **BARDELLE** [baʀdɛl] n. f. — 1808; de *bard.*
Techn. Barre d'un banc de verrier, sur lequel on appuie et on roule la canne.

1. **BARDER** [baʀde] v. tr. — 1751; de *bard.*
Techn. (vx). Charger et transporter (des matériaux) sur un bard.
Mod. Sur un chantier, Déplacer, transporter (des matériaux lourds).

**CONTR. Débarder.** ◊ **DÉR. Bardage,** 4. **barder.**

2. **BARDER** [baʀde] v. tr. et pron. — 1427; de 2. *barde.*

♦ **1** Techn., vx. Couvrir un cheval d'une barde.

Les chevaux (...) furent bardés de fer; leur tête fut armée de chanfreins (...)
VOLTAIRE, Essai sur les mœurs, 38.

♦ **2** Pron. *Se barder de :* se protéger au moyen de (qqch. qui couvre le corps). *Se barder d'une cuirasse, de vêtements chauds.* — Fig. Se garantir, se protéger. → **Cuirasser** (se). *Se barder de prières, de résolutions, d'orgueil.*

◆ **BARDÉ, ÉE** p. p. adj. (plus cour. que le verbe).

♦ **1** Couvert d'une barde (cheval); d'une armure (combattant). *Un cheval, un chevalier bardé de fer.* → **Caparaçonné, cuirassé.**
Par ext. *Être bardé de décorations, de médailles,* tout couvert.

♦ **2** (D'une chose). Protégé, entouré de (une protection). *Un malade bardé d'appareils de contrôle* (→ Box, cit. 3).

♦ **3** Fig. (Personnes). Bien garni (d'une chose qui protège). *Bardé de pièces d'or, de lettres de recommandations.* — (Abstrait). *«Bardés de prétentions ridicules»* (Stendhal), *de préjugés, d'idées toutes faites.*
Absolt. *Bardé contre :* cuirassé, protégé contre (qqch.).

3. **BARDER** [baʀde] v. tr. — 1680; de 3. *barde.*
Cuis. Entourer, garnir de bardes. *Barder un rôti, une volaille, une caille.*

4. **BARDER** [baʀde] v. intr. — 1894; 1889, argot milit., «travailler dur, trimer»; d'un mot régional «glisser latéralement, par un mouvement divergent», selon Guiraud du rad. *bard-* (→ Bardane), mais l'évolution de sens qui mène à l'argot militaire est obscure.
Familier.

♦ **1** Devenir pénible (en parlant du travail).

(...) *le dur service* avait repris, le bon temps était fini, *cela* 1
*bardait* comme au bagne et les nouveaux officiers nous faisaient baver pour avoir les hommes bien en main.
B. CENDRARS, l'Homme foudroyé, 1945, p. 18, *in* T. L. F.

♦ **2** Devenir dangereux, prendre une tournure violente ou pénible. *Attention! S'il se met en colère, ça va barder!* → **Chauffer** (fam.), **gâter** (se). *Il y a eu de la bagarre, ça a bardé.* → **Chambard, chambarder.**

C'est elle qui excitait c'vieux nœud contre nous : sans elle, 2
il était plus bête que méchant, mais du coup qu'elle était là, i' d'venait plus méchant qu'bête. Alors, tu parles si ça bardait (...) H. BARBUSSE, le Feu, t. II, II, XX, p. 26.

♦ **3** (1920). Régional. Aller vite. → 4. **Barde** (à toute barde).

**BARDEUR** [baʀdœʀ] n. m. — XIII^e; de *bard.*
Technique.

♦ **1** Ouvrier qui charge, porte un bard. — REM. Dans ce sens, le fém. *bardeuse* est virtuel.

♦ **2** (1900). Chariot servant au transport de blocs (syn. : *chariot lève-blocs*).

**BARDIQUE** [baʀdik] adj. — XIX^e; de 1. *barde.*
Didact. (hist.). Qui se rapporte au barde (1. Barde, 1.) ou à ses productions.

Mais cette poésie *(irlandaise)* où l'on découvre un lointain 1
reflet des chants bardiques anciens, s'est renouvelée sous le moyen âge, et a subi une métamorphose dans ses derniers temps.
ECKSTEIN, le Catholique, mai 1829, p. 241, *in* D. D. L., II, 12.

2 En Allemagne, où l'on rencontre moins de poésie sidérale, l'imitation d'Ossian s'unit étroitement au genre bardique.
P. VAN TIEGHEM, le Préromantisme, I, 1924, p. 246, *in* D. D. L., II, 12.

**BARDIS** [baʀdi] n. m. — Déb. XVI^e; de 2. *barde*.

Mar. Cloison, planche que l'on dispose dans la cale ou l'entrepont d'un navire pour caser les grains, les marchandises en vrac.

**HOM. Bardit.**

**BARDIT** [baʀdi] n. m. — 1644; lat. *barditus*, de *barritus* «cri de guerre».

Didactique.

♦ **1** Chant de guerre des anciens Germains.

1 Puis, tout-à-coup, poussant un cri aigu, ils *(les Francs)* entonnent le bardit à la louange de leurs héros (...)
CHATEAUBRIAND, les Martyrs, VI.

♦ **2** (De 1. *barde*). Chant composé par un barde.

2 (...) elle aimait à lui entendre chanter les bardits qui passaient comme la caverne de génération en génération dans cette famille, et auxquels s'ajoutaient parfois des strophes nouvelles, quand un barde nouveau y naissait à travers les âges.
Louise MICHEL, la Misère, t. III, p. 618 (1881).

**HOM. Bardis.**

**BARDOT** [baʀdo] n. m. — 1367; de l'arabe *bărdă'a* «selle» et «bât». → Barda, 2. barde. Cf. ital. *bardotto* «mulet».

♦ **1** Petit mulet, produit de l'accouplement du cheval et de l'ânesse. *(Les mendiants) montés à cru sur leurs bardots* (H. Pourrat, *in* T. L. F.). — Var. graphique : *bardeau* (rare).

♦ **2** Fig. et vx. Souffre-douleur (Fourier, *in* T. L. F.).

**HOM. Bardeau.**

**-BARE** Élément, du grec *barus* «lourd», servant à désigner la pression atmosphérique. → **Baro-.**

**BAREFOOT** [bɛʀfut] n. m. — 1988; mot angl. «pieds nus».

Anglic. Sport de glisse qui s'apparente au ski nautique, où les pieds font office de skis. *Faire du barefoot sur l'eau. Pratiquer le barefoot sur le sable, tiré par un cerf-volant.*

**BARÈGE** [baʀɛʒ] n. m. — 1827, *in* D. D. L.; de *Barèges*, ville des Hautes-Pyrénées.

Vx. Étoffe de laine légère. *Une robe de barège.* Le vêtement fait de cette étoffe.

1 (...) il allait causer avec une vieille copiste portant en toute saison la même robe de barège noire, tachée de couleurs, et une palatine en plumes d'oiseaux (...)
Ed. et J. DE GONCOURT, Manette Salomon, p. 48.

2 (...) un petit imbécile à quatre sous qui sent le tabac, la mauvaise bière, le barège, et dont le pourpoint est fait de pauvre laine sans douceur !
Jean RAY, les Derniers Contes de Canterbury, p. 26.

**HOM. Barèges.**

**BARÈGES** [baʀɛʒ] n. m. — 1879; de *(sel de) Barèges*, localité des Hautes-Pyrénées. → Barège.

Vx. Sel servant à la préparation de bains sulfureux. *«Une écœurante odeur de barèges»* (A. France, *in* T. L. F.). → **Barégine.**

**HOM. Barège.**

**BARÉGINE** [baʀeʒin] n. f. — 1832; de *Barèges*, ville des Hautes-Pyrénées.

Chim. Substance gélatineuse azotée qui se trouve en particulier dans les eaux de Barèges et qui a la propriété de décomposer les sulfures. *«... ailleurs* (dans les Pyrénées), *c'est l'abondance d'une matière organique connue sous le nom de barégine»* (*Année sc. et industr.*, 1872, p. 466).

**BARÈME** [baʀɛm] n. m. — 1803; du nom de François Barrême, auteur des *Comptes faits du grand commerce* (1670).

♦ **1** Recueil de tableaux numériques donnant le résultat de certains calculs. *Barème des intérêts. Barème des salaires. Barème des tarifs.* → **Répertoire, table.**

♦ **2** Vx. Celui qui compte, calcule facilement (Cf. *«Il calcule comme barême* (sic), *c'est-à-dire, il est grand calculateur», le Néologisme,* 1796).

**BARESTHÉSIE** [baʀɛstezi] n. f. — Déb. XX^e (*in* Larousse, 1928); t. dû au Roumain Marinesco, 1905, ou au Suisse Egger, 1907. → Bar-, et -esthésie.

Didact. Sensibilité profonde (des muscles, des aponévroses, des tendons, des os, des viscères, etc.) à la pesanteur ou à la pression.

**BARET** [baʀɛ] n. m. — D. i.; probablt de 2. *bar*.

Régional (Canada). Poisson anadrome, petit bar au dos vert foncé et au ventre argenté (n. sc. : *Morone americana*) qui vit le long des côtes et dans les fleuves côtiers, à l'Est de l'Amérique du Nord.

**BARÉTER** [baʀete] v. intr. [CONJUG. : *céder*.] — XIX^e; du rad. du lat. *barrire* (→ Barrir) et suff. *-éter*; ou de *baret*, syn. de *barrit* et suff. verbal.

Rare. Barrir.

1. **BARGE** [baʀʒ] n. f. — 1553, Belon; p.-ê. du lat. pop. *bardea* «alouette huppée».

Oiseau échassier de la famille des bécasses *(Scolopacidés)*, au bec très long, légèrement relevé en avant, qui fréquente les marais. *Barge à queue noire (barge commune). Barge rousse.*

M. Edwards observe que le bec de cette barge fléchit en haut, comme celui de l'alouette, caractère dont la plupart des barges portent quelque légère trace.
BUFFON, Hist. nat. des oiseaux, t. XIV, *in* POUGENS.

2. **BARGE** [baʀʒ] n. f. — 1080, *Chanson de Roland*; lat. médiéval *barga*, à rapprocher du lat. tardif *barca* «chaloupe». → Barque.

Embarcation à fond plat et à voile destinée à la pêche en eau peu profonde. — Spécialt. Péniche de débarquement. → **Chaloupe.**

Avec des moyens considérables, ils avaient fabriqué un monstre en caoutchouc et autres matières synthétiques et l'avaient installé sur une barge qu'il recouvrait entièrement.
J. GREEN, Journal 11 juin 1978, La terre est si belle, p. 296.

REM. La variante *berge* [bɛʀʒ] est archaïque.

3. **BARGE** [baʀʒ] n. f. — 1453; p.-ê. du gaulois **barga* «hutte, meule».

Régional.

♦ **1** Agric. Meule rectangulaire de foin, de paille.

(...) ils (...) édifiaient les mêmes barges de foin à la force du poignet et des reins.
Catherine PAYSAN, l'Empire du taureau, p. 143.

♦ **2** Tas de petit bois. *Une barge de fagots.*

♦ **3** (XX^e ; au Canada). *Une barge :* un nombre important. *Une barge de fruits.*

**BARGUIGNAGE** [baʀgiɲaʒ] n. m. — 1740, Académie ; 1580, « action de marchander », Montaigne ; de *barguigner.*

Vx. Action de barguigner, hésitation, lenteur à se déterminer. → **Marchandage.**

**BARGUIGNER** [baʀgiɲe] v. intr. — Fin XII^e ; francique **borgonjan* qui a donné l'all. *borgen* « emprunter » ; P. Guiraud y voit un comp. de *gagner, gaaigner* et du préf. *bar-* exprimant l'échange.

♦ **1** Vx. Marchander.

♦ **2** Vieilli. Hésiter, avoir de la peine à se déterminer (se dit particulièrement, quand il s'agit d'un achat, d'une affaire (Académie)).

1 À quoi bon tant barguigner et tant tourner autour du pot ?
MOLIÈRE, Monsieur de Pourceaugnac, I, 5.

Loc. **SANS BARGUIGNER :** sans hésiter.

2 (...) s'il n'avait pas le cœur un peu dur *(Landry),* il ne serait pas parti comme ça sans barguigner, sans tourner la tête et sans verser une pauvre larme.
G. SAND, la Petite Fadette, p. 27.

3 La vie future ? L'enseignement de l'Église ? s'écria-t-il en le défiant de ses yeux pâles, y croyez-vous ? là... Y croyez-vous sans barguigner ? Tout bêtement ? Oui ou non ?
BERNANOS, Sous le soleil de Satan, Œ. roman., Pl., p. 293.

CONTR. **Décider (se).** ◊ DÉR. **Barguignage, barguigneur.**

**BARGUIGNEUR, EUSE** [baʀgiɲœʀ, øz] n. — 1635 ; « celui qui marchande », XIV^e ; de *barguigner.*

Vieilli. Celui qui hésite, ne se décide pas facilement. *Quel barguigneur !*

**BARICAUT** [baʀiko] n. m. — 1531 ; anc. provençal *barricot.*

Techn. Petit baril. → **Barillet, 1.** (rare).

Le vin figurait en bonbonnes, la bière en bataillons de bouteilles, les alcools en baricauts.
Albert T'SERSTEVENS, l'Or du « Cristobal », p. 207.

**BARIGOULE** [baʀigul] n. f. — 1742 ; provençal *barigoulo,* n. de divers champignons.

♦ **1** Régional. En Provence, Nom de divers champignons. — Spécialt. Agaric.

♦ **2** Cuis. *Des artichauts à la barigoule,* évidés (ressemblant ainsi à l'agaric) puis farcis et cuits dans l'huile d'olive.

**BARIL** [baʀil] n. m. — XII^e ; p.-ê. du gallo-roman *barriculus,* dim. du lat. **barrica* « barrique » ; P. Guiraud y retrouve l'élément *bar-,* du lat. pop. **barilis* « cagneux ; bombé ».

♦ **1** Petit tonneau, petite barrique. → **Futaille, tonneau, tonnelet.** *Baril de harengs.* → **Caque.** *Baril à anchois.* → 2. **Barrot.** *Mettre le poisson en barils.* → **Pacquage.** *Baril de goudron.* → **Gonne.** *Baril de poudre* (→ Arsenal, cit. 2).

Par métaphore :

La politique des munitionnaires capitalistes a accumulé sous le plancher de l'Europe des barils de poudre, prêts à sauter (...)
MARTIN DU GARD, les Thibault, t. VII, p. 118.

♦ **2** Par métonymie. Le contenu du baril. *Ils ont bu un baril de rhum en une nuit !* — Par métaphore. *Un baril de graisse, de viande :* une personne obèse.

Chim. Bac, vase rempli de liquide dans lequel passe le gaz de houille au sortir des cornues.

♦ **3** (1913, d'après angl. *barrel*). Unité de mesure du pétrole (158,8 l).

♦ **4** Photogr. (à cause de la forme cylindrique). Ensemble de lentilles montées sur une bague qui permet de les insérer pour modifier ou constituer un objectif déterminé.

DÉR. **Barillage, barillet.** — V. 2. **Barrot.**

**BARILLAGE** [baʀijaʒ] n. m. — 1845 ; de *baril.*

Techn. (rare). Action de fabriquer ou d'utiliser des barils.

**BARILLET** [baʀijɛ] n. m. — XIII^e, *Roman de Renart ;* de *baril.*

♦ **1** Vieilli (à cause de l'homonymie avec le sens 2). Petit baril. → **Baricaut.**

♦ **2** (1680). Dispositif de forme cylindrique. Cour. *Barillet d'un pistolet, d'un fusil à répétition :* cylindre où sont logées les cartouches (dans des alvéoles). *Pistolet à barillet. Loger des balles dans le barillet.*

Techn. *Barillet d'une montre, d'une pendule :* boîte circulaire généralement munie de dents qui renferme le ressort moteur. — *Barillet de serrure :* partie cylindrique du bloc de sécurité. — *Barillet d'une pompe, d'un métier à tisser. Moteur, pompe à barillet.* — *Barillet d'un four à distillation de gaz.*

Là se trouvaient toutes les parties d'une montre qu'il avait soigneusement démontée. Il prit une sorte de cylindre creux, appelé barillet, dans lequel est enfermé le ressort, et il en retira la spirale d'acier, qui, au lieu de se détendre, suivant les lois de son élasticité, demeura roulée sur elle-même, ainsi qu'une vipère endormie.
J. VERNE, Maître Zacharius, p. 123.

♦ **3** *En barillet :* en forme de barillet (1.), de tonnelet représenté de face. Opt. *Distorsion en barillet,* qui fait apparaître les droites infléchies vers l'extérieur de l'image, comme les douves d'un barillet, d'un tonneau (opposé à *distorsion en croissant**).

**BARINE** [baʀin] n. m. et f. — V. 1858-1867, Th. Gautier ; russe *barin* « seigneur ».

Hist. Seigneur, dans la Russie des tsars. — Rare au fém. *Barine* (J. Richepin, *in* T. L. F.).

— Le lendemain matin, j'allai me promener dans la ville, je rencontre un soldat ivre festonnant sur le trottoir pavé en bois. Il m'accoste : « Barine, achète-moi cette croix d'argent, je te la cède pour deux grivnas ; une croix en argent ! »
GIDE, Dostoïevski, p. 99.

**BARIOLAGE** [baʀjɔlaʒ] n. m. — XIV^e ; de *barioler.*

♦ **1** Action de barioler. *Le bariolage d'une toile par un peintre.* — Assemblage de diverses couleurs. *Un bariolage de dix couleurs.* → **Bigarrure, chamarrure ; bariolis, bariolure.**

La surface entière de la palette se trouvait maintenant salie ou entamée ; les mélanges les plus hétéroclites voisinaient côte à côte, modifiés sans cesse par quelque nouvel apport de couleur fondamentale. Aucune confusion ne se produisait malgré ce déroutant bariolage, chaque pinceau restant consacré à certaine catégorie de nuances qui lui conférait telle spécialité plus ou moins définie. 1
Raymond ROUSSEL, Impressions d'Afrique, p. 205.

Le bariolage de l'averse parle perroquet. 2
P. ÉLUARD, Essai de simulation du délire d'interprétation, Pl., t. I, p. 325.

♦ **2** Fig. Mélange disparate. *Le bariolage du style.*

**BARIOLÉ, ÉE** [baʀjɔle] adj. — 1617; *barrolé*, 1546; composé de deux mots d'anc. franç. de même sens *barré* et *riolé* «rayé, bigarré»; étym. contestée par Guiraud, qui postule un lat. pop. **bariculare* exprimant à la fois le sens «qui est de deux couleurs opposées» et «qui va de deux côtés opposés», du rad. *bar-*, et avec infl. probable de *varius*.

♦ **1** Coloré de tons vifs et variés. → **Bigarré, multicolore.** *Une étoffe bariolée.*

1 L'Égypte ! — Elle étalait, toute blonde d'épis,
Ses champs, bariolés comme un riche tapis,
Plaines que des plaines prolongent (...)
HUGO, les Orientales, I, 4.

2 (...) l'escadron chatoyant des coureurs, des aérocabs *(aéronefs)* peints et décorés de façon à être reconnus de loin, bariolés de la manière la plus fantaisiste, quadrillés, rayés, pointillés, étoilés, zébrés, quelques-uns portant leurs couleurs en damier, — d'autres entièrement rouges, bleus, verts, jaunes, etc.
A. ROBIDA, le Vingtième Siècle, p. 237.

2.1 (...) les petits tramways bariolés rouge, jaune, bleu, blanc, vert, semblables à des jouets (...)
Claude SIMON, le Palace, p. 103.

♦ **2** Composite, hétérogène. *Une poésie bariolée. Une foule bariolée.*

3 Le sabir (...) fait de mots bariolés (...)
Alphonse DAUDET (→ Sabir, cit. 2).

4 (...) une foule bariolée, vêtue des couleurs les plus voyantes de l'arc-en-ciel. LOTI, Aziyadé, IV, 24.

DÉR. **Barioler.**

**BARIOLER** [baʀjɔle] v. tr. — 1690; de *bariolé*.

♦ **1** Peindre de diverses couleurs produisant un effet peu harmonieux, violent et de mauvais goût. → **Bigarrer, chamarrer, panacher, peinturer, peinturlurer.** *Barioler une toile, un mur.* — (Le sujet désigne ce qui colore). *Les couleurs criardes qui bariolaient l'affiche.* Pron. *Se barioler de* (couleurs diverses).

Au passif :

1 Les visages *(des sauvages)* sont bariolés de diverses couleurs, ou peinturés de blanc ou de noir (...)
CHATEAUBRIAND, les Natchez.

♦ **2** Figuré :

2 (...) par les quais coulait un fleuve d'êtres humains se dirigeant vers le Nil. La variété la plus étrange bariolait cette multitude. Th. GAUTIER, le Roman de la momie, II.

DÉR. **Bariolage, bariolis, bariolure.**

**BARIOLIS** [baʀjɔli] n. m. — 1883; de *barioler*.

Rare. Résultat du bariolage. *Un incroyable bariolis de couleurs.*

**BARIOLURE** [baʀjɔlyʀ] n. f. — 1808; de *barioler*.

Rare. Aspect bariolé. → **Bariolage, bigarrure.**

**BARJO** [baʀʒo] adj. et n. — Déb. XX^e, *in* Cellard et Rey; interversion (verlan) de *jobard*.

Adj. Fam. Fou. *Elle est un peu barjo. Il est complètement barjo, ce mec !* — REM. On dit, on écrit aussi *barje* [baʀʒ], *barjot*.

1 D'affreux petits arcans, avec rien dans la calebèche, commenta Santarelli. Ça rêve à des holdeupes avec talquieoualquie, grenades fumigènes et relais de bagnoles... des vrais barjots de la série noire.
Pierre GOMBERT, le Prix d'un taxi, p. 103.

N. *Un, une barjo. Bande de barjos !*

2 C'est une maison de fous, de barjos tout ce qu'il y a de siphonnés.
René FALLET, Le beaujolais nouveau est arrivé, p. 34, *in* CELLARD et REY.

**BARLONG, ONGUE** [baʀlɔ̃, ɔ̃g] adj. — Fin XII^e, *beslong* «très long, oblong»; p.-ê. du lat. **bislongus* «deux fois plus long que large, très long»; le passage du *s* au *r* est dialectal.

♦ **1** (1549). Plus long d'un côté que de l'autre, en parlant d'un quadrilatère rectangle. — Vx. (En parlant d'un vêtement). *Manteau barlong*, plus long d'un côté.

Spécial. Se dit de formes, d'objets rectangulaires dont le grand côté n'est qu'à peine plus grand que le petit, et qui se rapprochent du carré. *Un donjon médiéval sur plan barlong.*

♦ **2** (1751, in *Encyclopédie*). Archit. Dont le côté le plus long se présente de face.

**BARLOTIÈRE** [baʀlɔtjɛʀ] n. f. — 1791; de *barrelot*, forme dial. dérivée de *barre*.

Techn. Traverse de fer d'un châssis de vitrail.

**BARMAID** [baʀmɛd] n. f. — 1861; mot angl., de *bar* (→ 1. Bar), et *maid* «jeune fille».

Anglic. Serveuse de bar. *Le barman* et la barmaid. Des barmaids.*

Il y avait là deux barmaids — deux Françaises — qui étaient les deux sœurs. 1
Michel LEIRIS, l'Âge d'homme, p. 143.

Liliane, la gorge sèche, attend que la barmaid dépose les coupes sur la table. 2
Roger BORNICHE, le Gringo, p. 195.

**BARMAN** [baʀman] n. m. — 1873, Hubner; mot angl., de *bar* (→ 1. Bar), et *man* «homme».

Anglic. Professionnel qui sert, éventuellement prépare, les boissons au bar. *Le barman préparait un cocktail. Des barmen* [baʀmɛn], ou *des barmans. Le barman et la barmaid*. Le personnel de l'établissement comprend un barman et plusieurs garçons* de café. Veste de barman.* — *L'art du barman* (→ Mélange, cit. 10).

(...) Léon, dans sa veste blanche de barman, découpait gravement un melon sur le marbre de la desserte. 1
MARTIN DU GARD, les Thibault, t. V, p. 205.

Dès qu'il avait posé la main sur le comptoir et que le barman avait tendu un bras velu pour l'essuyer d'un torchon sale, la vie avait repris et nul ne paraissait plus s'occuper de lui. G. SIMENON, Feux rouges, p. 28. 2

**BAR-MITSVA** ou **BAR-MITSVAH** [baʀmitsva] n. f. invar. — 1927; mot hébreu «fils du commandement».

Relig. Dans la religion juive, accès du jeune garçon au statut d'adulte, responsable du point de vue religieux; cérémonie marquant cet événement. *«Traditionnellement, la bar-mitsva ne concerne que les garçons parce que le rôle des hommes est plus important dans la prière juive»* (*le Monde*, 22 juin 1999, p. 2).

**BARN** [baʀn] n. m. — 1950, *in* Höfler; mot angl., proprt «grange», par ironie, le *barn* étant microscopique.

Sc. Unité de surface (symb. : b) en microphysique ($10^{-28}$ m²).

**BARNABITE** [baʀnabit] n. m. — Av. 1622; de *Barnabé*.

Hist. des relig. Religieux de l'ordre des Clercs de saint Paul, dont les fondateurs s'assemblèrent dans l'église de Saint-Barnabé de Milan au XVI^e siècle.

**BARNACHE** [baʀnaʃ] ou **BARNACLE** [baʀnakl] n. f. — 1532, *barnacle; barnache,* 1762; *bernicle,* 1270; p.-ê. de l'irlandais *bairnech,* même sens, du celte **barenníka.*

♦ **1** Oie sauvage, appelée aussi *oie marine.* → **Bernache.**

1 Les sifflements du courlis et le cri de la barnacle perchée sur les framboisiers de la grotte, m'annoncèrent le retour du matin (...)

CHATEAUBRIAND, les Natchez, VIII, 333.

2 (...) une barnache fila à grands coups d'aile au ras des vagues (...)

Jean RAY, les Derniers Contes de Canterbury, p. 117.

♦ **2** (1721, *barnacle; barnache,* 1875). Coquillage en forme de bec spatulé (→ **Anatife**), qui tire son nom de cette ressemblance et de la croyance selon laquelle l'oie sauvage naîtrait du coquillage.

**BARNUM** [baʀnɔm] n. m. — 1855; mot amér., du nom de Ph.-T. *Barnum* (1810-1891), célèbre directeur de cirque américain.

♦ **1** Vx. Celui qui produit des spectacles à sensation.

Après un entr'acte d'une minute on vit paraître Philippo, présenté par Jenn, son inséparable barnum.

Raymond ROUSSEL, Impressions d'Afrique, p. 89.

♦ **2** Vx. Tente d'un forain, d'un camelot. — Mod. Abri de vendeur de journaux. → **Aubette.** *Les barnums et les kiosques.*

♦ **3** Argot, fam. Bruit, chahut, désordre. *Ça va faire un sacré barnum.*

**BARO-** → **Bar-**

**BAROCEPTEUR** [baʀɔsɛptœʀ] n. m. — Mil. XX^e^ (*in* Piéron, 1951); de *baro-,* et *-cepteur,* d'après *extérocepteur, intérocepteur.*

Physiol. Récepteur sensible aux variations de pression. — Spécialt. Dispositif récepteur de la pression, dans le système cardio-vasculaire. *Les barocepteurs sont mis en jeu par stimulation mécanique.*

REM. On dit aussi *barorécepteur, pressocepteur, pressorécepteur.*

**BARODET** [baʀɔdɛ] n. m. — Attesté 1928 comme nom commun; du nom de l'homme politique (député, puis sénateur) *Barodet,* à l'initiative de qui ce recueil fut créé.

Recueil publié au début de chaque législature, et qui renferme les programmes électoraux des parlementaires élus.

**BAROGRAPHE** [baʀɔgʀaf] n. m. — 1877, *in* Littré; de *baro-,* et *-graphe.*

Didact. Baromètre enregistreur traçant, à chaque instant, la courbe de la pression atmosphérique. — Spécialt. Baromètre enregistreur conçu pour tracer la courbe des altitudes atteintes par un aéronef. → **Altimètre** (enregistreur).

La ligne du barographe est régulière depuis plusieurs jours, après la grosse colère du géant qui, maintenant, semble s'être endormi pour de vrai.

Bernard MOITESSIER, Cap Horn à la voile, p. 204.

**BAROMÈTRE** [baʀɔmɛtʀ] n. m. — 1666; de *baro-,* et *-mètre,* d'après l'angl. *barometer.*

♦ **1** Instrument qui sert à mesurer la pression atmosphérique. → **Atmosphère.** *Baromètre à cuvette,* composé d'un tube plongeant dans une cuvette remplie de mercure. *Baromètre à mercure* (cit. 4). *Le niveau du mercure dans le tube du baromètre indique la pression atmosphérique. Baromètre à siphon,* composé d'un tube recourbé. *Baromètre à cadran,* muni d'un flotteur qui fait tourner l'aiguille sur un cadran divisé. *Baromètre anéroïde*. Baromètre enregistreur.* → **Barographe.** *Baromètre enregistreur des altitudes (altimétrique).* → **Altimètre** (enregistreur). *Graduation, degrés d'un baromètre. — Le baromètre monte* (hausse), *descend* (baisse). *La colonne de liquide du baromètre. Hauteur du baromètre.* — Indication donnée par l'instrument (indice du temps météorologique). *Le baromètre est au beau fixe, au variable, à la pluie. Surveiller le baromètre.*

Un nouvel instrument météorologique qu'on a nommé depuis baromètre ou baroscope, c'est-à-dire mesure ou observation de la pesanteur de l'air. 1

FURETIÈRE, 1690, *in* BRUNOT, Hist. de la langue franç., t. VI, p. 582.

L'air est compressible; sa température étant supposée constante, sa densité est proportionnelle au poids qui le comprime et, par conséquent, à la hauteur du baromètre (...) 2

LAPLACE, Exposition du système du monde, I, 16.

On avait eu beau emporter tout ce qu'on avait de couvertures, on n'en avait pas trop pour lutter contre le froid et, arrivé à Éteuilles par un temps glacé, on restait à se chauffer dans la salle à manger où l'oncle de Jean allait à toute minute frapper le baromètre pour voir si le beau temps ne revenait pas. 2.1

PROUST, Jean Santeuil, Pl., p. 277.

Ayant découvert dans nos bagages un baromètre enregistreur dont il s'était fait expliquer la marche, Talou rêvait de voir ses dessins défiler automatiquement sur le rouleau mobile du précieux instrument. 2.2

Raymond ROUSSEL, Impressions d'Afrique, p. 433.

♦ **2** Fig. (Qualifié, par un compl. en *de* ou un adj.). Ce qui est sensible aux variations et permet de les apprécier. *La bourse des valeurs, baromètre de la confiance publique. Le dictionnaire d'usage, baromètre de la langue. Les sondages, baromètres politiques.*

Le «baromètre» ou le «thermomètre» de notre commerce, dit-il *(d'Argenson),* doit être le change étranger. 3

BRUNOT, Hist. de la langue franç., VI, p. 88.

L'amour faisait d'Henriette un stradivarius, un baromètre sensible aux moindres températures morales. 4

COCTEAU, Thomas l'imposteur, p. 95.

DÉR. **Barométrique.**

**BAROMÉTRIQUE** [baʀɔmetʀik] adj. — 1752; de *baromètre.*

Didact. (alors que *baromètre* est du lang. cour.). Qui a rapport au baromètre. *Colonne barométrique. Hauteur barométrique :* hauteur de la colonne de mercure. *Courbe barométrique,* d'un baromètre enregistreur. — *Hausse, baisse, variation barométrique de pression,* indiquée par le baromètre.

(...) il sortit de la boîte barométrique le fragile mécanisme, dont il accéléra le mouvement, et bientôt un ingénieux appareil, revêtu de la bande de parchemin, fonctionna près de la scène des Incomparables. 1

Raymond ROUSSEL, Impressions d'Afrique, p. 434.

Le vent a viré au sud-ouest, ce qui, conjugué avec la forte hausse barométrique, indique d'une façon formelle que la dépression s'éloigne de nous. 2

Bernard MOITESSIER, Cap Horn à la voile, p. 193.

DÉR. **Barométriquement.**

**BAROMÉTRIQUEMENT** [baʀɔmetʀikmɑ̃] adv. — 1877, *in* Littré; de *barométrique.*

Didact. Au moyen du baromètre. *Observer barométriquement certaines variations.* — Fig. (Rare). En accord avec les variations du baromètre. *«(Le vol des hirondelles) s'abaissait barométriquement...»* (Gide, *in* T. L. F.).

1. **BARON, ONNE** [barɔ̃, ɔn] n. — Xe; du francique **baro* «homme libre».

♦ **1** Féod. Grand seigneur du royaume, en France. *Les hauts barons de France.* → **Baronnage.**

♦ **2** Celui, celle qui possédait une terre avec le titre de baronnie; (mod.) personne qui possède le titre de baronnie. *De baron.* → **Baronnial.** *Dans la hiérarchie des titres de noblesse, le baron vient après le vicomte et avant le chevalier. Couronne de baron.* → **Tortil.** *Le baron X, de X. Monsieur le baron, Madame la baronne.*

1 (...) La fille de Monsieur le baron de Sotenville!
MOLIÈRE, George Dandin, I, v.

2 Le roturier qui dit par habitude qu'il tire son origine de quelque ancien baron ou de quelque châtelain (...)
LA BRUYÈRE, les Caractères, XIV.

3 Je donnerais donc à Madame la baronne un bon grand carrosse bien étoffé (...)
A.-R. LESAGE, Turcaret, III, 2.

4 Le parlement d'Angleterre prit, vers l'an 1300, une nouvelle forme telle qu'elle est à peu près de nos jours. Le titre de barons et de pairs ne fut affecté qu'à ceux qui entraient dans la chambre haute.
VOLTAIRE, Essai sur les mœurs, 75.

(Attribut). *Elle est baronne, elle est devenue baronne par son mariage. Faire qqn baron.* → **Baronifier.**

♦ **3** Par ext., vx. **BARON**, s'est appliqué aux saints (*le bon baron saint Antoine,* H. Estienne, *in* Huguet, *Dict. du XVIe siècle*), au mari (cf. Montesquieu, *l'Esprit des lois,* XXVIII, 25).

♦ **4** Fam. Personnage important. *Les barons de la presse, de la finance, de l'industrie.* → **Magnat.** — Spécialt. *Les barons du gaullisme,* les grands anciens du mouvement.

♦ **5** (1901). Argot, puis fam. Complice, compère qui fait mine d'être un client et permet au meneur de jeu (au bonneteau, par ex.) de tromper les véritables clients. *Servir de baron à un escroc.* → **Baronner.** — Par ext. Celui qui, sous couvert de discussion ou de questions, sert de faire-valoir à qqn. *Le ministre s'est fait interviewer, interpeller par un baron.*

5 Le baron, en argot politique, c'est le compère du candidat (...) il est censé porter la contradiction au candidat, par conséquent les objections qu'il formule ne doivent pas être trop faciles à réfuter.
J. DUTOURD, les Horreurs de l'amour, p. 449.

DÉR. **Baronifier** ou **baroniser, baronnage, baronne, baronner, baronnial, baronnie.** — V. 3. **Baron, baronnet.**

2. **BARON** [barɔ̃] n. m. — 1839; p.-ê. de l'angl. *baron of beef* «gros morceau de boeuf» (1755); mot d'origine incertaine, p.-ê. métaphore de 1. *baron.* → 1. Baron.

Cuis. **BARON D'AGNEAU :** pièce de viande de mouton comprenant les deux gigots et toute la région lombaire. → **Baronne.**

DÉR. V. 2. **Baron, baronne.**

3. **BARON** [barɔ̃] n. m. — XXe; métaphore incert., de 1. *baron* («digne d'un baron») ou de 2. *baron.*

Très grand verre de bière, dans certains cafés parisiens. → **Formidable.**

**BARONIFIER** [barɔnifje] ou **BARONISER** [barɔnize] v. tr. — Av. 1800, *baronifier; baroniser,* 1875; de 1. *baron.*

Rare, péj. Faire (qqn) baron; faire passer (qqn) pour baron.

**BARONNAGE** [barɔnaʒ] n. m. — XIIe; de 1. *baron* (1.).

Féod. Qualité de baron. Ensemble des barons.

**BARONNE** [barɔn] n. et adj. f. — Fém. de *baron.*

**I** (De 1. *baron*). → 1. **Baron.**

**II** (De 2. *baron*). *Aiguillette baronne* ou *baronne :* partie du romsteck constituée par un muscle externe de la cuisse du bœuf.

**BARONNER** [barɔne] v. tr. — 1905, A. Bruant; de 1. *baron* (5.).

Argot. (Rare). Servir de baron, de compère à (un camelot; aussi, à un escroc). *Il se fait baronner par un compère.*

Si tu veux, tu me baronnes!
— Qu'est-ce que ça veut dire?
— Tu m'achètes le premier quand j'annoncerai le prix. Et les autres suivent, tu verras (...)
Émile CHAUMENTIN, Roi des camelots, p. 58, *in* CELLARD et REY.

**BARONNET** [barɔnɛ] n. m. — 1660; mot angl. *baronet,* lui-même formé d'après *baron* emprunté à l'anc. franç. *barun, baron.*

Anglic. En Angleterre, Titre héréditaire d'un ordre de chevalerie, intermédiaire entre celui du baron et celui du chevalier.

**BARONNIAL, ALE, AUX** [barɔnjal, o] adj. — 1836; de 1. *baron.*

Relatif à un baron, à une baronnie.

**BARONNIE** [barɔni] n. f. — Fin XIIe; de 1. *baron.*

♦ **1** Féod. Seigneurie et terre d'un baron.

♦ **2** Titre de baron, attaché ou non à une terre.

**BAROQUE** [barɔk] adj. et n. m. — 1531, *perle baroque* «irrégulière»; port. *barroco* «perle irrégulière», selon Guiraud à rattacher à **barus* «divergent» (→ Bardane, barder); les mots *baroque* et *grotesque* ont une orig. comparable, sémantiquement.

♦ **1** Anciennt. *Perle baroque,* de forme irrégulière.

♦ **2** (1701). Cour. Qui est d'une irrégularité bizarre, inattendue. → **Bizarre; biscornu, choquant, étrange, excentrique, insolite, irrégulier, singulier.** *Un accoutrement baroque. Un comportement, des idées baroques.* → **Burlesque, excentrique.** *Sensibilité, style baroque. — Il est baroque de..., c'est assez baroque.*

Il était bien baroque de faire succéder l'abbé Bignon à M. de Tonnerre (...) 1
SAINT-SIMON, Mémoires, II, 438.

Tout ce petit monde nippon, baroque par naissance et appelé à le devenir encore plus en prenant des années (...) 2
LOTI, Mme Chrysanthème, XXXVIII, p. 195.

REM. Pendant tout le XIXe s. (→ ci-dessous, cit. 3, Huysmans), le mot *baroque* appliqué à l'architecture insiste sur le caractère irrégulier, surchargé du style et garde une valeur péjorative. Le concept moderne, en art, vient d'Allemagne et ne date que du début du XXe s. (→ ci-dessous, 3.).

Elle *(Notre-Dame-des-Victoires)* est laide à faire pleurer, elle est prétentieuse, elle est baroque (...) 3
HUYSMANS, En route, p. 74.

♦ **3** (1788, «nuance du bizarre», en archit.; sens mod., 1912 repris de l'all. *barock*). Archit. Se dit d'un style qui s'est développé aux XVIe, XVIIe et XVIIIe siècles, d'abord en Italie, puis dans de nombreux pays catholiques, caractérisé par la liberté des formes (en particulier, recherche de l'irrégulier) et la profusion des ornements. *Les églises baroques de Bavière, du Mexique.*

4 Les maisons sont basses, d'un style démodé, vaguement baroque, surchargées d'ornements en volutes, de corniches à bas-reliefs, de colonnes aux chapiteaux ciselés encadrant les portes, de balcons à consoles sculptées, de ferronneries ventrues et compliquées servant de garde-fous.

A. ROBBE-GRILLET, Dans le labyrinthe, p. 183-184.

Par ext. *Sculpture, peinture, art baroque.* — N. m. *Le baroque,* ce style. *Le baroque jésuite*.* → **Rococo.** — *Un baroque :* un artiste dont le style se rapporte au baroque.

(V. 1925). Qui est à l'opposé du classicisme, laisse libre cours à la sensibilité, la fantaisie. *Style baroque en peinture, en musique.* — Littér. Se dit de la littérature française sous Henri IV et Louis XIII, caractérisée par une grande liberté d'expression.

5 Le concept même de littérature baroque date de peu. On réservait auparavant cette épithète à l'art et l'on appelait «classiques» les œuvres littéraires du XVIIe siècle. Or, les historiens récents de la civilisation allemande considèrent qu'il est faux de parler de classicisme dans un pays qui, pour diverses raisons, notamment politiques et sociales, n'avait pas encore réussi à créer un mouvement comparable à celui de l'Italie ou de la France. Ils adoptent l'appellation de «baroque» pour une littérature qui, comme les arts plastiques, se caractérise par une ornementation surchargée, par un mouvement violent, destructeur de lignes, par le goût de l'antithèse et du contraste. Ils l'appliquent à la littérature du XVIIe siècle, qui se dissout, au début du XVIIIe dans le rococo, et dont le développement est entravé par le morcellement du pays et par la Guerre de Trente ans.

J.-F. ANGELLOZ, la Littérature allemande, p. 18.

Par ext. Se dit de la période caractérisée par l'art baroque (fin XVIe-déb. XVIIIe siècle) sous tous les aspects esthétiques. *Musique baroque. Musicien baroque.* → **Baroqueux.** — N. m. *Les maîtres du baroque. Interprète de musique baroque.*

CONTR. **Classique, naturel, normal, régulier.** ◊ DÉR. **Baroquement, baroquerie, baroqueux, baroquiser, baroquisme, baroquiste.**

**BAROQUEMENT** [barɔkmɑ̃] adv. — 1882; de *baroque.*

D'une manière baroque (2.).

**BAROQUERIE** [barɔkri] n. f. — 1791, *in* D.D.L.; de *baroque.*

Rare. Caractère de ce qui est baroque (2.). *La baroquerie d'une œuvre.*

**BAROQUEUX, EUSE** [barɔkø, øz] n. et adj. — V. 1980; de *baroque.*

Fam. Musicien, interprète spécialiste de la musique baroque jouée avec des instruments anciens et dans un style cherchant à retrouver le style d'origine. *«On a décrété, une bonne fois pour toutes, qu'il fallait laisser la musique ancienne aux baroqueux, le répertoire classique aux formations classiques»* (*Télérama,* 15 mai 1991, p. 57).

**BAROQUISER (SE)** [barɔkize] v. pron. — 1932, P. Morand; de *baroque.*

Devenir baroque; prendre une allure baroque, les caractères de l'art baroque.

(...) c'est ainsi que l'art primitif de Tiakuanaco se baroquisa en art maya.

Paul MORAND, Air indien, *in* T.L.F.

**BAROQUISME** [barɔkism] n. m. — 1926, *in* D.D.L.; de *baroque.*

♦ **1** Didact. Caractère propre aux littératures et aux arts baroques (3.) du XVIIe siècle européen. *Le baroquisme italien du secento.* → **Sécentisme; marinisme, pétrarquisme.** *Le baroquisme espagnol* (→ **Gongorisme**), *anglais* (→ **Euphuisme**). → aussi **Préciosité.**

1 Pétrarquisme, marinisme, baroquisme, autant de termes considérés comme synonymes pour désigner un phénomène caractéristique du XVIIe siècle (...)

Paul ARRIGHI, la Littérature italienne, p. 47.

♦ **2** (1959). Caractère baroque (3.) d'une œuvre d'art. *Baroquisme et maniérisme.*

2 Et pourtant, ce que nous appellerions baroquisme monumental, architecture en folie (...) était harmonieux avec ses portiques vertigineux, ses péristyles décuplés, ses colonnades variant à l'infini.

R. SABATIER, les Enfants de l'été, p. 87.

CONTR. **Classicisme.**

**BAROQUISTE** [barɔkist] adj. — 1936; de *baroque.*

Rare. Qui pratique le baroquisme ou s'en rapproche. *Un auteur baroquiste.* → **Baroque.**

**BARORÉCEPTEUR** [barɔreseptœr] n. m. — Av. 1969; de *baro-,* et *récepteur.*

→ **Barocepteur.**

**BAROSCOPE** [barɔskɔp] n. m. — 1855; de *baro-,* et *-scope.*

Didact. Sorte de balance qui permet de démontrer le principe d'Archimède et de mesurer la perte de poids d'un corps plongé dans un gaz.

**BAROSENSIBLE** [barosɑ̃sibl] adj. — XXe (attesté 1969); de *baro-,* et *sensible.*

Physiol. Se dit d'une structure organique sensible à la pression.

**BAROTRAUMATISME** [barotromatism] n. m. — XXe; de *baro-,* et *traumatisme.*

Méd. Lésion provoquée par des changements brusques de la pression, notamment de la pression atmosphérique. *La perforation du tympan lors d'une explosion violente est un barotraumatisme.*

**BAROUD** [barud] n. m. — 1924; arabe du Maroc *bārūd* «poudre explosive».

♦ **1** Argot milit. Combat. *Aimer le baroud.* → **Bagarre.** *Aller au baroud.*

♦ **2** Loc. **BAROUD D'HONNEUR :** dernier combat d'une guerre perdue, résistance purement symbolique, pour que l'honneur soit sauf.

Quelques minutes plus tard, d'une voix consternée, l'agent de l'Abwehr faisait part de son échec à l'émissaire de la division Leclerc. Cependant Bender ajouta qu'à son impression le commandant du Gross Paris n'offrirait qu'une résistance symbolique, un «baroud d'honneur», après lequel il accepterait de capituler avec sa garnison.

D. LAPIERRE et L. COLLINS, Paris brûle-t-il?, p. 367.

(1936). Fig. Combat, lutte sans illusion. *«Le baroud d'honneur d'une grève de 24 ou 48 heures»* (*le Monde,* 21 juin 1959).

DÉR. **Barouder.**

**BAROUDER** [barude] v. intr. — 1915; de *baroud.*

Argot milit. Combattre, faire le baroud.

Allemands et Marocains se fusillaient à bout portant. Ça baroudait comme jamais en Italie.

Edmonde CHARLES-ROUX, Elle, Adrienne, p. 488.

DÉR. **Baroudeur.**

**BAROUDEUR** [barudœr] n. m. — 1923; de *barouder.*

Argot milit., puis fam. Celui qui aime le baroud.

1 Non, il n'était pas chaud, Watrin l'officier de métier, le vieux baroudeur, l'irréductible.
Armand LANOUX, le Commandant Watrin, p. 289.

2 Vous commencez à m'énerver, monsieur Ausonius. Et les baroudeurs comme moi, quand ils s'impatientent, leurs revolvers partent tout seuls.
Alain BOSQUET, les Bonnes Intentions, p. 156.

REM. Le fém. *baroudeuse* [baʀudøz] est virtuel.

**BAROUF** [baʀuf] ou **BAROUFLE** [baʀufl] n. m. — 1861; *baroufa* «dispute», 1830, mot du sabir algérien; de l'ital. *baruffa* «procès, querelle», ou (Guiraud) du rad. *bar-* «opposition» (→ Barder), et *roufler, houfler,* mots dial. d'orig. onomatopéique exprimant l'idée de «bousculade, bagarre».

Fam., vieilli. Grand bruit. → **Boucan, tapage.** — Loc. *Faire du barouf :* se faire remarquer par une action bruyante.

1 Moi aussi j'ai été jeune soldat. Ce qu'on a pu faire du baroufle! Je n'avais pas alors ma bourgeoise sur le dos ni les gosses à élever. C'était le bon temps. On rigolait.
B. CENDRARS, la Main coupée, *in* Œ. compl., t. X, p. 209.

REM. Une var. graph. *baroufe* a été en usage au XIX^e s.; certains auteurs ont fait *baroufe* féminin.

2 Même je vous dirai que les gabiers ont fait une grande baroufe, la seconde nuit, contre les Allemands (...)
LOTI, Mon frère Yves, XCVI, p. 231.

**BARQUE** [baʀk] n. f. — Déb. XIV^e; ital. *barca,* du lat. **barica,* du grec *baris* «galiote égyptienne» (→ 2. Barge); Guiraud préfère un roman **barica,* rattachable à *barrique*.*

Petit bateau de faible capacité, ponté ou non. → **Bateau, embarcation.** *Barque à rames, à avirons; barque à voiles.* → **Voilier.** *Barque de pêcheur. Le patron de la barque. Barque de plaisance. Promenade en barque. Barque de passage, barque traversière.* → **Bac, bachot, toue.** *Barque de sauvetage.* → **Canot.** *Petite barque.* → **Barquerolle, barquette, barquot; esquif.** *Mauvaise barque.* → **Barcasse, coquille** (de noix), **rafiot.** *Conduire une barque; le pilote d'une barque. Le balancement de la barque. La barque est secouée* (→ Arquer, cit.). *La barque prend l'eau. Amarrer une barque* (→ Amarre, cit. 1 et 2). *Les agrès* (cit.) *d'une barque. Les compartiments d'une barque. Barque antique à deux rames ou deux rangs de rames.* → **Birème.** *Sortes de barques.* → **Barge, bélandre, 2. bette, biscaïenne, cange, canot, coble, couralin, filadière, gig, gondole, gribane, norvégienne, patache, picoteux, pinasse, pirogue, plate, satteau, saugue, sinagot, taureau, tillole, toue, voirolle, warnetteur.**

1 Une barque est au bord; les rameurs, le vent même,
Tout pour notre départ montre une hâte extrême (...)
LA FONTAINE, Appendice aux Fables, V, 93.

2 J'aperçois un canot vide sur le rivage, emplissons-le de cocos, jetons-nous dans cette petite barque, laissons-nous aller au courant (...) VOLTAIRE, Candide, 17.

3 Le voyage des Argonautes n'était en comparaison *(avec un voyage de circumnavigation)* que le passage d'une barque d'un bord de rivière à l'autre.
VOLTAIRE, le Siècle de Louis XIV, 34.

4 La barque errante
Berça sur l'onde transparente
Deux couples par l'amour conduits (...)
LAMARTINE, Méditations, II, 1.

5 (...) une longue chose, plus noire que la nuit, qui doit être une barque, — une barque suspecte et sans fanal, amarrée près de la berge. LOTI, Ramuntcho, I, 8, p. 88.

Par métonymie. Le contenu de la barque. *Toute la barque a pu être sauvée.*

Fig. *Mener, conduire la, sa barque :* diriger, être le maître. *Il mène bien sa barque :* il conduit bien son entreprise. *Mener la barque de l'État* (→ Précepte, cit. 2).

Je te conjure de tout mon cœur de prendre la conduite de notre barque (...) 6
MOLIÈRE, les Fourberies de Scapin, I, 3.

Vous êtes sur les lieux, c'est à vous de conduire la barque. 7
M^me DE SÉVIGNÉ, 345, 13 novembre 1673.

Cela dit, fais ce que tu voudras. Je me sens de taille à mener la barque tout seul. 8
A. MAUROIS, Bernard Quesnay, XXXII, p. 221.

C'est moi qui mène la barque, c'est moi qui décide. 9
F. MAURIAC, la Pharisienne, 41.

Loc. fam. *Mener qqn en barque,* le tromper, le faire marcher. → **Bateau** (mener en). — *Charger la barque :* être trop ambitieux ou imposer une charge excessive à qqn, un groupe. *«"Il ne faut pas trop charger la barque ni imposer aux agriculteurs trop de réformes à la fois", a expliqué le ministre»* (*le Monde,* 30 juil. 1999, p. 32).

Myth. *La barque de Charon (Caron), la barque fatale, infernale :* la nacelle dans laquelle le nautonier Charon passait les âmes qui traversaient le Styx pour entrer dans les Enfers.

D'empêcher que Caron, dans la fatale barque, 10
Ainsi que le berger ne passe le monarque :
C'est d'un scrupule vain s'alarmer sottement (...)
BOILEAU, l'Art poétique, III.

Je vois déjà la rame et la barque fatale (...) 11
RACINE, Iphigénie, Préface.

Aussi, dans ce sens : *la barque.*

Elle pourrait bien passer un jour dans la barque comme les autres (...) M^me DE SÉVIGNÉ, 265. 12

DÉR. et COMP. **Barcasse, barquette, barquot. Débarquer, embarquer.**

**BARQUEROLLE** [baʀkəʀɔl] n. f. — 1562; «conducteur d'une petite barque», av. 1544; ital. *barcheruolo,* forme anc. de *barcaruolo.* → Barcarolle, barque.

Vx. Petite barque destinée à naviguer près des côtes.

**BARQUETTE** [baʀkɛt] n. f. — 1238; de *barque.*

♦ **1** Rare. Petite barque.

Par ext. *Barquette de neige :* traîneau en forme de brancard destiné au transport des skieurs blessés.

♦ **2** Par anal., cour. Pâtisserie en forme de barque. *Des barquettes aux fruits.*

♦ **3** Petit panier, petit récipient (en papier spécial, en matière plastique...) destiné à la vente de fruits délicats; contenu de ce récipient. *Des barquettes de fraises, de framboises.* — Petit récipient (pour les denrées alimentaires). *Portions de céleri rémoulade vendues dans des barquettes de plastique moulé.*

**BARQUOT** [baʀko] n. m. — 1680; de *barque.*

Régional. Petite embarcation, canot.

**BARRACUDA** [baʀakuda] n. m. — 1848; angl. *barracuda, barracoota, -couta,* probablt de l'espagnol.

Anglic. Grand poisson vorace du genre sphyrène* (famille des Sphyrénidés) que l'on trouve au large des côtes américaines.

La journée du 21 se termina par l'apparition dans mon sillage d'un poisson long d'un mètre cinquante environ, qui avait un bec pointu, muni de dents impressionnantes. C'était mon second barracuda. Il semblait me regarder d'un air gourmand. J'eus d'abord peur et lui jetai mon moulinet, en le retenant par la ligne. 1
Alain BOMBARD, Naufragé volontaire, p. 246.

2 Naturellement le panier était resté à quai et elle partagea la nourriture du marin. La pêche avait été bonne. Deux barracudas avaient été pris, après une demi-heure d'efforts chacun, et elle était épuisée, affamée et ravie.

F. SAGAN, les Merveilleux Nuages, p. 34.

REM. La forme *barracude* ne se rencontre plus.

**BARRAGE** [baraʒ] n. m. — XII[e]; de 1. *barrer* (→ Barre), et suff. *-age*.

[I] [A] ♦ 1 [a] (Concret). Action de barrer (un passage). → **Fermeture.** *Le barrage d'une rue, d'un passage. Tir* de barrage.* → **Obstruction.**

[b] (Abstrait). Loc. **FAIRE BARRAGE À (qqn, qqch.)** : empêcher de passer, d'agir. → **Barrer** (la route).

1 En hâte on envoie Fayolle pour arrêter l'irruption. C'est le 23 mars au matin qu'il reçoit du Généralissime la mission d'y faire barrage.

Georges LECOMTE, Ma traversée, p. 558.

♦ **2** Obstacle, difficulté. *Franchir plusieurs barrages, un dernier barrage. Je n'ai pas rencontré de barrage.* — Opposition. *Il y a eu un barrage de la direction.* → 1. **Barrer.** — Psychiatrie (traduisant l'all. *Hemmung*, Kraepelin). Suspension brusque et momentanée de l'exécution d'un acte volontaire ou commandé (geste, parole, etc.), comme provoquée par un obstacle soudain, symptomatique de certains états schizophréniques. *Barrage du cours de la pensée,* se manifestant par une brusque interruption du discours, repris ensuite sur le même thème ou un thème différent, sans conscience apparente de l'arrêt. *Le fading*,* forme atténuée de barrage, avec simple ralentissement du débit verbal.

Par ext. Interruption dans l'exécution d'un acte volontaire, traduisant un paroxysme d'inhibition, dans des états où la pensée est habituellement freinée (mélancolie, bradypsychie parkinsonienne...).

2 Ce barrage, qui interrompt l'acte, est momentané, et le malade peut ensuite l'exécuter souvent très rapidement.

A. HESNARD, *in* POROT, Manuel alphabétique de psychiatrie, 1952, art. *Barrage.*

Psychan. Rejet (involontaire) d'une réalité psychique perturbante contre laquelle le malade se défend d'instinct et qu'il refuse d'assumer. → **Blocage, défense, résistance.** *Le barrage est une attitude d'autodéfense contre les effets pressentis de l'irruption de cette réalité dans le champ de la conscience* (prise de conscience). *Barrages opposés à l'action thérapeutique d'une cure psychanalytique.*

♦ **3** Sports. *Match de barrage,* destiné à départager plusieurs concurrents qui se disputent l'accès à une catégorie, à une compétition supérieure.

[B] ♦ **1** Ce qui barre, sert à empêcher le passage. → **Obstacle; barrière, fermeture.** *Établir momentanément un barrage à l'entrée d'une rue* → **Barricade.** *Un barrage de police, un barrage d'agents.* → **Cordon.** *Forcer, franchir un barrage. Un barrage de camions obstruait le passage. Barrage de radeaux, de chaînes pour fermer un port.* → **Estacade.** *Barrage de filets pour la défense contre les sous-marins. Barrage de mines.* → **Champ.** *Barrage de ballons antiaériens.*

3 Il y avait une vingtaine de pas d'intervalle entre le grand barrage et les hautes maisons qui formaient le fond de la rue, en sorte qu'on pouvait dire que la barricade était adossée à ces maisons, toutes habitées, mais closes du haut en bas.

HUGO, les Misérables, IV, XII, V.

♦ **2** Spécialt. [a] Pêche. Filet barrant partiellement un cours d'eau et destiné à conduire les poissons vers une installation de pêcherie.

[b] *Barrage flottant :* dispositif destiné à limiter l'extension d'une nappe d'hydrocarbures répandue à la surface de la mer.

♦ **3** (Obstacle au passage de l'eau). Ouvrage hydraulique qui a pour objet de relever le plan d'eau, d'accumuler ou de dériver l'eau d'une rivière. → **Hydraulique; irrigation, navigation.** *Barrage d'accumulation.* — (1905, in *Rev. gén. des sc.*, n° 7, p. 342). *Barrage-réservoir. Barrage de simple retenue, pour la dérivation des eaux. Barrage mobile.* → **Fermette, hausse, pertuis, vanne.** *Barrage fixe. Barrage en maçonnerie, en béton, en enrochement, en terre. Barrage-voûte. Barrage de gabions. Barrage d'un moulin. Établir des barrages sur une rivière pour régulariser la navigation. Le lac de retenue d'un barrage. Parements d'amont et d'aval, culées, contreforts, masque... d'un grand barrage. Prises d'eau, déversoir, canaux évacuateurs, chute d'eau d'un barrage. La conduite forcée du barrage alimente les turbines de l'usine hydro-électrique, les canaux d'irrigation de la vallée. Construction, chantier d'un grand barrage. Barrage provisoire.* → **Batardeau, digue, duit.**

Or, pour rehausser ce niveau, il n'y avait qu'à établir un barrage aux deux saignées faites au lac et par lesquelles s'alimentaient le creek Glycérine et le creek de la Grande-Chute. Les colons furent conviés à ce travail, et les deux barrages, qui, d'ailleurs, n'excédaient pas sept à huit pieds en largeur sur trois de hauteur, furent dressés rapidement au moyen de quartiers de roches bien cimentés. 4

J. VERNE, l'Île mystérieuse, t. II, p. 671.

*Barrage de prise :* robinet à la sortie de la conduite de ville.

[II] Action de tracer une barre sur (qqch.). — Psychol. *Tests de barrage :* tests d'attention où il est demandé de barrer certains signes d'un texte.

CONTR. (Du I.) **Ouverture.**

**BARRE** [baʀ] n. f. — Fin XIIe; lat. pop. **barra*, à rapprocher du lat. médiéval *barra* «barrière», et (Guiraud) de *vara* «traverse», de *varus* «opposé».

[I] ♦ **1** Pièce de bois (→ **Baguette, bâton**), de métal (→ **Tringle**) ou d'une autre matière dure, longue, étroite et rigide. → **Barreau, tige; bande.** *Barre de bois. Barre de fer. Donner des coups de barre à qqn. Assommer qqn à coups de barre. Dans le supplice de la roue, on rompait à coups de barre les bras et les jambes du condamné.* — *Filage, laminage d'une barre d'acier. Fermer une porte avec une barre.* → 1. **Barrer; bâcle, bascule, épar.** *Barre d'une porte cochère.* → **Arc-boutant.** *Barres transversales d'une grille, d'une croisée.* → **Croisillon, traverse.** *Barres verticales.* → **Meneau, montant.** *Barres utilisées dans la construction.* → **Poutre, poutrelle; ancre** (de construction), **chaîne.** *Relier deux murs par des barres métalliques.* → **Chaînage; chaîner.** *Outils, pièces mécaniques en forme de barre.* → **Arbre** (axe), **chien, cottière, davier, fourgon, levier, pince, râble, ringard, tisonnier.** *Barre munie de crochets servant de présentoir dans une boucherie.* → **Croc.**

— Mais (...) il me suffira de faire glisser un poids sur la longueur d'une barre d'acier pour que la longueur de la barre soulève des pesanteurs mille fois supérieures à celle du poids qui glissera sur cette barre. 0.1

VILLIERS DE L'ISLE-ADAM, Tribulat Bonhomet, p. 104.

(...) il ne subsiste que les barreaux de fer qui protègent les fenêtres du rez-de-chaussée sur la plus grande partie de leur hauteur. Ce sont des tiges verticales à section carrée, espacées d'une main, réunies par deux barres transversales situées non loin des extrémités. 0.2

A. ROBBE-GRILLET, Dans le labyrinthe, p. 74.

Par ext. Loc. *Barre de fesse* (d'un cheval) : courroie qui descend le long des hanches d'un cheval de trait.

Fig., fam. **COUP DE BARRE** [kudbaʀ] : coup qui étourdit. — *C'est le coup de barre,* c'est très cher. → **Coup** (de fusil). — (1868). *Avoir, ressentir un* (ou *le*) *coup de barre :* se sentir subitement las, épuisé. → Coup de bambou*, coup de pompe*.

.3 J'étais en avance. On a repris un vieux rhum, puis un autre. L'effet des piquouses du toubib commençait à se dissiper et je dégustais un coup de barre maison.
Albert SIMONIN, Touchez pas au grisbi, p. 73.

*Une barre d'or.* → **Lingot.** — **EN BARRE(S).** *De l'or, de l'argent en barre.* — Fig., fam. *C'est de l'or en barre,* une valeur, un placement sûr, une promesse sur laquelle on peut compter.

1 Voilà certainement un effet fort bizarre !
— Oh ! s'il n'était pas mort, c'était de l'or en barre.
J.-F. REGNARD, le Joueur, III, 4.

(Par anal. de forme). *Une barre de chocolat.* → 2. **Bille,** 3. (régional).

Fig., vx. *Cet homme est raide comme une barre de fer, c'est une barre de fer,* rien ne peut le faire plier. → **Inébranlable, inflexible, rigide.** — (En fonction d'adjectif) :

2 Berwick était fort peu au gré de M^me^ des Ursins, qui le trouvait droit, ferme, libre, barre de fer (...)
SAINT-SIMON, Mémoires, 354, 168.

3 Tous ces efforts rencontrèrent une barre de fer, un mur de glace.
RENAN, Souvenirs d'enfance..., Broyeur de lin, III.

♦ **2** Spécialt. **BARRE D'APPUI :** élément allongé qui sert d'appui à une fenêtre, une balustrade.

Danse. Barre scellée au mur et qui sert d'appui aux danseurs pour leurs exercices. *Exercices à la barre. La barre :* les exercices faits à la barre. *Travailler la barre. Faire une barre,* un exercice, une série d'exercices à la barre. — Traverse horizontale servant à des exercices de gymnastique.

Gymnastique. **BARRE FIXE :** traverse horizontale sur deux montants. *Faire de la barre fixe,* des exercices à la barre fixe. — *Barres parallèles,* horizontales, de même hauteur, sur des montants. — *Barres asymétriques.* — REM. Ces syntagmes peuvent tous désigner l'objet matériel, et l'exercice qui les utilise. *Il préfère les barres parallèles à la barre fixe. Elle est remarquable aux barres asymétriques. Artiste qui travaille aux barres.* → **Barriste.**

3.1 Son goût de gymnastique l'avait porté vers eux, il prenait part à leurs exercices, et retrouvant son élasticité, sa souplesse de jeunesse, il luttait avec eux, faisait le *cheval,* les *barres parallèles,* la *poutre,* les *guirlandes,* la *corde à nœuds,* l'*échelle vacillante.*
Ed. et J. DE GONCOURT, Manette Salomon, p. 367.

Poids et haltères. **BARRE À SPHÈRES,** portant deux boules de fonte à ses extrémités (cour. : haltère). *Barre à disque,* à laquelle on ajoute des disques de fonte ou d'acier. — *Barre de saut* (hauteur, perche). *La barre est à 1,80 m. Monter la barre.* — Loc. fig. *Il faut baisser, monter la barre,* diminuer, augmenter les difficultés, les exigences. *Placer la barre très haut, moins haut.* — Équit. *Barres d'obstacles,* de jumping.

Techn. **BARRE À MINE :** forte barre métallique utilisée comme levier.

(1901, *in* D.D.L.). *Barre d'accouplement,* qui relie les roues directrices d'un véhicule et assure leur parallélisme. → **Direction.** *Barre de torsion. Barre d'attelage.*

3.2 Là, suspendu d'une main entre le wagon des bagages et le tender, de l'autre il décrocha les chaînes de sûreté; mais par suite de la traction opérée, il n'aurait jamais pu parvenir à dévisser la barre d'attelage, si une secousse que la machine éprouva n'eût fait sauter cette barre, et le train, détaché, resta peu à peu en arrière, tandis que la locomotive s'enfuyait avec une nouvelle vitesse.
J. VERNE, le Tour du monde en 80 jours, p. 266.

Techn. (phys. nucl.). *Barre de commande (d'un réacteur nucléaire) :* barre faite d'un matériau absorbeur de neutrons et dont le déplacement permet la régulation ou l'arrêt de la réaction en chaîne. *Barres de réglage,* servant à contrôler le fonctionnement du réacteur. *Barres de sécurité,* servant à arrêter le réacteur.

Mar. *Barre d'anspect*. Barre de cabestan*. Barre d'écoute :* ferrure permettant de régler le point de tire de l'écoute de grand-voile. *Barres de flèche :* pièces de bois ou de métal qui écartent les haubans du mât.

(...) et nous sommes devant la passe que je peux embrasser 3.3
en entier de la première barre de flèche : elle s'ouvre d'abord comme un entonnoir dans le récif, avec le quai sur la gauche, près du village.
Bernard MOITESSIER, Cap Horn à la voile, p. 165.

Techn. *Barre d'espacement* ou *barre d'espace :* la touche la plus allongée du clavier d'une machine à écrire ou d'un ordinateur, servant à insérer une espace*.

♦ **3** Mar. et cour. Dispositif (d'abord barre [I., 1.] de bois) au moyen duquel on actionne le gouvernail d'un navire. *Barre franche*. Barre à roue*. Barre automatique. Mettre la barre au vent, sous le vent. Être à la barre.* → **Barrer, gouverner.** *L'homme de barre.* → **Barreur, timonier.**

Je restai seul auprès du matelot qui tenait la barre du 4
gouvernail. CHATEAUBRIAND, Itinéraire..., 8.

Par métaphore (→ ci-dessous, cit. 7) ou fig. *Prendre, tenir la barre; être à la barre :* prendre, avoir la direction. → **Diriger.** *Prendre la barre en main.* → **Gouvernail.** *Redresser la barre :* rétablir une situation compromise.

*(Ce calme)* que le sentiment de l'œuvre de salut à accomplir 5
lui a donné depuis que, dans le péril, il *(Clemenceau)* a pris la barre en main.
Georges LECOMTE, Ma traversée, p. 472.

*Coup de barre :* brusque changement d'orientation.

À ce tournant de son destin, Racine donne le coup de 6
barre avec une si puissante et constante volonté, que (...)
F. MAURIAC, la Vie de Jean Racine, p. 152.

Il faut quelquefois avoir le courage de donner un coup de 7
barre brusque... Ça peut faire chavirer la barque, mais ça peut aussi tout sauver (...)
A. MAUROIS, Terre promise, XLIV, p. 309.

♦ **4** (De la *barre* du tribunal, barrière qui séparait les juges du public). Lieu où comparaissent les témoins, où plaident les avocats et les avoués à l'audience. *Le témoin s'avança à la barre. Les avocats se tiennent à la barre.* → **Barreau.** — Dr. *La vente de l'immeuble a lieu aux enchères publiques à la barre du tribunal civil,* par le ministère d'un avoué, devant le juge, à l'audience des criées.

Quand ce fut son tour de s'avancer à la barre, il com- 7.1
prit, au premier coup d'œil lancé vers les accusés, que la passion de Renée Planchon et de Prou s'était petit à petit transformée en haine.
G. SIMENON, Maigret et le client du samedi, p. 407-408.

**II** (Emplois extensifs). ♦ **1** (Concret). Objet de très grandes dimensions, assez élevé, et de forme très allongée.

**a** Amas de sable à l'entrée d'un port ou à l'embouchure d'un fleuve. → **Banc, haut-fond.** — Déferlement violent sur ces hauts-fonds. → **Mascaret.** — Par anal. Déferlement parallèle à la côte. *Une barre dangereuse à franchir. Ne nagez pas trop loin, à cause de la barre.*

8 Attendant un vent favorable pour franchir la barre *(du Nil)* et remonter à Rosette (...)

CHATEAUBRIAND, Itinéraire..., III, 61.

[b] Géol. et régional. Forme de relief constituant un abrupt, caractérisée par une couche dure intercalée entre deux couches plus tendres, et faisant rupture de pente dans certains massifs montagneux. *Les barres et les clues* des Alpes de Haute-Provence.*

8.1 Redressées en plis serrés, elles forment ces «*barres*» caractéristiques de la Provence, que les vallées percent en «*clues*» étroites.

E. DE MARTONNE, les Régions géographiques de la France, XIV, p. 152 (1921).

[c] Archit. Vaste bâtiment moderne de forme très allongée (par oppos. à *tour**). *Architecture en barres. «La Courneuve, avec sa "barre" de 400 mètres»* (*le Monde,* 23 févr. 1977). — On dit aussi *immeuble en bande.*

♦ **2** [a] Trait droit. *Tirer une barre pour biffer un passage.* → **Rature, trait.** *Barre de soustraction. La barre du t. Tracer une barre, deux barres en travers d'un chèque.* → **Barrement** (cit.), 1. **barrer** (3.). *Cet écolier fait des barres.* → **Bâton.** — *Code* à barres* ou *code-barres :* codage des produits distribués industriellement, correspondant notamment aux prix, et formé de barres verticales. — Loc. *Point* barre :* un point c'est tout.

9 Il y avait un homme *(Pascal)* qui, à douze ans, avec des barres et des ronds, avait créé les mathématiques (...)

CHATEAUBRIAND, le Génie du christianisme, III, II, 6.

Fig. → **Bande, ligne, trait.**

10 Cependant une barre d'or se forma dans l'Orient (...)

CHATEAUBRIAND, Atala, 807.

11 L'aube enfin colora sa barre au bord des cieux (...)

LAMARTINE, Jocelyn, I, 51.

11.1 Sur le front de Vincent elle promène doucement son doigt, comme pour effacer une ride, double pli qui, parti des sourcils, creuse deux barres verticales et semble presque douloureux.

GIDE, les Faux-monnayeurs, *in* Romans, Pl., p. 978.

11.2 Une grosse barre de nuages approche, de l'ouest, et va bientôt nous cacher un soleil déjà pâlot derrière les cirrus.

Bernard MOITESSIER, Cap Horn à la voile, p. 195.

Blason. Trait qui sépare obliquement l'écu de gauche à droite. *La barre va de l'angle senestre du chef à l'angle dextre de la pointe. La barre et la bande*.*

Mus. *Barre de mesure :* trait vertical qui sépare les mesures. *Double barre,* indiquant la fin d'un morceau.

12 C'est fini. Voici le point d'orgue et la double barre. Les dernières vibrations s'élancent, gagnent le large.

G. DUHAMEL, Chronique des Pasquier, VII, 8.

[b] Inform. Bande horizontale ou verticale réunissant des informations ou des commandes sous forme de textes, d'icônes ou de boutons. *Barre de menus, barre d'outils. Barre de défilement.*

♦ **3** N. f. pl. **BARRES :** jeu de course entre deux camps limités chacun par une barre tracée sur le sol. *Jouer aux barres. Préférer les barres aux quatre coins.* — REM. Si le mot n'est pas archaïque, le jeu lui-même fait référence à une époque passée (XIX^e et déb. XX^e s.).

Loc. **AVOIR BARRE** (ou **BARRES,** Académie) **SUR QQN,** se dit d'un joueur qui prend l'avantage sur son adversaire. — Fig., fam. Avoir l'avantage. → **Dominer.**

13 (...) Par là, j'ai barre sur la mort, puisqu'il dépend de moi, puisqu'il dépend d'une note écrite, d'une confidence à n'importe qui, que ce secret soit ou non dérobé au néant.

MARTIN DU GARD, les Thibault, t. IX, p. 266.

Elle argua vainement qu'il était bien dangereux de se faire 14
de tels ennemis, et aussi armés que l'étaient ceux-là. Mais mon père lui assura qu'il avait barre sur les Vignotte et qu'il détenait les moyens de leur fermer la bouche.

F. MAURIAC, la Pharisienne, p. 130.

Chacun renonça spontanément à avoir barre sur l'autre, 15
à utiliser les supériorités que la nature lui avait données.

Paul MORAND, Bouddha vivant, p. 29.

♦ **4** N. f. pl. Techn. **BARRES :** espace allongé, sans dents, situé entre les crochets (mâles) ou les incisives (femelles) et la première molaire (des équidés). *Le mors* appuie sur les barres.* — Au sing. *La barre est caractéristique de la denture des équidés.*

♦ **5** Douleur interne aiguë, précise et d'une certaine étendue. *Avoir une barre sur l'estomac. Ressentir une barre au niveau des épaules, de la poitrine.* → 1. **Barrer** (1.; fig.).

DÉR. **Barreau,** 1. **barrer,** 2. **barrette, barreur, barrière, barriste,** 1. **barrot.** — V. 2. **Barrer.** ◊ HOM. **Bahr,** 1. **bar,** 2. **bar,** 3. **bar, bard,** formes des v. 1. **barrer,** 2. **barrer.**

## BARRÉ, ÉE [baʀe] adj. et n. m. — XII^e; de 1. *barrer.*

♦ **1** Adj. → 1. **Barrer.**

♦ **2** N. m. Mus. Doigté de certains instruments à cordes pincées (guitare, notamment; luth), appui simultané d'un doigt (le plus souvent l'index) en travers du manche sur plusieurs cordes, permettant de jouer les accords. *Grand barré* (à la guitare, sur cinq ou six cordes), *petit barré* (sur deux, trois, quatre cordes).

## BARREAU [baʀo] n. m. — 1285; de *barre.*

**I** ♦ **1** Petite barre de bois ou de métal faisant partie d'un ensemble qui peut servir de clôture ou de support. *Les barreaux d'une clôture à claire-voie, d'une grille, d'une fenêtre, d'une cage. Fenêtre munie de barreaux.* → **Barreaudé, grillé.** *Scier, limer les barreaux de sa prison. — Être derrière les barreaux,* en prison.

Ce n'est point par douceur qu'on rend sages les filles; 1
Je veux, du haut en bas, faire attacher des grilles,
Et que de bons barreaux, larges comme la main,
Puissent servir d'obstacle à tout effort humain.

J.-F. REGNARD, les Folies amoureuses, I, 2.

On leur a fait tenir *(à des prisonniers)* une lime sourde 2
dans un pain, et ils ont limé un gros barreau d'une fenêtre.

A. R. LESAGE, le Diable boiteux, 7.

Comme elle la regarde! comme une pauvre recluse regar- 3
derait au travers des barreaux de sa cellule deux amants tendres et passionnés (...) DIDEROT, Salon de 1765.

(...) je passai dans mon cabinet; là, dégageant le trou que 3.1
j'avais soin de boucher tous les jours, je liai ma corde à l'un des barreaux qui n'était point endommagé, puis me laissant glisser par ce moyen, j'eus bientôt touché terre.

SADE, Justine..., t. I, p. 215.

Il lui semblait se heurter à des barreaux, comme une bête 4
emprisonnée.

MARTIN DU GARD, les Thibault, t. V, p. 284.

Est-ce que je suis encore libre? Je peux aller où je veux, 5
je ne rencontre pas de résistance mais c'est pis : je suis dans une cage sans barreaux, je suis séparé de l'Espagne par... par rien et cependant, c'est infranchissable.

SARTRE, l'Âge de raison, VIII, p. 120.

*Les barreaux d'une chaise :* les bâtons qui servent à maintenir les montants. *Les barreaux d'une échelle.* → **Échelon.** *Barreaux d'un râtelier, d'une ridelle.* → **Roulon.**

♦ **2** Petite barre. *Barreau aimanté :* barre de métal aimanté artificiellement.

**II** (1571). Espace, autrefois fermé par une barrière (→ **Barre,** I., 4.), qui est réservé au banc des avocats dans les salles d'audience.

6 (...) Si quelque exploit nouveau
Chaque jour, comme moi, vous traînait au barreau (...)
BOILEAU, le Lutrin, 3.

Par ext. Profession d'avocat. *L'éloquence du barreau. Le barreau, supprimé par la Révolution française, fut rétabli par Napoléon. Se destiner au barreau.*

7 Ils ont contracté du barreau certaine habitude de déclamation (...)
MOLIÈRE, Monsieur de Pourceaugnac, II, 10.

8 Qu'on destine mon élève au barreau (...)
ROUSSEAU, Émile, I.

Ordre des avocats exerçant auprès d'un même tribunal de grande instance. *Être inscrit à un barreau. Chaque barreau élit son conseil de l'ordre et son bâtonnier*.*

9 Un jeune avocat, pour compléter son instruction professionnelle, entre comme collaborateur dans l'étude d'un des plus grands maîtres du barreau.
A. ARTAUD, Scenarii, Vols, *in* Œ. compl., t. III, p. 26.

DÉR. **Barreaudé.** ◊ HOM. 1. **Barrot,** 2. **barrot.**

**BARREAUDÉ, ÉE** [baʀode] adj. — V. 1960; de *barreau.*

Rare. Muni de barreaux.

1 Ce sont de vraies fenêtres, haut percées et barreaudées bien sûr, mais qui n'entravent pas les souffles de la saison comme les vasistas des maisons d'arrêt de petite province.
A. SARRAZIN, la Cavale, p. 13 (1965).

REM. On trouve parfois la variante *barreauté* [baʀote].

2 Chaque trou barreauté a un, deux ou trois prisonniers.
Henri CHARRIÈRE, Papillon, p. 178.

**BARRE-LA-ROUTE** [baʀlaʀut] n. m. invar. — V. 1945; de 1. *barrer,* et *route.*

Techn. (publicité). Position perpendiculaire à la route (en parlant d'un panneau ou d'un emplacement publicitaire).

Le meilleur emplacement est le «barre-la-route» qui n'est réalisable que dans un tournant, à une bifurcation ou sur un pont (...) enjambant la route.
B. DE PLAS et H. VERDIER, la Publicité, p. 64.

**BARREMENT** [baʀmɑ̃] n. m. — 1890; «exception», 1318; de 1. *barrer* (3.).

Action de barrer un chèque*.

Le barrement s'effectue au moyen de deux barres parallèles apposées au recto.
Décret-loi, 30 oct. 1935, art. 37.

**BARRÉMIEN, IENNE** [baʀemjɛ̃, jɛn] n. m. et adj. — 1861, Coquand, *in* E. Haug; de *Barrème,* village des Basses-Alpes.

Didact. (géol.). Étage du crétacé inférieur. — Adj. *Étage barrémien.*

1. **BARRER** [baʀe] v. tr. — 1144; de *barre.*

♦ **1** Vx ou régional. Fermer* avec une barre. *Barrer une route, une porte.* → **Bâcler** (vx).

1 Il avait fallu barrer les portes, faire de nuit des rondes avec un fusil autour des bâtiments.
H. POURRAT, Gaspard des montagnes, p. 259, *in* T. L. F.

Mod. Fermer (un chemin, un passage, etc.). → **Boucher, couper, obstruer.** — (Sujet n. de personne). *Les propriétaires ont barré le passage.* — (Sujet n. de ce qui barre). *Des rochers détachés de la montagne nous barraient la route. La foule barrait le passage. Un colossal ouvrage barre la rivière.* → **Barrage.** *Cette construction nous barre la vue.*

*Barrer le passage, la route à qqn,* l'empêcher de passer, d'avancer, et, au fig., lui faire obstacle. → **Barrage, barrière.**

(...) il m'avait trouvé là, en travers de sa porte, lui barrant le passage avec mes bras étendus. 2
LOTI, Mon frère Yves, LXXXII, p. 193.

(...) en mai 1918 les armées barrèrent la route de Paris aux Allemands (...) 3
Georges LECOMTE, Ma traversée, p. 474.

(XVIIIe). Par ext. *Barrer qqn,* mettre obstacle à ses projets. Passif. *Il est barré par son chef de service.* — Par ext. *Barrer les projets, les souhaits de qqn,* s'y opposer.

Des événements imprévus nous barrèrent, et ce projet en demeura là. 3.1
ROUSSEAU, les Confessions, VII.

Fig. Donner l'impression d'être serré, comme par une barre; faire ressentir une barre (II., 5.) à qqn. *La peur lui barrait la gorge, l'estomac.*

♦ **2** (1831, *in* T. L. F.). Mar. Tenir la barre de (une embarcation). → **Gouverner.** *Barrer un voilier de course, un canot de pêche.*

Intrans. (1900). *Il barre bien, mal. Barrer en course. Barrer dix heures d'affilée.*

Maintenant, elle est seule au poste de pilotage, seule en face de la plus grosse mer que j'aie jamais vue, et elle continue à barrer d'une façon techniquement pure, prend sa gîte au bon moment, redresse quand l'arrière s'enfonce de nouveau, sans embarder plus que les 15 à 20 degrés de la règle d'or (...) 3.2
Bernard MOITESSIER, Cap Horn à la voile, p. 198.

♦ **3** Marquer d'une ou de plusieurs barres, d'un trait droit. *Barrer un t. Barrer un chèque,* le revêtir, sur son recto, de deux traits parallèles. → **Chèque.**

Le tireur ou le porteur d'un chèque peut le barrer (...) 4
Décret-loi, 30 oct. 1935 (cf. Barrement, cit.).

Fig. Être placé en travers de. *Des décorations* barrent sa poitrine. Une mèche de cheveux lui barre le front. — Vêtement barré d'une inscription.*

Les ombres bleues des peupliers barrent la route 5
Qui monte et qui descend et ne se laisse voir
Que çà et là comme une gerbe dans du noir.
Francis JAMMES, Poèmes mesurés, *in* Choix de poèmes, p. 187.

(...) on aperçoit aux premiers rangs des invités quelques généraux glorieux dont le grand cordon de la Légion d'honneur barre l'uniforme bleu horizon. 6
Georges LECOMTE, Ma traversée, p. 473.

À mesure que l'on approchait des usines, le regard était arrêté par d'énormes conduites de fonte qui traversaient les rues, d'un mur à l'autre, reliant les ateliers, barrant l'horizon à la hauteur du deuxième étage (...) 6.1
G. LEROUX, Rouletabille chez Krupp, p. 90.

♦ **4** Annuler au moyen d'une barre (→ **Biffer, raturer, rayer**), et, par ext., effacer, gommer, supprimer. *Barrer une phrase, un passage. Mot barré d'une croix.*

Les adresses qu'il avait soulignées, ou plutôt marquées d'une croix, comme font les gens du peuple, il les barrait, d'un trait tiré en diagonale, au fur et à mesure qu'elles s'avéraient mauvaises. 6.2
S. BECKETT, Nouvelles, p. 31.

◆ **BARRÉ, ÉE** p. p. adj.

♦ **1** Fermé par une barre, des barreaux, un barrage, une barrière, etc. *Rue barrée. Passage barré. — L'entrée du port est barrée.* → **Bâcler.**

Fig. *Avoir l'estomac barré,* la sensation d'une barre au niveau de l'estomac.

*Dents barrées :* dents dont les racines recourbées englobent une portion d'os maxillaire, ce qui rend l'extraction difficile.

(1785, Sade, *in* D. D. L.). Méd. *Femme barrée,* dont le pubis présente une symphyse anormalement développée dans le sens transversal, ce qui empêche les rapports sexuels.

7 – Eh bien, ma femme était barrée... Parfaitement. Et elle a dit que j'étais impuissant.
M. DRUON, les Grandes Familles, II, v, p. 68.

♦ **2** Sports (aviron). Se dit d'un équipage de course, ou de son bateau, quand il est dirigé par un barreur*. *Un deux barré* (opposé à *sans barreur*). *Le deux barré français aura à disputer une sélection difficile, devant des équipages internationaux chevronnés.*

♦ **3** Traversé, rayé d'une ou de plusieurs barres. *Chèque barré.* → **Barrement; chèque.**

8 Un banquier ne peut acquérir un chèque barré que d'un de ses clients, d'un chef de bureau de chèques postaux ou d'un autre banquier. Il ne peut l'encaisser pour le compte d'autres personnes que celui-ci.
Décret-loi, 30 oct. 1935, art. 38.

Blason. Se dit du champ divisé en parties égales. *Écu barré de huit pièces. Barré de gueules.*

♦ **4** N. m. → **Barré.**

CONTR. 1. **Débarrer, ouvrir.** ◈ DÉR. **Barrage, barré** (n. m.), **barrement.** ← COMP. **Barre-la-route, billebarrer, débarrer, embarrer, rembarrer.** — V. **Bariolé.**

2. **BARRER** [baʀe] v. — 1866, Delvau, «abandonner son travail», v. intr., et *se barrer;* orig. incert. : soit de 1. *barrer* (4.) «biffer, annuler», mais l'évolution n'est pas claire, *effacer,* par métaphore, correspondant à «tuer», non à «partir»; soit par antiphrase, de *barrer* «fermer», hypothèse peu vraisemblable; soit enfin par empr. à l'arabe algérien *barrâ* «va-t'en», ce qui supposerait un emprunt à l'impératif, non prouvé.

Argotique ou familier.

♦ **1** V. intr. Argot. S'en aller, partir en hâte.

1 – Allez ! Barrez ! que je vous dis... Je fais venir la police...
– Ten fais pas !... elle viendra toute seule ! Allez ! on s'en va ! Allez oust ! CÉLINE, le Pont de Londres, p. 345.

♦ **2** V. tr. Argot, vx. Abandonner (qqn, une femme) (Bruant, *Dictionnaire*).

◆ **SE BARRER** v. pron. (1866). Mod., fam. (Sujet n. de personne). Disparaître, partir, s'en aller; se sauver, s'enfuir. → **Casser** (se), **tirer** (se). *Barre-toi ! Allez, maintenant, je me barre. Ils se sont barrés sans demander leur reste.*

2 On se passe de viande, dans notre métier, mais pas de café (...)
Si vite qu'on nous serve le nôtre, Stéphane-le-Danseur «se barre» avant nous (...)
COLETTE, la Vagabonde, p. 101.

3 Écoute voir un peu... Les femmes, c'est pourtant pas ça qui manque. Moi, quand je suis revenu de la guerre, on m'a dit que la mienne s'était barrée (...)
A. MAUROIS, Bernard Quesnay, x, p. 67.

4 – Garçon !
– Monsieur ?... Le bar est fermé, Monsieur... Monsieur désire quelque chose ?
– Oui..., de l'espace...
– Pardon ?
– Un peu d'air... Vous avez compris ?... Barrez-vous !
H.-G. CLOUZOT et J. FERRY, Quai des Orfèvres (scénario), 1947, *in* l'Avant-Scène, nº 29, 1963, p. 30.

5 – Barre-toi, barre-toi, qu'il dit. Tu ne le reverras plus avant longtemps ton monsieur Albert. Pas avant longtemps. Alors barre-toi... barre-toi...
L'air tragique, Lalix se lève et sort en fermant soigneusement la porte derrière elle tandis que le patron s'effondre en pleurs derrière son comptoir.
R. QUENEAU, les Fleurs bleues, p. 266.

(Sujet n. de chose). *Fais gaffe, le lait est en train de se barrer,* de se sauver. — Loc. (*barrer* étant substitut de *partir*). *Se barrer en couille*.*

**ÊTRE MAL BARRÉ** : être mal parti, s'annoncer mal. *C'est mal barré. Son affaire est plutôt mal barrée. Il est mal barré, le pauvre.*

**BARRÉSIEN, IENNE** [baʀezjɛ̃, jɛn] adj. et n. — 1889; du nom de Maurice *Barrès.*

Relatif à Barrès ou à son œuvre. «*Le culte barrésien de la terre et des morts*» (J. R. Bloch, *in* T. L. F.). Qui rappelle la manière de M. Barrès.

Il reprit le portrait que dans une langue parfaite, aux inflexions barrésiennes, il avait fait de lui-même sous le nom de Querveloux et qui devait être le morceau de résistance de son essai *L'Alcôve et le Tombeau.*
A. BILLY, Sur les bords de la Veule, p. 63.

N. Amateur de l'œuvre de M. Barrès; spécialiste de cette œuvre. «*Un petit barrésien de mon espèce était suspect avant d'avoir ouvert la bouche*» (F. Mauriac, *le Nouveau Bloc-notes,* in T. L. F.).

1. **BARRETTE** [baʀɛt] n. f. — 1366; ital. *baretta, barretta* «chapeau», empr. à l'anc. provençal *berret.* → Béret.

♦ **1** Petit bonnet plat. Toque carrée à trois ou quatre cornes. *La barrette noire des ecclésiastiques. La barrette rouge du cardinal.* → **Calotte.** — Fig. *Recevoir la barrette :* être nommé cardinal.

Tandis que le légat était confiné à Macao, le pape lui envoyait la barrette (...) 1
VOLTAIRE, le Siècle de Louis XIV, 39.

(...) l'énorme croix de la Légion d'honneur, que le jeune italien *(un nonce)* a reçue le matin même, l'Élysée ayant cru devoir récompenser l'heureuse mission du porteur de barrette. Alphonse DAUDET, l'Immortel, p. 113. 2

♦ **2** Techn. Casque plat de mineur.

2. **BARRETTE** [baʀɛt] n. f. — 1751; attestation isolée, 1412, «petite barre de bois»; de *barre.*

♦ **1** Petite tige d'un assemblage métallique. *La barrette d'une chaîne de montre, d'une boucle.* — Techn. Pièce d'une boîte de montre, servant à adapter le bracelet.

♦ **2** Petite barre portée comme ornement vestimentaire. *Une barrette de diamant.* → **Broche.** *Il porte la barrette de la Légion d'honneur sur son uniforme.* → **Décoration.**

♦ **3** Pince à cheveux munie d'un système de fermeture. *Mèche retenue par une barrette.*

♦ **4** Broderie. Bride décorative.

♦ **5** Techn. Cran, crampon d'un pneu de tracteur.

♦ **6** Portion de haschisch de forme allongée.

♦ **7** Inform. *Barrette (de) mémoire, barrette :* composant électronique en forme de petite barre, qui permet d'augmenter la mémoire vive d'un ordinateur.

**BARREUR, EUSE** [baʀœʀ, øz] n. — 1855, *in* Petiot; fém., 1881; de *barre.*

Personne qui tient la barre du gouvernail dans une embarcation. *Un bon barreur. Une barreuse infatigable.*

Ni *Joshua* ni l'équipage ne se sont vus en perdition. Françoise s'est révélée être une barreuse d'élite quand il le fallait. 1
Bernard MOITESSIER, Cap Horn à la voile, p. 199.

(Aviron). Personne qui tient la barre et rythme la cadence des rameurs. *Un quatre sans barreur, avec barreur* (ou *quatre barré*).

L'image empirique qui symboliserait le mieux l'intuition heideggerienne n'est pas celle de la lutte, c'est celle de l'*équipe* (...) c'est la sourde existence en commun du coéquipier avec son équipe, cette existence que le rythme des avirons ou les mouvements réguliers du barreur rendront sensible aux rameurs et que le but commun à atteindre, 2 la barque ou la yole à dépasser et le monde entier (spectateurs, performances, etc.), qui se profile à l'horizon, leur *manifesteront.*

SARTRE, l'Être et le Néant, L'existence d'autrui, p. 303.

**BARRICADE** [barikad] n. f. — 1570; de l'anc. franç. *barriquer* «barricader» (on prétend que les premières barricades étaient faites de barriques, avec influence de 1. *barrer* pour le sens, ou du provençal *barricado,* de *barricare* «fermer avec une barre»).

Obstacle fait de l'amoncellement d'objets divers pour se mettre à couvert dans un combat de rues. *Faire, construire, dresser, élever des barricades.* → **Barricadeur, barricadier.** *Se poster derrière une barricade. Front de la barricade* (→ Enchevêtrer, cit. 2). *Renverser les barricades. La Journée des barricades :* l'insurrection de 1588 qui contraignit Henri III à fuir Paris, et aussi celle de 1648.

1 Il franchit la barricade (...) entre les épées qui la défendaient. D'AUBIGNÉ, Hist. universelle..., I, 301.

2 Le peuple ferma les boutiques, tendit les chaînes par les rues et fit des barricades (...)

LA ROCHEFOUCAULD, Mémoires, 31.

.1 Maintenant deux barricades se construisaient en même temps, toutes deux appuyées à la maison de Corinthe et faisant équerre; la plus grande fermait la rue de la Chanvrerie, l'autre fermait la rue Mondétour du côté de la rue du Cygne. Cette dernière barricade, très étroite, n'était construite que de tonneaux et de pavés.

HUGO, les Misérables, IV, XII, IV.

3 (...) les arbres des boulevards, les vespasiennes, les bancs, les grilles, les becs de gaz, tout fut arraché, renversé; Paris, le matin, était couvert de barricades.

FLAUBERT, l'Éducation sentimentale, III, I.

Par métonymie. Personnes qui tiennent une barricade, combattent sur une barricade. *Ravitailler la barricade.*

.1 Gavroche était un tourbillonnement. On le voyait sans cesse, on l'entendait toujours (...) L'énorme barricade le sentait sur sa croupe. Il gênait les flâneurs, il excitait les paresseux, il ranimait les fatigués, il impatientait les pensifs, mettait les uns en gaîté, les autres en haleine, les autres en colère, tous en mouvement (...)

HUGO, les Misérables, IV, XII, IV.

*Les barricades :* la guerre civile, la révolution, l'insurrection, l'émeute. *Les barricades de mai 68.* — Loc. fig. *Être du même côté de la barricade,* dans le même camp. *Être de l'autre côté de la barricade* (→ **Barrière**), dans le camp opposé. *Passer de l'autre côté de la barricade.*

4 Et partout, des passants enchaînant les brigades,
Au milieu de la paix font voir les barricades.

BOILEAU, Satires, VI.

5 (...) M. Georges Clemenceau a fait aussi un certain sort au mot barricade, un sort nouveau, en parlant de ceux qui sont de l'un et de l'autre côté, qui ne sont pas du même côté de la barricade.

Ch. PÉGUY, la République, Notre royaume de France.

6 La monarchie de Juillet portait en elle-même une grande faiblesse. Elle était née sur les barricades. Elle était sortie d'une émeute tournée en révolution.

J. BAINVILLE, Hist. de France, XIX.

7 Née de l'émeute, comme la monarchie de Juillet, la deuxième République se mettait tout de suite de l'autre côté de la barricade.

J. BAINVILLE, Hist. de France, XX.

DÉR. **Barricader, barricadeur, barricadier.**

**BARRICADER** [barikade] v. tr. — 1558; de *barricade;* cf. anc. franç. *barriquer,* de *barrique.*

♦ **1** Vieilli. Fermer par une barricade, des barricades. *Les émeutiers avaient barricadé la rue.*

Ils n'eurent pas loisir de barricader le bourg. 1

D'AUBIGNÉ, Hist., II, 266, *in* LITTRÉ (qui, dans plusieurs exemples de d'Aubigné, relève *barriquer* à côté de *barricader*).

Les deux barricades réunies formaient une véritable redoute. Enjolras et Courfeyrac n'avaient pas jugé à propos de barricader l'autre tronçon de la rue Mondétour qui ouvre par la rue des Prêcheurs une issue sur les halles (...) HUGO, les Misérables, IV, XII, V. 1.1

♦ **2** Mod. Fermer solidement (qqch.). *Barricader une porte avec une barre de fer.* → **Bâcler, barrer** (vx). *Barricader une fenêtre avec des planches. — Barricader qqn,* l'enfermer, l'emprisonner.

(...) Absalon, qui barricada son père, et le chassa de la ville de Jérusalem. la Satire Ménippée, I, 26. 2

Couchez-le dans son lit; fermez porte, fenêtre; 3
Qu'on barricade tout, afin qu'il ait plus chaud.

RACINE, les Plaideurs, I, 4.

Au p. p. :

Derrière ces clôtures taciturnes, ces portes massives comme des portes de citadelles, ces guichets barricadés avec du fer, il y a des choses qu'on ignore. 4

E. FROMENTIN, Une année dans le Sahel, p. 29.

Fig. *Barricader sa porte :* refuser de voir, de recevoir personne. — Par ext. S'isoler.

(...) cette rudesse ombrageuse des femmes qui craignent de succomber, si elles ne se hâtent de barricader la porte. 5

G. SAND, Elle et Lui, IV.

◆ **SE BARRICADER** v. pron.

♦ **1** Se retrancher derrière une barricade, opposer tout ce qui peut faire obstacle à l'ennemi.

Nous entassons, pour défenses nouvelles, 6
Bancs, tables, coffres, lits, et jusqu'aux escabelles;
Nous nous barricadons (...)

CORNEILLE, le Menteur, II, 5.

*(Ils)* descendent dans la rue, s'y barricadent. 7

RACINE, les Campagnes de Louis XIV.

♦ **2** Par ext. S'enfermer soigneusement (quelque part). *Se barricader dans sa chambre. Elle se barricade chez elle, de peur des voleurs.* — (Sans compl. de lieu) :

*(Le vieillard)* Ferma sa porte et se barricada. 8

LA FONTAINE, Contes, «Le diable en enfer».

♦ **3** Fig. → **Retrancher** (se). *Se barricader derrière ses principes, dans son ignorance.*

**BARRICADEUR** [barikadœr] n. m. — 1650; de *barricade.*

Vieilli. Celui qui fait des barricades lors d'une insurrection. → **Barricadier.**

Une affiche blanche appelle les citoyens à faire des barricades dans le premier et le vingtième arrondissement. On offre quatre francs de paye par jour aux barricadeurs (...) 1

Ed. et J. DE GONCOURT, Journal, 16 avr. 1871.

Un père de famille, au lendemain des premières émeutes, a fait venir son fils et sa fille, tous deux barricadeurs. 2

J. GREEN, Journal, 14 déc. 1968, Journal, p. 133.

REM. Le féminin *barricadeuse* [barikadøz] est virtuel.

**BARRICADIER, IÈRE** [barikadje, jɛr] n. et adj. — 1870; de *barricade.*

Vx. Personne qui élève des barricades, prend part à une insurrection. → **Barricadeur.**

Adj. Qui concerne un barricadier, un insurgé. *«Barbe touffue, malpropre et barricadière»* (Daudet).

**BARRIÈRE** [barjɛr] n. f. — XIV^e; de *barre.*

**I** ♦ **1** **a** Assemblage de pièces de bois, de métal, qui ferme un passage, sert de clôture. → **Clôture; barrage, haie, palissade.** *Barrière d'un champ, d'un pacage.* → **Échalier.** *Une barrière à claire-voie. Le* *moulinet, le tourniquet d'une barrière. Les barrières d'un passage** (cit. 18) *à niveau.* → **Garde-barrière.** *Fermer une barrière. Ouvrir, franchir une barrière.*

1 Au détour d'un sentier deux arbres opposés,
Laissant tomber leurs bras épaissis et croisés,
Forment sur leur passage une large barrière (...)
GILBERT, Mort d'Abel, VIII.

1.1 Il poussa la barrière, qui n'était pas fermée, et, ne voyant pas de sonnette, pénétra dans le jardin.
G. SIMENON, Maigret et la vieille dame, p. 29.

**BARRIÈRE DE DÉGEL :** barrière délimitant les tronçons de route momentanément interdits à la circulation des poids lourds, en cas de dégel. *Barrières de dégel installées sur les routes à grande circulation pour en prévenir la dégradation.* — Interdiction de circuler faite à certains véhicules en cas de dégel. En franç. d'Afrique. *Barrière de pluie,* empêchant l'accès aux pistes que la saison des pluies rend impraticables.

**b** Anciennt. Enceinte fermée où se livraient des combats, des joutes, des tournois. — Au fig. Lice, carrière. *Forcer, rompre la barrière.*

2 Soit qu'il se présente un rival
Pour la lice ou pour la barrière (...)
MALHERBE, IV, 5.

3 Le sort qui de l'honneur nous ouvre la barrière.
CORNEILLE, Horace, II, 3.

♦ **2** Anciennt. Enceinte fortifiée autour d'une ville. *La barrière des fermiers généraux, à Paris.* Porte qui fermait l'entrée d'une ville, d'un château.

4 La mort a des rigueurs à nulle autre pareilles (...)
Et la garde qui veille aux barrières du Louvre
N'en défend point nos rois.
MALHERBE, Consolation à M. du Périer, VI, 18.

*Barrière de l'octroi** : bureau installé à l'entrée d'une ville, où était perçu l'octroi.

4.1 Au nord enfin, ce vaste quadrilatère débouchait sur la vraie campagne, vers l'espace indéfini qui s'ouvrait à nous, aussi inconnu, aussi hostile que la steppe aux chevaliers teutoniques, mais sa frontière n'en était pas moins marquée tout au long par le mur de l'octroi, obstacle dérisoire devant une aussi profonde étendue, mais clairement symbolique, coupé d'ailleurs çà et là, au passage des chemins, de portes qu'on nommait *barrières,* où la ville percevait encore ses taxes sur les charrois qui entraient.
Raymond ABELLIO, Ma dernière mémoire, t. I, p. 49.

Quartier qui s'étendait à l'extérieur de la porte d'une ville. → **Faubourg.** *Un bal de barrière.* — Péj. (ces quartiers étant souvent mal famés). *« Un rôdeur de barrière »* (Maupassant). *Cabaret de barrière.*

**II** Par ext. ♦ **1** (Abstrait). *Barrières douanières :* droits qui s'opposent au libre échange des marchandises. *Barrière fiscale.*

5 (...) une paix économique, comme la veut Wilson, avec la liberté des échanges commerciaux, la suppression des barrières douanières, etc. (...)
MARTIN DU GARD, les Thibault, IX, p. 170.

6 (...) facilité des échanges, aisance des communications (...) dans un monde hélas ! disparu où les hommes circulaient librement, sans barrières, sans quotas, sans passeports !
André SIEGFRIED, l'Âme des peuples, I, p. 8.

♦ **2** Obstacle naturel qui s'oppose au passage, à l'accès. *Barrières naturelles. La barrière des Pyrénées. Barrière de glace. Barrière de corail.* → **Récif.** *La Grande Barrière d'Australie.*

7 Nul voyageur n'osait passer
Une barrière si puissante *(le torrent).*
LA FONTAINE, Fables, VIII, 23.

8 J'avais imaginé que la ceinture des Alpes et du mont Jura serait une barrière contre les vents.
VOLTAIRE, Albergati, 27 oct. 1762.

9 (...) la France, si rapidement envahie jusqu'en Champagne à l'été de 1792, avait, à la lueur de l'événement, compris, une fois de plus, la nécessité, pour sa sécurité, des nouvelles barrières.
Louis MADELIN, De Brumaire à Marengo, V.

♦ **3** (Abstrait). → **Obstacle ; difficulté, empêchement ; limite, séparation ;** et, par métaphore, **borne, digue, garde-fou.** *Barrières morales, sociales, culturelles, linguistiques. Servir de barrière à... Élever, interposer, mettre une barrière entre... Opposer une barrière infranchissable, insurmontable à, contre... Être arrêté* (cit. 28) *par une barrière. Franchir, rompre, briser, faire tomber les barrières.* — Vx. *La barrière de l'honneur, du respect.*

Elle opposa la barrière de la pudeur aux premiers orages (...) 10
MASSILLON, Panégyrique de Magd., *in* LITTRÉ.

Mais si vous aviez une fois rompu la barrière de l'honneur et de la bonne foi (...) FÉNELON, Télémaque, 15. 11

Quel pouvoir a brisé l'éternelle barrière 12
Dont le ciel sépara l'enfer et la lumière (...)
VOLTAIRE, Sémiramis, III, 2.

Je sais que, malgré les barrières immenses qu'on entasse sans cesse autour de moi, on craint toujours que la vérité ne s'échappe par quelque fissure (...) 13
ROUSSEAU, les Confessions, VII.

Je sentais que retourner à Genève était mettre entre elle et moi une barrière presque insurmontable. 14
ROUSSEAU, les Confessions, II.

(...) or, ce pardon lui suffisait, et, maintenant qu'il se sentait sûr de l'obtenir, la plus grande barrière, entre sa fiancée et lui, était comme tombée tout à coup. 15
LOTI, Ramuntcho, V, p. 249.

(...) il n'y avait plus entre nous que des barrières matérielles, la présence de son maître, et le grillage de fer de ses fenêtres. LOTI, Aziyadé, Salonique, XII, p. 19. 16

Les barrières de l'autonomie sont rompues. Les vieilles, les sordides barrières de l'âme, qui protégeaient l'esprit et le langage. J.-M. G. LE CLÉZIO, Haï, p. 18. 17

Loc. fig. *Être du même côté de la barrière. Être, passer de l'autre côté de la barrière.* (→ **Barricade).**

♦ **4** Phys. Limite à ne pas franchir. *Barrière thermique :* vitesse limite d'un engin spatial, au-delà de laquelle les effets thermiques sont destructeurs. *Barrière de diffusion :* filtre très fin permettant de séparer l'uranium 235 et l'uranium 238. *Les pores des barrières de diffusion.*

CONTR. **Accès, ouverture, trait-d'union.** ◊ COMP. **Garde-barrière.**

**BARRINGTONIA** [baʀiŋtɔnja] n. f. — 1846 ; de *Barrington,* n. de personne.

Bot. Plante dicotylédone *(Myrtacées),* arbre exotique à feuilles persistantes et à fruits charnus.

**BARRIQUE** [baʀik] n. f. — 1455 ; gascon *barrica,* du rad. de *barre.* → Baril, barque.

Tonneau* d'environ 200 litres. → **Fût, futaille, muid.** *Barrique d'huile. Mettre du vin en barrique. Aviner* une barrique. Percer des bondes avec une losse dans les douves d'une barrique. Barrique bordelaise.* → **Bordelaise.** *Demi-barrique.* → **Feuillette.** *Double barrique bourguignonne.* → **Queue.**

La barrique bordelaise est la plus employée. Une loi du 13 juin 1866 en a fixé la contenance légale à 225 litres. C'est donc sur ce taux de 225 litres que se font les ventes de vin à la barrique : le tonneau équivaut à quatre barriques ou 900 litres. Omnium agricole, p. 102. 1

Contenu de ce tonneau. *Produire tant de barriques de vin par an.*

Fam. *Être gros comme une barrique,* très gros. *Être plein* comme une barrique,* pour avoir trop mangé, trop bu. → **Tonneau.**

De temps en temps, un convive plein comme une barrique sortait jusqu'aux arbres prochains, se soulageait, puis rentrait avec une faim nouvelle aux dents. 2
MAUPASSANT, les Contes de la Bécasse, « Farce normande ».

Fig. *C'est une vraie barrique.*

DÉR. V. **Barricade.**

**BARRIR** [baʀiʀ] v. intr. — 1546, Rabelais; lat. *barrire,* de *barrus* «éléphant».

Pousser un barrissement (en parlant de l'éléphant et du rhinocéros). *Les éléphants barrissent.* — Syn. : *baréter.*

1 Pauvre bête, il n'en finit pas de barrir, et de tourner en rond. Qu'est-ce qu'il veut? Oh! il nous regarde. *(En direction du rhinocéros).* Minou, minou, minou (...)
IONESCO, Rhinocéros, p. 116.

2 (...) ces éléphants, bien dressés, abaissèrent la tête devant lui en se prosternant et tous, au même instant, barrirent comme s'ils lui rendaient hommage.
J. D'ORMESSON, la Gloire de l'Empire, p. 577.

DÉR. **Barrissement.** — V. **Barrit.**

**BARRISSEMENT** [baʀismɑ̃] n. m. — 1863, Flaubert; de *barrir.*

Cri de l'éléphant. → **Barrit.**

Alors la trompe du vieil éléphant se redressa, se recourba et un barrissement plus sonore, plus aigu, plus effrayant que l'éclat de cent trompettes de guerre retentit dans la sérénité de la brousse. J. KESSEL, le Lion, p. 170.

**BARRISTE** [baʀist] n. — 1930, *in* Petiot; de *barre* (I., 2.).

Cirque. Artiste qui travaille à la barre.

Des barristes répétaient en piste leur numéro. Une famille d'acrobates allemands s'entraînait au tremplin (...)
Francis CARCO, Nostalgie de Paris, p. 163.

Sports. Athlète spécialiste de la barre* fixe.

**BARRIT** [baʀi] n. m. — 1580; lat. *barritus,* de *barrire.* → Barrir.

Rare. Cri de l'éléphant. → **Barrissement.**

À l'étourdissant concert des moineaux gorgés, répond, de tous les coins du jardin, le chant de fifre des oiseaux exotiques (...) le rugissement d'un lion, le bramement guttural d'un cerf, le barrit strident d'un éléphant, le cor d'airain de l'hippopotame (...)
Ed. et J. DE GONCOURT, Manette Salomon, p. 442.

HOM. Formes du v. **barrir, barye.**

1. **BARROT** [baʀo] n. m. — 1384; de *barre.*

Mar. Pièce de charpente qui se fixe sur les membrures et soutient le bordé de pont. → **Bau.** *Poser les barrots. Hauteur sous barrot* (ou *sous barrots.* Abrév. : *H. S. B.*). *Remplir jusqu'aux barrots.* → **Barroter.**

DÉR. **Barroter.** ◊ HOM. **Barreau, 2. barrot.**

2. **BARROT** [baʀo] n. m. — 1323; du rad. de *baril.*

Techn. Baril à anchois.

HOM. **Barreau, 1. barrot.**

**BARROTER** [baʀɔte] v. tr. — 1694; de 1. *barrot.*

Mar. Vx. Remplir jusqu'aux barrots*. *Barroter la cale d'un navire.*

**BARSOUIN** [baʀswɛ̃] n. m. — 1945, Gruss, *Dict. de la marine.*

Techn. (pêche). Filin servant à relier l'aussière maintenant les nappes d'un filet aux fincelles.

Chaque filet est relié à l'aussière par des cordages, les *barsouins.* Éric DARDEL, les Pêches maritimes, p. 70.

**BARTAVELLE** [baʀtavɛl] n. f. — 1740; provençal *bartavello;* lat. pop. **bertabella* «loquet» (→ Verterelle), à cause du cri.

Régional (Sud de la France). Perdrix rouge des montagnes du Midi de la France. *Chasser la bartavelle. Manger des bartavelles.*

**BARTONIEN** [baʀtɔnjɛ̃] n. m. — 1886; en all., 1857, de *Barton-Cliff,* dans le Hampshire.

Didact. (géol.). Âge de l'éocène supérieur, principale époque des efforts tectoniques dits pyrénéens.

**BARY-** Élément, du grec *barus* «lourd».

**BARYCENTRE** [baʀisɑ̃tʀ] n. m. — 1877; de *bary-,* et *centre.*

♦ **1** Vx, didact. Centre de gravité. — Fig., plaisant :

Les services du Sous-Ingénieur principal Miqueut se groupaient au dernier étage de l'immeuble (...) Un couloir central desservait un certain nombre de bureaux (...) Au barycentre trônait Léon-Charles, encadré par René Vidal à droite et Emmanuel Pigeon de l'autre côté.
Boris VIAN, Vercoquin, p. 73.

♦ **2** (1928). Mod. Math. Point de l'espace affine, associé fonctionnellement à au moins deux points affectés de coefficients réels, et défini par extension de la notion de centre* de gravité, d'inertie.

DÉR. **Barycentrique.**

**BARYCENTRIQUE** [baʀisɑ̃tʀik] adj. — Mil. xx<sup></sup>e; de *barycentre.*

Math. Relatif au barycentre. *Coordonnées barycentriques d'un point,* définies de façon que ce point soit le barycentre d'un système de points donné.

**BARYE** [baʀi] n. f. — 1922; du grec *barus* «lourd».

Vieilli. Unité de pression du système C. G. S., valant 1 dyne par $cm^2$. *Le pascal* vaut 10 baryes.*

HOM. Formes du v. **barrir, barrit.**

**BARYMÉTRIE** [baʀimetʀi] n. f. — 1798; de *bary-,* et *-métrie.*

Didact. Détermination approximative des poids par des mensurations.

**BARYON** [baʀjɔ̃] n. m. — V. 1959; de *bary-,* et *-on,* de *électron.*

Phys. Particule* élémentaire qui possède une masse égale ou supérieure à celle du proton. *Les nucléons (protons et neutrons) et les hypérons (baryon* $\Lambda$*, baryon* $\Sigma$*...) sont des baryons. Les baryons et les mésons sont des particules à interaction forte.* → **Hadron.** *Les baryons sont des particules de spin demi-entier.* → **Fermion.**

DÉR. **Baryonique.**

**BARYONIQUE** [baʀjɔnik] adj. — Mil. xxe; de *baryon.*

Phys. Qui caractérise un baryon. *Charge baryonique. Nombre baryonique* (symb. *A*). *Somme de l'étrangeté* et de la charge baryonique.* → **Hypercharge.**

**BARYSPHÈRE** [baʀisfɛʀ] n. f. — 1910, *in* D. D. L.; de *bary-,* et *sphère.*

Didact. Noyau central hypothétique de la Terre, très dense (→ Nifé, cit.; noyau, cit. 4).

**BARYTE** [baʀit] n. f. — 1787, Guyton de Morveau; du grec *barus* «lourd», et suff. *-ite.*

Chim. Protoxyde de baryum (BaO) ou hydroxyde de baryum, $Ba(OH)_2$.

DÉR. **Barytine.**

**BARYTINE** [baʀitin] n. f. — 1833, *in* D. D. L.; de *baryte.*

Minér. Sulfate de baryum ($BaSO_4$). *La barytine est le minéral de baryum le plus courant dans la nature.* → **Spath** (lourd).

**BARYTON** [baʀitɔ̃] n. m. — 1589; grec *barutonos,* de *barus* «grave», et *tonos* «ton».

♦ **1** Gramm. grecque. Mot qui n'a pas l'accent sur la dernière syllabe, ou dont la finale est dépourvue de ton (opposé à *oxyton*). → **Paroxyton, proparoxyton.**

♦ **2** (1768). Voix d'homme qui tient le milieu entre le ténor et la basse (anciennt, basse-taille). *Une voix de baryton.*

Par ext. Celui qui a une voix de baryton. *Un baryton de l'Opéra. On distingue le baryton élevé (baryton chromatique et baryton Martin) et le baryton proprement dit, qui se rapproche de la basse* chantante.*

Par anal. Se dit des instruments à vent dont la tessiture correspond à celle de la voix de baryton. *Saxhorn, saxophone, trombone baryton.*

♦ **3** Anciennt. Viole d'amour basse à six ou sept cordes. *Haydn écrivit de nombreuses pièces pour le baryton.*

Hautbois grave.

DÉR. **Barytonnant.** — V. **Barytonner.**

**BARYTONNANT, ANTE** [baʀitɔnɑ̃, ɑ̃t] adj. — XVIe; de *baryton.*

Rare. Qui barytonne; de baryton. *Timbre barytonnant. Voix barytonnante.*

Sa voix barytonnante de vieille bombarde allait bien au style de la maison.
Vladimir VOLKOFF, le Retournement, p. 13.

**BARYTONNER** [baʀitɔne] v. intr. — 1452, au p. prés. substantivé; du grec *barutonos.* → Baryton.

Rare. Chanter sur un ton grave, d'une voix de baryton.

1 Tous les ténors qui n'ont su résister à la joie de barytonner ont perdu leur aigu.
Lucien FEBVRE, *in* Encycl. franç. (DE MONZIE), t. XVI, 36, 8.

REM. Un emploi plaisant au figuré, chez Rabelais, est encore présent dans les mémoires.

2 (...) il *(Gargantua)* s'esguayoit, il tressailloit, et luy-mesmes se bressoit[1]; en dodelinant de la teste, en monichordisant[2]; des doigtz et barytonant du cul.
RABELAIS, Gargantua, VII.
1. Berçait. — 2. Monocorde : clavecin.

**BARYUM** [baʀjɔm] n. m. — 1813; *barium,* en angl., 1808; d'après l'angl. *baryta* (empr. au franç. *baryte*), et suff. *-ium.*

Métal alcalino-terreux, d'un blanc argenté, qui décompose l'eau à la température ordinaire (symb. : *Ba*; nº at. 56; p. at. 137,34; dens. 3,5; point de fusion 725 °C). *On trouve le baryum à l'état de sulfate* (→ **Barytine**) *et de carbonate* (→ **Withérite**). *Protoxyde de baryum.* → **Baryte.** *Chlorure de baryum. Mélange de sulfate de baryum et de sulfure de zinc.* → **Lithopone.** *Le nitrate et le chlorate de baryum sont utilisés comme colorants dans les feux d'artifice.*

**BARZOÏ** [baʀzɔj] n. m. — V. 1932; mot russe, «lévrier».

Lévrier russe à poils longs.

1. **BAS, BASSE** [ba, bas] adj., n. m. et adv. — 1119; bas lat. *bassus, bassulus,* d'abord «épais, gras», d'orig. incert.; le lat. class. connaît le surnom *Bassus,* selon Guiraud du grec *Bassos,* de *basson,* compar. de *bathus* «profond, épais».

**I** Adj. **A** (Définissant une dimension, dans l'espace). Qui est, dans le sens vertical, d'une faible dimension par rapport aux êtres, aux objets de même espèce (s'oppose à *haut*). *Les Alpes sont plus basses du côté de l'Italie. Une côte basse et marécageuse. Basses terres, basses régions. Les Pays-Bas. Haie basse. Végétation basse. Navire bas sur l'eau. Maison basse. Mur bas. Porte, fenêtre basse. Salle basse.* → **Basse-fosse.** *Plafond bas. — Un bureau bas de plafond, un chapeau bas de forme. — Chaise, table basse. Un divan très bas* (→ Ameublement, cit. 2).

Madame d'Heudicourt était auprès du roi sur un petit siège tout bas et presque au ras de terre (...) 1
SAINT-SIMON, Mémoires, 97, 25.

Et toutes ces chaumières étaient pareilles, basses, enterrées, sombres (...) LOTI, Mon frère Yves, XXI, p. 72. 2

(...) le pavillon est très bas, il n'a pas vingt-cinq pieds, et les enceintes composées, les unes de murailles, les autres de haies vives très serrées les unes sur les autres, en ont chacune plus de cinquante de haut (...) 2.1
SADE, Justine..., t. I, p. 160-161.

Vx. *Un homme de basse stature* (Académie). → **Court, petit...** — Mod. *Cheval bas sur jambes* ou *bas de jambes. Bas sur pattes* (1. Patte, cit. 7). *Le basset est bas sur pattes. Front bas.*

Le lynx est moins gros que le loup et plus bas sur ses jambes. BUFFON, Hist. nat. des animaux, Le lynx. 3

**B** (Définissant une position). ♦ **1** (Dans l'espace). Qui est à une faible hauteur dans un ensemble de choses identiques. *Cette branche est plus basse que les autres. Les branches les plus basses. Basses voiles*, basses vergues*, basses lisses*. Rehausser une étagère trop basse dans un rayonnage.*

Il suffit que cet arbre ait un seul étage de bonnes racines, c'est-à-dire qu'il y ait des racines sortant tout autour du pied, de sorte qu'il n'y en ait point de beaucoup plus hautes ni de beaucoup plus basses que les autres (...) 4
LA QUINTINYE, *in* RICHELET.

Qui est dans une position particulièrement peu élevée par rapport aux positions que la même chose peut occuper dans d'autres circonstances. *Vous êtes trop basse sur cette chaise, je vais vous donner un coussin. Pantalon taille basse.*

Spécialt. *Le soleil est bas,* près de son coucher. *Le jour est bas,* sur son déclin. *Les nuages sont bas. Plafond* bas. Le temps, le ciel est bas,* chargé de nuages bas (→ Assombrir, cit. 9).

J'aime les temps bas; mais quand ils sont si bas qu'ils tombent sur notre nez, et qu'il pleut (...) j'ai envie de pleurer. 5
Mme DE SÉVIGNÉ, Lettres, 944, 13 déc. 1684.

Quand le ciel bas et lourd pèse comme un couvercle 6
Sur l'esprit gémissant en proie aux longs ennuis (...)
BAUDELAIRE, les Fleurs du mal, LXXVIII.

Le soleil est déjà bas et sa lumière un peu jaunie, quand Stamboul commence de dessiner au loin ses flèches aiguës et ses dômes. LOTI, Suprêmes visions d'Orient, p. 3. 7

Qui est dans la position la moins élevée (que l'objet peut occuper lui-même, ou dans un ensemble d'objets identiques); à son niveau le plus faible. *Le bas bout d'une table. Bas hauban*. La rivière est basse. Les eaux sont basses,* au niveau le plus bas. *Marée basse, basse mer. Se baigner à marée basse. — La basse Seine, la basse Loire,* la partie voisine de l'embouchure. → **Inférieur.** *La basse Égypte,* la partie la plus voisine de la mer. — Vx. *La basse Normandie, la basse Bretagne,* la partie occidentale de ces régions, située plus près de la mer. *Un bas-breton* ou *un bas Breton. Un cultivateur bas normand.*

(...) c'était à la campagne, 8
Près d'un certain canton de la basse Bretagne (...)
LA FONTAINE, Fables, VI, 18.

REM. *Bas,* étant ressenti comme péjoratif dans ces emplois, n'est plus employé. Deux des noms de département qui le comportaient ont été modifiés. Les *Basses-Alpes* sont devenues les *Alpes de Haute-Provence,* les *Basses-Pyrénées* sont devenues les *Pyrénées-Atlantiques.*

*La partie basse d'une ville, la basse ville, les bas quartiers.* → **Quartier, ville.** *Les bas-champs :* les terres les plus proches de la mer.

Loc. **CE BAS MONDE :** la terre, par opposition au ciel. → **Sublunaire.** *En ce bas monde, en ce bas univers.* → **Ici** (ici-bas).

9 Et prie Dieu qu'il nous garde en ce bas monde ici,
De faim, d'un importun, de froid et de souci.
Mathurin RÉGNIER, Satires, VIII.

10 Elle nous fit l'honneur en ce bas univers
De préférer notre hémisphère
À celui des mortels qui nous sont opposés (...)
LA FONTAINE, Fables, VI, 20.

10.1 Luxe, calme... Ce n'est pas si souvent désormais dans ce bas monde, très bas, n'est-ce pas, de plus en plus bas...
Ph. SOLLERS, Femmes, p. 66.

Baissé (par oppos. à *levé*). *Marcher la tête* basse. Ce chien porte les oreilles basses.* — Fig. *S'en aller l'oreille* basse.* → **Confus, honteux, humilié, mortifié** (cf. La queue entre les jambes).

11 Il remarqua ma contenance basse, éperdue, humiliée, indice de mes remords (...)
ROUSSEAU, Julie ou la Nouvelle Héloïse, I, 63.

*Faire main* basse sur qqch.* (l'abaisser pour le prendre), s'en emparer. → **Piller.**

*Avoir la vue basse,* une vue courte qui force à se baisser pour distinguer un objet. — Fig. Manquer de perspicacité. — Fam. *Avec son air con et sa vue basse...*

12 (...) sa vue, qui était si basse qu'à peine pouvait-il écrire.
MAIRAN, Éloge de l'abbé Bignon.

13 Tous les utopistes sans exception, ont eu la vue trop basse et ont manqué d'esprit de prévision.
A. DE VIGNY, Journal d'un poète, p. 242.

♦ **2** (Sur l'échelle des degrés d'intensité). → **Faible, inférieur.** *Zones de basse pression. Émetteur à basses fréquences. La température est basse. À basse altitude. Sous les basses latitudes.*

Spécialt (sur l'échelle, le registre des sons, des notes). → **Grave.** *Les notes basses. Prendre un morceau un ton trop bas. La chanterelle de ce violon est trop basse, elle a été accordée trop bas. Son bas et sourd.* → **Caverneux.** *Une voix basse.* → 1. **Basse, voix.**

Par ext. Dont le registre est grave. → 1. **Basse.** *Clarinette basse.* → 2. **Basset.**

14 La façon dont il appuyait sur certaines voyelles (...) rappelait l'écrasement de l'archet sur les cordes basses d'un violoncelle.
MARTIN DU GARD, les Thibault, VIII, 1 (cf. Appuyer, cit. 22).

(Sur l'échelle des degrés de puissance de la voix). *À voix* basse, d'un ton bas :* sans élever la voix, en parlant doucement. → **Faible, inaudible.**

15 À table, nous demandions du pain à voix basse.
Alphonse DAUDET, le Petit Chose, I, 1.

16 Remarquant son air étonné, ses futurs collègues lui expliquèrent à voix basse l'anomalie d'un tel accoutrement en un pareil lieu (...)
Georges LECOMTE, Ma traversée, p. 118.

17 Rumelles s'exprimait sur un ton bas et monocorde (...)
MARTIN DU GARD, les Thibault, t. VII, p. 89.

Fam., vx. *Faire parler qqn d'un ton plus bas,* rabaisser, rabattre son ton, son caquet.

*Messe* basse* (par oppos. à *grand-messe*) : messe non chantée, où le prêtre ne fait que réciter les prières. — Fig., fam. *Dire, faire des messes basses :* parler à voix basse. → **Chuchoter, murmurer ; aparté** (faire un).

♦ **3** (Sur l'échelle des prix, des valeurs cotées). Qui est peu élevé. → **Inférieur, moindre.** *Monnaie de bas aloi. — Bas prix*.* → **Modéré, modique.** *Acheter, vendre une marchandise à bas prix. Céder qqch. à très bas prix.* → **Infime, vil** (à vil prix). *Les cours sont plus bas qu'hier. Les fonds* sont bas. Une politique patronale de bas salaires. Le change est bas. Le change est plus bas que le pair,* au-dessous du pair. — Figuré :

Rien n'est jamais à si bas prix que la vie des hommes. 18
GUEZ DE BALZAC, Livre II, Lettre 5.

Peut-on laisser aliéner des cœurs qu'on peut gagner à si bas prix ? 19
MASSILLON, Humanité des grands, I.

**AU BAS MOT :** en faisant l'évaluation la plus faible. → **Minimum** (au), **moins** (au); **mot** (cit. 39). *Cela vaut un million, au bas mot.*

*Basses cartes,* les cartes qui ont la moindre valeur.

*Bas morceaux :* morceaux de qualité inférieure, de prix moindre, en boucherie.

En dedans de lui-même, il accusa le père Rouault d'être fier, et il alla se joindre dans un coin à quatre ou cinq autres des invités qui, ayant eu, par hasard, plusieurs fois de suite à table les bas morceaux des viandes, trouvaient aussi qu'on les avait mal reçus, chuchotaient sur le compte de leur hôte et souhaitaient sa ruine à mots couverts. 19.1
FLAUBERT, Mme Bovary, I, IV.

(Dans le rang, le degré, l'ordre de la puissance sociale et politique, la hiérarchie). → **Inférieur, subalterne.** *À un degré plus bas de la hiérarchie. Les postes les plus bas. Les basses classes d'une école :* les classes élémentaires. — Vx. *Le bas peuple*. Le bas clergé. Basses fonctions. — Maître* (ou, par plais., *exécuteur*) *des basses œuvres :* vidangeur. — Par antiphr. *Exécuteur des basses œuvres.* → **Bourreau.** — *Basse origine, naissance, extraction, condition. De bas étage*.*

Si ma naissance est basse, elle est du moins sans tache (...) 20
CORNEILLE, Don Sanche, V, 5.

On trouve la sainteté dans les emplois les plus bas et un esclave s'élève à la perfection dans le service d'un maître mortel, pourvu qu'il sache regarder l'ordre de Dieu (...) 21
BOSSUET, Oraison funèbre de Michel Le Tellier.

Un courage aussi grand dans un rang aussi bas (...) 22
VOLTAIRE, Mérope, IV, 1.

Le bas peuple en vaudra certainement mieux, quand les principaux citoyens cultiveront la sagesse et la vertu (...) 23
VOLTAIRE, Lettre à Damilaville, 13 avr. 1766.

*Basse justice* (par oppos. à *haute et moyenne justice*), sous la féodalité, Celle qui connaissait de délits peu importants. *Seigneur bas justicier.*

*Chambre basse,* la Chambre des communes, en Angleterre (par oppos. à la *Chambre haute,* la Chambre des lords).

♦ **4** (Sur l'échelle des valeurs morales). → **Abject, grossier, ignoble, impur, indigne, infâme, médiocre, méprisable, mesquin, odieux, servile, vénal, vil, vulgaire.** *Âme basse. Esprit bas. Cœur bas. Le caractère bas et rampant d'un laquais, d'un valet*.* → **Avili, lâche, plat, rampant.** — *Sentiments bas. L'avarice, passion basse. Avoir de basses pensées. Une basse complaisance, une basse envie, une basse jalousie.* → **Avilissant, dégradant, honteux, infamant, innommable, laid.** *De basses actions.* — Cour. *Basses besognes. Une basse vengeance.* → **Avilissant, dégradant, infamant, laid ; crapuleux.** — (Personnes). Rare. *C'est un individu bas et lâche. Vous êtes bas* (→ ci-dessous, cit. 38).

N'apprendras-tu jamais, âme basse et grossière 24
À voir par d'autres yeux que les yeux du vulgaire ?
CORNEILLE, Rodogune, II, 2.

Elle ne peut souffrir une basse pensée (...) 25
CORNEILLE, le Cid, II, 3.

Qu'à des pensers si bas mon âme se ravale ! 26
CORNEILLE, Polyeucte, II, 1.

Les vices odieux des âmes les plus basses. 27
MOLIÈRE, le Misanthrope, IV, 2.

Mon Dieu, que votre esprit est d'un étage bas ! 28
MOLIÈRE, les Femmes savantes, I, 1.

29 Je trouve que vous appuyez un peu trop sur l'argent; et l'intérêt est quelque chose de si bas (...)
MOLIÈRE, le Bourgeois gentilhomme, I, 1.

30 Laissez aux gens grossiers, aux personnes vulgaires,
Les bas amusements de ces sortes d'affaires (...)
MOLIÈRE, les Femmes savantes I, 1.

31 Y a-t-il rien de plus bas et de plus honteux que cette passion *(la colère)?*
MOLIÈRE, le Bourgeois gentilhomme, II, 3.

32 Madame, je n'ai point des sentiments si bas.
RACINE, Phèdre, II, 5.

33 Fuyez surtout, fuyez ces basses jalousies,
Des vulgaires esprits malignes frénésies.
BOILEAU, l'Art poétique, VI.

34 Ta secte obscure et basse avilit les mortels (...)
VOLTAIRE, Mahomet, II, 5.

35 En tout état de cause, un dénonciateur qui se cache joue un rôle odieux, bas, lâche (...)
ROUSSEAU, Dialogue, V.

36 Vile et basse flatterie, soins séducteurs, insidieux, puérils qui, à la longue, rapetissent l'âme et corrompent le cœur (...) ROUSSEAU, Narcisse, Préface.

36.1 *Julie* qui allait, prétendait-elle, devenir une grande dame, consentirait-elle à recevoir une petite fille dont les inclinations vertueuses mais basses, seraient capables de la déshonorer? SADE, Justine..., t. I, p. 10.

37 Galérius prolonge dans les ténèbres de la nuit de basses et crapuleuses orgies (...)
CHATEAUBRIAND, les Martyrs, 122.

38 Vous êtes bas, vous êtes bas! Le mensonge, l'hypocrisie, le vice, la trahison, voilà ce que vous aimez, ce qui vous plaît à respirer. Il n'y a dans votre cœur rien de pur, rien de vrai!
Edmond JALOUX, Fumées dans la campagne, XXIV, 202.

39 Il y a des jours où l'on touche au fond des choses, où l'on se débat en vain contre tout ce qui est bas et vil.
A. MAUROIS, le Cercle de famille, I, p. 122.

40 Nous avons cru que la virtuosité des âmes basses pouvait aider au triomphe des causes nobles (...)
SAINT-EXUPÉRY, Pilote de guerre, p. 206.

REM. Encore vivant dans la langue écrite ou soutenue, cet emploi a vieilli dans l'usage spontané; il était neutre et courant dans la langue classique.

Vx (langue class.). Grossier et propre à un usage déprécié de la langue. → **Commun, trivial, vulgaire.** *Un mot bas. — Un style, un ton bas.*

41 Elle a (...) insulté mon oreille
Par l'impropriété d'un mot sauvage et bas
Qu'en termes décisifs condamne Vaugelas.
MOLIÈRE, les Femmes savantes, II, 6.

42 Il lui était échappé (...) beaucoup de paroles très basses.
RACINE, Port-Royal.

43 Cette manière basse de plaisanter a passé du peuple à qui elle appartient jusque dans une grande partie de la jeunesse de la cour, qu'elle a déjà infectée.
LA BRUYÈRE, les Caractères, V, 71.

♦ **5** (Dans le temps). Qui est au début. → **Premier.** *Bas âge* [bazaʒ], l'âge du berceau. → **Âge** (cit. 26). — Loc. cour. *Enfant en bas âge.*

Qui vient en dernier lieu, dans une période. → **Proche, récent.** *Le Bas-Empire :* l'empire romain après Constantin. *La basse latinité.* — REM. Parfois employé péjorativement, avec l'idée de décadence, de dégénérescence. — Par ext. *Le bas latin :* le latin du moyen âge, qui a subi des altérations du fait du contact avec d'autres langues.

44 Cette fameuse constitution qu'on appelle bulle d'or, à cause du sceau d'or qu'on nommait bulla dans la basse latinité (...) VOLTAIRE, Essai sur les mœurs, 70.

**II** N. m. ♦ **1** Partie inférieure. *Le bas du visage. Le bas du corps. Le bas du dos,* euphémisme pour *derrière, fesses.* → **Chute** (des reins), **derrière.** — *Étiquette* (cit. 2) *portant les mentions haut et bas. Le bas d'une montagne.* → **Base, pied.** *Le bas d'un meuble, le bas de la rue. Le bas du pavé*. Vers le bas de la colline.*

Il y avait au bas de votre lettre, trois écritures différentes. 4
VOITURE, Lettres, 30.

Soigneusement, il apposa sa signature au bas de la page. 4
G. DUHAMEL, le Voyage de P. Périot, I.

Le bas du tablier est très ample, ainsi que la jupe, tandis 4
que le haut n'est qu'un simple carré de toile protégeant le devant du corsage.
A. ROBBE-GRILLET, Dans le labyrinthe, p. 63.

Vx. *Le bas.* → **Anus, fondement.** *Aller* par haut et par bas* (→ Aller, cit. 15).

L'opération *(produite par les gouttes d'Angleterre, sorte de* 4
*purgatif)* sur le maréchal de Lorge fut douce, mais prodigieuse par le bas (...)
SAINT-SIMON, Mémoires, 29, 79, *in* LITTRÉ.

Astrol. *Le bas du ciel.* → **Fond** (du ciel), **nadir.**

Imprim. *Bas de casse.* → 3. **Casse.**

(Abstrait). *Le bas de la hiérarchie. Le bas de la société. Le bas d'une gamme de produits.* — Ellipt. *Un produit bas de gamme.*

Le bonheur est avant tout le nivellement, ni par le bas ni 4
par le haut : par le milieu.
Alain BOSQUET, les Bonnes Intentions, p. 115.

Spécialt. Ensemble des sons graves. → **Grave.** *Il a du mal à chanter dans le bas.*

**DU HAUT, DE HAUT EN BAS** [dəotɑ̃ba]. → **Haut** (cit. 74, 75 et 76). *Aller de bas en haut.* → **Monter.** *Du bas jusqu'en haut. Regarder qqn de bas en haut,* des pieds à la tête. → **Toiser.**

Par ma foi, nous voilà plaisamment équipés, 4
Noirs du bas jusqu'en haut et des mieux encrêpés (...)
HAUTEROCHE, le Deuil, 1.

Charlotte, assise, contemplait son fils de bas en haut (...) 4
COLETTE, la Fin de Chéri.

Loc. prép. **AU BAS DE...** *Au bas de la côte* (→ Après, cit. 30). *Au bas de l'escalier. Un falbala au bas de la jupe. Au bas de la page. — Se situer au bas de l'échelle sociale.*

Régional. *Bas de :* au bas de.

*(Il)* poussa bas de la table l'assiette au hareng. 4
SIMENON, Pietr-le-Letton, p. 58.

Loc. adv. **AU PLUS BAS.** *Niveler au plus bas* (→ ci-dessous, au fig., cit. 58).

♦ **2** Fig. **DES HAUTS** (cit. 77 et 78) **ET DES BAS :** des alternatives de bon et de mauvais état, de disposition heureuse ou chagrine.

Il faut du haut et du bas dans la vie. 5
MOLIÈRE, les Fourberies de Scapin, III, 1.

N'admirez-vous pas comme cette vie est mêlée de haut et 5
de bas, de blanc et de noir?
VOLTAIRE, Lettre à Damilaville, 9 févr. 1767.

Il s'était fait une vie de hauts et de bas perpétuels. Les 5
brusques transitions de la rêverie à l'exaltation et de la nonchalance absolue aux excès bruyants étaient devenues un état normal dont il ne pouvait plus se passer.
G. SAND, Elle et Lui, 5.

Nous n'en sommes qu'à la première oscillation; nous ver- 5
rons pendant vingt ans des hauts, des bas, des hauts, des bas, d'amplitude décroissante. Puis tout rentrera dans le calme jusqu'à la prochaine secousse.
A. MAUROIS, Bernard Quesnay, XXV, p. 162.

(...) la patronne (...) m'a assuré que Liliane était une bonne 5
cliente, dont la trésorerie pouvait avoir des hauts et des bas, mais qu'elle finissait toujours par régler ses factures.
René FLORIOT, La vérité tient à un fil, p. 70.

♦ **3** Vieilli ou littér. (Dans l'ordre moral). Ce qui est bas, vil, trivial.

Dangereux modèles et tout propres à faire tomber dans 5
le froid, dans le bas et dans le ridicule (...)
LA BRUYÈRE, les Caractères, I, 64.

Tous les dehors du vice y sont spécieux *(chez les grands);* 5
mais le fond, encore une fois, y est le même que dans les conditions les plus ravalées; tout le bas, tout le faible et

tout l'indigne s'y trouvent.
LA BRUYÈRE, les Caractères, IX, 53.

56 Le trivial et le bas défigurent la tragédie (...)
VOLTAIRE, Lettre à Walpole, 15 juil. 1758.

57 Le christianisme (...) a fait voir le haut et le bas de notre cœur (...)
CHATEAUBRIAND, le Génie du christianisme, II, III, 1.

REM. On trouve aussi, dans cet emploi fig., les loc. prép. et adv. traitées en II., 1.

58 Au lieu de niveler au plus bas, nous avons nivelé au plus haut. C'est mieux (...)
A. MAUROIS, les Discours du Dr O'Grady, VI, p. 64.

**III** Adv. ♦ **1** À faible hauteur, à un niveau inférieur. *Les hirondelles volent bas, très bas, bien bas; je ne les avais jamais vues voler aussi bas, si bas. S'incliner très bas en saluant. Cette planche est placée trop bas, il faut la hausser d'un cran. Baisser une chose, c'est la mettre plus bas qu'elle n'était.* → **Abaisser** (cit. 1), **baisser, descendre...** *Il faut creuser plus bas.* → **Profond.** *Le coup est parti de plus bas* (Académie). *Il habite deux étages plus bas.* → **Dessous** (au-dessous). *La taille se portera plus bas. Être assis trop bas. Le magasin est plus bas dans la rue. — Cheveux plantés bas.*

59 Falbala par *(en)* haut pour celles qui n'ont point de hanches, celles qui en ont trop le portent plus bas.
J.-F. REGNARD, Attendez-moi sous l'orme, 6.

60 Si les fenêtres, par exemple, sont mal disposées, que les unes soient plus grandes, les autres plus petites, les unes placées plus haut, les autres plus bas, ce dérangement blesse les yeux et semble leur faire une sorte d'injure; c'est l'expression de Saint-Augustin.
ROLLIN, Œuvres, t. II, 1, p. 26.

61 Enfin l'un des deux vaisseaux lâcha à l'autre une bordée si bas et si juste, qu'il le coula à fond.
VOLTAIRE, Candide, 20.

62 (...) quelque chose dans la joue de trop rond, de bébête, l'oreille attachée un peu bas (...)
COLETTE, la Fin de Chéri, p. 83.

62.1 Maigret ne s'était pas trompé en l'imaginant avec des cheveux drus, très bruns, plantés bas sur le front, des sourcils épais.
G. SIMENON, Maigret et le client du samedi, p. 369.

Fig. *Ça vole bas :* c'est médiocre, peu intéressant (en parlant d'une discussion, d'une plaisanterie, etc.).

62.2 Naturellement, l'existence, le nom et la profession de Madame Astiné étaient une source d'ébaudissement infini, à base de contrepèteries et de calembours d'un goût exécrable; mais plus la facétie volait bas, plus vif était l'amusement.
Jean-Louis CURTIS, le Roseau pensant, p. 22.

*Porter bas* (en parlant d'un cheval) : avoir la tête baissée. *Porter bas l'oreille :* avoir l'oreille basse.

63 Il lui fallut à jeun retourner au logis,
Honteux comme un renard qu'une poule aurait pris,
Serrant la queue et portant bas l'oreille.
LA FONTAINE, Fables, I, 18.

*Couler bas (un navire),* l'envoyer par le fond. — V. intr. *Le bâtiment coula bas,* s'enfonça brutalement. *Navire chargé à couler bas.*

Fig. À un niveau inférieur, dans une échelle de valeurs. *Les prix sont descendus très bas cette année. Vous le placez bien bas dans votre estime! Le thermomètre est tombé très bas. La température est descendue très bas. Les cours (de l'or, de la Bourse) sont tombés très bas,* se sont affaissés, se sont effondrés (→ Assignat, cit. 3).

Fig. (Personnes). *Est-il possible de tomber si bas?* à un tel degré d'abaissement, d'abjection, d'avilissement, etc.

63.1 Nous sommes bien bas! Pauvre France! Où allons-nous?
PROUST, Jean Santeuil, Pl., p. 630.

Vx. *Penser bas,* d'une manière vile.

Elle *(l'âme)* ne peut pas demeurer en cet état, tout triste qu'il est : il faut qu'elle tombe encore plus bas. 64
BOSSUET, Sermon pour la profession de Mlle La Vallière.

On décline misérablement (...) néanmoins un rayon d'espérance, si bas que l'on soit, relève aussi haut qu'on était auparavant. 65
PASCAL, les Passions de l'amour.

Fig. et fam. *Mettre qqn plus bas que terre,* le rabaisser en en disant beaucoup de mal, le maltraiter.

(...) ce garçon que tu mets à présent plus bas que terre (...) 66
COLETTE, la Naissance du jour, p. 48.

Qu'elle éclate, bon Dieu! Qu'elle me mette plus bas que terre! Mais qu'on en finisse! 66.1
Jean-Louis CURTIS, le Roseau pensant, p. 313.

**ÊTRE BAS :** être en mauvais état, physique ou moral. *Le pauvre vieux est bien bas.* → **Mal.** *Il est au plus bas,* près de mourir. *Son moral est très bas.*

*(Il)* trouva sa pauvre femme si bas qu'elle avait plus besoin de confession que de médecin. 67
MARGUERITE DE NAVARRE, Nouvelles, LXXI, *in* LITTRÉ.

Vieilli. **METTRE, JETER (qqn, qqch.) BAS :** mettre, jeter à terre (ce qu'on portait). — Fig. → **Abandonner, déposer, ôter.** *Mettre bas un dictateur.* → **Renverser.**

Enfin, n'en pouvant plus d'effort et de douleur, 68
Il met bas son fagot, il songe à son malheur.
LA FONTAINE, Fables, I, 16.

Jetant bas sa robe de chasse (...) 69
LA FONTAINE, Fables, XII, 9.

Il mit bas le peu de bois qui couvrait les sacs et il porta dans sa maison les sacs, qu'il posa et arrangea devant sa femme, qui était assise sur un sofa. 69.1
A. GALLAND, les Mille et une Nuits, t. III, p. 268.

Fig., vx. *Mettre bas tout scrupule, toute considération humaine* (Académie). → **Écarter, renoncer** (à).

Allons donc, messieurs, mettez bas toute rancune, et faisons ici votre accommodement. 70
MOLIÈRE, l'Amour médecin, III, 1.

*Mettre bas les armes,* les déposer, et, fig., se rendre, capituler, s'avouer vaincu, renoncer à la lutte. — Ellipt. *Bas les armes!*

Ils mirent bas les armes pour les regarder (...) 71
FÉNELON, Télémaque, XX.

(...) le niais qui met bas les armes est armé de nouveau pour le service du vainqueur. 72
G. DUHAMEL, la Pesée des âmes, X.

*Mettre pavillon bas :* amener, baisser le pavillon, et, fig., céder, s'avouer vaincu.

J'ai conçu, dirigé, produit un stratagème 73
Devant qui tous les tiens, dont tu fais tant de cas,
Doivent sans contredit mettre pavillon bas.
MOLIÈRE, l'Étourdi, II, 11.

*Mettre chapeau bas,* l'ôter pour saluer, et, fig., s'incliner, reconnaître telle ou telle supériorité. — Ellipt. *Chapeau bas! Chapeau bas devant un tel courage!* → **Chapeau.**

Tous les plus gros monsieurs me parlaient chapeau bas (...) 74
RACINE, les Plaideurs, I, 1.

Chapeau bas! Chapeau bas! Gloire au marquis de Carabas! 75
BÉRANGER, le Marquis de Carabas.

Fam. *Bas les mains, bas les pattes, n'y touchez pas!*

— Bonjour, madame Cloche. Bonjour ma p'tite Titine, et lui pinça la taille. 75.1
— Bas les pattes que j'vous dis. M'touchez pas avant qu'on soye mariés.
R. QUENEAU, le Chiendent, p. 235.

Absolt. **METTRE BAS** (en parlant des animaux supérieurs) : accoucher, faire son ou ses petits. → **Mise** (bas), **parturition; chatonner, chevretter, chevroter, chienner, cochonner, vêler.**

76 (...) en général, dans presque tous les animaux sauvages, le mâle devient plus ou moins féroce lorsqu'il cherche à s'accoupler, et la femelle lorsqu'elle a mis bas (...)
BUFFON, Hist. nat. des animaux, Les quadrupèdes, t. I, p. 302.

77 Lorsque la martre est prête à mettre bas, elle grimpe au nid de l'écureuil, l'en chasse, en élargit l'ouverture, s'en empare et y fait ses petits.
BUFFON, Hist. nat. des animaux, t. II, p. 245.

♦ **2** (En parlant d'un écrit). **PLUS BAS :** plus loin dans le texte. → **Après** (ci-après), **dessous** (ci-dessous), **infra.** *On lira plus bas... Dont nous parlerons plus bas. Voyez plus bas.*

♦ **3** (Dans l'échelle des sons). **a** Sur un ton grave. *Vous chantez trop bas, vous avez pris ce morceau trop bas. Ma voix ne descend pas si bas.*

**b** Cour. À voix basse. *Parler bas, tout bas.* → **Chuchoter, murmurer.**

78 Parlons bas; écoute. CORNEILLE, le Cid, II, 2.

79 Isabelle, à Clarice, tout bas.
CORNEILLE, le Menteur, I, 3 (Jeu de scène).

80 Parle bas, pendarde : tu viens m'ébranler tout le cerveau, et tu ne songes pas qu'il ne faut point parler si haut à des malades. MOLIÈRE, le Malade imaginaire, II, 2.

81 Ils appellent tout bas Mme de Maintenon Madame de Maintenant (...)
Mme DE SÉVIGNÉ, 854, Lettres, 18 sept. 1680.

82 Plusieurs se parlèrent des yeux et du coude en se retirant, et puis à l'oreille bien bas (...)
SAINT-SIMON, Mémoires, 60, 13.

83 Tous deux parlent très bas. Leur vie est un perpétuel chuchotement, un murmure étouffé dont on ne surprend presque rien (...)
G. DUHAMEL, Chronique des Pasquier, XIII.

84 Il riait tout bas, et ne semblait pas gai quand il riait.
COLETTE, la Fin de Chéri.

*Dire qqch. entre haut** (III., B., 3.) *et bas.*

84.1 (...) beaucoup mouraient, et les médecins, surchargés de travail, à court d'espérance, disaient entre haut et bas que cette grippe était la peste, concourant ainsi à aggraver le désarroi des gens.
Suzanne PROU, la Terrasse des Bernardini, p. 132.

**TOUT BAS :** intérieurement, sans parler, en secret, à part soi. *Exprimer tout haut ce que chacun pense tout bas* (→ 1. Général, cit. 14).

85 Mon cœur me condamne tout bas (...)
RACINE, Andromaque, IV, 5.

86 En même temps que sa bouche
Me disait : je ne veux pas,
Ses yeux me disaient tout bas :
Je ne suis pas si farouche (...)
Mme DE LA SABLIÈRE, *in* RICHELET.

87 Ce n'est pas que je n'aie tout bas l'insolence de la croire bonne *(cette tragédie)*; mais je n'oserais le présumer tout haut (...) VOLTAIRE, Lettre à Richelieu, 25 mai 1772.

♦ **4 À BAS.** *Mettre, jeter qqch. à bas.* → **Abattre, démolir, renverser.** *Sauter à bas.*

88 (...) Écoute, bûcheron, arrête un peu le bras!
Ce ne sont pas des bois que tu jettes à bas (...)
RONSARD, Élégies, XXX.

88.1 On nous porta chacun dans notre chambre. — Une heure après, sentant que je ressaisissais la possession de moi-même, je sautai à bas, je fourrai tout ce que j'avais, pêle-mêle, dans ma valise, et je me mis à fuir par le jardin, escorté silencieusement et jusqu'à la porte, par le basset.
VILLIERS DE L'ISLE-ADAM, Tribulat Bonhomet, p. 148.

Par métaphore :

88.2 On sentait qu'un dernier effort de ceux qu'on appelait *les Oranges* allait pouvoir jeter à bas tout l'édifice, si patiemment édifié, de l'Empire.
J. D'ORMESSON, la Gloire de l'Empire, t. II, p. 451.

Fig. *Mettre, jeter... à bas.* → **Abattre, détruire, renverser.**

89 Pour jeter un des partis à bas (...)
CORNEILLE, Horace, I.

Je vous l'avoue, il n'est pas encore temps de mettre à bas 9
Mazarin (...) RETZ, III, 97.

Les ennemis sont à bas (...) 9
BOSSUET, Hist., II, 5, *in* LITTRÉ.

«La Révolution qui a suivi *(le Concile)* a jeté à bas trop de 9
choses (...)»
Julien GREEN, Vers l'invisible, 6 mai 1965, p. 428.

Ellipt. Cri d'improbation (s'oppose à *vive!*). *À bas la calotte! À bas les flics! À bas le gouvernement!*

Crier à bas les ministres (...) 9
BÉRANGER, la Garde nationale, *in* LITTRÉ.

À bas les Sarah Bernhardt, la grande passionnée, qui, 9
aussitôt après être morte au cinquième acte, se relève et court à la caisse pour savoir combien ça lui a rapporté de mourir pour nous!
J. RENARD, Journal, 15 déc. 1897.

Loc. prép. Vx. **À BAS DE.**

Il saute à bas de son lit (...) ROUSSEAU, Émile, II. 9

♦ **5 EN BAS :** vers le bas, vers la terre. *De haut en bas :* en descendant*. *La pointe en bas. Tirer en bas. Se précipiter la tête en bas. Marcher la tête en bas* (→ Antipode, cit. 2; arbre, cit. 35).

Le galant fait le mort, et du haut d'un plancher 9
Se pend la tête en bas (...)
LA FONTAINE, Fables, III, 18.

(...) En rapprochant la mâchoire d'en bas de celle d'en 9
haut (...) MOLIÈRE, le Bourgeois gentilhomme, II, 4.

Un jeune enfant (...) tomba du haut du clocher en bas (...) 9
MOLIÈRE, le Médecin malgré lui, I, IV.

Au-dessous, en dessous. *Il loge en bas, au rez-de-chaussée. Qui frappe en bas? Attendez-moi en bas. Venir d'en bas.* → **Monter.**

D'en bas, monta, par la fenêtre entrouverte, sur le jardin, 9
la voix de baryton du docteur Arnaud (...)
COLETTE, la Fin de Chéri.

(...) le commissaire cria à tout hasard : 9
— Attention, en bas (...)
G. SIMENON, Maigret et le client du samedi, p. 402.

*Par en bas. Tirer par en bas. Ce vase s'élargit par en bas.*

Sa taille est devenue plus fine par en bas (...) 9
Mme DE SÉVIGNÉ, Lettres, 499, *in* LITTRÉ.

Loc. prép. **EN BAS DE ...** (→ ci-dessus, *Au bas de*). *Il était en bas de la colline* (Académie). *Il est tombé en bas d'une échelle. — Retrouvons-nous en bas de l'immeuble,* fam. *en bas de chez moi. — En bas, tout en bas de la hiérarchie.*

**ICI-BAS.** → **Ici.** — **LÀ-BAS.** → **Là.**

CONTR. (Adj.) **Élevé, haut.** — **Supérieur.** — **Levé, relevé.** — **Aigu** (son), 1. **fort.** — **Considérable, élevé, important.** — **Auguste, digne, généreux, grand, noble, pur, respectable, sublime.** — **Élégant.** — (N.) **Cime, comble, dessus, faîte, haut, sommet.** — (Adv.) **Haut.** ◊ DÉR. 2. **Bas,** 2. **basse, bassement, bassesse,** 1. **basset.** — V. 1. **Basse** (et dér.); **baisser.** → COMP. **Branle-bas, basculer, contrebas. Passe-bas.** — V. **Soubassement.** — **Bas-côté, bas-dessus, bas-fond, bas-jointé, bas-mât, bas-port, bas-relief, bas-ventre; basse-cour, basse-fosse, basse-lice, basse-taille.** → HOM. 2. **Bas, bât,** formes du v. **battre.** — (Du fém.) 1. **Basse,** 2. **basse.**

2. **BAS** [bɑ] n. m. — 1500; ellipse de *bas-de-chausses.*

♦ **1** Vêtement souple qui sert à couvrir le pied et la jambe. *L'usage du bas tricoté remonte au XVIe siècle. Bas de laine, de fil, de coton, de soie. Une paire de bas. Pied, semelle, bout, talonnette, tige d'un bas. Bas de sport.* → **Chaussette, mi-bas.** *Mettre, porter des bas. Mettre, chausser, enlever, ôter ses bas. Attacher ses bas.* → **Jarretière.** *Fabrication des bas.* → **Bonneterie.** *Un bas troué. Enter, ravauder, remmailler, rempiéter, renter, repriser des bas. Bas chirurgical, bas à varices, bas élastique.*

Il *(un homme distrait)* voit que son épée est mise du côté 1
droit, que ses bas sont rabattus sur ses talons (...)
LA BRUYÈRE, les Caractères, XI.

2 Le docteur, l'ayant regardé depuis la tête jusqu'aux pieds, lui dit pour toute raison : Prenez garde, Monsieur de La Fontaine, vous avez mis un de vos bas à l'envers; et cela était vrai, en effet.
D'OLIVET, Hist. de l'Acad., t. II, p. 338.

.1 C'était au demeurant, de très braves gens, aux mœurs très douces, et de très calmes destinées. La femme passait sa vie à tricoter des bas à côtes pour son mari (...)
BARBEY D'AUREVILLY, les Diaboliques, «Le rideau cramoisi».

Spécialt, mod. Vêtement féminin qui couvre le pied et la jambe jusqu'au haut des cuisses. → **Collant.** *Bas de soie, de nylon. Bas nylon. Bas sans couture. Bas à baguette, bas à grisotte. Bas fins. Bas indémaillable. Tirer ses bas pour qu'ils ne fassent pas de pli. Attacher ses bas avec des jarretelles. Une maille de mon bas a filé.*

3 Une belle jambe bien tournée, couverte d'un bas de soie couleur de rose, avec une jarretière d'argent (...)
A. R. LESAGE, le Diable boiteux, 8.

4 Sans y prendre garde, elle s'habillait devant lui, tirait avec lenteur ses bas de soie (...)
FLAUBERT, l'Éducation sentimentale, II, II.

Fig. **BAS DE LAINE :** cachette où l'on met l'argent économisé (d'après la coutume attribuée au paysan français de placer ses économies, pièces d'or, etc. dans un bas de laine). — Par ext. Épargne ainsi réalisée.

.1 Louis-Philippe était un imbécile, avec ses bourgeois, et il racontait l'histoire des bas de laine, dans lesquels le roi citoyen cachait ses gros sous (...)
ZOLA, le Ventre de Paris, t. I, p. 94.

Allus. littér. *De la boue, de la merde dans un bas de soie.* → **Soie.**

5 (...) pourparlers diplomatiques qui se réduisirent à ce mot de l'ambassadeur anglais sur M. de Talleyrand : «C'est de la boue dans un bas de soie».
CHATEAUBRIAND, Mémoires d'outre-tombe, III, 1.

Loc. vieillie. *Aller comme un bas de soie :* aller parfaitement, convenir. → **Gant** (aller comme un).

♦ **2** N. m. (1821; dans un contexte angl., av. 1786; calque de l'angl. *bluestocking,* 1757, «personne qui porte des bas bleus»). Péj. **BAS-BLEU :** femme à prétentions littéraires; intellectuelle pédante. → **Pédant.** *Cette fille est un insupportable bas-bleu. Un jeune bas-bleu. Des bas-bleus.* — Adj. *Elle est intelligente, mais un peu trop bas-bleu.*

6 Le Bas-bleu, sans doute ainsi appelé parce qu'il porte des bas noirs, a existé de tout temps (...) Qu'importe, après tout, qu'une femme barbouille quelques mains de papier?
Th. GAUTIER, *in* Pierre LAROUSSE.

7 (...) vous m'écoutez là, tous, vous me faites pérorer comme un bas-bleu (...)
LOTI, les Désenchantées, V, 30, p. 178.

COMP. **Sous-bas.** ◊ HOM. 1. **Bas, bât,** formes du v. **battre.**

**BASAL, ALE, AUX** [bazal, o] adj. — 1838; de *base.*

♦ **1** Qui concerne ou qui constitue la base d'un organe. *Os basal :* os du maxillaire qui en forme la base, à texture dense (s'oppose à *dentaire*).

♦ **2** Fondamental, essentiel. → **Basique.** — Physiol. *Métabolisme* basal.*

REM. Le plur. *basaux* est rare.

CONTR. **Apical.**

**BASALTE** [bazalt] n. m. — 1752; *basalten,* 1553; lat. *basaltes,* altér. de *basanites.*

Roche noirâtre, dense, formée essentiellement de silicoaluminates de calcium et de sodium (→ **Feldspath**) et de silicates ferromagnésiens (→ **Péridot, pyroxène**). *Le basalte renferme de la magnétite* (→ Minerai, cit. 1). *Le basalte est la lave la plus commune.* → **Lave.** *Les coulées de basalte présentent parfois l'aspect de colonnades prismatiques, comparables à des orgues*. Le fond des océans est couvert de basalte sur d'immenses surfaces.*

Toutes ces matières volcaniques, basaltes, laves et laitiers, étant en grande partie d'une essence vitreuse, se décomposent par l'impression des éléments humides (...)
BUFFON, Hist. nat., Les minéraux, t. VIII, p. 112.

DÉR. **Basaltique.**

**BASALTIQUE** [bazaltik] adj. — 1787; de *basalte.*

Qui est formé de basalte. *Roches, laves basaltiques. Orgues* basaltiques* (→ Portique, cit. 2).

J'ai la grotte enchantée, aux piliers basaltiques. 1
HUGO, Ballades, XV, III.

Les effroyables tempêtes, les enlisements d'un certain sable basaltique pareil à de la poussière d'anthracite (...) rendent ces régions funestes aux navigateurs (...) 2
VILLIERS DE L'ISLE-ADAM, Tribulat Bonhomet, p. 151.

Par la faute de cette réforme, la justice n'allait plus être rendue en France aux Sables-d'Olonne, à Cusset, à Saint-Flour, c'est-à-dire sur le sable, dans une cuvette d'eaux sulfureuses, et sur un plateau basaltique. 3
GIRAUDOUX, Églantine, p. 104.

**BASANE** [bazan] n. f. — 1260; *bazenne,* 1150; provençal *bazana,* esp. *badana,* de l'arabe *biṭānăh* «doublure».

♦ **1** Peau de mouton tannée qu'on emploie en bourrellerie, sellerie, maroquinerie, reliure, etc. → **Cuir; alude.** *Livre relié en basane.* — Spécialt. Peau très souple garnissant un pantalon de cavalier (→ Culotte* de peau). *La basane d'un fond de culotte.* Argot. *La basane :* la cavalerie. *Être dans la basane.*

♦ **2** Loc. pop. *Faire, tailler une basane à qqn :* se frapper l'intérieur de la cuisse avec la main en signe de défi injurieux.

Il lui taille, le galopin, une basane tel un vieux griffeton[1] de Courteline... claque sur la cuisse et la main au-dessus du service trois pièces. «Fume, c'est du belge!» 1
A. BOUDARD, Cinoche, p. 38, *in* REY et CHANTREAU, Dict. des locutions..., art. *Fumer.*

1. *Grifton, griveton* «simple soldat».

Figuré :

(...) quand je vois que tes fameux copains te taillent des basanes et te font des crocs-en-jambe. 2
G. DUHAMEL, le Voyage de P. Périot, VIII.

*Une basane,* ce geste de défi (analogue au bras* d'honneur).

DÉR. **Basaner.**

**BASANÉ, ÉE** [bazane] adj. — 1561; de *basaner.*

Qui a pris une couleur brune par l'action du soleil, de l'air (en parlant de la peau). → **Bistré, boucané, bronzé, hâlé.** *Teint basané.*

Les cheveux noirs et lisses, la peau basanée (...) 1
BUFFON, Hist. nat. de l'homme, t. V, p. 3.

(En parlant d'une partie du corps). *Un visage rude et basané.* → **Tanné.**

Sa face, basanée et cuivrée comme celle d'un caraïbe, faisait briller par le contraste ses yeux d'oiseau de proie et ses dents d'une extrême blancheur (...) 1.1
Th. GAUTIER, le Capitaine Fracasse, p. 107.

C'est une belle tête, fortement basanée (...) 2
E. FROMENTIN, Un été dans le Sahara, I.

(D'une personne). *Un vieux loup de mer basané.* — REM. Alors que *bronzé* désigne plutôt l'effet transitoire d'une exposition volontaire au soleil, *basané,* comme *hâlé,* marque un teint obtenu par la vie au grand air et au soleil. Le premier adjectif, plus courant, connote les vacances, les deux autres — surtout au XIXe s. — font songer à une vie libre, sauvage, proche de la nature. *Basané* s'applique même à la pigmentation naturelle, et l'exemple suivant (emprunté au T. L. F.) marque l'opposition raciste des deux valeurs :

3 Vous demandez s'il était beau ? Beau comme un ange ! Le teint un peu basané, non de cette teinte *sombre,* terreuse, résultat certain d'une origine métisse ; il était chaudement basané comme un fruit *mûri au soleil.*
J.-A. DE GOBINEAU, Nouvelles asiatiques, « Les amants de Kandahar », 1876, p. 241.

**BASANER** [bazane] v. tr. — 1507, au p. p. ; de *basane.*

♦ **1** Rare. Recouvrir de basane. — Au p. p. *Pantalon basané.*

♦ **2** Donner la couleur brune de la basane à (qqch.). — (1613). Spécialt. Brunir (la peau humaine). → **Bronzer, hâler.** *Le soleil basane les visages.*

♦ **SE BASANER** v. pron. Rare. *Sur la plage, les vacanciers se basanent au soleil.* → **Bronzer** (se).

DÉR. **Basané.**

**BAS-BLEU** [bablø] n. m. → 2. **Bas,** 2. (cit. 6 et 7).

**BAS-CÔTÉ** [bakote] n. m. — 1676 ; de 1. *bas,* et *côté.*

♦ **1** Archit. Nef latérale d'une église, dont la voûte est moins élevée que la nef principale. → **Collatéral, nef.**

1 J'allai voir la cathédrale, vaisseau gothique à flèche élevée. Les bas-côtés se partagent en deux voûtes étroites soutenues par un seul rang de piliers, de manière que l'édifice intérieur tient à la fois de la cathédrale et de la basilique.
CHATEAUBRIAND, Mémoires d'outre-tombe, IV, 3.

♦ **2** (1829). Espace aménagé le long d'une voie, d'une route, où les piétons peuvent marcher. *Les bas-côtés d'une voie ferrée. Marcher sur les bas-côtés de la route* (lorsqu'il n'y a pas de trottoir). → **Accotement.**

2 (...) la large avenue, à double bas-côté, que bornait la perspective solennelle du château (...)
MARTIN DU GARD, les Thibault, t. IX, p. 56.

Fig. et littér. (abstrait). → **Bord, limite, marge.** *Les bas-côtés de la conscience.*

**BASCULANT, ANTE** [baskylɑ̃, ɑ̃t] adj. — 1922 ; de *basculer.*

Qui peut basculer. *Pont basculant. Wagon basculant. Benne basculante.*

**BASCULE** [baskyl] n. f. — 1549, R. Estienne ; *bacule,* 1466 ; de l'anc. franç. *baculer* (→ Basculer), altéré d'après l'adj. 1. *bas,* au fém. *basse,* et aussi la forme *basse-cule* (O. de Serres).

♦ **1** Pièce ou machine mobile sur un pivot, dont on peut faire lever une extrémité en abaissant l'autre. *La bascule d'un pont-levis. Bascule d'une porte :* barre pivotante, qui permet de fermer une porte. Techn. Pièce permettant à un dispositif de basculer, de pivoter. *Bascule d'un loquet, d'un fusil.*
Pièce permettant à un mécanisme de s'enclencher dans des positions différentes. → **Enclenchement.** *Bascule d'une montre, bascules d'un orgue.* — Dispositif électronique pouvant prendre deux états (0 ou 1) selon que le courant passe dans l'un ou l'autre de ses transistors. → **Binaire ; basculeur.**
Cour. **À BASCULE :** muni d'un dispositif qui permet de basculer, de se renverser. *Brouette, wagonnet à bascule. Appareil à bascule pour élever l'eau d'un puits.* → **Chadouf.** — *Chaise, fauteuil à bascule.* → **Berceuse, rocking-chair ;** et aussi **balancelle.** *Cheval à bascule,* dont les pieds, de forme arrondie, permettent de se balancer.

1 La cuisine avec le classique fauteuil à bascule près de la cheminée (...)
J. GREEN, La Terre est si belle, 15 mai 1977, Journal, p. 140.

Spécialt, vx. *Balance* à bascule* (→ ci-dessous, 2.). Balançoire faite d'une seule pièce de bois en équilibre sur un pivot. *Jeu de bascule :* jeu où deux personnes assises chacune à une extrémité de la bascule s'amusent à se balancer. → **Balançoire.** *Des enfants jouent à la bascule. La bascule,* exercice de voltige dans lequel un acrobate (le *tapeur*), en sautant à l'une des extrémités de la bascule, en propulse un autre (le *voltigeur*). — **DE BASCULE.** *Mouvement, jeu de bascule :* mouvement alternatif semblable à celui d'une bascule. — Fig. Alternance de mouvements en sens contraire. *Politique de bascule :* système qui consiste à s'appuyer alternativement sur des partis opposés. → **Balance.**

(...) mais le Pouvoir 2
S'enferme en sa Doctrine et, dans l'ombre, il calcule
Les problèmes sournois du jeu de sa bascule,
N'entend rien, ne sait rien, et ne veut rien savoir.
A. DE VIGNY, Poésies, « Les oracles ».

♦ **2** Instrument ou appareil à plate-forme comportant une bascule (1.), et qui sert à peser les objets lourds. → **Balance.** *Une bascule au dixième permet de peser des fardeaux avec des poids dix fois plus faibles. La plate-forme ou tablier d'une bascule. Bascule romaine à curseur mobile. Bascule de gare. La bascule du pharmacien. Bascule automatique.* — En appos. Techn. *Pont-bascule.*

♦ **3** Fait de basculer. *Mouvement de bascule. Faire la bascule. Il marchait sur une planche qui a fait la bascule et il est tombé.*

Il se balance doucement sur son fauteuil. Le visage au regard fiévreux, à la barbe grise en désordre, monte et descend avec régularité, dans une lente oscillation périodique. À la fin, il dit, sans cesser son mouvement de bascule, qu'il suffit de contempler quelques instants pour avoir mal au cœur. 3
A. ROBBE-GRILLET, la Maison de rendez-vous, p. 115.

Sports. En gymnastique, Mouvement rapide d'extension et d'élévation du corps afin de changer de position. — Mouvement du corps qui bascule autour de la barre (saut à la perche). — En athlétisme, Position du corps qui facilite la poussée de la jambe d'appui. *Départ en bascule.*

**BASCULEMENT** [baskylmɑ̃] n. m. — XX^e ; de *basculer.*

♦ **1** Action de basculer. *Le basculement d'un wagon.*

♦ **2** Aviat. Figure de haute-école dans laquelle l'avion bascule sur son axe. → **Retournement.**

Après un demi-tonneau en montant sur l'axe de lacet, le basculement vers l'avant doit se faire à vitesse faible.
Henri DETROYAT, Pilote d'acrobatie, 1957, *in* PETIOT.

**BASCULER** [baskyle] v. — 1611 ; *baculer,* 1377, « frapper le derrière contre terre » ; de 1. *bas,* adv., et *cul,* altéré en *basculer* d'après *bascule*.*

**I** V. intr. ♦ **1** (Choses). Passer brusquement d'une position d'équilibre à une autre en pivotant autour d'un axe. *La planche a basculé sous son poids. Faire basculer un wagonnet à benne mobile sur un culbuteur. Le levier bascule.*

Je me retiens pour ne pas, comme par mégarde, faire basculer la trappe qui les maintient prisonniers (...) 1
GIDE, Journal, 1913.

♦ **2** (Choses et personnes). Se renverser en culbutant, tomber la tête la première. → **Culbuter, tomber ; capoter, chavirer, renverser** (se). *Il heurte le pot de fleurs, qui bascule dans le vide.*

Il bascula, les pieds en l'air. COLETTE, Chéri, p. 53. 2

.1 La Candeur fit entendre un rire énorme et administra une tape si solide sur l'épaule de Rouletabille que celui-ci dut se retenir à l'auto pour ne pas basculer dans le ruisseau.
G. LEROUX, Rouletabille chez Krupp, p. 81.

*Il sent qu'il va s'évanouir, les murs de la pièce basculent autour de lui.*

.2 Pourtant il dut bien se passer quelque chose de ce genre, raconta-t-il, puisque à présent la table basculait vers lui dans un fracas de vaisselle brisée.
Claude SIMON, le Palace, p. 61.

♦ **3** Fig. Passer brusquement (dans une situation nouvelle, à une autre position). *L'électorat rural a basculé dans l'opposition. «Si ces industries recevaient des moyens financiers, l'économie basculerait dans la voie du progrès»* (A. Sauvy).

**II** V. tr. Faire basculer (qqch.). *Basculer un tombereau.*

3 Maintenant, des hommes soulevaient la bière, la basculaient, la laissaient redescendre sans heurt au bout de leurs cordes.
MARTIN DU GARD, les Thibault, t. VI, p. 121.

(Compl. n. de personne). *Basculer qqn en arrière.*

4 Je ne parle pas, bien entendu, de celle qu'il avait basculée par-dessus la fenêtre de l'hôtel de la rue des Trois-Couronnes et dont la mort expliquait le silence.
GORON, l'Amour à Paris, t. I, p. 108 (1900).

5 Dès qu'on a été dans l'auto, sous le bungalow, je l'ai basculée sur le siège arrière et je l'ai baisée.
M. DURAS, Un barrage contre le Pacifique, p. 277.

DÉR. **Basculant, basculement, basculeur. — V. Bascule.**

**BASCULEUR** [baskylœʀ] n. m. — 1873; de *basculer.*

Techn. Appareil qui sert à faire basculer (une berline de mine, un wagon; un camion). *Basculeur latéral.* → **Culbuteur.**

Électr. Relais électrique à deux positions. → **Bascule** (1., techn.).

Le basculeur à deux états stables a été pensé et construit une fois; l'homme s'est représenté son fonctionnement un nombre limité de fois, et maintenant le basculeur accomplit indéfiniment son opération de renversement d'équilibre.
Gilbert SIMONDON, Du mode d'existence des objets techniques, p. 138.

**BAS-DESSUS** [badəsy] n. m. invar. — 1703; de 1. *bas,* et *dessus.*

Mus., vx. → **Mezzo-soprano.**

**BASE** [baz] n. f. — 1160; lat. *basis,* mot grec, «marche, point d'appui».

**I** **A** ♦ **1** **a** Partie inférieure d'un objet, sur laquelle il peut porter, reposer. → **Appui** (point d'appui), **assiette, assise, fond, fondement, pied.** «Fondement *et* base *expriment une partie de l'objet, celle qui est bas, sous les autres... Le* fondement *est ce sur quoi est assise la* base» (Lafaye, *Dict. de synonymes*). *La base de l'édifice repose sur le roc, sur une plate-forme de maçonnerie.* → **Fondation.** *Base en saillie d'un bâtiment, d'un mur.* → **Embase, embasement, empattement, soubassement.** *De la base au sommet. Cette poutre ne porte pas directement sur la base, le point d'appui; elle est mal posée, hors de son aplomb, elle porte à faux. La base et la corniche d'un piédestal.* → **Support.** *La base et le fût d'une colonne.* → **Colonne, stylobate.**

1 Ses jambes sont des colonnes d'albâtre,
Posées sur des bases d'or pur.
BIBLE (CRAMPON), Cantique des Cantiques, V, 15.

1.1 Sur le bois verni de la table, la poussière a marqué l'emplacement occupé pendant quelque temps — pendant quelques heures, quelques jours, minutes, semaines — par de menus objets, déplacés depuis, dont la base s'inscrit avec netteté pour quelque temps encore, un rond, un carré, un rectangle, d'autres formes moins simples, certaines se chevauchant en partie, estompées déjà, ou à demi effacées comme par un coup de chiffon.
A. ROBBE-GRILLET, Dans le labyrinthe, p. 10.

**b** Partie inférieure (sans idée d'appui). *La base d'une montagne, d'un rocher.* → 1. **Bas** (II., 1.), **pied.** *À la base des cornes.* → **Racine.** *À la base du cou. La base du crâne* (→ **Basilaire**), *du cerveau.*

(...) les pennes de la queue (...) blanches depuis la base jusqu'au milieu de leur longueur. 2
BUFFON, Hist. nat. des oiseaux, t. IX, p. 65.

À la base de ce rocher est une esplanade couverte de grands arbres. 3
BERNARDIN DE SAINT-PIERRE, Paul et Virginie.

**c** Techn. Partie inférieure de certains objets techniques (partie centrale d'une jante, etc.).

**d** Spécialt. Produit appliqué sous un autre. *Base de maquillage. Base de vernis à ongles.*

**e** Poét. (Dans des expr.). Point d'appui (imaginaire). *Chanceler, trembler sur sa, ses bases.*

(...) la terre chancelle sur ses bases; la lune se couvre d'un voile sanglant *(à la consommation des temps).* 4
CHATEAUBRIAND, le Génie du christianisme, I, VI, 7.

♦ **2** Géom. Droite ou plan à partir duquel on mesure perpendiculairement la hauteur d'un corps ou d'une figure plane. *La base d'une pyramide, d'un cube, d'un cône. La base d'un triangle :* le côté opposé à l'angle pris pour sommet.

La découverte qu'il *(Archimède)* avait faite du rapport de la sphère au cylindre de même base et de même hauteur, qui est comme deux à trois (...) 5
ROLLIN, Hist. ancienne, 1 t. X, p. 100, *in* POUGENS.

Anat. *La base du cœur,* la partie la plus large (opposé à *pointe*).

Géod. Ligne aisément mesurable choisie sur le terrain pour point de départ d'une triangulation.

♦ **3** Ligne sur laquelle s'appuie une armée en campagne, point d'appui de ravitaillement. *Base d'opérations. Base de ravitaillement.* — Au plur. *Les bases d'une armée. Se replier sur ses bases. Couper une armée de ses bases.* — Spécialt. Lieu aménagé et équipé pour le stationnement et l'entretien du matériel et du personnel. *Base navale. Base aérienne* (d'un navire, d'un avion). *Rejoindre sa base, rentrer à sa base. Les bases américaines, soviétiques dans le monde. — Base de lancement :* lieu spécialement aménagé et équipé pour le lancement des engins spatiaux.

Lieu où est regroupé le matériel d'une expédition, point de départ et de repli éventuel. *Base lunaire, spatiale. — Camp de base d'une expédition polaire ou en montagne. Base nautique :* lieu où l'on pratique des sports nautiques.

*Base de loisirs, de plein air :* lieu aménagé pour la pratique d'activités de détente.

Sports. *Ligne de base,* d'un jeu. → **Base-ball.**

**B** Par métaphore. Ce qui sert de point de départ à (qqch.), ce à partir de quoi on peut fabriquer (qqch.). ♦ **1** Principal ingrédient (d'un mélange). *La base d'un médicament, d'une recette de cuisine. Base d'un parfum.*

On attribue au sang *(du canard)* la vertu de résister au venin, même à celui de la vipère : ce sang était la base du fameux antidote de Mithridate. 6
BUFFON, Hist. nat. des oiseaux, Le canard.

**À BASE DE.** *Un plat à base de pommes de terre. Poison à base d'arsenic.*

♦ **2** Math. Nombre qui sert à définir un système de numération, de logarithmes, etc. *La base du système décimal est dix. En base deux, le nombre*

*4 s'écrit 100. La base du logarithme népérien est le nombre e*.*

Système de vecteurs linéairement indépendants. *La base d'un espace vectoriel* (→ **Repère**). *Matrice de passage d'une base à une autre.*

♦ **3** Ling. Radical d'un dérivé formé dans la langue à laquelle il appartient. → **Racine, radical.** *La base de* alunir *est* lun-, *qui représente le mot* lune.

En morphologie, Forme particulière prise par la racine d'un mot variable. *Verbe à une, deux, sept bases. Le verbe* être *a dix bases.*

♦ **4** Techn. Électrode d'un transistor intermédiaire entre l'émetteur et le collecteur.

♦ **5** Inform. *Base de temps :* circuit générateur de signaux de synchronisme. → **Horloge.**

♦ **6** Inform. *Base de données* (trad. angl. *data base*) : ensemble organisé de données concernant un même domaine et accessibles au moyen d'un logiciel spécialisé. → Banque* de données.

**II** (Abstrait). Ensemble des éléments, des principes sur lesquels repose un raisonnement, une proposition, un système, une institution, etc. → **Appui, assiette, assise, centre, départ** (point de), **condition, fond, fondement, origine, pivot, principe, règle, siège, source, soutien, support** (→ Pierre angulaire, clé de voûte). — REM. Dans ce sens, le pluriel peut être synonyme du singulier (*la base* ou *les bases d'une théorie*). *L'équité est la base de toute justice. — Base de calcul. Base de discussion. Avoir pour base un système de valeurs. Faire, constituer la base d'une théorie. Découvrir, fournir, trouver une base, les bases d'un système. Servir de base à un calcul. L'arpentage sert de base au lever des plans et au nivellement. Affermir, asseoir, assurer, élargir, renforcer la base de qqch.* — **PAR LA BASE.** *Ce raisonnement pèche par la base. S'écrouler par la base. Saper qqch. par la base. Reprendre l'édifice par la base.* → **Sous-œuvre.** — **À LA BASE.** *Être à la base de qqch.*, à l'origine, à la source. — **DE BASE.** → **Basal, basique.** *Document, donnée de base.* — Fondamental, le plus important. *Vocabulaire de base. «Nos activités de base»* (Valéry). — Qui sert de référence. *Taux, indice, salaire de base.* — **SUR LA BASE DE.** *Être payé sur la base de tant la page, de quarante heures par semaine.* — Au plur. *Établir les bases d'un raisonnement.* Loc. *Jeter les bases de...* → **Asseoir, établir** (→ ci-dessous, cit. 13 et 19). *Arrêter les bases d'un traité* (Académie). *Établir, fonder une théorie sur des bases sûres, solides, inébranlables. Saper, renverser les bases d'une doctrine.* — Spécialt. Fondement des connaissances de qqn (dans un domaine). *Avoir de bonnes bases en mathématiques. Ce sont les bases qui lui manquent.*

7 (...) de la Doctrine des Opinions Probables qui est la source et la base de tout ce dérèglement.
PASCAL, les Provinciales, 5.

8 La foi, cette base de l'esprit chrétien (...)
MASSILLON, Carême, Prod.

9 Ses éléments *(d'Euclide)* contiennent une suite de propositions qui sont la base et le fondement de toutes les autres parties des mathématiques (...)
ROLLIN, Hist. ancienne, t. XIII, XXVII, 1, p. 130.

10 Je sais de bonne part que vous avez cette fermeté d'âme qui fait la base des grandes vertus (...)
VOLTAIRE, Lettre au Roi de Prusse, 6.

11 Tout système s'écroule à mesure qu'on l'édifie, s'il ne porte sur la base inébranlable des faits et de l'expérience (...)
HELVÉTIUS, *in* LEGOARANT.

12 Les vérités que, dans chaque science, on appelle principes et qu'on regarde comme la base des vérités de détail, ne sont peut-être elles-mêmes que des conséquences fort éloignées d'autres principes plus généraux que leur sublimité dérobe à nos regards (...)
D'ALEMBERT, Mélanges, t. V, III.

Qu'avons-nous à espérer ou à redouter du ministère anglais? Jeter dès à présent les grandes bases d'une éternelle fraternité entre sa nation et la nôtre serait un acte profond d'une politique vertueuse et rare (...) 13
MIRABEAU, Collection, t. V, p. 314.

Ne croyons pas toutefois qu'en nous découvrant les bases sur lesquelles reposent les passions, le christianisme ait désenchanté la vie. 14
CHATEAUBRIAND, le Génie du christianisme, II, III, 1.

Tout drame pèche essentiellement par la base, s'il offre des joies sans mélange de chagrins (...) 15
CHATEAUBRIAND, le Génie du christianisme, II, II, 3.

Des systèmes humains il *(l'homme)* élargit la base (...) 16
LAMARTINE, Harmonies..., I, 11.

(...) dans la construction de cette pyramide de la science, toutes les assises, de la base au sommet, reposent sur l'observation et sur l'expérience. 17
RENAN, Dialogues et Fragments philosophiques, 1886.

Car vous aurez beau faire, c'est toujours avec le même élément de base qu'il vous faudra reconstruire. 18
MARTIN DU GARD, les Thibault, t. III, p. 226.

(...) avant la cinquantaine (...) il aurait déjà jeté les bases de cette méthode personnelle, encore confuse, mais que, certains jours, il croyait bien entrevoir. 19
MARTIN DU GARD, les Thibault, t. III, p. 226.

Il ne paraît pas que ces demandes aient a priori semblé à Fox d'irréductibles obstacles à la conclusion d'un traité. Napoléon ne les considérait d'ailleurs que comme de simples bases données à la négociation (...) 20
Louis MADELIN, Talleyrand, II, p. 16.

Qu'est-ce qu'une société? C'est d'abord, selon l'analyse marxiste, une *base* économique : travail producteur d'objets et de biens matériels, division et organisation du travail. 21
Henri LEFEBVRE, la Vie quotidienne dans le monde moderne, p. 64.

Spécialt. *Base de calcul d'un tarif, d'un impôt.* — Absolt. *Indice à base fixe. Base d'imposition.*

(...) de temps en temps, il est nécessaire, à cause des transformations apportées aux immeubles, de revoir la base des impôts fonciers (...) 22
G. SIMENON, Maigret et le client du samedi, p. 327.

REM. Dans la langue classique et postclassique, le mot reste souvent une métaphore du sens concret ou géométrique (→ ci dessus, cit. 17).

**III** (Fin XVIII$^{e}$; d'abord pour désigner des corps conçus comme situés à la *base* d'une hiérarchie qui ordonnait les substances des plus altérables, telles la soude et la potasse, aux moins altérables, tels l'or et le platine; puis opposé à *acide*, l'évolution des connaissances chimiques ayant conduit à découvrir la forte réactivité d'un acide mis en présence d'une *base* entendue au sens précédent; pour l'évolution ultérieure du concept, se reporter aux sens 2, a et 2, b). **Chimie.** ♦ **1** (Vx en chim.; avant la théorie atomique et dans la langue semi-courante). Corps chimique capable de réagir avec un acide (réaction *acido-basique*) de manière à donner un sel et de l'eau. → **Hydroxyde.** *La soude, la potasse, l'ammoniaque sont des bases.*

Comme il suffit qu'un acide et une base alkaline, ou terreuse, soient mis en contact dans un état favorable à leur combinaison, pour qu'il en résulte un nouveau produit chimique (...) 23
CABANIS, Rapports du physique et du moral de l'homme, p. 242 (1808).

♦ **2** Chim. mod. **a** (Depuis Brönsted et Lowry). Espèce chimique apte à accepter un proton d'une autre espèce dite *acide. L'ion hydroxyle $OH^-$ a des propriétés basiques; la soude, qui comprend de tels ions, est une base.* — On dit, dans ce sens, *base protonique.*

b (Depuis Lewis). Espèce chimique apte à céder un doublet électronique à une autre appelée *acide (base de Lewis). L'eau est une base, de même que la pyridine, les hydrocarbures aromatiques, etc.*

En appos. *La fonction base.* → 1. **Basique.**

IV ♦ **1** Par métaphore (de I., A., 1.). Polit. Niveau le plus bas, dans un groupe humain hiérarchisé (dans des expressions, toujours au sing.). *Discuter à la base* (opposé à *au sommet*). *Militer à la base. Militant* de base. Union à la base.*

♦ **2** Par métonymie. a (1933). Ensemble des militants d'un parti politique ou d'un syndicat, par rapport aux dirigeants (opposé à *appareil, état-major...*). → **Basisme, basiste.** *Un militant de la base. La base a décidé la grève. Consulter la base. En référer à la base.*

b Dans l'Église catholique, Ensemble des fidèles et du bas clergé, par rapport à la hiérarchie (pape, évêques).

c (1968). Masse des travailleurs (syndiqués ou non) considérée en tant que force socio-politique.

24 Le fait essentiel n'est pas que la base *est* pauvre, sans pouvoir politique réel, sans culture, c'est que les maîtres l'ont dépouillée de l'avoir, du pouvoir, et du savoir, par le jeu des exploitations, des oppressions, des dominations.
Roger GARAUDY, Parole d'homme, p. 191.

CONTR. **Sommet. — Chapiteau, cime, couronnement, dessus, faîte, haut, pinacle.** ◇ DÉR. **Basal, baser, basilaire,** 1. **basique, basisme, basiste.** ← COMP. **Embase, embasement.**

**BASE-BALL** [bɛzbol] n. m. — 1889; mot amér., de *base* «ligne ou piquet de jeu», et *ball* «balle».

Jeu de balle voisin du cricket, qui se joue entre deux équipes sur un terrain jalonné par des «bases» (piquets), avec une batte et une balle (sport pratiqué surtout en Amérique du Nord). *Chaque équipe de base-ball comprend un batteur* et plusieurs lanceurs*. Champion de base-ball. Les grandes équipes de base-ball.*

Frank se retourne et repère, à une cinquantaine de mètres, un petit joueur de base-ball, casquette à visière, blouson américain et chaussures de tennis (...)
Régis DEBRAY, l'Indésirable, p. 17.

**BASEDOWIEN, IENNE** [bazdojɛ̃, jɛn] adj. et n. — V. 1920; de *Basedow,* n. du médecin qui a décrit la maladie.

Méd. Relatif à la maladie de Basedow (goitre exophtalmique). *Nature basedowienne d'une exophtalmie.*

N. Personne atteinte de la maladie de Basedow. *Un basedowien, une basedowienne.*

**BASELLE** [bazɛl] n. f. — 1750; d'une langue de l'Inde.

Plante dicotylédone *(Chénopodiacées),* vivace et grimpante, que l'on cultive comme légume dans les régions tropicales. *Les feuilles de la baselle se mangent comme celles de l'épinard.*

**BASER** [baze] v. tr. — 1787; «avoir pour fondations», 1401; de *base.*

I Faire reposer sur (une base). *Baser un système sur des faits, son raisonnement, sa démonstration sur une hypothèse, ses calculs sur un fondement peu solide.* — (Au passif). *Cette prétention n'est basée sur rien.* → **Appuyer, échafauder, fonder, reposer** (faire), **tabler.** *La notion d'appui* (cit. 6), *dans le chant, est basée sur... L'organisation de l'armée* (cit. 11) *est basée sur la division en régions militaires.* — REM. Cet emploi, pourtant attesté chez Balzac et d'autres grands auteurs, a été critiqué par certains puristes; R. de Gourmont (*Esthétique de la langue française,* p. 129) l'a défendu.

Baser *(une opinion)* : Établir un raisonnement sur une base quelconque, élever un bâtiment sur des fondements solides, appuyer une opinion sur des fondements incontestables, voilà ce qu'on appelle baser dans le style neuf et laconique des écrivains révolutionnaires. Ce mot est très nouveau, très curieux, très joli. 0.1
GALLAIS, Extrait d'un dict. inutile, 1790, *in* D. D. L., II, 11.

(...) le précepte est fondé sur le droit, qui est absolu, tandis que le conseil est basé sur la charité qui relève de la munificence gracieuse. 1
R. THAMIN et P. LAPIE, Lectures morales, p. 422.

SE BASER : s'appuyer, se fonder. *Sur quoi vous basez-vous pour affirmer cela? Il ne se base sur rien de solide.* → **Tabler.**

Toute tyrannie se base sur l'ignorance et la peur. 2
L. BLANC, *in* Pierre LAROUSSE.

II (De *base militaire*). Attacher à une base militaire. *Baser un porte-avions à Toulon, des avions à terre.* — Passif et p. p. *Être basé à Brest; navires de guerre basés à Brest.*

L'aviation maritime emploie des avions *(terrestres)* basés à terre ou sur un porte-avions (...) 3
GRUSS, Dict. de marine, art. *Avion.*

Donner comme port d'attache à (un bateau). *Baser un cargo à Nantes. Baser un bateau de plaisance à Antibes. Yacht basé à La Rochelle.*

**BAS-FOND** [bafɔ̃] n. m. — 1690; de 1. *bas,* et *fond.*

I ♦ **1** (1798). Terrain bas et enfoncé. → **Creux, dépression, fond.** *Un bas-fond marécageux. Ce pré, situé dans un bas-fond, est inondé tous les hivers. Il n'a gelé, ce printemps, que dans les bas-fonds* (Académie).

Sur les hauteurs pierreuses, il n'y avait toujours que les ajoncs, ras aux fleurs jaune d'or; mais dès qu'on passait dans les bas-fonds abrités contre le vent de la mer (...) 1
LOTI, Pêcheur d'Islande, III, 5, p. 155.

Plus loin, des aulnes décelaient un bas-fond; dans les jours les plus torrides, une fraîcheur fugitive, à cet endroit, se posait sur les joues en feu des jeunes filles. 2
F. MAURIAC, Thérèse Desqueyroux, IX, p. 156.

♦ **2** (1840, Balzac). Fig. Au plur. Couches misérables de la société, où l'homme se dégrade moralement. *Les bas-fonds de New York. Les bas-fonds de la société. Vivre dans les bas-fonds. L'argot des bas-fonds. Les Bas-fonds,* œuvre de Gorki; film de Jean Renoir.

Partout des guenilles trouées, de vieux manteaux graisseux et déteints aux intempéries, des membres scrofuleux ou difformes, de pâles visages usés ou abrutis, lamentable amas de laideurs et de maladies, sorte de bas-fond humain (...) 3
TAINE, Philosophie de l'art, t. II, p. 228.

Par métaphore. *Toucher un bas-fond moral.* — (Abstrait). *Les bas-fonds de l'âme.*

— (...) Je me suis laissé sombrer (...) J'ai touché le fond, le bas-fond (...) 4
MARTIN DU GARD, les Thibault, t. VI, p. 225.

Dieu n'a pas accoutumé d'appeler une âme sur les hauteurs pour la rejeter dans les bas-fonds. 5
F. MAURIAC, la Pharisienne, II, 31.

II Partie du fond de la mer, d'un fleuve, où l'eau est peu profonde par rapport aux endroits voisins et où la navigation est praticable. → 2. **Basse, haut-fond.** *Déceler les bas-fonds au moyen d'une sonde.*

Les voyageurs assurent que la navigation est très difficile sur la mer Noire et sur la mer Caspienne, à cause de leur peu de profondeur et de la quantité d'écueils et de bas-fonds qui s'y rencontrent. 6
BUFFON, Hist. nat., 2e discours.

CONTR. **Élévation, hauteur, sommet.**

**BASIC** [bazik] n. m. — Attesté 1980 en français; élaboré v. 1965; mot angl., sigle de *Beginner's All-purpose Symbolic Instruction Code* «code universel pour enseigner aux débutants», évoquant l'adj. *basic* «de base». → 2. Basique.

Anglic. Type de langage informatique dérivé du Fortran, appelé aussi BX1, qui présente un mode conversationnel. *Basic complet, étendu, évolué. Basic intégré. Compilateur, interpréteur de Basic* (ou, adj., *compilateur Basic*). *Jeux en Basic.* «*Le Club Méditerranée propose déjà* (...) *un atelier d'initiation au basic, le langage informatique universel*» (*F Magazine*, juil.-août 1981).

Dans l'exposé sont inclus des programmes de calculs écrits en Basic et destinés à être implantés sur des mini-calculateurs dotés de table traçante ou d'écran graphique. Ils permettront aux utilisateurs aussi bien étudiants qu'ingénieurs de traiter simplement des applications qui sont pénibles ou quasi-impossibles sans moyen de calcul.
la Recherche, oct. 1980, p. 1053.

REM. 1. *Basic* prend, de préférence, la majuscule. 2. On écrit (rarement) *Basique* pour désigner le *Basic français* (exceptionnel par rapport au *Basic anglais*).

HOM. 1. **Basique**, 2. **basique**.

**BASICITÉ** [bazisite] n. f. — 1838; de 1. *basique*.

♦ **1** Chim. Qualité d'une base (III.). *Degré de basicité d'un corps.*

♦ **2** Minér. Qualité propre à la roche basique.

(...) pour lui *(Iddings)* la série des éruptions aurait débuté par un type moyen; puis le magma initial, en se différenciant, aurait produit des roches de plus en plus dissemblables, jusqu'à un certain maximum de basicité, concomitant avec un maximum corrélatif d'acidité.
Émile HAUG, Traité de géologie, Structure et composition des roches d'origine interne, t. I, XX, p. 310.

**BASIDE** [bazid] n. f. — 1837, Léveillé, *in* Cottez, art. *-idie*; du lat. (ou du grec) *basis* «base», et *-ide*, francisation du suff. diminutif lat. *-idium* (grec *-idion*). → -idie. REM. Le mot est donné comme masc. dans Littré et Robin, 1855.

Bot. Cellule reproductrice sur laquelle se développent les spores (→ **Basidiospore**), chez les champignons basidiomycètes. *Baside non cloisonnée* (dite *homobaside*), *en forme de massue. Baside cloisonnée* (dite *hétérobaside*). *Les basides portent les spores sur de fins canalicules* ou *stérigmates; il y a le plus souvent quatre spores par baside. Organe formé par le groupement des basides.* → **Hyménium.**

COMP. **Hétérobaside, homobaside** (V. ci-dessus), **protobaside.** ◊ DÉR. **Basidien.**

**BASIDIEN, IENNE** [bazidjɛ̃, jɛn] adj. — XXe (attesté 1969); de *baside*.

Bot. Propre aux basides, à une baside. *La cellule basidienne est le siège de la méiose dont sont issus les noyaux des futures spores.*

**BASIDIOLICHEN** [bazidjolikɛn] n. m. — XXe (attesté 1960); de *basidio-* (→ Basidiomycètes), et *lichen*.

Bot. Lichen dont le champignon est un basidiomycète.

**BASIDIOMYCÈTES** [bazidjomisɛt] n. m. pl. — 1885; lat. sav. *Basidiomycetes*, dû au botaniste all. H.-A. de Bary, 1865, de *basidio-*, élément représentant le lat. *basidium* «baside», et *-mycetes*, du grec *mukêtes*, plur. de *mukos*, *mukêtos* «champignon». → -mycètes. REM. Le terme s'est substitué à *basidiosporés* — (Léveillé, 1837).

Bot. Ordre de champignons à mycélium cloisonné dont les cellules reproductrices ou basidiospores sont produites par une cellule mère ou baside où s'effectue d'abord la fusion de deux noyaux (caryogamie dangeardienne). *Le carpophore des basidiomycètes est généralement développé et charnu; de nombreux basidiomycètes sont comestibles. On compte 15 000 espèces de basidiomycètes réparties en deux groupes : les hétéro-* (ou *phragmo-*) *basidiomycètes, à basides cloisonnées* (oreille de Judas, trémelle) *et les homobasidiomycètes, à basides non cloisonnées* (clavaire, hydne, bolet, agaric, gastéromycète). *On rapproche des basidiomycètes deux autres ordres : les Urédinales et les Ustilaginales dont les cellules reproductrices ou sporidies sont formées par des protobasides dérivant d'une téleutospore* (spore bicellulaire résistant au froid, formée en automne et germant au printemps). → **Baside, carpophore, hyménium, sporidie.** — Au sing. *Un basidiomycète.*

**BASIDIOSPORE** [bazidjɔspɔʀ] n. f. — Probablt mil. XIXe (pas av. mil. XXe dans les dict. généraux : *in* Quillet, 1953); de *basidio-*, et *spore*. → Basidiomycètes (étymologie).

Bot. Spore formée sur une baside.

**BASILAIRE** [bazilɛʀ] adj. — 1314; de *base*, avec élargissement *-il-*.

Anat. Qui sert de base, appartient à une base. *Os basilaire* : ensemble osseux situé à la base du crâne. *Apophyse basilaire, veine basilaire. Membrane basilaire,* située à la base du canal cochléaire.

L'os basilaire ou cunéiforme ou sphénoïde, de figure semblable à une chauve-souris (...)
Ambroise PARÉ, III, 4.

**BASILE** [bazil] n. m. — D. i. (au XIXe, on trouve des emplois figurés du nom propre, dans ce sens, cf. Pierre Larousse); n. d'un personnage du *Barbier de Séville* et du *Mariage de Figaro* de Beaumarchais.

Vx et littér. Calomniateur vil et sot.

**BASILEUS** [bazileys] n. m. invar. — 1864, Fustel de Coulanges, au sens général de «souverain dans l'antiquité grecque»; mot grec, «roi, chef, souverain». → Basilique.

Didact. (hist.). Empereur byzantin.

1. **BASILIC** [bazilik] n. m. — 1120; lat. *basiliscus*, grec *basiliskos*, proprt «petit roi», à cause du pouvoir qu'on lui attribuait.

Didactique.

♦ **1** Myth. Reptile auquel les anciens attribuaient le pouvoir de tuer par son seul regard.

Elles ont les yeux tant *(si)* vénéneux, que quiconque les 1
voit meurt soudainement, comme qui verrait un basilic.
RABELAIS, le Cinquième Livre, 30.

Il *(le vin)* finit par mordre comme un serpent et par piquer 2
comme un basilic.
BIBLE (CRAMPON), Proverbes, XXIII, 32.

Mais, ô malheureuse et respectable reine! comment vous 3
retrouvé-je en ce lieu écarté, vêtue en esclave, et accompagnée d'autres femmes esclaves qui cherchent un basilic pour le faire cuire dans de l'eau de rose par ordonnance du médecin? VOLTAIRE, Zadig, XVIII.

Fig., vx. *Des yeux de basilic* : des yeux qui expriment le courroux et la haine. *Faire des yeux de basilic* (Académie).

♦ **2** (1809). Zool. Reptile saurien d'Amérique *(Crassilingue)*, semblable à l'iguane. *Le basilic porte sur la nuque une expansion cornée et sur le dos et la queue une crête dentée épineuse.*

♦ **3** (1510). Gros canon utilisé au XVIe siècle. → **Couleuvrine.**

HOM. 2. **Basilic**, 1. **basilique**, 2. **basilique.**

2. **BASILIC** [bazilik] n. m. — 1425; *bazeillecoq*, 1393; bas lat. *basilicum*, du grec *basilikon*, proprt «royal».

Bot. Plante dicotylédone (*Labiacées;* n. sc. : *Ocimum*), dont les feuilles très aromatiques sont employées en cuisine comme condiment. *Le basilic, plante vulnéraire. Poulet au basilic.*

Aux environs, l'herbe de baume, dont les feuilles sont en cœur, et les basilics à odeur de girofle, exhalaient les plus doux parfums.

BERNARDIN DE SAINT-PIERRE, Paul et Virginie, p. 48.

HOM. 1. **Basilic**, 1. **basilique**, 2. **basilique.**

**BASILICAL, ALE, AUX** [bazilikal, o] adj. — 1798, *in* D. D. L.; «de la basoche», XVIe; de 1. *basilique*.

Archit. Qui appartient à la basilique. *Plan basilical d'une église* (opposé à *plan centré*).

(...) le vieux type basilical, avec ses portiques intérieurs, est abandonné, et le système de la voûte prend un rôle décisif.

G. CONTENEAU et V. CHAPOT, l'Art antique, p. 379.

1. **BASILIQUE** [bazilik] n. f. — 1495; lat. *basilica*, du grec *basilikê stoa* «portique (*stoa*) de l'archonte-roi». → Basileus, basoche.

Didactique.

♦ **1** (1530). Antiq. romaine. Édifice rectangulaire divisé en plusieurs nefs et terminé en hémicycle (→ **Abside**), qui servait de tribunal, de lieu de rendez-vous pour les gens d'affaires, etc. *Basilique romaine.*

♦ **2** Arts. Église chrétienne (spécialt, église du haut moyen âge) bâtie sur le plan des basiliques romaines. → **Basilical.** *L'atrium, le vestibule* (→ **Narthex**), *la nef centrale, les bas-côtés* (cit. 1) *et l'abside d'une basilique. La crypte d'une basilique.*

1 Conserver à l'Église les basiliques que les hérétiques voulaient occuper (...)

BOSSUET, Disc. sur l'Hist. universelle, I, II.

2 (...) les colonnes, les frises de marbre, tout est disparate, arraché ici à une chapelle des croisades, là à une basilique des empereurs grecs, à un temple de Vénus ou bien à une synagogue. LOTI, Jérusalem, VIII, p. 89.

3 Le programme de la basilique romane est celui d'une sorte de reliquaire immense, mais ouvert à tous.

Henri FOCILLON, l'Art d'Occident, p. 61.

♦ **3** Plus cour. Église privilégiée. *Basilique majeure, mineure. La Basilique Saint-Pierre de Rome.* — Titre conféré par le pape à certains sanctuaires. *La Basilique de Lourdes.*

4 (...) il voyait la basilique triomphale, débordante des dix mille pèlerins, flamboyante de l'éclat du Saint-Sacrement, parmi la fumée des encensoirs (...)

ZOLA, Paris, t. II, p. 259.

DÉR. **Basilical.** ◊ HOM. 1. **Basilic**, 2. **basilic**, 2. **basilique.**

2. **BASILIQUE** [bazilik] adj. et n. f. — 1398; lat. sc., du grec *basilikê* «royale» d'où «principale», par l'arabe *bāsilīqāh*, nom d'une veine.

Anat. *Veine basilique*, ou, n. f., *la basilique :* veine la plus volumineuse de la face antérieure du bras, qui continue la veine cubitale et se jette dans la veine humérale interne (et parfois dans la veine axillaire).

Que les saignées soient fréquentes et plantureuses : en premier lieu, de la basilique (...)

MOLIÈRE, Monsieur de Pourceaugnac, I, 8.

HOM. 1. **Basilic**, 2. **basilic**, 1. **basilique.**

**BASIN** [bazɛ̃] n. m. — 1642; aphérèse de *bombasin*, 1299, compris plus tard comme *bon basin*; ital. *bambagino*, de *bambagia* «coton», du lat. médiéval *bambax* (mot grec). → aussi Bombyx.

♦ **1** Étoffe croisée dont la chaîne est de fil et la trame de coton. *Un jupon de basin* (→ Affaire, cit. 64).

Les lignes du corps (...) sont si nettement accusées par les plis éclatants du jupon et par le basin du corset, que la femme est irrésistible (...) 1

BALZAC, la Cousine Bette, Pl., t. VI, p. 494.

Le bel homme à manches vertes, chemise de dessus en basin. Pieds nus devant le pacha. 2

E. DELACROIX, Journal, 26 janv. 1832.

♦ **2** (Techn.). Tissu damassé présentant des effets de bandes longitudinales. — En franç. d'Afrique. → **Bazin.**

**BASION** [bazjɔ̃] n. m. — V. 1900; dér. sav. du grec *basis* «base».

Anthrop. Bord antérieur du trou occipital sur la ligne médiane.

Le lien fondamental entre le crâne et la charpente posturale est, on s'en souvient, le *basion*, bord antérieur du trou occipital.

A. LEROI-GOURHAN, le Geste et la Parole, t. I, p. 84.

1. **BASIQUE** [bazik] adj. — 1830; «de la base (d'une colonne)», 1540, Rabelais; de *base*.

Chim. Qui se rapporte à une base (III.), qui a les propriétés d'une base. → **Basicité** (1.). *Propriétés basiques. Solution basique. Colorant basique :* base colorée (fuchsine, bleu de méthylène, thionine). *Sel basique*, capable de se combiner avec un acide (parce qu'il contient de l'oxygène ou des groupements hydroxyles) pour former un sel neutre.

Spécialt (minér.). *Roche basique*, qui contient peu de silice (40 à 55 %), opposée aux *roches acides**. → **Alcalin, basicité** (2.). *Les basaltes, les phonolites sont des roches basiques.*

DÉR. et COMP. **Basicité. Bibasique.** ◊ HOM. **Basic**, 2. **basique.**

2. **BASIQUE** [bazik] adj. — 1949, M. Ghyka, *in* D. D. L.; de l'angl. *basic English*, sigle de *British American Scientific International Commercial* «anglo-américain scientifique et commercial international».

Anglic. critiqué. *L'anglais, le français basique*, de base, fondamental.

Si fraîchement débarqués qu'ils s'expriment dans un français à peine basique, ignorent *Au Clair de la lune* (...) 1

Jacques PERRET, Bâtons dans les roues, p. 106.

Par extension :

(...) le capitaine les apostropha avec la brutalité qui lui était ordinaire, dans une langue qu'ils ne comprenaient pas, qui était de l'allemand prononcé à la française et jalonnée de toutes les injures basiques qui formaient l'élément du vocabulaire de cet officier. 2

Jacques LAURENT, les Bêtises, p. 54 (1971).

HOM. **Basic**, 1. **basique.**

**BASISME** [bazism] n. m. — V. 1980; de *base*, IV, 2, «ensemble des militants d'un parti».

Polit. Attitude des militants d'un parti, d'un syndicat s'exprimant en dehors des structures hiérarchiques traditionnelles. «*Les confédérations devraient bien réaliser que le refus du syndicalisme et le basisme inorganisé sont d'abord des réactions unitaires*» (*le Nouvel Obs.*, 2 janv. 1987, p. 23).

**BASISTE** [bazist] adj. et n. — 1984, de *base*, IV, 2.

Polit. Relatif au basisme ; issu de la base (d'un parti, d'un syndicat, d'un mouvement). *Le radicalisme basiste d'un mouvement social.*

N. *Les basistes d'un parti.*

**BAS-JOINTÉ, ÉE** [baʒwɛ̃te] adj. — 1660 ; de 1. *bas*, et *jointé*.

Hippisme. Se dit d'un cheval aux paturons courts.

1. **BASKET** [baskɛt] ou (vieilli) **BASKET-BALL** [baskɛt-bol] n. m. — 1903 ; *basket-ball*, 1898 ; mot angl. des États-Unis, de *basket* « panier », et *ball* « balle, ballon ».

Sport se jouant entre deux équipes de cinq personnes qui doivent lancer un ballon dans le panier du camp adverse. *Match, tournoi de basket. Jouer au basket. Les paniers de basket sont accrochés très haut, à un panneau en bois. Chaussures de basket.* → 2. **Basket.**

Dans un fauteuil, près des rideaux, un gaillard athlétique en jeans, maillot de corps, biceps, chaussures de basket, lisait un journal de bandes dessinées.
R. GARY, Clair de femme, p. 107.

DÉR. 2. **Basket, basketteur.**

2. **BASKET** [baskɛt] n. f. — 1953, *in* D. D. L. ; de 1. *basket* (chaussures de basket).

Chaussure de sport lacée, en toile (parfois en cuir léger et souple), moulant la cheville, à semelle et rebords de caoutchouc. → **Tennis.** *Porter des baskets. En blue-jean et baskets* (→ Décarrer, cit.).

Loc. fam. *Être à l'aise dans ses baskets* : être à l'aise, décontracté. → **Cool.** S'oppose à *être à côté de ses pompes.*

*Lâche-moi les baskets* : fiche-moi la paix, laisse-moi tranquille (cf. Lâche-moi la grappe, le mollet).

*L'avoir dans les baskets* : être trompé, roulé. → **Baba** (l'avoir dans le). « *Comme dirait Marinette : ils vont l'avoir dans les baskets* » (*Charlie-Hebdo*, 22 déc. 1977).

Loc. fam. *Faire baskets* : partir sans payer. « *Aller dîner (...) dans un vrai restaurant (...) et filer vite à la dernière gorgée de cognac ("faire baskets")* » (*le Nouvel Obs.*, 12 déc. 1977).

**BASKETTEUR, EUSE** [baskɛtœʀ, øz] n. — 1930 ; de 1. *basket*.

Joueur, joueuse de basket. *Équipe de basketteurs. Les basketteurs sont généralement très grands. Une très bonne basketteuse.*

C'est là que les organisations sportives venaient acheter médailles, breloques, diplômes, insignes, coupes, statuettes représentant des footballeurs, des rugbymen, des basketteurs.
R. SABATIER, Trois sucettes à la menthe, p. 114.

**BAS-MÂT** [bama] n. m. — 1831 ; de 1. *bas*, et *mât*.

Mar. Partie inférieure d'un mât de grande dimension, formée de pièces d'assemblage à joints alternés.

**BASMATI** [basmati] n. m. — 1985 ; hindi *bāsmatī*, de *bās* « parfum » et *matī*, suff. exprimant la possession.

Riz indien naturellement parfumé, aux grains très blancs et très fins. « *Le meilleur des riz indiens est le basmati* » (*le Monde Loisirs*, 8 juin 1985, p. III). — En appos. « *Un riz basmati, très fin et rapide à cuire, est par contre très fragile* » (*Marie-Claire*, 1er avr. 1991).

**BASOCHE** [bazɔʃ] n. f. — XVe ; p.-ê. d'une forme pop. du lat. *basilica* « église » (→ 1. Basilique), ou (Guiraud) d'un gallo-roman **basocca*, de *basis* « base » au sens fig. de « siège ».

♦ **1** Anciennt. Communauté de clercs dépendant des cours de justice. *Roi, prince de la basoche.* *Gens de basoche*, de justice.

(...) les gens de basoche, avec cette pointe d'admira- 1
tion que leur inspirent toujours d'habiles canailles, concluaient unanimement que les parlementaires ne laisseraient jamais ouvrir un procès où ils pouvaient sombrer.
M. BARRÈS, Leurs figures, p. 13.

♦ **2** (1833, Balzac, *in* D. D. L.). Mod. (Fam., péj.). Gens de justice, avoués, clercs, huissiers, etc. ; traits de caractère, mœurs de cette corporation. *Appartenir à la basoche.*

(...) mais toutes *(les tombes)* montraient des noms connus, 2
— des noms bien parisiens, notaires, magistrats, commerçants notables — alignant là leur devanture comme aux quartiers de basoche ou de négoce.
Alphonse DAUDET, l'Immortel, p. 160.

Le juriste fait prime. On s'arrache tout ce qui de près ou 3
de loin touche à la basoche. Dans tout l'immense territoire des États-Unis on ne trouve plus un seul avocat sans cause, ni un seul homme de loi qui batte la dèche dans les bars. Avoués, notaires, huissiers, commis, stagiaires, scribouillards se ruent en Californie où ils s'abattent pêle-mêle avec les chercheurs d'or internationaux dont l'afflux n'est point terminé.
B. CENDRARS, l'Or, *in* Œ. compl., t. II, p. 216.

DÉR. **Basochien.**

**BASOCHIEN, IENNE** [bazɔʃjɛ̃, jɛn] adj. et n. — 1480 ; de *basoche*.

Vx, hist. ou didact. Qui appartient à la basoche.

N. Membre de la basoche. — Fam., rare. Homme de loi.

**BASOPHILE** [bazɔfil] adj. — 1903, in *Rev. gén. des sc.*, no 2, p. 108 ; de *base* (III.), et *-phile*.

Didact. Qui fixe les colorants basiques, comme la thionine (s'oppose à *acidophile*). *Leucocytes basophiles*, à noyau unique volumineux, en petit nombre dans le sang. → **Éosinophile.** *Cellules, tissus basophiles.*

*(Les grains chromatiques de Nissl)* sont insolubles dans des 1
solutions acides concentrées, solubles au contraire dans des solutions acides faibles et surtout dans des solutions basiques : ils sont basophiles.
L. TESTUT, Traité d'anatomie, II (1905).

(...) les *cellules acidophiles* ou *éosinophiles*, dont les granu- 2
lations se colorent intensément en rouge avec l'éosine et certains autres colorants acides, et les *cellules basophiles*, possédant des granulations qui fixent les colorants basiques.
Pierre REY, les Hormones, p. 16-17.

**BASOPHOBIE** [bazɔfɔbi] n. f. — 1903, P. Janet ; du grec *basis* « action de marcher » (→ Abasie), et *phobie*.

Psychol. Crainte morbide de tomber en marchant, entraînant dans certains cas l'impossibilité de marcher. *L'ataxie peut s'accompagner de basophobie.*

**BAS-PORT** [bapɔʀ] n. m. — 1879, Daudet ; de 1. *bas*, et *port*.

Vx. Partie d'un port située près de la passe d'entrée, près de l'ouverture sur la mer. *Des bas-ports.* — Vx. *Le bas-port*, partie peu élevée des quais de la Seine, à Paris, où s'effectuait la manipulation des marchandises.

**BASQUAISE** [baskɛz] adj. et n. f. — 1867 ; de 2. *basque.*

Du Pays Basque. *La race bovine basquaise.* — N. f. *Une Basquaise :* une femme originaire du Pays Basque. — (Vx au masc.). → 2. **Basque.**

Cuis. *À la basquaise :* avec des tomates, des poivrons et du jambon cru. — Ellipt. *Basquaise. Sauce basquaise. Poulet basquaise,* avec des tomates et des poivrons et souvent accompagné de riz.

1. **BASQUE** [bask] n. f. — 1532 ; *baste,* 1351, «repli qu'on fait à une pièce d'étoffe» ; p.-ê. empr. au provençal *basto* «retroussis, repli d'étoffe», du germanique **bastjan* «bâtir», ou (Guiraud) du lat. pop. **basica,* doublet de **basitum,* du rad. de *base, baser,* comme *bâche.*

♦ **1** Anciennt. Partie d'étoffe qui pendait au bas du corps du pourpoint.

1 Des tapisseries de ce temps-là représentent ce prince *(François I^er^)* et ses courtisans vêtus comme des Pantalons, c'est-à-dire d'un pourpoint à petites basques et d'un caleçon tout d'une pièce avec les bas.
SAINT-FOIX, Essai d'une histoire sur Paris, Œ. compl., t. IV, p. 114.

2 (...) pourquoi la fortune a-t-elle accroché à sa roue la basque de mon pourpoint avec le pan du manteau des rois ?
CHATEAUBRIAND, Mémoires d'outre-tombe, IV, 3.

♦ **2** Mod. Partie rapportée (d'une veste) qui part de la taille et descend plus ou moins bas sur les hanches. → **Pan.** *Les basques d'une jaquette* (→ Alpaga, cit. 1). *Tirer qqn par les basques de son habit.*

3 (...) il portait à présent l'habit à longues basques ouvert sur l'empesé de la chemise (...)
COURTELINE, Messieurs les ronds-de-cuir, VI, 2.

Loc. fam. *Être toujours pendu, suspendu aux basques de qqn,* le suivre partout, ne pas le quitter d'un pas, et, par ext., l'importuner (→ Être toujours dans les jambes de qqn).

♦ **3** Techn. Pièce de plomb en forme de basque sur une toiture.

2. **BASQUE** [bask] adj. et n. — 1578, n. ; lat. *Vasco, -onis,* plur. *Vascones,* désignant les populations composites du S.-O. de la France. → Gascon.

♦ **1** Adj. Se dit du pays (région de l'Ouest commune à la France et à l'Espagne) habité par une population que caractérise sa langue non indoeuropéenne (caractéristique unique dans cette région d'Europe), autrefois appelé Biscaye, et de ce qui s'y rapporte. *Le Pays Basque* ou *Pays Basque français ; les provinces basques espagnoles. Le peuple basque. La langue basque* (→ ci-dessous, 3., *le basque*). *Un paysan basque. Des autonomistes basques.* — *Béret* basque* ou, vx, *bonnet* (cit. 4) *basque. Pelote* basque. Tambourin basque* (autrefois appelé *tambour de basque,* où *basque* est substantif).

1 Les Zingari allaient par troupes avec des tambours de basque et des castagnettes.
VOLTAIRE, Essai sur les mœurs, 104.

2 La guitare et le tambourin basque accompagnent la séguidille chantée, que les mendiantes d'Espagne jettent comme une petite ironie légère, dans ce vent tiède, au-dessus des morts.
LOTI, Ramuntcho, I, 4, p. 40.

3 (...) un vieux bonhomme (...) se hâte de fermer au-dessus de leurs têtes les contrevents du premier étage, afin de leur permettre de jouer au traditionnel jeu basque, à la pelote au mur, sans risquer de casser les vitres.
LOTI, Figures et choses..., p. 63.

♦ **2** N. *Un, une Basque* (→ **Basquaise**) : un habitant, une habitante du Pays Basque ; une personne qui en est originaire.

Loc. fam. Vx (langue class.). *Courir comme un Basque :* courir très vite et longtemps.

Vous m'avez fait trotter comme un Basque. 4
MOLIÈRE, le Dépit amoureux, I, 2.

Vx. *Un tour de Basque :* une ruse. — Loc. mod. *Parler le français comme un Basque* (vasco) *espagnol, une Basque* (vasca) *espagnole,* le parler très mal, l'estropier. → **Vache** (*infra* cit. 3.3).

*Tambour de basque* (calque du lat. *tympanium Vasconium*) : petit tambour à grelots, à cymbales ou à castagnettes. → **Bedon** (de Biscaye). → ci-dessus, cit. 1. — Chorégr. *Pas de basque :* figure de danse, sorte de marche cadencée à partir de pas glissés.

♦ **3** N. m. (1710). *Le basque,* langue non indoeuropéenne parlée au Pays Basque. *Apprendre, parler le basque* (ou *euskara*). *Le basque compte huit dialectes. Étudier le basque* (être basquisant). *Parler basque.* — Adj. Relatif au basque. *La grammaire basque. Dictionnaire basque.*

DÉR. **Basquaise.** — V. **Basquine.**

**BASQUINE** [baskin] n. f. — 1532, *vasquine ;* esp. *basquina* «seconde jupe que les femmes mettent sur la première pour sortir dans la rue», de *basco* «natif du Pays Basque». → 2. Basque.

♦ **1** Jupe ample, bouffante, qui était en usage au Pays Basque et dans quelques régions d'Espagne.

*(Cette Espagnole)* 1
Qui soulève, en dansant son fandango léger,
Les plis brodés de sa basquine (...)
HUGO, les Orientales, 21.

Sa basquine agitait ses paillettes d'azur (...) 2
HUGO, les Orientales, 33.

Peigne au chignon, basquine aux hanches, 3
Une femme accourt en dansant (...)
Th. GAUTIER, Inès.

♦ **2** Anciennt (XVI^e^). Corsage décolleté, sans manches, assez rigide, qui se portait sous les vêtements. *La basquine est l'ancêtre du corset. «Cette taille espagnole qui fait craquer les basquines»* (Balzac, *Modeste Mignon,* 1844, *in* T. L. F.).

**BAS-RELIEF** [baʀəljɛf] n. m. — 1547 ; calque de l'ital. *bassorilievo* composé de *basso* «bas» et *rilievo* «relief».

Archit. Ouvrage de sculpture en faible saillie sur un fond uni (s'oppose à *haut-relief* [cit. 1]). → **Basse-taille** (vx), **relief.** *Moulage des bas reliefs* (lottinoplastie). *Bas-relief égyptien, renaissance. Bas-relief polychrome.* — *Sculpture en bas-relief.*

L'on voit en bas-reliefs (...) les aventures de la déesse 1
FÉNELON, Télémaque, IV.

Bas-reliefs qui représentaient Jupiter changé en taureau, le ravissement d'Europe, et son passage en Crète au travers des flots. 2
FÉNELON, Télémaque, IX.

Je me rappelais ma rue aux femmes de Tolga, et cette double rangée de figures charmantes collées au mur comme des bas-reliefs peints 3
FROMENTIN, Un été dans le Sahara, II.

1. **BASSE** [bas] n. f. — 1660 ; ital. *basso* «bas» («basse», en mus.), bas lat. *bassus.* → 1. Bas.

Musique et courant.

♦ **1** Celle des parties qui fait entendre les sons les plus graves des accords dont se compose l'harmonie. *Composer, chanter, jouer la basse d'un quatuor.* — *Basse fondamentale :* basse non écrite qui formait le fondement rationnel de l'harmonie dans la théorie de Rameau. — *Basse chiffrée,* se dit d'un procédé de notation consistant en chiffres et signes qui symbolisent des intervalles et que l'on place au-dessus des notes de la partie de basse pour indiquer les accords. — *Basse continue,* qui ne s'interrompt pas pendant la durée du morceau. → **Continuo.** — *Basse contrainte,* qui reproduit une même phrase pendant que varient les autres parties. — REM. Dans le langage courant, *basses* se dit pour sons graves.

1 Il y a *(dans Atys de Quinault)* un sommeil et des songes dont l'invention surprend; la symphonie est toute de basses et de tons si assoupissants qu'on admire Baptiste sur nouveaux frais. M^me DE SÉVIGNÉ, 271.

2 Lulli fut le premier en France qui fit des basses (...)
VOLTAIRE, le Siècle de Louis XIV, 33.

3 (...) deux méchantes voix dont l'une chantait le dessus et l'autre râlait une basse (...)
SCARRON, le Roman comique, I, 15.

♦ **2** *Voix de basse,* ou, ellipt., *basse :* voix d'homme la plus grave. → **Basse-taille** (vx). *Basse noble* ou *profonde,* la voix la plus grave (autrefois *basse-contre*). *La basse des chantres de l'église orthodoxe.* — *Basse chantante :* intermédiaire entre la basse profonde et la voix de baryton. — Appos. *Baryton-basse.*

4 (...) une belle voix de basse, étoffée et mordante, qui remplissait l'oreille et sonnait au cœur.
ROUSSEAU, les Confessions, V.

5 (...) l'évêque de Beauvais qui avait une caverneuse voix de basse était venu donner l'absoute.
MARTIN DU GARD, les Thibault, t. IV, p. 265.

5.1 Et la basse faisait encore monter, descendre et remonter, dans le sourd et le voilé de sa gorge, la lamentation du Sacrifice, d'une agonie d'Homme-Dieu, modulée, soupirée avec le timbre humain.
Ed. et J. DE GONCOURT, Madame Gervaisais, p. 97.

Celui qui a une voix de basse. *Une basse de l'Opéra. Une basse noble. Une basse chantante. Les basses du chœur.*

6 Et Gorillon la basse; et Grandin le fausset (...)
BOILEAU, le Lutrin, V.

7 Il m'a cité l'exemple d'un chantre de Notre-Dame (je crois que c'était une basse), à qui un rhume avait fait perdre entièrement la voix (...)
RACINE, Lettres, III, À Boileau.

Loc. fam. *Doucement les basses! :* n'exagérez pas, modérez-vous!

8 Au plus gracieux d'une arabesque, Samuel est heurté de dos, ce qui lui fait accélérer le mouvement de façon très inesthétique. Il dit cordialement : «Hé là, doucement, les basses!» et fait pivoter Hélène afin de voir quel est son agresseur involontaire.
Denyse VAUTRIN, le Reste de l'âge, p. 112.

♦ **3** Instrument de musique dont l'échelle sonore correspond à la voix de basse. — **BASSE DE VIOLE,** «que les Italiens appellent aussi "viola di gamba", c'est-à-dire, *viole de jambe* (ou *gambe*), parce qu'on la tient entre les jambes» (Brossard, in *Encyclopédie,* 1703). *La basse de viole est aujourd'hui remplacée par le violoncelle.*

Techn., mus. (vieilli dans le lang. cour.). Violoncelle. — Instrument de cuivre jouant les notes graves (dans les fanfares, les orchestres d'harmonie).

9 (...) puis les musiciens entrèrent les uns après les autres, et ce fut d'abord un long charivari de basses ronflant, de violons grinçant, de pistons trompettant, de flûtes et de flageolets qui piaulaient.
FLAUBERT, M^me Bovary, II, XV.

(Empr. à l'angl. *bass*). En jazz, Contrebasse*. *Jouer de la basse.* → **Bassiste.**

Dans la pop-music, Guitare basse. *Basse électrique.*

10 Le passage à la basse ne lui posa guère de problèmes : il *(Paul Mc Cartney)* retrouvait un instrument qui satisfaisait son goût de la régularité et de la précision.
Alain DISTER, les Beatles, p. 46.

♦ **4** Plur. **BASSES :** grosses cordes de certains instruments; sons qu'elles rendent. *Ce piano a de belles basses.*

CONTR. **Contre-ténor, dessus, haute-contre, ténor.** ◊ DÉR. **Bassiste.** — V. 2. **Basset** (cor de), **basson.** → COMP. V. **Basse-contre, contrebasse.** → HOM. **Basse** (fém. de 1. *bas*), 1. **basse.**

## 2. BASSE [bas] n. f. — 1484; de 1. *bas.*

Mar. Banc de roches ou de corail, situé à faible profondeur, mais que l'eau ne découvre pas à marée basse. → **Bas-fond** (II.).

L'entrée du port était étroite et dangereuse à cause des bancs et des basses qui s'y rencontrent (...)
Jean-François SARRASIN, Histoire du siège de Dunkerque, *in* LITTRÉ.

HOM. **Basse** (fém. de 1. *bas*), 1. **basse.**

## BASSE-CONTRE [baskɔ̃tʀ] n. f. — 1512; de 1. *basse,* et *contre,* pour traduire l'ital. *contra-basso* «voix la plus basse».

Mus. (Vx). Voix de basse la plus grave (mod. *basse profonde*). *Des basses-contre* (plur. grammaticalement normal, mais aberrant dans le système du français). — *Par métonymie.* Chanteur doté de cette voix.

CONTR. **Contre-ténor, haute-contre.**

## BASSE-COUR [baskuʀ] n. f. — XIII^e, «cour des dépendances d'une maison»; de *basse,* fém. de 1. *bas,* et *cour.*

♦ **1** Vx ou hist. Cour secondaire où se trouvaient les écuries et les dépendances.

♦ **2** Mod. Cour de ferme, enclos, emplacement réservé à l'élevage de la volaille et des petits animaux domestiques. *Des basses-cours. La basse-cour de la ferme, basse-cour de ferme. Animaux de basse-cour. Une basse-cour où les poules circulent en liberté. Les poulaillers, les clapiers d'une basse-cour.*

On peut élever les animaux de basse-cour de deux façons : 1
en liberté ou dans des espaces clos (...) Pour bien installer une basse-cour, il faut accorder dix mètres carrés à chaque volaille; avec cette superficie, l'entretien de la basse-cour se borne, en dehors de la distribution de la nourriture, au nettoyage des abreuvoirs, des mangeoires, des pondoirs, des perchoirs et des cloisons du poulailler.
Omnium agricole, p. 104.

♦ **3** Par métonymie. Ensemble des animaux de la basse-cour. *Les cris, le caquetage, les piaillements de la basse-cour.*

Elle attirait les coups, comme une poule blessée que toute 2
la basse-cour vient picoter.
MONTHERLANT, les Jeunes Filles, p. 218.

Fig., iron. Personnes qui parlent bruyamment, s'agitent. *Allez, silence, la basse-cour!*

DÉR. **Basse-courier.**

## BASSE-COURIER, IÈRE [baskuʀje, jɛʀ] n. — 1863, *in* Littré; de *basse-cour.*

Rare. Personne chargée des soins de la basse-cour. *Des basses-couriers.* — En apposition :

Un matin, j'apprends par mon chef basse-courier que j'ai deux poules diphtériques (...) Comment avaient-elles pu attraper cette contagion, ici, où, chaque jour, les parquets, le sol, les mangeoires, l'eau, la nourriture tout enfin est désinfecté?... Je me le demande encore.
O. MIRBEAU, la 628-E8, coll. 10/18, p. 137 (1905).

## BASSE-FOSSE [basfos] n. f. — 1468, Chastellain; de *basse,* fém. de 1. *bas,* et *fosse.*

Vx. Cachot souterrain très profond. → **Oubliettes.** *Une «cellule de basse-fosse»* (Camus, *la Chute,* 1956).

Ils prirent Jérémie, et ils le jetèrent dans la basse-fosse de 1
Melchias qui était dans le vestibule de la prison (...)
BIBLE (SACY), Jérémie, XXXVIII, 6.

Loc. cour. **CUL-DE-BASSE-FOSSE** : cachot creusé dans la basse-fosse même; «fond» de basse-fosse.

2 Le calife (...) le plongea dans un cul-de-basse-fosse (...)
FLAUBERT, Trois contes, II, 2.

**BASSE-LICE** [baslis] n. f. → 2. **Lice** (2.). REM. On écrit aussi *basse-lisse.*

**BASSEMENT** [basmɑ̃] adv. — 1174, Guernes de Pont-Sainte-Maxence; de 1. *bas.*

♦ **1** Vx (jusqu'au XVIIe). À voix basse.

♦ **2** (1690). Mod., littér. ou style soutenu. D'une manière basse (1. Bas, I., 4.), indigne, mesquine, vile. *Agir, se conduire bassement.* Être bassement intéressé. *Louer bassement* (→ Aduler, cit. 1). *Se venger bassement. S'exprimer bassement.* → **Grossièrement.**

1 Petites jalousies, petites intrigues, tout est petit, tout est bassement méchant (...)
VOLTAIRE, Lettre à Richelieu, 29 avr. 1772.

Allus. littéraire :

2 Le slogan de Flaubert : j'appelle bourgeois quiconque pense bassement (...) GIDE, Journal, 22 août 1937.

CONTR. **Dignement, généreusement, noblement. — Élégamment.**

**BASSERIE** [basʀi] n. f. — Fin XIXe; p.-ê. de l'anc. franç. *basse* «cuve», du lat. **baccia,* de **bacca, *baccus* «auge, récipient». → 1. Bac.

Techn. Passage des peaux à tanner dans une série de cuves remplies de jus de tanin. *La basserie fait gonfler les peaux. Cuves de basserie,* dans lesquelles on procède à cette opération.

**BASSESSE** [basɛs] n. f. — 1120; de 1. *bas.*

**I** Vx. Défaut de hauteur, d'élévation.

1 Il y a un certain degré de hauteur et un certain degré de bassesse que le mercure n'outre-passe presque jamais *(dans un baromètre).*
PASCAL, Fragments, III, *in* LITTRÉ.

**II** ♦ **1** Vx ou relig. État d'infériorité de la nature humaine, de l'homme déchu. *La bassesse naturelle de l'homme, la bassesse de notre nature. La bassesse, le néant* de l'homme.* → **Faiblesse; animalité, infirmité, misère; abaissement, déchéance.**

2 À mesure qu'on a plus de lumière, on découvre plus de grandeur et plus de bassesse dans l'homme.
PASCAL, Pensées, VII, 443.

3 Il est dangereux de trop faire voir à l'homme combien il est égal aux bêtes, sans lui montrer sa grandeur. Il est encore dangereux de lui trop faire voir sa grandeur sans sa bassesse. PASCAL, Pensées, VI, 418.

4 Que la fortune ne tente donc pas de nous tirer du néant ni de forcer la bassesse de notre nature (...)
BOSSUET, Oraison funèbre de Henriette-Anne d'Angleterre.

5 Ô mort!... Toi seule nous convaincs de notre bassesse, toi seule nous fais connaître notre dignité...
BOSSUET, Sermon pour la quatrième semaine de carême, sur la mort.

6 Je sais qu'il *(Jésus-Christ)* est venu dans le dépouillement et dans la bassesse.
MASSILLON, Avent, Circoncision.

7 Il y a si loin de la bassesse de nos pensées à l'essence divine (...)
ROUSSEAU, Julie ou la Nouvelle Héloïse, VI, 11.

♦ **2** Vx (langue class.). Caractère humble, modeste (sur le plan des hiérarchies et des jugements sociaux). *La bassesse du sang, de la position, du rang social. La bassesse de sa naissance, de son extraction, de son origine, de sa condition.* → **Médiocrité, obscurité.**

8 La bassesse du sang ne va point jusqu'à l'âme (...)
CORNEILLE, Don Sanche, V, 5.

Il *(le Seigneur)* daigne jeter les yeux sur la bassesse de sa servante, la choisir et la combler de dons et de grâces (...) 9
MASSILLON, Avent, Conception de la Vierge, *in* LITTRÉ.

Dreux, dans le désespoir de la bassesse plus que très crasseuse de sa naissance, ne perdait pas une occasion de s'en venger contre la vérité. 10
SAINT-SIMON, Mémoires, 427, 170.

♦ **3** Mod. (Littér. ou style soutenu). Manque d'élévation (des sentiments, des pensées...); spécialt, absence de dignité, de fierté, de qualité morale. *La bassesse de qqn, sa bassesse. Il est d'une bassesse incroyable, ignoble. Bassesse de l'âme, du cœur, du caractère, des sentiments, des pensées.* → **Abaissement** (cit. 3), **abjection, avilissement, corruption, crapulerie, dégradation, grossièreté, honte, ignominie, indignité, infamie, lâcheté, laideur, petitesse, platitude, servilité, traîtrise, turpitude, vénalité, vice, vilenie;** (par métaphore) **bas-fond, boue, déchéance, fange, fond, marais, marécage.** — *La bassesse d'un vil courtisan, d'un adulateur, d'un flagorneur, d'un flatteur, d'un lâche complaisant, d'un intrigant, du fourbe, de l'hypocrite, du faux apôtre, du menteur, du parjure, du traître, d'un envieux, d'un jaloux. Être envieux, jaloux avec bassesse. Il s'est vengé, mais sans bassesse.* — Absolt. *La bassesse. Pousser la complaisance jusqu'à la bassesse. Il pousse la bassesse jusqu'à se mettre à plat ventre devant lui* (→ Cirer, lécher les bottes). *La bassesse et l'intérêt. Une âme éloignée de toute bassesse.*

Un cœur noble ne peut soupçonner en autrui, 11
La bassesse et la malice
Qu'il ne sent point en lui. RACINE, Esther, III, 9.

Le vers se sent toujours des bassesses du cœur. 12
BOILEAU, l'Art poétique, IV.

La souplesse, la bassesse, l'air admirant, dépendant, rampant (...) SAINT-SIMON, Mémoires, 406, 7 . 13

Un misérable à qui on a ôté le nom de scélérat qu'on ne trouvait pas encore assez abject, pour lui donner celui de coquin comme exprimant mieux la bassesse et l'indignité de son âme (...) ROUSSEAU, Dialogues, I. 14

(...) nos arlequins de toute espèce imitent le beau pour le dégrader, pour le rendre ridicule; ils cherchent dans le sentiment de leur bassesse à s'égaler ce qui vaut mieux qu'eux (...) ROUSSEAU, Émile, II. 15

(...) Les hommes sont bassesse, ou bien férocité. 16
HUGO, la Légende des siècles, «Rois et peuples», XX, 11.

Petitesse des vanités, bassesse des haines. 17
JAURÈS, Hist. socialiste, t. VI, p. 182.

Ce qui nous fait le plus rougir sous nos cheveux grisonnants ou disparus, c'est la bassesse de certains désirs que nous avons eus et dont le souvenir nous écœure. 18
J. RENARD, Journal, 13 mars 1906.

(...) il n'y avait pas en lui *(Morel)* que la bassesse qui le faisait être plat devant la dureté et répondre par l'insolence à la douceur. 19
PROUST, Sodome et Gomorrhe, I, p. 270

Cet ennemi des siens, ce cœur dévoré par la haine et par l'avarice, je veux qu'en dépit de sa bassesse vous le preniez en pitié. 20
F. MAURIAC, le Nœud de vipères, Avant-propos.

♦ **4** Vx (langue class.). Caractère d'un langage, d'un style bas*. *La bassesse d'une expression.* → **Grossièreté, trivialité, vulgarité.**

Quelle bassesse, ô Ciel! et d'âme et de langage! 21
MOLIÈRE, les Femmes savantes, II, 7.

Quoi que vous écriviez, évitez la bassesse (...) 22
BOILEAU, l'Art poétique, I.

Seuls, dans leurs doctes vers, ils pourront vous apprendre 23
Par quel art sans bassesse un auteur peut descendre;
Chanter Flore, les champs, Pomone, les vergers (...)
BOILEAU, l'Art poétique, II.

(...) une familiarité *(chez Bayle)* qui tombe quelquefois dans la bassesse. 24
VOLTAIRE, le Siècle de Louis XIV, Bayle.

♦ **5** *Une, des bassesses* (vieilli au sing.), action basse qui fait honte. → **Indignité, lâcheté, trahison.** *Faire des bassesses* (→ Apprendre, cit. 39). *Rougir d'une bassesse. Acheter, se procurer un avantage, une faveur par des bassesses, à force de bassesses et d'intrigues.* → **Compromission, courbette, démarche, platitude, vilenie.**

25 L'art des bassesses et des souplesses l'avait rétabli en sa première faveur (...)
SAINT-SIMON, Mémoires, I, 223.

26 Les hommes corrompus n'ont aucune pudeur, et ils sont toujours prêts à toutes sortes de bassesses (...)
FÉNELON, Télémaque, XXIV.

27 Il n'y avait point de bassesses que les rois ne fissent pour obtenir le titre d'allié des Romains (...)
MONTESQUIEU, Grandeur et Décadence des Romains, 6.

28 (...) payer de quelque livraison, de quelque trahison, de quelque bassesse une tranquillité précaire.
Ch. PÉGUY, Notre jeunesse, 17 juil. 1910.

CONTR. **Élévation, fierté, générosité, grandeur, noblesse, orgueil, pureté. — Distinction.**

1. **BASSET** [basɛ] n. m. — 1606; adj., XII^e, «qui est un peu bas»; dimin. de 1. *bas.*

♦ **1** Chien courant très bas sur pattes. *Le teckel est une variété de basset.*

1 «(...) il y viendra, le drôle!» Il y vint, à son dam.
Voilà maint basset clabaudant;
Voilà notre renard au charnier se guindant.
LA FONTAINE, Fables, XII, 23.

2 On peut chasser le renard avec des bassets (...)
BUFFON, Hist. nat. des animaux, Le renard.

3 J'agitai donc la cloche : un domestique des plus âgés vint m'ouvrir, escorté d'un énorme basset à poils roux, qui devait joindre, dans la maison, les fonctions de chien de garde à celle d'étrangleur de messieurs les rats.
VILLIERS DE L'ISLE-ADAM, Tribulat Bonhomet, p. 67.

♦ **2** Fam., vx. Petit homme à jambes grosses et courtes. — REM. La forme fém. *bassette* [basɛt] «petite femme» est rare.

2. **BASSET** [basɛ] n. m. — 1866, *in* P. Larousse; ital. *bassetto,* de *basso.* → 1. Basse.

Mus. **COR DE BASSET :** clarinette basse.

**BASSE-TAILLE** [bastaj] n. f. — XVI^e, «bas relief»; mus., XVII^e; de *basse,* fém. de 1. *bas,* et *taille.*

Vieux ou histoire de la musique.

♦ **1** Sculpt. Vx. → **Bas-relief.**

♦ **2** Mus. Anciennt. Baryton. — *Voix de basse-taille,* et, par ext., *basse-taille :* voix d'homme plus grave que la voix de baryton. → **Basse.** — Fam. et vieilli. Voix, son vocal très grave.

1 Lucie poussait sa plainte aiguë, Arthur modulait à l'écart des sons moyens, et la basse-taille du ministre ronflait comme un orgue, tandis que les voix de femmes, répétant ses paroles, reprenaient en chœur, délicieusement.
FLAUBERT, M^me Bovary, II, XV.

2 Une voix de basse-taille, derrière eux, vient les interrompre, un bonjour basque, creux comme un son de caverne (...) LOTI, Ramuntcho, II, 3, p. 237.

**BASSETTE** [basɛt] n. f. — 1674; ital. *bassetta.*

Ancien jeu de cartes proche du lansquenet. *Jouer à la bassette.*

1 Si vous êtes au-dessus de la rage de la bassette, si vous vous possédez vous-mêmes (...)
M^me DE SÉVIGNÉ, À Bussy, 18 déc. 1678.

2 (...) plumer quelque peu les jeunes clercs en leur apprenant la bassette, le passe-dix et le lansquenet dans leurs plus fines pratiques, et en leur gagnant par manière d'honoraires, pour la leçon qu'il leur donnerait en une heure, leurs économies d'un mois, tout cela souriait énormément à Porthos.
DUMAS, les Trois Mousquetaires, t. II, p. 392.

1. **BASSIN** [basɛ̃] n. m. — V. 1165, Benoît de Sainte-Maure, *bacin;* du lat. pop. *baccinus,* de **baccus.* → 1. Bac.

**I** ♦ **1** Récipient portatif creux, de forme généralement ronde ou ovale, souvent destiné à contenir un liquide. → **Cuvette, vase.** *Bassin de métal, de faïence, de porcelaine, de matière plastique. Bassin d'ablutions. Bassin à laver les mains, les pieds.* → **Bain, tub.** *Bassin rempli de braise, pour chauffer les lits.* → **Bassinoire.** *Une aiguière* d'or sur un bassin d'argent.* → **Aquamanile.** — Vx. *Bassin à barbe.* → **Plat.** — *Un large bassin de cuivre, de zinc.* → **Bassine.** *Petit bassin.* → **Bassinet.**

(...) j'ai fait apporter ici quelques bassins d'oranges de la Chine, de citrons doux et de confitures (...) 1
MOLIÈRE, l'Avare, III, 7.

(...) il y avait un réchaud, une théière d'argent, une chocolatière, des tasses d'argent avec leurs soucoupes, des cuillères, des bassins en porcelaine pour les sandwiches et le beurre, des boîtes pour le sucre, pour le chocolat, pour le thé (...) 2
Valery LARBAUD, Fermina Marquez, XI, 117.

Par métonymie. Contenu d'un bassin. → **Bassinée.** *Jeter un bassin d'eau chaude dans un tub.*

Vx. *Bassin à cracher.* → **Crachoir.** — Loc. *Cracher au bassin* (Rabelais, I, 11, et IV, ancien Prologue) : donner de l'argent qu'on voudrait ne pas donner (par allus. au *bassin de la quête,* plat où l'on recevait les offrandes à la messe). → **Bassinet** (cracher au bassinet).

Je pouvais aussi dire aux Huguenots (...) que, s'ils ne crachaient au bassin, je les ferais tous ruiner. Combien m'en eussent-ils donné pour être assurés de leurs vies et *(de leurs)* biens. 3
MONLUC, Commentaires, VII, *in* HUGUET.

Il me fallut aussi cracher au bassin du chirurgien. 4
A. R. LESAGE, Gil Blas, VII.

*Bassin hygiénique,* et, absolt, *bassin :* récipient de forme spéciale (en tôle émaillée, en matière plastique, etc.) dans lequel les malades alités font leurs besoins. → **Haricot, urinal.** *Passer le bassin à un malade.*

*Bassins d'une balance,* les deux plateaux. → **Balance.**

Par anal. (Rare). *Bassin d'or :* bouton-d'or. → **Bassinet** (II., 1.).

♦ **2** Construction ornementale ou utilitaire, ordinairement en pierre, destinée à recevoir de l'eau; plan d'eau (dans un jardin, un parc). → **Réservoir.** *Le grand bassin des Tuileries.* → **Pièce** (d'eau). *Le jet d'eau du bassin jaillit des souches* (tuyau). *Bassin pour la natation.* → **Piscine.** *Le grand bassin, le petit bassin d'une piscine. — Bassin d'arrosage. Ce bassin cube tant d'hectolitres. Cimenter, corroyer un bassin. Le bassin d'une fontaine.* → **Vasque.** *Le bassin d'une église.* → **Baptistère.**

J'écoutais chanter l'eau dans les bassins de marbre (...) 5
LAMARTINE, Jocelyn, I, 50.

(...) un banc de pierre devant un bassin rond, entouré de roses jaunes qui lui formaient un collier d'ambre; un jet d'eau y sautillait en tintant : c'était un jouet de fée; il s'amusait indéfiniment avec lui-même bénissant l'onde, autour de lui, de gouttelettes perlées. 6
Edmond JALOUX, le Jeune Homme au masque, I, 2.

À l'heure où, aux deux bouts du parc, un bassin est déjà plein de l'eau violette du clair de lune, et un bassin plein encore de l'eau d'or du soleil couchant (...) 6.1
PROUST, Jean Santeuil, Pl., p. 550.

(...) la gueule énorme d'un égout reprenait cette onde malsaine pour la conduire on ne savait où (...) mais le fond 6.2

même du bassin ne devait jamais être à sec ; et le reporter avait tout de suite estimé que ce serait là une tombe admirable pour un corps qui devait disparaître sans laisser de trace. G. LEROUX, Rouletabille chez Krupp, p. 162.

*Bassin de pisciculture.* → **Étang, parc ; bouchot.** *Bassin de décantation :* réservoir où sont traitées les eaux usées. → **Épurateur.**

♦ **3** Par anal. Enceinte, partie d'un port fluvial ou maritime délimitée par des ouvrages (jetées, etc.) et dans laquelle les navires sont à flot. *Bassin à flot,* accessible à haute mer et qui, fermé par une écluse*, maintient constante la hauteur d'eau. *Bassin de marée,* où la hauteur est soumise au flot et au jusant. *Bassin naturel, ouvert.* → **Rade.** *Bassin artificiel.* → **Darse, dock.** *Les bassins de l'Arsenal* (cit. 1) *de Venise.*

6.3 Puis rue qui s'en va
Chercher les bassins,
Bouges, galetas,
Où vont les marins (...)
Max ELSKAMP, la Rue Saint-Paul.

*Bassin de calfatage, d'échouage, de radoub, de carénage,* que l'on assèche pour réparer ou construire des navires. → **Cale** (sèche). *Bassin de radoub flottant.* → **Dock.** — Techn. *Bassin de carène, d'essai de carène :* bassin de laboratoire où l'on teste des prototypes de coques de bateaux.

7 La France n'avait avant le règne de Votre Majesté aucun havre qui fut capable de recevoir une flotte royale (...) c'est par la prudence et les ordres de Votre Majesté que le paradis de Calais, le bassin du Havre de Grâce, la chambre de Brest (...) ont été bâtis.
P. FOURNIER (1643), *in* Augustin JAL, Glossaire nautique, 1850 (*in* LITTRÉ, Dict., art. *Paradis*).

♦ **4** Géogr., cour. *Bassin hydrographique, bassin d'alimentation, bassin-versant,* et, absolt, *bassin :* espace géographique alimentant un cours d'eau et drainé par lui. *Deux bassins sont séparés par une ligne de partage* des eaux. Le bassin d'une mer,* région arrosée par tous les cours d'eau qui s'y jettent. *Bassin d'un fleuve,* territoire arrosé par ce fleuve et ses affluents. *Le bassin de la Seine.*

Géol. Vaste dépression naturelle immergée ou dont la mer s'est retirée (par oppos. à *massif*). → **Cuvette.** *Le Bassin parisien.*

8 Les géologues disent qu'une région, pour une époque déterminée, formait un bassin quand elle était continuellement ou habituellement recouverte par la mer. Ce terme s'oppose à celui de massif (...)
P. POIRÉ, Dict. des sciences, art. *Bassin.*

9 Dans son ensemble, le bassin de Paris forme une sorte d'amphithéâtre géologiquement constitué par des cuvettes successives de terrains de plus en plus récents, emboîtées les unes dans les autres : cuvettes dont les affleurements dessinent, sur la carte géologique, des zones circulaires concentriques, jurassique, puis crétacée, puis tertiaire, autour d'un centre situé à peu près à Paris.
Il y a là une disposition qui se retrouve pour nombre de capitales également situées au centre d'un bassin tertiaire.
L. DE LAUNAY, Géologie pratique, éd. Colin, p. 286.

Par ext. Groupement de gisements de minerais. *Bassin houiller.* → **Carbonifère.** *Bassin minier, pétrolifère. Le bassin de Briey* (fer). → **Gisement.** — Par métonymie. Administration, fonction économique d'une telle zone. *Le bassin houiller de Lorraine a été touché par la crise économique.*

Cour. Dépression ou plaine entourée de montagnes, de collines élevées. → **Cuvette, dépression, plaine.** *Cette ville est au centre d'un magnifique bassin, d'un riche bassin* (Académie).

10 Nous descendîmes dans un bassin charmant planté (...) de peupliers et de pins en parasol.
CHATEAUBRIAND, Itinéraire..., 2.

(1989). *Bassin d'emplois :* zone géographique considérée comme une réserve de main-d'œuvre. «*Et c'est sûrement là l'opportunité pour le bassin d'emplois de Castres-Mazamet* (...) *de prétendre à un nouveau développement économique en créant de nouvelles activités*» (*le Monde,* 1er févr. 2000, p. 4).

**II** (1546). **a** Anat. Ceinture osseuse qui forme la base du tronc, chez les vertébrés supérieurs et l'homme (→ **Tronc ; abdomen, lombes**), et sert de point d'attache aux membres inférieurs. → **Hanche ; cuisse, fémur.** *Bassin osseux. Os du bassin.* → **Coccyx, iliaque** (os iliaques), **sacrum.** *Articulations du bassin.* → **Pubis, symphyse** (symphyse du pubis ou symphyse pubienne) ; **sacro-iliaque** (articulations) ; **sacro-sciatique** (ligaments). *Cavité intérieure du bassin.* → **Pelvien** (cavité pelvienne). *Détroit supérieur du bassin,* qui divise la cavité en deux parties : le *grand* et le *petit bassin. Grand bassin :* cavité supérieure dont les parois sont formées par les fosses iliaques internes et les ailerons du sacrum. *Petit bassin* (ou *excavation pelvienne*) : cavité limitée en avant par la symphyse pubienne, sur les côtés par les ischions, en arrière par la face antérieure concave du sacrum et du coccyx. *Le petit bassin renferme le rectum et les organes génito-urinaires ; il est fermé en bas par le périnée ou plancher pelvien. Le bassin est plus large chez la femme que chez l'homme. Bassin incliné, bassin droit. Mensuration du bassin.* → **Pelvimètre** (du lat. *pelvis* «bassin»).

**b** Cour. Partie inférieure du tronc, entre les hanches ; ventre et bas-ventre. «(La mère Lachaume) *hissant avec peine son bassin énorme*» (M. Druon, *in* T. L. F.).

**DÉR. Bassine, bassinée, 1. bassiner, bassinet.** ◊ **COMP. Avant-bassin.**

2. **BASSIN** [basɛ̃] n. m. et adj. — 1858 ; de 2. *bassiner.*

Fam., vx. Personne qui agace, ennuie et fatigue par ses propos. → 2. **Bassinoire.** «*Quel vieux bassin !*» (Colette).

Adj. *Être bassin,* ennuyeux. → 2. **Bassiner.**

Tout de même, il place mal son souffle *(à la nage),* Riquet. «Écoute, tu devrais faire comme je te dis... tiens, regarde... — Ah mince... tu l'es bassin... on t'a pas attendu pour faire la baleine...» Et en matière d'illustration il saute hors de l'eau comme un phoque : le saut périlleux à la renverse.
ARAGON, Aurélien, I, p. 159.

**BASSINAGE** [basinaʒ] n. m. — 1838, sens 1, et 1863, Littré, sens 2 ; de 1. *bassiner.*

♦ **1** Action de bassiner. → 1. **Bassiner.** *Le bassinage d'un lit.* — Action d'humecter (une plaie).

♦ **2** Techn. (hortic.). Arrosage en pluie.

*(Le bassinage)* a pour objet de mouiller avec de l'eau à l'état de pluie fine les parties vertes des plantes.
Omnium agricole, p. 105.

Boulang. *Le bassinage de la pâte,* qui permet de l'assouplir avant de la pétrir. → **Bassinement** (2.).

**BASSINANT, ANTE** [basinɑ̃, ɑ̃t] adj. — 1866 ; de 2. *bassiner.*

Fam., vieilli. Qui bassine, ennuie. → 2. **Barbant,** 2. **bassin (adj.), rasant.**

**BASSINE** [basin] n. f. — 1500 ; de 1. *bassin.*

♦ **1** Bassin large et profond servant à divers usages domestiques ou industriels. *Une bassine de cuivre. Bassine à braise.* → **Brasero.**

Spécialt. Récipient de cuisine assez grand, souvent de forme circulaire, destiné à contenir un liquide. *Bassine à vaisselle. Une bassine en cuivre, en zinc, en matière plastique.*

♦ **2** Contenu d'une bassine. *Verser une bassine d'eau chaude.* → **Bassinée.**

**BASSINÉE** [basine] n. f. — 1575; de 1. *bassin.*

Rare. Contenu d'une bassine ou d'un bassin. → **Bassine** (plus courant).

**BASSINEMENT** [basinmã] n. m. — 1845; de 1. *bassiner.*

♦ **1** Vieilli. Action de bassiner, de réchauffer un lit avec une *bassinoire**.

♦ **2** Techn. → **Bassinage** (2.).

1. **BASSINER** [basine] v. tr. — V. 1300, *in* Arveiller; de 1. *bassin.*

♦ **1** Humecter doucement (une partie du corps) pour soigner (→ Macérer, cit. 3). *Bassiner une plaie avec des compresses humides.* → **Fomenter.** *Bassiner le front d'un fiévreux, bassiner son front; lui bassiner le front.*

1 Après avoir bien bassiné ma plaie (...)
ROUSSEAU, Rêveries..., Promenade IV.

2 Il m'alla chercher un verre d'eau, tandis que ma mère me bassinait le visage (...)
ROUSSEAU, Julie ou la Nouvelle Héloïse, I, 63.

♦ **2** Anciennt. Chauffer avec une bassinoire. → **Bassinement** (1.). *Bassiner un lit.*

♦ **3** Par anal., techn. Arroser en pluie fine. → **Bassinage** (2.).

Boulang. Répandre un peu d'eau sur la pâte.

**DÉR. Bassinage, bassinement, 1. bassinoire.**

2. **BASSINER** [basine] v. tr. — 1858; usage dial. du verbe, au sens de «taper sur des ustensiles de cuisine, des bassines, etc., pour faire un charivari» (1807); cf., 1414, *baciner* «annoncer par des coups frappés sur une sorte de gong, de cuivre, appelé *bacin*» (déb. XIII^e). → 1. Bassin.

Fam. Ennuyer, importuner de manière lassante. → **Assommer, barber** (vieilli), **empoisonner, raser.** *Il nous bassine avec ses récriminations. Il passe son temps à nous bassiner.* → 2. **Bassin, bassinant,** 2. **bassinoire.**

Le joli refrain de la diva : Tu me bassines avec ton amour (...)
Alphonse DAUDET, *in* Journal officiel, 30 nov. 1874.

**DÉR.** 2. **Bassin, bassinant,** 2. **bassinoire.** ◊ **CONTR. Amuser, intéresser, plaire.**

**BASSINET** [basinɛ] n. m. — V. 1220; de 1. *bassin.*

**I** ♦ **1** Anciennt. Calotte de fer que les hommes d'armes portaient sous le casque. Casque.

♦ **2** (1575). Anciennt. Partie de la platine d'une arme à feu à silex, dans laquelle on mettait l'amorce.

1 (...) son fusil n'a pas servi, le bassinet était clair, elle n'a donc pas chassé.
BALZAC, Une ténébreuse affaire, Pl., t. VII, p. 495.

♦ **3** Vieilli. Petit bassin (1. Bassin, 1.) servant à divers usages. — Petit plat pour recueillir de l'argent. — Loc. *Cracher au bassinet* (ou *au bassin**, vx) : donner de l'argent à la requête de qqn (souvent à contrecœur).

2 Un valet (...) contenait la foule à la porte qu'il barrait d'une sorte de pertuisane, ne laissant passer quiconque qu'il n'eût craché au bassinet dans un plateau d'argent posé sur une table (...)
Th. GAUTIER, le Capitaine Fracasse, IX.

**II** (Sens fig.). ♦ **1** (1509). Renoncule bulbeuse, aux fleurs en forme de petits bassins. — Syn. : *bassin d'or, bouton-d'or* (courant).

♦ **2** (1690). Anat. Partie élargie des voies excrétrices du rein, à la confluence des grands calices (2. Calice, cit. 4), et qui se continue par l'uretère. → **Rein.** *Inflammation de la muqueuse du bassinet.* → **Pyélite.**

1. **BASSINOIRE** [basinwaʀ] n. f. — 1454; de 1. *bassiner.*

♦ **1** Anciennt. Bassin à couvercle percé dans lequel on mettait de la braise et qu'un manche permettait de promener dans un lit pour le chauffer. → **Moine.** *Bassinoire de cuivre. Passer une bassinoire dans le lit, entre les draps.* → 1. **Bassiner** (2.). *La bassinoire a été remplacée par la bouillotte d'eau chaude.* — Loc. *Percé comme une bassinoire* : percé de nombreux trous.

♦ **2** (1867). Par anal., fam., vx. Grosse montre.

2. **BASSINOIRE** [basinwaʀ] n. f. — 1858; de 2. *bassiner,* par calembour avec 1. *bassinoire.*

Fam., vieilli. Personne qui bassine, ennuie, importune. → 2. **Bassin.** *Quelle bassinoire! :* quel raseur!

**BASSISTE** [basist] n. — 1838; de 1. *basse* (3.).

♦ **1** Mus. **a** (Musique classique). Musicien qui joue de la basse (c'est-à-dire du violoncelle, dans un orchestre symphonique).

**b** (Jazz et musiques populaires). Musicien qui joue de la basse (c'est-à-dire de la contrebasse — angl. *bass* —, dans un orchestre de jazz, de variétés, de musique typique, etc.).

♦ **2** Musicien qui joue de la guitare basse. *Paul Mc Cartney fut le bassiste des Beatles.*

**BASSON** [basɔ̃] n. m. — 1613; ital. *bassone* «grosse basse», de *basso.* → 1. Basse.

♦ **1** Mus. Instrument à vent en bois, à anche double, formant dans l'orchestre la basse de la série des bois. *Basson-contre* (→ **Contrebasson**), *basson quarte, basson quinte.*

Le basson se compose de trois pièces de bois qui s'ajustent et se démontent. Initiation à la musique, p. 163. 1

On peut considérer le basson comme le violoncelle des instruments à vent. Initiation à la musique, p. 164. 2

Jeu d'orgue de timbre analogue à celui du basson.

♦ **2** Musicien qui joue du basson. *Un bon, un mauvais basson.* → **Bassoniste.**

**DÉR. Bassoniste.**

**BASSONISTE** [basɔnist] n. — 1821, *in* D.D.L.; de *basson.*

Musicien qui joue du basson. — On dit aussi *basson.*

Aujourd'hui, disparue la *fausseté* que signalaient les anciens ouvrages didactiques; il n'est guère plus question d'un médium «étriqué», ni d'un aigu «péniblement angoissé» : les meilleurs bassonistes nous font entendre des *la bémol, la, si bémol* aigus qui sonnent avec la douceur du Saxophone.
Charles KOECHLIN, les Instruments à vent, p. 57.

**BASTA** [basta] interj. — 1807; mot ital., «il suffit».

Fam. Ça suffit! Assez! → 1. **Baste.**

1 *Basta!* on sonne!... une fois, deux fois, pas le téléphone... à la grille! en bas du jardin, trois fois... bien sûr que je peux faire le sourd, je suis pas domestique (...)
CÉLINE, Rigodon, p. 31.

2 La tristesse d'avoir été chassé du Paradis est en nous. L'auteur, qui n'a pas froid aux yeux, se demande comment se serait propagée une race humaine non déchue. Le plus extraordinaire est qu'il trouve une réponse, mais *basta!*
J. GREEN, Journal, 21 juil. 1958, Vers l'invisible.

REM. On trouve aussi en français l'exclamation italienne *basta cosi!* «ça suffit comme ça», dans le Sud de la France.

**BASTAING** [bastɛ̃] n. m. → **Basting.**

**BASTANT, ANTE** [bastɑ̃, ɑ̃t] adj. — 1495; du p. prés. de *baster.*

Vx. Suffisant (en parlant d'une chose). *Un argument bastant.* — Capable (en parlant d'une personne). *«Êtes-vous bastant pour une si grande entreprise»* (Académie, 1878). — REM. Le mot semble rare après 1831, date des deux exemples du T. L. F. (Chateaubriand; Balzac, faisant parler un paysan).

**BASTAQUE** [bastak] ou **BASTAGUE** [bastag] n. f. — 1838, n. m., Académie, *Compl.* — n. m., 1867, *in* P. Larousse; du néerlandais *bakstag.* — REM. Le genre féminin apparaît, pour les deux formes, *in* Larousse, 1898.

Mar. Hauban mobile qui retient le mât, depuis la hanche arrière du bateau. *Bastaque des gréements de cotre, de goélette. Raidir la bastaque au vent. Les bastaques permettent au mât de résister à la poussée des voiles vers l'avant.*

1. **BASTE** [bast] interj. — 1534, Rabelais; ital. *basta* «il suffit», de *bastare* «suffire» (→ Baster); ou, selon Guiraud, d'un roman *basitare,* de *basis* «base».

♦ **1** Vx ou style soutenu. Interjection marquant l'indifférence, le dédain. → **Bah, basta** (→ Ça suffit, ça va comme ça). *Il dit cela : baste! il n'en fera rien* (Académie). *«Baste, ce prêchi-prêcha* (du journal *le Monde) n'est-ce pas là le discours même, à l'*Opéra de Quat'sous, *de Brecht, de Jonathan Jeremiah Peachum : l'industrie du misérabilisme»* (Jean-Edern Hallier, in *le Figaro Magazine,* 6 janv. 1979).

1 Baste, laissons là ce chapitre.
MOLIÈRE, le Médecin malgré lui, I, 1.

2 — Mais, je vous répète que nous n'avons plus de feu!
— Peuh!
— Ni aucun moyen de le rallumer.
— Baste! J. VERNE, l'Île mystérieuse, t. I, p. 102.

3 J'ai énormément à faire, maman, vous le savez; beaucoup de travail.
— Baste! fit-elle, le travail? Tu dois travailler. Tu dois briser tes nerfs, le travail est ta santé.
BERNANOS, la Joie, Œ. roman., p. 539.

4 Tous les cœurs il *(le gymnaste)* dévaste mais se doit d'être chaste et son juron est BASTE!
Francis PONGE, le Parti pris des choses, p. 65.

♦ **2** Vx. Au jeu de quinze et d'ambigu, Terme par lequel le joueur fait savoir qu'il a assez de cartes.

2. **BASTE** [bast] n. m. — 1680; esp. *basto* «as au jeu de cartes appelé *bastos*».

Vx. As de trèfle, à certains jeux de cartes, comme l'hombre et le quadrille.

3. **BASTE** [bast] n. m. — V. 1220; de l'anc. franç. *bast* «bât», au sens 1. → Bât.

Technique ou régional.

♦ **1** Anciennt. Panier qu'on attache au bât d'une bête de somme.

♦ **2** Régional. Récipient de bois destiné à transporter le raisin.

**BASTER** [baste] v. intr. — XIII^e; ital. *bastare* «suffire». → 1. Baste.

♦ **1** Vx. Suffire, satisfaire. *Cela ne saurait baster* (Académie). — REM. Var. graphique : *bâter* (Saint-Simon).

♦ **2** (1608). Régional (Suisse). Céder, s'incliner. *Baster devant qqn.*

DÉR. **Bastant.**

**BASTERNE** [bastɛʀn] n. f. — 1580; lat. *basterna.*

Anciennement.

♦ **1** Antiq. Litière portée par deux mulets.

♦ **2** Hist. Char à bœufs mérovingien.

**BASTIDE** [bastid] n. f. — 1355; anc. provençal *bastida,* de *bastir,* du francique **bastjan.* → Bâtir.

♦ **1** Vx. Au moyen âge, Ouvrage de fortification. → **Bastille.** — Par ext. Ville neuve fortifiée, dans le Midi.

♦ **2** (XVI^e). Mod., régional. En Provence, Ferme isolée, et, par ext., petite maison de campagne. → **Mas; bastidette, bastidon.**

Les travaux de détournement de la Durance sont achevés, et chaque bastide s'enorgueillit aujourd'hui d'un bassin et d'un jet d'eau. Th. GAUTIER, Constantinople, p. 9.

DÉR. **Bastidette, bastidon.** — V. **Bastille.**

**BASTIDETTE** [bastidɛt] n. f. — Mil. XX^e; de *bastide.*

Régional. Petite bastide (2.). → **Bastidon.**

Une bastidette à forme de nef était à l'ancre sur un champ de trèfles. J. GIONO, Naissance de l'Odyssée, p. 32.

**BASTIDON** [bastidɔ̃] n. m. — 1866; dimin. de *bastide.*

Régional. Petite bastide (2.). → **Bastidette, cabanon.**

(...) j'ai un bastidon dans la campagne environnante, un poste sous des arbres, où je vais rêver avec un fusil, en fumant ma pipe (...)
Émile HENRIOT, le Diable hôtel, XI.

REM. Le roman se situe à Aix-en-Provence.

**BASTILLE** [bastij] n. f. — 1370, *bassetille;* altér. de *bastide*.*

♦ **1** Au moyen âge, Ouvrage de fortification. Château fort. *Une bastille fortifiée.* — Spécialt. *La Bastille :* le château fort commencé à Paris sous Charles V, et qui servit de prison d'État (→ **Embastiller)** avant d'être pris par les insurgés et démoli en 1789. *La prise de la Bastille* (14 juillet 1789).

Elle *(Catherine de Médicis)* fut accusée d'avoir eu des intrigues avec le vidame de Chartres, mort à la Bastille (...) 1
VOLTAIRE, Henri II, note 7.

♦ **2** Par ext. (Littér.). Prison où l'on est détenu pour ses opinions (politiques). — Par métaphore. Moyen d'asservissement, d'oppression.

Ô Sainte égalité! dissipe nos ténèbres, 2
Renverse les verrous, les bastilles funèbres (...)
André CHÉNIER, 240.

Courage (...) braves écossais (...) Levez-vous ensemble, armez-vous, faites main-basse sur vos tyrans, renversez les bastilles où l'on jette vos défenseurs. 3
HÉBERT, le Père Duchesne, janv.-fév. 1794, *in* D.D.L., II, 11.

4 *(En mai 1968)* Ces fantômes *(les grands socialistes)* étaient redevenus vivants, il leur suffisait de lire droit devant eux, sur les murs, pour s'entendre parler et comprendre que toute bastille, même dans le temps, finit par avoir des oreilles.

Gonzague SAINT-BRIS, le Romantisme absolu, p. 39.

DÉR. **Bastillé, bastilleur.** — V. **Bastillonné.**

**BASTILLÉ, ÉE** [bastije] adj. — 1671, sens 1; anc. franç. *bateillé* «fortifié», XII^e; de *bateillier, bastiller* «fortifier», de *bastille.*

♦ **1** Blason. Garni de créneaux renversés vers la pointe de l'écu (opposé à *crénelé*). *D'argent au chef bastillé d'or* (Académie).

♦ **2** Vx (pendant la Révolution). Prisonnier dans une prison d'État. → **Embastillé.**

Bastillé : terme de blason (...) c'est aujourd'hui l'expression nouvelle pour désigner un prisonnier d'État, et pour rendre odieuse, autant que l'ancienne Bastille, toute autorité, même étrangère, qui oserait exercer quelque empire arbitraire sur ses sujets.

GALLAIS, Extrait d'un dict. inutile, 1790, *in* D. D. L., II, 11.

**BASTILLEUR** [bastijœʀ] n. m. — 1795; de *bastille,* l'anc. verbe *bastiller* étant depuis longtemps inusité.

Vx (pendant la Révolution). Celui qui embastille.

Vous faction vendue au riche million; vous cabale patricienne; vous Fréronistes; vous gouvernants despotes (...) affameurs, inquisiteurs, bastilleurs, tyrans en un mot.

BABEUF, le Tribun du peuple, 28 janv. 1795, *in* D. D. L., II, 11.

**BASTILLONNÉ, ÉE** [bastijɔne] adj. — 1571; du moy. franç. *bastillon,* dimin. de *bastille.*

Archit. Doté de petites bastilles, de petits ouvrages fortifiés. «*La cathédrale, massive, bastillonnée*» (Michelet, *in* T. L. F.).

**BASTING** ou **BASTAING** [bastɛ̃] n. m. — 1877; de l'anc. franç. *bastir* «apprêter», par une forme provençale; le rapport avec *bastingue, bastingage,* n'est pas clair.

Comm., techn. Madrier de sapin. — Par ext. Pièce de bois débité à arêtes vives.

**BASTINGAGE** [bastɛ̃gaʒ] n. m. — 1747; de *bastinguer.* → Bastingue.

♦ **1** Anciennt. Coffres ou caissons disposés autour du pont d'un vaisseau pour amortir les projectiles ennemis. *Le bastingage servait de défense contre le feu de l'ennemi.* — Spécialt. Système de filets disposé sur le bordage d'un navire (de guerre), auxquels chaque homme d'équipage accrochait pendant la journée son hamac. *Filets de bastingage.* → **Bastingue.**

♦ **2** Mod. Dispositif destiné à hausser le franc-bord du bateau (→ **Lisse, pavois**), et, cour., parapet bordant le pont d'un navire. → **Filière, garde-corps, garde-fou.** *S'appuyer, être accoudé au bastingage.*

1 Ceux de l'équipage qui ne pouvaient connaître personne parmi ces Brestoises, regardaient tout de même, penchés sur le bastingage, contents de revoir après si longtemps des figures de femmes françaises (...) La mère de Jean! oui, c'était elle, qui arrivait et qui était déjà là tout près, les yeux interrogateurs, les yeux grands ouverts, moitié de joie et moitié d'impatience inquiète : parmi toutes ces têtes, qui souriaient au-dessus du bastingage de la *Saône,* elle cherchait son fils et ne trouvait pas, ne trouvait pas encore (...) LOTI, Matelot, p. 204-205.

2 Un soir, j'étais sorti sur le pont et, accoudé au bastingage, je regardais le sillage phosphorescent du navire (...)

R. GARY, la Promesse de l'aube, p. 323.

Par anal. (Rare). Dispositif de protection. → **Parapet, rambarde.**

Alors que sur la plate-forme de l'autobus je me tenais le dos contre le bastingage, le bras levé, la main égarée sur la barre, le colosse, qui causait d'abord avec le receveur, m'avait pris les doigts. 3

P. KLOSSOWSKI, la Révocation de l'Édit de Nantes, p. 46.

**BASTINGUE** [bastɛ̃g] n. f. — 1634; provençal *bastengo,* de *basti* «bâtir», au sens de «tresser, tisser», de l'anc. provençal *bastir* «tisser» (v. 1100; → Bastide); selon Guiraud, le suffixe *-ingue* pourrait représenter le lat. *-inica,* et *bastringue* serait une variante de ce mot.

Mar., anciennt. Filet doublé de toile dont on se servait pour établir ou renforcer le bastingage (1.).

DÉR. **Bastinguer.**

**BASTINGUER** [bastɛ̃ge] v. tr. — 1634; de *bastingue.*

Mar., anciennt. Munir de bastingues. *Bastinguer une frégate, le pont d'un navire.*

Selon la mode navale d'alors, on bastingua le pont, ce qui est une garantie contre les balles, mais non contre les boulets. HUGO, Quatre-vingt-treize, p. 53.

♦ **BASTINGUER (SE)** v. pron.

Vx. S'abriter, se protéger derrière un bastingage. — Argot mar. (Vx). Se cacher.

DÉR. **Bastingage.**

**BASTION** [bastjɔ̃] n. m. — XV^e; ital. *bastione,* de *bastia,* de *bastita* «bâtie», p. p. subst. de *bastire,* ou du moy. franç. *bastie,* p. p. de *bastir;* cf. ital. *imbastire* «bâtir, faufiler», même sens que *bâtir*.*

♦ **1** Ouvrage de fortification faisant saillie sur l'enceinte d'une place forte. *Les bastions d'un château fort, d'une ligne fortifiée. Les deux flancs du bastion sont reliés par la courtine*. Les deux faces, la gorge, la demi-gorge d'un bastion. Une guérite à l'angle du bastion.* → **Poivrière.**

Et les antiques murailles de Stamboul déployaient à perte de vue leur ligne de bastions et de créneaux brisés (...) 1

LOTI, les Désenchantées, XVII, 122.

C'est dire que si le site est charmant, un long séjour n'y a rien d'enchanteur, car les cours, les fossés, les courtines, les bastions, les places d'armes, les glacis, les redoutes sont hérissés de grilles de fer ou semés de pièges à loup. 1.1

B. CENDRARS, Moravagine, *in* Œ. compl., t. IV, p. 250.

Par anal. Site naturel pouvant jouer le rôle de bastion. *Un bastion naturel.*

♦ **2** Par ext. Lieu qui assure à des combattants une protection suffisante pour résister à des attaques répétées. → **Défense, protection, retranchement.** *Monte Cassino devint le bastion de l'armée du Reich en Italie. La jungle, bastion des guerrilleros.*

♦ **3** Fig. (Qualifié par un adj. ou un compl. en *de*). Ce qui défend efficacement, forme le plus ferme soutien de... → **Défense, rempart, soutien.** *L'Espagne est le bastion du catholicisme. Bastion avancé; dernier bastion. Les bastions de la tyrannie, du terrorisme. Cette circonscription est un bastion socialiste.*

Flanquée d'un bastion avancé au Nord-Est où la Hollande vivait sous notre protectorat, la République s'était trouvée, également, flanquée d'un bastion avancé au Sud-Est, le bastion italien. 2

Louis MADELIN, Hist. du Consulat et de l'Empire, t. VI, p. 125.

DÉR. **Bastionner.**

**BASTIONNER** [bastjɔne] v. tr. — 1611; de *bastion.* Technique ou littéraire.

♦ **1** Garnir de bastions. *Faire bastionner l'enceinte d'une ville.*

Par métaphore (le sujet désigne un bâtiment, un objet qui garnit, protège) :

1 L'après-midi, lorsqu'il se promenait dans ses jardins, que le mur de Léon IV bastionne comme un plateau de citadelle, il avait la vue affreuse du vallon qu'on a ravagé au pied du mont Mario, pour y établir des briqueteries, à l'heure fiévreuse de la folie des constructions.
ZOLA, Rome, p. 348.

♦ **2** Fig., littér. Protéger solidement.

2 (...) cette prodigieuse défiance qui bastionne à Paris l'homme de province.
BALZAC, les Comédiens sans le savoir, Pl., t. VII, p. 37.

◆ **BASTIONNÉ, ÉE** p. p. adj. Protégé par des bastions. — *Bastionné de... :* protégé par, flanqué de...

3 (...) le bagne diurne de la rue de Londres bastionné comme la place de la Trinité et la rue Saint-Lazare de compagnies d'assurance (...)
Jacques LAURENT, les Bêtises, p. 121.

Techn. Soutenu par un mur. *Terrasse bastionnée.*

**BASTON** [bastɔ̃] n. m. — 1926, déverbal de *bastonner.* Argot. Bagarre. *Y a eu du baston à la sortie du bal. Aller au baston.* → **Bastonner** (se). *«Ils se repaissent de bagarres qu'ils appellent bastons»* (*Charlie-Hebdo,* 22 déc. 1977, *in* Cellard et Rey).

**BASTONNADE** [bastɔnad] n. f. — 1482; p.-ê. ital. *bastonata,* de *bastone* «bâton», ou esp. *bastonata,* provençal *bastonada,* même orig. que *bâton*.*

♦ **1** Volée de coups de bâton. *Donner la bastonnade à qqn.* → **Bastonner.** *Recevoir la, une bastonnade.*

1 Ah! tu prends donc, pendard, goût à la bastonnade?
MOLIÈRE, Amphitryon, I, 2.

2 Un dos cintré propre à la bastonnade.
VOLTAIRE, Crépinade.

3 Eh bien, dit-il alors d'un ton moqueur, qu'on lui donne la bastonnade : il nous dira bientôt, avec son bel habit de marchand, qu'il n'est qu'un franc voleur; qu'on le batte jusqu'à ce qu'il l'avoue.
A. GALLAND, les Mille et une Nuits, t. I, p. 401.

♦ **2** Châtiment constitué par des coups de bâton. → **Fustigation** (1.). — (1836, Vidocq). Châtiment qui consistait, dans les bagnes, à bastonner un forçat au moyen d'une corde goudronnée. *La peine de la bastonnade.*

♦ **3** (1926). Argot. Violente bagarre, rixe. → **Baston, bastonner.**

**BASTONNER** [bastɔne] v. tr. — Déb. XIIIe, *bastoner; bastuner* «importuner», 1174; de l'anc. franç. *bastun, baston* «bâton». → Bâtonner.

♦ **1** Vx. Donner des coups de bâton à (qqn).

♦ **2** (1926; de formes méridionales de *bâtonner*). Argot. Cogner (fam.), frapper, rosser. → **Baston.** *Se faire bastonner :* se faire rosser, tabasser (familier).

◆ **BASTONNER (SE)** v. pron. Se battre.

DÉR. **Baston, bastonneur.**

**BASTONNEUR** [bastɔnœʀ] n. m. — 1317; de *bastonner.*

♦ **1** Vx. Celui qui donne une bastonnade.

♦ **2** Argot. Bagarreur.

**BASTOS** [bastos] n. f. — 1925, «balle»; «cartouche», 1916; de *Bastos,* nom d'un fabricant de cigarettes à Alger, le paquet de cartouches étant comparé au paquet de cigarettes par les troupes d'Afrique du Nord (cf. Mac Orlan, *in* Cellard et Rey).

Argot. Balle de fusil, de revolver. *Il a reçu une bastos dans l'épaule.*

Le gros a dû remuer un peu. J'ai entendu miauler une bastos de son côté, puis le claquement cotonneux du coup de départ. Pas si pressé de voir arriver les poulets, il tirait avec un silencieux, l'espingo!
Albert SIMONIN, Touchez pas au grisbi, p. 159.

**BASTRINGUE** [bastʀɛ̃g] n. m. — 1794, «air de contredanse»; «machine à imprimer les toiles», 1799; orig. incert. : l'hypothèse de Brunot (cit. 1) semble infirmée par la chronologie; p.-ê. du néerl. *bas drinken* «boire beaucoup»; les premiers emplois («contredanse bruyante; machine tapageuse») impliquent le sémantisme du «bruit»; pour Guiraud, var. de *bastingue* (d'où *bastingage*), *bastringue* ayant d'abord désigné, non un air de danse, mais un bal populaire entouré d'une «barricade», d'un «bâti» de bois — ce qui garantit l'unité du mot.

♦ **1** Ancienn. Machine utilisée dans l'industrie des toiles imprimées.

Bastringue a (...) une histoire assez curieuse. C'est le nom donné par son inventeur Sam. Widmer, neveu d'Oberkampf, à une machine faite d'après des modèles anglais et qui devait se livrer à des contorsions. Employé par les ouvriers de la manufacture de toiles peintes de Jouy, il fut étendu (par eux?) aux bals de guinguettes. 1
BRUNOT, Hist. de la langue franç., t. IX, p. 1211.

♦ **2** Mod., fam. Bal de guinguette. *Courir les bastringues.* → **Bastringuer.**

(...) j'ouïs, à mon grand étonnement, en entrant dans les Champs-Élysées, des sons des bastringues où dansaient des hommes et des femmes (...) 2
CHATEAUBRIAND, Mémoires d'outre-tombe, II, 1.

L'orchestre composé de cinq artistes de banlieue jetait au loin sa musique de bastringue, maigre et sautillante (...) 3
MAUPASSANT, la Femme de Paul, p. 26.

On avait la paix depuis que le bastringue avait été fermé par la police. 3.1
Louise MICHEL, la Misère, t. II, p. 271.

♦ **3** Fam. Orchestre tapageur, musique grossière. (En ce sens, *bastringue* est parfois pris au féminin). — Piano mécanique.

Cette bastringue ataxique, essoufflée, qui, depuis tant d'années déjà, trébuche aux mêmes contretemps, qui nasille, qui larmoie, grince et piaille sur toute la face de la terre. 4
G. DUHAMEL, Scènes de la vie future, IX, p. 147.

Par appos. *Piano bastringue :* piano volontairement désaccordé (dans un bar, etc.).

(1866). Fam. Boucan, tapage; désordre bruyant. → **Chambard** (fam.), **vacarme.** *Quel bastringue! Un bastringue de tous les diables.*

Vx. Violence, dispute.

♦ **4** (1821). Argot anc. Petit étui cylindrique pouvant contenir un matériel d'évasion réduit (lime, scie). — Par ext. Petite lime, petite scie (cf. Hugo, *les Misérables,* 1862).

Techn. Outil destiné au forage de petits trous.

♦ **5** (1900). [a] Fam. Choses, affaires (qu'on peut emporter avec soi). → **Barda, bazar, fourbi.** *Emporter tout son bastringue, se tirer avec tout son bastringue.*

[b] Ensemble d'objets hétéroclites. → **Attirail, bataclan, bazar, saint-frusquin.** *Et tout le bastringue :* et tout le reste. → **Bordel.**

(Abstrait) Ensemble de faits compliqués, embrouillés, et embarrassants. *On s'est foutu dans un sacré bastringue! Un sale bastringue :* une sale affaire.

REM. La forme féminine alterne avec le masculin, selon les auteurs, toujours avec une nuance péjorative. *Une bastringue :* une mauvaise mécanique, boutique, musique (→ ci-dessus, cit. 4), etc.

DÉR. **Bastringuer.**

**BASTRINGUER** [bastʀɛ̃ge] v. intr. — 1805, *in* D. D. L.; *bastringué,* 1809, «imprimé au rouleau par la *bastringue* (1.)»; de *bastringue.*
Populaire, vieux.

♦ **1** Fréquenter les bastringues, les bals populaires.

♦ **2** Faire du bastringue, du tapage.

**BASTUDE** [bastyd] ou **BATTUDE** [batyd] n. f. — 1681, *bastude;* provençal *batudo,* anc. provençal *batuda* «pêche qu'on fait en battant l'eau; filet», de *batre* «battre», du lat. *battuere.* → Battre.
Régional (Sud-Est). Filet de pêche utilisé sur les étangs salés de la région méditerranéenne. *Pêche à la bastude.*

**BAS-VENTRE** [bavɑ̃tʀ] n. m. — 1636; de 1. *bas,* et *ventre.*
Partie inférieure du ventre, au-dessous du nombril. → **Abdomen, hypogastre, ventre.** *Des bas-ventres. Douleurs dans le bas-ventre.*

Un bon clystère détersif (...) pour balayer, laver et nettoyer le bas-ventre de Monsieur.
MOLIÈRE, le Malade imaginaire, I, 1.

Spécialt. Parties génitales. *Un coup de pied dans le bas-ventre.* → **Parties** (fam.). Par ext. Ce qui concerne le sexe, la sexualité. *«Les choses du ventre et du bas-ventre»* (Valéry, *Tel Quel, in* T. L. F.).

1. **BAT** [ba] n. m. — 1565; déverbal de *battre.*

♦ **1** Vx. Ce qui bat l'air, l'eau. *Le bat de l'aile d'un oiseau. Le bat de la queue d'un poisson.*

♦ **2** (1690, «extrémité de la queue du poisson» (qui bat)). Techn. (pêche). Taille d'un poisson, mesurée de l'œil à la queue. *Cette carpe a vingt centimètres de bat.*

HOM. 1. **Bas,** 2. **bas,** formes du v. **battre.**

2. **BAT** [bat] n. f. — 1865, dans un contexte angl.; forme angl. du franç. *batte.*
Anglic. → **Batte.**

HOM. **Bath, batte,** formes du v. **battre.**

**BÂT** [bɑ] n. m. — 1268, *bast;* du bas lat. **bastum,* de **bastare* «porter» (le lat. class. disait *clitellae*); selon Guiraud, d'un lat. pop. **basitare,* de *basis* «base, support».

♦ **1** Dispositif, généralement en bois, que l'on place sur le dos des bêtes de somme pour le transport de leur charge. *Bât rembourré.* → **Bâtine.** *Le fardeau est fixé sur le bât. Une sangle assujettit l'arçon* (ou fût) *du bât au dos de l'animal. La croupière, le fessier, le poitrail du bât l'empêchent de glisser. Âne, cheval, mule, mulet de bât. Ravitaillement en montagne par mulets de bât. Bât pour le transport des blessés.* → **Cacolet.** *Mettre un bât à un âne, à un mulet.* → **Bâter, harnacher.** *Panier qu'on attache au bât.* → 3. **Baste.** *Remplacer le bât par une selle*.*

1 Tant de selles et tant de bâts,
Tant de harnais pour les combats (...)
LA FONTAINE, Fables, IV, 13.

2 Me fera-t-on porter double bât, double charge?
LA FONTAINE, Fables, VI, 8.

♦ **2** Fig., vx. Contrainte pénible. → **Esclavage, joug** (→ Bâtier, cit.). *Le bât du mariage.* — Loc. *Cheval de bât :* personne qui assume la grosse besogne d'une maison. *Porter son bât :* avoir son fardeau de difficultés, d'épreuves. → **Charge, faix; croix.**

Il prendra patience; on dit que c'est la vertu des ânes; mais il faut que chacun porte son bât dans ce monde (...) 3
VOLTAIRE, Lettre à Damilaville, 16 mai 1767.

Prov. *Nul ne sait mieux que l'âne où le bât le blesse.* — Loc. mod. *Savoir où le bât blesse :* connaître ce qui, dans une position, est cause d'embarras ou de souffrance. — *C'est là que le bât (le) blesse :* c'est son défaut, son point sensible.

Voilà très exactement, pensa Gustin en retirant sa capote, où le bât me blesse et les raisons de ma stupide évasion. Ma vie dans ce régiment est cruelle mais on m'en parle comme d'un cours de vacances un peu sévère. 3.
Jacques LAURENT, les Bêtises, p. 16.

Var. anc. *Savoir où le bât fait mal.*

Vous savez bien où le bât me fait mal (...) 4
MOLIÈRE, Sganarelle, 21.

DÉR. **Bâter, bâtier, batière, bâtine.** ◊ COMP. **Porte-bât.**

**BATACLAN** [bataklɑ̃] n. m. — 1761; orig. obscure, p.-ê. onomatopéique.
Familier.

♦ **1** Attirail, équipage embarrassant. → **Bastringue, bazar, fourbi.** — Loc. *Et tout le bataclan :* et tout le reste.

♦ **2** (1807). Vieilli. Fracas, vacarme. *Quel bataclan!*

**BATAIL** [bataj] n. m. — 1416, «battant (de cloche)»; du lat. pop. **battuaculum,* ou du rad. de *battre.*
Blason. Battant d'une cloche, lorsqu'il est d'un autre émail que la cloche. *Des batails.*

HOM. **Bataille.**

**BATAILLANT, ANTE** [batajɑ̃, ɑ̃t] adj. — 1860; p. prés. de *batailler.*
Rare. Qui bataille (1.), combat. — Fig. *«Leur activité bataillante et nerveuse»* (Goncourt, *in* T. L. F.).

**BATAILLARD, ARDE** [batajaʀ, aʀd] adj. — 1832; de *bataille.*
Vx. Qui aime batailler. → **Batailleur.** *Un gamin bataillard. «Les rois vaillants et bataillards»* (Hugo, *Notre-Dame de Paris,* in T. L. F.).

**BATAILLE** [bataj] n. f. — 1080, *Chanson de Roland;* du bas lat. *battalia* «combat d'escrime» (Vᵉ), de *battualia,* de *battuere* «battre» (→ Battre), d'abord dans le contexte de l'escrime.

♦ **1** Action de deux armées qui se livrent combat. → **Combat, guerre; action, baroud** (argot milit.), **choc, lutte, mêlée, opération, rencontre.** *Bataille terrestre, aérienne. Bataille navale, sous-marine. La bataille de la Marne. La bataille de Trafalgar.* — Par ext. Ensemble d'actions militaires (désignées par le lieu où elles ont été menées). *La bataille d'Angleterre. La bataille d'Alger.*

Bataille et combat ont la même racine, battre. Bataille, en vertu de sa terminaison collective, signifie qu'une multitude de gens se battent; et par sa particule com, ensemble ou avec, combat marque simplement que deux ou plusieurs personnes se battent ensemble ou l'une contre l'autre. En sorte que la bataille est générale, et le combat particulier. La bataille a lieu entre deux armées; elle suppose un grand déploiement de troupes, et d'ordinaire elle est plus décisive. 1
LAFAYE, Dict. des synonymes, Bataille.

*Commencer, engager la bataille.* → **Attaquer.** — Loc. *Livrer bataille :* se battre (contre un ennemi). — *Conduire ses troupes à la bataille.* — *Accepter, offrir, refuser, fuir la bataille. La bataille éclate, fait rage. Au fort de la bataille. Furieuse, sanglante* *bataille. Bataille décisive. Bataille indécise. Le sort des batailles. Mars, le dieu des batailles. Gagner, perdre* (cit. 38) *une bataille. Le succès, le gain; l'échec, la perte d'une bataille.* → **Victoire; défaite, déroute.** *Perte* (cit. 18) *d'une bataille. Bataille perdue. La bataille était perdue d'avance. La retraite après la bataille. Monument commémoratif d'une bataille.*

2 Assez de funestes batailles,
Et de carnages inhumains. MALHERBE, III, 2.

3 Et ne devoir qu'à soi le gain d'une bataille.
CORNEILLE, le Cid, I, 3.

4 Ce sang qui tant de fois vous gagna des batailles (...)
CORNEILLE, le Cid, II, 8.

5 Mais il fallait livrer bataille (...)
LA FONTAINE, Fables, I, 5.

6 Les faits de guerre ne sont pas trop amusants et je dis hardiment qu'il n'y a rien de si ennuyeux qu'un récit de batailles inutiles qui n'ont servi qu'à répandre vainement le sang humain.
VOLTAIRE, Lettre à Mme du Deffand, 22 févr. 1769.

7 La bataille recommença pour la troisième fois avec plus de furie et d'acharnement (...)
VOLTAIRE, Charles XII, IV.

8 Ce fut le 17 juillet 1709 que se donna cette bataille décisive de Pultawa (...) VOLTAIRE, Charles XII, IV.

9 Le nom de bataille perdue impose aux vaincus et les décourage (...) VOLTAIRE, le Siècle de Louis XIV, 21.

10 Il *(Napoléon)* engagea de front une bataille qu'il avait conçue dans un ordre oblique.
Ph.-P. SÉGUR, Hist. de Napoléon, VII, 9.

11 On vit alors toute la justesse du mot du Maréchal de Saxe : «Une bataille perdue, c'est une bataille qu'on croit perdue».
MICHELET, Hist. de la révolution franç., t. II, p. 764.

12 Souvent, le grondement de la bataille s'enflait jusqu'à devenir intolérable. Les explosions se rapprochaient, auxquelles l'écho du bois répondait par de longs hurlements désolés. G. DUHAMEL, la Pesée des âmes, VI.

12.1 Je te disais alors qu'on reverrait, même dans les conditions les plus différentes, les batailles typiques, par exemple le grand essai d'enveloppement par l'aile, la Bataille d'Ulm.
PROUST, le Temps retrouvé, Pl., t. III, p. 705.

12.2 Je ne parle pas d'une trahison causant la perte d'une bataille navale, légère, irréelle, suspendue aux ailes des voiles d'une goélette mais de la perte d'un combat de monstres d'acier où résidait l'orgueil d'un peuple non plus enfantin mais sévère, aidé, soutenu par les mathématiques savantes des techniciens.
Jean GENET, Journal du voleur, p. 76-77.

**CHAMP DE BATAILLE :** terrain où se livre la bataille. → aussi **Champ.** *Se battre sur le champ de bataille* (→ Adversaire, cit. 7). *Rester maître du champ de bataille. Abandonner le champ de bataille. Un champ de bataille jonché de morts.* → **Charnier.**

13 Le champ de bataille était jonché de près de trente mille morts ou mourants (...)
VOLTAIRE, le Siècle de Louis XIV, 21.

14 (...) sur le champ de bataille, l'honneur et le péril nivellent les rangs.
CHATEAUBRIAND, Mémoires d'outre-tombe, IV, 5.

Emplacement d'un ancien champ de bataille.

14.1 Pour que la visite du champ de bataille *(de Waterloo)* soit réellement éducative il faut nécessairement que le touriste possède une bonne connaissance des faits.
Joseph DELMELLE, la Belgique des champs de bataille, p. 85.

Var. (Vx ou régional). *Terre de bataille. «La Belgique est une des principales "terres de bataille" de la vieille Europe»* (J. Delmelle, *la Belgique des champs de bataille*).

Par métaphore. Lieu en désordre. → **Bazar.** *Cette chambre est un véritable champ de bataille. Quel champ de bataille !*

**CHEVAL DE BATAILLE.** [a] Anciennt. Cheval propre à être monté un jour de bataille. → 1. **Coursier, destrier.**

[b] Fig., mod. Sujet favori, argument sur lequel on revient sans cesse. → **Dada, hobby** (anglic.), **marotte.** — Sujet, terrain propice et habituel dans une discussion, une lutte politique, etc. *Le chômage et la hausse des prix sont les chevaux de bataille des partis politiques.*

(...) l'opposition, jusque-là en minorité, croyait avoir trouvé, dans ce Concordat inquiétant, le grand cheval de bataille qui lui permettrait de charger contre le gouvernement. Louis MADELIN, le Consulat, IX. 15

**PLAN DE BATAILLE :** plan dressé en vue de la bataille. → **Stratégie.** — Fig. Ensemble de dispositions prévues pour le succès d'une entreprise. *Dresser un plan de bataille.*

**ORDRE DE BATAILLE :** disposition des armées pour la bataille. *Ranger des troupes en ordre de bataille* (→ ci-dessous, 4., *bataille rangée*). — Fig. *Se mettre en ordre de bataille :* se préparer à l'affrontement.

Arts. Tableau, gravure représentant une bataille. *Un peintre de batailles. Les batailles de Le Brun.*

♦ **2** Par ext. Échange de coups, lutte entre deux ou plusieurs antagonistes. → **Bagarre, baston, batterie, bigornage** (fam.), **bigorne** (fam.), **castagne** (argot), **combat, échauffourée, lutte, mêlée, querelle, rixe.** *Une bataille entre mauvais garçons, entre loubards. S'interposer dans une bataille. Une bataille de femmes qui se prennent aux cheveux* (cf. Se crêper le chignon). *Leurs scènes* de ménage dégénèrent en vraies batailles. Une bataille de chiens.*

Lutte simulée, échange de projectiles inoffensifs entre deux ou plusieurs personnes. *Bataille de fleurs au soir d'un corso fleuri dans le Midi. Bataille de confettis dans les rues de Nice. Bataille de boules de neige.*

♦ **3** (Qualifié par un adj. ou un compl. en *de*). Lutte, opposition violente (de personnes, d'idées). *Une bataille d'idées. Bataille électorale.* → **Campagne.** *La bataille d'Hernani :* la première représentation, fort tumultueuse, du *Hernani* de V. Hugo, au cours de laquelle s'affrontèrent dans le public les partisans du nouveau drame romantique et les tenants de la conception classique du théâtre. *La bataille de la vie.* — Loc. *Livrer bataille aux erreurs.* → **Combat, lutte.**

Je sentais en tout cas que je livrai la grande bataille où je devais vaincre ou succomber. 16
PROUST, À la recherche du temps perdu, t. XII, p. 190.

Il *(Christophe)* vit que la vie était une bataille sans trêve et sans merci, où qui veut être un homme digne du nom d'homme doit lutter constamment contre des armées d'ennemis invisibles : les forces meurtrières de la nature, les désirs troubles, les obscures pensées, qui poussent traîtreusement à s'avilir et à s'anéantir. 17
R. ROLLAND, Jean-Christophe, t. II, p. 207.

(...) je ne crains pas la bataille. J'ai passé une bonne partie de mon existence à donner des coups et à en recevoir. 18
G. DUHAMEL, Chronique des Pasquier, VIII, 14.

♦ **4** [a] **EN BATAILLE, EN BATAILLE RANGÉE,** se disait de l'ordre d'une armée que l'on disposait en ligne pour la bataille. *Ranger, mettre une armée* (cit. 16.1; par métaphore) *en bataille; se former en bataille* (par oppos. à *se former en carré, en colonne*).

Quand trente mille hommes combattent en bataille rangée contre des troupes égales en nombre (...) 19
VOLTAIRE, Candide, 4.

Les Romains se formaient en bataille aux éclats de la trompette, de la corne et du lituus (...) 20
CHATEAUBRIAND, les Martyrs, VI.

**BATAILLE RANGÉE :** bataille qui oppose des troupes manœuvrant en rangs. — Fig. *Bataille rangée :* bataille, mêlée générale (qui évoque l'affrontement de deux armées). *La séance dégénéra en une bataille rangée entre la majorité et l'opposition.*

**b** EN BATAILLE. — Fig., mar. *Mettre la vergue en bataille,* dans le plan longitudinal du navire.

*Stationnement en bataille,* dans lequel les véhicules, parallèles entre eux, sont garés perpendiculairement au trottoir (→ En épi).

(1858, *in* D. D. L.). Fig. *Porter, mettre son chapeau en bataille* (vx), parallèlement à la ligne des yeux, droit et enfoncé ; (mod.) de travers, n'importe comment, par négligence ou dans l'intention de choquer, d'amuser.

21 Sur le front, les soldats voyaient apparaître un vieil homme au feutre en bataille, qui brandissait un gourdin et poussait brutalement les généraux vers la victoire. C'était Georges Clemenceau.
A. MAUROIS, Terre promise, XXVII, p. 184.

*Avoir les cheveux, la barbe en bataille,* en désordre.

♦ **5** **a** Jeu de cartes aux règles très simples (les cartes sont tirées alternativement et la plus forte l'emporte) et qui se joue le plus souvent à deux. *Jouer à la bataille. Les enfants font une petite bataille.*

**b** *Bataille navale :* jeu de société entre deux partenaires, où chacun dispose des pièces figurant des navires de guerre sur un espace réglé et tente de détruire les pièces de l'adversaire.

**DÉR. Bataillard, batailler, batailleur. — V. Bataillon. ◊ HOM. Batail.**

**BATAILLER** [bataje] v. intr. — Déb. XII^e, «livrer bataille» ; de *bataille.*

♦ **1** Vx. Livrer bataille. → **Combattre.** — Spécialt. Soutenir de petits combats.

Par ext. Se battre, se bagarrer. *Être toujours disposé à batailler.* → **Batailleur.**

♦ **2** Mod., fig. Contester, disputer avec ardeur pour persuader. → **Argumenter** (cit. 4). *Batailler pour une cause, pour qqn, contre qqch. ou qqn. Batailler (avec qqn) sur un sujet épineux.* → **Discuter, disputer, quereller** (se).

1 Le vieillard me paraît un peu sujet à l'ire,
Pour en venir à bout, il faudra batailler (...)
J.-F. REGNARD, les Folies amoureuses, I, 7.

2 (...) il *(Paul Durand-Ruel)* se mit à batailler au milieu des railleries, de l'indifférence narquoise, pour l'Impressionnisme vilipendé et affamé.
Georges LECOMTE, Ma traversée, V, p. 136.

3 Il revenait généralement de ces expéditions avec quelques caisses de cailloux et un bagage respectable de tibias et de fémurs sur lesquels le monde savant bataillait (...)
G. LEROUX, le Parfum de la dame en noir, p. 116.

Fam. *Batailler pour* (et l'inf.) : s'évertuer à surmonter une difficulté, un obstacle. *J'ai dû batailler pendant une heure pour ouvrir cette porte. Il m'a fallu batailler pour gagner ma vie.* → **Escrimer**(s'), **lutter.**

◆ **SE BATAILLER** v. pron. (par anal. avec *se battre, se bagarrer* ; forme anormale, le verbe n'étant pas transitif). «*Il est toujours prêt à se batailler contre l'injustice, et à redresser des torts*» (R. Martin du Gard, *les Thibault,* in T. L. F.). *Cessez de vous batailler, les enfants !* → **Chamailler** (se).

**DÉR. Bataillant.**

**BATAILLEUR, EUSE** [batajœʀ, øz] adj. et n. — 1268, *bataillor ; batailliere,* v. 1190, J. Bodel ; de *bataille* (précédé par d'autres formes en anc. franç. : *bataillier* «guerrier», *batailleros,* 1213).

♦ **1** Qui aime à batailler, à se battre. → **Belliqueux, combatif.** *Un gamin batailleur.* → **Bataillard** (vx). → Saloon, cit. 1.

Fig. Qui recherche les querelles, les discussions. → **Querelleur.** *Caractère batailleur. Humeur batailleuse.*

Si j'avais été d'humeur batailleuse, mes agresseurs auraient eu rarement les rieurs de leur côté. 1
ROUSSEAU, les Confessions, IV.

J'ai le tempérament le moins batailleur, l'esprit le plus conciliant qui soient ; mais devant la mauvaise foi j'ai grand mal à garder mon calme (...) 2
GIDE, Journal, 1924.

Chez ces héritiers d'une civilisation millénaire longtemps triomphante puis persécutée, maintenant dégradée, l'humeur batailleuse des ancêtres celtes s'était trouvée peu à peu contrainte, contenue, disciplinée, tout au long des répressions et des rancunes, par le calcul latin. 2.1
Raymond ABELLIO, Ma dernière mémoire, t. I, p. 41.

♦ **2** N. Rare. *Un batailleur.* → **Combattant.** — Par ext. *Un batailleur, une batailleuse.* → **Bagarreur** (→ ci-dessus, 1.). *Un batailleur qui ne rêve que plaies et bosses.*

(...) une majorité stupéfiante de casse-cou, de batailleurs (...) toujours prêts à relever un défi. 3
MARTIN DU GARD, les Thibault, t. VII, p. 144.

**CONTR. Calme, pacifique, paisible. — Accommodant, arrangeant, conciliant.**

**BATAILLON** [batajɔ̃] n. m. — 1543 ; ital. *battaglione,* augmentatif de *battaglia,* du bas lat. *battalia.* → Bataille.

♦ **1** Vx ou littér. Troupe de combattants. → **Armée, troupe.** *Les bataillons d'une armée. — Les gros bataillons.* — Loc. prov. *Dieu est avec les gros bataillons :* les hasards de la guerre sont en faveur des plus forts (→ ci-dessous, cit. 4). — *Bataillon carré, formé en carré.*

Les autres n'osaient affronter ce bataillon de Macédoniens, lequel était si bien serré de tous côtés. 1
J. AMYOT, P. Émile, 33, *in* LITTRÉ.

La phalange macédonienne qui n'était qu'un gros bataillon carré ne pouvait se mouvoir que tout d'une pièce. 2
BOSSUET, Hist., III, 6.

Restait cette redoutable infanterie de l'armée d'Espagne, dont les gros bataillons serrés demeuraient inébranlables au milieu de tout le reste en déroute et lançaient des feux de toute part (...) 3
BOSSUET, Oraison funèbre du prince de Condé.

On dit que Dieu est toujours pour les gros bataillons. 4
VOLTAIRE, Lettre à M. Le Riche, 6 févr. 1770.

Waterloo ! Waterloo ! Waterloo ! morne plaine ! 5
Comme une onde qui bout dans une urne trop pleine,
Dans ton cirque de bois, de coteaux, de vallons,
La pâle mort mêlait les sombres bataillons.
HUGO, les Châtiments, V, 13, 2.

Antiq. *Bataillon sacré :* corps d'élite thébain dont les guerriers devaient vaincre ou mourir ensemble.

♦ **2** Mod. Unité militaire de l'infanterie groupant plusieurs compagnies. *Le régiment est composé de plusieurs bataillons ou escadrons.* → **Régiment ; compagnie.** *Bataillon d'infanterie, du génie, de parachutistes. L'état-major du bataillon. Chef de bataillon.* → **Commandant.** *Former, rompre un bataillon.*

Ensemble des personnes qui composent une telle unité militaire. *Le bataillon établit son campement.*

Aux armes, citoyens ! Formez vos bataillons ! 6
ROUGET DE LISLE, la Marseillaise.

La plupart arrivaient par détachements formés en bataillons provisoires, sous des officiers nouveaux pour eux, qu'ils devaient quitter au premier jour, sans aiguillon de discipline, d'esprit de corps ni de gloire (...) 7
Ph. P. SÉGUR, Hist. de Napoléon, VI, 10.

Groupez ces individus par une incorporation ou une mobilisation, en un bataillon d'infanterie ; ils vont acquérir rapidement des traits collectifs (...) 8
A. MAUROIS, Études littéraires, t. II, p. 124.

Anciennt. **BATAILLONS DISCIPLINAIRES,** où étaient incorporés les délinquants. — **BATAILLONS D'AFRIQUE** *(bataillons d'infanterie légère de l'armée d'Afrique),* où étaient incorporés les recrues ayant subi des condamnations et dont la discipline était très rigoureuse. — Argot. *Bat' d'Af.* → ce mot; et aussi **bataillonnaire, joyeux.**

8.1 Tu n'en as pas moins des chances de faire cinq ans. Et, après, tu seras envoyé aux bataillons d'Afrique.
G. SIMENON, Maigret en meublé, p. 90.

Loc. fam. **INCONNU AU BATAILLON :** totalement inconnu (dans un groupe de personnes ayant des points communs; par ext., dans un ensemble de choses).

8.2 Nous avons des empreintes, les gars, déclara-t-il, beaucoup d'empreintes faut dire (...) le nommé Debu a un casier, les autres sont inconnus au bataillon.
Pierre GOMBERT, le Prix d'un taxi, p. 54.

♦ **3** Par ext. *Un bataillon de... :* un grand nombre. → **Troupe.** *Elle a un bataillon d'enfants. Un bataillon de chiens vint à notre rencontre.*

9 De pédants mal peignés un bataillon crotté
Descendait à pas lents de l'Université.
J.-F. REGNARD, Tombeau de M. B. D.

Spécialt. Grand nombre (d'objets, de personnes) en bon ordre. *Des bataillons de pots bien rangés sur les étagères d'une pharmacie.*

10 Et surtout elles sont drôles *(les Japonaises),* ainsi rangées en bataillon. LOTI, M^me Chrysanthème, I, 12, p. 84.

DÉR. et COMP. **Bataillonnaire.** V. **Bat' d'Af.**

**BATAILLONNAIRE** [batajɔnɛʀ] n. m. — 1915, *in* Esnault, art. *Bat d'Af* «fantassin d'Afrique»; de *bataillon.*
Soldat des bataillons d'Afrique. → **Bat' d'Af, joyeux; Africain** (vx).

1 (...) la voix dure des clairons... Cela lui rappelait — en dépit de son mépris de bataillonnaire pour des biffins — une époque lointaine... son séjour aux Bataillons d'Afrique (...)
Francis CARCO, l'Équipe, p. 20 (1919).

2 J'ai rencontré, je ne sais comment, un gaillard énorme, blême et triste comme moi, un bataillonnaire.
Armand LANOUX, le Pont de la folie, p. 341.

**BÂTARD, ARDE** [bɑtaʀ, aʀd] adj. et n. — 1090; *bastard,* lat. médiéval *bastardus,* p.-ê. du germanique **bansti,* du rad. **bhendh* «lier» (cf. angl. *to bend*), ou de l'anc. nordique **bastr-;* ou encore de *bât* (*fils de bât* «engendré sur le bât»), ou germanique **bansti* «grange», par la même métaphore — aucune de ces hypothèses n'est très appuyée; Guiraud reprend Littré, qui rattache le mot à *bât (animal de bast).*

♦ **1** Adj. Qui est né hors mariage. *Enfant bâtard. Fille bâtarde.* → **Naturel, illégitime.**

1 Communément fille bâtarde chasse *(de race).*
LA FONTAINE, Contes, «Féronde».

2 Les enfants nés de l'union d'un citoyen avec une étrangère étaient réputés bâtards (...)
FUSTEL DE COULANGES, la Cité antique, III, 12, p. 230.

N. Enfant naturel. → **Champi** (régional). *Une bâtarde. Un bâtard adultérin. Légitimer* un bâtard.* — REM. Le mot est péjoratif, voire insultant, sauf lorsqu'il s'agit de grandes familles (→ ci-dessous, cit. 4.2) ou dans un contexte didactique (cf. le thème du *bâtard* dans l'œuvre de Sartre).

3 Philippe le Bon eut de plus huit bâtards et sept bâtardes (...) DUCLOS, XI, I, 141.

4 Il *(Frédéric)* a fait plus de livres qu'aucun des princes contemporains n'a fait de bâtards (...)
VOLTAIRE, Lettre au Roi de Prusse, 24 mars 1772.

4.1 Ils se disputent et crient des choses qu'on ose à peine traduire
Bâtard conçu pendant les règles ou Que le diable entre dans ton père. APOLLINAIRE, Alcools, p. 115.

Un bâtard de maison presque royale, cela a toujours été 4.2
considéré comme une alliance flatteuse par la noblesse française et étrangère.
PROUST, Albertine disparue, Folio, p. 333.

Le produit d'un accouchement concubinal n'est pas un 4.3
enfant, mais un *bâtard.* C'est bien fait.
Les bâtards sont nettement moins réels que les enfants légitimes... On voit du premier coup d'œil qu'ils ne sont pas faits pour vivre vieux. Ils ont de grands yeux intelligents, un teint délicat, une tache en forme de couronne royale sous l'aisselle gauche et des millions de nobles cœurs prêts à se faire tuer, mais en vain, pour chasser l'usurpateur et les replacer sur le trône de leurs pères.
CAVANNA, Cavanna, p. 118.

(Hist.). Nom donné à des personnages de sang princier ou royal, mais de naissance illégitime. *Le bâtard d'Orléans.*

♦ **2** Adj. (Êtres vivants non humains). Qui n'est pas de race, d'espèce pure. → **Hybride; croisé, mélangé, métis, métissé.** *Un olivier bâtard. Une chienne bâtarde.* — N. *Un bâtard d'épagneul et de barbet.*

Comme elle ne pouvait emmener son chien Dick, affreux 5
bâtard de caniche et de barbet, Dundas en accepta gravement la garde.
A. MAUROIS, les Discours du D^r O'Grady, III, p. 38.

♦ **3** Adj. (Abstractions). Qui tient de deux genres différents ou qui n'a pas de caractère nettement déterminé. *Couleur bâtarde. Langue bâtarde. Le mélodrame, genre bâtard qui tient de la comédie et de la tragédie. Safran bâtard,* le carthame des teinturiers. *Une solution bâtarde.*

Il y a au fond du chœur des vitraux, d'après les dessins 5.1
de Navez, qui entrent dans les inconvénients de ce genre bâtard. E. DELACROIX, Journal, 7 juil. 1850.

Quelle envie bâtarde l'avait jeté sur ce film? 5.2
DRIEU LA ROCHELLE, la Comédie de Charleroi, p. 156.

*Porte bâtarde :* porte de maison qui n'est ni porte cochère, ni petite porte (→ Anneau, cit. 0.2).

Une porte bâtarde ouvrait sur un corridor, partagé par la 6
cage d'un escalier de bois.
BALZAC, les Paysans, XIII, Pl., t. VIII, p. 204.

*Écriture bâtarde,* ou, n. f. *bâtarde :* écriture ordinairement penchée, à jambages pleins et à liaisons arrondies, qui est intermédiaire entre la ronde et la coulée.

Eh! oui, d'une écriture que vous connaissez... là... d'une 7
certaine écriture qui n'est pas légitime.
— Il veut dire de la bâtarde.
A. R. LESAGE, Turcaret, II, 6.

♦ **4** (À Paris et dans la région parisienne). *Pain bâtard,* ou, n. m., *un bâtard :* pain de fantaisie d'une demi-livre. *Acheter deux baguettes et un bâtard. Un bâtard court.*

CONTR. **Légitime, pur, race** (de race). ◊ DÉR. **Bâtardise.** → COMP. **Abâtardir.**

**BATARDEAU** [batardo] n. m. — 1409; p.-ê. de l'anc. franç. *bastard* ou *bastart* «digue», du rad. de *bastir* (Wartburg) ou de *bast,* de *basis* «base, support» (Guiraud). → Bât.

♦ **1** Digue, barrage provisoire qu'on établit sur un cours d'eau pour assécher en aval le terrain sur lequel on a des travaux à faire. *Construire un batardeau avec des pieux garnis de planches.* → **Palplanche.**

♦ **2** Mar. Caisson que l'on applique à la coque d'un navire afin de la mettre à sec et de la radouber.

Un batardeau désert, au lit boueux, s'engrave
Dans le fleuve entre ses quatre murs de palplanches
Sous le balancement veilleur de lampes blanches.
Marcel THIRY, Quai Joseph nocturne.

**BÂTARDISE** [batardiz] n. f. — 1550; de *bâtard.*

♦ **1** État d'une personne bâtarde. *La bâtardise de qqn, sa bâtardise.* — Spécialt. Fait, pour un grand seigneur, d'avoir des bâtards.

1 Madame *(duchesse d'Orléans)* était d'une nation qui abhorrait la bâtardise et les mésalliances.
SAINT-SIMON, Mémoires, I, 17.

Littér. Situation (psychologique, sociale...) de l'enfant illégitime, impliquant le rejet, la rancœur, etc.

♦ **2** Littér., rare. Caractère d'une chose bâtarde (3.), hybride. *La bâtardise d'une œuvre, d'un genre, d'une idée.*

2 D'autres régions, au contraire, ne tolèrent point la bâtardise et posent brusquement la frontière, comme on met un point au bout d'une phrase.
Jacques LAURENT, les Bêtises, p. 297.

**BATAVE** [batav] n. et adj. — 1740; lat. *Batavi* «Bataves».

♦ **1** N. Hist. anc. Habitant des régions de l'embouchure du Rhin, que les Romains envahirent. *Les Bataves.* — Adj. *Tribus bataves.*

♦ **2** N. Vx ou plais. Habitant des Pays-Bas. *Un, une Batave.* — Adj. *République batave de Hollande.*

Il a replacé d'autres personnes déplacées : par exemple, dans une usine de textiles en Hollande, où on leur donne un salaire qui se monte au quart des gages payés aux ouvriers bataves (...)
Alain BOSQUET, les Bonnes Intentions, p. 86.

DÉR. **Batavique.**

**BATAVIA** [batavja] n. f. — 1771; lat. *Batavia,* nom du pays des Bataves (les Pays-Bas).

Laitue à feuilles larges finement ondulées et croquantes. *Un cageot de batavias.*

En appos. *Laitue batavia.*

REM. Le mot, au masculin, a désigné à la fin du XIXe s. un type de cigare d'Indonésie; il s'agit alors du nom de la ville de Batavia.

**BATAVIQUE** [batavik] adj. — 1765, Encycl.; de *batave.*

Phys. anc. *Larmes bataviques.* → **Larme.**

**BATAYOLE** [batajɔl] n. f. — 1740; *bataillole,* XVIe; de l'ital. *battagliola,* de *battaglia,* bas lat. *battalia.* → Bataille.

Mar. Montant vertical d'une rambarde, percé à son sommet d'un trou dans lequel passe la tringle ou le cordage. → **Chandelier** (I., 2.).

Des lampes baladeuses étaient encore accrochées en girandoles sur le pont, aux portemanteaux des embarcations, aux batayoles de la passerelle.
Roger VERCEL, Remorques, p. 15.

**BAT' D'AF** [batdaf] n. m. pl. — 1885; abrév. de *bataillon* d'Afrique.*

Argot milit., puis familier.

♦ **1** Ensemble des unités disciplinaires françaises qui étaient stationnées en Afrique. → **Bataillon** (d'Afrique). *Servir dans les bat' d'Af.* — REM. S'est parfois employé au singulier (→ ci-dessous, cit. 1).

1 Et comme si ces références ne suffisaient pas, il tâchait d'ajouter quelques «citations». «Il a été condamné plusieurs fois pour vol et cambriolage de villas, il a été à Fresnes pour s'être battu (même air grivois) avec des passants qu'il a à moitié estropiés et il a été au bat' d'Af. Il a tué son sergent».
PROUST, le Temps retrouvé, Pl., t. III, p. 817.

2 Il était prêt à me faire passer en conseil de guerre et envoyer aux Bat' d'Af parce que je ne voulais pas jeter cette cigarette qui l'épouvantait et qu'il me sommait pour la troisième fois d'éteindre.
B. CENDRARS, la Main coupée, *in* Œ. compl., t. X, p. 52.

3 Plus tard, rentrés chez eux, ils gardent secrètement le sacrement des Bat-d'Af, comme les princes du Pape, de l'Empereur ou du Roi s'enorgueillissent d'avoir été, il y a mille ans, simples brigands d'une bande héroïque.
Jean GENET, Pompes funèbres, p. 15.

♦ **2** Ensemble des bataillonnaires*. *Les bat' d'Af étaient cantonnés dans le Sud tunisien, à Foum Tataouine.*

**-BATE** Élément, du grec *bainein* «marcher, s'appuyer». → **Acrobate, stylobate.**

1. **BATEAU** [bato] n. m. — 1138, *batel;* de l'anglo-normand *bat,* mot anglo-saxon (angl. *boat*), et suff. *-eau,* du lat. *-ellus;* mais Guiraud postule un rad. *bat-* «objet vieux», cf. lat. *batillum,* bas lat. (IVe) *batalarius.*

**I** ♦ **1** Construction flottante destinée à la navigation. → **Barque, bâtiment, embarcation, navire, vaisseau.** — REM. Dans la langue spécialisée, *bateau* s'emploie surtout en parlant de constructions flottantes de dimensions modestes; cependant, la langue courante familière applique *bateau* aux plus grands navires, et en fait un terme générique (*un très gros bateau, prendre le bateau,* s'agissant d'un transatlantique). — *Bateau de métal, de bois, de contreplaqué, de plastique, de ferro-ciment. Bateau pneumatique. Bateau de mer, de rivière. Bateaux à rames, dans l'antiquité.* → **Galère; birème, trirème, quadrirème.** *Les anciens bateaux à voile.* → **Voilier.** *Bateau à roues*, à aubes*. Bateau à hélice.* — *Bateau à vapeur* (calque de l'angl.). → **Vapeur; steamer** (angl. steamship; abrév. : S. S.). *Bateau à moteur* (angl. *motorship;* abrév. : *M. S.*). *Bateau à ailes portantes.* → **Hydrofoil, hydroptère.** *Bateau mixte,* à vapeur et à voile (→ **Fifty**), ou bateau qui transporte des passagers et des marchandises. *Bateau de commerce, de transport des marchandises ou de passagers.* → **Cargo, navire** (de commerce). *Bateau caboteur.* → **Caboteur.** *Bateau de transport à fond plat.* → **Bac, barge, bélandre, cabotière, chaland, péniche, toue.** *Bateau de guerre.* → **Navire, vaisseau.** *Bateau de pêche.* → **Baleinier, baleinière, bisquine, chalutier, chasseur, crevettier, follier, harenguier, langoustier, morutier, pink, sardinier, tartane, thonier; pinasse, sinagot, terre-neuvier; coquiller, palangrier, sacolève, trinquart; drifteur; chasse-marée.** *Bateau de plaisance* (→ **Plaisance, plaisancier**) *à moteur.* → **Dayboat, vedette, yacht.** *Bateau de plaisance à voile.* → **Voilier, yacht; dériveur, quillard.** *Petit bateau.* → **Barque, embarcation, esquif; bachot, batelet** (vx), **canoë, canot, doris, plate, prame.** *Bateau de sauvetage.* → **Bib, canot, chaloupe, radeau.** *Bateau rapide à moteur.* → **Hors-bord.** *Bateau de compétition* (à avirons). → **Outrigger, skiff, yole.** *Bateau pouvant naviguer sous la surface de l'eau.* → **Sous-marin, submersible.** *Bateau de servitude.* → **Annexe, canot, chaland, youyou.** *Bateau transbordeur. Bateau pilote. Bateau assurant le remorquage.* → **Remorqueur.** *Bateau baliseur*.* — (1933, *in* D. D. L.). *Bateau école,* sur lequel les plaisanciers se préparent à passer un permis de navigation. — *Bateau traditionnel* (dans des civilisations particulières). → **Caïque, dahabieh, felouque; canoë, kayak, pirogue; gondole; jonque, sampan; catamaran** (1.). *Flotte, flottille de bateaux. Bateau en pêche, en course. Être à bord* d'un bateau. Embarquer* sur un bateau. Débarquer* d'un bateau.* — *L'équipage d'un bateau. Mauvais bateau.* → **Rafiot.** *Parties d'un bateau, matériel embarqué à bord d'un bateau.* → **Navire.** *Formes et mesures d'un bateau.* → **Navire.** *Compagnie de bateaux.* → **Maritime.** *Architecte de bateaux.* → **Naval.** *Course de bateaux.* → **Régate.** — *Ce bateau bat pavillon français, jauge 500 tonnes, croise aux* *abords de la Gironde, au large, essuie une tempête, tente de remonter au vent. Pris dans la tempête, le bateau dérive, s'échoue, prend de la bande, coule, sombre, est perdu corps et biens. — Acheter, avoir un bateau. Construire un bateau; accastiller, gréer un bateau. Baptiser, lancer un bateau. On remorque le bateau hors du port, on le pilote vers le large. Barrer un bateau. L'équipage a sabordé le bateau, on ne peut pas le renflouer. — Prendre le bateau.* → **Bac, ferry, paquebot, traversier.** *Le courrier part par bateau ou par avion. Voyager par bateau. Voyage en bateau.* → **Croisière.** *Le bateau vient dans l'île deux fois par semaine. Rater son bateau.*

1 Les bateaux qui suivent le cours d'une rivière (...)
DESCARTES, Traité du monde, 10.

1.1 — Un vrai canot, oui, répondit le marin, mais nous n'avons pas besoin d'une embarcation destinée à tenir la mer, et, en cinq jours au plus, je me fais fort de construire une pirogue suffisante pour naviguer sur la Mercy.
— En cinq jours, s'écria Nab, fabriquer un bateau?
— Oui, Nab, un bateau à la mode indienne.
J. VERNE, l'Île mystérieuse, t. I, p. 302.

2 Par tous les temps, le rude petit bateau contrebandier, déjà vieux et meurtri, marchait quand même (...)
LOTI, Matelot, IX, p. 38.

3 (...) le Premier Consul, reprenant le projet, déjà deux fois abandonné, d'envahir l'Angleterre et d'y transporter une armée sur des flottilles de bateaux plats, formait un camp à Boulogne. J. BAINVILLE, Hist. de France, XVII.

3.1 Mon bateau partira demain pour l'Amérique
Et je ne reviendrai jamais (...)
APOLLINAIRE, Alcools, p. 100.

3.2 Le bateau est un admirable outil, à la fois poisson et oiseau; par le bateau, l'homme sent l'eau et le vent sur ses paumes; mais enfin le bateau n'est pas lui. Il le répare, il l'arme, il le nomme; mais il l'use et le laisse.
ALAIN, Propos, Chapeaux bretons, 1er oct. 1930.

3.3 Ils virent ainsi plusieurs bateaux qui montaient ou descendaient paisiblement le fleuve. Ici, une femme lavait son linge sur le pont, là une autre tenait le gouvernail (...)
G. SIMENON, Maigret et le clochard, p. 497.

3.4 Comme il ressortait sur la place — ne sachant que faire — il avait entendu le dernier coup de sirène du bateau, celui qui annonce la fermeture de la coupée. Il s'était alors dirigé vers la cale — sans se presser puisqu'il était trop tard — seulement pour regarder le petit vapeur s'éloigner — pour se distraire, en somme (...)
A. ROBBE-GRILLET, le Voyeur, p. 169.

Par métaphore. *Être embarqué sur, dans le même bateau. Mener son bateau à bon port :* réussir. «*Échouer son bateau*» (de Gaulle).

3.5 La monnaie est bien aussi une sorte de mer, qui balance le bateau politique (...)
ALAIN, Propos, Tempêtes humaines, 4 juil. 1931.

(1870, Goncourt). **BATEAU-MOUCHE :** bateau à moteur en service à Paris, sur la Seine, et servant à transporter des passagers. *Les bateaux-mouches, autrefois utilisés comme transport en commun, sont aujourd'hui réservés à la promenade.* → 3. **Coche** (coche d'eau). — Par analogie :

4 Tout ce monde fut emporté, par de ridicules bateaux-mouches, vers la terre ivre de klaxons.
G. DUHAMEL, Scènes de la vie future, I.

4.1 Lorsque le dernier bateau-mouche aura disparu la première mouette fera son apparition.
Claude MAURIAC, le Dîner en ville, p. 204 (1959).

*Pont de bateaux :* pont fait de bateaux accrochés les uns aux autres. *Bloquer l'entrée d'un port par un pont de bateaux.*

5 Louis de Bade avait jeté un pont de bateaux sur le Rhin, à Hagenbach, et de là s'était espacé en Alsace par corps séparés (...) SAINT-SIMON, Mémoires, XXIII, 6.

Par anal., vx. *Bateau aérien, volant :* aéronef, ballon. → **Navire.**

♦ **2** Charge, contenu d'un bateau. *Un bateau de charbon. Décharger un bateau de céréales.*

♦ **3** *(Le, du bateau).* Navigation de plaisance. → **Voile, yachting.** *Il fait du bateau tous les week-ends. Aimer le bateau.* → **Voile.**

**II** Par métaphore ou fig. ♦ **1 EN BATEAU** (ou, par appos. : *bateau*) : qui a la forme d'un bateau. *Lit en bateau,* ou (rare) *lit à bateau,* (plus cour.) *lit bateau,* dont les deux extrémités se relèvent en formant une courbe. → **Gondole** (en). — *Bateau de lit :* cadre en bois.

(1925, *in* D. D. L.). *Encolure, décolleté en bateau : décolleté bateau,* décolleté droit dégageant les épaules.

(1877). Méd. *Ventre en bateau,* creusé en longueur, la paroi abdominale étant rétractée.

Loc. fam. *Avoir les pieds comme des bateaux,* très grands.

Elle a des pieds comme des bateaux, des moustaches à l'américaine et des dessous sales! 5.1
PROUST, À l'ombre des jeunes filles en fleurs, Folio, p. 472.

♦ **2** Fig. (Objets comparés à un bateau). [a] Ravier en forme de nacelle pour servir les hors-d'œuvre.

[b] Techn. anc. Assemblage de menuiserie constituant le corps d'un carrosse.

[c] (À cause du rapport entre les souliers et l'eau; → Pompe). Fam. Au plur. **BATEAUX :** chaussures de grande pointure. — Soulier, en général.

Je lui dis : Antoine, t'a pris mes bateaux; je me jette sur lui et je trouve mes souliers. 5.2
la Correctionnelle, 1841, cité par Lorédan LARCHEY, Dict. d'argot (1878).

♦ **3** [a] Géol. Courbure concave de dimension réduite. *Fond de bateau,* le fond de cette courbure.

[b] Loc., techn. *Faire le bateau,* se dit du bois qui se gondole en prenant une forme concave.

[c] Dépression de la bordure d'un trottoir, aménagée pour permettre le passage des véhicules, devant une porte cochère, une porte de garage. *Il est interdit de stationner devant un bateau. Trottoir sans bateau.*

♦ **4** (1881; croisement de 2. *bateau* et d'une métaphore courante : «emmener, envoyer promener»). Loc. fig. **MENER, FAIRE ALLER (qqn) EN BATEAU,** inventer une plaisanterie, une histoire pour lui en faire accroire. → **Barque** (en), 2. **bateau.** *Monter en bateau :* croire à une plaisanterie; être dupé.

Une autre, à la terrasse d'un café, l'avait mené en bateau avec la plus gracieuse perfidie : feignant de le trouver sympathique, puis à son offre de sortir ensemble, répondant avec un sourire suave, «Oh, mais je ne peux pas, j'attends mon mari». 5.3
Jean-Louis CURTIS, le Roseau pensant, p. 292.

Vx. *Arriver en trois bateaux,* en grand appareil, en se donnant une importance ridicule. — *Il n'en vient que deux en trois bateaux* (il leur faut trois bateaux pour deux : ils sont prétentieux et ridicules).

Singe du pape en son vivant, 6
Tout fraîchement en cette ville
Arrive en trois bateaux, exprès pour vous parler (...)
LA FONTAINE, Fables, IX, 3.

Vx. *Être arrivé par le dernier bateau :* ne pas être au courant (cf. Il débarque). — *Être du dernier bateau :* être au courant des modes. → **Vague.**

♦ **5** [a] Loc. fam. *Un vieux bateau :* une idée rebattue.

[b] Adj. Banal, rebattu. *Question bateau. Sujet d'examen bateau. C'est un peu bateau, ton truc.*

DÉR. (De l'anc. forme *batel*) **1. Batelage, 1. batelée, 1. bateler, batelet, batelier, batellerie.** — V. **2. Bateau.** ◊ COMP. **Bateau-citerne, bateau-feu, bateau-lavoir, bateau-phare, bateau-pilote, bateau-pompe, bateau-porte.**

2. **BATEAU** [bato] n. m. — 1866, en argot, *pousser un bateau, poussée de bateau,* Delvau, Langue verte (*in* T. L. F.) ; orig. incert. ; p.-ê. de même orig. que l'anc. franç. *bastel, baastel* «instrument d'escamoteur ; escamotage» (v. 1220) qui a donné *bateleur,* mais l'écart des dates rend cette orig. douteuse ; l'infl. de 1. *bateau* est évidente (cf. Mener en bateau). → 1. Bateau (4.).

Fam. (D'abord dans les loc. *pousser un bateau, conter un bateau,* 1901). Mensonge, mystification. → **Canular.** *Des bateaux amusants, invraisemblables. Ne croyez pas ce bobard : c'est un bateau ridicule.* — (Surtout dans des loc.). *Monter un bateau à qqn.*

*(Sémenoff)* servait de tête de Turc à Paul Arène, qui lui montait de formidables bateaux (...)
Léon DAUDET, Fantômes et Vivants, 1914, p. 67, *in* T. L. F.

**BATEAU-CITERNE** [batositɛʀn] n. m. — 1866; de 1. *bateau,* et *citerne.*

Navire spécialement aménagé pour le transport des liquides (eau, vin, pétrole, etc.). → **Méthanier, pétrolier, pinardier, tanker.** *Des bateaux-citernes.*

**BATEAU-FEU** [batofø] n. m. — 1892; de 1. *bateau,* et *feu.*

Bateau de construction spéciale, muni d'un phare et mouillé à un endroit fixe, à la manière d'une bouée. → **Bateau-phare.** *Le bateau-feu du Havre. Des bateaux-feux.*

Un bateau-feu, montrant un feu fixe rouge, est mouillé au milieu du fleuve, et indique aux pilotes le point où, vers 1840, pendant une guerre contre le Cambodge, furent coulées des jonques chargées de pierre, qui constituent un écueil dangereux.
L. FOURNEREAU, Bangkok, *in* le Tour du monde, t. II, p. 3 (1894).

**BATEAU-LAVOIR** [batolavwaʀ] n. m. — 1886, cit. ; de 1. *bateau,* et *lavoir.*

Anciennt. Ponton installé au bord d'une rivière, dans une grande ville, où l'on pouvait laver le linge. *Des bateaux-lavoirs.* → **Lavoir.**

Et l'on vit encore les remous de l'eau, la cheminée haute du bateau-lavoir, la chaîne immobile de la dragueuse (...)
ZOLA, l'Œuvre, p. 4.

Loc. fam. *Capitaine de bateau-lavoir :* marin (et, par ext., professionnel) inexpérimenté (→ Marin* d'eau douce).

Allus. *Le Bateau-Lavoir,* maison de la place Ravignan, à Paris, ainsi nommée à cause de son escalier de bois et de son aménagement, qui fut habitée par de nombreux artistes (peintres et poètes) de 1908 à 1914, et où s'élabora le cubisme.

**BATEAU-MOUCHE** [batomuʃ] n. m. → 1. **Bateau** (cit. 4, 4.1, et *supra*).

**BATEAU-PHARE** [batofaʀ] n. m. — 1866; de 1. *bateau,* et *phare.*

→ **Bateau-feu.** *Des bateaux-phares.*

(...) et la nuit je verrais les distantes lumières de la ville, si je voulais, et les autres lumières, celles des phares et des bateaux-phares, que mon père m'avait nommées, quand j'étais petit, et dont je retrouverais les noms, dans ma mémoire, si je voulais, je le savais.
S. BECKETT, Premier amour, p. 53.

**BATEAU-PILOTE** [batopilɔt] n. m. — 1866; de 1. *bateau,* et *pilote.*

Petit bateau à moteur qui transporte les pilotes à bord des gros navires qui les demandent. *Des bateaux-pilotes.*

**BATEAU-POMPE** [batopɔ̃p] n. m. — 1882; de 1. *bateau,* et *pompe.*

Bateau équipé pour lutter contre l'incendie. *Des bateaux-pompes.*

**BATEAU-PORTE** [batopɔʀt] n. m. — 1808; de 1. *bateau,* et *porte.*

Techn. Caisson flottant utilisé pour fermer une cale de radoub ou une écluse. *Des bateaux-portes.*

**BATÉE** [bate] n. f. — 1868; var. de *battée* «plat en terre battue»; de *battre.*

Techn. Récipient conique dans lequel on lave les terres et les sables aurifères.

REM. La var. *battée* est plus rare.

Dans la case, bien construite, très peu de désordre. Sur le sol en terre, une espèce de plat creux en bois, une battée, l'instrument des infortunés chercheurs d'or.
Fernand FOURNIER-AUBRY, Don Fernando, p. 170.

HOM. **Battée.**

1. **BATELAGE** [batlaʒ] n. m. — 1443; de l'anc. franç. *batel.* → 1. Bateau.

♦ **1** Service de bateaux assurant la communication des navires avec le rivage ou entre eux. *Des canots, des chaloupes faisaient le batelage entre les bateaux de pêche et la terre.*

♦ **2** (1752). Droit ou salaire payé à un batelier.

2. **BATELAGE** [batlaʒ] n. m. — 1580, Montaigne; de 2. *bateler.*

Rare. Métier, tour de bateleur.

1. **BATELÉE** [batle] n. f. — XIIIe; de l'anc. franç. *batel.* → 1. Bateau.

Vieux ou régional.

♦ **1** Charge, contenu d'un bateau. *Une batelée de bois, de promeneurs. Décharger sa batelée.*

♦ **2** (1545). Fig. Grande quantité (de personnes).

HOM. 2. **Batelée,** 1. **bateler,** 2. **bateler.**

2. **BATELÉE** [batle] adj. f. — 1543; *rhetorique batellee,* 1493; de l'anc. franç. *batteler* «sonner les cloches», de *batel* «battant de cloche», de *battre.*

Didact. *Rime batelée :* rime qui se répète à l'hémistiche du vers suivant. *La rime batelée est employée en France aux* XVe *et* XVIe *siècles.*

HOM. 1. **Batelée,** 1. **bateler,** 2. **bateler.**

1. **BATELER** [batle] v. tr. — XIVe; de l'anc. franç. *batel.* → 1. Bateau.

Techn. Transporter sur un bateau. *Bateler du poisson, du hareng* (spécialt, faire le batelage* du poisson, entre le bateau de pêche et la terre).

HOM. 1. **Batelée,** 2. **batelée,** 2. **bateler.**

2. **BATELER** [batle] v. intr. — 1567; *basteler,* 1526; de l'anc. franç. *baastel* «instrument d'escamoteur», d'orig. incertaine. → 1. Bateau, bateleur.

Vx. Faire des tours d'adresse, faire le bateleur.

DÉR. 2. **Batelage,** 2. **batellerie.** ◊ HOM. 1. **Batelée,** 2. **batelée,** 1. **bateler.**

**BATELET** [batlɛ] n. m. — XIIIe; de l'anc. franç. *batel.* → 1. Bateau.

Rare. Petit bateau à rames.

**BATELEUR, EUSE** [batlœʀ, øz] n. — XIIIe; *basteleur,* jusqu'au XVIe; de l'anc. franç. *baastel* «instrument d'escamoteur» (→ 2. Bateler); orig. incertaine.

♦ **1** Personne dont le métier est de faire des tours d'acrobatie, d'adresse, d'escamotage, de force, sur les places publiques, dans les foires. → **Acrobate, amuseur, avaleur** (de sabres), **baladin, banquiste, bouffon, charlatan, équilibriste, forain, funambule, hercule, histrion, jongleur, lutteur, opérateur, paradiste, prestidigitateur, saltimbanque, sauteur.** *Les bateleurs du Pont-Neuf, des foires. Troupe de bateleurs. Les bateleurs d'une parade de cirque. Tour de bateleur.* → 2. **Batelage.** *Le milieu des bateleurs.* → 2. **Banque** (cit.).

1 Les singeries que les basteleurs apprennent à leurs chiens.
MONTAIGNE, Essais, II, 172, *in* LITTRÉ.

1.1 Puis, sur les places, entre les quartiers de cette ville improvisée, c'était une agglomération de bateleurs de toute espèce : saltimbanques et acrobates, assourdissant avec les hurlements de leurs orchestres et les vociférations de leur parade; bohémiens, venus des montagnes et disant la bonne aventure aux badauds d'un public toujours renouvelé (...)
J. VERNE, Michel Strogoff, p. 74.

REM. Sans être vieux, le mot s'applique surtout au passé.

♦ **2** Fig., littér. (Péj.). → **Bouffon, charlatan, farceur.** *Faire le bateleur.*

2 Un bateleur monté sur des tréteaux *(Villars).*
SAINT-SIMON, Mémoires, III, 325.

3 Exista-t-il jamais un bateleur plus fait pour l'indignation publique *(que Jésus)*! SADE, Justine..., t. I, p. 78.

♦ **3** Vx. Petit rapace qui effectue des culbutes en vol. — N. f. *Bateleuse :* alouette d'Afrique.

**BATELIER, IÈRE** [batəlje, jɛʀ] adj. et n. — 1292; *batillier,* n. m., 1275; de l'anc. franç. *batel.* → 1. Bateau.

♦ **1** Personne qui conduit un bateau, principalement sur les rivières et canaux. → **Batellerie, marinier.** *Batelier de gondole.* → **Gondolier.** *Les bateliers de la Volga. Croc de batelier.* → **Harpin.** *Chanson du batelier* (gondolier) *vénitien.* → **Barcarolle.** — Spécialt. Personne qui transporte des passagers d'une rive à l'autre. → **Passeur.** — REM. Le féminin est rare.

1 *(Charon)* Plus qu'aucun batelier des nôtres,
Pousse les uns, frappe les autres,
Et ne passe que qui lui plaît (...)
SCARRON, Virgile, VI.

2 Écoutez la chanson lente d'un batelier
Qui raconte avoir vu sous la lune sept femmes (...)
APOLLINAIRE, Alcools, p. 111.

♦ **2** Adj. (1571). Relatif aux bateaux qui naviguent sur les rivières. *Compagnie batelière.* — Par extension :

3 Chaleur sans ombre aucune et brûlante dans le bateau, à midi. Sur les bords, petits vilains rochers pelés (...) Mœurs batelières cherchant le bonheur présent, et par là se rapprochant des mœurs militaires.
STENDHAL, Journal, 28 juil. 1805.

1. **BATELLERIE** [batɛlʀi] n. f. — 1390; de l'anc. franç. *batel.* → 1. Bateau.

♦ **1** Industrie du transport fluvial. → **Navigation** (fluviale). *Les services de la batellerie.*

♦ **2** Ensemble des bateaux de rivière.

♦ **3** Ensemble des personnes qui travaillent dans les transports fluviaux.

2. **BATELLERIE** [batɛlʀi] n. f. — 1540, *bastellerie;* de 2. *bateler.*

Vx. Technique du bateleur; ensemble des tours de bateleur. → 2. **Batelage.** «*(...) ces revenants de la batellerie, de la jonglerie*» (Giraudoux, *la Folle de Chaillot*).

**BÂTER** [bate] v. tr. — 1549, Marot; de *bât.*

Munir d'un bât (une bête de somme). *Bâter un âne, un mulet.* — Au passif :

Qu'au bœuf sied mieux d'être basté *(bâté),* 1
Qu'à un âne de porter mitre (...)
Clément MAROT, Colloque d'Érasme, 1.

Par métaphore. (→ Bâtier, cit.).

◆ **BÂTÉ, ÉE** p. p. et adj. *Des mulets bâtés.*

(En parlant de personnes) :

On devait être drôles à voir, tiens, avec notre fourbi, bâtés de bric et de broc, quelques-uns avec de grands sacs à dos, la plupart avec des sacs à pommes de terre en jute aux sangles improvisées. 1.1
Régis DEBRAY, l'Indésirable, p. 259.

Loc. fig. **ÂNE BÂTÉ.** → **Âne** (*supra* cit. 8), **ignorant, lourdaud.** *Ce garçon, cette fille est un âne bâté,* un, une imbécile.

Diantre soit de l'âne bâté (...) 2
MOLIÈRE, le Bourgeois gentilhomme, II, 4.

CONTR. **Débâter.**

**BAT-FLANC** [baflɑ̃] n. m. invar. — 1881, *bas-flanc;* antérieurement en Anjou; de *battre,* et *flanc.*

♦ **1** Pièce de bois qui, dans les écuries, sépare deux chevaux. — Par ext. Cloison en bois entre les lits, dans un dortoir. *Des bat-flanc.*

♦ **2** Lit de planches, plancher surélevé servant de lit, à une ou plusieurs places. *Bat-flanc de l'armée. Les bat-flanc d'une cellule de prison, d'un refuge de montagne.*

On m'enfourna dans un fourgon blindé, l'ambulance, peut-être. À l'arrière une double porte verrouillée du dehors. Quatre bat-flanc. J'étais seul. 1
MALRAUX, Antimémoires, Folio, p. 233.

Enfin, nous arrivâmes à une cave de dimensions assez réduites et aux murs tapissés de bat-flanc. Sur la plupart d'entre eux des Chinois fumaient en silence. 2
J. KESSEL, Tous n'étaient pas des anges, p. 537.

**BATH** [bat] adj. — 1846, Hugo; interj., 1804, Stendhal; p.-ê. apocope de l'argot *batif* «joli», de *battant (neuf);* → Battre; la toile neuve «sort du battant du tisserand» (Guiraud); ou d'une exclamation admirative *bat';* → Bah; l'orthographe *bath* a fait évoquer (sans doute à tort) la ville anglaise de *Bath.*

Familier. (Légèrement vieilli, ou enfantin).

♦ **1** (Personnes). Chic, serviable.

Tes bath, Fernande, lui disait-il. Tu m'as passé le filon quand je me gourais (...) 1
Francis CARCO, Jésus-la-Caille, I, 4.

Beau, agréable. — REM. On trouve aussi le fém. écrit *bathe.*

(...) il y a une bonne femme qui m'a accosté, mais quelqu'un tu sais, une bathe, tout à fait du premier choix. 2
R. QUENEAU, le Dimanche de la vie, p. 39.

♦ **2** (Choses). Agréable, beau. *C'est bath! C'est rien bath!* → **Chouette, épatant.** *Un bath cadeau. Tu as des bath de chaussures!*

— Dis donc, Mora, il est bath c'te wagon? 3
— Tu parles d'un sliping!
B. CENDRARS, Moravagine, *in* Œ. compl., t. IV, p. 173.

REM. Invariable au XIXe s., l'adj. semble bien avoir été normalisé graphiquement (→ ci-dessus, cit. 2, et ci-dessous, cit. 4).

(...) p'tain *(putain!)* qu'est-ce qu'i sont baths les draps pardon c'est pas comme au dortoir (...) 4
Tony DUVERT, Paysage de fantaisie, p. 178.

HOM. 2. **Bat, batte,** formes du v. **battre.**

**BATHO-** Élément, du grec *bathus* «profond». → **Bathy-;** et ci-dessous à l'ordre alphabétique.

**BATHOLITHE** [batɔlit] n. m. — 1928, *in* T. L. F.; de *batho-*, et *-lithe*.

Géol. Massif granitique dont les racines se perdent dans les profondeurs de l'écorce terrestre. «*Les Monts d'Aubrac comprennent un socle métamorphique moins connu (...) Leur partie granitique prolonge le grand batholithe de la Margeride*» (*la Recherche*, nº 111, mai 1980, p. 554).

**BATHOMÈTRE** [batɔmɛtʀ] ou **BATHYMÈTRE** [batimɛtʀ] n. m. — 1903, *bathomètre*, in *Rev. gén. des sc.*, nº 16, p. 875; *bathymètre*, 1810; de *batho-*, *bathy-*, et *-mètre*.

Sc. (Vx). Instrument utilisé pour mesurer la profondeur de la mer. → **Bathymétrie.**

**BATHONIEN, IENNE** [batɔnjɛ̃, jɛn] adj. et n. m. — V. 1860; en angl., *bathonian*, 1857; de *Bathonian*, adj., «de Bath», de *Bathonia*, nom latinisé de la ville de *Bath* en Angleterre.

Didact. (géol.). Relatif à l'étage supérieur du jurassique moyen. → **Dogger.** — N. m. *Les couches du bathonien s'étendent jusqu'au callovien.*

**BATHOPHOBIE** [batofɔbi] n. f. — XXᵉ (*in* Manuila, 1970); de *batho-*, et *-phobie*.

Psychol. Crainte angoissante des profondeurs sous-marines, des espaces aériens, du vide.

**BATHY-** Élément, du grec *bathus* «profond». → aussi **Batho-**; et ci-dessous à l'ordre alphabétique.

**BATHYAL, ALE, AUX** [batjal, o] adj. — V. 1953 (*bathyal* est attesté en anglais dès 1926); du grec *bathus* «profond».

Didact. Qui concerne la zone sous-marine comprise entre 200 et 3 000 mètres de profondeur et correspondant au plateau continental*.

**BATHYESTHÉSIE** [batiɛstezi] n. f. — XXᵉ (*in* Piéron, 1951); de *bathy-*, et *esthésie*.

Physiol. Sensibilité profonde, comprenant le sens des attitudes, des mouvements, des forces, résultant de la stimulation des récepteurs musculo-tendineux.

**BATHYMÈTRE** [batimɛtʀ] n. m. → **Bathomètre.**

**BATHYMÉTRIE** [batimetʀi] n. f. — 1863; *bathométrie*, 1838; de *bathy-*, et *-métrie*.

Didact. Mesure des profondeurs marines, autrefois effectuée à l'aide de sondes ou de bathomètres, aujourd'hui par échosondage*.

*(La bathymétrie)* est l'étude synthétique des diverses opérations de sondage pratiquées dans les diverses régions des Océans ou dans une mer déterminée. Ces opérations sont effectuées à l'aide de sondes ou au moyen d'un appareil spécial, inventé par Siemens et désigné sous le nom de bathomètre ou de bathymètre.

P. POIRÉ, Dict. des sciences, art. *Bathymétrie.*

DÉR. **Bathymétrique.**

**BATHYMÉTRIQUE** [batimetʀik] adj. — 1869, *in* D. D. L.; de *bathymétrie.*

Didact. Qui se rapporte à la bathymétrie.

**BATHYPLANCTON** [batiplɑ̃ktɔ̃] n. m. — 1905, in *Rev. gén. des sc.*, nº 7, p. 324; de *bathy-*, et *plancton.*

Sc. Plancton des profondeurs abyssales.

**BATHYSCAPHE** [batiskaf] n. m. — 1946, créé par le professeur A. Piccard; de *bathy-*, et grec *scaphê* «barque».

Didact. Appareil destiné à conduire des observateurs dans les grandes profondeurs sous-marines. *Le bathyscaphe est entièrement autonome; il est constitué d'une cabine sphérique et d'un flotteur allongé. Au fond des mers en bathyscaphe*, ouvrage de A. Piccard (1954).

**BATHYSPHÈRE** [batisfɛʀ] n. f. — 1928; de *bathy-*, et *sphère.*

Didact. Sphère très résistante reliée à la surface de l'eau par un câble (à la différence du bathyscaphe), pour explorer les grandes profondeurs sous-marines.

**BÂTI** [bati] n. m. — 1699; p. p. substantivé de *bâtir.*

♦ **1** Assemblage de montants et de traverses. *Un bâti de grosse menuiserie en chevron. Bâti de porte. Le banc du menuisier, du tourneur est un bâti en fonte ou en bois.* — Par ext. Charpente qui supporte les diverses pièces d'une machine, qui sert à leur assemblage. *Le bâti d'une charrue.* → **Armature, assemblage, carcasse, charpente, châssis.**

Et l'enfant, tandis qu'il manœuvre la poignée de la porte 1
avec une main, tape de l'autre une seconde fois son béret contre le montant, qui s'écarte déjà du bâti fixe.

A. ROBBE-GRILLET, Dans le labyrinthe, p. 39.

♦ **2** Couture à grands points qui assemble provisoirement les pièces d'un ouvrage. *Faire un bâti.* → **Faufiler.** *Le bâti d'une robe, d'un manteau.* — Par ext. Fil qui sert à cet assemblage.

Maman s'affolait : «Attention à mes épingles! Attention à 2
mes bâtis!»

G. DUHAMEL, Chronique des Pasquier, I, IV.

**BÂTIER** [batje] n. m. — Av. 1292; de *bât.*

Techn. (Anciennt). Celui qui fabrique des bâts. → **Sellier.** — Par métaphore :

Laissons le peuple recevoir un bât des bâtiers qui le bâtent, 1
mais ne soyons pas bâtés (...)

VOLTAIRE, Lettre à Duclos, 22 oct. 1760.

**BÂTIÈRE** [batjɛʀ] n. f. — 1283; de *bât.*

♦ **1** Régional. Bât.

♦ **2** (1856). Techn. Toit à deux pentes (appelé aussi *toit en bâtière*).

**BATIFOLAGE** [batifɔlaʒ] n. m. — 1532, Rabelais, dans un titre comique en lat.; de *batifoler.*

Fam. Action de batifoler; amusement*, jeu folâtre.

Elle aime à batifoler (...); je batifolois sans cesse; et, si je m'allois mettre dans çarvelle tous vos engeingreigniaux, adieu le batifolage.

LA FONTAINE, Contes, «La coupe enchantée».

REM. Céline emploie *batifole* [batifɔl], déverbal de *batifoler* («*Je pensais plus qu'aux batifoles...*», in *Mort à crédit*).

**BATIFOLER** [batifɔle] v. intr. — V. 1540; p.-ê. ital. *battifolle* «moulin», anc. provençal *batifol* «moulin à battre»; dans les deux cas (le provençal étant plus probable), il pourrait s'agir d'un composé de *batre* «battre», et *folar* «fouler», avec infl. probable de *fol.*

Familier.

♦ **1** S'amuser gaîment; s'ébattre. → **Folâtrer, gambader, jouer.** — REM. Il semble que les premiers contextes soient ruraux (→ Batifolage).

1 (...) et je nous amusions à batifoler avec des mottes de tarre que je nous jesquions à la teste ; car, comme tu sais bian, le gros Lucas aime à batifoler, et moi par fouas je batifole itou. En batifolant donc, pisque batifoler y a (...)
MOLIÈRE, Dom Juan, II, 1.

2 Faner (...) c'est retourner du foin en batifolant (...)
Mme DE SÉVIGNÉ, Lettres, 187.

3 Mais François se recula et ne voulut point batifoler.
G. SAND, François le Champi, VIII.

(En parlant d'animaux) :

4 De petits singes noirs, qui avaient l'air de vieux marins, avec leurs colliers de barbe blanche, batifolèrent sur le sable. MARTIN DU GARD, les Thibault, t. III, p. 36.

♦ **2** Spécialt. S'amuser de manière érotique (mais relativement innocente). *Batifoler avec qqn. Ils batifolent comme deux tourtereaux. «Les jours où l'on batifole avec une femme adorée»* (Balzac, *in* T. L. F.).

♦ **3** Avoir une attitude désinvolte, irresponsable ; passer son temps à des occupations futiles. → **Baguenauder.**

5 Il y a une justice, mais celui qui la rend batifole.
J. RENARD, Journal, 14 janv. 1895.

(Choses). Littér. *«Le soleil batifolait à travers le pampre»* (Gide, *les Caves du Vatican,* Romans, Pl., p. 800).

DÉR. **Batifolage, batifoleur.**

**BATIFOLEUR, EUSE** [batifɔlœʀ, øz] n. et adj. — 1835 ; de *batifoler.*

Fam. Personne qui batifole, qui aime à batifoler.

Adj. *«Des chiens batifoleurs»* (Genevoix).

**BATIK** [batik] n. m. — 1845 ; mot javanais.

♦ **1** Soie peinte, à la mode javanaise, répandue v. 1900.

♦ **2** Par ext. Pièce de cette étoffe, utilisée en Indonésie pour la coiffure.

1 Alit (...) la tête serrée d'un batik comme l'exige le soleil (...)
ARAGON, Blanche..., II, IV, p. 231.

2 (...) ces grands motifs marbrés, savonneux, comme des dessins de batiks javanais.
Paul MORAND, Rien que la terre, p. 240.

♦ **3** Techn. (Sens originel du mot *batik,* en malais «point, pointiller, dessiner»). Procédé de décoration par report d'un dessin sur le support (étoffe, papier, cuir). *Les batiks étaient à l'origine décorés par ce procédé. Faire du batik.* — REM. On écrit aussi *battik.*

♦ **4** Cour. en franç. d'Afrique. Pagne de coton obtenu par trempage dans des bains de teinture après impression de dessins à la cire (I. F. A.).

DÉR. **Batiker.**

**BATIKER** [batike] v. tr. — 1928 ; de *batik.*

Techn. Décorer par le procédé du batik* (3.). — REM. On écrit aussi *battiker.*

**BÂTIMENT** [batimɑ̃] n. m. — 1160 ; de *bâtir,* et suff. *-ment.* → Étonnement.

♦ **1** [a] Vx (jusqu'au XVIIe ; cf. Pascal, La Rochefoucauld, Racine...). Action de bâtir (au propre et au fig.). → **Construction, création.** *Le bâtiment d'un édifice.*

[b] Mod. Ensemble des industries et métiers qui concourent à la construction des édifices. → **Construction ; architecture, charpenterie, couverture, maçonnerie, marbrerie, menuiserie, peinture, plâtrerie, plomberie, serrurerie, tapisserie, vitrerie.** *L'industrie du bâtiment. Entreprise, entrepreneur de bâtiment. Ouvrier, technicien du bâtiment. — Peintre* (cit. 1.1) *en bâtiment. Travailler dans le bâtiment.*

— Ensemble des professionnels de la construction. *Le bâtiment est en grève. Les syndicats, l'argot du bâtiment.*

Prov. *Quand le bâtiment va, tout va* (dans les affaires).

Loc. fam. *Être du bâtiment :* être du métier, de la partie ; avoir une connaissance spéciale de la matière dont on parle.

Elle respectait le silence d'un homme à son chevalet. Elle 0.1
s'entendait à laver des brosses, et elle reconnaissait vaguement des tons distingués dans une toile. En un mot, elle était *«du bâtiment».*
Ed. et J. DE GONCOURT, Manette Salomon, p. 320.

♦ **2** (1187, en judéo-franç.). *Un, des bâtiments,* construction, généralement de grande dimension, en maçonnerie, servant à loger des hommes, des animaux ou des choses. → **Bâtisse, construction, édifice, immeuble, maison, monument.** *Bâtiment privé, public. Bâtiment d'habitation.* → **H. L. M., hôtel, immeuble, maison, tour.** *Bâtiment militaire.* → **Abri, caserne.** *L'architecte d'un bâtiment.* → **Architecte** (cit. 1). *Construire, édifier, reconstruire, réparer un bâtiment. Le gros œuvre, les fondations d'un bâtiment. Le corps d'un bâtiment,* sa partie principale. → **Corps ; arrière-corps, avant-corps.** *Les ailes d'un bâtiment.* → **Aile** (*supra* cit. 30). *Les annexes, les communs d'un bâtiment. Petit bâtiment couvert en appentis*. La façade, le toit d'un bâtiment.*

Au plur. Édifice constituant un ensemble fonctionnel. *Les bâtiments d'une ferme.* → **Bergerie, écurie, étable, grange, hangar.** *Les bâtiments d'une école, d'une administration, d'un ministère* (→ ci-dessous, cit. 9). → **Bureau, local.**

Tant de grands bâtiments en masures changés (...) 1
MALHERBE, Poésies, II, 12, *in* LITTRÉ, Dict., art. *Masure.*

Tous ceux qui bâtissent voudraient asseoir eux-mêmes 2
chaque pierre qui entre dans leur bâtiment.
VOITURE, Lettres, 183.

Mais qu'on remue ces ruines, on trouvera dans les restes 3
de ce bâtiment renversé, et les traces des fondations et l'idée du premier dessein et la marque de l'architecte.
BOSSUET, Sermon pour la Profession de Mlle La Vallière.

Qui voudra dire ces choses *(que les organes ne sont pas* 4
*faits en vue de leur usage),* fera mieux de dire encore qu'un bâtiment n'est pas fait pour loger (...)
BOSSUET, Traité de la connaissance de Dieu, IV, 2.

(...) il fait le plan des bâtiments (...) exagère la commodité 5
des appartements, ainsi que la richesse et la propreté des meubles (...) LA BRUYÈRE, les Caractères, V, 82.

Un bourgeois aime les bâtiments ? il se fait bâtir un hôtel 6
si beau (...), qu'il est inhabitable.
LA BRUYÈRE, les Caractères, XIII, 2.

Quand *(l'architecte)* travaille au corps du bâtiment, il ne 7
songe ni à la cour ni au portail. Son ouvrage n'est qu'un assemblage confus de parties magnifiques qui ne sont point faites les unes pour les autres (...)
FÉNELON, Télémaque, XVII (→ Assemblage, cit. 10).

Les fonds de terre et les bâtiments sont immeubles par 8
leur nature (...) Code civil, art. 518.

Les bâtiments de la marine, jolie ligne architecturale 9
animée de couleurs vives, se reflètent avec des miroitements infinis dans des eaux du bleu le plus tendre.
E. FROMENTIN, Une année dans le Sahel, p. 11.

Des bâtiments disparates étaient venus s'accoler au logis 10
central (...)
MARTIN DU GARD, les Thibault, t. II, p. 251.

REM. Alors que l'usage moderne ne garde aucune trace du sens originel du mot, substantif d'action (que *construction* conserve un peu mieux), cette valeur subsiste à l'époque classique (→ ci-dessus, cit. 2 et 6), où le mot est senti comme «résultat de l'action de bâtir».

♦ **3** (1662, Colbert). Navire (militaire ou de commerce) de fort tonnage. → **Navire; bateau, vaisseau.** *Un bâtiment de guerre. Bâtiment de ligne.* → **Cuirassé.** *Petit bâtiment de flottille, armé de canons.* → **Canonnière.** *Bâtiment-école.*

11 Dans la nuit du 22 au 23, le bâtiment chassa sur son ancre. CHATEAUBRIAND, Itinéraire..., II, 80.

11.1 Toutefois, il était certain que l'île, dominée par le mont Franklin, n'avait pu échapper aux regards des vigies du navire. Mais pourquoi ce bâtiment y atterrirait-il? J. VERNE, l'Île mystérieuse, t. II, p. 597.

12 Alors, la place du capitaine est aux soutes, sur votre bâtiment? A. MAUROIS, Bernard Quesnay, XIV, p. 89.

**BÂTINE** [batin] n. f. — 1549; de *bât*, ou ital. *bastina*.
Vx ou régional. Bât rembourré (cf. G. Sand, *les Maîtres sonneurs*).

**BÂTIR** [batiʀ] v. tr. — Av. 1105, *bastir* (couture), en judéo-français; sens 1., mil. XIIe; p.-ê. du francique **bastjan* «assembler avec du fil de chanvre» (**bast*), et, par ext., d'autres matériaux souples, cf. anc. provençal *bastir* (→ Bastide); mais P. Guiraud récuse cette orig. germanique «pour une technique aussi générale et aussi développée dans l'ensemble de la Romania», et rattache le mot à **bastum, *basitare*, de *basis* «base, support» (mais il reste dans ce cas une difficulté formelle : le verbe devrait être *baster, bâter*).

**I** ♦ **1** Élever sur le sol à l'aide de matériaux assemblés, et de façon durable. → **Construire, édifier, élever, ériger.** *Bâtir un édifice, une maison, une demeure, un logis, un château, un palais, un monument, une église, un théâtre, des remparts, un pont, une digue, un vaisseau.*

1 Plus me plaît le séjour qu'ont bâti mes aïeux,
Que des palais romains le front audacieux.
DU BELLAY, les Regrets.

Fig. *Bâtir des châteaux* en Espagne.*

*Bâtir qqch. de ses propres mains* (en parlant de l'homme). *Bâtir une maison, un mur avec de la boue, du ciment, du plâtre, en torchis, en pierre, en brique... Les ouvriers, les maçons qui ont bâti cette maison.* — (Le sujet désigne un animal). *L'oiseau bâtit son nid* (→ ci-dessous, cit. 2, 3 et 6).

2 Elle bâtit un nid, pond, couve et fait éclore (...)
LA FONTAINE, Fables, IV, 22.

3 Les abeilles, dans un lieu donné, tel qu'une ruche ou le creux d'un vieux arbre, bâtissent chacune leur cellule.
BUFFON, Hist. nat. des animaux, Les abeilles.

4 (...) si les hommes n'avaient pas de mains *(a dit Helvétius)*, ils n'auraient pu bâtir des maisons et travailler en tapisserie de haute lice (...)
VOLTAIRE, Dict. philosophique, Homme.

5 Il est vrai, disaient ces philosophes, que si l'homme n'avait jamais eu que des pattes, il n'aurait jamais bâti ni villes, ni palais, ni vaisseaux (...)
SAINT-FOIX, Essai d'une histoire sur Paris, 1 t. IV, p. 307.

6 L'aigle déjà perché sur le comble des tours semblait dire : Ici je bâtirai mon aire (...)
CHATEAUBRIAND, Gaul., 264.

7 (...) ouvriers qui travaillez de vos bras à bâtir le Temple que nous élevons à l'esprit (...)
RENAN, Vie de Jésus, Avertissement, X.

Loc. *Bâtir sa maison sur le roc.* — (Sans compl.). Loc. *Bâtir à chaux et à ciment* : faire une construction solide. → **Inébranlable.** — *Bâtir sa maison sur un sol, un terrain mouvant.* — Loc. fig. *Bâtir sur le sable* : former une entreprise qui ne repose sur rien de solide, qui ne peut durer (→ ci-dessous, 2.).

8 Quiconque donc entend ces paroles que je dis, et les met en pratique, sera semblable à un homme sensé qui a bâti sa maison sur le roc (...)
Et quiconque entend ces paroles que je dis et ne les met pas en pratique, sera semblable à un insensé, qui a bâti sa maison sur le sable : la pluie est tombée, les torrents sont venus, les vents ont soufflé et ont battu cette maison, et elle est tombée, et grande a été sa chute.
BIBLE (CRAMPON), Évangile selon saint Matthieu, VII, 24-27.

Le bien de la fortune est un bien périssable; 9
Quand on bâtit sur elle on bâtit sur le sable.
H. DE RACAN, Stances, «Thirsis».

Je comparais les écrits des anciens païens qui traitent des mœurs, à des palais fort superbes et fort magnifiques qui n'étaient bâtis que sur du sable et sur de la boue. 10
DESCARTES, Discours de la méthode, I, p. 75.

Tout ce que bâtit l'homme est bâti sur le sable. 11
HUGO, les Voix intérieures, 28.

Faire bâtir, diriger ou ordonner, promouvoir la construction de. → **Bâtisseur.** *L'architecte, l'entrepreneur qui a bâti cette maison. Les palais qu'ont bâtis nos rois.*

Quand on bâtit une maison, quoique les maçons, les charpentiers, les plombiers, les menuisiers travaillent bien, le gros de l'ouvrage va mal, s'il n'y a pas un homme principal qui les dirige (...) FÉNELON, Télémaque, XXII. 12

Les rois ne laissèrent pas de bâtir de magnifiques églises, de fonder de riches évêchés (...) 13
G.-T. RAYNAL, Hist. philosophique..., IV, 17.

Il *(François Ier)* voulut bâtir le Louvre, mais à peine eut-il le temps d'en faire jeter les fondements (...) 14
VOLTAIRE, Essai sur les mœurs, 125.

Le maréchal de Vauban, né en 1633, le plus grand ingénieur qui ait jamais été, a fait fortifier, selon sa nouvelle manière, trois cents places anciennes, et en a bâti trente-trois (...) VOLTAIRE, la Henriade, VII, note. 15

Le couvent que j'ai bâti pour vivre en solitaire ne désemplit pas d'étrangers (...) 16
VOLTAIRE, Lettre à d'Argental, 3 nov. 1766.

Ceux qui prétendent élever des sociétés en employant les passions comme matériaux de l'édifice ressemblent à ces architectes qui bâtissent des palais de cette sorte de pierre qui se fond à l'impression de l'air (...) 17
CHATEAUBRIAND, le Génie du christianisme, IV, III, 4.

*Bâtir une ville.* → **Fonder.** *Romulus bâtit Rome. Après avoir bâti Alexandrie, Alexandre quitta l'Égypte.*

Sémiramis, s'élevant au-dessus de son sexe, bâtissait de superbes villes, équipait des flottes, subjuguait les peuples voisins (...) ROLLIN, Hist. ancienne, 1 t. II, p. 52. 18

*Bâtir un temple.* → **Élever.** *Bâtir un temple à Jupiter.* → **Consacrer.**

Le peuple immolait toujours dans les hauts lieux, parce que jusqu'alors on n'avait point encore bâti de temple au Seigneur (...) BIBLE (SACY), Rois, III, III, 2. 19

Mais je ne veux bâtir des temples que pour vous. 20
LA FONTAINE, À Mme de Montespan, 41.

Je veux bâtir pour toi, Madone, ma maîtresse, 20.1
Un autel souterrain au fond de ma détresse (...)
BAUDELAIRE, les Fleurs du mal, «Spleen et idéal», LVII.

**FAIRE BÂTIR** : payer (des ouvriers, entrepreneurs, architectes...) pour qu'ils bâtissent. *Une villa qu'il faisait bâtir par, à un entrepreneur local. Les maisons qu'ils ont fait bâtir dans cette rue.*

Socrate un jour faisant bâtir, 21
Chacun censurait son ouvrage (...)
LA FONTAINE, Fables, IV, 17.

Un château très logeable que je venais de faire bâtir (...) 22
VOLTAIRE, Lettre à Mlle Corneille, 22 nov. 1760.

Absolt. Élever des constructions. *L'art de bâtir. La manie, la rage de bâtir.*

Passe encore de bâtir, mais planter à cet âge! 23
LA FONTAINE, Fables, XI, 8.

Tout bourgeois veut bâtir comme les grands seigneurs (...) 24
LA FONTAINE, Fables, I, 3.

25 Il faut avoir trente ans pour songer à sa fortune; elle n'est pas faite à cinquante; l'on bâtit dans sa vieillesse, et l'on meurt quand on en est aux peintres et aux vitriers (...)
LA BRUYÈRE, les Caractères, VI, 40.

26 C'est ainsi qu'Empédocle reprochait aux Agrigentins d'entasser les plaisirs comme s'ils n'avaient qu'un jour à vivre, et de bâtir comme s'ils ne devaient jamais mourir (...)
ROUSSEAU, Émile, IV.

*Pierre à bâtir. Terrain à bâtir,* destiné à la construction. → **Bâtissable; constructible.**

♦ **2** (Abstrait). → **Construire, édifier, élever, établir, fonder.** *Bâtir sa fortune, sa renommée, sa réputation. Bâtir un programme. Bâtir une théorie, un système. Bâtir des espérances, des chimères, des inventions...* → **Échafauder.** *Il a bâti sa réputation sur du roc* (solidement), *sur du sable, sur du vent.* — Par métaphore. *Bâtir l'édifice d'une théorie.* — Absolt. *Bâtir sur de solides fondements, sur de faux principes. Bâtir en l'air* (→ ci-dessous, cit. 28). *Bâtir et détruire* (→ ci-dessous, cit. 34).

27 Et sur de grands exploits bâtir sa renommée.
CORNEILLE, le Cid, I, 4.

28 Et, bâtissant en l'air sur le malheur d'autrui (...)
CORNEILLE, Horace, IV, 4.

29 Vous supposez mon apostasie comme un principe ferme sur lequel vous bâtissez hardiment (...)
PASCAL, les Provinciales, 17.

30 Si notre être, si notre substance n'est rien, tout ce que nous bâtissons dessus, que peut-il être?
BOSSUET, Oraison funèbre de Henriette-Anne d'Angleterre.

31 Peut-on bâtir sur des ruines? Peut-on appuyer quelque grand dessein sur ce débris?
BOSSUET, Oraison funèbre de Henriette-Anne d'Angleterre.

32 Lucrèce ne laissait pas de bâtir de grandes espérances (...)
FURETIÈRE, le Roman bourgeois, I, 31.

33 Quand on m'offrait quelque place vide dans une voiture, ou que quelqu'un m'accostait en route, je rechignais de voir renverser la fortune dont je bâtissais l'édifice en marchant (...) ROUSSEAU, les Confessions, IV.

34 Quand il eut lu le second volume, il ne fut plus si content, et il conclut qu'il est plus aisé de détruire que de bâtir (...)
VOLTAIRE, l'Ingénu, 10.

35 Une des plus grandes illusions qu'on puisse avoir en politique, c'est de croire qu'on a bâti pour l'éternité.
J. BAINVILLE, Hist. de France, XIX.

36 C'est une grande erreur de spéculer sur la sottise des sots, et une erreur plus grande de bâtir sur l'intelligence des intelligents. Ils s'écartent de leur nature une fois par jour.
VALÉRY, Rhumbs, p. 244.

37 (...) mon esprit (...) se met à bâtir dans le monde *(des rêves)* où les constructions ne coûtent rien, ou presque rien.
VALÉRY, Autres rhumbs, p. 11.

38 Grand lecteur de revues financières, il bâtissait sur des statistiques mouvantes des théories aussitôt lézardées.
A. MAUROIS, Bernard Quesnay, I, p. 9.

39 (...) tous ces petits faits, toutes ces observations sur lesquelles il *(l'esprit)* a pris coutume de bâtir ses dangereux édifices (...) A. MAUROIS, Climats, I, 10, p. 83.

40 Toutes les fois que, dans ses phrases, je trouvais un point obscur, je bâtissais une théorie ingénieuse qui m'expliquait pourquoi elle le voulait obscur.
A. MAUROIS, Climats, I, 9, p. 76.

♦ **3** [a] Vx. → **Construire, faire.** *Bâtir un meuble, un engin... Bâtir un moule pour faire des bateaux. Bâtir le feutre sur une forme.* → **Façonner.** *Bâtir une coiffure.* — Par métaphore du sens 1. :

41 Et qu'une main savante avec tant d'artifice
Bâtit de ses cheveux le galant édifice (...)
BOILEAU, Satires, X.

[b] Mod. *Bâtir une phrase*.* → **Construire; agencer, assembler.** *Morceau de musique bâti sur la gamme pentatonique.*

41.1 (...) car, épinglant ici un feuillet supplémentaire, je bâtirais mon livre, je n'ose pas dire ambitieusement comme une cathédrale, mais tout simplement comme une robe.
PROUST, le Temps retrouvé, Pl., t. III, p. 1033.

**II** (Av. 1105). Couture. Assembler les pièces de (un vêtement) en les faufilant*. *Les ouvrières bâtissent une robe.* — Absolt. *Bâtir un vêtement à grands points. Bâtir pour l'essayage.* → **Faufiler.**

Par ext. *Bâtir une couture.*

(...) une veste noire dont les coutures ne sont que bâties avec du fil blanc, comme pour un essayage. 41.2
Elsa TRIOLET, Le premier accroc coûte deux cents francs, p. 278.

◆ **SE BÂTIR** v. pron.

♦ **1** Bâtir pour soi. *Elle s'est bâti une jolie maison. La villa qu'ils se sont bâtie pour leurs vieux jours.*

(...) se bâtir un édifice périssable de grandeur sur la terre (...) 42
MASSILLON, Carême, Sur le respect dans les temples.

♦ **2** Être bâti, en construction. *Cette ville s'est bâtie en peu de temps.* — Figuré :

Il *(Bonaparte)* lui fallait bien admettre qu'une société ne se réorganise pas aussi vite qu'un État, que c'est œuvre de longue haleine, et qu'il était nécessaire de créer des bases solides à cette nouvelle construction; ces bases solides établies, l'édifice nouveau se bâtirait presque de lui-même, mais assez lentement. 43
Louis MADELIN, Hist. du Consulat et de l'Empire, XII, p. 182.

Impers. *Il s'est bâti de nouveaux quartiers depuis la guerre.*

◆ **BÂTI, IE** passif et p. p.

♦ **1** *Une ville bâtie sur un promontoire, en amphithéâtre.*

On verra qui sait faire, avec un suc si doux, 44
Des cellules si bien bâties.
LA FONTAINE, Fables, I, 21.

C'est un petit village ou plutôt un hameau, 45
Bâti sur le penchant d'un long rang de collines
D'où l'œil s'égare au loin dans les plaines voisines (...)
BOILEAU, Épîtres, VI.

D'un ciment éternel ton Église est bâtie (...) 46
BOILEAU, le Lutrin, VI.

J'ai, entre les Alpes et le mont Jura, une terre grande comme la main, très joliment bâtie de ma façon (...) 47
VOLTAIRE, Lettre à d'Argental, 1er févr. 1764.

(...) cette belle salle bâtie des mains de la nature (...) 48
CHATEAUBRIAND, les Natchez, III, 52.

C'est avec des morceaux de lave pétrifiée que sont bâties la plupart de ces maisons *(d'Herculanum)* qui ont été ensevelies par d'autres laves (...) 49
Mme DE STAËL, Corinne, XI, 4.

(...) on apercevait çà et là, le plus souvent bâtie en porte-à-faux au-dessus d'un abîme, quelque vieille petite pagode mystérieuse (...) LOTI, Mme Chrysanthème, I, I, p. 6. 50

Loc. fig. (Personnes). Littér. *Être bâti à chaux et à sable :* être solidement constitué. — Cour. *Être bien bâti, mal bâti,* bien fait, mal fait. → **Fait; foutu** (fam.).

Il vaut mieux, pour elle, un honnête homme riche et bien fait qu'un gentilhomme gueux et mal bâti. 51
MOLIÈRE, le Bourgeois gentilhomme, III, 12.

(...) il était bâti, comme on dit chez nous, à chaux et à sable (...) G. SAND, François le Champi, I, p. 29. 52

(...) la force de sa constitution résista jusqu'à la fin. Un corps et une âme ainsi bâtis semblent de porphyre et de granit, tandis que les nôtres sont de craie et de plâtras. 53
TAINE, Philosophie de l'art, t. I, p. 186.

Duluc m'assurait hier encore que j'étais bâti à chaux et à sable. Il me promet que je vous enterrerai tous. 54
F. MAURIAC, Génitrix, III, p. 43.

Fig., vieilli. *Voilà comme je suis bâti* (Académie) : tel est mon caractère. — Vx. *Ainsi bâti... :* ainsi fait.

Cet homme ainsi bâti fut député des villes 55
Que lave le Danube (...) LA FONTAINE, Fables, XI, 7.

56 L'homme est ainsi bâti : quand un sujet l'enflamme
L'impossibilité disparaît à son âme.
LA FONTAINE, Fables, VIII, 25.

♦ **2** Dr. Garni d'une ou de plusieurs constructions. *Propriétés bâties, non bâties.*

**BÂTI,** n. m. Voir à l'ordre alphabétique.

CONTR. **Démolir, détruire, raser, renverser, ruiner** — (Du II.) **Débâtir.** ◊ DÉR. **Bâti, bâtiment, bâtissable, bâtissage, bâtisse, bâtisseur.** → COMP. **Rebâtir.** — (Du II.) **Débâtir.**

**BÂTISSABLE** [batisabl] adj. — 1866; de *bâtir.*

♦ **1** Dr. Sur lequel on peut bâtir. *Terrain bâtissable* (cf. À bâtir).

♦ **2** Rare. Qui peut être bâti. *Immeuble bâtissable.*

**BÂTISSAGE** [batisaʒ] n. m. — 1660; au fig., 1538; de *bâtir.*

**I** ♦ **1** Vx. Action de bâtir (I.), de construire.

♦ **2** (1753). Action de bâtir (le feutre des chapeaux). → **Façonnage; feutrage.**

**II** (1845). Mod. Action de faufiler, de bâtir (II.). *Le bâtissage d'une robe.*

**BÂTISSE** [batis] n. f. — 1636; de *bâtir.*

♦ **1** Vx. Action de bâtir.

1 Car Ramsès II fut un maniaque de la bâtisse, un contremaître passionné.
DANIEL-ROPS, le Peuple de la Bible, II, I, p. 91.

2 J'ai trop aimé la bâtisse pourra dire Salomon, comme le confessa le Roi-Soleil.
DANIEL-ROPS, le Peuple de la Bible, III, I, p. 194.

♦ **2** (1762). Partie en maçonnerie, gros œuvre d'un bâtiment.
Fig. Conformation, structure (d'une œuvre).

♦ **3** (Av. 1850). Bâtiment de grandes dimensions (avec parfois l'idée de laideur). *«Une laide bâtisse prétentieuse»* (Loti).

3 C'était une bâtisse surchargée de galeries de bois (...)
FRANCE, le Lys rouge, XXVII.

4 L'Amérique s'est dévouée à des œuvres périssables. Elle élève des bâtisses et non des monuments.
G. DUHAMEL, Scènes de la vie future, VII.

**BÂTISSEUR, EUSE** [batisœʀ, øz] n. — 1539; le mot est péj. au XVIIIe; de *bâtir.*

♦ **1** Personne qui fait beaucoup bâtir. *Cet architecte fut le grand bâtisseur de la ville nouvelle.* → **Architecte, constructeur.** *Vos édiles sont de grands bâtisseurs. — Un bâtisseur de villes.* → **Créateur, fondateur.**

1 Tous les bâtisseurs (et il n'y a point au monde de nation plus jalouse ni plus envieuse) avouent qu'il ne se peut rien voir de mieux *(que votre bâtisse).*
VOITURE, Lettres, 183.

Personne qui prend part à la construction (de qqch.). *Bâtisseur de navires.*

2 Les esclaves du Nil, bâtisseurs de tombeaux.
CHATEAUBRIAND, Moïse, II, 5.

♦ **2** Fig. *Des bâtisseurs d'empire.* → **Fondateur, pionnier.** *Les Bâtisseurs d'empire,* pièce de Boris Vian. — (En mauvaise part). *Des bâtisseurs d'utopies, de nuées... Les découvertes de ces «bâtisseurs»* (→ Aggraver, cit. 2).

CONTR. **Démolisseur.**

**BATISTE** [batist] n. f. — 1590; *batiche,* 1401; *baptiste,* 1536; altér. de *batisse,* du rad. de *battre* (la laine).

Toile de lin très fine. → **Linon, toile.** *Batiste de Cambrai. Mouchoir, chemise, cravate de batiste, en batiste.*

(...) elle est déjà devant lui, à sa hauteur, effroyable. Son corps maigre flotte dans la chemise et à travers la batiste apparaît sur sa poitrine et jusqu'à ses flancs la répugnante morsure des ventouses.
BERNANOS, Madame Dargent, *in* Œ. roman., Pl., p. 13 (1922).

Pièce de lingerie faite de ce tissu.

HOM. **Baptiste.**

**BÂTON** [batɔ̃] n. m. — 1080, *bastun,* puis *baston* (XIIe); bas lat. *bastun,* de **bastare* «porter, soutenir», probablt du grec *bastaxein* «porter». → Bât.

**A** Long morceau de bois rond, rigide et droit, que l'on peut tenir à la main et faire servir à divers usages. *Petit bâton.* → **Baguette, verge** (vx). *Long bâton.* → **Perche.** *Fouiller la terre avec un bâton. Prendre un bâton pour mélanger de la peinture. Fermer un panier avec un bâton. Il est raide comme un bâton. Se servir d'un bâton comme canne. Le bâton d'une sucette. Mettre qqch. au bout d'un bâton.*

Quand l'eau courbe un bâton, ma raison le redresse (...) 1
LA FONTAINE, Fables, VII, 18.

Loc. *Battre l'eau avec un bâton :* perdre sa peine. — Var. (plus cour.). *Donner des coups de bâton dans l'eau.*

Fig. *Bâton épineux**, ou, vulg. (1798), *bâton merdeux :* personne insociable, désagréable; affaire difficulteuse, que l'on ne sait comment aborder et de laquelle il y a à attendre plus de désagréments que d'avantages, de profits.

Spécialt.

♦ **1** Bâton servant d'appui, de support, de soutien. *Gros bâton, bâton noueux. S'appuyer sur un bâton. Marcher avec un bâton.* → **Canne.** *Bâton de voyageur. Bâton de pèlerin surmonté d'un ornement en forme de pomme.* → **Bourdon.** *Bâton d'alpiniste, bâton ferré.* → **Alpenstock.** *Bâton de berger.* → **Houlette.** *Longs bâtons pour marcher dans les terres marécageuses ou sablonneuses.* → **Échasse.** *Bâton qui sert à renvoyer la balle, au cricket, au baseball.* → **Batte.** *Bâtons d'infirme.* → **Béquilles.** — *Bâton d'aveugle.* → **Canne.** — (1440). **BÂTON BLANC :** canne faite d'une branche écorcée, symbole de l'état des pèlerins, des mendiants et des aveugles.

Son fils, sans un bâton, ne pouvait faire un pas (...) 2
LA FONTAINE, Fables, XII, 14.

Il s'habille en berger, endosse un hoqueton, 3
Fait sa houlette d'un bâton (...)
LA FONTAINE, Fables, III, 3.

Ce bâton d'aveugle avec lequel marchait le modeste Locke, 4
cherchant son chemin et le trouvant (...)
VOLTAIRE, Lettre à M***, 1740, *in* LITTRÉ.

Sans appui qu'un bâton, sans foyer, sans asile (...) 5
André CHÉNIER, Idylles, «Le mendiant».

A-t-il besoin de revoir un parent, un ami, il fait un vœu, 6
prend le bâton et le bourdon du pèlerin; il franchit les Alpes ou les Pyrénées (...)
CHATEAUBRIAND, le Génie du christianisme, III, V, 6.

(...) les pieds glissent dans la boue gluante, malgré l'aide 7
des bâtons ferrés, sur les pentes raides des sentiers.
LOTI, Ramuntcho, II, 8, p. 266.

(...) il est courbé sur son bâton (...) les deux mains l'une 7.1
sur l'autre pèsent sur le bâton, le front pèse sur les mains, il a repris haleine, il peut écouter, le tronc à l'horizontale, les jambes écartées, les genoux fléchis (...)
S. BECKETT, Pour finir encore..., «Au loin un oiseau», p. 35-36.

*Bâton percé.*

7.2 Il semble bien toutefois qu'au Paléolithique récent la motricité indirecte soit attestée dans deux instruments au moins : le bâton percé et le propulseur. Le premier est un tronçon de bois de renne, percé d'un trou, qui, selon toute probabilité servait de levier pour redresser à chaud les baguettes d'os.

A. LEROI-GOURHAN, le Geste et la Parole, II, p. 47.

(1904, *in* Petiot; *bâton* au sens général désigne le même objet dès le XVIIe; → ci-dessous, cit. 7.3). *Bâton de ski,* ou, absolt, *bâton :* canne* (d'abord en bois, en bambou, puis en alliage ou en acier) munie d'une poignée et d'une rondelle près de l'extrémité inférieure, et sur laquelle peut s'appuyer le skieur. *Planté* de bâton. Une paire de bâtons.* → **Canne.** *Courroie, dragonne à la poignée d'un bâton.* — REM. Le mot *bâton* a été employé pour désigner les «planches» (skis) des Lapons, mais avec son sens général.

7.3 Le Lapon qui est dessus *(les planches)* tient un long bâton à la main, où, d'un côté, est attaché un rond de bois, afin qu'il n'entre pas dans la neige, et de l'autre un fer pointu.

J. F. REGNARD, Voyage en Laponie, p. 88.

7.4 Elle s'écarta de Jérôme, disposa ses skis et ses bâtons sur la neige (...)

Maurice BEDEL, Jérôme 60° latitude nord, p. 113.

(XIIIe). **BÂTON DE VIEILLESSE,** sur lequel s'appuie le vieillard. — (XIIIe). Au fig. Personne qui est le soutien d'un vieillard. *Cet enfant sera un jour votre bâton de vieillesse* (Littré).

*Le bâton de la croix, le bâton d'une bannière,* qui porte une croix, une bannière. → **Hampe.** *Un instrument emmanché d'un bâton.* → **Manche.**

♦ **2** Bâton servant d'arme de choc ou d'instrument de punition. → **Assommoir, épieu, gourdin, massue, matraque, pieu, tricot, trique.** *Frapper qqn avec un bâton.* → **Baston, bastonner** (argot), **bâtonner.** — *Coup de bâton. Donner, recevoir des coups de bâton, une volée de coups de bâton.*

8 Il faisait le moulinet autour de soi avec une houssine qu'il avait arrachée à un laquais, et il s'en escrimait comme d'un bâton à deux bouts *(ferré par les deux bouts).*

SOREL, Francion, XII, *in* LITTRÉ.

9 Au reste, pour se venger un peu du poète qui avait médit de lui, il lui fit épousseter le dos à coups de bâton (...)

SOREL, Francion, VI.

10 Huit paysans armés de bâtons à deux bouts et d'épieux.

MOLIÈRE, la Princesse d'Élide, Intermède II, Argument.

11 Si je prends un bâton, je vous rosserai d'importance (...)

MOLIÈRE, l'Avare, III, 6.

12 Cinq ou six coups de bâton, entre gens qui s'aiment, ne font que ragaillardir l'affection.

MOLIÈRE, le Médecin malgré lui, I, 3.

13 Si tu ne nous fais trouver ton maître tout à l'heure, nous allons faire pleuvoir sur toi une ondée de coups de bâton.

MOLIÈRE, les Fourberies de Scapin, III, 2 (→ aussi Arriéré, cit. 7).

*Du bâton,* action de bâtonner (déverbal). → **Baston** (argot). *Faire donner du bâton à qqn,* le faire battre. → **Bastonnade, bastonner; battre.** *Le bâton :* la peine de la bastonnade. *Faire mourir sous le bâton* (→ Assaillir, cit. 3). — Loc. fig. *La carotte* et le bâton.*

13.1 Hector, dit le tavernier, n'as-tu point honte et vergogne de venir ainsi troubler mon réfectoire ? Je vais te donner du bâton. C'est mon serviteur palefrenier, ajouta-t-il à l'intention du duc. R. QUENEAU, les Fleurs bleues, p. 33.

(1882, *in* Petiot). Anciennt. *Le bâton,* utilisé comme arme en escrime. *Se battre au bâton.* → **Bâtonniste.** *Escrime au bâton. Jouer du bâton,* le manier avec dextérité. — Loc. (vieilli). *Tour de bâton :* tour d'adresse effectué avec un bâton → **Bâtonniste.** — Loc. fig. **RETOUR DE BÂTON :** contrecoup d'une action dirigée contre qqn et qui finit par se retourner contre son auteur (→ Retour de manivelle, de flamme).

Vers cinq heures, autre chanson : «La victoire de la majorité paraît désormais acquise. Antillais, confirmez le vote de la France.» Mais dans la soirée, rien n'allait plus. La majorité, minoritaire, ne pouvait se remajorer qu'avec l'appoint des voix des Iles (...) Curieux retour de bâton. 13.2

Claude COURCHAY, La vie finira bien par commencer, p. 134.

Par ext. Escrime pratiquée avec cette arme. → 1. **Canne** (3.). *Un champion du bâton.*

♦ **3** (1080, *bastun*). Symbole de l'autorité, du commandement (le mot *bâton* est en général qualifié). → **Sceptre, houlette.** *Bâton de commandement. Bâton augural.* → **Lituus.** *Bâton pastoral.* → **Crosse** (de l'évêque). *Personne qui porte le bâton dans les cérémonies, aux processions.* → **Bâtonnier; masse.** *Le bâton des anciens huissiers.* → **Verge.** — (1771). *Le bâton de mesure* (du chef d'orchestre). → **Baguette.** *Le bâton de maréchal de France,* insigne de la dignité de maréchal de France. — Absolt. *Le bâton.*

Il est du nombre des désespérés de n'avoir point de bâton. 14

Mme DE SÉVIGNÉ, Lettres, 201, *in* LITTRÉ.

Prov. *Tout soldat porte son bâton de maréchal dans sa giberne.*

(1832, Balzac, *in* D. D. L.). Fig. **BÂTON DE MARÉCHAL.** *C'est son bâton de maréchal,* le couronnement de sa carrière, la plus haute dignité à laquelle il puisse parvenir.

**BÂTON BLANC :** bâton utilisé par les agents de police pour régler la circulation.

♦ **4** (1680). **BÂTON DE CHAISE :** morceau de bois qui sert à relier les montants d'une chaise. — Anciennt. Montant qui servait à porter les chaises à porteurs. — Fig. *Mener une vie de bâton de chaise,* une vie agitée, déréglée.

Tu mènes une vie de bâton de chaise. Tu te perds. 14.1

CENDRARS, Bourlinguer, p. 44.

♦ **5** Instrument, outil, objet de forme allongée et plus ou moins cylindrique. *Bâton pour battre la crème, le beurre.* → **Baratton, batte.** *Bâton d'ourdisseur.* → **Chevillon.** *Bâton pour nettoyer le soc de la charrue.* → **Débouchoir.** *Bâton pour rabouiller.* → **Rabouilloir.** *Bâton de bourrelier.* → **Rondelet.** *Bâton de pâtissier.* → **Rouleau.** *Bâton de voiturier.* → **Tortoir.** *Bâton d'alignement*.* → **Jalon, piquet.** *Bâton du régisseur, pour frapper les trois coups* (au théâtre). → **Brigadier.** — *L'enfant pousse, dirige son cerceau avec un bâton.* — Figuré :

Il faut savoir se servir du bâton, donner des coups très légers, qui sont presque des frôlements et qui accompagnent le cerceau. 15

A. MAUROIS, Études littéraires, t. II, p. 156.

Argot des sports. Témoin*, dans une course de relais. *Bâton servant d'entrave aux animaux.* → **Billot, tribart.**

(1807, *in* D. D. L.). Loc. fig. **METTRE DES BÂTONS DANS LES ROUES (à qqn, à qqch.) :** susciter des difficultés, des obstacles. → **Entraver.** — Vx. *Mettre le bâton dans la roue* (même sens).

On disait que le Tribunal ne cherchait qu'à entraver la marche du gouvernement et à mettre le bâton dans la roue. 16

Louis MADELIN, Hist. du Consulat et de l'Empire, IX.

(...) d'ailleurs, de ce point de vue, je considère que je suis plutôt en retard dans mes études. Mais ça, c'est la faute de la routine et de l'aveuglement de l'enseignement. On m'a mis sans arrêt des bâtons dans les roues au lieu de faciliter ma progression. 16.1

J.-M. G. LE CLÉZIO, la Fièvre, p. 140.

Vx. Baguette de tambour. — (XIXe). *Batterie à bâtons rompus,* en frappant de manière intermittente.

(1690 ; probablt métaphore héraldique (→ ci-dessous, B., 2.) sans rapport avec les baguettes de tambour). Loc. fig. **À BÂTONS ROMPUS.** *Faire qqch. à bâtons rompus,* d'une manière non suivie *Parler à bâton rompus* (→ 1. Mannequin, cit. 9.1). *Conversation à bâtons rompus.*

17 Ce travail à bâtons rompus me fatigue et disperse mes idées. B. CONSTANT, Journal intime, p. 271.

18 Là, ce sont des causeries à bâtons rompus dont le sens souvent échappe, des quiproquos sans fin à mots étranges (...) LOTI, Mme Chrysanthème, I, 12, p. 87.

18.1 Maigret ne disait rien non plus et se sentait épuisé par cet interrogatoire à bâtons rompus pendant lequel, dix fois, découragé, il avait cru qu'il n'aboutirait nulle part. G. SIMENON, Maigret et le clochard, p. 516.

Baguette d'escamoteur. *Bâton de magicien.* — Loc. fig. **TOUR DE BÂTON :** profit secret, ristourne illicite.

19 (...) un emploi indépendant, de plus de 40 000 livres de rente, sans le tour du bâton, qu'il savait faire valoir. SAINT-SIMON, Mémoires, 351, 127, *in* LITTRÉ.

♦ **6** (Dans des noms de plantes). *Bâton blanc, bâton royal, bâton de Jacob.* → **Asphodèle.** *Bâton du diable.* → **Scabieuse.** *Bâton d'or.* → **Giroflée.**

♦ **7** Morceau de (une substance) de forme allongée et cylindrique. *Bâton de craie, de cire. Bâton de réglisse* (→ Mâcher, cit. 1), *de sucre d'orge. Bâton de guimauve. Bâton de rouge* à lèvres. Produits en bâton.* → **Stick.** *Bâton d'encens. — Bâton de nitrate* d'argent.*

♦ **8** Par métaphore. Littér. Pénis en érection (→ 2. Manche, 3. ; trique, 4.).

20 (...) adore jusqu'aux larmes
Mon sexe qui se rompt, te frappe mieux qu'une arme
Adore mon bâton qui va te pénétrer.
Jean GENET, Poèmes, p. 18.

**B** Trait ou surface allongée. ♦ **1** Trait droit que tracent les enfants pour apprendre à écrire. → **Barre.** *L'enfant tirait la langue en traçant des lignes de bâtons. Faire des bâtons. Compter en traçant des bâtons. — Bâtons, chiffres et lettres,* ouvrage de Queneau (1950).

♦ **2** **a** (Fin XIIIe, «bande verticale»). Blason. Bande qui n'a que le tiers de la largeur normale.

**b** Mod., techn. Bande représentant une donnée statistique, dans la figuration graphique de valeurs numériques. *Diagramme* en bâtons.*

♦ **3** Techn. Grosse moulure en saillie. — Loc. (1811). **BÂTONS ROMPUS :** baguettes, boudins brisés servant de motif décoratif. — Loc. fig. (→ ci-dessus, cit. 17 et 18).

**C** Fam. Somme d'un million de centimes (ou, avant la réforme monétaire, d'un million de francs). *Son père lui a prêté dix bâtons.* → **Brique.**

**DÉR.** **Bâtonner, bâtonnet, bâtonnier, bâtonniste.** — V. **Bastonnade, bastonner.**

**BÂTONNABLE** [batɔnabl] adj. — Av. 1660, Scarron ; de *bâtonner.*

Rare. Qui mérite d'être bâtonné.

**BÂTONNAT** [batɔna] n. m. — 1832 ; de *bâtonnier.*

Dr. Fonction de bâtonnier de l'Ordre des avocats ; durée de cette fonction. *Durant son bâtonnat.*

**BÂTONNER** [batɔne] v. tr. — 1740, réfection de *bastonner,* déb. XIIIe ; *bastuner,* 1174, «harceler» (→ Bastonner), de *baston, bâton.*

♦ **1** Frapper de coups de bâton (qqn). → **Bastonner** (→ Âne, cit. 4). *Bâtonner un prisonnier. — Bâtonner une bête.*

♦ **2** (1740). Vx. Annuler (une chose écrite) en traçant des bâtons. → **Barrer, biffer, rayer.** *Bâtonner un texte, un passage.*

◆ **BÂTONNÉ, ÉE** p. p. adj. *Un âne bâtonné.* — Vx. *Texte bâtonné,* rayé de bâtons. — Par métaphore. Marqué, rayé de lignes verticales.

(...) les grandes futaies, endormies avec l'infinie monotonie de leurs grands arbres inexorablement droits, n'ouvraient plus que des profondeurs d'ombre bâtonnées éternellement par des lignes de troncs noirs. Ed. et J. DE GONCOURT, Manette Salomon, p. 294.

**DÉR.** **Bâtonnable.**

**BÂTONNET** [batɔnɛ] n. m. — Fin XIIe ; *bastonet,* XIIIe ; attestation isolée, déb. XIIe, «symbole de pouvoir» (→ Bâton, A., 3.) ; de *bâton (baston).*

♦ **1** Petit bâton. *Le bâtonnet d'un bilboquet. Le bâtonnet d'une sucette ; bâtonnet de sucette. Remuer de la peinture avec un bâtonnet. Bâtonnet de relais.* → **Témoin (sports).**

Morceau en forme de petit bâton. *Un bâtonnet d'encens.* → **Baguette.**

♦ **2** (Déb. XXe). Sc. Organisme, organe ou organite en forme de petit bâton. → **Bacille, chondriosome.** *Bâtonnet chromatique.* → **Chromosome.** — *Bâtonnet rétinien,* ou, absolt, *bâtonnet :* cellule nerveuse de la rétine, sensible à la lumière par son prolongement qui contient le pourpre rétinien. *Cônes et bâtonnets.*

**BÂTONNIER** [batɔnje] n. m. — 1680 ; *bastonnier,* 1332, «porteur du bâton (d'une confrérie)» ; de *bâton (baston).*

♦ **1** Vx. Chef de la confrérie des avocats. *Dans les cérémonies de la confrérie de Saint-Nicolas, confirmée par lettres de Philippe VI, d'avril 1342, le bâtonnier portait le bâton de saint Nicolas.*

♦ **2** Mod. Avocat élu par ses confrères pour être le chef et le représentant de l'Ordre dans le ressort de leur barreau. *Le bâtonnier préside le conseil de l'assemblée générale de l'Ordre des avocats. Fonction de bâtonnier.* → **Bâtonnat.**

Le jour où, en robe noire et gants blancs, je suis avec une dizaine de novices comme moi, conduit par le Bâtonnier de l'Ordre devant le Premier Président de la Cour d'Appel, seul qualifié pour recevoir ce serment solennel (...) Georges LECOMTE, Ma traversée, p. 286. 1

Pour une certaine partie (...) ils se composaient de personnalités éminentes des principaux départements de cette partie de la France, d'un premier président de Caen, d'un bâtonnier de Cherbourg, d'un grand notaire du Mans qui, à l'époque des vacances, partant des points sur lesquels toute l'année ils étaient disséminés en tirailleurs ou comme des pions au jeu de dames, venaient se concentrer dans cet hôtel. PROUST, À l'ombre des jeunes filles en fleurs, Folio, p. 302. 2

**DÉR.** **Bâtonnat.**

**BÂTONNISTE** [batɔnist] n. — 1820, *in* D.D.L. ; de *bâton.*

Rare.

♦ **1** N. m. Celui qui combat au bâton.

Enjolras, exécutant (...) ce que les bâtonnistes appellent la rose couverte, rabattit les bayonnettes autour de lui. HUGO, les Misérables, Pl., V, II, VI.

♦ **2** Personne qui fait des tours d'adresse avec des bâtons (tours de bâton).

**BATOUDE** [batud] n. f. — 1879, Ed. de Goncourt ; de l'ital. *battuta,* de *battere* «battre», d'abord «coup d'envol».

Techn. Tremplin très flexible (en usage dans les cirques).

**BATRACIEN, IENNE** [batʀasjɛ̃, jɛn] n. m. pl. et adj. — 1806; du grec *batrakhos* «grenouille».

♦ **1** *Les batraciens,* classe de vertébrés amphibies poïkilothermes, dont la peau nue, molle, humide, est criblée de pores excréteurs correspondant à des glandes à sécrétion visqueuse et dont la respiration, à l'origine branchiale, devient à l'âge adulte pulmonaire et cutanée. → **Amphibiens.** *Les batraciens sont ovipares* (sauf les salamandres); *le nombre de leurs œufs varie de dix mille* (grenouille) *à cinquante* (alyte); *de l'œuf* (→ **Frai**) *sort une larve qui donnera un têtard*. Les batraciens forment une classe divisée en trois ordres.* → **Anoures, apodes** (ou gymnophions), **urodèles.** *Types principaux de batraciens.* → **Alyte, amblystome, crapaud, grenouille, pipa, rainette, salamandre, triton.** *Batraciens fossiles* (ex. : *le branchiosaure*).

On sait que chez les Batraciens se produit au printemps la période de rut, caractérisée par le réflexe d'embrassement.
Jean DELAY, la Psycho-physiologie humaine, p. 49.

Au sing. Animal appartenant à cette classe. *La grenouille est un batracien.*

♦ **2** Adj. Fig. Qui tient de la grenouille, du crapaud. *Un regard batracien.* — REM. Dans ce sens on rencontre la forme féminine *batracienne.*

**BATTABLE** [batabl] adj. — XIIIe, geste du chevalier Bayard; Monstrelet, 1450; de *battre.*

Rare. Qui peut être battu, vaincu.

CONTR. et COMP. **Imbattable.**

**BATTADE** [batad] n. f. — 1975; de *battre.*

Techn. Massage effectué en donnant des coups répétés avec le tranchant de la main. → **Fustigation.**

**BATTAGE** [bataʒ] n. m. — 1329, sens 2.; de *battre.*

**I** ♦ **1** Action de battre. *Le battage des tapis à la fenêtre.*

(1874). Techn. *Battage de l'or,* pour le réduire en feuilles très minces servant à la dorure. — *Le battage de la laine.*

*Battage du beurre.* → **Barattage.**

♦ **2** Opération agricole qui consiste à séparer de l'épi ou de la tige les graines de certaines plantes. *Battage du blé* (→ **Battaison, vx**), *des plantes fourragères, du colza. La saison des battages. Aire de battage. Battage mécanique.* → **Batteuse.**

1 Le battage au fléau et le foulage par les pieds des chevaux ou avec des rouleaux (ce qu'on appelle le dépiquage) ont été exclusivement employés pendant une longue série de siècles; ils sont remplacés aujourd'hui par le battage mécanique avec des machines dites batteuses.
Omnium agricole, p. 105.

Époque, saison du battage. → **Battaison (régional).**

**II** (1866, de *battre la grosse caisse,* comme le faisaient les charlatans pour attirer la clientèle; 1848, argot, «supercherie, feinte»). Fig., fam. Publicité tapageuse exagérée, autour d'une personne ou d'une chose. → **Publicité; bluff, bruit, réclame.** *On fait beaucoup de battage autour de ce livre,* on en vante bruyamment, excessivement les mérites. → **Exagération.**

2 En fait, ça ne me plaisait pas non plus tout ce battage qu'on faisait autour de Robert... on parlait de lui de manière bien plus tapapeuse qu'avant la guerre.
S. DE BEAUVOIR, les Mandarins, p. 163.

**BATTAISON** [batɛzɔ̃] n. f. — 1343; *batison,* XIIIe, «bruit, tumulte»; de *battre,* et suff. *-aison.*

Vx ou régional (1846, G. Sand). Battage du blé; époque du battage.

1. **BATTANT** [batɑ̃] n. m. — V. 1279, «traquet de moulin»; de *battre.*

♦ **1** (1380). Pièce métallique en forme de massue, suspendue à l'intérieur d'une cloche contre les parois de laquelle elle vient frapper. *La cloche mise en branle, le battant en frappe les parois et les fait résonner. Le battant est suspendu à un anneau* (→ **Bélière**) *et à une bande de cuir* (→ **Brayer**). *L'œil d'un battant de cloche.*

(...) des hommes surgissent, qui se mettent à sonner à toute 1
volée, en maniant les battants comme des heurtoirs. Ding, ding, ding, ding, ils frappent l'airain avec une rapidité frénétique.
LOTI, Figures et Choses, «Passage de procession», p. 109.

♦ **2** (1680). Partie (d'un panneau double) mobile sur des gonds. *Le battant d'une porte, d'une fenêtre; les battants d'un meuble.* → **Vantail.** *Les battants se ferment l'un sur l'autre ou sur un montant fixe.* → **Battement, battée, couvre-joint, feuillure, gueule, liteau.** — Loc. *Ouvrir une porte à deux battants.*

Place de Notre-Dame-des-Victoires, ils furent surpris de 2
voir ouverte à deux battants la porte de l'église.
MARTIN DU GARD, les Thibault, t. VII, p. 302.

Antoine, interrompu, s'était levé. La mine hargneuse, il 3
entr'ouvrit le battant.
MARTIN DU GARD, les Thibault, t. V, p. 166.

Elle ouvrit largement les deux battants vitrés de la porte- 4
fenêtre (...) COLETTE, la Fin de Chéri, p. 62.

(...) la porte de l'immeuble qui fait le coin de la rue n'est 4.1
pas tout à fait fermée — non pas entrebaillée non plus, mais son battant mobile juste poussé contre le battant fixe, plus étroit, laissant entre eux peut-être un interstice de quelques centimètres, une raie verticale d'obscurité.
A. ROBBE-GRILLET, Dans le labyrinthe, p. 20-21.

Un battant accable l'autre et ne le lâche plus. La porte de 5
l'armoire s'est refermée.
Henri MICHAUX, La nuit remue, p. 7.

Par ext. Volet (d'une table, d'un comptoir) qui se lève et s'abaisse à volonté. → **Abattant.**

♦ **3** (XIIIe; premier sens attesté). Techn. (dans divers instruments ou machines). Pièce mobile, qui vient battre sur une autre. *Battant de moulin, de trémie.* → **Traquet.** *Le battant d'un fléau.* → **Battoir.** *Le battant d'un loquet.* → **Clenche.** *Battant brocheur,* pour le tissage des étoffes brochées. → **Brocheur.** — *Battant grenadière et battant de crosse d'un fusil* : anneaux qui fixent la bretelle aux deux extrémités du fusil.

♦ **4** (1690). Mar. *Battant d'un pavillon* : longueur de la partie du pavillon qui flotte librement, bat au gré du vent. *Battant d'une voile aurique* (contr. : *guindant*).

♦ **5** Argot. Cœur. *Je n'entends pas son battant.* → **Palpitant.**

(1872). Estomac. *Ne rien avoir dans le battant.*

2. **BATTANT, ANTE** [batɑ̃, ɑ̃t] adj. — 1165, fig., «neuf» (→ ci-dessous *battant neuf,* XVIe); de *battre.*

Qui bat (dans quelques emplois). → **Battre** (II.). *Pluie battante,* très violente. → **Pluie.** — *Porte battante* : porte qui se referme d'elle-même. *Derrière la porte de son cabinet de consultation, il y a une porte battante rembourrée qui empêche d'entendre les conversations.*

Tel qui a tiré ses rideaux avant de se coucher sur un ciel 0.1
fourmillant d'étoiles, est réveillé le matin au bruit d'une pluie battante, et souvent les dispositions de notre âme ont autant changé que celles du temps.
PROUST, Jean Santeuil, Pl., p. 652.

Loc. Vx. *À l'heure battante* (ou *battant*) : à l'heure précise. → **Pétant, sonnant, tapant.** *À six heures battantes* (ou *battant*). → **Heure** (*infra* cit. 26, et REM.).

*Le cœur battant :* avec une grande émotion. → **Battre** (II., 5.).

BATTANT NEUF : tout neuf. → **Battre** (cit. 51, 52 et *supra*). — REM. Dans cet emploi, *battant* reste le plus souvent invariable, mais peut s'accorder, ainsi que l'adj. *Une maison battant neuf, battant neuve* ou *battante neuve. Des costumes battant neuf, battant neufs* ou *battants neufs.*

(XVI^e, *tambourins battant*). Vx. *Un tambour battant,* qui bat, qui joue.

1 Depuis le Pont-Neuf jusqu'à la frontière,
Il suivit nu-pieds les tambours battants.
LAURENT-PICHAT, Avant le jour, *in* LITTRÉ, Dict., art. *Tambour.*

Loc. adv. *Tambour battant; tambours battants :* au son du tambour, des tambours. → **Battre** (*infra* cit. 50; *tambour battant,* invar.).

2 Le roi ayant fait passer les troupes en revue devant lui, tambour battant et trompettes sonnantes, pour aller au lieu de l'attaque.
PELLISSON, *in* LITTRÉ, Dict., art. *Tambour.*

(1883). Fig. Rapidement, rondement. *Mener une affaire tambour battant.*

3. **BATTANT** [batɑ̃] n. m. et adj. — 1907, *in* Petiot; de *battre,* trans., p.-ê. d'après l'angl. *battling* «combatif».

♦ **1** Sports. Sportif qui se signale par sa combativité. «*L'escrimeur est un battant, toujours prêt à l'attaque et à la contre-attaque*» (*le Monde,* 1^er nov. 1966).

1 (...) elle lui rappelait ces ardents petits battants des rings, si hargneux, insaisissables, toujours sur l'homme, dépourvus du véritable punch, mais avec qui on peut être sûr qu'un combat ira jusqu'à la limite.
Georges CONCHON, l'Amour en face, p. 72.

♦ **2** (1967). Par ext. Personnalité très combative. «*Un battant dont la puissance de travail n'a cessé d'impressionner tous les membres du bureau politique*» (*le Nouvel Obs.,* 11 déc. 1972). — Adjectif :

2 À quarante-deux ans, ce policier zélé et battant, dont bien des hommes souhaitaient la mort, rêvait... de se retirer dans le Vermont avec sa femme et ses deux fils, et là, de regarder fleurir les pommiers.
Jeanne CORDELIER, la Passagère, p. 183.

REM. Le fém. *battante* [batɑ̃t] est virtuel.

**BATTE** [bat] n. f. — 1393; «clenche du loquet», XII^e; de *battre.*

**I** ♦ **1** Instrument qui sert à battre. → **Bâton, battoir, maillet, massue, palette.** *Batte de maçon, de terrassier, de plombier. Batte de tonnelier.* → **Tapette.** *Batte à briser les mottes de terre.* → **Émottoir.** *Battes à beurre :* palettes d'un agitateur ou axe de baratte.

(1680). Par métonymie. *Batte de blanchisseuse :* petit banc sur lequel on bat le linge.

♦ **2** (Dans certains jeux). Bâton élargi à l'une de ses extrémités, au moyen duquel le batteur* renvoie la balle. → 2. **Bat.** *Batte de cricket, de base-ball.* — (Ancienn). *Batte de jeu de paume.*

*Batte d'Arlequin :* sabre de bois qui fait partie des attributs d'Arlequin.

**II** (1836). Action de battre (un métal) pour le réduire en feuilles. *La batte de l'or, de l'argent.*

HOM. 2. **Bat, bath.**

1. **BATTÉE** [bate] n. f. → **Batée.**

2. **BATTÉE** [bate] n. f. — 1838; de *battre.*

Techn. Partie du dormant contre laquelle vient battre une porte quand on la ferme.

HOM. **Batée, battez** (forme du v. *battre*).

**BATTELLEMENT** [batɛlmɑ̃] n. m. — 1690; de l'anc. franç. *bataillier, bateillier, bateller* «créneler».

Archit. Double rang de tuiles terminant le bas du toit. *La gouttière court le long du battellement.* → **Avant-toit, égout.**

**BATTEMENT** [batmɑ̃] n. m. — 1556; «fait de battre qqn», déb. XII^e; de *battre.*

**I** ♦ **1** Fait de battre à intervalles; choc répété, souvent retentissant, provoqué par des coups répétés et forts. → **Coup, heurt.** *Le battement du fer sur l'enclume.* → **Martèlement.** *Le battement du tambour.* → **Roulement.** — *Le battement de la pluie sur les vitres.*

(...) il sentit tout à coup un son insouciant et léger frapper à la cloison de son oreille. Un autre suivit, puis un autre, et un à un les battements doux et profonds des cloches d'une chapelle lointaine arrivèrent à lui (...) 0.1
PROUST, Jean Santeuil, Pl., p. 248.

Mouvement d'allée et venue périodique et bruyant. *Le battement alternatif* des rames. Le battement d'une porte mal fermée, d'une voile sous l'action du vent.*

(1686, *in* Petiot). *Battement d'épée du tireur d'armes :* coup de l'épée contre celle de l'adversaire. *Battement de tierce.* — (1671). *Battement de pieds.*

(...) un grand maître tireur d'armes, qui vient, avec ses battements de pied, ébranler toute la maison (...) 1
MOLIÈRE, le Bourgeois gentilhomme, III, 3 (1671).

*Battement de jambes* (dans certaines nages). *Travailler ses battements, en crawl*.*

Danse. Mouvement d'une jambe élevée en l'air et ramenée vers l'autre comme pour la battre. *Faire des battements. Battements de première, seconde, quatrième, cinquième position. Battements piqués,* sur la pointe. *Saut accompagné d'un battement.* → **Battu** (p. p., 6).

(1559). BATTEMENT DE MAINS : action de battre des mains. → **Applaudissement** (cit. 4).

(...) au son des instruments et des voix, et des battements de mains, et des mortiers d'apothicaires. 2
MOLIÈRE, le Malade imaginaire, 3^e intermède.

Les battements des mains, les trépignements, faisaient un vacarme assourdissant, qui, pendant plusieurs minutes roula d'un mur à l'autre du Cirque, comme l'écho du tonnerre dans une gorge de montagne. 3
MARTIN DU GARD, les Thibault, t. VII, p. 57.

*Battement des ailes.* BATTEMENTS D'AILES. → **Balancement, vol.** — Bruit de ce battement. *On entendit un grand battement d'ailes.* → **Bruissement, ébrouement, frémissement** (→ Abeille, cit. 5). *Le battement d'ailes précipité de la chauve-souris.*

(...) ces vergues qui se secouaient, qui avaient des mouvements brusques, désordonnés, comme les derniers battements d'ailes d'un grand oiseau blessé qui râle. 4
LOTI, Mon frère Yves, XXVII, p. 86.

(...) un grand oiseau solitaire et hâtif qui, loin devant nous, fouettant l'air du battement régulier de ses ailes, passait à toute vitesse au-dessus de la plage (...) 5
PROUST, À la recherche du temps perdu, t. IX, p. 293.

*Battement des cils, des paupières.* → **Cillement, clignement.** *Le battement des narines.* → **Frémissement.** *Un battement de narines.*

Parfois, quand la pensée était subtile, elle approuvait d'un battement des cils. 6
MARTIN DU GARD, les Thibault, t. V, p. 29.

Il vit au battement de ses narines qu'il l'avait un peu, enfin, irritée. 7
COLETTE, la Fin de Chéri, p. 95.

(1669, en parlant des artères). *Le battement du cœur :* le mouvement alternatif de contraction et de dilatation du cœur. *Arrêt des battements cardiaques* (→ Asphyxie, cit. 1). *Battement du pouls, des artères* (cit. 2). → **Pulsation.** *Les battements précipités de son cœur* (→ Anhéler, cit. 1; accélérer, cit. 2; arrêter, cit. 59). *Avoir un battement, des battements de cœur :* sentir son cœur battre plus fort, sous l'effet de l'émotion. → **Palpitation.**

8 Sous le silence prodigieux du couvent, il est comme un malade qui, la nuit, à l'heure où les bruits de la rue se sont tus, perçoit les battements de son cœur.
M. BARRÈS, la Colline inspirée, p. 44.

9 Son pas s'accélère et son cœur a des battements plus forts.
LOTI, Ramuntcho, II, 2, p. 217.

10 Les battements de son cœur résonnaient jusque dans ses tempes, l'étourdissaient.
MARTIN DU GARD, les Thibault, t. VII, p. 257.

11 Elle écoutait mal. Elle était tout étourdie, le battement de ses artères faisait dans sa tête un bruit assourdissant.
MARTIN DU GARD, les Thibault, t. VI, p. 156.

Par ext. *Les battements de la poitrine.*

11.1 Elle paraissait émue, s'efforçait néanmoins de sourire, contenait des deux mains les battements de sa poitrine.
G. SIMENON, le Passager du Polarlys, p. 15.

*Le battement d'une pendule. Le battement des métiers d'une usine.*

12 Je me regardais vivre, et j'écoutais les oscillations de mon cœur comme le battement d'une pendule (...)
Th. GAUTIER, Mlle de Maupin, IV, p. 69.

13 Le battement monotone des métiers de l'usine faisait trembler visages et mains d'une vibration mécanique, qui donnait à ces trois hommes l'apparence passive des machines.
A. MAUROIS, Bernard Quesnay, I, p. 6.

♦ **2** Math. Petit décalage entre deux fonctions périodiques de fréquences voisines. — Phys., mus. Variation périodique de l'amplitude d'une onde due à la superposition de deux vibrations de fréquence rapprochée. → **Interférence.**

Mus. Trille.

♦ **3** Intervalle de temps. *Nous avons un battement de vingt minutes, nous avons vingt minutes de battement pour changer de train. Il y a du battement entre les deux séances.*

**II** Techn. *Battement d'une porte, d'une fenêtre :* couvre-joint fixé sur l'un des battants* d'une porte ou d'une fenêtre double afin de recouvrir la jonction des deux battants; montant fixe sur lequel viennent s'appuyer les deux battants quand on les ferme.

*Battement d'une persienne, d'un volet :* pièce métallique scellée en dehors de la fenêtre pour arrêter et assujettir une persienne, un volet, l'empêcher de battre.

**BATTERIE** [batʀi] n. f. — 1204, «prix reçu pour le battage du blé»; de *battre.*

♦ **1** Vx ou régional. Action de battre; bruit qui en résulte. **a** «*On entendait de très loin la batterie des fléaux*» (J. et J. Tharaud, *in* T. L. F.).

**b** Querelle où l'on se bat. → **Bagarre, bataille, rixe.** *Éviter les querelles et les batteries* (Hatzfeld).

♦ **2** **a** (XVe; de *battre une position ennemie*). Réunion de pièces d'artillerie* et du matériel nécessaire à leur service; emplacement, ouvrage de fortification destiné à recevoir ces pièces. *Batterie de canons. Dresser, disposer, établir des batteries. Batterie rasante, en barbette, à barbettes. Batterie protégée, couverte, masquée par un épaulement. Démasquer une batterie. Désarmer une batterie. Mettre en échec une batterie ennemie par une contre-batterie. Batterie anti-chars. Batterie côtière,* destinée à protéger une côte. *Batterie de D. C. A.*

1 Les ennemis s'emparèrent des forts qu'on avait faits à Vigo et des batteries qui en défendaient l'entrée (...)
SAINT-SIMON, Mémoires, 109, 171.

Cette tour avait quinze toises de diamètre extérieurement 1.1
et se composait d'une batterie basse dont le sol était placé à une toise en contrebas du niveau supérieur du plateau. On descendait dans cette batterie basse par une pente, aboutissant à une salle octogone dont les voûtes portaient sur quatre gros piliers cylindriques.
G. LEROUX, le Parfum de la dame en noir, p. 409.

(...) c'étaient des tirs de surprise, plusieurs batteries écra- 1.2
sant le même point (...) Pendant que tout remuait le long des deux batteries je me plaçais en un point dominant et je guettais l'aiguille des secondes. Alors j'avais le plaisir de faire partir huit coups de canons, ce qui fait huit longues traînées de feu et un beau tapage; les autres batteries, loin ou près, tiraient en même temps. J'étais enivré.
ALAIN, Souvenirs de guerre, *in* les Passions et la Sagesse, Pl., p. 536.

**EN BATTERIE :** en position pour battre les positions ennemies. *Mettre des pièces en batterie.*

Unité faisant partie d'un régiment d'artillerie. *Le capitaine commandant la troisième batterie. Les quatre batteries d'un groupe d'artillerie.*

**b** Fig. Au plur. Vieilli. Moyen* qu'on emploie pour atteindre un objectif ou faire échouer quelque tentative. → **Combinaison, machination, mesure, plan...** *Dresser, établir ses batteries. Changer de batteries. Démasquer, dévoiler, démonter les batteries de son adversaire.* — Plur cour. *Démasquer, dévoiler ses batteries* : montrer ses intentions cachées, laisser voir où l'on veut en venir.*

Sans changer de discours changeons de batterie. 2
CORNEILLE, le Menteur, V, 6.

(...) nous avons préparé un bon nombre de batteries pour 3
renverser ce dessein ridicule.
MOLIÈRE, Monsieur de Pourceaugnac, I, 1.

(...) je vais changer de batterie; désormais, au lieu de 4
tremper mes flèches dans le vinaigre, je les tremperai dans l'huile : la blessure sera moins cuisante, mais plus sûrement mortelle (...)
SAINTE-BEUVE, P. J. Proud'hon, sa vie et sa correspondance, 1872, p. 85.

♦ **3** (1294; de *battre le fer, le métal*). **a** **BATTERIE DE CUISINE :** ensemble des ustensiles de cuisine (à l'origine en métal battu) qui vont au feu. *Batterie de cuisine de cuivre, d'aluminium, en fer battu.*

Fam. Ensemble de décorations (portées par un militaire). *Les généraux se pavanent avec leurs batteries de cuisine.*

**b** Ensemble d'éléments semblables. *Une batterie de projecteurs, de turbines. Batterie de chaudières, de laminoirs.* → **Train.**

Le building vit! Le soir, il s'allume comme une chapelle 5
ardente. Des batteries de projecteurs placées sur les maisons voisines l'inondent d'une lumière torrentielle (...)
G. DUHAMEL, Scènes de la vie future, VII.

**c** (1783). Réunion d'éléments générateurs de courant électrique. *Batteries d'accumulateurs, de piles, de condensateurs, de bouteilles de Leyde. Batterie de cellules solaires. Batteries solaires.* — Absolt. *Recharger la batterie d'une voiture.* → **Accus** (fam.). *Chargeur de batterie. La batterie est à plat, ne charge plus. Batterie sèche. Électrolyse d'une batterie. Batteries en série, en parallèle.*

**d** *Batterie de tests :* ensemble de tests utilisés conjointement et mettant en œuvre plusieurs aspects de la personnalité des sujets.

REM. Dans les emplois dérivés (b, c, d), les sens 2. et 3. se rejoignent par le sémantisme commun «ensemble d'objets semblables».

♦ **4** (1680). Manière de battre le tambour*; roulement particulier. → **Breloque, chamade, champ, charge, colin-tampon** (vx), **diane, générale, rappel, réveil.** *Batterie à bâtons* rompus.*

Pour égayer la fête, des tambours à vapeur (...) battaient 5.1
sans relâche le rappel, la générale, la charge, la chamade,

la retraite et toutes les batteries connues.
A. ROBIDA, le Vingtième Siècle, p. 282-283.

(Av. 1650). Mus. Manière de jouer de la guitare en frappant les cordes avec les doigts.

(Av. 1788). Par métonymie. Suite de notes détachées en arpèges sur un instrument à cordes. — Par ext. → **Trille, roulade.**

6 Coups de gosiers éclatants, batteries vives et légères (...)
BUFFON, Hist. nat. des oiseaux, Le rossignol.

7 Dans les opéras de notre ancienne école, la partie du second violon est écrite le plus souvent en batteries et en arpèges.
CASTIL-BLAZE, Dict. de musique, *in* LITTRÉ.

8 C'est à lui que nous devons cette extension des accords, soit plaqués, soit en arpèges, soit en batterie; ces sinuosités chromatiques et enharmoniques dont ses études offrent de si frappants exemples (...)
E. DELACROIX, Journal, 28 févr. 1851, t. II, p. 50.

♦ **5** (1936, *in* T. L. F.; de *battre le tambour, un instrument,* mais le sémantisme des sens 2. et 3. «ensemble d'objets analogues» a pu jouer). Ensemble des instruments à percussion* d'un orchestre. → **Caisse** (caisse claire, grosse caisse), **cymbale, timbale.** *Dans un orchestre symphonique, plusieurs musiciens jouent des instruments qui constituent la batterie.*

Instrument complexe réunissant plusieurs instruments à percussion, dont joue un seul musicien. *Le musicien qui tient la batterie.* → **Batteur.** *Batterie de jazz.* → **Drums** (anglic.). *Solo de batterie. La caisse claire, la cymbale d'une batterie.*

♦ **6** Par métonymie. [a] Partie battue (d'un mécanisme). — Anciennt. Pièce (d'un fusil, d'un pistolet) sur laquelle frappe la pierre. *La béquille* était placée sous la batterie.*

[b] Lieu où l'on bat qqch. (linge, etc.). «*La planche étroite de la batterie*» (→ Blanchisseur, cit.).

**BATTEUR** [batœʀ] n. m. — 1283, sens I, 1; «celui qui bat le blé», 1204; de *battre.*

[I] (Personnes). ♦ **1** Vx. Celui qui aime à battre, à donner des coups.

1 Oui, je te ferai voir, batteur que Dieu confonde!
Que ce n'est pas pour rien qu'il faut rouer le monde (...)
MOLIÈRE, l'Étourdi, II, 7.

♦ **2** (V. 1270, *batteur d'or*). Celui dont le métier consiste à battre qqch. pour le transformer. *Batteur d'or, d'étain :* ouvrier qui réduit l'or, l'étain en feuilles très minces. *Batteur de plâtre :* ouvrier qui écrase le plâtre. *Batteur en grange,* qui bat les gerbes, les épis au fléau.

Chasse. Celui qui bat* les bois, les buissons. → **Rabatteur.** — *Batteur de brousse :* celui qui bat la brousse.

1.1 Il marchait en batteur de brousse : un peu incliné vers l'avant, à foulées nonchalantes et rapides.
J. KESSEL, le Lion, p. 57.

♦ **3** Vx. Loc. fig. (des expressions correspondantes en *battre*). *Batteur de fer.* → **Ferrailleur, spadassin.**

2 Monsieur le batteur de fer, je vous apprendrai votre métier. MOLIÈRE, le Bourgeois gentilhomme, II, 3.

(1526). *Batteur de pavé :* celui qui passe son temps à battre le pavé, courir les rues. *Batteur d'estrade*. Batteur de planches :* comédien.

3 Malfaisant, pipeur, buveur, batteur de pavés, ribleur s'il en était à Paris; au demeurant, le meilleur fils du monde.
RABELAIS, Pantagruel, II, 16.

♦ **4** (1877, *batteur de cymbales,* Hugo). Musicien qui joue d'un instrument à percussion (tambour, etc.). → **Percussionniste.**

Alouma s'était mise à danser (...) les doigts des batteurs rebondissaient avec une rapidité inouïe sur la surface tendue du cuir fin. Leur torse se secouait et tremblait. 4
A. LOBA, Kocoumbo, l'étudiant noir, *in* Pages africaines, III.

(Mil. XXe). Musicien qui joue de la batterie dans une formation de jazz ou de musique pop. → **Drummer** (anglic.). — REM. Dans ce sens, on emploie *batteur* en parlant des femmes *(elle est batteur)*; le féminin *batteuse* [batøz] semble inusité.

♦ **5** (XXe; de *battre,* spécialt., p.-ê. d'après l'angl. *batter,* de *to bat,* au cricket, cf. *batsman,* 1765). Sports (cricket, base-ball). Joueur qui renvoie la balle (reçue du lanceur) à l'aide d'une batte*. *Le lanceur* (cit. 2) *et le batteur.*

Il y a deux guichets *(au cricket)* défendus chacun par un batteur, et ces deux joueurs sont seuls de leur camp sur le terrain. Jean DAUVEN, Technique du sport, p. 114. 5

♦ **6** Personne qui bat les cartes. → **Battre** (*supra* cit. 13.1).

REM. Dans tous les sens de I., le fém. *batteuse* est virtuel.

[II] (Choses : appareils, mécanismes servant à battre). ♦ **1** Organe principal d'une batteuse agricole. → **Batteuse** (1.).

Machine qui élimine les impuretés des fibres de coton avant filature. *Batteur-éplucheur. Batteur-étaleur,* qui étale la fibre en nappes.

♦ **2** (1877). Cour. Appareil ménager servant à battre (I., B., 3.) très rapidement, à agiter un liquide ou à mélanger des ingrédients. *Batteur mécanique* (→ **Fouet**), *batteur électrique* (→ **Mixer**). — (En composition). *Mixer-batteur. Un batteur à œufs. — Batteur à champagne.* → **Fouet.** — *Aspirateur-batteur :* aspirateur muni d'un dispositif propre à battre (I., B., 1.) tapis, moquettes, etc.

DÉR. **Batteuse.**

**BATTEUSE** [batøz] n. f. — 1860; fém. de *batteur.*

♦ **1** Machine qui sert à l'égrenage des céréales, des plantes fourragères. *Batteuse à vapeur* (anciennt). *Le travail effectué par la batteuse.* → **Battage.** *Batteuse à manège.*

(...) à l'abri des bâtiments de la ferme ou en plein air, selon le temps, se mettent en mouvement les batteuses. Celles-ci sont déjà pour tout le monde de vieilles connaissances. 1
L. VILLERMÉ, les Machines agricoles, *in* Revue des Deux-Mondes, 1er juil. 1860, p. 235.

La batteuse, grosse mouche qui bourdonne dans le village. 2
J. RENARD, Journal, 23 juil. 1899.

(En composition). *Moissonneuse-batteuse.* → **Moissonneur** (2.). *Batteuse-trieuse.*

♦ **2** Appareil qui bat le métal, le réduit en feuilles par pression.

♦ **3** Vx. *Batteuse à linge :* appareil où l'on battait le linge.

**BATTIK** [batik] n. m. → **Batik.**

**BATTIKER** [batike] v. tr. → **Batiker.**

**BATTITURES** [batityʀ] n. f. pl. — 1564 (1573, *in* T. L. F.); ital. *battitura* «coup» (XIVe), puis *battiture* (XVIe); de *battere* «battre».

Techn. Parcelles de métal qui jaillissent sous le marteau du forgeron.

**BATTLE-DRESS** [batœldʀɛs] n. m. invar. — V. 1943-44; en angl., 1943, in *War Dictionary;* mot angl., «tenue» *(dress)* «de combat» *(battle).*

Anglicisme. Tenue de combat, pantalon et veste courte de toile.

1 Maillat se sentait bien dans ses vêtements secs. Le pantalon de battle-dress anglais que Dhéry lui avait prêté avait une raie impeccable.
Robert MERLE, Week-end à Zuydcoote, p. 158 (1949).

Plus cour. Veste courte de toile, en forme de blouson, de la tenue de combat.

2 Maillat le saisit par le col de son battle-dress et le secoua.
Robert MERLE, Week-end à Zuydcoote, p. 145 (1949).

Par ext. Blouson de toile d'allure militaire. *«Musiciens, chanteurs, comédiens, tous portent le même battle-dress»* (*l'Express,* 16 mars 1970).

**BATTOIR** [batwaʀ] n. m. — Déb. XIIIe; de *battre.*

♦ **1** Instrument qui sert à battre. → **Batte.**
Spécialt. Palette de bois avec laquelle on bat le linge. *Un battoir de lavandière.*

1 Il y avait encore, contre le quai de Gèvres, un grand lavoir, avec ses charpentes verdies par l'eau, dans lequel on entendait les rires et les coups de battoir des blanchisseuses.
ZOLA, Son Excellence Eugène Rougon, t. I, p. 98.

2 (...) et les femmes au battoir, les gros paquets de linge bien gonflés roulant dans les brouettes, les femmes qui lavaient la lessive à la rivière.
Ch. PÉGUY, Victor-Marie, comte Hugo, 23 oct. 1910.

(1755, Beaumarchais). Par compar. *Des mains comme des battoirs* (→ ci-dessous, 3.).
Techn. (Anciennt). Partie mobile d'un fléau* (cit. 1).

♦ **2** (Fin XVe). Raquette de jeu de paume. → **Batte, triquet.**

♦ **3** (1826, argot). Fam. Main large et forte (souvent au plur.). *Il avait de gros battoirs rougeauds.*

**BATTOLOGIE** [batɔlɔʒi] n. f. — 1559; grec *battologia,* de *Battos,* nom d'un roi de Cyrène qui était bègue, et *logia,* de *logos* «discours».

Rhét. Répétition inutile, oiseuse, fastidieuse, en parlant ou en écrivant. → **Pléonasme, tautologie.**

«(...) lantiponnages que tout cela, ravauderies et billevesées, battologies et trivelinades, âneries et calembredaines, radotages et fariboles!» se dit-elle.
R. QUENEAU, le Chiendent, p. 108.

Répétition d'un élément d'énoncé, dans le bégaiement.

**BATTRE** [batʀ] v. [CONJUG.: *je bats, nous battons; je battais; je battis, nous battîmes; je battrai; bats, battons, battez; que je batte, que nous battions; que je battisse, qu'il battît, que nous battissions; battant; battu.*] — Mil. XIe; du lat. *battuere,* dans Plaute, «frapper le visage de qqn», puis *battere* «battre»; verbe peu fréquent en latin, limité à des sens techniques jusqu'au VIe.

**I** V. tr. Donner des coups répétés à..., frapper à plusieurs reprises. → **Frapper.** **A** ♦ **1** (Le compl. désigne un être vivant). → **Coup** (administrer, appliquer, délivrer, donner, envoyer... des coups à qqn; fam. coller, flanquer, foutre, mettre des coups à qqn); **bûcher** (vx), **étriller, frapper, malmener, maltraiter, rosser, rouer** (de coups), **taper** (sur). *Il n'y va pas de main morte, il l'a battu comme plâtre** : il l'a frappé longtemps. *Il l'a battu jusqu'au sang,* cruellement. *Il l'a battu comme un sourd,* sans entendre les plaintes de sa victime. — *Battre qqn à coups de bâton, de fouet, de matraque...* → **Bastonner, bâtonner** (donner la bastonnade), **bourrader** (rare), **cingler, cravacher, flageller, fouailler, fouetter, fustiger, houssiner, marteler, matraquer, sangler, triquer.** — *Battre qqn à coups de pieds, de poings.* → **Assommer** (cit. 3), **bourrer** (de coups), **boxer, brosser** (fam.), **calotter, claquer, cogner, échiner, éreinter** (fam.), **frotter** (frotter l'échine, fam.), **gifler, gourmer** (vx), **houspiller, secouer** (fam.), **souffleter, talocher** (fam.). *Battre un enfant pour le punir.* → **Châtier, corriger, fesser.** *Il a voulu le battre.* (→ Lever, porter la main* sur lui). *Il a été battu à mort.* → **Lyncher.**

REM. La notion a de nombreuses expressions dans la langue fam. ou argotique. → **Arranger, assaisonner, astiquer, avoiner, bigorner, botter, bouffer** (le nez), **bourrer** (la gueule), **carder** (le poil), **casser** (la gueule, la tronche, les reins...), **cogner, démolir, dérouiller, enfoncer** (les côtes), **épousseter, estourbir, flanquer, filer** (un abattage, une brossée, une brûlée, une danse, une dégelée, une dérouillée, une étrenne, une frottée, une giboulée, une peignée, une pile, une raclée, une ratatouille, une rincée, une roulée, une rouste, une tannée, une tatouille, une tournée, une trempe, une tripotée, une volée...; → **Coup**); **foutre** (sur la gueule), **mettre** (sur la gueule); **passer** (à tabac), **piler, rentrer** (dedans, dans le mou); **sabouler** (vx), **sauter** (dessus, sur le casaquin), **secouer** (et secouer les puces), **soigner, sonner, tabasser, tamponner, tanner** (le cuir à qqn), **taper** (dessus), **tatouiller, tomber** (sur le paletot), **travailler, tricoter** (les côtes à qqn); et aussi **gueule** (mettre sur la), **nez, poil, tête** (faire une grosse tête à qqn, lui mettre la tête au carré...), **fête** (faire sa fête à qqn). — *Battre qqn à mains nues, avec un bâton.* — Vx. *Battre qqn de verges* (→ ci-dessous, cit. 4). — Absolt. (→ ci-dessous, cit. 1).

Frappez, battez, chargez, accablez-moi de coups. 1
MOLIÈRE, Amphitryon, III, 7.

Et je veux qu'il me batte, moi!... Voyez un peu cet impertinent, qui veut empêcher les maris de battre leurs femmes!... — Faites, rossez, battez comme il faut votre femme; je vous aiderai si vous le voulez. 2
MOLIÈRE, le Médecin malgré lui, I, 2.

Semblables à ces enfants drus et forts d'un bon lait qu'ils ont sucé, qui battent leur nourrice. 3
LA BRUYÈRE, les Caractères, I.

*(Le voleur était)* seulement battu de verges, s'il était impubère. 4
MONTESQUIEU, l'Esprit des lois, XXIX, 13.

Éconduit, il insiste *(le courtisan);* repoussé, il tient bon; qu'on le chasse, il revient; qu'on le batte, il se couche à terre. 5
P.-L. COURIER, Simple discours.

*Faire battre (qqn).* → ci-dessous, cit. 85.
*Battre un homme, un ennemi à terre :* au fig., accabler qqn qui ne peut plus se défendre; faire preuve de lâcheté.
*Battre un animal, un chien, un cheval.* — Prov. Vx. *Qui veut battre* (mod. : *noyer*) *son chien l'accuse de la rage.*

♦ **2** (1606). Avoir le dessus sur (un adversaire). *Battre l'ennemi.* → **Vaincre; bousculer, bouter, culbuter, défaire, enfoncer, tailler** (en pièces). → Avoir l'avantage* sur, prendre le dessus*. *Battre qqn à plate couture* (par allus. aux coutures qu'on aplatit en frappant; → Couture) : défaire, remporter une victoire décisive sur... *Il a battu son adversaire aux élections.* — Être le meilleur, l'emporter, dans une compétition, un match. *Battre son adversaire aux échecs, au tennis, etc.* → **Gagner** (cf. Damer le pion à..., faire échec à...). *Nous les battrons, nous les aurons.* → **Avoir** (*supra* cit. 56). *Ils ont été battus par six à zéro, quelle piquette*!* → **Piler.**

On croit que M. de Luxembourg les battra *(les Allemands).* 6
Mme DE SÉVIGNÉ, Lettres, 559, 22 juil. 1676.

Avec son escrime française, il les a battus à plate couture. 7
LOTI, Mme Chrysanthème, XLVI, p. 231.

La *Pointe-au-corps,* qui avait été un très bel homme dans sa jeunesse (...) qui, au camp de Hollande, et bien jeune alors, avait battu à plate couture tous les autres prévôts 7.1

et remporté un prix de deux fleurets et de deux masques montés en argent.
BARBEY D'AUREVILLY, les Diaboliques, «Le bonheur dans le crime».

♦ **3** (1882, *in* Petiot). Par métonymie. *Battre un record :* devenir détenteur du record (en battant tous les précédents détenteurs).

**B** (Compl. n. de chose). → **Frapper** (sur une chose).
♦ **1** Frapper (un corps solide) avec qqch. (un instrument, un outil...). *Battre un habit, un tapis avec une époussette, une houssine, une tapette, une vergette.* → **Épousseter, houssiner, taper.** *Battre le linge pour le nettoyer.* → **Batte, battoir.** *Les blanchisseuses, les lavandières battaient le linge.*

7.2 Tout à coup, dans la nuit, j'entends une femme qui bat du linge. J. RENARD, Journal, 29 janv. 1898.

(XIIIe, *battre le fer, le blé*). Emplois techn. *Battre la laine pour la carder, la battre au brisoir. Battre le plâtre.* → **Briser, broyer, pulvériser.** *Battre un livre avec un maillet,* avant de le relier. *Battre un métal avec un marteau.* → **Marteler.** *Battre l'or, l'argent, le cuivre,* le réduire en feuilles très minces en le battant.
(Après 1260). *Battre le blé, le grain,* ou, absolt, *battre.* → **Battage, batteur, batteuse, fléau.**
*Battre la terre avec une dame.* → **Damer, fouler.**

8 On est obligé de battre la terre sur les sépultures et d'y mêler de grosses épines pour les empêcher *(les chacals)* de la gratter et fouir.
BUFFON, Hist. nat., Les quadrupèdes, t. VI, p. 202.

Absolt. Sports (cricket, base-ball). Se servir de la batte pour renvoyer la balle. → **Batteur.** — Par ext. *L'équipe qui lance et l'équipe qui bat.*

8.1 Comme au cricket (...) dont il *(le base-ball)* est dérivé il y a environ un siècle, l'un des camps, dont c'est le tour de battre, tente de compter des points. À l'exception du lanceur, l'autre équipe est répartie sur le terrain de façon à essayer de rattraper la balle — ce qui a pour effet l'élimination du batteur (...).
Jean DAUVEN, Technique du sport, p. 115.

*Le forgeron bat le fer sur l'enclume, bat l'enclume.* — Loc. fig. *Battre le fer pendant qu'* (ou *quand*) *il est chaud :* profiter sans tarder d'une occasion* favorable, presser une affaire tandis qu'elle est en bon train.

9 Lorsque le temps presse et qu'il faut
Battre le fer quand il est chaud.
SCARRON, Virgile, VI.

9.1 Battre le fer quand il est chaud : ce proverbe est dans toutes les bouches, depuis que tant de gens sont en place, et que tout le monde est sur pied pour chercher à supplanter ses concurrents. Mais d'après les difficultés d'aborder les ministres, le fer a tout le temps de se refroidir; et les bureaux n'en font jamais qu'à leur tête.
Cousin Jacques, Dict. néologique, 1800, *in* D. D. L., II, 11.

*Battre le fer à froid* (en parlant du forgeron). — Loc. fig. (Trans. ind.). **BATTRE FROID À QQN,** le traiter avec froideur.

10 L'ambassadeur disgracié, le chef de bureau mis brusquement à la retraite, le mondain à qui on bat froid, l'amoureux éconduit examinent, parfois pendant des mois, l'événement qui a brisé leurs espérances.
PROUST, À la recherche du temps perdu, t. XII, p. 142.

11 La certitude m'était venue que M. Chalgrin me battait froid, que j'avais dû faire une maladresse énorme et difficilement réparable.
G. DUHAMEL, Chronique des Pasquier, VI, 7.

REM. Le tour usuel est *battre froid à qqn.* Gide emploie cette locution verbale avec un complément direct.

11.1 Édouard n'a jamais rien fait pour s'attirer les bonnes grâces des critiques. Si ceux-ci le battent froid, peu lui importe.
GIDE, les Faux-monnayeurs, I, VIII, *in* Romans, Pl., p. 983.

Le seul emploi courant est avec un pronom en complément indirect. *On lui bat, je lui bats froid; il leur battait froid.*
*Battre le briquet.* → **Briquet.**

♦ **2** (1080). Techn. **BATTRE MONNAIE :** fabriquer de la monnaie (qui, autrefois, se frappait au marteau). → **Frapper.**

Le prince seul a droit de battre monnaie, attendu que lui 12
seul a droit d'exiger que son témoignage fasse autorité parmi tout un peuple. ROUSSEAU, Émile, III, p. 218.

Au fig., vieilli. *Battre monnaie :* se procurer de l'argent.

Chamillart avait battu monnaie de tout ce qu'il avait, et 13
emprunté le reste. SAINT-SIMON, Mémoires, 70, 153.

♦ **3** **a** Frapper sur ou dans (qqch.) pour l'agiter, le mélanger.
Pêche. *Battre l'eau avec un bâton,* la remuer, la troubler pour prendre certains poissons. → (régional) **Bouiller,** 2. **bouler, rabouiller.** — Fig. → **Bâton** (*infra* cit. 1).
**b** Agiter, mêler. *Battre les cartes,* les brouiller avant de les distribuer. → **Mêler.** — Absolt. *C'est à vous de battre et de donner.*

(...) et ils battirent les cartes, absorbés, perdus déjà dans 13.1
de profondes combinaisons.
ZOLA, Son Excellence Eugène Rougon, t. II, p. 26.

**c** *Battre des œufs en omelette. Battre un blanc d'œuf en neige.* → **Monter** (faire monter). *Battre le champagne.* → **Batteur.**

(...) battez-moi ces blancs d'œufs en père fouetteur. 14
Th. GAUTIER, le Capitaine Fracasse, XI.

*Battre le lait. Battre le beurre.* → **Baratter, batte.** *Battre de la crème.* → **Agiter, fouetter.** *«Délayez la crème fraîche avec le lait et battez le tout ensemble sur de la glace placée dans un récipient...»* (R. Oliver, *la Cuisine,* Bordas, art. *Crème chantilly*). → **Brouiller, mêler, touiller, travailler; batteur.**

♦ **4** (1160). Spécialt (chasse). **BATTRE LES BUISSONS,** les frapper, les agiter avec un bâton pour faire lever le gibier. *Battre la campagne pour forcer le gibier à aller à l'endroit où sont les chasseurs.* → **Rabattre.** — Par ext. *Le chien bat les taillis.*

Je battais les taillis et les prés gorgés d'eau en chien indé- 15
pendant qui ne rend pas de comptes (...)
COLETTE, Histoires pour Bel-Gazou, III.

Prov. (Vieilli). *Il a battu les buissons et un autre a pris les oiseaux :* il s'est donné beaucoup de peine et un autre en a profité.

On bat les buissons, et les autres prennent les oiseaux. 16
Mme DE SÉVIGNÉ, Lettres, 391, *in* LITTRÉ, Dict., art. *Buisson.*

♦ **5** Par ext. (De *battre la terre* «fouler»; et de *battre les buissons*). Parcourir (une grande étendue) à la recherche de qqch.; aller à la découverte, en reconnaissance. → **Explorer, fouiller, parcourir, reconnaître.** *Battre la campagne, la forêt, le pays; les chemins, les sentiers, les routes. Battre l'estrade** (vx). *Les sergents recruteurs battaient le pays à la recherche de nouvelles recrues. Tous les pays* (1. Pays, cit. 19) *que j'ai battus.*

On avait beau battre les forêts, fouiller les buissons, on 17
ne le rencontrait jamais *(le loup).*
MAUPASSANT, Clair de lune, «Loup».

(...) mes agents battent toutes les rues avoisinantes... tout le 17.1
quartier!... mais, je vais vous dire, monsieur le Président... je vais vous dire une chose terrible.. si je ne les retrouvais pas, cela ne m'étonnerait pas!
G. LEROUX, Rouletabille chez Krupp, p. 58.

(Par métaphore du sens 4.) :

18 À force de battre les buissons des idées, les philosophes, même les plus lointains et les plus perdus, finissent par faire lever des vérités.
HUGO, Post-Scriptum de ma vie, I.

19 Pour avoir battu autrefois toutes les routes de l'impureté, un converti a tôt fait de les reconnaître.
F. MAURIAC, Souffrances et Bonheur du chrétien, p. 167.

Au fig. **BATTRE LA CAMPAGNE :** rêver à des sujets variés (sans ordre). → **Délirer, déraisonner, divaguer, extravaguer** (→ Courir les champs* ; vieux).

20 Quel esprit ne bat la campagne ?
LA FONTAINE, Fables, VII, 10.

21 Mon vieux prêtre parlait beaucoup, s'échauffait, battait la campagne et se tirait d'affaire en disant qu'il n'entendait pas bien le français. ROUSSEAU, les Confessions, I.

22 (...) la fièvre recommença, et bien fort. Sylvinet s'assoupissait, battait la campagne en rêvassant.
G. SAND, la Petite Fadette, p. 227.

Vx. *Battre la mer,* la parcourir dans tous les sens.

23 *(Flotte du sultan)* Toi qui, dans ta démence,
Battais les mers, immense
Comme Léviathan ! HUGO, les Orientales, V, 6.

**BATTRE LE PAVÉ,** le fouler en marchant. — Fig. Aller par les rues, aller et venir sans but. → **Errer, flâner.**

24 Crois-tu qu'un juge n'ait qu'à faire bonne chère,
Qu'à battre le pavé comme un tas de galants (...)
RACINE, les Plaideurs, I, 4.

25 Il s'ennuyait de battre les galeries de Versailles et le pavé de la cour. SAINT-SIMON, Mémoires, III, 10.

**BATTRE LA SEMELLE :** frapper le sol avec ses pieds pour les réchauffer.

26 Son pied glacé bat la mesure
Et la semelle en même temps.
Th. GAUTIER, Émaux et Camées, « Fantaisie d'hiver ».

♦ **6** *Battre le tambour*,* le frapper avec des baguettes pour le faire résonner (→ ci-dessous, II., 3., le tour trans. ind.). → **Tambouriner.** *On battait le tambour pour assembler les soldats.* — Par ext. *Battre la breloque, la chamade, la charge, la diane, la générale, le rappel, la retraite,* etc. → **Batterie.** → Aussi les sens fig. *Battre la breloque*, la chamade*, le rappel*.* — *Battre le tambour, battre la grosse caisse pour attirer l'attention. Dans certains villages de France le garde champêtre battait son tambour avant de lancer son « Avis à la population ! »*

27 Je double le pas, j'entends battre la caisse, je cours à toutes jambes. ROUSSEAU, les Confessions, I.

28 Il sonnait un coup sec, puis, du bout des doigts, battait le rappel sur la porte pour indiquer que c'était lui (...)
COURTELINE, Boubouroche, I (cf. Tambouriner).

Loc. fig. *Battre le tambour, battre la caisse :* proclamer qqch. avec éclat, chercher à attirer l'attention.

29 Je ne puis penser que la « Nature » était inconnue avant Rousseau ; ni la méthode avant Descartes ; ni l'expérience avant Bacon ; ni tout ce qui est évident avant quelqu'un. Mais quelqu'un a battu le tambour.
VALÉRY, Rhumbs, p. 39.

Loc. fig. **BATTRE LES OREILLES (à qqn de qqch. ;** *par qqch. ;* vx**).** → **Assourdir, fatiguer.** — REM. La forme *battre* s'est effacée dans le langage cour. au profit de *rebattre. Il m'en bat et rebat les oreilles.* → **Rebattre.**

30 Entendrons-nous les chrétiens nous battre les oreilles par cette belle raison ? BOSSUET, Honneur du monde, 3.

30.1 On me bat les oreilles d'une foule d'affaires.
ZOLA, Son Excellence Eugène Rougon, t. II, p. 136.

Fig., fam. (Vieilli). *Battre la (sa) flemme** (p.-ê. de l'argot milit., par allus. aux batteries de tambour) : paresser.

♦ **7 BATTRE LA MESURE :** marquer la mesure*, indiquer le rythme. *Au XVIe siècle, on bat la mesure en frappant le sol d'un bâton. Battre la mesure avec un archet, une baguette.*

Danse. *Battre un entrechat, des entrechats,* le (les) réaliser, en dansant.

♦ **8** Frapper avec son corps, un membre, d'un mouvement répété (un élément, une surface).

**BATTRE L'AIR** (de ses membres), l'agiter par des mouvements rapides, parfois saccadés et désordonnés. *Les chauves-souris battent l'air de leurs ailes.* → **Agiter,** 1. **air** (*supra* cit. 17). *Battre l'air de ses bras en tombant.*

Il *(le coq)* aiguisait son bec, battait l'air et ses flancs. 31
LA FONTAINE, Fables, VII, 13.

Le malheureux lion se déchire lui-même, 32
Fait résonner sa queue à l'entour de ses flancs,
Bat l'air, qui n'en peut mais (...)
LA FONTAINE, Fables, II, 9.

Par anal., fig. (Vx). *Battre l'air :* faire des efforts inutiles (→ ci-dessous, III., *se battre les flancs*).

Par métaphore (de la vibration de l'air induite par le mouvement) :

La réputation, un son qui bat l'air et qui passe. 33
MASSILLON, Oraison funèbre de M. de Villeroy.

Un angelus battit de son aile bleue la torride blancheur 34
d'un clocher (...)
Francis JAMMES, le Roman du lièvre, I, p. 10.

(Le compl. désigne une surface dure). Heurter. *Un ivrogne qui chancelle et bat les murs. Battre le sol de ses pieds.*

De rage elle battait les murs avec sa tête. 35
J.-F. REGNARD, les Folies amoureuses, II, 6.

Heurter, frapper (son corps). *Battre sa poitrine en signe de repentir.* — Ellipt. *Battre sa coulpe** (par allus. aux pécheurs qui se frappaient la poitrine en disant leur *mea culpa*). — *Battre ses flancs* (→ ci-dessous, III., *se battre les flancs*).

♦ **9** (Vx ou en loc. ; sujet n. de chose ou de personne). Heurter de coups répétés. **a** Frapper de projectiles. → **Canonner ; batterie.** *L'artillerie commença à battre les positions ennemies. Les anciens se servaient du bélier pour battre les murailles et les renverser. Battre et démolir les murs d'une forteresse.*

Mahomet battit les murs *(de Rhodes)* avec seize canons. 36
CHATEAUBRIAND, le Génie du christianisme, IV, V, 1.

**BATTRE (un mur...) EN BRÈCHE.** — Fig. *Battre un argument en brèche* (ou *en ruine,* vx), l'attaquer, le ruiner. *Battre en brèche le crédit de qqn.* → **Attaquer, ébranler.**

Cette Gironde, qui, jusqu'ici, sous l'inspiration de Madame 37
Roland, battait le trône en brèche.
MICHELET, Hist. de la révolution franç., t. I, p. 937.

**b** (Le sujet désigne la mer, les vagues ; le vent). *Les vagues battent la falaise, la digue, les rochers,* se brisent contre eux. *La tempête bat le navire,* le secoue.

Je voyais les vagues qui venaient battre le pied de la tour 38
où j'étais prisonnier. FÉNELON, Télémaque, II.

En doublant le cap Horn, après avoir passé le détroit de Le 39
Maire, des tempêtes extraordinaires battent les vaisseaux d'Anson et les dispersent.
VOLTAIRE, Précis du siècle de Louis XV, 27.

Par comparaison :

M. Thibault entendait, de très loin, ces phrases qui 40
venaient en vain, comme des vagues contre un rocher, battre son cerveau pétrifié par la peur.
MARTIN DU GARD, les Thibault, t. IV, p. 129.

Par métaphore :

Les gendarmes, groupés autour du brancard comme 41
autour de leur raison d'être, forment un îlot fixe, contre lequel la houle humaine vient battre.
MARTIN DU GARD, les Thibault, t. VIII, p. 183.

(Le sujet désigne la pluie, des gouttes de pluie, etc.). *Les grêlons battent les vitres.* → **Fouetter.**

42 Elles *(les gouttes d'eau)* battaient sa face, s'écrasaient, claquaient sans relâche. ZOLA, Germinal, I, IV.

[c] Heurter en se balançant. *Une longue rapière lui bat les mollets. «La martingale de Fouillard lui bat minablement les fesses»* (Dorgelès).

♦ **10 BATTRE PAVILLON... :** naviguer sous (tel ou tel) pavillon (le plus souvent au p. prés.). *Un pétrolier battant pavillon libérien s'est échoué au large d'Ouessant. Le navire battant pavillon amiral détient le commandement de la flotte.*

43 (...) des navires de guerre battant pavillon britannique (...) MARTIN DU GARD, les Thibault, t. VI, p. 42.

♦ **11** Loc. **BATTRE SON PLEIN,** se dit de la mer quand elle est haute, quand elle est à son plein* (cit. 58 et 59). — Fig. Être à son point culminant, à son apogée; être en pleine activité. *La fête bat son plein; les réjouissances battent leur plein.* — REM. Pour plus de détails, se reporter à *plein* (cit. 60 à 64).

44 La splendeur de l'avril battait son plein au-dessus de Paris. COURTELINE, Messieurs les ronds-de-cuir, IV, 2.

**II** V. tr. ind. et intr. ♦ **1 BATTRE EN RETRAITE :** se battre en faisant retraite, se retirer du combat.

45 (...) ils forcent les Autrichiens, bientôt rompus, à battre en retraite dans le plus grand désordre (...) Louis MADELIN, Hist. du Consulat, t. V, p. 276.

Fig. → **Abandonner, céder, reculer, retirer** (se).

46 Un «mais» (...) lui eût permis de battre en retraite paré des honneurs de la guerre (...) COURTELINE, Boubouroche, III.

46.1 (...) les deux administrateurs, affirmant que Brasselier voulait brader l'affaire, avaient alerté les actionnaires; un syndicat de défense s'était constitué qui menaçait de faire nommer en justice un administrateur provisoire. Et le pauvre Brasselier avait dû battre en retraite. René FLORIOT, La vérité tient à un fil, p. 15.

(Sujet n. de chose) :

46.2 Laure a guéri.
La grippe, d'ailleurs, semblait battre en retraite. Suzanne PROU, la Terrasse des Bernardini, p. 138.

Mar. *Battre en arrière :* faire machine arrière.

♦ **2** Produire des mouvements répétés (avec un membre, une partie mobile du corps). *Battre des mains, des pieds. Battre des mains en signe d'approbation.* → **Applaudir, claquer.**

47 Les ovations continuèrent, plusieurs minutes. Les auditeurs restaient là, debout, à battre des mains, à crier, pour rappeler l'orateur. MARTIN DU GARD, les Thibault, t. VII, p. 128.

*Battre des paupières, des cils.*

48 M. Pitkin bat des paupières et remue la tête en signe de dénégation. G. DUHAMEL, Scènes de la vie future, IV.

(Le sujet désigne un oiseau). *Battre des ailes :* agiter les ailes pour voler. — Fig. *Battre de l'aile, ne plus battre que d'une aile** (cit. 19 et *supra*).

♦ **3** (→ ci-dessus, I., B., 6.). Tirer des sons (d'un instrument à percussion*) en frappant dessus (à coups de baguettes, etc.). *Battre du tambour, de la caisse, de la grosse caisse.*

Absolt. *Il battait avec des baguettes, avec un balai. — Battre aux champs :* battre le tambour pour rendre les honneurs.

49 Quand il sortait ou rentrait, la garde battait aux champs. SAINT-SIMON, Mémoires, II, 401.

Absolt. Être battu. *Le tambour bat, bat aux champs.*

50 Plus de tambours battant aux champs, plus de couronne. HUGO, les Châtiments, «Expiation».

(1671). **TAMBOUR BATTANT :** au son du tambour. *Le régiment a défilé tambour battant.* — (1689). Fig. *Mener qqn tambour battant,* sans lui laisser de répit. *Mener une affaire tambour battant,* promptement, rondement, vivement, d'une manière expéditive. *Traiter qqn tambour battant,* rudement (→ Intraitable, cit. 2; loup, cit. 7).

C'était donc déjà une petite entreprise qu'LN faisait marcher tambour battant car on la voyait à la fois au four et au moulin, recevant les clientes, dirigeant les essayages, surveillant la fabrication. Bref, cela ronflait. R. QUENEAU, le Vol d'Icare p. 188. 50.1

Vx. À six heures battant. → **Battant** (adj.).

♦ **4** Vx. **BATTANT NEUF,** s'est dit du cuivre qui vient d'être battu par le chaudronnier. *Un chaudron tout battant neuf* (Académie). — Mod. Complètement neuf. → **Flambant** (neuf). *Un habit tout battant neuf. Une maison battant neuve.* — REM. Pour l'accord, → Battant, adj.

C'est un petit esprit vif et tout battant neuf, que nous prenons plaisir d'éclairer. 51
Mme DE SÉVIGNÉ, Lettres, 491, 12 janv. 1676.

Que devaient être, tout battant neufs, ces monuments admirables? 52
G. D'HOUVILLE, le Temps d'aimer, p. 301, *in* GREVISSE.

♦ **5** (V. 1165). Être animé de mouvements répétés. → **Battement.** *Les cils, les paupières battent* (→ ci-dessus, cit. 48). *Les artères, les tempes battent. Son pouls bat vite. — Le cœur bat.* — Au p. prés. *Le cœur battant,* animé de battements accélérés par l'émotion (→ ci-dessous, cit. 61). *Avoir le cœur battant :* être violemment ému*. — *Son cœur battait si fort que...* (→ Appuyer, cit. 16). *Tant que son cœur battra :* jusqu'à sa mort.

Le cœur bat plus violemment qu'à l'ordinaire. 53
BOSSUET, Traité de la connaissance de Dieu..., III, 17.

Rien d'humain ne battait sous ton épaisse armure (...) 54
LAMARTINE, Nouvelles méditations, «Bonaparte».

Rien ne faisait encor battre son cœur rebelle. 55
HUGO, les Orientales, XXXIII, 3.

Pourquoi mon cœur bat-il si vite? 56
Qu'ai-je donc en moi qui s'agite,
Dont je me sens épouvanté?
A. DE MUSSET, Nuit de mai.

Tant que mon cœur battra, 57
Toujours il te dira :
Rappelle-toi. A. DE MUSSET, Rappelle-toi.

(...) ces deux cœurs qui battaient en mesure, enfermés dans le tournoiement de la valse. 58
Alphonse DAUDET, Contes du lundi, I, 18.

Son cœur battait à se rompre (...) Et dire que, d'un moment à l'autre, cette porte en bas allait s'ouvrir. 59
LOTI, Pêcheur d'Islande, II, XI, p. 120.

Elle sentit des marteaux de fer battre dans sa poitrine et resta immobile sur le seuil. 60
FRANCE, le Lys rouge, XXXII.

Il l'avait suivie le cœur battant, en proie à une émotion paralysante à force d'être douce. 61
Paul BOURGET, Un divorce, III.

La pensée bat, comme la cervelle et le cœur. 62
CLAUDEL, Positions et Propositions, p. 9.

Mon cœur ne bat pas moins fort qu'à vingt ans. 62.1
GIDE, Voyage au Congo, *in* Souvenirs, Pl., p. 690.

Ta bouche séduit ton visage 62.2
Et ton corps peut venir
Battant comme un cœur.
ÉLUARD, les Mains libres, «Les sens», Pl., t. I, p. 592.

Par ext. *Le cœur lui bat :* l'émotion lui fait battre le cœur plus vite. *Le cœur me battait de joie.*

(...) cette fortune subite mettait mes esprits en mouvement; le cœur m'en battait, le feu m'en montait au visage. 63
MARIVAUX, le Paysan parvenu, I.

64 Le cœur me battait d'impatience de feuilleter le nouveau livre que j'avais dans la poche.
ROUSSEAU, les Confessions, I.

♦ **6** Trans. (Le compl. désigne les coups). *Battre des coups réguliers* (en parlant du cœur, d'une pendule, etc.). *Un balancier qui bat les secondes.* → **Marquer.**

65 La longueur du pendule qui bat les secondes sous l'équateur (...)
BUFFON, Essai d'arithmétique, 1 t. X, p. 190.

66 Les sabots des garçons de ferme battaient l'heure du dîner dans la cour. J. VALLÈS, l'Enfant, p. 168.

67 Le cœur de Guillaume sautait en cadence, battait des coups sourds de mineur (...)
COCTEAU, Thomas l'imposteur, p. 173.

♦ **7 BATTRE CONTRE.** → **Frapper, heurter** (→ ci-dessus, I., B., 9.). *Les vagues battent contre le quai. La pluie bat contre la vitre.*

68 Ainsi la guêpe (...) bat et bourdonne contre la vitre, tandis que la fenêtre est entrebâillée à quelques centimètres de là. MONTHERLANT, les Jeunes Filles, p. 27.

69 (...) l'éternelle serviette pleine de papiers et de livres lui battait contre le flanc.
G. DUHAMEL, Chronique des Pasquier, VII, 258.

♦ **8** Absolt. **BATTRE** : avoir des oscillations répétées, des battements; ne pas être bien assujetti. → **Remuer; balancer** (se), **ballotter, secoué** (être). *Le fer de ce cheval bat.* → **Locher.** *La porte bat. Les contrevents battent. Le vent fait battre les volets. Une voile en ralingue bat.* → **Faséyer.**

♦ **9** Techn. Se dit d'un métier à tisser qui fonctionne, qui est alimenté en trame.

9.1 En 1810, une nouvelle crise obligea à démonter sept mille métiers sur les quatorze mille qui «battaient» à Lyon.
Michèle BEAULIEU, les Tissus d'art, p. 96.

♦ **10** Argot. Mentir. — Loc. *Battre à Niort* : nier (faussement).

**III** V. pron. **SE BATTRE.** ♦ **1** Réfléchi. Rare. *Se battre (soi-même).*

70 Il me prendrait envie, en mon juste courroux,
De me battre moi-même, et me donner cent coups.
MOLIÈRE, l'Étourdi, III, 12.

♦ **2** Réfl. ind. *Se battre, se frapper la poitrine en disant son* mea culpa. → **Coulpe** et → ci-dessus, I., B., 8. **SE BATTRE LES FLANCS** (en parlant d'un animal) : se frapper les flancs de la queue (ou, par anal., des ailes...). → ci-dessus, cit. 31. *Un lion irrité rugit en se battant les flancs.* — Fig. *Se battre les flancs pour qqch.*, s'agiter, faire beaucoup d'efforts pour y réussir, mais sans succès. → **Évertuer** (s').

71 Tout à coup et comme se battant les flancs pour s'irriter davantage (...) SAINT-SIMON, Mémoires, VIII, 147.

72 J'ai beau me battre les flancs pour arriver à l'exaltation alpine des écrivains de montagne, j'y perds ma peine.
CHATEAUBRIAND, Mémoires d'outre-tombe, IV, 2.

73 Alors, j'ai beau me battre les flancs, je ne parviens pas à trouver dans une si lointaine perspective de quoi me consoler d'avoir à vivre dans la faune vorace du monde actuel (...)
MARTIN DU GARD, les Thibault, t. IX, p. 92.

(1666, Brécourt, *in* D. D. L.). Fig., fam. **SE BATTRE L'ŒIL (de qqn, de qqch.)**, s'en moquer complètement. → **Balancer** (s'en), **ficher** (se), **moquer** (se). *Il s'en bat l'œil, de la politique.*

74 Je m'en bats l'œil (...) LA FONTAINE, Ragotin, IV, 7.

75 Comme ma chute n'est ni une affaire d'art, ni une affaire de sentiment, je m'en bats l'œil profondément.
FLAUBERT, Correspondance, t. IV, p. 178.

76 Wagner, l'homme, je m'en bats l'œil. Wagner, pour moi, c'est une abstraction créatrice.
G. DUHAMEL, Chronique des Pasquier, III, XI.

♦ **3** (1606). **a** Récipr. (Sujet au pluriel ou collectif; → ci-dessous, cit. 79 et 80). Lutter, se donner mutuellement des coups, se combattre. → **Combattre, lutter.** *Ils se battent à coups de poing.* → **Boxer** (se). *Des poules qui se battent à coups de bec.* → **Becqueter** (se). *Commencer à se battre.* → **Découdre** (en), **venir** (en venir aux mains). *Se battre avec acharnement comme des chiffonniers, des crocheteurs, des furies...* → (fam. ou pop.) **Astiquer** (s'), **bagarrer** (se), **bastonner** (se), **becqueter** (se becqueter le nez), **bigorner** (se), **bouffer** (se bouffer le nez), **cheveu** (se prendre aux cheveux), **chignon** (se crêper le chignon), **colleter** (se), **coltiner** (se), **cogner** (se), **crocheter** (se), **expliquer** (s'), **ficher, foutre** (se ficher, se foutre des coups sur la gueule, etc.), **peigner** (se), **tabasser** (se), **tamponner** (se), **taper** (se); et → ci-dessus, I., A. *Se battre avec des armes. Se battre en duel, au pistolet, à l'arme blanche, au couteau, au rasoir. Se battre à l'épée.* → **Bretteur, ferrailleur.** *Se battre dans un bar, sur un terrain vague... Des voyous se sont battus sauvagement avec des chaînes de vélo. Se battre sur le champ de bataille. Aimer à se battre.* → **Batailleur, bagarreur, baroudeur...** *Ceux qui se battent.* → **Adversaire, combattant, guerrier.**

**b** Réfl. (Le sujet peut être au singulier). Combattre. *Se battre contre un ennemi, un adversaire, en attaquant*, en se défendant*. Se battre avec qqn à coups de poings. Il s'est battu comme un lion,* vaillamment, avec acharnement. *Il va se battre en duel. Il ne veut pas se battre au couteau.* — (Dans le contexte militaire). *Nos troupes se sont battues avec courage. Ils ont conquis la position sans se battre.* → **Combattre** (→ Sans coup férir*). — REM. Selon les contextes, *se battre* peut impliquer des connotations très variées : les plus nettes sont celles du duel, de la bagarre (→ ci-dessus) et, plus spécifique, celle de la guerre.

Eh bien! ils se battront, puisque vous le voulez (...) 77
CORNEILLE, le Cid, II, 5.

Ils se battront *(les hommes)* jusqu'à ce que la plus forte 78
partie opprime la plus faible, et qu'enfin il y ait un parti dominant. PASCAL, Pensées, V, t. II, p. 228.

Étant forcés de combattre de près, ils mirent tous l'épée 79
à la main, et alors il se fit un grand carnage, car on se battait corps à corps (...)
ROLLIN, Hist. ancienne, 1 t. VI, p. 244.

Philippe le Bel défendit le duel en matière civile; et l'on 80
put plaider sans être obligé de se battre.
SAINT-FOIX, Œuvres, t. III, p. 26.

Si vous voulez des nouvelles de nos armées : le régiment 81
de Champagne s'est battu comme un lion, et a été battu comme un chien.
VOLTAIRE, Lettre à d'Argence, 24 fév. 1761.

Les hommes naquirent tous isolés, envieux, cruels et des- 81.1
potes; voulant tout avoir et ne rien céder, et se battant sans cesse pour maintenir ou leur ambition ou leurs droits, le législateur vint et dit : cessez de vous battre ainsi; en cédant un peu de part et d'autre, la tranquillité va renaître.
SADE, Justine..., t. I, p. 53.

Avant que de nous battre, Messieurs, il est un point qu'il 82
est bon de débattre.
COLLIN D'HARLEVILLE, M. de Crac dans son petit castel, 22.

(...) cacher, à ceux qui se battent, ce qui se trame à l'arrière. 83
MARTIN DU GARD (cf. Arrière, cit. 5; Adversaire, cit. 7).

Vos hommes savent se battre, mais ils ne savent pas com- 84
battre. MALRAUX, l'Espoir, p. 26.

— Monsieur, je n'arrive pas à les séparer, ils se battent 84.1
comme des chiffonniers!
*On se jette sur les enfants, on les sépare.*
*TOTO hurle, solidement maintenu.*
— On ne se bat pas comme des chiffonniers! Vous n'y comprenez rien du tout! On est mariés! On joue à se faire des scènes!
J. ANOUILH, Ardèle ou la Marguerite, p. 74.

Par exagér. (Récipr.). → **Batailler** (se), **chamailler** (se), **disputer** (se), **quereller** (se). *Ne vous battez pas, chacun sera servi à son tour.* → aussi **Acharner** (s'), **batailler, débattre** (se), **démener** (se), **escrimer** (s'). — (Réfl.). *Voilà une heure qu'il se bat avec cette serrure.* → **Escrimer** (s').

Loc. fig. *Se battre contre des moulins à vent* (par allus. au *Don Quichotte* de Cervantes) : vouloir combattre des ennemis, des dangers imaginaires.

Emploi factitif. **SE FAIRE BATTRE :** recevoir des coups (→ **Écoper...**), ou succomber dans une lutte, être battu. → **Succomber; perdre.**

(Avec ellipse de *se*). *Faire battre des adversaires,* faire qu'ils se battent (récipr.). *Faire battre un lâche,* faire qu'il se batte (réfl.). *Faire battre qqn,* faire qu'il soit battu, que qqn le batte.

85 Faire battre a deux sens très différents. On les fit battre par des gens apostés; on aposta des gens qui les battirent. On les fit battre, on les mit aux prises, on fit qu'ils se battirent. On fit battre un ours contre trois chiens.
LITTRÉ, Dict., art. *Battre.*

Loc. fig. (Récipr.). *Il ferait (se) battre des montagnes :* il s'arrange pour dresser les gens les uns contre les autres. (→ Montagne, cit. 5.1).

◆ **BATTU, UE** p. p. adj.

♦ **1** Qui a reçu des coups. *Les enfants battus.* → **Martyr.** *On a créé ces dernières années des centres d'hébergement pour les femmes battues. — Battu de verges, à coups de fouet...* (→ ci-dessus, I., A., 1.). — Loc. fam. *Il est cocu, battu et content :* il prend du bon côté ses mésaventures.

86 Je ne suis point battant, de peur d'être battu.
MOLIÈRE, Sganarelle, 17.

87 Il me plaît d'être battue.
MOLIÈRE, le Médecin malgré lui, I, 2.

87.1 On est battu et content parce qu'on ne se croit pas battu mais vainqueur.
PROUST, le Temps retrouvé, Pl., t. III, p. 751.

*Avoir l'air d'un chien battu,* l'air craintif.

Fig. Qui a l'aspect de qqn qui aurait été battu (air, mine). — Spécialt. *Avoir les yeux battus,* le tour des yeux bleuâtre comme si l'on avait reçu un coup. → **Œil** (cerné...). *«Les yeux battus, la mine triste et les joues blêmes»* (chanson).

N. m. Prov. *Les battus paient l'amende,* loin d'obtenir une réparation, ils sont en butte à de nouvelles vexations (loc. tirée des combats judiciaires d'autrefois où, effectivement, le vaincu payait l'amende). → **Amende** (cit. 4).

♦ **2** Qui est vaincu. *Une armée battue. Un général battu. Battus, mais non découragés. L'ennemi attaqué, battu, chassé.* → **Vaincu.**

*Battu aux échecs, au jeu, au championnat...* (→ **Perdant**), *aux élections* (→ **Blackboulé**).

*Se tenir pour battu. Ne pas se tenir pour battu, ne pas s'avouer battu :* ne pas avouer sa défaite, ne pas s'y résigner.

88 Puisque la fière et redoutable maison d'Autriche a la modestie de se tenir pour battue (...)
D'ALEMBERT, Lettre au roi de Prusse, 22 déc. 1762.

88.1 Cependant le pharmacien Josse Liefrinck, qui était un entêté, et qui ne se tenait pas pour battu, bien qu'il l'eût été réellement, voulut encore placer une observation.
J. VERNE, Une fantaisie du docteur Ox, p. 84.

89 (...) ceux qui ne se résignent pas à perdre la partie, qui n'acceptent pas que la vie soit une partie qu'il faut toujours perdre. Jean Racine jamais ne consentit à être battu.
F. MAURIAC, la Vie de Jean Racine, p. 105.

♦ **3** (Choses). Frappé par un instrument. *Fer battu. Feuilles d'or battu. Des graines oléagineuses remises sous le pilon et battues de nouveau. Œufs battus en neige. Crème battue,* fouettée...

*Sol battu par les pieds.* → **Foulé.** *Tennis en terre battue.*

*Chemin battu* (vieilli); **SENTIER BATTU** (mod.) : chemin foulé par les pieds des passants, chemin fréquenté. — Fig. *Suivre les chemins* (vieilli), *les sentiers battus,* les procédés ordinaires, les moyens connus, les usages établis... *Il ne s'écarte pas des sentiers battus.* → **Banal, rebattu.** *Sortir des sentiers battus :* avoir une attitude, une action originale. → **Buissonnier** (3.).

Il apprendra de moi les sentiers peu battus 90
Qui mènent aux honneurs sur les pas des vertus.
LA FONTAINE, Fables, XI, 2.

♦ **4** *Avoir les oreilles battues de qqch.* → **Rebattre** (les oreilles...).

Le moyen d'avoir les oreilles battues de tant de méchantes causes, et d'être obligé de dire qu'elles sont bonnes? 91
RACINE, Lettres.

♦ **5** *Battu de la mer, des flots, des vents, de la grêle...* (→ Aquilon, cit. 7). *Un pays battu par des vents arides* (cit. 2). → **Balayé.** — Par métaphore. → **Frappé, secoué** (→ ci-dessous, cit. 92).

Tourmenté, battu d'orages de toute espèce, fatigué de voyages et de persécutions depuis plusieurs années, je sentais vivement le besoin du repos, dont mes barbares ennemis se faisaient un jeu de me priver. 92
ROUSSEAU, les Confessions, XII.

(...) comme un mât battu par la tempête. 93
LAMARTINE, Méditations, II, 20.

Il contemplait le jardin vert battu de pluie (...) 94
COLETTE, la Fin de Chéri, p. 66.

♦ **6** Chorégr. *Pas, saut battu,* accompagné de croisements très rapides des jambes. — En comp. *Jeté battu.* → **Jeté.**

CONTR. **Cajoler, câliner, caresser, choyer, flatter.** ◈ DÉR. 1. **Bat, batée, battable, battade, battage,** 1. **battant,** 2. **battant, batte, battée, battement, batterie, batteur, battoir, battue, batture.** — V. **Bataille, batifoler, batiste,** 3. **battant.** ← COMP. **Bacul, bat-flanc.** — V. **Abattre, combattre, contrebattre, courbature, débattre, ébattre, entrebattre, imbattable, rebattre.**

**BATTUDE** [batyd] n. f. → **Bastude.**

**BATTUE** [baty] n. f. — Fin XV^e; de *battre.*

**I** ♦ **1** (De *battre,* I., 4.). Action de battre les taillis, les bois pour en faire sortir le gibier. *Organiser une battue avec des rabatteurs.*

Beaucoup de gens dédaignent un dîner en ville, mais se disputent une invitation à une belle battue. 1
René FLORIOT, La vérité tient à un fil, p. 96.

*Une battue de sangliers* (→ Piégée, cit.).

Chasse de certains animaux. *Au cours de cette battue on a tué un renard. Battue au renard.*

Dans les cantons réservés pour le plaisir de la chasse, on tue quelquefois quatre ou cinq cents lièvres dans une seule battue. 2
BUFFON, Hist. nat. des animaux, Le lièvre.

Il s'agissait d'une battue au lièvre de très vaste envergure, puisqu'on prévoyait trois mille rabatteurs dont cinq cents à cheval. Tout l'état-major de Rastenburg et les grosses têtes locales seraient de la fête que terminerait le couronnement d'un roi de la chasse. 3
M. TOURNIER, le Roi des Aulnes, p. 236.

Par ext. Recherches systématiques effectuées pour retrouver des ennemis. *«Cette jeunesse muscadine (...) qui faisait la battue aux jacobins»* (Sainte-Beuve, *Causeries..., in* T. L. F.).

♦ **2** Techn. (équit.). Bruit du pas du cheval. — Spécialt (turf). Instant où le pied du cheval touche le sol. → 2. **Poser.** *Battue d'appel :* derniers pas du cheval lorsqu'il ralentit avant le franchissement d'un obstacle. — Loc. *Prendre sa battue :* poser les pieds comme il convient, à la cadence requise pour le franchissement de l'obstacle.

4 (...) une sorte de banc de brume roussâtre, de poussière en suspension stagnant immédiatement devant la haie, à l'endroit où les chevaux avaient pris leur battue (...)
Claude SIMON, la Route des Flandres, p. 149.

**II** Techn. (Chose battue). ♦ **1** Partie de la feuillure qui reçoit le choc d'une porte ou de tout autre objet de menuiserie quand on le ferme.

♦ **2** Opération par laquelle on sépare les fils de soie des cocons.

♦ **3** Trou creusé dans la vase par certains poissons, pour y séjourner l'hiver.

**BATTURE** [batyʀ] n. f. — Fin XIIe; *batteure*, de *battre.*

**I** Vx. Action de battre (qqn, qqch.).

**II** (1528). Mar. Rochers, bancs de sable à fleur d'eau (sur lesquels la mer bat).

Régional (Canada). Partie du rivage que la marée descendante laisse à découvert. → **Estran.** *«Il y a du sang sur la neige, tout le long du chemin de la batture»* (Anne Hébert). — Banc de sable, de vase, émergeant d'un cours d'eau.

Dans la forêt où la neige dévoile le secret des jeux nocturnes des lièvres, le traîneau navigue entre les arbres, tel un brochet dans ses battures.
Jean-Yves SOUCY, Un dieu chasseur, p. 31.

**III** Techn. anc. Mélange de plusieurs substances battues ensemble (miel, colle, vinaigre, eau...) pour fabriquer une dorure; procédé de dorure utilisant ce mélange.

**BATZ** [bats] n. m. — 1517, *betz;* all. de Suisse *Batzen* (1495), d'un verbe *batzen* «être mou, collant», d'où *Batzen* «gros morceau»; var. en franç. *bacse, bats* (Montaigne), *bats, batz* chez Rousseau.

Didact. (hist.). Ancienne monnaie suisse, puis allemande, de cuivre recouvert d'or.

**BAU** [bo] n. m. — V. 1200; anc. franç. *balc,* du francique **balk* «poutre», puis *bauch.*

Marine.

♦ **1** Traverse d'un bâtiment qui maintient l'écartement des murailles et soutient les bordages des ponts. → **Poutre; barrot, bauquière.** *Bau de dalle; bau de lof. Des baux. Le maître bau est celui qui traverse le navire dans sa plus grande largeur.*

♦ **2** (1414, *de bauch*). Mesure de la largeur (d'un navire). *Avoir tant de bau. Ce navire a trop de bau pour sa longueur.*

DÉR. **Bauquière.** ◇ HOM. 1. **Baud,** 2. **baud, baux** (bail), **beau, bot.**

1. **BAUD** [bo] n. m. — V. 1375; anc. franç. *balt* «joyeux, ardent» (1080, *Chanson de Roland*), du francique **bald* «hardi». → Baudet.

Vén. Variété de chien courant, destinée à la chasse à courre. — En appos. *Une couple de chiens-bauds.*

HOM. **Bau,** 2. **baud, baux** (bail), **beau, bot.**

2. **BAUD** [bo] n. m. — 1929; de *Baudot,* nom de l'inventeur.

Téléphone, inform. Unité de rapidité de modulation de signaux correspondant à un intervalle unitaire par seconde. *Mesure en bauds d'une rapidité de transmission, en téléinformatique.*

HOM. **Bau,** 1. **baud, baux** (bail), **beau, bot.**

**BAUDELAIRIEN, IENNE** [bodlɛʀjɛ̃, jɛn] adj. et n. — 1884, *in* D. D. L.; du nom de *Baudelaire.*

Adj. Relatif à Baudelaire, ou à son œuvre. *Poésie, image baudelairienne. Études baudelairiennes.*

(...) dans ce sentiment Baudelairien *(sic)* qui semble la dernière expression de l'art catholique, chez les modernes. 1
HUYSMANS, Certains, 1889, *in* CRESSOT, p. 295, *in* D. D. L., II, 9.

Qui rappelle la manière de Baudelaire.

Quelques vers peu baudelairiens : Au Parnasse; et c'est tout! 2
René GHIL, 1891, *in* Jules HURET, Enquête sur l'évolution littéraire, p. 110 (*in* D. D. L., II, 9).

N. Amateur de l'œuvre de Baudelaire; spécialiste de cette œuvre.

La ferme — dont j'ai retenu le nom parce qu'Ancelle était également celui du notaire de madame la Générale Aupick, la mère de Baudelaire et que j'étais fervent baudelairien à l'époque — était un carré de bâtiments juste au pied du Calvaire. 3
B. CENDRARS, la Main coupée, *in* Œ. compl., t. X, p. 110.

**BAUDET** [bodɛ] n. m. — 1534, Rabelais, terme d'injure; 1547, comme n. m.; de l'anc. franç. *balt, baut* «ardent, lascif», du francique **bald* «hardi»; Guiraud rattache le mot à un groupe en *baud-* qu'il fait remonter à *balla* et *bulla* (→ Balle et boule) par des dérivés gallo-romans.

**I** Fam. Âne*. *Être chargé comme un baudet,* très chargé.

Et le pauvre baudet si chargé qu'il succombe (...) 1
LA FONTAINE, Fables, VI, 16.

Un baudet, chargé de reliques, 2
S'imagina qu'on l'adorait (...)
LA FONTAINE, Fables, V, 14.

Loc. *Crier haro sur le baudet.* → **Haro.**

À ces mots, on cria haro sur le baudet (...) 3
LA FONTAINE, Fables, VII, 1.

Spécialt. L'âne mâle, étalon de l'ânesse ou de la jument. *Le baudet peut s'accoupler avec l'ânesse ou la jument.* → **Baudouiner.**

Fig., vieilli. Homme stupide. → **Âne.**

**II** (1676; le mot a désigné un lit à sangles, 1653). Tréteau de scieur de bois. → **Chevalet.**

**BAUDOUINAGE** [bodwinaʒ] n. m. — 1564; de *baudouiner.*

Vx. Le fait de baudouiner; accouplement* (de l'âne avec l'ânesse ou la jument).

— Quel baudouinage me dis-tu, baudet? demandoit le cheval (...) me prends-tu pour un âne?
RABELAIS, le Cinquième Livre, VII.

**BAUDOUINER** [bodwine] v. intr. — 1564, Rabelais; de l'anc. franç. *baudouin* «baudet».

V. intr. Vieilli. S'accoupler (en parlant du baudet, de l'âne) avec l'ânesse ou la jument. — Trans. :

(...) un grand âne qui saillait, je crois qu'il fallait dire baudouinait, une jument (...)
BEROALDE DE VERVILLE, *in* HUGUET, Dict. du XVIe s.

DÉR. **Baudouinage.**

**BAUDRIER** [bodʀije] n. m. — 1387, «lanière»; XVe, sens 1, étym. incert.; probablt de l'anc. franç. *baudré, baldrei* (1080), p.-ê. du lat. *balteus,* par le francique **balterad;* ou (Guiraud) du rad. lat. *baud-* (→ Baudet), cf. *baudru* «ventru».

♦ **1** Bande de cuir ou d'étoffe qui se porte en écharpe (→ **Bandoulière**) et peut soutenir un sabre, une épée, un étui à pistolet, un tambour, etc. → **Ceinturon.** *Ceindre un baudrier. Les gendarmes portent un baudrier.*

1 Les princes à qui ces chevaliers s'engageaient, leur ceignaient le baudrier (...)
VOLTAIRE, Essai sur les mœurs, 43.

2 Les deux soldats (..) portaient la vareuse bleu-marine et le ceinturon de cuir à baudrier, avec la mitraillette sur la hanche.
A. ROBBE-GRILLET, Projet pour une révolution à New York, p. 21.

Par anal. Ceinture ou harnais destiné à prévenir la chute d'un ouvrier au cours d'un travail en altitude (sur un bâtiment, un pylône...). — Harnais d'alpiniste, de spéléologue. *La ceinture, les bretelles d'un baudrier.*

Par métaphore :

3 La douleur aiguë qui le ceignait d'un effroyable baudrier desserre un peu son étreinte, mais sa respiration s'embarrasse.
BERNANOS, Sous le soleil de Satan, *in* Œ. roman., Pl., p. 268.

♦ **2** (1690). Astron. *Baudrier d'Orion :* les trois étoiles en ligne droite, appelées aussi *les trois rois,* qui sont au milieu de la constellation d'Orion.

♦ **3** Bot. *Baudrier de Neptune :* genre d'algue brune. → **Laminaire.**

**BAUDROIE** [bodʀwa] n. f. — 1542, Du Pinet, *baudroy;* provençal *baudroi,* orig. incert.; p.-ê. de la racine *baldr-, bauldr-* «boue», le poisson vivant parfois dans des fonds vaseux, germanique **brod* «bouillon». → Brouiller.

Poisson acanthoptérygien *(Pédiculés)* de la famille des lophiidés. *Appelée aussi* diable *ou* crapaud de mer *à cause de sa laideur, la baudroie est vendue sous le nom de* lotte (de mer). → **Lotte.** *La baudroie possède une tête énorme surmontée de rayons qui lui servent d'appât pour le poisson dont elle se nourrit.*

**BAUDROYEUR** [bodʀwajœʀ] n. m. — 1350; de l'anc. franç. *baudré,* → Baudrier.

Vx (ou archaïsme : Hugo, *Notre-Dame de Paris*). Corroyeur*.

**BAUDRUCHE** [bodʀyʃ] n. f. — 1690, Furetière, écrit *bodruche;* 1752, n. m., *bodruche;* orig. incert.; selon Guiraud, du rad. lat. *baud-* (→ Baudet) signifiant «gonflé».

♦ **1** Pellicule provenant du caecum de bœuf ou de mouton et qui sert à recouvrir ou à fabriquer divers objets.

Un grand, gros, fort garçon (...) si soufflé par tout le corps d'une mauvaise graisse, qu'il semble en baudruche.
Ed. et J. DE GONCOURT, Journal, 1852, t. I, p. 24.

♦ **2** Pellicule mince de caoutchouc. *Ballon de baudruche :* jouet d'enfant. — Par métonymie. *Une baudruche :* un ballon en baudruche.

♦ **3** Fig. Homme ou idée sans consistance. *«Testevel, c'est une baudruche, il ne résiste jamais»* (Duhamel, *in* T. L. F.). *«Ils trinquent à toutes sortes de grandes baudruches mais tout de même à la paix, à la vie»* (Aragon, *les Beaux Quartiers*). — REM. Flaubert emploie un dér. de ce sens : *baudruchard* (*Corresp.,* 1860).

**BAUERA** [boweʀa] n. f. — Mil. XX^e, francisé en *bauère,* 1834, Landais; lat. mod. de *Bauer,* nom propre.

Bot. Arbrisseau à fleur rose *(Saxifragacées)* cultivé comme arbuste d'ornement.

1. **BAUGE** [boʒ] n. f. — 1482, «grange» (d'abord *bauche*); 1489, «porcherie»; 1606, «mortier»; probablt du gaulois **balcos* «fort» et «terre inculte»; Guiraud postule un gallo-roman **ballica* «creux (comme une balle)».

**I** Vx. Mortier fait de terre mêlée de paille. → **Torchis.** *Enduire une muraille de bauge* (Académie).

Le jardin plus long que large allait, entre deux murs de bauge couverts d'abricots en espalier jusqu'à une haie d'épines (...).
FLAUBERT, M^me Bovary, I, V.

**II** ♦ **1** Gîte fangeux (du sanglier, du porc). *La bauge du sanglier* (→ **Souille**), *du cochon* (→ **Loge**). *La bauge aux cochons.*

Ce sanglier était sale et couvert de la boue de sa bauge où il s'était vautré (...) 1
FÉNELON, Œuvres, t. XIX, 70.

Ô parfums des luzernes séchées, âcres senteurs de la bauge aux pourceaux, de l'écurie ou de l'étable! 2
GIDE, Si le grain ne meurt, I, 6.

♦ **2** (1808). Par anal., péj. Lieu très sale. → **Taudis.** *Quelle bauge!*

Fig. Lieu, séjour répugnant (physiquement ou moralement). → **Boue, fange.**

Allons! retourne à ta bauge. Fille et faussaire ça va ensemble, j'étais bien bon de vouloir te tirer de cette boue. 3
Alphonse DAUDET, Sapho, XIV.

J'eus le sentiment d'apercevoir non point une ville comme toutes les villes, mais la bauge, farouche et noire, de la civilisation mécanicienne. 4
G. DUHAMEL, la Pesée des âmes, XIV.

♦ **3** Régional (sans nuance péj.). Petite cabane de paille aménagée dans la nature pour se reposer ou se cacher.

**DÉR. Baugée, bauger** (se).

2. **BAUGE** [boʒ] n. m. — 1628; forme régionale de *bouge*.*

Argot anc. Coffre, malle. — Fig. Ventre, corps (*in* Vidocq).

**BAUGÉE** [boʒe] n. f. — 1852; de 1. *bauge.*

Rare. Gîte d'un porc ou d'un sanglier baugé.

**BAUGER (SE)** [boʒe] v. pron. et intr. — 1583; de 1. *bauge.*

♦ **1** Techn. (chasse) ou régional. **a** **SE BAUGER :** se dissimuler, se retirer, se coucher dans sa bauge (en parlant d'un sanglier, d'un porc).
**b** **BAUGER** v. intr. *«Les boches croiront que les sangliers ont baugé ici...»* (M. Genevoix, *Nuits de guerre,* 1917, *in* T. L. F.).

♦ **2** Fig., littér. (Sujet n. de personne). Se cacher, se mettre à l'abri (Renan, *in* T. L. F.).

◆ **BAUGÉ, ÉE** p. p. adj. (De *se bauger*). *Sanglier baugé.*

**BAUHINIA** [boinja] ou **BAUHINIE** [boini] n. f. — 1751; du n. des botanistes Jean et Gaspard *Bauhin* (XVI^e).

Bot. (cour. en franç. d'Afrique). Plante dicotylédone *(Légumineuses-Césalpinées)* présentant une soixantaine d'espèces dont certaines possèdent des racines à propriétés médicinales. *Bauhinia divariquée :* arbrisseau de l'Inde, à feuilles cordiformes et à grandes fleurs blanches ou purpurines. *Les racines de la bauhinia cotonneuse sont de bons vermifuges.*

1. **BAUME** [bom] n. m. — V. 1150, au sens 3; souvent *basme;* du lat. *balsamum* «baumier, suc de baumier», grec *balsamon.*

♦ **1** (1360). Régional. Plante odoriférante, souvent de la famille des menthes. *Baume sauvage :* menthe à feuilles rondes. *Baume des jardins :* menthe gentille. — *Baume coq.* → **Chrysanthème.** — *Grande baume.* → **Balsamite, tanaisie.**

1 (...) l'herbe de beaume (...) et les basilics (...) exhalaient les plus doux parfums.
BERNARDIN DE SAINT-PIERRE, Paul et Virginie, p. 48 (→ 2. Basilic, cit.).

2 Des roches tapissées de sauge et de baumes sauvages (...)
CHATEAUBRIAND, Itinéraire..., II, 13.

3 (...) une odeur de baume qui reste tout le long du chemin.
G. SAND, la Petite Fadette, p. 44.

Loc., vx. *Fleurer comme baume :* avoir une odeur agréable. → **Embaumer.**

♦ **2** (Fin XII$^e$, *basme*). Dans des syntagmes *(baume de...).* Substance résineuse odoriférante, liquide ou concrète, sécrétée par certaines plantes et contenant de l'acide benzoïque ou de l'acide cinnamique ou, parfois, les deux ensemble. *Baume de Tolu,* qui s'écoule du *myroxylon toluiferum* et qui est utilisé en pharmacie comme expectorant. *Baume du Pérou,* produit par *myroxylon pereirae.* — Techn. *Baume du Canada :* résine très transparente (produite par le *sapin *baumier* ou *abies balsamea*) ayant le même indice de réfraction que le crown-glass et employée en optique. *Baume de liquidambar* (ou *copalme*). → **Liquidambar.** *Baume styrax.* → **Styrax; aliboufier, benjoin.** *Baume de Judée, de la Mecque, du Caire, de Constantinople... :* substances résineuses et balsamiques (→ **Bdellium**), sécrétées par certains arbres (comme le *balsamodendron*). → **Baumier.** *Baume de Copahu :* oléorésine provenant d'un copaïer.

4 Le baume n'est baume que tel qu'il coule de l'arbre qui le produit; ce qui passe par les mains des distillateurs, par l'alambic des apothicaires, est quelque autre chose (...)
GUEZ DE BALZAC, le Socrate chrétien, Disc. 7.

♦ **3** (V. 1150). Préparation contenant un baume (2.) ou des substances de même nature (→ **Balsamique**), ou encore des plantes à vertus thérapeutiques, employée comme analgésique et comme cicatrisant. → **Liniment.** *Baume tranquille :* infusion de plantes narcotiques et aromatiques dans l'huile d'olive. *Baume universel* ou *baume de vie :* élixir des alchimistes. *Baume des Égyptiens* (→ **Embaumer**). *Baume du commandeur,* contre les brûlures, fait à partir du millepertuis. *Baume de Fioravanti,* fait à partir d'une résine (golbanum) provenant de la férule (ombellifère).

5 Il faut à son corps *(de Jésus mort)* cent livres de baume du plus précieux, et un linge très fin et très blanc pour l'envelopper.
BOSSUET, 1$^{er}$ sermon de Pâques, Préambule.

6 M$^{me}$ de Chaulnes eut avant-hier au soir un si grand mal de gorge (...) à Paris, on aurait saigné d'abord; mais ici elle fut frottée à loisir avec du baume tranquille (...)
M$^{me}$ DE SÉVIGNÉ, Lettres, 1169, 24 avr. 1689.

7 Elle faisait des élixirs, des teintures, des baumes (...)
ROUSSEAU, les Confessions, II.

Relig. *Baume* ou *saint baume :* baume consacré entrant dans la composition du saint chrême.

♦ **4** Par métaphore du sens 3. Ce qui adoucit les peines, calme la douleur, l'inquiétude. → **Adoucissement, apaisement, consolation, dictame.** *Distiller, jeter, répandre, verser un baume sur une blessure. Mettre du baume dans le cœur de qqn,* apaiser, réjouir.

8 (...) un remède universel à tous les maux, un baume qui les adoucit (...)
BOSSUET, Oraison funèbre de Marie-Thérèse.

9 Il est des baumes doux, des lustrations pures
Qui peuvent de notre âme assoupir les blessures.
André CHÉNIER, Bucoliques, «La Liberté».

9.1 Baume de charlatan : Depuis que les Empiriques courent le monde, on a eu confiance dans leur baume malgré l'expérience de tous les temps et de tous les lieux, qui a constaté non seulement l'inefficacité de ces remèdes, mais encore leur danger. Dans le cours de la Révolution, des milliers de charlatans politiques se sont enrichis avec leur baume; et nous n'avons vu encore qu'un seul homme verser le baume de la consolation dans les cœurs ulcérés. Vérité frappante.
Cousin Jacques, Dict. néologique, 1800, *in* D. D. L., II, 11.

10 Un livre est quelquefois un secours attendu. Une idée est un baume, une parole est un pansement; la poésie est un médecin. HUGO, Shakespeare, p. 115.

11 Enfin les lettres des vrais et vieux amis versaient un baume sur les égratignures et les plaies : elles étaient, ces lettres généreuses et bienfaisantes, assez rares.
G. DUHAMEL, le Voyage de P. Périot, III.

DÉR. **Baumier.** — (Du lat. *balsamum*) **Balsamier, balsamine, balsamique, balsamite.** ◊ COMP. **Embaumer.** — (Du lat. *balsamum*) **Balsamodendron.** — HOM. 2. **Baume, bôme.**

2. **BAUME** [bom] n. f. — XIII$^e$, *balme* «grotte»; du gaul. *balma* «caverne d'ermites», VI$^e$.

Vx, régional (Sud-Est). Grotte. *La légende veut que Marie-Madeleine se soit retirée dans une baume* (*la Sainte-Baume,* dans le Var).

HOM. 1. **Baume, bôme.**

**BAUMIER** [bomje] n. m. — 1200; de *baume.*

Arbre sécrétant un baume (ou bdellium). → **Balsamier,** (ou **balsamodendron**); **myroxyle.** — En appos. *Sapin baumier.* → **Sapin.**

Nous traversâmes quelques petits bois de baumiers et de cèdres de la Virginie.
CHATEAUBRIAND, Voyage en Amérique, 308.

**BAUQUIÈRE** [bokjɛʀ] n. f. — 1579; de *bau.*

Mar. Ceinture intérieure d'un navire, formée de pièces de bois qui, par leur épaisseur, servent à lier les couples entre eux, et en même temps, à soutenir les baux* par leur extrémité (Gruss). *Les pièces des bauquières sont liées par une seconde ceinture appelée* serre-bauquière.

**BAUTE** [bot] n. f. — 1850, Balzac, dans un contexte franç.; ital. *bautta, bauta* (1721), mot vénitien, p.-ê. de *baua* «boue». → Bavette.

Hist. Mantelet noir muni d'un capuchon encadrant le visage (souvent masqué par un loup), porté à Venise par les femmes. *«Comme la baute vénitienne sertit d'ombre votre visage...»* (Paul Morand, *in* T. L. F.).

**BAUX** [bo] n. m. pl. → **Bail.**

**BAUXITE** [boksit] n. f. — 1847; du n. des *Baux*-de-Provence (Bouches-du-Rhône) où fut découvert un gisement; suff. *-ite.*

Roche silicatée renfermant surtout de l'alumine, du sesquioxyde de fer et de l'eau. *La bauxite est le principal minerai d'aluminium*.*

**BAVANT, ANTE** [bavɑ̃, ɑ̃t] adj. — D. i.; p. prés. de *baver.*

♦ **1** Qui bave. → **Baveur, baveux.** *Des gosses bavants et morveux.* — *Une bouche «bavante et tordue»* (M. Arland, *in* T. L. F.).

(Choses). *Un style bavant.*

♦ **2** Qui fait baver (2., b.), est pénible, désagréable.

N. f. *Une bavante* (argot des alpinistes) : une marche d'approche pénible.

**BAVARD, ARDE** [bavaʀ, aʀd] adj. — 1552, n. m., 1559, adj. ; de *bave,* au sens ancien de «babil, bavardage» ; encore *baveur* au XVI^e.

♦ **1** (En parlant des personnes). [a] Adj. Qui aime à parler*, parle avec abondance, parfois avec intempérance. → **Babillard, baveux** (fam.), **loquace, verbeux, volubile.** *Il se croit éloquent, il n'est que bavard. Être bavard comme un merle, un perroquet, une pie, le claquet d'un moulin, une crécelle. Ne soyez pas si bavard.* → **Long ; diffus, prolixe.** *Tu n'es pas bavard, aujourd'hui :* tu ne dis rien. → **Causant** (fam.). *Une femme bavarde.* → (vx ou vieilli) **Caillette, commère, javotte, margot, péronnelle.** *Cet enfant est bavard à l'école. Un orateur bavard, trop bavard, ennuyeux et bavard.* → Robinet* d'eau tiède.

1 Il a fini par être l'avocat bavard de la superstition.
VOLTAIRE, Lettre à Damilaville, 8 nov. 1762.

2 Je suis bien muet avec vous, c'est que je suis bien bavard avec le public.
SAINTE-BEUVE, Correspondance, t. I, p. 282.

3 Je savais aussi qu'il était un peu bavard et fatigant à entendre, parce qu'il parlait lentement, cherchait ses phrases, bredouillait, et ne pouvait pas dire trois mots de suite sans y ajouter : «C'est bien le cas de le dire...»
Alphonse DAUDET, le Petit Chose, II, 6.

Par ext. (Choses). *Une rhétorique bavarde.* → **Redondant.** → Amplification, cit. 2.

4 Je vous écrirais bien au long si j'en croyais mon cœur, qui est bavard de son naturel (...)
VOLTAIRE, Lettre à Rochefort, 4 févr. 1767.

Vx. Éloquent par son expression.

5 Avec deux yeux bavards parfois j'aime à jaser ;
Mais le seul vrai langage, au monde, est un baiser.
A. DE MUSSET, Poésies nouvelles, «Idylle».

Par anal. (en parlant d'un animal ou d'un élément naturel). *Une pie bavarde.* — Fig. (Choses). Qui produit un bruit continu, intarissable (comparé à un babil). *Un ruisseau bavard.* → **Babillard, bruyant.**

[b] N. *Un bavard, une bavarde. Un impitoyable, un intarissable, un insupportable, un sacré bavard. Quel bavard ! il ferait mieux de se taire !* → **Baratineur** (fam.), **discoureur, jaseur** (vx), **parleur** (I.), **phraseur.** *C'est un bavard.* → Il a bon bec*, il a la langue* bien pendue, bien affilée, il n'a pas la langue* dans sa poche, c'est un moulin* à paroles, les paroles* ne lui coûtent rien, c'est un faiseur de phrases*, il a une fière, une fameuse platine*, une fière tapette*, c'est un torrent* de paroles (plusieurs de ces locutions sont vieillies). *La volubilité* d'un bavard. Les bavards font plus de bruit que de besogne.* → **Bavardage, bavarder.**

6 On me l'avait bien dit, que son maître Aristote n'était rien qu'un bavard. MOLIÈRE, le Mariage forcé, IV.

7 Ces bavardes de femmes, que l'on entend caqueter à travers les portes, ne finiront-elles pas par se taire ?
G. SAND, *in* Pierre LAROUSSE.

Littér. *«Des bavards de liberté»* (Chateaubriand), bavards au sujet de la liberté.

Spécialt. Écrivain, auteur trop prolixe (→ ci-dessus, cit. 6).

[c] N. m. (1842, Sue). Argot, puis fam. Avocat. → **Baveux,** II., 1.

7.1 Les bavards commencent à réintégrer. Ils ont des costards légers et leur teint hâlé trahit les soleils qu'ils ont pris, les lâcheurs, loin de nous et de nos grisailles.
A. SARRAZIN, la Cavale, p. 128.

[d] N. f. (1842, Sue). **BAVARDE.** Argot anc. Langue ; bouche. *Remiser sa bavarde :* se taire.

♦ **2** Qui commet des indiscrétions, des commérages, parle quand il conviendrait de se taire, trahit les secrets qui lui sont confiés. → **Cancanier, indiscret.** *Elle est trop bavarde, elle ne sait tenir sa langue*,* elle a la langue trop longue.

(Avec la valeur inverse). Qui parle matériellement beaucoup (sens 1) mais ne révèle rien.

(...) bavard comme le sont les diplomates qui parlent sans jamais rien trahir de leurs secrets (...) 8
BALZAC, l'Enfant maudit, Pl., t. IX, p. 675.

N. *Ce bavard n'a pas su tenir sa langue. Les cancans d'une bavarde.* → **Bavardage.**

Vous n'êtes point une bavarde (...) On peut parler devant vous sans craindre les propos (...) 9
G. SAND, la Mare au diable, p. 42.

N. m. Loc. *Il est, elle est d'un bavard !*

CONTR. **Bref, concis, laconique, muet, secret, silencieux, sobre** (de paroles), **taciturne. — Discret.** ◊ DÉR. **Bavardage, bavardement, bavarder, bavarderie, bavardise.**

**BAVARDAGE** [bavaʀdaʒ] n. m. — 1746 ; de *bavard.*

♦ **1** Action de bavarder ; discours d'une personne bavarde ou conversation de plusieurs personnes bavardes. → **Babil, babillage, bagout** (fam.), **bavarderie** (vx), **cailletage, caquet, caquetage, causette, loquacité, papotage, parlage** (fam., vx), **parlote.** *Il m'assourdit, m'étourdit, me fatigue avec son bavardage incessant. Quand finirez-vous ce bavardage ? Élève puni pour bavardage.*

Il *(Linguet dans une plaidoirie)* a ennuyé beaucoup de ses lecteurs, regoulés de tout ce bavardage absolument intolérable, sans la méchanceté qui en fait l'âme (...) 1
BACHAUMONT, Mémoires secrets, t. XXXIV, p. 138.

Il n'y avait pas jusqu'à Néaulme qui, dans la diffusion de son bavardage, ne me montrât du regret de s'être mêlé de cet ouvrage (...) ROUSSEAU, les Confessions, VI. 2

Alors la conversation n'est point le vain bavardage que nous entendons partout, l'éternel sautillement où les cerveaux vides ont tout l'avantage. 3
MICHELET, la Femme, p. 384.

Seulement, pas de bavardages : les Latins parlent toujours trop. 4
A. MAUROIS, les Discours du D^r O'Grady, VI, p. 63.

♦ **2** Discours, propos abondant et sans intérêt. *Un vain bavardage. Assez de bavardages !* → **Baratin** (fam.), **bavarderie** (vx), **bla-bla** (fam.), **boniment** (fam.), **jacasserie, jaspin** (pop.), **parlerie** (fam.), **phraséologie, verbiage.** *Et c'étaient des bavardages interminables...* → Et patati*, et patata.

Je maudissais ces vains bavardages de gens qui souvent sans même l'intention de nuire ou de rendre service (...) nous causent, à point nommé tant de mal. 5
PROUST, À la recherche du temps perdu, t. IV, p. 19.

Il faut appeler bavardage ce genre de conversation vide et agréable, où les sympathies, les antipathies, les mouvements du cœur humain, les singularités du caractère et de l'humeur, sont l'objet principal. 6
ALAIN, les Sentiments familiaux, *in* les Passions et la Sagesse, Pl., p. 341.

Écrit (ou discours musical) verbeux, trop long, superficiel. *Ses articles ne sont que des bavardages sans intérêt. — Le bavardage* (collectif). *C'est du bavardage.*

Spécialt. Discours calomnieux, propos de bavard (2.). → **Cancan, commérage, indiscrétion, jaserie, médisance, potin, racontar, ragot.**

Je n'ai pas doute de moi, mais des autres, j'ai eu peur des bavardages, des caquets. 7
BALZAC, le Curé de village, Pl., t. VIII, p. 725.

♦ **3** Fig., littér. Manière de s'exprimer longue et indiscrète (personnes : *«les femmes ont le bavardage des larmes»,* Goncourt, *in* T. L. F. ; choses : *«le bavardage des miroirs»,* Colette, *in* T. L. F.).

CONTR. **Discrétion, mutisme, silence.**

**BAVARDEMENT** [bavaʀdəmɑ̃] adv. — 1579, Du Bartas; de *bavard*.

Rare. D'une manière bavarde.

(...) il *(Fromentin)* nous parle de l'ennui que lui cause la peinture, de l'indifférence qu'il apporte à la réussite d'un tableau, en même temps qu'il s'entretient bavardement du goût qu'il a à écrire, du petit battement de cœur à son réveil, de la petite fièvre à laquelle il se reconnaît apte à la composition d'un bouquin (...)
Ed. et J. DE GONCOURT, Journal, t. II, p. 89 (1863).

**BAVARDER** [bavaʀde] v. intr. — 1539; de *bavard*.

♦ **1** Parler beaucoup, longtemps ou parler ensemble de choses superficielles. → **Parler; babiller, bavasser** (fam.), **cailleter, caqueter, causer, discourir, discuter, jaboter, jacasser, jaser, jaspiner** (argot), **lantiponner** (vx), **papoter, potiner.** → Placoter, en franç. du Québec. *Bavarder avec qqn.* → Tailler une bavette*, discuter le bout* de gras, faire la causette*. *Bavarder comme une pie (borgne). Bavarder à tort et à travers. Perdre son temps à bavarder.*

1 En de certains jours, elle bavardait avec une abondance fébrile. FLAUBERT, Mme Bovary, I, IX.

Par anal. Parler ou écrire de manière prolixe et superficielle (se dit aussi en parlant de la musique).

Emploi trans. ind. *Nous avons bavardé de choses et d'autres. Bavarder de la pluie et du beau temps. Bavarder sur qqch., sur divers sujets.* Ellipt (rare). *Nous avons bavardé théâtre.* → **Parler.**

♦ **2** Divulguer des choses qu'on devrait taire, commettre des indiscrétions. *Quelqu'un aura bavardé* (Académie). → **Cancaner, jaser, parler.** *Soyez sûr qu'elle bavardera; elle se chargera de tambouriner la nouvelle.* → **Publier, répandre.** *Il a bavardé.* → Manger le morceau*. *On a essayé de le faire bavarder, mais il sait se taire.*

2 (...) j'ai de l'estime pour cette fille depuis ce qui nous est arrivé au colombier, dont elle aurait pu bavarder pour sa part, et dont jamais personne n'a rien su (...)
G. SAND, la Petite Fadette, p. 195.

♦ **3** S'exprimer longuement ou indiscrètement par un autre moyen que le langage (personnes; animaux: produire en abondance le cri de son espèce; choses).

REM. On rencontre exceptionnellement des emplois transitifs du verbe : *bavarder qqch. à qqn : «Je vous les bavarde (ces détails)»* (Hugo, *Correspondance*); *bavarder qqn : «des femmes (...) qui se bavardaient comme des pies»* (Martin du Gard, *in* T. L. F.).

CONTR. **Taire** (se).

**BAVARDERIE** [bavaʀdəʀi] n. f. — 1574; de *bavard*, et suff. *-erie*.

Vieux.

♦ **1** Manie de bavarder; propos de bavard. → **Bavardage.**

Aurez-vous d'autres reproches à me faire que celui de vous ennuyer par mon énorme bavarderie?
VOLTAIRE, Lettre à Mme du Deffand, 15 janv. 1761.

♦ **2** Caractère d'une personne bavarde. → **Bavardise** (vx).

**BAVARDISE** [bavaʀdiz] n. f. — 1562; de *bavard*.

Vx ou littér. (Giraudoux, *Siegfried et le Limousin*). Caractère du bavard. → **Bavarderie** (vx).

**BAVAROIS, OISE** [bavaʀwa, waz] adj. et n. — 1660; de *Bavaria*, anc. nom de la Bavière, et suff. *-ois*.

♦ **1** De Bavière; propre à la Bavière. *Un député bavarois; les montagnes bavaroises.*

N. Habitant ou originaire de la Bavière. *Une Bavaroise.*

N. m. Ling. L'un des groupes dialectaux du haut allemand, parlé en Bavière.

♦ **2** (1828, Carême). Vx. *Fromage bavarois* : entremets sucré et glacé. — N. m. (1815, *in* D. D. L.). Vieilli. *Bavarois* : entremets lié avec de la gélatine, de la crème fouettée (et sans œufs, à la différence de l'entremets moderne dit *bavaroise*).

Rare. Syn. de *bavaroise* (2.).

DÉR. V. **Bavaroise,** n.

**BAVAROISE** [bavaʀwaz] n. f. — 1743; de *bavarois*, nom d'une boisson mise à la mode par les princes de Bavière au café Procope.

♦ **1** Vx. Boisson chaude, thé additionné de sirop de capillaire. *Bavaroise au lait. La bavaroise fut à la mode du milieu du XVIIIe siècle à la fin du XIXe.* — Par ext. *Bavaroise au chocolat* : lait chaud dans lequel on a fait dissoudre du chocolat.

♦ **2** (1867, *bavaroise de gelée*). Mod. Entremets sucré, froid, à base d'œufs, de gelée, de crème, et diversement parfumé (éventuellement garni de fruits). *Bavaroise aux abricots, au chocolat.* — REM. Dans ce sens, certains donnent encore le mot au masc. → **Bavarois.**

**BAVASSER** [bavase] v. intr. — 1584, Montaigne; de *baver* «bavarder», et suff. péjoratif.

Fam. Bavarder (1., 2.). → **Baver** (II., 2.). *Ils bavassent pendant des heures et ne font rien.*

Ça c'est pour que je ne bouge jamais plus, pour que je bavasse ici jusqu'à la fin des temps, en murmurant, tous les dix siècles, Ce n'est pas moi, ce n'est pas vrai, ce n'est pas moi, je suis loin. 1
S. BECKETT, Textes pour rien, p. 132-133.

Ce soir, je refuserai de bavasser, je dirai : 2
— Avec ma vieille fracture du crâne, j'ai besoin de beaucoup dormir et sitôt couchée je plonge dans le coma.
A. SARRAZIN, la Cavale, p. 221.

Médire. *Arrête de bavasser sur lui.* → **Baver,** I., 3. — REM. On trouve chez Céline la forme *bavacher*, dans le même sens.

DÉR. **Bavasseur.**

**BAVASSEUR, EUSE** [bavasœʀ, øz] adj. et n. — Attesté 1945; de *bavasser*.

Fam. Bavard; médisant.

Tous s'arrêtaient et les chauffeurs partaient aux nouvelles d'un pas guilleret. Il y en avait bien une cinquantaine sur la route maintenant et pas du tout pressés de repartir, bavasseurs, discutailleurs à l'infini, à raconter leur vie.
Jean HOUGRON, la Gueule pleine de dents, p. 185.

**BAVE** [bav] n. f. — V. 1460, Villon; *beve*, déb. XIVe; probablt du lat. pop. **baba*, onomatopée exprimant le babil des enfants (→ Babiller), d'où *bève*, refait d'après *baver;* le lat. pop. permet de rapprocher *bave* de *boue (baba)*, selon Guiraud.

♦ **1** [a] Salive visqueuse qui s'écoule de la bouche. *Essuyer la bave d'un bébé* (→ **Bavoir, bavette**).

Elle ouvrait la bouche. Grande. Profonde. Noire. De la bave mousseuse et vinassée lui dégoulinait sur le menton, sur le cou. Des traînées mauves. 0.1
Louis CALAFERTE, Partage des vivants, p. 63.

[b] Liquide écumeux, spumeux qui sort de la bouche dans certaines maladies (épilepsie, rage, etc.). *La bave d'un hydrophobe, d'un chien enragé.* — *Avoir la bave à la bouche* : être écumant de rage, de colère.

♦ **2** (Animaux). [a] Salive rejetée par la bouche ou la gueule de certains animaux ; salive des ruminants. *La bave d'un chien.* — (Serpents, batraciens). *La bave du crapaud. Une bave venimeuse. Le boa projette sa bave.*

0.2 Le crapaud, qui passait, lança un jet de bave sur son front *(du Créateur),* et dit : « Ça, pour toi » (...)
LAUTRÉAMONT, les Chants de Maldoror, III, 4.

[b] Sécrétion visqueuse de certains mollusques, vers. *En progressant, l'escargot laisse sur le sol un filet de bave.*

Techn. *La bave du ver à soie,* les premiers fils qu'il sécrète en commençant son cocon.

♦ **3** Par métaphore ou compar. (de 1. ou 2.). Liquide écumeux. *« L'âcre bave des flots »* (Hérédia).

♦ **4** Par métaphore. Propos méchant, venimeux. → **Venin.** *La bave des calomniateurs.* Prov. *La bave du crapaud n'atteint pas la blanche colombe.*

1 Cette fleur n'a jamais subi ta bave infâme.
HUGO, la Légende des siècles, « Le poète au ver de terre », XIV.

2 Les maîtres ont la rage, et les valets la bave.
HUGO, l'Année terrible, Juin, 3.

Argot anc. *Une, des baves.* Calomnie.

**DÉR. Baver, bavette, baveux. — V. Bavard.**

**BAVER** [bave] v. — Déb. XIVe ; de *bave.*

[I] V. intr. ♦ **1** Laisser couler de la bave, de la salive. *L'enfant bave pendant le travail de la dentition. Il bave en parlant.* → **Saliver.** — (Au sens 2 de *bave*). *Baver abondamment* (dans une maladie). *Animal enragé qui bave. L'escargot a bavé.*

1 Bave comme au printemps une vieille limace (...)
Mathurin RÉGNIER, Satires, 10.

2 Il bave comme un pulmonique
Qui tient la mort entre les dents (...)
Mathurin RÉGNIER, Stances.

3 *(Un enfant)* qui crie et bave pour toute réponse (...)
ROUSSEAU, Émile, II.

Par métaphore. *Le champagne « bave dans les coupes »* (Martin du Gard).

♦ **2** Fig., fam. [a] Jalouser, tout en étant admiratif et surpris. *Sa réussite fait baver ses collègues.*

*Baver de :* être ahuri, béant (d'admiration, d'étonnement, de surprise). *Baver d'admiration, de jalousie, de stupéfaction. Baver de colère.* → Outrance, cit. 4. *Il en bavait de peur.*

4 (...) il en bavait, tant la chose lui paraissait exorbitante (...)
COURTELINE, Messieurs les ronds-de-cuir, V, 2.

Emploi trans. Très fam. *En baver des ronds de chapeau :* être ahuri, stupéfait.

[b] (1883). *Baver, en baver :* souffrir d'un travail pénible auquel on est soumis. *On en bave. Il va vous en faire baver.*

Par ext. Souffrir, avoir un sort pénible (sans idée de travail).

4.1 Prenons le cas de Mozart, mort à trente-cinq ans après en avoir bavé de toutes les façons : jamais je n'ai pu arriver à le plaindre, cet animal-là (...)
J. DUTOURD, Pluche, IX, p. 106.

♦ **3** (V. 1450). Parler. [a] Argot. Parler. *Arrête de baver.* → **Bavarder, bavasser.**

[b] Littér. *Baver sur :* salir, souiller par des médisances. → **Bavasser** (fam.), **calomnier** (qqn), **médire.** *Baver sur qqn, sur la réputation de qqn* (Académie). → **Salir, souiller.**

5 Rentre dans l'ombre où sont tous les monstres flétris
Qui, depuis quarante ans, bavent sur nos débris !
HUGO, les Chants du crépusule, 10.

Ô pieds plats ! Votre plume au fond de vos masures 6
Griffonne, va, vient, court, boit l'encre, rend du fiel,
Bave, égratigne et crache, et ses éclaboussures
Font des taches jusques au ciel !
HUGO, les Châtiments, IV, 4.

(1850, Balzac). Absolt. Médire, calomnier.

♦ **4** (1680). Ne pas couler droit, se répandre (en parlant d'un liquide). *« Le sang bave dans la saignée, quand il ne sort pas en jet »* (Littré). *L'encre a bavé.* → **Bavocher.**

Techn. Laisser échapper l'eau. *Tuyau, ajutage, robinet qui bave.*

Présenter des bavures (d'un moulage).

[II] V. tr. ♦ **1** Laisser, faire couler (un liquide assimilé à de la salive, de la bave). — Loc. fam., vx. *Baver le lait :* être très jeune.

Littéraire :

Le temple enseveli divulgue par la bouche 7
Sépulcrale d'égout bavant boue et rubis
Abominablement quelque idole (...)
MALLARMÉ, Poésies, « Le tombeau de Charles Baudelaire », Pl., p. 70.

♦ **2** (1754). Dire de façon incohérente, incompréhensible. → **Bavasser, bavoter.** *Qu'est-ce que tu baves encore ?*

Dire en médisant. *Baver d'infâmes ragots.*

**DÉR. Bavasser, baverolle, baveur, bavocher, bavoir, bavoter, bavure.**

**BAVEROLLE** [bavʀɔl] n. f. — 1545, « bavette » ; de *baver,* suff. *-olle.*

♦ **1** Vx. Bavette d'enfant.

♦ **2** (1866, P. Larousse). Techn. Pièce d'étoffe décorative attachée à une trompette.

**BAVETTE** [bavɛt] n. f. — XIIIe ; de *bave.*

[I] [A] ♦ **1** [a] Plastron qu'on attache sous le menton des bébés pour recevoir leur bave. → **Bavoir.** *Des bavettes de toile, de piqué. Une bavette brodée.* — Loc. fig. *Être encore à la bavette :* être encore un enfant.

Le temps coule : on n'est pas sitôt à la bavette, 1
Qu'on trotte, qu'on raisonne : on devient grandelette (...)
LA FONTAINE, la Coupe enchantée.

[b] *Bavette de chirurgien :* pièce de tissu portée devant la bouche, pour empêcher la propagation aérienne des germes.

♦ **2** [a] Partie (d'un tablier, d'une salopette...) qui couvre la poitrine.

Il trouvait Gavard, en manches de chemise, les bras croisés sur la bavette de son tablier bleu. 2
ZOLA, le Ventre de Paris, t. I, p. 97.

[b] Rabat d'avocat. — Par métonymie. Profession d'avocat.

[B] Par anal. de forme. ♦ **1** (1639). Techn. Bande de métal qui recouvre sur un toit les bords des cheneaux. Feuille de métal recouvrant une saillie, un bandeau. Lame de plomb protégeant l'arêtier d'un toit.

♦ **2** Techn. Tablette à l'avant du cendrier d'un poêle, pour recueillir les cendres.

Pièce large et plate pour recueillir, arrêter l'eau (voitures hippomobiles, etc.).

♦ **3** Théâtre. Volant de toile à la base du rideau de fond de scène, pour dissimuler la perche inférieure.

♦ **4** (1866). Partie inférieure de l'aloyau*. *Tailler trois biftecks dans la bavette. Bavette aux échalottes.*

**II** (1690). Loc. fam. **TAILLER UNE, DES BAVETTES (S)** : bavarder. *Il taille une bavette avec le concierge sur le pas de la porte* (→ Discuter le bout* de gras).

**BAVEUR, EUSE** [bavœʀ, øz] adj. et n. — Déb. XIV^e^, comme n., «railleur, mauvais plaisant», vx depuis le XVIII^e^; repris XX^e^; de *baver,* d'abord au sens de «parler». → Baver, I., 3.

♦ **1** Qui bave. *Des enfants baveurs.* → **Bavant, baveux.**

♦ **2** Qui bavarde, bave (I., 3.).

**BAVEUSE** [bavøz] n. f. — 1542; fém. de *baveux.*

Régional (Sud). Blennie (poisson couvert d'une matière visqueuse).

**BAVEUX, EUSE** [bavø, øz] adj. et n. — Déb. XII^e^; de *bave.*

**I** Adj. ♦ **1** Qui bave. *Bouche baveuse. Un enfant, un vieillard baveux.* → **Bavant, baveur.**

♦ **2** Par anal. D'où s'écoule un liquide écumeux. *Je rêve d'un verre de bière bien baveux.* → **Mousseux.** «*Un bock baveux*» (Maupassant). — (1690). Cour. *Omelette baveuse,* dont l'intérieur, peu cuit, est encore liquide.

(V. 1575). Méd. *Chairs baveuses, plaie baveuse,* d'où s'échappe un liquide purulent.

1 (...) de baveuses et livides chairs, du sang (...)
ROUSSEAU, Rêveries..., 7^e^ Promenade.

Typogr. *Lettres baveuses,* dont l'encre, étalée en bavures, macule les contours. (Contr. : *net*).

Argot vieilli. *Le système baveux* : un lavabo à eau courante. — Mod. (Érotique). *Clarinette baveuse* : sexe de l'homme.

♦ **3** (1456). Fam. Qui s'exprime de façon prolixe, diffuse. → **Bavard, verbeux.** *Une déclaration baveuse. Un orateur baveux.*

**II** N. m. ♦ **1** (1870). Fam. Personne qui parle beaucoup; dont le métier est de parler (représentant de commerce, orateur, etc.). «*Je ne pouvais plus faire qu'un baveux, un représentant du dehors, un simple "jeune homme"...*» (Céline, *in* T. L. F.).

Argot, puis fam. Avocat. → **Bavard.**

2 La taule, c'est peut-être pas marrant, marrant, mais je connais! Avec un bon baveux, on s'en sort toujours.
Roger BORNICHE, Flic story, p. 312-313.

Fam. Commentateur (de radio, de télévision).

♦ **2** Argot. Journal. *Lire les nouvelles dans le baveux.*

3 Je déjeune en ligotant le baveux du morning *(du matin).* Je fais du rififi en Suisse, je vous le dis. Trois colonnes à la une et le reste sur le porte-bagages. On parle de bande internationale organisée. De règlement de comptes entre espions et autres foutaises.
SAN-ANTONIO, Au suivant de ces messieurs, 1967, p. 210.

♦ **3** Argot, vx. Savon.

DÉR. **Baveuse.**

**BAVOCHER** [bavɔʃe] v. intr. — 1676; de *baver,* et suff. *-ocher.*

**I** Techn. (gravure, imprim.). ♦ **1** Déborder les traits, empâter, maculer les contours. *L'encre a bavoché. Les caractères bavochent.*

♦ **2** Être imprimé avec des contours flous. *Les épreuves bavochent.*

**II** (1936, Céline). Fam., rare. Bavarder. → **Bavasser, baver.**

◆ **BAVOCHÉ, ÉE** p. p. adj. (1676; du sens I). Dont l'impression n'est pas nette, qui a bavoché. *Une épreuve bavochée.*

DÉR. **Bavochure.**

**BAVOCHURE** [bavɔʃyʀ] n. f. — 1680; de *bavocher.*

♦ **1** Techn. (gravure, imprim.). Empâtement des traits, des contours. *Les bavochures d'une épreuve, d'une estampe.* → **Bavure.**

♦ **2** Arts. Trait, contour qui présente des bavures, qui n'est pas net.

En revenant il entra chez Desforges, commanda une toile de 100, choisit des brosses, se remonta de couleurs. Puis il dîna vite, et, sa lampe allumée, il se mit à chercher son idée dans le tâtonnement et la bavochure d'un trait au fusain.
Ed. et J. DE GONCOURT, Manette Salomon, p. 92.

**BAVOIR** [bavwaʀ] n. m. — 1717; v. 1450, «lieu où l'on bavarde, où l'on "bave"»; de *baver.*

Pièce de lingerie qui s'attache autour du cou et qui protège la poitrine des bébés. → **Bavette.** *Un bavoir brodé.*

**BAVOLET** [bavɔlɛ] n. m. — Fin XVI^e^ (→ cit. 1); 1556, «drapeau»; de *bas,* et anc. franç. *volet* «sorte de voile qu'on mettait sur la tête».

♦ **1** Anciennt. Coiffure de paysanne couvrant les côtés et le derrière de la tête.

D'un bavolet elle était attifée (...) 1
Étienne PASQUIER, Lettres, XXII, 4.

Morceau d'étoffe ornant une coiffure de femme par derrière.

(...) la vieille Mélanie (...) nouait devant sa glace les brides 2
de son bonnet blanc à bavolet de dentelle (...)
FRANCE, le Petit Pierre, XIV.

À deux chaises de moi, M^me^ de M., grande et forte, vêtue 3
de noir, avec un chapeau muni d'un bavolet de la même couleur.
J. GREEN, Journal 1958-1967 (Vers l'invisible), Noël 1958, p. 67.

REM. Le dérivé *bavolette* (1626), n. f., «femme portant un bavolet; paysanne», figure encore dans certains dictionnaires.

♦ **2** Anciennt. Tablier de côté protégeant la carrosserie (d'une automobile) contre les éclaboussures.

**BAVOTER** [bavɔte] v. — 1930; de *baver,* et suff. *-oter.*

**I** V. intr. ♦ **1** Fam. Baver légèrement et par instants.

(...) sa somnolence était agitée; il bavotait et rattrapait 1
périodiquement sa salive, exhibant une langue violette.
R. QUENEAU, le Chiendent, p. 15.

♦ **2** Fam. Parler de façon peu cohérente, avec un débit continu. → **Bavasser.**

Je n'attendais de Jean-Paul Sénac aucun mouvement de 2
colère. Il se met rarement en colère. Il gronde, il grommelle, il bavote et se lamente.
G. DUHAMEL, Chronique des Pasquier, VI, IX (1937).

**II** V. tr. Fam. Dire, émettre de façon peu claire. → **Baver** (II., 2.).

Ce pompeur de biberons commençait à bavoter des sons 3
informes, auxquels elle répondait de vraies paroles, pour nous faire croire qu'il avait dit quelque chose.
M. PAGNOL, le Château de ma mère, p. 161.

**BAVURE** [bavyʀ] n. f. — V. 1300, *baavure* «bave»; de *baver.*

♦ **1** (1752). Techn., cour. Trace, saillie que les joints d'un moule laissent sur l'objet moulé. → **1. Barbe, barbille, ébarbure, masselotte.** *Ébarber les bavures d'une planche gravée.*

Saillie, trace (de métal, de plâtre, de ciment, etc.).

♦ **2** Tache produite par l'excès d'un produit liquide qui coule. *Bavure d'encre dans une écriture, un dessin, une épreuve d'imprimerie.* → **Bavochure, maculage,** 1. **macule.** *Essuyer des bavures de colle.* → **Traînée.** *Bavures dans un maquillage.*

♦ **3** Par métaphore ou fig. [a] Élément qui dépasse, déborde de manière fâcheuse (Alain, *in* T. L. F.). [b] Erreur, imperfection, défaut. *Le spectacle n'était pas très réussi, il y a eu plusieurs bavures.*

(Mil. XX^e^). Spécialt. Erreur pratique, abus ayant des conséquences fâcheuses, parfois dramatiques (mort d'innocents, etc.). *«La police a de la peine à éviter ce qu'on nomme pudiquement des bavures»* (*le Monde,* 27 mars 1970).

Le système capitaliste impérialiste conçoit la mutilation, l'infanticide, au pire comme une nécessité, au mieux comme une «bavure».
Jean ZIEGLER, Main basse sur l'Afrique, p. 261.

♦ **4** (1866, Amiel, *Journal*). Loc. fam. **SANS BAVURE :** parfaitement exécuté, impeccable. — D'une manière irréprochable, impeccablement. *Un travail remarquablement exécuté, sans bavure. Net et sans bavures.*

**BAYADÈRE** [bajadɛʀ] n. f. — 1782; 1770, *balliadère,* 1638, *balhadera;* du port. *bailadeira,* de *bailar* «danser», du lat. *ballare.* → Bal.

♦ **1** Danseuse sacrée de l'Inde, et, par ext., danseuse d'autres pays orientaux.

1 (...) les bayadères vêtues de gaze d'or, accompagnent leurs danses du son des anneaux dont leurs cous, leurs bras et leurs jambes sont ornés.
CHATEAUBRIAND, Mémoires d'outre-tombe, IV, 6.

2 Viens, nous verrons danser les jeunes bayadères (...)
HUGO, Ballades, 15.

3 Ce jour-là, ils célébraient une sorte de carnaval religieux, avec processions et divertissements, dans lesquels figuraient des bayadères vêtues de gazes roses brochées d'or et d'argent, qui, au son des violes et au bruit des tam-tams, dansaient merveilleusement, et avec une décence parfaite, d'ailleurs.
J. VERNE, le Tour du monde en 80 jours, p. 66.

4 Une jeune fille vêtue en bayadère, large pantalon flottant et voiles de mousseline à la Loïe Fuller, en train de danser éperdument, la tête jetée en arrière et une jambe lancée vers le plafond.
J. GREEN, Journal 1966-1972 (Ce qui reste de jour), 4 oct. 1968, p. 121.

Vx. Danseuse professionnelle.

♦ **2** Par appos. (invar.). *Tissu bayadère :* étoffe rayée multicolore. → **Mille-raies.** *Des robes bayadère,* faites avec ce tissu. — Adj. (accordé en nombre).

5 Une forêt surgit soudain près de l'Opéra, sous les arbres de fer de laquelle on vendait des étoffes bayadères.
ARAGON, Anicet, p. 12.

**BAYARD** ou **BAYART** [bajaʀ] n. m. — Fin XII^e^, *baiart;* 1321, *bayard;* orig. incert. → Bard.

Régional. Bard.

**BAYEMENT** [bajmɑ̃] n. m. — 1611, repris 1884; *béement,* fin XIII^e^; de *bayer,* anc. franç. *baer.*

Vx. Ouverture. — *Bayement aux corneilles.* → **Bayer.**

**HOM. Baillement.**

**BAYER** [baje] v. intr. — V. 1190, *baler* «aspirer (à), désirer»; 1662, *bayer aux corneilles;* v. 1120, *baer,* var. de *beer* (→ Béer).

♦ **1** Littér. Rester la bouche ouverte, avoir une attitude d'étonnement admiratif.

Loc. **BAYER AUX CORNEILLES :** perdre son temps en regardant en l'air niaisement. → **Rêvasser.**

Allons, vous, vous rêvez et bayez aux corneilles; 1
Jour de Dieu ! je saurai vous frotter les oreilles.
MOLIÈRE, Tartuffe, I, 1.

(...) ne vous remettez-vous pas ce visage qui baye aux corneilles ? 2
DUMAS, les Trois Mousquetaires, t. I, p. 377.

Littér., rare. *Bayer aux chimères* (Hugo, *la Légende des siècles*), *bayer aux nuées* (*in* T. L. F.), *bayer aux grues* (Villiers de l'Isle-Adam, *in* T. L. F.). — REM. Seul *bayer aux corneilles* est courant.

♦ **2** (Repris mil. XIX^e^). Littér. (Choses). S'ouvrir, être béant.

**DÉR. Bayement, bayeur.** ◊ **HOM. Bailler, bâiller.**

**BAYEUR, EUSE** [bajœʀ, øz] n. — 1740; de *bayer.*

♦ **1** Vx. Personne qui baye (1.).

♦ **2** Loc. **BAYEUR AUX CORNEILLES :** personne qui baye aux corneilles (→ Beloteur, cit. 1, Perret).

**BAYOU** [baju] n. m. — 1740, *baijou;* 1699, *bayouk* «eaux peu profondes et stagnantes»; mot franç. d'Amérique, adapt. du choktaw (langue indienne) *bajuk* «rivière».

♦ **1** En Louisiane et dans le Bas-Mississippi, Eaux peu profondes à faible courant, ou stagnantes (bras secondaire de rivière, méandre abandonné). *Traverser un bayou. Dans les bayous.* — *Les bayous :* la région des bayous.

Nous traversons les grands parcs qui bordent la ville et que prolongent des bois sauvages. Les arbres ont une luxuriance tropicale, des lianes s'y enchevêtrent et les branches sont voilées de mousses espagnoles; dans leur ombre paressent ces lentes rivières aux eaux molles qu'on appelle ici des *bayous.* 1
S. DE BEAUVOIR, l'Amérique au jour le jour, p. 211.

Elle avait aussi oublié une foule d'expressions démodées, dont on usait depuis l'arrivée des pionniers et que seuls aujourd'hui les petits Blancs et les pauvres cajuns de bayous utilisaient encore. 2
Maurice DENUZIÈRE, Louisiane, p. 37.

♦ **2** (1869). Hydrogr. Bras de rivière à faible courant. → **Marigot.**

**BAY-WINDOW** [bɛwindo] n. f. — 1664; mot angl. de *bay* «baie», et *window* «fenêtre».

Anglic. → **Bow-window.** Plur. *Des bay-windows.* — Recomm. off. → **Oriel.**

**BAZAR** [bazaʀ] n. m. — 1546; *bathzar,* 1432; persan *bāzār* «marché», le port. *bazar* est attesté en 1544.

♦ **1** Marché public, au Moyen-Orient et en Afrique du Nord. → **Souk.** *Les bazars de Syrie, du Maroc.*

Ce bazar est un mauvais marché pareil à ces halles que l'on voit dans nos petites villes de province. 1
CHATEAUBRIAND, Itinéraire..., VIII, 85.

Oh ! les étalages étranges dans ces rues et les fantaisies surprenantes dans ces bazars ! 2
LOTI, M^me^ Chrysanthème, I, 12, p. 85.

Fig. → **Marché.**

Je voyais en esprit le marché, la bourse, le bazar occidental des échanges de phantasmes. 2.1
VALÉRY, Monsieur Teste, p. 86.

♦ **2** (1816; p.-ê. d'après l'angl.). Cour. Magasin, boutique, où l'on vend toutes sortes d'objets (quincaillerie, mercerie...). *Le commerce de la bimbeloterie se concentre dans les bazars. Bazar en plein air sur un marché. Petit bazar de village.*

Autrefois on trouvait des boutiques qui tenaient de la nouveauté; ensuite sont venus les magasins; mais aujourd'hui, à Paris, ces magasins sont devenus des 2.2

bazars immenses; quand vous entrez là-dedans, c'est presqu'une ville que vous avez à parcourir.
Ch. PAUL DE KOCK, la Grande Ville, t. I, p. 241.

3 (...) c'est (...) un ancien commis mercier qui s'est découvert le génie du bazar, et qui est mort multimillionnaire, après avoir doté toutes nos villes de province d'un Bazar du XX^e siècle.
MARTIN DU GARD, les Thibault, t. II, VI, p. 217.

3.1 Pour sectionner le fil téléphonique qui très imprudemment passait près de la porte il fallait une pince. Nous entrâmes dans un des nombreux bazars de Barcelone où l'on tient rayons de quincaillerie.
Jean GENET, Journal du voleur, p. 58.

(Dans des noms de magasins). *Le Bazar de l'Hôtel de Ville,* à Paris.

Fig. ... **DE BAZAR** : de mauvaise qualité, de peu de valeur. *Marchandises de bazar.* — *«Galanterie de bazar»* (Maupassant).

♦ **3** (1866). Fig., fam. Lieu, maison où tout est pêle-mêle, en désordre. *Quel bazar, cette maison, cette chambre!*

Fam., vx. Lieu de travail (lycée, bureau). → **Bahut, boîte, boutique.** *Aller au bazar.* — Par abrév. *Baz* [baz] : lycée. *Le baz Grand :* le lycée Louis-le-Grand, à Paris.

4 Depuis quand donc, s'il vous plaît, révoque-t-on des fonctionnaires de l'État parce qu'ils ont séché le bazar?
COURTELINE, Messieurs les ronds-de-cuir, II, 2.

(1841). Vx. Maison de tolérance. *Un «bazar de putains»* (Flaubert, *Correspondance,* in T. L. F.).

♦ **4** Fam. [a] Ensemble d'objets en désordre. *Range donc ton bazar!* → **Bordel, foutoir, merdier, souk.** — *Désordre. Ils ont mis un de ces bazars dans la maison!* — Bruit, tapage. *Les locataires se sont plaints de ce qu'ils faisaient du bazar toutes les nuits.*

[b] (1842, «mobilier»). Ensemble d'affaires plus ou moins hétéroclites. → **Attirail, bagage, barda, bastringue.** *Elles ont pris le train avec tout le bazar : des couvertures, des victuailles, et leurs chats. Les musiciens sont repartis en emportant leur bazar dans une camionnette.*

**ET TOUT LE BAZAR :** et tout le reste. → **Tout** (tout le tremblement...).

5 Je dis que vous pouvez changer le monde, le régime, les lois, tout le bazar, il y aura toujours quelqu'un pour boire le Romanée-Conti (...)
G. DUHAMEL, Chronique des Pasquier, III, IX.

**DÉR. Bazarder.** ◊ **HOM. Bazard.**

**BAZARD** [bazaʀ] n. m. — D. i. (XX^e); orig. incertaine.

Argot. Élève de première année, à Saint-Cyr. *«Le Triomphe* (de Saint-Cyr) *où retentit la phrase fameuse : "À genoux, les hommes! Debout, les officiers!" "Je veux servir, dit un bazard (élève de 1^re année)"»* (*l'Express,* 21 nov. 1977).

**HOM. Bazar.**

**BAZARDAGE** [bazaʀdaʒ] n. m. — 1872; de *bazarder.*

Action de bazarder, de vendre (qqch.) pour se débarrasser. *Le bazardage de tous ses vieux bouquins.* — Var. *Bazardement* (1907).

(...) je suis parti ainsi sans très bien même me rappeler ce qui avait été sauvé du bazardage général.
Michel DÉON, Un taxi mauve, p. 78.

**BAZARDER** [bazaʀde] v. tr. — 1846; de *bazar,* au sens figuré.

Fam. Se débarrasser, se défaire rapidement de (qqch.). → **Abandonner, liquider, vendre.** *Si tu veux bazarder ta voiture, j'ai un acheteur.*

(...) il n'est pas rare de rencontrer une gentille horizontale qui cherche à bazarder, au meilleur compte possible, une centaine de pièces de vin ou tout un lot de pierres de taille que l'usurier a livrées à son amant, au lieu d'espèces sonnantes et trébuchantes. 1
GORON, l'Amour à Paris, t. II, p. 652.

Et il parle de tout bazarder, de laisser là Paris, d'aller habiter Londres (...) GIDE, Journal, 7 janv. 1902. 2

Il y a des jours où j'ai envie de bazarder le pouvoir pour aller ouvrir une boutique à New York! 3
M. AYMÉ, la Tête des autres, IV, 5.

**DÉR. Bazardage, bazardeur.**

**BAZARDEUR, EUSE** [bazaʀdœʀ, øz] n. — 1883, Richepin; de *bazarder.*

Fam. Personne qui bazarde (qqch.). — Spécialt. Vendeur de bric-à-brac. → **Camelot.**

**BAZIN** [bazɛ̃] n. m. — D. i.; var. de *basin**.

Franç. d'Afrique. Tissu damassé, utilisé pour la confection de vêtements d'apparat. *Un boubou en bazin.* — On écrit aussi *basin.*

Daouda Dieng (...) résistait aux assauts répétés du temps et des activités. Un ensemble gris en bazin brodé l'habillait avec élégance; il était demeuré le même homme soigné (...) Sa réussite sociale le parait sans condescendance.
Mariama BÂ, Une si longue lettre, p. 87.

**BAZOOKA** [bazuka] n. m. — 1942; mot angl. des États-Unis, d'abord «espèce de trombone».

Anglic. Lance-roquettes antichar. *Tirer au bazooka.* → **Lance-roquettes.**

(...) des bazookas allemands embusqués dans les faubourgs venaient de nous mettre hors de combat deux half-tracks; un bataillon blindé du 11^e spahis vint nous soutenir. 1
Roger VAILLAND, Bon pied, bon œil, p. 36.

La Gestapo ne pouvait ignorer que Londres parachutait des bazookas depuis plus d'un mois. Donc il le savait, ou, plus exactement, le craignait. Or, dans la forêt, les chars ne peuvent être couverts que par de l'infanterie. Les divisions blindées allemandes disposaient d'infanterie portée; mais si elle restait dans les camions, elle ne protégeait pas les chars contre les bazookas (...) 2
MALRAUX, Antimémoires, Folio, p. 230.

**B. C. B. G.** [besebeʒe]

Abrév. de Bon chic* bon genre.

**B. C. G.** [beseʒe] n. m. — 1920, Calmette, *in* T. L. F.; sigle de *(Bacille) Bilié de Calmette et Guérin.*

Vaccin antituberculeux. *Le B. C. G. est une culture de bacilles bovins sur milieux contenant de la bile. Cet enfant a eu le B. C. G.*

**B. D.** [bede] n. f. — 1966, *in* D. D. L.; sigle de *bande dessinée.*

Fam. Bande dessinée. *Lire des B. D.* — On écrit aussi *bédé* (1974).

**BDELLIUM** [bdeljɔm] n. m. — Probablt XVI^e (attesté 1690, Furetière); mot lat., empr. au grec *bdellion* (francisé au XV^e en *bedelle*); cf. *bidellion* en angl., 1398.

Didact. Substance résineuse et balsamique provenant d'arbres exotiques (balsamodendron, commiphora, dits *baumiers*).

**Be** [beø] Symb. chimique du *béryllium.*

**BÉ** [be] ou **BÊ** [bɛ] interj. — Fin XIII^e, *bébé;* onomatopée.

Onomatopée imitant le bêlement. — REM. Nombreuses variantes graphiques, comme *béé...* (Nodier).

**BEACH-VOLLEY** [bitʃvɔlɛ] n. m. — 1992; empr. à l'angl. *beach volley* «volley de plage», de *beach* «plage», et *volley(-ball)*.

Anglic. Sports. Volley-ball qui se pratique sur une plage de sable ou une surface analogue, à deux équipes de deux joueurs. *Le beach-volley, discipline olympique depuis 1996. Tournoi de beach-volley masculin, féminin.* — Abrév. *beach* [bitʃ].

REM. L'équivalent français est *volley-ball* ou *volley de plage,* mais le terme consacré au niveau des rencontres internationales est *beach-volley.*

**BEAGLE** [bigl] n. m. → 2. **Bigle.**

**BÉANCE** [beɑ̃s] n. f. — V. 1200, «désir, intention», repris au XIXᵉ; de *béer.*

♦ **1** Vx ou littér. État de ce qui est béant, grand ouvert. «*Une béance énorme*» (Céline). — Par métaphore :

1 Telle est la blessure d'amour : une béance radicale *(aux «racines» de l'être),* qui n'arrive pas à se fermer, et d'où le sujet s'écoule, se constituant comme sujet dans cet écoulement même.
R. BARTHES, Fragments d'un discours amoureux, p. 224.

Fig. (didact.). Espace, ouverture.

2 La connaissance *(au XVIᵉ s.)* se logeait tout entière dans la béance d'un signe découvert ou affirmé ou secrètement transmis.
Michel FOUCAULT, les Mots et les Choses, p. 73.

♦ **2** (1865). Méd. État (d'un organe) qui présente, normalement, une ouverture. *Béance du larynx, d'une artère dilatée.*

**BÉANT, ANTE** [beɑ̃, ɑ̃t] adj. → **Béer** (cit. 9 à 15).

**BÉARNAIS, AISE** [beaʀnɛ, ɛz] adj. et n. — 1465, *byernois;* 1569, *Bearnois;* du lat. *Benearneuses,* de *Beneharnum* (fin IIIᵉ), nom de la commune de Lescar, étendu à la région.

♦ **1** Du Béarn, province de France. *Le béret, coiffure béarnaise. Dialecte béarnais.*

N. Personne originaire du Béarn. *Un Béarnais, une Béarnaise. — Le Béarnais :* Henri IV.

N. f. *À la béarnaise :* à la manière béarnaise.

Ils utilisaient un vocabulaire hautement technique, seuls mots étrangers que Félix fût parvenu à maîtriser, mais qu'il prononçait à la béarnaise (...)
Jean-Louis CURTIS, le Roseau pensant, p. 20.

N. m. Dialecte (occitan) béarnais.

♦ **2** *Sauce béarnaise,* ou (n. f.) *béarnaise :* sauce épaisse au beurre et aux œufs. — En appos. *Un tournedos béarnaise.*

♦ **3** N. f. Vx. Omnibus parisien (Hugo, *Choses vues,* 1885, *in* T. L. F.).

**BEAT** [bit] adj. invar. — V. 1966; mot angl. des États-Unis, p. p. de *to beat* «battre», dans *the beat generation.* → Beatnik.

Anglic. Qui concerne les beatniks*. *Le mouvement beat. Le phénomène beat. Gregory Corso, Allen Ginsberg, poètes beat. — La «beat generation»* [bitʒeneʀeʃœn] : mouvement essentiellement poétique qui se développa aux États-Unis après 1950, à partir de San Francisco.

N. *Les beat.*

HOM. **Bit, bite, bitte.**

**BÉAT, ATE** [bea, at] adj. — 1267, *beate,* adj. masc.; du lat. *beatus* «heureux».

♦ **1** (1553, Rabelais). Vx. Heureux, bienheureux.

Ô béats trois et quatre fois! 1
RABELAIS, le Tiers Livre, 4.

♦ **2** Mod. Qui exprime un contentement un peu niais, une tranquille satisfaction. → **Heureux, paisible, satisfait, tranquille.** *Air béat. Rêverie béate. Sourire béat.* → **Niais.**

Vous avez l'œil béat d'un bailli de province. 2
HUGO, les Châtiments, III, 12.

L'autre était sans doute arrivé au *plein-mer (sic; de la* 2.1
*rêverie),* car son sourire béat répondait : «Laisse ton ami tranquille (...) je n'ai plus rien à demander (...)»
BAUDELAIRE, les Paradis artificiels, «Du vin et du haschisch», II, Pl., p. 383.

(Sentiments). Satisfait, heureux et calme, serein (souvent péj.).

(...) Mᵐᵉ Verdurin que le docteur Cottard regardait avec 2.2
une admiration béate et un zèle studieux se jouer au milieu de ce flot d'expressions toutes faites.
PROUST, Du côté de chez Swann, L. de Poche, p. 254.

Péj. *Stupidité, niaiserie béate.*

*Une vie béate,* sans souci.

Cet infime fragment de vie béate, il *(Mathieu)* savait bien 3
qu'on le lui prêtait seulement, et qu'il faudrait le rendre tout à l'heure, mais il en profitait sans âpreté.
SARTRE, l'Âge de raison, XIV, p. 237.

♦ **3** Relig. Qui est ravi en Dieu, a ou croit avoir des visions, des extases. — N. (1680). *Un béat, une béate.* → **Béatitude.**

M. le cardinal de Noailles chassa de son diocèse Mˡˡᵉ Rose, 4
célèbre béate à extases, à visions, à conduite fort extraordinaire. SAINT-SIMON, Mémoires, II, 440.

Spécialt. Femme, membre de la congrégation de l'Instruction du saint Enfant Jésus, qui se consacrait à l'instruction des hameaux reculés du Velay.

Par ext. Vieilli. Personne qui affecte la dévotion, la pureté. → **Hypocrite, tartufe.** Loc. Vx. *Faire son béat, sa béate* (→ Sa sainte nitouche*).

Je renonce aux vers burlesques, aux romans comiques et 5
aux comédies, pour aller dans un pays où il n'y aura ni faux béats, ni filous de dévotion, ni inquisition, ni hiver qui m'assassine (...) SCARRON, Œuvres, t. I, p. 170.

(...) ces béats de philanthropie *(les Conventionnels)* faisaient 6
couper le cou à leurs voisins avec une extrême sensibilité, pour le plus grand bonheur de l'espèce humaine.
CHATEAUBRIAND, Mémoires d'outre-tombe, I, 7.

CONTR. **Inquiet.** ◊ DÉR. **Béatement, béatilles.** — (Du lat. *beatus*) **Béatifier, béatitude.**

**BÉATEMENT** [beatmɑ̃] adv. — 1860, Sainte-Beuve; de *béat.*

D'une manière béate. *Sourire béatement. Il contemplait béatement son assiette. Béatement installé dans un grand fauteuil.*

**BÉATIFIANT, ANTE** [beatifjɑ̃, ɑ̃t] adj. — Attesté XIXᵉ (*in* Littré); de *béatifier.*

Rare. Qui béatifie, donne la béatitude. «*Dieu seul est la fin béatifiante de l'homme* (pour les penseurs du moyen âge)» (P. Gilson, *in* T. L. F.).

**BÉATIFICATION** [beatifikasjɔ̃] n. f. — 1372; de *béatifier.*

♦ **1** Relig. Acte de l'autorité pontificale par lequel une personne défunte est mise au rang des bienheureux. *Prononcer la béatification.* → **Béatifier.** *La béatification peut être un préliminaire à la canonisation.*

1 La béatification diffère de la canonisation en ce que la personne béatifiée est un bienheureux et la personne canonisée un saint; ensuite, que dans la béatification le pape accorde à certaines personnes ou à un ordre religieux le privilège de rendre au béatifié un culte particulier; tandis que, dans la canonisation, il prescrit pour tous les fidèles le culte qui doit être rendu au canonisé.
LITTRÉ, Dict., art. *Béatification.*

2 Nous ignorions donc que notre église était née, aux siècles obscurs, d'un très vieil oratoire, humble et retiré, dédié après sa béatification au Languedocien saint Roch, protecteur des malades dans les temps de contagion (...)
Raymond ABELLIO, Ma dernière mémoire, t. I, p. 130.

♦ **2** Rare. Action de rendre heureux.

**BÉATIFIER** [beatifje] v. tr. — 1361, relig.; lat. chrét. *beatificare,* du lat. class. *beatus* «heureux» (→ Béat), et *facere* «faire».

♦ **1** (1565). Vx ou littér. Rendre heureux, bienheureux (→ **Béat**). *Cette nouvelle l'a béatifié* (Académie).

1 Le frisson savoureux de ce tiède refroidissement de l'air courait sur les membres, entrait dans les poumons, béatifiait le corps et l'esprit en leur immobilité.
MAUPASSANT, la Vie errante, p. 15.

Spécialt. Faire jouir du bonheur céleste.

2 Il *(Dieu)* viendra pour béatifier les pauvres (...)
BOURDALOUE, Deuxième jugement dernier, 2.

♦ **2** Mod. (Relig.). Déclarer, proclamer la béatification de (une personne), proclamer bienheureux. *Être béatifié.*

Par plaisanterie :

3 Péponas fils — car le père chargé d'ans et d'honneurs avait trépassé — fut décoré, pensionné, béatifié, statufié et embaumé. R. QUENEAU, le Chiendent, p. 211.

♦ **3** Rare. Mettre au rang des béatitudes. *Jésus-Christ a béatifié la pauvreté* (Hatzfeld).

DÉR. **Béatifiant, béatification.** — V. **Béatifique.**

**BÉATIFIQUE** [beatifik] adj. — 1450; lat. chrét. *beatificus,* de *beatus.* → Béat.

♦ **1** Relig. Qui rend bienheureux, procure la béatitude. *Vision béatifique :* extase que la contemplation de Dieu procure aux élus.

1 Ce pape *(Jean XXII)* ayant prêché que les saints ne jouiraient de la vision béatifique qu'après le jugement dernier (...) VOLTAIRE, Essai sur les mœurs, 68.

2 Et vous, chanoine, votre béatitude finale n'est point, dès lors qu'elle n'est pas cécité. Sinon, elle n'échapperait point à l'écho des grincements de dents qui montent des peines éternelles, à tel point que votre Jean XXII a nié que la vision béatifique pût commencer avant la disparition de ce monde.
P. KLOSSOWSKI, la Révocation de l'Édit de Nantes, p. 89.

♦ **2** Littér., rare. Qui rend béat, absolument heureux.

3 Ce n'étaient que soupirs profonds, sanglots, gémissements déchirants, torrents de pleurs. Le musicien épouvanté s'arrête, il se croit dans une maison de fous. Il s'approche de celui dont la béatitude faisait le plus de tapage (...). Un esprit positif, qui lui non plus n'avait pas goûté de la drogue béatifique *(le haschisch),* propose de la limonade et des acides. Le malade, l'extase dans les yeux, le regarde avec le plus indicible mépris (...)
BAUDELAIRE, les Paradis artificiels, «Du vin et du haschisch», IV, Pl., p. 391-392.

**BÉATILLES** [beatij] n. f. pl. — 1492; t. de modes v. 1500; de *béat.*

Vieux.

♦ **1** Ouvrages, menus objets confectionnés par les religieuses (→ Béates).

♦ **2** (1680). Vx. Petits abats (crête de coq, ris de veau, foie...), végétaux (champignons) dont on garnit les pâtés, les vol-au-vent.

*(Phébus)* n'a pas mangé de meilleurs pâtés de béatilles que ceux dont j'ai tâté tantôt (...) 1
SOREL, Francion, VI, p. 244, *in* LITTRÉ.

♦ **3** Fig., littér. Petits détails. → **Broutilles.**

(...) cette passion des béatilles, se retouve dans toute son œuvre *(de Suso).* HUYSMANS, En route, p. 355. 2

**BÉATITUDE** [beatityd] n. f. — V. 1265, B. Latini; lat. ecclés. *beatitudo,* rare en lat. class. «bonheur parfait», de *beatus* «heureux». → Béat.

♦ **1** Théol. Félicité parfaite dont jouissent les élus (→ **Bienheureux**). *Béatitude céleste, éternelle.* → **Gloire** (couronne de gloire, gloire éternelle).

(...) si l'homme n'avait jamais été que corrompu, il n'aurait aucune idée ni de la vérité, ni de la béatitude. 1
PASCAL, Pensées, t. II, p. 347.

(...) un avant-goût de la béatitude du ciel (...) 2
BOURDALOUE, Pensées, t. I, p. 376.

Des péchés véniels qui offensent Dieu à la vérité, mais ne l'irritent pas au point de nous priver de la béatitude (...) 3
MONTESQUIEU, Lettres persanes, 57.

Philos. Satisfaction constante et sans mélange. *«Pour Aristote, les stoïciens, Spinoza, la béatitude est l'état idéal du sage»* (*in* Lalande).

(Mil. XVII^e). Cour. Bonheur auquel rien ne semble manquer. → **Bien-être, bonheur, contentement, euphorie, extase, quiétude, satisfaction.** *Une expression, un air de béatitude* (→ **Béat**). *La béatitude de l'inconscience, de l'oubli. La digestion le plonge dans une douce béatitude. La béatitude que procure le haschisch.* → Béatifique, cit.3, Baudelaire.

En vous est mon espoir, mon bien, ma quiétude; 4
De vous dépend ma peine ou ma béatitude.
MOLIÈRE, Tartuffe, III, 3.

Un air de béatitude, avec un parler gras, lent et nasillard, faisait volontiers prendre sa physionomie *(de l'évêque de Châlons)* pour niaise (...) 5
SAINT-SIMON, Mémoires, 78, 15.

Dans ces climats chauds, les hommes n'imaginèrent point de plus grande béatitude que les ombrages et les murmures des eaux (...) 6
VOLTAIRE, la Princesse de Babylone, 4.

M. de Forbin était alors dans la béatitude; il promenait dans ses regards le bonheur intérieur qui l'inondait; il ne touchait pas terre. 7
CHATEAUBRIAND, Mémoires d'outre-tombe, II, 4.

C'était une béatitude indéfinie, un tel enivrement, qu'il en oubliait jusqu'à la possibilité d'un bonheur absolu. 8
FLAUBERT, l'Éducation sentimentale, II, VI.

Je rentre et m'enferme à travailler jusqu'au soir, dans un état si voisin de la béatitude que je ne souhaite pas mieux ici-bas. GIDE, Journal, 1912. 9

J'ai connu la joie, j'ai connu, pures ou impures, chargées de remords ou de bénédictions, beaucoup de nos joies humaines. Mais cette béatitude parfaite, miraculeusement détachée de toutes les entraves terrestres, je ne l'ai retrouvée qu'une fois. 10
G. DUHAMEL, Inventaire de l'abîme, III.

♦ **2** (1680). *Les huit béatitudes, les béatitudes évangéliques, les Béatitudes :* les huit vertus que Jésus-Christ a exaltées dans le sermon sur la montagne en nommant bienheureux ceux qui les pratiquent.

Cette pauvreté que Jésus-Christ a érigée en béatitude (...) 11
BOURDALOUE, Deuxième exhortation à la charité envers un séminaire, 1.

Dieu sait de quelles peccadilles tu te confessais : et il n'est pas une seule des Béatitudes dont tu n'aies passé ta vie à prendre le contre-pied! 12
F. MAURIAC, le Nœud de vipères, IX.

♦ **3** (1690). Vx. *Sa béatitude; Votre Béatitude :* titre honorifique donné au Souverain Pontife (→ Sainteté [sa]), à certains ecclésiastiques. — Mod. Titre honorifique donné à certains patriarches des églises d'Orient.

13 Le clergé romain (...) demandait la protection de sa béatitude *(du pape)* auprès du gouverneur (...)
VOLTAIRE, Essai sur les mœurs, 12.

14 Ces prélats de Jérusalem, si accueillants, auxquels on dit sans sourire : «Votre Grandeur», «Votre Béatitude», ou même «Votre Paternité Révérendissime» (...)
LOTI, Jérusalem, XVII, p. 201.

CONTR. **Malheur, infortune. — Angoisse, anxiété, douleur, inquiétude, peine, trouble.**

**BEATNIK** [bitnik] n. et adj. — 1959, *«Voici les beatniks», l'Express,* 21 mai 1959; mot amér., de *beat,* pour *beaten* «battu», et, en argot, «foutu, paumé», dans l'expression *the beat generation,* et suff. yiddish américain d'orig. slave *-nik,* suff. d'agent équivalent à «le type qui est, qui fait...».

♦ **1** Aux États-Unis. Membre d'un groupe intellectuel révolté et asocial.

♦ **2** (V. 1965). Jeune homme ou jeune fille révolté(e) contre la société bourgeoise et vivant d'expédients, sans domicile fixe. *Beatniks et hippies** (→ 5. **Baba**).

1 Mais quand vous avez dit le *mélange du préraphaélite et du beatnik*... alors là, je voulais vous arrêter, vous dire, voyons, les *beatniks* ça n'existait pas, il y a trente-trois, trente-quatre ans!
(...) les préraphaélites, qui sait aujourd'hui ce qu'ils furent? (...) Les comprendre ne se peut que par ce qui les a remplacés : car les beatniks *sont* les préraphaélites d'aujourd'hui (...) ARAGON, Blanche..., II, VII, p. 303-304.

Vieilli. Personne qui affecte un style négligé, indépendamment de son mode de vie ou de ses idées. → **Hippy.**

2 — Il est en beatnik, je suppose? murmura-t-elle.
— Non, il est parfaitement correct, sauf qu'il n'a pas de cravate.
Jean-Louis CURTIS, le Roseau pensant, p. 31.

♦ **3** Adj. Relatif aux beatniks. → **Beat.** *Style beatnik, mouvement beatnik. «Marginalité beatnik»* (*le Nouvel Obs.*).

**BEAU** [bo] ou **BEL** [bɛl] (devant un nom commençant par une voyelle ou un *h* muet, et dans quelques locutions), **BELLE** [bɛl] adj. et n. — 900, *bel;* du lat. *bellus* «joli».

**I** Adj. **A** (Au plan esthétique). Qui fait naître un sentiment d'admiration, souvent mêlé de plaisir, par des qualités d'équilibre, de proportion qui assurent, dans une norme sociale donnée, un effet d'appréciation esthétique positive. → (synonymes partiels ou intensifs) **Accompli, admirable, adorable, agréable, aimable, angélique, bellissime** (vx), **bien, bon, brillant, céleste, charmant, coquet, délicat, délicieux, distingué, divin, éblouissant, éclatant, élégant, enchanteur, esthétique, étonnant, exquis, fastueux, féerique, fin, fort, gent** (vx), **gentil, glorieux, gracieux, grand, grandiose, harmonieux, idéal, imposant, incomparable, joli, magique, magistral, magnifique, majestueux, merveilleux, mignon, mirifique, noble, nonpareil** (vx), **pareil** (sans), **parfait, piquant, plaisant, pur, radieux, ravissant, riche, sculptural, séduisant, somptueux, splendide, stupéfiant, sublime, superbe, supérieur**; fam. et pop. **bath, chic, chouette, épatant, extra, formidable, girond, hyper, pomme** (aux pommes), **rupin, super**; cf. argot *badour, baveau* (fém. bavelle), *bavour, lobé, schbeb, soua-soua* (formes souvent archaïques).

1 Mais elle était du monde où les plus belles choses
Ont le pire destin (...)
MALHERBE, Consolation à M. Du Périer.

Rien n'est beau que le vrai : le vrai seul est aimable. 2
BOILEAU, Épîtres, IX, à M. le marquis de Seignelay.

Il n'y a de beau que Dieu, et, après Dieu, ce qu'il y a de plus beau c'est l'âme, et après l'âme, la pensée, et après la pensée, la parole (...) Joseph JOUBERT, Pensées, II, 2. 3

La vue de tout ce qui est extrêmement beau, dans la nature et dans les arts, rappelle le souvenir de ce qu'on aime, avec la rapidité de l'éclair (...) Tout ce qui est beau et sublime au monde fait partie de la beauté de ce qu'on aime, et cette vue imprévue du bonheur à l'instant remplit les yeux de larmes. C'est ainsi que l'amour du beau et l'amour se donnent mutuellement la vie. 4
STENDHAL, De l'amour, XII, p. 66.

Un objet parfaitement beau comporte une parfaite simplicité qui, au premier moment, ne cause pas l'émotion que l'on ressent en présence de choses gigantesques, dans lesquelles la disproportion même est un élément de beauté. 4.1
E. DELACROIX, Journal, 7 sept. 1854, t. II, p. 440.

Rien de ce qui est beau n'est indispensable à la vie (...) Il n'y a de vraiment beau que ce qui ne peut servir à rien; tout ce qui est utile est laid (...) 5
Th. GAUTIER, Préface de Mlle de Maupin.

(Avec un inf. compl.). *Chose belle à voir, à contempler, à entendre.*

♦ **1** (Dans le domaine des perceptions visuelles et de leurs implications sensibles.)

**a** (En parlant des êtres humains). Qui plaît par son apparence physique. — Qui possède les caractères définis par une société comme étant ceux de la beauté physique. *Un beau corps, un beau physique, de belles formes.* → **Harmonieux, sculptural.** — (Personnes). *Une belle personne, un bel homme, un bel enfant. Être beau.* → **Fait** (bien fait, fait au moule, au tour, fait à peindre, à ravir...); **bien** (adj. et adv. : bien balancé (fam.), bâti, conformé, découplé, foutu (fam.), moulé, proportionné, roulé (fam.), tourné...). *Il n'est pas si beau que son frère. Elle est plus, moins belle que... Un bel enfant, un enfant beau et fort.* → **Amour, ange, bellot** (vx), **chérubin, cupidon.** *Un beau garçon, un bel homme.* → **Adonis, apollon, narcisse; archange.** *Un beau blond. Bonjour, beau blond, beau brun! Un beau type, un beau mec* (fam.). *Un beau ténébreux. Beau comme un astre*, comme un dieu*, comme le jour*. Une belle jeune fille, un beau brin* de fille. Une belle femme.* → **Beauté** (une beauté). *«Lorsque tu dormiras* (cit. 21), *ma belle ténébreuse»* (Baudelaire). *Belle comme un ange*, comme un cœur*, une déesse*, une nymphe*, une reine**... (→ Ambiance, cit. 1; appât, cit. 19; atour, cit. 5; attifement, cit. 2; attrait, cit. 8 et 16; auréole, cit. 8). *Jeune et belle. Vous êtes très belle! Devenir beau.* → **Embellir.** *Il n'est pas bien beau, pas trop beau, le pauvre. Elle n'est pas belle, mais elle a du charme.* Loc. prov. *Sois belle et tais*-toi.* — Fam. *Un beau gosse :* un bel homme. *Il est beau gosse.* — Appellatif. *Salut, beau gosse, beau môme, beau mec.*

La femme belle et insensée est comme un anneau d'or au museau d'une truie (...) 6
BIBLE (SACY), Proverbes, XI, 22.

(...) Et des amours, desquelles nous parlons 7
Quand serons morts, n'en sera plus nouvelle :
Pource aimez-moi, cependant qu'êtes belle.
RONSARD, Pièces retrouvées, t. VI, p. 249.

Il ne sert de rien d'être jeune sans être belle, ni d'être belle sans être jeune. 8
LA ROCHEFOUCAULD, Maximes, 497.

Hé bonjour, Monsieur du Corbeau. 9
Que vous êtes joli! que vous me semblez beau!
LA FONTAINE, Fables, I, 2.

Un homme qui s'aimait sans avoir de rivaux 10
Passait dans son esprit pour le plus beau du monde (...)
LA FONTAINE, Fables, I, 11.

Que le bon soit toujours camarade du beau, 11
Dès demain je chercherai femme;
Mais, comme le divorce entre eux n'est pas nouveau,

Et que peu de beaux corps hôtes d'une belle âme,
Assemblent l'un et l'autre point,
Ne trouvez pas mauvais que je ne cherche point.
LA FONTAINE, Fables, VII, 2.

12 Jamais couple ne fut si bien assorti qu'eux :
L'un bien fait, l'autre belle, agréables tous deux (...)
LA FONTAINE, les Filles de Minée.

13 Belle sans ornements, dans le simple appareil
D'une beauté qu'on vient d'arracher au sommeil.
RACINE, Britannicus, II, 2.

14 – Volontiers un bel homme est fat; je l'ai remarqué.
– Oh! il a tort d'être fat; mais il a raison d'être beau (...)
MARIVAUX, le Jeu de l'amour et du hasard, I, 1.

15 Les femmes extrêmement belles étonnent moins le second jour (...) STENDHAL, De l'amour, XX, p. 77.

16 La plus belle fille ne donne que ce qu'elle a (...)
A. DE MUSSET, Carmosine, III.

17 Il faut, il faut absolument que la femme soit gracieuse. Elle n'est pas tenue d'être belle. Mais la grâce lui est propre.
MICHELET, la Femme, p. 122.

18 Elle était encore très belle femme (...)
G. SAND, François le Champi, VII (→ Avenant, cit. 3).

19 Belle, oh! belle, les bras, la gorge, les épaules, d'un ambre fin, solide, sans tache ni fêlure (...)
Alphonse DAUDET, Sapho, III, p. 18.

19.1 Il s'écria :
– Permettez, une femme n'est vraiment belle que tard, lorsque toute son expression est sortie. Et développant cette idée que la première fraîcheur n'est que le vernis de la beauté qui mûrit, il prouva que les hommes du monde ne se trompent pas en faisant peu d'attention aux jeunes femmes dans tout leur éclat, et qu'ils ont raison de ne les proclamer «belles» qu'à la dernière période de leur épanouissement.
MAUPASSANT, Fort comme la mort, éd. 1889, p. 95.

19.2 Je me connais à lire l'âge dans les lignes physiognomoniques du front : il a seize ans et quatre mois! Il est beau comme la rétractilité des serres des oiseaux rapaces; ou encore, comme l'incertitude des mouvements musculaires dans les plaies des parties molles de la région cervicale postérieure; ou plutôt, comme ce piège à rats perpétuel, toujours retendu par l'animal pris, qui peut prendre seul des rongeurs indéfiniment, et fonctionner même caché sous la paille; et surtout, comme la rencontre fortuite sur une table de dissection d'une machine à coudre et d'un parapluie!
LAUTRÉAMONT, les Chants de Maldoror, VI, II, Pl., p. 224-225.

N. B. La fin de ce célèbre passage, reprise par les surréalistes, est souvent citée comme une description poétique de l'esthétique, en général.

19.3 Je la trouvais si belle que j'aurais voulu pouvoir revenir sur mes pas, pour lui crier en haussant les épaules : «Comme je vous trouve laide, grotesque, comme vous me répugnez!»
PROUST, Du côté de chez Swann, L. de Poche, p. 171.

(En parlant des différents aspects du corps). *Un beau visage** (→ Aimable, cit. 2; attentif, cit. 6). *De beaux traits. Une belle tête. Il a une belle gueule. De belles épaules, de beaux bras. Vénus aux belles fesses.* → **Callipyge.** *Il, elle a de très beaux yeux.*

20 Ah! beau poil! belle tête! (...) ah! beau petit nez (...) belles petites menottes! petits ongles bien faits (...)
MOLIÈRE, Second intermède de la Princesse d'Élide, 2.

21 Belle tête *(un buste)* dit-il, mais de cervelle point (...)
LA FONTAINE, Fables, IV, 14.

Fig. *Pour les beaux yeux de qqn :* simplement pour lui plaire, sans attendre de lui aucune récompense, aucun profit. → **Gratuitement** (→ Œil, cit. 22, 23). → Pour la beauté (*supra* cit. 17) du geste.

22 J'étais réduit (...) à vous servir sans plus pour vos beaux yeux (...) LA FONTAINE, Contes, «Richard Mirutolo».

*De belles dents* (→ Humeur, cit. 37). Loc. fig. *À belles dents. Manger, dévorer, à belles dents,* avec un appétit vorace. *Déchirer qqn, la réputation de qqn à belles dents,* avec une sorte d'acharnement cruel, de satisfaction mauvaise.

Je le déchirerais, le traître, à belles dents (...) 23
SCARRON, Jodelet, II, 7.

(...) des bédouins mangeant avec leurs doigts (...) déchiquetant, à belles dents blanches, d'immondes débris de poulets. LOTI, Jérusalem, XVI, p. 195. 24

Fig., fam. *Cela vous fait, cela vous fera une belle jambe :* vous en êtes, vous en serez bien avancé. → **Jambe** (cit. 21, 22).

(Le subst. désignant une action, une qualité...). *Il a un très beau sourire. – Un beau port, une belle prestance :* une allure majestueuse. *De belles façons.*

Grand, avec une belle tournure, un visage pensif et fin aux longues moustaches blondes (...), il était aux yeux de ma famille, qui le citait toujours en exemple, le type de l'homme d'élite (...) 24.1
PROUST, Du côté de chez Swann, éd. L. de Poche, p. 82.

En fonction adverbiale. **PORTER BEAU :** porter bien sa tête, en parlant du cheval. Fig. Avoir un port de tête prétentieux. *Cet homme porte beau.* – Avoir belle allure. *Cette femme, quoique déjà sur le retour, porte encore beau* (Académie).

Il se montre tel que je l'ai vu toujours, portant beau, soigneux de sa parole. GIDE, Journal, 1906. 25

Loc. **LE BEAU SEXE :** les femmes. → **Deuxième, faible, féminin; sexe** (absolt *le sexe*).

*Mon bel ami, ma belle amie, ma belle enfant,* termes d'affection. *Bel ami :* surnom du héros de Maupassant, dans le roman qui porte ce titre. – (Pour évoquer le moyen âge). *Mon bel ami. Beau doux ami.*

Belle amie, ainsi est de nous; 26
Ni vous sans moi, ni moi sans vous!
Marie DE FRANCE, Poésies, «Lai du chèvrefeuille», 1160-1180.

Sa figure resplendit et ce fut en sautant de joie qu'elle me répondit : 26.1
– Demain, comptez-y, mon bel ami, mais je ne viendrai pas!
PROUST, Du côté de chez Swann, L. de Poche, p. 487.

Vx. *Belle amie :* bonne amie*.

Fam. (souvent iron.). Bien habillé, bien vêtu. → **Chic, élégant.** *Un beau monsieur, une belle dame. Se faire beau.* → **Attifer** (s'), **endimancher** (s'). *Vous êtes bien beau, ce matin!*

(Avec un substantif désignant collectivement une catégorie sociale). **LE BEAU MONDE :** la société élégante, brillante, distinguée. *Les gens du beau monde.* → Canaille, cit. 12.

Me voilà tout à coup jeté parmi le beau monde (...) 27
ROUSSEAU, les Confessions, V.

Une heure avant l'ouverture des débats, il y avait du beau monde dans la grande salle des Assises, beaucoup de jolies femmes rivalisant d'élégance, même quelques vedettes de la scène, feignant de vouloir rester anonymes (...) 27.1
René FLORIOT, La vérité tient à un fil, p. 201.

Fam. (même valeur). *Il y a du beau linge,* des gens élégants.

*Être beau de... :* être rendu impressionnant, admirable à voir, par... *Il était beau d'indignation, de dévouement.*

(En parlant des animaux). *Un beau cheval. Belle bête! Il a un très beau lévrier.*

(...) n dogue aussi puissant que beau (...) 28
LA FONTAINE, Fables, I, 5.

Viens, mon beau chat, sur mon cœur amoureux (...) 28.1
BAUDELAIRE, les Fleurs du mal, XXXIV, «Le chat».

**b** En parlant des choses inanimées, des spectacles de la nature (→ Grandiose, harmonieux, pittoresque, riant...), ou des éléments créés par l'homme dans l'aménagement de la nature (édifices, jardins) → Artistique, esthétique, monumental... *Un beau paysage. Une belle nature. Un beau jardin. Mon beau village. De beaux monuments. Cette ville n'est pas belle. Cette banlieue n'est pas bien belle. Il habite un bel endroit, un beau coin.*

29 Puisque les fleurs sont le plus pur et le plus bel ouvrage de la terre (...) VOLTAIRE, Lettres, 73.

30 Et ces palais si grands, si beaux, si bien dorés ? LA FONTAINE, Fables, III, 8.

Loc. *Les beaux quartiers :* les quartiers riches (d'une grande ville). — Titre d'un roman d'Aragon.

(En parlant d'objets naturels). Particulièrement conforme aux critères d'appréciation, dans son genre. *Une belle pomme rouge. Un beau rôti, une belle salade.*

Régional (emploi adverbial). *Montrer beau :* avoir belle apparence. *«La vigne montrait beau»* (P. Hamp).

(En parlant d'objets fabriqués, de lieux aménagés...). *Un bel appartement. Cet appartement est beau, plus beau que le mien. Une belle pièce,* vaste, de proportions harmonieuses. — (Vêtements). *De beaux habits. Une belle robe. Il a mis son beau costume, son plus beau costume.* → ci-dessus Se faire beau. — (Objets). *Un beau meuble. Une très belle commode Louis XV. Un bel objet fonctionnel.* — (Œuvres d'art). *Un beau tableau, un très beau film. Une belle fresque. «Comme un beau cadre ajoute à la peinture...»* (Baudelaire).

30.1 (...) dans tous les châteaux en Espagne de sa jeunesse, il s'était dit qu'aucune dame comme il faut ne daignerait lui parler que quand il aurait un bel uniforme. STENDHAL, le Rouge et le Noir, éd. A. Colin, p. 30.

30.2 Il se sentait, à considérer ses brillantes amitiés, le même appui hors de lui-même, le même confort qu'à regarder les belles terres, la belle argenterie, le beau linge de table, qui lui venaient des siens. PROUST, Du côté de chez Swann, L. de Poche, p. 371.

30.3 À quelques boutiques de là, un choix presque électif se porta pour moi sur une grande cuiller en bois, d'exécution paysanne, mais assez belle, me sembla-t-il, assez hardie de forme (...) A. BRETON, l'Amour fou, Folio, p. 43.

(Qualifiant un substantif abstrait qui désigne un effet visuel). *Un beau rapport de formes, de couleurs. On a une belle vue, de chez vous.*

31 Sous la lumière crue, le sable jaune vif et la mer violette formaient le plus beau des contrastes. A. MAUROIS, Ariel..., p. 349.

31.1 Aussi la couleur que nous pouvons dire vraiment belle, c'est-à-dire qui sans avoir besoin de raisonner nous remplisse d'une sorte de rêve heureux, ce n'est pas celle de l'or, ce n'est pas celle des belles étoffes, ce n'est pas même celle des pierres précieuses, de l'améthyste ou de l'opale. Non c'est celle de toute chose à l'ombre, fût-ce au fond d'une pauvre chambre, sur laquelle le soleil donne (...) PROUST, Jean Santeuil, Pl., p. 299.

REM. *Beau* peut qualifier des objets concrets et ne faire allusion qu'à une impression subjective positive, due aux circonstances, au contexte psychologique. *Être beau pour qqn, aux yeux de qqn.*

31.2 (...) il sentirait palpiter partout la possibilité de sa brusque apparition : dans la cour du château, devenu beau pour lui parce que c'était à cause d'elle qu'il était allé le voir (...) PROUST, Du côté de chez Swann, L. de Poche, p. 351.

31.3 J'aurais voulu prendre dès le lendemain le beau train généreux d'une heure vingt-deux dont je ne pouvais jamais sans que mon cœur palpitât lire (...) l'heure de départ (...) PROUST, Du côté de chez Swann, L. de Poche, p. 460.

♦ **2** (En parlant du temps). Clair et dégagé. → **Radieux, splendide ; calme, ensoleillé, limpide, paisible, pur, serein.** *Un beau temps chaud, un temps beau et chaud. — Avoir beau temps. Il fait beau temps.* — Ellipt. *Il fait beau. En hiver, dans cette région, il fait souvent beau mais très froid. Il ne fait pas beau, il fait moins beau qu'hier.* — N. m. *Le baromètre* est au beau, au beau fixe. Le temps se met, se remet au beau.* → **Éclaircie, embellie.** Fig. *Avoir le moral au beau fixe.*

J'ai peur que (...) je ne puisse achever cette lettre que dans huit jours, auquel temps peut-être le ciel se sera remis au beau. RACINE, Lettres. 32

De même il disait : «Un beau temps» dans le même sens que le jardinier qui craint la pluie et pour qui tout ce qui l'annonce est laid, qui ne connaît pas la beauté d'un vilain temps. Il n'aurait trouvé aucune beauté à la pluie, à un ciel orageux, à un jour gris, à un ciel couvert (...) PROUST, Jean Santeuil, Pl., p. 868. 32.

Oui, un jour qu'il fera beau, j'irai en voiture jusqu'à la porte du parc. PROUST, Du côté de chez Swann, L. de Poche, p. 172. 32.

Loc. *Le grand beau temps.* — Régional. *Le grand beau.*

Loc. *Parler de la pluie* et du beau temps. — Faire la pluie* et le beau temps.*

Prov. *Après la pluie*, le beau temps.*

Fig. *Il fera beau, il fera beau temps quand je ferai cela :* je ne le ferai jamais (→ Aux calendes* grecques, à la saint-glinglin, etc.).

*Un beau jour, de beaux jours,* où le temps est beau. (→ Ainsi, cit. 22 ; 1. air, cit. 7 ; été, cit. 4 ; fin, cit. 23). *Un beau mois de septembre. Les beaux jours, la belle saison,* où le temps est habituellement beau, le printemps, l'été. *Le Bel Été,* roman de Pavese (trad. de l'ital.). Fig. Agréable, plaisant. *Par un beau matin, par une belle soirée d'été. De beaux jours de fête. Le souvenir d'un si beau jour. Les beaux jours* de la jeunesse.* → **Favorable, heureux.** *Oh, les beaux jours,* pièce de S. Beckett. *Il a gâché ses plus belles années.*

Nous répétions ces strophes si simplement rythmées, avec les hiatus et les assonnances du temps ; amoureuses et fleuries comme le cantique de l'Ecclésiaste ; — nous étions l'époux et l'épouse pour tout un beau matin d'été. NERVAL, les Filles du feu, «Sylvie», VI. 32.

*Le bel âge* (cit. 33, 34). — *Un bel âge :* un âge avancé. *Il a atteint un bel âge.*

Fig. *Un beau jour*, un beau matin** (cit. 19) : un jour quelconque. → **Certain** (certain jour), **inopinément.**

(...) un beau jour, après boire (...) LA FONTAINE, Contes, «Mazet de Lamporechio». 33

Un jour, un beau jour. On dit comme ça, un *beau* jour, ça n'a pas de rapport avec la douceur de l'air, cette beauté-là. On meurt un beau jour, un beau jour la femme qu'on aime nous quitte. Beauté d'ironie ou de rien penser. Un *beau jour,* j'ai dit, cela vous échappe (...) ARAGON, Blanche..., III, I, p. 350. 33.

Loc. *À la belle étoile* :* en plein air.

La nuit m'ayant surpris dans un endroit où il n'y avait aucune habitation, il fallut me résoudre à coucher à la belle étoile (...) A.-R. LESAGE, Estevanille Gonzalès, 46. 34

(En parlant de la mer). Calme, sans vagues. *On sortait le canot quand la mer était belle.* — Mar. *Mer belle,* dont les vagues ne dépassent pas 0,5 mètre. *Mer belle à peu agitée.*

En parlant de la durée. Vieilli. *Il y a bel âge,* (vx) *il y a beau jour.* Mod. *Il y a beau temps, belle lurette* :* il y a longtemps.

(...) il y a bel âge qu'on les emporta dans une clinique. G. DUHAMEL, Scènes de la vie future, VI. 35

♦ **3** (En parlant de l'esprit, des qualités intellectuelles). Susceptible de produire des effets, des œuvres remarquables ; d'une grande qualité. *Un beau génie, un beau talent, une belle intelligence.* → **Brillant, élevé, grand, haut, profond.**

Vx (langue class.), littér. ou iron. **BEL ESPRIT** (→ **Esprit**, cit. 130 à 132) : personne dont l'esprit est orné de connaissances agréables. → **Cultivé, distingué.** Iron. *Faire le bel esprit :* avoir des prétentions à l'esprit. *Tous ces beaux esprits sont mortellement ennuyeux. Une femme bel esprit. Des assemblées de beaux esprits.*

36 Un pédant qu'à tous coups votre femme apostrophe
Du nom de bel esprit, et de grand philosophe (...)
MOLIÈRE, les Femmes savantes, II, 9.

37 Il y a eu de tout temps de ces gens d'un bel esprit et d'une agréable littérature (...)
LA BRUYÈRE, les Caractères, XVI, 9.

38 Ascagne est statuaire (...) et Cydias bel esprit, c'est sa profession. LA BRUYÈRE, les Caractères, V, 75.

39 Une femme bel esprit est le fléau de son mari, de ses enfants, de ses amis, de ses valets, de tout le monde.
ROUSSEAU, Émile, V.

(En parlant des disciplines et des productions intellectuelles, esthétiques). *Les beaux-arts.* → **Art, beaux-arts.** *Les belles-lettres.* → **Lettre.** *Un beau plan. Une belle invention. Une belle pensée, une belle expression, une belle phrase. Un beau vers. Un beau style. Un beau discours, très émouvant. Une belle page. Une belle œuvre. Un beau sujet. Raconter à qqn de belles histoires, faire un beau récit.*

39.1 Dans certaines dispositions, on trouve extraordinairement beaux des vers, qui au bout de quelques heures, ou de quelques instants, sont reconnus détestables. C'est qu'on a rêvé. VALÉRY, Tel quel, II, Idées/Gallimard, p. 92.

39.2 Une œuvre très belle est celle qui pendant un temps donne l'impression d'être l'unique objet, — l'indispensable, le véritable. Et plus ce temps est grand, plus elle est belle. Mais je sais qu'il est toujours fini.
VALÉRY, Cahiers, t. II, Pl., p. 925.

Spécialt (langue class.). *Le bel usage :* l'usage du langage considéré comme le meilleur, esthétiquement. *Le bel usage et le bon usage. Le beau langage.*

40 Je vis de bonne soupe, et non de beau langage (...)
MOLIÈRE, les Femmes savantes, II, 7.

41 (...) Racine n'a rien fait de plus beau ni de plus touchant; il y a une prière d'Esther pour Assuérus qui enlève (...)
M^me^ DE SÉVIGNÉ, 512.

42 L'œuvre qu'on portait en soi paraît toujours plus belle que celle qu'on a faite.
Alphonse DAUDET, Contes du Lundi, II, 7.

(En parlant des perceptions auditives et des arts du temps, en général). *Un beau son cristallin.* — (Arts musicaux). *Un beau morceau de musique. Un beau livret d'opéra. Une belle sonate. Une belle interprétation.* — (Spectacles). *Un beau rôle.*

Vieilli (en parlant des personnes; des instruments de l'art assimilés au créateur de l'œuvre). → **Habile.** *Un beau parleur* (iron.); *un beau cavalier* (→ **Bon**). Vx. *Un beau mangeur* (→ **Gros**). *Un beau pinceau :* un bon peintre. *Une belle plume :* un bon écrivain. — REM. Dans ce type d'emploi, *beau* peut qualifier l'action qui produit l'œuvre (ci-dessous cit. 43), le caractère, l'aspect de l'œuvre considéré comme positif (cit. 44), un élément textuel (cit. 45) et la personne qui en est la source (cit. 46).

43 Aussitôt je triomphe; et ma muse en secret
S'estime et s'applaudit du beau coup qu'elle a fait.
BOILEAU, Satires, VII.

44 Chez elle *(l'Ode)* un beau désordre est un effet de l'art.
BOILEAU, l'Art poétique, II, 72.

45 Un discours qui paraît trop beau met l'auditeur en défiance. FÉNELON, Dialogue sur l'éloquence, 3.

46 L'affectation de style dans le langage et dans la conversation, est un vice assez ordinaire aux gens qu'on appelle beaux parleurs (...)
D'ALEMBERT, Mélanges littéraires, 1 t. III, p. 152.

Spécialt. *Les beaux noirs :* les effets de style dramatiques (Valéry, parlant de Pascal). — REM. Qualifiant un nom désignant un fait de langage (discours ou contenu du discours), *beau* peut avoir une valeur à la fois esthétique et morale ou psychologique. *C'est une bien belle histoire.* → **Émouvant, sublime** (→ ci-dessous le sens B).

Swann racontait à Odette comment il avait été amoureux de cette petite phrase. Quand M^me^ Verdurin, ayant dit d'un peu loin : «Eh bien! il me semble qu'on est en train de vous dire de belles choses, Odette», elle répondit : «Oui, de très belles» et Swann trouva délicieuse sa simplicité. 46.1
PROUST, Du côté de chez Swann, Pl., t. I, p. 212.

**B** (Au plan moral ou psychique). ♦ **1** Qui suscite une appréciation positive par ses caractères éthiques. → **Admirable, digne, élevé, estimable, généreux, grand, haut, honorable, juste, magnanime, magnifique, noble, pur, saint, sublime, vertueux.** *Une belle âme*. Un beau caractère. Un beau naturel. De beaux sentiments. Une belle vie. Une belle mort. Une belle action. Un beau destin. De beaux faits.* → **Glorieux.** *Un beau geste. Un beau sacrifice. Il est beau de pardonner. Une belle passion, une belle ardeur, un beau désespoir.*

(...) Ou qu'un beau désespoir alors le secourût. 47
CORNEILLE, Horace, III, 6.

Là, si tu veux mourir, trouve une belle mort (...) 48
CORNEILLE, le Cid, III, 6.

Est-il un plus beau sacrifice? Est-il une abnégation de soi-même et une mortification plus parfaite? 49
BOURDALOUE, Pensées, t. III, p. 153.

Il est bon, il est beau, quoi qu'on en dise, que toutes nos actions soient pleines de Dieu, et que nous soyons sans cesse environnés de Dieu (...) 50
CHATEAUBRIAND, le Génie du christianisme, III, 5, 6.

Elle est belle, cette religion! elle approche le cœur de la justice. CHATEAUBRIAND, les Martyrs, VIII. 51

Ceux qui pieusement sont morts pour la patrie 52
Ont droit qu'à leur cercueil la foule vienne et prie.
Entre les plus beaux noms leur nom est le plus beau.
HUGO, les Chants du crépuscule, III, «Hymne».

Décidément rien n'est beau comme la noblesse de l'âme; beau, non, il faudrait dire : sublime. 53
GIDE, Journal, 23 juin 1891.

Le cœur humain, beau comme un sismographe. 53.1
A. BRETON, Nadja, L. de Poche, p. 186.

Digne d'envie (ou de regret), autant que d'admiration.

Mourir pour la patrie, 54
C'est le sort le plus beau, le plus digne d'envie.
ROUGET DE LISLE, Roland à Roncevaux (1792; vers repris par A. DUMAS dans le Chant des Girondins, inclus dans son drame Le Chevalier de Maison-Rouge, 1847).

Pendant la vie le bonheur peut avoir son mérite; après la mort il perd son prix; aux yeux de l'avenir, il n'y a de beau que les existences malheureuses. 55
CHATEAUBRIAND, Mémoires d'outre-tombe, IV, 7.

Ô Corse à cheveux plats, que ta France était belle 56
Au grand soleil de messidor!
A. BARBIER, Iambes, «L'idole».

Il est naturel et absurde de regretter les belles choses qui ne se sont pas faites (...) VALÉRY, Variété I, p. 85. 57

♦ **2** (Généralement en emploi négatif). Qui est socialement apprécié, correspond au code social (en parlant d'un comportement, d'une action). → **Bien, bienséant, convenable, correct, honnête, poli.** *Il n'est pas beau de se vanter ainsi.* Fam. (notamment en parlant aux enfants). *Les enfants ne doivent pas parler la bouche pleine, cela (ça) n'est pas beau. C'est pas beau, ça!*

Oui, nos laquais : et cela n'est ni beau ni honnête de nous les débaucher comme vous faites. 58
MOLIÈRE, les Précieuses ridicules, 15.

Loc. *Le bel air.* → 2. **Air** (cit. 17 à 19). — *Les belles manières.*

*Beau joueur** : personne qui sait perdre au jeu, de bonne grâce.

♦ **3** Qui a des qualités, des agréments. → **Heureux; agréable, avantageux, bon, favorable, florissant, prospère.** *Une belle santé*, une belle vieillesse* (→ **Fort, robuste, vigoureux).** *Belle humeur* (cit. 41 à 43). → **Gai, enjoué.** — *Une belle entreprise. De belles aventures.* → **Intéressant, passionnant.** *Un beau voyage* (→ Âge, cit. 2). *De beaux résultats. De belles espérances. Une belle situation. Un beau parti. Ce serait trop beau.* → **Magnifique.** *Une belle occasion.* → **Propice.** *Un beau jour, une belle journée* (peut être ambigu avec le sens A, 2). *«Le vierge, le vivace et le bel aujourd'hui»* (Mallarmé). *C'était la belle époque!* → **Bon** (le bon temps). Spécialt. *La Belle Époque*.* — *Avoir le beau rôle. Ne voir que le beau côté des choses. C'est trop beau pour être vrai. Avoir la belle vie.* → Vie de château*. *Dormez bien, faites de beaux rêves.* Prov. *Tout nouveau* tout beau.* — *Chose belle à contempler, à voir.*

59 Jamais l'occasion ne s'offrira si belle (...)
CORNEILLE, Héraclius, II, 2.

60 Ne vous arrêtez pas en si beau chemin (...)
BOSSUET, Bén., 2.
REM. On dirait aujourd'hui : en si bon chemin.

61 Les richesses ne sont belles à amasser que pour les dépenser facilement ensuite. GIDE, Journal, 1902.

62 Bonaparte était cependant trop avisé pour se dissimuler les périls de sa situation, qui, si belle, n'en était que plus dangereuse.
Louis MADELIN, Hist. du Consulat et de l'Empire, t. II, 15.

63 (...) ce serait vraiment trop beau, ce serait aussi trop simple.
G. DUHAMEL, Chronique des Pasquier, VI, 5.

63.1 (...) elles me firent connaître une aussi belle espérance que pouvait en nourrir un chrétien des premiers âges à la veille d'entrer dans le paradis.
PROUST, À la recherche du temps perdu, t. I, L. de Poche, p. 466.

Fig. *Présenter une chose sous un beau jour,* sous un aspect favorable, avantageux, séduisant.

64 Ce qui a le plus contribué à sa réputation est de savoir donner un beau jour à ses défauts (...)
LA ROCHEFOUCAULD, Portrait du cardinal de Retz.

**BEAU JEU.** Aux cartes, *Avoir un beau jeu,* des cartes maîtresses dans son jeu (→ **Atout).** Fig. *Avoir beau jeu de... :* avoir la partie belle, l'avantage dans la discussion, etc., de sorte qu'il est aisé de triompher. *Donner, prêter beau jeu.*

65 Mais surtout leur *(aux hommes étonnés de leur fortune)* prête beau jeu le parler obscur, ambigu et fantastique du jargon prophétique (...) MONTAIGNE, Essais, I, 11.

66 L'indifférence d'un paysage nous donne beau jeu pour le mépriser. COCTEAU, le Grand Écart, III.

♦ **4** Qui suscite une appréciation positive par ses dimensions considérables, sa force, son intensité... → **Considérable, fort, grand, gras, gros, important.** *Une belle prise, un beau poulet, un beau lièvre. Une belle somme d'argent* (→ **Coquet).** — Iron. *Une belle correction, une belle gifle* (→ **Magistral).** — *Un beau coup de fourchette. Un bel appétit. Un bel héritage. Un beau coup de filet.*

67 Je ferai beau bruit (...)
MOLIÈRE, le Dépit amoureux, V, 9.

68 *(Il)* Marque entre cent moutons le plus gras, le plus beau (...) LA FONTAINE, Fables, II, 16.

*Un bel homme, une belle femme,* de grande taille, bien en chair. *Elle est belle femme.* — REM. Cet emploi est ambigu avec le sens I, A, 1.

♦ **5** Par iron. → **Mauvais, vilain; joli** (5.). *Une belle congestion pulmonaire. Vous avez fait du beau travail, de belles affaires!* (→ Affaire, cit. 79). *Nous sommes dans de beaux draps*!* (cit. 5 et 6). *Voyez ce bel assemblage!* → **Bizarre, comique, curieux, drôle, étrange.** *De beaux discours, de belles paroles.* → **Faux; fallacieux, trompeur.** *Un beau Monsieur, votre ami!* — Fam. *C'est un beau salaud, une belle vache.* → ci-dessous la valeur intensive, 6. *C'est une belle saloperie, une belle merde, son bouquin!*

Si ce beau Monsieur-là n'y daigne consentir? 69
MOLIÈRE, Tartuffe, I, 1.

— Croyez-vous que l'habit m'aille bien? 70
— Belle demande! (...)
MOLIÈRE, le Bourgeois gentilhomme, II, 5.

Acclimater chez nous ces utopies, ce serait préparer un beau gâchis! 71
MARTIN DU GARD, les Thibault, VIII, p. 256.

Quelle faiblesse, s'écria M. Sandré. Vous donnez à cet enfant de belles habitudes. 71.1
PROUST, Jean Santeuil, Pl., p. 204.

Verdurin! Quel nom! Ah! on peut dire qu'ils sont complets, qu'ils sont beaux dans leur genre! Dieu merci, il n'était que temps de ne plus condescendre à la promiscuité avec cette infamie, avec ces ordures. 71.2
PROUST, Du côté de chez Swann, Pl., t. I, p. 288.

*La belle affaire!* → **Affaire** (cit. 50).

Vx. *De belle sorte, de la belle manière :* sans aucun ménagement. *Il l'a arrangé de la belle manière.*

Monsieur le Marquis (...) vous bourre de la belle manière. 72
MOLIÈRE, Critique de l'École des femmes, 6.

Le préfet s'est avisé d'y trouver à redire; là-dessus nous l'avons mené de la belle manière (...) 73
P.-L. COURIER, Pamphlets politiques, Deuxième lettre particulière.

*Tout cela est bel et bon,* sans doute vrai, mais peu satisfaisant. → **Bon** (cit. 102).

Monsieur, tout cela est bel et bon; mais j'en reviens toujours là : 74
Je vous conseille (...)
MOLIÈRE, le Malade imaginaire, I, 5.

Ellipt, fam. **DE BELLES.** *Il en a fait de belles* (sous-entendu *sottises*). — *En faire voir de belles à qqn* (des choses extravagantes ou pénibles). *En conter, en dire, en faire, en voir de belles* (des choses incongrues ou stupéfiantes). *En dire de belles sur qqn :* en dire pis que pendre (→ **Débiner,** fam.). *En apprendre de belles.*

(...) Il va nous en conter de belles. 75
MOLIÈRE, George Dandin, III, 7.

(...) sale bête de malheur! Ah bien! c'est signe que nous en verrons de belles! 76
LOTI, Mon frère Yves, LXVI, p. 154.

Descendez!... j'ai du nouveau... je viens d'en apprendre des belles sur le receveur! 76.1
E. LABICHE, Un monsieur qui a brûlé une dame, 1.

Vx. *La donner belle.* Au jeu de paume, Envoyer une balle facile à reprendre. — Mod. (fig., iron.). **VOUS ME LA DONNEZ, VOUS ME LA BAILLEZ BELLE :** vous voulez m'en faire accroire, me tromper. → **Bailler** (cit. 3), **moquer** (se moquer du monde).

Cet inconnu, dit-il, nous la vient donner belle 77
D'insulter ainsi notre ami (...)
LA FONTAINE, Fables, XII, 2.

**L'ÉCHAPPER BELLE.** Vx. Au jeu de paume, Manquer une balle bien lancée. — Mod. (fig., iron.). Échapper de justesse à un danger. → **Échapper.**

Nous l'avons en dormant, madame, échappé belle. 78
MOLIÈRE, les Femmes savantes, IV, 3.

Vx. *L'avoir belle :* au jeu de paume, avoir une belle balle. — Vx. Par ext. *L'avoir beau :* avoir une occasion favorable.

Prov. *A beau mentir* qui vient de loin.*

Mod. **AVOIR BEAU** (suivi de l'inf.) : s'efforcer en vain de. *Vous avez beau faire, c'est inévitable. On a beau dire, il a du mérite.*

79 La mort a des rigueurs à nulle autre pareilles;
On a beau la prier,
La cruelle qu'elle est se bouche les oreilles,
Et nous laisse crier (...)
MALHERBE, Consolation à M. Du Périer.

80 Crois que dorénavant Chimène a beau parler,
Je ne l'écoute plus que pour la consoler.
CORNEILLE, le Cid, IV, 3.

81 Il aurait beau faire et beau dire, je ne lui ordonnerais pas la moindre petite saignée, le moindre petit lavement, et je lui dirais : Crève, crève, cela t'apprendra une autre fois à te jouer de la Faculté (...)
MOLIÈRE, le Malade imaginaire, III, 3.

82 J'avais beau vouloir faire bon visage au réveillon, tout ce que je mangeais s'arrêtait à ma gorge (...)
Alphonse DAUDET, le Petit Chose, p. 357.

83 Et la rafale avait beau souffler (...) secouer et inonder la barque, la chanson du douanier allait son train, balancée comme une mouette à la pointe des vagues.
Alphonse DAUDET, Lettres de mon moulin, «Les douaniers».

84 Nous avons beau faire, nous ne pouvons pas être absolument naturels (...)
Valery LARBAUD, Amants..., p. 135.

84.1 (...) je savais qu'il avait beau pleuvoir, demain, au-dessus de la barrière blanche de Tansonville, onduleraient, aussi nombreuses, de petites feuilles en forme de cœur (...)
PROUST, Du côté de chez Swann, L. de Poche, p. 183.

Littér. *Il fait beau* (suivi d'un inf.) : il est agréable, il est réconfortant de. — Plus cour. (suivi de *voir*). *Il fait beau voir un pareil dévouement.* — Fig., iron. **IL FERAIT BEAU VOIR :** il serait incroyable, curieux, comique; et, par ext., vraiment trop commode, trop facile, on serait mal venu de... (→ Il ne manquerait plus que...). *Il ferait beau voir que* (et subj.) → Faire, cit. 209.

85 Il nous ferait beau voir, attachés face à face
À pousser les beaux sentiments!
MOLIÈRE, Amphitryon, I, 4.

86 Cependant il ferait beau voir une province entière, effrayée des dangers de la société, se disperser dans les forêts.
DIDEROT, Pensées philosophiques, VI.

87 Il fait beau croire aux prodiges lorsque les prodiges nous arrangent et lorsque les prodiges nous dérangent, il fait beau ne plus y croire (...)
COCTEAU, la Machine infernale, p. 160.

Loc. régionale (Suisse). *Être beau :* être dans une mauvaise situation. → Être bon* (fam.), être dans de beaux draps*.

♦ **6** (Intensif). *Se démener comme un beau diable. Une belle menteuse. Un bel égoïste.* — Vx. *Le beau premier* (→ **Bon**).

88 Un jour un coq détourna
Une perle qu'il donna
Au beau premier lapidaire.
LA FONTAINE, Fables, I, 20.

**AU BEAU MILIEU :** en plein milieu. → **Milieu** (cit. 11). *Au beau milieu de la pièce, d'un champ. Au beau milieu de la journée, de l'année. Au beau milieu d'un discours, d'un texte.*

89 Vous savez ce qu'est un soufflet, lorsqu'il se donne à main ouverte, sur le beau milieu de la joue (...)
MOLIÈRE, le Sicilien, 13.

Fig. *Mourir de sa belle mort,* de mort naturelle.

90 Il serait plus honnête de me laisser mourir de ma belle mort. VOLTAIRE, Lettre à d'Argental, 30 janv. 1778.

**II** N. **A** N. m. ♦ **1** *Le beau :* ce qui fait éprouver une émotion esthétique (sentiment d'admiration; plaisir désintéressé; spécialt plaisir du sens de la vue). → **Beauté.** *L'amour, le goût, la recherche, le sentiment du beau.* → **Art** (cit. 82, 83, 84). *L'étude du beau, les lois du beau.* → **Esthétique.** *Une théorie du beau. Personne qui a le culte du beau.* → **Esthète.** *Le beau idéal, absolu.* → **Perfection.** *Le beau et le sublime*. Le beau opposé à l'utile. Le beau en musique, en peinture, en littérature.* — Par ext. *Le beau moral. Du vrai, du beau, du bien,* œuvre de Victor Cousin.

Que le bon soit toujours camarade du beau (...) 91
LA FONTAINE, Fables, VII, 2.

Le pathétique participe du sublime autant que le sublime 92
participe du beau et de l'agréable (...)
BOILEAU, le Longin, Traité du sublime, 24.

Celui qui se pénètre vivement du beau, du touchant, du 93
sublime, n'est pas loin de l'exprimer (...)
MARMONTEL, Œuvres, t. VI, p. 249.

Le beau parfait exerce à la fois toutes les facultés de 94
l'homme, développées dans toute leur étendue; il en résulte un plaisir que toute l'âme approuve.
Joseph JOUBERT, Pensées, XXIII, 169.

Le beau est plus utile à l'art; mais le sublime est plus utile 95
aux mœurs, parce qu'il élève l'esprit.
Joseph JOUBERT, Pensées, XXIII, 17.

Le sublime lasse, le beau trompe, le pathétique seul est 96
infaillible dans l'art. Celui qui sait attendrir sait tout.
LAMARTINE, Graziella, II, 16.

Rien n'est beau que le vrai, dit un vers respecté; 97
Et moi, je lui réponds, sans crainte d'un blasphème :
Rien n'est vrai que le beau, rien n'est vrai sans beauté.
A. DE MUSSET, Après une lecture (→ ci-dessous, cit. 2).

Où il faudrait ne voir que le Beau (je suppose une belle 98
peinture, et l'on peut aisément deviner celle que je me figure), notre public ne cherche que le Vrai (...)
BAUDELAIRE, Curiosités esthétiques, t. II, p. 22.

On ne peut assez répéter que les règles du beau sont éter- 99
nelles, immuables et que les formes en sont variables.
E. DELACROIX, Écrits, t. II, p. 87.

Poussin définit le beau : la délectation (...) 100
E. DELACROIX, Écrits, t. II, p. 23.

L'ancienne esthétique donnait d'abord la définition du 101
beau, et disait, par exemple, que le beau est l'expression de l'idéal moral, ou bien que le beau est l'expression de l'invisible, ou bien encore que le beau est l'expression des passions humaines (...)
TAINE, Philosophie de l'art, I, p. 12.

Elle *(la piété)* nous moralise délicieusement et nous élève 102
au-dessus des misérables soucis de l'utile; or là où finit l'utile commence le beau, Dieu, l'infini, et l'air pur qui vient de là est la vie.
RENAN, Souvenirs de jeunesse, Appendice, p. 274.

Ce qu'il y a de surprenant, en effet, c'est que le beau n'est ici 103
que l'honnêteté absolue, la raison, le respect même envers la divinité.
RENAN, Souvenirs d'enfance..., Prière sur l'Acropole, II, I, p. 61.

Épithètes qui résument tous les sentiments du «beau» 103.1
abondant
aisé
étonnant
complet (parfait)
juste ou exact
isolé, séparé, indépendant
pur
puissant (résistant — émouvant — prolongé — enlevant)
spontané
multiple. (1903, *Jupiter*, III, 14.)
VALÉRY, Cahiers, t. II, Pl., p. 924.

Curieux calvinisme de la déf*[inition]* du *Beau* par l'uni- 103.2
versel qu'il *[Kant]* entend vaguement
(ciel étoilé + genus humanum)
consensus
Mais le Beau vient de chez Platon qui voyait et palpait des formes vivantes, baisait des lèvres et des joues charnues, suivait des membres de la main, (du moins, on l'espère pour lui); et las, passait au ciel où il plaçait de l'œil des lignes, des «Lois», des «Vérités», des «Standards» *en soi!* (*Ibid.*, XIII, 477.) VALÉRY, Cahiers, t. II, Pl., p. 954.

Le Beau engendre soif de recommencement, infini appa- 103.3
rent de répétition et donc est contraire à soif de nouveau. On ne peut se rassasier du même, qui est surprise paradoxale — *surprise par l'attendu.*
Le beau est Soif du même et le neuf, soif de l'autre. (1928-1929. *AC*, XIII, 347.)
VALÉRY, Cahiers, t. II, Pl., p. 953.

103.4 Il faut savoir que le beau est ce qui met l'esprit des hommes en mouvement. Le vrai même est faible à côté; et le bien est austère quand on s'y met.
ALAIN, Mars ou la Guerre jugée, *in* les Passions et la Sagesse, Pl., p. 555.

Vx (langue class.). *C'est du dernier beau* (expression précieuse).

104 Ah ! Certes, cela sera du dernier beau.
MOLIÈRE, les Précieuses ridicules, 9.

Vieilli. *Le beau d'une chose :* son côté intéressant, passionnant, ou bien son côté plaisant. *Le beau de l'histoire, c'est que...* → **Amusant, comique, drôle.**

105 Tout le beau de la passion est fini (...)
MOLIÈRE, Dom Juan, I, 2.

Iron. (au sens I, B, 5 de l'adj.). *C'est du beau !* → **Joli, propre** (*supra* cit. 34).

♦ **2** Fam. Choses de bonne qualité. *Acheter du beau. Elle n'aime que le beau.*

105.1 C'est bien fait tout de même ! c'est tout en or, et du beau ! quel travail !
PROUST, À l'ombre des jeunes filles en fleurs, Folio, p. 32.

**B** N. m. et f. ♦ **1** N. m. Vieilli. **UN BEAU :** un homme recherché dans sa mise, un élégant. → **Élégant.** *Des beaux.*

106 Une énorme cravate en mousseline blanche dont le nœud prétentieux avait été cherché par un Beau pour charmer les femmes charmantes de 1809.
BALZAC, le Cousin Pons, Pl., t. VI, p. 527-528.

107 (...) l'homme de la vie élégante, le beau de Paris (...)
G. SAND, Elle et Lui, X.

107.1 Les jeunes beaux se pavanaient au *parquet,* étalant, dans l'ouverture de leur gilet, leur cravate rose ou vert pomme (...) FLAUBERT, Mme Bovary, II, XV.

107.2 (...) le grand-père, créole de la Martinique, un ancien beau du Directoire, joueur, viveur, mystificateur et duelliste (...)
Alphonse DAUDET, l'Immortel, p. 19.

Mod. **UN VIEUX BEAU :** un vieillard qui, par sa mine soignée, cherche à faire illusion sur son âge. → **Galant, galantin** (vx).

107.3 (...) le vicomte de Brassard était donc, à la minute où je montais dans la diligence de***, ce que le monde, féroce comme une jeune femme, appelle malhonnêtement «un vieux beau». Il est vrai que pour qui ne se paie pas de mots ou de chiffres dans cette question d'âge, où l'on n'a jamais que celui qu'on paraît avoir, le vicomte de Brassard pouvait passer pour «un beau» tout court.
BARBEY D'AUREVILLY, les Diaboliques, «Le rideau cramoisi».

Vieilli. *Faire le beau :* se rengorger, étaler ses grâces avec complaisance. → **Cœur** (faire le joli cœur), **parader, pavaner** (se), **poser, roue** (faire la). *Ils font les beaux.*

108 Il *(Grimm)* se mit à faire le beau; sa toilette devint une grande affaire (...) ROUSSEAU, les Confessions, IX.

108.1 Il y avait les femmes en général et les femmes en particulier (...) les femmes des pays que beaucoup de ces soldats avaient parcourus, en faisant les beaux dans leurs grands uniformes victorieux (...)
BARBEY D'AUREVILLY, les Diaboliques, «À un dîner d'athées».

*Faire le beau :* se dresser sur les pattes de derrière, en parlant d'un chien.

♦ **2 UNE BELLE :** une femme qui a de la beauté, de l'agrément. *La Belle et la Bête. Courtiser les belles. Des pièges pour attraper les belles.*

109 *(Celles)* Que la qualité de belles
Fait reines des volontés.
LA FONTAINE, Fables, VIII, 13.

110 Ces femmes injustes qui s'applaudissent des incivilités que leurs amants font aux autres belles.
MOLIÈRE, la Comtesse d'Escarbagnas, I, 2.

111 Un dessert sans fromage est une belle à qui il manque un œil (...)
A. BRILLAT-SAVARIN, Physiologie du goût, Aphorisme.

*La Belle au bois dormant,* conte de Perrault, et nom de l'héroïne du conte, qui s'était endormie sous l'effet d'un charme.

Notre diligence endormie ressemblait à une voiture enchantée, figée par la baguette des fées, à quelque carrefour de clairière, dans la forêt de la Belle-au-Bois dormant. 11
BARBEY D'AUREVILLY, les Diaboliques, «Le rideau cramoisi».

(...) du fond de son palais de belle-au-bois-dormant (...) 11
LOTI, les Désenchantées, III, 17.

*Ma belle;* (vx) *la belle,* terme d'affection; terme familier et ironique. *Pas d'histoires, ma belle !*

D'où me vient, la belle, une rencontre si agréable? 11
MOLIÈRE, Dom Juan, II, 2.

Hé bien, ma belle, c'est maintenant que nous allons être heureux l'un et l'autre. 11
MOLIÈRE, le Mariage forcé, 2.

Régional (Sud-Est). Appellatif familier (à une femme). *Oh, ma belle !*

(Avec un possessif). Maîtresse, femme aimée. *Il était auprès de sa belle. «Jean prends garde à toi, l'on courtise ta belle»* (*Passant par Paris,* chanson populaire).

**C** N. f. ♦ **1 BELLE :** partie qui doit départager deux joueurs qui sont à égalité. *Jouer la belle après la revanche.*

♦ **2** Argot. **LA BELLE :** l'occasion favorable, et, par ext., la «liberté recouvrée par évasion (Détenus, 1860)» (*in* Esnault). *Faire, se faire la belle :* s'évader, partir (→ Se faire la paire, la malle).

Écoutez, les filles, il faut que je me casse. Je n'irai pas une seconde fois aux Assiettes *(Assises...)* oui, je vais risquer la belle. A. SARRAZIN, la Cavale, p. 67. 11

**III** ♦ **1** Loc. adv. **EN BEAU :** sous une apparence, un aspect favorable. *C'est un optimiste, il voit tout en beau.* → **Rose.**

Ah ! le peuple ! océan ! onde sans cesse émue (...) 11
Miroir où rarement un roi se voit en beau !
HUGO, Hernani, IV, 2.

Ils voient le monde en beau *(les artistes de la renaissance flamande)* et ils en font une fête, une fête réelle (...) 11
TAINE, Philosophie de l'art, t. II, p. 19.

Y a-t-il, au fond de ses yeux, sur la rétine, un miroir, un petit coin que la tendresse ne voile pas, et où je ne me reflète pas en beau? 11
J. RENARD, Journal, 11 août 1906, p. 724.

Vieilli. **TOUT BEAU :** doucement, modérez-vous.

Tout beau, holà, oh ! Doucement. 11
MOLIÈRE, le Bourgeois gentilhomme, III, 3.

Tout beau, Monsieur, tout beau, ne courez point si vite (...) 11
MOLIÈRE, Tartuffe, V, 7.

♦ **2 BEL ET BIEN :** réellement, véritablement, à n'en pas douter. → **Bien** (vx bien et beau).

Le magnifique vase (...) que je signalais comme la pièce de faïence la plus importante de l'exposition, était bel et bien en porcelaine. Th. GAUTIER, *in* P. LAROUSSE. 11

Et vous messieurs Bonjour 11
Qui en assez grande pompe avez bel et bien crucifié deux femmes je crois. A. BRETON, Signe ascendant, p. 34.

♦ **3 DE PLUS BELLE :** de nouveau et encore plus fort. *Il avait cessé de fumer, mais il a recommencé de plus belle.*

Et la moindre faveur d'un coup d'œil caressant 12
Nous rengage de plus belle.
MOLIÈRE, Amphitryon, I, 1.

Nous avons ri de bon cœur, le Président surtout. Bastel nous a raconté ensuite, à propos de chandelles, une histoire moins convenable et nous avons ri de plus belle. 1
Pierre MOUSTIERS, la Mort du pantin, p. 5.

♦ **4 TOUT BEAU.** Interj. Invitation au calme, à la modération. *Là, tout beau !* (à un animal). — Vx (à une personne). Calmez-vous, vous exagérez.

♦ **5** Adv. Voir ci-dessus Porter beau, *supra* cit. 25; montrer beau, *infra* cit. 30.

CONTR. **Affreux, effroyable, épouvantable, hideux, horrible, ignoble, laid, monstrueux, repoussant, vilain.** ◇ DÉR. **Belette, bellâtre, bellement, bellot.** — V. **Beauté, bellissime.** → COMP. **Beau-fils, beau-frère, beau-papa, beau-père, beau-petit-fils, beaux-enfants, beaux-parents. — Belle-dame, belle-de-jour, 1. belle-de-nuit, 2. belle-de-nuit, belle-doche, belle-d'onze heures, belle-d'un-jour, belle-famille, belle-fille, belle-maman, belle-mère, belle-petite-fille, belle-sœur. — Beaux-arts, belles-lettres. — Beaucoup. — Embellir.** → HOM. **Bau, 1. baud, 2. Band, baux** (de bail), **bot. — 2. Bel.**

**BEAUCERON, ONNE** [bosʀɔ̃, ɔn] adj. et n. — 1823; de *Beauce,* et suff. *-eron.*

De la Beauce, région de France. — N. *Un Beauceron, une Beauceronne.*

N. m. Chien de berger d'une espèce originaire de Beauce.

**BEAUCOUP** [boku] adv. — 1379, sens II; *biau cop,* 1272, comme nom; adv., 1465, *belcop;* composé de *beau,* et de *coup;* a éliminé *moult** au XVIᵉ.

**I** ♦ **1 BEAUCOUP DE.** — (Suivi d'un nom au pluriel). Un grand nombre de. → **Bien** (de), **énormément, maint, nombre** (de), (de) **nombreux,** (fam.) **plein** (de). → Une foule, une infinité, des masses, une multitude, un paquet, une quantité, un, des tas; fam. une chiée, une flopée, une foultitude, une tapée... (→ Quantité, *infra* cit. 2). *Avoir beaucoup de choses à faire, à dire. Il y a beaucoup de choses dans ce magasin. Je connais beaucoup de personnes, de gens qui... Beaucoup de gens pensent... Beaucoup d'appelés* (cit. 46) *et peu d'élus. Dire beaucoup de choses en peu de mots.* → **Multa paucis.** *Beaucoup de couleurs, de formes, de fleurs me plaisent. Beaucoup de livres ne valent rien. Beaucoup de sujets n'ont pas encore été abordés. Beaucoup des lieux que nous avons visités. Beaucoup de ses textes sont admirables. Beaucoup de ces gens, beaucoup de nos soldats... Beaucoup d'autres, beaucoup d'entre eux. Beaucoup de mâts, d'embarcations.* → **Fourmillement, grouillement, pullulement; forêt** (de mâts). *Avec beaucoup de détails.* → **Force.** *Faire beaucoup d'excès. Qui a beaucoup de, concerne beaucoup de...* → **Multi-, pluri-, poly-.** — *Beaucoup d'entre eux, parmi eux...* — Fam. *Pas beaucoup de...* → **Peu.** *«Pas beaucoup de jours auparavant»* (P. Bourget). → **Quelque**(s).

(Suivi d'un nom au singulier). Une grande quantité de... *Il a vraiment beaucoup d'argent.* → Il est plein*, pourri*, rempli* d'argent. *Ces bijoux ont beaucoup d'éclat. Il m'a fait beaucoup de mal, de peine, de plaisir. Il lui faudra beaucoup de chance, de patience, d'astuce. Cela lui a demandé beaucoup de temps.* → **Longtemps.** *Il n'y a pas beaucoup de monde.* → **Grand.** *Beaucoup de monde est venu hier soir. La question a fait couler beaucoup d'encre.* → **Flot.** *J'en ai déjà dit beaucoup. Beaucoup de patience me surprendrait de sa part.*

(Avec un pron.). *Beaucoup d'autres.* — Avec *en,* remplaçant un nom au pluriel. *Il y en a beaucoup.* → **Abondamment,** (en) **abondance, amplement,** (à) **foison,** (à) **gogo, largement,** (en) **quantité,** (en) **profusion.** *Il n'y en a pas beaucoup.* → fam. Pas des bottes, des masses...; pas besef, pas lerche.

1 Comme c'est le caractère des grands esprits de faire entendre en peu de paroles beaucoup de choses, les petits esprits, au contraire, ont le don de beaucoup parler, et de ne rien dire. LA ROCHEFOUCAULD, Maximes, 142.

2 En peu de mots, sans façon, sans vous amuser à beaucoup de discours (...)
MOLIÈRE, la Jalousie du barbouillé, 6.

Ainsi la première victoire fut le gage de beaucoup d'autres (...) 3
BOSSUET, Oraison funèbre du prince de Condé.

On leur tua beaucoup de monde en cette action. 4
RACINE, le Siège de Namur.

Un peu de philosophie écarte de la religion, et beaucoup y ramène. RIVAROL, Maximes et Pensées. 5

Il *(un article)* me donna beaucoup de mal; c'est dire qu'il m'a fait beaucoup de bien. 6
GIDE, Journal, 17 nov. 1905.

Qui s'intéresse à beaucoup de choses, beaucoup de choses lui sont données. 7
CLAUDEL, Feuilles de Saints, sainte Thérèse.

REM. 1. *Beaucoup de...* avec un nom au pluriel, requiert un verbe au pluriel. Dans l'ex. de Flaubert : *beaucoup de cierges valait mieux* (Grevisse), *beaucoup* est considéré comme un substantif. 2. On trouve exceptionnellement *beaucoup du, de la, des,* si le nom est déterminé par une relation (*«beaucoup des écrivains que lisait un public...»,* Maurras). Fam. *Il n'y en a pas beaucoup des comme lui.*

*Et beaucoup* (après le n.). *Il y avait des invités, et beaucoup. Il a de l'argent et beaucoup. Il y en a, et beaucoup.*

♦ **2** (Nominal : sujet ou compl.). De nombreuses personnes. *Beaucoup pensent que tu n'y arriveras pas. Il y en a beaucoup qui n'osent pas parler.* → **Nombreux** (sont ceux qui...). *Pour beaucoup, cela semble une folie. C'est une illusion de beaucoup.* — De nombreuses choses, activités, événements (en compl.). *Il y avait beaucoup à boire, à manger. Il en sait beaucoup là-dessus.* → **Long.** *Il est capable de beaucoup. Vous avez fait beaucoup pour moi. Il reste beaucoup à faire, à apprendre. Compter pour beaucoup :* être considéré comme très important. *Il donne beaucoup aux pauvres.*

Il y en a beaucoup que le trop d'esprit gâte (...) 8
MOLIÈRE, Critique de l'École des femmes, 5.

Quelque étendue d'esprit que l'on ait, l'on n'est capable que d'une grande passion, capable de peu et de beaucoup, de tout et de rien (...) PASCAL, *in* COUSIN. 9

Celui-ci, glorieux d'une charge si belle, 10
N'eût voulu pour beaucoup en être soulagé.
LA FONTAINE, Fables, I, 4.

Il comptait pour beaucoup de l'avoir auprès de lui (...) 11
Antoine HAMILTON, Mémoires du comte de Grammont, 5.

Beaucoup en ont parlé, mais peu l'ont bien connue (...) 12
VOLTAIRE, Henriade, II.

Le sport n'est plus, pour beaucoup, un harmonieux amusement (...) 13
G. DUHAMEL, Scènes de la vie future, XII, p. 186 (→ Amusement, cit. 12).

(Reprenant un nom, sans le répéter; → ci-dessus, cit. 5). *J'ai acheté un lot de vieilles vestes; beaucoup n'ont plus de boutons. Parmi ces gâteaux, beaucoup me tentent. Il a du courage, (et) même beaucoup.*

(En attribut). Une chose considérable, remarquable. → **Énorme.** *C'est beaucoup pour son âge. Ils sont quarante dans sa classe, c'est beaucoup.* — *C'est déjà beaucoup s'il ne nous met pas dehors. C'est beaucoup qu'il accepte de venir.* → **Bien.**

C'était beaucoup pour moi, ce n'était rien pour vous (...) 14
RACINE, Britannicus, IV, 2.

À ceux qui n'ont ni rang ni richesse qui en imposent, il leur reste une âme, et c'est beaucoup (...) 15
MARIVAUX, IV, la Vie de Marianne.

*C'est déjà beaucoup si...* → **Déjà.** *C'est beaucoup s'il vous regarde* (Académie). *C'est beaucoup de* ou *que... :* on peut être content, heureux, satisfait... → **Assez.**

C'est assez pour soi d'un fidèle ami; c'est même beaucoup de l'avoir rencontré. 16
LA BRUYÈRE, *in* Pierre LAROUSSE.

Loc. fam. *C'est beaucoup dire** : c'est trop dire, c'est exagéré.

Loc. *Il s'en faut beaucoup* (vx); *il s'en faut de beaucoup* (mod.); *beaucoup s'en faut* (littér.) : il y a une différence considérable, on en est loin.

17 L'abbaye (...) ne vaut pas, beaucoup s'en faut
Les deux mille francs qu'il me faut (...)
Mathurin RÉGNIER, Épîtres, III.

18 Il s'en faut beaucoup que nos commerçants nous donnent l'idée de cette vertu dont nous parlent les missionnaires; on peut les consulter sur les brigandages des mandarins (...) MONTESQUIEU, l'Esprit des lois, XXI.

19 Le pays n'est pas peuplé à proportion de son étendue, il s'en faut de beaucoup (...)
VOLTAIRE, Hist. de l'Empire de Russie, I, 2.

20 Il s'en faut de beaucoup que nos rois aient fait tout ce qu'ils auraient voulu.
J. BAINVILLE, Hist. de France, VI.

*À beaucoup près** : avec de grandes différences.

21 Assurément, tu ne parais pas ton âge, même à beaucoup près. G. DUHAMEL, Chronique des Pasquier, I, XI.

**DE BEAUCOUP** : d'une grande quantité; de loin. *Préférer, surpasser, se tromper de beaucoup. Précéder, retarder de beaucoup. Il est de beaucoup le plus jeune. Il valait mieux, et de beaucoup, qu'elle s'en aille.*

**II** ♦ **1** (Avec un verbe). En grande quantité. → **Abondamment,** (en) **abondance, amplement, autant** (autant qu'on en veut), **considérablement, énormément,** (à) **foison, gogo** (à gogo, fam.), **largement, libéralement, plein** (à pleines mains), (à) **profusion,** (à) **tire-larigot,** (à) **volonté, vouloir** (fam. en veux-tu, en voilà). *Gagner beaucoup. Boire beaucoup. Manger beaucoup.* → **Copieusement, plantureusement.** *Il travaille beaucoup* (→ Comme une bête, un cheval, un nègre...). *Il écrit beaucoup, c'est un pisseur de copie. Risquer beaucoup.* → **Gros.** *Il a beaucoup plu, neigé.* → **Fort, longuement.** *Cela ne durera pas beaucoup.* → **Longtemps.** *Aimer beaucoup qqch.* → **Bien, infiniment, passionnément.** *Je n'aime pas beaucoup son attitude* (euphém. pour : pas du tout). *Ça me plaît beaucoup.* → **Grandement, singulièrement.** *S'intéresser beaucoup à qqch.* → **Prodigieusement, vivement.** *Vous vous êtes beaucoup trompé.* → **Diablement, joliment;** (fam.) **bigrement, bougrement, salement, vachement.** — *Le connaissez-vous beaucoup? Non, mais je le connais un peu.* — *Il a beaucoup changé. Cela m'a beaucoup fait plaisir.* → **Bien.** *S'éloigner, s'écarter beaucoup,* d'une grande distance. *Il va beaucoup au cinéma.* → **Souvent.** *Je vous remercie beaucoup.*

22 La langue turque (...) dit beaucoup en peu de paroles.
MOLIÈRE, le Bourgeois gentilhomme, IV, 4.

23 Mais les femmes enfin n'aiment pas qu'on les gêne; et c'est beaucoup risquer que de leur montrer des soupçons (...)
MOLIÈRE, le Sicilien, 6.

24 Quiconque a beaucoup vu
Peut avoir beaucoup retenu (...)
LA FONTAINE, Fables, I, 8.

25 Je promettais beaucoup et j'exécutais peu (...)
CORNEILLE, Rodogune, I, 6.

26 On promet beaucoup pour se dispenser de donner peu.
VAUVENARGUES, Maximes, 436.

27 Parler beaucoup et bien, disait-il, est d'un bel esprit; peu et bien d'un sage; beaucoup et mal, d'un fat; peu et mal, d'un sot. D'ALEMBERT, Éloges, «Terrasson».

28 Robespierre a dit hardiment qu'il n'avait rien fait au 2 septembre. En actes, rien, cela est vrai. Mais, en paroles, beaucoup, et ce jour-là, les paroles étaient des actes.
MICHELET, Hist. de la Révolution franç., I, p. 1045.

29 Qui sait beaucoup, doute beaucoup.
MICHELET (→ Douter).

30 Il a beaucoup appris celui qui a souffert.
J. BÉDIER, la Chanson de Roland, 134, p. 193.

Elle avait fait beaucoup parler d'elle. 31
F. MAURIAC, la Pharisienne, VI, p. 83.

Et elle m'a demandé si cela me plaisait et je lui ai répondu : «Oui, beaucoup». 31.1
ARRABAL, l'Enterrement de la sardine, p. 43.

♦ **2** Vx (langue class.). Devant un adj. au positif. → **Bien, très; extrêmement.**

Leur savoir à la France est beaucoup nécessaire (...) 32
MOLIÈRE, les Femmes savantes, IV, 3.

REM. En français moderne, cet emploi serait une faute; il est vivant régionalement. *Il est beaucoup gentil. «Je suis beaucoup sensible»* (Pagnol, *Fanny*). On le rencontre encore, littérairement, avec les participes passés : *«ce visage beaucoup aimé»* (Claudel, *in* T. L. F.).

Fam. (fautif). Devant un subst. *J'en ai beaucoup envie, besoin.* → **Très; fort.**

Avec *le*, pron. qui représente l'adj. *Aimable, il l'est beaucoup* (Grevisse).

♦ **3** (Avec des comparatifs d'adjectifs ou d'adverbes). → **Bien.** *Ce vin est beaucoup meilleur* (Académie). *Beaucoup plus. Beaucoup moins. Beaucoup mieux. Beaucoup trop.*

(...) ce serait une cause beaucoup plus digne de votre audience. H. ESTIENNE, Précellence, Ép. au Roy. 33

Vous avez le don de vous faire aimer quand il vous plaît, et quelquefois plus, beaucoup plus que vous ne voudriez (...) 34
Mme DE SÉVIGNÉ, 432.

Le nombre des pièces de Corneille est beaucoup plus grand que celui des pièces de Racine, et cependant Corneille s'est beaucoup moins répété lui-même que Racine n'a fait (...) 35
FONTENELLE, Parallèle entre Racine et Corneille.

Le cabinet de M. de Julienne a rendu à la vente beaucoup au delà de ce qu'il avait coûté (...) 36
DIDEROT, Salon de 1767, 1 t. XIV, p. 7.

Il y aura toujours de l'esprit dans la nation; il y aura du raisonné, et malheureusement beaucoup trop, et même du raisonné fort obscur et fort inintelligible (...) 37
VOLTAIRE, Lettre à Richelieu, 8 juin 1772.

La complaisance envers autrui n'est pas beaucoup moins ruineuse que celle envers soi-même. 38
GIDE, Journal, 25 nov. 1905.

Pauline prenait son parti beaucoup moins facilement qu'elle ne le disait (...) 39
GIDE, les Faux-monnayeurs, III, X, p. 406.

**DE BEAUCOUP.** Avec un adjectif, exprime une grande différence. → **Plus, moins.** *Il est de beaucoup plus savant. Vous êtes plus savant de beaucoup* (Académie). → Sans comparaison* possible.

Son dernier état deviendra de beaucoup pire que le premier (...) MASSILLON, Sur l'inconstance. 40

Iron. **UN PEU BEAUCOUP** : trop, vraiment trop. → Peu, cit. 65. *Il est un peu beaucoup content de lui. Abruti, il l'est un peu beaucoup.*

Vous vous jouez un peu beaucoup de mon père. 41
MOLIÈRE, le Malade imaginaire, III, 14.

Loc. *Merci* beaucoup.*

♦ **4** Rare (pour *bien*). *Beaucoup avant minuit.*

♦ **5** N. m. Rare. **LE BEAUCOUP** (par oppos. au *peu*).

Ne pas dédaigner les petites victoires; dès qu'il s'agit de la volonté, le *beaucoup* n'est que la patiente addition du peu. GIDE, Journal, janv. 1912. 42

CONTR. **Peu, rien. — Aucun, nul, personne.**

**BEAUF** [bof] n. m. — Abrév. de *beau-frère.*
Familier.

♦ **1** Beau-frère. *C'est son beauf.*

♦ **2** (D'après une bande dessinée de Cabu). Type du petit bourgeois aux idées étroites, conservateur et phallocrate.

*Beauf* (le) : avec des moustaches et un maillot de corps, avant d'enfiler son survêtement. A complètement éliminé la belle doche.
Jacques MERLINO, les Jargonautes, p. 193.

**BEAU-FILS** [bofis] n. m. — 1468; de *beau*, terme d'affection, et *fils*.

♦ **1** Celui dont on a épousé le père ou la mère; fils d'un conjoint (pour l'autre). *Il a épousé une veuve, et il a deux beaux-fils. — Fils, fille du beau-fils.* → **Beau-petit-fils, belle-petite-fille.**

1 Ma foi, je m'engendrais d'une belle manière
Et j'allais prendre en vous un beau-fils fort discret!
MOLIÈRE, l'Étourdi, II, 5.

2 Comme les enfants habitent ou sont censés habiter dans la maison de leur père, et par conséquent le beau-fils avec la belle-mère, le beau-père avec la belle-fille, ou avec la fille de sa femme, le mariage entre eux est défendu par la loi de la nature.
MONTESQUIEU, l'Esprit des lois, XXVII, 14.

♦ **2** (1557). → **Gendre.**

CONTR. **Beau-père, belle-mère.**

**BEAUFORT** [bofɔʀ] n. m. — D. i.; de *Beaufort*, nom d'une localité de Savoie.

Fromage savoyard fabriqué à partir de lait de vache, à pâte pressée et cuite, un peu moins fort que le comté.

**BEAU-FRÈRE** [bofʀɛʀ] n. m. — 1386; de *beau*, terme d'affection, et *frère*.

♦ **1** Frère du conjoint (pour l'autre conjoint). *La prohibition de mariage entre beaux-frères et belles-sœurs* (→ **Belle-sœur**) *a été supprimée par la loi du 1er juillet 1914, sauf dans le cas où le mariage qui produisait l'alliance a été dissous par un divorce.*

♦ **2** Mari de la sœur ou de la belle-sœur d'une personne. *Elle a trois sœurs et deux beaux-frères. Le beau-frère de qqn, son beau-frère.*

Aux noms jadis si doux de beau-frère et de sœur.
CORNEILLE, Horace, II, 5.

REM. Abrév. fam. : *beauf**.

**BEAUJOLAIS** [boʒɔlɛ] n. m. — 1922; nom d'une région de France.

Vin du Beaujolais. *Boire un petit beaujolais. Le beaujolais nouveau est arrivé. Beaujolais primeur. Du beaujolais-village* (provenant des vignes de certaines communes). *Le Saint-Amour, le Morgon, le Chiroubles sont des beaujolais.*

Var. pop. : *beaujolpif*. — Abrév. fam. (1981) : *beaujo*.

**BEAUNE** [bon] n. m. — 1769, *in* D. D. L.; *baune*, av. 1674; ville de Bourgogne.

Vin de Bourgogne des côteaux proches de Beaune. *Une bouteille de Beaune, de Beaune-Villages.*

**BEAU-PAPA** [bopapa] n. m. — 1896, Verlaine; de *beau*, terme d'affection, et *papa*.

Fam. Beau-père. → **Belle-maman.** *Comment va votre beau-papa?*

**BEAU-PÈRE** [bopɛʀ] n. m. — Mil. XIIIe; de *beau*, et *père*.

♦ **1** Père du conjoint, pour l'autre conjoint. → **Beau-papa.**

1 Est-ce ainsi que d'un gendre, un beau-père est l'appui?
CORNEILLE, Polyeucte, III, 3.

2 Un jeune paysan venait chercher sa prétendue à la ferme de son futur beau-père (...)
CHATEAUBRIAND, le Génie du christianisme, I, I, 10.

♦ **2** (1690). (Pour les enfants d'un premier lit). Second mari de leur mère. → **Parâtre** (cit.).

REM. Queneau forge, d'après *paternel*, le dérivé *beau-paternel, elle*, adj.

Il prenait envie à Théo de casser des œufs pourris sur le crâne beau-paternel. 3
R. QUENEAU, le Chiendent, p. 385.

CONTR. (Du sens 1.) **Gendre, bru.** — (Du sens 2.) **Beau-fils** (cit. 2), **belle-fille.**

**BEAU-PETIT-FILS** [bop(ə)tifis] n. m. — 1917, *in* D. D. L.; de *beau*, et *petit-fils*.

Rare.

♦ **1** Fils d'un beau-fils ou d'une belle-fille. → **Belle-petite-fille.**

♦ **2** Petit-fils du conjoint.

**BEAUPRÉ** [bopʀe] n. m. — 1516; 1350, *bosprete*, en anglo-normand; du moy. angl. *bouspret*, moy. bas all. *bôchsprêt* «beaupré» avec infl. de *beau*, et *pré*.

Mar. Mât placé à l'avant (d'un grand navire à voiles), plus ou moins obliquement. On dit aussi *mât de beaupré. Le beaupré n'est jamais compté lorsqu'on donne le nombre de mâts d'un voilier. Arc-boutant de beaupré,* pour maintenir les galhaubans écartés. *Coussin de beaupré.* → **Coussin.** *Le beaupré comporte parfois un bout-dehors. Le beaupré avait autrefois une voile carrée.* → **Civadière.** *Les étais du mât de misaine, les drailles et les drisses des focs se fixent sur le beaupré.* → **Foc.** *L'attache du beaupré s'appuie sur une construction rapportée à l'avant du navire.* → **Guibre.**

C'était la bande d'Yves, les gabiers de misaine et ceux du beaupré.
LOTI, Mon frère Yves, XI, p. 47.

**BEAUTÉ** [bote] n. f. — 1160; 1080, *beltet*; de *beau*, ou du lat. pop. **bellitas*, accusatif **bellitatem*, de *bellus*. → Beau.

♦ **1** Caractère de ce qui est beau. → (synonymes partiels) **Agrément, charme, délicatesse, distinction, éclat, élégance, faste, féerie, finesse, force, fraîcheur, grâce, grandeur, harmonie, joliesse, lustre, magie, magnificence, majesté, noblesse, parfum, piquant, poésie, pureté, richesse, séduction, symétrie, somptuosité, splendeur, sublimité.** *La beauté idéale, parfaite* (→ **Perfection**). *«La beauté correspond à certaines normes d'équilibre, de plastique*, de proportions harmoniques, de perfection en son genre...»* (in Lalande). *L'étude de la beauté.* → **Esthétique.** *Le sentiment de la beauté.* → **Émotion** (esthétique), **goût.** *Formes de beauté; beautés selon les époques* (ci-dessous cit. 11.1). *Beauté et société. Le sentiment de la beauté.* — (Suivi d'un compl. de nom). → Les différents emplois de *beau*, adj. *La beauté de la nature, d'un spectacle, d'un paysage, du ciel, des arbres... La beauté d'un ouvrage de l'esprit, d'une pensée, d'un style.* → **Brillant, élévation, grandeur, profondeur...** *Discuter de la beauté d'un objet, d'une usine. — Cette chose a de la beauté, est d'une grande beauté, est sans beauté aucune. La beauté d'une œuvre d'art, d'un tableau, d'une musique, d'un monument, d'un poème, d'une pièce de théâtre, d'un film. La beauté d'une sensation, d'une émotion. La beauté d'un silence. La beauté d'une disposition, d'un arrangement. La beauté d'une passion, d'un amour. La beauté d'un mouvement, d'une attitude.*

Il est vraisemblable que nous ne savons guère *(ce)* que c'est *(que la)* beauté en nature et en général, puisqu'à l'humaine et notre beauté nous donnons tant de formes diverses. 1
MONTAIGNE, Essais, II, 12.

La mode même et les pays règlent ce que l'on appelle beauté (...) 2
PASCAL, les Passions de l'amour.

Il y a un certain modèle d'agrément et de beauté qui consiste en un certain rapport entre notre nature, faible ou 3

forte, telle qu'elle est, et la chose qui nous plaît ; tout ce qui est formé sur ce modèle nous agrée (...) tout ce qui n'est point fait sur ce modèle déplaît à ceux qui ont le bon goût (...)
PASCAL, Pensées, VII, 24.

4 Quoique cette idée générale de la beauté soit gravée dans le fond de nos âmes avec des caractères ineffaçables, elle ne laisse pas que de recevoir de très grandes différences dans l'application particulière (...)
PASCAL, les Passions de l'amour.

5 Il appartient à l'esprit, c'est-à-dire à l'entendement, de juger de la beauté, parce que juger de la beauté, c'est juger de l'ordre, de la proportion et de la justesse (...)
BOSSUET, Traité de la connaissance de Dieu..., I, 8.

6 Élevez, ô Seigneur, et mes pensées et ma voix ; que je puisse représenter à cette auguste audience l'incomparable beauté d'une âme que vous avez toujours habitée (...)
BOSSUET, Oraison funèbre de Marie-Thérèse d'Autriche.

7 Je ne prétends pas dans une traduction si littérale avoir fait sentir toute la force de l'original, dont la beauté consiste principalement dans le nombre, l'arrangement et la magnificence des paroles (...)
BOILEAU, Longin, Subl. réflex., VIII.

8 La beauté du jour est comme une beauté blonde qui a plus de brillant ; mais la beauté de la nuit est une beauté brune qui est plus touchante (...)
FONTENELLE, Entretiens sur la pluralité des mondes, Premier soir.

9 Pour donner à quelque chose le nom de beauté, il faut qu'elle vous donne de l'admiration et du plaisir.
VOLTAIRE, Dict. philosophique, Beau.

10 La beauté n'est que la promesse du bonheur.
STENDHAL, De l'amour, XVII.

11 Or la beauté, c'est tout. Platon l'a dit lui-même :
La beauté, sur la terre, est la chose suprême.
A. DE MUSSET, Après une lecture, 195.

11.1 Pour moi, le romantisme est l'expression la plus récente, la plus actuelle du beau.
Il y a autant de beautés qu'il y a de manières habituelles de chercher le bonheur.
BAUDELAIRE, Curiosités esthétiques, Salon de 1846.

12 Aucune grâce extérieure n'est complète si la beauté intérieure ne la vivifie. La beauté de l'âme se répand comme une lumière mystérieuse sur la beauté du corps.
HUGO, Post-Scriptum de ma vie, VI.

13 Bien que la beauté relève de la géométrie, c'est par le sentiment seul qu'il est possible d'en saisir les formes délicates.
FRANCE, le Jardin d'Épicure, p. 59.

14 On a dit que la beauté est une promesse de bonheur. Inversement la possibilité du plaisir peut être un commencement de beauté.
PROUST, À la recherche du temps perdu, t. XI, p. 173.

15 Il est donc raisonnable de penser que les créations de l'homme sont faites, ou bien en vue de son corps, et c'est là le principe que l'on nomme utilité, ou bien en vue de son âme, et c'est là ce qu'il recherche sous le nom de beauté.
VALÉRY, Eupalinos, p. 184.

15.1 Il y a beauté quand la vue de l'objet excite à le voir. Il contient de quoi se répéter «indéfiniment». Mais comme l'excitation est dans une grande mesure individuelle, la beauté de l'un n'est pas celle de l'autre.
VALÉRY, Cahiers, t. II, Pl., p. 935.

15.2 Une certaine attitude en découle nécessairement à l'égard de la beauté, dont il est trop clair qu'elle n'a jamais été envisagée ici qu'à des fins passionnelles. Nullement statique, c'est-à-dire enfermée dans son «rêve de pierre», perdue pour l'homme dans l'ombre de ces Odalisques, au fond de ces tragédies qui ne prétendent cerner qu'un seul jour, à peine moins dynamique, c'est-à-dire soumise à ce galop effréné après lequel n'a plus qu'à commencer effréné un autre galop, c'est-à-dire plus étourdie qu'un flocon dans la neige, c'est-à-dire résolue, de peur d'être mal étreinte, à ne se laisser jamais embrasser : ni dynamique ni statique, la beauté je la vois comme je t'ai vue.
A. BRETON, Nadja, p. 185-186.

15.3 Le mot convulsive, que j'ai employé pour qualifier la beauté[1] qui seule, selon moi, doive être servie, perdrait à mes yeux tout son sens s'il était conçu dans le mouvement et non à l'expiration exacte de ce mouvement même. Il ne peut, selon moi, y avoir beauté — beauté convulsive — qu'au prix de l'affirmation du rapport réciproque qui lie l'objet considéré dans son mouvement et dans son repos. Je regrette de n'avoir pu fournir, comme complément à l'illustration de ce texte, la photographie d'une locomotive de grande allure qui eût été abandonnée durant des années au délire de la forêt vierge.
A. BRETON, l'Amour fou, p. 15.

1. La beauté sera CONVULSIVE ou ne sera pas (Id., fin de *Nadja*).

Car cette beauté, si elle n'est plus la prise de l'artiste sur le divin, n'est pas davantage la beauté du modèle, ni même un embellissement de celui-ci dans le monde de l'apparence : c'est ce par quoi il devient statue, suscite une admiration qui ne s'adresse ni à lui, ni au divin, mais à une transfiguration irréductible à toute autre. 15
MALRAUX, l'Homme précaire et la Littérature, p. 52.

LOC. **DE TOUTE BEAUTÉ :** très beau. — (XVIIe). Vx. *De la dernière beauté.*

(...) Il est *(le pont de Saint-Esprit, sur le Rhône)* de toute beauté pour la hauteur, la longueur, l'évasement des arches et la tournure légère des piles (...) 16
CH. DE BROSSES, Lettre sur l'Italie, I, 1.

Caractère de ce qui est moralement admirable. *La beauté d'un sacrifice, d'un geste généreux. La beauté d'une âme, d'un sentiment.* → **Élévation, générosité, noblesse.** *Faire qqch. pour la beauté du fait, du geste,* dans un esprit désintéressé.

Je voudrais, m'en coutât-il grand chose, 17
Pour la beauté du fait avoir perdu ma cause.
MOLIÈRE, le Misanthrope, I, 1.

**EN BEAUTÉ :** magnifiquement. *Terminer une épreuve, une course en beauté.*

(...) un gosse qui nous devina causer de cette mort, murmura, la main devant la bouche : — Mourir en beauté, c'est beau ! 17
Jean GENET, Miracle de la rose, p. 23.

Poét. *La Beauté,* personnalisée.

Viens-tu du ciel profond ou sors-tu de l'abîme, 17
O Beauté ? ton regard, infernal et divin
Verse confusément le bienfait et le crime (...)
Que tu viennes du ciel ou de l'enfer, qu'importe,
O Beauté ! monstre énorme, effrayant, ingénu !
Si ton œil, ton souris, ton pied, m'ouvrent la porte
D'un Infini que j'aime et n'ai jamais connu.
BAUDELAIRE, les Fleurs du mal, XXI, «Hymne à la Beauté».

Cf. aussi «La Beauté», *Ibid.*, XVII.

REM. Les physiciens ont arbitrairement qualifié de *beauté*, après avoir utilisé *charme, étrangeté*, des propriétés inexplicables de certaines particules élémentaires. *« Un nouveau quark encore plus lourd* (...) *qu'on supposa porteur d'une propriété entièrement nouvelle : la beauté»* (*Sciences et Avenir*, mars 1978, p. 83).

♦ **2** Spécialt. Qualité d'une personne belle. → **Beau** (I., A., 1.). *La beauté physique, strictement physique.* → **Plastique.** → 1. Physique, cit. 3. *La beauté des formes. La beauté du corps, du visage, d'un sourire. La beauté, le charme de la femme.* → **Vénusté.** *Elle prend soin de sa beauté, néglige sa beauté. Une femme d'une merveilleuse beauté, d'une beauté parfaite, accomplie, angélique, éblouissante, éclatante, enchanteresse, florissante* (littér.), *incomparable, rare ; d'une beauté classique, sévère ; animée, naturelle, piquante, ravissante ; d'une beauté fade, artificielle, empruntée, factice. La beauté d'un homme, d'un jeune garçon. Beauté virile. Mâle beauté. Un acteur d'une rare beauté. Un ange de beauté. Être dans tout l'éclat de sa beauté. Éclatant de beauté. Croître en beauté.* → **Embellir.** *Perdre sa beauté :* se faner, se flétrir. *Admirer, contempler, célébrer, louer la beauté de quelqu'un.*

Cueillez, cueillez votre jeunesse : 1
Comme à cette fleur la vieillesse
Fera ternir votre beauté. RONSARD, Odes, I, XVII.

19 Il y a peu de femmes dont le mérite dure plus que la beauté.
LA ROCHEFOUCAULD, Réflexions, sentences et maximes morales, 474, 313.

20 (...) on voit néanmoins des femmes d'une beauté éclatante, mais irrégulière, qui en effacent souvent de plus véritablement belles (...)
LA ROCHEFOUCAULD, Réflexions diverses, Du vrai, p. 358.

21 Et la dernière main que met à sa beauté
Une femme allant en conquête (...)
LA FONTAINE, Fables, IV, 3.

22 (...) Ni la grâce, plus belle encor que la beauté.
LA FONTAINE, Fables, «Adonis».

23 La beauté passe,
Le temps l'efface
L'âge de glace
Vient à sa place.
MOLIÈRE, le Malade imaginaire, Intermède, 2.

24 La beauté du visage est un frêle ornement,
Une fleur passagère, un éclat d'un moment (...)
Mais celle de l'esprit est inhérente et ferme.
J'ai donc cherché longtemps un biais de vous donner
La beauté que les ans ne peuvent moissonner.
MOLIÈRE, les Femmes savantes, III, 4.

25 (...) de plus invincibles charmes que ceux de la beauté (...)
LA BRUYÈRE, les Caractères, IV, 36.

26 (...) un trait de beauté (...)
LA BRUYÈRE, les Caractères, IV, 3 (→ Amitié, cit. 4).

27 (...) si l'on parvient ainsi à préférer et aimer la laideur, c'est que dans ce cas la laideur est beauté.
STENDHAL, De l'amour, XVII, p. 71.

28 On dit que la beauté tourne la tête aux belles, et que la laideur fait la désolation des laides.
G. SAND, la Petite Fadette, XXIII, p. 158.

29 Sa beauté m'enivrait; je n'aimais qu'elle au monde.
A. DE MUSSET, Lucie.

29.1 Colères de boxeur, impudences de faune,
Toi qui sus ramasser la beauté des goujats (...)
Puget, mélancolique empereur des forçats (...)
BAUDELAIRE, les Fleurs du mal, VI, «Les phares».

30 Elle *(Thaïs)* était la beauté du monde et tout ce qui l'approchait, s'ornait des reflets de sa grâce.
FRANCE, Thaïs, p. 284.

31 Sa taille aussi avait achevé de se former. Vingt-trois ans bientôt; elle était dans tout son épanouissement de beauté.
LOTI, Pêcheur d'Islande, III, 16.

32 Certaines femmes n'arrivent pas à comprendre qu'elles doivent entretenir leur beauté, comme les hommes intelligents doivent entretenir leur esprit.
Edmond JALOUX, les Visiteurs, IV, p. 40.

33 La princesse, d'une beauté plantureuse (...)
GIDE, Si le grain ne meurt, I, 10.

34 La beauté sans la grâce est un appât sans hameçon.
Louis MADELIN, Talleyrand, V, XXXIV, p. 370.

35 C'est ainsi que la beauté et la grâce passent le plus souvent inaperçues, excepté de deux ou trois personnes qui sont les seules dont l'opinion vaille quelque chose, et soit vraie.
Valery LARBAUD, Amants, heureux amants..., p. 142.

*Concours, prix de beauté. Institut de beauté. Produits de beauté.*

35.1 Je n'ai pas inventé l'attitude, il l'avait telle. J'ajouterai enfin que sa taille était élancée, ses épaules larges et sa voix forte d'une assurance que lui donnait la conscience de son invincible beauté.
Jean GENET, Miracle de la rose, p. 31.

*La beauté du diable :* la beauté que donne la jeunesse à une personne qui n'a pas d'agréments réels. *La Beauté du diable,* titre d'un film de René Clair.

**EN BEAUTÉ.** *Être en beauté :* paraître plus beau, plus belle que d'habitude; se rendre beau, belle. *Sa femme est en beauté.* — Adj. *Des filles très en beauté.*

36 Pour moi, je changeai de chemise et d'habit; et, sans vanité, je me fis d'une beauté qui effaça entièrement mes belles-filles (...)
Mme DE SÉVIGNÉ, 6 août 1680.

Fam. *Se faire, se refaire une beauté :* s'ajuster, se parer, se farder, se pomponner. *Elle est allée se refaire une beauté.* — Rare. *Faire une beauté à qqn.* — (Avec un compl. n. de chose). Faire apparaître (qqch.) sous un plus bel aspect.

Moi la vie je veux pas lui faire une beauté, je l'emmerde. 36.1
É. AJAR (R. GARY), la Vie devant soi, p. 104.

**GRAIN DE BEAUTÉ :** petite saillie ou tache brune de la peau qui en fait ressortir la blancheur. → **Grain, mouche** (cit. 20). Rare. *Un point* (cit. 67) *de beauté.*

(...) des petits détails de son corps, un grain de beauté sur la hanche, un autre au dos, en face du premier. 37
MAUPASSANT, les Sœurs Rondoli, «Rencontre», p. 247.

♦ **3** *Une beauté :* une belle femme. *Une jeune, une fière beauté. Une beauté célèbre. Une beauté grecque, romaine :* une femme dont la beauté rappelle le type illustré par l'art grec, romain. *La beauté du village :* la plus belle femme du village. *Ma beauté,* terme d'affection. → **Beau** (ma belle).

La malpropre sur soi de peu d'attraits chargée, 38
Est mise sous le nom de beauté négligée (...)
MOLIÈRE, le Misanthrope, II, 4.

Je suis assurée que cette petite personne *(Pauline)* est jolie (...) et qu'elle soutient et même efface des beautés plus régulières (...) 39
Mme DE SÉVIGNÉ, 2 mars 1689.

(...) dans le simple appareil 40
D'une beauté qu'on vient d'arracher au sommeil.
RACINE, Britannicus, II, 2.

Parmi tant de beautés qui briguent leur tendresse *(des sultans),* 41
Ils daignent quelquefois choisir une maîtresse (...)
RACINE, Bajazet, I, 3.

Ciel! quel nombreux essaim d'innocentes beautés (...) 42
RACINE, Esther, I, 1.

Ouvre-moi ton cœur, ô ma beauté! cela fait tant de bien (...) 43
CHATEAUBRIAND, Atala.

J'aime, ô pâle beauté, tes sourcils surbaissés 43.1
D'où semblent couler des ténèbres (...)
BAUDELAIRE, les Fleurs du mal, «Les épaves», XI.

Il *(Salomon)* collectionne les beautés exotiques (...) 44
DANIEL-ROPS, le Peuple de la Bible, III, II, p. 207.

(...) le genre de beautés du second Empire dont le prototype fut incarné par notre Impératrice Eugénie (...) Ce genre de beautés aujourd'hui semble totalement supplanté par celui, industrialisé, de la pin-up, de la vamp-vedette. 44.1
Pierre KLOSSOWSKI, la Révocation de l'Édit de Nantes, p. 10.

Littér. *La beauté :* les belles femmes. *Rendre hommage à la beauté* (Académie).

♦ **4** (Souvent au pluriel). Belle chose, beau détail (d'un lieu, d'un objet, d'une personne, d'une œuvre). — Vieilli. Les attraits (d'une personne, d'une femme; → ci-dessous cit. 45, 46 et 50). *Les beautés de cette femme lui ont tourné la tête.* → **Appas** (cit. 13), **charme, trésor.** — Mod. *Les beautés d'une œuvre, d'un texte. Les beautés artistiques de l'Italie sont innombrables. Les beautés du style de Racine.*

*(Elle)* Étale ses beautés, fait montre de ses charmes (...) 45
MALHERBE, V, 23.

(...) L'empire inhumain qu'exercent vos beautés 46
Force jusqu'aux esprits et jusqu'aux volontés.
CORNEILLE, Cinna, III, 4.

L'amour qui nous attache aux beautés éternelles 47
N'étouffe pas en nous l'amour des temporelles.
MOLIÈRE, Tartuffe, III, 3.

Ses ouvrages *(de Juvénal),* tout pleins d'affreuses vérités, 48
Étincellent pourtant de sublimes beautés (...)
BOILEAU, l'Art poétique, II.

Les beautés de ces lieux, les mœurs des habitants, 49
Et le gouvernement de la chose publique
Aquatique. LA FONTAINE, Fables, IV, II.

Chaque belle a diverses beautés et chaque beauté fait naître des désirs. 50
HELVÉTIUS, Notes et maximes, p. 271.

51 (...) chaque nouvelle beauté de son œuvre était la petite quantité de Bergotte enfouie dans une chose et qu'il en avait tirée. Mais si par là chacune de ces beautés était apparentée avec les autres et reconnaissable, elle restait cependant particulière (...)

PROUST, À l'ombre des jeunes filles en fleurs, Folio, p. 152.

CONTR. **Hideur, horreur, laideur, monstruosité, vulgarité, vilenie. — Défaut.**

**BEAUVAIS** [bovɛ] n. m. — 1901, France; du nom de la ville de *Beauvais* (dans l'Oise).

Tapisserie de Beauvais. *De superbes beauvais et des aubussons.*

**BEAUX-ARTS** [bozaʀ] n. m. pl. — 1661; de *beau,* et *art.*

Arts qui ont pour objet la représentation du beau. → **Art** (cit. 64, *infra* cit. 65 et II., 1., REM.).

1 Quand leur cours, *(des torrents de la barbarie ...)*
Vint (...) étouffer les beaux-arts.

MOLIÈRE, la Gloire du Val-de-Grâce, 90.

2 *(L'expression de Beaux-Arts)* est (...) acceptée au XVIIe siècle (...) Il est vrai que *Beaux-Arts,* quoique La Fontaine s'en soit servi, ne se trouve ni chez Richelet ni dans l'Académie, en 1694. Est-ce oubli ou bien est-ce que réellement la Compagnie aurait considéré encore comme des «Arts Méchaniques» la Sculpture et la Peinture? Furetière le prétend. En tous cas, c'est un fait à retenir que le recueil officiel de la langue française n'a accueilli ce mot composé qu'en 1798!

F. BRUNOT, Hist. de la langue franç., t. VI, p. 681.

*L'École des beaux-arts,* et, absolt, *les Beaux-Arts,* où l'on enseigne la pratique des arts plastiques. *Concours, examen des Beaux-Arts.* → **Loge** (entrer en loge), **logiste.** *Le massier subvient aux dépenses de l'atelier des Beaux-Arts.*

**BEAUX-ENFANTS** [bozɑ̃fɑ̃] n. m. pl. — D. i.; de *beau,* terme d'affection, et *enfant.*

Enfants d'un conjoint (pour l'autre conjoint). → **Beau-fils, belle-fille.** *Elle s'entend bien avec ses beaux-enfants.*

**BEAUX-PARENTS** [boparɑ̃] n. m. pl. — 1793; rare jusqu'en 1850; de *beau,* et *parent.*

Le père et la mère du conjoint (du point de vue de l'autre conjoint). → **Beau-père; belle-mère.** *Rendre visite à ses beaux-parents.*

**BÉBÉ** [bebe] n. m. — 1793, attestation isolée, repris 1885; antérieurement, surnom d'un nain célèbre, Nicolas Ferry (1739-1764); angl. *baby;* le mot est d'abord en concurrence avec la forme *baby,* et désigne un jeune enfant, jusqu'à six ou sept ans; le costume de *bébé,* dans les bals masqués, l'atteste.

♦ **1** Enfant très jeune; tout petit enfant. → **Nourrisson, nouveau-né, petit;** fam. **gosse, lardon, marmot, mioche, môme, moutard,** 2. **salé** (petit salé), **poupard, têtard.** *Emmailloter un bébé. Un beau bébé rose et joufflu. Le gazouillis d'un bébé* (→ **A-reu, a-reu**). — *Attendre un bébé :* être enceinte. *Aliments, vêtements... pour bébés.* → **Baby** (et comp.).

1 Alors la vie nous apparaît comme la féerie où on voit d'acte en acte le bébé devenir adolescent, homme mûr et se courber vers la tombe.

PROUST, le Temps retrouvé, Pl., t. III, p. 926.

2 (...) et mesdames leurs épouses, sachant que sa femme attendait un bébé, travaillaient après les repas chacune à une pièce de la layette (...)

PROUST, À l'ombre des jeunes filles en fleurs, Folio, p. 304.

3 Être monstrueux, génial, féerique, était-ce un adulte nain, bloqué dans son développement à la taille d'un enfant, était-ce au contraire un bébé géant, comme sa silhouette le suggérait? M. TOURNIER, le Roi des Aulnes, p. 27.

Comme n. pr. Jeune enfant (par rapport aux parents). *Monsieur, Madame et Bébé. On purge Bébé,* comédie de Feydeau.

Fam. *Faire le bébé :* se conduire d'une façon puérile. *C'est un vrai bébé, malgré ses huit ans.* — Adj. *Il est très bébé pour son âge. Elle est restée très bébé.*

**BÉBÉ-ÉPROUVETTE** (1947, *bébé de l'éprouvette, in* A. Binet, *Vie sexuelle de la femme;* → Insémination, cit.) : enfant obtenu par la fécondation in vitro d'un ovule par un spermatozoïde, l'œuf obtenu étant ensuite réimplanté dans l'utérus. (On écrit aussi *bébé éprouvette*). «*Un second bébé-éprouvette est né en Grande-Bretagne*» (*le Monde,* 16 janv. 1979).

*Bébé-bulle :* enfant placé, dès sa naissance, dans un milieu aseptisé. → 1. **Bulle.**

Loc. (trad. de l'angl.). *Jeter le bébé avec l'eau du bain.*
[a] Supprimer l'objet même d'une préoccupation avec les difficultés qu'il entraîne.
[b] Rejeter en bloc des éléments sur lesquels on porte globalement un jugement négatif, sans tenir compte des aspects positifs qu'ils peuvent présenter.

(Dans des syntagmes). Projet, dossier délicat, encombrant; affaire embarrassante. «*Hériter du bébé*» (*Libération,* 12 juin 1985). «*Renvoyer le bébé*» (*Ibid.,* 4 mars 1987).

♦ **2** Fam. (En parlant d'un adulte). Terme affectueux ou iron. *Ta bouche, bébé!,* tais-toi! *Ta gueule, bébé! on te donnera une sucette.* — (Pour appeler qqn). *Tu viens, bébé?* (à une femme, anglic. d'après l'angl. *baby*). — *Mon bébé, mon gros bébé.*

Loc. fam. **BÉBÉ CADUM** [bebekadɔm] : gros bébé rose et joufflu (d'après des affiches célèbres de publicité de la firme *Cadum*). — Fig. *Personne rose et grasse. Des bébés cadum.*

C'est le personnage important du compartiment (...) il est plutôt rond et court comme un petit goret (...) Un bébé cadum au visage rond et triste d'ange-comptable. 4

Georges NAVEL, Travaux, p. 89.

Vieilli. *Un bébé :* une personne très petite.

♦ **3** Petit (d'un animal). «*Des bébés de perruche*» (Loti). — (Formation calquée de l'angl.). En composition avec un nom d'animal. Petit très jeune, nouveau-né. *Un bébé-chat, un bébé-girafe. Elle s'indigne du massacre des bébés phoques.*

(...) Patricia me raconta en détail, et avec une nostalgie singulière, comment elle avait soigné, fortifié, sauvé le bébé-lion. Elle avait commencé par le nourrir au biberon, puis elle lui avait donné beaucoup de sucre, elle l'avait habitué au porridge. J. KESSEL, le Lion, p. 127. 5

♦ **4** (1885). Poupée figurant un jeune enfant. *Un bébé en celluloïd.* → **Baigneur, poupon.**

**BÉBÊTE** [bebɛt] adj. et n. — 1834, Balzac; 1808, appellatif pour un animal; redoublement de *bête.*

Familier.

♦ **1** Un peu bête, niais. → **Cucul, nigaud.** *Une chanson bébête.*

Je l'ai trouvé *(Sully Prudhomme)* trop bébête, quand il a déclaré qu'il vaudrait mieux rester tranquillement dans son coin à travailler les belles-lettres, plutôt que de sauter dans le forum plein de poussière et de sang! 1

J. VALLÈS, Cri du peuple, p. 248, *in* D. D. L.

Un ancien philosophe chinois prononce cet encouragement à la vertu, un peu bébête, «que si le gouvernement d'un petit État est bon, tout le monde (tout le monde chinois, cela va de soi) y affluera», et en augmentera la puissance et la prospérité. 2

Henri MICHAUX, Un barbare en Asie, p. 177.

Il s'écriait : «Ce sera merveilleux, tu verras, nous deux». L'amour le rendait bébête. 3

J. DUTOURD, les Horreurs de l'amour, p. 660.

♦ **2** N. Appellatif affectueux. → 2. **Bêta.** *Mais non, bébête, ce n'est pas grave! Gros bébête!*

♦ **3** N. f. (Dans le langage enfantin). Petite bête. *La bébête qui monte, qui monte, qui monte!*

4 — Combien sont-ils?
Ils dressent la tête comme des oiseaux au bord du nid. Et l'homme dit, d'une voix douce et gaie : — Regarde les bébêtes! J. RENARD, Journal, 11 sept. 1907.

**BE-BOP** [bibɔp] ou **BOP** [bɔp] n. m. — V. 1945; mot amér., onomatopée.

♦ **1** Style de jazz développé vers 1944, en réaction contre le style swing et sa simplicité rythmique et mélodique (les musiciens emploient *bop*). *Préférer le bop au free jazz.* — La forme *be-bop* a vieilli et évoque les années 1940 et 1950.

(...) quand on mesure les ravages exercés à travers l'Occident par le bibope *(sic)* de M. Gillespie[1] ou le répertoire impur de M. Bourvil (...)
Jacques PERRET, Bâtons dans les roues, p. 56.
1. Le trompettiste et chef d'orchestre Dizzy Gillespie.

Air de cette musique. *Danser sur un be-bop traditionnel.*

♦ **2** Vx. Danse rapide sur une musique de jazz «moderne», à la mode vers 1950-1960. *Des be-bops.*

**BEC** [bɛk] n. m. — V. 1119; du lat. *beccus*, p.-ê. d'orig. gauloise, mot qui a supplanté le lat. class. *rostrum*.

♦ **1** Partie cornée et saillante de la bouche (des oiseaux), formée de deux mandibules qui recouvrent respectivement les maxillaires supérieur et inférieur démunis de dents. *Les narines placées à la base du bec sont recouvertes par un opercule. Le bec de certains oiseaux est surmonté d'un casque. Cuvier a classé les oiseaux selon la forme de leur bec.* → **-rostre** (du lat. class. *rostrum*). *Le bec crochu de l'aigle* (→ 1. **Béquillon**). *Petit bec.* → **Becquet** (vx). *Le héron au long bec. Aiguiser*, essuyer* son bec. L'oisillon ouvre le bec pour recevoir la becquée*. Piquer avec le bec, prendre de son bec.* → **Becqueter.** *Frapper du bec. Coup de bec. Donner des coups de bec.*

1 Il *(le corbeau)* ouvre un large bec, laisse tomber sa proie.
LA FONTAINE, Fables, I, 2.

2 (...) un coq et une poule qui piquèrent du bec, grattèrent la mousse fraîche (...)
COLETTE, Histoires pour Bel-Gazou, XI.

2.1 Par-dessus les toits la reine des cormorans, le point de guêpe au niveau du sablier, fait tinter de son bec le sac des présages fermés giclant entre les promesses.
A. BRETON, Signe ascendant, p. 145.

(1393, des poissons). Par anal. de forme. Bouche (de certains animaux), organe qui dépend de la bouche. *Le bec d'une tortue, d'un charançon, des céphalopodes. — Baleine* à bec.* — Mandibules allongées et fines (de certains poissons). *Le bec de l'orphie.*

Par anal. *Nez* en bec d'aigle*, (rare) *en bec de chouette, de perroquet*, crochu.

3 Cassée en deux comme Carabosse, un nez crochu en bec de chouette et de petits yeux gris bordés de rouge (...)
LOTI, Mon frère Yves, XLVII, p. 117.

(V. 1280). Loc., vx. *Avoir le bec jaune :* être jeune et inexpérimenté. — (V. 1306). *Bec jaune :* sot, niais. → **Béjaune, blanc-bec.**

Loc. **AVOIR BEC ET ONGLES,** des moyens de défendre et d'attaquer.

4 Sachez que j'ai bec et ongles, et que je ne crains nullement Sangrado, qui, malgré sa présomption et sa vanité, n'est qu'un original. A. R. LESAGE, Gil Blas, II.

**AVOIR LE BEC DANS L'EAU.** En parlant d'un oiseau (héron) qui attend le poisson. — Fig. *Laisser, tenir qqn le bec dans l'eau :* en suspens, dans l'incertitude, l'attente. — Fam. *Rester, se retrouver le bec dans l'eau :* se trouver dans une situation sans issue, sans avoir obtenu ce qu'on espérait; ne pas savoir que répondre.

Je me suis déjà adressé à pas mal de personnes et on ne m'a pas répondu; je reste le bec dans l'eau avec trois pages blanches. 4.1
FLAUBERT, Correspondance, t. V, p. 417, *in* REY et CHANTREAU.

♦ **2** (1217). Fam. Bouche (de l'homme). [a] → **Gueule.**

Vous n'avez pas encore assez de barbe autour du bec pour me faire la semonce et je vous conseille de me laisser en paix. 5
G. SAND, François le Champi, XXI, (cf. Blanc-bec).

Loc. *La pipe au bec*, à la bouche.

Alfreda (...) tenait à la main une brochure dont elle lisait à mi-voix un passage à Paterson, qui, la pipe au bec, écoutait distraitement. 6
MARTIN DU GARD, les Thibault, t. V, p. 51.

*Claquer* du bec. — Puer du bec :* avoir mauvaise haleine.

Serré dans son coin de wagon par un obèse puant du bec, il se plongea dans une série de considérations visant la nécessité d'un doute préliminaire à toute recherche philosophique. R. QUENEAU, le Chiendent, p. 326. 6.1

*Bec de* (et nom d'animal), dans des appellatifs injurieux (vieilli). → **Gueule.** *Bec de singe, d'asticot, de puce, de veau* (cf. H. Barbusse, *le Feu*). *Bec de cane.*

[b] Bouche (servant à manger). *Ouvrir le bec*, pour manger. *Se mettre qqch. dans le bec. Se refaire le bec. — Claquer du bec :* avoir faim. — *Avoir le bec salé :* avoir soif, toujours soif. *Se rincer le bec :* boire. *Prendre qqn par le bec*, par la gourmandise. *En avoir jusqu'au bec :* être rassasié. *Ça ne leur tombera pas tout cuit dans le bec :* ils ne l'obtiendront pas sans effort.

Par ext. *Bec fin :* personne qui aime la bonne nourriture, gourmet.

[c] Bouche (organe de la parole). *Ouvrir le bec :* prendre la parole. *Avoir le bec bien affilé*, être fort en bec :* avoir la parole facile, prompte. *Avoir bon bec, caquet* bon bec :* être bavard, volontiers médisant. → **Bon bec.** *Donner un coup de bec à qqn*, lancer un trait agressif. → (vx) 2. **Bêcher, becqueter.** — *Se prendre de bec avec qqn.* — Plus cour. *Une prise de bec :* une altercation (→ **Dispute**). — *Clore, clouer*, cadenasser le bec à qqn*, le faire taire (→ Couper le sifflet). *Demeurer le bec clos.* — Vieilli. *Avoir le bec gelé :* rester silencieux, interdit.

Prince, aux dames Parisiennes 7
De beau parler donnez le prix;
Quoi qu'on die d'Italiennes
Il n'est bon bec que de Paris.
VILLON, Ballade des femmes de Paris.

(...) Qui tâche en vain de lui clore le bec (...) 8
LA FONTAINE, Contes, «Le diable en enfer».

Elle avait de l'esprit et du bec, et souverainement glorieuse quoique fort polie (...) 9
SAINT-SIMON, Ch. 608, t. XXXVIII, p. 183, *in* LITTRÉ.

J'en reviens toujours à vous dire qu'il ne faut jamais se prendre de bec avec la canaille (...) 10
P.-L. COURIER, Lettres, I, 383.

Ces dames n'avaient pas le bec gelé et caquetaient, à ce qu'on m'a rapporté, comme au vieux temps. 11
FRANCE, le Petit Pierre, I.

(...) il reste auprès de nous, sans ouvrir le bec; et alors, c'est comme si brusquement la température baissait dans le salon! (...) 12
MARTIN DU GARD, les Thibault, t. IX, p. 74.

Vieilli. *Faire son petit bec :* faire des mines. *Un petit bec pincé.* → **Afféterie** (cit. 2). — *Faire le gros bec,* la moue. *Donner du bec,* un baiser. → **Bécoter, embrasser,** (fam.).

13 (...) cette Miss Bell (...) qui à chacune de leurs rencontres si rares, l'embrassait en l'appelant «darling» lui donnait brusquement du bec sur la joue et gazouillait (...)
FRANCE, le Lys rouge, I.

Vx. *Mon petit bec,* terme familier d'affection. → **Minois.** *Ne t'en fais pas, mon petit bec.*

*Passer, faire passer qqch. sous le bec de qqn,* sous le nez. → **Nez.** *Ça lui est passé devant le bec* (même sens). — *Le bec enfariné*.* → **Gueule.**

♦ **3** (1867). Régional (Suisse). Fam., enfantin. Baiser. → **Bécot.** *Viens que je te donne un bec. Bon bec!* ou *bons becs! :* bons baisers.

♦ **4** (V. 1150). Objet, partie de forme pointue, ressemblant à un bec d'oiseau (→ **Becquet**).

[a] Emplois généraux.

13.1 (...) çà et là une violette au bec bleu laissait fléchir sa tige sous le poids de la goutte d'odeur qu'elle tenait dans son cornet.
PROUST, Du côté de chez Swann, L. de poche, p. 200.

13.2 (...) le papier d'emballage, soigneusement replié sur le petit côté du parallélépipède, bâille légèrement en un bec aux lignes précises, pointant obliquement vers le bas.
A. ROBBE-GRILLET, Dans le labyrinthe, p. 22.

Spécialt. Extrémité terminée en pointe. *Le bec d'une plume :* extrémité pointue et fendue d'une plume métallique à écrire. *Le bec d'une aiguière, d'un vase, d'un broc, d'une buire, d'une cruche, d'un biberon. Casserole à bec verseur. Bec d'une pipe* (→ **Bouquin**). *Le bec d'une cuiller. Bec de sifflet.*

13.3 O lampe au bec d'argent, mes yeux t'aperçoivent dans les airs, compagne de la voûte des cathédrales (...)
LAUTRÉAMONT, les Chants de Maldoror, II, 11.

[b] (Domaines spéciaux). Sc. — En anat. *Bec de l'apophyse caracoïde,* ou *bec caracoïdien. Bec du calamus. Bec du corps calleux.* — *Bec acromégalique :* proéminence exagérée du tubercule antérieur de la selle turcique. — **BEC DE CUILLER :** lamelle osseuse en arrière de l'orifice du conduit du muscle du marteau de l'oreille.

Techn. *Bec d'attaque, de fuite,* extrémités avant, arrière de la nervure d'une aile d'avion. — Archit. Angle saillant aux extrémités de la pile d'un pont. — Filet saillant au-dessous d'un larmier. — Partie saillante (de la crosse d'une arme). *Bec de crosse. Bec de gâchette.* — Mar. Extrémité pointue de la patte (d'une ancre). *Les becs d'une ancre.*

[c] (1345, *in* D. D. L.). Géogr. Pointe de terre qui s'avance dans l'eau. → **Cap, confluent, promontoire.** *Bec d'Ambès.*

14 (...) le flot qui heurtait ce bec de granit rampait sournoisement le long de ses flancs lisses, en bavant.
MARTIN DU GARD, les Thibault, t. I, p. 102.

[d] Mus. Embouchure des instruments à vent munis d'une anche. *Bec de clarinette, de hautbois.* — *Flûte à bec,* munie d'une embouchure qui oriente l'incidence de l'air sur le biseau.

♦ **5 BEC DE...** (et nom d'animal). — REM. Plur. : *des becs de...* (et nom sans *s*). *Bec de corbeau, de corbin, de cane...,* forme caractéristique de ces becs. *Un nez en bec de corbin.* — REM. On écrit parfois ces syntagmes avec des traits d'union.

15 Il avait un long nez aux narines couchées, un nez en bec-de-corbin (...)
MARTIN DU GARD, les Thibault, t. V, p. 66.

(1371, «broc»; de l'anc. franç. *ane* «canard», écrit *âne* par confusion). **BEC D'ÂNE, BEC-D'ÂNE** ou *bédane,* n. m. [a] Poignée en métal pour ouvrir une porte. → **Bec-de-cane** (ci-dessous).

[b] (1859). Instrument de chirurgien pour l'extraction des balles. Syn. : *bec de cane.*

[c] Techn. → **Bédane.**

**BEC DE CANE** ou **BEC-DE-CANE,** n. m. *Des becs-de-cane.* [a] Clou à crochet, utilisé en coutellerie. Syn. : *clou à pigeon.*

[b] Chir. Syn. de *bec-d'âne.*

[c] (1881). Techn. Outil à fût ayant un fer en croissant, servant à travailler les moulures.

[d] Cour. Poignée servant à manœuvrer la serrure d'une porte, sans user d'une clé. → Pêne, cit. 1. *Tourner, peser sur le bec-de-cane d'une porte.*

(...) un farceur de l'extérieur fit jouer le bec-de-cane de la porte (...) 16
COURTELINE, Messieurs les ronds-de-cuir, 6[e] tableau, III.

Le gardien n'avait pas ouvert la porte avec une clé, mais avec un bec-de-cane. 16.
MALRAUX, Antimémoires, Folio, p. 242.

[e] (1845). Aloès à feuilles linguiformes.

[f] (1905, Bruant). Argot, vx. Revolver. — Cambriolage.

**BEC DE CIGOGNE :** variété de géranium.

**BEC-DE-CORBEAU, BEC-DE-CORBIN,** n. m. (→ aussi ci-dessus).

[a] (1743). Pommeau de canne, sculpté en forme de bec d'oiseau. *Parapluie à bec-de-corbin* (Balzac).

[b] Techn. Ciseau, outil recourbé et terminé en pointe (en forme de crochet). — Outil de calfat de cette forme. — Outil de menuisier. Syn. : *bec de cane.*

Archéol. **BEC DE FAUCON :** hallebarde à fer recourbé et tranchant.

**BEC DE GRUE :** variété de géranium. **BEC DE HÉRON :** géranium arduinum.

**BEC DE LIÈVRE.** → **Bec-de-lièvre.**

**BEC D'OISEAU,** n. m. [a] Régional. Dauphinelle (plante).

[b] Techn. Marteau à long manche dont la tête porte un bec-de-corbin. Syn. : *bec de corbin, de faucon, d'outarde.*

**BEC DE PIGEON :** éranium columbinum (plante).

**BEC DE PERROQUET.** [a] Pathol. Ostéophyte en forme de crochet qui se forme sur les vertèbres.

[b] Outil de pierre préhistorique formant crochet à une extrémité.

♦ **6** [a] Brûleur alimenté au gaz. *Le bec d'une lampe à gaz. Lampe à un bec, deux becs. Becs Bunsen utilisés en chimie. Bec Auer.* — Vx. *Bec à gaz.* — Mod. *Bec de gaz.* → **Bec de gaz.** — *Les becs papillons.* → Notoire, cit. 2.

(...) la foule battait des mains sous la flamme mouvante d'un bec Auer (...) 16.
SARTRE, les Mots, p. 73.

Juste au-dessus de nous le bec électrique s'alluma, et nos ombres de la nuit vinrent brusquement chasser nos ombres du jour. 16.
J. GIRAUDOUX, Simon le Pathétique, p. 140.

[b] Loc. fam. *Tomber sur un bec,* (vieilli) *tomber sur un bec de gaz :* rencontrer un obstacle imprévu, une difficulté, un ennui.

(...) et si on veut reprendre l'offensive, on tombera sur un bec! MARTIN DU GARD, les Thibault, t. VIII, p. 160. 17

DÉR. **Bécard, bécasse, bécot, becqué, becquée, becquer, becquet, becqueter, 1. béquiller, 1. béquillon.** — **V. Bécane, béquille.** ◊ COMP. **Arrière-bec; bec-croisé, bec de gaz, bec-de-lièvre, becfigue, bec-fin, bédane, béjaune; blanc-bec, bon bec.** — **V. Abecquer.**

**BÉCABUNGA** [bekabɔ̃ga] n. m. — 1732; lat. mod. *beccabunga,* bas all. *Bekebunge,* de *Bach* «ruisseau», et *Bunge* «plante à bulbe».

Bot. Plante aquatique du genre véronique.

**BÉCANE** [bekan] n. f. — 1890; «vieille locomotive», 1842; p.-ê. de l'argot *bécant* «oiseau qui becque» (→ Becquer), à cause des «cris», des grincements, ou (Guiraud) d'un dialectal *bicaner* «boiter, marcher de travers», d'où *bique* «chèvre».

♦ **1** Fam. Bicyclette. → **Vélo.** *Enfourcher sa bécane. En bécane.*

Vous n'étiez pas aux courses de la Sogne? Nous y sommes allés par le train, et (...) nous avons mis deux heures! J'aurais fait trois fois l'aller et retour avec ma bécane.
PROUST, Du côté de chez Swann, Pl., t. I, p. 877.

(V. 1960). Moto. *Une chouette bécane de 500 $cm^3$.*

♦ **2** Argot de métier. Machine. *Travailler sur une bonne bécane.* — Ordinateur, calculateur (substitut de *machine*).

**BÉCARD** ou **BECCARD** [bekaʀ] n. m. — 1564 «vieux saumon, ou femelle du saumon»; de *bec.*

♦ **1** Saumon à l'époque du frai. *«Les femelles creusent (...) une petite cavité où les œufs, dès qu'ils sont pondus, sont fécondés par un mâle. À ce moment beaucoup de mâles et quelques femelles présentent une hypertrophie de la pointe de la mâchoire inférieure, ce qui leur fait donner le nom de bécards»* (Poiré, *Nouv. dict. des sciences,* art. *Saumon*). — REM. Le mot, dont on connaît encore les variantes anciennes *bécart* et *becquatre,* présente une grande diversité de sens : «jeune saumon», «vieux saumon», «vieux mâle du saumon», «saumon femelle», «variété de saumon»; imprécision de l'usage lui-même ou des sources lexicographiques que les différences régionales ne suffisent pas à expliquer, et qu'il faudrait attribuer, selon le Wartburg, à une observation insuffisante des phénomènes naturels.

Les saumons épuisés après le frai, on les appelle des *bécards* et il est vrai que leur mâchoire supérieure ressemble à un bec crochu. Ils se laissent dériver, on les ramasse à l'épuisette, à la main, sans qu'ils se défendent plus qu'une serpillière. Leur chair flasque n'a aucun goût. C'est tout juste s'ils ne tombent pas en pourriture dès qu'on les sort de l'eau. Certains parviennent à refaire leurs forces, dans un trou.
André HARDELLET, Lourdes, lentes..., p. 36-37.

Brochet d'une certaine taille. → **Becquet.** (Aussi employé à propos de truites.)

♦ **2** (1540, Rabelais, puis Landais, 1834). Harle* commun (oiseau à bec courbe). — Régional (Normandie). Mâle de la bécasse.

HOM. **Bécarre.**

**BÉCARRE** [bekaʀ] n. m. — 1425; de l'ital. *b quadro* «b carré».

Mus. Altération qui signifie l'annulation de l'effet du dièse ou du bémol. *Le bécarre est une altération accidentelle* (n'est pas lié à une tonalité). — Vx. Mode majeur.

Ah! monsieur, c'est du beau bécarre!
— Que diantre veux-tu dire avec ton beau bécarre?
— Monsieur, je tiens pour le bécarre. Vous savez que je m'y connais. Le bécarre me charme; hors du bécarre, point de salut en harmonie. Écoutez un peu ce trio.
— Non. Je veux quelque chose de tendre et de passionné, quelque chose qui m'entretienne dans une douce rêverie.
— Je vois bien que vous êtes pour le bémol (...)
MOLIÈRE, le Sicilien, 4.

Adj. *Mi bécarre, do bécarre.* → **Naturel.**

HOM. **Bécard.**

**BÉCASSE** [bekas] n. f. — XIIe; de *bec,* et *-asse.*

♦ **1** Oiseau échassier migrateur au long bec *(Scolopacidés). La passée* des bécasses, le soir. La croule** (cit.) *des bécasses, à la saison des amours. La chair de la bécasse est très estimée. Chasser la bécasse.*

Demeurez au logis, ou changez de climat : 1
Imitez le canard, la grue, et la bécasse.
LA FONTAINE, Fables, I, 8.

C'était une bécasse arrivée la nuit; elle montait en battant 2
les branches et se glissait entre les rameaux des grands arbres nus (...) E. FROMENTIN, Dominique, III.

Loc. *Brider la bécasse,* la prendre dans un piège. — Fig., vx. Faire tomber qqn dans un piège, le duper.

(1606). (Qualifié; désignant d'autres oiseaux). *Bécasse de mer.* → **Courlis, huîtrier.**

(1611). Par anal. *Bécasse de mer :* poisson osseux au museau tubulaire allongé. → **Bécune.**

♦ **2** (Déb. XVIe). Fig., fam. Femme sotte. *C'est une bécasse, une dinde.* → **Bécassine.**

Adj. (Surtout en parlant d'une femme). Niais, niaise. → **Bécasseau.**

(...) il arrivait qu'Elstir passait des journées entières avec 3
telle femme qu'à tort ou à raison Mme Verdurin trouvait *bécasse.*
PROUST, À la recherche du temps perdu, Pl., t. II, p. 940.

DÉR. **Bécasseau, bécassier, bécassine, bécasson.**

**BÉCASSEAU** [bekaso] n. m. — 1537; de *bécasse.*

♦ **1** [a] Petit de la bécasse. (On dit aussi *béchot, bêchot, bécot.*)

[b] Petit échassier (*Scolopacidés;* genre *calidris*) qui fréquente les bords des étangs ou de la mer et dont la taille varie de celle du moineau à celle du merle. *Bécasseau variable* (alouette de mer), *bécasseau maubèche* (→ **Maubèche**), *bécasseau des sables* (→ **Sanderling**), *bécasseau tacheté.*

♦ **2** Fam. Personne un peu niaise. *Quel bécasseau!*

Adj. *Il est gentil, mais un peu bécasseau.*

**BÉCASSIER, IÈRE** [bekasje, jɛʀ] adj. — Attesté 1945; de *bécasse.*

Techn., chasse. Qui concerne la chasse à la bécasse. *Chiens bécassiers.* — N. m. Chasseur de bécasses.

**BÉCASSINE** [bekasin] n. f. — 1553, *becquassyne;* de *bécasse.*

♦ **1** Oiseau échassier migrateur *(Charadriidés)* de petite taille, au bec long, aux pattes dénudées. *Petite bécassine.* → 2. **Bécot.** *La bécassine se plaît dans les marais.* — *Bécassine de mer.* → **Orphie.**

♦ **2** (1943; répandu par le nom propre *Bécassine,* donné à l'héroïne d'un récit en images, paysanne bretonne en service chez des bourgeois). Fig. Fam. Jeune fille, femme niaise.

Adj. *Elle est un peu bécassine, mais elle fait ce qu'elle peut.*

**BÉCASSON** [bekasɔ̃] n. m. — 1564; *bécassin,* 1552; de *bécasse.*

♦ **1** Petit oiseau échassier *(Charadriidés).* → **Chevalier.**

♦ **2** Fig. Bécasseau (fig.), petit niais.

**BECAUSE** ou **BICAUSE** [bikoz] conj. et prép. — 1928; angl. *because* «parce que», avec infl. de *à cause de.*

Anglicisme familier.

♦ **1** Conj. Parce que.

On tousse un peu quand on entre à cause de l'épaisse 1
fumée... aussi because c'est la manière... c'est opaque jusqu'au fond de la salle...
CÉLINE, Guignol's band, p. 52.

♦ **2** Prép. À cause de.

2 Il sortait pas because son asthme que les brouillards de la rivière lui provoquaient pour des riens...
CÉLINE, Guignol's band, p. 183.

3 Dominique lui tint pendant quelque temps compagnie puis finit par l'abandonner bicause l'arrivée de nouveaux invités (...) R. QUENEAU, Loin de Rueil, p. 151.

4 «Nous étions six là-dedans. J'y suis restée douze ans..., douze ans à entendre la concierge gueuler dans la cour à cause des termes en retard... et le mal à l'estomac, *because* la charcuterie... et la toilette sur l'évier... et mon père qui a mis six ans à claquer, dans le cagibi du fond, sans avoir revu le soleil».
H.-G. CLOUZOT et J. FERRY, Quai des orfèvres (Scénario), *in* l'Avant-Scène, nº 29, p. 42.

**BECCARD** [bekaʀ] n. m. → **Bécard.**

**BEC-CROISÉ** [bɛkkʀwaze] n. m. — 1751; de *bec,* et *croiser.*

Passereau *(Fringillidés)* caractérisé par la forme de son bec, dont les mandibules se croisent à la façon de lames de ciseaux. *Le bec-croisé se nourrit de graine de conifères. Des becs-croisés.*

En avant, une perdrix s'envole en vrombissant; plus loin encore, dans les épinettes, des becs-croisés chahutent.
Jean-Yves SOUCY, Un dieu chasseur, p. 15.

**BEC D'ÂNE** [bɛkdan] n. m. → **Bec** (5.), **bédane.**

**BEC-DE-CANE** [bɛkdəkan], **BEC-DE-CORBEAU** [bɛkdəkɔʀbo], **BEC-DE-CORBIN** [bɛkdəkɔʀbɛ̃] n. m. → **Bec** (5.).

**BEC DE GAZ** [bɛkdəgaz] n. m. — 1829, cit. 1; de *bec* (6.), *de,* et *gaz.*

♦ **1** Vieilli. Extrémité du brûleur (→ **Bec,** 6.) d'une lampe à gaz; lampe à gaz. Var. : *bec à gaz.*

1 (...) et la crainte est, dans leur âme, comme un bec de gaz sous un globe de verre : elle éclaire leur visage aussi puissamment qu'elle explique leur conduite.
BALZAC, Physiologie du mariage, Pl., t. X, p. 700.

♦ **2** (1829, Balzac). Anciennt. Lampadaire muni d'une lampe à gaz, autrefois utilisé pour l'éclairage des voies publiques (→ Clignotant, cit. 2; file, cit. 3; flaque, cit. 1; papillon, cit. 10; réverbère, cit. 1).

2 À cette époque *(en 1824)* il n'y avait point de becs de gaz dans les rues de Paris. À la nuit tombante on y allumait des réverbères placés de distance en distance, lesquels montaient et descendaient au moyen d'une corde qui traversait la rue de part en part et qui s'ajustait dans la rainure d'une potence.
HUGO, les Misérables, II, V, V.

3 (...) il se dit que la lumière venait du devant des bateaux ou de la réflexion des becs de gaz (...)
LAUTRÉAMONT, les Chants de Maldoror, II, 12.

4 L'avenue plate s'étendait, avec ses lignes de grands arbres et de maisons basses, ses larges trottoirs grisâtres, tachés de l'ombre des branches, les trous sombres des rues transversales, tout son silence et toutes ses ténèbres; et les becs de gaz droits, espacés régulièrement, mettaient seuls la vie de leurs courtes flammes jaunes, dans ce désert de mort. ZOLA, le Ventre de Paris, t. I, p. 11.

5 Les becs de gaz pissaient leur flamme au clair de lune
APOLLINAIRE, Alcools, p. 139.

6 Madame a oublié d'éteindre le bec de gaz du préau, un de ces becs de gaz vieillots dont la flamme ressemble à un papillon jaune, avec un cœur bleu.
BERNANOS, Nouvelle histoire de Mouchette, Œ. roman., Pl., p. 1269.

7 C'est encore le même filament, celui d'une lampe identique ou à peine plus grosse, qui brille pour rien au carrefour des deux rues, enfermé dans sa cage de verre en haut d'un pied de fonte, ancien bec de gaz aux ornements démodés devenu lampadaire électrique.
A. ROBBE-GRILLET, Dans le labyrinthe, p. 16.

Mod. Appareil d'éclairage public. → **Lampadaire; réverbère.**

♦ **3** Loc. *Tomber sur un bec de gaz* (vx) ou, ellipt, *sur un bec* (mod.). → **Bec,** 5.

**BEC-DE-LIÈVRE** [bɛkdəljɛvʀ] n. m. — 1560, Paré; de *bec,* et de *lièvre,* par anal. avec la lèvre supérieure du lièvre.

♦ **1** Malformation congénitale de la face, qui se présente ordinairement sous la forme d'une fissure de la lèvre supérieure, parfois associée à une fente osseuse (du rebord alvéolaire, de la voûte du palais). *Des becs-de-lièvre. Il a un bec-de-lièvre.*

Une petite fille de deux ans, un pauvre avorton né avant terme : bec-de-lièvre, avec division congénitale du palais.
MARTIN DU GARD, les Thibault, t. III, p. 132.

♦ **2** Personne qui a un bec-de-lièvre. — REM. L'usage hésite entre le masculin et un féminin virtuel, en parlant d'une femme : *un* ou *une bec-de-lièvre.* Adj. *Un enfant bec-de-lièvre. Elle est bec-de-lièvre.*

**BECFIGUE** [bɛkfig] n. m. — 1539; adapt. ital. *beccafico,* de *beccare* «becquer», et *fico* «figue».

Passereau, appelé aussi *bec-fin;* spécialt, *fauvette. Les becfigues se nourrissent en automne de raisins, de figues, etc.*

En certaines provinces de France, on donne le nom d'ortolans à plusieurs oiseaux d'espèce très différente, par exemple au torcol, au becfigue, etc. 1
BUFFON, Hist. nat. des oiseaux, t. VIII, p. 3.

Le Pédant *(un comédien)* reparut bientôt portant un panier de chaque main, et plaça triomphalement au milieu de la table une forteresse de pâté aux murailles blondes et dorées, qui renfermait dans ses flancs une garnison de becfigues et de perdreaux. 2
Th. GAUTIER, le Capitaine Fracasse, p. 35.

**BEC-FIN** [bɛkfɛ̃] n. m. — 1843; de *bec,* et *fin.*

Passereau* à petit bec droit, mince et effilé. → **Becfigue.** *Des becs-fins.*

1. **BÊCHAGE** [bɛʃaʒ] n. m. — 1611; repris 1878; de 1. *bêcher.*

Action de bêcher. *Procéder au bêchage d'un jardin, d'un massif.*

2. **BÊCHAGE** [bɛʃaʒ] n. m. — 1895; de 2. *bêcher.*

Action de bêcher (→ 2. **Bêcher,** 1.), de manifester du mépris à l'égard de (qqn). *«Un bêchage cruellement gouailleur de Daudet»* (par Rosny), Goncourt, *Journal, in* T. L. F.

**BÉCHAMEL** [beʃamɛl] n. f. — 1742; 1735, *béchamelle;* du nom de Louis de *Béchamel* (1630-1703), qui fut maître d'hôtel de Louis XIV.

♦ **1** Sauce blanche à base de lait, farine, beurre.

Hier j'ai manqué une marengo et roussi une béchamel (...)
SCRIBE et MAZÈRES, Vatel, 1.

Par appos. *Faire une sauce béchamel. — Un vol-au-vent béchamel,* servi avec cette sauce.

♦ **2** Fig., fam. Situation confuse, embrouillée; grand désordre. *Il a confondu la liste des départs et celle des arrivées, ça a fait une de ces béchamels! Quelle béchamel!*

**BÊCHARD** [bɛʃaʀ] ou **BÉCHARD** [beʃaʀ] n. m. — 1838; de *bêche.*

Agric. Houe à deux branches larges et pointues.

**BÊCHE** [bɛʃ] n. f. — Déb. XIIe, *besche ;* déverbal de 1. *bêcher.*

♦ **1** Outil* de jardinage composé d'un fer large, plat et tranchant (plateau), adapté à un manche plus ou moins long. → aussi **Binette, houe, houlette, louchet, palot.** *Travailler la terre à la bêche, avec une bêche.* → 1. **Bêcher.** *Je vais donner un petit coup de bêche au jardin. La bêche est l'instrument traditionnel du labour à bras.* → **Bêchage, mésoyage.** *Petite bêche.* → **Bêcheton, bêchette, bêchot.** *Bêche automatique,* à levier et ressort.

1 Vois-tu d'ici ces gens dont la fortune
Est dans leurs bras, qui, la bêche à la main,
Le dos courbé, retournent ce jardin ?
VOLTAIRE, l'Enfant prodigue, III, I.

2 (...) les coups de bêche d'un chercheur de trésors (...)
M. BARRÈS, la Colline inspirée, p. 54.

♦ **2** (1908). Artill. *Bêche de crosse :* espèce de soc à l'extrémité des flèches d'un affût de canon, qui, en s'enfonçant dans le sol, limite le recul de la pièce. *La bêche de crosse d'un 75.*

♦ **3** Coléoptère à corps plat et brillant, dont la larve détruit les bourgeons des arbres fruitiers, de la vigne.

DÉR. **Bêchard, bêchelon, bêcheton, bêchette, bêchon, bêchot.**

1. **BÊCHE-DE-MER** [bɛʃdəmɛʀ] n. f. — 1904, *Nouveau Larousse illustré,* art. *Tripang ;* altér. de *bichlamar** par l'esp. *bicho* «bestiole» ou le port. *bichodomar* «bête de mer» refait sur *bêche* et *mer.*

Grosse holothurie comestible. → **Tripang.** — REM. Baudelaire a traduit par *biche de mer* l'expression *bêche-de-mer* donnée en français par E. Poe.

Les Chinois (...) considèrent la *biche de mer* comme une friandise des plus recherchées, comme un mets des plus nourrissants et des plus fortifiants, et aussi comme très propre à rajeunir un tempérament épuisé par les voluptés immodérées.
BAUDELAIRE, Trad. POE, les Aventures d'A. Gordon Pym, XX, Pl., p. 666.

2. **BÊCHE-DE-MER** [bɛʃdəmɛʀ] n. m. → **Bichlamar.**

**BÊCHELON** [bɛʃlɔ̃] n. m. — 1832 ; de *bêche.* → Bêcheton.

Agric. Petite binette. → **Bêchon.**

**BÉCHER** [beʃɛ; beʃɛʀ] n. m. — 1842, en métrologie ; all. *Becher,* du lat. pop. *becarius.*

(1931). Chim. Gobelet utilisé dans diverses opérations chimiques. «... *les molécules d'un liquide coloré sont localisées dans une goutte que l'on lâche dans un bécher d'eau claire...*» (la *Recherche,* n° 86, févr. 1978, p. 109). — *Bécher-filtre :* petit appareil permettant d'effectuer sans transvasement diverses opérations chimiques.

1. **BÊCHER** [beʃe] v. tr. — XIIe ; orig. incert., p.-ê. du lat. pop. **bessicare,* du lat. médiéval *bessus,* p.-ê. de *bissus,* fém. *bissa,* de *bis* «deux fois», ou de *(pala) *biseca* «à deux tranchants», de *bis,* et *secare* «trancher».

Fendre, retourner (la terre) avec une bêche. → **Cultiver, labourer.** *Bêcher la terre, son jardin.*

Remuez votre champ dès qu'on aura fait l'août :
Creusez, fouillez, bêchez (...)
LA FONTAINE, Fables, V, 9.

Absolt. *Bêcher autour d'un arbre. Il a bêché toute la journée.*

DÉR. 1. **Bêchage, bêche,** 1. **bêcheur, bêchoir.** ◊ HOM. 2. **Bêcher.**

2. **BÊCHER** [beʃe] v. tr. — 1837, Vidocq, «calomnier» ; p.-ê. fig. de 1. *bêcher* «fouiller» ou du régional *béquer* «donner des coups de bec» (→ Becquer), d'où «piquer par des paroles».

Familier.

♦ **1** Vx. Critiquer vivement (qqn). → **Débiner, médire** (de).

(...) Et une femme vous bêchait, mais vous bêchait (...)
LOTI, les Désenchantées, III, 15, p. 119.

♦ **2** Mod. Être prétentieux et snob à l'égard de (qqn). → **Snober.** *Alors, tu nous bêches, aujourd'hui ?* — Absolt. *Il bêche ferme, celui-là !* → 2. **Bêcheur.**

DÉR. 2. **Bêchage,** 2. **bêcheur.** ◊ HOM. 1. **Bêcher.**

**BÊCHETON** [bɛʃtɔ̃] n. m. — 1845 ; de *bêche.* → Bêchelon.

Agric. Petite bêche utilisée surtout dans la culture des haricots.

**BÊCHETTE** [bɛʃɛt] n. f. — 1823 ; de *bêche.*

Agric. Petite bêche au manche légèrement recourbé.

1. **BÊCHEUR, EUSE** [bɛʃœʀ, øz] n. — 1453 ; de 1. *bêcher.*

♦ **1** Rare. Personne qui travaille avec une bêche.

Tu seras d'abord piocheur de terre, bêcheur de terre, et tu te lèveras pour arroser.
SAINT-EXUPÉRY, Citadelle, 1944, *in* T. L. F.

♦ **2** Fam., vx. Travailleur acharné. *Ce garçon est un sacré bêcheur.* → **Bosseur, bûcheur** (mod.).

HOM. 2. **Bêcheur.**

2. **BÊCHEUR, EUSE** [bɛʃœʀ, øz] n. — 1849 ; «insulteur», 1833 ; de 2. *bêcher.*

Familier.

♦ **1** Vx. Personne qui bêche (qqn), dit du mal des autres. → 2. **Bêcher.**

♦ **2** (1889, Gyp). Mod. Personne dont l'attitude est affectée et méprisante. → **Frimeur, snob.** *Une sale petite bêcheuse. Ce sont des bêcheurs, des snobs.*

(...) il craint des représailles avec eux ou en touche un il vous en tombe vingt dessus ils se serrent les coudes ces bêcheurs 1
Tony DUVERT, Paysage de fantaisie, p. 121.

La seconde, une femme sans âge, vient d'être transférée de la maison d'arrêt de Brest. Elle ne paraît nourrir aucune sympathie envers Liliane, cette «bêcheuse», avec ses bras trop fins, son tailleur trop bien coupé, ses pleurnicheries trop distinguées et son mutisme exaspérant. 2
René FLORIOT, La vérité tient à un fil, p. 140.

Adj. *Ce qu'il peut être bêcheur !*

Elle était jolie, gaie, presque blonde, pas bêcheuse pour un sou. 3
H. TROYAT, les Eygletière, p. 17.

♦ **3** (1848, Esnault). Argot. Avocat général.

La sonnette tinte, introïbo. Le Président, les assesseurs et le bêcheur font leur entrée et s'installent. À une petite table latérale, le pigiste du canard local gribouille déjà. 4
A. SARRAZIN, la Cavale, p. 300.

HOM. 1. **Bêcheur.**

**BÉCHEVET** [beʃvɛ] n. m. — XIVe, *bécheves,* adj. ; de *bes-,* lat. *bis-* et *chevet.* → Tête-bêche.

Vieux.

♦ **1** Double chevet.

♦ **2** Poutres accolées l'une à l'autre et taillées en biseaux allongés.

DÉR. **Bêcheveter.**

**BÊCHEVETER** [bɛʃvəte] v. tr. [CONJUG. : *jeter.*] — 1778, *in* D. D. L. ; de *bêchevet*, du préf. *bes-*, lat. *bis* «deux fois», et *chevet*. → Tête-bêche.

Vx. Placer tête-bêche. *Bêcheveter des bouteilles. Bêcheveter des livres, des paquets de journaux pour les maintenir en équilibre.*

**BÉCHIQUE** [beʃik] adj. — 1560, Paré ; bas lat. *bechicus*, du grec tardif *bekhikos*, de *bêks, bekhos* «toux».

Vx. Qui agit contre la toux. *Un sirop béchique.*
N. m. *Des béchiques adoucissants.*

**BÊCHOIR** [bɛʃwaʀ] n. m. — XIXe ; de *bêcher*.

Agric. Houe carrée à large fer.

**BÊCHON** [bɛʃɔ̃] n. m. — 1823 ; de *bêche*.

Agric. Petite houe, binette pour biner à la main. — Var. : *béchen*. → **Bêchelon.**

1. **BÊCHOT** [bɛʃo] n. m. — XIXe ; dimin. de *bêche*.

Agric. Petite bêche.

2. **BÊCHOT** [bɛʃo] ou **BÉCHOT** [beʃo] n. m. → 2. **Bécot.**

**BEC-JAUNE** [beʒon ; bɛkʒon] n. m. → **Béjaune.**

1. **BÉCOT** [beko] n. m. — 1787, *in* D. D. L. ; de *bec* «bouche» et élément diminutif *-ot*.

Fam. Petit baiser*. → **Bise, bisou.** *Un gros, un petit bécot. Ils se donnent des bécots.* → **Bécoter** (se). *Fais-moi un gros bécot.*

1 (...) il les embrassa l'une après l'autre, sur les deux joues, d'un gros bécot de paysan.
MAUPASSANT, le Retour, Pl., t. II, p. 212.

2 (...) ils se déposaient mutuellement sur les deux joues des bécots sonores.
R. QUENEAU, le Dimanche de la vie, p. 52.

DÉR. **Bécoter.** ◊ HOM. **2. Bécot.**

2. **BÉCOT** [beko] n. m. — XVIIe, *béquot* ; de *bec* ou du rad. de *bécasse*.

Petite bécassine. — Petit de la bécasse. — Var. : *bêchot, béchot.*

HOM. **1. Bécot.**

**BÉCOTAGE** [bekɔtaʒ] n. m. — 1879 ; cf. *bécottement*, Flaubert, 1863 ; de *bécoter*.

Fam. Action de (se) bécoter.

L'enfant, traînée de salon en dancing, de robe de taffetas, en manteau de velours et de câlinettes en bécotages, commence à ressembler au pékinois de Mme Burdy.
Denyse VAUTRIN, le Tourbillon des jours, t. II, p. 293.

**BÉCOTER** [bekɔte] v. tr. — 1830 ; de *bécot*. REM. Var. orth. : *bécotter, se bécotter* chez les écrivains du XIXe siècle.

Fam. Donner des bécots à (qqn). → **1. Baiser** (I., 1.), **embrasser** ; et aussi **bec** (*donner du bec, supra* cit. 13).

1 Je vais donc bécotter ta vieille binette (...)
FLAUBERT, Correspondance, t. III, p. 204.

◆ **SE BÉCOTER** v. pron.

Échanger des bécots, s'embrasser. → **Becqueter** (se). *«Les amoureux qui s'bécott'nt sur les bancs publics...»* (Chanson de G. Brassens, Seghers, 1963, p. 47).

2 (...) Quand aurez-vous fini de vous bécotter ?
Alphonse DAUDET, Sapho, II.

DÉR. **Bécotage, bécoteur.**

**BÉCOTEUR, EUSE** [bekɔtœʀ, øz] adj. et n. — 1887, *becquoteuse* «prostituée qui vole son client "au becquotage"» ; de *bécoter*.

Fam., rare. (Personne) qui bécote.

**BECQUÉ, ÉE** [beke] adj. — Av. 1590 ; de *bec*.

Blason. Dont le bec est d'un autre émail que le corps. *«Un aigle d'or (...) becqué et onglé de gueules»* (Balzac, *la Peau de chagrin*).

HOM. **Becquée** ou **béquée, becquer.**

**BECQUEBOIS** [bɛkbwa] n. m. — Attesté XIXe ; de *becquer*, et *bois*.

Régional. Pivert*. *Des becquebois.*

**BECQUÉE** ou **BÉQUÉE** [beke] n. f. — 1543 ; fin XIVe, *bechée* ; de *bec*, ou du provençal *becado*.

♦ **1** Ce qu'un oiseau prend dans son bec pour se nourrir ou nourrir ses petits. → **Nourriture, pâture.** *La mère hirondelle donne la becquée à ses petits.* → **Abecquer ; brochette** (élever à la) ; **embecquer.** *Prendre la becquée.* → **Becqueter ; happer.**

♦ **2** Le fait de nourrir bouchée par bouchée (qqn). *Donner la becquée à un bébé, à un malade.*

(...) comme si elle donnait la becquée à un nourrisson, elle introduisit la cuiller entre les lèvres molles du malade (...)
MARTIN DU GARD, les Thibault, t. III, p. 122.

(1866). Fam. *Plus qu'une becquée, pour finir !* → **Bouchée, cuillerée.**

HOM. **Becqué, becquer.**

**BECQUER** [beke] v. — Fin XIIe, *bechier ; becquer*, p.-ê. sous l'infl. du picard ; de *bec*.

♦ **1** V. tr. Rare. Prendre, frapper avec son bec. → **Becqueter.**

♦ **2** V. tr. Régional, fam. (Au Canada). Faire un baiser, embrasser. → **Bécoter.**

♦ **3** V. intr. Régional. Bégayer. *Se mettre à becquer. «Comment ça se fait que tu becques point quand tu chantes ?»* (Hamp, *Vin de Champagne*, 1909, *in* T. L. F.).

HOM. **Becqué, becquée.**

**BECQUEREL** [bekʀɛl] n. m. — 1975 ; du nom du physicien Henri *Becquerel*.

Phys. Unité d'activité radioactive (symb. : Bq) correspondant à l'activité de la quantité de nucléide radioactif pour laquelle il existe une transition nucléaire spontanée par seconde. *Le becquerel est l'unité de mesure d'activité nucléaire du système international ; il remplace le curie.*

**BECQUET** [bɛkɛ] n. m. — 1587 ; *bechez*, v. 1170 ; de *bec*.

♦ **1** Vx. Petit bec.

♦ **2** Mod. (Objets matériels). [a] (XIIIe). Pêche. Brochet ; saumon à museau allongé. → **Bécard.**

[b] Cuis. Chair de porc attachée à la mâchoire inférieure et consommée ordinairement fumée.

[c] Techn. Morceau de cuir pointu destiné à renforcer la semelle usée d'une chaussure. — Menuis. Morceau de bois rajusté à une cassure. — Autom. Pièce de carrosserie (élément stabilisateur aérodynamique) ajoutée à l'avant et à l'arrière d'une automobile pour améliorer l'écoulement de l'air le long du véhicule.

♦ **3** (1808, *béchet*). Imprim. BECQUET ou BÉQUET (morceau de papier portant un texte) : languette, petit morceau de papier écrit qu'on ajoute à une épreuve pour signaler une correction, un ajout.

Typogr. Morceau de papier fin collé sous la feuille de mise en train pour mieux faire ressortir, lors de l'impression, les caractères qui apparaissent faibles sur l'épreuve.

(Av. 1850). Argot de théâtre. Fragment de scène ajouté par l'auteur au cours des répétitions.

Tous ont mal joué, préoccupés de leurs toilettes et des derniers béquets, voulant jouer comme je veux et contre Antoine, furieux, qui ne sait plus un mot de son rôle.
J. RENARD, Journal, 1er mai 1903.

♦ **4** Alpin. BECQUET : saillie de rocher servant d'appui, autour de laquelle se pose un anneau de corde.

**BECQUETAGE** [bɛktaʒ] n. m. — Av. 1857, E. Sue, *in* P. Larousse; de *becqueter*.

♦ **1** Rare. Action de becqueter ou de se becqueter. *Traces de becquetage d'oiseaux sur un fruit.*

♦ **2** Techn., régional. Entaille en coin (en bec) pratiquée dans un bloc avant de le détacher du front de la carrière.

**BECQUETANCE** ou **BECTANCE** [bɛktɑ̃s] n. f. — 1882; de *becqueter, becter* «manger».

Pop. Nourriture. → **Bouffe, bouffetance.** *Et pour la becquetance, qu'est-ce qu'on fait? «I (ils) s'y connaissent en bectance»* (Queneau).

1 Un dimanche, Zizi passe une bonne moitié du parloir à s'occuper de ma diététique. La becquetance est un sujet de tout repos (...) A. SARRAZIN, la Cavale, p. 436.

2 Et Mills Mercovitz, le gros Mills, nous faisait asseoir à sa table, sans rien nous demander. Pas de ces questions qui vous coupent jusqu'à l'envie d'ouvrir la bouche pour manger.
Le bifteck et les légumes, les cigarettes, il nous donnait tout cela, comme si tout cela eût été naturel, sans en parler jamais. Le toit et la bectance.
Louis CALAFERTE, Partage des vivants, p. 81.

**BECQUETER** [bɛkte] v. tr. [CONJUG.: *jeter*.] — 1223, «critiquer», puis «tourmenter», av. 1590, du Bartas; 1451, au sens 1; de *bec*. REM. On a écrit aussi *béqueter*.

♦ **1** (Le sujet désigne un oiseau). Frapper, piquer, prendre avec son bec; donner des coups de bec pour se nourrir. → **Becquer, picorer, picoter**; et aussi **mordiller.** *Après les vendanges les moineaux becquettent les grappes oubliées. «Un pivert becquetait un tronc»* (H. Pourrat). — (Sans compl. dir.). *Becqueter sur qqch.* → **Picorer.**

1 Figurez-vous un passereau qui becquèterait le bout des plumes d'un vautour (...) VOLTAIRE, Amabed, 5.
REM. On écrirait de nos jours : *becquetterait*.

2 Deux pigeons apprivoisés becquetaient les pages d'un gros livre ouvert sous le coude du vieillard.
LAMARTINE, Premières méditations, Préface VII.

2.1 (...) l'oiseau battit des ailes, s'échappa de la main du roi, vola sur la table, où il se mit à becqueter sur le pain et sur les viandes, tantôt dans un plat, et tantôt dans un autre (...)
A. GALLAND, les Mille et Une Nuits, t. II, p. 320.

♦ **2** (1707). Fam. Manger. → 1. **Béquiller** (argot), **bouffer; becquetance.** *Qu'est-ce qu'il y a à becqueter, ce soir? Rien à becqueter.* Loc. *Becqueter des clopes, des clarinettes* (vx) : ne rien manger. — Absolt. *Becqueter au restaurant. Il est l'heure de becqueter.* → **Bouffer, casser** (la croûte). — REM. Dans ce sens, la var. *becter* (conjug. *aimer*) est courante.

2.2 Alors quoi! fait Pépin, toujours mauvaise tête, j'm'en ressens pas pour encore becter des clarinettes; j'vais ouvrir une boîte de singe en moins de deux.
H. BARBUSSE, le Feu, t. II, II, XX, p. 23.

Loc. fig. *Becqueter à tous les râteliers**.

N. m. Rare. *Le becqueter* : la nourriture (→ Briffer, cit. 2).

♦ **3** (Analogue au premier emploi attesté, mais l'usage mod. — déb. XIXe — est plutôt une métaphore du sens 1 qu'une continuation du moy. franç.). Fig., vieilli. Se moquer de (qqn), donner des «coups de bec*» à qqn. → 2. **Bêcher,** 1.

*(Déruchette)* jouait avec tout. Son espièglerie becquetait les passants. Elle faisait des malices aux garçons. 3
HUGO, les Travailleurs de la mer, I, III, 13.

♦ **4** (1860). Vieilli. Embrasser.

◆ **SE BECQUETER** v. pron.

(Oiseaux). Se caresser ou se battre avec le bec. *Deux pigeons se becquettent sur une gouttière.*

Fig. (Personnes). Vieilli. S'embrasser. → **Bécoter** (se). *Deux amoureux qui se becquettent.*

Par métaphore. *«faire se becqueter deux rimes au bout d'une idée»* (Hugo, *Lucrèce Borgia,* 1833, *in* T. L. F.).

*Se becqueter le nez* : se battre. → **Bouffer** (se bouffer le nez).

REM. On trouve parfois (rare et vieilli) *becqueter* conjugué sur le modèle de *acheter* (→ par ex. ci-dessus, cit. 1).

DÉR. **Becquetage, becquetance.**

**BECQUILLON** [bekijɔ̃] n. m. → 1. **Béquillon.**

**BECTANCE** [bɛktɑ̃s] n. f. → **Becquetance.**

**BECTER** [bɛkte] v. tr. → **Becqueter.**

**BÉCUNE** [bekyn] n. f. — 1667; p.-ê. esp. *becuna* d'orig. incert., mais la syllabe initiale évoque *bec*.

Poisson de mer vorace, de grande taille, appelé aussi *bécasse de mer,* et scientifiquement *Sphyrène* barracuda.* → **Barracuda.**

**BEDAINE** [bədɛn] n. f. — XIVe; «vase à panse renflée», 1400; var. probable de l'anc. franç. *boudine, boutine* «nombril, ventre»; rad. expressif *bod-*, désignant qqch. de boursouflé, ou d'un gallo-romain **buttina,* du gaul. **butta* «saillie du bouclier».

♦ **1** Fam. Ventre* rebondi (surtout d'un homme). → **Bedon, bedondaine, bide, bidon.** *Une bonne, une grosse bedaine. Se remplir la bedaine. Transpercer la bedaine. La bedaine de Falstaff.*

N'ayez pas peur, je vais vous percer la bedaine. 1
LA FONTAINE, Ragotin, IV, 9.

(...) un fort cochon, bon à tuer, rond comme une bedaine 2
de chantre. ZOLA, la Faute de l'abbé Mouret, p. 466.

On voyait là de ces bedaines qui réclament chaque jour 3
trente litres de boisson.
G. DUHAMEL, le Temps de la recherche, VII.

Par ext. Ventre. *J'ai mal à la bedaine. Pousse ta bedaine* : ôte-toi d'ici.

♦ **2** Rare (d'un animal). *La «bedaine tombante» d'une chienne* (Maupassant, *in* T. L. F.).

Partie renflée, pansue (d'une chose). *Les bedaines des tonneaux.*

DÉR. V. **Bedondaine.** — V. aussi **Bedouille.**

**BÉDANE** [bedan] n. m. — 1596; *bec d'asne,* 1371; de *bec,* et anc. franç. *ane* «canard», pris pour *âne*.

Techn. Ciseau* à bois étroit dont le tranchant est dans le sens de l'épaisseur de la barre d'acier qui le constitue; burin de même forme, utilisé notamment en serrurerie.

**BÉDÉ** [bede] n. f. — V. 1980; de *B. D.*

Bande dessinée. → **B. D.; bande** (dessinée). *Il ne lit que des bédés. — La bédé française.*

DÉR. et COMP. **Bédéiste, bédéphile.**

**BEDEAU** [bədo] n. m. — 1530; *bedel* «sergent de justice», 1166; du francique **bidil* «messager de justice», cf. all. *bieten* «prier», par le lat. médiéval *bedellus.*

♦ **1** Relig. Employé laïque préposé au service matériel et à l'ordre dans une église. → **Porte-verge** (vx), **suisse.** *Le sacristain tient souvent le rôle de bedeau. Le bedeau précède le clergé dans les processions. La verge, la canne du bedeau.*

1 (...) au milieu de la rue s'avançaient : premièrement le suisse armé de sa hallebarde, le bedeau avec une grande croix (...)
FLAUBERT, Trois contes, I, 5.

1.1 D'autres *(églises)* semblaient délaissées, abandonnées aux touristes, livrées à la petite industrie des bedeaux.
ZOLA, Rome, p. 456.

2 (...) le bedeau, pendu à la corde d'une cloche, se tenait prêt à commencer le carillon joyeux que commandait la circonstance.
LOTI, Mon frère Yves, II, p. 12.

♦ **2** Hist. *Bedeau de justice,* qui était chargé d'exécuter les sentences prononcées par le bailli. — *Bedeau d'université.* → **Appariteur.** — REM. La forme fém. *bedelle,* bien qu'attestée (Daudet, *la Petite Paroisse,* 1895), est très rare.

**BÉDÉGAR** [bedegaʀ] n. m. — 1425; arabo-persan *bădăwărd,* du persan *bād* «vent, souffle», et de l'arabe *wărd* «rose».

Bot. Galle produite sur l'églantier et le rosier par la piqûre d'un hyménoptère cynipidé (→ **Cynips**). *Des bédégars.*

**BÉDÉISTE** [bedeist] n. — V. 1980; de *bédé.*

Auteur de bandes dessinées. *«Bédéiste talentueux œuvrant sur petit marché cherche lecteurs étrangers et locaux»* (*le Monde,* 27 janv. 2000, p. 29).

**BÉDÉPHILE** [bedefil] n. et adj. — 1982, Larousse; de *bédé,* et *-phile.*

Amateur, amatrice de bandes dessinées. *Une bédéphile avertie.* — Adj. *Il est bédéphile.*

**BÉDIEU** [bedjø] interj. — 1832, Hugo, sans doute très antérieur; altér. dial. de *bon Dieu* ou de *Bel Dieu.*

Vx. Bon Dieu! (juron).

**BÉDIGAS, ASSE** [bediga, as] n. — 1835; provençal mod. *bedigas,* chez Mistral, «mouton d'un an», d'un rad. *bed-* «niais». → Bedolle.

Régional (Provence), vieilli. Sot, sotte (Daudet, *Numa Roumestan,* Richepin, *in* T. L. F.).

**BEDOLE** ou **BEDOLLE** [bədɔl] adj. et n. f. — 1860; p.-ê. d'un rad. onomat. *bed-* «niais, stupide».

Vx, fam. Faible; simple d'esprit. — N. → **Baderne, imbécile...** *«Cette vieille bedole de Norbert»* (Maupassant, *Bel-Ami,* 1885, *in* T. L. F.). — REM. Le mot est courant chez Flaubert *(Correspondance),* ce qui laisserait croire à un régionalisme normand.

**BEDON** [bədɔ̃] n. m. — Av. 1404, au sens 1; orig. onomat. comme *bedaine*,* avec un autre suffixe.

♦ **1** Vx. Gros tambour à caisse hémisphérique. — *Bedon de Suisse :* gros tambour à deux faces. — *Bedon de Biscaye :* tambour de basque à castagnettes.

♦ **2** (1462). Fam. Ventre* rebondi. → **Bedaine, bedondaine, bide, bidon.** *Il a un beau petit bedon.*

Fig., vx. Petit homme rond aimant la table.

Vx. *Mon (petit) bedon,* terme d'affection (par ex., chez Rabelais, repris par allus. rabelaisienne par Gautier, *le Capitaine Fracasse* Romain Rolland, *Colas Breugnon,* etc.).

♦ **3** Par anal. Partie renflée (d'une chose).

(...) la table directoriale, qu'une lampe au bedon hydropique inondait d'un flot de clarté.
COURTELINE, Messieurs les ronds-de-cuir, 3e tableau, III.

DÉR. **Bedonner.** — V. **Bedondaine.** — V. aussi **Bedouille.**

**BEDONDAINE** [bədɔ̃dɛn] n. f. — 1532, Rabelais; mot-valise, de *bedon,* et *bedaine.*

♦ **1** Vieilli, fam. Gros ventre. → **Bedaine, bedon.**

♦ **2** (1845). Ancienn<sup></sup>t. Sorte de cornemuse.

**BEDONNANT, ANTE** [bədɔnɑ̃, ɑ̃t] adj. — 1868; p. prés. de *bedonner.*

♦ **1** Fam. Qui bedonne, a un gros ventre. → **Pansu, ventripotent, ventru.** *Un vieux monsieur bedonnant. — Un ventre bedonnant,* rebondi.

♦ **2** Par métaphore (rare). *«Un style bedonnant»* (Goncourt), emphatique. → **Redondant.**

**BEDONNEMENT** [bədɔnmɑ̃] n. m. — 1878; de *bedonner.*

Rare. Fait de bedonner, de prendre du ventre. — Embonpoint excessif. *«Son jeune bedonnement, sa graisse, sa mollasserie des chairs»* (Goncourt, *in* T. L. F.).

**BEDONNER** [bədɔne] v. intr. — V. 1525, au sens 1; «résonner», 1507; au sens mod., 1865; de *bedon.*

♦ **1** Vx. Faire résonner un tambour. → **Bedon,** 1.

♦ **2** Mod., fam. Prendre du ventre, devenir gras et ventru. *Il bedonne, il prend de la brioche*, de la bedaine, du bide* (cit. 1). — Avoir du ventre (personnes); être gros, rebondi (ventre). *Un ventre qui bedonne :* un gros ventre. → **Bedaine, bedon.**

Par ext. Donner à (qqn) une apparence ventrue; bouffer (en parlant d'un vêtement).

Un tailleur trop gras vous fait des gilets qui bedonnent. 1
Alphonse DAUDET, la Petite Paroisse, p. 241.

Cette loi de subjectivité (...) qui oblige mon gros tailleur, 2
malgré tout ce que je peux lui dire, à faire bedonner les gilets de sa clientèle (...)
Alphonse DAUDET, la Petite Paroisse, p. 247.

DÉR. **Bedonnant, bedonnement.**

**BÉDOUÏDE** [bedwid] n. f. — 1816; mot provençal.

Régional (Provence). Farlouse*.

Il dégagea l'oiseau, et dit : «C'est une bédouïde.»
M. PAGNOL, le Château de ma mère, 1958, p. 16, *in* D. D. L., II, 14.

**BÉDOUIN, INE** [bedwɛ̃, in] n. — Fin XIIe; arabe *bădăwiyy* «habitant du désert».

**I** ♦ **1** Arabe nomade du désert. *Une caravane de Bédouins.*

Adj. Des Bédouins. *Une tribu bédouine. Tentes bédouines.* Qui se rapporte aux Bédouins. *Les usages, les mœurs bédouins. Parlers bédouins du désert* (arabes ou berbères).

(...) tous ses descendants, *(d'Abraham)* pendant trois siècles, demeureront des nomades se déplaçant selon les nécessités de la pâture, vivant sous la tente bédouine.
DANIEL-ROPS, le Peuple de la Bible, II, p. 31.

♦ **2** (Encore chez Goncourt, 1894). Fam., vx. Individu brutal (le mot *Arabe** a eu cette valeur, en français classique).

♦ **3** Adj. Vx, méd. *Gale bédouine :* gale miliaire*.

**II** N. m. Mélampyre* des champs.

**BÉE** [be] adj. f. et n. f. → **Béer.**

**BEEFSTEAK** [biftɛk] n. m. → **Bifteck.**

**BÉER** [bee] v. intr. — 1121, *baer* (→ Bayer); du lat. pop. *batare* «venir la bouche ouverte», attesté au sens de *bâiller* (VIIIe) → Bâiller; la forme *bayer,* plus usitée au XVIIe et au XVIIIe, a vieilli, alors que *béer,* usuel au XVIe, et repris par Chateaubriand, se trouve encore dans la langue littér.; le verbe est surtout employé à l'inf., au p. prés. et p. p. *(bouche bée),* ainsi qu'au prés. et à l'imp. de l'indic.

♦ **1** Rare ou littér. Être grand ouvert (choses). *Qui bée.* → ci-dessous, Béant.

1 Tu ne verras béer les portes grandes
De la maison épouvantable à voir,
Si, *(au)*paravant tu n'as fait ton devoir.
DU BELLAY, Énéide, 6.

2 Les portes de l'armoire à glace béaient sur un fouillis de lingeries et de chiffons.
VAN DER MEERSCH, l'Élu, p. 70.

3 À ses pieds béait la valise, bigarrée d'étiquettes multicolores. MARTIN DU GARD, les Thibault, t. IV, p. 262.

♦ **2** Littér. (Personnes). Avoir la bouche ouverte en regardant qqch. *Les badauds sont là à béer.* Par ext. → **Rêver, rêvasser** (cf. Bayer aux corneilles).

4 Je n'étais pas seul à béer; les femmes en faisaient autant à toutes les fenêtres de leurs maisons.
CHATEAUBRIAND, Mémoires d'outre-tombe, IV, 3.

5 Là, je m'amusais à voir voler les pingouins et les mouettes, à béer aux lointains bleuâtres (...)
CHATEAUBRIAND, Mémoires d'outre-tombe, I, 1.

6 *(Durtal)* béa, confondu, devant un spectacle dont il ne se doutait même pas. HUYSMANS, En route, p. 230.

6.1 Cette banlieue n'est plus faite pour qu'on y aille béer et mourir dans un pavillon de meulière mais pour qu'on y dorme dans un building.
Jacques LAURENT, les Bêtises, p. 364.

*Béer de stupéfaction, d'étonnement, d'admiration...* → ci-dessous, Être béant... *«Luce me regarde de loin et bée de surprise»* (Colette, *Claudine à l'école,* 1900, *in* T. L. F.)

Vx. *Béer à* ou *après (qqch.) :* se tourner vers (qqch.) dans un sentiment d'attente, de désir, de regret... → **Aspirer** (après), **soupirer** (après). *Aller béant à, après quelque chose.*

7 L'homme va béant après les choses futures.
MONTAIGNE, Essais, III.

8 Montaigne dit que les hommes vont béant aux choses futures : j'ai la manie de béer aux choses passées.
CHATEAUBRIAND, Mémoires d'outre-tombe, III, 11.

◆ **BÉANT, ANTE** adj. (1552).

♦ **1** Grand ouvert*, largement ou profondément ouvert. *Abîme, gouffre béant. Plaie, blessure béante.*

9 (...) elle avait au-dessus du sourcil droit une blessure béante qui lui labourait le crâne.
E. FROMENTIN, Une année dans le Sahel, p. 288.

♦ **2** *Bouche béante* (→ ci-dessous Bée). Rare. *Des yeux béants.* — (Personnes; animaux). Qui a bouche béante. *Être béant de curiosité, d'étonnement, de surprise, de stupeur, d'admiration...*

10 Bouche béante (...) comme ravis en admiration (...)
D'AUBIGNÉ, Saucy, II, 3.

11 Ce n'est pas l'humble ver, les abeilles dorées,
La verte demoiselle aux ailes bigarrées,
Qu'attendent ses petits *(de l'aigle),* béants, de faim pressés (...) HUGO, Odes, IV, 17.

12 Quand la carriole s'arrêtait dans quelque champ de foire, quand les commères accouraient béantes, quand les curieux faisaient cercle, Ursus pérorait, Homo approuvait. HUGO, l'Homme qui rit, I, I, 1.

12.1 À ces mots, je ne pus maîtriser un léger cri de frayeur, et ma physionomie exprima un tel effarement, que Lenoir en resta bouche béante.
VILLIERS DE L'ISLE-ADAM, Tribulat Bonhomet, p. 110.

13 (...) une lourde paysanne à genoux le regarde *(le «Christ aux cent florins» de Rembrandt)* avec les yeux fixes et béants de la foi profonde (...)
TAINE, Philosophie de l'art, t. I, 228.

13.1 Béant, Pierre l'écoutait, comme si quelque engrenage le meurtrissait, le broyait sous cette conception formidable, où l'enfantillage le disputait au génie.
ZOLA, Paris, t. II, p. 255.

13.2 Sur ces étonnantes paroles, il sortit, laissant M. de Clergerie béant.
BERNANOS, la Joie, Œ. roman., Pl., p. 710.

14 Je restais bouche béante, si profondément étonné que je ne savais plus que dire.
G. DUHAMEL, Chronique des Pasquier, II, XX.

15 Nous étions là, béants d'étonnement et de curiosité, peut-être un peu honteux de notre ignorance.
G. DUHAMEL, Chronique des Pasquier, V, VIII.

Fig., vieilli. → **Affamé, avide.** *Un amour-propre béant* (→ Amour-propre, cit. 11). Contr. : *comblé, rassasié, satisfait.*

◆ **BÉE** p. p. adj. fém.

Ne s'emploie plus que dans les expressions *gueule bée* (vieilli), *bouche bée* (cour.), la bouche ouverte d'admiration, d'étonnement, de stupeur. → ci-dessus Béant. *Il en est resté bouche bée.*

16 Je restais là, bras ballants et bouche bée.
FRANCE, le Crime de S. Bonnard, II, 3.

17 Joanny resta bouche bée; il venait de lire dans les yeux de la jeune fille une pensée qui l'affola.
Valery LARBAUD, Fermina Marquez, XIV, 151.

Techn. (vieilli). *Des tonneaux, des futailles à gueule bée,* ouverts par un de leurs fonds.

Loc. *Être, rester bouche bée devant qqn,* l'admirer sans réserve.

18 Il jouait aux affranchis, il était bouche bée devant Pitteaux (...)
SARTRE, les Chemins de la liberté, t. II, p. 51.

N. f. → **Abée.**

CONTR. (De *bée*) **Fermé.** ◇ DÉR. **Béance.** — COMP. **Abée, bégueule.** — HOM. (De *bée*) **B.**

**BEETHOVÉNIEN, IENNE** [betɔvenjɛ̃, jɛn] adj. — Attesté XXe; du nom de Ludwig van *Beethoven,* musicien allemand (1770-1827).

De Beethoven, relatif à Beethoven. Par ext. Qui rappelle la manière de Beethoven.

(...) lui, du moins (...) a dû mourir dans l'accomplissement du sacerdoce, en odeur de dévotion beethovénienne (...) en bonne justice, cet officiant de la musique allemande aurait mérité de trépasser en célébrant la *Messe en ré.*
PROUST, Sodome et Gomorrhe, Pl., t. II, p. 897 (av. 1922).

**BEETLAGE** [bitlaʒ] n. m. — XVIIIe; de l'angl. *beetle* «maillet».

Techn. (Anglic.). Opération d'apprêt* qui consiste à donner du brillant aux tissus en les frappant.

**BEFFROI** [befʀwa] n. m. — 1155, *berfroi*; orig. incert.; du moy. haut all. *bergfrid* «qui garde la paix», du francique **bergfripu* ou de *ber-,* pour *bis-,* préfixe intensif et péj., et lat. *fridare,* d'après *ex-fridare* «effrayer».

♦ **1** Hist. (Au moyen âge). Tour de bois mobile employée dans le siège des villes pour s'approcher des remparts.

♦ **2** (Déb. XIII^e, *berfroi*). Anciennt. Tour municipale d'où l'on faisait le guet et qui contenait une cloche d'alarme pour rassembler les habitants.

1 Bien distinct du clocher qui appartient à l'église, le beffroi est le monument municipal par excellence ; il est le signe caractéristique de la liberté des villes.
LITTRÉ, Suppl.

Mod. (surtout Nord de la France, Belgique). Tour d'une ville, et, par ext., d'une église, en général équipée pour indiquer l'heure. → **Campanile, clocher.** *Le beffroi de l'hôtel de ville. Le beffroi de Douai, de Bruges. Un beffroi gothique. Le carillon électrique d'un beffroi.*

2 (...) Car voici le fracas subit des cloches du beffroi qui signalent notre arrivée (...)
LOTI, Figures et Choses..., p. 113.

Par ext. La cloche*, l'horloge d'un beffroi.

3 (...) il entend déjà sonner le beffroi des villes (...)
LA BRUYÈRE, les Caractères, X, II.

♦ **3** Techn. Charpente indépendante placée à l'intérieur d'un clocher et qui porte les cloches. — (1441, d'un moulin). Par anal. Assemblage de charpente destiné à supporter des poids considérables. *Le beffroi d'une meule de moulin. Le beffroi d'un train de laminoirs.*

**BÉGAIEMENT** [begɛmɑ̃] n. m. — 1539, *beguayement* ; de *bégayer*. REM. La graphie *bégayement* [begɛmɑ̃; begɛjmɑ̃] est archaïque. → Bégayer, cit. 3.2.

♦ **1** Trouble de la parole, d'origine motrice ou psychomotrice, qui se manifeste par des défauts de prononciation, répétition saccadée d'une syllabe ou arrêt involontaire du débit des mots. → **Bégayage, bégayer** ; et aussi **battologie.** *Bégaiement habituel, accidentel. Bégaiement idiopathique.* → **Balbisme.** *Le bégaiement peut être causé par des troubles articulatoires, de nature clonique, tonique (tétanique ;* → Bégayage) *ou inhibitoire ; par des troubles respiratoires, par des troubles moteurs ou neurovégétatifs. Rôle des facteurs psychogénétiques dans l'apparition du bégaiement* (de 3 à 5 ou 7 ans, en général). *Bégaiement intermittent,* renforcé par les situations émotives. *Thérapeutiques du bégaiement :* phonétique (orthophonie), «endophasique» (éducation de l'expression orale), psychothérapies. — Par ext. *Un bégaiement :* une émission orale perturbée par le bégaiement ; phrase, discours bégayé. *Un bégaiement causé par l'émotion.*

1 Il était d'une juvénilité exquise ; une sorte de bouillonnement intérieur secouait, on eût dit, le couvercle de sa réserve, dans une sorte de bégaiement passionné qui me paraissait le plus plaisant du monde.
GIDE, Si le grain ne meurt, I, 8.

Par anal. (abusif). Langage mal articulé de l'enfant qui commence à parler. *Les premiers bégaiements du bébé.* → **Balbutiement.**

Par métaphore :

2 Le cantique le plus sublime qu'on puisse entendre sur la terre, c'est le bégaiement de l'âme humaine sur les lèvres de l'enfance.
HUGO, Quatre-vingt-treize, III, III, 1.

♦ **2** *Un, des bégaiements :* premier essai ; tentative hésitante, maladroite. → **Commencement ; balbutiement, tâtonnement.** *Les premiers bégaiements d'une technique nouvelle.*

CONTR. **Éloquence, faconde, volubilité. — Achèvement ; aboutissement.**

**BÉGARD** ou **BÉGUARD** [begaʀ] n. m. — Déb. XIII^e ; lat. médiéval *begardus* «faux dévot» ; moy. néerl. *begaert, beggaert,* de **beggen* «réciter des prières», même rad. que *bègue** ; cf. aussi angl. *beggar,* de *to beg* «mendier».

♦ **1** Anciennt. Membre d'une communauté monastique qui ne prononçait pas de vœux perpétuels. → **Béguin** (I.).

♦ **2** (1310, puis 1375). Hist. Nom donné à des hérétiques du moyen âge. *Secte des bégards.*

**BÉGAYAGE** [begɛjaʒ] n. m. — XX^e ; de *bégayer.*

Psychol. Le fait de bégayer*. → **Bégaiement.** «*Bégayage clonique,* qui consiste en la répétition convulsive d'une syllabe avant que commence ou continue l'émission phrastique ; *bégayage tonique,* qui consiste en un état d'immobilisation musculaire empêchant la parole» (R. Lafon, *Vocabulaire de psychopédagogie,* P. U. F., 1973, p. 118).

**BÉGAYANT, ANTE** [begɛjɑ̃, ɑ̃t] adj. — XV^e ; p. prés. de *bégayer.*

♦ **1** (Personnes). Qui bégaye ou s'exprime avec hésitation, difficulté. *Un orateur bégayant.* → **Bredouillant.**

Par métaphore :

*(Mouches)* Que ses enfants gloutons, d'un bec toujours ouvert, 1
D'un ton demi-formé, bégayante couvée,
Demandaient par des cris encor mal entendus.
LA FONTAINE, Fables, X, 6.

♦ **2** (Abstractions). Qui se manifeste de façon maladroite. *Des idées bégayantes.*

Quelle clarté si nouvelle avais-je donc acquise (...) ? Une volonté vacillante et bégayante, plus inarticulable que jamais (...) 2
SAINTE-BEUVE, Volupté, XVIII, p. 183.

**BÉGAYEMENT** [begɛjmɑ̃] n. m. Vieilli. → **Bégaiement.**

**BÉGAYER** [begeje] v. [CONJUG. : *payer.*] — Mil. XV^e, Charles d'Orléans ; *besgoier,* 1416 ; de *bègue,* et *-oyer,* puis *-ayer.*

**A** V. intr. ♦ **1** Parler avec difficulté, en articulant mal, en hésitant et en répétant certaines syllabes. → **Becquer,** 3. (régional). — REM. Les emplois, surtout anciens, du verbe, sont plus vagues que ceux du substantif *bégaiement* ; ils équivalent souvent à *balbutier**.

Sa langue, en bégayant, d'une façon mignarde, 1
Me disait (...)
Mathurin RÉGNIER, Élégies, IV.

Le nouveau Cicéron, tremblant, décoloré, 2
Cherche en vain son discours sur sa langue égaré ;
(...) Il hésite, il bégaie (...)
BOILEAU, le Lutrin, VI.

(...) Marat, Desmoulins, qui bégayaient ou grasseyaient, ne faisaient guère qu'écrire, parlaient rarement. 3
MICHELET, Hist. de la Révolution franç., t. I, p. 494.

Spécialt. Parler avec difficulté, en répétant plusieurs fois les syllabes initiales, en interrompant anormalement le débit de la parole. → **Bégaiement.**

Le père Grandet, comme on voit dans Balzac, bégayait exprès quand il traitait une affaire ; c'est un bon moyen de cacher sa propre pensée et de faire sortir celle de l'autre, par la furieuse envie qu'il a bientôt de finir les phrases du bègue. 3.1
ALAIN, Propos, Grandet, 18 févr. 1911.

Parfois aussi, je bégaye vingt secondes, chaque année une fois au moins. C'est tout ce qui me reste du bégayement d'un ancêtre. 3.2
GIRAUDOUX, Siegfried et le Limousin, p. 262.

Être affecté de manière permanente ou habituelle de bégaiement*, de bégayage*. *Les orthophonistes traitent les enfants qui bégaient.* → **Bègue.**

♦ **2** (Abusif). Articuler sans précision, avec de nombreuses hésitations. *Cet enfant ne fait encore que bégayer.* → ci-dessous, le sens 3.

♦ **3** Fig. [a] S'exprimer d'une manière maladroite, hésitante, confuse. → **Balbutier.**

4 Voilà mes faibles pensées; je ne fais que bégayer; mais qu'importe? je veux bien paraître parler mal à propos par un excès de zèle (...) FÉNELON, t. XXII, 561.

5 Ma muse, en bégayant, tentait de plagier (...)
A. DE MUSSET, Dupont et Durand.

[b] Par allus. au débit, aux syllabes répétées. «*Les mitrailleuses boches se mirent à bégayer*» (Maurois, *in* T. L. F.), à tirer par saccades, avec des interruptions.

[c] Littér. «*Bégayer des jambes*» (Duhamel, *in* T. L. F.) : trébucher.

**B** V. tr. Dire (qqch.) en bégayant ou (plus souvent) dire de manière embarrassée, mal articulée. *Bégayer une excuse.* → **Bredouiller.** *Bégayer une langue étrangère,* la parler mal et avec difficulté.

Par méthaphore :

6 Tout charme en un enfant dont la langue sans fard,
À peine du filet encor débarrassée,
Sait d'un air innocent bégayer sa pensée.
BOILEAU, Épîtres, IX.

7 La Grèce avait de grands poètes, Homère, Antimaque, Pindare, et, parlant la langue des dieux bégayait à peine celle des hommes.
P.-L. COURIER, Hérodote, Préf. du traducteur.

Fig., rare. *Bégayer une science,* commencer maladroitement à s'y exercer.

CONTR. **Articuler** (nettement). ◊ DÉR. **Bégaiement, bégayage, bégayant, bégayeur.**

**BÉGAYEUR, EUSE** [begɛjœʀ, øz] n. et adj. — Déb. XIXe; de *bégayer.*

♦ **1** Rare. Personne qui bégaye de naissance. → **Bègue.**

♦ **2** Personne qui bégaye accidentellement; qui simule le bégaiement. *Un bégayeur de music-hall.* Adj. *Un clown bégayeur.*

**BÉGONIA** [begɔnja] n. m. — Av. 1706; mot créé par le botaniste Plumier, en l'honneur de *Bégon,* intendant de Saint-Domingue.

♦ **1** Bot. Herbe annuelle ou vivace, à racine fibreuse ou à rhizome charnu, genre type de la famille des *Bégoniacées,* possédant plus de mille espèces; la fleur de cette plante. *Originaire d'Amérique du Sud, le bégonia est cultivé pour sa valeur ornementale, pour ses fleurs (rouges, roses ou blanches). Bégonia rose,* à fleurs roses. *Bégonias doubles. Un massif de bégonias. Bégonias en pots. Certaines espèces de bégonias* (B. semperflorens; B. rex) *peuvent se cultiver en plein air, pendant l'été.*

Les massifs sont bordés de buis, pas un arbre digne de ce nom; quelques arbustes prétentieux et des bégonias, cette fleur de la République.
Benoîte et Flora GROULT, Journal à quatre mains, p. 76.

♦ **2** Loc. fam. (XXe). *Cherrer, charrier dans les bégonias :* exagérer. *Tu charries dans les bégonias! Tomber, être dans les bégonias :* s'évanouir, être évanoui.

DÉR. **Bégoniacées.**

**BÉGONIACÉES** [begɔnjase] n. f. pl. — XVIIIe; de *bégonia.*

Bot. Famille de plantes dicotylédones, à tiges et à feuilles charnues, répandue surtout dans les régions tropicales et dont le *bégonia** est le seul type. — Au sing. *Une bégoniacée.*

**BÉGU, UË** [begy] adj. et n. — 1690, var. *bechu, beccu, in* Furetière; orig. incert.; les mots régionaux venant du lat. *beccus* «bec» (picard *bégu,* romand *bégo*), et désignant des malformations des mâchoires ou des dents d'animaux, ne sont pas bien attestés.

*Cheval bégu, jument béguë,* chez qui la cavité des incisives persiste au delà de l'âge normal (10 ans environ). — N. (Rare). *Un bégu.*

**BÈGUE** [bɛg] adj. et n. — 1235, *beggue, becque;* déverbal de l'anc. franç. *béguer* (→ Bégueter), remplacé par *bégayer;* du moy. néerl. **beggen* «bavarder» (→ Bégart, béguin); ces mots ont remplacé l'anc. franç. *baube,* du lat. *balbus.*

♦ **1** Adj. Qui bégaie de manière habituelle (souvent, de naissance) ou de manière occasionnelle (parfois même volontaire; → Bégayer, cit. 3.1). *Être bègue, un peu bègue* (→ ci-dessous, cit. 2). *L'orthophoniste rééduque des enfants bègues.*

N. Personne qui bégaie, bégayeur.

Je ne connais pas de gens qui aiment plus à parler que les bègues. DIDEROT, *in* Pierre LAROUSSE. 1

Le Dr Renon était bègue. C'était, à vrai dire, un ancien bègue, ou mieux un bègue intermittent, en ce sens qu'il avait adopté des disciplines, fait maint et maint exercice, châtié la carcasse et obtenu finalement gain de cause. 2
G. DUHAMEL, Biographie de mes fantômes, X.

Voici le bègue. Celui-là est encore une sorte de sourd, mais par l'attention forcenée qu'il porte aux mots qu'il va dire, et qui sont ses ennemis. Il se ramasse, il se prépare, il tremble tout. Cela fait une belle émotion, comme devant un tour de force; et quand le mauvais passage est franchi, quel applaudissement! 3
ALAIN, Propos, «Le bègue et le sourd», 1er déc. 1931.

♦ **2** Fig., littér. Qui a des difficultés de parole, d'expression (comparées à un bégaiement).

Heureux les bègues, car ils emportent les contradictions comme un fétu. Mais comptons aussi les esprits bègues, toujours en emportement devant la difficulté de penser. 4
ALAIN, Propos, «Le bègue et le sourd», 1er déc. 1931.

N. *Un, une bègue.*

Semblables aux bègues, qui ont de la violence dans leurs opinions parce qu'ils ont peur des syllabes. Les tyrans sont des bègues d'idée, qui éclatent et tournent sur toute idée. 5
ALAIN, Propos, «L'esclave dormant», 22 sept. 1930.

(Choses). «*Une grosse écriture bègue*» (A. Daudet).

CONTR. **Volubile.** ◊ DÉR. **Bégayer.**

**BÉGUÈTEMENT** [begɛtmɑ̃] n. m. — 1866; de *bégueter.*

Rare. Cri de la chèvre. → **Bêlement.** — Var. : *béguettement (*H. Pourrat, *in* T. L. F.*).*

**BÉGUETER** [begte; bɛgte] v. intr. [CONJUG.: *acheter.*] — Av. 1305, «bégayer», sens mod. 1556, repris XIXe; de l'anc. franç. *béguer* «bégayer». → Bègue.

Rare. Pousser son cri, en parlant de la chèvre. → **Bêler.**

Quand Barbares sur mer feront pont de cordes, jectez d'Eubee chevres qui là begueteront.
SALIAT, Trad. d'Hérodote, VIII, 20 (1556), *in* HUGUET.

Imiter le cri de la chèvre.

DÉR. **Béguètement.**

**BÉGUEULE** [begœl] adj. et n. — 1746, au sens mod. : «prude»; 1690, comme t. d'injure «sotte»; de *bée* (→ Béer), et *gueule;* 1470, *bée gueule,* injure, «qui tient la bouche ouverte».

♦ **1** Adj. (Personnes). D'une pruderie affectée, qui s'effarouche, se scandalise pour des choses insignifiantes concernant la morale sexuelle. → **Prude;**

**étroit.** *Cet homme est bien bégueule.* → **Pudibond.** *Je ne suis pas bégueule, mais je n'aime pas la pornographie.* — Spécialt (en parlant d'une femme). *Elle est un peu bégueule.*

1 L'une bégueule avec caprices,
L'autre débonnaire et catin (...)
VOLTAIRE, Lettre au Roi de Prusse, 26.

2 Ah ! ces anciennes maîtresses, une fois mariées, il n'y a pas plus bégueules qu'elles. Depuis que j'en ai fait Madame Bixiou, celle-là s'est crue obligée de devenir bigote, mais à un point !...
Alphonse DAUDET, Lettres de mon moulin, XIV.

3 (...) les plats bourgeois de Paris sont trop bégueules pour que je leur montre ce beau spectacle.
STENDHAL, Souvenirs d'égotisme, p. 234.

Qualifiant des actes, des comportements. *Une attitude bégueule et prude.*

♦ **2** N. (généralt au fém.). *Laisse-la tomber, c'est une bégueule. Faire la, sa bégueule. C'est une bégueule, une mijaurée.*

CONTR. **Débauché, dévergondé, large, libertin, libre.** ◊ DÉR. **Bégueulerie, bégueulisme.** — REM. L'adverbe *bégueulement,* attesté chez Baudelaire (*«ces femmes bégueulement chastes»*), semble rarissime.

**BÉGUEULERIE** [begœlʀi] n. f. — 1783 ; de *bégueule.*
Vieilli ou littér. Manières, caractère d'une personne bégueule. → **Bégueulisme.** Spécialt (en parlant d'une femme). Pudeur affectée. → **Pudibonderie.**

Une femme spirituelle sans prétention, vertueuse sans bégueulerie.
A. BRILLAT-SAVARIN, Physiologie du goût, I, 44.

CONTR. **Dévergondage, largeur** (d'esprit), **libertinage.**

**BÉGUEULISME** [begœlism] n. m. — 1750 ; de *bégueule.*
Vieilli ou littér. Attitude bégueule. → **Bégueulerie.** *«Un bégueulisme austère»* (Palissot, 1779).

La littérature moderne, à laquelle le bégueulisme jette sa petite pierre, a-t-elle jamais osé les histoires de Myrrha, d'Agrippine et d'Œdipe, qui sont des histoires, croyez-moi, toujours et parfaitement vivantes (...)
BARBEY D'AUREVILLY, les Diaboliques, «La vengeance d'une femme».

REM. Par rapport à *bégueulerie, bégueulisme* devrait suggérer une attitude systématique, un «système» de pruderie ; l'usage ne semble pas respecter cette nuance.

**BÉGUIN** [begɛ̃] n. m. — Av. 1236, au sens I ; lat. médiéval *beguinus,* forme masc. de *beguina* (→ Béguine), de même orig. que *bégard*.*

**I** Vx. Bégard (1.).

**II** (1387 ; de *béguine,* par métonymie). ♦ **1** Ancienn. Coiffe que portaient les béguines.

♦ **2** Coiffe qui s'attache sous le menton par une bride. *Le béguin blanc des servantes.* → 4. **Cale** (2.). — Spécialt. Bonnet* que l'on met aux jeunes enfants. *Coiffer un nourrisson d'un béguin.* → **Embéguiner.**

1 Sans collet, sans béguin et sans autre affiquet (...)
Mathurin RÉGNIER, Satires, XI.

2 Que peut-elle avoir, cette Dolorès, à comploter avec la Bonne-Mère ? (...) leurs pareils béguins noirs, débordants comme des capotes de voiture, se rapprochent jusqu'à se toucher (...)
LOTI, Ramuntcho, I, 4, p. 41.

**III** ♦ **1** (Av. 1778, ci-dessous cit. 3 ; d'après *être embéguiné,* cf. Être coiffé de...). Fam. Passion passagère pour qqn. → **Amourette, caprice, fantaisie, flirt, passade, pépin** (vx), **toquade.** *Avoir le béguin, un (petit) béguin pour qqn.* → **Amouracher** (s').

3 — Que veux-tu en faire ? — Je ne sais pas. Il me plaît ; j'ai un béguin pour ce garçon-là !
ROUSSEAU, *in* Pierre LAROUSSE.

Par ext. *Avoir le béguin pour qqn :* être amoureux de qqn. → Être mordu* pour qqn. *C'est le vrai, le grand béguin.*

C'est idiot, dit-il. Mais j'ai vraiment le béguin pour elle. 4
Roger VAILLAND, 325 000 francs, p. 175.

Décidément, c'était le grand béguin, la belle histoire, la 5
vraie amour. R. QUENEAU, Pierrot mon ami, p. 65.

(...) j'ai un sacré béguin pour vous. Dès que je vous ai vue, 6
je me suis dit : je pourrais plus vivre sur cette terre si je ne me la farcis pas un jour ou l'autre.
R. QUENEAU, Zazie dans le métro, Folio, p. 157.

Loc. *Au béguin :* par amour. *Le faire au béguin.*

— Ne vous fâchez pas ! Écoutez, je suis un gigolo, c'est vrai, 7
mais pour vous ce serait au béguin. Sans blague. Vous me plaisez beaucoup. Je ferai ce que vous voudrez.
Jean-Louis CURTIS, le Roseau pensant, p. 199.

*Avoir le béguin pour qqch. :* aimer beaucoup, avoir une grande envie de. *Elle a eu le béguin pour cette robe, il a fallu qu'elle l'achète tout de suite. J'ai un vrai béguin pour cette petite voiture.* — REM. Les emplois extensifs supposent une affectivisation de l'objet.

♦ **2** Par métonymie. Personne qui est l'objet de cette passade. → **Amoureux, chéri, flirt.** *C'est son béguin.*

DÉR. (Du II.) **Béguineuse.**

**BÉGUINAGE** [beginaʒ] n. m. — 1277, *beghinaghe,* à Lille ; v. 1220, «bigoterie» ; de *béguine.*
Communauté de béguines. — Ensemble des constructions d'une communauté ou d'une ancienne communauté de béguines, notamment en Belgique, formant parfois un véritable quartier homogène. *Visiter les béguinages des Flandres.*

La douce et sereine atmosphère de son paisible béguinage 1
*(de Gand).* Georges LECOMTE, Ma traversée, p. 298.

Je ne parle pas seulement des couvents qui y pullulent *(en* 2
*Belgique),* comme en Allemagne les casernes ; je ne parle pas de ces béguinages, qui ne sont d'ailleurs plus que des souvenirs gardés seulement par Gand et par Bruges, pour les badauds du pittoresque et les moutons de Panurge du tourisme. Je parle de tout ce pays, sur qui le catholicisme étend son ombre épaisse (...)
O. MIRBEAU, la 628-E-8, p. 117-118 (1905).

Cette place paisible dont les vieilles maisons blanches 3
prennent le soir un vague aspect de béguinage quand tinte la cloche de Saint-Germain-des-Prés.
Francis CARCO, Nostalgie de Paris, p. 178.

REM. Les dictionnaires, notamment celui de l'Académie (jusqu'en 1878) signalent un sens «dévotion outrée et affectée», attesté en 1220, et qui ne semble pas usité en français moderne.

**BÉGUINE** [begin] n. f. — XIIIe ; lat. médiéval *beguina,* 1243 ; *fausse beguine* «fausse dévote», 1227 ; probablt du moy. néerl. *beggaert* ; de même orig. que *bégard* avec un autre suffixe, de **beggen.* → Bégard, bègue.

♦ **1** Religieuse de Belgique ou des Pays-Bas soumise à la vie conventuelle (→ **Béguinage**) sans avoir prononcé de vœux. *Le Dit des béguines,* de Rutebeuf. *Le Rempart des béguines,* roman de F. Mallet-Joris. — REM. La forme masc. *béguin* (I.) est archaïque. → **Bégard.**

Elle était venue à Paris comme fille de chambre. Mais, voilà ! les béguines ne lui avaient pas même bien appris à faire un ménage.
Louise MICHEL, la Misère, t. I, p. 118.

♦ **2** Vx (correspond au premier emploi attesté du mot, repris en franç. mod.). Bigote. *«Tu ne me donneras point le change, avec tes paroles de béguine»* (Claudel, *l'Annonce...,* III, 3, Première version).

DÉR. **Béguin, béguinage.**

**BÉGUINEUSE** [beginøz] n. f. — 1935 ; de *béguin,* III.
Argot (péj.). Prostituée capable de s'amouracher, de céder au béguin (III., 1.).

**BÉGUM** [begɔm] n. f. — 1653, *begun*; mot hindi, de *beg* «seigneur», par l'angl. *begum*.

Titre de l'Hindoustan, équivalant à celui de princesse; épouse du souverain. *Les Cinq Cents Millions de la Bégum,* roman de Jules Verne.

Elle voulait rester du faubourg Saint-Germain dans son ironie, et cependant la Bégum qui enterra, vive, sa rivale sous le siège où elle s'asseyait, pouvait bien avoir de l'air qu'elle *(l'interlocutrice de l'auteur)* avait alors dans sa ganache rose (...)

BARBEY D'AUREVILLY, Un prêtre marié, *in* Œ. compl., Pl., p. 876 (1864).

**BEHAVIORISME** [bievjɔʀism; biavjɔʀism] ou **BEHAVIOURISME** [biavjuʀism; bievjuʀism] n. m. — 1926, *behaviorisme* (*béhaviorisme,* 1922, *in* D. D. L.); *behaviourisme,* 1938, *in* Höfler; mot créé en 1912 par J. B. Watson, psychologue américain, de *behavior* «comportement», angl. britannique *behaviour.*

Anglic. Théorie qui fait consister la psychologie dans l'étude scientifique et expérimentale du comportement, sans recours à l'introspection, au mentalisme, ni aux explications d'ordre physiologique, ni à la psychologie profonde. → **Comportement** (psychologie du comportement). *Le behaviourisme est indispensable à la psychologie animale, à l'éthologie. Les limites du behaviorisme en linguistique, en sociologie.*

Le behaviourisme illustré par Watson, mais correspondant à des courants convergents en bien d'autres régions que les États-Unis *(cf. la psychologie soviétique avec Pavlov ou celle de langue française avec Piéron)* préconise une méthodologie fondamentale qui consiste, pour étudier le sujet, à partir non pas de son introspection, mais de l'ensemble de sa conduite.

J. PIAGET, Épistémologie des sciences de l'homme, p. 120.

CONTR. **Introspectionnisme, mentalisme.** ◊ DÉR. V. **Behavioriste.**

**BEHAVIORISTE** [bievjɔʀist; biavjɔʀist] ou **BEHAVIOURISTE** [bievjuʀist; biavjuʀist] adj. et n. — 1922, *in* Höfler; amér. *behaviorist,* angl. britannique *behaviourist.* → Behaviorisme.

Adj. Psychol. Du behaviorisme, qui s'y rapporte. *Une attitude, une explication behavioriste, behaviouriste. Linguistique behavioriste.* → **Comportemental.** — N. Personne qui professe le behaviorisme.

Le behavioriste analyse le comportement humain depuis l'époque fœtale et à tous les niveaux, du plus élémentaire au plus adapté socialement. Il se propose surtout de rechercher comment modifier le comportement par l'éducation.

A. POROT, Manuel alphabétique de psychiatrie, éd. 1952, art. *Behaviorisme.*

CONTR. **Introspectionniste.**

**BÉHÉMOT** ou **BÉHÉMOTH** [beemɔt] n. m. — 1732, comme nom propre; mot hébreu utilisé dans le *Livre de Job,* 40, 10.

Relig. ou littér. Animal fantastique symbolisant la toute puissance (d'abord de Dieu *[Livre de Job],* puis du mal). — REM. Comme nom commun, le mot, employé par quelques écrivains, désigne vaguement un animal terrible, maléfique.

Moi qui tremblais, sentant geindre à cinquante lieues
Le rut des Béhémots et les Maelstroms épais (...)

RIMBAUD, le Bateau ivre, Pl., p. 102.

**BEIGE** [bɛʒ] adj. et n. — V. 1220; orig. incert., p.-ê. de l'ital. *bombagia* «coton» (→ Basin, bombasin), ou (selon Guiraud) du lat. *bigus* «double», par un dérivé non attesté, pour désigner un mélange de deux couleurs, comme *bis.*

♦ **1** De la couleur de la laine naturelle, d'un brun très clair (blanc cassé, gris jaunâtre). → **Bis, sable.** *Des vêtements beiges.*

Et c'est sur une scène muette que la lumière se rallume. Le décor est sensiblement le même : un couloir étroit, peint en brun foncé jusqu'à mi-hauteur, et, au-dessus, d'une teinte beige incertaine, qui recouvre aussi le plafond, très élevé.

A. ROBBE-GRILLET, Dans le labyrinthe, p. 101.

*Une chevelure beige. «Une petite maigrichonne au teint beige»* (S. de Beauvoir).

♦ **2** N. m. Couleur approchant celle de la laine naturelle. *Un beau beige. Un beige clair. Une chemise d'un vilain beige, d'un beige sale.* → **Beigeasse.**

♦ **3** N. f. (1348). Techn. Laine naturelle, serge, drap n'ayant subi aucun traitement colorant. *Une beige de bonne qualité.*

DÉR. **Beigeasse, beigeâtre.**

**BEIGEASSE** [bɛʒas] adj. — Mil. XX^e; de *beige,* et suff. péj. *-asse.*

Péj. Tirant sur le beige, d'un vilain beige. — REM. On trouve la var. *beigeâtre.*

(...) une sorte de brigadier, gros, mais surtout court, au visage de punaise barré d'une moustache mal venue, l'œil beigeâtre et glauque, un regard semblable à ces fonds de fossé qui ont besoin d'être curés (...)

Roger NIMIER, le Hussard bleu, p. 48.

**BEIGNE** [bɛɲ] n. — 1606, *beigne*; anc. franç. *buyne* «bosse», 1378; orig. incert., p.-ê. d'un rad. celtique **bun-* «souche d'arbre», attesté par les langues gaéliques et par des langues romanes : provençal, italien du Nord, catalan.

**I** N. f. ♦ **1** Vx. Bosse, enflure, tumeur.

Il se fait une grosse beigne au front, contre une pierre de 1
la voûte.

FOLENGO, trad. de Merlin Coccaie, *in* HUGUET, Dict. du XVI^e siècle.

♦ **2** Mod., fam. Coup (notamment sur la face) de nature à provoquer une enflure, une bosse. → **Gifle;** (fam.) **baffe, châtaigne, marron.** *Donner, recevoir une beigne. Je vais te flanquer, te foutre une beigne, si tu continues.*

(...) il était encore capable de sentir, d'éprouver quelque 2
chose, d'avoir une réaction, fut-ce l'élémentaire réflexe physique du gosse qui lève le coude dans la crainte de recevoir une autre beigne, surveillant d'instinct les mains du policier (...)

Claude SIMON, le Vent, p. 178.

(...) il leva les bras comme s'il voulait donner la beigne à 3
son interlocuteur.

R. QUENEAU, Zazie dans le métro, Folio, p. 10.

**II** N. m. (1744; *buigne, bigne,* v. 1250; *beignet,* XVIII^e). Régional (Canada). Pâte frite glacée ou saupoudrée de sucre glace. → **Beignet, bugne.** *Un beigne au chocolat, au miel.*

DÉR. **Beignet.**

**BEIGNET** [bɛɲɛ] n. m. — 1605; *bignet,* 1314; *buignet,* déb. XIII^e; de *beigne* «bosse» (par anal. de forme).

**I** Mets composé d'un contenu salé ou sucré enrobé de pâte et frit. *Pâte à beignets. Beignets aux pommes, beignet de pommes. Des beignets aux pommes flambés au rhum. Beignets d'écrevisses, de crevettes, d'aubergine. Faire des beignets. Beignets dorés, croustillants. Le brick, beignet tunisien.* → 2. **Brick.**

La pomme s'accommode très bien en tartellages, beignets et semblables gentillesses de cuisine.

O. DE SERRES, 688, *in* LITTRÉ.

Mets sucré composé de pâte gonflée dans la friture. → **Beigne** (II.), **bugne** (régional). *Beignet soufflé.* → **Pet-de-nonne.** *Elle vend des beignets et des gaufres.*
Cf. l'angl. *doughnut.*
*En beignet(s),* enrobé de pâte et frit. *Des crevettes, des scampi en beignets. Poissons, légumes japonais en beignets.* → **Tempura.**

**II** (1640, *bignet*). Vx, rare (un ex. dans La Fontaine, Ragotin). Coup sur la face. → **Beigne.**

**BEÏRAM** [bɛjʀam] n. m. → **Baïram.**

**BÉJAUNE** [beʒon] ou **BEC-JAUNE** [beʒon; bɛkʒon] n. m. — 1265, *le Roman de la Rose*; de *bec*, et *jaune.*

♦ **1** Faucon. Jeune oiseau (faucon, milan...) non dressé qui a encore sur le bec une membrane jaune. — Par ext. Jeune oiseau.

♦ **2** Fig., vx. *Montrer à qqn son béjaune,* lui prouver sa sottise, son ignorance.

1 C'est fort bien fait d'apprendre aux gens à vivre, et de leur montrer leur bec jaune.
MOLIÈRE, l'Amour médecin, II, 3.

2 Que cet oisillon jaseur fasse sa thèse et la soutienne. Il trouvera mon collègue Quicherat ou quelque autre professeur de l'école pour lui montrer son béjaune.
FRANCE, le Crime de S. Bonnard, II, 4.

♦ **3** Vx ou littér. Jeune homme sot, inexpérimenté. → **Blanc-bec, niais.**

3 *(Cette femme)* comble de ses faveurs un tas de freluquets et de béjaunes au détriment de gens de mérite.
Th. GAUTIER, le Capitaine Fracasse, XII.

4 Il disait que la géographie le tourmentait. À d'autres. Je ne suis pas un naïf ni un béjaune. Je le laissais dire.
R. QUENEAU, les Derniers Jours, p. 230.

(Au XIXe). Jeune apprenti, jeune ouvrier (passage d'apprenti à compagnon et de compagnon à maître). Repas payé par le «béjaune» à ses camarades.

♦ **4** Vx. Chose inepte, sotte.

5 Un béjaune, ces visites académiques.
Alphonse DAUDET, l'Immortel, p. 175.

**BÉKÉ** [beke] n. — D. i.; mot du créole martiniquais.
Franç. des Antilles. Planteur blanc (aux Antilles françaises). — Créole (1.). *Des békés.*

1. **BEL** [bɛl] adj. et adv. → 1. **Beau, adj.**

2. **BEL** [bɛl] n. m. — 1928; du n. de Graham *Bell*, inventeur du téléphone.
Phys. Unité sans dimension utilisée pour exprimer le rapport de deux grandeurs physiques (puissances électriques, acoustiques, etc.), le nombre de bels étant égal au logarithme décimal de ce rapport. (Symb. : B). *Le bel est moins utilisé que le décibel*.*
HOM. **1. Bel, belle.**

**BÉLANDRE** [belɑ̃dʀ] n. f. — 1643; empr. au néerl. *bijlander* «caboteur», de *bij* «près», et *land* «terre».
Mar. Embarcation* à fond plat, utilisée sur les rivières, les canaux et dans les rades. → **Chaland.** *On se sert de bélandres sur les canaux du Nord de la France, en Belgique.* — On dit aussi *balandre.*

1 Permangle prit trente-six bélandres portant 100 milliers chacune, et en brûla vingt-cinq.
SAINT-SIMON, Mémoires, 303, 198, *in* LITTRÉ.

2 Je suis ivre d'avoir bu tout l'univers
Sur le quai d'où je voyais l'onde couler et dormir les bélandres (...)
Les feux rouges des ponts s'éteignaient dans la Seine
Les étoiles mouraient le jour naissait à peine
APOLLINAIRE, Alcools, p. 169.

Spécialt. En Hollande, Embarcation du même type mais dotée d'un mât mobile permettant de passer sous les ponts.

**BEL CANTO** [bɛlkɑ̃to; à l'italienne bɛlkanto] n. m. — 1895; loc. ital. «beau chant», de *canto* «chant», de *cantar* «chanter».
L'art du chant* conformément aux traditions de l'opéra italien des XVIIe et XVIIIe siècles (beauté du son, virtuosité). → **Opéra.** *Être amateur de bel canto. Chanteur, chanteuse de bel canto* (*bel cantiste*, ou *belcantiste*, n.).

(...) peu à peu, ils *(les castrats de la chapelle Sixtine)* créèrent par leur exemple et leur enseignement, l'art du bel canto (du beau chant) qui fleurit et rayonna jusqu'à la fin du XVIIIe siècle. Initiation à la musique, p. 126. 1

REM. On a employé au XIXe s. l'adaptation française *le beau chant*; et au XXe la forme francisée *belcante* (P. J. Toulet, *in* T. L. F.).

Le *beau chant* commença en 1680 avec Pistocchi; Bernacchi, son élève, lui fit faire d'immenses progrès (1770). La perfection de cet art a été en 1778 sous Pacchiarotti. Depuis l'on n'a plus fait de soprani et il est tombé. 2
STENDHAL, Rossini (1824), XXXII, p. 446.

**BÊLEMENT** [bɛlmɑ̃] n. m. — 1539; de *bêler.*

♦ **1** Cri des animaux de race ovine (moutons), et, par ext., de la chèvre (→ **Béguètement**). *Les bêlements d'un troupeau de moutons, d'un agneau, d'une brebis.* → **Bé** (interj.).

(...) ces airs bucoliques qui rappellent au Suisse exilé son père, sa mère, ses sœurs et les bêlements des troupeaux de sa montagne. 1
CHATEAUBRIAND, le Génie du christianisme, IV, 2, 7.

C'est un jet ininterrompu de prière; c'est intarissable et cela chevrote sans cesse comme le bêlement d'une vieille bique en délire (...) 2
LOTI, Mme Chrysanthème, XXVII, p. 127.

♦ **2** Fig. (souvent au plur.). Émission de voix bêlante, tremblotante. → **Chevrotement.** *Il émettait des bêlements aigus* (→ Aigu, cit. 6).

♦ **3** Plainte niaise. → **Jérémiade.**

Jamais on ne fut tant aux larmes, et aux bêlements de la paix. Ch. PÉGUY, Œuvres, t. III, p. 317. 3

HOM. **Bellement.**

**BÉLEMNITE** [belɛmnit] n. f. — 1751 (selon T. L. F., la datation 1562 est fausse); grec *belemnitês* «pierre en forme de flèche», de *belemnon* «javelot».
Paléont. Mollusque céphalopode fossile, proche des seiches et des calmars et vivant à l'ère secondaire; partie arrière (rostre) de la coquille de ce mollusque, formant l'un des fossiles les plus courants des terrains de l'ère secondaire.

Les Bélemnitidés (vraies Bélemnites) apparaissent au Lias pour disparaître à la fin du Crétacé.
P. POIRÉ, Dict. des sciences.

DÉR. **Bélemnitique, bélemnitologie.**

**BÉLEMNITIQUE** [belɛmnitik] adj. — 1838; de *bélemnite.*
Paléont. Relatif aux bélemnites.

**BÉLEMNITOLOGIE** [belɛmnitɔlɔʒi] n. f. — 1838; du rad. de *bélemnite*, et *-logie.*
Didact. (Paléont.). Étude scientifique des bélemnites.

**BÊLER** [bele] v. — XIIe; lat. *balare, belare,* d'orig. onomatopéique.

**A** V. intr. ♦ **1** En parlant des ovins, et, par ext., de la chèvre (→ **Bégueter, chevroter**), Pousser un, des bêlements. *Les moutons bêlaient. Tout le troupeau se mit à bêler.*

1 L'oiseau chante, l'agneau bêle,
L'enfant gazouille au berceau;
La voix de l'homme se mêle
Au bruit des vents et de l'eau.
LAMARTINE, Harmonies, I, 3.

2 La chèvre prit séance sur son derrière, et se mit à bêler, en agitant ses pattes de devant (...)
HUGO, Notre-Dame de Paris, II, 3.

Par métaphore (poét.). → Berger, cit. 8.1 troupeau, cit. 3.

Prov. *Brebis qui bêle perd sa goulée :* à trop parler, on perd le temps de manger, et aussi d'agir — *La brebis bêle toujours de même :* on ne saurait changer son naturel*.

♦ **2** Fig. Imiter, de la voix, un bêlement (volontairement ou non). *Il ne parle pas, il bêle.*

(Choses). *« Une cloche fêlée, qui semblait bêler »* (Hugo, *in* T. L. F.).

♦ **3** (XIIIe). Fig., fam. Se plaindre sur un ton niais, se répandre en jérémiades. → **Bêlement.**

3 C'est la grand'mère de ma petite malade que j'ai trouvée au bout du fil. Elle était désespérée, la pauvre dame; elle bêlait dans l'appareil.
MARTIN DU GARD, les Thibault, t. III, p. 251.

**B** V. tr. Dire, chanter de manière niaise, plaintive ou avec des tremblements dans la voix. Sens fig. (même valeur que ci-dessus, 2. et 3.). *Bêler une chanson, un air.* → **Chevroter.**

3.1 (...) si la Réforme a pu s'emparer de ces gigantesques cathédrales pour y bêler divinement ses psaumes, la liturgie ancienne y murmure encore son latin en silence.
J. GREEN, Journal, La Terre est si belle, 13 mai 1977.

◆ **BÊLANT, ANTE** adj. et p. prés.

♦ **1** Qui bêle*. *Des brebis bêlantes.*

4 Sur l'animal bêlant aussitôt il s'abat
LA FONTAINE, Fables, II, 16.

Par ext. *La voix bêlante d'un chevreau* (cit.).

♦ **2** Fam. Dont la voix imite un bêlement. *Un orateur, un discours bêlant. « Le troupeau bêlant des enfants de Marie »* (Mauriac, *le Baiser au lépreux*). — Péj. Conformiste, sans originalité. *Un courtisan bêlant. Une morale bêlante.*

DÉR. **Bêlement.**

**BELETTE** [bəlɛt] n. f. — 1267, B. Latini; dimin. de *belle (beau)* « jolie petite bête », désignant l'animal dit en anc. franç. *mostoile, mustele* (lat. *mustela*), pour éviter par superstition de le nommer; pour l'affectivité superstitieuse portée à l'animal, cf. angl. *fairy* « fée », danois *kjoenne* et ital. *donnola* « petite dame ».

♦ **1** Petit mammifère carnassier *(Mustélidés),* bas sur pattes, de forme effilée, de couleur fauve, plus claire sous le ventre, et au museau pointu. *La belette dévaste les basses-cours, entre dans les terriers et saigne les lapins. « Le chat, la belette et le petit lapin »,* fable de La Fontaine.

Quatre animaux divers, le chat grippe-fromage,
Triste-oiseau le hibou, ronge-maille le rat,
Dame belette au long corsage,
Toutes gens d'esprit scélérat,
Hantaient le tronc pourri d'un pin vieux et sauvage.
LA FONTAINE, Fables, VIII, 22.

Par compar. Désignant une personne dont les traits du visage ou le comportement rappellent ceux d'une belette. *Nez, figure de belette,* (au nez) pointu.

♦ **2** Fam. Fille, jeune fille, jeune femme (notamment, considérée comme facile).

**BELGE** [bɛlʒ] adj. et n. — 1528 comme nom; lat. *Belga, Belgae,* habitant(s) de la Gaule dite *belgique,* du lat. *belgicus.*

**I** Antiq., hist. Relatif aux populations celtiques colonisées par Rome. → **Belgique** (vx). — N. *Les Belges et les Cimbres.*

**II** Mod. ♦ **1** Adj. De la Belgique moderne. *L'économie belge. Le* belga, *ancienne unité monétaire belge. Le franc belge. La littérature belge d'expression française, wallonne; néerlandaise, flamande.*

Pourtant dès que vous entrez en Belgique, vous êtes frappé par cette sorte de malaria religieuse qui y règne. Elle attriste singulièrement ce petit pays (...) C'est peut être cela qui rend si noires ces verdures de la campagne belge que détestait tant Baudelaire (...) 1
O. MIRBEAU, la 628-E-8, p. 117 (1905).

Bruxelles, ville surréaliste peut-être, dont les grisailles sont les apparences d'autre chose, ville hors du temps qui fait semblant d'être belge. 2
Gonzague SAINT-BRIS, le Romantisme absolu, p. 316.

Agric. *Cheval belge; race belge :* cheval de gros trait.

Loc. fam. *Fume, c'est du belge!* → **Fumer.** — *Les pipes belges étaient renommées au XIXe siècle. Tabac belge.*

Allons, tiens!... v'la un sou... va m'acheter une pipe neuve... j'ai cassé la mienne... 3
— Une belge?
— Oui. E. LABICHE, Maman Sabouleux, 2.

♦ **2** N. Habitant de la Belgique. *Des Belges. Une Belge. Les Belges francophones, néerlandophones. Les Belges de Wallonie* (→ **Wallon**), *des Flandres* (→ **Flamand, flamingand**) *de Bruxelles* (→ **Bruxellois**), *de Liège, d'Anvers...*

Les Belges *(ont)* des vertus que beaucoup n'ont pas, et que je souhaiterais aux Français, si orgueilleux de leurs frivolités et de leurs vaines richesses. Ils travaillent. Ils savent réveiller les vieilles cités de leur torpeur ancienne. 4
O. MIRBEAU, la 628-E-8, p. 150.

♦ **3** Propre au français de Belgique. → **Belgicisme.** *L'accent belge.* — N. m. (vx ou par plais.). *Le belge :* le français de Belgique.

DÉR. **Belgeoisant.** — V. **Belgicisme, belgique, belgo-.**

**BELGEOISANT, ANTE** [bɛlʒwazɑ̃, ɑ̃t] n. et adj. — Mil. XXe; de *belge.*

Péj. Nationaliste belge.

**BELGICISME** [bɛlʒisism] n. m. — 1811, A.-F. Poyart, cité par M. Piron; du rad. du lat. *belgicus* (→ Belge, belgique), et *-isme.*

Mot, tournure, particularité du français de Belgique; régionalisme* de Belgique. *Belgicisme accepté, condamné par les grammairiens francophones de Belgique. Bébé, pour* « jeu de marelle » *est un belgicisme bruxellois; belgicisme liégeois, wallon** (wallonisme).

*Avoir facile,* en France, constitue un vulgarisme, en Belgique non. D'autre part, l'adjectif *cru* dans l'acception de « froid et humide » est à la fois belgicisme, canadianisme et helvétisme; en France, il est archaïque dans ce sens (...) Quand nous parlons de belgicisme ou de français régional de Belgique, il ne s'agit pas toujours d'envisager la totalité de l'aire romane de Belgique. 1
A. DOPPAGNE, les Régionalismes, p. 49-50.

REM. La forme *belgisme* est rare (1907, *in* D. D. L.).

(...) on ne dit pas : ça est faux; c'est un belgisme. 2
F. BRUNOT, la Pensée et la Langue, p. 191.

**BELGIQUE** [bɛlʒik] adj. — 1583, *belgic; belgique,* 1671; lat. *belgicus,* de *belga* «belge».

Vx (évincé par *belge**) ou hist. De la région historique (Pays-Bas du Sud) devenue la Belgique. *Les provinces belgiques.* — REM. L'adj. a peu à peu disparu après l'indépendance de la Belgique (1830), sauf dans des emplois évoquant la Belgique antique (romane) ou l'histoire de la région avant l'indépendance.

**BELGO-** Premier élément de mots composés, signifiant «propre à la Belgique et à un autre pays». *«Grâce à ces habitacles dans lesquels ils abritent désormais les nouvelles extensions de leur laboratoire les chercheurs belgo-luxembourgeois peuvent oublier qu'ils se trouvent au fond d'une mine»* (*Sciences et Avenir,* nº 375, mai 1978).

**BÉLIER** [belje] n. m. — 1412; orig. incert.; p.-ê. de l'anc. franç. *belin* «bélier», adaptation du néerl. *belhamel* «mouton à clochette» (qui marche en tête du troupeau), de *bel* «cloche», et *hamel* «mouton» (cf. angl. *bellwether*); ou (Guiraud) du lat. *bela* «les brebis» par un **belarius* «conducteur des brebis», du même type que *bovarius.* → Bouvier.

♦ **1** Mâle non châtré de la brebis. → **Mouton.** *Les cornes recourbées du bélier. Testicules du bélier.* → **Animelles.** *Deux béliers qui se heurtent de la tête.* → **Cosser.** *Cri du bélier.* → **Bêler, blatérer.** *Clochette du bélier.* → **Bélière.** *L'accouplement du bélier et de la brebis.* → **Bélinage, béliner.**

1 Abraham, levant les yeux, aperçut derrière lui un bélier qui s'était embarrassé avec ses cornes dans un buisson, et, l'ayant pris, il l'offrit en holocauste au lieu de son fils (...)
BIBLE (SACY), Genèse, XXII, 13.

2 Les vieux béliers viennent d'abord, la corne en avant, l'air sauvage (...)
Alphonse DAUDET, Lettres de mon moulin, I.

Blason. Animal héraldique, bélier représenté de profil. — *Tête de bélier vue de face.* → **Rencontre.**

♦ **2** Astron. Constellation zodiacale de l'hémisphère boréal figurant un bélier. — Astrol. Premier signe du zodiaque (21 mars-20 avril). Ellipt. *Elle est bélier :* elle est née sous le signe du bélier.

♦ **3** (1548). Hist. Machine de guerre composée d'une poutre terminée souvent par une tête de bélier, et servant à battre les murailles en brèche. *Bélier suspendu. Bélier à bras. Donner un coup de bélier* (→ **Boutoir**).

2.1 (...) on voit encore les brèches ouvertes par les catapultes, les balistes, les béliers (...)
Th. GAUTIER, Constantinople, p. 225.

2.2 (...) les charpentiers se mirent à édifier, à l'abri d'immenses boucliers, des machines de siège en bois, des tours et d'énormes béliers mobiles qui s'appuyaient en partie sur les ponts des bateaux et en partie sur les remparts de la citadelle.
J. D'ORMESSON, la Gloire de l'Empire, t. II, p. 458.

Adj. *Tour bélière :* tour dissimulant un bélier.

Fig., vx (av. 1821, J. de Maistre). Élément, force qui détruit, bat en brèche. — Loc. mod. *Coup de bélier :* choc violent.

3 L'observateur écoute toujours avec anxiété le retentissement des sombres coups de bélier du destin contre une conscience. HUGO, l'Homme qui rit, II, IV, 1.

4 (...) des battements de cœur qui la frappaient sous la poitrine comme à grands coups de bélier (...)
FLAUBERT, Mme Bovary, II, XIII.

5 On entendait des coups terribles frappés contre les murailles du navire comme par des béliers énormes.
LOTI, Mon frère Yves, XXVII, p. 88.

♦ **4** (1797). Techn. *Bélier hydraulique :* machine qui utilise la surpression causée par l'arrêt brutal d'une colonne d'eau *(coup de bélier)* pour élever une partie de l'eau à une hauteur très supérieure à la hauteur de chute.

Loc. techn. *Les coups de bélier d'une canalisation d'eau,* chocs dus aux brusques variations de pression (→ **Antibélier**).

♦ **5** (1660). Machine à enfoncer les pieux. → **Mouton, sonnette.**

DÉR. (De l'anc. franç. *belin*) **Béliner.** — V. **Bélière.** ◊ COMP. (Du 4.) **Antibélier.**

**BÉLIÈRE** [beljɛʀ] n. f. — Déb. XVe, *belliere;* anc. franç. *berlière* (1402 en picard); lat. médiéval *belleria,* 1282, soit de même orig. que *bélier**, soit (selon Guiraud) modification de *berlière, bereliere,* de *berele* «petit objet», doublet de *breloque**.

♦ **1** Anneau servant à suspendre une médaille, une montre de poche, une lampe d'église... — Spécialt. Bracelet de cuir ou de métal servant à suspendre au ceinturon le fourreau d'une arme (attesté surtout entre 1870 et 1914).

Levés à quatre heures et demie, les lascars y étaient encore quand sonnait l'extinction des feux, harassés, passant à la cire les longues bélières des bancals, ou blanchissant leurs gants à la terre de pipe (...)
COURTELINE, les Gaîtés de l'escadron, p. 121.

♦ **2** (1845). Clochette* du bélier qui conduit un troupeau.

**BÉLINAGE** [belinaʒ] n. m. — 1546, *belinaige,* Rabelais, *Tiers livre,* au fig. «coït (humain)»; de *béliner.*

Vx ou régional. Accouplement du bélier avec la brebis.

**BÉLINER** [beline] v. intr. — 1534, Rabelais, *Gargantua,* au fig. «s'accoupler (humains)»; le sens propre est attesté dans les dialectes, cf. Wartburg; de l'anc. franç. *belin* «bélier».

Vx ou régional. S'accoupler, en parlant du bélier et de la brebis.

DÉR. **Bélinage.**

**BÉLINOGRAMME** [belinɔgʀam] n. m. — 1907; → Bélinographe, et suff. *-gramme.*

Techn. Document (notamment photographie) transmis par bélinographe*. — Abrév. : *bélino* [belino] n. m. (1965, *in* D. D. L.). *Des bélinos.*

J'ai l'impression d'avoir fondu dans la grisaille. Et de traverser la vie non pas en chair et en os, mais comme un bélinogramme, en points et en traits (...) 1
Pierre DANINOS, Un certain Monsieur Blot, p. 11.

Le tissu safran formait une trame pareille à celle d'un bélinogramme, un tissu de points sombres et clairs où filtraient le pointillé mauve de la plage, le pointillé pêche et le pointillé abricot de Madeleine et de Rosette. 2
Jacques LAURENT, les Bêtises, p. 170.

**BÉLINOGRAPHE** [belinɔgʀaf] n. m. — 1907; de *Belin,* nom de l'inventeur.

Appareil destiné à transmettre par fil des dessins ou des photographies. → **Téléphotographie.** — Abrév. : *bélino* [belino] (1953, Vialar). *Photo transmise par bélino.* → **Bélinogramme.**

DÉR. **Bélinographique.**

**BÉLINOGRAPHIQUE** [belinɔgʀafik] adj. — 1929; de *bélinographe.*

Didact. (rare). Relatif au bélinographe.

**BÉLÎTRE** [belitʀ] n. m. — 1408, *belleudre;* 1460, *belistre;* orig. incert., p.-ê. du néerl. *bedelar* «gueux, mendiant» ou du moy. bas all. *bedeler,* mais la finale reste inexpliquée (le fém. du moy. néerl. *bedelster* pose problème phonétiquement); pour Guiraud, le mot est une var. de *balistre* «arbalète», le mot aurait d'abord désigné un soldat-mendiant (comme *arquin,* attesté pour «archer démobilisé et mendiant»).

♦ **1** Vx. Mendiant, gueux.

♦ **2** Vx. (langue class.). Terme injurieux désignant un homme de rien. *Ce bélître de valet.*

1 (...) Pendard! gueux! bélître! fripon! maraud! voleur!
MOLIÈRE, le Médecin malgré lui, I, 1.

REM. Le mot se rencontre encore en franç. mod. (Camus, *in* T. L. F.), mais par allusion littéraire seulement.

2 Et adroitement interrogé sur ce discours dont il formait déjà le plan, Léonard en indiqua les grandes lignes, une charge à fond contre l'école littéraire moderne, de solides étrivières données publiquement à ces bélîtres, à ces babouins! (...)
Alphonse DAUDET, l'Immortel, p. 28.

**BELLADONE** [beladɔn; bɛlladɔn] n. f. — 1602, lat. bot. *belladona;* p.-ê. de l'ital. *bella donna* «belle dame» en raison d'une sorte de fard que les Italiens retiraient de la plante.

♦ **1** Bot. et cour. Plante dicotylédone *(Solanacées)* vénéneuse, à baies noires, appelée aussi *belle-dame. Feuille, racine, tige de belladone. La belladone renferme un alcaloïde utilisé en médecine, en particulier pour le traitement de troubles du système nerveux.* → **Atropine.** *Belladone commune* (Atropa belladona).

1 (...) l'ellébore noir qui rend fou (...) les trompettes de la mort dont les cornets putrescents quoique comestibles annoncent la proximité d'une charogne, la belladone qui tarit la sueur et dilate les pupilles (...)
M. TOURNIER, le Roi des Aulnes, p. 210.

♦ **2** Cour. Extrait de belladone; alcaloïde extrait de la plante. → **Belladonine.**

2 Le contrepoison de la belladone et de l'atropine est le tanin et les corps qui en contiennent, ou encore la fève de Calabar. P. POIRÉ, Dict. des sciences.

DÉR. Belladoné, belladonine.

**BELLADONÉ, ÉE** [beladɔne; bɛlladɔne] adj. — 1872; de *belladone.*

Méd. Qui contient de la belladone.

**BELLADONINE** [beladɔnin; bɛlladɔnin] n. f. — XXe; de *belladone.*

Chim. Alcaloïde (atropine) contenu dans la belladone.

**BELLÂTRE** [bɛlatʀ] n. m. et adj. — 1740; adj., «assez beau», 1546, Rabelais; de *bel (beau),* et *-âtre.*

♦ **1** N. m. Homme dont la beauté s'accompagne d'une fatuité niaise. → **Fat.** *Un jeune, un vieux bellâtre.*

1 (...) un certain Omar Bey, capitaine de cavalerie, un bellâtre au regard dur (...)
LOTI, les Désenchantées, VI, 41, p. 220.

Par ext. Celui qui, parce qu'il se croit ou se sait beau, prend des airs avantageux. → **Poseur.**

♦ **2** Adj. (en parlant d'un homme). D'une beauté sans caractère. *Il est bellâtre, prétentieux. Un jeune premier plutôt bellâtre.*

2 L'ingénieur bellâtre d'hier est devenu — dit-il, d'un air plein de sous-entendus — un des rouages secrets d'une officieuse remobilisation.
Benoîte et Flora GROULT, Journal à quatre mains, p. 129.

Littér. et rare (choses abstraites). *«La mollesse bellâtre du littoral méditerranéen...»* (Barrès, *Un homme libre,* 1889, *in* T. L. F.).

**BELLE** [bɛl] → **Beau.**

**BELLE-À-VOIR** [bɛlavwaʀ] n. f. → **Belvédère,** 2.

**BELLE-DAME** [bɛldam] n. f. — XVIIe; de *belle,* fém. de *beau,* et *dame,* pour traduire l'ital. *bella donna.* → Belladone.

♦ **1** (1752). Régional, vieilli. Arroche; belladone (1.).

♦ **2** (1611). Papillon du genre vanesse*.

**BELLE-DE-JOUR** [bɛldəʒuʀ] n. f. — 1762, Académie; de *belle,* fém. de *beau, de,* et *jour.*

Le liseron*, dont les fleurs s'ouvrent pendant la journée. → **Convolvulus.** Plur. *Des belles-de-jour. «Ce petit jardin, avec ses bordures de belles-de-jour»* (Claudel, *in* T. L. F.).

REM. Le mot s'emploie stylistiquement au sens de «prostituée dont l'activité est diurne», d'après *belle-de-nuit* (→ 2. Belle-de-nuit).

1. **BELLE-DE-NUIT** [bɛldənɥi] n. f. — 1680; de *belle,* fém. de *beau, de,* et *nuit.*

♦ **1** Plante du genre *mirabilis,* dont les fleurs s'ouvrent le soir. → **Nyctage.** — Spécialt. *Le mirabilis jalapa.*

Les convolvulus s'ouvrent le matin et se ferment le soir; les mauves ne s'ouvrent que vers les dix à onze heures du matin; la belle de nuit *(sic),* les géranions *(géraniums)* tristes, etc. ne s'ouvrent que le soir; c'est ce qui a fait imaginer au Pline de la Suède *(Linné)* son ingénieuse horloge botanique (...)
Charles BONNET, Contemplation de la nature, X, 31, *in* LITTRÉ.

♦ **2** (1845). Rousserolle*, oiseau de rivière.

Plur. (1. et 2.) : *des belles-de-nuit.*

2. **BELLE-DE-NUIT** [bɛldənɥi] n. f. — 1776; de *belle,* fém. de *beau, de,* et *nuit.*

Anciennt. Jolie femme (avec l'idée de vie nocturne plus ou moins galante). *Les Belles-de-nuit,* film de René Clair.

Fleur qui ne s'épanouit qu'au soleil couchant et se referme au lever de l'aurore. Autrefois, nos Françaises, qui savaient voiler leurs appâts sous une parure décente, étaient appelées belles de nuit *(sic),* parce qu'une jolie femme n'est jamais plus jolie que la nuit. 1
COUSIN JACQUES, Dict. néologique, 1800, *in* D. D. L., II, 11.

Belles-de-nuit, belles-de-feu, belles-de-pluie, 2
Le cœur tremblant, les mains cachées, les yeux au vent,
Vous me montrez les mouvements de la lumière (...)
P. ÉLUARD, Capitale de la douleur, *in* Œ. compl., Pl., t. I, p. 182.

Spécialt. Prostituée dont l'activité est nocturne. → Belle-de-jour, REM.

(...) cette belle de nuit *(sic)* est mademoiselle Koradeux. 3
Louise MICHEL, la Misère, t. III, p. 629.

**BELLE-DOCHE** [bɛldɔʃ] n. f. — 1935, argot, *in* Esnault; de *belle,* fém. de *beau,* et *doche* «mère».

Argot fam. Belle-mère. *Des belles-doches.*

Éreintante, quand même, la maternité d'occasion! Louis répète : *Tu as de bons nerfs. Chapeau!* Ou encore : *Sacrée belle-doche! Si tu as voulu m'épater, tu m'épates!*
Hervé BAZIN, Madame Ex, p. 126.

**BELLE-D'ONZE-HEURES** [bɛldɔ̃zœʀ] n. f. — 1845; de *belle,* fém. de *beau, de, onze,* et *heure.*

Plante dont les fleurs s'ouvrent assez tard dans la matinée (vers onze heures). → **Ornithogale; dame-d'onze-heures.** *Des belles-d'onze-heures.*

**BELLE-D'UN-JOUR** [bɛldœ̃ʒuʀ] n. f. — 1834; de *belle,* fém. de *beau, de, un,* et *jour.*

Variété d'hémérocalle. → **Lis** (lis jaune). *Des belles-d'un-jour.*

**BELLE-FAMILLE** [bɛlfamij] n. f. — 1896, Verlaine; de *belle,* fém. de *beau,* et *famille.*

Famille du conjoint. *Elle est venue avec sa belle-famille : son beau-père, sa belle-mère et ses deux beaux-frères. Des belles-familles.*

En fait, il semble que de cette crise Laure est sortie fortifiée, débarrassée pour jamais de sa timidité, de ce sentiment d'infériorité qui la rendait craintive devant sa belle-famille. La frêle et rêveuse enfant a laissé place à une femme consciente de sa valeur.
Suzanne PROU, la Terrasse des Bernardini, p. 117.

**BELLE-FILLE** [bɛlfij] n. f. — V. 1470; de *belle,* fém. de *beau,* et *fille.*

♦ **1** Fille par alliance; femme du fils. → **Bru.** *Des belles-filles. Mon fils et ma belle-fille* (→ **Beaux-enfants**) *sont venus nous voir. Le beau-père* et sa belle-fille.*

1 Mme de Bouillons appelait cette belle-fille son lingot d'or (...)
SAINT-SIMON, Mémoires, 172, 44.

♦ **2** (1570). Pour un conjoint, fille que l'autre conjoint a eue d'un précédent mariage. *Fils, fille de la belle-fille.* → **Beau-petit-fils, belle-petite-fille.**

2 La belle-fille *(de la princesse d'Harcourt)* écrivit à une de ses amies les plaintes d'être soumise à une mégère enragée.
SAINT-SIMON, Mémoires, 146, 135.

**BELLE-MAMAN** [bɛlmamɑ̃] n. f. — 1673, Molière; de *belle,* fém. de *beau,* et *maman.*

Nom affectueux désignant la mère du conjoint. → **Belle-mère;** → Beau-papa. *Comment va votre belle-maman? Des belles-mamans.* — En appellatif. *Bonjour, belle-maman!*

**BELLEMENT** [bɛlmɑ̃] adv. — 1080; de *belle,* fém. de *beau.*

♦ **1** Littér. ou régional. D'une façon belle, gracieuse. *Une lettre bellement écrite. Si bellement :* de manière aussi charmante (Zola, *in* T. L. F.). *Peut-on résister à un compliment si bellement tourné?* → **Joliment** (cour.).

0.1 Les sirènes laissant les périlleux détroits
Arrivent en chantant bellement toutes trois
APOLLINAIRE, Alcools, «Zone».

0.2 Ce peuple qui savait à peine lire et écrire, qui parlait un français valant celui de Paris, a écrit sa véritable littérature en nommant si bellement le pays : Saint-André de l'Épouvante, l'Anse-à-la-Frégate, Sainte-Rose-du-Dégel, Trois-Pistoles, la Famine, Manche-d'Épée, Ruisseau-à-Rebours, la Malbaie (...)
A. GAULIN, Québec, Introd. historique, *in* Littératures de langue franç. hors de France, p. 428.

♦ **2** Vx (régional au XIXe). Avec modération. → **Beau** (tout beau), **doucement, doux** (tout doux).

1 Oh! morgué, bellement; comme vous êtes rude!
J.-F. REGNARD, Démocrite, I, 3.

2 Bellement, bellement, dit-il, il ne faut te chagriner, ma bonne femme (...) G. SAND, la Petite Fadette, I, p. 7.

♦ **3** Vieilli. Bel et bien.

3 Gwynplaine est bellement en prison. C'est un coup de la providence. Merci, bonne Madame.
HUGO, l'Homme qui rit, II, VI, 1.

TOUT BELLEMENT : tout bonnement* (plus cour.), tout simplement.

Pour cesser d'être douteux, il faut cesser d'être, tout bellement. CAMUS, la Chute, p. 88. 4

*Bellement* (opposé à *tout bonnement*).

Vous aimez Madeleine Blanchet non pas tout bonnement comme une mère, mais bien bellement comme une femme qui a de la jeunesse (...) 5
G. SAND, François le Champi, p. 185, *in* T. L. F.

HOM. **Bêlement.**

**BELLE-MÈRE** [bɛlmɛʀ] n. f. — 1400, au sens 2; de *belle,* fém. de *beau,* et *mère.*

♦ **1** (1538). Pour un conjoint, mère de l'autre conjoint. → **Belle-doche** (argot fam.), **belle-maman.** *Des belles-mères. Sa future, son ex-belle-mère. Se brouiller, se raccorder avec sa belle-mère.*

Un beau-père aime son gendre, aime sa bru; une belle-mère aime son gendre, n'aime point sa bru (...) 1
LA BRUYÈRE, les Caractères, V.

Il maintient d'une main ferme ce masque qu'il lui a plaqué sur le visage dès le premier moment, ce masque grotesque et démodé de belle-mère de vaudeville, de vieille femme qui fourre son nez partout, tyran qui fait marcher sa fille et son gendre au doigt et à l'œil. 1.1
N. SARRAUTE, le Planétarium, p. 52.

♦ **2** (1400, lat. médiéval *bella mater*). Pour les enfants d'un premier lit, la nouvelle épouse de leur père. → **Marâtre** (vx).

Il n'a fait qu'obéir à la haine ordinaire 2
Qu'imprime à ses pareils le nom de belle-mère (...)
CORNEILLE, Nicomède, IV, 2.

J'ai un papa qui me surveille. J'ai aussi une belle-mère, pas une vraie, une que mon père a épousée à la mairie du vingt et unième, mais aussi emmerdante qu'une pour de bon. R. QUENEAU, Pierrot mon ami, p. 22. 3

**BELLE-PETITE-FILLE** [bɛlpətitfij] n. f. — XVIIe; de *belle,* fém. de *beau,* et *petite-fille.*

Rare.

♦ **1** Fille d'un beau-fils ou d'une belle-fille. → **Beau-petit-fils.** *Des belles-petites-filles.*

♦ **2** Petite-fille du conjoint.

**BELLES-LETTRES** [bɛllɛtʀ] n. f. pl. — 1691; *belles lettres,* 1666; de *belle,* fém. de *beau,* et *lettres.*

♦ **1** La littérature, envisagée du point de vue esthétique. *Avoir le goût des belles-lettres.*

Il n'est pas évident que le culte des belles-lettres ne coûte rien à la justice; toujours est-il qu'on en reçoit une coutume de se plaire aux mythes et de s'y attarder (...) Tous les dieux courent avec ma plume. Je veux qu'ils fassent poids.
ALAIN, les Idées et les Âges, VII, II, *in* les Passions et la Sagesse, Pl., 1960, p. 195.

♦ **2** Vieilli. Matière littéraire enseignée dans les écoles. → **Lettres** (mod.). *Un professeur, une classe de belles-lettres.*

*Académie des inscriptions et belles-lettres :* branche de l'Institut de France qui se consacre à l'étude des langues et des civilisations.

**BELLE-SŒUR** [bɛlsœʀ] n. f. — 1423; de *belle,* fém. de *beau,* terme d'affection, et *soeur.*

♦ **1** Sœur du conjoint (pour l'autre conjoint). *La belle-sœur est une sœur par alliance.*

♦ **2** Femme du frère ou du beau-frère* d'une personne. *J'ai trois frères et deux belles-sœurs. C'est sa belle-sœur.* — *Les Belles-sœurs,* pièce de Michel Tremblay.

**BELLICISME** [belisism; bɛlisism] n. m. — 1871, appliqué à Bismarck, attestation isolée; repris déb. XX$^e$; du lat. *bellicus* «belliqueux».

Péj. Amour de la guerre*; tendance des bellicistes.

**CONTR. Pacifisme; neutralisme.**

**BELLICISTE** [belisist; bɛlisist] n. et adj. — 1871, attestation isolée; repris déb. XX$^e$; du lat. *bellicus.* → Bellicisme.

Péj. Qui est partisan de la guerre, de la force dans le règlement des conflits internationaux. *Un gouvernement, un ministre belliciste. — Des théories bellicistes.*

N. Personne qui pousse à la guerre. *C'est une belliciste acharnée.*

(...) ce «ministre pacifiste» d'un gouvernement de «bellicistes». Louis MADELIN, Talleyrand, I, 7, p. 87.

**CONTR. Pacifiste; neutraliste.**

**BELLICOSITÉ** [belikozite; bɛlikozite] n. f. — 1908; dér. sav. du lat. *bellicosus.* → Belliqueux.

Didact. Caractère d'une personne ou de ce qui est belliqueux.

Je mets en cause le système interétatique, puisque aussi bien il forme la toile de fond sur laquelle s'individualisent les phases de bellicosité pour tout l'Occident.
E. LE ROY-LADURIE, l'Histoire immobile, *in* le Monde, 2 déc. 1973.

**BELLIGÈNE** [beliʒɛn; bɛliʒɛn] adj. — 1965, cit.; du rad. du lat. *bellum* «guerre», et *-gène.*

Didact. Qui est cause de guerre, source de conflits armés. *Une situation belligène. Facteurs belligènes nés de l'expansion démographique.*

L'État-Nation entraîne au point de vue de la paix, un grave recul. Il ressuscite les formes de la pensée, de la politique et de la dynamique tribales. Il constitue un milieu belligène beaucoup plus actif que l'ancien État monarchique. L'ennemi n'était alors que l'ennemi du roi (...) Aujourd'hui l'ennemi est l'ennemi de tous, d'où l'acharnement grandissant des guerres à partir du XIX$^e$ siècle.
Gaston BOUTHOUL, Sociologie de la politique, p. 33.

**BELLIGÉRANCE** [beliʒeʀɑ̃s; bɛliʒeʀɑ̃s] n. f. — 1874; proposé en 1845, par Richard de Radonvilliers; de *belligérant.*

Didact. Pour un pays, État de belligérant; état de guerre. → **Guerre.** *Une reconnaissance de belligérance.*

**CONTR. Neutralité, non-belligérance. ◊ COMP. Non-belligérance.**

**BELLIGÉRANT, ANTE** [beliʒeʀɑ̃, ɑ̃t; bɛliʒeʀɑ̃, ɑ̃t] adj. et n. — 1744; lat. *belligerans,* p. prés. de *belligerare* «faire la guerre», de *bellum* «guerre».

[I] Adj. ♦ **1** (En parlant d'un État). Qui prend part à une guerre. *Gouvernement belligérant. Puissances, parties belligérantes.*

♦ **2** Dr. (Personnes). [a] Qui prend part aux opérations de guerre dans l'armée régulière, selon les principes du droit des gens.

[b] Fig. (Par plais.). Qui est en pleine querelle, en pleine dispute avec quelqu'un.

Le comte allait sortir. Tout-à-coup, sentant l'importance de cette affaire, je m'interposai entre les parties belligérantes. — Monsieur le comte, dis-je, vous avez raison et monsieur Gobseck est sans aucun tort.
BALZAC, le Papa Gobseck, éd. 1839, p. 236.

[c] (Choses abstraites). *Opinions belligérantes.*

[II] N. m. (souvent au pluriel). ♦ **1** État en guerre. *Les droits des belligérants.*

♦ **2** (Sens I, 2, b). Personne qui est en conflit avec une autre.

**CONTR. Neutre, non-belligérant. ◊ DÉR. Belligérance.**

**BELLIQUEUSEMENT** [belikøzmɑ̃; bɛlikøzmɑ̃] adv. — 1611, repris XIX$^e$; de *belliqueux.*

Rare. De manière belliqueuse. *Brandir une arme belliqueusement.*

**BELLIQUEUX, EUSE** [belikø, øz; bɛlikø, øz] adj. — 1468, Chastellain; du lat. *bellicosus* «guerrier», de *bellum* «guerre».

♦ **1** (Personnes, collectivités humaines). Qui aime la guerre*. → **Guerrier.** *Un peuple belliqueux. Nation belliqueuse. Des tribus tour à tour belliqueuses ou pacifiques.*

Ces peuples si braves et si belliqueux, et que vous dites qui 1
sont nés pour commander à tous les autres, fuient devant une armée qu'ils disaient être composée de nos cochers et de nos laquais (...) VOLTAIRE, Lettres, 74.

(...) il n'est pas du tout certain que la paix militaire inter- 2
nationale soit jamais établie par l'écrasement militaire des peuples belliqueux sous les peuples pacifiques (...)
Ch. PÉGUY, Œuvres, t. XI, p. 53-57.

♦ **2** (Choses). Qui excite à la guerre. *Politique belliqueuse. Esprit, instinct belliqueux.* — (En parlant de moyens d'expression spécifiques). *Proclamation belliqueuse. Discours, accent belliqueux. Chant belliqueux.*

Ce n'est pas un esprit belliqueux qui anime et dicte ce 3
culte, c'est la nécessité, quand on a vu la France tomber si bas, de la relever afin qu'elle reprenne sa place dans le monde.
GAMBETTA, Disc. Fêtes de Cherbourg, août 1880.

(...) cette manie qu'ont les nationalistes de s'attribuer le 4
monopole du patriotisme, et de chercher toujours à masquer sous des sentiments patriotiques leurs velléités belliqueuses?
MARTIN DU GARD, les Thibault, t. VI, p. 185.

(...) l'histoire nous montre aussi que les chefs d'État, indivi- 5
duellement pacifistes et qui ont résisté aux impulsions belliqueuses ambiantes, en ont été souvent durement punis : les réticences de Louis XVI dans la guerre de l'Indépendance américaine marquent le début de son impopularité.
Gaston BOUTHOUL, la Guerre, p. 80.

♦ **3** Fig. Qui aime, cherche le combat, la dispute. → **Agressif, batailleur, violent.** *Humeur belliqueuse. Caractère, esprit belliqueux.* — (Personnes). *Il s'est montré très belliqueux à notre égard.* → **Hostile.** (Animaux). *«Un cheval belliqueux»* (Chateaubriand). *Une espèce particulièrement belliqueuse.* → **Agressif.** Par ext. Violent, agressif (de rapports). *Une rencontre, une discussion belliqueuse.*

**CONTR. Doux, pacifique, pacifiste, paisible. ◊ DÉR. Belliqueusement.**

**BELLIS** [belis] n. f. — 1561; lat. *bellis.*

Bot. Pâquerette* (petite marguerite). — REM. Chateaubriand prend *bellis* au masculin :

Les sauvages emploient le bellis du Canada contre la gangrène.
CHATEAUBRIAND, Voyage en Amérique, 96, *in* LITTRÉ.

**BELLISSIME** [belisim; bɛlisim] adj. — 1544, Maurice Scève; superl. lat. *bellissimus,* de *bellus* «beau», ou ital. *bellissimo,* de *bello.*

Rare. Très beau, très belle.

**BELLOT, OTTE** [bɛlo, bɛlɔt]; régional [bəlɔ, ɔt] adj. — 1552; dimin. de *bel (beau).* → Belette.

Vx ou régional. Beau*, mignon (d'un enfant).

N. Terme d'affection appliqué à un petit enfant. *Ma petite bellotte. Mon bellot.* → **Mignon.** «*Notre petite bellotte sera chez elle*» (Balzac, *la Cousine Bette*).

Var. graphique : *bélot.*

Nous entrons sous bois... (Appelant ses chiens.) Holà... mes bélots!... fouille! fouille!... fouille!... approche!
E. LABICHE, Deux merles blancs, I, 4.

**BELLUAIRE** [belɥɛʀ] n. m. — 1852, Gautier (→ cit. 3); 1845, adj. «cruel, féroce»; du lat. *bellua* «bête fauve», et *-aire.*

Didactique ou littéraire.

♦ **1** Hist. Gladiateur* qui combattait les bêtes féroces dans les amphithéâtres. → **Bestiaire.** — Personne qui avait soin des bêtes du cirque.

1 Et, retroussant ma manche ainsi qu'un belluaire (...)
HUGO, les Châtiments, II, 7, 8.

2 (...) des belluaires traînaient en laisse des panthères, des guépards (...)
Th. GAUTIER, le Roman de la momie, III.

♦ **2** Rare. Dompteur* de bêtes féroces; garçon de cirque.

3 Si vous voulez une baignoire, le belluaire ouvre une cage, donne un coup de pied au derrière à l'ours qui l'occupe, le fait passer dans une bauge voisine, et vous met à sa place; rien de plus simple.
Th. GAUTIER, Caprices et Zigzags, p. 294 (1852).

4 Tout l'art de la lutherie consiste à maîtriser et à bien disposer cet air-là, à peu près comme le belluaire maîtrise et gagne à soi le fauve. Croyez-moi, j'ai essayé : cela n'est pas rien. Et quand cela réussit, le bonheur est incomparable.
Herbert LE PORRIER, le Luthier de Crémone, p. 98.

♦ **3** Rare. Bestiaire, recueil de textes sur les animaux (Flaubert, *Correspondance*).

**BELLURE** [belyʀ] n. m. — 1906, *in* Chautard; de *belle* dans *être à la belle* (étoile), et *-ure.*

Argot anc. Vagabond. — Par ext. (Terme dépréciatif). En appellatif : crétin, idiot. «*Tu la connais seulement pas, c'te machine, bellure.*» (R. Dorgelès, *les Croix de bois,* p. 112, *in* T. L. F.).

**BELON** [bəlɔ̃] n. f. — Mil. XX^e; de *Belon,* nom d'une rivière bretonne.

Variété d'huître plate et arrondie, à chair d'un gris brun, très savoureuse. *Une bourriche, une douzaine de belons. Les belons étaient en France les seules huîtres avant l'acclimatement des huîtres portugaises.*

1 Si on mangeait un morceau? a proposé le gros, dès que j'ai été installé... Ça te dirait, un peu de pâté de canard, avec quelques belons en ouverture et un demi-calendo *(camembert)* pour terminer?
Albert SIMONIN, Touchez pas au grisbi, p. 31.

2 Après mille hésitations gourmandes, elle opta pour une demi-douzaine de fines belons et un loup au fenouil.
H. TROYAT, la Malandre, p. 197.

**BÉLON** [belɔ̃] n. m. — 1551 au sens 1; var. dial. de l'anc. franç. *belong* «allongé». → Barlong.

Technique (agriculture) et régional.

♦ **1** Cuvier de pressoir à cidre. Cuve à raisins, banne (en Champagne).

♦ **2** (1875). Chariot de vendange (en Champagne).

**BÉLONÉPHOBIE** [belɔnefɔbi] n. f. — 1907, Larousse; du grec *belonê* «aiguille», et *-phobie.*

Psychol. Crainte angoissante des épingles ou des aiguilles.

**BELOTE** [bəlɔt] n. f. — Déb. XX^e (attesté 1926, Giraudoux; → 1. Bourre, cit. 5); p.-ê. du nom de F. *Belot* qui aurait mis au point ce jeu; pour Guiraud, de *belle* au sens (attesté) de «carte gagnante» dans quelques régions.

♦ **1** Jeu de cartes se jouant à deux, trois, quatre, avec trente-deux cartes et où certaines combinaisons permettent de faire les levées. *Faire une partie de belote. Faire une (petite) belote,* (fam.) *se taper une belote. Un concours de belote. Joueur de belote.* → **Beloteur.**

On est pas là pour se faire engueuler;
On est là pour faire une p'tite belote.
B. VIAN, Chanson.

♦ **2** *Belote et rebelote,* figure (roi et dame d'atout), annoncée par les mots de *belote* (en abattant le roi d'atout), *rebelote* (la dame) et éventuellement, *dix de der* (dix points de dernière levée, s'ajoutant aux vingt points de la figure). → aussi **Rebelote.**

DÉR. **Beloter, beloteur.** ◊ COMP. **Rebelote.**

**BELOTER** ou **BELOTTER** [bəlɔte] v. intr. — 1932, Céline; de *belote.*

Jouer à la belote. — REM. Le mot semble plus courant en franç. d'Afrique (I. F. A.); en franç. central, il n'est pas usuel comme *beloteur.*

**BELOTEUR** [bəlɔtœʀ] n. m. — Av. 1938, Giraudoux, *Cantique des cantiques, in* T. L. F.; de *belote.*

Joueur de belote.

(...) l'oisiveté se développe et fructifie volontiers dans le secret de son âme d'élite, qu'il soit beloteur à chaussure jaune et chapeau gris, gentil bayeur aux corneilles ou major des Indes en retraite aux Bermudes. 1
Jacques PERRET, Bâtons dans les roues, p. 94.

À droite, on entendait les chocs des verres, les interjections des beloteurs et le bruit des poings cognant vigoureusement la table au moment de lâcher une carte maîtresse. 2
R. SABATIER, les Noisettes sauvages, p. 55.

**BÉLOUGA** ou **BÉLUGA** [beluga] n. m. — 1575; russe *bieluga,* de *biely* «blanc».

♦ **1** Zool. Mammifère cétacé carnivore, de couleur claire, habitant les mers polaires. → **Marsouin** (marsouin blanc); **baleine** (petite baleine blanche). → Poisson, cit. 2.

♦ **2** Régional (Bretagne). Gros poisson (squale) ou mammifère marin (dauphin). «*C'était peut-être des marsouins ou des bélugas, peu importe*» (Prévert).

♦ **3** (1943). Petit yacht large et rapide.

Par bonheur cette côte se trouve divisée en quelques bassins commodes où les petits cruisers tels que *Belugas, Corsaires, Grondins,* sont peut-être plus à l'aise que les gros yachts, à l'échouage incertain.
Jean GIORDAN, le Yachting, p. 80.

HOM. **Beluga.**

**BÉLOUTCHE** [belutʃ] adj. et n. — 1842, Académie; de *Béloutchistan* (Bélouchistan), var. anc. *béloutje* (Gobineau).

Du Bélouchistan. — Var. : *baloutche* [balutʃ], *baloutchi, balutchi* [balutʃi]. — N. *Les Béloutches et les Afghans.*

N. m. Parler iranien du Nord-Ouest (originellement), répandu dans l'Est et le Sud-Est du plateau iranien.

**BELUGA** [beluga; belyga] n. m. — Mil. XX^e; mot russe, de *biely* «blanc».

Type de caviar fourni par une variété d'esturgeon portant ce nom, le plus rare et le plus apprécié. → **Caviar.** *Préférer le beluga au sévruga*.* — Appos. *Caviar beluga.* — REM. On écrit aussi *béluga.*

HOM. **Bélouga.**

**BÉLUGA** [beluga] n. m. → **Bélouga,** et **beluga.**

**BELVÉDÈRE** [bɛlvedɛʀ] n. m. — 1512; ital. *belvedere,* de *bel* «beau», et *vedere* «voir».

♦ **1** [a] Construction établie en un lieu élevé, et d'où la vue s'étend au loin. → **Mirador, pavillon.** *Belvédère surmontant un édifice, un palais. Un berceau de verdure formant belvédère.*

Absolt. Le belvédère de la chapelle du Vatican. *L'Apollon du Belvédère.*

[b] Par ext. Lieu, terrasse, plate-forme (naturelle ou aménagée) d'où la vue est étendue. *Un belvédère artificiel, naturel. Cette colline forme belvédère. De ce belvédère, on a un beau point de vue; on y a aménagé une table d'orientation.*

Fig. Lieu où l'on domine.

(...) Tandis qu'arrivaient jusqu'à mon belvédère l'appel des marchands de journaux (...) les appels des baigneurs (...)
PROUST, À la recherche du temps perdu, t. V, p. 229.

♦ **2** (1536, Rabelais). Régional. Plante *(Rosacées)* appelée aussi *belle-à-voir.*

**BELZÉBUTH** [bɛlzebyt] n. m. — 1832; nom d'un singe, en 1756; nom d'une divinité, dans l'Ancien Testament, lat. *Beelzebub,* grec *Beelzeboul,* de l'hébreu *ba'al-zebūb* «seigneur des mouches» ou *ba'al zebūl* «Baal le prince».

Littér. Esprit maléfique. → **Démon, diable** (Hugo, A. Arnoux, *in* T. L. F.). *Des belzébuths.*

**BEMBEX** [bɛ̃bɛks] n. m. — 1776 en lat. sc.; grec *bembyx* «bourdon»; var. anc. *bembèce,* 1841.

Zool. Insecte hyménoptère *(Sphégidés),* guêpe fouisseuse dont la femelle nourrit ses larves, enfouies sous terre, de mouches.

**BÉMOL** [bemɔl] n. m. — 1466; *bemoulz,* XIVe; du lat. médiéval *b molle,* Gui d'Arezzo, v. 1030; cf. ital. *b molle,* XVe.

♦ **1** Mus. et cour. Signe altératif accidentel* en forme de *b* abaissant d'un demi-ton chromatique la note devant laquelle il est placé. *Bémol à la clef,* qui sert à déterminer la tonalité d'un morceau en altérant toutes les notes situées sur la ligne ou dans l'interligne sur lequel il est placé. *Il y a trois bémols à la clé. — Double bémol.*

1 Vit-on jamais un âne essayer des bémols,
Et se mêler au chant des tendres rossignols?
J.-F. REGNARD, les Folies amoureuses, II, 17.

2 Moduler, c'est changer de ton ou de gamme, c'est introduire des dièses ou des bémols, ou en effacer (...)
GRÉTRY, Méthode pour apprendre à préluder, leç. 14, 39, *in* POUGENS.

Adj. ou appos. *Un mi bémol* (→ Perlé, cit. 1). — (Désignant la tonalité). *Une sonate en si bémol.*

♦ **2** Fig., vx. *Le bémol,* musique d'un caractère doux (→ Bécarre, cit.).

3 Ce sont deux bergers amoureux, tout remplis de langueur, qui, sur bémol, viennent (...) faire leurs plaintes (...)
MOLIÈRE, le Sicilien, 4.

Loc. fam. *Mettre un bémol :* parler moins fort. *Mets un bémol, s'il te plaît, il y a des gens qui dorment à côté.* — Être moins arrogant, moins exigeant. → **Bémoliser.** *Mets un bémol, calme-toi!* (→ Mettre la pédale* douce).

♦ **3** Fam. *Il y a un bémol,* quelque chose qui ne va pas. → **Hic, problème.** *La lampe ne marche plus, il y a un bémol.*

DÉR. **Bémoliser.**

**BÉMOLISER** [bemɔlize] v. tr. — 1752; de *bémol.*

♦ **1** Altérer* à l'aide d'un bémol. — Au p. p. *Note bémolisée.*

Je ne tiens pas à savoir la musique. Ça me rapporterait peut-être d'avoir le sens du mot *bémoliser,* mais je m'en passe bien.
J. RENARD, Journal, 15 janv. 1897.

♦ **2** Fig. [a] Vx. Adoucir (un son). *Bémoliser sa voix.*
[b] Mod. Fam. Adoucir (le ton), atténuer les propos. — Absolt. *Bémolise un peu!* — Par ext. «*Prix bémolisés un maximum*» (*Madame Figaro,* 10 sept. 1994).

1\. **BEN** [bɛn] n. m. — XIVe; arabe *bān,* nom d'un arbre, «saule d'Orient à fleurs odorantes».

*Huile de ben :* huile extraite des graines d'un arbre de la famille des Capparidacées.

HOM. **Benne.**

2\. **BEN** [bɛ̃] adv. — D. i.; la transcription de *bien* en *ben* en français mod. semble dater du début du XIXe; la prononciation même est très ancienne; var. de *bien.*

♦ **1** Rural. Bien. *Pt'êt' ben qu'oui, pt'êt' ben qu'non :* peut-être oui, peut-être non (réponse dilatoire attribuée aux Normands). *Et ben, eh ben :* eh bien.

— Êtes-vous content... ça a-t-il ben marché? 1
Ch. PAUL DE KOCK, la Grande Ville, p. 146.

— Mon capitaine, il y a là un homme de la 2e du 4, Rivoir, 2
qui voudrait ben, comme qui dirait un congé de huit jours, pour aller voir sa sœur qui est malade à toute extrémité.
— Sa sœur qui est malade! Et ben, qué que ça me fait, à moi? Est-ce que j'ai des sœurs qui sont malades, moi! Ça ne me regarde pas (...)
G. NOUVEAU, Notes d'un réserviste, 1878, Pl., p. 450.

Qu'est-ce que vous voulez? 3
— Eh ben, des pastis, dit Mario.
SARTRE, le Sursis, p. 131.

♦ **2** Fam. (très courant; usage parlé). *Ben :* eh bien. *Ben quoi? :* eh bien quoi? *Ben mon vieux!,* exclamation admirative, étonnée...

— Est-ce que M. Joly ne chantera pas? 4
— Ah ben oui! M. Joly? il va faire passer la société au salon.
Henri MONNIER, Scènes populaires, «Le dîner bourgeois», 19, p. 179.

Ben quoi!... ben quoi! disait Mme Astier sans s'émouvoir à 5
ces explosions désolées...
Alphonse DAUDET, l'Immortel, Éd. A. Lemerre, Paris, 1888 (1883), p. 166.

Tu as de la ficelle? me demanda Modigliani. 6
— Non, pour quoi faire? — Ben, pour faire tremper les bouteilles au frais (...)
B. CENDRARS, Bourlinguer, p. 200.

Je ne vous dérange pas, au moins. 7
— Ben non, dit Zézette. Assoyez-vous.
SARTRE, le Sursis, p. 252.

t'es vieux toi je m'en vais maintenant tu restes là? 8
je ne peux pas marcher
ben comment t'es venu?
je marchais je ne peux plus
Tony DUVERT, Paysage de fantaisie, p. 68.

HOM. **Bain.**

**BÉNARD** [benaʀ] n. m. — 1881; de *pantalon à la Bénard* (1876) «pantalon serré au genou et couvrant le pied», du nom d'un tailleur du faubourg Saint-Antoine, à Paris.

Argotique puis fam. Pantalon. — Abrév. fam. : *ben* [bɛn] n. m. ; dér. (plus marqué) *bénouze* [benuz] n. m.

1 Ou je finirai dans les poulets comme vous, avec une veste à la godille et un bénard en accordéon... Merci du conseil !
H.-G. CLOUZOT et J. FERRY, Quai des Orfèvres (scénario), 1947, *in* l'Avant-Scène, nº 29, p. 34.

2 Je note alors sa chemise blanche (mais oui), sa cravate lie-de-vin à rayures vertes, le pli approximatif de son bénard et ses lacets de souliers flambant neufs.
SAN-ANTONIO, Ne mangez pas la consigne, p. 16.

**BÉNARDE** [benaʀd] n. f. — 1694, Thomas Corneille ; *serrure bernarde*, de *Bernard*, nom propre, au sens de «pauvre sire», 1442 (*Bernard* était le nom de l'âne dans le *Roman de Renart*).

Techn. Serrure dont la clef n'est pas forée et qui s'ouvre aussi bien de l'intérieur que de l'extérieur.
Adj. *Clé bénarde*, dont la tige n'est pas forée, et qui s'adapte à une bénarde.

**BÉNÉDICITÉ** [benedisite] n. m. — Fin XIIe ; lat. *benedicite* «bénissez», premier mot de cette prière en latin.

Prière catholique prononcée avant le repas. *Dire le bénédicité. Des bénédicités.*

On me reproche de dire grâces sans avoir dit bénédicité (...) VOLTAIRE, la Princesse de Babylone, II.

**BÉNÉDICTIN, INE** [benediktɛ̃, in] n. et adj. — XIIIe ; lat. ecclés. *benedictinus*, de *Benedictus*, saint Benoît, qui fonda vers 529 l'ordre des Bénédictins ; fém., 1680.

**I** ♦ **1** Religieux, religieuse de l'ordre de saint Benoît. → **Camaldule.** *Un couvent, un monastère de bénédictins. Le costume des bénédictins, des bénédictines. Les bénédictins ont exécuté beaucoup de grands travaux d'érudition. Dom* X, bénédictin.*

1 S'il veut débrouiller l'antiquité de sa noblesse qui remonte aux temps les plus reculés, il enverra chercher un bénédictin (...) VOLTAIRE, Jeannot et Collin.

Adj. *Bibliothèque, Congrégation bénédictine. Les innombrables abbayes* (cit.) *bénédictines. Style bénédictin. Liturgie bénédictine.*

♦ **2** Fig. (à cause des travaux intellectuels des moines bénédictins). Érudit qui se consacre à des travaux de longue haleine. *C'est un bénédictin. Un travail de bénédictin*, qui exige beaucoup de patience et de soins.

2 Oh ! Chaque matin se demander : «Qu'est-ce que je vais faire aujourd'hui ?» Oh ! un travail de Bénédictin ! Avoir une éternité de perles à (...) enfiler !
J. RENARD, Journal, 6 janv. 1898.

3 On pouvait par exemple trouver dans un laboratoire (encore en 1929) d'admirables documents récoltés année par année sur les mêmes écoliers et fournissant un tableau longitudinal très riche de leurs performances selon tous les tests connus, sans que les auteurs de ce travail de bénédictin sachent ce qu'ils allaient en tirer (...)
J. PIAGET, Épistémologie des sciences de l'homme, p. 144.

N. f. (1748, Diderot). *Une bénédictine* : une édition érudite.

**II** N. f. (1878). **BÉNÉDICTINE** (marque déposée) : liqueur fabriquée selon les recettes des bénédictins (à l'origine, à l'abbaye bénédictine de Fécamp). *Boire de la bénédictine. Un petit verre de bénédictine.*

**BÉNÉDICTION** [benediksjɔ̃] n. f. — Déb. XIVe, rare jusqu'au XVIe ; lat. ecclés. *benedictio*, de *benedictum*, supin de *benedicere* (→ Bénir) ; a remplacé l'anc. franç. *beneïcun (bénisson)*, de *bénir*.

♦ **1** Grâce* et faveur (accordée par Dieu). *La bénédiction de Dieu, du ciel. — Une, des bénédictions. Dieu accorde, donne, répand ses bénédictions. Être comblé de bénédictions. S'attirer, implorer, demander, rechercher les bénédictions du Ciel.* → **Protection.**

La bénédiction de l'Éternel fut sur tout ce qui lui appartenait. BIBLE (SEGOND), Genèse, XXXIX, 5. 1

(...) tout dépend de la bénédiction de Dieu (...) 2
PASCAL, Pensées, VII, 499.

Beauvau, évêque de Tournay, publia des dévotions pour 3
implorer la bénédiction de Dieu sur nos armes (...)
SAINT-SIMON, Mémoires, 208, 46.

(...) le prélat pria le Dieu Tout-Puissant d'infondre la rosée 4
de sa bénédiction sur sa servante.
HUYSMANS, En route, p. 134.

Par ext. Événement heureux attribué à la faveur* du Ciel. → **Bienfait, prospérité, succès.** *Une bénédiction du Ciel, de la Providence. Une vie remplie de bénédictions. — Une maison de bénédiction* : une maison qui semble l'objet d'une particulière protection divine (Académie). *Une terre de bénédiction.* → **Abondance.**

Elle avait accueilli mon retour imprévu comme une béné- 5
diction du ciel. LOTI, Mon frère Yves, LXXVII.

Fam. *C'est une bénédiction.* → **Bonheur.** Iron. Événement qui surpasse l'attente.

Elle engraissait, que c'était une bénédiction (...) 6
Antoine HAMILTON, Mémoires du comte de Grammont, 10, *in* LITTRÉ.

♦ **2** (Av. 1690, Furetière). Action du prêtre qui bénit les fidèles ; acte rituel, cérémonie qui comporte essentiellement une bénédiction. *Donner, recevoir la bénédiction. Aller à la bénédiction.* → **Salut.** *La bénédiction du saint sacrement* (→ **Ostensoir**). *Bénédiction nuptiale.* → **Mariage.** → Mari, cit. 1. *Bénédiction apostolique**, celle du pape ou d'un évêque mandaté par le pape. *Bénédiction* urbi et orbi*.

Nous entrâmes dans l'église au moment où le prêtre don- 7
nait la bénédiction.
CHATEAUBRIAND, le Génie du christianisme, III, V, 3.

Action du prêtre qui consacre (des objets au culte). → **Consécration.** *La bénédiction d'une église, de l'autel, des fonts baptismaux, d'une cloche, de l'eau, d'un cierge.*

Action d'un prêtre qui asperge d'eau bénite (des objets profanes). *La bénédiction d'un cimetière. La bénédiction des drapeaux. Bénédiction d'un bateau.* → **Baptême.**

♦ **3** (XVIe, Marot). Formule exprimant l'adhésion du cœur, souhaitant le bonheur, la prospérité, la protection divine. → **Vœu.** *La bénédiction d'un père, d'une mère, d'un vieillard, d'un mourant. Demander la bénédiction de ses parents.*

Elle me donna sa bénédiction (...) 8
Mme DE SÉVIGNÉ, Lettres, 151.

S'il est des bénédictions humaines que le ciel daigne 9
exaucer (...) ce (...) sont (...) celles que dicte en secret un cœur simple et reconnaissant.
ROUSSEAU, Julie ou la Nouvelle Héloïse, t. II, V.

Et jusqu'au milieu de la rue, Jean Peyrol et sa femme 10
l'accompagnent de leurs bénédictions.
Alphonse DAUDET, le Petit Chose, I, 4.

Iron. *Donner sa bénédiction à qqn*, le congédier.

Loc. fam. Iron. ou par plais. *Donner sa bénédiction* (à qqn) *au sujet de* (qqch.) : formuler le souhait qu'un projet, une entreprise réussisse, sans y prendre part et en dégageant toute responsabilité. *Vous avez décidé de vous marier ? eh bien, soit !... je vous donne ma bénédiction. Je ne crois pas à cette affaire, mais si vous êtes d'avis contraire, vous avez ma bénédiction.*

Sentiment et expression de satisfaction ou de gratitude. *Sa charité lui attirait la bénédiction des pauvres* (Littré). *Mériter les bénédictions d'un peuple.* → **Applaudissement, reconnaissance.** *Un concert de bénédictions. Couvrir qqn de ses bénédictions.*

11 Elle croissait au milieu des bénédictions de tous les peuples (...)
BOSSUET, Oraison funèbre de Henriette-Anne d'Angleterre.

12 Elle recueille les bénédictions du pauvre, la reconnaissance et les regrets de l'amitié, et l'admiration publique (...)
GENLIS, la Mère rivale, t. III, p. 335, *in* POUGENS.

13 Presque toujours les gens ont trouvé que les choses allaient mal. Sous Louis XII c'est un concert de bénédictions.
J. BAINVILLE, Hist. de France, VII.

♦ **4** Loc. Vx. *Être en bénédiction* (auprès de, chez...) : être aimé, vénéré. → **Affection, estime, vénération.**

14 La mémoire de M. de Thou est en bénédiction chez les Français (...) VOLTAIRE, Métaphysique, 9.

Vx. *À bénédiction :* beaucoup, en abondance.

♦ **5** Fam. (A. Dumas, *in* T. L. F.) et vieilli. *Bénédiction du ciel! Bénédiction!,* interjections qui marquent l'étonnement.

CONTR. **Malédiction; blasphème, exécration, imprécation.**

**BENEDICTUS** [benediktys] n. m. invar. — Attesté XIX^e (1866, Amiel, *in* T. L. F.); mot lat. «béni», premier mot du cantique de Zacharie.

Religion.

♦ **1** Prière d'action de grâces récitée aux laudes, dans des funérailles. Deuxième partie du *Sanctus* de la messe.

♦ **2** Composition musicale sur cette prière. *Le Benedictus de la messe de César Franck.*

**BÉNEF** [benɛf] n. m. — 1842; apocope de *bénéfice.*

Pop., puis fam. Bénéfice. *Faire du bénef, des bénefs. Combien tu fais de bénefs?*

Je ferai ce soir mes 35 balles de benef... C'est chouettard!
DUPENTY et CORMON, les Petits Mystères de Paris, II, XII.

**BÉNÉFICE** [benefis] n. m. — 1198, «service, bienfait»; lat. *beneficium* «bienfait, service, récompense»; de *bene* «bien», et *facere* «faire».

**I** ♦ **1** Littér. (vx sauf dans quelques emplois). Avantage. → **Faveur, grâce, privilège.** *Le bénéfice des circonstances. Le bénéfice de l'âge. Laissons-lui le bénéfice du doute*. Quel bénéfice avez-vous à mentir? Retirer un bénéfice intellectuel d'un travail.* → **Profit.** *Conserver le bénéfice d'un avantage acquis.* — Vx. Bienfait. → ci-dessous, cit. 2.

1 *(Pour être sage)* par aspiration divine et apte à recevoir bénéfice de divination. RABELAIS, le Tiers Livre, 37.

2 Nous recevons double grâce et bénéfice de notre Dieu au baptême (...) FÉNELON, II, 17, *in* LITTRÉ.

3 Jugurtha, qui attendait tout du bénéfice du temps, ne songeait qu'à amuser le consul et à tirer les choses en longueur.
VERTOT, Révolutions de la République romaine, IX, p. 385.

3.1 C'eût été pour abréger ma souffrance, et non plus dans l'espoir d'un bénéfice intellectuel et en cédant à l'attrait de la perfection, que je me serais laissé conduire (...)
PROUST, À l'ombre des jeunes filles en fleurs, Pl., t. I, p. 444.

4 En face d'une crise nerveuse, d'une agonie, elle perdait le bénéfice de sa bravade (...)
COCTEAU, les Enfants terribles, XIII.

AU BÉNÉFICE DE : au profit de. *Donner une représentation au bénéfice d'une œuvre, des malades. Être élu au bénéfice de l'âge,* parce qu'on est le plus vieux de deux candidats ex-aequo.

Psychan. *Bénéfice de la maladie :* satisfaction directe ou indirecte que le sujet tire de sa maladie. *Bénéfice primaire :* soulagement trouvé dans la constitution du symptôme («fuite dans la maladie»); *bénéfice secondaire :* «avantages» tirés du symptôme constitué, notamment dans les relations avec l'entourage.

À côté du symptôme central *(trouble sexuel),* il y a souvent aussi d'autres symptômes parallèles, qui restent comme en réserve. Le patient les sait quand il a besoin d'un substitut lui garantissant un bénéfice secondaire. Il se produit un déplacement : le social prend la place du psychique. 4.1
Tahar BEN JELLOUN, la Plus Haute des Solitudes, p. 51.

♦ **2** (1680). Dr. et cour. Faveur, privilège que la loi accorde à qqn. *Le bénéfice des circonstances atténuantes. — Bénéfice de discussion :* droit accordé à la caution poursuivie de requérir du créancier que les biens du débiteur principal soient préalablement saisis et vendus. *Bénéfice de division. — Bénéfice de clergie*.* — **BÉNÉFICE D'INVENTAIRE :** droit de l'héritier de n'être tenu au paiement des dettes de la succession que dans la limite des biens qu'il recueille (cf. Code civil, art. 802). *Accepter une succession sous bénéfice d'inventaire.* Fig. *N'accepter qqch. que sous* (ou *par*) *bénéfice d'inventaire* :* sous réserve de vérification. → **Conditionnellement, réserve** (sous), **restriction** (avec).

Un païen, qui sentait quelque peu le fagot, 5
Et qui croyait en Dieu, pour user de ce mot,
Par bénéfice d'inventaire (...)
LA FONTAINE, Fables, IV, 19.

Soyons plus sensés que Kant : méfions-nous du premier mouvement; sachons répondre par un sourire (...) — mélancolique? — Et n'acceptons de telles données que sous bénéfice d'inventaire. L'héritage de nos premiers parents, à franc parler, me paraît d'ailleurs le mériter au delà de toute expression!!! 5.1
VILLIERS DE L'ISLE-ADAM, Tribulat Bonhomet, p. 120-121.

Faudra-t-il pour Verlaine, pour Baudelaire et pour Villon réformer notre jugement? S'il ne s'agit que de leur vie, ils s'en sont eux-mêmes accusés les premiers, sans réclamer le bénéfice des circonstances atténuantes. 5.2
Francis CARCO, Nostalgie de Paris, p. 15.

*Sous bénéfice de :* sous réserve de. *Sous bénéfice de ces observations, j'approuve votre projet.*

♦ **3** Au moyen âge. (Déb. XIV^e). Hist. Concession de terres faite à ses sujets par le roi ou le seigneur féodal. *Du bénéfice carolingien est dérivé le fief.*

Le souverain, lui-même, en échange de services civils et militaires, concéda, à titre révocable, à titre de bienfait *(bénéfice)* des portions de son domaine, allégeant ainsi la tâche de l'administration, s'attachant une autre catégorie de vassaux. Ce fut l'origine du fief. 6
J. BAINVILLE, Hist. de France, III.

(1223). *Bénéfice ecclésiastique :* patrimoine attaché à une fonction, une dignité ecclésiastique. *Bénéfices réguliers. Bénéfices séculiers. Bénéfices majeurs ou consistoriaux.* → **Abbaye, évêché.** *Bénéfices mineurs.* → **Canonicat, chapellenie, cure, prébende, prieuré.** *Collation d'un bénéfice.* → **Impétration, indult, investiture, nominateur.** *Recevoir un bénéfice en commende** (→ **Commendataire**), *par dévolu*. Titulaire, possesseur d'un bénéfice.* → **Bénéficier, impétrant, nominataire.** *Jouissance, revenu d'un bénéfice.* → **Annate, récréance, temporel.** *Juridiction d'un bénéfice.* → **Temporalité.** *Acheter la survivance d'un bénéfice. Résigner un bénéfice.* → **Résignant.** *Bénéfice vacant en régale. Échange de bénéfices.* → **Copermutation, copermuter.** *Registre des bénéfices.* → **Pouillé.**

7 Vous savez bien quel trafic on fait aujourd'hui des bénéfices, et que, s'il fallait s'en rapporter à ce que Saint Thomas et les anciens ont écrit, il y aurait bien des simoniaques dans l'église (...)
PASCAL, les Provinciales, VI.

8 Dignités, charges, postes, bénéfices, pensions, honneurs, tout leur convient *(aux hypocrites)* et ne convient qu'à eux; ils ne comprennent pas que sans leur attache on ait l'impudence de les espérer (...)
LA BRUYÈRE, les Caractères, XVI.

9 Le roi obtint la nomination des bénéfices; et le pape eut, par un article secret, le revenu de la première année, en renonçant aux mandats, aux expectatives, à la prévention (...) VOLTAIRE, Essais sur les mœurs, 138.

10 *(Il)* n'a de prêtre que ce qu'il en faut pour être apte et idoine à posséder des bénéfices.
D'ALEMBERT, Lettre au roi de Prusse, 30 juil. 1781.

11 Ce curé, simple et pauvre, avait un neveu à bénéfice, abbé de cour, qui pouvait être utile.
A. DE MUSSET, la Mouche.

12 Sans doute il a consulté quelques pouillés (on entend par là les listes des bénéfices et des cures de chaque diocèse) [...]
PROUST, À la recherche du temps perdu, t. X, p. 81.

Lieu de résidence du titulaire d'un bénéfice.

13 Que fais-tu cependant seul en ton bénéfice?
BOILEAU, Épîtres, 2.

**II** (À partir du XVII^e^). Mod. et cour. Gain financier réalisé dans une opération ou une entreprise. → **Gain; boni, excédent, profit, rapport, revenu;** (fam.) **bénéf.** *Bénéfice brut. Bénéfice net :* bénéfice réalisé tous frais déduits. *Impôt sur les bénéfices. Faire, réaliser des bénéfices. Gros bénéfices. Bénéfices sur les opérations de bourse. Bénéfices illicites. Une entreprise qui laisse des bénéfices.* → **Lucratif.** *Participation aux bénéfices. Être intéressé aux bénéfices. Partager des bénéfices* (→ Association, cit. 11; associé, cit. 7).

14 Ils font venir du Bengale des toiles blanches qu'ils teignent ou impriment; et vont les revendre avec un bénéfice de trente-cinq ou quarante pour cent, dans les lieux mêmes d'où ils les ont tirées (...)
G. T. RAYNAL, Hist. philosophique..., III, 24.

14.1 (...) toutes les économies faites par le gouvernement (...), les excédents de budget, les suppléments de recettes et tous les petits bénéfices imprévus (...)
A. ROBIDA, le Vingtième Siècle, p. 268.

15 (...) le nouveau, quel qu'il fût, aurait demandé des avantages exorbitants, une participation aux bénéfices, peut-être même des actions de la société (...)
G. DUHAMEL, Cri des profondeurs, XI.

CONTR. **Désavantage, dommage, inconvénient, perte, préjudice.** ◊ DÉR. et COMP. **Bénef. Superbénéfice.** — (Du lat. *beneficium*) V. **Bénéficiaire, bénéficial, 1. bénéficier, 2. bénéficier.**

**BÉNÉFICIAIRE** [benefisjɛʀ] n. et adj. — 1609, adj.; lat. *beneficiarius,* de *beneficium.* → Bénéfice.

**I** Anciennt, hist. Possesseur d'un bénéfice. → **Bénéfice, bénéficier.**

1 Un nouveau bénéficiaire venait qui établissait de nouveaux arrière-vassaux (...)
MONTESQUIEU, l'Esprit des lois, XXXI, 26.

Adj. Relatif à un bénéfice.

2 Il ne faut pas confondre les comtés bénéficiaires du temps de Charlemagne, avec les comtés héréditaires (...)
FÉNELON, XXI, 234, *in* LITTRÉ.

**II** Mod. ♦ **1** Personne qui bénéficie (d'un avantage, d'un droit, d'un privilège). *J'en suis le premier bénéficiaire. Sa sœur est la principale bénéficiaire de l'opération. Le bénéficiaire d'une représentation théâtrale :* personne au bénéfice de laquelle les recettes sont versées. *Être bénéficiaire de l'aide publique. Les bénéficiaires d'une allocation* **(→ Allocataire),** *d'une affectation de services* **(→ Affectataire),** *d'une attribution* **(→ Attributaire),** *de prestations* **(→ Prestataire).**

Mais je n'avais pas livré cette difficile bataille (...) pour obtenir la reconnaissance de son bénéficiaire. 3
Georges LECOMTE, Ma traversée, p. 592.

Dr. *Le, la bénéficiaire d'une créance.* → **Cessionnaire.** *Le bénéficiaire d'un chèque.* — Spécialt. *Héritier bénéficiaire,* celui qui reçoit une succession sous bénéfice d'inventaire.

♦ **2** Adj. Qui a rapport au bénéfice commercial. *La marge* bénéficiaire d'un commerçant, d'une entreprise.*

Qui produit des bénéfices. *Part bénéficiaire dans une société. Une entreprise bénéficiaire, largement bénéficiaire.*

CONTR. (De II., 2.) **Déficitaire.**

**BÉNÉFICIAL, ALE** [benefisjal] adj. — 1369; lat. *beneficialis,* de *beneficium.*

Vx ou hist. Qui concerne les bénéfices ecclésiastiques. *Matières bénéficiales. Cause bénéficiale. Revenus bénéficiaux.*

Ce fut lui qui crut que Sénèque dans ses livres des bénéfices avait traité, à plein fond, des matières bénéficiales.
GUEZ DE BALZAC, 2^e^ disc. de la cour, *in* LITTRÉ.

**BÉNÉFICIANT, ANTE** [benefisjɑ̃, ɑ̃t] adj. — D. i.; p. prés. de *bénéficier.*

Rare.

♦ **1** (Personnes). Qui tire profit de quelque chose.

♦ **2** (Choses). Qui fait du bien. *Une «eau bénéficiante»* (La Varende, *in* T. L. F.).

♦ **3** Adj. et n. Qui donne, accorde un bénéfice. — N. *«Le bénéficiaire* (... et) *le bénéficiant»* (Max Jacob, *in* T. L. F.).

1. **BÉNÉFICIER** [benefisje] n. m. et adj. — 1272; lat. médiéval *beneficiarius,* du lat. class. *beneficium.* → Bénéfice.

Hist. Possesseur d'un bénéfice ecclésiastique.

(...) un bénéficier qui, par intérêt temporel et tout humain, quitte son église pour passer à une autre (...)
BOURDALOUE, Pensées, t. II, p. 359.

Adj. *Un abbé bénéficier.*

2. **BÉNÉFICIER** [benefisje] v. — 1751; v. tr., «pourvoir d'un bénéfice ecclésiastique», XIII^e^, du lat. médiéval *beneficiare,* du lat. class. *beneficium,* et *facere.*

♦ **1** V. intr. Vx. Faire des bénéfices. *Bénéficier sur une affaire.*

♦ **2** V. tr. ind. Mod. **a** (Sujet n. de personne). **BÉNÉFICIER DE :** avoir le bénéfice, l'avantage de. → **Profiter, jouir.** *Bénéficier de sa qualité d'étranger. Bénéficier des avantages sociaux. Il bénéficie de la confiance de ses chefs. Nos appareils ont bénéficié des toutes dernières découvertes dans ce domaine.*

Jamais autant qu'à cette époque les femmes ne bénéficièrent du merveilleux privilège qu'elles ont de paraître toujours belles à leurs contemporains, même sous leurs attifements les plus saugrenus. 1
Georges LECOMTE, Ma traversée, I, p. 60.

Il m'était odieux que Michèle lui parlât à mi-voix du même ton de confidence dont j'avais bénéficié seul jusqu'à ce jour (...) F. MAURIAC, la Pharisienne, p. 51. 2

Obtenir le bénéfice (de qqch.). *Bénéficier de circonstances atténuantes, d'un non-lieu.*

Chaque fois qu'il y a des arrestations, il est toujours cueilli dans les premiers; mais, comme par hasard, il bénéficie toujours d'un non-lieu (...) 3
MARTIN DU GARD, les Thibault, t. VII, p. 296.

**b** (Sujet n. de chose). **BÉNÉFICIER À :** apporter un profit à (qqn, qqch.). *Les progrès de la science bénéficient surtout aux pays développés.*

CONTR. **Pâtir, souffrir** (d'un désavantage, etc.); **perdre.**

**BÉNÉFIQUE** [benefik] adj. — 1532, Rabelais, au sens lat.; lat. *beneficus* «bienfaisant», de *bene*, et *facere*. → Bénéfice.

♦ **1** (1690). Astrol. Favorable. *Une planète bénéfique.* — N. m. Planète bénéfique (notamment : Jupiter, Vénus).

*Un destin bénéfique. «Une bénéfique Providence»* (Alexandre Arnoux, *in* T. L. F.).

♦ **2** (XX^e). Cour. Qui fait du bien. *Être bénéfique à, pour qqn. Ce séjour lui a été bénéfique. Il a eu une influence bénéfique sur mon frère.*

Son cas, continua le docteur, est de ceux qui légitiment les hésitations. Il y a des malades auxquels, à coup sûr, la montagne est bénéfique. D'autres auxquels un climat à la fois sec et léger (...) réussit bien.

DANIEL-ROPS, Mort, où est ta victoire?, III, 2, p. 506.

CONTR. (De 1.) **Maléfique.**

**BENELUXIEN, IENNE** [benelyksjɛ̃, jɛn] adj. et n. — V. 1960; de *Benelux.*

Du Benelux (Union économique de la Belgique, des Pays-Bas et du Luxembourg).

**BÉNÉOLENCE** [beneɔlɑ̃s] n. f. — 1898; lat. chrét. *beneolentia*, de *beneolens*. → Bénéolent.

Littér. Caractère de ce qui est bénéolent; odeur suave. — Relig. *«La bénéolence des vertus»* (Huysmans, *in* T. L. F.). → Odeur* de sainteté.

**BÉNÉOLENT, ENTE** [beneɔlɑ̃, ɑ̃t] adj. — 1893; lat. *bene olens* «sentant bon», Varron, de *bene*, et *olens*, p. prés. de *olere* «sentir, exhaler une odeur».

Littér. et rare. Qui a une odeur agréable.

Ils sommeillaient comme des fakirs. Sitôt qu'ils se reposaient de mâcher, le frais qu'ils en avaient tiré se muait en brûlure, comme il advient d'épices ou d'herbes bénéolentes à la saveur poivrée.

GIDE, le Voyage d'Urien, *in* Romans, Pl., p. 39.

**BENÊT** [bənɛ]; régional [benɛ] n. et adj. m. — 1530, Marot; *benest* v. 1350 en normand; var. régionale (Ouest) de *benoît** «béni», par un transfert sémantique bien attesté (les simples d'esprit sont favorisés par Dieu).

♦ **1** Homme, garçon niais. → **Sot, godiche, jocrisse, nigaud.** *C'est un grand benêt. Faire le benêt. Ce benêt, ce gros benêt de...* (et nom de personne).

1 Un grand benêt de fils aussi sot que son père (...)

MOLIÈRE, les Fâcheux, II, 7.

2 (...) je voulus saluer ces demoiselles, et m'en aller comme un benêt (...) ROUSSEAU, les Confessions, IV.

Appellatif. *Pauvre benêt! Grand benêt!*

♦ **2** Adj. *Il est un peu benêt. — Un air benêt et godiche.*

3 (...) Madame Sévère (...) s'avisa qu'il n'était peut-être pas si benêt que méprisant.

G. SAND, François le Champi, IX, 75.

CONTR. **Futé, malin.**

**BÉNÉVOLAT** [benevɔla] n. m. — 1954; de *bénévole.*

Admin. Situation d'une personne qui accomplit un travail gratuitement et sans y être obligée. *Encourager le bénévolat dans l'action sociale. De nombreuses fouilles archéologiques sont réalisées grâce au bénévolat. Considérer le bénévolat comme une exploitation. Le bénévolat et le salariat.*

Elle voulait bien continuer à soigner les pauvres, à les torcher, à les veiller des nuits entières, à les accoucher, à les consoler, mais elle ne voulait pas être payée pour cela. Sortir du bénévolat qu'elle avait pratiqué toute sa vie, c'était une telle honte, un tel scandale (...)

Marie CARDINAL, les Mots pour le dire, p. 321.

**BÉNÉVOLE** [benevɔl] adj. et n. — 1282; rare jusqu'au XVIII^e; du lat. *benevolus* «bienveillant», de *bene* «bien», et *volo* «je veux».

♦ **1** Vx. Qui est animé de dispositions favorables. → **Bienveillant.** *Un lecteur bénévole. Un air bénévole. Écouter avec un intérêt bénévole.*

Fig. et littér. Qui exerce une influence bienfaisante. *Heure bénévole. Justice bénévole.*

♦ **2** (Mil. XIX^e). Mod. Qui est exécuté sans obligation et à titre gracieux. *Service, aide, collaboration bénévole.* → **Désintéressé, gracieux, gratuit.**

(Personnes). Qui agit sans obligation, et sans être payé (→ **Bénévolat).** *Une personne, une infirmière, un moniteur de colonie de vacances bénévole.* → **Volontaire.** *Avoir des collaborateurs bénévoles.* — N. *Un, une bénévole. Les bénévoles et les salariés d'une association.*

J'allai le trouver rue des Canettes, près de l'église Saint-Sulpice, aux bureaux de cette Revue où, bien entendu, toute collaboration était gratuite et bénévole.

Georges LECOMTE, Ma traversée, p. 232.

CONTR. **Malévole** (VX), **malintentionné, malveillant; onéreux, rétribué.** ◇ DÉR. **Bénévolat, bénévolement.**

**BÉNÉVOLEMENT** [benevɔlmɑ̃] adv. — 1557; de *bénévole.*

♦ **1** Vx. D'une manière bénévole. Avec complaisance. *Accepter bénévolement qqch.* → **Grâce** (de bonne grâce), **gré** (de bon gré).

Il trouve outrecuidant de notre part que nous n'acceptions pas bénévolement la qualification de fumier appliquée à la littérature moderne. 1

Th. GAUTIER, *in* Pierre LAROUSSE.

(...) Anatole France qui était bénévolement venu s'exposer à ses coups (...) 2

Georges LECOMTE, Ma traversée, p. 207.

♦ **2** Mod. De façon bénévole; sans obligation et sans être payé. *Agir, travailler bénévolement.* → **Gratuitement, volontairement.** *«Des services rendus bénévolement (...) aux uns et aux autres»* (Amiel, *Journal*, in T. L. F.).

CONTR. **Force** (de force), **gré** (contre son gré).

**BÉNÉVOLENCE** [benevɔlɑ̃s] n. f. — Fin XII^e, *benivolence*; lat. *benevolentia* «bienveillance», de *benevolens* «bienveillant».

Vx ou littér. Bienveillance, amitié.

Rongeur terriblement actif, capable de dégâts immenses, le lapin faisait partie intégrante de la Sologne, comme une institution, ou plutôt une fatalité. Toléré, accepté, il fallait bien; mais cette tolérance, si j'ose dire, allait au-delà de la tolérance. Il y avait, et depuis longtemps, la manière, la bénévolence. 1

M. GENEVOIX, Mon enfance au temps du lapin agile, *in* le Figaro littéraire, 9-15 sept. 1968.

Cela le mit d'autant meilleure humeur que chaque instant le rapprochait du moment où le repas allait pour de bon commencer. Aussi accueillit-il avec bénévolence un personnage qui avait l'air de qualité (...) 2

R. QUENEAU, les Fleurs bleues, Folio, p. 73.

**BÉNÉVOLENT, ENTE** [benevɔlɑ̃, ɑ̃t] adj. — 1389, *beneveullant*; lat. *benevolens* (Plaute), de *bene*, et *volens*, p. prés. de *volo* «je veux». → Bénévole.

Vx ou archaïsme littér. Bienveillant.

**BENGALE (FEU DE)** [fødbɛ̃gal] n. m. → **Feu** (*supra* cit. 57).

**BENGALI** [bɛ̃gali] n. et adj. — 1751, «plante du Brésil»; mot hindi, au sens I.

**I** N. m. (1760). Oiseau passereau de petite taille, aux couleurs vives, très courant dans le commerce de l'oisellerie.

1 Dès qu'elle paraissait, les merles siffleurs, les bengalis, dont le ramage est si doux (...)
BERNARDIN DE SAINT-PIERRE, Paul et Virginie, p. 48.

2 (...) les aras réjouis débitent leur répertoire, les bengalis battent des ailes (...)
Th. GAUTIER, Constantinople, p. 7.

**II** (1771; de *bangla,* mot de cette langue). ♦ **1** Adj. (invar. en genre). Relatif au Bengale, au Bangladesh (État). *Coutumes bengalis. Une femme bengali.*

♦ **2** N. (invar. en genre). Habitant du Bengale (Bengale occidental, en Inde; Bangladesh). *Un, une Bengali. Des Bengalis.*

N. m. Langue indo-aryenne dérivée du sanskrit, parlée au Bengale (env. 80 millions de locuteurs au Bangladesh; env. 40 millions en Inde : Assam, Bihar). *Apprendre le bengali. Dictionnaire bengali-hindi, bengali-anglais. On appelle les locuteurs du bengali* bengalophones. — Adj. (invar. en genre). *Dialectes bengalis. — La littérature bengali.*

**BÉNI, IE** [beni]; **BÉNIT, ITE** [beni, it] adj. → **Bénir.**

**BÉNIGNEMENT** [beniɲmɑ̃] adv. — V. 1175; de l'anc. franç. *benigne.* → Bénin.

Rare.

♦ **1** Vx. Avec bienveillance. *Accueillir qqn bénignement. Parler bénignement.*

♦ **2** Rare. De façon peu grave. *Être blessé bénignement.*

CONTR. (De 1.) **Malignement, méchamment.** — (De 2.) **Malignement.**

**BÉNIGNITÉ** [beniɲite] n. f. — V. 1175; du lat. *benignitas* «bonté», de *benignus.* → Bénin.

♦ **1** Vx ou littér. Qualité d'une personne bienveillante et douce. → **Bonté, douceur, mansuétude.** *Accueillir* (qqn ou qqch.) *avec bénignité. Traiter ses inférieurs avec bénignité.*

1 Avec quelle bénignité J.-C. ne parle-t-il pas aux femmes dans l'Évangile!
CHATEAUBRIAND, le Génie du christianisme, II, II, 12.

2 Son attachement, sa grande bénignité (...) nous rappelaient ces serviteurs légendaires (...)
G. DUHAMEL, le Prince Jaffar, II, 3.

♦ **2** (1865). Didact. Caractère de ce qui est sans gravité, inoffensif, bénin (3.). *La bénignité d'une maladie.*

CONTR. (De 1.) **Malignité; malice, méchanceté.** — (De 2.) **Gravité, malignité.**

**BÉNIN, BÉNIGNE** [benɛ̃, beniɲ] adj. — 1204; *benigne,* m. et f., v. 1175; du lat. *benignus* «bienveillant».

♦ **1** Vx ou littér. Bienveillant, indulgent. → **Doux; bon, aimable.** *Une personne bénigne. Il est doux et bénin. — Air, naturel, caractère bénin. Humeur bénigne.* → **Bénignité.**

1 Ma paix est avec l'humble, avec le cœur bénin.
CORNEILLE, Imitation de J.-C., III, 2.

2 L'un doux, bénin et gracieux,
Et l'autre turbulent et plein d'inquiétude (...)
LA FONTAINE, Fables, VI, 5.

Lacépède, dont la douceur bénigne et la politesse (...) n'avaient eu d'autre tort que de se tourner en adulation un peu fade devant la rudesse du premier empire (...) 3
VILLEMAIN, Souvenirs contemporains, Les Cent-Jours, XIII.

(...) l'ouvrier ne se fâchait point, car il était d'humeur bénigne. 4
G. DUHAMEL, Chronique des Pasquier, V, X.

Il ne manque point de personnes, et doctes, et bénignes, et bien disposées, qui attendent pour me lire que l'on m'ait traduit en français. 4.1
VALÉRY, Monsieur Teste, p. 87.

N. Vx. Personne bénigne.

Par dérision. Doux et indulgent avec excès. → **Faible; bonasse.** *Un mari bénin.* → **Complaisant.**

Les maris (...) les plus bénins du monde (...) 5
MOLIÈRE, l'École des femmes, I, 6.

(...) il est trop mou et trop bénin de caractère, trop crédule et trop simple agneau devant les hommes (...) 6
SAINTE-BEUVE, Volupté, XXII, 232.

(...) il était doux, bon, bénin, bénin, bienveillant, bienveillant, charitable (...) mielleux comme un miel, sucré comme une confiture et pâteux comme une pâtisserie (...) 7
Ch. PÉGUY, Œuvres, t. XII, p. 434-436.

♦ **2** (Choses). Dont l'action est bienfaisante, apaisante, calmante. → **Bénéfique, favorable, propice.** *L'influence bénigne de la mer, de l'air.* — Astrol. (vx). *Astre bénin.*

C'est mon étoile, disent-ils, c'est mon ascendant, c'est l'astre puissant et bénin qui a éclairé ma nativité, qui met tous mes ennemis à mes pieds (...) 8
BOSSUET, Politique, VII, VI, 5.

La voix reprit, calmante et bénigne (...) 9
SARTRE, les Chemins de la liberté, t. II, p. 282.

(1670). Méd. vx. *Un remède bénin,* qui agit avec douceur. → **Anodin.**

Un petit clystère bénin, bénin, bénin. 10
MOLIÈRE, Monsieur de Pourceaugnac, I, 16.

♦ **3** Cour. Sans conséquence grave. → **Inoffensif.** *Affection, maladie bénigne. Accident bénin. — Tumeur* bénigne.*

*Une faute, une erreur bénigne. Péché bénin.* → **Véniel.** «*La guerre semble devoir être bénigne*» (Giraudoux, *Amphitryon 38*).

CONTR. **Cruel, malin, méchant, violent. — Maléfique. — Dangereux, grave, sérieux.** ◊ DÉR. V. **Bénignement.**

**BÉNI-OUI-OUI** [beniwiwi] n. m. invar. — Mil. XX$^e$; arabe maghrébin *benī,* arabe class. *båñi* «les fils», et *oui* redoublé; d'après la morphologie arabe, le mot ne devrait être que pluriel.

Fam. (d'abord dans le contexte algérien, en parlant des Algériens qui approuvaient sans réserve les positions des Français d'Algérie). Personne toujours empressée à approuver les initiatives d'une autorité établie. *Une assemblée de béni-oui-oui. C'est un béni-oui-oui.*

Laurent souffrait. Mais il allait se servir de cette leçon aussi. Fasciné par la vérité qui l'atteignait en plein cœur, éloigné des flatteurs, séparé provisoirement des «béni-oui-oui», il était confronté à une opinion libre.
Christine ARNOTHY, Toutes les chances plus une, p. 37.

**BÉNIR** [beniʀ] v. tr. [CONJUG.: *finir.*] — 1080, *Chanson de Roland;* du lat. *benedicere* «louer», puis «bénir», de *bene* «bien», et *dicere.* → Dire.

**I** ♦ **1** (Le sujet désigne Dieu, une divinité). Répandre sa bénédiction* sur (qqn, qqch.). *Dieu bénit les hommes, leurs projets, leurs efforts.* → **Protéger, récompenser.** — Formules de souhait. *Que Dieu les bénisse!*

Que l'Éternel te bénisse, et qu'il te garde! Que l'Éternel fasse luire sa face sur toi, et qu'il t'accorde sa grâce! Que l'Éternel tourne sa face vers toi, et qu'il te donne la paix! 1
BIBLE (SEGOND), Nombres, VI, 24-26.

2 Dieu les bénit *(l'homme et la femme)* et leur dit : Croissez et multipliez-vous (...) BIBLE (SACY), Genèse, I, 28.

3 Mon enfant, le bon Dieu puisse-t-il vous bénir (...)
MOLIÈRE, l'École des femmes, II, 6.

4 Ce ne lui est rien *(à Louis XIV)* d'être l'homme que les autres hommes admirent : il veut être, avec David, l'homme selon le cœur de Dieu ; c'est pourquoi Dieu le bénit (...)
BOSSUET, Oraison funèbre de Marie-Thérèse d'Autriche.

5 Malheur aux cœurs durs !
Dieu bénira les âmes tendres ; il y a je ne sais quoi de réprouvé à être insensible.
VOLTAIRE, Lettre au Prince Royal de Prusse, 12 août 1739.

6 Le ciel bénit toujours les nombreuses familles.
COLLIN D'HARLEVILLE, Châteaux en Espagne, V, 10.

N. B. Cette phrase, passée en proverbe, exprime parfois l'ironie ou l'amertume.

Fam. Vieilli ou régional. *Dieu vous bénisse, te bénisse :* souhait adressé à qqn, et, spécialt, à qqn qui éternue (→ À vos souhaits*). *«Que Dieu te bénisse, et te fasse le nez aussi gros que la cuisse»* (ou : *«que j'ai la cuisse»*), formule plaisante.

7 Je dirai à celui qui éternue, Dieu vous bénisse et va te coucher à celui qui bâille (...)
BEAUMARCHAIS, le Barbier de Séville, III, 5.

♦ **2** (Le sujet désigne un prêtre). Appeler la bénédiction* de Dieu sur (les hommes). → **Consacrer, oindre, sacrer.** *Bénir les fidèles au nom du Père et du Fils et du Saint-Esprit.* → **Croix** (signe de la croix). *Bénir la foule. Le prêtre bénit un mariage.*

8 Il *(le prélat)* tire du manteau sa dextre vengeresse ;
Il part, et, de ses doigts saintement allongés,
Bénit tous les passants, en deux files rangés (...)
BOILEAU, le Lutrin, V.

Par ext. Consacrer* par une bénédiction, par une cérémonie rituelle (un objet relatif au culte ; → **Bénit**). *Bénir une église, un autel, des vêtements liturgiques. Bénir une médaille, un chapelet, le buis.*

Par anal. (le compl. désigne un objet profane). *Bénir la table.* → **Bénédicité.** *Bénir un bateau* (→ **Baptiser**), *un pont, un drapeau. Bénir un jour qui commence, une nouvelle année.*

9 Le merveilleux de cette entreprise infernale *(une guerre)* c'est que chaque chef des meurtriers fait bénir ses drapeaux et invoque Dieu solennellement avant d'aller exterminer son prochain (...)
VOLTAIRE, Dict. philosophique, Guerre.

10 Parmi les préparatifs de la croisade, on ne doit pas oublier le soin que prenaient les croisés de faire bénir leurs armes et leurs drapeaux (...)
MICHAUD, Hist. des Croisades, I, an 1095.

Figuré :

11 En même temps il semblait, d'une main en conque, absoudre et bénir tout ce que sa parole condamnait.
COLETTE, la Naissance du jour, p. 132.

♦ **3** Par anal. (le sujet désigne un personnage parental ou vénérable). Souhaiter bonheur et prospérité à (qqn), en invoquant, le plus souvent, l'intervention de Dieu. *Isaac bénit Jacob avant de mourir.*

12 (...) Jacob, mourant et bénissant ses enfants, s'écrie (...) : J'attends, ô mon Dieu ! le Sauveur que vous avez promis (...) PASCAL, Pensées, IX, 613.

13 Au milieu même des horreurs de la mort, elle voulut bénir les jeunes princes, ses enfants (...)
FLÉCHIER, Oraison funèbre de la Dauphine.

♦ **4** Relig. Asperger d'eau bénite. *Bénir le corps d'un mort.*

**II** ♦ **1** (Déb. XII^e). Louer et glorifier (Dieu) pour le remercier par des actions de grâce. *Bénir Dieu, le ciel, l'Éternel, le nom du Seigneur. Mon âme bénit l'Éternel.* — (Dans des formules optatives). *Que le nom de Dieu soit béni !*

14 Alors ces trois hommes louaient Dieu dans la fournaise et le glorifiaient et le bénissaient d'une même bouche (...)
LEMAÎTRE DE SACY, Trad. de la Bible, Daniel, III, 51.

15 (...) Voilà quels sont mes sentiments, et je bénis tous les jours de ma vie mon Rédempteur qui les a mis en moi (...)
PASCAL, Pensées, VII, 550.

16 Que son nom *(du Seigneur)* soit béni ; que son nom soit chanté ;
Que l'on célèbre ses ouvrages
Au delà des temps et des âges,
Au delà de l'éternité ! RACINE, Esther, III, 9.

17 De la même bouche dont on vient de bénir le Seigneur, on déchire ses frères (...) MASSILLON, Carême, Culte.

18 Le monde entier te glorifie ;
L'oiseau te chante sur son nid ;
Et pour une goutte de pluie
Des milliers d'êtres t'ont béni.
A. DE MUSSET, l'Espoir en Dieu.

Louer (le Ciel, la Providence, la Fortune). → **Féliciter** (se).

19 Et grande, je l'ai vue à tel point innocente,
Que j'ai béni le Ciel d'avoir trouvé mon fait (...)
MOLIÈRE, l'École des femmes, I, 1.

♦ **2** (Deuxième moitié XII^e). Exalter (qqn ou qqch.) pour manifester sa satisfaction et sa reconnaissance. → **Exalter, glorifier, remercier.** *Les pauvres bénissent leurs bienfaiteurs. Je bénis le médecin qui m'a sauvé. Bénir un concours de circonstances.* → **Applaudir** (à).

20 Bénissant votre nom de louange immortelle.
RONSARD, Sonnets à Hélène, XLII.

21 Partout, en ce moment, on me bénit, on m'aime (...)
RACINE, Britannicus, IV, 3.

22 (...) la paix, après de si longues luttes, est un si grand bien qu'on est toujours tenté d'en bénir les auteurs, eussent-ils été un peu pressés de la conclure.
SAINTE-BEUVE, Correspondance, t. II, p. 160.

Iron. *Ah celui-là, je le bénis !*

◆ **BÉNIT, ITE** adj. 1493 ; de l'anc. franç. *beneit*, p. p. de *beneïr, bénir*, d'après le lat. *°benedictum.* → Benêt, benoît. (En parlant d'objets du culte). Qui a reçu la bénédiction du prêtre avec les cérémonies prescrites. *Pain bénit. Médaille bénite.*

23 Le pape s'était engagé à l'envoyer nonce extraordinaire à Vienne porter les langes bénits au prince dont l'impératrice accoucherait (...)
SAINT-SIMON, Mémoires, 457, 196.

24 (...) L'eau sainte, où trempe un buis bénit (...)
HUGO, Odes et Ballades, 14.

Loc. (XII^e, *ewe beneëite*). **EAU BÉNITE :** eau qui a fait l'objet d'une bénédiction (d'un prêtre) et qui sert elle-même à bénir. *Se signer avec de l'eau bénite. L'eau bénite est placée dans les bénitiers*.*

25 M. le Curé prit de l'eau bénite dont il aspergea le malade et le lit.
FRANCE, la Rôtisserie de la reine Pédauque, p. 282.

Loc. Vx. *Eau bénite* ou *eau bénite de cour :* vaines protestations de service, démonstrations hypocrites.

26 Son œil tout pénitent ne pleure qu'eau bénite (...)
Mathurin RÉGNIER, Satires, XIII.

Loc. fam. *C'est pain bénit :* c'est bien fait, bien mérité (cf. Vous ne l'avez pas volé).

27 Mais c'est pain bénit, certes à des gens comme vous.
MOLIÈRE, l'École des maris, I, 3.

Fam. *Cul-bénit.* → **Cul.**

◆ **BÉNI, IE** p. p. et adj.

♦ **1** P. p. (Au sens I).

27.1 Ô l'autre monde, l'habitation bénie par le ciel, et les ombrages ! RIMBAUD, Illuminations, «Ouvriers».

(Au sens II). *Sois béni! Le nom béni du Seigneur.* — (Formules optatives). *Soyez béni!*

28 Que béni soit le ciel qui te rend à mes vœux (...)
RACINE, Esther, I, 1.

29 Béni soyez-vous, mon père, qui justifiez ainsi les gens!
PASCAL, les Provinciales, 4.

30 Béni de Dieu, honoré des rois, aimé des peuples, et loué même des pécheurs (...)
FLÉCHIER, Panégyriques, II, 468.

31 Ô palais, sois béni! sois bénie, ô ruine!
HUGO, les Rayons et les Ombres, II.

32 Mais vous Maria Favart, vous Sarah (...) soyez bénies pour avoir fait couler de vos lèvres divines, comme le miel et l'ambroisie, les vers d'Esther, de Phèdre et d'Iphigénie.
FRANCE, le Petit Pierre, 34.

♦ **2** Adj. [a] Qui jouit, ou semble jouir, d'une protection divine. *Un peuple béni. Des jours heureux et bénis. Une maison bénie, un pays béni.*

Fam. *Être béni des dieux* : être favorisé par le sort, avoir beaucoup de chance.

[b] Loc. *Herbe bénie.* → **Benoîte.**

REM. La distinction entre les deux formes *béni* et *bénit*, élaborée au XVII[e] s., s'est imposée au XIX[e] s.; elle n'est cependant pas toujours appliquée comme ci-dessus : d'après le dictionnaire de l'Académie (1935), *bénit* s'emploie aussi comme p. p. quand il s'agit d'objets ayant reçu la bénédiction d'un prêtre *(Les drapeaux ont été bénits)*; cet emploi semble archaïque.

CONTR. **Maudire; abhorrer, détester, exécrer, haïr.** ◊ DÉR. **Bénissable, bénissage, bénissant, bénissement, bénisseur.** — V. aussi **Benêt, bénitier, benoît.**

**BÉNISSABLE** [benisabl] adj. — 1569; de *bénir.*

Rare. Qui peut, doit être béni (I., 3. ou II., 2.).

**BÉNISSAGE** [benisaʒ] n. m. — 1872, Flaubert; de *bénir.*

Rare. Action de bénir. → **Bénissement.** — Flatterie.

Un jour qu'elle sortait du Cours d'insinuations malveillantes, où elle n'avait pas brillé, le professeur d'éreintement, furieux de la mollesse de ses essais d'articles, l'interrogea sévèrement.
— Mademoiselle, dites-moi?... qu'est-ce que je professe ici, le bénissage ou l'éreintement?
— Monsieur...
— Évidemment vous vous croyez à un cours de bénissage! votre dernier devoir est ridicule!... Qu'est-ce que je vous avais donné pour thème?...
— L'éreintement détaillé d'un ministère, répondit Hélène.
Albert ROBIDA, le Vingtième Siècle, p. 169 (1883).

**BÉNISSANT, ANTE** [benisɑ̃, ɑ̃t] adj. — 1845; du p. prés. de *bénir.*

♦ **1** Qui loue Dieu.

♦ **2** Qui bénit (I., 3. ou II., 2.). *Bras, doigts bénissants. Un geste bénissant.* → **Bénisseur.**

**BÉNISSEMENT** [benismɑ̃] n. m. — XIIe; de *bénir.*

Rare. Action de bénir. → **Bénissage.**

C'était beau, le bénissement des ânes et des vaches au moyen âge.
FLAUBERT, Correspondance, 1853, p. 328, *in* T. L. F.

**BÉNISSEUR, EUSE** [benisœʀ, øz] adj. et n. — 1863; de *bénir.*

♦ **1** Adj. (Rare). Qui bénit ou ébauche une bénédiction. *Geste bénisseur d'un prélat en direction des fidèles.* → **Bénissant.** — *Personne bénisseuse.*

1 Au moment où la voiture démarrait, Élisabeth s'était retournée pour voir, une dernière fois, Arlette qui levait la main. Cette image bénisseuse lui revenait maintenant, comme un très lointain souvenir.
H. TROYAT, la Rencontre, p. 69.

♦ **2** Adj. Fig. Plais. Qui donne, accorde sa bénédiction* (*infra* cit. 10, fam.) à qqn, au sujet d'un projet, d'une entreprise. *Il acquiesça d'un geste et d'un sourire bénisseurs. Attitude bénisseuse.*

Deux secondes de réflexion, à l'abri du sourire, tandis que la tête se balance verticalement pour une approbation bénisseuse. 2
Roger IKOR, les Fils d'Avrom, «Les eaux mêlées», p. 531.

(...) la personnalité obscure, frappée d'une malédiction interne, la grandissante hypocrisie bénisseuse (...) 3
M. DÉON, les Vingt ans du jeune homme vert, p. 277.

N. *Le bénisseur de... Ces bénisseurs de toutes les tendances, de tous les partis.* — *Une bénisseuse hypocrite.*

**BÉNIT, ITE** [beni, it] adj. → **Bénir,** *infra* cit. 22 et rem. en fin d'article.

**BÉNITIER** [benitje] n. m. — 1680; *eubenoitier,* 1288; *eaubenoitier,* 1281; de *beneeit,* anc. p. p. de *bénir* (→ Benoît), refait d'après *(eau) bénite**.

[I] Récipient, bassin, destiné à contenir de l'eau bénite. *Le bénitier d'une église, d'une chapelle, d'une chambre. Bénitier pédiculé. Coquille, conque servant de bénitier* (→ ci-dessous, II.).

Au sortir d'une messe ayant, selon le rite, 1
Vu celle qu'il aimait prendre de l'eau bénite,
Lui que l'eau fait sauver, courut au bénitier,
Se pencha sur sa conque et le but tout entier (...)
Edmond ROSTAND, Cyrano de Bergerac, I, VII.

Alors, vous ne croyez pas que ce modèle de bénitier conviendrait à madame votre tante? 1.1
ZOLA, Lourdes, p. 203.

Fig. et fam. *Se démener, s'agiter comme un diable dans un bénitier* : être mal à l'aise, s'efforcer de sortir d'une situation embarrassante (par allusion à la vertu attribuée à l'eau bénite de mettre le diable en fuite).

Bien vite il sut jurer et maugréer 2
Mieux qu'un vieux diable au fond d'un bénitier (...)
J.-B.-L. GRESSET, Ver-Vert, III.

(...) le malheureux chien (...) qui se démenait dans sa roue comme plusieurs diables dans le même bénitier. 3
Th. GAUTIER, Mlle de Maupin, V.

Fig. et fam. (vieilli). *Pisser au bénitier* : faire scandale, braver l'opinion.

Fam. *Grenouille de bénitier* : bigote. — REM. *Crapaud de bénitier* (R. Arnoux, *in* T. L. F.) semble être un emploi d'auteur.

[II] Coquille de grands mollusques des genres peigne ou tridacne. *Grand bénitier* : tridacne géant, dont la coquille peut servir de bénitier. *Petit bénitier* : peigne.

[III] Argot vieilli (Bruant). Le sexe de la femme.

**BENJAMIN, INE** [bɛ̃ʒamɛ̃, in] n. — Déb. XVIIIe, cit. 1; nom du plus jeune fils de Jacob et son préféré, dans la Bible.

♦ **1** N. m. Vx. Enfant préféré de ses parents.

Le roi s'amusait beaucoup plus de M. du Maine (que du comte de Toulouse), le benjamin de Mme de Maintenon. 1
SAINT-SIMON, Mémoires, 177, 113.

Élève préféré. → **Chouchou** (fam.).

♦ **2** N. [a] Enfant le plus jeune (d'une famille, d'un groupe). → **Cadet** (s'oppose à *aîné*). *La benjamine de la famille. — C'est le benjamin de la classe, de sa bande.*

Françoise avait un frère et une sœur plus jeunes qu'elle (...) et c'était Lili, la benjamine, que préférait bon-papa. 2
S. de BEAUVOIR, Mémoires d'une jeune fille rangée, I, p. 40.

**b** Par ext. Personne la plus jeune (d'un groupe, d'une assemblée constituée). *Le benjamin de l'Assemblée nationale;* s'oppose à *doyen* (d'âge).

♦ **3** Sports. Jeune sportif appartenant à la catégorie d'âge de 10 à 11 ans. *La natation «100 m benjamins; 100 m benjamines»* (*l'Équipe,* 16 août 1969, *in* Petiot).

**BENJOIN** [bɛ̃ʒwɛ̃] n. m. — 1538; *benjuyn,* 1479; catalan *benjui;* arabe *lubān djāwī* «encens de Java», le lat. bot. *benzoe* est selon Wartburg une latinisation du français.

Substance aromatique et résineuse (→ **Baume**) provenant du *Styrax tonkinensis* (ou *Styrax benjoin,* → **Aliboufier, styrax**), arbre d'Orient (Indes, Insulinde, Sud-Est asiatique). → Ambre, cit. 1; styrène, cit. *Le benjoin, substance balsamique, est utilisé en parfumerie, en médecine. On extrait un acide du benjoin.* → **Benzoïque.**

Depuis des années, les huiles saintes étaient adultérées par de la graisse de volaille; la cire, par des os calcinés; l'encens, par de la vulgaire résine et du vieux benjoin.
HUYSMANS, À rebours, p. 265.

Méd. *Réaction du benjoin colloïdal :* réaction de floculation d'une solution colloïdale de benjoin par le liquide céphalo-rachidien, qui permet de faire le diagnostic de la syphilis nerveuse, de la sclérose en plaques, des méningites et de tumeurs cérébrales.

**BENNE** [bɛn] n. f. — 1579, «tombereau»; var. dial. (Nord de la France) de *banne.* → Banne.

♦ **1** Techn. ou régional. Panier, baquet à l'usage des vendangeurs. → **Comporte, hotte.**

1 (...) les porteurs de hottes s'activaient autour des «bennes» — appelées ailleurs «comportes» — dans lesquelles ils tassent la récolte avant de porter les raisins sur les chars (...)
Georges LECOMTE, Ma traversée, p. 602.

Régional. Seau; spécialt, seau où l'on jette les eaux usées. «*Les chaplepans* (cafards) *noyés dans la benne dans la cuisine*» (Stendhal, *Vie de Henri Brulard,* 1836, *in* T. L. F.).

♦ **2** (XVIIIe). Récipient mobile (souvent monté sur roues) et servant au transport de matériaux (dans les mines, les chantiers). *Benne roulante. Bennes de charbon.* → **Berline, chariot, wagonnet.** *Benne à béton.* → **Blondin,** 2. *Benne d'épuisement,* servant à l'enlèvement des eaux. *Benne basculante. Benne suspendue* (→ **Téléphérage**). *Benne de descente pour le personnel d'une mine.*

♦ **3** Caisse montée sur le châssis d'un camion. *Benne basculante* (ou, ellipt., *benne*), que l'on peut basculer, ou dont l'un des côtés bascule, rendant plus aisé le débarquement. *Camion à benne. Benne automatique, semi-automatique.* — Par ext. Camion muni d'une benne. *Conducteur de benne.* → **Bennier.** *Benne à ordures.*

Caisse de chargement d'une grue.

Appareil (panier, puis caisse, cage, etc.) servant au transport des personnes.

2 Les voyageurs passaient la rivière dans une benne (ou petite caisse de bois ronde) qui avait deux trous (...) avec la petite corde, on tirait la benne d'un côté de la rivière à l'autre.
STENDHAL, Mémoires d'un touriste, t. II, 1838, p. 162, *in* T. L. F.

♦ **4** Spécialt. Cage servant à la montée et à la descente des personnes, dans une mine. — Rare. Cabine* d'ascenseur. — Cabine de téléférique.

DÉR. **Bennier.** ◊ COMP. **Télébenne.** — HOM. **1. Ben.**

**BENNETTITE** [benetit] n. f. — 1890, Encycl. Berthelot; angl. *bennetites,* du nom du botaniste John Joseph *Bennett.*

Paléont. Plante de la flore jurassique, disparue au crétacé inférieur, type des *Bennettitales* (n. f. pl., 1939, Plantefol).

**BENNIER** [benje] n. m. — Av. 1974; de *benne.*

Techn. Personne qui manœuvre une benne. → **Benne,** 3. et 4. «*L'alimentation des bennes et grues de camions se faisait naguère — et se fait encore quelquefois par une pompe lourde et encombrante fixée sur le châssis et entraînée par cardan à partir de la prise de force de la boîte de vitesse (...) L'économie des moyens est considérable : pour le bennier le montage est simplifié*» (*Énergie fluide,* 7411, n° H. S., p. 33). — REM. Le fém. *bennière* est virtuel.

**BENOÎT, OÎTE** [bənwa, wat] adj. — 1175, *benëoit; beneeite* v. 1130; du lat. *benedictu,* p. p. de *benedicere; beneeit,* p. p. de l'anc. franç. *benëir* «bénir»; → Bénit.

♦ **1** Vx. Béni, saint.

N. → **Bienheureux.**

Elle le quitta donc devant la Sainte-Face (...) et se rendit auprès de la benoîte, pour l'aider à changer l'eau des pâquerettes blanches, devant l'autel de la Vierge. 1
LOTI, Ramuntcho, I, 11, p. 109.

♦ **2** Par ext. (Vx). Bon, doux, indulgent.

♦ **3** Vieilli ou littér. Qui prend un air doucereux, un air de dévotion, d'onctuosité hypocrite ou niaise. *Un benoît personnage. Un discours benoît et cauteleux.*

Montavoine, qui revenait des vignes et se trouvait encore sous leur benoîte influence, voyant sans doute l'assemblée à travers la liqueur vermeille qui lui montait au cerveau, s'écria enfin : 2
— Citoyens, nous sommes tous les enfants de l'amour (...)
Louise MICHEL, la Misère, t. I, p. 194.

Le regard toujours un peu vague de l'illustre maître tomba de haut sur son benoît quémandeur, et l'effleura sans se poser. 3
BERNANOS, Sous le soleil de Satan, *in* Œ. roman., Pl., p. 284.

CONTR. **Profane. — Mauvais. — Direct, droit, franc.** ◊ DÉR. **Benoîte** (n. f.), **benoîtement.**

**BENOÎTE** [bənwat] n. f. — 1545, *benoiste; benëoite* au XIIe désigne peut-être une autre plante; de *benoît.*

Bot. Plante dicotylédone du genre *geum (Rosacées)* ressemblant au fraisier, et appelée *herbe bénie* ou *herbe de saint Benoît. La racine de la benoîte officinale contient une huile essentielle aux propriétés toniques et astringentes rappelant celles du girofle.*

**BENOÎTEMENT** [bənwatmɑ̃] adv. — XIVe, *beneoitement* «d'une manière bénie»; repris 1823, Las Cases, «d'une manière béante»; de *benoît.*

Vieilli ou littér. D'une manière benoîte, doucereuse.

**BÉNOUZE** [benuz] n. m. (Pop.). → **Bénard.**

**BENTHIQUE** [bɛ̃tik] adj. — 1905, in *Rev. gén. des sc.,* n° 7, p. 324; de *benthos.*

Didact. Relatif au benthos; appartenant au benthos. *Organisme benthique. Flore, faune benthique. Algues benthiques,* fixées sur fond marin. — Syn. rare : *benthonique.*

Le *Domaine benthique* comprend les fonds eux-mêmes et le *Domaine pélagique* comprend toutes les eaux qui surmontent le domaine benthique.
J.-M. PÉRÈS, la Vie dans les mers, p. 26.

CONTR. **Planctonique.**

**BENTHOGÈNE** [bɛ̃tɔʒɛn] adj. — 1918; du rad. de *benthos*, et *-gène*.

Géol. Se dit des sédiments formés par les restes des organismes qui constituent le benthos*. *Roches calcaires formées par les sédiments benthogènes.*

**BENTHONIQUE** [bɛ̃tɔnik] adj. — 1918; du grec *benthos*.

Didact. et rare. Du benthos. → **Benthique.**

**BENTHOS** [bɛ̃tos] n. m. — 1897, Encycl. Berthelot, art. *Mer;* allemand *Benthos*, Haeckel, 1890 (1891 en angl.); mot grec «profondeur».

Didact. Ensemble des organismes aquatiques (dits *benthiques*), animaux ou végétaux, qui, vivant fixés au sol ou dans le fond sous-marin (*benthos fixe* ou *sessile*) ou se déplaçant très peu (*benthos mobile* ou *vagile*), en dépendent pour leur subsistance (s'oppose à *plancton* et *necton*). *Benthos profond* ou *benthos abyssal*, pour les fonds supérieurs à 200 mètres. *Benthos néritique* ou *littoral*, pour les fonds inférieurs à 200 mètres. *Benthos animal* ou *zoobenthos, végétal* ou *phytobenthos.*

DÉR. et COMP. **Benthique, benthonique, benthoscope. Habobenthos. Phytobenthos, zoobenthos** (V. ci-dessus, à l'article). – V. aussi **Benthogène.**

**BENTHOSCOPE** [bɛ̃tɔskɔp] n. m. — 1959; du rad. de *benthos*, et *-scope.*

Didact. Appareil destiné à explorer le benthos.

**BENTONITE** [bɛ̃tɔnit] n. f. — 1928, *in* Höfler; du nom de *Fort Benton*, ville des États-Unis.

Techn. Argile provenant de cendres volcaniques qui gonfle beaucoup au contact de l'eau et possède un grand pouvoir décolorant. *La bentonite est utilisée dans diverses industries, en métallurgie, en pétrochimie et comme agent de suspension dans diverses préparations pharmaceutiques. «La bentonite est une boue argileuse de plus haute densité que le matériau saturé d'eau qu'elle remplace : elle repousse donc celui-ci vers les côtés de la tranchée»* (*Science et Vie*, n° 593, *Le nouveau port de New York*, p. 116).

**BENZ-, BENZO-** Élément de mots composés de chimie, marquant la parenté avec le benzène ou l'acide benzoïque (du lat. bot. *benzoe;* → **Benjoin, benzoïque**); le premier composé semble être *benzoate**.

REM. En nomenclature systématique, *benz-* indique le remplacement du groupement −HC=CH− par un noyau benzénique orthodisubstitué. → **Benzédrine, benzène, benzidine, benzine, benzoate, benzoïque, benzol, benzonaphtol, benzone, benzophénone, benzopyrène, benzosulfate, benzoyle, benzyle.**

**BENZALDÉHYDE** [bɛ̃zaldeid] n. m. — XX^e, *in Larousse* 1928; de *benz-*, et *aldéhyde.*

Chim. Aldéhyde de formule $C_6H_5-CHO$, principe de l'essence d'amande amère (syn. : *aldéhyde benzoïque*). *Le benzaldéhyde est utilisé dans l'industrie des parfums et des matières colorantes.*

**BENZAMIDE** [bɛ̃zamid] n. m. — 1832, Liebig et Wöhler, *Annales de chimie;* de *benz-*, et *amide.*

Chim. Amide de l'acide benzoïque, à propriétés neuroleptiques.

**BENZÉDRINE** [bɛ̃zedʀin] n. f. — 1942; n. déposé (Smith, Kline & French); de *benz-*, et *(éph)édrine.*

Méd. Médicament (amphétamine*) agissant comme stimulant du système nerveux central et sympathique (psychoanaleptique).

J'avalai une pastille de benzédrine; j'avais besoin de secours pour traverser ces journées où je devais réapprendre heure par heure qu'il ne m'aimait plus.

S. DE BEAUVOIR, les Mandarins, p. 516.

**BENZÈNE** [bɛ̃zɛn] n. m. — 1835, A. Laurent; du rad. *benz-**, de *benzoïque;* Mitscherlich avait appelé le corps *benzion.* → Benzine.

Chim. et cour. Hydrocarbure monocyclique, de formule $C_6H_6$, liquide incolore, insoluble dans l'eau, inflammable, dissolvant les corps gras. *On obtient le benzène par synthèse en chauffant l'acétylène; par distillation fractionnée des huiles légères extraites des goudrons de houille. Dérivés du benzène.* → **Phénol, phényle, résorcine** (ou diphénol). *Dérivés disubstitués du benzène* (ex. : *ortho-, méta-, paradichlorobenzène; méthylbenzène, nitrobenzène,* etc.). *Les carbures de la série du benzène sont souvent employés comme colorants. Le benzène est le type des arènes**. → **Benzénique.** *Action pathologique du benzène.* → Benzolisme, cit.

Quant à l'éthylbenzène, il provient, c'est limpide,
De la combinaison du benzène liquide
Avecque l'éthylène, une simple vapeur.
Éthylène et benzène ont pour générateurs
Soit charbon, soit pétrole, ou pétrole ou charbon.
Pour faire l'autre et l'un l'un et l'autre sont bons.

R. QUENEAU, le Chant du styrène (1957), *in* Chêne et Chien, p. 175.

DÉR. **Benzénique.** ◊ COMP. **Chlorobenzène, dichlorobenzène, éthylbenzène, nitrobenzène, paradichlorobenzène.**
REM. De nombreux noms de composés sont attestés, noms (*benzène sulfamide*, n. f.; *benzène sulfochlorure*, n. m.) et adjectifs (*benzènesulfonique, benzènesulfurique*), etc.

**BENZÉNIQUE** [bɛ̃zenik] adj. — 1878; de *benzène.*

Chim. Qui a rapport au benzène. *Solution benzénique. Noyau benzénique :* noyau de six atomes de carbone répartis aux sommets d'un hexagone plan, caractéristique du benzène (on dit aussi *cycle benzénique* ou *système benzénique*).

*Série benzénique* ou *aromatique :* ensemble des corps possédant un ou plusieurs noyaux benzéniques, et dont le benzène est le type. *Hydrocarbures benzéniques.* → 2. **Arène.**

**BENZIDINE** [bɛ̃zidin] n. f. — 1854, Gerhardt, *in* T. L. F. (art. *Benz(o)-*); all. *benzidin*, de *benzin* (→ Benzine), *-id* (→ 3. -ide), et *-in* (→ -ine).

Chim. Diamine aromatique dérivé du biphényle, cristallisable, soluble dans l'éther, employé en particulier dans l'industrie des colorants (adj. dér. : *benzidinique* [bɛ̃zidinik]).

**BENZILE** [bɛ̃zil] n. m. — Fin XIX^e, *in Nouveau Larousse illustré;* var. de *benzyle*, mil. XIX^e; du rad. *benz-*.

Chim. Dicétone de formule $C_6H_5-CO-CO-C_6H_5$ qui produit l'*acide benzilique* [bɛ̃zilik].

HOM. **Benzyle.**

**BENZIMIDAZOLE** [bɛ̃zimidazɔl] n. m. — XX^e, *in Larousse* 1932; de *benz-**, et *imidazole*, de *imide*, et *azole* (de *azote*, et suff. sc. *-ole*).

Chim. Composé bicyclique aromatique, de formule $C_7H_6N_2$. *Certains dérivés du benzimidazole sont utilisés dans l'industrie des colorants; d'autres sont des constituants cellulaires.*

**BENZIMIDE** [bɛ̃zimid] n. f. — 1835, A. Laurent; de *benz-*, et *imide*.

Chim. Vx. Corps cristallisé, dérivé du benzoyle.

COMP. **Benzimidazole.**

**BENZINE** [bɛ̃zin] n. f. — 1833; mot créé en all. *(benzin)* par Mitscherlich, d'après le rad. *benz-**, de *benzoïque*.

♦ **1** Chim. Vx. Benzène*.

♦ **2** Cour. Mélange d'hydrocarbures (benzol rectifié) vendu dans le commerce, employé comme solvant (→ Ligroïne).

♦ **3** Vx ou régional (spécialt, en Suisse romande; calque de l'all. *benzin*). Essence.

L'heure du départ est venue. Ce n'est pas encore le soir, mais c'est la fin du jour. La voiture roule dans l'odeur de l'Asie moderne : encens indien, chameaux et poussière islamique, benzine occidentale.
MALRAUX, Antimémoires, Folio, p. 375.

HOM. **Benzyne.**

**BENZITE** [bɛ̃zit] n. f. — 1950; de *benz-*, et *-ite*.

Techn. Trinitrobenzène 1-3-5, préparé à partir du trinitrotoluène*, explosif puissant.

**BENZO-** → **Benz-.**

**BENZOATE** [bɛ̃zɔat] n. m. — 1787, Guyton de Morveau; du lat. *benzoe* «benjoin» (→ Benz-), et *-ate*.

Chim. Sel ou ester de l'acide benzoïque. *Benzoate de sodium. Benzoate de bêtanaphtyle.* → **Benzonaphtol.** *Benzoate de benzyle**.

**BENZODIAZÉPINE** [bɛ̃zodjazepin] n. f. — Mil. XXe; de *benzo-*, et *diazépine*.

Chim. Composé apparenté à la diazépine, de formule $C_9H_8N_2$, utilisé en psychopharmacologie comme anxiolytique et antidépresseur. *Les benzodiazépines ont une action anticonvulsivante.* — Abrév. *B. Z. D.*

**BENZOÏQUE** [bɛ̃zɔik] adj. — 1787, Guyton de Morveau; du lat. bot. *benzoe* (→ Benz-), rad. de *benzoinum* (1751), latinisation de *benjoin**, et *-oïque*.

Chim. Se dit de certains corps de la série du benzène. *Acide benzoïque,* extrait du benjoin ou de certaines substances aromatiques. *Aldéhyde benzoïque.* → **Benzaldéhyde.** *Nitrile benzoïque.* → **Benzonitrile.**

**BENZOL** [bɛ̃zɔl] n. m. — 1840, Liebig, *benzole* (en franç.); de *benz-*, et suff. sc. *-ole*.

Chim. Dénomination commerciale du mélange de carbures de la série aromatique composé de benzène, de toluène et de xylènes. *On fabrique le benzol dans les cokeries, les usines à gaz, par débenzolage du gaz. Benzol rectifié.* → **Benzine,** 2.

COMP. **Arsénobenzol.** ◊ DÉR. **Benzolé, benzolique, benzolisme.**

**BENZOLÉ, ÉE** [bɛ̃zɔle] adj. — 1923, *in* T.L.F.; de *benzol*.

Chim. Qui contient du benzol.

**BENZOLIQUE** [bɛ̃zɔlik] adj. — D. i. (XXe); de *benzol*.

Chim. Relatif au benzol ou à ses constituants.

**BENZOLISME** [bɛ̃zɔlism] n. m. — 1938, *in* D.D.L.; de *benzol*.

Méd. Intoxication professionnelle aiguë ou chronique due à la manipulation du benzol. *Le benzolisme atteint souvent les ouvriers des industries du caoutchouc, des vernis et produits de nettoyage.*

Le *benzolisme* est, avec le *saturnisme* et la *silicose*, l'une des trois grandes maladies professionnelles. Un grand nombre d'ouvriers y sont exposés.
Dans les benzols, l'élément le plus dangereux est le *benzène*, notamment par son action sur la moelle osseuse.
Jean BECK, le Goudron de houille, p. 117-118.

**BENZONAPHTOL** [bɛ̃zonaftɔl] n. m. — 1929; de *benzo-*, et *naphtol*.

Méd. Antiseptique de l'intestin et des voies urinaires (benzoate de bêtanaphtyle).

**BENZONE** [bɛ̃zɔn] n. f. — 1834, Peligot; de *benz-*, et suff. *-one* des cétones.

Chim. et techn. (anciennt). Produit de la distillation du benzoate de calcium; substance huileuse, cristallisable à quelques degrés au-dessous de zéro et produisant en particulier la naphtaline.

**BENZONITRILE** [bɛ̃zonitʀil] n. m. — 1868, P. Larousse, art. *Cyanure*; de *benzo-*, et *nitrile*.

Chim. Nitrile benzoïque, solvant à odeur d'amande amère.

**BENZOPHÉNONE** [bɛ̃zofenɔn] n. f. — 1849; de *benzo-*, *phén(yle)*, et *-one*, suff. spécifique des cétones. → Acétophénone.

Chim. Cétone obtenue par action du chlorure de benzoyle sur le benzène (syn. : *diphénylcétone*).

**BENZOPYRÈNE** [bɛ̃zopiʀɛn] n. m. — Av. 1937 (Jean Verne, *in* T. L. F.); de *benzo-*, et *pyrène*.

Chim. Hydrocarbure de la série aromatique pentacyclique, dont une variété est cancérigène. *Le benzopyrène se trouve dans les gaz d'échappement des voitures. «L'action cancérigène du benzopyrène, présent dans les résidus de la combustion du tabac et du papier à cigarettes, a été confirmée tout au long de ce congrès»* (*Science et Vie*, n° 592, *le Cancer*, p. 120).

**BENZOQUINONE** [bɛ̃zokinɔn] n. f. — XXe, in *Larousse* 1928; de *benzo-*, et *quinone*.

Chim. Quinone dérivée du benzène, dont un des deux isomères, la *parabenzoquinone* est le prototype des quinones.

**BENZOSULFATE** [bɛ̃zosylfat] n. m. — 1834, Mitscherlich (en franç.); de *benzo-*, et *sulfate*.

Chim. Sel de l'acide benzosulfurique obtenu en dissolvant le benzène dans l'acide sulfurique.

**BENZOSULFURIQUE** [bɛ̃zosylfyʀik] adj. — 1834, Mitscherlich; de *benzo-*, et *sulfurique*.

Chim. *Acide benzosulfurique,* provenant de la réaction de l'acide sulfurique et du benzène. *Sel de l'acide benzosulfurique.* → **Benzosulfate.**

**BENZOYLE** [bɛ̃zɔil] n. m. — 1832, Wöhler et Liebig; var. *benzoïle,* Liebig, 1834; de *benzo-*, et suff. *-yle*.

Chim. Radical univalent de formule $C_6H_5-CO-$. — REM. Le préfixe *benzoyl-* correspond à ce radical (ex. : acide *benzoylbenzoïque*). *Chlorure de benzoyle. Péroxyde de benzoyle,* utilisé pour amorcer certaines polymérisations.

**BENZYLCELLULOSE** [bɛ̃zilselyloz] n. f. — Mil. XX$^{e}$; de *benzyl-* (→ Benzyle), et *cellulose.*

Chim. Éther benzylique (→ Benzyle) de cellulose, poudre blanche thermoplastique, soluble dans le benzène, utilisée dans l'industrie des peintures et vernis.

**BENZYLE** [bɛ̃zil] n. m. — 1840; de *benz-*, et suff. *-yle.*

Chim. Radical univalent de formule $C_6H_5{-}CH_2{-}$. Le préfixe *benzyl-* (ex. : *benzylcellulose**) correspond à la présence de ce radical. *Substitution du radical benzyle à un atome d'hydrogène (benzylation). Chlorure de benzyle* (liquide lacrymogène très réactif). *Bromure de benzyle* (utilisé dans les grenades lacrymogènes). *Disulfure de benzyle* (antioxydant). *Benzoate de benzyle* (solvant inodore employé en parfumerie).

HOM. **Benzile.**

**BENZYLIDÈNE** [bɛ̃zilidɛn] n. m. — XX$^{e}$, in *Larousse* 1928; de *benzylide* (de *benzyle*), et *-ène.*

Chim. Radical bivalent de formule $C_6H_5{-}CH{=}$. *Benzylidène-acétone,* cétone éthylénique. *Benzylidène-aniline.*

**BENZYLIQUE** [bɛ̃zilik] adj. — 1840; de *benzyle.*

Chim. Qui contient du benzyle. — (1878). Spécialt. *Alcool benzylique :* liquide peu soluble dans l'eau, soluble dans l'éther et dans l'alcool ($C_6H_5{-}CH_2{-}OH$), utilisé comme solvant (ses esters se rencontrent dans les baumes de Tolu et du Pérou). *Ester benzylique.*

**BENZYNE** [bɛ̃zin] n. m. — Mil. XX$^{e}$; de *benz-*, par l'allemand (Georg Wittig, 1939).

Chim. Hydrocarbure de formule $C_6H_4$ (non isolé à cause de son extrême réactivité) ou dérivé de substitution de ce corps. *La structure du benzyne n'est pas connue.*

HOM. **Benzine.**

**BÉOTIEN, ENNE** [beɔsjɛ̃, ɛn] n. et adj. — 1715, adj.; grec *boiôtios* «béotien», les habitants de la Béotie ayant, à Athènes, la réputation d'avoir l'esprit lourd.

♦ **1** Hist. Habitant de la Béotie, province de l'ancienne Grèce. *Un Béotien. Une Béotienne.* — Adj. *La Confédération béotienne.*

1 Les anciens avaient déjà remarqué les contrastes correspondants de la Béotie et de l'Attique, du Béotien et de l'Athénien : l'un *(le Béotien)* [...] était mangeur, buveur, épais d'intelligence (...)

TAINE, Philosophie de l'art, IV, 1 (→ Athénien, cit. 4).

N. m. Ling. *Le béotien :* dialecte de l'ancien grec, qui se parlait en Béotie.

♦ **2** Fig. et littér. Personnage lourd, peu ouvert aux lettres et aux arts, de goûts grossiers. → **Lourdaud, rustre.** *C'est un béotien.*

2 Si tu ne m'avais pas interrompu, stupide béotien que tu es, tu le saurais il y a longtemps.

Th. GAUTIER, Portraits contemporains, 399, *in* MATORÉ.

3 (...) dans un décor de plus en plus quelconque devant des assemblées où les béotiens dominent (...)

LOTI, Figures et Choses..., p. 129.

Adj. *Avoir des goûts béotiens.* → **Lourd; épais, grossier.**

♦ **3** Personne profane (dans un domaine). → **Ignorant, profane.** *C'est un complet béotien en mathématiques, en musique. Je ne vais pas montrer mes aquarelles à ces béotiens.*

Ce regard de connivence avec lui, ce petit air narquois, légèrement supérieur mais indulgent qu'ils ont quand en leur présence un béotien se met à s'extasier, alors qu'il est évident que cela justement, cette partie-là, ce n'est pas mal fait (...) N. SARRAUTE, Vous les entendez ?, p. 200. 4

Je m'empresse aussi d'ajouter que même le béotien que je suis s'incline respectueusement devant le complexe d'Œdipe, dont la découverte et l'illustration honorent l'Occident et constituent certainement, avec le pétrole du Sahara, une des explorations les plus fécondes des richesses naturelles de notre sous-sol. 5

R. GARY, la Promesse de l'aube, p. 79.

Adj. *Je suis béotien en la matière.*

CONTR. **Artiste, délicat, fin, raffiné, spirituel.** ◊ DÉR. **Béotisme.**

**BÉOTISME** [beɔtism] n. m. — 1835, Sainte-Beuve; de *béotien.*

Littér. et rare. Lourdeur, grossièreté du béotien. *Faire preuve de béotisme.*

REM. On trouve dans Balzac (*la Duchesse de Langeais,* 1834) la forme *béotianisme* [beɔsjanism].

CONTR. **Atticisme, délicatesse, finesse.**

**B. E. P.** [beøpe] n. m. — Sigle.

(En France). Brevet d'études professionnelles.

**B. E. P. C.** [beøpese] n. m. — Sigle.

(En France). Brevet d'études du premier cycle.

**BÉPISTE** [bepist] n. → **Cibiste.**

**BÉQUÉE** [beke] n. f., **BÉQUET** [bekɛ] n. m., **BÉQUETER** [bekte] v. → **Becquée, becquet, becqueter.**

**BÉQUILLARD, ARDE** [bekijaʀ, aʀd] adj. et n. — 1656; de *béquille.*

♦ **1** Fam. (Personnes) Qui se déplace avec des béquilles. *Un béquillard.* — Adj. *Un infirme béquillard.* — Par ext. Impotent, boiteux, estropié.

(...) ces admirables eaux-fortes que l'artiste (...) a burinées jusqu'au sadisme en prenant ses modèles dans la foule d'éclopés, d'estropiés, de culs-de-jatte, de gueux, d'anciens soldats qui survivent aux horreurs de la guerre. On éprouvait, au crépuscule, le sentiment que les pires béquillards et truands du quartier venaient de ranger leurs potences afin de répartir, plus commodément entre tous, le montant des escroqueries et des vols de la journée.

Francis CARCO, Nostalgie de Paris, p. 48.

♦ **2** [a] N. (XVII$^{e}$). Argot, vx. Personne qui béquille (→ 1. **Béquiller**), qui becte, mange; gourmand. Var. : *béquilleur, euse* [bekijœʀ, øz] (Bruant).

[b] N. m. (1842). *Béquillard* (E. Sue), *becquillard* (Hugo) : bourreau. Var. : *Le béquilleur* (Bruant).

♦ **3** N. f. (1878). *La béquillarde* ou *la béquilleuse* [bekijøz] : la guillotine*; la potence de pendaison. → **Béquille,** 2. **béquiller** (argot).

**BÉQUILLE** [bekij] n. f. — 1611; probablt de *béquillon* «petit bec» (→ 1. Béquillon), la traverse supérieure ayant la forme d'un bec; ou de *bec,* avec infl. de l'anc. franç. *anille** «béquille», du lat. pop. **anaticula* «petit canard».

♦ **1** Bâton*, canne surmonté d'une traverse sur laquelle on s'appuie pour marcher. → **Anille** (vx); 2. **béquillon.** *Les infirmes, les estropiés marchent à l'aide de béquilles.* → 2. **Béquiller.** *Béquille placée sous l'aisselle. Un porteur de béquilles.* → **Béquillard.** *Il marche encore avec des béquilles, mais ça va déjà mieux. Béquille de bois, à deux montants. Béquilles métalliques.*

1 Un petit garçon fort gentil, mais boiteux qui, clopinant avec ses béquilles (...)
ROUSSEAU, Rêveries..., 6e promenade.

2 Une très vieille femme boiteuse, appuyée sur une béquille, traversait le cimetière (...)
CHATEAUBRIAND, Mémoires d'outre-tombe, IV, 8.

2.1 Sa jambe gauche paraît hors d'usage; il marche à l'aide d'une béquille de bois placée sous l'aisselle, dont il se sert avec adresse, à en juger par la rapide manœuvre qu'il vient d'exécuter (...)
A. ROBBE-GRILLET, Dans le labyrinthe, p. 84.

*Béquille d'avant-bras :* canne munie d'une poignée perpendiculaire, sur laquelle on peut s'appuyer, et prolongée par un dispositif soutenant le coude (syn. : *canne anglaise*). → 2. **Béquillon.** — En appos. *Canne béquille.*

Par métaphore. Appui, soutien; aide, secours.

3 Mon esprit ne peut faire un pas, sans les béquilles du raisonnement. PROUDHON, *in* P. LAROUSSE.

4 (...) le droit leur semble une béquille pour infirmes (...)
R. ROLLAND, l'Âme enchantée, t. III, p. 247.

5 (...) j'ai donné de l'importance à Mariette parce que j'avais souhaité qu'elle en prît, ce qui prouve que l'écriture constituait alors pour moi une béquille.
Jacques LAURENT, les Bêtises, p. 286.

Argot. [a] Vx. Potence de pendaison. → **Béquillard,** 2. **béquiller** (argot).

[b] Jambes. → **Canne, quille.** *Tu tiens plus sur tes béquilles!*

♦ **2** Techn. Instrument ou dispositif de soutien, de support. → **Cale, étai, étançon, tin.** *Mettre une béquille sous une voiture. Béquille escamotable de moto, de bicyclette.*

6 Arrivé à l'entrée du village d'Ohldorf, mon petit cycliste s'arrête, hisse sa machine sur sa béquille et s'éloigne.
M. TOURNIER, le Roi des Aulnes, p. 335.

(1831). Mar. Pièce de bois ou de métal destinée à maintenir droit sur sa quille un bateau échoué. *Une paire de béquilles. Étayer un bateau sur ses béquilles.* → 2. **Béquiller.**

Aviat. (anciennt). Pièce sur laquelle repose la queue d'un avion au sol.

Support (d'une arme à répétition) au sol. *La béquille d'un fusil mitrailleur. Démonter la béquille.*

Techn. *Pont à béquilles,* fait de poutres à béquilles, poutres dépendantes de leurs appuis verticaux.

♦ **3** Techn. Instrument dont la forme rappelle celle d'une béquille.

(1782). Agric. Instrument servant à faire de légers labours. → 2. **Béquillon** (syn.), **ratissoire.**

(1867). Poignée* transversale sur laquelle on appuie pour ouvrir une serrure. Syn. : *bec-de-cane* (→ **Bec,** 5.). *Clef à béquille :* en forme de T.

Poignée qui était placée sous la batterie des anciens fusils de chasse pour prévenir les accidents.

(1935). Méd. *Sonde à béquille,* ou, ellipt, *béquille :* sonde chirurgicale à l'extrémité coudée.

Extrémité d'un manche en forme de T. *Manche à béquille d'une fourche* (ou *manche à pommeau*).

♦ **4** (1930). Régional (Canada). Échasse.

DÉR. **Béquillard,** 2. **béquiller,** 2. **béquillon.** ◊ COMP. **Débéquiller.**

## 1. BÉQUILLER [bekije] v. tr. — 1602; de *bec,* et suff. *-iller.*

Argot, vx. Manger. → **Becqueter** (2.), **bouffer; béquillard** (2.); → Camoufle, cit. 2.

Il ne s'agit pas de *battre l'antife* (marquer le pas) sur le boulevard, sans avoir à *béquiller* (manger), crois-moi, fais-toi *casserole* (mouchard), c'est une position tout à fait tranquille. Louise MICHEL, la Misère, t. III, p. 640.

Dilapider. «*Béquiller sa quinzaine*» (Zola, *l'Assommoir,* 1877, *in* T. L. F.).

## 2. BÉQUILLER [bekije] v. — 1656; de *béquille.*

[I] V. intr. Marcher avec des béquilles.

Enfin, ils avaient trouvé le bout, ils s'en allaient en béquillant, sauvés, libres! ZOLA, l'Œuvre, p. 376. 1

Des filets de sueur se rejoignent sur ma peau et coulent dans l'herbe, mon plâtre se resserre, il fond. Je béquille jusqu'au lavoir, je me trempe dans le bassin, la jambe posée au sec sur le rebord (...) 2
A. SARRAZIN, l'Astragale, p. 97.

[II] V. tr. ♦ **1** Mar. Étayer avec une (des) béquille(s). *Béquiller un navire,* le munir de ses béquilles. *Béquiller un bateau avant l'échouage.* Absolt. *La mer descend, il va être temps de béquiller.*

♦ **2** Agric. Travailler (le sol) à l'aide d'une béquille (→ **Béquille,** 3.).

♦ **3** (XVIIIe). Argot, vx. Pendre à une potence. → **Béquillard, béquille** (argot).

◆ **SE BÉQUILLER** v. pron.

Rare. Se déplacer en béquillant.

Elle se béquillait de la table à la cuisinière, son pied gauche, botté de plâtre, raclant le carrelage. 3
H. TROYAT, la Faim des lionceaux, p. 47.

## 1. BÉQUILLON ou BECQUILLON [bekijɔ̃] n. m.

— V. 1300, *baikillon,* attestation isolée, «petit bec (d'un objet)»; 1549 «petit bec (d'un oiseau)»; de *bec,* et suff. *-illon.*

Didactique ou technique.

♦ **1** Fauconn. Bec des jeunes oiseaux.

♦ **2** (1701). Bot. Petite feuille qui entoure le disque de certaines fleurs. *Le béquillon de l'anémone.* → **Bractée.**

♦ **3** Techn. Ce qui dépasse du verre après la découpe lorsque le diamant n'a pas assez mordu.

## 2. BÉQUILLON [bekijɔ̃] n. m. — 1768, in *Encyclopédie;* sens 3, 1782; de *béquille.*

Technique et vieux.

♦ **1** (1791). Petite béquille (1.), sur laquelle on s'appuie des mains ou de l'avant-bras (et non des aisselles). — REM. On dit couramment *béquille.* → Béquille* d'avant-bras.

♦ **2** Régional (Touraine, etc.). Boiteux (→ **Béquillard).**

♦ **3** Agric. Outil pour travailler superficiellement la terre. → **Béquille,** 3.

## BER ou BERS [bɛʀ] n. m. — 1150, *berz* «berceau», p.-ê. du lat. pop. **bertium,* d'orig. gaul. → Berceau. — REM. *Ber* «berceau» est archaïque depuis le déb. du XVIIe s., mais a subsisté dans des dialectes.

♦ **1** Mar. (attesté 1805, *bert*). Charpente qui supporte un navire en construction et qui glisse à la mer avec lui pendant le lancement*; charpente qui supporte un bateau à terre. — REM. On dit aussi *berceau. Pièces du ber.* → **Colombier, levier** (de chasse), **tin, ventrière.** *Arcs-boutants renforçant le ber. Glissières du ber.* → 1. **Couette, coulisse.**

(...) les bers, terme d'arsenal, sont ce berceau composé de soliveaux et de poutres sur lequel se construit le vaisseau.
CHATEAUBRIAND, Mémoires d'outre-tombe, III, 13.

♦ **2** (1611). Ridelle d'une charrette.

DÉR. (De l'anc. franç. *bers* «berceau») V. **Berceau, bercer.**

**BERBÈRE** [bɛʀbɛʀ] adj. et n. — 1688 ; *Bereberes,* 1667 ; adj. attesté au XIXe ; p.-ê. de l'arabe *barbar, berber,* par l'esp. qui atteste ce mot depuis le XIIIe ; le mot arabe est d'origine incertaine, et son rapport avec le lat. *barbarus* (→ Barbare), n'est pas établi.

Relatif aux Berbères, peuple autochtone d'Afrique du Nord. → 1. Maure, cit. 3. *Population berbère de Kabylie* (Kabyles), *du Sahara* (Touareg). *Tentes berbères. Folklore berbère.*

N. *Un, une Berbère. Les Berbères.*

Les populations indigènes de l'Afrique du Nord en général et celles de l'Algérie en particulier sont ordinairement désignées sous le nom de Berbères ; ce n'est pas un ethnique datant d'une époque lointaine ; c'est le mot latin *barbarus,* l'homme qui balbutie, l'étranger. Ces populations se donnent à elles-mêmes le nom d'*Imaziren* (...)
Augustin BERNARD, l'Algérie, p. 81.

N. m. *Le berbère :* langue du groupe sémitique parlée par les Berbères, subdivisée en nombreux parlers (ex. : *Kabyle*).

DÉR. **Berbérophone.**

**BERBÉRIDACÉES** [bɛʀbeʀidase] ou **BERBÉRIDÉES** [bɛʀbeʀide] n. f. pl. — 1789, Jussieu, *Berbéridées ;* du lat. bot. *berberis* «épine-vinette».

Bot. Famille de plantes phanérogames angiospermes, de la classe des dicotylédones dialypétales, dont le type principal est le *berberis.* → **Épine-vinette ; jeffersonnie, mahonie.**

**BERBÉROPHONE** [bɛʀbeʀɔfɔn] adj. et n. — 1903, in *Rev. gén. des sc.,* no 4, p. 192 ; du rad. de *berbère,* et *-phone.*

Ling. Qui parle un dialecte berbère en tant que langue maternelle. *Les populations berbérophones et arabophones du Maghreb.*

N. *Un, une berbérophone.*

**BERCAIL** [bɛʀkaj] n. m. — 1535, «bétail» ; «bergerie», 1609 ; de *bercal,* 1379, «bétail» ; du lat. pop. **berbicale,* de *berbex* «brebis», altéré d'après *bétail.*

Plur. (Rare). *Des bercails* (Laforgue, Moréas, selon T. L. F.).

♦ **1** Vx. **a** Troupeau de brebis, de moutons.

**b** Lieu où on loge les moutons. → **Bergerie.**

1 Que fait le bouc en si joli bercail ?
Alexis PIRON, Épigramme contre Des Fontaines.

Par métaphore. *(Florian) «entrait comme un jeune loup dans le bercail des théâtres à la mode»* (A. France, *in* T. L. F.).

♦ **2** Relig. Le sein de l'Église. *Ramener au bercail une brebis égarée. Rentrer, retourner, revenir au bercail.*

2 Avec quel zèle exhortait-il quelques-uns de ses domestiques à rentrer comme lui dans le bercail de Jésus-Christ *(quitter le protestantisme)* ?
FLÉCHIER, Oraison funèbre du Duc de Montausier.

3 C'étaient bien les plus grandes salopes et les plus vilaines coureuses qui jamais aient empuanti le bercail du Seigneur. ROUSSEAU, les Confessions, t. I, p. 82.

4 Les saints se réjouissent sept fois lorsqu'un pêcheur retourne au bercail (...)
CHATEAUBRIAND, les Martyrs, 79.

Vx. Communauté religieuse. *Le bercail de Port-Royal des Champs* (Sainte-Beuve).

REM. Le mot peut s'employer à propos d'autres religions que le christianisme (notamment, pour le judaïsme).

♦ **3** Cour. Famille, foyer, maison ; pays (pays natal). *Le retour au bercail de l'enfant prodigue.*

5 (...) de vieux bérets, de vieilles têtes blanches aimaient reparler du jeu de paume à ce beau joueur, de retour au bercail. LOTI, Ramuntcho, III, 3, p. 230.

Par ext., plais. ou iron. Tout lieu où l'on séjourne (camp de base, caserne, pension...) en particulier lorsqu'on y retourne après un temps plus ou moins long d'absence (surtout dans : *au bercail*).

**BERÇANT, ANTE** [bɛʀsɑ̃, ɑ̃t] adj. — D. i. ; attesté XIXe ; p. prés. de *bercer.*

♦ **1** Apaisant, endormant. *Un mouvement berçant.* → **Berceur.** *La voix berçante de sa maman. «Une douceur berçante»* (Zola).

♦ **2** (1930). Régional (Canada). *Chaise berçante* (ou *berçante,* n. f.) : chaise à bascule. → **Berceuse, rocking-chair** (anglic.).

Émile et Mathieu s'assoient dans les berçantes, Marie-Ange sert de son vin de cassis et on tire une pipée en attendant le souper.
Jean-Yves SOUCY, Un dieu chasseur, p. 54.

1. **BERCE** [bɛʀs] n. f. — 1694 ; p.-ê. de l'all. *Bartsch,* ou de l'anc. haut-all. *Berz,* mais ces mots désignent une autre plante ; p.-ê. du rad. de *berceau,* à cause de sa graine oblongue et creuse.

♦ **1** Bot. Plante dicotylédone *(Ombellifères)* à fleurs blanches qui croît dans les lieux humides (nom sc. : *heracleum). Grande berce (Heracleum spondyeium) appelée aussi berce brancursine, patte d'oie, panais de vache, angélique sauvage, acanthe d'Allemagne. Berce géante (Heracleum giganteum).*

♦ **2** Chim. *Essences de berce :* essences de haut degré en alcool octylique extraites de la grande berce ou de la berce géante.

♦ **3** *Bière, liqueur de berce :* boisson alcoolisée obtenue par fermentation de feuilles de berce (Russie, Lituanie, Pologne).

2. **BERCE** [bɛʀs] n. f. — D. i. ; dér. de *berceau.*

Régional (notamment Belgique). Berceau d'enfant.

Elle se trouvait dans une grande salle avec d'autres femmes comme elles couchées dans un lit, chacune son poupon dans une berce.
André BAILLON, Histoire d'une Marie, III (1921).

**BERCEAU** [bɛʀso] n. m. — 1472 ; de l'anc. franç. *bers* (→ Ber), ou de l'anc. franç. *berçuel* (1165), du lat. pop. **berciolum* «petit berceau», dimin. de **bertium* «ber».

**I** ♦ **1** Petit lit des très jeunes enfants surmonté d'une partie en arceau pour protéger la tête, parfois muni de rideaux, et qui, souvent, peut être balancé, bercé (→ 2. **Berce**). *Berceau d'osier. Berceau alsacien. Petit berceau.* → **Bercelonnette.** *Corbeille servant de berceau.* → **Couffin, moïse.** — REM. Sans que le mot soit vieilli, ce qu'il désigne tend à disparaître ou à devenir un objet exceptionnel, les jeunes enfants dormant dans des lits.

Placez-le *(l'enfant)* dans un grand berceau bien rembourré (...) Je dis un **berceau,** pour employer un mot usité faute d'autre ; car d'ailleurs je suis persuadé qu'il n'est jamais nécessaire de bercer les enfants et que cet usage leur est souvent pernicieux. ROUSSEAU, Émile, I. 1

Par métaphore. *Tenir un enfant dans le berceau de ses bras.* — **EN BERCEAU** : en formant un creux (→ ci-dessous le sens II.).

Là, elle se reposa un moment, pour juger à son aise des ravages qu'elle avait produits. Mais la belle figure brune, étroite, calée dans le berceau des deux paumes unies, ne voulait rien exprimer. H. TROYAT, le Vivier, p. 199. 1.1

(1845). Par métaphore. *Berceau de la Vierge :* clématite des haies (à cause de sa végétation en berceau).

Par métonymie (poét.). Enfant.

2 Un berceau va sauver Israël,
Un berceau va sauver le monde (...)
HUGO, Moïse sauvé.

♦ **2** (Dans des expressions ; av. 1612, d'Aubigné, *«devant le berceau de ce prince»*). Symbole du très jeune âge, où les enfants couchent dans un berceau. *Un enfant au berceau.* → Au biberon*, dans les langes*. *Dès, depuis le berceau. Au sortir du berceau. Du berceau à la tombe, au cercueil.* — Loc. fam. *Il aime les femmes très jeunes ; il les prend au berceau.*

3 Votre Oreste au berceau va-t-il finir sa vie ?
RACINE, Iphigénie, I, 1.

4 Les enfants apprenaient dès le berceau à regarder la patrie comme une mère commune (...)
BOSSUET, Disc. sur l'Hist. universelle, III, 5.

5 Il passa pour ainsi dire du berceau sur le trône (...)
MASSILLON, le Siècle de Louis XIV.

5.1 Il vaudrait donc mieux qu'on nous eût étouffés dès le berceau ? — Assurément, c'est l'usage dans beaucoup de pays, c'était la coutume des Grecs ; c'est celle des Chinois : là les enfants malheureux s'exposent ou se mettent à mort.
SADE, Justine..., t. I, p. 23.

6 Nous demandons des sourires au berceau et des pleurs à la tombe (...)
CHATEAUBRIAND, le Génie du christianisme, I, 1.

7 Le berceau est pour la plupart un petit moment de lumière entre la nuit et la nuit.
MICHELET, la Femme, p. 113.

Loc. *Trouver dans son berceau :* bénéficier de (qqch.) dès sa naissance, très jeune. *L'homme trouve dans son berceau l'acquis des générations passées.*

8 (...) il pouvait avant qu'il eût atteint à la maturité, faire rendre à ses dons personnels tout ce qu'ils ajoutaient au privilège trouvé dans le berceau.
Louis MADELIN, Talleyrand, I, 1, p. 14.

♦ **3** (1659). Fig. et poét. Début, commencement. → **Naissance, origine.** *À cette époque, la science était encore au berceau.* → **Balbutiement, bégaiement** (fig.).

9 Et des crimes si noirs étouffés au berceau (...)
CORNEILLE, Œdipe, I, 6 (1659).

10 Cette Église devait être attaquée dès son berceau (...)
BOSSUET, Paul, I.

11 Les Égyptiens mettent leur orgueil à cacher leur berceau sous les siècles (...)
CHATEAUBRIAND, le Génie du christianisme, I, IV, 2.

(1680). Lieu de naissance. *«La Corse, ce berceau de Bonaparte»* (A. Dumas). — Lieu d'origine (d'un groupe, d'une culture ou d'un fait de culture). *Le berceau de la civilisation, de l'art, de la religion.*

12 Les plus célèbres partisans du jansénisme vivaient à l'abbaye de Port-Royal des champs, ce berceau de la première philosophie et de la bonne littérature (...)
DUCLOS, le Règne de Louis XIV, 1 t. V, p. 113, *in* POUGENS.

13 Ces fleuves, ces vergers, eden aimé des cieux,
Et des premiers humains berceau délicieux (...)
André CHÉNIER, Élégies, 14.

14 (...) il faut admettre que les Latins ne sont pas une race. Il y a en revanche des langues latines (...) qui correspondent indiscutablement à une civilisation, dont la Méditerranée a été le berceau.
André SIEGFRIED, l'Âme des peuples, II, 1, 28.

**II** Techn. ♦ **1** (Par anal. avec l'arceau du lit d'enfant).

**a** *Berceau* et *en berceau* (1680 ; *voûte en berceau*). — Archit. Voûte* engendrée par un arc (spécialt, un arc en plein cintre). *Berceau à doubleaux. Berceau brisé,* engendré par le déplacement d'un arc brisé. → Arc-boutant, cit. 1. *Intersection de deux berceaux.* → **rêtier.**

15 L'horreur de cette nef, voûtée de pesants berceaux, disparaissait avec la nuit (...) HUYSMANS, En route, p. 3.

(...) la constance et l'ingéniosité avec lesquelles les constructeurs bourguignons du XIe siècle ont cherché à résoudre le problème du voûtement associé à l'éclairage direct des nefs (...) Nous savons comment ils ont fait porter aux vieilles murailles du premier art roman les berceaux transversaux de Tournus, les berceaux échancrés de Romainmôtier. Henri FOCILLON, l'Art d'Occident, p. 38. 15.1

(1538). Hortic. Treillage* en voûte garni de verdure ; voûte de feuillage. → **Charmille, tonnelle.** *Pavillon de jardin formant berceau.* → **Brandebourg.** *Berceau de verdure. Arbres formant le berceau, formant berceau.* — **EN BERCEAU.** *Allée en berceau. Voûte en berceau brisé.* → ci-dessus. — Arbor. *Greffe en berceau.* → **Greffe.** — *Allée, pavillon en berceau.*

Une haute allée d'ormes, arrondie en berceau et taillée à la vieille mode (...) Th. GAUTIER, Mlle de Maupin, VII. 16

Artill. Organe intermédiaire courbé, entre le frein et l'affût d'une pièce. *Le berceau de pointage d'un canon.*

Géogr. *Vallée en berceau :* vallée ou vallon à versants concaves non séparés par une plaine alluviale.

**b** *(Un berceau).* Partie où s'appuie un moteur. *Berceau de moteur. Cadre de moto à double berceau. Berceau d'eau :* voûte produite par le croisement de jets d'eau obliques.

Mar. → **Ber.**

♦ **2** (XIXe). Par anal. avec le mouvement du berceau. Table oscillante munie de cribles où l'on lave certains sables métallifères. *Berceau chinois.*

(1751). En gravure, Ciseau à bout strié avec lequel le graveur fait le grain de la planche. *Le berceau s'utilise pour travailler en manière noire par un mouvement de balancement.*

(1690). Typogr. Partie de la presse à bras sur laquelle glisse le train.

**BERCELLES** [bɛʀsɛl] n. f. pl. → **Brucelles.**

**BERCELONNETTE** [bɛʀsəlɔnɛt] ou **BARCELONNETTE** [baʀsəlɔnɛt] n. f. — 1777, *barcelonnette* «couverture de berceau» ; 1787, sens actuel ; 1834, *bercelonnette ;* de *Barcelone* en Espagne, réputée au XVIIIe pour ses couvertures de laine, avec influence de *berceau* pour le sens mod., et la forme en *ber-*.

Berceau* léger, monté sur deux pieds en forme de croissants, qui permettent un balancement facile.

L'amour grandit bercé dans mon âme inquiète (...) 1
Que ce... cruel marmot prit pour... barcelonnette
Edmond ROSTAND, Cyrano de Bergerac, III, 6.

Vous, dont les Jésus rient dans leurs barcelonnettes, 2
Artistes d'autrefois, où vous reposez-vous ?
G. NOUVEAU, la Doctrine de l'amour, «Les cathédrales», Pl., p. 511.

Une chèvre grise, enchaînée à la barcelonnette, allaitait l'agneau en face de Marie qui tenait l'enfant sur ses genoux. 3
M. JOUHANDEAU, la Jeunesse de Théophile, p. 11.

**BERCEMENT** [bɛʀsəmɑ̃] n. m. — 1584, attestation isolée, repris au XIXe ; de *bercer*.

♦ **1** Action de bercer. — Mouvement de va-et-vient de ce qui est bercé. → **Balancement.** *Le bercement des flots, de la mer, des vagues.*

Le bercement des flots sous la chanson des branches (...) 1
HUGO, la Légende des siècles, «La rose de l'Infante», XXVI.

♦ **2** (Mil. XIXe). Fig. Apaisement, bien-être, repos, douceur physique et morale résultant d'un rythme régulier. → **Adoucissement, apaisement, consolation.** *«Il y avait dans ce bruit* (de gouttes qui tombaient d'une voûte) *un bercement sans fin*» (Zola, *Madeleine Férat*, 1868, *in* T. L. F.). — (Abstrait). *Le bercement du cœur, de l'âme* (*in* T. L. F.).

2 Comme bien d'autres hommes forts qui sont des faibles, comme Baudelaire, Flaubert cherchait dans l'amour, lorsqu'il l'éprouvait en son espèce supérieure et sa plénitude idéale, une protection et un bercement maternels.
A. THIBAUDET, Gustave Flaubert, p. 43.

**BERCER** [bɛʀse] v. tr. [CONJUG. : *placer*.] — 1220, *bercier*; de l'anc. franç. *bers, berz*. → Ber, berceau.

♦ **1** (Sujet n. de personne). Balancer dans un berceau (cit. 1). *Femme qui berce les enfants*. → **Berceuse, remueuse** (vx).

1 (...) on le berce, on lui chante pour l'endormir (...)
ROUSSEAU, Émile, I, 1.

Par anal. Balancer, agiter doucement, comme dans un berceau. *Bercer un enfant dans ses bras*. → **Dodeliner** (vx).

1.1 On ne bercera jamais assez les enfants, du temps de leur prime jeunesse.
GIDE, Voyage au Congo, *in* Souvenirs, Pl., p. 83.

Par métaphore (sujet n. de chose). *Feuilles, branches que berce le vent* (→ 1. Palme, cit. 4). — Passif et p. p. *Un canot bercé par les vagues. Les «Andalouses, nonchalamment bercées au pas de leurs mules»* (A. Bertrand).

2 (...) plus ils *(les corbeaux)* sont bercés par les orages, plus ils dorment profondément (...)
CHATEAUBRIAND, le Génie du christianisme, I, V, 3.

3 Comme sur l'océan la vague au doux roulis,
Berçant du jour au soir une algue dans ses plis (...)
LAMARTINE, Harmonies..., I, 5.

Littér. (Compl. n. abstrait). Correspond à *bercement*, 2.

3.1 Je me couchai à la hâte. Mon hamac, balancé par le tangage, berçait mes réflexions dans l'obscurité : je m'accoudai.
VILLIERS DE L'ISLE-ADAM, Tribulat Bonhomet, p. 59.

♦ **2** Techn. En gravure, Travailler au moyen du berceau. → **Berceau** (II., 2.). *Bercer une planche*.

♦ **3** Fig. (Passif et p. p.). *Une enfance bercée de rêves, de chansons*, qui en a été nourrie, imprégnée. *Son enfance a été bercée de, par ces contes*.

4 J'entendais en m'endormant le bruit du vent dans les arbres et ce ronflement de la mer dont l'enfance de Dominique avait été bercée.
E. FROMENTIN, Dominique, II.

(Personnes). *Être bercé dès l'enfance de..., par...*

♦ **4** (XVII^e). Sujet n. de personne ou de chose; compl. n. de chose abstraite ou de personne. Fig. → **Adoucir, apaiser, calmer, charmer, consoler, endormir.** *Bercer sa peine, une douleur*. → **Adoucir, calmer.** — *Bercer son imagination d'illusions. — Les illusions qui bercent son imagination, qui le bercent.*

5 L'espoir, il est vrai, nous soulage,
Et nous berce un temps notre ennui (...)
MOLIÈRE, le Misanthrope, I, 2 (1666).

6 Loin d'elle l'imagination était bercée par les plus charmants dialogues (...)
STENDHAL, De l'amour, éd. Garnier, p. 51.

(1611; sujet n. de personne). *Bercer (un espoir, une idée, un projet...)*, l'entretenir obstinément. — *Bercer (qqn) de (qqch.)*, ou (rare), *avec (qqch.)*, l'illusionner. *Le candidat berce ses électeurs de promesses*. — Vx. *Bercer qqn à...* (un espoir). *Se laisser bercer à...* → ci-dessous, cit. 8.

7 Je sais bien les discours dont il le faut bercer (...)
MOLIÈRE, l'Étourdi, I, 6.

8 En voyant déjà commencer la décadence de l'Angleterre que j'ai prédite au milieu de ses triomphes, je me laisse bercer au fol espoir que la nation française, à son tour victorieuse, viendra peut-être un jour me délivrer de la triste captivité où je vis.
ROUSSEAU, les Confessions, t. I, V, 246.

Et l'hymne dont nous berce avec sa voix flatteuse 9
La popularité, cette grande menteuse (...)
HUGO, les Voix intérieures, 2.

(...) toujours bercé de l'espérance qu'il allait être plus heureux avec celle-ci qu'avec celle-là (...) 10
COURTELINE, Messieurs les ronds-de-cuir, V, 3.

Au passif. *Être bercé de (qqch.)* : être trompé par de fausses espérances, des promesses, des illusions. → **Abuser, amuser, flatter, leurrer, tromper.** *On l'a bercé de vaines promesses*.

(Sans compl. prépositionnel). Vieilli. *Bercer qqn. Le gouvernement berce l'opinion. On essaie de nous bercer.*

◆ **SE BERCER** v. pron.

♦ **1** *Il se berçait dans son hamac* (Littré). → **Balancer** (se).

♦ **2** (XVII^e). Fig. *Se bercer de qqch.* : se plaire à l'idée de qqch. *Il se berce de la défaite de son adversaire*. — (Loc. cour.). *Se bercer de faux espoirs, d'illusions*. → **Illusionner** (s').

Il se berçait de ces flatteuses idées, quand la maréchaussée entra dans sa chambre (...) VOLTAIRE, l'Ingénu, 9. 11

◆ **BERCÉ, ÉE** p. p. adj. *Enfant bercé*. — Par métaphore et fig. → ci-dessus, 4.

CONTR. **Immobiliser. — Attiser, aviver, exciter** (une peine, etc.). — **Désabuser.** ◊ DÉR. **Berçant, bercement, berceur, berceuse.**

**BERCEUR, EUSE** [bɛʀsœʀ, øz] adj. — 1859, Lamartine; de *bercer*.

[a] Rare. Qui berce (1.). → **Berçant.** *Voix berceuse. Air, rythme berceur.*

[b] Qui imprime un mouvement rythmé qui calme. → **Bercer,** 4.

(...) dans le mouvement berceur du coupé aux lanternes claires (...)
Alphonse DAUDET, Numa Roumestan, VI.

**BERCEUSE** [bɛʀsøz] n. f. — 1835; de *bercer*; cf. au XV^e *berserece*; encore *bercheresse* au XVI^e.

[I] Vx. Femme chargée de bercer un enfant en bas âge, de veiller sur lui, de le soigner.

Des femmes me berçaient... Oui, j'avais trois berceuses 1
Qui chantaient des chansons vieilles et merveilleuses!
Edmond ROSTAND, l'Aiglon, VI, 3.

Toute petite, elle se fit, du plus petit qu'elle, la berceuse, la petite mère. 1.1
Ed. et J. DE GONCOURT, Madame Gervaisais, p. 55.

Par ext. → **Nourrice** (G. Sand, *Jeanne*, *in* T. L. F.).

[II] (1838). Chanson pour endormir un enfant. Par ext. Morceau de musique dont le rythme évoque celui de ces chansons. *Une berceuse de Schumann.*

Chante, pauvre vieille, de ta voix cassée qui tremble, chante la berceuse antique, l'air qui vient de loin dans la nuit des générations mortes... 2
LOTI, Mon frère Yves, CI, p. 246.

L'alliance de ces noms, l'écho de ces syllabes l'étourdissaient comme un jazz, l'apaisaient comme une berceuse, l'enivraient comme une nuit de tam-tam. 3
Edmond JALOUX, les Visiteurs, II, p. 29.

Fam., vieilli. Histoire inventée, mensonge. *«Tu nous endors, avec ta berceuse»* (M. Aymé, *Clérambard*, III, 1).

[III] (1867, Goncourt). Siège sur lequel on peut se balancer. → **Rocking-chair** (au Canada : *chaise berçante**; *berçante*, n. f.).

**BERDIN** [bɛʀdɛ̃] n. m. → **Bredin.**

**BERDINER** [bɛʀdine] v. intr. — Attesté 1855; *brediner,* attestation isolée, 1611; du lat. pop. *brittus,* lat. class. *britto, -onis* «Breton».

Régional.

♦ **1** (Ouest de la France). S'occuper à des choses insignifiantes.

♦ **2** Tinter (en parlant d'une clochette).

**DÉR.** **Berdin** (V. **Bredin**).

**BERDOUILLE** [bɛʀduj] n. f. — 1877, Zola; dér. de *bedaine, bed-on,* et suff. *-ouille; r* sous l'infl. probable de *bredouille.*

Pop. et vx (ou régional). Ventre*, bedaine.

**BERDOUILLETTE** [bɛʀdujɛt] n. f. — Attesté XX^e; de *bredouiller* au sens de «perdre son temps», d'après P. Guiraud, *Dictionnaire érotique,* et suff. diminutif. → aussi Berdouille.

Fam. Pénis (d'un jeune garçon).

Au sujet de ma berdouillette, comme elle disait en bêtifiant inutilement, maman m'avait donné des ordres sévères : «... si tu y touches, elle grossira...»
C'est pourquoi je regimbai quand mon ami voulut y toucher et déclarai :
«— Ça jamais!»

Henri CALET, la Belle Lurette, p. 93-94.

**BÉRET** [beʀɛ] n. m. — 1835, cit. 4; *berret,* 1819 — graphie encore attestée en 1847; béarnais *berret;* anc. provençal *berret* «bonnet» (→ 1. Barrette), dér. du bas lat. *birrum* «capote à capuchon», p.-ê. d'orig. celtique ou (P. Guiraud) doublet de *burra,* du grec *purros* «fauve, roux», cf. la var. *byrrus.*

Coiffure d'homme souple, ronde et plate en tissu de laine. *Le béret est d'origine basque et béarnaise. Béret basque, traditionnellement bleu marine* (syn., vx : *bonnet basque*). *Porter un béret. Le béret* (basque), *coiffure traditionnelle du Français* (pour beaucoup d'étrangers). *Un béret enfoncé jusqu'aux oreilles. — Elle porte un vieux béret quand il pleut.*

1 (...) il ramena en visière, sur ses yeux gris très vifs et très doux, le rebord de son béret de laine.

LOTI, Ramuntcho, p. 7.

2 Je reconnais le vaste béret qui le coiffait, qui était aussi le nôtre : le béret landais.

F. MAURIAC, Bloc-notes 1952-1957, p. 23.

3 Bientôt il est facile de distinguer l'étroit pantalon noir qui enserre les jambes agiles, la cape noire rejetée en arrière qui vole autour de ses épaules, le béret de drap enfoncé jusqu'aux yeux.

A. ROBBE-GRILLET, Dans le labyrinthe, p. 41.

Par anal. Coiffure de même forme. *Béret de chasseur alpin,* à grande coiffe, repliée sur un côté. — Anciennt. *Béret d'étudiant.* → **Faluche.** — *Béret vert, béret rouge des parachutistes.* — Par métonymie. *Les bérets verts :* les parachutistes.

Par ext. *Béret à pompon rouge des marins.*

(Coiffure féminine). Sorte de toque. *Béret à plumes.*

4 Avez-vous su comme on s'est moqué d'elle chez nous quand on lui fit acheter cette robe de gaze rose, cette écharpe orange avec ce béret bleu-ciel?

Henri MONNIER, Scènes populaires, «les Bourgeois Campagnards», 12, p. 368 (1835).

5 (...) l'émotion que j'éprouvais par les matins d'hiver à rencontrer M^me Swann à pied, en paletot de loutre, coiffée d'un simple béret que dépassaient deux couteaux de plumes de perdrix (...)

PROUST, Du côté de chez Swann, Pl., t. I, p. 426.

**BÉRÉZINA** [beʀezina] n. f. — V. 1980; de la déroute de la *Bérézina* (affluent du Dniepr), pendant la campagne napoléonienne de Russie.

Fam. *(C'est) la bérézina :* c'est la catastrophe, l'échec total.

(...) mon dabe (...) livrait aux clients des books, avant chaque course, des feuillets portant les cotes probables des chevaux engagés. (...) Nous pouvions déceler ces bérézinas du paternel à la poussière ou à la boue souillant ses chaussures, les trop fréquentes fois où il rentrait à pinces, et fort tard, des hippodromes.

Albert SIMONIN, Confessions d'un enfant de La Chapelle, p. 217.

**BERGAMASQUE** [bɛʀgamask] adj. et n. — 1549; *bergamasco,* de *Bergamo* «Bergame», ville d'Italie.

♦ **1** Adj. Relatif à la ville de Bergame; originaire de Bergame.

♦ **2** N. m. (1580, Montaigne). Dialecte italien parlé dans la province de Bergame.

♦ **3** [a] N. f. (1867). Danse à la mode au XVIII^e siècle, originaire de la ville de Bergame.

Votre âme est un paysage choisi
Que vont charmant masques et bergamasques.

VERLAINE, les Fêtes galantes, «Clair de lune».

Air sur lequel on danse une bergamasque.

[b] Adj. (Du sens 3 ci-dessus, avec infl. de *masque*). Qui évoque la légèreté gracieuse des danses et fêtes italiennes du XVIII^e siècle, les fêtes galantes. *Le «génie bergamasque» de Watteau* (Jankélévitch, *in* T. L. F.).

**BERGAME** [bɛʀgam] n. f. — 1666; ville d'Italie où l'on fabriquait à l'origine ces tapisseries.

Anciennt. Tapisserie commune dont on couvrait autrefois les murs.

**BERGAMINE** [bɛʀgamin] n. f. — 1817, Stendhal; ital. *bergamina* «vache laitière de Bergame, de Lombardie».

Rare (italianisme). Étable à vaches; troupeau de vaches.

**BERGAMOTE** [bɛʀgamɔt] n. f. — 1536, *berguamotte* (→ cit.); italien *bergamotta;* soit du turc *beg-armâdé* «poire du Seigneur du bey *(beg)*», soit de *Bergama,* forme de *Pergamo,* ville d'Asie Mineure.

♦ **1** Poire d'une variété particulièrement fondante.

Adjectif :

Vous mangerez bonnes poires (...) berguamottes.

RABELAIS, le Tiers Livre, 13.

♦ **2** (1694). Fruit du bergamotier, agrume assez acide, au parfum très agréable. *Confiture de bergamotes. L'essence de bergamote est utilisée en parfumerie et en confiserie. — Thé à la bergamote.*

Par ext. Essence de bergamote. *Bonbon à la bergamote.*

♦ **3** (V. 1930; les bonbons auraient été fabriqués à Nancy par le confiseur Jean Lillig v. 1850). Bonbon parfumé à la bergamote (2.). *Manger des bergamotes. Bergamotes de Nancy.*

**DÉR.** **Bergamotier.**

**BERGAMOTIER** [bɛʀgamɔtje] n. m. — 1810; de *bergamote.*

Arbre voisin de l'oranger (famille *Aurantiacées*), dont le fruit est la bergamote* (2.).

1. **BERGE** [bɛʀʒ] n. f. — 1403; *berche* «bord escarpé (d'une fortification)», 1380; du lat. pop. **barica,* p.-ê. d'orig. gauloise ou (Guiraud) du rad. *barus* «qui a des côtés divergents ou opposés». → Barque.

♦ **1** Bord* exhaussé (d'un cours d'eau). *La berge est en contre-haut de la rivière. Des berges escarpées. Les eaux ont affouillé les berges de la rivière.*

*Murs consolidant les berges* (→ **Bajoyer**). *La berge d'un grand fleuve.* → **Rivage, rive.** *Descendre, gravir, longer la berge. Le long de la berge.*

1 Le Vop coulait sur un lit de fange que resserrent deux rives escarpées; il fallut trancher ses berges raides et glacées et donner l'ordre de démolir, pendant la nuit, les maisons voisines pour en construire un pont (...)
Ph. P. SÉGUR, Hist. de Napoléon, IX, 13.

2 Il commença par établir sur la berge une manière de chaussée qui permettrait de descendre jusqu'au chenal (...)
FLAUBERT, Trois contes, II, 3.

3 Aspects changeants des massifs de falaises, et les promontoires allongés qui chavirent! berges! métamorphoses des berges! nous savons maintenant que vous restez; c'est en passant que l'on vous voit passantes, et votre aspect change par notre fuite, malgré votre fidélité.
GIDE, le Voyage d'Urien, *in* Romans, Pl., p. 17.

4 Les remous se font plus puissants et plus vastes; puis le Brabant s'engage dans le «couloir». Les rives deviennent berges et se resserrent.
GIDE, Voyage au Congo, *in* Souvenirs, Pl., p. 697.

Loc. *Voie sur berge* (notamment, voie automobile aménagée le long de la Seine, à Paris). → **Autoberge.**

♦ **2** Route, chemin qui suit un cours d'eau. *Marcher sur la berge. La berge d'un canal.* → **Berme, chemin** (de halage).

Par métaphore (dans quelques expressions). Littér. Bord, limite; lieu retiré. *Rester sur la berge à contempler le fleuve de l'histoire.*

♦ **3** Par anal. Bord relevé (d'un chemin, d'un fossé). → **Talus.** Par ext. Flanc escarpé (d'une montagne). *«Les berges d'une grande vallée d'érosion»* (Renan). Mar. Rochers élevés à pic sur l'eau, au voisinage d'une côte.

COMP. **Autoberge.** ◊ HOM. 2., 3. **Berge.**

2. **BERGE** [bɛʀʒ] n. f. → 2. **Barge.**

3. **BERGE** [bɛʀʒ] n. f. — 1836, Vidocq; de *berj,* mot tzigane.

Argot. Année d'âge. → **Pige.** *Il a cinquante berges. Elle l'a supporté pendant dix-huit berges.*

Alors, moi, j'y ai dit que j'étais pas fait pour des vieux comme lui (...) des types de cinquante berges.
Francis CARCO, Jésus-la-Caille, II, 8.

Année de prison. *Il en a pris pour dix berges.*

REM. L'usage exclut l'emploi de *berge* au singulier, le mot s'emploie surtout pour évoquer un temps jugé long.

HOM. 1., 2. **Berge.**

**BERGER, ÈRE** [bɛʀʒe, ɛʀ] n. — Fin XII^e^, *bergier;* au fém. *bergiere,* XIII^e^; du lat. pop. **verbecarius,* de *verbex, berbex* «brebis», attesté sous la forme *birbicarius* v. 600, *berbicarius,* 698.

♦ **1** Personne qui garde les moutons. *Bâton de berger.* → **Houlette.** *Hutte, cabane de berger.* → **Buron** (régional). *Les instruments de musique traditionnels des bergers* (→ **Chalumeau, corne, musette, pipeau**). *Jeune berger, jeune bergère.* → **Bergerette, bergeronnette, bergerot, pastoureau.** *Les bergers landais marchent sur des échasses. La limousine*, manteau des bergers limousins. Chien de berger* (→ ci-dessous, 5. *un berger*). — Par ext. Personne qui garde des bestiaux. → **Gardien; gardeur; pasteur, pastour, pâtre; ânier, bouvier, chevrier, muletier, porcher, toucheur** (de bœufs), **vacher; cow-boy, gaucho, guardian, vaquero.** *La vie du berger.* → **Pastoral.** *Le ranz* des vaches, chant des bergers suisses. Les bergers d'Arcadie* (→ Arcadien, 1.). — Loc. *Le berger de Mantoue :* Virgile. *Le berger de Syracuse :* Théocrite. *La bergère de Domrémy :* Jeanne d'Arc. *L'étoile du berger :* la planète Vénus.

Or il y avait là aux environs des bergers qui passaient la nuit dans les champs, veillant tour à tour à la garde de leur troupeau. Et voici que l'ange du Seigneur se présenta à eux (...) 1
BIBLE (SACY), Évangile selon saint Luc, II, 8 et suiv.

Je suis le bon berger. Le bon berger donne sa vie pour ses brebis (...) Je connais mes brebis et elles me connaissent (...) J'ai encore d'autres brebis, qui ne sont pas de cette bergerie; celles-là, il faut que je les amène : elles entendront ma voix, et il y aura un seul troupeau, un seul berger. 2
BIBLE (SEGOND), Évangile selon saint Jean, X, 11.

Les rois et les bergers y sont d'un même rang. 3
CORNEILLE, Polyeucte, V, 2.

REM. Cet exemple correspond aussi au sens 2.

Il s'habille en berger, endosse un hoqueton, 4
Fait sa houlette d'un bâton,
Sans oublier la cornemuse.
LA FONTAINE, Fables, III, 3.

Mais bientôt le ciel en colère, 5
Par la main d'une humble bergère
Renversant leurs bataillons *(des Anglais)...*
BOILEAU, Ode, II.

Des bergers qui, couverts à peine de lambeaux déchirés, gardent des moutons infiniment mieux habillés qu'eux (...) 6
VOLTAIRE, la Princesse de Babylone, 3.

Ce qui mène aujourd'hui votre troupeau dans l'ombre, 7
Ce n'est pas le berger, c'est le boucher, Seigneur!
HUGO, les Châtiments, I, 12.

C'est devant nous un défilé sans fin de bœufs et de moutons (...) et que conduisent des bergers en longue robe et en turban, pareils à des saints ou à des prophètes (...) 8
LOTI, Jérusalem, II, p. 14.

Par métaphore (poét.). *«Bergère, ô tour Eiffel...»* → Troupeau, cit. 3, Apollinaire.

REM. Le mot *berger, bergère* employé seul et sans contexte spécifié, désigne le gardien, la gardienne du mouton; il évoque une réalité pastorale traditionnelle plutôt qu'une réalité agricole moderne et les mots renvoyés ci-dessus (par ext.) correspondent au sens dénotatif, non à l'emploi spontané du mot dans l'usage.

♦ **2** Hist. littér. (Dans la poésie pastorale). Personnage imité de l'antique et symbolisant la simplicité (parfois raffinée) des mœurs champêtres et les sentiments sincères. — Spécialt. Amant, amante (de bergerie). *Les bergers et les bergères de l'Astrée. Les bergers du Lignon. Au temps où les rois épousaient des bergères. Les auteurs précieux du* XVII^e^ *siècle aimaient mettre en scène des bergers.* → **Bergerie,** II.

Le jeune et beau Daphnis, berger de noble race (...) 9
LA FONTAINE, Daphnis, III, 33.

Peignez donc, j'y consens, les héros amoureux, 10
Mais ne m'en formez pas des bergers doucereux (...)
BOILEAU, L'Art poétique, 3.

Je ne sais pas si tu appelleras cela un mariage brillant. Moi, cela me fait l'effet d'un mariage au temps où les rois épousaient les bergères, et encore la bergère est-elle moins qu'une bergère, mais d'ailleurs charmante. 10.1
PROUST, Albertine disparue, Pl., t. III, p. 333.

Loc. *La réponse du berger à la bergère,* celle qui clôt la discussion, notamment par une réplique du tac au tac. — *L'heure du berger :* l'heure, le moment où l'amoureux trouve sa «bergère» favorable à ses vœux.

Je sais que Mustapha n'a pas trouvé avec vous l'heure du berger (...) VOLTAIRE, Lettre à Catherine II. 11

Il avait entendu dire que l'heure du berger une fois sonnée ne revient plus. 12
Th. GAUTIER, le Capitaine Fracasse, X.

Et le banquet annuel des Éventualistes se prolongea — (l'avenir probable de l'Humanité défrayant les conversations) — jusqu'à cette heure du Berger, si douce, toujours, à ces élus de la vie qui se sentent le corps lesté, l'esprit éclectique, le cœur à jamais libre, les convictions *éventuelles* — et la conscience vacante. 12.1
VILLIERS DE L'ISLE-ADAM, Tribulat Bonhomet, p. 34.

♦ **3** N. f. Fam. **BERGÈRE :** épouse, maîtresse. *Il se promenait avec sa bergère.*

2.2 Je ris, mais je parle sérieusement. Il n'y a pas à tergiverser. Allons, parle-moi de la bergère. — Il ne peut pas être question d'enlèvement. Elle est prête à demander le divorce pour m'épouser.
M. AYMÉ, Travelingue, p. 151.

(Sans le possessif). Femme, envisagée indépendamment de sa situation par rapport à un homme.

♦ **4** Fig. (→ aussi, par métaphore cit. 2 et 7, ci-dessus). Vx. Personne qui dirige un groupe. → **Pasteur; chef, conducteur** (d'hommes), **souverain.** — Mod. Relig. Pasteur des âmes, prêtre. *Un bon, un mauvais berger.*

13 Le Bon berger va après sa brebis perdue (...)
BOSSUET, Conv., I.

14 Le troupeau est-il fait pour le berger, ou le berger pour le troupeau? Image naïve des peuples et du prince qui les gouverne, s'il est bon prince (...)
LA BRUYÈRE, les Caractères, X, 29.

15 Il faut que ceux qui sont nés pour les gouverner *(les hommes)* en sachent plus qu'eux; il est juste que le berger soit plus instruit que le troupeau (...)
VOLTAIRE, Lettre au prince royal de Prusse, 11 janv. 1770.

Prov. (Vx). *Bon berger tond et n'écorche pas :* Il ne faut pas abuser de ceux qui vous aident.

♦ **5** N. m. Chien d'une race employée à garder les troupeaux. *Berger allemand. Berger de Brie.* → **Briard.** *Berger des Pyrénées.*

Adj. *Des chiens bergers. «Chienne bergère»* (Colette).

DÉR. **Bergerade, bergère, bergerette, bergerie, bergeronnette, bergerot.**

**BERGERADE** [bɛʀʒəʀad] n. f. — 1845; de *berger.* Rare.

♦ **1** Scène bucolique. → **Bergerie.** *Tableau, tapisserie représentant des bergerades.*

♦ **2** Péj. Poésie à thème pastoral, de peu d'intérêt. *Réciter des bergerades.* → **Bergerie** (II.), **berquinade.**

♦ **3** Littér., rare. Vie idyllique. *«Pensez-vous donc (...) que nous vivions une éternelle bergerade?»* (P. J. Toulet, *in* T. L. F.).

**BERGÈRE** [bɛʀʒɛʀ] n. f. — 1746; de *berger.*

**I** ♦ **1** Fauteuil* large et profond, à joues pleines et à accotoirs non évidés, dont le siège est garni d'un coussin. → Pose, cit. 4. *Bergère en gondole,* à dossier arrondi. *Bergère en confessionnal,* munie d'appuie-tête. *Bergère à oreillettes. Une bergère Louis XV.*

1 Deux bergères de tapisserie flanquaient la cheminée en marbre jaune et de style Louis XV.
FLAUBERT, Trois contes, I, 1.

2 Entassés en deux profondes bergères, se faisant pendant aux deux angles d'une cheminée (...)
A. MAUROIS, Bernard Quesnay, p. 14.

3 On pense à une bergère ancienne, on en a vu une chez un antiquaire... Elle sera peut-être un peu plus chère que les fauteuils de cuir, mais je t'assure que c'est une occasion aussi, et c'est tellement plus joli... Seuls les non-initiés pouvaient s'y tromper...
N. SARRAUTE, le Planétarium, p. 50.

♦ **2** (1752). Vx. Coiffure de femme réservée à l'intimité, au XVIIIe siècle. *Elle était coiffée en bergère.*

**II** ♦ **1** → **Berger.**

♦ **2** (1838). → **Bergeronnette, 2.**

**BERGERETTE** [bɛʀʒəʀɛt] n. f. — 1240; de *bergère (berger).*

♦ **1** Vx. Jeune bergère. → **Bergeronnette, 1.**

Ce dur regret que j'ai de Marion
Qui est, ô Pan, ton humble bergerette.
Clément MAROT, Complainte d'un pastoureau, *in* HUGUET.

♦ **2** (V. 1375). → **Bergeronnette, 2.**

♦ **3** (1461). Vx. Chant à caractère pastoral. *Chanter des bergerettes.* → **Bergerie, II.**

♦ **4** (XVIe). Vx. Boisson faite de vin et de miel, que l'on buvait à Pâques en chantant des chansons de bergers.

**BERGERIE** [bɛʀʒəʀi] n. f. — V. 1220; «activité du berger», fin XIIe de *berger.*

**I** ♦ **1** Lieu, bâtiment où l'on abrite les bêtes ovines. → **Bercail.** *Les moutons sont rentrés au bercail, ils sont dans la bergerie. Les cases, les crèches d'une bergerie.* → **Auge, doublier, ratelier.** *Bergerie d'élevage, d'engraissement.*

Celui qui n'entre pas par la porte dans la bergerie, mais qui y monte par ailleurs, est un voleur et un brigand. 1
BIBLE (SEGOND), Évangile selon saint Jean, X.

Le loup prêt à se ruer sur la bergerie, voit les bergers armés et les chiens en garde; tout affamé qu'il est, il se retire pour cette fois. 2
BOSSUET, 1er sermon de la Pentecôte, 2.

Par métonymie. Littér., rare. Le troupeau.

Quand au mouton bêlant la sombre boucherie 3
Ouvre ses cavernes de mort,
Pâtres, chiens et moutons, toute la bergerie
Ne s'informe plus de son sort (...)
André CHÉNIER, Iambes, II.

Loc. *Enfermer le loup dans la bergerie :* laisser, introduire qqn dans un lieu où il peut aisément faire du mal.

La crainte d'enfermer le loup dans la bergerie (...) 4
Mme DE SÉVIGNÉ, Lettres, 302, *in* LITTRÉ.

♦ **2** (Déb. XXe). Commerce. Ensemble des meubles constituant les comptoirs de vente, à l'intérieur duquel se tient la vendeuse d'un grand magasin. *Les meubles de la bergerie comme ceux de la gondole* sont compartimentés pour recevoir la marchandise.*

**II** ♦ **1** (1548). Poème, récit, pièce de théâtre mettant en scène la vie et les amours des bergers (→ **Berger,** 2.). *Une bergerie en prose.* → aussi **Bergerade, bergerette.** — *Les bergeries de Racan. Le XVIIe et le XVIIIe siècles ont été passionnés pour les bergeries.* → **Églogue; bucolique, pastorale.**

(...) sous ce titre : *Histoire des bergeries,* j'ai souvent désiré 5
de faire un livre d'érudition et de critique où j'aurais passé en revue tous ces différents rêves champêtres dont les hautes classes se sont nourries avec passion.
G. SAND, François le Champi, Avant-propos, 14.

Saïgon leur offre sa jungle hachée d'avenues, son théâtre 5.1
en carton-pâte, deux cinémas où l'on voit des crimes et des bergeries Marie-Antoinette (...)
Paul MORAND, Bouddha vivant, p. 61.

*La bergerie :* le genre littéraire, le style propre aux «bergeries».

Lorsqu'on a des personnes à faire parler en musique, il 6
faut bien que (...) on donne dans la bergerie.
MOLIÈRE, le Bourgeois gentilhomme, I, 2.

Tandis que la tragédie rougissait les rues, la bergerie flo- 7
rissait au théâtre (...)
CHATEAUBRIAND, Mémoires d'outre-tombe, I, 7.

♦ **2** Art. Scène bucolique. → **Bergerade.** *Un peintre de bergeries.*

**BERGERON** [bɛʀʒəʀɔ̃] n. m. — XIIIe; de *berger.*

Vx. Petit berger, jeune berger. — REM. Nerval emploie le mot pour désigner un vêtement rural «manteau de berger?»; sens non recueilli par Wartburg, → Roulière, cit. Nerval.

**BERGERONNETTE** [bɛʀʒəʀɔnɛt] n. f. — XIII^e; de *berger.*

♦ **1** Vx. Jeune bergère. → **Bergerette.**

1 Bergeronnette gentille,
Vous avez trop peu d'amour :
Mais vous ne seriez pas fille
Si vous aimiez plus d'un jour.

A. DUMAS, Œuvres mêlées, p. 184.

♦ **2** (1530). Mod. Oiseau passeriforme *(Motacilidés),* à longue queue, qui vit au bord de l'eau et dans le voisinage des troupeaux (syn. : *bergère, bergerette, hochequeue, lavandière*).

2 Compagne d'hommes innocents et paisibles, la bergeronnette semble avoir pour notre espèce ce penchant qui rapprocherait de nous la plupart des animaux, s'ils n'étaient repoussés par notre barbarie.

BUFFON, Hist. nat. des oiseaux, t. IX, p. 379.

3 (...) fantasque comme une bergeronnette (...)

A. DE MUSSET, Fantasio, I, 2.

**BERGEROT** [bɛʀʒəʀo] n. m. — XIII^e; répandu au XVI^e; de *berger.*

Régional (domaine occitan). Jeune berger. → **Pastoureau.**

**BERGINISATION** [bɛʀʒinizasjɔ̃] n. f. — 1929; de *Bergius,* l'inventeur.

Techn. Procédé par lequel on obtient du pétrole à partir de la houille.

**BERGMANIEN, IENNE** [bɛʀgmanjɛ̃, jɛn] adj. — 1958; du nom de Ingmar *Bergman,* cinéaste suédois.

Didact. Qui se rapporte à, ou évoque Bergman, son style, son œuvre.

Ces plans de lacs, de forêts, d'herbes, de nuages, ces angles faussement insolites, ces contre-jours trop recherchés, ne sont plus dans l'esthétique bergmanienne des jeux abstraits de la caméra ou des prouesses de photographe; ils s'intègrent, au contraire, dans la psychologie des personnages *à l'instant précis* où il s'agit, pour Bergman, d'exprimer un sentiment non moins précis.

J.-L. GODARD, Jean-Luc Godard, juil. 1958, *in* Coll. des cahiers du cinéma, p. 125.

**BERGSONIEN, IENNE** [bɛʀgsɔnjɛ̃, jɛn] adj. et n. — 1905, n., Péguy, *in* D. D. L.; de *Bergson.*

Relatif à la philosophie de Bergson (1859-1941). *Conceptions bergsoniennes de la conscience, de la mémoire. Intuition bergsonienne. L'«intériorité bergsonienne»* (Merleau-Ponty).

Il a été fait de la notion de sexualité, depuis cinquante ans, un usage si élastique, notamment sous l'impulsion du freudisme qu'il faut d'abord en préciser le champ. Jones indentifie à peu près la libido à l'élan vital bergsonien.

E. MOUNIER, Vue d'ensemble, tiré du «Traité du caractère», *in* D^r WILLY, la Sexualité, t. I, p. 23 (1964).

Partisan des théories de Bergson. *Il est bergsonien.*

N. *Un bergsonien. Les bergsoniens et les antibergsoniens.*

**BERGSONISME** [bɛʀgsɔnism] n. m. — 1906; du nom de *Bergson,* philosophe français.

Philos. Doctrine de Bergson, philosophie de l'intuition et de la durée.

**BÉRIBÉRI** [beʀibeʀi] n. m. — 1665, *berisberi;* mot malais, par le néerl.; on trouve en 1617 une forme *berber,* mot cinghalais d'orig. malaise, par le portugais.

Maladie due à la carence en vitamine B (→ **Avitaminose**), causée par la consommation exclusive de riz décortiqué et qui se manifeste essentiellement par des troubles nerveux (→ **Polynévrite**). *Le béribéri sévit en Extrême-Orient, au Congo. Béribéri infantile. Béribéri hydropique.*

Le béribéri (...) caractérisé par de graves troubles nerveux, décimait les populations d'Extrême-Orient (...) C'est Funck qui, le premier, découvrit la cause exacte du béribéri, en arrivant à isoler de l'enveloppe du grain de riz une substance chimique faisant partie du groupe des amines (...)

P. VALLERY-RADOT, Notre corps, p. 100.

**BERK** [bɛʀk] ou **BEURK** [bœʀk] interj. — V. 1960; onomatopée.

Fam. Interjection qui exprime le dégoût. *«Les princes charmants se sont évanouis (...) et se faire réveiller par un loubar... berk!»* (*l'Express,* n° 1393, mars 1978, p. 16).

Dire que dans cinq jours, je vais devoir soigner tous les tarés du 13^e, vacciner des bébés horribles, tripoter des trucs flasques, berk!

René FALLET, Y a-t-il un docteur dans la salle?, p. 215.

**BERKELEYEN, ENNE** [bɛʀklɛjɛ̃, ɛn] adj. et n. — 1888, *in* T. L. F.; angl. *berkeleyan, berkleyan* (1804, n.); de *Berkeley.*

Didact. (philos.). Relatif à la doctrine du philosophe irlandais Berkeley (1685-1753). *Philosophie berkeleyenne.* — N. *Un berkeleyen.*

REM. Le n. m., *berkeleyisme,* est attesté en 1888.

**BERKÉLIUM** [bɛʀkeljɔm] n. m. — Déc. 1949, en angl.; du nom de *Berkeley,* ville universitaire de Californie et université célèbre où cet élément fut découvert.

Chim. Élément chimique de numéro at. 97, cinquième élément transuranien*, obtenu en bombardant de l'américium 241 avec des ions hélium. (Symb. *Bk*).

**BERLAUD, AUDE** [bɛʀlo, od] adj. et n. — D. i. (attesté XX^e), dialectal; de *berlauder,* verbe dialectal du Centre, d'un rad. *berl-* ou *brel-,* et suff. *-aud.*

Régional (Centre). Imbécile (attesté chez Genevoix, *Raboliot,* p. 102).

REM. À rapprocher de *berlingas, berlinguas* (Ardèche), même sens.

**BERLE** [bɛʀl] n. f. — V. 1465; *belle,* XIII^e; bas lat. *berula* (V^e), d'orig. gauloise.

Plante aquatique dicotylédone *(Ombellifères).* → **Ache.** *La berle était employée autrefois comme antiscorbutique.*

Cataplasmes (...) faits avec des berles ou cresson d'eau, frites en l'huile d'olive.

O. DE SERRES, Théâtre d'Agriculture, VIII, 5.

**BERLIN** [bɛʀlɛ̃] n. m. — 1838; altér. de *barlins,* 1751; orig. inconnue, p.-ê. apparenté à *barlong.*

Techn. anc. (XVIII^e-XIX^e). Cordon formé de fils tordus ensemble et arrêtés par un nœud.

**BERLINE** [bɛʀlin] n. f. — 1718; *breline,* Saint-Simon, déb. XVIII^e; du nom de *Berlin,* ville où cette voiture fut mise à la mode.

♦ **1** Anciennt. Voiture* hippomobile suspendue, à quatre roues et à deux fonds, garnie de glaces et d'une capote. *Demi-berline.* → 1. **Berlingot.** *Berline à plusieurs rangs de banquettes sur le toit.* → **Mail-coach.** *Berline de poste.*

Le roi trouva devant lui la berline de Monseigneur (...) 1

SAINT-SIMON, Mémoires, 293, 234.

2 (...) elle *(la reine)* chargea Fersen de faire construire une vaste et capace berline (...)
MICHELET, Hist. de la Révolution franç., t. I, p. 589.

3 (...) de vieilles berlines dont les glaces étaient levées.
ALAIN-FOURNIER, le Grand Meaulnes, p. 75.

♦ **2** (1877). Benne roulante, chariot pour le transport de la houille dans les mines. → **Benne, wagonnet.** *Un train de berlines.*

♦ **3** Mod. (av. 1928). Conduite intérieure à quatre portes et quatre glaces latérales. *Demi-berline à deux portes.* → **Coach.**

DÉR. V. 1. **Berlingot.**

1. **BERLINGOT** [bɛʀlɛ̃go] n. m. — 1739; de *berlingue,* var. de *berline* p.-ê. d'après les dér. de l'anc. haut allemand **bretling* «planchette» (→ Brelan), ou (Guiraud) du rad. lat. *berl-,* correspondant à l'anc. franç. *berele* (→ Bélière), et suff. *-ingue.*

♦ **1** Ancienn. Demi-berline à un seul fond. → **Coupé.**

(...) le ci-devant marquis de Chargebœuf (...) arriva de sa terre à Cinq-Cygne, dans une espèce de calèche que, dans ce temps, on nommait par raillerie un berlingot.
BALZAC, Une ténébreuse affaire, Pl., t. VII, p. 554.

Par ext. (vx). Roulotte.

♦ **2** (1851). Fam., vx. Mauvaise voiture (à cheval).

HOM. 2. **Berlingot.**

2. **BERLINGOT** [bɛʀlɛ̃go] n. m. — 1618, *berlingaux,* désignant un gâteau; ital. *berlingozzo* «sorte de gâteau», de *berlengo* «table à manger», de l'anc. franç. *brelenc* «table de jeu de dés». → Brelan.

**I** ♦ **1** (XIX^e). Bonbon de forme tétraédrique, fait de sucre auquel on ajoute divers parfums. *Un paquet de berlingots. Sucer un berlingot.*

♦ **2** (Mil. XX^e). Emballage de forme tétraédrique, utilisé pour les liquides. *Un berlingot de lait, de jus de fruit.*

(...) dans l'enthousiasme, j'avais rédigé un texte où je comparais l'usine (qui avait la forme d'un U) à une personne, une sorte de prestidigitateur qui engloutirait des camions-citernes et les transformerait miraculeusement en petits pots de yaourt et de képhyr[1], en berlingots et en bouteilles de lait (...)
Marie CARDINAL, les Mots pour le dire, p. 264.
1. (→ Kéfir).

Contenu de cet emballage. *Répandre un berlingot de lait par terre.*

**II** ♦ **1** (V. 1925). Argot anc. Balle, projectile d'arme à feu.

♦ **2** Fam. et vulg. (Av. 1867, Delvau, «pénis»; autres emplois érotiques depuis 1659, Duez). Clitoris; sexe de la femme.

DÉR. (De II., 2.) 2. **Berlingue.** ◊ HOM. 1. **Berlingot.**

1. **BERLINGUE** [bɛʀlɛ̃g] n. m. — 1580; *brelingue,* 1545; de *brelenc* «table de jeu de dés». → Brelan.

Vx. Monnaie d'une valeur de dix deniers, en usage en France aux XVI^e et XVII^e siècles.

HOM. 2. **Berlingue.**

2. **BERLINGUE** [bɛʀlɛ̃g] n. m. — V. 1925; de 2. *berlingot,* II., 2.

Argot fam. Pucelage, virginité. *Perdre, se faire prendre son berlingue.*

HOM. 1. **Berlingue.**

**BERLINOIS, OISE** [bɛʀlinwa, waz] adj. et n. — 1804, n., B. Constant; de *Berlin.*

Relatif à la ville de Berlin. *Les musées berlinois.* — Originaire de Berlin. — N. Habitant, habitante de Berlin. *Un Berlinois, une Berlinoise.*

**BERLOQUE** [bɛʀlɔk] n. f. Vx ou régional. → **Breloque.**

1. **BERLUE** [bɛʀly] n. f. — 1536; *bellue,* XIII^e «histoire mensongère, qui trompe»; déverbal de l'anc. franç. *belluer* «éblouir» d'orig. incert., p.-ê. de *bes-, bis,* préf. péjor., et d'un dér. de *lux, lucis* «lumière», ou d'un lat. pop. **bisluca* (→ Bluette), de *fanfaluca* (→ Fanfreluche).

♦ **1** Vx. Trouble de la vue* qui déforme la réalité ou fait percevoir des objets imaginaires. → **Éblouissement, hallucination.**

♦ **2** Fam. (avec les v. *avoir, donner*). Impression visuelle trompeuse.

Si je n'ai la berlue, 1
Je le vois qui revient.
MOLIÈRE, l'École des femmes, II, 3.

(...) une chose enfin qui se fera dimanche, où ceux qui la 2
verront croiront avoir la berlue (...)
M^me DE SÉVIGNÉ, Lettres, 121, 15 déc. 1670.

Fig. (Rare). *Une, des berlues* : illusion(s) de l'esprit. *Avoir des berlues,* des illusions (Flaubert, *in* T. L. F.). — Fam. *Se faire des berlues* : s'illusionner. → **Berlurer** (se).

Loc. (Cour.). AVOIR LA BERLUE : se faire une fausse idée (de qqch.); avoir des illusions. — Vx. *Avoir la berlue pour qqn* : en être ébloui, épris.

*(Cette reine)* Pour qui le grand Antoine a si fort la 3
berlue (...)
LA FONTAINE, Ragotin, IV, 4, *in* HATZFELD.

COMP. **Éberluer.** ◊ HOM. 2. **Berlue.**

2. **BERLUE** [bɛʀly] n. f. — 1836, *les Voleurs,* de Vidocq, *in* Esnault; de *berlinge* «grosse bure, tissée surtout en Bretagne», selon Esnault, p.-ê. du rad. de *berlong, barlong*;* à noter l'initiale commune avec *berne*.*

Argot. Couverture (→ Rectangulairement, cit.).

HOM. 1. **Berlue.**

**BERLURER (SE)** [bɛʀlyʀe] v. pron. — Atteste mil. XX^e, très antérieur dans les parlers régionaux picards; de *berlue.*

Argot. Se faire des illusions. — REM. L'emploi actif «raconter des histoires, des "berlues"», est attesté chez Simonin *(le Petit Simonin illustré),* mais ne semble pas usuel.

**BERME** [bɛʀm] n. f. — 1611, *barme;* moy. néerl. *barm* «talus».

Technique.

♦ **1** (1676, *berme*). En fortifications, Chemin étroit entre le pied d'un rempart et un fossé.

Dreux et le duc de Mortemart chassèrent les ennemis; ils 1
revinrent et s'établirent sur la berme.
SAINT-SIMON, Mémoires, 278, 8.

(...) avant qu'aucun de ses surveillants ne l'eût même 2
couché en joue, il leur avait appliqué un coup de fouet qui les renversa sur la berme.
BALZAC, les Chouans, Pl., t. VII, p. 790.

♦ **2** Chemin laissé entre une levée et le bord d'un canal ou d'un fossé, ou au bord d'une route, entre la route et le talus.

DÉR. V. 2. **Berne** (en).

**BERMUDA** [bɛʀmyda] n. m. — 1962, *in* Höfler; mot amér., du nom des îles *Bermudes.*

Short à longues jambes, assez étroites, qui s'arrêtent au-dessus du genou. *Porter un bermuda* ou *des bermudas* (sing. ou plur. comme pour *pantalon*). *Bermuda en tissu à fleurs.*

1 Il portait un bermuda à la tahitienne, rouge fleuri de blanc, des chaussures de tennis. Rien d'autre.
Christine DE RIVOYRE, la Visite, *in* le Figaro littéraire, 9-15 sept. 1968.

2 La foule guenilleuse, nue ou sommairement vêtue de pagnes, de pantalons clairs, de shorts décolorés et parfois de bermudas bigarrés, fleuris et de tee-shirts assortis (...)
P. GRAINVILLE, les Flamboyants, p. 154.

**BERMUDIEN, IENNE** [bɛʀmydjɛ̃, jɛn] adj. et n. — 1792, mar.; du nom des îles *Bermudes,* au N.-O. des Antilles.

♦ **1** Relatif aux Bermudes. — Originaire des Bermudes. — N. *Un Bermudien, une Bermudienne* : un habitant, une habitante des Bermudes.

♦ **2** Mar. *Gréement bermudien,* caractérisé par des mâts à pible et des voiles triangulaires. → **Marconi.** *Cotre, sloop bermudien,* muni d'un gréement bermudien.

**BERNACHE** [bɛʀnaʃ] ou **BERNACLE** [bɛʀnakl] n. f. — 1600, *bernache; bernacle,* 1671; p.-ê. de l'irlandais *bairnech.* → Barnache.

♦ **1** Petite oie sauvage. → **Barnache** (1.). *Bernache cravant, bernache collier, bernache nonnette.* — Adj. *Oie bernache.*

1 On a prétendu que les macreuses naissaient, comme les bernaches, dans les coquilles ou dans du bois pourri, nous avons suffisamment réfuté ces fables.
BUFFON, Hist. nat. des Oiseaux, t. XVII, p. 335.

2 (...) des coquilles ouvertes, pareilles à celles des œufs de bernaches et de macreuses, l'entouraient, la cernaient (...)
Jean CAYROL, Histoire de la mer, p. 108.

♦ **2** (1751, *bernacle; bernache,* 1768). → **Barnache** (2.).

**BERNARDIN, INE** [bɛʀnaʀdɛ̃, in] n. — 1512, p.-ê. dans un autre sens; au fém., 1636; de *saint Bernard.*

Religieux, religieuse de l'ordre de Saint-Benoît, réformé au XII^e siècle par saint Bernard. → **Cistercien.** *Un couvent de bernardins. La rue des Bernardins,* à Paris.

Renvoyez les demoiselles de St-Cyr, quand vous ne croirez pas qu'elles sont de bonnes bernardines (...)
M^me DE MAINTENON, Lettre à M^me de Viefville, 24 oct. 1705.

**BERNARD-L'HERMITE**
ou (Académie) **BERNARD-L'ERMITE** [bɛʀnaʀlɛʀmit] n. m. invar. — 1554; du languedocien *bernat l'ermito,* nom propre à valeur péj. (*bernat* en languedocien, désigne de nombreux animaux); de *Bernard,* et *ermite.*

Crustacé qui loge son abdomen mou et fragile dans une coquille vide de gastéropode. → **Pagure.** *Des bernard-l'hermite* (Grevisse). — REM. On écrirait plus normalement *des bernards-l'hermite.*

1 Certains hommes sont, plus que d'autres, susceptibles d'accepter une formule toute faite; comme le bernard-l'ermite (...) qui s'installe dans la première coquille vide qu'il rencontre, et qui s'y moule.
MARTIN DU GARD, Jean Barois, IV, 122.

2 Entre temps se posa dans l'espace archaïque
le mollusque avec sa coquille et parfois sans
Bernard bien le bonjour Bernard Bernard l'Hermite
comment donc as-tu fait lorsque le corps mœlleux
t'attendais astucieux au fond de quelque crique
qu'un confrère conard secrétât ta maison?
les vers et les oursins menaçaient tes organes
cependant tu vécus Comment donc as-tu fait
Bernard le dévêtu Bernard le cryptogame (...)
pour guetter sans périr le travail des ocieux
R. QUENEAU, Petite cosmogonie portative, *in* Chêne et Chien, p. 117-118.

Var. anc. : *bernard-hermite* (Cuvier).

**BERNE** [bɛʀn] n. f. — 1680; «couverture», 1625; «crible», 1611; de *berner* «vanner (le blé)», confondu avec *berne* «manteau de femme», de l'esp. *bernia,* selon Guiraud *berne* «couverture» est apparenté au lat. *birrus* «étoffe grossière». → Béret.

♦ **1** Vx. Mauvais tour, brimade consistant à faire sauter quelqu'un en l'air sur une couverture tenue par plusieurs personnes (→ **Berner**). *Le jeu de berne.*

Être poussé d'un coup de berne
Jusqu'à moitié chemin des cieux (...)
MAYNARD, *in* Dict. de RICHELET (1690).

♦ **2** Rare (déverbal de *berner*). Tromperie.

**BERNE (EN)** [ɑ̃bɛʀn] loc. adv. — 1676, Pomey; p.-ê. de *berme*.*

Se dit d'un drapeau (étendard, pavillon...) hissé à mi-mât. *À bord des navires, le pavillon en berne est un signal de détresse. On met les drapeaux des édifices publics en berne à l'occasion d'un deuil national.*

Dans le port, les vaisseaux avaient leurs vergues croisées, leurs pavillons en berne (...)
BERNARDIN DE SAINT-PIERRE, Paul et Virginie, p. 130.

Par ext. *Drapeau en berne,* non déployé, roulé.

Par métaphore. En deuil. «*Veuve de pied en cap et le regard même en berne*» (Hervé Bazin, *la Mort du petit cheval,* in T. L. F.).

**BERNEMENT** [bɛʀn(ə)mɑ̃] n. m. — 1661, Molière; de *berner,* 2.

Vx. Action de berner (2.). — Var. régionale : *bernerie,* n. f. (1858, G. Sand).

**BERNER** [bɛʀne] v. tr. — 1534, Rabelais, sens douteux; 1508 en lat., *bernare;* «moquer», 1486; orig. incert.; probablt dérivé avec métathèse de *bren* «son» : aurait signifié initialement «vanner le blé»; selon John Orr, plutôt du sens «excréments» (→ Bren), le mot aurait alors eu la valeur initiale de «conchier».

♦ **1** Vx. Faire subir à (qqn) la brimade de la berne*. → **Brimer.**

La jalousie que quelques écoliers conçurent (...) les poussa à le *(le 3^e fils de Mancini)* berner dans une couverture. 1
SAINT-SIMON, Mémoires, 357, 218.

♦ **2** (1611). Fig. Tromper* en ridiculisant. → **Duper, jouer, railler.**

Quelqu'un le reconnut : il se vit bafoué, 2
Berné, sifflé, moqué, joué (...)
LA FONTAINE, Fables, IV, 9.

Tout au plus ai-je à me reprocher l'inoffensive plaisanterie dont je confesse avoir longtemps berné l'indulgente patience de mon maître (...) 3
COURTELINE, Petit historique de Boubouroche.

Mais cette comédie du sport avec laquelle on berne et fascine toute la jeunesse du monde, j'avoue qu'elle me semble assez bouffonne. 4
G. DUHAMEL, Scène de la vie future, XII.

◆ **BERNÉ, ÉE** p. p. adj. *Un mari berné.* → **Trompé.** — N. m. (XVIII^e). *Le berneur et le berné.*

Et que, partant, il est clair que le berné n'a manqué à aucun de ses devoirs envers son héros le berneur (...) 5
VOLTAIRE, Lettre à Richelieu, 19 déc. 1764.

DÉR. **Bernement, berneur.**

**BERNEUR, EUSE** [bɛʀnœʀ, øz] adj. et n. — 1664; de *berner.*
Rare. Qui berne. — N. Personne qui berne.

**BERNICLE** [bɛʀnikl] ou **BERNIQUE** [bɛʀnik] n. f. — 1742; breton *bernic.*
Patelle* (→ Régal, cit. 2).

1 Nous prenions les berniques au bout de nos couteaux, et nous les mangions toutes vivantes, en mordant à même dans nos tartines (...) LOTI, Mon frère Yves, XXI, 73.

2 Impossible de ne pas succomber un peu au désespoir, et l'armée du souvenir, etc., en profita, lâcha sur nous ces sensations maudites de l'enfance, celles qu'on ne retrouvera jamais plus (...) de délicats animaux, d'anémones de mer et de bernicles, ces perceptions fragiles et muettes (...) J.-M. G. LE CLÉZIO, le Déluge, p. 23.

**BERNIQUE** [bɛʀnik] interj. — 1756; *bernicle* (argot), 1725; p.-ê. de *bren* «son», et, fig., «ordure, merde», le rattachement à *bernique* «patelle» ou au picard *barnik* «jeu» est sans base sûre.
Fam., vieilli. Exprime que l'espoir qu'on a est mal fondé et sera déçu (Littré). → **Non, rien** (à faire).

1 Il faut de l'argent pour être heureux; sans argent, bernique! BALZAC, *in* Pierre LAROUSSE.

2 Mais pour en savoir plus, bernique! BERNANOS, Un crime, *in* Œ. roman., Pl., p. 729.

3 Elle m'a déjà fait essayer beaucoup de pentes quand nous faisions du ski mais quant à essayer la vie pour lui dire quel goût elle a, bernique! Qu'elle s'y frotte et s'y pique. Benoîte et Flora GROULT, Journal à 4 mains, p. 42.

**BÉROÉ** [beʀɔe] n. m. — 1792; appell. myth., lat. *Beroe* (Virgile), grec *Beroê*; nom d'une Océanide.
Zool. Cténophore* en forme de sac, mesurant quelques centimètres.

Les Béroés comme beaucoup de cténophores sont luminescents et donnent une belle lumière verte qui, dans l'eau, peut être perceptible à plusieurs dizaines de mètres. Paul BOUGIS, le Plancton, p. 35.

**BÉROT** [beʀo] n. m. — Mot dial., apparaît dans les dict. généraux au XIXe (Bescherelle, 1843); probablt du rad. francique **bera,* qui a donné *bière,* d'abord «civière», puis «cercueil».
Techn., rare. Petite charrette non suspendue.

**BERQUINADE** [bɛʀkinad] n. f. — 1857, Goncourt; du nom de *Berquin,* auteur d'ouvrages sentimentaux.
Littér. Œuvre mièvre et sentimentale. *Écrire des berquinades.*

Gloire de me voir dans de petits livres de lecture pour l'école primaire. D'ailleurs, mes *Bucoliques* y ont un air de berquinades. J. RENARD, Journal, 23 nov. 1903.

**BERQUINISME** [bɛʀkinism] n. m. — 1844, Balzac; de *Berquin.*
Littér., rare. Sentimentalisme fade, dans un texte.

**BERRIASIEN, IENNE** [bɛʀjazjɛ̃, jɛn] adj. et n. m. — Av. 1896, W. Kilian, *in* E. Hang; de *Berrias* dans l'Ardèche.
Didact. (géol.). Se dit de l'étage de base du Néocomien inférieur. N. m. *Le Berriasien.*

**BERRICHON, ONNE** [beʀiʃɔ̃, ɔn] adj. et n. — 1721, n.; de *Berry.*
Du Berry. *Paysan berrichon. Coutume berrichonne. Accent, parler berrichon. Mots berrichons attestés chez George Sand. Cheval, mouton berrichon* (n. m. *un berrichon*). *Race berrichonne.*
N. Personne originaire du Berry. *Un Berrichon, une Berrichonne.*
N. m. Dialecte berrichon.
N. f. *À la berrichonne :* se dit d'un plat de viande (mouton) accompagné de choux, petits oignons, tranches de lard et parfois de marrons.

**BERS** [bɛʀ] n. m. → **Ber.**

**BERSAGLIER** [bɛʀsaglije] n. m. — 1866; ital. *bersagliere,* de *bersaglio* «cible pour tirer à l'arc», du franç. *bersail,* de *berser* (XIIe) «tirer à l'arc».
Soldat italien de l'infanterie légère, qui porte un feutre à plume. Plur. *Des bersaglieri* (plur. ital.); *des bersagliers.*

**BERTHA** [bɛʀta] n. f. — 1918; du prénom de *Bertha* Krupp, fille du fabriquant de canons Friedrich-Alfred Krupp.
Ancienn^t (1918). Canon allemand de 420 mm ou de 210 mm. *La grosse Bertha. Les berthas.*

**BERTHE** [bɛʀt] n. f. — 1847; de la reine *Berthe,* mère de Charlemagne.
**I** ♦ **1** Large col arrondi ou pèlerine que les femmes portent sur un corsage décolleté ou par-dessus une robe.
♦ **2** (1850). Vx. Nom d'une coiffure féminine, où les cheveux étaient divisés en deux bandeaux plats. Syn. : *coiffure à la Berthe.*
**II** (P.-ê. d'autre origine). Récipient* de métal pour transporter le lait. → **Bouille.**

**BERTHOLLETIA** [bɛʀtɔlesja] n. f. — 1846, Bescherelle; *berthollétie,* 1834, Landais; lat. mod., du nom de *Berthollet.*
Grand arbre d'Amérique tropicale (Brésil) à fleurs jaunes, de la famille des *Myrtacées,* dont la graine comestible est appelée *noix de Para, noix du Rio Negro, châtaigne du Brésil.*

**BERTHON** [bɛʀtɔ̃] n. m. — 1899; du nom de l'inventeur.
Mar. Petit canot pliant en toile imperméable.
En appos. *Canot berthon.*

**BERTILLONNAGE** [bɛʀtijɔnaʒ] n. m. — 1897; de *Bertillon,* nom de l'inventeur.
Système d'identification des criminels, mis en application à partir de 1882, et fondé principalement sur l'anthropométrie.
REM. Le verbe *bertillonner,* v. tr. («identifier par le procédé du bertillonnage») est attesté.

En sortant de la zone, on n'avait aucun papier d'identité (...)
Normalement, ça n'aurait pas dû avoir d'importance, vu que dans les années précédentes, la police avait soigneusement pris et repris nos empreintes. Je dois avoir tout un casier à moi dans les services anthropométriques! Par petits bouts, ma tronche! Face et profil! (...) C'est qu'on m'a bertillonné dans tous les sens de ma personne, quand j'étais plus jeune. Louis CALAFERTE, Partage des vivants, p. 80.

**BÉRYL** [beʀil] n. m. — 1125, *beril* «pierre précieuse» (→ Bésicles); lat. *beryllus,* grec *bêrullos.*
Pierre précieuse, silicate naturel d'aluminium et de béryllium, de couleur variable. *Béryl vert.* → **Émeraude.** *Béryl bleu.* → **Aigue-marine.**

Pierres précieuses enchâssées dans l'or, sardoine, onyx et béryl (...) VOLTAIRE, Philosophie, IV, 160. 1

Elle triturait d'une main déliée un collier de béryls et me fixait de ses yeux bleus, plus riches en nuances que je ne l'eusse pensé. A. BLONDIN, les Enfants du bon Dieu, p. 93. 2

DÉR. **Béryllium.**

**BÉRYLLIOSE** [beʀiljoz] n. f. — XXe; de *béryllium*, et suff. 2. *-ose*.

Méd. Maladie pulmonaire provoquée par l'inhalation de poussières contenant du béryllium (maladie professionnelle : industrie aéronautique, enseignes lumineuses, céramique et verrerie).

**BÉRYLLIUM** [beʀiljɔm] n. m. — Attesté 1838 (Académie, *Compl.* 1842); reconnu comme métal en 1828; de *béryl*.

Chim. Métal gris d'acier, dur et léger, très réfractaire (symb. *Be;* no at. 4; p. at. 9,013; densité 1,84; température de fusion 2 970 °C), utilisé sous forme d'alliage dans l'aéronautique et les réacteurs nucléaires. *Maladie causée par l'absorption de poussières de béryllium.* → **Bérylliose.**

DÉR. **Bérylliose.**

**BERZINGUE (À TOUT, À TOUTE)** [atubɛʀzɛ̃g; atutbɛʀzɛ̃g] loc. adv. — 1935; de *à, tout,* et *berzingue,* var. dial. — rouchi, picard — de *brindezingue*.

À toute vitesse*. *Filer, foncer, se tailler à tout berzingue. Dévaler la pente à toute berzingue.*

1 On dégringolait la rue de Dunkerque à tout berzingue (...)
Albert SIMONIN, Touchez pas au grisbi, p. 15.

2 Cependant, commençait à courir par les rues environnantes le bruit qu'à la taverne des Trois Étoiles un cheval parlait; aussi le bon peuple de la ville capitale en profitait-il pour jacasser à tout berzingue et commenter l'événement en ces termes (...)
R. QUENEAU, les Fleurs bleues, p. 34.

**BESACE** [bəzas] n. f. — V. 1200; du bas lat. *bisaccium* «double sac», plur. *bisaccia,* de *bis* et *saccus*. → Bissac.

♦ **1** Sac* d'une matière souple, long, ouvert par le milieu et dont les extrémités forment deux poches. → **Bissac.** *Les moines mendiants portaient la besace. Porter, transporter qqch. dans sa besace.* — Loc. fig. (Vieilli). *Être réduit à la besace* (Académie), à la mendicité.

1 (...) **besace** plutôt encore que **bissac** est pris pour signe et attribut de la misère et de la mendicité : Être réduit à la **besace.**
LAFAYE, Dict. des synonymes, Besace, bissac.

2 (...) un mendiant portant besace (...)
CHATEAUBRIAND, Mémoires d'outre-tombe, I, 7.

3 Un sac de toile jaune, décoloré, gonflé comme une besace de pèlerin : vieux compagnon, fidèle jusqu'au dernier voyage (...)
MARTIN DU GARD, les Thibault, t. VIII, p. 89.

Loc. Vieilli. *Être jaloux de qqch. comme un gueux de sa besace :* tenir beaucoup à qqch.

♦ **2** Archit. *Appareil en besace,* dont les pierres sont disposées alternativement en longueur et en largeur. *Assise en besace.*

DÉR. **Besacier.**

**BESACIER** [bəzasje] n. m. — 1524; de *besace*.

Celui qui porte une besace (le fém. *besacière* n'est pas attesté).

1 Le fabricateur souverain
Nous créa besaciers tous de même manière,
Tant ceux du temps passé que du temps d'aujourd'hui :
Il fit pour nos défauts la poche de derrière,
Et celle de devant pour les défauts d'autrui (...)
LA FONTAINE, Fables, I, 7.

Spécialt. Mendiant.

2 On disait autrefois, les *Besaciers* de Saci, parce que ses Habitants mendiaient presque tous; ce qui n'était pas étonnant avec un si mauvais territoire.
RESTIF DE LA BRETONNE, la Vie de mon père, p. 134.

Moine mendiant. — Adj. «*Un membre besacier d'un ordre mendiant*» (Goncourt, *Journal*).

**BESAIGRE** [bəzɛgʀ] adj. et n. m. — 1752, *besaigre;* provençal *besaigre* «deux fois aigre», de *bes-* (lat. *bis*), et *aigre*.

Vx. (En parlant d'un vin). Qui s'aigrit. → **Acide.**

N. m. Acidité. *Ce vin tourne au besaigre* (Académie). Fig. *Cette personne tourne au besaigre.*

*Besaigre. Tourner au besaigre* (...) Cette locution, toute fautive qu'elle paraisse aux yeux des critiques, a reçu la sanction de l'usage, et est fort en vogue parmi le peuple.
D'HAUTEL, Dict. du bas-langage, 1808, *in* BRUNOT, Hist. de la langue franç., X, p. 694.

**BESAIGUË** [bəzegy] n. f. — 1160, *besagüe* (av. 1188, «arme à deux tranchants»); du lat. pop. *bisacuta* «deux fois aiguë», de *bis,* et *acutus*. → Aigu.

Technique.

♦ **1** Outil de charpentier dont les deux bouts acérés sont taillés l'un en forme de ciseau*, l'autre en forme de bédane. *Faire des tenons et des mortaises avec une besaiguë.* — REM. On dit aussi *bisaiguë* [bizegy].

♦ **2** (1752). Marteau de vitrier.

**BESANT** [bəzɑ̃] n. m. — 1080; du lat. *byzantium,* monnaie byzantine.

♦ **1** Monnaie byzantine d'or et d'argent. *Les besants se répandirent en Europe au temps des croisades. — Besant d'or. Besant d'argent.*

(...) cinquante chars dont vous ferez un charroi, comblés de tant de besants d'or fin que vous en pourrez largement payer* vos soudoyers. 1
La Chanson de Roland, trad. BÉDIER, IX.

Chaque homme fut obligé de donner pour rançon dix besants d'or (...) 2
CHATEAUBRIAND, Itinéraire..., II, 276.

REM. Les graphies *besan* et *bezant* sont archaïques.

♦ **2** (1606). Blason. Figure circulaire d'or et d'argent. *Le besant est de métal, le tourteau* d'émail. Tourteau-besant :* cercle moitié métal, moitié émail.

♦ **3** (1866). Archit. Disque saillant sculpté sur un bandeau, une archivolte. *Le besant est un ornement de style roman.*

DÉR. **Besanté.**

**BESANTÉ, ÉE** [bəzɑ̃te] adj. — Huon de Méry, *in* Godefroy; du verbe *besanter* (1267, *Berte*); de *besant,* 2.

Blason. Qui porte un ou plusieurs besants. *Écu besanté. Pièce honorable besantée.*

**BESAS** [bəza] n. m. → **Bezet.**

**BESEF** [bezɛf] adv. — 1861; mot sabir; arabe maghrébin *bezzāf* «à foison, beaucoup».

Fam. (Rare en emploi positif → cit. 1). Beaucoup. *Pas besef :* pas beaucoup. *Y a pas besef d'argent. Il ne l'apprécie pas besef.*

On écrit aussi *bésef, bezef, bézef* et (vx, chez Courteline) *beseff.*

Ouvrons l'œil et fermons nos tirelires à braise, conseillait Ribouldingue rendu méfiant par ces deux leçons consécutives. Nous avons affaire à des types qui sont bezef plus calés que nos gnasses (...) 1
L. FORTON, les Aventures des Pieds-Nickelés, *in* l'Épatant, 1909, p. 71.

En attendant, quant aux malades, il n'en venait pas «bezef». Faut le temps de démarrer, qu'on me disait pour me rassurer. 2
CÉLINE, Voyage au bout de la nuit, p. 221 (1932).

REM. L'expression tend à vieillir.

**BESET** [bəzɛ] n. m. → **Bezet.**

**BESI** [bəzi] n. m. — 1680, Richelet; orig. obscure.

Variété de poire. *Besi d'Heri. Besi Chaumontel.*

**BÉSICLARD, ARDE** [beziklaʀ, aʀd] n. — Attesté 1949, H. Bazin; de *besicles.*

Fam. Personne qui porte des lunettes, des bésicles (2.). → **Lunetteux** (fam.).

Cette combattante avait des complaisances pour ce soumis, le beau monstre préférait ce bésiclard studieux, froid et calculateur.
Hervé BAZIN, la Mort du petit cheval, p. 259.

**BESICLES** [bəzikl] ou **BÉSICLES** [bezikl] n. f. pl. — 1555 (au plur.); altér., d'après *bes-, bis-* (lat. *bis*), de *bericle* «lunette» (1328); anc. franç. *bericle* (XIIe), var. de *beril* (→ Béryl), pierre qui a servi à faire des loupes. REM. L'Académie française recommande la graphie *bésicles,* manifestant ainsi que la prononc. [bezikl] l'emporte.

♦ **1** Anciennt. Lunettes. *Porter, mettre des besicles. Chausser* ses besicles.*

1 Vous n'avez pas bien chaussé vos besicles sur les prophéties que vous faites (...)
Mme DE SÉVIGNÉ, Lettres, 773, 19 janv. 1680.

2 Parce que les besicles ont été enfin inventées, doit-on dire que Dieu a fait nos nez pour porter des lunettes?
VOLTAIRE, Éléments de la philosophie de Newton, III, II.

2.1 Et, saisissant ses besicles à pleines mains, elle se les arracha du front. Les verres se brisèrent entre ses mains ensanglantées, et elle tordit leur monture dans une convulsion.
VILLIERS DE L'ISLE-ADAM, Tribulat Bonhomet, p. 165.

Loc. *À grand renfort de besicles :* en faisant très attention.

3 Il faut être sorcier pour lire *(le manuscrit)*; j'espère pourtant en venir à bout, à grand renfort de besicles.
P.-L. COURIER, I, 90.

♦ **2** Mod., par plais. Lunettes. *Il est complètement miraud, il lui faut des bésicles. Attendez que je mette, que je chausse mes bésicles.*

DÉR. **Bésiclard.**

**BÉSIGUE** [bezig] n. m. — V. 1820; orig. inconnue; un jeu de cartes italien se nomme *bazzica* (p.-ê. de *bazza* «gain au jeu»), l'élément initial évoque *bis-,* le jeu étant souvent à deux; pour Guiraud, apparenté au provençal *besi* (d'où *besigue*), p.-ê. du bas lat. **bisicus* «tordu».

Anciennt. Jeu de cartes proche du mariage*, qui se joue (à deux, parfois trois ou quatre joueurs) avec plusieurs jeux de 32 cartes. *Tailler un bésigue.*

1 Elle ne poursuivit plus de sa haine l'abbé qui faisait le bésigue de la famille et qu'elle trouvait sans mystère.
GIRAUDOUX, Simon le pathétique, p. 151.

2 (...) l'abbé Donissan ne se trouvait libre qu'à minuit passé, ayant alors perdu la partie de bésigue quotidienne de M. Menou-Segrais.
BERNANOS, Sous le soleil de Satan, Œ. roman., Pl., p. 160.

Var. : *bézi* (Goncourt), *bési,* [bezi].

**BESOGNE** [bəzɔɲ] n. f. — V. 1160, *besonge* «besoin»; *besuigne,* fin XIIe (probablt antérieur → Besogneux); du francique **bisunnia* «soin, souci», de *bi-,* et **sunnia,* formes féminines correspondant au neutre **bisunni.* → Besoin.

**I** ♦ **1** Vx. Ce qui fait besoin, ce qui est nécessaire. → **Nécessaire** (n. m.).

1 Le galant, pour toute besogne,
Avait un brouet clair (...)
LA FONTAINE, Fables, I, 18.

♦ **2** (V. 1280). Acte sexuel (→ **Besogner**).

Le sommeil suffoque et supprime les facultés de notre âme, la besogne les absorbe et dissipe. 2
MONTAIGNE, Essais, III, 5.

L'éternuement absorbe toutes les fonctions de l'âme aussi bien que la besogne; mais on n'en tire pas les mêmes conséquences contre la grandeur de l'homme, parce que c'est contre son gré. 3
PASCAL, Pensées, 160.

♦ **3** (V. 1165). Vx. Misère, pauvreté; fait d'être dans le besoin.

**II** ♦ **1** (1268, *besoigne*). Mod. (style soutenu). Travail* imposé par la profession ou par toute autre cause. → **Occupation, ouvrage, tâche.** *Avoir beaucoup de besogne. Faire sa besogne.* — Loc. *Abattre de la besogne; broyer de la besogne* (vx) : travailler beaucoup. *Une besogne vite expédiée. La besogne de qqn, sa besogne. S'atteler* (cit. 7), *s'attarder* (cit. 3) *à sa besogne. — Être surchargé, débordé de besogne. Une lourde, une rude, une méchante, une obscure, une stérile, une aride* (cit. 7) *besogne. Une besogne faite à regret.* → **Corvée.** — Loc. *Ce n'a pas été une mince besogne de le décider, que de le décider. — Être vif, lent à la besogne,* au travail.

Elle fait la grosse besogne (...) 4
Mme DE SÉVIGNÉ, Lettres, 221, *in* LITTRÉ.

Quand ma besogne, devenue une espèce de routine, occupa moins mon esprit, il reprit ses inquiétudes. 5
ROUSSEAU, les Confessions, V.

Il *(Charles Bovary)* accomplissait sa petite tâche quotidienne à la manière du cheval de manège, qui tourne en place les yeux bandés, ignorant de la besogne qu'il broie. 6
FLAUBERT, Mme Bovary, I, I.

Mes maîtres me rendirent tellement impropre à toute besogne temporelle, que je fus frappé d'une marque irrévocable pour la vie spirituelle (...) toute profession lucrative me semblait servile et indigne de moi. 7
RENAN, Souvenirs d'enfance..., III, 1.

La vue des trois frères, si ardents, si gais à la besogne, finissait par l'emplir d'une sorte d'irritation mauvaise. 7.1
ZOLA, Paris, t. II, p. 51.

Il jouait le monsieur débordé de besogne, qui repassera une autre fois n'ayant pas le temps de flâner. 8
COURTELINE, Messieurs les ronds-de-cuir, IIe tableau, III.

(...) on songe toujours moins à faire sa propre besogne qu'à empêcher le voisin de faire correctement la sienne. 9
G. DUHAMEL, Récits des temps de guerre, XXX, p. 113.

La besogne que peut abattre l'homme qui, chaque matin que Dieu fait, est dès l'aube à sa table de travail, à son établi ou dans son magasin, tient du prodige. 10
A. MAUROIS, Un art de vivre, p. 99.

Prov. *Selon l'argent, la besogne :* on travaille d'autant mieux qu'on est mieux payé.

Loc. *Aller vite en besogne :* travailler rapidement, être expéditif. Fig. Brûler les étapes, être trop entreprenant. — *S'endormir sur la besogne :* travailler lentement. → **Traîner.**

Loc. Vx. *Avoir besogne faite :* ne plus avoir de travail; par ext., avoir la tâche facile. *Aimer besogne faite :* ne pas aimer à travailler.

MM. les gens du roi, entre la chancellerie et la grande aumônerie, n'ont pas besogne faite (...) 11
P.-L. COURIER, II, 291.

Loc. prov. *Faire plus de bruit que de besogne.*

Vx. *Donner, tailler de la besogne à qqn,* du souci.

♦ **2** Ouvrage (effectué ou à faire). *Avoir réussi une besogne délicate, difficile. Avoir fait de la belle, de la bonne besogne* (cf. pop. De la belle ouvrage). Iron. *Vous avez fait là de la belle besogne!*

Si Rivarol, Champrenetz, Mirabeau-Tonneau et moi avions eu la bouche en cœur, nous aurions fait de belle besogne dans les **Actes des Apôtres!** 12
CHATEAUBRIAND, Mémoires d'outre-tombe, I, 8.

Spécialt, vieilli. Travail à faire. *Emporter de la besogne chez soi.*

13 Il entrait dans les bureaux, raflait la besogne sur les tables.
COURTELINE, Messieurs les ronds-de-cuir, 5e tableau, I.

♦ **3** Spécialt. Travail pénible, rebutant. → **Corvée.**

♦ **4** → **Mission.** *Cette génération a une difficile besogne à accomplir.*

CONTR. **Désœuvrement, inaction.** ◊ DÉR. **Besogneux.** ← COMP. **Embesogné, embesogner.**

**BESOGNER** [bəzɔɲe] v. — V. 1275, *besoigner* «s'occuper de...»; 1120, *busuigner* «être dans le besoin»; *besogner,* 1690, Furetière (pour qui le mot est vieux); du francique **bisunnjon,* du neutre *bisunni.* → Besoin.

**I** V. intr. ♦ **1** Vx. Faire de la besogne. → **Travailler.**

♦ **2** Mod. (style soutenu). Faire un travail fatigant, pénible. → **Peiner, trimer.**

1 Les deux paysans besognaient dur sur la terre inféconde pour élever tous leurs petits.
MAUPASSANT, Contes de la bécasse, p. 191.

2 Depuis longtemps, plus aucun goût pour écrire dans ce carnet... Plutôt besogné que travaillé vraiment.
GIDE, Journal, 9 juin 1928.

2.1 Elle savait besogner, y mettait sa fougue intermittente, et se dégoûtait promptement de ses travaux, qui restaient marqués de son inconstance et de son ingéniosité.
COLETTE, Julie de Carneilhan, p. 33.

3 On entend, dans la substructure, besogner les démolisseurs. G. DUHAMEL, Inventaire de l'abîme, I.

*Besogner à* (et inf.). *Ils besognent à abattre des arbres.*

**II** V. tr. ♦ **1** Vx. Travailler à (qqch.).

♦ **2** Vx ou archaïsme littér. (Le sujet désigne un homme). Faire l'acte sexuel avec (une femme). → **Besogne,** I., 2.

4 Va, gentil Acrotatus, besogne bien Chélidonide, et engendre de bons enfants à Sparte.
J. AMYOT, Pyrrhus, 28.

5 Tu es donc la dernière des Mangane. — Je ne serai pas la dernière, Monseigneur le grand Bouc, dit-elle, quand vous m'aurez besognée, et mis en moi votre fruit.
Robert MERLE, En nos vertes années, p. 322.

CONTR. **Reposer** (se).

**BESOGNEUSEMENT** [bəzɔɲøzmɑ̃] adv. — Attesté 1886, Bloy; de *besogneux.*

Littér., rare. Misérablement, pauvrement.

1 Privé de fortune, comme il convient aux lapicides de l'érudition, ce documentaire vivait besogneusement d'un grisâtre bulletin bibliographique dans une grande revue.
Léon BLOY, le Désespéré, p. 39.

2 (...) l'humanité parisienne s'acheminait besogneusement au grand hiver. Léon BLOY, la Femme pauvre, p. 5.

**BESOGNEUX, EUSE** [bəzɔɲø, øz] adj. et n. — XVe, *besoigneux;* 1170, *besoignos;* v. 1050, *busuinos* «qui a besoin»; de *besogne* «besoin». → Besogne, I.

♦ **1** Vieilli ou littér. Qui est dans le besoin, la gêne. → **Pauvre; impécunieux, miséreux, nécessiteux.** *Des parents besogneux.* — Rare. *Besogneux de* (qqch.) : qui a besoin de...

1 Un pauvre hère qui montre la musique à sa pupille, infatué de son art, friponneau, besoigneux, à genoux devant un écu (...)
BEAUMARCHAIS, le Barbier de Séville, I, 6.

REM. Cet emploi n'est pas identifiable au sens 2, mais indique l'évolution possible de sens.

N. *Un besogneux. La vie est dure pour les besogneux.*

Il lui sembla qu'elle marchait par cette claire fin d'après-midi, non pas seule, mais dans les rangs, parmi des milliers de femmes, et que leurs soupirs frappaient son oreille, — que les soupirs las des besogneuses, des femmes du peuple, du fond des siècles montaient jusqu'à elle. 2
Gabrielle ROY, Bonheur d'occasion, XIX, *in* Littératures de langue franç. hors de France, p. 458.

♦ **2** (1852, Proudhon). Mod. (Rattaché abusivt à *besogne*). Qui travaille péniblement, fait une besogne mal rétribuée. *Gratte-papier besogneux.* — N. *Tous les besogneux de l'Administration.*

CONTR. **Riche.** ◊ DÉR. **Besogneusement.**

**BESOIN** [bəzwɛ̃] n. m. — XIe, *être bozoins* «être nécessaire»; du francique **bisunni,* neutre (correspond au fém. **bisunnia;* → Besogne), de *bi-* «auprès», et **sunni* (→ Soin; → Besogne); une autre hypothèse en fait un déverbal de *besogner.*

**I** ♦ **1** *(Un, des besoins).* Exigence née de la nature ou de la vie sociale. → **Appétence, appétit** (cit. 6), **désir, envie, exigence, faim, goût, nécessité, soif, utilité.** *Les désirs naissent des besoins.*

Qualifié par un adj. épithète, un compl. en *de* (nom ou infinitif) caractérisant l'objet du besoin *(besoin de silence, de se taire). Besoins physiques, physiologiques, élémentaires, primaires, instinctifs, naturels. Besoin d'exercice, de plein-air, de nourriture. — Besoin de manger, de respirer, d'uriner* (→ *infra,* petit besoin). *Besoin d'alcool, de drogue, de tabac* (→ aussi *infra,* 5.). *Besoins affectifs. Besoin d'affection, d'amitié, de tendresse, de confiance réciproque. Le besoin d'aimer, d'être aimé. Besoin de plaire. — Besoins intellectuels. Besoin d'apprendre, de savoir, de réfléchir, de communiquer. Besoin de grandeur,* ouvrage de C. F. Ramuz. *Besoins esthétiques. Besoin de parure, de luxe. Besoin de beauté... Besoins sociaux, économiques, matériels. Besoin d'argent, de travail (de travailler). Le, les besoins de qqn,* ceux qu'il ou elle éprouve. *Fournir, pourvoir, satisfaire, subvenir aux besoins d'une population. Soulager les besoins des pauvres* (→ Aumône, cit. 3). *Les besoins du tiers monde.* — (Avec un déterminant caractérisant la nature du besoin). *Un besoin qui s'ignore. Un besoin conscient. Le besoin naît, surgit, existe, grandit, diminue, s'apaise, s'éteint. Intensité d'un besoin. Un besoin pressant, urgent, impérieux, irrésistible, impitoyable, dévorant, insatiable. Un besoin artificiel, factice, maladif. Éprouver, ressentir, sentir un besoin. Sentir le besoin de... — Être sollicité, tourmenté par un besoin. Céder au besoin. Satisfaction, assouvissement** des besoins. Parer aux besoins urgents, aux premiers besoins. Suffire aux besoins. Multiplication des besoins. Créer, faire naître un besoin nouveau. Supprimer un besoin. Inassouvissement d'un besoin.* → **Frustration.**

L'amour dans son transport parle toujours ainsi. 1
Des retours importuns évitons le souci :
Rien n'use tant l'ardeur de ce nœud qui nous lie,
Que les fâcheux besoins des choses de la vie (...)
MOLIÈRE, les Femmes savantes, V, 4.

Qu'un ami véritable est une douce chose ! 2
Il cherche vos besoins au fond de votre cœur (...)
LA FONTAINE, Fables, VIII, 11.

Toujours une soif et un besoin d'argent (...) 3
Mme DE SÉVIGNÉ, 429.

Tout ce qui flatte devient un besoin dont vous ne pouvez plus vous passer. MASSILLON, Carême, Prospérité. 4

Il n'étend ses désirs qu'à proportion de ses besoins (...) 5
FLÉCHIER, Oraison funèbre de M. de Turenne.

(...) dans les temps difficiles, le peuple est obligé de s'assembler pour régler une contribution capable de subvenir 6

aux besoins de la République (...)
LA BRUYÈRE, les Caractères, Théophraste, I, p. 75.

7 (...) ce qui est nécessaire pour satisfaire aux besoins de la patrie (...) FÉNELON, Télémaque, XXII, 386.

8 (...) Les aliments qui flattent trop le goût et qui font manger au-delà du besoin, empoisonnent au lieu de nourrir. FÉNELON, Télémaque, XIII.

9 Pourvoir aux besoins des vieillards, des malades et des orphelins.
MONTESQUIEU, l'Esprit des lois, XXIII, 29.

10 Il *(le loup)* est naturellement grossier et poltron, mais il devient ingénieux par le besoin et hardi par nécessité.
BUFFON, Hist. nat., les animaux carnassiers, t. II, p. 186.

11 Des trois grandes mines de mercure et dont chacune suffirait seule aux besoins de l'univers, deux sont en Europe, et une en Amérique (...)
BUFFON, Hist. nat. des minéraux, t. V, p. 293.

12 L'esprit a ses besoins, ainsi que le corps.
ROUSSEAU, Disc. sur les sciences et arts, I, p. 3.

13 L'abondance du seul nécessaire ne peut dégénérer en abus, parce que le nécessaire a sa mesure naturelle, et que les vrais besoins n'ont jamais d'excès.
ROUSSEAU, Julie ou la Nouvelle Héloïse, V, 2.

14 À leurs besoins ils bornent leurs désirs,
Mais sans chercher, au gré de vains caprices,
À se créer mille besoins factices (...)
MALFILÂTRE, Narcisse, I.

15 Les besoins répétés amènent l'habitude.
DELILLE, Trois règnes, VII.

16 (...) la femme touchera (...) une partie de ses revenus pour son entretien et ses besoins personnels (...)
Code civil, art. 1549.

17 Entends du haut des cieux le cri de nos besoins (...)
LAMARTINE, Méditations, I, 16.

18 (...) ce n'est pas un besoin de nouveauté qui tourmente les esprits, c'est un besoin de vérité.
HUGO, Odes, Préface de 1824.

19 (...) le besoin d'amour et la mélancolie que l'on a à seize ans. STENDHAL, De l'amour, IV, 49.

20 (...) cet immense besoin d'aimer que porte en elle toute âme tendre (...)
SAINTE-BEUVE, Causeries du lundi, t. I, p. 125.

21 Quand nous aimons, il nous vient des besoins de confidence, des besoins attendris de parler ou d'écrire (...)
MAUPASSANT, Clair de lune, Nos lettres.

22 Les besoins des consommateurs déterminent en tout pays les créations des producteurs (...)
J.-B. SAY, Traité, 1841, p. 439.

23 (...) cette nécessité de parer aux besoins de l'existence matérielle. Paul BOURGET, Un divorce, I.

24 Le besoin de croire est une partie du besoin d'agir, parce qu'il en est la condition.
Émile FAGUET, XVII$^{e}$ s., p. 195.

25 Mais Christophe était affligé d'un besoin de sincérité gênant, qui lui inspirait des scrupules à tout propos.
R. ROLLAND, Jean-Christophe, II, 1.

26 On sentait chez cette innocente personne peut-être moins de goût pour les arts qu'un grand besoin de gagner sa vie. GIDE, Si le grain ne meurt, I, 1.

27 Le besoin de survivance est si vif chez nous, femmes, et si féminin l'appétit de victoire physique !
COLETTE, l'Étoile Vesper, p. 74.

28 Il y a une ivresse d'altruisme qu'on peut étudier dans la Révolution française et dans l'Église primitive, et ces crises de fraternité répondent à un besoin aussi violent que la faim, la soif et l'amour.
A. MAUROIS, les Discours du D$^{r}$ O'Grady, IV, p. 42.

29 (...) dans cette voix timide résonnait un tel besoin de servir, de se dévouer, qu'Antoine en éprouva l'enivrement des chefs. MARTIN DU GARD, les Thibault, t. II, p. 151.

30 J'éprouvais un brusque et poignant besoin de retrouver la maison, de voir si le malheur ne voletait pas à l'entour, de m'assurer que tout était en ordre, en place.
G. DUHAMEL, Chronique des Pasquier, II, 3.

0.1 (...) la civilisation, dont il doute chaque jour davantage, crée trop de faux besoins.
Alain BOSQUET, les Bonnes Intentions, p. 186.

Écon. Objet lié à un désir et non pas uniquement à un manque. *«Les "besoins" constituent le moteur central de tout le mécanisme économique»* (Guitton).

♦ **2** Au plur. *Les besoins de qqn,* les choses considérées comme nécessaires à l'existence, obtenues par de l'argent. *Distribuer à proportion de leurs besoins* (→ 1. Manne, cit. 1). *Subvenir aux besoins de ses enfants, de ses parents.* → **Entretenir, nourrir.** *Avoir de petits besoins :* se contenter du strict nécessaire. — Par exagér. *N'avoir aucun besoin. — Avoir des grands besoins,* un mode de vie coûteux. — Prov. *À chacun selon ses besoins :* chacun doit (devrait) avoir le moyen de satisfaire ses besoins propres. (1743, *faire ses besoins*). Fam. *Les besoins naturels, les (ses) besoins :* la nécessité d'uriner, d'aller à la selle. *Faire ses besoins.* Au sing. (moins fréquent). *Un besoin naturel. Un besoin pressant. Petit besoin :* besoin d'uriner. *Gros besoin :* besoin de déféquer. → **Commission** (fam. : grosse, petite commission).

À une heure, ceux ou celles des filles ou des garçons, tant grands que petits, qui auront obtenu la permission d'aller 30.2
à des besoins pressés, c'est-à-dire aux gros (...) ceux là, dis-je, se rendront à la chapelle où tout a été artistement disposé pour les voluptés analogues à ce genre-là.
SADE, les 120 Journées de Sodome, p. 86 (1785).

Aucun des sujets, soit hommes, soit femmes, ne pourra remplir de devoirs de propreté quels qu'ils puissent être, et 30.3
surtout après le gros besoin, sans une permission expresse de l'ami qui sera de mois.
SADE, les 120 Journées de Sodome, p. 167.

Trois heures ! annonça le père Soupe (...) je vais aller faire 31
mes petits besoins.
COURTELINE, Messieurs les ronds-de-cuir, I, II.

Loc. **LES BESOINS DE LA CAUSE :** ce qu'il est nécessaire de dire à l'appui de la cause que l'on défend. *Pour les besoins de la cause :* pour obtenir un résultat, pour réussir quelque chose (et non pas pour une raison désintéressée ou spontanée). — Au sing. (moins fréquent). *Le besoin de la cause.* — Par ext. *Pour les besoins de l'affaire, de la situation. Pour les besoins du procès* (droit).

♦ **3** *(Le besoin).* Loc. [a] (1080, *avoir besoing*). Loc. verb. (Subjectif ; sujet n. animé humain). **AVOIR BESOIN DE... (qqn ou qqch.) :** ressentir la nécessité, l'utilité de..., sentir et vouloir comme nécessaire. → **Désirer, envie** (avoir envie de), **exiger, réclamer, vouloir.** *Avoir besoin d'argent ; d'affection. Avoir besoin des autres. «Dieu a besoin des hommes». J'ai besoin de mille francs.* Cf. Il me faut mille francs. *Demande-le, si tu en as besoin. Je n'en ai pas, plus besoin, cela ne me sert à rien. Merci, je n'ai besoin de rien.*

(Sens objectif). Sujet n. de personne ou de chose. Manifester la nécessité, l'utilité (de qqch.), pour vivre, être dans de bonnes conditions. *Cet enfant a besoin de sa mère,* sa mère lui est nécessaire.

*Cette plante a besoin d'eau. Ce malade a besoin d'air.* → **Manquer.** *Il n'a besoin que de repos, de silence.* — Fam. *Cette pièce a besoin d'un sérieux coup d'aspirateur.*

Quel besoin avais-tu d'un si lâche artifice ? 32
CORNEILLE, le Menteur, V, 3.

Quiconque à son mari veut plaire seulement, 33
Ma bru, n'a pas besoin de tant d'ajustement.
MOLIÈRE, Tartuffe, I, 1.

Bon droit a besoin d'aide. 34
MOLIÈRE, la Comtesse d'Escarbagnas, V (Proverbe).

On a souvent besoin d'un plus petit que soi (...) 35
LA FONTAINE, Fables, II, 11 (Proverbe).

(...) de temps en temps je sens que j'ai besoin de réconfort. 36
M$^{me}$ DE SÉVIGNÉ, Lettres, 27 nov. 1664.

Notre esprit assez souvent n'a pas moins besoin de bride 37
que d'éperon. BOILEAU, Longin, Sublime, II.

38 J'ai besoin du silence et de l'ombre des bois (...)
BOILEAU, Épîtres, VI.

39 Laissez-moi ! j'ai besoin d'un peu de solitude (...)
RACINE, Bajazet, III, 6.

40 Il savait bien qu'il n'avait pas besoin de tout ce monde, mais il croyait que tout ce monde avait besoin de lui (...)
FLÉCHIER, Oraison funèbre du duc de Montausier.

41 Pour gagner sa vie sans avoir besoin de personne.
FÉNELON, Télémaque, XIV.

42 Les hommes ont tous un droit inhérent et naturel à tout ce dont ils ont besoin pour leur subsistance (...)
FÉNELON, Télémaque, XXII, p. 365.

43 La vertu même a besoin de limites (...)
MONTESQUIEU, l'Esprit des lois, XI, 4.

44 Et qui sert son pays n'a pas besoin d'aïeux.
VOLTAIRE, Ériphyle, III, 20.

45 Le laboureur, quand il a besoin de bois, coupe une branche, et non pas le pied de l'arbre.
VOLTAIRE, *in* Œ. compl. de Montesquieu, Note.

46 Nous naissons faibles, nous avons besoin de forces ; nous naissons dépourvus de tout, nous avons besoin d'assistance ; nous naissons stupides, nous avons besoin de jugement. ROUSSEAU, Émile, I.

47 Napoléon entre en plein dans ses destinées ; il avait eu besoin des hommes, les hommes vont avoir besoin de lui ; les événements l'avaient fait, il va faire les événements.
CHATEAUBRIAND, Mémoires d'outre-tombe, III, 1.

48 L'homme a toujours besoin de caresse et d'amour.
Sa mère l'en abreuve alors qu'il vient au jour (...)
A. DE VIGNY, les Destinées, « Colère de Samson ».

49 Ayant besoin de joie comme les plantes de soleil, je m'étiolais dans cette tristesse. FRANCE, le Petit Pierre, XX.

50 Un ami, c'est celui qui devine toujours quand on a besoin de lui. J. RENARD, Journal, p. 200.

51 (...) la beauté n'a besoin d'aucun ornement et se suffit à elle-même (...)
Pierre LOUŸS, Aphrodite, III, 2, p. 152.

52 (...) il faut du temps à l'âme pour s'accoutumer à la douleur. Elle a un tel besoin de joie que quand elle ne la possède pas, il faut qu'elle la crée.
R. ROLLAND, Vie de Beethoven, p. 16-17.

53 La religion et l'art ont besoin de malheur.
A. MAUROIS, le Cercle de famille, II, p. 274.

**AVOIR BESOIN DE** (suivi de l'inf.) : éprouver, voir la nécessité, l'utilité de..., être dans l'obligation de... *Avoir besoin de gagner sa vie. Il a besoin de se dépenser :* se dépenser lui est indispensable, nécessaire ; il lui faut se dépenser. *Je n'ai pas besoin de vous dire que... :* il n'est pas utile que... ; cela va sans dire.

54 Quand le loup a besoin de défendre sa vie (...)
LA FONTAINE, Fables, XI, 6.

55 Pour orner une telle vie, je n'ai pas besoin d'emprunter les fausses couleurs de la rhétorique (...)
BOSSUET, Oraison funèbre du P. Bourgoing.

56 Personnes puissantes qu'on a besoin de ménager.
FÉNELON, Télémaque, XXIV.

57 Un empire fondé par les armes a besoin de se soutenir par les armes.
MONTESQUIEU, Grandeur et décadence des Romains, XVIII.

58 On n'a pas besoin de savoir les Offices de Cicéron pour être honnête homme. ROUSSEAU, Émile, V.

59 Qu'un autre soit jaloux d'illustrer sa mémoire ;
Moi, j'ai besoin d'aimer ; qu'ai-je besoin de gloire ?
André CHÉNIER, Épîtres, I.

60 (...) il avait besoin d'y voir clair dans son âme, et de donner audience à la foule de sentiments qui l'agitaient.
STENDHAL, le Rouge et le Noir, t. I, p. 61.

61 Quand vous aurez besoin d'être documenté, vous songerez à nous écrire (...)
LOTI, les Désenchantées, V, 32, p. 189.

Par antiphrase. *Vous aviez bien besoin d'aller lui parler de cela !,* vous avez eu tort...

**AVOIR BESOIN QUE... :** éprouver comme nécessaire, indispensable que... *Il a besoin qu'on le conseille :* il doit* être conseillé, il faut qu'on le conseille.

J'ai besoin que le Roi, qu'elle-même vous craigne. 62
CORNEILLE, Nicomède, I, 1.

Notre honneur est, Monsieur, bien sujet à faiblesse, 63
S'il faut qu'il ait besoin qu'on le garde sans cesse.
MOLIÈRE, l'École des maris, I, 2.

REM. Les emplois négatifs ou restrictifs de *avoir besoin de..., que...* peuvent acquérir une valeur assertive positive, notamment dans la construction *n'avoir pas besoin de... pour...* (→ ci-dessus, cit. 58), équivalant à « pouvoir » (*il n'a pas besoin de travailler pour vivre :* il peut vivre sans travailler). *N'avoir besoin que de... pour...* (vieilli) équivaut à « ... suffit à... » (*il n'a besoin que de parler pour être obéi :* il lui suffit de... pour...).

Les enfants des villes, élevés dans la chambre et sous l'aile 64
d'une gouvernante, n'ont besoin que de marmotter pour se faire entendre. ROUSSEAU, Émile, I.

Vx. *Avoir besoin (dans un lieu) :* avoir à faire (à un endroit).

**b** **FAIRE BESOIN (à qqn) :** (vieilli ou régional) être nécessaire, utile (à qqn). *Cela me fait besoin, bien besoin.* Se révéler nécessaire ; manquer. *L'outil que j'ai perdu va me faire besoin.*

Aussi bien nous fera-t-il ici besoin *(le voisin)* pour apprêter 65
le souper. MOLIÈRE, l'Avare, III, 1.

Ce bracelet, que je ne t'ai d'ailleurs jamais vu, il peut te 65.1
faire besoin. COLETTE, Julie de Carneilhan, p. 147.

Vous pouvez les garder, vos cinq cents louis ; ils vous font 65.2
plus besoin qu'à moi !
BERNANOS, Sous le soleil de Satan, Œ. roman., Pl., p. 82.

**c** Impers. (Littér.). **ÊTRE BESOIN.** *Il est, il n'est pas besoin d'ajouter... :* c'est, ce n'est pas nécessaire... *Qu'est-il besoin de,* suivi d'un substantif ou de l'infinitif. *Point n'est besoin de... Il n'est besoin que de rappeler... :* il n'y a qu'à rappeler, rappelons seulement... (→ Archaïsme, cit. Littré).

Qu'est-il besoin pour lui du soin que vous prenez ? 66
C'est un homme, entre nous, à mener par le nez.
MOLIÈRE, Tartuffe, IV, 5.

Il n'est pas besoin que j'étale 67
Tout ce que l'un et l'autre dit.
LA FONTAINE, Fables, VIII, 26.

Ne faut-il que délibérer, 68
La cour en conseillers foisonne ;
Est-il besoin d'exécuter,
L'on n'y rencontre plus personne.
LA FONTAINE, Fables, II, 2.

Qu'est-il besoin d'aller chercher l'enfer dans l'autre vie ? Il 69
est dès celle-ci dans le cœur des méchants.
ROUSSEAU, Émile, IV.

La mémoire est la nourrice du génie ; pour peindre le mal- 70
heur, il n'est pas besoin d'être malheureux, mais il est bon de l'avoir été.
MARMONTEL, Élém. litt., VII, 116, *in* POUGENS.

*S'il en est besoin, si besoin est, si le besoin s'en fait sentir. En cas de besoin.*

**d** Loc. adv. (V. 1175). **AU BESOIN :** en cas de nécessité, s'il le faut. *Au besoin, téléphonez-moi. Il viendra, au besoin.*

Aimez-les et mourez, s'il est besoin, pour eux. 71
CORNEILLE, Rodogune, V, 3.

Prenez ces cent écus ; gardez-les avec soin, 72
Pour vous en servir au besoin.
LA FONTAINE, Fables, VIII, 2.

Je t'aiderai même, en cas de besoin, pourvu que tu me 73
fasses payer de mes peines un peu grassement.
J.-F. REGNARD, la Sérénade, 1.

J'y consens, repartit-il : je vais à mon rendez-vous, et nous 74
nous épaulerons s'il en est besoin.
A. R. LESAGE, Gil Blas, V, 1.

La prévoyance des renards qui cachent leur gibier en dif- 75
férents endroits pour le retrouver au besoin.
BUFFON, Hist. nat. des animaux, t. V, p. 383.

**e** **SANS BESOIN DE :** sans qu'il soit besoin de.

76 Je suivrai d'assez près votre illustre retraite,
Pour traiter avec lui *(Sylla)* sans besoin d'interprète.
CORNEILLE, Sertorius, II, 3.

♦ **4** Sc. (psychol., physiol.). Déficit biologique; sensation de ce déficit. — Manifestation naturelle amenant à accomplir un acte ou à rechercher une satisfaction (→ **Pulsion).**

6.1 (...) en physiologie, l'acception du mot *besoin* doit être étendue à toute sensation interne ou externe qui avertit les animaux de la nécessité, soit d'exécuter certains actes, soit de se procurer certaines choses indispensables à l'entretien de la vie, à la reproduction, ou que l'usage et une longue habitude ont rendus nécessaires.
LITTRÉ-ROBIN, Dict. de médecine, 1855, art. *Besoin.*

(Méd.). *État de besoin* (ou *de manque**), créé par l'accoutumance (→ **Toxicomanie).**

Psychan. **BESOIN DE PUNITION :** «*Exigence interne postulée par Freud comme étant à l'origine du comportement de certains sujets dont l'investigation psychanalytique montre qu'ils recherchent des situations pénibles ou humiliantes, et se complaisent en elles (masochisme moral). Ce qu'il y a d'irréductible dans de tels comportements devrait être rapporté en dernière analyse à la pulsion de mort*» (Laplanche et Pontalis, *Vocabulaire de la Psychanalyse,* 1967).

♦ **5** Par métonymie. Objet du besoin, chose rendue indispensable à l'équilibre psychique d'un individu ou d'un groupe. *Le tabac est devenu pour lui un besoin impérieux. La Sécurité sociale est devenue un besoin pour tous.*

77 Il est des hommes pour qui une méditation profonde est un besoin; tout ce qui est difficile leur paraît grand (...)
CONDORCET, Duhamel, *in* LITTRÉ, art. *Méditation.*

78 Et Dieu vit que l'amour est un besoin qu'on a,
Et que sans lui, le monde a froid.
HUGO, la Légende des siècles, XXXV, «Là-haut».

♦ **6** (1157, «détresse»; déb. XVII^e, «indigence»). Non qualifié. **LE BESOIN,** état de privation. → **Dénuement, disette, gêne, indigence, manque, misère, pauvreté, peine, privation.** *Être dans le besoin, pressé par le besoin* (→ **Besogneux,** 1.). *Être dans le (dernier) besoin.* «*Un pauvre malade qui se mourait de besoin*» (Balzac, *in* T. L. F.). Prov. *C'est dans le besoin que l'on reconnaît ses amis.*

79 Tu t'amasseras ainsi un grand trésor pour le jour du besoin. BIBLE (CRAMPON), Tobie, IV, 7-12.

80 Les enfants doivent des aliments à leurs père et mère ou autres ascendants qui sont dans le besoin.
Code civil, art. 205.

**II** (De la formule *au besoin chez X...*). Dr. Personne qui s'engage à payer une créance en cas de défaillance du débiteur. → **Recommandataire.**

CONTR. **Dégoût, inappétence, indifférence, répugnance, répulsion, satiété. — Abondance, aisance, bien-être, fortune, opulence, prospérité, richesse.**

**BESSEMER** [bɛsmɛʀ] n. m. — 1886; *acier bessemer,* 1862, *in* D. D. L.; nom de l'inventeur.

Techn. Convertisseur pour transformer la fonte en acier. — *Acier Bessemer,* l'acier produit par cette méthode. «*La Compagnie des Tramways de Paris a appliqué ces jours derniers, à ses chevaux, un fer en acier Bessemer qui se fixe à froid en quelques minutes, sans un seul clou*» (*la Science illustrée,* 1891, II, p. 240).

**BESSON, ONNE** [besɔ̃, ɔn] n. — 1260, *beçon;* du lat. pop. **bissus,* de *bis* «deux fois».

Vx ou régional. → **Jumeau, jumelle.** *Deux bessons. Nous avons rencontré un des bessons.*

(...) on reconnut bien vite que c'étaient deux bessons, c'est-à-dire deux jumeaux d'une parfaite ressemblance. 1
G. SAND, la Petite Fadette, I.

Les bessons sortent l'un après l'autre, si semblables qu'on dirait que le même enfant par deux fois se courbe et saute sur les pavés. 2
M. TOURNIER, le Roi des Aulnes, p. 300.

Adjectivt. *Des frères bessons.*

REM. On rencontre sous la plume de George Sand les dérivés (régionaux : Berry) *bessonnerie,* n. f. (le fait d'être un jumeau); *bessonnet,* n. m. (petit jumeau); *bessonnière,* adj. f. (de frère jumeau) : *«une amitié bessonnière»* (G. Sand, *la Petite Fadette*).

1\. **BESTIAIRE** [bɛstjɛʀ] n. m. — 1495; du lat. *bestiarius,* de *bestia* «bête».

♦ **1** Hist. rom. Chez les anciens Romains, celui qui devait combattre contre les bêtes féroces, ou leur était livré *(ad bestias),* au cours des jeux du Cirque. → **Belluaire, gladiateur.**

(...) des bestiaires, *bestiarii,* proie jetée sans défense aux bêtes féroces. 1
J. CARCOPINO, la Vie quotidienne à Rome..., p. 282.

Par anal. (Littér.). Matador, torero. «*La bête et le bestiaire étaient aussi anxieux l'un que l'autre*» (H. de Montherlant, *les Bestiaires,* 1926, *in* T. L. F.).

♦ **2** Littér. Lieu où l'on enferme les fauves. → **Ménagerie.**

*(Les lions)* Ils étaient quatre et tous affreux. Une litière 2
D'ossements tapissait le vaste bestiaire (...)
Ils marchaient, écrasant sur le pavé hideux
Des carcasses de bêtes et des squelettes d'hommes
HUGO, la Légende des siècles, II, V, «Les lions».

HOM. 2. **Bestiaire.**

2\. **BESTIAIRE** [bɛstjɛʀ] n. m. — 1120; du lat. médiéval *bestiarium,* même sens, de *bestia* «bête». → 1. Bestiaire.

♦ **1** Hist. littér. Au moyen âge, Recueil de fables, de moralités sur les bêtes. «*Li Bestiaires d'amours...*», *de Richard de Fournival. Bestiaires et lapidaires, et volucraires.*

Par ext. Recueil de textes en vers ou en prose poétique sur les animaux. *Bestiaire illustré. Le Bestiaire ou Cortège d'Orphée,* de G. Apollinaire.

Fig. Ensemble d'animaux décrits, évoqués. *Le bestiaire de Lautréamont, dans «Les chants de Maldoror».*

Sur sa tête, le grand bestiaire sidéral tournait lentement dans le cirque du ciel autour de l'étoile polaire. La Grande Ourse et son Chariot, la Girafe et le Lynx, le Bélier et le Dauphin, l'Aigle et le Taureau se mêlaient à des créatures sacrées et fantastiques, la Licorne et la Vierge, Pégase et les Gémeaux. 1
M. TOURNIER, le Roi des Aulnes, p. 373.

C'est dans la gueule animale que viennent se concentrer tous les fantasmes terrifiants de l'animalité : agitation, manducation agressive, grognements et rugissements sinistres. Il ne faut donc pas s'étonner si au Bestiaire de l'imagination certains animaux mieux doués en agressivité sont évoqués plus fréquemment que d'autres. 2
Gilbert DURAND, les Structures anthropologiques de l'imaginaire, p. 90.

♦ **2** Arts. Œuvres d'art présentant un ensemble, une série d'animaux; ensemble de l'iconographie animalière (d'un style, d'une époque, d'une civilisation). *Le bestiaire roman, gothique.*

Dans le marbre blanc, veiné de gris, les motifs du bestiaire persan importés par les Arabes multiplient sur les chapiteaux et les portails les lions, les griffons, les bouquetins, les sirènes. 3
Jacques LAURENT, les Bêtises, p. 358.

♦ **3** Psychol. *Test du bestiaire :* questionnaire oral dans lequel on propose à l'enfant de s'identifier à un animal.

HOM. 1. **Bestiaire.**

**BESTIAL, ALE, AUX** [bɛstjal, o] adj. — 1190, Marie de France; lat. *bestialis,* même sens, de *bestia* «bête».
REM. Le masc. plur. est rare, du fait de l'homonymie avec *bestiaux.*

♦ **1** Qui tient de la bête, qui assimile l'homme à la bête, à la brute (en tant qu'être dénué de sens moral et asservi à ses instincts). → **Animal, brutal, grossier, sauvage.** *Cet homme est bestial et cruel. Physionomie bestiale. — Colère, fureur, violence bestiale. Joie bestiale. Penchants bestiaux* (de l'homme).

1 C'est ainsi que devaient naître ces âmes vivantes d'une vie brute et bestiale, à qui Dieu ne donne pour toute action que des mouvements dépendants du corps (...)
BOSSUET, Hist. III, I *in* LITTRÉ.

2 Et, contents de ce qu'ils ont de commun avec les bêtes, ils mènent aussi une vie bestiale (...)
BOSSUET, Traité de la connaissance de Dieu..., V, 6.

3 L'intelligence humaine est là, bestiale. C'est le tas d'ordures des âmes. HUGO, les Travailleurs de la mer, I, V, 6.

4 Il s'était imaginé l'Américaine, stupide et bestiale comme un lutteur de foire, et sa bêtise était malheureusement toute féminine. Certes, elle manquait d'éducation et de tact, n'avait ni bon sens ni esprit, et elle témoignait d'une ardeur animale à table, mais tous les sentiments enfantins de la femme subsistaient en elle.
HUYSMANS, À rebours, p. 142.

REM. *Bestial* implique en général la violence, la cruauté ou la stupidité et l'aveuglement, surtout moral.

♦ **2** Spécialt. Propre à l'animal (en tant que tel et opposé à l'homme). *L'instinct bestial.* → **Animal** (plus courant).

CONTR. **Délicat, doux, raffiné. — Angélique.** ◊ DÉR. **Bestialement, bestialiser. — V. Bestialité.**

**BESTIALEMENT** [bɛstjalmɑ̃] adv. — XIIe; de *bestial.*

♦ **1** D'une manière bestiale. *Vivre bestialement.* → **Animalement.** *Il l'a assassiné bestialement. «Il était ivre, bestialement ivre»* (Baudelaire, trad. Poe, *in* T. L. F.).

Le vieux totémisme des bêtes, des pierres, des objets chargés de foudre, des costumes bestialement imprégnés, tout ce qui sert en un mot à capter, à diriger, et à dériver des forces, est pour nous une chose morte, dont nous ne savons plus tirer qu'un profit artistique et statique, un profit de jouisseur et non un profit d'acteur.
A. ARTAUD, le Théâtre et son double, p. 14.

♦ **2** Fam. *Il travaille bestialement,* «comme une bête», énormément.

**BESTIALISER** [bɛstjalize] v. tr. — 1835, E. de Guérin; de *bestial.*

Littér. Rendre bestial, semblable aux bêtes; dégrader.

1 Mais un sein n'est pas une figure. Quoique je sache ces choses très bien, néanmoins, chaque fois que je vis les seins d'une personne spirituelle, ils me la bestialisaient et me la changeaient tellement, tellement.
Henri MICHAUX, Un barbare en Asie, p. 230.

Décrire, représenter comme une bête.

2 Les reconstitutions de cette époque ont trop souvent tendu à bestialiser les Paléanthropiens : soit par le remontage des fragments du crâne, soit par la disposition des dessins ou photographies, «l'inévitable prognathisme» s'est imposé!
A. LEROI-GOURHAN, le Geste et la Parole, t. I, p. 26.

◆ **SE BESTIALISER** v. pron.

Devenir semblable à la bête. *«(...) si l'homme peut se bestialiser, la bête ne peut pas s'humaniser»* (J. Vuillemain, *Essai sur la signification de la mort,* 1949, *in* T. L. F.).

REM. Le p. p. *bestialisé, ée* est rare.

CONTR. **Civiliser, élever, humaniser.**

**BESTIALITÉ** [bɛstjalite] n. f. — XIIIe, *bestiauté;* lat. médiéval *bestialitas* «ce qui est propre aux bêtes», de *bestialis.* → Bestial.

♦ **1** Caractère d'une personne qui se livre à ses instincts bestiaux. → **Animalité, brutalité, grossièreté.** *La bestialité de l'assassin. (Une, des bestialités).* Rare. Acte ou sentiment qui assimile l'homme à la bête.

Bienheureux ceux-là qui dépouilleront les bestialités! 1
D'AUBIGNÉ, Hercule chrétien.

Aspect bestial, apparence animale ou qui évoque l'animalité.

On ne voit plus de nuques tentantes ni de tempes vaporeuses, on ne voit plus que de petits mufles — mâchoires, menton, bouche, nez — qui prennent, cette année, un véridique et frappant caractère de bestialité (...) 2
COLETTE, la Vagabonde, p. 52.

♦ **2** Perversion (dite aussi *zoophilie érotique* et, autrefois, *sodomie*) qui consiste, pour un humain, à rechercher ou pratiquer des rapports sexuels avec un animal. *La bestialité était punie de mort chez les Hébreux.*

La bestialité était estimée 250 livres (...) 3
VOLTAIRE, Essai sur les mœurs, 127.

Rare. *(Une, des bestialités).* Acte bestial; spécialt, excès sexuel.

(...) des Esseintes reconnaissait, dans le sabbat, toutes les pratiques obscènes et tous les blasphèmes du sadisme. En sus des scènes immondes chères au Malin, des nuits successivement consacrées aux accouplements licites et indus, des nuits ensanglantées par les bestialités du rut, il retrouvait la parodie des processions, les insultes et les menaces permanentes à Dieu (...) alors qu'on célébrait (...) la messe noire, sur le dos d'une femme, à quatre pattes (...) 4
HUYSMANS, À rebours, p. 203.

CONTR. **Civilisation, délicatesse, élévation, humanité.** ◊ COMP. **Surbestialité.**

**BESTIASSE** [bɛstjas] n. f. — 1510; ital. *bestiaccia* «bête affreuse», de *bestia.*

Vieux ou régional.

♦ **1** Personne stupide. *Quelle bestiasse!*

♦ **2** (En Provence). Petite bête (souvent avec une nuance affective). *Regarde-la, cette pauvre bestiasse!*

**BESTIAUX** [bɛstjo] n. m. pl. — 1418; anc. franç. *bestial* «bétail», (pl. *bestiaux*) du lat. *bestia* «bête», qui s'est effacé devant *bétail*.*

**I** N. m. pl. ♦ **1** Ensemble des animaux qu'on entretient pour la production agricole dans une exploitation rurale (à l'exclusion des animaux de basse-cour). → **Bétail, bête** (les bêtes). *Les bestiaux de la ferme :* le gros et le menu bétail. *Le nombre des bestiaux.* → **Tête** (de bétail). *Soigner, garder les bestiaux. Conduire les bestiaux à la foire (aux bestiaux).* → **Bétaillère,** cit. *Transport de bestiaux.*

**Bétail** se dit du genre : gros bétail, menu bétail. **Bestiaux** se dit des individus dans le genre (...) Toutes les fois qu'il est question de l'espèce ou d'une collection, **bétail** est le mot propre (...) Mais s'il s'agit d'animaux considérés distributivement ou successivement, et non plus ensemble, le terme convenable sera celui de **bestiaux.** 1
LAFAYE, Dict. des synonymes, Bétail, bestiaux.

2 Le paysan (...) ne craint point d'augmenter le nombre de ses bestiaux (...) de peur qu'on ne hausse ses impôts l'année d'après (...)
VOLTAIRE, Dict. philosophique, Gouvernement anglais.

Spécialt (sans adj.). Gros bétail (d'une exploitation).

3 (...) si elle *(la métairie)* n'avait que des chèvres ou des moutons, il faudrait dire du petit bétail et non des bestiaux. De même, une foire a beaucoup de bestiaux ou de bétail s'il y a, dans la quantité, du gros bétail; mais on ne dira pas qu'elle a beaucoup de bestiaux, s'il n'y a paru que des moutons et des chèvres; et si l'on disait qu'il s'y trouvait de petits bestiaux, cela voudrait dire du bétail gros et menu, mais de petite taille. LITTRÉ, Dict., art. *Bestiaux.*

Par compar. et péj. (en parlant d'êtres humains). *Ils étaient là, entassés comme des bestiaux.*

4 (...) dans ce couloir où ils étaient parqués comme des bestiaux (...)
MARTIN DU GARD, les Thibault, t. IV, p. 115.

♦ **2** Par plais. Animal; bête (quelconque). *Quels drôles de bestiaux.* → ci-dessous, II.

5 Oh! dit-elle, c'est une histoire scientifique, maintenant je comprends tout. Les lapins-sonnettes, les lapins-tambours, vous savez, tous ces jolis petits bestiaux qui vivent si bien dans la lune et les endroits comme ça, et si mal dans les chambres d'enfants, voilà d'où ils viennent (...)
MALRAUX, la Condition humaine, p. 99.

6 Où ces bestiaux peuvent-ils être planqués? Un pigeon ne passe pas inaperçu : il fait du ram-dam avec ses roucoulanches (...)
SAN-ANTONIO, le Secret de Polichinelle, p. 79.

♦ **3 WAGON À BESTIAUX** : wagon rudimentaire et entièrement clos, destiné au transport des bestiaux, où furent entassées aussi des personnes dans certaines circonstances dramatiques (déportés, etc.).

7 (...) jamais de sleepings, jamais de pullmans, pas même de premières, toujours de la troisième classe, à défaut de wagons à bestiaux.
R. QUENEAU, Loin de Rueil, p. 138.

**II** **BESTIAU,** n. m. sing. ♦ **1** Collectif. Régional (rural). *Du bestiau.* → **Bétail.**

♦ **2** Régional (rural) ou fam. Animal, bête (de toute taille). *Un grand, un petit bestiau. Qu'est-ce que c'est que ce bestiau?*

8 Sur une fourrure blanche à poils longs façon ours polaire mué en descente de lit, un très petit bout d'homme, déjà fort dégagé du paquet de viande originel : ce menu bestiau pissouillard et chougneur sur lequel (...) j'ai toujours trouvé indécent que des adultes (...) gâtifient d'adoration béate, rivalisent de guili-guili consternants.
J.-L. BORY, Ma moitié d'orange, p. 11.

♦ **3** Fam. ou régional. (En parlant de personnes). *Qu'est-ce qu'il me veut, ce bestiau! Grand bestiau!* → **Bestiasse.**

**BESTIOLE** [bɛstjɔl] n. f. — 1170; lat. *bestiola,* dimin. de *bestia.*

Petite bête. → **Bestion** (vx).

1 (...) dans toutes les pierres du mur voisin, habitaient de ces rainettes chanteuses, bestioles du midi, qui, dès la nuit tombée, donnent de minute en minute une petite note brève discrète (...)
LOTI, Ramuntcho, I, XVIII, p. 160.

2 Il entra dans son laboratoire et sans être troublé par l'agitation que provoquait son arrivée parmi les rats, les souris et autres bestioles (...)
R. QUENEAU, Loin de Rueil, p. 94.

Spécialt. Insecte. *Ferme les volets ou éteins la lumière, sinon ça va être plein de bestioles.*

Par métaphore (en parlant d'une personne). *«Il vous plaît de déclarer que vous êtes une inconsciente et pacifique bestiole»* (L. Bloy, *Journal,* 1897, *in* T. L. F.).

**BESTION** [bɛstjɔ̃] n. m. — 1520; lat. *bestia.*

♦ **1** Vx (langue class.). Bestiole.

Le pauvre bestion tous les jours déménage.
LA FONTAINE, Fables, III, 8, 25.

Art. *Tapisserie à bestions,* qui représente des figures animales.

♦ **2** (1690). Vx. Figure de proue de bateau, comportant une figure animale.

**BEST OF** [bɛstɔf] n. m. invar. — 1987; mots angl. «le meilleur de», de *the best of* suivi d'un compl.

Anglic. (Critiqué). Sélection de succès musicaux (→ **Compilation**) ou des meilleurs moments d'une émission de télévision. → **Florilège.**

Au milieu de la rue Sainte-Françoise, devant le Treize-Coins, un certain José était en train de laver sa voiture (...). Musique à fond. Les Gipsy Kings. *Bamboleo, Djobi Djoba, Amor, Amor...* Le best of.
Jean-Claude IZZO, Chourmo, p. 132.

**BEST-SELLER** [bɛstsɛlœʀ] n. m. — 1947, *in* Höfler; 1934, sens 2, attestation isolée; répandu v. 1960; mot amér. (1889), de *best* «meilleur», et *seller,* de *to sell,* v. intr., «se vendre».

Anglicisme.

♦ **1** Livre qui a obtenu un grand succès de librairie. *La Bible, ce best-seller de l'édition de tous les temps. Des best-sellers.*

Tous les livres de Sartre, tous les miens ont été traduits. 1
En 65, *Le Deuxième Sexe,* paru en édition de poche, a été un best-seller.
S. DE BEAUVOIR, Tout compte fait, p. 281.

En outre, comment choisir à travers les productions dont 2
les éditeurs nous inondent?... Les best-sellers? Je me méfie de cette littérature de masse.
J. CAU, la Pitié de Dieu, p. 211.

♦ **2** Gros succès de vente (dans un domaine quelconque). *Un best-seller de la chanson, du disque* (→ **Tube**), *de la mode. «Chrysler est même allé plus loin à l'exception de ses modèles à bas prix, les best-sellers»* (*l'Auto,* 2 juin 1934).

1. **BÊTA** [bɛta] n. m. et adj. invar. — D. i. (enregistré en 1838 *in* Académie, *Compl.*); grec *bêta.*

**I** N. m. ♦ **1** Deuxième lettre de l'alphabet grec (Β, β ou ϐ), correspondant au *b* latin. — Phonème consonantique qu'elle note.

Dans la κοινή [→ Koinê], à des dates variables suivant les lieux, les occlusives sonores β, δ, γ étaient devenues des spirantes; elles sont telles en grec moderne, sauf dans la position après nasale, où l'occlusion s'est conservée.
A. MEILLET et J. VENDRYES, Traité de grammaire comparée des langues classiques, § 88, p. 64.

♦ **2** Emplois sc. et didact. (souvent utilisé, corrélativement avec α (→ Alpha), pour désigner le second élément d'une série).

Astron. Deuxième étoile (d'une constellation). *Castor et Pollux, alpha et bêta des Gémeaux.*

**II** Adj. invar. ♦ **1** Phys. *Particule* β, *bêta :* particule (négaton ou positon) émise par certains corps radioactifs. *Rayons, rayonnement* β, *bêta;* flux de particules β. → aussi **Alpha, gamma.**

♦ **2** Chim. (Indiquant une deuxième variété allotropique, le deuxième isomère d'une série). *Fer bêta, identique au fer alpha, mais non magnétique (observé entre 768 °C et 910 °C).* — (Dans la nomenclature des composés organiques). → **Bêta-.**

♦ **3** Physiol. *Récepteur adrénergique* bêta.*

♦ **4** Neurophysiol. (H. Berger, 1930, en all.). *Rythme* β, *bêta :* en électroencéphalographie, Rythme cérébral d'une fréquence de 15 à 20 cycles par seconde et de faible voltage (5 à 10 microvolts) enregistré principalement sur les régions frontales (motrices) du cerveau. *Le rythme bêta s'observe normalement chez l'adulte au repos. Fréquence* β. *Ondes bêta.*

COMP. **Bêtagraphie, bêtathérapie, bêtatron.** V. **Bêtarécepteur.** ◊ HOM. 2. **Bêta.**

2. **BÊTA** [bɛta] n. m. et adj. invar. — Au masc., 1584; de *bête,* et du suff. *-ard* (abrégé en *a*). → Bêtasse.

♦ **1** Fam. et péj. Homme bête, niais, stupide. → **Benêt, niais.** *C'est un grand bêta.*

Adj. (invar.). *Ce garçon est complètement bêta. Elle est un peu bêta.* → **Bêtasse.** *Un maintien bêta.*

1 Vous aviez votre mine des mauvais jours, couleur de pluie, votre pauvre petit sourire bêta (...)
BERNANOS, Un crime, Œ. roman., p. 861.

♦ **2** Fam. Terme affectueux (adressé généralement par un adulte à un enfant, ou dans le dialogue amoureux). → **Bébête, nigaud, sot.** *Pourquoi ne m'as-tu rien dit, gros bêta? Gros bêta, va!*

2 Pauvre enfant! Je me souviens de vos nuits de travail à la rue du Doyenné. Vous avez été un peu bêta.
BALZAC, la Cousine Bette, Pl., t. VI, p. 335.

**BÊTA-** Élément (écrit aussi β-) utilisé en chimie organique pour caractériser le deuxième d'une série d'isomères, indiquer la présence dans un composé d'un atome de carbone séparant deux fonctions, préciser la structure stéréochimique des sucres, des stéroïdes. → 1. **Bêta**; → Alpha-, gamma-. — REM. Un autre élément *bêta-,* de même origine, vient de *récepteur adrénergique* bêta :* → Bêta-adrénergique, bêtabloquant, bêta-inhibiteur, bêtalytique, bêtamimétique, bêtastimulant.

**BÊTA-ADRÉNERGIQUE** [bɛtaadʀenɛʀʒik] adj. → **Adrénergique, bêtastimulant.**

**BÊTABLOQUANT, ANTE** [bɛtablɔkɑ̃, ɑ̃t] adj. et n. m. — Av. 1972 (*in* Garnier et Delamare); de *bêta(récepteur),* et p. prés. de *bloquer.*

Méd. (Substance) qui empêche la fixation d'adrénaline sur les récepteurs adrénergiques* bêta. — Syn. : *bêtabloqueur, bêta-inhibiteur, bêtalytique. Les bêtabloquants sont employés dans les troubles du rythme cardiaque, pour le traitement des hypertensions.*

REM. On écrit aussi *bêta-bloquant.*

CONTR. **Bêtastimulant.**

**BÊTABLOQUEUR** [bɛtablɔkœʀ] adj. et n. m. → **Bêtabloquant.**

**BÊTAGRAPHIE** [bɛtagʀafi] n. f. — XXe (attesté 1972); de *(rayonnement) bêta,* et *-graphie.*

Technique radiographique utilisant, pour l'examen d'objets minces, un faisceau de particules bêta. *Bêtagraphie de manuscrits anciens, de coupes végétales.*

**BÉTAIL** [betaj] n. m. sing. — XVe *bestail; bestiaille,* 1213; du lat. *bestia* (→ Bestiaux), et *bestaille,* de *beste* «bête».

♦ **1** Ensemble des animaux entretenus pour la production agricole. → **Bestiaux; bête, cheptel.** *L'accroissement du bétail en France. Têtes de bétail. Le bétail d'une exploitation rurale. Le gros bétail* (→ **Aumaille, bovin, cheval).** *Le petit* (vx *le menu*) *bétail* (→ **Ovin, porcin).**

Le bétail d'une ferme constitue le **cheptel vivant,** c'est une partie importante du capital d'exploitation du cultivateur. En France, le bétail est considéré comme formé par les animaux des races chevalines (y compris les races asine et mulassière), bovines, ovines et porcines; c'est à tort que l'on exclut généralement les animaux de basse-cour de cette classification ; quoiqu'ils n'occupent le plus souvent qu'une place très restreinte dans l'ensemble. 1
Omnium agricole, p. 116.

Voici maintenant un autre cas : celui du bétail, dont la position sociale est métonymique (il fait partie de notre système techno-économique), mais différente de celle des chiens en ce que le bétail est plus ouvertement traité comme objet, le chien comme sujet (ce que suggèrent, d'une part le nom collectif par lequel nous désignons le premier, d'autre part le tabou alimentaire qui frappe la consommation du chien dans notre société). 1.1
Claude LÉVI-STRAUSS, la Pensée sauvage, p. 272-273.

*Élevage, entretien du bétail.* → **Élevage.** *Alimentation, nourriture du bétail* (→ **Affenage, affouragement, barbotage, buvée, embouche, engraissement, fourrage, herbage, nourrissage, pâture, pouture;** et aussi **abreuvoir, auge, crèche, ratelier).** *Logement, vie du bétail* (→ **Étable, gagnage, nourricerie, pacage, parc, pâtis, pâturage; divagation, hivernage, transhumance).** *Reproduction du bétail.* → **Accouplement, castration, croisement, sélection; vétérinaire, zootechnie.** *Personne qui garde, conduit le bétail.* → **Berger.** *Cloches*, clochettes du bétail.* → **Clarine, sonnaille.** *Bétail sur pied, vivant. Pièce de bétail destinée à la boucherie.*

Par compar. (Emploi analogue à celui de *bestiaux*). *Traiter les gens comme du bétail. Les voyageurs étaient entassés comme du bétail.* — Par métaphore :

Quelques imitateurs, sot bétail, je l'avoue, 2
Suivent en vrais moutons le pasteur de Mantoue.
LA FONTAINE, À l'évêque d'Avranches.

♦ **2** (XVIIe). Fig., péj. *Le bétail humain.* → **Troupeau.**

(...) cet étouffement chaud des chambrées les mieux tenues, qui sentent le bétail humain. 3
ZOLA, Germinal, t. I, 2.

Il avait la vision confuse de ce bétail humain se laissant conduire et traînant sous l'œil du chien son infatigable et morne douceur. 4
FRANCE, l'Orme du mail, XI.

(...) dans les premiers villages, devant ces cases toutes pareilles, contenant un bétail humain uniforme d'aspect, de goûts, de mœurs, de possibilités, etc., c'est ce dont on souffre également dans le paysage. 5
GIDE, Voyage au Congo, *in* Souvenirs, Pl., p. 799.

(1905). Argot. Par anal. Prostituées; ensemble de femmes, considérées comme des objets de plaisir ou des marchandises.

DÉR. **Bétaillère.**

**BÉTAILLÈRE** [betajɛʀ] n. f. — Déb. XXe, selon G. L. L. F.; attesté 1953; de *bétail.*

Fourgon automobile à claire-voie, réservé au transport des chevaux et des animaux de boucherie. *Transporter des porcs en bétaillère.*

Ils *(les bœufs)* arrivent en fourgonnette, en bétaillère découverte tirée par une camionnette anonyme d'acheteur de bestiaux ou par celle de leur propre éleveur.
Catherine PAYSAN, l'Empire du taureau, p. 116.

**BÊTA-INHIBITEUR, TRICE** [bɛtainibitœʀ, tʀis] adj. et n. m. — Av. 1972, *in* Garnier et Delamare; de *bêta(récepteur),* et *inhibiteur.*

Méd. → **Bêtabloquant.**

**BÊTALYTIQUE** [bɛtalitik] adj. — Av. 1972, *in* Garnier et Delamare; de *bêta(récepteur),* et *lytique.* REM. On écrit aussi *bêta-lytique.*

Méd. → **Bêtabloquant.**

**BÊTAMIMÉTIQUE** [bɛtamimetik] adj. — Av. 1972, *in* Garnier et Delamare ; de *bêta(récepteur)*, et *mimétique*.
REM. On écrit aussi *bêta-mimétique*.

Méd. En gynécologie, se dit d'un produit servant à empêcher les contractions utérines. *«Il en irait ainsi des produits utilisés pour prévenir les contractions utérines pendant la grossesse et avant terme (bêtamimétiques) ou au contraire des produits destinés à renforcer ces contractions utérines (ocytociques)»* (*le Figaro*, 19 nov. 1973).

(Plus généralt). Qui imite l'action des récepteurs adrénergiques* bêta ; qui les stimule. → aussi **Sympathicomimétique.**

CONTR. **Ocytocique.**

**BÊTARÉCEPTEUR** [bɛtaʀesɛptœʀ] n. m. → **Adrénergique** (récepteur bêta-adrénergique). REM. On écrit aussi *bêta-récepteur*.

**BÊTASSE** [bɛtas] adj. et n. f. — XIX^e ; de *bête*, et suff. *-asse*.

Fam. et péj. (Femme) sotte, niaise. *Elle est bêtasse.* — N. f. *Une grosse bêtasse.*

DÉR. **Bêtasserie.**

**BÊTASSERIE** [bɛtasʀi] n. f. — 1908, *in* T. L. F. ; de *bêtasse*.

Fam., rare. Sottise, ineptie. *«Avec ses minauderies et ses bêtasseries de salon»* (R. Rolland, *Jean-Christophe*, 1908, *in* T. L. F.).

**BÊTASTIMULANT, ANTE** [bɛtastimylɑ̃, ɑ̃t] adj. et n. m. — Av. 1972, *in* Garnier et Delamare ; de *bêta(récepteur)*, et *stimulant*.

Méd. Se dit des médicaments, tel l'isoprénaline, aussi appelés *bêta-adrénergiques*, qui favorisent la fixation d'adrénaline sur les récepteurs adrénergiques* bêta. *Substance bêtastimulante.*

CONTR. **Bêtabloquant.**

**BÊTATHÉRAPIE** [bɛtateʀapi] n. f. — Mil. XX^e ; de *(rayons) bêta*, et *-thérapie*.

Méd. Emploi thérapeutique de rayons bêta (→ **Radiothérapie**) dans le traitement de tumeurs.

**BÊTATRON** [bɛtatʀɔ̃] n. m. — 1940 ; de *(rayonnement) bêta*, et suff. *-tron*. → Cyclotron.

Sc. Cyclotron à rayonnements bêta, où les électrons décrivent des trajectoires circulaires le long desquelles ils sont continûment accélérés par un champ électrique d'induction.

**BÊTE** [bɛt] n. f. et adj. — 1080, *Chanson de Roland* : *beste* «animal» ; du lat. *bestia*, probablt par une forme **bestie* ou (Guiraud) **besta*. → Biche.

**I** N. f. **A** ♦ **1** Tout être animé, l'homme excepté. → **Animal.** *Les bêtes.* → **Faune.** *Bêtes et gens. Bêtes, hommes et dieux* (titre d'un ouvrage de F. Ossendowski). *Les bêtes de l'air, les bêtes marines. Bêtes à poils, à plumes* (vx : *de poil, de plume*).

1 **Animal** exprime un règne particulier de la nature (...) : il comprend l'homme ; **bête** signifie une classe d'animaux de laquelle l'homme est exclu (...) Ainsi, on devra dire : comparer l'homme aux autres **animaux**, et le comparer aux **bêtes** (...)
LAFAYE, Dict. des synonymes, Animal, bête, brute.

REM. *Bête* s'oppose à *animal* en ce que le mot n'est pas scientifique ; il ne désigne donc que les animaux perçus comme tels par la culture (donc, à l'exclusion des protistes, des animaux fixés, etc.) ; il désigne notamment les animaux terrestres et aériens (mammifères, oiseaux, reptiles, insectes...) ; il se dit peu en parlant des poissons. Ses critères d'emploi sont surtout pragmatiques : langage enfantin, naïf, etc.

Une bête elle est là gigotant dans le bleu 1.1
une bête elle est là elle saute et volette
une bête elle est là molle et poussant ses yeux
une bête elle est là fille des ses ancêtres
une bête elle est là cassant ses origines
une bête elle est là transformant l'héritage
une bête elle est là elle est neuve fontaine
elle vient de l'abîme et sort de l'océan
elle vient de la terre et sort des atmosphères
tièdes pour déployer ses généalogies
au delà du gotha des classifications
déjà tant derrière elle Une bête est ici
R. QUENEAU, Petite cosmogonie portative, *in* Chêne et Chien, p. 113.

*Une belle, une grosse bête. Une petite bête.* → **Bestiole, bestion** (vx). *Des peaux de bêtes. Une drôle de bête. Aimer les bêtes. Un ami des bêtes. Nos amies les bêtes. Au temps où les bêtes parlaient* (début traditionnel de contes ; cf. Rabelais, II, 15). — Hypocoristique. *Oh ! la jolie petite bête !* → **Bébête.** *«La petite bête qui monte, qui monte, qui monte...»* (→ ci-dessous, cit. 9.1). — Collectif. *La bête et l'homme :* l'animal et l'homme → ci-dessous, cit. 4, 6, 7. *L'ange et la bête.* — REM. La remarque d'usage ci-dessus ne s'applique pas à la langue classique (cit. 2 à 7) où *bête* s'employait dans le discours savant et didactique, voire philosophique.

Elle *(la raison)* est la seule chose qui nous rend hommes et nous distingue des bêtes (...) 2
DESCARTES, Disc. de la méthode, I.

(...) Et ceci ne témoigne pas seulement que les bêtes ont moins de raison que les hommes, mais qu'elles n'en ont point du tout : car on voit qu'il n'en faut que fort peu pour savoir parler (...) 3
DESCARTES, Disc. de la méthode, V.

L'homme n'est ni ange ni bête, et le malheur veut que qui veut faire l'ange fait la bête. 4
PASCAL, Pensées, VI, 358.

Les uns ont voulu renoncer aux passions et devenir dieux ; les autres ont voulu renoncer à la raison et devenir bêtes brutes. 5
PASCAL, Pensées, VI, 413.

*(Ils disent)* Que la bête est une machine ; 6
Qu'en elle tout se fait sans choix et par ressorts :
Nul sentiment, point d'âme, en elle tout est corps (...)
LA FONTAINE, IX, Disc. à M^me de la Sablière.

N. B. Il s'agit ici de la conception de Descartes : *l'animal-machine.*

La nature commande à tout animal, et la bête obéit. L'homme éprouve la même impression (...) 7
ROUSSEAU, De l'inégalité parmi les hommes, 1^e.

Il y a dans le regard des bêtes, une lumière profonde et doucement triste qui m'inspire une telle sympathie que mon âme s'ouvre comme un hospice à toutes les douleurs animales. 8
Francis JAMMES, Contes, «De la Charité envers les Bêtes», p. 224.

Sans cris, sans chants, lourd et collé au sol comme une bête rampante qui déplie ses anneaux, le cortège s'ébranla dans la direction de la Porte Saint-Martin. 9
MARTIN DU GARD, les Thibault, t. VI, p. 280.

(...) la marche des mains sur la peau de mon corps, caresse qui partait du nombril et remontait jusqu'à la gorge... la p'tite bête qui monte, qui monte, qui monte... Kirikiriki... 9.1
Henri CALET, la Belle lurette, p. 10.

Animal domestique. *Une bonne, une brave bête. Une bête douce, craintive, paresseuse. Une bête malade. Une bête racée. Le pedigree d'une bête de race. Une bête de sang.* → ci-dessous, cit. 13. *Une bête de prix. — Une bête à cornes. Une bête à lait. Bêtes ovines. Une bête à laine. — Des bêtes de trait, de labour.* → **Attelage.** — Loc. techn. *Une bête épaulée,* qui ne peut plus être attelée. — *Une bête de selle.* → **Monture.** *Une bête de bât.* — Cour. *Une bête de somme.* → **Bât, charge.** — Spécialt. Bête de selle. *Il avait une belle bête.* → **Cheval.** *Remonter sur sa bête.* → **Monture.** — Absolt. *Les bêtes :* les bestiaux, le bétail. *Mener, rentrer, soigner les bêtes.* Rural. *Il faut donner à manger aux bêtes* (incluant les petits mammifères, lapins, par exemple, mais non les animaux de basse-cour).

10 Dans le troisième lot, les fermes, le ménage,
Les troupeaux et le pâturage,
Valets et bêtes de labeur.
LA FONTAINE, Fables, II, 20.

11 Nous suons, nous peinons, comme bêtes de somme (...)
LA FONTAINE, Fables, III, 2.

12 On contraint les bêtes de somme à tirer ou à porter des fardeaux qui surpassent leurs forces, et, pour les obliger d'avancer, on leur coupe le cuir à virevoltes de lanières.
CHATEAUBRIAND, Mémoires d'outre-tombe, IV, 3.

12.1 N'existait-il donc pas dans l'île quelque ruminant d'espèce indigène qui pût remplacer cheval, âne, bœuf ou vache? C'était la question.
En vérité, disait Pencroff, une bête de trait nous serait fort utile, en attendant que M. Cyrus voulût bien construire un chariot à vapeur, ou même une locomotive.
J. VERNE, l'Île mystérieuse, t. I, p. 396.

13 «Es-tu souple!» dit-il, en la caressant comme on flatte une bête de sang.
MARTIN DU GARD, les Thibault, t. III, p. 15.

*Bête sauvage :* animal sauvage, notamment dangereux. → **Fauve.** *Bêtes de proie.* — *Bête féroce* (→ **Carnassier, sanguinaire**). Vx. *Bête carnassière. Bêtes nuisibles.* → **Nuisible** (n.). — REM. Pour les emplois techniques (chasse, etc.) → ci-dessous, *infra* cit. 18.

14 Tu la troubles, reprit cette bête cruelle;
Et je sais que de moi tu médis l'an passé.
LA FONTAINE, Fables, I, 10.

15 Avec une lyre il *(Orphée)* apprivoisait les bêtes sauvages.
FÉNELON, Télémaque, VII.

16 Le cri des oiseaux nocturnes, celui des bêtes féroces, en hiver, pendant la nuit.
DIDEROT, Salon de 1767, 1 t. XIV, p. 261, *in* POUGENS.

16.1 Je lui sauve la vie, je lui rends sa fortune, il m'arrache ce que j'ai de plus cher! Une bête féroce eût été moins cruelle! SADE, Justine..., t. I, p. 64.

Par comparaison :

17 Alors, de male rage, le vieux s'enferma dans son moulin et vécut tout seul comme une bête farouche.
Alphonse DAUDET, Lettres de mon moulin, III.

Absolt. *Les bêtes :* les animaux féroces qui participaient aux Jeux du Cirque (→ **Belluaire, bestiaire**). *Un combat de bêtes. Des martyrs livrés aux bêtes.* (Fig.). *Être livré aux bêtes :* aux critiques de gens ignorants ou malveillants.

*Une bête inconnue, étrange, curieuse.* Loc. *Regarder qqn comme une bête curieuse.*

18 (...) j'en ai pour toute la journée à faire la bête rare et curieuse, sur mon siège de parade.
LOTI, les Désenchantées, II, IV, p. 54.

Absolt. *Les bêtes,* les insectes, la vermine. *Il y a des bêtes. Un lit infesté de bêtes.* → **Vermine.**

Spécialt (contexte de la chasse). Bête chassée, poursuivie. *Détourner, relancer la bête. La bête donne le change, est épuisée, est prise.* — (Qualifié). Techn. *Bêtes fauves. Bêtes fauves rousses :* cerf, chevreuil, daim, loup, renard; *bêtes fauves noires :* sanglier. *Bêtes douces :* chevreuil, biche. *Bêtes broutantes :* chevreuil, chamois. *Bêtes mordantes :* renard, loup. — *Grandes bêtes* (cerfs, daims, chevreuils) *et menues bêtes* (lièvres, renards). *Bêtes puantes :* renards, blaireaux, fouines, putois. — *Bête de compagnie :* jeune sanglier (qui vit en bande). — Cour. *Bête traquée, prise au piège.* (Dans des compar. et des métaphores, en parlant des humains). *On aurait dit une bête à l'affût, prête à sauter sur sa proie. Mener une vie de bête traquée, aux abois. La bête est prise, prise au piège.*

Loc. (Insectes). *Bête à bon Dieu* ou (vx) *bête à Martin :* coccinelle. *Bête rouge :* puce d'Amérique. *Bête noire :* grillon domestique, blatte. *Bête à feu :* lampyre. *Bête à patates* (régional) : doryphore.

(Animaux imaginaires). Relig. *La bête, la bête de l'Apocalypse :* figure apocalyptique incarnant le mal, l'Antéchrist. *La bête leur fera la guerre* (*Apocalypse,* XI, 7).

Hist. *La bête du Gévaudan :* animal supposé qui terrorisa la France à la fin du XVIIIe siècle (employé à l'occasion des massacres commis par un animal non identifié et de la terreur collective qui s'ensuivit. Cf. en 1978, *la bête des Vosges*).

*(Le loup)* Craint de toute l'Antiquité et du Moyen Âge, il revient aux temps modernes périodiquement se réincarner dans une quelconque bête du Gévaudan, et dans les colonnes de nos journaux il constitue le pendant mythique et hivernal des serpents de mer estivaux. 18.1
Gilbert DURAND, les Structures anthropologiques de l'imaginaire, p. 91.

Loc. fam. (adressée aux enfants). Régional. *Si tu n'es pas sage, j'appelle la bête.* → **Croque-mitaine, loup.** — Allus. littér. *La Belle et la Bête,* conte de Mme Leprince de Beaumont; film de Jean Cocteau.

Par métaphore (en parlant d'un train, d'une locomotive). *«(...) on a fermé la portière, la bête de fer a renâclé comme un cheval qui piaffe, et nous sommes partis»* (Flaubert, *Par les champs et par les grèves,* 1848, *in* T. L. F.).

Loc. fig. *Qu'est-ce que c'est que cette bête?,* se dit d'un sujet de curiosité, d'étonnement. → **Chose, truc.**

Allus. littér. *«Ce que j'ai fait, jamais aucune bête ne l'aurait fait»* (rappelé pour qualifier un exploit de courage accompli dans des conditions extraordinairement pénibles). La phrase est attribuée par Saint-Exupéry à Guillaumet qui, après un accident d'avion, avait marché trois jours et deux nuits dans les Andes, à très haute altitude.

(...) nous t'écrasions dans nos bras, vivant, ressuscité, auteur de ton propre miracle. C'est alors que tu exprimas, et ce fut ta première phrase intelligible, un admirable orgueil d'homme : «Ce que j'ai fait, je te le jure, jamais aucune bête ne l'aurait fait.» 18.2
SAINT-EXUPÉRY, Terre des hommes, p. 46. (Cf. p. 53 : «Cette phrase, la plus noble que je connaisse.»)

♦ **2** Loc. compar. — **COMME UNE BÊTE.** **a** *Être malade comme une bête,* très malade. → **Chien.** — *Vivre comme une bête,* d'une manière bestiale (moralement). — Loc. Vx. *Être nu comme une bête,* tout nu. → mod. Nu comme un ver.

REM. L'emploi ci-dessous semble amorcer le sens intensif moderne :

— Contez-moi çà, monsieur Théodore; seriez-vous amoureux? 18.3
— Comme une bête, madame Potain!
— N'y a pas de mal à çà, monsieur Théodore, n'y a pas de mal à çà; et c'est-y de quelqu'un que ça puisse coïncider avec vous?
Henri MONNIER, Scènes populaires, «la Victime du corridor», p. 267.

**b** Fam. (Intensif). *Comme une bête :* avec acharnement (→ **Bestialement,** 2). *Travailler comme une bête* (→ Comme un bœuf*). *Ils travaillent comme des bêtes, en ce moment. S'éclater* comme une bête. «C'est comme ça que vous avez été pro-chinois comme des bêtes. Et que maintenant vous larguez la chose en apprenant qu'il y a eu là des centaines de morts!»* (*Charlie Hebdo,* no 371, 21 déc. 1977). —

Spécialt (dans le langage des pilotes automobiles). *Attaquer comme une bête :* se lancer au maximum sans réfléchir.

♦ **3** Loc. fig. CHERCHER LA PETITE BÊTE : être extrêmement méticuleux ou s'efforcer de découvrir une erreur, une irrégularité.

8.4 Et croyez que j'ai bien étudié, bien scruté, bien percé! Croyez que j'ai bien cherché la petite bête dans ce bonheur-là!
BARBEY D'AUREVILLY, les Diaboliques, «Le bonheur dans le crime».

8.5 Je suis quant à moi, un homme tout simple. Je ne cherche pas la petite bête. Je n'aime pas les complications. Pourquoi creuser, fouiller? La vie est bien assez compliquée comme ça.
N. SARRAUTE, Vous les entendez?, p. 124.

**BÊTE NOIRE.** *C'est sa bête noire,* il a cette personne, cette chose en horreur. Syn. Vx. *Bête d'aversion.*

19 L'ingratitude est ma bête d'aversion (...)
Mme DE SÉVIGNÉ, 1226, 16 oct. 1689.

9.1 Fut-ce cet air-là qui commença son impopularité parmi ses camarades? Toujours est-il qu'il devint, en très peu de temps, la bête noire du régiment.
J. BARBEY D'AUREVILLY, les Diaboliques, «À un dîner d'athées».

20 Or, il y avait dans notre ville un vieux jésuite qui était la bête noire de mon oncle Sosthène.
MAUPASSANT, Mon oncle Sosthène, Pl., t. I, p. 505.

21 J'espère (...) reprendre un jour la lutte contre le militarisme. Ça reste ma bête noire!...
MARTIN DU GARD, les Thibault, t. VII, p. 294.

Loc. prov. *Morte la bête, mort le venin :* le méchant cesse de nuire quand il meurt; le danger disparaît avec la cause.

*Reprendre du poil de la bête :* reprendre le dessus; se ressaisir. → **Poil,** cit. 19.

22 Loin de sa femme, ce petit quadragénaire gras reprenait du poil de la bête.
F. MAURIAC, le Nœud de vipères, II, 15, p. 177.

*La bête à deux dos* (vieilli) : couple en train de faire l'amour. *Faire la bête à deux dos :* faire l'amour (Rabelais I, 3).

2.1 Franchement, je ne vois pas quelle lecture peuvent s'interdire des femmes mariées qui font, ou ont le droit de faire la bête à deux dos toutes les nuits.
J. RENARD, Journal, 18 mars 1890.

**BÊTE DE..., À...** (désignant des personnes). Par plais. (1901, *in* D. D. L.). *Bête à concours :* personne qui se distingue plus par sa capacité de réussite aux examens que par une personnalité véritable. *«Le règne des "forts en thème" et des bêtes à concours»* (G. Bouthoul, *Sociologie de la politique,* p. 108). — *Bête de travail :* personne qui se distingue par la quantité de travail qu'elle fournit et l'obstination qu'elle y met. → ci-dessus Travailler comme une bête. *Napoléon fut une bête de travail.* → **Bourreau** (de travail). — (1964). Fam. *Bête de scène, de théâtre :* artiste remarquable à la scène, au théâtre, etc., et qui s'y donne à fond. → Monstre (monstre sacré).

♦ **4** [a] *La bête, la bête hombrée :* ancien jeu de cartes analogue à l'hombre.

[b] La mise, à ce jeu. *Mettre une, sa bête,* dans un jeu de cartes portant ce nom, engager une somme d'argent. — Déposer, après avoir perdu un coup, une somme qui sera ramassée par le gagnant du coup suivant.

*Faire la bête :* perdre le coup qui, selon la règle, oblige le joueur à *mettre une bête,* et, par ext., perdre au jeu. — (Métaphore du sens 1 : monture). *Remonter sur sa bête :* gagner le coup qui suit celui où l'on a mis sa bête. — Loc. fig. (Vx). *Remonter sur sa bête :* réparer une perte (Goncourt *in* T. L. F.).

**B** ♦ **1** Le caractère instinctif, animal (dans l'homme). → **Bestialité.** *La bête humaine. L'esprit doit dominer, mater la bête. La bête n'en peut plus :* la personne est épuisée. — (Qualifié). *Une bête :* une personne (mauvaise, cruelle...). *Mauvaise, méchante, vilaine bête. Bête brute*. Bête sanguinaire, féroce.* → **Sauvage.** *Une bête venimeuse :* un calomniateur. — Vx. *Devenir bête, rendre bête.* → ci-dessous, cit. 24 (serait compris comme l'adj., ci-dessous, II.).

Tout homme a une bête féroce en soi; peu savent l'enchaîner, la plupart lui lâchent le frein, lorsque la terreur des lois ne les retient plus (...) 23
VOLTAIRE, Lettre au roi de Prusse, 31 oct. 1760.

On n'a jamais employé tant d'esprit à vouloir nous rendre bêtes. Il prend envie de marcher à quatre pattes, quand on lit votre ouvrage. 24
VOLTAIRE, à ROUSSEAU, 31 août 1755 (à propos du «Disc. sur l'origine de l'inégalité parmi les hommes»).

J'étais un impie, un athée, un forcené, un enragé, une bête féroce, un loup. ROUSSEAU, les Confessions, I, XII. 25

Je la contemplais avec cette horreur qui me saisit quand je perçois, chez une créature humaine, la présence de la bête. G. DUHAMEL, Chronique des Pasquier, I, VII. 26

Nous étions des bêtes. Qui sentait et criait? La bête qui est dans l'homme, la bête dont vit l'homme. La bête qui fait l'amour et la guerre et la révolution. 26.1
DRIEU LA ROCHELLE, la Comédie de Charleroi, p. 72.

Fam. *Une bonne, une brave bête :* une personne peu intelligente mais bonne. — Vx. *Fine bête; maligne bête.* → mod. Fine mouche.

En appos. *Et moi, bonne bête, brave bête, qui allais l'aider!* → Bonne poire, bonne pomme.

Ce que vous m'amusez! s'écria-t-elle tout à coup en plongeant sa figure dans ses mains. Et moi, bonne bête, qui discutais sérieusement sans m'apercevoir que vous me faisiez monter à l'arbre. 26.2
PROUST, Du côté de chez Swann, Pl., t. I, p. 215.

♦ **2** (XIIIe). Vx ou littér. Homme dénué de bon sens, d'esprit, de jugement. *C'est une bête, une vraie bête, une grande bête.* → **Balourd, buse, butor, ganache, godiche, gourde, lourdaud, pécore.** *Cette foutue, cette fichue bête de X.*

*(Vous)* vous faites mener en bête par le nez. 27
MOLIÈRE, les Femmes savantes, II, 9.

Chacun eût cru passer pour une bête (...) 28
LA FONTAINE, Fables, V, I.

Le vin ne fait pas mourir l'homme, il le rend bête (...) 29
FÉNELON, Télémaque, VIII.

— J'vous dis qu'c'est pas ici... Est-ce qu'on entre comme çà l'soir dans les maisons? 29.1
— Bête que vous êtes : je n'entre pas puisque j'm'en vas.
— Bête vous-même, grand fédéré.
Henri MONNIER, Scènes Populaires, «Le roman chez la portière», p. 19.

L'esprit d'une bête, c'est de ne pas être un sot. 30
HUGO, Post-Scriptum de ma vie, II.

Satanée bête que je suis! s'écria-t-il. Pauvre Ayrton! il a pourtant droit de parler ici autant que qui que ce soit!... 30.1
J. VERNE, l'Île mystérieuse, t. II, p. 666.

Vingt, trente générations de Français (...) croient (...) que tous les gens sans aucune exception depuis le commencement du monde (...) jusqu'au trente et un décembre dix-sept cent quatre-ving-huit, — après la naissance du Christ — à minuit, ont été de foutues bêtes (...) 31
Ch. PÉGUY, Œuvres, t. IX, 6 oct. 1907.

Loc. mod. *Faire la bête :* affecter la bêtise; dire des bêtises.

(Emploi affectueux). *Grosse bête, grande bête!* → **Bébête, bêta, nigaud.**

**II** Adjectif.

REM. Cet emploi apparaît au XIII^e s. (v. 1220), selon Tobler-Lommatsch (cf. aussi Adam de la Halle *in* Godefroy : «*certes voirement sui je beste*»; mais Godefroy le considère comme un substantif) ; il réapparaît en 1753 (Diderot) mais certains emplois classiques, en attributs, ont une valeur quasi adjective :

31.1 Il *(Jupiter)* veut goûter par là toutes sortes d'états
Et c'est agir en dieu qui n'est pas bête.
MOLIÈRE, Amphitryon, Prologue.

32 Vraiment nous sommes bien bêtes (...)
M^me DE SÉVIGNÉ, 9, *in* LITTRÉ.

Il s'agit partout encore du substantif. Le passage de ces emplois nominaux attributs *(être, se rendre bête)* à une véritable adjectivation a dû être progressif et il est arbitraire d'en donner une datation précise ; cependant l'évolution est faite au milieu du XVIII^e siècle.

♦ **1** (En parlant des personnes). Qui manque d'intelligence. *Il est bête, assez bête; tu es trop bête pour comprendre ça.* → **Sot; con, crétin, idiot, imbécile, inepte, inintelligent, obtus, stupide.** *Comme tu es bête! Ce qu'elle est bête. Il est moins bête, plus bête que son frère. Il est un peu bête.* → **Bébête.** — *Elle se trouvait trop bête de refuser...* → Polichinelle, cit. 5. — (Compar.). *Il, elle est bête comme un âne, un dindon, une oie* (cit. 4); *comme une cruche, un panier, un pot; comme un pied, comme ses pieds**. *Il est bête comme trente-six mille pots* (cit. 5). — *Bête à... Bête à pleurer :* si bête que l'on a envie d'en pleurer. *Bête à manger du foin**, *à manger de l'herbe.* — (Négations). *Il n'est pas bête, pas bête du tout. Elle est loin d'être bête;* euphémismes pour : il, elle est intelligent(e). Loc. *Pas si bête! :* pas si naïf, pas assez bête pour se laisser tromper. *Je n'irai pas lui donner ma démission : pas si bête. — Il est plus bête que méchant :* il agit sans vouloir mal faire. *Il est bête et méchant. Les gens sont bêtes, le monde est bête.*

33 Que les gens d'esprit sont bêtes!
BEAUMARCHAIS, le Mariage de Figaro, I, 1.

34 La grande erreur des gens d'esprit est de ne pas croire le monde aussi bête qu'il est.
M^me DE TENCIN, citée par CHAMFORT, Caractères et anecdotes.

35 (...) il *(Saint-Ange)* se tenait à quatre pour n'être pas bête, mais il ne pouvait s'en empêcher.
CHATEAUBRIAND, Mémoires d'outre-tombe, I, 7.

36 Talma, que la postérité élèvera peut-être si haut, avait l'âme tragique, mais il était si bête qu'il tombait dans les affectations les plus ridicules.
STENDHAL, Souvenirs d'égotisme, p. 93.

36.1 Pour moi je rêvasse de cette vieille littérature, je tâche d'empoigner tout ça. Je voudrais bien imaginer quelque chose mais (...) je ne sais quoi? Il me semble que je deviens bête comme un pot.
FLAUBERT, Correspondance, 22 avr. 1850, Pl., t. I, p. 615.

37 Si bêtes que soient les bêtes, vous pensez bien qu'à la longue elles ont fini par se méfier.
Alphonse DAUDET, Tartarin de Tarascon, I, II.

38 Mais je vous accorde qu'il vaut mieux être bête comme tout le monde que d'avoir de l'esprit comme personne.
FRANCE, Histoire comique, I.

39 À vrai dire, Mme Desroches, femme d'esprit prompte à saisir les ridicules et n'en détestant aucun plus que le ridicule du pédantisme et de la prétention, était trop disposée à trouver bêtes les gens qui, comme elle disait, «disaient des bêtises». PROUST, Jean Santeuil, Pl., p. 408.

Au superlatif. *C'est encore elle la moins bête.*

40 «Je vote pour le plus bête», la boutade fameuse de Clemenceau n'est cruelle qu'en apparence. Elle signifiait : «Je vote pour le plus inoffensif».
F. MAURIAC, Bloc-notes 1952-1957, p. 50.

Par ext. *Que je suis bête! j'oubliais l'essentiel!* → **Étourdi, inattentif.** *Suis-je bête! :* ahuri, déconcerté. *Il est resté bête, tout bête. L'âge bête :* l'adolescence.

Fam. N. m. (appellatif). → **Bêta.**

Lucien se sentit livré à son père, à la nuit, et (...) il se mit à pleurer. — Ça t'avance bien, lui dit son père. Gros bête, va! M. AYMÉ, le Passe-muraille, p. 138. 41

♦ **2** (Choses abstraites; idées, comportements, actes...). Qui témoigne de bêtises, indique la bêtise; sans valeur intellectuelle. → **Idiot, imbécile, inepte; con, crétin, stupide.** *Une idée, une histoire, une remarque bête. Une question assez bête. Que c'est bête! Cette écriture est bête.* → **Niais.** *Ce livre est assez bête. Une publication bête et méchante,* volontairement absurde dans l'agressivité. *Un air, une expression, un rire bête.* — Loc. fam. *Il a l'air bête et la vue basse.*

Elle regardait d'un œil hostile cette écriture bête. La forme allongée de l'enveloppe, aussi, était bête et la couleur améthyste du papier et jusqu'à l'encre rouge; oui, il n'était rien là qui ne fût signe de niaiserie. 42
F. MAURIAC, la Fin de la nuit, p. 118, *in* T. L. F.

Par ext. (dans quelques loc.). Très facile. *C'est tout bête : vous n'avez qu'à envoyer une demande à... — C'est bête comme chou**. → **Enfantin.**

Fam., vx. *Avoir les doigts bêtes :* être maladroit.

Fam., vieilli. *Un, une bête de...* suivi d'un nom (surtout au fém., à cause du genre du mot).

(...) je me demandais si Rembrandt usait de la bête d'habitude de faire poser ses modèles dans un atelier éclairé par la lumière du Nord, ainsi que tous nos peintres. 43
Ed. et J. DE GONCOURT, Journal, t. II, p. 16.

Elle ne voulait plus être une charge, elle voulait qu'Auguste la laissât en repos, avec sa bête de curiosité. 44
Louise MICHEL, la Misère, t. I, p. 15.

N. m. *Ce film est d'un bête!*

♦ **3** Par ext. (d'un événement). Absurde et regrettable. → **Stupide.** *Un accident bête,* qu'il aurait été facile d'éviter. *C'est trop bête : j'ai oublié de vous prévenir!*

CONTR. **Fin, futé, ingénieux, intelligent, spirituel, subtil.**
◊ DÉR. 2. **Bêta, bêtement, bêtifier, bêtise. — Bébête.** — (Du latin *bestia*) 1., 2. **Bestiaire, bestial, bestialité, bestiole, bestion.** — V. aussi **Bestiasse, bestiaux, bétail.** — COMP. **Abêtir, embêter, rabêtir. Pense-bête.** — HOM. 1., 2. **Bette.**

**BÉTEL** [betɛl] n. m. — 1572; *beteille,* 1515; port. *betel* (directement, ou par l'ital.), lui-même du malayalam (langue dravidienne de l'Inde) *vettila.*

♦ **1** Variété de poivrier grimpant *(Pipéracées),* originaire de Malaisie, dont les feuilles desséchées contiennent des principes stimulants et astringents. *Essences, noix de bétel.*

(...) autour d'elles *(les demeures lacustres)* poussaient les cocotiers emplumés, les palétuviers, les jets de bambous bleus et le bétel en forme de cœur. 1
Paul MORAND, Bouddha vivant, p. 24.

♦ **2** Masticatoire tonique et astringent composé de feuilles de bétel et de tabac, de chaux vive et de noix d'arec, utilisé dans les régions tropicales. *Mâcher du bétel.*

(...) la triste coca du plateau bolivien; fade rumination de feuilles séchées, vite réduite à l'état de boulette fibreuse à saveur de tisane, insensibilisant la muqueuse et transformant la langue du mâcheur en corps étranger. Digne de lui être comparée, je ne vois que la plantureuse chique de bétel farcie d'épices, bien qu'elle affole le palais non prévenu d'une salve terrifiante de saveurs et de parfums. 2
Claude LÉVI-STRAUSS, Tristes tropiques, p. 145.

(...) Karachi (...) des hordes de réfugiés dormaient en plein vent et vivaient une existence miséreuse sur le trottoir ensanglanté de crachats au bétel (...) 3
Claude LÉVI-STRAUSS, Tristes tropiques, p. 106.

**BÊTEMENT** [bɛtmɑ̃] adv. — XIV^e, *bestement,* sens inconnu; rare av. 1606, puis XVIII^e; de *bête.*

♦ **1** D'une manière bête (II.), sotte, stupide. → **Sottement, stupidement; niaisement.** *Parler, agir* (cit. 24) *bêtement.*

♦ **2** D'une manière absurde, inutile. *Il est mort bêtement; il s'est fait tuer bêtement.*

.1 «Je me suis laissé distraire par toutes sortes de préoccupations idiotes, j'ai gaspillé mon temps bêtement...»
N. SARRAUTE, le Planétarium, p. 100.

♦ **3** Banalement, sans chercher plus; simplement. *Je m'en tiendrai bêtement à mes principes, au contrat.*

**TOUT BÊTEMENT** : tout simplement. → **Bonnement, naïvement.**

REM. On trouve chez Flaubert la variante : *le plus bêtement du monde.*

1 Autrefois, par exemple, on disait tout bêtement : Voilà une idée raisonnable; maintenant on dit plus dignement : Voilà une déduction rationnelle.
A. DE MUSSET, Lettre de Dupuis et Cotonet, 1836.

2 Je vous demande un peu! S'aimer éperdument,
S'idolâtrer... quand c'est déjà si difficile
De bien s'aimer, tout bêtement (...)
Paul GÉRALDY, Toi et Moi, p. 74.

♦ **4** (Domaine concret). Simplement, sans imagination. *Un appartement meublé assez bêtement, bêtement meublé.*

**BÊTIFIANT, ANTE** [betifjɑ̃, ɑ̃t] adj. — XIXe; du p. prés. de *bêtifier.*

♦ **1** Littér. Qui rend bête, qui bêtifie (1.). → **Abêtissant.** *Des habitudes mornes et bêtifiantes.*

♦ **2** Cour. Qui bêtifie (2.), n'exprime que des bêtises. *«La stupidité bêtifiante de presque tous les membres de l'honorable compagnie»* (Balzac, *Correspondance,* 1809-1832, *in* T. L. F.).

(Personnes). *Il est bêtifiant.* — (Choses). *Journal, film bêtifiant.*

**BÊTIFIEMENT** [betifimɑ̃] n. m. — XXe; de *bêtifier.*

Rare. Le fait de bêtifier, de dire ou de faire des niaiseries.

Des voix pareillement «innocentes» vous investiront, vous abrutiront, feront de vous les clients-robots de la Société de consommation : zézaiements, zozottements et bêtifiements!
MORVAN-LEBESQUE, *in* le Canard enchaîné, 22 nov. 1967.

**BÊTIFIER** [betifje] v. — 1777, Beaumarchais; de *bête.*

♦ **1** V. tr. Littér. Rendre bête. → **Abêtir, abrutir.** *Éducation qui bêtifie les enfants.* — Au p. p. *Ils sont complètement bêtifiés.*

♦ **2** V. intr. Faire la bête, dire ou faire des sottises, des niaiseries. → **Bêtiser, (vx) gâtifier;** → Berdouillette, cit. *Père qui bêtifie avec son petit enfant.* Tenir des propos stupides. *Bêtifier sur quelque chose.*

1 Cet homme instruit et délicat se montrait alors parfaitement capable de dire de belles âneries. Il n'était pas sans le sentir et prenait en haine les gens devant lesquels il avait bêtifié.
G. DUHAMEL, Biographie de mes fantômes, IX.

1.1 Il est si bon, au milieu de cette nerveuse et tourmentante carrière, de s'oublier un instant, et de *bêtifier* comme des gens qui ne font pas métier d'avoir de l'esprit!
Ed. et J. DE GONCOURT, Journal, t. II, p. 220-221.

1.2 La petite se méfiait. Peu à peu, elle s'habitua et sembla même flattée des attentions d'une grande personne qui ne bêtifiait pas et la traitait en égale.
COCTEAU, Journal d'un inconnu, p. 61.

◆ **SE BÊTIFIER** v. pron.

(Du sens 1). S'abrutir, devenir bête.

2 Comme vous devez vous raser! Vous ne trouvez pas qu'on se bêtifie à rester tout le temps sur la plage?
PROUST, À la recherche du temps perdu, t. V. p. 137.

DÉR. **Bêtifiant, bêtifiement.**

**BÊTISE** [betiz] n. f. — XVe; de *bête.*

**A** ♦ **1** *(La bêtise).* Défaut d'intelligence et de jugement. → **Sottise; idiotie, imbécillité, ineptie, jobarderie, naïveté, niaiserie, stupidité.** *La bêtise de qqn, sa bêtise. «Une charge à fond contre la bêtise humaine»* (→ Catoblépas, cit. 1). *Faire preuve de bêtise. Il est d'une bêtise! Une rare bêtise. Une bêtise crasse, décourageante, ridicule. Une ignorance qui confine à la bêtise.* → **Ignorance.** *Être bon jusqu'à la bêtise,* d'une bonté excessive, qui s'exerce sans discernement. *Avoir la bêtise de* (et inf.). *Il a eu la bêtise de les croire.* — (Animaux). → ci-dessous, cit. 3.

L'obstination et ardeur d'opinion est la plus sûre preuve de bêtise (...) 1
MONTAIGNE, Essais, III, 8, De l'art de conférer.

Un air de béatitude faisait volontiers prendre sa simplicité pour bêtise (...) SAINT-SIMON, Mémoires, II, 341. 2

Les oiseaux s'avancent en dandinant vers le futé quadrupède *(le renard),* qui affecte autant de bêtise qu'ils en montrent. 3
CHATEAUBRIAND, Voyage en Amérique, Renard.

Pas une buse diplomatique qui ne se crût supérieure à moi de toute la hauteur de sa bêtise. 4
CHATEAUBRIAND, Mémoires d'outre-tombe, II, 2.

Il y a en moi, pauvre et simple homme de village, plus de bêtise que de méchanceté (...) P.-L. COURIER, I, 144. 5

Il n'est rien de tel que le spectacle d'un procès criminel pour dissiper la mélancolie, tant les juges sont ordinairement d'une bêtise réjouissante. 6
HUGO, Notre-Dame de Paris, VIII, I, p. 90.

(...) il rayonnait 7
Au-dessus des humains, à force de bêtise.
HUGO, les Années funestes, XXIII.

La bêtise est quelque chose d'inébranlable, rien ne l'attaque sans se briser contre elle. 8
FLAUBERT, Correspondance, t. II, p. 2.

(...) ils ont fait *(de l'Écriture)* [...] le garde-meuble enfin de la bêtise et de la méchanceté humaines. 9
FRANCE, la Rôtisserie de la reine Pédauque, p. 114 (→ Absurdité, cit. 3).

Je vous assure que la bêtise a une espèce d'odeur qui sort d'elle-même. L'homme n'a pas besoin de parler. 9.1
J. RENARD, Journal, 16 août 1909.

(...) le nez est généralement l'organe où s'étale le plus aisément la bêtise. 10
PROUST, À la recherche du temps perdu, t. X, p. 66.

La bêtise n'est pas mon fort. 10.1
VALÉRY, Monsieur Teste, p. 15.

REM. C'est le narrateur, et non pas M. Teste, qui s'exprime.

La bêtise, par insuffisance de conscience de soi, c'est-à-dire de *retour vers soi* de ce que *soi* a émis. Cette bêtise-là consiste en une inaptitude à se moquer de soi-même. — Ou ne pas se voir, ou ne pas se voir ridicule. 10.2
VALÉRY, Cahiers, Pl., t. II, p. 249.

Ses plus féroces boutades s'attaquaient à la vie, à la bêtise humaine; elles ne blessaient que les sots. 11
MARTIN DU GARD, les Thibault, t. III, p. 130.

La bêtise consterne et ne donne guère l'envie de rire. Plutôt elle attriste et nous rend bêtes par contagion. 12
COCTEAU, la Difficulté d'être, XXIII, p. 184.

La *Bêtise,* essentiellement, milite. Elle sert des systèmes qui se prétendent de première utilité parce qu'ils sont exclusivement raisonnables. L'innocence, elle, est capable d'attirer l'attention des hommes les meilleurs pour les persuader que, plus loin que les solutions hâtives à des problèmes mal connus et mal posés, une folle sagesse, plus savante que les livres, affirme tranquillement des vérités qui n'ont rien à faire avec le mensonge. 12.1
P. ÉLUARD, les Sentiers et les Routes de la poésie, Invraisemblances et hyperboles, p. 48.

♦ **2** *(Une, des bêtises).* Action ou parole peu intelligente, sotte ou maladroite. → **Sottise.** *Faire, dire des bêtises.* → **Maladresse, ânerie; bourde,** (fam.) **connerie, gaffe.** *Réparer, racheter, rattraper une bêtise.*

Quel délicieux livre à écrire, les bêtises des plus grands esprits! 12.2
BARBEY D'AUREVILLY, Pensées détachées, Pl., t. II, p. 1235.

13 Il semblait avoir découvert que le plus sûr moyen de ne jamais dire de bêtises est de ne point parler du tout.
GIDE, Si le grain ne meurt, I, 10.

♦ **3** *(Une, des bêtises).* Action, parole, chose sans valeur ou sans importance. → **Babiole, bagatelle, enfantillage, plaisanterie.** *S'amuser, passer son temps à dire des bêtises. Se brouiller, se battre pour une bêtise,* pour un motif futile.

14 (...) et ce que je dis là d'elle n'annonce pas des mouvements de mauvaise humeur bien opiniâtres ni bien sérieux : ce sont des bêtises ou des enfances dont il n'y a que de bonnes gens qui soient capables (...)
MARIVAUX, la Vie de Marianne, II.

15 Vous êtes bien bon, mon cousin. Vous dois-je beaucoup d'argent pour cette petite bêtise ?
BALZAC, le Cousin Pons, Pl., t. VI, p. 549.

16 Elle, parlait de miracles, de neuvaines, ou de pieuses images (...) Lui, disait que c'étaient des bêtises et des mômeries, comme il avait entendu dire à son grand-père.
R. ROLLAND, Jean-Christophe, Le buisson ardent, I, p. 1305.

♦ **4** *(Une, des bêtises).* Action déraisonnable, imprudente. → **Folie.** *Il faut l'empêcher de faire des bêtises.* Loc. *Pas de bêtises !,* soyez sage. *Et surtout pas de bêtises.*

(D'un enfant). Acte inconsidéré, désagréable pour les adultes de l'entourage. *Il ne fait que des bêtises, c'est un enfant, un élève, un gosse insupportable. Allons, quelle bêtise as-tu encore faite ?*

Spécialt. Vieilli. *Faire une bêtise :* accepter des relations sexuelles (le sujet désigne une femme, et l'expression implique des conséquences morales, sociales...).

Vx. *Faire des bêtises :* s'amuser, faire la noce.

17 Chez les riches, un homme qui s'amuse **fait des bêtises.** Il est ce qu'on appelle, en souriant, un noceur.
MAUPASSANT, Mon oncle Jules, Pl., t. I, p. 932.

**B** (1907, *Larousse mensuel ;* soit à cause d'une erreur qui serait à l'origine de la fabrication de ces bonbons, soit par référence à «petite chose sans importance»). **BÊTISE DE CAMBRAI :** berlingot à la menthe, spécialité de Cambrai.

CONTR. **Intelligence. — Esprit, finesse, ingéniosité, subtilité. — Bon sens, prudence, sérieux** (parole, action). ◇ DÉR. **Bêtiser, bêtisier.**

**BÊTISER** [betize] v. intr. — 1821 ; de *bêtise.*

Rare.

♦ **1** Dire des bêtises (→ **Bêtifier**) ; plaisanter, parler de manière futile (Goncourt, *in* T. L. F.).

Nous autres poètes contraints à bêtiser — à dire en chantant ce qui est impensable à froid.
VALÉRY, Cahiers, t. II, Pl., p. 1105.

♦ **2** Affecter la bêtise, la niaiserie.

**BÊTISIER** [betizje] n. m. — 1821 ; de *bêtise.*

♦ **1** Recueil plaisant de bêtises, de déclarations ridicules, de gaffes rapportées d'auteurs, etc. → **Sottisier.**

♦ **2** Montage de séquences télévisées montrant des journalistes, des personnalités dans des situations embarrassantes ou cocasses.

**BÉTOINE** [betwan] n. f. — XIIe, *bethoine ;* lat. *bettonica, vettonica* «plante des Vettones (peuple de l'anc. Espagne)».

Bot. Plante dicotylédone *(Labiées)* à fleurs mauves, rouges ou blanches, scientifiquement appelée *betonica,* qui était autrefois utilisée en médecine à cause de ses propriétés purgatives et sternutatoires. *Bétoine d'eau* (→ **Scrofulaire**), *des montagnes* (→ **Arnica**).

**BÉTOIRE** [betwaʀ] n. f. — 1405, *beteure* «puisard naturel» ; *beturre,* 1611 ; *bétoire,* 1700 ; mot d'orig. normande, p.-ê. du lat. pop. **bibitoria* «abreuvoir», du lat. class. *bibere* «boire».

♦ **1** Didact. (géol.) ou régional. Gouffre ou petite cavité des zones calcaires, où se perdent certaines rivières, certains ruisseaux.

♦ **2** Techn. Puisard pour récolter les eaux pluviales.
REM. On trouve aussi les formes altérées *bétoure* (*in* Littré, *Suppl.,* 1877) et *boitout.*

**BÉTON** [betɔ̃] n. m. — V. 1165, *betun* «mortier» ; du lat. *bitumen* «bitume».

♦ **1** Matériau de construction formé d'un mortier (sable, ciment, eau) et de pierres concassées (gravier). → **Ciment.** *Le béton a la propriété de durcir dans l'eau. Fabriquer, préparer du béton* (→ **Bétonnière**). *Construire en béton.* → **Bétonner.** *Une maçonnerie de béton. Un abri, un blockhaus, un pont, un immeuble en béton.*

Nous l'enfermerons dans une carapace de béton, ainsi 1
qu'une dangereuse idole étrangère conquise par les armes (...)
BERNANOS, les Grands Cimetières sous la lune, III, IV, p. 353.

(Syntagmes techn.). *Béton activé, aéré, alumineux, asphaltique, bitumeux, caverneux, cellulaire, colloïdal, dur, gras, hydraulique, hydrocarburé, léger, maigre, pompé, poreux, réfractaire. — Béton aggloméré,* destiné à former des objets moulés. *Une buse en béton comprimé. Béton architectonique,* moulé de manière à obtenir un effet architectural. — Cour. **BÉTON ARMÉ,** coulé autour d'une armature métallique. → **Coffrage, coulage.** — *Béton précontraint,* obtenu par une technique particulière permettant d'utiliser un moindre volume de béton, pour des résistances plus fortes. — *Béton vibré* ou *pervibré,* désaéré. — *Béton translucide :*

Le béton translucide est constitué par des cylindres de 2
verre, joints par du béton. On obtient, grâce à lui, des coupoles hardies comme celle de l'aéroport du Bourget, des sols perméables à la lumière au-dessus de garages, de chambres à coffres-forts.
Fernand MEYER et Pierre GRIVET, le Verre, p. 115.

♦ **2** Phys. **BÉTON BARYTÉ :** béton de protection (absorbeur de neutrons) qui contient de la barytine (minerai dense de baryum).

♦ **3** Fig. **a** *Le béton :* la ville, l'environnement urbain oppressif. *Un univers de béton. Le béton et le macadam. Ce n'est plus une plage, c'est du béton. Les écologistes luttent contre l'envahissement du béton.*

**b** Par métaphore (fam.). En parlant de la solidité, de la résistance de qqn ou de qqch. *Ce type, c'est du béton.* (Abstrait). *Un alibi en béton* ou adj. *béton. Des arguments béton,* solides, irréfutables. *C'est béton.* (De la dureté d'un objet matériel). *C'est du béton, ton gâteau.*

**c** (1943, *in* Petiot). Sports. *Faire, jouer le béton :* au football, Jouer la défense à outrance. → **Bétonner** (2.), et aussi **verrou** (4.). *«Béton : comme son nom l'indique, système de jeu ultra-défensif consistant à se masser en défense, à casser le jeu adverse»* (*l'Express,* no 1404, 5-11 juin 1978).

DÉR. **Bétonnant, bétonner, bétonneuse, bétonnière.**

**BÉTONNAGE** [betɔnaʒ] n. m. — 1838 ; de *bétonner.*

♦ **1** Action de bétonner (1.). *Bétonnage sous l'eau.*
Par métonymie. Maçonnerie en béton. *Un bétonnage imposant.*

♦ **2** Sports. Action de bétonner (2.).

**BÉTONNANT, ANTE** [betɔnɑ̃, ɑ̃t] adj. — Mil. XXe; de *béton.*

♦ **1** Par plais. Qui est fait de béton (avec la valeur de *béton,* 3., a).

Moi aussi, j'étais plutôt indifférent aux charmes de Pamélax, cité baraquière et bétonnante qui n'avait pas assez de réputation légendaire pour circonvenir ma vertu.
Jacques PERRET, Bande à part, p. 169.

♦ **2** Fig. Traduisant l'angl. *hard (hard rock).* Dur, violent (en parlant d'une musique pop). *«On écoute vingt, trente fois le dernier disque – tant pis si c'est un disco bétonnant»* (*le Nouvel Obs.,* no 727, 16 oct. 1978, p. 84).

**BÉTONNER** [betɔne] v. — 1838; de *béton.*

♦ **1** V. tr. Construire avec du béton; recouvrir de béton. *Bétonner un mur.* Absolt. *«On peut bétonner en plein hiver, et obtenir un durcissement rapide, en chauffant l'eau et les agrégats de façon à obtenir, au moment de la mise en place, une température d'une quarantaine de degrés»* (J. Cléret de Langavant, *Ciments et bétons,* 1953, *in* T. L. F.).

Fig. Rendre solide, inattaquable. *Bétonner un dossier, une argumentation. Bétonner sa position.*

♦ **2** V. intr. (1949, *in* Petiot). Fig. (Sports). En football, Jouer le béton (3., c), la défense systématique.

◆ **BÉTONNÉ, ÉE** p. p. adj. (1838). Qui est fait ou renforcé avec du béton. *Un mur bétonné.*

(Personnes). Endurci, inaccessible. *Depuis cette épreuve, il est complètement bétonné.*

**DÉR. Bétonnage.**

**BÉTONNEUSE** [betɔnøz] n. f. — 1941; de *béton.*
Bétonnière.

1 Il raconta à Didier (...) l'histoire (...) d'une bétonneuse oubliée dans un immeuble : on avait bâti tout autour et il avait fallu démolir un peu de mur pour la faire sortir.
Roger VERCEL, l'Île des revenants, p. 84.

2 (...) Notre-Dame de Port-Albert avait été bâtie dans le fracas des grues et des bétonneuses.
G. CESBRON, Je suis mal dans ta peau, p. 242.

**BÉTONNIÈRE** [betɔnjɛʀ] n. f. — 1873; de *béton.*
Techn. et cour. Machine comprenant une grande cuve tournante, pour fabriquer le béton. → **Malaxeur; bétonneuse.** *Bétonnière à tambour horizontal. Bétonnière à tambour basculant avec desserte. Bétonnière portée sur camion* (camion malaxeur), *servant à transporter du béton frais.*

1. **BETTE** [bɛt] n. f. — V. 1119, *bete,* lat. *beta;* var. *blette,* XIVe; lat. médiéval *bleta,* croisement de *beta* et du lat. *blitum,* même sens, grec *bliton.*

Bot. Plante dicotylédone *(Chénopodiacées)* appelée scientifiquement *beta. Bette vulgaire* ou *bette rave.* → **Betterave.** *Bette à côte, à carde,* appelée aussi *poirée :* plante potagère dont on consomme cuites les feuilles et les côtes (→ **Carde**). — Var. : *blette.*

Lulu au rendez-vous après dîner est lourd de bettes au fromage.
Tony DUVERT, Paysage de fantaisie, p. 129.

**COMP. Betterave.** ◊ **HOM. Bête, 2. bette.**

2. **BETTE** [bɛt] n. f. — 1866; orig. inconnue.
Mar. Petite barque à fond plat, pointue aux deux extrémités, employée en Méditerranée. — Chaland destiné à ramener au port les détritus des bâtiments. → **Marie-salope.**

**HOM. Bête, 1. bette.**

**BETTERAVE** [bɛtʀav] n. f. — 1600, O. de Serres; de 1. *bette,* et *rave.*
Variété de bette, plante cultivée *(Chénopodiacées)* à racine charnue. *Betterave rouge, jaune, blanche. Champ de betteraves. Culture de la betterave. L'arrachage, le décolletage, l'étêtage de la betterave. Betterave repiquée* ou *semenceau. Les péronosporées* (champignons), *l'agrotis* (lépidoptère), *parasites de la betterave. Betterave fourragère,* à grosse racine globuleuse rouge ou jaune, cultivée pour l'alimentation du bétail. *Betterave potagère,* couramment appelée *betterave rouge,* à petite racine rouge et sucrée, en général de forme ronde (cf. régional carotte rouge). *Salade de betteraves. Betterave sucrière, demi-sucrière,* que l'on découpe en cossettes et dont on extrait le sucre*. — (1800, *in* D. D. L.). *Sucre de betterave. — La France est le premier producteur européen de betterave sucrière* (→ **Distillation; raffinerie, râperie, sucrerie; diffuseur, épulpeur).** *Résidu de la betterave, après fabrication du sucre.* → **Mélasse.** *Alcool de betterave.*

Il faut se presser de travailler le suc de la betterave à mesure qu'on l'extrait; si on le laisse reposer plusieurs heures, surtout quand il n'est pas concentré, il éprouve des altérations qui dénaturent le sucre. 1
CHAPTAL, Inst. Mém. des sciences, t. I, p. 369.

(...) la betterave, indépendamment des produits directs qu'elle donne, réagit heureusement sur les autres récoltes dont les rendements augmentent partout où s'étend la précieuse racine. 2
F. BERTHAULT, *in* Omnium agricole, p. 118.

**DÉR. Betteraverie, betteravier.**

**BETTERAVERIE** [bɛtʀavʀi] n. f. — Mil. XIXe; de *betterave.*
Techn. Fabrique de sucre de betterave. → **Sucrière.**

**BETTERAVIER, IÈRE** [bɛtʀavje, jɛʀ] adj. et n. m. — 1839, n., *in* D. D. L.; v. 1950 dans le contexte de l'économie sucrière; de *betterave.*

♦ **1** Adj. Relatif à la betterave. *Culture betteravière.* — Relatif à la culture et à la production de la betterave, et spécialement de la betterave sucrière.

(...) paix et guerre algérienne, progrès social et bénéfices patronaux, enseignement «libre» et subventions betteravières, la droite et la gauche (opposition toujours «dépassée»!), tout cela coexiste paisiblement (...) 1
R. BARTHES, Mythologies, p. 162.

♦ **2** N. m. Cultivateur ou producteur de betteraves, et spécialement de betteraves sucrières.

Il s'était borné à choisir pour exemple un sien cousin, nommé Léon, betteravier de son état, buveur de bière et marié à une Polonaise (...) 2
A. BLONDIN, les Enfants du bon Dieu, p. 100.

**BETTING** [bɛtiŋ] n. m. — 1840; mot angl., de *to bet* «parier».
Anglicisme. Hippisme.

♦ **1** Cote des paris sur un champ de courses. *Cheval à dix contre un en betting.*

♦ **2** (Angl. *betting-room* «bourse des paris»). Partie du champ de courses où sont faits les paris.

Le jeune Robert Palanquin, très célèbre déjà par le succès de son poulain Persée, vainqueur au Derby et dans les courses de la barrière d'Italie, avait rencontré au betting la délicieuse baronne de Trois-Étoiles (...)
Charles CROS, le Drame de la rue des Anglais, Pl., p. 471.

**BÉTULACÉES** [betylase] n. f. plur. — 1838, adj., *bétulacé,* et n. f. pl.; du lat. *betulla* «bouleau».

Bot. Famille de plantes et d'arbustes dicotylédones apétales (ordre des *fagales*) aux fleurs réunies en chaton et à feuilles caduques, comprenant le bouleau, l'aulne, le charme, le noisetier, l'amandier, etc. — Au sing. *Une bétulacée.*

Var anc. : *bétulées, bétulinées* (1838).

**BÉTYLE** [betil] n. m. — 1586; du lat. *bætulus,* grec *baitulos* «pierre sacrée», de l'hébreu *Bêth-El* «maison de Dieu».

Didact. Pierre sacrée à fonction symbolique, dans les anciennes civilisations orientales. *Le culte des bétyles.*

1 Dans la Bible, quelques passages concernent les monuments de pierre brute. Il s'agit des *bétyles,* de *Beth-el* = la maison de Dieu. Lorsque Jacob va à Paddam-Aram, il arrive en un lieu où il passe la nuit et où il a le fameux songe de l'échelle. Sa tête est appuyée sur une pierre qu'il a trouvée en ce lieu :
«Jacob s'éveilla de son sommeil et il dit : "Que ce lieu est redoutable! C'est ici la maison de Dieu, c'est ici la porte des cieux!" (...) il prit la pierre dont il avait fait son chevet, il la dressa pour monument, et il versa de l'huile sur son sommet. Il donna à ce lieu le nom de Béthel "(...) Cette pierre, que j'ai dressée pour monument, sera la maison de Dieu" (...)» (GENÈSE, XXVIII, 16 à 22).
Fernand NIEL, Dolmens et Menhirs, p. 21.

2 On peut dans la symbolique chrétienne distinguer la pierre non taillée, androgyne, la pierre carrée, féminoïde, ou au contraire le cône, la pierre «levée» masculine. Cette dernière se retrouve dans la «flèche» et le clocher de l'église, obélisque chrétien (...) Bétyle, pierre levée, flèche du clocher signifient selon G. de Saint-Thierry «vigilance et attente de l'union divine».
Gilbert DURAND, les Structures anthropologiques de l'imaginaire, 1969, p. 142.

**BEU** [bø] interj. → **Beuh.**

1. **BEUGLANT, ANTE** [bøglɑ̃, ɑ̃t] adj. — D. i. (attesté XIX^e); p. prés. de *beugler.*

♦ **1** (D'un bovidé). Qui beugle.

♦ **2** (Personnes). Qui beugle (2.). *Une voix beuglante.*

2. **BEUGLANT** [bøglɑ̃] n. m. — 1864; p. prés. subst. de *beugler.*

Fam., vieilli. Café-concert de bas étage. *Une chanteuse de beuglant.* → **Beuglante** (1).

1 (...) l'on s'amusait de chansons satiriques et narquoises, dans les cafés-concerts qu'on appelait alors *(après la guerre de 1870)* avec un juste mépris, des «beuglants» (...)
Georges LECOMTE, Ma traversée, II, p. 71.

2 Ce beuglant se nommait «le Palmier» et cela lui prêtait une évidente couleur locale (...)
Francis CARCO, Nostalgie de Paris, p. 60.

3 (...) carrefours sinistres, rues sans espoir, communions, guinguettes, Jour des Morts, beuglants sournois, 14 juillets... CÉLINE, Guignol's band, p. 185.

**BEUGLANTE** [bøglɑ̃t] n. f. — Début XX^e (attesté 1907); de *beugler.*

♦ **1** Vx. Chanteuse de beuglant.

♦ **2** Mod. Chanson criée à tue-tête. *Allez, envoie ta beuglante!*

Par ext. Protestation bruyante. *Pousser une beuglante.* → **Gueulante** (3.).

**BEUGLARD, ARDE** [bøglaʀ, aʀd] n. et adj. — Début XX^e; de *beugler.*

Pop. Personne qui ne peut s'empêcher de parler fort; qui proteste bruyamment. *Quel beuglard! Une bande de beuglards.* → **Gueulard.**

(...) grands et petits, courts et longs, aphones et beuglards (...) R. QUENEAU, le Chiendent, p. 205 (1932).

Adj. *Une manifestation beuglarde. Une radio beuglarde.*

On trouve aussi une forme (rare), *beugleur* [bøglœʀ] n. m., chez G. Sand (*in* T. L. F.).

**BEUGLEMENT** [bøgləmɑ̃] n. m. — 1539, *buglement; beuglement,* 1690; de *bugler.* → Beugler.

♦ **1** Cri long et fort des bovins. → **Mugissement; meuglement.** *Le beuglement d'un taureau, d'une vache, d'un buffle. De longs beuglements.*

(...) l'un d'eux soufflait dans une trompe de corne d'où sortait un bruit pareil au beuglement d'une bête sauvage. 1
LOTI, Pêcheur d'Islande, III, X, p. 175.

Les psychanalystes (...) voudraient voir l'origine de la musique primitive, si proche du bruit «concret», dans l'imitation du beuglement de l'ancêtre totémique. 2
Gilbert DURAND, les Structures anthropologiques de l'imaginaire, 1969, p. 90.

♦ **2** Par anal., fam. Bruit, son puissant, désagréable et prolongé. *Le beuglement d'un chanteur, des cuivres, d'une radio, d'une sirène.*

**BEUGLER** [bøgle] v. — V. 1150, *bugler* «corner» (1580, sens 1); *beugler,* 1611; de l'anc. franç. *buble* «jeune boeuf» (→ 1. Bugle) du lat. *buculus,* même sens.

♦ **1** V. intr. Pousser des beuglements. → **Meugler, mugir.** *Les vaches, les bœufs, les taureaux ont beuglé toute la nuit.*

L'Océan, pareil au bœuf qui beugle (...) HUGO, Lux. 1

Au dernier acte d'une course en Espagne (...) le taureau blanchit d'écume et beugle. 2
M. BARRÈS, Leurs figures, p. 213.

♦ **2** V. intr. Produire un son intense, prolongé, désagréable. *Un poste de radio qui beugle.* — (Personnes). Pousser des hurlements, crier très fort. → **Brailler, hurler; gueuler** (fam.). *Le chanteur se mit à beugler.*

V. tr. (→ ci-dessous, cit. 3 et 4). *Le chanteur, la radio beuglent une chanson.* → **Beuglante.** *L'adjudant beuglait des ordres incompréhensibles.*

Guintrandi avait beuglé la chanson de l'inconstante (...) 3
M^me DE SÉVIGNÉ, 345.

Il *(Tallien)* hurlait, beuglait la Terreur, sans craindre d'exagérer son rôle. 4
MICHELET, Hist. de la Révolution franç., t. II, p. 904.

Non, il ne se taisait pas, le morveux, il beuglait. 5
MAUPASSANT, les Sœurs Rondoli, p. 147.

CONTR. (Du sens 2) **Chuchoter, murmurer, susurrer.** ◇ DÉR. **Beuglant, beuglante, beuglard, beuglement.**

**BEUH** ou **BEU** [bø] interj. — Attesté XX^e (1929, Colette); onomatopée.

♦ **1** Fam. Exprime le dégoût ou un mépris amusé (pour un argument). Cf. Allons! allons! soyons sérieux!

... cela consiste... à demander aux dirigeants du Parti une démarche qu'il peuvent trouver... mon Dieu!...
— ... déshonorante?
— ... disons : moralement peu agréable, peu compatible avec la dignité du Parti.
— Beuh!... Beuh!... Beuh!... Transmettez mon offre (...)
J. ROMAINS, les Hommes de bonne volonté, t. XXII, p. 268.

♦ **2** Figurant le meuglement d'un bovidé. — Var. : *meuh!*

**BEUR** [bœʀ] n. et adj. — V. 1980; verlan, avec substitution de voyelle, pour *arabe* (cf. *meuf* pour *femme*).

Fam. Jeune Arabe de la «deuxième génération», né en France de parents immigrés. *Les blacks et les beurs. Blacks, blancs, beurs* (slogan de l'intégration à la française, inspiré par «bleu, blanc, rouge»). *«Que justice soit faite, ont proclamé Bouzid, Faroud, Abed, Malika et les autres, contre ces crimes racistes. Les "beurs" n'ont pas l'intention de s'excuser de vivre»* (*le Monde,* 4 déc. 1983, p. 1, *in* «Des beurs à l'Élysée»). — Fém. *Une beur, une beure.* → **Beurette.** *«La rencontre avec sa future femme, une beure, produit chez lui "le déclic sur la question de l'immigration"»* (*le Monde,* 21 avr. 1999).

Adj. *La musique beur.*

HOM. **Beurre.**

**BEURETTE** [bœʀɛt] n. f. — V. 1985; de *beur,* suff. *-ette.*

Jeune fille ou femme de la communauté beur. — Le caractère diminutif du mot en limite l'emploi comme féminin. *«D'autres beurettes, en revanche, ont pris une position beaucoup plus intransigeante (...)»* (*le Point,* 5 fév. 1990, p. 134).

**BEURRAGE** [bœʀaʒ] n. m. — 1815; de *beurrer.*

♦ **1** Cuis. Action de beurrer (un moule, un plat).

♦ **2** (1883, Huysmans). Aspect d'une peinture beurrée (→ 1. Beurré, I., 3.).

**BEURRE** [bœʀ] n. m. — XV^e^, *in* Arveiller; *burre,* XII^e^; du lat. pop. *butrum, butirum,* lat. class. *butyrum,* grec *bouturon;* la forme *beurre* est dialectale.

♦ **1** Corps gras alimentaire, onctueux, de consistance semi-crémeuse à ferme selon la température, blanc d'ivoire à jaune d'or, obtenu en battant la crème du lait (de vache). *Le beurre, mélange de corps gras* (→ **Glycérides; butyrine, margarine, oléine**) *se trouvant dans le lait sous forme de globules en suspension.* → **Butyro-.** *Fabrication du beurre* (→ **Écrémage, écrémeuse; barattage, baratte, batte** [à beurre]; **délaitage, délaiteuse; malaxage, malaxeur; moulage**). *Lieu où l'on fabrique le beurre.* → **Laiterie; beurrerie.** *Battre le beurre. Lait de beurre.* → **Babeurre, lait** (petit lait). *Beurre frais. Beurre rance**. *Beurre fondu. Mesure de la quantité de beurre dans le lait* (→ **Butyromètre, lactomètre**). *Beurre de Bretagne, des Charentes, d'Isigny. Beurre salé, beurre demi-sel. Beurre d'intervention* (stock de réserve national). *Pot à beurre.* → **Beurrier.** *Motte* (cit. 3) *de beurre. Pain de beurre* (dial. : *beurret* [bœʀɛ], n. m.; → Laiterie, cit. 1). *Fil* à couper le beurre. Vente du beurre à la motte, en paquets. Acheter une livre, une demi-livre, un quart de beurre. Beurre fermier, laitier. Beurre pasteurisé. Beurre, œufs, fromages.* → **B.O.F.** *Au bon beurre,* nom de crémerie; titre d'un roman de J. Dutourd. *Morceau, coquille, noisette, noix de beurre. Recouvrir, enduire de beurre.* → **Beurrer, embeurrer.** *Du pain et du beurre* (→ Régal, cit. 2). *Rôtie au beurre. Tartine de beurre.* → **Beurrée.** — Ellipt. *Un jambon-beurre :* un sandwich au jambon, avec du beurre. — *Cuisine au beurre. Crème au beurre. Pâtisserie, pain, croissant au beurre. Biscuit au beurre.* → **Petit-beurre.** — *Corps gras, matières grasses remplaçant le beurre.* → **Margarine.** — Par compar. *Fondre comme du beurre :* avoir très chaud.

1 Il faudrait se résoudre à fondre comme du beurre, n'était un petit vent frais. RACINE, Lettres.

2 Je ne saurais vous plaindre de n'avoir point de beurre en Provence, puisque vous avez de l'huile admirable et d'excellent poisson (...)
M^me^ DE SÉVIGNÉ, Lettre du 16 mars 1672.

On inventa des charges de conseillers du roi contrôleurs aux empilements des bois, des contrôleurs-visiteurs de beurre frais, des essayeurs de beurre salé (...) 3
VOLTAIRE, le Siècle de Louis XIV, 30.

Apporte le café le beurre et les tartines (...) 3.1
APOLLINAIRE, Alcools, «Les femmes», Pl., p. 123.

*Beurre à l'anglaise,* placé cru sur un mets chaud. — **BEURRE NOIR :** beurre chauffé jusqu'à ce qu'il prenne une teinte brun-noir. *Œufs, raie au beurre noir.* — Fig., fam. *Œil au beurre noir,* ou, vx, *poché au beurre noir,* marqué de noir du fait d'une contusion. → **Poché** (œil poché).

Ils avaient chacun les yeux pochés au beurre noir (...) 4
SOREL, Francion, 79.

Les pugilistes d'un soir tombent dans les bras l'un de l'autre dès le lendemain pour s'enivrer de concert, comme si rien ne s'était passé, et j'ai entendu un copain demander de la meilleure foi du monde à son ennemi de la veille, entre deux toasts de rhum blanc, où il était allé chercher son œil au beurre noir. 4.1
Régis DEBRAY, l'Indésirable, p. 136.

Mais au cours de ses crises éthyliques il arrivait de plus en plus souvent que Camille la frappât violemment : un jour elle vint nous ouvrir la porte avec un œil au beurre noir. Elle finit par s'en aller. 4.2
S. DE BEAUVOIR, Tout compte fait, p. 80.

Par anal. *Beurre blond. Poisson au beurre blond.* — *Beurre blanc :* sauce émulsionnée à base de beurre. Par appos. *Un brochet beurre blanc.*

Loc. fam. (Comparaison et métaphore; par allus. à la consistance du beurre). *On y entre comme dans du beurre,* facilement. — *Baigner dans le beurre* (d'une affaire, d'un processus) : aller très bien, ne poser aucun problème. → **Baigner** (II., 1; baigner dans le beurre, dans l'huile...).

*Fondre comme du beurre :* disparaître; faire preuve de lâcheté. *Se sentir comme du beurre; avoir des mains de beurre :* se sentir mou, sans force.

*Ne pas avoir inventé le fil* à couper le beurre :* ne pas être très malin.

(Symbolisant une valeur faible, «fondante»). *Compter pour du beurre, pour du beurre fondu :* être négligeable.

Le dimanche soir tout le monde joue au loto (...) j'allais oublier la grand-mère; — elle joue aussi, mais comme elle ne voit plus les jetons, on dit tout bas qu'elle compte pour du beurre. GIDE, Paludes, *in* Romans, Pl., p. 106. 4.3

(Symbolisant l'aisance, la richesse, par oppos. au *pain*). *Promettre plus de beurre que de pain,* plus qu'on ne tiendra.

*Mettre du beurre sur son pain, dans les épinards :* améliorer sa situation. *Ça mettra du beurre dans les épinards. Assiette au beurre :* source de profits plus ou moins licites; situation qui rapporte de l'argent (→ 2. **Assiette,** cit. 21).

— (...) si bien qu'il en hérite et qu'on ne serait pas fâché de le voir marié avec mademoiselle, vu que les parens *(sic)* sont ruinés ou peu s'en faut, et que ça ne ferait pas de mal. 4.4
— Oui, ça r'mettrait du beurre dans les épinards.
— Comme vous dites.
Henri MONNIER, Scènes populaires, Les bourgeois campagnards, scène 5, p. 332 (1835).

Le beurre, en France, est étroitement associé à la fortune (*«Il a mis du beurre sur son pain»,* quand ce n'est pas *«dans ses épinards»... «Vous n'aurez pas plus de dividendes avec ça que de beurre en broche!...» «Au prix où est le beurre!», etc.*). 4.5
Pierre DANINOS, Un certain Monsieur Blot, p. 252.

*Du beurre ou des canons :* une production tournée vers la consommation, le bien-être, opposée à une économie de guerre, d'armements à outrance.

Des canons plutôt que du beurre, cela veut dire en termes nobles, en termes ordinaires : plutôt la mort que la vie, plutôt la haine que l'amour. 4.6
M. TOURNIER, le Roi des Aulnes, p. 72.

Fam. *Il n'y a pas plus de* (telle personne, telle chose) *que de beurre en broche, en branche, que de beurre au cul, aux fesses :* il n'y en a pas du tout.

4.7 Quelle défaite? demande Brunet. Il n'y a pas plus de défaite que de beurre aux fesses.
SARTRE, la Mort dans l'âme, p. 217 (1949).

4.8 Bien fini et plus d'espoir, rien. Le père Taupe était réellement pauvre, misérable. Il n'y avait pas plus de trésor que de beurre au cul.
R. QUENEAU, le Chiendent, p. 362 (1932).

Loc. *Tour** (1. Tour, *infra* cit. 3) *de beurre.*

Pop. *Un beurre :* une entreprise facile et avantageuse — *Faire son beurre* : s'enrichir; *faire son beurre de qqch. :* faire son profit de qqch.; utiliser qqch. avec profit.

Argot, vieilli. Argent.

(1815, *in* D. D. L., II, 20). **BEURRE FRAIS :** d'une couleur blonde (en parlant du cuir).

5 L'homme saisit son chapeau melon d'une main gantée — des gants beurre-frais — visite officielle, s'il vous plaît! (...)
G. DUHAMEL, Cri des profondeurs, I, p. 9.

♦ **2** (1845). Cuis. (Qualifié par un complément). Crème épaisse, pâte formée d'une substance écrasée dans du beurre. *Beurre d'anchois, de champignons, d'écrevisse, de homard, de sardine(s). Beurre d'ail.*

♦ **3** (V. 1815). Par ext. (appellation prohibée par la loi française). Qualifié par un complément. Substance grasse que l'on extrait de certains végétaux. *Beurre de cacao, de muscade, de galam, de karité. Beurre de cire, de palme.* — En Amérique du Nord. *Beurre d'arachide, de cacahuètes* (angl. *peanut butter*) : pâte onctueuse faite d'arachides grillées moulues auxquelles on ajoute de l'huile hydrogénée.

Loc. régionale (Nord). *Beurre de Marseille :* huile.

♦ **4** Anc. chim. *Beurres minéraux,* nom donné dans l'ancienne chimie à des composés peu consistants. *Beurre d'antimoine :* trichlorure caustique d'antimoine. *Beurre d'arsenic, de bismuth, d'étain, de zinc.* → **Chlorure.**

*Beurre de montagne, de roche :* sulfate hydraté d'alumine et de fer, de consistance molle. *Beurre de tourbière :* sorte de résine fossile.

DÉR. 2. **Beurré, beurrée, beurrer, beurrerie, beurreux, beurrier.** ◊ HOM. **Beur.**

1. **BEURRÉ, ÉE** [bœʀe] adj. — XIIIe; p. p. de *beurrer,* I., 1.

**I** ♦ **1** Recouvert de beurre. *Pain, tartine beurré(e).* → **Beurrée** (→ Éplucher, cit. 2; régal, cit. 2). *Biscotte, galette beurrée.*

(Rare). Qui ressemble à du beurre. → **Beurreux.**

La ligne idéale traversait un champ de seigle mûr, dont la blondeur était celle de la chevelure des jeunes Polonais; il avait la douceur un peu beurrée de la Pologne dont je savais qu'au cours de l'histoire elle fut toujours blessée et plainte. Jean GENET, Journal du voleur, p. 50.

♦ **2** Enduit d'une substance pâteuse, molle.

♦ **3** Pâteux, épais (d'une peinture). → **Beurrer,** I., 2.

**II** (XXe; var. de *bourré*). Fam. Ivre, soûl. → **Bourré.** *Un type, en bagnole, complètement beurré. Être beurré.*

Loc. fam. *Beurré comme un petit Lu* (= un «petit-beurre» de cette marque) : complètement soûl.

HOM. 2. **Beurré** (n. m.), **beurrée, beurrer.**

2. **BEURRÉ** [bœʀe] n. m. — 1536; de *beurré* ou de *beurre,* à cause de la consistance.

Sorte de poire fondante. *Beurré gris, blanc.* — Syn. : *une poire de beurré* (Académie).

Tenez, je vous recommande celle-ci. Elle ne paye pas de mine mais elle est exquise. C'est un Beurré Super-fin.
Claude MAURIAC, le Dîner en ville, p. 258.

HOM. 1. **Beurré** (adj.), **beurrée, beurrer.**

**BEURRÉE** [bœʀe] n. f. — 1585; de *beurre.*

**I** Vx ou régional. Tranche de pain, tartine sur laquelle on a étendu du beurre. → **Tartine.**

Je voudrais que vous l'eussiez vue les matins manger une beurrée longue comme d'ici à Pâques.
Mme DE SÉVIGNÉ, 242.

**II** (De *beurré* «ivre»). Fam. Ivresse; soûlerie. → **Cuite.** *Prendre, ramasser, tenir une beurrée.*

HOM. 1. **Beurré** (adj.), 2. **beurré** (n. m.), **beurrer.**

**BEURRER** [bœʀe] v. tr. — 1680; *burrer,* XIIIe; de *burre.* → Beurre.

**I** ♦ **1** Recouvrir de beurre, d'une couche de beurre. *Beurrer du pain. Beurrer une viande* (avant de la faire cuire, ou en la servant). — *Se beurrer une tartine. Tu veux que je te beurre ton pain?*

Enduire de beurre. *Beurrer un moule.* → **Beurrage.**

♦ **2** Peint. Épaissir, donner du corps à... *«(...) réchauffe-moi ces joues-là, piques-y leurs petites taches brunes, beurre-moi cela!»* (Balzac, *Pierre Grassou,* 1840, *in* T. L. F.).

♦ **3** Pron. Fam., vieilli. *Se beurrer :* s'enrichir (Céline, *Mort à crédit,* Pl. p. 595).

**II** V. pron. (XXe; de *beurré* «ivre»). Fam. **SE BEURRER :** se soûler. → **Bourrer** (se). *On s'est beurrés l'autre soir.*

DÉR. **Beurrage,** 1. **beurré, beurrée.** ◊ HOM. 1. **Beurré** (adj.), 2. **beurré** (n. m.), **beurrée.**

**BEURRERIE** [bœʀʀi] n. f. — 1836; de *beurre.*

Technique (*laiterie* et *crémerie* étant plus courants).

♦ **1** Lieu où l'on fait, où l'on conserve le beurre. → **Laiterie; crémerie.**

♦ **2** Industrie du beurre. → **Crémerie.**

**BEURREUX, EUSE** [bœʀø, øz] adj. — XVIe; de *beurre.*

Vieilli ou littér. Qui a la consistance du beurre. *Matière beurreuse.* Beurré (par ext.). → **Butyreux** (didact.).

Mathieu posa la main sur la jambe de Marcelle... Il aimait cette chair beurreuse.
SARTRE, l'Âge de raison, I, p. 15.

**BEURRIER, IÈRE** [bœʀje, jɛʀ] n. et adj. — 1270, *burier;* de *burre.* → Beurre.

♦ **1** Vx. Personne qui vend du beurre. → **Crémier.** *Les beurrières et les rats* (vx), le sort qui attend les mauvais livres (servir de papier d'emballage ou être rongé par les rats).

Il est étonnant en quelles mains tombent souvent les pièces 1
originales les plus curieuses; il n'est pas rare d'en trouver chez les beurrières (...)
SAINT-SIMON, Mémoires, 462, 2.

Veut-on savoir pourquoi nos beurrières de Paris tranchent 1.
de l'homme de lettres et du publiciste? C'est que, pour se délasser dans leur comptoir elles lisent les enveloppes dont elles entourent leurs marchandises. Jamais elles n'ont eu sous les yeux, de leur propre aveu, tant de pièces de vers patriotiques et tant de discours et de motions faites par nos grands hommes des tribunes.
Cousin JACQUES, Dict. des néologismes, *in* D. D. L., II, 11.

♦ **2** Adj. Qui a rapport au beurre. *Industrie beurrière, vache beurrière.*

*Pot beurrier* : pot à beurre.

2 Panurge (...) lui présenta six langues de bœuf fumées, un grand pot beurrier plein de coscotons *(couscous)* ...
RABELAIS, le Tiers Livre, 17.

♦ **3** N. m. Récipient, plat dans lequel on conserve, on sert le beurre.

3 (...) la femme avait son beurrier avec elle.
— Ces messieurs ne viennent pas dîner?
Francis CARCO, les Belles Manières, p. 28.

♦ **4** N. f. Récipient destiné à contenir le beurre et la toile (le papier, etc.) employée pour l'envelopper.

**BEUVERIE** [bœvʀi] ou **BUVERIE** [byvʀi] n. f. — V. 1174, *beverie; buverie,* déb. XIIIe; beuverie (attesté XVe), fréquent chez Rabelais, disparu au XVIIe, a été repris au XIXe; de *bevre* (→ Boire).

♦ **1** Vx. Action de boire. → **Buvette (vx).**

1 Qui fut premier, soif ou beuverie?... Beuverie, car privatio præsuponit habitum. RABELAIS, Gargantua, 5.

♦ **2** Mod. Partie de plaisir où l'on boit beaucoup. → **Orgie, soûlerie; débauche** (partie de débauche, vx). *Le repas dégénéra en beuverie. Beuverie d'alcool* (cit. 2).

2 Dumézil a insisté sur le rôle important que joue chez les Germains le banquet rituel, la beuverie et l'enivrement collectif (...) La vertu de ces beuveries est à la fois de créer un lien mystique entre les participants et de transformer la condition morose de l'homme (...)
Gilbert DURAND, les Structures anthropologiques de l'imaginaire, 1969, p. 298-299.

REM. La forme *beuverie* s'est répandue aux dépens de *buverie*, forme plus fréquente jusqu'à la fin du XIXe s.

3 Après trois ou quatre heures de buveries et de mangeries blasphématoires, la salle à manger hurlante du vieux M. de Mesnilgrand avait de bien autres vibrations et une bien autre physionomie que ce piètre cabinet de restaurant, où quelques mandarins chinois de la littérature ont fait dernièrement leur petite orgie (...)
BARBEY D'AUREVILLY, les Diaboliques, «À un dîner d'athées».

**BÉVATRON** [bevatʀɔ̃] n. m. — 1953, *Larousse mensuel;* de *BeV,* unité d'un milliard d'électrons-volts, d'après *cyclotron.*

Sc. Accélérateur de particules, chargées positivement, à une très grande énergie. *Le bévatron de l'université de Californie peut produire six milliards d'électrons-volts.*

**BÉVUE** [bevy] n. f. — 1642; du préf. péj. *bé-, bes-* (lat. *bis*), et *vue.*

Littér. (ou style soutenu). Méprise grossière due à l'ignorance ou à l'inadvertance. → **Bavure, bêtise,** (fam.) **boulette, bourde, erreur, étourderie, faute,** (fam.) **gaffe, impair, maladresse, méprise.** *Commettre une bévue* (→ Faire un pas de clerc*, mettre les pieds* dans le plat, etc.). — Spécialt. Faute, erreur dans un texte. *Relever une bévue dans une traduction.* → **Coquille.**

1 Tous les malheurs des hommes (...) les bévues des politiques (...) tout cela n'est venu que faute de savoir danser.
MOLIÈRE, le Bourgeois gentilhomme, I, 2.

2 Une si énorme bévue aurait ouvert les yeux des chrétiens, si l'ignorance ne les avait pas couverts d'écailles (...)
VOLTAIRE, Philosophie, V, 368.

3 Un livre peut être plein d'énormités et de bévues et n'en être pas moins fort beau.
FLAUBERT, Correspondance, t. III, p. 103.

4 Les préceptes qu'on va lire sont le fruit de l'expérience; l'expérience implique une certaine somme de bévues; chacun les ayant commises — toutes ou peu s'en faut, — j'espère que mon expérience sera vérifiée par celle de chacun.
BAUDELAIRE, Curiosités esthétiques, t. II, p. 383.

Je n'ai jamais vu une telle absence d'amour-propre. Il 5
*(M. Carbon)* riait le premier de lui-même, de ses bévues à demi intentionnelles, des plaisantes situations où le mettait sa naïveté.
RENAN, Souvenirs d'enfance..., V, I, 198.

Allus. littér. *On a appelé par dérision Sainte-Beuve, Sainte-Bévue.*

**BEY** [bɛ] n. m. — 1532; dans un n. propre, 1423 (*in* Arveiller); turc *beg* «seigneur».

Hist. Titre porté par les souverains vassaux du sultan ou par certains hauts fonctionnaires turcs. *Le bey de Tunis.* — REM. Le mot entre souvent dans la composition de noms propres, suivant un prénom pour marquer le respect : *Janus-bey.*

DÉR. V. **Beylik.** ◊ HOM. **Bai, baie.**

**BEYLICAL, ALE, AUX** [bɛlikal, o] adj. — 1887; de *beylik.*

Hist. Qui a rapport au bey; du bey. *Gouvernement beylical. Palais beylical.*

**BEYLICAT** [bɛlika] n. m. — 1922, attesté XXe; de *beylik.*

Hist. Souveraineté du bey; division administrative soumise à son autorité. → **Beylik** (1.).

**BEYLIK** [bɛlik] n. m. — 1624, *beglic;* turc *beglik* ou *beylik,* de *beg* ou *bey.* → Bey.

♦ **1** Hist. Division administrative gouvernée par un bey. → **Beylicat.**

♦ **2** (1689). Charge assumée par le bey.

DÉR. **Beylical, beylicat.**

**BEYLISME** [bɛlism] n. m. — 1812, Stendhal; répandu fin XIXe; du nom de Henri *Beyle,* dit Stendhal.

♦ **1** Attitude des héros de Stendhal (énergie, individualisme).

♦ **2** Goût, passion pour l'œuvre de Stendhal. *Stendhal et le Beylisme,* titre d'un ouvrage de L. Blum (1914).

**BEYLISTE** [bɛlist] adj. et n. — 1811, Stendhal, cit.; de *Beyle.* → Beylisme.

♦ **1** Adj. Qui se rapporte à Stendhal ou à ses héros. — REM. Employé par Stendhal lui-même, le mot signifiait «partisan, ami de Beyle, de ses idées».

C'est ce que je lui dis sans cesse à lui-même *(à Crozet)* pour le rendre un peu beyliste; mais il regimbe. La volupté n'aura jamais en lui un adorateur véritable.
STENDHAL, Journal 1801-1817, t. I, Pl., p. 1040 (1811).

♦ **2** N. Admirateur, spécialiste de Stendhal. → **Stendhalien.**

**BEZEF** ou **BÉZEF** [bezɛf] adv. → **Besef.**

**BEZET** [bəzɛ] n. m. — 1690; *besas,* 1611; aphérèse de *ambesas**; *beset, bezet* par changement de suffixe.

Jeux, anciennt. Au trictrac, Coup de dés qui fait sortir deux as. → **Ambesas.** *Faire bezet.* — Var. : *besas* [bəzas], *beset* [bəzɛ].

**BÉZOARD** [bezɔaʀ] n. m. — 1605; *bezaar,* 1314; arabe *bāzāhr,* persan *pād-zahr* «chasse-poison».

♦ **1** Concrétion calculeuse faite de poils ou de divers débris végétaux se formant dans le corps de certains animaux (ruminants) et parfois de l'homme (psychopathes avalant des matières non digestibles). → **Égagropile.**

♦ **2** Préparation pharmaceutique qui était autrefois considérée (notamment en Orient) comme un puissant antidote aux poisons et aux maladies infectieuses. *Bézoard oriental. Bézoard animal, minéral, végétal.*

1 (...) une potion cordiale et préservatrice, composée avec douze grains de bézoard, sirop de limon et grenades, et autres, suivant l'ordonnance, cinq livres (...)
MOLIÈRE, le Malade imaginaire, I, 1.

2 C'est un bézoard de porc-épic, nous confie Pa Daoud, le plus rare de tous.
Henri FAUCONNIER, Malaisie, p. 264.

**BHAKTI** [bakti] n. f. — Déb. XX^e; mot sanskrit *bhakti-* «dévotion, ferveur; foi ou culte qui repose sur l'amour; doctrine qui préconise pareille foi», d'abord «division, partition», de *bhaj-* «partager» (→ cit. 1).

Dans l'hindouisme, Attitude religieuse privilégiant l'affectivité, dans laquelle le fidèle exprime sa dévotion à l'Absolu (personnel) par un culte intime et simple à la divinité d'élection (le plus souvent Vishnu ou l'un de ses avatars) qui le figure pour lui; tradition religieuse adoptant cette attitude dévotionnelle. *La bhakti est l'une des voies d'accès à la libération selon la* Bhagavad Gîtâ. *Poètes de la bhakti.*

1 De même que la pratique du yoga met celui qui s'y entraîne dans l'état de yukta (joint), la pratique de bhakti fait le bhakta. Par «participation» on devient «participant». Ajoutons que l'entité qui se laisse posséder par participation est bhagavant : celui qui se donne en partage, qui se communique en participation.
Paul MASSON-OURSEL, le Yoga, p. 40.

2 C'est à l'époque qui correspond à peu près à notre Moyen Age, et c'est au Bengale en particulier que s'est (...) développée autour du mythe de Krishna cette *bhakti*, cette mystique dévotion à l'ineffable Amour, point si différente, *mutatis mutandis*, de certaines formes de la sensibilité chrétienne récurrente au cours des siècles.
M. YOURCENAR, Sur quelques thèmes érotiques et mystiques de la Gita-Govinda, p. 21.

COMP. V. **Bhakti-yoga.**

**BHAKTI-YOGA** [baktijɔga] n. m. — XX^e; sanskrit *bhaktiyoga-*. → Bhakti, et yoga.

Forme de yoga dans laquelle la dévotion (→ **Bhakti**), pratiquée comme exercice spirituel, est adoptée comme voie privilégiée vers la libération.

**BI-** (du lat. *bi-*, de *bis*). Préfixe très productif indiquant le redoublement par répétition ou duplication. → **Deux** (deux fois); **bis-, di-.** *Biceps, bicorne, biennal, biforme, bifurcation, bigame, bipède, bissextile, bipartite, bipartition,* etc.

Spécialt. Sert à former de nombreux composés savants depuis le XIX^e siècle (→ à l'ordre alphab.). On peut signaler des formations plus rares. — Math. *Bicaractéristique,* adj. (mil. XX^e); *bicontinu,* adj. (mil. XX^e); *biquadratique,* adj. (1832). — Géom. *Bitangent,* adj. (1848). — Opt. *Bifocal,* adj. (mil. XX^e); *biréfringent,* adj. (1842). — Biochim. *Bicyclique,* adj. (1905); *bipotentiel,* adj. (1964); *bivariant,* adj. (1955). — Chim. *Biatomique,* adj. (1842); *bibasique,* adj. (1831); *bibromure,* n. m. (mil. XX^e); *bicalcique,* adj. (1953); *bicarboné,* adj. (1831); *bicarbure,* n. m. (1825); *bihydrosulfate,* n. m. (1825); *biphosphate,* n. m. (1884); *bisel(s),* n. m. (pl.) (1825); *bisilicate,* n. m. (1847); *bisulfate,* n. m. (1848); *bitartrate,* n. m. (1848). — Anat., biol. *Biarticulé,* adj. (1805), *binucléé,* adj. (1937); *bisexué,* adj. (1964). — Zool. *Biflexe,* adj. (1944); *bijumeaux,* n. m. pl. (1960); *bitestacé,* adj. (1942). — Bot. *Bicaréné,* adj. (1876); *bidenté,* adj. (1571); *biflagellé,* adj. (1925); *bipenné,* adj. (1805); *biterné,* adj. (1797).

**BI** [bi] adj. et n. → **Bisexuel.**

**Bi** [bei] Symbole chimique du bismuth*.

**BIACIDE** [biasid] n. m. et adj. — 1890; de *bi-*, et *acide.*
Chim. Se dit d'un corps à double fonction acide. Syn. : *diacide.*

**BIAIS** [bjɛ] n. m. et adj. — XIII^e, de *biais;* anc. provençal *biais,* p.-ê. du grec *epikarsios* «oblique» ou d'un lat. **biaxius* «qui a deux directions»; Guiraud postule un comp. **bigax* ou **bigaxis.*

**I** N. m. ♦ **1** Ligne, sens, direction oblique. → **Oblique, obliquité.** *Le biais d'un mur, d'une voûte, d'un point. Le biais d'une maison par rapport à la rue.*

(1680). Cout. Dans un tissu, Sens de la diagonale par rapport au droit fil. *Tailler, couper dans le biais.* — Spécialt. Bande d'étoffe coupée en diagonale. *Poser un biais pour garnir une robe. Border une encolure d'un biais.*

♦ **2** (Fin XVI^e). L'un des différents côtés (d'un caractère), des différents aspects (d'une chose). → **Aspect, côté, point de vue.** *Par quel biais le prendre? C'est par ce biais qu'il faut considérer le problème.*

Et du biais qu'il faut vous prenez cette affaire. 1
MOLIÈRE, Sganarelle, 21.

(...) dès qu'il ne s'agit point de l'intérêt, il ne nous coûte 2
rien d'avoir une conscience droite (...) et cet intérêt dont nous ne voulons pas nous dépouiller, par une vertu bien surprenante, fait prendre à nos consciences tel biais et tel pli qu'il nous plaît de leur donner.
BOURDALOUE, Sermon pour le 3^e dim. de l'Avent, Sur la fausse conscience.

Le mauvais goût est une fausseté de jugement, un biais 3
naturel dans les idées.
CHATEAUBRIAND, le Génie du christianisme, III, IV, 5.

Moyen détourné, artificieux d'atteindre un but, de trouver une solution. → **Détour.** *Aller droit au but, au fait, sans aucun biais. Chercher, imaginer, trouver, prendre un biais. Le bon biais. Utiliser des biais. Par le biais d'accointances politiques.*

— On cherchera des biais pour le rompre *(ce mariage).* 4
— Mais quelle invention trouver!
MOLIÈRE, l'Avare, I, 5.

Je ne sais quel biais ils ont imaginé. 5
RACINE, les Plaideurs, I, 7.

(...) c'est un prétexte, un biais que vous prenez pour me 6
faire oublier ce que je voulais savoir et vous délivrer de mes questions. A. DE MUSSET, Bettine, II.

Sans doute il eût été bien simple d'aller droit au fait; mais 7
précisément mon esprit répugne au plus simple et prend irrésistiblement le biais.
GIDE, les Faux-monnayeurs, III, 15.

Il m'a fallu revenir maintes fois sur la question, et par des 7.1
biais variés, pour obtenir qu'il s'expliquât.
Roger VAILLAND, 325 000 francs, p. 235.

♦ **3** Statist. Élément susceptible de rendre un fait non représentatif.

♦ **4** Loc. adv. (Premier sens attesté). **DE BIAIS, EN BIAIS.** → **Obliquement, travers** (de). *Aller de biais. Tailler une haie en biais. Couper une étoffe en biais. Traverser une rue en biais. Regarder de biais; jeter un coup d'œil en biais* (→ fam. En coulisse).

Ses jambes (...) l'auraient agrandi si elles eussent été ver- 8
ticales; mais elles posaient de biais comme celles d'un compas très ouvert. ROUSSEAU, les Confessions, IV.

Cette robe collant un peu au bas des jambes avec petite 9
traîne en biais formant queue de lézard.
LOTI, M^me Chrysanthème, I, VII, p. 59.

Fig. *Aborder, prendre qqch., qqn de biais,* d'une manière indirecte.

Accoutumés que nous sommes à ne voir aller les hommes 10
que de biais et par détours (...)
MASSILLON, Oraison funèbre de Turenne.

11 Il est certains esprits qu'il faut prendre de biais,
Et que, heurtant de front, vous ne gagnez jamais (...)
J.-F. REGNARD, le Légataire universel, II, I.

12 Certains êtres et certaines choses demandent à être abordés de biais. GIDE, Journal.

**II** Adj. (1563). **BIAIS.** Archit. Oblique par rapport à une direction principale. *Un pont biais, une voûte biaise. Une porte biaise,* percée obliquement.

13 La porte était fermée ; à travers une fenêtre biaise on apercevait un autel avec une croix.
CHATEAUBRIAND, Mémoires d'outre-tombe, IV, 3.

Techn. *Bouteur biais.* → **Angledozer** (anglic.), **bouteur.**
Fig., vx. → **Biaisé.**

14 Une interprétation détournée, contrainte et biaise.
MONTAIGNE, Essais, IV, 239.

CONTR. **Direct, droit, rectiligne. — Front** (de). ◊ DÉR. **Biaiser.**

**BIAISÉ, ÉE** [bjeze] adj. — P. p. de *biaiser,* mais le verbe ne semble pas attesté comme transitif.

♦ **1** Cour. Qui est disposé en biais. *Une étoffe biaisée.* — Cout. *Poches, coutures biaisées.*

♦ **2** Littér. Détourné, artificieux. *Manière biaisée.* → **Biais,** II.

C'est un fait pourtant qu'à plusieurs reprises le jeune homme, de la manière biaisée qui lui était habituelle, prit l'avis de son aîné et, le plus fort, s'y conforma : Yankel lui tenait lieu de conscience morale.
Roger IKOR, les Fils d'Avrom, La greffe de printemps, p. 317.

**BIAISEMENT** [bjɛzmɑ̃] n. m. — 1574, «état de ce qui est en biais» ; de *biaiser.*

Vx ou littér. Action de biaiser ; de tergiverser.

S'il donne (...) la première place à Sophie, et la peint en beau jusque dans ses défaillances et ses pauvres excès, ce n'est pas seulement parce que l'amour de la jeune fille le flatte, et même le rassure ; c'est parce que le code d'Eric l'oblige à traiter avec respect cette adversaire qu'est une femme qu'on n'aime pas. D'autres biaisements sont moins volontaires.
M. YOURCENAR, le Coup de grâce, p. 131.

**BIAISER** [bjeze] v. intr. — 1402 ; de *biais.*

♦ **1** Vieilli ou littér. Aller ou être en biais, de travers. → **Obliquer.** *Le mur biaise. La route biaise pour couper la voie ferrée. Marcher en biaisant. Biaiser dans une direction, vers qqch. :* prendre une voie oblique.

1 S'il trouve une barrière de front, il biaise naturellement, et va à droite et à gauche.
LA BRUYÈRE, les Caractères, VI, 38.

2 (...) pour peu que la ligne biaise, j'en ferai bientôt une spirale plus entortillée qu'un serpent.
Th. GAUTIER, Mlle de Maupin, VI.

3 (...) il fit bien attention à ne pas marcher devant lui, parce que le gué est établi en biaisant, et qu'à droite comme à gauche, il y a de mauvais trous.
G. SAND, la Petite Fadette, XI, 89.

4 (...) ayant aperçu le matelot étendu à terre, elle biaisa vers le navire (...) LOTI, Matelot, X, 43.

♦ **2** Littér. Employer des moyens détournés, artificieux. → **Louvoyer, tergiverser, tournoyer** (vx). *Biaiser avec qqn. Avec lui, inutile de biaiser. Biaiser sur qqch.* — (Sans compl.). *Je n'aime pas biaiser.*

5 Il y a de certains esprits qu'il ne faut prendre qu'en biaisant. MOLIÈRE, l'Avare, I, 5.

6 Ils biaisent sur beaucoup d'articles, ils mentent sur d'autres. BOSSUET, Hist. des Variations, II.

7 Il me paraît indigne de l'Assemblée de biaiser sur une question de l'importance de celle qui nous occupe (...)
MIRABEAU, Collection, t. II, p. 133.

8 (...) il semblait m'accuser d'imprudence, sans vouloir jamais dire en quoi elle consistait ; il biaisait et tergiversait sans cesse ; il semblait ne parler que pour me faire parler. ROUSSEAU, les Confessions, XI.

Et pourtant sa pensée, déjà rebelle, opposait une résistance 8.1
sournoise, biaisait vers les images délirantes.
BERNANOS, l'Imposture, Œ. roman., Pl., p. 373.

Cour. User de tempéraments, de ménagements. → **Composer.** *Biaiser avec sa conscience. Biaiser pour faire triompher son point de vue.*

Voilà pourquoi je n'ose rien projeter ni promettre et que 9
je ne parviens à rien qu'en biaisant et rusant avec moi-même, le long de quels atermoiements (...)
GIDE, Journal 1889-1939, 1912, Pl., p. 365.

CONTR. **Aller** (aller droit au but). ◊ DÉR. **Biaisé, biaisement, biaiseur.**

**BIAISEUR, EUSE** [bjɛzœʀ, øz] n. et adj. — 1800 ; de *biaiser.*

Rare. Celui, celle qui aime biaiser (2.), user de moyens détournés.

**BIARROT, OTE** [bjaʀo, ɔt] adj. et n. — Fin XIXe ; du rad. du nom de Biarritz.

De Biarritz, ville de la côte basque française et station balnéaire renommée.

(...) soigneuse de ses meubles anciens (...) et soucieuse des Picassos *(sic)* qui avaient rendu sa maison biarrote célèbre (...) B. CENDRARS, Bourlinguer, p. 369.

Loc. *À la biarrote.* Cuis. *Garniture à la biarrote,* ou, n. f., *biarrote :* garniture composée de galettes de pommes de terre liées aux jaunes d'œufs, portant des pièces de viande, et de cèpes grillés.

**BIATHLON** [biatlɔ̃] n. m. — V. 1960, *in* Petiot ; de *bi-,* et d'après *pentathlon, triathlon.*

Sports. Compétition associant une épreuve de ski de fond au tir à la carabine.

**BIATOMIQUE** [biatɔmik] adj. → **Diatomique.**

**BIAURAL** [biɔʀal] ou **BINAURAL, ALE, AUX** [binɔʀal, o] adj. — XXe ; de *bi-* ou lat. *bini* «les deux», et lat. *auris* «oreille».

Physiol. Des deux oreilles, en ce qui concerne leur fonction (opposé à *monaural*). → **Biauriculaire.**

**BIAURICULAIRE** [biɔʀikylɛʀ] adj. — 1868, ex. ci-dessous ; de *bi-,* et *auriculaire.*

Physiol. Qui appartient aux deux oreilles. → **Biaural.** On trouve aussi *binauriculaire* [binɔʀikylɛʀ]. *«L'auteur signale l'application qu'on peut faire du nouvel instrument* (melodion aphone) *à l'étude de l'audition bi-auriculaire»* (*Année sc. et industr.* 1869 [1868], p. 85).

**BIAXE** [biaks] adj. — 1858 ; de *bi-,* et *axe.*

Cristallogr. *Cristal biaxe :* cristal qui possède deux axes optiques dans la direction desquels le cristal n'est pas biréfringent.

**BIB** [bib] n. m. — V. 1970 ; probablt de *bibendum,* nom déposé par Michelin pour divers produits, pneus, canots pneumatiques, etc.

Mar. Canot de survie pneumatique qui se gonfle automatiquement. *Des bibs.*

**BIBANDE** [bibɑ̃d] adj. — 1997 ; de *bi-,* et 1. *bande.*

Se dit d'un téléphone mobile qui peut fonctionner sur deux bandes de fréquences distinctes correspondant à deux réseaux téléphoniques différents, de manière à capter le meilleur signal. *Portable bibande.*

**BIBARD, ARDE** [bibaʀ, aʀd] n. — 1841, du rad. *bib-*, du lat. *bibere*, et suff. *-ard*.

Pop., vx. Buveur, débauché. *Un vieux bibard.*

**BIBARDER** [bibaʀde] v. intr. — 1842, E. Sue; du rad. du lat. *bibere* «boire» (sens 1); de *bibard* (sens 2).

♦ **1** Boire. — Trans. *Bibarder un verre.*

♦ **2** (De *bibard*). Vieillir misérablement, dans l'ivrognerie.

**BIBASIQUE** [bibazik] adj. — 1846; de *bi-*, et *basique*.

Chim. Qui possède deux fois la fonction base (qui peut libérer deux anions par molécule).

**BIBASSIER** ou **BIBACIER** [bibasje] n. m. — XVIIIe; plante présentée à Paris pour la première fois en 1784; du port. *bibas*.

Bot. Plante dicotylédone *(Rosacées)*, appelée communément *néflier du Japon. Le bibassier, arbre à feuilles persistantes, donne un fruit comestible* (bibasse ou bibace).

**BIBELOT** [biblo] n. m. — 1427, *biblot*; p.-ê. formation onomat. *bib-* (désignant de petits objets), et suff. dimin. *-elot* (→ Bimbelot); l'anc. franç. *beubelet* (1180) était un dimin. de l'anglo-normand *baubel*, redoublement de *beau*; Guiraud postule un comp. en *bis-*, **bis-biller* «tailler en biseau», de *biller* «fendre du bois».

♦ **1** Petit objet décoratif. → **Babiole, bricole, souvenir.** *Une étagère, une cheminée ornée, encombrée de bibelots. Une boutique d'antiquaire pleine de bibelots. Un bibelot sans valeur.* → **Babiole, bagatelle, bimbelot, bricole, brimborion.** *De très jolis bibelots. Un bibelot coûteux, de prix, précieux, rare.* → **Objet** (d'art). *Bibelot de style, de goût chinois.* → **Chinoiserie.** *Choisir, offrir un bibelot. Marchander un bibelot. Collectionner des bibelots.* → **Bibeloter.**

1 (...) c'est comme chose d'art exotique, comme **bibelot**, que Chrysanthème la préfère à d'autres mignonnes boîtes, en laque ou en marqueterie.
LOTI, Mme Chrysanthème, I, XXVIII, p. 131.

2 Venise n'est qu'un bibelot, un vieux bibelot d'art charmant, pauvre, ruiné, mais fier d'une belle fierté de gloire ancienne. MAUPASSANT, la Vie errante, p. 247.

Figuré :

3 Sur les crédences, au salon vide : nul ptyx,
Aboli bibelot d'inanité sonore (...)
MALLARMÉ, Sonnets, Pl., p. 68.

(En parlant d'une personne). *«Ce joli bibelot de fillette»* (G. de Maupassant, *Bel-Ami*, 1885, *in* T. L. F.). → **Bijou.**

♦ **2** (1874). Petit travail courant (faire-parts, cartes de visite, factures). — Syn. : *bilboquet**, *ouvrage de ville.*

DÉR. **Bibeloter, bibeloterie, bibeloteur, bibelotier.**

**BIBELOTAGE** [biblɔtaʒ] n. m. — 1877; de *bibeloter*.

Rare. Action de bibeloter (1.); spécialt, manie de celui qui recherche sans cesse des bibelots. *«Le vice du bibelotage, du bric-à-brac»* (A. Arnoux, *in* T. L. F.).

**BIBELOTER** [biblɔte] v. — 1845; de *bibelot*.

Rare.

**I** V. intr. ♦ **1** Rechercher des bibelots; marchander, acheter, collectionner des bibelots.

La première occupation du voyageur dans toutes les villes du Japon, c'est de bibeloter (...) C'est qu'on est ici sur la terre du bibelot, je ne dis pas de l'art.
G. BOUSQUET, *in* Revue des Deux-Mondes, 15 janv. 1872.

♦ **2** Fam. Se livrer à des occupations futiles ou peu importantes.

**II** V. tr. (Vx). Combiner, marchander, traiter (une, des affaires infimes, mesquines...). → **Bricoler.** — REM. Cet emploi semble propre aux années 1870-1880 : Zola, Goncourt, etc.

◆ **SE BIBELOTER** v. pron.

Vx (personnes). S'arranger, se soigner comme un objet de valeur, un bibelot.

DÉR. **Bibelotage.**

**BIBELOTERIE** [biblɔtʀi] n. f. — 1468, *biblioterie*, repris au XIXe (1872, Goncourt); de *bibelot*.

Vieux, rare.

♦ **1** Ensemble de bibelots, d'objets sans valeur. → **Bazar; bimbeloterie.** *La bibeloterie des marchés aux puces.*

♦ **2** Goût pour les bibelots (→ **Bibelotage**).

**BIBELOTEUR, EUSE** [biblɔtœʀ, øz] n. — 1427, *bibelotteres*, repris au XIXe (1874, Goncourt); de *bibelot*.

Vieux, rare.

♦ **1** Amateur ou professionnel du bibelot. → **Bibelotier, bimbelotier.**

♦ **2** Fam. Personne qui fait des petites affaires, qui bibelote (2.). → **Bricoleur.** — Adj. *«Une ménagère bibeloteuse»* (Proust). → **Bibelotier.** — REM. On trouve chez Goncourt un adj. *bibeloteux, -euse.*

**BIBELOTIER, IÈRE** [biblɔtje, jɛʀ] n. — 1467; repris XIXe (1861, Goncourt); de *bibelot*.

♦ **1** Vx. Personne qui fabrique des bibelots, tient une bimbeloterie. → **Bimbelotier.**

♦ **2** Rare. Personne qui aime, recherche, collectionne les bibelots.

Adj. (Personnes). Qui aime les bibelots, fait collection de bibelots. *Elle est un peu bibelotière. «Un baron bibelotier»* (Giraudoux). — (Choses). Relatif, propre au goût pour les bibelots. *Une manie bibelotière.*

♦ **3** (1874). Typogr. Typographe spécialisé dans le bibelot (2.), le travail de ville.

**BIBENDUM** [bibɛ̃dɔm] n. m. — 1910; du lat. *bibere* «boire» dans *nunc est bibendum* «c'est le moment de boire»; nom donné à une figure publicitaire créée fin XIXe par le dessinateur O'Gallop pour une marque de bière puis pour la Société Michelin, pour laquelle le dessinateur forma son bonhomme de pneus superposés. → aussi Bib.

♦ **1** Fam. Homme bedonnant, corpulent. → **Gros.** *Un gros bibendum.*

Par métaphore. *«Par contraste, le "bibendum" communiste paraît d'autant plus redoutable qu'il semble grossir à leurs dépens»* (*le Nouvel Obs.*, n° 419, 20 nov. 1972).

♦ **2** (1916). Argot milit. anc. Viande dure, caoutchouteuse. → **Semelle.**

♦ **3** Argot. Employé de l'entreprise Michelin. — Abrév. : *les bibs.*

DÉR. V. **Bib.**

**BIBERON** [bibʀɔ̃] n. m. — 1514; au sens I, 1 «bec d'un récipient à l'usage des malades», 1301; du lat. ecclés. *biber* «boisson», de *bibere*.

**I** ♦ **1** Anciennt. Récipient muni d'un bec, d'un goulot ou d'un tuyau permettant de boire dans une position allongée.

♦ **2** (1777, in *Mémoires adressés à l'académie des Sciences de Châlons-sur-Marne*). Mod. Récipient, petite bouteille graduée et munie d'une tétine, servant à l'allaitement artificiel d'un enfant. *Un biberon incassable.* Contenu de ce récipient. *Élever, nourrir un enfant au biberon. Bébé au biberon. Préparer, faire bouillir, stériliser un biberon.* → **Téter.** *Le bébé réclame son biberon, boit son biberon. Donner le biberon à un nourrisson. Il a bu tout son biberon.*

1 Virgile a dit que les enfants nourris au biberon ne sont dignes ni de la table des dieux ni du lit des déesses.
FRANCE, Pierre Nozière, II.

*Être à l'âge du biberon,* en bas âge. → **Berceau** (au). Par plais. *Avoir passé l'âge du biberon. Prendre qqn au biberon,* à un âge excessivement jeune. → **Berceau.**

♦ **3** Agric., zool. Récipient destiné à nourrir un jeune mammifère. *Nourrir un veau, un agneau, un poulain au biberon. Biberon en tôle, en porcelaine.*

**II** **BIBERON, ONNE** n. (XV^e). Fam., vieilli. Personne qui aime le vin, l'alcool, et en boit volontiers. → **Biberonneur, buveur, ivrogne.**

2 (...) sans oublier les verres de ses camarades, car ce n'était point un de ces biberons égoïstes qui rendent à Bacchus un culte solitaire (...)
Th. GAUTIER, le Capitaine Fracasse, XI.

3 (...) la proportion, dans cette foule, des gens de droit et de justice est si considérable, que l'on conçoit à merveille le désir que ressent Villon de les fuir. Pourtant à ces visages sévères se mêle parfois la trogne enflammée d'un biberon et, complaisamment, le poète trousse en son honneur une ballade. Francis CARCO, Nostalgie de Paris, p. 97.

4 (...) on place de grandes ardoises sur lesquelles un jury spécial inscrit le nom des hommes qui veulent concourir pour le titre de «Premier Biberon» décerné annuellement à celui qui a bu plus que tout le monde.
G. CHEVALLIER, Clochemerle, p. 178.

DÉR. **Biberonner, biberonnerie.**

**BIBERONNER** [bibʀɔne] v. intr. — 1890, Rostand, *in* T. L. F.; 1852, Labiche, v. tr., «donner le biberon à (un enfant)»; v. 1880, Laforgue, «sucer comme un biberon»; de *biberon.*

Fam. Boire souvent et avec excès (du vin, des boissons alcoolisées).

1 Seulement, un litre, dame! lorsqu'on a déjà son compte! J'ai dû m'arrêter de biberonner, à bout de souffle.
BERNANOS, Nouvelle histoire de Mouchette, *in* Œ. roman., Pl., p. 1286.

2 Ce que je supposais — à voir sa trogne — m'a été confirmé par mon quart d'heure de surveillance. L'ancien cavalier Lafleur biberonne comme une tonne de papier buvard.
SAN-ANTONIO, le Secret de Polichinelle, p. 122.

DÉR. **Biberonneur.**

**BIBERONNERIE** [bibʀɔnʀi] n. f. — Attesté 1966; de *biberon.*

Techn. Local destiné à la préparation des biberons.

**BIBERONNEUR, EUSE** [bibʀɔnœʀ, øz] n. — XX^e; de *biberonner.*

Fam. Personne qui boit beaucoup. → **Biberon,** II.; **buveur, ivrogne.**

En Inde, cent mille Britanniques bâfreurs de bœuf et biberonneurs d'eau-de-vie tiennent assujettis trois cents millions de végétariens et buveurs d'eau appartenant à la même race aryenne.
Roger NAÏM, l'Ère des truands..., p. 33.

1. **BIBI** [bibi] n. m. — V. 1830; onomat., p.-ê. du terme affectueux (→ 2. Bibi), par allus. à *bib(elot),* et pour le sens 2, de l'idée de «petite taille».

♦ **1** Fam. Petit chapeau de femme. *Un petit bibi. Elle portait un bibi incroyable.*

Au lieu du béguin matelassé de Mademoiselle du Guénic, 1
elle portait un chapeau vert avec lequel elle devait aller visiter ses melons; il avait passé, comme eux, du vert au blond; et, quant à sa forme, après vingt ans, la mode l'a ramenée à Paris sous le nom de bibi.
BALZAC, Béatrix, Pl., t. II, p. 346.

La dame (...) est vêtue d'un grand peignoir qui ne marque 1.1
aucune taille, ce qui d'ailleurs serait difficile sur cette masse de chair; elle a trois mentons qui redescendent par étages, elle souffle en marchant, et n'a sur sa tête qu'un petit chapeau de paille appelé *bibi,* et dont la passe très courte ne couvre pas la moitié de son front.
Ch. PAUL DE KOCK, la Grande Ville, p. 301.

Une marchande à la toilette me confiait des nippes à 2
vendre. Sous-fripier que j'étais! Malheur! Et je bazardais, rue Alézard, des caracos, des tabliers, des bibis de femme, des bas de soie, de vieilles bottines.
Francis CARCO, Ombres vivantes, p. 253.

♦ **2** (1848). Argot anc. Outil (spécialt, outil du cambrioleur : pince-monseigneur, fausse clé). — (1880). Couteau.

2. **BIBI** [bibi] n. m. (appellatif) et pron. — 1828; n. propre, 1765; orig. incert., p.-ê. de la famille de *bibelot* (à laquelle Guiraud rattache aussi *bijou*).

♦ **1** (1828). Fam. Nom affectueux donné à une femme par un homme et, moins couramment, par une femme à un homme.

La jeune dame appelait son mari mon bibi. 1
Les Omnibus, Premier voyage de Cadet-la-Blague, 1828, *in* D. D. L., II, 6.

♦ **2** (1832, *in* Cellard-Rey). Pop. ou fam. Moi. *Qui a fait le coup? C'est bibi. Ça, c'est pour bibi, c'est à bibi.*

Quand je suis entré à la boîte, j'étais comme toi, je voulais 2
«marcher» sérieusement... J'en ai rabattu depuis (...)
Tu feras comme bibi.
GORON, l'Amour à Paris, t. III, p. 1610.

**BIBICHE** [bibiʃ] n. f. — 1840, cit.; de *biche* avec infl. probable de 2. *bibi.*

Vieilli, fam. (avec un possessif ou comme n. propre appellatif). Terme d'affection adressé à une femme. → **Biche, bichette.**

Quel petit bijou d'épouse!... mais j'entrevois dans le lointain un avenir d'homme de couleur. Oh! patience, ma Bibiche.
ANICET-BOURGEOIS et BRISEBARRE, Quatre-vingt-six moins un (1840), *in* D. D. L., II, 3.

**BIBINE** [bibin] n. f. — 1862; orig. incert.; du rad. *bib-* de *biberon,* et suff. *-ine.* Cf. le régional *biber* (dont le rapport avec le lat. *bibere* est contesté par Guiraud). Familier.

♦ **1** Anciennt. Cabaret de bas étage. → **Caboulot.**

♦ **2** (1890). Mod. Mauvaise boisson. *Ton vin, c'est de la bibine.*

Depuis mon retour à Paris, je partais ainsi chaque matin 1
dans une direction où j'étais sûr, en cours de route, de rencontrer des amis, soit chez eux, soit dans certains cafés en train de boire une vague bibine.
Francis CARCO, Ombres vivantes, p. 218.

Deux bouteilles suivies de deux autres avaient fêté cet évé- 2
nement et César, tout glorieux, n'escomptait qu'une nouvelle lubie du personnage pour écouler sa bibine au prix fort. Francis CARCO, les Belles Manières, p. 10.

Spécialt. Bière de qualité inférieure; péj., bière.

Eh bien Gy, dit Gabriel, apporte-nous la bibine gazeuse 3
de l'établissement.
R. QUENEAU, Zazie dans le métro, Folio, p. 149.

**BIBION** [bibjɔ̃] n. m. — 1771; lat. *bibio* «moucheron».
Insecte diptère *(Bibionidés)*, appelé aussi *mouche de Saint-Marc, mouche de la Saint-Jean.*

**DÉR. Bibionidés.**

**BIBIONIDÉS** [bibjɔnide] n. m. plur. — XVIIIe; de *bibion.*
Zool. Famille d'insectes diptères dont le bibion est le type. — Au sing. *Un bibionidé.*

**BIBITION** [bibisjɔ̃] n. f. — 1845; bas lat. *bibitio* (→ Boisson), du lat. class. *bibere* «boire».
Littér., par plais. Action de boire.

Malheureusement on dut cesser assez rapidement la bibition des pots. R. QUENEAU, Loin de Rueil, p. 131.

**BIBLE** [bibl] n. f. — XIIe; lat. ecclés. *biblia,* du grec *biblia* «livres saints», plur. de *biblion* «livre».

♦ **1** LA BIBLE (écrit avec un B majuscule) : recueil de textes inspirés (→ **Révélation; alliance, message**) des juifs (Ancien Testament) et des chrétiens (Ancien et Nouveau Testament; → **Évangile**). *La Bible ou Écriture Sainte (Saintes Écritures). Chapitres, livres, versets de la Bible.*

Les livres de la Bible. → **Canon.** *Ancien Testament.* Le Pentateuque : Genèse, Exode, Lévitique, Nombres, Deutéronome. Les livres historiques : Josué, Juges, Ruth, Sagesse, Samuel I, II, Rois I, II, Chroniques I, II, Esdras, Néhémie, Esther. Les livres poétiques : Job, Psaumes, Proverbes, Ecclésiaste, Cantique des Cantiques. Les livres prophétiques : Esaïe, Jérémie, Ezéchiel, Daniel, Osée, Joël, Amos, Abdias. Jossas, Michée, Nahum, Habakuk, Sophonie, Aggée, Zacharie, Malachie. — *Nouveau Testament.* Évangiles (Matthieu, Marc, Luc, Jean). Actes des Apôtres. Épîtres (Paul, Jacques, Pierre, Jean, Jude). Apocalypse de Jean.

*Les versions, les traductions de la Bible :* Hébraïque; Septante; Vulgate. *Les manuscrits de la Bible. Critique philologique, interprétation de la Bible.* → **Biblique; biblisme, bibliste;** et aussi **concordance, synopse; allégorie, anagogie, cabale, commentaire, critique, exégèse, glose, herméneutique, littéralisme, massore, mischna, parabole, targum, tradition.**

*L'autorité de la Bible :* livres canoniques; livres apocryphes*. *Fonder la norme religieuse sur la Bible. Lire, étudier, méditer la Bible, un passage de la Bible. Jurer sur la Bible.*

1 Tout protestant fut pape, une bible à la main.
BOILEAU, Satires, XII.

2 Je lis la Bible autant que l'Alcoran.
BOILEAU, Introd., 4.

3 La Bible est aux religions ce que l'Iliade est à la poésie.
Joseph JOUBERT, Pensées, I, 127.

4 Il ne faut qu'un moment, je ne dis pas d'attention, mais d'écoutement, pour comprendre et recevoir en soi les beautés de la Bible (...)
Joseph JOUBERT, Pensées, I, 128.

5 Il n'y a pas une position dans la vie pour laquelle on ne puisse rencontrer dans la Bible un verset qui semble dicté tout exprès.
CHATEAUBRIAND, le Génie du Christianisme, t. II, V, I.

6 Cette seconde Bible *(le Nouveau Testament),* dont Jésus fut l'inspirateur, bien qu'il ne s'y trouve pas une ligne de lui, était loin d'offrir un canon arrêté; beaucoup d'opuscules, plus ou moins pseudépigraphes, étaient admis des uns, repoussés des autres.
RENAN, l'Église chrétienne, VII.

7 C'est le livre des livres, le livre par excellence; en grec **biblos,** la **Bible.** Et, par un curieux circuit, ce mot grec luimême nous ramène aux terres du Levant puisque **biblos** vient de **Byblos,** la ville phénicienne, grand marché de papyrus depuis la plus haute antiquité. Si nous appelons «bible» notre livre saint, c'est parce qu'il y a cinq mille ans, un port syrien vendait déjà au monde le papier égyptien!
DANIEL-ROPS, le Peuple de la Bible, IV, II, p. 307-308.

Vx. Livre sacré (d'une autre religion que la religion chrétienne). *«Les Bibles persane ou brahmanique»* (Amiel).

Par ext. Série d'œuvres graphiques représentant des scènes empruntées à la Bible. *«Gustave Doré avait eu aussi le projet de faire une Bible»* (Barbey d'Aurevilly, *in* T. L. F.).

♦ **2** *(La, une, des bibles).* Livre contenant le texte biblique. *Une bible. Bible polychrome. Bible reliée, de poche. Les inestimables bibles de Gutenberg.* — Anciennt. *Bible en images :* au moyen âge, Bible illustrée et commentée. — REM. Dans ce sens, on écrit plutôt *la Bible* (comme au sens 1) et *une bible;* mais on trouve aussi : *une Bible.*

Quant aux dictionnaires des sciences naturelles et des idiomes polynésiens, tous deux étaient anglais, mais ils ne portaient aucun nom d'éditeur, ni aucune date de publication. 7.1
De même pour la Bible, imprimée en langue anglaise, inquarto remarquable au point de vue typographique, et qui paraissait avoir été souvent feuilleté.
J. VERNE, l'Île mystérieuse, t. I, p. 324.

Une Bible en images, très antique, toute dépenaillée. 8
FRANCE, le Petit Pierre, XXX.

(...) parmi des brochures allemandes (...) Mme de Fontanin avait eu la surprise de découvrir une bible de poche, sur papier pelure, et fort usagée (...) Elle ne voulait se souvenir que de cette petite bible (...) 9
MARTIN DU GARD, les Thibault, t. VI, p. 70.

Loc. (lat. *biblia pauperum*). Au moyen âge, *Bible des pauvres :* enseignement biblique par l'image, réservé aux illettrés; programme iconographique destiné à enseigner la Bible aux illettrés.

♦ **3** (XVIe). Ouvrage faisant autorité sur un individu, un groupe, une époque. *C'est ma bible. Bible des contestataires. Bible positiviste, existentialiste. Le petit livre rouge, bible des maoïstes.*

Il ouvrait sur la table, un tome pesant du dictionnaire de Littré. Tous ceux qui savaient lire venaient se grouper autour de cette bible. 10
G. DUHAMEL, Chronique des Pasquier, I, IV.

♦ **4** Hist. littér. Titre donné au moyen âge à des ouvrages satiriques décrivant toute la société. *La bible de Guiot de Provins.*

♦ **5** Par appos. *Papier bible :* papier d'imprimerie opaque et très mince.

**DÉR. Biblisme, bibliste.** — V. **Biblique.**

**BIBLI-, BIBLIO-** Préfixe tiré du grec *biblion* «livre», qui entre dans la composition de noms et d'adjectifs, avec un second élément, d'origine grecque ou non grecque (mots hybrides). Outre les composés traités à l'ordre alphabétique, on peut signaler : *bibliatrique,* n. f. : «restauration des livres»; *bibliopole,* n. m. (1611), vx : «libraire»; *bibliopole,* n. f. (1888, Hugo) «cité de livres»; *bibliotechnicien,* adj. : «employé de bibliothèque spécialisé, au Canada»; *bibliovisuel, elle, els,* adj. : «formé de livres et d'éléments visuels étrangers au livre». *«Pour la collection bibliovisuelle "Le Génie humain", la règle du jeu consiste à grouper en une ou plusieurs séries de diapositives en couleur et d'illustrations reproduites selon les formules classiques d'impression un ensemble de documents caractéristiques d'une des grandes civilisations mondiales»* (*le Monde,* 6 oct. 1966).

**BIBLICISME** [biblisism] n. m. — 1875; du rad. du lat. *biblicus*. → Biblique.
Religion.
♦ **1** Doctrine selon laquelle la norme religieuse est uniquement biblique. → **Biblisme.**
♦ **2** Tour stylistique fréquent dans la Bible.

**BIBLICISTE** [biblisist] n. — 1875; du rad. du lat. *biblicus*. → Biblique.
Relig. Personne qui étudie la Bible. Syn. : *bibliste*. — REM. On trouve aussi la var. *biblicisant, -ante* [biblisizɑ̃, ɑ̃t] n. (1933, Malègue, *in* T. L. F.).

**BIBLIO-** → **Bibli-.**

**BIBLIOBUS** [biblijobys] n. m. — 1930; de *biblio(thèque)*, et *-bus*.
Véhicule aménagé en bibliothèque desservant (prêt de livres) certains quartiers ou villages; bibliothèque circulante. *«Les livres sont distribués par la bibliothèque de prêt du département par "bibliobus"»* (*le Nouvel Obs.*, nº 414, 16 oct. 1972).

**BIBLIOGNOSIE** [biblijognozi] n. f — 1845; de *biblio-*, et *gnosie*.
Didact., vx. Connaissance, étude approfondie du livre. → **Bibliologie.**

**BIBLIOGNOSTE** [biblijognost] n. — 1845; de *biblio-*, et grec *gnôstês* «celui qui connaît».
Didact., vx. Spécialiste de bibliognosie.

**BIBLIOGRAPHE** [biblijɔgʀaf] n. — 1752, *in* T. L. F.; 1665, au masc., «celui qui fait des catalogues»; de *bibliographie*.
♦ **1** Spécialiste de la science du livre, de l'édition; personne qui écrit sur cette matière. *Un bibliographe érudit. Une remarquable bibliographe.*
Spécialt. Personne qui établit des bibliographies. *Elle est bibliographe dans une grande bibliothèque, dans un centre documentaire. Documentaliste bibliographe.*
♦ **2** (1833, Balzac). Vx. Bibliographie (2.). *Établir un bibliographe complet.*

**BIBLIOGRAPHIE** [biblijɔgʀafi] n. f. — 1633, sens 2; sens 1, 1762; du grec *biblion* «livre», et *graphein* «écrire».
♦ **1** *(La bibliographie).* Science (analyse, description, classification, publication) des documents écrits, et, spécialt, des livres. → **Bibliographe.**

Les bibliothécaires d'Alexandrie avaient trouvé le principe (...) les *pinakes* (ou tableaux) de Callimaque étaient une tentative pour classer les livres non d'après leurs caractéristiques physiques, mais d'après leur «contenu». C'est la *bibliographie* proprement dite qui ne s'est réellement développée qu'à partir du XVIIᵉ siècle et à laquelle Gabriel Naudé a donné son nom en 1633. Le principe en est l'établissement de listes *critiques* et *analytiques*.
Robert ESCARPIT, Théorie générale de l'information et de la communication, p. 150-151.

♦ **2** *(Une, des bibliographies).* Répertoire des écrits relatifs à un sujet donné. → **Catalogue, recueil, répertoire, table.** *Bibliographie analytique, critique, intégrale, sélective. La bibliographie d'un auteur* (→ **Biobibliographie**), *d'une question.* → Bœuf, cit. 12. *Bibliographie-titre* ou *signalétique*, qui informe au minimum sur le document édité. *Bibliographie rétrospective*, qui remonte dans le passé. *Bibliographie prospective*, qui annonce des publications à venir. *Bibliographie d'une thèse, d'un manuel*, contenue dans une thèse, un manuel. *La bibliographie d'un article scientifique. Consulter la bibliographie.* — REM. Dans ce sens, on emploie fréquemment l'abréviation *biblio*, n. f.
Liste périodique d'ouvrages parus. *Bibliographie courante. Bibliographie nationale*, qui s'attache à la production d'imprimés dans un pays particulier. *La Bibliographie de la France* (titre de publication).
DÉR. **Bibliographe, bibliographier, bibliographique.**

**BIBLIOGRAPHIER** [biblijɔgʀafje] v. tr. — 1901, cit.; de *bibliographie*.
Didact. Établir la bibliographie de...; enregistrer dans une bibliographie.

Ceci ne nous est point arrivé depuis le premier janvier dernier où, bibliographiant ici l'*Économie politique pure* de M. Léon Walras, nous avons esquissé une théorie de la fabrication de la monnaie fiduciaire en libre concurrence.
A. JARRY, l'Échéance dans ses rapports avec le suicide, *in* la Revue blanche, 15 nov. 1901 (*in* D. D. L., II, 7).

**BIBLIOGRAPHIQUE** [biblijɔgʀafik] adj. — 1778, *in* D. D. L.; de *bibliographie*.
Relatif à la bibliographie. *Notice, note bibliographique. Mentions bibliographiques.* → Revendicateur, cit. 2. *Société, revue bibliographique.*

**BIBLIOLÂTRE** [biblijɔlatʀ] n. et adj. — XIXᵉ; de *biblio-*, et *-lâtre*.
Didact. Celui, celle qui voue une passion excessive au livre. → **Bibliomane, bibliophile.**
Adj. *Un comportement bibliolâtre.*
DÉR. **Bibliolâtrie.**

**BIBLIOLÂTRIE** [biblijɔlatʀi] n. f. — XIXᵉ; de *bibliolâtre*.
Didact. Attitude du bibliolâtre. → **Bibliomanie; bibliophilie.**

Cela suppose, calcul qui me semble effrayant, qu'on a fait le compte de toutes les lettres de l'Ancien Testament, mais je ne me défends pas d'admirer l'amour de l'Écriture poussé jusqu'à ce point. Il en est passé quelque chose dans le protestantisme. Bibliolâtrie, me dira-t-on. Je ne le crois pas.
J. GREEN, Journal, La terre est si belle, 28 avril 1978, p. 259.

**BIBLIOLOGIE** [biblijɔlɔʒi] n. f. — 1802, *Dict. raisonné de bibliologie*, *in* D. D. L.; de *biblio-*, et *-logie*.
Didact., rare. Science générale du livre (incluant bibliographie, gestion des bibliothèques, etc.). → **Bibliognosie, bibliographie, bibliopsychologie, bibliothéconomie; bibliographe,** 1.
DÉR. **Bibliologique.**

**BIBLIOLOGIQUE** [biblijɔlɔʒik] adj. — 1867; de *bibliologie*.
Qui se rapporte à la bibliologie. *Psychologie bibliologique.* → **Bibliopsychologie.**

**BIBLIOMANCIE** [biblijɔmɑ̃si] n. f. — 1845; de *biblio-*, et *-mancie*.
Didact. Divination qui consiste à interpréter un texte choisi au hasard dans un livre considéré comme texte herméneutique (notamment, dans la Bible).

**BIBLIOMANCIEN, IENNE** [biblijɔmɑ̃sjɛ̃, jɛn] n. et adj. — 1845; de *biblio-*, et *-mancien*.
Didact. Personne qui pratique la bibliomancie.

**BIBLIOMANE** [biblijɔman] adj. et n. — 1654, Guy Patin; de *biblio-*, et *-mane*.

Didact. Qui a la passion des livres. → **Bibliolâtre.**

N. Amateur, collectionneur de livres. → **Bibliophile.** *Une bibliomane forcenée.*

**BIBLIOMANIAQUE** [biblijɔmanjak] adj. — 1809, cit.; de *bibliomanie*, d'après *maniaque*.

Rare, par plais. Relatif à la bibliomanie.

Auriez-vous cru que la fureur bibliomaniaque pût aller jusque-là.

P.-L. COURIER, Lettres de France et d'Italie, I, 1809, Pl., p. 324.

**BIBLIOMANIE** [biblijɔmani] n. f. — 1654, Guy Patin; de *biblio-*, et *-manie*.

Manie, passion excessive des livres et surtout des livres rares, précieux. → **Bibliolâtrie, bibliophilie.**

DÉR. **Bibliomaniaque.**

**BIBLIOMÉTRIE** [biblijɔmetʀi] n. f. — Début XX^e; de *biblio-*, et *-métrie*.

Didact. Étude quantitative de la production, de la distribution, de la consommation de livres, de périodiques ou d'autres documents imprimés. Statistique historique, étude quantitative des publications (d'une époque déterminée).

**BIBLIOPHAGE** [biblijɔfaʒ] adj. et n. — Mil. XX^e; de *biblio-*, et *-phage*.

Didactique.

♦ **1** Qui mange des livres. *Un insecte, un ver bibliophage.*

♦ **2** N. Fig., par plais. Personne qui lit beaucoup, qui dévore* des livres. *Un bibliophage enragé.* — Adjectif :

Dans bien des cas, je lis pour le seul plaisir de lire plutôt que pour avoir lu : je suis quelque peu bibliophage.

S. DE BEAUVOIR, Tout compte fait, p. 159.

**BIBLIOPHILE** [biblijɔfil] n. — 1740, De Brosses; de *biblio-*, et *-phile*.

Didact. et cour. Celui, celle qui aime, recherche et conserve avec soin et goût, les livres* rares, précieux. → **Bibliolâtre, bibliomane, bibliomaniaque; collectionneur.** *Le bibliophile recherche les éditions rares, les livres anciens, les éditions originales, les reliures, les ouvrages dédicacés. La bibliothèque, la collection de ce bibliophile a été vendue, dispersée. L'ex-libris* d'un bibliophile. Société de bibliophiles. Une bibliophile avertie.*

DÉR. **Bibliophilie, bibliophilique.**

**BIBLIOPHILIE** [biblijɔfili] n. f. — 1845; de *bibliophile*.

Didact. Art et science du bibliophile. — Par ext. Amour des livres. *Bibliophilie excessive.* → **Bibliolâtrie, bibliomanie.**

**BIBLIOPHILIQUE** [biblijɔfilik] adj. — 1835, Balzac; de *bibliophile*.

Didact. Qui concerne la bibliophilie et les bibliophiles. *Cercle bibliophilique.*

**BIBLIOPOCHE** [biblijopɔʃ] n. f. — 1971, in P. Gilbert; de *biblio-*, et *(livre de) poche*.

Comm. Librairie spécialisée dans la vente de livres de poche, aussi appelée *librairie de poches.* «*À la gare Montparnasse, une bibliopoche a fait son apparition, stand réservé à la vente des livres de poche*» (*la Vie du Rail*, 20 avr. 1969).

**BIBLIOPSYCHOLOGIE** [biblijopsikɔlɔʒi] n. f. — Début du XX^e; de *biblio-*, et *psychologie*.

Didact. Étude du livre en tant qu'instrument de communication entre deux individus (l'auteur* et le lecteur*) et analyse de l'interaction qui se produit entre eux. Syn. : *psychologie bibliologique.*

**BIBLIOTAPHE** [biblijɔtaf] n. — XVIII^e; de *biblio-*, et du grec *taphos* «sépulture» ou *thaptein* «enterrer».

Didactique.

♦ **1** Vieilli. Personne qui dissimule ses livres, ne les prête jamais.

Le libre accès aux livres fait peur à beaucoup de conservateurs qui sont encore ce que l'on appelait plaisamment naguère des «bibliotaphes», mais il est de plus en plus généralement préconisé par les jeunes générations de bibliothécaires.

Robert ESCARPIT, Théorie générale de l'information et de la communication, p. 150.

♦ **2** N. m. Vx. Endroit d'une bibliothèque où sont rangés les ouvrages qui ne sortent pas. «*Mr Boulard avait été un bibliophile délicat et difficile, avant d'amasser dans six maisons à six étages six cent mille volumes de tous les formats... C'était, en effet, de véritables bibliotaphes*» (Ch. Nodier, *les Français peints par eux-mêmes*, 1841, *in* T. L. F.).

**BIBLIOTHÉCAIRE** [biblijɔtekɛʀ] n. — 1546; «bibliothèque», 1374; bas lat. *bibliothecarius*, de *bibliotheca*. → Bibliothèque.

Personne responsable d'une bibliothèque*. → **Archiviste, chartiste, conservateur.** *Le bibliothécaire de l'Institut. Bibliothécaire en chef, adjoint. Un sous-bibliothécaire. Une bibliothécaire documentaliste*, bibliographe. Concours de bibliothécaires. École de bibliothécaires.*

La charge de bibliothécaire du roi (...) comprend celle de maître de librairie et celle d'intendant ou garde du cabinet des livres manuscrits, médailles et raretés antiques et modernes, et garde de la bibliothèque du roi.

MAIRAN, Éloge de l'abbé Bignon.

Cour. Personne qui travaille dans une bibliothèque. *Demander un livre à la, au bibliothécaire.*

COMP. **Sous-bibliothécaire.**

**BIBLIOTHÉCONOMIE** [biblijɔtekɔnɔmi] n. f — 1839, *in* D. D. L.; de *biblioth(èque)*, et *économie*.

Didact. Discipline qui définit les règles d'organisation et de gestion des bibliothèques.

Les règles techniques de la bibliothéconomie comprenant, d'une part la rédaction des divers catalogues de livres manuscrits et imprimés; d'autre part, le service des bibliothèques étudiées dans leur formation historique, leur législation et leur fonctionnement actuel.

Louise-Noëlle MALCLÈS, la Bibliographie, p. 12.

DÉR. **Bibliothéconomique.**

**BIBLIOTHÉCONOMIQUE** [biblijɔtekɔnɔmik] adj. — Attesté 1939, probablement antérieur (→ Bibliothéconomie); de *bibliothéconomie*.

Didact. Relatif à la bibliothéconomie.

**BIBLIOTHÈQUE** [biblijɔtɛk] n. f. — 1493, «collection de livres»; «salle où sont classés des livres», 1690; lat. *bibliotheca*, du grec *bibliothêkê*, de *biblion* «livre», et *thêkê* «coffre, lieu de dépôt».

♦ **1** (Fin XVI^e). Meuble ou assemblage de tablettes permettant de ranger et de classer des livres. → **Armoire, rayonnage; casier** (à livres). *Une bibliothèque en acajou, en chêne. Une bibliothèque murale, vitrée, à portes grillagées.*

1 Il y a des gens qui mettent leurs livres dans leur bibliothèque, mais M... met sa bibliothèque dans ses livres.
CHAMFORT, Fragments inédits, Les compilateurs.

2 (...) la fenêtre, de chaque côté de laquelle pendaient deux petits corps de bibliothèque en bois de merisier que connaissent tous ceux qui ont flâné dans le quartier latin (...)
BALZAC, Z. Marcas, Pl., t. VII, p. 738.

3 (...) des livres et des paperasses garnissaient les rayons d'une bibliothèque entourant de ses trois côtés un large bureau de bois noir. FLAUBERT, Trois contes, I, 1.

♦ **2** [a] Salle, édifice où sont classés des livres pouvant être consultés. → **Cabinet** (de lecture); par ext., organisation comprenant divers services, dont une salle de lecture ou de consultation. *Bibliothèque municipale, privée, publique, universitaire. Bibliothèque de prêt, de consultation. Bibliothèque ambulante, circulante.* → **Bibliobus.** *La Bibliothèque nationale, à Paris* (fam. : la Nationale, la B. N. [beɛn]), *la Bibliothèque du Vatican. La Bibliothèque du Congrès, à Washington. Travailler en bibliothèque. Emprunter un livre à la bibliothèque. Les salles de lecture, les services bibliographiques, les services de reproduction, les archives, les réserves, l'«enfer»* (anciennt) *d'une grande bibliothèque.*

4 Nos bibliothèques immenses, le commun réceptacle et des productions du génie et des immondices des lettres (...)
DIDEROT, Claude et Néron, II, 37.

5 *(Ptolémée Philadelphe)* leur donna *(aux savants)* pour demeure un vaste édifice qui renfermait un observatoire et cette fameuse bibliothèque que Démétrius de Phalère rassembla avec tant de soins et de dépenses (...)
LAPLACE, Exposition du système du monde, V, 2.

5.1 Il semble que pour les écrivains, la bibliothèque se confonde depuis des siècles avec le monde de l'écrit. Or, on écrit de plus en plus — hors d'elle. Elle est entourée souvent d'une production qui se réfère à elle, aspire à y pénétrer; et toujours, d'une immense production qui l'ignore, et n'est pas pour autant d'ordre technique : histoire, voyages, vulgarisation, tout le domaine du documentaire.
MALRAUX, l'Homme précaire et la Littérature, p. 260.

[b] Lieu où l'on range les livres de prêt (dans une communauté, etc.).

6 (...) quand les autres se mettaient à leurs jeux d'enfants, ou allaient à la bibliothèque du bord chercher des ouvrages à leur portée. LOTI, Matelot, XXIII, p. 88.

[c] Pièce d'une habitation où l'on range des livres. → **Librairie** (vx). *Travailler dans sa bibliothèque.* → **Cabinet** (de lecture); **bureau.**

6.1 Parmi les différents salons du rez-de-chaussée consacrés à la réception, la tragédienne affectionnait particulièrement une vaste bibliothèque, dont les murs étaient garnis entièrement de vieux livres à précieuses reliures.
Raymond ROUSSEL, Impressions d'Afrique, p. 306.

7 Patrice y avait sa chambre, une pièce que l'on appelait la bibliothèque, car elle était encombrée par des montagnes de livres et des brochures, enfin un lieu de travail que le papier envahissait inexorablement, de jour en jour (...)
G. DUHAMEL, le Voyage de Patrice Périot, I.

*Un rat de bibliothèque* (péj.), se dit d'une personne qui passe tout son temps à compulser des livres, à fouiller dans les bibliothèques (au sens 2, a). → **Érudit; chercheur, fouineur, tâcheron** (cit., Bourget).

♦ **3** *Bibliothèque de gare :* librairie, kiosque (à journaux).

7.1 Jamais aucun de ses livres à lui n'a eu l'honneur de figurer aux bibliothèques des gares. On lui a bien parlé de telle démarche qu'il suffirait de faire pour en obtenir le dépôt; mais il n'y tient pas. Il se redit qu'il se soucie fort peu que ses livres soient exposés aux bibliothèques des gares, mais il a besoin de se le redire en y voyant le livre de Passavant.
GIDE, les Faux-monnayeurs, *in* Romans, Pl., p. 983.

♦ **4** Collection de livres. *Sa bibliothèque personnelle. Une belle, une riche, une vaste bibliothèque. La bibliothèque d'un érudit, d'un amateur, d'un bibliophile. Un fonds de bibliothèque. Constituer, enrichir, acheter une bibliothèque. Mettre en ordre, ranger sa bibliothèque. Les volumes, le catalogue, le fichier d'une bibliothèque. Une bibliothèque spécialisée, scientifique, technique. Le mythe de la bibliothèque universelle. La Bibliothèque de Babel,* récit de Borges.

On peut dire d'une grande lecture ce que Sénèque dit d'une vaste bibliothèque, qu'au lieu d'enrichir et d'éclairer l'esprit, elle ne sert le plus souvent qu'à y jeter le désordre et la confusion (...) ROLLIN, Traité des Études, III, 3. 8

La bibliothèque royale, déjà nombreuse, s'enrichit, sous Louis XIV, de plus de trente mille volumes (...) 9
VOLTAIRE, le Siècle de Louis XIV, 31.

Fig. *Bibliothèque de...* → **Amas, collection.** Fig. *Une bibliothèque d'absurdités* (cit. 3).

Spécialt. Ensemble de livres publiés chez un même éditeur et présentant un caractère commun. → **Collection.** — Hist. littér. *La bibliothèque bleue,* collection de romans adaptés des récits de chevalerie, très populaires au XVII^e^ et au XVIII^e^ siècle. — *La bibliothèque rose, verte* (livres d'enfants). *Bibliothèque philosophique, scientifique.*

♦ **5** Inform. Collection de supports d'information. *Bibliothèque de fichiers ordonnés.* → **Banque** (de données). *Bibliothèque de programmes.*

♦ **6** Fig., fam. *C'est une bibliothèque vivante, ambulante :* c'est un érudit, un savant, capable de citer de mémoire beaucoup d'auteurs (→ Dictionnaire* ambulant).

Ce sont des bibliothèques vivantes, prêtes à fournir diverses recherches sur tout ce qui peut tomber en dispute. CORNEILLE, Disc. de réception à l'Académie. 10

DÉR. V. **Bibliothécaire.** ◇ COMP. **Bibliothéconomie; bibliobus.**

**BIBLIQUE** [biblik] adj. — 1623; lat. médiéval *biblicus,* du lat. ecclés. *biblia.* → Bible.

♦ **1** Qui appartient, qui est propre à la Bible. *La langue, le style biblique* (→ **Biblicisme**). *Les récits, les livres bibliques. Une scène, un sujet biblique. Employer un mot au sens biblique* (souvent à propos de «connaître», au sens érotique). — Qui concerne la Bible. *Études bibliques. Exégèse, herméneutique biblique. Histoire de la critique biblique. Société biblique :* société protestante fondée pour la propagation de la Bible.

M. Garnier était un savant orientaliste et l'homme le plus versé de France dans l'exégèse biblique. 1
RENAN, Souvenirs d'enfance..., V, I, p. 197.

Seul *(ce peuple arabe),* par un privilège admirable, il conserve en héritage ce quelque chose qu'on appelle biblique, comme un parfum des anciens jours. 2
E. FROMENTIN, Un été dans le Sahara, I, p. 60.

*Les temps bibliques :* l'époque de la Bible.

(...) ce peuple nomade *(Arabes du Sud),* inculte, presque incapable de civilisation, demeuré aujourd'hui tel qu'il était aux temps bibliques. 3
MAUPASSANT, Au soleil, Prov. d'Alger, p. 104.

Spécialt. *Style biblique :* style imitant ou évoquant le style de la Bible (→ **Biblisme**).

♦ **2** Fam. Qui évoque, volontairement ou involontairement, le texte de la Bible. *Une barbe biblique :* une grande barbe blanche. *Catastrophe biblique. Atmosphère vaguement biblique d'un poème.* — Loc. cour. *D'une simplicité* biblique.*

DÉR. **Bibliquement.** — V. **Biblicisme, bibliciste.**

**BIBLIQUEMENT** [biblikmɑ̃] adv. — 1923; de *biblique.* D'une manière biblique; du point de vue de la Bible.

Par ext. Comme dans la Bible. «*Connaître*» *une femme bibliquement* (avec le sens érotique de «connaître» dans la Bible).

C'est comme ça, bibliquement, qu'on prend une ville imprenable... Paris... New York... Jéricho... Avec une prostituée qui sait tout pour vous et que vous sauvez, elle seule, de la destruction ... Vous épargnez le bordel... La maison de Rahab... Ph. SOLLERS, Femmes, p. 150.

**BIBLISME** [biblism] n. m. — 1874, *in* D. D. L., au sens 2; de *bible*.

Rare.

♦ **1** (1884). Doctrine qui n'admet pour règle de foi que ce qui est dit dans la Bible. → **Biblicisme.**

Ils se retranchent derrière le mysticisme évangélique de Mickiewicz et le biblisme montagnard de Quinet, comme les cabotins se glissent derrière un rideau pour changer de frusques et de masque.
J. VALLÈS, *Jésuitailles*, *in* le Matin, 16 avr. 1884 (*in* D. D. L., II, 7).

♦ **2** Imitation du style biblique.

**BIBLISTE** [biblist] n. — V. 1600, Le Loyer, *in* Huguet; de *bible*.

Didactique.

♦ **1** Personne qui, dans la foi chrétienne, n'admet que la Bible pour règle.

♦ **2** (1928). Spécialiste, érudit qui étudie la Bible. → **Biblicisme.**

**BIBUS** [bibys] n. m. — XVII^e; de *bib-* «petit objet» (→ Bibelot, bibi), et *-bus* par analogie probable avec *guibus**.

Vieux.

♦ **1** Loc. **DE BIBUS** : sans valeur, sans importance.

Ils se seraient coupé la gorge pour quelques querelles de bibus. VOLTAIRE, Lettre à d'Argental, 17 janv. 1765.

♦ **2** Chose sans importance. → **Rien,** n. m. — (1850, Balzac). Personne sans intérêt.

**BIC** [bik] n. m. — Mil. XX^e; marque déposée par la société Bic (1953), tirée du nom propre du fondateur, Marcel Bich [bik], d'origine italienne.

Fam. Stylo à bille de la marque de ce nom. *Un Bic, des Bics. Un bic bleu.* — Abusivt. Crayon à bille, stylo à bille, quelle que soit sa marque. *Peux-tu me prêter ton bic ?*

1 (...) on voit la grosse dame poser le Bic jaune, chercher un jeton, rendre la monnaie qu'elle vérifie deux fois, essoufflée de confusion sous le regard qui tombe de haut dans sa nuque. Après quoi elle reprend le Bic, relève la tête (...)
François NOURISSIER, la Crève, p. 55.

Par appos. *Une pointe Bic.*

2 Le 11 avril 1951, le président Truman relève le général Mac Arthur de son commandement, en Corée. Dans les écoles, la pointe Bic remplace peu à peu la plume sergent-major.
Alain BOSQUET, les Bonnes Intentions, p. 103.

3 À force de tournicoter ces idées-là autour de ma pointe Bic, je m'aperçois que la pédagogie, telle que je l'ai pratiquée pendant près de quinze ans dans les lycées, relevait de mon idée fixe.
Jean-Louis BORY, Ma moitié d'orange, p. 99.

(En franç. d'Afrique). Stylo, en général.

HOM. **Bique.**

**BICAMÉRAL, ALE** [bikameʀal] adj. — 1898; probablt empr. à l'angl. *bicameral* (av. 1832, Bentham); de *bi-*, lat. *camera* «chambre», et suff. *-al.*

Polit. Se dit d'un système, d'un régime politique à deux assemblées représentatives.

DÉR. **Bicaméralisme.**

**BICAMÉRALISME** [bikameʀalism] ou **BICAMÉRISME** [bikameʀism] n. m. — 1843, *bicamérisme*; *bicaméralisme*, 1928; de *bicaméral*, lat. *bi- (bis)*, *camera*, et suff. *-al.*

Polit. Système politique à deux assemblées représentatives. *Le bicaméralisme britannique.* Doctrine politique qui prône un tel système.

**BICARBONATE** [bikaʀbɔnat] n. m. — 1825; de *bi-*, et *carbonate*.

♦ **1** Chim. Carbonate* dit *hydrogénocarbonate*, de formule $MHCO_3$ (où M représente un métal alcalin). *Bicarbonate de potasse.* — Cour. *Bicarbonate de sodium.*

♦ **2** Carbonate acide de sodium employé contre les maux d'estomac. — Syn. cour. : *bicarbonate de soude.*

(...) il vomit encore, étendu sur son lit, dans le noir (...) Nous lui faisons avaler de la magnésie et du bicarbonate, ce qui le soulage un peu.
GIDE, Voyage au Congo, 1927, *in* Souvenirs, Pl., p. 800.

DÉR. **Bicarbonaté.**

**BICARBONATÉ, ÉE** [bikaʀbɔnate] adj. — 1861, cit.; de *bicarbonate*.

Qui contient un bicarbonate, et, spécialt, du bicarbonate de sodium. *Eau bicarbonatée.*

Puisque nous parlons d'eaux ferrugineuses, disons (...) un mot de celles de Chateldon (Puy-de-Dôme), quoique ces dernières soient classées par M. Durand-Fardel parmi les eaux bicarbonatées calcaires.
Journal de médecine et de chirurgie pratiques, XXXII, 1861, p. 287, *in* D. D. L., II, 8.

**BICARBONÉ, ÉE** [bikaʀbɔne] adj. — 1831; de *bi-*, et *carbone*.

Chim. Vx. Qui contient deux atomes de carbone. *Hydrogène bicarboné* (vx) : éthylène.

**BICARBURE** [bikaʀbyʀ] n. m. — 1825; de *bi-*, et *carbure*.

Chim. Vx. Carbure* bicarboné.

**BICARRÉ, ÉE** [bikaʀe] adj. et n. m. — 1866; de *bi-*, et 1. *carré*.

♦ **1** Alg. *Équation bicarrée :* équation algébrique de degré quatre, ne comportant que des puissances paires de l'inconnue. *Trinôme bicarré :* trinôme de degré quatre, ne comportant que des puissances paires de l'indéterminée.

♦ **2** N. m. Fam. (argot des écoles). Qui redouble pour la troisième fois la seconde année d'une classe préparatoire.

Mes camarades qui en étaient en moyenne à leur troisième année de spéciales (ils s'échelonnaient selon l'ancienneté en *carrés*, en *cubes* ou en *bicarrés*, nommés plutôt *bicas*) (...)
Raymond ABELLIO, Ma dernière mémoire, t. I, p. 190.

**BICAUSE** [bikoz] conj. et prép. → **Because.**

**BICENTENAIRE** [bisɑ̃tnɛʀ] adj. et n. m. — 1845, attestation isolée, Richard de Radonvilliers, adj.; repris 1939; de *bi-*, et *centenaire*.

Qui est deux fois centenaire. *Une architecture bicentenaire.*

N. m. (1899, *in* D. D. L.; 1855, Nerval, «deux fois centenaire»). Deuxième centenaire (d'un événement). *Le bicentenaire de la naissance de Ingres. Les cérémonies du bicentenaire de l'Indépendance américaine en 1976.*

*Le bicentenaire de...* (suivi d'un nom de personne), celui de sa naissance (plus rarement de sa mort). «*Le bicentenaire de Racine à la Ferté-Milon*» (*le Temps*, 27 avr. 1899).

Par anal. *Le bicentenaire d'une académie, d'un institut...*, celui de sa création; *le bicentenaire de l'Encyclopédie*, celui de sa publication, etc.

**BICÉPHALE** [bisefal] adj. — 1830, cit.; de *bi-*, et *-céphale*.

Didactique.

♦ **1** Qui a deux têtes. *Monstre bicéphale.* → **Dicéphale.**

Ça, dit M. G... Saint-Hil..., c'est un rat bicéphale.
BALZAC, Mœurs aquatiques, XXII, 1830, *in* D. D. L., II, 12.

Blason. *Une aigle bicéphale.*

N. m. (1845). Monstre à deux têtes.

♦ **2** (Abstrait). Qui est partagé entre deux chefs, entre deux éléments de direction. *Un pouvoir, un parti bicéphale. Un système politique bicéphale.*

DÉR. **Bicéphalisme.**

**BICÉPHALISME** [bisefalism] n. m. — 1962; de *bicéphale.*

Didact. Caractère bicéphale (2.).

Du tronc commun de son origine et de sa formation juives (*Freud*), deux branches, d'inégale importance certes, mais peut-être moins qu'on serait tenté de le croire, représentent son bicéphalisme culturel, la culture germanique que Gœthe domine, la culture grecque antique que Sophocle et Homère surplombent.
A. GREEN, Shakespeare, Freud et le parricide, *in* la Nef, n° 31, p. 65.

**BICEPS** [bisɛps] n. m. — 1562, Paré, *muscle biceps* «dont l'attache supérieure est double»; 1704, subst.; mot lat., «qui a deux têtes», de *bis*, et *caput*. → Triceps.

♦ **1** Anat. Muscle composé de deux portions (ou «têtes») distinctes. *Le biceps crural* ou *fémoral* : long muscle de la partie externe de la cuisse qui fléchit la jambe sur la cuisse. — *Biceps brachial* : le biceps, au sens 2. — Adj. (Rare). *Muscle biceps. Muscle biceps brachial, crural.*

♦ **2** Cour. Muscle du bras qui s'étend de l'omoplate au radius et qui gonfle quand on fléchit l'avant-bras (→ **Bicipital**). *Le biceps droit, gauche. Faire saillir ses biceps. Avoir de gros biceps.*

1 Depuis le débitant de boissons jusqu'au chanteur des rues et à l'athlète de plein vent au maillot rouge et aux biceps en boule, les profiteurs du salaire ouvrier essayaient d'en arracher des bribes.
Pierre HAMP, la Peine des hommes (Moteurs), p. 130.

2 Au-dessus du lit, est épinglée une reproduction intitulée *Arminius et Sigimer* : elle représente deux colosses en casaque grise, au cou de taureau, aux biceps herculéens, aux faces rouges embroussaillées de moustaches épaisses et de favoris buissonnants.
Georges PÉREC, la Vie mode d'emploi, p. 58.

(1867). Fam. *Avoir du, des biceps* : être musclé, fort. → **Biscotteau** (fam.). *Montrer ses biceps* : faire étalage de sa force physique.

DÉR. V. **Bicipital.**

**BICHE** [biʃ] n. f. — V. 1160, *biche* en concurrence avec *bisse*, du lat. pop. **bistia* (lat. class. *bestia*) «bête», forme la plus courante jusqu'au XIII^e; la forme *biche* viendrait de la confusion de *-isse* avec le suff. diminutif *-iche* qu'on retrouve dans *pouliche, caniche...*; Guiraud rapproche le mot de *bique, bisque* par un lat. pop. **bisicore* «marcher de travers».

**A** ♦ **1** Femelle du cerf. → **Cerf.** *La biche brame. Le petit de la biche.* → **Faon.** *La biche n'a pas de bois. Pied, sabot de biche. Une biche craintive. Une biche aux abois* (cit. 2). → Précipiter, cit. 10. *Une biche blessée. Une troupe de biches.* → **Harpail.** *Une biche bréhaigne* (cit. 2).

Le premier, de son arc, avait mis bas un daim. 1
Un faon de biche passe, et le voilà soudain
Compagnon du défunt (...)
LA FONTAINE, Fables, VIII, 27.

Pendant ce trouble, je courais errant çà et là dans le sacré bocage, semblable à une biche qu'un chasseur a blessée (...) 2
FÉNELON, Télémaque, IV.

Suivrons-nous le chasseur sur les monts escarpés? 3
La biche le regarde; elle pleure et supplie;
Sa bruyère l'attend; ses faons sont nouveau-nés;
Il se baisse, il l'égorge, il jette à la curée
Sur les chiens en sueur son cœur encor vivant.
A. DE MUSSET, la Nuit de mai.

(1835). Par anal. de forme. **PIED DE BICHE** : meuble à pieds de *biche* légèrement recourbés en dehors, à pieds. — (Instruments recourbés). → **Pied-de-biche.**

(1609, *in* D. D. L.). **VENTRE DE BICHE** : couleur blanc roussâtre comme l'est le ventre de la biche.

(...) ce qu'aujourd'hui nous appelons ventre de biche, qui est la couleur des livrées de Condé (...) 4
RETZ, Mémoires, IV, p. 14.

Fam., vx. *Ventre de biche!* (juron bénin).

(En compar.). Souvent employé pour exprimer la féminité par comparaison ou par métaphore, en termes de douceur, de finesse, de timidité, de vivacité. *Un cou, des yeux (un regard) de biche. Douce, timide comme une biche. Courir, s'élancer, se sauver comme une biche.*

♦ **2** (En franç. d'Afrique). Antilope. *Biche-cochon* : céphalophoe. *Biche de paille* ou cob* des roseaux. *Biche royale.*

♦ **3** (Mil. XIX^e, Baudelaire). *Biche de mer.* → 1. **Bêche-de-mer** (cit.).

**B** ♦ **1** (1837). Fig., fam. Terme d'affection* envers une femme, une petite fille. → **Bibiche, bichette.** *Ma petite biche, ma biche.*

♦ **2** (1637, *in* D. D. L.). Vx. Demi-mondaine (→ **Bicherie**).

♦ **3** Argot. Prisonnier évadé.

DÉR. **Bibiche, bicherie, bichette.** ◊ COMP. **Pied-de-biche.**

**BICHELAMAR** [biʃlamaʀ] n. m. → **Bichlamar.**

**BICHER** [biʃe] v. intr. — 1845, Labiche, *Deux papas très bien*; mot dialectal, var. de *bécher* «piquer du bec» (→ 2. Bêcher); l'évolution est obscure, p.-ê. par «mordre à l'hameçon (en parlant d'un poisson)» d'où *ça biche* pour *ça mord*, mais ce sens n'est attesté qu'en 1867 (Delvau); le verbe a signifié aussi «embrasser».

Familier.

♦ **1** V. impers. Aller bien. *Ça biche.* → **Aller, coller, marcher.**

(...) les châtelains de Féterne (...) déclarèrent que cela ne corderait (*sic*) pas ensemble, que cela ne «bicherait» pas... 1
PROUST, Sodome et Gomorrhe, Pl., t. II, p. 1088.

Ainsi, tenez, au début, ça bichait très bien entre nous, mon oncle et moi. 2
BERNANOS, Un mauvais rêve, Œ. roman., Pl., p. 890.

Bonjour. 3
— Bonjour... ça biche?
— Il ne faut pas exagérer. Ça pourrait aller mieux. On est embêtés par cette histoire du mariage de Marie...
— Ça biche moyennement.
B. VIAN, l'Équarrissage pour tous, XXI, *in* Théâtre, p. 264.

4 Ça va merci, répondit Jacques, moi aussi ça biche.
R. QUENEAU, Loin de Rueil, p. 54.

♦ **2** V. pers. Se réjouir.

5 Il me reprend par le bras... Il biche... je vois qu'il est heureux qu'il m'emmène... tout de même malgré tout... que je veux bien retourner au Leicester.
CÉLINE, Guignol's band, p. 280.

6 En voyant ces braves pandores
Être à deux doigts de succomber,
Moi, j'bichais, car je les adore
Sous la forme de macchabés.
Georges BRASSENS, Hécatombe, *in* Poèmes et Chansons, p. 19.

**BICHERÉE** [biʃʀe] n. f. — 1866; du bas lat. *becarius*, du grec *bikos* «amphore». → Bichet.

Hist. Ancienne unité de surface agraire; étendue de terre que l'on pouvait ensemencer avec un bichet* de grain. *Une bicherée équivalait à 42 ares.*

**BICHERIE** [biʃʀi] n. f. — 1863, Goncourt; de *biche*.

Vieux.

♦ **1** L'univers des demi-mondaines, des femmes entretenues.

1 Et pas de souillons; des filles de théâtre, la haute bicherie.
Alphonse DAUDET, l'Immortel, p. 101 (1883).

♦ **2** N. f. plur. Câlineries, cajoleries.

2 Aujourd'hui, dit-elle, il aime mieux se faire lécher par son chien que par moi; mais qu'il ne vienne pas ensuite mettre sa figure contre la mienne, je n'ai pas besoin qu'il me rende les bicheries du chien!
J. RENARD, Nos frères farouches, Ragotte, Pl., t. II, p. 325-326.

**BICHET** [biʃɛ] n. m. — 1226; orig. incert., p.-ê. de l'anc. wallon *bichier* (→ Pichet), du bas lat. *becarius*, grec *bikos* «vase». → Bicherée.

Anciennement, histoire.

♦ **1** Mesure de capacité pour les grains.

La Communauté y ajoutait quinze bichets de froment et quinze d'orge par année.
RESTIF DE LA BRETONNE, la Vie de mon père, p. 46.

♦ **2** Par métonymie. Ancienne mesure agraire. → **Bicherée.**

**BICHETTE** [biʃɛt] n. f. — 1176, *bissette; bichette*, XIV^e; de *bisse, biche*. → Biche.

♦ **1** Rare (ne semble attesté qu'en anc. franç., hors des dict.). Petite biche.

♦ **2** (1845). Vieilli. Terme d'affection le plus souvent adressé à une femme, à une fille. → **Bibiche, biche.**

Ah! ma petite bichette, une fille sage ne doit épouser un artiste qu'au moment où il a sa fortune faite.
BALZAC, la Cousine Bette, XII, éd. 1846, p. 213.

REM. La forme masculine *bichet* (même sens) est rare (Flaubert, *in* T. L. F.). → Bichon.

**BICHLAMAR, BICHELAMAR** [biʃlamaʀ] ou **BÊCHE-DE-MER** [bɛʃdəmɛʀ] n. m. — 1911, *bichlamar, in* D. D. L.; 1948, *bêche-de-mer;* d'abord nom du tripang* (→ 1. Bêche-de-mer) dont le commerce est important dans le Pacifique, probablt repris à l'anglais.

Ling. Pidgin* utilisé comme langue commerciale véhiculaire dans les îles du Pacifique où l'on parle anglais.

(...) ma tête incline à je ne sais quel beach-la-mer, ou bêche-de-mer, biche-de-mer, biche-la-mare, ainsi que l'on appelle ce parler du Pacifique où se mêlent les mots anglais, français, espagnols aux dires des îles.
ARAGON, Blanche..., III, I, p. 374.

**BICHLORURE** [biklɔʀyʀ] n. m. — 1845, → ci-dessous; de *bi-*, et *chlorure*.

Chim. Sel renfermant deux atomes de chlore par molécule. *«Action des liquides albumineux sur le bichlorure de mercure»* (Dorvault, *Journal des connaissances médicales*, in *l'Officine*, 1845, p. 661).

**BICHOF, BICHOFF** [biʃɔf] ou **BICHOP** [biʃɔp] n. m. → **Bischof.**

1. **BICHON, ONNE** [biʃɔ̃, ɔn] n. — 1588; aphérèse de 1. *barbichon*.

♦ **1** N. m. Petit chien d'appartement, métis de l'épagneul et du barbet, au nez court, au poil long, soyeux et ondoyant. *Le bichon est le chien de Malte.*

On voudrait les lions de l'Atlas peignés et parfumés comme des bichons de marquise. 1
BALZAC, la Cousine Bette, Pl., t. VI, p. 323.

(...) les marquises du XVIII^e siècle qui, par toquade orientale, appelaient Mirza leurs bichons. 2
F. MALLET-JORIS, le Jeu du souterrain, p. 48.

♦ **2** Fam. Terme d'affection* donné à une personne, à un enfant, à un petit animal. *Mon (petit) bichon, ma bichonne.*

— Tu étais donc venue aujourd'hui pour travailler, mon bichon? 3
—Oui, toute la journée, et puis dîner avec toi.
Henri MONNIER, Scènes populaires, «La petite fille», 2, 1835, p. 194.

DÉR. 1. **Bichonner.**

2. **BICHON** [biʃɔ̃] n. m. — 1894; orig. incert., p.-ê. de 1. *bichon*.

Techn. Pelote de grosse toile ou coussinet de velours qui, passé sur le chapeau, régularise le poil et le fait briller.

DÉR. 2. **Bichonner.**

**BICHONNAGE** [biʃɔnaʒ] n. m. — 1782, Mercier; de 1. *bichonner*.

Action de bichonner, de se bichonner.

1. **BICHONNER** [biʃɔne] v. tr. — 1690, p. p. adj. *bichonné* «frisé comme le poil d'un bichon»; v. tr., 1725; de 1. *bichon*.

♦ **1** Vx. Friser comme on fait d'un bichon. → **Boucler.** *Bichonner une chevelure. — Se faire bichonner.*

Vous êtes monté chez un coiffeur, avec un de vos amis qui veut se faire *bichonner* pour aller dîner en ville. Comme vous ne possédez plus qu'une fort petite quantité de cheveux, vous ne pensez pas à imiter votre ami. 0.1
Ch. PAUL DE KOCK, la Grande Ville, p. 238.

♦ **2** Mod. Arranger avec soin et coquetterie. → **Attifer, parer, pomponner.** *Bichonner un enfant.*

Par métaphore :

Il *(Renard)* soigne ses étroitesses, bichonne son égoïsme, et frise au petit fer sa calvitie. 1
GIDE, Journal, 20 août 1926.

♦ **3** Fig. Traiter (qqn) avec des soins attentifs, délicats. → Être aux petits soins* (avec qqn).

Si doux, si tranquille (...) À Grenoble, les belles dames de Sainte-Eulalie et de Saint-Marc, elles vous l'auraient gâté, bichonné (...) 2
BERNANOS, Un crime, Œ. roman., Pl., p. 816.

◆ **SE BICHONNER** v. pron. (1807). Faire toilette, se pomponner. *Elle passe des heures entières devant la glace à se bichonner.*

Le Dimanche, il passe son temps à se bichonner pour aller à la messe et aux vêpres. 3
J. RENARD, Journal, 11 déc. 1901.

DÉR. **Bichonnage.**

2. **BICHONNER** [biʃɔne] v. tr. — Fin XIXe; 1951, *in* T. L. F., de 2. *bichon*.

Techn. Mettre en forme (un chapeau) en assouplissant les bords à l'aide de la bichonneuse.

(...) le jour, tandis qu'il *(Yankel)* appliquait le fer bouillant sur la casquette à bichonner, il voyait danser, dans le jet de vapeur qui fusait de l'étoffe humide, les pages fraîchement apprises de son livre (...)

Roger IKOR, les Fils d'Avrom, La greffe de printemps, p. 179.

◆ **BICHONNÉ, ÉE** p. p. adj. *Feutre bichonné.*

DÉR. **Bichonneur, bichonneuse.**

**BICHONNEUR** [biʃɔnœʀ] n. m. — XXe; de 2. *bichonner.*

Techn. Celui dont le métier est de bichonner les chapeaux «à l'aide du fer et d'assurer le finissage des calottes» (*Dict. des métiers,* 1955). — Le fém. *bichonneuse* est virtuel, mais l'homonymie avec le mot désignant un appareil est gênante.

**BICHONNEUSE** [biʃɔnøz] n. f. — XXe; de 2. *bichonner.*

Techn. Appareil servant à bichonner les chapeaux.

Après le dessert, Yankel montra son atelier à Baptiste, lui expliqua le fonctionnement du presse-boutons *(sic)* et de la bichonneuse, prit son tour de tête pour lui fabriquer une casquette (...)

Roger IKOR, les Fils d'Avrom, Les eaux mêlées, p. 555.

**BICHROMATE** [bikʀɔmat] n. m. — 1838; de *bi-,* et *chromate.*

Chim. Sel oxydant de l'acide chromique, renfermant le groupement $CR_2O_2$. *Le bichromate de potassium est utilisé en photographie comme fixateur.*

DÉR. **Bichromaté.**

**BICHROMATÉ, ÉE** [bikʀɔmate] adj. — 1877; de *bichromate.*

Chim., photogr. Qui renferme un bichromate. *«Le tirage et la superposition des monochromes sont obtenus par le procédé aux mucilages bichromatés, sans transfert»* (*Année sc. et industr.* 1899, p. 76, 1898). *Plaque bichromatée.*

**BICHROMIE** [bikʀɔmi] n. f. — 1960; de *bi-,* et *chromie.*

Techn. Impression en deux couleurs, généralement complémentaires. → **Monochromie, polychromie.**

**BICIPITAL, ALE, AUX** [bisipital, o] adj. — 1805, Cuvier; forme sav.; du rad. du lat. *biceps, bicipitis.* → Biceps.

Anat. Qui se rapporte au biceps. *Coulisse, tubérosité bicipitale. Les tendons bicipitaux. Apophyse, éminence bicipitale :* apophyse située à l'extrémité supérieure du radius et qui sert d'attache au tendon inférieur du biceps.

**BICKFORD** [bikfɔʀd] n. m. — 1879, cit.; mot angl., n. propre.

Cordon fusant utilisé pour mettre à distance le feu aux mines, aux explosifs. *Fixer un bickford à un pain de plastic.* — En appos. *Cordeau* bickford.*

Pour produire l'explosion d'une cartouche, on prend une mèche Bickford, identique à celle que nous avons déjà décrite, c'est-à-dire une corde dans l'âme de laquelle court une traînée de pulvérin, on coiffe la mèche d'une capsule à fulminate, et on enfonce cette capsule dans la cartouche.

M. HÉLÈNE, les Galeries souterraines, p. 228 (1879).

**BICLOU** [biklu] n. m. — 1951, cit.; altér. d'après *clou,* de *biclo* (1907, *in* D. D. L.), *biclot, byclo,* eux-mêmes abrév. de *bicyclette* (*bi-* et *-cl-*) avec le suff. pop. *-o.*

Fam. Bicyclette. → **Vélo.**

La place de l'Église fut en un clin d'œil la copie extravagante du Salon du Cycle. Débris à pneus pleins, vélos de course, biclous à la papa (...)

René FALLET, le Triporteur, p. 110, *in* D. D. L., II, 23.

**BICOLORE** [bikɔlɔʀ] adj. — 1842, Académie, *Compl.;* de *bi-,* et *-colore.*

♦ **1** Qui présente deux couleurs. *Une écharpe, un drapeau bicolore. Une robe bicolore. Un carrelage bicolore.*

♦ **2** Spécialt. Au bridge, Main bicolore, qui a deux couleurs de plus de trois cartes. — N. m. *Un bicolore cœur-carreau.*

**BICOMBUSTIBLE** [bikɔ̃bystibl] adj. — V. 1960-1970; de *bi-,* et *combustible.*

Techn. Se dit d'un appareil qui utilise deux combustibles différents selon le réglage. *«Des chaudières de 70 000 à 145 000 kcal/h bicombustibles avec production d'eau chaude, des chaudières en acier polycombustibles, de 15 000 à 110 000 kcal/h»* (*Moniteur des Travaux Publics,* 14 avr. 1973).

**BICONCAVE** [bikɔ̃kav] adj. — 1842, Académie, *Compl.;* de *bi-,* et *concave.*

Didact. Qui a deux surfaces concaves* opposées (notamment en optique, en parlant d'une lentille). *Lentille biconcave. «Les énormes verres biconcaves du pince-nez»* (Duhamel, *in* T. L. F.). — *Vertèbre biconcave* (→ **Amphicœle).**

**BICONVEXE** [bikɔ̃vɛks] adj. — 1842, Académie, *Compl.;* de *bi-,* et *convexe.*

Didact. Qui a deux surfaces convexes* opposées (surtout en optique, à propos d'une lentille). *Lentille biconvexe. — Forme biconvexe d'un galet.*

**BICOQUE** [bikɔk] n. f. — 1576, «coquille d'huître»; 1611, sens 1; l'ital. *bicocca* «petite place forte», d'orig. obscure, aussi nom d'un lieu où les Français furent battus par les Impériaux en 1522.

♦ **1** Vx. Petite place peu ou mal fortifiée; ville sans grande importance.

On peut être longtemps devant une bicoque. 1

Mme DE SÉVIGNÉ, Lettres, 168.

Vendôme amusait le roi de bicoques emportées, de succès de 300 ou 400 hommes. 2

SAINT-SIMON, Mémoires, 120, 63.

♦ **2** (1789). Mod. Petite maison de médiocre apparence; habitation mal construite ou mal tenue. → **Baraque, cabane.** *Habiter une bicoque. Se contenter d'une bicoque. Une vieille, une sale bicoque.*

Mais ceux qui n'aiment pas la solitude ne peuvent sentir le plaisir que j'éprouve à être roi dans une bicoque! 2.1

E. DELACROIX, Journal, 9 oct. 1853.

La maison de la vieille Mme Stumpf (...) est une bicoque branlante, vouée à la démolition. 3

MARTIN DU GARD, les Thibault, t. VIII, p. 113.

Sur le terrain, retaillé par les lotisseurs, croissaient de ces bicoques où le génie moderne se manifeste avec intempérance et, somme toute, naïveté. 4

G. DUHAMEL, Chronique des Pasquier, III, VI.

(...) il remonta l'avenue jusqu'au pont de chemin de fer pour se trouver dans un faubourg aux maisons noires. Un sentier zigzaguant à travers des bicoques et de petits enclos, menait vers une ancienne usine. 5

Francis CARCO, les Belles Manières, p. 102.

Fam., péj. Toute habitation (appartement, maison, etc.). *J'en ai marre de cette bicoque. Changer de bicoque.*

(Sans valeur péj.). Maison. *Une chouette bicoque.*

**BICOQUET** [bikɔkɛ] n. m. — 1461, *biquoquet,* sens 2; 1466, sens 1; orig. inconnue.

Anciennement.

♦ **1** Casque à cimier aigu.

♦ **2** Par ext. Ancien chapeau de toile, de feutre, de forme évasée. *Le bicoquet de Louis XI.*

**BICORNE** [bikɔʀn] adj. et n. m. — 1302; v. 1200, *faire la bicorne* «se moquer (probablt par un geste des doigts)»; lat. *bicornis* «à deux cornes», de *bi-* (→ Bi-), et *cornu* «corne». → 1. Bigorne, biscornu.

♦ **1** Didact. ou rare. Qui a deux cornes. *Rhinocéros bicorne.* — Qui a deux pointes (cornes). *Un chapeau bicorne.* — Anat. *Utérus bicorne,* dont la partie supérieure est séparée en deux cornes. → **Double** (utérus double).

♦ **2** N. m. (1883, Huysmans). Cour. Chapeau à deux pointes. *Porter bicorne. Un bicorne d'académicien, de bedeau, de polytechnicien.*

1. **BICOT** [biko] n. m. — 1892; de *bique.*

Vieilli, fam. Chevreau. → **Biquet, cabri.**

2. **BICOT** [biko] n. m. — 1892, d'abord en argot militaire; abréviation de *arbicot* (1861). → Arbi.

Fam., péj. (terme injurieux et raciste). Indigène d'Afrique du Nord. → **Bougnoul, raton; arbi.**

1 (...) cet état d'esprit déplorable qui se résume dans l'expression de «sale bicot» appliquée uniformément à tous les indigènes, expression si profondément choquante et périlleuse, que ceux à qui elle s'adresse n'entendent et ne comprennent que trop, avec tout ce qu'elle comporte de mépris et de menace, et dont ils gardent une amertume que rien n'efface, je ne l'ai que trop souvent constaté.
L.-H. LYAUTEY, Paroles d'action, p. 173.

2 À l'entrée du *bousbir* il y avait un poste de garde et, devant, se promenait un caporal de la légion étrangère, qui fumait sa pipe; sans l'abandonner, il nous barra le passage.
— Défendu aux Français ce soir, dit-il. C'est le jour des bicots. J. KESSEL, Vent de sable, p. 110.

3 Les ouvriers rentrent à leurs baraquements (...) La plupart sont des Italiens, des Espagnols, quelques Bicots, quelques Français.
Jean GENET, Querelle de Brest, p. 175 (1953).

REM. On dit aussi *bic,* abrév. devenue fréquente depuis la guerre d'Algérie, et encore plus hostile que *bicot.* Ni *bicot* ni *bic* ne semblent avoir de féminin.

**BICOUCHE** [bikuʃ] n. f. — Attesté 1977; de *bi-,* et *couche.*

Chim. Couche de molécules lipidiques dont les extrémités hydrophiles sont dirigées vers l'extérieur et les extrémités hydrophobes vers l'intérieur. *La bicouche d'une membrane cellulaire.*

**BICOURANT** [bikuʀɑ̃] adj. invar. — Mil. xxᵉ (1964, *in* D. D. L.); de *bi-,* et 2. *courant* (électrique).

Techn. Qui fonctionne avec deux types de courants. *Locomotives bicourant* (→ **Polycourant**). — Var. graphique : *bi-courant.* «*Les machines bi-courant comportent (...) deux systèmes d'alimentation qui, séparément peuvent être montés sans modification sur les machines alimentées en continu ou en alternatif*» (*le Monde,* 13 nov. 1964, *in* D. D. L.).

**BICROSS** [bikʀɔs] n. m. invar. — Nom déposé, 1978; de *bi(cyclette),* et *cross* (2.).

Bicyclette tous terrains, de petite taille, à pneus épais, à selle et guidon surélevés, sans suspension ni garde-boue. — *Le bicross :* pratique du bicross; sport cycliste pratiqué avec le bicross. *Faire du bicross. Course de bicross. Circuit de bicross.* — REM. Le dérivé *bicrossiste* [bikʀɔsist] n., est attesté.

**BICULTURALISME** [bikyltyʀalism] n. m. — 1962; de *biculturel.*

Didact. Coexistence de deux cultures nationales dans un même pays. *Le biculturalisme du Canada. Rapports entre biculturalisme et bilinguisme.*

**BICULTUREL, ELLE** [bikyltyʀɛl] adj. — 1959; de *bi-,* et *culturel.*

Didact. Qui possède deux cultures. *Pays à tradition biculturelle et bilingue.*

DÉR. **Biculturalisme.**

**BICUSPIDE** [bikyspid] adj. — 1805; de *bi-,* et lat. *cuspis, idis* «pointe». → Cuspide.

Didact. (anat.). Pourvu de deux saillies pointues (→ **Cuspide**). *Dent bicuspide. — Valvule bicuspide :* valvule mitrale*.

**BICYCLE** [bisikl] n. m. — 1869, *in* D. D. L.; véhicule inventé en France en 1855, mais le mot est d'abord attesté en angl. : *the french bicycle,* 1868, in *Daily News;* d'après *tricycle,* préf. *bi-,* et *cycle.* → Cycle.

Anciennt. Vélocipède à deux roues inégales. «*Des tricycles à vapeur — on ne parle pas de bicycles —, vont suivre la Course de Paris à Rouen*» (*le Vélocipède illustré,* 4 nov. 1869, *in* D. D. L.).

En franç. du Canada. Bicyclette.

Il fait chaud, les vêtements collent à la peau, les fesses fondent sur les sièges des bicycles.
Réjean DUCHARME, L'Hiver de force, p. 270.

DÉR. **Bicyclette, bicycliste.**

**BICYCLETTE** [bisiklɛt] n. f. — 1880; dimin. de *bicycle.*

♦ **1** Appareil de locomotion formé d'un cadre portant à l'avant une roue directrice commandée par un guidon, et, à l'arrière, une roue motrice, entraînée par un système de pédalier. → **Bécane** (fam.), 2. **cycle** (cit.), **vélo** (cit. 1).

REM. 1. Sans être vieux ni didactique, le mot *bicyclette* appartient à un usage assez soutenu, par rapport à *vélo.* 2. Les abréviations *biclo, biclot, biclou** concurrencent le mot *vélo,* mais sont moins courantes.

*Ancêtres de la bicyclette.* → **Bicycle, célérifère, draisienne, vélocipède.** *Bicyclette double* (→ **Tandem**), *multiple* (→ **Triplette, quadruplette**). *Bicyclette mixte, de dame, d'homme* (→ Vélocipédique, cit.). *Bicyclette de cross.* → **Bicross.** *Bicyclette à moteur.* → **Cyclomoteur, vélomoteur.** *Bicyclette neuve, équipée. Vieille bicyclette.* → **Clou.** *Réparer, graisser une, sa bicyclette. Bicyclette de randonnée, de course.* → **Reine** (la petite reine). *Course de bicyclettes.*

Jean au départ entendit le contrôleur dire à un jeune homme qui montait avec une bicyclette, qu'il devait rester sur la plate-forme avec sa bicyclette, le règlement interdisant l'entrée des bicyclettes dans les wagons. Le jeune homme prit légèrement sa bicyclette et monta sur la plate-forme. PROUST, Jean Santeuil, Pl., p. 376. 0.1

Lutigneaux parut, menant à la main une rutilante bicyclette, la bicyclette de Nestor. C'était une bicyclette de marque *Alcyon,* de couleur grenat fileté jonquille, avec un guidon de course en acier chromé agrémenté à gauche d'un mignon rétroviseur et à droite d'un gros timbre à 0.2

deux sons, des pneus semi-ballon à flancs blancs, et à l'arrière un porte-bagages sur lequel était fixé un catadioptre; enfin, chose peu connue à l'époque, elle était équipée d'un dérailleur à trois vitesses.
M. TOURNIER, le Roi des Aulnes, p. 36.

*Les pièces de la bicyclette :* axe, bec (de selle), câble (de frein), cadre, cale-pied, carter, catadioptre, cataphote, chaîne, clé, dérailleur, feu (feu rouge), filet, fourche, frein, garde-boue, guidon, jante, levier (de changement de vitesse, de frein), manivelle, moyeu, palette, patin (de frein), pédale, pédalier, phare, pignon (grand, moyen, petit), plateau, pneumatiques (ou pneus; chambre à air, pièce), poignée (de guidon, de frein), pompe (raccord), porte-bagages, rayons, ressort (de la selle), roue (directrice, fixe, libre, motrice, voilée), roulement (à billes), tige, timbre, trousse (à outils), valve... *Le braquet*, le développement d'une bicyclette.*

*Enfourcher sa bicyclette. Il était sur la bicyclette de sa sœur. Monter, aller à bicyclette, en bicyclette. Rouler à bicyclette* (→ **Pédaler,** *supra* cit. 2; **bicycliste, cycliste**). — REM. *En bicyclette,* attesté chez les meilleurs auteurs, est condamné par des puristes au nom de la logique.

1 Quand la bicyclette est apparue, à la fin du XIX^e siècle, les puristes ont condamné l'usage naissant «**en** bicyclette» pour imposer «**à** bicyclette», sous prétexte qu'on enfourche une bicyclette comme un cheval. Or la bicyclette n'est pas une monture, mais un véhicule, et en se justifie d'autant plus que dans un véhicule voisin, mû par des pédales, le tricle, on est dans un véhicule et qu'il est illogique d'opposer «en tricle» à «à bicyclette» — «**À** skis» qu'on a aussi voulu imposer, est franchement fautif, car le ski est une chaussure et l'on doit dire «aller **en** skis» comme «**en** pantoufles», «**en** sabots» et «**en** patins».
DAUZAT, Grammaire raisonnée de la langue franç., 1947, p. 353. — Cf. dans GREVISSE (n° 916) de nombreux exemples des deux formes.

2 Elle arrive à bicyclette.
G. DUHAMEL, Récits des temps de guerre, p. 130, *in* GREVISSE.

3 En bicyclette, ce serait agréable, pensa-t-il.
J. ROMAINS, Mort de quelqu'un, p. 204, *in* GREVISSE.

4 L'abbé fit ce lundi-là, à bicyclette, la tournée des métairies (...) F. MAURIAC, les Anges noirs, XIV, p. 168.

5 (...) les randonnées en bicyclette (...)
F. MAURIAC, le Baiser au lépreux, XIV, p. 148.

♦ **2** *La bicyclette :* l'exercice, le sport cycliste. → **Cyclisme, vélo** (2.). *Aimer la bicyclette.*

**BICYCLIQUE** [bisiklik] adj. — V. 1960; de *bi-,* et *cyclique.*

Chim. Se dit d'un composé organique dont la molécule renferme deux chaînes d'atomes fermées.

**BICYCLISTE** [bisiklist] n. — 1869, *in* Petiot; de *bicycle.*

Vieilli. Personne qui utilise une bicyclette. → **Cycliste.**

1 (...) des danseuses qui ont des genouillères, par crainte du froid, des corsages de ville, des flanelles, des caleçons, des culottes de bicyclistes.
J. RENARD, Journal, 9 nov. 1896.

2 J'ai appris à pédaler sans savoir que j'allais devenir un bicycliste tout comme j'ai parlé l'argot sans savoir que c'était de l'argot.
Jacques ANQUETIL, cité par A. LE BRETON, Langue verte et noirs desseins, p. 7 (1960).

REM. Le syn. *bicyclettiste* est aujourd'hui inusité. *«Avis aux amateurs : Un bicyclettiste désire entrer dans une maison de commerce pour courses ou livraisons. Marche par tous les temps...»* (*le Journal amusant,* 19 nov. 1892, *in* D.D.L.).

DÉR. **Cycliste.**

**BICYLINDRE** [bisilɛ̃dʀ] adj. et n. m. — Mil. XX^e; de *bi-,* et *cylindre.*

Techn. Qui a deux cylindres. — N. m. Moteur à explosion à deux cylindres. *Bicylindre à plat.* → **Flat-twin.** *«Bicylindre en V à 80°, culbuté»* (*Moto-Revue,* 6 mai 1981, p. 28).

**BIDARD** [bidaʀ] n. m. et adj. m. — 1891, Verlaine; de *Bidard,* nom du gagnant du gros lot de la loterie de l'Exposition universelle de 1878 selon Sainéan.

Argot vieilli. Chanceux, veinard. *Être bidard, un bidard.*

Tu es souvent bidard, toi, dit Petit-Pouce à son copain. Je l'ai vu gagner plusieurs fois, ajouta-t-il pour l'instruction d'Yvonne, dans des cas où il n'avait aucune chance, avec des canassons impossibles.
R. QUENEAU, Pierrot mon ami, p. 106.

**BIDASSE** [bidas] n. m. — V. 1930; auparavant, n. propre, dans la chanson *«Avec l'ami Bidasse»,* v. 1900.

Fam. Homme de troupe; simple soldat* du contingent. → **Biffin, griveton** (pop.), **troupier** (vieilli); → fam. Gazier, gus. *On a rencontré des bidasses en permission. C'est toujours les bidasses qui font les frais de l'opération.*

Tu vois ce type sur la photo, à côté de celle de ma femme, c'était un sacré copain. Julien Savignac, il s'appelait Julien, lui, ça a été une mine antipersonnelle dans l'Aurès. Une belle bouillie! Pendant que les bidasses ramassaient les petits bouts, moi, je restais là, assis comme un con, dans la rocaille. Yanny HUREAUX, la Prof, p. 272.

**BIDE** [bid] n. m. — 1885; de *bidon.*

Familier.

**I** Ventre*. *Avoir mal au bide. Il est un peu gras du bide,* gras, gros. — Interj. *Va donc, eh gras du bide! — Avoir, prendre du bide,* un gros ventre, du ventre. → **Bedaine, bidon.**

Il *(Chéri)* ricana parce que l'officier américain bedonnait : 1
— Pour une nation de sportifs, qu'est-ce qu'il tient comme bide! COLETTE, la Fin de Chéri, p. 22.

Tous qu'nous étions n'en m'naient pas large quand i' croi- 2
sait c'tas qu'i' l'voyait au burlingue du doublard, étalé sur une chaise qu'on n'voyait pas d'ssous, avec son bide énorme et son immense képi, encerclé de galons du haut en bas, comme un tonneau.
H. BARBUSSE, le Feu, t. II, II, XX, p. 25.

**II** ♦ **1** (1958, *in* Esnault; d'abord argot de théâtre, du spectacle). Échec complet, retentissant. *C'est un bide, un vrai bide,* un échec total, un four*. — Loc. *Faire un bide. Il a fait un bide,* et, en parlant du spectacle lui-même, *sa pièce a fait un bide,* n'a pas fait un sou de recette, a fait un four (4.).

Elle (...) recevait ses camarades du temps où elle jouait au 3
théâtre des Boulevards (...) qu'elle tâche de faire revivre depuis la guerre, allant malheureusement de bide en bide, comme on dit dans le métier.
Roger BORNICHE, le Play-boy, p. 14-15.

♦ **2** Échec complet (dans un domaine quelconque).

À cause de l'effondrement de la gauche non communiste 4
aux élections présidentielles de 69. Cinq pour cent des voix, c'est ce qu'on appelle un bide.
F. GIROUD, Si je mens..., p. 259.

♦ **3** Loc. pop. *Du bide :* du bidon* (3.).

Il hoche la bouille... il me gafe... il se demande si c'est tout 5
du bide?... juste un faux-fuyant!...
CÉLINE, le Pont de Londres, Folio, p. 63.

**BIDENT** [bidɑ̃] n. m. — 1372, adj., en parlant d'un animal; lat. *bidens* «qui a deux dents», de *bi-, bis,* et *dens* «dent».

♦ **1** (1838). Techn. Fourche à deux dents.

♦ **2** (1751). Bot. Plante composée, qui pousse dans des lieux humides. *Bident penché.*

**BIDET** [bidɛ] n. m. — 1534, «âne»; 1564, «petit cheval», *in* Rabelais; orig. incert.; p.-ê. de l'anc. franç. *bider* «trotter»; Guiraud postule une racine *bid-*, de *biguer* «boiter», avec l'idée de «marcher de travers».

**I** Vieilli ou par plais. Petit cheval de selle. *Un bidet du Béarn.* → Monture, cit. 1. — Vx. *Bidet d'allure. Double bidet* (plus grand). — Par ext. Cheval*. *Enfourcher son bidet. «À dada (à cheval) sur mon bidet Quand il trotte il fait des pets...»* (chanson enfantine).

1 Dans l'écurie, où vingt chevaux eussent pu tenir à l'aise, un maigre bidet, dont la croupe saillait en protubérances osseuses, tirait d'un râtelier vide quelques brins de paille (...)
Th. GAUTIER, le Capitaine Fracasse, t. I, I.

1.1 Vous voyez devant vous un pauvre homme, avec les qualités et les défauts de son état... un courtier en bidets normands et bretons...
BERNANOS, Sous le soleil de Satan, *in* Œ. roman., Pl., p. 175.

Loc. fig. (vx). *Pousser son bidet :* faire sa fortune.

**II** ♦ **1** (1739). Cuvette oblongue et basse sur pied servant aux ablutions intimes. *Il y a un bidet dans la salle de bains. Ancien bidet à cuvette amovible et à support de bois. Bidet à eau courante, à robinets.*

2 J'entrai dans le cabinet qui m'était destiné; il avait environ huit pieds carrés; le jour y venait comme dans l'autre pièce, par une fenêtre très haute et toute garnie de fer. Les seuls meubles étaient un bidet, une toilette et une chaise percée.
SADE, Justine..., t. I, p. 157.

Loc. fig. Argot. *Chevalier du bidet :* souteneur. — Fam. **DE L'EAU DE BIDET :** une chose sans valeur. *Il ne se prend pas pour de l'eau de bidet :* il se prend pour quelqu'un d'important. — Pop. et vulg. *Rinçure de bidet :* avorton (t. d'injure).

♦ **2** (1842). Techn. Étau d'établi de menuisier; l'établi lui-même.

**BIDIMENSIONNEL, ELLE** [bidimɑ̃sjɔnɛl] adj. — Début XX^e; de *bi-*, et *dimensionnel*.

Didact. À deux dimensions. *«À partir de la radiographie qui donne une image bidimensionnelle morphologique et de la radioscopie qui montre le cœur en mouvement, la radiologie a élargi son domaine avec le cinéma»* (*Sciences et Avenir*, n° 22, p. 11).

Et comme de bien entendu, elle *(la silhouette)* réapparut à la petite porte grinçante de la villa mi-construite. On ne pouvait dire que ce fut une matérialisation strictement bidimensionnelle, elle ne méritait pas un aussi gros mot.
R. QUENEAU, le Chiendent, p. 13.

**BIDOCHE** [bidɔʃ] n. f. — 1829; orig. obscure; *bidoche*, 1826, «simulacre de carton à tête de cheval», venait de *bidet*.

♦ **1** Fam. (souvent péj.). Viande* (II., 1.) de boucherie. → **Barbaque** (familier).

1 Des étuves suffocantes où les quartiers de bidoche ballent dans la vapeur (...)
G. DUHAMEL, Scènes de la vie future, VIII.

2 Puis c'est le gigot avec dedans des gousses d'ail si grosses qu'on dirait des asticots cuits. Cette masse de bidoche s'accompagne de flageolets (...)
R. QUENEAU, Pierrot mon ami, Folio, p. 37.

♦ **2** (1861, Richepin). Pop. ou fam. Chair (humaine), même emploi que *viande** (II., 2., a). *Un étalage de bidoche, sur une plage. Étaler sa bidoche. Pousse ta bidoche :* pousse-toi.

3 À mon âge, dit-elle, il me faudrait un homme sérieux, de 40 à 50 ans. Or, je ne suis aimée que par des jeunes gens de 25 ans. Celui que j'ai est non seulement trop jeune, mais encore trop maigre : il me faut de la bidoche, à moi!
J. RENARD, Journal, 8 déc. 1905.

**BIDON** [bidɔ̃] n. m. — 1523; orig. incert., p.-ê. de l'anc. nordique **bida* «vase», attesté par l'islandais *bida*, le mot serait entré en français par la Normandie; pour Guiraud, du rad. *bid-*, apparenté à *bique*.

**I** **A** ♦ **1** Récipient portatif pour les liquides, généralement de métal, que l'on ferme avec un couvercle ou un bouchon. *Bidon d'essence.* → **Jerrycan; nourrice.** *Bidon d'huile; de lait* (→ **Berthe, bouille**). *Les bidons du laitier* (cit. 1). *Un bidon de 2 litres.*

Quand il commence à pleuvoir, au milieu de l'été, l'eau ruisselle sur les toits de tôle et de papier goudronné, elle fait sa chanson douce dans les grands bidons, sous les gouttières. 1
J.-M. G. LE CLÉZIO, Désert, p. 150.

Spécialt (pour les boissons). *Bidon de campeur, de coureur cycliste, de soldat.* → **Gourde.**

Le brancard a été posé sur l'accotement, près d'un abreuvoir où les soldats de toutes les armes viennent emplir leurs bidons. 2
MARTIN DU GARD, les Thibault, t. VIII, 173.

♦ **2** Argot. Récipient dans lequel on peut transporter un repas sur le lieu de travail. → **Gamelle.**

♦ **3** Fam. Réservoir d'essence (d'une moto). *Le bidon est à sec.*

♦ **4** Par métonymie. Contenu d'un bidon. *Il faut compter deux bidons d'huile pour la vidange de cette voiture.*

♦ **5** Loc. argotique (vx). *Attacher un bidon :* fausser compagnie à qqn. *Ramasser, s'attacher un bidon :* s'enfuir.

**B** Vx. Ancienne mesure équivalant à 4,65 litres.

**II** Figuré. ♦ **1** (1883; par anal. de forme et attrait de *bedon*). Fam. (légèrement vieilli). Ventre, et, spécialt, ventre rebondi (→ **Bedon, bide**). *Prendre du bidon. Se remplir le bidon. Un gros bidon.*

Nos trois voyageurs (...) ont soudain une idée. Ils demandent à parler au maire qui, le bidon sanglé dans son écharpe, s'apprête à se rendre sur les lieux du sinistre. 3
L. FORTON, les Aventures des Pieds-Nickelés, *in* l'Épatant, 1908, p. 13.

♦ **2** (1887, «drap plié de manière à se gonfler, formant un *bidon*, un ventre, et faisant illusion»; sens actuel v. 1900). Fam. *Du bidon :* du bluff, des mensonges. → **Bide, vent.**

(...) c'est pas du bidon, c'est tout ce qu'il y a de plus sérieux. 4
R. QUENEAU, le Dimanche de la vie, p. 67.

(...) il se vantait il est voyou on ne l'aime pas tellement on l'écoute mais on devine que c'est du bidon. 5
Tony DUVERT, Paysage de fantaisie, p. 46.

Adj. invar. Simulé, artificiel, faux. *Un attentat bidon. Une société bidon. Des arguments bidon. C'est complètement bidon.*

Vous l'avez vue, sa carte d'identité? — Il a copié le numéro devant moi. — Il l'a probablement détruite et jetée dans les vécés, et le numéro est bidon. 6
Christiane ROCHEFORT, le Repos du guerrier, p. 14.

Avant même d'acheter un rouge à lèvres, je me rachète une tire (...) Je me fais faire un permis bidon... Mais, au fait, pour démarrer, le vrai fera très bien l'affaire (...) 7
A. SARRAZIN, la Cavale, p. 88.

**DÉR. et COMP.** Bide, bidonner. Bidonville.

**BIDONNAGE** [bidɔnaʒ] n. m. — 1985; de *bidonner*, II, 2, c.

Fam. Action de bidonner (un reportage, des photos). *«Si les spécialistes du bidonnage continuent de vendre de l'exploit comme ils le font, ça risque de complètement décrédibiliser les aventuriers»* (*Libération*, 19 août 1987, p. 31).

**BIDONNANT, ANTE** [bidɔnɑ̃, ɑ̃t] adj. — V. 1950; p. prés. de *se bidonner.*

Fam. Qui provoque le rire, l'hilarité. → **Drôle; (fam.) crevant, marrant, poilant, roulant.** *Un acteur, un film bidonnant.*

— Bravo, Jo! — Crevant! — Bidonnant! Ils se congratulèrent, s'embrassèrent (...)
René FALLET, le Triporteur, p. 179.

**BIDONNER** [bidɔne] v. — 1842, cit. ci-dessous; de *bidon,* I. et II.

Familier.

**I** V. intr. Vx. Boire* avec excès (→ **Biberonner**).

Hier j'ai un peu bidonné, et ce matin j'avais la bouche pâteuse.
J. LADIMIR, Physiologie du pochard, 1842, *in* D. D. L., II, 5.

**II** ♦ **1** SE BIDONNER, v. pron. (1888, argot des lycées). Fam. Rire* beaucoup. → fam. **Boyauter** (se), **marrer** (se), **poiler** (se). *Ils n'arrêtaient pas de se bidonner.*

♦ **2** V. tr. (1928; de *bidon,* II., 2.). **a** Tromper. → **Embobiner** (fam.). *On l'a bien bidonné. Se faire bidonner.* — Spécialt. (infl. de l'italien) Escroquer.

**b** Accomplir (une tâche) sans soin, sans conscience, en trompant sur le travail réellement effectué. *Il a bidonné le boulot;* (plus cour. au p. p.) *du boulot bidonné, complètement bidonné.*

**c** Truquer (un reportage, une émission...).

«Bidonner» en jargon journalistique c'est tricher; truquer une enquête pour lui donner une force, un aspect spectaculaire ou une conclusion qu'elle n'aurait peut-être pas; fausser un reportage en travestissant certains éléments; présenter comme la réalité une situation issue de l'imagination du journaliste, de ses supputations ou d'observations non vérifiées Le Monde, 25 juil. 1990, p. 1.

DÉR. (De II.) **Bidonnage, bidonnant.**

**BIDONVILLE** [bidɔ̃vil] n. m. — V. 1950; de *bidon* (I., A., 1.), et *ville;* d'abord en parlant de l'Afrique du Nord.

Agglomération d'abris de fortune, de baraques sans hygiène, située en général à la périphérie des grandes villes, et où vit la population la plus misérable. *«Dans les bidonvilles de Barcelone des familles s'entassent à dix par pièce»* (*le Monde,* 17 juil. 1958).

1 À Casablanca, nous cherchâmes les bidonvilles; la vie y était plus affreuse que dans les plus affreux quartiers d'Athènes. S. DE BEAUVOIR, la Force de l'âge, p. 338.

2 Les vrais prolétaires aujourd'hui sont les hommes à la peau sombre parqués dans les bidonvilles et dans les garnis, souvent méprisés et dédaignés de nos ouvriers.
F. MAURIAC, le Nouveau Bloc-notes 1958-1960, p. 31.

3 Chaque nuit transforme la capitale en chenil enragé. Terrés de jour, ils *(les chiens)* prennent leur revanche dans le noir — comme leurs frères humains, les galeux des bidonvilles — sur les caniches au poil frisé.
Régis DEBRAY, l'Indésirable, p. 33.

4 Le Mourmako était un bidonville unique au monde de par ses dimensions. Il s'étendait sur plusieurs kilomètres en long et en large. Ses pittoresques frappaient, ses complications ténébreuses, ses dédales illimités, ses invisibles recoins. Il couvrait une surface énorme, irrégulière, composée de buttes et de grandes cuves. L'ensemble offrait à l'œil l'ondulation d'une souillure sombre et vaste de gadoue et de matières amalgamées.
P. GRAINVILLE, les Flamboyants, p. 77.

REM. Le mot, chargé d'une signification sociologique et politique très dense, a produit les dérivés *bidonvillien* n. m., *bidonvillisé* adj. (in *la Croix,* 1er oct. 1970) et *bidonvillisation* n. f. (v. 1970).

**BIDOUILLAGE** [bidujaʒ] n. m. — 1976; de *bidouiller,* 2.

Fam. Action de bidouiller (2), de truquer; son résultat. *Le bidouillage d'un scrutin. Des bidouillages électoraux.*

**BIDOUILLER** [biduje] v. tr. — Attesté 1984 (*Libération,* 14 sept.); altér. de *biduler,* avec suff. dial. (cf. *bidouille* «poche» (Mayenne), *bidouillée* «écuellée» (Rennes), *in* F. E. W.).

Familier.

♦ **1** Faire fonctionner, arranger en bricolant. *Un appareil bidouillé,* bricolé. — Spécialt. Inform. (argot). Faire fonctionner avec ingéniosité, de façon improvisée. *Bidouiller un ordinateur.*

♦ **2** Truquer. → **Trafiquer.** *«Ce scrutin a été bidouillé par le mensonge»* (*Libération,* 7 juin 1988, p. 5). — REM. *Bidouiller* insiste sur la méthode du trucage, *bidonner* sur la tromperie qui en résulte, mais les deux verbes et leurs dérivés sont en relation.

DÉR. **Bidouillage, bidouilleur.**

**BIDOUILLEUR, EUSE** [bidujœʀ, øz] n. — 1983; de *bidouiller* (cf. *biduleur,* 1954 *in* Esnault).

Fam. Personne qui bidouille*. *«Un "bidouilleur" de l'électronique»* (*le Point,* 28 nov. 1983). — Inform. (argot). Personne qui manipule ingénieusement un système. *«Des rencontres entre bidouilleurs, fanas de la micro»* (*l'Express,* 12 juil. 1985). *Un bidouilleur de génie.*

**BIDULE** [bidyl] n. m. — V. 1940, argot milit., «désordre»; 1944 «petit objet»; orig. inconnue, p.-ê. mot du Nord, *bidoule* «boue».

(V. 1950). Fam. Affaire, objet complexe; objet quelconque. → **Chose** (n. m.), **machin, truc.** *Passe-moi ton bidule à couper les tomates. Qu'est-ce que c'est que ce bidule?*

Les autres cadeaux sont moins originaux, mais raffinés. Dufrêne a cherché du côté des «bidules». Il a offert à Jean-Charles un *vénusik* (...) et à Laurence un *transignol* (...) 1
S. DE BEAUVOIR, les Belles Images, p. 204.

(...) j'ai lu des choses, des machins, des trucs, des bidules, quoi! J. PRÉVERT, Choses et autres, p. 283. 2

Spécialt. **a** Voyant lumineux (d'un taxi). *La Dame au bidule,* récit de Victoria Thérame.

**b** Chose bizarre (œuvre, etc.).

**c** Bâton en bois ou longue matraque en caoutchouc des unités de maintien de l'ordre (C. R. S., gardes mobiles, etc.).

DÉR. **Biduler.**

**BIDULER** [bidyle] v. tr. — Av. 1954, date de *biduleur in* Esnault (→ Bidouilleur); de *bidule.*

Fam. Se servir de (un appareil, un «bidule»); faire marcher. → **Bidouiller.**

DÉR. V. **Bidouiller.**

**-BIE** Suffixe (du grec *bios* «vie») qui a servi à former des mots scientifiques définissant les conditions de la vie* de certains êtres. → **Aérobie, hydrobie, nécrobie,** et préf. **bio-;** et aussi **amphibie.**

**BIEF** [bjɛf] n. m. — 1635; 1135, *bied* «lit d'une rivière»; 1248, *bié* «canal»; le sens mod. sous la forme *biez,* 1834; probablt d'un gaulois *bedum* «canal, fosse», attesté par les langues celtiques. → By.

♦ **1** Portion d'un cours d'eau, entre deux chutes; d'un canal de navigation, entre deux écluses. *Le bief supérieur, d'amont; inférieur, d'aval. Le bief de partage.*

♦ **2** Canal* de dérivation qui conduit les eaux d'un cours d'eau vers une machine hydraulique. *Le bief d'un moulin.* → **Buse.**

COMP. **Sous-bief.**

**BIELLE** [bjɛl] n. f. — 1527, «manivelle de vielle» et, 1566, «manivelle de tournebroche»; 1684, sens techn.; orig. incert., p.-ê. de l'esp. *biela* «fourche servant à vanner le blé», rattaché au lat. *ventilare* (→ Vanner), ou doublet de *vielle* «manivelle de la vielle», par les parlers du Sud-Ouest; Guiraud fait venir le mot d'un lat. pop. *bigella,* de *bigus;* cf. les régionaux *biquer* «marcher de travers», et aussi *bille.*

Mécan. et cour. Tige rigide, articulée à ses deux extrémités et destinée à la transmission du mouvement entre deux pièces mobiles.

1 Quelquefois je m'assieds devant une machine, comme cela, dans la cale d'un navire, ou sur le bord d'un chantier, et je regarde. On entend des bruits extraordinaires, lents, puissants, des grondements, des sifflements de vapeur, des cliquetis de soupapes. Les bras des bielles poussent les rayons des roues. Les frémissements parcourent la carapace de métal, comme sur la peau d'un cheval. Les machines sont pareilles à des rochers animés, solides, puissantes. J.-M. G. LE CLÉZIO, les Géants, p. 181.

*Système bielle-manivelle :* ensemble cinématique à articulation rotoïde comprenant un bâti, une bielle, une manivelle et un piston, et qui permet la transformation d'un mouvement circulaire en un mouvement alternatif rectiligne (et réciproquement). *Bielle d'accouplement,* unissant deux roues motrices. → **Couple.** *Bielle en acier. Bielles jumelées. Tête de bielle à chape, à fourche. Corps de bielle renforcé. Les bielles d'une locomotive.*

2 Elle a les cuisses longues, mais pas de cette longueur à chaque pas émouvante comme le premier tour de bielle d'une locomotive de grand parcours. Roger VAILLAND, 325 000 francs, p. 140.

*Bielles d'un moteur d'automobile,* transmettant le mouvement des pistons à l'arbre moteur. *Tête de bielle. Coussinet de bielle garni de métal antifriction. Couler une bielle :* laisser fondre le métal antifriction (faute d'huile). *Bielle qui cogne.* — *Bielle de poussée,* qui transmet au châssis la poussée des roues motrices.

DÉR. **Biellette.**

**BIELLETTE** [bjɛlɛt] n. f. — 1921; de *bielle.*

Techn. Petite bielle; levier en forme de bielle. *Les biellettes d'une arme automatique.*

1. **BIEN** [bjɛ̃] adv. et adj. — Xe; du lat. *bene.* REM. La distinction entre l'adverbe et les emplois en attribut, plus ou moins adjectivés, est délicate.

♦ **1** Comme il convient, d'une manière satisfaisante ou parfaite (selon les critères individuels du locuteur, ou les critères sociaux de sa classe ou de son groupe). *Elle travaille bien. L'affaire se présente bien.* → **Convenablement, correctement.** *Très bien.* → **Parfaitement.** *Il a très bien réussi. Excellemment, remarquablement.* — *Assez bien.*

1 *(Bien)* Se dit de tout ce qui est objet de satisfaction ou d'approbation dans n'importe quel ordre de finalité : parfait en son genre, favorable, réussi, utile à quelque fin; c'est le terme laudatif universel des jugements d'appréciation. Il s'applique au passé et à l'avenir, au conscient et à l'inconscient, au volontaire et à l'involontaire. A. LALANDE, Voc. de la philosophie, art. *Bien.*

D'une manière qui plaît, suscite l'admiration dans l'ordre esthétique (→ ci-dessous, *supra* cit. 28). → **Admirablement, agréablement, bellement, gracieusement, joliment.** *Une femme bien faite,* (fam.) *bien roulée. Un homme bien bâti. Une personne bien proportionnée, bien conformée. Une taille bien prise. Elle danse bien.* → **Merveille** (à); **ange** (comme un ange), **merveilleusement.** *Tout lui va bien, tout lui sied* bien* (→ Aller, cit. 75). *Quelqu'un de bien habillé. Un costume, une jupe bien coupés.* — Fam. *Ce motif fait bien dans la vitrine,* a beaucoup d'effet.

Un époux beau, bien fait (...) 2
LA FONTAINE, Fables, VI, 21.

(...) Il sait que tout lui sied bien, et que sa parure est 3
assortie (...) LA BRUYÈRE, les Caractères, II, 40.

C'était une grande fille faite à peindre, qui se mettait bien, 4
qui marchait comme une déesse.
Antoine HAMILTON, Mémoires du comte de Gramont, IX.

Une belle jambe bien tournée, couverte d'un bas couleur 5
de rose, avec une jarretière d'argent (...)
A. R. LESAGE, le Diable boiteux, VIII.

(...) il est de taille bien prise et de démarche très 6
assurée (...)
GIDE, Koniah 1914, *in* Journal 1889-1939.

*Bien manger, bien boire.*

Mais, quand j'ai bien mangé, mon âme est ferme à tout, 7
Et les plus grands revers n'en viendraient pas à bout.
MOLIÈRE, Sganarelle, 7.

D'une manière agréable*, plaisante, commode, confortable. → **Commodément, confortablement.** *Être bien, se trouver bien,* à l'aise (avec une valeur d'adj.). *Nous sommes bien ici, chez nous.* → **Bien-être.** *Êtes-vous bien dans ces chaussures?* — Loc. *Être bien dans sa peau*.* — *Bien rire, bien s'amuser.* Vx. *Bien faire :* s'amuser (→ ci-dessous, cit. 12).

Ne soyez point en peine de mon séjour ici : je m'y trouve 8
parfaitement bien; j'y vis à ma mode (...)
Mme DE SÉVIGNÉ, Lettre à Mme de Grignan, 577, 16 sept. 1676.

Je ne me trouve bien que dans un canapé (...) 9
J.-F. REGNARD, le Distrait, III, 2.

J'étais l'autre jour dans une société où je me divertis assez 10
bien. MONTESQUIEU, Lettres persanes, 52.

Le premier qui a écrit que la patrie est partout où l'on se 11
trouve bien, est je crois, Euripide dans son Phaéton (...)
VOLTAIRE, Dict. philosophique, Patrie.

Nous étions à table, plusieurs, joyeux, en devoir de bien 12
faire (...)
P.-L. COURIER, Pamphlet des pamphlets, Pl., p. 208.

Il me semble que je serais toujours bien là où je ne suis 13
pas (...) BAUDELAIRE, le Spleen de Paris, t. I, p. 488.

D'une manière bienveillante. *Il a été bien accueilli, bien traité.*

*(Il)* Parle bien de lui-même et mal de tout le monde. 14
J.-B. L. GRESSET, le Méchant, IV, 6.

D'une manière favorable, avantageuse. *L'affaire a bien tourné. Son appartement est bien situé. Il a bien vendu. Bien lui a pris de...* (→ **Prendre**). *Il s'en est bien trouvé* (→ **Trouver**). *Il est bien placé pour en parler. Augurer bien de quelque chose.* → **Favorablement, heureusement.** *Employer bien son temps.* → **Avantageusement, utilement.** *Bien joué! Bien vu.*

Allons : employons bien le moment qui nous reste. 15
RACINE, Bajazet, III, 8.

Pour bien arriver, il faut d'abord arriver soi-même, puis 16
que les autres n'arrivent pas.
J. RENARD, Journal, 10 mars 1894.

Loc. *Être bien en cour.* → **Cour.**

*Se mettre, se remettre bien avec quelqu'un :* établir, rétablir de bonnes relations avec lui. — (En attribut). *Être bien avec quelqu'un. Être bien auprès de ses chefs,* être apprécié d'eux. — Spécialt. *Être bien avec qqn,* dans une situation affective ou érotique agréable. *Ils sont bien ensemble :* ils s'entendent parfaitement, et, spécialt, ils ont des relations amoureuses.

Il aura su qu'Alcippe était bien avec vous (...) 17
CORNEILLE, le Menteur, III, 3.

18 Oui, je ne pus souffrir d'abord de les voir si bien ensemble; le dépit alluma mes désirs (...)
MOLIÈRE, Dom Juan, I, 2.

19 Je me vois dans l'estime autant qu'on y puisse être,
Fort aimé du beau sexe, et bien auprès du maître.
MOLIÈRE, le Misanthrope, III, 1.

20 Je vous prie enfin de vous remettre bien ensemble (...)
Vous vous réconcilierez tous deux.
MOLIÈRE, le Sicilien, 15.

21 Le cardinal de Rohan était attentif à se mettre bien avec les évêques, à se les attirer, et à se conserver l'attachement de toute la gent doctrinale.
SAINT-SIMON, Mémoires, 245, 32.

22 Il *(Léopold de Lorraine)* a eu la prudence d'être toujours bien avec la France (...)
VOLTAIRE, le Siècle de Louis XIV, 17.

23 L'essentiel est d'être bien avec soi-même (...)
VOLTAIRE, Lettre à Richelieu, 25 mars 1775.

24 (...) c'est vrai, qu'elles ne sont pas trop bien ensemble... Bien ensemble, maman et la Bonne-Mère?... Comme chien et chat, oui!... LOTI, Ramuntcho, I, 7, p. 85.

*Aller* bien, se porter* bien :* être en bonne santé. *Un individu bien portant. La mère et l'enfant se portent bien,* se dit après un accouchement réussi. — (En attribut). *Le malade est bien ce soir.* — Fam. *Il n'est pas bien, ce type-là,* il est (un peu) fou. *Non, mais, t'es pas bien, toi!* → Ça va pas!

25 Elle jure ses grands dieux qu'elle se porte bien (...)
Mme DE SÉVIGNÉ, Lettres, 243.

26 Jouissez, monseigneur, de votre belle santé; il n'y a de jeunes que ceux qui se portent bien (...)
VOLTAIRE, Lettre à Richelieu, 22 avril 1773.

27 Elle a eu une crise affreuse; mais elle est bien, étonnamment bien à présent (...)
Mme DE GENLIS, Adèle et Théodore, t. I, Lettre 46, p. 384.

Avec art, adresse, efficacité. *Un roman bien bâti, bien écrit, bien fait. Un argument bien senti, bien venu.* → **Adroitement, habilement.** *Un vers bien frappé, bien tourné. Bien dire, bien parler.* → **Éloquemment.** *Bien faire qqch.* — REM. Quant au résultat, la valeur du mot est la même que ci-dessus cit. 2 à 6.

28 Pour bien faire du pain, il faut bien enfourner (...)
Mathurin RÉGNIER, Satires, X.

29 Il y en a qui parlent bien et qui n'écrivent pas bien (...)
PASCAL, Pensées, VII, 6.

30 Il renferme toujours son conte en quatre vers :
Bien ou mal, je le laisse à juger aux experts (...)
LA FONTAINE, Fables, VI, 1.

31 Notre défunt était en carrosse porté,
Bien et dûment empaqueté (...)
LA FONTAINE, Fables, VII, 11.

32 Il est plus aisé de prêcher que de plaider, et plus difficile de bien prêcher que de bien plaider.
LA BRUYÈRE, les Caractères, XV, 26.

33 Les hommes sont comme les plantes, qui ne croissent jamais heureusement, si elles ne sont pas bien cultivées (...) MONTESQUIEU, Lettres persanes, 122.

34 La terre buvait à merveille, semblait toujours avoir soif. Si bien soigné, abreuvé, le haricot succomba.
MICHELET, la Femme, p. 128.

35 Le bel air ne messied pas toujours, et un certain goût de bien dire ne gâte pas une femme.
FRANCE, le Jardin d'Épicure, p. 151.

36 Le père Grandet qu'a si bien décrit Balzac n'est pas proprement un avare, c'est un homme qui n'est à l'aise que dans la nécessité.
CLAUDEL, Positions et Propositions, p. 20.

(Qualifiant un adj. caractérisant une qualité d'un objet).

37 Bon manteau bien doublé, bonne étoffe bien forte.
LA FONTAINE, Fables, VI, 3.

♦**2** D'une manière conforme aux règles de la raison, du devoir, de la justice, de la morale; conformément aux normes reçues dans une société. *Chose bien pensée, bien jugée. On l'a bien conseillé.* → **Raisonnablement; judicieusement, prudemment, sagement.** *Il pense, il raisonne bien.* — Spécialt. *Il pense bien,* conformément aux préjugés, à l'idéologie dominante. *Des personnes bien pensantes,* qui «pensent bien». → **Bien-pensant, pensant** (cit. 5 à 8). — Prov. *Qui aime bien, châtie bien. Agir, se conduire bien. Tiens-toi bien.* → **Correctement, dignement, honorablement, honnêtement, noblement.** — FAIRE BIEN : faire ce qu'il faut. *Bien faire; faire bien les choses.* → **Faire.** — Prov. (1620, *in* D. D. L.). *Bien faire et laisser dire. — Vous feriez bien de...* (avec inf.). → **Devoir.** — Fam. *Il fait bien de se tenir tranquille celui-là.*

N'empêchez point de bien faire celui qui le peut; faites bien vous-mêmes, si vous pouvez (...) 38
BIBLE (SACY), Proverbes de Salomon, III, 7.

Car ce n'est pas assez d'avoir l'esprit bon, mais le principal est de l'appliquer bien. 39
DESCARTES, Disc. de la méthode, I.

Travaillons donc à bien penser : Voilà le principe de la morale. PASCAL, Pensées, II, VI, 347. 40

Ceux qui font bien mériteraient seuls d'être enviés, s'il n'y avait encore un meilleur parti à prendre, qui est de faire mieux. LA BRUYÈRE, les Caractères, 4. 41

Au lieu d'écouter son cœur, qui la menait bien, elle écouta sa raison, qui la menait mal (...) 42
ROUSSEAU, les Confessions, V.

(...) Olier croit bien faire en bafouant la nature humaine, en la traînant dans la boue. 43
RENAN, Souvenirs d'enfance..., I, p. 155.

Adj. (attribut). Moralement, intellectuellement bon. — *Ce n'est pas bien d'agir ainsi, je ne trouve pas cela bien.* → **Juste, moral.**

(...) la distinction que nous faisons tous, spontanément, entre ce que l'on doit faire et ce que l'on ne doit pas faire, entre ce qui est bien et ce qui est mal (...) 44
MARTIN DU GARD, les Thibault, IX, XVI, p. 211.

Loc. *C'est bien fait! :* ce qui (lui) arrive est mérité. *Bien fait pour lui :* il est puni (cf. Il ne l'a pas volé).

Pythagore fut renversé par une multitude de gredins et de gredines qui couraient en criant : c'est bien fait. 45
VOLTAIRE, Aventure indienne.

*Un homme bien né*.* → **Honorablement, noblement.** *Les gens bien nés* (→ Empiéter, cit. 4). *Une âme* (cit. 58) *bien née.*

À tous les cœurs bien nés que la patrie est chère! 46
VOLTAIRE, Tancrède, III, 1.

(...) l'antipathie que toute âme un peu bien située se sent pour cet odieux métier (...) 47
Th. GAUTIER, les Grotesques, 212.

Par antiphrase. Au sens de *mal*. Quelle catastrophe, cela* (ou *ça*) *commence bien! Voilà qui commence bien! — Nous voilà bien!,* dans une position, une situation fâcheuse. → Le voilà propre* (*supra* cit. 31), dans de beaux draps* (*supra* cit. 5)...

Un campagnard fort riche et de bonne famille 48
Est si sot que d'Anselme il épouse la fille;
Le voilà bien logé!
Thomas CORNEILLE, Comtesse d'Orgueil, IV, 6, *in* LITTRÉ, art. *Logé.*

Ah! me voilà bien : il me fallait cette visite pour me faire enrager. MOLIÈRE, Dom Juan, IV, 4. 49

(Renforçant un démonstratif avec le verbe *être*). *C'est, c'était bien... :* c'est, ce n'était pas, vraiment pas... *C'est bien à vous à... :* ce n'est pas à vous (vraiment) de... *C'est bien le moment de... :* le moment est mal choisi de... *C'est bien, c'était bien la peine de... :* cela ne sert à rien de... *Il s'agit bien de cela!*

C'est bien à vous, infâme que vous êtes, à vouloir faire l'homme d'importance. 50
MOLIÈRE, les Précieuses ridicules, 14.

C'était bien de chansons qu'alors il s'agissait! 51
LA FONTAINE, Fables, VII, 9.

♦**3** Adj. invar. [a] (Attribut). Digne d'admiration, d'approbation, d'estime. — (Personnel). *Il est bien comme cela,* à son avantage.

52 Suis-je bien ainsi ? — (...) la tête un peu levée, afin que la beauté du cou paraisse. MOLIÈRE, le Sicilien, 11.

(Impersonnel). *C'est bien, ces choses-là sont bien. Ce qui est bien.* → **Beau; agréable, aimable, bon, convenable, estimable, heureux, honorable, parfait.** *C'est bien. Voilà qui est bien,* bon, satisfaisant. *Il est bien de garder une certaine dignité* (Académie). — Prov. *Tout est bien qui finit bien.*

53 Oui, voilà qui est bien, mes enfants seront gentilshommes; mais je serai cocu, moi (...)
MOLIÈRE, George Dandin, I, 4.

54 Il est difficile aux hommes de ne pas outrer ce qui est bien (...) VAUVENARGUES, Des saillies.

55 (...) le mot *tout est bien,* pris dans un sens absolu et sans l'espérance d'un avenir, n'est qu'une insulte aux douleurs de notre vie (...)
VOLTAIRE, le Désastre de Lisbonne, Préface.

56 Un jour, tout sera bien, voilà notre espérance :
Tout est bien aujourd'hui, voilà l'illusion.
VOLTAIRE, le Désastre de Lisbonne, 222.

57 Tout est bien, tout va bien, tout va le mieux qu'il soit possible. VOLTAIRE, Candide, XXIII.

*Cette personne est bien,* elle est distinguée, d'une figure agréable (Littré). *Cet homme est bien, fort bien* (se dit tant au moral qu'au physique). — Loc. *Bien de sa personne.* → **Beau.** *Elle est bien dans ce rôle.* → **Parfait.**

58 La comtesse Esterhazy, jadis belle, est encore bien.
CHATEAUBRIAND, Mémoires d'outre-tombe, t. VI, p. 103.

En t. de restauration, *bien* remplace très souvent *bon. Il est bien, votre vin d'Arbois ?*

58.1 Nous avons une superbe aiguillette de bœuf mode en gelée. Je me permettrai de vous la recommander. C'est très bien. A moins que vous n'ayez envie du poulet à l'estragon, qui est très bien aussi.
J. DUTOURD, les Horreurs de l'amour, p. 273.

Ellipt. *Bien, fort bien, très bien :* c'est bien, c'est fort bien, c'est très bien (marquent accord, assentiment, approbation). → **Bravo, parfait.** — Par ironie. *Fort bien, ils cherchent des ennuis, ils en trouveront.*

59 — Ma volonté céans doit être en tout suivie.
— Fort bien, mon père.
MOLIÈRE, les Femmes savantes, V, 2.

60 S'ils *(les Noirs et les immigrants)* sont intégralement assimilables, physiquement et moralement, très bien. Mais s'ils n'ont reçu qu'un vernis, s'ils conservent une âme étrangère, sous l'uniforme social du moderne américain, quelle nation finira-t-on par avoir ?
André SIEGFRIED, les États-Unis d'aujourd'hui, p. 8.

61 Ces locutions (bien, fort bien) s'emploient quelquefois ironiquement et par reproche. **Bien, fort bien, ne vous gênez pas.** Elles servent aussi à exprimer qu'on a bien compris un avis, une explication, un éclaircissement, ou qu'on ne veut pas continuer l'entretien sur l'objet dont il s'agit; et alors Bien peut être répété. **Fort bien, je vois maintenant ce que j'ai à faire. Bien, bien, j'entends ce que vous voulez dire. Bien, bien, nous reparlerons de cela.** Dict. de l'Académie (8e éd.).

Régional. *Oui bien :* certes oui, oui vraiment.

61.1 La Vouivre à plat ventre sur un tas de roseaux, en train de prendre le soleil à cul nu et sa robe à côté d'elle avec son rubis, oui bien. M. AYMÉ, la Vouivre, 74.

**b** (Épithète). Convenable, comme il faut, distingué (en parlant des personnes). *Un homme bien. Une personne très bien. C'est quelqu'un de bien, de très bien. Des gens bien.* — Qui a des qualités morales, de la valeur. *Une fille bien; un type bien.*

61.2 Il vit après le dîner Rustinlor, enflammé par l'amabilité des Réveillon, déclarer que ceux-là étaient des êtres exquis, avec d'ailleurs un lointain moyenâgeux d'une poésie intense, enfin des gens tout à fait délicieux et bien.
PROUST, Jean Santeuil, Pl., p. 240.

61.3 Elle me montrait ses chaussures éculées, le talon à vif comme une plaie. Ses yeux pleuraient. Elle aurait fait le tour de la ville avec son chien, on l'aurait prise pour quelqu'un. Une laisse... un collier... pour quelqu'un de bien.
Violette LEDUC, la Folie en tête, p. 134.

♦ **4** Adv. Avec un verbe ou un p. p. (indiquant un haut degré, une grande intensité). → **Absolument, complètement, entièrement, extrêmement, fond** (à), **intégralement, nettement, pleinement, profondément, réellement, totalement, tout** (tout à fait), **vraiment.** *Cela prouve, montre bien que... Écoute bien...* → **Attentivement.** *Profiter bien, bien profiter de qqch. Vous avez bien compris ? Je n'ai pas bien entendu. Il s'agit bien de cela. C'est bien fini. Il est bien décidé à partir. Tout bien pesé... C'est bien lui, c'est bien la même.* — Loc. *C'est bien de lui :* son comportement est tout à fait conforme à son caractère, c'est ce qu'on attendait de lui.

L'affaire est d'importance, et, bien considérée, 62
Mérite en plein conseil d'être délibérée (...)
CORNEILLE, le Cid, II, 8.

Enfin notre bonheur est-il bien affermi ? 63
CORNEILLE, Horace, I, 3.

Êtes-vous pleinement content de votre gloire ? 64
Avez-vous bien promis d'oublier ma mémoire ?
Mais ce n'est pas assez expier vos amours :
Avez-vous bien promis de me haïr toujours ?
RACINE, Bérénice, V, 5.

Il *(ce conte)* est bien d'une âme espagnole. 65
LA FONTAINE, Fables, IX, 15.

Il n'est pas encore trop bien assuré sur ses jambes. 66
Mme DE SÉVIGNÉ, Lettres, 1075, 22 oct. 1688.

Une chose folle et qui découvre bien notre petitesse, c'est l'assujettissement aux modes (...) 67
LA BRUYÈRE, les Caractères, XIII, 1.

Vous êtes trop bien établi dans mon cœur (...) 68
A.-R. LESAGE, Turcaret, III, 6.

On ne jouit bien que de ce qu'on partage (...) 69
Mme DE GENLIS, la Mère rivale, t. I, p. 367.

(...) la noblesse n'est pas de rigueur pour entrer à l'Académie; l'ignorance, bien prouvée, suffit. 70
P.-L. COURIER, Pamphlets littéraires, Pl., p. 277.

Tout bien vérifié, travailler est moins ennuyeux que s'amuser. 71
BAUDELAIRE, «Mon cœur mis à nu», X, Pl., p. 682.

En fait, ce sont les prodromes de l'asservissement total. Une fois le joug bien assujetti, on ne le secouera plus ! 72
MARTIN DU GARD, les Thibault, VIII, 13.

Du désespoir de ce lévite, à peine sorti d'une adolescence attardée, elle n'avait jamais très bien compris les raisons secrètes. 73
F. MAURIAC, le Sagouin, I.

Non. Il s'agit bien, comme le dit d'Alembert, d'une harmonie, d'un arrangement des mots. 74
G. DUHAMEL, Discours aux nuages, I, p. 39.

Loc. *Bien le bonjour !* (fam.), ellipse de *je vous donne bien le bonjour. Bien le bonsoir ! Merci bien.* → **Beaucoup.**

Avec un adj. ou un p. p.; avec un adv. → **Très, tout** (tout à fait). *C'est bien simple. Je suis bien aise** (cit. 26). *Vous êtes bien gentil. Nous sommes bien contents. Bien souvent. Bien longtemps. Bien loin. Servir bien chaud. Du linge bien blanc. Bien avancé pour son âge.*

Il faut être bien fin pour remarquer cette différence (...) 75
PASCAL, Disc. sur les passions de l'amour.

Nous sommes bien près de nous consoler quand nous nous affectionnons aux gens qui nous consolent. 76
MARIVAUX, la Vie de Marianne, VIII.

Il est bien vrai qu'on commence à parler bien haut en Italie, et surtout à Venise (...) 77
VOLTAIRE, Lettre à la Tourette, 6 janv. 1770.

Un homme est bien fort quand il s'avoue sa faiblesse. 78
BALZAC, la Peau de chagrin, t. IX, Pl., p. 140.

Tenez, monsieur Théodore, madame Badoulard est une bonne femme que j'aime de tout mon cœur, certainement... que je suis bien loin de rien dire contre elle en rien; sa demoiselle est bonne ouvrière, bien sage, bien 78.

honnête, bien tout; mais, monsieur Théodore, il faut y regarder à deux fois quand on entre dans une famille.
Henri MONNIER, Scènes populaires, La victime du corridor, 7, p. 270.

Devant un compar. avec le sens de *plus**. → **Beaucoup.** *Bien moins. Bien plus. Bien mieux. Bien pire. Bien meilleur.* — Spécialt. *Il est bien jeune pour cet emploi.* → **Trop.** *Je le trouve bien jeune. Vous êtes bien sûr de vous.*

79 Y va-t-il de l'honneur? y va-t-il de la vie?
— Il y va de bien plus. CORNEILLE, Polyeucte, I, 2.

80 Si je vous ouvre mon cœur, peut-être serai-je à vos yeux bien moins sage que vous (...)
MOLIÈRE, l'Avare, I, 2.

81 Je trouve bien mieux mon compte avec l'un qu'avec l'autre (...)
MOLIÈRE, la Princesse d'Élide, 2e intermède.

82 Un petit air de doute et de mélancolie,
Vous le savez, Ninon, vous rend bien plus jolie (...)
A. DE MUSSET, Chanson de Fortunio à Ninon.

83 L'amour est chez eux *(les peuples de race bretonne)* un sentiment tendre, profond, affectueux, bien plus qu'une passion.
RENAN, Souvenirs d'enfance..., I, «Broyeur de lin».

84 Très en avance, mais non pas très impatient. Il se sentait capable d'attendre bien plus sans éprouver nulle trace d'ennui.
J. ROMAINS, les Hommes de bonne volonté, t. I, p. 66.

Fam. *Avoir bien faim, bien peur, bien froid.* → **Fort, très.**

♦ **5** [a] Renforçant une affirmation. *Il part bien demain.* → **Effectivement.** *J'entends bien, je le vois bien. Nous le savons bien. Il est bien entendu* que...* → **Expressément, formellement.** *Bien évidemment. — Ce n'est pas un oubli, mais bien une erreur.* → **Plutôt.**
[b] En fait, en dépit des difficultés (quoi qu'on dise, fasse, pense; quoi qu'il arrive). *Croyez bien, sachez bien. Vouloir* bien* (ou *bien vouloir*) : accepter, daigner. *Veuillez bien... Je veux bien faire ce travail.* → **Volontiers, vouloir.** *Attendons, nous verrons bien. Il faut bien le supporter. Cela finira bien un jour. Il le fait bien, pourquoi pas moi!,* puisqu'il le fait... — (Avec un cond.). *J'écrirais bien, mais répondra-t-il?* : je pourrais écrire..., j'écrirais volontiers... Absolt (comme souhait). *J'irais bien avec vous.*

85 Quel âge croyez-vous bien que j'aye?
MOLIÈRE, le Malade imaginaire, III, 10.

86 Je le croirais bien; oui, il y a toutes les apparences du monde (...) MOLIÈRE, les Précieuses ridicules, 5.

87 Vous savez bien que mon plus grand plaisir est de sortir avec vous.
PROUST, À la recherche du temps perdu, t. IX, p. 225.

88 Que le mal nous façonne, il faut bien l'accepter.
COLETTE, l'Étoile Vesper, p. 10.

89 On introduit des verbes qui insistent sur l'affirmation : Je *t'assure (...) tu penses bien que...*
F. BRUNOT, la Pensée et la Langue, p. 500-501.

90 (...) sans laquelle *(l'Allemagne)* bien évidemment aucune construction politique continentale durable n'est possible.
André SIEGFRIED, l'Âme des peuples, V, 1.

91 (...) cette forme d'intelligence (...) que je suis bien obligé d'appeler l'intelligence allemande (...)
G. DUHAMEL, le Temps de la recherche, VII, p. 92.

Ellipt. *Bien sûr* : certainement. *Bien entendu* : évidemment.

92 «Nous travaillerons...». «Oui, bien sûr. Mais comme des esclaves...» SARTRE, la Mort dans l'âme, II, p. 214.

♦ **6** Adv. de quantité (indiquant une quantité importante mais indéterminée). *Bien de; bien du, de la, des* : beaucoup de. → **Beaucoup.** *Se donner bien de la peine, bien du mal. Cet enfant nous donne bien du souci. Bien des choses. Bien des années. Bien des fois* : souvent. *Bien des gens.* → **Nombre** (un grand nombre). *Bien d'autres indices,* nombreux. — Vieilli. *Bien de l'argent* : beaucoup d'argent. — *Voilà bien des histoires, bien des récriminations.*

Vous avez bien d'autres affaires (...) 93
LA FONTAINE, Fables, VIII, 4.

Et je le donnerais à bien d'autres qu'à moi 94
De se voir sans chagrin au point où je me vois.
MOLIÈRE, Sganarelle, 16.

Voilà une belle merveille que de faire bonne chère avec 95
bien de l'argent (...) il faut parler de faire bonne chère avec peu d'argent. MOLIÈRE, l'Avare, III, 5.

Voilà bien des paroles sans rien dire (...) 96
BOSSUET, Hist. des Variations, XII, 2.

Il y a bien de la différence entre un bel esprit, un grand 97
esprit et un bon esprit (...)
FÉNELON, Œuvres, t. XVIII, p. 35.

Il y a des causes générales qui ont mis bien des fois le 98
genre humain à deux doigts de sa perte (...)
MONTESQUIEU, Lettres persanes, 113.

De tant de mariages, il naissait bien des enfants (...) 99
MONTESQUIEU, Lettres persanes, 122.

Je sais que bien des gens parlent de l'ingénu; tout ce que 100
je puis répondre très ingénument, c'est que je ne l'ai point vu encore (...)
VOLTAIRE, Lettre à Damilaville, 8 août 1767.

Si l'on était sûr, Monsieur, d'avoir après sa mort des 101
panégyristes tels que vous, il y aurait bien du plaisir à mourir (...)
VOLTAIRE, Lettre à Chabanon, 9 déc. 1764.

Assistez à la vie en spectateur indifférent; bien des drames 102
tourneront à la comédie. H. BERGSON, le Rire, p. 5.

Chez bien des hommes de valeur, cette valeur dépend de 103
la variété des personnages dont ils se sentent capables.
VALÉRY, Variété III, p. 82.

REM. Devant un adj. précédant le subst., on doit, selon Littré, dire *bien de* et non *bien des* : *Cette contrée renferme* bien de *fertiles prairies.* L'usage dément cette observation (cf. Grevisse, n° 329; nombreux exemples).

(...) bien des petits faits auraient pu me fournir des 104
signes (...) CLAUDEL, Figures et Paraboles, p. 57.

*Il en a vu bien d'autres.* → **Autre** (*supra* cit. 83.1); voir (*supra* cit. 32).
*Il s'en faut bien* : il s'en faut beaucoup, de beaucoup*.

Il s'en faut bien que je croie la musique capable de tout 105
peindre (...)
D'ALEMBERT, Lettre au roi de Prusse, 10 avr. 1767.

Par ext. (Avec un numéral, une quantité). À peu près, au moins. → **Approximativement, environ, largement, près** (à peu près). *Il y a bien une heure qu'il est sorti.*

On en tua bien quatre ou cinq cents. 106
RACINE, Lettres.

♦ **7** Loc. conj. **AUSSI BIEN QUE...** → **Aussi** (cit. 18 à 26); **autant** (cit. 28).

**SI BIEN QUE..., TANT ET SI BIEN QUE..., TELLEMENT BIEN QUE...** (avec un v. à l'indic.) : à tel point que. → **Si, tant, tellement.**

(...) et alors, le prenant à la gorge, je fis si bien, des pieds, 107
des poings, des dents, de tout, que je l'arrachai de sa place et qu'il s'en alla rouler hors de l'étude (...)
Alphonse DAUDET, le Petit Chose, p. 114.

**TANT BIEN QUE MAL** : ni bien, ni mal, en s'en tirant comme on peut, passablement, médiocrement. → **Tant** (*infra* cit. 27.1).

**BIEN QUE...** (marquant la concession, suivi du subj.). → **Quoique; encore** (que), **malgré.** *On lui donna une gratification, bien qu'il ne l'eût guère méritée.* — REM. On emploie parfois l'indic. pour marquer la réalité, ou le cond. pour marquer l'éventualité.

Et, bien qu'on soit, à ce qu'il semble, 108
Beaucoup mieux seul qu'avec des sots.
LA FONTAINE, Fables, VIII, 10.

Bien qu'au moins mal qu'il pût il ajustât l'histoire, 109
Le loup fut un sot de le croire.
LA FONTAINE, Fables, XI, 6.

110 Bien qu'on ait du cœur à l'ouvrage,
L'Art est long et le Temps est court.
BAUDELAIRE, les Fleurs du mal, XI, «Le guignon».

111 Bien que la place fût médiocre, Sénécal, sans elle, serait mort de faim.
FLAUBERT, l'Éducation sentimentale, II, 32.

112 Bien que ses péchés auraient pu, sans déshonneur pour elle ni inconvénient pour le monde, se répandre.
FLAUBERT, Un cœur simple, IV.
(Brunot, citant Flaubert, remarque qu'on ne saurait trop le féliciter de cette «faute» *in* la Pensée et la Langue, p. 867).

113 Bien que nous fûmes, mon maître et moi, très attentifs à cacher notre surprise, M. d'Astarac la devina (...)
FRANCE, la Rôtisserie de la reine Pédauque, p. 63.

*Bien que...* (suivi du p. prés.). *Bien qu'ayant. Bien qu'étant.*

114 Bien qu'ayant vécu chez eux, tu connais mal ces ennemis du genre humain.
FRANCE, l'Étui de nacre, p. 12, *in* GREVISSE, n° 1032.

*Bien que* (avec ellipse du v. et du sujet) : bien qu'étant... (S'oppose à *parce que*).

115 (...) Bien que maîtres passés en l'art de bien parler.
Mathurin RÉGNIER, Satires, 1.

116 Bien que philosophe, M. Homais respectait les morts.
FLAUBERT, Mme Bovary, III, IX.

117 Ses moustaches blondes étaient assez courtes, bien que jamais coupées.
LOTI, Pêcheur d'Islande, 7, *in* BRUNOT.

**QUAND BIEN MÊME.** → **Quand.**

♦ **8** Locutions.

Loc. adv. **BEL ET BIEN :** réellement. → **Beau,** *infra* cit. 118. *Bien et beau* (vx).

118 Le lacs était tout prêt; il n'y manquait qu'un homme :
Celui-ci se l'attache, et se pend bien et beau.
LA FONTAINE, Fables, IX, 16.

Loc. conj. **BIEN LOIN DE..., BIEN LOIN QUE...** → **Loin; lieu** (au lieu de)... et aussi **contraire** (tout au contraire).

119 Bien loin d'en demeurer d'accord, j'ose dire que (...)
CORNEILLE, Avertissement du Cid.

120 Bien loin d'avoir de la crédulité *(pour les médisances),* elle n'eut pas même, en ces occasions, de la patience.
FLÉCHIER, Oraison funèbre de Madame la Dauphine.

121 Bien loin qu'on pensât à intéresser quelque principe de notre religion, on ne se soupçonnait pas même d'imprudence (...)
MONTESQUIEU, Lettres persanes, Réflexions.

Loc. adv. **BIEN PLUS.** → **Plus; mieux, outre** (en).

Vieilli (langue class.). **UN PEU BIEN,** avec un adj. → **Peu** (quelque), **trop.** *Une femme un peu bien mûre.*

122 Voilà une petite menotte qui est un peu bien rude.
MOLIÈRE, George Dandin, III, 3.

**AUSSI BIEN :** d'ailleurs. → **Aussi** (cit. 53 à 60).

**OU BIEN.** → **Ou.** *Ou bien... ou bien. Ou bien vous vous taisez, ou bien vous aurez un devoir supplémentaire.*

Littér. **MAIS BIEN :** mais au contraire.

123 Je n'aime pas la pensée qui s'attife; mais bien celle qui se concentre et raidit. GIDE, Pages de journal, I, 11.

♦ **9** Interj. **a** *Bien, fort bien, très bien,* formules d'approbation (ou simple ponctuation du discours). → **Bon, soit.** *Bien, très bien!*

**b** **EH BIEN!** (ou *Hé bien!*), interjection marquant l'étonnement, la surprise, l'interrogation, l'exhortation, la concession (→ Soit), une hésitation dans la réponse (→ Heu) ou donnant plus de force à ce qu'on dit (fam. *ben* [bɛ̃]. → 2. Ben). *Eh bien! vous ne protestez pas? Eh bien! soit.*

124 Eh bien! Antiochus, vous dois-je la couronne?
CORNEILLE, Rodogune, IV, 3.

125 Eh bien! j'aimerais mieux partir, c'est sûr (...)
LOTI, Ramuntcho, II, 11, p. 283.

**c** **AH BIEN,** s'emploie souvent par ironie, pour marquer la surprise, la déception. *Ah bien oui! Parlons-en! — Oh bien!* (même nuance).

DÉR. et COMP. 2. **Bien. Bien-aimé, bien-aise, bien-aller, bien-dire, bien-disant, bien-être, bien-faire, bienfaisant, bien-fondé, bienheureux, bien-jugé, bien-manger, bien-pensant, bien-portant, bienséant, bientôt, bienveillant, bienvenir, bienvenu, bien-vivre.**

## 2. BIEN [bjɛ̃] n. m. — Xe; au sens matériel, XIe; de *bien,* adv.

**I** **UN BIEN, DES BIENS, DU BIEN.** ♦ **1** Ce qui est avantageux, agréable, ou profitable; ce qui est utile à une fin donnée. → **Avantage, bénéfice, bienfait, intérêt, profit, satisfaction, secours, service, utilité.** *Quel bien attendre, espérer, retirer d'un pareil régime? Faire du bien à qqn. Ce remède lui a fait grand bien, beaucoup de bien.* → **Bien-être, mieux-être, soulagement; bénéfique.** *Cela lui fait plus de mal que de bien. Cela ne fait ni bien ni mal. La pluie a fait du bien aux récoltes,* les a fait prospérer. *Bien réel. Bien imaginaire. Le bien de qqn, son bien. Le bien de tous* (→ Apanage, cit. 7). *Le bien commun, général, public. Le bien de l'État, du pays. Le bien d'une entreprise. C'est pour son bien. Vouloir le bien de qqn, vouloir son bien. Vouloir du bien, faire du bien à qqn. Sacrifier son propre bien à celui d'autrui. Se dévouer au bien d'autrui.* → **Altruisme, altruiste** (cit. 1), **amour** (cit. 6), **bienfaisance, bonheur, charité, don, humanité.** *Nous faisons cela pour ton bien.*

Faites du bien à votre ami avant la mort, et donnez l'aumône au pauvre selon que vous pouvez. 1
BIBLE (SACY), Ecclésiaste, XIV, 13.

Les saints recommandent aux riches de partager avec les pauvres les biens de la terre, s'ils veulent posséder avec eux les biens du ciel (...) 2
PASCAL, les Provinciales, 16.

(...) le plus sage des législateurs disait que, pour le bien des hommes, il faut souvent les piper. 3
PASCAL, Pensées, V, 294.

Nous aimons mieux voir ceux à qui nous faisons du bien que ceux qui nous en font. 4
LA ROCHEFOUCAULD, Maximes posthumes, 558.

Battez-moi plutôt et me laissez rire tout mon soûl, cela me fera plus de bien. 5
MOLIÈRE, le Bourgeois gentilhomme, III, 2.

C'était apparemment *(la paix)* le bien des deux partis. 6
LA FONTAINE, Fables, III, 13.

Si on n'aimait pas les justes, si on ne les protégeait pas pour eux-mêmes, il faudrait protéger pour le bien public. 7
BOSSUET, Méditation sur l'Évangile, Dernier sermon du Sauveur, 83e jour.

S'il est doux et naturel de faire du mal à ce que l'on hait, l'est-il moins de faire du bien à ce que l'on aime? 8
LA BRUYÈRE, les Caractères, IV, 44.

Nous nous affectionnons de plus en plus aux personnes à qui nous faisons du bien. 9
LA BRUYÈRE, les Caractères, IV, 68.

Il se trouve que chacun va au bien commun, croyant aller à ses intérêts particuliers. 10
MONTESQUIEU, l'Esprit des lois, III, 7.

Messieurs les sots, je dois, en bon chrétien, 11
Vous fesser tous, car c'est pour votre bien (...)
VOLTAIRE, les Chevaux et les Ânes.

J'ai fait un peu de bien, c'est mon meilleur ouvrage. 12
VOLTAIRE, CXIV, À Horace, v. 67.

(...) Je me suis toujours attaché aux gens moins à proportion du bien qu'ils m'ont fait que de celui qu'ils m'ont voulu (...) ROUSSEAU, les Confessions, I, III. 13

(...) dans l'état social le bien de l'un fait nécessairement le mal de l'autre. ROUSSEAU, Émile, II. 14

Un grand nous fait assez de bien quand il ne nous fait pas de mal. 15
BEAUMARCHAIS, le Barbier de Séville, I, 2.

16 Le bien qu'on fait parfume l'âme;
On s'en souvient toujours un peu!
HUGO, les Voix intérieures, V, 2.

17 Aimer, c'est avoir pour but le bonheur d'un autre, se subordonner à lui, s'employer et se dévouer à son bien.
TAINE, Philosophie de l'art, V, III, 2.

17.1 Vers la fin du mois, Harbert parcourait déjà le plateau de Grande-Vue et les grèves. Quelques bains de mer qu'il prit en compagnie de Pencroff et de Nab lui firent le plus grand bien. J. VERNE, l'Île mystérieuse, t. II, p. 728.

18 Point de mal qui ne puisse servir à quelque bien.
R. ROLLAND, Jean-Christophe, t. X, p. 223.

19 Le bien public est fait du bonheur de chacun.
CAMUS, la Peste, p. 103.

*Trouver son bien à qqch., à faire qqch.*

19.1 Femmes et qui causent
Les épaules nues,
Ou bien se reposent
En long étendues,
Bagues à leurs mains,
Rêvant mal ou pire,
Ou trouvent leur bien
Enfin à dormir. Max ELSKAMP, la Rue Saint-Paul.

*Les biens du ciel. Les biens que Dieu accorde.* → **Bénédiction, bienfait, don, faveur, félicité, grâce, présent.** *Les biens éternels. Les biens véritables. Les biens de l'âme. Les biens spirituels. Les biens de ce monde. Les biens temporels. Jouir des biens de la terre. Les biens du corps. La santé est le plus précieux des biens. La liberté est le bien le plus cher, le plus grand de tous les biens... Le bien auquel on aspire* (cit. 15). *C'est une épreuve difficile mais ce sera un bien pour tous,* une bonne chose.

20 Nos biens, comme nos maux, sont en notre pouvoir...
Chacun est artisan de sa bonne fortune.
Mathurin RÉGNIER, Satires, XIII.

21 Un véritable ami est le plus grand de tous les biens (...)
LA ROCHEFOUCAULD, Maximes posthumes, 544.

22 Et l'hymen d'Henriette est le bien où j'aspire.
MOLIÈRE, les Femmes savantes, I, 4.

23 Ah! que c'est un grand bien *(la santé)!* et que vous le nommez précisément par son nom quand vous dites que c'est celui sans lequel tous les autres sont insensibles!
Mme DE SÉVIGNÉ, Lettres, 15 juin 1688.

24 Goûter innocemment le peu de biens que la nature nous donne (...)
BOSSUET, Oraison funèbre de la Duchesse d'Orléans.

25 Être libre en un mot n'est pas ne rien faire; c'est être seul arbitre de ce qu'on fait, ou de ce qu'on ne fait point; quel bien en ce sens que la liberté!
LA BRUYÈRE, les Caractères, XII, 104.

26 Pourquoi la liberté est-elle si rare? parce qu'elle est le premier des biens (...)
VOLTAIRE, Dict. philosophique, Venise.

27 Les biens de la terre ne font que creuser l'âme et en augmenter le vide (...)
CHATEAUBRIAND, le Génie du christianisme, I, 6, 1.

28 Elle *(la civilisation)* fait du bien matériel le but unique de la vie. Elle ne s'occupe point des biens de l'âme.
R. ROLLAND, Mahatma Gandhi, p. 45.

29 La quiétude (...) C'est le bien de ceux qui ont à jamais choisi une part de leur destin, et rejeté l'autre.
COLETTE, la Paix chez les bêtes, «Jardin zoologique».

30 Car le plus précieux de tous les biens imaginables, la vie, va, pour de longues années, tomber dans le mépris et l'avilissement.
G. DUHAMEL, le Temps de la recherche, XVII, p. 244.

Loc. *Grand bien vous fasse!* : faites comme vous le voulez, je doute que cela vous fasse du bien, peu m'importe.

31 Buvez à ma santé, Monsieur. — Grand bien vous fasse!
RACINE, les Plaideurs, I, 6.

Serviteur, et grand bien te fasse, 32
Dit le hibou, pour moi, je veux guérir.
LAMOTTE-HOUDAR, Fables, V, 1.

Vous pouvez la garder pour vous. Garde-la pour toi, ta merveille. Grand bien te fasse. 32.1
N. SARRAUTE, Vous les entendez?, p. 184.

*Dire du bien de quelque chose,* en parler avantageusement, favorablement. → **Éloge** (faire l'). — Au plur. (vx). → cit. 36.

Voulez-vous qu'on croie du bien de vous? N'en dites pas. 33
PASCAL, Pensées, I, 44.

Quelque bien qu'on dise de nous, on ne nous apprend rien de nouveau. LA ROCHEFOUCAULD, Maximes, 303. 34

Chacun dit du bien de son cœur, et personne n'en ose dire de son esprit. LA ROCHEFOUCAULD, Maximes, 98. 35

On m'a dit cent mille biens de vous. 36
Mme DE SÉVIGNÉ, Lettres, 27.

Le seul moyen d'obliger les hommes à dire du bien de nous, c'est de leur en faire. 37
VOLTAIRE, Histoire de Charles XII, Disc. préliminaire.

Un homme quelque malicieux qu'il puisse être, ne dira jamais des femmes autant de bien ni autant de mal qu'elles en pensent elles-mêmes. 38
BALZAC, Physiologie du mariage, Pl., t. X, p. 593.

... EN BIEN : d'une manière favorable. *Il prend en bien tout ce qu'on lui dit. C'est un optimiste qui prend, interprète tout en bien. Juger d'une chose en bien, en mal. Parler en bien de quelqu'un.*

(...) l'importance qu'elle donnait *(Mme du Deffand)* soit en bien, soit en mal, aux moindres torche-culs qui paraissaient. ROUSSEAU, les Confessions, XI. 39

*Changer quelque chose en bien.* → **Améliorer.**

L'homme a toujours voulu ajouter quelque chose à Dieu. L'homme retouche la création parfois en bien, parfois en mal. HUGO, l'Homme qui rit, I, II, 2. 40

*À bien. Imputer à bien* (→ Attribuer, cit. 18). *Mener* une affaire, une entreprise à bien,* faire qu'elle réussisse. → **Achèvement, succès.**

Prov. *Le mieux* est l'ennemi du bien. Nul bien sans peine.*

♦ **2** Chose matérielle susceptible d'appropriation; droit faisant partie du patrimoine. → **Chose; capital, cheptel, domaine, fortune, fruit, héritage, patrimoine, possession, produit, propriété, récolte, richesse.** *Des biens considérables. Un petit bien. Disposer de ses biens. Les biens de qqn, ses biens, son bien. User de son bien. Exploiter ses biens. Biens oisifs. Biens productifs. Augmenter la valeur de ses biens. Laisser son bien à ses héritiers. Donner son bien. Manger, dépenser tout son bien.*

Pays fertile et abondant en toutes sortes de biens (...) 41
VAUVENARGUES, trad. QUINTE-CURCE, 287.

Rome est à vous, seigneur, l'empire est votre bien (...) 42
CORNEILLE, Cinna, II, 1.

Je sais qu'avec mes vœux vous me jugez capable 43
De vous porter en dot un bien considérable.
MOLIÈRE, les Femmes savantes, V, 1.

C'est notre bien seul qu'ils épousent. 44
MOLIÈRE, George Dandin, I, 1.

J'ai le bien, la naissance, et quelque emploi passable, 45
Et fais figure en France assez considérable (...)
MOLIÈRE, les Fâcheux, I, 3.

REM. Cet emploi est vieux.

Voilà comme vous dépensez votre bien (...) 46
MOLIÈRE, le Bourgeois gentilhomme, IV, 2.

La dame de ces biens, quittant d'un œil marri 47
Sa fortune ainsi répandue (...)
LA FONTAINE, Fables, VII, 10.

Le prodigue de l'Évangile, qui veut avoir son partage, qui veut jouir de soi-même et des biens que son père lui a donnés (...) 48
BOSSUET, Oraison funèbre de Anne de Gonzague de Clèves.

49 Elle voit dissiper sa jeunesse en regrets,
Mon amour en fumée, et son bien en procès (...)
RACINE, les Plaideurs, I, 5.

50 Il me voulut reprocher que j'avais mangé tout son bien.
RACINE, Lettres, VI, 512.

51 Qu'avez-vous fait *(vous, comte)* pour tant de biens? vous vous êtes donné la peine de naître et rien de plus (...)
BEAUMARCHAIS, le Mariage de Figaro, V, 3.

52 Simon Gabelin, ne voulant point aller à l'armée, a vendu tout son bien pour acheter un homme, et se faire remplacer (...) P.-L. COURIER, Gazette du village, nº 4.

53 (...) il pourra aller visiter ses biens en carriole.
G. SAND, la Petite Fadette, XXXIII, 219.

Du bien (collectif). *Avoir, posséder du bien. Avoir du bien au soleil,* des propriétés immobilières.

54 Elle avait un peu de bien, comme on dit à la campagne (...)
LOTI, Mon frère Yves, XXXIX, p. 107.

55 Un petit héritage allume les espoirs de tout ce groupe. Mais Monsieur Pasquier dilapide le commun bien avant même que de le toucher.
A. MAUROIS, Études littéraires, Duhamel, t. II, p. 100.

Loc. *Corps et biens. Périr corps et biens,* en parlant d'un navire. → **Corps.**

Prov. *Bien mal acquis...* → Acquérir, cit. 7.

56 Le bien mal acquis profite toujours à quelqu'un.
Paul LÉAUTAUD, Passe-temps, p. 42.

*Abondance* de biens ne nuit pas. Prendre son bien où on le trouve.* → **Prendre.** *Le bien vient en dormant.* → **Dormir.**

Dr. *Biens publics. Biens privés. Biens meubles* et biens immeubles*. Biens corporels et biens incorporels. Biens consomptibles :* choses détruites ou non lors de leur première utilisation. *Biens de famille insaisissables. Biens paraphernaux* (cit.), appartenant en propre à l'épouse. *Biens communs et biens propres,* qui appartiennent aux deux ou à un seul des époux. → **Acquêt, communauté, conquêt.** *Biens dotaux.* → **Dot.** *Biens réservés :* biens acquis par l'épouse dont elle a la puissance et l'administration même si ceux-ci sont communs. *Biens successoraux.* → **Succession.** *Inventaire des biens. Cession de biens. Biens de mainmorte. Un bien frappé d'hypothèque. Confiscation des biens. Biens vacants,* dont on ne connaît pas le propriétaire.

57 Tous les biens sont meubles ou immeubles.
Code civil, art. 516.

58 La propriété des biens s'acquiert et se transmet par succession, par donation entre vifs ou testamentaire, et par l'effet des obligations. Code civil, art. 711.

Écon. (surtout au plur.). Chose matérielle qui procure une jouissance. *Biens de consommation*, biens de production*. Biens fongibles, non fongibles :* choses qui sont ou non interchangeables (tel poids de légume contre tel objet manufacturé). *Biens vacants, biens sans maître,* qui n'appartiennent à personne et sont susceptibles d'appropriation.

Hist. (au plur.). *Biens nationaux :* biens confisqués au clergé, aux émigrés et à la royauté lors de la Révolution française. *Biens du clergé, biens ecclésiastiques :* possessions du clergé qui furent déclarées biens nationaux par l'Assemblée constituante.

58.1 Biens ecclésiastiques : Dernières ressources des capitalistes : la nation, c'est-à-dire les députés de la nation, qui ne les en avait pas chargés, ont déclaré que ces biens leur appartenaient.
Nouveau Dict. franç. à l'usage de toutes les municipalités (Paris, 1790), *in* D. D. L., II, 11.

**II** **LE BIEN :** ce qui possède une valeur morale, une valeur positive essentielle, ce qui est juste, honnête, louable. «*À l'égard des actes accomplis* (le bien), *c'est ce qu'on approuve; à l'égard des actes futurs, ce qu'on doit faire*» (Lalande). → **Devoir, idéal, perfection.** *L'idée du bien. L'amour, la pratique du bien. Le bien et le beau*. Du vrai, du beau, du bien* (Victor Cousin). *Discerner le bien du mal. Exhorter au bien. Aspirer au bien. Faire le bien.* — Allus. bibl. *La science* (connaissance) *du bien et du mal.*

L'arbre de la science du bien et du mal. 59
BIBLE (SEGOND), Genèse, II, 9.

Je ne fais pas le bien que je veux, et je fais le mal que je 60
ne veux pas.
BIBLE (SEGOND), Épître aux Romains, VII, 19.

Ne te laisse pas vaincre par le mal, mais triomphe du mal 61
par le bien.
BIBLE (CRAMPON), Épître aux Romains, XII, 21.

La fin du bien est un mal, la fin du mal est un bien. 62
LA ROCHEFOUCAULD, Maximes posthumes, 519.

Et sa morale, faite à mépriser le bien, 63
Sur l'aigreur de sa bile opère comme rien.
MOLIÈRE, les Femmes savantes, II, 9.

C'est en faisant le bien qu'on devient bon; je ne connais 64
point de pratique plus sûre. ROUSSEAU, Émile, IV.

Le Créateur de tant de merveilles peut-il avoir d'autres lois 64.1
que le bien? Et nos cœurs peuvent-ils lui plaire si le bien n'en est l'élément? SADE, Justine..., p. 121.

Tout crime porte en soi une incapacité radicale et un 65
germe de malheur : pratiquons donc le bien pour être heureux, et soyons justes pour être habiles.
CHATEAUBRIAND, Mémoires d'outre-tombe, II, 3.

(...) la perception du bien et du mal s'obscurcit à mesure 66
que l'intelligence s'éclaire; la conscience se rétrécit à mesure que les idées s'élargissent.
CHATEAUBRIAND, Mémoires d'outre-tombe, IV, 10.

Le mal existe, mais non pas sans le bien, comme l'ombre 67
existe, mais non sans lumière.
A. DE MUSSET, Lorenzaccio.

(...) l'effort inconscient vers le bien et le vrai qui est dans 68
l'univers joue son coup de dé par chacun de nous.
RENAN, Souvenirs d'enfance..., V, 265.

Le bien au sens de perfection est probablement ce qui 69
nous cause une satisfaction objective, ce qui nous satisfait comme êtres raisonnables : l'homme bon, c'est primitivement, et c'est toujours populairement, celui qui *nous* fait du *bien;* c'est ensuite celui dont la conduite nous satisfait objectivement, celui qui fait le *bien.*
J. LACHELIER, *in* LALANDE, Voc. de la philosophie, art. *Bien.*

Fini, cet écartèlement du pécheur entre le bien et le mal! 70
MARTIN DU GARD, les Thibault, t. IV, p. 138.

*Le souverain bien, le vrai bien, le bien suprême :* le bien par excellence.

Comme le bien suprême et le seul où j'aspire. 71
CORNEILLE, Polyeucte, I, 1.

À moins que de traiter de l'immortalité de l'âme ou du 72
souverain bien. VOLTAIRE, Lettres, 51.

(...) les philosophes, qui nous proposent pour tout bien les 73
biens qui sont en nous? Est-ce le vrai bien? ont-ils trouvé le remède à nos maux? (...)
PASCAL, Pensées, VII, 430.

*Un homme de bien :* un homme qui pratique le bien, la charité, et aussi, un homme honnête, intègre, un homme de devoir*. *Les gens de bien* (→ Envier, cit. 1; exergue, cit. 2).

Ainsi tu marcheras dans la voie des hommes de bien, et 74
tu garderas les sentiers des justes.
BIBLE (CRAMPON), Proverbes, II, 20.

Faute de mieux, l'émeute emporte les beaux rideaux du 74.1
rez-de-chaussée pour brûler sur la Grand Place, gaspillage qui mit le comble à l'exaspération des gens de bien. L'enlèvement d'un buste de Louis-Philippe, jeté au feu avec les tentures, attira moins l'attention.
M. YOURCENAR, Archives du Nord, p. 170-171.

Loc. fam. *En tout bien* (et) *tout honneur :* d'une manière honnête, sans mauvaise attention (souvent employé pour qualifier un rapport homme-femme).

Il ne prétend à vous qu'en tout bien et en tout honneur (...) 75
MOLIÈRE, les Fourberies de Scapin, III, 1.

76 La chose s'était passée, de son aveu, en tout bien tout honneur.
Antoine HAMILTON, Mémoires du comte de Grammont, 9.

77 Il m'aime en tout bien tout honneur.
BALZAC, Maître Cornélius, Pl., t. IX, p. 941.

78 (...) ma case était parée et parfumée, pour recevoir la grande dame qui avait désiré faire, en tout bien tout honneur, une visite à mon logis solitaire.
LOTI, Aziyadé, XLVI, p. 143.

79 En tout bien tout honneur, naturellement si vous l'aviez vue, la malheureuse...
Claude MAURIAC, le Dîner en ville, p. 19.

CONTR. **Mal. — Dommage, préjudice. — Injustice.**

**BIEN-AIMÉ, ÉE** [bjɛ̃neme] adj. et n. — 1417, adj.; n., 1554; de *bien,* et du p. p. de *aimer.*

♦ **1** Qui est aimé d'une affection particulière, par prédilection. *Un fils bien-aimé. Saint Jean, le disciple bien-aimé.* — N. m. *Louis XV, dit le Bien-aimé. Les bien-aimés,* nom donné dans la Bible aux Israélites parce qu'ils sont «les bien-aimés de l'Éternel» et aux chrétiens parce qu'ils sont «les bien-aimés de Dieu».

1 Celui-ci est mon Fils bien-aimé en qui j'ai mis toute mon affection.
BIBLE (SEGOND), Évangile selon saint Matthieu, 3, 17.

2 (...) Mon argent bien-aimé (...)
MOLIÈRE, l'Étourdi, II, 5.

3 (...) vous êtes pour moi toutes choses, et jamais on n'a été aimée si parfaitement d'une fille bien-aimée que je le suis de vous.
Mme DE SÉVIGNÉ, Lettres, 934, 20 sept. 1684.

(Avec un n. abstrait). *«J'ai chanté ma joie bien-aimée»* (Apollinaire, *Alcools,* p. 21). *«Mes blessures bien-aimées»* (Apollinaire, *Alcools,* p. 89).

♦ **2** N. m. et f. Personne aimée d'amour*. → **Amant, amoureux, fiancé, maîtresse.** *C'est son bien-aimé. Sa bien-aimée.*

4 Je vous conjure, ô filles de Jérusalem, si vous trouvez mon bien-aimé, de lui dire que je languis d'amour.
BIBLE (SACY), Cantique des Cantiques, V, 8.

5 Les vapeurs du vin fermentaient dans mes veines; c'était un de ces moments d'ivresse où tout ce qu'on voit, tout ce qu'on entend, vous parle de la bien-aimée.
A. DE MUSSET, la Confession d'un enfant du siècle, 3, p. 24.

REM. La graphie *bienaimé* est archaïque.

CONTR. **Mal-aimé.**

**BIEN-AISE** [bjɛ̃nɛz] n. m. — 1604, «bien-être»; rare av. le XIXe; de *bien,* et *aise.*

Vx. Sensation physique ou morale agréable. → **Bien-être, satisfaction.** *Un vrai bien-aise. Sentiment de bien-aise.*

CONTR. **Malaise.**

**BIEN-ALLER** [bjɛ̃nale] n. m. invar. — 1859; de *bien,* et *aller.*

Vén. Sonnerie de chasse, indiquant la poursuite de la chasse dans de bonnes conditions.

1 Soudain elle entendit des récris, et sonner des bien-aller sur sa gauche, et la voix des piqueux soutenant les chiens.
M. DRUON, la Chute des corps, II, X, p. 186.

2 C'est en abordant sur la rive adverse qu'il vit, de l'autre côté de la rivière, qu'il venait de quitter, un parti de cosaques qui l'injuriaient avec de grands rires sonores, pour le défier sans doute, autant que pour le saluer comme on salue le cerf avant les laisser-courre et le vif, l'exultant bien-aller.
William DE BAZELAIRE, l'Or de la Bérézina, p. 259.

**BIEN-DIRE** [bjɛ̃diʀ] n. m. invar. — 1593, de *bien,* et *dire.*

Vieilli. Art de bien parler*, de s'exprimer avec facilité dans un langage agréable, élégant. → **Éloquence, rhétorique.** Prov. *Le bien-faire vaut mieux que le bien-dire.*

Pour disputer le prix du bien-dire.
BOSSUET, Pardon de Dieu, 2.

Loc. *Être, se mettre sur son bien-dire :* prendre un beau langage (Julien Green *in* T. L. F.).

**BIEN-DISANT, ANTE** [bjɛ̃dizɑ̃, ɑ̃t] adj. et n. — XIIIe; «qui dit du bien», 1552; de *bien,* et p. prés. de *dire.*

Vx (déjà archaïque ou par plais. à la fin du XVIIe, selon l'Académie, 1694). Qui parle bien, avec facilité, élégance. *«Des artistes bien-disants»* (R. de Montesquiou, *in* T. L. F.).

Ainsi raisonnait Paul-Louis; et cependant écoutait le jeune homme bien-disant, auquel à la fin il s'en remet, lui confiant sa cause imperdable.
P.-L. COURIER, Procès, *in* LITTRÉ.

**BIEN-ÊTRE** [bjɛ̃nɛtʀ] n. m. invar. — 1555; de *bien,* et v. *être.*

♦ **1** Sensation agréable procurée par la satisfaction de besoins physiques, l'absence de tensions psychologiques. → **Euphorie; agrément, aise, béatitude, bien-aise, bien-vivre, bonheur, félicité, jouissance, plaisir, quiétude, satisfaction, sérénité.** *Une sensation, une impression de bien-être. Goûter, éprouver, ressentir du bien-être* (→ Se sentir, se trouver bien). *S'abandonner à la douceur, à l'engourdissement du bien-être. Troubler le bien-être de quelqu'un.*

(...) ce bien être de l'âme que donnent une vie réglée, des habitudes douces et l'harmonie des caractères chez ceux qui nous entourent. 1
BALZAC, l'Initié, Pl., t. VII, p. 334.

Les flottantes exhalaisons de l'herbe se mêlaient aux humides senteurs du fleuve, imprégnaient l'air d'une langueur tendre, d'un bonheur léger, comme d'une vapeur de bien-être. 2
MAUPASSANT, la Femme de Paul, Pl., t. I, p. 300.

(...) on éprouvait une impression de chez soi, un tranquille bien-être, qu'augmentait encore la notion de la grande nuit mouillée d'alentour (...) LOTI, Ramuntcho, I, 1. 3

(...) le bien-être résultant pour nous beaucoup moins de notre bonne santé que de l'excédent inemployé de nos forces, nous pouvons y atteindre, tout aussi bien qu'en augmentant celles-ci, en restreignant notre activité. 4
PROUST, À la recherche du temps perdu, t. XI, p. 30.

(...) devant ce pays de vignes (...) mes cinq oncles et mon père rayonnaient de bien-être (...) Ce sentiment d'aise, cette euphorie de tous les organes ne leur venait pas du large paysage (...) GIRAUDOUX, Bella, I. 5

Il demeura un long moment dans cet état de confuse béatitude, avant de discerner par quelle partie de son corps, par quel point de sa frontière, s'insinuait cette tiède sensation de bien-être. 6
MARTIN DU GARD, les Thibault, t. II, p. 155.

Un bien-être animal l'engourdissait. 7
MARTIN DU GARD, les Thibault, t. V, p. 162.

♦ **2** (1740). Situation matérielle qui permet de satisfaire les besoins de l'existence. → **Aisance.** *Rechercher son bien-être. Parvenir au bien-être.* → **Confort, prospérité.** *Jouir, profiter de son bien-être. L'amour du bien-être. Une soif de bien-être.*

La misère avait affaibli les ressorts de l'âme de M. André; le bien-être leur a rendu leur élasticité (...) 8
VOLTAIRE, l'Homme aux quarante écus, «Le bon sens de M. André».

(...) j'attends de votre volonté seule un sacrifice de quelques années, d'où dépend l'établissement de votre fille, et le bien-être de toute votre vie. 9
BERNARDIN DE SAINT-PIERRE, Paul et Virginie, *in* LITTRÉ.

10 A en croire les bien-pensants, l'ouvrier français, comblé, crèverait de bien-être.

BERNANOS, les Grands Cimetières sous la lune, III, 3, p. 320.

CONTR. **Angoisse, anxiété, gêne, inquiétude, malaise, malêtre** (vx), **souffrance. — Besoin, gêne, pauvreté.**

**BIEN-FAIRE** [bjɛ̃fɛʀ] n. m. invar. — 1265, *bienfere;* de *bien* et v. *faire,* un v. *bienfaire* a été employé jusqu'au XVIII^e. → Bienfait.

Vieux.

♦ **1** Action de faire du bien. *Le bien-dire* ne dispense pas du bien-faire.*

♦ **2** Habileté, fait d'agir avec habileté. → **Savoir-faire.**

**BIENFAISANCE** [bjɛ̃fəzɑ̃s] n. f. — Fin XIV^e; peu usité dans la langue classique (cf. le dict. de Trévoux); remis en usage par l'abbé de Saint-Pierre, 1725; de *bienfaisant.*

♦ **1** (Style écrit ou soutenu). Habitude de faire du bien, qualité d'une personne qui fait du bien. → **Bénignité** (littér.), **bienveillance, bonté, charité, débonnaireté** (littér.), **générosité.** *Les douceurs, les plaisirs de la bienfaisance. La bienfaisance procède de l'amour de la justice, de l'humanité.* → **Humanité, philanthropie.**

1 Les lois doivent tendre à inspirer l'application, le travail, l'économie, la tempérance, l'équité, la bienfaisance.

Abbé DE SAINT-PIERRE, Mémoire pour diminuer les procès, *in* LITTRÉ.

2 Certain législateur *(l'abbé de Saint-Pierre)*...
Vient de créer un mot qui manque à Vaugelas,
Ce mot est bienfaisance, il me plaît (...)

VOLTAIRE, Discours, 7, *in* LITTRÉ.

3 (...) quelque genre de despotisme que ce soit, fût-ce celui de la bienfaisance (...)

MIRABEAU, Collection, t. I, p. 16.

3.1 Et c'est cette vertu d'ordre humain, la bienfaisance, éclatant et se répandant vers la fin du siècle, qui sera la véritable et peut-être la seule religion d'instinct et de mouvement de la femme au dix-huitième siècle.

Ed. et J. DE GONCOURT, la Femme au XVIII^e siècle, II, p. 188.

4 «(...) L'aumône, poursuivit M. Bergeret, n'est pas plus comparable à la bienfaisance que la grimace d'un singe ne ressemble au sourire de la Joconde. La bienfaisance est ingénieuse (...) Elle est vigilante, elle proportionne son effort au besoin (...) Le nom seul de bienfaisance éveillait les plus douces idées dans les âmes sensibles (...) On croyait que ce nom avait été créé par le bon abbé de Saint-Pierre. Mais il est plus ancien et se trouve déjà dans le vieux Balzac. Au XVI^e siècle on disait **bénéficence.** C'est le même mot. J'avoue que je ne retrouve pas à ce mot de bienfaisance sa beauté première; il m'a été gâté par les pharisiens qui l'ont trop employé.»

FRANCE, M. Bergeret à Paris, XVII (→ Aumône, cit. 14).

♦ **2** Cour. Action de faire du bien dans un intérêt social; le bien qu'on fait. → **Assistance.** *Association, œuvre, société de bienfaisance.* → **Crèche, ouvroir, patronage.** *Souscription, quête pour une œuvre de bienfaisance.* → **Collecte.** *Les dames qui s'occupaient d'une œuvre de bienfaisance (dame de charité, dame patronnesse).*

Anciennt. *Bureau de bienfaisance :* service public, en général communal, de secours aux indigents (mod. *bureau* d'aide sociale*).

Dr. *Contrat de bienfaisance,* par lequel on assure à quelqu'un un avantage (cit. 39) gratuit.

5 Quant aux distributions de bienfaisance, c'était Madame de Bray qui en avait le soin.

E. FROMENTIN, Dominique, II.

6 Nous avons dans notre société beaucoup d'établissements de bienfaisance, monts-de-piété, sociétés de prévoyance, d'assurance mutuelle.

FRANCE, M. Bergeret à Paris, XVII.

♦ **3** (Rare). Qualité de ce qui fait du bien. *La bienfaisance de l'eau de mer, du soleil.*

CONTR. **Malfaisance. — Cruauté, dureté, égoïsme, inhumanité, méchanceté, misanthropie.**

**BIENFAISANT, ANTE** [bjɛ̃fəzɑ̃, ɑ̃t] adj. — 1170; de *bien,* et *faisant,* p. prés. de *faire.*

Style écrit ou soutenu.

♦ **1** (Personnes). Qui cherche à faire du bien aux autres. → **Bon, charitable, généreux, humain.** *Un homme bienfaisant.* → **Bienfaiteur.** *Avoir une âme bienfaisante, un cœur bienfaisant.* — Loc. *Un bourru* bienfaisant.*

Dans toute l'administration de la justice, il nous paraissait un homme que sa nature avait fait bienfaisant et que la raison rendait inflexible (...) 1

BOSSUET, Oraison funèbre de Michel Le Tellier.

N'est pas toujours bienfaisant qui veut; et souvent tel croit rendre de grands services, qui fait de grands maux qu'il ne voit pas, pour un petit bien qu'il aperçoit. 2

ROUSSEAU, Julie ou la Nouvelle Héloïse, V, II.

♦ **2** (Choses). Qui fait du bien, apporte du bien-être ou un soulagement. → **Bénéfique, profitable, salutaire.** *Une ondée, une pluie bienfaisante. Un climat bienfaisant. Une cure bienfaisante. L'influence bienfaisante de Jupiter.* → **Bénéfique.**

(...) la nature bienfaisante, qui toujours travaille à rétablir ce que l'homme ne cesse de détruire. 3

BUFFON, Hist. nat. des minéraux, t. II, p. 185, *in* POUGENS.

Sa vie *(de l'homme des premiers temps)* était dans les mains de la nature; il attendait le nuage bienfaisant d'où dépendait sa récolte. 4

FUSTEL DE COULANGES, la Cité antique, III, II.

Les femmes et les médecins savent seuls combien le mensonge est nécessaire et bienfaisant aux hommes. 5

FRANCE, Hist. contemporaine, IX.

N. m. *Le bienfaisant :* ce qui fait du bien. *Distinguer le bienfaisant du pernicieux* (*in* T. L. F.).

CONTR. **Cruel, égoïste, inhumain, malfaisant; maléfique, nocif, pernicieux.** ◊ DÉR. **Bienfaisance.**

**BIENFAIT** [bjɛ̃fɛ] n. m. — 1120, Psautier d'Oxford; p. p. subst. de l'anc. franç. *bienfaire* (→ Bien-faire), d'après le lat. *benefactum.*

♦ **1** (Dans le domaine moral). Acte de générosité, bien fait à quelqu'un. → **Aumône, cadeau, charité, don, faveur, générosité, grâce, largesse, libéralité, obole, office** (bon), **plaisir, présent, service.** *Accabler, combler qqn de bienfaits. Accorder, dispenser, prodiguer, répandre ses bienfaits* (à qqn). *Recevoir, accepter, refuser, méconnaître, mépriser un bienfait. Éprouver de la gratitude, de la reconnaissance pour un bienfait. Être mal payé de ses bienfaits. La récompense, le prix des bienfaits.*

Spécialt (vx). Donation d'argent. — REM. Sans être archaïque dans son emploi général, le mot est devenu rare et quelque peu désuet; il était beaucoup plus courant dans la langue classique.

Le **bienfait** vient d'un **bienfaiteur,** d'un supérieur, d'en haut (...) En cela, le **bienfait** se trouve avec le **service** dans une grande opposition; car **service** se dit (...) principalement de l'inférieur au supérieur (...) On dit les **bienfaits** du ciel, les **services** du ciel serait d'une impropriété choquante, d'autre part on peut recevoir des **services,** mais non pas des **bienfaits** d'un plus petit que soi. **Au service** est due une récompense; c'est de la reconnaissance ou de la gratitude que demande le **bienfait.** 1

LAFAYE, Dict. des synonymes, Service...

On ôte du mérite au bienfait qu'on retarde (...) 2

ROTROU, Bélisaire, II, 10.

Ô ma fille, est-ce là le prix de mes bienfaits? 3

CORNEILLE, Cinna, V, 2.

4 Les hommes ne sont pas seulement sujets à perdre le souvenir des bienfaits et des injures : ils haïssent même ceux qui les ont obligés, et cessent de haïr ceux qui leur ont fait des outrages (...)
LA ROCHEFOUCAULD, Maximes, 14.

5 Voilà le train du monde et de ses sectateurs :
On s'y sert du bienfait contre les bienfaiteurs.
LA FONTAINE, Fables, XII, 16.

6 Un bienfait reproché tint toujours lieu d'offense (...)
RACINE, Iphigénie, IV, 6.

7 On sent qu'à leur place *(des grands)* on serait trop heureux de répandre la joie et l'allégresse dans les cœurs en y répandant des bienfaits (...)
MASSILLON, De l'humanité des Grands.

8 Un bienfait purement gratuit est certainement une œuvre que j'aime à faire.
ROUSSEAU, Rêveries, 6e promenade.

9 Jamais un vrai bienfait ne fit d'ingrat.
ROUSSEAU, Émile, IV.

10 Recevoir les bienfaits de quelqu'un est une manière plus sûre de se l'attacher, que de l'obliger lui-même. Souvent la vue d'un bienfaiteur importune; celle d'un homme à qui l'on a fait du bien est toujours agréable : on aime en lui son ouvrage. Joseph JOUBERT, Pensées, V, 77.

Par ext. (Dans le domaine religieux). *Les bienfaits de Dieu, de la providence, du ciel, de la vie.*

11 Le ciel, de ses bienfaits, t'enrichit sans mesure.
VOLTAIRE, le Triumvirat, IV, 4.

12 L'amitié d'un grand homme est un bienfait des dieux.
VOLTAIRE, Œdipe, I, 1.

♦ **2** (1752). *Les bienfaits de qqch.*, action heureuse, bon résultat. *Les bienfaits de la science, de l'art, de la civilisation, de la charité, de l'amitié.* → **Avantage, bénéfice, profit, utilité.** *Jouir des bienfaits de la solitude.* → **Joie, plaisir.** *Les bienfaits d'une cure, d'un traitement médical.*

13 L'existence qui m'a été donnée sans que je l'eusse demandée a été pour moi un bienfait.
RENAN, Souvenirs d'enfance..., V.

14 (...) il lui demandait *(à la nature)* seulement le bienfait du calme, de la sérénité, cette belle joie un peu ruminante, à la fois matérielle et morale, que les tempéraments sains et robustes, les êtres d'action, connaissent peut-être mieux que les autres.
R. ROLLAND, Musiciens d'autrefois, p. 177.

15 Le monde, qui baptise du nom de progrès sa tendance à une précision fatale, cherche à unir aux bienfaits de la vie les avantages de la mort.
VALÉRY, Variété, I, La crise de l'esprit, p. 22.

Prov. *Rien ne vieillit plus vite qu'un bienfait. Un bienfait n'est jamais perdu.*

16 Ce bienfait ne fut pas perdu.
LA FONTAINE, Fables, II, 12.

♦ **3** Cuis. (rare). Pain de crème glacée. *Le bienfait est moins complètement glacé que le parfait.*

CONTR. **Méfait, préjudice; blessure, dommage, injure, offense, outrage, tort.** ◊ DÉR. **Bienfaiteur.**

**BIENFAITEUR, TRICE** [bjɛ̃fɛtœʀ, tʀis] n. — V. 1190; XIVe, *bienfaicteur, bienfacteur,* du bas lat. *benefactor* (→ Malfaiteur), concurremment jusqu'au XVIIIe; de *bienfait.*

(Style écrit et recherché). Personne qui a fait du bien (à qqn), qui a dispensé, répandu des bienfaits. → **Donateur, mécène, protecteur.** *Le bienfaiteur, la bienfaitrice d'un orphelin, d'une famille, d'une ville. Remercier, honorer, aimer son bienfaiteur. Être reconnaissant, ingrat envers ses bienfaiteurs.* — Spécialt (vis-à-vis d'une association, d'une église, d'une œuvre de bienfaisance). Personne qui donne de l'argent, qui a fondé ou doté (une institution). *Un généreux bienfaiteur. Liste des bienfaiteurs.*

1 L'infamie est de se jouer de sa bienfaitrice.
LA BRUYÈRE, les Caractères, XIV, 36.

**Bienfaiteur** est un de ces mots composés qui portent avec eux leur définition : le bienfaiteur est celui qui fait du bien... mais tous les bienfaits ne partent pas de la bienfaisance. DUCLOS, Considérations sur les mœurs, XVI. 2

Je sais qu'il y a une espèce de contrat, et même le plus saint de tous, entre le bienfaiteur et l'obligé. 3
ROUSSEAU, Rêveries, 6e promenade.

(...) le bienfaiteur crée des droits à l'obligé (...) 4
BALZAC, l'Initié, Pl., t. VII, p. 372.

Les hommes sont ingrats, dira-t-il *(Napoléon)* à Las Cases; non!... si l'on a si souvent à s'en plaindre, *c'est que d'ordinaire, le bienfaiteur exige plus qu'il ne donne.* 5
Louis MADELIN, Hist. du Consulat et de l'Empire, t. III, p. 76.

Par ext. *Un bienfaiteur du peuple, du genre humain, de l'humanité.* → **Ami** (du peuple). *Bienfaiteur de la patrie.*

Les noms de ces bienfaiteurs du genre humain *(les inventeurs des arts mécaniques)* sont presque tous inconnus tandis que l'histoire de ses destructeurs, c'est-à-dire des conquérants n'est ignorée de personne. 6
D'ALEMBERT, Disc. préliminaire à l'Encyclopédie, *in* POUGENS.

Les nations ne doivent porter le deuil que de leurs bienfaiteurs. MIRABEAU, Collection, t. III, p. 394. 7

En méritant le titre de bienfaiteurs de votre patrie, vous mériterez aussi celui de bienfaiteurs du genre humain. 8
VERGNIAUD, *in* MICHELET, Hist. de la Révolution franç., t. I, p. 849.

Adj. *Divinité bienfaitrice.* → **Bénéfique, bienfaisant, bon.** — Dr. *Membre bienfaiteur d'une association.*

(Choses). Littéraire :

Va, je ne blâme pas ce luxe bienfaiteur 9
Et ce faste public qui prouve la grandeur.
M.-J. DE CHÉNIER, Caïus Gracchus, II, 3.

CONTR. **Bourreau, ennemi, malfaiteur. — Malfaisant. — Donataire, obligé.**

**BIEN-FONDÉ** [bjɛ̃fɔ̃de] n. m. — 1866; de 1. *bien*, et *fondé*, p. p. de *fonder.*

♦ **1** Dr. Conformité (d'une prétention) au droit qui lui est applicable. → **Droit** (bon), **légitimité.** *Examiner, contester, discuter, établir le bien-fondé d'une demande, d'une prétention, d'une réclamation, d'une requête, d'une revendication. Des bien-fondés.*

♦ **2** Conformité à la raison, au bon sens, à une autorité. *Le bien-fondé d'une opinion, d'un jugement.* → **Pertinence.** *«On ne discute pas le bien-fondé des sentiments politiques que peuvent avoir les voleurs et les assassins»* (H. Bazin, *in* T. L. F.).

**BIEN-FONDS** [bjɛ̃fɔ̃] n. m. — 1803; de 2. *bien*, et *fonds.*

Dr. Bien immeuble (tel que fonds de terre, bâtiment). *Faire produire des revenus à un bien-fonds. Faire valoir un bien-fonds. Placer de l'argent en bien-fonds.* → **Immeuble, propriété.** *Des biens-fonds.*

(...) il était présumable qu'il possédait en argent une somme au moins égale à celle de ses biens-fonds. 1
BALZAC, Eugénie Grandet, éd. 1838, p. 36.

Il a voulu l'amener ici, sous prétexte d'acheter un bien-fonds. E. LABICHE, Deux papas très-bien, I, 2. 2

CONTR. **Meuble** (bien meuble).

**BIENHEUREUSEMENT** [bjɛ̃nœʀøzmɑ̃] adv. — Fin XIIe, attestation isolée; XVIe; de *bienheureux.*

♦ **1** Relig. De façon bienheureuse. *Il est mort bienheureusement.*

♦ **2** Rare. Avec plaisir, avec délices. *Il est resté bienheureusement couché toute la journée,* comme un bienheureux. *«Ne songer bienheureusement à rien»* (Goncourt).

**BIENHEUREUX, EUSE** [bjɛ̃nœʀø, øz] adj. et n. — 1190 ; de 1. *bien,* et *heureux* ; cf. anc. franç. *bieneüré, bueneüré,* XIIe.

♦ **1** Vieilli ou littér. Qui jouit d'un grand bonheur, de la félicité. → **Enchanté, heureux, ravi.** *Bienheureux celui qui vit en paix.*

1 O bienheureux mille fois
L'enfant que le Seigneur aime.
RACINE, Athalie, II, 9.

2 Pharnace, allez, soyez ce bienheureux époux.
RACINE, Mithridate, III, 1.

3 (...) bienheureux est celui qui, cessant de penser et de comprendre, s'abîme dans la contemplation de la beauté (...)
FRANCE, le Petit Pierre, XXIX, p. 206.

4 REM. Bien heureux doit s'écrire en deux mots quand il signifie : qui a le bonheur de : (...) Il est bien heureux d'avoir échappé à ce péril.
LITTRÉ, Dict., art. *Heureux.*

♦ **2** Relig. **a** Qui jouit de la béatitude*, du bonheur parfait. → **Béat, benoît.** *Bienheureux les pauvres en esprit* (Beati pauperes spiritu). → **Esprit** (IV., 1.).

5 Il est naturel à l'homme d'aimer la vie des bienheureux, qui n'est rien autre chose qu'une joie intérieure de la vérité connue.
BOURDALOUE, 4e dimanche après Pâques, Dominicaux, t. II, p. 144.

6 On les eût pris pour ces enfants du ciel, pour ces esprits bienheureux, dont la nature est de s'aimer (...)
BERNARDIN DE SAINT-PIERRE, Paul et Virginie.

**b** Qui a été béatifié* par l'Église catholique. → **Élu, saint, vénérable.** *La bienheureuse Vierge Marie.* — N. (1680). *Le ciel, le paradis, séjour des bienheureux.*

6.1 Pour exposer dans un lieu sacré l'image d'un Bienheureux, il faut une permission spéciale du St Siège. Sa tête ne doit pas être entourée d'une auréole, mais seulement de rayons.
R. LESAGE, Dict. de liturgie romaine, Éd. Bonne presse, 1952, p. 150.

Fig., fam. *Avoir l'air d'un bienheureux. — Se réjouir comme un bienheureux. S'amuser, dormir comme un bienheureux.*

♦ **3** (Choses). Vieilli ou littér. Qui s'écoule dans la paix, le bonheur ; qui procure la félicité. *Une vie bienheureuse.*

7 (...) Du don qu'il me fait
Voudrez-vous retarder le bienheureux effet ?
CORNEILLE, Cinna, III, 4.

8 Cette journée doit être marquée dans notre almanach comme une journée bienheureuse.
MOLIÈRE, les Précieuses ridicules, 11.

9 Il se souvient qu'il éprouvait sur cette route déserte, déjà noyée de crépuscule, une sécurité bienheureuse parce que sa mère était là. F. MAURIAC, Génitrix, p. 156.

Où règne le bonheur. *Séjour bienheureux.*

10 Du séjour bienheureux de la divinité
Je descends dans ce lieu par la grâce habité.
RACINE, Esther, Prologue.

11 Et vers le commencement de l'après-midi ils entrèrent dans la vallée bienheureuse.
Valery LARBAUD, Amants, heureux amants, p. 103.

Très heureux, très précieux. *Une bienheureuse inspiration. Une bienheureuse nouvelle.*

12 Ce bienheureux métal, l'argent, maître du monde.
LA FONTAINE, Contes, «La coupe enchantée».

CONTR. **Malheureux. — Damné, maudit.** ◊ DÉR. **Bienheureusement.**

**BIEN-JUGÉ** [bjɛ̃ʒyʒe] n. m. — 1752 ; de 1. *bien,* et *jugé,* p. p. de *juger.*

Dr. Conformité au droit (d'une décision judiciaire). *Des bien-jugés.*

**BIEN-MANGER** [bjɛ̃mɑ̃ʒe] n. m. — Attesté 1933 ; de 1. *bien,* et *manger.*

Littér. Art et goût de la bonne cuisine. → **Gastronomie.** *Les règles du bien-manger. Le bien-manger est une part essentielle du bien-vivre.* — REM. Le plur. n'est pas attesté ; le mot est sans doute invariable.

**BIENNAL, ALE, AUX** [bjɛnal, o] ou [biɛn(n)al, o] adj. et n. f. — 1550 ; du bas lat. *biennalis,* de *bi-,* et *annalis,* de *annus* «an».

♦ **1** Adj. Qui dure ou vaut pour deux ans. *Office, emploi biennal. Exercice biennal d'une charge. Budget biennal. Plan biennal.*

Qui a lieu tous les deux ans. → **Bisannuel.** *Exposition biennale. — Prix biennal,* décerné tous les deux ans.

♦ **2** N. f. (1936). Plus cour. Manifestation, exposition, festival qui a lieu tous les deux ans. *La Biennale de Venise* (cinéma ; beaux-arts). *Biennale de la langue française.*

**BIEN-PENSANT, ANTE** [bjɛ̃pɑ̃sɑ̃, ɑ̃t] adj. et n. — 1798 ; de 1. *bien,* et *pensant,* p. prés. de *penser.*

(Personnes). Dont les idées sont conformistes, conventionnelles. → **Pensant,** 3. (cit. 5 à 8). — N. *Les bien-pensants.*

CONTR. **Mal-pensant.**

**BIEN-PORTANT, ANTE** [bjɛ̃pɔʀtɑ̃, ɑ̃t] adj. et n. — D. i. ; de 1. *bien,* et *portant,* p. prés. de *se porter (bien).*

Qui se porte bien. *Des enfants bien-portants.* — N. *Une bien-portante. Des bien-portants.*

CONTR. **Malade.**

**BIENSÉANCE** [bjɛ̃seɑ̃s] n. f. — 1534, Rabelais ; de *bienséant.*

♦ **1** Vx. Caractère de ce qui convient, de ce qui sied bien. → **Aller** (bien), **convenir, seoir ; convenance.**

Elles *(les étoffes)* ont chacune leur agrément et leur bienséance. LA BRUYÈRE, les Caractères, XVI, 4. 1

Ulysse préférait l'intérêt commun de la Grèce et la victoire à toutes les raisons d'amitié et de bienséance particulière. 2
FÉNELON, Télémaque, XV.

Vx. *À la bienséance de qqn,* à sa convenance, à sa disposition.

Prends donc en récompense 3
Tout ce qui peut chez nous être à ta bienséance.
LA FONTAINE, Fables, IX, 15.

La Marche Trévisane, le Frioul étaient à la bienséance de l'empereur. VOLTAIRE, Essai sur les mœurs, 113. 4

Vx. Ce qui convient, ce qui est conforme à la règle.

Il semble que la bienséance y soit un peu forcée *(dans ce que le poète a fait pour conserver l'unité de lieu).* 5
CORNEILLE, Examen de Polyeucte.

Le caractère d'Angélique sort de la bienséance. 6
CORNEILLE, Examen de la Place royale.

Les belles choses le sont moins hors de leur place ; les bienséances mettent la perfection, et la raison met les bienséances. LA BRUYÈRE, les Caractères, 14. 7

♦ **2** (1580, Montaigne). Mod. (Littér. ou style soutenu). Caractère de ce qu'il convient de dire, conduite particulière en accord avec les usages et les coutumes, dans une société, un milieu donné. → **Convenance, correction, décence, décorum, étiquette, protocole, savoir-vivre.** *Observer, respecter la bienséance.* → **Apparence.** *Garder, sauvegarder la bienséance.* (→ Sauver les apparences). *Manquer à la bienséance, oublier toute bienséance en dépassant* (les bornes, les limites). Blesser, choquer la bienséance.*

Au plur. (→ ci-dessous, cit. 12, 13). *Les bienséances :* les usages à respecter à une époque donnée. *Procédés conformes aux bienséances.* → **Bienséant.** *Connaître les bienséances. Qualités qui portent au respect des bienséances.* → **Délicatesse, éducation, honnêteté** (des manières), **politesse, pudeur, tact.** *Braver, heurter, oublier les bienséances.*

8 La bienséance est la moindre de toutes les lois, et la plus suivie. LA ROCHEFOUCAULD, Maximes, 447.

9 Serait-il à propos et de la bienséance
De dire à mille gens tout ce que d'eux on pense?
MOLIÈRE, le Misanthrope, I, 1.

10 Il y a des règles de bienséance et d'honneur qui doivent être gardées inviolablement, même à l'égard des ennemis (...) ROLLIN, Hist. ancienne, XVI, 8.

11 La bienséance (...) n'est que le masque du vice ; où la vertu règne elle est inutile !
ROUSSEAU, Julie ou la Nouvelle Héloïse, IV, 6.

12 Les bienséances, les modes, les usages qui dérivent du luxe et du bon air, renferment le cours de la vie dans la plus maussade uniformité. ROUSSEAU, Émile, IV.

13 Braver toujours les bienséances est d'une âme abjecte ou corrompue ; en être esclave dans toutes les occasions est d'une âme petite. Le devoir et les bienséances ne sont pas toujours d'accord.
Joseph JOUBERT, Pensées, VIII, 92.

14 Son passé m'intrigue et cependant, vu ma qualité de gendre, la bienséance m'empêche de pousser trop loin mes questions. LOTI, Mme Chrysanthème, XXXV, 180.

15 Elle avait appris la bienséance chez les Dames du Calvaire ; elle avait le goût noble, et le tact de ce qui est décent.
FRANCE, Jocaste, II.

16 Tu fus pressant. Mais elle, avec grâce jalouse,
Ne te permit que ce que la bienséance accorde.
Francis JAMMES, De l'Angélus de l'aube à l'Angélus du soir, «Je pense à Jean-Jacques», p. 221.

17 *Bienséance* et *honnêteté* sont plus particuliers (que *convenance*), ils se disent de la conformité aux usages de la société et relèvent surtout de la morale sociale. La bienséance (...) s'applique à nos rapports avec le milieu dans lequel nous vivons.
BAILLY, Dict. des synonymes, Convenance.

♦ **3** Didact. En littérature (spécialt en parlant du classicisme). Qualité par laquelle une œuvre respecte les formes canoniques particulières à son époque et répond exactement, dans son genre, aux critères du goût. *Règles des bienséances. — Bienséances oratoires,* édictées par la rhétorique.

CONTR. **Cynisme, déshonnêteté, grossièreté, immodestie, impertinence, impudeur, incongruité, inconvenance, indécence, insolence, malséance, messéance** (vx), **sans-gêne, sauvagerie.**

**BIENSÉANT, ANTE** [bjɛ̃seɑ̃, ɑ̃t] adj. — XIIIe; *ben seant* «avenant», 1100; de *bien,* et *séant,* p. prés. de *seoir.*

Vieux ou littéraire.

♦ **1** Qu'il convient de faire, de dire dans le domaine moral, social, et, par ext., dans le domaine esthétique. → **Convenable, correct, décent, délicat, honnête, poli, séant.** — *Bienséant à...* (qqn, un âge, une situation).

1 Mme de Roucy avait beaucoup de crainte de se méprendre, ce qui lui donnait une timidité bienséante à son âge.
SAINT-SIMON, Mémoires, 61, 17.

2 Mon fils, lui disait-elle, il n'est pas bienséant à un jeune homme comme vous de demeurer toujours dans l'appartement des femmes.
A. GALLAND, les Mille et une Nuits, t. II, p. 213.

Impersonnel. *Il n'est pas bienséant de...* (et inf.), *que...* (et subj.). *Ce qu'il est bienséant de faire. Il est bienséant qu'il se taise.*

N. m. *Le bienséant. Aux limites du bienséant.*

♦ **2** (Personnes). Qui agit conformément à la bienséance. *Saint-Evremond, «l'homme sage, bienséant, tempéré d'humeur...»* (Sainte-Beuve, *Port-Royal,* in T. L. F.).

CONTR. **Malséant. — Choquant, immodeste, impertinent, incongru, inconvenant, incorrect, indécent, inopportun, malséant, messéant** (vx). ◊ DÉR. **Bienséance.** — REM. L'adverbe *bienséamment* est très rare (1845, Verlaine, *in* T. L. F.).

**BIENTÔT** [bjɛ̃to] adv. — XIVe, attestation isolée, *bien tost,* sens 2 ; *bientôt,* 1643 ; sens 1, 1669 ; de *bien,* et *tôt.*

♦ **1** Dans peu de temps, dans un proche futur*. → **Incessamment, instant** (dans un instant), **moment** (d'un moment à l'autre), **peu** (avant peu, dans peu, sous peu), **prochainement, tantôt, tarder** (sans tarder), **vite.** *Nous reviendrons bientôt* ou (fam.) *très bientôt. L'affaire sera bientôt réglée. Je reviendrai bientôt.* — (Avec un présent). *Attendez-le, il revient bientôt. J'aurai bientôt fini. — C'est pour bientôt, peut-être pour demain.*

Et sur son roc Prométhée espéra 1
De voir bientôt une fin à sa peine.
LA FONTAINE, Fables, VII, 8.

Tout ce que je connais est que je dois bientôt mourir. 2
PASCAL, Pensées, IX, I (1669).

Bientôt j'irai dormir d'un sommeil sans alarmes. 3
HUGO, Odes et Ballades, L, V, Ode 4.

Bientôt mes yeux aussi se fermeront pour l'éternité, sans 4
que j'en aie appris beaucoup plus que toi *(petit chien)* sur la vie et la mort. FRANCE, le Petit Pierre, XIV.

(...) un incendie où nous avions déjà tous péri et qui n'allait 5
plus bientôt laisser subsister une seule pierre des murs (...)
PROUST, À la recherche du temps perdu, I, p. 160.

Fam. (destiné à manifester l'impatience du locuteur). *Alors, c'est pour bientôt ? Vous avez bientôt fini ?*

**À BIENTÔT** (loc. adv.), se dit en prenant congé d'une personne que l'on désire ou espère revoir bientôt. → Au revoir, à un de ces jours, (fam.) à la prochaine. *Salut (au revoir), à bientôt ! — À très bientôt !*

♦ **2** Vieilli ou littér. En un court espace de temps. → **Promptement, rapidement, tôt, vite.** *Un travail bientôt fait. Il a bientôt fait de quitter les lieux. Il aura bientôt fait de... Bientôt après il arrivait en ville.*

Sans moi vous passeriez bientôt sous d'autres lois, 6
Et vous auriez bientôt vos ennemis pour rois (...)
CORNEILLE, le Cid, I, 3.

Voilà un contrat bientôt bâti. 7
MOLIÈRE, l'Amour médecin, III, 7.

Et trouvant un lieu propre à dormir d'un bon somme, 8
J'essayais ma posture, et m'ajustant bientôt,
Prenais déjà mon tour pour ronfler comme il faut.
MOLIÈRE, la Princesse d'Élide, I, 2.

(...) c'est quelqu'un qui l'a suivi dès son entrée sur la scène 9
publique avec curiosité et intérêt, et bientôt avec admiration et applaudissement.
SAINTE-BEUVE, Causeries du lundi, 5 nov. 1849.

(...) On la vit bientôt s'alanguir, perdre sa vigueur de 10
pensée et de parole (...)
Georges LECOMTE, Ma traversée, p. 273.

*Cela est bientôt dit :* cela est plus facile à dire qu'à faire.

Par ext. (Pour désigner une très courte distance). *D'abord on trouve la forêt, bientôt après la ferme.*

CONTR. **Longtemps, tardivement. — Lentement, longuement.** — V. aussi **Passé.**

**BIENVEILLAMMENT** [bjɛ̃vɛjamɑ̃] adv. — 1866 ; attestation isolée, Richard de Radonvilliers, 1845 ; de *bienveillant.*

Littér. Avec bienveillance. *S'occuper bienveillamment de quelque chose.*

1 Comme Aimé, le sommelier, le lift et les autres crurent qu'il serait impoli de ne pas sourire jusqu'aux oreilles à une personne qui leur souriait, elle fut bientôt entourée d'un groupe de domestiques avec qui elle causa bienveillamment (...)
PROUST, Sodome et Gomorrhe, Pl., t. II, p. 789.

2 Puis l'observant bienveillamment, et la tête un peu inclinée : Évidemment, je retrouve à travers votre déguisement (...) je ne sais quoi d'ecclésiastique (...)
GIDE, les Caves du Vatican, III, V, *in* Romans, Pl., p. 796.

3 Malgré la bonne grâce qui accompagnait toujours son hospitalité, celui-ci *(de Gaulle)* semblait bienveillamment cuirassé. MALRAUX, Antimémoires, Folio, p. 141.

**BIENVEILLANCE** [bjɛ̃vɛjɑ̃s] n. f. — V. 1175, *bienvoillance ; de bienveillant.*

♦ **1** Vx. Disposition qui incline à vouloir du bien à autrui. *Une bienveillance naturelle.* → **Bonté ; altruisme, bénignité** (littér.), **cœur, débonnaireté** (littér.), **douceur, humanité, mansuétude, volonté** (bonne volonté), **vouloir** (bon vouloir). *Un sentiment de bienveillance. L'amour* (cit. 6) *de bienveillance, selon Descartes.*

♦ **2** Littér. ou style soutenu. Disposition favorable à l'égard de qqn. → **Affabilité, amabilité, cordialité.** *Une bienveillance active.* → **Bienfaisance, obligeance.** *Témoigner, manifester, montrer sa bienveillance. Donner des marques de bienveillance. Une bienveillance inépuisable, à toute épreuve.*

1 (...) Cher ami,
Les marques de ta bienveillance
Sont communes en mon endroit (...)
LA FONTAINE, Fables, VIII, 22.

2 Tant de rares qualités ne lui acquirent pas seulement la bienveillance du peuple, mais encore l'estime et la familiarité des rois.
LA BRUYÈRE, Discours sur Théophraste.

3 (...) laissons la bienveillance naturelle et l'urbanité faire chacune leur œuvre, sans que jamais rien de vénal et de mercantile ose approcher d'une si pure source pour la corrompre ou l'altérer.
ROUSSEAU, Rêveries..., 9e promenade.

4 Un enfant est donc naturellement enclin à la bienveillance, parce qu'il voit que tout ce qui l'approche est porté à l'assister (...) ROUSSEAU, Émile, IV.

5 La bienveillance associe à nos facultés et à nos jouissances les jouissances et les facultés de tous les êtres qu'elle embrasse. Joseph JOUBERT, Pensées, V, 57.

6 Quiconque éteint dans l'homme un sentiment de bienveillance le tue partiellement.
Joseph JOUBERT, Pensées, V, 59.

7 Seule cette chère maman, en sa bienveillance, m'accordait de l'esprit. FRANCE, le Petit Pierre, XXIX.

8 REM. La bienveillance et la bienfaisance sont aisées à distinguer. L'une consiste à vouloir et l'autre à faire du bien ; l'une s'en tient au désir, l'autre en vient à l'accomplissement.
LAFAYE, Dict. des synonymes, Bonté..., bienveillance.

(1680, Richelet). Spécialt. Disposition favorable envers une personne inférieure (en âge, en mérite). → **Bonté, complaisance, indulgence.** *Montrer de la bienveillance à qqn. Honorer qqn de sa bienveillance. Faire appel à, se concilier, gagner la bienveillance de qqn.* → **Faveur, grâce** (se concilier les faveurs, les grâces...). *Jouir, profiter, abuser de la bienveillance d'un protecteur. Ce grand critique parle de l'auteur, du livre avec bienveillance. Être placé sous la haute bienveillance d'un ministre. Il l'a pris comme secrétaire par bienveillance.*

(Choses). *La bienveillance de son accueil, d'un procédé.* → **Honnêteté** (vieilli).

CONTR. **Animosité, antipathie, dédain, dureté, hauteur, hostilité, malveillance, méchanceté, volonté** (mauvaise volonté).

**BIENVEILLANT, ANTE** [bjɛ̃vɛjɑ̃, ɑ̃t] adj. — XIIIe ; fin XIIe, n., «ami» ; de *bien*, et *veuillant*, anc. p. prés. de *vouloir.*

♦ **1** Vx. Qui a de la bienveillance (1.).

♦ **2** Littér. Qui manifeste de la bienveillance. → **Bon ; affable, aimable, bénévole** (vx), **bonhomme** (vieilli), **complaisant, conciliant, cordial, débonnaire, doux, engageant, favorable, humain, indulgent, obligeant.** — (Personnes). *Se montrer bienveillant à l'égard de quelqu'un. — Un visage, un regard, un sourire bienveillant.* — (Actes). *Des paroles, des critiques bienveillantes. Affecter des manières bienveillantes.* → **Paterne.**

Les pensées mauvaises sont en horreur à Yaweh mais les 1
paroles bienveillantes sont pures à ses yeux.
BIBLE (CRAMPON), Proverbes, XV, 26.

Un regard bienveillant réjouit le cœur (...) 2
BIBLE (CRAMPON), Proverbes, XV, 30.

Bienveillant pour l'humanité en général, et terrible pour 3
chaque individu. J. RENARD, Journal, 7 oct. 1892.

(...) j'ai encore le son de sa voix dans les oreilles ; il était 4
doux, bon, bénin, bienveillant, charitable (...)
Ch. PÉGUY, la République..., p. 188.

Il avait besoin, pour être heureux, d'incarner dans un 5
beau visage les Forces mystérieuses et bienveillantes qu'il croyait éparses dans l'univers.
A. MAUROIS, Ariel ou la vie de Shelley, p. 160.

Psychan. *Neutralité* (cit. 3.1) *bienveillante* (de l'analyste).

Par métaphore. (Choses). *La fortune lui fut bienveillante. Le hasard, les astres bienveillants.* → **Favorable.**

CONTR. **Abrupt, antipathique, contraire, désobligeant, dur, hostile, malévole, malveillant, méchant.** ◊ DÉR. **Bienveillamment, bienveillance.**

**BIENVENIR** [bjɛ̃v(ə)niʀ] v. tr. — XIIe ; cour. jusqu'au XVIe ; repris au XIXe à l'infinitif ; de *bien*, et *venir.*

Rare.

♦ **1** Vx. Accueillir favorablement. *Il «consentit à le bienvenir»* (Léon Bloy, *la Femme pauvre*).

♦ **2** Loc. (1863, Littré). Littér. **SE FAIRE BIENVENIR** (DE QUELQU'UN, DANS LA SOCIÉTÉ) : se faire bien accueillir, bien recevoir (Mallarmé, *in* T. L. F.).

**BIENVENU, UE** [bjɛ̃v(ə)ny] adj. et n. — 1170 ; de *bien*, et *venu*, p. p. de *venir.*

♦ **1** Adj. Qui arrive à propos. → **Opportun ; juste.** Qui est accueilli favorablement, avec plaisir. *Une invitation bienvenue.*

REM. *C'est un homme qui est bien venu partout.* Dans cette acception et dans la suivante, on peut écrire *bienvenu* en deux mots (Académie, 8e éd.).

Qui vient de votre part est toujours bien venu. 1
CORNEILLE, Othon, IV, 4.

Je suis bienvenu de tout le monde. 2
RACINE, Remarques sur l'Odyssée.

*Il ne serait pas bienvenu de réclamer.* → Il aurait mauvaise grâce* à réclamer.

♦ **2** N. (1176). *Le bienvenu, la bienvenue,* personne, chose accueillie avec plaisir. *Il est partout le bienvenu. Votre offre est la bienvenue. — Soyez le bienvenu. Soyez la bienvenue ici. Vous êtes toujours les bienvenus* (formules d'accueil). — (Choses). → cidessous, cit. 3 et 5.

Toutes vos lettres seront les bienvenues. 3
Mme DE SÉVIGNÉ, Lettres, 279.

Toute sa famille et tous ceux mêmes qui étaient présents 4
l'accablèrent d'embrassades, après quoi son père lui dit : Sois le bienvenu, Diego !
A. R. LESAGE, Gil Blas, I, II, IX.

5 Toute honte à présent était la bienvenue.
HUGO, la Légende des siècles, VIII, «Décadence de Rome».

6 Venez quand vous voudrez. Est-ce que je vous en empêche? Vous serez toujours le bienvenu.
COURTELINE, Petit historique de Boubouroche.

CONTR. **Malvenu.** ◊ DÉR. et HOM. **Bienvenue.**

**BIENVENUE** [bjɛ̃v(ə)ny] n. f. — Fin XIII^e; de *bienvenu.*

♦ **1** (Dans un souhait). Heureuse arrivée de quelqu'un. *Souhaiter la bienvenue à quelqu'un. Bienvenue à nos hôtes.*

Littér., rare (en emploi libre). *La bienvenue de qqn* (dans un lieu).

Loc. *Pour la bienvenue de qqn.*

♦ **2** Bon accueil (dans quelques expressions). *Discours, cris, clameurs de bienvenue. Signe, baiser, paroles de bienvenue. Donner la bienvenue à qqn. — En bienvenue,* en signe de bienvenue. *«On flambe, en bienvenue, une grosse branche de pin»* (Giono, *Un de Beaumugnes, in* T. L. F.).

Littér. Attitude accueillante (de qqn); aspect accueillant (d'un lieu). *«Quelle fraîche bienvenue que celle de la salle pleine d'ombre, du grand verre de menthe (...)»* (Camus, *Noces,* in T. L. F.).

♦ **3** Régional (Canada; d'après l'angl. *welcome!*). Terme de politesse en réponse à *merci!,* correspondant à *de rien!* ou *je vous en prie,* en français de France.

HOM. **Bienvenu.**

**BIEN-VIVRE** [bjɛ̃vivʀ] n. m. invar. — 1595, Montaigne; de *bien,* et *vivre.*

Vieilli ou littér. Goût, art du bien-être sous toutes ses formes, dans la conduite de la vie.

1. **BIÈRE** [bjɛʀ] n. f. — 1429; terme germanique, moy. haut all. ou moy. néerl. *bier;* a remplacé au XV^e *cervoise*,* désignant une boisson analogue, mais fabriquée sans houblon.

♦ **1** Boisson alcoolique fermentée, faite avec de l'orge* germée (malt) et aromatisée avec des fleurs de houblon*. *La fabrication de la bière* (→ **Brasserie, brasseur, brassin**) *comporte quatre opérations principales.* → **Maltage** (mouillage, trempage, égermage, germination, malt, touraillage; germoir, touraille, pelleteur, dégreneur, concasseur), **brassage** ou **saccharification** (infusion, décoction, moût, drêche, vaguage; cuve, chaudière, reverdoir), **houblonnage** ou **cuisson** (chaudière, refroidisseur), **fermentation** (levure, mousse; mousser, rocher; bouillaison; guilloire). — *Levure de bière,* destinée à la fabrication de la bière.

*Bière brune*, blonde*, colorée, ambrée, rousse. Bière forte, double bière,* dont la fermentation a développé un taux alcoolique important. *Petite bière,* faiblement alcoolisée. *Les bières allemandes, anglaises, belges. Bière de mars,* brassée en mars. *Bière de garde. Bière d'Alsace, de Lorraine. De la bière de Munich* (de la Munich), *de Dortmund. Bière de Pilsen* (de la Pilsen). — *Mauvaise bière.* → **Bibine.** Vx. *Pot de bière. — Chope* à bière. Une chope de bière. Verre à bière; verre de bière* (→ **Baron, bock, demi, formidable, galopin).** *Manger des bretzels, en buvant de la bière. Il boit de la bière en mangeant. Boire de la bière dans un café, un bar, une brasserie. Bière à la pression, bière pression. Bière en bouteilles. Canette* de bière. Bière en boîtes. Un demi de bière sans faux col,* sans mousse. *Bière additionnée de limonade* (→ 1. **Panacher,** p. p. : panaché, fam. panache), *de grenadine* (→ 2. **Monaco; tango).** — *Altérations de la bière : bière filante, plate, aigre. — Recettes de cuisine à la bière.*

Au rapport de Pline, la bière était appelée cervisia par les Gaulois. Les femmes se frottaient le visage avec la levure de cette boisson. 1
CHATEAUBRIAND, les Martyrs, XVIII, 246.

Quand Boubouroche et le monsieur furent attablés, au fond d'une brasserie où l'on buvait de la bière suisse, devant deux bocks qui ruisselaient de fraîcheur (...) 2
COURTELINE, Boubouroche, II, p. 37.

(...) une bière danoise à la mousse immaculée et comme onctueuse à l'œil (faite de bulles microscopiques, serrées, évoquant un peu l'aspect du blanc d'œuf bien battu ou d'une crème fouettée), une bière limpide, chaudement dorée, ambrée plus exactement, et de toute évidence fraîche à point (une fine buée tapisse les flancs déprimés du demi en forme de flûte, et en descendant vers la base des gouttelettes ont dessiné dans ce sablage gris clair trois ou quatre sillons luisants) : c'est ainsi que j'aime à boire la bière. 2.1
Jacques-Gérard LINZE, la Fabulation, p. 67-68.

(...) je m'arrêtais en passant à la brasserie de l'avenue pour prendre, s'il y en avait, deux litres de petite bière. 2.2
Raymond ABELLIO, Ma dernière mémoire, t. I, p. 96.

Loc. (Ivresse de la bière). *Avoir la bière* (et adj.) : être... après avoir bu de la bière. *Il a la bière plutôt gaie et le vin triste.*

(...) le docteur O'Grady, qui avait la bière sentimentale, chantait avec des larmes dans la voix, cette chanson de son pays. 3
A. MAUROIS, les Discours du D^r O'Grady, XVII, p. 192.

*Variétés de bière* (et boissons apparentées à la bière) *propres à un pays.* → (Grande-Bretagne) **Ale, porter, stout;** (Belgique) **faro, gueuze, lambic.**

*(Une, des bières).* Verre, consommation de bière. *Garçon, une bière.* → **Mousse** (fam.). *Commander deux bières à la pression.*

♦ **2** Par anal. (Boissons comparables à la bière). *Bière de riz.* → **Saké.** *Bière de gingembre.* → **Ginger-beer** (anglic.). *Bière d'épinette*. Bière sans alcool.* — En Afrique. *Bière de banane. Bière de mil.*

Pharm. Vx. *Bière d'absinthe, de gingembre, d'iodure de fer, de quinquina; bière antiscorbutique, laxative* (*Compendium de pharmacie,* 1868, *in* T. L. F.).

♦ **3** (1790, *in* D. D. L.; de *petite bière,* ci-dessus cit. 2.2). Fam. *C'est (ce n'est pas) de la petite bière :* c'est (ce n'est pas) une bagatelle sans importance.

(...) leurs portraits *(des Villeparisis),* authentiques ou non, sous le flot grandissant desquels certains Guermantes et certains Condé qui ne sont pourtant pas de la petite bière, ont dû disparaître. 3.1
PROUST, le Côté de Guermantes, Pl., t. II, p. 294.

Par métaphore du sens concret :

Tout lui semble petite bière, après les liqueurs fortes qu'il *(l'auteur)* a préparées lui-même ou fait distiller à son goût dans un laboratoire mercenaire. 4
G. DUHAMEL, Défense des lettres, I, IX, p. 69.

HOM. 2. **Bière.**

2. **BIÈRE** [bjɛʀ] n. f. — XI^e, «brancard»; «cercueil», fin XII^e; francique **bëra* «civière».

Vieilli ou littér. (les emplois libres sont gênés par l'homonymie avec 1. *bière*). Caisse oblongue où l'on enferme un mort. → **Cercueil.** *Porter la bière au cimetière.*

La bière est un séjour par trop mélancolique (...) 1
MOLIÈRE, Sganarelle, 17.

À sa mort on le cloue dans une bière (...) 2
ROUSSEAU, Émile, I.

(...) ce navire silencieux et vide, lui faisait l'effet d'une bière où il serait venu tout vivant s'ensevelir lui-même (...) 3
LOTI, Mon frère Yves, LXXX, p. 187.

4 Vue du cinquième étage, la bière faisait peu d'impression, et le professeur n'arrivait pas à faire tenir les humanités dans ce coffret en bois blanc.

M. AYMÉ, Maison basse, p. 27.

Loc. (plus cour.). ... **EN BIÈRE** : dans la, dans une bière. *Mettre un cadavre en bière.* → Sépulture, cit. 1.

HOM. 1. **Bière.**

**BIERGOL** [biɛʀgɔl] n. m. → **Diergol.**

**BIÈVRE** [bjɛvʀ] n. m. — V. 1120; bas lat. *beber,* du gaulois **bebros.* Cf. l'angl. *beaver.*

♦ **1** Vx. Castor. — REM. Le mot, vieilli depuis le XVIIe s., survit dans des toponymes, des hydronymes.

Entre les animaux terrestres et aquatiques sont les amphibies : comme sont les bièvres, loutres, tortues.

Ambroise PARÉ, Animaux, 21, *in* LITTRÉ.

♦ **2** (XVIe). Régional. Harle* commun, grand harle (oiseau).

**BIEZ** [bjɛ] n. m. → **Bief.**

**BIF** [bif] n. m. — 1920, *in* D. D. L.; abrév. de *bifteck.*

Fam. Bifteck.

Qu'est-ce que je marque, Jane, pour les bifs? Vous l'aimez comment, cuite, tartare, semelle, bleu?

A. SARRAZIN, la Cavale, p. 166.

Loc. *Gagner son bif, défendre son bif.* → **Bifteck,** 2; **bœuf.**

HOM. 1. **Biffe,** 2. **biffe,** 3. **biffe.**

**BIFACE** [bifas] n. m. et adj. — 1920, Vayson de Pradenne, *in* T. L. F.; de *bi-,* et *face.*

Didactique.

♦ **1** N. m. (Hist.). Silex taillé sur ses deux faces. → **Coup-de-poing** (2.). *Civilisations à bifaces* (→ **Abbevillien**). *Tailleur de bifaces.*

1 Un grand fait, dont on doit la connaissance à H. Breuil, domine l'histoire industrielle du Paléolithique ancien : la formation de deux groupes, reparaissant à diverses reprises le long de la succession des phénomènes géologiques, l'un caractérisé par les industries à éclats, uniquement façonnés avec des éclats enlevés de nucléus, et les industries à bifaces (coups de poing), généralement plus massifs, exécutés par retailles d'un bloc ou d'un éclat volumineux, en enlevant des écailles sur les deux faces de la pièce.

Raymond LANTIER, la Vie préhistorique, p. 38.

2 Au sommet de son évolution, le biface est devenu une amande de silex, épaisse mais bien équilibrée, dont le profil en coupe accuse une dissymétrie issue des deux séries de gestes de sa préparation initiale. De longs enlèvements à partir des bouts déterminent l'élimination d'éclats de forme régulière, utilisés eux-mêmes comme couteaux.

A. LEROI-GOURHAN, le Geste et la Parole, t. I, p. 193.

♦ **2** Adj. (V. 1950). Rare. Qui a deux faces. — (Abstrait) :

3 Puisque, en un point d'elle-même l'étoffe de l'univers a une face interne, c'est forcément qu'elle est biface *par structure* (...)

P. TEILHARD DE CHARDIN, le Phénomène humain, 1955, *in* T. L. F.

**BIFFAGE** [bifaʒ] n. m. — 1808; «examen (de comptes)», 1732; de *biffer.*

Action de biffer. → **Biffure.** Ce qui est biffé. *Le biffage d'un mot. Impossible de gommer le biffage sans gommer le mot lui-même.*

1. **BIFFE** [bif] n. f. — 1220, sens 1; orig. incert., le lat. pop. **bifilis,* lat. *bifilum* «double fil» (de *bis,* et *filum*) fait difficulté.

Vx. Étoffe, tissu rayé très léger.

DÉR. **Biffer, biffeton, biffin.** ◊ HOM. **Bif,** 2. **biffe,** 3. **biffe.**

2. **BIFFE** [bif] n. f. — XVIe, Montaigne; orig. incert., p.-ê. du rad. *biff-, buff-* correspondant à l'enflure des joues. → Bouffer.

Vx. Tromperie.

HOM. **Bif,** 1. **biffe,** 3. **biffe.**

3. **BIFFE** [bif] n. f. — 1878, «métier de chiffonnier»; de *biffin*.*

♦ **1** Pop. Corporation des chiffonniers; métier de chiffonnier.

♦ **2** (1898, par compar. du fantassin ployant sous le sac, avec le chiffonnier). Argot milit. Infanterie.

La biffe a bien donné, y a rien à dire. Alt-Kirch, c'était plein de Pruscots. En cinq secs, la biffe les a foutus dehors à la baïonnette (...) 1

MARTIN DU GARD, les Thibault, t. VIII, p. 170.

(...) Drôle d'État-Major! Il est vrai que l'esprit de corps est très développé chez les artilleurs qui se prennent tous pour des Napoléons et méprisent la biffe, cette chair à canon. 2

B. CENDRARS, la Main coupée, *in* Œ. compl., t. X, p. 169.

HOM. **Bif,** 1. **biffe,** 2. **biffe.**

**BIFFER** [bife] v. tr. — 1576, *biffé* «rayé»; «effacer de la mémoire», 1584; de 1. *biffe* «étoffe rayée» plutôt que du lat. pop. **bifida,* de *fundere* «fendre».

♦ **1** Effacer (ce qui est écrit), annuler, supprimer, en rayant. → **Barrer, bâtonner, corriger, effacer, raturer, rayer.** *Biffer une phrase d'un trait de plume.* → **Biffure, rature.** *Biffer la moitié d'un article.* → **Sabrer.**

Rayer et biffer (...) n'emportent point l'idée de correction, mais celle d'abolition ou de retranchement (...) Mais biffer c'est rayer d'autorité ou avec colère. 1

LAFAYE, Dict. des synonymes, Effacer..., biffer.

Chaque fois qu'il citait un nom, il le biffait violemment d'un trait de crayon qui s'abattait sur le papier comme un couperet sur une nuque. 2

COURTELINE, Messieurs les ronds-de-cuir, VI, t. I.

Enfin, conclut Louis Barthou, je vous promets de ne biffer aucun nom de votre liste sans vous avoir au préalable prié de venir me voir pour le défendre. 3

Georges LECOMTE, Ma traversée, p. 448.

L'homme qui d'ordinaire glisse un «mais» dans chacun de ses propos aimerait mieux de perdre une dent que de biffer son petit monosyllabe préféré. 4

G. DUHAMEL, Discours aux nuages, I.

Par comparaison :

Les images changeantes se dessinaient au ciel, vagues et mobiles dans l'hallucination colorée de son œil; et les hirondelles qui rayaient l'espace d'un vol incessant de flèches lancées semblaient vouloir les effacer en les biffant comme des traits de plume. 4.1

MAUPASSANT, Fort comme la mort, éd. 1889, p. 4.

Par ext. *Biffer quelqu'un,* retrancher son nom (d'une liste).

En ce cas-là, vous savez ce qu'il en arriverait; vous seriez biffé de son testament (...) 5

A.-R. LESAGE, Gil Blas, VII, 4.

♦ **2** Techn. En gravure, «Annuler une planche gravée en la striant de tailles profondes» (Réau).

(1863). Vieilli. *Biffer les poinçons :* briser officiellement les poinçons d'un maître-orfèvre lorsqu'il cesse d'exercer sa profession.

♦ **3** Par métaphore ou fig. Annuler, supprimer. *On a biffé, on a voulu biffer tout ce qu'il avait dit, fait, sa participation.*

CONTR. **Ajouter, immatriculer, incorporer, inscrire.** ◊ DÉR. **Biffage, biffure.**

**BIFFETON** ou **BIFTON** [biftɔ̃] n. m. — 1860, *in* Esnault; probablt de 1. *biffe* «étoffe rayée», d'où probablt «chiffon (de papier)».

♦ **1** Argot, pop. Courte lettre, billet; correspondance clandestine (→ Bigorneau, cit. 2).

1 Imagine le trafic, d'un groupe à l'autre, toutes les filles à leur fenêtre le soir, qui gueulaient et s'appelaient, les biftons, etc. J'étais voisine de cellule avec Cine.
A. SARRAZIN, l'Astragale, p. 45.

♦ **2** (1878). Fam. Billet de banque. *Donne tes biffetons.*

2 Les inspecteurs m'ont déposée au Greffe, soigneusement : livraison faite. Mes biftons comptés, enregistrés, mis en sûreté avec la joncaille et le transistor (...)
A. SARRAZIN, la Cavale, p. 9.

Spécialt. Billet de théâtre; (1888) billet de train.

3 Il revint sur ses pas et apprit avec un vif intérêt qu'il pouvait conserver son bifton, toujours valable pour le voyage à Paris. R. QUENEAU, le Dimanche de la vie, p. 77.

DÉR. **Biffetonner.**

**BIFFETONNER** ou **BIFTONNER** [biftɔne] v. intr. — 1899, *in* Esnault; de *biffeton*, 1.

Argot. Correspondre par des billets (biffetons).

Moi, à part «l'affaire», sujet tabou, et mes journaux que je ne quitte pas des yeux, pour qu'ils ne passent pas aux chiottes avec lecture, je n'ai pas grand'chose à planquer : je ne biftonne pas avec les souris d'en bas, mon homme a défense de m'écrire. A. SARRAZIN, la Cavale, p. 38.

**BIFFIN** [bifɛ̃] n. m. — 1836; de 1. *biffe* «étoffe rayée».

♦ **1** Pop. Chiffonnier (→ 3. **Biffe**, 1.).

1 (...) M. Zerter veut se faire passer pour grand seigneur par son mobilier ancestral mais on cache dans les chambres de domestiques les armoires du grand-père qui vendait des chiffons. L'origine de cette belle fortune est dans les guenilles et elle ne se maintient que par des haillons de conscience. Le petit-fils traite les hommes comme l'aïeul biffin traitait les oripeaux : au poids et au denier.
Pierre HAMP, la Peine des hommes (Moteurs), p. 250.

2 Enfin parmi les innombrables chevaliers du crochet, quelques-uns parviennent à gagner la «grosse galette»; mais alors ce ne sont plus des biffins; l'ancien écumeur de détritus est devenu monsieur X..., négociant en chiffons. GORON, l'Amour à Paris, t. III, p. 1411.

♦ **2** (1878; traditionnellement, à cause du sac, comparé à celui du chiffonnier; une autre explication en fait un mot des marins et de l'infanterie de marine, porteurs de l'«ancre», par dérision pour l'habillement médiocre des fantassins). Fantassin. → 3. **Biffe**, 2.; **bidasse, soldat, troupier.**

3 Mais ce que le gouvernement ne peut savoir et ce que nous, simples biffins, n'ignorons pas à cause des conversations que nous percevons (...)
Georges LECOMTE, Ma traversée, p. 184.

4 L'individu n'avait pas de veste de cuir, il n'avait pas de macaron sur la poitrine, mais il avait malgré tout une croix de guerre avec étoile, ce qui n'était pas mal à l'époque, pour un biffin.
R. GARY, la Promesse de l'aube, p. 246.

Argot mar. Péj. Mauvais marin. *Nœud de biffin,* qui n'est pas fait selon les règles de l'art.

DÉR. 3. **Biffe.**

**BIFFURE** [bifyʀ] n. f. — 1580, *biffeur;* de *biffer.*

♦ **1** Action de biffer. → **Biffage.** Raie par laquelle on biffe. → **Rature.**

Ces trois exemplaires sont condamnés à toutes les ratures et biffures que j'y pourrai faire. P.-L. COURIER, II, II.

Par métaphore. *Biffures,* titre d'un ouvrage de Michel Leiris.

♦ **2** Techn. (céram.). Trait en creux pratiqué sur la marque de fabrique d'un objet de porcelaine pour désigner une pièce de rebut.

**BIFIDE** [bifid] adj. — 1772, en bot.; lat. *bifidus* «fendu en deux».

♦ **1** Sc. nat. Fendu en deux. *Pétale, feuille bifide. — Sabot, langue bifide. Nageoire bifide.*

♦ **2** Littér. Séparé en deux parties.

Ils descendirent comme on dégringole une échelle et comme une chute d'eau devient bifide et marche humainement afin d'enjamber les pierres (...)
A. JARRY, Œ. compl., Pl., t. I, p. 778.

**BIFIDUS** [bifidys] n. m. — 1900, *bacteroides bifidus; bacterium bifidum,* 1927; lat. *bifidus* «fendu en deux».

Microbiol. Genre de bactéries *(Bifidobacterium),* en général anaérobies, dont une espèce se trouve dans la flore intestinale des nourrissons. — (1986). Spécialt., cour. Cette bactérie *(Bifidobacterium bifidum),* utilisée dans l'industrie alimentaire comme ferment (depuis 1967). *Lait fermenté au bifidus;* abusivt *yaourt au bifidus.* — (Attesté 1988). Absolt. Lait fermenté au bifidus. *Acheter des bifidus.*

**BIFILAIRE** [bifilɛʀ] adj. — 1873; de *bi-*, 1. *fil,* et suff. *-aire.*

Phys. Qui est constitué par deux fils. *Suspension bifilaire :* suspension d'une pièce mobile par deux fils parallèles. — Électr. *Liaison, enroulement bifilaire,* par deux fils à courants de sens opposé.

**BIFOCAL, ALE, AUX** [bifɔkal, o] adj. — V. 1930; de *bi-*, et *focal.*

Opt. Qui est doté de deux distances focales différentes, qui a deux foyers. *Lentilles bifocales.* — Spécialt. *Lunettes bifocales,* dont le verre est divisé en deux parties, l'une pour la vision à distance, l'autre pour la vision rapprochée. — Syn. cour. : *à double foyer*.*

**BIFORE** [bifɔʀ] n. f. et adj. — 1845; autre sens (zool.) en 1792; lat. *biforis* «qui a deux ouvertures», de *bi- (bis-),* et *foris* «porte».

**I** N. f. Bot. Plante *(Ombellifëracées)* des terrains calcaires, à fleurs blanches, et dont le fruit est percé de deux ouvertures.

**II** Adj. (1932). Rare. Qui a deux baies. *Fenêtre bifore, trifore* (A. Suarès).

**BIFORME** [bifɔʀm] adj. — Fin XVᵉ; de *bi-*, et *forme;* cf. lat. *biformis.*

Didact., vx. Qui présente deux formes différentes. → **Dimorphe.**

**BIFRONT** [bifʀɔ̃] adj. m. — 1547; de *bi-*, et *front,* pour traduire le lat. *bifrons.*

Didact. Qui a deux fronts, deux visages. *Le Janus bifront des Romains* (*Janus bifrons,* en latin). — N. m. *Un bifront.*

(...) l'aquatique Mendès, aux spasmes d'azur, ami de Judas par charité et lapidateur de l'adultère par esprit de justice, espèce de bifront sémite à double sexe, l'un pour empoisonner, l'autre pour trahir (...)
Léon BLOY, le Désespéré, p. 240.

**BIFTECK** [biftɛk] n. m. — 1806; *beeft Stek à l'Angloise,* 1735, attestation isolée; *beef-stake,* dans un contexte anglo-américain, 1785; angl. *beef-steak,* de *beef* «boeuf», et *steak* «tranche».

♦ **1** Tranche de bœuf grillée, ou destinée à l'être. → **Steak, romsteck.** *Un épais bifteck.* → **Chateaubriand, tournedos.** *Un bifteck dans le filet, dans le romsteck* (spécialt, morceau de filet, d'aloyau →

cit. 1). *Bifteck aux pommes* (de terre). *Bifteck frites.* — *Bifteck saignant, bleu* (très saignant); *bifteck à point, bien cuit.*

1 Pourtant, il y a toujours quelque chose qui sépare le bifteck anglais du bifteck français. Nous faisons notre bifteck avec un morceau de filet d'aloyau, tandis que nos voisins prennent pour leurs biftecks ce que nous appelons la sous-noix du bœuf, c'est-à-dire le rump-steak; mais chez eux cette partie du bœuf est toujours plus tendre qu'elle ne serait chez nous, parce qu'ils nourrissent mieux leurs bœufs que nous et qu'ils les tuent plus jeunes que nous ne les tuons en France.
A. DUMAS, Grand dict. de la cuisine, p. 223.

2 Le sanguin est la raison d'être du bifteck : les degrés de sa cuisson sont exprimés, non pas en unités caloriques, mais en images de sang; le bifteck est *saignant* (rappelant alors le flot artériel de l'animal égorgé), ou *bleu* (et c'est le sang lourd, le sang pléthorique des veines qui est ici suggéré par le violine, état superlatif du rouge). La cuisson, même modérée, ne peut s'exprimer franchement; à cet état contre-nature, il faut un euphémisme : on dit que le bifteck est *à point*, ce qui est à vrai dire donné plus comme une limite que comme une perfection.
R. BARTHES, Mythologies, p. 79.

Par plais. *Rouge bifteck :* rouge sang.

3 Son admirable corps, moulé dans un pull-over rouge bifteck à col roulé (...)
René FALLET, le Triporteur, p. 423.

♦ **2** Fig., fam. [a] (1939, *in* Höfler). *Gagner son bifteck :* gagner sa vie. — (1967). *Défendre son bifteck :* défendre ses intérêts.

[b] Argot. Prostituée (qui gagne le bifteck de son «protecteur»).

REM. L'Académie a adopté l'orthographe *bifteck* dès 1835. Parmi les multiples var. graphiques, on trouve *beffteack* (1840), *beefsteak* (1821, *in* Höfler — seule forme anglaise correcte), *biftec* (1920), *beefsteck*, *biftèque* (1939), *beefsteck*. Outre la forme *bifteck*, la variante francisée *biftèque* (→ ci-dessous, cit. 6) semble seule vivante.

4 Elle avala successivement, sans ôter son masque (...) vingt glaces dont un beffteack.
DUMERSAN et DUPEUTY, Matelots et Matelotes, VIII (1840), *in* D. D. L., II, 3.

5 Il est certes peu de repas à la suite desquels je n'accepterais pas volontiers un beefsteck aux pommes (...)
GIDE, Attendu que, p. 38.

6 Sabine Lemurier, dans un calme apparent, continuait à mener une existence d'épouse attentive et de bonne ménagère, allait au marché, cuisait les biftèques, recousait les boutons, faisait durer le linge de son mari.
M. AYMÉ, le Passe-muraille, 1939, p. 54.

**BIFTON** [biftɔ̃] n. m.; **BIFTONNER** [biftɔne] v. intr. → **Biffeton; biffetonner.**

**BIFURCATION** [bifyʀkasjɔ̃] n. f. — 1560, Paré; de *bifurquer.*

♦ **1** Didact. Division en deux branches. — Anat. *Bifurcation des bronches, de la trachée.* — Bot. *Bifurcation d'une tige de plante.* → **Dichotomie, enfourchure, fourche.** «*Auprès des bifurcations des branches...*» (Huysmans, *Là-bas*, XI).

♦ **2** Cour. Lieu où une voie de communication se dédouble. *Bifurcation d'une route, d'un chemin.* → **Carrefour, croisement, embranchement, fourche.** *Hésiter devant une bifurcation.*

1 (...) les têtes s'égaraient, les anciens ne reconnaissaient plus les voies, dont l'écheveau s'était comme embrouillé devant eux. À chaque bifurcation, une incertitude les arrêtait court, et il fallait se décider pourtant.
ZOLA, Germinal, VII.

(1894). *Bifurcation d'une voie de chemin de fer.* → **Aiguillage, aiguille, branchement, embranchement.** *La bifurcation d'un conducteur électrique. Gare, voie de bifurcation.* — Abrév. pop. : *bifur* [bifyʀ] (1920, *in* D. D. L.). *La bifurcation d'un cours d'eau.* → **Bras** (de rivière, etc.). *Signaux de bifurcation,* utilisés dans le balisage d'un canal.

♦ **3** [a] (1852, réforme des programmes de l'enseignement secondaire en France). Fig. Possibilité d'option entre deux voies, entre deux spécialités. → **Bifurquer** (3.); **orientation.** *Bifurcation des études en «lettres» et «sciences»* (en classe de quatrième, à partir de 1852).

(...) j'affectai un air sombre et lui dis d'une voix grave : — Justine, cette année, j'entre dans les classes supérieures. C'est l'année de la bifurcation. J'ai une grande résolution à prendre (...) Pense donc, Justine : la bifurcation (...) jetant sur moi un regard consterné, elle s'écria : 2
— C'est-il, Dieu, vrai? A. FRANCE, la Vie en fleur, VI.

[b] Embranchement, dans un système abstrait où existent des ramifications, des options. «*Des carrefours ramifiés à l'infini, des bifurcations infiniment bifurquées...*» (Jankélévitch, *le Je-ne-sais-quoi...*, I, p. 39).

CONTR. **Jonction, raccordement, réunion.**

**BIFURQUER** [bifyʀke] v. intr. — 1560, Paré, v. pron.; v. tr. et intr., XIX^e; du rad. du lat. impérial *bifurcus* «fourchu», de *bi- (bis-),* et *furca* «fourche».

♦ **1** Se diviser en deux, en forme de fourche. → **Dédoubler** (se), **diverger.** *La route, la voie de chemin de fer, la rivière bifurque à cet endroit. Branches d'un arbre qui bifurquent.* → **Bifurcation.**

♦ **2** Par ext. Abandonner une voie pour en suivre une autre. *Le train a bifurqué sur une voie de garage.*

♦ **3** Fig. Prendre une autre orientation. → **Changer; diriger, orienter** (se diriger, s'orienter vers). *Faire bifurquer la conversation.*

Je laissai ainsi bifurquer mon premier amour, comme plus tard je laissai bifurquer ma politique, de la façon la plus maladroite. 1
RENAN, Souvenirs d'enfance..., La petite Noémi, VI, p. 97.

Spécialt. Passer en classe de sciences, lors de la «bifurcation» (3.) des études.

Mes parents avaient décidé qu'après la troisième, je bifurquerai. Bifurquer, c'était abandonner résolument les Lettres pour se consacrer tout entier aux Sciences. 2
Maurice DONNAY, Lycée Louis-le-Grand, p. 127, *in* HANSE.

♦ **4** V. tr. Électr. *Bifurquer un courant,* le faire passer simultanément dans deux bobines.

◆ **SE BIFURQUER** v. pron.

(Vieilli). Se dédoubler. *La route, la rue se bifurquait.*

◆ **BIFURQUÉ, ÉE** p. p. adj.

Didactique. Divisé en deux parties. → **Dichotomie, dichotomique.** *Classification bifurquée,* qui procède en divisant chaque terme en deux. — Sc. nat. *Tige bifurquée. Queue bifurquée.* — Techn. *Courant bifurqué.*

Nous aurions aimé illustrer ce texte par une curieuse figure représentant un animal à tronc exceptionnellement bifurqué à partir du milieu de sa longueur. 3
ÉLUARD, l'Immaculée Conception, Pl., t. I, p. 342.

CONTR. **Rejoindre** (se), **raccorder** (se), **réunir** (se). ◇ DÉR. **Bifurcation.**

**BIGAILLE** [bigaj] n. f. — Av. 1738, Labat, *in* Trévoux; p.-ê. du provençal *bigaio, bigailho* «bigarrure», de *jalho* «bigarré», d'un lat. pop. **gallius,* de *gallus* «coq».

♦ **1** Vx (fam.). Insecte volant.

Tandis que les autres esclaves étaient rudement accablés de travail, Habibrah n'avait d'autre soin que de porter derrière le maître un large éventail de plumes d'oiseaux de 1

paradis, pour chasser les moustiques et autres bigailles.
HUGO, Bug-Jargal, *in* Œ. compl., t. VI, p. 12.

2 Mais, ô mes frères, notre armée a fondu sur la leur comme les bigailles sur un cadavre.
HUGO, Bug-Jargal, *in* Œ. compl., t. VI, p. 79.

♦ **2** (1843, régional, *in* Cellard et Rey). Fam. Menu fretin, petits poissons sans valeur.

Fig. Mar., vx. *La bigaille :* les plus jeunes membres de l'équipage, qui ne sont pas encore matelots; l'ensemble des mousses et des novices.

♦ **3** (1935). Argot. Menue monnaie.

**BIGAME** [bigam] adj. et n. — 1450; v. 1274 (d'un clerc); lat. ecclés. *bigamus* «veuf remarié». → -game.

♦ **1** Qui est marié à deux personnes en même temps. *Il est bigame.* — N. *Le bigame est «puni d'un emprisonnement de six mois à trois ans et d'une amende»* (art. 340 du *Code pénal*). *Une bigame.* → **Polygame, polyandre.**

Par ext. Qui a deux liaisons simultanées (dont l'une peut être un mariage).

♦ **2** N. m. Dr. canon. Homme remarié ou ayant épousé une veuve.

**CONTR.** **Monogame.** ◊ **DÉR.** V. **Bigamie.**

**BIGAMIE** [bigami] n. f. — 1450; «état de celui qui s'est remarié», 1370; lat. médiéval *bigamia* (→ Bigame).

♦ **1** Dr. et cour. État d'une personne qui, étant engagée dans les liens du mariage, en a contracté un autre avant la dissolution du précédent (art. 340 du Code pénal). → **Polygamie, polyandrie.** *La bigamie est un crime.*

1 Celui qui est déjà engagé dans les liens d'un premier mariage ne peut pas en contracter un second. Il y aurait *bigamie* et le second mariage serait *nul.* En outre, si l'époux bigame s'était remarié de mauvaise foi (...) il commettrait un crime, puni des travaux forcés à temps (art. 340 C. Pén.).
M. PLANIOL, Traité élémentaire de droit civil, p. 272.

Par ext. Adultère (d'un homme marié, d'une femme mariée).

2 *(Le)* brocanteur, qui voulait faire d'elle sa concubine en l'enlevant à Cibot *(son mari),* espèce de bigamie beaucoup plus commune qu'on ne le pense (...)
BALZAC, le Cousin Pons, p. 202, *in* T. L. F.

Situation où une personne a deux liaisons simultanées.

♦ **2** Dr. canon. Second mariage ou mariage avec une veuve (d'un homme).

♦ **3** Dr. canon. *Bigamie spirituelle :* cumul de deux bénéfices ecclésiastiques incompatibles.

**CONTR.** **Monogamie.**

**BIGARADE** [bigaʀad] n. f. — 1651; *bigarrat* «arbre produisant des oranges amères», 1600; empr. au provençal *bigarrado,* dérivé de *bigarra* «bigarré». → Bigarrer.

♦ **1** Orange amère. *La bigarade entre dans la fabrication des confitures, du curaçao. Sauce bigarade,* au jus de bigarade. *Aigre-de-bigarade.* → **Aigre-de-cèdre** (REM.).

♦ **2** (1690). Variété de poire, grosse, plate et grisâtre.

**DÉR.** **Bigaradier.**

**BIGARADIER** [bigaʀadje] n. m. — 1751, *bigarradier;* de *bigarade.*

Arbre du genre *citrus,* appelé *oranger amer,* cultivé pour ses feuilles et ses fleurs (dites *fleurs d'oranger*). *Le bigaradier est utilisé comme porte-greffe de l'oranger doux.*

**BIGARRÉ, ÉE** [bigaʀe] adj. — 1450; orig. incert., p.-ê. du préf. *bi-,* et moy. franç. *garre* «bicolore», d'orig. inconnue, cf. esp. *bigaro* «frelon», languedocien *bigar* «frelon».

♦ **1** Qui a des couleurs variées. → **Bariolé, chamarré, coloré, jaspé.** *Étoffe bigarrée; habit bigarré.* → **Arlequin** (habit d'arlequin). *Une peau d'animal, une fourrure bigarrée. Un animal bigarré.*

(...) il veut avoir 1
Un manchon de ma peau, tant elle est bigarrée (...)
LA FONTAINE, Fables, IX, 3.

Les hommes bigarrés, 2
Les uns gris, les uns noirs (...)
BOILEAU, Satires, VIII.

(...) ce labyrinthe de ruelles étroites où circule, s'agite, 3
pullule la population la plus colorée, bigarrée, drapée, pavoisée, miroitante, soyeuse et décorative, de tout ce rivage oriental.
MAUPASSANT, la Vie errante, éd. Albin Michel, p. 189.

Minér. *Grès* bigarré. — Jaspe bigarré.*

Blason. Nuancé (d'une autre couleur). *Papillon d'argent bigarré de sable.*

♦ **2** Formé d'éléments divers. *Une société, une foule bigarrée.* → **Disparate, hétéroclite, hétérogène, mêlé, varié.** *Langue bigarrée. Style bigarré.*

Féodalement libéral, aristocrate et démocrate, esprit 4
bigarré, fait de pièces et de morceaux, Montlosier accouche avec difficulté d'idées disparates (...)
CHATEAUBRIAND, Mémoires d'outre-tombe, I, 8.

(...) le troupeau bigarré des êtres humains. 5
FRANCE, Histoire comique, X.

Et quand on était fatigué du composite et bigarré langage 6
moderne, c'était (...) un grand repos d'écouter la causerie de M^me^ de Guermantes (...)
PROUST, le Côté de Guermantes, Pl., t. II, p. 495.

(...) le mal et le bien sont comme l'ombre et la lumière sur 7
une route. La route en est toute tachée et bigarrée, mais va tout droit vers Dieu.
J. GREEN, Journal, Vers l'invisible, 15 sept. 1962.

**CONTR.** **Homogène, uni, uniforme.** ◊ **DÉR.** **Bigarrer.** – **HOM.** **Bigarrer.**

**BIGARREAU** [bigaʀo] n. m. — 1583 (la date de 1530 correspond en fait au verbe *bigarrer*); de *bigarré.*

Fruit du bigarreautier, cerise* rouge et blanche, à la chair ferme. *Le bigarreau produit un jus incolore et sucré.*

(...) ce panier de bigarreaux — les cerises brunes qu'il faudra trier soigneusement, une à une, à cause des vers dont M^gr^ Espelette a horreur.
BERNANOS, la Joie, *in* Œ. roman., Pl., p. 597.

**DÉR.** **Bigarreautier.**

**BIGARREAUTIER** [bigaʀotje] n. m. — 1680; de *bigarreau.*

Cerisier de la variété qui produit les bigarreaux.

**BIGARRER** [bigaʀe] v. tr. — 1530; de *bigarré.*

♦ **1** Marquer (qqn ou qqch.) de couleurs qui tranchent l'une sur l'autre. *Bigarrer une toile.* → **Barioler, (vx) billebarrer, chamarrer, colorer, jasper, marqueter, (vx) nuer.**

(...) la tonnelle, dont les pampres, tamisant le soleil, bigar- 1
raient d'ombre et de clair sa charmante figure.
Th. GAUTIER, le Roman de la momie, II.

Par ext. Former comme une bigarrure sur (qqch.).

Des plaques de nuages violacés bigarraient le ciel. 2
TAINE, *in* Pierre LAROUSSE.

♦ **2** Modifier (qqch.) en ajoutant de nombreux éléments hétérogènes; rendre bigarré (2.). → **Diversifier, nuancer, parsemer, varier.** *Bigarrer un discours de citations en plusieurs langues.*

3 Ont-ils pu démêler toutes les nuances qui bigarrent la vie commune? VOLTAIRE, Lettre au roi de Prusse, 79.

4 Sans bigarrer son discours de quelque plaisanterie hors de place. VAUVENARGUES, Batylle.

CONTR. **Harmoniser, unifier, uniformiser.** ◊ DÉR. **Bigarreau, bigarrure.** — HOM. **Bigarré.**

**BIGARRURE** [bigaʀyʀ] n. f. — 1530, *biguarrure*; de *bigarrer*, et suff. *-ure*.

♦ **1** Aspect bigarré, marque de ce qui est bigarré (1.). → **Bariolage, jaspure, mélange.** *La bigarrure d'un costume, d'une étoffe. Bigarrure de pièces de bois précieux.* → **Marqueterie.** — *(Une, des bigarrures). Bigarrure de la peau.* → **Tavelure.**

1 Je trouvai sur son visage de certaines bigarrures, comme si elle eût relevé de maladie. RACINE, Lettres.

2 La bigarrure des costumes. FLAUBERT, Trois contes, I, 2.

2.1 *(Les trottoirs qui)* sont baignés par le soleil encore haut, alors que sur les façades des guirlandes de lampes électriques, des réclames lumineuses fixes et mobiles et généralement de multiples bigarrures translucides placées devant un feu, attirent l'œil et mettent les sens en éveil. A. PIEYRE DE MANDIARGUES, la Marge, p. 169.

♦ **2** (1548). Mélange de personnes, de choses disparates, mal assorties. → **Disparité, diversité, variété.** *La bigarrure d'une société. La bigarrure d'un style, d'un ouvrage, des mœurs d'un pays.*

3 Vous me représentez votre cabinet (...) à peu près comme l'habit d'Arlequin : cette bigarrure n'est pas dans votre esprit (...) Mme DE SÉVIGNÉ, 835, 24 juil. 1680.

4 Les nations ne jettent pas à l'écart leurs antiques mœurs comme on se dépouille d'un vieil habit : il en résulte des lambeaux qui forment, avec les nouveaux vêtements, une effroyable bigarrure (...) CHATEAUBRIAND, le Génie du christianisme, III, 1, 8.

**BIGAUT** [bigo] n. m. → 2. **Bigot.**

**BIG BANG** ou **BIG-BANG** [bigbɑ̃g] n. m. sing. — 1956 (→ cit.); anglo-amér. *big bang* «grand boum», expression appliquée ironiquement par l'astronome américain Fred Hoyle aux théories du mathématicien belge Georges Lemaître sur l'«atome primitif».

Didact. Théorie cosmologique selon laquelle l'Univers a son origine dans un état primitif hypercondensé à partir duquel il est toujours en expansion. *«L'idée de l'"explosion initiale" du big bang reprend une nouvelle vigueur et (...) nombre de faits nouveaux militent en sa faveur»* (*la Recherche,* 2 juin 1970, p. 11). *«(...) l'atome primitif dont l'univers était fait il y a douze milliards d'années avant le "big-bang"* (sic) *originel qui a fait naître les étoiles et les galaxies»* (*Science et Vie,* déc. 1973, p. 69).

Cela ressemble bien aux Américains d'imaginer un big bang à l'origine de nos univers. J. GREEN, Journal, 15 févr. 1956, Le bel aujourd'hui, p. 169.

Par métaph. Origine, suivie d'un développement brusque. *«Le "big-bang" du féminisme contemporain date de 1949»* (*le Nouvel Obs.,* nº 1484, 15 avr. 1995, p. 79).

**BIGE** [biʒ] n. m. — 1704; lat. *biga.*

♦ **1** Hist. Char antique à deux chevaux (→ **Quadrige**). — Par appos. *Char bige.*

♦ **2** (1842, Académie, *Compl.*). Monnaie antique portant un bige.

**BIGEADE** [biʒad] n. f. — 1843, G. Sand; de *biger.*

Régional. Embrassade.

**BIGÉMINÉ, ÉE** [biʒemine] adj. — XVe; lat. *bigeminus* «quadruple».

♦ **1** Bot. *Fleurs bigéminées,* formant deux couples sur un même pédoncule.

♦ **2** Méd. *Pouls bigéminé :* variété de pouls arythmique.

**BIGER** [biʒe] v. tr. [CONJUG.: *bouger.*] — 1833, *in* G. Sand; forme dial. de *biser.*

Régional. Embrasser. → **Biser.**

Le vent étant à la concorde, Justin se laissa biger sur les deux joues. J.-R. BLOCH, Et compagnie, p. 299.

DÉR. **Bigeade.**

**BIGHORN** [bigɔʀn] n. m. — 1928; amér. *big-horn,* de *big* «gros», et *horn* «corne».

Anglic. Zool. Mammifère ongulé *(Bovidés caprinés),* mouton sauvage vivant dans les montagnes d'Amérique du Nord. — Par appos. *Moutons bighorn.*

HOM. **Bigorne.**

1. **BIGLE** [bigl] adj. et n. — 1471, altér., p.-ê. d'après *(aveugle) bigre,* 1336; orig. incert., p.-ê. du provençal *biscle,* du lat. pop. **bisoculus,* de *bis-,* et *oculus* «œil»; Guiraud préfère y voir un doublet du régional *bigue, bigot* «boiteux», du rad. *big.* → Bigler.

Vx. Qui louche. → **Bigleux,** 1. **louche.** *Un enfant bigle. Un regard bigle.*

(...) ce drôle offrait je ne sais quoi de sinistre. Il était bigle, c'est-à-dire qu'un de ses yeux ne suivait pas les mouvements de l'autre (...) BALZAC, les Paysans, XI, Pl., t. VIII, p. 182.

N. *(Un, une bigle).* Personne atteinte de strabisme.

REM. Le féminin *biglesse* (fréquent chez Sévigné) est aujourd'hui inusité.

DÉR. **Biglerie, bigleux.** ◊ HOM. **Beagle,** 2. **bigle.**

2. **BIGLE** [bigl] n. m. — 1650, Ménage; angl. *beagle* (1475), d'orig. inconnue, p.-ê. du moy. franç. *beegueule* «insolent, importun», de *bée,* et *gueule.*

Chien courant, basset à jambes droites, utilisé pour chasser le lièvre et le lapin. — Var. : *beagle* (1858).

HOM. **Beagle,** 1. **bigle.**

**BIGLER** [bigle] v. — XVIe, *biscler;* p.-ê. du lat. pop. **bisoculare,* de *bis* «deux fois», et *oculare* «regarder», de *oculus* «œil»; refait d'après *bigle* (→ 1. Bigle); pour Guiraud, la forme est plutôt **bigiculare,* du rad. *big-;* cf. les régionaux *bigue, biguer.*

♦ **1** V. intr. Fam., vx ou régional. Loucher. — Fig. *«Redresser les phares qui biglent»* (Giono, *in* T. L. F.).

♦ **2** V. tr. Fam. Regarder du coin de l'œil (avec curiosité, étonnement, envie...). → (fam.) **Reluquer, zieuter.** *Bigler une femme, une voiture. Bigle un peu ce mec!*

La chambrière écorche un peu le français, vous bigle ferme (...) 1
CHATEAUBRIAND, Mémoires d'outre-tombe, IV, V, 6.

Il se renfrognait sombre et sournois, il me biglait de travers, buté, méchant, marmotteur... Il voulait plus du tout renier!... CÉLINE, le Pont de Londres, p. 82. 2

(...) elle biglait le colosse avec une certaine langueur. 3
R. QUENEAU, Zazie dans le métro, Folio, p. 98.

Absolt. Regarder.

**BIGLERIE** [bigləʀi] n. f. — Mil. XXe; de 1. *bigle.*

Fam. (Rare). Le fait de loucher, et, par ext., d'avoir une mauvaise vue.

**BIGLEUX, EUSE** [biglø, øz] adj. et n. — XXe; attesté 1936, Céline, n.; de 1. *bigle.*

♦ **1** Fam. Qui louche. → 1. **Bigle.**

♦ **2** (1940). Qui voit mal. *C'est là, devant vous, vous êtes bigleux!* → **Miraud.** *Elle est complètement bigleuse.*

Serge plongea à plusieurs reprises son bambou. Il ne ramenait jamais rien.
«T'es bigleux, dit Daniel. D'abord, tu vises et puis tu piques, c'est facile!»
Henri-François REY, les Pianos mécaniques, p. 174.

N. *Un bigleux, une bigleuse.*

**BIGNE** [biɲ] n. f. — 1798; anc. franc. *buigne,* d'orig. obscure. → Beigne.

Vx ou régional. Bosse, tumeur à la tête provenant d'un coup. → **Beigne.**

HOM. Abrév. de **bignouf***.

**BIGNOLE** ou **BIGNOLLE** [biɲɔl] n. f. — 1934; «agent de la sûreté», 1927; du mot régional *bignolle* «qui louche» (Anjou), de *bignoler,* lui-même de *bigner* «regarder» (Villon).

Pop. Concierge (femme). *La bignole.* — Rare (au masc. plur.). *Les bignoles* : les concierges.

Méfie-toi, m'expliqua Gilberte. Il n'y a rien de plus difficile à déplacer que des bignoles. Surtout quand ils vivent par couples. Il faudrait qu'ils aient commis une faute professionnelle grave et que les locataires demandent leur renvoi à l'unanimité. Et même, dans ce cas, le gérant devrait les reloger ailleurs. P. GUTH, le Naïf locataire, p. 223.

REM. Selon A.L. Dussort (*Des preuves d'une existence,* 1927, *in* T. L. F.), *bignole* aurait signifié dans la langue des détenus «agent de la Sûreté».

**BIGNON** [biɲɔ̃] n. m. → **Truble.**

**BIGNONE** [biɲɔn] n. f., ou **BIGNONIA** [biɲɔnja] n. m. — 1694, *bignonia; bignoné,* 1751; *bignonnier,* 1899; de *Bignon,* nom du bibliothécaire de Louis XV.

Bot. Arbre ou arbrisseau sarmenteux, grimpant *(Bignoniacées),* cultivé comme plante d'ornement. *Le* bignonia radicans *est appelé* jasmin de Virginie. *Bignonia catalpa.* → **Catalpa.**

Les bignonias, les coloquintes s'entrelacent au pied de ces arbres de toutes les formes (...)
CHATEAUBRIAND, Atala.

DÉR. **Bignoniacées, bignonier.**

**BIGNONIACÉES** [biɲɔnjase] n. f. pl. — 1816, *in* D. D. L.; de *bignone,* et suff. *-acées.*

Bot. Famille de plantes phanérogames (dicotylédones gamopétales) qui poussent dans les forêts tropicales et dont les fleurs de grande taille se caractérisent par leur couleur et leur abondance (→ **Bignone, calebassier, catalpa).** — Au sing. *Une bignoniacée.*

Ce catalpa, d'aspect vétuste en effet, a donc fleuri d'un seul coup. C'est ainsi que les choses se passent dans cette famille d'arbres qu'on appelle les bignoniacées, vocable mou, veule et embarrassé que rien ne justifie. Le mot catalpa répond mieux à la nature impulsive et primesautière de ce végétal (...)
Jacques PERRET, Bâtons dans les roues, p. 260.

REM. La forme *bigogniées,* n. f. pl. (1838, adj.; 1866, n.) est archaïque.

**BIGNONIER** [biɲɔnje] n. m. — 1892; de *bignone* ou *bignonia,* et suff. *-ier.*

Bot. Bignone. *La branche rose du bignonier* (→ Tubulaire, cit., Colette).

HOM. Voir **Bignoniacées** (REM.).

**BIGNOUF** [biɲuf] n. m. — 1893, Esnault; mot régional, altér. de *bignon* «trou».

Argot. Prison. — Abrév. : *bign'* (1905), *bigne* ou *bing* (1953, Simonin).

DÉR. **Gnouf.**

**BIGOPHONE** [bigɔfɔn] n. m. — 1890; du nom de Bigot, l'inventeur, et *-phone.*

♦ **1** Vx. Instrument de musique burlesque, à vent.

♦ **2** (1918, argot milit.). Fam. Appareil téléphonique. *Passer un coup de bigophone.* → **Téléphone.** — Abrév. pop. : *bigo,* n. m. (Bertrand Blier, *les Valseuses,* 1972, cité *in* D. D. L.).

Et le bigophone fait entendre son hymne grelottant.
— C'est pour vous, annonce le brigado-chef *(brigadier).*
SAN-ANTONIO, le Secret de Polichinelle, p. 87.

DÉR. **Bigophoner.**

**BIGOPHONER** [bigɔfɔne] v. intr. — 1965; de *bigophone* (2.).

Fam. Téléphoner, passer un coup de téléphone.

— Margie est donc à Park avenue? 1
— Oui. En tout cas, depuis cinq heures. C'est Flo qui nous a bigophoné pendant le déjeuner.
Roger NAÏM, l'Ère des truands, p. 144.

*(Aliette)* a pourtant l'habitude. Elle bigophone ainsi 2
presque chaque soir. Elle s'affale, tout essoufflée, au pied de mon lit : — J'en ai marre, demain je fais dire que je dors. A. SARRAZIN, la Cavale, 1965, p. 40.

**BIGORNAGE** [bigɔʀnaʒ] n. m. — 1928; de *bigorner* (I.).

**I** Techn. Travail effectué sur la bigorne. → 1. **Bigorne** (I., 1.).

**II** (1942; de *se bigorner.* → Bigorner, II.). Fam. Bagarre. → 2. **Bigorne.**

Pierrot n'était pas mécontent d'avoir évité un nouveau 1
bigornage, non qu'il fût lâche, mais enfin ça ne l'amusait pas.
R. QUENEAU, Pierrot mon ami, éd. L. de Poche, p. 23.

Var. rare. : *bigornade,* n. f.

Ils regardaient maintenant la bigornade avec intérêt, mais 2
désintéressement. Et si une dent, brisée ou un bout de nez bouffé, puis recraché, venaient rouler près d'eux, ils se contentaient de balayer cela du revers de la main (...)
R. QUENEAU, Pierrot mon ami, éd. L. de Poche, p. 16.

**1. BIGORNE** [bigɔʀn] n. f. — 1389; du lat. *bicornis,* par l'anc. provençal. → Bicorne.

**I** Techn. ♦ **1** Petite enclume à deux cornes. *Bigorne carrée, ronde. Bigorne d'orfèvre reposant sur un billot dit* tronchet*. *Petite bigorne.* → **Bigorneau.** *Forger sur la bigorne.* → **Bigorner.**

Chacune des deux extrémités (de l'enclume).

♦ **2** (1808). Masse en bois pour fouler les peaux (→ **Corroi).**

♦ **3** (1831). Mar. Ciseau de calfat employé pour briser les clous gênant le calfatage.

♦ **4** Agric. Pioche à deux fourchons. → 2. **Bigot.**

♦ **5** Régional (Bretagne). → **Bigorneau** (I., 2.).

**II** (1628; par l'idée de «parler de travers, de manière *biscornue*»). Argot anc. Langue argotique. *Jaspiner bigorne.* → **Argot** (cit. 3), **jargon.**

Ce mot se trouve en français dès 1389 au sens d'outil à deux pointes (...) l'argot a dû reprendre le mot au Midi avec une valeur métaphorique analogue à celle de *biscornu.*
A. DAUZAT, Études de linguistique franç., p. 287.

DÉR. **Bigorneau, bigorner.** ◊ HOM. **Bighorn,** 2. **bigorne.**

2. **BIGORNE** [bigɔʀn] n. f. — 1916, «bataille»; déverbal de *bigorner* (II.).

Fam. Bataille (militaire). — (1925). Par ext. Rixe, bagarre. → **Bigornage,** II. *Une bigorne au couteau. — Aimer la bigorne,* la bagarre.

1 Les idées de bigorne l'abandonnèrent brusquement, et son premier projet de s'accrocher aux basques du grand patron lui parut de nouveau excellent.
R. QUENEAU, Pierrot mon ami, éd. L. de Poche, p. 99.

2 ANTOINE : — Quand tu en auras marre de la bigorne, tu comprendras comme j'avais raison... La colonie, Bébert, la colonie!... C'est tellement plus large!... Un caïd comme toi! Tu reviendras bourré!
H.-G. CLOUZOT, et J. FERRY, Quai des Orfèvres (scénario), 1947, *in* l'Avant-Scène, nº 29, p. 34, 1963.

HOM. **Bighorn,** 1. **bigorne.**

**BIGORNEAU** [bigɔʀno] n. m. — 1423; de 1. *bigorne.*

**I** ♦ **1** Techn. (Rare). Petite bigorne (enclume).

♦ **2** (1611). Par anal. de forme. Petit coquillage gastéropode (genre *Littorina*), à opercule corné et coquille spiralée, très commun sur les côtes rocheuses. → **Littorine.** *Ramasser des bigorneaux.* — Spécialt. Littorine comestible à coquille gris foncé ou brun rougeâtre *(Littorina littorea).* → **Vignot.**

1 Après une dizaine de jours d'approches patientes, il est venu manger dans notre main. Depuis, il ne nous quitte plus quand nous longeons les rochers pour trouver les crabes verts et les bigorneaux du dîner.
Bernard MOITESSIER, Cap Horn à la voile, p. 134.

Coquille de bigorneau (décorative). → Bikini, cit.

♦ **3** (1861; p.-ê. par référence à une coiffure à deux cornes). Argot, vx. Sergent de ville; homme de l'infanterie de marine. Abrév. : *bigor* (1868).

♦ **4** (1919). Péj. Imbécile. *C'est un sacré bigorneau.*

**II** (1925, Esnault; du sens I, 2). Pop., vx. Pièce de menue monnaie.

**III** (Orig. inconnue, p.-ê. jeu sur l'initiale de *bigophone*). Fam. Téléphone; poste téléphonique. → **Bigophone.**

2 (...) je ne l'avais jamais tant vue que ce soir. Faut dire que l'on ne se fréquente, avec les filles de l'autre atelier, que par bifton ou par bigorneau ou par bigorne.
A. SARRAZIN, la Cavale, p. 55.

Var. graphique : *bigorno.*

3 Tant mieux, tant mieux, maugréait Antony dans le bigorno. Jeanne CORDELIER, la Passagère, p. 316.

**BIGORNER** [bigɔʀne] v. tr. — 1680; de 1. *bigorne.*

**I** Techn. ♦ **1** Forger sur la bigorne.

♦ **2** (1845). Fouler (les peaux) avec la bigorne (I., 2.).

**II** (1917, argot milit.). Très fam. Donner un coup (dans, sur qqch.). → **Abîmer, amocher, casser, cogner, démolir, esquinter.** *Bigorner sa bagnole contre un arbre.*

Tirer sur (qqch., qqn) avec une arme à feu.

1 Il a dû apprendre à tuer avec un fusil en demi-cercle. Il a bigorné une glace, mais le poilu qu'il visait ne s'est pas même retourné.
Roger VERCEL, Capitaine Conan, VI, p. 95.

(...) je vous dis qu'il n'y a pas de danger. Recouchez-vous. 2
Inutile de se faire bigorner par ces ballots qui nous tirent dessus.
B. CENDRARS, la Main coupée, *in* Œ. compl., t. X, p. 56.

(Avec un nom de personne pour compl.). → **Cogner.** *On l'a bigorné, il s'est fait bigorner.*

◆ **SE BIGORNER** v. pron. (récipr.).

Se battre.

DÉR. (Du I.) **Bigornage** (I.) —(Du II.) **Bigornage** (II.), 2. **bigorne.**

1. **BIGOT, OTE** [bigo, ɔt] adj. et n. — 1425; surnom des Normands, 1155; de l'anglo-saxon *begode,* anc. angl. *bi god (by god)* «par Dieu» (juron); cf. Rabelais IV, 18 : *Tout est frelore bigoth!* «tout est perdu, par Dieu!» mais l'attestation de 1155 (Wace) conduit Guiraud à contester cette étym.; *bigot* serait à l'origine un «mendiant boiteux» (→ Clochard), du rad. *big-* des dial. *bique, biquer* «boiter».

♦ **1** Qui a, qui manifeste une dévotion outrée, étroite. → **Bondieusard, calotin, momier** (vx). *Un homme hypocrite et bigot.* → **Béat** (vx), **cafard, cagot, tartufe.** *Une femme bégueule* (cit.) *et bigote. Une allure, une affectation bigote.* → **Bigoterie** (cit.).

C'est que la différence est totale entre une armée fanatique 1
et une armée bigote.
MONTESQUIEU, Grandeur et décadence des Romains, 22.

Dis donc, ta tante m'a dit que tu étais bigote... comme tous 1.1
les diables...
Ed. et J. DE GONCOURT, Sœur Philomène, p. 64.

♦ **2** N. Personne bigote. *Un bigot. Une vieille bigote* (→ fam. Punaise de sacristie, grenouille de bénitier).

Sais-tu bien cependant, sous cette humilité, 2
L'orgueil que quelquefois nous cache une bigote?
BOILEAU, Satires, X.

Il *(le clergé)* n'agit plus que sur les cervelles infantiles des 3
bigotes et des mômiers.
HUYSMANS, En route, p. 186.

Qu'en penses-tu, de ma vieille endurcie de mère, et de 4
toutes ces bigotes d'église? (...)
LOTI, Ramuntcho, II, 3, p. 233.

Bigotes. Elles couchent avec Dieu le Dimanche, et le trom- 5
pent toute la semaine.
J. RENARD, Journal, 14 sept. 1903.

*Bigot* (...) annonce un hypocrite dont le caractère est la 6
sottise ou la faiblesse d'esprit, qui est puérilement attaché aux moindres pratiques extérieures du culte.
LAFAYE, Dict. des synonymes, Hypocrite, dévot... bigot... tartufe.

Elles processionnent à petits pas 7
De bénitier en bénitier
Les bigotes. Jacques BREL, les Bigotes.

CONTR. **Convaincu, croyant, dévot, pieux, sincère. — Athée, incroyant, libre-penseur.** ◊ DÉR. **Bigotement, bigoterie, bigotisme.** — HOM. 2., 3. **Bigot.**

2. **BIGOT** [bigo] n. m. — 1366; dial. peut-être de l'anc. provençal *bigos,* même sens. → 1. Bigorne.

Techn. (agric.). Pioche à deux fourchons. — Var. : *bigaut, bigorne* (1. Bigorne, I., 4.).

HOM. 1., 3. **Bigot.**

3. **BIGOT** [bigo] n. m. — 1687; probablt de *bique,* et suff. *-ot.*

Mar. Pièce de bois placée verticalement dans le racage d'un hunier. *Les bigots alternent avec les pommes.*

Les bigots étaient rangés selon la quantité de trous qu'ils avaient.
HUGO, les Travailleurs de la mer, p. 270, *in* T.L.F.

HOM. 1., 2. **Bigot.**

**BIGOTEMENT** [bigɔtmɑ̃] adv. — 1838, Stendhal; de 1. *bigot.*

Rare. D'une manière bigote. *«Un air papelard et bigotement sournois»* (A. Arnoux, *in* T. L. F.).

**BIGOTERIE** [bigɔtʀi] n. f. — V. 1450; de 1. *bigot.*

Dévotion étroite du bigot. → **Bigotisme; cagoterie, hypocrisie, momerie** (vx), **tartuferie.** *Une bigoterie superstitieuse. Combattre la bigoterie.*

Cette régularité mesquine, cette pauvreté d'idées que tout trahit, ne s'exprime que par un seul mot, et ce mot est *bigoterie.* Dans ces sinistres et implacables maisons, la bigoterie se peint dans les meubles, dans les gravures, dans les tableaux : le parler y est bigot, le silence est bigot et les figures sont bigotes.
BALZAC, Une double famille, Pl., t. I, p. 972.

CONTR. **Conviction, croyance, dévotion, piété, sincérité. — Athéisme, incroyance, libre-pensée.**

**BIGOTISME** [bigɔtism] n. m. — 1646, *in* D. D. L.; de 1. *bigot.*

Vieilli. Caractère du bigot. → **Bigoterie; cagotisme.**

1 Cadogan faisait agir les prédicants, et remuait par leur moyen les passions du bigotisme protestant (...)
SAINT-SIMON, Mémoires, 496, 255, *in* LITTRÉ.

2 J'ai bien l'horreur du bigotisme et des maniques pieuses, mais je ne me sens pas attiré, tout en les admirant, vers les phénomènes de la mystique.
HUYSMANS, En route, p. 108.

3 *Bigotisme* et *cagotisme* sont pour la théorie, pour l'idée; ils expriment une manière de penser (...) La *bigoterie* et la *cagoterie* sont de fait, se rapportent à la conduite; ce sont les pratiques du *bigotisme* et du *cagotisme* ou l'habitude de ces pratiques (...)
LAFAYE, Dict. des synonymes, Bigotisme... cagoterie.

**BIGOUDEN, ÈNE** [bigudɛ̃, ɛn] n. et adj. — 1844 (→ cit. 1); mot breton; d'abord «pointe de la coiffe», p.-ê. de *beg,* plur. *begou* «pointe» ou de *pik* «point, tache».

**I** N. f. (1844; 1835, n. m., *bigouden;* n. m., «pointe de la coiffe», 1833). **BIGOUDÈNE :** «coiffe bretonne traditionnelle en haut cylindre, qui se porte notamment à Pont-l'Abbé.»

REM. Parfois écrit *bigouden* [bigudɛn]. *La bigouden.* Au masc. *Le bigouden.*

1 Le 24 juillet 1844, (...) un article de «l'Écho de Morlaix» sur «les mœurs et coutumes du Finistère» précise en note «*Bigoudens :* nom que l'on donne aux femmes des environs de Pont-l'Abbé et principalement à leur laide coiffure».
J. CORNOU et P.-R. GIOT, Origine et histoire des Bigoudens, p. 4.

En apposition :

2 (...) Nathalie empesée d'indignation, raide comme sa coiffe bigouden qu'elle abritait sous un grand parapluie, tenu très haut (...) de peur de froisser ce précieux tuyau blanc posé sur son gros chignon gris.
Hervé BAZIN, Qui j'ose aimer, 1, p. 10.

**II** Adj. et n. (1844, comme nom). ♦ **1** Adj. De la région de Pont-l'Abbé, où l'on porte la coiffe dite bigoudène (comprenant les cantons de Pont-l'Abbé et de Plogastel-Saint-Germain). *Le pays bigouden. Les brodeuses bigoudènes. — La coiffe bigoudène* (→ ci-dessus I.).

♦ **2** N. Habitant ou originaire de la région de Pont-l'Abbé (Sud-Ouest du Finistère). *Un bigouden, une bigoudène.*

**BIGOUDI** [bigudi] n. m. — 1852, à Genève; orig. obscure; p.-ê. du port. *bigode* «moustache» mais la date et le lieu d'orig. rendent l'hypothèse peu plausible; cf. *bigotière,* 1694, «bourrelet sur lequel on roulait la moustache pour la friser».

Petit cylindre autour duquel on peut rouler les cheveux pour les faire friser. *Les premiers bigoudis étaient de petites tiges de plomb entourées d'étoupe et recouvertes de cuir* (cf. *Larousse* XIX*e siècle*) *Des bigoudis chauffants. Un filet cache-bigoudis. Mettre des bigoudis. Une femme en bigoudis.*

(...) Une grosse mémère à bigoudis, avec des bas roulés sur les chevilles (...) 1
MARTIN DU GARD, les Thibault, t. VI, p. 14.

(...) ces bigoudis qui la faisaient ressembler, pendant les nuits d'alerte, à une Méduse coiffée de serpents. 2
M. YOURCENAR, le Coup de grâce, p. 173-174.

Spécialt. Rouleau de métal souple autour duquel le coiffeur enroule chaque mèche de cheveux, et dont la pose constitue la mise en plis.

Argot. Vieilli. *Travailler du bigoudi :* devenir, être fou (→ Travailler du chapeau).

**BIGRE** [bigʀ] n. m. et interj. — 1743, *bigre, bigresse,* n.; altér. de *bougre* (→ Bougre), sans rapport avec l'homonyme médiéval *bigre* «garde forestier éleveur d'abeilles», du francique **bikari,* de **bi* «abeille».

Fam. Euphémisme pour *bougre.* — (1830, *in* D. D. L.). *Bigre de* (et subst.). → **Bougre** (de), **espèce** (de), **sacré.** *Ce bigre de moteur s'arrête sans qu'on sache pourquoi.*

Interj. (exprime l'étonnement, l'admiration...). *Bigre!* (peut être répété). *Bigre oui.*

Bigre! murmura Claude, un peu pâle lui aussi, en voilà un qui n'a pas tapé loin... Il était temps, on est mieux ici que dans la rue, hein? 1
ZOLA, l'Œuvre, p. 7.

«Bigre de bigre!» fait le professeur de langues. 2
BERNANOS, Monsieur Ouine, *in* Œ. roman., Pl., p. 1470.

Inexpérimentée, elle maniait avec effroi un pinceau de teinture d'iode. Elle me fit assez mal, bigre... 3
DRIEU LA ROCHELLE, la Comédie de Charleroi, p. 120.

DÉR. **Bigrement.**

**BIGREMENT** [bigʀəmɑ̃] adv. — 1833, *in* D. D. L.; de *bigre.*

Fam. Très. → **Bougrement.** *Il fait bigrement chaud. Il a bigrement bien réussi.*

Ah! fichtre! elle est bigrement bien!
ZOLA, l'Œuvre, p. 12.

**BIGRILLE** [bigʀij] adj. et n. — 1928; de *bi-,* et *grille.*

Techn. *Lampe bigrille :* lampe à double grille. — N. f. (1937). *Une bigrille.*

Adj. et n. m. Tube électronique comportant deux grilles.

**BIGUE** [big] n. f. — 1694; «longue poutre», 1494; du provençal *biga* «joug», puis «poutre», d'orig. incert., p.-ê. du rad. *bi- (bis-)* «deux».

Techn. (mar.). Grue puissante formée de deux ou trois montants réunis au sommet et soutenant un palan, utilisée spécialement dans les ports ou sur les navires pour soulever de très grosses charges. → **Chèvre, mât** (de charge). *Bigue formée de deux vergues, de deux mâtereaux. Bigue de redresse, bigue de secours.*

DÉR. 3. **Bigot.**

**BIGUINE** [bigin] n. f. — 1935; orig. inconnue, mot des Antilles.

Danse originaire des Antilles, à quatre temps, à la mode en France entre 1930 et 1950.

Toute l'île se rassembla place de la Victoire. Biguine et trémoussements. 1
Claude COURCHAY, La vie finira bien par commencer, p. 133.

Par ext. Musique sur laquelle se danse la biguine. *Un air de biguine.* Chanson composée sur cette musique.

2 De ravissantes chanteuses de biguines, qui nous attendaient dans les vastes couloirs, continuaient la complainte.
MALRAUX, Antimémoires, Folio, p. 165.

**BIHEBDOMADAIRE** [biɛbdɔmadɛʀ] adj. et n. m. — 1866; de *bi-*, et *hebdomadaire*.

♦ **1** Vx. Qui a lieu, qui paraît toutes les deux semaines (→ Bimensuel, 2.).

♦ **2** Mod. Qui a lieu, qui paraît deux fois par semaine. → **Semi-hebdomadaire.** *Revue bihebdomadaire.* — REM. Selon Littré *(Suppl.)*, il eût mieux valu dire *semi-hebdomadaire*.

N. m. *Un bihebdomadaire :* une publication bihebdomadaire. Abrév. (adj. et n.) : *bihebdo.*

**BIHOREAU** [biɔʀo] n. m. — 1543; altér. en *bi-*, de *buhoreau*, après 1500; orig. inconnue, p.-ê. à rapprocher de *butor**.

Zool. Oiseau échassier *(Ardéidés)*, nocturne, appelé scientifiquement *nycticorax*, sorte de petit héron, de la taille d'un pigeon. *«Les hulottes (...) les bihoreaux»* (Hugo).

**BIJECTIF, IVE** [biʒɛktif, iv] adj. — Mil. XX<sup></sup>e; de *bijection*.

Math. *Application bijective* (ou, vieilli, *biunivoque*) : application, à la fois injective et surjective, qui établit entre deux ensembles une relation telle que tout élément de l'un soit l'image d'un seul élément de l'autre. (Syn. : *bijection*). *Endomorphisme bijectif.* → **Automorphisme.** *Homomorphisme bijectif.* → **Isomorphisme.**

**BIJECTION** [biʒɛksjɔ̃] n. f. — Mil. XXe; de *bi-*, et *(in)jection*.

Math. Application bijective. *La bijection est à la fois une injection* et une surjection*. Bijection réciproque d'une bijection.* → **Réciproque.** *Deux ensembles entre lesquels on établit une bijection sont équipotents*. Une permutation* dans un ensemble est une bijection de cet ensemble sur lui-même.*

DÉR. **Bijectif.**

**BIJOU** [biʒu] n. m. — 1460; breton *bizou* «anneau pour le doigt», de *biz* «doigt». — REM. *Bijou* doit être antérieur à cette attestation puisque le dérivé *bijouterie* apparaît au XIVe s.; Guiraud conteste cette origine et propose un dér. de *biseler* (var. : **bisoler*), de *biseau*.

♦ **1** Petit objet ouvragé, précieux par la matière ou par le travail et servant à la parure. → **Joyau.** *Commerce, fabrication des bijoux.* → **Bijouterie, bijoutier, joaillerie, joaillier, lapidaire, orfèvre, orfèvrerie.** *Travail des bijoux* (→ **Brunir, ciseler, cliver, dessertir, enchatonner, monter, nieller, sertir, tailler,** etc.). *Bijou en matière précieuse.* → **Brillant, camée, diamant, émail, perle, pierre** (précieuse). *Bijou en métal, en argent, en or, en platine, en alliage, en métal fin; bijou demi-fin. Bijou de fantaisie* (→ **Doublé, plaqué).** *Bijou en toc*. Bijou en acier, en cuivre, en verre, en strass. Bijou en simili-or.* → **Tombac.** *Bijou en corail, en jais, en nacre. Bijou contrôlé* (→ **Alliage, poinçon, titre).** *Sortes de bijoux.* → **Agrafe, aigrette, alliance, anneau, bague, bandeau, boucle d'oreille, bracelet, bracelet-montre, breloque, broche, camée, chaîne, châtelaine, clip, cœur, coulant, crachat** (fam.), **couronne, croix, diadème, dormeuse, épingle, esclavage, ferronnière, fronteau, gourmette, jambelet, jeannette, médaillon, parure, pendant, pendeloque, pendentif, plaque, rang** (de perles), **rivière, sautoir.** *Boîte à bijoux.* → **Baguier, cassette, coffret, écrin.** *Des bijoux voyants, somptueux, scintillants; discrets. Bijoux anciens. Des bijoux de famille. Offrir un bijou. Une femme couverte, parée de bijoux. Mettre, porter des bijoux. Vendre ses bijoux. Mettre des bijoux en gage.*

Des bijoux posés sur la toilette, bracelets, colliers, pendants d'oreilles, lançaient de folles bluettes et de brusques scintillements d'or. 1
Th. GAUTIER, le Capitaine Fracasse, t. I, VIII.

Ses mains pleines de bijoux, ressemblaient à des écrins. 2
E. FROMENTIN, Une année dans le Sahel, p. 43.

La très-chère était nue, et, connaissant mon cœur, 3
Elle n'avait gardé que ses bijoux sonores (...)
BAUDELAIRE, les Épaves, «Les bijoux» (→ Attirail, cit. 7).

Ma chère, quand on n'a pas le moyen de se payer des bijoux véritables, on ne se montre parée que de sa beauté et de sa grâce, voilà encore les plus rares joyaux. 4
MAUPASSANT, Clair de lune, «Les bijoux», p. 175.

Cette femme était jeune, blanche comme une Européenne. Sa tête, son cou, ses épaules, ses oreilles, ses bras, ses mains, ses orteils étaient surchargés de bijoux, colliers, bracelets, boucles et bagues. 4.1
J. VERNE, le Tour du monde en 80 jours, p. 90.

La mère Méhudin, selon les commérages du quartier, devait avoir fait une grosse fortune. Il n'y paraissait guère qu'aux bijoux d'or massif dont elle se chargeait le cou, les bras et la taille, dans les grands jours. 4.2
ZOLA, le Ventre de Paris, p. 175 (1875).

(...) auprès des femmes qu'il enrichissait gracieusement de ses conseils ou de ses prophéties en les dépouillant de leurs bijoux et de leur argent. 5
Léon BLOY, le Désespéré, p. 204.

Il continuait à la couvrir de bijoux, demeurait fier de sa beauté (...) 6
A. MAUROIS, Terre promise, XXX, p. 206.

Les mots riches de couleur et de sonorité sont aussi difficiles d'emploi que les bijoux voyants et les teintes vives dans la toilette. Jamais une élégante ne s'en affluble. 7
COCTEAU, la Difficulté d'être, XXV.

Spécialt. Décoration maçonnique, signe d'une fonction, que les francs-maçons portent lors de leurs cérémonies. *Bijoux mobiles* (l'équerre, le niveau, la perpendiculaire), *bijoux immobiles* (la pierre, la planche à tracer).

Par métaphore. Chose, être admirable par sa beauté.

Sous ces végétations, se dérobaient et se montraient en même temps les plus rares bijoux de l'écrin de l'Océan (...) 8
HUGO, les Travailleurs de la mer, II, I, 13.

Il *(Mariolle)* l'aperçut exquise d'élégance et de beauté, bijou de chair humaine, coquette et parée pour des regards d'hommes (...) 9
MAUPASSANT, Notre cœur, III, I, p. 254.

♦ **2** Fig. Chose, construction, ouvrage (d'une relative petitesse) où se révèle de l'art, de l'habileté. → **Chef-d'œuvre.** *Un bijou d'architecture. Ce moteur est un bijou de mécanique. — Un bijou de...* (suivi d'un nom désignant une catégorie de choses). *C'est un bijou d'appartement, de voiture.*

Le financier La Cour avait fait un bijou d'un vilain lieu et d'une méchante maison que Chamillart lui avait donnée (...) 10
SAINT-SIMON, Mémoires 222, 253, *in* LITTRÉ.

Cirey est charmant, c'est un bijou (...) 11
VOLTAIRE, Lettres en vers, 80, *in* LITTRÉ.
Le château de Cirey fut habité par Voltaire de 1733 à 1740.

(Abstrait). *Cette œuvre est un bijou.*

♦ **3** Personne aimable, gracieuse. — Spécialt. Enfant agréable, gentil, mignon. *Ce petit est un bijou.* — En appellatif. *Mon bijou, mon petit bijou.*

♦ **4** Fam. [a] Sexe (de la femme).

Toutes les femmes sur lesquelles vous tournerez le chaton *(de l'anneau magique)* raconteront leur intrigue (...) par la partie la plus franche qui soit en elles (...) par leurs bijoux. 12
DIDEROT, les Bijoux indiscrets, IV.

REM. L'accumulation des métaphores, «anneau» (cf. l'étymologie du mot), «chaton», n'est probablement pas involontaire.

13 Mais on voit scintiller en Lola de Valence
Le charme inattendu d'un bijou rose et noir.
BAUDELAIRE, les Épaves, XV, «Lola de Valence».

**b** (1750). Pénis, sexe (de l'homme). — Loc. *Les bijoux de famille :* le pénis et les testicules. Syn. : *service trois pièces.*

♦ **5** (1887). Argot anc. Reste des plats d'un restaurant, constituant un bénéfice pour les plongeurs.

CONTR. (Du sens 2) **Horreur** (une). — V. **Laid, laideur.** ◊ DÉR. **Bijouterie, bijoutier.**

**BIJOUTERIE** [biʒutʀi] n. f. — XIV^e, *bijoterie* «bijoux»; *bijouterie,* 1701; de *bijou* avec *t* intervocalique pour éviter l'hiatus.

♦ **1** Fabrication, industrie des bijoux. *Bijouterie fine.* → **Joaillerie; argent, corail, or** (orfèvrerie), **platine, pierre** (pierre précieuse). *Bijouterie de fantaisie. Bijouterie en faux. Alliages utilisés en bijouterie :* chrysocale, maillechort, ruolz, similor... *Opérations de bijouterie.* → **Brunissage, ciselure, découpage, emboutissage, gravure, laminage, montage, polissage, sertissage, soudure.** *Outils employés en bijouterie.* → **Bouterolle, brunissoir, chalumeau, dé** (à emboutir), **drille, échoppe** (à sertir...), **forêt, perruque, pince, pointe** (à sertir), **presselle, scie** (à main).

(1701). Vente, commerce des bijoux. *Investir un gros capital dans la bijouterie.* — Vieilli. *Magasin de bijouterie :* bijouterie (au sens 2).

1 Dans les magasins de bijouterie, il ressentait pour les vitrines une nuance de respect religieux, comme devant les sanctuaires de la séduction opulente; et le bureau de drap foncé, où les doigts souples de l'orfèvre font rouler les pierres aux reflets précieux, lui imposait une certaine estime.
MAUPASSANT, Fort comme la mort, éd. 1889, p. 258.

♦ **2** (1869, cit.). Lieu où l'on vend, où l'on expose des bijoux. *Les bijouteries de la rue de la Paix. Cambrioler une bijouterie.*

2 (...) madame Gervaisais vit un flamboiement de cierges et de lampes, un autel de feu, devant une bijouterie allumée et brasillante (...).
Ed. et J. DE GONCOURT, Madame Gervaisais, p. 157 (1869).

♦ **3** (Premier emploi attesté). Ensemble des objets de commerce de cette industrie. → **Bijou.** *Bijouterie d'acier, d'aluminium, de jais. Bijouterie en doublé, en plaqué, en filigrane, en doré, en argenté. Bijouterie creuse.*

**BIJOUTIER, IÈRE** [biʒutje, jɛʀ] adj. et n. — Av. 1679, sens 1; de *bijou.*

**I** Adj. ♦ **1** Vx. Qui aime les bijoux (→ Bague, cit. 1).

♦ **2** Mod. Qui a rapport aux bijoux, à la bijouterie. *L'industrie bijoutière.*

**II** N. (1701). Personne qui fabrique, qui vend des bijoux. → **Joaillier, orfèvre;** → Or, cit. 8. *Le bijoutier se tenait à l'entrée de son magasin. La bijoutière. Les vitrines des bijoutiers. Les grands bijoutiers de la place Vendôme.* → **Bijouterie.** — Par appos. *Ouvrier bijoutier.* → **Argenteur, ciseleur, doreur, estampeur, graveur, metteur** (en œuvre), **plaqueur, sertisseur.** *Commis bijoutier.*

**BIJUMEAU** [biʒymo] n. et adj. m. — XV^e; de *bi-,* et *jumeau.*

Didactique.

♦ **1** Monstre double.

♦ **2** Anat. (Vx). *Muscles bijumeaux.* → **Biceps.**

**BIJURIDISME** [biʒyʀidism] n. m. — 1975 au Canada, *bijuridique* étant attesté en 1971; de *bi-* et *juridique,* d'après *bilinguisme, biculturalisme.*

Dr. (usuel en franç. du Canada, après 1990). Coexistence de deux systèmes juridiques au sein d'un État ou d'une communauté internationale. Syn. *Dualité, dualisme juridique.* — *Le bijuridisme canadien* (en angl. *bijuralism*) *correspond à la coexistence de la* common law *anglo-saxonne et du droit civil de conception française. Bijuridisme et «plurijuridisme»* ou *«multijuridisme».*

**BIKBACHI** [bikbaʃi] n. m. — Mil. XX^e; var. égyptienne du turc *bimbachi.* → Bimbachi.

Officier supérieur (colonel) de l'armée égyptienne (le mot s'est employé en français à propos du colonel Nasser).

**BIKINI** [bikini] n. m. — 1946; marque française déposée, nom d'un atoll du Pacifique où eut lieu une explosion atomique expérimentale, le maillot de bain étant censé produire un effet «explosif».

Maillot de bain formé d'un slip très petit et d'un soutien-gorge. → **Deux-pièces.** *Un tout petit bikini. Des bikinis.*

Au bord d'une piscine où règne l'odeur de l'eau de javel, deux jeunes femmes en bikini marchent. Celle de droite est une grande brune, elle porte un maillot à petits carrés verts et blancs. Celle de gauche est plus mince, elle est vêtue d'un bikini blanc où sont incrustés de petits bigorneaux de nacre.
J.-M. G. LE CLÉZIO, le Déluge, XIII, p. 254.

DÉR. **Monokini.**

**BILABIALE** [bilabjal] adj. et n. f. — 1908; de *bi-,* et *labial.*

Phonét. Produit par le desserrement des deux lèvres, en parlant de certaines consonnes (p, b, m). *Consonne bilabiale.*

N. f. *Une bilabiale. Cette consonne est une bilabiale. La bilabiale* V (du français prélittéraire) *est devenue une labio-dentale* (Brunot et Bruneau).

Le souffle du diaphragme venait se heurter à cet obstacle, et se transformait en bilabiales, en voyelles claires ou graves.
J.-M. G. LE CLÉZIO, la Fièvre, p. 51.

**BILABIÉ, IÉE** [bilabje] adj. — 1842; de *bi-,* et lat. *labium* «lèvre».

Bot. Partagé en deux lèvres, en parlant des calices et corolles.

**BILAME** [bilam] n. m. — 1886, ex. ci-dessous; de *bi-,* et *lame.*

Phys. Bande métallique formée de deux lames de métaux inégalement dilatables, dans certains dispositifs thermostatiques. *«Si l'on émoule ce bilame sous forme d'hélice...»* (*Année sc. et industr.* 1887, p. 114 [1886]).

Adj. (1924). Techn. Formé de deux lames. *Bande bilame. Un thermomètre bilame.*

**BILAN** [bilɑ̃] n. m. — 1584; ital. *bilancio* «balance», de *bilanciare* «peser». → Balancer.

♦ **1** Tableau résumé de l'inventaire ou de la comptabilité d'une entreprise. → **État, tableau.** *Le bilan d'une entreprise donne sa situation active et passive à une date donnée.* → **Actif, passif; crédit, débit, solde** (débiteur, créditeur). *La balance des comptes d'un bilan.* → **Balance.** *La banque de France publie son bilan. Dresser son bilan de fin d'année. Établir, arrêter un bilan. Falsifier un bilan. Un bilan* *positif, satisfaisant.* — *Bilan consolidé :* bilan synthétique regroupant les bilans et les comptes de résultats des entreprises d'un groupe. *Bilan actualisé.* → **Actualisation.**

*Dépôt de bilan :* acte par lequel un commerçant qui se déclare en état de cessation de paiement fait connaître au tribunal de commerce sa situation active et passive. → **Faillite, liquidation.** *Déposer son bilan.* → ci-dessous, par métaphore.

1 (...) il était calme comme un failli, le lendemain du bilan déposé. BALZAC, la Cousine Bette, Pl., t. VI, p. 493.

2 Tout failli sera tenu, dans les quinze jours de la cessation de ses payements, d'en faire la déclaration au greffe du tribunal de commerce (...) La déclaration du failli devra être accompagnée du dépôt du bilan (...) Le bilan contiendra l'énumération et l'évaluation de tous les biens mobiliers et immobiliers du débiteur, l'état des dettes actives et passives, le tableau des profits et pertes, le tableau des dépenses. Code de commerce, art. 438-439.

♦ **2** Par ext. Inventaire chiffré (d'un événement). *Bilan de la catastrophe : cent morts, un millier de sinistrés. Bilan d'une bataille. Faire le bilan des accidents de la route.*

♦ **3** Par métaphore ou fig. État, résultat global. *Faire le bilan d'une expérience, de la situation, de son existence. Déposer son bilan :* se déclarer vaincu.

3 (...) les fruits secs de l'improbité, les existences en banqueroute, les consciences qui ont déposé leur bilan (...) HUGO, les Travailleurs de la mer, I, V, 6.

4 Lui, je lui demandais un rendez-vous pour le lendemain, sans plus : je lui dirais tout, je déposerais mon bilan et lui demanderais de m'aider à mettre fin à ce lien, tant qu'il était temps. Maurice CLAVEL, le Tiers des étoiles, p. 207.

♦ **4** Loc. [a] *Bilan de santé :* expertise médicale permettant d'apprécier l'état et le fonctionnement des organes (peut remplacer *check-up* (anglicisme)). — *Bilan alimentaire, nutritif. Bilan préopératoire. Bilan neuro-musculaire. Bilan énergétique* (rapport des calories apportées à l'organisme à l'utilisation de cet apport d'énergie).

[b] Techn. Phys. Inventaire d'éléments. *Bilan radiatif, thermique :* rapport de la chaleur reçue et de la chaleur dépensée (ou *rayonnée,* en astronomie). *Bilan volumique, pondéral.* — *Bilan hydrique, minéral d'une plante :* comparaison entre la quantité d'eau, de minéraux fournis à une plante et la quantité absorbée.

*Bilan hydrologique :* état des ressources en eau d'une région. *Bilan chimique d'une roche. Bilan d'altération d'un sol* (pédologie).

DÉR. **Bilanciel, bilanisme.**

**BILANCIEL, ELLE** [bilɑ̃sjɛl] adj. — XXᵉ; adj. de *bilan,* p.-ê. de l'ital. *bilancio.*

Techn. (comptab.). Relatif à un bilan. *Position bilancielle d'une affaire.*

**BILANISME** [bilanism] n. m. — 1937, Ch. Odier, *in* Porot; de *bilan.*

Psychol. Tendance obsessionnelle à établir constamment un bilan de ses gains et de ses pertes (matériels ou organiques, psychiques...), engendrant des conduites d'économie ou de compensation.

**BILATÉRAL, ALE, AUX** [bilateʀal, o] adj. — 1804; de *bi-,* et *latéral.*

♦ **1** Qui se rapporte à deux côtés, a lieu sur (les) deux côtés. *Stationnement bilatéral,* des deux côtés d'une voie.

♦ **2** Qui a deux côtés symétriques. *Disposition bilatérale. Symétrie* bilatérale,* par rapport à un plan vertical. (En zoologie, en botanique). *Symétrie bilatérale d'un organisme. Animaux à symétrie bilatérale.* → **Artiozoaires.**

Tout, dans l'organisme humain semble le résultat d'un empirisme débonnaire : la symétrie bilatérale est un phénomène de surface. G. DUHAMEL, Manuel du protestataire, I, p. 20.

Méd. Qui affecte les deux côtés du corps, deux organes ou structures symétriques. *Paralysie bilatérale. Strabisme bilatéral.*

N. m. *Bilatéral synchrone :* graphique, tracé correspondant à un phénomène simultané des deux hémisphères cérébraux.

Phonét. *Consonne bilatérale;* (n. f.) *une bilatérale :* consonne latérale pour la production de laquelle l'air expiré passe des deux côtés de la langue.

♦ **3** Dr. Qui engage les parties contractantes les unes envers les autres. → **Réciproque.** *Contrat bilatéral* (opposé à *contrat unilatéral*). → **Synaliagmatique.** Accord bilatéral, entre deux nations. → Multilatéral.

CONTR. **Unilatéral.** ◊ DÉR. **Bilatéralement, bilatéralisme, bilatéralité.**

**BILATÉRALEMENT** [bilateʀalmɑ̃] adv. — 1829; de *bilatéral.*

Dr., polit. D'une façon bilatérale. *La décision doit être prise bilatéralement.*

CONTR. **Unilatéralement.**

**BILATÉRALISME** [bilateʀalism] n. m. — 1936; de *bilatéral.*

Dr., écon., polit. Caractère de ce qui est bilatéral. — Spécialt. Relations particulières entre deux pays (accords, échanges). *«À Paris et à Bonn, on aperçoit aujourd'hui les limites du bilatéralisme dont les Allemands pensent qu'il a fait son temps»* (*le Nouvel Obs.,* nº 428, 22 janv. 1973).

**BILATÉRALITÉ** [bilateʀalite] n. f. — 1920-1924, *in* T. L. F.; de *bilatéral.*

Didact. (méd., physiol.). Caractère de ce qui est bilatéral. *La bilatéralité d'une lésion, d'un phénomène cérébral.*

**BILBOQUET** [bilbɔkɛ] n. m. — 1534, Rabelais, *bille boucquet;* de *biller,* dér. de 1. *bille* «jouer aux boules» à l'impératif, et de *bouquet,* dimin. de *bouque* «boule».

♦ **1** Jeu formé d'un petit bâton, pointu à une extrémité, évasé en forme de coupe à l'autre, dans lequel on doit enfiler une boule percée qui lui est reliée par une cordelette. *Jouer au bilboquet.* — *Acheter un bilboquet ancien, en bois précieux.*

(...) si je retournais dans le monde, j'aurais toujours dans ma poche un bilboquet, et j'en jouerais toute la journée pour me dispenser de parler quand je n'aurais rien à dire. 1
ROUSSEAU, les Confessions, V, 272.

♦ **2** Vx. Figurine lestée de plomb, qui ne peut se tenir que debout. → **Poussah.**

Par compar. *Se tenir droit comme un bilboquet :* rester longtemps sans bouger. *Être toujours sur ses pieds comme un bilboquet :* garder toujours la même position, quels que soient les événements.

Fig., vx. Homme dont on se joue; personne sans consistance.

Polignac était un petit bilboquet qui n'avait pas le sens commun. 2
SAINT-SIMON, *in* Pierre LAROUSSE.

♦ **3** (1843, Balzac, «presse à imprimer»). Typogr. Petit ouvrage tel qu'affiche, lettre de faire-part, carte de visite. — Syn. : *bibelot, ouvrage de ville.*

♦ **4** Techn. Pierre irrégulière.

♦ **5** Argot. Vx. Litre de vin.

**BILE** [bil] n. f. — 1539; lat. *bilis.*

♦ **1** Liquide visqueux et amer sécrété par le foie. → **Foie, hépatique** (bile hépatique), **humeur.** *La bile comprend 85% d'eau et 15% de substances dissoutes. Composants de la bile.* → **Bilirubine, cholestérine, sel** (sels biliaires). *Bile des animaux.* → **Fiel.** *La bile est conduite de la vésicule biliaire* (→ **Cystique** [bile cystique]) *au duodénum par un canal* (→ **Cholédoque**). *Produits, acides tirés de la bile.* → **Choialique, cholanique, choléine.** *La bile coopère à la digestion. Diminution de la sécrétion de la bile.* → **Acholie.** *Sécrétion anormale de la bile.* → **Ictère** (ou **jaunisse**); **cholérine, choléra.** *Remède pour évacuer la bile.* → **Cholagogue.**

1 L'eau se jaunit en bile au corps du bilieux (...)
Mathurin RÉGNIER, Satires, V.

2 Des yeux remplis de bile font voir tout jaune (...)
BOSSUET, Connaissance de Dieu et de soi-même, I, 7.

♦ **2** (Mil. XVII^e). Fig. (Dans des expressions, avec la valeur de mauvaise humeur, colère, emportement). *Échauffer, émouvoir, remuer la bile :* exciter la colère. *Décharger, épancher sa bile; décharger sa bile sur quelqu'un :* s'abandonner à sa mauvaise humeur. *Modérer, retenir, tempérer sa bile :* s'apaiser. *Avoir la bile amère* (→ Pichrocole).

3 — Ah! vous êtes dévôt, et vous vous emportez?
— Oui, ma bile s'échauffe à toutes ces fadaises.
MOLIÈRE, Tartuffe, II, 2.

4 Cette lettre parut d'un homme *(Fénelon)* qui épanche sa bile. SAINT-SIMON, Mémoires, I, 421.

5 La **bile** est proprement le symbole physiologique de la **colère :** elle ne se prend pour la colère même que dans le discours commun, et encore il est bon que le mot **bile** soit mis avec d'autres mots qui rappellent sa signification ordinaire : émouvoir la **bile,** décharger ou retenir sa **bile.**
LAFAYE, Dict. des synonymes, Colère...

♦ **3** Vx. *Bile noire :* humeur noire à l'influence de laquelle on attribuait les accès d'hypocondrie. → **Atrabile, hypocondrie, mélancolie.**

♦ **4** Fig. Vx. Tristesse, souci. *Causer de la bile à quelqu'un,* lui donner des soucis. *Avoir de la bile.* → **Bilieux.**

6 J'ai grand regret à la bile que j'ai faite, pensant qu'on devait se battre. M^me DE SÉVIGNÉ, 573, 2 sept. 1676.

7 L'on a des chagrins et une bile que l'on ne se connaissait point. LA BRUYÈRE, les Caractères, XI, 15.

Loc. mod. *Se faire de la bile :* s'inquiéter, se tourmenter (→ fam. Se faire de la mousse*, des cheveux*). → **Biler** (se); **bileux.** *Ne te fais pas de bile.*

8 Comment, c'est pour ça qu'il a pu se faire tant de bile, tant de chagrin (...)
PROUST, À la recherche du temps perdu, t. XIII, p. 31.

DÉR. **Biler** (se), **bileux, biliaire, bilié.** — V. **Bilieux.** ◊ COMP. **Atrabile, bilirubine, biligenèse, biliverdine, urobiline.** — HOM. **Bill.**

**BILER (SE)** [bile] v. pron. — 1894; de *bile.*

Fam. S'inquiéter, se faire de la bile. → **Faire** (s'en faire). *Surtout, ne te bile pas! Pourquoi se biler?*

Mame Peloux, ne vous bilez pas.
COLETTE, Chéri, p. 29.

REM. Ce verbe est presque toujours employé à la forme interrogative ou négative.

**BILEUX, EUSE** [bilø, øz] adj. — 1611, attestation isolée, repris au XIX^e; de *bile.*

Fam. Qui se fait de la bile, qui est toujours soucieux. → **Anxieux, tourmenté.** — REM. Ce doublet familier de *bilieux* n'est guère employé que négativement, comme le verbe *se biler,* auquel il correspond.

*Il n'est pas bileux :* il est insouciant.

N. *«Les fricoteurs, les pas bileux...»* (A. Arnoux, *in* T. L. F.).

Syn. rare : *bilant. «Il est facile à vivre, et doux, et pas bilant»* (Aragon, *les Beaux Quartiers*).

**BILHARZIE** [bilaʀzi] ou **BILHARZIA** [bilaʀzja] n. f. — Mil. XIX^e; lat. mod., du nom de *Bilharz,* médecin allemand.

Didact. (zool., méd.). Ver trématode hébergé par des mollusques d'eau, parasite du système veineux de certains animaux et de l'homme, chez qui il provoque des maladies graves (→ **Bilharziose**) atteignant le foie, la vessie, l'intestin ou la rate. — Syn. : *schistosome.*

DÉR. **Bilharziose.**

**BILHARZIOSE** [bilaʀzjoz] n. f. — 1906, in *Rev. gén. des sc.,* nº 6, p. 295; de *bilharzie.*

Méd. Ensemble des affections causées par la larve de la bilharzie dans les zones chaudes et tempérées. — Syn. : *schistosomiase. «La bilharziose, qui frappe à travers le monde 114 millions d'individus»* (*Science et Vie,* H. S. nº 106, 1974, p. 13).

**BILIAIRE** [biljɛʀ] adj. — 1687; de *bile.*

Qui a rapport à la bile. → **Bilieux.** *Appareil, sécrétion biliaire.* → **Foie.** *Inflammation des voies biliaires.* → **Angiocholite.** *Conduits, voies biliaires. Vésicule* biliaire. Pigment biliaire.* → **Bilirubine, urobiline.** *Calcul, fistule, lithiase biliaire. Affection, fièvre biliaire.*

L'urbaniste à la barbe rouge, on lui enleva la vésicule biliaire, une grosse faute, et trois jours après il mourait, dans la force de l'âge. S. BECKETT, Nouvelles, p. 96.

N. (1926). Rare. *Un, une biliaire :* une personne atteinte d'une affection biliaire.

**BILIÉ, ÉE** [bilje] adj. — 1936; de *bile.*

Biol. Qui contient de la bile. *Vaccin obtenu à partir de bacilles cultivés en milieu bilié. — Vaccin bilié* (ex. : le B. C. G.).

**BILIEUSEMENT** [biljøzmɑ̃] adv. — 1866, Amiel; de *bilieux.*

Rare. À la manière du bilieux.

**BILIEUX, IEUSE** [biljø, jøz] adj. — 1537; lat. *biliosus,* de *bilis.* → Bile.

♦ **1** Qui se rapporte à la bile. → **Biliaire.** — Qui contient beaucoup de bile. *Vomissements bilieux. Diarrhée bilieuse.* — Qui résulte d'un excès de bile. *Crise bilieuse. Fièvre bilieuse,* dans certains cas de paludisme. *Teint bilieux :* coloration jaune de la peau, due à l'imprégnation des tissus par les pigments biliaires (→ Ictère, jaunisse).

♦ **2** (1670, cit. 1). Fig. Qui, par son humeur inquiète, mélancolique (→ **Atrabilaire, bileux, hypocondriaque, mélancolique, morose, pessimiste, sombre, soucieux, tourmenté**), est enclin à la colère, susceptible, rancunier (→ **Acariâtre, caustique, colère** (adj.), **hargneux, revêche**).

Je suis bilieux comme tous les diables; et il n'y a morale qui tienne, je me veux mettre en colère tout mon soûl, quand il m'en prend envie. 1
MOLIÈRE, le Bourgeois gentilhomme, II, 4.

*Type, tempérament bilieux :* type morphopsychologique (hérité de la tradition hippocratique) caractérisé physiquement par la prédominance des membres et, psychologiquement, par la volonté, l'activité, l'énergie (dit aussi *musculo-moteur;* opposé à *lymphatique, nerveux, sanguin*). — *Caractère bilieux, humeur bilieuse.*

2 (...) je remerciai le ciel de m'avoir éloigné de ces spectacles d'horreurs et de crimes, qui n'eussent fait que nourrir, qu'aigrir l'humeur bilieuse que l'aspect des désordres publics m'avait donnée (...)
ROUSSEAU, les Confessions, t. II, IX, p. 288.

3 (...) ce tempérament bilieux, fait pour sentir profondément les injures et la haine.
STENDHAL, le Rouge et le Noir, t. I, p. 218.

N. Personne de tempérament bilieux. *Un bilieux, une bilieuse* (→ Atrabilaire, cit. 9).

4 Mais le bilieux est-il délivré pour cela de cette aigre manière d'aimer qui souvent est la sienne?
ALAIN, Descartes, *in* les Passions et la Sagesse, Pl., p. 994.

**CONTR. Aimable, avenant, charmant, enjoué, insouciant, jovial, optimiste, sympathique. ◊ DÉR. Bilieusement.**

**BILIGENÈSE** [biliʒənɛz] ou **BILIGÉNIE** [biliʒeni] n. f. — Mil. XXe, *biligénie,* 1920; de *bile,* et *-génie, genèse.*

Méd. Élaboration, sécrétion de la bile.

**BILINÉAIRE** [bilineɛʀ] adj. — 1903, in *Rev. gén. des sc.,* no 1, p. 45; de *bi-,* et *linéaire.*

♦ **1** Math. *Application bilinéaire :* application définie sur un couple d'espaces vectoriels, qui est linéaire par rapport à chacune des deux variables. *Forme bilinéaire :* application bilinéaire dont l'ensemble d'arrivée est le corps de base des deux espaces vectoriels.

♦ **2** Ethnol. *Filiation bilinéaire,* qui continue la filiation matrilinéaire et la filiation patrilinéaire, en rattachant chaque individu à un groupe de chaque type (syn. : *double filiation*).

**BILINGUE** [bilɛ̃g] adj. — 1618; «menteur», XIIIe; lat. *bilinguis* «en deux langues», de *bi-,* et *lingua* «langue».

Linguistique et courant.

♦ **1** Qui est en deux langues. *Édition bilingue. Dictionnaire bilingue. Enseignement bilingue. Inscription bilingue.*

♦ **2** Qui parle, possède deux langues, soit par apprentissage spontané, soit par acquisition seconde. *Cet enfant fut rapidement bilingue. Secrétaire bilingue.* — N. *Un, une bilingue. Un bilingue français-arabe, arabe-berbère.*

Figuré :

1 (...) je crois que jamais, avant nous, les chefs de la moitié du monde n'ont été des esprits bilingues.
MALRAUX, Antimémoires, Folio, p. 364.

Où l'on parle deux langues. *Région, province bilingue. Une zone bilingue peut ne comprendre aucun locuteur bilingue.*

2 Rome était à la lettre une ville bilingue (...)
RENAN, Saint-Paul, p. 98.

**CONTR.** (Du 1.) **Unilingue. ◊ DÉR. Bilinguiser** (régional), **bilinguisme.**

**BILINGUISER** [bilɛ̃gɥize] v. tr. — 1974; de *bilingue.*

Régional (Canada). Rendre bilingue. *«Henri Bourassa proposait de bilinguiser le Canada de l'Atlantique au Pacifique, alors que l'érosion par l'anglais menaçait déjà le Québec»* (*Québec-France,* no 15, 1974, p. 5).

**BILINGUISME** [bilɛ̃gɥism] n. m. — 1918; de *bilingue.*

Usage simultané de deux langues; caractère d'une personne, d'une région bilingue. *Bilinguisme et biculturalisme*, en Finlande, en Belgique, au Canada. Bilinguisme individuel. Bilinguisme social et diglossie*. Bilinguisme et multilinguisme.*

Spécialt. Dispositions prises par un gouvernement pour donner à deux langues parlées dans un pays un statut officiel. *Le bilinguisme canadien. Bilinguisme scolaire.*

**BILIRUBINATE** [biliʀybinat] n. m. — Déb. XXe; de *bilirubine,* et *-ate.*

Biochim. Sel résultant de l'action de la bilirubine sur les alcalis.

**BILIRUBINE** [biliʀybin] n. f. — 1865; de *bile,* et *rubine.*

Biol. Pigment rouge contenu dans la bile*, qui lui donne sa couleur et que l'on trouve aussi dans le sérum sanguin et dans les matières fécales. *En s'oxydant, la bilirubine donne la biliverdine.*

**COMP. Bilirubinate, bilirubinémie.**

**BILIRUBINÉMIE** [biliʀybinemi] n. f. — Déb. XXe; de *bilirubine,* et *-émie.*

Didact. Présence de bilirubine dans le sang.

**BILIVERDINE** [biliveʀdin] n. f. — 1856, *in* D. D. L.; de *bile, vert,* et *-ine.* → Bilirubine.

Biol. Pigment vert, produit d'oxydation de la bilirubine*.

**BILL** [bil] n. m. — 1669, «loi»; «projet de loi», 1698; mot angl.; de l'anc. franç. *bule, bulle*.*

♦ **1** Projet d'acte du Parlement anglais, de certains pays anglo-saxons.

Par ext. La loi votée. → **Loi.** *«Si l'on se rappelle les ébranlements causés par le Bill 63 et la Loi 22, le Livre Blanc du gouvernement péquiste sur la politique en matière de langue et le projet de loi qui en découlera bientôt provoqueront de profonds remous dans l'opinion, surtout du côté anglophone»* (*la Presse, Montréal,* 4 avr. 1977).

L'Angleterre publia des bills afin de défendre aux sujets de S. M. britannique de porter des secours aux Américains. 1
CHATEAUBRIAND, Voyage en Amérique..., 312.

♦ **2** Vx. Anglic. Lettre, papier écrit en Angleterre.

London, 17 avril 1875 (...) J'attendais pour t'envoyer ces bills d'être un peu fixé. 2
Germain NOUVEAU, Correspondance, *in* Œ. compl., Pl., p. 820.

**HOM. Bile.**

**BILLARD** [bijaʀ] n. m. — 1399, «bâton, crosse pour pousser les boules»; de *bille* «pièce de bois» (→ 2. Bille) «bâton recourbé», et *biller* «aller en zigzag», contaminé par *bille* «boule, bille».

**A** ♦ **1** Vx. Bâton (d'abord, bâton recourbé) pour pousser les boules à divers jeux. → **Queue.**

Le but est un cœur fier; la bille, un pauvre amant; 1
La passe et les billards, c'est ce que l'on pratique
Pour toucher au plus tôt l'objet de son amour (...)
LA FONTAINE, À Mme de La Fayette, en lui envoyant un petit billard.

Loc. fig. (1865). *Dévisser son billard :* mourir.

♦ **2** (1558, *jeu de billard*). Mod. **a** Jeu pratiqué sur une table spéciale, à rebords, où les joueurs font rouler des billes, l'une étant lancée au moyen d'une queue, deux autres étant déplacées par les chocs causés par la première. *Table de billard.* → ci-dessous le sens 3, a. *Boule de billard* (cour. : en terme de billard on dit *bille*). → 1. **Bille, boule.** *Queue de billard. Salle de billard.* → ci-dessous le sens 4. *Faire une partie, une poule, un match de billard. Coups au billard.* → **Billarder, blouser, bricole, bricoler, carambolage, caramboler, coulé, doublé, doubler, effet, fin** (prendre la bille trop fin), **masser, queuter, raccroc** (coup de raccroc), **rétro, rétrograde, série, tête** (prendre la bille en tête), **touche** (manque de touche), **toucher; bloquer, chicane, coller, contre, crochet, décollement, décoller, piquer.** *Jouer au billard sans observer les règles.* → **Pelotage.**

2 Sa fortune *(à Chamillart)* fut d'exceller au billard (...)
SAINT-SIMON, Mémoires, II, 231.

3 (...) mon père connaissait toutes les recettes par lesquelles les générations et les races se divertissent, tous ces légers opiums pour peuples que sont le billard, le mah-jong, le loto et la manille. GIRAUDOUX, Bella, 1.

3.1 En face montait un escalier droit, et à gauche une galerie, donnant sur le jardin, conduisait à la salle de billard dont on entendait, dès la porte, caramboler les boules d'ivoire.
FLAUBERT, Mme Bovary, p. 77.

Partie de billard. *Faire un petit billard* (fam.).
(Jeux analogues). *Billard américain, anglais, chinois, hollandais, japonais, russe; billard Nicolas :* jeux où l'on pousse à l'aide d'une queue, d'un ressort, d'une poire en caoutchouc, etc., une bille qui doit éviter des quilles, passer sous des arceaux, se loger dans des trous, etc.

[b] Loc. fam. *Avoir un œil qui joue au billard et l'autre qui compte les points :* loucher.
*Boule, bille de billard :* crâne chauve.

♦ **3** [a] (1680). Table rectangulaire, munie de rebords élastiques (→ **Bande**) et recouverte d'un tapis vert collé, sur laquelle on joue au billard. → 1. Bille, cit. 2. *Les mouches* d'un tapis de billard. Les anciens billards comprenaient des trous* (→ **Blouse**), *des rebords rembourrés.*

4 (...) penché sur le billard, il est en train de combiner un magnifique effet de recul (...)
Alphonse DAUDET, Contes du lundi, I, 2.

[b] **BILLARD ÉLECTRIQUE :** appareil comportant des plots électriques disposés sur un plateau légèrement incliné que supportent quatre pieds, que le joueur doit toucher au moyen d'une bille qui rebondit sur des bornes (→ **Bumper**), et où le joueur doit totaliser le plus grand nombre de points par bille et par partie. Syn. : *appareil à billes, flipper.* → aussi Pachinko (cit.).

5 Près des murs, vers le fond, une demi-douzaine de billards électriques étaient allumés. Besson s'avança vers eux.
Avec curiosité il contempla les boîtes debout sur leurs pieds, et les signaux multiples écrits sous les plaques de verre. Tous les flippers étaient libres, sauf un, le dernier. Monté sur une chaise, un très jeune garçon, dix ou onze ans peut-être, était en train de jouer.
L'enfant jouait avec une frénésie obstinée; ses deux bras serraient les côtés du billard et actionnaient les boutons des flippers. En équilibre sur la chaise, la bouche fermée, les sourcils froncés, le petit garçon attentif et nerveux secouait le casier de métal de toutes ses forces. Il attendait les coups des bumpers, et surveillait les chiffres qui s'inscrivaient sur le tableau illuminé.
J.-M. G. LE CLÉZIO, le Déluge, p. 85.

6 (...) billard électrique dont le tableau totalisateur comporte une série de villas et d'automobiles de luxe, où des incendies s'allument en fonction des performances réalisées par les boules d'acier.
A. ROBBE-GRILLET, Projet pour une révolution à New York, p. 32.

♦ **4** [a] Salle, pièce où est installée une table de billard, où l'on peut jouer au billard. *Nous pouvons passer au billard.*

[b] (1752). Lieu, établissement où l'on joue au billard.

[B] Par métaphore. ♦ **1** (1896, *in* Petiot). Terrain plat, route facile à parcourir. — (1914). Loc. fig., fam. *C'est du billard :* c'est une chose facile* à accomplir (→ Ça va comme sur des roulettes).

On te l'enveloppe, on te fait un sourire, et hop ! tu t'en vas sans payer ! C'est du billard ! 7
Robert MERLE, Week-end à Zuydcoote, p. 23.

♦ **2** (Du sens A, 3). Fam. Table d'opération. *Monter, passer sur le billard :* subir une opération. *Salle de billard. Rester sur le billard :* mourir sur la table d'opération.

Le précédent détenu, faute d'une intervention énergique, était resté sur le billard. 8
René VIGO, les Hommes en noir, t. II, p. 31.

DÉR. **Billarder, billardier.**

**BILLARDER** [bijaʀde] v. intr. — 1704, au sens 1; de *billard.*

♦ **1** Vx. Toucher deux fois la bille ou deux billes à la fois avec une queue de billard (→ **Queuter**).

♦ **2** (De *billard*, A., 1. «bâton»). Régional. Présenter une forme arquée. *Cornes qui billardent.*

♦ **3** (1751). En parlant du cheval, Marcher ou trotter, les jambes dépassant la ligne du corps et en décrivant un arc de cercle.

**BILLARDIER** [bijaʀdje] n. m. — XVIIIe; de *billard.*
Rare. Celui qui répare ou fabrique les billards. — REM. Le fém. *billardière* [bijaʀdjɛʀ] est virtuel.

**BILLBERGIA** [bilbɛʀʒja] n. m. — 1953, Quillet; *billbergie*, n. f., 1846, Bescherelle; *billbergie*, n. f., 1867, Larousse; lat. sav., du n. du botaniste suédois J. G. *Billberg.*
Plante monocotylédone des régions tropicales *(Broméliacées)*, à feuilles coriaces, à fleurs rouges ou roses groupées en grappes, cultivée comme ornementale en appartement.

1. **BILLE** [bij] n. f. — 1164; p.-ê. du francique **bikkil* «dé», attesté par le moy. haut all. et le néerl., mais le sens de «petite boule» semble relativement récent, *bille* signifiant d'abord «boule» en général; Guiraud postule une métonymie de *bille* «bâton courbe» (→ Billard) par **biller* «frapper la boule», le rad. initial étant *bigus* «double» par l'idée de «courbé, en travers».

[I] Petite boule, petite masse sphérique (d'une matière donnée). **REM. À la différence de *boule*, *bille* est assez rarement employé pour désigner abstraitement une forme ou un objet non spécifié.** → Boule.

C'est une bille de verre ordinaire, d'environ deux centimètres de diamètre. Toute sa surface est parfaitement régulière et polie. L'intérieur est tout à fait incolore, d'une transparence absolue (...) 1
A. ROBBE-GRILLET, Dans le labyrinthe, p. 142.

[II] (Objets spécifiques). ♦ **1** (1611). Boule d'ivoire ou de matière synthétique avec laquelle on joue au billard*. *Billes blanches. Billes rouges. Coller la bille, doubler la bille. Attaquer, prendre la bille en plein, en dessous, sur le côté. Bloquer, coller une bille. Attaquer, prendre une, la bille en tête*. Prendre la bille fine, fin* (→ **Fin**). *«Faire sa bille», «tuer la bille» d'un adversaire* (Stendhal, *Lucien Leuwen*, p. 1170).

Bientôt madame Grandet perdit la boule *(de billard)* mais Lucien avait fait de tels progrès dans son esprit qu'elle jugea à propos de lui adresser une petite dissertation géométrique et profonde sur les angles que forment les billes d'ivoire en frappant les bandes du billard (...) 2

Lucien invoqua des expériences. On mesura des distances sur le billard.
STENDHAL, Lucien Leuwen, XLVIII, Pl., p. 1171.

Loc. fig. *Bille en tête :* avec audace ; avec franchise.

3 Au lieu de me demander ce que je maquille *(fais)* chez lui, il me fonce dessus, bille en tête !
SAN-ANTONIO, le Secret de Polichinelle, p. 148.

4 J'étais entré bille en tête, à plus de soixante à l'heure dans une couche de fumier très « géorgique » sous une pellicule de neige.
Jean-Louis BORY, Ma moitié d'orange, p. 49.

Loc. *Être à billes pareilles, à billes égales,* à égalité. Fam. *Toucher sa bille :* être compétent. *Il touche sa bille en mécanique.*

♦ **2** Petite boule de pierre, d'argile, de verre..., servant à des jeux d'enfants. *Une bille d'agate.* → **Agate** (cit. 2). *Grosse bille.* → **Calot.** *Taper la bille contre un mur.* → **Tapette** (jouer à la tapette).

5 (...) je suis une bille sur une pente, condamnée à rouler jusqu'en bas, à rouler de plus en plus vite.
MARTIN DU GARD, les Thibault, t. IX, p. 145.

6 C'était une bille d'agate. Il se rappela aussitôt que c'était celle que Marie Kossichef lui avait donnée un jour aux Champs-Élysées. Comme on ne lui donnait jamais d'argent, il ne pouvait jamais acheter de billes et si on lui en donnait c'étaient des billes de pierre, d'une seule couleur, opaques, des billes d'un sou.
PROUST, Jean Santeuil, Pl., p. 768.

Au plur. *Les billes,* le jeu. *Jouer aux billes. Une partie de billes. Jeux de billes :* bloquette, pot, poursuite, pyramide, tapette, triangle, trime.

7 Le soir est une grande plaine
Où les anges jouent aux billes
Avec les étoiles.
Maurice CARÊME, Poèmes de gosses, 1933.

Loc. fig. Argot anc. *Des billes :* de l'argent.

8 Celui-là (...) il ne faudrait pas (...) le rencontrer au coin d'un bois ayant des *billes* (argent) (...)
Louise MICHEL, la Misère, t. III, p. 510.

Loc. *Reprendre ses billes :* cesser de participer à une action, une affaire collective. *« Chacun des partis a l'air de reprendre plus ou moins ses billes » (Entreprise,* 29 mars 1960). *Garder ses billes. Je ne veux pas mettre toutes mes billes, trop de billes dans cette affaire.*

♦ **3** (1892, Baudry de Saulnier). Techn. *Bille d'acier, de métal. Roulement à billes,* où des billes d'acier suppriment le contact direct entre l'arbre mobile et le coussinet fixe. *Le roulement à billes atténue les frottements. Palier à billes. Essai à la bille de Brinell,* pour évaluer la dureté des métaux au moyen d'une machine munie d'une bille.

9 Un fabriquant de roulement à billes qui exposait dans sa vitrine des rebondissements mathématiques de petites sphères d'acier sur des tambourins de même métal.
R. QUENEAU, Pierrot mon ami, p. 48.

(V. 1970). *Bombe à billes,* qui explose en projetant une multitude de petites balles. *« Les obus qui pleuvent sur les kibboutzim comme les bombes à billes qui tombent sur les populations syriennes » (le Nouvel Obs.,* 22 oct. 1973).

(V. 1950). *Crayon, stylo à bille,* dont le bout est une petite sphère imprégnée d'encre grasse, qui remplace la plume pour écrire. → **Bic** (marque déposée).

10 Un simple signe, une espèce de petite croix au crayon à bille qui les marquait (...)
J.-M. G. LE CLÉZIO, le Déluge, II, p. 98.

*La bille de métal d'un fermoir.* — Techn. *Bille de chape :* fermoir en métal.

(1942, Queneau). Loc. *Appareil à billes :* billard* électrique.

♦ **4** Loc. compar. *Des yeux ronds comme des billes, des yeux en billes,* tout ronds.

**III** ♦ **1** (1883, Larchey). Fam. Figure, face. → **Tête ; balle, binette, bouille, boule.** *Avoir une bonne bille. Bille de clown :* visage comique. *Faire une drôle de bille,* de tête, avoir l'air surpris.

Ma « bille » quand j'ai chaviré était, paraît-il, tordante... pardon terrible... 11
Pierre DANINOS, Un certain monsieur Blot, p. 110.

*Bille de billard :* crâne chauve. → **Boule.**

♦ **2** (P.-ê. de : *yeux comme des billes*). Niais, imbécile. *Quelle bille, ce type !*
Adjectif :

Vous êtes amer, cher Babinet, remarqua Toine Launois. — C'est à la vie que je le dois. Avant, j'étais bille, moi aussi, seulement à force de me faire rouler, j'ai compris. 12
R. DORGELÈS, Tout est à vendre, p. 276.

On rigolait parce qu'il *(l'adjudant)* était bille, et qu'on lui posait des colles. 13
Roger VERCEL, Capitaine Conan, p. 31.

COMP. **Billebaude.** ◊ HOM. 2. **Bille.**

2. **BILLE** [bij] n. f. — 1372 ; *billia,* 1198 ; du lat. médiéval *bilia* « tronc d'arbre » probablt mot gaulois (cf. irlandais *bile* « tronc »).

♦ **1** Pièce de bois prise dans la grosseur du tronc ou de grosses branches et qui est destinée à être équarrie, mise en planches. *Une bille de chêne, d'acajou* (→ 2. **Billon ;** 2. **billette, billot).**

(...) une fillette chassant du bout d'une badine un troupeau d'oies indignées, un traîneau de billes de sapins tiré par deux chevaux. 1
M. TOURNIER, le Roi des Aulnes, p. 191.

Sans doute, de toute son existence passée à traîner des billes de loupe de la forêt jusqu'à la plaine, n'avait-il jamais mangé autre chose que l'herbe desséchée et jaunie des terrains défrichés et, au point où il en était, n'avait-il plus le goût d'autre nourriture. 2
M. DURAS, Un barrage contre le Pacifique, p. 15-16.

♦ **2** Techn. Lingot (de métal). *Une bille d'acier, d'or.*
Argot. anc. *De la bille :* de l'argent (1836, Vidocq).

♦ **3** Régional (notamment Sud-Ouest). *Bille de chocolat.* → **Barre.**

De grandes et grosses billes de chocolat arrangées les unes sur les autres (...) 3
SAINT-SIMON, Mémoires, II, 433.

(...) il peut voir par la porte ouverte la femme s'affairer, asseoir la petite sur une chaise, sortir d'un placard deux billes de chocolat qu'elle distribue avec une tranche de pain. 4
Claude SIMON, le Vent, p. 50.

♦ **4** (1393 ; 1532, Rabelais, « bâton, baguette »). Techn. Rouleau, pièce de bois servant à biller, à serrer des ballots (1680), à haler un bateau (1690), à rouler la pâtisserie (1741).

DÉR. **Billard, biller,** 2. **billette,** 1., 2., 3. **billon, billot.** ◊ COMP. **Billebarrer, habiller. — Surbille.** — HOM. 1. **Bille.**

**BILLEBARRER** [bijbare] v. tr. — XVI^e ; de 2. *bille* au sens de « bâton », et *barrer.*

Vx. Rayer de bandes de couleur.

◆ **BILLEBARRÉ, ÉE** p. p. adj.

Bariolé, bigarré.

**BILLEBAUDE** [bijbod] n. f. — 1676 ; de 1. *bille,* et anc. franç. *baut* « hardi ». → Baudet.

♦ **1** Vx. Confusion, désordre.

Quand on ne boit point *(à Vichy),* on s'ennuie ; c'est une billebaude qui n'est point agréable.
M^me DE SÉVIGNÉ, Lettres, 539, 19 mai 1676.

Loc. adv. *À la billebaude :* en désordre.

♦ **2** Mod. *Chasse à la billebaude,* non organisée, où chacun tire à sa fantaisie. — (1973). Par ext. Chasse photographique consistant à battre la campagne en photographiant les animaux rencontrés.

**BILLER** [bije] v. tr. — XV^e, «lier»; de 2. *bille,* 4.
Technique.

♦ **1** (1527). Serrer au moyen d'une pièce de bois qui assure une torsion. *Biller un ballot, un colis, un paquet.* → **Corder.**

♦ **2** (1611). Pour le halage des bateaux, Attacher (la corde) à une pièce de bois courbe *(bille)* placée derrière le cheval.

♦ **3** (1741). Boulang. *Biller la pâte,* l'aplatir au moyen d'un rouleau (2. *bille*).

**BILLET** [bijɛ] n. m. — 1459; anc. franç. *billette,* n. f. (1389), altér. de *bullette,* dimin. de *bulle;* d'après 1. *bille;* pour Guiraud cette altér. est peu vraisemblable, le mot viendrait de *bille* (de bois), le *billet* étant un bâtonnet, comme l'*étiquette.*

**I** Message écrit assez bref, réduit à l'essentiel. → **Lettre, missive; biffeton** (argot). *Écrire, envoyer, faire parvenir un billet.* → **Mot.** *Recevoir un billet. Un petit billet en vers.* — (Mil. XVII^e). Vx ou par plais. *Billet doux, billet galant :* lettre d'amour. → **Poulet.** — Rare. *Billet d'amour* (G. Nouveau).

1 Vous avez pour Acaste écrit ce billet tendre?
MOLIÈRE, le Misanthrope, V, 4.

2 Ayez recours, pour voir, à tous les détours des amants : essayez un peu, par plaisir, à m'envoyer des ambassades, à m'écrire secrètement de petits billets doux.
MOLIÈRE, George Dandin, I, 6.

3 Il m'écrivit l'autre jour un fort joli billet (...)
M^me DE SÉVIGNÉ, Lettres, 614.

4 (...) recevoir des billets et (...) y faire réponse.
LA BRUYÈRE, les Caractères, I, 52.

5 Jetez les yeux sur cet hôtel magnifique, vous y verrez un grand seigneur couché dans un superbe appartement. Il a près de lui une cassette remplie de billets doux.
A.-R. LESAGE, le Diable boiteux, I, 35.

6 L'un dans la main vous glisse un billet doux,... L'autre à Passy vous propose une fête (...)
VOLTAIRE, Épîtres, 80, *in* LITTRÉ.

Avis écrit à la main ou imprimé. → **Avis, circulaire, convocation.** *Billet de naissance, de mariage. Billet ou lettre de faire-part.* → **Faire-part.**

7 Il reçoit des billets d'invitation pour un diner (...)
ROUSSEAU, Émile, II.

(1680). Vx. Petit avis écrit ou imprimé. *Un billet d'enterrement, de mariage. — Billet de part* (vx), *de faire-part.* → **Faire-part.** — Milit. *Billet d'enrôlement, de mobilisation, de réquisition. — Billet d'avis de la poste.*

Petit article* de journal sur un sujet d'actualité. *Des billets et des chroniques.*

**II** ♦ **1** (1680). Comm. Promesse écrite, engagement de payer une certaine somme. → **Promesse, reconnaissance; cédule** (vx). — Vx. *Billet de change, billet d'épargne. Billet non commercial. Rembourser un billet. Billets de commerce.* → **Crédit** (instrument de crédit), **effet, traite, valeur.** *Souscrire un billet. Négocier un billet. L'approuvé* (cit.) *d'un billet. Endosser un billet* (→ **Endossement, endosseur**). *Transfert d'un billet. Escompter un billet.* → **Escompte.** *Payer un billet à présentation. Billet au porteur,* payable au détenteur à l'échéance. *Protester un billet.* → **Protêt.**

7.1 *(Grandet, qui bégaie, parle)* ... enfin j'ai mes affaires, je n'ai jamais fait de billets, qu'est-ce qu'un billet? J'en, j'en, j'en ai beau, beaucoup reçu, je n'en ai jamais si, si, signé. Ça, aaa se ssse touche, ça s'essscooompte (...) J'ai en, en, en, entendu di, di, dire qu'onooon pou, ou, ouvait racheche-cheter les bi, bi, bi...
— Oui, dit le président. L'on peut acquérir les billets sur la place, moyennant tant pour cent. Comprenez-vous?
BALZAC, Eugénie Grandet, éd. 1838, p. 203.

BILLET À ORDRE, par lequel une personne (→ **Souscripteur**) s'engage à payer soit à vue, soit à une échéance déterminée, une certaine somme à une autre personne (→ **Bénéficiaire**) ou à son ordre. → **Lettre** (lettre de change). *Billet à ordre souscrit par l'acquéreur d'un fonds de commerce.* → **Fonds** (billet de fonds). *Les billets à ordre sont soumis au droit de timbre.*

Toutes les dispositions relatives à la lettre de change (...) sont applicables au billet à ordre (...) 8
Le billet à ordre est daté. Il énonce : la somme à payer, le nom de celui à l'ordre de qui il est souscrit, l'époque à laquelle le payement doit s'effectuer.
Code de commerce, art. 187-188.

*Billet de complaisance*.* → **Effet** (effet de complaisance).

♦ **2** (1716). Cour. BILLET DE BANQUE, et, absolt, BILLET.

**a** Vx. Billet émis par certaines banques qui, à l'origine, étaient engagées à payer en espèces, à vue et au porteur, la somme inscrite sur le billet. *Billets dont la valeur était gagée sur les biens nationaux.* → **Assignat, banque** (cit. 3); **monnaie, papier.** *Billet convertible. Loi autorisant les banques à ne pas rembourser leurs billets.* → **Cours** (cours forcé, cours légal). *Billet inconvertible.*

**b** Mod. Billet à cours forcé, papier-monnaie. *Les billets de banque sont une monnaie fiduciaire. Billet-type et coupures*. La circulation des billets a augmenté, a diminué.* → **Inflation, déflation.** *Avoir des billets sur soi.* → (fam.) **Biffeton;** (argot) **anonyme, fafiot.** *Billet de banque anglais.* → **Bank-note.** Loc. *Le billet vert :* le dollar. *Payer une somme en billets. Billets de cent, de cinquante, de vingt, de dix francs (français, belges, suisses). Un billet de cinq cents francs (français). Un billet de dix mille lires, de dix livres sterling, de cinq marks, de vingt dollars, de dix dollars canadiens. — Mettre, ranger ses billets dans un portefeuille, un porte-billets. Empreinte des billets de banque.* → **Filigrane.** *Fabrication, imitation de billets.* → **Falsification, monnaie** (fausse monnaie).

L'expression «Billets de Banque» est dans les lettres-patentes du 2 mai 1716 qui autorisent la création de la Banque de Law (art. 3). 9
F. BRUNOT, Hist. de la langue franç., t. VI, XVIII^e s., I, p. 154 (→ Banque, cit. 3).

(...) l'homme posa des billets de banque sur le tapis, puis mit dans ses poches les couverts et les emporta (...) 10
LOTI, Matelot, XIV, p. 52.

Ne croyez pas que ce soit ici comme en Allemagne où les universités se disputent les professeurs à coups de billets de banque. 11
G. DUHAMEL, Scènes de la vie future, XIV.

Fam. (surtout de la part d'adultes, par habitude de la valeur de la monnaie avant la réforme monétaire de 1960. → Franc). *Un billet de mille francs, un billet de mille :* un billet de dix francs (mille centimes). — *Somme de mille centimes (dix francs). Il a reçu cinq cents billets,* 500 000 centimes (5 000 francs).

♦ **3** (1680). Petit écrit, petit imprimé donnant entrée dans une salle de spectacle, dans une assemblée, l'accès d'un moyen de transport, etc. *Entrer avec un billet, sans billet.* → **Carte, ticket;** (fam.) **biffeton.** Loc. Vx. *Faire une chose par billets :* être admis en présentant un billet.

(...) il y a presse dans la rivière; M^me de Coulanges dit qu'on ne s'y baigne plus que par billets. 12
M^me DE SÉVIGNÉ, Lettres, 553, 1^er juil. 1676.

C'est lui (...) qui fait querelle à ceux *(des spectateurs)* qui étant entrés par billets, croient ne devoir rien payer. 13
LA BRUYÈRE, les Caractères de Théophraste, «De l'image d'un coquin».

*Émission, délivrance des billets.* → **Billetterie,** 1. *Le contrôle, le poinçonnage des billets. Billet valide, non valide, périmé.* — Anciennt. *Billet de bal; billet double, pour un homme et une femme.* → **(vx) Mariage** (cit. 32). *Billet de théâtre, de concert. Billet d'auteur, de presse, de service. Billet de faveur. Billet à demi-tarif. Billet d'orchestre, de parterre* (cit. 7). — Loc. fig. *Prendre un billet de parterre* (cit. 9) : tomber. *Billet délivré à l'entr'acte.* → **Contremarque.** — *Billet de train, de bateau.* → **Passage.** *Billet d'aller, d'aller et retour, billet circulaire; billet individuel, collectif. Billet de quai.* → **Ticket; bulletin** (de bagages). *Billet de première, de seconde classe. Billet de supplément. Billet d'avion. Vous avez votre réservation, il ne reste plus qu'à faire le billet.*

14 Tout en bas, elle *(Jenny)* apercevait le portillon d'accès au quai, et l'employé qui poinçonnait les billets.
MARTIN DU GARD, les Thibault, t. VI, p. 147.

REM. L'emploi de *billet* et de *ticket*, en français actuel, est réglé par l'usage; pour les spectacles, on n'emploie que *billet*; pour les transports, *ticket* est le seul mot courant en ce qui concerne les transports urbains (métro, autobus...), mais *billet* l'emporte pour le train, l'avion, le bateau; matériellement, *billet* suppose une dimension plus grande que *ticket*, souvent plusieurs feuilles (billets d'avion, par exemple).

*Billet de logement,* délivré par une commune à un militaire pour qu'il soit logé chez un habitant. → **Réquisition.**

Loc. (Vx). *Tirer au billet* : tirer au sort (pour le service militaire).

*Billet de loterie*, de tombola. Billet gagnant, perdant.* → **Numéro.** *Mauvais billet* (perdant).

Vx. *Billet de vote.* → **Bulletin.**

♦ **4** (1690). Papier reconnaissant ou attestant qqch. → **Attestation, certificat.** *Billet attestant le droit d'une personne à toucher une somme d'argent.* → **Bon.** — *Billet de santé,* attestant que le porteur s'est conformé aux règlements sanitaires. *Billet de confession,* par lequel un prêtre certifie avoir entendu le porteur en confession. *Le billet de confession est exigé pour le mariage religieux.*

Loc. fam. (1821, *in* D. D. L.). *Je vous donne, je vous fiche... mon billet que...* → **Affirmer, assurer, certifier.**

Allus. hist. *Ah! le bon billet qu'a La Châtre!,* paroles ironiques de Ninon de Lenclos, trompant le marquis de La Châtre à qui elle avait fait promesse écrite de fidélité; on les rappelle parfois à propos d'un engagement sans valeur.

DÉR. **Billetterie, billettiste.**

**BILLETÉ, ÉE** [bijte] adj. — 1234; de 2. *billette.*

Blason. Semé de billettes*.

1. **BILLETTE** [bijɛt] n. f. — 1389; anc. franç. *bullette,* de *bulle* «sceau», avec infl. de 2. *bille.*

♦ **1** Vx. Petit écriteau indiquant l'existence d'un droit de péage à acquitter. — Pièce constatant que les droits de douane ont été acquittés.

♦ **2** Régional. Sauf-conduit, papier officiel. → **Billet** (I.).

Voulez-vous, demanda Maurin, me faire un mot de billette pour une dame (...) M. Cabissol appela l'aubergiste Blanc, qui, sur sa demande, apporta plume et encre, et Maurin dicta le sens d'une billette dont M. Cabissol rédigea les phrases à son idée.
Jean AICARD, Maurin des Maures, XLII, p. 340.

HOM. 2. **Billette.**

2. **BILLETTE** [bijɛt] n. f. — XIII^e, héraldique, d'après l'attestation de *billeté* en 1234; de 2. *bille.*

♦ **1** Blason. Pièce d'armoirie en forme de rectangle.

♦ **2** (1414). Morceau de bois fendu. *Fagot de billettes.* — Techn. (mines). Pièce de bois soutenant la voûte d'une galerie de mine. — Métall. Lingot d'acier* de section carrée. → 2. **Bille.**

♦ **3** (Mil. XVI^e). Archit. Ornement de moulure composé de petits tronçons de tore espacés. → **Moulure, tore.** *Les billettes sont très employées dans le style roman.*

DÉR. (Du 1.) **Billeté.** ◊ HOM. 1. **Billette.**

**BILLETTERIE** [bijɛtʀi] n. f. — 1973; mot créé pour remplacer l'angl. *ticketing;* de *billet* (II., 3.).

♦ **1** Ensemble des opérations relatives à l'émission et à la délivrance de billets (voyages, spectacles, etc.). — Lieu où ces billets sont délivrés.

♦ **2** Distributeur de billets de banque, fonctionnant avec une carte magnétique.

**BILLETTISTE** [bijetist] n. — Mil. XX^e; de *billet,* I (sens 1) et II, 3 (sens 2).

♦ **1** Journaliste qui rédige régulièrement un billet dans un journal. *Le billettiste d'un grand quotidien national.*

♦ **2** Personne qui émet, délivre les titres de transport dans une agence de voyages.

**BILLEVESÉE** [bilvəze] ou [bijvəze] n. f. — XV^e; mot de l'Ouest, p.-ê. de *beille* «boyau», du lat. *botula,* et *vezé* «gonflé», ou de *biller* «aller de travers» (→ 1. Bille), du rad. *big-,* et *veser* «s'agiter», comme *baliverne* (Guiraud).

Vieilli ou littér. Parole vide de sens, idée creuse, chimérique. *Il nous fatigue de ses billevesées.* → **Baliverne, faribole, sornette, sottise** (→ Battologie, cit.; pompadour, cit. 1).

C'est *(Don Juan)...* un hérétique (...) qui (...) traite de billevesées tout ce que nous croyons. 1
MOLIÈRE, Dom Juan, I, 1.

Et vous, qui êtes cause de leur folie, sottes billevesées, 2 pernicieux amusements des esprits oisifs, romans, vers, chansons, sonnets et sonnettes, puissiez-vous être à tous les diables! MOLIÈRE, les Précieuses ridicules, 17.

Toutes les billevesées de la métaphysique ne valent pas 3 un argument ad hominem (...)
DIDEROT, Pensées philosophiques, 17, *in* LITTRÉ.

Ventre et boyaux! Trêve aux billevesées! Dites-moi, Jehan 4 du diable, vous reste-t-il quelque monnaie?
HUGO, Notre-Dame de Paris, VII, 7, p. 68.

Ne nous arrêtons pas (...) à écouter leurs billevesées, nous 5 n'en aurions jamais fini (...)
Th. GAUTIER, le Capitaine Fracasse, XI.

Et toutes les spéculations métaphysiques me paraissent 6 alors comme une filiation de miroitantes billevesées, incapables non seulement de me racheter de cette horrible *forme* intellectuelle, — presque diabolique — mais de me donner un seul instant de stable espérance!
VILLIERS DE L'ISLE-ADAM, Tribulat Bonhomet, p. 138.

**BILLION** [bilјɔ̃] n. m. — 1520; *byllion,* 1484, sens 2.; altér. de *million* par substitution de *bi-* à la syllabe initiale.

♦ **1** (1721). Vx. Mille millions ($10^9$). → **Milliard (sens de l'amér. billion).**

♦ **2** Mod. Un million de millions ($10^{12}$), soit mille milliards. → **Trillion (anciennt), milliasse (vx).**

Voilà le chœur des comptables, ils opinent, comme un seul homme, encore un, et ce n'est pas fini, tous les peuples n'y suffiraient pas, au bout des billions il faudrait un dieu, des témoins témoin sans témoin (...)
S. BECKETT, Textes pour rien, p. 200.

1. **BILLON** [bijɔ̃] n. m. — 1276; de 2. *bille*.

♦ **1** Anc. Monnaie de cuivre mêlée ou non d'argent; cet alliage. *Du billon. — Monnaie de billon émise par Charles VIII.* → **Carolus.**

Il prit pour elle ce ticket de vingt centimes, — la raison de cette monnaie de billon qu'il traînait dans sa poche depuis deux ans. GIRAUDOUX, Églantine, p. 135.

♦ **2** (1576). Mod., techn. Monnaie divisionnaire métallique sans valeur intrinsèque. *Du billon.*

DÉR. 1. **Billonner.** ◈ HOM. 2. **Billon,** 3. **billon.**

2. **BILLON** [bijɔ̃] n. m. — 1513; de 2. *bille*.

♦ **1** Techn. Pièce de bois équarrie ou non. → 2. **Bille.**

Parfois tout se passe bien, l'arbre se couche sur le sol et les castors commencent à le débiter, comme un bûcheron ferait des billons, puis les branches elles-mêmes sont sectionnées, et les tronçons transportés jusqu'au bras de rivière où s'élèvera le barrage. R. FRISON-ROCHE, Nahanni, p. 180.

♦ **2** Agric. Sarment de vigne taillé court.

DÉR. 2. **Billonner.** ◈ HOM. 1. **Billon,** 3. **billon.**

3. **BILLON** [bijɔ̃] n. m. — 1771; de 2. *bille*.

Agric. Ados* formé dans un terrain avec la charrue (entre deux sillons). *Labourer en billons.* → 3. **Billonner.** *Tranchée entre deux billons* (→ **Dérayure, sillon**) *dans laquelle on plante les ceps de vigne.* → **Perchée.**

DÉR. 3. **Billonner.** ◈ HOM. 1. **Billon,** 2. **billon.**

1. **BILLONNAGE** [bijɔnaʒ] n. m. — Mil. XV^e; de 1. *billonner*.

Anciennt. Trafic illégal sur les monnaies.

HOM. 2. **Billonnage,** 3. **billonnage.**

2. **BILLONNAGE** [bijɔnaʒ] n. m. — 1928; de 2. *billonner*.

Techn. Tronçonnage des arbres abattus.

HOM. 1. **Billonnage,** 3. **billonnage.**

3. **BILLONNAGE** [bijɔnaʒ] n. m. — 1835; de 3. *billonner*.

Agric. Labourage en billons.

HOM. 1. **Billonnage,** 2. **billonnage.**

1. **BILLONNER** [bijɔne] v. — 1356; de 1. *billon*.

Didact. (hist.). Faire un trafic illégal sur les monnaies défectueuses.

DÉR. 1. **Billonnage.** ◈ HOM. 2. **Billonner,** 3. **billonner.**

2. **BILLONNER** [bijɔne] v. tr. — 1732; «couper les ceps de la vigne», fin XIX^e; de 2. *billon*.

Techn. Tronçonner (un arbre abattu) de manière à faire des billons.

DÉR. 2. **Billonnage.** ◈ HOM. 1. **Billonner,** 3. **billonner.**

3. **BILLONNER** [bijɔne] v. tr. — 1782; de 3. *billon*.

Agric. Labourer en billons. → 3. **Billon.**

DÉR. 3. **Billonnage.** ◈ HOM. 1. **Billonner,** 2. **billonner.**

**BILLOT** [bijo] n. m. — XIV^e; «bloc de métal», 1577; de 2. *bille*.

♦ **1** Tronçon de bois gros et court dont la partie supérieure est aplanie (pour servir d'appui). *Hacher de la viande sur un billot. Fendre du bois sur un billot.*

Elle dut répondre à une dame qui venait commander une livre de côtelettes aux cornichons. Elle quitta le comptoir, alla devant le billot, au fond de la boutique. Là, avec un couteau mince, elle sépara trois côtelettes d'un carré de porc. ZOLA, le Ventre de Paris, t. I, p. 101. 1

♦ **2** Bloc de bois sur lequel on appuyait la tête d'un condamné à la décapitation*. *Périr, être exécuté sur le billot.* → **Exécution.**

Mais les grandes passions qui mettent en jeu sa vie *(celle de l'homme de notre temps)* et la vie des siens, qui peuvent mettre sa tête sur un billot ou dans un garrot, qui peuvent le précipiter dans un cachot, le conduire à la torture et au supplice, il ne les connaît pas. TAINE, Philosophie de l'art, t. I, p. 200. 2

Loc. fig. (1690). *La tête sur le billot :* même en étant menacé de mort. *J'en mettrais ma tête sur le billot,* se dit pour renforcer une affirmation (→ En mettre sa main au feu*, en donner sa tête à couper*).

♦ **3** (Emplois spéciaux). **a** Techn. Masse de bois ou de métal à hauteur d'appui, sur laquelle on fait un ouvrage. → **Bloc.** *Billot sur lequel le cordonnier bat le cuir. Billot supportant une enclume. Billot à chantourner des serruriers. Billot de tonnelier.* → **Tronchet.** *Billot pour découper les ardoises, les cercles de bois.* → **Chapus.**

**b** Mar. Pièce de bois soutenant la quille d'un navire en construction. → **Tin.** — Masse sur laquelle repose le mât d'artimon.

♦ **4** Techn. Corbeille d'osier couverte de lattes ou caissette de bois à côtés obliques utilisée pour le transport de denrées périssables, en particulier des fruits et légumes. → (cour.) **Cageot.**

♦ **5** (1561; vén.). Bâton suspendu au cou d'animaux pour les empêcher de courir. → **Entraver.**

♦ **6** Fig. et fam. Vx. Livre très épais. → **Pavé.**

**BILOBÉ, ÉE** [bilɔbe] adj. — 1788, Linné; de *bi-*, et *lobe*.

Didact. (bot., archit.). Qui a deux lobes. *Arc bilobé.*

**BILOCAL, ALE, AUX** [bilɔkal, o] adj. — D. i. (XX^e); de *bi-*, et *local*.

Ethnol. *Résidence bilocale :* mode de résidence dans lequel le couple et ses enfants ont la possibilité d'habiter près du groupe de l'époux ou près du groupe de l'épouse.

**BILOCATION** [bilɔkasjɔ̃] n. f. — 1866; de *bi-*, rad. du p. p. latin *locatus* «placé», et suff. *-ion*.

Phénomène paranormal par lequel une même personne serait simultanément présente en deux endroits distincts; cette présence simultanée.

**BILOCULAIRE** [bilɔkylɛʀ] adj. — 1771; de *bi-*, *locule* «petite bourse», du lat. *loculus* «petit endroit», de *locus* «lieu», et suff. *-aire*.

Sc. nat. Qui a deux loges. *Anthère biloculaire. Estomac, utérus biloculaire.*

**BILOQUER** [bilɔke] v. tr. — XIII^e; altér. de l'anc. franç. *binoquer*, de *biner*.

Agric. (Rare). Faire un premier et profond labour.

**BIM** [bim] interj. — D. i.; onomatopée.

Onomatopée évoquant un coup. → **Bing.**

Le cœur (...) vous tape le long des tempes. Bim! Bim!... C'est comme ça qu'on arrive à éclater un jour. CÉLINE, Voyage au bout de la nuit, p. 284 (1932).

**BIMANE** [biman] adj. et n. — 1627; repris et imposé en sc. nat. par Buffon; de *bi-*, et lat. *manus* «main».
Qui a deux mains à pouces opposables. *L'homme, animal bimane.* — N. *Un bimane. Bimanes et quadrumanes**.

**BIMBACHI** [bimbaʃi] n. m. — 1827, *bim-bachi*, turc *bimbašy* «chef de mille hommes». → Bikbachi.
Didact. (hist.). Officier supérieur de l'armée ottomane.

**BIMBELOT** [bɛ̃blo] n. m. — 1549; var. de *bibelot*.
♦ **1** (1680). Vx. Jouet d'enfant.
♦ **2** (XIXe). Petit objet sans grande valeur. → **Bagatelle, bibelot, colifichet.**
DÉR. **Bimbeloterie, bimbelotier.**

**BIMBELOTERIE** [bɛ̃blɔtʀi] n. f. — 1751; de *bimbelot*.
♦ **1** Fabrication ou commerce de jouets et petits objets de tabletterie, etc., autrefois appelés *bimbelots**. *La bimbeloterie parisienne et ses «articles de Paris».*
♦ **2** Ensemble de ces objets. *Boutique de bimbeloterie.* → **Bazar; bibeloterie.**
C'était l'époque où Winckler s'était mis à fabriquer des bagues et Valine lui avait amené la petite parfumeuse de la rue Logelbach qui avait envie d'aménager un rayon de bimbeloterie dans son magasin au moment de Noël.
Georges PÉREC, la Vie mode d'emploi, p. 48.
♦ **3** Par métaphore. *La bimbeloterie romantique.*

**BIMBELOTIER, IÈRE** [bɛ̃blɔtje, jɛʀ] n. et adj. — 1484; *bambelotier*, sens mod., 1530; de *bimbelot*.
Personne qui fabrique ou vend de la bimbeloterie*. → **Bibelotier.**
Adj. Qui est composé de petits objets de peu de valeur. *L'univers bimbelotier du marché aux puces.*

**BIMENSUEL, ELLE** [bimɑ̃sɥɛl] adj. et n. m. — 1847, cit.; de *bi-*, et *mensuel*.
♦ **1** Vx. Qui a lieu, qui paraît tous les deux mois. → **Bimestriel.** — On écrivait aussi *bi-mensuel*.
Nous nous bornerons à compter la quantité de feuilles quotidiennes ou de recueils hebdomadaires, mensuels ou bi-mensuels, qui ont été créés, la plupart pour mourir presque aussitôt, dans les années suivantes.
Revue des Deux Mondes, t. XX, 1er nov. 1847, p. 442, *in* D. D. L., II, 14.
♦ **2** Mod. Qui a lieu, qui paraît deux fois par mois. → **Bihebdomadaire.** *Réunions bimensuelles. Revue bimensuelle.* → **Semi-mensuel.** — N. m. *Un bimensuel.*
REM. Le dér. *bimensuellement* [bimɑ̃sɥɛlmɑ̃] adv., est attesté en 1939.

**BIMESTRE** [bimɛstʀ(ə)] n. m. — 1831; du lat. *bimestris*.
Didact. ou admin. Durée de deux mois. *Les épreuves du concours auront lieu dans le courant du premier bimestre de l'année prochaine. Qui a lieu tous les bimestres.* → **Bimestriel.**

**BIMESTRIEL, ELLE** [bimɛstʀijɛl] adj. et n. m. — 1899; de *bimestre*, d'après *semestriel, trimestriel*.
Qui a lieu tous les deux mois. *Conseil d'administration bimestriel.* — (En parlant d'un magazine, d'une revue). Qui paraît tous les deux mois. *Publication bimestrielle.* — N. m. *Un bimestriel.*

**BIMÉTAL** [bimetal] n. m. — 1924; de *bi-*, et *métal*.
Techn. Câble conducteur en acier recouvert d'un autre métal (cuivre, aluminium). *Bimétal d'une antenne. Des bimétaux.*

**BIMÉTALLIQUE** [bimetalik] adj. — 1876; de *bimétallisme*.
♦ **1** Écon. Relatif au bimétallisme. *Système bimétallique.*
♦ **2** Techn. Composé de deux métaux.

**BIMÉTALLISME** [bimetalism] n. m. — 1875; de *bi-*, et *métal*.
Écon. Système monétaire dans lequel deux métaux servent de monnaie. *Dans le bimétallisme intégral les deux monnaies sont librement frappées, ont chacune un pouvoir libératoire illimité et un rapport légal d'échange.* — On écrit parfois *bi-métallisme*.
Il est en effet un problème auquel les événements en cours, politiques et économiques, ont rendu une actualité brûlante. C'est celui du bi-métallisme.
M. AYMÉ, Travelingue, p. 147.
CONTR. **Monométallisme.** ◊ DÉR. **Bimétallique, bimétalliste.**

**BIMÉTALLISTE** [bimetalist] adj. et n. — 1890; de *bimétallisme*.
Écon. polit. Relatif au bimétallisme.
N. Partisan du bimétallisme.

**BIMILLÉNAIRE** [bimi(l)lenɛʀ] adj. et n. m. — 1844, *in* D. D. L.; de 1. *bi-*, et *millénaire*.
Deux fois millénaire; qui a deux mille ans (le mot est devenu relativement courant à l'occasion des fêtes célébrées pour le deux millième anniversaire de la fondation de Paris). — REM. La graphie *bi-millénaire* est archaïque.
Les deux mille années lunaires ne devant pas tarder à s'accomplir, c'est à la moitié du dix-neuvième siècle qu'est réservée cette grâce nouvelle d'un jubilé bi-millénaire, où le ciel sollicité par les âmes élues doit pour ainsi dire descendre sur la terre en colonnes lumineuses, propres à dissiper les ténèbres épaissies de ces derniers temps. 1
NERVAL, Œuvres, I, éd. Garnier, p. 375 (1855), *in* D. D. L., I, 12.
(...) affirmons crânement notre suprématie dans le petit deux-pièces, la boîte à chanson, la bonne chère (...) le sport cycliste, et tous ces petits riens qui sont la fine fleur d'une très subtile culture bimillénaire. 2
Jacques PERRET, Bâtons dans les roues, p. 23.
N. m. Deux millième anniversaire.

**BIMOTEUR** [bimɔtœʀ] adj. et n. m. — 1921, *in* D. D. L.; de *bi-*, et *moteur*.
Muni de deux moteurs. *Avion bimoteur.* — N. m. *Un bimoteur de transport.* → aussi **Biréacteur; biturbine.** *Des bimoteurs.*

**BINAGE** [binaʒ] n. m. — 1311; de *biner*.
**I** Agric. Action de biner; seconde façon que l'on donne à la terre après ensemencement, pour l'ameublir et enlever les mauvaises herbes. → **Sarclage.** *Outils pour effectuer le binage.* → **Bident, 1. binette, crochet, houe, ratissoire, serfouette.** *Le binage aère la terre et favorise la nitrification.*
En dépit des chaulages pernicieux, des binages épargnés et des échardonnages intempestifs, Bouvard, l'année suivante, avait devant lui une belle récolte de froment. 1
FLAUBERT, Bouvard et Pécuchet, II.
Je repris mon binage. Mais tout en cultivant mon jardin, je ne pouvais m'empêcher de penser à cet accident. 2
R. QUENEAU, Pierrot mon ami, éd. L. de Poche, p. 57.
**II** (1771; de *biner*, II.). Liturgie. Action du prêtre qui célèbre deux messes en deux lieux différents, le même jour.
Dr. Service de deux justices de paix limitrophes qui est assuré par le titulaire de l'une d'elles.

**BINAIRE** [binɛʀ] adj. et n. f. — 1554; bas lat. *binarius* «double», de *bini* «deux éléments formant couple».

♦ **1** ⓐ Arithm. Vx. Composé de deux unités. *Nombre binaire.*

1 L'idée du nombre infini diffère du nombre binaire (...)
DESCARTES, Réponses aux 2^es objections, *in* LITTRÉ.

ⓑ Mod. Qui comporte, peut compter deux états définis et distincts (et deux seulement). *Numération binaire :* système de numération de base 2. *La numération binaire utilise les chiffres 0 et 1 pour écrire tous les nombres.*
Inform. Qui ne comporte que deux états. *Code, langage binaire. Langage codé binaire. Élément binaire.* → **Bit; booléen; digital**; et aussi **bascule.** *Système binaire :* code binaire d'une machine n'utilisant que deux symboles (1 et 0) correspondant à deux états d'une cellule électrique. *Logique binaire.* → **Bivalent.**
ⓒ Log. *Relation binaire :* relation établie entre deux éléments. — Math. *Relation binaire dans un ensemble,* relation de cet ensemble vers lui-même. → **Relation** (II., 2.).

♦ **2** Chim. Composé de deux éléments. *Composé binaire. Système binaire,* formé de deux constituants.

♦ **3** Astron. Formé de deux astres (en parlant d'une étoile). → **Double.** «*Environ 50 % des étoiles qui composent notre galaxie sont des étoiles binaires, système de deux étoiles gravitant l'une autour de l'autre*» (*la Recherche,* n° 61, nov. 1975, p. 914).
N. f. *Une binaire :* une étoile binaire.

♦ **4** (1643). Mus. Qui peut se diviser en deux temps. *Rythme binaire, mesure binaire,* dont la base est deux (mesure à deux ou quatre temps, à 6/8).

2 C'est pourquoy je dis que nous ne devrions user que d'une marque dans la Musique Binaire et d'un seul autre *(sic)* dans la Ternaire, puisque ce n'est pas là où gît le lièvre. Mais puisque le mal a passé par contagion et qu'il nous faut suivre comme par force les vestiges et les traces de nos devanciers, je vous diray qu'il y a douze signes en la musique, quatre en la Binaire, quatre en la Ternaire et quatre generalles.
A. GANTEZ, l'Entretien des musiciens, 1643, *in* D. D. L., II, 15.

DÉR. **Binarité.** — V. **Binarisme.**

**BINARD** ou **BINART** [binaʀ] n. m. — 1668; p.-ê. du lat. *bini* «deux objets formant paire».
Techn., anciennt. Chariot pour le transport des pierres de taille, à deux ou quatre roues. → **Fardier.**

**BINARISME** [binaʀism] n. m. — XX^e; du rad. de *binaire.*
Ling. Procédé d'analyse par lequel on réduit, dans un énoncé, les rapports entre les unités à des rapports à deux termes.

Étant la figure de l'opposition, la forme exaspérée du binarisme, l'Antithèse est le spectacle même du sens.
R. BARTHES, Roland Barthes, p. 142.

**BINARITÉ** [binaʀite] n. f. — 1869, Lautréamont, «*la binarité de mes bras*»; didact., déb. XX^e; de *binaire.*
Didact. Caractère de ce qui est binaire*.

**BINATIONAL, ALE, AUX** [binasjɔnal, o] adj. — 1948, *in* D. D. L., de *bi-, nation,* et suff. *-al.*
Rare. Qui possède une double nationalité.

**BINAURAL** [binɔʀal], **BINAURICULAIRE** [binɔʀikylɛʀ] adj. → **Biaural, biauriculaire.**

**BINER** [bine] v. — 1269; du lat. pop. **binare* «retourner la terre une seconde fois», de *bini* (→ Binaire), p.-ê. par le provençal *binar.*

**I** V. tr. Agric. Donner une seconde façon à (la terre, la vigne, des plantes); briser la terre pour l'ameublir et la désherber. *Pioche à biner.* → 1. **Binette.** *Charrue à biner.* → **Bineur, binot, cultivateur, scarificateur; binage; bêcher, binoter, sarcler.**

Labourer, biner, tenir la charrue (...) 1
ROUSSEAU, Émile, II.

Déjà ils se voyaient en manches de chemise, au bord d'une plate-bande, émondant des rosiers, et bêchant, binant, maniant la terre, dépotant les tulipes. 1.1
FLAUBERT, Bouvard et Pécuchet, I.

Trop de vieux (et de vieilles), ont vécu sur la vigne (...) penchés toute la vie (...) pour tailler, sarcler, biner, choyer, désherber, cajoler, regarder (...) vendanger d'ingrates et de reconnaissantes vignes. 2
Ch. PÉGUY, Œuvres, t. XII, p. 268.

Vous aurez beau vous mettre en quatre, vous n'arriverez pas à mieux exprimer le cas de la vaillante vieille dame qui pendant que tout le monde somnole, bine ses fraisiers. 2.1
F. MALLET-JORIS, le Jeu du souterrain, p. 182.

La sécheresse les faisait régulièrement crever mais elle s'obstinait. Devant elle le caporal binait le talus après l'avoir arrosé. 2.2
M. DURAS, Un barrage contre le Pacifique, p. 18.

Après les journées passées à biner des champs de navets ou à piocher dans des tourbières (...) 2.3
M. YOURCENAR, Archives du Nord, p. 71.

**II** V. intr. (1680). Liturgie. Célébrer deux ou plusieurs messes le même jour, généralement à deux endroits différents.

Le vénérable prêtre (depuis quarante ans, *[il]* binait tous les jours) répliquait : 3
— Enfin, Meussieu Bébé Toutout, vous qui êtes un pratiquant sincère (...) vouloir me faire payer cinquante francs, à moi ! R. QUENEAU, le Chiendent, p. 420 (1932).

DÉR. **Binage,** 1. **binette, bineur, bineuse, binot** ou **binoir.**
◊ COMP. V. **Débiner.**

**BINET** [binɛ] n. m. — 1611; du lat. *bini* «deux» à basse époque, et suff. *-et.*
Techn. Morceau de métal muni d'une pointe pour brûler les bouts de bougie. → **Bobèche, brûle-tout.** — Loc. Vx. *Faire binet :* faire des économies insignifiantes (→ mod. Faire des économies de bouts de chandelles*).

1. **BINETTE** [binɛt] n. f. — 1651; de *biner.*
Instrument servant au binage de la terre. → **Binage, biner.** *Petite binette.* → **Bêchelon.**
HOM. 2. **Binette.**

2. **BINETTE** [binɛt] n. f. — 1844; «perruque à la Louis XIV», 1813 (Bloch-Wartburg), p.-ê. de *bobinette* ou de *trombinette* (→ Bobine, trombine); on a évoqué un perruquier de Louis XIV, nommé *Binet;* si le sens initial est bien «perruque», il pourrait s'agir du rad. *bin-* «à deux éléments» (Guiraud).
Fam. Visage. → **Tête; bobine, bouille, trombine.** *Il, elle a une drôle de binette. Faire une sale binette.* — REM. Il semble que ce mot ait tendance à vieillir au profit de synonymes (→ Tête).

C'était un petit crevé, d'assez jolie mais fort insignifiante binette et qui, attiré là par curiosité, n'avait fait que ce bel exploit. 1
Louise MICHEL, la Misère, t. II, p. 478.

Deux hommes et une femme naquirent de la nuit. Ils riaient et parlaient. Pas de mystère pour eux. Fiers de leurs binettes quelconques et heureux de l'excellente soirée (...) 2
H. TROYAT, la Tête sur les épaules, p. 185.

On met en place des panneaux pour les législatives. Ces tristes binettes ne donnent pas une très haute idée de l'homme. 3
J. GREEN, Journal, Ce qui reste de jour, 3 févr. 1967.

HOM. 1. **Binette.**

**BINEUR, EUSE** [binœʀ, øz] n. — 1539; de *biner.*
Personne qui bine (I.).

**BINEUSE** [binøz] n. f. — 1855; de *biner.*
Agric. Machine destinée au binage. → **Charrue, houe.** *Une bineuse.*

(...) les scarificateurs, les fouilleuses, les herses, les rouleaux. Pour les uns et les autres, la supériorité des Anglais est incontestée. Rien ne vaut la bineuse de Garret, l'extirpateur de Coleman, la herse norvégienne et le rouleau brise-mottes de Croskill.
L. DE LAVERGNE, *in* Revue des Deux Mondes, 1^er^ oct. 1855, p. 103, *in* D.D.L., II, 15.

**BING** [biŋ] interj. — 1865; onomatopée.
Onomatopée évoquant un coup (→ **Bang**) ou un mouvement très brusque.

1 Mais non, Marie, regarde-le, bing! voilà qu'il s'est dressé tout droit comme un serpent.
PROUST, Sodome et Gomorrhe, Pl., t. II, p. 847.

2 Bing! On commence. Et je tape, je tape comme un sourd.
J. CAU, la Pitié de Dieu, p. 13.

3 Tête boule bien haute yeux bleu pâle presque blanc bing murmure bing silence. Bouche comme cousue fil blanc invisible. Bing peut-être une nature une seconde presque jamais ça de mémoire presque jamais.
S. BECKETT, Têtes-mortes, p. 62.

**BINGO** [biŋgo] n. m. — 1944; mot angl., p.-ê. de *bing.*
Anglicisme.

♦ **1** Jeu de loto public pratiqué au Canada. *«Le bingo est un jeu de loto qui fait rage dans les soirées paroissiales, et qui rapporte»* (*le Figaro littéraire,* 2 sept. 1968).

Au-dessus de nos têtes un haut-parleur criait des chiffres: les passagers jouaient au bingo.
S. DE BEAUVOIR, les Mandarins, p. 423.

♦ **2** Interj. *Bingo!* exclamation par laquelle on relève un défi, on manifeste que l'on a gagné ou que l'on avait raison. *«Il ne voulait pas me croire. Et bingo!»* (*Libération,* 1^er^ août 1977, p. 36).

**BINIOU** [binju] n. m. — 1823; *bignou,* 1800, cit. 3; *beniou,* 1799; mot breton, signalé comme tel dans les dict. bretons du XVIII^e^.

♦ **1** Sorte de cornemuse bretonne. → **Cornemuse.** *Sonner du biniou. Danser au son du biniou. Binious et bombardes.*

1 (...) les binious bretons sonnaient un air rapide et monotone du temps passé (...)
LOTI, Mon frère Yves, LXXI, p. 170.

2 Possesseur d'un biniou, le jeune homme passait pour le meilleur joueur de la contrée. Chaque dimanche on se réunissait sur la place publique pour l'entendre exécuter, avec un charme tout personnel, une foule d'airs bretons formant dans sa mémoire une réserve inépuisable.
Raymond ROUSSEL, Impressions d'Afrique, p. 93.

REM. Var. graph. anciennes : *bignou, binniou.*

3 Le bignou est une espèce de cornemuse que les Bas-Bretons aiment passionnément.
BERNARDIN DE SAINT-PIERRE, Décade philosophique, 30 vendémiaire, an IX, *in* Wright, 1800 (*in* D.D.L., II, 9).

4 *(La rote des Bretons)* tristement remplacée aujourd'hui par l'aigre binniou ou la ronflante bombarde.
D.-L. MIORCEC DE KERDANET, Hist. de la langue des Gaulois, 1821, *in* D.D.L., II, 10.

♦ **2** Fam. et vieilli. *Coup de biniou :* coup de téléphone. → **Bigophone.**

5 — Si c'est bien lui, confia-t-il, préviens-moi... Un coup de biniou, soit au *Palace,* soit aux Pléiades, ou, tous les soirs, passé onze heures, au *Canari,* et je le saute.
Francis CARCO, les Belles Manières, p. 74.

♦ **3** (1888). Argot des musiciens. Instrument à vent; cuivre (spécialt, trompette ou cornet). — Par ext. Instrument, quel qu'il soit.

♦ **4** Argot milit. Matelot clairon.

**BINOCLARD, ARDE** [binɔklaʀ, aʀd] adj. et n. — 1885, J. Vallès; de *binocle.*
Fam. Qui porte des lunettes. → **Lunetteux.** *Un vieux professeur binoclard.*

Les traditionnels de la colonne se demandent pourquoi ces binoclards «s'érigent en chefs?» 1
J. VALLÈS, l'Insurgé, p. 128 (1885).

Le commandant, c'est un binoclard, nerveux mais immobile. 2
DRIEU LA ROCHELLE, la Comédie de Charleroi, p. 220.

N. *Un binoclard, une binoclarde.*

Pour qu'*(elle)* portât de vraies lunettes, il fallait qu'elle fût, ou presque aveugle, ou dénuée de tout instinct de plaire (...) elle tombait au rang des binoclardes. 3
P. GUTH, le Mariage du naïf, X, p. 92.

(...) de jeunes binoclards à conversation chiffrée (...) 4
Hervé BAZIN, Cri de la chouette, p. 205.

**BINOCLE** [binɔkl] n. m. — 1677; d'un lat. sc. *binoculus* (1645), de *bini* (→ Binaire), et *oculus* «œil».

♦ **1** Vx. Télescope double.

♦ **2** (1798, L. S. Mercier). Anciennt. Lunettes* sans branches se fixant sur le nez. → **Besicles, face-à-main, lorgnon, pince-nez.** *Rajuster son binocle.*

Il portait un binocle sur un long nez membraneux.
G. DUHAMEL, Chronique des Pasquier, III, IV.

♦ **3** N. m. plur. Fam. Lunettes. *Où sont passés mes binocles? — Mets un peu tes binocles :* regarde plus attentivement.

DÉR. **Binoclard.**

**BINOCULAIRE** [binɔkylɛʀ] adj. et n. — 1681; du lat. *bini* (→ Binaire), et de *oculaire.*

♦ **1** Opt. Relatif aux deux yeux. *Vision binoculaire :* formation simultanée de deux images d'un même objet sur la rétine des deux yeux. *La vision binoculaire donne la sensation du relief.*

♦ **2** (1863). *Loupe, microscope, télescope binoculaire,* muni de deux tubes optiques devant lesquels on place les yeux. — N. *Un, une binoculaire. «Les yeux rivés au binoculaire»* (→ Œuf, cit. 16.1). *Régler l'écartement des tubes de la binoculaire.* — Abrév. fam. : *bino* [bino] (1973, *in* D. D. L.).

**BINOCULÉ, ÉE** [binɔkyle] adj. — D. i. (mil. XX^e^); du lat. *bini* (→ Binaire), et *oculus* «œil».
Didact. (sc. nat.). Qui a deux yeux.

**BINOIR** [binwaʀ] n. m. → **Binot.**

**BINÔME** [binom] n. m. et adj. — 1554; lat. sc. *binomium,* XII^e^; lat. médiéval *binomius* «qui a deux noms», de *bis,* et *nomen* «nom, terme».

♦ **1** Alg. Expression algébrique formée par la somme algébrique de deux monômes. *Le binôme* $2a + b^2$. — *Binôme de Newton :* formule donnant le développement d'un binôme élevé à une puissance quelconque en un polynôme de même puissance.

Adj. *Équation binôme.*

Phys. *Binôme de dilatation :* binôme par lequel il faut multiplier la longueur d'un corps à 0° pour avoir sa longueur à *t* degrés.

Comme tous les linguistes, Tannery a protesté contre l'accent circonflexe dont l'Académie a gratifié **binôme, trinôme** (...) puisque cet accent, dans les mots venus du grec est réservé aux o qui représentent un oméga (...) ce qui n'est le cas ni de **nomos** ni d'**onoma.**
A. DAUZAT, Étude de linguistique franç., p. 218.

♦ **2** Sc. nat. Dans les nomenclatures des êtres vivants (taxinomies*), Ensemble des deux noms latins (le premier pour le genre, le second pour l'espèce).

♦ **3** (Dans le jargon médical). Association de deux symptômes. *Binôme prégnant, dans une maladie.*

♦ **4** (Argot des écoles). Dans les disciplines scientifiques, Condisciple avec qui l'on effectue des travaux pratiques. *Il a été mon binôme en chimie en première année.*

DÉR. **Binomial.**

**BINOMIAL, ALE, AUX** [binɔmjal, o] adj. — Mil. XV^e; de *binôme.*

♦ **1** Math. Relatif à un binôme. *Loi binomiale :* loi de probabilité ayant la forme d'un terme du développement du binôme* de Newton.

♦ **2** Sc. nat. *Nomenclature binomiale :* taxinomie des êtres vivants au moyen de binômes (2.).

REM. On écrit parfois *binômial.*

**BINOT** [bino] ou **BINOIR** [binwaʀ] n. m. — XIII^e, *binot;* de *biner.*

Techn. Instrument servant au binage*. → **Charrue, sarcloir.**

DÉR. **Binoter.**

**BINOTAGE** [binɔtaʒ] n. m. — XIII^e; de *binoter.*

Techn. Action de binoter. → **Binage.**

**BINOTER** [binɔte] v. tr. — XIII^e; de *binot.*

Labourer légèrement; biner* avec un binot.

DÉR. **Binotage.**

**BINTJE** [bintʃ] n. f. — 1947; mot néerlandais.

Pomme de terre à chair jaune et farineuse. «*Que dire de la bintje, sinon qu'elle est hollandaise, et ordinaire. C'est la patate dont on fait les chips, ou les frites industrielles*» (Jean-Pierre Coffe, *le Bon Vivre,* 1999, p. 173). *Des bintjes.*

**BINUCLÉÉ, ÉE** [binyklee] adj. — 1907, in *Rev. gén. des sc.,* n° 6, p. 240; de *bi-,* et *nucléé.*

Biol. Qui est pourvu de deux noyaux. *Cellule binucléée.*

**BINZ** ou **BIN'S** [bins] n. m. — V. 1950; de *cabin's* (1893), apocope de *cabinets;* p.-ê. rapproché plus tard du sens 3 de *bisness*.*

♦ **1** Argot milit. Travail pénible; situation confuse. → **Merdier.**

♦ **2** Cour., fam. Chose, affaire, situation confuse, ennuyeuse. *Quel bin's!* → **Bazar, pagaille.** *Tu parles d'un binz!* — Var. : *binns* (1977, in D. D. L.).

**BIO-** Élément tiré du grec *bios* «vie», qui entre dans la composition de nombreux mots savants, dès le XVIII^e s. (→ aussi **-bie**). Les composés récents (noms et adjectifs) sont didactiques et servent généralement à désigner le rapport entre une science, une technique et la biologie*. — Ex. : *bioastronautique* [bjoastʀonotik] n. f. (1966); *biocybernétique* [bjosibɛʀnetik] n. f. (1964); *biopolitique* [bjopɔlitik] n. f. (1969); *biospéléologie* [bjospeleɔlɔʒi] n. f. (1964); *biosocial* [bjosɔsjal] adj. (1965); *biosystématique* [bjosistematik] n. f. (1964); *biothéologie* [bjoteɔlɔʒi] n. f. (1943). D'autres composés désignent des phénomènes et des objets propres à la biologie : *bioconversion* [bjokɔ̃vɛʀsjɔ̃] n. f. (→ Biocatalyse, cit.); *biosmose* [bjosmoz] n. f. (1958); *biotactisme* [bjotaktism] n. m. (1970); *bioplaste* [bjoplast] n. m. (1965).

1. **BIO** [bjo] n. f. → **Biographie.**

2. **BIO** [bjo] adj. → **Biologique.**

**BIOACOUSTIQUE** [bjoakustik] n. f. — Av. 1967; de *bio-,* et *acoustique.*

Zool. Étude des messages sonores (cris, bruits) de la communication animale. *Utilisation des données de la bioacoustique en zoosémiotique*.*

**BIOBIBLIOGRAPHIE** [bjobiblijɔgʀafi] n. f. — 1899; de *bio-, biblio-,* et *-graphie.*

Didact. Étude combinant la biographie et la bibliographie d'un auteur.

DÉR. **Biobibliographique.**

**BIOBIBLIOGRAPHIQUE** [bjobiblijɔgʀafik] adj. — 1937, *bio-bibliographique;* de *biobibliographie.*

Qui se rapporte à la biobibliographie.

**BIOCARBURANT** [bjokaʀbyʀɑ̃] n. m. — 1977; de *bio-,* et *carburant.*

Carburant de substitution d'origine végétale. *L'éthanol, l'ester de colza ou de tournesol sont des biocarburants.* «*Les plantes-usines à médicaments ou à biocarburant*» (*le Monde,* 3 févr. 2000, p. 22).

**BIOCATALYSE** [bjokataliz] n. f. — Av. 1979 (→ cit.); de *bio-,* et *catalyse,* d'après *biocatalyseur.*

Biol. Catalyse opérée par un biocatalyseur*.

À la base de toute la bio-industrie, se réalisent des conversions chimiques catalysées par des cellules vivantes. Il convient donc (...) de définir trois secteurs étroitement reliés : les bioconversions, les biocatalyses, et les biotechnologies (...)
J. de ROSNAY, Biotechnologies et Bio-industrie, p. 12-13 (1979).

**BIOCATALYSEUR** [bjokatalizœʀ] n. m. — Mil. XX^e; de *bio-,* et *catalyseur.*

Biol. Catalyseur biologique (vitamine, enzyme, hormone, etc.).

**BIOCÉNOSE** ou **BIOCŒNOSE** [bjosenoz] n. f. — 1908; all. *Biozönoze,* 1877, K. A. Moebius; de *bio-,* et grec *koinos* «commun».

Biol. Communauté biotique de populations animales et végétales vivant en équilibre dans un milieu biologique donné. → **Biotope.** *Biocénose ouverte, fermée,* qui accepte ou n'accepte plus de nouvelles espèces animales ou végétales. *Biocénose terrestre, marine. Biomasse*, production d'une biocénose. Biocénose et biotope associé.* → **Écosystème.**

Un fonds d'eau est habité par un ensemble d'êtres vivants, végétaux et animaux, entre lesquels, suivant les conditions d'habitat caractérisant le milieu, le biotope, et suivant les vicissitudes de la concurrence vitale, s'établit un certain équilibre; ce groupement d'êtres vivants est une biocénose.

Ph. GUINIER, cité par Paul VIVIER, la Pisciculture, p. 12.

**BIOCHIMIE** [bjoʃimi] n. f. — 1842; de *bio-*, et *chimie*.

Didact. Partie de la chimie, aussi appelée *chimie biologique*, qui traite des phénomènes vitaux (composition chimique des êtres vivants, réactions chimiques intervenant dans l'organisme). → **Biomécanique, bionique, biophysique.** *Biochimie animale.* → **Zoochimie** (vx).

DÉR. **Biochimique, biochimiste.**

**BIOCHIMIQUE** [bjoʃimik] adj. — 1842; de *biochimie*.

Didact. Qui se rapporte à la biochimie*. «*La diminution des rejets, le développement de l'énergie solaire, l'utilisation d'engrais biochimiques, etc. permettraient un relatif recul des pollutions*» (*Science et Vie*, H. S. nº 106, 1971, p. 5).

**BIOCHIMISTE** [bjoʃimist] n. — 1920; de *biochimie*.

Didact. Spécialiste de la biochimie. *Un, une biochimiste.*

**BIOCIDE** [bjosid] n. m. et adj. — 1969, *in* T. L. F.; de *bio-*, et suff. *-cide*.

Didactique.

♦ 1 N. m. Produit qui détruit les êtres vivants et, plus spécialement, les micro-organismes contre lesquels il est utilisé. → **Dévitalisant.**

♦ 2 Adj. (1972). Qui détruit les organismes vivants. *Effets biocides des rayonnements nucléaires.*

**BIOCLIMAT** [bjoklima] n. m. — Av. 1970; de *bio-*, et *climat*.

Didact. Ensemble des conditions climatiques (d'une région) ayant une influence sur la faune et la flore.

**BIOCLIMATIQUE** [bjoklimatik] adj. — 1966, *le Monde*, *in* P. Gilbert; de *bio-*, et *climatique*.

Didact. Qui concerne l'influence du climat sur les organismes vivants. — Relatif à la bioclimatologie. *Centre de recherches bioclimatiques de Strasbourg.*

**BIOCLIMATOLOGIE** [bjoklimatɔlɔʒi] n. f. — 1960; de *bio-*, et *climatologie*.

Didact. Science qui étudie l'influence des facteurs climatiques sur les êtres vivants. → **Biogéographie; biométéorologie.**

DÉR. **Bioclimatologiste.**

**BIOCLIMATOLOGISTE** [bjoklimatɔlɔʒist] n. — V. 1970; de *bioclimatologie*.

Didact. Spécialiste en bioclimatologie.

**BIOCŒNOSE** [bjosenoz] n. f. → **Biocénose.**

**BIOCOMPATIBILITÉ** [bjokɔ̃patibilite] n. f. — V. 1980; de *biocompatible*.

Méd. Le fait, pour un matériau, d'être bien toléré par l'organisme. *La biocompatibilité d'une membrane d'hémodialyse, d'un système de circulation extracorporelle.*

**BIOCOMPATIBLE** [bjokɔ̃patibl] adj. — V. 1970; de *bio-*, et *compatible*.

Méd. Qui est toléré par l'organisme. *Matériau biocompatible.* → **Biomatériau.**

DÉR. **Biocompatibilité.**

**BIODÉGRADABILITÉ** [bjodegʀadabilite] n. f. — V. 1970; de *biodégradable*.

Didact. Aptitude d'une matière, d'un produit à être décomposé par des organismes vivants.

**BIODÉGRADABLE** [bjodegʀadabl] adj. — 1966; de *bio-*, et *dégradable*.

Didact. et cour. (le mot ayant été souvent utilisé par les médias). Susceptible d'être décomposé par des organismes vivants. «*Comment rendre biodégradable une matière synthétique qui n'a pas d'agent destructeur naturel?*» (*le Point*, 20 nov. 1972).

Le mercure, les détergents et d'autres produits non biodégradables suivent le même chemin et menacent la vie d'une façon qu'il ne serait plus possible d'arrêter, si nous nous bornions à attendre pour voir.

A. SAUVY, Croissance zéro, p. 197.

DÉR. **Biodégradabilité.**

**BIODÉGRADATION** [bjodegʀadasjɔ̃] n. f. — 1966 (1962 en angl.); de *bio-*, et *dégradation*.

Didact. Décomposition (de certaines substances) par des organismes vivants. «*La biodégradation est l'un des processus les plus importants de l'élimination des déchets*» (*Voc. de l'environnement*, 1972).

**BIODESIGN** [bjodizajn] n. m. — 1987; de *bio-*, et *design*.

Anglic. Style de dessin («design») qui s'inspire des formes du corps humain et produit des formes arrondies, sans angles vifs. «*Le bio-design (...) utilise des formes rondes et organiques en rupture avec le design Hi-tech (droites et angles)*» (*le Nouvel Obs.*, 25 mars 1990, p. 74).

**BIODIVERSITÉ** [bjodivɛʀsite] n. f. — V. 1985; de *bio-*, et *diversité*.

Diversité des espèces (micro-organismes, espèces végétales et animales) présentes dans un milieu. *Protection de la biodiversité.* «*La biodiversité, c'est la variété du monde autour de nous : les arbres (...), les poissons (...) les microbes, les prions*» (*le Monde*, 11 janv. 2000).

**BIODYNAMIQUE** [bjodinamik] n. f. — 1842; de *bio-*, et *dynamique*.

Anciennt. (Hist. des sc.). Théorie des forces vitales.

Un orthopédiste en liquidation a cru pouvoir relever son édifice parisien en le transformant en *institut médical électro-biologique et biodynamique.* Comprenez-vous la différence des deux mots qui terminent l'annonce? Faites-m'en part, je vous prie.

RASPAIL, *in* Revue complémentaire des sciences appliquées, 1er sept. 1854, p. 50, *in* D. D. L., II, 12.

**BIOÉLECTRICITÉ** [bjoelɛktʀisite] n. f. — 1970; de *bio-*, et *électricité*.

Sc. Électricité produite par les êtres vivants. *Bioélectricité et biomagnétisme**. — On écrit aussi *bio-électricité.*

**BIOÉLECTRIQUE** [bjoelɛktʀik] adj. — 1925; de *bio-*, et *électrique*.

Sc. Qui concerne l'électricité des organismes supérieurs. — On écrit aussi *bio-électrique.* — *Courant bioélectrique. «On commence aussi à peine d'entrevoir l'importance des champs dits "biomagnétiques" ou "bioélectriques" émis par les organismes vivants»* (*Science et Vie,* n° 667, févr. 1974, p. 29).

L'enregistrement des ondes cérébrales par l'électroencéphalographie montre que l'activité électrique du cerveau éveillé diffère par toute une série de caractères de celle du cerveau endormi, à tel point que sur les graphiques où se projettent les rythmes cérébraux d'un homme il est possible de dire, sans le voir, s'il veille ou s'il dort. Il y a donc une corrélation évidente entre le niveau de vigilance et le rythme bio-électrique de l'encéphale.

Jean DELAY, Introd. à la médecine psychosomatique, p. 59.

*Prothèse bio-électrique* : appareil électronique pouvant effectuer des mouvements, qui prend ses commandes dans l'organisme même. → **Bionique** (cit.). *«Les deux membres supérieurs de Boris sont artificiels. Il se sert de deux mains bio-électriques, merveilles de la cybernétique et de l'électrophysiologie»* (*Science et Vie,* n° 590, *la Prothèse bio-électrique,* p. 131-133).

**BIOÉLECTRONIQUE** [bjoelɛktʀɔnik] n. f. — V. 1970; de *bio-,* et *électronique.* → Bionique.

Didact. Électronique appliquée aux êtres vivants supérieurs. — On écrit aussi *bio-électronique. «(...) une science nouvelle, la bio-électronique. On sait, aujourd'hui, que chaque cellule active du corps humain est un générateur galvanique d'électricité et que l'ensemble de ces cellules forme une extraordinaire machine électronique (...)»* (*Science et Vie,* n° 590, *la Prothèse bio-électrique,* p. 133).

**BIOÉLÉMENT** [bjoelemɑ̃] n. m. — 1961; de *bio-,* et *élément* (II.).

Biochim. Élément chimique entrant dans la constitution de la matière vivante et indispensable à la vie.

**BIOÉNERGÉTIQUE** [bjoenɛʀʒetik] n. f. — 1911; de *bio-,* et *énergétique.*

Didact. Partie de la physiologie qui traite des transformations de l'énergie dans les tissus vivants. *«Chaleur animale et bioénergétique»* (J. Lefèvre).

**BIOÉNERGIE** [bjoenɛʀʒi] n. f. — V. 1975; de *bio-,* et *énergie,* d'après l'anglais *bioenergy.*

Didact. et cour. (le mot ayant été diffusé par les médias). Énergie physiologique (concept plus utilisé par une école psychothérapeutique que par les physiologistes). — Thérapie visant à rendre à l'individu son équilibre en l'aidant à libérer son énergie vitale. — On écrit souvent *bio-énergie. «Combien de stages de thérapie primale ou de bio-énergie proposés à grand renfort de dépliants publicitaires ou de petites annonces se font sans aucun entretien préalable avec le candidat!»* (*F Magazine,* mai 1981, n° 36, p. 52).

**BIOÉTHIQUE** [bjoetik] n. f. et adj. — 1982; de *bio-,* et *éthique.*

Didactique.

♦ **1** N. f. Discipline qui étudie les problèmes moraux soulevés par le recherche biologique, médicale ou génétique. *L'euthanasie et le clonage posent des problèmes de bioéthique.*

♦ **2** Adj. Relatif à la bioéthique. *Des problèmes bioéthiques.*

**BIOGÈNE** [bjɔʒɛn] adj. — 1842; de *bio-,* et *-gène.*

♦ **1** Bot. Se dit d'un végétal parasite d'une plante sur laquelle il se développe.

♦ **2** Biochim. Qui engendre ou stimule la vie. *«Synthèse biogène»* (Jean Rostand). *Stimulines biogènes.* → **Biostimuline.** — *Qui entre normalement dans la composition de la matière vivante. Corps simples biogènes* (métalloïdes, métaux) *à rôle constructif ou chimique* (catalytique, physiologique). — REM. On dit aussi *biogénique, biogénétique.*

(Emploi critiqué). Réalisé au sein de la matière vivante. → **Biosynthétique.** *Amines biogènes.*

♦ **3** Géol. *Roche biogène,* formée par des êtres vivants (ex. : *polypiers*) ou par l'accumulation de débris organiques.

**BIOGENÈSE** [bjoʒənɛz] n. f. — 1899; de *bio-,* et *genèse.*

Didactique.

♦ **1** Hist. des sc. Théorie biologique, opposée à celle de la génération spontanée, et selon laquelle un être vivant ne peut provenir que d'un autre être vivant. → **Évolutionnisme, transformisme.**

♦ **2** Biochim. (Emploi critiqué). Production dans l'organisme de substances biologiques. *Biogenèse des hormones.* → **Biosynthèse.**

DÉR. et COMP. **Biogénétique. Électrobiogenèse.**

**BIOGÉNÉTIQUE** [bjoʒenetik] adj. — 1899; de *biogenèse.* — REM. Le mot est attesté en 1898 (→ Psychogénétique, cit.) dans un autre sens, à rapprocher de *biogénie**.

Didactique.

♦ **1** Qui se rapporte à la biogenèse (1.).

♦ **2** (1899). Qui concerne la vie dans son développement (individuel ou phylétique). *Loi biogénétique* (all. *biogenetisches Grundgesetz,* 1866) *de Haeckel, selon laquelle l'ontogenèse reproduit la phylogenèse.*

♦ **3** (1928). Biogène (2.).

**BIOGÉNIE** [bjoʒeni] n. f. — 1866; de *bio-,* et *-génie.*

Biol. (Rare). Évolution des organismes vivants au cours de leur vie individuelle (→ **Ontogenèse**) et en tant qu'espèce (→ **Phylogenèse**).

**BIOGÉNIQUE** [bjɔʒenik] adj. → **Biogène** (2.).

**BIOGÉOGRAPHIE** [bjoʒeɔgʀafi] n. f. — 1907; de *bio-,* et *géographie.*

Didact. Science qui traite de la répartition de la flore (→ **Phytogéographie**) et de la faune (→ **Zoogéographie**) dans leurs milieux biologiques. → **Bioclimatologie, bionomie, chorologie, écologie.**

DÉR. **Biogéographique.**

**BIOGÉOGRAPHIQUE** [bjoʒeɔgʀafik] adj. — 1907; de *biogéographie.*

Didact. Qui se rapporte à la biogéographie.

**BIOGRAPHE** [bjɔgʀaf] n. — 1693, Ménage; de *bio-,* et *-graphe.*

Auteur de biographies. *S. Vierne, la biographe de Jules Verne.*

*(Son caractère)* loin d'avoir été embelli par ses biographes, a été rapetissé par eux (...) Souvent en croyant l'agrandir, *(ils)* l'ont en réalité amoindri. RENAN, Jésus, XXVIII.

**BIOGRAPHIE** [bjɔgʀafi] n. f. — 1721; de *bio-*, et *-graphie.*

♦ **1** Genre d'écrit qui a pour objet l'histoire* de vies particulières. → **Histoire, vie.** *Écrire une biographie, sa propre biographie.* → **Autobiographie, mémoires.** *Biographie des saints.* → **Hagiographie.** *Biographie avec bibliographie.* → **Biobibliographie.**

1 (...) un bon portrait m'apparaît toujours comme une biographie dramatisée, ou plutôt comme le drame naturel inhérent à tout homme.
BAUDELAIRE, Curiosités esthétiques, t. II, p. 260.

2 Ce qu'il y a de plus important — l'acte même des Muses — est indépendant des aventures, du genre de vie, des incidents, et de tout ce qui peut figurer dans une biographie. Tout ce que l'histoire peut observer est insignifiant.
VALÉRY, Variété I, p. 75.

3 (...) un auteur ne se décide à écrire une biographie entre mille autres, que parce qu'avec ce maître choisi il se sent accordé : pour tenter l'approche d'un homme disparu depuis des siècles, la route la meilleure passe par nous-mêmes. F. MAURIAC, Vie de Racine, p. 6.

Abrév. fam. : *bio* (1970, Aragon, *in* D. D. L.). *Les bios des stars.*

Recueil de biographies. *Compiler une biographie générale.*

Genre littéraire constitué par ces ouvrages; méthode d'élaboration des biographies. *Être spécialisé dans la biographie.*

♦ **2** Faits et dits qui constituent la vie d'un homme. *Sa biographie est riche en événements.* → **Vie.**

DÉR. et COMP. **Biographier, biographique. Autobiographie.**

**BIOGRAPHIER** [bjɔgʀafje] v. tr. — 1832, cit.; de *biographie.*

Rare. Établir, écrire la biographie de. *Biographier un personnage.*

Ho ! mais diable, biographier un homme vivant ! faire un livre sur lui !
S. MARIN, Hist. de la vie et des ouvrages de M. de Chateaubriand, I, 1832, *in* D. D. L., II, 12.

**BIOGRAPHIQUE** [bjɔgʀafik] adj. — 1800, *in* Boiste (la référence à 1762, Académie, est erronée); de *biographie.*

♦ **1** Relatif à la biographie. *Recherche, travail biographique. Notice, ouvrage, recueil, dictionnaire biographique. Liste biographique et bibliographique.* → **Biobibliographique.**

♦ **2** De la biographie. *Son livre sur X est excellent sur le plan biographique, mais pas sur le plan critique, esthétique.*

DÉR. **Biographiquement.**

**BIOGRAPHIQUEMENT** [bjɔgʀafikmɑ̃] adv. — 1876, cit.; de *biographique.*

Par la biographie; du point de vue de la biographie.

(...) une existence terne, neutre, enfumée d'incertitudes et biographiquement assez confuse *(celle de Rembrandt).*
E. FROMENTIN, les Maîtres d'autrefois, XVI, p. 307 (1876).

**BIO-INDUSTRIE** [bjɔɛ̃dystʀi] n. f. — Av. 1979, → cit.; de *bio-*, et *industrie;* mot hybride.

Ensemble des activités industrielles mettant en œuvre des matériaux biologiques (au moyen des biotechnologies*).

La bio-industrie est le nouveau secteur industriel créé par les développements récents de la biologie. Il s'agit d'une industrie utilisant des substrats naturels (...) afin de produire des substances biologiques (naturelles ou modifiées) [...]
J. de ROSNAY, Biotechnologies et Bio-industrie, p. 11-12 (1979).

**BIO-INFORMATIQUE** [bjoɛ̃fɔʀmatik] n. f. et adj. — 1995, *Science et Vie;* de *bio-*, et *informatique.*

Didact. Informatique appliquée aux résultats de la recherche en biologie (analyse du génome) et en biotechnologie. *«Dans la bio-informatique tout reste à inventer. Cette science est nécessaire pour décrypter la masse croissante d'informations produites par les sociétés de génomique»* (*l'Usine nouvelle* (hors série), 1er nov. 1999, p. 72).

Adj. *«Il faut aussi renforcer le pôle bio-informatique»* (*le Monde,* 26 janv. 2000, p. 22).

**BIOLOGIE** [bjɔlɔʒi] n. f. — 1802, Lamarck; du grec *bios* «vie», et *logos* «science».

♦ **1** Vx. Science générale des êtres vivants, incluant celle des plantes (→ **Botanique**), des animaux (→ **Zoologie**) et de l'homme (→ **Anthropologie,** II., 1.).

♦ **2** (Fin XIXe). Science qui a pour objet l'étude des phénomènes vitaux en général, et spécialement leur étude dans la cellule*, dans l'individu et dans l'espèce, l'étude de la reproduction, de l'hérédité, des variations des individus et des espèces (→ **Embryologie, génétique; dimorphisme, polymorphisme; adaptation, darwinisme, évolution, sélection** [naturelle], **transformisme**), et celle des milieux où les êtres vivants se développent (→ **Écologie**). *Biologie générale, comparée.* → **Anatomie, histologie, morphologie, organologie.** *La biologie inclut la classification* (→ **Taxinomie**), *l'étude des anomalies* (→ **Tératologie**); *celle du fonctionnement des organismes vivants, des organes et des tissus* (→ **Physiologie; biochimie, biophysique, médecine, pathologie**); *celle des conditions de vie* (→ **Biogéographie, bionomie, écologie, hydrobiologie, limnologie, mésologie, océanographie**). — *Biologie animale.* → **Entomologie** (insectes), **helminthologie** (vers), **ichtyologie** (poissons), **mammalogie** (mammifères), **ornithologie** (oiseaux). *Biologie végétale.* → **Phytobiologie** ou **phytologie** (plantes). *Biologie cellulaire, de la cellule.* → **Cytologie; bactériologie, virologie,** et aussi **protistologie** (protistes). *Biologie moléculaire. Biologie appliquée.* → **Agriculture, zootechnie.** *Biologie mathématique.* → **Biométrie.**

Le mot de biologie n'est pas ici employé dans son acception la plus étendue, qui recouvre le domaine tout entier des sciences naturelles, mais dans le sens restreint (...) qui englobe seulement les données relatives aux problèmes fondamentaux de la vie organique : formation de l'être, évolution des espèces, genèse de la vie. 1
Jean ROSTAND, Esquisse d'une histoire de la biologie, Avant-propos, p. 7.

Il est certain, par exemple, qu'il y a discordance entre l'effet des belles méthodes de la biologie moderne par l'application desquelles tant de vies humaines sont sauvées et l'insuffisance de la production agricole, sollicitée par des besoins toujours croissants. 2
G. DUHAMEL, Manuel du protestataire, III, 83.

Ainsi peut-on espérer que la biologie nous détourne des excès que permet la technocratie et qu'exercent les tyrannies. Elles veulent ployer la nature plutôt que composer avec elle; la biologie sait bien qu'elles ne peuvent y parvenir. On peut répudier le vitalisme, on ne saurait pas contester, pratiquement, à la vie, sa contingence et sa spontanéité. Emmanuel BERL, le Virage, p. 158. 3

DÉR. **Biologique, biologisme, biologiste.** ◊ COMP. **Aérobiologie, agrobiologie, astrobiologie, chronobiologie, cosmobiologie, cytobiologie, électrobiologie, hydrobiologie, microbiologie, paléobiologie, photobiologie, phréatobiologie, phytobiologie, potamobiologie, psychobiologie, radiobiologie, sociobiologie, zoobiologie.**

**BIOLOGIQUE** [bjɔlɔʒik] adj. et n. m. — 1832; de *biologie.*

♦ **1** Relatif à la biologie (science). *Études biologiques.* — Qui a rapport à la biologie et à la vie. *Lois* *biologiques.* — (Dans des noms de sciences). *Anthropologie biologique; océanographie biologique.*

Fondé sur la biologie. *Une morale biologique et non sociologique.*

♦ **2** Qui a rapport à la vie, aux organismes vivants (→ **Biotique**), aux nécessités vitales. *Théorie biologique de la conscience.* → **Biomorphique.** — *La parenté* (cit. 5) *biologique.*

*Agent biologique* : substance ayant des effets sur l'être vivant. *Rythme biologique.* → **Biorythme.**

♦ **3** Qui est caractérisé par la vie. *Les êtres biologiques.* → **Vivant.**

*Arme biologique,* constituée par (ou comportant) des organismes vivants (virus, bactéries). — *Guerre biologique,* employant de telles armes.

♦ **4** (Emploi non scientifique). De la vie spontanée, naturelle. → **Écologique.** *Agriculture biologique.* — *Produits biologiques,* naturels, fabriqués ou cultivés sans substances chimiques artificielles.

Abrév. fam. : *bio* [bjo]. *L'agriculture bio. Produits bio* (ou *bios*). — Adv. *Manger bio.*

♦ **5** N. m. *Le biologique* : l'ensemble des phénomènes spécifiques de la vie.

COMP. **Électrobiologique.**

**BIOLOGIQUEMENT** [bjɔlɔʒikmɑ̃] adv. — 1898; de *biologique.*

♦ **1** Du point de vue de la biologie. *«En réalité, des circonstances multiples (...) concourent pareillement à démontrer l'infériorité relative, biologiquement parlant, du sexe mâle vis-à-vis du sexe femelle (...)»* (*Année sc. et industr.* 1899, p. 156; 1898).

♦ **2** Quant à la vie, aux phénomènes de la vie.

1 Tout être jeune et biologiquement sain est forcément écartelé entre les quatre pôles de la loi, de la révolution, de l'art et de l'amour (...)
Raymond ABELLIO, les Militants, p. 28.

Spécialt (emploi non scientifique; correspond à *biologique,* 4.). Quant à la vie spontanée et naturelle. → **Écologiquement.**

2 Je ne sais pas quel numéro elle vous joue : la petite fille écrasée de chagrin, la pasionaria des légumes biologiquement purs, la future vagabonde de luxe qui s'apprête à parcourir le monde ou bien le chef d'entreprise en herbe.
Christine ARNOTHY, Toutes les chances plus une, p. 331.

**BIOLOGISER** [bjɔlɔʒize] v. tr. — V. 1985; de *biologie.*

Didact. Considérer, analyser (des phénomènes psychologiques ou sociaux) à l'aide d'explications biologiques. *Biologiser le psychisme.*

**BIOLOGISME** [bjɔlɔʒism] n. m. — 1936, *le Biologisme bergsonien,* Sartre; de *biologie.*

Didact. (philos.). Doctrine selon laquelle les phénomènes psychologiques et sociaux auraient, comme les phénomènes physiques, une source biologique. → **Biomorphisme.** *Biologisme et culturalisme*. Utilisation du biologisme en psychanalyse.*

Le dialogue entre le biologisme et le culturalisme est plein d'enseignements pour la pathologie psychosomatique.
Jean DELAY, Introd. à la médecine psychosomatique, p. 27.

**BIOLOGISTE** [bjɔlɔʒist] n. — 1832; de *biologie.*

Personne qui étudie la biologie. → **Bactériologiste, cytologiste, embryologiste, généticien; botaniste, naturaliste, zoologiste.** *Une biologiste.* — (Par appos.). *Médecin biologiste,* qui effectue les examens de laboratoire dans un hôpital. *Vétérinaire biologiste.*

Les biologistes ne peuvent pas ne pas redouter et dénoncer 1
les scléroses : la vie se retire de tout ce qui perd sa naturelle souplesse. Mais ils ne peuvent pas non plus ne pas redouter le désordre qui dans leur domaine signifie la mort.
Emmanuel BERL, le Virage, p. 158.

REM. La forme archaïque *biologue* [bjɔlɔg] (1832) se rencontre encore :

Les biologues admettent aujourd'hui que la rencontre des 2
éléments chimiques qui a produit la vie était tout le contraire d'un rendez-vous; il semble que cette rencontre n'eut lieu qu'une fois, fruit d'un hasard si monumental que sa probabilité peut être considérée comme ayant été nulle.
Jacques LAURENT, les Bêtises, p. 549.

COMP. **Agrobiologiste.**

**BIOLUMINESCENCE** [bjolyminesɑ̃s] n. f. — 1905, in *Rev. gén. des sc.,* n° 15, p. 687; de *bio-,* et *luminescence.*

Sc. Phénomène de luminescence chimique qui se produit chez des êtres vivants (vers luisants, bactéries), et qui est dû généralement à des réactions enzymatiques. → **Fluorescence, phosphorescence.** *Les lucioles sont douées de bioluminescence. «Bactéries, méduses, insectes ou poissons : les êtres vivants qui émettent des signaux lumineux appartiennent à plus de 700 genres différents, et habitent pour la plupart dans les grands fonds océaniques. Pour produire cette bioluminescence, tous ont sensiblement recours aux mêmes mécanismes cellulaires, qui requièrent la présence de deux facteurs : un substrat luminescent, la luciférine, et une enzyme, la luciférase»* (*Le Monde,* 25 mars 2000, p. 33).

DÉR. **Bioluminescent.**

**BIOLUMINESCENT, ENTE** [bjolyminesɑ̃, ɑ̃t] adj. — 1960, Larousse (attesté en angl. en 1916); de *bioluminescence.*

Sc. Doué de bioluminescence.

**BIOMAGNÉTIQUE** [bjomaɲetik] adj. — XXe; de *bio-,* et *magnétique.*

Didact. Qui concerne le magnétisme des organismes supérieurs. → **Bioélectrique.** *«Le premier signal biomagnétique détecté fut, en 1963, celui du cœur. Cet organe est en effet celui qui produit les courants électriques les plus intenses»* (*la Recherche,* n° 112, juin 1980, p. 722).

**BIOMAGNÉTISME** [bjomaɲetism] n. m. — 1858, *in* D. D. L.; de *bio-,* et *magnétisme.*

Sc. Sensibilité des êtres vivants aux champs magnétiques, naturels ou créés artificiellement.

**BIOMASSE** [bjomas] n. f. — Mil. XXe (1966, *in* T. L. F.); de *bio-,* et *masse.*

Didact. Masse des populations (masse de matière vivante) formant une biocénose* déterminée (à un moment déterminé), ou masse d'une partie définie d'un écosystème (population, «niche écologique»), généralement rapportée à une surface ou à un volume. *La biomasse s'exprime en unités de masse ou en équivalent d'énergie. Biomasse animale, végétale. Biomasse terrestre, maritime. Biomasse d'une population, d'un milieu. Biomasse des algues d'un estran. Les mesures de biomasse permettent l'inventaire des ressources énergétiques et, par des calculs biométriques*,* l'évaluation quantitative de la production des écosystèmes.

Spécialt. Somme des substances organiques élaborées par une biocénose (y compris les déchets, les excréments...). *Équivalence énergétique de la biomasse.*

**BIOMATÉRIAU** [bjomateʀjo] n. m. — 1982; de *bio-*, et *matériau.*

Méd. Matériau toléré par l'organisme, utilisé pour les prothèses, etc.

**BIOMATHÉMATICIEN, IENNE** [bjomatematisjɛ̃, jɛn] n. — V. 1970; de *biomathématique*, et *mathématicien.*

Didact. Mathématicien spécialiste de biomathématique. «*La principale préoccupation du biomathématicien est de représenter les phénomènes biomédicaux par des systèmes d'équations (différentielles, intégrales, aux dérivées partielles). Le principal intérêt de cette représentation est de prédire l'évolution d'un système en fonction de stimuli divers sans avoir à refaire des expériences (...) mais surtout d'agir sur le système en définissant par exemple la définition de thérapeutiques et de posologies optimales*» (*Gazette des mathématiciens*, nº 17, juil. 1981, p. 91).

**BIOMATHÉMATIQUE** [bjomatematik] adj. et n. f. — D. i. (mil. XXe); de *bio-*, et *mathématique.*

Didact. Application de la mathématique à l'étude des phénomènes biologiques, notamment biomédicaux. → **Biomathématicien.** — REM. On dit aussi : *les biomathématiques.*

**BIOMÉCANIQUE** [bjomekanik] n. f. et adj. — 1898; adj., 1897; de *bio-*, et *mécanique* (II.).

Didactique.

♦ **1** Vx. Partie de l'histoire naturelle qui comprenait ce qu'on appelle aujourd'hui la biochimie* et la biophysique*.

Adjectif :

Un certain état instable d'indifférence qui, sous l'action de certains facteurs biomécaniques, leur permet de régénérer une tête.

G. POIRAULT, *in* l'Année biologique 1897, p. 214.

♦ **2** (Mil. XXe). Mod. Discipline qui étudie, suivant les principes de la mécanique, les structures et les fonctions physiologiques des êtres animés. — Partie de la biologie qui traite de l'influence des agents extérieurs sur les cellules. «*Quoi qu'il en soit, l'ouvrage rassemble des contributions d'une grande qualité touchant à la physiologie comparée, à l'écophysiologie, à la biomécanique et à l'endocrinologie des monotrèmes, marsupiaux et de nombreux placentaires*» (*la Recherche*, nº 121, avr. 1981, p. 514).

**BIOMÉDECINE** [bjomedsin] n. f. — V. 1970; de *bio-*, et *médecine.*

Didact. (méd.). Partie de la médecine qui étudie les médications propres à conserver la vie, les fonctions vitales.

**BIOMÉDICAL, ALE, AUX** [bjomedikal, o] adj. — V. 1970; de *bio-*, et *médical.*

Didact. Qui concerne à la fois la biologie et la médecine, les applications de la biologie à la médecine ou les fondements biologiques des problèmes médicaux. *Les recherches biomédicales.*

L'abaissement de l'âge de la retraite risque (...) d'accroître la mortalité, par la réduction de ressources et la suppression de l'activité qui en résultent. Au contraire, les recherches biomédicales doivent la faire baisser et accroître, par suite, le nombre de vieux.

A. SAUVY, Croissance zéro?, p. 230.

**BIOMÉTÉOROLOGIE** [bjometeɔʀɔlɔʒi] n. f. — V. 1970; de *bio-*, et *météorologie.*

Didact. Étude des influences exercées par divers facteurs météorologiques sur les organismes vivants. → **Bioclimatologie.**

**BIOMÉTRICIEN, IENNE** [bjometʀisjɛ̃, jɛn] n. — 1931, *Dictionnaire des Métiers*; de *biométrique.*

Didact. Biologiste spécialiste de biométrie. — REM. On trouve aussi *biométriste* [bjometʀist] (1935; de *biométrie*) n. m., même sens.

**BIOMÉTRIE** [bjometʀi] n. f. — XXe; «science des lois qui régissent la durée de la vie (des organismes)», 1833; de *bio-*, et *métrie.*

Didact. Science qui étudie à l'aide des mathématiques (statistiques, probabilités) les variations biologiques à l'intérieur d'un groupe déterminé. *Biométrie humaine.* → **Anthropologie, ethnologie.**

DÉR. **Biométrique.**

**BIOMÉTRIQUE** [bjometʀik] adj. et n. f. — XXe; au sens ancien de «biométrie», 1833; de *biométrie.*

Didactique.

♦ **1** Adj. Relatif à la biométrie.

♦ **2** N. f. *La biométrique.* → **Biométrie.**

DÉR. **Biométricien.**

**BIOMÉTRISTE** [bjometʀist] n. m. → **Biométricien.**

**BIOMORPHIQUE** [bjomɔʀfik] adj. — 1932; de *bio-*, et *morph(ique).*

Philos. Qui interprète les phénomènes psychologiques ou sociaux selon les critères et les méthodes de la biologie. *Un réductionnisme biomorphique.*

DÉR. **Biomorphisme.**

**BIOMORPHISME** [bjomɔʀfism] n. m. — Après 1932; de *biomorphique.*

Philos. Doctrine biomorphique; caractère biomorphique d'une théorie.

**BIOMORPHOSE** [bjomɔʀfoz] n. f. — Mil. XXe (*in* Larousse, 1960); de *bio-*, et *-morphose.* → Métamorphose.

Bot. Transformation morphologique apparaissant sur un végétal à la suite d'une atteinte par un parasite.

**BIONICIEN, IENNE** [bjɔnisjɛ̃, jɛn] n. — D. i. (v. 1960-1970); de *bionique.*

Didact. (sc.). Spécialiste de la bionique. *Étude du radar des chauves-souris par les bioniciens.*

**BIONIQUE** [bjɔnik] adj. et n. f. — 1958; empr. à l'angl. *bionics*, formé sur *biology* et *electronics*; de *bio-*, et *(électro)nique.*

Didact. Qui concerne la biologie et l'électronique. — N. f. Science interdisciplinaire qui s'inspire des modèles fournis par l'analyse de la vie animale (pour l'émission, la réception et le traitement des signaux) en vue d'une application à l'électronique et aux diverses sciences techniques; élaboration de systèmes et construction de mécanismes imités du monde vivant, notamment dans le domaine de l'orientation et de la détection. → **Cybernétique; biochimie, biomécanique, biophysique.**

(...) un chirurgien avait appris *(à Wiener)* comment les muscles de nos doigts sont commandés par des impulsions qui circulent dans les nerfs du poignet. Wiener fait construire par un cybernéticien un appareil qui recueille dans ses électrodes ces impulsions nerveuses, les décode, les amplifie, les renvoie à une main métallique pourvue d'articulations semblables aux nôtres. Elle fonctionne. On la relie au poignet d'un homme dont la main avait été coupée accidentellement : elle obéit aux impulsions nerveuses exactement comme une main naturelle. Chirurgien et cybernéticien avaient, grâce à la bionique, résolu le terrible problème du manchot.

Planète, n° 4, févr. 1969, p. 61, La bionique ou l'art de copier la nature.

DÉR. **Bionicien.**

**BIONOMIE** [bjɔnɔmi] n. f. — 1842; de *bio-*, et *-nomie*, du grec *nomos* «loi».

Didact. Partie de la biologie qui étudie les rapports entretenus par les êtres vivants avec leur milieu et avec d'autres êtres vivants. → **Biologie; biogéographie, écologie.**

DÉR. **Bionomique.**

**BIONOMIQUE** [bjɔnɔmik] adj. — 1842; de *bionomie*.

Didact. Qui se rapporte à la bionomie.

**BIOPHAGE** [bjɔfaʒ] adj. et n. — 1950; de *bio-*, et *-phage*.

Biol. Qui se nourrit de matières provenant d'organismes vivants. → **Coprophage, saprophage.**

**BIOPHYSICIEN, IENNE** [bjofizisjɛ̃, jɛn] n. — XX^e; de *biophysique*, d'après *physicien*.

Didact. Spécialiste de la biophysique.

**BIOPHYSIQUE** [bjofizik] adj. et n. f. — V. 1920; angl. *biophysics*, 1892, de *bio-*, et *physics*; de *bio-*, et *physique*.

Didactique.

♦ **1** Qui se rapporte aux phénomènes physiques de la biologie.

♦ **2** N. f. (1938, Garnier et Delamare). Étude des mécanismes* biologiques au moyen des modèles et des techniques de la physique. → **Biochimie, biomécanique** (vx), **bionique.** *Biophysique moléculaire* : partie de la physique moléculaire appliquée à la biologie.

DÉR. **Biophysicien.**

**BIOPLASTIQUE** [bjoplastik] adj. — 1896, cit.; de *bio-*, et *plastique*.

Biol. Se dit de la propriété qu'ont les cellules vivantes de se régénérer. *«une accélération des processus bio-plastiques morphologiques»* (*Année sc. et industr.*, 1897, p. 246; 1896).

**BIOPSIE** [bjɔpsi] n. f. — 1879; de *bio-*, et grec *opsis* «vue».

Méd. et cour. Prélèvement sur un être vivant d'un fragment de tissu ou d'organe en vue d'un examen microscopique et de l'établissement d'un diagnostic. *Biopsie de surface*, effectuée par grattage de la peau ou d'une muqueuse. *Biopsie par aspiration, par forage; biopsie par ponction (ponction-biopsie).* → **Ponction.** *Biopsie extemporanée**. — Examen du fragment prélevé. *Biopsie sternale*, de la moelle osseuse du sternum.

DÉR. **Biopsique.**

**BIOPSIQUE** [bjɔpsik] adj. — V. 1920; de *biopsie*.

Méd. Qui se rapporte à la biopsie. *Examen, excision biopsique.*

**BIOPSYCHOLOGIE** [bjopsikɔlɔʒi] n. f. — Mil. XX^e; de *bio-*, et *psychologie*.

Psychol. Étude des rapports existant entre les facteurs physiques et psychiques et de leurs effets sur le comportement, la personnalité du sujet. *Biopsychologie humaine, animale.*

DÉR. **Biopsychologique.**

**BIOPSYCHOLOGIQUE** [bjopsikɔlɔʒik] adj. — Mil. XX^e; de *biopsychologie*.

Psychol. Qui se rapporte à la biopsychologie (cf. Structure bio-psychique, *in* Mounier, *Traité du caractère*, 1946).

**BIOPUCE** [bjopys] n. f. — 1997; attesté au masc. en 1983, dans *l'État des sciences*, «microprocesseur»; calque de l'angl. *biochip* (1981, *in* Webster).

Biochim. Support (de verre, de silicium) sur lequel sont déposés des brins d'A. D. N. qui, par hybridation, permettent d'analyser un mélange complexe. *«Les biopuces se présentent sous la forme d'un carré de quelques centimètres de côté, à la surface duquel sont greffés des centaines d'oligonucléotides»* (*Science et Vie*, 1^er sept. 2000, p. 118).

**BIORYTHME** [bjoʀitm] n. m. — 1972; angl. *biorhythm*, de *bio-*, et *rhythm*; de *bio-*, et *rythme*.

Didact. Rythme biologique (d'un individu), déterminé par les variations de son propre organisme ou du milieu dans lequel il se trouve. → **Rythme** (B., 1., b : rythme biologique). *«Pour cinq cent vingt francs, elle* (la calculette) *vous donne l'heure et, en prime, vos biorythmes»* (*le Nouvel Obs.*, 2 mars 1981, p. 57). *Étude des biorythmes.* → **Chronobiologie.**

**BIOSPHÈRE** [bjɔsfɛʀ] n. f. — 1842, sens 1; sens 2, 1900; all. *Biosphäre* (1888, Suess; de *bio-*, et *Sphäre* «sphère»); de *bio-*, et *sphère*.

♦ **1** Vx. (Hist. des sc.). Atome globuleux qui était supposé être à l'origine de tous les corps organisés.

♦ **2** (1900). Mod., didact. (biol.). Masse globale, ensemble des organismes vivants, animaux et végétaux, qui vivent à la surface du globe terrestre dans leurs milieux biotiques. → **Écosphère, écosystème; biocénose, biotope; biomasse.** — Par ext. (Géochimie). Ensemble formé par ces organismes et les zones qu'ils occupent dans les couches géochimiques de la Terre. → **Atmosphère, hydrosphère, lithosphère.**

Situant la vie dans l'ensemble général du cosmos, il *(Buffon)* met en relief les interactions complexes de la nature organique — de la biosphère, dirions-nous aujourd'hui — et de la nature inorganique. 1

Jean ROSTAND, Esquisse d'une histoire de la biologie, p. 45.

Mais si la théorie moléculaire du code ne peut aujourd'hui (et sans doute ne pourra jamais) prédire et résoudre toute la biosphère, elle constitue dès maintenant une théorie générale des systèmes vivants. 2

Jacques MONOD, le Hasard et la Nécessité, Préface, p. 12.

Nos vies dépendent toutes des ressources de la biosphère, qu'on ne peut découper en tranches. 3

Emmanuel BERL, le Virage, p. 32.

**BIOSTIMULINE** [bjostimylin] n. f. — V. 1965; de *bio-*, et *stimuline*.

Biochim., physiol. Substance capable d'entretenir et de stimuler les processus vitaux, qui apparaît dans les tissus vivants *(in vitro)* soumis quelque temps à des conditions défavorables. — On dit aussi *stimuline* ou *stimulateur biogénique**.

**BIOSYNTHÈSE** [bjosɛ̃tɛz] n. f. — 1950, Garnier et Delamare; de *bio-*, et *synthèse*.

Didact. (biol.). Formation d'une substance organique dans un être vivant. *La biosynthèse des protéines. La biosynthèse des hormones.*

1 *(Le virus)* va jouer le rôle d'un messager génétique, déviant au profit de sa descendance la biosynthèse cellulaire.
V. VIC-DUPONT, la Maladie infectieuse, p. 38.

2 On a pu montrer que des cellules isolées d'un même tissu sont effectivement capables de se reconnaître entre elles, différentiellement, et de se rassembler (...) Mais on ne sait si *(les)* éléments de reconnaissance sont des structures moléculaires prises individuellement ou des réseaux multimoléculaires de surface. Quoi qu'il en soit, et même s'il s'agit de réseaux qui ne seraient pas constitués exclusivement de protéines, la structure de tels réseaux aurait nécessairement, en dernière analyse, été déterminée par les propriétés de reconnaissance de leurs constituants protéiniques, ainsi que par celles des enzymes responsables de la biosynthèse des autres composants du réseau (polysaccharides ou lipides, par exemple).
Jacques MONOD, le Hasard et la Nécessité, p. 118.

DÉR. **Biosynthétique.**

**BIOSYNTHÉTIQUE** [bjosɛ̃tetik] adj. — 1963; de *biosynthèse*, d'après *synthétique*.

Didact. (biol.). Produit par biosynthèse. → aussi **Biogène.**

**BIOTE** [bjɔt] n. m. — 1955, Teilhard de Chardin; *biota*, 1892; du grec *bios* «vie».

Didactique.

♦ **1** Ensemble des êtres vivants (animaux et végétaux) d'un lieu donné.

♦ **2** (Chez Teilhard de Chardin). Unité évolutive définie par l'origine commune et la «solidarité vitale».

**BIOTECHNIQUE** [bjotɛknik] n. f. — Mil. xxe; de *bio-*, et *technique*.

Didactique.

♦ **1** Psychotechnique physiologique.

La sélection humaine, scolaire ou professionnelle, constitue une des tâches essentielles de la *psycho-technique*, c'est-à-dire de la psychologie appliquée. Dans la mesure où la sélection ne dépend pas seulement d'investigations psychologiques mais psycho-physiologiques, la psychotechnique devient une psycho-physiologie appliquée, elle prend alors le nom de *biotechnique*, science pratique appelée à un grand développement (...)
Jean DELAY, la Psycho-physiologie humaine, p. 100.

♦ **2** Biotechnologie*.

**BIOTECHNOLOGIE** [bjotɛknɔlɔʒi] n. f. — 1980; de *bio-*, et *technologie*, probablt d'après l'angl. *biotechnology*.

Didact. Technique qui met en œuvre les propriétés biochimiques d'êtres vivants pour améliorer la production agricole ou certaines fabrications industrielles. *La biotechnologie utilise des micro-organismes (enzymes) pour réaliser des transformations ou des synthèses* (en chimie, en pharmacologie...). *«Une nouvelle ère technologique, celle de la biotechnologie, se met en place»* (*la Recherche*, janv. 1980, p. 59). *«Les biotechnologies solaires»* (*Sciences et Avenir*, mars 1980, p. 42). — REM. On dit aussi *biotechnique*. → **Biotechnique** (2.).

**BIOTHÉRAPIE** [bjoteʀapi] n. f. — 1909, Garnier et Delamare, *in* D. D. L.; de *bio-*, et *-thérapie*.

Méd. Traitement par des cultures d'organismes vivants (levures, ferments, yoghourt, etc.) ou par des substances provenant d'organismes vivants (bile, sérums, vaccins).

DÉR. **Biothérapique.**

**BIOTHÉRAPIQUE** [bjoteʀapik] adj. — Mil. xxe; de *biothérapie*.

Méd. Relatif à la biothérapie.

**BIOTINE** [bjɔtin] n. f. — Mil. xxe (*in* Larousse, 1960); un homonyme, en minéralogie, est antérieur; du grec *bios* «vie», et *(vitam)ine*.

Chim., biol. Substance vitaminique (vitamine H ou B8) très répandue dans la nature (jaune d'œuf, lait, foie, certains végétaux, micro-organismes, saprophytes). *La biotine est utilisée dans les crèmes contre l'acné.*

**BIOTIQUE** [bjɔtik] adj. — 1845; bas lat. *bioticus* «qui permet de vivre», grec *biôtikos*, de *bioun* «vivre».

Didactique.

♦ **1** Vx. Relatif à la vie. → **Vital.**

♦ **2** (1966). Mod. (Biol., écol.). Qui concerne les organismes vivants. → **Biologique** (2.). *Communauté biotique* (→ **Biocénose**), *milieu biotique* (→ **Biotope**). — *Facteurs (écologiques) biotiques*, liés aux êtres vivants de la biocénose (opposé à *abiotique**). *Les facteurs biotiques caractérisent l'ensemble des relations qui s'établissent entre les êtres vivants, dans un milieu donné.*

**BIOTITE** [bjɔtit] n. f. — 1848; all. *Biotit* (J.-F. Haussmann, 1782-1859), du nom de J.-B. Biot (1774-1862), et *-ite*.

Minér. Mica noir. *Granite à biotite.*

**BIOTOPE** [bjɔtɔp] n. m. — 1947; de *bio-*, et grec *topos* «lieu».

Sc. Milieu biotique (2.) déterminé, offrant à un peuplement animal et végétal bien déterminé (→ Écotype, cit.) des conditions d'habitat relativement stables. *Biotope artificiel, naturel. Biotope ouvert, fermé. Le biotope est le substrat de la biocénose* (cit.); *ils forment ensemble un écosystème.*

Selon la complexité de leur organisation, les individus *(des espèces végétales)* sont (...) doués d'une plus ou moins grande aptitude à réagir aux modifications de l'ambiance par le jeu de réactions régulatrices. Cette disposition autorise une certaine indépendance vis-à-vis du milieu, une même espèce pouvant ainsi vivre dans un plus ou moins grand nombre de biotopes (c'est-à-dire de zones définies par un ensemble particulier de conditions de vie).
Jacques GUILLERME, la Vie en haute altitude, p. 29.

**BIOTYPE** [bjotip] n. m. — 1946, Mounier, sens 1; probablt créé par le Danois W.-L. Johannsen (1857-1927); de *bio-*, et *type*.

Didactique (biologie, psychologie).

♦ **1** Type d'une biotypologie*. *Les trois biotypes de Sheldon* (ectomorphe, endomorphe, mésomorphe).

♦ **2** Groupe d'organismes ayant même génotype.

**BIOTYPOLOGIE** [bjotipɔlɔʒi] n. f. — 1925, *in* T. L. F.; de *bio-*, et *typologie*.

Didact. (biol., psychol.). Science qui tente d'établir une typologie humaine dans un groupe ethnique d'après les types physiques (anatomie, physiologie) liés à des tendances psychologiques. *La biotypologie utilise à la fois les données de l'anthropologie et de la psychométrie* (on dit aussi *typologie*); *elle classe les individus en biotypes.*

DÉR. **Biotypologique, biotypologiste.**

**BIOTYPOLOGIQUE** [bjotipɔlɔʒik] adj. — Attesté 1965; de *biotypologie.*

Didact. Qui se rapporte à la biotypologie. *Classification biotypologique.*

Poussant plus encore la synthèse des tendances biotypologiques, hormonologiques et neuro-cérébralistes, un autre professeur italien (...) estime «qu'on ne saurait accepter une interprétation purement biologique ou purement sociologique de la délinquance (...)»
Pierre GRAPIN, l'Anthropologie criminelle, p. 62-63.

**BIOTYPOLOGISTE** [bjotipɔlɔʒist] n. — 1931; de *biotypologie.*

Didact. Spécialiste en biotypologie. «(Les conditions psycho-physiologiques du travail) *soulèvent des problèmes humains complexes, mais il suffira pour les résoudre d'une très petite armée de techniciens du travail et de techniciens du corps humain* (*physiciens, chimistes..., éducateurs, biotypologistes,* etc.)» (Dr Winter, in *Plans,* no 9, nov. 1931, p. 42). *Une biotypologiste.*

**BIOVULAIRE** [biɔvylɛʀ] adj. — XXe; de *bi-,* et *ovulaire,* de *ovule.*

Biol. Se dit des jumeaux qui proviennent de deux œufs différents. — Syn. cour. : *faux jumeaux**. → **Bivitellin, dizygote.**

On écrit aussi *bi-ovulaire.*

CONTR. **Uniovulaire.**

**BIOVULÉ, ÉE** [biɔvyle] adj. — 1846, *in* Bescherelle; de *bi-,* et *ovulé.*

Sc. nat. Pourvu de deux ovules. *Les carpelles de la vigne sont biovulés.*

**BIOXYDE** [biɔksid] n. m. — 1842; de *bi-,* et *oxyde.*

Chim. Oxyde* contenant deux atomes d'oxygène par molécule. — REM. Le terme *dioxyde* est plus employé en chimie. *Solution de bioxyde d'hydrogène* ($H_2O_2$) : eau oxygénée.

**BIP** [bip] n. m. → **Bip-bip.**

**BIPALE** [bipal] adj. — 1960; de *bi-,* et *pale.*

Techn. À deux pales. *Hélice bipale.*

**BIPARE** [bipaʀ] adj. et n. f. — XXe; de *bi-,* et *-pare.*

Biol. Se dit d'une femme, d'une femelle qui a enfanté deux fois. — N. f. *Une bipare.* → **Multipare.**

**BIPARTI, IE** [bipaʀti] ou **BIPARTITE** [bipaʀtit] adj. — 1361, attestation isolée, *biparti* «divisé en deux parties»; repris au XIXe; *bipartite,* 1768; de l'anc. franç. *parti,* p. p. de *partir* «partager» (→ Partir), et préf. *bi-;* bas lat. *bipartitus,* p. p. de *bipartire,* de *bi- (bis),* et *partire* «partager».

♦ **1** Qui est divisé en deux parties.

1 Quelques vieilles sont carrément embossées derrière ces portillons bipartis, dont le haut ne se ferme que le soir et qui laissent dépasser leurs têtes comme celles des chevaux dans un box.
Hervé BAZIN, Cri de la chouette, p. 165.

(1803). Bot. Divisé en deux.

♦ **2** (1936). Qui est composé de deux éléments, de deux groupes. *Une attirance bipartite. Opposition bipartite.* → **Binaire.** — Polit. *Un gouvernement bipartite,* composé par l'association de deux partis. *Un accord bipartite,* entre deux partis.

Il n'est rien qui, dans l'univers, ne soit susceptible de former une opposition bipartite et ne puisse alors symboliser les différentes manifestations couplées et antagonistes du pur et de l'impur. 2
Roger CAILLOIS, l'Homme et le Sacré, p. 49.

DÉR. **Bipartisme.**

**BIPARTISME** [bipaʀtism] n. m. — 1948; de *biparti.*

Polit. Forme de gouvernement où s'associent deux partis. — Par ext. Système politique qui s'appuie sur la coexistence de deux partis politiques. *Le bipartisme britannique. Le bipartisme et l'alternance**.

**BIPARTITION** [bipaʀtisjɔ̃] n. f. — 1751, en géométrie; de *bi-,* et *partition* «partage» (1360).

Didact. Division en deux parties. *Bipartition cellulaire. Bipartition d'une molécule, d'un atome* (fission).

(Abstrait). *La bipartition d'un domaine, d'un concept.*

**BIP-BIP** [bipbip] ou **BIP** [bip] n. m. — V. 1957, à l'occasion du lancement du premier satellite artificiel soviétique (spoutnik); onomatopée.

♦ **1** Signal acoustique fait de brèves émissions sonores répétées identiquement. *Laissez votre message après le bip sonore* (sur un répondeur téléphonique).

Papa !... Stephen regarde immédiatement ce que j'ai pu rapporter... Droit au sac de voyage... Un train musical... Une télévision qui chante... Un avion téléguidable... Une voiture à bip-bip lumineux (...)
Ph. SOLLERS, Femmes, p. 180.

♦ **2** Fam. Dispositif (d'alarme, d'alerte) émettant ce type de signal. *Le bip d'un médecin de garde* (→ **Bipeur**). *Articles munis de bips antivol dans un magasin.*

REM. La forme redoublée *bip-bip* est beaucoup moins employée que *bip,* depuis les années 1990.

DÉR. **Biper, bipeur.**

**BIPÈDE** [bipɛd] adj. et n. m. — 1598; lat. *bipes, bipedis* «qui a deux pieds».

**I** Qui marche sur deux pieds. *Les oiseaux sont bipèdes.*

L'homme est le seul qui soit bimane et bipède, parce qu'il est le seul qui ait deux mains et deux pieds (...) 1
BUFFON, Hist. nat. des animaux, Le singe.

N. m. (1755). *L'homme est un bipède.* — Spécialt (par plais.). Être humain.

(...) mais prenez garde, bonnes gens, pendant que vous contemplez l'espèce quadrupède, il y a près de vous des bipèdes très adroits qui glissent leurs mains dans vos poches, sans que vous en ayez le moindre soupçon... et tout à l'heure, quand vous en aurez fini avec les animaux, vous resterez stupéfaits en ne trouvant plus votre bourse, votre montre, votre mouchoir ou votre tabatière. 1.1
Ch. PAUL DE KOCK, la Grande Ville, p. 212-213.

Tout tient au caprice de deux ou trois bipèdes sans plumes qui se jouent de l'espèce humaine (...) 2
P.-L. COURIER, Lettres, I, 80.

**II** N. m. Équit. Deux jambes du cheval. *Le bipède antérieur. Le bipède postérieur. Bipèdes latéraux. Bipède diagonal.*

DÉR. **Bipédie.**

**BIPÉDIE** [bipedi] n. f. — XXe (1955, Teilhard de Chardin, *in* T. L. F.); de *bipède.*

Didact. Qualité de bipède. Fait d'être bipède, aptitude à marcher sur deux pieds. *La bipédie de l'homme et de certains animaux.*

L'anthropomorphisme en effet constitue une formule distincte de celle des singes, attestée par la seule famille anthropienne. Sa caractéristique fondamentale réside dans l'adaptation de la charpente corporelle à la marche en bipédie. Cette adaptation se traduit par une disposition particulière du pied dont les doigts sont en rayons parallèles comme chez les Vertébrés marcheurs, par des détails de construction du tarse et des os du membre inférieur et surtout par une adaptation du bassin qui porte en équilibre tout le poids du tronc.
A. LEROI-GOURHAN, le Geste et la Parole, t. I, p. 90-92.

1. **BIPENNE** [bipɛn] ou **BIPENNÉ, ÉE** [bipene; bipɛnne] adj. — 1842, *bipenné; bipinné*, au sens 2, 1803; du lat. *bipinnis, bipennis*, de *bi- (bis)*, et *penna* «penne, aile».

Didactique.

♦ **1** Vx. Qui a deux ailes (insectes). → **Diptère.**

♦ **2** Bot. *Feuille bipennée*, dont le pétiole porte deux pétioles secondaires.

2. **BIPENNE** [bipɛn] n. f. — 1703; lat. *bipennis* «hache à deux tranchants», de *bipennis*, adj. → 1. Bipenne.

Archéol. Hache à deux tranchants (dans l'antiquité romaine).

**BIPER** [bipe] v. tr. — 1989; de *bip*.

Joindre (un correspondant) au moyen d'un appareil émettant un signal sonore, un bip. *L'infirmière bipe le médecin de garde.*

**BIPEUR** [bipœʀ] n. m. — 1989; de *bip*.

Petit appareil qui émet un bip sonore. *Le signal d'un bipeur.*

**BIPHASÉ, ÉE** [bifaze] adj. et n. m. — Déb. XXe; de *bi-*, et *phase*.

Électr. Se dit d'un système formé de deux courants monophasés de signes contraires. — N. m. *Du biphasé.* → **Polyphasé.**

**BIPIED** [bipje] n. m. — XXe; de *bi-*, et *pied*.

Support d'un fusil-mitrailleur, formé de deux pieds en V renversé. *Porter, disposer le bipied.*

**BIPLACE** [biplas] adj. et n. m. — 1917; de *bi-*, et *place*.

Qui comporte deux places. *Un véhicule biplace.*

N. m. (le plus souvent en parlant d'un avion) :

1 (...) Geoffroy finit par s'asseoir dans l'appareil, à côté de Magenheim. C'était un tout petit biplace de tourisme dont l'unique moteur à hélices commença à tourner dans un ronronnement d'une discrétion surprenante.
Guy DES CARS, l'Envoûteuse, p. 288.

Par ext. (plus rare). Véhicule à deux places (automobile, canot, etc.).

2 Il est vrai que Gonzague, à qui son père ne refuse rien, a aussi un biplace à moteur hors-bord (...)
Hervé BAZIN, Cri de la chouette, p. 122.

**BIPLAN** [biplɑ̃] adj. et n. m. — 1875, *in* Guilbert; var. anc. *aéro-biplane*, angl. *aero-biplane*, de *aero-*, et *biplane*, de *bi-*, et *plane* «plan»; de *bi-*, et *plan*.

Qui a deux plans de sustentation (en parlant d'un avion). *Des avions, des chasseurs biplans.* — N. m. *Les biplans de la guerre de 1914-1918.*

DÉR. **Biplaniste.**

**BIPLANISTE** [biplanist] n. m. — D. i. (XXe); de *biplan*.

Hist. de l'aéron. Aviateur aux commandes d'un biplan.

**BIPOINT** [bipwɛ̃] n. m. — Mil. XXe; de *bi-*, et *point* (I.).

Math. Couple de points d'un espace affine, dont l'un est l'origine et l'autre l'extrémité. *Des bipoints équipollents*.*

**BIPOLAIRE** [bipɔlɛʀ] adj. — 1842; de *bi-*, et *polaire*.

♦ **1** Phys. Qui a deux pôles. *Aimant bipolaire.* — Qui présente deux pôles magnétiques.

Qui est monté sur deux conducteurs de potentiels différents. *Coupe-circuit bipolaire.*

(1865). *Cellule bipolaire* : cellule nerveuse pourvue de deux prolongements. *«Il retrouve aussi chez les poissons adultes les intermédiaires entre cellules bipolaires et unipolaires»* (*l'Année biologique* 1900, p. 581; 1898).

(1906). Math. *Coordonnées bipolaires*, qui déterminent un point dans un plan par ses distances à deux points fixes (pôles).

♦ **2** Fig. Qui a deux pôles* (3.).

Martin du Gard, nature bipolaire, oscilla longtemps entre Jacques, le révolté lyrique, et Antoine, le stoïque réaliste. 1
A. MAUROIS, Études littéraires, t. II, p. 20.

Et la situation de la France dans le monde. Songez qu'en ces vingt ans on a assisté à la déstalinisation, à la décolonisation, à la création du Marché Commun, au schisme soviéto-chinois, c'est-à-dire à la fin d'un monde bipolaire, États-Unis d'un côté, U. R. S. S. de l'autre. 2
Françoise GIROUD, Si je mens, p. 190.

♦ **3** Didact. (géogr.). Qui appartient à la fois au pôle arctique et au pôle antarctique.

DÉR. V. **Bipolarisation, bipolarisé, bipolarité.**

**BIPOLARISATION** [bipɔlaʀizasjɔ̃] n. f. — V. 1966; du rad. de *bipolaire*, d'après *polarisation*.

Polit. Tendance au regroupement de forces politiques en deux blocs. → **Bipartisme.** *«Les réformateurs évoquent le refus de la bipolarisation de la vie politique nationale»* (*l'Express*, 8 janv. 1973).

**BIPOLARISÉ, ÉE** [bipɔlaʀize] adj. — 1971, J.-L. Parodi, *in* T. L. F.; du rad. de *bipolaire*, d'après *polarisé*.

Polit. Regroupé en deux forces de tendances opposées.

**BIPOLARITÉ** [bipɔlaʀite] n. f. — 1842; du rad. de *bipolaire*, d'après *polarité*.

Didact. (phys., sc. nat.). État, propriété de ce qui est bipolaire*.

Spécialt. Caractère des espèces vivantes qui existent dans les zones froides (circumpolaires) des deux hémisphères.

**BIPOUTRE** [biputʀ] adj. — 1927; de *bi-*, et *poutre*.

Techn. Qui comporte deux poutres parallèles maintenues à un même massif. *Un pont roulant bipoutre.*

Aviat. Se dit d'un avion dans lequel la partie arrière du fuselage est remplacée par deux poutres carénées.

**BIQUADRATIQUE** [bikwadʀatik] adj. et n. f. — 1771; de *bi-*, et *quadratique*.

Math. Qui est du quatrième degré. *Une équation biquadratique.*

N. f. Courbe gauche obtenue par l'intersection de deux quadriques.

**BIQUE** [bik] n. f. — 1509; orig. incert., p.-ê. altér. de *biche*, par croisement avec *bouc*; Guiraud suppose une orig. commune avec *biche*, du lat. pop. **bigica, *bigitare*, du rad. lat. *big-* (var. *bis-*) exprimant l'écartement, l'oblicité («animal qui bondit de travers»).

♦ **1** Fam. (Vx ou régional). Chèvre. *Un troupeau de biques. Une peau de bique :* une peau de chèvre servant de vêtement. — Ellipt. *Porter une bique.*

1 La bique, allant remplir sa traînante mamelle (...)
LA FONTAINE, Fables, IV, 15.

2 Cependant, chaque soir, sur la route gelée, une carriole emportait le jeune docteur (...) sous sa peau de bique (...)
F. MAURIAC, le Baiser au lépreux, XIV, p. 153.

3 (...) Côme de Lambrefault (...) tirait un louis d'or de son porte-monnaie de cuir fauve, le tendait au chauffeur engoncé dans une peau de bique (...)
P. VIALAR, la Grande Meute, p. 6.

Loc. *Crotte* de bique.*
*Être bique et bouc*, homosexuel à la fois passif et actif (cf. À voile et à vapeur).

♦ **2** (1830). Fam., péj. Fille, femme déplaisante (vieille, laide ou désagréable). *Une grande bique. Vieille bique.*

4 Lisa se pencha pour la suivre du regard, entre les crépines de l'étalage. Elle la vit traverser la chaussée et entrer dans le pavillon aux fruits.
— La vieille bique ! grogna Gavard.
ZOLA, le Ventre de Paris, t. I, p. 106 (1875).

♦ **3** (1864). Mauvais cheval*. → **Rosse.**

♦ **4** Loc. régionale. *Tête de bique :* personne têtue. → **Bourrique, mule** (tête de).

5 (...) c'était un malheur d'avoir affaire à une tête de bique pareille. R. QUENEAU, le Dimanche de la vie, p. 58.

DÉR. 1. **Bicot, biquet, biqueter.** ◊ HOM. **Bic.**

**BIQUET, ETTE** [bikɛ, ɛt] n. — 1355, *bicquet*, techn., «support, petite "chèvre"»; sens 1., 1668, cit.; de *bique*.

♦ **1** Petit de la bique. → (fam.) 1. **Bicot, chevreau.**
*(La bique).* Non sans dire à son Biquet :
— Gardez-vous, sur votre vie (...)
LA FONTAINE, Fables, IV, XV.

♦ **2** N. f. Fam. **BIQUETTE :** petite chèvre.

♦ **3** (1843, Flaubert). Terme d'affection à l'adresse d'un enfant. *Obéis à papa, mon biquet. Viens, ma biquette.*

**BIQUETER** [bikte] v. intr. [CONJUG. : *jeter*.] — D. i.; de *bique*, et suff. *-eter*.
Vx. Mettre bas (en parlant d'une chèvre). *Les chèvres biquettent.*

**BIQUOTIDIEN, IENNE** [bikɔtidjɛ̃, jɛn] adj. — 1876; de *bi-*, et *quotidien*.
Qui se fait deux fois par jour. *Des ablutions biquotidiennes.* — On écrit aussi *bi-quotidien*.

DÉR. **Biquotidiennement.**

**BIQUOTIDIENNEMENT** [bikɔtidjɛnmɑ̃] adv. — XXe (attesté 1966); de *biquotidien*, d'après *quotidiennement*.
Rare. Deux fois par jour.

**BIRAPPORT** [biʀapɔʀ] n. m. — XXe; de *bi-*, et *rapport*.
Math. *Birapport de quatre nombres* a, b, c, d, *réels ou complexes*, le rapport $\frac{c-a}{c-b} : \frac{d-a}{d-b}$, noté (a, b, c, d). *Birapport de quatre points* A, B, C, D, *pris sur une droite orientée*, birapport de leurs abscisses (rapport $\frac{\overline{CA}}{\overline{CB}} : \frac{\overline{DA}}{\overline{DB}}$, quotient du rapport des mesures algébriques des deux vecteurs ayant pour origine C et pour extrémités A et B par le rapport des mesures des deux vecteurs d'origine D et d'extrémités A et B). — Syn. : *rapport anharmonique* (vieilli). *Le birapport de quatre points est indépendant du repère choisi sur la droite. Quatre points dont le birapport est égal à −1 forment une division harmonique*.*

**BIRATIONNEL, ELLE** [biʀasjɔnɛl] adj. — 1899; de *bi-*, et *rationnel*.
Math. *Bijection birationnelle :* bijection* rationnelle, dont la réciproque est aussi une fonction rationnelle*. — Hist. des math. *Transformations birationnelles* (Cremona, 1866).

**BIRBE** [biʀb] n. m. — 1836; ital. *birba* «coquin» (XVIIe), en rapport avec le franç. *bribe*, d'où «mendiant», et p.-ê. infl. de *barbon* pour le sens en français.
Péjoratif.

♦ **1** Vx. Vieillard. *«Vous êtes bon et vous êtes joli, pour un birbe accablé de caducité»* (Théodore de Banville).

♦ **2** Loc. mod. **VIEUX BIRBE :** vieillard ou homme d'âge mûr ennuyeux et ratiocinant.

Justement, j'connais un vieux birbe de savant qui s'intéresse à ces machins et qui nous paiera le zigue emmaillotté au poids de l'or.
L. FORTON, les Aventures des Pieds-Nickelés, *in* l'Épatant, 1909, p. 62.

REM. Le T. L. F. mentionne les variantes (dérivés) anciennes *birbaillon*, n. m; *birbon*, n. m. (1860); *birbasse*, n. f. (1893, Richepin).

**BIRCHER** [biʀʃɛʀ], **BIRCHERMÜESLI** [biʀʃɛʀ mysli] n. m. → **Müesli.**

**BIRE** [biʀ] n. f. — 1669; altér. de *buire* (anc. franç. *buiron*), du bas lat. *buireta*.
Régional. Pêche. Nasse en osier. — Bouteille en osier servant à la pêche.

**BIRÉACTEUR** [biʀeaktœʀ] n. m. — V. 1945 (in *Larousse mensuel*, 1957); de *bi-*, et *réacteur*.
Avion à deux réacteurs. → **Bimoteur.**

**BIRÉFRINGENCE** [biʀefʀɛ̃ʒɑ̃s] n. f. — 1878; de *bi-*, et *réfringence*.
Phys. Propriété qu'ont certains corps transparents de diviser en deux rayons réfractés le rayon lumineux incident qui les pénètre. → **Réfraction** (double réfraction). *La biréfringence du spath d'Islande.*

**BIRÉFRINGENT, ENTE** [biʀefʀɛ̃ʒɑ̃, ɑ̃t] adj. — 1842; de *bi-*, et *réfringent*.
Phys. Qui possède la propriété de biréfringence*. *Le quartz est biréfringent. Prisme biréfringent.*

**BIRÈME** [biʀɛm] n. f. — 1541; lat. *biremis*, de *bi-* (*bis-*) «deux fois», et *remus* «rame».
Hist. Galère de l'antiquité à deux rangs de rames de chaque côté.

**BIRGUE** [biʀg] n. m. — 1834; lat. zool. *birgus*, 1815; semble d'orig. italienne.
Zool. Gros crustacé terrestre, appelé couramment *crabe* des cocotiers.*

**BIRIBI** [biʀibi] n. m. — 1719, Voltaire ; ital. *biribisso* «jeu de hasard», d'orig. incert. ; nom propre dans des comptines et des refrains : *Biribi, mon ami*, 1648.

**I** Vx. Jeu de hasard voisin du loto.

**II** (1861 ; nom d'une ancienne compagnie disciplinaire d'Afrique du Nord, d'un sens pop. du mot, «tourniquet de foire», ou directement du sens I. ; mais il peut s'agir d'un autre mot). Argot milit. (Employé comme un nom propre). Compagnie de discipline. *Envoyer un soldat puni à Biribi.*

**BIRLOIR** [biʀlwaʀ] n. m. — 1694 ; origine incertaine, p.-ê. d'une var. régionale de *virer*.

Techn. Tourniquet, loquet qui fixe le châssis d'une fenêtre à guillotine.

**BIRMAN, ANE** [biʀmɑ̃, an] adj. et n. — 1800, *in* D. D. L. ; de *Birmanie*.

De Birmanie ; qui se rapporte à la Birmanie.

N. *Un Birman, une Birmane :* un habitant, une habitante de la Birmanie.

N. m. Langue du groupe tibéto-birman, parlée en Birmanie et en Assam.

**BIROTOR** [biʀɔtɔʀ] n. m. et adj. invar. — V. 1960 ; de *bi-*, et *rotor*.

Techn. Qui fonctionne avec deux rotors, généralement en rotation sur le même axe, et en sens inverse l'un de l'autre ; à deux rotors.

**BIROULADE** [biʀulad] n. m. — 1862, F. Fabre ; occitan *viroulado*, de *viroula* «tourner», de même orig. que *virer*.

Régional (Cévennes). Réunion où l'on mange des châtaignes rôties.

**BIROUTE** [biʀut] n. f. — Attesté 1914 ; orig. inconnue, dialectale, cf. *biroutche* en rouchi (dialecte du Hainaut), v. 1830 ; de nombreux mots régionaux désignent la tarière : *biro, birou, biroune*.

♦ **1** Argot. Pénis. → **Bitte.**

Les lavabos, les types étalent leur biroute sur le zinc ruisselant et la nettoient avec soin.
Roger IKOR, À travers nos déserts, p. 459.

♦ **2** (1916 ; appelée aussi *bite, couille à Joffre*, cf. A. Doillon). Argot milit. Manche à air indiquant la direction du vent, sur un terrain d'aviation. → **Boudin.** — REM. Le mot donne lieu à calembour, et désigne par plaisanterie une route à voies séparées, une autoroute *(bi-route)*.

**BIRTH(-)CONTROL** [bœʀskɔ̃tʀol] n. m. — 1933, cit. ; mot angl., de *birth* «naissance», et *control* «contrôle».

Anglic., vieilli. Contrôle* des naissances (→ Planning* familial). «*Les révolutions aiment à se donner une date. Le 14 juillet du "birth-control" peut être fixé au 20 mai 1960. Ce jour-là, le premier contraceptif oral de l'histoire fut approuvé par l'administration américaine...*» (*Science et Vie*, n° 595, 1967, p. 64, *L'«escalade» de la contraception*).

C'est le but même de la contraception ou birth control, c'est-à-dire non pas la suppression du germe (ce qui est considéré comme immoral et sévèrement puni par la loi) mais la stérilisation des rapports entre sexes.
Paul MORAND, Londres, II, p. 93 (1933).

1. **BIS, BISE** [bi, biz] adj. — 1080, *Chanson de Roland ;* orig. incert., p.-ê. du bas lat. **bombyceus* «de soie», de *bombyx** ; mais P. Guiraud suppose une série de dér. pop. du lat. *bis*, dont **biseus*, qui aurait signifié «composé de deux parties» d'où «impur».

Rare ou vx. D'un gris tirant sur le brun*. *Un teint bis,* très brun. *De la laine bise.* → **Beige.**

Cette maîtresse un tantet bise 1
Rit à mes yeux (...)
LA FONTAINE, Pâté, *in* LITTRÉ.

Cour. *Pain bis,* gris à cause du son qu'il renferme. — *Une toile bise.*

J'ai faim, dit-il ; et bien vite 2
Je sers piquette et pain bis.
BÉRANGER, Souvenirs du peuple, *in* LITTRÉ.

Une grande toile bise a été étendue au-dessous de la verrière, si bleue dans la nuit, et tamise le soleil. Ici la chaleur est supportable. 3
M. DURAS, Dix heures et demie du soir en été, p. 119.

Un grand fourre-tout de toile bise, un de ces grands sacs que l'on appelle vulgairement baise-en-ville, pend à son épaule droite. 4
Georges PÉREC, la Vie mode d'emploi, p. 20.

DÉR. **Bisaille, 1. biser, biset, 1. bisette, bisonne.** ◊ HOM. (De *bise*) **1. Bise, 2. bise,** formes des v. **1. biser, 2. biser, 3. biser.**

2. **BIS** [bis] adv. et n. m. — 1690 ; lat. *bis* «deux fois».

♦ **1** Une seconde fois. Cri par lequel on demande la répétition de ce que l'on vient de voir ou d'entendre. → **Bisser.**

(...) le père, enchanté, frappe des mains, en criant : bis, bis (...) 1
ROUSSEAU, Émile, V.

(...) au concert, des amateurs fanatiques qui s'exténuaient à applaudir et à crier bis (...) 2
PROUST, À la recherche du temps perdu, t. XIII, p. 176.

Mus. Indication d'avoir à répéter une phrase, un refrain.

N. m. *Un, des bis.* → **Rappel.**

Les bis se redemandaient sans fin, on s'enthousiasmait de l'auteur, de l'acteur, de l'actrice (...) 3
DIDEROT, Lettre à Mme Riboboni.

♦ **2** Indique la répétition du numéro. *Habiter au 3 bis de telle rue.*

**BIS-** Élément indiquant le redoublement (ex. : *biscuit... ;* → **Bi-, di-**), ou ajoutant une nuance péjorative (ex. : *bistourné*).

**BISAÏEUL, EULE** [bizajœl] n. — 1315 ; *besaiol*, 1283 ; de *bis-* «deux fois», et *aïeul*.

Littér. Père ou mère des aïeuls. → **Aïeul, arrière-grand-mère, arrière-grand-père.** *Il a encore ses bisaïeuls.* → **Arrière-grands-parents.**

(...) nous avons fouillé dans de vieux coffres pour en exhumer les parures qui firent les beaux jours du harem impérial au temps d'Abd-ul-Medjib. (La dame du palais qui les porta était notre bisaïeule).
LOTI, les Désenchantées, III, 16, p. 120.

**BISAIGUË** [bizɛgy] n. f. → **Besaiguë.**

**BISAILLE** [bizaj] n. f. — XVIIe ; de 1. *bis*, à cause de la couleur.

Agric., vx ou régional.

♦ **1** Farine de deuxième qualité dont on fait le pain bis.

♦ **2** Mélange de pois gris et de vesce pour nourrir la volaille.

**BISANCIEN** [bizɑ̃sjɛ̃] n. m. — D. I. (attesté 1907, René Bazin) ; de *bis-* «deux fois», et *ancien*.

Techn. (agric.). Réserve d'arbres ayant quatre fois l'âge d'un taillis sous futaie.

**BISANNUALITÉ** [bizanɥalite] n. f. — XVIIe ; de *bis-*, et *annualité*.

Rare. Caractère bisannuel.

**BISANNUEL, ELLE** [bizanɥɛl] adj. — 1762, sens 2.; de *bis-*, et *annuel*.

♦ **1** (1842). Qui revient tous les deux ans. → **Biennal.** *Une cérémonie, une fête bisannuelle.* — REM. Un emploi au sens de «semi-annuel» est attesté.

♦ **2** Bot. Se dit d'une plante qui vit deux ans (la première année est un cycle végétatif; la seconde année, la plante fleurit et fructifie). *La betterave, la carotte sont bisannuelles.*

**BISANT** [bizɑ̃] n. m. — Attesté 1925, Pourrat; de 1. *bise*, mais on trouve *brisant* chez Villon, que Guiraud rattache à *biseau*.

Régional. *Vent de bisant, bisant* : vent qui souffle du nord.

**BISBILLE** [bizbij; bisbij] n. f. — 1677; ital. *bisbiglio* «murmure», de *bisbigliare*.

Fam. Petite querelle* pour un motif futile. → **Brouillerie, dispute.** *Être en bisbille avec qqn*, en conflit pour des raisons futiles.

1 Des rois qui souvent pour vétille
Avaient entre eux quelque bisbille (...)
TAILLET, *in* HATZFELD.

2 Si quelque badaud s'étonnait de les voir en bisbille, ils se cachaient pour rire de lui, et on les entendait babiller et chanter ensemble comme deux merles dans une branche.
G. SAND, la Petite Fadette, p. 18.

3 Dans son café-tabac-ministère, Guignebert avait davantage l'air d'être le patron du bistrot que le ministre de l'Information. Il siégeait en bras de chemise, la cravate dénouée, arbitre des bisbilles, déjà, entre les futurs journaux, entre les mouvements, les partis.
Claude ROY, Nous, p. 14.

DÉR. V. **Bisbrouille.**

**BISBROUILLE** [bizbʀuj; bisbʀuj] n. f. — Attesté déb. XXᵉ; croisement de *bisbille* et de *brouille*.

Régional (Belgique), fam. Fâcherie, petite brouille.

Je suis tout le temps à éviter les sujets de bisbrouille entre eux.
Franz FONSON et Fernand WICHELER, le Mariage de Mˡˡᵉ Beulemans, I, 13.

**BISCAÏEN** [biskajɛ̃] n. m. — 1689; de *Biscaye*, nom de la province espagnole où fut d'abord employée cette arme.

♦ **1** Anciennt. Mousquet de gros calibre à longue portée.

♦ **2** (1829). Mod. Projectile de ce fusil. — Par ext. Petites balles composant la mitraille.

Blessé à Gravelotte d'un éclat de biscaïen dans la cuisse, il tirait la jambe avec dignité.
M. YOURCENAR, Archives du Nord, p. 315.

Fam., vx. Bille. — Grêlon.

♦ **3** → **Biscayen** (2.).

HOM. **Biscayen.**

**BISCAÏENNE** [biskajɛn] n. f. — 1712; d'abord *biscayen*, adj. masc., 1555; de *Biscaye*.

Mar. Embarcation légère, à extrémités pointues, destinée à la pêche, employée dans le Nord de l'Espagne et au Pays basque.

**BISCAYEN, YENNE** [biskajɛ̃, jɛn] adj. et n. — 1555, en parlant d'une embarcation (→ Biscaïenne); de *Biscaye*. → aussi Bisquain, 2. bisque.

♦ **1** Adj. Relatif à la Biscaye, province du Nord-Ouest de l'Espagne.

N. *Un Biscayen, une Biscayenne.*

♦ **2** N. m. (1804, *in* D. D. L.). *Le biscayen* (ou *biscaïen*), dialecte basque parlé dans la plus grande partie de la Biscaye.

**BISCHOF** [biʃɔf] n. m. — 1804, Grimod de La Reynière, *bichop*, *in* D. D. L.; 1808, Flaubert, *bischoff*, cf. angl. *bishop* (1738); all. *Bischof* (1773); de l'all. *Bischoff* «évêque».

Anciennt. Boisson faite de vin sucré, parfois épicé, dans lequel a macéré du citron ou de l'orange, et qui se buvait chaude ou froide. *Le bischof fut à la mode au* XIXᵉ *siècle* (cf. Flaubert, Huysmans, *in* T. L. F.). — REM. On relève de nombreuses variantes adaptées des graphies anglaise et allemande : *bischoff, bichof, bichoff, bishof, bishoff*; et d'après l'angl. *bishop* (1738) : *bishop, bichop, bischop* [biʃɔp].

**BISCÔME** [biskom] n. m. — 1709; *biscobe*, 1570; *leibescuobe*, 1471, Fribourg; probablt du suisse alémanique **lebeskuche*, all. *Lebkuchen*.

Régional (Suisse). Pain d'épice, souvent orné d'une image.

Je colportais les pains d'épices, en ce temps là, les biscômes bernois au miel ou à l'anis avec dessus un ours en sucre qui tire une langue rose comme une fraise.
Jacques CHESSEX, Portrait des Vaudois, p. 45.

**BISCORNU, UE** [biskɔʀny] adj. — 1390, *biscornu* «qui a deux cornes, deux pointes»; de *bis-*, et *cornu*. → Bicorne.

♦ **1** (1580). Qui a une forme irrégulière, présentant des saillies. *Un bâtiment biscornu.* — N. m. *Le biscornu.*

Efflanquée du côté droit et toute biscornue de l'autre (...) 1
Antoine HAMILTON, Mém. du comte de Grammont, 10.

♦ **2** (1740). Fig., fam. Compliqué, bizarre. → **Extravagant, saugrenu.** *Idées biscornues. Esprit biscornu.* → **Bizarre.** *Visions biscornues.* → **Cornu** (vx).

Vous trouverez bon que je fasse tout mon possible pour 2
rompre un mariage aussi biscornu que celui-là (...)
J. F. REGNARD, la Sérénade, I.

Adultère!... Il se représente soudain tout ce que ce mot 3
contenait d'usuel, de domestique, de ridicule, de gauchement tragique ou de platement comique, de saugrenu, de biscornu (...)
FRANCE, le Mannequin d'osier, VI.

CONTR. **Régulier. — Raisonnable, sensé.**

**BISCOTEAU** [biskɔto] n. m. → **Biscoto.**

**BISCOTER** [biskɔte] v. tr. — 1532, Rabelais; orig. incert., p.-ê. métathèse de *bistoquer* (déb. XVIᵉ), «faire l'amour avec (une femme)», lui-même rapproché du flamand *besteken* «fixer», d'où «parer, orner», d'où «faire des cadeaux» puis «faire la cour», mais ni la forme ni l'évolution sémantique ne sont convaincantes.

Fam., vx. Lutiner, peloter (une femme). Cf. Flaubert, Raoul Ponchon, *in* T. L. F.

**BISCOTIN** [biskɔtɛ̃] n. m. — 1680; de l'ital. *biscottino*, dimin. de *biscotto* «biscuit».

Vx ou régional. Petit biscuit ferme et cassant. *Biscotins d'Aix.*

Le roi mettait dans ses poches force biscotins pour ses chiennes couchantes.
SAINT-SIMON, Mémoires, 403, 252.

**BISCOTO** ou **BISCOTEAU** [biskɔto] n. m. — 1930; de l'initiale de *biceps*, d'après *costeau*.

Fam. Biceps (surtout bien développé). *Il a de ces biscoteaux!* — Var. graphique : *biscotteau.*

Les pirates ne paient pas d'impôts 1
Et s'font des tatouages sur les biscotos.
B. VIAN, Textes et Chansons, «Les pirates», p. 72.

Un plâtrier, ça se reconnaît de loin, comme un boulanger : 2
biscoteaux de lutteur et joues de papier mâché.
CAVANNA, les Ritals, p. 106.

**BISCOTTE** [biskɔt] n. f. — 1807 ; ital. *biscotto* «biscuit», proprt «cuit deux fois», du lat. médiéval *biscottum* «biscuit», 1218, de *bis-*, et *cotto* «cuit».

Tranche de pain de mie séchée au four industriellement. *Biscotte de régime, biscotte sans sel. Biscotte beurrée. Un paquet de biscottes. Tu veux des biscottes ou du pain grillé ?*

Elle vous envoie des mots secs, comme des biscottes de Bruxelles. BALZAC, *in* P. LAROUSSE.

REM. L'homonyme *biscotte* «casquette» (*in* Courteline) est probablt une altération de *viscope* «visière».

DÉR. **Biscotterie, biscottier.**

**BISCOTTERIE** [biskɔtʀi] n. f. — Mil. XXe ; de *biscotte*.

Techn. Entreprise de fabrication de biscottes. Ensemble des techniques de cette fabrication.

**BISCOTTIER, IÈRE** [biskɔtje, jɛʀ] n. — V. 1960 ; de *biscotte*.

Techn. Fabricant(e) de biscottes.

**BISCUIT** [biskɥi] n. m. — 1538 ; réfection, d'après le lat., de *bescuit*, 1112 ; de *bis-*, et *cuit*, p. p. de *cuire*.

**I** ♦ **1** Galette de farine de blé passée au four, puis déshydratée, qui constituait autrefois un aliment de réserve pour l'armée. → **Biscotin.** *Ration de biscuit. Tremper, casser du biscuit. — Biscuit de mer :* pain séché qui peut se conserver longtemps. — Vx. *Biscuit de guerre. — Biscuit animalisé,* contenant des matières animales qui augmentent ses qualités nutritives. *Biscuit vitaminé.*

Loc. *S'embarquer sans biscuit :* partir à la légère, sans prendre de précautions, sans argent.

1 Des voyages entrepris témérairement, et, comme l'on dit, des embarquements sans biscuits (...)
D'AUBIGNÉ, Disc. militaire, I, 193.

♦ **2** Gâteau* sec fait avec des œufs, de la farine, du sucre. → **Boudoir, craquelin, croquet, croquignole, galette, gaufrette, petit-beurre, sablé, tuile.** *Biscuit à la noix de coco, au fromage. Biscuits salés,* pour l'apéritif. → **Bretzel, cracker ; amuse-gueule.**

1.1 Plus loin, la maison Guillout, sévère comme une caserne, étalait délicatement, derrière ses glaces, des paquets dorés de biscuits et des compotiers pleins de petits-fours.
ZOLA, le Ventre de Paris, t. I, p. 44.

Loc. *Biscuit à la cuiller,* très léger et absorbant.

1.2 Le curé était encore chez les Muselier, attablé devant un verre de vin blanc et une assiette de biscuits à la cuiller.
M. AYMÉ, la Vouivre, p. 175.

Galette destinée à la nourriture d'animaux. *Biscuit de chien. Biscuit de fourrage.*

♦ **3** (Dans des expressions). Gâteau à base de farine, de sucre et d'œufs. *Biscuit de Savoie, biscuit au chocolat, biscuit roulé, meringué.*

♦ **4** Par anal. de forme. BISCUIT DE MER : os de seiche.

♦ **5** (1935, argot des chauffeurs de taxis). Argot. Contravention. *Attraper un biscuit.*

**II** ♦ **1** (1751). Porcelaine blanche non émaillée, cuite au four, qui imite le grain du marbre et dont on fait des figurines, des médaillons. *Une statuette en biscuit.*

1.3 Il eut le culte d'un ange aux ailes de biscuit si déliées, fines et transparentes qu'il les voyait vraiment trembler, comme celles d'un papillon parmi les fleurs en bois découpé de l'étagère.
M. JOUHANDEAU, la Jeunesse de Théophile, p. 127.

♦ **2** *Un, des biscuits,* ouvrage fait en cette matière. *Biscuits de Sèvres. Biscuit de Saxe.*

Le nom de biscuit est tout à fait impropre pour désigner ces figurines, puisqu'elles ne sont cuites qu'une seule fois. 2
Louis RÉAU, Dict. d'art et d'archéologie, p. 57.

♦ **3** Techn., vx. Particule dure, pierreuse, dans la chaux éteinte.

DÉR. **Biscuité, biscuiter, biscuiterie.**

**BISCUITÉ, ÉE** [biskɥite] adj. — 1806, sens I. ; de *biscuit*.

**I** Vx. *Pain biscuité,* cuit plus longtemps que le pain ordinaire. → **Biscuit** (I., 1.).

**II** (1867 ; de *biscuit*, II.). *Porcelaine biscuitée,* qui a subi une cuisson spéciale. → **Biscuit** (II.).

**BISCUITER** [biskɥite] v. tr. — 1845 ; de *biscuit* (II.).

Techn. Cuire au four (une pièce de poterie). → **Biscuit** (II.).

**BISCUITERIE** [biskɥitʀi] n. f. — Av. 1877 ; de *biscuit* (I.).

Fabrication, industrie des biscuits, des gâteaux secs. *Travailler dans la biscuiterie. — Une biscuiterie,* fabrique de biscuits, de gâteaux secs industriels.

**BISCUTELLE** [biskytɛl] ou **BISCUTELLA** [bis kytɛ(l)la] n. f. — 1842 ; lat. sc. *biscutella* (1798, Linné) ; de *bi- (bis)*, et *scutella*, de *scuta* (→ Scutellaire), de *scutum* «bouclier».

Bot. Plante alpine crucifère, aussi appelée *lunetière* à cause de ses fruits dont la forme évoque celle de lunettes.

1. **BISE** [biz] n. f. — V. 1130 ; du francique **bisa* ou d'un germanique **bisjo*, par le lat. médiéval *biza* (768) ; Guiraud préfère y voir l'adj. 1. *bis, bise,* par le sens «(qui souffle) de travers, de manière divergente», selon le sémantisme des dér. du lat. *bis*.

♦ **1** Vent* sec et froid soufflant du nord ou du nord-est. *Une bise aigre, âpre* (cit. 4), *coupante, cinglante* (→ Abasourdir, cit. 1), *glaciale. La bise siffle dans les arbres.*

Comme tombe une fleur que la bise a séchée (...) 1
MALHERBE, VI, 20, *in* LITTRÉ.

Qu'il eût du chaud, du froid, du beau temps, de la bise (...) 2
LA FONTAINE, Fables, VI, 4.

La bise de Grignan qui vous fait avaler tous les bâtiments de vos prélats me fait mal à votre poitrine (...) 3
Mme DE SÉVIGNÉ, 1113, 29 déc. 1688.

(...) une bise triste gémissait sous les portes et dans les corridors de l'hôtellerie. 4
CHATEAUBRIAND, Mémoires d'outre-tombe, IV, 5.

Heureusement que le bon clocher de Montipouret n'est pas chiche de se montrer, et qu'il n'y a pas une éclaircie où il ne passe le bout de son chapeau reluisant pour vous dire si vous tournez en bise ou en galerne. 5
G. SAND, François le Champi (Gasnier), XV, 115.

Une bise aigre sifflait, collant leurs minces capes sur le corps des comédiens, et leur souffletant le visage (...) 6
Th. GAUTIER, le Capitaine Fracasse, t. I, VI.

L'âpre bise d'hiver, qui se lamente au seuil Souffle dans le logis son haleine morose ! 7
RIMBAUD, les Étrennes des orphelins, II.

Un grand coup de bise avait balayé le ciel (...) 8
Alphonse DAUDET, Lettres de mon moulin, XVI.

Dehors, une bise aigre s'était levée, qui charriait de la neige fondue. MARTIN DU GARD, les Thibault, t. IV, p. 67. 9

Les gémissements des oiseaux migrateurs qui traversaient le ciel délavé, le sanglot ininterrompu de l'aigre bise dans les baraquements, cette terre funèbre où tout leur était hostile, et surtout cet hiver qui leur tombait sur les épaules (...) 9.1
M. TOURNIER, le Roi des Aulnes, p. 186.

Loc. fam. *Fendre la bise :* aller très vite. *Un fend-la-bise :* une personne qui «fend la bise», qui est rapide, intrépide.

♦ **2** Poét. L'hiver; le froid.

10 Quand la bise fut venue (...)

LA FONTAINE, Fables, I, 1.

♦ **3** Loc. fam. (Régional; fréquent dans le Centre de la France). **À TOUTE BISE :** à toute vitesse, très vite. → **Biture.**

**DÉR.** et **COMP. Bisant. Brise-bise.** ◊ **HOM.** 2. **Bise, bise** (fém. de 1. *bis*).

2. **BISE** [biz] n. f. — 1911; de 3. *biser.*

Fam. Baiser. *On va lui faire une grosse bise.* → **Bisou.** *Donner une bise, des bises à un enfant. — Allez, la bise à tous! À bientôt; bises aux enfants.*

**DÉR. Bisou.** ◊ **HOM. Bise** (fém. de 1. *bis*), 1. **bise.**

**BISEAU** [bizo] n. m. — 1451, en orfèvrerie; sens général, XVI^e; orig. incert., probablt de même orig. que *biais,* d'où **biaiseau, bieseau.*

♦ **1** Bord taillé obliquement. → **Biais, chanfrein.** *On affûte une scie en aiguisant le biseau de chacune de ses dents. Le biseau d'un tesson de verre.* — **EN BISEAU.** *Une vitre, une glace en biseau. Tailler qqch. en biseau.* → **Biseautage, biseauter, ébiseler.** *Outil à lame en biseau. Un sifflet en biseau.*

♦ **2** Outil* acéré dont le tranchant est en biseau. *Biseau de menuisier, de tourneur.*

♦ **3** Techn. (Joaill.). Facette contiguë à la table d'un brillant. — (Horlog.). Taille d'un verre qui s'enchâsse sur un cadran.

(Impr.). Cadre des pages de caractères qui permet leur serrage dans les formes.

♦ **4** Mus. Bec (de certains instruments à vent). — Extrémité (d'un tuyau d'orgue).

**DÉR. Biseauter.**

**BISEAUTAGE** [bizotaʒ] n. m. — 1863, *in* Littré; de *biseauter.*

Techn. Action de tailler en biseau; résultat de cette action. *Biseautage d'une glace, d'un verre de montre.*

**BISEAUTER** [bizote] v. tr. — 1743, *bizotter;* de *biseau.*

♦ **1** Tailler en biseau. *Biseauter un brillant, une moulure.*

♦ **2** Marquer (des cartes à jouer) d'un signe sur la tranche pour tricher au jeu.

Fig., vx. *Biseauter (qqch.) :* truquer. *Biseauter un suffrage* (Goncourt).

◆ **BISEAUTÉ, ÉE** p. p. adj.

♦ **1** Taillé en biseau. *Une glace biseautée.*

1 Vêtue de sa longue douillette lilas, M^me Chantelauze vérifie son visage dans la glace biseautée achetée mille francs place d'Aligre.

Violette LEDUC, Folie en tête, p. 449 (1970).

2 La lumière et la musique y sont dispensées avec une prodigalité qui fait rêver. Des glaces biseautées, des dorures partout.

Francis PONGE, le Parti pris des choses, p. 70.

♦ **2** *Cartes biseautées* (→ ci-dessus, 2.).

**DÉR. Biseautage, biseauteur.**

**BISEAUTEUR, EUSE** [bizotœʀ, øz] n. — 1852; de *biseauter.*

♦ **1** Techn. N. m. Ouvrier qui biseaute.

♦ **2** Rare. Personne qui biseaute les cartes. → **Tricheur.**

**BISEGMENTATION** [bisɛgmɑ̃tasjɔ̃] n. f. — XIX^e; de *bisegmenter.*

Didact. Action de bisegmenter; son résultat.

**BISEGMENTER** [bisɛgmɑ̃te] v. tr. — XIX^e; de *bi-,* et *segment.*

Didact. Partager en deux segments.

**DÉR. Bisegmentation.**

**BISENESS** [biznɛs] n. m. → **Bisness.**

1. **BISER** [bize] v. intr. — 1690; de 1. *bis.*

Agric. Devenir gris noir (en parlant des graines qui se détériorent).

2. **BISER** [bize] v. tr. — 1732; de 2. *bis* «deux fois».

Techn. Reteindre (une étoffe déjà teinte).

3. **BISER** [bize] v. tr. — 1866; forme dial. de *baiser,* p.-ê. avec infl. du type *bicher,* de *bec.*

Fam. Donner une bise à (qqn). → 1. **Baiser,** I. (vx); **embrasser; biger** (régional). *Viens me biser.*

**DÉR. Biger,** 2. **bise.**

**BISET** [bizɛ] n. m. — Fin XII^e; attestation isolée, adj., XIII^e; repris 1723; de 1. *bis.*

♦ **1** Vx. Étoffe de laine grossière, de couleur bise.

♦ **2** (1552). Pigeon* de couleur bise, aussi appelé *pigeon sauvage* et *pigeon de roche. Le biset est l'ancêtre des pigeons domestiques.* — Appos. *Pigeon biset.*

♦ **3** (1815). Hist. Garde national qui faisait son service habillé en bourgeois (en habit «bis», gris). — **REM.** Les Goncourt écrivent *bizet.*

1. **BISETTE** [bizɛt] n. f. — 1327; de 1. *bis,* et suff. *-ette.*

♦ **1** Vx. Passementerie d'or et d'argent.

♦ **2** (1690, Furetière). Petite dentelle de bas prix.

**HOM.** 2. **Bisette.**

2. **BISETTE** [bizɛt] n. f. — D. i.; de *bise,* fém. de 1. *bis.*

Régional. Macreuse (I.).

**HOM.** 1. **Bisette.**

**BISEXE** [bisɛks] adj. — 1814; de *bi-,* et *sexe.*

Biol. Vx. → **Bisexué.**

**DÉR. Bisexuel.**

**BISEXUALITÉ** [bisɛksɥalite] n. f. — 1894, *in* D. D. L.; de *bisexuel,* d'après *sexualité.*

♦ **1** (Bot., zool.). Caractère des organismes (plantes et animaux) bisexués. *Bisexualité biologique.*

♦ **2** Psychol. Caractère constitutionnellement bisexuel des tendances psychiques de l'individu humain (→ Ambivalent, cit. 1). → **Hermaphrodisme.** *Conséquences psychologiques de la bisexualité.*

Bisexualité psychique à dominante monosexuelle sur une sexualité physiologique fermement arrêtée : ainsi peut-on qualifier l'équilibre normal de l'être humain. 1

E. MOUNIER, la Relation sexuelle, tiré du «Traité du caractère» (1948), *in* D^r WILLY, la Sexualité, t. I, p. 43.

Notion introduite par Freud en psychanalyse sous l'influence de Wilhelm Fliess : tout être humain aurait constitutionnellement des dispositions sexuelles à la fois masculines et féminines qui se retrouvent dans les conflits que le sujet connaît pour assumer son propre sexe. 2

J. LAPLANCHE et J.-B. PONTALIS, Voc. de la psychanalyse, art. *Bisexualité.*

♦ **3** Rare. Caractère d'une personne bisexuelle (3.), de relations bisexuelles.

**CONTR. Monosexualité, unisexualité.**

**BISEXUÉ, ÉE** [bisɛksɥe] adj. — 1845; du rad. de *bisexuel*.

Qui possède les deux sexes. — Biol. Qui produit simultanément ou successivement des gamètes des deux sexes. → **Ambisexué** (1.), **autogame, hermaphrodite, monoïque.** — Syn., vx : *bisexe, bisexuel* (1.).
Bot. Se dit des plantes ayant l'organe mâle (étamine) et l'organe femelle (pistil) réunis dans la même fleur ou sur le même pied. → **Androgyne, hermaphrodite** (II., 2.).

Zool. → **Hermaphrodite** (II., 2.).

**BISEXUEL, ELLE** [bisɛksɥɛl] adj. et n. — 1826; de *bisexe*, d'après *sexuel*.

♦ **1** Biol., vx. → **Bisexué.**

♦ **2** Psychol. Qui concerne les deux sexes dans l'individu humain. *Tendances bisexuelles. Caractère bisexuel des tendances, de la libido.*

♦ **3** Qui a des relations sexuelles aussi bien avec des hommes qu'avec des femmes; qui est à la fois hétérosexuel et homosexuel. *Il est bisexuel. Une femme bisexuelle* (→ fam. À voile* et à vapeur, bique* et bouc). Abrév. fam. : *bi. Elle est bi. Sa femme et lui sont bi.* — N. *Un bisexuel, une bisexuelle. Relations bisexuelles.*

♦ **4** Rare. Composé de personnes des deux sexes. « *Une multitude bisexuelle* » (Villiers de L'Isle-Adam, *in* T. L. F.).

DÉR. **Bisexualité.** — V. **Bisexué.**

**BISHOF** [biʃɔf] ou **BISHOP** [biʃɔp] n. m. → **Bischof.**

**BISMARCKIEN, IENNE** [bismaʀkjɛ̃, jɛn] adj. — 1897, Barrès (qui emploie aussi *bismarckisme*, n. m.); du nom de *Bismarck*, chancelier allemand.

De Bismarck; de sa politique.

**BISMUTH** [bismyt] n. m. — 1690, Furetière; *bismuot*, 1562; *bissemut*, 1597; lat. des alchimistes *bisemutum* (1530, Agricola), de l'all. *Wismut*.

♦ **1** Métal brillant à reflets rouges (symb. *Bi*; nº at. 83; p. at. 209), très cassant, se cristallisant facilement et formant des alliages fusibles. *Le bismuth est un corps diamagnétique. Sulfure de bismuth.*

Ce blanc n'est pas toujours du blanc de Candie, fait de coquilles d'œufs; il est souvent composé de magistères de bismuth, jupiter, saturne, de céruse (...)
Ed. et J. DE GONCOURT, la Femme au XVIIIe s., t. II, p. 141.

*Sels de bismuth utilisés en pharmacie* (→ ci-dessous, 2.).

♦ **2** Méd. Sel ou composé du bismuth (albuminate, citrate, sous-nitrate), utilisé comme médicament. *Prendre du bismuth.*

DÉR. **Bismuthé, bismuthine, bismuthique, bismuthisme.**
◊ COMP. **Bismuthomanie, bismuthothérapie.**

**BISMUTHÉ, ÉE** [bismyte] adj. — XIXe; de *bismuth*.

Didact. Qui contient du bismuth. *Médicament bismuthé. Poudre bismuthée.*

**BISMUTHINE** [bismytin] n. f. — 1845; de *bismuth*.

Chim. Composé organique du bismuth*, de formule générale $R_3Bi$. — Spécialt. Sulfure naturel de bismuth.

**BISMUTHIQUE** [bismytik] adj. — 1838; de *bismuth*. Didactique.

♦ **1** Relatif au bismuth, qui en a les caractères. *Troubles bismuthiques* : troubles d'intolérances relatifs à l'absorption de bismuth. → **Bismuthisme.**

♦ **2** À base de bismuth. *Traitement bismuthique.*

D'autres enfin, proposent de garder le traitement classique bismuthique simple dans les syphilis récentes, pour réserver la pénicilline aux formes plus anciennes ou aux cas particuliers, tels que syphilis au cours de la grossesse.
J. et H. PAYENNEVILLE, le Péril vénérien, La syphilis, p. 52.

**BISMUTHISME** [bismytism] n. m. — XIXe; de *bismuth*.
Méd. Intoxication par le bismuth.

**BISMUTHOMANIE** [bismytɔmani] n. f. — XIXe; de *bismuth*, et *manie*.

Méd. Consommation habituelle et excessive de médicaments bismuthés.

**BISMUTHOTHÉRAPIE** [bismytoteʀapi] n. f. — XIXe; de *bismuth*, et *thérapie*.

Méd. Emploi thérapeutique des sels de bismuth.

**BISNESS** ou **BISENESS** ou **BIZNESS** [biznɛs] n. m. — Av. 1890 au sens 2 *in* Bruant; adapt. orale de l'angl. *business* « affaire ». → Business.

♦ **1** Fam. et vieilli. Affaire, business*.

(...) une veuve, personne de bon lieu, qui avait commencé par louer une de ses chambres à un officier américain pendant la guerre, et de là avait glissé à prendre des pensionnaires, sans que ce bisness l'amoindrît aux yeux des siens, couvert qu'il était par son origine patriotique (...)
MONTHERLANT, les Célibataires, 1934, *in* T. L. F.

♦ **2** Argot. Prostitution, racolage. *Attaquer le bisness. Faire le bisness* : faire le trottoir.

♦ **3** Fam. Affaire embrouillée. *Tu parles d'un bisness, on n'y comprend rien !* → **Binz** (ou bin's). *Qu'est-ce que c'est que ce bizness-là ?*

♦ **4** (1928, *in* Höfler). Fam. Chose, truc. *Passe-moi donc ce bizness.* → **Bidule.**

**BISOC** [bisɔk] n. m. → **Bissoc.**

**BISON** [bizɔ̃] n. m. — 1307; lat. *bison* (Pline), mot d'orig. germanique.

♦ **1** Mammifère ongulé *(Bovidés-bovinés)* au front large, bombé et armé de cornes courtes, aux épaules plus élevées que la croupe, à la tête ornée d'une épaisse crinière; spécialt, bison mâle et adulte. *Bison d'Amérique.* → **Buffalo** (cit.); → Bœuf à bosse* (1. Bosse, cit. 5). *Le massacre des bisons. Troupeaux de bisons.*

Les bœufs attelés, indolents et forts, — coiffés tous de la traditionnelle peau de mouton couleur de bête fauve qui leur donne l'air de bisons ou d'aurochs, — traînaient ces chariots lourds (...) LOTI, Ramuntcho, II, 2, p. 213.

(Des surnoms de chefs indiens, connus des enfants). *Bison futé*, nom donné à un organisme de prévention et de sécurité routière.

♦ **2** (Incorrect en zool.). *Bison d'Europe.* → **Aurochs, ure.** *Les bisons peints des cavernes préhistoriques. Herbe de (des) bisons* : herbe aromatique utilisée pour parfumer une variété de vodka (en Pologne).

DÉR. **1. Bisonne.**

1. **BISONNE** [bizɔn] n. f. — 1867; de *bison*.
Rare. Bison femelle.

HOM. **2. Bisonne.**

2. **BISONNE** [bizɔn] n. f. — 1835; de 1. *bis.*

Techn. Toile grise pour doublure, pour reliure.

**HOM.** 1. **Bisonne.**

**BISONTIN, INE** [bizɔ̃tɛ̃, in] adj. et n. — 1751, *Encyclopédie;* du lat. *Bisontii.*

Qui se rapporte à la population, à la ville, à la région de Besançon.

N. *Un Bisontin, une Bisontine :* un habitant, une habitante de Besançon.

**BISOU** [bizu] n. m. — Av. 1901, *in* Bruant; de 2. *bise.*

Fam. Grosse bise (→ 2. **Bise**), gros baiser (dans le langage enfantin). *Allez, gros bisous!*

Allons, faites un bisou à papa, mon petit monsieur (...)
J. DUTOURD, Pluche, XI, p. 153.

**DÉR.** **Bisouter.**

**BISOUTER** [bizute] v. tr. — Déb. XXe; de *bisou.*

Fam. Faire des bisous à (qqn). → 3. **Biser.**

**BISQUAIN** [biskɛ̃] ou **BISQUIN** [biskɛ̃] n. m. — 1664; p.-ê. de *Bisquain,* ancien nom des *Biscayens*.*

Techn. Peau de mouton avec sa laine, dont les bourreliers couvrent les colliers des harnais de chevaux.

1. **BISQUE** [bisk] n. f. — Av. 1853, Sand; de *bisquer.*

Fam. et régional. Colère, dépit, mauvaise humeur.

(...) si, par je ne sais quelle bisque qui me vint, je n'eusse toussé fortement pour arrêter le baiser au passage.
G. SAND, les Maîtres sonneurs, p. 302, *in* T. L. F.

**HOM.** 2. **Bisque,** 3. **bisque,** formes du v. **bisquer.**

2. **BISQUE** [bisk] n. f. — Déb. XVIIe; p.-ê. du nom de la province espagnole de *Biscaye;* si le sens initial est bien «potage contenant les éléments solides coupés» (cf. provençal *bisco* «morceau»), le mot pourrait, comme *bisquer,* se rattacher au lat. *bis* par les dérivés exprimant l'idée de «divergence», de «biais» (par «morceau coupé, taillé en biais») — hypothèse de P. Guiraud.

Cuis. Potage fait avec un coulis de crustacés. *Bisque d'écrevisses, de homard.* — Potage au coulis de gibier, de volaille. *Bisque à la Reine,* au blanc de poulet.

1 Il faudra quatre grands potages (...) et cinq assiettes d'entrées. Potages : bisque, potage de perdrix aux choux verts (...) MOLIÈRE, l'Avare, III, I, Texte de 1682.

2 Après le souper, où il y eut beaucoup de vins d'Espagne et de vins du Rhin, des potages à la bisque et au lait d'amandes (...) FLAUBERT, Mme Bovary, I, VIII.

**HOM.** 1. **Bisque,** 3. **bisque,** formes du v. **bisquer.**

3. **BISQUE** [bisk] n. f. — 1547; p.-ê. de *Biscaye.* → 2. Bisque.

Ancienn. Au jeu de paume, Avantage (quinze points) concédé par un joueur à son adversaire, et utilisable au cours de la partie au moment choisi par le bénéficiaire.

Loc. (Vx). *Prendre sa bisque :* avoir l'avantage au jeu; fig. prendre son temps pour se détendre.

On dit (...) qu'un homme prend sa bisque quand il quitte son travail ordinaire pour se promener, pour se divertir, et surtout quand il le fait rarement.
FURETIÈRE, Dict., 1690.

**HOM.** 1. **Bisque,** 2. **bisque,** formes du v. **bisquer.**

**BISQUER** [biske] v. intr. — Av. 1706, Scarron; orig. incert., p.-ê. du provençal *bisco* «mauvaise humeur», d'origine obscure, p.-ê. en rapport avec *bico, bisco* «chèvre, bique», qui viendrait du rad. *bis* par l'idée de «aller en biais, de travers» (Guiraud).

Fam. Éprouver du dépit*, de la mauvaise humeur. → **Enrager, pester, rager, râler.** *Faire bisquer qqn.* → fam. Faire devenir chèvre* (qqn). — *Bisque, bisque, rage!,* formule employée, notamment par les enfants, pour exciter qqn en s'en moquant.

Je crois que ma belle robe va joliment la faire bisquer (...) 1
la Tête et le Cœur, II, 7 (*in* LITTRÉ.)

Cristi! je bisque de ne pas être Picard! 2
E. LABICHE, la Chasse aux corbeaux, I, 3.

**DÉR.** 1. **Bisque.**

**BISQUIN** [biskɛ̃] n. m. → **Bisquain.**

**BIS REPETITA PLACENT** [bisrepetitaplasɛt] — Mots latins, «les choses répétées plaisent».

Loc. (Littér.). Ceci mérite d'être redit, répété (aphorisme forgé d'après un vers de l'*Art poétique* d'Horace).

**BISSAC** [bisak] n. m. — Mil. XVe; de *bis-,* et *sac.*

Sac fendu en long par le milieu et dont les extrémités forment deux poches. → **Besace** (cit. 1). *Un bissac de mendiant, de voyageur.*

Passa un jeune gars breton qui portait un bissac sur l'épaule (...) LOTI, Mon frère Yves, XLIX, p. 127. 1

En revanche, Mandrin avait longtemps séjourné dans le pays, et nous étions plutôt de sa parenté, à voir nos défroques, nos garnitures de matamores, nos bissacs et la façon faraude dont nous portions l'espingole à la bretelle. 1.1
Jacques PERRET, Bande à part, p. 23.

Loc. fam. (Vx). *Avoir de bons tours dans son bissac.* → **Sac.**

Non, dit l'autre : je n'ai qu'un tour dans mon bissac (...) 2
LA FONTAINE, Fables, IX, 14.

Loc. fam. (Vx). *Envoyer au bissac :* réduire à la mendicité. *Être au bissac, réduit au bissac,* à la mendicité.

1. **BISSE** [bis] n. f. — 1694; ital. *biscia* «serpent», du lat. *bestia* «bête».

Blason. Couleuvre.

**HOM.** 2. **Bis,** 2. **bisse,** formes du v. **bisser.**

2. **BISSE** [bis] n. m. — 1569; mot dial.; var. de *bief, biez.* → Bief.

Régional (Suisse romande). Long canal d'irrigation conduisant l'eau des montagnes au sommet d'un terrain cultivé. *Les bisses du Valais.*

(...) puis tout à coup, c'est un vrai mur, un mur de cent mètres de haut. Où va, pendu en l'air, le bisse, un grand canal de bois, fixé au moyen de poutres enfoncées aux fentes du roc, et gagnant ainsi, tout le long de la paroi, jusqu'aux régions des neiges tardives, où il recueille l'eau qui sert à irriguer les prés.
C.-F. RAMUZ, Jean-Luc persécuté, p. 224-225.

**HOM.** 2. **Bis,** 1. **bisse,** formes du v. **bisser.**

**BISSECTER** [bisɛkte] v. tr. — XIXe; du lat. *bis,* et *sectum,* supin de *secare* «couper».

Didact., vx. Partager en deux parties égales par une ligne.

**BISSECTEUR, TRICE** [bisɛktœr, tris] adj. et n. f. — 1857, n. f.; adj., 1872; de *bis-,* et *secteur.*

Géométrie.

♦ **1** Qui divise en deux parties égales. *Plan bissecteur. Droite bissectrice.*

♦ **2** N. f. **Bissectrice** (plus cour.) : demi-droite qui partage un angle (un secteur angulaire) en deux parties égales. *Tracer la bissectrice d'un angle. Bissectrice d'un angle saillant* (dans le tracé des fortifications). → **Capitale** (III.). *Bissectrice d'un angle de demi-droites, d'un couple de demi-droites,* qui partage l'angle formé par ces demi-droites en deux parties égales. *La bissectrice de deux demi-droites est l'ensemble des points du plan équidistants de celles-ci. Deux droites concourantes ont deux bissectrices, qui sont perpendiculaires. Bissectrice (extérieure, intérieure) d'un triangle en un de ses sommets.*

**BISSECTION** [bisɛksjɔ̃] n. f. — 1751, *Encyclopédie ;* de *bis-,* et *section.*

Géom. Division en deux parties égales.

**BISSEL** [bisɛl] n. m. — Fin XIXe ; de *Bissel,* nom de l'inventeur ; l'invention date de 1857.

Techn. Essieu porteur aux extrémités de certaines locomotives, destiné à faciliter le passage dans une courbe de l'ensemble de la machine.

**BISSER** [bise] v. tr. — 1820 ; de 2. *bis.*

♦ **1** Faire répéter, recommencer (une partie de spectacle, de concert). *La salle, le public a bissé le couplet, le refrain.*

Par ext. *Bisser un acteur, un chanteur, un musicien,* le rappeler* en réclamant la répétition d'un passage, d'un morceau.

♦ **2** Répéter ce qu'on vient d'exécuter, à la demande du public. *L'acteur a bissé la tirade. Le public l'a rappelé et lui a fait bisser le scherzo.*

À l'exception de Rossi qui jugea les basses un peu faibles et le contrepoint sommaire, ce qui pouvait être mis au compte d'un léger dépit, l'auditoire fut enchanté, et le mouvement lent dut être bissé.

Hubert Le Porrier, le Luthier de Crémone, p. 115.

Par ext. Répéter. *« Cet absurde besoin de bisser le mot ou la phrase... »* (Gide, *in* T. L. F.).

CONTR. (Du 1.) **Siffler.**

**BISSEXTE** [bisɛkst] n. m. — Av. 1150 ; lat. *bisextus,* de *bis* « deux fois », et *sextus* « sixième », parce que, dans le calendrier julien, le 24 février, sixième jour avant les calendes de Mars, était doublé tous les quatre ans.

Didact., vx. Le vingt-neuvième jour ajouté au mois de février des années bissextiles. → **Intercalaire** (jour).

DÉR. **Bissextile.**

**BISSEXTILE** [bisɛkstil] adj. f. — 1549, *les ans bissestilz ;* de *bissexte.*

*Année bissextile,* qui comporte trois cent soixante-six jours. → **Année, bissexte.** *Toutes les années dont le millésime est divisible par quatre sont des années bissextiles, sauf les années séculaires dont le millésime n'est pas divisible par quatre cents* (ex. : 1700, 1900) ; *à cette exception près, l'année bissextile revient tous les quatre ans. Le mois de février des années bissextiles compte vingt-neuf jours.*

CONTR. **Commun** (année commune).

**BISSOC** [bisɔk] n. m. — 1853, cit. ; de *bis-,* et *soc.*

Agric. Charrue* à deux socs montés sur un même bâti, et dont on se sert pour les labours superficiels. *Des bissocs.* — Appos. *Charrue bissoc.*

L'éléphant laboure avec autant d'adresse que d'intelligence (...) La charrue à laquelle il est attelé est ordinairement une charrue double ou bissoc, traçant deux sillons à la fois.

Almanach du Magasin pittoresque pour 1854, p. 32 (1853), *in* D. D. L., II, 12.

REM. Var. graphique : *bisoc* (*in* D. D. L., II, 12).

**BISTOQUET** [bistɔkɛ] n. m. — 1721, « masse de billard » ; de *bis-,* et *toquer* « frapper ».

Techn. Outil, machine servant à couper les tringles dont on fait les clous.

**BISTORTE** [bistɔʀt] n. f. — XIIIe ; du lat. *bistorta,* de *bis,* et *tortus* (fém. *torta*) « tordu ».

Plante astringente *(Renouées)* à rhizome tordu et à fleurs roses.

**BISTORTIER** [bistɔʀtje] n. m. — 1581 ; p.-ê. du provençal *bistorti* « rouleau » ; de *bis,* et p. p. de l'anc. franç. *tort,* de *torser* « tordre ».

Techn., vx. Pilon utilisé autrefois en pharmacie.

**BISTOUILLE** [bistuj] n. f. — Fin XIXe, mot dialectal du nord de la France (cf. *bistingo* « cabaret », 1845), p.-ê. en relation avec *bistro,* par la var. *bistrouille,* p.-ê. à rattacher à *bistre* ; orig. obscure, p.-ê. de *bis-,* et *touiller.*

Familier.

♦ **1** Mauvais alcool, mauvaise boisson. — On dit aussi dans ce sens *bistrouille* [bistʀuj].

Et cela donna une méchante piquette piquée, une piquette de n'importe où, une triste, une fade bistrouille de plaine, déshonorante en Beaujolais. 1

G. Chevallier, Clochemerle, p. 393.

♦ **2** (1901). Régional (Nord, Belgique). Café mêlé d'eau-de-vie. — Par ext. Rasade d'eau-de-vie qu'on verse dans son café. *Les « gens d'ici, ces buveurs de bistouille »* (Bernanos, *Monsieur Ouine,* Romans, Pl., p. 1377).

Ainsi parlent les garçons, à travers la fumée des pipes, la buée des bistouilles, un soir de ducasse (...) 2

Bernanos, Nouvelle histoire de Mouchette, *in* Œ. roman., Pl., p. 1295.

**BISTOURI** [bistuʀi] n. m. — 1564, *bistorie,* n. f. ; *bistorit* « poignard », 1464 ; p.-ê. empr. à l'ital. *bisturino,* altér. de *pistorino* « dague, poignard (de *Pistoia*) », du lat. *Pistorium* « Pistoia » (ville) ; Guiraud préfère y voir le dér. d'un adj. non attesté **biste* « courbe », du rad. lat. *bis.* → 1. Bis, 1. bise, biseau.

Instrument chirurgical en forme de couteau, à lame courte, fixe ou pliante, et qui sert à faire des incisions dans les chairs. *Bistouri cannelé. Donner un coup de bistouri.*

(...) il réconforta le patient avec toutes sortes de bons mots, caresses chirurgicales qui sont comme l'huile dont on graisse les bistouris. 1

Flaubert, Mme Bovary, I, 2.

J'eus vite le bistouri en main — oh ! pour de menues besognes — pour ouvrir un furoncle, pour inciser un petit phlegmon. 2

G. Duhamel, Biographie de mes fantômes, V.

Dans cette société israélite du temps des Rois, menacée des pires maladies spirituelles, les Prophètes vont entrer comme le bistouri dans une chair. 3

Daniel-Rops, le Peuple de la Bible, III, II, p. 222.

Par ext. Tout instrument ou dispositif permettant d'inciser les chairs (comme le bistouri à lame). *Bistouri électrique* (ou *à haute fréquence*). *Bistouri au laser.*

3.1 (...) on dit déjà *un bistouri au laser,* mais le bistouri qui était un couteau géant pour les gens d'armes, devenu depuis Ambroise Paré l'instrument le plus réduit de la chirurgie sanglante, qu'adviendra-t-il de lui quand on ne charcutera plus l'homme à l'acier ? désignera-t-il seulement le rayon-découpeur ou s'effacera-t-il devant le mot *laser ?*
ARAGON, Blanche..., III, II, p. 385.

Par métaphore. Littér. *Donner un coup de bistouri* (→ Trancher dans le vif*).

4 (...) si, pour ouvrir un abcès, il *(un vrai romancier)* prend un bistouri tranchant, c'est qu'on ne peut se contenter d'y appliquer de bonnes paroles.
G. DUHAMEL, Défense des lettres, V, 158.

REM. Les verbes dérivés *bistorier* (1546, Rabelais), *bistourier* (1848, Chateaubriand) et *bistouriser* (1941, Gide) sont pratiquement inusités.

**BISTOURNAGE** [bistuʀnaʒ] n. m. — 1836; de *bistourner.*

Techn. Procédé de castration des animaux domestiques mâles qui consiste à tordre le cordon spermatique sans pratiquer aucune ouverture aux bourses.

**BISTOURNER** [bistuʀne] v. tr. — 1175, *bestourner* «mal tourner»; de *bes-, bis-,* préf. péj., et *tourner.*

♦ **1** (1718). Tourner, courber (un objet) de manière à le déformer.

♦ **2** (1680). Techn. Châtrer* (un animal mâle) par bistournage.

◆ **BISTOURNÉ, ÉE** p. p. adj. (XIIe).

♦ **1** Littér. Déformé, compliqué. *«Des vers bistournés»* (Baudelaire). *Une prose bistournée.*

♦ **2** (1678). Techn. Qui a été châtré par bistournage. *Un veau bistourné.* — N. m. *Un lot de bistournés.*

DÉR. **Bistournage.**

**BISTRAGE** [bistʀaʒ] n. m. — 1890; de *bistrer.*

Rare. Action de bistrer; son résultat. *«Ce bistrage macabre du dessus des yeux»* (Goncourt, *Journal,* 1890).

**BISTRE** [bistʀ] n. m. — Déb. XVIe, n. m.; adj., v. 1570; p.-ê. à rapprocher de *bis* «gris» (→ 1. Bis), à condition qu'il existe des intermédiaires (**biste,* à rattacher à *bise, bisque* selon Guiraud).

♦ **1** Substance colorante d'un brun noirâtre, faite de suie détrempée et mêlée d'un peu de gomme. *Bistre employé dans la peinture au lavis. Un dessin au bistre.* — Couleur ainsi obtenue.

1 (...) un léger cercle de bistre cernait ses yeux, comme s'il eût été convalescent.
BALZAC, le Message, t. II, Pl., p. 172.

2 Quelle raison aurais-je de partir ? demande-t-elle en plissant un peu ses paupières fardées de bistre sur ses yeux verts.
A. ROBBE-GRILLET, la Maison de rendez-vous, p. 84.

♦ **2** D'un brun noirâtre. *Couleur bistre. Un crayon bistre. — Une peau, un teint bistre; un visage bistre.* → **Basané, bistré, hâlé, tanné.** *«Un homme à teint bistre»* (Aragon).

DÉR. **Bistré, bistrer.**

**BISTRÉ, ÉE** [bistʀe] adj. — 1809; de *bistre.*

Qui a la couleur du bistre. → **Bistre** (2.). *Un teint bistré.*

1 Très grand tableau. Les tons bistrés dans les ombres le rendent très triste.
E. DELACROIX, Journal 1850-1854, août 1850, t. II, p. 22.

Elle porte en bandoulière un grand sac de toile écrue et tient dans sa main droite une photographie bistrée représentant un homme en redingote noire. 2
Georges PÉREC, la Vie mode d'emploi, p. 116.

J'ai été reçu par un jeune homme en noir, aux yeux très noirs, au teint bistré, au nez fin et curieux. 3
J. GREEN, Journal, 18 oct. 1966, Vers l'invisible, p. 502.

Spécialt. *Des yeux bistrés,* cernés.

**BISTRER** [bistʀe] v. tr. — 1835; de *bistre* ou de *bistré* (antérieur).

Rendre de couleur bistre. — REM. Le verbe est plus rare que l'adj. *bistré.*

DÉR. **Bistrage, bistrure.**

**BISTRO** ou **BISTROT** [bistʀo] n. m. — 1884; orig. incert.; p.-ê. du poitevin *bistraud* «petit domestique», qui aurait désigné l'aide du marchand de vin; ou encore des formes *bistingo* (1845), *bistringue, bastringue,* d'orig. obscures; quant à une adaptation du russe *byistro* «vite», venue des cosaques demandant à boire à Paris en 1814, c'est une pure fantaisie en l'absence de toute attestation du mot à l'époque ou peu après; mais l'hypothèse la plus vraisemblable rattache le mot à *bistouille* (par la var. attestée *bistrouille* et un verbe *bistrouiller*). → Bistouille; et aussi ci-dessous, cit. 4.

♦ **1** Vieilli, fam. Marchand de vin tenant café. → **Cabaretier, mastroquet; bistrote, bistrotier.** *Il était bistro (bistrot) à Montmartre. Aller chez le bistro.*

(...) les prolétaires qui s'empoisonnent chez le bistrot (...) 1
BERNANOS, les Grands Cimetières sous la lune, I, 4, p. 120.

(...) la mère ôte son corset et le fils son gilet. Des natures de bistrots en vacances. COLETTE, Chéri, p. 26. 2

Et plus Dorothée refusait, plus je m'entêtais dans mon idée, car je suis Breton, moi, et le métier de bistrot n'était pas pour me déplaire. 2.1
B. CENDRARS, Moravagine, *in* Œ. compl., t. IV, p. 203.

♦ **2** Cour. Café (généralement petit et modeste). → 2. **Café; bistroquet, troquet.** *Aller au bistro. Un patron de bistrot.* → **Bistroquet** (et → ci-dessus, 1.). *C'est un pilier de bistrot. Une terrasse de bistrot* (→ Pinard, cit. 2).

Disparaîtrez-vous un jour, petits bistros de chez nous, petites salles basses, chaudes, enfumées, où trois bougres, épaule contre épaule, autour d'un infime guéridon de fer bâfrent le bœuf bourguignon, se racontent des histoires, et rigolent, tonnerre ! rigolent en sifflant du piccolo ? 3
G. DUHAMEL, Scènes de la vie future, XIV, p. 210.

Le terme *(bistrot)* n'apparaît qu'en 1884 d'après notre meilleur spécialiste de l'argot, M. Gaston Esnault, à qui l'on peut se fier pour la documentation historique en la matière. A-t-il été créé d'après la **bistouille** ou est-ce un dérivé de **bistre** ? La question reste en suspens, en attendant qu'on connaisse la région (Paris ou le Nord) où s'est formé le mot après **1870.** En tout cas, c'est une création bien française. 4
A. DAUZAT, *in* le Monde, 17 janv. 1951.

Hier soir, dîner au bistrot avec X (...) 5
F. MAURIAC, Bloc-notes 1952-1957, p. 28.

(...) à l'affût du profit, les hôteliers remplacent la qualité par la forme; alors les amateurs éclairés s'enfuient vers un «petit bistrot», vers un restaurant simple et modeste où officie quelque Chef désireux de se tailler une réputation. 6
H. LEFEBVRE, la Vie quotidienne dans le monde moderne, p. 197.

REM. Le mot, comme *hôtellerie, auberge,* tend à être employé dans un contexte mélioratif, pour désigner un restaurant traditionnel français (notamment parisien), d'allure simple, mais pouvant être coûteux et à la mode.

*Les grands bistros.* — *Style bistro,* se dit du mobilier typique des bistros du début du siècle (tables rondes à dessus de marbre, chaises cannées, portemanteaux «perroquets», etc.).

DÉR. **Bistrote, bistrotier.** V. **Bistroquet.**

**BISTROQUET** [bistʀɔkɛ] n. m. — 1926; mot-valise, de *bistro,* et *troquet.*

Familier.

♦ **1** Tenancier de bistro. → **Bistro** (1.), **bistrotier, mastroquet.** «*Le bistroquet se plaint de ces clients qui viennent boire un café à cinq...*» (*le Nouvel Obs.,* 22 oct. 1973, p. 45).

♦ **2** Bistro*, café.

**BISTROTE** [bistʀɔt] n. f. — 1914; fém. de *bistrot.*

Fam. Femme qui tient un café.

1 Je n'emporterai pas mon fonds de liquoriste au Paradis, n'est-ce pas?... Alors, buvons-le. C'est mon défunt qui me l'a légué. Il y a du bon. Il s'y connaissait. Je ne suis qu'une bistrote d'occasion.
B. CENDRARS, Bourlinguer, p. 326.

2 Cette petite-là, elle finira ou bien à la Comédie-Française (...) ou bien bistrote, parce qu'elle s'amourachera sur le tard d'un chasseur d'hôtel ou d'un chef de cuisine (...)
M. DRUON, la Chute des corps, II, v, p. 148.

**BISTROTIER, IÈRE** [bistʀɔtje, jɛʀ] n. — 1975; de *bistro.*

Fam. Personne qui tient un café. → **Bistro** (1), **bistroquet, cafetier, mastroquet.** *À cette heure-ci, il est sûrement chez le bistrotier du coin.*

**BISTROUILLE** [bistʀuj] n. f. → **Bistouille** (1.).

**BISTRURE** [bistʀyʀ] n. f. — 1871, Goncourt; de *bistrer.*

Rare. Teinte bistre; spécialt, cerne couleur de bistre.

**BISULFATE** [bisylfat] n. m. — 1846; de *bi-,* et *sulfate.*

Chim. Sel acide de l'acide sulfurique, surtout appelé *sulfate acide.*

**BISULFITE** [bisylfit] n. m. — 1838; de *bi-,* et *sulfite.*

Chim. Sel acide de l'acide sulfureux, surtout appelé *sulfite acide.*

Et il n'est pas jusqu'aux odeurs de bisulfite, d'hydroquinone, d'acide acétique et d'hyposulfite qui contribuent à charger de maléfices une atmosphère déjà confinée.
M. TOURNIER, le Roi des Aulnes, p. 119.

DÉR. **Bisulfitique.**

**BISULFITIQUE** [bisylfitik] adj. — XX<sup>e</sup>; de *bisulfite.*

Chim. Se dit des composés d'addition que les aldéhydes et les cétones donnent avec les bisulfites alcalins. *Utilisation des lessives résiduaires bisulfitiques.*

**BISULFURE** [bisylfyʀ] n. m. — 1838; de *bi-,* et *sulfure.*

Chim. Composé sulfuré (polysulfure) dans lequel le nombre d'atomes de soufre est supérieur à celui d'un sulfure normal. → **Sulfure.**

**BISULQUE** [bisylk] ou **BISULCE** [bisyls] adj. — XVI<sup>e</sup>; du lat. *bisulcus* «fourchu», de *bi- (bis),* et *sulcus* «sillon».

Didact., vx. Qui a le sabot fourchu. → **Ongulé, ruminant.**

1. **BIT** [bit] n. m. — 1875; p.-ê. du néerl. (d'Afrique du Sud : afrikaans) dans l'industrie du diamant, du verbe *bijten* «mordre»; cf. angl. *bit* «morsure».

Techn. Trépan destiné à traverser des roches très dures.

HOM. **Beat,** 2. **bit, bite, bitte,** formes des v. **biter,** 1. **bitter.**

2. **BIT** [bit] n. m. — 1959; mot amér., abréviation de *binary digit* «unité discrète de système binaire».

♦ **1** Inform. Unité élémentaire d'information pouvant prendre deux valeurs distinctes, notées 0 et 1. → **Binaire** (élément); et aussi **octet.** «*Toute l'information contenue à l'intérieur d'un microprocesseur est codée au moyen de bits (codage binaire). En particulier, les instructions destinées au processeur sont encodées en un format à 8 bits. Chaque groupe de 8 bits est appelé un octet*» (*la Recherche,* n° 86, févr. 1978, p. 25).

♦ **2** Comm. «Unité d'incertitude ou d'information dans la théorie mathématique de l'information» (R. Escarpit, *Information et communication,* Lexique, p. 198). «*La quantité d'information ne dépend que de la probabilité. On prend comme unité la quantité d'information apportée par l'apparition d'un événement de probabilité un demi, par exemple, la retombée d'une pièce de monnaie sur le côté face. Cette unité s'appelle un bit*» (*le Monde,* 12 déc. 1973).

HOM. **Beat,** 1. **bit, bite, bitte,** formes des v. **biter,** 1. **bitter.**

**BITABLE** ou **BITTABLE** [bitabl] adj. — D. i. (XX<sup>e</sup>); de *biter* (3.).

Fam. Qui peut être compris (surtout en emploi négatif ou restrictif). → **Compréhensible.** *Son laïus n'était pas bitable, était à peine bittable.*

**BITE** ou **BITTE** [bit] n. f. — 1584; orig. incert., p.-ê. du normand *bitter* «boucher (un trou)», de l'anc. scandinave *bita* «mordre», confondu avec *bitte** (I.), t. de marine, par anal. de forme; p.-ê. avec infl. de *habiter* «avoir un commerce charnel», mais les intermédiaires formels et sémantiques manquent.

♦ **1** Fam., vulg. Pénis. «*— Un bouquin porno. T'en as jamais vu? — Qu'est-ce qu'y font là? Elle lui mord la bite?*» (*Charlie-Hebdo,* 12 janv. 1978).

Ma bitte devint plus brune, mes poils formèrent une jolie barbiche, ma voix était devenue profonde. 1
APOLLINAIRE, les Exploits d'un jeune Don Juan, *in* Cellard et Rey.

Pourquoi des obscénités? disais-je dans le temps. Je dis maintenant : pourquoi farder le mot bite puisque le mot se perd dans la myrrhe et l'encens de Genet. 2
Violette LEDUC, la Folie en tête, p. 161-162.

Antoine d'Argenti n'oublierait jamais Étienne se déshabillant dans une chambre d'hôtel d'un petit village en Égypte et lui jetant d'un air revêche : «Alors, d'Argenti, vous aimez ma bite?» 3
Marie-Claire BLAIS, Une liaison parisienne, p. 127.

Loc., argot milit. *Bite-à-cul,* se dit, dans les troupes aéroportées, au moment du saut lorsque les parachutistes se rangent en colonnes serrées, et, plus généralement, de troupes rangées en ordre serré.

Loc. vulg. *Peau de bite et balai de crin* : rien du tout, jamais de la vie. → **Peau** (de balle...). — *Beau, belle comme une bite,* «*comme une bite en fleur*» (Genet, *Notre-Dame des fleurs,* p. 30) : très beau, très belle.

♦ **2** Difficulté imprévue, échec. → **Couille.**

Merde, que je me disais, d'afur!... T'es encore tout lopaille mon pote! C'est la grosse bite!... 4
CÉLINE, Mort à crédit, Pl., p. 1019, *in* CELLARD et REY.

DÉR. **Biter.** ◊ HOM. **Beat,** 1. **bit,** 2. **bit, bitte,** formes des v. **biter,** 1. **bitter.**

**BITENSION** [bitɑ̃sjɔ̃] adj. invar. — V. 1970; de *bi-,* et *tension.*

Électr. Se dit d'un appareil électrique qui peut fonctionner sous deux tensions différentes. *Un appareil, des lampes bitension.*

**BITER** ou **BITTER** [bite] v. tr. — 1864; de *bite*.

Fam., vulgaire.

♦ **1** Posséder sexuellement. → **Baiser.**

♦ **2** (1905, «punir»). Fig. Posséder, avoir. → **Baiser.** *Se faire, se laisser biter. Biter quelqu'un.*

1 Les Vaches ! répéta l'homme. Quand ils ont demandé ceux qui savaient conduire, j'aurais dû me méfier, je me suis laissé biter comme un bleu.
Robert MERLE, Week-end à Zuydcoote, p. 11 (1949). → Bleu-bite.

2 Moi, je n'ai qu'un atout pour le biter : l'élément de surprise. J'entends par là que mon seul espoir c'est de l'étonner histoire de freiner d'un poil ses réflexes.
SAN-ANTONIO, Remets ton slip, gondolier !, p. 183.

♦ **3** Loc. fam. *Ne rien biter à qqch. :* ne rien comprendre. → **Piger.**

**DÉR. Bitable.** ◊ **HOM.** 1. **Bitter.**

**BITERROIS, OISE** [bitɛʀwa, waz] adj. et n. — du lat. *Biterræ* «Béziers».

Qui se rapporte aux habitants, à la ville, à la région de Béziers. *Un demi de mêlée biterrois* (au rugby).

N. *Un Biterrois, une Biterroise :* un habitant, une habitante de Béziers.

**BITHÉRAPIE** [biteʀapi] n. f. — 1996; de *bi-*, et *thérapie*.

Méd. Traitement d'une affection à l'aide de deux médicaments. — Spécialt. Association de deux antiviraux, dans le traitement du sida, de l'hépatite C. *Bithérapie et trithérapie.*

**BITONAL, ALE, AUX** ou **ALS** [bitɔnal, o] adj. — 1920; de *bi-*, et *tonal*.

Didact. Qui comporte deux tons (ou sons). *Voix bitonale :* trouble de la phonation caractérisé par la superposition de deux sons différents. *Toux bitonale. Klaxon bitonal des véhicules de secours.*

(...) Laurent reçut les compliments de Gazzoni, personnage squelettique, à l'étrange voix bitonale.
G. DUHAMEL, Combat contre les ombres, p. 174.

REM. On écrit parfois *bi-tonal.*

Mus. Qui relève de deux tons simultanément. → **Polytonal.**

**DÉR. Bitonalisme, bitonalité.**

**BITONALISME** [bitɔnalism] n. m. — 1935; de *bitonal*.

Mus. Théorie musicale qui repose sur le système de la bitonalité.

**BITONALITÉ** [bitɔnalite] n. f. — 1922, mus., *in* D. D. L.; de *bitonal*.

♦ **1** Didact. Caractère de ce qui est bitonal.

♦ **2** Mus. Présence de deux tonalités* (simultanément ou continûment) dans un épisode. → **Polytonalité.**

**BITONIAU** ou **BITONIOT** [bitɔnjo] n. m. — 1976, *bitoniot*; dér. probable de *bitte* (cf. *bitton* «petite bitte», 1552, Rabelais), p.-ê. d'après *bouton*.

Fam. Petit bouton permettant d'actionner un mécanisme, petite protubérance (d'un objet). *Appuyer sur le bitoniau. Des bitoniaux.*

Vas-y tonton fais une photo clic clac clic clac
Fais-nous sortir le p'tit oiseau
Te mélange pas les fourchettes
Appuie sur le bitoniot
Pierre PERRET, «La photo» (1976).

**BITORD** [bitɔʀ] n. m. — 1690, Th. Corneille; de *bi-*, et *tordre*.

Mar. Cordage mince, formé de deux ou plusieurs fils de caret tordus ensemble. *Une pelote de bitord.* → **Manoque.**

Par métaphore :

C'était la fin; plus morne et plus tordu, le hère,
Se reprenait hâler son bitor de misère...
Tristan CORBIÈRE, le Bossu Bitor, *in* Œ. compl., Pl., p. 819.

REM. Un emploi adjectif (ou par apposition) au sens étymologique de «deux fois tordu» est attesté dans le titre de Corbière où Bitor est un nom propre : *le Bossu Bitor.* La graphie *bitor* semble propre à Corbière.

**BITOS** [bitos] n. m. invar. — 1926; orig. incert., p.-ê. de *bite*; on a évoqué, sans preuves, le nom d'un chapelier parisien.

Argot. Chapeau masculin.

(...) mon Durandard est un adjudant marqué du signe royal, il est invincible, il a une plume blanche au bitos (...) une lumière sur le front (...) 1
Jacques PERRET, Bande à part, p. 210.

Oh ! ces chapeaux, ces bibis, ces bitos, quels amours ! sursauta Léone. P. GUTH, Jeanne la mince, p. 133. 2

Loc. fig. *Porter le bitos :* porter le chapeau* (*supra* cit. 7.3).

**BITTE** [bit] n. f. — 1382; anc. scandinave *biti* «poutre transversale sur un navire».

Marine.

**I** Billot* de bois ou d'acier fixé verticalement sur un pont de navire, et sur lequel s'enroulent et s'amarrent les aussières. → **Bitton.** *Les bittes de mouillage sont fixées sur un massif en chêne. Amarrer une remorque à une bitte. Une bitte d'ancre. Les bittes de beaupré.*

(...) hisser (...) le vieux flotteur gluant sur le pont (...) faire deux tours sur la bitte avec la chaîne et (...) refout' le tout à l'eau dans un grand éclaboussement de jurons. 1
Benoîte et Flora GROULT, Il était deux fois, p. 324.

Borne d'un quai qui sert à amarrer les câbles. → **Bollard, canon** (d'amarrage). *Bitte d'amarrage. Tourner une chaîne sur une bitte.*

Le yacht accoste. Les amarres lancées, deux matelots les fixent aux bittes du petit môle. 2
Roger NAÏM, l'Ère des truands, p. 31.

(...) une bitte d'amarrage en fonte d'où part une grosse corde tendue, d'autres cordages enroulés sur eux-mêmes et formant une sorte de lâche collier sur les pavés humides (...) 3
A. ROBBE-GRILLET, la Maison de rendez-vous, p. 192.

**II** (Métaphore de forme). Vulg. Pénis. → **Bite.**

**DÉR.** 1. **Bitter, bitton, biture.** ◊ **HOM. Beat,** 1. **bit,** 2. **bit, bite,** formes des v. **biter,** 1. **bitter.**

1. **BITTER** [bite] v. tr. — 1643; de *bitte*.

Mar. Amarrer autour d'une bitte. *Bitter un cordage.* — Loc. *Bitte et bosse !,* annonce de la descente à terre (on passe les *bosses* d'amarrage autour de la *bitte*). — Par ext. (1840, in Esnault). Exclamation invitant au plaisir, aux réjouissances (la descente à terre après une longue traversée étant habituellement fêtée par la «bordée» traditionnelle).

Largue l'écoute ! Bitte et bosse ! (...)
Jean RICHEPIN, la Mer.

**HOM. Biter.**

2. **BITTER** [bite] v. tr. → **Biter.**

3. **BITTER** [bitɛʀ] n. m. — 1834; *pitre*, 1721; du néerl. *bitter* «amer».

♦ **1** Liqueur apéritive alcoolisée et amère, d'origine hollandaise. → **Amer, apéritif.**

1 L'établissement riche et fameux a grand air.
Las d'avoir trop servi l'absinthe et le bitter,
Le garçon, déjà vieux, de qui le front s'appuie
À l'humide vitrage où vient couler la pluie,
Songe : quelle existence, hélas ! matin et soir,
Toujours crier, toujours courir, jamais s'asseoir (...)
Germain NOUVEAU, Album zutique, «Garçon de café», *in* Pl., p. 787.

2 Fous la paix, coupa Dieulefils en ressuscitant sur son séant par la vertu des effluves d'anis, d'amers et de bitters qui flottaient dans la pièce.
A. BLONDIN, Monsieur Jadis, p. 87 (1970).

Avec un nom apposé :

3 (...) elle s'appelle Laura, elle a treize ans et demi, elle propose de boire un verre de bitter-soda en bavardant, pour faire connaissance (...)
A. ROBBE-GRILLET, Projet pour une révolution à New York, p. 57.

♦ **2** (Angl. *bitter* «amer»). Variété de bière anglaise, blonde, plus amère que la bière de type lager. → aussi **Ale.**

**BITTON** [bitɔ̃] n. m. — 1564; de *bitte*.
Mar. Petite bitte* fixée sur un bateau et destinée à l'amarrage. → **Taquet** (→ Navire, cit. 5).

**BITTURE** [bityʀ] n. f., **BITTURÉ, ÉE** [bityʀe] adj., **BITTURER (SE)** [bityʀe] v. pron. → **Biture, bituré, biturer** (se).

**BITUMAGE** [bitymaʒ] n. m. — 1866; de *bitumer*.
Action de bitumer. — Résultat de cette action. *Le bitumage d'une route.* → **Asphaltage.**

**BITUMASTIC** [bitymastik] n. m. — XXᵉ; de *bitu(me)*, et *mastic*.
Techn. Peinture bitumineuse qui protège les métaux de l'oxydation.

**BITUME** [bitym] n. m. — 1575; *betumoi*, v. 1160; *betume*, 1190; *bitumme, bithume*, XVᵉ; du lat. *bitumen* «bitume».

♦ **1** Minér. Mélange naturel ou artificiel d'hydrocarbures (et de résines, d'asphaltènes...) qui se présente à l'état solide ou liquide (pâteux), de couleur noire, opaque. *Bitumes naturels :* gaz naturels, huiles brutes (pétrole), cires minérales (ozocérite, hattchetite), asphaltes, asphaltites. *Les bitumes artificiels sont obtenus dans la distillation et l'oxydation du pétrole. Le bitume de Judée* (spalt) *s'emploie en héliogravure, en photocollographie.*

0.1 Terre de Cassel ou noir de pêche, etc. — Ombres avec bitume, cobalt, blanc et ocre d'or.
E. DELACROIX, Journal 1823-1850, 22 sept. 1844, t. I, p. 209.

1 Ses eaux blanchâtres *(de la mer Morte)*, huileuses, portent des taches de bitume étalées en larges cernes irisés.
LOTI, Jérusalem, XV, p. 177.

♦ **2** Cour. Cette substance traitée et utilisée comme revêtement imperméable des chaussées et des trottoirs. → **Goudron, macadam.**

1.1 Le Parisien, qui jadis faisait le voyage de Naples et gravissait le mont Vésuve pour voir bouillonner ce bitume, foule maintenant aux pieds cette matière qu'il ne regardait autrefois qu'avec crainte et respect, et, tout en se promenant sur les boulevarts *(sic)*, il peut encore voir bouillonner le bitume, non pas sur la bouche d'un cratère, mais dans une grande chaudière de fer placée sur une espèce de poêle, dans lequel des individus fort noirs entretiennent un grand feu, en ayant soin de remuer avec une pelle le liquide visqueux qui répand au loin une fumée épaisse et une odeur fort désagréable.
Ch. PAUL DE KOCK, la Grande Ville, p. 333.

Sur le bitume des trottoirs, des peintres exposent en plein air des tableaux dont ils sont peut-être les auteurs responsables (...) G. DUHAMEL, le Voyage de P. Périot, I. 2

Il faisait de plus en plus chaud, et rue Campagne-Première, le bitume amolli collait à la semelle. 3
Roger VAILLAND, Bon pied, bon œil, p. 76.

Fam. Le sol lui-même. *Arpenter le bitume.* → **Pavé, trottoir.**

Argot. *Faire le bitume :* se prostituer (→ Faire le trottoir*). *Une fleur de bitume :* une prostituée.

La prostituée du boulevard de Clichy et l'inspecteur qui la surveille ont tous les deux de mauvais souliers et tous les deux ont mal aux pieds d'avoir arpenté des kilomètres de bitume. 4
G. SIMENON, les Mémoires de Maigret, p. 111.

DÉR. **Bitumer, bitumeux, bitumier, bitumose.** — (Du rad. du lat. *bitumen*) V. **Bituminer, bitumineux, bituminifère, bituminiser.** ◊ COMP. **Bitumastic.** — V. **Bituminifère.**

**BITUMER** [bityme] v. tr. — 1544, *batumé*, adj., attestation isolée; repris 1840, *bitumer, in* D. D. L.; de *bitume*.

♦ **1** Enduire de bitume. → **Asphalter, goudronner.** *Bitumer une artère. Outils servant à bitumer une chaussée.* → **Boucharde, brasse, lissoir, pilon, pochoir.**

Je m'entendrais tout autant à écraser des vessies de couleur sur ma palette qu'à bitumer mes toiles ou à buriner mes eaux-fortes.
J. VALLÈS, l'Insurgé, éd. Rencontre, 1885-86, p. 105.

♦ **2** Fig. (vx), argot. Se prostituer (→ Faire le trottoir*).

◆ **BITUMÉ, ÉE** p. p. adj. *Trottoir bitumé. Carton bitumé.*
Rare. Qui contient du bitume.

DÉR. **Bitumage.**

**BITUMEUX, EUSE** [bitymø, øz] adj. — Fin XIIIᵉ; de *bitume*.

♦ **1** Qui contient du bitume. → **Bitumineux.**

♦ **2** Qui ressemble à du bitume, a l'aspect du bitume.

Vienne. Musée Lichtenstein... Quatre Chardin, dans une tonalité plus chaude, plus bitumeuse, que ceux que je connais en France. 1
Ed. et J. DE GONCOURT, Journal, 24 sept. 1860.

(...) la bitumeuse et ombreuse profondeur des vieux tableaux craquelés (...) 2
Claude SIMON, la Route des Flandres, p. 49 (1960).

**BITUMIER** [bitymje] n. m. — XIXᵉ; de *bitume*.

♦ **1** Ouvrier qui prépare ou utilise le bitume*. → **Asphalteur.** — REM. Dans ce sens, le féminin *bitumière* [bitymjɛʀ] est virtuel.

♦ **2** (XXᵉ). Navire pétrolier équipé pour le transport du bitume. → **Asphaltier.**

**BITUMINER** [bitymine] v. tr. — 1611; lat. *bituminare*, de *bitumen, -inis*. → Bitume.
Vx. Bitumer.

**BITUMINEUX, EUSE** [bityminø, øz] adj. — 1330; lat. *bituminosus*, de *bitumen, -inis*. → Bitume.
Qui contient du bitume*, qui en a les qualités. → **Bitumeux.** *La paraffine est tirée de schistes bitumineux. Houille bitumineuse.*

(...) d'abord, un grand plan d'ombre ressemblant à un lavis d'encre de Chine sur un dessous de sanguine, une zone de tons ardents et bitumineux, brûlés de ces roussissures de gelée et de ces chaleurs d'hiver qu'on retrouve sur la palette d'aquarelle des Anglais (...)
Ed. et J. DE GONCOURT, Manette Salomon, p. 4.

**BITUMINIFÈRE** [bityminifɛʀ] adj. — XXᵉ; du rad. du lat. *bitumen, -inis,* et suff. *-fère.*

Didact. Qui contient ou produit du bitume.

**BITUMINISATION** [bityminizasjɔ̃] n. f. — 1814; de *bituminiser.*

Techn. Transformation en bitume. *Bituminisation des résidus de distillation du pétrole.*

(...) le pétrole résulterait de la transformation de matières végétales sous l'action de bactéries anaérobies. Il se produirait une putréfaction particulière dite *bituminisation,* avec enrichissement de la matière en carbone et hydrogène.

les Roches, *in* Grand Mémento Encycl. Larousse, t. II, p. 623 (1937).

**BITUMINISER** [bityminize] v. tr. — V. 1950; du rad. du lat. *bitumen* (→ Bitume), et suff. *-iser.*

Techn. Transformer en bitume.

◆ **BITUMINISÉ, ÉE** p. p. adj. Transformé en bitume.

**DÉR. Bituminisation.**

**BITUMOSE** [bitymoz] n. f. — XXᵉ; de *bitume,* et suff. *-ose.*

Méd. Maladie pulmonaire provoquée par l'inhalation de poussières de bitume.

**BITURBINE** [bityʀbin] adj. — V. 1960; de *bi-,* et *turbine.*

Techn. Mû par deux turbines. → **Bimoteur.** *«Un hélicoptère biturbine»* (*Science et Vie,* nᵒ 588, p. 103). *Des fusées biturbines.*

**BITURE** [bityʀ] n. f. — 1515; de *bitte,* et suff. *-ure.* REM. La graphie étymologique *bitture* semble rare.

♦ **1** Mar. Longueur de câble ou de chaîne élongée sur le pont d'un navire et qui file de l'écubier lorsqu'on mouille l'ancre. → **Mouillage.** *Prendre une bonne biture,* une longueur de chaîne suffisante. *Prendre la biture. «Préparer la chaîne (...) en la rangeant en biture sur le pont»* (*Nouveau cours de navigation des Glénans,* p. 321).

♦ **2** (1842). Fig., fam. *Prendre une biture :* s'en donner tout son soûl. — Par ext. (Plus cour.). → **Ivresse;** (fam.) **cuite.** *Une sacrée biture. Avoir, prendre une belle biture.*

(...) je n'ai pas déshonoré sa boîte ni son journal, ce qui compte ce sont mes piges, et pas les bitures que j'ai prises.

A. SARRAZIN, la Traversière, p. 268.

♦ **3** Loc. fam. *À toute biture :* à toute allure. → **Berzingue.**

**DÉR. Biturer** (se). ◈ **HOM. Byture.**

**BITURÉ, ÉE** [bityʀe] adj. — Mil. XIXᵉ; de *biturer (se).*

Fam. Ivre. → **Bourré.** *Il était complètement bituré.*

**BITURER (SE)** [bityʀe] v. pron. — 1834; de *biture* (2.).

Fam. S'enivrer*, prendre une biture*.

**DÉR. Bituré.**

**BIUNIVOQUE** [biynivɔk] adj. — 1956; de *bi-,* et *univoque.*

♦ **1** Math. Vieilli. *Application ou correspondance biunivoque :* application bijective. → **Bijection.** *Une correspondance biunivoque entre deux ensembles est une application telle que tout élément de l'ensemble d'arrivée soit l'image d'un élément unique de l'ensemble de départ.*

♦ **2** Didact. *Relation, correspondance biunivoque* (entre deux groupes de données) : relation terme à terme qui à chaque élément du premier groupe associe un élément du second, et réciproquement. *«En français, la correspondance entre les phonèmes et les graphèmes n'est pas biunivoque, c'est-à-dire qu'il manquait des lettres pour transcrire des sons, mais que d'autre part nous avions trop de lettres pour d'autres sons»* (*la Recherche,* nᵒ 39, nov. 1973).

**BIUNIVOQUEMENT** [biynivɔkmɑ̃] adv. — Attesté 1963; de *bi-,* et *univoquement.*

Didact. (Rare). De manière biunivoque.

**BIVAC** [bivak] n. m. → **Bivouac.**

**BIVALENCE** [bivalɑ̃s] n. f. — Mil. XXᵉ; de *bivalent.*

Didact. Caractère, propriété de ce qui est bivalent.

**BIVALENT, ENTE** [bivalɑ̃, ɑ̃t] adj. — 1904, in *Rev. gén. des sc.,* nᵒ 22, p. 1030; de *bi-,* et lat. *-valens, -valentis* (→ -valent).

♦ **1** Chim. (De *-valent*). Se dit d'un corps qui a pour valence 2.

♦ **2** Log. *Logique bivalente :* type de logique qui n'admet pour une proposition que deux valeurs de vérité, le vrai et le faux.

**DÉR. Bivalence.**

**BIVALVE** [bivalv] adj. et n. m. — 1718, nom; adj., 1751; de *bi-,* et *valve,* par le lat. sc. *bivalva* (XVᵉ, Th. Gaza).

♦ **1** Adj. Zool. Se dit des coquilles composées de deux valves jointes par un muscle charnière. *Coquillage bivalve, mollusque bivalve,* à coquille bivalve.

Bot. Se dit d'organes formés de deux parties analogues à des coquilles. *La capsule du lilas, certains noyaux, sont bivalves.*

Du sable, presque uniquement agrémenté par cette étrange plante gris-vert dont enfin je puis voir le fruit : un beignet énorme, bivalve (...)

GIDE, Voyage au Congo, *in* Souvenirs, Pl., p. 833.

Par anal. À deux éléments réunis par charnière. *Spéculum bivalve.*

♦ **2** N. m. pl. Zool. Classe de l'embranchement des mollusques*; mollusques à symétrie bilatérale, au corps comprimé latéralement, inclus dans une coquille formée de deux valves articulées dorsalement par un ligament et une charnière. *Parmi les quelque 1 500 espèces de bivalves, la plupart sont marines.* — Syn. : *lamellibranches* et, vx, *acéphales, pélécypodes.* — *L'huître, la moule, la palourde sont des bivalves.* — Au sing. *Un bivalve.*

**BIVAQUER** [bivake] v. intr. → **Bivouaquer.**

**BIVEAU** [bivo] n. m. — 1568, *buveau;* anc. franç. *baïvel,* de *baïf* «béant», de *baer.* → Béer.

Techn. Équerre à branches mobiles dont se sert le tailleur de pierre pour mesurer l'angle compris entre deux surfaces contiguës. — On dit aussi *buveau* [byvo]. — Imprim. (vx). Sorte d'équerre utilisée par les fondeurs de caractères.

**BIVITELLIN, INE** [bivitelɛ̃, in] adj. — Mil. XXᵉ; de *bi-,* et lat. *vitellus* «jaune de l'oeuf» (→ Vitellin).

Biol. *Jumeaux bivitellins,* provenant de deux œufs différents. — Syn. cour. : *faux jumeaux.* → **Biovulaire, dizygote.**

**CONTR. Univitellin.**

**BIVOUAC** [bivwak] n. m. — 1690; *bivoie,* 1650; du suisse all. *Biwacht* «patrouille supplémentaire de nuit», ou néerl. *bijwacht,* de *bi-, bij-* «auprès de», et *wacht* «garde».

♦ **1** Vx. Garde de nuit.

♦ **2** (1805). Mod. Installation provisoire en plein air de troupes en campagne. → **Campement, cantonnement.** *Établir un bivouac. Coucher au bivouac. Abri de bivouac.* → **Abrivent** (vx). *Feux de bivouac.*

1 Les troupes étaient au bivouac par des pluies continuelles (...) DUCLOS, Œ. compl., XI, II, 147.

2 (...) pris d'impatience, voulant apercevoir de près les feux des bivouacs ennemis, il *(Napoléon)* eut l'audace de s'avancer entre les deux lignes.
Louis MADELIN, Hist. du Consulat et de l'Empire, t. V, p. 322.

3 Le hall, rempli de pantalons rouges, ressemblait à un bivouac.
MARTIN DU GARD, les Thibault, t. VIII, p. 10.

3.1 Au soir du 1er décembre 1805, l'Empereur parcourt les bivouacs de la grande armée, établis au sud de Brünn. C'est la tournée des popotes.
A. BLONDIN, Monsieur Jadis, p. 78.

Lieu où la troupe est installée. *Reconnaissance, choix d'un bivouac.* → **Castramétation.** *Arriver au bivouac.* — Par ext. La troupe elle-même. *Le réveil du bivouac.*

Par métaphore :

4 Telle était cette Convention démesurée; camp retranché du genre humain attaqué par toutes les ténèbres à la fois, feux nocturnes d'une armée d'idées assiégées, immense bivouac d'esprits sur un versant d'abîme.
HUGO, Quatre-vingt-treize, II, III, I, 12.

(1875, *in* Petiot). Par ext. Campement que les alpinistes installent pour passer la nuit en montagne.

REM. Var. (vx) : *bivac* [bivak] n. m.

DÉR. **Bivouaquer.**

**BIVOUAQUER** [bivwake] v. intr. — 1791; var. *bivaquer,* 1793; de *bivouac.*

S'installer en bivouac. → **Camper.** *L'armée bivouaque dans la neige. Les soldats ont bivouaqué au bord de la rivière.*

0.1 Sur la grande place, transformée en camp que gardaient de nombreuses sentinelles, deux mille Tartares bivouaquaient en bon ordre.
J. VERNE, Michel Strogoff, p. 204.

Par ext. Passer une nuit en plein air.

1 Certes, quand je bivouaquais sur les bords du Danube, mon domicile n'était pas là (...)
P.-L. COURIER, I, 250, *in* LITTRÉ.

(1886, *in* Petiot). Alpin. Camper pour la nuit en haute altitude. *L'expédition a bivouaqué à 3 000 mètres d'altitude.*

Fig. Être établi provisoirement.

2 Les temps de vicissitudes politiques font du monde un champ de bataille où la vérité bivouaque avec l'erreur.
LACORDAIRE, *in* P. LAROUSSE.

3 Devrai-je bivouaquer dans l'église? Le sacristain a jeté son plumeau sur une dentelle. C'est l'heure du Campari; ils disparaissent par une petite porte.
Violette LEDUC, la Folie en tête, p. 555.

REM. Var. (vx) : *bivaquer* [bivake] v. intr. (encore dans Huysmans, 1906).

**BIWA** [biwa] n. m. — XXe, attesté; mot japonais.

Luth japonais de forme ovoïde, à manche court, à quatre ou cinq cordes, dont on joue avec un plectre de buis (le bachi). *Le biwa est un instrument traditionnel dont on fait encore usage à l'occasion de cérémonies. Dans le bunraku*, le biwa a été remplacé par le shamisen*.*

Le *Meiké* en 12 livres est, en effet, une véritable épopée, récitée (...) aux carrefours ou dans les châteaux par des «moines» aveugles s'accompagnant au *biwa.* 1
René SIEFFERT, la Littérature japonaise, p. 85.

REM. Artaud emploie *biva,* n. f.

«Mon maître, lui dit-il, espère de toi, ô le plus merveilleux des musiciens de la terre, un chant sur ta biva plus beau que celui que tu chanterais au plus grand mikado de la terre (...)» 2
A. ARTAUD, l'Étonnante Aventure du pauvre musicien, *in* Œ. compl., t. I, p. 171.

**BIXACÉES** [biksase] n. f. pl. — 1842; *bixinées,* 1831; lat. sc. *bixineæ,* 1815; de *bixa* (XVIe), n. sc. du rocouyer, adaptation du nom caraïbe de cet arbre.

Bot. Famille de plantes *phanérogames angiospermes,* classe des *dicotylédones dialypétales,* comprenant des arbres ou arbrisseaux exotiques. *Le rocouyer fait partie de la famille des bixacées.* — Au sing. *Une bixacée.*

**BIZARDE** [bizard] adj. f. — D. i. (probablt XVIIIe ou antérieur); forme ancienne et aberrante de *bizarre,* sur le modèle des adj. en *-ard* à fém. en *-arde.*

Vén. *Tête bizarde :* tête de cerf (de daim, etc.) dont les bois sont mal formés. — Par métonymie. *Courir une* (ou *un*) *tête bizarde,* une bête à tête bizarde.

**BIZARRE** [bizaʀ] adj. et n. m. — 1572; *bizerre,* 1555; *bigearre,* n., et *bigarre,* av. 1544; ital. *bizzaro* «capricieux», d'abord «coléreux», p.-ê. de l'esp. *bizarro* «brave»; *bigarre* manifeste p.-ê. l'attraction de *bigarré;* Guiraud rattache l'ensemble au rad. *bis-.*

♦ **1** Qui s'écarte de la norme.

(Choses). → **Baroque, biscornu, curieux, étonnant, étrange, extraordinaire, insolite, singulier, surprenant.** *Bizarre et ridicule.* → **Cocasse, comique, drôle, marrant** (fam.), **plaisant, ridicule.** *Une grosse dame coiffée d'un chapeau bizarre. — Des visions bizarres.* → **Fantasmagorique, fantastique, funambulesque, monstrueux.** — (Choses naturelles, animaux). *Des plantes et des insectes bizarres. Une végétation bizarre.*

Qui manque d'homogénéité. *Assemblage bizarre.* → **Hétéroclite.** *Des vêtements bizarres. Un accoutrement, un affublement extrêmement bizarre.*

(Personnes). Qui a un comportement étrange, extravagant. → **Bizarroïde** (fam.). *Une personne bizarre.* → **Numéro** (un numéro), **original, phénomène.** *Il, elle est un peu bizarre. Un homme bizarre* (→ ci-dessous, cit. 3 et 7). → **Olibrius, pistolet** (drôle de), **type** (drôle de), **zèbre.** *Il est bizarre depuis quelque temps; il doit avoir des soucis. — Une personne de caractère bizarre. Humeur bizarre* (→ ci-dessous, cit. 1 et 6).

(Abstractions). Qui s'écarte du «bon sens» ou de la coutume. → **Insensé, loufoque, saugrenu, tordu.** *Des idées, un raisonnement bizarre.* → **Cornu** (vx), **paradoxal.** *Des raisons, des paroles bizarres.* → **Abrupt, capricieux.** *Des croyances, des religions bizarres.*

Le caprice de notre humeur est encore plus bizarre que celui de la fortune. 1
LA ROCHEFOUCAULD, Maximes, 45.

— C'est une nouveauté, sans doute, assez bizarre, 2
Que deux rivaux si bien unis.
— Il est vrai que la chose est rare (...)
MOLIÈRE, Psyché, I, 2.

C'est un homme extraordinaire (...) fantasque, bizarre, quinteux. MOLIÈRE, le Médecin malgré lui, I, 5. 3

Ils chantent dans les blés un chant bizarre et fou (...) 4
HUGO, la Légende des siècles, XI, «Le Cid exilé», 4.

Regardez les institutions des anciens sans penser à leurs croyances, vous les trouverez obscures, bizarres, inexplicables. 5
FUSTEL DE COULANGES, la Cité antique, Introduction.

6 (...) son caractère est devenu inégal, bizarre. Il passe brusquement et sans cause de la joie à la tristesse.
FRANCE, la Vie en fleur, XI.

7 (...) Calixte était un être bizarre. Jamais je ne la trouvai deux jours de suite dans la même humeur.
Edmond JALOUX, Fumées dans la campagne, XIV, p. 113.

Spécialt. Imprévisible, inexplicable (en parlant d'un événement). *Il n'écrit pas, c'est bizarre.* → **Anormal.** *«Vous avez dit bizarre?... Comme c'est bizarre!»* (Jacques Prévert; dialogue du film *Drôle de drame,* de Marcel Carné). *Bizarre bizarre!*

♦ **2** Qui suscite une sensation de malaise en révélant une anomalie de comportement. → **Inquiétant, pénible.** *Un sentiment bizarre. J'ai ressenti une impression bizarre, une bizarre impression de... Des yeux troubles, bizarres. Un regard bizarre.* — Mal à l'aise (emploi subjectif). *Être, se sentir (tout) bizarre.* → Se sentir tout chose*.

♦ **3** N. m. L'ensemble des choses bizarres. *Être amateur de bizarre. L'Ange du bizarre,* nouvelle de Poe (trad. de Baudelaire).

8 (...) le côté simple et naturel des choses ne se révèle à moi qu'après tous les autres, et je saisirai tout d'abord l'excentrique et le bizarre (...)
Th. GAUTIER, M^lle de Maupin, VI.

9 Mais ce qui nous dominait surtout c'était l'horreur du particulier, du bizarre, du morbide, de l'anormal.
GIDE, Si le grain ne meurt, II, 1.

REM. Comme tous les évaluatifs, cet adjectif correspond à un jugement social et ne signifie que par rapport à une norme idéologique de référence; l'insistance peut être mise sur l'étrangeté, l'irrationalité, etc.

CONTR. **Clair, égal, équilibré, normal, ordinaire, pondéré, régulier, simple.** ◊ DÉR. **Bizarrement, bizarrerie, bizarroïde.**

**BIZARREMENT** [bizaʀmɑ̃] adv. — 1594; *biserrement,* 1587; de *bizarre.*

D'une manière bizarre*. → **Curieusement, étrangement.** *Bizarrement fait, accoutré. Il se comporte bizarrement, aujourd'hui. Bizarrement, il a voulu commencer par la fin.*

1 Un écho ridicule lui répondant bizarrement (...)
MOLIÈRE, la Princesse d'Élide, Intermède, II, Argument.

2 (...) l'idée de justice, bizarrement pervertie, aidait elle-même à obscurcir la dernière lueur du juste (...)
MICHELET, Hist. de la Révolution franç., t. I, p. 1034.

**BIZARRERIE** [bizaʀʀi] n. f. — 1555, *bizarrie; de bizarre.*

Caractère d'une personne, d'une chose bizarre*. → **Étrangeté, excentricité, extravagance, fantaisie, folie, manie, originalité, singularité.** *La bizarrerie de qqn, sa bizarrerie. La bizarrerie d'un original. Il est d'une bizarrerie* (et adj.). *La bizarrerie d'un caractère, d'une humeur, d'un esprit. — La bizarrerie d'une idée, d'un raisonnement, d'un événement.*

1 Il y a assez d'injustice dans le procédé des hommes, assez d'inégalités et des bizarreries dans leurs humeurs incommodes et contrariantes.
BOSSUET, Oraison funèbre de M^lle La Vallière.

2 Nous cherchons notre bonheur hors de nous-mêmes et dans l'opinion des hommes que nous connaissons flatteurs, peu sincères (...) quelle bizarrerie!
LA BRUYÈRE, les Caractères, II.

3 (...) je ne sais par quelle bizarrerie de la nature l'amitié l'emporte en moi sur l'amour.
ROUSSEAU, Julie ou la Nouvelle Héloïse, I, LXIV.

4 *(De prétendus hommes de génie)* qui portent, même dans leur conduite, cette bizarrerie qu'ils croient un signe de talent. E. DELACROIX, Écrits, Journal, 31 août 1855.

Tiburce était réellement un jeune homme fort singulier; 5
sa bizarrerie avait surtout l'avantage de n'être pas affectée, il ne la quittait pas comme son chapeau et ses gants en rentrant chez lui : il était original entre quatre murs, sans spectateurs, pour lui tout seul.
Th. GAUTIER, la Toison d'or, I.

*(Une, des bizarreries).* Chose, élément, action bizarre. *Les bizarreries de la mode. Les bizarreries de la langue française* (→ **Anomalie**), *de l'administration* (→ **Chinoiserie**).

(...) le sage M. Gosselin, opposé à tous les excès, en suspi- 6
cion contre les singularités et les nouveautés, fronçait le sourcil devant certaines bizarreries.
RENAN, Souvenirs d'enfance..., IV, II.

Mais elle n'empêchait pas mon rire devant certaines excen- 7
tricités, bizarreries ou méchancetés comiques.
Georges LECOMTE, Ma traversée, p. 24.

CONTR. **Égalité, équilibre, norme, pondération, régularité.**

**BIZARROÏDE** [bizaʀɔid] adj. — Av. 1922; comp. plaisant, de *bizarre,* et suff. sc. *-oïde.*

Fam. (d'abord dans l'argot des milieux scientifiques). Bizarre*, étrange.

Tout cela par la faute de Ski. Vous êtes plutôt bizarroïde dans vos renseignements, mon cher!
PROUST, Sodome et Gomorrhe, Pl., t. II, p. 922.

REM. C'est le professeur Cottard, médecin éminent, qui parle.

**BIZINGUE (DE)** [dəbizɛ̃g] loc. adv. — 1844, Töpffer; altér. probable de *brindezingue.*

Régional (Suisse, Savoie). De travers, de guingois. → **Traviole** (de). *Marcher (tout) de bizingue.* — Fig. (choses). *Aller de bizingue :* aller mal.

L'on parvient à trouver un char à bancs ayant pour maître et pour cocher un vétéran à jambe de bois; mais ce brave homme est aussi agile et plus gai, très certainement, que la plupart de ceux qui jouissent de leurs deux jambes. Assis de bizingue sur l'échelle du char, de là il guide, il fouette, il évite les ornières (...)
Rodolphe TÖPFFER, Voyages en zigzag, p. 13.

**BIZNESS** [biznɛs] n. m. → **Bisness; business.**

**BIZUT** ou **BIZUTH** [bizy] n. m. — 1843, à Saint-Cyr; orig. incert., p.-ê. du franç. du XVI^e *bisogne* «jeune recrue», mot d'orig. esp.

Familier.

♦ **1** (D'abord argot des grandes écoles). Élève de première année. → **Bleu, nouveau.** *On va chahuter les bizuts (les bizuths). Eh, le bizut! Eh, bizut!* — REM. Le féminin *bizute* ou *bizuthe* [bizyt] est rare.

♦ **2** (1961). Débutant, novice. *«Les autres bizuts de l'équipe tricolore»* (*Elle,* 29 mars 1965).

CONTR. **Ancien.** ◊ DÉR. **Bizutage, bizuter.**

**BIZUTAGE** [bizytaʒ] n. m. — 1949; de *bizut* ou de *bizuter.*

Argot scol. Manifestation estudiantine d'initiation des bizuts, comportant des brimades. *«Les bizutages ne sont dans les facultés qu'une brimade artificielle et sans objet»* (Affiche, faculté des Lettres, Besançon). *L'interdiction du bizutage, considéré comme une pratique dégradante.*

**BIZUTER** [bizyte] v. tr. — 1949; de *bizut.*

Argot scol. Faire subir les brimades du bizutage* à (qqn; un, des bizuts).

DÉR. **V. Bizutage.**

**Bk** [beka]
Symbole du berkélium.

**BLABLABLA** [blablabla] ou **BLABLA** [blabla] n. m. — 1937, *bla... bla... bla...*, Céline, *in* D. D. L.; onomat. dialectale.

Fam. Bavardage, verbiage sans intérêt. — Déclaration verbeuse destinée à endormir la méfiance. → **Baratin, boniment.** *C'est du blablabla!* — REM. On écrit aussi *bla bla bla, bla-bla(-bla).*

1 Passe le temps, passe la vie, la vie privée de vie privée (...) et pendant ce temps-là, ce temps sans temps, comme la guerre du même nom, ce temps mort séquestrant les vivants, qu'est-ce qu'on entend, le bla bla bla, le bleu blanc rouge, le glas glas glas des trafiquants d'armes, trafiquants d'âmes (...) J. PRÉVERT, Choses et autres, p. 288.

2 (...) je ne m'attardais pas trop aux échantillons de blabla issu de la clandestinité (...) Rappelez-vous en ce temps-là tout ce que la radio épurée nous déversait comme niagaras d'imbécillités (...) âneries sentencieuses et rodomontades infantiles.
Jacques PERRET, Bâtons dans les roues, p. 12.

3 Elle finit par me bercer avec l'évocation de mes journées écoulées. Le vague blablabla de mes tristes années.
Violette LEDUC, la Folie en tête, p. 484.

4 On fait une œuvre littéraire ou on n'en fait pas une. Tout le reste est bla-bla (...) Ph. SOLLERS, Femmes, p. 91.

REM. On rencontre un emploi interjectif plus ancien (*Blah! Blah! Blah!*, 1929, Claudel, *in* D. D. L.); → Ta! Ta! Ta! et les onomatopées visant à exprimer le bavardage stérile.

5 Un torrent de navets pourris... bla... bla... bla... Prolétaires! en masses! sifflez toutes ces ordures! (...) la gangrène cinématographique! Au pilori du peuple!... bla... bla... Nous te retrouverons ma belle! Le complot permanent contre l'esprit sain des masses! bla... bla... bla... le haut idéal des masses! bla... bla... bla...
CÉLINE, Bagatelles pour un massacre, p. 265 (1937).

DÉR. **Blablater.**

**BLABLATER** [blablate] v. intr. — V. 1960; de *blabla.*

Fam. Faire des blablas; parler de manière verbeuse, inutile ou trompeuse.

DÉR. **Blablateur.**

**BLABLATEUR, EUSE** [blablatœʀ, øz] n. — V. 1960; de *blablater* ou de *blabla.*

Personne qui fait du blabla. — Spécialt. Orateur; présentateur (de radio, de télévision). *«Les candidats au bac 69 sont meilleurs orateurs qu'habiles stylistes : signe des temps. Ils auront toujours l'espoir de pouvoir devenir de parfaits blablateurs de radio ou de télévision. Il en faudra toujours»* (*le Provençal,* 1er juil. 1969).

**BLACK** [blak] n. et adj. — Répandu dans les années 1980; angl. des États-Unis «noir».

Anglicisme, familier.

♦ **1** Personne de race noire. — Adj. *«Des ados blacks, blancs, beurs»* (*Libération,* 24 janv. 1989, p. 25).

Il rit. «Blanche-Neige», ça fait toujours marrer. (...) C'est plaisant, quoi! Pas hargneux; quasi amical. Ça veut dire, implicitement, qu'on n'en veut pas au Noir d'être nègre, mais qu'on trouve farce qu'il soit black; tellement contents, nous sommes de notre belle couleur de bidoche avariée, nous les pseudo-Blancs! Blancs mon cul, oui! Un Blanc réellement blanc, ce serait atroce à regarder. Heureusement qu'il est rouge ou vert, le Blanc. Il aurait pas la couperose ou le cancer du foie pour s'égayer la vitrine, il ressemblerait à de la pourriture.
SAN-ANTONIO, Béru-Béru, p. 122 (1970).

Adj. Relatif aux blacks. *Musique black.*

♦ **2** N. m. *Le black :* le travail non déclaré, au noir. *Travailler au black.*

**BLACK ARM** [blakaʀm] n. m. — V. 1960; mot angl. (1907), proprt «bras noir».

Anglic., techn. Maladie bactérienne du cotonnier, déterminée par le *Bacterium malvacearium,* qui provoque la pourriture des capsules. *Des black arms.*

**BLACK-BASS** [blakbas] n. m. invar. — 1906; amér. (Canada, 1785; États-Unis, 1815); de *bass* «perche», et *black* «noir».

Anglic. Poisson comestible *(Micropterus salmoides)* voisin de la perche, originaire d'Amérique et importé en France vers 1880. → **Achigan** (en franç. du Canada).

Carnassier, omnivore, le Black-Bass, vorace et chasseur, n'avale que des proies vivantes (...)
Paul VIVIER, la Pisciculture, p. 89.

**BLACK-BOTTOM** [blakbɔtɔm] n. m. — 1927; mot angl. des États-Unis (1926) composé de *black* «noir», et *bottom* «derrière», selon Wartburg, parce que certains quartiers noirs étaient situés sur des terres «noires», près des fleuves («fonds noirs»), mais remotivé d'après *bottom* «derrière».

Anglic., ancienn. Danse importée des États-Unis, à la mode entre 1925 et 1935, exécutée sur un rythme de fox-trot. *Danser le black-bottom. Des black-bottoms.*

**BLACKBOULAGE** [blakbulaʒ] n. m. — 1866; de *blackbouler.*

Rare. Action de blackbouler; résultat de cette action.

Après avoir (...) obtenu le maximum et le principal sur cette terre vous connaîtriez les tristesses d'un blackboulage d'outre-tombe.
PROUST, À la recherche du temps perdu, t. XII, p. 119.

**BLACKBOULER** [blakbule] v. tr. — 1877; *blackbouler,* attestation isolée, 1837; adapt. de l'angl. *to blackball,* de *black* «noir», et *ball* «boule» (refait sur *boule*).

Anglicisme.

♦ **1** Ancienn. Rejeter (qqn) par un vote, en mettant dans l'urne une majorité de boules noires. — Mettre (qqn) en minorité dans un vote. *Se faire blackbouler au premier tour.*

Son frère aîné, qui travaillait l'opinion dans un département du Midi, s'était fait blackbouler et reblackbouler aux élections. GIDE, Si le grain ne meurt, I, 6. 1

♦ **2** Fam. Refuser (un candidat) à un examen. → **Coller.**

♦ **3** Par ext. Écarter (qqn) avec rudesse. → **Évincer, repousser;** et aussi (fam.) **envoyer** (bouler, promener, etc.).

Il *(Henri Béraud)* dit avoir reçu les félicitations de X., Y. et Z., cite dix noms dont huit sont ceux d'auteurs blackboulés par nous. GIDE, Journal, mai 1923. 2

◆ **BLACKBOULÉ, ÉE** p. p. adj. (1860, n.). *Candidat blackboulé.* — N. *Les élus et les blackboulés.* — (Choses) :

Et ce point de vue de la réalisation théâtrale d'un chef-d'œuvre blackboulé est un point de vue auquel on ne pense jamais. 3
A. ARTAUD, Lettre à Louis Jouvet, 1er mars 1932, Œ. compl., t. III, p. 297.

DÉR. **Blackboulage.**

**BLACK-JACK** [blak(d)ʒak] n. m. — V. 1980; mot angl., de *black* «noir» et *jack,* var. de *John* qui a pris de nombreux sens techniques.

Anglic. Jeu de cartes américain, qui ressemble au vingt-et-un. *Les tables de black-jack d'un casino. Des black-jacks.*

**BLACK-OUT** [blakawt] n. m. — 1941, Aragon; angl. *black-out*, t. de théâtre, de *black* «noir», et *out* «complètement».

Anglicisme.

♦ **1** Obscurité totale commandée par la défense passive (→ Blitz, cit.). → **Couvre-feu.** — Panne d'électricité généralisée.

1 Nous dînons dès six heures et demie (...) ayant soin aussitôt de fermer volets et rideaux pour le «black-out» qu'on exige très strictement observé.
GIDE, Journal, 19 déc. 1942.

2 Au mépris du *black-out* qui plongeait la ville dans les ténèbres, la façade de l'*Impérial* demeurait éclairée (...)
Francis CARCO, les Belles Manières, p. 37.

3 On en était toujours au *black-out* à Paris, à ses foules tâtonnantes dans les ténèbres, aux phares en veilleuse des autos. Dépouillée de ses lumières publicitaires, la Tour Eiffel que Tristan Bernard avait, au début de la guerre, surnommée «la veuve Citroën», se silhouettait par les nuits claires, au-dessus de la ville éteinte.
Francis CARCO, Nostalgie de Paris, p. 200.

REM. On rencontre la variante graphique plaisante *blaquaoute* reproduisant la prononciation à l'anglaise.

4 Le soir, à l'heure du blaquaoute, entre la place Pigalle et la rue des Martyrs, les passants s'émeuvent d'apercevoir, flottant et oscillant dans la nuit, un rond de lumière qui se présente sous l'aspect d'une sorte d'anneau de Saturne.
M. AYMÉ, le Vin de Paris, p. 97.

♦ **2** (1946, *in* Höfler). Fig. Silence gardé (sur une nouvelle, une décision officielle). *«Black-out sur une enquête judiciaire»* (*Elle*, 11 nov. 1968).

5 Et au Lycée, Dédé.
— J'y suis passé bien sûr. Black-out complet. La patronne elle-même n'a pas voulu me recevoir.
Yanny HUREAUX, la Prof, p. 331.

**BLACK-ROT** [blakʀɔt] n. m. — 1885 (1878 dans un contexte américain); angl. *black rot*, de *black* «noir», et *rot* «pourriture».

Anglic. Vitic. Maladie de la vigne due à un champignon ascomycète. → **Excoriose.** — Plur. *Des black-rots.*

**BLAFARD, ARDE** [blafaʀ, aʀd] adj. et n. — 1549, *blaffard; blaffart* «affaibli, amolli», 1342; du moy. all. *bleichvar* «de couleur pâle», de *bleich* «pâle», et *var* «couleur»; cf. all. *Farbe.*

♦ **1** (Concret). D'une teinte pâle; sans éclat. → **Blanc, blême, décoloré, pâle, terne.** *Couleur blafarde.* → **Délavé, élavé.** *Teint blafard.* → **Exsangue, terreux.** — REM. *Livide** s'emploie dans un sens voisin mais contraire à son origine. — *Visage maigre et blafard.* → **Hâve.** — (Personnes). Qui a un teint blafard, maladif. *Il était blafard.* — (Lumière). *Un petit jour blafard; une aube, une lumière blafarde.* — Par métonymie. *Une lanterne, un tube au néon blafard,* qui donne une lumière blafarde.

1 Quelquefois, le ciel a mauvaise mine. Il est blafard.
HUGO, les Travailleurs de la mer, II, III, 2.

2 Sur le pavé noirci, les blafardes lanternes
Versaient un jour douteux plus triste que la nuit.
MUSSET, Lettre à Lamartine.

3 Les effets du costume (...) ne sont pas moins fâcheux; entre autres la couleur crue ou blafarde de la peau (...)
TAINE, Philosophie de l'art, t. II, p. 299.

4 La pleine lune éclairait d'une lueur vive et blafarde tout l'horizon, rendait plus visible la pâle désolation des champs.
MAUPASSANT, Clair de lune, p. 87.

5 (...) quelque chose de terne, de blafard, un jour d'hiver se levant sur du granit.
LOTI, Mon frère Yves, V, p. 25.

6 La clarté blafarde des tubes de néon achève de leur donner des airs de malades ou de drogués; blancs et nègres y sont presque devenus de la même teinte métallique.
A. ROBBE-GRILLET, Projet pour une révolution à New York, p. 31.

N. Rare. *Un blafard, une blafarde :* une personne qui a le teint blafard. — N. f. (n. propre). *La Blafarde :* la lune.

N. m. *Le blafard :* ce qui est blafard.

♦ **2** (Abstrait). Littér. D'aspect morne, triste. *Une journée blafarde, sinistre.*

Spécialt. *Une voix blafarde,* sans timbre, triste et monocorde.

N. f. Vx (argot ancien). *La Blafarde :* la mort.

CONTR. **Animé, coloré, cru, éclatant, frais, rougeaud, rubicond, sanguin, vermeil, vif.** ◊ DÉR. **Blafardement.**

**BLAFARDEMENT** [blafaʀdəmɑ̃] adv. — 1575; de *blafard.*

Rare. Avec une lumière blafarde.

**BLAFF** [blaf] n. m. — 1967; *bloff*, 1931; mot créole, probablt de l'angl. dominicain *braff*, de l'ang. *broth* «bouillon de viande ou de poisson».

Plat des Caraïbes, ragoût de poisson cuit au court-bouillon et épicé, souvent servi avec du riz et des haricots rouges.

(...) un endroit appelé l'Anse aux Ânes, dont la patronne (...) me prépare de bons petits plats, des crabes farcis, des purées d'avocat, des steaks de tortue grillés, des blaffs d'oursin (...)
Hervé GUIBERT, le Paradis, p. 29.

1. **BLAGUE** [blag] n. f. — 1721; du néerl. *balg* «enveloppe», par métathèse.

Petit sac, enveloppe servant à contenir du tabac (souple, à la différence de la *tabatière*). *Blague, blague à tabac en cuir, en caoutchouc. Acheter une blague neuve. La blague à tabac d'un fumeur de pipe.*

Il se trouva repasser par mon bureau, s'assit, me tendit sa blague à tabac.
— Je vois que vous êtes un fumeur de pipe aussi. J'aime les fumeurs de pipe.
G. SIMENON, les Mémoires de Maigret, p. 19.

DÉR. **Blaguer.** — V. 2. **Blague.**

2. **BLAGUE** [blag] n. f. — 1809; métaphore de 1. *blague*, avec la valeur de «chose gonflée, mensongère», ou (plutôt) déverbal de *blaguer.*

Familier.

♦ **1** Vieilli. *(La blague).* Type de moquerie ou de discours destiné à amuser, à mystifier; par ext., ironie ou plaisanterie. → **Rigolade.** *Avoir de la blague, une fameuse blague. Parler de qqch. avec blague. «La gouaillerie et la blague bien élevée de Giraud»* (Goncourt, *in* T. L. F.). *Avoir le sens de la blague et de l'humour. Il est toujours bon, prêt pour la blague.*

Ce système, appelé, dans l'argot du journalisme, la blague. 1
BALZAC, Illusions perdues, II.

La Blague, — cette forme nouvelle de l'esprit français, née 1.1
dans les ateliers du passé, sortie de la parole imagée de l'artiste, de l'indépendance de son caractère et de sa langue, de ce que mêle et brouille en lui, pour la liberté des idées et la couleur des mots, une nature de peuple et un métier d'idéal (...)
Ed. et J. DE GONCOURT, Manette Salomon, p. 28.

Mod. (en loc.). **À LA BLAGUE :** d'une manière légère et amusée, par insouciance, ironie ou scepticisme (s'oppose à : *au sérieux*). *Prendre qqn, qqch., traiter qqch. à la blague. Prendre tout à la blague :* ne rien prendre au sérieux.

Loc. adv. *Blague à part;* (1859) *blague dans le coin* (→ 1. Plante, cit. 1) : toute intention plaisante étant écartée; pour parler sérieusement.

Je te le secoue, il tombe sous la table en disant : «J'veux 1.2
un fiacre.» Moi, ça commençait à me fendre l'arche *(m'ennuyer).* Je lui dis : «Pas de bêtises, mon vieux ! ça ne serait

pas à faire; blague dans le coin, t'es malade, mais paye ta moitié.»
MONSELET, le Musée secret de Paris, 1859, p. 80, *in* D. D. L., II, 15.

1.3 – Blague dans le coin, dit-elle *(au fakir)*, je parie que vous êtes de Houilles ou de Bezons, peut-être même de Sartrouville, je reconnais ça à votre accent.
R. QUENEAU, Pierrot mon ami, éd. L. de Poche, p. 32.

*Sans blague!* (→ ci-dessous, sens 2).

♦ **2** Plus cour. *(Une, des blagues).* Histoire (récit, réflexion...) imaginée pour mystifier gaiement. *Il a encore inventé cette blague. Conter, débiter, dire, raconter des blagues.* → **Bobard, galéjade, hâblerie, plaisanterie.** *C'est vrai, ou c'est encore une blague?* → **Mensonge.** *Tu ne vas pas croire, gober, avaler cette blague?*

1.4 (...) un beau parleur avait amené la conversation sur l'exécuteur des hautes œuvres de Paris, et il en faisait le portrait, lorsque tout à coup un des auditeurs s'écria d'une voix rauque :
– Tu dis des *blagues*... tu parles de choses que tu ne connais pas! Tu nous dis que le bourreau d'ici est petit, moi je te dis qu'il est grand.
Ch. PAUL DE KOCK, la Grande Ville, p. 186 (1842).

Spécialt. Histoire comique, souvent grivoise. *Recueil de blagues. Raconter une blague en société* (→ Une bien bonne*). *Une blague idiote, marrante.*

Loc. **SANS BLAGUE(S)!**, interjection qui marque un doute ironique à l'égard de ce qui vient d'être dit (→ argot. Sans charre*!). – (Exprimant l'indignation). *Non mais, sans blague?* – (Dans le même sens). *Cette blague! La bonne blague!* (→ Tu m'en diras* tant).

♦ **3** Acte ou propos destiné à se moquer. → **Farce, plaisanterie.** *Il lui fait une blague, une bonne, une sale blague.* → **Tour** (mauvais tour). *Faire une blague sur, avec, contre qqn. Faire la blague de* (et inf.) : faire qqch. par plaisanterie.

2 Depuis longtemps, il mijotait en soi, à l'intention du père Soupe, le plan d'une blague gigantesque.
COURTELINE, Messieurs les ronds-de-cuir, II, II.

Par métaphore. «*Les petites blagues annuelles de la rivière*» (Colette, *in* T. L. F.).

♦ **4** Erreur ou maladresse* faite par légèreté. → **Bêtise, bévue, boulette, bourde, gaffe.** *Il faudra réparer cette blague. Eh là! pas de blagues!* : faites attention, pas d'imprudence.

REM. On note vers 1900 les composés rares *blaguologie* ou *blagologie* [blagɔlɔʒi] n. f. (1898, Barrès) «répétition de blagues» : «*Et enfin, ils* (tous ces fakirs du communisme) *n'ont pas l'air de s'apercevoir que la violence qui est, toute blagologie mise à part, leur seule arme, est une arme dangereuse qui peut se retourner contre eux*» (*Mercure de France*, 15 févr. 1923); *blagomachie* [blagɔmaʃi] n. f. (1902, Barrès) «querelle qui ne repose que sur des blagues».

**BLAGUER** [blage] v. — 1808; de 1. *blague*, au sens métaphorique de «gonfler d'air» comme un sac, une blague (à tabac).

Familier.

♦ **1** V. intr. [a] Dire des blagues. → **Plaisanter.** *Il blague à longueur de journée. Vous blaguez!* – Vx. Mentir. [b] Causer familièrement (en bonne part). *Nous blaguions entre amis. Blaguer sur qqn, qqch.; blaguer de qqch.*, en parler familièrement. *Il ne faut pas blaguer de ça.* – *Ne pas blaguer avec qqn ou qqch.*, le prendre au sérieux. → **Badiner, rigoler.** *Il ne blague pas, il ne blague jamais avec la discipline.*

En incise (littéraire) :

0.1 Viens-tu faire du recrutement dans Saint-Henri? plaisanta-t-il avec un sourire où le cynisme habituel se tempérait d'amitié. – Oui, je viens te chercher, blagua Emmanuel.
Gabrielle ROY, Bonheur d'occasion, 1945, *in* T. L. F.

♦ **2** V. tr. Railler sans méchanceté. → **Charrier, taquiner.** *Blaguer qqn ou qqch. Blaguer qqn sur, de, à propos de qqch.* «*Tout le monde le blaguait de rester à Montmartre*» (Martin du Gard, *in* T. L. F.). – *Blaguer les idées, les petites manies de qqn.*

Il avait une manière de blaguer les gens sans les fâcher (...) 1
MAUPASSANT, Toine, p. 11.

Quelquefois il blaguait le pacifisme de Hugo, vieux roublard, vieux malin (...) 2
A. MAUROIS, Études littéraires, Charles Péguy, t. I, p. 240.

Et pendant ce temps, j'entends dans mon dos, trois petites filles blaguer la façon dont les sœurs leur font faire le signe de la croix. 3
Ed. et J. DE GONCOURT, Journal, t. II, p. 95.

◆ **SE BLAGUER** v. pron. Se moquer de soi (rare); se moquer mutuellement l'un de l'autre.

Mais, tout le temps qu'on mangea le gigot, les plaisanteries continuèrent. Lui-même, quand la femme de ménage lui eut retrouvé une assiettée de soupe et une part de raie, se blagua, en bon enfant. ZOLA, l'Œuvre, 1886, p. 98. 4

DÉR. **Blagueur.** – V. 2. **Blague.**

**BLAGUEUR, EUSE** [blagœʀ, øz] n. et adj. — 1808; de *blaguer* ou de 2. *blague*.

Familier.

♦ **1** N. Personne qui aime la blague, qui a l'habitude de dire ou de faire des blagues. [a] → **Hâbleur, menteur.** *Un blagueur invétéré.*
[b] → **Moqueur, plaisantin.** *Tu es une petite, une sacrée blagueuse.*

Rare (avec un compl.). *Flaubert*, «*ce gros blagueur de toutes les gloires humaines*» (Goncourt, *in* T. L. F.).

♦ **2** Adj. [a] (Personnes). Qui fait ou raconte des blagues; qui aime la blague, la plaisanterie; qui ne prend rien au sérieux.

Et, sans doute, au «perron de Tortoni», quartier général des boulevardiers misonéistes et blagueurs, préférait-il *(Jean Moréas)* la terrasse du Café Américain, où la gouaille, à l'égard des efforts originaux, était moins acerbe (...) 1
Georges LECOMTE, Ma traversée, p. 202.

La gravité de la vie présente a fait à l'homme une jeunesse sérieuse, réfléchie, mélancolique. Pourquoi la jeune fille du jour est-elle ironique, blagueuse? 2
Ed. et J. DE GONCOURT, Journal, t. VI, p. 92.

[b] (Choses). *Un air, un sourire blagueur.*

CONTR. **Sérieux, sévère.**

**BLAID** [blɛd] n. m. — 1897, Loti; du béarnais *blé* «fronton», esp. *ble* «jeu de pelote», la finale est obscure.

Pelote basque pratiquée contre un mur. *Jeu de blaid.*

HOM. **Bled.**

**BLAIR** [blɛʀ] n. m. — 1872; var. *blaire*, 1883; abrév. de *blaireau* (1834), par allus. au museau allongé de l'animal.

Fam. Nez*. → **Blase.** – Par ext. Visage, tête.

«À présent, mesdames et messieurs, je vais continuer la séance par un travail beaucoup plus fort et plus périlleux. Je vais mettre ma tête dans la gueule du terrible fauve.» Et joignant le geste à la parole, Croquignol plongea son blair dans la mâchoire du lion. 1
L. FORTON, les Aventures des Pieds-Nickelés, *in* l'Épatant, 1908, p. 18.

Enfin, une, deux, trois gouttes d'eau s'écroulent sur l'asphalte. L'observateur, que la sortie de 6 heures a laissé déçu, reste à son poste. Quatre, cinq, six gouttes d'eau. Des gens inquiets pour leur paille *(chapeau de paille)* lèvent le blair. R. QUENEAU, le Chiendent, p. 21 (1932). 2

DÉR. **Blairer.**

**BLAIREAU** [blɛʀo] n. m. — 1312, *blarel;* de l'anc. franç. *bler* «tacheté».

**I** ♦ **1** Petit mammifère carnassier, bas sur pattes, de pelage clair sur le dos, foncé sous le ventre. → **Taisson.** *Les pattes du blaireau sont munies d'ongles crochus dont il se sert pour creuser de profonds terriers.* → **Vermillonner.** *Le blaireau fait partie des «bêtes puantes*». Chasse au blaireau. Le blaireau* (Mustélidés) *est appelé en zoologie* Meles. *Le blaireau appartient à la même famille que la belette, le carcajou, le ratel.*

1 Le blaireau est un animal paresseux, défiant, solitaire, qui se retire dans les lieux les plus écartés, dans les bois les plus sombres, et qui s'y creuse une demeure souterraine.
BUFFON, Hist. nat. des animaux, «Le blaireau».

2 Ne bouge pas, écoute... Un buisson secoué... Le blaireau est là. Je le connais. Il gîte à cent mètres plus haut près d'un oléastre. Une bête trapue, féroce. Je l'entends quelquefois rôder autour des hangars (...)
H. BOSCO, l'Âne Culotte, Récit Const. Gloriot, p. 58.

Par compar. *Avoir un museau, des yeux de blaireau. Se terrer comme un blaireau.*

♦ **2** Pop. et vx. → **Blair.**

♦ **3** (1841, argot milit. «conscrit, bleu»; répandu v. 1980). Fam. Personnage antipathique et borné.

2.1 (...) il vivait dans un monde mélodramatique composé de canons et de boudins, de mecs top et de blaireaux.
Michel HOUELLEBECQ, les Particules élémentaires, p. 152.

**II** ♦ **1** (1751). Techn. Pinceau fait de poils de blaireau dont se servent les peintres, les doreurs. — Par ext. Ce pinceau destiné à l'époussetage d'objets délicats.

♦ **2** Cour. Brosse pour barbe (à l'origine, en poils de blaireau) que l'on utilise pour faire mousser le savon. *Blaireau véritable,* en poils de blaireau.

3 La ville est très petite : je dus me contenter d'une vulgaire échoppe sur la place. C'était jour de marché; la boutique était pleine (...) mais rien, ni les rasoirs douteux, le blaireau jaune, l'odeur, les propos du barbier, ne put me faire reculer.
GIDE, l'Immoraliste, VII, *in* Romans, Pl., p. 403.

DÉR. **Blaireauter.**

**BLAIREAUTER** [blɛʀote] v. tr. — Mil. XIXe, P. de Saint-Victor; de *blaireau* «pinceau en blaireau, à poils très fins».

Peint. Peindre au blaireau, pour obtenir une teinte fondue où n'apparaît pas la touche. → **Lécher.**

◆ **BLAIREAUTÉ, ÉE** p. p. adj. Obtenu avec le blaireau.

1 (...) une certaine manière de peindre unie, sage, lisse, blaireautée, sans pâte, sans touche (...) une peinture impersonnelle et inanimée, terne et polie, reflétant la vie dans un miroir dont le tain serait malade (...)
Ed. et J. DE GONCOURT, Manette Salomon, p. 162.

2 (...) au milieu du XIXe siècle, c'est l'anti-art qui était à l'honneur. Jusqu'à la guerre de 1914, les récompenses officielles et les commandes allèrent surtout à la peinture anecdotique, exécutée d'une touche blaireautée sur un dessin impersonnel (...)
André RICHARD, la Critique d'art, p. 118.

**BLAIRER** [bleʀe] v. tr. — 1914; de *blair.*

Fam. (généralement à la forme négative ou interrogative). *Ne pas (pouvoir) blairer qqn (ou qqch.),* ne pas l'aimer, l'accepter. → **Sentir;** fam. **piffer** (→ Avoir dans le nez). *Tu crois qu'on peut blairer un type pareil?*

1 Le jeune homme eut beau, comprenant trop tard son erreur, dire qu'il ne blairait pas les flics et pousser l'audace jusqu'à dire au baron : «Fous-moi un rencart» *(un rendez-vous),* le charme était dissipé.
PROUST, le Temps retrouvé, Pl., t. III, p. 827.

Milédi *(mille dieux),* c'que j'peux pas blairer, hé, s'écrie tout d'un coup Fouillade, c'est c't'exercice et ces marches qu'on nous esquinte pendant le repos (...) 2
H. BARBUSSE, le Feu, t. I, I, XIV, p. 78.

Boris ne blairait pas beaucoup les pédérastes (...) 3
SARTRE, l'Âge de raison, II, p. 27.

Rare (à l'affirmatif). *«Nous qu'avions été jusqu'alors très bien blairés et peinards...»* (L.-F. Céline, *Mort à crédit,* in T. L. F.).

**BLAISER** [bleze] et dér. → **Bléser** et dér.

**BLÂMABLE** [blamabl] adj. — 1267; de *blâmer.*

Qui mérite le blâme, la désapprobation. → **Condamnable, critiquable, répréhensible.** *Imputer à qqn des actions, des paroles blâmables.* → **Accuser.** *Se conduire d'une façon blâmable. Démériter. Sa façon de faire n'est pas blâmable.*

C'est en quoi mon offense est plus blâmable encore, 1
De tromper lâchement un mari qui m'adore (...)
MAIRET, Sophonisbe, I, 4.

Il faut, parmi le monde, une vertu traitable; 2
À force de sagesse, on peut être blâmable (...)
MOLIÈRE, le Misanthrope, I, 1.

En vérité, rien ne me paraît plus louable ou blâmable, et les plus étranges actions ne m'étonnent que peu. 3
Th. GAUTIER, Mlle de Maupin, III.

D'ailleurs, Monsieur, la plus grande des sottises c'est de trouver ridicules ou blâmables les sentiments qu'on n'éprouve pas. 4
PROUST, À la recherche du temps perdu, t. II, p. 228.

REM. L'antéposition est rare : *«cette blâmable conduite...»* (Chateaubriand).

CONTR. **Excusable, louable, pardonnable.**

**BLÂMANT, ANTE** [blamɑ̃, ɑ̃t] adj. — 1836, Stendhal; p. prés. de *blâmer.*

Littér., rare. Qui blâme, critique, réprouve. *«Blâmante, méchante, acariâtre»* (Stendhal, *Lucien Leuwen*). — *Un regard blâmant,* sévère.

**BLÂME** [blam] n. m. — 1080, *Chanson de Roland;* de *blâmer.*

♦ **1** Opinion défavorable, jugement de désapprobation sur qqn ou qqch. → **Anathème, animadversion, censure, condamnation, critique, désapprobation, grief, improbation, objurgation, plainte, procès, remontrance, répréhension, réprimande, réprobation, reproche, tollé, vitupération, vitupère** (vx). — *(Le blâme). Mériter, encourir le blâme.* Vx. *Être imputé à blâme* (→ ci-dessous, cit. 2). — *S'attirer, encourir, mériter, recevoir le blâme de qqn.* → **Démériter** (→ Attribuer, cit. 18). — *(Un, des blâmes). Jeter, faire retomber un blâme sur qqn. Un blâme mérité, justifié. Blâme public. Blâme sévère, infamant, outrageant, humiliant.*

Crains-tu si peu le blâme, et si peu les faux bruits? 1
CORNEILLE, le Cid, III, 4.

Une action ne peut être imputée à blâme lorsqu'elle est involontaire (...) PASCAL, les Provinciales, 4. 2

Peu de gens sont assez sages pour préférer le blâme qui leur est utile à la louange qui les trahit (...) 3
LA ROCHEFOUCAULD, Maximes, 147.

Le blâme piquait au vif les cœurs généreux et retenait les plus faibles dans le devoir (...) 4
BOSSUET, Hist., III, 6, *in* LITTRÉ.

(...) tout discours qui produit pour quelqu'un profit ou dommage, estime ou mépris, louange ou blâme, contre la justice et la vérité (...) 5
ROUSSEAU, Rêveries..., 4e Promenade, p. 412.

*Être sans blâme,* irréprochable.

♦ **2** (1732; «accusation», 1177). Dr., vieilli. Peine infamante qui consistait en une réprimande publique.

Spécialt. Sanction disciplinaire, critique et réprobation officielle des agissements ou de l'attitude d'un fonctionnaire ou d'une personne soumise à un statut disciplinaire, telle qu'un élève au sein d'une institution scolaire. *Donner, infliger un blâme à qqn; recevoir un blâme.*

Dr. intern. *Voter un blâme contre un pays* (dans une assemblée internationale).

♦ **3** Signe de réprobation (en l'absence de paroles). *Un regard de blâme. Sentir un blâme, un blâme muet dans le regard de qqn.* → **Reproche.**

Par métonymie. «*Elle ne vivait plus que comme un blâme muet dans la maison*» (Zola, *la Débâcle*, p. 264, *in* T. L. F.).

CONTR. **Apologie, approbation, éloge, félicitation, louange, panégyrique.**

**BLÂMER** [blame] v. tr. — 1050, *blasmer;* du lat. pop. **blastemare* «faire des reproches», lat. ecclés. *blasphemare.* → Blasphémer.

♦ **1** Porter, exprimer un jugement (moral, esthétique, social...) défavorable sur (qqn ou qqch.). → **Accuser, anathématiser, attaquer** (cit. 30), **censurer, condamner, critiquer, désapprouver, désavouer, épiloguer** (sur), **grief** (faire grief à), **improuver, incriminer, pierre** (jeter la pierre à), **procès** (faire le procès de), **redire** (trouver à redire à), **reprendre, réprimander, reprocher, réprouver.** *Blâmer violemment qqn.* → (littér.) **Flageller, flétrir, fustiger, stigmatiser, vitupérer.** *Blâmer qqn en se moquant, en raillant.* → **Dauber** (sur), **fronder.** *Blâmer qqn, qqch. par plaisir, par jalousie, par souci de la morale. Blâmer la conduite, les agissements de qqn. Blâmer qqn de* (ou *pour*) *son attitude. Blâmer une œuvre.* → **Critiquer.** — *Être à blâmer.* → **Blâmable.** Loc. *Être plus à plaindre qu'à blâmer,* plus malheureux que coupable. → ci-dessous, cit. 9. — Absolt. → ci-dessous, cit. 5, 6 et 7, Beaumarchais *(sans la liberté de blâmer...).*

1 J'ai beau vous blâmer,
Lui-même il vous défend, vous excuse sans cesse (...)
CORNEILLE, Suréna, I, 2.

2 On blâme aisément les défauts des autres, mais on s'en sert rarement à corriger les siens.
LA ROCHEFOUCAULD, Maximes posthumes, 526, p. 326.

3 Je suis âne, il est vrai, j'en conviens, je l'avoue;
Mais que dorénavant on me blâme, on me loue;
Qu'on dise quelque chose ou qu'on ne dise rien
J'en veux faire à ma tête.
LA FONTAINE, Fables, III, I.

4 Je blâme également, et ceux qui prennent parti de louer l'homme, et ceux qui le prennent de le blâmer.
PASCAL, Pensées, VI, 421.

5 Plus enclin à blâmer que savant à bien faire.
BOILEAU, l'Art poétique, IV.

6 (...) la vérité qui blâme est plus honorable que la vérité qui loue; car la louange ne sert qu'à corrompre ceux qui la goûtent, et les plus indignes en sont toujours les plus affamés (...)
ROUSSEAU, Julie ou la Nouvelle Héloïse, II, XIX.

7 Je lui dirais (...) que, sans la liberté de blâmer, il n'est point d'éloge flatteur; et qu'il n'y a que les petits hommes qui redoutent les petits écrits.
BEAUMARCHAIS, le Mariage de Figaro, V, 3.

8 Laissez dire, laissez-vous blâmer, condamner, emprisonner, laissez-vous pendre, mais publiez votre pensée.
P.-L. COURIER, Pamphlets politiques, Pl., p. 214.

9 Écoute, Landry, lui dit-elle *(Fadette)* je suis plus à plaindre qu'à blâmer (...)
G. SAND, la Petite Fadette, XVIII, p. 126.

Littér. (sujet n. de chose) :

10 Le reproche, lisible dans ses yeux, ne blâmait pas ma curiosité, mais bien la finasserie qu'elle jugeait indigne de nous. COLETTE, Naissance du jour, p. 123.

*Blâmer qqn de...* (et inf.) :

(...) ils l'avaient blâmé de s'attacher à une maîtresse, mais l'approuvaient d'adopter un chien. 11
A. MAUROIS, les Discours du Dr O'Grady, III.

(Sujet n. collectif). *La philosophie a blâmé la révocation* (cit. 1) *de l'Édit de Nantes. La majorité de l'Assemblée, l'Assemblée a blâmé l'attitude du gouvernement.* — Absolument :

Le sénat, dont l'approbation tenait lieu de récompense, savait louer et blâmer quand il fallait (...) 12
BOSSUET, Hist., III, 6.

♦ **2** Dr. Punir (qqn) par un blâme*. Réprimander officiellement. *Être blâmé par le conseil de discipline.*

◆ **SE BLÂMER** v. pron. Réfl. S'infliger un blâme à soi-même.

On ne se blâme que pour être loué. 13
LA ROCHEFOUCAULD, Maximes, 554.

(...) Je m'avisai de suivre le conseil que nous donne Pythagore, de rappeler le soir ce que nous avons fait dans la journée, pour nous applaudir de nos bonnes actions, ou nous blâmer de nos mauvaises. 14
A.-R. LESAGE, Gil Blas, VII, X, 46.

Récipr. *Ils se blâment.*

◆ **BLAMÉ, ÉE** p. p. adj. *Élèves blâmés.* — N. *Un blâmé, des blâmés.*

CONTR. **Applaudir, approuver, complimenter, défendre, encourager, exalter, excuser, féliciter, flatter, justifier, louer, préconiser, vanter.** ◊ DÉR. **Blâmable, blâmant, blâme.**

**BLANC, BLANCHE** [blɑ̃, blɑ̃ʃ] adj. et n. — V. 950; d'un germanique **blank* «brillant», passé en lat. médiéval *(blancus)*, en provençal, italien, etc., éliminant les mots latins *albus* et *candidus.*

**I** Adj. ♦ **1** Qui est d'une couleur* combinant toutes les fréquences du spectre, et produisant une impression visuelle de clarté neutre, dont la nature offre de nombreux exemples. *Blanc comme la neige, comme neige* (→ **Nivéen**), *comme le lait* (→ **Lacté, lactescent, laiteux**), *l'albâtre*, la craie, un lis.* → aussi **Albe, candide** (littér.). *La synthèse des sept couleurs du spectre donne la lumière blanche. Avoir un reflet blanc.* → **Blanchoyer.** *Aube blanche. Les nuits blanches du cercle polaire. — Écume, mousse blanche. La gelée* blanche.* — (Antéposé). *Blanche hermine, blanche colombe. — Des moutons blancs. Une vache blanche. Un chien blanc. — Le marbre blanc de Carrare. Argile* (cit. 1) *blanche. Colle, crème blanche. Le sel, le sucre sont blancs. — Lin blanc* (→ Candide, cit. 1). *Des draps blancs et des draps de couleur. Le bal des Petits Lits blancs. — Porter une chemise blanche. Veste blanche. Un voile blanc. — Drapeau* blanc. Le drapeau français est bleu, blanc, rouge. La canne blanche, le bâton blanc de l'aveugle. Le bâton blanc de l'agent de police. — Clown* blanc.*

REM. Lorsque le syntagme s'oppose à d'autres, avec des adj. de couleur, et désigne une classe de choses précises, → ci-dessous, 3.

Suivre de loin de blanches voiles (...) 1
HUGO, les Feuilles d'automne, 25.

(...) E blanc (...) 2
(...) candeurs des vapeurs et des tentes,
Lances des glaciers fiers, rois blancs, frissons d'ombelles (...) RIMBAUD, Voyelles.

La voie blanche de chaleur était si lumineuse que Démétrios fermait les yeux comme au soleil de midi. 3
Pierre LOUŸS, Aphrodite, II, 7.

Sous les futaies (...) les robes blanches rayonnèrent, peu à peu (...) 4
Edmond JALOUX, le Jeune Homme au masque, I.

À la place du mince tube creux en métal blanc, imitant misérablement une sorte d'aileron, vient se poser une 4.1

lourde poignée de vieux cuivre adorablement patiné (...)
N. SARRAUTE, le Planétarium, p. 20.

♦ **2** (Peau, corps). D'une couleur pâle voisine du blanc. → **Albuginé** (littér.), **argenté, incolore, ivoirin, opalin.**

[a] (Peau humaine). *Peau, main blanche.* → **Clair.** *Teint blanc.* → **Blafard, blanchâtre, blême.** *«(Les) corps blancs des amoureuses»* (→ Lacté, cit. 2, Apollinaire). *«La blanche Ophélia...»* (→ Flotter, cit. 1, Rimbaud). *Être blanc de peau.* — *Être blanc :* avoir le teint pâle; avoir mauvaise mine; pâlir sous le coup d'une émotion. *Il est devenu tout blanc, blanc comme un linge.* — *Être blanc :* ne pas être bronzé. — Loc. fam. *Il est blanc comme un cachet d'aspirine, comme un pied de lavabo.* — (La blancheur ayant un sens psychologique). *Devenir blanc comme linge.* — (XIVe). *Être blanc de peur, blanc de colère.*

5 Voilà votre thé, fait de ma blanche main (...)
A. DE MUSSET, Un caprice, VIII.

6 (...) une nymphe souriante dans tout l'éclat de sa blanche nudité. Th. GAUTIER, Fortunio, XII.

7 (...) la jeune femme (...) poussa un soupir qui fit retourner les têtes; elle était aussi blanche que la neige du dehors (...)
MAUPASSANT, Boule de suif, p. 26.

8 (...) des femmes douces et graves, blanches comme des oublies (...) HUYSMANS, En route, p. 23.

[b] (Poils). *Cheveux, poils blancs. Barbe blanche.* → **Chenu.** — Fig. *Se faire des cheveux blancs,* du souci. — *Être blanc, tout blanc :* avoir les cheveux blancs du fait de l'âge. → **Canitie.**

8.1 Ainsi les mèches de la princesse de Guermantes, qui quand elles étaient grises et brillantes comme de la soie semblaient d'argent autour de son front bombé, ayant pris à force de devenir blanches une matité de laine et d'étoupe, semblaient au contraire à cause de cela être grises comme une neige salie qui a perdu son éclat.
PROUST, le Temps retrouvé, Pl., t. III, p. 940.

*Dents blanches.* — *Faire les yeux blancs :* montrer le blanc des yeux (en les levant au ciel).

Par métonymie (de *blanc de colère*). *Colère blanche,* extrême.

8.2 Et, comme il la regardait, pris d'une colère blanche, elle partit d'un grand éclat de rire.
ZOLA, Son Excellence Eugène Rougon, t. II, p. 67.

(1545, *in* D. D. L.). Spécialt. Dont la peau est peu pigmentée (en parlant des individus appartenant aux races eurasiennes dites *races blanches*). → aussi ci-dessous, II., C. *Une femme blanche,* de race blanche. — Par analogie :

8.3 Et de même si nous pensons que les nègres sentent mauvais, nous ignorons que pour tout ce qui n'est pas l'Europe, c'est nous blancs, qui sentons mauvais. Et je dirai même que nous sentons une odeur blanche, blanche comme on peut parler d'un «mal blanc».
A. ARTAUD, le Théâtre et son double, Idées Gallimard, p. 12-13 (1938).

Par ext. *Les quartiers blancs d'une ville* (opposés à *jaunes, noirs*).

♦ **3** (Dans des syntagmes caractérisés). [a] Qui est clair, peu coloré (→ **Incolore**) par rapport à d'autres choses du même genre (souvent qualifiées de *noires** ou qualifiées par un adj. de couleur).

(Choses naturelles; végétaux, animaux). *Raisin blanc* (opposé à *noir*). — (1611). *Merle blanc* (→ Merle, cit. 2 et *supra*). — *Camélia blanc, lilas blanc. Nénuphar blanc :* nymphéa. *Cygnes blancs et cygnes noirs. Ours blanc* (opposé à *ours brun, noir*). — Vx. *Ambre blanc* (opposé à *gris*), le blanc de baleine. — *Ver blanc.* → **Ver.** *Fourmi blanche.* → **Termite.** — *Poissons blancs* (servant d'appât). → **Blanchaille, blanquet** (I., 4.).

(Produits alimentaires). *Vin blanc* (opposé à *rouge, rosé*). → ci-dessous, II., B. — *Alcools blancs :* alcools de fruits non teintés. *Le kirsch, la mirabelle sont des alcools blancs.* — *Poivre blanc* (opposé à *gris*). *Sucre blanc* (opposé à *roux*). *Viandes blanches,* le veau, les volailles (opposé à *viandes rouges*). *Farine blanche. Pain blanc* (opposé à *bis*). *Fromage blanc. Sauce blanche. Boudin blanc. Beurre blanc.*

Tu boiras bien un verre d'eau avec un doigt de vin blanc (...) H. BOSCO, l'Âne Culotte, p. 51. 9

(Objets fabriqués). *Cire blanche.* → **Cold-cream.** *Monnaie blanche. Argent blanc. Fer* blanc. Métal blanc. Cuivre blanc. Fonte blanche. Couperose blanche :* sulfate de zinc. *Arme blanche,* non bronzée (par oppos à *arme à feu*). *Bois* blanc. Filin, cordage blanc,* non goudronné. *Les touches blanches d'un piano. Bille blanche* (au billard). → **Blanche** (2.). *Encre blanche :* encre sympathique. *Verre blanc.* — Fig. *Houille* blanche :* énergie hydroélectrique.

Quant aux armes blanches, elles avaient été puisées dans le musée d'antiquités, haches de silex, heaumes, masses d'armes, francisques, framées guisardes, pertuisanes, verdiers, rapières, etc., et aussi dans ces arsenaux particuliers, connus généralement sous les noms d'*offices* et de *cuisines.* 9.1
J. VERNE, le Docteur Ox, p. 102.

*Mal blanc. Tumeur blanche.* — *Pertes blanches.* → **Leucorrhée.** — *Globule blanc.* → **Leucocyte.**

*Livre* blanc,* à couverture blanche; aussi : dont toutes les pages sont blanches. → **Album.**

Loc. fig. *Marquer** (cit. 13) *un jour d'un caillou blanc, d'une pierre blanche. Montrer patte** (cit. 11) *blanche.*

Loc. fig. *Une oie** (cit. 6 et 7) *blanche.*

[b] Spécialt (dans des n. pr.). *La mer Blanche, le mont Blanc* (par allus. à la neige, à la glace).

[c] (1174). Qui porte des vêtements blancs.

*Pères blancs. Sœurs blanches* (cf. *Les blancs-manteaux*). — Par ext. (couleur symbolique). *Les Russes blancs* (opposés à *rouges*). *Le parti blanc, la Terreur blanche. La Dame blanche.*

♦ **4** [a] (V. 1180; idée de propreté). Dont la couleur blanche n'est pas ternie. → **Net, propre, pur, vierge.** *Du linge, des draps blancs.* → **Propre; blanchir, blanchisseur.**

[b] Qui n'est pas écrit. *Un intervalle blanc. Bulletin (de vote) blanc. Un blanc-seing.*

Ah! grâce aux passions que mon cœur se retranche, 10
Puisse toute ma vie être une page blanche.
LAMARTINE, Jocelyn, II, 56.

Fig. *Donner, laisser carte blanche à qqn; avoir carte blanche.* → **Carte** (cit. 1, 2 et 2.1).

[c] (XVIIe). Fig. Qui n'est pas souillé, coupable. → **Candide, immaculé, innocent, lilial, pur, virginal.** *N'être pas blanc :* courir le risque d'être puni. *Sortir blanc, blanc comme neige,* acquitté, justifié. *Blanc comme un lis.*

Quand vos péchés seraient comme l'écarlate, ils deviendront blancs comme la neige; et quand ils seraient rouges comme le vermillon, ils seront blancs comme la laine la plus blanche. BIBLE (SACY,) Isaïe, I, 18. 11

Selon que vous serez puissant ou misérable, 12
Les jugements de cour vous rendront blanc ou noir.
LA FONTAINE, Fables, VII, 1.

Vx. *Bal blanc :* bal de jeunes filles.

♦ **5** (Idée de manque). Qui n'a pas tous les effets habituels. *Voix blanche,* sans timbre (→ Récitation, cit. 2). *Nuit blanche,* sans sommeil. *Coup blanc,* sans résultat. *Faire chou* blanc. Opération blanche. Examen blanc. Mariage blanc,* sans union sexuelle. *Jeu blanc. Saignée, ponction blanche.* — *Vers blancs,* sans rime. *Magie* blanche,* qui n'a pas recours aux mauvais esprits. — *L'écriture* blanche.*

13 Il faisait de grands efforts pour dominer son trouble et il balbutia d'une voix blanche (...)
G. DUHAMEL, Chronique des Pasquier, VIII, III, p. 297.

13.1 Ils les initiaient ainsi non par une cérémonie «blanche» mais par le déploiement premier et effectif; par l'étrenne de leur activité créatrice.
Roger CAILLOIS, l'Homme et le Sacré, p. 142.

13.2 Sa voix est légère, comme vidée, c'est peut-être cela qu'on appelle une voix blanche (...)
N. SARRAUTE, le Planétarium, p. 223.

13.3 C'est une voix blanche, détimbrée. Voix blanche, écriture exacte et pure.
Henri LEFEBVRE, la Vie quotidienne dans le monde moderne, p. 25.

13.4 Pour l'immédiat, elle restera quelques jours à l'hôtel avec sa mère (...) que Rodrigue surtout ne se croie pas obligé de venir la voir; leur mariage sera aussi blanc qu'il le désirera, c'est bien ainsi qu'on dit.
Roger VAILLAND, Bon pied, bon œil, p. 73.

♦ **6** Qui fait la synthèse de toutes les fréquences, dans un intervalle donné. *Bruit* (cit. 43) *blanc.*

♦ **7** Techn. *Coupe blanche, coupe à blanc(-)estoc; blanc-estoc* (par oppos. à *coupe* claire* et à *coupe sombre*) : abattage total d'une forêt. → **Blanc-étoc.**

♦ **8** Loc. prov. *Connu comme le loup blanc.* → **Loup.** — *C'est blanc bonnet* et bonnet blanc :* c'est identique, semblable. — *Cousu de fil* blanc :* évident. — *Manger son pain* blanc le premier.*

Prov. *Rouge soir et blanc matin, c'est la journée du pèlerin :* le couchant rougeoyant et l'aube embrumée annoncent une belle journée, pendant laquelle un marcheur peut parcourir une longue route.

N. *Dire blanc et noir :* ne pas prendre parti. — *L'un dit blanc et l'autre noir :* ils sont en contradiction. — *Dire tantôt blanc, tantôt noir.*

14 Quand je veux dire «blanc», la quinteuse dit «noir» (...)
BOILEAU, Satires, II.

♦ **9** (Emploi adverbial). *Il gèle blanc :* il fait de la gelée* blanche. — *Voter blanc.* — *Cheval qui boit blanc* (→ ci-dessous, II., B., 4. : *qui boit dans son blanc*). — *Laver très blanc. La lessive X lave plus blanc.*

**II** N. m. **A** *(Le blanc, du blanc).* ♦ **1** (1080). Couleur blanche. → **Blancheur.** *Un blanc cru, éclatant, immaculé; un blanc mat, sale, laiteux. Blanc cassé,* à peine teinté (de gris très clair). *Être d'un blanc de lait, de perles. Le blanc réfléchit la lumière. — Le blanc, symbole de pureté, d'innocence.*

15 Les maisons sont d'un blanc à éblouir et coupées d'ombres fines, rayées comme un burin.
E. FROMENTIN, Une année dans le Sahel, p. 67.

15.1 (...) la gloire d'un arbre à fruit, l'image la plus tenace qu'il dépose en nous, la plus passionnément contemplée, c'est le souvenir de sa floraison éphémère. Les manchons blancs passés aux bras des cerisiers, le blanc-vert hâtif qui étoile les pruniers, le blanc crémeux hérissé d'étamines brunes des poiriers, enfin les pommiers blancs comme des roses, roses comme la neige à l'aurore — cette écume, ces cygnes, ces fantômes, ces anges, en huit jours naissent, déferlent et s'anéantissent, meurent épars.
COLETTE, Flore et Pomone, *in* Gigi, p. 142.

15.2 («Mais, pensa-t-il encore, est-ce que dans certains pays le blanc n'est pas aussi la couleur de la mort?»)...
Claude SIMON, le Palace, p. 22.

15.3 Alors vient la deuxième aube, le *blanc.* La lumière commence à se mêler à la noirceur de l'air. Tout de suite elle étincelle dans l'écume de la mer, sur les croûtes de sel des rochers, sur les pierres coupantes au pied du vieux figuier.
J.-M. G. LE CLÉZIO, Désert, p. 390.

Techn. *Blanc d'argent, d'azur, de Chine, des Indes, de pâte,* noms de différents degrés de blancheur (des tissus). *Blanc d'impression, blanc grand teint, petit teint.*

(V. 1230). Absolt. Vêtements blancs. *Porter du blanc, être vêtu de blanc* (→ Bleu, cit. 12.1). *Un enfant voué au blanc et au bleu* (en l'honneur de la Vierge). — (Comm.). Linge blanc (draps, serviettes, etc.). *Exposition, vente de blanc. La semaine du blanc.*

Ils regardaient attentivement les piles de linge de l'Exposition de Blanc, imitant habilement des montagnes de neige. 15.
N. SARRAUTE, Tropismes, p. 12.

Ils étaient tout vêtus de blanc (...) 16
FÉNELON, Télémaque, IX.

(...) les communiantes, le nez en l'air, la bouche grande ouverte, envoyaient vers Dieu des cantiques, et une fillette habillée de blanc distribuait des petits pains chauds à la porte de l'église. 17
H. BOSCO, l'Âne Culotte, p. 9.

Fig. *Aller, passer du blanc au noir :* passer d'un extrême à l'autre, changer complètement d'avis.

Voilà l'homme en effet, il va du blanc au noir. 18
BOILEAU, Satires, VIII.

Vx. *Mettre du noir sur du blanc :* écrire. — Loc. adv. *Noir sur blanc :* de façon claire, irréfutable. *C'est écrit noir sur blanc.* → **Noir** (cit. 38).

Fig., vx. *Voir la vie en blanc,* la voir avec optimisme (→ mod. Voir la vie en rose*).

Le duc de Chevreuse toujours équanime, toujours espérant, toujours voyant tout en blanc (...) 19
SAINT-SIMON, Mémoires, 322, 209.

**EN BLANC :** avec la couleur blanche. *Peint en blanc. Se mettre en blanc.*

Loc. *Hommes en blanc :* médecins de cliniques et des hôpitaux, chirurgiens revêtus de la blouse blanche. *Les Hommes en blanc,* œuvre d'A. Soubiran.

— (...) Le bureau des Entrées a enregistré vos dires, je n'ai que faire de votre présence, allez-vous-en. 19.
Non : elle accrochait un des hommes en blanc et réussissait à prendre un ton angoissé :
— Alors, docteur? C'est grave? Vous n'allez pas la garder, tout de même?
A. SARRAZIN, l'Astragale, p. 62.

Loc. *Chèque* en blanc.*

♦ **2** Loc. adv. (XVI^e). **À BLANC :** de manière à devenir, à être blanc. *Il a gelé à blanc.*

**CHAUFFER** *(un métal)* **À BLANC,** jusqu'à l'incandescence. — Par ext. *Chauffé à blanc :* extrêmement chaud.

Nous ne sommes pas les premiers à avoir vu la poussière de l'Asie Mineure en été, ses pierres chauffées à blanc, les îles sentant le sel et les aromates, le ciel et la mer durement bleus. 19.
M. YOURCENAR, Archives du Nord, p. 44.

(1871, au p. p.). Fig. Exalter (qqn); pousser à l'extrême (des sentiments).

Dans la complète solitude où je vécus, je pus chauffer à blanc ma ferveur, et me maintenir dans cet état de transport lyrique hors duquel j'estimais malséant d'écrire. 20
GIDE, Si le grain ne meurt, I, 9.

Anciennt. *Poudré à blanc :* entièrement poudré.

On voit (...) Caton poudré à blanc et Brutus en panier. 21
ROUSSEAU, Julie ou la Nouvelle Héloïse, II, 17.

*Saigner** (qqn, un animal) *à blanc,* en le vidant de son sang. — Fig. Épuiser. *Les impôts saignent à blanc le contribuable.*

La rapacité bourgeoise qu'il tenait de son père, cette hérédité du gain qui l'avait jeté secrètement à des spéculations infimes, dès les premiers sous gagnés, s'étalait aujourd'hui, finissait par faire de lui un terrible monsieur saignant à blanc les artistes et les amateurs qui lui tombaient sous la main. 21.
ZOLA, l'Œuvre, p. 407.

Spécialt. **À BLANC :** sans balle. *Cartouche chargée à blanc,* sans projectile offensif. *Un coup à blanc,* sans charge. *Tirer à blanc. Tir à blanc.* — Fig. *À blanc :* sans effet réel, pour essayer. *«Coup d'État à blanc»* (*l'Express,* 21 sept. 1970).

**B** *(Le blanc, un blanc).* ♦ **1** Partie blanche (de certaines choses). — (XIV^e). *Blanc de poulet, de perdrix,* la chair blanche de la poitrine. — (V. 1265, *li blans d'un uef*). *Blanc d'œuf :* partie incolore et visqueuse de l'œuf, formée d'albumine*. — Absolt. *Battre* (cit. 14) *des blancs en neige.*

*Un plat préparé au blanc, poulet au blanc,* à la sauce blanche.

Cuis. Mélange d'eau, de farine et de jus de citron utilisé pour cuire des légumes, des abats.

Fam. Vin blanc. *Aimer le blanc. Boire un coup de blanc. Préférer le blanc sec.* — Loc. (Vieilli). *Être entre le blanc et le clairet,* entre deux vins. — **BLANC DE BLANC, BLANC DE BLANCS** [blɑ̃dəblɑ̃] : vin blanc fait avec du raisin blanc. — *Un blanc :* un verre de blanc. *Boire un petit blanc au comptoir. Un blanc-limonade. Un blanc-cassis.* → **Kir.**

1.2 J'ai payé un blanc sec à papa et une glace à la pistache à Philippe au Rendez-vous des Pêcheurs.
Yanny HUREAUX, la Prof, p. 26-27.

1.3 Palfy couronna sa réussite en commandant un seul vin, un blanc de blanc.
Michel DÉON, le Jeune Homme vert, p. 213.

Régional (Belgique). *Un blanc :* un genièvre.

(V. 1210). *Le blanc de l'œil.* → **Cornée, sclérotique** (→ 1. Louche, cit. 3). — Loc. fig. *Regarder qqn dans le blanc des yeux,* bien en face. *Se manger le blanc des yeux :* se quereller. (1745, *in* D. D. L.). *Rougir jusqu'au blanc des yeux.*

22 Le duc de Chevreuse rougit jusqu'au blanc des yeux, il s'embarrassa, il balbutia (...)
SAINT-SIMON, Mémoires, 192, 64.

23 On se mange dans Paris le blanc des yeux fort mal à propos.
VOLTAIRE, Lettre à Mme du Deffand, 24 oct. 1772.

24 (...) alors quoi ? dit-elle en le regardant tout à coup dans le blanc des yeux (...)
LOTI, Pêcheur d'Islande, IV, 5, p. 236.

25 Dès qu'il s'animait (...) le blanc de son grand œil chevalin s'injectait d'un peu de sang.
MARTIN DU GARD, les Thibault, t. VI, p. 128.

5.1 Je lui ai dit qu'à douze dollars la tonne, il me prenait pour un couillon et, quand il a compris que je ne rigolais pas, il m'a regardé dans le blanc des yeux comme ceci (...)
G. SIMENON, Feux rouges, p. 40 (1953).

*Blanc de baleine** (vx : *ambre blanc*). → **Spermaceti.**

♦ **2** (1306, «marge»). Intervalle*, espace libre qu'on laisse dans un écrit. → **Interligne.** *Laisser des blancs, de grands blancs dans un manuscrit.* — *Blanc :* surface du papier encore non écrit. **EN BLANC.** *Une procuration en blanc.* → **Blanc-seing.**

26 Peu de gens sont disposés à signer une confession de foi en blanc (...) PASCAL, les Provinciales, 17.

27 Il n'en sait rien encore, répliqua le diable ; il a laissé le nom en blanc.
A. R. LESAGE, le Diable boiteux, I, 38.

28 Les actes seront inscrits sur les registres, de suite, sans aucun blanc. Code civil, anc. art. 42 (abrogé).

29 Je laissais aux endroits qu'ils *(les bibliothécaires)* n'avaient pu lire des espaces en blanc (...)
P.-L. COURIER, I, 76.

Fig. Espace vide, temps* mort.

30 Je voudrais, au cours de la journée, des blancs, des pauses (...) GIDE, Journal, 16 mai 1905.

0.1 Puis il y a eu un blanc, un espace vide, un temps mort de longueur indéterminée pendant lequel il ne se passe rien, pas même l'attente de ce qui viendrait ensuite.
A. ROBBE-GRILLET, Projet pour une révolution à New York, p. 7.

Bref silence dans une conversation.

0.2 Bonjour. Je reviens.
– Ah, vous êtes au courant ? lui dis-je.
– De quoi ?
– Je vais vous raconter.
– Non. J'arrive.
Un temps. Un blanc. Je demandai, au hasard :
– Pourquoi ? Pierre est en voyage ?
Maurice CLAVEL, le Tiers des étoiles, p. 126.

Techn. Interruption momentanée d'un programme sonore (bande magnétique, radio) ou visuel (télévision). «*Imaginons qu'il y ait un défaut sur la bande magnétique, une petite zone démagnétisée, un blanc de quelques microns de large, une poussière. Dans les enregistrements normaux, c'est-à-dire analogiques, ce blanc, qu'on appelle aussi "drop-out", se traduit par un petit bruit parasite désagréable*» (*Sciences et Avenir,* nº 373, mars 1978). — Par anal. Support d'informations disponible. → **Vide.**

♦ **3** (1507). Partie centrale d'une cible. → **Mille** (dans le). — Par ext. Vx. La cible elle-même. *Tirer au blanc. Donner, mettre dans le blanc* (Académie).

On le voit (...) tirer de l'arc et disputer avec son valet lequel des deux donnera mieux dans un blanc avec des flèches. 31
LA BRUYÈRE, Caractères de Théophraste, «D'une tardive instruction».

(1690 ; *de butte en blanc*). Loc. fig. Mod. *De but en blanc :* directement, brusquement, sans préparation. *Aborder qqn, qqch. de but en blanc.* → **But** (cit. 3).

(...) de but en blanc leur parler d'une affaire (...) 32
Ce serait être maladroit (...)
LA FONTAINE, Contes, «Joconde».

(...) s'aller marier de but en blanc avec une inconnue (...) 33
MOLIÈRE, les Fourberies de Scapin, I, 6.

♦ **4** (Nom de diverses choses caractérisées par la couleur blanche).

Vx. Petite monnaie d'argent.

Il me jette sa bourse, il n'y avait que trois ou quatre pièces de six blancs (...) 34
Th. GAUTIER, le Capitaine Fracasse, XII.

Bot. Maladie des plantes caractérisée par des efflorescences blanches qui recouvrent les organes aériens, les racines. *Blanc des céréales, de la vigne, du rosier.* → **Oïdium.** — *Blanc de champignon :* mycélium de l'agaric* champêtre, utilisé pour propager les champignons de couche. *Blanc de Hollande :* variété de peuplier* blanc. — *Blanc d'eau :* nénuphar blanc.

Pêche. Hareng de conserve. — Petits poissons servant d'appât (syn. : *poissons blancs*). → **Blanchaille.**

Fig. (hippol.). *Cheval qui boit dans le blanc, qui boit son blanc,* qui a le tour de la bouche blanc.

♦ **5** (V. 1340, *blanc d'Espaigne*). **a** Matière colorante, qui sert à peindre. *Une porte passée au blanc. Badigeonner de blanc un mur. Un blanc laqué. Blanc de calamine. Blanc de zinc :* oxyde de zinc. *Blanc d'albâtre :* chaux réduite en poudre. *Blanc de chaux. Blanc de Senlis, de Carmes, de Meudon, d'Espagne.* → **Calcédoine, craie, mastic.** *Mettre du blanc à une queue de billard. Blanc d'argent, de plomb :* sous-carbonate de plomb. → **Céruse.**

Il m'a donné sa recette pour imprimer les panneaux, cartons ou toiles : colle de peau et blanc d'Espagne, appliqués à la brosse et unis au papier de verre. 35
E. DELACROIX, Journal 1823-1850, 7 févr. 1847, t. I, p. 261.

**b** Vx. **BLANC DE FARD :** poudre blanche pour se farder.

Ces eaux, ces blancs, ces pommades, 36
Et mille ingrédients qui font des teints fleuris.
MOLIÈRE, l'École des femmes, III, 2.

Sa toilette devint une grande affaire ; tout le monde sut qu'il mettait du blanc (...) 37
ROUSSEAU, les Confessions, IX.

**c** Techn. *Blanc optique :* matière colorante bleutée utilisée pour donner l'impression de la blancheur, dans la fabrication du papier, du tissu, etc. → **Azurant.** *En l'absence de coloration au blanc optique, les surfaces blanches paraissent jaunâtres.*

**C** N. (1678, La Fontaine). **BLANC, BLANCHE :** personne de race blanche (→ ci-dessus, cit. 8.3). *«La plus belle blanche»* (→ Large, cit. 3). *Les Blancs du sud des États-Unis.*

38 (...) il y a sept lunes que les blancs de la Virginie se sont emparés de nos terres.
CHATEAUBRIAND, Atala, Épilogue.

39 Moins le blanc est intelligent, plus le noir lui paraît bête.
GIDE, Voyage au Congo, *in* Souvenirs, Pl., p. 692.

*Les pauvres Blancs* (calque de l'angl. des États-Unis *poor white*), *les petits Blancs :* dans les pays dont la population est majoritairement non blanche, les Blancs dont le niveau de vie est bas, comparable à celui des autochtones (en français d'Afrique noire, des Antilles, etc., ou en parlant de divers pays d'Afrique et d'Amérique).

40 Les affranchis, en butte aux vexations des *petits blancs*, appelèrent, en 1793, Port-au-Prince *Port-aux-Crimes.*
E. LA SELVE, la République d'Haïti, *in* le Tour du monde, 1879, t. II, p. 194.

*La traite des Blanches,* trafic de femmes blanches destinées à la prostitution*.

**III** n. f. **BLANCHE.** ♦ **1** Boule blanche (au billard).

♦ **2** Fam. *La blanche* (de *poudre blanche*) : cocaïne. → **Neige** (2.).

41 Ça n'sert à rien d'être aux as, ta blanche, c'est comme si t'avais peau d'balle dans ton morlingue, pisqu'y a pas d'marchands. H. BARBUSSE, le Feu, t. II, II, XV, p. 5.

42 L'héro, la M, la blanche et le H, toutes ces cames me devinrent familières.
Martin ROLLAND, la Rouquine, p. 100.

♦ **3** Régional. Eau-de-vie blanche, marc.

♦ **4** Mus. → **Blanche** (n. f.).

CONTR. **Noir. — Écrit, foncé, malpropre, obscur, sale, sombre.** ◊ DÉR. **Blanchaille, blanchâtre, blanche,** n., **blanchement, 1. blanchet, 2. blanchet; blancheur, blanchir, blanchoyer. — V. Blanquette.** → COMP. **Blanc-bec, blanc-étoc, blanchecaille, blanc-manger, blanc-manteau, blanc-nez, blanc-seing. Fer-blanc.**

**BLANC-BEC** [blɑ̃bɛk] n. m. — 1752; de *blanc,* et *bec.*

♦ **1** Vx. Fam. Jeune homme imberbe.

♦ **2** Mod. Littér. ou plais. Personne (le plus souvent, jeune homme) sans expérience et sûre de soi. → **Béjaune.** *Un blanc-bec prétentieux, arrogant. Des blancs-becs.*

1 Il est bien honteux qu'une trentaine de blancs-becs aient l'impertinence de vous aller faire la guerre (...)
VOLTAIRE, Lettre à Catherine II, 95.

2 (...) ce blanc-bec qui, avec tant d'aisance, tant de chic, tant de jeunesse, tenait tête à plus fort que lui (...)
COURTELINE, Boubouroche, IV.

3 Quand mon père fit tomber la cendre de son cigare sur le tapis, je remarquai leur expression de mépris amusé. La jeune fille pouffa de rire. Son frère, blanc-bec boutonneux qui affectait un «chic anglais» (chose courante à Bordeaux), lança d'une voix perchée : «Monsieur voudrait peut-être un cendrier?»
Patrick MODIANO, les Boulevards de ceinture, p. 78-79.

♦ **3** En franç. d'Afrique. Péj. Personne de race blanche. → **Blanc.**

CONTR. V. **Vieux** (vieux barbon, vieux birbe, vieille barbe).

**BLANC-ÉTOC** [blɑ̃ketɔk] ou **BLANC-ESTOC** [blɑ̃kɛstɔk] n. m. — 1730, *blanc-estoc, blanc-être; blanc-étoc,* 1751, Encyclopédie; de *blanc,* et *estoc* «tronc d'arbre».

Techn. Coupe complète d'une forêt (coupe blanche*). — Syn. : *blanc-être* (vx) [blɑ̃kɛtʀ]. *Des blancs-étocs (-estocs).*

**BLANCHAILLE** [blɑ̃ʃaj] n. f. — 1694; de *blanc,* et suff. *-aille.*

Régional ou techn. (pêche). Menu poisson blanc, servant souvent d'appât. → **Fretin; blanquet** (I., 4.).

La blanchaille commençait à sauter au nez des perches ou des brochets.
Hervé BAZIN, Cri de la chouette, p. 227.

**BLANCHÂTRE** [blɑ̃ʃɑtʀ] adj. — 1372, *blanchastre;* de *blanc,* et suff. *-âtre.*

Qui tire sur le blanc*, est d'un blanc imparfait ou anormal.

(...) la manière de peindre est moins simple (...) Le coloris s'éteint; il devient de plus en plus blanchâtre, crayeux et blême. TAINE, Philosophie de l'art, t. II, p. 35. 1

(...) le docteur Morgan, le sinistre chirurgien criminel, vient de faire son apparition, avec ce visage immobile et blanchâtre qu'on lui voit toujours dans les journaux, mais qui doit être un masque. 2
A. ROBBE-GRILLET, Projet pour une révolution à New York, p. 144.

**BLANCHE** [blɑ̃ʃ] n. f. — 1621, *in* D. D. L.; de *blanc* (II.).

♦ **1** Mus. Note dont la panse est blanche. *Une blanche vaut deux noires, une demi-ronde.*

♦ **2** Billard. Bille blanche. *Jouer sur la blanche.*

♦ **3** Femme blanche. → **Blanc** (II., C.).

♦ **4** → **Blanc** (III.).

**BLANCHECAILLE** [blɑ̃ʃkaj] n. f. — 1935; de *blanche* (fém. de *blanc*), et *caille,* fig.

Argot, vx. Blanchisseuse. *«Margot la blanchecaille et Fanchon la cousette»* (G. Brassens).

**BLANCHEMENT** [blɑ̃ʃmɑ̃] adv. — Fin XIVe; de *blanc.*

Rare. D'une manière blanche, nette; proprement (→ Atourner, cit. 2). *«Une maisonnette blanchement tenue»* (M. Schwob, *in* T. L. F.).

1. **BLANCHET** [blɑ̃ʃɛ] n. m. — V. 1230, «camisole»; de *blanche* (fém. de *blanc*), et suff. *-et.*

♦ **1** (1278). Techn. Étamine de laine claire, grisâtre. — Pharm. Molleton servant à filtrer certains liquides épais.
(1680). Imprim. Feutre absorbant l'humidité de la pâte à papier qui sort de la forme. — Drap fin garnissant le tympan d'une presse, qui amortit la pression et en égalise le foulage.
Techn. (sellerie). Morceau de cuir en renforçant un autre.

♦ **2** Méd. Vx. Maladie de la bouche. → **Muguet.**

♦ **3** Bot. **BLANCHET,** n. m., ou **BLANCHETTE,** n. f. : mâche (1.).

HOM. 2. **Blanchet.**

2. **BLANCHET, ETTE** [blɑ̃ʃɛ, ɛt] adj. — Fin XIIe; de *blanc.*

Vx ou rare. Légèrement blanc. — Fig. Propret.

HOM. 1. **Blanchet.**

**BLANCHEUR** [blɑ̃ʃœʀ] n. f. — V. 1120; de *blanc.*

♦ **1** Couleur blanche; caractère de ce qui est blanc*. — Par ext. Caractère de ce qui est sans tache. *La blancheur de l'albâtre, de la neige. Une blancheur crue, éblouissante, éclatante, immaculée; une blancheur pure.* → **Candeur,** 1. (littér.). *La blancheur des cheveux, des poils.* → **Canitie.** *La blancheur du linge, d'une lessive. L'azurage* augmente la blancheur du linge, du papier. Un teint d'une blancheur maladive* (→ Pâleur, cit. 1). *La blancheur de l'aube.*

1 La mort ne l'a point changée; cette éclatante blancheur *(de son teint),* symbole de son innocence et de la candeur de son âme.
BOSSUET, Oraison funèbre de Marie-Thérèse d'Autriche.

1.1 En effet, la réflexion des monticules de glaces et de la plaine le saisissait de la tête aux pieds, et il lui semblait que cette couleur le pénétrait et lui causait un affadissement irrésistible. Son œil en était imprégné, son regard dévié. Il crut qu'il allait devenir fou de blancheur.
J. VERNE, Un hivernage dans les glaces, p. 310.

1.2 (...) la clarté déserte de ma lampe
Sur le vide papier que la blancheur défend (...)
MALLARMÉ, «Brise marine», Œ. compl., Pl., p. 38.

2 (...) ses épaules étincelaient et dans la blancheur dorée de fines veines bleues couraient au bord des seins.
FRANCE, l'Anneau d'améthyste, XIII.

3 (...) les pêchers formaient des bouquets d'une blancheur avivée de rose. FRANCE, le Petit Pierre, XXX, p. 211.

4 Ces voix claires et acérées mettaient dans la ténèbre du chant des blancheurs d'aube (...)
HUYSMANS, En route, p. 5.

5 (...) elle avait un éclat d'une blancheur lumineuse; elle me faisait penser à un beau diamant au clair de lune.
A. MAUROIS, Climats, I, 7, p. 62.

♦ **2** Fig. Candeur, innocence. → **Virginal.** *La blancheur et la pureté d'une jeune fille. Blancheur d'âme.*
CONTR. **Noirceur.**

**BLANCHIMENT** [blɑ̃ʃimɑ̃] n. m. — 1600; de *blanchir.*

♦ **1** Action de blanchir. → **Déalbation.** *Le blanchiment d'un mur, d'un plafond. Blanchiment au lait de chaux.* → **Échaudage.**

♦ **2** Techn. Action de décolorer pour rendre blanc. *Blanchiment des fibres textiles, des tissus écrus qui sortent de fabrication.* → **Azurage.** *Opérations de blanchiment* (bouillissage [1.], débouillissage, bain d'acide chlorhydrique, lavage, séchage). *Blanchiment par exposition au soleil.* → **Herberie.** *Blanchiment chimique* (au chlore, à l'eau oxygénée). → **Lessivage, lessive.** *Le blanchissage rend au linge sali la blancheur obtenue par le blanchiment. — Blanchiment de la cire, des huiles, des colles; de l'ivoire, de la paille, du papier, des peaux. — Blanchiment des monnaies :* procédé de nettoiement des monnaies et des pièces d'argent. → **Dérochage.**
Hortic. Opération qui décolore certains organes des plantes alimentaires. → **Étiolement.**
Cuis. → **Blanchir.**

♦ **3** Action, fait de blanchir* (des fonds).

**BLANCHIR** [blɑ̃ʃiʀ] v. — Déb. XII^e; de *blanc.*

**I** V. tr. ♦ **1** Rendre blanc ou plus blanc. → **Décolorer, éclaircir.** *Blanchir les dents. Le soufre blanchit la laine. Blanchir le sucre.* → **Terrer.** *Blanchir du cuivre au platine.* → **Platiner.** — (Le sujet désigne la lumière). Donner une teinte claire et blanche à (qqch.). *L'aube blanchit le ciel.*

1 À peine la lumière blanchissait le fond du vallon (...)
BERNARDIN DE SAINT-PIERRE, l'Arcadie, livre II.

2 Le point du jour blanchit les fentes de l'espace.
HUGO, la Légende des siècles, XIII, L'épopée du ver.

3 On ne blanchit pas les nègres et on ne change pas le sang d'un livre. On peut l'appauvrir, voilà tout.
FLAUBERT, Correspondance, t. III, p. 69.

3.1 Et ceux-là qui sauront blanchir nos ossements
Les bons vers immortels qui s'ennuient patiemment (...)
APOLLINAIRE, Alcools, p. 168.

Prov. Vieilli (et raciste). *À blanchir la tête d'un nègre, on perd sa lessive :* on ne peut corriger un incorrigible. *«C'est vouloir blanchir un nègre»* (Flaubert, *Correspondance,* 1868, *in* T. L. F.) : c'est une chose impossible.

Sylv. Enlever à (un arbre) un fragment d'écorce, pour indiquer que l'arbre doit être coupé.
Hortic. Provoquer l'étiolement de (certains légumes) pour en améliorer l'aspect. *Blanchir des salades.*
(1761). Cuis. Donner une première cuisson à (des fruits, des légumes, certains abats); passer à l'eau bouillante.
Par ext., typogr. *Blanchir une page,* en augmenter les blancs, les interlignes, les marges. → **Éclaircir.** — Absolt. *Il faut blanchir un peu, le texte est trop serré.*

♦ **2** (Sujet n. de chose ou de personne). Couvrir d'une couche blanche; enduire de blanc. *La neige blanchit les sommets. La poudre lui blanchit le visage. Blanchir un mur à la chaux.* → **Chauler, échauder.** *Blanchir qqch. au blanc d'Espagne.*

(...) notre maître Mitis 4
Pour la seconde fois les trompe et les affine,
Blanchit sa robe et s'enfarine (...)
LA FONTAINE, Fables, III, 18.

Quand les neiges viennent blanchir les Alpes et le mont Jura (...) 5
VOLTAIRE, Lettre à M^me du Deffand, 25 janv. 1775.

L'hiver blanchit les monts où le milan séjourne (...) 6
HUGO, la Légende des siècles, XII, VI, «Le Colosse de Rhodes».

♦ **3** (1288). Laver, nettoyer* (le linge blanc). *Blanchir du linge,* lui rendre sa couleur primitive. → **Blanchiment, blanchissage; azurer, herber, lessiver, savonner.** *Blanchir des draps. Donner son linge à blanchir. Blanchir et glacer un col.*
Absolt, vx. Blanchir et repasser. *Cette laveuse blanchit très bien.*
(1694). *Blanchir* (qqn), nettoyer son linge.

— Ça c'est du nanan! cria Clémence, en ouvrant un nouveau paquet. 6.1
Gervaise, prise brusquement d'une grande répugnance, s'était reculée.
— Le paquet de madame Gaudron, dit-elle. Je ne veux plus la blanchir, je cherche un prétexte... Non, je ne suis pas plus difficile qu'une autre, j'ai touché à du linge bien dégoûtant dans ma vie; mais, vrai, celui-là, je ne peux pas. ZOLA, l'Assommoir, V, t. I, p. 181.

♦ **4** (Mil. XVI^e). **a** Techn. Faire disparaître les inégalités. → **Dégrossir.** *Blanchir une planche.* → **Raboter.** *Blanchir une pièce,* en serrurerie. → **Limer, meuler.** *Blanchir une pièce forgée. — Blanchir la sole d'un sabot de cheval :* limer la sole avant d'ajuster le fer.
**b** Fourbir, nettoyer (un métal). *Blanchir de l'argenterie.*

♦ **5** (XIV^e). Abstrait. (Du sens 3, «nettoyer»). *Blanchir qqn.* → **Disculper, innocenter.** *Blanchir un accusé. Blanchir qqn d'un soupçon.*

Il est selon mon cœur de hasarder une opinion qui tende à blanchir un personnage illustre (...) 7
DIDEROT, Essai sur Claude.

— Je vais vous le dire, moi, pourquoi il agissait ainsi! s'écrie le procureur général (...) Loin de blanchir l'accusé, cette manière de procéder nous renseigne sur le machiavélisme d'une âme profondément pervertie. 7.1
H. TROYAT, la Tête sur les épaules, p. 71.

Donner une existence légale à (des fonds d'origine illégale ou frauduleuse), en faisant disparaître, par des opérations financières, la preuve de leur origine. → **Laver.** *Blanchir des capitaux, de l'argent.*

♦ **6** Effacer momentanément les symptômes d'une maladie (particulièrement la syphilis). *Les remèdes ne font que blanchir le mal.*

**II** V. intr. ♦ **1** Devenir blanc. *Les cheveux blanchissent avec l'âge* (cit. 52). *Le jour, l'aube blanchit.* — (Personnes). Avoir des cheveux qui blanchissent

(→ ci-dessous, cit. 9.1). *Il commence à blanchir. Elle a blanchi assez tôt.*

8 (...) regardez les champs qui déjà blanchissent pour la moisson.
BIBLE (SEGOND), Évangile selon saint Jean, IV, 35.

9 Le jour s'approche et l'Olympe blanchit.
RACINE, Poésies divines, 2.

9.1 (...) nous autres, nous rajeunissons en blanchissant, et plus nous blanchissons, plus on nous dit qu'on nous aime, plus on nous le montre et plus on le croit.
MAUPASSANT, Fort comme la mort, p. 105.

(Le sujet désigne l'eau). Se couvrir d'écume.

10 Voyez tout l'Hellespont blanchissant sous nos rames (...)
RACINE, Iphigénie, I, 5.

11 *(La rivière)* blanchit aux coudes et dort sous la caresse des saules. J. RENARD, Histoires naturelles, p. 7.

(En parlant du teint). *Son teint blanchit.* — (Sujet n. de personne). *Blanchir de rage, de peur.* → **Blêmir, pâlir.**

♦ **2** (Sujet n. de personne). Passer un long temps de la vie, vieillir. *Il a blanchi :* il a pris de l'âge. *Blanchir dans* (une situation). — Loc. *Blanchir sous le harnais* ou,* par archaïsme, *sous le harnois.*

12 Et ne suis-je blanchi dans les travaux guerriers,
Que pour voir en un jour flétrir tant de lauriers?
CORNEILLE, le Cid, I, 4.

13 (...) Joseph Mousselon, parlementaire blanchi sous le harnois, vétéran de la révolution.
G. DUHAMEL, le Voyage de Patrice Périot, II.

Prov. *Tête de fou ne blanchit jamais :* ceux qui n'ont pas de soucis ne vieillissent pas.

◆ **SE BLANCHIR** v. pron. Se rendre blanc. *Se blanchir en se frottant à un mur.*

Fig. Se disculper. *Il s'est blanchi sans l'aide d'un avocat.*

13.1 (...) elle avait dû s'interroger sans fin sur ce premier soir et mon étrange conduite, tenter de me blanchir, peser sur sa mémoire au nom de sa foi en moi, espérer contre l'évidence (...)
Maurice CLAVEL, le Tiers des étoiles, p. 265.

◆ **BLANCHISSANT, ANTE** p. prés. → **Blanchissant,** adj.

14 La rive au loin gémit blanchissante d'écume.
RACINE, Iphigénie, V, 6.

◆ **BLANCHI, IE** p. p. Devenu, rendu blanc. *Tête blanchie, cheveux blanchis. — Linge blanchi. Chemise blanchie. — Des ossements blanchis. — Mur blanchi à la chaux,* chaulé.

Loc. fig. *Sépulcre blanchi :* hypocrite. → **Sépulcre.**

(Personnes). Qui a les cheveux blancs. — Loc. *Blanchi sous le harnais, le harnois* (→ ci-dessus, cit. 13). → **Harnais.**

(Personnes). Dont le linge est lavé, nettoyé. *Pensionnaire logé, nourri et blanchi.*

Fig. Disculpé. *Sortir blanchi d'un scandale. — Capitaux blanchis.*

N. (Loc. péj. et raciste). Vieilli. *Un (une) mal blanchi(e) :* une personne de race noire (employé en appellatif injurieux).

CONTR. **Noircir, salir, souiller. — Accuser, charger.** ◈ DÉR. et COMP. **Blanchiment, blanchissage, blanchissant, blanchissement, blanchisserie, blanchisseur. Reblanchir.**

**BLANCHISSAGE** [blɑ̃ʃisaʒ] n. m. — Fin XVI^e ; «action de blanchir une surface», 1539 ; de *blanchir.*

♦ **1** Action de nettoyer, de blanchir* (I., 3.) le linge. → aussi **Lessive.** *Envoyer du linge au blanchissage. Payer la note de blanchissage. Blanchissage industriel.* → **Blanchisserie.** *Blanchissage au moyen d'une machine à laver. Opérations de blanchissage.* → **Triage; trempage; essangeage; coulage; savonnage; bouillage; rinçage; essorage; séchage; calandrage; apprêt; repassage.** *Produits utilisés dans le blanchissage* (amidon, bleu, cendre, javel [eau de javel], potasse, soude).

1 (...) il y avait aux manches de la veste de Monsieur, ainsi qu'à celles de la robe de Madame, une vieille paire de manchettes cousues après l'étoffe, et que je lavais tous les Samedis au soir; point de draps, point de serviettes, et tout cela pour éviter le blanchissage.
SADE, Justine..., t. I, p. 30.

Par métaphore :

2 (...) la seule utilité de Dieu serait de garantir l'innocence et je verrais plutôt la religion comme une grande entreprise de blanchissage, ce qu'elle a été d'ailleurs, mais brièvement, pendant trois ans tout juste, et elle ne s'appelait pas religion. Depuis, le savon manque, nous avons le nez sale et nous nous mouchons mutuellement.
CAMUS, la Chute, p. 129.

♦ **2** Techn. Opération de raffinage* qui convertit le sucre brut en sucre blanc.

♦ **3** (De *blanchir,* I., 4.). Techn. Limage.

**BLANCHISSANT, ANTE** [blɑ̃ʃisɑ̃, ɑ̃t] adj. — D. i. ; p. prés. de *blanchir.*

♦ **1** Littér. Qui devient blanc. *L'aube blanchissante, le jour blanchissant. Les vagues blanchissantes,* écumantes. — Spécialt. *Chevelure blanchissante.* → aussi **Grisonnant.**

♦ **2** Techn. Qui rend plus blanc. *Produits blanchissants.*

**BLANCHISSEMENT** [blɑ̃ʃismɑ̃] n. m. — 1356 ; de *blanchir.*

♦ **1** Vx. Opération par laquelle on blanchit (qqch.), on rend plus blanc. → **Blanchissage; blanchiment.**

♦ **2** (V. 1570). Littér. Fait de blanchir (II.). *Le blanchissement des cheveux.*

♦ **3** Fig. Fait d'innocenter, de blanchir* (qqn). *«Le blanchissement crapuleux de Dreyfus...»* (Léon Daudet, *Bréviaire du journalisme,* 1936, *in* T. L. F.).

**BLANCHISSERIE** [blɑ̃ʃisʀi] n. f. — 1671 ; de *blanchir.*

♦ **1** Techn. Lieu où s'effectue le blanchiment (du linge, de la toile ; de la cire). *Une blanchisserie de toiles.*

♦ **2** Cour. Établissement où l'on fait le blanchissage du linge. → (régional) **Buanderie.** *Faire laver son linge dans une blanchisserie. Blanchisserie automatique.* → **Laverie** (automatique).

♦ **3** Métier du blanchisseur*. *Les problèmes de la blanchisserie.*

**BLANCHISSEUR, EUSE** [blɑ̃ʃisœʀ, øz] n. et adj. — 1530 ; *blanquisseur,* 1339 ; aussi «ouvrier qui blanchit les murs», XVI^e ; de *blanchir.*

**I** ♦ **1** Personne dont le métier est de blanchir le linge (manuellement), et éventuellement de le repasser. → **Buandier** (régional), **lavandier** (vx), **lessivier** (techn.). *Une blanchisseuse de gros, de fin* (de linge fin). — Anciennt (au fém.). Lavandière. *Batte, battoir, selle de blanchisseuse. Fer, étendoir, séchoir de la blanchisseuse traditionnelle.* — REM. Sans que le mot ait vieilli, le métier tendant à disparaître, il connote le passé.

— (...) Vous étiez blanchisseuse dans votre pays, n'est-ce pas, ma petite?
Gervaise, les manches retroussées, montrant ses beaux bras de blonde, jeunes encore, à peine rosés aux coudes, commençait à décrasser son linge. Elle venait d'étaler une chemise sur la planche étroite de la batterie, mangée et blanchie par l'usure de l'eau; elle la frottait de savon, la retournait, la frottait de l'autre côté. Avant de répondre,

elle empoigna son battoir, se mit à taper, criant ses phrases, les ponctuant à coups rudes et cadencés.
— Oui, oui, blanchisseuse... À dix ans... Il y a douze ans de ça... Nous allions à la rivière...
ZOLA, l'Assommoir, t. I, I, p. 18.

Fig., fam. *Porter le deuil de sa blanchisseuse :* porter des vêtements sales.

♦ **2** N. m. Personne qui gère un établissement où l'on blanchit le linge, à l'aide de machines. *Porter du linge, des draps chez le blanchisseur ou à la laverie automatique.* — REM. Au Canada, on dit *buandier**.

♦ **3** Techn. Spécialiste du blanchiment. *Blanchisseur de cire. — Blanchisseur* (de toiles) *sur pré.*

♦ **4** Personne qui blanchit (I., 5.). «*Un blanchisseur d'âmes*» (Zola). — (1907). Argot. Avocat (→ Blanchir, I., 5.).

♦ **5** Techn. Ouvrier qui nettoie les lames de couteaux.

**II** Adj. (ou appos.). Techn. *Appareil blanchisseur,* servant à blanchir.

**BLANCHOIEMENT** [blɑ̃ʃwamɑ̃] n. m. — Attesté 1926; de *blanchoyer.*

Rare, littér. Teinte, reflet blanc. — Écrit *blanchoyement :*

(...) cette luisance des yeux (...) ce blanchoyement du cou.
Vladimir VOLKOFF, le Retournement, p. 80.

**BLANCHOYANT, ANTE** [blɑ̃ʃwajɑ̃, ɑ̃t] adj. — Attesté 1925; de *blanchoyer.*

Littér. Qui a des reflets blancs, blanchâtres.

1 (...) tout était blanchoyant. Les squelettes des squares et des rues, les fossiles des hommes et des chiens, restaient, abandonnés çà et là, sous le soleil de la conscience.
J.-M. G. LE CLÉZIO, le Déluge, p. 15.

2 Il avait envie de se transformer soudain en balle de ping-pong et de rebondir follement d'un bout à l'autre du logis, en éclairs blanchoyants, impossible à tuer, léger, léger, bien léger. J.-M. G. LE CLÉZIO, la Fièvre, p. 69.

**BLANCHOYER** [blɑ̃ʃwaje] v. intr. — 1080; de *blanc,* suff. *-oyer.*

Vieilli. Avoir des reflets blancs, des teintes blanches.

L'on voit avec horreur d'antiques ossements
Blanchoyer à travers de pompeux ornements (...)
MASSON, les Helvétiens, V, *in* LITTRÉ.

DÉR. **Blanchoiement, blanchoyant.**

**BLANC-MANGER** [blɑ̃mɑ̃ʒe] n. m. — V. 1275; de *blanc,* et *manger.*

Cuisine.

♦ **1** Gelée faite avec du lait, des amandes, du sucre (→ Crème* d'amandes).

Il a vu cela, lui, toute cette chair d'espagnole, grassouillette et pâle, nourrie de blancs-mangers (...)
Alphonse DAUDET, l'Immortel, p. 126.

♦ **2** Gelée de viande blanche. *Des blancs-mangers.*

**BLANC-MANTEAU** [blɑ̃mɑ̃to] n. m. — 1292; de *blanc,* et *manteau.*

Religieux de l'ordre des *servites,* appelé aussi *guillemite.*

*La rue des Blancs-Manteaux,* à Paris (→ Échafaud, cit. 7).

**BLANC-NEZ** [blɑ̃ne] n. m. — Fin XVIIIe, Buffon; de *blanc,* et *nez.*

Zool., vx. Singe cercopithèque, dit aussi *ascagne,* dont le nez porte une tache blanche. *Des blancs-nez.* — Par appos. *Singe blanc-nez.*

**BLANC-SEING** [blɑ̃sɛ̃] n. m. — 1573; *blanc-signé,* 1454, encore au XVIe; de *blanc,* et *seing* «signature».

♦ **1** Dr. Signature apposée au bas d'un papier contenant une partie non remplie, et donnée à l'avance pour constater un engagement qui sera inséré ultérieurement par la personne à laquelle le titre est remis. *Donner un blanc-seing à qqn. Des blancs-seings. Abuser d'un blanc-seing. L'abus de blanc-seing peut constituer un abus de confiance.*

Quiconque, abusant d'un blanc-seing qui lui aura été confié, aura frauduleusement écrit au-dessus une obligation ou décharge, ou tout autre acte pouvant compromettre la personne ou la fortune du signataire, sera puni des peines (...) Code pénal, art. 407. 1

♦ **2** Cour. Faculté laissée ou donnée à qqn d'agir, de décider à sa guise. — Loc. *Donner (son, un, le) blanc-seing,* son autorisation, son accord total. → **Carte** (blanche), **mandat.**

(...) mais ce qui, pour le moment, me préoccupait le plus, et je suis sûr que tu me comprendras, d'Artagnan, c'était de reprendre à cette femme une espèce de blanc-seing qu'elle avait extorqué au cardinal, et à l'aide duquel elle devait impunément se débarrasser de toi et peut-être de nous. DUMAS, les Trois Mousquetaires, t. II, p. 536. 2

**BLANDICE** [blɑ̃dis] n. f. — V. 1275, archaïque après le XVIe; repris déb. XIXe dans l'usage littér.; du lat. *blanditiæ,* pl. de *blanditia* «flatterie».

Littér. Ce qui flatte, séduit. → **Caresse, charme, flatterie, jouissance, séduction, tentation.** — REM. Le mot s'emploie presque toujours au pluriel.

Ce n'est qu'amours et blandices, 1
Mignardises et délices.
BAÏF, Amour de Francine, III.

Je trouvais à la fois dans ma création merveilleuse toutes les blandices des sens et toutes les jouissances de l'âme. 2
CHATEAUBRIAND, Mémoires d'outre-tombe, I, 3.

L'admirable, dans le Erlkönig de Goethe, par exemple, c'est que l'enfant soit moins terrorisé que charmé, c'est qu'il cède aux blandices mystérieuses qui échappent aux regards du père. GIDE, Journal, 27 févr. 1928. 3

Jean-Paul Sénac, je l'ai dit, végétait dans l'ombre d'un politicien (...) qui le couvrait de blandices quand approchait le moment de rédiger un rapport ou de prononcer des harangues. 4
G. DUHAMEL, Chronique des Pasquier, V, IV.

**BLANQUE** [blɑ̃k] n. f. — 1541, *blancque;* de l'ital. *bianca* «blanche».

Vx. Loterie italienne, en usage au XVIe siècle, où un bulletin blanc faisait perdre. — Par ext. Aux jeux de hasard, Coup où l'on n'amène rien. *Amener blanque :* tirer un mauvais numéro. *Tirer une blanque.*

**BLANQUET** [blɑ̃kɛ] n. m. — 1600, au sens I., 1.; du provençal mod. *blanquet,* de *blanco* «blanc» ou de *blanc,* par des formes dialectales. → Blanquette.

**I** ♦ **1** Vx (repris 1918). Variété de vin blanc.

♦ **2** (1690). Variété de poire. — Syn. : *blanquette.*

♦ **3** (1838; du provençal). Agric. Maladie des oliviers, dont les racines deviennent blanchâtres.

♦ **4** (1826; altéré en *blaquet*). Petits poissons blancs utilisés comme appât. → **Blanchaille.**

**II** (1879). Pop. Vx. Pièce d'argent (opposé à *jaunet**). «*Salut, belles recettes! salut jaunets et blanquets!*» (Léon Cladel, *Ompdrailles,* in T. L. F.).

**BLANQUETTE** [blɑ̃kɛt] n. f. — 1600; provençal mod. *blanqueto,* dimin. de *blanco* «blanc», ou du fém. dialectal de *blanc.*

**I** ♦ **1** Vin blanc mousseux du Languedoc. → **Clairette.** *Blanquette de Limoux.*

Cépage blanc, variété de chasselas.

♦ **2** Produit de la première distillation de l'eau-de-vie.

♦ **3** (1611). Petite poire à peau blanche.

**II** (1735). Ragoût de viande blanche. *Blanquette de veau servie avec du riz. Blanquette d'agneau, de volaille.* — (Sans compl.). *De la blanquette :* de la blanquette de veau. *Blanquette à l'ancienne.*

**III** (1821, *in* Esnault). Argot anc. Argenterie. Monnaie blanche.

(...) il sort deux pièces de cinq francs de sa poche, et l'individu qu'on appelle Coquardet s'écrie :
— Bigre !... pus qu'ça de *balles !* Est-ce que tu as une *cambrousse* qui te donne de la *blanquette ?*
— Non... non !... c'te farce ! au contraire, car hier on a volé, dévalisé chez nous pendant que j'étais à *louper* (...)
Ch. PAUL DE KOCK, la Grande Ville, t. I, p. 181.

**BLANQUISME** [blɑ̃kism] n. m. — 1870, Veuillot, *in* T. L. F. ; du nom de Louis-Auguste *Blanqui* (1805-1881).

Didact. Théorie révolutionnaire du socialiste utopiste Blanqui. — Par anal. *Un «blanquisme artistique»* (Thibaudet) ; *«blanquisme moral»* (Camus, *l'Homme révolté, in* T. L. F.).

**BLANQUISTE** [blɑ̃kist] adj. et n. — 1870 (→ Blanquisme) ; de *Blanqui.*

De Blanqui. *Le socialisme blanquiste.* — Favorable au blanquisme (adj. et n.).

**BLAPS** [blaps] n. m. invar. — 1775 ; dér. sav. du grec *blaptein* «nuire».

Insecte coléoptère *(Ténébrionidés)* de grande taille, de couleur noire, qui vit dans les lieux obscurs.

**BLASE** ou **BLAZE** [blaz] n. m. — 1885, *«sous faux blase», in* Esnault ; p.-ê. de *blason.*

♦ **1** Argot. Nom, et, spécialt, nom propre.

1 Je lui demande son nom : un grognement me répond, quelque blaze compliqué, sans doute.
A. SARRAZIN, la Cavale, p. 237

2 Et puis, ne m'appelez pas Pédro-surplus. Ça m'agace. C'est un blase que j'ai inventé sur l'instant, comme ça, à l'intention de Gabrielle (...)
R. QUENEAU, Zazie dans le métro, Folio, p. 159.

♦ **2** (1915). Pop. Nez. → **Blair, pif, tarin.** — REM. Dans ce sens, souvent écrit *blaze. «Je sais ce qui nous pend au blaze»* (Céline, *Mort à crédit*).

COMP. **Surblase.**

**BLASÉ, ÉE** [blaze] adj. et n. → **Blaser.**

**BLASEMENT** [blazmɑ̃] n. m. — 1835 ; de *blaser.*

Rare. État d'une personne blasée. → **Dégoût, satiété.** — Par ext. :

Les satiétés de la jouissance, le blasement des volontés satisfaites aussitôt qu'exprimées, l'isolement du demi-dieu qui n'a pas de semblables parmi les mortels, le dégoût des adorations et comme l'ennui du triomphe avaient figé à jamais cette physionomie, implacablement douce et d'une sérénité granitique.
Th. GAUTIER, le Roman de la momie, III.

CONTR. **Enthousiasme.**

**BLASER** [blaze] v. tr. — Mil. XVIIe, Mathurin Régnier ; p.-ê. du moy. néerl. *blazen* «gonfler, enfler», d'où *blasé* en picard, rouchi «gonflé ou blêmi par l'excès d'alcool» ; on a invoqué aussi le provençal *blazir* «faner, abîmer», d'orig. francique ; Guiraud propose de rattacher *blason** à ce sémantisme.

♦ **1** Vx. Brûler, user par l'excès d'alcool.

1 Un corps que la nature avait bien composé,
Mais que le feu qu'il boit sans ressource a blasé (...)
Mathurin RÉGNIER, *in* TRÉVOUX.

♦ **2** (1762). Mod. Affaiblir, émousser* les sens de (qqn) ; atténuer (les sensations, les impressions) par l'abus. → **Dégoûter, désabuser, fatiguer, lasser, rassasier, soûler.** *Les mets épicés, les liqueurs fortes blasent le goût. Une vie trop facile l'a complètement blasé, l'a blasé sur tout.*

2 L'exercice de la Terreur a blasé le crime, comme les liqueurs fortes blasent le palais.
SAINT-JUST, cité par JAURÈS, Hist. socialiste..., t. VIII, p. 392.

◆ **SE BLASER** v. pron. (1785, Sade). Devenir blasé. — (Personnes). *Se blaser de qqch. Se blaser sur qqch. Il est encore jeune et enthousiaste, mais il finira par se blaser. Se blaser d'un spectacle quotidien.*
(Sentiments) :

2.1 L'amour vrai ne se blase point.
HUGO, l'Homme qui rit, II, 2, 9 (→ Attiédir, cit. 9).

◆ **BLASÉ, ÉE** passif, p. p. et adj. Plus courant.

**a** Émoussé par les excès, la satiété (en parlant des sens, des sensations). *Un palais blasé.*

**b** (Personnes, facultés psychiques, sentiments). Dont les sensations, les émotions ont perdu leur vigueur et leur fraîcheur, qui n'éprouve plus de plaisir à rien. → **Froid, indifférent, insensible ; dégoûté, fatigué.** *Être complètement blasé* (→ Être revenu de tout, avoir fait le tour de...). *Être blasé par l'excès, l'habitude. Blasé de qqch. — Des personnes blasées. Un milieu blasé. — Esprit, cœur blasé.*

3 Les sens usés sans avoir joui, l'esprit affaibli sans avoir produit rien de bon, et blasé sans avoir rien goûté.
D'ALEMBERT, Œuvres, t. IV, p. 220.

4 Ainsi la pointe de la douleur est émoussée, non que le cœur soit blasé, non que l'âme soit aride (...)
Mme DE STAËL, Corinne, II, 4.

5 Avant la fin du jour blasé du lendemain (...)
HUGO, les Chants du crépuscule, 13.

6 (...) quoi que l'on ait dit de la satiété et du dégoût qui suit ordinairement la possession, tout homme qui a l'âme un peu bien située, et qui n'est pas blasé misérablement et sans ressource, sent son amour s'augmenter de son bonheur (...) Th. GAUTIER, Mlle de Maupin, VII.

7 Les gens qui se disent blasés n'ont jamais rien éprouvé : la sensibilité ne s'use pas.
J. RENARD, Journal, 28 déc. 1896.

7.1 On jouit certes mieux du théâtre quand on l'aime et qu'il est mauvais, que quand, blasé, on est dans une belle loge devant des acteurs de choix (...)
PROUST, Jean Santeuil, Pl., p. 747.

8 À côté de ces doctrines dissolvantes, la recherche de la jouissance a créé cette étrange société qui, bientôt, trouvait dans les perversions les plus singulières un coup de fouet aux sens blasés.
Louis MADELIN, Talleyrand, XL, p. 436.

9 Ce sont les esprits blasés, ce sont les esprits prévenus qui ne savent plus rien voir, qui ne peuvent plus rien découvrir avec leurs yeux ternis et secs.
G. DUHAMEL, le Temps de la recherche, XVI.

N. (1817). *Un blasé, une blasée. Faire le blasé.* → **Dégoûté, sceptique.**

10 (...) lui, s'épuisant à vouloir procurer à cette blasée d'amour une commotion qu'elle ignorât encore (...)
Alphonse DAUDET, Sapho, VIII.

CONTR. **Attirer, plaire.** — (De *blasé*) **Avide, enthousiaste, inassouvi.** ◇ DÉR. **Blasement.**

**BLASON** [blazɔ̃] n. m. — XIIe ; «bouclier», 1160 ; orig. inconnue, comme l'équivalent provençal *blezo* «bouclier» (XIIe) ; on a proposé le francique **blasjan* «enflammer, embraser», d'où «éclat, couleurs vives», ou un dérivé de *Blesum* «Blois», ville qui aurait été renommée pour ses écus ; pour Guiraud, le germanique *blazen, blasen* «souffler, gonfler» explique le sens, par «écu bombé, garni d'une bosse». → Blaser (étym.).

**I** ♦ **1** Ensemble des signes distinctifs et emblèmes d'une famille noble, d'une collectivité. → **Arme** (V.), **armoiries** (cit. 1 et 2), **écu, écusson; bannière, cartouche, panonceau, pennon, sceau.** *Blason peint, brodé, sculpté. Le blason d'une famille impériale. Le blason d'un chapitre, d'une corporation, d'une ville. Blasons de France.* → **Armorial.** *Blason d'un aîné* (armes pleines), *d'un cadet* (armes brisées). *Peindre un blason.* → **Armorier.** *Fabricant de blasons.* → **Armoriste, blasonnier.**

1 Sir Charles aima la cour pavée de l'Hôtel de Vauclère, sa façade de briques aux cordons de pierre que couronnait un blason taillé (...)
A. MAUROIS, les Discours du Dr O'Grady, VIII, p. 85.

*Être fier de son blason.* → **Titre; nom.**

Loc. fig. *Redorer son blason :* relever sa fortune, lui rendre le lustre du nom que l'on porte. — Spécialt. Se dit d'un noble pauvre qui épouse une roturière riche.

Littér. *Ternir son blason :* déshonorer sa famille, déchoir.

♦ **2** Connaissance, art, science relatifs aux armoiries. → **Héraldique.** *Expliquer des armoiries selon les règles du blason.* → **Blasonner** (I., 2.).

2 (...) Le noble poursuivit :
Moi je sais le blason; j'en veux tenir école.
LA FONTAINE, Fables, X, 15.

3 Pour qui sait le déchiffrer, le blason est une algèbre, le blason est une langue (...) Ce sont les hiéroglyphes de la féodalité (...) HUGO, Notre-Dame de Paris, t. I, III, 2.

TERMES DE BLASON : Voir tableau page suivante.

♦ **3** (1505, «éloge»; → Blasonner). Littér. Poésie décrivant de manière détaillée, sur le mode de l'éloge ou de la satire, les caractères et qualités (d'un être ou d'un objet). *Le Blason du sourcil,* de Maurice Scève. *Les blasons du corps féminin. Célébrer sa dame en un blason.* → **Blasonner** (3.). — *Le blason,* genre littéraire très en vogue au XVIe siècle.

4 Un (...) livre trepelu *(mesquin),* qui se vend par les bisouars et porteballes *(colporteurs)* au titre : *le Blason des couleurs.* Qui l'a fait? Quiconque il soit, en ce a été prudent qu'il n'y a point mis son nom. Mais, au reste, je ne sais quoi premier en lui je doive admirer, ou son outrecuidance, ou sa besterie *(bêtise).* RABELAIS, Gargantua, IX.

**II** Techn. Traverse sculptée reliant les pieds de devant d'un siège.

**DÉR. Blasonner.**

**BLASONNÉ, ÉE** [blazɔne] adj. → **Blasonner.**

**BLASONNEMENT** [blazɔnmɑ̃] n. m. — 1664, Pomey; de *blasonner.*

Techn. Représentation ou description du blason selon les règles de la science héraldique.

**BLASONNER** [blazɔne] v. tr. — 1389; de *blason.*

**I** ♦ **1** Peindre (les armoiries) avec les couleurs, les figures... qui conviennent. *Les graveurs blasonnent les armoiries avec des pointillés, des hachures conventionnelles. — Blasonner son écusson de...*

Mettre des armoiries à... *Blasonner un monument, une porte, un papier à lettres.*

(Sujet n. de chose). Orner, figurer sur (un blason). *La fleur de lys qui blasonne l'écusson du Québec.*

♦ **2** Décrire, expliquer (les armoiries) selon les règles du blason.

**II** Fig. ♦ **1** Vx. Dépeindre, célébrer par un blason (II.).

♦ **2** Mod. et littér. (Iron.). Railler, se moquer de. → **Brocarder.**

Comment par Pantagruel et Panurge est Triboulet blasonné. 1
RABELAIS, le Tiers Livre, titre du chapitre XXXVIII.

◆ **BLASONNÉ, ÉE** p. p. adj.

♦ **1** Armoiries blasonnées sur un carrosse.

Qui porte un blason. *Porte blasonnée.*

On avait tout sorti : toute la vaisselle, toute l'argenterie du gouvernement blasonnée d'une tête de taureau... 2
Henri FAUCONNIER, Malaisie, p. 152.

Par analogie :

Les traductions de la Bible, bonnes et mauvaises, vont se multipliant dans les vitrines des libraires, toutes blasonnées d'imprimaturs. 3
J. GREEN, Journal, 1958-1967 (Vers l'invisible), p. 164.

(Personnes). Qui possède un blason et un titre nobiliaire. → **Noble.** *Un mari blasonné.*

N. (ironique) :

Les titres nobiliaires s'entendaient dans les conversations : «Comte, baron», puis les appellations de sociétés anonymes : «Mon cher président» et celles de la politique : «M. le ministre». M. Zerter plaçait des blasonnés dans ses nombreux conseils d'administration. 4
Pierre HAMP, la Peine des hommes (Moteurs), p. 248.

♦ **2** Fig. Blâmé, critiqué, tourné en ridicule.

**DÉR. Blasonnement, blasonneur.**

**BLASONNEUR, EUSE** [blazɔnœʀ, øz] n. et adj. — XIVe; de *blasonner.*

Vieux.

♦ **1** Personne qui s'occupe de blason. → **Héraldiste.**

♦ **2** Fig. Personne railleuse, qui blasonne (II.).

Adjectif :

Les brocards d'un esprit blasonneur.
HARDY, Rav. du Plut., V, 2, *in* HATZFELD.

REM. Dans ce sens, la variante *blasonnier, ière* [blazɔnje, jɛʀ] est attestée. *Des «remarques blasonnières»* (Queneau, *Pierrot mon ami*).

Hist. littér. Poète auteur de blasons (II.).

**BLASPHÉMATEUR, TRICE** [blasfematœʀ, tʀis] n. et adj. — 1389, *blasfemateur;* lat. ecclés. *blasphemator,* de *blasphemare.* → Blasphémer.

♦ **1** N. Personne qui blasphème. *Un blasphémateur.* → **Impie, renieur, sacrilège.** *Lapider le blasphémateur* (*Lévitique,* XXIV, 16). — Adj. *Un sceptique parjure et blasphémateur.*

Ce qu'il y a de remarquable chez Maurice de Talleyrand, c'est que, sacrilège du fait des circonstances (et, bien entendu, je n'entends point par là le réhabiliter), il n'a jamais été blasphémateur.
Louis MADELIN, Talleyrand, XXXIX, p. 424.

♦ **2** Adj. Qui a le caractère du blasphème. → **Blasphématoire.**

**CONTR. Adorateur, bénisseur, fidèle, glorificateur, laudateur.**

**BLASPHÉMATOIRE** [blasfematwaʀ] adj. — 1532; de *blasphémer.*

Style soutenu. Qui contient ou constitue un blasphème. *Écrit, parole, propos blasphématoire.* → **Impie, sacrilège.**

Ne crains point les paroles blasphématoires des officiers du roi d'Assyrie. VOLTAIRE, Philosophie, IV, 419. 1

On s'est couché dans la prière avec le soleil (...) et voilà qu'on se réveille en gaieté folle, en soif ardente, proférant comme spontanément des mots blasphématoires, impies. 2
SAINTE-BEUVE, Volupté, XXI, p. 223.

**CONTR. Pieux.**

TERMES DE BLASON

→ **Champ, table.**

*Écu.*

*Formes de l'écu :* écu allemand, anglais, espagnol, flamand, français, italien, polonais, portugais, suisse.

*Positions ou points dans l'écu.* → **Abîme, cœur, flanc; chef, pointe; dextre, senestre; canton.**

*Partitions* de l'écu :* contre-palé, coupé, écartelé, équipolé, gironné, parti, taillé, tiercé (en bande, en barre, en chevron, en fasce, en pal, en pointe), tranché, sautoir (écartelé en sautoir); quartier. — *Partitions sur le triangle :* chapé, chaussé, embranché, emmanché, vêtu. — *Partitions courbes :* darpo, enclavé. — *Menues partitions :* billeté, denché, denté, échiqueté, endenté, engrelé, enlevé, fuselé, maçonné, moucheté, nébulé, ondé, plumeté; à crénelures, en lambel (→ ci-dessous les rebattements).

*État de l'écu :* écu bandé, en bannière, barré, brisé, chapé, chaussé, contre-bandé, contre-barré, croissanté, plein.

*Couleurs* ou *émaux :* azur, carnation, gueules, orangé, pourpre, sable, sinople.

*Fourrures* ou *pannes :* panne; hermine, vair, tire (rangée de vair), vairé; contre-hermine, contre-vair.

*Métaux :* argent, or.

*Pièces honorables :* bande (et contrebande), barre (et bâton, contre-barre), bordure (et filière), campagne ou champagne (et plaine), chappe, chausse, chef (et comble), chevron (et étaie), cœur (écu en cœur), croix (et filet en croix), écusson, émanche ou emmanche, émanchure, embrasse (embrasse dextre ou senestre), esquerre, fasce (et devise, trangles, burelles), filière (et jumelles, tierce), flanc (flanc dextre ou senestre), franc-canton, franc-quartier, giron, gousset, losange (grande losange), mantel, orle, pairle, pal (et vergettes), pile, sautoir, vêtement.

*Rebattement* des pièces honorables* (multiplication des partitions).

*Bande* et *barre :* bandé, barré, contre-bandé, contre-barré, cotice, coticé (en bande, en barre).

*Chevron :* chevronné.

*Fasce :* burelé, contre-fascé.

*Pal :* palé, vergetté. Échiqueté, losangé. Tiercé (en bande, en barre, etc.); équipollé.

*Modifications des pièces honorables :* aiguisé, alésé, bastillé, bretessé, câblé, componé, déché ou denché, déjoint, dentelé, échiqueté, engrêlé, failli, fiché, fleuré, fleuronné, fourcheté, fretté, ondé, patté, potencé, raccourci, rompu, trescheur, vidé, vivré, etc. — *Modifications des extrémités alésées* (croix, etc.) : ancrées, cramponnées, fleurdelysées, fourchetées, guivrées, gringolées, hendées, pommetées, potencées, recerclées, remplies, vuidées.

*Meubles ou figures.*

*Figures naturelles.*

*Figures humaines :* ange, aquilon, buste, dextrochère (bras droit), foi (mains unies), senestrochère (bras gauche), sauvage, tête de Maure.

*Animaux :* abeilles, agneau pascal, aigle, alérion, bécassine, bélier, canettes, cerf, chabot, cheval, coq, couleuvre, dauphin, hure, immortalité (phénix), léopard, lévrier, lion, merlettes, mouton, ours, pélican. — *Parties d'animaux :* appendice, massaire (ramure de cerf), patte de loup, rencontre (tête vue de face), vol (ailes).

*Végétaux :* arbre, cep de vigne, coquerelles (noisettes), écot (branche), épis, fleurdelis, quatrefeuille, quintefeuille, redorte (branche tressée), rose, tiercefeuille, trèfle.

*Astres, éléments, phénomènes naturels :* étoile, globe, lune, soleil; arc-en-ciel; coupeau; goutte; terrasse (figuration du sol).

*Figures artificielles.*

*Constructions, objets faits de main d'homme :* château, donjon, maison, pont, tour, ville; annelet, arbalète, ardent (torche), bris d'huis, clef, chausse-trape, colonne, cor, courtine, croisette, écusson, flambeau, huchet, lambrequin, maillet, marteau, quintaine, roue, torque, tortil, trabe, vaisseau.

*Figures stylisées ou ornementales :* anille, besant, 2. billette, carreau, coquille, croissant, engrêlure (filet), étaie, filet, filière, flanquis ou flanchis, franc-canton, frette, fusée, lambel, losange, macle, potence, rai d'escarboucle, tau, triangle, tourteau, vire.

*Figures de fantaisie :* amphiptère, amphisbène, centaure, chimère, dragon, griffon, guivre, harpie, hydre, licorne, phénix, salamandre, sirène, sphinx.

*Attributs des pièces ou meubles* (modifications) : abaissé, accolé, adextré, adossé, affronté, ajouré, alterné, ancré, anillé, appointé, arrondi, bastillé, billeté, bardé, branché, bretessé, brisé, brochant, cannelé, cantonné, chargé, composé, couplé, cousu, crénelé, denché, dentelé, denticulé, émanché, empiétant, engrêlé, enquerre (à l'enquerre), enté, flamboyant, fleurdelisé, fleuronné, florencé, fourché, fretté, fuselé, goutté, guivré, haussé, herminé, losangé, mi-parti, moucheté, mouvant, ondé, orlé, ouvert, péri, perlé, peronné, plumeté, pommeté, rayonnant, recerclé, resarcelé, retrait, retranché, semé, senestré, sommé, surmonté, tréflé, volté.

*Attributs d'animaux :* accorné, ailé, allumé, animé, assis, bâillonné, barbé, bardé (cheval), becqué, bouclé (collier d'animal muni d'une boucle), caudé, colleté, courbé (dauphin... en demi-cercle), couronné, diffamé (sans queue), éployé (aigle), essorant (oiseau s'envolant), gisant (cerf), lampassé (orné d'une langue), léopardé (lion... dans la position du léopard), morné, passant, patté, rampant, saillant, tortillant (serpent).

*Attributs de plantes :* arraché, écimé, écoté (ébranché), fruité, terrassé (placé sur une «terrasse»).

*Attributs propres à certains meubles :* affûté (canon), à l'antique (vêtements), appaumé (main), haut (épée), pavillonné (instrument de musique), taré (casque).

*Ornements extérieurs à l'écu :* banneret (vol banneret), cimier, collier, cordelière, cordon, couronne, cri, heaume, devise, lambrequin, listel, manteau, pavillon, soutien, support, tenant, terrasse, timbre, toque, tortil.

**BLASPHÈME** [blasfɛm] n. m. — Fin XIIe; lat. ecclés. *blasphemia*, grec *blasphêmia* «parole impie».

♦ **1** Parole qui outrage la Divinité, la religion, le sacré. → **Jurement, sacrilège.** *Dire, lancer, proférer, prononcer, vomir des blasphèmes.* → **Blasphémer.** *Qui a le caractère du blasphème.* → **Blasphématoire.** *Un blasphème impie, injurieux. Le blasphème est un péché, un crime contre Dieu. Que la colère ne te pousse pas au blasphème* (*Job,* XXXVI, 18).

1 Tout péché, tout blasphème sera remis aux hommes, mais le blasphème contre l'Esprit ne sera pas remis.
BIBLE (CRAMPON), Évangile selon saint Matthieu, XII, 31.

2 (...) le Doute n'est ni une impiété, ni un blasphème, ni un crime; mais une transition d'où l'homme retourne sur ses pas dans les Ténèbres ou s'avance vers la Lumière.
BALZAC, Séraphîta, Pl., t. X, p. 545.

3 Des brutaux vociféraient des blasphèmes. Julien les reprenait avec douceur; et ils ripostaient par des injures.
FLAUBERT, Trois contes, II, 3.

4 Le blasphème des grands esprits est plus agréable à Dieu que la prière intéressée de l'homme vulgaire; car, bien que le blasphème réponde à une vue incomplète des choses, il renferme une part de protestation juste, tandis que l'égoïsme ne contient aucune parcelle de vérité.
RENAN, Dialogues et Fragments philosophiques, p. 15.

5 Le docteur O'Grady peut risquer au mess les pires blasphèmes sans émouvoir le général ni le Padre; ils ont été élevés à Eton et se savent invulnérables.
A. MAUROIS, les Discours du D[r] O'Grady, XIII, 140.

♦ **2** Par ext. Propos déplacés et outrageants pour une personne ou une chose considérée comme très respectable, quasi sacrée. → **Imprécation, insulte.**

6 Pouvons-nous sans folle outrecuidance croire que l'avenir ne nous jugera pas comme nous jugeons le passé? Voilà les blasphèmes que me suggère mon esprit profondément gâté.
RENAN, Souvenirs d'enfance..., II, I.

CONTR. **Bénédiction, respect, vénération.**

**BLASPHÉMER** [blasfeme] v. [CONJUG.: *céder.*] — Fin XIIe; du lat. ecclés. *blasphemare*, grec *blasphêmein.* → Blâmer.

♦ **1** V intr. Proférer des blasphèmes. → **Maudire, renier, sacrer** (intrans.). *Blasphémer contre le Ciel, contre la Providence. La douleur porte à blasphémer* (→ Abaisser, cit. 17). *Taisez-vous, vous blasphémez!*

1 Tu ne blasphémeras pas contre Dieu, et tu ne maudiras pas un prince de ton peuple.
BIBLE (CRAMPON), Exode, XXII, 27.

2 (...) il venge tôt ou tard son saint nom blasphémé (...)
RACINE, Athalie, II, 7.

3 Riez et blasphémez dans vos heures oisives.
Moi, je ferai passer vos bouches convulsives
Du rire au grincement de dents! HUGO, Ballades, 8.

4 Les douleurs passagères blasphèment et accusent le ciel; les grandes douleurs n'accusent ni ne blasphèment, elles écoutent.
A. DE MUSSET, la Confession d'un enfant du siècle, III, 2, p. 144.

Par ext. → **Jurer.**

4.1 – Vous avez affaire à moi! Vous n'aurez pas cette porte!
– C'est vous qui m'en empêcherez?
– Bon dieu de bon dieu, vous l'aurez pas, que j'vous dis.
– Tiens, vous blasphémez?
R. QUENEAU, le Chiendent, p. 342 (1932).

Par ext. Proférer des imprécations, des critiques contre une personne ou une chose considérée comme éminemment respectable, quasi sacrée. → **Injurier, insulter, jurer.** «*C'est blasphémer que de médire de cet homme, que de critiquer cet ouvrage*» (Académie).

5 Il ne m'est pas venu dans l'idée de me fâcher ou de moins le vénérer, qu'il me vient dans l'idée de blasphémer contre le soleil lorsqu'il se couvre d'un nuage.
STENDHAL, Souvenirs d'égotisme, p. 38.

♦ **2** V. tr. Vieilli. Outrager en prononçant des blasphèmes. → **Injurier, moquer** (se). *Il blasphéma et maudit le nom de Dieu* (*Lévitique,* XXIV, 1).

Nous avons blasphémé Jésus 5.1
Des Dieux le plus incontestable (...)
BAUDELAIRE, les Fleurs du mal, «L'examen de minuit», Pl., p. 144.

Par ext. *Blasphémer qqch.* : avoir une attitude qui correspond à un blasphème.

Tout tourne en bien pour les élus, jusqu'aux obscurités de l'Écriture; car ils les honorent, à cause des clartés divines. Et tout tourne en mal pour les autres, jusqu'aux clartés; car ils les blasphèment, à cause des obscurités qu'ils n'entendent pas. PASCAL, Pensées, VIII, 375. 6

Par ext. *Blasphémer la science, la morale, la religion.*

Ces hommes qui, selon le langage de l'apôtre, blasphèment tout ce qu'ils ignorent. FLÉCHIER, II, 114, *in* LITTRÉ. 7

CONTR. **Bénir, honorer, respecter, vénérer.** ◊ DÉR. **Blasphématoire.** — V. **Blasphémateur.**

**BLASTE** [blast] n. m. — 1811, *in* Cottez; du grec *blastos* «germe». → Blasto-.

Bot. Partie de l'embryon végétal qui se développe à la germination. *Le blaste comprend la radicule et la tigelle.*

**-BLASTE** Élément de mots savants, du grec *blastos* «germe». → **Blasto-**; et aussi **chondroblaste, cytoblaste, ectoblaste, endoblaste, érythroblaste, fibroblaste, leucoblaste, mésoblaste, myéloblaste, myoblaste, néoblaste, neuroblaste, ostéoblaste.**

On peut signaler aussi, par exemple : *blépharoblaste* [blefaʀɔblast] n. m., «corpuscule basal» (→ **Blépharo-**); *lymphoblaste* [lɛ̃fɔblast] n. m., «cellule-mère du lymphocyte» (→ **Lympho-**).

**BLASTÈME** [blastɛm] n. m. — 1815, Mirbel; grec *blastêma* «bourgeon», du rad. de *blastanein* «germer». → Blasto-.

Biologie.

♦ **1** Hist. des sc. (selon une doctrine abandonnée). Matière vivante liquide qui pourrait donner naissance à des éléments anatomiques constituant un organisme.

♦ **2** Groupement cellulaire formé d'éléments relativement simples et peu différenciés (souvent désignés par un composé en *-blaste*), qui donne naissance, par différenciation, spécialisation, etc., à un élément organique ou à un organe. *Blastème de régénération* : groupement analogue au cours d'un processus de régénération.

**BLASTO-** Élément, du grec *blastos* «germe», servant à produire de nombreux composés en biologie, aux sens de «germe», «embryon», «bourgeon» (depuis le XIXe siècle). → **Blastocœle, blastocyste, blastocyte, blastoderme, blastogenèse, blastomère, blastomycètes, blastopore, blastozoïde; -blaste**; et aussi **blaste, blastula; blastème.** — Outre ces composés traités à l'ordre alphabétique, on peut signaler des termes plus rares, parfois vieillis. En zoologie et paléontologie : *blastodinium* [blastodinjɔm] n. m. (XIXe) «protozoaire flagellé parasite de copépodes»; *blastoïdes* [blastɔid] n. m. pl. (XIXe) «échinodermes fossiles»; *blastophage* [blastɔfaʒ] n. m. (1909) «coléoptère s'attaquant aux bourgeons des résineux»; *blastotroque* [blastɔtʀɔk] n. m. (XIXe) «genre de madrépores». — En botanique (*blast[o]* = bourgeon) : *blastocholines* [blastokɔlin] n. f. pl., «acides organiques des fruits»; *blastocolle* [blastokɔl] n. f. (XXe) «substance visqueuse protégeant les bourgeons». — En médecine et biologie : *blastocinèse* [blastosinɛz] n. f. (1967) «mouvements et déplacements de l'embryon»; *blastophore* [blastɔfɔʀ] n. m., «substance de la cellule spermatique»; *blastophtorie* [blastɔftɔʀi] n. f., «altération des gamètes».

**BLASTOCŒLE** ou **BLASTOCÈLE** [blastɔsɛl] n. m. — 1877; angl. *blastocoele*, Huxley; de *blasto-*, et grec *koilos* «creux».

Biol. Cavité de segmentation qui apparaît au stade de la blastula*. → **Blastocyste.** *Le plancher du blastocœle. Blastomères distribués autour du blastocœle.*

1 L'œuf (...) se métamorphose en *Morula* pourvue d'une cavité centrale, résultant de la division, ou *blastocœle.*
G. DARIN, Trad. HUXLEY, Éléments d'anatomie comparée, 1877, p. 46, *in* D. D. L., II, 5.

2 Au milieu du disque germinatif se trouve le blastocœle, sous forme d'une petite cavité dont le toit est formé d'une seule assise de cellules.
G. SAINT-RÉMY, Sur quelques mécanomorphoses produites par la force centrifuge sur les œufs de grenouilles fécondés, *in* l'Année biologique 1899, p. 173 (1897).

DÉR. **Blastocœlien.**

**BLASTOCŒLIEN, IENNE** [blastɔseljɛ̃, jɛn] adj. — Attesté 1942, Caullery; de *blastocoele.*

Biol. Qui se rapporte au blastocœle. *Cavité blastocœlienne.*

**BLASTOCYSTE** [blastɔsist] n. m. — 1906, in *Rev. gén. des sc.*, nº 10, p. 459; de *blasto-*, et grec *kustis* «poche gonflée».

Méd., biol. Forme segmentée de l'œuf fécondé au moment où il entre dans l'utérus. «*Le blastocyste est une sphère creuse consistant en une couche cellulaire externe entourant une cavité appelée blastocèle et contenant un groupe de cellules massé en un point donné de la surface interne*» (*la Recherche*, nº 94, nov. 1978).

**BLASTOCYTE** [blastɔsit] n. m. — 1942, Hertig et Roch; de *blasto-*, et *-cyte.*

Biol. Cellule embryonnaire non encore différenciée. *Tumeur formée de blastocytes* (blastocytome).

**BLASTODERME** [blastɔdɛʀm] n. m. — 1824, Nysten; en all., *Pander*, 1818; de *blasto-*, et *-derme.*

Biol., embryol. Partie de l'œuf fécondé des mammifères, formée de deux feuillets, qui donnera naissance à l'embryon. → **Cœlome.** *Cellules du blastoderme.* → **Blastomère.**

DÉR. **Blastodermique.**

**BLASTODERMIQUE** [blastɔdɛʀmik] adj. — 1838; de *blastoderme.*

Biol. Qui se rapporte au blastoderme. *Feuillets blastodermiques* (→ Cœlome, cit.).

**BLASTOGENÈSE** [blastoʒənɛz; blastoʒenɛz] — 1894, A. S. I.; *blastogénésie*, 1838, en bot.; de *blasto-*, et *-genèse, -génie.*

Biologie, embryologie.

♦ **1** Premier stade du développement de l'embryon, pendant lequel se forme le blastoderme*.

♦ **2** Mode de reproduction par bourgeonnement. → **Blastozoïde.**

DÉR. **Blastogénétique** ou **blastogénique.**

**BLASTOGÉNÉTIQUE** [blastoʒenetik] ou (vieilli) **BLASTOGÉNIQUE** [blastoʒenik] adj. — 1892, Guérin, *blastogénique*; de *blastogenèse, blastogénie.*

Biologie, embryologie.

♦ **1** Qui provient d'un germe.

Au-dessous des tentacules, le corps comprend (...) la zone sexuelle, la zone blastogénique et le pied.
C.-B. DAVENPORT, Compte rendu de Peebles, Études expérimentales sur l'hydre, *in* l'Année biologique 1899, p. 210 (1897).

♦ **2** Qui se rapporte à la blastogenèse.

**BLASTOMÈRE** [blastɔmɛʀ] n. m. — 1877, cit. 1; de *blasto-*, et grec *meros* «partie».

Biol. Cellule provenant des premières divisions de l'œuf fécondé. → **Blastula, morula.** *Les blastomères sont organisés autour d'une cavité, le blastocœle*.*

La masse protoplasmique (...) se convertit en un corps mûriforme, composé de masses divisées ou blastomères. 1
G. DARIN, Trad. HUXLEY, Éléments d'anatomie comparée, 1877, p. 45, *in* D. D. L., II, 10.

On peut enlever une ou plusieurs cellules (appelées blastomères) à l'œuf en voie de segmentation. Bien plus l'un des deux premiers blastomères de l'œuf divisé en deux, ou l'un des quatre premiers blastomères de l'œuf divisé en quatre cellules peut donner naissance à un organisme complet. 2
E. WOLFF, les Problèmes de l'embryologie expérimentale, p. 6, Sciences, nº 1.

**BLASTOMYCÈTES** [blastomisɛt] n. m. pl. — 1869, *in* D. D. L.; de *blasto-*, et *-mycète.*

Bot. Famille de champignons se reproduisant par bourgeonnement (ex. : *levure de bière* et *muguet*). — Au sing. *Un blastomycète.*

Quant au parasite, au blastomycète décrit par Sanfelice, personne ne l'a retrouvé depuis cet auteur.
J. COMBY, Traité des maladies de l'enfance, 1902, p. 936, *in* D. D. L., II, 8.

DÉR. **Blastomycétien** ou **blastomycétique, blastomycose.**

**BLASTOMYCÉTIEN, IENNE** [blastomisetjɛ̃, jɛn] ou **BLASTOMYCÉTIQUE** [blastomisetik] adj. — Attesté 1910; de *blastomycète.*

Bot. Qui se rapporte aux blastomycètes. *Origine blastomycétienne d'une maladie. Dermatite blastomycétique.*

**BLASTOMYCOSE** [blastomikoz] n. f. — 1909, *in* D. D. L.; de *blastomycète*, et *mycose.*

Méd. Affection (mycose*) causée par le développement d'un blastomycète* sur la peau, dans un organe. *Blastomycose brésilienne, européenne.* — REM. L'adj. correspondant est *blastomycosique* [blastomikozik].

**BLASTOPORAL, ALE, AUX** [blastɔpɔʀal, o] adj. — 1905, in *Rev. gén. des sc.*, nº 8, p. 383; de *blastopore.*

Biol., embryol. Qui se rapporte au blastopore; du blastopore.

Spemann a pu montrer qu'une certaine zone de l'embryon (lèvre blastoporale) joue un rôle privilégié dans la formation des organes embryonnaires.
Jean ROSTAND, Esquisse d'une histoire de la biologie, p. 231.

**BLASTOPORE** [blastɔpɔʀ] n. m. — 1865, *in* Littré-Robin; de *blasto-*, et *poros* «passage».

Biol., embryol. Orifice de l'intestin embryonnaire primitif ou *archentéron.*

1 Le *prostoma* (*blastopore,* Ray-Lankester) est d'abord largement ouvert, mais il ne tarde pas à se rétrécir.
GIRARD, Compte rendu d'HUXLEY, Éléments d'anatomie comparée, 1876, p. 133, *in* D. D. L., II, 10.

2 Les éléments provenant de la lèvre dorsale du blastopore donneront la corde dorsale, axe squelettique sur lequel se moulera la colonne vertébrale (...)
Jean GUIBÉ, les Batraciens, p. 75.

DÉR. **Blastoporal.**

**BLASTOZOÏDE** [blastozɔid] adj — 1893, E. Perrier; de *blasto-*, et suff. *-zoïde,* du grec *zôoeidês* «semblable à un animal».

Biol., embryol. Organisme animal d'une colonie, produit par blastogenèse et disponible pour la reproduction par le même phénomène.

**BLASTULA** [blastyla] n. f. — 1896, cit.; lat. mod. *blastula* (1880, *in* Cottez), du grec *blastos* «germe» (→ Blasto-), et suff. dimin. du lat. sc. *-ula.* → Gastrula, morula.

Biol., embryol. Stade du développement embryonnaire caractérisé par la formation d'une cavité (→ **Blastocœle**) entre les blastomères*; ensemble des blastomères et du blastocœle. *La blastula succède à la morula*.* → aussi **Gastrula.**

L'un des hémisphères de la blastula s'aplatit, se creuse, et finalement se replie à l'intérieur de l'autre, réduisant peu à peu la cavité de segmentation, qui finit par disparaître, quand les deux feuillets se sont accolés l'un à l'autre.
CARLET et PERRIER, Précis de zoologie, Masson, 1896, p. 26, *in* D. D. L., II, 12.

**BLATÈREMENT** [blatɛʀmɑ̃] n. m. — 1947, *in* T. L. F.; de *blatérer.*

Rare. Cri du chameau ou (vx) du bélier.

**BLATÉRER** [blateʀe] v. intr. [CONJUG.: *céder*] — 1834; en parlant du bélier, 1681, attestation isolée; lat. *blaterare* «bavarder» (→ Déblatérer), aussi «blatérer» et «coasser».

Rare. Pousser son cri, en parlant du chameau (et des animaux analogues), du bélier (vx). *Les dromadaires se mirent à blatérer.*

DÉR. **Blatèrement.**

**BLATIER** [blatje] n. m. — 1267, *bläetier, blatier;* p.-ê. du lat. médiéval **bladatarius,* de *bladataria* «entrepôt pour les grains», du rad. **blad,* de *blé.*

Vx. Revendeur de grain. — Appos. *Marchand blatier.*

(...) ils avaient résolu d'entrer dans la ville (...) habillés en blatiers, vêtus comme eux de vareuses blanches.
BARBEY D'AUREVILLY, le Chevalier des Touches, p. 110.

**BLATTE** [blat] n. f. — 1534, Rabelais; lat. *blatta,* même sens.

Insecte dictyoptère *(Blattidés)* nocturne et omnivore, au corps aplati. *Il existe environ 2 500 espèces de blattes. Les principales variétés de blattes sont la blatte germanique* (Blattella germanica), *la blatte orientale* (Blatta orientalis) *ou cafard*, et la blatte américaine* (Periplaneta americana) *ou cancrelat*. Blatte géante.*

1 D'énormes blattes s'ébattaient sur nos objets de toilette.
GIDE, Voyage au Congo, *in* Souvenirs, Pl., p. 705.

2 (...) la blatte cette amie aux bords des bains attiques lucifuge copine et surtout tropicale.
R. QUENEAU, Petite cosmogonie portative, *in* Chêne et Chien, p. 144.

**BLAUDE** [blod] n. f. — XVI^e^; orig. incert., p.-ê. forme fém. dialectale de *bliaud.*

Vx ou régional. Blouse*.

À Montigny, Monsieur Grosclaude
Vise un lapin sans dévier
Ou, vêtu de sa verte blaude
Jette dans le Loing l'épervier
MALLARMÉ, Vers de circonstance, *in* Œ., Pl., p. 86.

**BLAVET** [blavɛ] n. m. — 1793, *in* D. D. L.; de *bleu,* d'après le lat. médiéval *blavus,* du francique **blao.* → Bleu.

Régional. Champignon comestible de la famille des agarics *(agaric palomet).*

**BLAZE** [blaz] n. m. → **Blase.**

**BLAZER** [blazɛʀ; blɛzœʀ] n. m. — V. 1920; mot angl. (1880), de *to blaze* «flamboyer».

♦ **1** Anciennt (ou dans le contexte britannique). Veste de flanelle de couleurs vives. *Un blazer à rayures jaunes et bleues.*

♦ **2** Mod. Veste de sport (d'homme ou de femme) unie, souvent en flanelle. *Un blazer noir, bleu, vert sombre. Blazer croisé, droit. Blazer portant un écusson brodé sur la poche de poitrine.*

(...) elle le voyait marcher vers elle, avec ses pantalons de flanelle, son foulard soigneusement plié dans le col de sa chemise, son blazer bleu sombre, ses mocassins (...)
F. SAGAN, la Chamade, p. 147.

**BLÉ** [ble] n. m. — 1080, *blet,* Chanson de Roland; p.-ê. du francique **blâd* «produit du champ» (cf. néerl. *blat* «récolte») ou du gaul. **blato* «farine», par le lat. médiéval *bladum* (au plur. *blada,* VII^e^).

♦ **1** Plante de la famille des graminées*; céréale* dont le grain sert à l'alimentation. → **Froment.** *Le blé est une céréale du genre triticum. Principales espèces de blé.* → **Froment.** *Blé commun ou blé tendre* (à épis barbus; sans barbes). → **Touselle.** *Blé poulard ou renflé. Blé dur. Blé amidonnier.* → **Amidonnier.** *Blé épeautre.* → **Épeautre.** *Blé barbu. Blé locular. Blé d'hiver, d'automne, de printemps. — Racine, tige de blé.* → **Chaume, éteule, feurre, paille, tuyau.** *Feuille de blé.* → **Fane.** *Blé fanu. Épi et fleurs de blé.* → **Épi, épillet; balle, glume, glumelle.** *Le grain de blé est un caryopse*.*
*Culture du blé.* → **Agriculture, céréaliculture; agricole** (travaux, opérations agricoles). *Semailles* du blé.* → **Emblaver, emblavure, ensemencer, semer, semis, semoir.** *Blé de semence. Blé en herbe.* — Fig. *Le Blé en herbe,* titre d'un roman de Colette (1923), dont le thème est l'adolescence. — *Blé vert. Le blé lève, fleurit, mûrit, blondit, jaunit. Blé sur pied. Champ de blé, mer de blé. Les ondulations des blés.* — Loc. *Blond*, doré comme les blés :* d'un blond doré (cheveux). *Les blés d'or. L'or des blés. Plantes croissant dans un champ de blé.* → **Agrostis, ivraie, lychnide, mélampyre, végétal.** *Blé déchaussé, clairsemé. Blé qui verse. Récolte du blé.* → **Moisson, moissonner; déblaver, déblayer** (vx), **faucher.** *Des blés coupés en juin, juillet, août* (cit. 1). *Blé en javelles* (→ **Enjaveler, javelle, moyette**); *en gerbes* (→ **Gerbe, gerber**); *en meules. Battre le blé.* → **Battage, battre; dépiquage.** *Vanner le blé.* → **Vannage; tarare, van.** *Mettre le blé en grange.* → **Engranger.** *Insectes parasites du blé.* → **Calandre, charançon** *(blé charançonné),* **cosson, teigne, zabre...** *Maladies du blé.* → **Brouissure** *(blé brouis),* **brûlure** *(blé brûlé),* **carie** *(blé carié),* **charbon** *(blé charbouillé),* **moucheture** *(blé moucheté),* **nielle, niellure** *(blé niellé),* **rachitisme, rouille.** *Blé gelé, blé échaudé*.*

Le blé, riche présent de la blonde Cérès (...) 1
LA FONTAINE, Fables, IX, 11.

2 Ces blés sont mûrs, dit-il, allez chez nos amis
Les prier que chacun, apportant sa faucille,
Nous vienne aider demain dès la pointe du jour.
LA FONTAINE, Fables, IV, 22.

3 Les alouettes font leur nid
Dans les blés, quand ils sont en herbe (...)
LA FONTAINE, Fables, IV, 22.

4 On distingue à peine (...) le blé froment d'avec les seigles. LA BRUYÈRE, les Caractères, VII, 21.

5 (...) les champs avaient la pâleur exquise des blés nouveaux (...) E. FROMENTIN, Un été dans le Sahara, I.

6 Les blés étaient verts; ils s'étendaient au loin dans la plaine onduleuse, où les sainfoins se teignaient d'amarante (...) E. FROMENTIN, Dominique, III.

7 Les bœufs blonds comme les blés. J. RENARD, Journal, 25 oct. 1895.

8 (...) les grandes vagues de blé qui ondulent à l'infini (...) Jérôme et Jean THARAUD, l'Ombre de la croix, VIII, p. 189.

9 Elle *(La Péguinotte)*... ne refusait jamais de donner un coup de main, quand on battait le blé en juillet, sur l'aire brûlante. H. BOSCO, l'Âne Culotte, p. 19.

Loc. prov. *Manger son blé en herbe :* dépenser d'avance son revenu; gaspiller son avoir. — Prov. (Vx). *Neige au blé est bénéfice, comme au vieillard la pelisse. Bon champ semé, bon blé rapporte.*

♦ **2** Le grain* seul de cette plante. *Composition chimique du blé.* → **Amidon, gluten.** *Porter le blé au moulin. Moudre du blé.* → **Mouture; farine, gruau, semoule, son.** *Un hectolitre, un quintal de blé. Un sac, un tas de blé. Grenier, entrepôt à blé. Dock, silo à blé. Conditionnement des blés. Stocker le blé en vue de la soudure. Ravitaillement en blé. Commerce, vente du blé. Office du blé. Cours du blé, des blés. — Farine, pain de blé* (on dit plutôt : *de froment*). *Semoule de blé dur* (→ aussi **Couscous**). *Blé dur concassé.* → **Boulgour.**

10 Et l'abondance à pleines mains
Verse en leurs coffres la finance,
En leurs greniers le blé, dans leurs caves les vins (...)
LA FONTAINE, Fables, VII, 6.

11 Suivez le précepte d'Horace : Ayez toujours une année de blé par devers vous, *provisae frugis in annum* (lib. I, ép. XVIII.) VOLTAIRE, Dict. philosophique, Blé.

Loc. prov. (1673). *Crier famine sur un tas de blé :* se plaindre lorsque l'on est dans l'abondance.

12 (...) de tous les proverbes que cette production de la nature et de nos soins a fournis, il n'en est point qui mérite plus l'attention des législateurs que celui-ci : «Ne nous remets pas au gland quand nous avons du blé». VOLTAIRE, Dict. philosophique, Blé.

♦ **3** Vieilli. Champ de blé. *Se cacher, se coucher dans un blé. Marcher dans les blés.* — REM. Quand *blé* est au plur. *(se cacher dans les blés)*, le mot est compris aujourd'hui au sens 1. — Prov. *Être pris comme dans un blé :* ne pouvoir s'échapper.

13 Pour la troisième fois le maître se souvint
De visiter ses blés. LA FONTAINE, Fables, IV, 22.

14 Je n'ai rien caché à l'homme que vous m'avez envoyé; je l'ai mené dans un blé; j'ai abattu en sa présence les épis qui s'élevaient au-dessus des autres. FÉNELON, Perlande, *in* LITTRÉ.

14.1 Pourquoi courir les villes
Quand un si bel été
Promène sur les blés
Ses lumières tranquilles. Maurice CARÊME, Mère.

♦ **4** (XVI^e^). Qualifié. Se dit de graminées distinctes du froment. *Petits blés.* → **Avoine, orge.** *Blé noir.* → **Bucail, sarrasin.** *Blé cornu.* → **Seigle** (ergoté). *Blé de la Saint-Jean.* → **Seigle.** — *Blé d'Espagne, de Turquie, blé indien* (vx), *blé d'Inde* (vx, littér. : Claudel; ou régional : Canada, 1603). → **Maïs.** — *Blé de Tartarie.* → **Sarrasin.** *Blé de Guinée.* → **Sorgho.** *Blé des Canaries.* → **Alpiste.** *Blé méteil*. — Blé de vache, blé rouge.* → **Mélampyre.** *Blé d'amour.* → **Grémil.**

Accompagné d'un qualificatif, le même nom *(blé)* est encore donné à d'autres plantes : ainsi le *blé noir* est le sarrasin, le *blé de Turquie* ou *blé de l'Inde* est le maïs, le *blé méteil* est un mélange de froment et de seigle dans des proportions variées, le *blé trémois* est le seigle de mars, le *blé des Cafres* ou *blé de Guinée* est le sorgho. Omnium agricole, p. 143. 15

Faites un sillon, allant tout le jour dans le même sens et semez-y le blé, semez-y le maïs! 16
Le blé indien, qui a plus que la taille d'un homme emplumé, présentant l'épi énorme et aigu. Élevez une mer de cochons. CLAUDEL, l'Échange, I, p. 161.

On loue son climat *(celui de l'île des Indiens Manitouline)* adouci par le voisinage des eaux du lac Huron et par celui des collines rocheuses de la grande terre, qui l'abritent partiellement des vents du Nord. Le blé d'Inde, les melons, les tomates, les prunes et les cerises y viennent à maturité (...) H. DE LAMOTHE, Excursion au Canada et à la rivière rouge du nord, *in* le Tour du monde, 1878, t. I, p. 230. 17

*Blé cornu :* ergot* du seigle.

♦ **5** (1866; d'abord argot). Fam. Argent. → **Fric, galette, oseille, osier, trèfle.** *Avoir du blé.*

DÉR. Bléer. ◊ COMP. V. Emblaver.

**BLÈCHE** [blɛʃ] adj. — 1596, sens 1; mot normand, var. métaphorisée de *blece*, forme régionale de *blet, blette;* A. Simonin signale que *blesche* est le nom du troisième et avant-dernier grade dans la hiérarchie des Mercelots (truands de mauvaise renommée).

♦ **1** (XVI^e^-XIX^e^). Vx. De caractère faible et dolent.

♦ **2** (Du sens 1, plus ou moins confondu avec une var. de *blette : poire blaiche*; emplois régionaux du XIX^e^ passés en argot parisien v. 1880 (1921, Esnault)). Argot. Mauvais; laid. → **Moche, tarte.**

Je ne pense pas qu'il se soit vengé, mais la cuisine était d'un blèche! Dès que vous aviez terminé votre porcife[1], une seule envie vous venait : vous tirer, tant l'odeur des mangeailles voisines devenait débectante. Albert SIMONIN, Touchez pas au grisbi, p. 45. 1

1. Portion.

Elles étaient neuf autour de lui, des gentilles, des grosses, des fluettes et deux alors qu'étaient bien blèches, des hideurs de filles... CÉLINE, Guignol's band, p. 57. 2

REM. Un dér. *bléchard* [bleʃaʀ] est attesté dès 1881 (*in* Cellard et Rey).

**BLED** [blɛd] n. m. — Fin XIX^e^; arabe maghrébin *blăd*, arabe class. *bilād* «pays, contrée».

♦ **1** En Afrique du Nord, Intérieur des terres, campagne. → 1. **Brousse** (1.).

Encore faut-il que chez l'adversaire, à Tunis, au Caire et dans le bled, une volonté commune se dégage d'arrêter l'effusion de sang. F. MAURIAC, le Nouveau Bloc-notes 1958-1960, p. 301. 1

♦ **2** (1916). Argot milit. Terrain nu : pays désolé, sauvage. *Parcourir le bled.*

♦ **3** (1934). Fam. *(Un, des bleds).* Village éloigné, isolé, offrant peu de ressources. → **Patelin, trou.** — Péj. Tout endroit qui n'est pas une grande ville, et où l'on est censé s'ennuyer. *Que faire dans ce bled? Quel bled ici!*

Jamais, répondit le duc d'Auge. Je lui ai déjà expliqué que je ne voulais plus remettre les pieds dans ces bleds impossibles. Une croisade c'est beaucoup; deux c'est trop. R. QUENEAU, les Fleurs bleues, p. 55. 2

(Avec un poss. ou un compl. de n. en *de*). Village, ville; spécialt, lieu d'origine. *Retourner dans son bled.* Lieu (quelconque).

On ne doit pas s'amuser beaucoup dans votre bled. R. QUENEAU, Loin de Rueil, p. 16. 3

4 — Où qu't'étais, Tilou ?
— A Stuttgart.
— C'est loin, c'bled-là ?
René FALLET, Banlieue Sud-Est, p. 160, *in* CELLARD et REY.

DÉR. (Du 1.) **Blédard.** ◊ HOM. **Blaid.**

**BLÉDARD** [bledaʀ] n. m. — 1926, *in* Esnault; de *bled.*

Personne vivant dans le bled (1.). — Spécialt. Soldat servant dans le bled.

1 Le récit du blédard avait une présence de chair. Ils se turent. J. GENET, Pompes funèbres, p. 14 (1953).

2 Ce François Mocqueur, au visage avenant, que j'avais pris longtemps pour un benjamin des brigades internationales, une sorte de saint Louis de Gonzague des barricades, un libérateur du quartier, était en réalité un bledard *(sic)* chevronné des campagnes de Madagascar.
A. BLONDIN, les Enfants du bon Dieu, p. 58.

3 Une comtesse hongroise, la veuve d'un gros industriel, une danseuse de Tabarin — bref «des blondes» comme disait Marcheret — se prirent aux charmes de ce blédard nostalgique qui, de leurs soupirs, tira de substantiels bénéfices.
Patrick MODIANO, les Boulevards de ceinture, p. 71 (1972).

**BLÉER** [blee] v. tr. [CONJUG.: *céder.*] — 1842; de *blé.*

Rare. Ensemencer (une terre) en blé. → **Emblaver.**

**BLEIME** [blɛm] n. f. — 1660; mot wallon, du néerl. *blein* «ampoule».

Vétér. Irritation, meurtrissure de la partie sous-cornée du talon de cheval. *La bleime est souvent due à la pression du fer, ou à l'insertion de corps durs entre le fer et la sole du pied. Bleime sèche,* restreinte à un hématome. *Bleime humide,* accompagnée d'un suintement. *Bleime suppurée,* accompagnée d'une rétention de pus.

HOM. **Blême.**

**BLÊME** [blɛm] adj. — XIV^e; de *blêmir.*

♦ **1** Extrêmement pâle; d'une blancheur maladive (en parlant du visage). → **Blafard, blanc, livide** (2., cour.), **mat, pâle.** *Avoir un visage, un teint blême.* → **Hâve.**

1 À cet objet d'horreur, l'œil troublé, le teint blême,
J'ai demeuré longtemps plus morte que lui-même.
ROTROU, Antigone, I, 2.

2 (...) sa face blême comme un fromage où flambait un nez chauffé au rouge.
Th. GAUTIER, le Capitaine Fracasse, XV.

(XV^e). Personnes. Qui a le teint blême. *Être blême de peur, de colère.* → **Bleu** (I., 2.), **vert** (*infra* cit. 0.2). *Devenir blême.* → **Blêmir.**

3 Ni ce matin ni ce soir, trancha Madame Brigitte, blême de colère. F. MAURIAC, la Pharisienne, p. 124.

♦ **2** Par métaphore (→ ci-dessous, cit. 5) ou fig. D'une couleur pâle et déplaisante (choses, lumières). *Un jour, une aube, un matin blême. Une lumière, une lueur blême.* → **Blafard, faible, pâle.** — Poét., vx. *Le rivage blême :* les bords du Styx, fleuve des morts.

4 Le destin (...)
Est jaloux qu'on passe deux fois
Au delà du rivage blême (...)
MALHERBE, VI, 17, *in* LITTRÉ.

5 La disette au teint blême (...)
BOILEAU, le Lutrin, *in* LITTRÉ, V.

6 Un soleil pas bien chaud, c'est vrai, mais tout de même
Point trop à dédaigner par un matin si blême.
Edmond ROSTAND, les Musardises, III, «La brouette».

7 (...) il est naturellement impossible de distinguer les flocons les uns des autres : vus de si haut, ils ne forment de place en place qu'un vague halo blanchâtre, douteux luimême car la lueur des lampadaires est très faible, rendue plus incertaine encore par l'éclat diffus que répandent alentour toutes ces surfaces blêmes, le sol, le ciel, le rideau de flocons serrés (...)
A. ROBBE-GRILLET, Dans le labyrinthe, p. 78.

REM. Même en emploi concret, le mot connote des idées pénibles : *le petit matin blême,* dans un style assez convenu, était celui des exécutions capitales.

N. m. (Rare). Ce qui est blême; teinte blême.

Les trombes regagnent alors chacune son asile, au centre de la terre, vers le noyau liquide de la planète. Mais là où la main les fixe, ce sont deux cordes sans couleurs, dans le genre du blême, qu'une couleur démesurée a raidies en torsades de verre. 8
J.-M. G. LE CLÉZIO, le Déluge, p. 260.

N. f. Argot. *La blême :* la mort (Céline, *in* Cellard et Rey).

CONTR. **Animé, coloré, éclatant, frais, hâlé, rouge, rubicond, sanguin, vermeil.** ◊ DÉR. **Blêmeur.** — HOM. **Bleime.**

**BLÊMEUR** [blɛmœʀ] n. f. — 1885; de *blême.* → Pâleur.

Littér., rare. Aspect, couleur de ce qui est blême. — *La blêmeur du visage.* — Couleur blême. *«Les blêmeurs de l'aube»* (Henri Barbusse, *le Feu*).

**BLÊMIR** [blemiʀ] v. [CONJUG.: *finir.*] — 1080, *Chanson de Roland;* du francique **blesmjan,* de **blasmi* «couleur pâle», l'anc. nordique *blàmi* désigne une couleur sombre : cf. l'évolution de *livide.*

♦ **1** Intrans. Devenir blême (personnes, visages; teint...). *Blêmir de peur, de rage.* → **Blanchir, pâlir, verdir** (*supra* cit. 2).

Absolt. Avoir une réaction visible de peur ou d'extrême colère. *À ces mots, il blêmit.*

(...) il *(le Champi)* se mit à blêmir aussi et à trembler et à regarder Madeleine, pensant qu'elle lui parlerait. 1
G. SAND, François le Champi, IX, p. 82.

(...) je ne goûterai jamais une joie plus intense que celle qui m'inondait le jour où, du haut de la tribune, je voyais se convulser ou blêmir tous ces visages de coquins. 2
M. BARRÈS, Leurs figures, p. 220.

♦ **2** (Sujet n. de chose). *L'aube blêmit. Une lumière qui blêmit.* → **Pâlir.**

On voit le jour blêmir (...) HUGO, Caravane. 3

(...) sur le jardin du Luxembourg, l'horizon blêmissait; des vapeurs circulèrent dans l'avenue, et enveloppèrent d'ouate les touffes noires des cimes. 4
MARTIN DU GARD, les Thibault, t. I, p. 63.

♦ **3** Trans. Rendre blême.

(...) au-dessus des toits, le clignement de quelques éclairs lointains blêmissait par instants le ciel. 5
MARTIN DU GARD, les Thibault, t. IV, p. 154.

◆ **BLÊMI, IE** p. p. adj.

Remontant l'escalier, Rieux revoyait son visage, blêmi par les fatigues et les privations. 6
CAMUS, la Peste, V, *in* Récits et nouvelles, Pl., p. 1451.

CONTR. **Colorer** (se), **rougir.** ◊ DÉR. **Blême, blêmissant, blêmissement.**

**BLÊMISSANT, ANTE** [blemisɑ̃, ɑ̃t] adj. — P. prés. de *blêmir.*

Littér. Qui est en train de blêmir, de devenir blême. (Visages, personnes). *Teint, visage blêmissant.*

(Choses) :

Alors les étoiles s'allument au-dessus de la campagne blêmissante. 1
E. FROMENTIN, Une année dans le Sahel, p. 65.

Quand l'aube parut blêmissante au ciel, ils étaient encore là tous deux; mais le sergent les chassa de peur d'être puni à cause de son bon vouloir. 2
Charles DE COSTER, la Légende d'Ulenspiegel, *in* Littératures de langue franç. hors de France, p. 213.

**BLÊMISSEMENT** [blemismɑ̃] n. m. — 1564; «action de rendre blême par l'offense», 1190; de *blêmir.*

Littér. Fait de blêmir.

Cela prit forme et s'ébaucha derrière les arbres avec le blêmissement de l'apparition; la masse blanchit; le jour qui se levait peu à peu plaquait une lumière blafarde sur ce fourmillement (...)
HUGO, les Misérables, t. II, p. 104, *in* T. L. F.

**BLENDE** [blɛ̃d] n. f. — 1751; all. *Blende,* déverbal de *blenden* «éblouir».

Minér. Minerai de sulfure de zinc*, parfois associé au plomb et au cadmium. *Cristaux de blende. La blende est souvent mélangée à la galène. Métal extrait de certaines blendes.* → **Indium.**

COMP. V. **Pechblende.** ◊ HOM. 1. **Blinde,** 2. **blinde,** formes du v. **blinder.**

**BLENNIE** [bleni] n. f. — 1558, *belenne; blenne,* 1754; lat. mod. *blennius* (1554), du lat. class. *blendius* (Pline).

Zool. Poisson acanthoptérygien *(Blenniidés)* de petite taille, à grosse tête, au corps allongé et de section arrondie, qui vit en eau douce ou dans les eaux du littoral. *Le corps des blennies est recouvert d'un mucus ressemblant à de la bave.* → **Baveuse.** *Blennie ocellée, blennie paon, blennie coiffée* (variétés). *Les blennies ressemblent aux gobies.*

**BLENNO-** Élément, du grec *blenna* «mucus», qui entre dans la composition d'un certain nombre de mots médicaux. → **Blennorragie, blennorrhée.** Outre ces mots, on peut signaler des composés plus rares : *blennadénite* [blenadenit] n. f., «inflammation des glandes muqueuses»; *blennogène* [blenɔʒɛn] adj., «qui produit des mucosités»; *blennoïde* [blenɔid] adj., «qui ressemble au mucus»; *blennophtalmie* [blenɔftalmi] n. f. (1870), «conjonctivite muco-purulente»; *blennorrhoïde* [blenɔʀɔid] adj. (1926 comme n. f.), «qui ressemble à l'écoulement blennorragique»; *blennostase* [blenɔstaz] adj., «suppression d'un écoulement muqueux».

**BLENNORRAGIE** [blenɔʀaʒi] n. f. — 1798, *blennorrhagie, in* Cottez; de *blenno-,* et *-rragie.*

Méd. Maladie contagieuse vénérienne caractérisée par une inflammation des voies génito-urinaires avec écoulement purulent (par le méat urinaire). → fam. **Castapiane, chaude-pisse** (et **chaude-lance**); argot **chtouille**; → fam. Rhume* de culotte. *Blennorragie gonococcique* (→ **Gonorrhée**), *non gonococcique. La blennorragie et ses complications chez l'homme.* → **Cystite, orchite, prostatite, urétrite.** *Blennorragie chez la femme.* → **Cystite, métrite, ovarite, salpingite, vaginite.** *Blennorragie chronique.* → **Blennorrhée.** — Abrév. fam. **BLENNO,** n. f. (1965, Sandry et Carrère). *Des blennos,* ou (invar.) *des blenno. «On soignera à l'œil vos blenno»* (San Antonio, *Béru-Béru,* p. 363). — REM. Académie 8e éd. a fixé l'orthographe de ce mot, encore écrit *blennorrhagie* par Littré et Hatzfeld. → suff. -rrhagie, -rragie.

DÉR. **Blennorragique.**

**BLENNORRAGIQUE** [blenɔʀaʒik] adj. et n. — 1824, *blennorrhagique;* de *blennorragie.*

Médecine.

♦ **1** Qui concerne la blennorragie.

♦ **2** Atteint de blennorragie.

Même Soledad, dont j'étais tombé amoureux, me lassa en réussissant le même mois à devenir chrétienne, blennorragique, marxiste et enceinte. J'éprouvai une forte impression de démodé.
Jacques LAURENT, les Bêtises, p. 272.

N. *Un, une blennorragique.*

**BLENNORRHÉE** [blenɔʀe] n. f. — Fin XVIIIe, *in* Nysten; de *blenno-,* et *-rrhée.*

Méd. Écoulement chronique de mucosités et de pus par un conduit naturel. *Blennorrhée oculaire.*

**BLÉPHAR-, BLÉPHARO-** Élément, du grec *blepharon* «paupière» qui entre dans la formation de mots scientifiques et médicaux. → **Blépharite, blépharo-conjonctivite, blépharophtalmie, blépharotic.** Exemples de dérivés plus rares : *blépharadénite* [blefaʀadenit] n. f. (1865), «inflammation des glandes palpébrales»; *blépharoplastie* [blefaʀoplasti] n. f. (1865), «greffe des paupières»; *blépharoplégie* [blefaʀopleʒi] n. f., «paralysie des paupières»; *blépharostase* [blefaʀostaz] n. f., «immobilisation préopératoire des paupières»; *blépharotomie* [blefaʀɔtɔmi] n. f. (1970). — (Dans un autre sens). Bot. *Blépharophore* [blefaʀofɔʀ] adj. (1842), «qui porte des cils».

**BLÉPHARITE** [blefaʀit] n. f. — XVIIIe; de *bléphar-,* et *-ite.*

Méd. Inflammation de la paupière, et, spécialt, de son bord. *Blépharite ciliaire.*

Il avait le bord des paupières avivé par une légère blépharite.
G. DUHAMEL, Chronique des Pasquier, III, IX.

**BLÉPHARO-CONJONCTIVITE** [blefaʀokɔ̃ʒɔ̃ktivit] n. f. — 1878; de *blépharo-,* et *conjonctivite.*

Méd. Inflammation des paupières et de la conjonctive.

**BLÉPHAROPHTALMIE** [blefaʀɔftalmi] n. f. — XXe (*in* Larousse, 1928); de *bléphar-,* et *ophtalmie.*

Méd. (Rare). Inflammation des paupières et de la conjonctive. → **Blépharo-conjonctivite.**

**BLÉPHAROSPASME** [blefaʀospasm] n. m. — 1865; de *blépharo-,* et *spasme.*

Méd. Contractions spasmodiques de l'orbiculaire des paupières pouvant provoquer des clignements accélérés et répétés des paupières.

**BLÉPHAROTIC** [blefaʀɔtik] n. m. — Mil. XXe; de *blépharo-,* et *tic.*

Méd. Tic des paupières pouvant se manifester sous la forme de clignements convulsifs ou d'écarquillements.

DÉR. **Blépharotiqueur.**

**BLÉPHAROTIQUEUR, EUSE** [blefaʀɔtikœʀ, øz] n. — Mil. XXe; de *blépharotic.*

Méd. Personne atteinte d'un blépharotic.

**BLÉRIOT** [bleʀjo] n. m. — Déb. XXe; du n. de *Blériot,* ingénieur et aviateur, 1872-1936.

Hist. de l'aéronautique. Type d'avion construit sur le modèle du monoplan utilisé par Blériot dans la première traversée de la Manche en avion (1909).

**BLÈSE** [blɛz] adj. et n. — XIXe (*blésité* attesté déb. XIXe); de *bléser.*

Rare. Se dit d'une personne affectée de blésité*.

**BLÈSEMENT** [blɛzmɑ̃] n. m. — 1838; *blaisement,* 1834; de *bléser.*

Défaut de prononciation d'une personne qui blèse; fait de bléser. → **Blésité.** *Le blèsement d'un enfant.*

Antoinette s'est mise aussi de la partie, répétant avec ce blèsement qu'elle a et dont elle connaît déjà le charme : «Viens avec nous, Pluffe, on va paffer une bonne vournée (...)»
J. DUTOURD, Pluche, XIV, p. 246.

REM. Var. : *blaisement* [blɛzmɑ̃].

**BLÉSER** [bleze] v. intr. [CONJUG.: *céder.*] — 1219; de l'anc. franç. *bles, blois,* du lat. *blæsus* «bègue».

Didact. ou littér. Parler avec un défaut de prononciation qui consiste à substituer des interdentales aux sifflantes. → **Blésité.** — Par ext. → **Zézayer.**

Vx. Bégayer.

REM. Var. : *blaiser* [bleze].

DÉR. **Blèse, blèsement, blésité.**

**BLÉSITÉ** [blezite] n. f. — 1803; de *blèse.*

Rare. Défaut de prononciation qui consiste à ne pouvoir émettre les sifflantes [s], [z] et à les remplacer par des interdentales ou des postdentales. — REM. La blésité est parfois confondue avec le zézaiement*.

Vx. Bégaiement.

Didact. (psychol.). Trouble du langage consistant dans la persistance de défauts appartenant aux stades enfantins de l'apprentissage du langage (remplacements d'un phonème par un autre, inversions, élisions, réduplications de syllabes, manque de syntaxe...). *Les phonèmes les plus perturbés dans les blésités sont ceux qui ont été les plus difficiles à acquérir. Blésités par substitution ou déformation de phonèmes.* → **Chuintement, clichement, deltacisme, gammacisme, grasseyement, iotacisme, lambdacisme,** 2. **mutacisme, zézaiement, zozotement** (d'après R. Lafon).

**BLESSABLE** [blɛsabl; blesabl] adj. — 1603; repris XIXe; de *blesser.*

Rare. Qui est susceptible d'être blessé (au propre et au fig.). → **Vulnérable.** — Surtout en emploi négatif. *Rien ne l'atteint, il n'est pas blessable.*

**BLESSANT, ANTE** [blɛsɑ̃, ɑ̃t; blesɑ̃, ɑ̃t] adj. — 1145; du p. prés. de *blesser.*

♦ **1** Qui heurte, fait souffrir dans l'amour-propre, la délicatesse. → **Blesser** (3.); **désobligeant, injurieux, mortifiant, offensant.** *Discours, propos, procédés blessants. Paroles blessantes.* → **Pique, pointe.** — *Sa remarque avait quelque chose de blessant, un côté, un aspect blessant.*

1 Cette prétendue franchise à l'aide de laquelle on débite des opinions tranchantes ou blessantes est ce qui m'est le plus antipathique. E. DELACROIX, Journal, 8 mars 1849.

2 (...) je m'étais laissé aller à murmurer quelques mots impatientés et blessants, qui, je l'avais senti à une contraction de son visage, avaient porté, l'avaient atteinte.
PROUST, À la recherche du temps perdu, t. IX, p. 204.

(Personnes). *Il a été blessant par son arrogance, sa morgue.* → **Arrogant, déplaisant, désagréable.** *Une personne acrimonieuse et blessante. Je n'ai pas voulu être blessant avec lui.*

N. m. Rare. *Le blessant d'une parole, d'une attitude.*

♦ **2** Rare (au sens concret, → Blesser, 1.). Qui blesse ou peut blesser (le corps, les sens). *Un froid blessant.* → **Piquant, vif.** «*Une lumière dure, crue, blessante*» (Carco, *in* T. L. F.).

CONTR. (Du 1.) **Agréable, aimable, charmant, conciliant, consolant.**

**BLESSÉ, ÉE** [blese] adj. et n. — 1155; de *blesser.*

♦ **1** Adj. [a] Qui a reçu une blessure. *Des soldats blessés; blessés à la tête. Soigner les civils blessés. — Une tête blessée. Membre, genou blessé.*

Elle suffoque, elle se dégage, elle voudrait fuir, blessée, la flèche au flanc. 1
MARTIN DU GARD, les Thibault, t. IV, p. 27.

[b] Fig. *Personne blessée. Être blessé dans son amour-propre* (cit. 10), *dans la délicatesse de ses sentiments.* → **Froissé, mortifié, offensé.** — *Vanité, fierté blessée. Amour-propre blessé. Cœur blessé* (→ Plein, cit. 17).

— Eh bien ! ce n'est pas ma faute, répondit-elle, un peu blessée de ce qu'il ne la tutoyait plus (...) 2
G. SAND, la Mare au diable, XI, p. 95.

Frédéric se sentit blessé, jusqu'au fond de l'âme (...) 3
FLAUBERT, l'Éducation sentimentale, I, VI.

Poét., vx. *Blessé par l'amour,* et, absolt, *blessé :* amoureux (→ Blesser, cit. 8).

Ariane, ma sœur, de quel amour blessée, 4
Vous mourûtes aux bords où vous fûtes laissée !
RACINE, Phèdre, I, 3.

♦ **2** N. Personne qui a reçu une, des blessure(s). *Une blessée. Cet accident de la route a fait un mort et trois blessés. Des blessés de guerre.* → **Invalide, mutilé.** *Les blessés de la route. Blessés de la face* (→ argot milit. Gueules* cassées). *Un blessé resté infirme, boiteux.* → **Estropié.** *Transport des blessés.* → **Ambulance, brancard, brancardier, cacolet, civière.** *Évacuer les blessés. Soigner, opérer les blessés.* → **Hôpital, infirmerie, infirmier.** *Les assaillants achevèrent* (cit. 21) *les blessés.* «*Le râle épais d'un blessé qu'on oublie*» (→ Effort, cit. 3, Baudelaire).

Voici un peuple qui (...) se dresse comme un lion ; il ne se couche point (...) qu'il n'ait bu le sang des blessés. 5
BIBLE (CRAMPON), Nombres, XXIII, 24.

Le blessé est devenu un objet de mode. Il est pour d'autres un objet d'utilité, un paratonnerre. 5.1
Ed. et J. DE GONCOURT, Journal, 11 nov. 1870, t. IV, p. 101.

Je peux bien parler de ça, car j'ai vu mourir, hélas ! des centaines et des centaines de blessés. 6
DUHAMEL, Récits des temps de guerre, t. II, p. 49.

REM. Le nom s'emploie avec des adj. qualifiant normalement la blessure, et non la personne blessée : *blessé grave, léger ; un grand blessé.* Ces emplois sont critiqués par les puristes.

CONTR. **Ingambe, intact, sauf** (sain et sauf), **valide.**

**BLESSEMENT** [blɛsmɑ̃] n. m. — 1840, *blessement de la loi; blecement* «dommage», 1370; de *blesser.*

Rare. Fait de blesser (au fig.), d'attaquer en blessant (les sentiments, etc.).

**BLESSER** [blese] v. tr. — Mil. XIe, *blecier* «meurtrir des fruits»; *blecer,* 1080, «mettre (qqn) à mal»; sens mod. v. 1170; d'un gallo-roman **blettiare,* du francique **blettjan* «meurtrir»; Guiraud suppose en outre un croisement avec un **blattiare* gallo-roman, de *blatta, blattea* «sève de la pourpre noire».

♦ **1** (Sujet n. d'être animé). Frapper d'un coup qui cause une lésion à l'organisme. → **Blessure; abîmer, amocher, arranger** (fam.); **assommer, contusionner, écorcher, éreinter, estropier; maltraiter, meurtrir, mutiler, navrer** (vx). *Blesser qqn grièvement.* → 1. **Écharper.** *Blesser qqn à coups de cornes* (→ **Encorner**), *à coups de couteau* (→ **Couper; balafrer, entailler, percer, poignarder**), *de dents* (→ **Mordre**). *Blesser qqn par écrasement, pression.* → **Broyer, écraser, fouler, froisser; contondant.** *Blesser qqn par brûlure.* → **Brûler.** *Blesser qqn légèrement* (cf. Faire un bobo, une égratignure à...). *Blesser* *qqn mortellement, à mort. Chacun peut être blessé.* → **Blessable, vulnérable.** — Spécialt (au combat, à la guerre). *Blesser deux ennemis et en tuer un. Se faire blesser et être évacué du front.*

1 L'intention de celui qui blesse ne soulage pas celui qui est blessé. PASCAL, les Provinciales, 7.

Passif et p. p. → **Blessé.** *Être blessé à la jambe.*

2 Tué, peu importait. Son angoisse était d'être blessé au ventre. MALRAUX, la Condition humaine, Pl., p. 233.

(Sujet n. de chose). Occasionner une blessure à (qqn, un animal, une partie du corps). *Il est tombé sur un tesson qui l'a blessé au genou.* — (Projectiles). *La flèche, la balle qui l'a blessé. La balle a blessé le poumon. Le mors a blessé la bouche du cheval.* — Fig. *Le bât blesse.* → **Bât** (*supra* cit. 4).

Causer une douleur, faire mal à (qqn, une partie du corps). *Son corset la blessait. Le rocher blessait ses pieds nus.*

3 (...) des souliers qui me blessent furieusement (...) MOLIÈRE, le Bourgeois gentilhomme, II, 5.

Techn. Pratiquer une entaille dans (un arbre, une plante).

♦ **2** [a] (Abstrait). Littér. Causer une impression désagréable, pénible à (un sens, la sensibilité). → **Affecter.** *Cette horrible scène blesse la vue.* → **Effaroucher.**

[b] (Concret). Produire une sensation pénible, désagréable sur (un, les sens). *La lumière trop vive blessait les yeux, la vue. Des sons qui blessent l'oreille.* → **Déchirer, écorcher.**

4 Mes yeux sont trop blessés, et la cour et la ville
Ne m'offrent rien qu'objets à m'échauffer la bile (...)
MOLIÈRE, le Misanthrope, I, 1.

5 J'ai remarqué que les enfants ont rarement peur du tonnerre, à moins que les éclats ne soient affreux et ne blessent réellement l'organe de l'ouïe; autrement cette peur ne leur vient que quand ils ont appris que le tonnerre blesse ou tue quelquefois. ROUSSEAU, Émile, I.

♦ **3** [a] Vieilli, par métaphore. (Le sujet désigne un sentiment, un affect; le compl. désigne une personne). Toucher, atteindre (cit. 15).

6 La main qui me blessait a daigné me guérir?
CORNEILLE, Rodogune, IV, 3.

7 (...) la pitié qui me blesse
Sied bien aux plus grands cœurs, et n'a point de faiblesse.
CORNEILLE, Polyeucte, I, 1.

Fig., vx. Frapper par l'amour. — Au passif. *Être blessé par, de...*

8 (...) ces hommes saints qui ont été autrefois blessés des femmes. LA BRUYÈRE, les Caractères, III, 40.

[b] (1176). Mod. Porter un coup pénible à (qqn), toucher ou impressionner désagréablement les sentiments. → **Choquer, contrarier, déplaire, heurter, irriter, offenser, ulcérer** (fig.). *Une attitude, des paroles qui blessent qqn, son amour-propre.* → **Blessant.** *Blesser qqn au vif,* douloureusement. → **Vif** (piquer, toucher... au vif). *Blesser l'amour-propre, la fierté* (→ 2. Manifeste, cit. 1), *l'orgueil de qqn par des railleries, des moqueries, des taquineries.* → **Égratigner, froisser, piquer, vexer.** *Un rien le blesse :* il est susceptible, vulnérable. *Blesser une susceptibilité.* — Absolt. *Ce sont des paroles qui blessent, peuvent blesser.*

9 Mais une grande offense est de cette nature
Que toujours son auteur impute à l'offensé
Un vif ressentiment dont il le croit blessé (...)
CORNEILLE, Rodogune, I, 5.

10 Et je ne vois rien là, si j'en puis raisonner,
Qui blesse la pensée et fasse frissonner.
MOLIÈRE, les Femmes savantes, I, 1.

11 (...) la vie est pleine de choses qui blessent le cœur.
M^me^ DE SÉVIGNÉ, 438, 30 août 1675.

Les petits esprits sont trop blessés de petites choses; les grands esprits les voient toutes, et n'en sont point blessés. 12
LA ROCHEFOUCAULD, Maximes, 357.

C'était un fier gueux que ce seigneur, sa vanité était blessée pour peu de chose. 13
VOLTAIRE, Dict. philosophique, Amour-propre.

Si elles *(les lois divines)* blessent notre raison, c'est parce qu'elles y sont supérieures et qu'elles s'accordent avec les vraies fins de l'homme et non avec ses fins apparentes. 14
FRANCE, la Rôtisserie de la reine Pédauque, XV.

(...) l'immortalité du monde, qui jusque-là l'avait laissée indifférente, eut prise sur elle et la blessa cruellement, comme la dureté des saisons terrasse les corps que la maladie rend incapables de lutter. 15
PROUST, les Plaisirs et les Jours, p. 62.

Jacques eut un mauvais rire. L'attitude de son frère le blessait au vif. 16
MARTIN DU GARD, les Thibault, t. VII, p. 272.

♦ **4** (Sujet n. de personne). Vx ou littér. Enfreindre, aller à l'encontre de (un principe, une règle sociale). → **Atteinte** (porter atteinte à), **contraire** (être contraire à), **enfreindre, heurter, violer.** *Il lui arrive de blesser les bienséances, les convenances, les règles, les principes, les usages, les goûts.* — (Sujet n. de chose). *Ce récit blesse la vraisemblance. Blesser la pudeur* (→ **Attenter** [à]), *la charité. Propos qui blessent le respect.* → **Irrespectueux...**

C'est un peu librement expliquer sa pensée 17
Pourquoi? La bienséance y semble un peu blessée.
MOLIÈRE, Mélicerte, I, 4.

Sans blesser la charité et votre conscience mortellement (...) PASCAL, Lettres, 7. 18

(...) l'on n'y blesse point *(à la cour)* la pureté de la langue. 19
LA BRUYÈRE, les Caractères, IX, 53.

Celui qui dit (...) de soi, et sans croire blesser la modestie, qu'il est bon (...) LA BRUYÈRE, les Caractères, XI, 84. 20

Celui qui blesse la vérité offense les dieux (...) 21
FÉNELON, Télémaque, III.

(...) je vous jure d'être décent, et de ne pas dire un seul gros mot, ni rien qui blesse les convenances. 22
A. DE MUSSET, Il ne faut jurer de rien, II, 1.

♦ **5** (Sujet n. de personne ou, plus souvent, de chose). Faire tort*, porter préjudice à (un intérêt). → **Léser, nuire, préjudicier.** *Cet accord blesse nos intérêts.* → **Atteinte** (porter).

Parle; et sans espérer que je blesse ma gloire, 23
Voyons comment tu sais user de la victoire.
RACINE, Alexandre, V, 3.

◆ **SE BLESSER** v. pron.

♦ **1** Se faire une blessure à soi-même. *Se blesser en tombant. Se blesser volontairement. Se blesser grièvement.* → **Estropier** (s'), **mutiler** (se). *Il s'est blessé au genou en tombant.*

♦ **2** Fig. S'offenser. → **Formaliser** (se), **offenser** (s'), **piquer** (se). *Il se blesse pour un rien.* → **Susceptible.**

(...) elle dont la susceptibilité de paysanne fière se blessait d'un regard (...) ZOLA, la Terre, p. 55. 24

◆ **BLESSÉ, ÉE** p. p. adj. → **Blessé** à l'ordre alphabétique.

CONTR. **Épargner, panser, soigner. — Caresser, charmer, complaire, complimenter, flatter, louer, réparer. — Respecter. — Avantager.** ◈ DÉR. **Blessable, blessant, blessé, blessement, blessure.** — V. aussi **Blet.**

**BLESSURE** [blesyʀ] n. f. — 1138, *blescëure; blessure,* XIV^e^; *de blesser,* et suff. *-ure.*

♦ **1** Lésion faite aux tissus vivants par une cause extérieure (pression, choc, coup* porté au moyen d'un instrument tranchant ou contondant, arme à feu; chaleur), involontairement ou pour nuire. → **Lésion, plaie, trauma; balafre, coupure, écorchure, entaille, estafilade, estocade, morsure, mutilation, piqûre; bleu, bosse, brûlure, commotion, contusion, distension, ecchymose, élongation, fêlure, foulure,**

**fracture, froissement, luxation, meurtrissure.** *Blessure béante, ouverte; la blessure bâillait.* → **Plaie** (cit. 3). *Blessure en séton*. Blessure faite au chien par le sanglier.* → **Décousure.** *Blessure légère, bénigne, superficielle.* → **Bobo** (fam.), **égratignure, éraflure, griffure; excoriation** (didact.). *Blessure béante, profonde, dangereuse, grave, mortelle. «Une blessure large et creuse»* (→ Meurtrir, cit. 2, Baudelaire). *Blessure cruelle, cuisante, douloureuse. Recevoir une blessure, être couvert, criblé de blessures. Soigner, bander, panser, guérir une blessure. Blessure curable, guérissable. Aviver, rouvrir une blessure. Marque, trace d'une blessure.* → **Cicatrice.**

1 Les défauts de l'âme sont comme les blessures du corps : quelque soin qu'on prenne de les guérir, la cicatrice paraît toujours, et elles sont à tout moment en danger de se rouvrir. LA ROCHEFOUCAULD, Maximes, 194.

2 Il lui fait dans le flanc une large blessure. RACINE, Phèdre, V, 6.

2.1 (...) je m'y traînai comme je pus, et m'y étant mise à la même place, tourmentée de mes blessures encore saignantes, accablée des maux de mon esprit et des chagrins de mon cœur, je passai la plus cruelle nuit qu'il soit possible d'imaginer. SADE, Justine..., t. I, p. 99.

3 Ce jour verdâtre (...) ces ombres vêtues de pansements comme d'un costume de mi-carême, tout cela *(la salle de l'hôpital San Carlos)* semblait un royaume éternel de la blessure, établi là hors du temps et du monde. MALRAUX, l'Espoir, I, III, 1.

Par métaphore, poét. (→ Ensanglanter, cit. 3).

4 Mes lèvres sont les bords d'une blessure brûlante. Pierre LOUŸS, Aphrodite, I, p. 23.

Dr. *Être inculpé pour coups et blessures.* → **Coup** (cf. Code pénal, art. 309 à 311).

(En parlant d'un animal). *Soigner les blessures d'un cheval. Animal qui lèche ses blessures.* — Fig. (en parlant d'un végétal). Littér. *«Les blessures vertes de l'arbre»* (Giono, *le Grand Troupeau*).

(Choses). *Les blessures d'un vieux mur.* — Poét. Trace comparée à une blessure. *«La nuit (est...) déchirée de longues blessures de clarté»* (Genevoix, *in* T. L. F.).

♦ **2** Par métaphore ou fig. Atteinte* morale. → **Blesser** (3.); **coup, douleur, froissement, offense, trait.** *Blessure de l'âme. Blessure d'amour-propre*. Les blessures de l'amour. Infliger une blessure.* → **Blesser.** *Blessure béante :* peine morale vive et toujours présente. *Accabler de blessures. Rouvrir, raviver une blessure oubliée. Une vieille blessure :* un ancien amour. *Enfoncer, retourner le fer, le poignard dans la blessure.* → **Plaie.** *Mettre un baume sur une blessure* (→ Baume, cit. 9). *Être insensible, invulnérable* aux blessures.*

5 Il va percer mon cœur et rouvrir ma blessure (...) VOLTAIRE, Alzire, III, 3.

6 La femme est née pour la souffrance. Chacun des grands pas de la vie est pour elle une blessure. MICHELET, la Femme, p. 268.

7 (...) de toutes les blessures, celles que font la langue et l'œil, la moquerie et le dédain sont incurables. BALZAC, le Cabinet des Antiques, Pl., t. IV, p. 349.

8 (...) l'esprit a ses plaies et ses blessures aussi cruelles et souvent plus horribles que celles du corps. A. DE MUSSET, l'Anglais mangeur d'opium, Au lecteur.

9 (...) en dépit des froissements, des blessures, qui ne sont point épargnés à ceux qui s'aiment, et surtout quand ils sont des êtres trop sensibles (...) R. ROLLAND, le Voyage intérieur, p. 133.

10 Mon Dieu je viens à Vous avec toutes mes plaies qui sont devenues des blessures; avec tous mes péchés sous le poids desquels mon âme est écrasée (...) GIDE, Numquid et tu...?, 29 octobre, *in* Journal 1889-1939, Pl., p. 603.

(...) ils ont rompu, je ne sais trop pourquoi et, chez lui au moins, la blessure saigne encore (...) A. MAUROIS, Terre promise, XXX, p. 210. 11

Il lui restait des souvenirs de beauté humaine comme des blessures. COCTEAU, le Grand Écart, I. 12

CONTR. **Guérison, pansement, soin. — Caresse, cicatrice, douceur. — Apaisement, consolation.**

**BLET, BLETTE** [blɛ, blɛt] adj. — V. 1295, *blete,* fém.; rare en anc. franç., repris au XVIe; de l'anc. franç. *blece* (→ Blèche), de *blecier* «meurtrir». → Blesser.

♦ **1** Se dit des fruits trop mûrs* dont la chair s'est ramollie. *Poire blette. Ces fruits ne sont plus blets, mais gâtés, pourris. Les nèfles se mangent blettes.*

On mange à l'état blet les fruits de quelques espèces de (...) ADRIEN DE JUSSIEU, dans JAUBERT, Glossaire (*in* LITTRÉ.) 1

Par métonymie. *Un goût un peu blet,* de fruit blet.

♦ **2** Fig. Qui a l'aspect, la couleur brunâtre du fruit blet.

Un peu de sang colora ses joues blettes. F. MAURIAC, le Nœud de vipères, II, 14, p. 171. 2

Rouge, d'un rouge un peu blet, elle dédaignait à présent la poudre (...) COLETTE, la Fin de Chéri, p. 80. 3

♦ **3** Péj. Marqué par l'âge; plus que mûr*.

(...) adossée à l'oreiller, elle jette sur Thérèse un regard de mépris. Et Thérèse oublie ses questions, paraît se réduire, devenir plus blette, plus informe. Suzanne PROU, la Terrasse des Bernardini, p. 115. 4

CONTR. **Vert. — Dur.** ◊ DÉR. **Blettir.** — HOM. (Du fém.) **Blette.**

**BLETTE** [blɛt] n. f. → 1. **Bette.**

**BLETTIR** [bletiʀ] v. intr. [CONJUG.: *finir.*] — 1338; de *blet.*

♦ **1** Devenir blet*. *Les pommes blettissent moins souvent que les poires.*

Par métaphore :

J'ai fortement avancé... *et Ce (titre d'une œuvre).* Mais je pleure presque de n'y pouvoir travailler dix heures par jour. C'est un fruit mûr qu'il faut cueillir et ne pas laisser blettir. J.-R. BLOCH, Deux hommes se rencontrent, p. 176. 1

♦ **2** Au fig. (Péj.). Devenir blet (3.), mûrir* à l'excès.

Moune, c'est comme un modèle, à découper au pointillé, de ce qu'il ne faut pas être à soixante-cinq ans. Moune ou l'art et la manière de mal vieillir. Pourrir dans un coin, blettir dans l'autre, rester jeune juste de là où ça compte pour du beurre. Benoîte et Flora GROULT, Il était deux fois, 1968, p. 56. 2

Au participe passé :

(...) lorsque les Aurignaciens gravent sur un bloc une vulve et un phallus, il n'y a évidemment aucune recherche pornographique, car il a fallu toute la maturité des civilisations un peu bletties de l'Amérique précolombienne, de l'Inde, de la Chine ou de l'Europe pour atteindre cet état de la figuration. A. LEROI-GOURHAN, le Geste et la Parole, t. II, p. 250. 3

DÉR. **Blettissement** ou **blettissure.**

**BLETTISSEMENT** [bletismɑ̃] n. m., ou **BLETTISSURE** [bletisyʀ] n. f. — 1826; de *blettir*.*

Maturité excessive, qui rend un fruit blet*. *Blettissure :* endroit blet.

**BLEU, BLEUE** [blø] adj. et n. m. — V. 1121, *bloe, blo, blef,* probablt au sens de «pâle, blanchâtre»; en parlant du ciel pur *(blef),* v. 1150; *bleu,* XIIe-XIIIe; du francique **blao* (même sens). Cf. all. *blau.*

**I** Adj. ♦ **1** Qui est d'une couleur entre l'indigo et le vert, dont la nature offre de nombreux exemples, comme un ciel sans nuages (→ **Azur, azuré, azuréen, azurin, cérulé**), certaines fleurs (→ **Bleuet, bluet, myosotis, pervenche**), certains minéraux (→ **Lapis-lazuli, saphir**). — (Phys.). *La couleur bleue correspond aux radiations du spectre visible situées entre les raies F* (bleu verdâtre) *et le G* (indigo) *du spectre solaire.*

*Un ciel bleu,* sans nuages. *Mer bleue. Les flots bleus. Le fleuve bleu :* le Yang-Tsé-Kiang. *Le beau Danube bleu. Montagnes bleues. Brume bleue* (→ Baigner, cit. 9).

1 Ô beau cristal murmurant
Que le ciel est azurant
D'une belle couleur blue *(bleue)*
RONSARD, Odes, V, 13, *in* HUGUET.

2 La nature, la mer, le ciel bleu, les étoiles (...)
HUGO, les Chants du crépuscule, 13.

3 Les ombres bleues des peupliers barrent la route (...)
FR. JAMMES, Poèmes mesurés, IX.

Fig. *La houille* bleue :* l'énergie des marées.

*Une pierre bleue.* — Loc. *Pierres bleues :* calcaires du carbonifère de couleur bleue. — Chim. *Cendres bleues* (vx) : carbonate de cuivre artificiel. *Cuivre bleu :* variété de carbonate de cuivre. *Mélange bleu de l'ammoniaque et du sulfate de cuivre.* → **Céleste** (eau céleste).

*Des yeux bleus.* → **Pers.**

4 Si je vous le disais pourtant, que je vous aime,
Qui sait, brune aux yeux bleus, ce que vous en diriez ?
A. DE MUSSET, Choix de poésies, « À Ninon ».

*Barbe, chevelure bleue,* très noire. *Le conte de Barbe-Bleue. Menton bleu,* rasé mais laissant deviner une barbe noire.

5 Je reconnus ces cheveux noirs, noirs à reflets bleus qu'ils *(les poètes arabes)* comparent au pigeon dans l'ombre (...)
E. FROMENTIN, Un été dans le Sahara, III.

(Qualifiant un animal). Dont l'apparence extérieure (peau, fourrure, etc.) présente une teinte, un reflet bleuté. — Spécialt. (Qualifiant une espèce, une variété). *Baleine* bleue. Perruche* bleue. Renard* bleu. Requin* bleu. Mouche bleue. — Persan bleu* (chat). — *Race bleue du Maine* (moutons). *Race bleue du Nord* (bovins).

*Sang bleu.* → **Sang.** — Fig. Sang noble.

6 L'ancienne noblesse répugnait si bien à cette conformation absolue des organes qu'elle déclarait bleu le sang qui coulait dans ses veines.
G. DUHAMEL, Récits des temps de guerre, t. II, XI, p. 46.

*Vêtement, costume bleu. Robe, veste bleue. Pantalon de toile bleue.* → **Blue-jeans.** *Combinaison bleue. Bas bleu.* — Fig. *Bas-bleu.* → 2. **Bas.** *Cordon bleu.* → **Cordon-bleu.** *Ruban bleu.* → **Ruban.** *Dentelle bleue :* dentelle anglaise faite à Coventry.

Se dit de certaines personnes vêtues de bleu (→ ci-dessous, II., B., 1.). *Officier bleu* (vx). *Les hommes bleus :* les Touaregs. *Les filles bleues* (vx) : les religieuses de l'Annonciade.

*Cols* bleus :* marins français. — *Casques bleus* (par métonymie) : troupes de l'O. N. U.

*Ballets bleus.* → **Ballet** (*supra* cit. 5).

*Encre bleue, crayon bleu.* — Spécialt. *Papier bleu :* papier d'huissier. — *Bibliothèque bleue :* ensemble de romans de chevalerie à couverture bleue. — *Guides bleus,* nom (déposé) d'une série de guides publiés par un grand éditeur français.

6.1 Le Guide Bleu ne connaît guère le paysage que sous la forme du pittoresque (...) Pour le Guide Bleu les hommes n'existent que comme types.
R. BARTHES, Mythologies, p. 121-122.

Loc. **CONTE BLEU :** récit fabuleux (probablt à cause des contes de la bibliothèque bleue). *Discours en l'air, sornette.*

Des vers, des contes bleus, de frivoles sornettes (...) 7
BOILEAU, Satires, XII.

(De la couleur du ciel évoquant l'idéal, la pureté, l'illusion). Loc. *Songe bleu, rêve* bleu.* — *La fleur bleue, la petite fleur bleue.* → **Fleur.**

(En parlant d'une viande). Très saignant, à peine grillé. *Steak, bifteck* (cit. 2) *bleu.*

Le gros mangeur qui désire un steak saignant le commande bleu, peut-être pour oublier sa vraie couleur de sang. 7.1
J. PRÉVERT, Choses et autres, p. 260.

Spécialt. *Époque, période bleue d'un peintre* (d'abord appliqué à Picasso), caractérisée par des tonalités à dominante bleue.

Elle passait au loin, très embellie (...) un peu comme dans ce qu'on a appelé, pour un peintre qui fut de vos tout premiers amis, l'*époque bleue.* 7.2
A. BRETON, l'Amour fou, VII, p. 69.

(1957). *Zone* bleue :* zone à stationnement limité, dans une grande ville.

(En France). *Carte bleue,* nom d'une carte* de crédit. — *Compteur bleu :* compteur électrique plus puissant qu'un compteur normal.

Le monsieur de l'électricité est là... et je ne trouve plus mon compteur bleu... ? 7.3
Benoîte et Flora GROULT, Il était deux fois, p. 57 (1968).

♦ **2** a (En parlant de la peau). D'une couleur livide*, après une contusion, un épanchement de sang (→ ci-dessous, II., B., 3. : *un bleu*). *Certaines affections rendent la peau bleue, livide ou noirâtre.* → **Cyanose.** *Œdème bleu.*

b Loc. (1837, in D. D. L.). **MALADIE BLEUE :** état morbide provoqué par les malformations congénitales du cœur et des gros vaisseaux, avec coloration bleue des téguments. → **Tétrade** ou **tétralogie** (de Fallot). — Par métonymie. *Enfant bleu :* enfant ayant la maladie bleue.

Ce que l'on nomme la maladie bleue s'appelle de son nom technique *la tétralogie de Fallot* (...) 7.4
Le sang qui part de l'aorte est donc *(dans cette maladie)* un sang mélangé (...) insuffisamment chargé en oxygène, il est bleu, ce qui explique non seulement la couleur des téguments de l'enfant, mais aussi tous les troubles qu'il présente.
(...) beaucoup d'enfants atteints de cardiopathies congénitales, et beaucoup d'enfants bleus en particulier.
Cl. D'ALLAINES, la Chirurgie du cœur, p. 50.

c (Personnes). → **Livide.** *Être bleu de froid, de colère, d'émotion* (→ **Vert**), *de peur. En devenir, en être, en rester bleu :* être figé par l'étonnement. → **Interdit, stupéfait.** *Il en est resté bleu.*

d (1616, *in* D. D. L.). Qui rend bleu (en parlant d'un sentiment). — Cour. *Une peur* bleue.*

Des fonds roux, des colères bleues, des rages jaunes, et ce continu clignement d'yeux. 7.5
J. RENARD, Journal, 18 juin 1900.

(...) j'aime ma névrose. Je ne veux pas guérir. C'est de là que me vient cette peur bleue, cette panique dès la nuit. 7.6
E. IONESCO, Journal en miettes, p. 126.

Et puis... où était le champ de mines ! François avait une peur bleue des mines, qui vous attaquent lâchement aux jambes, au ventre... 7.7
Armand LANOUX, le Commandant Watrin, p. 171-172.

♦ **3** (1982 ; orig. inconnue). *Nuit bleue :* nuit où plusieurs attentats sont organisés simultanément.

**II** N. m. **A** ♦ **1** (1180). Couleur bleue. *Le bleu est l'une des sept couleurs fondamentales du spectre. Aimer le bleu. Le bleu est une couleur apaisante.*

*Nuances de bleu. Un bleu clair; bleu d'azur, barbeau, céruléen, céleste, ciel, électrique; bleu horizon; bleu lavande, bleu de lin, bleu Nattier* (du nom du peintre); *bleu pâle, pastel, bleu de porcelaine, pervenche* (cit. 2), *bleu de faïence* (→ Blond, cit. 6). *Bleu vif, bleu outremer, bleu de roi* ou *de France :* couleur de la maison de France. *Bleu de Prusse. Bleu foncé, bleu marine, bleu hussard; bleu noir, turquin; bleu nuit; gros bleu* (→ Brouillonner, cit.). *Bleu gris; bleu acier, ardoise* (cit. 1), *éléphant. Bleu gendarme. Bleu vert; bleu de jade; bleu paon, pétrole, turquoise. Bleu canard.* — REM. Ces syntagmes peuvent s'employer adjectivement, mais *bleu* et l'adjectif qui l'accompagne éventuellement restent alors invariables : *des yeux bleu vert, des manteaux bleu marine, des touches bleu de Prusse. «Cachemires bleus et bleu de ciel»* (Mallarmé, *la Dernière Mode*, Pl., p. 715).

8 Ce beau vert et ce bleu céleste *(de l'arc-en-ciel)* sont un beau signal d'un Dieu apaisé (...)
BOSSUET, Élévation à Dieu..., 8e sem., 6.

9 Le ciel était d'un bleu de cobalt pur (...)
E. FROMENTIN, Un été dans le Sahara, I.

9.1 Un soir fait de rose et de bleu mystique,
BAUDELAIRE, les Fleurs du mal, «La Mort des amants».

10 (...) le grand ciel, rien que du bleu, un infini de bleu.
ZOLA, la Faute de l'abbé Mouret, p. 207.

11 Cinq heures de l'après-midi est un moment instable, doré, qui nuit passagèrement au bleu universel, air et eau, où nous nous baignons.
COLETTE, la Naissance du jour, p. 97.

12 Le lac, vu de haut, a la densité du mercure, son éclat mort. Les vignes sulfatées, qui dévalent jusqu'au rivage, sont d'un bleu de poison.
MARTIN DU GARD, les Thibault, t. VIII, p. 95.

(1254). Couleur bleue des vêtements. *Porter du bleu. S'habiller de bleu.* — Loc. *Vouer un enfant au bleu :* faire vœu d'habiller un enfant en bleu, en l'honneur de la Vierge.

12.1 Voilà la jeune rue et tu n'es encore qu'un petit enfant
Ta mère ne t'habille que de bleu et de blanc.
APOLLINAIRE, Alcools, «Zone».

*Tirant sur le bleu.* → **Bleuâtre, bleuté.** *Bleu mêlé de rouge.* → **Lilas, violet.** *Combinaison de bleu et de jaune.* → **Vert.** *À la lumière, l'azurine est d'un bleu fluorescent.*

*En bleu. «Le plafond peint en bleu...»* (Baudelaire, Pl., p. 58). *S'habiller en bleu. Teinter en bleu.* → **Azurer; bleuir, bleuter.**

(1718; le poisson prend une teinte bleue). *Au bleu,* façon de préparer certains poissons d'eau douce (truite, carpe) en les jetant vivants dans un court-bouillon salé, vinaigré et aromatisé. *Truite au bleu* (→ Meunier, cit. 4).

♦ **2** Loc. fig. (1877). *En voir de bleues :* subir des mésaventures (cf. En voir de toutes les couleurs, des vertes et des pas mûres...). — *N'y voir que du bleu :* n'y rien voir, n'y rien comprendre; se laisser tromper (→ N'y voir que du feu*).

(1866, Amiel). *Être dans le bleu :* être dans le vague.

12.2 Chez lui, le corps n'existait guère, l'esprit habitait bien haut dans le bleu des légendes; le cœur seul vivait (...)
Louise MICHEL, la Misère, t. III, p. 575 (1881).

Loc. vieillie. *Voir tout en bleu.* → **Rose.**

Par métaphore. Azur, milieu céleste.

♦ **3** (1577). Matière colorante bleue. *Variétés de bleus. Bleus végétaux.* → **Indigo, pastel, tournesol.** *Bleus minéraux : bleu de Prusse,* ou *de Berlin* (ferrocyanure de fer). *Bleu d'azur, de smalt.* → **Azur** (1.), **smalt.** *Bleu de cobalt.* → **Cobalt.** *Bleu d'outremer :* silicate double d'aluminium, de sodium, etc. *Bleus cuivreux : bleu de montagne* (→ **Azurite**); *bleu de cuivre; bleu égyptien; bleu de Brême, de Hambourg. Bleus de houille.* → **Aniline, induline, naphtaline, rosaniline; indophénol, phénol, résorcine.** *Bleu sulfuré. Bleu azoïque.*

Teinture bleue. *Bleu de teinturier.* → **Éméraldine, guède.** *Bleu de lessive. Bleu d'azur.* → **Azur** (cit. 1 et *supra*). *Passer le linge au bleu,* pour le blanchir. → **Azurage, azurer.** *Des boules de bleu* (→ Savon, cit. 1).

Loc. fig. (1877). **PASSER AU BLEU :** faire disparaître, subtiliser (→ **Escamoter, sauter**); éviter ou oublier de faire (cf. Passer à l'as).

Absolument dépaysé, je passai au bleu la prière du matin — dans une cure, Seigneur! — (...) 12.3
Hervé BAZIN, Vipère au poing, p. 144.

*Bleu de méthylène* (substance antiseptique et analgésique).*

À la crèche, j'allais le voir en douce : les carreaux étaient passés au bleu, mais j'avais raclé la peinture, dans un coin pour l'apercevoir. 12.4
Jean FERNIOT, Pierrot et Aline, p. 156.

Décor bleu (dans l'émaillage, la porcelaine). *Du bleu de Sèvres. Un beau bleu.*

Blason. → **Azur.**

**B** Par métonymie. (Choses ou personnes de couleur bleue). ♦ **1** Personne vêtue de bleu. **a** Hist. Nom donné aux soldats républicains par les royalistes vendéens.

Théoriquement l'uniforme des volontaires *(pendant la Révolution)* était bleu. La couleur s'en généralisa. Aussi «les habits bleus par la victoire usés» sont-ils restés dans l'imagination des hommes du temps. Ils caractérisaient l'armée révolutionnaire. Pour les chouans, l'ennemi, c'étaient les «bleus». Les gendarmes aussi portèrent le nom. 13
BRUNOT, Hist. de la langue franç., t. IX, p. 951.

On voit encore au sommet du mont des Alouettes les moulins à vent qu'utilisaient les Vendéens pour signaler les mouvements des Bleus. 13.1
S. DE BEAUVOIR, Tout compte fait, p. 255.

N. f. pl. (1679, *in* D. D. L.). Vx. *Les Bleues* (ou *filles bleues*), religieuses en manteau bleu de l'un des ordres de l'Annonciade.

**b** (1791, *in* T. L. F.). Jeune recrue (les soldats d'autrefois arrivant souvent à la caserne en blouse bleue). → **Conscrit, nouveau, novice; bleu-bite; bleusaille** (→ Pierrot, cit. 3). *Brimer les bleus.*

(...) des paroles aimables et persuasives comme en ont au lycée les vétérans, au régiment les anciens pour un bleu qu'on veut amadouer (...) 14
PROUST, À la recherche du temps perdu, t. X, p. 51 (→ Amadouer, cit. 5).

L'officier, déjà fort désobligé par ces propos impertinents, bondit de rage lorsqu'il apprit qu'ils étaient tenus par un simple engagé, un «bleu»! 15
A. ALLAIS, Contes et chroniques, p. 55.

Je suis rentré en dépôt de mon régiment. Ce sont tous les jours des bleus à dresser, des détachements à habiller, à équiper. Je suis chef de section (...) 16
J.-R. BLOCH, Deux hommes se rencontrent, p. 291.

(1898). Nouvel élève. → **Bizut.** *Tu me prends pour un bleu! Les bleus et les anciens.*

**c** (1867). Au Canada, Membre du Parti conservateur* (opposé à *rouge**).

♦ **2** Combinaison de travail, généralement en toile bleue. *Un bleu de mécanicien. Bleu de chauffe** (cit. 1 et 2). — **BLEUS,** n. m. pl. *Mettre ses bleus. Des bleus de travail.*

Les pendules du pointage inscrivaient sur les cartons des compagnons en bleu la minute de leur passage. 17
Pierre HAMP, la Peine des hommes (Moteurs), p. 22.

♦ **3** (1863). Marque livide sur la peau résultant d'un coup. → **Ecchymose, meurtrissure.** *Se faire un bleu. Être couvert de bleus.*

18 Mme Gavotte m'écoutait d'une oreille distraite, elle cherchait ses bleus sur ses jambes, sur ses bras : les suçons de Ferdinand. Il l'aime, il la mord.
Violette LEDUC, la Folie en tête, p. 446.

♦ **4** (1851). *Gros bleu :* gros vin rouge de mauvaise qualité. *Petit bleu :* vin rouge léger.

19 (...) des lorettes sans ouvrage, prises de la tentation d'une journée de campagne et du petit *bleu* du cabaret.
Ed. et J. DE GONCOURT, Manette Salomon, p. 98.

20 Goûte à ce velours
Ce petit bleu lourd
De menaces (...)
Georges BRASSENS, le Bistro.

*Bleue,* n. f. (1903, Willy, *in* D. D. L.). Pop. Absinthe. → **Verte.**

♦ **5** (1928). Fromage persillé, préparé à partir du lait de vache (à la différence du roquefort) et dont la pâte est parsemée de moisissures bleuâtres. *Bleu d'Auvergne, bleu de Bresse, bleu des Causses. Un bleu très savoureux, onctueux.*

♦ **6** (Noms d'animaux). *Bleu d'Auvergne :* chien à poils ras, à plaques noires bleutées. → **Braque.** — *Bleu de Gascogne :* chien courant à pelage noir et blanc.

Régional. Squale appelé aussi *bleuet* ou *cagnot.* → **Chien** (de mer), **roussette.**

♦ **7** Fam., vieilli. *Petit bleu, bleu :* dépêche (sur papier bleu). → **Pneu, pneumatique** (cit. 4 et *supra*), **télégramme.**

Photogr. Photographie d'un dessin obtenue par impression sur papier au ferroprussiate, les traits du dessin apparaissant en blanc sur fond bleu. *Tirage des bleus.*

♦ **8** Altération du lait due à un microbe *(bacillus cyanogenes).* — Maladie du vin.

♦ **9** Techn. Au billard, Craie pour frotter le procédé.

♦ **10** Plais. (pour blues*). *Le Petit Bleu de la côte ouest* (des États-Unis), titre d'un roman de J.-P. Manchette.

♦ **11** N. f. Loc. *La grande bleue :* la Méditerranée.

**III** Vieilli. Altération par euphémisme de *Dieu**, entrant dans la composition de nombreux jurons. → **Corbleu, morbleu, palsambleu, parbleu, sacrebleu.** *«Tonnerre de bleu»* (Courteline, *in* T. L. F.).

21 Il y a tant de bleus, bleu d'auvergne, de caserne ou jadis ersatz de Dieu dans les bons vieux jurons irrespectueux, jernibleu, morbleu, sacrebleu (...)
J. PRÉVERT, Choses et autres, p. 260.

CONTR. (De II., B., 1., b.) **Ancien, vétéran.** ◊ DÉR. **Blavet, bleuâtre, bleuet, bleueur, bleuir, bleusaille, bleuité, bleuté, bleuter.** — COMP. **Bleu-bite.** — V. aussi **Cyan(o)-.**

**BLEUÂTRE** [bløatʀ] adj. — 1552, *bleuastre; bleuate,* 1493; de *bleu.*

Qui tire sur le bleu, n'est pas franchement bleu. → **Bleu, céruléen.** *Teinte, couleur bleuâtre. Flamme bleuâtre du gaz; fumée bleuâtre d'une cigarette. Gris bleuâtre.* → **Ardoise.** *Des éclairs bleuâtres* (→ Phosphore, cit. 2).

1 (...) l'affleurement bleuâtre des veines microscopiques qui serpentent sous l'épiderme (...)
TAINE, Philosophie de l'art, t. I, I, 3.

2 Le «Président» alluma une cigarette au cigare du «Bureau de tabac», en aspira légèrement la fumée, regarda un instant celle-ci monter en volutes bleuâtres vers le plafond, et prononça : Et maintenant c'est contre nous que se tourne l'épouvantable expérience!...
G. LEROUX, Rouletabille chez Krupp, p. 35.

→ **Livide.** *Un cerne bleuâtre.*

N. m. *Le bleuâtre. Un bleuâtre tirant sur le vert.*

**BLEU-BITE** [bløbit] n. m. — 1936, in *le Franç. mod.,* 1973; de *bleu,* et *bite, bitte,* argot milit. (*deuxième bitte :* deuxième classe), p.-ê. altér. d'un mot régional *bisteau* (Genève) «jeune apprenti».

Argot milit. (vulg.). Soldat de deuxième classe, nouvelle recrue. → **Bleu.**

Écoutez, chef, je m'en charge, moi, de lui apprendre le respect au bleu-bite. 1
Roger NIMIER, le Hussard bleu, p. 22 (1950).

Quelques jours de paix, et puis on l'embarqua, lui et d'autres bleubites *(sic)* sur le *Sidi-Bel-Abbès,* direction Oran. 2
Jeanne CORDELIER, la Passagère, p. 159.

**BLEUET** [bløɛ] ou **BLUET** [blyɛ] n. m. — 1380, *blevaiz; bleuez,* 1404; substantivation de l'adj. *bleuet* «un peu bleu», encore chez Ch. Cros *(velours bleuet)* et Céline *(prunelles bleuettes),* de *bleu.*

**I** ♦ **1** Centaurée à fleur bleue, plante commune dans les blés. → **Aubifoin,** 2. **barbeau, casse-lunettes** (vx), **centaurée.** — Fleur de cette plante.

Allez, allez, ô jeunes filles, 1
Cueillir des bleuets dans les blés!
HUGO, les Orientales, XXXII, «les Bleuets».

— Dis-moi, dit-il, quelle fleur tu préfères, je t'en ferai faire une broche (...) 2
— Une broche, comment?
— En pierres de la même couleur : en rubis si c'est le coquelicot; en saphir si c'est le bluet, avec une petite feuille en émeraudes (...)
— Le bluet, dit-elle, c'est si gentil!
— Va pour le bluet. Nous irons le commander dès que nous serons de retour à Paris.
MAUPASSANT, Fort comme la mort, éd. 1889, p. 205.

♦ **2** Régional (Canada). Baie bleue de l'airelle des bois, ou myrtille d'Amérique. *Confiture de bleuets. Tarte aux bleuets.*

Côte à côte ils *(Maria et François Paradis)* ramassèrent des bleuets quelque temps avec diligence, puis s'enfonçèrent ensemble dans le bois, enjambant les arbres tombés, cherchant du regard autour d'eux les taches violettes des baies mûres. 3
Louis HÉMON, Maria Chapdelaine, p. 73.

**II** Télégramme. → **Bleu** (II., B., 7.).

DÉR. (Du sens I, 2) **Bleuetière.**

**BLEUETIÈRE** [bløtjɛʀ] n. f. — 1937; de *bleuet,* I., 2.

Régional (Canada). Terrain à bleuets* (à myrtilles). *Les bleuetières du Saguenay, du lac Saint-Jean.* On dit aussi *bleuetterie* [bløɛtʀi].

**BLEUEUR** [bløœʀ] n. m. — 1823, cit.; de *bleu.*

Techn. Ouvrier qui polit la pointe des aiguilles. — REM. Le fém. *bleueuse* [bløøz] est virtuel.

Un cinquième, nommé bleueur, imprime à la pointe, sur une très petite meule, un poli bleuâtre qui a donné le nom à cet ouvrier. Un sixième écrit sur les paquets le numéro des aiguilles.
LENORMAND et MELLET, *in* COURTIN, Encycl. mod., 1823, *in* D. D. L., II, 15.

**BLEUIR** [bløiʀ] v. — 1690, Furetière; v. 1290, *blauir* «devenir bleu»; de *bleu.*

♦ **1** V. tr. Rendre bleu. *Le froid lui bleuit le visage.*

Le soir, il voyait à quelque cent mètres, par-dessus la rivière, la lune bleuir les jardins du harem (...) 1
H. BARRÈS, Un jardin sur l'Oronte, p. 179.

Techn. *Bleuir un métal en le chauffant, en le frottant.* → **Bleuissage.**

♦ **2** V. intr. Devenir bleu. *Le tournesol bleuit sous l'action d'une base. Bleuir de froid.* Apparaître avec une teinte bleuâtre. *La côte bleuissait au loin.*

2 La mer, plate, dure et blanche semblait une piste de patinage déserte. Tout à l'heure, elle bleuirait, clapoterait, deviendrait liquide et profonde (...)
SARTRE, les Chemins de la liberté, t. II, p. 69.

2.1 Après deux jours, le ciel bleuit ; la mer se calme ; l'air tiédit.
GIDE, Voyage au Congo, *in* Souvenirs, Pl., p. 683.

3 (...) bleuissant par degrés jusqu'au zénith, le ciel à travers les espaces de l'Est gardait le même bleu que durant le jour, éteint seulement et glacé.
MONTHERLANT, la Relève du matin, p. 117.

4 Une rose écorchée bleuit.
ÉLUARD, Poésie et vérité 1942, « Du dedans », Pl., t. I, p. 1111.

◆ **SE BLEUIR** v. pron. Rare :

5 La peau se bleuissait sous les matraques, les cheveux étaient collés par une sueur mauvaise, et dans quelques poitrines, les cœurs battaient la chamade, tressautaient follement. J.-M. G. LE CLÉZIO, la Fièvre, 1965, p. 15.

◆ **BLEUI, IE** p. p. adj. *Membre bleui par le froid.*

6 Mais pourtant ils restaient dans le silence, les hommes et les femmes aux visages et aux corps bleuis par l'indigo et la sueur ; pourtant ils n'avaient pas quitté le désert.
J.-M. G. LE CLÉZIO, Désert, p. 17.

Techn. *Métal bleui.*

DÉR. **Bleuissage, bleuissant, bleuissement, bleuissure.**

**BLEUISSAGE** [bløisaʒ] n. m. — 1863 (1852 selon G. L. L. F.) ; de *bleuir.*

Action de rendre bleu ; son résultat. — Techn. *Bleuissage de l'acier, d'un métal :* action de le chauffer ou de le frotter avec un outil appelé *bleuissoir.*

**BLEUISSANT, ANTE** [bløisɑ̃, ɑ̃t] adj. — D. i. ; p. prés. de *bleuir.*

Qui bleuit. *Peau bleuissante de froid.*

**BLEUISSEMENT** [bløismɑ̃] n. m. — 1842 ; de *bleuir.*

♦ **1** Le fait de bleuir* (2.) ; teinte de ce qui devient bleu. *Le bleuissement des lèvres sous l'effet du froid.*

Elle entra doucement dans l'eau son bras nu, un bras un peu maigre, dont la peau de soie montrait le bleuissement tendre des veines.
ZOLA, le Ventre de Paris, t. I, p. 181 (1875).

♦ **2** Action de bleuir* (1.). *Le bleuissement des paupières avec un fard.*

**BLEUISSURE** [bløisyʀ] n. f. — 1867 ; de *bleuir.*

Rare. Marque bleue sur le corps de qqn. → **Bleu** (II., B., 3.).

**BLEUITÉ** [bløite] n. f. — 1871, Rimbaud ; de *bleu.*

Rare. Coloration bleue (le mot est typiquement rimbaldien).

1 Des curiosités vaguement impudiques
Épouvantent le rêve aux chastes bleuités
RIMBAUD, Poésies, XXXVIII « Les premières communions ».

2 Où, teignant tout à coup les bleuités, délires
Et rhythmes lents sous les rutilements du jour (...)
RIMBAUD, Poésies, XLI, « Le bateau ivre ».

**BLEUSAILLE** [bløzaj] n. f. — 1900 ; *bleuzaille,* 1865 ; de *bleu.*

Argot milit., puis fam. Conscrit. *Qu'est-ce que tu veux, bleusaille ?* → **Bleu.** *« Son rejeton, une bleusaille »* (Galtier-Boissière, *in* Cellard et Rey). — Collectif. *La bleusaille :* ensemble des bleus.

DÉR. **Bleusaillon.**

**BLEUSAILLON** [bløzajɔ̃] n. m. — XX^e ; de *bleusaille.*

Argot milit. Bleu, conscrit. → **Bleusaille.**

(...) un surnommé Papadac, adjudant de tirailleurs qui, vers l'année 1922, au cours d'opérations variées par les bousbirs chérifiens et les Berbères de Haute-Moulouya, révéla au bleusaillon que j'étais les aspects les plus exquis du prestige adjuteux (...)
Jacques PERRET, Bande à part, p. 213.

**BLEUTÉ, ÉE** [bløte] adj. — Av. 1845, Bescherelle ; de *bleu.*

Qui a une nuance bleue. *Tons bleutés. Verres bleutés. Ailes bleutées.* — N. m. *Le bleuté.*

**BLEUTER** [bløte] v. tr. — 1843, Balzac ; de *bleu.*

Techn. Passer légèrement au bleu. *Bleuter le linge.* → **Azurer.** — Au p. p. *Toile bleutée.*

DÉR. **Bleuterie.** ◇ HOM. **Bleuté.**

**BLEUTERIE** [bløtʀi] n. f. — 1889, Goncourt ; de *bleuter.*

Techn. Entreprise spécialisée dans la teinture du tissu.

**B. L. I.** [beɛli] n. f. — D. i. (XX^e) ; sigle.

Radio. Bandes* latérales indépendantes.

**BLIAUD** ou **BLIAUT** [blijo] n. m. — V. 1150 ; *blialt,* 1080, *Chanson de Roland ;* orig. obscure ; l'anc. provençal *blidal, blizal,* rend peu vraisemblable l'orig. francique par **blifald,* de **bli* (coloré, éclatant), et *fald* « pan d'un habit ».

♦ **1** Hist. Longue tunique que les hommes et les femmes portaient au moyen âge.

♦ **2** Régional. Longue blouse de travail (H. Pourrat, *in* T. L. F.).

**BLINDAGE** [blɛ̃daʒ] n. m. — Av. 1740 ; de *blinder.*

♦ **1** Action de blinder (1.). *Faire un blindage.*

♦ **2** Ensemble des matériaux servant à blinder.

Trav. publ. Construction servant à consolider les parois (d'une tranchée, d'un tunnel). → 1. **Blinde.** *Blindage d'une galerie de mine* (→ **Boisage**).

Milit. Protection (d'un navire, d'un véhicule) par des plaques de métal. → **Cuirasse.** *Plaque de blindage en acier, en fonte. Blindage d'un navire, d'un char* (cit. 6).

Par anal. Protection (contre un phénomène physique dangereux). *Blindages contre les radiations. Plaque de blindage. — Blindage d'une porte.*

Techn. Plaques* de métal, dispositif servant à isoler un appareil électrique (→ **Bouclier, carter, écran**). *Le blindage d'un bobinage, d'un transformateur.*

On pourrait dire (...) que le schème de fonctionnement de la tétrode n'est pas parfaitement complet par lui-même, si l'on conçoit l'écran comme un simple blindage électrostatique, c'est-à-dire comme une enceinte portée à une tension continue quelconque (...)
Gilbert SIMONDON, Du mode d'existence des objets techniques, p. 29.

Protection contre les radiations. *Le blindage d'une source radioactive, d'un réacteur.*

1. **BLINDE** [blɛ̃d] n. f. — 1628 ; plur., 1678 ; de l'all. *blenden* « aveugler », de *blend* « aveugle ».

Ancienn. Pièce de bois soutenant les fascines d'un abri, d'une tranchée, pour en mettre les occupants à couvert. — REM. S'emploie en général au plur. *Des blindes.*

DÉR. **Blinder.** ◇ HOM. **Blende,** 2. **blinde.**

2. **BLINDE** [blɛ̃d] n. f. — 1931, *in* Cellard et Rey; orig. obscure p.-ê. en rapport avec *blinde, blindé* «ivre».

Loc. fam. *À toute blinde :* à toute vitesse. — La var. *à toute blindée* (T. L. F.) n'est pas attestée.

HOM. **Blende, 1. blinde.**

**BLINDÉ, ÉE** [blɛ̃de] adj. → **Blinder.**

**BLINDER** [blɛ̃de] v. tr. — 1678; de 1. *blinde.*

♦ **1** Anciennt. Fortif. Garnir de blindes* (un ouvrage de fortification) pour protéger contre les projectiles. → **Abriter, protéger.** *Blinder une casemate.*

Techn. *Blinder une galerie de mine.*

Par ext. Protéger. *«En un tour de main, la ville fut blindée, barricadée, casematée»* (Daudet).

♦ **2** (1831, mar.). Mod. Entourer (un navire, un véhicule) d'une cuirasse, d'une armure de plaques de métal (→ **Blindage**). *Blinder un wagon, une tourelle, une automitrailleuse.*

Techn. Isoler (un appareil électrique; un réacteur, un engin nucléaire) par une protection. *Blinder un moteur, une lampe.*

♦ **3** (1866). Fig. Endurcir, armer. *L'adversité l'a blindé.*

◆ **SE BLINDER** v. pron.

♦ **1** (Du sens 3). *Se blinder contre la critique.*

♦ **2** Se soûler, s'enivrer (→ ci-dessous, *blindé,* 3.).

◆ **BLINDÉ, ÉE** p. p. adj. (1834).

♦ **1** [a] Protégé par un blindage. *Véhicule blindé. Abri blindé.* → **Blockhaus.** *Train blindé. — Éléments, régiments blindés,* composés de véhicules blindés, de chars. *Division* (cit. 5) *blindée.*

1 Un train d'artillerie, suivi d'une dizaine de voitures blindées, montait vers la Bastille.
MARTIN DU GARD, les Thibault, t. VIII, p. 21.

2 (...) du point de vue de l'engin blindé, une armée adverse peu motorisée est comme immobile.
SAINT-EXUPÉRY, Pilote de guerre, XIII, p. 91.

3 Le train blindé sortit de son tunnel, menaçant et aveugle. Ramos prit une fois de plus conscience qu'un train blindé, ce n'est qu'un canon et quelques mitrailleuses.
MALRAUX, l'Espoir, I, II, 2.

4 Devant nous, l'armée allemande donnait moins l'impression de fuir que de s'en aller. Une nuit, on nous envoya contre un train blindé ce qui me charma par référence au morceau de Malraux (...)
Jacques LAURENT, les Bêtises, p. 234.

N. m. (1941). *Un blindé :* véhicule militaire blindé. *Les blindés.* → **Char, tank.**

5 Les gouvernements avaient voulu concilier les partisans d'Hitler et ses adversaires, les partisans des blindés et leurs adversaires. Alors, on a mis un demi-soldat dans un demi-char, pour livrer un demi-combat.
MALRAUX, Antimémoires, Folio, p. 140.

Techn. *Appareil électrique, moteur, réacteur blindé. — Porte blindée.*

[b] Se dit d'un projectile, destiné au gros gibier, dont la balle est recouverte de maillechort, cuivre ou nickel. *Balle blindée, demi blindée.*

♦ **2** (1896, Delesalle). Fig., fam. Endurci. → **Immunisé, protégé.** *Il en a vu d'autres, c'est un homme blindé. Maintenant, je suis blindé.*

♦ **3** (1881; orig. obscure, p.-ê. altér. de *dans les brindes, de brinder*). Fam. (surtout attribut). Ivre. → **Bourré, soûl.** *Il était complètement blindé.* — Var. : *blinde* (Bruant, *in* T. L. F.).

CONTR. **Découvrir, exposer.** — (Du p. p.) **Délicat, désarmé, vulnérable.** ◊ DÉR. **Blindage.**

**BLINIS** [blinis] n. m. invar. — 1883, Verne; russe *blini.*

Petite crêpe de sarrasin très épaisse, généralement servie avec les hors-d'œuvre (notamment, en France, avec le saumon fumé, le caviar). *«Agrémenter (un) dîner en servant avec l'assiette russe des blinis»* (*l'Express,* nº 1380, 19 déc. 1977).

Et c'est pourquoi, madame la Marquise, il est probablement en train de faire manger des blinnis *(sic)* à la Russe (...) à cette blonde fadasse (...) 1
Benoîte et Flora GROULT, Il était deux fois, p. 59.

Exceptionnellement on s'offrira du caviar et des blinis. 2
Denyse VAUTRIN, le Tourbillon des jours, t. III, p. 76.

**BLINQUER** [blɛ̃ke] v. intr. — D. i.; néerl. *blinken.*

Régional (Belgique). Reluire, briller (en parlant d'objets).

Tout devient terriblement réel : ces uniformes de mort à boutons métalliques brillants comme une lame, ces godillots et ces leggins qu'on doit faire blinquer pour éblouir les gens de Petrograd où l'on défile (...)
Roger FOULON, Marcel Thiry poète, p. 16.

Trans. Faire reluire. *Blinquer les cuivres* (emploi propre à Bruxelles, selon J. Hanse).

**BLISTER** [blistɛʀ] n. m. — 1967; mot angl. «bulle, soufflure».

Anglic. Coque de plastique transparent, collée sur carton, sous laquelle sont vendues certaines marchandises. *Ampoules électriques sous blister.*

**BLISTÉRISER** [blisteʀize] v. tr. — V. 1990; de *blister.*

Comm. Mettre sous blister.

**BLITZ** [blits] n. m. — V. 1940; angl. *to blitz,* de l'all. *Blitzkrieg* «guerre-éclair».

Hist. Époque des bombardements allemands sur l'Angleterre pendant la dernière guerre.

(...) sur la route de Londres dont nous approchions dans le *black-out* (...) Ce n'était pas encore le *Blitz* et les habitants de Londres devaient en voir bien d'autres d'ici peu (...) 1
B. CENDRARS, Bourlinguer, p. 294.

— La reine d'Angleterre doit se rendre à Belfast. «Je n'oublie pas que je suis reine d'Angleterre et d'Irlande», aurait-elle déclaré. 2
«Elle ne l'oubliera pas, aurait déclaré à son tour un chef de l'IRA. Nous lui réservons un accueil du genre *Blitz.*»
J. GREEN, Journal, la Terre est si belle, 7 août 1977.

**BLIZZARD** [blizaʀ] n. m. — 1888; mot anglo-américain (1870) d'orig. obscure, p.-ê. onomatopée.

Vent accompagné de tourmentes de neige, dans le grand Nord.

**BLOC** [blɔk] n. m. — 1262, «tronc des aumônes»; sens général, déb. XVᵉ; probablt du moy. néerl. *bloc* «tronc abattu».

[I] ♦ **1** Masse solide et pesante constituée d'un seul élément. *Un bloc de marbre, de granit, de pierre.* → **Roche, rocher.** *Bloc de bois.* → **Billot.** — (XVᵉ). *Le bloc :* bloc de bois où l'on enfermait ou serrait les pieds (de condamnés, d'esclaves). *«Punis par les fers ou le bloc»* (*Voyage de La Pérouse*) → ci-dessous, III. — *Briser un bloc en morceaux. Bloc tombé du ciel.* → **Aérolithe.** *Bloc de bois non équarri.* → **Bille.** *Petit bloc cubique.* → **Pavé.** *Taillé dans un seul bloc.* → **Monolithe, monolithique.** → D'une seule pièce*. *Bloc compact, solide. Agglomérer* (cit.) *des fragments pour former un bloc.* — Techn. *(Bloc de pierre). Bloc brut :* morceau de pierre non travaillée. *Bloc d'échantillon,* taillé sur carrière. *Bloc débité.* → **Libage; moellon.** *Bloc de béton. Chariot lève-blocs.* → **Bardeur,** 2.

1 Un bloc de marbre était si beau
Qu'un statuaire en fit l'emplette :
– Qu'en fera, dit-il, mon ciseau ?
Sera-t-il dieu, table ou cuvette ?
LA FONTAINE, Fables, IX, 6.

2 Ce bloc enfariné ne me dit rien qui vaille (...)
LA FONTAINE, Fables, III, 18.

N. B. Ce vers passé en proverbe, est parfois appliqué à des personnes ou à des choses dont on se méfie.

2.1 (...) l'on avait mis à la mer une embarcation, commandée par cet officier, pour reconnaître les atterrages – de l'un de ces vastes îlots, d'aspect désert, sortes de volcaniques blocs de lave qui jaillissent, noirs, à de prodigieuses altitudes, – et balancent, dans l'orageux ciel du grand océan équinoxial, d'énormes forêts d'un vert intense.
VILLIERS DE L'ISLE-ADAM, Tribulat Bonhomet, p. 150.

3 Et cette barrière, avec un bloc de pierre pour faire le contrepoids ! Sont-ils retardés par ici !...
MARTIN DU GARD, les Thibault, t. III, p. 79.

Géol. *Bloc continental :* ensemble de continents séparés par des mers peu profondes. *Bloc erratique :* fragment de roche transporté par d'anciens glaciers loin de son origine. *Bloc perché,* isolé et mis en saillie par l'érosion. → **Cheminée** (de fée). *Blocs arrondis par l'érosion* (érosion en boule). → **Boulder.** – *Bloc de glace* (en mer).

Par métaphore, littér. «*Calme bloc ici-bas chu d'un désastre obscur...*» (Mallarmé, *le Tombeau d'Edgar Poe*).

4 Et dans l'informe bloc des sombres multitudes,
La pensée en rêvant sculpte des nations.
HUGO, les Voix intérieures, I.

(En parlant d'une personne). «*M. Simonnot, cette statue, ce bloc monolithique*» (Sartre, *les Mots,* p. 73).

♦ **2** Techn. Masse de bois, de métal servant à divers usages (→ **Billot**). *Bloc de plomb,* billot sur lequel le graveur fixe son ouvrage. – Imprim. Support des clichés. *Clichés montés sur bloc. Ligne-bloc,* ligne fondue d'un seul bloc par la linotype. – *Bloc de raffineur,* pièce de bois sur laquelle on frappe les formes pour en détacher les pains de sucre. – Masse inférieure d'une grosse enclume. – Mandrin de bois du ciseleur. – Presse de tabletier. – *Bloc de culasse d'un canon.* → **Culasse.**

Sports (athlétisme). *Bloc de départ.* → **Starting-block.**

(Anglic.). Cube. «*... son fils, qui jouait avec des blocs sur le tapis du salon*» (Chardonne, *in* T. L. F.).

♦ **3** Ensemble de feuillets de même dimension, collés ensemble sur un seul côté et facilement détachables. *Écrire sur un bloc. Bloc de papier à lettres.* → aussi **Bloc-notes.**

5 Elle sortit du classeur le bloc à en-tête, sur lequel Antoine écrivait ses ordonnances, et prit son stylo dans son sac.
MARTIN DU GARD, les Thibault, t. V, p. 155.

♦ **4** [a] (Après 1750). Ensemble (de choses formant une unité). → **Amas, assemblage.** *Faire un bloc de diverses marchandises.*

Autom. *Bloc moteur* ou *bloc-moteur :* groupe formé par le moteur, l'embrayage, la boîte de vitesses. → **Bloc-cylindres.**

Fortif. Ouvrage défensif protégé et armé. → **Blockhaus.**

Cin. *Bloc sonore :* unité sonore.

Ensemble de timbres formant un carré ou un rectangle.

Chir. *Bloc opératoire** (ellipt *bloc*).

5.1 On vous préparera pour le bloc (...) En attendant, je vais vous raser la jambe. A. SARRAZIN, l'Astragale, p. 72.

*Le bloc technique d'un aéroport.*

[b] Ensemble d'appareils groupés de manière à occuper le moins d'espace possible. *Bloc sanitaire. Bloc d'appareils.* – *Bloc-eau :* groupement des appareils utilisant l'eau (gaine de canalisations : alimentation et vidange ; appareils : baignoire, douche, évier ; w.-c., etc.). *Bloc-bain* (baignoire, lavabo, bidet). *Bloc-douche* (la douche remplaçant la baignoire). *Bloc-cuisine, bloc-évier* (évier, chauffe-eau).

(...) un quadrilatère qui s'inscrivait dans une grande pièce carrée, la divisant en deux ailes. On avait dû ajouter après coup cuisine et bloc-eau. 5.2
Christiane ROCHEFORT, le Repos du guerrier, II, III, p. 173.

♦ **5** (1862 ; anglo-amér. *block,* 1796). Anglic. *Bloc d'immeubles,* ou *bloc :* ensemble d'immeubles formant un ensemble isolé d'autres ensembles par des rues. → **Ilot, pâté** (de maisons). – REM. Souvent dans un contexte nord-américain (aussi écrit *block* → Quartier, cit. 8).

(...) les nouveaux blocs d'habitations, poussés rutilants et incongrus sur les anciens glacis, ou les hollywoodiennes villas des négociants en vins pourvues de pergolas, de piscines, de palmiers hollywoodiens, ou l'antique halle des marchands muée en café dernier cri (...) 5.3
Claude SIMON, le Vent, p. 41.

Bien qu'ils fussent encore à une distance de presque deux blocs, on entendait distinctement le bruit régulier de leurs bottes sur l'asphalte. 5.4
A. ROBBE-GRILLET, Projet pour une révolution à New York, p. 21.

♦ **6** (XVIIe, abstrait). Grande quantité (d'éléments) faisant un tout homogène. *Un bloc imposant d'idées nouvelles.*

Ensemble qui ne peut être scindé, divisé. *La philosophie marxiste forme un bloc.* → **Ensemble, totalité, tout.** *Un bloc sans fissure.*

La famille oppose à l'étranger un bloc sans fissure ; mais, à l'intérieur, que de rivalités furieuses ! 6
F. MAURIAC, la Province, p. 16.

(1889, Clemenceau, mais → cit. 6.1). Groupement politique. → **Coalition, union.** *Bloc des gauches :* les partis de gauche alliés (→ Monolithique, cit. 2).

Laissez-moi vous apprendre, pour conclure, que le mot «Bloc», dont l'univers entier croit Clemenceau le père, fut imaginé par un de mes élèves et ami : Joseph Casanova, qui usa le premier de ce vocable dans le *Réveil du Nord.* 6.1
GIRAUDOUX, Siegfried et le Limousin, p. 14.

Alourdie, retardée, stabilisée par son économie artisanale et agricole, la France s'était enfoncée dans les ténèbres du Bloc national et l'impuissance du Cartel des Gauches. 6.2
Raymond ABELLIO, Ma dernière mémoire, t. II, p. 59-60.

*Le bloc soviétique :* les pays qui dépendent étroitement de l'Union soviétique.

Aussi bien, le plancton fléchit, la banquise craquelle, l'oxygène se raréfie, l'eau se pollue et on parle encore de «blocs» et de nations, de «monde socialiste» et de «monde capitaliste», comme si l'appartenance à une Église, à un Parti, à une École vous immunisait contre les effets terribles de l'encombrement et de la pollution. 6.3
Emmanuel BERL, le Virage, p. 31.

Écon. polit. *Bloc monétaire :* ensemble de pays ou d'États associés dont les monnaies sont rattachées à une monnaie commune non convertible en or. → **Zone** (monétaire). *Le bloc franc* (1945), *le bloc dollar, le bloc rouble.*

**FAIRE BLOC :** former un ensemble solide. *Faire bloc contre l'agresseur.* → **Unir** (s'). *Une phrase qui fait bloc.* – *Former bloc* (même sens).

On s'imagine que ces particules enchaînant les phrases, les rendent plus coulantes, plus solides (...) Les bonnes phrases n'ont pas besoin d'être boulonnées ; elles font bloc. 7
Antoine ALBALAT, l'Art d'écrire..., VI.

7.1 — Accepte Samazelle ; et arrange-toi avec Luc pour le neutraliser.
— S'il fait bloc avec Trarieux ils seront aussi forts que nous.
S. DE BEAUVOIR, les Mandarins, p. 242.

*D'un bloc, tout d'un bloc :* tout d'une pièce.

8 Puis elle tourna sur ses talons, tout d'un bloc, comme une statue sur un pivot, et prit le chemin de sa maison.
FLAUBERT, Mme Bovary, II, 6.

Inform. Sous-ensemble de circuits réalisant une même fonction. *Bloc logique, bloc de calcul.* — Suite de caractères traités ensemble.

Math. Dans une matrice, chacune des sous-matrices que l'on peut former en cloisonnant par des horizontales et des verticales respectivement de même largeur et de même hauteur que la matrice.

♦ **7** Loc. adv. (1530, *in* D. D. L.). **EN BLOC :** tout ensemble, en totalité. → **Globalement, gros** (en), **masse** (en). *Pris en bloc. Admettre en bloc un raisonnement, un système. Acheter en bloc* (s'oppose à : *isolément, séparément, successivement*).

9 (...) l'histoire, qui tient un registre si exact des variations morales, ne constate qu'en bloc et très imparfaitement les variations physiques.
TAINE, Philosophie de l'art, t. II, IV, 269.

10 (...) le prolétariat est bien résolu, cette fois, à se soulever, en bloc, contre leur politique d'agression !
MARTIN DU GARD, les Thibault, t. V, p. 139.

11 On ne croit plus de la même manière qu'autrefois, cela est clair, on ne croit plus en bloc ce que l'Église enseigne.
J. GREEN, Journal, Vers l'invisible, 27 mai 1959.

**II** (Le sens « action de bloquer » n'est pas attesté en emploi général). ♦ **1** Au jeu de billard, Action d'immobiliser la bille d'un adversaire contre la bande.

♦ **2** Physiol. Trouble de la transmission de l'influx nerveux (le plus souvent à propos du cœur). *Bloc* (ou *blocage*) *du cœur* ou *bloc cardiaque,* localisé dans le système de conduction cardiaque (nœuds sinusal et atrioventriculaire, faisceau de His) ; *bloc atrioventriculaire,* intéressant la conduction entre oreillettes et ventricules ; *bloc pariétal,* au niveau ventriculaire ; *bloc péri-* ou *post-infarctus, pariétal limité à une partie du myocarde atteinte d'infarctus.*

♦ **3** Loc. adv. Mar. **À BLOC.** *Hisser (une voile, un pavillon) à bloc :* jusqu'à toucher la poulie de la drisse. *Souquer (une manœuvre) à bloc,* au maximum, à fond.

Complètement, à fond. *Fermer un robinet à bloc. Serrer les freins à bloc.* → **Bloquer.** *Gonfler un pneu à bloc.*

12 Pas d'hommes : ni les assiégés couchés derrière leurs guichets fermés à bloc, ni les assaillants, défilés dans les maisons qui dominaient la voie.
MALRAUX, la Condition humaine, p. 102.

Fig., fam. *Travailler à bloc,* le plus possible. *Être à bloc :* n'en pouvoir plus. *Être gonflé à bloc* (1945). → **Gonfler** (*infra* cit. 5).

13 Il travaille donc, il travaille, il travaille. Mieux ! Il phosphore, il rupine à bloc.
R. QUENEAU, Loin de Rueil, p. 46.

**III** (1846 ; du *bloc* (I., 1.) de bois enfermant les pieds des esclaves). Fam. Prison. *Mettre qqn au bloc.*

(1861). Salle de police, commissariat. *Passer la nuit au bloc.*

14 F...-moi cet homme-là au bloc. On verra demain.
A. ALLAIS, Contes et chroniques, p. 68.

CONTR. **Élément, fragment, lot, morceau, parcelle, partie, tronçon. — Demi, moitié** (à) ; **partie** (en) ; **incomplètement.** ◊ DÉR. **Blocaille, blochet, bloquet.** V. **Blocaux, blot.** ◆ COMP. **Bloc-cylindres, bloc-diagramme. Lève-blocs, ligne-bloc, monobloc.** V. **Bloc-notes.** ◆ HOM. **Block, bloque.**

**BLOCAGE** [blɔkaʒ] n. m. — 1547, archit. ; de 1. *bloquer.*

**I** (De *bloquer,* I.). ♦ **1** Archit. Massif de matériaux (moellons, briques, pierrailles, mortier) qui remplit les vides entre les deux parements d'un mur. → **Remplage.** — On dit aussi *blocaille.*

♦ **2** Typogr. *Blocage de lettres,* lettres retournées employées provisoirement pour remplacer des lettres manquantes.

**II** (De *bloquer,* II.). ♦ **1** Action de bloquer*. *Blocage d'une bille de billard.* — (1907). *Blocage des freins.* → **Serrage.** *Vis, écrou de blocage.*

Sports (boxe). Geste qui arrête le coup de l'adversaire. — (1905, *in* Petiot). Football. Action de bloquer le ballon. *Faire un blocage.* → **Arrêt.** *Blocage de la balle entre le pied et le sol* (→ **Contrôle**). *Blocage de la balle par le gardien de but.*

Ce premier quart d'heure ne donna rien que des cafouillages sordides devant les buts, des loupés de toutes sortes et des coups francs à n'en plus finir. Dabek n'eut à effectuer que trois blocages sans grand péril (...) 1
René FALLET, le Triporteur, p. 406.

Action d'immobiliser (une partie du corps). *Blocage du bassin.*

(1945, *in* D. D. L.). *Blocage des prix, des salaires :* action de fixer les prix, les salaires et d'en empêcher la hausse.

♦ **2** Méd. *Blocage du cœur,* ou *blocage cardiaque.* → **Bloc** (II., 2. : bloc du cœur). *Blocage articulaire :* immobilisation soudaine et douloureuse d'une articulation. *Blocage méningé :* barrage constitué dans l'espace sous-arachnoïdien par une tumeur ou une inflammation et qui interdit la circulation du liquide céphalo-rachidien ainsi que celle de tout médicament. *Blocage intestinal :* arrêt soudain du transit intestinal, généralement dû à une occlusion.

♦ **3** Psychol. Comportement réactionnel d'un être vivant en période d'apprentissage caractérisé par l'apparition de troubles émotionnels ou par une régression. — Psychan. → **Barrage.**

Le facteur commun aux trois types de symptômes *(névrotiques)* est donc la disproportion entre l'excitation et la décharge déterminée par l'excès de stimulations externes dans la névrose traumatique, l'interruption du processus de décharge dans la névrose actuelle, le blocage défensif de la décharge dans la psychonévrose. 2
Daniel LAGACHE, la Psychanalyse, p. 62.

Cour. *Blocage (affectif),* le fait d'être bloqué (→ 1. **Bloquer,** I., 5.).

Brusque inhibition d'une conduite. *Avoir un blocage (pendant une épreuve d'examen, par ex.).*

**BLOCAILLE** [blɔkaj] n. f. — 1549 ; de *bloc.*

Techn. et géol. Pierres et débris réunis en un bloc. → **Blocage, I.**

Sur un tertre de blocaille morainique qui semblait gigantesque dans ce pays plat, Kaltenborn dressait sa silhouette massive et tabulaire.
M. TOURNIER, le Roi des Aulnes, p. 244.

**BLOCAUX** [blɔko] n. m. pl. — Repris au XIXe ; de l'anc. franç. *bloquel,* dér. de *bloc.*

Géol. *Argile à blocaux.* → **Argile.**

**BLOC-CYLINDRES** [blɔksilɛ̃dʀ] n. m. — XXe ; de *bloc* (I.), et *cylindre.*

Bloc métallique contenant les cylindres d'un moteur. *Des blocs-cylindres. Le bloc-cylindres est fondu en une seule pièce ; dans certains modèles, les cylindres sont amovibles.*

**BLOC-DIAGRAMME** [blɔkdjagʀam] n. m. — 1959 ; de *bloc,* et *diagramme.*

Géogr. Représentation d'une zone géographique délimitée en perspective et en coupe, destinée à montrer les rapports entre la structure du sous-sol et la topographie. *Des blocs-diagrammes.*

**BLOCHE** [blɔʃ] n. m. — 1908 ; abrègement de *asticot-bloche,* de *asticot.*

Argot, vieilli. Asticot.

**BLOCHET** [blɔʃɛ] n. m. — 1676 ; *bloichet, bloquet* «billot», XIVᵉ ; de *bloc.*

Techn. (menuis.). Pièce de bois qui reçoit l'arbalétrier et le réunit à la sablière. *Poser un blochet à l'angle d'un toit.* → **Entretoise.**

**BLOCK** [blɔk] n. m. — V. 1940 ; mot all., pour *Hauserblock* «bloc de maisons, îlot».

Hist. Groupe de bâtiments servant d'abri aux détenus, aux prisonniers en Allemagne, pendant la Deuxième Guerre mondiale. *Les prisonniers du block 4.*

*(Les sentinelles)* qui passaient l'inspection de notre block (...)
Pierre GASCAR, le Temps des morts, p. 219.

**HOM. Bloc, bloque.**

**BLOCKHAUS** [blɔkos] n. m. — Fin XVIIIᵉ ; all. *Blockhaus,* de *Block* «poutre», et *Haus* «maison». → Blocus.

Ouvrage militaire défensif, étayé de poutres, de rondins (anciennt) ou fortifié de béton. → **Fortification ; casemate, fortin.** *Blockhaus blindé. Blockhaus servant d'abri à des pièces d'artillerie.*

1 Nous vîmes sur notre gauche, tenant à la route, un «blockhaus» ou station militaire, espèce de grande baraque fortifiée (...)
Sergent BOURGOGNE, Mém., p. 64 (1812-1813) *in* BRUNOT, IX, 979.

2 (...) il y a, à vingt kilomètres au sud de Taza, un vrai front français, des blockhaus, des postes continus, réunis par des tranchées, des fils de fer barbelés (...)
L. H. LYAUTEY, Paroles d'action, p. 326.

3 Il traversa à nouveau toute la ville, tout ce dédale sonore plein de coups de douleurs et de frissons, cette espèce de blockhaus asphyxiant et sale où les couloirs partaient dans toutes les directions, pour mieux vous tromper (...)
J.-M. G. LE CLÉZIO, la Fièvre, p. 34.

Mar. Poste de combat protégé et blindé du commandant d'un navire de guerre.

**BLOCK-SYSTEM** [blɔksistɛm] n. m. — 1881 ; angl. *block-system* (1873), de *(to) block* «fermer», et *system.*

Anglic. Techn. (ch. de fer). Dispositif de signalisation automatique sur des sections de voie, destiné à éviter les collisions. *Des block-systems.* — Francisation : *bloc-système* (mal formé, pour *système (à) bloc (s)*).

**BLOC-MOTEUR** [blɔkmɔtœʀ] n. m. → **Bloc,** I., 4., a.

**BLOC-NOTES** [blɔknɔt] n. m. — 1884, *block-notes ;* de *note,* et angl. *block.*

Bloc de papier (pour prendre des notes). → **Bloc,** I., 3. *Des blocs-notes. — Le Bloc-notes, le Nouveau Bloc-notes,* de Mauriac (titres de recueils d'articles).

**BLOC-SYSTÈME** [blɔksistɛm] n. m. → **Block-system.**

**BLOCUS** [blɔkys] n. m. — 1397 ; *blochus,* 1376 ; *blokehus,* 1350 ; néerl. *blokhuis* «maison *(huis)* de poutres». → Blockhaus.

♦ **1** (XVIᵉ). Vx. Fortin empêchant les secours de parvenir à une place assiégée.

♦ **2** (1663). Par ext. Investissement d'une ville ou d'un port (→ **Siège**), d'un littoral, d'un pays entier, pour l'isoler, couper toutes ses communications avec l'extérieur. *Faire le blocus.* → 1. **Bloquer.** *Troupes de blocus. Lever, rompre le blocus. Faire lever, forcer un blocus.* → **Débloquer.** *Blocus maritime.* — (1806). Hist. *Blocus continental :* le blocus instauré par Napoléon Iᵉʳ, destiné à prévenir l'accès de l'Europe à l'Angleterre.

Louis XIV fit lever le blocus de Luxembourg, en 1682 (...) 1
VOLTAIRE, le Siècle de Louis XIV, 14.

(...) pour que le Blocus *(le blocus continental)* fût opérant, 2
il fallait qu'il fût complet, total et absolu (...)
Louis MADELIN, Talleyrand, II, XVIII, 177.

*Blocus économique :* mesures prises et manœuvres faites par un pays pour isoler économiquement un autre pays du reste du monde (→ **Boycott, boycottage**).

**BLOND, BLONDE** [blɔ̃, blɔ̃d] adj. et n. — 1080, *blund, Chanson de Roland* (subst.) ; 1160, adj. ; p.-ê. germanique **blund.*

**I** Adj. Qui est d'une couleur claire, proche du jaune doré, en parlant des cheveux, des poils (dans la race blanche). *Poils, cheveux, sourcils blonds* (→ Chevelure, cit. 3). *Chevelure* (cit. 6) *blonde. Barbe, moustache blonde.*

L'or de tes blonds cheveux (...) 1
D'AUBIGNÉ, Printemps, 25.

*La fourrure* (cit. 6) *blonde d'un chat.*

(Personnes). Qui a les cheveux blonds, le poil blond. *Une jeune fille blonde. Un enfant blond. — Tête blonde,* spécialt : enfant blond. *Les chères têtes blondes :* les enfants (iron.). *Les Nordiques sont en majorité blonds. La blonde Cérès* (→ Blé, cit. 1). *Blond comme les blés* (→ Blé, cit. 7).

— Je serai son maître de lyre, 2
Dit le blond et docte Apollon.
LA FONTAINE, Fables, XI, 2.

*Teint blond :* teint des personnes blondes.

(1336 ; choses ; souvent pour qualifier spécifiquement par oppos. à *brun*). Qui est d'un jaune doré. *Un cuir blond* (→ Beurre* frais). *Du miel blond. Une sauce blonde. Beurre* blond* (opposé à *noir*). *Bière* blonde, tabac blond* (opposé à *brun*).

*Cigarette blonde* (→ ci-dessous, 5). — *Soie blonde.* → **Blonde ; écru.** *Étoffe blonde.* → **Beige.**

Poét. *Les blonds épis, les blondes moissons. «Le lourd pain blond»* (→ 1. Boulanger, cit. 1, Rimbaud). *Les blondes collines. Le sable blond, l'arène* (cit. 1) *blonde. La poussière blonde. La blonde aurore.*

L'Égypte ! Elle étalait, toute blonde d'épis, 3
Ses champs, bariolés comme un riche tapis (...)
HUGO, les Orientales, I, 4.

Arts. *Gravure blonde,* dont les noirs sont légers.

**II** N. ♦ **1** N. m. La couleur blonde. *Des cheveux d'un beau blond. Blond platiné, blond argent. Blond cendré, doré. Blond ardent, vénitien.* → **Roux.** *Blond clair, pâle. Blond fade, filasse.* → **Blondasse.** *Blond naturel. Blond artificiel.* → **Décoloré, oxygéné.** *Un blond d'avoine.*

D'Antin était d'un fort beau blond. 4
SAINT-SIMON, Mémoires, 294, 2.

5 (...) que le blond de ses cheveux est pâle auprès des tons étranges et riches dont Rubens a réchauffé la ruisselante chevelure de la sainte pécheresse.
Th. GAUTIER, Fortunio, la Toison d'or, IV.

6 Au physique, nous trouvons *(aux Pays-Bas)* une chair plus blanche et plus molle, ordinairement des yeux bleus, souvent d'un bleu de faïence (...) des cheveux d'un blond filasse et presque blancs chez les petits enfants (...)
TAINE, Philosophie de l'art, t. I, III, I, p. 227.

7 C'étaient des cheveux blonds, d'un blond cendré, d'un blond de poudre (...)
Alphonse DAUDET, le Petit Chose, II, 10.

♦ **2** N. (*blund,* 1080). **UN BLOND, UNE BLONDE :** une personne blonde. *Un petit blond.* → **Blondin, blondinet.** *Une belle blonde. Un beau blond.* Fam. *Salut, beau blond !* (→ ci-dessous, cit. 9.1). — *Une fausse, une vraie blonde. Un teint, une peau de blond, de blonde.*

8 (...) cet air de douceur des blondes auquel mon cœur n'a jamais résisté. ROUSSEAU, les Confessions, III.

9 Une grande blonde aux yeux languissants (...)
ROUSSEAU, Émile, V.

9.1 – Il disait comme çà *(sic)* qu'il vous connaissait, monsieur le gendarme.
– Qu'est-ce que vous dites, vous, beau blond ?
– Je te dis qu'il disait comme çà...
Henri MONNIER, Scènes populaires, l'Exécution, p. 111.

♦ **3** N. f. **a** Femme, fille blonde. — Loc. Vieilli. *Courtiser la brune et la blonde :* être volage.

10 J'ai longtemps parcouru le monde,
Et l'on m'a vu de toute part
Courtisant la brune et la blonde,
Aimer, soupirer au hasard (...)
ÉTIENNE, Joconde, I, *in* LITTRÉ.

**b** (1810, au Canada). *La blonde de qqn, sa blonde,* sa petite amie. *«Je m'en vais revoir ma blonde, je m'en vais revoir ma mie»* (chanson). *«Auprès de ma blonde...»* (chanson).

Franç. du Canada. Petite amie, fiancée. — Par ext. Maîtresse ; compagne.

11 – Les femmes ! Les femmes ! (...) Une blonde, ça dure deux ans au plus. Ensuite le mariage. Le plus drôle, c'est qu'on peut jamais croire que notre femme, ça a pu être notre blonde. Roger LEMELIN, les Plouffe, p. 121.

♦ **4** N. m. (1778). Cuis., vx. *Blond de veau, de volaille,* coulis blond (de viande).

♦ **5** N. f. **BLONDE** (opposé à *brune*) : cigarette de tabac blond. *Il ne fume que des blondes.*

12 (...) tu lui interdis de fumer des blondes parce que ça lui jaunit les dents (...) J. CAU, la Pitié de Dieu, p. 133.

(1882). Bière blonde. *Un demi de blonde. Boire une blonde.*

CONTR. **Brun ; foncé, noir.** ◇ DÉR. **Blondasse, blonde, blondelet, blondeur, 1. blondin, blondir, blondoyer.**

**BLONDASSE** [blɔ̃das] adj. — Av. 1755, Saint-Simon ; de *blond* et suff. péj. *-asse.*

Qui est d'un vilain blond, fade. *Des cheveux blondasses,* presque incolores. — (Personnes). *Une grande fille blondasse.*

C'était un petit homme, goussaut et blondasse qui paraissait hébété. SAINT-SIMON, Mémoires, 114, 266.

N. *Un, une blondasse.*

DÉR. **Blondasserie.**

**BLONDASSERIE** [blɔ̃dasʀi] n. f. — 1881, Goncourt ; de *blondasse.*

Rare. Caractère de ce qui est blondasse ; blondeur fade.

**BLONDE** [blɔ̃d] n. f. — 1740 ; de *blond.*

**I** Dentelle légère, faite à l'origine de soie écrue. → **Toilé,** 2.

Votre Majesté fournira les coiffures de blondes aux dames du palais (...) VOLTAIRE, Lettres à Catherine II, 119.

**II** (1561). Bouillon blanc (plante).

**BLONDEL** [blɔ̃dɛl] n. m. — Mil. XX^e ; de *Blondel,* physicien (1863-1938).

Opt. Ancienne unité de luminance*.

**BLONDELET, ETTE** [blɔ̃dlɛ, ɛt] adj. et n. — XV^e ; de *blond.*

Vx. Légèrement blond. (Hypocoristique). *Des cheveux blondelets.* N. *Un blondelet, une blondelette.* → **Blondinet.**

**BLONDEUR** [blɔ̃dœʀ] n. f. — 1275 ; repris 1575 ; de *blond.*

Caractère de ce qui est blond. *La blondeur des blés, des cheveux ; d'une personne.*

Tes cheveux qui d'un or non pareil 1
Surmontent la blondeur des rayons du soleil.
Amadis JAMYN, Poésies II, 80.

Le deuil allait bien à Micheline (...). Le noir faisait valoir sa blondeur et sa carnation. 2
M. AYMÉ, Travelingue, p. 20.

1. **BLONDIN, INE** [blɔ̃dɛ̃, in] n. — Mil. XVII^e ; de *blond.*

♦ **1** (1652). Vx. Enfant, jeune homme, jeune fille à cheveux blonds. → **Blondinet.**

Et le soir, le terrible soir, où, dans la chambre d'épouvante, j'ai vu une mère qui venait de se suicider avec ses cinq petits, la mère tombée sur une paillasse en allaitant son nouveau-né, les deux fillettes dormant aussi là leur dernier sommeil de blondines jolies. ZOLA, Rome, p. 626. 1

♦ **2** (1651). Jeune galant.

Il passe en beauté feu Narcisse, 2
Qui fut un blondin accompli.
MOLIÈRE, la Pastorale comique, 2.

Quelle distance entre le jeune blondin qui jadis était courtisé par les femmes chic ou aspirant à le devenir, et le discoureur, le doctrinaire qui ne cessait de jouer avec les mots ! PROUST, le Temps retrouvé, Pl., t. III, p. 760. 3

♦ **3** Adj. Vx. Qui a les cheveux blonds.

♦ **4** (1869). Techn. *Toile blondine,* variété de toile écrue. N. f. *De la blondine.*

DÉR. **Blondinet.**

2. **BLONDIN** [blɔ̃dɛ̃] n. m. — 1923, *in* D. D. L. ; de *Blondin,* nom d'un acrobate, qui avait traversé sur un fil les chutes du Niagara.

Techn. Benne à fond mobile soutenue par un système de câbles, que l'on utilise pour le transport de charges, notamment du béton, au-dessus d'un ravin, etc.

**BLONDINET, ETTE** [blɔ̃dinɛ, ɛt] n. — 1842, Sue ; de 1. *blondin.*

Enfant blond. *Une mignonne blondinette. Un blondinet de cinq ou six ans.*

**BLONDIR** [blɔ̃diʀ] v. — V. 1180 ; de *blond.*

♦ **1** V. intr. Devenir blond. *Les blés blondissent.*

(...) au milieu de sa chevelure noire quelques cheveux que pénétrait le soleil blondissaient comme des fils d'or. 1
HUGO, Notre-Dame de Paris, VIII, 4.

(...) les foins blondissaient prêts à mûrir. 2
E. FROMENTIN, Dominique, III.

(XXe). Cuis. Rissoler dans un corps gras; cuire légèrement (en parlant d'un mélange de farine et de beurre). *Faire blondir un roux.*

♦ **2** V. tr. (V. 1300). Rendre blond. *L'eau oxygénée blondit les cheveux. — Elle s'est blondi les cheveux.*

◆ **SE BLONDIR** v. pron. réfl. *Elle se blondit.*

CONTR. **Brunir.** ◇ DÉR. **Blondissant.**

**BLONDISSANT, ANTE** [blɔ̃disɑ̃, ɑ̃t] adj. — 1549; p. prés. de *blondir.*

Qui devient blond. *Les champs blondissants.*

(...) la moisson blondissante,
Chevelure des sillons.
NERVAL, Poésies, «les Papillons».

CONTR. **Brunissant.**

**BLONDOIEMENT** [blɔ̃dwamɑ̃] n. m. — 1611, *blondoyement;* de *blondoyer.*

Littér. Action de blondoyer; effet de ce qui blondoie.

**BLONDOYANT, ANTE** [blɔ̃dwajɑ̃, ɑ̃t] adj. — 1275; p. prés. de *blondoyer.*

Littér. Qui blondoie.

Ces belles tresses ondoyantes
Et d'un beau fin or blondoyantes (...)
DU BELLAY, IV, 75, *in* LITTRÉ.

**BLONDOYER** [blɔ̃dwaje] v. intr. [CONJUG.: *noyer.*] — Fin XIIe; de *blond.*

Littér. Avoir une teinte blonde, des reflets blonds. *Les pousses* (cit. 3) *vertes blondoyaient.*

DÉR. **Blondoiement, blondoyant.**

**BLOODY MARY** [blɔdimaʀi] n. m. invar. — V. 1950; expr. angl. signifiant «Marie la Sanglante» (Marie Tudor), à cause de la couleur du cocktail.

Anglic. Boisson composée de vodka et de jus de tomate.

Il ponctua sa commande d'un clin d'œil signifiant qu'il souhaitait une rasade de vodka dans son jus de tomate. En présence de Najiba, il consommait des bloody-mary clandestins, davantage pour lui faire une entourloupe morale que par goût véritable de l'alcool.
SAN-ANTONIO, les Soupers du Prince, p. 26.

**BLOOM** [blum] n. m. — 1884; 1774, attestation isolée; mot angl. de *to bloom* «marteler».

Anglic. Techn. Demi-produit métallurgique obtenu par passage d'un lingot d'acier dans un laminoir dégrossisseur. → **Blooming.**

HOM. **Bloum.**

**BLOOMER** [blumœʀ] n. m. — 1929; attestation isolée, 1899, *in* Höfler; angl., nom propre.

Anglic. Culotte d'enfant, bouffante et serrée en haut des cuisses par un élastique.

C'était juste après le cours de gym. Nous venions de regagner le vestiaire, toutes transpirantes de performances. Nos bloomers bouffants adhéraient à nos ventres.
Jeanne CORDELIER, la Passagère, p. 155.

**BLOOMING** [blumiŋ] n. m. — 1859; angl. *blooming machine,* de *to bloom* «battre, marteler». → Bloom.

Anglic. Techn. Laminoir dégrossisseur réversible, qui transforme le lingot de métal en une pièce à section carrée (le *bloom*). *Les billettes résultent du tronçonnage des produits du blooming.*

**BLOQUE** [blɔk] n. f. — D. i.; déverbal de 2. *bloquer.*

Régional (Belgique). Préparation intense aux examens (notamment, universitaires). *Le mois de bloque.*

HOM. **Bloc, block.**

1. **BLOQUER** [blɔke] v. tr. — V. 1450; de *bloc.*

**I** ♦ **1** Réunir, mettre en bloc. → **Grouper, masser, réunir.** — REM. Semble inusité en emploi concret. — *Bloquer plusieurs idées en une phrase. Bloquer deux paragraphes.* — Spécialt. P. p. *Vote bloqué :* procédure parlementaire par laquelle l'assemblée est contrainte d'accepter ou de refuser en bloc les articles d'un projet de loi proposé par le gouvernement.

♦ **2** Archit. Garnir de blocage. — Typogr. *Bloquer une lettre.* → **Blocage** (I., 2.).

**II** ♦ **1** (Déb. XVIIe). Investir, fermer par un blocus*. → **Cerner, investir.** *Bloquer un port, une ville.* → **Siège** (mettre le siège). — Passif et p. p. :

Ratopolis était bloquée : 1
On les avait contraints de partir sans argent (...)
LA FONTAINE, Fables, VII, 3.

Bloqués par les vaisseaux anglais (...) 2
SAINT-SIMON, Mémoires, I, 302.

♦ **2** Empêcher de se mouvoir, de passer. → **Arrêter, coincer, immobiliser.** *Bloquer qqn,* le retenir avec insistance. *Navire bloqué par les glaces.* → **Immobiliser.**

Arrivés des premiers, nous étions tout en haut de l'estrade; bloqués par douze rangs de foule et maintenus en place jusqu'à la fin (...) GIDE, Journal, 17 févr. 1912. 3

Déporté vers la droite, il se trouva bloqué contre les maisons (...) 4
MARTIN DU GARD, les Thibault, t. VII, p. 63.

(...) elle aussi travaillait dans un bureau. Le sous-chef la bloquait tout le temps dans les petits coins et le chef faisait de même. À peine sortie de leurs mains, elle passait à celles du métro. R. QUENEAU, le Chiendent, p. 10. 4.1

*Bloquer une porte. Bloquer les roues. Bloquer un moteur.* → **Caler.** *Bloquer les freins.* → **Bloc** (serrer à bloc), **freiner.**

Puis il court aux deux autres portes, successivement, sans plus de succès : toutes les trois sont bloquées hermétiquement. 4.2
A. ROBBE-GRILLET, Projet pour une révolution à New York, p. 136.

Techn. *Bloquer un train,* l'arrêter au moyen des signaux appropriés. — *Bloquer la voie.* → Block-system.

Jeu de billard (vx). Immobiliser la bille de son adversaire contre la bande.

Alpin. Tendre (la corde) pour soutenir le grimpeur. — Boxe et lutte. Empêcher (l'adversaire) de se mouvoir. — (1905, *in* Petiot). Football, basket... *Bloquer le ballon.* → **Blocage,** II.

Le remplaçant bloqua sa balle, la passa à son avant centre. 4.3
René FALLET, le Triporteur, p. 375.

♦ **3** (Abstrait). *Bloquer le (un) crédit :* suspendre les opérations de crédit. *Bloquer les crédits. Bloquer un compte en banque.* → **Geler.** — P. p. *Compte bloqué :* somme d'argent déposée en banque, sans possibilité de retrait, pour un temps déterminé et pour laquelle sont versés des intérêts. — *Bloquer les prix, les salaires,* en interdire l'augmentation.

Sans doute les Français auraient-ils consacré (...) une part plus forte de leur revenu, jadis, à leur habitation urbaine, si les salaires n'avaient pas été si misérablement bas et surtout si les pouvoirs publics n'avaient pas pratiquement bloqué les prix des loyers pendant quarante ans et ainsi détourné les capitaux de s'investir dans la construction. 4.4
Jean FERNIOT, Pierrot et Aline, p. 276.

♦ **4** Boucher, obstruer. *Bloquer le passage.* → **Barrer.** *La route est bloquée.* → **Embouteiller.** «*Les chantiers* (cit. 2) *du métro achevaient de bloquer les carrefours*».

♦ **5** Psychol., psychan. (surtout au passif et p. p.). *Être bloqué :* être arrêté (dans ses réactions) par une cause perturbante qu'on ignore. → **Blocage.** *Son échec l'a bloqué.* — Au p. p. *Sujet bloqué par le jeu des défenses dans une cure psychanalytique.*

4.5 La cure psychanalytique s'adresse à des sujets bloqués dans leurs facultés d'aimer ou de coopérer, c'est-à-dire de communiquer, c'est-à-dire encore de vivre avec les autres (...)
A. AMAR, le Praticien et le Philosophe, p. 14, *in* la Nef, n° 31.

Nom :

4.6 (...) les refoulés, les complexés, les inhibés, les «bloqués», tous ceux qu'intoxiquent les poisons que chacun secrète en son for intérieur, toutes les victimes de la pollution intime (...)
Jean-Louis BORY, Ma moitié d'orange, p. 78.

♦ **6** Régional (Canada). *Bloquer (un examen).* → **Coller, échouer.**

◆ **SE BLOQUER** v. pron. S'immobiliser. *Moteur, mécanisme qui se bloque.* → **Coincer** (se).

5 (...) il semblait au bord même de l'aveu; puis soudain, comme si les paroles se bloquaient dans sa gorge, il stoppait net. MARTIN DU GARD, les Thibault, t. IV, p. 85.

6 (...) quelque chose s'était bloqué, il y avait eu une panne, il fallait attendre que ça revienne.
SARTRE, les Chemins de la liberté, t. I, p. 228.

7 Il se tut. Les mots se bloquaient dans sa gorge.
H. TROYAT, la Tête sur les épaules, p. 119.

(Sujet n. de personne). S'arrêter.

8 Je me bloque et regarde ce fakir, presque nu, s'avancer, regarder l'animal, caresser la tête du reptile, les yeux rivés à lui.
Fernand FOURNIER-AUBRY, Don Fernando, p. 408.

◆ **BLOQUÉ, ÉE** p. p. adj. (→ ci-dessus I., 1. : *vote bloqué;* II., 2.; 3. : *compte bloqué;* 5.).

CONTR. **Débloquer.** — (Du sens I) **Diviser, morceler, séparer, sérier.** — (Du sens II) **Défendre; déclencher, dégager, dépanner, desserrer, remettre** (en marche), **reprendre** (sa marche). — **Marcher, repartir.** ◈ DÉR. **Blocage, bloquette, bloqueur.** — V. **Bloquet.** ← COMP. **Abloquer, débloquer; alpha-bloquant, bêta-bloquant; autobloquant; 1. bloqueur.**

2. **BLOQUER** [blɔke] v. tr. — 1911, attesté; néerl. *blokhen* «travailler durement».

Régional (Belgique). Étudier assidûment pour les examens. → **Bûcher, potasser.**

En novembre (...) on n'aura plus que quelques heures de cours communs. Ça ne te fait rien, à toi, de te dire que c'est le dernier après-midi que nous bloquons ensemble?
Marcel THIRY, Simul et autres cas, p. 54 (1963).

DÉR. **Bloque, 2. bloqueur.**

**BLOQUET** [blɔkɛ] n. m. — XVI^e; du rad. de 1. *bloquer.*

Techn. Bobine à manche des dentellières.

**BLOQUETTE** [blɔkɛt] n. f. — 1866; de 1. *bloquer.*

Jeu où l'on doit bloquer des billes dans un trou. *Jouer à la bloquette. Partie de bloquette.*

1. **BLOQUEUR, EUSE** [blɔkœʀ, øz] adj. et n. m. — XX^e; de 1. *bloquer.*

♦ **1** Adj. Qui bloque. *Système bloqueur.*

♦ **2** N. m. (Physiol.). Substance qui inhibe l'activité d'une substance organique. → **Inhibiteur.** *Ces hormones modifiées «s'avèrent des bloqueurs extrêmement puissants de la fonction testiculaire au lieu d'en être des stimulants»* (*le Monde,* 11 août 1982, p. 10).

2. **BLOQUEUR, EUSE** [blɔkœʀ, øz] n. — Mil. XX^e; de 2. *bloquer.*

Régional (Belgique). Travailleur acharné, bûcheur. Syn. régional : *manche-à-balles.*

**BLOT** [blo] n. m. — 1835, Esnault; 1821, «prix»; mil. XVII^e «bon prix», attestation isolée; altér. de *bloc.*

Argot.

♦ **1** Sorte. — Loc. *Du même blot :* semblable. *Le même blot :* la même chose. → **Pareil.**

(...) j'ai distingué près de Pigalle quelques voitures qui se massaient; ça devait être le grand barrage. J'étais pas bon. Rue Blanche, à hauteur du Florence, c'était le même blot. J'ai obliqué. 1
Albert SIMONIN, Touchez pas au grisbi, p. 67.

Travail; spécialt, travail pénible, mauvaise affaire. *Tu parles d'un blot!*

Charger... décharger!... voilà tout! Un point et c'est marre!... Camelote de commerce ou de guerre... Jamais un autre blot! C'était comme ça leur destin. 2
CÉLINE, Guignol's band, p. 147 (1951).

♦ **2** Compte, affaire, dans : *Ça fait mon blot.*

C'est mon blot, moi, v'là mon pépin : 3
J'saigne un goncier comme un lapin...
Y a pas gras les nuits qu'Bibi bouge,
À Montrouge. A. BRUANT, «À Montrouge».

(...) et ça se fout tant de noir aux yeux, tant de poudre, tant de cheveux frisés, que je te défie de savoir si elles sont jolies ou non. Ça brille, ça cause, ça remue (...) ça fait bien mon blot! COLETTE, la Vagabonde, p. 237. 4

**BLOTTIR (SE)** [blɔtiʀ] v. pron. — 1552, au p. p.; p.-ê. du bas all. *°blotten* «écraser», l'idée de «se cacher» étant souvent exprimée par une métaphore de «s'aplatir». → Se tapir.

**A** ♦ **1** Se ramasser sur soi-même, de manière à occuper le moins de place possible. → **Accroupir** (s'); **boule** (se mettre en boule), **bouler** (se), **pelotonner** (se), **ramasser** (se), **recroqueviller** (se), **replier** (se), **tapir** (se). *Un lapin se blottit dans un trou.* → **Clapir** (se). *Se blottir dans son lit, sous ses couvertures.* → **Enfouir** (s'). *Se blottir sur soi-même.*

*Se tapir,* c'est (...) s'aplatir, s'appliquer contre (...) Mais *se blottir,* c'est s'arrondir (...) se mettre en bloc, en boule, se rouler sur soi-même, se ramasser, dans un trou ou quelque chose de semblable, qui enveloppe et couvre au lieu d'abriter (...) On *se tapit* pour n'être pas vu (...) Mais il peut se faire qu'on *se blottisse* sans avoir l'intention de se cacher (...) 1
LAFAYE, Dict. des synonymes, Tapir (se), se blottir.

Je laisse à penser si ce gîte 2
Était sûr; mais où mieux? Jean Lapin s'y blottit.
LA FONTAINE, Fables, II, 8.

*(Mitis)* Se niche et se blottit dans une huche ouverte. 3
LA FONTAINE, Fables, III, 18.

Elle se jeta dans la voiture, referma la portière, se blottit au fond, se sentant seule derrière les glaces relevées, seule pour songer. 3.1
MAUPASSANT, Fort comme la mort, p. 38.

Il donnait en exemple les oiseaux qui se mettent la tête sous l'aile, tous les animaux qui se blottissent pour dormir (...) GIDE, les Faux-monnayeurs, II, 4. 4

(...) là, elle s'accroupit, se rencogne autant qu'elle peut comme si elle espérait rentrer dans les murs, et se blottit sur elle-même en tenant ses genoux repliés dans ses bras. 4.1
A. ROBBE-GRILLET, Projet pour une révolution à New York, p. 149.

♦ **2** (1596). Chercher à se mettre à l'abri, en sûreté en se ramassant sur soi-même. → **Cacher** (se), **réfugier** (se). *Se blottir contre qqn.* → **Presser** (se), **serrer** (se serrer contre). *Se blottir contre l'épaule de qqn, dans ses bras...* (→ Évoquer, cit. 10).

Elle s'amusa un instant de son air surpris, puis vint se blottir entre ses bras. 5
A. MAUROIS, Bernard Quesnay, XXII, p. 149.

(Sujet n. de chose). Être caché, placé contre qqch.

5.1 Le lit se blottissait très simplement contre le mur sous les roses noires d'une satinette rouge damassée.
M. JOUHANDEAU, la Jeunesse de Théophile, p. 121.

Au participe passé :

6 C'était un paradis (...) blotti au pied d'une haute falaise couronnée de figuiers sauvages, dans un creux, à l'abri de la pluie et du vent (...)
H. BOSCO, l'Âne Culotte, p. 10.

**B** (Abstrait) :

7 Le désir de celle-ci *(cette femme)* l'avait à peine effleuré, et semblait blotti, caché derrière un autre sentiment plus puissant, encore obscur et à peine éveillé.
MAUPASSANT, Fort comme la mort, p. 31.

8 Je me suis frileusement blotti dans un peu de tendresse.
GIDE, Journal, 23 juill. 1891.

◆ **BLOTTI, IE** p. p. adj. Voir ci-dessus à l'article.

CONTR. **Étirer** (s'). — **Découvrir** (se), **exposer** (s'). ◈ DÉR. **Blottissement.**

**BLOTTISSEMENT** [blɔtismɑ̃] n. m. — 1870, Goncourt; de *se blottir.*

Rare. Action de se blottir; résultat de cette action.

Qui comprendra que le dénuement puisse être attrayant comme un luxe ? et le blottissement dans la détresse autant que l'exaltation de l'amour ?
GIDE, Journal, 14 févr. 1916.

**BLOUM** [blum] n. m. — 1881, «chapeau haut de forme»; orig. inconnue, p.-ê. nom propre de fabricant, *Blumenthal.*

(1897, Rictus). Argot, vx. Chapeau (d'homme). — Var. : *blum* (1938, La Varende, *in* T. L. F.).

HOM. **Bloom.**

**BLOUSANT, ANTE** [bluzɑ̃, ɑ̃t] adj. — 1926, n.; de 2. *blouser.*

Cout. Qui blouse. *Robe à dos blousant.*

CONTR. **Ajusté.**

1. **BLOUSE** [bluz] n. f. — 1680 (1600, terme de jeu de paume); orig. incert.; on a proposé le néerl. *bluts* «bosse; enfonçure», phonétiquement inadéquat; par ailleurs, *belouse,* 1585, a un sens érotique.

Vx. Trou, poche aux coins et au milieu des grands côtés, dans les anciens billards. *Envoyer une bille dans la blouse.* → 1. **Blouser.**

DÉR. 1. **Blouser.** ◈ HOM. 2. **Blouse, blues.**

2. **BLOUSE** [bluz] n. f. — 1788; orig. obscure; mot régional, le rapport avec *blaude* n'est pas établi; pour Guiraud, la var. *belouse* permet de rattacher le mot au lat. *bullosa* «en forme de bulle, gonflé, bouffant», de *bulla.*

♦ **1** Vêtement de travail que l'on met par-dessus les autres pour les protéger. → **Bliaud, bourgeron, casaque, sarrau, souquenille, tablier.** *Blouse de toile, de cotonnade. Au XIXe siècle, les ouvriers étaient vêtus de blouses* (→ **Blousier**). *Blouse de paysan. Blouse de roulier.* → **Roulière** (vx). *Blouse d'artiste, de peintre. Blouse de chirurgien.* → aussi **Casaque** (5.). *La blouse blanche des infirmières. Blouse d'écolier. Porter une blouse. — Être en blouse. Des hommes en blouse* (→ Roulière, cit. 1).

1 Il avait une blouse grise, à ceinture et à plis fixés sur sa taille courte, qui lui donnait l'aspect d'une barrique cerclée.
G. SAND, *in* Pierre LAROUSSE.

Par métonymie, vx. *Les blouses, le monde des blouses* (des ouvriers).

♦ **2** (1899). Chemisier de femme, large du bas, porté vague ou serré par une ceinture. → **Chemisette, chemisier, corsage.** *Blouse de soie. Blouse à grand col se passant par la tête.* → **Marinière.** *Porter une blouse.*

Plutôt que d'être à nouveau séduit par des souvenirs de là *(de Rome),* il s'intéresserait à la transparente blouse de sa voisine (...) 2
A. PIEYRE DE MANDIARGUES, la Marge, p. 93.

Vêtement léger (d'homme ou de femme) habillant le torse. *Blouse ukrainienne.*

DÉR. **Blousé,** 2. **blouser, blousier, blouson.** ◈ HOM. 1. **Blouse, blues.**

**BLOUSÉ, ÉE** [bluze] adj. — XXe; de 2. *blouse* «tablier».

Rare. Vêtu d'une blouse.

La sage-femme énorme et blousée mettait les deux drames en scène, au premier, au troisième, bondissante, transpirante, ravie et vindicative.
CÉLINE, Voyage au bout de la nuit, p. 274 (1932).

HOM. 1. et 2. **Blouser.**

1. **BLOUSER** [bluze] v. tr. — 1654, *se belouzer;* de 1. *blouse.*

♦ **1** Vx. Mettre dans la blouse. *Blouser une bille* (de billard). *Blouser sa propre bille.*

♦ **2** (D'abord au pron., de *se belouser* «mettre sa bille dans la blouse»). Fig. et fam. Tromper, décevoir. *Je me suis bien vite aperçu qu'il voulait me blouser. Il s'est fait blouser. Être blousé.*

As-tu aimé ce film ? l'interroge Anouk. La voix est mondaine et l'œil goguenard. 1
— Énormément, dit Robert. Évidemment, tu es blousée, chérie. Aucun fasciste n'a été puni; la pollution : tintin; et pas un mot sur le Vietnam. Une vraie misère.
Christine ARNOTHY, Un type merveilleux, p. 3.

◆ **SE BLOUSER** v. pron. (1680). Se méprendre, se tromper (→ Tomber dans le panneau*; se mettre, se ficher dedans).

(...) un spécialiste peut se blouser comme un autre homme. 2
GIDE, Journal, 4 janv. 1933.

Cette petite histoire ne persuadera personne et ne servira qu'à m'enfoncer dans cette conviction : que l'on se blouse tout aussi souvent par excès de défiance que par excès de crédulité. 3
GIDE, Voyage au Congo, *in* Souvenirs, Pl., p. 825.

HOM. **Blousé.**

2. **BLOUSER** [bluze] v. intr. — 1925, *in* D. D. L. : de 2. *blouse.*

Bouffer comme fait une blouse. *Il faut faire blouser cette chemisette à la taille.*

DÉR. **Blousant.**

**BLOUSIER** [bluzje] n. m. — 1852, à Genève; de 2. *blouse.*

Vx. Homme qui porte une blouse*; ouvrier en blouse (notamment dans le contexte historique de la Commune : *insurgé*).

Un blousier seul, au milieu d'un groupe, raconte des choses qu'il a vues (...)
Ed et J. DE GONCOURT, Journal, t. IV, p. 52.

Var. péj. *Blousard* (Huysmans, *En route*).

**BLOUSON** [bluzɔ̃] n. m. — 1907, *in* D. D. L.; de 2. *blouse.*

♦ **1** Veste courte relativement ample à la taille et serrée aux hanches. *Blouson de sportif, de militaire. Blouson militaire* (→ **Battle-dress**). *Blouson à fermeture-éclair. Porter un blouson, le blouson. Blouson de cuir, de satin, de jeans. Pantalon et blouson assortis. Blouson d'homme, de femme.*

1 On voit que ses vêtements ne sont pas de la confection en série : le style en est élégant, la matière souple, douce, brillante sans excès, coûteuse probablement; le pantalon est en cuir noir, lui aussi, et à fermeture éclair comme le blouson, dont le col est entrouvert jusqu'à la naissance des seins.

A. ROBBE-GRILLET, Projet pour une révolution à New York, p. 107.

♦ **2** Loc. (V. 1960). **BLOUSON NOIR :** jeune homme (souvent agressif ou délinquant), vêtu de blouson de cuir noir. → **Loubard,** 2. **loulou; rocker.** *Une bande de blousons noirs sur des motos.*

2 Nous répétons pour nous rassurer que les tricheurs sont une invention de cinéastes et les blousons noirs un phénomène sans portée.

F. MAURIAC, le Nouveau Bloc-notes 1958-1960, p. 245.

3 Elle était poursuivie et même pire, comme je vais le raconter à présent. Mais le jeune blouson noir, désigné par la lettre W dans le rapport, ne pouvait s'en rendre compte.

A. ROBBE-GRILLET, Projet pour une révolution à New York, p. 131.

Par anal. (vieilli; à la mode v. 1970). **BLOUSON DORÉ :** jeune homme de famille riche ou honorable assimilé au blouson noir par la nature répréhensible de ses activités.

4 Sortie du fils Pacton «pétaradant» sur son scooter *(graine de blouson noir... vous voulez dire doré... on a les enfants qu'on mérite...)* P. DANINOS, le Jacassin, p. 61.

**BLOUSSE** [blus] n. f. — 1752; orig. incert.; p.-ê. du provençal mod. *(lano) blouso* «(laine) dépouillée», germ. *bloz* «nul».

Techn. Déchets, partie très grossière de la laine, éliminés par les peigneuses (dans une filature).

(...) quant aux *(fibres)* plus courtes, elles sont éliminées et constituent les déchets ou *blousses* qui sont revendus aux filatures de laine cardée dont ils constituent parfois une partie de la matière première.

Charles MARTIN, la Laine, p. 56.

**B. L. U.** [beɛly] n. f. — D. i. (XX^e); sigle.

Radio. Bande* latérale unique.

**BLUE-JEAN** [bludʒin] n. m. ou **BLUE-JEANS** [bludʒins] n. m. pl. — 1956, *in* Höfler; *blue jean,* 1954; *blue-jeans,* n. m. pl., 1949; mot amér., de *blue* «bleu», et *jeans.* → Jeans.

Anglicisme. Pantalon de forte toile bleue (→ **Denim,** anglic.), à piqûres apparentes, porté surtout par les jeunes gens des deux sexes. → **Jean.** *Un blue-jean délavé. Blue-jean serré.* — REM. Il y a des hésitations sur la graphie, la prononciation et le nombre de ce mot; *blue-jeans* est parfois prononcé [bludʒin], et le pluriel peut désigner un seul objet, comme dans *un pantalon, des pantalons.*

1 (...) au supplice sans doute d'avoir été obligée de passer une robe au lieu des blue-jeans et des chandails dont elle devait habituellement s'affubler.

Claude SIMON, le Vent, p. 60.

2 (...) on voit des princes en salopette, des monarques à vélo, des reines en *blue-jeans.*

P. DANINOS, Un certain Monsieur Blot, p. 57.

3 Martin vit d'abord le chef du groupe, un jeune garçon d'une douzaine d'années, vêtu d'un blue-jeans et d'un sweater blanc.

J.-M. G. LE CLÉZIO, la Fièvre, Martin, p. 166.

4 Les étudiants et les étudiantes — qui ont abandonné le blue-jean pour des robes à jupons qui marquent un retour au romantisme — sont d'une élégance et d'une propreté inimaginables dans nos pays.

G. DUMUR, *in* les Lettres nouvelles, n° 36, mars 1956.

Les graphies francisées (plais.) *bloudgine* (M. Aymé), *bloudjinnzes* (Queneau), *blougines* (*Elle, in* Etiemble) marquent les hésitations phonétiques.

**BLUE NOTE** [blunɔt] n. f. — XX^e; amér. *blue* (→ Blues), et *note.*

Anglic. Jazz. Note (médiante et sensible; dominante) abaissée d'un demi-ton de manière à apporter des accords mineurs dans une tonalité majeure. *Les blue notes sont, dans la tonalité de do, le mi bémol et le si bémol, auxquels le jazz moderne a ajouté le sol bémol* (quinte diminuée) *à partir de la période be bop* (vers 1945).

Dans le ton *do* par exemple, le *mi* et le *si* se trouvent abaissés d'un demi-ton. Et ce sont ces notes abaissées, les «blue notes» qui confèrent à la musique noire son caractère de poignante tristesse.

Lucien MALSON, les Maîtres du jazz, p. 10.

**BLUES** [bluz] n. m. — 1919, *in* Höfler; de l'amér. *blues,* employé pour *blue devils* «idées noires».

Anglicisme.

♦ **1** Forme musicale élaborée par les Noirs des États-Unis d'Amérique, et se caractérisant par une formule harmonique constante et un rythme à quatre temps. → Rythm and blues. *Blues lent. Blues rapide instrumental* (→ **Boogie-woogie).** *Le blues est une des sources du jazz*.*

Air de cette musique. *Jouer, siffler, chanter un blues. — Chanteur de blues.* → **Bluesman.**

Antoine se mit à claquer des dents sur un rythme de batterie New Orleans. Holiday l'entortilla dans une couverture et lui chanta trois blues. 1

René FALLET, le Triporteur, p. 88.

À côté de cette musique religieuse *(les «negro-spirituals»),* ils *(les Noirs américains)* avaient leurs chants profanes, cri de l'âme noire sous l'oppression de l'esclavage, chants qui furent appelés les «blues» (...) 2

H. PANASSIÉ, *in* Initiation à la musique, p. 110.

♦ **2** Cour. (abusif en mus.). Musique de jazz lente (→ **Slow**); danse exécutée sur cette musique. *Danser un blues langoureux.*

♦ **3** (1970, *in* Cellard et Rey; réemprunt à l'angl. *to be, to feel blue*). Fam. Mélancolie, humeur sombre. → **Bourdon, cafard.** *Avoir le blues.*

Je me laissais bercer par le ronron du moteur, par la monotonie du paysage. Et, pour chasser mon blues montant, je nous imaginais, toi et moi, parcourant l'Ile-de-France à bicyclette. 3

Jeanne CORDELIER, la Passagère, p. 314.

DÉR. **Bluesman.** ◊ HOM. **Blouse.**

**BLUESMAN** [bluzman] n. m. — 1961, *in* Höfler de *blues*,* et suff. d'orig. angl. *-man.*

Anglic. Chanteur musicien de blues. — Plur. *Bluesmen* [bluzmɛn]. *Les bluesmen du Mississippi. «À plagier les grands bluesmen noirs d'autrefois sans en avoir le feeling ni le coffre, on a la mine blafarde.»* (*l'Express,* 16 oct. 1972, p. 14).

**BLUET** [blyɛ] n. m. → **Bleuet.**

**BLUETTE** [blyɛt] n. f. — V. 1530; 1550, *belluette;* probablt dér. de l'anc. franç. *belue* «étincelle» (qui aurait donné *belluer,* XIII^e, «éblouir»), p.-ê. d'un lat. pop. **biluca,* issu par substitution d'initiale de *famfaluca.* → Berlue.

♦ **1** Vx. Petite étincelle.

Des bijoux posés sur la toilette, bracelets, colliers, pendants d'oreilles, lançaient de folles bluettes et de brusques scintillements d'or. 1

Th. GAUTIER, le Capitaine Fracasse, I, VIII.

♦ **2** (Abstrait). Vx ou littér. Trait vif et léger. *Il y a quelques bluettes d'esprit dans cet ouvrage* (Académie, 1878). *«Ces petites bluettes passagères, inoffensives d'aspect...»* (Bernanos, *in* T. L. F.).

(En littérature). Petit ouvrage léger et spirituel (→ 1. Boire, cit. 44).

2 La *Revue des Deux-Mondes.* — Il y a une charmante bluette d'Alfred de Musset : *Un caprice.* C'est léger et joli comme la chose.
BARBEY D'AUREVILLY, Premier mémorandum, 16 juin 1837, p. 162.

3 Sur scène les élèves des petites classes jouent en lever de rideau. Ils présentent des bluettes didactiques et moroses sur les métiers, sur les maladies destinées à mettre le public en appétit (...).
Pierre MERTENS, la Fête des anciens, *in* Littérature de langue franç. hors de France, p. 316.

DÉR. **Bluetter.**

**BLUETTER** [blyete] v. intr. — 1801; de *bluette.*

Vieilli, rare. Jeter des bluettes, de petites lueurs.

**BLUFF** [blœf] n. m. — 1840; mot angl. des États-Unis, de *to bluff.* → Bluffer.

♦ **1** Aux cartes (poker). Attitude destinée à impressionner l'adversaire en lui faisant illusion.

♦ **2** (1895, *in* Höfler). Attitude destinée à intimider l'adversaire. *Pratiquer le bluff.* → **Battage, blague, chantage, tromperie; bluffer.** *Bluff diplomatique.* → **Chantage.** *Des bluffs. Ça n'est qu'un bluff. Il nous a eus au bluff.*

1 De part en part il n'y a que rhétorique et bluff dans cet homme-là. GIDE, Journal, 10 janv. 1906.

2 (...) mais si aux cartes, à la guerre, où il importe seulement de gagner, on peut résister au bluff, les conditions ne sont point les mêmes que font l'amour et la jalousie, sans parler de la souffrance.
PROUST, À la recherche du temps perdu, t. XIII, p. 25.

♦ **3** Esbroufe, épate.

3 Le style nouveau s'accompagne d'un certain bluff. Et le grand problème sera de garder le style sans le bluff.
F. MAURIAC, Bloc-notes, 1952-1957, p. 138.

4 L'inspiration, c'est une invention des gens qui n'ont jamais rien créé. Nous entretenons la légende pour nous faire valoir, mais entre nous, c'est un bluff. Le poète ne connaît que la commande.
J. ANOUILH, Ornifle ou le Courant d'air, I, p. 47.

CONTR. **Sincérité.** ◇ DÉR. **Bluffer, bluffeur.**

**BLUFFER** [blœfe] v. — 1884; de *bluff,* pour correspondre à l'anglo- amér. *to bluff* (1864, en poker; 1839, «faire illusion»), mot empr. du néerl. aux États-Unis.

♦ **1** V. intr. Fam. Pratiquer le bluff; tenter de donner le change, de faire illusion. → **Intimider, leurrer, tromper** (→ fam. Esbroufer; faire de l'esbroufe, de l'épate). *Il bluffe constamment. Bluffer avec qqn. Bluffer sur, quant à son origine. Cesse donc de bluffer* (→ argot Arrête ton char*).

1 Comme au poker : ceux qui *blufferont* le mieux, le plus longtemps, gagneront (...)
MARTIN DU GARD, les Thibault, t. VI, p. 213.

Par ext. Se vanter.

♦ **2** V. tr. (1895, *in* Höfler). [a] Au jeu. *Essayer de bluffer l'adversaire, au poker.* → Poker, cit. 2.

[b] *Bluffer qqn,* tenter de l'abuser. *Il nous a bluffés.*

2 (...) il s'immobilisa, pensant (c'est-à-dire la partie de lui-même qui s'efforçait de bluffer l'autre disant :) «Putain de pays où même un carrelage sous des pieds nus n'est pas fichu d'être plus frais qu'un lit ou plutôt un paquet de linge mouillé». Claude SIMON, le Palace, p. 131.

◆ **SE BLUFFER** v. pron. (Réfl.). *Passer son temps à se bluffer,* s'abuser, s'illusionner. «*Ne cherchons pas à nous bluffer là-dessus*» (Montherlant, *in* T. L. F.).
Récipr. *Ils se bluffent mutuellement.*

**BLUFFEUR, EUSE** [blœfœʀ, øz] n. et adj. — 1895, au fém., P. Bourget; de *bluff,* le v. *bluffer* étant postérieur.

♦ **1** N. Personne qui bluffe. → **Hâbleur, menteur, vantard.** *Un grand bluffeur au poker. C'est une bluffeuse.*

Prétentieux. *C'est un petit bluffeur.* → **Esbroufeur.**

♦ **2** Adj. (1903, *in* Höfler). Qui bluffe. *Il est un peu bluffeur.*

**BLUSH** [blœʃ] n. m. — 1969, *in* Höfler; mot angl. proprt «afflux de sang au visage».

Anglic. Fard à joues sec. *Blush rose, orangé, en poudre, en crème. Se mettre une touche de blush sur les pommettes.* — REM. La var. *blush-on* paraît vieillie.

Tout, je volais tout, fonds de teint, mascara, laits hydratants, crèmes de nuit, blush-on, eyeliners, vernis à ongles, shampooings, je fourrais tout sous un journal.
Christine DE RIVOYRE, Fleur d'agonie, p. 28.

**BLUTAGE** [blytaʒ] n. m. — 1556, *buletaige;* 1611, *belutage,* et *blutage;* en 1546, Rabelais, *belutaige* «coït»; de *bluter.*

Technique.

♦ **1** Séparation du son et de la farine. → **Tamisage.** *Blutage à la main, à la machine* (→ **Blutoir).** *Taux de blutage.*

♦ **2** Nettoyage et triage des chiffons, pour la fabrication de la pâte à papier.

**BLUTEAU** [blyto] n. m. — Fin XIVe, *blucteau; buretel,* déb. XIIe; de *bluter.*

Techn. (vx). Tamis à bluter* (la farine). *Des bluteaux.*

**BLUTER** [blyte] v. tr. — V. 1350; *buleter,* 1170; *beluter,* fin XIIe; moy. haut all. *biuteln,* par métathèse (*b-l-t* pour *b-t-l*), puis métathèse des voyelles; pour Guiraud, il s'agit d'un mot roman, *buleter* étant une var. de *bureter.* → Bure.

Technique.

♦ **1** Tamiser (la farine) pour la séparer du son. *Bluter la farine*, la mouture*. Tamis à bluter.* → **Bluteau, blutoir.** — P. p. *Farine blutée.*

♦ **2** Passer au tamis (une matière pulvérulente). *Bluter le minerai de talc* (→ **Bluteur).**

DÉR. **Blutage, bluteau, bluterie, bluteur, blutoir.**

**BLUTERIE** [blytʀi] n. f. — 1701; *buleterie* «blutoir», 1325; de *bluter.*

Technique.

♦ **1** Lieu où l'on blute la farine.

♦ **2** Appareil qui sert à bluter certaines matières. → **Bluteur.**

**BLUTEUR** [blytœʀ] n. m. — 1539; *buleteres,* 1268; de *bluter.*

Technique.

♦ **1** Ouvrier qui fait le blutage*. — REM. Dans ce sens, le fém. *bluteuse* est virtuel.

♦ **2** Appareil servant à bluter (le talc). → **Bluterie.**

**BLUTOIR** [blytwaʀ] n. m. — 1690; *belutoir,* 1315; de *beluter, bluter*.*

Appareil servant à bluter (la farine). *Blutoir à la main.* → **Bluteau, sas, tamis.** *Blutoir mécanique.* → **Moulin, plansichter.**

(...) l'horloge de l'église qui nous épluche le temps miette à miette comme le blutoir le grain (...) 1
G. SAND, François le Champi, XVI, p. 120.

2 Quant aux diverses parties du mécanisme intérieur, la boîte destinée à contenir les deux meules (...) et enfin le butoir, qui, par l'opération du tamisage, sépare le son de la farine, cela se fabriqua sans peine.
J. VERNE, l'Île mystérieuse, t. II, p. 534.

**BOA** [bɔa] n. m. — 1372; du lat. *boa* «serpent d'eau».

♦ **1** Grand serpent d'Amérique du Sud *(Colubriformes),* non venimeux, carnassier, qui, avant d'avaler sa proie, l'étouffe dans ses anneaux. → **Eunecte.** *Un boa constrictor.* → **Constricteur, devin** (vx). *Des boas empereurs. «Les boas luisants»* (→ Bras, cit. 8).

1 Les boas monstrueux, les crocodiles verts,
Moindres que des lézards sur ses murs entr'ouverts,
Glissaient parmi les blocs superbes (...)
HUGO, les Orientales, I.

1.1 Je me rendais au Jardin des Plantes, pour le dîner que fait à quatre heures et demie, tous les deux mois, le boa (...) j'ai devant moi le monstre de six mètres en son immobilité morte, avec ses écailles ternes, ses yeux en verre décoloré (...)
Ed. et J. DE GONCOURT, Journal, t. VIII, p. 196.

1.2 Mais qui donc!... mais qui donc ose, ici, comme un conspirateur, traîner les anneaux de son corps vers ma poitrine noire? (...) Car, vois-tu, boa, ta sauvage majesté n'a pas, je le suppose, l'exorbitante prétention de se soustraire à la comparaison que j'en fais avec les traits du criminel.
LAUTRÉAMONT, les Chants de Maldoror, Pl., p. 198-199.

(Abusif en zool.). Python.

Par compar. *«Financièrement parlant, M. Grandet tenait du tigre et du boa»* (→ Griffe, cit. 7.1, Balzac).

♦ **2** (1827). Par anal. de forme. Tour de cou (en fourrure ou en plumes).

2 (...) et les femmes enroulaient autour de leur cou ces boas de plumes qui étaient alors à la mode.
ALAIN-FOURNIER, le Grand Meaulnes, p. 101.

**BOAT PEOPLE** [botpipœl] n. m. pl. — 1979, expr. angl. «gens des bateaux».

Anglic. Se dit des Cambodgiens qui ont massivement fui leur pays en 1979, sur des bateaux, et, par ext., de réfugiés abandonnant leur pays dans les mêmes conditions. *«Durant les six premiers mois de 1978, on avait accueilli 16 000 boat people provenant du Vietnam»* (*l'Express,* nº 1463, 21 juil. 1979). *«... plus de 16 000* boat people *ont encore quitté Cuba la semaine dernière»* (*le Point,* nº 400, 19 mai 1979).

1. **BOB** [bɔb] n. m. — 1950, au sens 2; nom angl., dimin. hypocoristique de *Robert* désignant les soldats (ou marins) américains.

Anglicisme.

♦ **1** Bonnet de marin, dans l'armée américaine.

♦ **2** Coiffure de toile souple en forme de cloche à bords relevés.

2. **BOB** [bɔb] n. m. → **Bobsleigh.**

3. **BOB** [bɔb] n. m. — 1918, Maurois; argot angl., dimin. de *Robert.*

Rare.

♦ **1** Pièce de un shilling. — Shilling.

♦ **2** (De l'argot amér.). Dollar (Simonin, *Le cave se rebiffe, in* Cellard et Rey).

4. **BOB** [bɔb] n. m. — 1935; abrév. de *bobinette* (1881), «jeu de dés, jeu de hasard truqué»; plus ou moins senti comme américanisme, à cause de 3. *bob.*

Dé (à jouer).

*Gégène (sortant deux dés de sa poche).*
Faut voir si mes bobs sont pareils avec ceux d'ici.
*Charlot.* — Eh! Fernand, envoie un peu l'godet et les bobs.
E. BOURDET, Fric-Frac, p. 18, *in* CELLARD et REY.

**BOBARD** [bɔbaʀ] n. m. — V. 1900; du rad. onomat. *bob-,* bien attesté en anc. et moy. franç. (*bober* «tromper», XIIIe; *boban* «vanité», XIIe, etc.), et qui a dû subsister dans les dialectes. → Bobine.

Familier.

♦ **1** Rare. Propos fantaisiste et mensonger qu'on imagine par plaisanterie, pour tromper ou se faire valoir. → **Mensonge; bateau,** II., 4.; 2. **blague, boniment, canular.** *Raconter des bobards. Donner, couper dans un bobard.*

Je ne suppose pas que vous coupiez dans le bobard de son génie créateur? 1
BERNANOS, Un mauvais rêve, Œ. roman., Pl., p. 893.

♦ **2** Cour. Fausse nouvelle. → **Canard.** *Les bobards de la radio, de la presse. Croire tous les bobards. C'est encore un bobard.*

(...) ça n'est pas un bobard? On peut vous faire avaler n'importe quoi. 2
SARTRE, les Chemins de la liberté, t. II, p. 42.

Ce n'est pas avec tes bobards qu'on supprimera la guerre, dit-il, mais avec des canons, des avions et des tanks. 3
Francis CARCO, les Belles Manières, p. 16.

CONTR. V. **Vérité.** ◊ DÉR. **Bobardier.**

**BOBARDIER, IÈRE** [bɔbaʀdje, jɛʀ] n. — 1922, L. Daudet; de *bobard.*

Fam., vieilli. Propagateur, propagatrice de bobards. — Adj. *Des «ministres bobardiers»* (1941, *le Pilori, in* T. L. F.).

1. **BOBÈCHE** [bɔbɛʃ] n. f. — 1335; p.-ê. du rad. onomat. *bob-* comme *bobine,* avec un élément final inexpliqué *(flammèche?).*

♦ **1** Disque légèrement concave adapté aux chandeliers et destiné à recueillir la cire coulant des bougies. → **Binet, bobéchon, brûle-bout, brûle-tout.** *La bobèche d'un bougeoir. Bobèche en cuivre, en verre. Bobèches décoratives d'un lustre électrique.*

Ça répercutait plein le bastringue que ça faisait trembler les parois tellement qu'ils hurlaient fort en chœur!... Le lustre à bobèches il voguait, valsait sur les têtes!... 1
CÉLINE, Guignol's band, p. 148.

— Allo, Police!... mugit une voix qui traversa les murs et fit vibrer, comme pour en atténuer l'éclat, les bobèches en cristal du lustre. 2
Francis CARCO, les Belles Manières, p. 41.

Par ext. Partie supérieure (d'un chandelier évasé).

♦ **2** (1878; croisement de *bobine* et de *bobèche,* avec infl. possible de *cabèche*). Fam., vx. Tête. → **Bobéchon.** *Se monter la bobèche.*

DÉR. **Bobéchon.**

2. **BOBÈCHE** [bɔbɛʃ] n. m. — 1836; adj. en 1795 «bouffon»; du rad. expressif *bob-* (→ Bobine); le nom du pitre *Bobèche* vient de ce mot, et non l'inverse.

♦ **1** Vx. Pitre, bouffon (de parades, etc.).

♦ **2** Niais, imbécile (Goncourt, *Journal*).

DÉR. **Bobècherie.**

**BOBÈCHERIE** [bɔbɛʃʀi] n. f. — 1868, Goncourt; de 2. *bobèche.*

Vx, rare. Niaiserie de bobèche. Paroles, boniment d'un bobèche.

**BOBÉCHON** [bɔbeʃɔ̃] n. m. — XIXᵉ; de 1. *bobèche.*

♦ **1** Bobèche métallique munie d'une pointe de fixation.

Une suspension massive, formée de boules, de lianes et de bobéchons en bronze, pendait du plafond comme un monstre marin flottant entre deux eaux.
H. TROYAT, la Tête sur les épaules, p. 15.

♦ **2** (1866). Vieilli. Tête. *Monter le bobéchon à qqn, se monter le bobéchon.* → **Bourrichon.**

**BOBEUR** [bɔbœʀ] n. m. — 1951, *in* Höfler; de *bob,* abrév. de *bobsleigh.*

Sports. Équipier d'un bobsleigh.

REM. 1. On trouve la variante *bobiste,* n. (1912, *in* Petiot).
2. Le fém. de *bobeur* n'est pas attesté.

**BOBINAGE** [bɔbinaʒ] n. m. — 1809; de *bobiner.*

Technique et courant.

♦ **1** Action d'enrouler un fil sur une bobine. — Spécialt, techn. Opération de tissage qui consiste à enrouler le fil sur les bobineaux en vue de l'ourdissage. → **Envidage.** *Le bobinage du coton.*

Ensemble de fils bobinés. *Dérouler les bobinages.*

♦ **2** Électr. Enroulement de fils conducteurs autour d'un noyau. → **Bobine.** *Le bobinage d'un électro-aimant.*

(...) toutes les catégories du geste technique, de la manipulation du métal au maniement de la lime, au bobinage des fils électriques, à l'assemblage plus ou moins manuel ou mécanique des pièces.
A. LEROI-GOURHAN, le Geste et la Parole, t. II, p. 42.

Les fils enroulés. *Flux magnétique traversant un bobinage.*

**BOBINARD** [bɔbinaʀ] n. m. — 1900; orig. incert., p.-ê. de *Bobino,* nom d'un pitre aux plaisanteries grossières, puis nom d'un établissement de spectacles populaires, à Paris, rue de la Gaîté.

Familier.

♦ **1** Maison de prostitution. → **Bordel.**

1 Avec bien du mal, j'ai fini par recueillir l'adresse incertaine d'une «Maison», d'un bobinard clandestin, dans le quartier nord de la ville.
CÉLINE, Voyage au bout de la nuit, p. 208 (1932).

2 (...) dès qu'une jeune fille riait un peu fort, il la mettait à la porte... «Allez, ouste! Et pas la peine de revenir. Ici, ce n'est pas un bobinard».
Roger VAILLAND, 325 000 francs, p. 237.

Var. : *bob,* n. m.; *bobino,* n. m.

♦ **2** Fig. Grand désordre. → **Bordel.** *Ta piaule, c'est un vrai bobinard.*

3 Un terrible bobinard de pièces détachées s'entassait à même le parquet, escaladait la cheminée de marbre et interdisait presque l'entrée de ce capharnaüm.
Albert SIMONIN, Touchez pas au grisbi, p. 160.

REM. On trouve vers 1880-1890 un homonyme *bobinard* «commis de mercerie» (de *bobine*). Cf. Zola, *Au Bonheur des dames.*

**BOBINE** [bɔbin] n. f. — 1410; orig. incert.; probablt du rad. onomat. *bob-,* exprimant le mouvement des lèvres, d'où la rondeur, et aussi la bêtise. → Bobard, bobèche, bobo, bombance...

**I** ♦ **1** Petit cylindre à rebords servant à maintenir enroulé (et à dévider) une matière souple; ce cylindre garni d'une matière souple enroulée. *Bobine de fil à coudre. Enrouler sur une bobine.* → **Bobiner.** *Dévider une bobine de fil*.* → **Débobiner.** *Changer de bobine. Bobine de dentellière.* → **Bloquet.** *Bobine de soie.* → **Rochet, roquetin.** *Les bobines d'un métier à tisser, d'une machine à coudre.* → **Bobineau,** 3. **cannelle,** 2. **canette** (cit.), **dévidoir.** *Bobines de câbles.*

Ne pourront lesdits maîtres teinturiers défaire ni diviser les pantines de soie crues ou teintes (...) mais les rendront en la forme qu'ils les auront reçues (...) même les rochets et bobines sur lesquelles elles seront évidées (...) 1
Règlements sur les manufactures, Août 1669, *in* LITTRÉ.

Par métaphore. *Dévider la bobine de ses pensées.* → **Fil** (fig., *supra* cit. 34). *«La bobine de tes jours»* (Amiel).

♦ **2** (1866, *Année sc. et industr.*). Électr. Cylindre creux sur lequel s'enroule un fil conducteur isolé qu'un courant électrique peut parcourir. *Bobine de dérivation, de self-induction. Le rupteur d'une bobine d'induction. Bobine de Siemens. La bobine d'induction de Ruhmkorff, de Godfroy. Bobine cloisonnée, à spirales plates, en nids d'abeilles. Bobine à spires jointives. Création d'un champ magnétique à l'intérieur d'une bobine* (→ **Solénoïde).** *Bobines d'un électro-aimant*. Bobine de multiplicateur. Bobine thermique,* servant de fusible sur une ligne télégraphique. *Bobine d'automobile,* transformant le courant des accumulateurs et l'envoyant au distributeur d'allumage.

♦ **3** Techn. Tambour sur lequel s'enroule le fil sortant de la filière.

Tambour d'enroulement d'un câble.

Élément central du moulinet* de pêche à la ligne.

♦ **4** Rouleau (d'une matière enroulée). → **Roule, rouleau.**

Rouleau de papier (pour une rotative, par ex.).

(1895, *Année sc. et industr.*). Rouleau de pellicule (vierge ou impressionnée). *Bobine de pellicule photographique. Bobine de film.*

Rouleau de ruban de machine à écrire. → **Ruban.**

**II** ♦ **1** (1829). Fam. Visage (ridicule, comique). → **Tête;** (fam.) **binette, bobinette, tronche.** — Par ext. L'expression de ce visage. *Faire une drôle de bobine.*

Les gens me tombent dessus, rien qu'à voir ma bobine sous un bec de gaz. 2
BERNANOS, l'Imposture, *in* Œ. roman., Pl., p. 465.

Il a une sale bobine; le nez crochu, ce qui est particulièrement déplaisant pour un visage noir. 3
GIDE, Voyage au Congo, *in* Souvenirs, Pl., p. 841.

— Ça ne va pas être bien long maintenant... Vous verrez qu'on arrivera à temps pour les huîtres... Moi, je ne devais pas réveillonner... J'en reviens pas de ma veine! Non, la bobine du sous-chef!... (...) Quand ils sont venus me chercher, si vous aviez vu sa bobine, alors...! 4
H.-G. CLOUZOT et J. FERRY, Quai des Orfèvres (scénario), 1947, *in* l'Avant-Scène, nº 29, p. 50, 1963.

♦ **2** Vx. Tête, crâne.

Elle a des dents qui viennent d'Angleterre et un chignon! Pas un cheveu sur la bobine!... Un caillou!... 5
GORON, l'Amour à Paris, t. I, p. 570.

DÉR. **Bobineau, bobiner, bobinette, bobinier.** ◇ COMP. **Débobiner, embobiner.**

**BOBINEAU** ou **BOBINOT** [bɔbino] n. m. — 1567; de *bobine.*

**I** Techn. ♦ **1** **a** Bobine de métier à filer sur laquelle s'enroule le fil.

**b** Partie d'une bobine de papier pour rotative qui reste inutilisée en fin de dévidage.

♦ **2** Bande magnétique enroulée.

**II** (1827). Argot anc. Montre. — Var. : *bob, bobe, bobine.*

**BOBINER** [bɔbine] v. tr. — 1680; *babiner,* 1320; de *bobine* (*babine,* forme altérée).

Techn. Enrouler* (une matière souple) sur une bobine. → **Embobiner; envider, renvider.** *Bobiner du fil, du ruban, un câble. Bobiner un film, une bande magnétique. Bobiner ce qui était débobiné.* → **Rembobiner.**

◆ **BOBINÉ, ÉE** p. p. adj.

Du fil de cuivre bobiné.

B. CENDRARS, Bourlinguer, p. 258.

CONTR. **Débobiner.** ◊ DÉR. et COMP. **Bobinage, bobineur, bobinoir. Rebobiner.**

**BOBINETTE** [bɔbinɛt] n. f. — 1696, → cit. 1; de *bobine.*

♦ **1** Vieilli. Loquet mobile en bois maintenu par une petite cheville, et qui servait à fermer les portes.

1 — Tire la chevillette, la bobinette cherra.

Ch. PERRAULT, Contes, «Le Petit Chaperon Rouge» (1696).

♦ **2** (1852). Fam. Tête, visage. → **Bobine.**

Par plaisanterie (allus. à Perrault) :

2 Encore une photo, une seule, s'il vous plaît. Il ne faut pas y songer. L'homme compte une minute. Il va tirer sur la languette et la bobinette cherra.

François-Marie BANIER, la Tête la première, p. 58-59.

**BOBINEUR, EUSE** [bɔbinœʀ, øz] n. — 1559, *babineur;* au fém., 1723; de *bobiner* d'abord sous la forme *babiner.*

**I** ♦ **1** Personne chargée du bobinage. → **Bobinier.** *Bobineuse de téléphonie. Bobineuse professionnelle radio.*

♦ **2** N. f. (1838). **BOBINEUSE** : machine à bobiner. → **Bobinier, bobinoir, enrouleur, rouet.** *Bobineuse automatique.*

**II** (1901; de *bobine,* II.). Argot anc. Figurant de théâtre.

**BOBINIER, IÈRE** [bɔbinje, jɛʀ] n. — 1751; de *bobine.*

Technique.

♦ **1** Vx. Machine à étirer la laine.

♦ **2** (1941). Mod. Ouvrier, ouvrière qui effectue les bobinages électriques. → **Bobineur.**

**BOBINOIR** [bɔbinwaʀ] n. m. — XIXe; de *bobiner.*

Techn. Bobineuse mécanique (spécialt, en métallurgie).

**BOBINOT** [bɔbino] n. m. → **Bobineau.**

**BOBISTE** [bɔbist] n. → **Bobeur.**

1. **BOBO** [bɔbo] n. m. — 1440; mot onomatopéique enfantin.

♦ **1** Fam. (enfantin). Douleur physique. *Avoir bobo. On lui a fait bobo, du bobo.* — Exclamatif. *Maman, bobo!* — Petite plaie; endroit du corps où l'on a mal. *Panser un bobo.*

1 Dieu! que la médecine est belle!
Jugez-en par deux aperçus :
Les bobos sont au-dessous d'elle,
Et les maux graves au-dessus (...)

PONS DE VERDUN, *in* LITTRÉ.

1.1 Voyons, Guguste, votre analyse des *Animaux malades de la peste?*
— Mon papa, il y a la peste dans un pays... c'est une vilaine maladie... on a mal au ventre, on est jaune et on se tortille, n'est-ce pas?
— Je ne puis pas affirmer que l'on se tortille... je demanderai cela au docteur; mais va toujours.
— Les animaux ne se soucient pas d'avoir la peste... comme nous autres nous n'aimons pas à avoir du bobo?

Ch. PAUL DE KOCK, la Grande Ville, p. 210.

♦ **2** Fig. Mal anodin, sans gravité; douleur qui ne dure pas.

Enfin, c'est un homme qui brûlerait sans hésitation le genre humain pour éviter un bobo à ma fille! 2

G. LEROUX, Rouletabille chez Krupp, p. 48.

♦ **3** Fig. et fam. (seulement dans un contexte négatif). *Il n'y a pas de bobo,* pas de dégât, pas de grabuge, pas de casse*; pas de risque.

Une mode récente, ça ne se ressuscite pas. Mais une très vieille mode, oubliée depuis longtemps, alors là, pas de bobo : maquillée en nouveauté, elle fait fureur (...) 3

Roger IKOR, les Fils d'Avrom, «Les eaux mêlées», p. 462.

2. **BOBO** [bobo] n. — 2000 (15 juin, in *Courrier international*); empr. à l'angl. des États-Unis *bobo,* créé par le journaliste new-yorkais David Brooks en 1999, à partir des deux lettres initiales des mots *bourgeois* (XVIIIe s.; empr. au français) et *bohemian* «bohème», répandu par le livre de Brooks : *Bobos in Paradise.* La formation, purement graphique, tient du sigle et n'est ni syllabique — comme le mot-valise, qui serait dans ce cas *bourbo* — ni morphologique; elle a été passivement transcrite en français et en d'autres langues.

Anglic. (Aux États-Unis, puis à l'imitation de cette société). Membre d'une catégorie sociale relativement jeune, économiquement aisée et cultivée («bourgeois»), bénéficiant éventuellement de la «nouvelle économie» mondialisée, mais se voulant attachée culturellement à des valeurs du bien-vivre qualifiées d'authentiques. *Une bobo parisienne.*

Grâce à la nouvelle économie, fondée sur l'informatique, l'information, l'informel, une élite mondiale (donc américanisée) viendrait de prendre le pouvoir : les Bobos, un mélange de «BOurgeoisie» et de «BOhème» débarrassés des visées réac de celle-là et des tendances subversives de celle-ci. 1
Cette classe dirigeante tourne le dos aux combats menés au nom des vieilles valeurs pour voguer vers les compromis juteux. Elle marie les inconciliables de nos décennies passées, ne jure que par le «capital intellectuel» et l'«industrie culturelle». Cette oligarchie à la mine avenante (conservateurs en blue jeans, pirates financiers éclairés...) fait l'objet d'une analyse drolatique de la part d'un journaliste américain sarcastique mais fier d'en être, David Brooks (...)

Antoine PERRAUD, «Après les yuppies, les Bobos», *in* Télérama, 17 juin 2000.

Les bobos gagnent confortablement leur vie, mais évitent de l'afficher. Les voitures de luxe et les chemises de soie ne font pas partie de leur univers. Le négligé chic serait davantage leur genre. Pour eux, l'argent ne pose pas de problème tant qu'il permet de manger bio, de faire des excursions dans des régions toniques et de signer des chèques en faveur d'associations caritatives. 2

Françoise LAZARE, in *le Monde,* 20 oct. 2000, p. 11.

**BOBONNE** [bɔbɔn] n. f. — 1828, au sens 2, *in* D. D. L.; réduplication fam. de *bonne,* en appellatif : *ma bonne.*

♦ **1** (1865, E. About). Vx. Dans le lang. des enfants. Bonne (d'enfants). — Par ext. Bonne, servante. «*Elle s'en allait trottinant* (...) *petite bobonne qui fait une commission*» (Maupassant, *la Chambre, in* T. L. F.).

♦ **2** Pop., vx. Terme d'affection donné à l'épouse dans un milieu petit-bourgeois. Appellatif : *ma bobonne* (vx); *bobonne.*

Allons, Bobonne, dépêche-toi! s'écria M. Bonnichon secouant magnifiquement son bonnet. 1

BALZAC, Œ. diverses, t. II, p. 347.

♦ **3** Mod., fam., péj. Épouse, femme (suppose un âge moyen, un milieu social modeste, petit-bourgeois).

2 Pour lui, les femmes sont des paillassons ou des «bobonnes», le repos du guerrier ou la machine à faire des enfants. Jean LARTÉGUY, les Prétoriens, p. 666.

(Souvent employé sans déterminant, comme un n. propre) :

3 C'est très gentil d'emmener bobonne et les gamins prendre l'air. J. DUTOURD, les Horreurs de l'amour, p. 237.

Adj. *Elle commence à faire un peu bobonne et popote.*

**BOBOSSE** [bɔbɔs] n. — 1825, n. m., «vieux beau», attestation isolée; repris 1866, au fém.; de *bosse.*

♦ **1** N. Fam. et vx. Nom (surnom) donné à une personne bossue. — Adj. *Elle est un peu bobosse* (Rigaud, *Dict. d'argot*).

♦ **2** N. m. (1883; de *fantabosse* «fantassin»). Argot milit. (vx). Fantassin.

**BOBSLEIGH** [bɔbslɛg] n. m. — 1903; attestation isolée, *bob-sleigh,* 1899; mot angl., de *to bob* «se balancer», et *sleigh* «traîneau».

Sports. Traîneau* articulé, à plusieurs places, muni d'un volant de direction et pouvant glisser à grande vitesse sur des pistes de neige aménagées. *Une course de bobsleigh. Équipier d'un bobsleigh.* → **Bobeur.**

1 Ah, tenez, je sais où nous nous sommes vus pour la dernière fois. Au championnat d'Europe de bobsleigh. R. GARY, Au-delà de cette limite, votre ticket n'est plus valable, p. 27.

(1899, *in* Höfler). Abrév. : *bob* [bɔb] n. m. *Être éjecté de son bob. Épreuve de bob à deux aux championnats et Jeux olympiques d'hiver.*

2 Les *bobs* dont l'écartement des patins est obligatoirement de 0,67 m sont en bois ou en métal, munis de freins et guidés au moyen d'un volant ou de ficelles. Jean DAUVEN, Technique du sport, p. 121.

DÉR. (De l'abrév. *bob*) **Bobeur.**

**BOBTAIL** [bɔbtɛl] n. m. — 1922; mot angl. «queue *(tail)* coupée» (d'un cheval).

Anglic. Gros chien de berger écossais, au poil long et épais, dont on coupe la queue. *Un élevage de bobtails.*

**BOC** [bɔk] n. m. — Attesté déb. XX^e^; altér. phonétique de *bouc.*

Régional (Suisse). Bouc*, barbiche en pointe.

Lorsque Jaccoud a demandé la parole, lorsqu'il s'est levé, lunettes étincelantes, boc dardé, gilet canari, veste orange, chacun l'a imaginé, à son assurance et à son tour péremptoire, dans le rôle du prochain directeur. Jacques CHESSEX, l'Ogre, p. 162.

HOM. **Bock.**

1. **BOCAGE** [bɔkaʒ] n. m. — 1138, *boscage,* mot anglo-normand, cf. anc. franç. *boschage;* de **bosc* (anc. franç. *bos*). → Bois.

♦ **1** Littér. Petit bois*; lieu ombragé. → **Bocager.** *La fraîcheur d'un bocage.* → **Bosquet.**

1 Je faisais ces méditations dans la plus belle saison de l'année, au mois de juin, sous des bocages frais, au chant du rossignol, au gazouillement des ruisseaux. ROUSSEAU, les Confessions, IX.

2 L'oiseau qui charme le bocage
Hélas! ne chante pas toujours (...)
LAMARTINE, Nouvelles méditations, «Adieux à la poésie».

(Contexte littér.). Lieu agreste. *Doux bocage, adieu* (→ Avertir, cit. 10).

♦ **2** (1732). Type de paysage caractéristique de l'Ouest de la France, formé de prés clos par des levées de terre plantées d'arbres. *Le bocage vendéen,* ou, absolt, *le Bocage. Le bocage normand.*

(...) quand on s'avance vers l'Ouest, on pénètre dans le Bocage, pays couvert, sillonné de clôtures et de lignes d'arbres, plus maigre de culture que les «campagnes», mais propice à l'élevage du bétail (...) 3
DEMANGEON, Géographie économique de la France, t. I, p. 231.

DÉR. **Bocager, bocageux.**

2. **BOCAGE** [bɔkaʒ] n. m. — 1834; du rad. de *bocard,* et suff. *-age,* ou réduction de *bocardage.*

Techn. Fonte résiduelle mélangée aux laitiers et que l'on peut extraire par bocardage*. — Morceau de cette fonte. *Des bocages de fonte.*

Loc. *Fonte de bocage* (de *bocardage*).

HOM. 1. **Bocage.**

**BOCAGER, ÈRE** [bɔkaʒe, ɛʀ] adj. — 1584, cit. 1; de *bocage.*

Littéraire.

♦ **1** Vx, poét. Relatif aux bocages; qui est propre aux bocages. — *Nymphes bocagères.*

Forêt, haute maison des oiseaux bocagers (...) 1
RONSARD, Élégies, XXX (1584).

De vos flûtes bocagères 2
Réveillez les plus beaux sons (...)
MOLIÈRE, le Malade imaginaire, Prologue.

(...) j'ai trouvé un charme infini dans cette soirée et des émanations bocagères très agréables. 3
E. DELACROIX, Journal, 23 juin 1854.

♦ **2** Qui comporte des bocages; du bocage (2.) en tant que type géographique. → **Bocageux** (vx). *Régions bocagères.*

Le temps s'ouvrait d'une mise en valeur systématique de la forêt, qui fit la prospérité des bûcherons et des éleveurs. Les progrès du peuplement *bocager* accompagnèrent cette mutation. 4
Georges DUBY, Guerriers et Paysans, p. 231.

Boisé, embelli par une végétation qui rappelle les bocages. *Rives bocagères.*

(...) une petite ville gracieusement logée au sein d'une vallée bocagère (...) 5
G. DUHAMEL, Chronique des Pasquier, IV, x, p. 338.

♦ **3** Relatif au Bocage (de Vendée). — N. (Rare). Personne qui vit dans le Bocage.

**BOCAGEUX, EUSE** [bɔkaʒø, øz] adj. — XV^e^, *boscageux;* de *bocage.*

Vx. Qui se rapporte aux bocages. → **Bocager.** *Région bocageuse.*

1. **BOCAL, AUX** [bɔkal, o] n. m. — 1532, Rabelais, *baucal;* ital. *boccale,* du bas lat. *baucalis,* bas grec *baukalis* «récipient pour tenir les liquides au frais».

**A** ♦ **1** Récipient à col très court, ordinairement à large ouverture. *Un bocal en grès, en verre. Bocal cylindrique, pansu. Un bocal de cerises à l'eau-de-vie. Bocal de chimiste, de pharmacien. Bocaux de confiseur. Des bocaux remplis de bonbons* (cit. 4) *anglais. Fruits conservés en bocaux.*

(...) deux étagères, deux lames de verre, qui supportaient des bocaux et des bouteilles. Sur l'une les bocaux de fruits, les cerises, les prunes, les pêches (...) sur l'autre (...) des fioles claires vert tendre, rouge tendre, jaune tendre (...) 1
ZOLA, le Ventre de Paris, t. I, p. 162.

*Bocal* (de verre) *à poissons rouges. Deux poissons nageaient dans un bocal.*
*Bocal de fœtus.* Par métaphore :

2 La Chine a eu avant nous toutes nos inventions, l'imprimerie, l'artillerie, l'aérostation, le chloroforme. Seulement la découverte qui en Europe prend tout de suite vie et croissance, et devient prodige et merveille, reste embryon en Chine et s'y conserve morte. La Chine est un bocal de fœtus. HUGO, l'Homme qui rit, I, 2, 4.

Par métonymie. *Manger tout un bocal de confitures. «Il en avait sucé un demi bocal* (de griottes)» (Giono, *Colline, in* T. L. F.).

♦ **2** Par ext. Techn. (Anciennt). Globe transparent rempli d'eau, monté sur pied, servant à diffuser le rayonnement d'une source de lumière.
Globe de verre, de cristal destiné à abriter un objet (Hugo, *les Misérables, in* T. L. F.).

♦ **3** (1829, Stendhal ; réempr. à l'ital.). Ancienne mesure de capacité pour les liquides, en Italie (entre 0,68 l et 1,83 l selon Bescherelle).

**B** ♦ **1** Argot, vx. Petite chambre.

3 Que fais-tu, enfin, dans ton bocal des Andelys.
FLAUBERT, Correspondance, 11 nov. 1844, p. 157, *in* D. D. L., II, 7.

♦ **2** (1918). Argot milit. Casque de fantassin. — Par ext. Tête, crâne. *Être agité du bocal,* excité. *À l'agité du bocal,* pamphlet de Céline (contre Sartre).

♦ **3** Mod. Ventre. *Manger à s'en faire péter le bocal.* → **Bidon, panse.**

**HOM.** 2. **Bocal.**

2. **BOCAL, AUX** [bɔkal, o] n. m. — XX^e^, attesté ; altér. d'après 1. *bocal,* de 3. *bouquin.*
Mus. Pièce évasée adaptée à certains instruments à vent (cuivres) pour mieux fixer l'embouchure. *Instruments à bocal. Bocal réglable.*

**HOM.** 1. **Bocal.**

1. **BOCARD** [bɔkaʀ] n. m. — 1741, *boccard;* altér. de *bocambre,* de l'all. *Pochhammer* «marteau à écraser», de *pochen* «écraser».
Techn. Machine à broyer les minerais, à réduire en poudre certaines substances. → **Broyeur.** *Bocard à plusieurs pilons, munis de mentonnets soulevés par un arbre à cames. Bocard à eau, à sec.*

**DÉR. Bocarder.** ◊ **HOM.** 2. **Bocard.**

2. **BOCARD** [bɔkaʀ] n. m. — 1821 ; p.-ê. var. de *boxon, bocson,* avec changement de suffixe.
Argot, vieilli. Maison de prostitution. → **Bordel, boxon.**

La petite prostituée nous avait dit qu'elle était internée dans son bocard depuis quatorze mois.
Michel LEIRIS, l'Âge d'homme, p. 147.

**HOM.** 1. **Bocard.**

**BOCARDAGE** [bɔkaʀdaʒ] n. m. — 1801 ; de *bocarder.*
Techn. Broyage au moyen du bocard. → 1. **Bocard.** *Fonte extraite par bocardage.* → 2. **Bocage.**

(...) l'on parle de sa pensée comme d'un travail fonctionnel analogue à la confection mécanique des saucisses, à la mouture du grain ou au bocardage du minerai.
R. BARTHES, Mythologies, p. 92.

**BOCARDER** [bɔkaʀde] v. tr. — 1751 ; de 1. *bocard,* 1.
Techn. Broyer au bocard.

**DÉR. Bocardage, bocardeur.**

**BOCARDEUR** [bɔkaʀdœʀ] n. m. — 1867, P. Larousse ; de *bocarder.*
Techn. Ouvrier qui effectue le bocardage. — **REM.** Le fém. est virtuel.

**BOCCAGE** [bɔkaʒ] n. m. → **Bocage.**

**BOCHE** [bɔʃ] n. m. — 1886, argot milit. ; aphérèse d'*Alboche**, avec infl. de *tête de boche* «tête dure», dér. de *caboche* en argot des typographes, 1862.
Péj., vieilli (diffusé en 1914-1918). Allemand*. → **Alboche** (vx).

«Au commencement de la guerre on nous disait que ces Allemands c'était des assassins, des brigands, de vrais bandits, des bbboches...» (Si elle mettait plusieurs *b* à *boches,* c'est que l'accusation que les Allemands fussent des assassins lui semblait après tout plausible, mais celle qu'ils fussent des Boches, presque invraisemblable à cause de son énormité). 1
PROUST, le Temps retrouvé, Pl., t. III, p. 844.

«Nous ne craignons rien. Ni les Boches (...)» Jamais Watrin n'avait parlé autrement des Allemands que sous ce vocable franchement démodé. Il n'y avait plus de Boches, en mai 40. Il n'y en avait pas encore. La haine nécessaire à toute guerre, même larvée, ne se satisfaisait plus du vocable dérivé des «Alboches» de 1870. La haine avait inventé des termes plus faibles, les Chleus, les Frisés, les Frizous, les Fridolins... Elle inventerait demain les «haricots verts», les «sauterelles», les «vert de gris», puis reprendrait le mot «Boche», mais pour l'instant il était périmé, ridicule. 2
Armand LANOUX, le Commandant Watrin, p. 59.

Adj. Allemand (dans le contexte de la guerre). *Des avions boches ont bombardé la gare* (cit. 5).

Ça, c'est l'ancienne tranchée boche qu'ils ont fini par lâcher (...) H. BARBUSSE, le Feu, I, 12. 3

**DÉR. Bocherie.**

**BOCHERIE** [bɔʃʀi] n. f. — 1914 ; de *boche.*
Péj., vx. Caractère du boche. Ensemble des boches.

**BOCK** [bɔk] n. m. — 1866 ; «bière de Bavière», 1862, Goncourt ; de l'all. *Bockbier,* altér. de *Einbeckbier* «bière d'Einbeck», ville de Basse-Saxe, qui exporta sa bière en Bavière dès le XIV^e^ ; *ein* étant compris comme l'article, le mot fut abrégé en *bock,* d'où *Bockbier.*

**I** ♦ **1** Vx. Pot à bière* contenant environ un quart de litre. → **Chope.** *Bock ruisselant de fraîcheur* (→ Attabler, cit. 5). — Contenu de bière de ce pot. *Garçon, un bock !,* nouvelle de Maupassant (où l'on trouve le dér. archaïque *bockeur* «buveur de bière»).

Devant les cafés, s'accoudent aux petites tables, le cigare à la bouche, les buveurs de bocks. 1
Th. GAUTIER, *in* P. LAROUSSE.

♦ **2** Verre à bière à pied, unité minimale de consommation au café (par oppos. au demi* de forme cylindrique, sans pied, et de contenance plus importante, mais bien inférieure au demi-litre). *Un bock vide* (→ 1. Patron, cit. 9). — **REM.** Le mot, très usuel jusqu'en 1940, a vieilli.

Des croque-morts avec des bocks tintaient des glas 2
APOLLINAIRE, Alcools, p. 139.

Par métonymie. Contenu d'un bock. *Boire quelques bocks. Bock bien frais.*

J'aurais été, comme cela eût été très bien pour moi, professeur de philosophie dans une petite ville de province, que tous les soirs j'aurais été jouer aux cartes et boire des bocks au café. PROUST, Jean Santeuil, Pl., p. 198. 3

Je n'accepte ni l'un ni l'autre, mais ne vous fâchez pas, nous allons concilier les deux points de vue : comme paiement et excuses, vous allez m'offrir un bock. 4
Jean PRÉVOST, les Frères Bouquinquant, p. 132.

**II** (Av. 1914, *in* T. L. F.). Méd. Récipient muni d'un tuyau terminé par une canule, qu'on utilise pour les injections, les lavements. *Bock à injections.*

**III** (1901 ; p.-ê. abrév. de *bocal,* avec infl. de *bock* I. ou II., et de *bol*). ♦ **1** Argot anc. Postérieur, anus. → **Bol, pot.**

♦ **2** Fam., rare. *Avoir du bock,* de la chance (R. Fallet, *in* Cellard et Rey).

**HOM. Boc.**

**BOCSON** [bɔksɔ̃] n. m. → **Boxon.**

**BODHISATTVA** [bɔdisatva] n. m. invar. — 1859; mot sanskrit *bodhisattva-*, de *bodhi-* «connaissance parfaite, illumination», et *sattva-* «état».

Didactique.

♦ **1** Dans le bouddhisme, Sage ayant franchi tous les degrés de la perfection sauf le dernier qui fera de lui un bouddha.

1 Aussi bien une notion «unitaire» comme celle de *bodhisattva* ne peut-elle exister en Occident. Pour le bouddhiste mahayaniste, le «bodhisattva», on le sait, est un être ayant déjà atteint la délivrance personnelle au cours de sa dernière incarnation terrestre et qui, parvenu au nirvâna, obtient de redescendre sur terre comme instructeur, muni de tous ses pouvoirs, pour aider à la délivrance de tous et exhausser ainsi le niveau général de l'entropie humaine.

Raymond ABELLIO, Ma dernière mémoire, t. II, p. 51.

♦ **2** Représentation d'un bodhisattva, généralement paré et couronné.

2 Les figures les plus célèbres de ce site (...) sont deux Bodhisattva aux somptueuses parures et à l'expression mystique et surhumaine.

Jeannine AUBOYER, les Arts de l'Extrême-Orient, p. 61.

**BODIAN** [bɔdjɑ̃] n. m. — 1804, Latreille; lat. zool. *bodianus* (1790), d'orig. incertaine.

Serran (poisson).

**BODY** [bɔdi] n. m. — XXe; angl. *body* «corps».

Anglic. Sous-vêtement féminin très collant, d'une seule pièce, qui couvre le tronc (→ **Justaucorps).** *Un body en dentelle.*

**BODYBUILDÉ, ÉE** [bɔdibilde] adj. — 1985; de *bodybuilding.*

Anglic. Dont la musculature affirmée a été acquise par la pratique du bodybuilding. *«Une espèce de géant misogyne bodybuildé, style Terminator des temps reculés»* (*Libération,* 4 juin 1985, p. 18). — *Des épaules bodybuildées.*

**BODYBUILDING** [bɔdibɥildiŋ; bɔdibildiŋ] n. m. — 1982, écrit en deux mots; mot angl. «culturisme», propr «construction du corps».

Anglic. Forme de musculation destinée à remodeler le corps ou certaines parties du corps par des exercices appropriés et souvent à l'aide d'instruments spécifiques (poids, haltères, extenseurs, etc.). *Faire du bodybuilding.* → **Culturisme;** fam. **gonflette.** *«Si vous avez envie de biceps, de pectoraux, bref de beaux muscles là où il faut, et cela rapidement, adonnez-vous au body building. Formidable pour tonifier ses muscles à la carte. Le principe : à l'aide de poids, haltères et divers appareils sophistiqués, travailler un ou plusieurs muscles précis»* (*Elle,* 26 sept. 1983, p. 107).

DÉR. **Bodybuildé.**

**BOEING** [bɔiŋ] n. m. — V. 1960; de *Boeing Company,* société de constructions aéronautiques américaine fondée en 1934.

Type d'avion transcontinental de la Boeing Company. *Prendre le Boeing à destination de New York. Descendre d'un Boeing. Des Boeings.* — (Avec le nombre spécifiant le type). *Un Boeing 707, un Boeing 747* (→ **Jumbo-jet).**

1 Son sérail *(à J. Stark, impresario)* est fait de cabines de Boeings, de murs insonorisés de studios, aussi étouffants que ceux du palais de Roxane dans *Bajazet,* de rideaux de scène, de projecteurs, de rampes de feu.

P. GUTH, Lettre ouverte aux idoles, Mireille Mathieu, p. 33.

Savoir enfin ce que ça veut dire : être un homme. Et que les dieux venus en bateau repartent en Boeing. 2

Claude COURCHAY, La vie finira bien par commencer, p. 174.

**BOER** [bɔɛʀ] n. m. — 1935 (mais antérieur, v. 1925); probablt jeu de mot sur la prononc. néerlandaise de *boer* [buʀ] et *bourre* «policier». Cf. A. Breffort, *Mon taxi et moi, in* Cellard et Rey.

Argot des taxis. Policier en civil chargé du contrôle de la réglementation des voitures de place, à Paris.

**BOËSSE** [bɔs] n. f. — 1728; *gratte-boesse,* XVIe; provençal *gratta-boyssa* «gratte, balaye».

Techn. Outil à ébarber les sculptures. — Outil de doreur.

DÉR. **Boësser.**

**BOËSSER** [bɔse] v. tr. — 1728; de *boësse.*

Techn. Ébarber à la boësse.

**BOËTE** [bwat] n. f. → **Boite.**

HOM. **Boëtte** (régional), **boîte.**

**BOËTTE** [bwɛt] régional [bwat] n. f. — 1672; breton *boet* [bwɛt] «nourriture», var. *boued.*

Techn. (pêche). Appât pour la pêche en mer. *La gravette est une excellente boëtte pour tous les poissons.* — (Collectif). *Amorcer sa ligne avec de la boëtte* (→ **Esche).** *Boëtte à casiers.*

Régional (Bretagne). *Boëtte blanche :* languette de peau (appelée aussi *fleurette* ou *gueulin)* prélevée au flanc d'un poisson, avec laquelle on appâte certains poissons particulièrement voraces (tacaud, maquereau, merlan).

REM. Var. graphiques (vieillies) : *boëte, bouette* [bwɛt], *boitte* [bwat].

HOM. **Boëte, boite, boîte.**

**BŒUF, BŒUFS** [bœf, bø] n. m. — Déb. XIIe, *buef; mil. XVe, beuf* (Villon); écrit *boeuf* avec le *o* du lat., 1546, Rabelais; du lat. *bos* «bœuf».

**I** ♦ **1** (Sens extensif; zool., cour.). Mammifère ruminant* domestique de la famille des *bovidés** (→ **Bovin, bovinés; génisse, taureau, vache, veau);** spécialt, le mâle adulte (→ ci-dessous). *Espèces de bœufs :* banteng (île de la Sonde), gayal, gaur, zébu (Asie et Afrique); *bœuf domestique d'Europe.* — Spécialt. Le bœuf domestique d'Europe (mâle, sauf au sing. collectif). *Les bœufs et les vaches* (→ **Bétail; aumaille,** cit. 1). *Le bœuf a des cornes creuses, est cavicorne*. Le front large et plat du bœuf. Les babines, les barbillons, le mufle, le fanon d'un bœuf. L'estomac* du bœuf. Cri du bœuf.* → **Beuglement, meuglement, mugissement.** *Le garde-bœuf ou pique-bœuf se nourrit des insectes parasites du bœuf.* — *Viande de bœuf* (→ ci-dessous, 2.). *Langue de bœuf. Peau, cuir de bœuf. Crâne de bœuf.* → **Bucrane.** *Le cæcum de bœuf donne la baudruche*.*

*Le bœuf Apis :* dieu égyptien, taureau sacré.

Plus cour. Bœuf mâle (opposé à *vache*) castré (opposé à *taureau*) et adulte (opposé à *veau*). *Jeune bœuf.* → **Bouvard, bouveau, bouvillon.** *Élevage des bœufs, sélection des races de bœufs. Bœuf auvergnat, berrichon, boulonnais, charolais, durham, écossais, limousin, nivernais* (France); *bœuf d'Angus* (Écosse); *bœuf de Kobé* (Japon)... *Un troupeau* *formé de bœufs et de vaches de boucherie. Bœuf de trait, de labour. Piquer les bœufs.* → **Aiguillon** (cit. 1 et 2). *Un paysan et son bœuf* (→ Vergogneux, cit., Apollinaire). *Gardeur de bœufs.* → **Bouvier, toucheur** (de bœufs). *Atteler** (cit. 1) *des bœufs à la charrue. Le joug* des bœufs.* Une paire de bœufs. *«J'ai deux grands bœufs dans mon étable»* (chanson). *Un bœuf qui a perdu son compagnon d'attelage** (cit. 5). *Parquer des bœufs à l'étable.* → **Bouverie.** *Mettre des entraves* à un bœuf. Bœuf de boucherie,* pour l'alimentation. *L'engraissement, l'embouche des bœufs. Marquer des bœufs au fer rouge.* → **Ferrade.** *Commerce des bœufs en gros.* → **Cheville ; chevillard.** *Logement des bœufs à l'abattoir*.* → **Bouvril.** *Marteau pour assommer* les bœufs.* → **Merlin.**

1 (...) une femme de village, ayant appris à caresser et porter entre ses bras un veau dès l'heure de sa naissance, et continuant toujours à ce faire, gagna par là l'accoutumance que tout grand bœuf qu'il était, elle le portait encore.
MONTAIGNE, Essais, I, 23.

2 Une grenouille vit un bœuf
Qui lui sembla de belle taille.
LA FONTAINE, Fables, I, 3.

3 Quatre bœufs attelés, d'un pas tranquille et lent,
Promenaient dans Paris le monarque indolent (...)
BOILEAU, le Lutrin, II.

4 J'aime un gros bœuf, dont le pas lent et lourd,
En sillonnant un arpent dans un jour,
Forme un guéret, où mes épis vont naître.
VOLTAIRE, le Pauvre Diable.

5 Un vieillard (...) poussait gravement son areau de forme antique, traîné par deux bœufs tranquilles, à la robe d'un jaune pâle, véritables patriarches de la prairie, hauts de taille, un peu maigres, les cornes longues et rabattues, de ces vieux travailleurs qu'une longue habitude a rendu frères (...) G. SAND, la Mare au diable, II, p. 19.

6 Les bœufs attelés, indolents et forts (...)
LOTI, Ramuntcho, II, 2. → Bison, cit.

7 Un bœuf semé de mouches.
J. RENARD, Journal, 17 août 1903.

Loc. *Bœuf gras* : bœuf promené en pompe dans certaines villes pendant le carnaval. On jouait autrefois de la vielle sur son passage, d'où son nom de *bœuf viellé.*

Anciennt. *Char à bœufs,* destiné aux transports pesants.

Loc. *Nerf de bœuf.*

8 Je vais appeler quelqu'un, demander un nerf de bœuf (...) et te rouer de mille coups.
MOLIÈRE, Dom Juan, IV, 1.

*Sang* de bœuf* (couleur). — Fig. *Œil de bœuf.* → **Œil-de-bœuf.**

Loc. métaphorique. Appos. *Chalutier bœuf,* travaillant en couple, chaque bateau tirant une aile du chalut (dit *chalut bœuf*).

♦ **2** (Fin XIIe). *Du bœuf, le bœuf.* Viande de bœuf ou de vache, de génisse. *Morceaux de bœuf* (termes cour. et termes techn. de boucherie*). → **Aloyau, araignée, bavette, cimier, collier, contre-filet, côte, crosse, croupon, culotte, entrecôte, faux-filet, filet, flanchet, gîte, hampe, jarret, joue, langue, macreuse, moelle, onglet, paleron, plat** (de côtes), **poitrine, quasi, queue, romsteck** (et **aiguillette**), **surlonge, tende, tranche, trumeau** ; (spécialt, en cuis.) **bifteck** (cit. 1), **chateaubriand, gras-double, persillade, pot-au-feu, rosbif, tournedos,** et aussi **T-bone** (anglic.). *J'aime mieux le bœuf que le mouton, le veau. Bœuf au naturel,* sans apprêt. *Bœuf grillé* (→ **Grillade**), *rôti* (viande* rouge) ; *rôti de bœuf.* → **Rôti.** *Bœuf braisé. Je préfère le bœuf saignant, bleu, plutôt cuit. Bœuf à la vinaigrette. Bœuf bouilli.* → **Bouilli** (cit. 4). *Bœuf gros sel* : bœuf bouilli, mangé avec du gros sel. — (1651). *Bœuf à la mode* ou *bœuf-mode* : pièce de bœuf cuite à l'étouffée, assaisonnée de carottes, etc. *Bœuf bourguignon*. Bœuf en daube*. Bœuf mariné** (Canada). — *Bouillon de bœuf.* → **Bouillon** (gras). *Conserves de bœuf.* → **Corned-beef, singe** (fam.). *Bœuf congelé. Manger du bœuf. Faire cuire du bœuf. — Langue de bœuf, joue de bœuf, queue de bœuf.*

♦ **3** (Qualifié). **a** Nom donné à d'autres bovidés. *Bœuf à bosse.* → **Bison.** *Un troupeau de bœufs sauvages.* → **Aurochs** (ou urus), **bison, yack.** *Bœuf musqué.* → **Ovibos.**

**b** Fig. (En parlant d'autres animaux). *Bœuf d'eau.* → **Butor.**

♦ **4** (Du sens 1). Loc. compar. ou métaphorique et fig. (En parlant des personnes). **a** Idée de force, de lourdeur. *Être fort comme un bœuf. Lourd, épais, pesant comme un bœuf. Il a l'allure d'un bœuf.*

C'était *(M. de Chaulnes)* sous l'épaisseur, la pesanteur, la physionomie d'un bœuf, l'esprit le plus délié, le plus délicat, le plus souple (...) 9
SAINT-SIMON, Mémoires, 21, 241.

(...) un gros garçon d'une douzaine d'années, fort comme un bœuf (...) Alphonse DAUDET, le Petit Chose, I, 1. 10

Fig., vx. *C'est un bœuf,* se dit d'un homme obtus, lent d'esprit ou grossier d'allure (→ Éléphant, pachyderme).

Peste soit du gros bœuf, qui pour me faire choir 11
Se vient devant mes pas planter comme une perche !
MOLIÈRE, l'École des maris, II, 2.

**b** Idée de travail obstiné et patient. (1547). *Travailler comme un bœuf,* beaucoup et sans manifester de fatigue (→ Comme une bête). *Elle travaille comme un bœuf.*

Jean Bonnerot reste attelé à Sainte-Beuve, à la Correspondance générale et à la Bibliographie, comme un bœuf à la charrue, creusant sillon après sillon (...) 12
A. BILLY, Sainte-Beuve, p. 12.

*Un bœuf de labour,* se dit d'un homme infatigable au travail.

Vx. *Être le bœuf* : supporter habituellement tous les travaux et les désagréments, à la place des autres.

**c** Loc. *Souffler comme un bœuf* : souffler fort, être essoufflé (→ Souffler comme un phoque*). — REM. On trouve dans les textes d'autres comparaisons moins courantes (*suer comme un bœuf,* Zola ; *frapper comme un bœuf,* Huysmans, *in* T. L. F.).

♦ **5** Loc. *Avoir un bœuf sur la langue* : être silencieux, avoir reçu de l'argent pour se taire (*bous* en grec signifie *pièce d'argent* et *bœuf*).

*Donner un œuf pour avoir un bœuf* : rendre un petit service pour en obtenir un plus grand.

Comme il n'y a pas de proportion entre ces choses-là ; je n'aime point à donner un œuf pour avoir un bœuf (...) 13
ROUSSEAU, Lettre à Panckoucke, 21 déc. 1764.

(1579). *Mettre la charrue* avant les bœufs* : commencer par où l'on devrait finir.

*Qui vole un œuf, vole un bœuf* : on est facilement entraîné sur le chemin du vol.

♦ **6** (1861, argot de Saint-Cyr ; orig. obscure).

**a** Fam. En fonction d'adj. postposé, invar. *Un effet, un succès bœuf.* → **Colossal, énorme, monstre.** *Un culot bœuf. Des succès bœuf.*

— Quoi ? comment ? que dit-il ? un nouveau succès ? 14
— Bœuf ! Edmond ROSTAND, l'Aiglon, III, 8.

**b** Régional (Suisse). *C'est bœuf* : c'est bête.

**II** (V. 1925, *in* Cellard et Rey ; orig. obscure, une allusion au *Bœuf sur le toit,* cabaret de jazz, n'est pas exclue). Argot des musiciens. (Jazz). Improvisation collective. *Faire un bœuf avec des copains.*

DÉR. **Bouvard, bouveau, bouverie, bouvet, bouvillon, bouvril.** — V. **Bouvreuil.** — (Du lat. *bos*) **Bouvier, bovidés, bovin, bovinés.**

**BOF** [bɔf] interj. — Av. 1968, cit. 2; onomatopée.

Interjection exprimant le mépris, la lassitude, l'indifférence. → Super, cit. 3. *«Bof! Vivre à l'heure atomique, c'est savoir au fond de soi, que tout peut arriver chaque jour»* (*l'Express*, n° 1164, 1973).

1 – Autrement dit tu ne trouves pas ça formidable.
– Bof! Il est bon quand même ton truc. Donne-le, il passera. Marie CARDINAL, les Mots pour le dire, p. 265.

2 Pendant le déjeuner, je l'ai laissé me prendre la main. Bôf *(sic)*, qu'est-ce que c'est, une main?
Benoîte et Flora GROULT, Il était deux fois, p. 128 (1968).

N. m. invar. :

3 Quand James God sortait du Conseil de rédaction, où il apportait ponctuellement ses bof et ses bâillements, il se plantait devant la double porte.
G. CESBRON, les Imposteurs, p. 224.

**B. O. F.** [beoɛf] n. et adj. invar. — 1944; abrév. de *Beurre, Œufs, Fromages.*

♦ **1** Fam. Crémier; détaillant de beurre, œufs, fromages.

♦ **2** Péj. Commerçant enrichi (spécialt, commerçant enrichi par le marché noir, les détaillants de produits laitiers ayant été souvent accusés de marché noir).

1 (...) ce petit provincial d'André Breton, qui singe Lamennais comme un B. O. F. (beurre, œufs, fromages) le vieux Rotschild! B. CENDRARS, Bourlinguer, p. 386.

2 Sur Paris règnent les Allemands, et sur le peuple de Paris les trafiquants, les B. O. F., les crémiers, les épiciers, les bouchers. Jean LARTÉGUY, les Centurions, p. 214.

Par ext. Nouveau riche vulgaire et prétentieux.

3 La maison est une construction de deux étages, bâtie pour un ancien B. O. F. prétentiard qui a voulu une tour, histoire de se donner des idées de noblesse.
SAN-ANTONIO, le Secret de Polichinelle, p. 35.

Adj. *Il est un peu B. O. F.*

**BOFFUMER (SE)** [bɔfyme] v. pron. — XV^e en anc. franç., Coquillart, *in* Godefroy; croisement du radical expressif de structure consonantique *b-f* (→ Bafouer, bafouiller, bâfrer, bouffer, bouffir, rebiffer...), suggérant les notions de gonflement, de souffle bruyant, de ridicule et de mépris, avec *fumer.*

Régional (Sud). S'emporter, se mettre en colère, s'irriter.

1. **BOG** [bɔg] n. m. — 1839; mot angl. (v. 1505), d'orig. écossaise.

Vx. Fondrière, marécage, en Écosse.

HOM. 2. **Bog**, 1., 2., 3. et 4. **bogue.**

2. **BOG** [bɔg] n. m. — 1863; angl. *bog* (déb. XVI^e), mot écossais.

Anciennt. Jeu de cartes apparenté au nain jaune.

DÉR. **Boguer.** ◊ HOM. 1. **Bog**, 1., 2., 3. et 4. **bogue.**

**BOGHEAD** [bɔgɛd] n. m. — 1858, *in* Höfler; nom d'un village d'Écosse, en rapport avec *bog.* → 1. Bog.

Minér. Houille riche en matière volatile, intermédiaire entre les charbons et les schistes bitumeux.

**BOGHEI, BOGUET** [bɔgɛ] ou **BUGGY** [bygi] n. m. — 1820, *boghei; boguet,* 1838; *buggy,* 1874; *bockei,* 1799; angl. *buggy.*

Petit cabriolet découvert.

1 La chignole à Massicot était un boguet arthritique, terriblement haut sur pattes, cuirassé de crotte et de cambouis.
G. DUHAMEL, Récits des temps de guerre, t. II, p. 276.

REM. L'orthographe du mot est indécise et l'on trouve d'autres graphies : *boguey* (1828), *boghey.*

(...) la tante Marie alla frapper aux volets d'un voisin, qui possédait un boghey et un petit cheval. C'était une époque bénie, où les gens se rendaient service : il n'y avait qu'à demander. 2
M. PAGNOL, la Gloire de mon père, t. I, p. 34.

**BOGIE** ou **BOGGIE** [bɔgi] n. m. — 1843, *bogie; boggie,* 1888; angl. *bogie,* mot dial. d'orig. inconnue.

Techn. (ch. de fer). Chariot à deux essieux (quatre roues) sur lequel est articulé par pivot le châssis d'une voiture (wagon) pour lui permettre de prendre les courbes.

(...) une locomotive pourra avoir un centre de gravité plus bas, les moteurs étant logés au niveau des boggies.
Gilbert SIMONDON, Du mode d'existence des objets techniques, p. 54.

**BOGOMILE** [bɔgɔmil] n. et adj. — 1732; n. propre, du bulgare *bog* «Dieu», et *mile* «ami».

Relig. Membre d'une secte hérétique qui vécut du X^e au XIII^e siècle. *Un, une bogomile. Le livre des bogomiles.* — Adj. Relatif à cette secte. *Le manichéisme bogomile. Stèles bogomiles.*

En 1140, un synode tenu à Constantinople condamna au feu les livres de Constantin Chrysomale, contenant des doctrines bogomiles, et lus avidement dans les monastères. — Selon M. Matter [*Histoire critique du gnosticisme,* 2^e éd., 1844] (...) le système cathare n'est qu'une sorte de résumé tronqué, de traduction occidentale des doctrines bogomiles (...). Le système bogomile, tel que nous le connaissons, ne se montre que depuis la seconde moitié du onzième siècle, tandis que dès la fin du dizième on découvre des traces cathares en France. 1
C. SCHMIDT, Hist. et doctrine de la secte des cathares ou Albigeois, I, 14 et II, 1849, *in* D. D. L.

Avec Dedijer nous avons été voir la nécropole bogomile de Radimlje dont il nous avait souvent parlé. Les bogomiles ou patarins étaient des manichéistes dont l'hérésie a gagné au XII^e siècle le midi de la France. 2
S. DE BEAUVOIR, Tout compte fait, p. 269.

REM. Les dérivés *bogomilien, ienne* [bɔgɔmiljɛ̃, jɛn] adj. *(doctrine, hérésie bogomilienne)* et *bogomilisme* [bɔgɔmilism] n. m., sont attestés en 1869 (*in* D. D. L.).

1. **BOGUE** [bɔg] n. f. — 1555; *boggue,* 1537; mot de l'Ouest, p.-ê. du breton *bolc'h* «cosse de lin», mot panceltique, probablt d'orig. gauloise **bulga* (d'où *bouge* «sac»).

♦ **1** Bot. Enveloppe de la châtaigne.

Aux châtaignes elle donne les bogues piquantes et après (...) DE MONTREUX, *in* HUGUET. 1

Entre les feuilles craquantes luisaient les dos en acajou des marrons d'Inde, enveloppés parfois dans leurs bogues aux teintes incertaines, du beige rouillé au vert amande. 2
Boris VIAN, l'Herbe rouge, 15, p. 70.

Loc. *En bogue,* enroulé sur soi-même (du hérisson, H. Bazin, *in* T. L. F.).

♦ **2** Loc. fam. (vx ou régional). *Une châtaigne sous bogue :* une personne hargneuse, piquante, sous des apparences moins déplaisantes. Adj. :

Le fichu caractère de ma femme avait des causes physiologiques. Son opération l'a transformée. 3
Évidemment, elle sera toujours un peu châtaigne sous bogue, mais elle devient *vivable.*
Hervé BAZIN, Vipère au poing, p. 128.

DÉR. 2. **Boguer.** ◊ HOM. 1. et 2. **bog**, 2., 3. et 4. **bogue.**

2. **BOGUE** [bɔg] n. — 1554; anc. provençal *boga,* lat. *boca.*

Poisson téléostéen au corps allongé, présentant des rayures de couleur vive, vivant en Méditerranée et dans l'Atlantique, à chair estimée *(Sparidés). Bogue commun* (n. sc. : *boops boops*). *Bogue saupe* (n. sc. : *boops salpa*). → **Saupe.**

REM. Le genre du mot est incertain ; le T. L. F. le fait du masc. (d'après H. Coupin, *Animaux de nos pays*), d'autres dict. du féminin.

DÉR. **Boguière.** ◊ HOM. 1. et 2. **bog,** 1., 3. et 4. **bogue.**

3. **BOGUE** [bɔg] n. f. — 1863 ; ital. *boga* «anneau», du longobard **bauga*, lat. médiéval *bauca* «bracelet».

Techn. Gros anneau de fer, fixé au manche des marteaux de forge.

HOM. 1. **Bog,** 2. **bog,** 1. **bogue,** 2. **bogue,** 4. **bogue.**

4. **BOGUE** [bɔg] n. m. — 1980 ; francisation de l'angl. *bug* «cafard, punaise» et, en inform., «défaut», parce que la chaleur des premiers ordinateurs attirait les insectes rampants.

Défaut de conception ou de réalisation d'un logiciel entraînant des anomalies de fonctionnement. *Le système présente de nombreux bogues. — Le bogue de l'an 2000 :* les problèmes informatiques liés au passage des années quatre-vingt-dix (98, 99) à l'an 2000 (00, dans 2000). *La crainte du bogue s'est soldée par une grande activité de contrôle et de maintenance informatique.* — REM. *Bogue* est la forme officiellement recommandée à la place de l'anglicisme *bug,* bien attesté.

HOM. 1. et 2. **bog,** 1., 2. et 3. **bogue.** ◊ COMP. **Déboguer.**

1. **BOGUER** [bɔge] v. intr. — XIXe ; de 2. *bog.*

Anciennt. Mettre un enjeu, au jeu de bog*.

2. **BOGUER** [bɔge] v. intr. — 1866, P. Larousse ; de 1. *bogue.*

Rare. Former des bogues (marronniers, châtaigniers).

**BOGUET, BOGUEY** [bɔgɛ] n. m. → **Boghei.**

**BOGUIÈRE** [bɔgjɛʀ] n. f. — XVIe ; de 2. *bogue.*

Techn. et régional. Filet utilisé en Méditerranée pour la pêche aux bogues, aux rougets.

**BOHÈME** [bɔɛm] n. — 1372 ; lat. médiéval *bohemus* «habitant de la Bohême».

**I** ♦ **1** Vx. Habitant de la Bohême : membre des groupes nomades qu'on supposait originaires de ce pays. → **Bohémien, gitan, tsigane.**

1 Nous avons rencontré M. et Mme de Valavoire, avec un équipage qui ressemblait à une compagnie de bohèmes.
Mme DE SÉVIGNÉ, Lettres, 644, 29 août 1677.

1.1 (...) les théâtres forains s'en allèrent par morceaux ; les danses et les chants cessèrent ; les parades se turent (...) Agents et soldats, le fouet ou la baguette à la main, stimulaient les retardataires et ne se gênaient point d'abattre les tentes, avant même que les pauvres bohèmes les eussent quittées.
J. VERNE, Michel Strogoff, p. 82.

Loc., vx. *Vie de bohème :* vie errante, nomade.

2 C'est une vie de bohème et non pas de gens qui gouvernent (...)
FÉNELON, Mémoires sur la situation déplorable de la France en 1710.

♦ **2** Anciennt (dans le contexte de la vie des artistes au XIXe). Personne qui mène une vie vagabonde ou hostile aux règles bourgeoises, sans égard pour les conventions, l'argent et sans souci du lendemain. → **Bohémien** (4., vx) ; → Cuvier, cit. *Vivre en bohème* (→ **Bohémianisme**). *Vie de bohème* (→ La vie d'artiste*). *C'est une maison de bohème. Un bohème débraillé.*

3 Je suis un fainéant, bohème journaliste,
Qui dîne d'un bon mot étalé sur son pain.
NERVAL, «Madame et Souveraine».

Le fém. *une bohème* est rare.

♦ **3** Adj. *Avoir un caractère, une allure, un genre bohème.* → **Artiste, fantaisiste.** *Habitudes, mœurs bohèmes.*

Quand on n'a, de sa vie, été bohème, pourquoi faillir sur la fin à ce qu'on professe le mieux ? 4
COLETTE, l'Étoile Vesper, p. 172.

♦ **4** N. f. **a** Anciennt. *La bohème,* ensemble des bohèmes. *La Bohème galante,* de G. de Nerval. *La bohème littéraire et artiste de Paris. Scènes de la vie de bohème,* de Henri Murger (*«la bohème, c'est le stage de la vie artistique. C'est la préface de l'Académie, de l'Hôtel Dieu ou de la Morgue»*). — *Ma bohème,* poème de Rimbaud.

**b** Milieu artiste, antibourgeois. *La bohème de Saint-Germain-des-Prés, de Montparnasse. La bohème de Greenwich Village.*

Le tranquille Montparnasse était loin de prévoir ce qu'une internationale bohème artiste ferait de lui plus tard. 5
Georges LECOMTE, Ma traversée, I, p. 61.

**II** *Du, le bohème* (de *verre de Bohême*). Verre blanc fabriqué en Bohême, depuis le XVIe siècle.

CONTR. **Sédentaire. — Bourgeois, pantouflard** (fam.). — (De l'adj.) **Rangé, réglé, régulier.** ◊ DÉR. **Bohémien.**

**BOHÉMIANISME** [bɔemjanism] n. m. — Av. 1867 ; de *bohémien.*

Rare.

♦ **1** Penchant pour l'errance à la manière des Tsiganes. — (Dans un contexte esthétique) :

Glorifier le vagabondage et ce qu'on peut appeler le Bohémianisme, culte de la sensation multipliée, s'exprimant par la musique. En référer à Liszt.
BAUDELAIRE, Journaux intimes, «Mon cœur mis à nu».

♦ **2** Goût pour la vie de bohème* (2.) ; vie de bohème.

**BOHÉMIEN, IENNE** [bɔemjɛ̃, jɛn] adj. et n. — 1467, au sens 2 ; de *bohème.*

♦ **1** Adj. De la Bohême. *Populations bohémiennes. Géographie, économie bohémienne. «Le dialecte* (sic) *tchèque ou bohémien»* (Mérimée, *in* T. L. F.).

N. m. Ensemble des parlers tchèques de Bohême.

♦ **2** N. Cour. (mais désuet). Tsigane nomade ou membre d'un groupe se livrant à des activités artisanales, à la mendicité, disant la bonne aventure, etc. — REM. Le mot vient de l'assimilation aux Tsiganes de tout groupe errant d'apparence exotique. → **Égyptien** (2.), **gipsy** (vx), **gitan, romanichel** (vieilli), 1. **romano** (péj.), **tsigane, zingaro** (vx) ; **boumian** (régional). — *Roulotte, campement, troupe de Bohémiens. Bohémiens en voyage,* poème de Baudelaire. *Des Bohémiennes diseuses de bonne aventure, montreuses de chèvres savantes.*

N'estoit-ce pas là un gentil filz ? Bohemiennes luy pourroyent bien dire : Vous estes d'un bon père et d'une bonne mère, mais l'enfant ne vault guères. 0.
Bonaventure DES PÉRIERS, Nouvelles recréations, *in* Conteurs franç. du XVIe s., Pl., p. 514.

La petite danseuse ne craignait rien ; elle ne disait pas la bonne aventure, ce qui la mettait à l'abri de ces procès de magie si fréquemment intentés aux bohémiennes. 1
HUGO, Notre-Dame de Paris, VII, 2.

(...) hormis nos bohémiens, nous ne connaissons pas de ces tribus sans racines (...) 2
DANIEL-ROPS, le Peuple de la Bible, I, 3, p. 31.

Adj. Des Bohémiens. *Musicien bohémien. Jupe bohémienne :* longue jupe ample, à la manière de celles que portent les femmes tsiganes. *Langue bohémienne.* → **Romani.** — N. m. Vx. *Le bohémien.* → **Tsigane.**

REM. Le mot ne s'emploie plus dans un discours objectif sur les Tsiganes; il reste lié aux jugements du XIX^e s. sur des communautés considérées comme inassimilables et étranges, voire dangereuses.

♦ **3** Fig. et vx. Vagabond, chemineau.

Adj. (1855, *in* D. D. L.). « *Vie de maquignon ou de maçon bohémien* » (G. Sand, *in* T. L. F.).

N. f. Vx. Femme adroite et rusée, entremetteuse habile.

♦ **4** Vx. Bohème (2.). « *Champfleury, un de ces Bohémiens...* » (Goncourt). — Adj. *Vie bohémienne,* de bohème.

DÉR. **Bohémianisme.** — V. **Boumian.**

**BOHÉMISTE** [bɔemist] n. — Mil. XX^e; de *Bohême.*

Didact. Spécialiste de la Bohême, de la Tchécoslovaquie; de la langue tchèque.

**BOÏAR** [bɔjaʀ] n. m. → **Boyard.**

**BOILLE** [bɔj] n. f. — 1624, *boillie;* var. de 2. *bouille,* cf. *bolie,* 1353.

Régional (Suisse). Récipient cylindrique ou ovale (d'abord en bois : douves, puis en métal, etc.) servant au transport du lait. → **Bidon, boîte** (à lait), 2. **bouille** (régional). *Fûts et boilles en métal, en plastique.* — REM. À l'origine, ce récipient, muni de bretelles, était transportable à dos d'homme (syn. : *boille à lait*).

C'est le domestique qui va porter le lait à la fromagerie. Dans la boille, qui est une hotte de fer, arrondie selon la forme du dos, avec deux courroies aux épaules, quarante, soixante litres font un poids (...)
C.-F. RAMUZ, Nouvelles et Morceaux, Œ. compl., t. III, p. 188.

Récipient de forme analogue, servant à sulfater la vigne. → **Sulfateuse.** *Boille à sulfater.* Par anal. *Boille à chauler.*

Récipient pour transporter le poisson vivant.

REM. On écrit et prononce *bouille* [buj] dans quelques cantons (Neuchâtel, Jura).

1. **BOIRE** [bwaʀ] v. tr. [CONJUG.: *je bois, tu bois, il boit, nous buvons, vous buvez, ils boivent; je buvais; je bus, il but, nous bûmes, ils burent; je boirai; je boirais; bois, buvons, buvez; que je boive, que nous buvions, qu'ils boivent; que je busse, que nous bussions, qu'ils bussent; buvant; bu.*] — X^e; anc. franç. *beivre, boivre,* du lat. *bibere,* même sens.

**I** ♦ **1** Avaler, absorber (un liquide, une boisson). → **Avaler, ingurgiter;** fam. **écluser, pomper, siffler.**

1 D'après certains puristes, il faudrait dire : *prendre* et non *boire* du café, du thé, du chocolat, mais *boire* de l'eau, de la bière, du vin. Distinction arbitraire et ridicule. L'Académie dit *Prendre du café. Boire du café au lait* (à Café). *Boire du thé. Prendre du café* (à Thé).
Joseph HANSE, Dict. des difficultés grammaticales, éd. 1949, p. 141.

*Boire de l'eau, du vin, du lait, du café, une tisane, une liqueur. Il boit beaucoup de lait.* → **Buveur** (de...). *L'enfant a bu son lait.* → **Téter.** *Boire un poison. Socrate fut condamné à boire la ciguë. Un liquide bon à boire.* → **Buvable, potable.** *Boire un canon, une coupe, une chope, une chopine, une pinte, un pot, une rasade, un verre*, un petit verre. Boire une tournée, la rince* (fam.). *Boire une gorgée, un gorgeon* (fam.), *une goutte, une lampée* (fam.), *une larme, un doigt, un léger doigt de vin* (→ Blanc, cit. 9). *Boire son verre d'un trait.* → **Lamper, vider.** *Boire du champagne.* → **Sabler.** *Boire un verre d'alcool en faisant cul sec* (→ Cul, *infra* cit. 18). *Boire de l'eau-de-vie entre deux plats.* → **Trou** (normand). *Boire du vin, un alcool en gourmet.* → **Déguster, humer, siroter.**

Il commande chez l'hôte, y prend des libertés, 2
Boit son vin, caresse sa fille.
LA FONTAINE, Fables, IV, 4.

*(Elle)* chantait d'un gosier sec 3
Le vin mousseux, le frontignan, le grec,
Buvant de l'eau dans un vieux pot à bière (...)
VOLTAIRE, le Pauvre Diable.

Il finissait toujours la coupe dont elle avait bu la moitié (...) 4
M^me DE STAËL, Corinne, XV, 3.

*(Il)*prendra de la soupe, du poisson frit, une salade; il 4.1
boira un quart de vin blanc.
A. PIEYRE DE MANDIARGUES, la Marge, p. 89.

Loc. *Boire un coup.* → **Coup** (IV.). « *Boire un petit coup c'est agréable...* » (chanson). *Payer un coup à boire à qqn.* → (fam.) **Rincer,** 4.

*Boire le coup de l'étrier :* boire une dernière fois avant le départ. → **Étrier** (cit. 4).

*Être bon, mauvais à boire.* « *Une onde mauvaise à boire* » (→ Naviguer, cit. 7, Apollinaire). — Fam. *Se laisser boire :* être bon à boire. *Ce petit pinard se laisse boire.*

Fam. *Boire un coup, boire une, la tasse* (→ Boire un bouillon*, boire la goutte*; aussi régional boire calade*) : au cours d'un bain de mer, avaler involontairement une gorgée d'eau. — Absolt ou intrans. *Boire à la grande tasse :* se noyer.

Fig. *Un cheval qui boit son blanc* (intrans., *qui boit dans son blanc*). → **Blanc.** *Un cheval qui boit sa bride,* se dit d'un cheval au mors trop enfoncé dans la bouche.

♦ **2** Absolt ou intrans. Absorber une certaine quantité de liquide. *Boire pour apaiser, pour étancher sa soif*.* → **Désaltérer** (se), **rafraîchir** (se). *Boire sans soif. Boire chaud, tiède, frais, froid, glacé. Boire dans le creux de la main* (→ **Laper**), *dans un verre, à la bouteille, au goulot, à la régalade*. Boire à petits coups.* → **Buvoter, siroter.** *Boire à petites gorgées. Boire à plein verre. Boire à grands, à longs, à larges traits.* — Vx. *Vase à boire.* → aussi **Récipient.** *Verre* à boire. Boire à discrétion, à satiété, à volonté. Boire tout son soûl*, à tire-larigot. Boire beaucoup et vite. Demander, réclamer à boire. Servir, verser à boire à qqn. Offrir, payer à boire à qqn. Faire boire un malade.* → **Administrer** (un remède...).

Au contraire, ton ennemi a-t-il faim, donne-lui à manger; 5
a-t-il soif, donne-lui à boire (...)
BIBLE (CRAMPON), Épître de saint Paul aux Romains, XII, 20.

L'appétit vient en mangeant, disait Angest (...) la soif s'en 6
va en buvant. RABELAIS, Gargantua, 5.

Tant qu'ils trouvent des plantes à brouter, ils *(les cha-* 7
*meaux)* se passent très aisément de boire.
BUFFON, Hist. nat., les Quadrupèdes, t. V, p. 23.

Donne-lui tout de même à boire, dit mon père. 8
HUGO, la Légende des siècles, XLIX, Le temps présent, « Après la bataille ».

Mon verre n'est pas grand, mais je bois dans mon verre. 9
A. DE MUSSET, Premières poésies, « La coupe et les lèvres », Dédicace (→ Imiter, cit. 19).

(...) elle boit par désœuvrement, pour tuer le temps et 10
l'ennui, comme un terrassier se saoule quand il n'a pas d'ouvrage.
COLETTE, la Paix chez les bêtes, « La chienne Bull ».

(...) des gendarmes, debout, boivent, chacun leur tour, à la 11
régalade, en élevant dans la lumière un bidon de soldat.
MARTIN DU GARD, les Thibault, t. VIII, p. 159.

REM. Dans cet emploi absolu, et dans le contexte de la civilisation française, *boire* concerne souvent le vin et les boissons alcooliques (→ ci-dessus, cit. 10); cette valeur est lexicalisée au sens 3.

Loc. *Il y a à boire et à manger,* se dit d'une boisson trouble et épaisse avec des particules solides en suspension, et, fig., d'une chose, d'une situation qui présente de bons et de mauvais aspects.

(Animaux). Se désaltérer en absorbant de l'eau (→ Lion, cit. 3, et ci-dessus, cit. 7). *Faire boire les bêtes.* → **Abreuver; abreuvoir, auge, barbotage, buvée.** *Donner à boire à un chien, à un oiseau.*

♦ **3** Intrans. Absorber (notamment, régulièrement et avec excès) des boissons alcoolisées. *Il boit et il fume.* → **Aviner** (s'), **enivrer** (s'), **soûler** (se); fam. **accoler** (la bouteille), **biberonner, bidonner, boissonner** (vx), **cocarder** (se), **gargariser** (se), **humecter** (s'humecter le gosier), **lamper, lester** (se), **lever** (le coude), **lichailler, licher, lipper** (vx), **picoler** (et **pictancher, picter, pictonner), pinter, pomper, taper** (se), **téter** (la bouteille). → aussi fam. et pop. En étouffer un, s'en jeter un (derrière la cravate), nettoyer (une bouteille...), se rincer le corridor*, la dalle*, le gosier*, sécher (un glass, un kil, une rouille); s'appuyer, écluser, s'enfiler, s'enfoncer, s'envoyer (qqch.), soiffer, souffler dans l'encrier, siffler, se rincer; tuer le ver, chasser le brouillard. *Aimer à boire* (→ **Biberon, buveur, ivrogne**). *Boire par habitude, par plaisir, par passion, par manie* (→ **Dipsomanie**). *Boire pour oublier. Boire sans s'enivrer.* → **Tenir** (le coup). — Loc. compar. *Boire comme une éponge, un tonneau, un trou. Boire comme un Polonais, un pompier, un sonneur, un Suisse, un templier. Boire sec :* boire du vin pur, et aussi boire beaucoup d'alcool. Un air*, une chanson* à boire. *À boire! «C'est à boire qu'il nous faut!» Après boire. Réunion, repas où l'on boit.* → **Beuverie, libation, rastel** (régional), **ribote** (vieilli). *S'attabler* pour boire. Boire à l'occasion d'un événement.* → **Arroser** (B., 3.). *S'abstenir de boire. Il a bu! :* il a trop bu. *Quand elle a bu, elle n'est pas gaie.*

12 Allons, qu'on donne du vin à Monsieur Jourdain, et à ces Messieurs, qui nous feront la grâce de nous chanter un air à boire. MOLIÈRE, le Bourgeois gentilhomme, IV, 1.

13 J'ai soupé hier avec trois des plus jolies femmes de Paris; nous avons bu jusqu'au jour (...)
A.-R. LESAGE, Turcaret, III, 5.

14 Quand Auguste buvait, la Pologne était ivre.
VOLTAIRE, Épître, À l'impératrice de Russie Catherine II, 56.

15 Ils buvaient tous comme des éponges, mais un d'eux surtout déployait une remarquable puissance d'ingurgitation.
Th. GAUTIER, le Capitaine Fracasse, XV.

16 (...) s'il est vrai que de votre vivant vous jurâtes comme un païen, fumâtes comme un Suisse et bûtes comme un sonneur (...) FRANCE, le Crime de S. Bonnard.

17 (...) l'homme extraordinaire dont je parle (...) but comme un trou sans avoir jamais eu grand soif.
COURTELINE, Boubouroche, Petit historique.

18 (...) il faut bien le reconnaître, l'Américain ne sait pas boire. Il a toujours l'air de se suicider.
G. DUHAMEL, Scènes de la vie future, V.

18.1 Il boit, mais il était fait pour l'opium : on se trompe aussi de vice; beaucoup d'hommes ne rencontrent pas celui qui les sauverait.
A. MALRAUX, la Condition humaine, p. 37.

18.2 Gadelle buvait. Il buvait plus que n'importe quel paysan du pays, pas seulement de temps en temps, mais tous les jours, commençant le matin pour ne s'arrêter que le soir. Il buvait assez pour répandre dans la chaleur d'une pièce, une odeur d'alcool que je reniflais toujours avec dégoût.
G. SIMENON, les Mémoires de Maigret, p. 61.

18.3 Je n'aime pas tellement l'alcool. Et pourtant si je ne bois pas, ça ne va pas. C'est comme si j'avais peur, alors je bois pour ne plus avoir peur.
IONESCO, Rhinocéros, I, p. 42.

Emploi substantivé :

18.4 Manger n'est qu'un vulgaire artisan, tandis que boire est un artiste. Boire inspire de riantes idées aux poètes (...) manger ne leur donne que des indigestions.
Claude TILLIER, Mon oncle Benjamin, III.

Vx. *Donner qqch. pour boire :* donner une gratification. → **Pourboire.**

Mon gentilhomme, donnez, s'il vous plaît, aux garçons quelque chose pour boire. 19
MOLIÈRE, le Bourgeois gentilhomme, II, 5.

*Boire à la santé de qqn, boire à qqn, à qqch.,* formuler des vœux avant de vider son verre. → **Brinde, toast** (porter un toast). *Boire au retour d'un voyageur. Choquer son verre avant de boire.* → **Trinquer.**

On boit une dernière fois ensemble, tous à la ronde, choquant les verres très fort (...) 20
LOTI, Ramuntcho, II, 9, p. 275.

Ma mère lui versa un verre d'eau-de-vie, qu'il but à la santé de la compagnie, car il avait de l'usage. 21
FRANCE, le Petit Pierre, XI.

*Le roi, la reine boit,* acclamations usitées le jour des Rois quand le roi ou la reine boit.

♦ **4** V. tr. [a] Vieilli. *Boire une santé, des santés :* boire à la santé.

Je voudrais bien les remercier d'avoir bu ma santé; la vôtre fut bue avant-hier chez la princesse de Tarente (...) 22
Mme DE SÉVIGNÉ, Lettres, 441.

[b] Dépenser en buvant. *Il a bu sa paye en deux jours. Boire son salaire, son patrimoine, sa fortune.*

[II] (1550). ♦ **1** Absorber (le sujet désigne un corps poreux, perméable). → **Imprégner** (s'). *Le soleil boit la rosée. L'éponge boit.* → **Imbiber** (s'). *Un papier qui boit l'encre* (→ **Buvard**). — Absolt. *Papier qui boit,* sur lequel on ne peut écrire lisiblement.

Il est bien véritable que parfois quand les Chantres ont failly ils diront par excuse que le papier boit, et accuseront la fueille de ce que la fueillette leur aura fait faire. 22
A. GANTEZ, l'Entretien des musiciens, Claudin, 57, 1643, *in* D.D.L., II, 15.

Le fer moissonna tout; et la terre humectée 23
But à regret le sang des neveux d'Érechthée.
RACINE, Phèdre, II, 1.

Sans crainte du pressoir, le pampre tout l'été 24
Boit les doux présents de l'aurore (...)
André CHÉNIER, «la Jeune Captive», *in* Œ. poétiques, t. II.

(...) les murs étaient restés enduits d'un vieux crépi rose vif qui buvait la lumière comme un badigeon italien. 25
MARTIN DU GARD, les Thibault, t. II, p. 251.

L'argile rouge a bu la blanche espèce 25
VALÉRY, Poésies, «le Cimetière marin».

Loc. fig. *Boire l'obstacle,* se dit d'un véhicule, d'un cheval lancé à pleine vitesse et qui semble absorber, avaler les obstacles.

♦ **2** (Par métaphore du sens I). [a] (Sujet n. de personne). Absorber (qqch. qui est assimilé à un liquide qui étanche la soif). → **Absorber, aspirer, pénétrer** (se), **remplir** (se). *Boire la santé, la vie. Boire la joie, les plaisirs. «Et je buvais ton souffle...»* (Baudelaire, *le Balcon*).

D'enfants à sa table une riante troupe 26
Semble boire avec lui la joie à pleine coupe.
RACINE, Esther, II, 8.

Il aurait voulu l'envelopper, l'absorber, la boire. 27
FLAUBERT, Salammbô, XI.

Il se mit à respirer longuement, buvant de l'air comme les ivrognes boivent du vin (...) 28
MAUPASSANT, Clair de lune, p. 14.

(...) nous nous abreuvions avidement de l'âme la plus sincère, la plus héroïque, la plus généreuse, une âme toute remplie de toutes les passions du monde et de tous les souffles de la terre (...) nous allions boire la joie, l'amour, la force, qui nous manquaient. 29
R. ROLLAND, Musiciens d'aujourd'hui, p. 60.

Bu du sommeil jusqu'à plus soif. 30
GIDE, Journal, 1931.

(...) le lézard buvait le soleil. Le dos écailleux ne bougeait pas (...) H. BOSCO, l'Âne Culotte, p. 53. 31

*Boire les paroles de qqn,* les écouter avec attention et admiration. *Boire qqn, qqch. des yeux,* regarder avidement (→ Manger des yeux*).

32 Il ne manquait pas un de ses discours, il buvait ses paroles, riait de ses plaisanteries à mâchoire déployée, écumait de ses invectives, jubilait des combats et du paradis promis. R. ROLLAND, Jean-Christophe, p. 1294.

33 Mon vieux, je ne le regardais plus, je le buvais, j'étais totalement électrisé.
MARTIN DU GARD, les Thibault, t. IV, p. 100.

*Boire un affront, une injure.* → **Endurer, subir**; → Avaler des couleuvres*.

34 Ils boivent les affronts comme l'eau (...)
ROUSSEAU, Émile, II.

*Avoir toute honte bue :* avoir épuisé toutes les hontes de sorte qu'on n'a plus honte de rien (→ Honte, cit. 29, 29.1).

35 Je dis que c'est horrible, et toute honte est bue
Autant par qui reçoit, que par qui distribue!
HUGO, la Légende des siècles, «Les quatre jours d'Elciis», XX.

**b** Littér. Absorber (choses). *«L'œil! Il boit la vie apparente (...). Il boit le monde, la couleur, le mouvement, les livres, les tableaux...»* (Maupassant, *in* T. L. F.).

♦ **3** (Dans des métaphores, le compl. désignant un récipient rempli de boisson, ou une boisson). Loc. *Boire le calice* jusqu'à la lie :* accepter, endurer des épreuves, des afflictions.

36 Souvent las d'être esclave et de boire la lie
De ce calice amer que l'on nomme la vie (...)
André CHÉNIER, Élégie, XXXVI.

37 Je voudrais maintenant vider jusqu'à la lie
Ce calice mêlé de nectar et de fiel :
Au fond de cette coupe où je buvais la vie,
Peut-être restait-il une goutte de miel (...)
LAMARTINE, Méditations, «L'automne».

38 Elle avait bu jusqu'à la lie la coupe amère de son triste amour.
A. DE MUSSET, la Confession d'un enfant du siècle, p. 285.

39 Il *(Jésus)* pouvait encore éviter la mort; il ne le voulut pas. L'amour de son œuvre l'emporte. Il accepta de boire le calice jusqu'à la lie.
RENAN, Vie de Jésus, XXIII, Œ. compl., t. IV, p. 321.

*Boire la coupe de la colère divine :* recevoir le châtiment de Dieu (métaphore biblique).

40 La main du Seigneur vous a fait boire la coupe de sa colère; elle est remplie d'un breuvage qu'il veut faire boire aux pécheurs.
BOSSUET, Sermons, Nécessité de travailler à son salut, I.

Poét. et vx. *Boire l'eau de... (un fleuve) :* naître, habiter sur ses rives. *Les peuples qui boivent l'eau du Gange :* les Hindous.

Vx. *Boire la sueur de qqn :* s'enrichir du travail de qqn à ses dépens.

*Boire un bouillon* :* avoir un revers de fortune.

*Boire du lait, du petit lait :* se réjouir, se délecter de qqch., d'une flatterie (→ fam. Se gargariser).

40.1 La vieille Eugénie boit du petit lait. Quel manque de pudeur! Ainsi ils ont été ensemble, dans un lointain autrefois, ces deux vieux-là (...)
Claude MAURIAC, le Dîner en ville, p. 261.

40.2 Vous êtes le genre d'homme que j'aime. Tout à fait mon idéal. Sans blague, vous êtes drôlement beau.
— Écoute, n'exagère pas, dit Martial avec une bonhommie modeste. (Il buvait du petit lait. Il était aux anges.)
Jean-Louis CURTIS, le Roseau pensant, p. 201.

*Il boirait la mer et les poissons :* il a une soif inextinguible — *C'est, ce n'est pas la mer à boire :* c'est, ce n'est pas difficile.

41 Tout cela, c'est la mer à boire (...)
LA FONTAINE, Fables, VIII, 25.

(...) elle rêva un tapis et Lheureux, affirmant «que ce n'était pas la mer à boire», s'engagea poliment à lui en fournir un. 42
FLAUBERT, Mme Bovary, III, 4.

Loc. littér. (vx). *Boire l'eau du Léthé :* oublier. — *Boire à la fontaine des Muses, d'Hippocrène :* s'adonner à la poésie. — *On ne saurait faire boire un âne qui n'a pas soif.* → **Âne.** — Loc. mod. *Il ne faut pas dire «Fontaine, je ne boirai pas de ton eau».* → **Fontaine.** — *Le vin est tiré, il faut le boire :* il n'y a plus à hésiter, on ne peut plus reculer, il faut achever ce qui est commencé.

Voyez-vous, mes enfants, quand le blé est mûr, il faut le couper; quand le vin est tiré, il faut le boire. 43
Alphonse DAUDET, Lettres de mon moulin, XI.

Fig. *Qui a fait la faute la boit :* on supporte les conséquences des fautes qu'on commet.

(1814, cit.). *Croyez cela et buvez de l'eau,* se dit d'une chose qui ne doit pas être crue. *Compte dessus et bois de l'eau, compte là-dessus et bois de l'eau fraîche.*

Spectacles. La jolie bluette du *Cosaque à Paris,* ou *Croyez cela et buvez de l'eau,* a été hier répétée avec le plus grand succès. 44
J.-B. COUCHERY, *in* le Moniteur secret, II, 1814, p. 217 (*in* D.D.L.).

*Il y a, il n'y a pas d'eau à boire :* il y a, il n'y a pas à gagner dans cette affaire — *Qui bon l'achète, bon le boit :* ce qu'on paye cher dure longtemps.

Intrans. *Qui a bu, boira* (La Fontaine, *Fables,* III, 7) : on ne se corrige pas de ses vieux défauts, de ses vieilles habitudes.

*On ne saurait si peu boire qu'on ne s'en ressente :* on s'expose à quelque sottise en buvant trop.

◆ **SE BOIRE** v. pron. (passif). Pouvoir ou devoir être bu. *Cette eau se boit, peut se boire.* → **Potable.** *Le vin rouge se boit chambré ou frais; le champagne se boit frappé. Le pastis se boit avec de l'eau.*

◆ **BU, BUE** p. p. adj. Voir ci-dessus à l'article. Spécialt. Fam., régional (personnes). Ivre, soûl. *Il est un peu bu. Il est arrivé complètement bu.*

Le prévenu Brument interrompt avec vivacité la déposition et déclare : 45
«J'étais bu».
Alors Cornu, se tournant vers son complice, prononce d'une voix profonde comme une note d'orgue :
«Dis que j'étions bus tous deux et tu n'mentiras point».
MAUPASSANT, Une vente, Pl., t. I, p. 1208.

CONTR. **Rejeter, vomir.** — **Abstenir** (s'). ◊ DÉR. 2. **Boire.** — (Du rad. *beuv-*) **Beuverie.** — (Du rad. *buv-*) **Buvard, buvée, buvable, buvette, buveur, buvoter.** — (De l'anc. inf. *beuvre*) V. **Breuvage.** → COMP. **Après-boire, déboire, emboire, (imbu), fourbu, pourboire.** — **Boit-sans-soif, boit-tout.** → HOM. 2. **Boire.**

2. **BOIRE** [bwaʀ] n. m. — Xe, *bewre;* → 1. Boire.

Rare, sauf dans : *Le boire et le manger. Le boire :* l'action de boire; le liquide que l'on absorbe. → **Boisson.** *«Le buveur ne regarde guère que le boire»* (Valéry, *in* T. L. F.). *Le boire et le manger :* l'action de boire et de manger (→ Ingestion, cit.). *L'instinct de l'homme* (cit. 74) *le porte au manger et au boire. Les règles du manger et du boire* (→ Contrevenir, cit. 2).

Et le financier se plaignait 1
Que les soins de la Providence
N'eussent pas au marché fait vendre le dormir
Comme le manger et le boire.
LA FONTAINE, Fables, VIII, 2.

J'imagine une accueillante maîtresse de maison qui tient tête à ses hôtes dans le boire et le manger, et s'égaie de leurs plaisanteries risquées (...) 2
M. YOURCENAR, Archives du Nord, p. 63.

Fam. *En oublier, en perdre le boire et le manger :* être absorbé par une occupation, un souci, un sentiment (→ Étuver, cit. 2; maladie, cit. 15).

**BOIS** [bwa] n. m. — 1080, *Chanson de Roland,* au sens I, 1; du francique **bosk* «buisson». Cf. all. *Busch,* par le lat. pop. *bosci,* plur. de *boscus,* le rapport avec le lat. *buxus* «buis» n'est pas à écarter, selon Guiraud, si l'on admet la possibilité d'un dérivé roman **buxicus.*

**I** ♦ **1** *(Un bois, des bois).* Espace de terrain couvert d'arbres*. → **Forêt, frondaison, futaie, sylve; bocage, boqueteau, bosquet, bouquet** (d'arbres), **breuil** (régional), **buisson, fourré, futaie, massif** (d'arbres), **sous-bois, taillis.** *Espace découvert dans un bois.* → **Clairière.** *Un pays de bois.* → **Boisé.** *L'orée*, la lisière d'un bois. Un bois mystérieux, ombreux, sombre, ténébreux; épais, impénétrable, touffu; frais, riant; désert, silencieux, solitaire. Bois de châtaigniers* (→ **Châtaigneraie),** *de chênes* (→ **Chênaie),** *de frênes* (→ **Frênaie),** *de pins* (→ **Pinède),** *de sapins* (→ **Sapinière).** *Un petit bois. Les grands bois.* → **Forêt.** *Acheter, vendre un bois et une friche. Bois domanial, communal. Possession d'un bois indivis.* → **Ségrairie.** *Le Bois de Boulogne à Paris. Aller, se promener au bois. Marcher dans les bois, dans les sous-bois. S'égarer en plein bois. Couper à travers bois. — Bois sacrés,* consacrés au culte par les anciens. — *Bois d'Épidaure, bois de Vesta.*

1 Les vents sont assoupis, les bois dorment sans bruit.
RONSARD, *in* LITTRÉ.

2 J'ai besoin du silence et de l'ombre des bois (...)
BOILEAU, Épîtres, 6.

3 Mes seuls gémissements font retentir les bois (...)
RACINE, Phèdre, II, 2.

4 Un terrain couvert ou plutôt à demi couvert de genièvres, de bruyères, est un bois à moitié fait et qui a peut-être dix ans d'avance sur un terrain net et cultivé (...)
BUFFON, Expériences sur les végétaux, 2e mémoire.

5 Il *(J.-J. Rousseau)* veut réduire au gland l'Académie entière :
Renoncez aux cités, venez au fond des bois,
Mortels, vivez contents sans secours et sans lois (...)
VOLTAIRE, les Deux Siècles.

6 Cependant à l'orée du bois on voit déjà fleurir les primevères (...) BERNARDIN DE SAINT-PIERRE, Étude, V.

7 Tantôt un bois profond, sauvage, ténébreux
Épanche une ombre immense, et tantôt moins nombreux,
Un plant d'arbres choisis forme un riant bocage (...)
DELILLE, Jardins, II.

8 Nous traversâmes quelques petits bois de baumiers et de cèdres de la Virginie (...)
CHATEAUBRIAND, Voyage en Amérique, 308.

9 Salut! bois couronnés d'un reste de verdure!
Feuillages jaunissants sur les gazons épars!
LAMARTINE, Premières méditations, «L'automne».

10 J'aime le son du cor, le soir au fond des bois (...)
A. DE VIGNY, le Cor.

11 Comme le flot des mers ondulant vers les plages
Ô bois, vous déroulez, pleins d'arome et de nids,
Dans l'air splendide et bleu, vos houles de feuillages;
Vous êtes toujours vieux et toujours rajeunis.
LECONTE DE LISLE, Poèmes barbares, «La Fontaine aux lianes».

12 Nous n'irons plus au bois, les lauriers sont coupés (...)
Th. DE BANVILLE, Cariatides, «les Stalactites».

13 (...) dans l'air passe cette senteur spéciale des arrière-saisons, senteur des bois qui se dépouillent (...)
LOTI, Ramuntcho, II, 3.

14 Ton sourire est pareil aux clairières des bois.
Francis JAMMES, Choix de poèmes, «La jeune fille nue», p. 124.

15 Je m'éteindrai, un soir, comme ce soleil
Qui dore les bois poétiques de ces coteaux.
Francis JAMMES, Almaïde d'Étremont, p. 172.

*Bêtes, oiseaux des bois. — Fraises* des bois. — Les nymphes* des bois. La Belle au bois dormant* (→ Beau, cit. 111.1 et 112). — Loc. *Homme des bois* (fig.), homme rude et sauvage. → **Ours** (fig.). Vx (du malais). *Homme des bois :* orang-outang. — *Sortir du bois,* en parlant des animaux. → **Débucher.** — Vén. *Faire le bois, chasser dans les bois.* → **Brousser.** — Poét. *Les hôtes des bois :* les animaux qui vivent dans les bois. Spécialt. Les oiseaux.

Vous êtes le phénix des hôtes de ces bois. 16
LA FONTAINE, Fables, I, 11.

Vx. *Le bois, les bois :* lieu dangereux abritant des brigands.

Le bois le plus funeste et le moins fréquenté 17
Est au prix de Paris un lieu de sûreté (...)
BOILEAU, Satires, VI.

*On n'aimerait pas le rencontrer au coin d'un bois :* il a l'air d'un bandit.

Qu'un brigand me surprenne au coin d'un bois, il faut par force donner sa bourse (...) 18
ROUSSEAU, Du contrat social, I, 3.

(1791, *in* D. D. L.). *Être volé comme dans un bois.*

Vous savez mes malheurs : j'ai été volée comme dans un bois. A. DE MUSSET, Un caprice, III. 19

Il n'y avait pas non plus, dans cette petite ville où le luxe s'est accru maintenant comme partout, un seul hôtel où nous puissions avoir une table passable d'officiers, sans être volés comme dans un bois (...) 19.
BARBEY D'AUREVILLY, les Diaboliques, «Le rideau cramoisi».

Loc. fig. *Aller au bois sans cognée :* entreprendre qqch. sans s'assurer des moyens pour réussir. — Prov. *Qui a peur des feuilles, n'aille au bois :* celui qui manque de courage doit éviter le danger. — *La faim fait sortir le loup du bois.*

Alors la faim, qui chasse le loup hors du bois, me fit sortir de mon gîte pour aller acheter des vivres (...) 20
A. R. LESAGE, Don Guzman..., II, 4.

Vén. *Faire le bois :* rechercher le grand gibier.

♦ **2** *(Le bois, les bois).* La végétation ligneuse. *Exploiter le bois.* → **Foresterie, sylviculture.** *Le bois d'une exploitation forestière.* → **Boisement, déboisement, déforestation, reboisement; déroder, essarter, layer; balivage, débosquage.** *Du bois en pleine végétation, bois vif. Bois recepé.* → **Receper, revenue.** *Des arbres qui poussent trop en bois* (→ Arbre, cit. 23). *L'âge du bois.*

Techn. *Bois de brin,* venu de la graine; *jeune bois* (→ **Perchis),** *bois taillis, bois de demi-futaie,* considéré comme bois de haut revenu; *bois de futaie. Bois sur pied; bois vert*; bois en grume,* revêtu de son écorce. → **Grume.** *Bois de printemps,* tendre et mou. *Bois noueux, rabougri, tordu, veiné. Bois encroué :* arbre sur lequel un autre est tombé. *Bois éhoupé, déshonoré :* arbre dont la cime est coupée. *Bois chablis,* abattu par le vent. *Bois arsin,* endommagé par le feu. *Bois exploité à part.* → **Ségrais.** *Bois défensables :* arbres que leur hauteur met à l'abri de la dent des bestiaux. *Bois en défends,* qu'il n'est pas permis d'abattre. → **Marmenteau.** Dr. *Bois domaniaux,* qui appartiennent à l'État (→ **Domaine).** *Bois communaux.* REM. Ces syntagmes désignent aussi l'espace boisé (au sens 1). *Bois de réserve,* que les communes font exploiter périodiquement. *Droit de ramasser du bois dans la forêt.* → **Affouage.** *Bois de délit :* arbres coupés en fraude. *Ramasser du bois mort. Bois en coupe. Une coupe de bois.*

Le fripon qui me vola la moitié d'une coupe de bois, obtient de l'équité des juges un encouragement de 800 francs (...) P.-L. COURIER, I, 448. 21

Voilà l'enfant des chaumières 22
Qui glane sur les bruyères
Le bois tombé des forêts (...)
LAMARTINE, Harmonies, II, 1.

(...) deux antiques tilleuls cachent sous leur robe de verdure une telle quantité de bois mort qu'ils font aux souffles du vent un bruit étrange d'ossements heurtés. 23
MAUPASSANT, la Vie errante, p. 54.

3.1 Il était important que ces bois fussent promptement coupés et débités, car on ne pouvait les employer verts encore, et il fallait laisser au temps le soin de les durcir.
J. VERNE, l'Île mystérieuse, t. II, p. 769.

**II** (1165). ♦ **1** (*Le bois; du bois... :* non comptable). Matière ligneuse et compacte des arbres et de certains végétaux. → **Ligni-, xylo-.**

**a** Emplois concrets. *Le tissu vasculaire du bois est formé d'une agglomération de cellules parallèles ou perpendiculaires à l'axe.* → **Fibre, sève, vaisseau; rayon.** *Formation du bois mise en évidence par une section transversale d'un tronc d'arbre.* → **Assise** (génératrice), **aubier, écorce, cœur** (bois de cœur). *Un bois sec, dur; vert, tendre; échauffé, malandre, pouilleux; piqué, pourri, rongé, spongieux, vermoulu. Bois rongé par des champignons. Bois artisonné,* rongé par les insectes. → **Lignicole; gâte-bois, perce-bois.** — *Les défauts du bois.* → **Broussin, cadranure, frotture, gélivure, loupe, lunure, nœud, ronce, roulure.**

24 Mais attends que l'hiver s'en aille, et tu vas voir
Une feuille percer ces nœuds si durs pour elle,
Et tu demanderas comment un bourgeon frêle
Peut, si tendre et si vert, jaillir de ce bois noir.
HUGO, les Feuilles d'automne, 26.

25 (...) les bois les plus durs sont ceux qui pourrissent le moins vite.
FLAUBERT, Correspondance, t. II, p. 386.

*Morceau, pièce de bois. Bout de bois* (et fig.). → **Bout.**

Loc. *Dur comme du bois :* très dur.

*Classification des bois suivant leurs qualités.* → **Essence.** — *Bois feuillus : hétérogènes (zone poreuse).* → **Châtaignier, chêne, frêne, micocoulier, mûrier, olivier, orme.** *Bois homogènes, durs et lourds : bois de fer.* → **Alisier** (blanc, terminal), **amandier, cerisier, charme, cormier, cornouiller, coudrier, érable, hêtre, mimosa, platane, poirier, pommier, sidérodendron.** *Bois homogènes, tendres et légers ou bois blancs.* → **Aulne, bouleau, marronnier, peuplier, saule, tilleul, tremble.** — *Bois résineux.* → **Cèdre, épicéa, genévrier, if, mélèze, pin, sapin.** — *Bois exotiques.* → **Acajou, amarante,** 3. **angélique, avodiré, balsa, buis, courbaril, ébène, filao, fraké, framiré, iroko, okoumé, palissandre, pitchpin, séquoia, sipo, teck.** → aussi **Arbre.**

(Franç. d'Afrique). *Bois rouge :* bois d'œuvre dur, de couleur rouge (opposé à *bois blanc*).

**b** Loc. métaphorique et fig. *Il n'est bois si vert qui ne s'allume :* la patience a des limites.

Loc. *Donner à qqn, recevoir une volée de bois vert,* une sévère réprimande. — Vx. *Charger qqn de bois,* lui donner des coups de bâton.

26 Que le galant alors soit frotté d'importance !
— Crois-moi qu'il se verra, pour te mieux contenter,
Chargé d'autant de bois qu'il en pourra porter.
CORNEILLE, l'Illusion, II, 8.

*Il ne faut pas mettre le doigt entre le bois et l'écorce* (→ **Arbre,** cit. 36).

*Faire flèche de tout bois :* utiliser tous les moyens dont on dispose.

27 Desmarets ne savait plus de quel bois faire flèche; tout manquait et tout était épuisé (...)
SAINT-SIMON, Mémoires, 196, 127.

7.1 La frousse n'est pas une base solide pour l'acquisition d'une croyance religieuse, dit Hubert sévèrement.
— Oh, tu sais... Je suppose que Dieu n'y regarde pas de si près. Il doit faire flèche de tout bois.
Jean-Louis CURTIS, le Roseau pensant, p. 227.

7.2 Faut-il vraiment faire flèche de tout bois pour ratisser le maximum d'hommages ?
Benoîte et Flora GROULT, Il était deux fois, p. 164.

*Toucher du bois :* faire le geste superstitieux de toucher un objet de bois pour écarter quelque danger possible.

Il touche du bois quand il redoute quelque éventualité fâcheuse. 28
G. DUHAMEL, les Maîtres, XII.

**DE BOIS, EN BOIS :** impassible, insensible (dans des expressions). *N'être pas de bois :* ne pas manquer de sensibilité, de sensualité. *Rester de bois,* insensible. *Qqch. qui laisse de bois* (→ **Froid**). Vx. *N'être ni caillou ni bois.*

Ces plaintes et ces serments le laissaient pourtant de bois. 28.1
R. DORGELÈS, Tout est à vendre, p. 403.

(...) car une fille enfin n'est ni caillou ni bois. 29
MOLIÈRE, le Dépit amoureux, III, 9.

Ah ! que je suis désolé Monsieur l'Inspecteur !... Vraiment !... Je vous fais mes excuses !... 30
Pas un mot... Du bois... Il le laisse dire...
CÉLINE, Guignol's band, p. 112.

*Tête* (cit. 28) *de bois :* personne têtue.

*Montrer un visage de bois,* un visage fermé, froid. → **Visage.** *Avoir la gueule de bois :* avoir mal à la tête, se sentir mal pour avoir trop bu. → **Gueule.**

— J'ai un peu mal aux cheveux. 31
— Vous puez l'alcool !
— J'ai un petit peu la gueule de bois, c'est vrai.
IONESCO, Rhinocéros, p. 17.

Fam. *Chèque en bois :* chèque sans provision. — *Langue de bois :* discours, langage de propagande figé. → **Langue,** cit. 45.2 et *supra.*

**c** (Mil. XIII^e). Techn., cour. *Le bois,* matière utilisable. *Industrie du bois. L'abattage du bois.* → **Bûcheronnage, équarrissage, sciage.** *Bois brut.* — Loc. techn. *Bois carré,* celui qui est équarri (→ **Dosse**). *Bois de fente,* obtenu en fendant l'arbre suivant le fil. *Bois scié, tranché.* — *Outils servant à abattre le bois.* → **Cognée, coin, ébuard, hache, passe-partout, scie, serpe.** *Bois débité.* → **Basting, bille, merrain, rondin, roule, roulon.** *Bois mis en tas mesurés.* → **Corde, cordée, pile, rôle, stère.** Vx. *Cent de bois, pièce de bois* (mesures) :

Un Cent de bois, chez les Charpentiers, c'est cent fois 72 pouces de bois en longueur, ou une pièce qui a douze pieds de long sur six pouces d'espaisseur et de largeur : de sorte qu'une seule poutre est souvent comptée pour quinze ou vingt pièces de bois. Tout le bois de charpente se réduit à cette mesure. 32
FURETIÈRE, Dict., art. *Bois.*

Vitruve dit qu'avant d'abattre les arbres il faut les cerner par le pied jusque dans le cœur du bois, et les laisser ainsi sécher sur pied. 33
BUFFON, Expériences sur les végétaux, 2^e mémoire.

Loc. fig. *Abattre du bois :* abattre beaucoup d'ouvrage. Spécialt. *Abatteur* de bois.*

*Le transport du bois.* → **Flottage, schlittage; radeau.** *Train* de bois. Coupler un train de bois :* assembler les pièces deux à deux. *Le dépècement d'un train de bois.* → **Déchirage.** *Bois flotté. Bois canard.* → **Canard.** *Bois accroché au bord d'un cours d'eau. Bois volant,* amené directement au port par le flot. — Au plur. *Des bois volants, flottants.*

À une assez grande distance des terres, il faut, avant que d'entrer dans le Mississippi, se débarrasser des bois flottants qui sont descendus de la Louisiane (...) 34
G.-T. RAYNAL, Hist. philosophique..., XVI, 6.

*Bois de chauffage,* destiné à être brûlé, à servir de combustible. *Bois neuf, bois en grume :* revêtu de son écorce. *Menu bois, gros bois, bois à brûler. Bois de moule :* coupé suivant une longueur donnée, pour être brûlé (→ **Billette, billot, bûche, bûchette, bourrée, brassée, charbonnette, cotret, fagot, falourde, fascine, margotin, moulée, rondin).** *Faire, fendre, casser du bois. Faire sa provision de bois. Marchand de bois. Mettre du bois au feu*. Le bois pétille* (→ **Braise, tison).** *Se chauffer au bois. Un* *poêle à bois. Cuisinière, chaudière à bois. Pain cuit au four à bois, au bois. — Réserve de bois.* → **Bûcher.** *Bois utilisé pour le chauffage.* → **Branche, brin** (brins mal venus), **copeau, déchet, éclat** (éclat de bois), **éclisse, racine, sciure, souche.** *Bois de boulange,* servant à chauffer le four du boulanger.

35 Son hôte la menait tantôt fendre du bois (...)
LA FONTAINE, Fables, III, 8.

36 *(Vous le trouverez)* qui s'amuse à couper du bois.
MOLIÈRE, le Médecin malgré lui, I, 4.

37 Le laboureur, quand il a besoin de bois, coupe une branche, et non pas le pied de l'arbre.
VOLTAIRE, cité par MONTESQUIEU, 1 note.

37.1 Bon mon garçon, dit-il à Harbert, si moi j'ignore le nom de ces arbres, je sais du moins les ranger dans la catégorie du bois à brûler, et, pour le moment, c'est la seule qui nous convienne.
J. VERNE, l'Île mystérieuse, t. I, p. 43.

37.2 (...) pour préserver ces animaux *(des moutons)* de l'atteinte des insectes, ils les tenaient sous le vent de foyers de bois vert qu'ils alimentaient nuit et jour, et dont l'âcre fumée se propageait lentement au-dessus de l'immense marécage.
J. VERNE, Michel Strogoff, p. 220-221 (1876).

38 (...) il dépensait un stère de bois et lésinait sur une allumette (...) R. ROLLAND, Jean-Christophe, p. 847.

Loc. fig., vx. *Remettre du bois :* pousser à l'enthousiasme (argot de théâtre, XIXe). Loc. prov. *Le bois tortu fait le feu droit :* des moyens détournés permettent souvent d'atteindre un but honnête. *Il n'est feu que de bois vert :* l'enthousiasme est le propre de la jeunesse. *Faute de bois, le feu s'éteint.*

39 Faute de bois, le feu s'éteint; éloignez le rapporteur, et la querelle s'apaise.
BIBLE (CRAMPON), Proverbes, XXVI, 20.

(XVIe). *Montrer de quel bois on se chauffe,* de quoi on est capable (en matière de défense), souvent dans des formules de menace (à partir du XVIIe).

40 Vous verrez de quel bois nous nous chauffons lorsqu'on s'attaque à ceux qui nous peuvent appartenir.
MOLIÈRE, George Dandin, I, 4.

40.1 Montrons-leur un peu de quel bois — inflexible et léniniste — on se chauffe chez nous.
Régis DEBRAY, l'Indésirable, p. 251.

*Conservation du bois. On incorpore au bois des matières antiseptiques pour le conserver en le protégeant des agents destructeurs. Traitement du bois par injection de coaltar, créosote, phénol, sels, sulfates.* → **Empilage, étuvage, immersion, séchage, vieillissement, ventilation.** *Bois injecté. Bois amélioré,* traité par imprégnation de lignine*. → **Densification, lamellation.** — *Bois déversé,* qui a travaillé, qui est gauchi par l'action de la chaleur ou de l'humidité.

*Distillation du bois.* → **Carbonisation, cuisage; fumeron, fourneau, fraisil.** *Produits de la distillation du bois.* → **Acétone, acide** (acide acétique), **alcool** (alcool méthylique), **charbon, gaz, goudron.**

*Industries qui utilisent le bois* (industries de la laine de bois, du papier, du pyroxyle, d'armes de guerre, de chasse). *Le travail du bois. Le bois, matériau noble. — Bois de construction, bois d'œuvre* (→ **Assemblage, chantournage, charronnage, charpentage, corroyage, cubage, débitage, façonnage, montage, placage, traçage).** *Débiter le bois* (→ **Débillarder, dégauchir, dégraisser).** — Techn. *Bois de service.* → **Madrier, panne, planche, poutre, solive.** *Bois de menu service.* → **Étai, poteau, traverse.** — *Bois de charpente** (chêne), *de carrosserie, de charronnage* (charme, cornouiller, frêne, orme, platane...), *d'ébénisterie* et de menuiserie** (chêne, bois exotique, myrte, noyer, poirier...), *de tournerie* (buis, citronnier, cornouiller, genévrier, olivier, vigne...), *de boissellerie* (bouleau blanc, hêtre, saule), *de tonnellerie* (acacia, châtaignier, chêne, frêne...), *de vannerie* (osier, rotin...), *de teinture* (bois de campêche, bois rouge du Brésil, de la Colombie, de sapan [→ **Césalpinie**], sumac).

*Bois médicinaux :* gaïac, salsepareille, santal (bois de), sassafras, squine. *Produits des bois résineux.* → **Baume, gomme, résine, vernis.** *Bois odorants :* calambac, bois de santal. *Bois de Panama,* qui a des propriétés analogues à celles du savon. *Bois puant.* → **Anagyre.** *Bois utilisés en aéronautique :* bouleau, frêne, okoumé, spruce.

Loc. fig. **BOIS D'ÉBÈNE :** esclaves noirs (dans le contexte de la traite des esclaves). *Marchand, trafiquant de bois d'ébène.*

(1243, *en bosc*). *De bois, en bois,* construit en bois. *Construction en bois. Un pont de bois. Une maison de bois, en bois* (→ **Chalet).** *Une cabane en bois, faite de rondins. Escalier, parquet en bois.* → **Plancher.**

Le sol est en bois ordinaire, noirci par la boue et de gros- 40.
siers lavages, ainsi que les premières marches, seules bien visibles, de l'escalier.
A. ROBBE-GRILLET, Dans le labyrinthe, p. 55.

*Objets en bois, de bois. Volets de bois. Un manche de pioche en bois. Une canne de bois.* → **Bâton.** *Meubles en bois.* → **Meuble;** et aussi **caisse, coffre.** *Des sabots* de bois. Des semelles de bois.*

Je me contentai de ces galoches, à semelles de bois, qu'on 40.
commençait à fabriquer.
S. DE BEAUVOIR, la Force de l'âge, p. 518.

*Bouchons en bois.* → **Bonde, romaillet.** *Une jambe* de bois. Cheval de bois.* → **Cheval.** *Une croix de bois. Le bois de la croix de Jésus-Christ. Un Dieu de bois. Bon Dieu de bois !* (juron bénin). *Des idoles de bois.* — Par métonymie. Partie en bois; ce qui est en bois (→ ci-dessous, II., 2.).

Adorez-vous des dieux ou de pierre ou de bois? 41
CORNEILLE, Polyeucte, III, 2.

Vois comme tout nu sur la croix, 42
Victime pure et volontaire,
Les deux bras étendus sur cet infâme bois,
Jadis pour tes péchés je m'offris à mon Père.
CORNEILLE, l'Imitation de J.-C., IV, 961.

Un Bûcheron venait de rompre ou d'égarer 43
Le bois dont il avait emmanché sa cognée.
LA FONTAINE, Fables, XII, 16.

On me jettera dans les charniers Saint-Innocent et on ne 44
mettra sur ma fosse qu'une croix de bois (...)
VOLTAIRE, Contes en vers (Préface signée Catherine Vadé).

*Sculpture sur bois. Sculpture en bois d'olivier.*

Loc. *Déménager* à la cloche de bois.*

*Être du bois dont on fait les flûtes :* être accommodant jusqu'à la complaisance. *Être du bois dont on fait les généraux...,* avoir les qualités qu'exige cette fonction.

C'est après la trentaine qu'on peut voir si un gars est du 45
bois dont on fait les militants : quand il faut renoncer à avoir une famille, un nom, un métier.
Régis DEBRAY, l'Indésirable, p. 77.

Loc. Mar. anc. *Tirer en plein bois,* dans la coque.

♦ **2** [a] *Le bois de... :* partie en bois (d'un objet). *Le bois d'une pioche.* → **Manche.** → ci-dessus, cit. 43. *Le bois de la croix. — Le bois d'une raquette,* manche et cadre. — (1925). Loc. *Faire un bois :* frapper la balle avec le bois, le cadre.

Loc. *Casser du bois :* endommager un avion, à l'atterrissage. — Fam. (argot des taxis). Endommager son véhicule.

[b] (1426, *bois de lit*). *Un bois , des bois.* Objet en bois. — *Un bois de lit :* cadre de bois d'un lit, supportant le sommier. — *Les bois d'un navire. Bois droits, bois courbants, bois tors.*

(1929). Sports. *Les bois :* les poteaux du but. *Défendre ses bois.*

*Bois de justice :* la guillotine.
Argot anc. Au plur. Meubles (Dorgelès, *les Croix de bois,* p. 423). *Être dans ses bois,* dans ses meubles.
Techn., vx. Parties en bois qui servent à garnir une forme, en imprimerie.
[c] Régional. *Un, des bois :* partie végétale lignifiée. — (Suisse). Vitic. Sarment, pampre.
[d] (Afrique noire). *Un bois :* un arbre.
Un morceau de bois; un bâton. *Taper avec un bois.*

♦ **3** (V. 1375; par anal. avec les branches du bois). *Le bois, du bois* (vieilli); *les, des bois* (plur.) : cornes des cervidés (cerf, chevreuil, daim, élan, renne). → **Andouiller, cor, dague, empaumure, merrain, ramure, revenue.** *Les mâles seuls portent des bois, sauf chez les rennes.*

46 Comme un vieux cerf dans une forêt porte son bois rameux au-dessus des têtes des jeunes faons dont il est suivi (...) FÉNELON, Télémaque, V.

Loc. fig. *Une femme qui fait porter du bois à son mari,* qui lui est infidèle (par allusion à l'image populaire des cornes* ornant le front des maris trompés). *Il lui a poussé du bois :* sa femme l'a trompé.

47 *(Il pourrait bien)* Charger de bois mon dos comme il a fait mon front. MOLIÈRE, Sganarelle, 17.

48 Leurs maris ont leur provision de bois sans aller la chercher sur le port (...)
A. FURETIÈRE, le Roman bourgeois, I, 107.

♦ **4** (1866). *(Un, des bois).* Gravure sur bois. *Bois du XVIe siècle ornant une édition.*

49 (...) l gagnait son pain comme tous les graveurs, en exécutant des bois pour des publications illustrées.
ZOLA, Paris, t. I, p. 202.

♦ **5** *(Un, des bois).* Instrument à vent de la famille constituée par la flûte, le hautbois, la clarinette, le cor anglais, le basson *(les bois). Les bois et les cuivres.*

DÉR. **Boiser, boiserie, boiseaux.** — Cf. aussi les éléments **ligni-** et **xylo-**, du lat. et du grec. — (De *bosc,* forme dial.) V. **Boqueteau, boquillon, bosquet, bouquet.** ◊ COMP. **Déboisement, déboiser, reboisement, reboiser. — Mort-bois, sainbois, sous-bois.**

**BOISAGE** [bwazaʒ] n. m. — 1610; de *boiser.*

♦ **1** Action de boiser*, de garnir avec du bois de menuiserie. *Boisage d'une maison, d'un navire.* — (Av. 1788, Buffon). Spécialt. Cuvelage. *Effectuer le boisage d'une galerie, d'un puits de mine.*

♦ **2** Éléments, structure servant à boiser. *Le boisage d'une galerie de mine* (souvent remplacé par un *blindage*). → **Cadre, chapeau, corniche, étai, montant, palplanche, semelle** ou **sole.** *Demi-boisage,* qui ne revêt que le faîte et une paroi de la galerie. *Boisage sans sole,* qui revêt le faîte et les deux parois. *Boisage de faîte.*

**BOISÉ, ÉE** [bwaze] adj. → **Boiser.**

**BOISEMENT** [bwazmɑ̃] n. m. — 1823; «bois recouvrant un mur», 1723; de *boiser.*

♦ **1** Action de boiser, de garnir d'arbres (un terrain). *Boisement par semis, par plantation*. Le boisement ou le repeuplement d'une clairière, d'un terrain.* → **Afforestation; reboisement.**

♦ **2** Technique :

Le boisement des claies («encabanagi» en provençal) est une opération qui consiste à disposer sur les claies des rameaux secs, de manière à former de petites cabanes dans lesquelles les vers filent leur cocon.
L. ROMAN, Manuel du magnanier, 1876, *in* D.D.L., II, 4.

CONTR. **Déboisement.**

**BOISER** [bwaze] v. tr. — 1671, au sens 1; de *bois.*

♦ **1** Vx. Garnir avec du bois. *Faire boiser les murs d'un appartement* (→ **Boiserie**). — Techn. Renforcer par un boisage. *Boiser une galerie de mine* (→ **Boisage**).

Le maréchal d'Estrées aimait fort Nanteuil, il fit boiser toute sa maison. SAINT-SIMON, Mémoires, 11, 265. 1

♦ **2** (Attesté 1863; de *boisé*). Garnir d'arbres (un terrain). → **Planter; reboiser.** *Boiser une contrée, une colline.* → ci-dessous **Boisé** (plus cour.).

◆ **BOISÉ, ÉE** p. p. adj. (1690).

♦ **1** Couvert de bois (I.). *Région boisée.*

Des pentes boisées descendent en moutonnant vers le bas de la vallée. 2
E. FROMENTIN, Une année dans le Sahel, p. 67.

Nous gagnons une partie plus boisée, tout au bord de l'affluent, dont les eaux sont sensiblement plus limpides. 3
GIDE, Voyage au Congo, *in* Souvenirs, Pl., p. 691.

♦ **2** Vx. *Murs boisés,* couverts de boiseries. — Techn. (mines). Renforcé par un boisage (→ **Boiser,** 1.). *Galerie boisée.*

♦ **3** Fig., fam. Vx. Garni de bois (5.) comme un cerf. *Tête boisée,* qui porte des cornes (mari trompé).

CONTR. **Déboiser. — Découvert.** ◊ DÉR. **Boisage, boisé, boisement, boiseur.** ← COMP. **Déboiser, reboiser.**

**BOISERIE** [bwazʀi] n. f. — 1715; de *bois,* et *-erie.*

♦ **1** Ouvrage en bois de menuiserie*. *La boiserie d'une porte, d'une fenêtre.* → **Châssis.** *Boiserie recouvrant le sol d'un appartement.* → **Parquet.** *Boiserie contenant un orgue.* → **Buffet.** *«Fauteuils délicats de boiserie»* (Michelet, *in* T.L.F.). *«La haute boiserie de son lit»* (Loti, *in* T.L.F.).

♦ **2** Spécialt. Au plur. Éléments de menuiserie d'une maison, à l'exclusion des parquets. *Boiseries des murs d'un appartement.* → **Lambris, moulure, panneau.** *Boiseries en chêne, boiseries peintes.*

Des boiseries sans aucune peinture ni vernis, mais ajourées avec une capricieuse mignardise, très finement menuisées (...) 1
LOTI, Mme Chrysanthème, XXXV, p. 178.

Bernard admira la rusticité des boiseries, le plafond aux poutres noires et blanches, la grande baie sur le jardin fleuri. A. MAUROIS, Bernard Quesnay, II, p. 18. 2

**BOISEUR** [bwazœʀ] n. m. — 1795; de *boiser.*
Techn. Ouvrier employé aux travaux de boisage* des mines. — Adj. *Un ouvrier boiseur.* — REM. Le fém. est virtuel.

**BOISEUX, EUSE** [bwazø, øz] adj. — 1680; de *bois.*
Rare. De la nature du bois*; qui se rapporte au bois. → **Ligneux.** *Substance boiseuse.*

**BOISSEAU** [bwaso] n. m. — 1190; *boissel, boistiel,* 1198; probablt dér. de *boisse* (attesté seulement au XIIIe), d'un lat. de Gaule *bostia,* du gaulois **bostia* «creux de la main; poignée»; pour Guiraud, du bas lat. *buxa* par un roman **buxellus* «récipient de bois», hypothétique, mais qui rend l'évolution de sens plus simple.

♦ **1** Ancienne mesure de capacité (environ un décalitre); récipient de forme cylindrique, de contenance variable, utilisé pour les matières sèches; son contenu. *Mesures au boisseau. Un boisseau de froment, de blé. Fabrication de boisseaux et d'instruments analogues.* → **Boissellerie.** — Au Canada, Mesure actuelle de 8 gallons*, soit 36,36 litres.

Il y eut, après le déjeuner, une distribution du travail : les hôtes de passage durent moudre, pour leur part, à l'aide de machines, trois ou quatre boisseaux de blé. 0.1
Louise MICHEL, la Misère, t. III, p. 712.

Loc. fig. *Mettre la lumière sous le boisseau :* cacher la vérité.

1 Personne n'allume une lampe pour la mettre dans un lieu caché ou sous le boisseau, mais on la met sur le chandelier, afin que ceux qui entrent voient la lumière (...)
BIBLE (SEGOND), Luc, XI, 33.

2 Pourquoi la vanité d'un père barbare cache-t-elle ainsi la lumière sous le boisseau (...)
ROUSSEAU, Julie ou la Nouvelle Héloïse, II, 2.

♦ **2** Par anal. de forme. Techn. Tuyau de fonte, de terre cuite, s'emboîtant dans un autre. *Boisseaux pour la conduite, l'écoulement des eaux, des fumées...* — Moule en terre servant à la fabrication des pipes. — Trou de la cannelle d'un robinet dans lequel manœuvre la clef.

DÉR. V. **Boisselage, boisselée, boisselier, boissellerie.**

**BOISSELAGE** [bwaslaʒ] n. m. — Fin XIV^e^; de *boissel, boisseau.*

Vx. Mesurage au boisseau.

**BOISSELÉE** [bwasle] n. f. — XIII^e^; de *boissel, boisseau.*

♦ **1** Techn. Contenu d'un boisseau*.

♦ **2** Vx. Ancienne mesure agraire équivalent à la surface d'ensemencement d'un boisseau de grains.

**BOISSELIER** [bwasəlje] n. m. — 1338; de *boissel, boisseau.*

Techn. Personne qui fabrique des boisseaux* et autres ustensiles en bois cintré (tamis, etc.). → **Boissellerie.**

**BOISSELLERIE** [bwasɛlʀi] n. f. — 1751; de *boissel, boisseau.*

Techn. Fabrication et commerce du boisselier; objets qu'il fabrique et vend. *On utilise beaucoup le hêtre en boissellerie.*

**BOISSON** [bwasɔ̃] n. f. — XIII^e^; du bas lat. *bibitio,* accusatif *bibitionem,* de *bibere* «boire».

♦ **1** Liquide propre à être bu ou destiné à être bu. → **Breuvage.** *Une boisson froide, glacée, tiède, chaude, brûlante. Boisson rafraîchissante* (→ **Rafraîchissement**), *cordiale, tonique* (→ **Cordial, remontant, vulnéraire**), *apéritive* (→ **Apéritif**), *digestive* (→ **Digestif**). *Boisson hygiénique, curative, purgative* (→ **Potion, purge**). *Boisson gazeuse, gazéifiée.* → **Eau, soda.** *Boisson aromatique, aromatisée, forte, aigre, piquée; douce, insipide, fade. Boisson buvable, imbuvable, potable, non potable, dangereuse, mortelle* (→ **Poison**). *Mauvaise boisson.* → **Bibine.** *Boisson pure, naturelle, mélangée, coupée* (→ **Ingrédient, mélange, mixture**), *bouillie, infusée* (→ **Décoction, infusion**), *contenant des gouttelettes en suspension* (→ **Émulsion**). — *La boisson des dieux.* → **Nectar.** — *Principales boissons naturelles.* → **Eau** (eau naturelle, gazeuse, minérale), **lait.** — *Boissons alcoolisées.* → **Alcool, eau-de-vie, élixir, liqueur, spiritueux, vermouth; anis, anisette, menthe, ouzo, pastis; cocktail; punch, grog.** *Boissons alcoolisées et fermentées.* → **Vin; bischof, buvande, hypocras, piquette, rapé, sabayon; hydromel, kéfir, koumis, kwass, pulque, saké; bière; cidre, halbi, poiré.** *Boissons fortes, enivrantes* (→ ci-dessous, 2.). — *Boissons alcaloïdiques.* → **Café, kola, thé; maté.** *Boissons infusées.* → **Infusion, tisane.** *Boissons sucrées non alcoolisées, boissons sans alcool.* → **Jus** (de fruit), **limonade, sirop; anisade, orangeade, citronnade; coco, réglisse, sapinette; oxycrat, oxymel; milk-shake** (anglic.).

REM. De nombreux noms usuels de boissons sont des marques (Coca-cola, Schweppes; Martini, Pernod, Ricard). Certains sont passés au statut de nom commun (Coca-cola, Pernod...).

On appelle *boisson* tout aliment liquide dont on a coutume pour apaiser la soif ou pour se procurer un plaisir (...) *Breuvage* annonce par sa terminaison un composé, une mixture, le résultat d'une opération ayant pour objet particulier et exprès de produire un effet extraordinaire (...) Il faut prendre des boissons pour vivre, pour se désaltérer ou se rafraîchir; mais la médecine ordonne les breuvages. 1
LAFAYE, Dict. des synonymes, Boisson, Breuvage.

Le bon abbé se loue de son vin, et en use plus continuellement que nous ne faisons des eaux; il ne met point d'intervalle à cette cordiale boisson (...) 2
M^me^ DE SÉVIGNÉ, 904, 12 janv. 1683.

(...) on éteint tout, et le ciné commence; on sirote des boissons froides; tu vois ça? 3
MARTIN DU GARD, les Thibault, t. III, p. 41.

Spécialt. Liquide consommé dans un lieu public, seul ou avec la nourriture (souvent à l'exclusion de l'eau). *Boissons* (alcooliques et non alcooliques) *proposées dans un café, une brasserie, un bar. Le menu comprend une boisson au choix. Et comme boisson, que prendrez-vous? Nourriture et boissons. Boissons-pilotes :* boissons à prix fixés, relativement bas. — Collectif. *Combien coûte le repas, sans (avec) la boisson?*

♦ **2** (1611). Spécialt. Boisson alcoolique. *Débit de boissons.* → **Café; bar, buvette, cabaret.** *Droit sur les boissons, sur la circulation des boissons* (→ **Expédition; acquit-à-caution, congé, laissez-passer, passavant**).

Loc. littér. *Être pris de boisson,* ivre.

♦ **3** (Av. 1778, Rousseau). Habitude de boire de l'alcool. *Être adonné à la boisson. S'adonner à la boisson.* → **Alcoolisme, ivresse; boire** (I., 3.).

Un mari plus jeune qu'elle, mais usé par la boisson (...) 4
ROUSSEAU, les Confessions, I.

DÉR. **Boissonner.**

**BOISSONNER** [bwasɔne] v. intr. — 1858; de *boisson.*

Fam., vx. S'adonner à la boisson (Huysmans, *in* T. L. F.). — V. pron. Vx. *Se boissonner* (même sens).

**BOITAGE** [bwataʒ] n. m. — 1961; de *boiter.*

Action de boiter. → **Boitement, boiterie, claudication.**

À propos, petit, si la presse te demande comment tu t'entraînes, motus! Pas un mot sur les séances de boitage.
— De «claudication» serait mieux, dit le Docteur.
J. CAU, la Pitié de Dieu, p. 139.

HOM. **Boîtage.**

**BOÎTAGE** [bwataʒ] n. m. — 1832; de *boîte.*

Techn. Action de mettre dans une boîte, en boîte. — Par métonymie. Emboîtage.

HOM. **Boitage.**

**BOITAILLER** [bwataje] v. intr. → **Boitiller.**

**BOITARD** [bwataʀ] n. m. — 1320; de *boîte.*

Techn. Boîte métallique contenant les rouages nécessaires à la transmission du mouvement d'un arbre moteur vertical. Syn. : *boîtillon.*

**BOITE** [bwat] n. f. — 1450, *être en boite* «ivre»; sens 1, 1584; du lat. *bibita,* p. p. de *bibere* «boire».

♦ **1** Vx. État du vin bon à boire. *Vin en boite,* en état d'être bu.

♦ **2** (1690). Boisson fabriquée à partir du marc. → **Piquette.** (Souvent écrit *boëte*).

HOM. **Boëtte** (régional), **boîte.**

**BOÎTE** [bwat] n. f. — V. 1150; du lat. pop. **buxita,* de *buxida* (IVe), de *buxis,* altér. p.-ê. d'après *buxus* «buis», du lat. class. *pyxis* «boîte, coffret», grec *puxis,* de *puxos* «buis».

♦ **1** Récipient facilement transportable, généralement muni d'un couvercle. → **Récipient; contenant, emballage.** *Boîte de grandes dimensions.* → aussi **Caisse, coffre.** *Le fond, les parois, les charnières, les crochets d'une boîte. Une boîte en fer, en argent, en or, en ivoire, en bois. Boîte en carton.* → **Carton** (à chapeaux, à chaussures), **classeur.** *Boîte vide, pleine. Vider une boîte. — Boîte où, dans laquelle on met qqch. Boîte où l'on dispose de l'argent.* → **Cagnotte, coffre, tirelire, tronc.** *Boîte dans laquelle on expose des reliques.* → **Châsse, reliquaire.** *Boîte où les Romains rangeaient les manuscrits.* → **Capsa.**

0.1 On dirait en somme que c'est la boîte qui est l'objet du cadeau, non ce qu'elle contient : des nuées d'écoliers, en excursion d'un jour, ramènent à leurs parents un beau paquet contenant on ne sait quoi, comme s'ils étaient partis très loin et que ce leur fût une occasion de s'adonner par bandes à la volupté du paquet.
R. BARTHES, l'Empire des signes, p. 63.

*Boîte de... :* boîte contenant (qqch.). *Offrir une boîte de bonbons, de chocolats. Boîte de couleurs, d'aquarelle. Boîte de secours. Boîte d'allumettes. Boîte de sardines. Boîte de conserve** (ou *de conserves* [→ Conserve, cit. 1.1]). *Des vieilles boîtes de conserve* (vides). → ci-dessous REM., *supra* cit. 1. *Boîte :* boîte de conserve. *Donnez-moi une boîte de petits pois. Il déteste la nourriture en boîtes et le surgelé* (→ ci-dessous, 4.).

*Boîte à compartiments,* comportant des compartiments. → **Boîtier, case, casier, casse, fichier, nécessaire** (de toilette, de pharmacie), **plumier, tiroir.**

*Boîte à... :* boîte destinée à recevoir (qqch.). *Boîte à échantillons.* → **Marmotte** (de commis voyageur). *Boîte à ouvrage,* destinée à contenir les objets de couture. *Boîte à outils. Boîte à pharmacie, à chirurgie. Boîte à cigares,* (vx) *à tabac* (→ **Tabatière**), *à gants* (mod. → ci-dessous, 2.). → **Poubelle.** *Boîte à lettres* (→ ci-dessous, 2.). — *Boîte à bonbons.* → **Bonbonnière, chocolatière, drageoir.** *Boîte à gâteaux, à biscuits. Boîte à bijoux.* → **Baguier, coffret, écrin.** *Boîte à hostie.* → **Custode.** *Boîte à souvenirs, boîte à poudre.* → **Poudrier.** — REM. On ne dit pas *boîte à conserves,* mais *de conserves.*

1 Je ferai tomber leurs cheveux, je détruirai et les colliers et les bracelets et les anneaux et les boîtes à parfum (...)
BOSSUET, Sermon pour la profession de Mlle La Vallière.

2 J'arrangerais une boîte bien garnie de bonbons (...)
ROUSSEAU, Émile, II.

2.1 Du diachylum et des bandes traînaient sur la cheminée. La boîte chirurgicale posait au milieu du bureau, des sondes emplissaient une cuvette dans un coin (...)
FLAUBERT, Bouvard et Pécuchet, Pl., t. I, p. 719.

3 Parmi les affaires de Chrysanthème, ce qui m'amuse à regarder, c'est la boîte consacrée aux lettres et aux souvenirs : elle est en fer blanc, de fabrication anglaise (...)
LOTI, Mme Chrysanthème, I, XXVII, p. 131.

Rare. Récipient pour un liquide. — Loc. *Boîte à lait. Boîte de bouquiniste; les boîtes des bouquinistes* (cit. 1 et 3). → **Bouquinerie.**

♦ **2** Emplois spéciaux. Loc., vx. *Boîte à Perrette :* caisse secrète d'une association. Fig. *Mon argent est passé dans la boîte à Perrette,* je ne sais ce qu'il est devenu.

Mod. *Boîte à idées,* destinée à recevoir des suggestions. — *Boîte à malice, à surprise*, à attrape.* Fig. *Boîte à malice :* ensemble de moyens secrets, de ruses dont une personne dispose.

*Boîte à musique,* dans laquelle un mécanisme permet de reproduire, autant de fois qu'on le désire, quelques mélodies.

**BOÎTE AUX LETTRES :** dispositif installé sur la voie publique pour recevoir les lettres destinées à la poste; boîte privée d'une maison, où le courrier est distribué. *Boîte à lettres* (même sens). — Absolt. *La boîte du bureau de poste; jeter, mettre une lettre dans la boîte, à la boîte.* → **Poster.** *Retirer les lettres de la boîte.* → **Levée; boîtier.** Spécialt :

Certaines boîtes qui étaient lors nouvellement attachées à tous les coins des rues, pour faire tenir les lettres de Paris à Paris (...) 4
FURETIÈRE, le Roman bourgeois, II, 65.

Fig. *Servir de boîte aux lettres,* d'intermédiaire discret dans un échange de lettres, de relais dans la communication entre deux ou plusieurs individus ou groupes.

**BOÎTE POSTALE :** boîte aux lettres réservée à un particulier, à l'intérieur d'un bureau de poste. *Boîte postale d'une entreprise* (abrév. : *B. P.*). Syn. : *case* postale.* → aussi **Cedex.**

(Abstrait). Catégorie, classe de choses. *Classer les idées dans des petites boîtes.* → **Tiroir.**

Loc. *Boîte à gants :* petit compartiment, souvent muni d'une porte, aménagé dans une automobile, à portée du conducteur, et où l'on peut ranger de menus objets. → Vide-poches.

Nul n'a jamais su que dans la voiture, derrière le carton de cette cavité du tablier que l'on nomme la boîte à gants, Sigismond, par une sorte d'enfantine manie, cachait un petit revolver (...) 4.1
A. PIEYRE DE MANDIARGUES, la Marge, p. 247.

Techn. *Boîte à gants* («munie de gants») : enceinte étanche destinée à la manipulation de produits radioactifs, l'opérateur ayant accès à l'intérieur en enfilant les longs gants protecteurs fixés sur l'une au moins des faces. *Le plus souvent en verre ou en matière plastique transparente, les boîtes à gants servent à la manipulation des émetteurs* $\alpha$ *et* $\beta$*, et les sorbonnes* sont utilisées pour des activités plus fortes* ($\beta$ *et* $\gamma$).

Menuis. *Boîte à onglet,* qui sert à préparer les pièces destinées aux encadrements. *Boîte à recaler :* outil pour polir les coupes faites à la scie.

♦ **3** Cavité, organe creux qui protège et contient un organe, un mécanisme.

**a** (XVIe). Anat. Cavité osseuse. *Boîte de la hanche.*

REM. C'est de ce sens que vient *boiteux.*

Si l'os de la cuisse est hors de sa boîte (...) 5
Ambroise PARÉ, Introd., 23.

(1833, *in* D. D. L.). *Boîte crânienne :* cavité osseuse qui renferme le cerveau.

Un brusque hululement aigu, traînant, déchire l'air, brutalement suivi d'un éclatement, tout proche, qui fait sauter le cerveau dans la boîte crânienne. 6
MARTIN DU GARD, les Thibault, t. VIII, p. 186.

**b** Sports. *Boîte d'appel, pour le saut à la perche.* → **Butoir.**

Techn. (Élément d'un mécanisme). *La boîte de culasse d'un fusil.*

*Boîte à mitraille :* projectile creux destiné à éclater en l'air, en projetant la mitraille qu'il contient. *Boîtes à balles, à boulets, à étoupilles. Boîte d'artifices.* → **Bombe, gargoussier, poudrière, pyrotechnie.** Absolt. Vx. *Tirer des boîtes dans une fête publique.*

Des boîtes qui crevèrent tuèrent trois ou quatre personnes (...) 7
Mme DE SÉVIGNÉ, 291.

Je l'accoutume aux coups de fusil, aux boîtes, aux canons (...) 8
ROUSSEAU, Émile, 1.

Cin. Magasin (d'une caméra). *Mettre dans la boîte :* filmer ; prendre en photo. *C'est dans la boîte !* Fig. C'est fait.

8.1 «Ceux-là je les mets dans la boîte !...»
On ne pouvait pas lui refuser cette joie.
R. FRISON-ROCHE, Nahanni, p. 291.

Loc. fam. *Boîte à images :* poste récepteur de télévision.

Électr. *Boîte de résistance,* qui permet de faire varier l'intensité d'un courant électrique. *Boîte de coupure, de jonction,* pour interrompre ou rétablir le passage du courant.

*Boîte d'horloge. La boîte du ressort d'une montre, d'une pendule.* → **Barillet** ; et aussi **boîtier**, I., 2.

Techn. *Boîte de direction,* qui contient les organes de commande des roues directrices d'une automobile. — Cour. *Boîte de vitesses :* organe renfermant les engrenages des changements de vitesse. → **Engrenage.** — Techn. *Boîte d'essieu, de roue :* pièce conique fixée dans le moyeu d'une roue. → **Chapeau, fusée.** — Loc. techn. *Boîte à étoupes :* pièce cylindrique remplie d'étoupes ou de cuir embouti, et dans laquelle peut glisser la tige d'un piston sans perte de vapeur ou d'eau. *Boîte à feu :* partie d'une chaudière tubulaire qui enveloppe le foyer. *La boîte à fumée* (→ **Fraisil**), *à vapeur, à sable d'une locomotive. Boîte à graisse :* réservoir d'huile ou de graisse nécessaire au graissage* des organes d'une machine.

8.2 Puis, à un second coup de sifflet, la marche en avant recommença : elle s'accéléra ; bientôt la vitesse devint effroyable ; on n'entendait plus qu'un seul hennissement sortant de la locomotive ; les pistons battaient vingt coups à la seconde ; les essieux des roues fumaient dans les boîtes à graisse.
J. VERNE, le Tour du monde en 80 jours, p. 253.

**BOÎTE NOIRE.** [a] Inform., cybern. Système ou machine dont on ignore le fonctionnement interne, et qui n'est connu que par ses réponses aux sollicitations extérieures.

[b] (Sur un avion, un véhicule, un navire). Dispositif enregistrant les données nécessaires à la marche (pilotage automatique, etc.) et toutes les circonstances des déplacements. *Récupérer la boîte noire d'un avion abattu pour étudier les circonstances de la catastrophe.*

♦ **4** (XX^e^). Contenu* d'une boîte. *Manger une boîte de bonbons, de fruits, de conserve. Avaler une boîte de pilules.*

9 Il reçut de ce commerçant quatre boîtes de sucre et cinq à six morceaux de savon.
H. BOSCO, l'Âne Culotte, p. 16.

*Les boîtes :* la nourriture en boîtes de conserve. Spécialt. Les aliments en boîtes pour animaux. *Elle préfère donner à son chat des boîtes plutôt que des croquettes.*

♦ **5** Fam. Maison, lieu de travail. → **Taule.** *Quelle boîte ! Quitter sa boîte ; changer de boîte. Je n'ai pas déshonoré sa boîte.* → Pigiste, cit. 1.

10 (...) son envie de lâcher la boîte le lendemain (...)
COURTELINE, Messieurs les ronds-de-cuir, t. II, 11.

11 — À quelle heure la boîte ferme-t-elle, demanda-t-il simplement.
— La maison ferme à sept heures, Monsieur.
Charles PLISNIER, Meurtre, II, p. 22.

11.1 Qu'est-ce que tu as ?... — J'ai que je pars... que je quitte la boîte ce soir...
O. MIRBEAU, le Journal d'une femme de chambre, p. 385.

11.2 Je n'ai jamais travaillé en boîte, dit Marie-Jeanne... Ça ne m'empêche pas de comprendre. — Toi, dit la mère, tu es fille d'ouvriers.
Roger VAILLAND, 325 000 francs, p. 195.

École, lycée. → **Bahut.** *Aller en boîte.* — Péj. *Boîte à bachot.* → 2. **Bachot.** *Boîte à curés, de curés :* séminaire ; école religieuse.

(...) nous le verrons passer d'un train d'enfer d'une institution religieuse à une institution laïque (...) sans noter entre ces boîtes d'autres différences que la bouffe plus ou moins mauvaise et des lieux plus ou moins sales. 11
M. YOURCENAR, Archives du Nord, p. 296.

Spécialisé dans la préparation à l'X, le collège Sainte-Ginette comptait bon an mal an une trentaine de reçus qui, répartis deux par deux dans l'ensemble des salles, trouvaient naturel d'y apporter l'esprit de contention et de surveillance générale des boîtes à curés et couvraient l'École d'une sorte d'organisation parallèle ayant sa vie propre, ses mots d'ordre, ses buts proches ou lointains et même son chef désigné, le père jésuite Pupey-Girard, l'aumônier de l'École. 11
Raymond ABELLIO, Ma dernière mémoire, t. II., p. 22.

♦ **6** (1918, *in* D. D. L.). **BOÎTE DE NUIT :** petit cabaret ouvert la nuit où l'on boit, danse et qui présente parfois des attractions. → **Cabaret, night-club.** Ellipt (fam.). *Une boîte très ollé-ollé.* → Olé, cit. 2. *Fréquenter les boîtes à la mode. Sortir, aller en boîte.*

Tu sais que c'est actuellement la boîte la plus chic de Paris (...) Il faut d'ailleurs avouer que l'idée de Nouméa, comme atmosphère, est assez drôle. 11.
Sacha GUITRY, Ils étaient 9 célibataires, p. 112.

L'après-midi, bateau avec ses copains anglais. Le soir, une boîte. Jacques LAURENT, les Bêtises, p. 425. 11.

*Boîte de jazz :* bar nocturne où l'on écoute du jazz. *Boîte de tango,* où l'on danse le tango.

Où danse Vladimir, ce soir ? 11
— Eh ! mon petit, vous savez bien que les boîtes de tango sont fermées depuis la guerre !
G. LEROUX, Rouletabille chez Krupp, p. 61.

♦ **7** Loc. fig. **BOÎTE DE PANDORE,** se dit de ce qui, sous des apparences trompeuses, est la source de bien des maux, par allusion à Pandore qui reçut de Zeus une boîte où étaient renfermés tous les maux.

La volupté lâche et infâme, qui est le plus horrible des maux sortis de la boîte de Pandore, amollit tous les cœurs et ne souffre ici aucune vertu. 12
FÉNELON, Télémaque, IV.

Ô fond de la boîte de Pandore ! ô espérance ! où êtes-vous ? 13
VOLTAIRE, Lettre à M^me^ de Lutzelbourg, 7 nov. 1754.

*Être dans une boîte, comme dans une boîte,* protégé ; enfermé.

*Avoir l'air de sortir d'une boîte,* se dit des personnes excessivement soignées.

Prov. *Dans les petites boîtes, les bons onguents,* compliment que l'on fait aux personnes de petite taille pour marquer qu'elles ont souvent plus de qualités que les autres.

Fam. **METTRE (qqn) EN BOÎTE,** se moquer de lui ; le mystifier (→ Faire marcher*). *Mise en boîte.* → **Moquerie.**

Il rit d'un rire bref. Il se mettait en boîte avec bienveillance. Il prépara deux whiskies. Gestes, mouvements enrobés. 13.
Violette LEDUC, la Bâtarde, p. 355.

Loc. fam. *Boîte à asticots :* cercueil. *Boîte à dominos* (Goncourt), même sens.

Vx. *Boîte au lait :* sein.

Vx. *Boîte à sel :* endroit où se tenait le contrôleur, au théâtre.

Vx. *Boîte à poux :* calot.

♦ **8** Fam. Bouche (dans quelques expressions). *Fermer sa boîte :* se taire. *Ta boîte ! :* tais-toi. → **Gueule.**

«Que va-t-on faire ? — Vos boîtes, les aminches, qu'on entende la mienne !» fit Croquignol pour réclamer la parole. 14
L. FORTON, les Aventures des Pieds-Nickelés, *in* l'Épatant, 1909, p. 82.

**DÉR. et COMP. Boîtage, boitard, boîtier. Déboîter, emboîter. Ouvre-boîte.** ◊ **HOM. Boëtte** (régional), **boite**; formes du v. **boiter.**

**BOITEMENT** [bwatmɑ̃] n. m. — 1539; de *boiter.*

Rare. Action de boiter. → **Boitage, boiterie, claudication.** *Un léger boitement.* → **Boitillement.**

**BOITER** [bwate] v. intr. — 1539, *boister;* du rad. de *boiteux*; a remplacé *boistoier,* 1358, de *boiste,* et *-oyer.*

♦ **1** Marcher en inclinant le corps plus d'un côté que de l'autre, ou alternativement de l'un et de l'autre. → **Boitage, boitement, boiterie; boitailler** (vx), **boitiller, clocher** (vx), **clopiner, déhancher** (se), **traîner** (la jambe). → Fam. Loucher* de la jambe. *En boitant.* → **Clopin-clopant.** *Boiter bas,* d'une façon marquée. *Boiter du pied droit, du pied gauche, des deux pieds. Boiter comme un canard. Boiter à cause d'une infirmité, d'une lésion, d'une malformation articulaire, d'une blessure, d'une douleur, d'une déchirure musculaire. Cheval qui boite.* → **Feindre.** (D'un oiseau) : → **Mimer,** cit. 1.

1 Il *(M. Choulette)* longeait le quai, boitant d'une jambe, le chapeau en arrière sur son crâne bossué, la barbe inculte (...)
FRANCE, le Lys rouge, VII.

2 Puis le dessous du genou a gonflé, la rotule s'est empâtée, le jarret aussi s'est trouvé pris. La circulation devenait pénible et la douleur secouait les nerfs jusqu'à la cheville et jusqu'aux reins. Je ne marchais plus qu'en boitant fortement et me trouvais toujours beaucoup plus mal.
RIMBAUD, Correspondance, À Isabelle, 15 juil. 1891.

3 Si ton ami boite du pied droit, boite du pied gauche, pour que votre amitié reste dans un équilibre harmonieux.
J. RENARD, Journal, 10 mai 1906.

Trans. Rare. *Boiter son chemin :* aller son chemin en boitant.

♦ **2** (En parlant d'un meuble). Ne pas tenir d'aplomb. → **Branler, bringuebaler; osciller.** *Une table, une chaise qui boite.* → **Boiteux.**

♦ **3** Fig. *Un raisonnement qui boite,* qui est défectueux, imparfait. → **Boiteux** (plus cour.); **clocher.** *Un esprit qui boite.*

4 Suivez l'esprit qui plane et non l'esprit qui boite (...)
HUGO, l'Année terrible, Mai 3.

*Un vers, une phrase qui boite,* mal construits.

Prov. (vx). *Pour qui jouit seul, le plaisir boite.*

**DÉR. Boitage, boitailler, boitement, boiterie, boitiller.**

**BOITERIE** [bwatʀi] n. f. — 1803; de *boiter.*

♦ **1** Infirmité, mouvement d'une personne qui boite. → **Boitage, boitement, claudication.**

1 (...) il *(l'enfant)* devint un gars fort mignon, tout plein de petites idées drôles et aimables, et ne pouvant plus déplaire à personne, malgré sa boiterie et son petit nez camard.
G. SAND, la Petite Fadette, XXXIV, 224.

2 J'ai demandé à partir au front dans un poste de secours, malgré ma boiterie.
Paul BOURGET, *in* DURRIEU, Parlons correctement.

3 La boiterie de son amie, au lieu de l'attendrir, l'irritait.
Louis GILLET, *in* DURRIEU, Parlons correctement.

4 Je sonne, j'entends la boiterie de ses hauts talons, ses jambes sont lourdes.
Violette LEDUC, la Folie en tête, p. 36.

(En parlant des animaux et, en particulier, du cheval). *Boiterie temporaire, continue, intermittente.*

♦ **2** Fig., littér. Caractère de ce qui boite (3.). *«Boiteries bizarres de l'écriture»* (J. Cocteau, *la Difficulté d'être,* 1947, *in* T. L. F.).

**BOITEUX, EUSE** [bwatø, øz] adj. et n. — 1226, *boistous;* de *boiste (boîte)* «cavité d'un os».

**I** ♦ **1** (Personnes, animaux). Qui boite. → **Banban** (fam.)., **bancal, bancroche** (fam.), **béquillard** (fam.) (→ Béquille, cit. 1 et 2), **éclopé, infirme, invalide.** *La Vallière, Talleyrand, Byron étaient boiteux. — Le dieu boiteux :* Vulcain. — *Le diable boiteux :* Asmodée (le démon de midi). — *Bête boiteuse. Cheval boiteux. Canard* boiteux.*

N. Personne qui boite (→ ci-dessous, cit. 1, 3, et aussi cit. 7). *Un boiteux, une boiteuse. La canne, les béquilles, la jambe de bois, la jambe articulée d'un boiteux. Faire le boiteux.*

Le boiteux bondira comme le cerf et la langue des muets sera déliée. 1
BIBLE (SACY), Isaïe, XXV, 6.

La volatile malheureuse (...) 2
Traînant l'aile et tirant le pié,
Demi-morte et demi-boiteuse,
Droit au logis s'en retourna.
LA FONTAINE, Fables, IX, 2.

La nouvelle du siège de Charleroi a fait courir tous les jeunes gens, et même les boiteux (...) 3
Mme DE SÉVIGNÉ, 345.

Cette femme a un petit garçon fort gentil, mais boiteux, qui, clopinant avec ses béquilles, s'en va d'assez bonne grâce demander l'aumône aux passants. 4
ROUSSEAU, Rêveries, 6e Promenade.

Adj. Par ext. *Pas boiteux, démarche boiteuse.*

L'hyène au pas boiteux (...) HUGO, Caravane. 5

T. de manège. *Cheval boiteux de l'oreille, de la bride,* qui marque de la tête les pas qu'il fait en boitant.

Subst., dans des prov. *Il ne faut pas clocher devant les boiteux :* il ne faut pas évoquer une infirmité, un travers... devant celui qui en est affligé. — *Au pays des culs-de-jatte, les boiteux sont maîtres.* → **Aveugle** (au royaume des aveugles, les borgnes sont rois).

Vx. *Attendre le boiteux :* attendre qu'une occasion se présente.

♦ **2** (Choses). Qui n'est pas d'aplomb. → **Bancal, branlant, inégal.** *Un meuble, un fauteuil boiteux. Une armoire, une table, une chaise boiteuse.*

Quatre sièges boiteux, un manche de balai, 6
Tout sentait son sabbat et sa métamorphose.
LA FONTAINE, Fables, VII, 15.

♦ **3** (Abstrait). Qui manque d'équilibre, de solidité. → **Instable, mal** (mal fait, mal fichu). — *Un projet, un raisonnement boiteux. Une raison, une explication boiteuse. La «Paix boiteuse» termina la deuxième guerre de religion. Une justice boiteuse,* qui s'exerce avec beaucoup de lenteur ou sans équité. — *Un esprit boiteux, une conscience boiteuse.* → **Faux.**

D'où vient qu'un boiteux ne nous irrite pas, et un esprit boiteux nous irrite? à cause qu'un boiteux reconnaît que nous allons droit, et qu'un esprit boiteux dit que c'est nous qui boitons; sans cela, nous en aurions pitié et non colère. 7
PASCAL, Pensées, II, 80.

La vengeance est boiteuse, elle vient à pas lents, 8
Mais elle vient (...) HUGO, Hernani, II, 3.

Rien n'égale en longueur les boiteuses journées (...) 9
BAUDELAIRE, les Fleurs du mal, «Spleen et Idéal», Spleen.

(...) c'est précisément ce raisonnement boiteux qui l'amène *(saint Paul)* à cette conclusion (...) 10
GIDE, Numquid et tu...?, 17 juin 1916.

(...) il faut sans fin manœuvrer, transiger, accepter les compromis boiteux. 11
S. DE BEAUVOIR, les Mandarins, p. 15.

N. Vx. Personne qui a un esprit boiteux (Balzac, *in* T. L. F.).

♦ **4** Qui présente une irrégularité, qui brise l'harmonie d'un ensemble. *Phrase, période boiteuse. Vers boiteux,* qui n'a pas le nombre de syllabes voulu. — Mus. *Contretemps boiteux, syncope boiteuse.* — Imprim. *Colonne boiteuse,* d'une longueur anormale.

**II** N. f. **BOITEUSE.** ♦ **1** Techn. Solive dont une extrémité est encastrée dans le mur, l'autre étant fixée au chevêtre.

♦ **2** Mus. Ancienne danse allemande.

CONTR. **Alerte, allègre, valide. — Aplomb** (d'), **égal, équilibre** (en), **harmonieux, symétrique. — Approprié, droit, fondé, juste, logique, solide, sûr. — Rapide.**

**BOÎTIER** [bwatje] n. m. — 1596, au sens I, 1; «fabricant de boîtes», 1268; de *boîte.*

**I** ♦ **1** Boîte à compartiments destinés à recevoir différents objets. *Instruments de chirurgie rangés dans un boîtier.*

♦ **2** (1836, en horlog.). Cour. Boîte renfermant un mécanisme, un appareil... *Le boîtier d'une lampe de poche* (boîte renfermant la pile électrique). — Enveloppe de métal, d'argent, d'or, où s'emboîtent le cadran et le mécanisme d'une montre, d'un réveil... *Boîtier de montre. Un superbe boîtier en or.* — Corps d'un appareil photographique, sans son objectif.

♦ **3** Techn. (dentisterie). Coffre où sont encastrés les appareils les plus courants de pratique dentaire, ainsi que divers accessoires (jet de cuvette, etc.). *Boîtier à pied. Boîtier suspendu avec bras.*

**II** ♦ **1** (1801). Vx. Employé des postes préposé à la levée des lettres de la boîte. → **Facteur.**

♦ **2** (V. 1960). Polit. Membre d'une assemblée politique chargé de voter pour l'ensemble des membres du groupe.

**BOITILLANT, ANTE** [bwatijɑ̃, ɑ̃t] adj. — 1881; p. prés. de *boitiller.*

♦ **1** Qui boitille. *Démarche boitillante,* d'une personne qui boitille.

♦ **2** Fig. Dont le rythme est irrégulier*, saccadé*. *Des strophes boitillantes.* → **Dissymétrique, oscillant, sautillant.**

La musique enragée, boitillante, courait sous les arbres, tantôt affaiblie, tantôt grossie dans un souffle passager de brise. MAUPASSANT, la Femme de Paul, p. 30.

CONTR. **Régulier** (2.).

**BOITILLEMENT** [bwatijmɑ̃] n. m. — 1867; de *boitiller.* Léger boitement*. *Il vient de se tordre la cheville, mais son boitillement ne durera pas.*

**BOITILLER** [bwatije] v. intr. — 1867; de *boiter.* Boiter légèrement. — Syn. (vx) : *boitailler* (1858, Goncourt).

La bête est fatiguée, elle boitille un peu (...)
ALAIN-FOURNIER, le Grand Meaulnes, p. 35.

DÉR. **Boitillant, boitillement.**

**BOÎTILLON** [bwatijɔ̃] n. m. → **Boitard.**

**BOITON** [bwatɔ̃] n. m. — 1506, *buaton* (cf. lat. médiéval *buatonus,* 1471); du rad. gaulois **bōte-* «étable», suffixé. Régional (Suisse). Porcherie; loge du porc. — Fig. Logement exigu (infl. de *boîte*), malpropre.

1 Un pourceau qui crie, pousse et finalement rebrousse au grand galop vers le boiton paternel.
Rodolphe TÖPFFER, Nouveaux Voyages en zigzag, *in* LITTRÉ, *Suppl.*

2 Les cris les plus aigus, c'est le matin de la boucherie qu'il les pousse, quand on l'extrait du boiton et qu'il débouche dans la cour (...)
Jacques CHESSEX, Portrait des Vaudois, p. 106.

**BOITOUT** [bwatu] n. m. invar. → **Boit-tout.**

**BOIT-SANS-SOIF** [bwasɑ̃swaf] n. invar. — 1872, *in* T. L. F.; 1795, n. propre, *in* D. D. L.; de *(qui) boit sans (avoir) soif.*

Fam. Ivrogne. *C'est une sacrée boit-sans-soif. Des boit-sans-soif.*

(...) Honorine refermait ensuite la porte, après avoir lancé un regard terrible aux fainéants et aux boit-sans-soif qui débauchaient son maître (...)
G. CHEVALLIER, Clochemerle, p. 51.

**BOITTE** [bwat] n. f. → **Boëtte.**

**BOIT-TOUT** ou **BOITOUT** [bwatu] n. m. invar. — 1701; de *boit* (v. *boire*), et *tout.*

♦ **1** Vx. Verre à pied cassé, qu'on ne peut poser sans l'avoir vidé.

♦ **2** (1835). Régional. Trou creusé en terrain humide afin de l'assécher. → **Puisard.**

1. **BOL** [bɔl] n. m. — 1790, *in* D. D. L.; *bowl,* 1760; angl. *bowl,* d'abord emprunté à propos du punch (on trouve la forme *bolleponge* dès 1653).

**I** ♦ **1** (1792). Pièce de vaisselle, récipient hémisphérique, sans anses, servant notamment à contenir des liquides. → aussi **Coupe, jatte, tasse.** *Bol de porcelaine, de faïence, de métal. Les oreilles d'un bol. Bol servant de rince-doigts.*

*(Pendant mon séjour à New York, je demandai)* du punch; et Little lui-même nous en apporta un bol (...) nous n'avons point en France de vases de cette dimension. 1
A. BRILLAT-SAVARIN, Physiologie du goût, Variétés, III.

Dans le bol où le punch rit sur son trépied d'or. 2
A. DE MUSSET, Premières poésies, «Rafaël».

Par anal., fam., par plais. *Coupe (de cheveux) au bol. Cheveux coupés au bol,* très courts, raides, très dégagés et en arrondi.

Assise sur son escabeau, une jambe repliée dans son collant noir, avec son visage assez flibustier sous ses cheveux coupés au bol, elle avait l'air de la Jehanne du Procès (...) 3
A. BLONDIN, Monsieur Jadis..., p. 161.

♦ **2** (1790; premier emploi, en parlant du punch; → aussi cit. 1). Contenu d'un bol. *Prendre, boire un bol de café, de café au lait, de cidre.* → **Bolée.** *Se nourrir d'un bol de riz. Boire du café à pleins bols.*
(1909, *in* Höfler). Fig. *Prendre un bol d'air :* aller au grand air.

**II** Fig., vulg. ♦ **1** (Fin XIX^e^). Argot. Cul, anus. → **Pot.** *Ne pas se casser le bol :* ne pas s'en faire. → **Cul** (se casser le cul).
*En avoir ras* le bol.* → **Cul** (en avoir plein le cul, ras le cul...); **ras-le-bol.**

♦ **2** (V. 1945). Fam. Chance. → **Pot.** *Un sacré coup de bol. Manque de bol! Ce n'est vraiment pas de bol. Avoir du bol. Quel bol il a!*

Tombér sur une peau de vache, ce n'est pas de bol mais tomber sur le prof dont on passe le crâne du fils à la tondeuse, c'est tout de même rarissime! 4
Joseph JOFFO, Baby-foot, p. 247.

DÉR. **Bolée.**

2. **BOL** [bɔl] n. m. — 1256, *bol armenike; bolus,* XIV^e^; bas lat. *bolus* «grosse pilule», du grec *bôlos* «motte de terre».

♦ **1** Pharm. Grosse pilule* ovoïde. Spécialt. Remède de consistance molle (→ **Électuaire**), roulé dans une poudre pour être avalé en une seule fois. — *Bol d'Arménie, bol oriental, bol de Sinope :* terre argileuse, ocreuse, employée autrefois comme médicament, sous forme de boulettes. → **Bolaire** (terre bolaire), **ocre.** *Le mot «brouillamini» est une corruption de «bol d'Arménie».*

♦ **2** (1805, Cuvier, *in* T. L. F.). *Bol alimentaire :* masse d'aliments mastiqués, imprégnés de salive, et qui sera déglutie. → **Déglutition.**

D'abord pressé entre le dos de la langue et la voûte du palais, le bol alimentaire glisse ensuite en arrière pour franchir l'isthme du gosier, où il échappe au contrôle de la volonté.
D^r P. VALLERY-RADOT, Notre corps..., p. 89.

*Bol fécal :* matières fécales accumulées dans le côlon.

DÉR. **Bolaire.**

**BOLAIRE** [bɔlɛʀ] adj. — 1762; de 2. *bol.*

Didact. De la nature du bol d'Arménie. *Terre bolaire.* → **Argileux, sigillé.**

Elle se présente comme une terre bolaire qui happe à la langue et qui est grasse au toucher (...)
BUFFON, Hist. nat. des minéraux, t. III, p. 141.

**BOLAS** [bɔlas] n. m. pl. ou n. f. pl. — 1866; esp. *bolas* (1612) «les boules», de *bola* «boule».

Instrument formé de trois cordes lestées, utilisé autrefois par les Indiens d'Amérique du Sud pour capturer un adversaire, un animal (→ **Lasso).**

Vendredi se révéla également excellent lanceur de bolas, galets ronds au nombre de trois attachés à des cordelettes réunies à un centre commun. Lancées adroitement, elles tournoient comme une étoile à trois branches, et si elles sont arrêtées par un obstacle, elles l'entourent et le ligotent étroitement. M. TOURNIER, Vendredi..., p. 152.

**BOLCHEVIK** [bɔlʃevik; bɔlʃəvik] n. — 1903; russe *bolchevik* «partisan de la majorité», de *bolche* «grand», opposé à *menchevik* «partisan de la minorité».

♦ **1** Hist. En Russie, Partisan du bolchevisme*. Syn. : *maximaliste.*

♦ **2** Vieilli. Russe communiste*. — Communiste, soviétique. — Adj. :

Mais la France n'avait pas le choix : ou devenir américaine ou devenir bolchevik.
Paul MORAND, Bouddha vivant, p. 185.

REM. On trouve aussi (vx) *bolcheviste* [bɔlʃəvist] (1917, Barrès, *in* T. L. F.).

Var. : *bolchevick* (vx).

DÉR. **Bolchevique, bolchevisant, bolcheviser, bolchevisme, bolcheviste, bolcho.**

**BOLCHEVIQUE** [bɔlʃevik; bɔlʃəvik] adj. — 1917; de *bolchevik.*

Vx. Relatif au bolchevisme. — N. → **Bolchevik.**

**BOLCHEVISANT, ANTE** [bɔlʃevizɑ̃, ɑ̃t; bɔlʃəvizɑ̃, ɑ̃t] adj. — 1921, Proust, *in* T. L. F.; de *bolchevik.*

Vieilli ou hist. Qui sympathise avec la théorie bolchevique. *Discours bolchevisant. Théories bolchevisantes.*

**BOLCHEVISATION** [bɔlʃevizasjɔ̃; bɔlʃəvizasjɔ̃] n. f. — 1924; de *bolcheviser.*

Hist. Action de bolcheviser. *«La bolchevisation intensive de l'automne 1947»* (*le Nouvel Obs.*, 20 nov. 1972).

Je n'admets pas (...) que l'on puisse, avec des phrases et des mots vides de sens, parler d'optimisme, de bolchevisation.
Maurice THOREZ, Lettre à Souvarine, 11 avr. 1924, *in* le Nouvel Obs., 26 mai 1975, p. 92.

**BOLCHEVISER** [bɔlʃevize; bɔlʃəvize] v. tr. — 1918, au p. p., *in* D. D. L.; de *bolchevik.*

Rendre conforme au bolchevisme; soumettre au pouvoir des bolcheviks.

On bolchevise les Arabes (...) Il y a des partis communistes en Égypte.
J. MAXE, De Zimmerwald au bolchevisme, p. 194.

DÉR. **Bolchevisation.**

**BOLCHEVISME** [bɔlʃevism; bɔlʃəvism] n. m. — Av. 1902, Barrès; de *bolchevik.*

♦ **1** Hist. Doctrine des majoritaires conduits par Lénine (→ **Bolchevik),** élaborée à partir de 1903 et basée sur le collectivisme marxiste intégral.

♦ **2** Polit. (vieilli). Communisme russe.

(...) ce bolchevisme dans sa pensée aussi avait contaminé les chevaux. J. GIRAUDOUX, Églantine, 1927, p. 117.

**BOLCHEVISTE** [bɔlʃevist; bɔlʃəvist] n. et adj. → **Bolchevik.**

**BOLCHO** [bɔlʃo] n. m. — XX^e (1966, *in* D. D. L.); de *bolchevik.*

Fam. (langage des jeunes). Communiste, partisan du communisme soviétique. *«On casse du bolcho, on croque du curé, on brocarde le parlementarisme»* (*le Nouvel Obs.*, 25 juin 1973).

**BOLDO** [bɔldo] n. m. — 1838; *boldu,* 1834; mot esp. d'Amérique *boldu* (1660), probablt de l'araucan.

Bot. Plante dicotylédone *(Monimiacées)* scientifiquement appelée *pneumus boldus,* originaire du Chili, dont les feuilles possèdent des propriétés médicinales (cholagogues et laxatives). *Infusion de boldo pour le traitement du foie.*

**BOLDUC** [bɔldyk] n. m. — 1868; de *Bois-le-Duc,* nom français d'une ville des Pays-Bas.

Ruban de lin ou de coton, plat et peu tramé, utilisé dans le ficelage des petits paquets. *«Un entrelacs patient d'épingles de nourrice sur du bolduc de mercière»* (*l'Express*, 15 avr. 1974).

Or ma mère (...) qui est venue les mains vides, elle a 1
son tas : cinq paquets enveloppés de papier-fête, ficelés en croix avec des choux de bolduc.
Hervé BAZIN, Cri de la chouette, p. 118.

M^me Bernard tenait par le bolduc un petit paquet de truffes 2
de Chambéry.
R. SABATIER, les Fillettes chantantes, p. 193.

**-BOLE** Élément, du grec *bolê* «action de jeter, lancer», de *ballein* «jeter, lancer». → **Discobole, hyperbole, métabole, parabole, symbole.**

**BOLÉE** [bɔle] n. f. — 1885, *in* Höfler; de 1. *bol.*

Régional. Contenu d'un bol. → 1. **Bol,** I., 2. (plus cour.). *Une bolée de cidre, de vin chaud.*

La niche votive où pour les doigts furtifs de Pan on avait 1
déposé la bolée de mûres blanches.
J. GIONO, Naissance de l'Odyssée, p. 126.

Fig. → 1. **Bol,** I., 2.

Pierrot aspira une bonne bolée d'air. 2
R. QUENEAU, Pierrot mon ami, éd. L. de Poche, p. 65.

**BOLÉRO** [bɔlero] n. m. — 1803, *bollero;* esp. *bolero* «danseur», puis n. de danse, d'orig. incert., soit de *vuelo* «vol», soit de *bola* «boule» (à cause du chapeau rond du danseur).

♦ **1** Danse espagnole à trois temps, de mouvement très modéré. — Air sur lequel on la danse. *Jouer un boléro aux castagnettes.*

— Il faut danser seule, mademoiselle.
— Oui, les gavottes, les boléros (...)
PICARD, Manie de briller, II, 3 (1806).

Par ext. Mus. Composition musicale s'apparentant au boléro espagnol. *Le Boléro de Ravel.*

♦ **2** [a] (1897). Petite veste de femme, courte et sans manches.

[b] (1880, *in* D. D. L.). Vx. Chapeau de femme à bords relevés.

**BOLET** [bɔlɛ] n. m. — Déb. XIVe; lat. impérial *boletus.*

Bot., cour. Champignon charnu *(Basidiomycètes)* ayant un hyménium* à tube, à pied central. → 1. **Cèpe.** *Bolets comestibles : le bolet cèpe* (ou *cèpe de Bordeaux*), *le bolet tête-de-nègre, le bolet bai* (ou *cèpe bai*), etc. *Bolet bronzé, bolet poivré, bolet raboteux; bolet à beau pied. Le bolet satan* (ou *bolet de Satan*) *est indigeste.*

Les bolets de Satan au pied cramoisi et tuméfié (...)
M. TOURNIER, le Roi des Aulnes, p. 210.

REM. Dans le lang. courant, *bolet* désigne les champignons de cette famille à l'exclusion du *bolet cèpe,* appelé couramment *cèpe**.

DÉR. **Bolétique.**

**BOLÉTIQUE** [bɔletik] adj. — 1811; de *bolet.*

Chim. Se dit d'un acide que l'on peut extraire des bolets.

**BOLGE** [bɔlʒ] n. f. — 1912, Psichari, *in* T. L. F.; ital. *bolgia,* n. f., plur. *bolge* (*in* Dante), de l'anc. franç. *bouge* «sac».

Didact., rare. Gouffre, caverne. — Au masc. «*J'enfonçais dans un bolge de l'enfer du Dante*» (Gide, *Journal,* 29 janv. 1912).

**BOLIDE** [bɔlid] n. m. — 1570; «sonde», 1548, Rabelais; lat. *bolis, -idis,* du grec *bolis, -idos* «sonde, jet (de lumière)».

♦ **1** Cour. (vx en astron.). Corps céleste, météorite (→ **Astéroïde, météore**) dont l'orbite ressemble à celle des comètes et qui produit une traînée lumineuse lorsqu'il parvient au voisinage de la Terre. *Les bolides présentent l'apparence des étoiles* filantes, mais leur apparition est irrégulière. Bolide qui tombe sur la terre.* → **Aérolithe.**

Loc. *Arriver, passer, filer, tomber comme un bolide,* très vite, très brusquement. — Ski. *Descendre en bolide,* en attitude de recherche de vitesse.

♦ **2** (*In* Petiot). Véhicule qui atteint ou peut atteindre une grande vitesse. → **Fusée.** *Un bolide de course.* Iron. *Tu peux me prêter ton bolide?* (à propos d'une voiture quelconque).

1 (...) le ronflement d'une auto dominait le bruit des charrettes : un bolide lumineux passait en trombe à travers le feuillage, et s'évanouissait dans la nuit.
MARTIN DU GARD, les Thibault, t. V, p. 265.

♦ **3** Coup de poing violent et rapide. — (V. 1930). Jeux de balle. Coup imparable.

2 En cinq minutes, Ricciomingardi avait eu à parer trois bolides de Poniatowski et de Delatouche.
René FALLET, le Triporteur, p. 368.

**BOLIER** [bɔlje] ou **BOULIER** [bulje] n. m. — 1681; anc. provençal *bolech,* du lat. *bolus* «coup de filet».

Pêche. Grand filet traîné par bateau le long des côtes. Var. : *boulièche,* n. f.

**BOLINCHE** [bɔlɛ̃ʃ] n. m. ou f. — 1967; *boliche, bouliche,* 1769; anc. provençal *bolech,* de *boù* «coup de filet», lat. *bolus.*

Techn. (pêche). Filet tournant et coulissant, en trapèze, et qui forme, en se refermant, une sorte d'entonnoir évasé. — Filet à manche.

**BOLIVAR** [bɔlivaʀ] n. m. — 1819; de *Bolivar,* héros de l'indépendance en Amérique du Sud.

♦ **1** Anciennt. Chapeau haut de forme évasé, à larges bords, à la mode vers 1820.

♦ **2** Mod. Unité monétaire du Venezuela. *Des bolivars.*

**BOLIVIANO** [bɔlivjano] n. m. — 1987; mot espagnol de Bolivie.

Unité monétaire de la Bolivie. *Des bolivianos.*

**BOLIVIEN, IENNE** [bɔlivjɛ̃, jɛn] adj. et n. — D. i.; de *Bolivie.*

Qui se rapporte à la Bolivie ou à ses habitants. *Frontière bolivienne.* — N. *Un Bolivien, une Bolivienne.*

**BOLLANDISTE** [bɔlɑ̃dist] n. m. — 1732; du nom de Jean de *Bolland* (1596-1665).

Membre de la société savante fondée par le jésuite Jean de Bolland, travaillant comme hagiographe. — Ouvrage rédigé par cette société. *Consulter la vie d'un saint dans les Bollandistes.*

**BOLLARD** [bɔlaʀ] n. m. — 1943; mot angl., *in* Höfler.

Mar. Grosse bitte d'amarrage en bordure de quai.

**BOLOMÈTRE** [bɔlɔmɛtʀ] n. m. — 1883, *in* D. D. L.; du grec *bolê* «trait», et *-mètre.*

Didact. (phys.). Thermomètre à résistance électrique servant à mesurer de faibles dégagements de chaleur. *Le bolomètre est utilisé pour détecter le rayonnement infrarouge.*

DÉR. **Bolométrique.**

**BOLOMÉTRIQUE** [bɔlɔmetʀik] adj. — 1905, in *Rev. gén. des sc.,* no 12, p. 586; de *bolomètre.*

Phys. Qui se rapporte au bolomètre, aux mesures effectuées à l'aide du bolomètre.

**BOLONAIS, AISE** [bɔlɔnɛ, ɛz] adj. et n. — 1867; du rad. lat. de *Bologne.*

De Bologne, ville d'Italie du Nord. *L'école bolonaise de peinture.*

N. *Un Bolonais, une Bolonaise.*

N. m. Dialecte italien parlé dans la région bolonaise.

REM. Le mot est en concurrence avec *bolognais. Spaghettis bolognaise, à la bolognaise.*

1. **BOMBAGE** [bɔ̃baʒ] n. m. — 1863; de 1. *bomber.*

♦ **1** Rare. Action de bomber. *Bombage du torse.* → **Bombement.**

♦ **2** Techn. Action de cintrer (une plaque de verre, etc.). *Bombage d'une glace.*

♦ **3** Opération (brushing) par laquelle on fait bomber les cheveux. Syn. : *gonflage.*

DÉR. **Bombagiste.**

2. **BOMBAGE** [bɔ̃baʒ] n. m. — Après 1968; de 2. *bomber.*

Fam. Action de peindre, d'écrire à la bombe (1. Bombe, 8., b.). *Le bombage d'un slogan.*

**BOMBAGISTE** [bɔ̃baʒist] n. m. — 1878; de *bombage.*

Techn. Ouvrier qui cintre des plaques de verre par ramollissement à chaud. Syn. : *bombeur de verre.*

**BOMBANCE** [bɔ̃bɑ̃s] n. f. — 1530; *bonbance* «orgueil, faste», v. 1170; d'un rad. onomat. *-bob,* idée de «gonflé». → Bobine.

Fam. Le fait de manger abondamment et bien, généralement en commun. → **Chère** (grande chère), **festin, ripaille,** et, fam., **boustifaille, gogaille** (vx), **liche, muffée.** *Une énorme bombance.* → Grande bouffe*.

1 Ou je me trompe fort, ou quelque joyeuse bombance est dans l'air aujourd'hui.
A. DE MUSSET, On ne badine pas avec l'amour, I, 1.

1.1 (...) et, les souvenirs tendres se mêlant aux pensées noires dans sa cervelle obscurcie par les vapeurs de la bombance, il eut bien envie un moment d'aller faire un tour du côté de l'église. FLAUBERT, Mme Bovary, I, IV.

2 (...) les domestiques profitent de l'absence des maîtres pour faire bombance ; ils fouillent dans tous les placards ; ils se gobergent (...) GIDE, Si le grain ne meurt, I, 2.

Loc. FAIRE BOMBANCE : faire un très bon repas. → 2. **Bombe, bringue, noce** (faire la); **bombancer, festoyer, goberger** (se). → (vx) Faire chère* lie.

DÉR. **Bombancer, bombancier,** 2. **bombe.**

**BOMBANCER** [bɔ̃bɑ̃se] v. intr. [CONJUG.: *placer.*] — XVe; de *bombance.*

Vx. Faire bombance, ripailler.

**BOMBANCIER** [bɔ̃bɑ̃sje] n. m. — 1674; de *bombance.*

Vx. Celui qui fait bombance. → **Noceur.** *Un fieffé bombancier.*

**BOMBARDE** [bɔ̃baʀd] n. f. — 1413; *bombare,* 1271, sens II; lat. médiéval *bombarda* (XIIe) «instrument à vent», du lat. *bombus* «bruit sourd».

**I** ♦ **1** (1363; p.-ê. de l'ital. *bombarda*). Hist. Au moyen âge, Machine de guerre qui servait à lancer de grosses pierres. → **Pierrier.** — Ancienne pièce d'artillerie. → **Canon, mortier.** *Faire tirer les bombardes.*

1 La fumée encor flotte aux gueules des bombardes.
HUGO, la Légende des siècles, VI, 11, «Le comte Félibien».

2 Les novices artilleurs n'étaient point trop rassurés, car c'était la première fois qu'ils allaient utiliser les nouvelles acquisitions du duc d'Auge. La bombarde fonctionna de façon satisfaisante et un boulet alla s'enterrer à moins de trois cents mètres d'Onésiphore (...)
R. QUENEAU, les Fleurs bleues, p. 85.

3 Le Cleenewerck du XVIIe siècle a dû s'inquiéter en voyant monter autour de Cassel la fumée des bombardes de Monsieur, frère du roi, combattant le prince d'Orange.
M. YOURCENAR, Archives du Nord, p. 372.

♦ **2** (XVIIe). Hist. mar. Galiote* armée de bombardes, de mortiers. — Mod. Petit voilier à deux mâts.

**II** Mus. ♦ **1** (1413; 1271, *bombare, in* D. D. L.). Instrument de métal, dont l'embouchure est munie d'une languette d'acier. Syn. : *guimbarde.*

♦ **2** Régional (Bretagne). Instrument à anche à son très puissant, faisant partie des instruments traditionnels bretons. *Bombardes et cornemuses. Les bombardes d'un bagad*.*

♦ **3** (1720). Jeu d'orgue* sonnant une octave audessous du jeu de trompette.

DÉR. 1. **Bombardelle, bombarder, bombardier.** — 2. **Bombardon.**

**BOMBARDELLE** [bɔ̃baʀdɛl] n. f. — XIIIe; de *bombarde.*

Hist. Petite bombarde* (I.).

**BOMBARDEMENT** [bɔ̃baʀdəmɑ̃] n. m. — 1697; de *bombarder,* 1.

♦ **1** Action de bombarder, de lancer des bombes, des obus. *Le bombardement d'une ville, d'une place forte par une armée, par l'artillerie.* → **Canonnade.** *Bombardement naval, aéro-naval.* — Spécialt. *Bombardement aérien* (→ Avion, cit. 6) et, absolt, *bombardement. Avion de bombardement* (→ **Bombardier**) *et avions de chasse. Aviation de bombardement. Bombardement à haute altitude, en piqué.* — Ensemble des effets (explosions, etc.) de cette opération. *Ville écrasée par les bombardements. Bombardement intense, terrible, violent.* → **Arrosage** (argot milit.). *Subir, être sous un bombardement. Le bombardement atomique d'Hiroshima et de Nagasaki. Un bombardement de N kilotonnes.*

Elles aussi (...) redoutaient à la fois et souhaitaient des malheurs, comme sans doute les habitants d'une ville en région envahie redoutent et souhaitent un bombardement. 1
A. MAUROIS, Bernard Quesnay, XIII, 86.

♦ **2** (*Bombardement moléculaire,* 1897; trad. angl., cit. 2 ci-dessous). Phys. Projection de particules sur une cible. (1901). *Bombardement cathodique. — Bombardement électronique.* — Spécialt. Projection de particules sur des noyaux d'atome, pour obtenir des modifications de structure de ces atomes. *Bombardement de neutrons, de protons, neutronique, protonique.*

On savait, par les anciennes recherches de M. W. Crookes sur le phénomène baptisé par lui du nom pittoresque de *bombardement moléculaire* (...) 2
L. FIGUIER, l'Année scientifique et industrielle, 1898, p. 116 (1897).

♦ **3** Fam. Action de lancer. *Bombardement de fleurs, de confettis.* → **Bataille** (de fleurs).

Fig. *Un bombardement d'injures, d'invectives, de lettres anonymes. «Un bombardement d'erreurs et de mensonges»* (Zola, *in* T. L. F.).

**BOMBARDER** [bɔ̃baʀde] v. tr. — 1515; de *bombarde,* I.

♦ **1** Attaquer, assaillir en lançant des bombes, des obus, etc. → **Bombardement.** *Les canons bombardèrent la ville.* → **Canonner, marmiter** (pop.), **matraquer** (fam.), **mitrailler.** — Spécialt (par avion). *Les escadrilles ont bombardé l'objectif. Bombarder des chars en piqué. Bombarder méthodiquement une ville, un secteur.* → **Arroser** (fam.). *La ville a été bombardée et détruite par l'aviation.*

On canonna et on bombarda la ville *(de Stralsund)* presque sans relâche (...) VOLTAIRE, Charles XII, 8. 1

♦ **2** (1906, *in Rev. gén. des sc.,* no 2, p. 103). Phys. atom. Projeter des particules élémentaires à grande vitesse sur (des noyaux d'atomes). → **Bombardement,** 2.

♦ **3** Lancer de nombreux projectiles sur (qqn, qqch.). *Bombarder qqn de cailloux, de tomates. Bombarder de fleurs* (bataille de fleurs). — Pron. *Les enfants se bombardaient à coups de boules de neige.*

(Av. 1755, Saint-Simon). Fam. Accabler, harceler de... *Bombarder qqn de demandes, de requêtes, de lettres, de télégrammes ; de prévenances, d'attentions ; de plaisanteries, de moqueries.* → **Accabler, cribler.**

Il n'y avait guère de jour que le duc de Grammont ne bombardât ainsi quelqu'un (...) 2
SAINT-SIMON, Mémoires, 168, 263.

♦ **4** (XVII^e^). Fam. Nommer* brusquement, élever avec précipitation qqn à un poste, à un emploi, à une dignité. → **Catapulter, parachuter.** *On l'a bombardé général, officier de la Légion d'honneur, directeur. Être bombardé, se faire bombarder à un poste.* — Pron. *Il s'est bombardé président.*

3 Ses protecteurs se servirent du progrès du jeune prince pour ne le point changer de main et laisser faire Dubois; enfin ils le bombardèrent précepteur (...)
SAINT-SIMON, Mémoires, 2, 42.

4 Pierre Lenoir, lui, préférait ne pas entendre parler de ces choses-là (...) tremblant déjà d'être bombardé à un poste important à la faveur du tumulte.
M. AYMÉ, Travelingue, p. 51.

◆ **BOMBARDÉ, ÉE** p. p. adj. *Ville bombardée, rasée, sinistrée. Route bombardée et coupée.*

**DÉR. Bombardement.**

**BOMBARDIER** [bɔ̃baʀdje] n. m. — 1431; de *bombarde,* I.

♦ **1** Vx. Le servant d'une bombarde*. → **Artilleur.** Spécialt (jusqu'en 1918 au moins). Servant d'un mortier.

♦ **2** [a] (1933, *in* D. D. L.). Avion* de bombardement. *Bombardier quadrimoteur* (→ Forteresse). *Bombardier lourd, léger, d'assaut. Bombardier à grand rayon d'action.* — Appos. *Chasseur bombardier.*

1 (...) les bombardiers de 1915 à 1917 purent cheminer sans qu'elle *(la «chasse»)* les inquiétât. Aujourd'hui l'avion bombardier doit faire aussi figure d'avion de bataille.
Edmond BLANC, l'Aviation, p. 345.

*Bombardier à eau,* muni de réservoirs à eau vidés au-dessus des incendies. → **Canadair** (marque).

[b] Aviateur chargé du lancement des bombes.

2 Les mitrailleurs épiaient le combat, le bombardier la terre (...) MALRAUX, l'Espoir, II, I, 1, 3 (1937).

♦ **3** (1768). Zool. Coléoptère dégageant par l'anus un gaz contenant de l'acide formique. → **Brachyne.**

♦ **4** (du sens 2, b). Blouson ressemblant à celui des pilotes de bombardiers américains. *Un bombardier en cuir.*

**BOMBARDON** [bɔ̃baʀdɔ̃] n. m. — 1834, → ci-dessous; de *bombarde,* II.

Mus. (anciennt). Instrument de musique, cuivre très grave, à pistons, utilisé dans les fanfares. → **Contrebasse** (à vent). «*Le bombardon a été inventé à Varsovie, il y a environ dix ans, par M. Riedl. L'instrument avait alors une autre forme que celle qui vient de lui être donnée; il avait douze clefs. Tel qu'il est maintenant on peut le considérer comme un grand trombone qui a trois tubes qu'on ouvre ou ferme à volonté par des pistons*» (*Revue musicale,* 1834, p. 48).

**BOMBASIN** [bɔ̃bazɛ̃] n. m. — 1299, *in* T. L. F., art. *Basin.* → Basin.

Vx. Étoffe de soie; tissu de coton croisé.

**DÉR. Basin.**

**BOMBAX** [bɔ̃baks] n. m. → 2. **Fromager.**

1. **BOMBE** [bɔ̃b] n. f. — 1640; ital. *bomba,* du lat. *bombus.*

♦ **1** Anciennt. Projectile creux, de forme variable, rempli d'explosif, lancé autrefois par des canons. *Bombe (sphérique),* remplie de poudre et munie d'une mèche qui communique le feu à la charge. *Arme à lancer des bombes.* → **Bombarde, crapaud, mortier.** *L'anse, le culot, la mèche, l'œil d'une bombe. Les grenades, obus, etc. ont remplacé les bombes.*

M. Renau avait encore inventé de nouveaux mortiers qui chassaient les bombes plus loin et jusqu'à 1700 toises (...) 1
FONTENELLE, Éloge du chevalier Renau.

Les bombes se croisent dans les airs, comme l'orbe empenné que les enfants se renvoient sur la raquette. 2
CHATEAUBRIAND, les Natchez, X.

*Bombe d'artifice :* sphère creuse, souvent en carton, munie d'une mèche extérieure.

♦ **2** Mod. Projectile sans vitesse initiale lâché par un avion. *Bombe explosive, soufflante, à souffle. Bombe incendiaire. Bombe à pénétration. Bombe au napalm, au phosphore. Bombe à billes*. Bombe de deux cents kilos, d'une tonne. Bombe bactériologique. Lâcher, larguer, jeter, lancer, laisser tomber des bombes sur un objectif; arroser de bombes.* → **Bombarder, bombardement.** *Le dispositif lance-bombes d'un bombardier. Chapelet* (cit. 6), *tapis** (B., 3.) *de bombes. Le lâcher, la trajectoire, la chute, l'éclatement, l'explosion, l'effet de souffle d'une bombe. Abri contre les bombes. Blindage résistant aux bombes. Ville détruite, incendiée par les bombes.*

Parfois seulement, un avion ennemi qui volait assez bas éclairait le point où il voulait jeter une bombe. 2.1
PROUST, le Temps retrouvé, Pl., t. III, p. 833.

Les aéroplanes allemands accablaient nos parages de bombes qui sifflaient longuement avant que d'éventrer le sol ou les maisons. 3
G. DUHAMEL, Récits des temps de guerre, I, 5.

(1945). *Bombe atomique** ou *bombe à fission, bombe A,* utilisant l'énergie de la transmutation nucléaire. *Bombe à hydrogène* ou *bombe thermonucléaire, bombe H,* utilisant la réaction de fusion d'atomes d'hydrogène chauffés par l'énergie d'une bombe à fission. *Bombe à neutrons,* qui agit par irradiation de neutrons et ne détruit que les organismes vivants, sans causer de dégâts aux installations. *Unité d'évaluation de la puissance des bombes atomiques, thermonucléaires.* → **Mégatonne.**

Tu ne vas pas jusqu'à pleurer sur le sort des tortues de mer, que la méchante bombe H a privées de leur sens de l'orientation sur cet atoll maudit, comment s'appelle-t-il encore, Bikini? 3.1
Alain BOSQUET, les Bonnes Intentions, p. 100.

♦ **3** Projectile à déplacement autonome. *Bombe volante, planante,* à ailettes modifiables. *Bombe à ailette. Bombe autopropulsée, télécommandée.* → **Fusée, V 1, V 2.** *Bombe fusée*. Bombe torpille*.*

Qu'est-ce qu'un gros œuf muni d'ailettes, sinon une bombe? 3.2
A. PIEYRE DE MANDIARGUES, la Marge, p. 128.

♦ **4** Appareil explosible que fait éclater un mécanisme. → **Machine** (machine infernale). *Bombe à retardement.* — Fig. *Cette nouvelle est une véritable bombe à retardement. Bombe au plastic. Attentat à la bombe.* → **Plasticage.**

♦ **5** (1689, M^me^ de Sévigné). Fam. Par compar. *Tomber, arriver comme une bombe,* brusquement, sans qu'on s'y attende. → **Improviste** (à l'). *Gare la bombe!* → Attention! *Une nouvelle qui éclate comme une bombe.* — Fig. *Préparer une bombe.*

Je suis très inquiète du voyage de M. de Grignan : quelle bombe jetée au milieu de vous tous et de votre tranquillité! 4
M^me^ DE SÉVIGNÉ, 1202, 2 août 1689.

Le parti de Halay fut le silence et d'attendre la bombe *(l'éclat de son beau-père).* 5
SAINT-SIMON, Mémoires, 42, 240.

Il alla saluer le marquis et lui présenta comme un bouclier contre tout reproche, un Écossais de ses amis, M. Marmor de Karkoël, qui lui était tombé à la manière d'une bombe pendant son dîner (...) 5.1
BARBEY D'AUREVILLY, les Diaboliques, «Le dessous de cartes...».

6 (...) à l'idée (...) que j'avais préparé en vain cette belle bombe de colère (...)
G. DUHAMEL, Cri des profondeurs, II, 46.

7 (...) cette bombe à retardement était déjà montée avec une minutie dont j'étais fier (...)
F. MAURIAC, le Nœud de vipères, p. 12.

Fam. *Foutre en bombe :* rejeter. *Se foutre en bombe :* (choses) tomber comme une bombe, s'écrouler, s'écraser en tombant ; (personnes) se mettre en colère.

Fam. *Bombe sexuelle :* femme qui produit un grand effet érotique (→ Sex-appeal).

♦ **6** (1771, «récipient sphérique»). Par anal. de forme du sens 1. [a] Vx. Gros ballon de verre. → **Bonbonne.**
[b] (1866). Mar. *Bombe de, à signaux* : boule en toile pour faire des signaux à grande distance.
[c] (1807). *Bombe glacée :* glace* en tronc de cône, en pyramide... *Bombe au café, à la vanille.*
[d] (1883, Berthelot). Phys. *Bombe calorimétrique :* récipient de métal hermétiquement fermé où l'on place un poids connu de combustible pour en mesurer le pouvoir calorifique.
[e] (1845). Géol. *Bombe volcanique :* fragment de lave renflé en son milieu.

♦ **7** (1928 ; même figure sémantique que 6.). Casquette hémisphérique des cavaliers, à calotte renforcée qui fait partie de la tenue d'équitation. *Bombe de chasse.*

8 Elle marchait en direction opposée en costume de cheval, avec une bombe sur la tête d'où fuyaient ses cheveux, des bottes Chantilly et une petite cravache.
R. SABATIER, les Fillettes chantantes, p. 178.

♦ **8** Par anal. de fonction, du sens 2. [a] *Bombe au cobalt :* appareil de traitement médical par émissions radioactives (curiethérapie), utilisant les rayons gamma du cobalt radioactif (radiocobalt 60). *Traitement de cancers par la bombe au cobalt.*

9 Ce n'est pas de mourir, qui m'effraye, c'est de mourir du cancer après avoir été charcutée trois ou quatre fois. Si je dois y rester, pas d'opération, pas de bombe au cobalt. Rien.
J. DUTOURD, Pluche, VIII, p. 87.

[b] (1950). Atomiseur de grande dimension. *Désinfectant en bombe. Bombe insecticide. Bombe à laque, de laque pour les cheveux. Bombe à aérosol.* → **Aérosol.**
Bombe de peinture. *Repeindre sa voiture à la bombe.* → 2. **Bomber** ; 2. **bombage.**

♦ **9** (1987). Inform. *Bombe logique :* programme introduit clandestinement dans un système informatique et activé à un moment déterminé de manière à perturber le fonctionnement de ce système.

DÉR. 1. **Bomber**, 2. **bomber, bombette, bombinette.**

2. **BOMBE** [bɔ̃b] n. f. — 1881 ; abrév. de *bombance.*
Fam. Repas, partie de plaisir où l'on boit beaucoup. → **Bombance, ripaille.** *Une bombe à tout casser. Une petite bombe.*
Loc. FAIRE LA BOMBE : mener une vie de plaisirs. → **Bringue, foire, java, noce.**

Je trouve drôle que mon conseil de famille (...) soit composé précisément des parents qui ont le plus fait la bombe, à commencer par le plus noceur de tous mon oncle Charlus (...) qui a eu autant de femmes que Don Juan.
PROUST, Sodome et Gomorrhe, Pl., t. II, p. 691.

**BOMBÉ, ÉE** [bɔ̃be] → 1. **Bomber.**

**BOMBEMENT** [bɔ̃bmɑ̃] n. m. — 1694 ; de 1. *bomber.*
♦ **1** État de ce qui est bombé*, convexe. → **Convexité, gonflement, renflement.** *Bombement d'une route,* courbure de son profil transversal, exprimée par le rapport entre la flèche et la corde de celui-ci. *Bombement d'un mur.*
Par ext. Surface bombée, partie bombée du sol.

De là, on ne la voyait pas *(la plate-forme)* ; on distinguait simplement, en se tordant le cou, un bombement bleuâtre qui brillait au soleil : le fameux surplomb de la corde coincée.
R. FRISON-ROCHE, Premier de cordée, p. 151 (1941).

♦ **2** Rare. Le fait de bomber. *Un bombement du torse.* → **Bombage.**
Techn. *Le bombement d'une chaussée s'effectuait à l'aide d'une cerce.*

CONTR. **Concavité, excavation.**

1. **BOMBER** [bɔ̃be] v. tr. et intr. — 1701 ; au p. p., 1690, Furetière ; de 1. *bombe.*
♦ **1** V. tr. Rendre convexe. → **Enfler, gonfler, renfler.** *Bomber une chaussée.* — Spécialt, techn. *Bomber une feuille de plomb,* la rouler pour en faire un tuyau. *Bomber une pièce plane.* → **Cintrer.** *Bomber le verre.* → **Bombagiste.** Hortic. *Bomber une plate-bande.* — (Sujet n. de chose). Faire gonfler (qqch.), donner une forme arrondie à (qqch.). *«C'était la contribution de beaucoup d'arbustes qui avait réussi à la bomber ainsi»* (→ Camélia, cit. 1, Proust).

Le vent bombe la voile emplie, 1
L'écume argente au loin la mer.
LECONTE DE LISLE, Poèmes tragiques, «Pantoums malais», V.

Spécialt. *Bomber le dos* (rare) : faire le gros dos. *Bomber la, sa poitrine.* Loc. cour. *Bomber le torse :* gonfler la poitrine notamment en se redressant. *Il bombait le torse en marchant.* — Fig. Prendre un air important, faire le fier.

♦ **2** V. intr. Devenir convexe. *Une boiserie, une planche qui bombe.* → **Gondoler, gonfler.** *Une robe qui bombe en faisant des plis.* → **Goder.** *Ce mur bombe. Une poitrine qui bombe.*

(...) sous la tunique guerrière de caoutchouc qui faisait bomber ses seins (...) 2
PROUST, À la recherche du temps perdu, t. XIII, p. 90.

◆ **SE BOMBER** v. pron.
♦ **1** *Ce parquet se bombe par l'humidité.*
♦ **2** Fin XIXe, E. Pouget, *le Père Peinard* (av. 1902) *in* Cellard et Rey ; de l'idée de «faire ventre», avoir le ventre vide (→ Bidon, étym.). Se passer, être privé de qqch. → **Ballon** (faire). *Tu peux toujours te bomber !*

— Vise la gueule de l'Homard, dit Pascal à Irène, derrière le dos de sa main. 2.1
— Cocu ! (...) En tout cas, toi, fit-elle, tu te bombes.
Francis CARCO, les Belles Manières, p. 60-61.

◆ **BOMBÉ, ÉE** p. p. adj. (1690). Qui est ou qui est devenu convexe. → **Arrondi, arqué, courbe, renflé.** *Front bombé. Des ongles bombés. Des verres bombés. Boîte à couvercle bombé. Route bombée.*

(...) le ruban de la Légion d'Honneur ne manquait pas sur la poitrine, crânement bombée à la prussienne. 3
BALZAC, la Cousine Bette, I, Pl., t. VI, p. 135.

(...) ce carrosse dont l'époque est assez indiquée par les glaces convexes, les panneaux bombés, et les sophas contournés. 4
RIMBAUD, Illuminations, «Nocturne vulgaire».

(...) les épaules bombées de fatigue, mais l'âme plus guerrière que jamais, il ne s'avoue pas vaincu. 5
M. BARRÈS, Leurs figures, p. 369.

Elle le regardait avec des yeux bombés et inexpressifs : 6
— Refaire ma vie ? Mais je ne songe pas à refaire ma vie, mon chéri !
H. TROYAT, la Tête sur les épaules, p. 12.

CONTR. **Aplatir, caver, creuser, emboutir, excaver.** (Du p. p.) **Cave, concave, creux.** ◊ DÉR. 1. **Bombage, bombement, bombeur.**

2. **BOMBER** [bɔ̃be] v. — 1889, Delvau; de 1. *bombe.*

**I** ♦ **1** V. tr. Argot, vx. Frapper, battre (qqn).

♦ **2** V. intr. (1919, *in* Esnault). Argot, vx. *Ça bombe :* il tombe des bombes, des obus.

♦ **3** V. intr. (V. 1950; de 1. *bombe,* comme *bombarder,* même sens, 1921, argot des cyclistes). Fam. Aller très vite, filer. → **Foncer.** *« Le quai de Javel est désert. Je bombe à toute vibure vers le pont Mirabeau »* (San-Antonio, *in* Cellard et Rey).

**II** V. tr. (V. 1968; de 1. *bombe,* 8). Mod. Peindre, écrire à la bombe. *Bomber des slogans sur un mur. « Dehors Reagan et le F.M.I.* (Fonds monétaire international). *Pour un Français, cette exigence bombée sur les murs des banlieues ouvrières de Sao Paulo peut sembler ésotérique »* (*l'Humanité,* 24 oct. 1983, p. 1).

DÉR. 2. **Bombage.**

**BOMBETTE** [bɔ̃bɛt] n. f. — 1769, cit.; dimin. de 1. *bombe.*

Anciennt. Petite bombe. — Petite bombe* d'artifice.

Au lieu de fusées ordinaires, c'étoit ce qu'on appelle des bombettes, espèce de bombes qui produit une grande quantité d'étoiles et dont l'effet est beaucoup plus agréable que celui des fusées.

BACHAUMONT, Mémoires secrets, IV, 1769, p. 350, *in* D. D. L., II, 10.

**BOMBEUR** [bɔ̃bœʀ] n. m. — 1835; de 1. *bomber.*

Techn. Celui qui fabrique des verres bombés. → **Bombagiste.** *Bombeur de verre.* — REM. Le féminin est virtuel.

**BOMBILLEMENT** [bɔ̃bijmɑ̃] n. m. — 1925, Foch, *Mémoires;* de *bombiller.*

Rare. Bourdonnement.

**BOMBILLER** [bɔ̃bije] v. intr. — 1838; lat. *bombilare* « bourdonner ».

Rare. (En parlant des abeilles). Bourdonner.

REM. Un vers célèbre de Rimbaud présente la var. *bombiner* (lat. *bombinare,* var. de *bombilare*).

1 A, noir corset velu des mouches éclatantes
Qui bombinent autour des puanteurs cruelles (...)

RIMBAUD, Poésies, « Voyelles » (1871).

Fig. (en parlant de personnes) :

2 Pour l'instant, Léopold, ivre de joie, bombille autour de la mère et de l'enfant. Il pleure de bonheur et annonce à grands cris sa paternité.

Geneviève DORMANN, Sophie Trébuchet, p. 116.

DÉR. **Bombillement.**

**BOMBINETTE** [bɔ̃binɛt] n. f. — 21-22 nov. 1964, *Libération;* de 1. *bombe.*

Par dérision. Petite bombe atomique.

Par exemple, la plaisanterie : « Ce n'est pas de Gaulle, avec sa bombinette, qui nous rendra Berlin et la Prusse. »

Pierre NORD, Miss Péril jaune, p. 421.

**BOMBONNE** [bɔ̃bɔn] n. f. → **Bonbonne.**

**BOMBYCIDÉS** [bɔ̃biside] n. m. pl. — XIXe; de *bombyx.*

Famille d'insectes lépidoptères dont le bombyx* est le principal type. — Au sing. *Un bombycidé.* → **Bombycien.**

**BOMBYCIEN, IENNE** [bɔ̃bisjɛ̃, jɛn] n. et adj. — 1843; de *bombyx.*

♦ **1** N. m. pl. Zool. Vx. Bombycidés.

♦ **2** Adj. Techn. anc. *Papier bombycien :* papier fabriqué à partir de vieux chiffons.

**BOMBYCINER** [bɔ̃bisine] v. intr. — 1838, Goncourt; lat. *bombycinare* « travailler la soie (du *bombyx*) », au sens de *bombinare.* → Bombiller.

Littér. et vx. S'affairer inutilement. → Bourdonner. — REM. Clemenceau (*in* T. L. F.) écrit *bombiciner.*

**BOMBYX** [bɔ̃biks] n. m. — 1508, *bombiche; bombyce,* 1564; lat. *bombyx,* grec *bombux* « ver à soie ».

Zool. Papillon nocturne de la famille des Bombycidés*. — Spécialt. *Le bombyx du mûrier,* dont la chenille est le ver à soie. — *Bombyx de l'ailante.* → **Attacus.** *Bombyx du chêne.* → **Processionnaire** (chenille).

C'était l'époque (...) où le ver à soie file son cocon dans les ténèbres du pupitre et où, à l'improviste, à travers la torpeur des classes, s'envole un absurde bourdon ou quelque bombyx aux ailes de feu.

H. BOSCO, l'Âne Culotte, p. 38.

DÉR. **Bombycidés, bombycien.**

**BÔME** [bom] n. f. — 1793, *Encyclopédie méthodique;* holl. *boom* « mât ».

Mar. Grand espar horizontal sur lequel sont enverguées les voiles auriques et triangulaires. — *Bôme à rouleau,* qui tourne sur elle-même et permet d'enrouler la grand-voile afin d'en diminuer la surface et d'éviter la prise de ris. — Syn. : *gui.*

À plat ventre, pour ne pas être heurté par la bôme, qui à chaque changement d'amure fauchait le pont (...)

P. MAC ORLAN, l'Ancre de miséricorde, p. 197.

DÉR. **Bômé.** ◊ HOM. 1. **Baume,** 2. **baume.**

**BÔMÉ, ÉE** [bome] adj. — D. i.; de *bôme.*

Mar. Muni d'une bôme*. *Trinquette bômée.*

Mais j'ai quand même envie d'amener la grande trinquette et de la remplacer par la trinquette *bômée,* plus petite, et qui peut encore être réduite en y mettant un ris si ça chauffe.

Bernard MOITESSIER, Cap Horn à la voile, p. 72.

1. **BON, BONNE** [bɔ̃, bɔn] adj., adv. et interj. — 881 (personnes); XIe (choses); du lat. *bonus.* REM. 1. Phonét. *Bon* se prononce [bɔn] devant un nom commençant par une voyelle ou une *h* muette (ex. : *un bon ami* [œbɔnami]).

2. Le comparatif de *bon* est *meilleur; plus... bon* peut s'employer lorsque les deux mots ne se suivent pas. *Plus ou moins bon. Plus il est bon, plus on se moque de lui. Plus une œuvre est bonne, plus elle attire la critique* (Flaubert, *in* Grevisse, n° 364). *Il est bon plus que sage :* il est bon plus qu'il n'est sage (cf. Hanse, Bon). *Un vin est plus ou moins bon qu'un autre. « Une tisane est plus qu'une autre bonne contre telle maladie »* (Littré). → Plus (plus ou moins).

3. Place de *bon.* Généralement avant le nom, en épithète, sauf aux sens I, B, 4 (bonté) et C.

4. Sémantisme. L'adjectif, comme les principaux évaluatifs : *beau, bien...,* suppose un jugement de valeur par rapport à une norme. Cette norme est à la fois sociale et individuelle; le « sens » de *bon* est fonction de l'« acte de parole » du locuteur, et relatif au sens du substantif avec lequel on l'emploie.

**I** Adj. Qui est évalué positivement, par rapport à sa nature, sa fonction, et dans une hiérarchie de valeurs sociales, tant sur le plan esthétique ou intellectuel, qu'utilitaire, ou que moral. → **Agréable,**

**avantageux, beau** (admirable, etc.), **bien, correct, efficace, favorable, heureux, intéressant, parfait, profitable, propice, propre, utile.** *Assez bon.* → **Acceptable, convenable, moyen, passable, satisfaisant, suffisant, utilisable.** *Fort bon, très bon.* → **Excellent, exemplaire,** et aussi le comparatif **meilleur** (cit. 1).

1 (...) trouver bon ce qui est bon, et meilleur ce qui est meilleur (...) LA BRUYÈRE, les Caractères, I, 21.

2 (...) nous marchons en aveugles, ne sachant où nous allons, prenant pour mauvais ce qui est bon, prenant pour bon ce qui est mauvais, et toujours dans une entière ignorance (...) Mme DE SÉVIGNÉ, 922, 15 déc. 1683.

3 Commander est bon; être riche est bon; et ces bonnes choses mal prises et mal désirées, font néanmoins tout le mal du monde (...)
BOSSUET, Traité du libre arbitre, 11.

4 Rien n'est plus commun que les bonnes choses, il n'est question que de le discerner (...) la nature, qui seule est bonne, est toute familière et commune (...)
PASCAL, De l'esprit géométrique, II.

5 Dire d'une chose modestement ou qu'elle est bonne ou qu'elle est mauvaise, et les raisons pourquoi elle est telle, demande du bon sens et de l'expression (...)
LA BRUYÈRE, les Caractères, V, 19.

6 (...) ce qui est bon aujourd'hui est dangereux demain (...)
FÉNELON, De l'éducation des filles, V.

(Avant une évaluation chiffrée, mais avec une valeur d'appréciation plus nette que dans le sens A, 6, ci-dessous) :

7 Quarante bonnes mille livres de rente sont quelque chose de bon (...)
DANCOURT, le Chevalier à la mode, III, 1.

N. B. *Bon* entre dans un grand nombre d'expressions dont le présent article n'épuise pas les exemples. On peut se reporter en outre aux substantifs que *bon* qualifie ; → par ex. : accueil, air, ami, an, ange, année, augure, aventure, bouche, bout, chemin, compte, enseigne, escient, feuille, intelligence, main, manière, marché, occasion, office, plaisir, port, sens, temps, ton, tour, usage, visage, volonté, vouloir.

**A** (En parlant de choses). ♦ **1** Qui a une valeur utilitaire positive, dans son genre; qui remplit bien sa fonction, est utile, agréable, efficace (en épithète, généralt avant le nom). *De bonnes chaussures, un bon couteau, un bon lit. Un habit de bel et bon drap. Séparer le bon grain de l'ivraie. Un bon blé. Du bon vin. Bon repas, bonne chère, bonne bouffe, bonne soupe. Bon morceau.* → **Délicat, succulent.** *Un bon métier. Un bon sol, une bonne terre.* → **Fertile, productif.** *Bon emploi.* → **Lucratif.** *Bonne affaire, bon bénéfice. Bon placement.* → **Avantageux.** *Bonne prise. Bon rendement. Bons résultats.* — Fam. (avant *gros, petit,* antéposés). → ci-dessous, cit. 10. *« Un bon gros baiser bien sonore »* (J. Renard). *Un bon petit gueuleton.* — (Abstractions). *Une chose de bonne apparence.* → **Beau.** *Bonne qualité.* — Loc. prov. *L'argent est toujours bon.* — REM. Dans cet emploi, *bon* a souvent la même valeur que *bon à...* suivi d'un verbe à l'inf. (spécifiant le domaine de la qualité appréciée); → ci-dessous, C., 4.

8 Ou admettez que l'arbre est bon, et que son fruit est bon; ou admettez que l'arbre est mauvais, et que son fruit est mauvais : car c'est au fruit qu'on connaît l'arbre.
Évangile selon saint Matthieu, XII, 33.

9 Je vis de bonne soupe, et non de beau langage.
MOLIÈRE, les Femmes savantes, II, 7.

10 Il faut manger de bon gros bœuf, de bon gros porc, de bon fromage de Hollande (...)
MOLIÈRE, le Malade imaginaire, III, 10.

11 Tout ce qu'on boit est bon, tout ce qu'on mange est sain;
La maison le fournit, la fermière l'ordonne (...)
BOILEAU, Épîtres, VI.

12 Un beau château, un bel air, de belles terrasses, une trop bonne chère (...) cette vie est trop douce, et les jours s'écoulent trop tôt, et l'on ne fait point de pénitence.
Mme DE SÉVIGNÉ, 1382, 10 juil. 1694.

Bon soupé, bon gîte, et le reste? 13
LA FONTAINE, Fables, IX, 2.

La bagatelle, la science, 14
Les chimères, le rien, tout est bon; je soutiens
Qu'il faut de tout aux entretiens (...)
LA FONTAINE, Fables, X, 1.

La paix est fort bonne de soi; 15
J'en conviens (...) LA FONTAINE, Fables, III, 13.

(...) pourquoi vouloir faire du bon fer? disent la plupart des maîtres de forges; on ne le vendra pas une pistole au-dessus du fer commun (...) 16
BUFFON, Hist. nat. des minéraux, Introd., Œ. compl., t. VIII, p. 11.

L'argent est bon, mais l'aise meilleure. 17
FLAUBERT, Correspondance, t. III, p. 22.

*C'est bon, ce n'est pas bon. Je ne trouve pas sa cuisine si bonne que ça. Ce n'est* (fam. *c'est*) *pas bon du tout.*

♦ **2** Qui est digne d'approbation, de confiance, a les effets qu'on attend. *Bonne monnaie, bonne caution.* → **Sûr; solide.** *Un bon compte**. *Le compte est bon.* → **Exact, juste, rigoureux, sérieux, strict.** — Prov. *Les bons comptes font les bons amis. Faire bonne garde. De bons avis, de bons conseils.* → **Avisé, éclairé, judicieux, prudent, raisonnable, sage.** *Un bon choix. Un bon parti. De bonnes raisons, de bonnes excuses.* → **Admissible, valable.**

Approprié au but poursuivi, au résultat à obtenir. *Bon moyen. Bonne méthode. Bon remède.* → **Approprié, efficace.** *Bon exemple. Bonne leçon.* → **Salutaire.** *La leçon est bonne.*

On ne peut trop louer trois sortes de personnes : 18
Les dieux, sa maîtresse et son roi.
Malherbe le disait; j'y souscris quant à moi :
Ce sont maximes toujours bonnes.
LA FONTAINE, Fables, I, 14.

J'essayerais mille petits remèdes inutiles pour en trouver un bon; et mon impatience et mon peu de vertu me feraient une occupation continuelle de l'espérance d'une guérison (...) Mme DE SÉVIGNÉ, 844, 21 août 1680. 19

Êtes-vous en faveur, tout manège est bon, vous ne faites point de fautes, tous les chemins vous mènent au terme (...) LA BRUYÈRE, les Caractères, VIII, 90. 20

Loc. *Arriver à bon port* (cit. 8, 9 et 10).

♦ **3** (En parlant des productions de l'esprit). Qui est réussi, apprécié (sur le plan esthétique ou intellectuel). → **Beau, bien** (bien exécuté, bien fait); **adroit, habile.** *Un bon travail. Un bon tableau. De bons vers. Un bon livre.* → **Agréable, instructif.** *Son livre, son article est très bon.* → **Excellent, remarquable.**

Un livre est-il mauvais, rien ne peut l'excuser; 21
Est-il bon, tous les rois ne peuvent l'écraser (...)
VOLTAIRE, Épîtres, 100.

Hé bien, c'est vrai, la beauté n'est pas dans un livre, elle est dans l'ensemble. Chaque roman lu séparément n'est pas bien bon, et pourtant les personnages qu'on retrouve dans tous sont vraiment très bien. 21.1
PROUST, Jean Santeuil, Pl., p. 199.

(Par euphémisme, dans un langage un peu prétentieux, en parlant d'un spectacle, d'une musique, etc.). *C'est bon, c'est très bon, ce qu'il fait là.* REM. Un emploi analogue existe pour les personnes. → ci-dessous, B., 3.

— Beau salon. Le Bonnat remarquable, deux excellents Carolus Duran, un Puvis de Chavannes admirable, un Roll très étonnant, très neuf, un Gervex exquis, et beaucoup d'autres, des Béraud, des Cazin, des Duez, des tas de bonnes choses enfin. 21.2
MAUPASSANT, Fort comme la mort, éd. 1889, p. 140.

Loc. *Un bon mot.* → **Mot** (cit. 33 et 34); → naïveté, cit. 9.

♦ **4** Qui est selon les règles. → **Correct, juste.** *Bon ordre**. *Mettre à la bonne place,* à la place voulue. *Appuyer sur le bon endroit. Une bonne balle* (au jeu). *En bon français. — Le bon usage**.

22 Je vous le dis en bon français.
LA FONTAINE, Fables, VI, 8.

23 Connaître la valeur juste des mots est le grand secret de bien écrire. Le mot le plus nu, mis en bonne place, fait bien plus d'effet que le terme rare.
J. DE LACRETELLE, cité par A. MAUROIS, Études littéraires, t. II, p. 221.

♦ **5** Qui procure de la satisfaction, du plaisir, de la gaieté, de la joie, etc. → **Favorable, propice.** *Bonne chance. Bonne étoile*. Bon signe. Bon vent. Un bon coup. Une bonne position.* → **Enviable.** *Prendre les choses du bon côté,* avec optimisme. *De bonnes nouvelles. Une bonne plaisanterie, un bon mot*,* une bonne histoire, un bon tour. → **Amusant, drôle, plaisant, spirituel ;** → ci-dessous, C., 6. : *une bien bonne. Un bon bain. L'eau est bonne,* agréable pour se baigner. (On n'emploie pas *bon* en épithète avec *eau*). — *Un bon moment. Passer de bons moments avec qqn. Se donner du bon temps. Bonne odeur.* → **Agréable, délicieux, exquis, suave.** — (En souhait). *Bonne fête ! Bon voyage ! Bonne année !* → **Heureux.** *Bon Noël !*

24 Il y a de bons mariages, mais il n'y en a point de délicieux.
LA ROCHEFOUCAULD, Réflexions..., 113.

25 Après les bons partis, les médiocres gens
Vinrent se mettre sur les rangs.
LA FONTAINE, Fables, VII, 5.

26 On aurait du moins quelques moments de bon (...)
MASSILLON, 1re Profession religieuse, 2.

27 Mon cher ange, la vie d'un homme de lettres n'est bonne qu'après sa mort (...)
VOLTAIRE, Lettre à d'Argental, 17 sept. 1755.

27.1 «L'eau était bonne ?» — «Très bonne», grogna Roch ; «tu aurais dû venir».
J.-M. G. LE CLÉZIO, la Fièvre, p. 11.

Loc. *Le bon plaisir* (cit. 1, 2 et 3).

♦ **6** (Évaluatif). Qui a un degré important (dans le nombre, la quantité, l'intensité).

**a** Quantitatif. Complet ; important. *Il y en a un bon verre.* → **Plein.** *Une bonne poignée.* → **Gros.** *Une bonne part, une bonne partie de la somme.* → **Grand.** Loc. *Faire bon poids ;* (vieilli) *faire bonne mesure. Coûter un bon prix.* → **Considérable.** *(Un) bon nombre de... Un bon bout* de temps.*

(Entre un numéral, de un à dix et aux chiffres ronds, et certains substantifs nombrables). *Cela fait une, deux bonne(s) semaine(s) ; c'est à dix bons kilomètres, à deux bonnes heures de marche.* → Au moins*, au minimum. *Vingt bons millions.* — REM. Voir un emploi semblable, mais sémantiquement distinct, cit. 7 ci-dessus.

28 L'attaque (...) dura trois bons quarts d'heure.
RACINE, Lettres.

29 Alors Sangrado m'envoya chercher un chirurgien qu'il me nomma, et fit tirer à mon maître six bonnes palettes de sang, pour commencer à suppléer au défaut de la transpiration.
A. R. LESAGE, Gil Blas, II, 2.

29.1 Il y avait trois bons kilomètres à faire pour revenir. Et la nuit complètement tombée (...)
Claude SIMON, le Vent, p. 89.

Loc. *De bonne heure** (cit. 100 à 104). *De bon matin** (cit. 13) : tôt le matin.

**b** Dans des loc. *Une bonne fois** (cit. 2 et 2.1). REM. Voir l'emploi analogue pour les personnes, ci-dessous cit. 56, 57 et *supra.*

**c** Intense, violent. *Une bonne gifle, un bon coup de poing. Une bonne cuite. Il a attrapé un bon rhume.* REM. Cet emploi, avec des subst. désignant des choses pénibles ou mauvaises (mais non dramatiques : on ne dirait guère *un bon cancer*) suppose un effet stylistique d'antiphrase. → Beau, magnifique.

30 Je veux des maladies d'importance : de bonnes fièvres continues (...) de bonnes fièvres pourprées, de bonnes pestes, de bonnes hydropisies formées, de bonnes pleurésies (...)
MOLIÈRE, le Malade imaginaire, III, 10.

**B** (Humain). ♦ **1** (En parlant des organes, des qualités physiques : dispositions, dons naturels...). Qui fonctionne bien. → **Sain.** *Bonne oreille. Bon estomac, bon foie, bonnes jambes.* — Loc. *Bon pied*, bon œil. Avoir bon bec.* → **Bec** (*supra* cit. 7) ; **bon bec.** — *Bonne santé. Être en bon état*, en bonne forme*.*

Je suis assez adroit ; j'ai bon air, bonne mine, 31
Les dents belles surtout, et la taille fort fine.
MOLIÈRE, le Misanthrope, III, 1.

Les soucis d'un amour maternel poussé jusqu'à la passion 32
assombrirent son caractère et troublèrent sa santé naturellement bonne.
FRANCE, le Petit Pierre, I.

♦ **2** (Qualités morales : dispositions de l'âme, de l'esprit, du cœur). Qui est bien disposé, ou disposé vers le bien, tel qu'il est évalué socialement. *Avoir de bons penchants, un bon naturel.* → **Humain, sensible.** — Loc. *Bon cœur.* → **Cœur.** *Bon sens.* → **Sens.** *Bonne composition. Bonne humeur. Vivre en bonne intelligence avec qqn.*

Ce n'est pas assez d'avoir l'esprit bon, mais le principal est 33
de l'appliquer bien (...)
DESCARTES, Disc. de la méthode, I.

M. de Vence, lui dont la tête est si bonne, si bien faite, si 34
bien organisée (...)
Mme DE SÉVIGNÉ, 255, 9 mars 1672.

Je m'étonne comment tant de belles parties 35
En cet illustre amant sont si mal assorties,
Qu'il a si mauvais cœur avec de si bons yeux (...)
CORNEILLE, la Suivante, IV, 7.

J'ai le cœur aussi bon, mais enfin je suis homme (...) 36
CORNEILLE, Horace, II, 3.

Votre sang est trop bon, n'en craignez rien de lâche (...) 37
CORNEILLE, Horace, II, 6.

Le bon cœur est chez vous compagnon du bon sens (...) 38
LA FONTAINE, Fables, XII, 23.

La bonne grâce est au corps ce que le bon sens est à 39
l'esprit. LA ROCHEFOUCAULD, Réflexions, 67.

Un esprit médiocre croit écrire divinement ; un bon esprit 40
croit écrire raisonnablement.
LA BRUYÈRE, les Caractères, I, 18.

La ruse est un talent naturel au sexe ; et, persuadé que tous 41
les penchants naturels sont bons et droits par eux-mêmes, je suis d'avis qu'on cultive celui-là comme les autres, il ne s'agit que d'en prévenir l'abus (...)
ROUSSEAU, Émile, V.

Selon que l'âme, aimante, humble, bonne, sereine, 42
Aspire à la lumière et tend vers l'idéal,
Ou s'alourdit, immonde, au poids croissant du mal (...)
HUGO, les Contemplations, VI, XXVI.

(Des apparences signalant les qualités). *Une bonne tête.* Fam. *Il a une bonne gueule.* — *Un bon rire, un bon sourire.*

Sa figure est bonne et franche ; ses yeux regardent bien en 43
face ; rien de ce qu'on est convenu d'appeler l'*air jésuite.*
LOTI, Figures et Choses..., A. Loyola, p. 71.

Loc. *Avoir bon esprit** (*infra* cit. 75). — Vx. *Le bon esprit** (cit. 127 et 128). — → aussi ci-dessus, cit. 40.

♦ **3** (Personnes). Qui est apprécié dans son rôle social, est considéré comme remplissant sa fonction (dans une appréciation traditionnelle des valeurs sociales). *Un bon artisan, un bon praticien.* → **Adroit, consciencieux, doué, expert, habile, honnête, ingénieux, sérieux.** *Un bon général. Un bon peintre. Un bon acteur. Il est (il n'est pas) très bon dans ce rôle. Les bons auteurs.* → **Grand.** *Bon juge. Un bon pasteur* : un bon guide. Un bon chrétien, un bon musulman, un bon patriote.* → **Fidèle, pur, véritable, vrai.** *Les bons et les mauvais Français. Un bon mari. Un bon père de famille. Une bonne mère. Une bonne ménagère.* — (Dans les relations humaines). Fidèle et sincère. *Un bon et fidèle ami. Un bon camarade. Un bon copain, une bonne copine.* Prov. *Les bons maîtres* font les bons valets. Bon prince. Bon roi.* → **Sage.** Loc. *(Être) bon prince.* → **Prince** (cit. 6 et *supra*).

44 Ce roi, des bons rois l'éternel exemplaire (...)
MALHERBE, II, 1.

45 (...) Il est trop bon mari pour être assez bon père.
CORNEILLE, Nicomède, III, 4.

46 Son père un bon bourgeois, lui sans autre mérite;
Matière infertile et petite.
LA FONTAINE, Fables, I, 14.

47 (...) Laissant de Galien la science suspecte,
De méchant médecin devient bon architecte.
BOILEAU, l'Art poétique, IV.

48 Vous voyez que je suis bon Français; je combats les Anglais à ma façon : je suis comme Diogène qui remuait son tonneau, pendant que tout le monde se préparait à la guerre dans Athènes (...)
VOLTAIRE, Lettre à Mme de Fontaine, 16 avr. 1756.

49 Si Horace est le premier des faiseurs de bonnes épîtres, Rabelais, quand il est bon, est le premier des bons bouffons (...)
VOLTAIRE, Lettre à Mme de Fontaine, 12 avr. 1760.

50 C'est une bonne et honnête fille, qui me sert depuis vingt ans avec l'attachement d'une fille à son père, plutôt que d'une domestique à son maître (...)
ROUSSEAU, Lettres, 426.

51 (...) le bon ouvrier sait que de grandes choses sont possibles et prudemment, peu à peu, les accomplit.
A. MAUROIS, Un art de vivre, III, 1.

REM. Dans ces emplois, le substantif désigne en général un rôle social, jugé du point de vue de l'idéologie dominante : le *«bon ouvrier»* n'est pas apprécié de la même façon par le patron et par le syndicat. Quand le substantif concerne des relations personnelles, les critères sont plus stables *(un bon copain)*.

(En parlant d'un type de comportement global). Qui a des qualités humaines, morales. *C'est une bonne fille, un bon petit gars, un bon petit. Un bon garçon* (→ **Bon garçon; bongarçonnisme, garçonnisme**). *Un bon diable, un bon bougre.* → **Aimable, brave, complaisant, estimable, franc, gentil, honnête, obligeant.** *C'est un bon homme* (vx), *un bon type* (→ **Brave**); *une très bonne femme* (*bonne femme** est lexicalisé). → **Femme** (I., C.). *Un bon enfant* (vx à cause de *bon enfant,* ci-dessous).

52 *(Elle)* vit sous la conduite d'une bonne femme de mère, qui est presque toujours malade (...)
MOLIÈRE, l'Avare, I, 2.

53 Il me parut, comme à vous, un assez bon diable, et d'ailleurs je lui trouvai quelques connaissances mathématiques (...)
D'ALEMBERT, Lettre à Voltaire, 22 déc. 1759.

**BON ENFANT** [bɔnɑ̃fɑ̃] n. m. *Un bon enfant.* — Adj. invar. → **Bon enfant.** *Il est assez bon enfant. Une rondeur bon enfant. Caractère bon enfant.* → **Bonenfantise.**

54 (...) un homme qui paraissait si *bon enfant?* Dans presque toutes les classes de la société, le *bon enfant* est un homme qui a de la largeur, qui prête quelques écus par-ci par-là sans les redemander, qui se conduit toujours d'après les règles d'une certaine délicatesse, en dehors de la moralité vulgaire, obligée, courante.
BALZAC, Splendeurs et Misères des courtisanes, Pl., t. V, II, p. 844.

54.1 J'ai retrouvé cette religiosité bon enfant dans les temples bouddhistes de la frontière birmane où les bonzes vivent et dorment dans la salle affectée au culte, rangeant au pied de l'autel leurs pots de pommade et leur pharmacie personnelle et ne dédaignant pas de caresser leurs pupilles entre deux leçons d'alphabet.
Claude LÉVI-STRAUSS, Tristes tropiques, p. 197.

55 Une exaltation qui se manifestait en gestes bon enfant.
P. et V. MARGUERITTE, les Tronçons du glaive, p. 193, *in* GREVISSE, n° 379 bis.

*Un bon vivant,* qui prend la vie du bon côté. → **Bon vivant.** *Un bon drille.* → **Joyeux.** *Gens de bonne compagnie.* → **Agréable, aimable.**

Iron. et vieilli. (Emploi analogue à A., 6., b et c). Qui a tous les caractères de son genre; absolu, complet (avec quelques noms dépréciatifs). *Un bon hypocrite :* un bel hypocrite.

Eh! la bonne effrontée! MOLIÈRE, Sganarelle, 6. 56

C'est un bon impertinent que votre Molière (...) Voilà un bon nigaud, un bon impertinent, de se moquer des consultations et des ordonnances (...) 57
MOLIÈRE, le Malade imaginaire, III, 3.

Loc. mod. Antiphrase. *Bon apôtre*. Les bonnes âmes disent...* Vx. *Une bonne langue** (mod. mauvaise langue).

Spécialt (avec quelques substantifs dépréciatifs). Dont la bonté est mêlée d'une naïveté, d'une simplicité excessive. → **Bénin, bonasse, boniface, brave, candide, crédule, débonnaire, ingénu, innocent, naïf, paterne, simple.** *Une bonne pâte d'homme. Une bonne dupe.*

La bonne bête a ses raisons. 58
MOLIÈRE, le Malade imaginaire, I, 5.

La bonne dupe que M. Turcaret! 59
A. R. LESAGE, Turcaret, IV, 9.

Spécialt, argot (en attribut). Facile à tromper, duper, d'où : victime, dupe. → **Bonard.** *«J'ai pas compris que c'était une partie de cinéma, j'ai été bon»* (Simonin, in *le Petit Simonin...*). → Être fait, refait; être marron, être de la revue.

(Épithète antéposée avec un nom de chose, mais le même sens global). *Bonne poire*. Et moi, bonne pomme*...* (très fam.).

(Devant un nom propre). Vx. Qui a des qualités supérieures.

Le bon Socrate avait raison 60
De trouver pour ceux-là trop grande sa maison.
LA FONTAINE, Fables, IV, 17.

Mod. Qui a de la bonté. *Ce bon Monsieur X. Cette bonne Louise. Le bon La Fontaine.*

La maison à présent, comme savez de reste, 61
Au bon monsieur Tartuffe appartient sans conteste.
MOLIÈRE, Tartuffe, V, 4.

Loc. (emplois figés). *Bonne sœur.* → **Sœur** (A., 4.). *Les bons Pères :* les religieux. → Autodafé, cit. 1.

Pop. (la langue bourgeoise emploie *cher*) ou iron. *Mon bon monsieur. Eh oui, ma bonne dame!* — Régional (Midi). *Ah, bonnes gens!*

*Mon bon ami, ma bonne amie.* → **Ami.** *Nous sommes restés bons amis.* → On, cit. 16.

Subst. Vx (langue class.). *Mon bon, ma bonne* (appellatif d'affection ou de bienveillance) → ci-dessous, IV., 3. — REM. À l'opposé de l'adj. *(mon bon monsieur)*, le subst. a ici une connotation archaïque et aristocratique.

Ah! ma bonne, quelle peinture de l'état où vous avez été! 62
et que je vous aurais mal tenu ma parole, si je vous avais promis de n'être point effrayée d'un si grand péril!
Mme DE SÉVIGNÉ, 141, 3 mars 1671.

De s'entendre appeler «petit cœur» ou «mon bon!» 63
BOILEAU, Satires, X.

En arrivant, tremblante et prête à s'évanouir, elle *(la duchesse de Bourgogne)* entra tout de suite dans sa garde-robe, et y appela Mme de Nogaret, qu'elle appeloit sa *petite bonne,* et à qui elle alloit volontiers au conseil, quand elle ne savoit plus où elle en étoit. 63.1
SAINT-SIMON, Mémoires, 23 (1704), Pl., t. II, p. 392.

N. B. Littré donne erronément cet exemple sous *bonne* «domestique».

♦ **4** (Après le nom en épithète; surtout en attribut). Qui aime faire du bien, qui fait du bien à autrui. *Un homme bon; une femme bonne et généreuse.* → **Altruiste, bénin, benoît, bienfaisant, bienveillant, charitable, clément, généreux, gracieux, humain, humanitaire, indulgent, magnanime, miséricordieux, philanthrope, secourable, sensible, serviable, sociable.** *Elle est bonne et juste. Il est bon et affable, bon et affectueux, bon et doux, paternel. Est-il bon, est-il méchant?* (titre d'une pièce de Diderot).

64 – Je vous connais, vous êtes bon naturellement,
– Je ne suis point bon, et je suis méchant quand je veux.
MOLIÈRE, les Fourberies de Scapin, I, 4.

65 Un sot n'a pas assez d'étoffe pour être bon.
LA ROCHEFOUCAULD, Réflexions, 387.

66 Être bon aux méchants,
C'est être sot (...) LA FONTAINE, Fables, X, 1.

67 Pour pouvoir être toujours bon, il faut que les autres croient qu'ils ne peuvent jamais nous être impunément méchants.
LA ROCHEFOUCAULD, Maximes supprimées, 621, p. 346.

68 Un seul *(roi, Louis XIV),* toujours bon et magnanime, ouvre ses bras à une famille malheureuse *(les Stuarts).* Tous les autres se liguent comme pour se venger de lui (...)
LA BRUYÈRE, les Caractères, XII, 118.

69 L'essentiel est d'être bon aux gens avec qui l'on vit.
ROUSSEAU, Émile, I, p. 9.

70 Vive, étourdie, capricieuse, folle par la tête, sage par le cœur, bonne par tempérament, méchante par caprice (...)
ROUSSEAU, la Reine fantasque, Œ. compl., t. V, p. 340.

71 Parce qu'elle feignait d'être bonne, elle croyait l'être en effet (...) MARIVAUX, le Paysan parvenu, III.

72 Dans ce monde il faut être un peu trop bon pour l'être assez.
MARIVAUX, le Jeu de l'amour et du hasard, I, 2.

73 Il faut être aussi bonne que je le suis, pour vous passer toutes vos folies (...)
DANCOURT, le Moulin de Javelle, 3.

74 Il sait tout, mais il feint, naïf comme un enfant et bon comme un patriarche (...)
J. VALLÈS, Jacques Vingtras, L'enfant, p. 82.

74.1 Comme c'est difficile, d'être bon! Et j'espère bien ne jamais y arriver. J. RENARD, Journal, 28 avr. 1905.

74.2 Elle a une façon d'être bonne, très méchante.
J. RENARD, Journal, 27 déc. 1887.

REM. Sans être aucunement vieilli, cet emploi est typique d'une époque où les jugements moraux étaient portés sans réticence : l'adjectif *bon* est extrêmement fréquent dans les œuvres pédagogiques du XIXe s., par ex. chez la comtesse de Ségur.

Loc. (1835). *Être bon comme le pain* (vx), *comme le (du) bon pain,* très bon. → Naïf, cit. 8.

75 Bon comme le pain, franc comme l'or, il aimait paternellement les Cucugnanais (...)
Alphonse DAUDET, Lettres de mon moulin, XI.

75.1 Oh! qu'il est gentil! Il est bon comme le bon pain! Il faut que je l'embrasse encore!
J. ANOUILH, Colombe, p. 55.

*Dieu est infiniment bon. Le bon Dieu* (emploi figé). → **Dieu** (cit. 49 et 50). — En interj. *Bon Dieu!* → **Dieu.**

76 Étant infiniment puissant, comme il est infiniment bon, il *(Dieu)* veut tout le bien qu'il peut faire, et il fait tout le bien qu'il veut (...)
FLÉCHIER, Oraison funèbre de M. Lamoignon.

77 Et n'êtes-vous pas trop heureux que le Seigneur, toujours bon et miséricordieux, veuille bien accepter les restes languissants de vos passions et de votre vie?
MASSILLON, Carême, Mot. de couv.

*Il a été assez bon pour* (et inf.). → Avoir la bonté de (→ aussi Bonasse, cit. 0.1).

*Vous êtes trop bon* (formule de politesse). → **Aimable, obligeant.**

78 Vous êtes trop bonne, j'en suis comblée (...)
Mme DE SÉVIGNÉ, 71.

*Trop bon :* naïf, simple (même valeur que *bon,* ironique).

79 On a surpris sa bonne foi; on lui a volé quinze mille francs; dans le fond, il est trop bon (...)
A. R. LESAGE, Turcaret, III, 9.

*Être bon* (vx), *être bien bon,* se disent parfois dans le même sens ironique. *Vous êtes bien bon de le supporter.*

80 Je suis bien bon, dit-il, d'écouter ces gens-là (...)
LA FONTAINE, Fables, X, 1.

L'exemple est admirable, et cette dame est bonne! 81
MOLIÈRE, Tartuffe, I, 1.

Iron. (vx). Comique, réussi.

Parbleu! le voilà bon avec son habit d'empereur romain! 82
MOLIÈRE, Dom Juan, III, 5.

Fam. *Tu es bon, toi! Vous êtes bon, avec votre morale! :* vous parlez bien, mais vos remarques sont hors de propos.

♦ **5** Régional (attribut). Dans une situation favorable; hors de danger. *Ça y est, on a passé, on est bons!* → **Sauf, sauvé.**

♦ **6** (Actions, caractères humains; en épithète en général antéposée). Conforme au jugement moral. → Plein, cit. 13. *Une bonne action* (→ **B.A.**). *Un bon mouvement :* un acte charitable, aimable. *Allons, un bon mouvement! Bonnes paroles. Bonnes œuvres.* → **Beau, charitable, généreux, louable, méritoire, noble, vertueux.** *Bonnes mœurs** (I., 2.), *bonne conduite.* → **Digne, exemplaire, honnête, honorable, louable, méritoire, modèle, moral, raisonnable, vertueux.** *Certificat de bonne vie et mœurs. Bonne foi** (*infra* cit. 14). *Bonne contenance**. → **Courageux, énergique.** *Le bon droit. La bonne cause. En bonne justice.* → **Droit, équitable, juste.**

Pourquoi juger si mal de son intention? 83
Il croit récompenser une bonne action.
RACINE, Esther, III, 1.

L'un des avantages des bonnes actions est d'élever l'âme et de la disposer à en faire de meilleures (...) 84
ROUSSEAU, les Confessions, I, 6.

La morale est la science des lois naturelles, ou des choses qui sont bonnes ou mauvaises dans la société des hommes (...) 85
DIDEROT, Opinion des anciens philosophes.

Qui est conforme aux usages. → **Correct.** *Pour la bonne règle.*

**C** Constructions particulières (surtout attribut; en épithète, après le nom). ♦ **1** (1250). **BON POUR,** suivi d'un nom (cit. 86, 87 et 89 ci-dessous) ou de l'inf. (cit. 90). Qui convient bien, est utile à (telle chose, telle action). → **Convenable, efficace, favorable, propice, utile.** *Remède bon pour le foie.* Loc. fam. *C'est bon pour ce que tu as! Terre bonne pour le coton. Il est bon pour ce métier.* → **Capable.** — (Choses). *Être bon pour qqn. Tout (leur, lui) est bon pour* (faire qqch.). Ellipt. *Tout (leur, lui) est bon.*

Il ne fallait pas faire faire cela par un écolier; et vous n'étiez pas trop bon vous-même pour cette besogne-là. 86
MOLIÈRE, le Bourgeois gentilhomme, I, 2.

Ils sont trop verts *(les raisins),* dit-il et bon pour des goujats. LA FONTAINE, Fables, III, 11. 87

Je ne sais si ce remède serait bon pour vous; quant à moi, je vous assure qu'il serait indubitable pour finir ma vie. 88
Mme DE SÉVIGNÉ, 614, 16 juin 1677.

Frappez l'arbre infructueux qui n'est plus bon que pour le feu (...) 89
BOSSUET, Oraison funèbre de Marie-Thérèse d'Autriche.

Quand on est en péril de mort toutes les armes sont bonnes pour se défendre. 90
CLAUDEL, Feuilles de Saints, Sainte-Thérèse.

Mais n'importe quelle bêtise, des grimaces, des singeries (...) Ça les fait chaque fois crouler de rire... Tout leur est bon, n'est-ce pas? 90.1
N. SARRAUTE, Vous les entendez?, p. 15.

Spécialt. Qui a une valeur d'échange reconnue. *Billet bon pour...* → **Valable.** *Bon pour...* (formule). → 2. **Bon,** n. m.

(Personnes). Apte*. *Bon pour le service armé. Bon pour le service,* se dit d'un conscrit déclaré apte à faire son service militaire.

(1835). Argot. Reconnu coupable d'un délit et arrêté comme tel. *Être bon* (sous-entendu, pour la prison, pour la potence...), être promis à la prison, à la potence... Par ext. *On est bon pour la contravention !,* on va l'avoir infailliblement (surtout présent, imparfait). *Il ne fallait pas tant boire; maintenant, tu es bon pour la crise de foie.* — Absolt. *On est bon !* (pour le pépin, les complications, les ennuis). → **Cuit, fait** (→ fam. On y a droit). *Si jamais il y a des représailles, nous sommes bons !,* notre compte est bon. *C'est le patron qui appelle. On est bon ! :* on n'y coupe pas. — À la forme négative (fam.). *N'être pas bon pour :* n'être pas disposé à, pas d'accord pour. *Je ne suis pas bon pour la corvée.* → **Chaud, emballé.**

90.2 Sur le boulevard Rochechouart les poulets, déployés en éventail sur deux rangs, tapaient les piétons aux fafs. D'un coup de châsses encore un peu vif, j'ai distingué près de Pigalle quelques voitures qui se massaient; ça devait être le grand barrage. J'étais pas bon.
A. SIMONIN, Touchez pas au grisbi, p. 67.

♦ **2 BON CONTRE :** qui réussit, efficace*. *Un remède bon contre les piqûres. Est-ce que c'est bon contre les moustiques ?*

♦ **3 BON EN** [bɔ̃nɑ̃] (attribut). Spécialt (personnes). Compétent, connaisseur. *Il est bon en physique. Elle est bonne en anglais.* — Ellipt. *Est-ce qu'elle est bonne ?* (en classe, à l'école).

♦ **4 BON À** [bɔ̃a] (et inf. passif). *Cette eau est bonne à boire,* est potable, peut être bue. *Il livre le produit bon à emballer.* → **Prêt.** (Et inf. actif). *Cet outil n'est pas bon à percer le béton.* → **Utile.** *Il est tout juste bon à manger et à dormir.* REM. Cet emploi est en général restrictif ou négatif. (Et pronom). *À quoi est-il bon ? Il n'est bon à rien* (cit. 14); il n'est pas bon à grand-chose. Prov. *À quelque chose malheur* (cit. 9) est bon* (→ ci-dessous, cit. 94).

91 Franchement, il *(un sonnet)* est bon à mettre au cabinet.
MOLIÈRE, le Misanthrope, I, 2.

92 On ne me trouve pas bonne à jeter aux chiens (...)
Mme DE SÉVIGNÉ, 235.

93 La vérité n'est pas toujours bonne à dire.
RACINE, Livres annotés.

94 Il prit pour sa devise : malheur est bon à quelque chose.
VOLTAIRE, l'Ingénu, 20.

95 C'est n'être bon à rien de n'être bon qu'à soi.
VOLTAIRE, 7e discours, Sur la vraie vertu.

96 Sitôt que nous sommes parvenus à donner à notre élève une idée du mot *utile,* nous avons une grande prise de plus pour le gouverner (...) *A quoi cela est-il bon ?* Voilà désormais le mot sacré, le mot déterminant entre lui et moi dans toutes les actions de notre vie (...)
ROUSSEAU, Émile, III, p. 202.

97 — (...) Et puis, comme dit le proverbe, ce qui est bon à prendre...
— J'entends, est bon...
— À garder.
BEAUMARCHAIS, le Barbier de Séville, IV, 1.

98 Il dit : «Avec ma patte en bois, je ne suis plus bon à rien !» Mais ce n'est qu'un prétexte (...)
MARTIN DU GARD, les Thibault, t. IX, p. 53.

98.1 Toute cette bonté me tue. Si je m'interdis d'être un peu méchant à quoi suis-je bon ?
J. RENARD, Journal, 19 sept. 1904.

Loc. (1833, É. Corbière, *in* D. D. L.) **BON À RIEN** [bɔ̃aʀjɛ̃], **BONNE À RIEN** [bɔnaʀjɛ̃] n. Personne incapable, qui ne sait rien faire. → **Propre** (cit. 17, 18 : *propre à rien*). *C'est une bonne à rien. Quel bon à rien !* — Adj. *Il est vraiment bon à rien* (valeur différente de *il n'est bon à rien,* ci-dessus cit. 95 et 98). *Une dactylo bonne à rien.* — Argot (même sens). *Bon à lap*, à lappe.*

♦ **5** Loc. interrog. **À QUOI BON :** à quoi cela est-il bon, peut-il servir ? → **Pourquoi.** *À quoi bon continuer ? À quoi bon tous ces efforts ? «Répéter toutes les secondes : À quoi bon !»* (→ Aquoibonisme, cit., Cocteau).

Mais à quoi bon, Seigneur, les soins que vous prenez ? 99
MOLIÈRE, la Princesse d'Élide, I, 1.

Pourquoi, dans ton œuvre céleste, 100
Tant d'éléments si peu d'accord ?
À quoi bon le crime et la peste ?
Ô Dieu juste, pourquoi la mort ?
A. DE MUSSET, l'Espoir en Dieu.

Les choses qu'on a une fois quittées, 101
À quoi bon leur garder son cœur ?
CLAUDEL, Feuilles de Saints, Ballade.

Emplois substantivés (n. m.; parfois écrit *à-quoi-bon*) :

Je sais, de mieux en mieux, moi, quelle est la raison de cet épuisement : c'est le doute, c'est l'éternelle question «à quoi bon» enracinée dans mon esprit depuis toujours, que je ne puis déloger. Ah, si l'«à quoi bon» n'avait germé dans mon âme, puis n'avait poussé, puis n'avait tout recouvert, n'avait étouffé les autres plantes, j'aurais été un autre, comme dit l'autre. 101.1
IONESCO, Journal en miettes, p. 38.

Je me sens évidemment un peu seul, un peu bête et je commence à me demander si tout au Lossan va être aussi difficile, si cette amertume va continuer de monter en moi, cet à-quoi-bon ? 101.2
François NOURISSIER, le Maître de maison, p. 67.

♦ **6** Loc. div. (où *bon* est attribut). **BEL ET BON.** → **Beau** (cit. 74).

Tout ce que vous prêchez est, je crois, bel et bon; 102
Mais je ne saurais, moi, parler votre jargon.
MOLIÈRE, les Femmes savantes, II, 6.

*Il est bon de,* suivi de l'inf. *Il est bon que,* suivi du subjonctif.

Il est bon qu'un mari nous cache quelque chose. 103
CORNEILLE, Polyeucte, I, 3.

Il est bon de parler, et meilleur de se taire (...) 104
LA FONTAINE, Fables, VIII, 10.

Il est bon, il est beau, quoi qu'on en dise, que toutes nos actions soient pleines de Dieu, et que nous soyons sans cesse environnés de Dieu (...) 105
CHATEAUBRIAND, le Génie du christianisme, III, 5, 6.

*Avoir cela de bon que...*

Ils ont cela de bon qu'ils ne lassent pas de dire (...) 106
PASCAL, les Provinciales, 1.

*Avoir du bon.* → **Bon,** n. m. (ci-dessous, IV., 2.).

Ces malheureux rois, 107
Dont on dit tant de mal, ont du bon quelquefois.
François ANDRIEUX, le Meunier de Sans-Souci.

*Rien de bon :* rien qui vaille. *N'attendre, n'augurer, n'espérer, ne présager rien de bon de quelque chose.*

Certain homme dont l'encolure 108
Ne me présage rien de bon (...)
MOLIÈRE, Amphitryon, I, 2.

Ce portrait ne nous dit rien de bon (...) 109
MOLIÈRE, Sganarelle, 6.

Ne croyez jamais rien de bon de ceux qui outrent la vertu (...) BOSSUET, Hist. des Variations, XI, 60. 110

*Trouver bon; croire bon, juger bon :* juger à propos. *Trouvez bon que...* → **Admettre, agréable** (avoir pour agréable), **approuver, permettre.**

(...) Quoique tous vos conseils soient les meilleurs du monde, vous trouverez bon, s'il vous plaît, que je n'en suive aucun. MOLIÈRE, l'Amour médecin, I, 1. 111

Vous trouvez donc bon qu'on vous aime ? 112
Fort bon. MOLIÈRE, le Sicilien, 6.

Il faut, si vous le trouvez bon, que nous nous coupions la gorge ensemble (...) MOLIÈRE, le Mariage forcé, 9. 113

Cette considération ne m'a jamais retenu de faire ce que j'ai cru bon et utile (...) 114
ROUSSEAU, Lettre à Moultou, 25 avr. 1762.

*Sembler bon. Comme bon vous semble.* → **Guise** (à votre guise).

Usez-en comme bon vous semble. 115
CORNEILLE, Agésilas, IV, 4.

116 (...) en ne buvant que de l'eau et ne mangeant que du pain, si bon leur semble, ils seront contents de leur sort et feront envie à leurs voisins (...)
VAUBAN, Projet d'une dîme royale, p. 61.

117 On demandera peut-être (car on devient curieux) combien de gens en France ont le droit ou le pouvoir d'emprisonner qui bon leur semble, sans être tenus de dire pourquoi (...)
P.-L. COURIER, Lettres, IV.

Au fém. Loc. *La bailler, la donner bonne* (vieilli). → **Bailler, donner.** Fam. *Je vous la souhaite bonne.* → **Chance.**

118 Les giboulées de mars balayaient le ciel, et la pluie cinglait le pauvre âne qui disparut derrière une rafale.
– Je la lui souhaite bonne.
H. BOSCO, l'Âne Culotte, p. 32.

(En parlant d'une histoire, d'une plaisanterie). Loc. fam. *Elle est bien bonne (cette histoire),* elle est drôle.

N. f. *Une bonne, des bonnes* (rare); *une bien bonne* (courant).

118.1 C'est le raconteur de bien bonnes qui annonce en bridant l'œil : attention les gars vous allez vous marrer cinq minutes.
Jacques PERRET, Bâtons dans les roues, p. 229.

118.2 À Palerme (...) il s'en laisse conter de bien bonnes sur la saleté et la grossièreté moscovites (...)
M. YOURCENAR, Archives du Nord, p. 140.

(En parlant d'une nouvelle, d'informations). *J'en apprends de bonnes,* des choses extraordinaires, surprenantes (→ De belles. → **Beau,** *supra* cit. 75).

119 Votre Majesté lui en dirait de bonnes sur l'horreur d'avoir excité une guerre civile (...)
VOLTAIRE, Lettre à Catherine II, 20.

(En parlant d'un argument, de la manière de se conduire de qqn). *Il en a de bonnes (lui, celui-là)!*

120 Il croisa les bras, rageusement :
– Pour se faire coller au mur? Non, mais dis! tu en as de bonnes!... Au moins, *là-bas,* chacun court sa chance; on peut s'en tirer, avec deux sous de veine!
MARTIN DU GARD, les Thibault, t. VIII, p. 281.

120.1 – Ah! il vous a fait dire cela froidement comme cela! Il en a de bonnes! s'écria Bloch en s'esclaffant, tandis que l'historien souriait avec une timidité majestueuse.
PROUST, le Côté de Guermantes, Folio, p. 232.

**II** **BON,** adv. et en loc. adv. ♦ **1** Valeur adv. **FAIRE BON** (impers.). *Il fait bon,* on est bien, c'est agréable (température, etc.). *Il fait bon aujourd'hui.* → **Beau, doux.** *Il fait, il faisait très bon, bien bon dans cette pièce. – Il fait bon,* suivi de l'inf. *Il fait bon vivre dans cet endroit. «Auprès de ma blonde, qu'il fait bon dormir»* (refrain de la chanson pop. *Auprès de ma blonde*). → **Agréable.** *– Il ne fait pas bon se promener dans ce quartier :* l'endroit n'est pas sûr.

121 Il ne fait pas bon ici pour vous.
MOLIÈRE, Dom Juan, II, 5.

122 Il fait bon vivre chez vous.
A. DE VIGNY, Chatterton, III, 6.

Loc. *Sentir* bon* (→ **Agréablement, délicieusement**). *– Tenir* bon* (→ **Ferme, fermement, fort, solidement; résister**).

123 L'arbre tient bon; le roseau plie.
LA FONTAINE, Fables, I, 12.

124 Lorgnant du coin de l'œil ce rôti qui avait si bonne mine et qui sentait si bon, je ne pus m'abstenir de lui faire aussi la révérence, et de lui dire d'un ton piteux : adieu rôti (...)
ROUSSEAU, les Confessions, I.

Vx. *Coûter bon.* → **Cher.**

♦ **2** Loc. adv. (où *bon* est subst.). **TOUT DE BON.** → **Effectivement, réellement, sérieusement.** *À la fin, ils se querellèrent tout de bon.*

125 – C'est sans raillerie que vous parlez? – Sans raillerie. – Vous vous mariez tout de bon? – Tout de bon.
MOLIÈRE, le Mariage forcé, 7.

126 (...) je le prenais tout de bon pour raisonnable parce qu'il était raisonneur (...) ROUSSEAU, les Confessions, VI.

Le sultan entra tout de bon dans la peine extrême qu'une 126
aventure aussi surprenante devait avoir causée à la princesse (...)
A. GALLAND, les Mille et une Nuits, t. III, p. 117.

**POUR DE BON** [puʀdəbɔ̃] loc. adv. **a** D'une manière effective.

Elle touchait pour de bon à l'accomplissement de ce rêve 127
qu'elle avait, des années durant, caressé.
MARTIN DU GARD, les Thibault, t. III, p. 65.

(...) il ne serait pas prudent pour lui, de toute manière, de 127
rester une journée de plus dans la concession anglaise, à attendre que la police vienne l'arrêter pour de bon.
A. ROBBE-GRILLET, la Maison de rendez-vous, p. 188.

**b** Fam. D'une manière sérieuse, sans plaisanter. *C'est pour de bon, ou pour de rire?*

♦ **3** Fam. **À LA BONNE,** loc. adv. *Avoir qqn à la bonne,* le trouver sympathique, avoir pour lui toutes les indulgences. *Je ne crains rien, il m'a à la bonne.*

C'est la dernière fois que je te tire d'affaire. Les autres, je 127
les tirerai toujours d'affaire. Toi, j'en ai marre. Si tu ne m'as pas à la bonne, faut le dire.
DRIEU LA ROCHELLE, la Comédie de Charleroi, p. 208 (1934).

Il m'a pas très à la bonne... Il doit être un peu jaloux... 127
CÉLINE, Guignol's band, p. 52.

♦ **4** (Emploi adverbial, s'accordant avec le subst.). Cour. *Bon* (ou, vx, *beau*) *premier, bon dernier :* absolument premier, dernier. *Elle est arrivée bonne première.*

Régional (Suisse, etc.) avec quelques adj. monosyllabiques. *Bon chaud, bon frais :* agréablement chaud, frais. *«Ma chambre est bonne chaude aussi (...) et bien rangée...»* (T. Combes, *Petites gens,* p. 174). *De la bière bonne fraîche. Du foin bon sec.*

**III** Interj. Marque l'approbation, et aussi parfois la surprise, l'ironie. → **Bien, soit.** – Ponctuation orale (sans valeur positive). *Bon! on s'en va! C'est fini? Bon! À demain. Bon, alors, c'est pour quand? Bon, c'est encore loupé!* → ci-dessous, *allons, bon!*

Ah! bon, bon, le voilà. MOLIÈRE, l'Étourdi, III, 4. 128

Bon, dit Climène, en voici bien d'une autre; 129
Ma chère sœur, quelle idée est la vôtre.
VOLTAIRE, les Filles de Minée, *in* LITTRÉ.

Pour une comédie, le mot superbe d'un de nos jeunes 129
parents : «En telle année, mon père meurt... Bon!»
Ed. et J. DE GONCOURT, Journal, t. III, p. 16.

(...) chez soi ou dans les usines, bon, c'est dans l'ordre des 129
choses, mais s'en vanter, c'est le comble.
CAMUS, la Chute, p. 54.

*Ah bon!,* marque le renoncement devant une évidence. – *Allons, bon!,* marque la surprise, la résignation.

Martial se dit qu'il n'avait pas encore achevé sa croissance. 129
Allons, bon! Il ne lui restait plus que trente ans à vivre, et voilà qu'il n'était même pas adulte!
Jean-Louis CURTIS, le Roseau pensant, p. 215.

**IV** ♦ **1** N. m. (1130). Vieilli. Ce qui est bon. *Le bon et le mauvais. Il ne veut que du bon.* – Fam. *Ça, c'est du tout bon.*

Que le bon soit toujours camarade du beau (...) 130
LA FONTAINE, Fables, VII, 2.

Discernant non seulement le bon d'avec le mauvais, mais 131
encore le meilleur d'avec le bon (...)
FLÉCHIER, Oraison funèbre de M. Lamoignon.

Ce qu'il y a de piquant, de plaisant, d'intéressant dans qqch. *Le bon de l'histoire est qu'il ne s'aperçut de rien.*

La satire de Pétrone est un mélange de bon et de mauvais, 132
de moralités et d'ordures (...)
VOLTAIRE, Mélanges historiques, «Le pyrrhonisme de l'histoire», XIV.

Ce qu'il y a d'important, d'avantageux dans une affaire. *Le bon de l'affaire, de la chose.*

133 Le bon de cette profession *(médecin)* c'est qu'il y a (...)
MOLIÈRE, le Médecin malgré lui, III, 1.

♦ **2** (Avec *avoir*). Ce qu'il y a de bon, de meilleur dans une personne ou une chose. *Il y a du bon et du mauvais en cet homme, dans cet ouvrage.*
*Avoir du bon :* présenter des avantages. → ci-dessus, cit. 107. *Cette solution a aussi du bon.*
Pop. ou par plais. *Y a bon* [jabɔ̃] : c'est bien.

♦ **3** (V. 1225; surtout au plur.). Celui qui est bon, l'homme de bien. *Les bons et les méchants.*

134 Remplir les bons d'amour, et les méchants d'effroi.
CORNEILLE, le Cid, I, 3.

*Mon bon, ma bonne* (→ ci-dessus, I., cit. 62, 63 et 63.1), terme d'affection ou appellatif condescendant.

135 Quant aux lettres qu'il a reçues de Nietzsche, orgueil de sa bibliothèque, et qu'il ne te communiquera jamais, ce sont, mon cher bon, des engueulades.
MALRAUX, Antimémoires, Folio, p. 45.

136 Prenez donc l'escalier de service, mon bon. Pour les livreurs, les arrivistes, les resquilleurs, les clodos qui veulent se glisser d'une classe à l'autre, c'est la porte de service.
Christine ARNOTHY, Un type merveilleux, p. 375.

REM. Ces emplois, sans être vieux, sont marqués.

CONTR. **Mauvais; exécrable, ignoble, infect. — Méchant; malfaisant, malin; abominable, cruel, dur, féroce. — Inacceptable, inadmissible. — Médiocre.** ◊ DÉR. 2. **Bon, bonard, bonne, bonnement, bonnir.** — V. (Du lat.) **Bonasse, bonifier, bonté, bonus.** ← COMP. **Aquoibonisme, bon bec, bonbon, bondieusard, bondieuser, bondieuserie, bon enfant** (et aussi ci-dessus à l'article), **bon garçon, bonheur, bonhomme, bonjour, bon marché (V. Marché), bonne-dame, bonne femme (V. Femme), bonne-grâce, bonne-main, bonne-maman, bon-papa, bon sens (V. Sens), bonsoir, bon vivant.** — V. aussi **Bon-chrétien, bon-henri, boniface, ébonnaire.** ← HOM. 2. **Bon, bond.**

2. **BON** [bɔ̃] n. m. — Av. 1750, Saint-Simon; de 1. *bon.* → Bon pour...

♦ **1** Formule écrite constatant le droit d'une personne d'exiger une prestation, de toucher une somme d'argent. → **Billet.** *Un bon de pain, de viande. — Bon au porteur, à vue. Signer, souscrire un bon, des bons.*
*Bon de caisse :* effet émis en contrepartie d'un prêt à court terme productif d'intérêt, et engageant l'émetteur à un remboursement à échéances déterminées.
*Bon du Trésor :* titre représentatif d'un emprunt d'État, à court terme. *Les bons du Trésor sont «employés par l'État pour faire rentrer dans ses caisses une partie des billets en circulation. Ils sont sur formule s'ils sont placés dans le public ou émis en comptes courants tenus à la Banque»* (Romeuf, *Dict. sc. économique*).

♦ **2** Imprim. *Bon à tirer* : épreuves bonnes à tirer, prêtes pour le tirage (abrév. : *b.à.t.*). *Envoyer les bons à tirer à l'imprimeur.*

HOM. 1. **Bon, bond.**

**BONACE** [bɔnas] n. f. — Fin XIIe; *bounasse*, av. 1266; provençal *bonassa*, du lat. pop. **bonacia*, réfection d'après *bonus* «bon» du lat. *malacia* «calme de la mer», du grec *malakia*, de *malakos* «mou», senti comme un dér. de *malus* «mauvais».

♦ **1** Mar. Calme* plat de la mer après ou avant une tempête. → **Repos, tranquillité.** *Profiter de la bonace pour s'embarquer.*

1 Un orage si prompt, qui trouble une bonace,
D'un naufrage certain nous porte la menace (...)
CORNEILLE, le Cid, II, 3.

♦ **2** Fig. Vx ou littér. État de paix. → **Apaisement, calme, quiétude, tranquillité.**

Nous n'avons rien qui menace 2
De troubler notre bonace (...)
MALHERBE, II, 2, *in* LITTRÉ.

Quand les choses s'adouciront, il ne s'endormira pas, pour 3
cela, dans la bonace (...)
GUEZ DE BALZAC, Avis écrit.

(...) je suis sûr que, malgré ma bonace charnelle, si je me 4
trouvais en face de certaine femme dont la vue m'affole, je céderais.
HUYSMANS, En route, p. 155.

Ah que de besogne! Quel théâtre autour de moi déchaîné, 5
quelles patiences sournoises du mal dans ses bonaces, quelle imagination du bruit.
François NOURISSIER, le Maître de maison, p. 175.

CONTR. **Bourrasque, grain, ouragan, tempête. — Agitation, inquiétude, nervosité, trouble.** ◊ HOM. **Bonasse.**

**BONAPARTEUX** [bɔnapaʀtø] adj. — 1878; de *Bonaparte.*
Péj. et vx. Bonapartiste.

**BONAPARTISME** [bɔnapaʀtism] n. m. — 1816; de *Bonaparte.*

♦ **1** Forme de gouvernement dont les principes rappellent ceux du gouvernement des Bonaparte (→ **Empire).**

♦ **2** Attachement à la dynastie de Napoléon Bonaparte et des Bonaparte ou à leur système politique.

Le magistrat qui les poursuit avec tant de rigueur aujourd'hui sous prétexte de bonapartisme (...) faisait (...) saisir le conscrit réfractaire, et conduire aux galères l'enfant qui préférait son père à Bonaparte (...)
P.-L. COURIER, Pétition aux Chambres, 10 déc. 1816.

REM. On a employé la var. péj. *bonapartisterie*, n. f. (1876).

**BONAPARTISTE** [bɔnapaʀtist] adj. et n. — 1809, *in* D. D. L.; de *Bonaparte.*
Qui a rapport au bonapartisme*.
Partisan du bonapartisme. *Il est bonapartiste.* — N. *Les bonapartistes corses.*

Vous vous êtes dit, en artiste,
Que ce serait joli d'être bonapartiste.
Edmond ROSTAND, l'Aiglon, II, 10.

**BONARD, ARDE** ou **BONNARD, ARDE** [bɔnaʀ, aʀd] adj. — 1887, «naïf, jobard»; de *bonard*, régional, «imbécile» (1859), dér. de 1. *bon.*

♦ **1** Argot, fam. Crédule; dupe. *Il est bonard :* il a été dupé. → **Bon** (*infra* cit. 59); **avoir** (*supra* cit. 56), **posséder** (*infra* cit. 32). *«Je suis fait Bonnard! (sic)»* (Céline, *Mort à crédit*, Pl., p. 753).

*(Développement) : Il faut parler :* le silence en ces matières 1
est ce qu'il y a de plus dangereux au monde. On devient dupe de tout. On est définitivement fait, bonard. Il faut d'abord parler, et à ce moment peu importe, dire n'importe quoi.
Francis PONGE, le Parti pris des choses, p. 190.

♦ **2** Régional (notamment Sud de la France). Beau, belle. *Elle est bonarde.* — Fam. (Choses). Bon. *C'est bonard!*
Exclam. *Bonard! :* bon, bien, parfait! *Bonard! On a gagné.*
En emploi substantif et partitif :

Moi, je ne suis qu'une nénette à la con, tandis que Cathe- 2
rine c'est du vachement bonnard, de la vraie nana cent pour cent.
Cecil SAINT-LAURENT, la Bourgeoise, p. 262.

**BON À RIEN** [bɔ̃aʀjɛ̃] n. m. → **Bon** (I., C., 4.).

**BONASSE** [bɔnas] adj. — Fin XVe; ital. *bonaccio* (du lat. *bonus*), «calme». → Bonace.

(Personnes). Faible, d'une bonté excessive par simplicité d'esprit, par peur des conflits. → **Boniface** (vx), **faible, mou.** *Un homme bonasse* (→ Bonhomme, cit. 3). — REM. Sans être ni archaïque ni littéraire, le mot est marqué et plus ou moins fréquent selon les régions.

0.1 — Comment, ils ont été assez bons ?
— Assez bons, assez bons, assez bonasses, vous voulez dire.
Henri MONNIER, Scènes populaires, «Les bourgeois campagnards», 5, p. 335.

N. *Un bonasse.*

Par ext. *Caractère, figure, air, ton bonasse. Des apparences bonasses. Langage bonasse* (→ **Bonhomie**). — Subst. (N. m.). → ci-dessous, cit. 2.

1 Je l'aurais déjà poussé si je lui avais trouvé quelque disposition, mais il a l'esprit trop bonasse, cela ne vaut rien pour les affaires (...) A.-R. LESAGE, Turcaret, II, 5.

2 C'est *(Turenne)* un terne visage hollandais *(il l'était de mère et d'éducation)*, qui tournerait au bonasse s'il n'avait la bouche fort arrêtée, réservée, mais très ferme.
MICHELET, Extraits historiques, p. 228.

3 (...) tout leur visage est calme ou reposé, paterne ou bonasse : tel est le bonheur du tempérament flegmatique (...) TAINE, Philosophie de l'art, t. II, p. 307.

4 Les bêtes et les gens n'arrivaient pas à le haïr : à cause d'une espèce d'inertie bonasse ou peut-être à cause de son visage. SARTRE, l'Âge de raison, VII, p. 102.

5 Quel drôle de moinillon avec ses mains à l'intérieur des manches. Cette odeur douceâtre, débonnaire et bonasse depuis qu'elles sont entrées, serait-ce l'odeur des vieux manteaux qu'on me donnait à neuf ans ? C'est l'odeur de la misère qui ne finit pas.
Violette LEDUC, la Folie en tête, p. 127 (1970).

CONTR. **Dur, énergique, fin, sévère.** ◊ DÉR. **Bonassement, bonasserie.** — HOM. **Bonace.**

**BONASSEMENT** [bɔnasmɑ̃] adv. — 1770; de *bonasse.*

D'une manière bonasse.

1 (...) le maître, gros Turc à teint basané, à barbe noire, à physionomie bonassement féroce, nous fit servir d'un air aimablement terrible du rahat lokoum rose et blanc.
Th. GAUTIER, Constantinople, 1873, p. 98.

2 Il y avait, si vous voulez, des choses très simples : le directeur de la prison de Saigon, qui appelait bonassement «Sale gosse», en lui tapotant la joue, un petit Annamite condamné à mort.
MALRAUX, Antimémoires, Folio, p. 436.

**BONASSERIE** [bɔnasʀi] n. f. — 1840, Balzac; de *bonasse.*

Vieilli ou littér. Caractère de celui qui est bonasse. *«La bonasserie l'expose à tomber dans tous les pièges»* (E. Sue).

**BON BEC** [bɔ̃bɛk] n. m. — D. i.; de *(avoir) bon bec.* → 2. Bec.

Vx. Personne bavarde; personne qui sait attaquer et se défendre en paroles. *Des bons becs.* → **Bec,** cit. 7 et *supra* (avoir bon bec).

**BONBON** [bɔ̃bɔ̃] n. m. — 1604, «friandise»; redoublement de 1. *bon.*

♦ **1** [a] Vx. *Du bonbon.* Confiserie, sucrerie; friandise en général.

1 L'évêque successeur et neveu *(de M. de Chartres)* en était pour ainsi dire encore à recevoir du bonbon de sa main *(de Mme de Maintenon).*
SAINT-SIMON, Mémoires, 289, 201.

[b] Mod. Régional (Belgique). Friandise consistant en biscuit sec.

♦ **2** Mod. *(Un, des bonbons).* Petite friandise de consistance ferme ou dure faite de sirop aromatisé. *Une fabrique de bonbons.* → **Bonbonnerie** (vx), **confiserie.** *Bonbons mi-ouvrés.* → **Pastille** (de menthe, de Vichy). *Bonbons fondants. Bonbons acidulés, bonbons anglais. — Bonbons cuits ou bonbons durs* (syntagmes techniques, non courants). → **Berlingot, bêtise, caramel, dragée, praline, sucre** (d'orge). — *Bonbons au chocolat.* → **Crotte** (de chocolat). *Bonbon fourré :* sucre qui enrobe une pâte de fruit, de la liqueur. *Bonbon à la gomme.* → **Boule** (de gomme). *Bonbon parfumé à l'anis, au citron. Bonbon à la menthe. Une boîte de bonbons. Boîte à bonbons.* → **Bonbonnière.** *Un sac, un cornet de bonbons. Bonbon enveloppé dans un papier* (→ **Papillote**). *Manger des bonbons. Être gourmand de bonbons. Se bourrer de bonbons.*

J'arrangerais une boîte bien garnie de bonbons (...) 2
ROUSSEAU, Émile, II.

D'abord, elles s'assirent par terre, pour manger des bonbons achetés en passant chez le confiseur en vogue de Stamboul. LOTI, les Désenchantées, V, XXXIV, 197. 3

Elle rentra dans la boutique et disparut derrière les bocaux remplis de bonbons anglais qui tordaient leur émail rose contre la paroi de verre (...) 4
PROUST, Jean Santeuil, Pl., p. 358.

Fig. et vx. *Un bonbon rose :* une personne jeune et insignifiante, dont la vie s'écoule sans soucis.

Loc. mod. *Rose bonbon :* rose tendre.

♦ **3** *Bonbon noir :* morelle noire (plante) à fruits noirs (comparés à des bonbons).

♦ **4** Régional (Belgique). Biscuit, petit gâteau.

♦ **5** Fig. et pop. [a] (Fin XIX[e]). Vx. Furoncle, pustule.

[b] Mod. Au plur. Testicules. Loc. fig. *Casser les bonbons à qqn.* Syn. : *casser les couilles**.

♦ **6** Adv. Pop. *Ça coûte bonbon,* cher (redoublement de *bon,* dans *coûter bon,* → Bon, *supra* cit. 123).

DÉR. **Bonbonnerie, bonbonnière.**

**BONBONNE** ou **BOMBONNE** [bɔ̃bɔn] n. f. — 1823, *in* D. D. L.; provençal *boumbouno* «sorte de bouteille», du lat. *bombus.* → Bombarde, bombe.

♦ **1** Récipient pansu, à col étroit et court, servant à conserver des liquides; contenu de ce récipient. → **Dame-jeanne, jaquelin.** *Une bonbonne en verre, en grès. Bonbonne d'huile, de vin. Bonbonne recouverte d'osier, munie d'anses. Du vin en bonbonnes. — Acheter du vin par bonbonnes.*

Vous trouverez dans la voiture la bonbonne de vieille eau-de-vie. Je l'ai fait emballer avec beaucoup de soin (...)
BERNANOS, Sous le soleil de Satan, Œ. roman., Pl., p. 123.

♦ **2** Fam. et vieilli. *Une grosse bonbonne :* une grosse femme.

REM. La graphie *bombonne,* conforme à l'étym. et à la gramm., tend à s'effacer au profit de *bonbonne* depuis Littré et Académie (Huitième éd.).

**BONBONNERIE** [bɔ̃bɔnʀi] n. f. — 1804; de *bonbon.*

Techn. et vx. Industrie, commerce des bonbons (syn. mod. : *confiserie**).

**BONBONNIÈRE** [bɔ̃bɔnjɛʀ] n. f. — 1777; de *bonbon.*

♦ **1** Petite boîte à bonbons. → **Chocolatière, drageoir.** *Une bonbonnière en porcelaine, en argent. Une bonbonnière élégante, finement travaillée.*

(...) le vieux maréchal de Guermantes, remplissant ma bonne d'orgueil, s'arrêtait aux Champs-Élysées en disant : «Le bel enfant !» et sortait d'une bonbonnière de poche une pastille de chocolat (...) 1
PROUST, le Côté de Guermantes, Pl., t. II, p. 12.

2 Le poivre dont, au temps d'Henri IV, on avait à ce point la folie que la Cour en mettait dans des bonbonnières des grains à croquer.
Claude LÉVI-STRAUSS, Tristes tropiques, p. 26.

♦ **2** (1817). Petite construction; (plus cour.) petit appartement élégant, arrangé avec goût. → **Bijou.** *C'est une bonbonnière, une vraie bonbonnière.* → **Nid.**

3 — C'est une bonbonnière que cette pièce *ici*.
— C'est à peu près notre chambre à coucher... s'il y avait une fenêtre de plus.
Henri MONNIER, Scènes populaires, «Le dîner bourgeois», 7, p. 137.

**BON-CHRÉTIEN** [bɔ̃kʀetjɛ̃] n. m. — XVe; p.-ê. réfection du lat. *poma panchresta,* grec *pankhrêston* «fruit utile à tout», sur 1. *bon,* et *chrétien.*

Variété de grosse poire. *Des bons-chrétiens.*

L'humble François de Paule était par excellence
Chez nous nommé le bon chrétien,
Et le fruit dont le saint fit part à notre France
De ce nom emprunta le sien (...)
Journal de Verdun, févr. 1730.

**BOND** [bɔ̃] n. m. — Déb. XVe, Christine de Pisan, de *premier bont* «tout d'abord»; de *bondir.*

♦ **1** Action de bondir*, de s'élever de terre par un mouvement brusque (en parlant d'un homme ou d'un animal). → **Gambade, saut.** *Les bonds d'un cabri. Des bonds de cabri.* → **Cabriole.** *S'élancer d'un bond.* → **Bondir.** *D'un bond, il franchit l'obstacle. Les bonds prodigieux d'un acrobate. Bond à plat ventre, en se retournant.* → **Saut** (de carpe). *Chute par bonds.* → **Cascade.**

1 Au sortir d'un terrier, deux chiens aux pieds agiles
L'étranglèrent du premier bond.
LA FONTAINE, Fables, IX, 14.

2 Le tigre attend sa proie et d'un seul bond l'accable (...)
HUGO, la Légende des siècles, II, «Les lions».

Milit. *Bonds en avant, bonds successifs, progression par bonds,* étapes de l'avance des troupes au combat.

Manège. Saut que le cheval exécute sur place, des quatre pieds à la fois.

Loc. *Ne faire qu'un bond :* se précipiter. *Au premier coup de sonnette, je n'ai fait qu'un bond.*

Fig. et vx. *N'aller que par sauts et par bonds,* de manière discontinue (en parlant d'un style, d'une conduite).

3 Sa muse déréglée, en ses vers vagabonds,
Ne s'élève jamais que par sauts et par bonds (...)
BOILEAU, l'Art poétique, p. 3.

4 Style incohérent, qui va par sauts et par bonds (...)
VOLTAIRE, Philosophie, IV, 480.

Vieilli. *D'un bond, d'un seul bond :* immédiatement, sans transition. *Du premier bond.* Cf. Du premier coup.

5 (...) ces âmes *(privilégiées)* franchissent d'un bond les sphères humaines et s'élèvent tout à coup à la Prière.
BALZAC, Séraphita, VI.

6 La liberté, où tant d'étourdis se trouvent portés du premier bond, fut pour moi une acquisition lente.
RENAN, Souvenirs d'enfance..., I, 1.

Phénomène discontinu, changement, rupture.

7 On a dit de la nature qu'elle ne faisait pas de sauts! (...) je ne vois que bonds, que volte-face, que surprises, illuminations et revirements.
G. DUHAMEL, Chronique des Pasquier, I, XI.

*Faire un bond :* progresser, augmenter subitement de façon notable. *La bourse a fait un bond :* les cours des valeurs montent. → **Hausse.**

7.1 Le bond prodigieux du XIXe siècle tient dans le fait que le charbon répond tout à la fois à la fabrication de l'acier, à celle des métaux de fonderie, à la force motrice pour tirer le minerai comme pour faire tourner les machines-outils.
A. LEROI-GOURHAN, le Geste et la Parole, t. II, p. 57.

*Bond en avant :* progrès soudain et rapide. *Le grand bond en avant chinois de 1958.*

♦ **2** (1580, Montaigne). Mouvement ascensionnel (imprimé à un corps par le choc contre un obstacle). *Le bond est d'autant plus élevé que le corps qui heurte l'obstacle est plus élastique. Les bonds d'une pierre lancée obliquement sur l'eau.* → **Ricochet.** *Bonds légers d'une voiture roulant sur une mauvaise route.* → **Cahot.**

*Les bonds d'une balle.* → **Rebond, rebondir.**

Loc. *Prendre la balle au bond.* → **Balle.** *Du premier bond :* avant le rebond. *Prendre la balle du second bond :* ne pas agir en temps utile. — Loc. fig. Vx. *Saisir la balle entre bond et volée :* profiter d'une occasion au bon moment, avec précision. *De bond ou de volée :* de n'importe quelle façon.

Soit de bond, soit de volée, que nous en chaut-il, pourvu que nous prenions la ville de gloire *(le paradis)*? 8
PASCAL, les Provinciales, 9.

(1584). *Faire un faux bond, jouer un faux bond* (vx); *faire faux bond :* se dérober au dernier moment. *Faire faux bond à son honneur :* manquer à son honneur.

Toi qui mourrais plutôt que lui faire un faux bond (...) 9
Mathurin RÉGNIER, Satires, VI.

(...) S'il faut qu'à l'honneur elle fasse un faux bond (...) 10
MOLIÈRE, l'École des femmes, III, 2.

Mod. **FAIRE FAUX BOND :** être en retard, ne pas venir à un rendez-vous. *Faire faux bond à qqn :* ne pas faire ce qu'on lui a promis, ne pas le rencontrer quand on le devrait.

L'entrepreneur qui devait réparer le pavillon inhabitable avait fait faux bond, à cause des grèves (...) 11
GIRAUDOUX, Bella, VI.

À cause de Robert qui lui a fait faux bond, Bernard va être obligé d'écrire lui-même un article sur Brecht. 12
F. MALLET-JORIS, le Jeu du souterrain, p. 124.

COMP. **Rebond.** ◇ HOM. 1. **Bon,** 2. **bon.**

**BONDAGE** [bɔ̃daʒ] n. m. — 1986; empr. à l'angl. des États-Unis *bondage,* attesté 1970 dans ce sens, spécialisation de *bondage* «esclavage, asservissement», de *bond* «lien, attachement».

Anglic. Didact. Pratique sexuelle sadomasochiste dans laquelle l'un des partenaires est attaché. *Les adeptes du bondage.*

**BONDE** [bɔ̃d] n. f. — 1347; «borne», 1269; «bouchon de tonneau», 1332; p.-ê. d'un gaul. **bunda* (cf. moy. irlandais *Bonn* «plante du pied, base» et provençal *bondon* «terrain marécageux») ou (Guiraud) d'un lat. pop. **bombita,* de la famille de *rebondi.*

♦ **1** Techn. Ouverture de fond, destinée à vider l'eau (d'un étang, d'un réservoir). — Par ext. Système de fermeture de la bonde. → **Empellement, tampon, vanne.** *La bonde d'un vivier. Bonde automatique,* réglée pour maintenir constant le niveau de l'eau. *Lâcher, lever, hausser la bonde,* l'ouvrir pour faire écouler l'eau.

Loc. Fig. et vieilli. *Lâcher la bonde à ses larmes, à sa colère,* donner libre cours, s'abandonner.

(...) l'impossibilité de tenir mon cœur fermé dans ses grandes peines, me firent ouvrir à lui *(Lutold)*; je lâchai la bonde à mes larmes (...) 1
ROUSSEAU, les Confessions, IV.

Mod. Ouverture inférieure (d'un évier, d'un lavabo, d'une baignoire); système qui l'obture à volonté (→ **Rondelle**).

♦ **2** Trou pratiqué dans une douve de tonneau, pour le remplir ou le vider; pièce de bois, généralement de forme tronconique, permettant d'obturer ce trou. → **Bondon** (cit.), **bouchon, tampon.** *Remplir un tonneau jusqu'à la bonde.* → **Bonder.** *Enlever la bonde.* → **Débonder; tire-bonde.** *Ils «puchaient* (cit.) *dans la cuve, surveillaient les bondes ...»* (Flaubert).

2 Et ça s'est débouché tout d'un coup, ça a coulé, clair, puis épais, puis clair encore, la lie et le vin mélangés, comme si la bonde avait sauté d'un tonneau oublié.
GIONO, Colline, p. 110-111.

*Bonde hydraulique ou mécanique,* garnissant un tonneau rempli de liquide en fermentation, permettant au gaz carbonique de s'échapper sans laisser entrer l'air.

DÉR. **Bonder, bondon.** ◊ COMP. **Débonder, tire-bonde.**

**BONDÉ, ÉE** [bɔ̃de] adj. — 1835; p. p. de *bonder.*

♦ **1** Techn. et rare. En parlant d'un tonneau. Rempli jusqu'à la bonde* (2.).

♦ **2** Cour. Qui contient le maximum de personnes, d'objets. → **Bourré, comble, plein.** *Métro bondé.* → Plein, cit. 10. *En août les trains sont bondés. Salle bondée.* — Mar. *Navire bondé,* dont le chargement est complet.

*Bondé de... :* qui contient le maximum de... *Un train bondé de voyageurs, de marchandises.*

Des autocars vont et viennent, bondés de veufs, de veuves et d'orphelins. Des bosquets, des grottes, des pièces d'eau avec des cygnes, débitent la consolation aux affligés.
S. BECKETT, Premier amour, p. 11.

CONTR. **Vide.**

**BONDELLE** [bɔ̃dɛl] n. f. — 1361, *bondale;* du rad. gaul. **bunda* «fond», et *-elle,* le poisson vivant dans les fonds.

Régional (Suisse). Poisson *(Salmonidés)* du genre corégone* *(Coregonus exiguus),* vivant dans les lacs de Neuchâtel et de Bienne, à la chair estimée. *Bondelle fumée. Filets de bondelle. La bondelle, la palée, la féra appartiennent au même genre.*

**BONDER** [bɔ̃de] v. tr. — 1483; de *bonde.*

♦ **1** Techn. Remplir jusqu'à la bonde (2.). *Bonder un tonneau, une citerne.*

♦ **2** Cour. (Rare à l'actif, employé surtout au p. p. → Bondé). Remplir autant qu'il est possible. → **Bourrer, remplir.** *Les deux volumes «qui bondaient ma petite malle»* (Bourget, *in* T. L. F.). — REM. L'emploi où le sujet désigne une foule et le compl. un lieu est usuel : *la foule, les spectateurs bondai(en)t le stade; «la jeunesse étudiante qui bondait l'amphithéâtre»* (Cocteau, *in* T. L. F.); mais *bondé* est plus courant.

(1672). Mar. *Bonder un navire,* le remplir au maximum.

CONTR. **Décharger, vider. — Désert, vide.** ◊ DÉR. **Bondé.**

**BONDÉRISATION** [bɔ̃derizasjɔ̃] n. f. — 1934, *in* Höfler; angl. *bonderizing,* avec substitution de suff.; de *Bonder,* n. propre.

Techn. (métall.). Phosphatation superficielle des produits ferreux pour les protéger contre la rouille.

**BONDÉRISÉ, ÉE** [bɔ̃derize] adj. — 1952, *in* Höfler; amér. *bonderized,* marque déposée (1932). → Bondérisation.

Techn. Traité par bondérisation.

**BONDIEUSARD, ARDE** [bɔ̃djøzar, ard] adj. — 1865, Vallès; de *bon Dieu**, et suff. péj. *-ard.*

Fam. et péj. Qui manifeste une piété exagérée et mal entendue. → **Bigot.** *Une allure bondieusarde de sacristain.*

(Choses). Saint-sulpicien.

Il était entouré de tout un arsenal bondieusard, des brochures peintes, éparses avec des numéros du journal *le Pain,* et *l'Écho du ciel,* des gravures pieuses, un christ et autres bibelots sacrés. 1
Louise MICHEL, la Misère, t. III, p. 614 (1881).

N. *Un bondieusard. Une bondieusarde* (rare). → **Cagot, calotin.**

(...) Malorthy ne se laissait pas convaincre : 2
«Qu'a-t-elle besoin d'un curé, pour apprendre en confesse tout ce qu'elle ne doit pas savoir? Les prêtres faussent la conscience des enfants, c'est connu.»
Pour cette raison, il avait défendu qu'elle suivît le cours du cathéchisme, et même «qu'elle fréquentât l'un quelconque de ces bondieusards qui mettent dans les meilleurs ménages, disait-il, la zizanie».
BERNANOS, Sous le soleil de Satan (1926), *in* Œ. roman., Pl., p. 68-69.

REM. Le peintre Courbet employait le mot pour désigner les artistes qui traitaient des sujets religieux.

DÉR. **Bondieusarderie.**

**BONDIEUSARDERIE** [bɔ̃djøzardəri] n. f. — 1876; de *bondieusard.*

Péj. et rare. → **Bondieuserie,** 1.

(...) non pas en retournant vers son passé d'adolescent, mais en regardant autour de lui les simples et les souffrants, pour les montrer dans leur souffrance et leur simplicité, sans bondieusarderie leur faisant cortège.
J. VALLÈS, le Cri du peuple, 26 juin 1882, *in* D. D. L., II, 1.

**BONDIEUSER** [bɔ̃djøze] v. — 1872, Goncourt, de *bon Dieu**, d'après *bondieuserie* et *bondieusard.*

Rare. Mot des Goncourt et des écrivains «artistes» de la fin du XIXe siècle.

♦ **1** V. intr. S'identifier à Dieu, se prendre pour le bon Dieu.

♦ **2** V. tr. Diviniser.

**BONDIEUSERIE** [bɔ̃djøzri] n. f. — 1861; de *bon Dieu**, *-s-* [z] euphonique, et suff. *-erie.*

Familier et péjoratif.

♦ **1** Dévotion excessive. → **Bigoterie, cagoterie.** — Par ext. (littér.). Mièvrerie, fadeur.

(...) les sataniques litanies des *Fleurs du Mal* prennent subitement, par comparaison, comme un certain air d'anodine bondieuserie. Léon BLOY, le Désespéré, p. 28. 1

♦ **2** Objet de piété de mauvais goût. *Les bondieuseries saint-sulpiciennes.* — Spécialt (souvent au plur.). Articles de piété vendus dans le commerce.

Il s'était arrêté devant l'étalage d'un magasin de bondieuseries. H. TROYAT, la Tête sur les épaules, p. 185. 2

La veuve l'invita à venir regarder la télé, le soir. Il remercia, promit. Il fit disparaître une console ornée d'un pot de misère, retira quelques bondieuseries, des crucifix. Ça irait. Ce décor ou un autre (...) 3
Claude COURCHAY, La vie finira bien par commencer, p. 24.

**BONDIR** [bɔ̃dir] v. intr. — XIIIe; *bundir* «retentir, résonner», 1080, *Chanson de Roland;* du lat. pop. **bombitire,* de *bombitare,* fréquentatif de *bombire* «bourdonner, faire du bruit», de *bombus* «bourdonnement, bruit retentissant», p.-ê. avec infl. de *bonde* au sens de «balle (de jeu de paume)», selon Guiraud.

♦ **1** Vx. Le sujet désigne un son. Être répercuté. → **Résonner, retentir.**

1 Ce cor bondit gaillardement (...)
PALSGRAVE, l'Éclaircissement de la langue franç., p. 726.

REM. Ce sens étymologique est vieux depuis le XVIIe s.; qu'il s'agisse ou non d'archaïsmes, les emplois plus récents sont compris au sens 2.

2 Et quand il passera, ces peuples de la tente,
Prosternés, enverront la fanfare éclatante
Bondir autour de lui!
HUGO, les Orientales, «Mazeppa».

♦ **2** Mod. et cour. S'élever* brusquement en l'air par un saut pour retomber avec souplesse. → **Sauter; élancer** (s'). *Les chamois bondissent dans la montagne.* → **Cabrioler, gambader.** *Le tigre bondit sur sa proie. Poisson, dauphin qui bondit hors de l'eau, à la surface de l'eau. Bondir de sa maison,* en sortir en bondissant. *Acrobate bondissant sur un tremplin.* — (Avec une comparaison, en parlant d'une personne). *Bondir comme un cabri, une chèvre, une gazelle, un tigre.*

3 De rage et de douleur le monstre bondissant
Vient aux pieds des chevaux tomber en mugissant (...)
RACINE, Phèdre, V, 6.

4 Tremplin qui tressailles d'émoi
Quand je prends un élan, fais-moi
Bondir plus haut, planche élastique!
«Frêle machine aux reins puissants,
Fais-moi bondir, moi qui me sens
Plus agile que les panthères (...)»
Th. DE BANVILLE, Odes funambulesques, «Le saut du tremplin».

5 (...) le chat bondit sur le parquet, plus mol et plus élastique que la balle de laine qui nous sert de joujou.
COLETTE, Histoires pour Bel-Gazou, XIV.

6 (...) elle venait d'apercevoir, les cheveux flottant au vent des fenêtres ouvertes, sa nièce qui bondissait sur place comme un chevreau (...)
MARTIN DU GARD, les Thibault, t. I, p. 256.

7 (...) ce jeune homme étonnant *(Nijinski)* (...) qui accomplissait, comme en se jouant, les pas les plus extraordinaires, qui pouvait bondir à des hauteurs insolites et qui mettait *plus longtemps à redescendre* qu'il n'en avait mis à s'élever, cet acrobate phénoménal sur qui les lois de la pesanteur semblaient n'avoir aucune prise, fut célèbre et dans le monde entier.
Francis DE MIOMANDRE, la Danse, p. 57.

(En parlant du cœur). *Le cœur bondit,* (vx) se soulève (de dégoût, etc.); (mod.) accélère ses battements (sous l'effet d'une émotion) [ci-dessous, cit. 9 et 10]. *Faire bondir le cœur :* (vx) soulever, lever le cœur (ci-dessous, cit. 8); (mod.) émouvoir fortement.

8 La reine Gisèle était toute courbée, toussant et crachant toute la journée avec une saleté qui faisait bondir le cœur (...) FÉNELON, XIX, 17, *in* LITTRÉ.

9 Le cœur lui bondissait d'inquiétude et de colère, la sueur lui coulait du front.
G. SAND, la Mare au diable, XIII, p. 115.

10 Et de songer qu'une femme pareille avait acheté son volume, son cœur bondissait d'orgueil.
Alphonse DAUDET, le Petit Chose, II, 9.

(Sujet n. de personne). Réagir soudainement et fortement sous l'effet d'une émotion vive. *Bondir de... Bondir d'inquiétude, d'indignation, de colère, d'impatience, de surprise, de joie.* → **Sauter.** — (Sans compl.). *À ces mots, il bondit. Cela me fait bondir.*

11 Boileau bondit d'indignation en songeant que Corneille ne distingue pas Lucain de Virgile.
Émile FAGUET, XVIIe s., Études littéraires, p. 359.

♦ **3** (Le sujet désigne un objet lancé). Faire un ou plusieurs bonds (→ **Bond,** 2.). *Une balle bondit et rebondit.* → **Rebondir.** — (Le sujet désigne un liquide qui jaillit ou rejaillit, le feu, etc.). Littér. *La mer bondissait sur les rochers. Des flammes bondissaient.*

12 Pourquoi bondissez-vous sur la plage écumante,
Vagues dont aucun vent n'a creusé le sillon?
LAMARTINE, Harmonies..., I, 3.

La chaloupe partit (...) Elle s'en allait toute penchée sous le vent d'Ouest; elle bondissait sur les lames avec un son creux de tambour, et à chaque saut qu'elle faisait, une masse d'eau de mer venait se plaquer sur eux (...) 13
LOTI, Mon frère Yves, III, p. 17.

Par instants, un remous creuse un sillon profond; une gerbe d'écume bondit. 13.1
GIDE, Voyage au Congo, *in* Souvenirs, Pl., p. 692.

(Sujet n. de personne). Aller vivement, impétueusement. → **Courir, élancer** (s'). *Bondir de, hors de...* (→ **Jaillir, sortir**), *dans..., sur..., vers... Elle bondit à la porte, au téléphone, vers le téléphone. Au moment de l'assaut, les poilus bondissaient des tranchées.* — Se rendre rapidement (quelque part). *«Je bondis plutôt que je ne courus place des Barricades»* (Verlaine, *Œuvres posthumes,* 1896, *in* T. L. F.).

◆ **BONDISSANT, ANTE** p. prés. et adj. Qui bondit. *Des chevreaux bondissants.* → **Capricant.** *Un torrent bondissant. Le Basque bondissant,* surnom donné au champion de tennis Borotra.

Semblable, dans ses sauts hardis et dans sa légère démarche, à ces animaux vigoureux et bondissants, il *(Cyrus)* ne s'avance que par vives et impétueuses saillies (...) 14
BOSSUET, Oraison funèbre du prince de Condé.

O que n'ai-je entendu ces bondissantes eaux, 15
Ces fleuves, ces torrents (...)
André CHÉNIER, Élégies, XXXVII, «Aux deux frères Trudaine».

Ce saut *(l'assemblé)* est très employé dans les danses dynamiques et pour obtenir des effets bondissants. 16
Marcelle BOURGAT, Technique de la danse, p. 53 (→ Assemblé, cit.).

Fig. et littér. Qui réagit à une émotion intense. *Poitrine bondissante, sein bondissant.* → **Haletant; agité, ému.**

Par ext. *Allure bondissante.*

CONTR. **Immobile** (rester), **immobiliser** (s'). ◇ DÉR. et COMP. **Bond, bondissement. Rebondir.**

**BONDISSANT, ANTE** [bɔ̃disɑ̃, ɑ̃t] adj. → **Bondir** (p. prés.).

**BONDISSEMENT** [bɔ̃dismɑ̃] n. m. — 1547; «retentissement», 1379; de *bondir.*

Littéraire ou style soutenu.

♦ **1** Action de bondir, suite de bonds. *Les bondissements du cabri.* → **Bond, saut.**

Les secousses des montagnes et des collines, ébranlées par un violent tremblement de terre, sont fidèlement représentées par les bondissements d'un troupeau (...)
LAHARPE, *in* LAFAYE, Dict. des synonymes, Bond, bondissement.

(Choses). *Les bondissements d'une cascade.*

♦ **2** Littér. *Bondissement du cœur,* (vx) soulèvement (→ **Nausée**); (mod.) élan ou vive réaction. — *«Des bondissements intérieurs»* (Flaubert).

**BONDON** [bɔ̃dɔ̃] n. m. — V. 1300; de *bonde.*

Technique.

♦ **1** Morceau de bois court et cylindrique servant à boucher la bonde* d'un tonneau. → **Bouchon.** — La bonde elle-même.

♦ **2** (1834). Petit fromage cylindrique à pâte molle.

(...) un de ces fromages de Neufchâtel, qui, en forme de ce bouchon de bois qu'on met à la bonde des tonneaux, en ont pris le nom de bondon.
FRANCE, le Petit Pierre, XVII.

Var. : *bonde* [bɔ̃d] (1880), *bondard* [bɔ̃daʀ] (1856, Hugo).

DÉR. **Bondonner, bondonnière.**

**BONDONNER** [bɔ̃dɔne] v. tr. — 1571; de *bondon.*

Techn. Boucher avec un bondon (1.). — Par métonymie. *Bondonner de la bière, du vin.*

DÉR. **Débondonner.**

**BONDONNIÈRE** [bɔ̃dɔnjɛʀ] n. f. — XVIe; de *bondon.*

Techn. Tarière servant à percer des bondes (instrument de tonnelier).

**BONDRÉE** [bɔ̃dʀe] adj. et n. f. — 1534, Rabelais; p.-ê. du breton *bondrask* «grive».

*Buse bondrée* ou *bondrée* : oiseau rapace insectivore diurne (*Accipitridés;* n. sc. *Pernis*). *Bondrée apivore.*

REM. L'orig. supposée du mot, certains emplois (*«les ululations des orfraies, des bondrées et des chouettes»*, Gautier, *le Capitaine Fracasse*) donnent à penser que le mot désigne plusieurs oiseaux différents, régionalement.

**BONDUC** [bɔ̃dyk] n. m. — 1751; arabe *bŭndŭq* «noisette».

Rare. Arbrisseau épineux des Tropiques aussi appelé *cniquier* ou *chicot* (*Césalpiniacées;* n. sc. *Gymnocladus canadensis*). *Graines de bonduc aux propriétés toniques et anthelminthiques.*

**BONELLIE** [bɔneli] n. f. — 1822; du nom d'un naturaliste italien, F. A. *Bonelli*, mort en 1830.

Zool. Ver marin *(Échiuriens)* caractérisé par un dimorphisme sexuel très important (femelle jusqu'à 1 m; mâle, 2 à 3 mm). *Les larves de bonellie fixées sur la femelle deviennent mâles; les larves libres restent femelles.*

**BON ENFANT** [bɔnɑ̃fɑ̃] adj. invar. — 1560; de 1. *bon,* et *enfant.*

Qui a une gentillesse simple et naïve. → Bon, cit. 54, 54.1 et 55. → **Bonhomme.** *Un air, un comportement bon enfant. Elle est bon enfant.*

Subst. → Bon, cit. 54.

DÉR. **Bonenfantise.**

**BONENFANTISE** [bɔnɑ̃fɑ̃tiz] n. f. — Fin XIXe; de *bon enfant.*

Rare. Qualité d'une personne bon enfant; gentillesse simple et bienveillante.

1 Le public est bon enfant, la critique est résignée. Cependant il ne faudrait pas abuser de cette bonenfantise et de cette résignation.
Le Charivari, Carnet d'un actualiste, 4 juil. 1891.

REM. On trouve dans le même sens *bonne enfance* (inus.), chez les Goncourt, ... et *bon-enfantisme,* chez Maupassant.

2 Leroy (...) cache, sous des apparences de truculence et de férocité physique, une parfaite bonne enfance et des idées pas mal prudhommesques.
Ed. et J. DE GONCOURT, Journal, t. I, p. 43.

3 Ils sont si simples, braves gens, c'est vrai, pleins de bonenfantisme (...)
MAUPASSANT, Lettre à Flaubert, 13 mars 1884.

**BON GARÇON** [bɔ̃gaʀsɔ̃] adj. m. — XIXe; de 1. *bon* (I., B., 3.), et *garçon.*

Fam. Qui est gentil, complaisant (d'un homme). *Il est plutôt bon garçon. Des camarades bons garçons.*

DÉR. **Bongarçonnisme.**

**BONGARÇONNISME** [bɔ̃gaʀsɔnism] n. m. — 1883, *in* D. D. L.; de *bon garçon.*

Vieilli. Qualité de bon garçon, caractère de bon garçon, d'un homme bon garçon. → **Garçonnisme** (cit.). — REM. On écrit aussi *bon-garçonnisme.*

Ce misérable est doué d'une voix loyale, d'un bongarçonnisme qui le fait cher à ses comparses. 1
J. H. ROSNY, Un autre monde, p. 233 (1898), *in* D. D. L., II, 5.

Les exigences des directeurs, les réclamations des interprètes, les suggestions des collaborateurs que son bongarçonisme *(sic)* lui faisait prendre (...) 2
Francis JOURDAIN, Sans remords ni rancune, Ceux de Carnetin, p. 166.

Si je lui soutenais qu'elle est une entremetteuse inefficace, que répondrait-elle? Elle riait. Parfois ce mélange de mondanité et de bon-garçonnisme m'exaspère. 3
Violette LEDUC, la Folie en tête, p. 36.

**BONGARE** [bɔ̃gaʀ] n. m. → **Bungare.**

**BONGEAU** [bɔ̃ʒo] n. m. → **Bonjeau.**

**BON-HENRI** [bɔ̃ɑ̃ʀi] ou [bɔnɑ̃ʀi] n. m. — 1545; du lat. médiéval *bonus henricus,* p.-ê. calque de l'all. *guter heinrich* (1460).

Plante herbacée *(Chénopodiacées)* à feuilles comestibles. → **Chénopode.** Syn. cour. : *épinard sauvage.*

**BONHEUR** [bɔnœʀ] n. m. — V. 1121; de 1. *bon,* et *heur.*

**I** ♦ **1** *(Un, des bonheurs).* Chance*; événement heureux. → **Fortune, heur** (vx). *Un bonheur imprévu, inespéré. Le sort, la Providence, Dieu lui a accordé ce bonheur.* → **Bénédiction, faveur.** *Il lui est arrivé un grand bonheur.*

Depuis un certain temps, il lui est arrivé des bonheurs de toutes sortes (...) 1
Thomas CORNEILLE, Remarques, *in* LITTRÉ.

♦ **2** *(Le, du bonheur).* → **Chance.** *Un coup de bonheur.* → **Aubaine, occasion** (bonne occasion).

Enfin je suis touchée au cœur sensiblement; 2
Et si jamais celui de ce perfide amant,
Par un coup de bonheur, dont j'aurois tort, je pense,
De vouloir à présent concevoir l'espérance (...)
Quand, dis-je (...)
Il reviendrait m'offrir sa vie en sacrifice (...)
Je te défends surtout de me parler pour lui (...)
MOLIÈRE, le Dépit amoureux, II, 4.

*Avoir du bonheur :* être favorisé. *Avoir plus de bonheur que de mérite. Avoir du bonheur dans ses entreprises.* → **Réussite, succès.**

(...) je suis ravie du bonheur que vous avez eu à tout ce que vous avez entrepris. 3
Mme DE SÉVIGNÉ, 30, 14 juil. 1655.

Quand il s'agit de se précipiter dans les abîmes, les jeunes gens font preuve d'une adresse, d'une habileté singulières, ils ont du bonheur. 4
BALZAC, le Cabinet des Antiques, Pl., t. IV, p. 390.

*Jouer de bonheur :* avoir une chance inespérée; réussir de manière inattendue.

Cour. *Porter bonheur :* porter chance (→ **Porte-bonheur; fétiche, mascotte**). *Porter bonheur à qqn.*

Je dois dire, pour commencer, que ma naissance ne porta pas bonheur à la maison Eyssette. 5
Alphonse DAUDET, le Petit Chose, I, 1.

Loc. fam. *Au petit bonheur; au petit bonheur la chance :* au hasard.

Toutes choses, dans cette maison Baudoin, semblaient résolues au petit bonheur et le résultat sensible était un pur et grand bonheur. 6
G. DUHAMEL, Chronique des Pasquier, IX, 10.

Loc. adv. *Par bonheur :* par chance. → **Heureusement.**

7 Il faut, Toinette, que tu m'aides à exécuter mon dessein, et tu peux croire qu'en me servant ta récompense est sûre. Puisque, par un bonheur, personne n'est encore averti de la chose, portons-le dans son lit, et tenons cette mort cachée, jusqu'à ce que j'aye fait mon affaire.

MOLIÈRE, le Malade imaginaire, III, 12.

8 Borée et le Soleil virent un voyageur
Qui s'était muni par bonheur
Contre le mauvais temps (...)

LA FONTAINE, Fables, VI, 3.

Littér. *Avec bonheur :* avec de bons résultats, en réussissant. *Écrire, peindre avec bonheur. Exercer un métier, jouer avec bonheur.* — Vx. *En bonheur :* en ayant de la chance (syn. mod. : *en chance, en veine...*).

♦ **3** Littér. Effet réussi obtenu par une habileté spontanée. *Des bonheurs d'expression fréquents.*

**II** (XVe). ♦ **1** *(Le) bonheur,* absolt; *le bonheur de qqn, un bonheur* (qualifié) : état de la conscience pleinement satisfaite. → **Béatitude, bien-être, félicité, plaisir, prospérité; ataraxie, bien, consolation, contentement, délices, enchantement, euphorie, extase, joie, ravissement, satisfaction.**

9 (...) Ce qui, dans l'usage, distingue surtout *bonheur* de ses synonymes, c'est la fréquence de l'emploi que l'on en fait : il peut servir à définir les autres mots de cette famille (...) Le *plaisir* est le *bonheur* d'un instant, un élément du *bonheur* (...) le *bien-être* est le *bonheur* physique, sorte de *bonheur* qu'on goûte (...) sans avoir besoin de posséder ou de développer la sensibilité morale (...) La *béatitude* (...) est le *bonheur* destiné dans une autre vie à ceux qui auront pratiqué la vertu dans celle-ci (...) La *prospérité* est le *bonheur* objectif ou extérieur (...) la *félicité* est le *bonheur* subjectif (...) le contentement de l'âme.

LAFAYE, Dict. des synonymes, Bonheur, chance.

*Bonheur parfait, durable, certain, bonheur sans mélange, sans nuage. Bonheur suprême, ineffable, céleste* (cf. Septième ciel); *souverain bonheur. Bonheur extrême, intense. Le bonheur à pleins bords.* → Plénitude, cit. 8. *Un bonheur sans mélange* (cit. 6). *Le Bonheur fou,* roman de Giono. *Bonheur paisible.* → **Calme, paix, sérénité.** *Bonheur instable, menacé, précaire, imparfait, mêlé de peine; un pauvre bonheur.* — *Le bonheur.* → Multitude, cit. 13; nivellement, cit. 3; paisible, cit. 6. *Aptitude* (cit. 5) *au bonheur. Appétit* (cit. 23), *désir, recherche du bonheur.* → **Eudémonisme.** *Tendre vers le bonheur; aspirer au bonheur. Goûter le bonheur, jouir du bonheur.* → **Bienheureux, heureux.** — *Le bonheur de qqn; son bonheur. Rien ne trouble, ne gâche, n'assombrit son bonheur. Envier le bonheur d'autrui. Contribuer au bonheur; souhaiter à qqn du bonheur, beaucoup de bonheur à qqn. Souhaits de bonheur.* → **Bénédiction, vœu.** *Faire le bonheur de qqn,* le rendre heureux. Fam. *Si ce crayon,* etc. *peut faire votre bonheur,* vous être utile. — (Marques extérieures). *Des regards brillants, étincelants de bonheur; un visage illuminé, transfiguré par le bonheur. Être éclatante de bonheur. L'auréole* (cit. 7) *du bonheur.*

10 Dans le bonheur d'autrui je cherche mon bonheur.

CORNEILLE, le Cid, I, 3.

11 Nous cherchons le bonheur, et ne trouvons que misère et mort. Nous sommes incapables de ne pas souhaiter la vérité et le bonheur, et sommes incapables ni de certitude, ni de bonheur. PASCAL, Pensées, VII, 437.

12 Le bonheur est un état permanent qui ne semble pas fait ici-bas pour l'homme. Tout est sur la terre dans un flux continuel qui ne permet à rien d'y prendre une forme constante. ROUSSEAU, Rêveries, 9e Promenade.

13 Tout homme veut être heureux; mais, pour parvenir à l'être, il faudrait commencer par savoir ce que c'est que le bonheur. ROUSSEAU, Émile, III.

Il faut se faire un bonheur qui nous suive dans tous les 14
âges; la vie est si courte, que l'on doit compter pour rien une félicité qui ne dure pas autant que nous.

MONTESQUIEU, Disc. du 15 nov. 1725, *in* Œ. compl., p. 578.

Pour jouir de ce bonheur qu'on cherche tant et qu'on 15
trouve si peu, la sagesse vaut mieux que le génie, l'estime que l'admiration, et les douceurs du sentiment que le bruit de la renommée. D'ALEMBERT, Éloges, Saci.

Il en est du bonheur comme des montres : les moins com- 16
pliquées sont celles qui se dérangent le moins.

CHAMFORT, Maximes et pensées, III.

Le vrai bonheur coûte peu; s'il est cher, il n'est pas d'une 17
bonne espèce.

CHATEAUBRIAND, Mémoires d'outre-tombe, I, 2.

Au banquet du bonheur bien peu sont conviés. 18
Tous n'y sont point assis également à l'aise.
Une loi, qui d'en bas semble injuste et mauvaise,
Dit aux uns : *Jouissez!* aux autres : *Enviez.*

HUGO, les Feuilles d'automne, XXXII, «Pour les pauvres».

Vous me demandez où est le bonheur dans ce monde : 19
après de nombreuses expériences, je me suis convaincu qu'il n'est que dans le contentement de soi-même (...)

E. DELACROIX, Écrits, t. II, p. 5.

Le bonheur ne serait-il point de faire semblant de faire 20
par passion ce que l'on fait par intérêt?

STENDHAL, Journal, p. 51.

L'âme se rassasie de tout ce qui est uniforme, même du 21
bonheur parfait. STENDHAL, De l'amour, II, 45.

La jouissance du bonheur amoindrira toujours le bon- 22
heur. BALZAC, Massimilla Doni, Pl., t. IX, p. 334.

Le bonheur est un mensonge dont la recherche cause 23
toutes les calamités de la vie.

FLAUBERT, Correspondance, t. I, p. 196.

Le bonheur, c'est le dévouement à un rêve ou à un devoir; 24
le sacrifice est le plus sûr moyen d'arriver au repos.

RENAN, Souvenirs d'enfance..., VI, p. 103.

On n'est pas heureux. Notre bonheur, c'est le silence du 25
malheur. J. RENARD, Journal, 21 sept. 1894.

Le bonheur est de connaître ses limites et de les aimer. 26

R. ROLLAND, Jean-Christophe, t. VIII, p. 179.

(...) le bonheur n'est pas le fruit de la paix; le bonheur 27
c'est la paix même.

ALAIN, Propos sur le bonheur, p. 191.

(...) ce prolongement, cette multiplication possible de soi- 28
même qui est le bonheur.

PROUST, À l'ombre des jeunes filles en fleurs.

On ne connaît pas son bonheur. On n'est jamais aussi 29
malheureux qu'on croit.

PROUST, À la recherche du temps perdu, t. II, p. 184.

Que n'as-tu donc compris que tout bonheur est de ren- 30
contre et se présente à toi dans chaque instant comme un mendiant sur ta route.

GIDE, les Nourritures terrestres, p. 42.

Que l'homme est né pour le bonheur, certes toute la nature 31
l'enseigne. GIDE, les Nouvelles Nourritures, I.

Envier le bonheur d'autrui, c'est folie. On ne saurait pas 32
s'en servir. Le bonheur ne se veut pas tout fait, mais sur mesure. GIDE, l'Immoraliste, p. 169.

Ainsi Pausole connaissait l'art d'échapper à tous les regrets 33
en changeant la définition du bonheur sous la dictée des circonstances.

Pierre LOUŸS, les Aventures du roi Pausole, II, II, p. 81.

Car il n'y a pas d'autre bonheur pour l'homme que de 34
donner son plein.

CLAUDEL, Feuilles de Saints, L'architecte.

À leurs yeux *(des mâles),* le bonheur est un état négatif 34.1
(...) C'est un homme, Goethe, qui a parlé du «devoir du bonheur». Et c'est un homme encore, Stendhal, qui a écrit ce mot magnifique, et qui va si loin (il contient toute une philosophie et toute une morale) : «Je ne respecte rien au monde comme le bonheur.» Mais ces hommes-là étaient des hommes supérieurs (...) La femme, au contraire, se fait une *idée* positive du bonheur. C'est que, si l'homme est plus agité, la femme est plus vivante.

MONTHERLANT, les Jeunes Filles, 1936, p. 1003.

35 — «Oh, tu sais», murmura-t-il, «le bonheur, ça n'est pas une timbale qu'on décroche (...) C'est surtout une aptitude, je crois. Peut-être que je ne l'ai pas.»
MARTIN DU GARD, les Thibault, t. V, p. 206.

36 «Ce qu'il y a d'admirable dans le bonheur des autres», dit-il *(Proust)* un jour à Antoine Bibesco, «c'est qu'on y croit.»
A. MAUROIS, À la recherche de Marcel Proust, IV, p. 118.

36.1 «Vous savez bien, disait abruptement le général de Gaulle, que le bonheur n'existe pas, c'est le rêve des idiots!» Il entendait par là que le bonheur ne serait concevable que comme un plaisir vainqueur du temps, que bonheur signifiait l'impossible accord du plaisir et de la durée, dont les hommes éprouvent à la fois la fascination et l'antinomie.
MALRAUX, l'Homme précaire et la Littérature, p. 307.

36.2 (...) le bonheur n'est peut-être qu'un malheur mieux supporté. M. YOURCENAR, Alexis, p. 104.

(Dans un contexte politique et social). *Le bonheur des hommes, des peuples, du peuple. Le roi était censé régner pour le bonheur de ses sujets.*

(Dans un contexte religieux). *Bonheur éternel, céleste* (des élus). *Bonheur du nirvâna*. — Le bonheur de...* (suivi de l'inf.), celui qu'on éprouve à... *Le bonheur de faire qqch., de voyager.*

♦ **2** Par ext. Ce qui rend heureux. *C'est un grand bonheur pour moi de collaborer avec vous. Les petits bonheurs.* — Par exagér. *Avoir le bonheur de...,* formule de civilité. → **Agrément, avantage, plaisir.** *Depuis que j'ai eu le bonheur de vous connaître.*

37 Vous savez quel crédit ce mensonge a sur nous.
S'il procure à mes vers le bonheur de vous plaire (...)
LA FONTAINE, À Mme de Montespan.

Prov. *L'argent ne fait pas le bonheur. Le malheur des uns fait le bonheur des autres.*

♦ **3** En interj. *O bonheur! quel bonheur!* → **Joie.**

38 «Oh! quel bonheur... comme vous êtes gentil... Tenez, maintenant je puis vous le dire, j'en ai pleuré toute la nuit.» Alphonse DAUDET, l'Immortel, p. 156.

CONTR. **Malheur. — Adversité, calamité. — Contre-temps, déboire, désastre, déveine, échec, guignon, infortune, malchance, revers. — Angoisse, anxiété, douleur, inquiétude, misère, peine, souffrance, trouble.** ◊ COMP. **Bonheur-du-jour.**

**BONHEUR-DU-JOUR** [bɔnœʀdyʒuʀ] n. m. — V. 1760; de *bonheur, du,* et *jour,* soit au sens de «époque» (la mode du jour), soit au sens de «lumière» (éclairage).

Petit bureau d'une facture très soignée, composé d'une table et, en retrait, de casiers ouverts ou fermés par des vantaux pleins ou vitrés. *Un bonheur-du-jour en marqueterie, en bois de rose.* → Merveille, cit. 3. *Des bonheurs-du-jour.*

Des bonheurs-du-jour Louis XV-Eugénie détonnent au milieu des vieux bahuts flamands et des honnêtes meubles Restauration.
M. YOURCENAR, Archives du Nord, p. 186.

**BONHOMIE** [bɔnɔmi] n. f. — 1758; *bonhommie,* 1736; de *bonhomme.*

♦ **1** Simplicité dans les manières, unie à la bonté du cœur. → **Affabilité, bonté, douceur, gentillesse, simplicité; bonhomme,** adj. (II.). *Une douce, une aimable, une charmante bonhomie. Une apparente, une fausse bonhomie. Bonhomie béate et paterne* (cit. 2). *Une rude bonhomie. Une bonhomie bienfaisante. — La bonhomie de qqn. Sa bonhomie appelle la confiance. — Parler, rire, accueillir qqn avec bonhomie. Il manque de bonhomie.*

1 Il ne faut pas que la bonhomie nous fasse oublier toute considération de dignité et de bienséance.
GRIMM, Lettre du 3 avr. 1758, *in* BRUNOT.

2 C'est de cette retraite que je vous dis que votre procédé me désarme pour jamais, que bonhomie vaut mieux que raillerie. VOLTAIRE, Lettre à Trublet, 27 avr. 1761.

(...) il *(Haendel)* mêlait à une force colérique qui matait les résistances, une spirituelle bonhomie qui savait panser les blessures d'amour-propre qu'il avait causées (...) 3
R. ROLLAND, Voyage musical au pays du passé, p. 58.

(...) il y a dans le ton de sa voix plus de bonhomie que d'indiscrète familiarité (...) 4
GIDE, Journal, 17 août 1914.

Son hochement de tête exprime une indulgente, une tendre bonhomie. N. SARRAUTE, le Planétarium, p. 139. 5

REM. Le terme s'applique généralement à un homme, plus rarement à une femme. «*Avec la bonhomie de l'innocence, si le mot bonhomie ne rougissait pas de se voir employé à l'occasion d'une femme qui avait de si belles poses dans sa bergère*» (Stendhal, *Armance,* 1827, p. 89).

Marie avait beaucoup de bonhomie, de simplicité, de naturel. PROUST, Jean Santeuil, Pl., p. 581. 6

(Avec une valeur péj.). Complaisance naïve ou excessive. → **Bonasserie.**

♦ **2** Rare. *(Une, des bonhomies).* Manière, parole pleine de bonhomie. «*Ses obstinations emportées, ses soudaines bonhomies*» (G. Sand, *in* T. L. F.).

♦ **3** (Choses; actions). Caractère de simplicité aimable. *La bonhomie de son accueil, de ses manières, d'un récit. Un style plein de bonhomie.*

CONTR. **Affectation, arrogance, hauteur, jactance, outrecuidance, suffisance. — Dissimulation, duplicité, finesse, incrédulité.**

**BONHOMME** [bɔnɔm] n. m. et adj. — XIIe, «homme bon»; «paysan, manant», XIIIe; de 1. *bon,* et *homme.*

**I** N. m. (Plur. *bonshommes* [bɔ̃zɔm]; pop. et oral *des bonhommes* [bɔnɔm]). ♦ **1** Vx. Homme plein de bonté, de simplicité (→ ci-dessous II., adj.). *Le bonhomme La Fontaine.* → **Bon.**

Je trouve irrespectueux d'appeler La Fontaine «le bonhomme». J. RENARD, Journal, 19 janv. 1909. 0.1

Le moine *(envoyé en prison à Barbezières)* se trouva un bonhomme qui, gagné par la compassion, alla avertir M. de Vendôme (...) 1
SAINT-SIMON, Mémoires, 133, 224, *in* LITTRÉ.

Loc. *Faire le bonhomme :* affecter la bonté et la simplicité, par malice. *Un faux bonhomme.* → **Hypocrite, patelin, simulateur.**

♦ **2** Vx. Homme simple, peu avisé et crédule. → **Naïf,** n. *Un bonhomme que tout le monde trompe. Son bonhomme de mari.*

C'est un «bon homme» (...) appréciez ces mots à leur vraie valeur (...) ils signifient : c'est un mannequin, dont on tire les cordes comme on veut. 2
Camille DESMOULINS, *in* BRUNOT, Hist. de la langue franç., p. 131.

Je ne suis pas du tout un monstre, mais un bonhomme que vous avez rendu méchant (...) oui, je suis un bonhomme, un homme du commun, comme on me le corne sans cesse aux oreilles; eh bien! tout bonhomme, tout commun que je suis, si j'avais arraché cette décoration par mon importunité, si je la devais à l'intrigue, je rougirais de la porter (...) 2.1
Henri MONNIER, Scènes populaires, «Les bourgeois campagnards», 10, p. 360.

♦ **3** (1360). Collectif. Vx. Les paysans. *Le militaire vivait aux dépens du bonhomme* (cf. *Jacques Bonhomme,* surnom du paysan français de l'Ancien Régime).

♦ **4** (1536). Vx. Homme d'un âge mûr ou avancé.

(...) en Touraine, en Anjou, en Poitou, dans la Bretagne, le mot bonhomme, déjà souvent employé pour désigner Grandet, est décerné aux *hommes* les plus cruels comme aux plus bonasses, aussitôt qu'ils sont *arrivés à un certain âge.* Ce titre ne préjuge rien sur la mansuétude individuelle. BALZAC, Eugénie Grandet, éd. 1834, p. 124. 3

♦ **5** (Appellatif). Vx. Terme familier et hautain adressé à un homme d'une condition inférieure. *Passez votre chemin, bonhomme.* → **Manant, maraud.**

Par allus. au sens 3, «paysan».

3.1 *(La pauvre vieille)* va ramasser du bois mort
Pour chauffer bonhomme
Bonhomme qui va mourir
De mort naturelle
Georges BRASSENS, Chansons, «Bonhomme».

Mod. Terme familier adressé à un petit garçon. *Salut, bonhomme! Dis donc, bonhomme, tu ne pourrais pas nous laisser tranquilles? Tu ne perds rien pour attendre, mon bonhomme.* (Pour lui témoigner de l'affection). *Viens t'asseoir ici, mon bonhomme.*

(Adressé à un homme quelconque avec mépris). *Cause toujours, mon bonhomme!*

♦ **6 (PETIT) BONHOMME :** petit garçon. *Ce petit bonhomme, mon bonhomme a déjà cinq ans.*

4 On ne manqua pas de faire beaucoup babiller le petit bonhomme. ROUSSEAU, Émile, II.

REM. L'emploi du syntagme pour désigner un jeune homme (Duhamel, *in* T.L.F.) est stylistique et péjoratif.

5 — Mais alors, il y a une différence immense entre une toilette de Callot et celle d'un couturier quelconque? demandai-je à Albertine. — Mais énorme, mon petit bonhomme, me répondit-elle. Oh! pardon.
PROUST, À l'ombre des jeunes filles en fleurs, Folio, p. 568.

L'emploi de *bonhomme*, seul, en parlant d'un enfant, est stylistique mais sans péjoration.

6 C'était un bonhomme de cinquante ans qui menait par la main un bonhomme de six ans. Sans doute le père avec son fils. Le bonhomme de six ans tenait une grosse brioche.
HUGO, les Misérables, t. II, 1862, p. 468, *in* T.L.F.

(En appellatif). *Bonjour, mon petit bonhomme!*

(Appellatif tendre, pouvant s'adresser à une femme, assimilée à un enfant). «*Chérie! petit bonhomme! mon chou!*» (Audiberti, *in* T.L.F.).

♦ **7** Fam. et cour. Homme. → **Type.** *Un drôle de bonhomme. Entrer dans la peau du bonhomme,* du personnage. *Maman, y a un bonhomme qui veut te parler. — On ne dit pas «un bonhomme», on dit «un monsieur». Un petit bonhomme rigolo. Un gros bonhomme. Un sale bonhomme. Il y avait trois bonnes femmes* et un bonhomme.* → fam. Mec.

7 Oui, j'ai connu quelques bonshommes comme cela. C'est ridicule, mais c'est plutôt touchant.
J. DUTOURD, les Horreurs de l'amour, p. 414.

(Avec une nuance admirative). *C'est un sacré bonhomme. Quel bonhomme!* → **Monsieur.** *Un grand bonhomme.*

REM. Le mot est d'un emploi familier et usuel, mais a des connotations très différentes de ses équivalents *type, mec,* etc.; il évoque souvent un discours enfantin.

Spécialt. Homme (de troupe).

♦ **8** (1831). Figure humaine dessinée ou façonnée grossièrement. *Dessiner des bonshommes. Un bonhomme en pain d'épice. Un bonhomme de neige.*

Psychol. *Test du (petit) bonhomme,* dans lequel on fait dessiner à un enfant un personnage.

♦ **9** Loc. (1803). *Aller, poursuivre son petit bonhomme de chemin :* poursuivre ses entreprises sans hâte, sans bruit, mais sûrement.

8 Nous avons été bien battus et mis à la raison par les vieux. Ils ont continué leur petit bonhomme de chemin entre la paix et la guerre.
DRIEU LA ROCHELLE, la Comédie de Charleroi, p. 122 (1934).

D'une manière, l'idée n'était pas si mauvaise de le laisser continuer seul son bonhomme de chemin : il aurait pu aussi bien nous conduire quelque part. 9
BERNANOS, Un crime, *in* Œ. roman., Pl., p. 821.

*Nom d'un petit bonhomme!,* sorte de juron familier.

Et au dessert... nous mangerons des huîtres, nom d'un petit bonhomme! 10
E. LABICHE, Un monsieur qui a brûlé une dame, 2.

**II** Adj. (Plur. *bonhommes* [bɔnɔm]). ♦ **1** Vieilli. Bon et secourable. → **Bienveillant.**

♦ **2** Littér. Plein de bonhomie*; qui marque la bonhomie. *Il est assez bonhomme.* → **Bon enfant.** *Un rire, un accent bonhomme.* → **Affable, aimable, gentil; conciliant, facile.**

Par anal. (choses) :

Si tu étais aussi aimable que moi c'est-à-dire que si tu prenais un format de papier qui fût un peu bonhomme comme le mien, tes lettres seraient doubles en longueur, je les aimerais doublement (...) 11
FLAUBERT, Lettre à Ernest Chevalier, *in* Correspondance, t. I, Pl., p. 59.

DÉR. **Bonhomie.**

**BONI** [bɔni] n. m. — 1612; génitif du lat. *bonus* «bon», dans l'expression *aliquid boni* «quelque chose de bon».

♦ **1** Fin., dr., comm. Excédent d'une somme affectée à une dépense sur la somme effectivement dépensée; surplus* d'une recette sur les prévisions. → **Bénéfice, bonification, excédent, guelte, revenant-bon.** *Boni de liquidation. Mille francs de boni. Des bonis.*

♦ **2** Avantage accordé à un employé, sous forme d'excédent de salaire, etc.

(...) mis en verve par les vins de France, il raconte sa vie aux gardes-nobles, les bonis du métier, l'espoir qu'ils ont tous en entrant là de faire un beau mariage, de conquérir un jour d'audience pontificale, quelque riche anglaise catholique (...)
Alphonse DAUDET, l'Immortel, p. 127.

CONTR. **Déficit, moins-value, perte.** ◊ DÉR. 2. **Bonifier.**

**BONICHE** ou **BONNICHE** [bɔniʃ] n. f. — 1863, *in* D.D.L.; de *bonne.*

Péj. et vieilli. Jeune bonne. — Bonne* (2.). *Une petite boniche. Elle est habillée comme une boniche.* — REM. Le mot, d'abord diminutif familier relativement neutre, est devenu insultant.

Une petite bonniche n'a pas le moyen de se payer des mélancolies de millionnaire, voyez-vous!
BERNANOS, la Joie (1929), *in* Œ. roman., Pl., p. 618.

**BONICHON** [bɔniʃɔ̃] n. m. — 1867; dimin. de *bonnet.*

Fam. et vieilli. Petit bonnet.

Elle lui avait acheté à *la Samaritaine* de luxe des ensembles ravissants, un rose, un bleu, un jaune citron : la robe et le manteau, ultra-courts comme il convenait, un bonichon assorti.
Denyse VAUTRIN, le Tourbillon des jours, t. II, p. 243.

**BONIFACE** [bɔnifas] adj. et n. — 1690, Furetière, n. propre, de *bonum* (bon) *fatum* (destin).

Fam. et vx (régional). Se dit d'une personne simple, crédule et niaise. → **Bonasse, bonhomme** (adj.). *Il est un peu boniface.* — N. «*Pauvres Bonifaces!*» (Balzac).

Spécialt. Personne fausse, d'apparence bonasse (Claudel, *in* T.L.F.).

DÉR. **Bonifacement.**

**BONIFACEMENT** [bɔnifasmɑ̃] adv. — 1834; de *boniface.*

Vx et régional. Bonassement.

Moi, je suis un bon vivant, un bon enfant, sans préjugés, et je vais vous dire tout bonifacement les choses.
BALZAC, la Cousine Bette, Pl., t. VI, p. 403.

1. **BONIFICATION** [bɔnifikasjɔ̃] n. f. — 1584; de *1. bonifier.*

♦ **1** Action d'améliorer, de rendre d'un meilleur produit. → **Amélioration.** *La bonification des terres.* → **Amendement.**

♦ **2** Action de bonifier, d'améliorer; son résultat; amélioration sur le plan du caractère, du comportement.

CONTR. **Aggravation, détérioration.**

2. **BONIFICATION** [bɔnifikasjɔ̃] n. f. — 1712; de *2. bonifier.*

♦ **1** Action de donner à titre de boni, de surplus. → **Rabais, remise, ristourne.** Avantage fait à un souscripteur, un débiteur qui se libère par anticipation. — La somme donnée à titre de boni. *Une bonification de cent francs.*
*Bonification d'intérêt(s) :* prise en charge par l'État d'une partie des intérêts d'un emprunteur pour faciliter certains investissements. → **Bonifier.**

♦ **2** (1923, *in* G. Petiot). Sport. Cycl. «Tour de France». «Avantage accordé au coureur qui passe en tête au sommet d'un col ou à l'arrivée; il se chiffre en minutes et secondes à retrancher du temps réel» (G. Petiot). *Bonifications d'arrivée.*

1. **BONIFIER** [bɔnifje] v. tr. — Déb. XVIe; lat. médiéval *bonificare,* de *bonus* «bon», et *facere.*

♦ **1** Rendre meilleur, d'un meilleur produit. → **Abonnir, améliorer.** *Bonifier les terres par l'assolement.*

1 Moi je travaille celle *(la terre)* que mon père a bonifiée (...)
ROUSSEAU, Émile, II.

♦ **2** Améliorer (en général). *Si vous gardez votre vin dans cet appartement chauffé, vous ne le bonifierez pas.*

◆ **SE BONIFIER** v. pron. S'améliorer. *Le vin se bonifie en vieillissant.* — Fig. *Son caractère s'est bonifié.*

2 L'amputation remontait à plus de vingt ans déjà, et depuis lors la résonance de la flûte s'était sans cesse améliorée, comme celle d'un violon qui se bonifie avec le temps.
Raymond ROUSSEL, Impressions d'Afrique, p. 94.

◆ **BONIFIÉ, ÉE** p. p. adj. *Terres bonifiées.*

CONTR. **Aggraver, avarier, corrompre, gâter.** ◈ DÉR. **1. Bonification.**

2. **BONIFIER** [bɔnifje] v. tr. — 1712; d'après *boni.*

Fin., dr., comm. Donner à titre de boni.

*(Vers 1770)* «Bonifier» signifiait toujours rendre meilleur, mais il avait développé le sens de *donner des bonis,* c'est-à-dire de faire des avantages à ceux qui anticipent leurs versements.
BRUNOT, Hist. de la langue franç., VI, p. 497 (Le recouvrement de l'impôt).

Spécialt. *Bonifier des intérêts :* régler une part des intérêts dus par un emprunteur dans le but de faciliter des investissements déclarés d'intérêt général.

◆ **BONIFIÉ, ÉE** p. p. adj. Qui comporte une bonification. *Bénéficier de prêts bonifiés.*

DÉR. **2. Bonification.**

**BONIMENT** [bɔnimɑ̃] n. m. — 1827; de *bonir, bonnir*.*

♦ **1** Propos débité pour convaincre et attirer la clientèle (→ **Parade).** *Les boniments d'un bateleur, d'un charlatan.* → **Bonimenteur, bonisseur** (cit.).

Il ajouta, sur le ton d'un boniment forain avec une dernière révérence (...) 1
ALAIN-FOURNIER, le Grand Meaulnes, p. 81.

(...) une troupe ambulante qui, entassée dans une charrette et parcourant au pas les rues pleines de curieux, distribuait maints prospectus en attirant la foule par des boniments et des coups de grosse caisse. 1.1
Raymond ROUSSEL, Impressions d'Afrique, p. 227.

Discours pour vanter une marchandise, séduire le client. → **Baratin.** *Faire, débiter des boniments.*

♦ **2** (1881 (cit. 1.2)) Fam. Propos artificieux, faux ou trompeur. → **Bavardage, blablabla, blague, bobard.** *Raconter des boniments. Des boniments à la noix* (cit. 6) *de coco, à la graisse* (cit. 15), *à la graisse de chevaux de bois, à la manque. Pas de boniments!*

Quand elles eurent conté leur *boniment,* il plongea la main dans un tiroir, l'en retira pleine de pièces d'or qu'il remit aux visiteuses ébahies (...) 1.2
Louise MICHEL, la Misère, t. I, p. 180 (1881).

Chut donc! Ainsi tout ce que vous débitiez à Pompon et à moi... la famille du Cantal, le vieux soldat retraité... C'étaient des boniments à la graisse d'oie. 1.3
P. VEBER, Loute, II, 1902, *in* D. D. L., II, 6.

*Le boniment* (collectif). *C'est du boniment, ton histoire!*

(...) tous ceux qui ont voulu organiser du travail sans luxe ni boniment (...) se sont heurtés aux mêmes refus (...) 2
PÉGUY, De Jean Coste, *in* Œ. en prose, 1898-1908, Pl., p. 490.

Spécialt. *Faire du boniment, dire des boniments à une femme,* la courtiser. → **Baratin, plat.**

Jacques se vit donc obligé de balancer quelques boniments à madame Baponot du genre vous aimez le cinéma (...) 3
R. QUENEAU, Loin de Rueil, p. 112.

DÉR. **Bonimenter.**

**BONIMENTER** [bɔnimɑ̃te] v. intr. — 1833, *in* Larchey; de *boniment.*

♦ **1** Faire le boniment (1.).

Je l'ai connu alors qu'il bonimentait à l'Anatomic Hall (...) Il avait à peine dix-huit ans et il avait déjà un bagout du tonnerre de Dieu pour exhiber ses saloperies.
R. QUENEAU, Pierrot mon ami, éd. L. de Poche, p. 119.

♦ **2** Rare. Raconter des boniments (2.).

DÉR. **Bonimenteur.**

**BONIMENTEUR, EUSE** [bɔnimɑ̃tœʀ, øz] n. — 1894; de *bonimenter.*

♦ **1** Personne qui fait le boniment (1.). → **Bonisseur.** — REM. Le féminin est rare.

(...) une éruption du Vésuve à la manière du XVIIIe siècle finissant, avec des bonimenteurs, deux ou trois lingères et, par-dessus la peinture naïve, comme un refrain de Rossini (...)
Alain BOSQUET, les Bonnes Intentions, 1975, p. 89.

♦ **2** Rare. Personne qui raconte des boniments (2.).

**BONIR** [bɔniʀ] v. tr. → **Bonnir.**

**BONISSEUR, EUSE** [bɔnisœʀ, øz] n. — 1820; de *bonir, bonnir*.*

Forain, camelot qui débite un boniment pour attirer le public. → **Bonimenteur** (1.).

Dans leurs voyages à travers les États d'Amérique, Lulu, qui faisait aussi «la bonisseuse» — et dont les saluts au public et les parades originales (...) amenaient, entraînaient irrésistiblement dans la baraque les passants 1 amusés — Lulu déployait une fantaisie extraordinaire dont les mots et les gestes fusaient sur l'estrade.

Félicien CHAMPSAUR, Lulu, I, II, p. 25 (1901).

2 Le bonisseur vint voir s'il pouvait y aller. On pouvait commencer. Il fit donc fonctionner le piqueupe qui se mit à débagouler Travadja la moukère et le Boléro de Ravel, et, lorsque des luxurieux supposant quelque danse du ventre se furent arrêtés devant l'établissement, il dégoisa son boniment.

R. QUENEAU, Pierrot mon ami, Folio, p. 81.

REM. Le mot est plus technique que *bonimenteur.*

**BONITE** [bɔnit] n. f. — V. 1525; esp. *bonito,* par l'ital., probablt du rad. lat. *bonus* «bon», comme l'adj. esp. *bonito.*

Thon* de la Méditerranée (n. sc. : *pelamis*). *Bonite à dos rayé.*

L'eau est calme. Les bonites sautent. Un air plus frais annonce le large, l'Océan Indien.

Paul MORAND, Rien que la terre, p. 221 (1926).

**BONJEAU, BONJOT** ou **BONGEAU** [bɔ̃ʒo] n. m. — XVIIIe; dimin. de l'anc. picard *bonge* «fagot»; flamand *bondje* «petite botte».

Techn. Botte de lin immergée pour le rouissage.

**BONJOUR** [bɔ̃ʒuʀ] n. m. et interj. — Déb. XIIIe, *bon jor* «bon jour»; sens mod., XVe; de 1. *bon,* et *jour.*

**A** N. m. (avec ou sans article). ♦ **1** Le fait de saluer en souhaitant une bonne journée; parole par laquelle on salue une personne rencontrée.

(Avec l'article). Vieilli ou régional. *Donner* (vx), *souhaiter le bonjour à qqn. Donner, envoyer le bonjour à qqn de la part de qqn.*

1 (...) il *(Harpagon)* ne dit jamais : *Je vous donne,* mais : *Je vous prête le bonjour.* MOLIÈRE, l'Avare, II, 4.

1.1 (...) des petits garçons m'ont dit le bonjour si doucement qu'il me servira pour des semaines.

GIRAUDOUX, Provinciales, éd. Ferenczi, p. 121.

Loc. (1824, *in* D. D. L.). *Bien le bonjour. Je vous souhaite bien le bonjour.*

Fam. *Vous avez le bonjour des copains.* — Loc. pop. *T'as l'bonjour d'Alfred,* formule ironique pour laisser qqn.

Cour. *Un bonjour.* **a** Manière de dire bonjour, de saluer en arrivant, en rencontrant. *Un bonjour rapide, cordial, sec, froid. Il lui adressa un bonjour aimable, chaleureux. Des bonjours échangés. — Le bonjour de qqn, son bonjour.*

2 Et point d'effusion avec des amis retrouvés; rien que de vagues bonjours, échangés avec des gens qui se retournaient un peu (...) LOTI, Ramuntcho, II, 2, p. 214.

**b** Loc. *Dire un petit bonjour, passer dire un petit bonjour à qqn.*

(Sans article). Plus cour. *Dire bonjour à qqn. Il ne dit ni bonjour ni bonsoir. Tu diras bonjour aux amis de ma part.*

3 (...) Ils me disent bonjour à grands bras, à gros baisers claquant sur la joue (...)

COLETTE, la Naissance du jour, p. 66.

Loc. (1833, Balzac, *in* D. D. L.). *C'est simple comme bonjour,* très simple, évident; très facile. — (En épithète) :

3.1 Pour être heureux comme un roi, il suffit de mener une vie simple comme bonjour.

J. RENARD, Journal, 18 déc. 1893.

3.2 (...) la méthode est bonne. C'est brutal, c'est maussade, mais c'est simple comme bonjour, inratable.

BERNANOS, l'Imposture, *in* Œ. roman., Pl., p. 439.

3.3 Quand la motte de beurre n'était pas là, elle était pas; quand elle ne sera plus, elle sera plus. C'est simple comme bonjour. R. QUENEAU, le Chiendent, p. 376 (1932).

♦ **2** Signe de salut équivalant à la formule orale. *Il envoyait des bonjours et des baisers du train.*

**B** Emploi interj. *Bonjour!* ♦ **1** Formule orale de salut adressé en arrivant, en rencontrant. → **Salut** (II., 1. : salut!). *Bonjour, chère madame! Bonjour, Paul! Bonjour, les gars! Hé bonjour! — Bonjour chez vous! Bonjour aux copains! Bonjour à tous!*

Maître Renard (...) 4
Lui tint à peu près ce langage :
Hé! bonjour, Monsieur du Corbeau (...)

LA FONTAINE, Fables, I, 2.

Loc. fam. *Bonjour, bonsoir,* sans avoir de relations suivies, en quittant très rapidement.

Par aphérèse. *Jour.*

Jour, m'sieur Lataupe, jour, m'sieur Chipoteau. 5

CARMOUCHE et LALOUE, les Invalides, 1840, *in* D. D. L., II, 10.

Fam. *Bonjour...!,* avec un nom précédé de l'article défini (et de sens péjoratif). *Bonjour les dégâts*, les ennuis, les emmerdes :* les dégâts, etc. arrivent. *«Bonjour le ridicule!»* (*le Point,* 5 mars 1984, p. 23). — S'oppose à *adieu!*

♦ **2** Régional. La même formule, adressée à la personne que l'on quitte, en partant. → **Revoir** (au); **adieu (régional), bonsoir.** — REM. Cet usage, attesté dans diverses régions de France, est très usuel en français du Canada.

Fam. (même construction que ci-dessus B., 1., mais avec un nom de sens positif). Formule conclusive et ironique (syn. *adieu*). *Bonjour la confiance! :* la confiance s'en va. — REM. On peut interpréter cet emploi comme une antiphrase du sens 1 ci-dessus, portant sur le complément. → La confiance* règne, bravo, merci pour la confiance. — *Partir avec ce brouillard, bonjour!* → Merci* bien.

♦ **3** (V. 1968). Formule de salut épistolaire, remplaçant les traditionnels «monsieur», «cher monsieur», «chère madame», «cher ami», etc.

COMP. **Rebonjour.**

**BON MARCHÉ** [bɔ̃maʀʃe] → **Marché** (I., 3.).

**BONNARD, ARDE** [bɔnaʀ, aʀd] adj. → **Bonard.**

1. **BONNE** [bɔn] n. f. — 1762, Académie; certainement antérieur, mais la date de 1708, Furetière (*in* F. E. W.), concerne le terme d'affection (→ 1. Bon); substantivation de *bonne* (1. Bon), comme terme d'affection (*ma bonne,* adressé par les enfants à leur bonne).

♦ **1** Vx. *La bonne d'un enfant, sa bonne :* la personne employée à son service. *Oui, ma bonne!* — Vieilli. Servante, domestique. *Bonne d'enfants.* → **Gouvernante, nurse; bobonne** (anciennt).

L'enfant, livré pendant ces deux années *(de deux à quatre ans)* à des filles ignorantes nommées bonnes. 1

Charles FOURIER, le Nouveau Monde industriel, p. 36 (1830).

REM. Dans le même ouvrage, Fourier appelle *bonnin, bonnine,* les instituteurs pour les très jeunes enfants (3 ans) dans son système (*in* T. L. F.).

À quelques jours de là, revenant pareillement de la promenade avec ma bonne Mélanie (...) 2

FRANCE, le Petit Pierre, III, p. 24.

♦ **2** *Bonne à tout faire; bonne :* domestique qui fait le ménage, les courses, souvent la cuisine et vit chez ses employeurs. *Ils ont une bonne espagnole. Une petite bonne.* → **Boniche** (péj.).

(...) si vous vous mariez, il vous faudra prendre une bonne. 3
Un ménage amoureux ne peut pas vivre sans bonne. La

bonne vous décharge de l'être matériel qui est en vous, vous évite cuisine, vaisselle, etc.

GIRAUDOUX, les Aventures de Jérôme Bardini, p. 113.

4 On frappe à la porte. La bonne demande si on va bientôt dîner, sans ça tout sera brûlé, et si on ne se dépêche pas l'invité aura bu tout le Dubonnet (...)

R. QUENEAU, Pierrot mon ami, éd. L. de Poche, p. 30.

REM. Le mot, considéré comme péjoratif, disparaît au profit de *domestique*, et du terme administratif *employé(e) de maison*.

DÉR. **Bobonne, boniche.**

2. **BONNE (À LA)** [alabɔn] loc. adv. → **Bon** (II., 3.).

**BONNE-DAME** [bɔndam] n. f. — 1538; de *bonne* (1. Bon), et *dame*.

Arroche* des jardins. — Pl. *Des bonnes-dames.*

**BONNE FEMME** [bɔnfam] n. f. → **Femme** (I., B.).

**BONNE-GRÂCE** [bɔngʀɑs] n. f. — Mil. XVIe; de *bonne* (1. Bon), et *grâce*.

♦ **1** Vx. Pièce de tissu ornementale servant à garnir une fenêtre, une ouverture. *«Des bonnes-grâces en mousseline blanche»* (Hugo, *in* T. L. F.).

♦ **2** Vx. Toile dans laquelle les tailleurs enveloppaient les habits pour les transporter en ville.

**BONNE-MAIN** [bɔnmɛ̃] n. f. — 1877, Littré, *Suppl.*; de *bonne* (1. Bon), et *main*.

Vx ou régional (Suisse). Pourboire, gratification. *Des bonnes-mains.*

**BONNE-MAMAN** [bɔnmamɑ̃] n. f. — 1821; de *bonne* (1. Bon), et *maman*.

Grand-mère (terme d'affection, employé comme subst. et comme appellatif). → Bon-papa. *La bonne-maman va mieux. Sa bonne-maman est venue le voir. — Bonjour, bonne-maman.* → **Grand-maman, mémé.** — Plur. *Des bonnes-mamans.*

**BONNEMENT** [bɔnmɑ̃] adv. — V. 1170, «avec bonté», remplacé dans ce sens par *bien*; de 1. *bon*.

♦ **1** Vx. D'une manière exacte et vraie. → **Vraiment.** — (En tour négatif). *«Je ne sais pas bonnement (...) si je partirais»* (P.-L. Courier, *in* T. L. F.). — (En interrogatif). *Bonnement ?* : vraiment ?

♦ **2** Vx ou régional. Avec simplicité, sans détour. → **Franchement, naïvement** (vx), **simplement.**

1 Le roi causa une heure avec le bon homme d'Andilly aussi plaisamment, aussi bonnement, aussi agréablement qu'il est possible. Mme DE SÉVIGNÉ, 85.

2 Un honnête homme vous dit une chose bonnement et comme elle est (...) Mme DE SÉVIGNÉ, 86.

2.1 Le vieux prêtre se défend de rien trouver d'extraordinaire dans les propos de son pénitent, et s'amuse bonnement des scrupules de son confrère. «Un enfant, répète-t-il, un véritable enfant (...)»

BERNANOS, Sous le soleil de Satan, *in* Œ. roman., Pl., p. 156.

*Tout bonnement* : simplement, spontanément, sans détour.

3 Dire tout bonnement ce qui me viendra; le dire simplement et sans aucune prétention (...)

STENDHAL, Journal, p. 77.

♦ **3** Mod. **TOUT BONNEMENT** (cour.); **BONNEMENT** (rare) : tout simplement* (après un verbe à sujet nom de personne, désignant une action ou antéposé, qualifiant un adjectif). → **Bellement** (tout bellement, vieilli), **réellement, vraiment.** *Il est tout bonnement insupportable. On l'a tout bonnement renvoyé.*

— Bonsoir belle dame. *(Il lui baise la main).* Vous êtes tout bonnement ravissante ce soir... Eh ! mais ça n'a pas l'air très animé ici ? on ne danse donc pas ? 4

Henri MONNIER, Scènes populaires, «La grande dame», 6, p. 217.

Les dauphins (...) sont tout bonnement de petits cachalots (...) FRANCE, le Lys rouge, XXXII. 5

Et quand il manqua son cours, en février, ses élèves, après l'avoir un peu attendu, allèrent bonnement se promener. 6

ARAGON, Blanche..., III, I, p. 345.

CONTR. **Astucieusement, hypocritement, malicieusement.**

**BONNET** [bɔnɛ] n. m. — 1401; mil. XIIe, «étoffe à coiffure», lat. médiéval *boneta* «coiffure», 1184; p.-ê. du lat. médiéval *abonnis* «bandeau, serre-tête», lui-même du francique **obbunni* «ce qui est attaché sur»; P. Guiraud préfère rattacher le mot à une var. de *borne, bonne,* du gallo-romain **bottina*.

**I** (Coiffure). ♦ **1** Coiffure souple, sans bords, de forme variable, couvrant une partie importante du crâne (à la différence de la calotte). → **Coiffe.** — REM. *Bonnet*, sans qualificatif, ne s'emploie plus guère pour les hommes. — *Mettre, porter un bonnet, le bonnet. Bonnet enfoncé jusqu'aux oreilles. Bonnets anciens, portés au moyen âge* (→ **Coqueluche**), *à la Renaissance. Soulever son bonnet pour saluer.* → **Bonnetade** (vx) (et ci-dessous, *mettre la main au bonnet*). *Bonnet de meunier,* à fond prolongé par une longue queue. *Bonnet de pêcheur. Bonnets de femme.* → **Cabochon; toque, toquet.** *Elle porte un petit bonnet posé sur l'oreille.* → **Bonichon.** *Bonnet de laine, de coton. Un bonnet en laine tricotée. Bonnet-chaussette. Un pierrot* (cit. 1) *coiffé d'un bonnet. Acheter un bonnet de fourrure pour l'hiver. La chéchia* est un bonnet. Voilà un bonnet qui est perlé* (cit. 4).

Il y avait grand concours de populaire, et, au milieu d'Européens de toutes nationalités, des Persans à bonnets pointus, des Bunhyas à turbans ronds, des Sindes à bonnets carrés, des Arméniens en longues robes, des Parsis à mitre noire. 0.1

J. VERNE, le Tour du monde en 80 jours, p. 66.

(Dans des syntagmes). Vx. *Bonnet grec* : sorte de coiffe en usage au XIXe siècle. — Anciennt. **BONNET DE NUIT, BONNET DE COTON** : coiffure masculine pour la nuit, symbolisant le confort et la pusillanimité bourgeoise, la tristesse, etc. (→ ci-dessous, 3. le sens fig.).

Ménalque descend son escalier, ouvre sa porte pour sortir, il la referme : il s'aperçoit qu'il est en bonnet de nuit (...) 1

LA BRUYÈRE, les Caractères, XI, 7.

Spécialt. Coiffure de femme traditionnellement portée en milieu rural. → **Coiffe; bavolet, béguin, colinette.** *Bonnet de tulle, de dentelle; bonnet à bavolet* (cit. 2).

Elle était en petit fourreau blanc; ses beaux cheveux négligemment repliés sous un grand bonnet (...) 1.1

SADE, Justine..., t. I, p. 11.

Ses cheveux qu'elle tenait en vain prisonniers sous un lourd bonnet, s'échappaient en tresses tordues, comme des gerbes de blé mûr. 2

RENAN, Souvenirs d'enfance..., La petite Noémi, VI, p. 98.

Anciennt. *Bonnet carré d'ecclésiastique* (→ **Barrette**), *de professeur* (voir ci-dessous, 4.).

(1790, *in* D. D. L.). **BONNET DE POLICE** : coiffure militaire. → 2. **Calot**; → 1. Espalier, cit. 5.

Me voilà aux aumôniers militaires; et la première fois que j'en vis un, avec le bonnet de police à trois galons, je courus à l'autre capitaine, le seul que je trouvai. Je lui dis que, dans les instructions sur les grades et les signes 2.1

du respect, je n'avais jamais entendu parler d'aumônier à trois galons. Devais-je le salut?
ALAIN, Souvenirs de guerre, *in* les Passions et la Sagesse, Pl., p. 444.

2.2 Les soldats ont la tête droite, les mains posées sur une sorte de toile cirée à carreaux; ils n'ont pas de verres devant eux. Eux seuls enfin ont la tête couverte, par un bonnet de police à courtes pointes.
A. ROBBE-GRILLET, Dans le labyrinthe, p. 26.

Par comparaison :

2.3 Sa bouche, fendue comme un bonnet de police, essaya d'ébaucher un sourire.
VILLIERS DE L'ISLE-ADAM, Tribulat Bonhomet, p. 86.

Ancienn. *Bonnet à poil des grenadiers.* → **Ourson; colback.**

Vx. *Bonnet chinois.* → ci-dessous, II., 5.

3 Leur tête était ce que serait un bonnet chinois sans clochettes : on aurait beau le secouer, il ne tinterait pas.
RENAN, Souvenirs d'enfance..., St Nicolas du Chardonnet, I, p. 117.

Vx. *Bonnet basque :* béret (mot de diffusion récente).

4 (...) jamais bonnets basques n'ont coiffé plus joyeuses figures. LOTI, Ramuntcho, I, 15, p. 132.

Hist. *Bonnet phrygien :* coiffure antique des Grecs de Phrygie, adoptée par les sans-culottes en 1789 et devenue le symbole de l'esprit révolutionnaire. Syn. : *bonnet rouge* (→ Sans-culottisme, cit.).

4.1 Pendant l'entracte, nous avons vu des patriotes se coiffer d'un bonnet rouge dont la pointe se recourbe en avant à la manière du Corno Phrygien. Un de ceux qui en étaient coiffés, a dit tout haut que ce bonnet rouge serait désormais, dans les endroits publics, le signal auquel se rallieront les patriotes.
Journal des théâtres, 10 mars 1792, *in* WALTER, la Révolution franç. vue par ses journaux, p. 391 (*in* D. D. L., II, 11).

Par métonymie. Révolutionnaire, sans-culotte.

4.2 Vous êtes des paysans, des violents, des sauvages, des Bonnets Rouges. C'est d'ailleurs un peu vrai quand on nous pousse à bout.
P.-J. HÉLIAS, le Cheval d'orgueil, p. 474.

Par métaphore :

5 Je mis un bonnet rouge au vieux dictionnaire.
HUGO, les Contemplations, I, 7.

Vx. *Les bonnets rouges et les bonnets de coton, le bonnet rouge et le bonnet de coton :* les républicains et les royalistes (cf. Flaubert, *l'Éducation sentimentale,* 1869).

Loc. *Bonnet d'âne.* → **Âne.**

Coiffure souple portée par les enfants en bas âge. *Les bébés portaient des bonnets de dentelle. Bonnet de baptême* (vx). → **Chrémeau.**

Spécialt (mod.). *Bonnets utilisés dans divers sports. Bonnet de bain, en caoutchouc, en matière plastique.* — *Bonnet de ski* (en laine).

♦ **2** [a] Méd. (vx). *Bonnet d'Hippocrate :* bandage de tête. → **Capeline.**

[b] Enveloppe dont on couvre la tête des chevaux. *Bonnet à œillères,* muni d'étuis pour les oreilles.

♦ **3** (Dans des loc.). Vieilli. (Sens concret). — (1459). *Mettre la main au bonnet,* pour saluer. *Rester le bonnet à la main,* par déférence. — Vx. *Coup de bonnet :* salut (→ Coup de chapeau).

Mod. (Fig.). *Être triste comme un bonnet de nuit* (→ **Éteignoir**). — Par ext. *Quel bonnet de nuit!,* se dit d'une personne triste et ennuyeuse.

(1558). *Avoir la tête près du bonnet :* être colérique, prompt à s'emporter.

6 Mais où sont donc ces esprits si vifs (...) ces têtes si près du bonnet? Mme DE SÉVIGNÉ, 193, 30 août 1671.

(1623). *Jeter son bonnet par-dessus les moulins :* braver l'opinion, la bienséance (surtout en parlant d'une femme, d'une jeune fille).

*Prendre qqch. sous son bonnet :* imaginer, forger qqch. sans aucune vraisemblance, sans fondement, et aussi, faire qqch. de sa propre autorité (→ **Chef** : de son propre chef), en prendre la responsabilité.

Et comme je suppose que même si elle a pris cette initiative sous son bonnet, elle reflète le fond de ta pensée. 6.1
F. MALLET-JORIS, le Jeu du souterrain, p. 199.

Vieilli. *Sous le bonnet de qqn,* dans son esprit.

*Deux têtes, trois têtes... sous un bonnet,* se dit de plusieurs personnes qui sont toujours du même avis.

Voilà trois bonnes têtes dans un bonnet, la vôtre, celle de 7
l'empereur des Romains et celle du roi de Prusse (...)
VOLTAIRE, Lettre à Catherine II, 119.

Par métonymie. Esprit. Vx. *Parler à son bonnet :* se parler à soi-même. — Fam. *Casser le bonnet à qqn* (vieilli), l'ennuyer. Mod. *Se casser le bonnet :* se casser la tête. *Te casse pas le bonnet :* ne t'inquiète pas.

Je parle... je parle à mon bonnet. 8
— Et moi je pourrais bien parler à ta barrette.
MOLIÈRE, l'Avare, I, 3.

N. B. La seconde expression signifie «te battre».

(1640). *C'est blanc bonnet et bonnet blanc :* cela revient au même, c'est la même chose.

Michelet est le type du grand bavard. Il extrait d'une petite 8.1
idée une grande page. Blanc bonnet ne lui suffit pas : il lui faut bonnet blanc. En général, il lui faut des faits pour le soutenir. J. RENARD, Journal, 20 févr. 1889.

Vx. *Mettre, avoir son bonnet de travers :* se mettre, être en colère.

♦ **4** Ancienn. [a] Coiffure des professeurs. *Porter le bonnet :* être professeur. *Bonnet carré des docteurs en théologie.*

Nous ne pouvons pas seulement voir un avocat en soutane 9
et le bonnet en tête, sans une opinion avantageuse de sa suffisance? (...) PASCAL, Pensées, II, 82.

Quitte là le bonnet, la Sorbonne et les bancs (...) 10
BOILEAU, Satires, VIII.

Loc. fig. (1622, *in* D. D. L.). **UN GROS BONNET** : un personnage éminent, influent. → **Huile** (fig.).

Il *(le cardinal de Bouillon)* ne voulut voir que quelques gros 11
bonnets des Jésuites.
SAINT-SIMON, Mémoires, 297, 21, *in* LITTRÉ.

(...) je reçus pour cette soirée une invitation qui me venait 11.1
d'un ancien camarade, devenu gros bonnet dans le commerce des visons. Je me décidai à en profiter.
DRIEU LA ROCHELLE, la Comédie de Charleroi, p. 147.

Vx. *Y jeter son bonnet :* se reconnaître incapable de résoudre une difficulté.

Après avoir tourné le cas 12
En cent et cent mille manières,
Y jettent leur bonnet, se confessent vaincus (...)
LA FONTAINE, Fables, II, 20.

(1654). *Opiner** (cit. 3) *du bonnet :* donner une adhésion totale à l'avis d'un autre, ce que faisaient les docteurs de Sorbonne en levant leur bonnet.

Il opine du bonnet comme un moine en Sorbonne. 13
PASCAL, les Provinciales, 2.

C'est à se demander si le rôle des livres, qui parlent tous 14
pour convaincre, n'est pas d'écouter et d'opiner du bonnet.
COCTEAU, la Difficulté d'être, XIV.

[b] *Bonnet d'évêque :* mitre. → ci-dessous les sens fig. (II., 3.). — *Plier les serviettes en bonnet d'évêque,* en forme de mitre.

**II** Par anal. de forme. ♦ **1** (1690). Second estomac* des ruminants.

♦ **2** (Qualifié, dans des noms d'animaux et de plantes). Vx. *Bonnet chinois :* macaque *(Macacus simicus).* — *Bonnet noir :* fauvette. — *Bonnet de Neptune :* nom donné à des coquillages.
*Bonnet d'argent, bonnet de fou :* nom de plusieurs espèces de champignons. — *Bonnet turc :* potiron. — *Bonnet de prêtre :* courge, pâtisson (se dit aussi du fusain).

♦ **3** BONNET D'ÉVÊQUE. [a] Archit. Petite loge, enfoncement en forme de mitre.
[b] Croupion d'une volaille découpée. Syn. : *sot-l'y-laisse.*

♦ **4** Techn. [a] Partie supérieure d'un encensoir.
[b] Sorte d'écrou. — *Bonnet carré, bonnet d'évêque :* foret à quatre ailes.

♦ **5** Mus. *Bonnet chinois* (→ ci-dessus, cit. 3) : instrument de musique composé d'un manche surmonté de disques de cuivre et de clochettes. → **Chapeau** (chinois).

♦ **6** Chacune des deux poches d'un soutien-gorge. *Soutien-gorge à bonnets arrondis, pointus.*

DÉR. **Bonichon, bonnetade, bonneterie, bonneteur, bonnetier,** 1. **bonnette,** 2. **bonnette.**

**BONNETADE** [bɔntad] n. f. — 1555; de *bonnet,* ou de l'anc. verbe *bonneter* (1550, Ronsard) «saluer; opiner du bonnet».
Vx. Façon de saluer qqn en soulevant son bonnet.

**BONNETEAU** [bɔnto] n. m. — 1874; de *bonneteur.*
Jeu de trois cartes que le bonneteur* mélange après les avoir retournées, le joueur devant deviner où se trouve une de ces cartes. *Se faire escroquer au bonneteau. Une partie de bonneteau.*

Et le duc se présentait naïvement pour l'aider, sans en avoir l'air, à réussir son tour, comme dans un wagon, le compère inavoué d'un joueur de bonneteau.
PROUST, le Côté de Guermantes, I, Folio, p. 278.

Jeu de hasard où l'on se fait escroquer. *Les changes, «stupéfiant bonneteau où il* (le voyageur) *est toujours perdant»* (P. Morand, *in* T. L. F.).

**BONNETERIE** [bɔnɛtʀi; bɔntʀi] n. f. — XVe au sens 3; de *bonnet.*

♦ **1** (1718). Fabrication, industrie, commerce d'articles en tissu à mailles. *Bonneterie à la main, à l'aiguille, au crochet. Bonneterie mécanique, à la machine* (à l'aide de métiers à cueillage, de machines à tricoter ou de métiers circulaires). *Bonneterie de soie, de coton, de laine. Industrie de la bonneterie.* → **Bas** (fabrication des), **chaussetier, ganterie** (gants de tissu).

♦ **2** Magasin où l'on vend ces articles. *Elle tient une petite bonneterie. Devanture de bonneterie. Bonneterie-mercerie.*

♦ **3** (XVe; premier sens attesté). Les articles fabriqués par cette industrie. → **Jersey, tricot.** *Bonneterie à un fil* ou *articles à cueillage. Bonneterie à plusieurs fils* ou *articles chaîne.*

1 L'étymologie du mot semble venir de *bonnet;* mais on appelait également *bonnet* le fil de laine tissé à la main, avec l'aiguille et la broche.
F. MAILLARD-DANTZER, *in* LAROUSSE de l'industrie.

2 On désigne sous le nom générique de bonneterie toutes les étoffes formées d'un ou de plusieurs fils repliés en boucles, qui s'agrafent les unes dans les autres en formant des mailles.
F. MAILLARD-DANTZER, *in* LAROUSSE de l'industrie.

**BONNETEUR** [bɔntœʀ] n. m. — Déb. XVe, «filou»; de *bonnet,* ou de l'anc. v. *bonneter,* attesté plus tard.

♦ **1** Vx. Filou qui attire ses victimes à force de civilités.

♦ **2** (1708). Vx. Celui qui prodigue révérences et compliments. → **Bonnetade** (vieux).

♦ **3** (1874). Celui qui tient un jeu de bonneteau*. — REM. Le fém. est virtuel.

DÉR. **Bonneteau.**

**BONNETIER, IÈRE** [bɔntje, jɛʀ] n. — XVe; de *bonnet.*

♦ **1** Personne qui fabrique ou qui vend des articles de bonneterie*. → **Mercier** (plus cour.). — Adj. *Marchand bonnetier.*

(...) un bonnetier promenait sans hâte une immense voiture de bas et de tricots, s'arrêtant des heures devant chaque sonnette, et menaçant de masquer la sortie de Don Juan (...)
GIRAUDOUX, Provinciales, p. 159.

♦ **2** (Attesté 1928, Mauriac). **BONNETIÈRE** (n. f.) : petite armoire, utilisée à l'origine pour ranger des coiffes.

**BONNETON** [bɔntɔ̃] n. m. — 1675; de *bonnet.*
[I] Vx. Petit bonnet (repris XXe : Céline, *Mort à crédit*).
[II] (1883, Zola). Vx. Vendeur dans la bonneterie.

1. **BONNETTE** [bɔnɛt] n. f. — 1573, Du Fail; *bonete,* XVe; de *bonnet.*
Vx ou régional. Bonnet de femme ou d'enfant.

2. **BONNETTE** [bɔnɛt] n. f. — 1382; de *bonnet,* au sens anc. «étoffe».

♦ **1** Mar. Voile carrée supplémentaire que l'on installe à côté des voiles principales à l'aide de boutsdehors. *Bonnette basse, bonnette de hune, de perroquet. Mettre bonnette sur bonnette :* mettre toutes voiles dehors.

(...) nous traversions une vraie foule de navires qui venaient à nous toutes voiles dehors, et de loin ressemblaient, avec leurs bonnettes basses, à des silhouettes de femmes portant un seau de chaque main et se dandinant dans leur marche.
Th. GAUTIER, Constantinople, p. 67.

♦ **2** (1671). Fortif. Ouvrage avancé au delà du glacis, et dont les deux faces forment un angle saillant.

♦ **3** (1899). Opt. Verre teinté adapté aux oculaires des instruments astronomiques. — Photogr. Lentille amovible modifiant la distance focale. *Bonnette de mise au point. «La solution des bonnettes paraît séduisante, d'autant plus qu'elle n'introduit aucune perte de luminosité» (Sciences et Avenir,* no 375, mai 1978).

**BONNE-VOGLIE** [bɔnvɔgli] n. m. — 1670; francisé en *bonne voille,* v. 1520; *bonne veulle, bonne voglie* «bonne volonté» au XVIe; ital. *buonavoglia* «bonne volonté», spécialisé av. 1536.
Mar. Vx ou hist. Rameur volontaire sur une galère (non enchaîné, à la différence des galériens).

**BONNICHE** [bɔniʃ] n. f. → **Boniche.**

**BONNIR** ou **BONIR** [bɔniʀ] v. tr. — 1811, *in* Esnault; littéralt «rendre bon», qui remonterait par l'intermédiaire des saltimbanques et des comédiens à l'argot ital. *imbunire* «distraire aux fins de larcin», selon Esnault; la dérivation de *bon, bonne* (bonne histoire) semble plus naturelle, mais n'est pas attestée; pour Guiraud, le mot vient de *bon* «dupe» (1670).

Argot. Dire, raconter. *Qu'est-ce qu'il est en train de nous bonnir? Arrête de me bonnir tes salades!*

1 — Est-il drôle ce momaque; *bonis*-nous ta mission, pégriot.
Louise MICHEL, la Misère, t. III, p. 662.

2 Et toi? qu'est-ce que tu viens bonnir?
CÉLINE, Guignol's band, p. 279.

3 Je fais signe à Mado de la boucler; ça, c'est une affaire de complicité-recel pour elle si elle en bonnit trop long.
A. SARRAZIN, la Cavale, p. 34.

DÉR. **Boniment, bonisseur.**

**BON-PAPA** [bɔ̃papa] n. m. — 1822; de 1. *bon,* et *papa.*
Grand-père (terme d'affection, employé comme subst. et comme appellatif). *Son bon-papa et sa bonne-maman. — Comment vas-tu, bon-papa?* → **Grand-papa, pépé.** *Des bons-papas.*

**BONSAÏ** [bɔ̃(d)zaj] n. m. — Répandu v. 1975; mot japonais, de *bon* «pot», et *sai* «arbre».
Arbre nanifié naturellement ou (plus souvent) artificiellement, cultivé en pot (d'abord au Japon, puis dans les pays anglo-saxons et en Occident). *Un bonsaï de vingt, de cent ans. Les bonsaïs les plus recherchés des amateurs ont été nanifiés par un environnement peu favorable à la pleine croissance de l'espèce* (altitude, vent, terre peu abondante, etc.), *et son cueillis dans la nature. Formes traditionnelles de bonsaïs* (dressé, en balai, en cascade, en boqueteau, etc.). *Les maîtres japonais du bonsaï.* — Appos. *Érable bonsaï.* — REM. : On écrit aussi *bonzaï.*

**BON SENS** [bɔ̃sɑ̃s] n. m. → **Sens** (II., 2).

**BONSOIR** [bɔ̃swaʀ] n. m. et interj. — XV^e; de 2. *bon,* et *soir.*

**A** N. m. (avec ou sans article). ♦ **1** Le fait de saluer (→ **Salut**) en souhaitant une bonne soirée; parole par laquelle on salue, en soirée, une personne rencontrée, au moment de la rencontre ou au moment de prendre congé. *Le bonjour et le bonsoir. — Rendre à qqn le bonsoir. Donner* (vx), *souhaiter le bonsoir à quelqu'un.*

1 Où es-tu, Claudine, que je te donne le bonsoir? — Va, va, je le reçois de loin, et je t'en renvoie autant (...)
MOLIÈRE, George Dandin, III, 5.

2 Elle était très respectée, et cela se voyait, rien que dans les bonsoirs que les gens lui donnaient.
LOTI, Pêcheur d'Islande, III, p. 26.

Loc. *Bien le bonsoir. Je vous souhaite bien le bonsoir.* Fam. *Avoir le bonsoir de qqn. Passe-lui le bonsoir de ma part.*

*Un bonsoir.* **a** Manière de dire bonsoir, de saluer en arrivant, en rencontrant, en partant. *Un bonsoir rapide, chaleureux, froid, sec. Il lui adresse un bonsoir aimable.*

**b** Loc. *Dire un petit bonsoir, passer dire un petit bonsoir à quelqu'un.*

(Sans article). *Dire bonsoir à qqn. Il ne dit ni bonjour ni bonsoir :* il ne salue pas, n'est pas poli.

♦ **2** Signe de salut équivalant à la formule orale. *Il distribuait en entrant des bonsoirs d'un signe de tête.*

**B** Emploi interj. *Bonsoir!* ♦ **1** Formule orale de salut* adressée en arrivant, en rencontrant ou en prenant congé, le soir. *Bonsoir chère madame. Bonsoir, Paul! Tiens, bonsoir! Bonsoir chez vous!* (1681, *in* D. D. L.). Fam. *Bonsoir la compagnie!*

Loc. fam. *Bonjour*, bonsoir!*

Fig. *Bonsoir!,* marque qu'une affaire est finie, qu'on s'en désintéresse. → **Adieu.**

Par aphérèse. *'Soir.*

♦ **2** Juron inoffensif (→ Bon sang!). *Bonsoir de bonsoir!*

**BONTÉ** [bɔ̃te] n. f. — 1080, «qualité morale (d'une personne)»; lat. *bonitas, -atis,* à l'accusatif *bonitatem,* de *bonus* «bon». → Bon.

**I** (En parlant de choses). ♦ **1** (1130). Rare. Qualité de ce qui est bon*. → **Excellence, perfection.** *La bonté d'une terre, de l'air; la bonté d'un aliment, d'un vin; d'une marchandise.*

Il y a dans l'art un point de perfection, comme de bonté ou de maturité dans la nature. 1
LA BRUYÈRE, les Caractères, I, 10.

Ce jour-là (...) la bonté de ce temps fut telle, pour la saison bien entendu, que lorsque le ciel ne se recouvrait pas trop de nuages (...) on aurait pu le croire (...) plus proche encore de l'été. 1.1
M. DURAS, Moderato cantabile, p. 143.

♦ **2** Vx. Conformité au bien* moral. *La bonté d'une action. La bonté d'une cause.* → **Justice.** *La bonté d'un argument.* → **Force; exactitude, vérité.**

**II** Cour. (En parlant de personnes). ♦ **1** (Déb. XII^e). Qualité morale qui porte à faire le bien*, à être bon* pour les autres. → **Altruisme, bénignité, bienfaisance, bienveillance, bonhomie, clémence, compassion, complaisance, douceur, facilité** (d'humeur), **humanité, indulgence, magnanimité, mansuétude, miséricorde, pitié, tendresse.** *Bonté naturelle. Grande bonté.* → **Débonnaireté, naïveté, simplicité.** *Bonté excessive, naïve.* → **Bêtise, bonasserie.** Loc. fam. *Vous avez de la bonté de reste :* vous êtes trop bon (bonne). *Bonté du cœur :* caractère charitable. *Bonté d'âme.* Loc. *Par bonté d'âme* (souvent iron.). *Être plein de bonté. Avoir un fonds de bonté. Acte de bonté. Traiter qqn avec bonté. Avoir la bonté de faire qqch. Sourire, regard plein de bonté. Avoir l'apparence de la bonté* (→ Être tout sucre et tout miel). *Implorer la bonté, recourir à la bonté de qqn. Récompenser, louer qqn de sa bonté.*

Nul ne mérite d'être loué de bonté, s'il n'a pas la force d'être méchant : toute autre bonté n'est le plus souvent qu'une paresse ou une impuissance de la volonté. 2
LA ROCHEFOUCAULD, Maximes, 237.

Rien n'est plus rare que la véritable bonté : ceux mêmes qui croient en avoir n'ont d'ordinaire que de la complaisance ou de la faiblesse. 3
LA ROCHEFOUCAULD, Maximes, 481.

Si c'en était ici le lieu, j'essayerais de montrer (...) comment des sentiments d'amour et de haine naissent les premières notions du bien et du mal : je ferais voir que *justice* et *bonté* ne sont point seulement des mots abstraits (...) mais de véritables affections de l'âme éclairée par la raison, et qui ne sont qu'un progrès ordonné de nos affections primitives (...) 4
ROUSSEAU, Émile, IV, p. 278.

Votre bonté est si grande, qu'elle ressemble à Dieu! Elle me pénètre d'admiration, de respect et de reconnaissance; mais elle m'accable et me confond. 5
A. DE MUSSET, Carmosine, III, 8.

Bonté, c'est création; bonté, c'est fécondité, c'est la bénédiction même de l'acte sacré. 6
MICHELET, la Femme, p. 208.

La bonté n'est pas naturelle : c'est le fruit pierreux de la raison. Il faut se prendre par la peau des fesses pour se mener de force à la moindre bonne action. 6.1
J. RENARD, Journal, 10 août 1904.

La bonté purement bonne ne leur est pourtant pas étrangère, mais elle se porte alors sur de pauvres mendiants, sur des créatures malheureuses qui leur représentent intellectuellement la misère du monde, les misères à qui on peut faire l'aumône de sa fortune, même d'une larme, mais non point des concessions de toutes les minutes à une intelligence inférieure à la nôtre et qui ne nous admirerait point (...) 6.2
PROUST, Jean Santeuil, Pl., p. 744.

Il y a une bonté qui assombrit la vie, une bonté qui est tristesse, que l'on appelle communément pitié, et qui est 6.3

un des fléaux humains.
ALAIN, Propos, 5 oct. 1909, De la pitié.

7 Sur ce visage volontaire, fleurit parfois un sourire de profonde et délicate bonté.
G. DUHAMEL, Récits des temps de guerre, Lieu d'asile, II.

En parlant de Dieu. *Bonté infinie, divine, souveraine, suprême. Dieu, dans sa bonté... Dieu est toute bonté.* — Interj. (1784, *in* D. D. L.). *Bonté divine Bonté du ciel!* (→ Mon Dieu !).

8 (...) la volonté de Dieu, qui est seule toute la bonté et toute la justice (...) PASCAL, Pensées, X, 668.

9 De tous les attributs de la Divinité toute-puissante, la bonté est celui sans lequel on la peut le moins concevoir.
ROUSSEAU, Émile, I, p. 48.

♦ **2** (T. de politesse). *Avoir la bonté de...* (et inf.). → **Amabilité, bienveillance, gentillesse, obligeance.** *Il a eu la bonté de m'écrire. — Je vous suis obligé de votre bonté.*

10 Si vous aviez la bonté de me dire la même chose, vous m'obligeriez (...) PASCAL, les Provinciales, 4 (1656).

Iron. *Quand je parle, ayez la bonté de vous taire,* je vous prie* de...

♦ **3** (Mil. XIIe). *Une, des bontés.* (Vieilli ou style soutenu). Acte de bonté; par ext. acte d'amabilité, de bienveillance. *Merci de toutes vos bontés, des bontés que vous avez eues pour moi.*

11 Je vous fais (...) mes remerciements très-humbles (...) des bontés que Votre Altesse daigne me marquer (...)
LA BRUYÈRE, Lettre à Condé, VII.

Spécialt. En parlant d'une femme. *Avoir des bontés pour qqn,* lui témoigner un sentiment tendre (→ **Faveur**).

12 La bonté est une vertu, mais ce n'est pas toujours par vertu qu'une femme a des bontés pour un homme.
JOUY, *in* P. LAROUSSE.

CONTR. **Malice, malignité, méchanceté; cruauté, dureté, férocité, inclémence, noirceur, perversité.**

**BONUS** [bɔnys] n. m. — 1930; anglic., d'abord au Canada, lat. *bonus* «bon».

♦ **1** Gratification accordée par une entreprise sur le salaire d'un employé. → **Prime.**

♦ **2** (1970). Bénéfice accordé, sur le montant de sa prime d'assurance automobile, à un conducteur n'ayant enregistré aucun accident. *Perdre son bonus.* → **Bonus-malus.**

**BONUS-MALUS** [bɔnysmalys] n. m. — 1970; lat. *bonus* «bon», et *malus* «mauvais».

Système d'assurance automobile dans lequel le montant de la prime est en rapport avec le taux d'accidents précédemment enregistré (→ **Bonus**). «*Le mécontentement se cristallise maintenant sur le bonus-malus. Cette expression moliéresque est une invention des assureurs (...) destinée à moraliser le risque automobile*» (*l'Express,* no 1114, 13 déc. 1972).

**BON VIVANT** [bɔ̃vivɑ̃] n. m. et adj. — 1680; de 1. *bon,* et *vivant.*

Homme d'humeur joviale et facile qui aime les plaisirs. → Désaccord, cit. 3; goguette, cit. 1. *Des bons vivants.* → **Luron** (gai luron), **vivant** (joyeux vivant).

1 Et je compris que j'avais été le seul bon vivant de nous trois, avec mon accès de gaieté.
VILLIERS DE L'ISLE-ADAM, Tribulat Bonhomet, p. 113.

Adj. *Il, elle est assez bon vivant.*

2 (...) il était bon vivant, joyeux, farceur, puissant mangeur et fort buveur, et vigoureux trousseur de servantes, bien qu'il eût plus de soixante ans.
MAUPASSANT, Contes de la Bécasse, «Saint-Antoine».

CONTR. **Rabat-joie, triste.**

**BONZAÏ** [bɔ̃(d)zaj] n. m. → **Bonsaï.**

**BONZE** [bɔ̃z] n. m. — 1570; jap. *bōzu* «prêtre bouddhique», par l'intermédiaire du port. *bonzo.*

♦ **1** Ministre de la religion bouddhique.

Nos amis bonzes, malgré une certaine onction ecclésiastique, rient volontiers d'un rire très bon enfant (...) 1
LOTI, Mme Chrysanthème, XL, p. 206.

Les bonzes en jaune, à tête rasée, s'entretiennent volontiers avec les voyageurs. Ces prêtres ou, comme nos vieux auteurs disaient, ces «*talapoins*», on les surprend le matin, assis au pied du dieu, parmi les offrandes, en train de converser avec un groupe de commères aux cheveux en brosse (...) Paul MORAND, Rien que la terre, p. 146. 2

♦ **2** Fig. et fam. Pontife; personnage en vue, quelque peu prétentieux. → **Pédant.** *Les bonzes d'une société, d'un parti.*

♦ **3** Fam. *Bonze, vieux bonze :* vieillard, et, par dénigrement, vieillard imbécile, gâteux.

♦ **4** (Altér. de *gonze*). Argot. Homme, individu. → **Gonze.**

DÉR. **Bonzerie, bonzesse.**

**BONZERIE** [bɔ̃zʀi] n. f. — 1845; de *bonze.*

Vieilli. Monastère de bonzes. → **Lamaserie.**

**BONZESSE** [bɔ̃zɛs] n. f. — 1842; de *bonze.*

Vieilli. Bouddhiste cloîtrée. *Une communauté de bonzesses.*

Les Chinois et les Japonais seuls ont quelques bonzesses.
VOLTAIRE, Essai sur les mœurs, 139.

**BOOGIE-WOOGIE** [bugiwugi] n. m. — 1943, *in* Höfler; mot angl. des États-Unis.

Façon de jouer le blues au piano sur un rythme généralement rapide, avec à la basse une formule rythmique constante. → **Blues, jazz.** — Blues ainsi joué, sur lequel on danse. *Des boogie-woogies.*

**BOOK** [buk] n. m. → **Bookmaker; press-book.**

**BOOKMAKER** [bukmɛkœʀ] et **BOOK** [buk] n. m. — 1862; *bookmaker,* 1855; mot angl., de *book* «livre», et *maker* «celui qui fait».

Personne qui, dans les courses* de chevaux, prend des paris et les inscrit.

Sur la route de Twickenham, Roger était le seul être humain à porter un chapeau melon. La foule des pickpockets, des bookmakers et des dandys s'abritait plus volontiers sous une casquette à large coiffe. 1
A. BLONDIN, Monsieur Jadis, p. 204.

Abrév. fam. : *book* (1887; une première fois, 1854). Syn. : 2. *bouc.*

Tiens je vais réveiller le Book, une idée qui me passe... Quatre heures! C'est l'heure à la «Royale»! la comptée des courses!... je vais passer lui chercher mes ronds! 2
CÉLINE, Guignol's band, p. 59.

— Jamais je n'aurais eu l'idée de jouer un cheval avec un nom pareil, dit Bélépine, tandis que Jacques entreposait la galette aboulée par le bouque *(sic).* 3
R. QUENEAU, Loin de Rueil, p. 89.

Sologne va faire une cote impressionnante. Je crois que vous avez eu raison de la jouer au Pari Mutuel plutôt que chez un book. 4
Roger NAÏM, l'Ère des truands, p. 203.

**BOOLÉEN, ÉENNE** [buleɛ̃, eɛn] adj. — V. 1950; du nom du mathématicien anglais G. Boole.

Math., inform. Relatif à l'algèbre de Boole (ou *algèbre booléenne*). *Variable booléenne,* qui ne peut prendre que deux valeurs distinctes. → **Binaire.** — On dit aussi *boolien, ienne* [buljɛ̃, jɛn], et *booléien, ienne* [bulejɛ̃, jɛn].

**BOOM** [bum] n. m. — 1892, *in* Höfler, au sens 2; mot angl. des États-Unis, «détonation».

Anglicisme (l'équivalent français est *boum*. → 1. Boum).

♦ **1** (1895). Vieilli. Réclame tapageuse pour lancer une affaire.

Mod. Vente importante à prix publicitaires de produits manufacturés. *Boom sur les chaussures. Cette semaine, boom sur les textiles. — Boom publicitaire :* l'action de la publicité pour réaliser une vente, contribuer à la promotion d'une société, d'une vedette, d'un produit.

1 Un instant, Sindy en arriva à se demander si toute son histoire ne constituait pas, en fin de compte, un formidable boom publicitaire.
Roger NAÏM, l'Ère des truands, p. 131 (1972).

♦ **2** Écon. Brusque hausse des valeurs; prospérité soudaine et peu stable. *«C'est surtout sur le marché du travail que le boom fait sentir ses effets»* (*l'Expansion,* nov. 1967).

2 J'ai souvent rêvé d'être un de ces magnats qui, saisis par une intuition cotonnière, téléphonent en pyjama d'un palace de Californie et provoquent un boom à Sydney, ou un krack à Wall Street, tandis qu'ils sont dans leur bain.
Pierre DANINOS, Un certain Monsieur Blot, p. 253.

Loc. *En plein boom :* en plein essor. *«En plein boom sur leur propre marché»* (*le Nouvel Obs.,* n° 540, 17 mars 1975). — Fam. *Être en plein boom,* en plein travail. → **Boum.** *Alors, vieux, en plein boom?*

♦ **3** (1939, *in* Höfler). Retentissement, forte impression (produite sur de nombreuses personnes). → **Boum.**

3 Cette deuxième fois le Christ lui était apparu au cinéma, où il s'était mêlé sur l'écran à la *Bande des Habits noirs* de Paul Féval. Du moment que la chose s'était passée au cinéma, tout le monde prit l'affaire au sérieux et cela fit un boom énorme. Tous les louftingues de Montparnasse parlaient de se convertir.
B. CENDRARS, Trop c'est trop, p. 10.

♦ **4** (1950, *in* Höfler). Argot scol. Fête annuelle d'une grande école. *Le boom H.E.C.* (On écrit parfois *boum*).

CONTR. **Chute, effondrement, krach, récession.** ◇ HOM. **1. et 2. Boum.**

**BOOMERANG** [bumʀɑ̃g] n. m. — 1863; *bowmerang,* 1857; *boomerang, boumerang, boomarang* sont attestés; mot angl., d'une langue australienne; la forme *bommereng* (P. Larousse) vient du néerlandais.

♦ **1** Arme de jet des indigènes australiens, formée d'une pièce de bois dur courbée et qui, lancée, peut revenir vers son point de départ si elle n'a pas touché le but.

1 Le boumerang *(sic)* ressemble à la feuille de l'eucalyptus; il en a la forme, et l'on peut en suivre les diverses modifications depuis le moins courbé, qui rappelle le mieux la feuille, jusqu'au plus infléchi, qui s'en éloigne le plus.
Désiré CHARNAY, Six mois en Australie, *in* le Tour du monde, 1880, t. I, p. 71.

2 D'une façon générale, on y reconnut une arme de jet économique, retournant le projectile à son expéditeur; bref un perfectionnement du boumerang *(sic).*
R. QUENEAU, le Chiendent, Folio, p. 210.

(Par compar.). *Revenir, se retourner comme un boomerang, en boomerang.*

3 Les années qui s'envolaient me revenaient dans le creux de la main comme des boomerangs.
A. BLONDIN, les Enfants du bon Dieu, p. 50.

4 L'impitoyable loi (...) lui était donc revenue en pleine figure comme un boomerang.
Régis DEBRAY, l'Indésirable, p. 97.

♦ **2** (1959, *in* Höfler). Par métaphore ou fig. Acte, envoi dont les effets peuvent se retourner contre l'auteur, l'expéditeur. *«Tout acte est un boomerang...»* (L. Daudet).

Fouquet reconnut la signature tremblotante de Marie sur ce boomerang *(l'enveloppe),* revenu à son point de départ le frapper au plus juste. 5
A. BLONDIN, Un singe en hiver, p. 84.

Appos. ou adj. (1953). *Effet boomerang :* production d'un effet contraire à l'effet recherché. *Des effets boomerang(s).*

Particulièrement intéressants sont les effets boomerang, c'est-à-dire les conséquences contraires à l'intention du producteur, se retournant contre lui. Par exemple, une émission destinée à montrer les méfaits de charlatans qui utilisent les rayons X amena une grande partie des auditeurs non pas à faire confiance aux bons radiologues, comme on le désirait, mais à détourner tout simplement de cette thérapeutique qui apparaissait comme dangereuse. 6
Jean CAZENEUVE, Sociologie de la radio-télévision, p. 33.

Loc. verb. *Faire boomerang :* se retourner contre l'envoyeur, contre son auteur. *Sa révélation a fait boomerang.*

1. **BOOSTER** [bustœʀ] n. m. — 1934, *in* Höfler; mot angl. des États-Unis, proprt «accélérateur», de *to boost.*

Anglicisme. Technique.

♦ **1** Système d'accélération. *Booster de locomotive.*

♦ **2** (1952, *in* Höfler). Fusée auxiliaire à très forte poussée pour les engins spatiaux. *«À une altitude de 12 000 pieds, le booster se détache»* (*le Monde,* 13 déc. 1972). — Recomm. off. : *accélérateur, impulseur, lanceur, propulseur auxiliaire.*

Phys. Synchrotron injecteur d'un accélérateur de particules.

♦ **3** Compresseur (d'une installation frigorifique) servant à amener la pression d'un gaz à la pression d'aspiration d'un autre compresseur (syn. : *précompresseur*).

2. **BOOSTER** [buste] v. tr. — V. 1995; mot angl. des États-Unis *to boost* «augmenter, stimuler». → 1. Booster.

Anglicisme.

♦ **1** Gonfler (un moteur, une machine) pour en augmenter les performances. — Au p. p. *Moteur boosté.*

♦ **2** Fig. Stimuler, augmenter. *Campagne de publicité qui booste les ventes d'un produit.*

**BOOTLEGGER** [butlegœʀ] n. m. — 1925, *in* Höfler; mot amér. «celui qui cache sa bouteille dans sa botte».

Hist. Aux États-Unis, Contrebandier d'alcool, pendant la prohibition.

**BOOTS** [buts] n. pl. REM. L'usage hésite sur le genre; le féminin semble toutefois l'emporter : on dit plus volontiers aujourd'hui *de belles boots, des boots neuves* que *de beaux boots, des boots neufs.* — 1966; attestation isolée, dans un contexte anglais, 1872; angl. *boots* «bottes».

Anglic. Bottes courtes s'arrêtant au-dessus de la cheville et portées surtout avec un pantalon. → **Bottillon, bottine.** *«Les boots sont à fermeture-éclair ou à élastique, réalisés dans des peausseries souples»* (*Marie-Claire,* oct. 1971).

Elle a enfilé son jean de vacances, ses boots bleues en faux crocodile, son tee-shirt jaune, et noué un foulard rouge autour de son cou. Joseph JOFFO, Tendre été, p. 30.

Au sing. *Un(e) élégant(e) boot* [but] *de ville.*

**BOP** [bɔp] n. m. → **Be-bop.**

**BOQUETEAU** [bɔkto] n. m. — 1598; *boschetel, bosquetel,* 1360; de *boquet,* var. picarde de l'anc. franç. *boschet, boscet,* de *bosc* «bois».

Petit bois; bouquet d'arbres. → **Bosquet.**

A gauche un boqueteau de chênes verts et un chemin.
H. BOSCO, l'Âne Culotte, p. 28.

1. **BOQUILLON** [bɔkijɔ̃] n. m. — 1668; *bosquillon,* 1210; de l'anc. franç. *bosc,* forme dial. de *bois**.

Vx. Bûcheron*.

1 Et boquillons de perdre leur outil,
Et de crier pour se le faire rendre.
LA FONTAINE, Fables, V, 1.

2 (...) ils traversaient une clairière où travaillaient des bûcherons, c'était une coupe de bois pour alimenter les fourneaux de Timoleo Timolei. Quant à l'interpellation, elle avait pour auteur l'un de ces boquillons (...)
R. QUENEAU, les Fleurs bleues, p. 163.

2. **BOQUILLON, ONNE** [bɔkijɔ̃, ɔn] n. — Attesté XX^e^; mot régional; orig. inconnue, soit onomatopéique, soit (Wartburg) à rattacher à *bouc,* avec infl. de *béquillon.*

Régional (repris en argot, XX^e^). Boiteux. — REM. Le dér. *boquillonner* «boiter» est employé (comme *boquillon*) par Céline *(Mort à crédit).*

**BORA** [bɔʀa] n. f. — 1818; mot slovène et triestin, du latin *boreas* «vent du Nord». → Borée.

Vent du N.-E. froid et violent qui souffle l'hiver sur les régions septentrionales de l'Adriatique.

La bora souffle du N. N.-E., en Istrie et Dalmatie, de Trieste jusqu'à Raguse. On comprend facilement les coups de froid qu'elle amène (...) lorsqu'on (...) songe aux plateaux du Karst, dominant directement la mer de 1 000 m., couverts de neige.
E. DE MARTONNE, Traité de géographie physique, t. I, p. 3.

**BORACIQUE** [bɔʀasik] adj. → **Borique.**

**BORACITE** [bɔʀasit] n. f. — XIX^e^; *in* Littré; de *borax.*

Minér. Chloroborate de magnésie, de poids spécifique 2,9. *Le boracite se présente souvent sous la forme de cristaux incolores et transparents, dans les régions salifères.*

**BORAIN** [bɔʀɛ̃] n. m. — 1803; de *Borain,* nom de l'habitant du Borinage.

Régional. Mineur* dans le Borinage belge et le nord de la France. *Ensemble de borains.* → **Borinage.**

**BORASSE** [bɔʀas] n. m. — 1842; lat. bot. *borassus,* grec *borassos* «datte».

Bot. Palmier* à tige robuste, à feuilles étalées en éventail, dont les bourgeons sont comestibles (cœur de palmier) et dont on fait le vin de palme (→ **Rondier**). *Le borasse des Indes, d'Afrique tropicale.* — On emploie en bot. le lat. mod. *borassus* [bɔʀasys].

**BORATE** [bɔʀat] n. m. — 1787; Guyton de Morneau, du rad. de *borax,* et suff. *-ate.*

Chim. Sel et ester de l'acide borique. *Borate de magnésie.* → **Boracite.** *Borate de soude.* → **Borax, tincal.** *Borates d'ammoniaque, de chaux.*

DÉR. **Boraté.** ◊ COMP. **Borosilicate.**

**BORATÉ, ÉE** [bɔʀate] adj. — 1797, Haüy; de *borate.*

Chim. Qui contient de l'acide borique.

**BORAX** [bɔʀaks] n. m. — 1611; *borrache,* 1256; lat. médiéval *borax* (IX^e^); arabe *būrāq* «salpêtre», du persan *būrah.*

Borate de sodium hydraté, se présentant en cristaux incolores, blancs ou grisâtres et solubles dans l'eau. *On trouve le borax dans l'Inde, à Ceylan, en Perse, au Tibet. Le borax ou borate de soude est un antiseptique faible employé comme collutoire, gargarisme, pansement humide contre les dermatoses.* → **Désinfectant.** *Le borax est utilisé dans l'industrie comme fondant; dans l'analyse minérale; pour la conservation des produits alimentaires.*

Derrière l'hélice, la surface battue est légère, feuilletée, luisante comme du borax.
Paul MORAND, Rien que la terre, p. 226.

DÉR. **Boracite, borate, bore.**

**BORBORYGME** [bɔʀbɔʀigm] n. m. — 1564; grec *borborugmos.*

Bruit* produit par le déplacement des gaz dans l'intestin ou l'estomac. → **Flatuosité, gargouillement, gargouillis.**

Au fond de ces sépulcres de cuir je croyais entendre gronder les borborygmes de la parturition de quelque Mère Ubu (...) 1
P. GUTH, le Naïf sous les drapeaux, III, IV, p. 184.

Fig. *Les borborygmes d'une tuyauterie.*

(...) l'ascenseur n'avait pas été changé. C'était toujours le même déclic, bref, puis ce flottement de chaînes et ce borborygme huileux précédant la mise en marche (...) 2
MARTIN DU GARD, les Thibault, t. V, p. 164.

Le cri de la machine paraît peu à peu se perdre au cœur du bois, où il s'empâte, s'éteint, devient ce borborygme dans quoi bientôt la lame s'immobilise au fond de la blessure. 3
François NOURISSIER, le Maître de maison, p. 40.

Fig. et péj. Bruits de voix incompréhensibles. → **Bredouillement.**

**BORCHTCH** [bɔʀtʃ] n. m. → **Bortsch.**

**BORD** [bɔʀ] n. m. — 1112, *bort;* encore au XVI^e^; francique **bord* «bordage d'un navire»; *bort* «planche» viendrait soit d'un francique **bord* «planche», homonyme ou de même origine que **bord* «bordage», ou d'un germanique *bord* (F. E. W.), les rapports de ces mots étant incertains.

**I** Mar. et cour. ♦ **1** Extrémité supérieure de chaque côté du bordage d'un navire. → **Bordage; bâbord, tribord.** — Loc. *Navire de haut bord,* haut sur l'eau; *navire de bas bord* (rare). — *Franc-bord du navire :* partie située entre la ligne de flottaison et le pont supérieur. — Loc. cour. *Jeter, lancer qqch., qqn par-dessus bord, à la mer.* — Mar. *Recevoir la mer de tous les bords,* de tous les côtés, durant une tempête. *Rouler bord sur bord :* éprouver un violent roulis*. *Être bord à quai,* quand l'un des côtés du navire touche à quai. *Navires bord à bord,* côte à côte.

Et notre rat d'abord 1
Crut voir, en les voyant, des vaisseaux de haut bord.
LA FONTAINE, Fables, VIII, 9.

(...) ils construisirent des vaisseaux de haut bord qui firent pendant des siècles l'admiration de tous les marins du monde et dont Nelson disait qu'ils étaient les chefs-d'œuvre d'une main contrôlée par l'esprit. 1.1
Jean D'ORMESSON, la Gloire de l'Empire, t. II, p. 404.

Les bateaux destinés au transport des animaux et des chars étaient accolés bord à bord. 2
Th. GAUTIER, le Roman de la momie, II.

♦ **2** Chaque côté du navire, considéré par rapport au vent. *Bord du vent, bord au vent :* côté d'où / où souffle le vent. *Bord de sous le vent, sous le vent.*

♦ **3** Distance parcourue par un voilier entre deux virements (→ **Bordée,** 3.). *Courir, tirer un bord, des bords.* → **Bordailler** (vx), **louvoyer.** *Le bon bord :* bordée qui rapproche le navire du but. *Le mauvais bord. Le meilleur bord est celui qui rapproche le bateau du vent réel. Bord au large, bord à terre,* se dit d'un navire courant des bordées tantôt vers le large, tantôt vers la terre. *Bords plats, carrés,* qui ne font pas progresser le voilier dans la direction du vent.

2.1 Le long des côtes marocaines, tout devient simple, clair, net : *Joshua* tire un bord vers la terre pendant la journée, un autre vers le large dès le début de la nuit.
Bernard MOITESSIER, Cap Horn à la voile, p. 64.

2.2 L'*Ariel*, après un long bord, vira et entama un nouveau bord qui l'obligeait à repasser devant nous.
Michel DÉON, les Poneys sauvages, p. 263.

Loc. fig. Argot mar. *Tirer des bords :* marcher en titubant. *Louvoyer bord sur bord* (même sens). → Bordailleur, cit. (écrit *bord-sur-bord*).

♦ **4** Par ext. (surtout dans : *le bord, à bord, du bord*). Le navire. *Aller, rester, coucher à bord. Monter à bord.* → **Aborder; abordage.** *Être maître à bord. Seul maître à bord après Dieu. Chef de bord. Le capitaine* du bord. Changer de bord.* → **Transborder.** *Rallier le bord. Quitter le bord,* l'équipage. *Le chien du bord.* → **Chien.** *Prendre qqn à bord* (ou *à son bord*). — *À bord!,* ordre de retour au navire.

3 Le capitaine me prit à son bord avec mon domestique.
CHATEAUBRIAND, Itinéraire..., 6.

4 (...) l'ennui du séjour à bord, l'incommodité d'être bercé dans un lit mouvant comme par une nourrice en colère (...)
E. FROMENTIN, Une année dans le Sahel, p. 2.

5 Une heure encore avant le moment favorable pour rentrer à bord en évitant la surveillance des hommes de garde (...)
LOTI, Aziyadé, XXI, p. 33.

Loc. **LES MOYENS DU BORD :** les moyens qu'offre la situation. *Se débrouiller avec les moyens du bord.*

5.1 (...) les gens qui sont comme nous en ce moment devraient se retrouver automatiquement mariés, mariés devant le commissaire du bord, avec les moyens également du bord.
A. BLONDIN, Monsieur Jadis..., p. 158.

**JOURNAL, LIVRE DE BORD :** compte rendu de la vie à bord tenu par les officiers de quart. *Carnet* de bord.*

**TABLEAU DE BORD :** tableau réunissant les appareils de contrôle de la navigation. — Par anal. Tableau réunissant les appareils de contrôle (d'une automobile, d'un avion, etc.).

5.2 Il profita d'un arrêt, se pencha sous le tableau de bord *(de sa voiture)* et finit la bouteille qu'il jeta dans le fossé.
G. SIMENON, Feux rouges, 1953, p. 111.

Fig. *Passager par-dessus bord :* passager clandestin, voyageant sans payer son passage.

**À BORD,** se dit des avions, des voitures, de tout véhicule. *Conducteur à bord d'un cabriolet. «(Le) mitrailleur à bord de l'appareil»* (→ Chasseur, cit. 2). *Monter à bord d'un camion, d'un char. Il y avait trois personnes à bord de la voiture.*

♦ **5** (1849). Fig. **DU BORD DE (qqn).** *Nous sommes du même bord,* du même parti, de la même opinion. *«Ses amis de bord opposé»* (Sainte-Beuve).

5.3 Les écrivains de notre bord avaient tacitement adopté certaines règles.
S. DE BEAUVOIR, la Force de l'âge, p. 528.

♦ **6** Mar. **VIRER DE BORD :** changer d'amures. — Fig. (Concret). Changer de direction.

6 L'âne vira de bord et repartit vers la montagne.
H. BOSCO, l'Âne Culotte, p. 29.

(Abstrait). Changer de conduite, d'opinion.

**II** (XIIe). ♦ **1** Contour, ligne formant l'extrémité (d'une surface, d'un objet considéré dans sa surface). → **Bordure, côté, limite, périphérie, pourtour.** *Un bord élevé, surajouté.* → **Rebord.**

(Dans la nature). *Le bord d'un champ, d'un bois* (→ **Lisière, orée).** Spécialt. **LE BORD DE LA MER.** → **Côte, grève, littoral, plage, rivage.** *Route qui surplombe le bord de la mer.* → **Corniche.** *Passer ses vacances au bord de la mer. Bord de mer. Maison située en bord de mer.* — Poét. *Les bords :* les régions en bordure de la mer. *Quitter ces bords. Les bords méditerranéens. Les bords d'une île, d'une région maritime. «Vous mourûtes aux bords où vous fûtes laissée»* (→ Blessé, cit. 4, Racine). *Sans bords :* qui se termine abruptement par un rivage (falaises, etc.) → aussi ci-dessous, 2., a., figuré.

L'honneur est comme une île escarpée et sans bords. 7
BOILEAU, Satires, X.

Ils allaient se trouver acculés au bord de la mer, et toutes 8
ces forces réunies les écraseraient.
FLAUBERT, Salammbô, XII.

Spécialt, mar. (dans des expressions). Rivage, terre; côte. *Mettre à bord :* arriver au port, accoster. → **Aborder; abord.** *Suivre le bord,* la côte.

*Le bord d'un fleuve, d'une rivière.* → **Rive; berge.** *Habiter au bord d'un fleuve* (→ **Riverain).** *Couler à pleins bords* (en parlant des eaux), en remplissant le lit du cours d'eau (→ ci-dessous *À pleins bords* 2., c.). *Le courant, la rivière a dépassé les bords.* → **Déborder.**

Que je repose en paix sous le gazon rustique, 9
Sur les bords du ruisseau pur et mélancolique!
M.-J. CHÉNIER, la Promenade.

*Le bord d'une route* (→ **Côté),** *d'un fossé, d'un précipice. — Le bord d'un puits. Au bord, sur le bord* (de...). *S'avancer avec précaution jusqu'au bord* (d'une rivière, d'un ravin, d'un fossé...).

Au bord de quelque bois sur un arbre je grimpe (...) 10
LA FONTAINE, Fables, X, 15.

Sur le bord d'un puits très profond 11
Dormait, étendu de son long (...)
LA FONTAINE, Fables, V, II.

Avant de monter sur le char qui devait la ramener en 12
arrière, la reine des Goths s'arrêta au bord de la route.
A. THIERRY, Récits des temps mérovingiens, I.

(Objets matériels). Partie (d'un objet considéré dans sa surface) qui borde, limite. *Le bord d'un objet.* → **Arête, contour, entourage, extrémité.** *Le bord d'un tableau.* → **Cadre.** *Le bord d'un papier, d'un livre* (→ **Marge, tranche),** *d'une assiette, d'un verre. Un verre plein jusqu'au bord, à ras* bord. Un rouge* (I., 3.) *bord :* un verre de vin rempli jusqu'au bord. On a écrit *rouge-bord* (→ ci-dessous cit. 14). — *Le bord d'une table, d'une chaise.* — Loc. *S'asseoir sur le bord d'une chaise, d'un siège.*

Si on le prie de s'asseoir, il se met à peine sur le bord d'un 13
siège (...)
LA BRUYÈRE, les Caractères (→ Articuler, cit. 6).

Un laquais effronté m'apporte un rouge-bord 14
D'un Auvernat fumeux, qui, mêlé de Lignage,
Se vendait chez Crenet pour vin de l'Hermitage (...)
BOILEAU, Satires, III.

(...) Musidora vient d'être apportée par Jacinthe jusqu'au 15
bord de la baignoire.
Th. GAUTIER, Fortunio, 6 (→ Baignoire, cit. 1).

(1596). *Le bord d'un vêtement. Bord ourlé, festonné.* → **Bordé, frange, ourlet.** *Bord effilé, effrangé.* — Loc. adv. **BORD À BORD :** en mettant un bord contre l'autre, sans les croiser. Adj. *Manteau bord à bord.* Spécialt (souvent au plur.). Partie circulaire (d'un chapeau) perpendiculaire à la calotte. *Chapeau à larges bords, à petits bords.*

Deux hommes en chapeau à bords cassés (...) 15.1
René FALLET, le Triporteur, p. 424.

*Bord gradué d'un cercle; bord observé d'une planète.* → **Limbe.**

Techn. *Le bord d'une cloche,* partie sur laquelle frappe le battant.

REM. Lorsque le second substantif désigne un objet concret, *bord* peut correspondre à l'extrémité de sa surface (abstraitement) ou à une partie distincte de l'objet (*le bord d'un puits :* la margelle; → Bordure).

(Parties du corps). *Le bord des paupières, des yeux. Les bords d'une plaie. Conglutiner les bords d'une plaie.*

16 Mes lèvres sont les bords d'une blessure brûlante.
Pierre LOUŸS, Aphrodite, I, p. 23.

17 Il avait le bord des paupières avivé par une légère blépharite.
G. DUHAMEL, Chronique des Pasquier, III, IX, p. 116.

Spécialt. *Le bord des lèvres.* → **Bout.** *Mouiller, tremper le bord des lèvres dans une tasse.* — Loc. fig. **AU BORD DES LÈVRES.** *Avoir un mot sur le bord des lèvres,* être sur le point de le retrouver, de le dire; avoir envie de révéler un secret (→ Sur le bout* de la langue). *Avoir l'âme, le cœur au bord des lèvres :* se confier facilement. → **Épancher** (son âme).

♦ **2** Loc. fig. [a] Poét. et vx. *Les sombres bords :* allusion au Styx; le royaume de Pluton. → **Enfer.** — *Abandonner ce bord,* cette vie (→ ci-dessous, cit. 24). *Le bord du tombeau :* le moment de la mort (→ ci-dessous, cit. 19 et 23).

[b] Mod. **ÊTRE AU BORD DE (qqch.), SUR LE BORD DE (qqch.),** en être tout près (→ Être sur le point* de...). *Être sur le bord, au bord de la tombe,* mourant. *Être au bord du gouffre, du précipice, de l'abîme,* en danger. *Être au bord des larmes,* sur le point de pleurer. *Être au bord de la victoire,* sur le point de gagner. — Le pluriel *aux bords de...* (ci-dessous, cit. 18), *sur les bords de...* (cit. 19) est archaïque.

18 Quand nous sommes aux bords d'une pleine victoire,
Quel besoin avons-nous d'en partager la gloire?
CORNEILLE, Sertorius, II, 2.

19 Sur les bords de la tombe où tu me vois courir (...)
CORNEILLE, Œdipe, III, 2.

20 Jusques au bord du crime ils conduisent nos pas.
RACINE, la Thébaïde, III, 2.

21 Vois-je l'État penchant au bord du précipice?
RACINE, Bérénice, IV, 4.

22 Les dieux nous ont conduits jusqu'au bord de l'abîme.
FÉNELON, Télémaque, VII.

23 Cette bouteille donna la mort au pape, et mit son fils au bord du tombeau.
VOLTAIRE, Essai sur les mœurs, III.

24 Faut-il sans boire abandonner ce bord *(la vie)*?
Priez pour moi, je suis mort, je suis mort.
BÉRANGER, Mort vivant.

24.1 Elle embrassait les mains de monsieur Blink qui semblait sur le bord d'une crise de nerfs.
Michel TREMBLAY, Contes pour buveurs attardés, *in* Littératures de langue franç. hors de France, p. 523.

[c] Loc. littér. ou vx. *À pleins bords :* en abondance (comme un liquide remplissant un récipient jusqu'aux bords); en se répandant abondamment (comme un cours d'eau plein jusqu'aux bords). → ci-dessus *à pleins bords* (en parlant d'un cours d'eau).

25 C'est l'orgie opulente, enviée au dehors,
Contente, épanouie,
Qui rit, et qui chancelle, et qui boit à pleins bords
De flambeaux éblouie!
HUGO, les Chants du crépuscule, 33.

26 La fraternité humaine dans le sens le plus large sortait à pleins bords de tous ses enseignements *(de Jésus).*
RENAN, Vie de Jésus, XIV.

*Au bord de... :* tout près de...

27 Jean-Paul se sentit triste infiniment, au bord de cette petite âme douce qui l'aimait.
F. MAURIAC, l'Enfant chargé de chaînes, p. 75.

[d] Loc. fam. (après un adj.). **SUR LES BORDS :** à la limite, sans l'être totalement, foncièrement. *Un peu filou, un peu malhonnête sur les bords :* d'une honnêteté douteuse. *Dis donc, par hasard, tu ne serais pas un peu communiste sur les bords?* (sans y paraître).

Un peu adultère sur les bords, mais bonne épouse, bonne mère. 28
S. DE BEAUVOIR, les Belles Images, p. 85.

Faut pas pleurer, lui dit Gabriel. Il était un peu faux jeton sur les bords votre jules. 29
R. QUENEAU, Zazie dans le métro, Folio, p. 174.

Ah pauvre fou qui prends tout tellement à cœur. Si compliqué. Un peu persécuté sur les bords, reconnais-le (...) 30
N. SARRAUTE, Vous les entendez?, p. 65.

CONTR. Centre, fond, intérieur, milieu. ◊ DÉR. 1. Bordage, bordailler, bordée, border, bordereau, 2. bordier, bordure. ← COMP. Aborder, déborder, rebord, transborder. — Franc-bord, plat-bord. ← HOM. Bore, bort.

1. **BORDAGE** [bɔʀdaʒ] n. m. — 1476; de *bord,* et suff. *-age.*

♦ **1** Vx. Ce qui sert à border; ensemble des bords*. → **Bordé.** *Bordage d'un vêtement* (→ **Ourlet**), *d'un chapeau, d'une chaussure.*

REM. Le sens «action de border», dér. de *border (le bordage d'un vêtement par la couturière),* est plus virtuel que réel (attesté en 1836 dans le dict. de l'Académie).

♦ **2** [a] (1573). Mar. Au plur. Planches épaisses ou tôles recouvrant la membrure (d'un navire, d'une partie d'un navire). *L'ensemble des bordages constitue le bordé.* → **Bau, couple, hiloire, pavois, plat-bord, préceinte, rance, virure.** *Bordages du pont.* → **Bord.** *Bordages de carène ou gabord.* → **Ribord.** *Bordages de la coque.* → **Franc-bord.** *Fixation des bordages.* → **Gournable, râblure.**

[b] Techn. Coffre* de bois contenant du béton. → **Boisage, coffrage.**

♦ **3** N. m. pl. (1632). Régional (Canada). Bordure de glace des cours d'eau, des rives.

Les uns gaffaient, les autres, le long des bordages, à mi-corps dans l'eau glacée, halaient en bœufs.
Félix-Antoine SAVARD, Menaud, maître draveur.

2. **BORDAGE** [bɔʀdaʒ] n. m. — XIIIe; du lat. médiéval *bordagium,* v. 1100 en dr. féod.; du lat. médiéval *borda* «borde»; de *borde.*

♦ **1** Dr. féod., hist. Tenure portant sur une maison d'habitation et entraînant diverses corvées; ces corvées.

♦ **2** Régional. «Ferme louée à moitié fruit» (*in* T. L. F.). → **Borde, métairie.**

Mais dès la fin du XIe siècle, semble-t-il, dans certaines provinces de Gaule, comme l'Anjou, le Maine, le Poitou, et peut-être l'Ile-de-France, des ménages paysans vinrent aussi s'établir dans des «bordes» ou des «bordages» dispersés parmi les bois et les landes.
Georges DUBY, Guerriers et Paysans, p. 229.

**BORDAILLER** [bɔʀdaje] ou **BORDAYER** [bɔʀdeje] v. intr. — 1654, *bordeyer;* de *bord.*

♦ **1** Mar. (vx). Virer souvent de bord sans gagner au vent.

♦ **2** Fam. Tirer des bordées, tituber.

DÉR. Bordailleur.

**BORDAILLEUR** [bɔʀdajœʀ] n. m. — 1878; de *bordailler.*

Argot mar. Celui qui tire des bordées, titube; ivrogne. — REM. Le fém. est virtuel.

Au deuxième matin, le bordailleur rentrait
Sur ses jambes en pieds-de-banc-de-cabaret,
Louvoyant bord-sur-bord (...)
Tristan CORBIÈRE, les Amours jaunes, 1873, Pl., p. 819.

**BORDE** [bɔʀd] n. f. — 1172, «cabane»; lat. médiéval *gorda;* du francique *borda* «cabane de planches».

Vx ou régional. Métairie. *Une petite borde.* → 2. **Bordage** (cit.), **borderie.**

REM. Mot surtout attesté dans le Sud-Ouest de la France.

DÉR. **Borderie, 1. bordier.** — V. 2. **Bordage, bordeau, bordel.**

1. **BORDÉ, ÉE** [bɔʀde] adj. → **Border.**

2. **BORDÉ** [bɔʀde] n. m. — 1689; de *border.*

♦ **1** Galon servant à border (un vêtement, un tapis...). → **Bordure, frange, lisière.** *Garnir des rideaux d'un bordé.*

1 Il y aura un petit bordé d'argent au bas.
Mme DE SÉVIGNÉ, Lettre à Mme de Grignan, 1091, 28 mars 1689.

♦ **2** Mar. Ensemble des bordages*. *Bordé à clins. Bordé à franc-bord.*

2 Le bordé va toucher l'eau, nous sommes prêts d'embarquer. Hervé BAZIN, Cri de la chouette, p. 160.

HOM. **Bordée, border.**

**BORDEAU** [bɔʀdo] n. m. — XVIe, *in* Huguet; de l'anc. franç. *bordel,* de *borde.* → Bordel.

Vieux ou littéraire.

♦ **1** Petite cabane.

♦ **2** Vx. Bordel.

(...) Vivait au cabaret pour mourir au bordeau.
Mathurin RÉGNIER, Satires, X.

HOM. **Bordeaux.**

**BORDEAUX** [bɔʀdo] n. m. — 1785, Sade, *in* D. D. L.; du nom de la ville.

♦ **1** Vin des vignobles du département de la Gironde. *Un bordeaux rouge, blanc. Les bordeaux du Médoc, de Saint-Émilion, de Saint-Estèphe...* — REM. Le bordeaux est souvent dénommé par ses appellations, qu'elles soient régionales (*du saint-émilion, du pomerol, du fronsac, du lalande de Pomerol, du médoc, du haut-médoc, du graves, de l'entre-deux-mers, du blaye* (et *côtes-de-Blaye*), *du côtes-de-Bourg*), ou communales *(du margaux, du saint-estèphe, du saint-julien — médoc —, du pauillac, du sauternes)*; on utilise aussi les noms de châteaux : → Vin. *Classement des bordeaux* (en crus : bourgeois, grand bourgeois, etc.). → aussi **Château.** *Un grand, un petit bordeaux. Les bordeaux blancs de Graves, de Palus, de Sauternes, de Côtes.* — *Une bouteille de bordeaux.* → **Bordelaise.** *Un verre à bordeaux :* un petit verre à vin, à pied, de forme caractéristique.

Spécialt. *Bordeaux, bordeaux supérieur :* vin du Bordelais provenant des régions ne bénéficiant pas d'une appellation particulière. *Bordeaux rouge, clairet, rosé.*

♦ **2** (1908, *in* D. D. L.). Couleur rouge foncé (du bordeaux rouge). → **Grenat.** *Un tissu d'un joli bordeaux. Le bordeaux lui va bien.* — Adj. invar. *Des vestes bordeaux.*

HOM. **Bordeau.**

**BORDÉE** [bɔʀde] n. f. — 1546, sens 3; de *bord.*

Marine.

♦ **1** (1690). Vx. [a] Ligne de canons rangés sur chaque bord* d'un vaisseau.

[b] Décharge simultanée des canons d'un même bord. — Mod. Salve de l'artillerie du bord. *Bordée de coups de canon. Lâcher sa bordée.*

1 L'un des vaisseaux lâcha à l'autre une bordée.
VOLTAIRE, Candide, 20.

♦ **2** (1704). Partie de l'équipage de service à bord. *Bordée de bâbord, de tribord, de quart. Petite, grande bordée.*

♦ **3** Route parcourue par un navire qui louvoie sans virer de bord. *Faire, courir une bordée. Tirer des bordées.* → **Louvoyer.**

Nous fûmes obligés de courir des bordées entre l'île et la côte d'Asie (...) CHATEAUBRIAND, Itinéraire..., II, 13. 2

La «*Claymore*» quitta Bonnenuit, passa devant Boulay-Bay, et fut quelque temps en vue, courant des bordées (...) 3
HUGO, Quatre-vingt-treize, I, II, 1.

Loc. fig. (1833). *Courir, tirer une bordée :* aller de cabaret en cabaret (en parlant des marins, et, par anal., de militaires, de jeunes, etc.). → Cavaler, cit. 5.

(...) trois jeunes hommes à la tournure délurée, à la tête intelligente, qui couraient leur *bordée* de départ au moment de s'en aller en Chine. 4
LOTI, Mon frère Yves, LXXI, p. 170.

Spécialt. Marcher en titubant. Syn. : *tirer des bords*.* → **Bordailler.**

Cette indécise allure convient à l'heure nocturne et au quartier, où il est habituel de marcher en louvoyant, ou, comme disent encore les marins, de tirer des bordées. 4.1
A. PIEYRE DE MANDIARGUES, la Marge, p. 87.

Par anal. (avec la bordée des marins). Débauche, beuverie systématique dans un ou plusieurs cabarets. → **Virée.**

Argot mar. et régional. Absence non autorisée. → **Escapade.**

♦ **4** (Métaphore du sens 1 : coups de canon). *Une bordée de...* Grande quantité (de ce qui est assimilé à des coups).

Une bordée de rires accueillit cette réponse. 4.2
Francis CARCO, les Belles Manières, p. 8.

(Av. 1755). *Une bordée d'injures, d'insultes.* → **Cascade.** *Recevoir, essuyer une bordée d'injures.*

Cette banderille, encore qu'hypothétique, plantée dans son dos, Martial vit rouge. Il ne rêva plus que viol, persécution et bordées d'injures. 4.3
Jean-Louis CURTIS, le Roseau pensant, p. 93.

Ellipt. et vx. *Une bordée.*

C'était le seul homme qui l'eût subjugué *(M. le duc),* et qui lâchait quelquefois des bordées effroyables (...) 5
SAINT-SIMON, Mémoires, 264, 30.

HOM. **Bordé, border.**

**BORDEL** [bɔʀdɛl] n. m. — V. 1200, *bordel* au sing. «lieu de prostitution», au plur. *bordiaus,* XIIIe, des *bordels,* 1585; au sens général de «cabane, maison», déb. XIIe en judéo-français; du francique **borda* «cabane, maison», p.-ê. par le provençal *bordelou,* même sens. Au singulier, le mot est en concurrence avec *bordeau** (1537), mot noté *vieilli* en 1690 *in* Furetière.

♦ **1** Vulg. Maison de prostitution (interdite depuis 1950, en France). → **Bobinard,** 2. **bocard, bordeau,** 2. **bousin, boxon, chabanais** (vieilli), 2. **claque, lupanar** (littér.). *Bordel public.* → Paillardise, cit. *Aller, faire un tour au bordel* (→ Aller voir les filles). *Fréquenter les bordels. Un bordel de luxe. Tenir un bordel :* gérer une maison de prostitution (→ **Bordelier, taulier).** *La lanterne rouge des anciens bordels. Bordel clandestin.* → **Clandé.**

Paris entier, ayant lu son cartel, 1
L'envoie au diable, et sa muse au bordel.
CORNEILLE, Poésies diverses, II.

Il *(Vitali)* donna pour second gentilhomme à Son Excellence, à la place de celui qu'il avait fait chasser, un autre maquereau comme lui qui tenait bordel public à la Croix-de-Malte (...) 2
ROUSSEAU, les Confessions, t. II, p. 115.

J'ai été au bordel. 3
— Que veut dire ce mot?

– On appelle ainsi des maisons publiques où, moyennant un prix convenu, chaque homme trouve de jeunes et jolies filles pour satisfaire ses passions.

SADE, les Instituteurs immoraux, la Philosophie dans le boudoir, p. 102, *in* CELLARD et REY.

♦ **2** Fig. et fam. Grand désordre (matériel ou non). *Quel bordel ici!* → **Bazar, boxon, foutoir.** *Il y a du bordel* (→ **Bordélique**). *Foutre le bordel quelque part* (→ Foutre la merde, la pagaille, la zone). → **Bordéliser.**

4 – Salut; entre par ici, dit Lambert joyeusement. Tu excuseras ce bordel; je n'ai pas eu le temps de faire de l'ordre.

S. DE BEAUVOIR, les Mandarins, p. 242.

5 Foutre le bordel seulement une nuit : pas le bout du monde, non?
– Le bordel, ça s'organise.

Régis DEBRAY, l'Indésirable, p. 11.

Tapage. *Ils ont fait du bordel toute la nuit.* → **Boucan, bousin.**

♦ **3** Fam. Ensemble d'objets en désordre. *Elle est venue s'installer avec tout son bordel. J'ai laissé tout mon bordel sur la table,* toutes mes affaires, tout mon matériel. → **Foutoir.**

6 Vous avez emporté tout vot' bordel?
– Nous avons mieux aimé l'garder, et voilà.

H. BARBUSSE, le Feu, t. II, II, XX, p. 35.

7 Ça te la coupe hein, lui dit Thérèse. Pas du toc tout ce bordel. R. QUENEAU, Loin de Rueil, p. 11.

Loc. *Et tout le bordel :* et tout le reste*.

8 Monet s'amène, considère le bâtiment avec son œil de peintre et ne voit que des taches. Moyennant quoi il peint la cathédrale de Rouen dans toute sa vérité, avec en prime, le mysticisme du moyen âge, la spiritualité et tout le bordel. J. DUTOURD, Pluche, XI, p. 151.

*Ce bordel de... :* ce sale... *J'en ai marre, de ce bordel de travail. – Ça va être le (un) bordel pour... :* ça va être très difficile.

♦ **4** Exclam. vulg. équivalant à un juron. *Bordel! Bordel de bordel! Bordel de Dieu! Sacré bordel! Bordel de* (qqch.)! *Bordel à cul!*

9 Il gagna la porte, se prit l'épaule dans un massacre de cerf en grommelant : «bordel!» et sortit.

M. DRUON, la Chute des corps, V, II, p. 374.

10 Nom de Dieu de nom de Dieu de bordel de Dieu! Je veux savoir! je veux savoir! Mais enfin, pourquoi? Je veux savoir pourquoi, nom de Dieu! Je n'admets pas que... j'ai le droit de...

M. AYMÉ, le Vin de Paris, «La fosse aux péchés», p. 145.

11 Nom de Dieu de nom de Dieu, bordel de Dieu, c'est-y pas malheureux de voir ça.

DRIEU LA ROCHELLE, la Comédie de Charleroi, p. 217.

Par plais. (exclam. équivalant à *nom de Dieu!*). *La quille, bordel! Et la porte, bordel! Et la tendresse, bordel!* (titre de film).

DÉR. **Bordéleux** ou **bordélique, 1. bordelier, bordéliser.**

**BORDELAIS, AISE** [bɔʀdəlɛ, ɛz] adj. et n. — XIIIe, *bordelois* (d'une monnaie), du rad. *bordel-,* du lat. médiéval *burdigalensis* «de Bordeaux».

De Bordeaux, de sa région. *L'économie bordelaise. Le vignoble bordelais. – L'accent bordelais. – Bouteille bordelaise.* → **Bordelaise.**

N. *Un Bordelais, une Bordelaise.*

N. m. *Le bordelais :* le français régional de Bordeaux (var. régionale, fam., *le bordeluche*).

Loc. *À la bordelaise, bordelaise :* avec une sauce au vin rouge et divers assaisonnements. *Lamproie, entrecôte (à la) bordelaise.*

DÉR. **Bordelaise.**

**BORDELAISE** [bɔʀdəlɛz] n. f. — 1866, au sens 1, de *bordelais,* adjectif.

♦ **1** Futaille contenant environ 225 litres, utilisée dans le commerce des vins de Bordeaux.

♦ **2** (1877). Bouteille de forme particulière, utilisée pour les vins de Bordeaux et contenant environ 75 centilitres.

HOM. Fém. de **bordelais.**

**BORDÉLEUX, EUSE** [bɔʀdelø, øz] adj. → **Bordélique.**

1. **BORDELIER, IÈRE** [bɔʀdəlje, jɛʀ] adj. et n. — 1204, *bordelier* «celui qui fréquente les bordels»; l'adj. semble récent; de *bordel.*

♦ **1** Adj. Vulg. Relatif aux bordels, aux maisons de prostitution. – Où il y a des bordels.

Il me montra les quartiers populeux où quinze ans plus tôt il colportait des savonnettes, les docks où il se nourrissait de bananes volées, les petites rues bordelières qu'il traversait le cœur battant (...) 1

S. DE BEAUVOIR, les Mandarins, p. 423.

♦ **2** N. (Vx). Celui, celle (→ **Maquerelle**) qui tient un bordel. → **Taulier.**

Jambe d'argent, le patron du Petit Toulon (...) ancien légionnaire, ancien marin, vieux bordelier (...) 2

Roger VAILLAND, 325 000 francs, p. 9.

N. m. Celui qui fréquente les bordels. → **Putanier, putassier.**

2. **BORDELIER, IÈRE** [bɔʀdəlje, jɛʀ] adj. et n. f. — 1611, n. f.; probablt de *bord.*

♦ **1** *Brème bordelière, bordelière* (n. f.) : poisson *(Cyprinidés),* variété de brème. → **Brémette.**

♦ **2** (1859, Goncourt). Rare. En bordure, en marge de. *«Cette petite oasis bordelière du monde»* (Goncourt, *in* T. L. F.).

**BORDÉLIQUE** [bɔʀdelik] adj. — Av. 1970; de *bordel.* Fam. Où il y a du bordel, du désordre. *C'est passablement bordélique, ici! Un placard bordélique.*

Le dimanche après-midi, dans notre chambre bordélique, nous tentions de passer le temps en fumant une cigarette de marijuana qui ne nous faisait ni chaud ni froid.

Jacques LAURENT, les Bêtises, p. 260.

(Personnes). Qui crée du désordre, vit dans le désordre; qui n'est pas organisé. *Il est bordélique, mais il retrouve toujours ses affaires.*

REM. 1. On dit aussi (moins cour.) *bordéleux, euse* [bɔʀdelø, øz]. 2. On trouve déb. XVIIIe s. (Gueudeville, 1719, *in* D. D. L.) l'adjectif *bordélique* «relatif au bordel (1.), d'un bordel (1.)», aujourd'hui inusité.

**BORDÉLISER** [bɔʀdelize] v. tr. — 1934, *in* D. D. L.; de *bordel.*

Fam. et rare. Mettre le bordel, la pagaille dans (un lieu, une organisation).

**BORDER** [bɔʀde] v. tr. — 1170 au sens I, 1; de *bord* au sens étendu; le sens originel de *bord* (marine) semble utilisé postérieurement pour le verbe; → ci-dessous, II.

**I** ♦ **1** S'étendre le long du bord, occuper le bord de (qqch.). → **Longer.** — (Sujet n. de chose). *Un fossé borde la route. Les rochers bordent le rivage.* — Rare (Sujet n. de personne). *Les soldats, l'infanterie bordent la frontière.*

Les gazons dont un printemps éternel bordait son île (...) 1

FÉNELON, Télémaque, I.

Le tranquille horizon qui borde nos États (...) 2

VOLTAIRE, Scythes, IV, 2.

3 Le gouvernement fit border d'infanterie la route que René devait suivre (...)
CHATEAUBRIAND, les Natchez, II, 238.

4 (...) n'ayant plus un penny pour payer une chambre d'hôtel, il s'assit sur le parapet qui borde le port et regarda les reflets des hublots.
A. MAUROIS, les Discours du Dr O'Grady, XIV, p. 148.

5 Des ormeaux qui bordent le chemin
J'ai passé les premiers à peine (...)
A. CHÉNIER, la Jeune Captive.

Milit. Se disposer en ligne, sur un côté ou les deux côtés d'une voie (→ ci-dessus, cit. 3). → Faire la haie.

Pron. *Se border de... :* se garnir sur le bord.

♦ **2** (1271). Garnir d'un bord, d'une bordure*. → **Entourer.** *Border un manteau de fourrure. Border un tissu d'une frange* (→ **Franger**), *d'un effilé, d'un ourlet* (→ **Ourlet**), *d'un liseré* (→ **Bordé**).

Le compl. désigne une partie du corps :

6 (...) un visage assagi, où les cils, abaissés sur la joue, bordaient d'un trait de gomme-gutte la boutonnière mince de l'œil. MARTIN DU GARD, les Thibault, t. III, p. 21.

(XIIIe). *Border un lit :* replier le bord des draps, des couvertures sous le matelas. *Border un drap.* — Par ext. *Border qqn dans son lit,* et, absolt, *border qqn.*

Sujet n. de personne :

7 Jacques se met à border le lit activement, avec un soin de vieille fille. Alphonse DAUDET, le Petit Chose, II, 4.

♦ **3** Techn., pêche. *Border un filet,* le renforcer en l'entourant d'une corde.

Hortic. *Border une planche :* relever la terre des bords au moyen du dos de la bêche pour surélever la planche par rapport au sentier — *Border une allée, une plate-bande de végétaux. Border une allée de peupliers.*

Arts. *Border une figure,* en détacher les contours.

**II** Mar. (du sens I de *bord,* mar. ou de certains emplois du sens II : rivage, etc.). ♦ **1** (1264). *Border un navire :* revêtir la membrure de bordages*.

♦ **2** *Border les côtes,* les longer. *Border un bâtiment, un vaisseau,* l'observer en le suivant.

♦ **3** (1690; de *bord :* ramener *à bord*). *Border une voile,* en ramener le point d'écoute vers l'axe du bateau. → aussi **Bouliner** (vx). *Border un foc, un génois. On borde une voile en embraquant l'écoute. Border une voile plat,* l'aplatir en tendant les écoutes au maximum. — Absolt. *Borde, on va virer! Border plat.* — Pron. *Une voile se borde plat avant un virement de bord vent devant.*

7.1 (...) une mer très curieuse, tantôt hachée au point de nous obliger à border les voiles plat et à boucler le capot, tantôt exceptionnellement belle; c'est le courant qui fait des siennes.
Bernard MOITESSIER, Cap Horn à la voile, p. 221.

♦ **4** *Border les avirons,* les ranger sur le bord de l'embarcation, prêts à être utilisés.

◆ **BORDÉ, ÉE** p. p. adj. (XIIe).

♦ **1** Entouré, garni (de qqch.). *Bordé de... Route bordée d'arbres. Mouchoir bordé de dentelle.*

8 Il n'y a point d'autre chemin pour y aller qu'un petit sentier tout bordé de ronces (...)
LA FONTAINE, Psyché, II, p. 116.

9 Ses paupières attentives étaient bordées de cils longs.
Paul BOURGET, Un divorce, III.

10 (...) des rabats bordés de petites perles blanches (...)
Alphonse DAUDET, le Petit Chose, I, 2.

♦ **2** Mar. *Un navire bien bordé,* dont le bordage* est solide.
*Une voile bordée; une voile bordée plat.*

CONTR. et COMP. **Déborder.** ◊ DÉR. **Bordé.** — HOM. **Bordé, bordée.**

**BORDEREAU** [bɔʀdəʀo] n. m. — 1539; *bourdrel,* 1493; probablt dér. de *bord* «relevé porté sur le bord du cahier».

♦ **1** Relevé détaillé énumérant les divers articles ou pièces (d'un compte, d'un dossier, d'un inventaire, d'un chargement...). → **État, liste, note.** *Bordereau manuscrit, imprimé. Bordereau d'achat, de vente.* → **Facture, justificatif.** *Bordereau d'envoi, d'expédition, de livraison, de saisie.*

(...) le commissaire priseur armé de son marteau d'ivoire, le clerc chargé de bordereaux, l'expert avec son catalogue (...)
FRANCE, le Crime de S. Bonnard, I, 8 déc. 1869.

Comptab. *Bordereau de paie. Bordereau de compte, de caisse,* indiquant les paiements et recouvrements. *Bordereau d'escompte :* relevé de valeurs présentées à l'escompte.

♦ **2** État des opérations effectuées par un employé. *Bordereau d'agent de change, de courtier.*

♦ **3** Dr. *Bordereaux réglementaires,* exactement collationnés. *Bordereau d'inscription hypothécaire,* indiquant les sommes dues aux créanciers avec leurs dates de paiement. *Bordereau de collocation.* → **Collocation.**

**BORDERIE** [bɔʀdəʀi] n. f. — 1311; de *borde.*
Vx ou régional. Petite métairie (→ **Borde**).

1. **BORDIER, IÈRE** [bɔʀdje, jɛʀ] n. — Déb. XIIe, de *borde.*

Vx, régional ou hist. Métayer ou fermier soumis au bordage*.

Les paysans que les documents anglais nomment «bordiers» ou «cottiers» se trouvent dans une situation peu différente.
Georges DUBY, Guerriers et Paysans, p. 252.

2. **BORDIER, IÈRE** [bɔʀdje, jɛʀ] adj. et n. m. — 1687; de *bord,* II. (sens 1 et 3) et I. (sens 2).

♦ **1** Géogr. *Mer* bordière,* située en bordure d'un océan. — Par extension :

La Californie *n'est pas* l'Amérique. Cette mince ligne bordière n'a rien de commun avec l'aire américaine.
Raymond ABELLIO, Ma dernière mémoire, t. I, p. 153.

(1873, *fossé bordier*). Rare. Qui est au bord (d'une route). *Arbres bordiers.*

♦ **2** (De *bord,* I.). Mar. Se dit d'un bateau qui serre mieux le vent, ou répond mieux à la barre sur un bord que sur l'autre. *Un navire bordier navigue mieux sur un bord que sur l'autre.*

♦ **3** N. m. (1743). Régional (Suisse). Riverain, propriétaire habitant en bordure d'une voie. *Circulation interdite, bordiers autorisés.*

**BORDIGUE** [bɔʀdig] ou **BOURDIGUE** [buʀdig] n. f. — 1613; provençal *bourdigo,* même sens.

Pêche. Régional. Enceinte en clayonnages qui, au bord de la mer, sert à prendre ou garder du poisson. — REM. On rencontre aussi la forme *bourdingue* [buʀdɛ̃g] (→ Pelletat, cit.).

**BORDILLE** [bɔʀdij] n. f. — V. 1925, *in* Cellard et Rey; orig. incert., p.-ê. du régional (Provence) *bordille* «balayure», 1783; sans doute influencé par *bordel.*

♦ **1** Argot de la brocante. Objet sans valeur.

♦ **2** Argot fam. Bon à rien, imbécile. «*Quelle épaisse bordille, ce gonze!*» (A. Boudard, *la Cerise,* in Cellard et Rey).

**BORDJ** [bɔʀdʒ] n. m. invar. — 1852; *bourdj,* 1820, *in* D. D. L.; arabe *bŭrdj* «tour, fortin».

En Afrique du Nord. Construction fortifiée (servant de forteresse, d'abri...).

1 Quoique maussade à l'œil au milieu de ce désert saharien (...) le bordj (...) éveille l'idée d'une assez grande vie, et rappelle, au moins par moments, les mœurs féodales.
E. FROMENTIN, Un été dans le Sahara, I, 79.

2 (...) puis sous prétexte de lui montrer des photos de peintures rupestres, il l'avait entraînée au bordj dans sa chambre (...) Jacques LAURENT, les Bêtises, p. 375.

**BORDURE** [bɔʀdyʀ] n. f. — 1240, var. *bordeüre;* de *bord.* → Bord.

♦ **1** Ce qui garnit, occupe le bord* d'une chose, l'orne, la renforce. → **Bord, garniture, tour.** *Bordure ornementale, de renfort. La bordure d'un chapeau.* → **Liseré.** *Bordure d'un vêtement.* → **Feston.** *Bordure ourlant* l'ove d'un chapiteau.* → **Orle.** *Bordure d'une tapisserie. Bordure d'une gravure, d'une glace.* → **Cadre, encadrement.** *Papier à bordure noire. Bordure d'une monnaie.* → **Carnèle.** *Bordure d'un papier.* → **Marge.** — Spécialt. Ligne de végétaux plantés au bord d'une allée, d'un parterre.

1 Des bordures de buis rigoureusement taillées y dessinaient des cadres où se déployaient, comme sur une pièce de damas, des ramages de verdure d'une symétrie parfaite. Th. GAUTIER, le Capitaine Fracasse, t. I, V.

♦ **2** Ce qui s'étend près du bord, occupe le bord, les bords. *La bordure d'un champ, d'un bois.* → **Lisière, orée.** *La bordure méditerranéenne de la France.* → **Côte, littoral.** *Bordure d'arbres.* → **Cordon, haie, ligne.** *Bordure de gazon, de buis.*

2 (...) peu de bovins *(sur le versant côtier),* sauf sur la bordure méditerranéenne de l'Europe centrale (...)
André SIEGFRIED, Vue générale de la Méditerranée, p. 89.

♦ **3** Emplois spéciaux. [a] (XIIIe). Blason. *Bordure de l'écu :* pièce honorable. → **Orle.** *Bordure engrêlée.* → **Engrêlure.**

[b] (1773). Mar. Côté inférieur d'une voile. *Bordure de fond. Voile à bordure libre,* non bômée.

[c] (1701). Ponts et Chaussées. *Bordure de chaussée, bordure de pavés :* rang de gros pavés ou d'éléments en béton qui retient latéralement une chaussée. *Bordure de trottoir.*

♦ **4 EN BORDURE :** sur le bord, le long du bord. *Ils n'habitent pas dans la zone urbaine, mais en bordure. Sa propriété est en bordure de la rivière.*

3 Ne pourrait-on construire, en bordure de cet aérodrome que nous venons de quitter, un hôtel très bas, pour ne pas gêner les aviateurs, un hôtel très simple, où chacun trouverait un lit, une chaise et un lavabo?
G. DUHAMEL, Manuel du protestataire, p. 107.

DÉR. **Bordurer, bordurier.**

**BORDURER** [bɔʀdyʀe] v. tr. — 1801, Mercier, au p. p.; de *bordure.*

♦ **1** Rare. Garnir d'une bordure.

♦ **2** Argot. Exclure, renvoyer. → **Vider.** — Interdire de séjour.

◆ **BORDURÉ, ÉE** p. p. adj.

♦ **1** Garni d'une bordure.

♦ **2** Argot. Interdit de séjour («maintenu sur les bords»).

(...) sous prétexte qu'un homme comme moi, qu'est bordé, ne peut pas mettre les pieds en France... il en profite!
Francis CARCO, la Dernière Chance, p. 102.

**BORDURIER, IÈRE** [bɔʀdyʀje, jɛʀ] n. — 1945; de *bordure,* probablt d'après *frontalier.*

Personne qui vit à la limite entre deux régions.

**BORE** [bɔʀ] n. m. — 1809, Gay-Lussac et Thénard; découvert en 1807 par Sir Humphrey Davy, qui l'avait nommé *boracium* (1808), puis *boron* (1812) d'après *carbon* «carbone»; de *borax.*

Chim. Corps simple métalloïde, symb. *B* n° at. 5, température de fusion 2 510 °C, densité 2,34 ou 2,37 (variétés cristalline et amorphe). *Bore cristallisé pur. Le bore est transparent à certains rayonnements infrarouges. Dérivés du bore.* → **Borique** (acide), **borax.** *Intoxication due au bore.* → **Borisme.** *Certains composés du bore sont utilisés dans la fabrication de verres spéciaux* (pyrex) *et dans l'industrie nucléaire.*

DÉR. **Borique, borisme, borure.** ◈ HOM. **Bord, bort.**

**BORÉAL, ALE, AUX** [bɔʀeal, o] adj. — 1495; bas lat. *borealis* «du nord», de *boreas* «vent du nord». → Borée; bora.

♦ **1** Didact. (géogr.). Qui est au nord du globe terrestre. *Hémisphère, océan, pôle boréal.* → **Arctique.** *Les climats boréaux.* → **Nordique.**

♦ **2** Cour. Voisin du pôle Nord, qui a lieu dans la zone arctique. *Aurore boréale.* → **Aurore** (cit. 32 et *supra*); → Pôle, cit. 4. *Une lumière boréale. La rougeur boréale.* → Phosphore, cit. 1. *Faune, flore boréales.* — Vx. *L'océan Boréal.* → **Arctique.** — *Étoiles boréales. La Couronne boréale* (constellation).

Vx. Septentrional. *La forêt boréale.*

Spécialt. *Climat boréal,* intermédiaire entre le climat tempéré et le climat arctique.

*Un froid boréal,* très vif.

Par métaphore. Froid, glacial. *«Des yeux d'un bleu boréal...»* (Duhamel).

Cécile battait des paupières et fit un sourire boréal.
G. DUHAMEL, Chronique des Pasquier, IV, p. 144.

♦ **3** Phys. Vx. *Pôle boréal :* pôle positif (d'un aimant).

REM. Le plur. généralt admis est *boréaux;* il est rare; on trouve aussi *boréals* (*les Pays boréals,* Villiers de l'Isle-Adam, *Contes cruels, in* T. L. F.).

CONTR. **Austral.**

**BORÉE** [bɔʀe] n. m. — XVe; du lat. *boreas,* du grec *boreas* «vent du Nord». → Bora.

Poét. Vent du Nord (employé sans article, comme nom propre). *Le souffle de Borée. «(...) quand Janvier lâchera ses Borées»* (Baudelaire, *la Muse vénale,* Pl., p. 15).

**BORGHOT** [bɔʀgɔt] n. m. — 1832; mot arabe (XIVe).

Rare. Voile porté par les musulmanes pour dissimuler le bas du visage.

**BORGNE** [bɔʀɲ] adj. et n. — V. 1180; «qui louche», 1165; orig. inconnue; p.-ê. d'un lat. pop. **bornius,* qu'on fait remonter à un rad. indo-européen (prélatin) **borna* «trou, cavité», du rad. **bher* «façonner, trouer, etc.» par le sens «orbite; œil crevé», mais le sens initial «qui louche» semble démentir cette hypothèse.

♦ **1** Qui a perdu un œil (→ **Éborgner**), ne voit que d'un œil. *Un homme, un cheval borgne.*

Et, fût-il louche ou borgne *(le héros),* est réputé soleil. 1
BOILEAU, Épîtres, IX.

Quand mes amis sont borgnes, je les regarde de profil. 2
Joseph JOUBERT, Pensées, Titre préliminaire.

*Changer un cheval borgne contre un aveugle* (→ **Aveugle,** *infra* cit. 2.1). — *Jaser, bavarder comme une pie borgne :* bavarder sans cesse. → **Pie.**

N. *Un borgne, une borgne.*

2.1 Un borgne, c'est un infirme qui n'a droit qu'à un demi-chien. J. RENARD, Journal, 24 janv. 1896.

REM. Le fém. *borgnesse,* peu usité, est péjoratif.

2.2 Mon cher ami, je suis borgne, je suis une borgnesse... Je porte un bandeau noir. Quand je le soulève devant la glace, je vois la paupière flasque battre sur une prunelle ratatinée comme le ventre d'une vieille femme (...) Roger VAILLAND, Bon pied, bon œil, p. 177-178.

Prov. *Au royaume des aveugles, les borgnes sont rois* (→ **Aveugle,** *infra* cit. 41).

Par métaphore. Presque aveugle. «*Les tribunaux les plus borgnes*» (P.-J. Toulet, *in* T. L. F.).

♦ **2** (Choses). [a] Qui n'a qu'un orifice. — Anat. *Fistule, trou borgne. Trou borgne du frontal, de la langue.* — Spécialt. *Sein borgne,* sans mamelon.

3 (...) je m'aperçus qu'elle *(Zulietta)* avait un téton borgne. ROUSSEAU, les Confessions, VII.

Techn. *Trou borgne,* qui ne traverse pas complètement une cloison.

[b] Qui éclaire peu. *Fenêtre borgne,* qui donne du jour, mais aucune vue (→ **Aveugle**). — (Autre sens). Fenêtre en partie aveuglée. — *Façade, mur borgne,* presque sans ouvertures.

[c] Qui n'a qu'un élément (au lieu de deux, plusieurs).

Hortic. (à cause de *œil* «bourgeon»). *Plante borgne,* dépourvue de bourgeons.

Techn. *Ancre borgne :* ancre à une seule patte. *Compte borgne,* qui n'est pas rond, qui n'est pas juste.

♦ **3** (1573, «sombre»; *cabaret borgne,* 1680). Fig. et cour. Mal éclairé et mal famé. *Maison borgne. Cabaret, caboulot borgne. Rue borgne.* «*Très tard dans les brasseries borgnes*» (→ Trottoir, cit. 4).

4 (...) leur madame parlait toutes les langues et tenait un café borgne dans le quartier de Galata. LOTI, Aziyadé, XXXIII, 121.

5 (...) des escaliers borgnes engouffrent et rejettent des putes et leurs clients (...) A. PIEYRE DE MANDIARGUES, la Marge, p. 94.

♦ **4** N. m. Argot anc. *Le borgne :* le pénis (cf. *le cyclope,* même sens, *in* Delvau); l'anus (Restif, *in* Cellard et Rey).

CONTR. **Normal, régulier. — Bon, honnête.** ◊ DÉR. **Borgnon, bornoyer.** — COMP. **Éborgner.**

**BORGNON** [bɔʀɲɔ̃], **BORGNOT** [bɔʀɲo] n. m. — 1715, adj. «borgne»; *à borgnon* «à l'aveuglette», 1810; sens mod., 1900; de *borgne.*

Argot. Nuit. — Var. graphique : *borgnio* (Le Breton, *Du rififi...*).

**BORIE** [bɔʀi] n. f. — 1946, *in* D.D.L.; 1460 régional «métairie, ferme»; anc. provençal *bo(a)ria,* lat. médiév. *bovaria* «étable», de *bos, bovis* «boeuf».

Régional. Petite hutte ronde en pierres sèches, dans le sud de la France, notamment dans le Périgord.

Tandis qu'il s'approche, Tayar voit que cette ouverture est très grande, pareille à un cratère. Dans le fond, il y a une borie en ruine et un abreuvoir plein d'eau. J.-M. G. LE CLÉZIO, la Ronde, et autres faits divers, p. 66.

**BORINAGE** [bɔʀinaʒ] n. m. — 1863; nom d'une région minière du Hainaut.

Ensemble des borains*.

**BORIQUE** [bɔʀik] adj. — 1818; de *bore.*

Chim. Se dit de certains composés du bore. *Anhydride borique. Acide borique :* poudre blanche, cristalline, à propriétés faiblement antiseptiques. → **Borate, borax.** *Oxyde borique.*

DÉR. **Boriqué.**

**BORIQUÉ, ÉE** [bɔʀike] adj. — 1878; de *borique.*

Chim. Qui contient de l'acide borique. *Eau, vaseline boriquée,* utilisée comme antiseptique.

**BORISME** [bɔʀism] n. m. — XX^e; de *bore.*

Méd. Intoxication provoquée par l'ingestion de dérivés du bore* (médicaments, produits de nettoyage, acide borique utilisé frauduleusement comme conservateur des aliments), se traduisant surtout par des troubles digestifs.

**BORNAGE** [bɔʀnaʒ] n. m. — 1260, *bounage,* sens 1; *bonnage,* 1283; *bournage,* 1299; de *borne* ou (sens 2) de *borner.*

♦ **1** [a] Opération consistant à délimiter deux propriétés contiguës par la pose de bornes*. → **Abonnage,** 1. (vx). *Pierre de bornage. Action en bornage,* portant sur une contestation de limites.

Tout propriétaire peut obliger son voisin au bornage de leurs propriétés contiguës. Le bornage se fait à frais communs. Code civil, art. 646. 1

Débouté sans recours sur la question de l'eau, il en conçoit un sourd dépit qui le pousse à m'intenter un procès de bornage. H. BOSCO, le Mas Théotime, I, p. 11. 2

Par métonymie. Limites constituées par cette opération. *Les bornages, dans cette région, sont des haies.*

[b] Par métaphore. Le fait d'assigner des limites. → **Limitation.**

Que les savants soient passés maîtres dans l'art d'escamoter les difficultés fondamentales en les réduisant à de simples problèmes de bornage, comme des paysans attardés, ils s'en félicitent à tort à une époque qui, consciemment ou non, s'acharne partout à faire sauter les limites. Raymond ABELLIO, Ma dernière mémoire, t. I, p. 19. 3

♦ **2** (1852). Mar. Navigation* côtière faite par des bâtiments de moins de 25 tonnes, dans un rayon de 15 lieues marines autour de leur port d'attache. *Patron au bornage.*

REM. La *navigation au bornage* est officiellement appelée *navigation côtière* depuis 1951. → aussi Cabotage.

**BORNE** [bɔʀn] n. f. — V. 1180; *bodne,* v. 1121, puis *bone,* 1200 (→ Abonner); d'un lat. pop. *bodina, botina* «borne», p.-ê. d'orig. gauloise.

[I] ♦ **1** Marque servant à délimiter un champ, une propriété foncière. → **Bornage, borner; limite, terme.** *Borne témoin*. Asseoir, dresser, planter, poser une borne. Arracher, reculer une borne. Déplacer, supprimer une borne.*

Tu ne reculeras point les bornes de ton prochain, posées par tes ancêtres (...) BIBLE (SEGOND), Deutéronome, XIX, 14. 1

(...) quiconque aura déplacé ou supprimé des bornes ou pieds corniers, ou autres arbres plantés ou reconnus pour établir les limites entre différents héritages, sera puni d'un emprisonnement (...) Code pénal, art. 456. 2

♦ **2** (Vieilli ou littér.). Plur. Limites d'un territoire, d'un espace. *Les bornes d'un État, d'un royaume.* → **Frontières.** *Les bornes du monde civilisé. Les bornes d'un horizon.*

Pour étendre les bornes de son royaume (...) FÉNELON, Télémaque, XIV. 3

4 Quand la gloire t'appelle aux bornes de l'Asie (...)
VOLTAIRE, la Mort de César, I, 1, *in* LITTRÉ.

5 Croire tout découvert est une erreur profonde;
C'est prendre l'horizon pour les bornes du monde.
A. LEMIERRE, Utilité des découvertes...

Par métaphore. → ci-dessous.

♦ **3** Pierre plantée, servant de limite, de repère. *Monument entouré de bornes et de chaînes. Bornes de la* spina *du cirque romain.* → **Meta.** *Borne milliaire* des voies romaines.* → **Colonne.** — (1867). *Borne kilométrique, hectométrique,* indiquant les distances. — (1680). *Borne de protection des murs, des portes.* → **Bouteroue, chasse-roue.** *Les bornes d'une porte cochère. Bornes d'amarrage d'un quai.* → **Bitte, bollard.** — *Borne d'incendie :* bouche* d'incendie formant borne. → aussi **Borne-fontaine.**

6 (...) de loin en loin, de vieilles bornes séculaires marquaient la place oubliée de quelque derviche d'autrefois (...) LOTI, Aziyadé, XIV, p. 20.

7 *(Elle)* ne fait pas plus attention à moi qu'à une muraille ou qu'à une borne.
G. DUHAMEL, Voyage de P. Périot, I.

(Mil. XIX^e). Vx. Petite vespasienne cylindrique pour un seul usager. *«Les bornes décentes»* (Ch. Paul de Kock, *la Grande Ville,* p. 79).

(Vx). Par allus. aux bornes des coins de rue, des portes cochères. *Orateur de borne,* qui s'exprime sur la place publique. *Enfant de la borne,* de la rue.

Loc. mod. *Être, rester planté comme une borne,* figé dans l'immobilité. → **Immobile.** Cf. Comme un piquet, un poteau, une souche.

8 (...) planté comme une borne sur l'étroit sentier, il nous avait arrêtés court. E. FROMENTIN, Dominique, II.

Par ext. Siège circulaire des jardins publics, dont l'appui, le dossier central forme borne.

♦ **4** (1926, Esnault). Fam. (De *borne kilométrique*). Kilomètre. *J'ai fait huit cents bornes dans la journée.* — Sports. *Disputer, prendre, mener la borne, sa borne :* mener le train pendant un certain nombre de kilomètres.

8.1 (...) je connais pourtant ça les retours de visite, le soir, quand (...) on vient de se taper cent bornes pour voir une baraque où c'est tout juste si les clients ont accepté d'entrer (...)
François NOURISSIER, le Maître de maison, p. 38.

8.2 Tu te rends compte? On a fait au moins cinq bornes en zigzag, non?
— Pas loin!
SAN-ANTONIO, le Secret de polichinelle, p. 17.

♦ **5** (1863, → cit. 8.3). Techn., électr. Serre-fils pour brancher un fil conducteur sur un appareil électrique. — Chacune des deux pièces d'un appareil générateur d'électricité auxquelles est relié un circuit extérieur. → **Pôle** (6.). *Les bornes d'une batterie d'accumulateurs.*

8.3 On met en outre, l'axe et le manchon en communication par deux gros fils, avec deux tiges courtes et de gros diamètre appelées bornes implantées sur le bâti en fonte, et auxquelles arrivent sans cesse les électricités de noms contraires engendrées par la machine. Les deux pôles forment comme les deux pôles de la pile magnéto-électrique (...)
L. FIGUIER, l'Année scientifique et industrielle 1864, p. 66-67 (1863).

Par comparaison :

8.4 Tous acceptèrent gentiment que je me recharge à chacune de leurs aspérités comme à des bornes où se polarise un courant. Jean GENET, Journal du voleur, p. 267.

**II** (Abstrait, par métaphore de I., 1.) ♦ **1** (Déb. XIII^e). Au plur. (Littér. ou style soutenu). Limites, fin, terme. *«En Dieu, il n'y a point de bornes».* → Perfection, cit. 10. — (Chronologique). *Les bornes de la vie humaine.* → **Étendue.** — («Espace» intellectuel). *Les bornes de l'esprit, de la raison, de la connaissance.* → **Capacité.** — (Possibilité d'action, etc.). *Jusqu'aux bornes du possible, des possibilités.* — (Limites normales ou assignées). *Les bornes de la liberté, des droits naturels* (→ Assurer, cit. 9). *Au delà des bornes. Bornes légitimes. — Les bornes de la décence, de la patience.*

Il semble que la nature ait prescrit à chaque homme, dès sa naissance, des bornes pour les vertus et pour les vices. 9
LA ROCHEFOUCAULD, Maximes, 189.

(Dans des syntagmes verbaux). *Atteindre les bornes de... :* aller jusqu'à l'extrême de... *Franchir, dépasser, passer, transgresser les bornes de...* (du respect, de la raison, des convenances) : aller trop loin dans... → **Exagérer**; → ci-dessous, cit. 13. (D'une chose). *Vos équipées dépassent les bornes* (Gautier). *Son algarade passait les bornes* (Cocteau, *in* T. L. F.). — Littér. *Sortir des bornes de... :* être excessif en allant au delà de... (sujet n. de chose ou de personne). *Cela sort des bornes du bon goût.* Cf. Dépasser la mesure. → **Excéder, outrepasser.** — *Assigner, donner, fixer, mettre des bornes à... :* délimiter, et, par ext., contenir. *Maintenir dans des bornes raisonnables. Renfermer, tenir; se renfermer* (ci-dessous, cit. 16) *dans des bornes fixées, prescrites... Être tenu, retenu, emprisonné dans des bornes étroites. — «Reculer les bornes de l'audace»* (Montherlant, *in* T. L. F.). — *Avoir* (ci-dessous, cit. 17) *des bornes. Ne pas avoir, ne pas souffrir* (ci-dessous, cit. 11, vx), *ne pas supporter de bornes :* être sans limitations, ne pas en accepter. — Loc. adv. *Sans bornes :* sans limites. → **Illimité.** — REM. *Sans borne,* au sing., est de la langue classique (ci-dessous, cit. 12), comme les emplois verbaux au sing. : *mettre une borne* (cit. 10) etc.

Je saurai mettre une borne à tes dérèglements (...) 10
MOLIÈRE, Dom Juan, IV, 4.

Leur cupidité qui ne souffre point de bornes (...) 11
PASCAL, Provinciales, 12.

Dans ses prétentions une femme est sans borne. 12
BOILEAU, Satires, X.

De l'austère pudeur les bornes sont passées. 13
RACINE, Phèdre, III, 1.

Son orgueil est sans borne ainsi que sa richesse (...) 14
RACINE, Esther, II, 8.

Sois homme; retire ton cœur dans les bornes de ta condition. ROUSSEAU, Émile, V. 15

Ce qui importe avant tout, c'est que ceux qui gouvernent, quels qu'ils soient, se renferment dans les bornes prescrites par les droits de chacun. 16
RENAN, Œ. compl., t. I, p. 64.

(...) la patience humaine a des bornes, et la mienne est à bout, se dit-il (...) 17
PROUST, À la recherche du temps perdu, t. II, p. 96.

♦ **2** Math. *Borne inférieure* (respectivement *supérieure*) *d'une partie d'un ensemble ordonné* :* le plus grand (respectivement le plus petit) de ses minorants* (respectivement majorants*). — *Borne inférieure* (respectivement *supérieure*) *d'une fonction :* borne inférieure (respectivement supérieure) de l'ensemble image de la fonction.

**DÉR. Bornage, borner.** ◊ **COMP. Aborner, borne-fontaine.** — V. aussi **Abonner.**

**BORNÉ, ÉE** [bɔʀne] adj. → **Borner.**

**BORNE-FONTAINE** [bɔʀn(ə)fɔ̃tɛn] n. f. — 1835; de *borne,* et *fontaine.*

Fontaine en forme de borne. *Des bornes-fontaines.*

A l'entrée, une borne-fontaine, où une jeune fille était en train de puiser de l'eau. 1
Roger VAILLAND, Bon pied, bon œil, p. 26.

Je fis ce qu'il exigeait, dans la guérite. Peut-être, sans oser me le dire, voulut-il ensuite se laver à une borne-fontaine; 2

il me laissa seul un instant et je me sauvai avec sa grande pèlerine de drap noir.
Jean GENET, Journal du voleur, p. 34.

**BORNER** [bɔʀne] v. tr. — Déb. XIV^e; *boner,* 1160; de *borne,* en anc. franç. *bodne, bone* — d'où la forme *boner.*

**I** Concret. ♦ **1** (Choses). Délimiter un terrain par des bornes*, des marques. → **Limiter, marquer.** *Borner un champ, une propriété. Borner un chemin* (→ **Bornage**).

1 Vous ne pourrez pas empêcher les trois moutons de Clodius d'y passer (...) en traversant vos terres (...) Le chemin est à tout le monde...
— Dans ce cas (...) je le bornerai (...)
H. BOSCO, le Mas Théotime, V, p. 123.

(Sujet n. de chose). Limiter. → **Border, confiner** (à), **terminer.** *Les pierres, les poteaux, la clôture qui borne son champ.*

Par ext. (éléments naturels, limite abstraite). *Terre bornant un bois. Chemin, fossé, haie qui borde une vigne. — Frontières bornant un pays. La mer et les Alpes bornent l'Italie* (Académie).

2 J'avais franchi les monts qui bornent cet État,
Et trottais comme un jeune rat (...)
LA FONTAINE, Fables, VI, 5.

3 L'Euphrate bornera son empire et le vôtre.
RACINE, Bérénice, III, 1.

♦ **2** (Personnes). Avoir (telle limite) à sa propriété. *Je suis borné par un cours d'eau* (Littré). *«Il acheta la pièce de terre qui le bornait au couchant»* (Académie).

♦ **3** Arrêter, limiter. *Les montagnes bornant l'horizon, la vue.* — REM. Cette acception est plus fréquente au passif et au p. p. (→ ci-dessous, Borné).

4 Si vous m'aimez, Seigneur, nos mers et nos montagnes
Doivent borner nos vœux, ainsi que nos Espagnes (...)
CORNEILLE, Sertorius, IV, 2.

**II** (1271, *bousner*). Abstrait. ♦ **1** (Personnes). Littér. ou style soutenu (l'usage courant moderne emploie plutôt *limiter, restreindre*). Mettre des bornes à ; renfermer, resserrer dans des bornes. → **Circonscrire, limiter, modérer, réduire, restreindre.** *Borner son ambition, son bonheur, son horizon, son idéal. Borner ses désirs, ses espérances, ses prétentions, ses projets, ses talents, ses vœux, ses vues. Borner l'autorité, la puissance, les pouvoirs, les prérogatives de qqn. Borner un enseignement à quelques notions. Borner un discours. Borner son enquête, ses recherches, ses travaux à...*

5 J'ai (...) l'ambition des conquérants, qui (...) ne peuvent se résoudre à borner leurs souhaits.
MOLIÈRE, Dom Juan, I, 2.

6 Car enfin je me sens un étrange dépit
Du tort que l'on nous fait du côté de l'esprit,
Et je veux nous venger, toutes, tant que nous sommes,
De cette indigne classe où nous rangent les hommes,
De borner nos talents à des futilités,
Et nous fermer la porte aux sublimes clartés.
MOLIÈRE, les Femmes savantes, III, 2.

7 Porus bornait ses vœux à conquérir un cœur (...)
RACINE, Alexandre le Grand, IV, 2.

8 Un testament qui bornait l'autorité du régent (...)
MONTESQUIEU, Lettres persanes, 93.

9 Est-ce donc à moi de vous rappeler qu'on n'a pas le droit de borner son attente et son idéal à la vie, quand on a écrit certaines pages de vos livres (...)
LOTI, les Désenchantées, III, 17, p. 129.

♦ **2** (Personnes ou choses). Mettre un terme à...

10 Mais, pour borner enfin tout ce vague propos (...)
BOILEAU, Satires, XI.

11 La mort seule, bornant ses travaux éclatants (...)
Pouvoir, à l'univers le cacher si longtemps.
RACINE, Phèdre, II, 2.

(...) elle rappela que, de son temps, les femmes n'avaient nul besoin de se retrouver entre elles, que la maison remplissait tous leurs vœux, bornait tous leurs désirs. 11.1
Jean-Louis CURTIS, le Roseau pensant, p. 45.

◆ **SE BORNER (À...)** v. pron. → **Cantonner** (se), **confiner** (se), **contenter** (se), **faire** (ne faire que), **limiter** (se), **tenir** (s'en tenir à). *Se borner au strict nécessaire. Se borner à faire qqch.*

*(Ce succès)* surpasse de beaucoup mes espérances : vous aurez vu où je me bornais, par les lettres que je reçus il y a peu de jours. M^me DE SÉVIGNÉ, 485, 1^er janv. 1676. 12

Je me borne à vous dire simplement les faits (...) 13
VOLTAIRE, Lettre à Trudaine, 23 déc. 1775.

Apprendre à me borner en écrivant, tondre mon style, autrement les accessoires me font oublier le principal. 14
STENDHAL, Journal, 1908, p. 277 (Charpentier).

(...) je me bornais à venir en costume signer la feuille de présence, au lieu d'assister ensuite, comme il se doit, à l'hebdomadaire «réunion de colonne» (...) 15
Georges LECOMTE, Ma traversée, p. 287.

(Choses). Se limiter à... *Son rôle se borne à présider les débats.*

Anne trouvait toujours un prétexte pour être à Paris : ses séjours à Berck se bornaient, chaque mois, à une visite de cinq à six jours. 16
MARTIN DU GARD, les Thibault, t. V, p. 157.

Absolt. *Il faut se borner. Savoir se borner.*

Qui ne sait se borner ne sut jamais écrire. 17
BOILEAU, l'Art poétique, I.

◆ **BORNÉ, ÉE** p. p. adj. (XV^e). **A** (Emplois verbaux, passifs et participiaux).

(Concret). Qui a (qqch.) comme borne, est arrêté par (un obstacle). *Vue bornée par des arbres. Horizon borné par des montagnes.* Absolt. → ci-dessous, cit. 20.

(Abstrait). Qui a telles limites (intellectuelles, psychiques, morales...). Vx. *Personne bornée dans un domaine, une activité. — Son esprit, sa vue est bornée à des considérations pratiques.* Absolt. *Il a des vues bornées.* → **Limité.**

Appellerai-je homme d'esprit celui qui, borné ou renfermé dans quelque art ou même dans une certaine science (...) 18
LA BRUYÈRE, les Caractères, 12, *in* LITTRÉ.

Je raisonne ici, je le sais, en homme dont la vue bornée n'embrasse pas le vaste horizon humanitaire, en homme rétrograde, attaché à une morale qui fait rire (...) 19
CHATEAUBRIAND, Mémoires d'outre-tombe, IV, 9.

Ah ! c'est là qu'entouré d'un rempart de verdure, 20
D'un horizon borné qui suffit à mes yeux,
J'aime à fixer mes pas, et, seul dans la nature
À n'entendre que l'onde, à ne voir que les cieux.
LAMARTINE, Méditations, «Le vallon».

La vue est bornée à droite et à gauche par l'enceinte des roches. 21
FLAUBERT, Trois contes, la Tentation de saint Antoine, I, 1.

**B** (Emplois absolus, en valeur d'adj.). ♦ **1** Abstrait. Étroit, limité. *Une politique bornée. Un enseignement borné.*

♦ **2** (1669, *esprit borné ;* déb. XVIII^e, Saint-Simon). Cour. (D'une personne). Dont les facultés intellectuelles, les capacités de jugement sont limitées. *Un petit bourgeois borné et chauvin. Les vues courtes, rétrécies d'un homme borné. Borné et têtu.* → **Buté.** *Intelligence bornée. Caractère, esprit borné.* → **Bête, sot, stupide ; étroit, obtus** (Cf. Ne pas voir plus loin que son nez, avoir des œillères, avoir la vue courte). — (En attribut). *Il est un peu borné. Mais vous êtes trop borné, à la fin !*

Ses lumières sont fort petites et son esprit le plus borné du monde (...) 22
MOLIÈRE, M. de Pourceaugnac, III, 1 (1669).

Les vues courtes, je veux dire les esprits bornés et resserrés dans leur petite sphère, ne peuvent comprendre (...) 23
LA BRUYÈRE, les Caractères, II, 34.

24 La plupart des législateurs ont été des hommes bornés que le hasard a mis à la tête des autres, et qui n'ont consulté que leurs préjugés et leurs fantaisies.
MONTESQUIEU, Lettres persanes, 129.

25 (...) ce père à la fois rusé et borné, qui encourageait sa fille dans des habitudes d'orgueil et de déloyauté (...)
G. SAND, la Mare au diable, XIII, p. 111.

♦ **3** Math. Qui admet une borne (II., 2.). *Partie (d'un ensemble ordonné) bornée inférieurement* (respectivement *supérieurement*), pourvue d'une borne inférieure (respectivement supérieure). *Partie bornée d'un ensemble,* bornée inférieurement et supérieurement. *Suite bornée,* dont l'ensemble des termes est borné. *Suite bornée à gauche* (respectivement *à droite*), bornée inférieurement (respectivement supérieurement).

CONTR. (Du sens II) **Élargir, étendre, propager. —** (Du . p.) **Étendu, illimité, indéfini, infini, large. — Intelligent, ouvert, pénétrant, profond, subtil, tolérant.**

**BORNOYER** [bɔʀnwaje] v. [CONJUG.: *broyer.*] — 1225, *borneer; bornoïer,* aux XII^e et XIII^e; de *borgne,* d'abord «regarder de travers».

♦ **1** V. intr. Techn. Regarder d'un œil en fermant l'autre pour vérifier un alignement, une surface plane. → **Viser.**

La dame orange arrivait à reculons sur nous en bornoyant, elle disait, parlant des tilleuls : «Pour aligné, c'est aligné, mais c'est tout ce qu'ils ont pour masquer la piscine?»
François-Marie BANIER, la Tête la première, p. 141.

♦ **2** V. tr. (1676; influencé par *borne, borner*). Techn. Placer des jalons pour construire, planter, tracer en ligne droite. *Bornoyer un mur, une allée.*

**BOROSILICATE** [bɔʀosilikat] n. m. — 1845; de *borate,* et *silicate.*

Chim. Sel double, combinaison d'un borate avec un silicate.

DÉR. **Borosilicaté.**

**BOROSILICATÉ, ÉE** [bɔʀosilikate] adj. — XX^e; de *borosilicate.*

Chim. Qui contient un borosilicate. «*Les verres utilisés en France, en Grande-Bretagne et Allemagne sont des verres borosilicatés*» (*la Recherche,* n° 91, juill.-août 1978). «*Des verres borosilicatés qui résistent bien aux acides usuels*» (P. Meyer et P. Grivet, *le Verre,* n° 264, p. 37).

**BORRAGINÉES** [bɔʀaʒine] ou **BORRAGINACÉES** [bɔʀaʒinase] n. f. pl. — 1805; *bouraginees,* 1775; du bas lat. *borrago, -aginis* «bourrache», et suff. *-ées* ou *-acées.*

Famille de plantes phanérogames angiospermes *(Dicotylédones Gamopétales)* caractérisée par la présence de poils sur la tige et les feuilles, comprenant des herbes et des arbustes. → **Bourrache, buglosse, consoude, cynoglosse, grémil, héliotrope, myosotis, orcanète** ou **orcanette, sébestier, vipérine. —** Au sing. *Une borraginée. Une borraginacée.*

**BORSALINO** [bɔʀsalino] n. m. — V. 1930 (attesté 1955, Sartre); n. propre d'un grand chapelier italien, firme fondée à Alessandria en 1857.

Chapeau de feutre en vogue dans les années 1930. — On écrit le mot avec ou sans majuscule.

Le poil de chameau au col relevé, le vieux Borsalino au large bord rabattu gaillardement sur l'œil droit, les cheveux soigneusement teints pour laisser du beau gris aux tempes avaient trente ans de plus que mes souvenirs (...)
R. GARY, Clair de femme, p. 18.

**BORT** [bɔʀ] n. m. — 1867; angl. *bort* ou néerl. *boort,* même sens, d'orig. inconnue.

Techn. Diamant présentant un défaut, inutilisable en bijouterie et servant d'abrasif.

HOM. **Bord, bore.**

**BORTSCH** ou **BORTCH** [bɔʀtʃ] n. m. — 1867; *borstch,* 1863; mot ukrainien.

Cuis. Soupe aux choux et à la viande, préparée avec de la crème et épicée (plat ukrainien adopté en Russie). L'équivalent russe traditionnel est le *chtchi.*

(...) il était lancé dans l'extravagance des soupes : le potage de sterlet aux foies de lotte, mouillé de vin de Champagne, les *bortsch,* les sischi à la paresseuse, le bouillon de gribouis (...) 1
Ed. et J. DE GONCOURT, Manette Salomon, p. 112.

Je déjeunais d'un bortsch chez Dominique. 2
S. DE BEAUVOIR, la Force de l'âge, p. 16.

REM. Cet emprunt a de nombreuses variantes graphiques : *borchtch, borsch, bortch...*

(...) Moravagine se signa longuement devant les icônes. Puis, il s'empara d'une assiettée de zakouskis et but une grande tasse d'alcool, retourna devant les icônes, commanda un borchtch, vint s'asseoir à ma table, alluma sa courte pipe en jurant, croisa ses jambes et entama un long monologue à haute voix. 3
B. CENDRARS, Moravagine, *in* Œ. compl., t. IV, p. 165.

Le tavernier répondit : 4
— Du bortch qui est de la choupe aux chous echclavons (*esclavons* = slaves) et des tripes à la viducasse, le tout arrosé de vin des coteaux de Suresnes.
R. QUENEAU, les Fleurs bleues, p. 31-32.

**BORURE** [bɔʀyʀ] n. m. — 1820; de *bore,* et suff. *-ure.*

Chim. Combinaison du bore avec un corps simple. *Borure de magnésium.*

**BOSCARDER** [bɔskaʀde] v. tr. — 1866, *in* D. D. L.; p.-ê. du breton *boscard* «parasite du boeuf».

Rare. Vivre en parasite dans le milieu mondain. — REM. Le mot et ses dér. (*boscard,* n. m.; *boscardise,* n. f.), ne sont attestés que chez P. Bourget.

Ce peuple d'aigrefins se distribue en équipes diverses et d'une qualité plus ou moins choisie suivant le rang du richard qu'il s'agit de boscarder.
Paul BOURGET, Drames de famille, p. 106 (1900), *in* D. D. L., II, 6.

**BOSCHIMAN, ANE** [bɔʃimɑ̃, an] adj. et n. — 1805; néerl. *bosjesman* «homme de la brousse»; var. *bosjeman* (1842), *bochiman* (1892), *bochimane*; cf. angl. *bushman.*

Ethnol. Relatif à une ethnie noire d'Afrique du Sud.
N. *Les boschimans sont chasseurs et nomades.*
N. m. Langue des Boschimans, du groupe hottentot*.

**BOSCO** [bɔsko] n. m. — 1860; altér. argotique de *bosseman*,* d'après *boscot.*

Mar. Maître d'équipage.

Il y a un bosco qui réfléchit et décide pour son équipe de matelots, à lui de se casser la tête pour savoir s'il vaut mieux peindre en commençant par l'avant ou par l'arrière (...) nous n'avons qu'à suivre le mouvement, c'est bien pratique. 1
Bernard MOITESSIER, Cap Horn à la voile, p. 25.

Il avait même précisé au bosco, qui groumait de faire sortir les matelots par ce temps dégueulasse : «De toute manière, ça fera du lest.» 2
Pierre ACCOCE, le Polonais, p. 11.

HOM. **Boscot.**

**BOSCOT, OTTE** ou **BOSCO, OTE** [bɔsko, ɔt] adj. et n. — Av. 1800; altér. argotique de *bossu*.

Fam. (vieilli). Bossu; personne petite et contrefaite (→ Bossu, cit. 4). — Fém. *Boscotte, boscote.*

1 Eh là-bas! l'enragé, quoi que tu veux ici?
Qu'on te f...iche droit, quoi? pas dégoûté! Merci!
Qui qui te faut, bosco?... des nymphes, des pucelles?
Tristan CORBIÈRE, Poésies, «Le bossu Bitor».

2 (...) des sanglots gonflaient la poitrine de l'agent voyer, et, prenant, pour masquer sa vraie peine, le premier souvenir triste, il pleurait sur sa cousine Elise-Adèle Duchênaie, — qui était boscotte, — en murmurant ses nom et prénoms.
GIRAUDOUX, Provinciales, p. 153.

HOM. **Bosco.**

**BOSEL** [bozɛl] n. m. — 1590; *bozel*, 1537; esp. *bocel* «moulure lisse cylindrique», du catalan *bocell*, p.-ê. du franç. **bossel, bousseau*, dér. de *bosse*.

Archit. Moulure ronde à la base d'une colonne. → **Tore.**

Le demy diamètre du pied de la colone faisoit la haulteur de la base, qui consistoit en bozel, contrebozel, & plinthe.
J. MARTIN, trad. Fr. Colonna, Hypnerotomachie ou Discours du songe de Poliphile, 14 r° (1546), *in* D. D. L., II, 10.

**BOSKOOP** [bɔskɔp] n. f. — 1952, *belle de Boskoop*, in *Larousse agricole*; variété de pomme obtenue en 1947 à *Boskoop*, aux Pays-Bas.

Pomme d'origine hollandaise, tardive, cultivée dans le Nord de la France, à peau rugueuse d'un gris vert avec un côté rouge. — On francise parfois en *boskop* ou *boscop*.

**BOSNIAQUE** [bɔsnjak] ou **BOSNIEN, IENNE** [bɔsnjɛ̃, jɛn] adj. et n. — 1832; 1540, *in* D. D. L.; de *Bosnie*.

Adj. Qui se rapporte à la Bosnie ou à ses habitants. *République bosniaque.*

N. Habitant de la Bosnie. *Un, une Bosniaque. Un Bosnien, une Bosnienne.*

N. m. Ling. Dialecte du groupe illyrien. *Parler le bosniaque.*

**BOSON** [bozɔ̃] n. m. — 1958; du nom du physicien indien *Bose*, et *-on*, de *électron*.

Phys. Particule régie par la statistique de Bose-Einstein et dont le spin* est entier ou nul (mésons π et κ, photons). → aussi **Fermion.** «*Il est donc tentant d'imaginer pour les interactions faibles une particule intermédiaire fondamentale jouant un rôle analogue à celui du photon pour les interactions électromagnétiques; elle a déjà un nom, le boson intermédiaire W, mais nul ne l'a encore détecté*» (*la Recherche*, n° 32, mars 1973, p. 266).

**BOSPHORE** [bɔsfɔʀ] n. m. — 1694; lat. *bosphorus*, du grec, désignant divers détroits.

Géogr. (Vx). Petit détroit*. *Le Bosphore de Thrace*, détroit d'Istambul. «*Partout, des bosphores, des isthmes...*» (A. Pommier, 1839, *in* T. L. F.).

**BOSQUET** [bɔskɛ] n. m. — 1549, ital. *boschetto*, de *bosco* «bois» ou provençal *bosquet*, de l'anc. provençal *bosc* «bois».

Petit bois; groupe d'arbres plantés pour l'agrément. → **Boqueteau, bouquet, massif.** *Les bosquets d'un jardin, d'un parc. Des bosquets d'arbustes* (→ Allée, cit. 3). *Bosquet naturel.* → **Bocage.**

1 Au milieu des bosquets se pressaient avec les descendants des Paula et des Cornélie, les beautés venues de Naples, de Florence et de Milan (...)
CHATEAUBRIAND, Mémoires d'outre-tombe, XIII.

Par ext. Petit massif (de plantes).

Çà et là des bosquets de houx épineux (...) 2
H. BOSCO, l'Âne Culotte, p. 44.

Par métaphore. «*La dialectique (...) la força* (cette proie) *dans le bosquet des notions pures*» (Valéry, *Variétés*, 4, p. 245).

**BOSS** [bɔs] n. m. invar. — 1869, trad. de H. Dixon, à propos des États-Unis; étendu à la France au XX^e, *bos* (1928); mot amér. d'orig. holl., 1822.

Fam. Patron (d'employés), chef (d'une entreprise, d'un groupe, d'une bande...). → **Patron.** *Le boss n'est pas content. Jouer au boss. Prendre des allures de boss.* — Au plur. *Des boss.* — Le plur. anglais *bosses* est très affecté en français. «*Quand cette règle se retourna contre eux et que les bosses se virent menacés...*» (*le Nouvel Obs.*, 17 juil. 1972).

Parmi les amis du Boss, beaucoup se seraient fait un plaisir de lui donner les deux cents billets (...)
René FLORIOT, La vérité tient à un fil, p. 78.

(Anglic. fam.). *Le big boss* : le grand patron.

1. **BOSSAGE** [bɔsaʒ] n. m. — 1627, en orfèvrerie; de 1. *bosser* «former des bosses», et suff. *-age*.

♦ **1** (1640). Archit. Saillie laissée comme ornement (à la surface d'un mur, d'une porte, d'une colonne). *Sculpter, tailler un bossage. Les vermiculures d'un bossage.* → **Tortillis.** *Encadrement des bossages.* → **Anglet, refend.** *Un bossage brut, rustique, vermiculé, en pointes de diamant.*

Des bossages vermiculés à refends armaient les jambages et l'arcade de la porte fermée de deux vantaux de chêne (...) 1
Th. GAUTIER, le Capitaine Fracasse, t. I, V.

Il *(Omri)* acheta une colline (...) et y bâtit sa ville, Samarie. Ses murs en bossage subsistent encore (...) 2
DANIEL-ROPS, le Peuple de la Bible, III, III, p. 232.

Littér. Saillie, partie convexe (en général). «*Les bossages du vase*» (Hugo, *in* T. L. F.).

♦ **2** (1628). Techn. (menuis.). Rondeur que présente un bois coupé ou cintré.

Mécan. Partie saillante (d'une pièce).

♦ **3** Mar. *Bossage de l'étambot* : partie renforcée de l'étambot* d'un navire, autour du trou dans lequel passe l'arbre porte-hélice.

♦ **4** (Au sing. collectif). Techn. (orfèvr., etc.). Travail en bosse. *Décoration en gros bossage.*

2. **BOSSAGE** [bɔsaʒ] n. m. — D. i.; de 2. *bosser*.

Mar. Action de bosser. *Le bossage de l'ancre.*

**BOSSA-NOVA** [bɔsanɔva] n. f. — V. 1962; mots port. proprt «nouvelle vague» de *bossa* «vague», de même orig. que 1. *bosse*.

Musique de danse brésilienne, influencée par le jazz de tendance cool. — *Jouer une bossa-nova. Bossa-nova et tropicalisme*. Des bossas-novas.* — La danse elle-même. *Danser une bossa-nova.*

Tu sais, j'ai pensé que tu pourrais mettre dans ton tour quelques chansons un peu plus «disques», avec un bon thème bien sûr, mais quelque chose d'un peu plus dansant... J'ai là une bossa-nova (...)
F. MALLET-JORIS, le Jeu du souterrain, p. 234.

REM. On écrit aussi *bossa nova*, sans trait d'union.

1. **BOSSE** [bɔs] n. f. — 1160; d'un lat. pop. **bottia*, d'orig. obscure, le francique **botja* «coup», de **botan* «frapper» est peu vraisemblable.

**I** ♦ **1** Enflure due à un choc sur une région osseuse. *Bosse provenant d'un coup, d'une chute.* → **Enflure, tumeur**; vx ou régional **beigne, bigne.** *Se faire une bosse en se cognant.*

1 Il *(Lélie)* s'est fait en maints lieux contusion et bosse (...)
MOLIÈRE, l'Étourdi, II, 2.

2 S'il tombe, s'il se fait une bosse à la tête (...)
ROUSSEAU, Émile, II.

Fig. *Ne rêver que plaies et bosses :* être d'humeur batailleuse.

3 L'esprit charitable de souhaiter plaies et bosses à tout le monde est extrêmement répandu.
Mme DE SÉVIGNÉ, 766, 29 déc. 1679.

♦ **2** Saillie du dos, difformité de la colonne vertébrale. → **Cyphose, gibbosité.** *Avoir une bosse.* → **Bossu.** *Bosse par devant et par derrière* (→ **Polichinelle).**

4 Une grosse tête hérissée de cheveux roux; entre les deux épaules une bosse énorme dont le contre-coup se faisait sentir par-devant (...)
HUGO, Notre-Dame de Paris, I, V.

Loc. fig. et fam. Vx. *Tomber sur la bosse de qqn,* le battre (cf. Tomber sur le dos de qqn). — (1791, *in* D. D. L.). Vx. *Donner, tomber dans la bosse :* être dupé.

Loc. mod. *Rouler sa bosse :* voyager sans cesse. Fig. Changer fréquemment de situation, avoir de multiples expériences.

4.1 Il a roulé sa bosse, il ne sait plus où il en est de ses convictions successives, il va encore bourlinguer (...)
Alain BOSQUET, les Bonnes Intentions, p. 86.

Fam. Vx. *Se payer, se foutre une bosse de qqch. Se payer une bosse de rire* (cf. Rire comme un bossu). — Absolt. *Prendre, se payer, se foutre une bosse :* faire ripaille.

4.2 Je compte être à Venise vers le commencement de juin et je m'en fais une fête. Je m'y foutrai une bosse de peinture vénitienne dont je suis amoureux.
FLAUBERT, Correspondance, 9 avr. 1851, Pl., t. I, p. 774.

4.3 L'autre jour, nous avons eu à côté de nous à table une bande de petits élèves de marine anglais de 9 à 14 ans qui venaient tranquillement et comme des hommes se foutre une bosse à l'hôtel.
FLAUBERT, Correspondance, 20 janv. 1851, Pl., t. I, p. 741.

♦ **3** Anat. Saillie arrondie à la surface d'un os plat. *Bosses frontales, pariétales. Bosse occipitale.* — Spécialt. *Bosse du crâne :* protubérance du crâne considérée depuis la phrénologie* de Gall comme le signe d'une aptitude*. *Bosses phrénologiques* (cit.). Fig. et fam. *La bosse de... :* l'aptitude. *Avoir la bosse du commerce, de la musique, des mathématiques.* → **Don.**

Vén. *Bosses :* excroissances charnues qui poussent sur le front du cerf, lorsque sa nouvelle «tête» se forme après la mue.

♦ **4** Protubérance naturelle sur le dos (de certains animaux). *La bosse du dromadaire. Bosses d'un chameau. Bosse de zébu, de bison* (→ **Bossu,** 2.). *Baleine* à bosse* (ou *bossue*). *Bœuf à bosse.*

5 La race du bison ou bœuf à bosse (...)
BUFFON, Hist. nat. des animaux, Quadrupèdes, t. V, p. 85.

**II** ♦ **1** (1409). Saillie, élévation de forme arrondie à la surface du sol. → **Éminence, monticule.**

5.1 Tramontane soufflée par l'océan et bousculée entre les bosses cévenoles, mistral gorgé de fureurs au-dessous des pierres lumineuses du Rhône, se donnent ici rendez-vous.
François NOURISSIER, le Maître de maison, p. 174.

Spécialement :

5.2 L'essentiel pour un skieur est de rester en contact avec la neige au passage des bosses et de corriger la tendance au décollage due à la vitesse au passage de certaines bosses plus sèches.
Jean FRANCO, le Ski, p. 22.

♦ **2** Partie renflée et arrondie sur une surface.

**a** Emplois généraux. *Former des bosses.* → **Bosselure, élevure, renflement.** *Surface déformée par des bosses.* → **Bossuer** (p. p.).

Vois-tu ces boucliers?... Leurs bosses reluisent aux rayons 6
du matin. CHATEAUBRIAND, Dargo, 219, *in* LITTRÉ.

Loc. *Faire bosse* (d'un mur) : faire ventre*.

**b** Emplois spéciaux.

Techn. Partie d'une voie de chemin de fer formant dos d'âne, dans un système de triage. *Bosse de gravité.* Syn. : *butte* de triage. Passer un train, une rame à la bosse.*

Bossage. *Les bosses d'un mur, d'une porte.* — Spécialt. Petit bossage servant de marque ou de repère, sur le parement d'une pierre.

Anciennt. Au jeu de paume, Partie saillante du mur. Loc. *Attaquer la bosse, donner dans la bosse.*

Mar. Saillant le long des rives d'un cours d'eau, constituant une gêne pour le halage.

**c** Par métonymie. Techn. (vx). Objet en verre soufflé affectant une forme sphérique.

Vétér. Appendice renflé placé sous un fer à cheval, pour rétablir l'aplomb.

♦ **3** Techn. Arts. *La bosse.*

**a** Décoration en relief, obtenue par martelage, repoussage, etc. — EN BOSSE. *Travailler en bosse un ouvrage d'orfèvrerie* (→ **Bosseler, bosser, bossette; bossage, bosselage, bosselure).** *Vaisselle en bosse.*

Et quand tu vois ce beau carrosse, 7
Où tant d'or se relève en bosse,
Qu'il étonne tout le pays (...)
MOLIÈRE, les Femmes savantes, III, 2 (sonnet emprunté à l'abbé Cotin).

**b** Arts. → **Ronde-bosse.** — *Peindre, dessiner d'après la bosse,* d'après une figure moulée ou sculptée en bosse.

Il me fallut d'abord apprendre le dessin; je dessinai 8
d'après la bosse, je dessinai d'après nature (...)
P.-L. COURIER, Lettres, II, 217.

Il montait d'abord chez un élève nommé Corsenaire, qui 8.1
travaillait dans le haut de la maison. Il y restait six mois à dessiner d'après la bosse; puis redescendait dans ce grand atelier d'en bas, pour dessiner d'après le modèle vivant.
Ed. et J. DE GONCOURT, Manette Salomon, p. 19.

Sculpture, ouvrage en relief. → **Ronde-bosse.**

Une sculpture est dite *en demi-bosse* quand elle ne fait 9
saillie sur le fond que de la moitié de son épaisseur; *en ronde-bosse,* quand elle est complètement isolée et qu'on peut en faire le tour (...)
Louis RÉAU, Dict. d'art et d'archéologie, p. 61.

**c** Techn. *Serrure à bosse, en bosse,* en saillie sur la porte.

**CONTR. Cavité, creux, enfoncement, trou.** ◊ **DÉR. Bosseler,** 1. **bosser, bossette, bossu.** V. 2. **Bosse,** 3. **bosser.**

2. **BOSSE** [bɔs] n. f. — 1516; orig. incert.; p.-ê. de 1. *bosse* à cause des noeuds.

Mar. Cordage fin, généralement de faibles dimensions, utilisé pour saisir solidement qqch. *Bosse à griffe, à bouton. Bosse de ris*. Bosse d'amarrage, bosse d'embarcation,* destinée à amarrer ou à remorquer le navire. *Bosses cassantes,* qui, lors du lancement d'un navire, ont une fonction de frein en se rompant successivement. *Prendre une bosse, frapper une bosse, fixer au moyen d'une bosse.* → 2. **Bosser.**

Si une baisse barométrique s'en mêle, vérifier que les bosses de ris sont claires et que rien ne traîne sur le pont au crépuscule.
Bernard MOITESSIER, Cap Horn à la voile, p. 235.

Vx. *Bosse de nage,* retenant l'aviron sur le tolet. → **Estrope.**

**DÉR. Bosselle,** 2. **bosser, bossoir.** ◊ **COMP. Embosser.**

**BOSSELAGE** [bɔslaʒ] n. m. — 1718; de *bosseler.*

♦ **1** Techn. Travail en bosse, en relief, exécuté sur les pièces d'orfèvrerie. → **Repoussé.** *Travailler en bosselage.*

1 Une tradition du bosselage se développe de la caryatide siphnienne aux chevaux lyriques d'Hélios et de Séléné, antérieurs à tels fragments classiques de la frise des Panathénées.
MALRAUX, la Métamorphose des dieux, p. 87.

♦ **2** Archit. Relief, ensemble de parties en relief.

2 Les noires rues florentines avec leurs palais aux bosselages farouches attristent ce voyageur qui n'a encore qu'un vernis de romantisme.
M. YOURCENAR, Archives du Nord, p. 134.

**BOSSELARD** [bɔslaʀ] n. m. — 1878, → cit.; de *bosseler,* p.-ê. avec infl. de *bossco* «haut de forme», 1861 (→ Boscot «bossu»).

Argot, vx. Haut-de-forme.

J'ai même un bosselard, autrement dit tuyau de poële.
MAUPASSANT, Corresp., XV, 238, *in* D. D. L., II, 5 (1878).

**BOSSELER** [bɔsle] v. tr. [CONJUG.: *appeler.*] — 1170; de 1. *bosse.*

♦ **1** Déformer par des bosses. → **Bossuer, cabosser.** *Que vous êtes maladroit! Vous avez bosselé cette cafetière d'argent* (Littré).

(Sujet n. de chose). Former des bosses sur (qqch.).

1 Dans un de ces amas qui bosselaient irrégulièrement la plaine, quelque chose de plus vague qu'un spectre se leva.
FLAUBERT, Salammbô, XIII.

♦ **2** (XVII^e^). Techn. Travailler en bosse*, en relief (les pièces d'orfèvrerie).

◆ **SE BOSSELER** v. pron. Se déformer par des bosses. → **Bossuer** (se). *Cette écuelle s'est bosselée en tombant.*

◆ **BOSSELÉ, ÉE** p. p. adj. (XIII^e^).

♦ **1** Techn. Qui a subi un travail de bosselage. *Cuiller bosselée.*

♦ **2** Cour. Qui présente des saillies, forme des bosses. *Les feuilles des choux sont bosselées. Un terrain tout bosselé.* → **Accidenté.**

Spécialt (en parlant de l'anatomie d'un être animé). *Mâchoire bosselée. Crâne bosselé.*

2 (...) son corps robuste, taillé à la serpe, surmonté d'une tête bosselée qui ressemblait à une grosse racine blanchie et dépouillée par un séjour au fond des mers.
Claude LÉVI-STRAUSS, Tristes tropiques, p. 7.

DÉR. **Bosselage, bosselard, bossellement, bosselure.**
◊ COMP. **Débosseler.**

**BOSSELLE** [bɔsɛl] n. f. — 1922; de 2. *bosse.*

Pêche. Nasse en jonc ou en osier servant à pêcher les anguilles.

**BOSSELLEMENT** [bɔsɛlmɑ̃] n. m. — 1818; de *bosseler.*

Techn. ou littér. Action de bosseler; résultat de cette action. → **Bosselage, bosselure.**

Nicole, debout devant le lit, achevait d'enfiler sa combinaison saccagée. Il la voyait de dos. L'étoffe transparente modelait des omoplates anguleuses et le bossellement régulier de la colonne vertébrale.
H. TROYAT, le Vivier, p. 213.

**BOSSELURE** [bɔslyʀ] n. f. — V. 1560, Paré; de *bosseler.*

♦ **1** Techn. Travail en bosse sur une pièce d'argenterie; bosse, ensemble de bosses qui en résulte.

♦ **2** Rare. Déformation d'une surface par des bosses. → **Bosselage, bossellement.** *La bosselure d'une surface.*

(1704, en bot.). Par ext. Aspérité, saillie ou ensemble de saillies. *Les bosselures d'un champ. Les bosselures d'un vieux chaudron.*

**BOSSEMAN** [bɔsman] n. m. — 1581; néerl. *bootsman* «maître d'équipage», p.-ê. avec croisement avec 2. *bosse.*

Anciennt (mar.). Sous-officier de marine (maître d'équipage) qui était chargé des matériels et de leur entretien à bord d'un navire. → **Bosco.** — REM. Le pluriel n'est mentionné par aucun dictionnaire; il devrait être régularisé : *des bossemans.*

1. **BOSSER** [bɔse] v. — V. 1170, *bocié* «qui présente des bosses»; de 1. *bosse.*

**I** V. intr. ♦ **1** Vx ou régional (Normandie). Présenter une ou des bosses. *«La voiture, surchargée (...) bossait de partout»* (La Varende, *in* T. L. F.).

Loc. *Bosser du dos :* faire le gros dos.

♦ **2** Fam. et vx (de *se payer une bosse de rire*). Rire, s'amuser (cf. Courteline, *le Train de 8 h 47,* p. 158). → **Gondoler** (se).

**II** V. tr. ♦ **1** (XIX^e^). Techn. Travailler en bosse*; exécuter un travail en ronde-bosse.

Au p. p. :

Vingt véhicules, bossés, pavoisés et fleuris comme des carrosses anciens ou de contes.
RIMBAUD, les Illuminations, «Ornières».

♦ **2** Régional (Canada). Déformer par des bosses. → **Bosseler.** *Bosser une aile d'auto* (*in* Bélisle).

DÉR. 1. **Bossage.** V. 3. **Bosser.**

2. **BOSSER** [bɔse] v. tr. — 1516; de 2. *bosse.*

Mar. Fixer, retenir avec des bosses*, des cordages. → 2. **Bosse.** *Bosser un câble, un cordage, un filin, une manœuvre. Bosser une ancre,* la suspendre au-dessous d'un bossoir*. — Loc. *Bitte et bosse!* (→ 1. **Bitter,** cit.).

DÉR. 2. **Bossage.** V. 3. **Bosser.**

3. **BOSSER** [bɔse] v. intr. — 1878, *in* Esnault; p.-ê. d'orig. dial. de l'Ouest *bosser* (→ 1. Bosser, I., 1.) «être courbé (sur le travail)», de 1. *bosse,* ou de 2. *bosser,* ou encore de (travailler en) *bosse (ronde-bosse);* seul le milieu (inconnu) où apparaît cet usage permettrait de trancher.

Fam. Travailler (notamment, travailler dur). *S'arrêter de bosser.* — Avoir un travail régulier. *Je bosse depuis six mois :* j'ai un emploi depuis six mois. → **Boulonner, turbiner.**

Oh! je sais bien qu'il y aura du boulot pour que ça finisse, et plus encore après. Faudra bosser. Et j'dis pas seulement bosser avec les bras. 1
H. BARBUSSE, le Feu, t. I, I, XII, p. 69.

Alors, mon petit pote, dit-il à Pierrot, ça te dit quelque chose de bosser avec nous? 2
R. QUENEAU, Pierrot mon ami, p. 8.

Trans. *Bosser un examen, un concours,* le préparer activement. → **Bûcher.**

DÉR. **Bosseur.**

**BOSSETIER** [bɔstje] n. m — 1488, *in* Godefroy, *Compl.;* de *bossette.*

Technique (vieux).

♦ **1** Ouvrier qui travaille en bosse. → **Cloutier.**

♦ **2** Verrier qui souffle le verre (→ 1. **Bosse,** II., 2. c.).

**BOSSETTE** [bɔsɛt] n. f. — V. 1195; de 1. *bosse.*

♦ **1** Vx ou rare. Petite bosse, au sens général (Valéry, *in* T. L. F.).

♦ **2** (1352). Techn. Ornement en bosse sur le mors, sur les œillères d'un cheval. *Bossettes dorées.* — Par ext. Les œillères.

♦ **3** Techn. Clou d'ornement à tête ouvragée employé en tapisserie ou en ébénisterie. «*Un prie-Dieu de velours cramoisi, relevé de bossettes d'or*» (Hugo, *Notre-Dame de Paris,* in T. L. F.).

♦ **4** *Bossettes d'une arme à feu :* petits renflements des ressorts de la batterie ou de la tête de gâchette.

**DÉR. Bossetier.**

**BOSSEUR, EUSE** [bɔsœʀ, øz] n. et adj. — 1908; de 3. *bosser.*

Fam. Celui, celle qui produit un gros travail. → **Bûcheur, travailleur.** *C'est un sacré bosseur.* — Adj. *Elle est plus bosseuse que son frère.*

**BOSSOIR** [bɔswaʀ] n. m. — 1678; de 2. *bosse.*

**I** Marine. ♦ **1** Grosse pièce saillante qui était placée à la proue d'un navire pour servir à la manœuvre d'une ancre. *Bossoir bâbord, tribord.* — Loc. *Homme de bossoir :* homme de veille à l'avant d'un navire. *Par le bossoir :* par l'avant du navire et un peu de travers.

1 (...) mais la nuit est une faiseuse d'histoires et ce n'est pas d'hier qu'elle en raconte aux guetteurs de créneaux et vigies de bossoir ni qu'elle fait prendre une brouette pour le train d'Attila (...)
Jacques PERRET, Bande à part, p. 238.

♦ **2** *Bossoir d'embarcation :* arc-boutant servant à suspendre une embarcation, à la larguer, à la hisser. → **Pistolet, portemanteau.**

2 Là-bas, une chaloupe chargée d'hommes se balançait au bout de ses bossoirs, puis touchait l'eau dans une gerbe irisée. M. TOURNIER, Vendredi..., p. 234.

**II** Fam. et vx. Au plur. *Les bossoirs :* les seins (d'une femme) (E. Sue, 1831, *in* T. L. F.).

**BOSSU, UE** [bɔsy] adj. et n. — V. 1170; de 1. *bosse.*

♦ **1** (Personnes). Qui a une ou plusieurs bosses* par déformation de la colonne vertébrale ou de la cage thoracique. *Un homme bossu. Une femme bossue.* → **Contrefait, gibbeux; difforme.** *Bossu par devant.*

1 M^me de Guise, bossue et contrefaite à l'excès (...)
SAINT-SIMON, Mémoires, I, 302.

2 Quand tout le monde est bossu, la belle taille devient la monstruosité.
BALZAC, la Muse du département, Pl., t. IV, p. 61.

N. (Fin XIII^e). *Un bossu, une bossue* (→ fam. **Bobosse, boscot).** — Loc. (légendes folkloriques). *Malin, gai comme un bossu. Toucher la bosse d'un bossu* (geste porte-bonheur). «*Ah! Ah! Ah! On n'a jamais vu / De petit bossu aussi résolu*» (*le Petit Bossu,* chanson enfantine). — *Le Bossu* (1858), roman de P. Féval. «*Le bossu Bitor*», poème de Corbière (→ ci-dessous, cit. 5).

3 Cette bossue aime un bossu
Qui, je pense, est amoureux d'elle.
Épigramme de LEBRUN, *in* LITTRÉ.

4 «C'est un bossu, chuchotait Védrine à Freydet, et un bossu à femmes, qui se parfume et se pommade» (...) puis ils sortirent. Freydet s'amusait de cette idée d'un bossu Lovelace : «Il est peut-être en bonne fortune (...) — Tu ris (...) Eh bien! mon cher, ce bosco se paye les plus jolies femmes de Paris (...)» Alphonse DAUDET, l'Immortel, p. 100.

5 Un vrai bossu : cou tors et retors, très madré,
Dans sa coque il gardait sa petite influence
Car chacun sait qu'en mer un bossu porte chance.
Tristan CORBIÈRE, Poésies, «Le bossu Bitor».

Loc. fam. *Rire comme un bossu :* rire à gorge déployée, se «tordre» de rire. → 1. **Bosse** (se payer une bosse de rire), 1. **bosser** (I., 2).

Je voyais quand même de brefs reflets de tristesse dans ses yeux malicieux. Elle maintenait l'équilibre avec des «on a ri comme des bossus (...) je m'en fiche comme de colin-tampon (...)» Violette LEDUC, la Bâtarde, p. 379. 6

Par ext. Voûté. *Redresse-toi, tu es bossu!* — Qui a l'apparence d'un bossu (par la position, une charge : sac, etc.). *J'entrevis «des hommes fléchis et bossus gravissant une côte glissante»* (Barbusse, *le Feu, in* T. L. F.).

♦ **2** (Animaux). Qui porte une ou plusieurs bosses. *Bœuf bossu :* le bison (syn. : *à bosse*). — *Émyde bossue* (tortue).

N. m. Fam. et vieilli. Lièvre. «*Un bossu qu'ils sont en train de se becqueter en civet*» (Barbusse, *le Feu,* V).

N. f. **BOSSUE.** **a** Baleine à bosse.

**b** Nom de coquillages. *Bossue à deux boutons* (*in* P. Larousse).

♦ **3** (Choses). Rare. *Terrain bossu.* → **Bosselé, bossué.** *Cimetière bossu,* où il y a de nombreuses tombes. Loc. (vieilli). *Faire, rendre les cimetières bossus :* causer la mort d'un grand nombre de personnes.

**CONTR. Droit, raide, rectiligne.** ◊ **DÉR. Bossuer.** V. **Boscot.**

**BOSSUAGE** [bɔsɥaʒ] n. m. — 1852, Nerval; de *bossuer.*

Techn. ou littér. Forme d'une surface bossuée; ensemble des bosses, des renflements (d'une surface).

**BOSSUER** [bɔsɥe] v. tr. — 1564; de *bossu,* en anc. franç. «déformé par des bosses».

Technique ou littéraire.

♦ **1** (Sujet n. de personne ou de chose). Déformer* accidentellement par des bosses. → **Bosseler, cabosser.** *Bossuer une cuiller. Une balle a bossué son casque. Bossuer un instrument.* → **Fausser.**

♦ **2** (Sujet n. de chose). Rendre inégal, en constituant une, des bosses sur (une surface). *Les inégalités qui bossuent un vieux chaudron.*

Sur le revers d'une de ces collines décharnées qui bossuent les Landes (...) 1
Th. GAUTIER, le Capitaine Fracasse, 1.

Des monts qu'on appellerait ailleurs des collines (...) bossuent ces terres basses.
M. YOURCENAR, Archives du Nord, p. 15.

◆ **SE BOSSUER** v. pron. *Ce plat s'est bossué en tombant.*

◆ **BOSSUÉ, ÉE** p. p. adj. (XVI^e). Qui présente des bosses. → **Bosselé, cabossé.**

Une grande main bossuée de bagues (...) 2
COLETTE, la Fin de Chéri, p. 104.

Il était de petite taille, vif, avec des yeux vairons, un nez de goupil et très peu de cheveux sur son crâne bossué. 3
G. DUHAMEL, Chronique des Pasquier, X, 3.

(...) un sol tassé, avili, bossué, de terrain vague (...) 4
Claude MAURIAC, le Temps immobile, p. 488.

**CONTR. Aplani, égal, plat, uni.** ◊ **DÉR. Bossuage.**

**BOSTANGI** [bɔstɑ̃dʒi] n. m. — 1546; mot turc, de l'arabe *būstān* «jardin», et suff. turc *djī* (servant à former des noms de métier).

Hist. (et t. de voyage anc.). Homme d'une milice turque chargée de la surveillance du sérail, de l'entretien des jardins, etc. — Var. graphique (vx) : *bostandgi.*

(...) tout le luxe asiatique brillait sur les costumes fantasques des pachas, des capidgis-pachas, des bostandgis (...)
Th. GAUTIER, Constantinople, p. 247.

**BOSTON** [bɔstɔ̃] ou (sens II) [bɔstɔn] n. m. — 1800; *wischt bostonien,* 1784; de *Boston,* ville des États-Unis.

**I** Anciennt. Jeu de cartes proche du whist*, qui se joue à quatre personnes, avec 52 cartes. *Levées au boston.* → **Chelem, piccolo.** — Partie de ce jeu. *Faire un boston.*

Deux tables de boston et un colin-maillard dans le salon que tu connais, tu peux t'imaginer comme on était à l'aise (...) P.-L. COURIER, Lettres, II, 108.

**II** 1882; mot amér., abrév. de *boston dip* (1879), le « plongeon de Boston ». Anciennt. Valse lente au mouvement décomposé (en vogue au début du XXe siècle). → Trust, cit. 4. *Danser le boston.* → **Bostonner.** Air sur lequel se danse le boston. *L'orchestre joue des bostons.*

**DÉR. Bostonner.**

**BOSTONNER** [bɔstɔne] v. intr. — 1837, *in* Höfler; de *boston.*

**I** Vx. Jouer au boston (I.).

**II** (1892). Danser le boston (II.).

Daniel bostonnait sans hâte, le corps en apparence immobile, la tête droite, avec une sorte de flegme fait de raideur et d'aisance, ne dansant qu'avec la pointe de ses pieds, qui ne quittaient pas le sol.
MARTIN DU GARD, les Thibault, t. II, p. 119.

**BOSTRYCHE** [bɔstʀiʃ] n. m. — 1762, *bostriche;* grec *bostrukhos* « boucle de cheveux ».

Zool. Insecte coléoptère à corselet velu dont les larves vivent dans le bois du chêne. *Bostryche capucin. Bostryche typographe.*

**BOT, BOTE** [bo, bɔt] adj. — V. 1165; orig. incert. Cf. anc. franç. *bot* « crapaud »; p.-ê. du germanique **butta* « émoussé ».

Se dit du pied difforme par rétraction de tendons et de ligaments, souvent associée à des malformations osseuses. *Avoir un pied bot.* — Par ext. Rare. *Main bote. Hanche bote* (coxa vara. → **Varus**).

Cependant, pour savoir quel tendon couper à Hippolyte, il fallait connaître d'abord quelle espèce de pied bot il avait. Il avait un pied faisant avec la jambe une ligne presque droite, ce qui ne l'empêchait pas d'être tourné en dedans, de sorte que c'était un équin mêlé d'un peu de varus (...)
FLAUBERT, Mme Bovary, II, XI.

*Pied bot* ou *pied-bot* (en emploi adj.) : qui a un pied contrefait (personne, animal). *Byron était pied bot. Elle est pied bot.* — N. *Un, une pied-bot. Des pieds-bots. Un cheval pied bot.* → **Bouleté.**

**HOM. Bau, baud, baux** (bail), **beau.** ◊ **COMP. Pied-bot.**

**BOTAN-** → **Botano-.**

**BOTANIQUE** [bɔtanik] adj. et n. f. — 1611; du grec *botanikê,* adj. fém., de *botanê* « plante ».

♦ **1** Adj. Relatif aux végétaux et à leur étude. *Géographie botanique :* étude de la répartition des plantes sur le globe. *Classification botanique.* → **Règne** (végétal), **embranchement, classe, ordre, famille, genre, espèce, variété, type.** *Études, recherches botaniques.*

1 Nos recherches botaniques ne furent pas heureuses; les plantes étaient peu variées (...)
CHATEAUBRIAND, Voyage en Amérique, 334.

Loc. *Jardin botanique,* où les plantes sont cultivées pour l'étude scientifique, et qui contient des espèces nombreuses et répertoriées.

♦ **2** N. f. (1680). Science qui a pour objet l'étude des végétaux. → **Arbre, herbe, plante, végétal; feuille, fleur, fruit, racine, tige.** *Branches de la botanique.* → **Anatomie, embryologie, histologie, morphologie, physiologie** (végétales); **paléobotanique; nosologie, pathologie, tératologie** (végétales). *Botanique générale :* étude des caractères communs à la vie des plantes. → **Organographie.** *Botanique spéciale* ou *comparée :* étude comparée des plantes. *Botanique appliquée.* → **Agriculture, horticulture.** *Botanique industrielle. Botanique médicale. La botanique fait partie des sciences naturelles, de la biologie*. Botanique et écologie*. — Travaux pratiques de botanique.* → **Herbier; botaniser, herboriser.**

La botanique n'est pas une science sédentaire et paresseuse qui se puisse acquérir dans le repos et l'ombre d'un cabinet. FONTENELLE, Tournefort. 2

Ces idées médicinales *(ne chercher dans les plantes que des drogues et des remèdes)* ne sont assurément guère propres à rendre agréable l'étude de la botanique; elles flétrissent l'émail des prés, l'éclat des fleurs, dessèchent la fraîcheur des bocages, rendent la verdure et les ombrages insipides et dégoûtants; toutes ces structures charmantes et gracieuses intéressent fort peu quiconque ne veut que piler tout cela dans un mortier, et l'on n'ira pas chercher des guirlandes pour les bergères parmi des herbes pour les lavements. ROUSSEAU, Rêveries..., 7e Promenade. 3

LES GRANDES DIVISIONS EN BOTANIQUE : Voir tableau page suivante.

**DÉR. Botaniquement.** — V. **Botaniser, botaniste.** — V. aussi **Botano-.**

**BOTANIQUEMENT** [bɔtanikmɑ̃] adv. — 1845; de *botanique.*

Didact. Par rapport à la botanique.

**BOTANISER** [bɔtanize] v. intr. — 1801; d'après *botanique.*

Didact. ou littér. Réunir des plantes pour les étudier. → **Herboriser;** → 2. Plante, cit. 15.

**BOTANISTE** [bɔtanist] n. — 1676; du rad. de *botanique.*

♦ **1** Personne qui s'occupe de botanique*. *Un savant botaniste. Une remarquable botaniste.*

Comme il avait repeuplé de plantes ce jardin, il le repeupla aussi de jeunes botanistes que ses leçons y attiraient de toutes parts (...) FONTENELLE, Fagon, *in* LITTRÉ.

♦ **2** Spécialt. Personne qui botanise*. → **Herborisateur.** « *Comme un botaniste range dans son herbier les fleurs desséchées* » (H. Poincaré, *la Valeur de la science, in* T. L. F.).

**BOTANO-, BOTAN-** Premier élément de mots didactiques (rare), tiré du grec *botanê* « herbe » (→ **Botanique**).

**BOTANOMANCIE** [bɔtanɔmɑ̃si] n. f. — 1546; de *botano-,* et *-mancie.*

Didact. et rare. Art de la prédiction par les plantes.

**BOTANOPHILE** [bɔtanɔfil] adj. et n. — 1773, Rousseau; de *botano-,* et *-phile.*

Didact. et rare. Personne qui aime la botanique, botaniste (2.).

**BOTHRIOCÉPHALE** [bɔtʀijosefal] n. m. — 1824, *in* Cottez; du grec *bothrion* « fossette, petite cavité », et *kephalê* « tête ».

Ver plathelminthe *(Cestodes)* dont certaines espèces, à l'état adulte, sont parasites de l'intestin de l'homme et de quelques mammifères et qui s'y fixent grâce à deux ventouses latérales de la tête, appelées *bothridies.* → **Ténia.** → Cestodes, cit.

LES GRANDES DIVISIONS EN BOTANIQUE

*Classification des principaux groupes en botanique*

*Cryptogames Thallophytes :*

Protophytes : Bactériacées ; Cyanophycées ou Myxophycées.

Tallophytes vrais :

1. Algues : Rhodophycées ; Phéophycées ; Chlorophycées ; Xanthophycées.

2. Champignons : Myxomycètes ; Phycomycètes ; Zygomycètes ; Ascomycètes ; Basidiomycètes.

3. Lichens : Pyrénolichens ; Discolichens ; Basidiolichens.

*Cryptogames cellulaires :*

Bryophytes ou Muscinées : Mousses ; Anthocérotées ; Hépatiques.

*Cryptogames vasculaires :*

Lycopodinées : Lycopodiales ; Sélaginellales ; Lépidodendrales ; Isoétales.

Equisétinées : Equisétales.

Filicinées eusporangiées : Ophioglossales ; Marattiales.

Filicinées leptosporangiées : Filicales ; Osmondales ; Hydroptéridales.

*Préphanérogames :*

Ptéridospermées.

Ginkyoales.

Cycadales.

*Phanérogames :*

Gymnospermes : Pinales ; Araucariales ; Podocarpales ; Taxales ; Cupréssales ; Gnétales.

Chlamydospermes.

Angiospermes dicotylédones : 4 phylums

1. Santalales ; Olécales ; Protéales.

2. Amentiflores ; Urticales ; Polygonales ; Centrospermales ; Plumbaginales ; Primulales.

3. Thérébinthales ; Ombelliflores ; Malvales ; Rubiales ; Ébénales ; Célastrales ; Rhamnales ; Ligustrales ; Contortales ; Géraniales ; Tubiflores ; Euphorbiales.

4. Ranales ; Aristolochiales ; Pipérales ; Rosales ; Hamamélidales ; Myrtales ; Thyméláeales ; Pariétales ; Rhaeadales ; Éricales ; Cucurbitales ; Synanthérales.

Angiospermes monocotylédones : 3 phylums

1. Alismatales ; Potamognétales.

2. Commélinales ; Graminales ; Cypérales ; Broméliales ; Liliales ; Dioscoréales ; Scitaminales ; Orchidales.

3. Arales ; Pandanales ; Palmales ; Juncales.

**BOTRYOÏDE** [bɔtʀijɔid] adj. — 1753 ; grec *botruoeidês*, de *botru(o)-*, élément tiré de *botrus, botruos* « grappe ».
Didact. En forme de grappe (de raisin). *Minerai botryoïde. Tumeur botryoïde.*

**BOTRYOMYCÈTE** [bɔtʀijomisɛt] n. m. — 1897 ; de *botryo-* (→ Botryoïde), et *-mycète*.
Méd. Amas enkysté de staphylocoques, donnant à une tumeur l'aspect d'une formation en grains.

**BOTRYOMYCOME** [bɔtʀijomikom] n. m. — 1905 ; de *botryo-* (→ Botryoïde), et *-ome*, d'après *botryomycose*.
Méd. Petite tumeur inflammatoire chronique, d'aspect comparable à celui d'une framboise, aux doigts ou à la plante des pieds, provoquée par une infection banale et entretenue par une irritation continue (syn. : *granulome pyogénique, tumeur framboisique, granulome télangiectasique*).

**BOTRYOMYCOSE** [bɔtʀijomikoz] n. f. — 1897 ; de *botryo-* (→ Botryoïde), et *mycose*.
Méd. vétér. Infection purulente du cheval, du chameau, se présentant sous forme d'excroissances d'aspect tumoral aux pieds. → **Botryomycome.**

1. **BOTTE** [bɔt] n. f. — Fin XIIe ; moy. néerl. *bote* « touffe de lin », cf. le verbe *boten* « battre », d'où, probablt, « quantité de végétaux battus par le fléau ».

**I** ♦ **1** Assemblage de végétaux de même nature dont les tiges sont liées ensemble. → **Faisceau.** *Mettre, lier du foin en bottes.* → **Botteler, embotteler ; bottée, bottelée.** *Botte de paille, de foin, d'épis.* → **Gerbe.** — Fig. *Chercher une aiguille dans une botte de foin* (→ **Aiguille,** *supra* cit. 13). — *Botte de feuilles de tabac.* → **Manoque.** *Botte de branches.* → **Bourrée.** *Botte de fleurs.* → **Bouquet.** *Des bottes de radis, de carottes, d'asperges, de poireaux. Une petite botte de ciboulette.* → **Bottelette, 1. bottillon.**

À te dire vrai, il y a une grande différence entre mon auguste famille et une botte d'asperges. Nous ne formons pas un faisceau bien serré, et nous ne tenons guère les uns aux autres que par écrit. 1

A. DE MUSSET, les Caprices de Marianne, 1.

(...) après avoir marqué ses quatre mètres sur le trottoir avec des bouchons de paille, elle pria Florent de lui passer les légumes, bottes par bottes. 2

ZOLA, le Ventre de Paris, t. I, p. 12-13.

Par métonymie, anciennt. Sonnerie de trompette qui annonçait aux cavaliers la distribution de fourrage. *Sonner la botte.*

(1316, *bothe*). Par ext. Techn. *Botte de soie, de chanvre,* se dit de plusieurs écheveaux* liés ensemble. — *Une botte de lettres, de papier.* → **Liasse.** — *Botte de parchemin :* cahier de 36 feuilles reliées.

Techn. Faisceau (de morceaux de bois).

Ensemble (de tiges, de fils de métal) réunis ou enrobés. → **Bottelage,** 2.

*En botte :* en paquet (en parlant de choses allongées). Vx. *Racines en botte. Futaille en botte :* ensemble des douves mises en faisceau.

♦ **2** (XVIe). Fam. (au plur.). Vieilli. *Des bottes de... :* une grande quantité de (qqch.). → **Masse, tas.**

(...) j'étais le Lovelace de fatuité que sont plus ou moins tous les très jeunes gens qui se croient jolis garçons, et qui ont pâturé des bottes de baisers derrière les portes et dans les escaliers, sur les lèvres des femmes de chambre 3

de leurs mères.
BARBEY D'AUREVILLY, les Diaboliques, « Le rideau cramoisi ».

Loc. mod. *Il n'y en a pas des bottes,* pas beaucoup.

4 De plus ils *(les gosses)* n'ont pas des bottes de patience.
R. QUENEAU, Loin de Rueil, p. 38.

**II** (1860). Argot de Polytechnique. Ensemble des élèves sortis dans les premiers rangs et qui peuvent bénéficier des carrières les plus prisées. *Sortir dans la botte.* Syn. : *être bottier.* → 2. **Bottier.**

5 Il sortira dans la botte, vous verrez. Il sortira premier. Il aura la direction des Tabacs.
J. DUTOURD, les Horreurs de l'amour, p. 317.

6 Michel (...) qui termine sa première année de Polytechnique à la satisfaction générale (un peu fatigué, toutefois, et sans avoir réussi à reprendre plus de trois places sur les chefs de file de la botte).
Hervé BAZIN, Au nom du fils, p. 162.

**DÉR. Bottée, botteler, bottelette,** 1. **bottillon.** — (Du sens II) 2. **Bottier.** ◊ **COMP. Embotteler.** — **HOM. Bote** (fém. de *bot*), 2. **botte,** 3. **botte,** 4. **botte,** 5. **botte.**

2. **BOTTE** [bɔt] n. f. — Fin XII^e^, *bote* « chaussure épaisse, grossière » ; orig. inconnue, p.-ê. même rac. que *bot.* Cf. le mot régional *bot* (Poitou) « sabot » ; pour Guiraud « le mot combine les deux sens de la racine **bott-»,* à la fois « gonflé, arrondi » et « tronqué ».

♦ **1** Chaussure* très montante qui enferme le pied et la jambe, parfois la cuisse. *Bottes courtes ; bottes hautes. Botte cuissarde.* → **Cuissardes.** *Bottes à genouillère*. Une paire de bottes. Semelle, talon, contrefort, tige, genouillère, revers* (→ **Retroussis**). *Tirants d'une botte. Mettre ses bottes.* → **Botter** (se). *Ôter, enlever, tirer ses bottes.* → **Débotter** (se); **tire-botte.** *Cirer des bottes. Mettre des embauchoirs dans ses bottes. — Botte forte, molle. Botte basse, demi-botte.* → 2. **Bottillon, bottine ; boots, santiag.** *Bottes de cuir, de caoutchouc, de toile, de plastique, de fourrure. Bottes en cuir de phoque des Inuit.* → **Kamik.** *Guêtre formant botte.* → **Houseau** (vx). *Bottes portées au moyen âge* (→ **Heuse**). *Bottes Charles IX, Louis XIII* (bottes à entonnoir), *Louis XIV* (bottes à chaudron), *bottes Directoire. — Bottes de cavalerie.* (Ancienn). *Bottes de dragon, de maréchaussée. Bottes de postillon. Bottes à la russe, à la hussarde, à l'écuyère. Bottes de tranchée* (vx). *Bottes de saut des parachutistes.* → 2. **Ranger.** — *Bottes d'égoutier, de pompier. Bottes de marin, de pêcheur. Bottes de voile. — Bottes de motard. Bottes de cheval :* bottes pour l'équitation. *Bottes camarguaises*. — Aller chez le bottier, le marchand de chaussures acheter des bottes. Bottes de femme. La mode des bottes.*

0.1 (...) j'ai l'honneur de posséder les pieds mêmes du roi Charlemagne dans mes bottes Souwaroff, avec lesquelles je méprise bien le sol (...)
VILLIERS DE L'ISLE-ADAM, Tribulat Bonhomet, p. 43.

0.2 Il est sanglé dans une redingote noire qui lui est trop étroite et dont les longs pans flottent sur la croupe de sa monture. Il porte un pantalon à carreaux et des grosses bottes à soufflet.
B. CENDRARS, l'Or, *in* Œ. compl., t. II, p. 220.

Par anal. *Des bottes de neige, de boue :* de la neige, de la boue collée autour de la jambe, comme une botte. → **Botter,** III. ; 1. **botté.**

♦ **2** Loc. *Bottes de sept lieues,* par allusion au conte du Petit Poucet. *Avancer, marcher avec des bottes de sept lieues :* aller très vite.

1 À partir de ce moment, la convalescence du malade marche avec des bottes de sept lieues (...)
Alphonse DAUDET, le Petit Chose, II, 16.

Loc. fig. Vx. *Graisser ses bottes :* se préparer à partir. — Vx. *Prendre la botte* (même sens).

Il n'est plus question que d'aller à Paris (...) M^me^ de La Fayette me mande que je n'ai qu'à songer à graisser mes bottes (...) M^me^ DE SÉVIGNÉ, 1286, 12 juil. 1690. 2

(1584). Vieilli. *(Y) laisser ses bottes :* être tué (→ fam. Y rester).

Mod. et fam. *Cirer, lécher* les bottes de qqn,* le courtiser, le flatter bassement, platement.

Vx. *Cela fait ma botte :* cela me convient. → **Botter.**

Vieilli. *Mettre, avoir du foin dans ses bottes :* amasser, avoir beaucoup d'argent.

Vieilli ou littér. *À propos de bottes :* sans motif sérieux. *Se quereller à propos de bottes. Se fâcher* (cit. 11) *à propos de bottes.*

(...) monsieur, cela ne se peut. (Et mettant sa main droite sur sa poitrine, il ajoutait) : Je me sens là quelque chose qui s'élève et qui me dit : Rameau, tu n'en feras rien. Il faut qu'il y ait une certaine dignité attachée à la nature de l'homme, que rien ne peut étouffer. Cela se réveille à propos de bottes. Oui, à propos de bottes ; car il y a d'autres jours où il ne m'en coûterait rien pour être vil tant qu'on voudrait (...) 2.1
DIDEROT, le Neveu de Rameau, Pl., p. 438.

Mod. et cour. *En avoir plein les bottes :* être très fatigué, être excédé (→ Plein le dos, plein le cul). — Vx. *Tomber sur les bottes :* être très fatigué, épuisé.

(1797). Vieilli. *Être haut comme une botte,* très petit. Syn. mod. : *être haut comme trois pommes*.*

(...) un jeune garçon très prétentieux, se prenant tout à fait au sérieux (...) pas plus haut qu'une botte et sans un poil de barbe au menton. 3
Alphonse DAUDET, le Petit Chose, I, 4.

Pietro, clown au cirque Medrano, était haut comme ma botte. 3.1
DRIEU LA ROCHELLE, la Comédie de Charleroi, p. 170.

(1797). Vx. Personne très petite.

Vieilli et vulg. *Faire, chier dans les bottes de qqn :* exagérer, dépasser la mesure. *Chier dans ses bottes :* avoir peur.

Équit. *Serrer la botte :* serrer la jambe contre les flancs du cheval.

*Botte à botte. Être, aller, charger botte à botte,* jambe contre jambe, en parlant de cavaliers.

Figuré :

(...) ici (...) tout le monde fait, en bloc, roue à roue, botte à botte, pour le moins du trente-cinq milles. 4
G. DUHAMEL, Scènes de la vie future, VII.

(D'un cheval). *Aller à la botte :* essayer de mordre le cavalier (à la jambe). (1718). Fig. Vx. *Aller à la botte :* répondre, attaquer avec vivacité.

♦ **3** Par métonymie. Pied chaussé d'une botte. — *Coup de botte :* coup de pied*. *Donner un coup de botte, frapper d'un coup de botte.* → **Botter,** II. *Chasser qqn à coups de bottes, à coups de bottes dans le derrière.* — (Sports : football, rugby). *Dégager la balle d'un coup de botte. Le célèbre coup de botte de cet international* (→ **Botteur**). « *La balle* (le ballon) *sonne sous la botte...* » → Botter, cit. 4.

Le goal reçut le ballon des mains d'un ramasseur et l'expédia d'un grand coup de botte vers l'aile droite. 4.1
René FALLET, le Triporteur, p. 368.

*Être, vivre sous la botte de,* sous l'oppression d'un régime (politique ou militaire) autoritaire. — Spécialt. *La botte prussienne, nazie. — Tenir qqn sous sa botte :*

On supporte la médiocrité en tant que masse, mais dans le détail, à chaque humiliation de détail, on se met en colère. Et la colère manque de vous faire tomber dans le jeu. De là à vouloir devenir général, ministre, dictateur, faire une révolution pour les tenir sous sa botte, il n'y a qu'un pas. 4.2
DRIEU LA ROCHELLE, la Comédie de Charleroi, p. 93 (1934).

Par anal. *Être à la botte de qqn,* à ses ordres, à sa dévotion.

4.3 Je suis à la botte du colonel. S'il n'a pas besoin de moi, je donne un coup de main aux traducteurs.
Vladimir VOLKOFF, le Retournement, p. 34.

*Bruit de bottes :* bruit d'une armée, de militaires en marche. — Par métaphore. Rumeur annonciatrice de préparatifs militaires, de guerre; menace de guerre, d'invasion, de prise de pouvoir militaire (putsch).

♦ **4** Par anal. de forme. *La botte de l'Italie :* la forme de l'Italie. *«Si l'Italie a la forme d'une botte...»* (A. Briand → Cul, I., 1.). Ellipt. *Visiter la botte,* la partie centrale et méridionale de l'Italie.

5 *(Il)* décrit l'Italie avec sa botte, sa ville bâtie sur l'eau, sa tour penchée qui un de ces jours va s'écrouler (...)
Alain BOSQUET, les Bonnes Intentions, p. 139.

Méd. *Botte de plâtre,* pour tenir un membre fracturé. — (Vétér.). Pièce de cuir protégeant la partie blessée du pied d'un cheval. → **Bottine.**

(1680). Chasse. Vx. Étui allongé pour le fusil. — Large collier de cuir (d'un limier).

Cout. Partie d'une manche proche du poignet.

Techn. Cylindre métallique recevant la hampe (d'un drapeau, etc.).

DÉR. **Botter, 1. bottier, 2. bottillon, bottine.** ◊ COMP. **Débotter. — Demi-botte, tire-botte; lèche-bottes.** — HOM. **Bote** (fém. de *bot*), **1. botte, 3. botte, 4. botte, 5. botte.**

3. **BOTTE** [bɔt] n. f. — 1590; ital. *botta* «coup», de l'anc. ital. *bottare* (franç. *bouter, boter*). → Bouter.

♦ **1** À l'escrime, Coup de pointe porté à un adversaire avec le fleuret, l'épée. *Porter, pousser, allonger une botte. Parer, esquiver une botte. La parade d'une botte.*

1 Quand vous portez la botte, Monsieur, il faut que l'épée parte la première... (Le maître d'armes lui pousse deux ou trois bottes).
MOLIÈRE, le Bourgeois gentilhomme, II, 2 et jeu de scène.

1.1 L'assaut se continua de la sorte par des bottes multiples; la quarte, la sixte, la tierce, voire la prime, la quinte et l'octave, se mêlant aux «dégagez», aux «doublez» et aux «coupez», formaient des coups sans nombre, inédits et complexes, aboutissant respectivement à une feinte imprévue, rapide comme l'éclair, qui toujours atteignait son but.
Raymond ROUSSEL, Impressions d'Afrique, p. 47.

*Botte secrète :* coup dont la parade est inconnue de l'adversaire; fig. attaque imprévue et imparable; coup secret.

2 En toute l'Europe, c'est comme une immense guerre civile où chacun se bat pour son compte; et même la mathématique ressemble à une guerre de partisans, où les habiles essaient quelque botte secrète. Tout homme est d'épée et d'entreprise, et choisit son maître.
ALAIN, Descartes, *in* les Passions et la Sagesse, Pl., p. 927.

♦ **2** Loc. fig. *Porter, pousser une botte :* faire une attaque vive et imprévue, poser une question embarrassante.

3 (...) il épiait mes compagnons avec une curiosité railleuse et ne perdait jamais une occasion de les surprendre en mauvaise garde et de leur pousser une botte.
G. DUHAMEL, Chronique des Pasquier, IX.

4 (...) Veux-tu que je dise? Il a fini par avouer, ton galant! Je lui ai poussé une botte, à ma façon : «Niez si vous voulez, ai-je dit, la petite a tout raconté.»
BERNANOS, Sous le soleil de Satan, *in* Œ. roman., Pl., p. 73-74.

Argot. *Proposer la botte :* proposer à (qqn) des relations sexuelles.

5 Je ne suis pas en train de te proposer la botte, tu comprends, Véronique? L'amour, ce n'est même pas sûr qu'il y aura de la place pour lui, ou alors à la sauvette.
René MASSON, Drugstore, p. 208.

HOM. **Bote** (fém. de *bot*), **1. botte, 2. botte, 4. botte, 5. botte.**

4. **BOTTE** [bɔt] n. f. — Déb. XVe; ital. *botte,* du lat. tardif *buttis* ou provençal *bota,* même orig. → Bouteille.

Vx. Tonneau qui servait de mesure; cette mesure de capacité (variable selon les régions). *Une botte d'huile.*

HOM. **Bote** (fém. de *bot*), **1. botte, 2. botte, 3. botte, 5. botte.**

5. **BOTTE** [bɔt] n. f. — D. i. (XIXe); contraction de *beauvotte* (1839, Boiste), forme française mod. de *baivate* (1473, *in* Godefroy), nom de différents insectes volants, attesté dans l'Est et le Nord Est.

Région. Charançon du blé.

HOM. **Bote** (fém. de *bot*), **1. botte, 2. botte, 3. botte, 4. botte.**

1. **BOTTÉ, ÉE** [bɔte] p. p. adj. — XVIe; p. p. de *botter.*

♦ **1** Chaussé de bottes. *Être botté, bien botté. — Botté de... Botté de cuir. Une jolie fille bottée de rouge. Le Chat botté,* conte de Perrault. — Allus. hist. *Missionnaires bottés :* les dragons responsables des dragonnades.

Loc. fig. *Être botté,* prêt à partir (vieilli).

♦ **2** Fig. *Être botté de neige, de boue :* avoir de la boue, de la neige autour des jambes. → **2. Botte, 1.**

HOM. **2. Botté, bottée, botter.**

2. **BOTTÉ** [bɔte] n. m. — 1908, *in* Petiot; de *botter* II., 2.

Sports. Manière de frapper la balle du pied.

(...) avec une magnifique sécheresse dans le botté. Et la jambe qui frappe fait angle droit avec le corps.
MONTHERLANT, les Olympiques, 1924, Pl., p. 292.

HOM. **1. Botté, bottée, botter.**

**BOTTÉE** [bɔte] n. f. — Attesté 1910, Van der Meersch, *in* T. L. F.; de 1. *botte.*

Rare. Quantité (de végétaux) formant une botte. → **1. Botte, bottelée.**

HOM. **1. Botté, 2. botté, botter.**

**BOTTELAGE** [bɔtlaʒ] n. m. — 1351, *botelaige* en dr. «droit sur le foin»; de *botteler.*

♦ **1** (1636) Agric. Action de botteler; son résultat. *Bottelage des foins.*

♦ **2** Techn. Opération par laquelle on met des tiges, des fils (de métal) en bottes (faisceaux ou rouleaux).

**BOTTELÉE** [bɔtle] n. f. — 1869, A. Daudet; de *botteler.*

♦ **1** Agric. Ensemble des végétaux mis en bottes. *Une bottelée de paille.* → **1. Botte, bottée.**

♦ **2** (En parlant d'objets divers). Grande quantité. → **1. Botte** (I., 2.).

(...) il y a les rabiots de briques, de parpaings, de carreaux de faïence, les bottelées de ferrailles à béton.
CAVANNA, les Ritals, p. 98.

**BOTTELER** [bɔtle] v. tr. [CONJUG.: *appeler.*] — 1328; du moy. franç. *botel,* dimin. de 1. *botte.*

♦ **1** Agric. Lier en bottes. *Botteler de la paille; des radis. — Machine, appareil à botteler.* → **Botteleuse, botteloir.**

À Fontranges, dans les moissons, quand les travailleurs bottelaient ou dormaient, on voyait la tête de la petite Églantine surnager seule au-dessus des épis et du déluge de l'été. GIRAUDOUX, Églantine, p. 85. 1

♦ **2** Techn. Mettre en bottes (des morceaux de bois, des tiges, fils... de métal).

◆ **BOTTELÉ, ÉE** p. p. adj. *Paille bottelée.* — Par extension :

2 (...) charger dans des cours de ferme des sacs de pommes de terre, voire quelques quartiers de lard ou des saucisses longues et sèches bottelées par grosses, comme des fagotins. M. TOURNIER, le Roi des Aulnes, p. 183.

**DÉR. Bottelage, bottelée, botteleur, botteleuse, botteloir.** ◈ **HOM. Bottelée.**

**BOTTELETTE** [bɔtlɛt] n. f. — 1268; dimin. de 1. *botte.*

Agric. Petite botte (de carottes, de poireaux, etc.). → 1. **Bottillon.**

**BOTTELEUR, EUSE** [bɔtlœʀ, øz] n. — 1391, *boteleur*; de *botteler.*

♦ **1** Agric. Personne qui fait des bottes (de foin, de paille, etc.).

Les rédacteurs sont gens connus, vignerons, bûcherons et botteleurs de foin. P.-L. COURIER, II, 275.

♦ **2** Techn. Ouvrier (ouvrière) qui effectue le bottelage (2.).

**HOM.** (Du fém.). **Botteleuse.**

**BOTTELEUSE** [bɔtløz] n. f. — 1897; de *botteler.*

Agric. Machine à botteler (1.). — REM. Donné comme son concurrent en 1906, le mot a supplanté *botteloir**.

**HOM.** Fém. de **Botteleur.**

**BOTTELOIR** [bɔt(ə)lwaʀ] n. m. — 1838; de *botteler.*

Agric. (vieilli). Appareil à botteler. — REM. → Botteleuse. — Spécialt. *Appareil à serrer les asperges en bottes.*

**BOTTER** [bɔte] v. tr. — V. 1225, «chausser»; de 2. *botte.*

**I** ♦ **1** (1690). Sujet et compl. n. de personne. Vieilli. Pourvoir (qqn) de bottes, fabriquer, vendre des bottes à (qqn). *Quel est le cordonnier qui vous botte?* (Académie). → **Chausser.** *Ce cordonnier le botte bien. L'administration a décidé de botter ce régiment.*

Mettre des bottes à (qqn). *Son domestique le botte et le débotte.*

◆ **SE BOTTER** v. pron. (1694). Mettre ses bottes.

1 Il me fâche fort de perdre de vue mon canal et mes allées dans lesquelles je me promenais sans être obligé de me botter (...) GUEZ DE BALZAC, IV, 30.

REM. Seul le p. p. est courant. → Botté.

♦ **2** **a** Sujet n. de la chose qui botte. Épouser la forme du pied. → **Chausser.** *Cette chaussure, ces bottines vous bottent bien.*

**b** (1850, cit. 1.1). Fig. et fam. → **Convenir; aller, plaire.** *Ça me botte, ça le botte, ça devrait le botter* (cf. Trouver chaussure à son pied; aller comme un gant). *Ton copain me botte.* → **Plaire.** *Ce boulot ne me botte pas du tout.*

.1 *Beau, jeune, ivre d'amour et défiant les pleurs* me botte assez, mais la rime qui suit me paraît facile. FLAUBERT, Correspondance, 15 janv. 1850, t. I, Pl., p. 574.

.2 — Foutaises, ami Paul! Foutaises que tout cela! La politique, les guerres, les sports : aucun intérêt. Ce qui me botte, moi, c'est le fait divers et les procès. R. QUENEAU, Pierrot mon ami, éd. L. de Poche, p. 153.

.3 La forêt la nuit ça me botte c'est des idées que j'ai tiens on irait à la cabane allez amène-toi (...) Tony DUVERT, Paysage de fantaisie, p. 98.

**II** Donner un, des coup(s) de botte à... ♦ **1** (1867). Fam. Donner un coup de botte, un coup de pied à (une partie du corps de qqn, spécialt le derrière). — Fam. *Botter le derrière, les fesses, le cul, le train à qqn.*

— Toi non plus, remarqua son voisin, en désignant les chaussures cloutées, tu ne perds pas de temps! 2
— Pour botter les fesses à Guillaume! jeta l'ouvrier, en s'éloignant. MARTIN DU GARD, les Thibault, t. VII, p. 253.

Je te le redis de vivement prendre la porte. Ou je vas te botter les fesses, François! G. CHEVALLIER, Clochemerle, p. 195. 3

♦ **2** (1906, *in* Petiot). Sports. *Botter la balle, le ballon.* — Absolt. *Botter.* → **Shooter; tirer; botté,** n. m.; **botteur.**

Chez les bleus, Michel a botté, et la balle ovale saute à bonds imprévus; les avants s'ébranlent. Inutile : la balle attrapée sonne sous la botte, saute haut en touche. Jean PRÉVOST, Plaisirs des sports, p. 126. 4

*Botter en touche :* frapper le ballon au-delà de la ligne de touche pour dégager son camp. — Fig. Esquiver la difficulté pour se débarrasser d'un problème. *«Les républicains* (aux États-Unis) *ont préféré botter en touche plutôt que de s'opposer ouvertement au président»* (*le Monde,* 29 avr. 1999, p. 36).

**III** V. intr. ♦ **1** Former botte. — Alpin. Se dit des semelles, des crampons auxquels la neige adhère. *Les crampons qui bottent sont dangereux.*

Leurs larges semelles bottaient dans la neige lourde et, lorsqu'ils levaient le pied, on en distinguait la forme, découpée à l'emporte-pièce sur le caillou (...) Par moments, d'un bref coup de piolet sur le talon, ils détachaient le sabot de neige qui adhérait. R. FRISON-ROCHE, Premier de cordée, p. 26 (1941). 5

♦ **2** (1798, Académie). Du terrain, d'une substance. Être de nature à adhérer aux jambes. *La neige, la glaise botte.*

**CONTR. Débotter.** ◈ **DÉR. 1. Botté, 2. botté, botteur.** ➛ **COMP. Rebotter.** ➛ **HOM. 1. Botté, 2. botté, bottée.**

**BOTTEUR** [bɔtœʀ] n. m. — 1924, *in* Petiot; de *botter,* II., 2.

Sport (rugby). Celui qui botte le ballon. → **Buteur.**

(...) en ce cas *(de coup de pied de pénalité),* le botteur, choisi à volonté, peut poser lui-même à terre le ballon, car l'adversaire n'a pas le droit de charger (...) Jean DAUVEN, Techniques du sport, p. 92 (1948).

REM. Le fém. *botteuse* est virtuel.

**BOTTICELLIEN, ENNE** [bɔtitʃɛljɛ̃, ɛn] adj. — 1892, Goncourt; *botticellesque,* de l'ital., av. 1896, Verlaine; de *Botticelli* (1445-1510) peintre florentin.

Didact. De Botticelli. Qui appartient à l'univers figural de Botticelli. *Une grâce botticellienne.*

1. **BOTTIER, IÈRE** [bɔtje, jɛʀ] n. et adj. — Fin XVe; de 2. *botte.*

♦ **1** Vx. Personne qui fabrique ou vend des bottes.

♦ **2** Par ext. Personne qui fabrique et vend des chaussures sur mesure. → **Chausseur.** — Par appos. *Artisan bottier, maître bottier.* — REM. Le fém. *bottière* se rencontre au XIXe s. «ouvrière de la chaussure»; il est virtuel pour tous les emplois.

♦ **3** Adj. invar. en genre ou appos. (pas d'accord). Fait comme par un bottier; de bottier. *Arrêt, renfort bottier. Talons bottier,* de même forme que les talons de botte. *Souliers bottier, demi bottier* (ou *demi-bottier*), à talons bottier.

Il était chaussé de souliers jaunes à talons bottier assez hauts, et tout son corps en était cambré. Jean GENET, Journal du voleur, p. 205.

**HOM.** 2. **Bottier.**

2. **BOTTIER** [bɔtje] n. m. — 1894, Esnault ; de 1. *botte,* II.

Argot de Polytechnique. Élève qui sort dans la botte. → 1. **Botte,** II.

Je voulais être «bottier». Je devins alors une machine à gagner du temps. Le matin, au réveil, j'étais le premier habillé et descendais en salle aussitôt. J'ignorais les récréations. Les jours de sortie, je restais de même à l'École devant mon pupitre.

Raymond ABELLIO, Ma dernière mémoire, t. II, p. 25.

HOM. 1. **Bottier.**

1. **BOTTILLON** [bɔtijɔ̃] n. m. — 1838 ; de 1. *botte.*

Agric. Petite botte (de végétaux). *Un bottillon de persil.* → **Bottelette.**

HOM. 2. **Bottillon.**

2. **BOTTILLON** [bɔtijɔ̃] n. m. — 1863, Littré ; de 2. *botte.*

♦ **1** Anciennt. Sorte de bottine*.

♦ **2** (1894, *in* D. D. L.). Mod. Chaussure montante, petite botte s'arrêtant au-dessus de la cheville. *Bottillons en feutre pour l'appartement. Bottillons de caoutchouc.* → **Snow-boot** (vx). *Bottillons en phoque pour la marche, aux sports d'hiver.* → **Après-ski.** *Bottillons en cuir, servant de chaussures d'hiver.* → **Boots.** *Bottillons fourrés.*

Douce Jessica, dans ses pantalons de laine beige avec des bottillons de *feutre* (...)
— Je vous en prie (...) ceci ne ressemble pas du tout à Blanche, à ce que pourrait écrire Blanche en 1932 ou 1933 (...) Des pantalons ! où avez-vous la tête (...) Non, mais, des bottillons ! Si le genre artiste s'est emparé d'elle, au plus à cette époque Jessica portera des sandales (...)

ARAGON, Blanche..., II, VII, p. 303-304.

HOM. 1. **Bottillon.**

**BOTTIN** [bɔtɛ̃] n. m. — 1867 ; nom de Sébastien *Bottin* (1754-1853) administrateur et statisticien.

Annuaire des téléphones édité par Bottin. Par ext. Annuaire des téléphones. *Chercher un numéro dans le bottin. On avait assis le gosse sur deux gros bottins. Être dans le bottin,* y avoir son nom.

1 On signale une épidémie de vols d'un caractère intéressant. Il paraît qu'on rafle les Bottins dans un grand nombre d'établissements. Les voleurs en ont chipé plus de cinquante dans un seul quartier de Paris !

le Charivari, Chronique du jour, 26 sept. 1891.

2 À quelque autre de même nom était destinée cette somme. Je cherchai donc dans le bottin un homonyme, qui peut-être attendait déjà. Mais mon nom n'est plus très porté ; je vis, en feuilletant l'énorme livre, qu'il ne désignait plus que moi seul.

GIDE, le Prométhée mal enchaîné, *in* Romans, Pl., p. 309.

*Le Bottin mondain :* répertoire des personnalités du grand monde (aristocratie, etc.).

3 Daniel Sapin, garçon débrouillard et sympathique, dénué de scrupules, tour à tour impresario, barman, tenancier de boîtes de nuit, et qui connaissait son Bottin mondain comme nul autre, lui avait raconté sur cet homme une de ces histoires qui ne s'inventent pas.

Roger NAÏM, l'Ère des truands, p. 22 (1972).

**BOTTINE** [bɔtin] n. f. — 1367 ; «jambière» au XVIe ; de 2. *botte.*

♦ **1** Vx. Petite botte* basse. *Mettre, lacer ses bottines.*

♦ **2** (1870). Mod. Chaussure montante ajustée, à élastiques ou à boutons. → **Brodequin.** *Bottines vernies. Bottines de caoutchouc.* → **Snow-boot.**

1 Marche un peu que je les voie remuer... que je les voie vivre... tes petites bottines.

O. MIRBEAU, le Journal d'une femme de chambre, p. 18.

2 Il était (...) chaussé de bottines à tiges de daim pâle (...)

A. MAUROIS, Bernard Quesnay, XXIV, p. 155.

REM. Le mot a des connotations archaïques, les *bottines* étant plutôt désignées par les mots *botte, bottillon, boots* (anglicisme).

Loc. *Des yeux en boutons de bottine,* ronds, petits et inexpressifs.

Spécialt. *Bottine orthopédique,* destinée à corriger une déformation. — Vétér. Pièce de cuir fixée au fer d'un cheval, en cas de blessure au pied. → 2. **Botte,** 4.

♦ **3** Loc. fig. Très fam. (du «bouton» de bottine). *Être de la bottine* (d'une femme) : être homosexuelle.

**BOTTINER** [bɔtine] v. tr. — Mil. XXe ; p.-ê. de *botter* au sens de «demander de l'argent» (1953, Esnault), de *botter* «frapper». → Taper.

Fam. Demander avec insistance ; emprunter. → **Taper.** *«Après le numéro (...) il bottine toujours l'assistance. — Personne a une pipe ?»* (A. Boudard, *la Cerise, in* Cellard et Rey).

**BOTULIQUE** [bɔtylik] ou **BOTULINIQUE** [bɔtylinik] adj. — 1878, *poison botulique, in* D. D. L. ; de *botulisme ;* du lat. sav (bacillus) *botulinus,* de *botulus* «boudin».

♦ **1** Méd. *Bacille botulique ou botulinique :* bacille anaérobie qui se développe dans les conserves en boîte, dans les viandes non cuites et provoque le botulisme*.

Il existe cinq types de bacilles botuliniques *(Clostridium botulinum)*... les types A, B, C sont en cause dans les intoxications d'origine carnée, le type B étant propre à la viande de porc, la plus souvent responsable.

V. VIC-DUPONT, la Maladie infectieuse, p. 66.

♦ **2** Relatif au botulisme. *Accidents botuliniques.*

COMP. **Antibotulinique.**

**BOTULISME** [bɔtylism] n. m. — 1879, ex. ci-dessous ; lat. impérial *botulus* «boudin».

Méd. Intoxication alimentaire très grave par des aliments avariés (conserves ou charcuterie) contenant des toxines du bacille botulique*. *Le botulisme se soigne par sérothérapie* (sérum antibotulinique). *«En présence de ce terrible accident, de nombreuses opinions furent mises en avant : les uns pensaient au cuivre, les autres à l'arsenic (...) d'autres enfin remirent sur le tapis le fameux botulisme, le miraculeux et insaisissable poison des saucisses avariées» (Journal de médecine et de chirurgie pratiques,* I, 1879, p. 265, *in* D. D. L.).

DÉR. **Botulique.**

**BOUBOU** [bubu] n. m. — 1867 ; mot malinké (Guinée) désignant un singe, puis sa peau. Courant en franç. d'Afrique.

♦ **1** Vêtement traditionnel africain, long et ample, porté par les hommes et parfois par les femmes.

Les Chefs (...) portent le boubou bleu ou blanc, orné de broderies. 1

GIDE, Voyage au Congo, *in* Souvenirs, Pl., p. 772.

Et la voilà qui se dirige vers la porte, roucoulant, minaudant, balançant la hanche sous le boubou bigarré (...) 2

J.-R. BLOCH, Cacaouettes et Bananes, p. 62.

Il y a des vieux qui se traînent et des boubous oui, pagnes fleuris, comme si la vie ressortait intacte, avec ses loques rajeunies comme la peau quand elle repousse sur les plaies (...) P. GRAINVILLE, les Flamboyants, p. 146. 3

♦ **2** Vêtement masculin de dessus, à manches courtes, qui se porte flottant sur un pantalon.

**BOUBOULER** [bubule] v. intr. — 1829; formation onomatopéique, cf. lat. *bubo* «hibou».

Rare. Pousser son cri (en parlant du hibou). → **Ululer.**

1. **BOUC** [buk] n. m. — 1121, *buc;* du gallo-roman *buccus* (VIe); p.-ê. du gaul. **bucco* — d'après des formes attestées dans plusieurs langues celtiques; pour Guiraud, déverbal de *bouquer* «frapper avec les cornes», à rattacher à *bouter.*

♦ **1** Mâle de la chèvre*. *Relatif au bouc.* → **Hircin.** *La barbe du bouc. Vieux bouc.* → 1. **Bouquin.** *Un troupeau de boucs* (→ **Menon).** *Le bouc dégage une odeur forte et désagréable. — Une peau de bouc.* → **Outre.** *Cuir de bouc.* → **Maroquin.** *Demi-dieu à pieds de bouc.* → **Satyre.**

Par compar. *Puer comme un bouc. Lascif, salace comme un bouc.*

Fig. Homme extrêmement malpropre (rare), ou très sensuel (fam. et plais.). *Bouc lubrique. Ce vieux bouc court après les petites filles.*

Loc. (1690). **BOUC ÉMISSAIRE :** bouc que le prêtre, dans la religion hébraïque, le jour de la fête des Expiations, chargeait des péchés d'Israël (étym. → **Émissaire,** cit. 3.).

1 Il est impossible que le sang des taureaux et des boucs ôte les péchés. BIBLE (SACY), Épître aux Hébreux, X, 4.

2 Certains de ces rites avaient une valeur de symbole très claire : tel celui de ce «bouc émissaire», qu'on chargeait de tous les péchés d'Israël par des formules imprécatoires, puis qu'on chassait au désert.
DANIEL-ROPS, le Peuple de la Bible, IV, III, p. 366.

(Av. 1750, Saint-Simon). Fig. Personne (ou ensemble de personnes) sur laquelle on fait retomber les torts des autres.

3 Je me promène à grands pas en montrant le poing à un être imaginaire, à un bouc émissaire idéal, auquel je rapporte toutes mes douleurs; je commets toutes les extravagances possibles; je me livre à huis clos aux actes les plus insensés (...) LOTI, Aziyadé, XXIII, 102.

4 Dieu fait de la race le bouc émissaire de tous les péchés individuels; il condamne la race pour sauver l'individu.
F. MAURIAC, Souffrances et Bonheur du chrétien, p. 61.

Didact. (ethnol., psychol. sociale). Victime expiatoire. — Individu ou groupe social sur lequel se fixent de manière spontanée ou provoquée les attaques d'autres membres de la société. → **Souffre-douleur.** *Le bouc émissaire est souvent un être «qu'un certain sentiment d'infériorité rend timide et peu sociable, ne participant pas à l'esprit de collectivité»* (Baruk, cit. *in* Porot, 1975).

4.1 La coutume du bouc émissaire, la plus connue de toutes par un texte célèbre de la Bible (Lévitique, XVI, 21-22), a fourni à Frazer le concept désignant l'ensemble de ces rites d'extériorisation (du mal, du malheur, du péché...). Dans la Grèce ancienne, l'une de ces cérémonies consistait en un sacrifice humain. Le choix, la désignation, les soins particuliers et, finalement, la destruction rituelle du bouc émissaire (en grec : *pharmakos*) restaient l'intervention «thérapeutique» la plus importante et la plus significative que connaissait l'homme «primitif».
Roland JACCARD, la Folie, p. 15.

*Les brebis et les boucs :* symbole biblique des bons et des méchants, des élus et des réprouvés (→ **Brebis,** cit. 4).

5 Si Jésus-Christ paraissait dans ce temple, au milieu de cette assemblée, la plus auguste de l'Univers, pour nous juger, pour faire le terrible discernement des boucs et des brebis, croyez-vous que le plus grand nombre de tout ce que nous sommes ici fût placé à la droite?
MASSILLON, Sermons sur le petit nombre des élus.

♦ **2** (1881). Fig. *Porter le bouc* (par allus. à la barbe du bouc) : ne porter la barbe qu'au menton. *Il a un bouc, un petit bouc.* → **Barbiche.**

Il avait maintenant le menton ponctué d'un «bouc», il portait un binocle, une longue redingote, un gant, comme un rouleau de papyrus à la main. 6
PROUST, le Côté de Guermantes, Folio, p. 227.

♦ **3** (Dans des composés, désignant des plantes). *Barbe-de-bouc :* espèce de spirée *(Rosacées),* à fleurs blanches, appelée aussi salsifis sauvage. — *Persil de bouc.* → **Boucage.**

DÉR. **Boucage,** 2. **boucaner, boucaud, boucher,** n. m., 3. **bouquet,** 1. **bouquin.** — V. **Boucaille.** ◊ HOM. **Book** (V. **bookmaker),** 2. **bouc.**

2. **BOUC** [buk] n. m. — 1866; abrègement francisé de *bookmaker.*

Fam. → **Bookmaker, book.** «*Thomas le Bouc — abréviation française de "le bookmaker"*» (Maurice Leblanc, *Arsène Lupin in* Cellard et Rey).

HOM. **Book** (V. **bookmaker),** 1. **bouc.**

**BOUCAGE** [bukaʒ] n. m. — 1701; de 1. *bouc.*

Plante à odeur forte, et à saveur âcre. → **Anis** (famille des Ombellifères; n. sc. *pimpinella).* Syn. : *persil de bouc.*

**BOUCAILLE** [bukaj] n. f. — 1906; orig. obscure, le rapport sémantique avec *bouc* n'est pas établi; suff. *-aille;* p.-ê. régional, cf. *boquin* «giboulée», dans l'Est.

Mar. Crachin, bruine.

Vent du nord dans la matinée, entraînant avec lui brume et pluie fine, toujours la fameuse boucaille. 1
J.-B. CHARCOT, le «Français» au Pôle Sud, I, 1906, *in* D. D. L., II, 9.

On frappa, un matelot entra, tendit au commandant un papier. — Ah, dit-il, la météo. A-t-on des chances de sortir de cette boucaille? 2
Roger VERCEL, l'Île des revenants, p. 14.

1. **BOUCAN** [bukɑ̃] n. m. — 1578; du tupi «gril à viande».

♦ **1** Gril de bois pour fumer la viande, aux Caraïbes. → **Barbecue** (angl.). *Claie à boucan :* claie pour préparer la viande grillée. — REM. Le mot, rare et didactique en France, s'emploie normalement dans le français des Antilles.

Et moi, enfant, j'accompagne les femmes, je me roule sur le sable, je pêche sous les roches mon écrevisse du jour, que j'irai brûler sur un petit boucan, dans la savane.
E. GLISSANT, la Lézarde, *in* Pages africaines, I.

Appos. *Bois boucan :* bois pour fumer la viande; bois inutilisable pour d'autres usages.

♦ **2** Vx. Viande, poisson fumé sur le boucan. → **Boucané.** — (1722). Culin. *Boucan de tortue :* plat de viande de tortue cuite sous la braise.

♦ **3** (1666). Vx. Cabane (où l'on boucanait la viande).

DÉR. 1. **Boucaner, boucanier.** ◊ HOM. 2. **Boucan.**

2. **BOUCAN** [bukɑ̃] n. m. — V. 1624; orig. incert.; p.-ê. de 2. *boucaner,* au sens anc. de «faire le bouc» ou de 1. *boucan,* au sens 3 «cabane».

♦ **1** Vx. Lieu de débauche (→ Boucanière).

♦ **2** (1790, *in* D. D. L.). [a] Vieilli. Désordre bruyant.

Dites donc, les mômes, qu'est-ce qu'il vous faudrait donc pour vous faire rire, si c'est pas rigolo qu'un honnête homme doive faire du boucan, du dégât ou un vol pour se procurer un abri? 1
Louise MICHEL, la Misère, t. I, p. 108.

[b] Mod. Grand bruit. → **Tapage, vacarme.** *Faire du boucan. Un boucan de tous les diables.* → **Bordel** (fam.). *Quel boucan! Arrêtez ce boucan!*

(...) Gaëtan, laissant échapper un plat de ses doigts indolents (..) déchaînait dans la salle un boucan du tonnerre de Dieu (...) 2
Émile HENRIOT, le Diable à l'hôtel, III, p. 30.

3 Enivrés par la perspective du départ, les chiens font un boucan du diable.
Jean-Yves SOUCY, Un dieu chasseur, p. 80.

**HOM.** 1. **Boucan.**

**BOUCANAGE** [bukanaʒ] n. m. — 1845; de 1. *boucaner.* Rare (sauf dans des contextes spéciaux). Action de boucaner (la viande, le poisson).

**BOUCANÉ, ÉE** [bukane] adj. → 1. **Boucaner.**

1. **BOUCANER** [bukane] v. — 1575; de 1. *boucan.*

**I** V. tr. ♦ **1** Faire sécher, à la fumée (de la viande, du poisson...).

1 Après l'avoir fait boucaner à la fumée *(la chair de castor),* les sauvages la mangent, lorsque les vivres viennent à leur manquer (...)
CHATEAUBRIAND, Voyage en Amérique, 10.

Absolt :

1.1 Quand les gigots et les côtes sont bien cuits, elle les retire du feu et elle les met dans un grand plat de terre cuite posé à même les braises. Ensuite, elle appelle Lalla, parce que c'est le moment de boucaner. Ça, c'est aussi un des moments de la fête que Lalla préfère.
J.-M. G. LE CLÉZIO, Désert, p. 163.

♦ **2** Par anal. Dessécher et colorer (la peau). → **Hâler, tanner.**

2 Le reflet du feu éclairait sa figure, que les années, le soleil, le grand air et les intempéries des saisons avaient boucanée pour ainsi dire et rendue plus foncée que celle d'un indien caraïbe (...)
Th. GAUTIER, le Capitaine Fracasse, t. I, 1.

**II** V. intr. ♦ **1** Aller à la chasse d'animaux sauvages, et, spécialt, de bœufs sauvages.

♦ **2** Par ext. Mener une vie semblable à celle des boucaniers*.

◆ **BOUCANÉ, ÉE** p. p. adj.

♦ **1** (XVI^e). Séché à la fumée. *Viandes boucanées.*

3 (...) mais plus de mouches maintenant, comme si elles-mêmes l'avaient abandonné *(le cheval mort),* comme s'il n'y avait plus rien à en tirer, comme s'il était déjà — mais ce n'était pas possible, pensa Georges, pas en un jour —, non plus viande boucanée et puante mais transmué, assimilé par la terre profonde (...)
Claude SIMON, la Route des Flandres, p. 206.

4 Nous sommes sur le chemin du retour. Les traîneaux regorgent de viande fraîche et boucanée, et les chiens tirent difficilement dans la neige molle (...)
R. FRISON-ROCHE, Peuples chasseurs de l'Arctique, p. 175.

♦ **2** Fig. Desséché. *Visage boucané, peau boucanée.* → **Basané, hâlé, tanné.**

5 (...) son visage, boucané par l'expérience et passé à l'encaustique de la dignité professionnelle (...)
Léon BLOY, la Femme pauvre, p. 125.

6 André Malraux est là (...) Rien de débraillé. Figé, distant, presque homme du monde. Et sur son visage boucané, aucun des tics dont Gide parlait. Les traits sont énergiques (...)
Claude MAURIAC, le Temps immobile, p. 430.

**DÉR. Boucanage, boucanerie.**

2. **BOUCANER** [bukane] v. intr. — 1701; «faire, imiter le bouc», 1549; de 1. *bouc.*

Vx. Fréquenter les lieux de débauche. → 2. **Boucan.**

**DÉR.** 2. **Boucan.**

**BOUCANERIE** [bukanʀi] n. f. — 1578; de 1. *boucaner.*

Lieu où se fait le boucanage; où on boucane la viande.

Je fais raconter par Adoum la chasse à l'hippopotame, puis le dépeçage de la bête et l'odeur épouvantable de nos baleinières transformées en boucaneries.
GIDE, le Retour du Tchad, *in* Souvenirs, Pl., p. 919.

**BOUCANIER** [bukanje] n. m. — 1654; de 1. *boucan,* se disait des aventuriers, coureurs de bois de Saint-Domingue qui chassaient les boeufs sauvages pour en boucaner la viande.

♦ **1** Aventurier vivant dans un pays exotique. Écumeur de mer, pirate. *Les boucaniers et flibustiers qui infestaient l'Amérique.*

Par la hardiesse d'un peuple nouveau que le hasard com- 1
posa d'Anglais et surtout de Normands, on les a nommés boucaniers (...)
VOLTAIRE, Essai sur les mœurs, 152.

Au temps de Rousseau, le paisible voyageur qui navi- 2
guait en Méditerranée risquait de tomber aux mains des pirates (...) Aujourd'hui, puisque les aventures de boucaniers reviennent à la mode, on aura occasion de penser à ce temps (...) où l'Océan n'était pas le plus redoutable ennemi des navigateurs (...)
ALAIN, Propos, 13 nov. 1921, Le désarmement ne règle pas tout.

♦ **2** Vx. *Fusil boucanier* (adj.), *boucanier,* (n. m.) : long fusil dont se servaient les boucaniers.

**BOUCANIÈRE** [bukanjɛʀ] n. f. — Av. 1741, J. B. Rousseau *in* Littré; croisement de *boucanier,* et de 2. *boucan.*

Vx. Prostituée.

**BOUCARO** [bukaʀo] n. m. — 1680; espagnol *buccaro* ou *bujaro* probablt du port. *pucaro,* tiré d'une forme mozarabe du lat. *poculum* «coupe».

Terre argileuse, poreuse, rougeâtre servant à fabriquer des vases (→ **Alcarazas).**

**BOUCASSIN** [bukasɛ̃] n. m. — 1379; *bougosi,* 1305; turc *bogasi* «sorte de futaine», par le lat. médiéval *bocassinus.*

Anciennt. Toile de coton ou futaine*, employée pour doubler des vêtements.

**DÉR. Boucassiné.**

**BOUCASSINÉ, ÉE** [bukasine] adj. — 1400; de *boucassin.*

Anciennt. Doublé, garni de boucassin. *Tissu boucassiné.*

**BOUCAU** [buko] n. m. — 1538; du provençal *boucau, bouco* «bouche».

Régional (Sud-Est). Entrée d'un port.

**HOM. Boucaud** ou **boucot, boucaut.**

**BOUCAUD** ou **BOUCOT** [buko] n. m. — Attesté XX^e en ce sens; de 1. *bouc,* comme 3. *bouquet.*

Régional. Crevette grise. *«Crangon, boucaud pour la crevette grise» la Pêche et les poissons* (1967), n° 261, p. 33.

**HOM. Boucau, boucaut.**

**BOUCAUT** [buko] n. m. — 1583, *boucquaux* au plur.; orig. obscure; p.-ê. de *bouc* «outre, vase», altér. de l'anc. franç. *bout,* même sens, sous l'infl. de *bouc,* dont la peau servait à fabriquer des outres; ou p.-ê. du provençal *boucau* «bocal, bouche»; avec assimilation ultérieure du suff. *-aut.*

♦ **1** Vx. Outre.

♦ **2** (XVI^e). Mod. Récipient en bois, de la forme d'un tonneau, servant au transport de certaines marchandises sèches. → **Futaille.** *Un boucaut de sucre, de riz. Morue en boucaut.*

Et, à chaque instant, éclataient les hurrahs du joyeux marin, quand il reconnaissait des barils de tafia, des boucauts de tabac, des armes à feu et des armes blanches (...)
J. VERNE, l'Île mystérieuse, t. II, p. 653 (1874).

**HOM. Boucau, boucaud.**

**BOUCHAGE** [buʃaʒ] n. m. — 1811; 1751, «terre détrempée»; du v. *boucher.*

Action, manière de boucher. → **Fermeture; bouchement.** *Le bouchage des bouteilles* (→ **Boucheur**). *Un bouchage hermétique.*

Vers la fin de l'automne, des taches parurent dans les trois bocaux de conserves. Les tomates et les petits pois étaient pourris. Cela devait dépendre du bouchage. Alors le problème du bouchage les tourmenta.
FLAUBERT, Bouvard et Pécuchet, 1881, Pl., t. II, p. 716.

(1838). Ce qui sert à boucher.

**BOUCHARDE** [buʃaʀd] n. f. — 1600; orig. obscure, p.-ê. de *bocard,* sous l'infl. de *bouche,* attesté plus tard. Technique.

♦ **1** Marteau, rouleau armé de pointes servant à entamer les parties saillantes des pierres non dégrossies. *Boucharde de maçon, de cimentier.* Outil de sculpteur. → **Ciseau.**

♦ **2** Rouleau à aspérités pour donner à une surface de ciment, d'asphalte, un aspect pointillé.

DÉR. **Boucharder.**

**BOUCHARDER** [buʃaʀde] v. tr. — 1866; de *boucharde.*

Techn. Travailler (un matériau, etc.) avec la boucharde. *Boucharder du ciment frais ou du bitume pour le gaufrer.* — Les dér. *bouchardage* [buʃaʀdaʒ] n. m. et *bouchardeuse* [buʃaʀdœz] n. f. (machine à boucharder) sont attestés en 1935.

**BOUCHE** [buʃ] n. f. — V. 1040, *buce; boche,* 1150; du lat. *bucca* «joue» puis «bouche».

♦ **1** Cavité située à la partie inférieure du visage de l'être humain, bordée par les lèvres, communiquant avec l'appareil digestif et avec les voies respiratoires. *La bouche, ou cavité buccale, orale* (→ aussi **Bucco-**). → fam. **Avaloir** (vieilli), **bec, gosier, goule, goulot, gueule, margoulette, museau.** — *Une bouche large, fendue jusqu'aux oreilles. Ouvrir, fermer la bouche. Les coins de la bouche.* → **Commissure** (des lèvres), **fossette.** *Rire à pleine bouche. Tordre la bouche en faisant une grimace.* → **Rictus.** *S'embrasser sur la bouche, à pleine bouche, à bouche que veux-tu.* → **Baiser.** *Faire du bouche-à-bouche.* → **Bouche-à-bouche.**

Spécialt. Les lèvres* et leur expression. *Une bouche en cerise* (rouge et petite, ronde), *une bouche de corail* (lèvres très colorées). *Une belle bouche; une jolie petite bouche.* → **Bouchette** (vx). *Bouche lippue. Bouche dédaigneuse, pincée.* — Loc. fig. *Faire la petite bouche, la fine bouche :* faire le dédaigneux, le difficile. — *Bouche en cœur*. Avoir la bouche en cœur, faire la bouche en cœur. Rester bouche bée*. Avoir la bouche enfarinée* (fam.) : manifester une naïveté confiante et ridicule.

1 Ne confondez point les minauderies, la grimace, les petits coins de bouche relevés, les petits becs pincés, et mille autres puériles afféteries avec la grâce, moins encore avec l'expression. DIDEROT, Essais sur la peinture.

2 Ninon, quand vous riez, vous savez qu'une abeille
Prendrait pour une fleur votre bouche vermeille (...)
A. DE MUSSET, Poésies nouvelles, «À Ninon».

3 La bouche, dont les lèvres étaient plus ouvertes et plus épaisses que celles des femmes de nos climats, avait les plis de la candeur et de la bonté.
LAMARTINE, Graziella, XII, p. 38.

4 (...) Il *(le nègre)* planta sur eux ses yeux luisants et ravis, et les coins de sa bouche lui montèrent jusqu'aux oreilles, découvrant ses dents blanches, claires comme un croissant de lune dans un ciel noir.
MAUPASSANT, Correspondance, Tombouctou.

Un faible sourire relevait à peine et bien mollement un coin de sa bouche comme on essaye de relever un rideau pour laisser entrer la gaieté du jour. 5
PROUST, les Plaisirs et les Jours, p. 53.

(...) la mâchoire volontaire, et je ne sais quoi de hargneux dans l'expression de la bouche lippue. 6
GIDE, Si le grain ne meurt, I, 6.

M. B... est si petit et il a une bouche si grande qu'il tiendrait aisément tout entier dans sa bouche. 6.1
J. RENARD, Journal, 5 oct. 1889.

Le rire ne sortait pas de sa bouche. Il arrivait des quatre coins de l'organisme. Il l'envahissait, l'ébranlait, lui imprimait des saccades. 7
COCTEAU, la Difficulté d'être, XXII.

(...) ses yeux à l'iris vert trouble (...) son petit nez busqué (...) sa belle bouche aux lèvres pâles (...) 7.1
A. PIEYRE DE MANDIARGUES, la Marge, p. 31.

*Bouche en cul de poule :* moue, bouche pincée. — Par abrév. *Bouche en cul.* Écrit phonétiquement :

Jen ai rien à foutre de vos mijaurées, de vos bouchencus toujours repincées. Ph. SOLLERS, Lois, p. 53. 7.2

La cavité buccale. *Le vestibule de la bouche.* → **Dent, gencive, lèvre.** *La bouche proprement dite.* → **Joue, langue, palais, paroi, plancher.** *L'arrière-bouche.* → **Pharynx; amygdale, isthme** (du gosier), **luette.** *Les maladies de la bouche.* → **Stomatite, stomatologie.** *Développement exagéré de la bouche.* → **Macrostomie.** *Désinfection de la bouche.* → **Gargariser** (se); **collutoire.** *Se rincer la bouche.* → **Rince-bouche.** *Flux de bouche. Empâtement de la bouche. Aspirer, expirer par la bouche* (→ **Respiration; bâiller; éternuement, souffle**). *Mettre qqch. dans sa bouche. Mettre en bouche une prothèse.*

(En tant qu'orifice digestif). *Mettre dans sa bouche.* → **Avaler, boire, déglutir, manger.** *Porter des aliments à sa bouche.* → **Bouchée; manger, boire.** *Attraper avec la bouche.* → **Happer.** — Loc. *Cuiller* à bouche.*

(En tant que siège du goût). *Laisser fondre dans la bouche sans avaler.* → **Sucer.** *Avoir la bouche pleine.* — *À la bouche. En avoir l'eau à la bouche :* sécréter de la salive devant un mets appétissant (fig., → **Eau**). — *Avoir la bouche bonne, fraîche, mauvaise, amère, pâteuse, sèche.* → **Gueule** (de bois). *Sentir mauvais de la bouche.* → **Haleine** (avoir mauvaise haleine).

Vous puez le vin à pleine bouche. 8
MOLIÈRE, George Dandin, III, 7.

Nous retirâmes des flots le malheureux Paul sans connaissance, rendant le sang par la bouche et par les oreilles (...) 9
BERNARDIN DE SAINT-PIERRE, Paul et Virginie.

Les bouches s'ouvraient et se fermaient sans cesse, avalaient, mastiquaient, engloutissaient férocement. 10
MAUPASSANT, Boule de suif, I, p. 25.

Hérode, Blazius et Scapin, qui étaient sur leur bouche et gourmands comme chats de dévote, se pourléchaient les babines à cette éloquence si grasse, si succulente (...) 11
Th. GAUTIER, le Capitaine Fracasse, XI.

Loc. *Garder qqch. pour la bonne bouche :* pour le manger en dernier et pouvoir en conserver le goût agréable; fig. garder pour la fin (*infra* cit. 11.1).

La mariée en signant fait une tache d'encre sur sa robe. Nous avons été conservés pour la bonne bouche. Nous restons maîtres de cent mètres carrés de parquet à chevrons et, remontant du fond de la salle, prenons place aux premiers rangs. 11.1
Hervé BAZIN, Cri de la chouette, p. 194.

Loc. fig. *S'ôter, s'enlever les morceaux de la bouche :* se priver de nourriture, du nécessaire au profit de qqn. *Enlever le pain de la bouche à qqn; s'enlever le pain* (cit. 9) *de la bouche.* — *Prendre sur sa bouche :* économiser sur sa nourriture. — *Dépense de bouche,* de nourriture. *Munitions, provisions de bouche. Excès de bouche :* excès de nourriture.

Vx. *Traiter qqn à bouche que veux-tu,* lui servir de bons plats, une nourriture abondante. — *Il est à bouche que veux-tu :* il a tout ce qu'il désire.

*Laisser qqn sur la bonne bouche,* sur une bonne impression.

*Avoir l'eau à la bouche.* — *Faire venir, mettre l'eau à la bouche :* exciter le désir, l'envie. → **Eau.**

*Avoir les yeux plus grands que la bouche* (rare). → **Ventre** (plus gros que le ventre).

Vx. *Être sur sa bouche :* être gourmand*.

Par métonymie. Personne qui mange. *Une fine bouche.* → **Gourmet.** (Cf. fam. Une fine gueule). — *Une bouche à nourrir :* une personne que l'on doit nourrir (dans une famille, une collectivité). *Une bouche inutile :* une personne qui ne produit, ne rapporte rien..

11.2 Mais il en mourra toujours. Il y en a trop. Trop de bouches ouvertes sur leur faim, criantes, réclamantes, avides de tout. C'est ce qui les faisait mourir.

M. DURAS, Un barrage contre le Pacifique, p. 332.

Hist. *Officier de la bouche* (du roi), *service de la bouche* (du roi), chargé du service de la table du roi.

(En tant qu'organe de la parole). → **Oral, oralement,** et aussi **langue.** *Ouvrir la bouche.* → **Parler.** *Il n'a pas ouvert la bouche de la soirée* (→ Desserrer* les dents). *Une bouche éloquente.* → **Discours, parole.** *Avoir la bouche pleine de son sujet,* en parler abondamment, avec enthousisame. — (Par métaphore). *Avoir de la bouillie* dans la bouche :* articuler peu clairement. — *Avoir toujours un mot* à la bouche,* le répéter constamment, parler toujours du même sujet. *L'argent, tu n'as que ce mot à la bouche! — Cela m'est sorti de la bouche :* je n'ai pas pu m'empêcher de le dire. *Mettre des mots dans la bouche de qqn,* lui dicter ce qu'il doit dire ou encore lui prêter tels ou tels propos. *Je le tiens de sa propre bouche. Parler par la bouche de qqn.* — Relig. *Dieu parle par la bouche de ses prophètes. La vérité parle par sa bouche, sort de la bouche des enfants.* — Vieilli. *Avoir le cœur à la bouche :* parler avec sincérité. *Son cœur n'est pas d'accord avec sa bouche.* — *Un Saint-Jean bouche d'or* (par allusion à saint Jean Chrysostome) : une personne qui parle avec franchise, sans calcul ou avec facilité. *Parler à bouche que veux-tu,* librement, et abondamment.

11.3 (...) si nous pouvons parler à bouche que veux-tu de la famille, soit pour la magnifier, soit pour la condamner, nous ne savons plus bien quel sens réel garde ce mot honni et vénéré. Emmanuel BERL, le Virage, p. 122.

**DE BOUCHE À OREILLE :** secrètement, sans intermédiaire.

11.4 (...) n'en serait-il pas de même pour les âmes religieuses avec Dieu, quand il fait noir devant les tabernacles et qu'elles lui parlent, de bouche à oreille dans l'obscurité?

BARBEY D'AUREVILLY, les Diaboliques, «À un dîner d'athées».

N. m. *Le bouche à oreille :* ce qui se transmet directement d'une personne à l'autre, par la parole. *Une publicité par le bouche à oreille.* → Le téléphone* arabe.

11.5 Les putes que Madame Rosa connaissait personnellement avaient disparu à cause du changement de génération. Comme elle vivait du bouche-à-oreille et qu'elle n'était plus recommandée sur les trottoirs, sa réputation se perdait.

É. AJAR (R. GARY), la Vie devant soi, p. 82.

**DE BOUCHE EN BOUCHE :** indirectement. *Paroles, nouvelles qui passent, circulent, courent de bouche en bouche.* — *Voler de bouche en bouche :* se divulguer, se répandre (→ ci-dessous cit. 18).

Relig. (XIXᵉ; *in* P. Larousse). *Le Pape ouvre la bouche aux nouveaux cardinaux,* il les autorise à parler dans les consistoires. *Fermer la bouche à un cardinal,* se dit du Pape qui, mettant un doigt sur la bouche du cardinal nouvellement élu, indique à celui-ci qu'il lui est interdit de prendre la parole.

Mythol. ou littér. *La déesse aux cent bouches :* la renommée*. *Son nom est dans toutes les bouches.*

«Avec qui ventrebleu faut-il donc que je couche 11
Pour fair' parler un peu la déesse aux cent bouches (...)»

Georges BRASSENS, les Trompettes de la renommée.

Loc. *Donner de la bouche.* → **Crier, gueuler.** — *Avoir l'injure à la bouche.* → **Injure.** *Jurer à pleine bouche!* (En bouche), *Être fort en bouche* (rare; on dit plutôt *fort en gueule**) : être autoritaire et insolent en paroles. *Fermer la bouche de qqn :* le faire taire. → **Bâillonner.** *Ferme ta bouche :* tais-toi (cf. fam. Ferme ta boîte, ta gueule).

*Demeurer bouche close, bouche cousue :* garder le silence, le secret. Fam. *Motus** (cit. 3) *et bouche cousue.* — Loc. adv. *À bouche close :* intérieurement.

Ce n'est pas ce qui entre dans la bouche qui souille 12
l'homme; mais ce qui sort de la bouche, voilà ce qui souille l'homme.

BIBLE (CRAMPON), Évangile selon saint Matthieu, XV, 11.

Bouche cousue au moins. Gardez bien le secret (...) 13

MOLIÈRE, George Dandin, I, 2.

Voici comme ce Dieu vous répond par ma bouche. 14

RACINE, Athalie, I, 1.

Si vous ne m'aviez point fermé la bouche, je vous en dirais 15
bien davantage.

Mᵐᵉ DE SÉVIGNÉ, 1298, 27 août 1690.

Le cœur sent rarement ce que la bouche exprime 16

CAMPISTRON, Pompeia, II, 5.

De tels bienfaits enflent la bouche de la renommée. 17

VOLTAIRE, Lettre à Catherine II, 143.

(...) il *(le mal)* chemine, et, rinforzando, de bouche en 18
bouche il va le diable.

BEAUMARCHAIS, le Barbier de Séville, II, 8 (→ Calomnie, cit. 5).

Ce que la bouche s'accoutume à dire, le cœur s'accoutume 19
à le croire.

BAUDELAIRE, Curiosités esthétiques, t. II, p. 424.

Un sursaut presque animal avait mis à la bouche du jeune 20
homme, atteint en pleine chair, les mots qui devaient faire le plus de mal (...) Paul BOURGET, Un divorce, III.

Et si elle faisait allusion à ce qu'elle avait souffert, je lui 21
fermais la bouche avec mes baisers et je l'assurais qu'elle était maintenant guérie pour toujours.

PROUST, À la recherche du temps perdu, t. IX, p. 234.

Je n'ouvrirai plus la bouche. Je ne dirai plus un mot. 22

G. DUHAMEL, Chronique des Pasquier, II, XXII.

Fam. *Ta bouche!* → **Gueule.** *Ta bouche, bébé!*

(En tant qu'organe de la voix dans le chant). *Chanter à bouche fermée.* — N. m. *La bouche fermée* (technique vocale).

Loc. Vx. *Harmonica à bouche.* Mod. *Musique à bouche.* → **Harmonica.**

Techn. *Bouche artificielle :* dispositif comprenant un haut-parleur identique, par ses caractéristiques de directivité et de rayonnement, à une bouche humaine moyenne.

♦ **2** Cavité buccale (de certains animaux). *La bouche du cheval, de l'âne, d'un bœuf; la bouche d'une grenouille, d'un poisson...* (→ **Bec, cytostome, gueule, suçoir).**

Spécialt. Bouche du cheval. *Une bouche fine, légère, dure, chatouilleuse. Il n'a ni bouche ni éperon,* se dit d'un cheval qui ne sent ni le mors ni l'éperon. *Cheval fort en bouche, dur à l'éperon. Assurer la bouche d'un cheval,* l'habituer à l'action du mors (→ Atteler, cit. 2).

23 Un cavalier qui gourmande la bouche de son cheval en fait bientôt une rosse
FÉNELON, Lettres spirituelles, 193.

♦ **3** L'ouverture*, l'entrée (de qqch.) → **Orifice, ouverture; entrée, gueule** (fig.). *La bouche d'un volcan, d'une caverne, d'un puits, d'un terrier. La bouche d'un four. La bouche d'un tuyau. — Mettre des tuyaux bouche à bouche.* → **Aboucher.**

3.1 Nous arrivons, au pied d'un tronc d'arbre mort devant une excavation énorme, aboutissant à une bouche de terrier si vaste qu'Adoum s'y glisse jusqu'à mi-corps.
GIDE, Voyage au Congo, *in* Souvenirs, Pl., p. 846.

3.2 Épave est le nom que parfois l'on donne aux bestiaux égarés, il s'est souvenu de cela en voyant dériver les hommes de la bouche d'un bar à celle d'une cafeteria, à celle d'un couloir d'estaminet, à celle d'un autre bar (...)
A. PIEYRE DE MANDIARGUES, la Marge, p. 65.

Ouverture pratiquée sur une canalisation d'eau, à laquelle on peut adapter un tuyau. *Une bouche d'eau. Bouche d'arrosage.* — Plus cour. *Bouche d'incendie* (→ aussi **Borne).**

Orifice (d'un instrument de musique). *Bouche biseautée de la flûte à bec. Bouche latérale de la flûte traversière. — Jeux à bouche, de l'orgue.*

Orifice (d'une arme à feu de gros calibre). *La bouche d'un canon.* Loc. **BOUCHE À FEU** : arme non portative. → **Canon, mortier, obusier.**

24 (...) Les canons quittant leurs usages farouches,
Ne servent plus ici que d'éclatantes bouches,
Pour rendre grâce au ciel de cet heureux accord.
CORNEILLE, Poésies diverses, II.

25 Longtemps après sa chute *(de la bombe)*, on voit fumer encore
La bouche du mortier, large, noire et sonore (...)
HUGO, Odes, III, 6.

**BOUCHE DE CHALEUR** : ouverture pratiquée dans les murs ou les planchers d'une habitation, et permettant la diffusion de la chaleur produite par une chaufferie. *Appartement chauffé au moyen de bouches de chaleur. «En été, tout demeure ouvert. L'hiver des baies vitrées isolent les coulisses. Des bouches de chaleur y dispensent une température douce, 20°»* (*l'Express*, 10-16 juil. 1967).

*Bouche d'égout** (cit. 3.1). — *Les bouches du métro. Une bouche de métro.* → **Entrée, sortie.**

26 Les bouches du métro refoulaient jusque sur le trottoir le flot des voyageurs (...)
MARTIN DU GARD, les Thibault, t. VII, p. 277.

27 *(Il)* revenait le soir, en train, à l'heure où Paris, saisi d'un accès de fièvre, s'exprime comme un organe contractile et refoule par toutes ses bouches le peuple des banlieues.
G. DUHAMEL, Chronique des Pasquier, III, I.

Partie (d'un cours d'eau) qui aboutit à la mer, à une masse d'eau. → **Embouchure.** (Au plur.). *Bouches d'un fleuve,* embouchure à plusieurs bras. *Les bouches du Rhône, du Gange.*

CONTR. **Émonctoire.** ◇ DÉR. **Bouchée. — Boucheton** (à), 1. **bouchette. — V. Bouquer,** 2. **bouquet.** ◆ COMP. **Aboucher, déboucher, emboucher. — Bouche-à-bouche.**

**BOUCHE-** Premier élément de composés, tiré du verbe *boucher. — Bouche-bouteilles* n. m. invar. (1925) : machine à boucher les bouteilles. → **Boucheur,** 3. (boucheuse). — *Bouche-œil* n. m. (1880) : fam. et vx. somme d'argent donnée à qqn pour obtenir son silence (il feint de ne pas voir, de n'avoir pas vu qqch.). *Des bouche-œils. — Bouche-pores* n. m. invar. (1924) : techn. préparation pour boucher les pores du bois.

**BOUCHÉ, ÉE** [buʃe] adj. → **Boucher,** verbe.

**BOUCHE-À-BOUCHE** [buʃabuʃ] n. m. — XII^e, *bouce a bouce,* loc. adv. «bouche contre bouche»; de *bouche.*
REM. On écrit aussi *bouche à bouche.*

♦ **1** Vx. plais. Contact de la bouche contre la bouche (baiser).

Nous passâmes une journée charmante dans la solitude du tête-à-tête, ou, pour mieux dire, du bouche à bouche et nous ne revînmes à Paris qu'assez tard. 1
COURTELINE, les Femmes d'amis, p. 23 (1888).

♦ **2** (1956). Mod. Méd. Procédé de respiration artificielle par lequel une personne insuffle avec sa bouche de l'air dans la bouche de l'asphyxié. *«Le premier médecin arrivé pratique immédiatement le bouche-à-bouche»* (*Paris-Match,* 24 oct. 1964). *Des bouche-à-bouche* ou des *bouche-à-bouches.*

Tas vu ? Ma sœur se noie : on lui fait le bouche à bouche, dit Aubin qui m'accompagne à la civette. 2
Hervé BAZIN, Cri de la chouette, p. 220.

**BOUCHE À OREILLE** [buʃaɔʀɛj] n. m. → **Bouche,** cit. 11.5 et *supra.*

**BOUCHÉE** [buʃe] n. f. — 1120, *buchiee;* de *bouche.*

♦ **1** Morceau, quantité d'aliment qu'on met dans la bouche en une seule fois. → **Goulée** (fam.), **lippée** (vx). *Une bouchée de viande. Une bouchée de pain.* → Poindre, cit. 3. *Nourrir un enfant bouchée par bouchée.*

(...) il posa sur la nappe sa fourchette avec la bouchée qu'il avait piquée dans son assiette au lieu de la porter à sa bouche. 0.1
GIDE, Voyage au Congo, *in* Souvenirs, Pl., p. 761.

Fig. *Pour une bouchée de pain* : pour un prix dérisoire.

C'est le plus beau monument de la région, déclare Marcheret. Nous l'avons acheté pour une bouchée de pain. 0.2
Patrick MODIANO, les Boulevards de ceinture, p. 45.

Loc. *Ne manger qu'une bouchée* : manger très peu. *— Ne pas perdre une bouchée de qqch; ne pas en perdre une bouchée* : en profiter au maximum. *— Ne faire qu'une bouchée d'un mets,* le manger gloutonnement. Fig. *Ne faire qu'une bouchée d'un adversaire,* en triompher aisément. *— Dès la dernière bouchée* : aussitôt après le repas. — *Ne pas pouvoir avaler* une bouchée* : être incapable de manger.

(...) il ne put avaler une bouchée. 1
G. SAND, François le Champi, IX.

Il montait dans sa chambre, la dernière bouchée avalée. 2
F. MAURIAC, le Nœud de vipères, p. 93.

*Mettre les bouchées doubles* : aller plus vite (dans un travail, etc.).

L'équipe de *Boussole* se trouva réduite, non seulement par les vacances, mais par des deuils et un accident. Il fallut, entre ceux qui restaient, se suppléer, mettre les bouchées doubles. 3
Bernard BARBEY, Chevaux abandonnés sur les champs de bataille, p. 276.

♦ **2** [a] (1828, Carême; *bouchée des dames,* 1810). **BOUCHÉE À LA REINE** : croûte feuilletée garnie de viandes blanches en sauce (→ Financière, vol-au-vent).

[b] Pâtiss. Petit four. — Confis. *Bouchée de chocolat,* et, absolt, *bouchée* : morceau de chocolat fin fourré. *Une boîte de bouchées.*

HOM. 1. **Boucher,** 2. **boucher,** 3. **boucher.**

**BOUCHEMENT** [buʃmɑ̃] n. m. — 1549; du v. *boucher.*
Archit. Action de boucher une ouverture. → **Bouchage.** Spécialt. *Bouchement d'un mur avec de l'enduit.* → **Réparation; maçon, plafonneur.**

1. **BOUCHER** [buʃe] v. tr. — V. 1275 au p. p. *bouchiés;* de l'anc. franç. *bousche* «touffe, poignée de paille (pour fermer)» (→ Bouchon); du lat. pop. **bosca,* pl. neutre «broussailles», même rac. que *bois.*

♦ **1** Fermer (une ouverture). → **Clore, fermer, obstruer, obturer.** *Boucher toutes les issues.* → **Barricader.** Spécialt. *Boucher une bouteille* (→ **Bouchon**). *Machine à boucher les bouteilles :* bouche-bouteilles (→ **Bouche-**). *Boucher un tonneau.* → **Bondonner.** *Boucher les trous d'un mur* (→ **Bouchement, mastic**). *Boucher les fentes d'une pièce de bois avec de la futée. Boucher hermétiquement un vase.* → **Luter; lut.** *Boucher un flacon à l'émeri. Boucher les trous d'une poterie d'étain.* → **Revercher.** — *Boucher un vaisseau sanguin.* → **Oblitérer.** — *Boucher une voie d'eau.* → **Aveugler, colmater, étancher, tamponner.** *Boucher les fentes d'un navire avec de l'étoupe.* → **Calfater; étouper.** *Boucher avec une tape*.* → **Taper.** — *Boucher les fentes d'une porte, d'une fenêtre.* → **Calfeutrer.**

1 À l'étage supérieur (...) l'on bouchait avec du plâtre les petits trous que les opérations précédentes avaient laissés.
FLAUBERT, l'Éducation sentimentale, II, III, Pl., t. II, p. 227.

2 (...) il est trop tard pour boucher les voies d'eau d'un navire lorsqu'il sombre (...)
Th. GAUTIER, le Capitaine Fracasse, t. I, 1.

Obstruer, laisser s'obstruer (involontairement). *Vous avez encore bouché le vide-ordures !*

(Sujet n. de chose). *Des saletés bouchent le conduit, le tuyau, l'écoulement.* → **Obstruer.**

*Boucher un conduit naturel.* → **Oblitérer.**

♦ **2** Rendre impraticable en obstruant. *Boucher le passage.* — (Choses ou personnes; sens passif). *Des déblais bouchent le passage, la fenêtre, la porte.* → **Barrer, obstruer.** *Il bouchait la porte, le passage.*

2.1 Et servante et valet m'ont bouché le passage.
MOLIÈRE, l'École des femmes, III, 4.

*Boucher le passage à qqn.* — (Personnes; sens actif). *Il faudra boucher cet orifice, cette entrée.* → **Condamner, murer.** *Boucher une rue.* → **Encombrer.** *Boucher une percée sur une ligne de combat.* → **Colmater.**

(1694). Empêcher de voir. *Boucher la vue à qqn.* → **Intercepter, offusquer.** *Boucher le jour, la lumière, en faisant écran*.*

Loc. métaphorique. *Boucher la route, la voie à qqn,* le gêner, le barrer dans ses projets.

Loc. fig. *Boucher l'avenir, l'horizon de qqn,* borner ses chances de réussir.

♦ **3** Fig. (Du sens 1). Loc. fam. *En boucher un coin à qqn,* l'étonner, le réduire au silence. → **Clouer** (le bec), **épater.** *En boucher une surface à qqn* (même sens).

2.2 Dites donc, ça vous en bouche un coin, mes enfants, s'exclama après que j'eus fini de parler Saint-Loup (...)
PROUST, le Côté de Guermantes, Folio, p. 128.

2.3 Et elle finit entre haut et bas sur une expression triviale que jamais la baronne n'avait entendue. «Comme le langage est révélateur!» songeait la vieille dame soudain calmée. Il arrivait parfois à sa fille de Paris et surtout à ses petits-enfants de risquer devant elle un mot d'argot, mais jamais ils ne se fussent servis d'une expression aussi vulgaire. Qu'avait-elle dit exactement? «Ça vous en bouche un coin...» Oui c'est cela qu'elle avait dit.
F. MAURIAC, le Sagouin, I.

2.4 Elle m'en bouche, comme on dit, une surface, pour continuer à m'exprimer un peu vulgairement.
A. ARTAUD, Lettres, 12 déc. 1931, Œ. compl., t. III, p. 239.

Vx. *Boucher un coin, deux coins; en boucher un coin :* se remplir l'estomac.

BOUCHER UN TROU. *On a besoin de toi pour boucher un trou,* occuper une place laissée vacante. → **Bouche-trou,** 2. *Cette somme bouchera les trous,* comblera les déficits. *Boucher les trous d'un budget.*

(...) les indemnités de guerre imposées au vaincu viendront, souvent, boucher les trous que la guerre même aura creusés dans les budgets militaires. 3
Louis MADELIN, Hist. du Consulat et de l'Empire, t. VI, p. 65.

♦ **4** Obstruer (un conduit naturel). *Boucher les yeux, les oreilles à qqn,* l'empêcher de voir, d'entendre. *Boucher ses* (propres) *oreilles :* ne rien vouloir savoir. → **Ignorer** (→ ci-dessous Se boucher les oreilles). *Il bouchait ses oreilles aux nouvelles qui le gênaient.* — *Boucher son nez, ses narines.*

*Se boucher le nez*,* pour ne pas sentir une odeur. Fig. *Se boucher les yeux :* refuser de voir. (V. 1610). *Se boucher les oreilles :* refuser d'entendre. (Souvent associés). *Se boucher les yeux et les oreilles.*

On a beau la prier, 4
La cruelle qu'elle est se bouche les oreilles,
Et nous laisse crier.
MALHERBE, Consolation à M. du Périer.

(...) c'est exactement le contraire qui me frappe si fort. C'est notre immense bonne volonté à nous boucher les yeux et les oreilles. C'est notre lutte désespérée contre l'évidence. 5
SAINT-EXUPÉRY, Pilote de guerre, p. 308 (*in* T. L. F.).

♦ **5** Couvrir, encombrer, obscurcir. *Les nuages qui bouchent l'horizon.*

◆ **SE BOUCHER** v. pron.

♦ **1** *La conduite d'eau s'est bouchée.* → **Engorger** (s'), **super.** — *Le nez, les oreilles se bouchent.*

♦ **2** *Le temps, le ciel se bouche.* → **Couvrir** (se), **obscurcir** (s').

◆ **BOUCHÉ, ÉE** p. p. adj. (V. 1275).

♦ **1** (En parlant d'une cavité). → **Comblé, rempli.** *Un trou mal bouché.* — *Avoir le nez bouché* (par des mucosités). *Avoir les oreilles bouchées.* — (En parlant d'une voie). → **Fermé, obstrué.** *Un chemin bouché,* encombré. — Fig. *Un avenir bouché.*

(En parlant de ce qui contient un liquide). *Baignoire, lavabo bouchés,* dans lesquels l'écoulement ne peut se faire normalement.

(Bouteille). *Bouteille bouchée,* munie d'un bouchon. Par métonymie. *Du vin, du cidre bouché,* en bouteilles bouchées (opposé à *au tonneau*).

Dans la campagne, le vin n'est que d'une seule qualité, mais il se vend sous deux espèces : le vin au tonneau, le vin bouché (...) 6
BALZAC, les Paysans, Pl., t. VIII, p. 58.

Mus. *Tuyaux bouchés :* tuyaux d'orgue fermés à une certaine hauteur pour obtenir un timbre un peu assourdi, voilé. — *Cor, trombone bouché,* muni d'une sourdine. Plus cour. *Trompette* bouchée.*

♦ **2** (En parlant du temps). → **Brumeux, couvert, sombre.** *Un ciel bouché,* bas, très gris. *«Une grande nuit sans lune toute bouchée»* (Giono, *in* T. L. F.).

Arts (peint.). *Ton bouché,* sans transparence (peinture).

♦ **3** (1690). Fig. *Un esprit bouché.* → **Borné, étroit, obtus.** — (Personnes). Vieilli. *Être bouché à qqch., à tout :* inaccessible, indifférent. — (XVIIIe). Mod. (Sans compl.). Imbécile. → **Obtus.** *Bouché à l'émeri*. Il est complètement bouché, celui-là !*

Je n'étais pas assez bouché pour ne pas sentir cela (...) 7
ROUSSEAU, Rêveries..., 4e Promenade.

Lorsqu'il traitait un point de morale, il nous demandait notre sentiment sur l'avantage qu'il devait procurer aux 8

Hommes ; il l'exposait si clairement, que les plus bouchés donnaient leur décision.

RESTIF DE LA BRETONNE, la Vie de mon père, p. 287.

**CONTR.** **Déboucher, forer, ouvrir, percer.** — (Du p. p.) **Clair, dégagé, éclairé ; fin, intelligent, ouvert, perspicace.** ◊ **DÉR.** **Bouchage, bouchement, boucheur, bouchoir, bouchure.** → **COMP.** **1. Déboucher, reboucher. Bouche-trou.** — V. **Bouche-.** → **HOM.** **Bouchée, 2. boucher, 3. boucher.**

2. **BOUCHER** [buʃe] n. m. — Fin XII^e, *bochier, le Roman de Renart,* au sens 1 ; *boucier* «marchand de viande», 1220 ; traditionnellement donné comme dér. de *bouc,* à l'origine «celui qui tue le bouc et vend sa viande» ; cette orig. paraît invraisemblable à P. Guiraud qui rattache le mot à *bouquer, bouter* «frapper». → Bouc.

♦ **1** Celui qui tue ou fait tuer les animaux destinés à l'alimentation humaine (bœuf, cheval, porc, mouton) et en vend la chair crue. → **Abatteur** (de bestiaux), **assommeur, tueur.**

1 Il serait avéré, désormais, que les animaux destinés à notre nourriture, tels que moutons, bœufs, agneaux, chevaux et chats, conservent dans leurs yeux, après le coup de masse ou de coutelas du boucher, l'empreinte des objets qui se sont trouvés sous leur dernier regard.

VILLIERS DE L'ISLE-ADAM, Tribulat Bonhomet, p. 64.

2 C'est le tango des bouchers de la Villette
C'est le tango des tueurs des abattoirs
Venez cueillir la fraise et l'amourette
Et boire du sang avant qu'il soit tout noir
Faut que ça saigne.

Boris VIAN, les Joyeux Bouchers.

♦ **2** (V. 1220). Cour. Marchand de viande au détail (bœuf, cheval, mouton, porc, volailles). → **Loucherbem** (1., argot) ; **1. bouchère.** *Aller chez le boucher acheter de la viande. Boucher-charcutier,* spécialisé dans la viande de porc. → **Tripier.** *Boucher hippophagique,* qui ne vend que du cheval. *Boucher-volailler. Apprentis, commis, garçon boucher :* aides du boucher. *L'étal* du boucher. Boucher qui vend la viande en gros ou demi-gros.* → **Chevillard ; cheville.** *Boucher qui tient un étal pour le compte d'un autre boucher.* → **Étalier.** *La boutique, le magasin du boucher.* → **Boucherie.** *Outils du boucher* (→ **Couperet, couteau, hachoir, hansart, scie, tempe).** *Allonge, croc*, pendoir de boucher. Fusil* de boucher.* — *Argot des bouchers.* → **Loucherbem** (2.). — *Lucienne et le boucher,* pièce de Marcel Aymé.

♦ **3** Fig. et vx (v. 1270, *bouciers*). Bourreau*.

(1616). Mod. Homme cruel et sanguinaire. *Les bouchers d'Auschwitz.* — Chef d'armée peu économe de la vie de ses hommes. *Le général Mangin fut surnommé «le boucher de Verdun».*

(1668). Vx. Chirurgien maladroit. → **Charcutier** (fam.).

**DÉR.** **3. Boucher, 1. bouchère, boucherie.** V. **Loucherbem.** ◊ **HOM.** **Bouchée, 1. boucher, 3. boucher.**

3. **BOUCHER, ÈRE** [buʃe, ɛʀ] adj. — XX^e (1941, Giono, *in* T. L. F.) ; de *2. boucher.*

Comm. De boucherie*. *Viande bouchère. Race bouchère :* race (d'animaux) qui produit de la viande, qui est élevée pour sa viande.

**HOM.** **Bouchée, 1. boucher, 2. boucher.** — (Du fém.) **1. et 2. Bouchère.**

1. **BOUCHÈRE** [buʃɛʀ] n. f. — Fin XII^e, *bouchiere ;* de *2. boucher.*

♦ **1** Épouse du boucher.

♦ **2** Femme qui tient une boucherie.

♦ **3** Cuis. *À la bouchère ;* ellipt., *bouchère :* avec de la viande ou (pour la viande) cuit sans assaisonnement autre que le poivre et le sel.

**HOM.** **2. Bouchère ;** fém. de **3. boucher.**

2. **BOUCHÈRE** [buʃɛʀ] n. f. — 1824, D. de Trey ; du moy. franç. *bouchiere,* même sens, de *bouche* (nombreuses formes avec ce même sens *in* F. E. W.).

Régional (Suisse). Bouton, gerçure sur les lèvres ou près des lèvres.

**HOM.** **1. Bouchère ;** fém. de **3. boucher.**

**BOUCHERIE** [buʃʀi] n. f. — V. 1220, *boucerie,* sens 2 ; de *2. boucher.*

♦ **1** (V. 1268). Vx. Lieu où l'on abat les bêtes destinées à l'alimentation. → **Abattoir.** — Mod. *Animaux de boucherie,* élevés pour leur chair (bœuf, cheval, mouton, porc, veau). *État d'engraissement des animaux de boucherie* (→ **Maniement).** *Fourgon pour le transport des animaux de boucherie.* → **Bétaillère.** *Débit des animaux de boucherie.* → **Brochage, découpage, dépeçage, dépouillement, échaudage, échaudoir, habillage, tranchoir.**

Vous avez *(à Paris)* des boucheries dans de petites rues sans issues qui répandent en été une odeur cadavéreuse, capable d'empoisonner tout un quartier. 1

VOLTAIRE, Lettre à Paulet, 22 avril 1768.

*Viande de boucherie* (ou *viande bouchère**). — *Abattis de boucherie.* → **Coiffe, crépine, issue.** *Viande* de boucherie.* → **Bœuf, mouton ; carcasse** (*infra* cit. 3) ; **bout-saigneux, collet, gîte, nache, poitrine, selle** (d'agneau, de mouton). *Parer, habiller la viande de boucherie,* en retirer la peau, les nerfs, les graisses inutiles. *Attendrir la viande de boucherie* (→ **Attendrisseur).**

♦ **2** Commerce de la viande crue (bœuf, cheval, mouton, porc, veau) au détail. — Boutique de boucher. *Boucherie-charcuterie,* spécialisée dans la viande de porc. *Boucherie chevaline,* où on ne vend que du cheval. *Boucherie de 1^re catégorie. L'étal d'une boucherie.*

Je traversai et m'arrêtai devant la boucherie. Derrière la grille les rideaux étaient fermés, de grossiers rideaux en toile rayée bleu et blanc, couleurs de la Vierge, et tachés de grandes taches roses. 1.1

S. BECKETT, Nouvelles, «Le calmant», p. 66.

Fig. *Avoir du crédit comme un chien à la boucherie,* ne pas en avoir.

♦ **3** (1441, *in* D. D. L.) → **Tuerie ; carnage, massacre.** *Conduire, envoyer des soldats à la boucherie* (→ **Guerre).** *Une véritable boucherie.*

Si vous m'envoyez en Angleterre en ce temps icy, je n'en retournerai jamais : c'est aller à la boucherie, et pour un *(sic)* affaire qui n'est point si fort contrainct qu'il ne se puisse bien differer à un autre temps, que le roy d'Angleterre aura passé sa colère ; car maintenant qu'il est animé, il me fera trencher la teste. 1.2

BONAVENTURE DES PÉRIERS, Nouv. récréations, 1558, *in* Conteurs franç. du XVI^e s., Pl., p. 468 (*in* D. D. L., II, 4).

(…) Un officier préparant les Français à la boucherie, pour dire la guerre ! 2

PROUST, À la recherche du temps perdu, t. IX, p. 180.

Au fond, vous parlez comme si vous ne deviez jamais vous battre. Vous mettez des poètes dans l'armée. Vous oubliez que la guerre sera toujours une boucherie. 2.1

J. RENARD, Journal, 20 avr. 1909.

♦ **4** (1764). Régional (Suisse, Canada). Le fait d'abattre, de dépecer et de traiter un animal d'élevage (spécialt, le porc) pour la consommation. → Boiton, cit. 2. Loc. *Faire boucherie :* tuer le cochon (syn. : *bouchoyer*).

3 On a entendu crier les cochons, c'est le temps de la boucherie. Un matin, tout a été préparé ; derrière la maison, on saigne la bête (...) Plus tard, à la fontaine, on voit venir l'homme et la femme qui portent une grosse seille ; et de dedans sortent et s'étirent en l'air les longs boyaux blancs.
C.-F. RAMUZ, le Village dans la montagne, Œ. compl., t. III, p. 138.

4 On était à la fin de l'hiver, quand on commence à faire boucherie (...) Laver le cochon dans le cheneau, limer son cuir, arracher les soies avec la chaîne dans l'eau de soude, ça nous connaît !
Jacques CHESSEX, Portrait des Vaudois, p. 48.

5 — Goûte ces cretons, Mathieu. J'ai fait boucherie pour les Fêtes.
— Y a pas à dire, c'est bon.
Jean-Yves SOUCY, Un dieu chasseur, p. 67.

**BOUCHETON (À)** [abuʃtɔ̃] loc. adv. — 1418 ; de *à bouchon* «bouche contre terre», de *bouche.* Var. ancienne : *à boucheron* [abuʃʀɔ̃].

♦ **1** Vx. À plat ventre. *Se mettre à boucheton.*

♦ **2** Mod. Régional. (D'un objet creux). Sens dessus dessous, de manière que l'orifice serve de base. *Récipient posé à boucheton pour l'égoutter.*

Mme Rezeau remonte soudain, oblique vers la ferme qu'encense son fumier et que situe, jailli d'une porte ouverte, un pan de lumière crue où brillent des bidons vides retournés à boucheton (...)
Hervé BAZIN, Cri de la chouette, p. 245.

♦ **3** (1852). Techn. (céramique). Se dit de la position bord contre bord des poteries, des vases dans un four. *Poser des pièces à boucheton.*

**BOUCHE-TROU** [buʃtʀu] n. m. — 1688, «dernier enfant d'une femme» ; peint. «élément accessoire d'un tableau» 1765, Diderot ; du v. *boucher,* et *trou.*

Familier.

♦ **1** Personne n'ayant d'autre utilité que de combler une place vide. *Des bouche-trous. Être invité comme bouche-trou. Cet employé n'est qu'un bouche-trou.* — Journaliste dont les articles ne sont utilisés qu'en cas de besoin.
(1807). Acteur* remplaçant. → **Utilité** (jouer les utilités). — Vx. Mauvais acteur.

♦ **2** (1829). Choses. *Ce chapitre, cet article n'est qu'un bouche-trou.*

♦ **3** Adj. ou appos. *«Un ministère bouche-trou»* (Balzac). — *«Une idée bouche-trou»* (G. Marcel, *in* T. L. F.).

1. **BOUCHETTE** [buʃɛt] n. f. — Fin XIIe ; *bochete,* 1160 ; de *bouche.*

Vx. Petite bouche gracieuse, mignonne.

Ne m'épargne point, doucette,
Les trésors de ta bouchette (...)
BAÏF, les Amours de Méline, I, 57.

2. **BOUCHETTE** [buʃɛt] n. f. — D. i. ; mot wallon, apparenté à *bouquet.*

Régional (Wallonie). Faisceau de tiges. — Loc. *Tirer à la bouchette :* à la courte-paille.

**BOUCHEUR, EUSE** [buʃœʀ, øz] n. — 1867 ; adj. 1550, *in* Paré, «obturateur» (en parlant d'un muscle) ; du v. *boucher.*

Technique.

♦ **1** N. m. Ouvrier, ouvrière qui fabrique des bouchons de verre pour les carafes, les bouteilles.

♦ **2** Personne qui travaille au bouchage des bouteilles dans l'industrie du vin.

♦ **3** N. f. **BOUCHEUSE :** machine servant à boucher les bouteilles (→ Bouche-bouteille).

**BOUCHOIR** [buʃwaʀ] n. m. — 1553, *Bouchouer ;* du v. *boucher,* et *-oir.*

Techn. Plaque de fer servant à fermer la bouche d'un four.

**BOUCHOLEUR, EUSE** [buʃɔlœʀ, øz] n. → **Bouchoteur.**

**BOUCHON** [buʃɔ̃] n. m. — Déb. XIVe ; Cf. Bouchon au XIIIe, Rutebeuf, «buisson» ; de l'anc. franç. *bousche* «poignée de paille, touffe de feuillage pour boucher». → Boucher, v. ; P. Guiraud rattache le mot à un lat. pop. **bottica,* ce qui l'apparenterait à *botte.*

**I** ♦ **1** Vx ou techn. Poignée de paille ou de foin tortillé. *Frotter un cheval avec un bouchon.* → **Bouchonner.** — Par anal. *Un bouchon de linge :* linge tortillé. *Mettre du linge en bouchon.* → **Tapon, tampon.** — *Ce vêtement est en bouchon.* → **Boudiné, froissé.**

*(Les draps)* Qu'en bouchons tortillés elle avait sous les bras (...) 1
Mathurin RÉGNIER, Satires, IX.

♦ **2** (1661 ; de 1. *bouchonner* ou métaphore de valeur incertaine. Cf. Bouchon t. de mépris, 1606). Terme familier de tendresse. → 1. Bouchonner, 3. *Mon petit bouchon !*

Ah ! ma petite friponne ! que je t'aime, mon petit bouchon ! 2
MOLIÈRE, le Médecin malgré lui, I, 5.

♦ **3** (1584). Vx. Bouchon (I., 1.) — parfois, rameau de feuillage — que l'on suspendait comme enseigne au-dessus de la porte d'un cabaret.

Quelques maisons du village étaient déjà remontées sur le bord du chemin, blanches et endimanchées (...) de ce nombre était le cabaret de Manette. À l'aspect du bouchon qui pendait couleur de givre à la lucarne du grenier, Benjamin se mit à chanter (...) 2.1
Claude TILLIER, Mon oncle Benjamin, III.

Loc. (Vx). *À bon vin, il ne faut pas de bouchon.* Cf. À bon vin, point d'enseigne.

(1701). Par métonymie. Cabaret*, débit de boissons (d'abord, cabaret de campagne, entouré de verdure). *«Amis, il faut faire une pause, J'aperçois l'ombre d'un bouchon»* (général Lasalle, *Fanchon,* chanson à boire).

(...) le couple se donnait rendez-vous dans un bouchon de l'avenue où de vieilles prostituées qui logeaient rue des Dames, allaient parfois, durant la nuit, se reposer. 3
Francis CARCO, Jésus-la-Caille, I, 5.

Il se levait le matin mécaniquement ou restait des journées entières dans son lit, négligeait de se raser, déjeunait d'un sandwich dans un bouchon de la ville basse, errait sans but pendant un certain temps (...) 3.1
Roger NAÏM, l'Ère des truands, p. 177.

**II** **A** ♦ **1** (1397). Pièce de bois servant à fermer un tonneau. → **Bonde, bondon.** *Enfoncer un bouchon à la masse, à la tapette.*

Mar. *Bouchon d'écubier.* → **Tape.** *Bouchon de nable :* cheville obturant le trou de vidange d'une embarcation (→ **Nable).**

♦ **2** **a** (1532). Pièce, ordinairement cylindrique, entrant dans le goulot des bouteilles, des carafes, des flacons et qui sert à les boucher. *Bouchon de liège, de caoutchouc, de matière plastique, de verre. Bouchon à l'émeri*. Bouchon verseur,* prolongé d'un bec destiné à canaliser et à contrôler le débit du liquide. *Bouchon doseur,* muni d'un dispositif n'acceptant qu'une certaine quantité de liquide. *Bouchon doseur d'une bouteille de pastis.*
*Bouchon de carafe* (en verre, en cristal). Fig. Énorme joyau.

Spécialt. *Bouchon de liège* (pour les bouteilles). *Appareil pour fixer les bouchons.* → **Boucheuse;** aussi **mâche-bouchon, serre-bouchon.** *Cacheter* un bouchon avec de la cire. Enlever la capsule d'un bouchon.* → **Décoiffer.** *Retirer un bouchon.* → **Déboucher; tire-bouchon.** *Remettre le bouchon.* → **Reboucher.** *Vin qui sent le bouchon. Goût de bouchon.* — *Bouchon de champagne,* à tête renflée, retenu par une armature (muselet). *Faire sauter le bouchon :* faire partir avec bruit le bouchon d'une bouteille, et spécialement d'une bouteille de champagne.

4 Le bouchon part, l'esprit pétille;
La décence même y babille (...)
BÉRANGER, Gourmands, *in* LITTRÉ.

Collectif. *L'industrie du bouchon.*
(Emplois compar. et métaphoriques : par anal. de la légèreté du bouchon de liège).

5 Plus léger qu'un bouchon, j'ai dansé sur les flots.
RIMBAUD, Poésies, «le Bateau ivre», p. 138.

Mar. **FAIRE LE BOUCHON :** danser comme un bouchon sur l'eau, sans chavirer. *Ce dériveur fait le bouchon.* → 2. **Bouchonner.**

Par anal. (Sujet n. de personne). Se tenir, être à flot.

6 Quand l'aventure dicte sa loi, il faut savoir agir rapidement. Et puis, sans grain de folie on ne peut pas vivre. Je commençais à obéir aux signes, je faisais le bouchon.
Fernand FOURNIER-AUBRY, Don Fernando, p. 160.

Pêche. Flotteur d'une ligne qui permet de surveiller le fil. *Surveiller le bouchon.*

7 Patient autant qu'on peut l'être, se plaisant à suivre d'un œil un peu rêveur le bouchon de liège qui tremblait au fil de l'eau, il savait attendre, et quand, après une séance de six heures, un modeste barbillon, ayant pitié de lui, consentait enfin à se laisser prendre, il était heureux, mais il savait contenir son émotion.
J. VERNE, le Docteur Ox, p. 41.

Loc. fig. (Idée de fermeture). → **Boucher.** *Mettre un bouchon à qqn,* le faire taire. *Mets-y un bouchon :* tais-toi!

*Se noircir le visage au bouchon,* avec un bouchon enfumé. *Visages noircis au bouchon des commandos, des terroristes pour une opération de nuit.*

**b** Pièce cylindrique et creuse faite de métal ou de matière plastique qui se visse (au goulot d'une bouteille, d'un flacon, à l'ouverture d'un bidon, d'un tube...) pour fermer (→ Capuchon). *Dévisser le bouchon. Bouchon métallique. Le bouchon d'un tube de dentifrice. Bouchon applicateur*.*

Par anal. *Bouchon-couronne :* capsule* métallique crantée sertie sur le goulot d'une bouteille et dont l'ouverture nécessite un ouvre-bouteille.

**c** Techn. *Bouchon fusible d'une chaudière.* → **Rondelle** (de sûreté). — *Bouchon de valve,* assurant une étanchéité supplémentaire à un pneumatique. — Absolt. *Dévisser le bouchon.*

Milit. *Bouchon allumeur d'une grenade :* dispositif d'obturation et de mise à feu de la grenade.

♦ **3** Ce qui bouche accidentellement un conduit, un passage. → **Tampon.** *Le lavabo se vide mal, peut-être parce qu'un bouchon de savon ou de cheveux gêne l'écoulement.* — *Faire bouchon.*

Accumulation de matière (dans un espace anatomique). *Bouchon de cérumen,* qui obture le conduit auditif.

♦ **4** Encombrement de voitures qui réduit ou arrête la circulation. → **Embouteillage.** *Un bouchon s'est formé sur la nationale 7.*

8 Une route de soleil où tout un peuple affolé regardait devant et derrière lui (...) Il se formait des bouchons, on s'arrêtait, on marchandait avec les civils. Passer, passer. Priorité à la troupe.
ARAGON, Blanche..., I, VI, p. 107.

Ventrauze, vingt mille habitants, en plein couloir rhodanien, constituait naguère un des pires bouchons de la R.N. 7. 9
Claude COURCHAY, La vie finira bien par commencer, p. 18.

Météo. *Bouchon de brume :* amas de brume.

**B** (1842, cit.). Jeu qui consistait à abattre avec des palets des bouchons surmontés de pièces de monnaie.

À quelque distance de l'église, j'ai retrouvé nos paysans réunis sur une vaste place, et presque tous occupés à jouer (...) Je m'approchai des jeux; les plus suivis étaient le bouchon (...) la petite boule (...) 10
A. LEGOYT, *in* les Français peints par eux-mêmes, Province, III, 1842 (*in* D. D. L., II, 12).

Mon Dieu! j'ai joué au bouchon, quand j'étais gamin. 11
ZOLA, Son Excellence Eugène Rougon, t. I, p. 203.

Loc. fam. *C'est plus fort que de jouer au bouchon :* c'est stupéfiant.

— Ça, c'est plus fort que de jouer au bouchon! Comment faites-vous? 12
— Eh bien, nous prenons du papier, une plume et de l'encre, parbleu! comme tout le monde (...)
G. LEROUX, Rouletabille chez Krupp, p. 150.

Régional (Midi). Jeu de pétanque. Cochonnet.

Loc. *Envoyer, lancer, pousser le bouchon trop loin :* exagérer.

Il ne faut pas que l'inspecteur machin-chose pousse le bouchon trop loin. Roger BORNICHE, le Ricain, p. 33. 13

DÉR. 1. **Bouchonner,** 2. **bouchonner, bouchonnier.** ◊ COMP. **Mâche-bouchon, perce-bouchon, serre-bouchon, tire-bouchon.**

**BOUCHONNAGE** [buʃɔnaʒ] ou **BOUCHONNEMENT** [buʃɔnmɑ̃] n. m. — 1843, *bouchonnage; bouchonnement,* 1853; de 1. *bouchonner.*

Agric. Action de bouchonner*. *Le bouchonnement d'un cheval.* → **Pansage.** *«Les soins du bouchonnage et du pansement sont généralement bien observés dans le département»* (*Agriculture française,* Département de la Haute-Garonne, Impr. royale, 1843, p. 282, *in* D. D. L.).

1. **BOUCHONNER** [buʃɔne] v. — 1551; 1425, dr. féod. «marquer d'un bouchon de paille»; de *bouchon.*

**I** V. tr. ♦ **1** Vx ou régional. Mettre en bouchon*, en tampon. → **Chiffonner.** *Bouchonner du linge, un vêtement.* → **Froisser; tordre.**

♦ **2** Frotter vigoureusement (qqn, un animal). — *Bouchonner un cheval :* frotter le poil de l'animal avec un bouchon* de paille ou de foin pour sécher la sueur ou activer la circulation. → **Frictionner.** *Il faut bouchonner et panser le cheval.*

Quand un cheval rentrait du travail, on le bouchonnait, mais ceux qui se chargeaient de ce travail n'auraient pas songé à se laver eux-mêmes. 0.1
Jean FERNIOT, Pierrot et Aline, p. 102.

Sur la poitrine, aux aisselles, il se frotte avec un coin de serviette mouillée d'eau chaude; puis avec la partie sèche, il se frictionne comme un cheval que l'on bouchonnerait. 0.2
A. PIEYRE DE MANDIARGUES, la Marge, p. 155.

Par ext. Frotter comme avec un bouchon, pour nettoyer. *Bouchonner son visage, se bouchonner le visage.*

Jacques s'était tu. Il avait l'air exténué, tout à coup. Il sortit son mouchoir, et se bouchonna le visage, la nuque. 1
MARTIN DU GARD, les Thibault, t. V, p. 197.

♦ **3** (1662). Fig. et fam. Couvrir de caresses, être aux petits soins avec (qqn). → **Cajoler, caresser; bouchon** (I., 2).

Je te bouchonnerai, baiserai, mangerai (...) 2
MOLIÈRE, l'École des femmes, V, 4 (1662).

3 Les gens de cette sorte se soignent bien, ils rencontrent presque toujours une femme dévouée qui leur fait tiédir leur flanelle, les bouchonne et les dorlote.
G. DUHAMEL, Inventaire de l'abîme, VI.

**II** V. intr. (1964). Former un bouchon (II., A., 4.). *«À 14 h 30, 25 000 personnes bouchonnent aux portes»* (*Paris-Match*, 17 oct. 1964). *Ça bouchonne sur l'autoroute.*

◆ **BOUCHONNÉ, ÉE** p. p. adj. (Du sens I). *Un cheval bien bouchonné.* — Fig. *Un enfant trop bouchonné.*

**DÉR.** **Bouchonnage.** V. **Bouchon** (I., 2).

2. **BOUCHONNER** [buʃɔne] v. intr. — 1937, Tharaud, *in* T. L. F.; de *(faire le) bouchon.*

♦ **1** Mar. Le sujet désigne une embarcation. Faire le bouchon*, danser sur l'eau sans chavirer. *Le voilier bouchonnait.*

1 *(Le canot breton)* taillera tranquillement sa route vers les lieux de pêche, bouchonnera ensuite à la cape de longues heures et reviendra avec la marée sans trop s'être soucié du temps qu'il aura rencontré.
Jean GIORDAN, le Yachting, p. 62.

2 Le vent n'a pas molli, *Joshua* bouchonne toujours en sécurité, barre dessous et mer par le travers.
Bernard MOITESSIER, Cap Horn à la voile, p. 271.

♦ **2** Par anal. (Personnes). Flotter sur l'eau comme un bouchon.

3 Il (...) revient, brassant, crawlant, bouchonnant.
Hervé BAZIN, Au nom du fils, p. 119.

**BOUCHONNIER, IÈRE** [buʃɔnje, jɛʀ] n. et adj. — 1763, *Encyclopédie,* n. m.; de *bouchon.*

Technique.

♦ **1** Personne qui fabrique, qui vend des bouchons* de liège. — REM. Le fém. est virtuel.

♦ **2** Adj. *Bouchonnier, ière* : qui se rapporte à la fabrication des bouchons. *La production bouchonnière du Var.*

**BOUCHOT** [buʃo] n. m. — 1681; *bouchaux,* «vanne d'écluse», 1385 dans le Poitou; mot poitevin, lat. médiéval *buccaudum,* même sens, de *bucca* «bouche».

♦ **1** Vx. Parc en clayonnage pour retenir le poisson.

♦ **2** (1834). Mod. Clôture en bois, sur les bords de la mer, servant à la culture des moules et autres coquillages. → **Moulière, parc** (à moules). *Moules de bouchot; ellipt des bouchot* ou *des bouchots* (pluriel normalisé).

**DÉR.** **Bouchoteur** ou **bouchotteur.**

**BOUCHOTEUR** ou **BOUCHOTTEUR, EUSE** [buʃɔtœʀ, øz] n. — 1868; de *bouchot.*

Personne qui s'occupe de la reproduction des moules dans les bouchots (mytiliculteur). — Var. *Boucholeur, euse* [buʃɔlœʀ, øz].

Les boucholeurs entrelacent les pieux de branches de châtaignier et placent dans ces «paniers» les paquets de jeunes moules en les pinçant dans les branches. Les élèves se fixent en vingt-quatre heures par beau temps. Cette opération s'appelle le «remuage» du naissain.
Louis LAMBERT, les Coquillages comestibles, p. 67.

**BOUCHOYER** [buʃwaje] v. tr. [CONJUG. : *noyer*] — 1561, de *boucher, boucherie,* et *-oyer.*

Régional (Franche-Comté, Suisse). Abattre et dépecer (un animal, spécialt, un porc élevé pour sa viande) et préparer sa viande. → **Boucherie** (4. : faire boucherie).

**BOUCHURE** [buʃyʀ] n. f. — 1701, Vauban; *boucheure,* 1600 «ce qui bouche» (un trou); du v. *boucher.*

Régional (Centre). Haie vive.

Champs, prés enclos entourés de haies hautes et vives appelées ici *(dans le Morvan)* des *bouchures,* interrompues çà et là par des passages que l'on nomme *échalliers.*
Jacques LACARRIÈRE, Chemin faisant..., p. 86.

**BOUCLAGE** [buklaʒ] n. m. — 1841, «fermeture»; de *boucler.*

♦ **1** Fam. Mise sous clé, action d'enfermer.

C'était le drame complet, cris des parents, menace de la 1
maison de correction, bouclage dans ma chambre, confiscation de ma boîte de peinture, etc.
J. DUTOURD, Pluche, X, p. 121.

Spécialt. Opération militaire ou de police par laquelle on boucle (un lieu, une zone). *Le bouclage d'un quartier insurgé. Le bouclage de la casbah d'Alger par les troupes françaises, pendant la «bataille d'Alger».*

Peter Goldwin avait donné tous les ordres nécessaires au 2
bouclage de Bangkok sans se faire trop d'illusions.
Daniel ODIER, l'Année du lièvre, p. 237.

♦ **2** Techn. Établissement d'une liaison entre deux ou plusieurs circuits électriques.

Cybern., inform. Réaction de la sortie sur l'entrée d'un système. → **Rétroaction.**

♦ **3** Techn. (presse, journalisme). Action de rassembler tous les articles d'un journal *(bouclage rédactionnel)* et de terminer la mise en page de l'ensemble de l'édition *(bouclage technique). L'heure de bouclage d'un quotidien. Être prêt pour le bouclage. Le jour de bouclage d'un hebdomadaire, d'un mensuel.*

**BOUCLARÈS** [buklaʀɛs] adj. invar. — 1898, Esnault; de *boucler* «fermer», et suff. argotique *-arès.*

Argot. Fermé; enfermé. *«Les placards (...) étaient bouclarès»* (A. Sarrazin, *la Cavale,* p. 15).

Si je lui saute dessus, qui la secourra? À cette heure, tout le monde est bouclarès et la porte du Quartier d'où pourrait venir le renfort, eh! Elle l'a fermée à clé, la clé est dans sa poche, et l'atelier est verrouillé de l'extérieur.
A. SARRAZIN, la Cavale, p. 89.

En interj. *Bouclarès!* : boucle-la, ferme-la!

**BOUCLE** [bukl] n. f. — 1080, *Chanson de Roland,* «bosse centrale d'un écu» *(écu bouclier).* → Bouclier; 1160, sens 1; du lat. *buccula* «petite joue», de *bucca* «joue».

♦ **1** Anneau, rectangle métallique garni d'une ou plusieurs pointes montées sur un axe (→ **Ardillon**) et qui sert à tendre (une courroie, une ceinture). → **Anneau; agrafe, fermail, œil.** *Assemblage, attache à boucle. Bouche de ceinture, de bretelle, de soulier; boucle de harnais, d'une sangle. Ruban, bourdalou de chapeau à boucle. Boucle d'acier, d'argent. Boucle ronde* (→ **Anneau**), *carrée, ovale. Boucle à deux, trois ardillons. Barrette d'une boucle. Serrer avec une boucle.* → **Boucler.**

*(La dame)* Promenait ses boucles 0.1
Son bandeau d'or
Et traînait ses petits souliers à boucles.
APOLLINAIRE, Alcools, p. 149.

Loc. fig. Vx. *Serrer la boucle* : se priver (→ **Ceinture**).

♦ **2** Objet en forme d'anneau. — (Servant d'ornement). *Porter des boucles d'or.* — Loc. cour. *Boucle d'oreille.* → **Oreille; bijou, dormeuse, pendant** (d'oreille); → Richesse, cit. 8. *Boucles de diamants.*

(...) il est vrai qu'on ne sait guère (...) d'où peut venir 1
l'usage presque général dans toutes les nations de percer les oreilles et quelquefois les narines, pour porter des boucles (...)
BUFFON, Hist. nat. de l'homme, Œ. compl., t. IV, p. 307.

Zootechn. [a] Anneau qu'on passe au groin du porc, au nez d'un bovin.

Fig. et poétique :

2 Dieu dit :
Je mettrai ma boucle en leurs narines
Et dans leur bouche un mors (...)
HUGO, les Châtiments, «Lux».

[b] Anneau que l'on place à la vulve d'une femelle (jument, vache) pour l'empêcher d'être saillie.

Méd. *Boucle de Lippes :* type de stérilet ayant la forme de deux S successifs.

Mar. *Boucle de pont :* anneau fixé au pont d'un navire et qui reçoit les cordages, les amarres. — *Boucle de quai :* grand anneau scellé, qui reçoit les amarres. *Boucle d'amarrage.*

Anneau servant de heurtoir* aux portes cochères.

Anneau fixé à une porte, un tiroir et servant de poignée. *Boucle de rideau.*

Archit. Moulure en forme d'anneau.

♦ **3** Zool. Écaille osseuse de certains poissons cartilagineux (raie bouclée).

♦ **4** [a] Ce qui forme une courbe fermée. Didact. Ligne courbe qui se recoupe; forme annulaire ou hélicoïdale. — *En boucle :* en forme de boucle.

Partie arrondie et allongée de lettres manuscrites. *La boucle du l, du j.*

Techn. Montage en circuit fermé d'un support audio-visuel (film, bande magnétique) qui en permet le défilement indéfiniment répété. *Boucle sonore. Boucle visuelle.* Par appos. *Film boucle* (→ aussi ci-dessous le sens 6.). — *Programme musical diffusé en boucle,* de manière ininterrompue et en recommençant sitôt qu'il est fini.

[b] (XVII^e^). Cour. *Boucle; boucle de cheveux.* → **Accroche-cœur, anglaise**(s), **bouclette, boudin** (2.), **crochet, frisette, frison; friser.** *Avoir des boucles. Les boucles d'une perruque. Conserver une boucle dans un médaillon.* — Au plur. (Poét.). *Les boucles :* la chevelure*. *Boucles blondes.*

3 Trente filles de Corinthe dont les cheveux tombaient à grosses boucles sur les épaules (...)
MONTESQUIEU, Gnide, 3.

4 Ô toison, moutonnant jusque sur l'encolure!
Ô boucles! Ô parfum chargé de nonchaloir!
BAUDELAIRE, les Fleurs du mal, «La Chevelure».

5 Ses cheveux incultes se tordaient autour de son front et de ses joues en longs serpents noirs, mal retenus par un ruban incarnadin que débordaient et cachaient çà et là les boucles rebelles.
Th. GAUTIER, le Capitaine Fracasse, XII.

(Formes prises par des objets souples : liens, etc.). *Faire une boucle avec une corde.* → **Nœud.** *Défaire une boucle.* → **Déboucler.** *Boucle d'un lacet de soulier. Boucles de cordage à la tête d'un mât.* → **Capelage, capeler.** — *Boucle de fil, de laine. Fils repliés en boucles.* → **Maille** (bonneterie, tricot).

♦ **5** Courbe fermée ou quasi fermée. *Les boucles d'une rivière, d'un cours d'eau. Les boucles de la Seine.* → **Méandre.**

6 Le fleuve, au sortir de la ville, décrit une large boucle (...)
G. DUHAMEL, Scènes de la vie future, I.

(1914). Sports (aviat., autom.). Cercle vertical décrit par un avion (→ **Looping**), par une automobile sur une piste spéciale appelée *boucle. Boucler la boucle :* faire un cercle complet. — Fig. Se retrouver au point de départ. *La boucle est bouclée.*

7 (...) je suis fatigué et je n'ai plus envie de penser à cette époque. Disons que j'ai bouclé la boucle le jour où j'ai bu l'eau d'un camarade agonisant.
CAMUS, la Chute, p. 147.

♦ **6** Circuit complet, avec retour à l'état initial. → **Cycle; rétroaction;** → ci-dessus, 4., a. *Boucle de programme :* instructions qui peuvent être répétées jusqu'à l'obtention d'un résultat. *Système en boucle fermée,* dans lequel l'ordinateur reçoit des informations du processus qu'il est chargé de contrôler et, après traitement, réagit directement sur ce processus, sans intervention humaine. *Système en boucle ouverte,* dans lequel les paramètres de commande viennent essentiellement de l'homme.

Phys. nucl. *Boucle de réacteur :* circuit de refroidissement.

DÉR. **Boucler, bouclerie, bouclette,** 2. **bouclier.** — V. aussi 1. **Bouclier.**

**BOUCLÉ, ÉE** [bukle] adj. → **Boucler, p. p. adj.**

**BOUCLEMENT** [bukləmɑ̃] n. m. — 1658; de *boucler,* I., A., 4.

Techn. (zootechn.). Action de mettre une boucle à un animal.

**BOUCLER** [bukle] v. — 1440 au sens II., 2. «bomber» (en parlant d'une construction); 1680, trans. «friser» (les cheveux); de *boucle.*

[I] V. tr. [A] (Idée de fermeture). ♦ **1** Attacher, serrer au moyen d'une boucle. → **Attacher, fermer.** *Boucler une courroie, sa ceinture, son ceinturon. Bouclez vos ceintures de sécurité.*

(...) le Tyran boucla son majestueux abdomen d'un ceinturon contenant une longue et solide rapière. 1
Th. GAUTIER, le Capitaine Fracasse, XI.

Fig. et fam. *Se boucler la ceinture*, se la boucler :* se priver. Cf. Se serrer la boucle, la ceinture.

♦ **2** [a] *Boucler sa valise, sa malle, son bagage,* les fermer. → Faire* sa valise. Fig. et vieilli. S'apprêter à partir, à mourir.

Nous prenons un intérêt si démesuré à ce qui ne devrait nous servir que de passe-temps qu'il est dur, le dernier jour, de boucler nos valises. 2
COCTEAU, le Grand Écart, IX.

[b] *Boucler un dossier,* le clore, le fermer. — Théol. protestante. *Boucler le canon des livres saints,* le clore définitivement.

[c] Fig. *Boucler une affaire,* la mettre en équilibre. *Boucler son budget,* l'équilibrer (→ joindre les deux bouts*, même métaphore).

[d] Presse, journalisme. *Boucler une édition, un numéro :* finir de rassembler les articles et les tenir prêts à partir en composition; terminer la mise en page de l'ensemble de l'édition (→ **Bouclage,** 3).

♦ **3** [a] Vx. Obstruer (un passage) à l'aide d'un anneau, d'une boucle (2.); cf. Boucle d'amarrage. *Boucler un port.*

[b] Mod. Fam. Fermer (un passage, une ouverture servant de passage). *Boucler la porte, la lourde** (argot).

Fermer (un local). *Boucler la maison. Il est l'heure de boucler le magasin.* — (Plus cour.). *Allez, on boucle tout!* Absolt : *on va boucler.*

(...) vous pouvez aller vous coucher si ça vous chante. 2.1
— Bien, patron. On boucle et on va se promener.
R. QUENEAU, Pierrot mon ami, éd. L. de Poche, p. 18.

[c] Par ext. *Boucler qqn,* l'enfermer. *On l'a bouclé à double tour.* Au p. p. :

Moi, je ne peux pas aller à Paris, je suis bouclé ici (...) 3
MARTIN DU GARD, les Thibault, t. IV, p. 288.

Spécialt. Mettre en prison.

3.1 Moi qui te parle, des Français m'ont dénoncé comme Juif. Qu'est-ce que tu veux ? On m'a bouclé sept mois au Cherche-Midi. Ensuite on m'a conduit à Fresnes (...)
Francis CARCO, les Belles Manières, p. 54.

(Rare). Obliger à rester quelque part.

3.2 (...) que direz-vous à la donzelle quand elle vous demandera pourquoi on l'a *bouclée* dans son lit ?
Louise MICHEL, la Misère, t. III, p. 507.

(Sujet n. de chose) :

3.3 (...) et quant au puîné, le petit Caloub, une pension le bouclait au sortir du lycée chaque jour.
GIDE, les Faux-monnayeurs, Romans, Pl., p. 933.

*Se boucler,* v. pron. S'enfermer*. *Elle s'est bouclée dans sa chambre.* — Au passif. *Être bouclé quelque part. Ils sont tous bouclés* (spécialt, en prison. → Sous les verrous*).

**d** Loc. fam. **LA BOUCLER :** se taire (cf. Fermer sa boîte, sa gueule, et aussi argot bouclarès).

3.4 La musique signifia d'avoir à la boucler.
R. QUENEAU, Loin de Rueil, p. 195.

3.5 — Oh ! c'est pas pour ça, monsieur Gaston...
— Ben, si c'est pas pour ça, t'as qu'à la boucler...
J. PRÉVERT, Le jour se lève (scénario), 1939, *in* l'Avant-Scène, n° 53, p. 37, 1965.

♦ **4** (1562). Zootechn. Mettre une boucle, un anneau à (un animal). *Boucler une jument* (→ **Boucle,** 2.).

**B** (Idée de forme annulaire). ♦ **1** Refermer (qqch.) comme un anneau. *Boucler une corde,* en faisant un nœud simple. — *Boucler une mèche de cheveux.* Parcourir en boucle (un chemin). *Boucler un circuit.* Passif. *Le circuit est bouclé, nous voilà à notre point de départ.* — Loc. *Boucler la boucle*.*

(Choses). Entourer comme d'une boucle en parcourant.

4 (...) par un vaste détour, bouclant la terre entière (...)
GIDE, Si le grain ne meurt, I, 9.

♦ **2** Techn. (Presse). *Boucler une édition, un numéro* (d'un journal, d'un magazine) : rassembler tous les articles et terminer la mise en page de l'ensemble de l'édition (→ **Bouclage**). — Absolt. *On vient de boucler.*

♦ **3** (1556). Milit. Entourer complètement par des troupes. *«Deux mois après, le village sera encore bouclé»* (*Paris-Match,* 30 déc. 1967). *La police a bouclé la basse-ville.* → **Bouclage.**

♦ **4** Didact. (inform.). *Boucler un circuit.* — Au p. p. *Circuit bouclé.* → **Boucle,** 6.

**II** (1440). V. intr. ♦ **1** Techn. Bomber (en parlant d'une paroi). *Ce mur commence à boucler.* → **Bosse** (faire bosse), **ventre** (faire ventre).

♦ **2** (1835). Avoir, prendre la forme de boucles (chevelure). *Ses cheveux bouclent facilement.* — Par métonymie. *Il, elle boucle naturellement.* → **Friser.**

◆ **BOUCLÉ, ÉE** p. p. adj. (XVe).

♦ **1** Garni de boucles. *Laine bouclée.* → aussi **Bouclette.** *Couverture, moquette bouclée.* Spécialt. *Cheveux bouclés. Mèche bouclée.* → **Boucle.**

5 Elle avait une forêt de grands cheveux noirs, naturellement bouclés, qui lui tombaient au jarret (...)
ROUSSEAU, Confessions, IX.

(Personnes). Qui a des cheveux bouclés. *Tête bouclée. Des enfants blonds et bouclés.*

♦ **2** *Vache, jument bouclée. Taureau bouclé.* Blason. *Bœuf, chien... bouclé,* orné d'un anneau.

♦ **3** Zool. *Raie bouclée, squale bouclé,* hérissés d'aiguillons ou de pointes.

CONTR. **Déboucler.** ◇ DÉR. **Bouclage, bouclarès, bouclement.**

**BOUCLERIE** [bukləʀi] n. f. — 1268 ; de *boucle.*
Vx. Fabrication, commerce des boucles.

**BOUCLETTE** [buklɛt] n. f. — *Bouglette,* XIVe, «noeud coulant formé par une petite corde» ; de *boucle.*

**I** Rare. Petite boucle.

**II** Cour. ♦ **1** (De *boucle* (de cheveux)). Petite boucle. *Elle a de jolies bouclettes.*

♦ **2** En appos. *Laine bouclette :* laine à tricoter qui présente des petites boucles (formées par deux fils tordus dont l'un est plus long que l'autre).

1. **BOUCLIER** [buklije] n. m. — 1268 ; ellipse de *escut bucler* «écu ayant une bosse (boucle) centrale», 1080, *Chanson de Roland.* → Aspid(o)- ; de *boucle,* par le bas lat. *bucculare,* de *buccula.*

♦ **1** Arme défensive, épaisse plaque portative dont les gens de guerre se servaient pour se protéger. → **Arme, armure, écu** (I., 2.). *On portait le bouclier au bras gauche. Se couvrir de son bouclier. Bouclier d'airain, de bronze, d'acier, de cuir, d'osier. Bouclier lamé d'argent des soldats d'Alexandre* (→ **Argyraspide**). *Bouclier rond, triangulaire, curviligne, ovale...* → **Broquel, écu, pavois, rondache, rondelle, targe.** *L'écu du blason représente un bouclier. Bouclier romain* (scutum, clypeus). *Bouclier grec.* → **Pelte.** *Bouclier de Pallas.* → **Égide.** *Le champ*, la bordure* (→ **Orle**), *la saillie, l'ombilic* (→ Boucle, étym.) *d'un bouclier. Courroie de bouclier.* → **Guiche, enguichure.** *Objet en forme de bouclier.* → **Pelté, scutiforme.** *La tortue* consistait à s'abriter sous les boucliers juxtaposés.* → aussi **Synaspisme.**

Que chacun endosse son armure et place devant lui son bouclier (...) CHATEAUBRIAND, Desthona, 223. 1

Le bateau s'avance derrière ses voiles comme un guerrier antique derrière son bouclier. 2
J. RENARD, Journal, 21 juin 1890.

Loc. fig. *Faire un bouclier de son corps (à qqn) :* se mettre devant qqn pour le protéger des coups. → **Rempart.**

Quand, tout percé de coups, sur un monceau de morts, 3
Je lui fis si longtemps bouclier de mon corps (...)
CORNEILLE, Don Sanche, I, 3.

Le meilleur bouclier est une poitrine qui ne craint pas de se montrer découverte à l'ennemi. 4
CHATEAUBRIAND, Mémoires d'outre-tombe, III, 15.

Loc. (1460). *Levée de boucliers :* démonstration par laquelle les soldats romains exprimaient leur résistance aux volontés de leur général ; fig. démonstration, attaque à main armée, ou démonstration d'opposition.

Boileau *(non le poète)* n'était pas content de ce que M. de Paris ne levait pas bouclier pour les jansénistes. 5
SAINT-SIMON, Mémoires, 65, 78, *in* LITTRÉ.

Mythol. et astron. *Le bouclier d'Orion* (partie de la constellation d'Orion, formée de trois étoiles visibles).

♦ **2** (XVIe). Par métaphore ou fig., littér. Défense. → **Palladium** (vx), **protection, rempart, sauvegarde.** *Se faire un bouclier de sa froideur.*

Revêtez la cuirasse de la justice (...) prenez (...) le bouclier de la foi, avec lequel vous pourrez éteindre tous les traits enflammés du malin (...) 6
BIBLE (SEGOND), Épître aux Éphésiens, VI, 15, 16.

Combien crois-tu que j'en connaisse (...) qui se sont fait un bouclier du manteau de la religion ? 7
MOLIÈRE, Dom Juan, V, 2.

Dans une armée, la discipline pèse comme bouclier, et non comme joug. RIVAROL, Notes, p. 12. 8

Couvert du bouclier de ta philosophie, 9
Le temps n'emporte rien de ta félicité (...)
LAMARTINE, Méditations..., I, 12.

♦ **3** (Par anal. d'usage) [a] (Concret). Appareil, dispositif de protection. — Artill. Plaque de blindage d'un canon.

Mines. Appareil servant à étayer les terrains tendres pendant une excavation. *Bouclier métallique,* à cloisons étanches, pour le creusement des tunnels.

Phys. nucl. *Bouclier thermique :* blindage* qui entoure un réacteur nucléaire. Par ext. Dispositif destiné à protéger une partie d'un engin spatial contre l'échauffement cinétique. — *Bouclier biologique :* blindage destiné à réduire les rayonnements ionisants à un niveau acceptable d'un point de vue biologique.

Zool. Carapace* (de certains crustacés).

[b] (Abstrait). *Bouclier nucléaire :* dispositif de défense nucléaire. On dit aussi *parapluie nucléaire.*

♦ **4** (Par anal. de forme). [a] Zool. Élytre convexe (de certains insectes). — Partie dure composant le test (des animaux articulés).

[b] Géol. Plate-forme étendue de roches primitives. *Le bouclier canadien.*

CONTR. (Fig.) **Défaut** (de la cuirasse). — V. aussi **Attaque.**

2. **BOUCLIER** [buklije] n. m. — XIIIe; de *boucle.*

Vx ou hist. Techn. Personne qui fabriquait les boucles et anneaux de cuivre et d'archal. — REM. Dans ce sens, le fém. *bouclière* est virtuel.

**BOUCON** [bukɔ̃] n. m. — V. 1300 «morceau»; sens spécial, XIVe; francisation de l'ital. *boccone* «bouchée», augmentatif de *bocca* «bouche».

Vx. Hist. ou archaïsme. Morceau empoisonné; poison. Var. : *bocon.*

**BOUCOT** [buko] n. m. → **Boucaud.**

**BOUDDHA** [buda] n. m. — 1754, *Budha;* mot sanscrit *buddha-* «Éveillé, Illuminé», surnom de Gautama ou Çakya-Mouni, fondateur du bouddhisme*.

♦ **1** Dans la religion bouddhiste, celui qui est parvenu à la sagesse et à la connaissance parfaite. → **Bodhisattva.** *Le bouddha vivant* (dans le lamaïsme tibétain). — REM. *Bouddha*, employé comme n. propre (sans article), désigne seulement Gautama.

(1886). Représentation peinte ou sculptée d'un bouddha. *Des bouddhas en bronze, en jade.*

1 Jacques ne répondit pas. Il contemplait obstinément le bouddha, dont le visage rayonnait de sérénité solitaire au fond de la grande feuille de lotus d'or (...)

MARTIN DU GARD, les Thibault, t. V, p. 174.

2 (...) à travers les siècles des hautes époques, le lent abaissement des paupières, l'écriture de plus en plus serrée qui en Chine semblera «fermer» le visage du Bouddha sur son recueillement; d'où les plis du manteau de plus en plus liés au corps; d'où l'abstraction du corps lui-même.

MALRAUX, les Voix du silence, *in* Romans, Pl., p. 151.

3 Derrière lui, sur une étagère, il y avait un de ces affreux petits bouddhas bleus et obèses dont l'expression de sagesse est une invitation à finir dans la graisse.

R. GARY, Au-delà de cette limite votre ticket n'est plus valable, p. 110.

♦ **2** Rare. L'esprit universel, incarné par un bouddha. → **Bouddhéité,** cit.

DÉR. **Bouddhéité, bouddhisme, bouddhiste.**

**BOUDDHÉITÉ** [budeite] n. f. — 1930, cit.; de *bouddha,* et suff. *-ité.* → Déité.

Relig. Caractère de l'état de bouddha; essence du bouddha.

Bouddha (...) percevait par son intuition que toute vie humaine possédait originellement la «bouddhéité», et que l'Esprit universel, le Bouddha, et la vie humaine sont une seule et même chose.

Dict. pratique des connaissances religieuses, *Deuxième Suppl.,* Letouzey et Ané, 1930, p. 293 (*in* D. D. L., II, 15).

**BOUDDHIQUE** [budik] adj. — 1831 *in* D. D. L.; de *bouddhisme.*

Relig. Relatif au bouddhisme*. → **Bouddhiste.** *Secte bouddhique. Art bouddhique.* → aussi **Gréco-bouddhique.** *Temple bouddhique.*

Dans tout ce destin de l'art chrétien, comme dans celui de l'art bouddhique, le spectacle de la vie joue son rôle infime : le premier semble plus soucieux de découvrir des prunelles où se reflète Dieu, le second de clore sur le monde des paupières délivrées, que de regarder.

MALRAUX, les Voix du silence, *in* Romans, Pl., p. 204 (1933).

COMP. **Gréco-bouddhique.**

**BOUDDHISME** [budism] n. m. — 1823 *in* D. D. L.; *buddsoisme,* 1780; de bouddha.

Doctrine religieuse fondée en Inde, dans le bassin du Gange, vers le milieu du VIe siècle av. J.-C., et qui se constitua comme un développement hétérodoxe par rapport au brahmanisme*. → **Bouddha.** *Le bouddhisme et le jaïnisme* apparurent en même temps. Bouddhisme indien, bouddhisme de Ceylan. Expansion du bouddhisme en Asie : au Tibet* (→ **Lamaïsme**), *en Chine, au Japon* (→ **Amidisme, zen**). *Bouddhisme tantrique* (→ **Tantrisme**). *Bouddhisme dit du petit, du grand Véhicule*. Éléments de bouddhisme repris dans le caodaïsme*. La compassion pour autrui est privilégiée dans le bouddhisme par rapport à la libération définitive du cycle des existences* (→ Nirvâna, samsâra). → **Bodhisattva.**

Le bouddhisme dans l'Inde est resté pendant plusieurs siècles confondu, quant à sa partie métaphysique, avec certaines écoles des brâhmanes.

Émile BURNOUF, la Science des religions, p. 62.

DÉR. **Bouddhique.**

**BOUDDHISTE** [budist] adj. et n. — 1782, *bouddiste,* subst. (Sonnerat, *in* D. D. L.); de *bouddha.*

♦ **1** Adj. Relatif au bouddhisme*. → **Bouddhique.** *Prêtre bouddhiste.* → **Bonze, bonzesse.** *Moine bouddhiste birman.* → **Talapoin** (vx). «*Les Brahmanes mendient ainsi que les moines bouddhistes*» (*le Catholique,* no 33, sept. 1828).

♦ **2** N. Adepte du bouddhisme.

(...) ils lui étaient reconnaissants d'une bonté dont ils ne devinaient pas qu'elle prenait ses racines dans l'opium. On lui prêtait la patience des bouddhistes : c'était celle des intoxiqués.

MALRAUX, la Condition humaine, *in* Romans, Pl., p. 37.

Var. vieillies : *boudhiste, bouddiste.*

**BOUDER** [bude] v. — V. 1350; p.-ê. du rad. onomatopéique *bod-* désignant qqch. d'enflé (→ Boudin), par allus. à l'expression de la lèvre du boudeur; pour P. Guiraud, de formes gallo-romaines (**bobitare* ou **bullitare*) dérivés du lat. *bulla* «bulle».

[I] V. intr. (Personnes). ♦ **1** Témoigner, montrer de la mauvaise humeur, du mécontentement par l'expression renfrognée, par une moue*, par le refus de parler, de répondre au regard, de communiquer. → **Fâcher** (être fâché), **râler** (fam.), **rechigner;**

**gueule, tête** (faire la gueule, la tête ; → Faire du boudin*). *Un enfant qui boude. Bouder dans un coin. Bouder de rage, de colère, de dépit, de honte. Bouder contre qqn ou qqch. Quand tu auras fini de bouder...*

1 — Vous voilà bien triste, lui dit-il, et vous boudez contre votre verre. G. SAND, la Mare au diable, XII, p. 104.

2 (...) il *(l'enfant)* s'irrite d'être en colère et se console en jurant de ne pas se consoler, ce qui est bouder.
ALAIN, Propos sur le bonheur, p. 64.

Montrer de la mauvaise grâce, du dépit. Loc. *Bouder contre son ventre :* refuser de manger, lorsqu'on a faim. *Bouder à table, au jeu... :* manger, jouer... de mauvaise grâce. — *Bouder à la besogne. Ne pas bouder à la besogne, à l'ouvrage :* travailler avec ardeur.

Fig. Au jeu de dominos, Passer, faute d'avoir un numéro pour pouvoir jouer.

♦ **2** (Choses). Fonctionner mal, se présenter mal. *Le printemps semble bouder cette année.*

3 (...) vers neuf heures, le temps fit mine de bouder, comme disent les marins (...)
HUGO, Quatre-vingt-treize, I, II, 2.

Techn. *Cette cheminée, ce four boude,* tire mal. — Hortic. Se dit d'un jeune arbre qui pousse mal.

Techn. Se dit des huîtres dont la pousse est arrêtée ; des bassins (claires) où le verdissement ne se fait pas. → **Boudeur** (huître boudeuse).

3.1 D'autres fois une claire «boude» au milieu de toutes les autres qui ont verdi.
Louis LAMBERT, les Coquillages comestibles, p. 3.

**II** V. tr. ♦ **1** (Compl. n. de personne). Montrer de l'hostilité contre, envers (qqn), par une attitude maussade ou indifférente, en refusant de communiquer (le compl. est souvent un pronom).

4 Allons, revenez près de moi, je le veux. Vous me boudez quand je devrais me fâcher.
BALZAC, Seraphîta, Pl., t. X, p. 480.

5 Je continue, par principe, à le bouder, à lui marquer de la rancune (...)
G. DUHAMEL, Chronique des Pasquier, VIII, 4.

♦ **2** (Compl. n. de chose). Ne pas ou ne plus rechercher, se détourner de (qqch.). *Bouder les distractions, les plaisirs. Bouder les études, le travail. Bouder la campagne. Bouder un lieu trop fréquenté. «Les Français boudent les aliments surgelés»* (*l'Express,* 8 mai 1973), en consomment peu.

5.1 Je m'étonne parfois de l'obstination que met notre taciturne ami à bouder les langues civilisées. Son métier consiste à recevoir des marins de toutes les nationalités (...)
CAMUS, la Chute, p. 8.

Loc. *Bouder son plaisir :* ne pas montrer sa satisfaction. *«Nous ne bouderons pas pour autant notre plaisir de voir enfin admise une vérité si souvent martelée* (...)*»* (*le Point,* 11 mai 1996, p. 99).

◆ **SE BOUDER** v. pron. (récipr.). *Deux amoureux qui se boudent.*

6 Deux créatures qui ne se conviennent pas pourraient aller chacune de son côté ; eh bien ! (...) il faut qu'elles restent là en face l'une de l'autre à se bouder, à se maugréer, à s'aigrir l'humeur, à s'avaler la langue d'ennui, à se manger l'âme et le blanc des yeux (...)
CHATEAUBRIAND, Mémoires d'outre-tombe, IV, 1.

DÉR. **Bouderie, boudeur, boudeuse, boudoir.**

**BOUDERIE** [budʀi] n. f. — 1690, Furetière ; de *bouder.*

♦ **1** Action de bouder (en général : *la bouderie ;* ou dans une circonstance particulière : *une, des bouderies*) ; état d'une personne qui boude. → **Fâcherie, humeur** (mauvaise). *Des bouderies continuelles, obstinées. Une bouderie stupide, insignifiante, passagère.* → **Brouille.** *Manifester son hostilité, son ressentiment, sa rancœur par une bouderie. Faire une bouderie.* → **Bouder, boudeur.** — Didact. *La bouderie, pour les psychologues, est une réaction affective représentant une forme mineure d'hostilité, une attitude régressive de refus adoptée par sentiment d'infériorité. Les «âges de bouderie» correspondent à deux phases importantes d'évolution affective* (3-4 ans : développement de la conscience du moi ; prépuberté). *Bouderie répétée. Bouderies prolongées, parfois symptôme d'états schizophréniques. «Le négativisme peut revêtir une forme atténuée et incomplète, celle de la* bouderie *réticente ou de l'ironie de défense, des réponses "à côté", etc.»* (Th. Kammerer *in* Porot 1975, art. *Catatonie,* p. 127 b).

Cette affaire avait plutôt l'air d'une bouderie que d'une rupture (...) 1
ROUSSEAU, *in* LAFAYE, Dict. des synonymes, Fâcherie, humeur ; bouderie.

Nous ne permettons point la bouderie (...) nous ne voulons jamais que nos amis restent brouillés plus d'un quart d'heure. 2
MARMONTEL, *in* LAFAYE, Dict. des synonymes, Fâcherie, humeur ; bouderie.

Toi, tu sais supporter les longues bouderies, les regards durs et les silences obstinés (...) 3
Paul GÉRALDY, Toi et Moi, p. 104.

♦ **2** Le fait de ne plus rechercher qqch. *«Les appartements sont proposés à des prix qui provoquent la bouderie des acheteurs éventuels»* (*l'Express,* 24 avr. 1966).

CONTR. **Humeur** (bonne), **enjouement, entrain.**

**BOUDEUR, EUSE** [budœʀ, øz] adj. et n. — 1680, Richelet ; de *bouder.*

♦ **1** Qui boude fréquemment, habituellement. *Un enfant boudeur, boudeur et renfrogné.* → **Grognon, maussade.** — N. *Un boudeur. Une vilaine boudeuse.*

Qui exprime la bouderie. *Air, visage boudeur. Mine boudeuse.*

♦ **2** Techn. *Huître boudeuse,* qui boude, pousse ou verdit mal.

Quant aux huîtres de drague pêchées à Auray, beaucoup deviennent boudeuses et refusent de croître pendant une saison, mais rattrapent le temps perdu à la saison prochaine.
G. BOUCHON-BRANDOLY, Mémoire sur la fécondation artificielle et la génération des huîtres, 1884, *in* Encycl. universelle du XX<sup>e</sup> s.

CONTR. **Enjoué, gai.** ◊ DÉR. **Boudeusement.**

**BOUDEUSE** [budøz] n. f. — XIX<sup>e</sup> ; de *bouder,* parce que les occupants, se tournant le dos, semblent se bouder.

Siège* double où deux personnes peuvent s'asseoir en se tournant le dos. → **Dos-à-dos.**

**BOUDEUSEMENT** [budøzmɑ̃] adv. — 1887 ; de *boudeur, euse.*

Rare. D'une façon boudeuse ; en boudant.

Pinette (...) arracha boudeusement une touffe d'herbe entre ses genoux. SARTRE, la Mort dans l'âme, p. 134.

**BOUDI** [budi], **BOUDIOU** [budju] interj. — Attesté XIX<sup>e</sup> ; occitan *boun diou* «Bon Dieu !».

Régional (Sud de la France). Bon Dieu ! bon sang ! (exprimant notamment la surprise, l'admiration, la lassitude). *Boudi ! j'en suis encore toute chose. Boudi ! la belle voiture. «Boudiou qu'il est laid !»* (*Daudet,* in G. L. L. F.).

**BOUDIN** [budɛ̃] n. m. — 1268; du rad. onomatopéique *bod-* exprimant l'enflure. → Bouder, bedaine.

♦ **1** Boyau rempli de sang et de graisse de porc assaisonnés. *Manger du boudin. Des boudins grillés. Une aune de boudin.* — *Boudin antillais* (de petite taille et épicé).

1 Nous sommes juifs comme vous, ne mangeant point de cochon, point de boudin (...)
VOLTAIRE, Philosophie, III, 174.

1.1 La vérité était qu'Auguste se connaissait à merveille à la qualité du sang; le boudin était bon, toutes les fois qu'il disait : «Le boudin sera bon.»
— Eh bien, aurons-nous du bon boudin ? demanda Lisa (...)
— Je le crois, madame Quenu, oui, je le crois... Je vois d'abord ça à la façon dont le sang coule. Quand je retire le couteau, si le sang part trop doucement, ce n'est pas un bon signe, ça prouve qu'il est pauvre (...)
ZOLA, le Ventre de Paris, t. I, p. 123 (1875).
→ Boyau, cit. 1.1.

(1680). **BOUDIN BLANC,** fait avec du lait et des viandes blanches, parfois des truffes, et mangé traditionnellement à Noël (en France).

Loc. **EAU DE BOUDIN :** eau dans laquelle on lave les tripes avant de faire le boudin. — Fig. (1690). *S'en aller en eau de boudin,* se dit d'une affaire bien commencée et qui se réduit à néant. Cf. Fam. et vulg. Partir en couille.

2 J'espère que toute cette affaire va s'en aller en eau de boudin, être étouffée après quelques avertissements et sanctions sans esclandre.
GIDE, les Faux-monnayeurs, III, 1, p. 296.

Par compar. *Avoir des doigts comme des boudins.* → **Boudiné.**

♦ **2** (Par anal. de forme : objets cylindriques et relativement courts). Doigt gras et court. *Les «gros boudins qui lui servent de doigts»* (Hervé Bazin).

(1798). Boucle de cheveux en spirale. → **Anglaise** (5.).

Techn. *Ressort à boudin :* ressort de fil métallique roulé en spirale. Électr. *Boudin de résistance.* → **Résistance.**

Fusée cylindrique avec laquelle on met le feu à une mine. → **Saucisson.**

Cylindre de pâte céramique. — Agric. Foin ramassé et comprimé en cylindre.

Ch. de fer. Saillie interne de la jante* d'une roue qui en assure le maintien sur un rail. → **Bandage** (I., 2).

(1690). Archit. Grosse moulure en cordon. → **Tore.** Rebord rond d'une marche.

3 Soudain, la semelle de sa chaussure glissa sur une marche au boudin pourri. H. TROYAT, Amélie, p. 605.

(1835). Mar. Bourrelet qui entoure une embarcation et la protège contre les chocs.

Techn. *Boudin d'air* (vx) : chambre à air ou pneumatique en caoutchouc.

Aviat. (argot des aviat.). Manche à air d'aérodrome. → **Biroute** (fam.).

Régional (Nord, Belgique). Traversin.

♦ **3** **a** Argot. Femme facile, prostituée.

**b** Fam. et péj. (V. 1966). Fille mal faite, petite et grosse. *Un petit boudin. Il n'y a que des boudins, ici !* — Abrév. : *boude* (1975, *in* Robert Beauvais, *le Français Kiskose*). — REM. Cette dernière forme semble être plus à la mode : «"boudin", devenu plutôt province» (*le Nouvel Obs.*, 4 déc. 1982, *in* D. D. L.).

♦ **4** Loc. fam. (calembour). *Faire du boudin :* bouder. *«Faire son boudin»* (Sartre, *le Mur*).

DÉR. **Boudinade, boudiner, boudinière.**

**BOUDINADE** [budinad] n. f. — 1771; de *boudin.*

Cuis. ou régional. Morceau d'agneau farci de boudin.

**BOUDINAGE** [budinaʒ] n. m. — 1842; de *boudiner.* Technique.

♦ **1** Torsion légère du fil (action et résultat).

♦ **2** Passage à la boudineuse*. → **Extrusion** (2.).

**BOUDINE** [budin] n. f. — 1751, verrerie; fin XIIe *botine* «nombril»; du rad. onomatopéique *bod-* exprimant l'enflure. → Boudin.

Techn. Nœud du verre au centre d'un plateau (à l'endroit où il a été coulé); ouverture pratiquée à cet endroit.

**BOUDINEMENT** [budinmɑ̃] n. m. — 1924 cit.; de *boudiner.*

Rare. Action de boudiner*; état de ce qui est boudiné.

On le sentait très fort, sous le boudinement de ses petites jaquettes (...)
GIDE, Si le grain ne meurt, I, 10 (1924).

**BOUDINER** [budine] v. — 1842, Académie, *Complément;* de *boudin.*

**I** V. tr. ♦ **1** Techn. Tordre (des écheveaux de fil, de soie). — Tordre (un fil métallique) en spirale.

♦ **2** Fam. (Compl. n. de personne). Serrer (qqn) dans des vêtements trop étroits. *L'habilleuse l'avait boudiné dans une redingote minuscule.* → **Saucissonner.**
V. pron. Se serrer dans des vêtements. *Se boudiner dans un corset.* En parlant du corps. *Doigts, bras; jambes qui se boudinent.*

**II** V. intr. Rare. Serrer (vêtement) de manière à former des plis. *Ce pantalon boudine.*

◆ **BOUDINÉ, ÉE** p. p. adj. (V. 1180).

♦ **1** (Personnes). Serré dans un vêtement étriqué. *Boudiné dans une veste trop étroite.* → **Saucissonné.**

*(Des)* généraux à casques à pointe et à têtes de bandit, aux ventres d'outre, aux torses boudinés dans des uniformes aux teintes suaves (blanc, jonquille, ou bleu marial) et constellés de diamants (...)
Claude SIMON, le Palace, p. 15.

N. (V. 1880, Larchey). Vx. Élégant qui portait une redingote serrée, boudinée.

♦ **2** En forme de boudin. → **Bouffi.** *Doigts boudinés.*

DÉR. **Boudinage, boudinement, boudineuse.**

**BOUDINEUSE** [budinøz] n. f. — 1877; de *boudiner.* Technique.

♦ **1** Appareil servant à tordre des fils avant de les bobiner.

♦ **2** (1907) Machine formée d'une vis sans fin tournant dans un cylindre chauffé dans lequel on presse une matière non homogène. → **Extrudeuse.**

On la passe *(la pâte de caséine qui deviendra matière plastique)* dans une presse horizontale à vis rotative appelée boudineuse, où elle se trouve plastifiée sous l'action simultanée de la chaleur et de la pression développée par la poussée de la vis; elle sort de la machine, par une filière, sous forme de bâtons, de tubes ou de profils : c'est le *boudinage.* Jean VÈNE, les Plastiques, p. 35.

**BOUDINIÈRE** [budinjɛʀ] n. f. — 1669, *in* G. L. L. F.; de *boudin.*

Techn. (charcuterie). Entonnoir à faire les boudins et les saucisses. *Remplir les boyaux au moyen d'une boudinière.*

**BOUDOIR** [budwaʀ] n. m. — Déb. XVIIIe (av. 1730, Du Cerceau); de *bouder.*

♦ **1** Petit salon élégant de dame. → **Cabinet** (particulier). *Se retirer, passer dans un boudoir.*

1 Ils s'étaient retirés tous les deux dans un petit boudoir japonais, tendu de soies éclatantes (...)
MAUPASSANT, Clair de lune, p. 66.

2 Figure-toi que cette demoiselle a pour sigisbée un monsieur... un polisson! qui capitonne son boudoir sous mon nom (...) E. LABICHE, les Petites Mains, II, 5.

Fig. *Propos de boudoir,* superficiels et galants. *Succès de boudoir :* succès mondains. *Diplomatie de boudoir,* caractérisée par l'influence de femmes du monde. — *La philosophie dans le boudoir,* œuvre de Sade (1795), où le «boudoir» est le lieu clos érotique sadien.

♦ **2** (XXe). Biscuit oblong, assez dur, recouvert de sucre cristallisé.

**BOUE** [bu] n. f. — V. 1170, *boe;* gaul. **bawa* «saleté», cf. gallois *baw.*

**I** (Concret). ♦ **1** Mélange de terre, de poussière, de déchets et d'eau, qui se forme dans les rues, les chemins. → **Bouillasse** (fam.), **bourbe, braye** (vx), **crotte** (vx), **fange, gâchis, gadoue, gadouille, margouillis.** *Patauger, barboter dans la boue. Poser des caillebotis* pour éviter de marcher dans la boue. Glisser, tomber dans la boue. Se salir, se souiller, se couvrir de boue. Être éclaboussé par la boue.* → **Éclaboussure.** *S'enliser dans la boue d'une ornière*. Tache* de boue. Une couche, une pellicule* (cit. 3) *de boue. Être souillé, éclaboussé de boue.* → **Crotté.** *Enlever, nettoyer la boue.* → **Décrotter, décrottoir, paillasson.**

1 D'un carrosse en tournant il accroche une roue,
Et du choc le renverse en un grand tas de boue (...)
BOILEAU, Satires, VI.

2 Le comédien, couché dans son carrosse, jette de la boue au visage de Corneille, qui est à pied.
LA BRUYÈRE, les Caractères, XII, 17.

2.1 Loin! loin! ici la boue est faite de nos pleurs!
BAUDELAIRE, les Fleurs du mal, «Spleen et idéal», LXII.

3 Ils sont là six matelots armés, en reconnaissance au milieu des fraîches rizières, dans un sentier de boue (...)
LOTI, Pêcheur d'Islande, III, I, p. 135.

3.1 J'aime mieux marcher dans la boue qu'au milieu de l'indifférence, et mieux rentrer crotté que gros-jean comme devant; comme si je n'existais pas pour les terrains que je foule... J'adore qu'elle retarde mon pas, lui sais gré des détours à quoi elle m'oblige.
Francis PONGE, Pièces, «Ode inachevée à la boue», p. 60.

Fig. *Ne pas faire plus de cas de qqch. que de la boue de ses souliers :* ne pas s'en soucier, la mépriser.

Fam. *Un (petit) tas de boue :* une chose informe.

♦ **2** (1539). Terre détrempée. → **Tourbe, vase.** *La boue fertilisante d'un cours d'eau.* → **Alluvion, limon.** *La boue du Nil. La boue d'une fondrière, d'un marécage, d'un marais, d'un étang. Boue retirée d'un fossé.* → **Curure.** *Débarrasser un canal de la boue* (→ **Draguer; curer**). *Hutte de boue et de paille.* → **Mortier** (de terre), **pisé.** *Animal, sanglier, buffle qui se vautre dans la boue. La boue d'une bauge*.*

Loc. fig. Vx. *Une maison faite de boue et de crachat,* peu solide.

4 C'est bâtir sur la boue que d'appuyer les fondements de sa fortune sur l'affection passagère d'une vile populace (...)
VERTOT, Hist. des révolutions de la république romaine, XIV, p. 303.

*Boue minérale :* limon imprégné d'éléments minéraux. — Méd. (1835). Mod. *Bains de boue.* — Vx. *Boues thermales. Prendre les boues,* des bains de boue. → **Illuter.** — Au plur. Géol. *Boues terrigènes, pélagiques :* vases argileuses qui se déposent au fond des mers.

Poét. *Ce tas, cet amas de boue,* le globe terrestre.

Car la terre n'est qu'une goutte de boue dans l'espace, et 5
le soleil une bulle de gaz bientôt consumée.
FRANCE, le Mannequin d'osier, XI.

♦ **3** Résidu dont la consistance rappelle celle de la boue. → **Boueux.** *Il ne reste que de la boue dans cet encrier.* — Méd. *Boue urinaire. La boue d'un abcès,* un pus épais.

Au plur. **a** Vx. Détritus, ordures. *Ramassage des boues* (→ **Boueur, éboueur**). *Boues et lanternes :* taxe qui était imposée pour l'enlèvement des ordures et l'éclairage des rues.

**b** Mod. Techn. Amas de déchets des eaux polluées. *Boues industrielles* (de brassage du malt, d'épuration, de raffinage...). *Boues radio-actives :* résidus des centrales atomiques. *Les «boues rouges» de la Méditerranée,* déchets de bioxyde de titane.

**II** (Abstrait). Littér. ou vx. ♦ **1** Par compar., métaphore ou fig. (avec l'idée de chose méprisable).

Par compar. *Traiter, mépriser* (qqn, qqch.) *comme de la boue.*

Ils *(les traitants)* sont méprisés comme de la boue, pendant 6
qu'ils sont pauvres; quand ils sont riches, on les estime assez (...) MONTESQUIEU, Lettres persanes, p. 99.

Par métaphore ou fig. Chose ou personne qu'on méprise.

C'est de la boue! dit-on des gens qu'on abomine, ou d'in- 6.1
jures basses ou intéressées. Sans souci de la honte qu'on lui *(la boue)* inflige, du tort à jamais qu'on lui fait. Cette constante humiliation, qui la mériterait? (...) De mon écrit, boue au sens propre, jaillis à la face de tes détracteurs.
Francis PONGE, Pièces, «Ode inachevée à la boue», p. 61.

Relig. Substance du corps humain, assimilée au limon, à la terre originelle.

Tout s'étudie, tout s'empresse à leur persuader *(aux* 7
*grands)* qu'ils sont pétris d'une autre boue que les autres hommes (...)
MASSILLON, Carême, Prospérité temporelle.

Les «cœurs sur la main» n'ont pas d'histoire; mais je con- 8
nais celle des cœurs enfouis et tout mêlés à un corps de boue. F. MAURIAC, Thérèse Desqueyroux, p. 8.

Certain livre, qui a fait son temps, et qui a fait, en son 8.1
temps, tout le bien et tout le mal qu'il pouvait faire (on l'a tenu longtemps pour parole sacrée) prétend que l'homme a été fait de la boue. Mais c'est une évidente imposture, dommageable à la boue comme à l'homme.
Francis PONGE, Pièces, «Ode inachevée à la boue», p. 63.

♦ **2** Spécialt (dans quelques loc.). Littér. État misérable, extrême pauvreté. → **Misère.** *Tirer qqn de la boue.* → **Fange, ruisseau.**

♦ **3** Bassesse* (de l'âme). → **Abjection, ordure.** *Une âme* (cit. 72) *de boue. Se vautrer dans la boue* (→ Bauge, cit. 3).

La Feuillade (...) un cœur corrompu à fond, une âme de 9
boue (...) SAINT-SIMON, Mémoires, III, 196.

Aujourd'hui, ce qui salit le poète et le philosophe, ce n'est 10
pas la pauvreté, c'est la vénalité, ce n'est pas la crotte, c'est la boue.
HUGO, Littérature et Philosophie mêlées, p. 31.

♦ **4** Loc. métaphorique. Cour. *Couvrir qqn de boue; traîner qqn dans la boue,* l'accabler de propos infamants. → **Calomnier.** «*Couverts de boue, assiégés, les Trade Unions jettent maintenant tout leur poids dans la bataille électorale*» (*le Nouvel Obs.,* avr. 1979).

11 On avait commencé à la traîner dans la boue.
FÉNELON, Télémaque, VIII.

11.1 En somme, tous ceux que vous avez abîmés sont devenus vos meilleurs amis, et c'est une honte que des littérateurs que vous avez traînés dans la boue vous tendent ensuite la main, comme s'ils voulaient s'essuyer.
J. RENARD, Journal, 17 nov. 1896.

12 On n'est jamais si seul dans la vie, que la boue que certains nous jettent n'éclabousse à la fois quelques autres qui nous sont chers. GIDE, Corydon, p. 23.

DÉR. **Boueur, boueux.** V. **Bouillasse.** ◇ COMP. **Ébouer, embouer, garde-boue, pare-boue.** → HOM. **Bout**; formes du v. **bouillir.**

**BOUÉE** [bwe] n. f. — 1394; p.-ê. du moy. néerl. *boeye* (cf. francique **baukan* «signe»), rac. germanique **bauk-* «signal».

♦ **1** Corps flottant qui signale l'emplacement d'un mouillage, d'un écueil, d'un obstacle ou qui délimite une passe, un chenal. → **Balise, flotteur.** *Bouée sonore, à cloche, à sifflet. Bouée lumineuse.* → **Photophore.** *Bouée à voyant*. Bouée de corps mort*. Bouée de brume :* flotteur filé par un bateau pour servir de repère au bateau suivant. *Bouée correspondance,* contenant un tube étanche. *S'amarrer à une bouée. Bouée d'amarre*, d'orin*. Bouée soutenant un câble.* → **Flotte.**

Par métaphore. → ci-dessous cit. 1.

1 Je venais d'écrire à Gilberte une lettre où je laissais tonner ma fureur, non sans pourtant jeter la bouée de quelques mots placés comme au hasard, et où mon amie pourrait accrocher une réconciliation.
PROUST, À la recherche du temps perdu, t. III, p. 197.

2 Elle atteignit la porte de son appartement, comme un nageur épuisé atteint la bouée (...)
MONTHERLANT, les Jeunes Filles, p. 235.

3 Mais pour en finir avec ces images, je voyais également les lumières des bouées, il semblait y en avoir partout, des rouges et des vertes, même à mon étonnement des jaunes. S. BECKETT, Nouvelles, p. 110-111.

♦ **2** Équipement insubmersible permettant de se maintenir à la surface de l'eau. *Baigneur muni d'une bouée. Gonfler une bouée. Bouée d'enfant en forme de canard. — Bouée-culotte,* servant au sauvetage du personnel de navires échoués. — Plus cour. *Bouée de sauvetage* (absolt, *bouée*) : plateau ou anneau d'une matière insubmersible; bouée spéciale pendue à l'arrière d'un navire. *Lancer une bouée à la mer; à qqn.*

♦ **3** Fig. *Bouée de sauvetage, bouée :* secours de dernière minute. → Planche* de salut.

4 Dans cette attente à vau-l'eau, dans cette universelle débâcle, la voici ma bouée de sauvetage, ma dernière certitude. Régis DEBRAY, l'Indésirable, p. 301.

(1878, *in* D. D. L.). Loc. (vx). *Bouée de salut :* bouée de sauvetage. *Jeter une bouée de salut à qqn.*

♦ **4** Techn. *Bouée-laboratoire :* submersible habitable, équipé d'appareils et d'instruments de mesure, utilisé pour la recherche océanographique. «*Les navires océanographiques et les bouées-laboratoires*» (*France-Soir,* 14 févr. 1966).

**BOUETTE** [bwɛt] n. f. → **Boëtte.**

**BOUEUR** [bwœʀ; buœʀ] ou **BOUEUX** [bwø; buø] n. m. — 1563, *boueur; boueux,* 1808; de *boue.*

Employé chargé d'enlever les ordures ménagères et les boues des voies publiques. → **Éboueur.** — REM. La forme *boueux,* d'origine dialectale (*-eux* pour *-eur*) est souvent considérée comme moins «correcte»; d'autre part, l'homonymie avec *boueux* (adj.) fait que *éboueur,* mieux formé, est souvent préféré.

(...) une armée de balayeurs s'avançait sur une ligne à coups réguliers de balai; tandis que des boueux jetaient les ordures à la fourche dans des tombereaux (...) 1
ZOLA, le Ventre de Paris, t. I, p. 54 (1875).

Revoir madame Calvet, écrémant les ordures, avant le passage des boueurs. Madame Calvet. Elle doit y être encore. Avec son chien et son landau squelettique. 2
S. BECKETT, Textes pour rien, p. 124.

HOM. (De *boueux*) **Boueux** (adj.).

**BOUEUX, EUSE** [bwø, øz; buø, øz] adj. — 1176; de *boue.*

♦ **1** Couvert, rempli ou mêlé de boue* (au sens I, 1 ou 2). → **Bourbeux, fangeux.** *Chemin boueux; route boueuse. Les flots boueux du Gange. Patauger dans une neige boueuse.*

Ce funeste lac dont les eaux nous sont représentées si noires et si boueuses (...) 1
GUEZ DE BALZAC, le Prince, Avant-propos, *in* LITTRÉ.

Quant au Chéliff (...) Il s'est creusé dans la marne molle un lit boueux qui ressemble à une tranchée (...) 2
E. FROMENTIN, Un été dans le Sahara, I, 40.

*Source boueuse :* source dont l'eau contient des boues minérales.

♦ **2** Couvert de boue (personnes; choses). *Des chaussures boueuses. Il était boueux, trempé.* → **Crotté.**

♦ **3** [a] Qui a la consistance, l'aspect de la boue. *Couleur boueuse :* brun jaunâtre.

[b] (1762). Typogr. *Impression boueuse,* dont l'encre bave. *Estampe boueuse.* — Dont les couleurs sont confuses, brunes. *Un tableau boueux.*

♦ **4** Qui contient un dépôt. *Encrier boueux. Café, vin boueux.*

♦ **5** (Abstrait). Par métaphore ou fig. Grossier, sale. *Un flot boueux d'injures, d'ordures.* «*Le romantisme boueux de Zola*» (R. Rolland, *in* T. L. F.).

HOM. **Boueux,** n. m. (V. **Boueur**).

**BOUFFABLE** [bufabl] adj. — 1915; de 2. *bouffer.*

Fam. Mangeable (surtout en emploi négatif). *C'est pas bouffable, ce truc!*

**BOUFFAGE** [bufaʒ] n. m. — 1891, → cit.; de 2. *bouffer.*

Fam. *Bouffage de nez :* action de se «bouffer le nez», de se disputer. → **Dispute, querelle.**

Tandis qu'avec les autres, c'est tout l'temps des beignes, des bouffages de nez, des gosses, et pas d'considération!
GYP, *in* le Charivari, 8 sept. 1891.

**BOUFFANT, ANTE** [bufɑ̃, ɑ̃t] adj. et n. m. et f. — XVe; du p. prés. de 1. *bouffer.*

[I] Adj. ♦ **1** Qui bouffe. → **Froncé, gonflé.** *Un pantalon arabe bouffant. Des plis bouffants.* → **Bouillon** (jupe à bouillons). *Manches bouffantes.* → **Ballon** (→ Pourpoint, cit. 2). *Avoir des cheveux bouffants.*

Ces deux têtes charmantes, renfermées sous ce jupon bouffant, me rappelèrent les enfants de Léda (...) 1
BERNARDIN DE SAINT-PIERRE, Paul et Virginie.

La jeune femme porte une robe du soir en mousseline blanche, à longue jupe très bouffante et au corsage largement décolleté (...) 2
A. ROBBE-GRILLET, la Maison de rendez-vous, p. 30.

*Papier bouffant :* papier non calandré, d'aspect grenu (→ ci-dessous, II., n. m.).

♦ **2** Vx ou régional. Bouffi. *Un visage* «*bouffant de colère*» (Daudet).

[II] ♦ **1** N. m. (1836, Landais). *Le bouffant d'une manche, d'une robe. Se coiffer avec un bouffant sur le front,* en faisant bouffer les cheveux sur le front. *Donner du bouffant à ses cheveux,* du volume.

Papier bouffant. *Du bouffant. Livre imprimé sur bouffant.*

♦ **2** N. f. Vx. Petit panier* qui servait à faire bouffer les jupes.

Vx. Guimpe gaufrée qui se portait comme un fichu.

CONTR. **Aplati, collant, étriqué, plat.**

**BOUFFARDE** [bufaʀd] n. f. — 1821, Ansiaume; du rad. de *bouffée*.

Grosse pipe à tuyau court. → **Brûle-gueule.** — Par ext. Pipe. *Un fumeur de bouffarde. Tirer sur sa bouffarde.*

1 (*Il* [le Scaramouche] *recule en recevant une bouffée de fumée dans la figure.*)
FLAMBEAU, *s'excusant et montrant sa pipe.* Ma bouffarde. *(On rit.)*
Edmond ROSTAND, l'Aiglon, IV, 11.

2 Des Cigales éloigna de quelques millimètres sa bouffarde de la bouche et après avoir lâché un jet de fumée (...)
R. QUENEAU, Loin de Rueil, p. 16.

DÉR. **Bouffarder.**

**BOUFFARDER** [bufaʀde] v. intr. — 1821, Ansiaume; de *bouffarde*.

Fam. et vx. Fumer la pipe. — REM. Le dérivé *bouffard* [bufaʀ] n. m. «fumeur de pipe», est attesté en 1866.

1. **BOUFFE** [buf] adj. et n. m. — 1791, adj., *scène-buffe;* 1807 *opéra-bouffe;* de l'ital. *buffo* «plaisant» (d'où *opera buffa*), de *buffone*. → Bouffon.

♦ **1** Adj. Qui appartient au genre lyrique léger. *Un opéra* bouffe. Les opéras bouffes d'Offenbach.* → **Opérette.** — Vieilli. *Une pièce, une scène, un rôle de la musique bouffe.* — Par ext. *Un acteur, un chanteur bouffe.* → **Bouffon, burlesque, comique.**

1 À l'air qui jase d'un ton bouffeUn regret, ramier qu'on étouffe,
Et secoue au vent ses grelotsPar instants mêle ses sanglots.
Th. GAUTIER, Émaux et Camées, «Clair de lune sentimental».

1.1 La gaieté même que la musique bouffe sait si bien exciter n'est point une gaieté vulgaire qui ne dit rien à l'imagination (...) E. DELACROIX, Journal 1823-1850, t. I, p. 8.

2 Le burlesque était tantôt un jeu de l'imagination bouffe, tantôt un goût de reproduire avec exactitude les choses triviales. Émile FAGUET, XVII^e s., p. 273.

3 (...) la centième du *Roi Mignon,* opérette bouffe, en trois actes, à laquelle il avait collaboré anonymement.
COURTELINE, Messieurs les ronds-de-cuir, III, 3.

♦ **2** (1804). N. m. Acteur et chanteur comique, dans un opéra. — Par ext. *Les Bouffes :* à l'origine, théâtre italien. *Les Bouffes parisiens.*

CONTR. **Sérieux.**

2. **BOUFFE** [buf] n. f. — Av. 1926; *bouffe* 1611 «gonflement des joues», fin XVII^e, M^me de Sévigné «orgueil, morgue» vient de l'anc. sens de 1. *bouffer;* déverbal de 2. *bouffer.*

♦ **1** Fam. Le fait de bouffer, de manger. — *La bouffe. Il ne pense qu'à la bouffe.* → **Bâfre** (vieilli). *C'est l'heure de la bouffe. La baise et la bouffe. «Une parole tonitruante sur les deux mamelles du bonheur dans notre société, le coït et la bouffe»* (*le Nouvel Obs.* 6 août 1973). *Une, des bouffes. Organiser une grande bouffe.* → **Repas; festin; boustifaille, gueuleton, ripaille.** *La Grande Bouffe,* film de Marco Ferreri. *À la bouffe! :* venez manger!

1 En attendant la bouffe, on ne dit rien. Le type fume paisiblement.
R. QUENEAU, Zazie dans le métro, Folio, p. 50 (1959).

♦ **2** Fam. Aliment qu'on sert aux repas. *Préparer la bouffe.* → **Repas;** et aussi 2. **bouffer** (5., subst.). *Il aime la bonne bouffe.* → **Cuisine; bouffetance.**

(...) vous serez malades à crever, avec vos estomacs rétrécis de mendigots qui peuvent plus supporter la bouffe des honnêtes gens. 2
R. QUENEAU, le Dimanche de la vie, p. 178.

Aliments. → **Nourriture; becquetance, bouffetance, boustifaille, briffe.** *Acheter la bouffe. Il reste de la bouffe?*

Donne-moi ça! dit Vincent en s'emparant du grand sac de marin qu'Henri hâlait derrière lui : C'est un cadavre? 3
— Cinquante kilos de bouffe! dit Henri. Nadine ravitaille sa famille (...)
S. DE BEAUVOIR, les Mandarins, p. 96.

**BOUFFÉ, ÉE** [bufe] adj. → 1. **Bouffer** (A, 1. REM. et cit. 1).

**BOUFFÉE** [bufe] n. f. — Mil. XIII^e, au sens 2.; 1174, *buffee* «bourrasque», fig.; de 1. *bouffer.*

♦ **1** (1704). Souffle qui sort par intermittence de la bouche. → **Haleine; exhalaison, halenée** (vx). *Des bouffées de vin, d'ail. Bouffées de tabac. Souffler une bouffée de fumée au nez de quelqu'un.* → **Camouflet.** — Absolt. Bouffée de fumée. *Tirer des bouffées de sa pipe* (→ **Bouffarde).**

Il m'envoyait des bouffées de tabac à m'étouffer. 1
Antoine HAMILTON, Mémoires du comte de Gramont, 3.

Et quand un ami venait la voir, elle parlait sans cesse de l'amour, de l'Opéra-Comique, de la Hollande et du chant, doucement, à intervalles réguliers, comme on exhale par bouffées la fumée de la cigarette qui sans cela nous étoufferait. PROUST, Jean Santeuil, Pl., p. 780. 1.1

Tout Orgueil fume-t-il du soir,Sans que l'immortelle bouffée 1.2
Torche dans un branle étoufféeNe puisse à l'abandon surseoir!
MALLARMÉ, Autres poèmes et sonnets, I, Pl., p. 73.

♦ **2** (Mil. XIII^e). Souffle d'air, vapeur, courant qui arrive par intermittence. → **Émanation.** *Une bouffée d'air, de froid, de parfum.* Mar. *Bouffée de vent :* souffle de vent.

D'abord, ce ne furent que des souffles passagers *(de sirocco),* tantôt chauds, tantôt presque frais (...) Peu à peu, il y eut moins d'intervalle entre les bouffées (...) 2
E. FROMENTIN, Un été dans le Sahara, I, p. 85.

Des bouffées de vent chaud leur soufflaient au visage l'haleine des jardins qu'ils longeaient, un fumet de terreau mouillé, une odeur sourde de fleurs au soleil (...) 3
MARTIN DU GARD, les Thibault, t. II, p. 215.

*Par bouffées :* de manière intermittente. *Le vent souffle par bouffées.*

*Bouffée de chaleur :* sensation brusque de chaleur à la face.

♦ **3** (1696). Fig. *Bouffée de... :* manifestation, mouvement subit, passager. → **Accès, crise, explosion, poussée.** *Des bouffées d'orgueil, de dévotion. Bouffée de colère, de gaieté. Une bouffée de fièvre. Par bouffées :* de manière intermittente (→ ci-dessous cit. 4 et 7). → **Intervalle** (par intervalles).

Qui sait même (...) si les plus douces satisfactions de l'homme mûr peuvent être autre chose que des sentiments d'enfance revivifiés, brise parfumée que nous envoie par bouffées de plus en plus rares un passé de plus en plus lointain? H. BERGSON, le Rire, II, 1. 4

(...) leur passé remonte à leur mémoire *(les maréchaux du sacre de Napoléon)* au milieu de bouffées d'orgueil — après tout légitime. 5
Louis MADELIN, Hist. du Consulat et de l'Empire, t. V, XV, p. 204.

Ses oreilles allumées par une dernière bouffée de colère (...) 6
G. DUHAMEL, Chronique des Pasquier, II, I.

7 La poésie de cette nuit me saisit douloureusement parce que je ne l'éprouve que par brèves bouffées.
Claude MAURIAC, le Temps immobile, p. 124.

Psychiatrie. *Bouffée délirante :* état psychopathique aigu ou subaigu d'apparition brusque, de cycle évolutif court, se résolvant favorablement mais susceptible de récidives, et présentant comme symptôme dominant un délire plus ou moins bien systématisé. *Bouffée délirante déterminée par une intoxication, un état infectieux. Bouffée (délirante) réactionnelle*.*

♦ **4** Techn. (phys. nucl.). *Bouffée de neutrons.* → **Salve** (de neutrons).

HOM. 1. et 2. **Bouffer.** ◊ DÉR. **Bouffarde.**

1. **BOUFFER** [bufe] v. — 1160; d'une rac. onomatopéique **buff-* (cf. ital. *buffare ;* → Bouffon) désignant ce qui est gonflé (→ Bouffir).

**A** V. intr. ♦ **1** Vx. Gonfler* ses joues (en signe de mécontentement). Par ext. Manifester de la colère. *Bouffer contre qqn.* — REM. On trouve aussi dans l'anc. langue un emploi passif et un participe passé *bouffé,* signifiant «bouffi» (de colère, d'orgueil). → 1. **Bouffi.**

1 Mme de Soubise avait l'air tout bouffé (...)
SAINT-SIMON, Mémoires, VII, 102.

Vx. Gonfler (II.).

2 Nicole, à qui le gosier bouffe
Dit : *Varse* (verse) *à boire, car j'étouffe...*
VADÉ, la Pipe cassée, IV, 1 t. III.

Régional et vx (du vent). Souffler avec force.

♦ **2** Mod. Se maintenir gonflé (en parlant d'une matière légère, non rigide). *Une jupe, des cheveux qui bouffent.*

3 Il *(le duc de Bourgogne)* avait des cheveux châtains si crépus et en telle quantité qu'ils bouffaient à l'excès (...)
SAINT-SIMON, Mémoires, 822, 211, *in* LITTRÉ.

4 Leurs longues jupes, bouffant autour d'elles, semblaient des flots d'où leur taille émergeait (...)
FLAUBERT, l'Éducation sentimentale, II, 2.

5 Admirez. Cette merveille ! Et, s'il vous plaît — tout laine — ce grain, cette qualité ! (Il fit adroitement bouffer et bouillonner l'étoffe entre ses doigts). Hein ?
Francis CARCO, les Belles Manières, p. 69.

Techn. (boulang.). *La pâte bouffe,* elle gonfle (au four).

Maçonn. *Le plâtre bouffe. Le mur bouffe.* → **Bomber.**

♦ **3** Mar. Fam. et vx. Souffler*, en parlant du vent. → **Venter.** *Ça bouffe dur.*

**B** V. tr. Techn. (boucherie). Souffler la peau d'une bête tuée avant d'écorcher. *Bouffer un veau* (→ **Bouffoir**).

CONTR. **Creuser** (les joues). — **Aplatir** (s'), **coller, tomber.** ◊ DÉR. **Bouffant, bouffée,** 2. **bouffer, bouffette, bouffoir.** — HOM. **Bouffée,** 2. **bouffer.**

2. **BOUFFER** [bufe] v. tr. — Mil. XIXe; 1535, Marot, «gonfler ses joues par excès d'aliments»; de 1. *bouffer* par le moy. franç. *bouffard* «gros mangeur» et *bouffeur,* même sens.

Familier.

♦ **1** Manger gloutonnement. → **Bâfrer, boustifailler, empiffrer** (s'). *Il a bouffé un kilo de viande en dix minutes.* — Plus souvent, en emploi absolu : *Il ne mange pas, il bouffe. Il bouffe comme un ogre.*

1 Le langage populaire confond *bouffer* avec *bâfrer :* il bouffe bien, sans doute à cause de la rondeur des joues, quand la bouche est remplie. Mais ce n'en est pas moins une locution rejetée par le bon usage.
LITTRÉ, Dict., art. *Bouffer.*

♦ **2** Manger. → **Becqueter, béquiller** (argot), **boulotter, briffer.** *On va bouffer un petit steak frites. J'ai jamais bouffé de caviar. Il a tout bouffé. Il n'y a (y a) plus rien à bouffer. — Bouffer au restaurant, à la cantine. Viens bouffer chez moi. Je t'invite à bouffer.* → **Déjeuner, dîner.**

2 — Tas bouffé ? s'informa-t-elle (...) — Non, dit-il doucement. J'ai pas d'pèze (...)
Francis CARCO, Jésus-la-Caille, III, 4, p. 175.

3 Avec ça que je n'ai pas pris seulement le temps de bouffer.
BERNANOS, Un mauvais rêve, *in* Œ. roman., Pl., p. 947.

4 (...) c'est toujours ceux qui travaillent le plus qui bouffent le moins et tout le monde continue à trouver ça très bien.
S. DE BEAUVOIR, les Mandarins, p. 19.

Loc. *Bouffer des briques* :* avoir très peu à manger; n'avoir rien à manger. — *Bouffer les pissenlits* par la racine :* être mort. — *Bouffer de la vache* enragée. — Bouffer de la tête de cochon :* recevoir un coup dans l'estomac. — *Il a bouffé du lion*.*

(Au passif). *Être bouffé aux vers, aux mites,* rongé par les insectes (vêtements, etc.) et fig., usé, vieux. — (Sans compl. ; choses). Très usé. → **Foutu, pourri.**

5 *Roland abandonne son ouvrage et se lève pour examiner le robinet :*
— Le joint est complètement bouffé... Ça peut nous lâcher à n'importe quel moment (...)
J. BECKER et J. GIOVANNI, le Trou (scénario) 1960, *in* l'Avant-Scène, no 13, p. 31, 1962.

Loc. métaph. *Bouffer du fric, du pognon :* dépenser sans compter. *Il bouffe tout son salaire dans l'entretien de sa voiture.* → **Claquer.** — *Bouffer du curé, du juif :* être très hostile au clergé, aux israélites. *Avoir envie de bouffer qqn,* être furieux contre lui. *Je l'aurais bouffé ! — Bouffer le nez, le blair, les foies à qqn,* le battre.

Pron. (récipr.). *Se bouffer le nez :* se disputer, se battre*.

6 Si on veut se bouffer le nez, c'est jamais les raisons qui manquent, mais si on a plaisir à faire plaisir, on s'aperçoit qu'il y a des braves gens partout.
Pierre HAMP, la Peine des hommes (Moteurs), p. 59.

*Vouloir tout bouffer :* être d'une ambition extrême; avoir des désirs immodérés.

♦ **3** Fig. (Compl. n. de personne). Absorber totalement; accaparer. → **Boulotter, dévorer.** *Son travail le bouffe complètement. Se laisser bouffer par l'argent, l'alcool, le jeu, la politique. Il se laisse bouffer par ses enfants. — Le petit commerce ne se laissera pas bouffer par les grandes surfaces.* — (Compl. n. de chose). *Ses livres bouffent toute la place dans son appartement. (Une annonce) «bouffait la moitié de la page»* (P. Mertens, *Nécrologies,* p. 39). *Ce travail bouffe tout son temps.*

♦ **4** Fam. Consommer (machine). *Une voiture qui bouffe dix litres aux cent* (kilomètres). *La machine bouffe trop d'huile.*

*Bouffer du kilomètre, des kilomètres :* rouler beaucoup en voiture.

7 Tout à l'heure pensait-il, on causera d'homme à homme, mais avant ça, t'auras bouffé du kilomètre. Je m'appelle plus mon nom si je te tiens pas dans les brancards jusqu'à la fin.
M. AYMÉ, le Vin de Paris, «Traversée de Paris», p. 44.

♦ **5** Subst. Rare. *Le bouffer :* la bouffe*.

8 La femme avait préparé le bouffer (...) L'enfant somnolait sous la lampe attendant le bouffer.
R. QUENEAU, le Chiendent, p. 10 (1932).

CONTR. **Jeûner. — Accorder** (s'), **entendre** (s'). ◊ DÉR. **Bouffable, bouffage,** 2. **bouffe, bouffetance, bouffeur.** — HOM. **Bouffée,** 1. **bouffer.**

**BOUFFETANCE** [buftɑ̃s] n. f. — V. 1930, *in* Cellard et Rey; de 2. *bouffer,* suff. *ance,* sous l'infl. de *bectance.*

Fam. Nourriture. → 2. **Bouffe.** *Préparer la bouffetance.*

REM. *Bouffetance* a les mêmes emplois que *becquetance,* mais non tous ceux de *bouffe,* plus courant depuis 1960 environ.

L'animal affamé, ça soulève les consciences les mieux accrochées. Ça donne à parler et à réfléchir. C'est drôle ! C'est à qui se débrouillera le plus diligemment pour rapporter la bouffetance à la bête chavirante.
Louis CALAFERTE, Partage des vivants, p. 184.

**BOUFFETTE** [bufɛt] n. f. — 1409; de 1. *bouffer.*

Anciennt. Petit nœud bouffant de ruban, employé comme ornement dans l'habillement, les tentures, le harnachement des chevaux, etc. → **Nœud; chou, coque.**

1 Sa coiffe de nuit ornée de deux grosses bouffettes de rubans (...) ROUSSEAU, les Confessions, IV.

Par anal. Houpette.

2 Le chien avait le droit d'être surpris, puisqu'il ne savait pas l'histoire naturelle. Mais, par leurs aboiements, ces renards, gris roussâtres de pelage, à queues noires que terminait une bouffette blanche, avaient décelé leur origine. J. VERNE, l'Île mystérieuse, t. I, p. 271 (1874).

**BOUFFEUR, EUSE** [bufœʀ, øz] n. — Avant 1550, rare jusqu'au XIXe; de 2. *bouffer.*

♦ **1** Fam. et rare. Personne qui bouffe. → **Mangeur; bâfreur, glouton, goinfre.** *C'est un bouffeur de pain,* un gros mangeur de pain.

♦ **2** *Bouffeur de curé(s) :* anticlérical. — Argot. *Bouffeur de macchabées :* employé des pompes funèbres. → **Croque-mort.**

♦ **3** (1934). Rare. *Un bouffeur de kilomètres :* une personne qui roule beaucoup en voiture.

1. **BOUFFI, IE** [bufi] adj. — Après 1150, *boffi,* var. de *bouffé* (vx); de *bouffir.* → 1. Bouffer.

♦ **1** Gonflé, enflé de manière disgracieuse. → **Boudiné, boursouflé, gonflé, gras, gros, joufflu, mafflu, soufflé, vultueux** (littér.). *Chair bouffie. Visage bouffi. Des yeux bouffis,* dont les paupières sont bouffies. — (Personnes). *Je le trouve un peu bouffi en ce moment. Être bouffi de graisse.*

1 M. Thibaut secoua les épaules, et tourna vers l'abbé son visage bouffi, dont les lourdes paupières ne se soulevaient presque jamais (...)
MARTIN DU GARD, les Thibault, t. I, p. 12.

♦ **2** (1572, Ronsard). Fig. *Bouffi de (qqch.).* → **Gonflé, plein, rempli.** *Bouffi de vanité, de suffisance. Bouffi de rage, de colère.*

2 Je ne suis qu'un néant bouffi de vanité.
CORNEILLE, l'Imitation de J.-C., III, 4109.

3 La noblesse, qui menait le roi *(Charles VI),* revenait bouffie de sa victoire de Roosebeke.
MICHELET, Extraits historiques, p. 120.

♦ **3** Art., littér. Se dit d'un style redondant. → **Ampoulé; emphatique, grandiloquent; creux, vide.** *Style bouffi.*

4 (...) style à la fois plat et bouffi, lourd et traînant en longues queues de phrases interminables (...)
HUGO, Littérature et Philosophie mêlées, p. 112.

♦ **4** N. *Un gros bouffi.* — Loc. fig. (En appellatif). *Tu l'as dit, bouffi ! :* tu as raison. — Au fém. T. d'affection. Régional. *Ma petite bouffie.*

CONTR. **Creux, maigre. — Simple.**

2. **BOUFFI** [bufi] n. m. — XIXe; de *hareng bouffi* (1549), «gonflé par la saumure», de *bouffir.*

Cour. Hareng saur légèrement fumé (on dit aussi *hareng bouffi*).

**BOUFFIR** [bufiʀ] v. — V. 1265, var. de 1. *bouffer.*

♦ **1** V. tr. Produire l'enflure morbide, disgracieuse de... → **Boursoufler, enfler, gonfler.** *L'hydropisie lui a bouffi le ventre.*

(XVIe). Pêche. Faire gonfler et fumer (des harengs salés) à la chaleur (→ 2. **Bouffi, bouffissage).**

♦ **2** V. intr. Prendre du volume; présenter des bouffissures. *Son visage, son corps bouffit de plus en plus.*

◆ **SE BOUFFIR** v. pron. Devenir bouffi. Fig. Devenir suffisant, gonfler d'orgueil.

CONTR. **Amaigrir, creuser, dégonfler, désenfler, émacier, maigrir.** ◊ DÉR. 1. et 2. **Bouffi, bouffissage, bouffisseur, bouffissure.**

**BOUFFISSAGE** [bufisaʒ] n. m. — 1873; de *bouffir.*

Techn. et régional. Préparation des harengs dits bouffis.

**BOUFFISSEUR** [bufisœʀ] n. m. — 1877; de *bouffir.*

Techn. et régional. Ouvrier conserveur qui prépare les harengs bouffis. — REM. Le fém. *bouffisseuse* [bufisøz] est virtuel.

**BOUFFISSURE** [bufisyʀ] n. f. — 1582; de *bouffir.*

♦ **1** Enflure morbide ou disgracieuse des chairs. → **Boursouflure, cloque, empâtement, gonflement.** *La bouffissure d'un visage. Des bouffissures sous les yeux.* → **Poche.** — Spécialt (méd.). Intumescence* produite par des infiltrations séreuses dans le tissu cellulaire.

(...) comme il commençait d'engraisser, ses yeux, déjà petits, semblaient remonter vers les tempes par la bouffissure de ses pommettes. 1
FLAUBERT, Mme Bovary, I, IX.

Elle n'était pas laide, elle aurait même été assez jolie sans la bouffissure de ses yeux gris brillants de larmes, et la torsion de ses lèvres encore gonflées de sanglots. 1.1
A. BILLY, Sur les bords de la Veule, p. 214.

♦ **2** (1690, Furetière). Fig. Caractère de ce qui est bouffi. *La bouffissure du style.* → **Boursouflure, emphase, grandiloquence.**

Vx. Vanité extrême.

La bouffissure *(du cardinal de Bouillon)* est si générale, qu'il se loue d'avoir exercé cette charge très fidèlement (...) 2
SAINT-SIMON, Mémoires, 279, 29, *in* LITTRÉ.

*Une, des bouffissures :* effet de style pompeux et creux.

Je préfère à ces vaines bouffissures le simple squelette de la pensée (...) 3
BERNARDIN DE SAINT-PIERRE, Mort de Socrate, *in* LITTRÉ.

CONTR. **Amaigrissement, creusement, décharnement. — Pauvreté, simplicité.**

**BOUFFOIR** [bufwaʀ] n. m. — 1701, Furetière; de 1. *bouffer.*

Techn. Instrument avec lequel le boucher bouffe (→ 1. **Bouffer,** B.) une bête.

**BOUFFON, ONNE** [bufɔ̃, ɔn] n. et adj. — 1530, *buffon;* adj. 1680; ital. *buffone,* de *buffa* «plaisanterie» (→ 1. Bouffe), du rad. onomatopéique *buff-* «gonflement des joues». → 1. Bouffer.

**I** Anciennt. ♦ **1** Vieilli ou littér. Personnage de théâtre dont le rôle est de faire rire. → **Comique; arlequin, baladin, bateleur, bobèche** (vx), 1. **bouffe, clown, gracioso, histrion, matassin, paillasse, pasquin, pitre, plaisantin, queue-rouge, trivelin, zanni.** — REM. Plusieurs de ces mots sont archaïques. *Les plaisanteries**, *les boniments, les lazzi d'un bouffon.* → **Bouffonnerie.**

1 Voilà un bel honneur pour un empereur romain que de monter sur le théâtre comme un bouffon (...)
FÉNELON, Dialogues des morts anciens, 46.

2 Bobèche, adieu! bonsoir, Paillasse! arrière, Gille!
Place, bouffons vieillis, au parfait plaisantin (...)
(...) le clown agile
Plus souple qu'Arlequin (...)
VERLAINE, Jadis et Naguère, «Le clown».

Adj. *Un personnage, un rôle bouffon.*

3 On n'avait jamais vu jusque-là que la comédie fît rire sans personnages ridicules, tels que les valets bouffons, les parasites, les capitans, les docteurs, etc.
CORNEILLE, Examen de Mélite.

Spécialt, vx. *L'opéra-bouffon.* → **Bouffe.**

4 Ils voulurent enfin tout voir et tout connaître,
Les boulevards, la foire et l'opéra-bouffon (...)
VOLTAIRE, les Trois Empereurs.

♦ **2** Cour. Personnage qui était chargé de divertir un grand par ses plaisanteries. → **Fou.** *Les impertinences d'un bouffon. La marotte*, le bonnet, le capuchon, les grelots d'un bouffon. Triboulet, Chicot, l'Angély furent des bouffons célèbres. Bouffon de cour. Le bouffon du roi.*

5 Quel métier délicieux que celui de bouffon (...) J'arrive, et me voilà reçu, choyé, enregistré, et ce qu'il y a de mieux encore, oublié. Je vais et viens dans ce palais comme si je l'avais habité toute ma vie (...) je puis faire toutes les balivernes possibles sans qu'on me dise rien pour m'en empêcher; je suis un des animaux domestiques du roi de Bavière, et si je veux, tant que je garderai ma bosse et ma perruque, on me laissera vivre jusqu'à ma mort entre un épagneul et une pintade.
A. DE MUSSET, Fantasio, II, 3.

6 (...) aie soin de prendre ta perruque et ton habit bariolé : ne parais jamais devant moi sans cette taille contrefaite et ces grelots d'argent, car c'est ainsi que tu m'as plu : tu redeviendras mon bouffon pour le temps qu'il te plaira de l'être (...) A. DE MUSSET, Fantasio, II, 7.

**II** Mod. ♦ **1** Littér. Celui qui amuse, fait rire par ses facéties*. → **Clown** (fig.), **fagotin** (vx), **farceur, loustic, plaisantin.**

7 (...) Rabelais, quand il est bon, est le premier des bons bouffons (...)
VOLTAIRE, Lettre à Mme du Deffand, 12 avr. 1760.

7.1 Mesdames et messieurs, l'éclairage est oblique. Si quelqu'un fait des gestes derrière moi qu'on m'avertisse. Je ne suis pas un bouffon.
Francis PONGE, le Parti-pris des choses, p. 25.

Péj. *Être le bouffon de qqn,* être pour lui un objet continuel de moquerie (cf. Tête de turc).

♦ **2** N. Fam. Personne niaise, ridicule, que l'on ne peut pas prendre au sérieux. — Terme très injurieux dans la langue des banlieues et des jeunes.

♦ **3** Cour. (mais style soutenu). Adj. Qui marque une fantaisie peu délicate. → **Burlesque, cocasse, drôle, folâtre, grotesque, scurrile** (vx). *Un esprit bouffon. Une saillie bouffonne.* → **Lazzi, pasquinade.** *Un comique bouffon. Sa prétention est assez, est tout-à-fait bouffonne.* Par ext. Qui prête au gros rire. → **Comique, ridicule.** *Une pièce bouffonne.* → **Bouffonnade, bouffonnerie.**

8 De toutes les choses sérieuses, le mariage étant la plus bouffonne (...)
BEAUMARCHAIS, le Mariage de Figaro, I, 9.

9 Déjà fort intéressé — comme je le suis toujours — par les comédies et les drames de l'humaine aventure, tour à tour si bouffonne et pathétique, je préférais une fructueuse rôderie dans les chambres civiles ou criminelles du tribunal, aux audiences plus austères de la Cour d'appel (...)
Georges LECOMTE, Ma traversée, p. 287.

N. m. Le genre bouffon. → **Grotesque.**

10 *(Il n'eût point)* Quitté, pour le bouffon, l'agréable et le fin (...) BOILEAU, l'Art poétique, 3.

(...) tout beau se compose du tragique et du bouffon, cette dernière partie manque dans ta lettre. 11
FLAUBERT, Lettre à E. Chevalier, 20 janv. 1840, *in* Correspondance, Pl., t. I, p. 59.

CONTR. **Tragique. — Censeur, pleurard, puritain, rabat-joie. — Austère, grave, sérieux. — Délicat, fin, raffiné.** ◇ DÉR. **Bouffonnade, bouffonnement, bouffonner, bouffonnerie.**

**BOUFFONNADE** [bufɔnad] n. f. — 1863, Gautier; de *bouffon,* d'après ital. *buffonata.*

Théâtre (vx). Pièce d'un comique grossier. → **Bouffonnerie, farce.**

**BOUFFONNANT, ANTE** [bufɔnɑ̃, ɑ̃t] adj. — XXe; p. prés. au XIXe; de *bouffonner.*

Littér. Qui semble bouffonner*, faire ou dire des plaisanteries.

(...) la voix pathétique et bouffonnante de Blum disant : «Mais qu'en sais-tu? Tu ne sais rien. Tu ne sais même pas si ce fusil était chargé. Tu ne sais même pas si ce coup de pistolet n'est pas parti par hasard (...)»
Claude SIMON, la Route des Flandres, p. 240 (1960).

**BOUFFONNEMENT** [bufɔnmɑ̃] adv. — 1837, Gautier *in* D. D. L.; de *bouffon* II.

Rare. D'un manière bouffonne. → **Grotesquement.**

Il tenait dans la main droite un gros gourdin de rabatteur. Il pressa le pas dès qu'il reconnut des uniformes et, quand il distingua les galons du commandant, il salua, respectueux, tentant bouffonnement de remettre de l'ordre dans sa tenue.
Armand LANOUX, le Commandant Watrin, p. 69-70.

**BOUFFONNER** [bufɔne] v. — 1549, Rabelais; de *bouffon* (cf. ital. *buffonare*).

♦ **1** V. intr. (Littér.). Faire ou dire des bouffonneries*. → **Plaisanter.**

Les cénacles d'hommes souverains ne demandent pas mieux que de bouffonner. Ils se vengent ainsi de leur sérieux. HUGO, l'Homme qui rit, II, VII, 3.

Par ext. Se montrer prétentieux, chercher à impressionner par ses propos, sa conduite. *Passer son temps à bouffonner. Bouffonner devant les filles. Bouffonner au volant de sa voiture.* → **Frimer** (familier).

♦ **2** V. tr. (Rare). Se moquer de (qqn), plaisanter. — Se moquer de (qqch.). *«L'étrange bouffon qui bouffonnait si bien la mort»* (Baudelaire, *Poèmes en prose,* Pl., p. 133).

DÉR. **Bouffonnant.**

**BOUFFONNERIE** [bufɔnʀi] n. f. — 1539 au sens 2.; de *bouffon.*

Littéraire ou style soutenu.

♦ **1** (1688, La Bruyère). Caractère de ce qui est bouffon. → **Cocasserie, drôlerie, grotesque** (n. m.). *La bouffonnerie d'une personne, d'un discours. Un clown d'une bouffonnerie irrésistible. — La bouffonnerie des premières farces de Molière, de la Commedia dell'arte.*

J'aime peu la comédie, qui tient toujours plus ou moins de la charge et de la bouffonnerie. 1
A. DE VIGNY, Journal d'un poète, p. 91.

♦ **2** (1539). *Une, des bouffonneries.* Action ou parole destinée à faire rire par des procédés bouffons. → **Farce, joyeuseté** (vx); **blague, rigolade** (fam.). *Faire, dire des bouffonneries. Une bouffonnerie plaisante, grossière, inepte.*

Spécialt. Œuvre d'un comique bouffon. → **Arlequinade, batelage (vx), comédie, farce.**

♦ **3** Action, chose ridicule (faite sans intention).

2 On l'aimait *(Flaubert)*... pour sa mélancolique vision des bouffonneries et ridicules de l'Humanité.
Georges LECOMTE, Ma traversée, III, p. 83.

CONTR. **Gravité, tragédie, tristesse.**

**BOUFRE** [bufʀ] interj. — 1756, *in* D. D. L.; altération dialectale et populaire de *bougre;* cf. Jarry, *Ubu Roi,* III, 1.

♦ **1** Vx. Juron atténué.

♦ **2** Mod. (XXe). Exclamation marquant l'étonnement admiratif devant quelque chose d'excessif. → **Diable!**

Boufre! Quel cynisme!
J. DUTOURD, les Horreurs de l'amour, p. 671.

REM. Jarry forge et emploie le mot *bouffresque,* n. f., comme terme d'injure (*Ubu roi,* III, 2).

**BOUGAINVILLÉE** [bugɛ̃vile] n. f. — 1806; du nom du navigateur *Bougainville.*

Plante dicotylédone *(Nyctaginacées),* arbrisseau sarmenteux grimpant à feuilles persistantes, à fleur entourée de trois bractées roses ou violettes. *Des massifs de bougainvillées.* — N. sc. : *bougainvillea* (→ Bractée, cit.). — Cette fleur.

(...) ces douces collines, où les bougainvilliers couvrent d'une chape violette les blancs crépis des hameaux.
DANIEL-ROPS, le Peuple de la Bible, II, II, p. 121.

REM. Pour désigner la plante (et non la fleur) on emploie aussi la var. *bougainvillier* [bugɛ̃vilje], n. m.

1. **BOUGE** [buʒ] n. m. — XVe; v. 1190, «coffre, sac»; lat. *bulga* «bourse de cuir», probablt d'orig. gauloise. — Guiraud préfère les dér. présumés de *bulla, *bullicus.*

Technique.

♦ **1** Partie renflée ou incurvée (d'un objet). → **Bombement, convexité, renflement.** *Le bouge d'un couvercle de caisse. Bouge d'un mur. Bouge d'un moyeu de roue. Bouge de bouclier, de futaille, de tonneau. Bouge d'une assiette,* séparant le fond du bord.

Mar. Convexité latérale des baux et des ponts (d'un navire). → **Tonture.** — Longueur de la flèche de l'arc que font les baux et les ponts.

♦ **2** *Bouge de ciseleur :* outil aminci et effilé. *Bouge d'orfèvre; marteau à bouges,* à pannes arrondies.

DÉR. 2. **Bouge, bougette.**

2. **BOUGE** [buʒ] n. m. — 1732; v. 1200 «pièce servant de débarras»; 1671 «petite chambre de valet»; de 1. *bouge.*

♦ **1** Littér. (ou style soutenu). Logement étroit, obscur, malpropre, misérable. → **Maison; galetas, réduit.** *Habiter un bouge. Un bouge sordide, puant.*

1 Je suis content de mon bouge, et les dieux
Dans mon taudis m'ont fait un sort tranquille (...)
VOLTAIRE, la Bastille.

2 Achmet déclare qu'il aime mieux périr de froid dehors que de dormir dans la malpropreté de ce bouge.
LOTI, Aziyadé, LXII, p. 171.

♦ **2** Cour. Café, cabaret mal famé, mal fréquenté. → **Boui-boui.** *Les bouges des grands ports.*

Par métaphore :

3 Dans l'affreux bouge de mes veines
coule un sang rouge de prostituée
un sang pareil au vin qu'aiment les travailleurs.
Michel LEIRIS, Haut mal, p. 65.

DÉR. **Bougerie.**

**BOUGÉ** [buʒe] n. m. — Mil. XXe; du p. p. de *bouger*.*

Photogr. Caractère d'une photographie manquant de netteté, à cause d'un mouvement du photographe au moment de la prise de vue, ou d'une trop grande vitesse de déplacement de l'objet. *Éviter le bougé.*

Par métaphore :

Elle *(la science)* exige que deux lignes perçues comme deux lignes réelles soient égales ou inégales (...) sans voir que le propre du perçu est d'admettre le «bougé», de se laisser modeler par son contexte.
MERLEAU-PONTY, la Phénoménologie de la perception, p. 18.

HOM. **Bougée, bouger.**

**BOUGEANT, ANTE** [buʒɑ̃, ɑ̃t] adj. — Attesté XIXe; de *bouger.*

Rare. Qui bouge. → **Remuant.**

L'espace entre ses bras de bougeante clarté,
Ivre et fervent et sanglotant, m'a emporté,
Et j'ai passé je ne sais où, très loin, là-bas,
Avec des cris captifs que délivraient mes pas.
VERHAEREN, les Heures d'après-midi, «Les forces tumultueuses».

**BOUGÉE** [buʒe] n. f. — XXe; de *bouger.*

Rare. Fait de bouger. → **Bougement.**

Il la suivit dans la boutique, laissant entrebâillée la porte dont la moindre bougée ébranlait presque grotesquement un carillon.
M. YOURCENAR, Archives du Nord, p. 365.

HOM. **Bougé, bouger.**

**BOUGEMENT** [buʒmɑ̃] n. m. — XVIe, attestation isolée; repris 1898, de *bouger.*

Littér., rare. Fait de bouger. → **Bougée.**

(...) le bougement bleu du vent dans les lins.
Francis JAMMES, De l'angelus de l'aube à l'angelus du soir, 1898, *in* D. D. L., II, 3.

**BOUGEOIR** [buʒwaʀ] n. m. — 1534; *boujoué,* 1514; de *bougie.*

Chandelier bas dont le pied élargi en plateau pour recevoir la cire, est muni d'un anneau. *Bougeoir d'argent, de cuivre, de bois. Disque à rebords d'un bougeoir.* → **Bobèche.**

Le roi lui donna un soir le bougeoir à son coucher. 1
SAINT-SIMON, Mémoires, 54, 149.

REM. Il s'agit de la charge de porter le bougeoir (ou la chemise) au coucher du roi, confiée à un courtisan.

Son anneau, plat, parfaitement circulaire, est situé à quel- 2
ques centimètres seulement de la base hexagonale du bougeoir, etc., dont le corps mouluré (gorges, tores, cavets, doucines, scoties, etc.) supporte (...)
A. ROBBE-GRILLET, Projet pour une révolution à New York, p. 12.

**BOUGEOTTE** [buʒɔt] n. f. — 1859; de *bouger.*

Fam. Manie de bouger; envie, habitude de se déplacer, de voyager. *Avoir la bougeotte.*

Bien sûr, tous les Américains ne sont pas du même type. 1
Beaucoup réagissent comme moi au monde d'aujourd'hui, à son vacarme, à sa stupide «*bougeotte*».
F. MAURIAC, le Nouveau Bloc-notes 1958-1960, p. 239.

Oh sans cette affreuse bougeotte que j'ai toujours eue j'au- 2
rais vécu ma vie enfermé dans une grande pièce vide à échos, avec une grande pendule ancienne, rien qu'à écouter et à somnoler.
S. BECKETT, Têtes-mortes, p. 27.

REM. Le v. *bougeotter* attesté chez Genevoix (*in* T. L. F.) semble rare.

**BOUGER** [buʒe] v. [CONJUG. : *je bouge, nous bougeons ; je bougeais ; je bougeai, nous bougeâmes ; que je bouge ; que je bougeasse* (inus.) ; *bougeant.*] — V. 1150, *bougier* «se remuer» ; du lat. pop. **bullicare,* de *bullire* «bouillonner». → Bouillir.

**I** V. intr. ♦ **1** Faire un léger mouvement. → **Agiter** (s'), **remuer.** *Le blessé, le malade ne bouge plus. Rester sans bouger. Vous avez bougé, la photo est ratée* (→ **Bougé**). *Ne bougeons plus ! L'enfant bouge dans le ventre de sa mère. Devant lui, personne n'ose bouger.* → **Branler** (vx), **broncher, ciller.** *Regarde le lézard, il a bougé !*

(En parlant des choses). Être animé d'un mouvement. *La table bouge quand on s'y appuie. Le vent fait bouger les branches. Tu as menti, je vois ton nez qui bouge. Faire bouger ses oreilles. Ma dent bouge.* → **Branler.** — Spécialt. *La terre a bougé,* tremblé.

(En parlant d'un bateau). *Ça bouge,* le bateau est secoué, la mer est dure.

1 C'est une bête égarée, dit-il, ou morte, car elle ne bouge pas. G. SAND, la Mare au diable, VI, p. 51.

2 Le bois du foyer bouge, comme si la chaleur y faisait remuer des bêtes endormies.
J. RENARD, Journal, 2 mars 1895.

3 Elle leva, sans bouger, sur son amant son beau regard d'or fondu et dit (...) FRANCE, Les dieux ont soif, p. 170.

4 L'homme ne disait mot, mais son regard ne bougeait pas.
H. BOSCO, l'Âne Culotte, p. 50.

4.1 «Et maintenant ne bougeons plus !...» Un bras reste à moitié levé, une bouche entrouverte, une tête penchée à la renverse (...)
A. ROBBE-GRILLET, Dans le labyrinthe, p. 110.

♦ **2** (Sujet n. de personne). Changer de place ; partir. → **Déplacer** (se), **mouvoir** (se), **partir, place** (ne pas rester, ne pas tenir en place), **venir** (aller et venir). *Bouger sans cesse.* → **Bougeotte** (avoir la). *Des gens qui bougent du matin au soir. Bouger quelque part, dans une pièce. Il y avait tellement de monde qu'on ne pouvait plus bouger dans le salon, qu'on ne pouvait plus y bouger. Que personne ne bouge !* — **BOUGER DE** : quitter (surtout en tournure négative). *Il ne bougeait pas du chevet de la malade. Il n'a pas bougé de Paris tout l'été. Ne pas bouger du café.*

5 La Goutte, d'autre part, va tout droit se loger
Chez un prélat qu'elle condamne
À jamais du lit ne bouger.
LA FONTAINE, Fables, III, 8.

6 (...) il finit par s'anonchalir, par s'acagnarder sur une chaise, par n'avoir plus qu'un désir : celui de ne pas rentrer dans la vie de la rue, de ne pas sortir de son refuge, de ne plus bouger. HUYSMANS, En route, p. 162.

(Animaux). *Le mulet refusait de bouger.* — (Véhicules). *Le train commença enfin à bouger.*

♦ **3** (Surtout dans les tournures négatives). Changer, évoluer, se transformer. *Depuis vingt ans que je le connais, il n'a pas bougé. Un tissu grand teint et irrétrécissable qui ne bouge pas. Les prix n'ont pas bougé. Le niveau des océans bouge à chaque glaciation. La société bouge très rapidement. Malgré l'évolution de la situation, ses positions ne bougent pas.* — Fam. *Ça ne bouge pas d'un poil.*

♦ **4** (Sujet n. de personne). Agir, passer à l'action. *Ne bouge surtout pas avant d'avoir vu ton avocat. J'ai peur qu'il ne bouge pas beaucoup pour vous.* → **Remuer** (se). *Les syndicats ont décidé de bouger.*

S'agiter avec hostilité, se soulever, se révolter. *Si vous bougez, vous aurez affaire à moi. Le peuple commence à bouger.*

7 Ce Paris odieux bouge et résiste. Allons !
Qu'il sente le mépris, sombre et plein de vengeance,
Que nous, la force, avons pour lui, l'intelligence !
HUGO, les Châtiments, «Nox», 1.

♦ **5** Régional (Belgique) et fautif. *Bouger à qqch., y bouger,* y toucher.

**II** V. tr. Fam. Remuer, déplacer. *Bouger un meuble. Bouger la tête. Sans bouger le petit doigt.* → **Lever.**

Tout en parlant, il bouge négligemment son fusil. 7.1
F. SAGAN, Château en Suède, p. 159, *in* HANSE.

◆ **SE BOUGER** v. pron. Fam. Se remuer, se déplacer. *Bouge-toi de là !* → **Aller** (va-t'en). *«Voyons Léontine, bouge-toi, tu t'ankyloses»* (Proust).

Se déranger. *Ils ne veulent pas se bouger.*

REM. Dans la langue classique, ces emplois (trans. et pron.) ne sont pas familiers.

Et personne, Monsieur, qui se veuille bouger 8
Pour retenir des gens qui se vont égorger !
MOLIÈRE, le Dépit amoureux, V, 6.

Vingt-deux chariots à quatre roues ne l'auraient jamais pu 9
bouger de là. RACINE, Remarques sur l'Odyssée.

◆ **BOUGÉ, ÉE** p. p. adj. Fam. *Des meubles bougés.* — Photogr. *Une photo bougée.* → **Bougé,** n. m.

CONTR. **Immobiliser** (s') ; **demeurer, rester.** ◊ DÉR. **Bougé** (n. m.) ; **bougeant, bougée, bougement, bougeotte.** — **Bougillon.** — HOM. **Bougé, bougée.**

**BOUGERIE** [buʒʀi] n. f. — 1807 ; de 2. *bouge.*

Régional (Lorraine). Local pour les cuves, les pressoirs.

**BOUGETTE** [buʒɛt] n. f. — Fin XIIe ; de l'anc. franç. *bouge.* → 1. Bouge.

Vx ou hist. Sacoche (au moyen âge).

**BOUGIE** [buʒi] n. f. — 1495 ; «cire pour chandelles, importée de Bougie», 1300 ; de *Bougie,* ancien nom de Bejaïa, ville d'Algérie, qui fournissait au moyen âge de grandes quantités de cire.

**I** ♦ **1** Appareil d'éclairage formé d'une mèche tressée enveloppée de cire, de paraffine ou de stéarine. → **Chandelle** ; (argot) **calbombe, camoufle.** *Fabrication, industrie des bougies. Allumer une bougie.* → Phosphorique, cit. 1. *Bougie qui brûle* (→ **Couler, fondre, fuser**). *Flamme de bougie. S'éclairer à la bougie. Travailler à la bougie, à la lueur d'une bougie. Dîner aux bougies,* à la lumière des bougies. *Appareils portant des bougies.* → **Bougeoir** ; **binet, brûle-tout, chandelier.** *Éteindre une bougie* (→ **Éteignoir**). — Vx (1875). *Bougie filée. Pain de bougie* (bougies souples que l'on pouvait porter dans sa poche).

(Utilisée à d'autres fins que l'éclairage). *Bougie d'autel.* → **Cierge.** *Bougie de carnaval. Mettre des bougies sur un gâteau d'anniversaire.* — *Vente aux enchères à la bougie,* dont la durée des enchères est déterminée par le temps que mettent trois bougies à brûler. — *Employer de la cire de bougie pour empêcher l'effilage d'une étoffe.* → **Bougier.** *Taches de bougie.*

Le cerveau des enfants est comme une bougie allumée 1
dans un lieu exposé au vent ; la lumière vacille toujours.
FÉNELON, De l'éducation des filles, V.

(...) je me rappelais bien qu'il y avait une bougie ; et la 2
bougie en effet était là. Elle avait baissé. Il n'en restait qu'un bout de cire, presque liquéfié par la chaleur et qui achevait de fondre. La mèche se recroquevillait. On pouvait prévoir qu'elle allait s'éteindre. Elle éclairait pourtant, et la flamme se reflétait sur le plancher (...)
H. BOSCO, Un rameau de la nuit, p. 78.

Les mèches, après plusieurs essais, furent faites de fibres 2.1
végétales, et, trempées dans la substance liquéfiée, elles formèrent de véritables bougies stéariques, moulées à la main, auxquelles il ne manqua que le blanchiment et le polissage. Elles n'offraient pas, sans doute, cet avantage que les mèches, imprégnées d'acide borique, ont de se vitrifier au fur et à mesure de leur combustion, et de se

consumer entièrement; mais Cyrus Smith ayant fabriqué une belle paire de mouchettes, ces bougies furent grandement appréciées pendant les veillées de Granite-house.
J. VERNE, l'Île mystérieuse, t. I, p. 261.

2.2 Cependant la bougie, par le vacillement des clartés sur le livre au brusque dégagement des fumées originales encourage le lecteur, – puis s'incline sur son assiette et se noie dans son aliment.
Francis PONGE, le Parti pris des choses, p. 39.

2.3 Mon gâteau d'anniversaire qui n'a pas besoin de bougies pour être illuminé. Michel LEIRIS, Haut mal, p. 225.

Loc. techn. Vx. *Noir de bougie.*

♦ **2** (1690) Par anal. de forme. Chir. Tige cylindrique mince, flexible ou rigide que l'on introduit dans un canal pour l'explorer ou le dilater. → **Sonde.** – *Bougie filtrante* ou *bougie-filtre* (1891) : filtre cylindrique en porcelaine.

♦ **3** (1888). Appareil d'allumage des moteurs à explosion. *L'étincelle qui jaillit de la bougie met le feu au mélange gazeux. Bougies encrassées. Changer les bougies. – Bougie luisante :* bougie utilisée dans les moteurs semi-diesel.

♦ **4** (1922). Phys., vx. Unité de luminescence. *Bougie nouvelle.* → **Candela.**

3 Les bougies stéariques du commerce valent à peu près 1,25 bougie décimale; par conséquent une lampe à incandescence de 5 bougies vaut à peu près 4 bougies stéariques. P. POIRÉ, Dict. des sciences.

Cour. Vx en phys. *Lampe de 100 bougies.*

4 À l'avant de la passerelle, une lampe de cinq cents bougies, projetait sa lumière crue sur le gaillard (...)
Roger VERCEL, Remorques, p. 15.

**II** Fam., vieilli. Figure, tête. → **Binette.** *Faire une drôle de bougie.*

DÉR. **Bougeoir, bougier.**

**BOUGIER** [buʒje] v. tr. — 1596; de *bougie.*

Techn. Arrêter les effilochures de (une étoffe) avec de la cire fondue. *Bougier le bord d'une étoffe.*

**BOUGILLON, ONNE** [buʒijɔ̃, ɔn] n. et adj. — 1834, Töpffer, *in* D. D. L.; de *bouger.*

Fam., régional. (Personne) qui ne peut demeurer en place. *Quel enfant bougillon!*

Toutes les allures, gestes et mouvements d'un particulier de sept pieds de haut (...) Ainsi fait, le particulier est sonore, bougillon, et tient beaucoup de place.
Rodolphe TÖPFFER, Voyages en zigzag, 1838, Saint-Gothard..., p. 82.

**BOUGNAT** [buɲa] n. m. — 1889, Macé; aphérèse de *charbougna* (charbonnier), imitation plaisante du parler des Auvergnats qui à Paris étaient fréquemment charbonniers.

Fam. et vieilli.

♦ **1** Marchand de charbon. *Les bougnats parisiens tenaient souvent des cafés. Aller boire un coup chez le bougnat.*

REM. 1. On a écrit *bougna.*
2. Le fém. *bougnate* [buɲat] est attesté.

♦ **2** Débit de boisson, café tenu par un bougnat (ou *bougna*).

La première fois que nous nous sommes rencontrés, devant un bougnat je crois, vous m'avez reconnue?
R. SABATIER, les Fillettes chantantes, p. 204.

**BOUGNER** [buɲe] v. tr. — 1926; même rad. que *buigne* «bosse», XIVe. → Beigne; bigne.

Fam. Frapper, heurter.

◆ **SE BOUGNER** v. pron. Se heurter. *Les deux voitures se sont bougnées au coin de la rue.*

**BOUGNOU** [buɲu] n. m. — XIVe, «réservoir»; *bugnoilhe,* 1365, toponymes; repris 1780; mot wallon de Liège, du lat. *bulla* «boule», suff. *-oleum.*

Techn. (mines) et régional (Belgique, Nord de la France). Puisard pour recueillir les eaux d'une galerie de mines (*in* Zola, *Germinal*). Var. : *boniau* [bɔnjo], *bouniou* [bunju].

**BOUGNOUL, BOUGNOULE** [buɲul] ou **BOUNIOUL** [bu njul] n. — 1890, *in* Esnault, «celui qui fait les corvées», argot; wolof *gnoul* «noir», et particule *bu-,* qui s'applique aux choses.

Terme injurieux et raciste.

♦ **1** (1932). Fam., vieilli. Nom donné par les Blancs du Sénégal aux Noirs autochtones.

Les bouniouls distingués que je coudoie, sur les trottoirs, en boubous majestueux et opulents (...) 1
J.-R. BLOCH, Cacaouettes et Bananes, p. 64.

♦ **2** (Injurieux et raciste, comme *bicot, raton*). Nord-Africain. – Travailleur Nord-Africain immigré.

(...) la résolution de ces «désespérés» qui ont pris les armes pour n'être plus jamais les ratons et les bougnoules de personne. 2
F. MAURIAC, le Nouveau Bloc-notes, 1958-1960, p. 54.

Par ext. Étranger, paria.

Adj. (rare) :

Je voyais bien ce qu'ils pensaient, ils me le disaient d'ailleurs, les plus culottés, qu'une femme bougnoule ça se remplace comme un chapeau. 3
Jean HOUGRON, la Gueule pleine de dents, p. 18.

DÉR. **Bougnoulisation.**

**BOUGNOULISATION** [buɲulizasjɔ̃] n. f. — V. 1970; de *bougnoul,* d'après *clochardisation.*

Fam., péj. Arrivée et installation de nombreux travailleurs immigrés arabes dans un lieu. *«La "bougnoulisation" de Saint-Laurent commence en 1962 lorsque par milliers des supplétifs musulmans (...) débarquent dans le camp de Saint-Maurice l'Ardoise»* (*le Nouvel Obs.,* 6 août 1973, p. 38).
Assimilation de travailleurs à la situation de travailleurs immigrés (exploitation accrue, absence de protection légale, etc.). *«La grande spécialité du patronat breton, c'est le licenciement individuel, et la "bougnoulisation", comme on dit là-bas, d'une main d'œuvre d'origine rurale»* (*le Nouvel Obs.,* no 407, 28 août 1972). — REM. Sans être injurieux comme *bougnoule,* le terme est fortement péjoratif et inacceptable. — Le verbe *bougnouliser* [buɲulize] est rare.

**BOUGON, ONNE** [bugɔ̃, ɔn] adj. et n. — 1803, Boiste; de *bougonner.*

Qui exprime, ou semble exprimer, de la mauvaise humeur. → **Grognon, ronchon.** *Il a un cœur d'or mais est un peu bougon. Un air, un ton bougon.*

Un son de cloche, lourd, rouillé, presque bougon, retentit de l'autre côté du mur. HUYSMANS, En route, p. 190. 1

Curieuse autant que bavarde, tendre autant que bougonne (...) H. BOSCO, l'Âne Culotte, p. 21. 2

(...) il rejoignit Nadine sur un quai de la gare d'Austerlitz. 3
– Tu n'es pas en avance, dit-elle d'un air bougon!
S. DE BEAUVOIR, les Mandarins, p. 83.

N. *Quel vieux bougon!*

CONTR. **Affable, aimable, engageant.**

**BOUGONNEMENT** [bugɔnmɑ̃] n. m. — 1858; de *bougonner.*

♦ **1** Action de bougonner. *Elle vit dans un bougonnement perpétuel.* → **Bougonnerie.**

♦ **2** Chose dite en bougonnant. *On ne comprend rien à ses bougonnements.*

**BOUGONNER** [bugɔne] v. — 1798; 1611, Cotgrave, «faire qqch. de travers, bâcler»; orig. incert., probablt dial. (Ouest, Centre); d'après Guiraud serait à rattacher à un rad. *boud, boug.* L'évolution sémantique de «faire» à «dire» reste inexpliquée.

**I** V. intr. Murmurer, gronder entre ses dents. → **Grommeler, grogner, râler, rouspéter.**

(...) passant ses journées (...) à bougonner contre la politique, et à rabrouer sa fille qu'il adorait (...)
R. ROLLAND, Jean-Christophe, p. 376.

**II** V. tr. Dire de façon indistincte, en montrant de la mauvaise humeur. *Bougonner qqch. entre ses dents.*

DÉR. **Bougon, bougonnement, bougonnerie, bougonneur.**

**BOUGONNERIE** [bugɔnʀi] n. f. — 1905, Gide; de *bougonner.*

Rare. Caractère bougon. — *Une, des bougonneries :* attitude bougonne. → **Bougonnement.**

**BOUGONNEUR, EUSE** [bugɔnœʀ, øz] adj. et n. — 1824; 1611, attestation isolée, «personne qui fait un travail avec maladresse»; de *bougonner.*

Rare. Qui bougonne; qui a l'habitude de bougonner. — *Une voix bougonneuse.* — N. *Un vieux bougonneur.* → **Bougon.**

**BOUGRAN** [bugʀɑ̃] n. m. — 1380; *bougherant,* 1302, au sens 2; «étoffe fine», av. 1150; altér. ital. *(bucherame)* de l'arabe *Būhārā* (Boukhara) ville d'Ouzbékistan d'où était importée cette étoffe.

Anciennement.

♦ **1** Étoffe fine comme la batiste, fabriquée en Orient.

♦ **2** Toile forte et gommée, employée dans les doublures de vêtements.

**BOUGRE, BOUGRESSE** [bugʀ, bugʀɛs] n. — 1450; v. 1260, «sodomite»; 1172, *bogre* «hérétique»; du bas lat. *bulgarus* «bulgare» (→ Bulgare), d'abord pour désigner des hérétiques de cette région (Bogomiles, etc.) auxquels on prêtait des mœurs «contre nature».

♦ **1** Vx. N. m. Homosexuel passif. → **Sodomite.** — N. Personne méprisable. *Une vieille bougresse.*

1 Le bougre avait juré de m'amuser six mois,
Il s'est trompé de deux.
LA FONTAINE, Épîtres, Le Florentin.

Employé comme insulte :

1.1 Alors le perfide ne se servant plus avec moi que des plus grossières épithètes, Bou... me dit-il, reconnais-tu ce buisson d'où je t'ai tirée comme une bête sauvage pour te rendre à la vie que tu avais mérité de perdre?
SADE, Justine..., t. I, p. 95.

♦ **2** (1579; d'abord péj.). Mod. fam. Drôle, gaillard. *«Trois bougres rigolent en sifflant du piccolo»* (→ Bistro, cit. 3, Duhamel). *Sacré bougre!*

Individu. → **Type.** *Un pauvre bougre. Un mauvais bougre.*

1.2 Pauvre cher bougre, j'ai bien envie de t'embrasser.
FLAUBERT, Lettre à L. Bouilhet, 15 janv. 1850, Corresp., Pl., t. I, p. 574.

1.3 Moi *(Lamendin),* je ne respecte que la science créatrice, celle qui crée la vérité, la science pour grands bougres.
J. ROMAINS, Donogoo, p. 92.

*Un bon bougre :* un brave type.

2 Chaque type, prends-le à part : c'est généralement un bon bougre, qui dit qu'il ne veut de mal à personne, et qui le croit. MARTIN DU GARD, les Thibault, t. VII, p. 144.

Adjectivé. *Bon bougre, mauvais bougre. Il est bon bougre :* il est brave. — (Seulement en tournure négative). *Il n'est pas mauvais bougre.*

L'hôtelier n'était point mauvais bougre; il vendait sa bibine. Le reste le laissait froid. 3
Francis CARCO, les Belles Manières, p. 62.

M. Tortose, bon bougre, donna deux ou trois petits billets à Pierrot (...) 4
R. QUENEAU, Pierrot mon ami, éd. L. de Poche, p. 27.

Je n'avais pas envers Volkman la méfiance qui eût peut-être été normale entre nous : contre toute attente, il s'était montré assez bon bougre pendant ces quelques jours passés côte à côte. 5
M. YOURCENAR, le Coup de grâce, p. 207.

♦ **3** Fam., péj. (1608, *in* D. D. L.). **BOUGRE DE.** → **Espèce** (de), **bigre** (de). *Ce bougre d'imbécile a tout fait échouer. Bougre d'andouille! Bougre de temps.*

Ce n'est pas Bellone? la Guerre, 6
Nom de Dieu! ça ne rougit guère...
Qu'un champ,... un fleuve... ou le terrain;
Ce n'est pas Diane chasseresse,
Car cette bougre de Bougresse
Doit être un démon à tous crins!
Germain NOUVEAU, Valentines, «La Déesse», 1922, Pl., p. 590.

Ah! la bougresse de lune! Elle en dégage, une poésie! 7
J. RENARD, Journal, 3 sept. 1906.

♦ **4** Vx. Interj. (Exprime la colère, l'étonnement, l'admiration). → **Bigre, fichtre.** *Bougre, que c'est cher! Bougre, mais c'est très réussi!*

Bougre! tu vas te faire écraser! 8
ZOLA, l'Œuvre, p. 298.

DÉR. **Bigre, boufre, bougrement, bougrerie.** — V. **Boujaron.**
◈ COMP. **Rabougrir.**

**BOUGREMENT** [bugʀəmɑ̃] adv. — Déb. XVIIIe; 1583 «à la manière des débauchés»; de *bougre.*

Fam. Très, extrêmement. → **Bigrement, diablement, drôlement.**

Je parviens à jouer passablement les deux premiers morceaux d'*Ibéria,* qui sont bougrement difficiles (...) 1
GIDE, Journal, 12 juin 1914.

Il y a pour les touristes des magasins pleins de pierres du Forum arrangées en presse-papier pour mettre sur les bureaux. On a fait des porte-plumes avec les marbres des temples... Tout cela agace bougrement les nerfs. Telle est la première impression que m'a produit[e] Rome. 2
FLAUBERT, Lettre à L. Bouilhet, 4 mai 1851, Correspondance, t. I, Pl., p. 779.

Beaucoup. *Il a bougrement de la chance!*

**BOUGRERIE** [bugʀəʀi] n. f. — 1540, Calvin; XIIIe, *bogrerie* «hérésie»; de *bougre.*

Rare. Sodomie.

— Vous voudriez peut-être, tonnait Martial, qu'on retourne au bon vieux temps de la prison pour adultère et du bûcher pour bougrerie?
Jean-Louis CURTIS, le Roseau pensant, p. 360.

**BOUI-BOUI** [bwibwi] n. m. — 1847, *bouig-bouig* (→ cit. 1); 1854, *bouis-bouis* «marionnette»; 1808, *bouis* «maison de prostitution»; orig. incert. p.-ê. de *bouis,* dial. «étable», de *bos* «bœuf» ou bien, d'après Guiraud, reduplication expressive à rattacher à *bouisse* «fille de bas étage», qu'il rattache au rad. onomatopéique *bob-.*

Fam. Théâtre ou café-concert de dernier ordre. — REM. Th. Gautier a écrit *bouig-bouig;* on trouve aussi *bouibouis.*

Le bouig-bouig, s'il faut en croire les érudits, signifie, en argot dramatique de bas lieu, le petit théâtre de quatre sous. 1
Th. GAUTIER, Hist. d'art dramatique, t. V, p. 145.

2 — Mais où chantez-vous ? demandai-je.
— Ici, monsieur, me dit-elle d'un ton digne.
— Tiens ! fit M. Etienne, il y a un bouibouis dans la maison ?
— Oui, répondit-elle amèrement, et vous pouvez bien dire un bouibouis !...
GORON, l'Amour à Paris, t. II, p. 727.

Par ext. Fam. Maison, café mal famé. → Refoutre, cit. 2. *Des bouis-bouis.*

3 Nous allions écouter des canzonette dans un boui-boui des environs. S. DE BEAUVOIR, la Force de l'âge, p. 276.

4 — Tu comprends, je conclus, pourquoi je dois loger au *Pélikan.*
— Au *Pélikan,* s'écrie-t-elle. Mais tu es folle ! Tu n'as pas peur dans ce boui-boui ?
Yanny HUREAUX, la Prof., p. 83.

**BOUIF** [bwif] n. m. — 1867, Delvau; par aphérèse de *ribouis* «savetier».

Fam. Cordonnier.

Il a fini par liquider tout son truc. Il a perdu le peu qu'il avait et il est retourné dans son échoppe. Tout le monde l'aimait bien, le petit bouif du coin.
Jean FERNIOT, Pierrot et Aline, p. 145.

**BOUILLABAISSE** [bujabɛs] n. f. — 1806, *bouillabaisse,* Stendhal *in* D. D. L. Le genre (*bouille-baisse,* n. m., v. 1835) et la graphie (*bouille-à-baisse,* voir ci-dessous, Stendhal, 1837) sont fixés v. 1840; provençal *bouiabaisso,* p.-ê. altér. de *bouille peis,* de *bouillir,* et *peis* «poisson» ou de *bouillir* et *abaisser.*

♦ **1** Plat provençal de poissons à la tomate, épicés, que l'on sert dans son bouillon avec des tranches de pain. *Bouillabaisse marseillaise. Bouillabaisse à la rascasse, liée à l'aïoli.* → **Bourride.** *Sauce accompagnant la bouillabaisse.* → **Rouille.**

1 Quand je me suis vu à une bonne demi-lieue au delà du *Château-vert,* où l'on mangeait autrefois de si bonnes *bouille-à-baisses,* je tourne mon cheval, je le mets au pas, et je vais faire mon entrée dans Marseille.
STENDHAL, Mémoires d'un touriste, p. 259 (Lévy).

2 (...) de larges tranches de pain coupées sur de petites assiettes de terre rouge, et l'on était là autour de la marmite, l'assiette tendue, la narine ouverte (...) je n'ai jamais rien mangé de meilleur que cette bouillabaisse de langoustes.
Alphonse DAUDET, Contes du lundi, «Paysages gastronomiques».

3 Une admirable bouillabaisse apportée toute fumante du restaurant des Grottes, qui possède la réserve la mieux fournie en rascasses et poissons de roches de tout le littoral, arrosée d'un petit «vino del paese» et servie dans la lumière et la gaieté des choses, contribua au moins autant que toutes les précautions de Rouletabille à nous rasséréner.
G. LEROUX, le Parfum de la dame en noir, p. 162.

♦ **2** Fam. Boue. *Patauger dans la bouillabaisse.* → **Bouillasse.**

Fig., fam. Mélange hétéroclite. → **Marmelade.**

4 Le colonel l'inspecta derrière ses lunettes : Ah, alors c'est vous l'Anglais ? Eh bien, mon bon, il est temps que vous arriviez un peu dans cette bouillabaisse.
Guy de POURTALÈS, la Pêche miraculeuse, p. 318.

**BOUILLAGE** [bujaʒ] n. m. — 1892, Guérin; de *bouillir.*

Technique, régional.

♦ **1** Action de faire bouillir.

♦ **2** Fermentation du vin en tonneau.

**BOUILLAISON** [bujɛzɔ̃] n. f. — 1783; de *bouillir.*

Régional. Fermentation du cidre.

**BOUILLANT, ANTE** [bujɑ̃, ɑ̃t] adj. et n. — 1120; p. prés. de *bouillir.*

**I** Adj. ♦ **1** Qui bout. *Eau bouillante. Huile bouillante. Plonger qqch dans l'eau bouillante.* → **Ébouillanter.**

♦ **2** Très chaud. *Boire son café bouillant.* → **Brûlant.** *Tout chaud tout bouillant !*

Il y a ici *(à Bourbon)* des gens (...) qui cherchent du secours dans la chaleur bouillante de ces puits (...) 1
Mme DE SÉVIGNÉ, 1040, 27 sept. 1687.

♦ **3** Fig., littér. (Personnes). Ardent, emporté. → **Fougueux, impatient, prompt, vif.** *Un homme bouillant. Le bouillant Achille* (dans l'Iliade). *Il est bouillant, il a la tête chaude*. Jeunesse bouillante. Être tout bouillant.* → **Feu** (être tout feu), **sang** (avoir le sang bouillant). *Caractère, courage, esprit bouillant. Bouillante colère. Bouillant d'ardeur, de colère, de fureur, de désir, d'impatience.* — Vx. *Bouillant de vin :* excité par le vin.

Et déjà tout bouillant de vin et de colère. 2
BOILEAU, Satires, III.

On l'a pris tout bouillant encore de sa querelle (...) 3
CORNEILLE, le Cid., II, 6.

Avec ce beau sang bouillant qui fait les héros et la goutte (...) Mme DE SÉVIGNÉ, 1218, 25 sept. 1689. 4

**II** ♦ **1** N. m. (Sc.). *Bouillant de Franklin :* appareil permettant de démontrer que le point d'ébullition d'un liquide s'abaisse aux faibles pressions.

♦ **2** N. f. BOUILLANTE (fam., vx) : cafetière. *Mettre la bouillante sur le feu.*

CONTR. **Froid, glacé. — Calme, mou, pondéré.** ◊ COMP. **Ébouillanter.**

**BOUILLARD** [bujaʀ] n. m. — 1680, attestation isolée; forme dial. de *bouleau* (*bouilleau* ?), et suff. *-ard.*

Régional (Anjou, Touraine, Centre). Bouleau. — Par ext. (appos.). *Peuplier bouillard,* et, absolt, *bouillard,* variété de peuplier. — REM. Le mot est dans Balzac (*le Lys dans la vallée,* dont les premières éd. portent par erreur *brouillard*).

**BOUILLASSE** [bujas] n. f. — Déb. xxe; 1897, J. Rictus, «misère»; de *boue,* et *bouillie.*

Fam. Boue. *Marcher dans la bouillasse d'un chantier.* — Pluie lourde.

Le ciel continuait à déverser interminablement sa bouillasse chaude. Jean LARTÉGUY, les Centurions, p. 77.

1. **BOUILLE** [buj] n. f. — 1669; de *bouiller.*

Pêche (vx). Longue perche servant à remuer le fond de l'eau pour faire déplacer le poisson. → **Bouiller; bouloir.**

HOM. 2., 3. **Bouille.**

2. **BOUILLE** [buj] n. f. — 1560, *boille;* 1353, *bolie* «mesure de capacité»; p.-ê. lat. pop. **buttula,* de *buttis* «tonneau», rad. gaulois *būt-.*

♦ **1** Régional (Suisse). Récipient* servant au transport du lait. → **Berthe, boille.**

♦ **2** Régional. Hotte pour la vendange.

HOM. 1., 3. **Bouille.**

3. **BOUILLE** [buj] n. f. — V. 1890, Esnault; par apocope de *bouillotte.*

Fam. → **Figure, tête.** *Avoir une bonne bouille,* une tête sympathique. → **Boule.**

C'est fou ce que ça te change de bouille d'avoir la barbe.
Robert MERLE, Week-end à Zuydcoote, p. 45.

HOM. 1., 2. **Bouille.**

1. **BOUILLÉE** [buje] n. f. — 1842; de *bouillir.*

Vieilli. Action de faire bouillir (un liquide).

HOM. 2. **Bouillée, bouiller.**

2. **BOUILLÉE** [buje] n. f. — 1882; probablt du rad. de *bouleau.* → Bouillard.

Régional. Bouquet (d'arbres); touffe (d'herbes).

HOM. 1. **Bouillée, bouiller.**

**BOUILLER** [buje] v. tr. — 1669; de *bouler**, du lat. *bullare* «bouillonner» (de *bulla* «bulle»), sous l'influence de *bouillir, brouiller, fouiller.*

Régional ou techn. (pêche). Troubler (l'eau) avec une bouille*. → 2. **Bouler, rabouiller.**

DÉR. 1. **Bouille.** ◊ COMP. **Rabouiller.** — HOM. 1., 2. **Bouillée.**

**BOUILLERIE** [bujʀi] n. f. — 1836; de *bouillir.*

♦ **1** Régional. Installation d'un bouilleur* de cru.

Tous les bâtiments, depuis la charretterie jusqu'à la bouillerie, avaient besoin de réparations.
FLAUBERT, Bouvard et Pécuchet, Pl., t. II, p. 687.

♦ **2** Vx. Chose bouillie; préparation, décoction (Hugo, *les Travailleurs de la mer*).

**BOUILLEUR** [bujœʀ] n. m. — 1783; de *bouillir.*

♦ **1** Personne qui distille une substance alcoolisée (vin, cidre...) ou des fruits, des grains, pour obtenir de l'eau-de-vie. → **Distillateur.** Rare, sauf dans le syntagme (1851) *bouilleur de cru :* personne qui distille ou fait distiller les produits de sa récolte pour son compte (opposé à *bouilleur professionnel*). → **Brûleur.** *L'alambic du bouilleur de cru.*

1 (...) on boit énormément de marc, qui ne manque pas, tous les fermiers de la région étant bouilleurs de cru.
Roger VAILLAND, 325 000 francs, p. 74.

2 Il suffit pour se rendre compte de la faveur dont il *(l'alcoolisme)* jouit en dépit des ravages qu'il provoque (beaucoup plus que la drogue) de se rappeler l'influence des viticulteurs, la vanité des luttes longtemps entreprises contre le privilège des bouilleurs de cru (dont Pierre Mendès France fut la victime). Jean FERNIOT, Pierrot et Aline, p. 96.

REM. Le fém. *bouilleuse (de cru)* n'est pas attesté. On dira plutôt : *elle est bouilleur de cru.*

♦ **2** Techn. Cylindre de tôle en contact direct avec le feu, et qui est destiné à augmenter la surface de chauffe des chaudières à vapeur. *Les cuissards relient les bouilleurs à la chaudière.* Appareil servant à distiller l'eau de mer pour la transformer en eau douce.

♦ **3** Techn. Petit réacteur nucléaire dans lequel la matière active est un sel d'uranium dissous dans de l'eau ordinaire (réacteur à eau bouillante).

**BOUILLI, IE** [buji] adj. et n. m. — 1317; de *bouillir.*

**I** Adj. ♦ **1** Qui a été porté à ébullition. *Eau bouillie. Lait bouilli.*

Régional. *Eau bouillie :* dans le midi de la France, soupe très claire, sans légumes.

1 Ce qu'on appelle *eau bouillie,* à Tarascon, c'est quelques tranches de pain noyées dans de l'eau chaude, avec une gousse d'ail, un peu de thym, un brin de laurier.
Alphonse DAUDET, Tartarin de Tarascon, I, IX.

♦ **2** Cuit dans de l'eau bouillante. *Viande bouillie. Châtaignes bouillies. — Pommes de terres bouillies,* à l'eau.

♦ **3** Traité par un liquide bouillant. *Cuir* bouilli. Carton bouilli.* Fig. *Visage de cuir bouilli,* dont la peau est rude, basanée.

**II** N. m. Viande bouillie. → **Pot-au-feu.** *Bouilli de bœuf, de mouton. Manger du bouilli.*

Nous avons mangé du potage et du bouilli tout chaud. 2
Mme DE SÉVIGNÉ, 425.

(...) tout cela pour offrir du rôti à des gens qui n'aiment que le bouilli. 3
STENDHAL, Souvenirs d'égotisme, p. 245.

— Voilà un bouilli parfait... Ah! le bon bœuf!... 4
— C'est à manger à la cuillère.
— Est-ce toujours votre même boucher?
Henri MONNIER, Scènes populaires, «Le diner bourgeois», 8, p. 158.

HOM. **Bouillie.** ◊ DÉR. V. **Boullu (ou bouillu).**

**BOUILLIE** [buji] n. f. — XIIe, *boulie;* de *bouillir.*

♦ **1** Aliment plus ou moins épais, fait de lait ou d'un autre liquide et de farine bouillis ensemble (pour les féculents, on dit *purée**). *Farines alimentaires pour bouillies. Une assiettée de bouillie. Bouillies pour bébé. Ce vieillard ne mange plus que de la bouillie.* → **Céréale, farine.** *Bouillie d'avoine, d'orge, de sarrasin, de maïs, de semoule, de châtaignes.* → **Gaude, polenta, sagamité.**

Je voudrais que vous eussiez la gueule pleine de bouillie bien chaude. 1
MOLIÈRE, la Princesse d'Élide, 1er intermède, 2.

Il a été reconnu que la bouillie n'est pas une nourriture fort saine. Le lait cuit et la farine crue font beaucoup de saburre, et conviennent mal à notre estomac. 2
ROUSSEAU, Émile, I, p. 52.

La bouillie coulait, toute noire et toute fumante, gonflant peu à peu le boyau, qui retombait ventru, avec des courbes molles. ZOLA, le Ventre de Paris, t. I, p. 141. 2.1

Fig. *Avoir de la bouillie dans la bouche; manger de la bouillie :* parler de façon indistincte.

♦ **2** EN BOUILLIE : écrasé jusqu'à présenter la consistance d'une bouillie; réduit en petits morceaux. *Les légumes ont trop cuit, ils sont en bouillie. Réduire une substance en bouillie. «Ses archives ont été réduites à l'état de bouillie»* (A. Bosquet, *les Bonnes Intentions,* p. 189). — Fam. *Mettre qqn en bouillie,* le blesser, en le rendant méconnaissable (→ **Abîmer, arracher**), lui faire subir une défaite écrasante (→ **Écraser,** fam. **écrabouiller**). — Par ext. *Je suis en bouillie,* très fatigué.

(...) des avions boches ont bombardé la gare! On l'a ramassé, la figure en bouillie, un œil perdu et l'autre très menacé (...) 3
MARTIN DU GARD, les Thibault, t. IX, p. 121.

♦ **3** Loc. fam. (1798, *in* D. D. L.). *De la bouillie pour les chats :* de la besogne perdue, du travail inutile, mal fait (→ **Gâchis**); un texte confus, incompréhensible.

D'un poème incompréhensible ou d'un roman finement insignifiant, il disait que c'était de la bouillie pour les chats. M. AYMÉ, le Confort intellectuel, VIII, p. 113. 4

♦ **4** Mélange pâteux.

M. Gellert assure que cet acide, aidé d'une chaleur longtemps continuée, réduit en bouillie les bois les plus durs, ainsi que les cornes et les os des animaux. 5
BUFFON, Hist. nat. des minéraux, *in* Œ. compl., t. III, p. 321.

Méd. *Bouillie élaborée dans l'estomac.* → **Chyme.** *Bouillie de matière végétale.* → **Pulpe; pultacé.** *Bouillie médicinale.* → **Cataplasme.**

Vitic., arbor. *Bouillie anticryptogamique, bordelaise, bourguignonne.*

Techn. *Bouillie de chiffons pour pâte à papier. Bouillie employée en céramique.* → **Barbotine.**

♦ **5** Par métaphore ou figuré. **a** (Concret). Mélange confus.

6 Dans le salon carré, c'était une bouillie de monde grouillante et bruissante.
MAUPASSANT, Fort comme la mort, éd. 1889, p. 136.

**b** (Abstrait). Mélange confus, incompréhensible. *Je ne comprends rien de ce qu'il dit, c'est une vraie bouillie. Une bouillie de mots* (→ **Bafouillage).**

7 Quand j'essayais de regarder l'écran c'était terrible, la tête me tournait. C'était une bouillie noire et blanche qui dansait au-dessus de ma tête et qui me donnait le mal de mer.
M. DURAS, Un barrage contre le Pacifique, p. 283.

HOM. **Bouilli.** ◇ DÉR. V. **Bouillasse.**

**BOUILLIR** [bujiʀ] v. — V. 1150; 1080, «jaillir»; du lat. *bullire* «bouillonner», de *bulla* «bulle». → Bouiller; et aussi bouger.

**I** V. intr. ♦ **1** Être en ébullition*. *L'eau bout à 100 degrés à la température et à la pression normales. Faire bouillir du lait. Écume d'un liquide qui bout. Commencer à bouillir.* → **Frissonner, frémir; chanter.** *Cesser de bouillir. Récipients pour faire bouillir* (→ **Bouilleur, bouilloire,** 1. **bouillotte** (1.), **chaudière).**

1 (...) la chute d'un jet d'eau donnait à un bassin l'effervescence du lait qui bout.
Edmond JALOUX, les Visiteurs, V, p. 49.

*Faire bouillir de l'eau.*

Fermenter en faisant des bulles, comme sous l'effet de la chaleur. *Le vin bout dans la cuve. Personne qui fait bouillir les vins.* → **Bouilleur.**

♦ **2** Cuire dans un liquide en ébullition. *La viande doit bouillir pendant 2 heures* (→ **Bouilli, bouillon).** *Bouillir* (→ **Bouillotter),** *faire bouillir à petit feu.* → **Mijoter, mitonner.** *Mettre des marrons à bouillir. Faire bouillir des herbes.* → Arriver, cit. 15.

2 (...) je mets le pot-au-feu avec de la chicorée amère; cela bout jusqu'au point du jour (...)
Mme DE SÉVIGNÉ, 334, 11 oct. 1673.

3 Les quenouilles de maïs, mises bouillir dans de l'eau de fontaine, sont retirées à moitié cuites (...)
CHATEAUBRIAND, Voyage en Amérique, «Fêtes».

3.1 (...) on fait bouillir la graine, puis on la pile dans un mortier, avec le manche du pilon qui offre si peu de surface que la coque dure fuit de côté tandis que son enveloppe froissée se détache.
GIDE, Voyage au Congo, *in* Souvenirs, Pl., p. 715.

Par métaphore :

3.2 Tous ces enfants bouillent dans un chaudron géant avant d'être mangés, mais je m'y suis jeté par amour, et je suis avec eux. M. TOURNIER, le Roi des Aulnes, p. 349.

Stériliser ou nettoyer dans l'eau qui bout. *Faire bouillir une seringue* (→ 1. Piston, cit. 1), *un biberon. Faire bouillir du linge.* Par ext. *Du linge qui bout,* qui résiste à l'ébullition.

Par métonymie. *Faire bouillir un pot. La marmite bout.* — Fig., fam. *Avoir de quoi faire bouillir sa marmite :* avoir de quoi vivre. *Aider à faire bouillir la marmite :* contribuer à la subsistance d'un ménage.

♦ **3** Fig., littér. *Avoir le sang qui bout dans les veines :* être vif, fougueux, et aussi, être très en colère. → **Bouillonner, frémir.** *Son sang bouillait à l'idée d'une pareille ineptie.*

4 Le spectacle de l'injustice et de la méchanceté me fait encore bouillir le sang de colère (...)
ROUSSEAU, Rêveries, 6e promenade.

(Sujet n. de personne). *Bouillir de colère, d'impatience :* être emporté par la colère, l'impatience. — Absolt. *Bouillir :* s'impatienter, s'emporter. *Sa lenteur me fait bouillir.* → **Exaspérer.**

**II** V. tr. Rare. ♦ **1** Faire chauffer jusqu'à l'ébullition. *Bouillir le lait pour le conserver.*

♦ **2** Faire séjourner dans de l'eau bouillante. *Bouillir du linge, des légumes.*

CONTR. **Geler. — Refroidir** (faire refroidir). **— Calmer** (se). ◇ DÉR. **Bouillage, bouillaison, bouillant,** 1. **bouillée, bouillerie, bouilleur, bouilli, bouillie, bouillissage, bouillisseur, bouillitoire, bouilloire, bouillon,** 1. **bouillotte, bouillotter.** V. 2. **Bouillotte.** ➡ COMP. **Pot-bouille.**

**BOUILLISSAGE** [bujisaʒ] n. m. — 1765, *Encyclopédie;* de *bouillir.*

Technique.

♦ **1** En papeterie, Première opération subie par la pâte de chiffon au cours du blanchiment.

♦ **2** Par métonymie. En sucrerie, Cuisson du jus sucré avant sa concentration, pour faire précipiter les sels de calcium.

**BOUILLISSEUR** [bujisœʀ] n. m. — 1923; de *bouillir.*

Techn. Appareil dans lequel s'effectue le bouillissage* du jus sucré de betterave.

**BOUILLITOIRE** [bujitwaʀ] n. m. — 1694; de *bouillir,* et suff. *-oire,* d'après des mots comme *laboratoire.*

Techn. (Anciennt). Liquide dans lequel on plonge un objet de cuivre à argenter.

**BOUILLOIRE** [bujwaʀ] n. f. — 1740, Académie; de *bouillir.*

Récipient métallique pansu, muni d'un bec et d'une anse, destiné à faire bouillir de l'eau. → **Bouillotte, coquemar.** *Mettre la bouilloire devant le feu, sur le feu. Bouilloire russe.* → **Samovar.** *La bouilloire chante. Bouilloire électrique.*

Tout de suite, il découvrit l'assemblée des hommes dans la cour de la maison du cheikh. Ils étaient assis par terre, par groupes de cinq ou six autour des braseros où les grandes bouilloires de cuivre contenaient l'eau pour le thé vert.
J.-M. G. LE CLÉZIO, Désert, p. 35.

**BOUILLON** [bujɔ̃] n. m. — V. 1150, au sens 2; de *bouillir.*

**A** ♦ **1** Techn. ou rare. Fait de bouillir (seulement dans quelques expressions). *Retirer au premier bouillon,* dès l'ébullition. *Faire jeter un bouillon à un liquide,* l'amener à ébullition.

Patience, la garbure a besoin encore d'un bouillon ou deux. Th. GAUTIER, le Capitaine Fracasse, p. 95. 0.1

Par métaphore :

Il *(le jeune marquis de Grignan)* n'est pas cuit, comme dit Mme de La Fayette; encore un petit bouillon au coin de votre feu lui fera tous les biens du monde (...) 1
Mme DE SÉVIGNÉ, 1258, 25 janvier 1690.

♦ **2** **a** Bulle ou ensemble de bulles qui se forment au sein d'un liquide en ébullition. → **Bouillonnement.** *Les bouillons d'un liquide.* — Loc. (avec *à*...). *Bouillir à petits, à gros bouillons.*

(...) les graisses bouillaient lourdement en laissant échapper, de chacun de leurs bouillons crevés, une légère explosion d'âcre vapeur. 1.1
ZOLA, le Ventre de Paris, t. I, p. 143.

**b** (1393). Agitation d'un liquide provoquée par qqch. qu'on y remue.

Flot* d'un liquide très agité qui s'échappe, qui tombe (surtout dans : *à gros bouillons*). *L'eau sort à gros bouillons de cette source* (Académie).

(...) un ruisseau, qui, se précipitant du haut d'un rocher, tombait à gros bouillons pleins d'écumes et s'enfuyait au travers de la prairie. FÉNELON, Télémaque, LI. 2

Par exagér. *Plaie qui saigne à gros bouillons. Vomir du sang à gros bouillons.*

(...) Mes yeux ont vu son sang 3
Couler à gros bouillons de son généreux flanc (...)
CORNEILLE, le Cid, II, 8.

[c] Vx (langue class.). État d'agitation, d'emportement violent (de l'esprit). → **Effervescence, transport.** *Les bouillons de la colère, de la passion. — Les bouillons du sang* (→ ci-dessous, cit. 6).

4 Modérez les bouillons de cette violence (...)
CORNEILLE, Médée, I, 5.

5 L'impétueux bouillon d'un courroux féminin (...)
CORNEILLE, Clit., 947, var.

6 Et d'un sang un peu chaud réprimant les bouillons (...)
MOLIÈRE, Dom Garcie, III, 3.

[d] (1765). Techn. Bulle d'air emprisonnée dans le verre, dans les métaux fondus.

♦ **3** Fig. (idée de «bulle»). [a] (1603). Cout. Gros pli rond et bouffant d'une étoffe. *Jupe, tenture à bouillons. Bouillons de soie.*

6.1 Sa robe de taffetas lilas avait des manches à crevés, d'où s'échappaient des bouillons de mousseline (...)
FLAUBERT, l'Éducation sentimentale, Pl., t. II, p. 267.

[b] Excroissance de chair dans une plaie.

**B** ♦ **1** (XIIIe). Cour. Aliment liquide que l'on consomme chaud, composé d'eau dans laquelle ont bouilli de la viande ou des légumes. → **Brouet** (vx), **chaudeau** (vx), **consommé, potage, soupe.** *Boire un bouillon pour se réchauffer. Bouillon concentré.* → **Concentré.** *Bouillon clair, chaud, fumant, nourrissant, succulent. Bouillon au poisson.* → **Court-bouillon.** *Bouillon coupé, trop étendu d'eau.* → **Eau** (eau de vaisselle), **lavure.** — Loc. BOUILLON GRAS. *Les yeux d'un bouillon gras. — Bouillon maigre, aveugle* (sans yeux). *Dégraisser, passer un bouillon* (→ **Passe-bouillon).** *Bouillon de pot-au-feu. Bouillon de tortue. Bouillon aux herbes. Bouillon de légumes. Tablette de bouillon concentré solidifié.*

7 Le potage et le bouillon de viande leur font un meilleur chyle.
ROUSSEAU, Émile, I.

8 C'était un vieil usage français de verser un bouillon sur des tranches de pain appelées *soupes ;* le nom s'est étendu ensuite à l'ensemble.
Ch. SEIGNOBOS, Hist. sincère de la nation franç., p. 202.

8.1 – Tu dois te purger, me conseillait-elle quand ma langue lui paraissait chargée. Et tu demanderas à madame Jules qu'elle te fasse un bon petit bouillon de légumes dont tu ne boiras que le jus... N'est-ce pas, madame Jules, que vous lui ferez un bon petit bouillon de légumes ?
Madame Jules acceptait la recette.
– Vous prenez une demi-botte de poireaux, une livre de carottes et quelques pommes de terre...
Henri CALET, la Belle Lurette, p. 196.

*Bouillons médicinaux. Être au bouillon, réduit au bouillon :* être malade et ne pouvoir absorber aucun aliment solide.

9 Nos blessés manquent de bouillons, de linge et de médicaments.
FÉNELON, XXII, 502.

10 Les filles-Dieu portent et reportent çà et là les bouillons, la charpie (...)
CHATEAUBRIAND, le Génie du christianisme, IV, III, 6.

Loc. fam. *Bouillon pointu :* lavement. — (1791, *in* D. D. L.). Fig., fam. *Bouillon d'onze heures :* breuvage empoisonné.

♦ **2** Loc. fig. *Boire*, prendre un bouillon :* avaler de l'eau en nageant (→ Boire la tasse). — Fig., fam. (1808, *in* D. D. L.). Essuyer une perte considérable par suite d'une mauvaise spéculation.

Pop., vieilli. Eau. *Tomber, jeter qqn dans le, au bouillon.*

Fig. Situation fâcheuse. → **Embarras.** *Être dans le même bouillon.*

10.1 Je suis comme eux, bien sûr, nous sommes dans le même bouillon. J'ai cependant une supériorité, celle de le savoir, qui me donne le droit de parler.
CAMUS, la Chute, p. 162.

♦ **3** (1843, Balzac ; de *prendre un bouillon*). Exemplaires invendus (d'une publication). *Renvoyer le bouillon, les bouillons. Reprendre les bouillons d'un journal chez les dépositaires.*

♦ **4** *Bouillon de culture :* liquide destiné à la culture des microbes ; fig., cour. milieu favorable.

La perfidie ne va pas sans la dissimulation, qui est comme son bouillon de culture. 11
Léon DAUDET, la Femme et l'Amour, XIII.

♦ **5** (Par métonymie du sens B, 1). Ancienn. Restaurant à bon marché.

Je fais connaissance avec ces étranges «bouillons» où l'on paye chaque plat au moyen de jetons préalablement achetés à la caisse et où l'on va soi-même quérir sa portion devant un long comptoir de marbre. 12
G. DUHAMEL, Biographie de mes fantômes, VIII.

— Nous irons au bouillon Duval. Nous irions bien chez Durand, mais ce n'est pas la peine que je vous jette de la poudre aux yeux. J. RENARD, Journal, 11 juin 1892. 13

DÉR. **Bouillonner, bouillonneur.** ◊ COMP. **Court-bouillon, passe-bouillon.** — V. aussi **Bouillon-blanc.**

**BOUILLON-BLANC** [bujɔ̃blɑ̃] n. m. — 1456 ; du bas lat. **bugillo*, modifié sous l'influence de *bouillon*, à cause de l'emploi de cette plante comme tisane, probablt d'orig. gauloise, et de *blanc*, à cause de la couleur du duvet des feuilles de cette plante.

Molène*, plante *(Scrofulariacées)* dont les fleurs sont employées en médecine comme pectorales. *Des bouillons-blancs.*

**BOUILLONNANT, ANTE** [bujɔnɑ̃, ɑ̃t] adj. — XVIe ; de *bouillonner.*

♦ **1** Qui bouillonne. *L'eau bouillonnante d'un torrent.* → **Tumultueux.**

♦ **2** (Abstrait). Qui manifeste une effervescence, une agitation extrême. *Un esprit bouillonnant. Une énergie bouillonnante.*

Il devait parfois écumer ses idées bouillonnantes.
J. RENARD, Journal, 18 nov. 1892.

**BOUILLONNÉ** [bujɔne] n. m. — 1843, *in* D. D. L. ; de *bouillonner.*

Cout. Ornement fait d'une bande froncée sur ses deux bords et posée en applique.

**BOUILLONNEMENT** [bujɔnmɑ̃] n. m. — 1582, Paré ; de *bouillonner.*

♦ **1** Agitation*, mouvement d'un liquide qui bout (→ **Ébullition, fermentation**), bouillonne. *Le bouillonnement des moûts, de la cuve. Le bouillonnement d'une source. Bouillonnement du sang.*

♦ **2** Ensemble de fronces bouffantes dans un tissu. → **Bouillon** (A., 3.). *«Tout ce beau bouillonnement de linge»* (Proust, *le Temps retrouvé*).

♦ **3** (1669). Fig., littér. État d'agitation violente. → **Bouillon** (A., 2., c.). *Le bouillonnement de l'âme, du cœur, du sang. Bouillonnement des désirs, des idées, des passions, des pensées.* → **Ardeur, effervescence, tumulte.**

(...) j'essayais, tantôt en italien, tantôt en français, d'épancher en prose ou en vers ces premiers bouillonnements de l'âme, qui semblent peser sur le cœur jusqu'à ce que la parole les ait soulagés en les exprimant. 1
LAMARTINE, Graziella, XV, 102.

(...) il *(Olivier)* avait aussi reconnu la force fatale qui les entraînait *(ces hommes)* (...) C'était un fort courant : il soulevait une masse énorme de passions, d'intérêts et de foi, qui se heurtaient, se fondaient, avec des bouillonnements d'écume et des remous contradictoires. 2
R. ROLLAND, Jean-Christophe, p. 1292.

3 (...) Oui, l'amour c'est ça (...) «un bouillonnement du sang, avec consentement de la volonté» (...)
MARTIN DU GARD, les Thibault, t. VI, p. 90.

Spécialt. Agitation politique. *Le bouillonnement révolutionnaire.*

**CONTR. Calme, tranquillité.**

**BOUILLONNER** [bujɔne] v. — V. 1215; de *bouillon.*

**I** V. intr. ♦ **1** (Le sujet désigne un liquide). S'agiter en formant des bouillons* (A.). *Source qui bouillonne.*

1 Au pied de rochers à pic, la source s'élançait en bouillonnant.
MÉRIMÉE, Carmen, I.

1.1 (...) j'apercevais mes carreaux empourprés par les reflets du laboratoire où bouillonnaient, nuit et jour, les alambics, les matras à tubulure et les cornues (...)
VILLIERS DE L'ISLE-ADAM, Tribulat Bonhomet, p. 143.

Présenter des bulles sur sa surface, à la suite d'un bouillonnement.

1.2 Afin d'éviter les gerçures de ses faïences, il mêlait de la chaux à son argile; mais les pièces se brisaient pour la plupart, l'émail de ses peintures sur cru bouillonnait, ses grandes plaques gondolaient (...)
FLAUBERT, l'Éducation sentimentale, II, II, Pl., t. II, p. 178.

Par métaphore. *Avoir le sang qui bouillonne dans les veines.* → **Bouillir.**

2 Hérodias sentit bouillonner dans ses veines le sang des prêtres et des rois ses aïeux.
FLAUBERT, Trois contes, III, 1.

3 (...) des cœurs où bouillonne une jeune sève, et auxquels l'action est interdite (...)
LOTI, les Désenchantées, IV, XXVI, p. 163.

♦ **2** (1561). Fig. Être en effervescence, s'agiter. → **Échauffer** (s'), **fermenter.** (Le sujet désigne une personne ou une caractéristique humaine). *Bouillonner d'ardeur, de colère, de fureur. Jeunesse qui bouillonne. Les idées neuves bouillonnaient dans sa tête.*

4 (...) Si ce jeune cerveau s'échauffe, si vous voyez qu'il commence à bouillonner, laissez-le d'abord fermenter en liberté, mais ne l'excitez jamais, de peur que tout ne s'exhale (...)
ROUSSEAU, Émile, II.

5 Si tu savais...! comme le son de sa voix seulement fait bouillonner en moi une vie nouvelle!
A. DE MUSSET, André del Sarto, I, 1.

6 (...) ces phrases qui bouillonnent et se pressent dans son cerveau, il les jettera, toutes chaudes, sur le papier...
MARTIN DU GARD, les Thibault, t. VIII, p. 103.

(Sujet n. de chose) :

7 Secouée par son angoisse, la nuit bouillonnait comme une énorme fumée noire pleine d'étincelles (...)
MALRAUX, la Condition humaine, p. 10.

8 Le jeu, l'amour, la bonne chère,
Bouillonnent en toi, vieux chaudron!
BAUDELAIRE, les Fleurs du mal, les Épaves, XII, «le Monstre».

♦ **3** (XVIIe). Former des bouillons, en parlant d'une étoffe. *Sa jupe bouillonne.*

♦ **4** (1901; de *bouillon,* B., 3.). Imprim. Avoir de nombreux exemplaires invendus. → **Bouillon.** *Journal qui bouillonne.*

9 *La Gauche* devait tirer au mieux, les jours de gala, à quelques milliers d'exemplaires, dont une moitié partait en services gratuits, parlementaires, ministres et grands commis, et l'autre *bouillonnait* presque toute.
Raymond ABELLIO, les Militants, p. 81.

**II** V. tr. Plisser (une étoffe) en bouillons. *Bouillonner une robe, une collerette.*

**CONTR. Apaiser, calmer (se), refroidir (se).** ◊ **DÉR. Bouillonnant, bouillonné, bouillonnement, bouillonneur, bouillonneux.**

**BOUILLONNEUR, EUSE** [bujɔnœʀ, øz] n. — 1883, au sens B.; de *bouillonner* (A.) et de *bouillon* (B.).

**A** *Bouillonneuse,* n. f. Vx. Cuisinière qui faisait les bouillons, les potages.

**B** Techn. ♦ **1** *Bouillonneur, bouillonneuse d'étoffes :* ouvrier, ouvrière qui calandre le linge, les étoffes pour les mettre en plis.

♦ **2** *Bouillonneuse,* n. f. Ouvrière qui exécute des franges de métal.

**BOUILLONNEUX, EUSE** [bujɔnø, øz] adj. — Fin XVe; de *bouillonner.*

Vieilli. Qui bouillonne, produit un bouillonnement. *Eau bouillonneuse.* → **Bouillonnant.**

1. **BOUILLOTTE** [bujɔt] n. f. — 1788, *Archives du Poitou;* de *bouillir.*

♦ **1** Vieilli. Récipient* métallique destiné à faire bouillir de l'eau. → **Bouilloire.** *Une bouillotte de cuivre.*

(...) elle se sauva, effrayée par les appels impatients d'une bouillotte dont l'eau s'épandait, avec des jurons de matou, sur les plaques rouges du fourneau. 1
HUYSMANS, la Cathédrale, p. 428.

La bouillotte chantonne sa prière au feu. 2
J. RENARD, Journal, 22 déc. 1900.

Vx. Réservoir d'eau chaude (des anciennes cuisinières à bois ou à charbon).

Fig., plais. Chaudière à vapeur, d'une locomotive (Jules Renard), d'un bateau (Céline).

♦ **2** (1869). Récipient que l'on remplit d'eau bouillante pour se chauffer dans un lit, dans une voiture... *Bouillotte cylindrique. Bouillotte métallique, plate.* → **Boule** (cit. 1). *Bouillotte en aluminium, en caoutchouc... Bouillotte en grès, en verre.* → **Cruchon.** *Le moine* peut remplacer la bouillotte.*

Dire qu'il faut que je vous apprenne à emmailloter une bouillotte! 3
MARTIN DU GARD, les Thibault, t. II, p. 150.

♦ **3** (1879, Esnault). Fam. Tête. *Faire une drôle de bouillotte.* → 3. **Bouille.**

Caltez vivement, les roussins, sans quoi le premier qui rapplique on lui démolit la bouillotte... 4
L. FORTON, les Aventures des Pieds-Nickelés, *in* l'Épatant, 1909, p. 96-97.

**DÉR.** V. 3. **Bouille.** ◊ **HOM.** 2. **Bouillotte.**

2. **BOUILLOTTE** [bujɔt] n. f. — 1788, *Éloge... de l'impertinance* in *Franç. mod.;* p.-ê. de *bouillir,* à cause de la rapidité du jeu.

Anciennt. Jeu de cartes très en vogue au XVIIIe siècle, brelan rapide à quatre personnes. *Mise au jeu de bouillotte.* → **Cave.** *Doubler la mise à la bouillotte.* → **Carrer.** — *Table de bouillotte,* ou *table-bouillotte* (table ronde, en général à dessus de marbre, munie de tiroirs à jetons).

(...) elle ne négligeait rien pour rendre sa maison agréable. On y jouait la bouillotte dans un salon, on causait dans un autre (...) 1
BALZAC, Un Prince de la Bohème, Pl., t. VI, p. 843.

Groupe de personnes jouant à la bouillotte.

Et M. Ducroquet voyant que personne n'est disposé pour faire de la musique, se décide à faire commencer le jeu. Il forme une bouillotte; la fiche est à un sou et la cave de dix. Le vieux garçon, auquel on a fait prendre une carte, trouve que c'est jouer un peu cher, mais enfin il consent à risquer une cave. 2
Ch. PAUL DE KOCK, La Grande Ville, t. I, p. 75.

**HOM.** 1. **Bouillotte.**

**BOUILLOTTER** [bujɔte] v. intr. — 1799, *in* D. D. L.; de *bouillir.*

Bouillir doucement, ou trop doucement. *La friture bouillotte.*

Un chou-fleur, qui bouillottait bruyamment dans la cuisine, emplissait le logement de son odeur fétide.
MARTIN DU GARD, les Thibault, t. VI, p. 43.

REM. Le dér. *bouillottement* [bujɔtmɑ̃] n. m., est attesté en 1928 (T. L. F.).

**BOUILLU** [bujy] adj. m. → **Boullu.**

**BOUJARON** [buʒaʀɔ̃] n. m. — 1792, *boujarron;* p.-ê. métaphore iron. du provençal *boujarroun* qui signifie «sodomite», du lat. *bulgarus* (→ Bougre); la métaphore pourrait porter sur l'anus (cf. Pot, pour «cul»).

Vx, marine.

♦ **1** Récipient en fer-blanc d'une capacité de six centilitres et servant à distribuer les divers liquides à l'équipage.

1 Puis il descendit de son banc, distribua quelques coups de pied au cul à l'équipage, but une lampée au boujaron que tendait Zélinde, et s'occupa de la route à tenir.
GIONO, Naissance de l'Odyssée, p. 28.

♦ **2** Par métonymie. Ration quotidienne d'alcool (d'un marin). *Un boujaron de rhum, de tafia.*

2 (...) il comprit qu'il était temps d'appeler la cambuse à la rescousse, et il fit distribuer un boujaron aux hommes.
Roger VERCEL, Remorques, p. 99.

3 (...) mon escouade devint le noyau de la section franche et les amateurs étaient nombreux qui se présentaient pour en faire partie, bien entendu à cause du supplément de pinard et du triple boujaron de rhum dont nous jouissions (...)
B. CENDRARS, la Main coupée, *in* Œ. compl., t. X, p. 131.

**BOUJON** [buʒɔ̃] n. m. — 1613, «grosse flèche à tête»; XIIIe, anc. picard *boujon* «verge de fer; verrou»; dans les parlers du Nord de la France et de Belgique «échelon, barreau»; du francique **bultjo,* cf. all. *Bolzen.*

Régional (Hainaut). Barreau de chaise (*in* Hanse). Var. : *bouson.*

**BOULAGE** [bulaʒ] ou **BOULETAGE** [bultaʒ] n. m. — 1861; de 1. *bouler.*

Techn. Fait de bouler les cornes d'un bovin.

**BOULAIE** [bulɛ] ou **BOULERAIE** [bulʀɛ] n. f. — 1294, *boleye,* attestation isolée; 1838, *bouleraie;* de l'anc. franç. *boul.* → Bouleau.

Régional ou agric. Terrain planté de bouleaux*. *Traverser une boulaie.*

HOM. **Boulê, boulet.**

**BOULANCE** [bulɑ̃s] n. f. — D. i., mot dialectal (Wartburg, art. *bullare*); de *boulant.*

Géol. Effondrement (d'un sable) dû à sa structure ou à un écoulement d'eau. → **Boulant.**

**BOULANGE** [bulɑ̃ʒ] n. f. — 1830; de 1. *boulanger.*

♦ **1** Techn. Produit de la mouture du blé. → **Farine.**

♦ **2** Action de pétrir et de cuire le pain (→ **Boulanger**). *Se lever de bonne heure pour la boulange.* — Anciennt. *Bois de boulange,* destiné à chauffer le four.

♦ **3** Fam. Métier ou commerce du boulanger. *Être dans la boulange.* → **Boulangerie.** — Boulangerie (magasin).

1. **BOULANGER, ÈRE** [bulɑ̃ʒe, ɛʀ] n. et adj. — V. 1170, *bolengier;* lat. médiéval *bolengarius,* v. 1100; d'un picard *boulenc* «celui qui fabrique du pain en boule», du moy. néerl. *bolle* «pain rond», suff. germ. *-enc* (comme dans *tisserand*).

**I** ♦ **1** **BOULANGER** (n. m) : celui dont le métier est de faire le pain. *Le boulanger travaille la nuit. Boulanger-pâtissier. Boulanger industriel. Four de boulanger. Le dimanche, le boulanger fait des gâteaux. Boutique du boulanger.* → **Boulangerie.** *Va m'acheter une baguette chez le boulanger. — La Femme du boulanger,* film de M. Pagnol.

À genoux, cinq petits — misère! — 1
Regardent le Boulanger faire
Le lourd pain blond.
Ils voient le fort bras blanc qui tourne
La pâte grise et qui l'enfourne
Dans un trou clair.
Ils écoutent le bon pain cuire (...)
RIMBAUD, les Effarés.

Il l'attendait en chantant, non avec la voix crépitante des flammes, mais avec le murmure qui accompagne l'incandescence du four du boulanger. 2
MALRAUX, Antimémoires, Folio, p. 61.

En appos. *Patron boulanger. Garçon boulanger.* → **Gindre, mitron.** *Artisan boulanger.*

Un patron boulanger (...) lui promettait dix-sept ou dix-huit francs par jour (...) A. BRETON, Nadja, p. 79. 3

Allus. hist. *Le boulanger, la boulangère et le petit mitron,* sobriquets donnés à Louis XVI, Marie-Antoinette et leur fils par le peuple, en 1789, par allusion à la demande de pain, à la suite de la pénurie de farine.

Argot. Vx. *Le boulanger :* le diable (à cause du four).

♦ **2** **BOULANGÈRE** (n. f.) : celle qui vend le pain dans une boulangerie, généralement la femme du boulanger. *La boulangère s'est trompée en rendant la monnaie.* — REM. L'emploi du fém. au sens 1. est virtuel (propriétaire ou ouvrière de boulangerie).

*Pommes à la boulangère,* ou, ellipt, *pommes boulangère :* pommes de terre cuites et dorées avec oignons.

♦ **3** Adj. Qui est fait par le boulanger, vendu en boulangerie. *Biscottes boulangères.*

**II** N. f. Vx. Ronde dansée sur une chanson populaire dont les paroles sont : «la boulangère a des écus...». *Danser la boulangère* (Balzac, *César Birotteau,* 1837).

DÉR. **Boulange, boulanger** (v.), **boulangerie.** ◊ HOM. 2. **Boulanger.**

2. **BOULANGER** [bulɑ̃ʒe] v. [CONJUG.: *bouger.*] — 1573, Baïf; *boulenger,* fin XVe; de 1. *boulanger.*

♦ **1** V. intr. Faire du pain. *Autrefois, on boulangeait une fois par semaine dans chaque famille.*

♦ **2** V. tr. Travailler, pétrir (une substance) pour faire du pain. *Boulanger de la farine.* — Par ext. Préparer et cuire (le pain). *Boulanger le pain pour la semaine.* — Au p. p. *Du pain bien boulangé.*

La Grande Nanon, son unique servante, quoiqu'elle ne fût plus jeune, boulangeait elle-même tous les samedis le pain de la famille. 1
BALZAC, Eugénie Grandet, éd. 1838, p. 38.

Un souper de jambon cru, de pommes et de whisky avait été préparé sur l'une des consoles lourdement dorées; Sophie elle-même avait boulangé le pain. 2
M. YOURCENAR, le Coup de grâce, p. 197.

HOM. 1. **Boulanger.**

**BOULANGERIE** [bulɑ̃ʒRi] n. f. — 1314, *boulenguerie;* de 1. *boulanger.*

♦ **1** Fabrication et commerce du pain. → **Boulange, panification.** *Opérations de boulangerie traditionnelle* (→ **Apprêt, bassinage, contre-frasage, cuisson, délayage, fermentation,** 2. **fleurage, frase, levain, mouillage, pétrissage, soufflage).** *Travailler dans la boulangerie.* → **Boulange** (fam.). *Monter une entreprise de boulangerie industrielle, semi-industrielle.* Ensemble des professionnels de la boulangerie. *Le ministre a reçu une délégation de la boulangerie.*

♦ **2** Lieu où l'on fait le pain destiné à la vente. *Travail de la pâte dans le fournil* d'une boulangerie* (→ **Coupe-pâte, paneton, pâton, pâtonnage, pétrin, racle, raclette, rouleau).** *Le four d'une boulangerie* (→ **Braisier, écouvillon,** 1. **fourgon, fournilles, oura,** 1. **râble, rouable, tire-braise).** *Cuisson du pain dans une boulangerie* (→ **Défourner, désenfourner; enfourner, fournée).**

♦ **3** Plus cour. La boutique du boulanger, où l'on vend du pain et de nombreux autres produits. *Aller acheter des croissants et des biscottes à la boulangerie. Boulangerie-pâtisserie,* où l'on vend aussi des gâteaux. → **Pâtisserie** (cit. 4).
*Boulangerie militaire.* → **Manutention,** 4.

**BOULANGISME** [bulɑ̃ʒism] n. m. — 1887; du nom du général Boulanger.
Mouvement politique attaché à la personne ou à la doctrine du général Boulanger (1837-1891). *Le boulangisme utilisant l'exaltation du sentiment national, regroupa les opposants au régime, surtout de droite, de 1886 à 1889.*

Marius André, ex-rédacteur en chef du *Faune,* cheveux longs, barbe rare (décidément, ça revient à la mode), Méridional, connaît tout et tous, parle de tout et de tous, et trouve que le boulangisme, par exemple, n'a commencé à être fort qu'aux élections dernières, celles d'octobre.
J. RENARD, Journal, 5 déc. 1889.

**BOULANGISTE** [bulɑ̃ʒist] n. et adj. — 1887; du nom du général Boulanger.
Relatif au boulangisme. L'aventure boulangiste. — N. Partisan du boulangisme. *Un, une boulangiste. Le parti des boulangistes était la Ligue des Patriotes.*

**BOULANT, ANTE** [bulɑ̃, ɑ̃t] adj. — D. i.; de 1. *bouler.*
Technique ou didactique.
♦ **1** Géol. Qui se désagrège facilement. *Sables boulants :* qui s'éboulent aisément. *Terrain boulant* (→ **Boulance).**

♦ **2** *Pigeon boulant :* variété de pigeon qui peut gonfler son jabot en boule. — N. m. *Un boulant.*

(...) on y reconnaissait un tumbler, un culbutant, un nègre *(sortes de pigeons...),* et même deux exemplaires de ces boulants juchés sur des pattes démesurées et la tête enfouie derrière un jabot monstrueusement enflé.
M. TOURNIER, le Roi des Aulnes, p. 155.

**BOULBÈNE** [bulbɛn] n. f. — 1796; gascon *boulbeno* «terre d'alluvion», orig. inconnue.
Didact. ou régional. Terre composée de sable, de limons argileux rougeâtres et de cailloux, sol caractéristique de l'Aquitaine. *La boulbène est un sol assez léger, facile à travailler, fertile dans les vallées, de plus en plus pauvre à mesure qu'on s'élève vers les terrasses.*

**BOULDER** [buldœʀ] n. m. — 1925; mot angl., proprt «galet».
Anglic. Gros bloc de pierre arrondi par l'érosion.

J'ai fait l'ascension de l'énorme boulder qui domine le campement. Je m'aperçois qu'il y en a (...) dans le pays, quantité d'autres. Celui que je gravissais était des plus remarquables. D'une seule pièce — granit à très gros grain (...)
GIDE, le Retour du Tchad, VI, *in* Souvenirs, Pl., p. 946.

**BOULDOZEUR** [buldozœʀ] n. m. → **Bulldozer, bouteur.**

1. **BOULE** [bul] n. f. — 1330; fin XIIIe, «bulle»; v. 1175, *bole* «massue»; du lat. *bulla* «bulle d'eau; objet sphérique». → 1. Bulle.

♦ **1** Forme sphérique; objet (non spécifié) de cette forme. *Il ramassa ses affaires et en fit une boule. Il a vu une boule enflammée passer dans le ciel. Le soleil semble être une boule de feu. Rond comme une boule. Rouler comme une boule. Objets en forme de boule.* → **Balle, ballon, bille, bombe, boulet, boulette, bulle, globe, pomme, sphère.**

Nous imitons, horreur! la toupie et la boule 0.1
Dans leur valse et leurs bonds (...)
BAUDELAIRE, les Fleurs du mal, CXXVI, «Le voyage».

(...) cette partie de balle (...) ce plaisir des petits chats qui 0.2
sautent après des boules de papier.
MAUPASSANT, Fort comme la mort, éd. 1889, p. 201.

En effet, un ballon, porté comme une boule au sommet 0.3
d'une trombe, et pris dans le mouvement giratoire de la colonne d'air, parcourait l'espace avec une vitesse de quatre-vingt-dix milles à l'heure, en tournant sur lui-même, comme s'il eût été saisi par quelque maelström aérien. J. VERNE, l'Île mystérieuse, t. I, p. 3.

REM. Dans les syntagmes comme *boule d'eau, etc.* le mot possède à la fois la valeur générale et la valeur spéciale, → ci-dessous, 3.

*Rond comme une boule,* en parlant d'une personne. *Boule de graisse. Boule de suif* (titre d'un conte de Maupassant) : personne grosse.

Les pieds sur une boule d'eau brûlante, le corps enveloppé 1
en une fourrure dont la caresse velue et fine, immobile et douce, la réchauffait à travers sa robe (...)
MAUPASSANT, Notre cœur, II, VI, p. 187.

Méd. *Boule d'œdème :* infiltration de forme globulaire succédant à l'injection d'un liquide dans le derme ou l'hypoderme. Fam. *Avoir une boule dans la gorge,* une sensation de gêne au niveau du larynx, accompagnant souvent une forte émotion. *Boule hystérique :* sensation éprouvée par les hystériques au début d'une attaque ou comme symptôme isolé, d'avoir une boule qui comprime leur cou et leur thorax.

**EN BOULE :** en forme de boule. *Des arbres taillés en boule.* → **Bulteau.** — *Un arbre en boule. Vu l'arbre en boule?,* dans le langage militaire, pour un repérage. — Géol. *Érosion en boule,* qui aboutit à la formation de blocs arrondis. — *Un chat roulé en boule. Hérisson qui se roule en boule* (→ **Volvation).** *Tomber en boule.* → **Bouler; roulé-boulé.** *Se mettre, se rouler en boule.* → **Blottir** (se), **bouter** (se), **pelotonner** (se). *Mettre en boule.* → **Conglober.** *Rouler ses vêtements en boule.*

(...) l'objet, pourtant remarquable, était roulé en boule dans 1.1
un coin (...)
A. ROBBE-GRILLET, Souvenirs du triangle d'or, p. 160.

Géol. *Désagrégation en boule des roches cristallines.*
Fig., fam. *Mettre qqn en boule. Avoir les nerfs en boule :* être énervé, furieux. → **Pelote** (en). *Se mettre en boule,* en colère.

Qu'est-ce que tu as? Tu as l'air malade. Tes nerfs sont en 2
boule (...) A. MAUROIS, Terre promise, XLII, p. 287.

**UNE BOULE DE... :** une quantité (d'une matière) de forme grossièrement sphérique. *Petite boule de viande.* → **Boulette.** *Boule de glace. Cornet de glace à deux boules. Boule d'aliments mastiqués.* → 2. **Bol.** *Une boule de cire, de cheveux. Un pull usé, couvert de petites boules de laine* (→ **Boulocher**). *Le mercure se répand sur une surface en formant de petites boules. Il reste des boules de farine dans la pâte* (→ **Grumeau**). *Boule de sureau.*

Régional (Belgique). *Boule de savon :* pain (rond) de savon.

**BOULE DE NEIGE** [buldənɛʒ] : neige pressée en sphère. *Bataille de boules de neige.* Fig. *Faire (la) boule de neige :* prendre une importance de plus en plus grande, et de plus en plus rapidement. → **Grossir.**

3 (...) il *(le bourgeois)* en constitue des *capitaux,* qu'il investit dans d'autres affaires et qui font boule de neige.
MARTIN DU GARD, les Thibault, t. V, p. 218.

4 Eh ! mon Dieu ! un article circule..., on en parle..., cela finit par faire la boule de neige ! Et qui sait ? qui sait ?
FLAUBERT, Mme Bovary, p. 235.

*Vente à la boule de neige,* dans laquelle il est convenu que l'acheteur se fait rembourser au moins une part de la marchandise s'il en place à son tour une certaine quantité. *Le système de la vente à la boule de neige est illicite.*

→ **Boule-de-neige** (plante).

*Boule de feu :* pivoine. — *Boule d'or :* trolle.

En appos. Vx ou régional (Belgique). *Chapeau boule :* chapeau melon*.

♦ **2** Math. Ensemble des points d'un espace métrique dont la distance à un point donné de l'espace est inférieure *(boule fermée)* ou strictement inférieure *(boule ouverte)* à un nombre réel positif donné. *Boule dans l'espace euclidien de dimension 3. Si l'espace est un plan euclidien, la boule est un disque.*

♦ **3** Objet (spécifié) de forme sphérique. **a** (Objets artificiels). *Les boules d'un boulier. La boule d'un bilboquet. Boule d'une canne, d'une épée.* → **Pomme, pommeau.** *Boule d'amortissement :* ornement couronnant un pilier, une balustrade, une rampe d'escalier. *Une boule de balustre, de pilastre. — La boule de cristal* d'une voyante.*

*Boule blanche, rouge, noire :* boule qui dans certains votes, certains systèmes d'appréciation, permet de donner son avis. *Déposer sa boule dans l'urne.* — Vx. *« Oscar passa ses derniers examens à boules blanches »* (Balzac), en obtenant une appréciation favorable. — Fig. et vx. *La boule noire lui tombe toujours :* il joue de malchance. *Boule à repriser.* Quasi syn. : *œuf (à repriser). Boule de loto :* jeton cylindrique, portant un nombre, et que l'on tire au sort au loto. — Fig. *Avoir des yeux en boule de loto,* ronds et exorbités.

(1890, *in* D. D. L.). *Boule puante :* petite sphère qui en se brisant répand un liquide d'une odeur fétide. *Les écoliers lançaient des boules puantes pendant le cours.*

5 Nous lançions déjà des boules puantes aux filles tous les deux quand vous ne songiez pas encore à venir au monde, cher bébé. J. ANOUILH, la Répétition, p. 107.

*Boule d'eau, d'eau chaude.* → 1. **Bouillotte,** 2. ; → ci-dessus, cit. 1.

*Boule à thé :* petit appareil formé de deux hémisphères dans lequel on met les feuilles de thé avant de les plonger dans la théière. Vx. *Boule à légume, à riz* (analogues).

Mar. *Boule de signaux,* servant à faire des signaux sur les côtes (→ **Bombe, ballon**). *Boule de marée,* hissée à l'entrée d'un port pour signaler aux navires que la marée leur permet d'entrer.

Absolt. Techn. Petite enclume ronde. — Masse de métal courbe (utilisée pour planer, en orfèvrerie). — Outil à tête ronde.

**BOULES QUIES** [bulkiɛs] (marque déposée) : petites boules de cire que l'on se met dans les oreilles pour s'isoler du bruit. *Mettre des boules Quies.*

(...) il a fabriqué des boules « Quies » avec de la mie de pain enduite de gras de gamelle. 6
J. CAU, la Pitié de Dieu, p. 124.

Qu'est-ce qui t'a pris ? Tu n'avais pourtant pas ces boules Quiès que tu viens d'enfoncer dans tes oreilles. Tu l'as bien entendu, le cher monsieur ! 7
Yanny HUREAUX, la Prof., p. 65.

*Boule de pain.* → **Miche.** *Boule de son.* — Absolt. Pain en forme de boule.

*Boule militaire. Donnez-moi trois baguettes et deux boules.* → aussi 1. **Boulot** (pain boulot).

**BOULE DE GOMME :** bonbon à base de gomme (→ Gomme, cit. 3). Loc. fam. *Mystère** (cit. 13.1) *et boule de gomme !*

Vx. *Boule de Nancy, boule d'acier :* médicament contre les contusions. *Eau de boule :* alcool contenant ces boules dissoutes.

Absolt. Régional (Belgique). Bonbon à sucer (souvent, bonbon acidulé). — Syn. fam. : *chique.* — (Afrique noire). Morceau de pâte (manioc, mil, sorgho...) façonné en boule. — Syn. : *boule de pâte.* Loc. *Manger la boule et la sauce :* manger à l'africaine.

**b** (Objets naturels). Baie sphérique. *Les boules du gui, du chèvrefeuille. Les boules rouges du houx.*

Fam. *Boule ; boule d'amour :* testicule. → **Balle.**

Ce jour-là (avant-hier lundi) mon kellak me frottait doucement, lorsque étant arrivé aux parties nobles, il a retourné mes boules d'amour pour me les nettoyer, puis continuant à me frotter la poitrine de la main gauche, il s'est mis de la droite à tirer sur mon vi *(sic).* 8
FLAUBERT, Correspondance, t. I, Pl., p. 573.

Par-dessus ce marché, j'ai eu une orchite, tout comme un grand, à la suite d'une chute sur mes petites boules qui se mirent à grossir énormément et gardèrent, par la suite, une allure bien laide. 9
Henri CALET, la Belle Lurette, p. 55.

Fam. *Les boules :* glandes, ganglions.

Loc. fig. (v. 1980). *Avoir les boules* (ou *les glandes*) : en avoir assez, être énervé. *Ça me fout les boules ! Oh ! les boules !*

♦ **4** Corps plein sphérique de métal, de bois, d'ivoire, qu'on fait rouler dans certains jeux. → aussi **Bille.** *Boule de pétanque, du jeu de quilles, de bowling, de croquet, de passe-boule. Boule de billard.* → **Bille.**

Spécialt. **a** Fam. (Sports). Ballon de football. → **Balle, ballon.** *Passe-moi la boule !*

Pourtant, au croisement de la route de l'Opéra, quelques gosses jouaient à la balle. Ils reconnurent Antoine et lui lancèrent la boule avec déférence. 10
René FALLET, le Triporteur, p. 24.

**b** N. f. plur. **BOULES :** exercice, jeu d'équipe et de plein air qui consiste à lancer et faire rouler sur le sol des boules de bois ou de métal, de telle sorte qu'elles se rapprochent le plus possible d'un but matérialisé par une boule plus petite (cochonnet*). → Boulodrome, cit. 1. *Jeu de boules* (boule lyonnaise, pétanque*). *Jouer aux boules* (→ **Abuter, piéter, pointer, poquer, tirer**). *Joueur de boules.* → **Bouliste, boulomane.** *Équipe de joueurs de boules :* triplette. *Concours de boules. Il passait tous ses dimanches après-midi à jouer aux boules sur la place.*

*Jeu de boules :* lieu où l'on pratique ce jeu. → **Boulingrin** (étym.), **boulodrome.**

11 Attaché dessus vous, comme un joueur de boule
Après le mouvement de la sienne qui roule.
MOLIÈRE, l'Étourdi, IV, 4.

**c** (1763, *in* D. D. L.). Jeu de hasard des casinos, voisin de la roulette. *Jouer à la boule.*

(1953). Loc. fig. Fam. *Rentrer dans ses boules, retrouver ses boules,* sa mise. — *Remonter les boules de qqn, remonter ses boules :* (se) refaire (au jeu); (faire) gagner de l'argent.

**d** Loc. fig. Vx. *Laisser rouler la boule :* ne pas s'inquiéter.

Vx. *Faire quelque chose boule à vue, à boule vue* (ou *à boulevue*), à coup sûr, précipitamment.

♦ **5** (1798, Procès d'Orgères). Fig., fam. Tête; crâne. *Avoir la boule à zéro :* être complètement rasé. — *Une boule de billard :* une tête chauve, et, par ext., un homme chauve.

Loc. pop. *Coup de boule :* coup de tête (pour attaquer, faire mal), Céline, *in* Cellard et Rey.

(Visage). *Avoir une bonne boule,* une bonne tête, un air sympathique. → **Bille, balle, bouille.**

(Siège de l'intelligence). *N'avoir rien dans la boule.* — (1819, *in* D. D. L.). *Perdre la boule :* devenir fou, s'affoler, déraisonner.

**DÉR. et COMP. Boule-de-neige,** 1. **bouler, boulet, boulette, bouleux, boulier, bouliste, boulocher, boulodrome, boulomane, boulon,** 1. **boulot, boulu, boulure, sabouler.** ◊ **HOM. Boulle.**

2. **BOULE** [bul] n. m. → **Boulle.**

**BOULÉ** [bule] n. m. — 1866, P. Larousse; de *bouler.*

Cuis. et confis. *Petit boulé, gros boulé :* degrés de cuisson du sucre, respectivement à 115° et 120° quand le sirop forme des bulles qui éclatent, puis des flocons neigeux. → Sucre, cit. 1. *Le gros boulé est aussi appelé «plume». Le sucre est au petit boulé.*

(...) sœur Sophie (...) surveillait l'ébulliton des bocaux, ou le grand boulé du sucre.
Denyse VAUTRIN, le Tourbillon des jours, t. I, p. 79.

**BOULÊ** [bulɛ] n. f. — D. i. (attesté XX^e); mot grec.

Hist. anc. Sénat d'une cité grecque. *La boulê athénienne. La boulê prépare des projets de lois qu'elle soumet à l'assemblée des citoyens.*

**HOM. Boulaie, boulet.**

**BOULEAU** [bulo] n. m. — 1516; de l'anc. franç. *boul,* du lat. pop. **betullus,* lat. class. *bettula,* d'orig. gauloise.

Arbre des régions froides et tempérées *(Bétulacées)* à écorce blanche, à petites feuilles, dont le bois est utilisé en menuiserie, en ébénisterie et pour la fabrication du papier. → **Bouillard** (régional). *Des bouleaux gluants de sève douce.* → Sainfoin, cit. *Plantation de bouleaux.* → **Boulaie.** *Huile d'écorce du bouleau.* → **Dioggot.** *Bouleau russe, bouleau de Carélie.*

Je suis maintenant au-dessus d'une forêt de bouleaux dont les cimes pommelées s'entrechoquent, se flétrissent rapidement, tandis que les troncs, se dépouillant eux-mêmes de leur peau blanche, construisent une grande boîte carrée, seul accident qui demeure dans la plaine dénudée.
Michel LEIRIS, Haut mal, p. 23.

Bois blanc du bouleau. *Une table en bouleau.*

**DÉR. V. Bouillard, boulaie.** ◊ **HOM.** 1. et 2. **Boulot.**

**BOULE-DE-NEIGE** [buldənɛʒ] n. f. — 1816, *boule de neige;* de *boule,* et de *neige.*

Viorne obier* *(viburnum),* arbre dont les inflorescences ressemblent à des boules de neige.

Un oranger en espalier, de petits citronniers dans de grands pots de terre rouge, les boules-de-neige montant à des morceaux de treilles de roseaux. 1
Ed. et J. DE GONCOURT, Madame Gervaisais, p. 21.

À peine on avait poussé la porte du parc, qu'entre les branches des buissons on voyait blotties de grosses «boules de neige», comme le jardinier disait à Jean qu'elles s'appelaient, mais qui cueillies ne fondaient pas dans sa main, qui restaient toutes blanches et aussi grosses dans les vases de la salle à manger! 2
PROUST, Jean Santeuil, Pl., p. 325.

**BOULEDOGUE** [buldɔg] n. m. — 1753, *in* Höfler; *bouldogue,* 1745, attestation isolée; angl. *bulldog,* proprt «chien*(dog)*-taureau».

♦ **1** Petit dogue*, à mâchoires saillantes. *Le bouledogue est souvent agressif.* — REM. On écrit parfois *bull-dog* (abrév. fam. *bull*).

(...) je m'amuse à voir mettre en place le décor du corridor de l'Opéra, devant un machiniste en chef morose, accompagné en chacun de ses pas, par un bouledogue trapu, et comme écrasé sur les planches de la scène, — homme et bête à la silhouette fantastique. 1
Ed. et J. DE GONCOURT, Journal, t. VII, p. 13.

Par compar. *Aimable comme un bouledogue :* hargneux.

(...) tous admirèrent M. Foureau, qui était brutal cependant, comme l'indiquaient ses grosses lèvres et sa mâchoire de bouledogue. 2
FLAUBERT, Bouvard et Pécuchet, Pl., t. II, p. 700.

♦ **2** (1808). Fig. Personne d'aspect peu engageant, peu aimable.

♦ **3** (1895, A. Daudet). Fam., vx. Revolver, pistolet à canon très court.

1. **BOULER** [bule] v. — Av. 1555, intrans.; 1390, trans. «faire rouler»; de *boule.*

**I** V. intr. ♦ **1** Fam. ou régional. Se déplacer sur le sol en roulant comme une boule, à la suite d'une chute (→ **Roulé-boulé**). *Peu après le coup de feu, on vit bouler le lièvre. «Des pierres qui boulent»* (Saint-Exupéry). *Du haut du col, l'ennemi faisait bouler sur eux des quartiers de rochers.*

On peut aussi se laisser bouler pour ne pas se faire mal quand on tombe de trop haut. 1
B. CENDRARS, Bourlinguer, p. 180.

(...) ma figure se heurte à des genoux et des doigts de pied les garçons sautent sur moi boulent se vautrent m'étreignent s'éloignent reviennent disparaissent (...) 2
Tony DUVERT, Paysage de fantaisie, p. 110.

♦ **2** (1854, «repousser»). Fam., cour. *Envoyer bouler qqn,* l'envoyer* promener. → **Éconduire, repousser.** *Il l'a envoyé bouler comme un malpropre.* Fig. *«Envoyer bouler l'image qu'on se fait du monde»,* (M. Yourcenar, *in Hanse*).

Trans. *Se faire bouler :* se faire renvoyer, éconduire. — Fig. Être éliminé, échouer (dans une compétition). *Elle s'est fait bouler au concours.*

**II** V. tr. (1390). ♦ **1** Renverser et faire rouler par terre, en détruisant. *Bouler un lièvre,* le frapper d'un coup de feu et le faire rouler sur lui-même sur sa lancée. — *Bouler un obstacle.*

♦ **2** Fam. Dire, réciter le plus vite possible. *L'acteur a boulé son texte* (dans ce sens, le dér. *bouleur* s'est employé). *Bouler ses mots.*

(...) chaque soir, j'attendais impatiemment la fin de la bouffonnerie quotidienne, je courais à mon lit, je boulais ma prière, je me glissais entre mes draps (...) 3
SARTRE, les Mots, p. 94.

♦ **3** Garnir d'une boule. *Bouler les cornes d'un taureau.*

◆ **SE BOULER** v. pron. Fam., régional. Se rouler en boule, se pelotonner. *La petite fille, apeurée, se boulait dans un coin sombre de la pièce.*

4 Les yeux jaunes fouillent le courage de l'homme. Les griffes sorties, le loup-cervier se boule, prêt à bondir. La peur de la bête face à l'odeur de l'homme, aux grognements des chiens.
Jean-Yves SOUCY, Un dieu chasseur, p. 26.

◆ **BOULÉ, ÉE** p. p. adj. *Lièvre boulé.*

5 (...) ses guêtres de routier, couleur de chaume, se détendirent ainsi que ses ongles usés et rognés. Et il bondit par la haie, boulé, les oreilles à son derrière.
Francis JAMMES, le Roman du lièvre, I, p. 8.

6 Sous le tir des policiers des fenêtres, deux étaient tombés au milieu de la rue, les genoux à la poitrine, comme des lapins boulés (...)
MALRAUX, la Condition humaine, p. 81.

Spécialt. Équit., turf. En position ramassée pour la course (jockeys).

7 Puis dans un *canter* ou petit galop, les jockeys déjà boulés sur leurs pur-sang impatients de se détendre, vont se mettre sous les ordres du *starter.*
P. ARNOULT, les Courses de chevaux, p. 96.

DÉR. **Boulant, boulé. — Boulage** ou **bouletage. —** V. 1. **Boulotter.** ◊ COMP. **Abouler, bouleverser, chambouler, débouler, roulé-boulé.** → HOM. 2. **Bouler.**

2. **BOULER** [bule] v. tr. — XV^e^, *boler* : «Ainsi fine ma parabole, / la merde puet quant on la bole», *le Serment du pappegay,* manuscrit messin ; du lat. *bullare* «bouillonner». → Bouiller.

Vx ou régional. Agiter, remuer, battre au moyen d'une perche (→ **Bouloir**). *Bouler l'eau d'une rivière.* → **Bouiller** ; 1. **bouille.** — Spécialt. *Bouler la chaux, le mortier.*

DÉR. **Bouloir. —** V. **Bouiller.** ◊ HOM. 1. **Bouler.**

**BOULERAIE** [bulʀɛ] n. f. → **Boulaie.**

**BOULET** [bulɛ] n. m. — 1347 ; de *boule.*

**I** ♦ **1** **a** Projectile sphérique de métal dont on chargeait les canons. *Un boulet de canon* (→ aussi **Obus**). *Boulet ramé, boulet barré,* formé de deux demi-sphères réunies par une barre. *Boulet rouge,* qu'on faisait rougir au feu avant de le tirer, et qui constituait ainsi un projectile incendiaire. *Un boulet de quarante-huit* (calibre).

1 En vain boulets, obus, la balle et les mitrailles,
De la vieille cité déchiraient les entrailles (...)
HUGO, les Chants du crépuscule, 1, 3.

2 (...) ayant poussé, à Brienne, son cheval sur un boulet fumant, il *(Napoléon)* s'est écrié : «Le boulet qui me tuera n'est pas encore fondu».
Louis MADELIN, Talleyrand, XXVI, p. 267.

(1798). Fig. *Tirer à boulets rouges sur qqn,* l'attaquer violemment.

2.1 (...) je ne crois pas que les révolutions soient des assassinats, ou alors je m'en désiste. On le sait. C'est pourquoi on tire sur moi à boulets rouges, des deux côtés. J'ai tué un homme. J. GIONO, le Hussard sur le toit, p. 354.

Loc. *Entrer, arriver comme un boulet, comme un boulet de canon,* en trombe.

2.2 Aussitôt qu'il m'eut reconnu, ses sourcils élevés et disparates se défroncèrent, il entra comme un boulet de quarante-huit, se précipita dans mes bras sans dire un mot, avec une franche expression qui faillit me renverser.
VILLIERS DE L'ISLE-ADAM, Tribulat Bonhomet, p. 70.

Loc. fig. *Sentir le vent* du boulet.*

**b** *Boulet, boulet de canon :* tir puissant, au football.

D'emblée, un «boulet» de Poniatowski rencontra le poteau droit des buts de Médoc. 2.3
René FALLET, le Triporteur, p. 407.

♦ **2** (1803). Boule, sphère de métal qu'on attachait aux pieds de certains condamnés (bagnards, etc.) par l'intermédiaire d'une chaîne. *Être condamné à la peine du boulet. Traîner le boulet :* être bagnard.

«La Belle Captive», dont les chevilles sont maintenues par de lourdes chaînes à des boulets en fonte (...) 2.4
A. ROBBE-GRILLET, Souvenirs du triangle d'or, p. 78.

(1826 ; → cit. 3). Fig. Obligation pénible, charge dont on ne peut se délivrer. *C'est un boulet à traîner.*

(...) Voilà quarante ans que nous traînons ce boulet (...) 3
MARTIN DU GARD, les Thibault, t. VI, p. 129.

Personne qui ne sert à rien, ralentit l'activité des autres, constitue une charge pénible. *Quel boulet !*

Tu arrives exprès d'Amérique pour être mon compagnon 4
de boulet. CHATEAUBRIAND, les Natchez, V, 219.

♦ **3** (1776). Aggloméré de charbon, de forme ovoïde, souvent lié par une matière agglomérante, comme le goudron de houille. → **Combustible.** *Un sac de boulets.*

(...) on entend, provenant de la souillarde, le bruit des 5
pelletées de boulets tombant dans le seau.
Claude SIMON, le Vent, p. 50.

♦ **4** Régional (Liège). Boulette (de viande).

**II** (XVI^e^ ; anal. de forme). Chez le cheval*, Articulation de l'extrémité inférieure de l'os canon avec la première phalange au-dessus du paturon (→ **Bouleté**).

Les mastodontes *(des zébus)* finirent par s'arracher et se 6
ruèrent sur la pente, s'enfonçant jusqu'aux boulets, fanons claquant.
Claude COURCHAY, La vie finira bien par commencer, p. 181.

Loc. *Être sur les boulets :* être très fatigué, fourbu, en parlant d'un cheval. — Par ext. (en parlant d'une personne, 1899, *in* Petiot). *Il avait fait 40 kilomètres à pied dans la journée, il était sur les boulets* (→ Être sur les genoux*).

Impossible de trouver un taxi. Lorsqu'il arriva rue Las- 7
Cases, Loch était sur les boulets. Dans l'ascenseur, il se sentit, de la nuque aux genoux, gagné par un tremblement qui ne lui disait rien de bon.
Bernard BARBEY, Chevaux abandonnés sur le champ de bataille, p. 257.

DÉR. **Bouleté. — Bouleture.** ◊ HOM. **Boulê, boulaie.**

**BOULETAGE** [bultaʒ] n. m. → **Boulage.**

**BOULETÉ, ÉE** [bulte] adj. — 1678 ; de *boulet,* II.

Zool. (En parlant d'un cheval). Dont le boulet* est porté sur l'avant, par suite d'un raccourcissement des tendons des muscles fléchisseurs. *Un cheval bouleté* (→ **Bouleture**).

**BOULETTE** [bulɛt] n. f. — V. 1393 ; de *boule.*

♦ **1** Petite boule façonnée à la main. *Des boulettes de pain. Lancer des boulettes de papier. Boulette d'opium.*

Les gosses s'entrexaminent et se lancent des boulettes de 1
papier ou des bouts de sucette gluants.
R. QUENEAU, Loin de Rueil, p. 38.

Ses mains, qui préparaient une nouvelle boulette, trem- 2
blaient légèrement. Cette solitude totale, même l'amour qu'il avait pour Kyo ne l'en délivrait pas. Mais s'il ne savait pas se fuir dans un autre être, il savait se délivrer : il y avait l'opium.
Cinq boulettes. Depuis des années il s'en tenait là, non sans peine, non sans douleur parfois. Il gratta le fourneau de sa pipe (...) MALRAUX, la Condition humaine, p. 58.

Petite boule (en général). *«La crasse s'en allait par boulettes»* (Sartre, *la Mort dans l'âme,* p. 74).
Spécialt. Petite boule (d'une substance comestible) destinée à être mangée. → **Croquette.** *On nous a servi des boulettes de viande avec des pommes de terre. Boulette de charcuterie.* → **Attignole** (régional). *Préparer des boulettes de pâte pour faire des gâteaux. Tuer un chien avec des boulettes empoisonnées.*
Petite boule d'aggloméré de minerai (→ **Pellet,** 2.).
Régional. Caillebotte, fromage blanc (en boule).

♦ **2** Vx. Petit projectile utilisé dans les armes à feu. → **Balle, plomb.** *Les boulettes sifflaient à ses oreilles.*

3 S'ils sont sortis, les Boches, i's ont dû prendre quéque chose! «Tiens, écoute, là-bas, les boulettes qui r'biffent! T'entends?»
H. BARBUSSE, le Feu, t. II, II, XX, p. 19.

♦ **3** (1807, *in* D.D.L.; l'explication traditionnelle par les boulettes de papier que fait le mauvais élève, ne satisfait pas). Fig., fam. Bévue, sottise. → **Gaffe.** *Faire une boulette. Il ne faut surtout pas aborder ce sujet, ce serait une sacrée boulette. Accumuler les boulettes.*

4 Et, après une ultime recommandation de prudence, après avoir répété à satiété :
— Pas de boulettes, pas de gaffes, — il sortit.
GORON, l'Amour à Paris, t. III, p. 1607.

**BOULETURE** [bultyʀ] n. f. — 1861; de *boulet.*
Techn. Déformation du boulet d'un cheval bouleté*.

**BOULEUX, EUSE** [bulø, øz] adj. et n. m. — 1718; de *boule.*

♦ **1** Techn. (hippol.). Court et trapu, propre à de durs travaux, en parlant d'un cheval. *Une jument bouleuse.*

♦ **2** N. m. Fig., vx. *Un bon bouleux :* un homme laborieux, patient. *Un bouleux :* un homme d'une grande force physique.

**BOULEVARD** [bulvaʀ] n. m. — Av. 1365, *bolevers* «ouvrage de défense»; du moy. néerl. *bolwerc* «ouvrage de fortifications fait de madriers», puis «rempart».

**I** ♦ **1** Vx. (Fortif.). Terre-plein d'un rempart*, terrain occupé par un bastion, une courtine.
Par ext. Place forte qui met un pays à l'abri de l'invasion.

1 Cambray et Saint-Omer étaient les deux plus forts boulevards que les Espagnols eussent en Flandres.
RACINE, les Campagnes de Louis XIV.

♦ **2** (1792). Fig. Vx ou littér. *Le boulevard de...,* ce qui sert de défense, de protection à... → **Bastion, rempart, sauvegarde.** *Le boulevard de la chrétienté, de l'Europe. Ces hommes étaient le boulevard de la liberté.*

**II** Mod. ♦ **1** (1803). Promenade, large rue plantée d'arbres faisant le tour d'une ville (sur l'emplacement des anciens remparts). *Boulevards extérieurs. — Boulevard périphérique** (cit. 1). *Boulevard circulaire.* → **Cercle,** 2. **ring.**

♦ **2** Large voie, large, rue, souvent plantée d'arbres (abrév. : *Bd*). → **Avenue, cours.** *Le Boulevard Saint-Michel, à Paris* (fam. *Boul' Mich'*). *Le Boulevard de Clichy, le Boulevard des Italiens* (Paris). *Rouler sur un boulevard. Traverser un boulevard.*
*Les grands boulevards,* et, absolt (1842), *les boulevards, le boulevard :* à Paris, les boulevards entre la Madeleine et la Bastille. *Les théâtres des boulevards* (→ ci-dessous, 3.). *L'animation des grands boulevards. Flâneur des boulevards* → **Boulevardier** (vx).

Le temps d'un détour par les boulevards jusqu'à l'Opéra, où m'appelle une course brève. 1.1
A. BRETON, Nadja, p. 86.

Le boulevard, ce fleuve de vie, grouillait dans la poudre d'or du soleil couchant. 2
MAUPASSANT, Tombouctou.

Pour Félix, les Boulevards entre l'Opéra et la porte Saint-Martin restaient le cœur vivant de la capitale, le centre de la vie sociale, comme ils l'avaient été pour son père et son grand-père. 3
Jean-Louis CURTIS, le Roseau pensant, p. 19.

REM. On trouve parfois l'orthographe *boulevart.*

Boulevart sans mouvement ni commerce, 4
Muet, tout drame et toute comédie,
Réunion des scènes infinie,
Je te connais et t'admire en silence.
RIMBAUD, Poésies, LXXVIII, Bruxelles.

♦ **3** (Des *grands boulevards* de Paris). *Théâtre, pièce de boulevard,* d'un comique léger, traditionnel, destiné au grand public bourgeois. — Par ext. *Le boulevard :* ce genre. *C'est du bon boulevard. Comédien de boulevard. Jouer du boulevard.* — REM. Au XIX^e^ s., désigne un genre plus populaire (→ cit. 5).

Et les caractères de M^lle^ de Varendeuil, de Germinie, de Jupillon, vous les trouvez n'est-ce pas inférieurs aux caractères de n'importe quel mélodrame de boulevard. 5
Ed. et J. DE GONCOURT, Journal, t. VII, p. 321.

Jamais le métier, les procédés du «boulevard» n'auront réussi, comme dans *Père,* à faire rire une salle en lui montrant la vérité la plus triste (...) 6
F. MAURIAC, le Nouveau Bloc-notes 1958-1960, p. 101.

*Le Boulevard du Crime :* le boulevard du Temple, où se jouaient au XIX^e^ siècle, de nombreux mélodrames.

(...) ce que vous admirez, avec le plus de chaleur d'entrailles, et qui, selon votre expression, ne vous laisse pas *un fil de sec sur le dos,* c'est le plus gros drame du Boulevard du Crime (...) 7
Ed. et J. DE GONCOURT, Journal, t. VII, p. 320.

DÉR. **Boulevarder, boulevardier.**

**BOULEVARDER** [bulvaʀde] v. intr. — 1866 (cf. moy. franç. *boullewerquer* «fortifier», 1510, du sens I. de *boulevard*); de *boulevard.*
Vx. Flâner sur les grands boulevards parisiens.

**BOULEVARDIER, IÈRE** [bulvaʀdje, jɛʀ] adj. et n. — 1867; de *boulevard.*

**I** N. ♦ **1** Vx. Personne qui fréquente les grands boulevards à Paris. — Par ext. → **Mondain, viveur.**

Il était aussi superstitieux qu'un sauvage, malin comme un singe, à la page comme un boulevardier, affranchi et dessalé.
B. CENDRARS, Moravagine, *in* Œ. compl., t. IV, p. 194-195.

♦ **2** Auteur de pièces de boulevard*. Appos. *Auteur, écrivain boulevardier.*

**II** Adj. ♦ **1** Qui a rapport au monde, à la vie des grands boulevards* parisiens. *«Le Paris artistique et boulevardier»* (Barrès). *La langue boulevardière.*

♦ **2** Qui a les caractères du théâtre, de l'esprit de boulevard. *Un comique boulevardier,* facile.

**BOULEVARI** [bulvaʀi] n. m. — 1807; altér. de *hourvari,* sous l'infl. de *bouleverser,* ou selon P. Guiraud, composé tautologique, de *bouler,* et *varier.*
Vx, fam. Grand vacarme; trouble. → **Hourvari.**

**BOULEVERSANT, ANTE** [bulvɛʀsɑ̃, ɑ̃t] adj. — 1863; de *bouleverser.*

Qui bouleverse, qui cause une grande émotion. → **Émouvant.** *Un spectacle, un récit bouleversant. Une nouvelle, une voix, une apparition bouleversante. Raimu était bouleversant dans ce rôle.*

N. f. Vieilli :

(...) le type féminin le plus répandu, c'était ce que nous appelions «les bouleversantes» : des créatures aux cheveux pâles, plus ou moins rongées par la drogue, ou par l'alcool, ou par la vie, avec des bouches tristes et des yeux qui n'en finissaient pas.
S. DE BEAUVOIR, la Force de l'âge, p. 359.

**BOULEVERSEMENT** [bulvɛʀsəmɑ̃] n. m. — 1579, au sens 2.; de *bouleverser.*

♦ **1** (1611, Cotgrave). Action de renverser, de mettre en grand désordre. → **Branle-bas, cataclysme, chambard, désordre, ravage, renversement, saccage.** *Le bouleversement d'un quartier par des travaux de démolition. Le bouleversement de l'appartement ne laissait aucun doute : les cambrioleurs avaient tout visité.* — Résultat de cette action; choses bouleversées.

1 Il ne restait qu'un bouleversement de pierres et de poutres broyées autour d'un grand toit rouge (...)
R. DORGELÈS, Les Croix de bois, p. 144.

2 (...) si jamais notre planète est victime d'un cataclysme, à ce moment redoutable, il se trouvera des hommes qui, au milieu du bouleversement et du chaos, auront une pensée désintéressée, scientifique (...)
RENAN, Questions contemporaines, *in* Œ. compl., t. I, p. 218.

♦ **2** Action de transformer de façon brutale, de semer le désordre, la confusion dans (qqch.); résultat de cette action. → **Perturbation, ravage, révolution, saccage, trouble.** *Le bouleversement des traits du visage par l'émotion.* → **Altération.** *L'actuel bouleversement des valeurs que connaît la société occidentale. Une période d'instabilité et de bouleversement politique, économique.*

3 (...) le petit drame que représentait, pour ce prêtre, ce bouleversement de ses innocentes habitudes (...)
Paul BOURGET, Un divorce, I.

4 La peste de 1502 en Provence, qui fournit à Nostradamus l'occasion d'exercer pour la première fois ses facultés de guérisseur, coïncida aussi dans l'ordre politique avec les bouleversements les plus profonds, chutes ou morts de rois, disparition et destruction de provinces, séismes, phénomènes magnétiques de toutes sortes, exodes de Juifs (...)
A. ARTAUD, le Théâtre et son double (1938), Le théâtre et la peste (1931), Idées/Gallimard, p. 24.

♦ **3** Action de troubler profondément (qqn), de causer une émotion intense; résultat de cette action. *Le bouleversement de l'esprit, des idées.* → **Agitation.** — (D'une personne). *Il continuait de sourire, son bouleversement restait invisible.*

4.1 Dans ce renversement et ce bouleversement de l'âme, pour s'exprimer de la sorte, est-on maître de recueillir son esprit? BOURDALOUE, Pensées, t. II, p. 28.

5 Toujours en ce qui me concerne (je suis obligé de suivre ici, pas à pas, les étapes de mon raisonnement), l'inouï bouleversement d'âme dont faisait preuve le Polonais attestait que le moment où tout allait se découvrir, c'est-à-dire où il allait être obligé de trahir pour sauver Nicole, *ne pouvait plus être très éloigné!*
G. LEROUX, Rouletabille chez Krupp, p. 139.

CONTR. **Apaisement, calme, ordre.**

**BOULEVERSER** [bulvɛʀse] v. tr. — 1557; composé tautologique, de 1. *bouler,* et *verser.*

♦ **1** Mettre en grand désordre, par une action violente. → **Déranger, perturber, renverser, subvertir** (vx); cf. Mettre sens dessus dessous. *La tempête, l'orage a tout bouleversé.* → **Abattre, détruire, ravager, ruiner, saccager.** *Le terrain a été bouleversé par un séisme. Bouleverser tout dans une chambre.* → **Changer, modifier.** *Chercher, fouiller en bouleversant tout.* → **Farfouiller.**

Elle-même, tonnant du milieu des nuages, 1
Bouleversa les mers, déchaîna les orages.
DELILLE, l'Énéide, I.

il (...) s'était terré là (...) passant ses journées à bouleverser 2
ses plates-bandes (...)
R. ROLLAND, Jean-Christophe, p. 376.

♦ **2** (1622). Modifier de façon brutale, mettre dans la confusion. *Les guerres bouleversent le monde. La révolution a bouleversé le pays. Cet événement a bouleversé sa vie. Cette découverte a bouleversé la science.*

L'amour (...) ouragan des cieux qui tombe sur la vie, la 3
bouleverse, arrache les volontés (...)
FLAUBERT, Mme Bovary, II, 4.

Quelle âme hésiterait à bouleverser l'univers pour être un 4
peu plus elle-même? VALÉRY, Eupalinos, p. 207.

Deux guerres, et quelles guerres, ont, en trente ans, changé 5
la face et l'équilibre du monde (...) rien n'est plus à sa place, la valeur des choses n'est plus la même, les rapports des hommes entre eux sont bouleversés (...)
André SIEGFRIED, l'Âme des peuples, I, 6.

♦ **3** (1656). Jeter dans le trouble en causant une émotion intense. → **Émouvoir, retourner, secouer, troubler.** *Bouleverser qqn. Cette nouvelle l'a bouleversé* (→ pop., lui a tourné les sangs). *Bouleverser l'esprit, l'imagination, les idées.*

Cette funeste idée bouleversa dans un instant toutes les 6
miennes, et troubla le repos dont je commençais à jouir.
ROUSSEAU, Julie ou la Nouvelle Héloïse, IV, 15.

L'orage qui bouleversait le cœur de Wilfrid fut soudain 7
calmé par ces paroles (...)
BALZAC, Séraphîta, Pl., t. X, p. 480.

Cette histoire m'a tellement bouleversé l'esprit, a jeté en 8
moi un trouble si profond, si mystérieux, si épouvantable, que je ne l'ai même jamais racontée.
MAUPASSANT, Clair de lune, p. 194.

(...) cette idée de la mort qui l'avait profondément boule- 9
versé. PROUST, les Plaisirs et les Jours, p. 23.

Je ne crois pas qu'il suffise du souvenir d'un meurtre pour 9.1
te bouleverser ainsi.
MALRAUX, la Condition humaine, I, *in* Romans, Pl., p. 222.

♦ **4** Absolt (aux sens 2 et 3).

Non, messieurs, on ne veut pas sincèrement l'ordre et la 10
justice; on ne veut que brouiller et bouleverser.
MIRABEAU, Collection, t. IV, p. 338.

◆ **BOULEVERSÉ, ÉE** p. p. adj. *Terrain, village, pays bouleversé.*

Le premier de ces dessins la montre à demi étendue sur 10.1
le bord du lit aux draps défraîchis et bouleversés (...)
A. ROBBE-GRILLET, la Maison de rendez-vous, p. 78.

*Figure, traits bouleversés par l'émotion, la passion.* → **Altéré.**

Puis-je dire, y a-t-il des mots pour exprimer les effroya- 10.2
bles pensées, — filles des possibilités funèbres, après tout, — qui me paralysaient des pieds à la tête, pendant ces phrases infernales? J'étais bouleversé. Les sentiments qui s'agitaient dans mon être étaient innommables.
VILLIERS DE L'ISLE-ADAM, Tribulat Bonhomet, p. 165 (1887).

(...) elle était si bouleversée qu'elle n'avait pas eu la force 11
de feindre le calme.
MARTIN DU GARD, les Thibault, t. II, p. 222.

Racontez encore, dit-il d'une voix bouleversée, vous parlez 12
fort bien.
G. DUHAMEL, Chronique des Pasquier, VIII, 5.

CONTR. **Apaiser, calmer.** ◇ DÉR. **Bouleversant, bouleversement.**

**BOULGOUR** [bulguʀ] n. m. — 1863; turc *bulgur,* du parsi.

Blé dur concassé. *Feuilles de chou farcies de boulgour.*

**BOULIÈCHE** [buljɛʃ] n. f. ou **BOULIER** [bulje] n. m. → **Bolier.**

**BOULIER** [bulje] n. m. — 1863, Littré; de 1. *boule.*

Cadre portant des tringles sur lesquelles sont enfilées des boules et qui sert à compter. *Boulier compteur.* → **Abaque.** *Boulier chinois. Les Russes se servent souvent de bouliers pour faire leurs comptes. Compter les points au boulier* (dans un jeu).

Il ne faut pas mépriser le boulier compteur et les jeux de cube.
ALAIN, De l'arithmétique et de l'algèbre, *in* les Passions et la Sagesse, Pl., p. 1158.

HOM. **Boulier** (V. **Bolier**).

**BOULIMIE** [bulimi] n. f. — 1594; *bolisme,* 1372; grec *boulimia* «faim *(limos)* de boeuf *(bous)*».

Didact., littér. ou style soutenu.

♦ **1** Faim insatiable, exagération pathologique de l'appétit entraînant l'ingestion de grandes quantités d'aliments, qui accompagne certains troubles physiques ou mentaux. → **Hyperphagie.** *La boulimie est un symptôme de la présence du ténia. Boulimie névrotique.* → **Sitiomanie.** *Boulimie des chevaux.* → **Faim-calle.** *Boulimie des chiens.* → **Cynorexie.**

♦ **2** Faim extrême, sensation de faim intense.

1 (...) une faim de chasseur, la plus féroce des faims, égale en âpreté à celle que les Grégeois nomment *boulimie* (...)
Th. GAUTIER, le Capitaine Fracasse, III.

1.1 Tu as ce type latin qui tend, dès l'âge adulte, à se développer en largeur. Tu as surtout cette voracité, cette horrible boulimie du pauvre qui trouve tout d'un coup table mise.
M. AYMÉ, Travelingue, p. 139.

♦ **3** Fig. Désir intense. → **Appétit, avidité.** *Boulimie intellectuelle, de lecture. Elle a une véritable boulimie de voyages.*

2 (...) le souvenir de ses boulimies charnelles (...)
HUYSMANS, En route, p. 6.

3 Et, en effet, comme ils n'assimilent pas ce qui dans l'art est vraiment nourricier, ils ont tout le temps besoin de joies artistiques, en proie à une boulimie qui ne les rassasie jamais.
PROUST, le Temps retrouvé, Pl., t. III, p. 892.

CONTR. **Anorexie, satiété.** ◊ DÉR. **Boulimique.**

**BOULIMIQUE** [bulimik] adj. et n. — 1842; de *boulimie.*

♦ **1** Adj. Relatif à la boulimie; qui tient de la boulimie. *Symptôme boulimique.* — Par ext. *Un appétit boulimique.*

Figuré :

Il se console, à sa manière, en donnant des bals d'enfants où sa boulimique rage de tendresse a cent occasions de se satisfaire (...) Léon BLOY, le Désespéré, p. 184.

♦ **2** N. Personne atteinte de boulimie. *Un, une boulimique.*

Par ext. Gros mangeur.

**BOULIN** [bulɛ̃] n. m. — 1486; orig. incert.; p.-ê. de 1. *boule* ou du lat. médiéval *bolinus* «boulon».

♦ **1** Trou pratiqué dans un colombier, sorte de pot de terre destiné à faire nicher les pigeons.

1 Il y a des pigeons qui préfèrent les trous poudreux des vieilles murailles aux boulins les plus propres de nos colombiers.
BUFFON, Hist. nat. des oiseaux, Le pigeon.

Là, sur un arbuste squelettique, sur des baguettes de bambou, sur les planches d'entrée d'une rangée de boulins s'ébattait une faune vivante aussi étrange que l'autre (...) 2
M. TOURNIER, le Roi des Aulnes, p. 155.

♦ **2** (1676). Techn. Trou pratiqué dans un mur pour un support d'échafaudage. → **Ope.** — Par ext. (1708). Traverse supportant un échafaudage.

(...) c'étaient partout, au milieu des herbes hautes, des plats-bords, des boulins, des cintres, mêlés à des paquets de vieilles cordes (...) ZOLA, Lourdes, p. 152. 3

**BOULINAGE** [bulinaʒ] n. m. — 1645, Oudin; de *bouliner.*

Mar. Ancienn*t*. Navigation à la bouline.

**BOULINE** [bulin] n. f. — 1155, anglo-normand *boëline,* probabl*t* empr. au moyen anglais *bou(e)line, bowe-line* «cordage».

Mar. (vx). Manœuvre (→ **Bras**) qui sert à tenir une voile de biais, pour lui faire prendre le vent de côté. *Bouline de misaine, d'artimon. Parer les boulines. Nœud de bouline. — Aller à la bouline :* tenir le plus près du vent. → **Bouliner.**

Les cygnes ont l'art de tourner ce plumage du côté du vent, et d'aller comme les vaisseaux, à la bouline, quand le vent ne leur est pas favorable.
FÉNELON, Traité de l'existence de Dieu, 19.

Alpin., mod. *Nœud de bouline,* appelé aujourd'hui *nœud de chaise* par les marins.

DÉR. **Bouliner, boulinette, boulinier.**

**BOULINER** [buline] v. — 1611, Cotgrave; de *bouline.*

Marine (vx).

**I** V. intr. Aller à la bouline, recevoir le vent de côté. → **Remonter** (au vent), **louvoyer.**

**II** V. tr. (1835). Vx. Haler au moyen de la bouline. *Bouliner une voile.* → **Border.**

DÉR. **Boulinage.**

**BOULINETTE** [bulinɛt] n. f. — 1811; de *bouline.*

Mar. (vx). Bouline du petit hunier.

**BOULINGRIN** [bulɛ̃gʀɛ̃] n. m. — 1680 *in* Höfler; *poulingrin* (attestation isolée) 1663; adaptation de l'angl. *bowling-green* «gazon pour jouer aux boules».

Parterre de gazon, généralement entouré de bordures, de talus.

Un grand parterre; des boulingrins vis-à-vis des ailes. 1
M^me^ DE SÉVIGNÉ, 541.

(...) du côté de la cour, il *(le rez-de-chaussée)* est de plain-pied avec une large allée sablée donnant sur un boulingrin animé par plusieurs corbeilles de fleurs. 2
BALZAC, le Lys dans la vallée, Pl., t. VIII, p. 792-793.

*Taillé en boulingrin,* comme les arbustes qui bordent un boulingrin. — Figuré :

Le grand-duc, large face blafarde entre des favoris trop noirs taillés en boulingrin, tête de souverain pour journaux illustrés. 3
Alphonse DAUDET, l'Immortel, p. 115 (1888).

**BOULINGUE** [bulɛ̃g] n. f. — 1512; orig. obscure.

Mar. Petite voile du haut du mât. → **Cacatois.**

DÉR. V. **Bourlinguer.**

**BOULINIER, IÈRE** [bulinje, jɛʀ] adj. et n. — 1687; de *bouline.*

Marine (vieux).

♦ **1** Adj. Qui navigue à la bouline, remonte au vent.

♦ **2** N. *Bon (mauvais) boulinier :* navire qui remonte bien (ou mal) au vent.

**BOULISME** [bulism] n. m. — 1935, *in* Petiot; de *bouliste,* et *-isme.*

Ensemble des jeux de boules.

**BOULISTE** [bulist] n. et adj. — 1902, *in* Petiot; de 1. *boule.*

♦ **1** Personne qui joue fréquemment aux boules (qui pratique le *boulisme*). *Tous les boulistes de la commune sont invités à participer au grand tournoi, dimanche prochain.*

♦ **2** Adj. Relatif au jeu de boules. *Association bouliste. Tournoi bouliste.*

DÉR. **Boulistique.**

**BOULISTIQUE** [bulistik] adj. — XX<sup></sup>e; de *bouliste.*

Rare. Propre au jeu de boules; du jeu de boules (en général plaisant).

On y rendait compte *(dans le journal local)* de la réunion annuelle de la Société amicale des joueurs de boules (...) «Cette situation n'est si prospère, disait le trésorier dans son discours, que grâce aux libéralités de notre président, mécène incomparable, dont on n'appréciera jamais assez la générosité et la grande tradition boulistique» (...)

G. BAUER, les Billets de Guermantes, janv. 1938, p. 219.

**BOULLE** [bul] n. m. — Fin XIXe; de *Boule* ou *Boulle,* maître ébéniste (1642-1732).

♦ **1** Style de mobilier incrusté (d'ivoire, de cuivre, d'ébène) inspiré de celui de l'ébéniste Boulle. *Le style Boulle, le Boulle. Être meublé en Boulle.* Var : *boule.*

Entre les grandes consoles de faux boulle, les fauteuils couverts de housses étaient rangés contre les murs.

F. MAURIAC, les Anges noirs, éd. L. de Poche, p. 149.

♦ **2** Meuble de ce style. *Posséder un boulle.*

HOM. **Boule.**

**BOULLU** [buly] ou **BOUILLU** [bujy] adj. masc. — Attesté 1838, cit.; forme régionale du p. p. de *bouillir.* → Bouilli.

Fam., régional. *Café boullu, bouillu,* qui a bouilli. — Prov. *Café boullu, café foutu.*

— Qu'est-ce que c'est que cela? demanda Charles en riant, à l'aspect d'un pot oblong, en terre brune, verni, fayencé à l'intérieur, bordé d'une frange de cendre, et au fond duquel tombait le café en revenant à la surface du liquide bouillonnant.
— C'est du café boullu, dit Nanon.
— Ha, ma chère tante, au moins je laisserai quelque trace bienfaisante de mon passage ici. Vous êtes bien arriérés ici! Je vous apprendrai à faire du bon café dans une cafetière à la Chaptal.

BALZAC, Eugénie Grandet, éd. 1838, p. 154.

HOM. **Boulu.**

**BOULOCHAGE** [bulɔʃaʒ] n. m. — V. 1965; de *boulocher.*

Techn. Fait de boulocher. *Le boulochage d'un tissu, d'un revêtement de sol.*

**BOULOCHER** [bulɔʃe] v. intr. — V. 1965; de *boule,* et *-ocher.*

Se dit de tricots de laine, de tissus qui, à l'usage, forment en surface de petites boules de fibres. *Ce tissu ne bouloche pas.*

DÉR. **Boulochage.**

**BOULODROME** [bulodʀom] n. m. — 1899, *in* F. Brunot; de 1. *boule* (4., b), et *-drome.*

Lieu réservé au jeu de boules.

Pour peu que vous jouiez six heures par jour aux boules 1
sur le «boulevard» des Italiens ou autre, disposé à cet effet, vous ne tarderez pas à rencontrer le citoyen qui contourne et contorsionne sa tête et tout son corps du côté du boulodrome où la boule aurait dû aller.

A. JARRY, Gestes, VII (1903), *in* D. D. L. (II, 14).

À quoi jouent-ils, les jeunes de chez vous? Charroux ferma 2
à demi les yeux. — Aux boules, dit-il. — Eh bien, dit Mademoiselle, installez-leur un boulodrome.

René MASSON, Drugstore, p. 200.

REM. Le mot pourrait remplacer l'anglicisme *bowling.*

**BOULOIR** [bulwaʀ] n. m. — 1751; de 2. *bouler.*

♦ **1** Techn. Instrument pour remuer la chaux, le mortier (→ 2. **Bouler**).

♦ **2** → 1. **Bouille.**

**BOULOMANE** [bulɔman] n. — 1908, J. Aicard; de 1. *boule,* et *-mane.*

Rare. Amateur du jeu de boules*. → **Bouliste.**

(...) il *(Camus)* a écrit *l'Étranger* à Oran, «capitale de l'ennui», écrit-il dans *l'Été,* «lieu sans âme et sans recours» où «les seuls milieux instructifs restent ceux des joueurs de poker, des amateurs de boxe, des boulomanes et des sociétés régionales.»

Pierre NORA, les Français d'Algérie, p. 160.

**BOULON** [bulɔ̃] n. m. — 1319; XIIIe, *boullon* «petite boule»; de 1. *boule.*

Cheville de métal terminée à l'une de ses extrémités par une tête (ronde, carrée ou à pans) et à l'autre par un pas de vis destiné à recevoir un écrou* ou par un trou dans lequel on peut passer une clavette*; dispositif d'assemblage formé par le boulon et l'écrou ou la clavette. *Boulon à écrou, à œil. Boulon d'assemblage, de charnière. Bride à boulons. Couper des boulons avec des cisailles. Serrer, bloquer un boulon. Maintenir avec des boulons.* → **Boulonner.** *Travail des boulons.* → **Décolletage.** — Ch. de fer. *Boulon d'attelage, d'éclisse, de suspension.*

Tel administrateur (...) reçoit trente-deux roues de 1
brouettes, mais ne peut obtenir les axes et les boulons pour les monter.

GIDE, Voyage au Congo, *in* Souvenirs, Pl., p. 854.

Par compar. ou métaphore. Ce qui sert à assembler.

Certains mots sans relief peuvent être répétés quinze ou 2
vingt fois dans une page (...) Ces mots-là sont comme les boulons d'une machine.

G. DUHAMEL, Discours aux nuages, II.

Loc. fig. *Serrer, resserrer les boulons,* réorganiser de manière plus «serrée» et plus efficace, pour rétablir une situation.

DÉR. **Boulonner, boulonnerie, boulonnière.**

**BOULONNAGE** [bulɔnaʒ] n. m. — 1855; de *boulonner.*

♦ **1** Action de boulonner. *Le boulonnage a été mal fait.*

♦ **2** Chir. Réunion et immobilisation (de deux fragments d'un os fracturé) au moyen d'un boulon.

♦ **3** Ensemble des boulons d'un assemblage. *Tout le boulonnage est à revoir.*

**BOULONNAIS, AISE** [bulɔnɛ, ɛz] adj. et n. — V. 1614, *Boulonois;* de *Boulogne,* lat. *Bononia.*

♦ **1** Relatif à la ville de Boulogne-sur-Mer ou à la région boulonnaise (Boulonnais). *Il est boulonnais d'origine.* — N. *Un Boulonnais, une Boulonnaise.*

♦ **2** *Race boulonnaise :* race de bœufs et de chevaux réputés. *Cheval boulonnais :* cheval de trait élevé dans le Boulonnais et les départements environnants. *Le cheval boulonnais a les membres puissants et courts, l'encolure épaisse, la crinière touffue.*
N. m. Type bréviligne du boulonnais.

1 La bête, un boulonnais d'un blanc sale, accomplissait sa tâche avec conscience, rythmant ses efforts d'énergiques hochements de tête. Ses vastes sabots noyés de poils s'appliquaient carrément au pavé, s'y vissaient ; à chaque pas, chaque muscle sous la peau se tendait, vibrait comme si la puissance de l'animal s'y concentrait tout entière.
Roger IKOR, les Fils d'Avrom, La greffe de printemps, p. 161.

2 Les miens montaient plutôt des percherons ou des boulonnais, dit, faussement modeste, le colonel.
Maurice DENUZIÈRE, Louisiane, p. 395.

**BOULONNER** [bulɔne] v. — 1690 ; 1425, « orner de bossettes » ; de *boulon.*

**I** V. tr. Fixer au moyen de boulons. *Boulonner des plaques de métal.*

1 Les charpentiers boulonnaient poutres et chevrons.
Georges LECOMTE, Ma traversée, p. 599.

Au p. p. *Des bandes de fer boulonnées.*

1.1 À Tahiti, nous fabriquerons une coupole, boulonnée sur le capot de la cabine, avec visibilité sur tout l'horizon et un bon siège à côté de la roue intérieure sous la coupole.
Bernard MOITESSIER, Cap Horn à la voile, p. 112.

**II** V. intr. (1895 ; de *boulon* et de 2. *boulot ;* a remplacé *boulotter,* dans ce sens). Fam. Travailler. → **Bosser, boulotter** (vx).

1.2 J'suis donc d'avis qu'le plus pressé c'est d'nous mettre à boulonner.
L. FORTON, les Aventures des Pieds-Nickelés, *in* l'Épatant, 1911, p. 154.

2 Si je veux, je boulonne et j'me tiens.
Francis CARCO, Jésus-la-Caille, II, 4.

DÉR. et COMP. **Boulonnage. Déboulonner.**

**BOULONNERIE** [bulɔnʀi] n. f. — 1866 ; de *boulon.*

♦ **1** Fabrique, industrie des boulons et accessoires (écrous, rondelles, goupilles). *Le chiffre d'affaires de la boulonnerie française. Travailler dans une boulonnerie.*

C'est justement la directrice de cette école, une Ardennaise, qui connaissait le patron de cette boulonnerie, Ardennais lui aussi.
Jean FERNIOT, Pierrot et Aline, p. 141.

♦ **2** Ensemble des boulons et accessoires. *Le rayon de la boulonnerie dans une quincaillerie.*

**BOULONNIÈRE** [bulɔnjɛʀ] n. f. — Mil. XIXe ; de *boulon.*
Techn. Tarière à percer les trous des boulons.

1. **BOULOT, OTTE** [bulo, ɔt] adj. — V. 1830 ; de 1. *boule.*

♦ **1** (Personnes). Gros et court. → **Rond, rondelet.** *Une femme boulotte.*

1 Le maître d'armes l'avait dit, Mme de Saint-Panachard était un peu boulotte c'était une femme d'une trentaine d'années, grande et bien portante, revêtue pour la circonstance d'un costume sévère, étroitement boutonné.
A. ROBIDA, le Vingtième Siècle, p. 247.

N. Personne boulotte. *Un petit boulot. Une boulotte assez laide.* → **Boudin** (fam.).

2 C'était un petit boulot qui n'était pas très dégourdi ou, s'il l'était, réfléchissait, parlait, agissait avec tant de lenteur qu'il en paraissait stupide.
B. CENDRARS, la Main coupée, *in* Œ. compl., t. X, p. 134 (1946).

♦ **2** **a** (1896). Vieilli. *Pain boulot,* ou, n. m. (1903) *boulot :* pain rond ordinaire.

**b** N. m. (1879, « repas », *in* Esnault). Pop. et vx. Nourriture.

CONTR. (Du 1) **Mince, svelte.** ◊ DÉR. (Du sens 2, b) 2. **Boulotter.** → HOM. 2. **Boulot.**

2. **BOULOT** [bulo] n. m. et adj. — 1900 ; « bagarre », 1881 ; probablt de 1. *boulotter.*

**I** Fam. ♦ **1** Travail, emploi, métier. *Aller au boulot. J'ai trouvé un bon boulot. Faire des petits boulots irréguliers.* → **Job.** *« Métro, boulot, dodo »* (*in* Pierre Béarn, *Couleurs d'usine,* chanson ; repris comme slogan critique en mai 1968). *Parler boulot, du boulot.* Cf. Parler boutique. — Lieu de travail (atelier, usine, bureau…). *Aller au boulot, à son boulot ; revenir du boulot.*

À midi, il faut aller déjeuner, pas trop loin à cause du boulot, car il faut revenir en vitesse (…) 1
R. QUENEAU, le Chiendent, p. 13.

J'essaierai d'être un peu plus près de mes enfants. Parce que finalement, je n'ai jamais tellement parlé avec Maman. Boulot, oui : je lui raconte mes histoires d'hôpital comme avant je lui racontais mes histoires d'école. 2
Jean FERNIOT, Pierrot et Aline, p. 255.

♦ **2** Travail, besogne. *C'est tout un boulot. J'ai un de ces boulots ! Ça va lui donner du boulot. Allez ! au boulot, tout le monde !*

Mon activité d'alors ! Cet état de demi-ivresse, de joie du métier, cet entrain au boulot. 3
MARTIN DU GARD, les Thibault, t. IX, p. 242.

Résultat d'un travail. *C'est du bon, du beau boulot.*

♦ **3** (V. 1920). Par métonymie. Argot. *(Un, des boulots).* Ouvrier, ouvrière. *« Un boulot qui se rendait à son petit bagne »* (A. Simonin, *Touchez pas au grisbi,* p. 39).

C'est que des boulots par ici… des employés, des hâtifs… ça regarde pas… ça fonce… C'est pas des curieux !… 4
CÉLINE, le Pont de Londres, p. 371.

**II** Adj. invar. *Elle est boulot :* elle est travailleuse. *Il est boulot boulot,* pour lui le travail, c'est le travail.

(…) tous les matins, je donnais cent francs à ma femme. Cent francs ! Ah ! Elle ne se plaignait pas, elle était heureuse, je te le dis. Et puis moi tu sais, boulot, boulot, et sérieux, et tout. Le père de famille, quoi ! 5
Robert MERLE, Week-end à Zuydcoote, p. 20.

HOM. **Bouleau.**

1. **BOULOTTER** [bulɔte] v. intr. — 1837, Balzac ; de *bouler* « rouler », « aller son train », attesté v. 1800 d'après Esnault. Au sens 2, *boulotter* est à l'origine de 2. *boulot,* mais a été supplanté par *boulonner**.
Familier, vieux.

♦ **1** Aller doucement, vivre tranquillement. *Comment ça va ? — Ça boulotte* (H. Monnier, Zola, Courteline *in* Cellard et Rey).

♦ **2** Vx. Travailler. → **Boulonner,** II.

DÉR. 2. **Boulot.** ◊ HOM. 2. **Boulotter.**

2. **BOULOTTER** [bulɔte] v. tr. — 1843 ; p.-ê. de pain *boulot,* par ext. « nourriture » (→ 1. Boulot) ou de *bouler* « rouler » comme 1. *boulotter,* sous l'influence de 2. *bouffer.*

Fam. Manger. → 2. **Bouffer, briffer.**

(…) une dizaine de palotins qui vont faire l'impossible pour me ronger un peu le lard, pour me grignoter un orteil, pour me boulotter une fesse, pour me dévorer le foie ou les rognons. 1
G. DUHAMEL, Chronique des Pasquier, X, 5.

(…) cette fille, alors que je rencontrais à chaque pas des types qui me payaient à boire mais jamais à boulotter, cette fille m'a ravitaillé. Elle s'appelait Sophie. C'était une forte rouquine, très ardente au déduit. 2
B. CENDRARS, la Main coupée, *in* Œ. compl., t. X, p. 44 (1946).

Fig. *Se faire boulotter par un problème.* → **Bouffer.**

3 – (...) on est obligé de croire aux qualités du cœur quand on les rencontre (...)
– Et comme on n'existe que pour ces qualités cardiaques, elles vous boulottent. Puisqu'il faut toujours être bouffé, autant elles...
MALRAUX, la Condition humaine, IV, *in* Romans, Pl., p. 333-334.

**BOULTINER** [bultine] v. intr. — 1925, Genevoix, ; p.-ê. de *boulette.*

Régional. Courir en sautant. *Les lapins boultinent.*

**BOULU, UE** [buly] adj. — 1865, Barbey ; de 1. *boule,* suff. *-u.*

Régional. Rond, en boule. *Un «dos boulu»* (Genevoix, *Raboliot*).

Noirs de loupes, grêlés, les yeux cerclés de bagues
Vertes, leurs doigts boulus crispés à leurs fémurs (...)
RIMBAUD, Poésies, «Les assis».

**BOULURE** [bulyʀ] n. f. — XIXe ; de 1. *boule.*

Horticulture.

♦ **1** Maladie des jeunes plantes.

♦ **2** Rejeton qui pousse sur la racine d'un arbre.

1. **BOUM** [bum] interj. et n. m. — Attesté 1835 (Balzac, *le Père Goriot*) ; onomatopée.

♦ **1** Interj. Sert à évoquer le bruit sonore de ce qui tombe ou explose. *Et boum ! tout est tombé.* → **Badaboum.** — (Redoublé). *Le tambour fait boum-boum.*

1 Puis j'entends boum ! boum ! Ah ! je dis, voilà le fusil anglais qui parle (...)
MÉRIMÉE, Colomba, XVII, Pl., p. 563.

2 et boum et boum c'est le canon
du secrétaire de la mairie
qu'a maintenant les mains toutes tachées de poudre
et le nez qui saigne après l'explosion.
R. QUENEAU, Chêne et Chien, «La fête au village», p. 88.

Loc. verb. *Faire boum :* éclater, exploser. *Ça a fait boum, et les vitres ont volé en éclats.* — Tomber (langage enfantin). *Jeannot a fait boum,* il est tombé par terre.

♦ **2** N. m. Bruit sonore de ce qui tombe ou explose. *Ça a fait un de ces boums en tombant !*

3 Et tout à coup, presque en même temps, le boum assourdi du «départ», le déchirement de l'obus dans l'espace, l'éclair de l'éclatement, et, dans le nuage de fumée jaune et rose, on vit voler des tuiles, des morceaux de charpente, des débris noirs, puis vint le boum formidable de l'arrivée.
Guy DE POURTALÈS, la Pêche miraculeuse, p. 307.

♦ **3** N. m. (attesté mil. XXe, mais antérieur ; → Boumer). Fig. (confondu en ce sens avec *boom*). Succès brutal, réussite financière retentissante. *Sa nouvelle pièce a fait un boum.*

4 Cependant, il y avait, sur la peinture de Lafleur, un boum comme jamais vu. Les prix montaient à vue d'œil, un million par semaine, et le bruit courait que les meilleures toiles finiraient par valoir cent millions.
M. AYMÉ, le Vin de Paris, «La bonne peinture», p. 226 (1947).

5 (...) quand la mode s'en est mêlée, avec les Américains, le patron a voulu grossir son affaire, il a monté ailleurs une usine importante ; et puis, il s'est cassé les reins (...)
En somme, un boum d'abord, un krach ensuite ? Boum et crac ! répéta-t-il en riant ; la formule produisait toujours son effet.
Roger IKOR, les Fils d'Avrom, Les eaux mêlées, p. 484.

6 Parlant et en couleurs, le film était pas de l'arnaque. Rien que les gros plans, isolés en reproduction carte postale, ça aurait fait un boum dans la clientèle ménagère, sur les marchés de banlieue.
Albert SIMONIN, Touchez pas au grisbi, p. 119 (1953).

Vieilli. Grande activité, action chaude.

Reporter avant tout, ce grand garçon (...) nous décrivait 7
la ruée des chars, des voitures, des camions blindés, le passage en trombe des avions (...)
– Ah ! vieux Claude, disait Dig. Tu es en plein dans le boum.
Francis CARCO, Nostalgie de Paris, p. 234-235.

Mod. Loc. *En plein boum :* en train de s'activer, de travailler activement (même dans le calme). *Les vendeuses étaient en plein boum.*

(...) il me fallait tout reprendre à zéro, l'enfant voulait 8
savoir, que c'étaient des prunes de notre jardin, que nous les avions cueillies avec Edmond, que nous avions acheté une marmite et qu'il est mort comme ça en plein boum des confitures (...)
Robert PINGET, Passacaille, p. 107.

DÉR. **Boumer.** ◊ COMP. **Badaboum.** → HOM. **Boom,** 2. **boum.**

2. **BOUM** [bum] n. f. — V. 1965 ; de *surboum.*

Fam. Surprise-partie. → **Surboum.** *Aller à une boum. C'est la boum de la classe, ce soir. «On "flirte avec"... au cours d'une "boum" ou d'une "sortie en bande"»* (G. Sitbon, *le Nouvel Obs.,* no 409, sept. 1972).

Une boum en pleine forêt ! Pourtant c'est bien normal que les boums, ici, aient lieu dans la nature. D'abord, c'est plus facile, et puis on n'a pas les parents sur le dos.
Joseph JOFFO, Tendre été, p. 79.

COMP. **Surboum.** ◊ HOM. **Boom,** 1. **boum.**

3. **BOUM** [bum] n. m. → **Boom,** 4.

**BOUMER** [bume] v. intr. — 1929, Esnault ; de 1. *boum,* 3., cf. *boom* et *boomer,* v. tr. «lancer à grand tapage par la publicité», 1905.

Fam. Aller bien, marcher. → **Gazer.** *Ça boume :* ça va, ça va bien (rarement employé aux autres formes du verbe).

Alors raconte-moi. Le mariage. Le commerce. Tout ça. Ça 1
gaze ? Ça boume ?
R. QUENEAU, le Dimanche de la vie, p. 184.

Pourtant le rejoindre (...) ça devenait urgent. En plus de 2
nos comptes à mettre au net, des choses qui ne pouvaient plus attendre, il y avait trop de trucs qui boumaient pas.
Albert SIMONIN, Touchez pas au grisbi, p. 41.

**BOUMERANG** [bumʀɑ̃g] n. m. → **Boomerang.**

**BOUMEUR** [bumœʀ] n. m. — 1985 ; francisation de l'angl. *boomer.*

Haut-parleur destiné à diffuser les sons graves, dans un ensemble de haut-parleurs. *Le boumeur d'une enceinte stéréo.*

**BOUMIAN** [bumjɑ̃] n. m. — D. i. (attesté XXe) ; altér. phonét. de *Bohémien.*

Régional (Provence). Gitan, bohémien.

Étranges étrangers
Kabyles de la Chapelle et des quais de Javel
hommes des pays loin
cobayes des colonies
doux petits musiciens
soleils adolescents de la porte d'Italie
Boumians de la porte Saint-Ouen.
J. PRÉVERT, la Pluie et le Beau Temps, p. 28 (1955).

**BOUNIOU** [bunju] n. m. → **Bougnou.**

**BOUNIOUL** [bunjul] n. m. → **Bougnoul.**

**BOUQUE** [buk] n. f. — 1409 ; en picard «passe étroite», 1338 ; de l'anc. provençal *boca* «bouche».

Mar. Entrée, canal, passage.

COMP. **Débouquer, embouquer.** ◊ HOM. **Bouc.**

**BOUQUER** [buke] v. intr. — 1552, Rabelais; p.-ê. du provençal mod. *bouca* «embrasser», pour le sens 1; de *boca* «bouche», pour le sens 3.

♦ **1** Vx. Baiser, embrasser contre son gré.

♦ **2** (Fin XVIe, Montaigne). *Faire bouquer qqn,* le contraindre à faire ce qui lui déplaît.

J'ai déjà fait bouquer messieurs du domaine, je l'emporterai encore sur eux, car j'ai raison.
VOLTAIRE, Lettre à d'Argental, 17 mars 1760.

♦ **3** (*In* Littré). Chasse. *Faire bouquer le renard, le lapin,* le faire sortir de la bouche du terrier. *Faire bouquer un renard avec un chien, un furet.* → **Forcer.**

1. **BOUQUET** [bukɛ] n. m. — Déb. XVe, forme normanno-picarde, *boucet, bouchet* (XIIe), de *bosc* «bois» ou (selon Guiraud) apparenté à *botte* par un lat. pop. **boticus.*

**I** ♦ **1** Petit bois*. → **Boqueteau, bosquet.** *Bouquet d'arbres;*(vx) *de bois. Bouquet de verdure.*

1 Les montagnes commençaient à se couvrir de bouquets de bois. CHATEAUBRIAND, Itinéraire..., 68.

1.1 (...) la chaleur commençant à m'incommoder, je montai sur une petite éminence couverte d'un bouquet de bois, peu éloignée de la route, avec le dessein de m'y rafraîchir.
SADE, Justine..., t. I, p. 135.

2 En haut, des bouquets de chênes et de hêtres s'accrochaient sur les pentes, alternant avec des prairies (...)
LOTI, Ramuntcho, I, 12, p. 115.

REM. Le mot ne s'emploie pas sans compl., dans ce sens.

♦ **2** (XVe). Assemblage de fleurs, de feuillages coupés dont les tiges sont disposées de manière à former un ensemble harmonieux. → **Botte, faisceau, gerbe, touffe.** *Un bouquet de violettes. Cueillir, faire un bouquet, un bouquet de fleurs. Faire composer un bouquet par le fleuriste. Offrir un bouquet. Une vendeuse de bouquets.* → **Bouquetière.** *Arranger, mettre les fleurs d'un bouquet dans un vase* (→ **Bouquetier, porte-bouquet).** *Art japonais des bouquets.* → **Ikebana.** — Par métaphore (littér.) : → cit. 4.

3 Là croissait à plaisir l'oseille et la laitue,
De quoi faire à Margot pour sa fête un bouquet,
Peu de jasmin d'Espagne, et force serpolet.
LA FONTAINE, Fables, IV, 4.

4 *(Olivier)* rentrait du bal; il en rapportait dans ses habits comme une odeur de luxe, de bouquets de femmes et de plaisirs (...) E. FROMENTIN, Dominique, XIV.

5 (...) dans un coin, on trouva soigneusement enveloppé un bouquet de fleurs desséchées, liées par un ruban tricolore.
RENAN, Souvenirs d'enfance..., V, p. 92.

5.1 *(Une chambre)*
Où des bouquets mourants dans leurs cercueils de verre
Exhalent leur soupir final (...)
BAUDELAIRE, les Fleurs du mal, CX, «Une martyre».

5.2 Un tout petit bouquet flottant à l'aventure
Couvrit l'Océan d'une immense floraison.
APOLLINAIRE, Alcools, p. 102.

5.3 Je remarquai des vestiges de bouquets abandonnés. Goulûment cueillis, charriés pendant de longues heures, on avait fini par les jeter, lourds, ou fanés déjà.
S. BECKETT, Nouvelles, p. 93-94.

Loc. régionale (Belgique). *Bouquet tout fait, bouquet-tout-fait* (Hanse) : œillet de poète.

Fleurs, feuilles ou fruits naturellement groupés en touffe. *Un bouquet de cerises. Un bouquet de persil.*

6 (...) Çà et là, un bouquet d'ajonc se dressait sur une hauteur entre deux pierres, comme un panache ébouriffé (...)
LOTI, Pêcheur d'Islande, III, 12, p. 188.

(1575, *bouquet*). **BOUQUET GARNI** : réunion de plantes aromatiques, brins de thym, feuilles de laurier, branches de persil ou de céleri liés ensemble, que l'on fait cuire avec certains aliments bouillis ou braisés. *Mettre un bouquet garni pour la préparation d'un civet, d'une sauce au vin...*

Représentation d'un bouquet. *En ce moment, il ne peint que des bouquets. Bouquet décoratif, en reliure* (→ **Fleuron),** *en typographie. Papier peint à bouquets.*

(1408). Archit. Ornement ressemblant à une fleur de lys.

Anciennt. *Bouquet de mariée :* bouquet de fleurs d'oranger, que les jeunes filles portaient le jour de leur mariage.

(...) il y avait, dans une carafe, un bouquet de fleurs d'oranger, noué par des rubans de satin blanc. C'était un bouquet de mariée. FLAUBERT, Mme Bovary, I, 5. 7

Régional (Bretagne). *Bouquet de lait :* primevère. *Aller cueillir des bouquets de lait.*

*Branche à bouquet; bouquet de mai :* branche qui porte plusieurs boutons de fleurs, de fruits. → **Trochet.**

Anciennt. Touffe de paille accrochée à la queue ou au cou des animaux que l'on va vendre.

Loc. fam. Vx. *Elle porte le bouquet sur l'oreille* (en parlant d'une jeune fille) : elle cherche à se marier.

♦ **3** Ensemble* (de choses assemblées) évoquant un bouquet de fleurs. *Un bouquet de plumes, de diamants. Le bouquet d'une coiffure.* → **Aigrette, panache.** *Il lui reste un maigre bouquet de cheveux au sommet du crâne.* → **Houppe, toupet.** *Des légumes présentés en bouquets.* → 1. **Botte.**

(...) les paquets d'épinards, les paquets d'oseille, les bouquets d'artichauts, les entassements de haricots et de pois, les empilements de romaines, liées d'un brin de paille, chantaient toute la gamme du vert (...) 7.1
ZOLA, le Ventre de Paris, p. 627 (1873).

Mar. anc. *Bouquet de basse-voile :* ensemble de poulies d'écoute, d'amure... de la voile.

(Abstrait). Assemblage, réunion.

Par une fenêtre ouverte, on entrevoit un bouquet d'existences, un nœud de querelles, des drames (...) 8
G. DUHAMEL, le Temps de la recherche, X.

♦ **4** (Métaphore du sens 2). Vx. Recueil de poésie délicate et recherchée. → **Madrigal, rondeau.** *Bouquet à Chloris, à Chloé, à Iris, à Philis,* petits vers galants.

Relig. *Bouquet spirituel :* pensées pieuses rassemblées pour aider la méditation.

♦ **5** Télév. *Bouquet de programmes, bouquet numérique :* ensemble de programmes télévisés payants, diffusés par le câble ou le satellite et proposés aux téléspectateurs par l'intermédiaire d'un opérateur. *Bouquet de programmes thématiques regroupant plusieurs chaînes sportives, culturelles, musicales.*

♦ **6** (1798, *bouquet d'artifice*). *Bouquet d'un feu d'artifice :* groupe de fusées particulièrement spectaculaires, tirées en même temps à la fin d'un feu d'artifice. → **Girande, girandole.**

Et, me faisant tressaillir, voici qu'empourprant les vitres, le bouquet du feu d'artifice de la Fête nationale éclata, dans l'éloignement, sur la ville exultante, aux acclamations d'une multitude bisexuelle. 8.1
VILLIERS DE L'ISLE-ADAM, Tribulat Bonhomet, p. 171 (1887).

«— Les magnifiques gerbes de feu!» s'écria Harbert. 8.2
En ce moment jaillissait du cratère une sorte de bouquet d'artifices dont les vapeurs n'avaient pu diminuer l'éclat. Des milliers de fragments lumineux et de points vifs se projetaient en directions contraires.
J. VERNE, l'Île mystérieuse, t. II, p. 832-833 (1874).

Fig., vieilli. Ce qui conclut, couronne. → **Apogée, finale.** *Ce sera le bouquet,* le dénouement.

(1828, Vidocq). Fam. *C'est le bouquet :* c'est l'ennui qui vient couronner les autres. → **Comble** (c'est le comble). Cf. Il ne manquait plus que cela.

8.3 Va, je sais ce qu'est ta vie, tu n'as pas besoin de me l'expliquer. Et sur le chapitre des relations sociales, alors, là, c'est le bouquet.
Jean-Louis CURTIS, le Roseau pensant, p. 144.

♦ **7** (1845; «pot de vin», 1821). Argot. Avantage gracieux, gratification. → **Fleur.**

♦ **8** Dr. Dans un achat en viager, Partie du prix à payer immédiatement au vendeur. *Le bouquet et la rente.*

**II** (1798; par anal. avec l'odeur d'un bouquet de fleurs).
♦ **1** Qualité olfactive d'un vin. → **Arôme, nez, odeur.** *Ce vin a du bouquet* (→ **Bouqueté**), *n'a pas acquis tout son bouquet. Bouquet primaire* (arôme du raisin), *secondaire* (né de la fermentation), *tertiaire* (développé par le vieillissement). *Bouquet floral, fruité.*

9 Je bus avec respect ce vin de grande race et de noble vertu, dont on ne peut louer assez le bouquet et le feu.
FRANCE, le Crime de S. Bonnard, II, 2.

♦ **2** Par anal. Arôme, parfum (d'une boisson, d'une nourriture).

♦ **3** Par métaphore. *Son style a du bouquet.*

DÉR. **Bouqueté, bouquetier, bouquetière.** ◊ COMP. **Ébouqueter, porte-bouquet.** — HOM. 2., 3. **Bouquet.**

2. **BOUQUET** [bukɛ] n. m. — 1485; de *bouque,* forme normanno-picarde de *bouchet,* de *bouche.*
Zool. Gale du museau du mouton.

HOM. 1., 3. **Bouquet.**

3. **BOUQUET** [bukɛ] n. m. — 1708; «petit bouc» 1119; de 1. *bouc.* → Crevette, apparenté à *chèvre.*

♦ **1** Rare. Lapin mâle, lièvre. → 1. **Bouquin,** 2.

♦ **2** (1859; à cause des «barbes»). Crevette* rose. *Manger des bouquets.* — Collectif. *Du bouquet. Préférer le bouquet à la crevette grise.*

DÉR. **Bouqueton.** ◊ HOM. 1. et 2. **Bouquet.**

**BOUQUETÉ, ÉE** [bukte] adj. — 1848, Chateaubriand, au sens I; de *bouqueter,* v. tr. usité seulement en emploi passif (*vin «bouqueté par l'âge»,* Huysmans); de 1. *bouquet;* cf. le moyen. franç. *bouqueter,* 1409, «orner de bouquets sculptés».

**I** Littér. Parsemé de bouquets d'arbres. *Landes bouquetées de buissons d'aubépine.*
Qui constitue un assemblage en bouquet (1. Bouquet, I., 3.).

À certains moments du reste je n'étais pas loin de croire à plus de noirceur, à l'intention délibérée de nuire, de s'attaquer à ce groupe bien bouqueté que j'ai toujours considéré comme ma revanche (...)
Hervé BAZIN, Cri de la chouette, p. 218.

**II** (1873). Qui a du bouquet, en parlant d'un vin. *Un vin bouqueté.*

**BOUQUETIER** [buktje] n. m. — 1677; «endroit où il y a des bouquets de fleurs», 1600; de 1. *bouquet.*
Vase à bouquets, muni d'un couvercle percé de trous dans lesquels on glisse les tiges des fleurs. *Placer des fleurs dans un bouquetier.*

**BOUQUETIÈRE** [buktjɛʀ] n. f. — 1562; de 1. *bouquet.*
Celle qui fait et vend des bouquets de fleurs dans les lieux publics. → **Fleuriste.** *Une jeune bouquetière.*

Fabio. — Que me veux-tu, petite?
La bouquetière. — Seigneur, je vends des roses, je vends des fleurs du printemps. Voulez-vous acheter tout ce qui me reste pour parer la chambre de votre amoureuse?
NERVAL, les Filles du feu, «Corilla».

REM. Le masc. *bouquetier* est attesté en 1635 «vendeur de fleurs».

**BOUQUETIN** [buktɛ̃] n. m. — 1672; 1509, *bouquestains;* 1240, franco-provençal *boc estaingn;* de l'all. *Steinbock* «bouc de rocher».
Mammifère ongulé ruminant (*Bovidés-Caprinés*), à longues cornes annelées, vivant à l'état sauvage dans les montagnes d'Europe. → **Ibex.** *La chasse au bouquetin. Bouquetins et chamois*.*

**BOUQUETON** [buktɔ̃] n. m. — D. i.; de 3. *bouquet.*
Régional. Filet servant à pêcher les crevettes.

1. **BOUQUIN** [bukɛ̃] n. m. — 1544, adj.; de 1. *bouc.*

♦ **1** (Av. 1590, Paré). Vx. Vieux bouc*. *Sentir le bouquin.*

Allez, bouquin puant, faire l'amour aux chèvres.
RACAN, Bergeries, II, 2.

Démon à pieds de bouc. → **Satyre.**

♦ **2** (1732). Lièvre, lapin mâle. → 3. **Bouquet.**

DÉR. 1. **Bouquiner.**

2. **BOUQUIN** [bukɛ̃] n. m. — 1459, *boucquain;* d'un dérivé (douteux) du moy. néerl. *boec* «livre».

♦ **1** Vieux livre. → Reliure, cit. 1. *Des bouquins poussiéreux. Chercher des bouquins d'occasion chez les bouquinistes*. Se plonger dans les bouquins.* → **Bouquiner.**

♦ **2** (1866). Fam. et cour. **a** Livre (objet concret). *Un bouquin neuf. Il achète tous les bouquins qui paraissent. Bouquins de classe. Ranger ses bouquins.*
(Langage des jeunes). Publication quelconque (livre, album, revue). *File-moi ton bouquin de B. D.*

**b** Livre, en tant que texte. *Écrire, faire un bouquin. Tu as fini ce bouquin? C'est un bon bouquin.*

(...) vous voilà tout à coup en tête à tête avec un de vos personnages, et pas moyen de le faire rentrer dans le plan du bouquin. Le voilà qui part tout seul.
BERNANOS, Un mauvais rêve, Œ. roman., Pl., p. 926.

DÉR. 2. **Bouquiner, bouquinerie, bouquiniste.**

3. **BOUQUIN** [bukɛ̃] n. m. — 1532; forme normanno-picarde de *boucque* «bouche».
Vieilli ou régional.

♦ **1** Bec* adapté à une corne de bœuf pour en faire une trompe de chasse. *Cornet à bouquin,* la trompe* elle-même.

(...) ce soir ils font un bruit de tambours et de cornets à bouquin infernal. 1
E. DELACROIX, Journal, 4 février 1832, p. 152.

(...) j'entendais plus tard le cornet à bouquin du chevrier (...) 2
PROUST, Albertine disparue, Folio, p. 97.

♦ **2** (1833). Bout qui s'adapte au tuyau de la pipe et que le fumeur met dans sa bouche. *Bouquin d'ambre.*

Quant aux bouquins d'ambre, ils sont l'objet d'un commerce spécial et qui se rapproche de la joaillerie pour la valeur de la matière et du travail. 3
Th. GAUTIER, Constantinople, p. 114.

«Obstinées comme Marguerite», songe Mathieu en mordillant le bouquin de sa pipe. 4
Jean-Yves SOUCY, Un dieu chasseur, p. 161.

1. **BOUQUINAGE** [bukinaʒ] n. m. — 1700; de 1. *bouquiner.*
Rut, chez le lapin et le lièvre. *L'époque du bouquinage.*

HOM. 2. **Bouquinage.**

2. **BOUQUINAGE** [bukinaʒ] n. m. — 1860; de 2. *bouquiner.*

Fam. et rare. Fait de lire.

**HOM.** 1. **Bouquinage.**

1. **BOUQUINER** [bukine] v. intr. — 1655; «avoir les moeurs du bouc», 1611; de 1. *bouquin.*

Rare. (En parlant du bouc, du lapin, du lièvre). Couvrir la femelle.

**DÉR.** 1. **Bouquinage.**

2. **BOUQUINER** [bukine] v. — 1611; de 2. *bouquin.*

**I** V. intr. Langage des bibliophiles. Fouiller dans les vieux livres, chercher des livres d'occasion, des livres anciens, notamment chez les *bouquinistes**. → **Bouquinerie,** 2.

1 Tout compte fait, je ne sais pas de plaisir plus paisible que celui de bouquiner sur les quais.
FRANCE, Pierre Nozière, I, 7, 3.

**II** V. tr. ♦ **1** (1840). Vieilli. Lire (de vieux livres). — Absolt :

2 «Je comprends que je ne peux rien faire, moi chétive, à côté de grands savants comme vous autres (...) Et pourtant j'aimerais tant m'instruire, savoir, être initiée. Comme cela doit être amusant de bouquiner, de fourrer son nez dans de vieux papiers», avait-elle *(Odette)* ajouté (...)
PROUST, À la recherche du temps perdu, t. I, p. 268.

♦ **2** Cour., fam. Lire. *Il est en train de bouquiner un illustré.* — Absolt. *Il bouquine toute la journée.*

**DÉR.** 2. **Bouquinage, bouquineur.**

**BOUQUINERIE** [bukinʀi] n. f. — 1800; v. 1650, «amas de vieux livres»; de 2. *bouquin.*

♦ **1** Rare. Magasin ou boîte de bouquiniste.

C'est l'hôtel où mourut Oscar Wilde; la cour du Commerce où le sieur Guillotin expérimenta sur un mouton son horrible machine à raccourcir qu'on appela plus tard «la Veuve»; la bouquinerie du père d'Anatole France; la bicoque d'angle des parents d'André Chénier (...)
Francis CARCO, Nostalgie de Paris, p. 27.

Commerce des livres d'occasion. — Par ext. Ensemble de bouquins.

♦ **2** Fait de chercher des livres d'occasion. *Passer son temps en bouquineries.*

**BOUQUINEUR, EUSE** [bukinœʀ, øz] n. — 1928; «celui qui cherche et aime les vieux livres», 1671; de 2. *bouquiner.*

Familier.

♦ **1** Personne qui aime bouquiner. → 2. **Bouquiner** (I.); **bibliophile.**

Vous savez que je suis fort ignorant bouquineur : ainsi ne craignez pas de nommer choses pour vous trop connues, *Histoire universelle* de Bossuet à part.
Germain NOUVEAU, Lettre à Paul Verlaine, 4 août 1876, Pl., p. 843.

♦ **2** Rare. Personne qui aime bouquiner, lire. → **Lecteur, liseur.**

**BOUQUINISTE** [bukinist] n. — 1752, Trévoux; de 2. *bouquin,* 1.

Marchand, marchande de livres d'occasion exposés en librairie ou dans des boîtes spéciales, notamment sur les parapets des quais de la Seine, à Paris.

1 Les bouquinistes déposent leurs boîtes sur le parapet. Ces braves marchands d'esprit (...) sont tous mes amis et je ne passe guère devant leurs boîtes sans en tirer quelque bouquin qui me manquait jusque-là, sans que j'eusse le moindre soupçon qu'il me manquât.
FRANCE, le Crime de S. Bonnard, Œ. t. II, p. 419.

J'ai dû sottement oublier dans votre antichambre un petit paquet contenant deux livres (...) que je venais d'acheter chez un bouquiniste du Boulevard Saint-Michel. 2
J.-R. BLOCH, Deux hommes se rencontrent, p. 31.

Je remontais les quais de la rive gauche vers le pont des Arts. On voyait luire le fleuve, entre les boîtes fermées des bouquinistes. 3
CAMUS, la Chute, p. 46.

**BOURACAN** [buʀakɑ̃] n. m. — 1593; *barragan,* v. 1150; arabe *barrakan* «étoffe de poil de chameau», p.-ê. avec infl. de 1. *bourre* ou de la forme arabe *burrukān.*

Vieux (ou anciennement).

♦ **1** Gros tissu de laine. → **Camelot.**

Pendant qu'un misérable pagne couvrait à peine vos flancs brûlés par le soleil, vos barbares pères se pavanaient sous de *buenos sombreros,* et portaient des vestes de nankin les jours de travail, et les jours de fête des habits de bouracan ou de velours (...) 1
HUGO, Bug-Jargal, *in* Œ. compl., t. VI, p. 79.

Elle avait une courte robe bleu sombre, à petits plis froncés sur les hanches, et une sorte de veste ou brassière en bouracan noir que fermaient, à la naissance de la poitrine, deux ou trois boutons de corne. 2
Th. GAUTIER, le Capitaine Fracasse, p. 321.

♦ **2** Manteau fait de cette étoffe.

**BOURACHER** [buʀaʃe] n. m. — 1723, Savary, *Dict. de commerce;* 1602, *bouracier;* de 1. *bourre.*

Régional (Nord). Ouvrier qui fabrique des étoffes de laine.

**BOURAQUE** [buʀak] n. f. → **Bourraque.**

**BOURBE** [buʀb] n. f. — Av. 1306; *borbe,* 1223; d'un gaul. *borvo.* Cf. *Borvo,* divinité gauloise des eaux thermales. → Barboter.

♦ **1** Boue* qui s'accumule au fond des eaux stagnantes. → **Fange, limon.** *Bourbe épaisse, nauséabonde, noire d'un étang, d'un marais. Amas de bourbe.* → **Bourbier.** *Étendue pleine de bourbe.* → **Marécage.** *Patauger dans la bourbe.* → **Barboter.** *Bourbe où se vautre le sanglier.* → **Souille.** *Ôter la bourbe.* → **Curer, débourber.**

Plusieurs rues s'étiraient jusqu'à l'extrémité des mares des lacs à fond de bourbe que l'on nomme horizons.
Michel LEIRIS, Haut mal, p. 58.

Amas de saletés, dépôt au fond d'un liquide. *Bourbe d'un encrier.* → **Boue.**

♦ **2** (1223). Littér., rare. Chose vile, méprisable. → **Boue, fange.** *La bourbe du vice. «La bourbe des affaires»* (Huysmans, *in* T. L. F.). *Croupir dans la bourbe.* → **Bourbier.**

**DÉR. Bourbelier, bourbeux, bourbier, bourbillon.** — REM. Claudel, dans *Tête d'or,* forge un verbe *bourbiller* «patauger dans la bourbe». ◊ **COMP. Débourber, embourber.**

**BOURBELIER** [buʀbəlje] n. m. — 1755; «épaule du sanglier», 1393; de *bourbe,* l'animal laissant souvent des traces de boue sur son pelage.

Vén. Poitrail (du sanglier).

C'était un énorme sanglier noir, un vieux (...) Il était large du bourbelier et la poche de ses suites ballottait en dehors de ses cuisses.
Paul VIALAR, la Grande Meute, p. 325.

**BOURBEUX, EUSE** [buʀbø, øz] adj. — 1552; de *bourbe.*

Qui est plein de bourbe, couvert de boue. → **Boueux, fangeux, marécageux.** *Chemin, sentier bourbeux. Creux, trou bourbeux.* → **Bourbier.** *Eau bourbeuse.*

1 Je lui montrais de loin les embouchures du Rhône, dont l'impétueux cours s'arrête tout à coup au bout d'un quart de lieue, et semble craindre de souiller de ses eaux bourbeuses le cristal azuré du lac.
ROUSSEAU, Julie ou la Nouvelle Héloïse, IV, p. 137.

1.1 De Slovénie en Italie, aidé par les douaniers, puis abandonné d'eux, je remontai un torrent bourbeux.
Jean GENET, Journal du voleur, p. 120.

Par métaphore. → **Impur.**

2 (...) ou le grand chemin de la vertu, ou le bourbeux sentier de la courtisane. BALZAC, *in* Pierre LAROUSSE.

3 Nos péchés sont têtus, nos repentirs sont lâches;
Nous nous faisons payer grassement nos aveux,
Et nous rentrons gaiement dans le chemin bourbeux,
Croyant par de vils pleurs laver toutes nos taches.
BAUDELAIRE, les Fleurs du mal, Au Lecteur.

CONTR. **Clair, limpide.**

**BOURBIER** [buʀbje] n. m. — 1223; de *bourbe.*

♦ **1** Lieu creux plein de bourbe. → **Marais, marécage.** *S'engager, entrer, tomber, s'enfoncer dans un bourbier.* → **Embourber** (s'). *Tirer qqn, un véhicule d'un bourbier.* → **Débourber, désembourber.**

♦ **2** Par métaphore ou fig. Affaire, situation difficile, inextricable. → **Embarras, pétrin.** *S'engager dans un bourbier. Il s'est mis dans un vrai bourbier.*

1 Cette naïveté embarrassait le bonhomme; il faisait de vains efforts pour se tirer de ce bourbier.
VOLTAIRE, l'Ingénu, 10.

1.1 On ne sort pas d'une pareille impasse par une simple pirouette, ou alors on risque de tomber dans un bourbier. PROUST, le Côté de Guermantes, Folio, p. 288.

♦ **3** Littér. Lieu impur.

2 (...) j'allumais mon sang, je traînais mon corps aux bourbiers des plaisirs (...)
Th. GAUTIER, M^lle^ de Maupin, III.

Chose, situation infamante. → **Bourbe, impureté.** *Le bourbier du vice.*

3 Relevez-moi plutôt du bourbier où j'étais tombé, en me disant d'expier ma mauvaise vie et de devenir digne de vous. G. SAND, Elle et Lui, IV, p. 89.

**BOURBILLON** [buʀbijɔ̃] n. m. — 1690, Furetière; de *bourbe.*

♦ **1** Rare. Petit amas de bourbe. *Bourbillons au fond de l'encrier.*

♦ **2** Méd. Amas de pus et de tissu nécrosé au centre d'un furoncle.

**BOURBON** [buʀbɔ̃] n. m. — 1930, *in* Rey-Debove et Gagnon; *Bourbon whiskey,* 1852; mot angl. des États-Unis, abrév. de *Bourbon whisky,* du nom du comté de Bourbon, Kentucky.

Whisky* américain, essentiellement à base de maïs, auquel on ajoute parfois du seigle et du malt (→ Rye, cit.). *Le bourbon a un goût très différent de celui du whisky écossais.*

1 Regarde ce que j'apporte : du whisky américain (...)
— Magnifique! dit Henri. Il remplit un verre de bourbon qu'il tendit à Nadine.
S. DE BEAUVOIR, les Mandarins, p. 21.

2 Et tout à l'heure, quand il fera son entrée au «Vieux Joë», pour (...) réparer ses forces avec une double rasade de bourbon sec (...)
A. ROBBE-GRILLET, Projet pour une révolution à New York, p. 61.

**BOURBONIEN, IENNE** [buʀbɔnjɛ̃, jɛn] adj. et n. — 1559, attestation isolée; repris au XIX^e^; de *Bourbon.*

Qui a rapport à la famille des Bourbons. — Spécialt. *Nez bourbonien :* nez arqué. → **Aquilin.** — REM. On dit aussi *nez à la Bourbon;* (1900) *nez bourbon.*

N. Partisan des Bourbons.

**BOURBONNAIS, AISE** [buʀbɔnɛ, ɛz] adj. et n. — Fin XIV^e^; de *Bourbonnais,* province de France, de *Bourbon,* n. propre.

♦ **1** Adj. Du Bourbonnais, ancienne province de France. *Chien bourbonnais.* → **Braque.** — N. *Un Bourbonnais, une Bourbonnaise.*

♦ **2** N. m. (1449, «bourrelet d'une coiffure»). Coiffure en paille tressée, en cône tronqué, munie d'une visière.

♦ **3** N. f. (1811). **BOURBONNAISE** (vx) : chanson burlesque accompagnée de grimaces (d'après Littré).

**BOURBOUILLE** [buʀbuj] n. f. — 1904, in *Rev. gén. des sc.,* n° 19, p. 905; mot d'argot milit.; orig. inconnue.

Miliaire*, éruption de boutons due à l'inflammation des glandes sudoripares (cour. en franç. d'Afrique; cf. I. F. A.).

**BOURCET** ou **BOURSET** [buʀsɛ] n. m. — XVI^e^; néerl. *boegzeil,* de *boeg* «proue», et *zeil* «voile».

Mar. Voile quadrangulaire soutenue par une vergue, sur laquelle le point de drisse est placé au tiers (Gruss). *Bourcet de lougre, de chasse-marée.*

**BOURDAINE** [buʀdɛn] ou (rare) **BOURGÈNE** [buʀʒɛn] n. f. — Après 1350, *bourdaine; bourgène,* 1775; orig. obscure, p.-ê. de l'anc. normand *borzaine* (v. 1200), d'une forme préromane **burgena* (cf. basque *burgi*), les formes en *-rd-* issues de *-rg-* étant caractéristiques des parlers de l'Ouest.

♦ **1** Arbuste *(Rhamnacées)* à écorce laxative et dont le bois sert à la fabrication de la poudre de chasse.

Il se trouvait en fait au seuil d'une forêt de bouleaux doucement vallonnée que parsemaient des taillis de bourdaine.
M. TOURNIER, le Roi des Aulnes, p. 182.

♦ **2** Tisane faite avec l'écorce de cet arbre. *Une tasse de bourdaine.*

**BOURDALOU** ou **BOURDALOUE** [buʀdalu] n. m. — 1701, Furetière; du nom de *Bourdaloue,* le célèbre prédicateur.

♦ **1** Techn. Ruban ou tresse qu'on attache avec une boucle et qui entoure la forme d'un chapeau. *Bourdalou en cuir d'un shako.*

♦ **2** (1762). Vase de nuit de forme oblongue, utilisé au XVIII^e^ siècle par les dames, dans le fond duquel était parfois peint un œil accompagné d'inscriptions licencieuses.

♦ **3** Cuis. Entremets chaud de fruits. — (À Paris). Gâteau aux amandes et aux poires.

**BOURDANTE** [buʀdɑ̃t] n. f. — D. i. (XX^e^); de 1. *bourde,* d'après *gourante.*

Fam. Bourde.

— Oh, oh, dit Julia, où as-tu été pêcher une bourdante pareille?
R. QUENEAU, le Dimanche de la vie, p. 15.

1. **BOURDE** [buʀd] n. f. — 1180; orig. obscure, p.-ê. à rapprocher de l'anc. provençal **borda* «vantardise» ou (Guiraud) de la forme dialect. *borde,* var. de *bourre* «flocon», par métaphore «mensonge», du gallo-roman **burra, *burrita* «coquille; fétu».

♦ **1** Mensonge fait pour abuser, pour tromper. → **Baliverne, calembredaine, invention, plaisanterie.** *Raconter des bourdes. Il a sorti une énorme bourde dans sa conférence. Relever quelques bourdes dans un livre.*

Qui baillent pour raisons des chansons et des bourdes. 1
Mathurin RÉGNIER, Satires, X.

2 Les pauvres gens qui ne savent rien du christianisme ni de son histoire bâfrent goulûment cette bourde énorme.
Léon BLOY, le Désespéré, p. 87.

♦ **2** (XVIIIe). Faute lourde, grossière. *Faire une bourde. Dire, commettre des bourdes.* → **Erreur, faute; bêtise, bévue, blague, bourdante, gaffe.**

3 D'ordinaire, un traducteur copie les traducteurs précédents, de confiance et sans toujours savoir quelles bourdes il perpétue.
J. GREEN, Journal, 21 déc. 1977, La terre est si belle, p. 217.

DÉR. **Bourdante.** — 3. **Bourdon.** ◊ HOM. 2. **Bourde.**

2. **BOURDE** [buʀd] n. f. — 1831; «bâton», 1381; de 1. *bourdon.*

Mar. Étai qui soutient provisoirement un navire échoué.

DÉR. **Bourdillon.** ◊ HOM. 1. **Bourde.**

**BOURDIGUE** [buʀdig] n. f. → **Bordigue.**

**BOURDILLON** [buʀdijɔ̃] n. m. — 1732, Richelet; de 2. *bourde.*

Techn. Bois de chêne refendu en douves pour faire des futailles.

**BOURDINGUE** [buʀdɛ̃g] n. f. → **Bordigue.**

1. **BOURDON** [buʀdɔ̃] n. m. — XIIe; v. 1170, *burdun* «mulet»; bas lat. *burdo,* accus. *burdonem* «mulet», par une métaphore habituelle (cf. étym. de *bélier,* «chevalet, poutre»), p.-ê. du francique **bihordon* «enclore» du francique **hurd* «claie».

**I** ♦ **1** Hist. Long bâton de pèlerin surmonté d'un ornement en forme de pomme. *Le bourdon des pèlerins de Saint-Jacques. Prendre le bourdon du pèlerin*.*
Loc. fig. *Planter le bourdon :* s'établir.

♦ **2** Ganse (formant des renflements sur le tissu). — *Point de bourdon :* point de broderie.

**II** (1881, mot régional de l'Ouest qui correspond à l'anc. franç. et au lat.). Pop. Cheval (Céline, *Casse-pipe,* in Cellard et Rey).

DÉR. 2. **Bourde, bourdonnière.** ◊ HOM. 2., 3. **Bourdon.**

2. **BOURDON** [buʀdɔ̃] n. m. — 1210 *bordon;* probablt onomatopée.

**I** ♦ **1** Insecte hyménoptère *(Apidés)* à l'aspect massif, au corps velu, qui vit en sociétés composées de mâles, de femelles stériles (ouvrières) et de femelles fécondes. *Miel de bourdons. Nid de bourdons. Bruit du bourdon.* → **Bourdonnement.** *La volucelle est un diptère ressemblant au bourdon.*

1 Un bourdon tout enflé de lumière fauve rôdait autour d'eux; il vint heurter Jacques au visage, comme une houppe de laine (...)
MARTIN DU GARD, les Thibault, t. II, p. 194.

Par compar. ou métaphore. *S'agiter comme un bourdon, faire le bourdon :* s'agiter bruyamment et inutilement. — *Avoir la tête comme un nid de bourdons,* la tête qui bourdonne*.

1.1 Comme un bourdon, alors, nous venons et revenons buter sur l'obstacle transparent.
ALAIN, Entretiens au bord de la mer, II, *in* les Passions et la Sagesse, Pl., p. 1272.

♦ **2** *Faux bourdon :* mâle de l'abeille. → **Abeille** (cit. 1).

♦ **3** Par métonymie. Régional. Bourdonnement. «*Un bourdon de mouches semblait la chanson même de l'après-midi*» (H. Pourrat, *in* T. L. F.).

Bourdonnement de voix. → **Brouhaha, murmure.**

**II** 1915, *in* Sainéan; métaphore de l'insecte (→ Cafard) ou du bruit (sens III). Fig., fam. *Avoir le bourdon :* se sentir mélancolique. → **Cafard, noir, spleen** (cf. Broyer du noir).

Vous êtes rigolote, vous. Vous n'avez pas l'air de vous en faire. 1.2
— Vous, vous avez le bourdon, hein ? ce soir.
— C'est que c'est pas drôle. Je n'ai plus d'emploi. Toujours chômeur.
R. QUENEAU, Pierrot mon ami, p. 44.

C'est pas pour dire, t'es pas bavard... t'as le bourdon, pour sûr... Ah ! la la... c'est comme si je te voyais ! Tu dois être un doux, toi... un sentimental... 1.3
H.-G. CLOUZOT et J. FERRY, Quai des Orfèvres (scénario), 1947, *in* l'Avant-Scène, nº 29, p. 52, 1963.

Moi qui pensais pouvoir franchir en liberté le solstice d'été, cet équateur du truand, me voilà à l'abri des coups de soleil, coups de lune, et en butte aux coups de gueule, coups de bourdon, pour un temps terriblement déterminé. 1.4
A. SARRAZIN, la Cavale, p. 9.

**III** (V. 1280, en parlant d'un instrument). ♦ **1** Basse continue dans certains instruments. *Bourdon de vielle, de la cornemuse.*

Ne pourrais-je pas mesurer ces paroles et les chanter ? Un bourdon de ma guitare imiterait la présence divine de la mer (...) 1.5
J. GIONO, la Naissance de l'Odyssée, p. 69.

**FAUX-BOURDON.** Hist. mus. Plain-chant où la basse, transportée à la partie supérieure, forme le chant principal. — Mod. → **Faux-bourdon.**

(...) le bon père qui, autrefois, avait été renommé à Notre-Dame pour chanter et enseigner le faux-bourdon (...) 2
A. DE VIGNY, Servitude et Grandeur militaires, I, 5, p. 125.

♦ **2** *Bourdon d'orgue :* jeu de l'orgue qui fait la basse. — Vieilli. Nom de la quatrième corde du violon.

Si le son est tiré de la chanterelle ou du bourdon (...) 3
ROUSSEAU, Émile, II.

♦ **3** Grosse cloche à son grave. *Bourdon de cathédrale.*

(...) Paris s'éveilla au son du bourdon de Notre-Dame, muet depuis dix ans. 4
Louis MADELIN, Hist. du Consulat, Consulat, X, p. 163.

Ah ! ce bourdon ! s'écria François, il est vraiment obsédant, on en a la tête grosse, et qui éclate ! 5
ZOLA, Paris, t. II, p. 244.

DÉR. **Bourdonner.** ◊ HOM. 1., 3. **Bourdon.**

3. **BOURDON** [buʀdɔ̃] n. m. — 1690; de 1. *bourde.*

Typogr. Faute de composition, omission d'un ou de plusieurs mots figurant sur la copie. → **Sauton.**

HOM. 1., 2. **Bourdon.**

**BOURDONNANT, ANTE** [buʀdɔnɑ̃, ɑ̃t] adj. — XVIe; de *bourdonner.*

♦ **1** Qui émet un bourdonnement. *Mouche bourdonnante.* → **Bourdonneur.** — *Foule bourdonnante. Cloche bourdonnante. Prières bourdonnantes.* → Pénitent, cit. 3.

♦ **2** Qui est le siège d'un bourdonnement. *Oreilles bourdonnantes.*

(...) une brûlure lui tordait la poitrine, montait à sa tête bourdonnante et près d'éclater comme une tôle chauffée à blanc.
Alphonse DAUDET, Sapho, III.

Par ext. *Usine bourdonnante, bourdonnante d'activité.*

**BOURDONNEMENT** [buʀdɔnmɑ̃] n. m. — 1545, *bourdonnement d'aureilles ;* de *bourdonner.*

♦ **1** (1556). Bruit sourd et continu que font en volant les insectes et certains petits oiseaux. *Un bourdonnement de mouches. Le bourdonnement des abeilles.* → aussi **Bruissement.** *Bourdonnement de colibris. Bourdonnement de ruche.*

1 Une Mouche survient, et des chevaux s'approche,
Prétend les animer par son bourdonnement.
La Fontaine, Fables, vii, 9.

2 (...) le double ronron, mystérieux privilège du félin, rumeur d'usine lointaine, bourdonnement de coléoptère prisonnier, moulin délicat dont le sommeil profond arrête la meule. Colette, Histoires pour Bel-Gazou, xvii.

Bruit continu provoqué par un objet qui vibre. *Le bourdonnement d'une cloche. Bourdonnement d'un moteur.* → **Vrombissement.**

2.1 Le restaurant, au milieu d'un îlot d'arbres et d'arbustes, avait l'air d'une ruche trop pleine et vibrante. Un bourdonnement confus de voix, d'appels, de cliquetis de verres et d'assiettes voltigeait autour, en sortait par toutes les fenêtres et toutes les portes grandes ouvertes.
Maupassant, Fort comme la mort, éd. 1889, p. 141.

3 Là-haut, de minuscules ailes brunes et brillantes *(d'un aéroplane)* fronçaient le bleu uni du ciel inaltérable. J'avais pu enfin attacher le bourdonnement à sa cause, à ce petit insecte qui trépidait là-haut, sans doute à bien deux mille mètres de hauteur, je le voyais bruire.
Proust, À la recherche du temps perdu, t. XII, p. 253.

4 Il était souvent étourdi par le bourdonnement de sa musique. R. Rolland, Jean-Christophe, p. 611.

Techn. Vibrations de faible amplitude affectant la cellule d'un avion (recomm. off. pour traduire l'angl. *buzz*).

♦ **2** Murmure sourd, confus, d'un grand nombre de voix. *Bourdonnement d'une conversation. Le public manifeste sa désapprobation par un bourdonnement général.* → **Rumeur.** *Bourdonnement d'une foule.*

5 La foule, avec son bourdonnement monotone de rires et de prières, se presse autour, lançant à pleine main ses offrandes (...)
Loti, Mme Chrysanthème, xxxiv, p. 168.

6 Un bourdonnement de conversation et de rires répandit, dans le jardin, sa ruche de bruits.
Edmond Jaloux, le Jeune Homme au masque, i, p. 2.

6.1 Cette mort de Rampolla... Je le revois, 25 ans en arrière... Sa haute figure ennuyée et affable, la nuée de courtisans qui se levaient sous ses pas (...) le bourdonnement d'attente et d'espoir qui entourait sa personne...
R. Rolland, Deux hommes se rencontrent, p. 225.

7 (...) Jacques percevait très bien (...) le timbre si particulier de cette voix *(celle de Jaurès)* : ce bourdonnement, cette vibration en sourdine, analogue à la résonance d'une fosse d'orchestre.
Martin du Gard, les Thibault, t. V, p. 289.

♦ **3** *Bourdonnement d'oreilles :* perception auditive d'un bruit sourd, régulier et grave provoquée par des troubles circulatoires, par une anomalie de l'appareil auditif, par un état nerveux... → **Tintement, tintouin** (vx) ; **acouphène.**

8 Il n'entend rien non plus, rien qu'un bourdonnement sourd, un roulement confus, comme s'il avait pour oreilles deux coquilles marines, de ces grosses coquilles à lèvres roses où l'on entend ronfler la mer.
Alphonse Daudet, le Petit Chose, ii, 16.

**BOURDONNER** [buʀdɔne] v. — V. 1200, *bordonner ;* de 2. *bourdon.*

**I** V. intr. ♦ **1** (En parlant d'un insecte). Faire entendre un bourdonnement*. *Mouche, abeille qui bourdonne.* → **Bombiller** (rare).

1 Autour du compotier de reines-claudes une guêpe bourdonnait et toute la maison semblait ronronner avec elle sous la caresse de midi.
Martin du Gard, les Thibault, t. II, p. 187.

Émettre un son grave et continu, dû à une vibration. → **Bruire, souffler.** *Le poêle bourdonne.* → **Ronronner.** *Le moteur bourdonne* (→ aussi **Vrombir).** *La foule des élèves bourdonnait en attendant la proclamation des résultats. «Je défends à toute guitare De bourdonner aux alentours»* (Gautier). *Les cloches bourdonnent.*

N'entends-tu pas déjà mille rumeurs bourdonner confusément dans la cité qui sort de sa torpeur méridienne ? 2
Th. Gautier, le Roman de la momie, ii.

La musique du bal bourdonnait encore à ses oreilles. 3
Flaubert, Mme Bovary, I, viii.

(...) les hélices des ventilateurs bourdonnaient sans répit. 4
Martin du Gard, les Thibault, t. II, p. 92.

♦ **2** (Sujet n. de lieu, de chose située dans l'espace). Être le siège d'un bourdonnement. *La ruche bourdonne.* — Par compar. ou métaphore. *L'usine bourdonne.*

Du haut en bas de ses six étages, la *Maison du peuple* de Bruxelles bourdonnait comme un nid de frelons. 5
Martin du Gard, les Thibault, t. VII, p. 29.

*Bourdonner de conversations.*

Ah ! tout l'escalier, le nôtre, le B, il en bourdonnait de notre histoire, ils en bavaient des bigornos tous les bricoleurs des étages, ils en revenaient pas de notre chance ! 5.1
Céline, Mort à crédit, p. 178-179.

Trois mois d'été humide et ouaté de brouillard, bourdonnant des offres de marchands juifs venus de New York pour acheter dans de bonnes conditions leurs bijoux aux émigrés russes. 5.2
M. Yourcenar, le Coup de grâce, p. 148.

Spécialt. *Il sentit sa tête, ses oreilles bourdonner, avant de s'évanouir* (→ **Bourdonnement).**

♦ **3** S'agiter confusément dans la pensée, en provoquant une sensation analogue à un bourdonnement. *Ses reproches bourdonnaient encore dans ses oreilles.*

Ses projets, ses souvenirs, bourdonnaient dans sa tête, encore étourdie par le tangage du vaisseau (...) 6
Flaubert, Salammbô, vii.

**II** V. tr. (Av. 1696). Littér. ♦ **1** Chanter d'une voix basse. → **Fredonner.** *Bourdonner un air.*

♦ **2** Vieilli. Dire de façon répétée (des choses qui importunent l'entourage).

Il faut que je bourdonne mes peines comme la mouche. 7
Mme de Sévigné, 393.

♦ **3** Techn. Faire résonner (une cloche) sans la mettre en branle, en faisant mouvoir le battant.

**DÉR. Bourdonnant, bourdonnement, bourdonneur.**

**BOURDONNEUR, EUSE** [buʀdɔnœʀ, øz] adj. et n. — 1606 ; 1495, *mouches bourdonneresses ;* de *bourdonner.*

Qui émet un bourdonnement. → **Bourdonnant.** *Insecte bourdonneur.*

Des grappes humaines se collaient en essaims bourdonneurs à l'arrière-train des autobus.
A. Blondin, les Enfants du bon Dieu.

N. *Un bourdonneur :* un animal qui bourdonne.

**BOURDONNIÈRE** [buʀdɔnjɛʀ] n. f. — 1842 ; de 1. *bourdon.*

Techn. Pièce d'huisserie où pivote le goujon (ou *bourdonnier*) d'une porte, d'une fenêtre. — REM. Certains auteurs appellent *bourdonneau* la bourdonnière et *bourdonnière* le bourdonnier.

**BOURG** [buʀ] n. m. — V. 1360; *burc*, 1080; d'un croisement du lat. *burgus* «fortification», en bas lat. «habitations fortifiées» et du germanique **burg* «ville fortifiée», d'où lat. médiéval *burgus* «petite ville».

♦ **1** Gros village où se tiennent ordinairement des marchés. → **Bourgade**, (cit. 1), **village.** *Bourg ou canton de la Grèce antique.* → **Dème.** *Gros bourg.* → **Ville.** *Bourg prospère.*

1 (...) la maîtresse de cette auberge était (...) fort affairée (...) C'était, le lendemain, jour de marché dans le bourg.
FLAUBERT, Mme Bovary, II, I.

♦ **2** Dans les régions à habitat dispersé, Partie de la commune où sont regroupés les commerces, les édifices publics et un assez grand nombre d'habitations particulières. *Aller au bourg faire les courses. Il habite au bourg. Le bourg et les hameaux.*

♦ **3** Hist. Circonscription électorale en Grande-Bretagne. — Loc. (1819). **BOURG POURRI :** bourg qui a conservé le droit d'élire des députés, malgré son petit nombre d'habitants, et où l'on trafiquait les votes.

2 M. de Nucingen, futur pair de France et qui avait été élu dans une espèce de bourg-pourri, un collège à peu d'électeurs, où le journal fut envoyé gratis à profusion.
BALZAC, Une fille d'Ève, I, VII, 1839, *in* D. D. L., II, 10.

**DÉR.** **Bourgage, bourgeois.** ◊ **COMP.** V. **Faubourg.** — **HOM.** 1. **Bourre**, 2. **bourre**, 3. **bourre.**

**BOURGADE** [buʀgad] n. f. — 1418, *borguade*; de l'anc. provençal *borgada*, de *borc* «bourg». L'emprunt à l'ital. *borgata* est moins probable.

Petit bourg*, dont les maisons sont disséminées sur un assez grand espace (→ **Village**).

1 (...) c'est seulement sous le rapport numérique que la *bourgade (est plus petite)* que le *bourg* (...) Sous le rapport de l'étendue (...) la *bourgade* est plus grande que le *bourg*, elle est moins resserrée (...) les maisons en sont plus disséminées (...) LAFAYE, Dict. des synonymes, p. 195.

2 Il est prêt à faire entendre sa voix dans les hameaux et dans les bourgades avec autant de satisfaction que dans Rome même. FLÉCHIER, Panégyriques, II, p. 350.

3 Force est de reconnaître qu'en ce temps *(celui de Thésée)* l'aspect de la campagne n'était nullement rassurant. Entre les bourgades dispersées s'étendaient de grands espaces incultes, traversés de routes peu sûres.
GIDE, Thésée, 1946, *in* Romans, Pl., p. 1417.

**DÉR.** **Bourgadier.**

**BOURGADIER** [buʀgadje] n. m. — 1879, Daudet; de *bourgade*.

Régional (Provence). Habitant d'un bourg, d'une bourgade.

**BOURGAGE** [buʀgaʒ] n. m. — XIIIe, Godefroy; de *bourg*.

Anc. dr. et hist. Mode de tenure pour les maisons des bourgs. *Franc bourgage.*

**BOURGE** [buʀʒ] n. — 1978, *in* D. D. L.; abrév. de *bourgeois*.

Fam. Bourgeois. *«Ils détestent les punks, les bourges»* (*le Nouvel Obs.*, 19 mai 1978, in *Dicoplus*).

N. f. «Bourgeoise», épouse.

**BOURGÈNE** [buʀʒɛn] n. m. → **Bourdaine.**

**BOURGEOIS, OISE** [buʀʒwa, waz] n. et adj. — 1080, *burgeis*; de *bourg*.

**I** ♦ **1** Hist. (moyen âge). Citoyen d'un bourg, d'une ville, bénéficiant d'un statut privilégié. *Les bourgeois d'une commune. Les bourgeois de Calais :* citoyens de Calais (six) qui en 1347, se sacrifièrent en se livrant aux Anglais, pour sauver la ville assiégée (titre d'une sculpture célèbre de Rodin). *Un riche bourgeois.* — Personne affranchie de la juridiction féodale, seigneuriale. → **Franc-bourgeois.**

Un amateur de jardinage, 1
Demi-bourgeois, demi-manant.
LA FONTAINE, Fables, IV, 4.

On appelait bourgeois au Moyen âge, non pas les habitants des villes, mais tout homme qui était sujet d'un Seigneur, en jouissant pourtant de la liberté civile. 2
FUSTEL DE COULANGES, Leçons à l'Impératrice, III, IX, p. 208.

Collectivt. *Le bourgeois :* le corps des bourgeois. *Le bourgeois a pris les armes* (Littré).

On vit des échevins se qualifier bourgeois du roi. 3
VOLTAIRE, Essai sur les mœurs, 98.

Mod. et régional (Suisse). Personne ayant le droit de cité communal (→ **Bourgeoisie**). *Assemblée, Conseil des bourgeois. «Une commune ne traite pas toujours identiquement ses bourgeois et les autres citoyens du canton»* J. F. Aubert, *Traité de droit constitutionnel suisse*, I, p. 371 (1967).

(1668). Hist. Dans l'ancien régime, Personne qui, n'appartenant ni au clergé ni à la noblesse, ne travaillait pas de ses mains et possédait des biens (→ Naissance, cit. 10). *Les bourgeois, roturiers*, faisaient partie du tiers-état. On appelait «Mademoiselle» les bourgeoises, même mariées. Un bourgeois anobli. Le Bourgeois Gentilhomme,* comédie de Molière.

Tout bourgeois veut bâtir comme les grands seigneurs (...) 4
LA FONTAINE, Fables, I, 3.

Il n'est guère naturel en dialogue que des princes ou des bourgeois chantent leurs passions. 5
MOLIÈRE, le Bourgeois gentilhomme, I, 2.

Mod. *Bourgeois,* opposé à *noble,* à *aristocrate,* à *patricien.*

«Père n'était qu'un bourgeois», songeait-il. «Elle, c'est une patricienne.» 6
MARTIN DU GARD, les Thibault, t. V, XX, p. 257.

♦ **2** Péj. (dès l'époque class.). Personne n'ayant pas la distinction attribuée aux nobles. *Un bourgeois gentilhomme* (qui affecte les manières des nobles).

Alors lui et ses compagnons ouvrirent la bouche quasi tous ensemble pour m'appeler bourgeois; car c'est l'injure que cette canaille donne à ceux qu'elle estime niais ou qui ne suivent point la cour (...) 7
Charles SOREL, Vraye hist. comique de Françion, p. 286 de l'édit. 1635.

C'est un bon bourgeois assez ridicule, comme vous voyez, dans toutes ses manières. 8
MOLIÈRE, le Bourgeois gentilhomme, III, 16.

♦ **3** (Au XIXe et mod). Personne (en principe non noble), appartenant à la classe moyenne ou dirigeante, qui possède une certaine fortune, ne travaille pas de ses mains (opposé à *ouvrier, paysan*), et se caractérise par un certain conformisme intellectuel (→ Parapluie, cit. 2 et 3). *Un bon bourgeois. Une bourgeoise respectable. Bourgeois aisé, cossu. Riche bourgeois. Bourgeois vivant de ses rentes.* → **Rentier.** *Bourgeois propriétaire*.*

Le vrai bourgeois est, par caractère, possesseur paisible et paresseux de ce qu'il a; il est toujours content de lui, et facilement content des autres. 9
Joseph JOUBERT, Pensées, XVI, 24.

Dieu, dans son paradis terrestre, aurait voulu, pour y compléter les Espèces, y mettre un bourgeois de province, il 10 n'aurait pas fait de ses mains un type plus beau, plus complet que Philéas Beauvisage.

BALZAC, le Député d'Arcis, Pl., t. VII, p. 655.

10.1 (...) il lui déplie autant de châles que le milan décrit de tours sur un lapin; au bout d'une demi-heure, étourdie et ne sachant que choisir, la digne bourgeoise, flattée dans toutes ses idées, s'en remet aux commis (...)

BALZAC, Un Prince de la Bohême, éd. Michel Lévy, p. 241.

10.2 Bourgeois c'est habitant de la ville; et ce mot dit bien ce qu'il veut dire. Il oppose le commerce aux métiers, et d'abord au métier essentiel, qui est aux champs. L'opposition si naturelle entre bourgeois et paysans s'est étendue aux ouvriers du bois, et de là aux ouvriers du charbon et de la mine. ALAIN, les Arts et les Dieux, Pl., p. 1134.

10.3 Je définis le bourgeois comme un homme qui profite des résultats sans penser au travail.

ALAIN, les Arts et les Dieux, Pl., p. 1107.

♦ **4** N. m. Emplois spéciaux (par oppos. à *militaire*). — *En bourgeois. Être habillé en bourgeois,* en civil. *Un sergent de ville, un policier en bourgeois.* — Fam. *Les en-bourgeois :* les policiers en civil.

10.4 Bientôt la porte fut forcée, et une dizaine d'agents en bourgeois envahirent l'antichambre pour pénétrer ensuite dans la salle.

Raymond ROUSSEL, Impressions d'Afrique, p. 277.

Vx. *(Le bourgeois de qqn).* Patron chez qui travaille un ouvrier, un domestique. *Il est chez son bourgeois.*

Maître, maîtresse de maison. *Le bourgeois est sorti. La bourgeoise.*

En appellatif (vx). *«Ce cochon demandait : où faut-il aller, bourgeois...?»* (Maupassant).

10.5 Le cocher de remise se retourna. «Bourgeois, notre coupé s'arrête.» Émile GABORIAU, l'Affaire Lerouge, p. 410.

Celui qui n'appartient pas au «milieu». → 3. **Cave, pante...** *Les bourgeois et les hommes.*

♦ **5** Spécialt (voc. d'inspiration marxiste). Personne appartenant à la classe dominante, qui, dans un régime capitaliste, possède ou maîtrise les moyens de production; ou simplement jouit de l'ordre établi et le cautionne (opposé à *prolétaire*). → **Petit-bourgeois.** *Un bourgeois progressiste, humaniste, conservateur. Grand bourgeois, moyen bourgeois, petit bourgeois* (→ **Petit-bourgeois**).

11 Le petit bourgeois (...) dépend tout entier de l'ordre établi, l'Ordre Établi qu'il aime comme lui-même, car cet établissement est le sien.

BERNANOS, les Grands Cimetières sous la lune, I, 2, p. 61.

11.1 Et la peinture moderne ouvre son mystère à tout bourgeois, fût-il un petit-bourgeois-type.

F. MAURIAC, le Nouveau Bloc-notes 1958-1960, p. 177.

(En apostrophe, toujours péj.). *Sale bourgeois! Vous êtes tous des bourgeois, des fachos!*

♦ **6** Péj. (Au XIXe). Personne de peu de goût, ne portant pas d'intérêt aux arts et aux lettres (→ **Béotien, philistin**); (au XXe) personne appartenant à la classe moyenne, caractérisée par son conformisme intellectuel, esthétique et social.

12 Le *slogan* de Flaubert : «J'appelle bourgeois quiconque pense bassement»... Si j'avais à le commenter, je dirais au nom de Flaubert : peu m'importent les «classes sociales»! Il peut y avoir des «bourgeois» tout aussi bien parmi les nobles que parmi les ouvriers et les pauvres. Je reconnais le bourgeois non point à son costume et à son niveau social, mais au niveau de ses pensées (...) le *bourgeois* a la haine du gratuit, du désintéressé (...) Il (...) hait tout ce qu'il ne peut s'élever à comprendre.

GIDE, Journal, 22 août 1937.

Loc. *Épater les bourgeois,* ou (collectif; plus cour.), *le bourgeois :* choquer, scandaliser; faire impression.

12.1 La douche froide, ensuite, glaçant sa chair haletante, lui rappela les bains de la vingtième année, quand il piquait des têtes dans la Seine, du haut des ponts de la banlieue, en plein automne, pour épater les bourgeois.

MAUPASSANT, Fort comme la mort, éd. 1889, p. 101.

(...) le lecteur, averti par un clin d'œil, pense aussitôt à quelques jeunes gens hirsutes qui s'en vont, le sourire en coin, placer des pétards sous les fauteuils de l'Académie, dans le seul but de faire du bruit ou d'épater les bourgeois. 12.2

A. ROBBE-GRILLET, Pour un nouveau roman, p. 26.

♦ **7** N. f. (XVe). Pop. (avec un poss.). Épouse. *Je viendrai avec ma bourgeoise.* — REM. Le mot a pu s'employer, avec un effet stylistique plaisant, dans des milieux sociaux riches, aristocratiques... (cf. Proust, *le Côté de Guermantes,* faisant dire au duc de Guermantes : *je vais faire dire à ma bourgeoise que vous l'attendez...*).

Quand je commence à deviner que ma bourgeoise en sait trop et se méfie, je reste peinard et sa mauvaise humeur passe. 12.3

B. CENDRARS, la Main coupée, *in* Œ. compl., t. X, p. 224.

**II** Adj. ♦ **1** Qui appartient à la bourgeoisie (en tant que groupe ou que classe); qui caractérise la bourgeoisie.

(Aux sens anciens de *bourgeois*). *Garde bourgeoise, milices* bourgeoises. — Le Roman bourgeois,* de Furetière. — *Caution bourgeoise.* → **Caution.**

(Sens mod.). *Quartier bourgeois. Presse bourgeoise. Habitudes, institutions, culture, valeurs bourgeoises. Le théâtre bourgeois et le théâtre populaire. La classe bourgeoise.* → **Bourgeoisie.** *Vie, habitudes bourgeoises. Éducation, enfance bourgeoise. Une hérédité, des attaches bourgeoises.*

(...) le monde souffre infiniment plus du sabotage bourgeois et capitaliste que du sabotage ouvrier. 13

Ch. PÉGUY, Notre jeunesse, p. 142.

Le récit, tel que le conçoivent nos critiques académiques — et bien des lecteurs à leur suite — représente un ordre. 13.1
Cet ordre, que l'on peut en effet qualifier de naturel, est lié à tout un système, rationaliste et organisateur, dont l'épanouissement correspond à la prise du pouvoir par la classe bourgeoise.

A. ROBBE-GRILLET, Pour un nouveau roman, p. 31.

(...) ce petit Alain Guimiez (...) un bien gentil petit, insatisfait, inquiet (...) produit très pur de sa classe : jeune intellectuel bourgeois marié à une petite fille gâtée comme lui. N. SARRAUTE, le Planétarium, p. 287. 13.2

La famille bourgeoise classique épargne et investit en placements plus ou moins assurés, plus ou moins rentables. 14
Le bon Père constitue un patrimoine ou l'augmente; il le transmet par héritage, encore que l'expérience montre que les fortunes bourgeoises se dissolvent à la troisième génération, que seul le passage à la Grande Bourgeoisie évite la catastrophe.

Henri LEFEBVRE, la Vie quotidienne dans le monde moderne, p. 70.

Spécialt. Hist. littér. *Drame* bourgeois, comédie* bourgeoise.*

Régional (Jura, Suisse). Relatif aux bourgeois, au droit de bourgeoisie. → **Bourgeoisial.** *Assemblée bourgeoise.*

Polit. (voc. marxiste). Caractérisé par la domination de la classe bourgeoise. → **Capitaliste.** *Pays bourgeois et pays socialistes. L'État bourgeois.*

♦ **2** Péj., vieilli. Commun, vulgaire (opposé à *aristocratique,* aux XVIIe et XVIIIe; à *artiste* au XIXe). *Air bourgeois, mine bourgeoise.*

Des personnages qui ne sont point dans la nature, des amours bourgeois et insipides (...) 15

VOLTAIRE, Lettre à Damilaville, 24 août 1764.

Et à propos des relations bourgeoises que le prince avait à Doncières, il convient de dire ceci. Le lieutenant-colonel 15.1
jouait admirablement du piano, la femme du médecin-chef chantait comme si elle avait eu un premier prix au Conservatoire.

PROUST, le Côté de Guermantes, Folio, p. 159.

Subst (n. m.). *C'est du dernier bourgeois !* (Cf. Molière, *les Précieuses ridicules,* 4), particulièrement vulgaire.

♦ **3** Qui a des valeurs morales et sociales conservatrices, mène une vie rangée. *Il est devenu bien bourgeois. Rendre bourgeois.* → **Embourgeoiser.** Par ext. *Idées bourgeoises, goûts bourgeois. Les vertus bourgeoises.* → Parangon, cit. 3.

16 Tu t'es roulé en boule dans ta sécurité bourgeoise, tes routines, les rites étouffants de ta vie provinciale (...)
SAINT-EXUPÉRY, *in* A. MAUROIS, Études littéraires, t. II, p. 265.

♦ **4** Polit. Qui est caractéristique de la bourgeoisie en tant que groupe social ou que classe sociale. — Qui est fait, dominé par la bourgeoisie. *Révolution bourgeoise. Démocratie bourgeoise. Idéologie bourgeoise.*

17 Est bourgeois ce qui vit de persuader. Le commerçant en sa boutique, le professeur, le prêtre, l'avocat, le ministre, ne font pas autre chose. Vous ne les voyez point changer la face de la terre, ni transporter les objets. Ce qui résiste à eux ce n'est point l'objet, c'est l'homme ; et de là naissent et renaissent d'étonnants préjugés, qui ne sont au fond que l'enfance continuée.
ALAIN, les Arts et les Dieux, Pl., p. 1234.

18 Et ce simple fait, que l'enfant parle avant de savoir ce qu'il dit, explique assez que nos connaissances naturelles sont d'abord purement verbales ; ce qui, joint à ce que notre première puissance est de persuasion, donne une idée plus approchée de l'esprit bourgeois, qui consiste à tout faire et à tout obtenir par des paroles.
D'après cette remarque, on comprend par exemple qu'un chirurgien est moins bourgeois, ou plus prolétaire, qu'un médecin, et que tout gouvernement est bourgeois, sans remède aucun (...)
ALAIN, les Arts et les Dieux, Pl., p. 1108.

♦ **5** Caractéristique des habitudes de vie confortables, mais relativement simples, de la bourgeoisie. — Spécialt. Simple mais de bonne qualité. *Cuisine bourgeoise. Maison bourgeoise* (par oppos. à *hôtel*). *Vêtement, habit bourgeois ; tenue bourgeoise* (→ **Civil** et ci-dessus, I., 4. : *en bourgeois*).

19 Comme il n'y avait pas de galons à sa livrée, cela faisait à peu près un habit bourgeois (...)
ROUSSEAU, les Confessions, II.

20 Leurs habitudes changèrent et, quittant leur pension bourgeoise, ils finirent par dîner ensemble tous les jours.
FLAUBERT, Bouvard et Pécuchet, Pl., p. 676.

*Vin, cru bourgeois :* dans le Bordelais, cru intermédiaire dans un classement hiérarchique, entre les vins «nobles» et les vins «paysans». *Les crus bourgeois sont eux-mêmes subdivisés* (*grand bourgeois,* etc.).

Loc. vieillie. *À la bourgeoise :* tranquillement, sans s'en faire. → À la papa*.

21 Cela fait, il ceignait son vaste chapeau moderne, soufflait la lampe, descendait, et, la clef de sa demeure une fois en poche, s'acheminait, à la bourgeoise, vers la lisière du parc abandonné.
VILLIERS DE L'ISLE-ADAM, Tribulat Bonhomet, p. 14-15.

CONTR. (Du 1.) **Manant, serf, vilain ; artisan. —** (Du 2.) **Aristocrate, noble. — Ouvrier, prolétaire ; campagnard, paysan. — Militaire. — Artiste, bohème, hippie, marginal. — Anarchiste, révolutionnaire.** ◊ DÉR. **Bourgeoisant, bourgeoisement, bourgeoisie, bourgeoisisme.**
REM. D'autres dérivés sont restés sans avenir : *bourgeoiserie (1871)* et *bourgeoiseté (1841),* n. f. ◆ COMP. **Antibourgeois, petit-bourgeois.**

**BOURGEOISANT, ANTE** [burʒwazɑ̃, ɑ̃t] adj. — 1910, *les bourgeois bourgeoisants ;* de *bourgeois.*

Fam., vieilli. Qui joue au bourgeois, qui veut s'embourgeoiser. «*De bons prolétaires bourgeoisants*» (Duhamel, *in* T. L. F.).

**BOURGEOISEMENT** [burʒwazmɑ̃] adv. — 1654, Scarron ; de *bourgeois.*

♦ **1** D'une manière bourgeoise, avec le conformisme et le goût de la tranquillité qui caractérisent la bourgeoisie. *Vivre, s'installer, se marier bourgeoisement.*

(...) des sœurs à elle, qu'elle *(Oriane)* détestait (...) moins intelligentes et presque bourgeoisement mariées (...) 1
PROUST, À la recherche du temps perdu, t. VIII, p. 137.

La maison était bourgeoisement habitée, et ils occupaient les lieux en bons pères de famille, selon la lettre et l'esprit de leurs baux. M. AYMÉ, Maison basse, p. 19. 1.1

Péj. Sans aucun goût pour les choses élevées. → **Vulgairement.**

Un esprit ravalé et bourgeoisement prosaïque (...) 2
TH. GAUTIER, le Capitaine Fracasse, t. I, V.

(...) et, bourgeoisement, le Saint-Père avait un mouchoir sur les genoux, pour s'essuyer. ZOLA, Rome, p. 616. 3

♦ **2** Dr. *Habiter bourgeoisement* (un appartement, une maison) : habiter à titre privé, sans en faire un usage commercial ou artisanal (→ cit. 1.1).

**BOURGEOISIAL, ALE, AUX** [burʒwazjal, o] adj. — 1669, *loy bourgeoisialle ; bourgeoisal* dès le XVe ; de *bourgeois,* spécialt.

Régional (Suisse). De la bourgeoisie (1.), droit de cité communal. → Communal. *Conseil bourgeoisial ; assemblée bourgeoisiale. — Biens bourgeoisiaux,* appartenant à la «bourgeoisie».

**BOURGEOISIE** [burʒwazi] n. f. — 1240, *borgesie ;* de *bourgeois.*

♦ **1** Anciennt. Qualité de bourgeois* (I., 1.). *Droit de bourgeoisie. Ville de bourgeoisie* (→ **Commune**). *Bourgeoisie royale* (→ Bourgeois du roi).

Le droit de bourgeoisie à nos peuples donné. 1
CORNEILLE, Sertorius, 579.

Mod. Rare ou régional (Suisse) :

[a] Droit de cité que possède toute personne dans sa «commune d'origine». «*Au-dessous de l'indigénat* (nationalité communale), *existe encore une nationalité communale, appelée "droit de cité" ou "bourgeoisie"*» (J.-F. Aubert, *Traité de droit constitutionnel Suisse,* t. I, p. 355). *Livre de bourgeoisie,* où sont inscrits les bourgeois de chaque commune.

Le bruit se répandit bientôt que l'étranger se réclamait de la commune, qu'il venait demander un certificat d'origine et un passeport pour entreprendre un long voyage à l'étranger, qu'il n'avait pas pu faire preuve de sa bourgeoisie et que le syndic, qui ne le connaissait pas et qui ne l'avait jamais vu, lui avait refusé et certificat et passeport. B. CENDRARS, l'Or, p. 16. 1.1

[b] Ensemble des citoyens d'une commune ou «bourgeois».

♦ **2** (1538). Hist. Ensemble des bourgeois. — Spécialt (opposé à *noblesse*). *L'ascension de la bourgeoisie à partir du XVIIe siècle.*

Ceux qui ne voulaient pas qu'une portion connue sous le nom de bourgeoisie s'emparât du crédit des deux ordres *(clergé et noblesse)* anéantis. 1.2
FOUQUIER-TINVILLE, Acte d'accusation de Bailly, *in* BRUNOT.

♦ **3** (Fin XVIIIe). Polit. Classe dominante en régime capitaliste, qui possède ou maîtrise les moyens de production (opposé à *prolétariat*). *La bourgeoisie capitaliste. Révolution dirigée contre la bourgeoisie.*

Le fond de l'argumentation des staliniens et de leurs compagnons de route est simple : Il n'y a plus de bourgeoisie en U. R. S. S., donc il n'y a plus d'exploitation. Cette idée est d'autant plus efficace, du point de vue de la propagande stalinienne, qu'il est incontestable que non seulement il n'y 1.3

a plus de bourgeoisie en Russie mais que partout où le stalinisme prend le pouvoir il détruit, dans des délais plus ou moins courts, la bourgeoisie en tant que classe dominante. Cependant, il est tout aussi incontestable que, dans ces pays, l'exploitation subsiste, au moins aussi lourde — sinon davantage — que dans les pays bourgeois traditionnels. Ce qu'il faut donc, c'est montrer clairement à la classe ouvrière qu'il ne suffit pas de détruire la bourgeoisie pour abolir l'exploitation.

CASTORIADIS, la Société bureaucratique, p. 12.

1.4 L'affirmation des communistes chinois selon laquelle la Révolution culturelle est une lutte entre le prolétariat et la bourgeoisie a pu surprendre. Certains s'étonnent en effet qu'une deuxième révolution soit nécessaire dans un régime communiste contre une bourgeoisie privée du pouvoir économique et politique depuis plus de 20 ans. Cette affirmation serait fausse si elle désignait la bourgeoisie chinoise traditionnelle qui n'est en somme qu'un vestige aujourd'hui. Elle peut se comprendre par contre comme désignant une néo-bourgeoisie formée de ceux à qui la persistance des inégalités a permis d'acquérir des privilèges qu'ils cherchent à accroître et qu'ils défendent en essayant de faire prévaloir des vues politiques opposées à la rigueur militante du maoïsme.

DAUBIER, la Révolution culturelle prolétarienne en Chine, t. I, p. 38.

♦ **4** Cour. Ensemble des bourgeois (I., 5.). *La petite bourgeoisie* (→ **Petite-bourgeoisie**), *la moyenne et la grande bourgeoisie. Appartenir à la bourgeoisie. Politique qui sert, dessert les intérêts de la bourgeoisie. Bourgeoisie d'argent, financière. Bourgeoisie commerciale, industrielle. Bourgeoisie cultivée.* → **Élite.** *La haute, la moyenne, la petite bourgeoisie. Être de bonne, d'ancienne bourgeoisie. La bourgeoisie provinciale. Rêveuse bourgeoisie,* œuvre de Drieu la Rochelle. — (Dans le voc. marxiste). *Bourgeoisie nationale, impérialiste.*

2 On parle sans cesse de bourgeoisie. Mais il est vain d'appeler de ce nom des types sociaux très différents.

BERNANOS, les Grands Cimetières sous la lune, I, 2, p. 59.

3 On comprend que le mendiant soit en quelque sorte le pur bourgeois; car il n'obtient que par un art de demander, par des signes émouvants; les haillons parlent. Et le chômeur, par les mêmes causes, est aussitôt déporté en bourgeoisie. ALAIN, les Arts et les Dieux, p. 1235.

4 La bourgeoisie, elle, aménage le quotidien et croit y échapper en vivant grâce à l'argent un perpétuel «dimanche de la vie». Elle y aspire en vain. Peut-être la bourgeoisie ascendante, militante et souffrante, parvenait-elle à transfigurer sa quotidienneté. Ainsi la bourgeoisie hollandaise au XVIIe siècle.

Henri LEFEBVRE, la Vie quotidienne dans le monde moderne, p. 79.

Rare. Ensemble de bourgeois.

♦ **5** Vieilli. Caractère de ce qui est bourgeois; caractéristique de la bourgeoisie. → **Bourgeoisisme.**

5 Ses plaisanteries infatuées roulaient le plus souvent sur l'anthropophagie. Le tout semblait se fondre dans une bourgeoisie bonasse, — mais lorsqu'il s'évertuait sur son thème favori (...) ses yeux brillaient de flammes superstitieuses.

VILLIERS DE L'ISLE-ADAM, Tribulat Bonhomet, p. 87 (1887).

COMP. **Petite-bourgeoisie.**

**BOURGEOISISME** [buʀʒwazism] n. m. — 1852, Flaubert; de *bourgeois,* et *-isme.*

Qualité de bourgeois; caractère du bourgeois. → **Bourgeoisie,** 5.

1 Qui fera l'esthétique du bourgeoisisme?

Julien BENDA, l'Ordination, I, 2.

2 Mon frère, en tant que bourgeois, n'en est même pas au niveau des bourgeois modernes dont je parlais l'autre jour. Il n'a pas découvert les antiquaires; il n'a aucun goût, il est tout pur dans son bourgeoisisme.

J. DUTOURD, Pluche, VI, p. 39.

**BOURGEON** [buʀʒɔ̃] n. m. — 1160, *burjon;* lat. *burrio, burrionem,* de *burra* «bourre» (→ 1. Bourre, à cause de l'aspect velu du bourgeon).

♦ **1** Excroissance qui apparaît sur la tige ou la branche d'une plante, et qui contient en germe les tiges, branches, feuilles, fleurs ou fruits. → **Gemme, pousse, rejet, rejeton; bouton** (cit. 1), **caïeu, dard, œil.** *Bourgeon à fleurs, à fruits, à feuilles, à bois. Les bourgeons jaillissent du bois* (cit. 24), *se développent, se gonflent, éclatent. Duvet qui recouvre certains bourgeons.* → **Bourre.** *Les bourgeons de sapins sont utilisés en médecine.*

Les bourgeons, qui commençaient à se gonfler à la pointe des branches fines et noires, faisaient aux arbres, sous le ciel rose, des cimes violettes. 1

FRANCE, Histoire comique, XVI.

Sur les ramures jusque-là toutes nues, les frêles bourgeons pointèrent. Paul BOURGET, le Disciple, IV, 4. 2

Les arbres dont les bourgeons sourient déjà, et demain, éclateront de rire. J. RENARD, Journal, 5 mars 1906. 3

(1798). Nouveau jet* (de la vigne). *Les bourgeons d'un cep de vigne.*

*En bourgeons :* qui comporte des bourgeons. *Arbre en bourgeons.* Fig., littér. Qui n'a pas atteint son plein développement. *Talent en bourgeons.* — *Produire des bourgeons.* → **Pousser; mailler.** *Bourgeon de l'année.* → **Mailleton, scion.** *Bourgeon planté en terre* (→ **Bouture, drageon**), *inséré sur une autre plante* (→ **Greffe; écusson**). *Desséchement, brûlure des bourgeons. Enlever les bourgeons d'un arbre.* → **Éborgnage, éborgner.**

Bot. *Bourgeon terminal, apical, latéral, axillaire. Les bourgeons axillaires ne croissent généralement qu'après les bourgeons apicaux. Bourgeon ambipare. Bourgeon nu; bourgeon écailleux. Bourgeon adventif.* → **Bulbille.** *Bourgeon de certaines plantes aquatiques.* → **Turion.** *Tige provenant d'un bourgeon axillaire.* → **Stolon.** *Bourgeon végétatif. Les enveloppes du bourgeon recouvrent le point végétatif de la tige. Disposition des feuilles dans le bourgeon.* → **Préfoliation.** *Les bourgeons débourrent* au printemps.*

♦ **2** (V. 1270). Vx. Bouton* (du visage). *Un gros nez couvert de bourgeons.* → **Bourgeonner, bourgeonneux.**

Le duc de la Feuillade avait une physionomie si spirituelle qu'elle réparait sa laideur et les bourgeons dégoûtants de son visage. SAINT-SIMON, Mémoires, 99, 53. 4

♦ **3** [a] (Après 1948). Histol. *Bourgeon gustatif* (ou *du goût*) : formation ovoïde dans l'épithélium des papilles gustatives, débouchant à l'extérieur par un *pore gustatif* et renfermant, à côté de cellules de soutien, les cellules réceptrices du goût. *Bourgeon conjonctif* (1824, vx, *bourgeon charnu*) : petite granulation rougeâtre de tissu conjonctif contribuant à cicatriser les plaies.

[b] Embryol. Première ébauche d'un organe ayant la forme d'une petite masse saillante, arrondie.

♦ **4** Fig., littér. [a] Début laissant prévoir le développement important (d'un phénomène). *Les premiers bourgeons d'un mouvement politique, littéraire.*

Ouvrons ensemble le dernier bourgeon de l'avenir. 5

P. ÉLUARD, la Victoire de Guernica, XIII, Pl., t. I, p. 814.

[b] (1565). Vx. Personne très jeune, inexpérimentée.

DÉR. **Bourgeonner, bourgeonneux, ébourgeonner.**

**BOURGEONNANT, ANTE** [buʀʒɔnɑ̃, ɑ̃t] adj. — D. i.; p. prés. de *bourgeonner.*

♦ **1** Qui bourgeonne (1.). *Végétal, rameau bourgeonnant.* Syn. : *bourgeonneux.*

♦ **2** Qui se couvre de boutons. *Un nez bourgeonnant.*

**BOURGEONNEMENT** [buʀʒɔnmɑ̃] n. m. — 1600, O. de Serres; de *bourgeonner.*

♦ **1** Cour. Action de bourgeonner. *Le bourgeonnement d'une plante.*

♦ **2** Biol. Reproduction asexuée par bourgeons. → **Blastogenèse.**

♦ **3** *Bourgeonnement d'une plaie :* formation de bourgeons conjonctifs à la surface d'une plaie.

♦ **4** Fig., littér. Début du développement (d'un phénomène abstrait). *Le bourgeonnement d'une révolution. «Le bourgeonnement de la croyance populaire...»* (Élie Faure, *in* T. L. F.).

**BOURGEONNER** [buʀʒɔne] v. intr. — 1115; de *bourgeon.*

♦ **1** Pousser, jeter des bourgeons*. *Les arbres bourgeonnent au printemps.* → **Boutonner,** I.

♦ **2** Se couvrir de boutons. *Son visage, son nez bourgeonne.*

P. p. adj. (Av. 1664). Couvert de bourgeons, de boutons. *Un nez d'ivrogne, rouge et bourgeonné.* → **Boutonneux; bourgeonnant, bourgeonneux, fleuri** (5.).

1 Quoiqu'elle fût laide, sèche comme un cotret, et bourgeonnée comme un printemps (...)
FLAUBERT, Mme Bovary, I, I.

1.1 (...) je remarquai un jeune homme brun, assez bien vêtu, mais fort sale, et au visage bourgeonné.
GIDE, Dostoïevski, p. 231.

♦ **3** [a] Se cicatriser en formant des bourgeons conjonctifs. *Sa plaie bourgeonne.*

[b] Biol. Se reproduire en formant des bourgeons (3., b.).

♦ **4** Fig., littér. (en parlant d'un phénomène abstrait). Commencer à se développer.

2 L'idée est chose qui grandit, bourgeonne, fleurit, mûrit, du commencement à la fin du discours.
H. BERGSON, le Rire, I, 4.

CONTR. **Mourir, sécher.** ◊ DÉR. **Bourgeonnant, bourgeonnement, bourgeonneux.**

**BOURGEONNEUX, EUSE** [buʀʒɔnø, øz] adj. — 1571; de *bourgeon.*

♦ **1** Rare. Qui comporte de nombreux bourgeons. *Des rameaux bourgeonneux.* → **Bourgeonnant.**

1 (...) je ramassai et rapportai à la maison quelques-unes des branches bourgeonneuses qui jonchaient le sol couleur de cendre.
Jacques LAURENT, les Bêtises, p. 121.

♦ **2** Boutonneux. *Visage bourgeonneux.* → **Bourgeonnant.** Par métonymie (avec un n. abstrait) :

2 (...) le jeune M. de Castorin lui-même en sa puberté bourgeonneuse (...)
Émile HENRIOT, le Diable à l'hôtel, XXII.

**BOURGERON** [buʀʒəʀɔ̃] n. m. — 1842, E. Sue, mot régional du Nord *(bourgèron);* de l'anc. franç. *bo(u)rge* «sorte de toile», d'un lat. pop. **burrica,* de *burra* «bourre».

Vieilli. Courte blouse de travail en grosse toile.

1 Il est vêtu de ce bourgeron de treillis qu'il portait au pénitencier.
MARTIN DU GARD, les Thibault, t. VIII, p. 137.

2 (...) des soldats en bourgeron blanc faisaient l'exercice et, comme au Luxembourg, on entendait le clairon triste.
J. PRÉVERT, Choses et autres, p. 63 (1972).

**BOURGMESTRE** [buʀgmɛstʀ] n. m. — 1309, *bourguemaistre, bourmaistre;* moy. haut-all. *burgermeister,* de *bürger* «bourgeois», et *meister* «maître».

Régional (franç. de Belgique, de Suisse). Premier magistrat des communes belges (→ **Maïeur**), suisses. *Les fonctions du bourgmestre sont analogues à celles du maire*. Bourgmestres et échevins*. Le Bourgmestre de Furnes,* roman de G. Simenon (1939). — REM. L'emploi au fém. est virtuel.

Homologue du maire français, aux Pays-Bas, en Allemagne.

**BOURGOGNE** [buʀgɔɲ] n. m. — Fin XVIIe; n. d'une province franç.; du lat. vulg. *Burgundia,* rac. germanique.

Vin* des vignobles de Bourgogne. *Les bourgognes sont récoltés dans la Côte-d'Or* (Beaune, Chambertin, Clos-Vougeot, Corton, Meursault, Montrachet, Morey, Musigny, Nuits-Saint-Georges, Pommard, Romanée...), *l'Yonne* (Chablis...), *le Mâconnais. Bourgogne rouge, blanc. Bourgogne aligoté** (blanc). *Boire du bourgogne. Un verre de bourgogne.* Bouteille ou ensemble de bouteilles de ce vin. *J'ai chez moi un vieux bourgogne. Ce bourgogne est excellent.*

**BOURGUE** [buʀg] n. m. — 1901; altér. de *bourque* «sou»; métathèse de *broque* «pièce de monnaie», forme normanno-picarde de *broche* «obole».

Argot (vx). Sou. *«On se goinfrait au restaurant pour trente bourgues»* (Trignal, *Pantruche, in* Cellard et Rey).

**BOURGUIGNON, ONNE** [buʀgiɲɔ̃, ɔn] adj. et n. — Fin XIIe; lat. *Burgundinem,* accus. de *Burgundio* «burgonde».

[I] ♦ **1** Adj. et n. Relatif à la Bourgogne. *L'art roman bourguignon. Accent bourguignon. Dialectes bourguignons* (n. m., *le bourguignon*). — N. Habitant de la Bourgogne. *Un Bourguignon, une Bourguignonne.*

♦ **2** N. m. (1752). Bloc de glace de mer de dimensions réduites. *«Le bateau avait trouvé les premiers bourguignons annonciateurs du pack»* (*Sciences et Avenir,* oct. 1960, p. 90).

♦ **3** Adj. et n. (1866). *Bœuf bourguignon :* bœuf accommodé au vin rouge et aux oignons (→ Bâfrer, cit. 1).

[II] (1821). Pop. Soleil (abrév. : *bourgue,* n. m.).

DÉR. **Bourgnignote.**

**BOURGUIGNOTE** ou **BOURGUIGNOTTE** [buʀgiɲɔt] n. f. — 1537; adj. «bourguignon», 1468; du rad. de *Bourguignon.*

♦ **1** Hist. Casque* sans visière en usage de la fin du XVe au XVIIe siècle (→ Arme, cit. 0.2).

♦ **2** Fam., vx. (1914-1918). Casque.

**BOURLINGAGE** [buʀlɛ̃gaʒ] n. m. — 1936, *in* D. D. L.; de *bourlinguer.*

Rare. Fait de bourlinguer. → **Bourlingue.**

(...) revoir sur la morue le givre des bourlingages (...)
Violette LEDUC, la Folie en tête, p. 238.

**BOURLINGUE** [buʀlɛ̃g] n. f. — 1878, au sens 2; de *bourlinguer,* p.-ê. avec attraction de *bouler* «rouler».

♦ **1** Régional. Grand voyage qui comporte une part de risque. *Partir pour une grande bourlingue.*

La longue houle de l'Atlantique chantait la maudite phrase maintenant, et puis le cri de la barre le répéta, et puis le vent, rabotant allègrement le gréement et les vergues, et puis de curieuses petites voix de gramophone dans la cale, 1

parmi la pourriture de trente années de bourlingue par toutes les mers.
J. RAY, les Derniers Contes de Canterbury, p. 152.

2 C'est pas bien marrant, ton petit truc. La bourlingue avec des valises en plomb et la bise qui vous coupe la gueule et tout ça pour le compte d'un petit margoulin qui a la tremblote, tu pourrais quand même trouver mieux.
M. AYMÉ, le Vin de Paris, «La traversée de Paris», p. 47.

♦ **2** (De *bourlinguer*, II.). Fam., vieilli. Fait de renvoyer un employé. → **Licenciement.** *Craindre la bourlingue.* — Loc. *Être dans la bourlingue,* dans une situation financière difficile.

**BOURLINGUER** [buʀlɛ̃ge] v. — Fin XVIII<sup>e</sup>, selon Jal; attesté 1831; p.-ê. de *boulingue* ou selon Guiraud, du provençal *bourla,* dimin. de *bourre* désignant de petits objets (bogue de châtaigne, coquille vide...) d'où «être agité sur la mer comme une coquille de noix».

**I** V. intr. ♦ **1** Mar., vieilli. Avancer péniblement contre le vent et la mer, en roulant et tanguant.

♦ **2** Naviguer beaucoup. *Avoir bourlingué dans les mers du Sud.*
(1861). Fig., fam. Voyager beaucoup, mener une vie aventureuse (cf. fam. Rouler sa bosse). *Bourlinguer,* récit de Blaise Cendrars.

**II** V. tr. (1878). Fam., vx. Renvoyer, licencier (un employé). *Il s'est fait bourlinguer.*

DÉR. **Bourlingage, bourlingue, bourlingueur.**

**BOURLINGUEUR, EUSE** [buʀlɛ̃gœʀ, øz] adj. et n. — 1896; «patron qui menace de renvoyer ses employés», 1880; de *bourlinguer.*

♦ **1** N. m. Rare. Bateau qui remue beaucoup.

♦ **2** Adj. et n. Cour., fam. Qui voyage beaucoup par goût, mène une vie aventureuse.

Après ça, le Pallut a dû s'expatrier. Depuis, il est toujours au bout du monde, il fait le bourlingueur.
R. SABATIER, les Noisettes sauvages, p. 162.

**BOURNONITE** [buʀnɔnit] n. f. — 1903, in *Rev. gén. des sc.,* n° 3, p. 164; de *Bournon,* minéralogiste français, 1751-1825.

Minér. Sulfure* naturel de plomb, d'antimoine et de cuivre.

**BOURRACHE** [buʀaʃ] n. f. — 1256, *bourrace;* lat. médiéval *borrago;* arabe *sābū rādj* «le père de la sueur»; P. Guiraud invoque plutôt le lat. médiéval *borrago* (d'où **burrago, *burracea*), c'est-à-dire «bourrue».

♦ **1** Plante à grandes fleurs bleues des lieux incultes *(Borraginacées),* employée en tisane comme sudorifique et diurétique. — *Bourrache officinale.*

1 Terpine ou drosera, ce que tu voudras. Et dans une infusion de bourrache (...) Oui, oui : remède de bonne femme (...)
MARTIN DU GARD, les Thibault, t. VIII, p. 196.

2 Moi, j'aime le parfum de la bourrache, affirma la terrible Pellichat. Rien de tel pour les bronches. C'est miraculeux.
H. BOSCO, Un rameau de la nuit, p. 208.

*Fausse bourrache :* buglosse.

♦ **2** Tisane de bourrache. *Boire une tasse de bourrache.*

**BOURRADE** [buʀad] n. f. — 1553; de *bourrer* «maltraiter».

♦ **1** Poussée brève et brutale qu'une personne exerce sur une autre. *Une bourrade du poing, du coude, de la crosse d'un fusil. Repousser qqn d'une bourrade. Lancer, flanquer une bourrade dans les côtes, dans les reins de qqn. Recevoir des bourrades.* — Spécialt. *Donner une bourrade dans le dos en marque d'amitié. Une joyeuse bourrade. Une bourrade amicale.*

Un détachement de Cosaques l'accompagnait et faisait ranger la foule à force de bourrades, violemment données et patiemment reçues. 0.1
J. VERNE, Michel Strogoff, p. 79 (1876).

D'une bourrade le chef l'écarta et sortit (...) 1
COURTELINE, Messieurs les ronds-de-cuir, III, I.

♦ **2** (1581). Vx, chasse. Légère atteinte du gibier par le chien, l'oiseau (fauconn.) qui le poursuit, et lui arrache une touffe de poils ou de plumes. *Donner, tirer une bourrade.* → **Bourrer.**

♦ **3** (1690). Fig., vx. Attaque ou riposte vive en paroles.

MM. des enquêtes donnèrent, à leur ordinaire, maintes bourrades à MM les présidents. 2
RETZ, II, 255, *in* LITTRÉ.

Il *(Brissac)* lui donnait *(à Fagon)* des bourrades devant le roi qui mettaient Fagon en véritable furie. 3
SAINT-SIMON, Mémoires, 339, 201.

DÉR. **Bourrader.**

**BOURRADER** [buʀade] v. tr. — 1888, Barrès; de *bourrade.*

Rare. Frapper en donnant des bourrades.

**BOURRAGE** [buʀaʒ] n. m. — 1465, *bourraiges,* attestation isolée, repris mil. XIX<sup>e</sup>; de *bourrer.*

♦ **1** Action de bourrer. *Le bourrage d'un poêle, des trous d'un mur... Le bourrage, le chargement d'une mine. Bourrage des traverses de chemin de fer. Achever le bourrage d'un joint.* — (1866, *in* Littré, *Suppl.*). Spécialt. Remplissage des vides d'un ouvrage de maçonnerie.

Photogr. Accident de prise de vue qui consiste en une accumulation de pellicule dans la caméra, empêchant celle-ci de tourner.

Cout. Points de bâti exécutés sur un dessin, avant la broderie.

♦ **2** Matière dont on se sert pour bourrer. → 1. **Bourre.** *Changer le bourrage d'une paillasse. Le bourrage d'un pneumatique, d'un câble.*

♦ **3** (1876). **BOURRAGE DE CRÂNE :** action insistante, persévérante dans le dessein d'en faire accroire. → **Battage, bluff, exagération, mensonge, persuasion.**
Spécialt. Propagande* intensive. — REM. Cette expr. s'est surtout répandue pendant la guerre de 1914-1918, et a beaucoup été employée à propos de cette guerre.

Le bourrage de crâne est un mot vide de sens. Eût-on dit aux Français qu'ils allaient être battus, qu'aucun Français ne se fût plus désespéré que si on lui avait dit qu'il allait être tué par les berthas. Le véritable bourrage de crâne, on se le fait à soi-même par l'espérance, qui est une figure de l'instinct de conservation d'une nation, si l'on est vraiment membre vivant de cette nation. 1
PROUST, le Temps retrouvé, Pl., t. III, p. 773.

Chez nous, en effet, on semble avoir rendu le mensonge bénin et risible; on l'a surnommé «bourrage de crâne». 2
G. DUHAMEL, Récits des temps de guerre, t. II, XVII, p. 66.

Enseignement fondé sur une acquisition massive de connaissances, ne laissant aucune place à la réflexion. → **Bachotage.**

**BOURRANT, ANTE** [buʀɑ̃, ɑ̃t] adj. — 1967; de *bourrer.*

Qui bourre (aliment). → **Bourratif.** *Ce gâteau est trop bourrant, vous n'avez rien de plus léger?*

**BOURRAQUE** ou **BOURAQUE** [burak] n. f. — 1572, «nasse à anguilles»; mot normand; orig. obscure, forme dial. à rapprocher du moy. franç. *bourrache* (XVIe) «flacon à collet étroit», des formes *bourras, bourrasse* et sens de l'évolution de *bourriche;* du lat. *burra* «bourre», → Bourriche.

Régional. Filet à crevettes, aussi appelé *pousseur.*

**BOURRAS** [bura] n. m. — 1260; *boraz,* 1225; de *bourre.*

Techn. Grosse toile faite d'étoupes de chanvre.

**BOURRASQUE** [burask] n. f. — 1548, Rabelais; ital. *burasca* (XVIe), auj. *burrasca,* du lat. *boreas* «vent du nord». → Borée.

♦ **1** Coup de vent * impétueux et de courte durée. → **Cyclone, orage, ouragan, tempête, tornade, tourbillon, tourmente.** *Une bourrasque accompagnée de pluie.* — Courte tempête. *Une bourrasque de vent, de pluie, de neige.*

1 Soudain la mer commença *(à)* s'enfler et *(à)* tumultuer du bas abîme (...) de mortelles bourrasques, *(à)* siffler à travers nos antennes (...)
RABELAIS, le Quart Livre, 18.

2 (...) une tempête en forme de bourrasque (...)
MOLIÈRE, le Dépit amoureux, IV, 2.

3 (...) une bourrasque d'ouest avait emporté plusieurs marins et deux navires.
LOTI, Pêcheur d'Islande, III, 11, p. 183.

4 Des bourrasques de pluie, portées par le vent du large, s'engouffraient dans les rues et sifflaient le long des maisons. MARTIN DU GARD, les Thibault, t. III, p. 97.

5 Et soudain (...) cette bourrasque, ces roulements dans le ciel, ces lourdes gouttes glacées.
F. MAURIAC, le Nœud de vipères, I, XI.

6 (...) alors qu'on l'attend *(le mois de mars)* tout giboulées et tout bourrasques, cette année-là il se montra pluvieux. Ondées brusques certes, fouettées par un vent de traverse âpre, qui lançait par paquets l'eau contre les fenêtres (...)
H. BOSCO, Un rameau de la nuit, p. 115.

7 Cette bonne femme, dit-il en riant, c'est un ouragan. Elle entre comme une bourrasque, flanque tout par terre et repart en coup de vent.
SARTRE, l'Âge de raison, XV, p. 269.

♦ **2** (1594). Fig., vieilli. Mouvement de colère brusque et de peu de durée. → **Accès.** *Les bourrasques le rendent insociable. Les bourrasques populaires.* → **Agitation.**

8 Cette bourrasque aux faubourgs (...)
la Satire Ménippée, I, 44.

9 Ces bourrasques dégoûtèrent tellement le cardinal qu'il voulut quitter la junte (...)
SAINT-SIMON, Mémoires, III, 464.

♦ **3** *Une bourrasque de :* une série (d'événements adverses, violents et passagers).

10 Leur apparition avait été accueillie par une bourrasque d'injures et de coups de sifflet.
A. MAUROIS, Bernard Quesnay, XVII, p. 111.

Vieilli. *Agir par bourrasques,* avec ardeur mais par à-coups.

11 Je n'ai jamais été follement prodigue que par bourrasques; mais jusqu'alors je ne m'étais jamais beaucoup inquiété si j'avais peu ou beaucoup d'argent.
ROUSSEAU, les Confessions, V.

CONTR. **Bonace, calme.**

**BOURRATIF, IVE** [buratif, iv] adj. — Mil. XXe; de *bourrer.*

Fam. Qui bourre, en parlant d'un aliment. *Ces biscuits sont bourratifs.* → **Bourrant.**

Mes articles étaient plus bourratifs qu'un repas complet.
Edmonde CHARLES-ROUX, Oublier Palerme, p. 12, *in* HANSE.

CONTR. **Léger.**

1\. **BOURRE** [bur] n. f. — 1174, *borre,* au sens 1; bas lat. *burra* «étoffe grossière».

**A** ♦ **1** Déchet d'une fibre (surtout laine et soie). *Bourre de laine** ou *bourre lanice :* déchet du peignage de la laine. → **Débourrage.**

*Bourre de soie* :* déchet du dévidage des bobines de soie grège. → **Bourrette, bourrillon, capiton, lassis, strasse.** *Fil obtenu à partir de la bourre de soie.* → **Schappe.** *Enlever les bourres des étoffes, des draps.* → **Éplucher.** *Bourre obtenue par épluchage du drap.* → **Ploc.** *Bourre tontisse*.*

♦ **2** (1268). Amas de poils*, détachés avant le tannage de la peau de certains animaux, utilisé pour le rembourrage des objets de bourrellerie et dans la fabrication du feutre. *Garnir un harnais, un bât de bourre. Tirer la bourre de la peau d'un bœuf, d'un cheval.* → **Ébourrer.**

Loc. (1877, *in* Petiot). Fig., fam. (→ Bourrade, 2). *Se tirer la bourre :* combattre âprement pour la victoire.

Techn. Ensemble des poils d'une fourrure, généralement plus courts et plus fins que les jarres*.

Pour mériter ce nom *(fourrure),* il faut que le revêtement soit composé d'un double, ou même triple, système pileux, celui des poils proprement dits, ou *jarres,* qui recouvrent généralement la bourre, cette seconde production pouvant être très semblable à la première, ou s'affiner de plus en plus jusqu'à former un duvet extrêmement serré, mœlleux, soyeux, qui donne habituellement à l'ensemble du pelage toute sa valeur. 0.1
René THÉVENIN, les Fourrures, p. 27.

♦ **3** (V. 1270, en parlant des harnais de chevaux). Déchets de fibres textiles, matière utilisée pour rembourrer. *Bourre des coussins, des matelas, d'un bourrelet. Bourre de coton, de laine utilisée pour doubler des vêtements.* → **Ouate.**

Cinq ou six chaises recouvertes de velours (...) laissaient échapper leur bourre par les déchirures de l'étoffe (...) 1
Th. GAUTIER, le Capitaine Fracasse, t. I, 1.

Le règlement m'oblige à vous faire fouiller (...) Il se déshabilla à grands gestes rapides, en jetant ses vêtements par terre. Les deux gardiens tâtèrent les doublures, enfoncèrent des aiguilles dans la bourre des épaules, inspectèrent l'intérieur des chaussures, les talons. 1.1
Roger VAILLAND, Bon pied, bon œil, p. 149.

Par métaphore :

(...) le renouveau efface un matin tout le bon travail d'avril déjà bien avancé, emplit le ciel d'une bourre grise qui se dénoue en neige comme un édredon crevé. 2
COLETTE, l'Étoile Vesper, p. 12.

♦ **4** (1690). Duvet* qui recouvre les bourgeons de certains arbres. *La bourre de la vigne, du palmier.*

Le chameau de tête *(celui qui est en tête de la caravane)* est attaché par une corde de bourre de palmier. 3
CHATEAUBRIAND, Itinéraire, II, 194.

(...) un coin de la terrasse de ce bistrot où parfois la queue d'une bourrasque pousse jusqu'entre les pieds de fonte des guéridons, les brindilles et les bourres de platanes. 3.1
Claude SIMON, le Vent, p. 43.

♦ **5** (1618). Corps inerte qui maintient en place la charge d'une arme à feu. *Bourre de fusil, de cartouche.*

J'ajoute aux pistolets une petite charge sans bourre. 4
ROUSSEAU, Émile, I.

**B** *Jeu de la bourre :* jeu de cartes analogue à l'écarté.

(...) je lui apprenais les distractions de ma compagnie, la bourre, la belote, lui transmettant ma jeunesse sous forme de ces jeux qui allaient lui servir (...) 5
GIRAUDOUX, Bella, I.

**C** ♦ **1** (1690). Fig. Fam. Ce qui sert à garnir, à remplir, sans avoir de valeur. *Il y a bien de la bourre dans cet ouvrage* (Académie). → **Remplissage.** *Ces vers contiennent des bourres.* → **Cheville.**

♦ **2** Loc. fam. (métaphore du sens 2). **DE PREMIÈRE BOURRE :** de première qualité. *Des fringues de première bourre. C'est un gars, un pilote de première bourre.*

REM. Certains font venir cette expression de 3. *bourre* «action de bourrer (une pipe)».

DÉR. **Bourracher, bourras, bourrer, bourrette, bourrier, bourrillon, bourru.** — (De l'anc. franç. *bourrel.* V. **Bourrelet)** 2. **Bourreler, bourrelet, bourrelier, bourrellerie.** — (Du lat. *burra)* V. **Bourgeon, bourgeron.** V. aussi **Bourraque, bourriche.** ◊ COMP. **Débourrer, ébouriffer, embourrer, rembourrer, tire-bourre.** — HOM. **Bourg,** 2. **bourre,** 3. **bourre.**

2. **BOURRE** [buʀ] n. m. — 1910; de *bourrique* (3.) «agent», 1877, ou de *bourrer* «rouer de coups». → Cogne.

Argot. Généralt au plur. Policier (surtout, policier en civil).

1 Méfie-toi, la Caille; les mecs font le jeu des bourres.
Francis CARCO, Jésus-la-Caille, I, 1.

2 (...) si saouls, que les bourres entrent les sortir à grands coups de tiges, qu'ils s'en aillent dégueuler ailleurs.
CÉLINE, Guignol's band, p. 34.

3 On vivait dans l'instant. En évitant les bourres, ces sans-tripes qui nous eussent volontiers crochetés au premier tournant de rue, et coups dans la gueule, et dépôt à la suite. Ils nous avaient en plein dans leur mauvais œil, les vaches!
Louis CALAFERTE, Partage des vivants, p. 79.

HOM. **Bourg,** 1. **bourre,** 3. **bourre.**

3. **BOURRE** [buʀ] n. f. — Déb. XXe; de *bourrer* «bloquer, arrêter».

**I** ♦ **1** Fam. Fait de bourrer, de se presser; grande hâte due à un retard. *Période de bourre.* → 2. **Bourrée.**

Loc. cour. **ÊTRE À LA BOURRE :** être obligé de se presser. *Tout le travail arrive en même temps, je suis à la bourre.*

1 Bon, dis donc, je raccroche parce que je n'ai pas le temps, ce matin je suis plutôt à la bourre.
Cecil SAINT-LAURENT, la Mutante, p. 111.

(V. 1930). *À la bourre :* en arrière, le dernier. — Par ext. En retard.

2 (...) Pierrot qu'ils avaient laissé à la bourre, et solitaire.
R. QUENEAU, Pierrot mon ami, éd. L. de Poche, p. 20.

♦ **2** Loc. **À PLEINE BOURRE :** complètement, tout à fait.

3 ... Il poussait des cris diaboliques... Il repassait par les transes... Il se voyait persécuté par un carnaval de monstres... Il déconnait à pleine bourre...
CÉLINE, Mort à crédit, p. 157.

♦ **3** Rare. Action de bourrer (une pipe); son résultat. *La première bourre, la seconde bourre d'une pipe.*

♦ **4** Loc. fam. **BONNE BOURRE :** souhait formulé à qqn, à un couple, d'un acte sexuel satisfaisant (J. Cordelier, *in* Cellard et Rey).

**II** (1926). Au plur. **BOURRES :** mensonges, affirmations fausses ou exagérées. *C'est vrai, ce que je te dis, c'est pas des bourres.* N. m. sing. (Céline, *Mort à crédit*). *C'est du bourre.*

HOM. **Bourg,** 1. **bourre,** 2. **bourre.**

**BOURREAU** [buʀo] n. m. — 1319; *bourrel,* n. m., 1302; de *bourrer* «frapper».

♦ **1** Homme qui exécute les peines corporelles ordonnées par une cour de Justice. *Bourreau qui applique la torture, les supplices.* → **Questionnaire, tortionnaire, tourmenteur;** → aussi **bourrelle.**

Spécialt. Homme qui exécute les condamnés à mort. → **Exécuteur** (des hautes œuvres, des basses œuvres), **guillotineur, tranche-tête** (vx); **béquillard** (argot anc.). *Les instruments du bourreau. Livrer qqn, la tête de qqn au bourreau. Il a avoué entre les mains du bourreau. Aide du bourreau, les aides du bourreau.* — Vx. *Valet de bourreau.*

Allons vite, des commissaires, des archers, des prévôts, 1
des juges, des gênes, des potences et des bourreaux.
MOLIÈRE, l'Avare, IV, 7.

Sanson, le père du dernier exécuteur de ce nom, car il a 1.1
été destitué récemment, était le fils de celui qui exécuta Louis XVI.
Après quatre cents ans d'exercice de cette charge, l'héritier de tant de tortionnaires avait tenté de répudier ce fardeau héréditaire.
Les Sanson, bourreaux à Rouen, pendant deux siècles, avant d'être revêtus de la première charge du royaume exécutaient de père en fils les arrêts de la justice depuis le treizième siècle. Il est peu de familles qui puissent offrir l'exemple d'un office ou d'une noblesse conservée de père en fils pendant six siècles.
BALZAC, la Dernière Incarnation de Vautrin, éd. Michel Lévy, p. 73.

(...) les aides du bourreau, en redingotes, en hauts cha- 1.2
peaux de soie noirs, attendaient, erraient d'un air de patience.
ZOLA, Paris, t. II, p. 178.

Nous adresserons à Dieu, jusqu'au seuil de la mort, la 2
prière de Mme du Barry à Sanson : «Monsieur le bourreau, encore une petite minute (...)».
F. MAURIAC, Souffrances et Bonheur du chrétien, p. 86.

Vous savez que l'ordonnance d'extermination est toujours 2.1
en vigueur. Et ce serait une erreur de croire que votre beauté va freiner l'ardeur des bourreaux.
A. ROBBE-GRILLET, Souvenirs du triangle d'or, p. 180.

♦ **2** (1550). Personne qui fait souffrir, qui martyrise qqn, physiquement ou moralement, afin d'en obtenir qqch. ou non (→ aussi **Bourreleur, bourrelle).**

*(Il veut)* Qu'au lieu de votre époux je sois votre bourreau? 3
RACINE, Iphigénie, III, 6.

Néanmoins, je préférai ne pas parler de cet incident 3.1
puisque je n'avais eu ni le courage ni la puissance de l'empêcher; il m'eût été trop pénible, en disant du bien de la victime, de faire ressembler aux satisfactions de la cruauté les sentiments qui animaient les bourreaux de cette débutante.
PROUST, le Côté de Guermantes, Folio, p. 208.

Toute la vie n'est-elle pas faite ainsi du plus haut de 4
l'échelle au plus bas (...) chacun ayant sa victime et chacun son bourreau?
Paul LÉAUTAUD, Passe-temps, p. 96.

Par métaphore. Littér. *«L'homme est sans cesse à la fois (...) assassin et bourreau».* → Perversité, cit. 3, Baudelaire.

Je suis la plaie et le couteau! 4.1
Je suis le soufflet et la joue!
Je suis les membres et la roue,
Et la victime et le bourreau!
BAUDELAIRE, les Fleurs du mal, «l'Héautontimoroumenos», Pl., p. 79.

Fig. *Bourreau de soi-même* (trad. de *Héautontimoroumenos,* titre d'une comédie de Térence) : personne très exigeante vis-à-vis d'elle-même.

Spécialt. Tortionnaire.

Ils l'ont conduit au cimetière abattu d'une balle dans le 5
ventre. Et comme il ne se hâtait pas de mourir, les bourreaux qui buvaient non loin de là, sont revenus avec la bouteille d'eau-de-vie, un peu saouls. Ils ont enfoncé le goulot dans la bouche de l'agonisant, puis lui ont cassé sur la tête le litre vide.
BERNANOS, les Grands Cimetières sous la Lune, p. 134.

Loc. *Bourreau d'enfants :* personne qui martyrise un ou des enfants (→ Enfant* martyr). → **Pervers.** — Didact. *Bourreau domestique* (attesté 1934) : personne (type pervers) dont la malignité s'exerce exclusivement sur les membres de sa famille (actes de brutalité, comportement tyrannique...).

♦ **3** Fig. *Bourreau de travail :* personne qui abat beaucoup de travail.

6 (...) ce Bonaparte — lui-même bourreau de travail — était déjà l'homme qui devait toujours fatiguer ses collaborateurs, par son souci de les *faire rendre.*
Louis MADELIN, Hist. du Consulat, t. II, XVII, p. 247.

6.1 Pierre savait qu'avant peu il aurait sa place au bureau même de son frère et qu'il lui faudrait besogner neuf et dix heures par jour dans l'ombre de ce bourreau de travail, tyran peut-être redoutable, plus méthodique, que n'était M. Lenoir le père. M. AYMÉ, Travelingue, p. 154.

*Bourreau d'argent :* personne qui dépense beaucoup.

♦ **4** Par plais. *Bourreau des cœurs :* homme qui a du succès auprès des femmes (→ Don Juan).

7 Beau, vigoureux, gaillard, la coqueluche des femmes, le bourreau des cœurs (...)
FRANCE, le Petit Pierre, XXII.

DÉR. (De l'anc. franç. *bourrel*) 1. **Bourreler, bourrelle.**

1. **BOURRÉE** [buʀe] n. f. — 1326; p. p. fém. de *bourrer.*

**I** Vx ou régional. Fagot* de menues branches. *Brûler une bourrée.*

0.1 Les moutons hors de l'ombre, à travers les bourrées,
Font bondir au soleil leurs toisons éclairées (...)
HUGO, les Châtiments, IV, 10.

0.2 Pierre, c'était le nom du vieux serviteur, prit une poignée de bourrées, la jeta sur le feu à demi mort; les brindilles craquèrent et se tordirent et bientôt la flamme, poussant un flot de fumée, se dégagea vive et claire au milieu d'une joyeuse mousqueterie d'étincelles.
Th. GAUTIER, le Capitaine Fracasse, p. 17.

**II** (1642; introduite à la cour en 1565, elle se dansait autour d'un feu de fagots). Danse du folklore auvergnat. *Danser la bourrée. Pas de bourrée.* → 1. Pas, cit. 43. — Par ext. Air sur lequel on exécute cette danse. *Jouer une bourrée à la cornemuse* (cabrette), *à la vielle, à l'accordéon.*

1 Des demoiselles qui dansent la bourrée dans la perfection.
Mme DE SÉVIGNÉ, 277.

2 *(Elle)* commença à sautiller avec tant d'orgueil et de prestesse, que jamais bourrée ne fut mieux marquée ni mieux enlevée. G. SAND, la Petite Fadette, XIV, 105.

HOM. 2. **Bourrée, bourrer.**

2. **BOURRÉE** [buʀe] n. f. — D. i. (XXe); de *bourrer.*

Fam. et rare. Période d'activité intense. → **Presse;** 3. **bourre.**

Et elle a encore une heure de trajet pour descendre, une heure pour remonter, en pleine bourrée.
Hervé BAZIN, Cri de la chouette, p. 205.

HOM. 1. **Bourrée, bourrer.**

**BOURRÈLEMENT** [buʀɛlmɑ̃] n. m. — 1580, Montaigne; repris au XIXe; de 1. *bourreler.*

Littér. Douleur physique cruelle. — Fig. Torture morale. → **Tourment.** *Le bourrèlement de la conscience.* → **Remords.**

1. **BOURRELER** [buʀle] v. tr. [CONJUG.: *appeler.*] — 1554, aussi au sens matériel; de *bourrel,* anc. forme de *bourreau.*

Littér. Tourmenter*, torturer moralement. *Bourreler qqn de remords. Le remords le bourrelait.*

1 Le meurtrier que la peur bourrelle.
Théophile DE VIAU, Pyrame et Thisbé, III, 1.

REM. Rare, sauf au p. p., dans l'expression *bourrelé de remords.*

2 Julie, fatiguée, chagrine, ou inquiète de sa sœur et très probablement bourrelée de soupçons (...)
E. FROMENTIN, Dominique, XVII.

Il était honteux de lui-même et bourrelé de remords. 3
MARTIN DU GARD, les Thibault, t. VI, p. 114.

CONTR. **Apaiser, calmer.** ◊ DÉR. **Bourrèlement, bourreleur.**

2. **BOURRELER** [buʀle] v. tr. [CONJUG.: *appeler.*] — 1896; de l'anc. franç. *bourrel.* → Bourrelet.

Rare. Former un bourrelet sur. *«Ses cheveux (...) bourrelaient son front bas de deux profondes vagues chargées d'ombre»* (P. Louÿs, *Aphrodite,* in T. L. F.).

**BOURRELET** [buʀlɛ] n. m. — 1386; de l'anc. franç. *bourrel,* de 1. *bourre;* on a écrit aussi *bourlet.*

♦ **1** Vx. Coussin rempli de bourre*. — Spécialt. Coussinet circulaire servant à se protéger la tête pour porter un fardeau. → **Tortillon.** — (1680). Anciennt. Coiffure rembourrée, que l'on mettait aux enfants pour protéger leur tête quand ils tombaient.

Émile n'aura ni bourrelets, ni paniers roulants, ni chariots, ni lisières; ou du moins, dès qu'il commencera de savoir mettre un pied devant l'autre, on ne le soutiendra que sur les lieux pavés, et l'on ne fera qu'y passer en hâte. 1
ROUSSEAU, Émile, II, p. 60.

(...) jusqu'à plus de quatre ans ils *(les petits Homais)* portaient tous, impitoyablement, des bourrelets matelassés. 1.
FLAUBERT, Mme Bovary, II, VI.

♦ **2** (1835). Mod. Bande de feutre, de caoutchouc mousse, etc., que l'on fixe au bord des battants des portes et des fenêtres pour arrêter les filets d'air. → Paillasson, cit. 1. *Isoler un appartement avec des bourrelets de mousse. Calfeutrer une ouverture à l'aide d'un bourrelet.*

♦ **3** Anciennt. Pièce du costume féminin, du XVIe au XVIIIe siècle, rouleau de tissu porté autour des hanches et qui faisait s'évaser la jupe.

Les paniers à bourrelets avaient au contraire au bas un gros bourrelet qui évasait la jupe. 1.
Ed. et J. DE GONCOURT, la Femme au XVIIIe siècle, II, p. 55.

♦ **4** Renflement, saillie, généralement circulaire. *Les bourrelets d'une cicatrice. Les dunes, la neige forment des bourrelets.*

La prairie s'allonge sous un bourrelet de collines basses pour se rattacher par derrière aux pâturages du pays de Bray. 1.
FLAUBERT, Mme Bovary, II, I.

*Bourrelet de la bouche d'un canon, d'une cartouche.* → **Garniture.**

*Bourrelet d'une dent.* → **Collet.**

Spécialt (cour.). *Bourrelet de chair, de graisse,* et, absolt, *bourrelet :* pli arrondi en certains endroits du corps (nuque, ventre, estomac, etc.). *Des bourrelets disgracieux.*

(...) sa calotte *(de M. Pinault)* rembourrée pour préserver son vieux crâne des névralgies, formait autour de sa tête un bourrelet hideux. 2
RENAN, Souvenirs d'enfance..., IV, II, p. 174.

De la nuque à bourrelet jusqu'à mes fanons de petite vache, il n'y a pas une fronce, pas un caniveau, pas une gaufrure de ma peau qui n'inspire confiance. 3
COLETTE, la Paix chez les bêtes, «Poucette».

(...) les cheveux roulés tout autour de la tête en un bourrelet vaporeux dans lequel courait une torsade de mousseline fauve. 4
G. DUHAMEL, Chronique des Pasquier, V.

(...) son cou épais, puissant, que traverse un gros bourrelet, sort de son col ouvert (...) 5
N. SARRAUTE, le Planétarium, p. 284.

Mar. *Bourrelet de défense :* ceinture entourant la coque de certains navires pour les protéger des chocs.

Bot. *Bourrelet d'une branche, d'une racine :* renflement qui se forme au printemps. → **Callosité.**

DÉR. V. 2. **Bourreler.**

**BOURRELEUR, EUSE** [buʀlœʀ, øz] n. — D. i. ; de 1. *bourreler.*

Rare. Personne qui torture. → **Bourreau.**

J/e suis la bourreleuse forcenée galvanisée par les tortures et tes cris m//emportent d'autant plus m/a plus aimée que tu les contiens.
Monique WITTIG, le Corps lesbien, p. 8.

**BOURRELIER, IÈRE** [buʀəlje, jɛʀ] n. — 1268 ; de l'anc. franç. *bourrel* «collier, harnais». → Bourrelet.

♦ **1** N. m. Artisan qui fait et vend des harnais*, des sacs, des courroies de cuir. → **Bâtier, sellier ; bourrellerie.** *Outils de bourrelier.* → **Carrelet, crin** (crépi), **gouge, manicle** (ou manique), **pied-de-biche, rondelet, tranchet, trusquin** (ou troussequin).

♦ **2** N. f. Rare. Femme d'un bourrelier. — Femme exerçant le métier de bourrelier.

**BOURRELLE** [buʀɛl] n. f. — XVIe, déjà fig. : «*Ah ! longues nuits* (cit. 29) *d'hiver, de ma vie bourrelles*» (Ronsard) ; fém. de *bourrel.* → Bourreau.

♦ **1** Anciennt. Femme qui exécute certaines peines infligées par un tribunal à des femmes. — Femme du bourreau.

♦ **2** Mod. Littér. et rare. Femme qui tyrannise son entourage. — Spécialt. Femme qui maltraite ses enfants. — REM. Le masc. *bourreau* est plus fréquent, même en parlant d'une femme : *cette mère est un bourreau pour ses enfants.*

Je vous soupçonne d'être une mère jeune, tendre (...) un peu faible (...) Si je me risque à vous exposer, sur la manière d'élever les enfants, mes idées personnelles, n'allez-vous pas me traiter de bourrelle ?
COLETTE, De ma fenêtre, 20 février 1941, p. 78.

**BOURRELLERIE** [buʀɛlʀi] n. f. — 1268 ; de l'anc. franç. *bourrel.* → Bourrelier.

Vieilli (ou anciennt, le référent tendant à disparaître).

♦ **1** Métier ou commerce du bourrelier. *Bourrellerie de harnachement.* → **Sellerie.** *Bourrellerie bâtière* (→ **Bât**). *Travailler dans la bourrellerie.*

♦ **2** Atelier, boutique de bourrelier. *Les bourrelleries ont fermé peu à peu, comme les forges de villages.*

(...) un gamin poursuivi vira brusquement au coin de la bourrellerie et il resta là, nous contemplant.
GIRAUDOUX, Provinciales, p. 48.

**BOURRE-MOU** [buʀmu] n. m. — Déb. XXe ; de *bourrer le mou* «en faire accroire».

Fam. *Du bourre-mou* (collectif) : des histoires, des paroles trompeuses. → **Baratin, blablabla, boniment.**

1 En Afrique, c'est la chaleur qui me crevait... Ici, je suis pas assez intelligent... Mais tout ça je m'en rends compte, c'est du «bourre-mou» ! Ah ! si j'avais du pognon !...
CÉLINE, Voyage au bout de la nuit, p. 272.

2 Tout ça c'est du bourre-mou. J'sais pas calculer et je m'fous des boniments que tu m'balances.
H. BARBUSSE, le Feu, t. I, I, XIV, p. 77.

**BOURRER** [buʀe] v. — 1332, «maltraiter» ; de 1. *bourre.*

**I** V. tr. **A** (Remplir). ♦ **1** (1519). Garnir (qqch.) de bourre*. *Bourrer un coussin, un matelas.* → **Cotonner, empailler, matelasser, rembourrer.** — (1704). Spécialt. *Bourrer un fusil,* y introduire la bourre. → **Tasser.**

0.1 (...) les dix mille cartouches que j'ai bourrées dans mon fusil (...)
NERVAL, les Filles du feu, éd. la Technique du livre, p. 97.

Mar. Vx. *Bourrer les cofferdams* d'un navire.*

♦ **2** Remplir complètement (qqch.) en tassant. *Bourrer sa pipe. Bourrer une valise, un poêle.*

(...) il s'anima seulement quand parurent les cigarettes, et il demanda du tabac français pour bourrer sa pipe (...) 1
LOTI, Figures et Choses, p. 202.

(...) vous bourriez une petite valise et vous nous tiriez la révérence : vous repartiez chez vous, dans vos patelins. 2
G. DUHAMEL, Récits des temps de guerre, t. II, VIII, p. 35.

Ah, vous pouvez le dire, les poêles Godin, il n'y a rien de tel, ça vaut le chauffage central. Ça ne s'éteint jamais. On les bourre le soir, le matin il n'y a qu'à vider les cendres (...) 2.1
N. SARRAUTE, le Planétarium, p. 92.

Fam. *Bourrer une salle,* la remplir de personnes favorables à une des parties en présence dans un débat.

*Bourrer les urnes,* les remplir illicitement de bulletins de vote favorables au parti qu'on veut voir gagner.

♦ **3** Fam. Tasser sans précaution pour faire tenir dans qqch. *Vous avez bourré mes papiers dans mon tiroir, je ne retrouve plus rien.* — Passif et p. p. *Ses affaires étaient bourrées dans une malle.*

♦ **4 BOURRER (qqch., qqn) DE (qqch.).** **a** Compl. n. de chose. Remplir complètement (de qqch.). *Bourrer un sac de vêtements, un placard de vaisselle, un débarras de vieux meubles.* — (Abstrait). *Bourrer un discours de citations. Bourrer un texte de chevilles.* → **Farcir, truffer** (plus cour. au p. p. ; → ci-dessous).

**b** Compl. n. de personne. *Bourrer qqn de nourriture.* → **Gaver.**

(...) elle le bourrait tellement de nourriture qu'il finissait par s'endormir. FLAUBERT, Trois contes, I, 3. 3

Pron. *Il se bourre de gâteaux. Ne te bourre pas de pain comme ça.*

Fig. et vieilli. Accumuler. → ci-dessous Se bourrer, cit. 4.3 et *supra.*

Vraiment, il faut être imbécile pour servir, avec si peu de gages et tant de fidélité, des hommes qui se bourrent de millions. 3.1
BALZAC, Un homme d'affaires, Pl., t. VI, p. 811.

(Abstrait). *Bourrer un enfant de grec et de latin, de mathématiques.* → **Accabler.** — Pron. *Il se bourre de philosophie.*

— Son précepteur ! Voyons, l'avez-vous bien bourré de grec et de latin ? 3.2
— Oh ! bourré n'est pas le mot... On ne peut pas dire qu'il en soit bourré !
E. LABICHE, Deux merles blancs, I, 3, *in* Théâtre complet, t. VIII, p. 125.

♦ **5** Loc. fam. (1907). *Bourrer le crâne, le mou, la caisse* (rare) *à qqn,* lui raconter des histoires, essayer de lui en faire accroire. → **Mentir, tromper** (→ Endormir qqn). *N'essaie pas de lui bourrer le mou, ça ne prendra pas.* — Pron. (récipr.). *Se bourrer le crâne, la caisse, le mou.*

Tout ça c'est un peu raisonnable, mais c'est rempli bien plus encore d'un tas d'immondes crasseux mensonges... Les garces elles s'animent tellement fort à se bourrer la caisse toutes les deux qu'elles couvrent les bruits du piano... 3.3
CÉLINE, Mort à crédit, Folio, p. 42.

On parle de la guerre. Nous nous rendons compte qu'on nous a encore une fois bourré le crâne. 3.4
DRIEU LA ROCHELLE, la Comédie de Charleroi, p. 200.

Pron. *Se bourrer la gueule.* → **Soûler** (se). → ci-dessous, Se bourrer, 2.

♦ **6** Argot, vulg. Avoir des rapports sexuels actifs avec (qqn). → 3. **Bourre,** 4.

— Y a des frangines, continuait Marco, qui peuvent aller se faire bourrer dans tous les azimuts ; t'en as rien à foutre du moment qu'elles ramènent la comptée régulièrement (...) 3.5
Albert SIMONIN, Touchez pas au grisbi, p. 214.

**B** (Frapper). ♦ **1** **a** Vx. Frapper, donner des coups à (qqn). «*Je me mis (...) à le bourrer du mieux que je pus*» (Rousseau). — (Avec un compl. second). «*Les soldats bourraient la foule à coups de crosse*» (Littré). Mod. Fam. (équivaut à *bourrer de coups*).

3.6 Je t'ai bourré, tu m'as bourré, nous sommes quittes?
Jacques LAURENT, les Bêtises, p. 409.

**b** Mod. *Bourrer qqn de coups. Être bourré de coups. Ils se bourraient de coups.* → **Battre, maltraiter.**

4 Il avait été arrêté, bourré de coups, conduit vers les voitures de police (...)
MARTIN DU GARD, les Thibault, t. VI, p. 286.

Pron. (récipr.). *Ils se sont bourrés (de coups).*

**c** (Le compl. désigne une partie du corps). *Bourrer le dos, les côtes de qqn à coups de poing.*

4.1 (...) mon voisin me bourra les côtes à coups de coude avec une hargne que je ne compris pas.
M. TOURNIER, le Roi des Aulnes, p. 28.

Loc. fam. *Bourrer la gueule à qqn. Il s'est fait bourrer la gueule.* → **Casser.**

4.2 C'est un héros. Nous n'en avons pas d'autre. J'admets qu'il a déguerpi aussi vite qu'une puce quand on lui a bourré la gueule mais il a tout de même reçu une belle torgnole.
Pierre HAMP, la Peine des hommes (Moteurs), p. 90.

♦ **2** (1694). Vx, chasse (en parlant d'un animal de chasse : chien, etc.). Arracher du poil (→ **Bourre**) à un lièvre, un lapin en le poursuivant; le mordre en tentant de l'attraper. *Le chien a bourré le lièvre* (→ **Bourrade**, 2.).

◆ **SE BOURRER** v. pron. Familier ou argotique. ♦ **1** S'enrichir (→ S'en mettre plein les poches). → aussi ci-dessus, cit. 3.1.

4.3 «... Je pourrais me sucrer davantage! Mes femmes me suffisent. Je pourrais faire de la munition! On me l'a proposé!... Y en a de plus cons que moi qui se bourrent!...»
CÉLINE, Guignol's band, p. 83.

♦ **2** Pop. S'enivrer, se saouler. → **Beurrer** (se). *Il se bourre régulièrement tous les samedis soir.*

**II** **A** V. intr. ♦ **1** Chasse (en parlant d'un chien). Courir après le lièvre au lieu de rester à l'arrêt.

♦ **2** (Sujet n. de personne). Fam. Aller très vite, se dépêcher. → **Foncer**; 3. **bourre**, 2. **bourrée.** *Il va falloir bourrer si on veut finir à temps.* — Spécialt. Conduire très vite. *Il a bourré comme un dingue pour arriver avant la nuit.*

**B** Emplois absolus. ♦ **1** (Sujet n. de personne). Fam. Donner des coups violents et répétés (→ ci-dessus I., B.); attaquer en frappant.

4.4 Il rentre, mon père, juste à ce moment... Il était pas du tout refroidi... Il se met à bourrer dans la table, et tant que ça peut dans les cloisons!... À deux poings fermés!
CÉLINE, Mort à crédit, Folio, p. 195.

(Avec un compl. prépositionnel) :

4.5 Tu bourres sur l'ennemi comme un bouc (...)
BERNANOS, Sous le soleil de Satan, *in* Œ. roman., Pl., p. 183.

♦ **2** (Sujet n. de chose). Fam. Caler l'estomac, donner une sensation de réplétion. *Un aliment qui bourre.* → **Bourrant, bourratif.**

♦ **3** Argot des spectacles. Faire salle comble. *Ce soir on a bourré.*

◆ **BOURRÉ, ÉE** p. p. adj.

♦ **1** → **Complet, empli, plein, rassasié.** *Une valise bourrée à craquer. Portefeuille bourré de billets de banque. La salle est bourrée ce soir.* → **Comble.** *Son texte est bourré d'erreurs, de fautes. Une lettre bourrée de fautes d'orthographe. — Il est bourré de complexes.*

Il y a à peine huit jours que je suis installé, j'ai déjà la tête bourrée d'impressions et de souvenirs (...) 5
Alphonse DAUDET, Lettres de mon moulin, I.

Bourré de grec, bourré de latin, bourré d'anglais et d'allemand, ex-élève sorti premier de l'École des Langues Orientales. 6
COURTELINE, Messieurs les ronds-de-cuir, I, I, III.

(...) il a entendu ce cri, une sorte de râle plutôt (...) ou n'importe quel bruit du port tout proche, bourré de jonques et de sampans qui servent d'habitation à des familles entières. 6.1
A. ROBBE-GRILLET, la Maison de rendez-vous, p. 128.

♦ **2** Fam. Soûl. → **Ivre; beurré, plein.** *Être bourré comme une huître.*

J'ai eu la touche avec elle, mardi dernier, elle était bourrée, elle voulait tout le temps m'inviter à danser. 7
SARTRE, les Chemins de la liberté, t. I, XI, p. 188.

Je suis absolument désolé de t'avoir réveillé mais... je suis saoul. Oui, c'est ça, je suis bourré. 7.1
R. GARY, Clair de femme, p. 61.

♦ **3** Argot. (→ Se bourrer, 1.). Riche, fortuné. → **Plein** (aux as).

Max est un vrai pante, parce que Toni-l'Élégant qui a fait l'affaire à ma place est aujourd'hui bourré à craquer, avec château en Sologne, chasses, bateau et tout? 8
Albert SIMONIN, Touchez pas au grisbi, p. 32.

C'était pas un homme méchant, mais aigri à cause du climat, il faisait du pognon voilà tout... il voulait retourner au soleil... Chez lui en Calabre et bourré! 9
CÉLINE, Guignol's band, p. 53.

CONTR. **Débourrer. — Vider. — Jeûner** (faire jeûner). ◈ DÉR. **Bourrade, bourrage, bourrant, bourratif,** 3. **bourre, bourreau,** 1. **bourrée,** 2. **bourrée, bourreur, bourroir.** — V. 2. **Bourre.** → COMP. **Bourre-mou; débourrer.** → HOM. 1. **Bourrée,** 2. **bourrée.**

**BOURRETTE** [buʀɛt] n. f. — 1423; de *bourre.*

♦ **1** Soie grossière qui entoure le cocon. → **Bourre** (de soie), **schappe.**

♦ **2** (1589). Tissu fait avec cette soie. *Des rideaux de bourrette.*

**BOURREUR, EUSE** [buʀœʀ, øz] n. — 1874, *bourreur de lignes; de bourrer.*

♦ **1** Rare. Personne qui bourre (qqch.). «*Bourreur de pipes*» (Goncourt).

Techn. *Bourreur de four à zinc.*

Argot typogr. *Bourreur de lignes :* ouvrier rapide mais peu soigneux.

♦ **2** *Bourreur, bourreuse de crâne :* personne qui bourre le crâne, en fait accroire (surtout en politique).

La manifestation contre les Vanderveld, Jouhaux, et autres bourreurs de crâne.
R. ROLLAND, Journal, Cahier XX.

Absolt. *Va donc, eh, bourreur!*

**BOURRICHE** [buʀiʃ] n. f. — 1526; orig. incert.; p.-ê. dér. dial. de 1. *bourre.* → Bourraque. Selon Guiraud, à rattacher à des formes *bourras, bourrasse, bourrin* «étoffe de bourre», «treillis servant de sac», d'où par anal. «natte de jonc», «nasse», puis «panier grossier».

**I** ♦ **1** Vx ou techn. Long panier* sans anse servant à transporter du gibier, du poisson, des fruits. → aussi **Cageot.** *Une bourriche pleine de gibier.*

Spécialt, cour. Panier servant au transport des huîtres. → **Cloyère.** *Jeter une bourriche vide.*

1 Derrière lui, sur le carreau de la rue Rambuteau, on vendait des fruits. Des rangées de bourriches, de paniers bas, s'alignaient, couverts de toile ou de paille; et une odeur de mirabelles trop mûres traînait.
ZOLA, le Ventre de Paris, t. I, p. 23.

2 La marée arrivait, les camions se succédaient, charriant les hautes cages de bois pleines de bourriches, que les chemins de fer apportent toutes chargées de l'Océan.
ZOLA, le Ventre de Paris, t. I, p. 32.

Par métonymie. Contenu d'une bourriche. *Ils ont mangé une bourriche d'huîtres à deux.*

♦ **2** Techn. Petit panier servant au transport des fleurs.

Par métaphore :

3 *(Mme de Cambremer)* n'était-elle pas dans une salle où c'était seulement avec les femmes les plus brillantes de l'année que les loges (et même celles des plus hauts étages qui d'en bas semblaient des grosses bourriches piquées de fleurs humaines et attachées au cintre de la salle par les brides rouges de leurs séparations de velours) composaient un panorama éphémère (...)
PROUST, Du côté de Guermantes, Folio, p. 64.

**II** Argot vieilli. Tête. → **Bourrichon.**

DÉR. **Bourrichon.**

**BOURRICHON** [buʀiʃɔ̃] n. m. — 1860, Flaubert; de *bourriche.*

Fam. Tête*. → **Bourriche, II.**

Loc. *Monter le bourrichon à qqn,* lui monter la tête, exciter son imagination.

*Se monter le bourrichon :* se faire des illusions. — (1859, *in* D. D. L.). Vx. *Se charpenter le bourrichon.*

1 Oh! comme il faut se monter le bourrichon pour faire de la littérature et que bienheureux sont les épiciers!
FLAUBERT, Correspondance, t. III, p. 38.

2 Et surtout on ne se livre pas à ce que j'appellerai ces acrobaties de sensibilité, huit jours avant de se présenter au Cercle! Elle est un peu roide! Non, c'est probablement sa petite grue qui lui aura monté le bourrichon.
PROUST, Du côté de Guermantes, Folio, p. 286.

**BOURRICOT** ou **BOURRIQUOT** [buʀiko] n. m. — 1849; esp. *borrico* «âne», par le franç. d'Algérie. → Bourrique.

Petit âne (d'abord, en franç. d'Afrique du Nord). → **Bourriquet.** — Fam. *C'est kif-kif* bourricot :* c'est la même chose.

0.1 À travers ce tumulte, les légions de bourriquots et leurs conducteurs nègres, les carrioles à deux ou trois chevaux.
P. DE CASTELLANE, Souvenirs de la vie militaire en Afrique, *in* Revue des Deux Mondes, sept. 1849 (*in* D. D. L., II, 5).

1 Il y a si loin en effet d'un lion à un *bourriquot!* (...) Tartarin donna deux cents francs; l'âne en valait bien dix. C'est le prix courant des *bourriquots* sur les marchés arabes.
Alphonse DAUDET, Tartarin de Tarascon, II, 6.

2 (...) l'âne, qui n'est pas le bourricot minable d'Algérie, mais une bête de belle taille (...)
DANIEL-ROPS, Peuple de la Bible, I, II, p. 42.

Fig. Personne entêtée. → **Âne, bourrique.**

**BOURRIDE** [buʀid] n. f. — 1735; mot provençal *bourrido,* de *boulido* «bouilli». Cf. gascon *bourit* «bouilli», *bourri* «grumeau qui se forme dans la bouillie» (Mistral).

Plat provençal de poissons, contenant de la rascasse, voisin de la bouillabaisse*, servi avec un aïoli.

**BOURRIER** [buʀje] n. m. — 1368; de *bourre.*

Régional.

♦ **1** Déchet du blé battu, brin de paille qui traîne par terre et que l'on piétine.

Le courant large et rapide charriait de l'écume, des bourriers, des fagots et des débris de toute sorte de choses.
Claude MAURIAC, le Temps immobile, p. 203.

♦ **2** Ordures. *Va jeter le bourrier dehors.*

Lieu où l'on dépose les ordures. *Jeter quelque chose au bourrier.*

♦ **3** Éboueur (attesté *in* Mauriac).

**BOURRILLON** [buʀijɔ̃] n. m. — 1877, Littré; dimin. de *bourre.*

♦ **1** Techn. Petit amas de bourre qui se forme au milieu de la soie grège.

♦ **2** Bot. Œil basilaire très développé.

Le sarment s'articule sur le bois de l'année précédente par un empattement qui porte de nombreux yeux basilaires rudimentaires dont le plus développé est appelé *bourrillon.* L'extrémité du sarment en voie de croissance est constituée par de jeunes feuilles encore imparfaitement étalées qui entourent le bourgeon terminal.
Louis LEVADOUX, la Vigne et sa culture, p. 14.

**BOURRIN** [buʀɛ̃] n. m. — 1903, argot milit.; mot dial. de l'Ouest : «âne»; de *bourrique.*

♦ **1** Fam. Cheval*. → **Canasson.**

C'était l'École d'application. Sept cents chevaux! Il n'était pas compliqué le métier militaire, on passait sa journée à étriller et à brosser les bourrins. 1
Jean FERNIOT, Pierrot et Aline, p. 81.

Si il s'arrête une seconde, c'est alors par derrière qu'il rue! Il est soulevé par la colère, il plane du cul comme un bourrin! CÉLINE, Mort à crédit, Folio, p. 195. 2

♦ **2** Fam. Cheval-vapeur.

Moteur. → **Moulin.** *Lancer le bourrin. C'est un bon bourrin.*

♦ **3** Argot. (vulg., mais non péj.). Femme ou homme qui aime et recherche les rapports sexuels. (En emploi adj.) : *«Elle était pas bourrin, cette petite...»* (Simonin).

**BOURRINE** [buʀin] n. f. — 1942; mot dial. de l'Ouest p.-ê. du normand *bur* «habitation de village»; du germanique.

Régional. Maison traditionnelle du marais vendéen.

**BOURRIQUE** [buʀik] n. f. — 1603; de l'esp. *borrico* «âne», du lat. pop. **burricus,* altér., sous l'infl. de *burrus* «roux», et de *burra* «bure», du lat. *buricus* «petit cheval».

♦ **1** Âne, ânesse. → **Baudet; bourricot, bourriquet.** *Une vieille, une pauvre bourrique pelée. Têtu comme une bourrique. — Soûl comme une bourrique :* complètement soûl (probablt par confusion avec *barrique*).

Eh quoi! charger ainsi cette pauvre bourrique! 1
N'ont-ils point de pitié de leur vieux domestique?
LA FONTAINE, Fables, III, 1.

Loc. fam. *Faire tourner qqn en bourrique,* l'abêtir à force d'exigences, de taquineries... → **Abrutir.**

Il ferait déjà tourner tout son monde en bourrique, si on le laissait faire (...) Monsieur n'imagine pas ce que c'est : un vif-argent, un touche-à-tout! 2
MARTIN DU GARD, les Thibault, t. IX, p. 23.

Vx. Mauvais cheval. → **Bourrin.**

♦ **2** Fig. et fam. Personne têtue. → **Âne** (2.), **mule, sot.** *Quelle bourrique!*

En bas dans les grands rayons, c'était que des bourriques, surtout les «expéditeurs»; j'ai jamais connu des fumiers 2.1

plus ragotards, plus sournois... Ils avaient rien à penser qu'à faire des paquets.
CÉLINE, Mort à crédit, Folio, p. 150.

2.2 Vous me traitez de bourrique, par-dessus le marché. Vous voyez bien, vous m'insultez.
E. IONESCO, Rhinocéros, p. 38.

♦ **3** (1877). Argot. Policier. → 2. **Bourre.**

3 Ça n'a fait qu'un cri : Un agent! — Nom de Dieu! — L'coup des bourriques. Francis CARCO, Jésus-la-Caille, I, 1.

4 Je suis déjà assez merde! repéré!... Encore un coup d'outrage!... que c'est plein partout de bourriques!
CÉLINE, Guignol's band, p. 361.

CONTR. **Pur-sang.** ◊ DÉR. **Bourrin, bourriquet, bourriquier.** — (Sens 3). V. 2. **Bourre.**

**BOURRIQUET** [buʀikɛ] n. m. — 1534, Rabelais; de *bourrique.*

♦ **1** Âne de petite espèce. Petit ânon. → **Bourricot.**

Un groupe de paysannes en habits de fête (...) se disputaient pour la possession d'une niche de la muraille. Un ânier l'occupait avec son bourriquet et ses couffes d'oignons. J. GIONO, Naissance de l'Odyssée, p. 38.

♦ **2** (1611). Techn. Treuil servant à élever des matériaux. → **Tourniquet.** *Bourriquet de maçon, de mines.*

Boîte mobile servant à recueillir les débris produits par un métier à tisser.

**BOURRIQUIER** [buʀikje] n. m. — 1854; de *bourrique.*
Vx. Conducteur d'ânes.

**BOURRIQUOT** [buʀiko] n. m. → **Bourricot.**

**BOURROIR** [buʀwaʀ] n. m. — 1758; de *bourrer.*
Techn. Pilon servant à bourrer.

**BOURRU, UE** [buʀy] adj. — 1555, *bourru de plumes* «fourni de plumes»; de *bourre.*

**I** (Choses; sauf dans : *moine bourru*). ♦ **1** Qui a la rudesse, la grossièreté de la bourre. → **Rude.** *Fil bourru. Étoffe bourrue. Des cheveux bourrus. Plante bourrue,* recouverte d'un fin duvet.

Vx. **LE MOINE BOURRU :** personnage imaginaire vêtu de bure, comme un moine, et qui rôderait la nuit (analogue culturellement au *croquemitaine,* au *loup-garou*).

♦ **2** Qui n'a pas encore subi de traitement. *Pierre bourrue :* pierre mal dégrossie. — *Vin bourru :* vin nouveau, non fermenté, troublé par la lie. → **Jeune.**

♦ **3** *Lait bourru,* qui vient d'être tiré.

0.1 Le médecin lui avait ordonné un régime. Elle prenait le soir du lait bourru, à l'étable même.
GIRAUDOUX, les Aventures de Jérôme Bardini, p. 41.

**II** (Personnes; ou par métaphore). Fig. et cour. ♦ **1** (1617). Peu aimable, qui a des manières brusques. → **Acariâtre, morose.** *Un homme bourru. Il est gentil, mais un peu bourru.*

N. m. Vieilli. *Bourru bienfaisant :* homme qui sous des dehors désagréables, possède un caractère bienveillant.
*Un air bourru.* → **Renfrogné.**

1 Pour l'homme aux rubans verts, il me divertit quelquefois avec ses brusqueries et son chagrin bourru (...)
MOLIÈRE, le Misanthrope, V, 4.

2 (...) avec son air bourru, c'était le meilleur homme du monde (...) Alphonse DAUDET, le Petit Chose, I, 2.

3 Elle n'était pas jolie, elle ressemblait trop à son père et c'était gênant de retrouver ce visage bourru au-dessus d'un corps de jeune fille (...)
S. DE BEAUVOIR, les Mandarins, p. 18.

♦ **2** Littér. (Choses). Rude, désagréable. «*Les vents bourrus de novembre*» (Laforgue, *in* T. L. F.).

CONTR. **Lisse. — Affable, aimable, câlin, cajoleur, débonnaire, doux, liant, patelin, sociable.**

1. **BOURSE** [buʀs] n. f. — V. 1150; bas lat. *byrsa, bursa* «cuir», puis «sac de cuir», d'où «bourse», du grec *bursa* «cuir apprêté, outre». → Bursaire.

♦ **1** Ancienn. Petit sac arrondi, généralement à fronces ou à soufflets, destiné à contenir les pièces de monnaie et que l'on porte sur soi. *Une bourse de cuir, de tissu, une bourse au crochet, une bourse en kapok, en mailles de métal. Une bourse à cordons, à coulant.* → **Aumônière, escarcelle, gibecière.** *Une bourse à fermoir.* → **Porte-monnaie** (mod.). *Ouvrir, fermer, vider sa bourse.*

(...) il laisserait ma bourse traîner sur la table, je ne sais où, dans ses rebuts, tandis que l'autre le suivra partout, tandis qu'en jouant à l'heure qu'il est, il la tire avec orgueil; je le vois l'étaler sur le tapis, et faire résonner l'or qu'elle renferme. A. DE MUSSET, Un caprice, 5. 1

Vx. *Couper les bourses :* voler. — *Un coupeur de bourses :* un voleur.

(...) un petit couteau affilé comme l'aiguille d'un palletier dont il *(Panurge)* coupait les bourses (...) 2
RABELAIS, Pantagruel, XVI.

C'est la vie des voleurs d'aujourd'hui et des coupeurs de bourse (...) 3
VOLTAIRE, Essai sur les Mœurs, Avant-Propos.

Loc. *La bourse ou la vie!,* injonction du voleur au passant qu'il assaille.

(...) je lui demande la bourse ou la vie (...) 4
Th. GAUTIER, le Capitaine Fracasse, XII.

J'ai entre les mains des lettres qui peuvent renverser tous ses rêves de bonheur... Je lui mettrai ces lettres sous la gorge, et je lui demanderai la bourse ou la vie! 4.1
E. LABICHE, la Chasse aux corbeaux, V, 7.

Loc. fig. Vx. *Donner la bourse à garder au larron :* charger d'une mission de confiance, d'un secret, etc. celui dont on devrait se méfier. — Loc. fig. Mod. *Ne pas laisser voir le fond de sa bourse :* cacher l'état de ses affaires. — *Tenir les cordons de la bourse :* disposer des finances. — (1690). *Sans bourse délier :* sans qu'il en coûte rien. — (1668). *Ouvrir sa bourse à ses amis,* les aider financièrement. — Vieilli. *Loger le diable dans sa bourse, avoir la bourse plate, légère :* être sans argent. *Avoir la bourse ronde, bien garnie :* être bien pourvu.

Ce vénérable hillot *(garçon)* fut averti 5
De quelque argent que m'aviez départi
Et que ma bourse avait grosse aposthume *(abcès).*
Clément MAROT, Au roi pour avoir été dérobé.

Un homme n'ayant plus ni crédit ni ressource, 6
Et logeant le diable en sa bourse,
C'est-à-dire n'y logeant rien (...)
LA FONTAINE, Fables, IX, 16.

(...) ceux qui nous ouvrent leur bourse et nous disent : «Prenez». MOLIÈRE, George Dandin, II, 1. 7

Le domaine, ayant fait mettre en prison les pères de famille, avait acheté leurs meilleures possessions sans bourse délier (...) 8
VOLTAIRE, l'Homme aux quarante écus, Audience.

Cet argent suffit à payer notre retour, et nous nous embarquons le cœur léger, et la bourse aussi. 9
LOTI, Aziyadé, LXIV, p. 173.

♦ **2** Par métonymie. Argent que contient une bourse; par ext., argent que l'on possède. *Sa bourse s'épuise.* — (1611). Vieilli. *Faire bourse à part;* (1690) *faire bourse commune. Faire appel à la bourse de qqn. Être ami* jusqu'à la bourse.* — *Donner toute sa bourse. Ce produit, ce spectacle est à la portée de toutes les bourses, des bourses les plus modestes.* → 2. Morgue, cit. 2.

On a la fille, soit : on n'aura pas la bourse. 10
RACINE, les Plaideurs, III, 4.

11 Les disciples de Pythagore ne faisaient qu'une même bourse. FÉNELON, Pythagore, *in* LITTRÉ.

12 Ma bourse renforcée par Mme de Warens (...)
ROUSSEAU, les Confessions, II.

♦ **3** (1399). *Bourse d'études,* et, absolt, *bourse :* pension accordée à un élève, un étudiant, pour subvenir à ses besoins pendant le temps de ses études. *Bourse entière. Demi-bourse. Élève qui a été reçu à un concours de bourses.* → 1. **Boursier.** *Bourse d'agrégation. Bourse de voyage :* bourse accordée pour un voyage d'étude.

13 Des places gratuites qu'on appelle en France des bourses (...)
ROUSSEAU, le Gouvernement, Pologne, IV.

14 Il *(l'Empereur)* avait créé 6000 bourses pour que les enfants du peuple eussent un large accès à l'enseignement secondaire les acheminant à l'enseignement supérieur ou aux écoles spéciales.
Louis MADELIN, Hist. du Consulat et de l'Empire, t. VI, V, p. 71.

♦ **4** Par anal. Petit sac souple. → **Enveloppe, poche.** — (1743, *in* D. D. L.). *Bourse à cheveux.*

(1409). Chasse. Poche que l'on place devant le terrier pour prendre le lapin. — Pêche. Filet en forme de poche. — Liturgie. Double carton dans lequel on met les corporaux* qui servent à la messe.

♦ **5** Anat. *Bourses séreuses*, synoviales* :* poches membraneuses des articulations.

(V. 1275). Absolt. *Les bourses :* l'enveloppe des testicules*. → **Scrotum.**

15 Dans ma section, il y avait un type qui avait une orchite double et qui marcha trois jours avant d'être évacué. D'ailleurs, de le voir portant ses bourses comme un saint sacrement de douleur, me faisait penser (...) à Richard Cœur-de-Lion (...)
DRIEU LA ROCHELLE, la Comédie de Charleroi, p. 41.

**DÉR. Bourseau, boursette, boursicaut (ou boursicot), 1. boursier, boursiller. — V. 2. Bourse. ◊ COMP. Débourser, embourser. — Bourse-à-pasteur.**

2. **BOURSE** [buʀs] n. f. — 1549; p.-ê. du n. de l'hôtel de la famille *Van der Burse,* à Bruges, avec infl. de 1. *bourse,* hypothèse contestée par Guiraud qui fait venir le mot de 1. *bourse,* dans des expressions comme *monnaie courant en bourse* où *bourse* signifie «place où se tiennent les opérations commerciales», puis, par métonymie «l'opération elle-même»; → cit. 1.

♦ **1** Réunion périodique de personnes qui s'assemblent soit pour conclure des opérations sur les valeurs mobilières ou sur des marchandises, soit pour constater les cours de ces valeurs ou marchandises, dans un lieu fixé par le gouvernement; lieu où se déroule cette réunion. *Les réunions hors bourse sont interdites. Création, suppression d'une bourse.* — REM. Lorsqu'il s'agit d'une bourse spécifique, le mot s'écrit souvent avec la majuscule. — *Fréquenter la Bourse. Ouverture, clôture de la Bourse. Dans les bourses, les transactions se font par l'intermédiaire des agents* de change. Personnes qui travaillent dans une bourse.* → 2. **Boursier.** *La bourse a clôturé en hausse.*

1 *Bourse* apparaît en flamand, sans que l'on sache au juste s'il vient de *bursa* ou du nom d'une famille brugeoise dont la maison servait de rendez-vous aux marchands. En 1531 est ouverte à Anvers la nouvelle *Bourse.* Dès lors le mot est courant et remplace le vocable traditionnel de *Loge (de Change),* répandu par les Italiens et maintenu à Lyon. En 1549, les Toulousains se plaignaient de n'avoir pas un lieu : *change, estrade* ou *bourse,* comme Lyon, Anvers, etc. Henri II y ordonne une bourse commune sur le modèle du *Change* de Lyon.
BRUNOT, Hist. de la langue franç., t. VI, p. 165, note 1.

À Paris, il n'y eut longtemps qu'une place de commerce, avec des emplacements traditionnellement affectés aux divers commerces : Pont au Change, galerie du Palais, rue Quincampoix, place Vendôme, etc. La Bourse de Paris ne fut installée officiellement qu'en 1724, rue Vivienne, à l'Hôtel de Nevers, alors qu'il existait des bourses, depuis longtemps déjà, à Lyon, Toulouse, Montpellier, Rouen. 2
Fr. OLIVIER-MARTIN, l'Organisation corporative de la France d'ancien régime, p. 275.

Il est défendu de s'assembler ailleurs qu'à la Bourse, et à d'autres heures qu'à celles fixées par le règlement de police, pour proposer et faire des négociations (...) 3
Arrêté du 27 Prairial An X, art. 3.

*Bourse des valeurs,* où se négocient les valeurs mobilières. *Marché, valeur; corbeille, parquet; coulisse. Il existe huit bourses des valeurs en France.* — Ellipt. *La Bourse de Londres, de New York, de Tokyo. La Bourse :* la bourse des valeurs de Paris. *Le quartier de la Bourse.*

Pour marquer leur situation éminente à la Bourse, le même arrêt du Conseil (30 mars 1774) ordonne la construction dans l'enceinte de la Bourse d'une séparation de trois pieds de hauteur isolant les agents de change et que l'on appelle aujourd'hui le Parquet. 4
Fr. OLIVIER-MARTIN, l'Organisation corporative de la France d'ancien régime, p. 282.

Dans les Bourses comportant au moins six offices d'agent de change, il peut être créé un parquet en vertu d'un décret (...) Décret, 7 oct. 1890, art. 15. 5

On m'a dit qu'il vivait de médiocres opérations hebdomadaires à la Bourse. VALÉRY, Monsieur Teste, p. 18. 5.1

*Bourse de marchandises; bourse de commerce,* où se négocient les marchandises. *Les courtiers des bourses de marchandises. Il y a 71 bourses de commerce en France.*

(...) les *bourses de marchandises* (souvent appelées bourses de commerce), où se concluent des ventes et des achats en gros de certains produits en nature et aussi certains contrats qui se rapportent au commerce maritime. En France, les négociations se font (...) dans les *bourses de marchandises* par l'entremise de courtiers. 6
Paul REBOUD, Précis d'économie politique, t. II, p. 33.

♦ **2** Ensemble des opérations traitées dans une bourse, cours qui y sont constatés. *Opérations de bourse.* → **Achat, marché** (au comptant, à livrer, à terme; marché à prime ou options), **négociation, ordre, souscripteur, transaction, transfert, vente** (à couvert, à découvert); **arbitrage, change, compensation, déport, différence, filière, liquidation, report, reporter.** *Jouer, spéculer à la Bourse.* → **Boursicoter; agiotage; boursicotier, 2. boursier; spéculateur, baissier, haussier.**

*Coup de bourse. Les cours de la Bourse.* → **Cote, cours.** *Activité de la Bourse. Les mouvements de la Bourse. La Bourse a monté, a baissé.* → **Baisse, hausse** (boom). *Chute de la Bourse.* → **Krach.** *La Bourse et l'opinion. — Marchandises, valeur cotées en bourse. Société cotée en bourse,* dont les actions sont cotées.

Quant à la fortune d'aujourd'hui, qui est presque toute dans des opérations de bourse, de courtage, d'agiotage, de coulisse ou d'agences de change, rien n'a été prévu pour la protéger ou la défendre, cette fortune moderne (...) 6.1
Ed. et J. DE GONCOURT, Journal, t. I, p. 84.

(...) les cours de la Bourse sont affaires d'opinion. Ils reflètent les idées, les imaginations sombres ou riantes (...) 7
J. BAINVILLE, la Fortune de la France, p. 155.

(...) si un autre Proudhon venait à écrire un nouveau *Manuel du Spéculateur à la Bourse,* il pourrait poser en principe que le moyen le plus sûr de gagner est de «tourner le dos à la multitude», comme les sages antiques le recommandaient pour la recherche de la vérité. 8
J. BAINVILLE, la Fortune de la France, p. 158.

J'ai fini par comprendre que ces actions avaient été émises par des sociétés en faillite ou qui n'existaient plus depuis longtemps. Il croyait dur comme fer pouvoir les utiliser 8.1

encore et les remettre sur le marché. «Quand nous serons cotés en Bourse...» me disait-il d'un petit air espiègle.
Patrick MODIANO, les Boulevards de ceinture, p. 89.

♦ **3** L'ensemble des spéculateurs d'une bourse. *L'esprit de la Bourse. Bruits, nouvelles, tuyaux de Bourse.*

♦ **4** (1967). *Bourse immobilière :* réunion périodique de personnes assemblées pour conclure des opérations sur les affaires immobilières et constater leurs cours. *Bourse immobilière de Paris. La Bourse immobilière permet aux agents immobiliers de s'instruire des affaires en cours et de confronter leurs prix.* — Absolt. *Étude des prix en Bourse.*

Ensemble des opérations proposées. *La Bourse immobilière procède par annonces «à la criée» des affaires offertes ou recherchées, et par affichage sur panneaux des offres et des demandes.*

♦ **5** Lieu où l'on échange certaines marchandises. *La bourse des timbres. Bourse des livres.*

♦ **6** **BOURSE DU TRAVAIL :** «Réunion des adhérents des divers syndicats d'une même ville ou région en vue de se concerter pour la défense de leurs intérêts et l'organisation de divers services d'intérêt collectif» (Capitant, *Vocabulaire juridique*). *Les bourses du travail. La Bourse du travail,* à Paris. — Lieu où se tient cette réunion.

9 La Bourse du travail de Paris, ainsi que ses annexes, a pour objet de faciliter les transactions relatives à la main-d'œuvre, au moyen de bureaux de placement gratuit, de salles d'embauchage publiques, et par la publication de tous renseignements intéressant l'offre et la demande de travail. Elle a également pour but de concourir à l'éducation technique et économique des syndicats professionnels ouvriers. Il est annexé des bureaux mis à la disposition des syndicats ouvriers et des salles pour les réunions corporatives. Décret, 17 juil. 1900.

♦ **7** *Bourse nationale de l'emploi :* organisme créé pour favoriser le rapprochement des offreurs et des demandeurs d'emploi. → **Agence.**

DÉR. 2. **Boursier.** — V. **Boursicoter,** 2.

**BOURSE-À-PASTEUR** [buʀsapastœʀ] n. f. — V. 1350, Arveiler; de 1. *bourse, à,* et *pasteur.*

Petite plante des lieux incultes *(Crucifêracées),* dont le fruit sec a la forme d'un cœur. *Des bourses-à-pasteur* [buʀsapastœʀ]. → **Capselle.**

**BOURSEAU** [buʀso] n. m. — 1611, «bosse» de 1. *bourse;* sens actuel, XVII^e.

Techn., archit. Grosse moulure ronde d'une toiture d'ardoise. *Membrons à bourseaux.*

**BOURSET** [buʀsɛ] n. m. → **Bourcet.**

**BOURSETTE** [buʀsɛt] n. f. — 1304; de 1. *bourse.*

♦ **1** Vx. Petite bourse. → **Boursicot.**

♦ **2** (Av. 1585). Régional. Mâche (1).

**BOURSICAUT** ou **BOURSICOT** [buʀsiko] n. m. — 1296, *bourseco;* de 1. *bourse.*

♦ **1** Vx, régional. Petite bourse. → **Boursette.**

♦ **2** (1830, Stendhal). Petite somme économisée et mise en réserve.

Elle fit mine de chercher sa bourse (...) «Nous n'étions pas encore là, dit-il, quand vous avez crié après votre boursicot.» G. SAND, François le Champi, VIII.

DÉR. **Boursicoter.**

**BOURSICOTAGE** [buʀsikɔtaʒ] n. m. — 1864; de *boursicoter.*

♦ **1** Vx. Action de mettre un peu d'argent de côté.

♦ **2** Mod. Action de faire de petites opérations en bourse.

REM. *Boursicotiérisme* a été utilisé en ce sens (1881).

**BOURSICOTER** [buʀsikɔte] v. intr. — 1580; de *boursicot.*

♦ **1** Vx. Faire de petites économies.

♦ **2** (1841, Balzac; de 2. *bourse*). Mod. Faire de petites opérations en bourse. → **Spéculer.**

J'ai des capitaux considérables, engagés à la bourse; je boursicote, je coulisse, je reporte. 1
COGNIARD et BOURBOIS, le Monde camelote (1856), I, 5.

(...) l'homme de la rue joue, je veux dire qu'il trafique sur les valeurs, sur les papiers, sur l'argent, qu'il spécule et boursicote. 2
G. DUHAMEL, Scènes de la vie future, XV.

DÉR. **Boursicotage, boursicotier** ou **boursicoteur.**

**BOURSICOTIER, IÈRE** [buʀsikɔtje, jɛʀ] ou **BOURSICOTEUR, EUSE** [buʀsikɔtœʀ, øz] adj. et n. — 1851, *boursicotier, ière; boursicoteur, euse,* 1867; de *boursicoter.*

Celui, celle qui boursicote.

(...) la petite salle est pleine à éclater, les agentes de change s'agitent bruyamment; (...) les banquières, les commises, les boursicotières et les tripoteuses se bousculent, glapissent des offres et des demandes, crient des ordres ou des cours. 1
A. ROBIDA, le Vingtième Siècle, p. 300 (roman d'anticipation, antiféministe, écrit avant 1900).

Personnellement, il était pacifique, pas très intrigant, assez joli garçon, assez vulgaire, pas fin, pas intellectuel pour un sou. Boursicotier. 2
DRIEU LA ROCHELLE, la Comédie de Charleroi, p. 82.

1. **BOURSIER, IÈRE** [buʀsje, jɛʀ] n. et adj. — 1224; de 1. *bourse.*

♦ **1** Vx. Artisan qui fabrique, commerçant qui vend des bourses.

♦ **2** (1387). Mod. Personne qui a obtenu une bourse* dans un établissement d'enseignement. *Bonaparte, boursier du Roi à l'École de Brienne. Elle est boursière.*

On exige d'un boursier bien plus que d'un autre. Il est tenu de réussir. 1
MICHELET, Hist. de la Révolution franç., t. I, p. 478.

Les boursiers, aujourd'hui, renient promptement le peuple d'où ils sortent. 2
ALAIN, Souvenirs de guerre, *in* les Passions et la Sagesse, Pl., p. 542.

Ne t'imagine pas, parce que tu es boursier, devoir rien à personne. GIRAUDOUX, Simon le pathétique, p. 8. 3

Adj. *Élève boursier.*

2. **BOURSIER, IÈRE** [buʀsje, jɛʀ] n. et adj. — 1512; de 2. *bourse.*

**I** N. ♦ **1** Personne qui fait des opérations en bourse. *Des petits boursiers occasionnels. Les spéculations des boursiers.*

♦ **2** (1838). Personne qui exerce sa profession à la bourse. → **Agent** (de change), **coulissier, courtier, remisier.**

**II** Adj. (1837). Relatif à la bourse. *Opérations boursières. Mouvements boursiers. Capitalisation* boursière.*

**BOURSILLER** [bursije] v. intr. — 1548, Rabelais; de 1. *bourse*.

Vieux.

♦ **1** Donner un peu d'argent en vue d'un achat à plusieurs. → **Cotiser.** «*Quand nous avons boursillé pour la layette*» (E. Sue, *in* T. L. F.).

♦ **2** Sortir sans cesse de petites sommes de sa bourse.

**BOURSOUFLAGE** ou **BOURSOUFFLAGE** [bursuflaʒ] n. m. — 1765, fig., *in* D. D. L.; de *boursouflé*.

♦ **1** État de ce qui est boursouflé. → **Boursouflement, boursouflure.** Action de boursoufler. → **Gonflement; enflure.**

♦ **2** Fig. Enflure du style. → **Boursouflement.** *Discours plein de boursouflage (boursoufflage).*

**BOURSOUFLÉ, ÉE** ou **BOURSOUFFLÉ, ÉE** [bursufle] adj. — V. 1450; *bousouflé*, v. 1200; de *soufflé*, et rad. onomat. *bou-, bod-* (→ Boudin) «idée de gonflement».

♦ **1** Qui présente des gonflements disgracieux. *Visage boursouflé.* → **Bouffi, enflé, gonflé.** *Un malade boursouflé, boursoufflé, tout boursoufflé.*

♦ **2** (Abstrait). **BOURSOUFLÉ DE :** plein, gonflé de. *Être boursouflé (boursoufflé) de prétention, de sottise.*

♦ **3** (Av. 1701). Fig. Emphatique et vide. *Style, discours boursouflé.* → **Ampoulé, déclamatoire, guindé.**

1 Un mélange du style poétique et boursouflé avec le langage de la philosophie (...)
VOLTAIRE, Lettre à Thieriot, 7 févr. 1759.

2 (...) la tragédie (...) nous présente des êtres si gigantesques, si boursouflés, si chimériques (...)
ROUSSEAU, Lettre à M. d'Alembert, p. 148.

3 (...) la forme est détestable ! C'est boursouflé, pâteux, chargé de bavardages !
MARTIN DU GARD, les Thibault, t. II, p. 248.

Nom masculin :

4 Je ne peux souffrir le boursouflé et une grandeur hors de nature (...)
VOLTAIRE, Lettre à Voisenon, 23 févr. 1763.

CONTR. **Creux, émacié. — Familier, naturel, simple.** ◇ DÉR. **Boursouflage, boursouflement, boursoufler, boursouflure.**

**BOURSOUFLEMENT** ou **BOURSOUFFLEMENT** [bursufləmɑ̃] n. m. — 1590, Paré, attestation isolée, repris XXe; de *boursouflé*.

♦ **1** État de ce qui est boursouflé. → **Boursouflage, boursouflure.** Action de boursoufler. → **Enflure, gonflement.**

(1803, Boiste). Chim. Augmentation du volume d'un corps sous l'effet de la chaleur.

♦ **2** Fig. Enflure du style. *Le boursouflement (boursoufflement) de son discours.* → **Boursouflage.**

**BOURSOUFLER** ou **BOURSOUFFLER** [bursufle] v. tr. — 1530, «enfler»; de *boursouflé*. REM. La graphie *boursouffler* a été admise par l'Académie en 1975, pour harmoniser ce verbe avec *souffler*.

♦ **1** Rendre enflé, gonflé. → **Enfler, gonfler.** *La maladie boursoufle ses yeux, son visage. Une couche de peinture qui se boursoufle, se boursouffle.* → **Cloquer.** *Le pain se boursoufle.* → **Coquiller.**

♦ **2** (Av. 1822). Fig. Donner une importance exagérée à.

Au jour le jour, elle m'agaçait par son souci de se construire une vie si riche, si «variée» que du haut de sa future gloire Marco ne pût pas la dédaigner : elle truquait la réalité, elle boursouflait ses expériences (...)
S. DE BEAUVOIR, la Force de l'âge, p. 165.

Rendre trop sûr de soi, de son importance. *L'orgueil, la vanité le boursoufle (boursouffle).*

Rendre ampoulé. *L'emphase boursoufle son style.*

CONTR. **Dégonfler, désenfler.**

**BOURSOUFLURE** ou **BOURSOUFFLURE** [bursuflyʀ] n. f. — 1532, méd.; de *boursouflé*.

♦ **1** Distension, gonflement* que présente par endroits une surface unie. *Boursouflure du sol.* → **Soulèvement.** *Boursouflure d'un enduit sur un mur.* → **Coquille, soufflure.** *Boursouflure du fer.* → **Moine.** *Boursouflure du visage, de la peau...* → **Ampoule, bouffissure, cloque.**

Le regard restait bleu et vif; mais, sous les paupières inférieures, des boursouflures mauves surplombaient des pommettes vermiculées de couperose. 1
MARTIN DU GARD, les Thibault, t. VIII, p. 251.

Le plâtre des cloisons mansardées, sous l'effet de l'humidité, formait des boursouflures dont plusieurs avaient éclaté, laissant apparaître comme un fond d'abcès, le bois noir et pourri d'un chevron ou du lattis. 2
M. AYMÉ, le Passe-muraille, «L'huissier».

♦ **2** Fig. *Boursouflure de style.* → **Emphase, enflure.**

CONTR. **Creusement, creux. — Naturel, simplicité.**

**BOUSAGE** [buzaʒ] n. m. — 1838; de *bouser*.

Techn. Passage au bain de bouse des étoffes qui ont reçu le mordant. *Le bousage fixe le mordant.*

**BOUSARD** [buzaʀ] n. m. — 1721, Trévoux; *bouzard*, 1655; de *bouse*.

Vén. Fiente molle des grosses bêtes (cerf, sanglier, etc.), au printemps.

(...) les moquettes des chevreuils — moulées à un seul aiguillon en hiver, en été agglomérées en grappe comme celles des moutons —, les laissées des sangliers — en forme de quilles l'hiver, de bousards inconsistants l'été — (...)
M. TOURNIER, le Roi des aulnes, p. 227-228.

**BOUSBIR** [buzbiʀ] n. m. — Attesté XXe; mot arabe, n. pr. du quartier réservé.

Quartier réservé, en Afrique du Nord. «*Les bousbirs chérifiens*» (→ Bleusaillon, cit. Perret).

La nuit tomba très vite, profonde, légère, chargée d'étoiles pures. Nous nous acheminâmes vers le bousbir, le quartier réservé. Il se trouvait en dehors de la petite ville (...) Je savais bien qu'il ne pouvait avoir rien de comparable avec celui de Casablanca, véritable cité de feux, de tumulte et de luxure, mais je fus néanmoins stupéfait par son aspect misérable. Au fond d'un sentier sordide, boueux et puant, un mur de pisé entourant un espace plus réduit qu'une cour de ferme, cachait les joies sensuelles d'Agadir.
J. KESSEL, Vent de sable, p. 109-110.

**BOUSCUEIL** [buskœj] n. m. — 1928; mot canadien, de *bousculer*.

Régional (Canada). Mouvement des glaces sous l'action du vent, de la marée ou du courant. → **Débâcle.** *Le bouscueil du printemps.*

**BOUSCULADE** [buskylad] n. f. — 1848, Dumas; de *bousculer*.

♦ **1** Action de bousculer*; choc brutal et involontaire entre deux personnes. «*Il se plaignit auprès de son voisin des bousculades que celui-ci lui infligea*» (Queneau, *Exercices de style*).

♦ **2** Fait de se bousculer, d'être bousculé. — Spécialt. Remous de foule. *Une bousculade générale vers la sortie; la bousculade du Métro.*

Une bousculade sépara Chicot de l'établissement du fanatique hôtelier. 1
A. DUMAS, *in* Pierre LAROUSSE.

Fig. Fait d'être en désordre. → **Chahut, désordre.**

2 (...) cette bousculade effrayante des événements et des êtres (...)

G. DUHAMEL, Chronique des Pasquier, VIII, p. 266.

♦ **3** Grande hâte, précipitation. *Dans la bousculade du départ, ils avaient oublié leurs passeports.*

**BOUSCULANT, ANTE** [buskylɑ̃, ɑ̃t] adj. — Fin XIX^e; de *bousculer.*

Rare. Qui bouscule. *Une foule bousculante.*

Fig. Qui dérange intellectuellement, qui n'est pas conforme aux habitudes.

M^me Lemonnier a montré un vrai talent de comédienne dans le rôle de cette bousculante héroïne aux pataquès tour à tour plaisants et périlleux.

P. VÉRON, *in* le Charivari, Théâtres, 10 juil. 1891.

**BOUSCULEMENT** [buskylmɑ̃] n. m. — 1838; de *bousculer.*

Rare. Action de bousculer. — Désordre, agitation. → **Bousculade.**

1 Ce que nous appelons mouvements du cœur n'est que le bousculement irraisonnable de nos pensées (...)

GIDE, Journal, 2 avr. 1929.

Par métonymie, littér. Ensemble de choses, de personnes bousculées ou qui semblent l'être.

2 Au haut de la montée, Coriolis s'arrêtait à cette grotte de Franchart, qui a, à son seuil, le désordre et le bousculement de sièges de granit renversés par un festin de Lapithes.

Ed. et J. DE GONCOURT, Manette Salomon, p. 245.

**BOUSCULER** [buskyle] v. tr. — 1798; comp. tautologique, du moy. franç. *bousser* «heurter», du moy. haut-all. *bōren,* et de *culer,* de *cul,* plutôt que de *bouteculer,* de *bouter,* et *cul.*

♦ **1** Mettre en désordre en poussant, en renversant. *«On a bousculé tous mes livres»* (Académie). → **Bouleverser, déranger;** → Mettre sens* dessus dessous. *Les ennemis furent bousculés.* → **Battre, culbuter, renverser.**

♦ **2** Heurter violemment. *Bousculer une potiche. On se fait bousculer par des centaines de personnes. Être bousculé par la foule, par un passant.* → **Balloter, pousser.** *Il a été bousculé par une voiture, mais c'est sans gravité.*

0.1 Son chapeau était de travers, son manteau sale, elle avait l'aspect désordonné et mécontent, la figure rouge et préoccupée d'une personne qui vient d'être bousculée par une voiture ou qu'on a retirée d'un fossé.

PROUST, le Côté de Guermantes, Folio, t. I, p. 374.

1 Le flot des voyageurs les bouscula avant qu'il *(Jérôme)* eût trouvé le mot d'accueil (...)

MARTIN DU GARD, les Thibault, t. II, p. 226.

2 Mathieu fut heurté, bousculé : une oscillation ample et vague secouait la foule autour de lui.

SARTRE, la Mort dans l'âme, I, p. 146.

Spécialt (dans un contexte érotique). *«Le pauvre diable qui bouscule sa bonne amie sur la mousse...»* (Bernanos, *in* T. L. F.). → Culbuter, renverser.

♦ **3** Obliger (qqn) à se dépêcher, à se presser. → **Presser.** *Il est lent et n'aime pas qu'on le bouscule. Son patron le bouscule, l'a bousculé. Il est lent; il ne faut pas le bousculer.* — Au passif. *J'ai été tellement bousculé que je n'en ai pas trouvé le temps.* → **Dérangé, occupé.** → ci-dessous, Bousculé (p. p. adj.).

♦ **4** Sujet n. de personne ou de chose. (1852). Abstrait. Modifier avec une certaine brusquerie. → **Malmener, troubler.** *«Certaines réalités bousculent les idées reçues»* (*le Monde,* 19 sept. 1965). *Bousculer les habitudes, les préjugés, les traditions.*

3 L'an dernier, il eût bondi, bousculé le repos de Léa (...)

COLETTE, Chéri, p. 173.

(Compl. n. de personne) :

C'étaient ces deux mots-là qui le bousculaient, l'aveu- 3.
glaient, l'empêchaient de comprendre quoi que ce fût à une aussi prodigieuse aventure !...

G. LEROUX, Rouletabille chez Krupp, p. 14.

◆ **SE BOUSCULER** v. pron.

♦ **1** Se pousser, se heurter mutuellement.

On se pressait confusément, s'interpellant à grands cris, se 4
bousculant, avec cette sorte de hâte que montrent les gens les mieux élevés, aussitôt qu'il y a à manger et à boire (...)

Edmond JALOUX, le Jeune Homme au masque, I, p. 24.

(...) les maîtresses de maison laissaient, dans une fête, le 5
baron avoir seul une chaise sur le devant dans un rang de dames, tandis que les autres hommes se bousculaient dans le fond.

PROUST, le Côté de Guermantes, Folio, t. I, p. 321.

♦ **2** (Abstrait). Arriver ensemble de façon désordonnée. *Les idées se bousculent dans sa tête.*

♦ **3** Loc. fig. Fam. *Se bousculer au portillon :* arriver en grand nombre et en désordre. *Il y avait beaucoup de monde, on se bousculait au portillon.* — Aussi : *ça se bouscule au portillon,* à propos d'une personne qui a des difficultés d'élocution, qui bégaye.

◆ **BOUSCULÉ, ÉE** p. p. adj.

♦ **1** Heurté, renversé ou déplacé, mis en désordre. *Chaises et tables bousculées.* — (Personnes). Poussé, heurté.

Agité, pressé par le travail (→ ci-dessus, v. tr., 3.). *Je suis très bousculé en ce moment, je ne pourrai vous voir que plus tard.* — Vieilli (avec un compl.). *Être bousculé de travail.*

♦ **2** Fam. *Bien bousculé :* bien fait*, bien bâti (en parlant d'une personne). → Bien balancé, bien roulé.

DÉR. **Bouscueil, bousculade, bousculant, bousculement, bousculeur.**

**BOUSCULEUR, EUSE** [buskylœʀ, øz] adj. et n. — 1872; de *bousculer.*

Rare. Qui bouscule (qqn ou qqch.), a l'habitude de bousculer.

Mélancolique et crispé, M. de Damvilliers n'admira que Notre-Dame, la Sainte-Chapelle et le Pont-Neuf. Il trouva la Seine étroite comme un canal, la Sorbonne triste comme une prison, les avenues tracées sans souci de la géométrie et les Parisiens insolents et bousculeurs.

Maurice DENUZIÈRE, Louisiane, p. 240.

**BOUSE** [buz] n. f. — XII^e; orig. obscure, p.-ê. d'un adj. d'orig. gauloise dér. de **bawa* (→ Boue) ou, selon Guiraud, à rapprocher de l'anc. provençal *boza* et de formes dial. proches d'un gallo-roman **bobosa* «renflé», croisé avec **bobosa* (ou **bovosa*) «de bœuf», d'où la forme **bowosa,* puis *bouse.*

Fiente des bovins. *De la bouse de vache. Bain de bouse.* → **Bousage.**

*(À la campagne)* Un être humain normal, honnête et bien 1
portant, ça sent la bouse fraîche, la chemise sure, la chique figée (...) Le Parisien, être essentiellement dépravé, se donne beaucoup de mal pour éliminer cette bonne odeur de santé.

CAVANNA, Cavanna, p. 104.

*(Une, des bouses). Marcher dans une bouse. Faire du feu avec des bouses séchées.*

Nous regardions, pendant des heures, les vaches; nous 2
regardions choir, éclater les bouses; on pariait à celle qui fienterait la première.

GIDE, les Nourritures terrestres, V, 3.

(...) dans cette étable, pleine de bouses sèches et creuses qui 3
s'affaissaient avec un soupir quand j'y piquais le doigt (...)

S. BECKETT, Premier amour, p. 26.

DÉR. **Bousard, bouser, bouseux, bousier, bousiller, 1. bousin.**

**BOUSER** [buze] v. — 1838; de *bouse.*

**I** V. tr. Techn. Former (l'aire d'une grange) avec un mortier de bouse et de terre. — Soumettre au bousage.

**II** V. intr. Rare (en parlant d'un bovin). Évacuer la bouse.

DÉR. **Bousage.**

**BOUSEUX, EUSE** [buzø, øz] adj. et n. — 1885, *bousoux;* mot de l'Ouest, de *bouse.*

♦ **1** Rare. Couvert de bouse.

Tout le bateau éventre et crève!... O Bâtiment!... celui qui n'y perd point le souffle... à regarder... n'est qu'un salope navrant, bouzeux *(sic)* trou du cul de vache!
CÉLINE, Guignol's band, p. 46 (1944).

♦ **2** N. m. Fam. et péj. Paysan. → Cul-terreux. — REM. Le fém. est virtuel dans ce sens.

**BOUSIER** [buzje] n. m. — 1762; de *bouse.*

Scarabée coprophage, vivant dans les excréments de mammifères, qu'il roule en boulettes. → **Fouille-merde,** 1.

*(La police)* est *(présente),* en effet, sous la forme de plusieurs agents bleu noir, couleur des bousiers (...)
A. PIEYRE DE MANDIARGUES, la Marge, p. 129.

**BOUSILLAGE** [buzijaʒ] n. m. — 1521, *bouzillage;* de *bousiller.*

♦ **1** Techn. Mélange de terre détrempée et de paille que l'on emploie dans certaines constructions rustiques. → **Bauge, torchis.** *Un mur en bousillage.*

♦ **2** (1720; de *bousiller*). Fam. Action de bousiller (I., 2.). Ouvrage fait précipitamment et mal. → **Bâclage, gâchis, massacre, sabotage.**

Quant à Poizat et à son *Électre,* la platitude de sa poésie, le bousillage et la guimauve foraine des mises en scène dont il se satisfait, prouvent la triste conception qu'il se fait de la tragédie.
A. ARTAUD, Bilboquet, «Cocteau et Alfred Poizat», Œ. compl., t. I, p. 204.

♦ **3** (1919, *bouzillage*). Fam. Massacre. *Le bousillage de toute une génération dans une guerre.*

**BOUSILLER** [buzije] v. — 1554; de *bouse.*

**I** V. intr. ♦ **1** Techn. Maçonner en bousillage.

♦ **2** Fig. et vieilli. Faire du mauvais travail. → **Bâcler.** *«C'est un brouillon, il ne fait que bousiller»* (Académie).

1 (...) gâcheur de papier : il trouvait toujours trop lents ses secrétaires et préférait bousiller lui-même.
Fortunat STROWSKI, Montaigne, p. 41.

**II** V. tr. (1694). Fam. ♦ **1** Exécuter sans soin (un travail). → **Cochonner, gâcher, torcher.** *Bousiller un ouvrage.*

♦ **2** Rendre inutilisable, casser. → **Abîmer, amocher, détériorer.** *Il a bousillé son appareil, son avion, en atterrissant. Bousiller une voiture.* — Pronominal :

1 *(La script-girl)* raconte qu'il y a eu avant-hier un formidable accident de chemin de fer aux Aubrais : 120 morts, et que des tas d'autos se bousillent sur les routes.
S. DE BEAUVOIR, la Force de l'âge, p. 396.

Par ext. (Sujet n. de personne). *Il s'est bousillé une jambe dans son accident.*

♦ **3** Tuer, massacrer.

2 ... Paraît que la division de cavalerie a ordre de se faire bousiller derrière nous pour *les* empêcher de nous tomber dessus!
MARTIN DU GARD, les Thibault, t. VIII, p. 166.

3 (...) on voulait sauver l'honneur pour que la France puisse parler aux Alliés la tête haute; il y a des types qui se sont fait bousiller pour ça : c'est bien du sang perdu!
S. DE BEAUVOIR, les Mandarins, p. 152.

◆ **BOUSILLÉ, ÉE** p. p. adj. *Un travail bousillé. Sa voiture est complètement bousillée.* → **Foutu, nase.**

DÉR. **Bousillage, bousilleur.**

**BOUSILLEUR, EUSE** [buzijœʀ, øz] n. — 1690; «maçon qui fait le bousillage», 1480; de *bousiller.*

Fam. Personne qui bousille son travail, le fait mal. → **Gâcheur.**

«L'Allemagne doit me croire si je dis que j'eusse préféré la paix à la guerre»; l'auteur de *Mein Kampf* se donne comme un bon ouvrier de paix que des «bousilleurs» sont venus malgré lui distraire de sa besogne. Le Juif Ahasvérus est l'unique responsable.
J. GUÉHENNO, Journal des années noires, 1er janv. 1942.

1. **BOUSIN** [buzɛ̃] n. m. — 1611; de *bouse.*
Technique.

♦ **1** Croûte terreuse et friable qui recouvre les pierres de taille. *Enlever le bousin avant la taille.* → **Ébousiner.**

♦ **2** (1808, *bouzin*). Matières étrangères dans un glaçon.

♦ **3** (1866). Tourbe de mauvaise qualité.

2. **BOUSIN** [buzɛ̃] n. m. — 1790, *in* D. D. L.; angl. *bousing (ken)* «cabaret» (1567), de *to bouse* «s'enivrer» (angl. mod. *to booze*).

♦ **1** Pop. et vx. Cabaret mal famé. → **Bouge.** (1790, *bouzin*). Vieilli. Maison de prostitution. → **Bordel.**

♦ **2** (1801). Fam. et mod. Grand bruit, tumulte. → **Bordel, boucan, bousingot.** *Un bousin infernal. Faire du bousin.*

♦ **3** Argot fam. Moteur. → Bousine, 3.

DÉR. **Bousingot.**

**BOUSINE** ou **BOUZINE** [buzin] n. f. — 1534, «trompette»; *buisine* «trompette, cor», 1080, *Chanson de Roland;* du lat. *bucina.* → Buccin.

♦ **1** (Attesté XXe). Vx ou régional. Instrument de musique à vent, variété de cornemuse.

♦ **2** (1891). Régional. Vessie d'animal.
Plais. (chez Jarry). BOUZINE : ventre, bedaine.

♦ **3** (1915, argot milit.). Argot fam. Objet bruyant, machine ferraillante (notamment, d'un moyen de transport : locomotive, camion, remorque, moto, etc.).
Automobile, voiture. → **Bagnole.**

Notre bouzine cane, grelotte, engagée traviole au montoir entre trois camions déporte, hoquète, elle est morte!
CÉLINE, Guignol's band, p. 7 (1951).

**BOUSINGOT** [buzɛ̃go] n. m. — V. 1830, *bouzingot;* de 2. *bousin.*

♦ **1** Vx, fam. Tapage. → 2. **Bousin.**

♦ **2** (1877). Vx. Cabaret mal famé. → **Bouge, boui-boui,** 2. **bousin.**

♦ **3** (1832). Ancienn (et hist.). Jeune républicain, après la révolution de 1830. *Les bousingots se distinguaient par leur accoutrement négligé, et en particulier portaient un chapeau de cuir bouilli, portant aussi ce nom* (→ ci-dessous, 4.). *Usage des mots* jacobin, bousingot *et* démagogue (cit. 3) *au* XIXe *siècle.*

Le résultat de ce conseil tenu par les chiens de garde fut qu'on s'était trompé, qu'il n'y avait pas eu de bruit, qu'il n'y avait là personne, qu'il était inutile de s'engager dans 1 l'égout de ceinture, que ce serait du temps perdu, mais qu'il fallait se hâter d'aller vers Saint-Méry, que s'il y avait quelque chose à faire et quelque « bousingot » à dépister, c'était dans ce quartier-là.

HUGO, les Misérables, V, III, II.

2 Le Christ de l'Évangile était un bousingot.

FRANCE, Crainquebille, p. 7.

♦ **4** (1836). Anciennt. Chapeau de marin à larges bords, en cuir bouilli.

**DÉR. Bousingotisme.**

**BOUSINGOTISME** [buzɛ̃gɔtism] n. m. — 1850; var. *bousingoterie,* 1832; de *bousingot.*

Hist. Opinions et mœurs des bousingots.

**BOUSSOLE** [busɔl] n. f. — 1532; *bussole,* 1527; ital. *bussola;* du lat. vulg. **buxula* « petite boîte », de *buxis.*

♦ **1** Instrument servant à indiquer une direction, composé d'un cadran au centre duquel est fixée une aiguille aimantée*, mobile, dont la pointe se dirige vers le nord. *Boussole de déclinaison,* pour déterminer la déclinaison magnétique d'un lieu. *Boussole de marine.* → **Compas.** *L'habitacle* d'une boussole marine. Boussole d'inclinaison,* pour déterminer la latitude. *Boussole d'arpenteur. Boussole de poche.* → 1. Pointer, cit. 5. *Cadran* de boussole. Partie de la boussole recevant le saphir du pivot*.* → **Chape.** *S'orienter à l'aide de la boussole. Naviguer à la boussole.*

Vx. *Boussole des sinus et des tangentes :* appareil destiné à comparer des intensités de courant électrique. → **Galvanomètre.**

1 Les anciens n'ayant pas de boussole, ne pouvaient naviguer que sur les côtes (...)

MONTESQUIEU, Grandeur et Décadence des Romains, 4.

2 Attention ! le garçon de dix-sept ans, il est souvent pareil à un pilote qui se fierait à une boussole affolée.

MARTIN DU GARD, les Thibault, t. IX, p. 197.

♦ **2** Loc. fig. et fam. *Perdre la boussole :* être troublé, affolé. → **Perdre** (la tête, le Nord...). *Il a complètement perdu la boussole.* → **Azimuté** (fam.), **déboussolé, désorienté ; cinglé, fou.**

2.1 Ma parole, je perds la boussole. J'ai relu les dernières pages de mon journal. Les dates et les heures y sont indiquées. Si Moravagine dit vrai, si, réellement, nous sommes aujourd'hui le 11 comme il l'affirme et non pas le 10 comme je le crois, alors... alors, je suis plus gravement atteint que je ne le pensais moi-même.

B. CENDRARS, Moravagine, *in* Œ. compl., t. IV, p. 160.

♦ **3** Fig. Objet, personne qui guide, conduit, dirige, sert de point de référence. → **Conseiller** (→ Aimant, cit. 1), **direction, guide.**

3 La perte de toute boussole, de toute direction, qui caractérise l'attente, persiste encore après l'arrivée de l'être attendu.

PROUST, Sodome et Gomorrhe, I, éd. de la Gerbe, p. 189.

4 Suivre mon chemin tout seul, et consulter ma boussole personnelle.

G. DUHAMEL, le Voyage de Patrice Périot, VIII.

**DÉR. Boussolier.** ◊ **COMP. Déboussolé.**

**BOUSSOLIER** [busɔlje] n. m. — 1955, *Dict. des Métiers;* absent du F. E. W.; de *boussole.*

Techn. Fabricant, monteur, réparateur de boussoles.

**BOUSTIFAILLE** [bustifaj] n. f. — 1819, Balzac, *in* D. D. L.; de 2. *bouffer* par les formes régionales *bouffaille* (1792), *boutifaille.*

Familier.

♦ **1** Grand repas, festin. → 2. **Bouffe, gueuleton.** *Une, des boustifailles.*

Mes amis, autrefois, dans cet aimable autrefois, on se mariait savamment; on faisait un bon contrat, ensuite une bonne boustifaille. Sitôt Cujas sorti, Ganache entrait ! 1

HUGO, *in* Pierre LAROUSSE.

♦ **2** *La boustifaille :* la nourriture. → 2. **Bouffe, mangeaille.** *Aller acheter de la boustifaille. Préparer la boustifaille.*

Et tous trois s'empressèrent de détaler pour aller un peu plus loin se restaurer et prendre des forces. Ils en avaient bien besoin, ces pauvres Pieds-Nickelés, car en fait de boustifaille, ils n'avaient pris que la pâtée que leur avaient passée les garçons de ferme ! 2

L. FORTON, les Aventures des Pieds-Nickelés, *in* l'Épatant, 1908, p. 35.

REM. On trouve aussi l'abrév. *boustiffe* ou *boustife.*

C'est les épiciers de la rue Berce qu'ont les premiers fait du scandale... Ils ne voulaient plus rien chiquer pour nous avancer de la boustiffe... 3

CÉLINE, Mort à crédit, p. 186.

Trognes bouffies à force de ribotes, de beuveries, de boustife et d'excès de putes ! 4

P. GRAINVILLE, les Flamboyants, p. 134.

**DÉR. Boustifailler.**

**BOUSTIFAILLER** [bustifaje] v. intr. — 1866, Delvau; de *boustifaille.*

Fam. Manger beaucoup, faire un bon repas. → **Bâfrer,** 2. **bouffer.**

Est-ce qu'on avait besoin de boustifailler à cette heure ?

Louise MICHEL, la Misère, t. I, p. 76.

**DÉR. Boustifailleur.**

**BOUSTIFAILLEUR, EUSE** [bustifajœʀ, øz] n. — 1892; de *boustifailler.*

Fam. Personne qui mange beaucoup. → **Bâfreur, glouton, goinfre, morfal.**

(...) comme la seule personne qu'il connaissait à ce bal constamment l'entraînait vers le buffet, il dut passer pour un boustifailleur. GIDE, Journal, 15 août 1914.

**BOUSTROPHÉDON** [bustʀɔfedɔ̃] n. m. — XVIe; adv. grec *boustrophêdon,* littéralt « en tournant comme les boeufs (d'un sillon à un autre) », de *bous* « bœuf », *strophê* « action de tourner », et *-don,* suff. d'adverbes.

Didact. Écriture primitive utilisée en Asie Mineure et par les Grecs, dont les lignes vont sans interruption de gauche à droite et de droite à gauche (à la manière des bœufs traçant les sillons d'un champ).

ASIE MINEURE. — L'écriture la plus importante à signaler, ce sont les hiéroglyphes dits hittites, gravés surtout sur des murs de palais royaux (environ de - 1300 à - 700). Ils se présentent en lignes horizontales, alternativement de droite à gauche et de gauche à droite, suivant la disposition qu'on appelle du terme grec *boustrophêdon :* à tournée de bœuf (au cours du labour).

M. COHEN, l'Écriture, Écriture de la région égéenne, p. 47.

Psychol. Mouvement alterné de progression, dans l'écriture ou le déchiffrement.

**BOUT** [bu] n. m. — 1180; « coup », v. 1121; de *bouter* « frapper », et aussi « pousser ».

**I** ♦ **1** Partie extrême, terminale (d'un objet allongé). → **Extrémité, limite.** *Tenir les deux bouts d'une corde, d'une couverture. Le bout d'un bâton, d'une canne, d'un parapluie. Embout, garniture, virole garnissant le bout d'un bâton. Le bout d'une chaussure.* → **Carre.** *Ciseaux à bouts ronds, droits. Bout aigu, piquant.* → **Pointe.** *Le bout d'une aile.* → **Aileron.** *Le* *bout d'un morceau de bois. Couper le bout (d'un bâton).* → **Ébouter, raccourcir.** *Manger un œuf à la coque par le gros bout, le petit bout* (cf. *Les «gros boutiers» et les «petits boutiers»,* dans les trad. franç. des *Voyages de Gulliver* de Swift). *Le bout d'une pipe.* — (Avec *à*). *À un bout, à l'autre bout, aux deux bouts, au bout de...* — Par métaphore. «*Le pouvoir est au bout du fusil*» (slogan révolutionnaire). *Repousser quelque chose du bout du pied.*

0.1 (...) les moustaches, d'une longueur démesurée, poissées et maintenues à chaque bout par un cosmétique, remontaient en arc de cercle (...)
Th. GAUTIER, le Capitaine Fracasse, p. 45.

0.2 (...) une planche posée sur deux bâtons, dont le Tyran, Blazius, Scapin et Léandre tenaient les bouts, forma une civière. Th. GAUTIER, le Capitaine Fracasse, p. 230.

0.3 (...) il devient alors impossible d'apercevoir, depuis le pont, autre chose que la paroi abrupte de la digue fuyant tout droit vers le quai et interrompue à l'autre bout (...)
A. ROBBE-GRILLET, le Voyeur, p. 14.

Techn. *Bois* de bout,* travaillé (scié, entaillé, gravé, etc.). perpendiculairement aux fibres (opposé à *bois de fil*).

Loc. *Au bout du fil :* au téléphone. → **Fil** (cit. 25.1 et *supra*). *Qui est au bout du fil ?* (cf. À l'appareil).

(1288). Mar. (d'un navire). Vx. *Avoir le vent de bout* (mod. *vent debout*), face au navire. — Mod. *Bout au vent, bout au courant, bout à la lame,* face à eux (dans ces trois expressions, *bout* se prononce [but]). *Être, rester, se mettre bout au vent.* Absolt. *Se mettre bout,* bout au vent. — REM. *Bout,* au sens de *avant* (→ Proue) ne s'emploie pas seul.

Loc. fig. *Regarder une chose par le gros bout, par le petit bout de la lorgnette.* → **Lorgnette** (cit. 3 à 5). Var. : *par le petit bout de la lunette*.*

*Le bout de la table. Être placé au bout de la table, en bout de table.* — Anciennt. *Le haut bout de la table* : la place d'honneur. Occuper le haut bout de la table.* → **Siéger, trôner.** *Le bas bout.* — Par métaphore. *Le haut bout :* la première place.

1 Peu de gens en leur estime
Lui refusent le haut bout.
LA FONTAINE, Fables, VIII, 13.

2 À table, au plus haut bout il veut qu'il soit assis (...)
MOLIÈRE, Tartuffe, I, 2.

*Bout de table* ou *bout-de-table :* flambeau déposé à chaque bout d'une table servie. *Des bouts-de-table.*
*Bout de pied* ou *bout-de-pied :* petit tabouret servant à poser les pieds quand on est assis dans un fauteuil. *Des bouts-de-pied.*

(Parties du corps) :

*Le bout du sein.* → **Bouton, mamelon.** *Un sein sans bout :* un sein borgne*.

LE BOUT DU NEZ. *Avoir le bout du nez froid. Se gratter le bout du nez.* — Loc. fig. *Ne pas voir au bout* (vx), *plus loin que le bout de son nez :* avoir la vue courte, manquer de sagacité. → Nez, cit. 26 et *supra.*

3 Mme Panache, avec ses yeux pleins de chassie, ne voyait pas au bout de son nez (...)
SAINT-SIMON, Mémoires, 44, 9.

Loc. *Mener qqn par le bout du nez,* lui faire faire ce que l'on veut.

4 (...) la justice est bête, et par le bout du nez,
On conduit où l'on veut Thémis, la vieille aveugle.
HUGO, les Années funestes, XXX.

Loc. fam. *Ça lui (me, te...) pend au bout du nez :* (en parlant d'une chose désagréable) ça risque de lui (m', t'...) arriver.

*Le bout de la langue.*

5 La consonne D, par exemple, se prononce en donnant du bout de la langue au-dessus des dents d'en haut (...)
MOLIÈRE, le Bourgeois gentilhomme, II, 6.

Loc. fig. LE BOUT DE LA LANGUE. *Avoir un mot, un nom sur le bout de la langue :* être sur le point de se rappeler ce mot (→ Sur le bord* des lèvres).

LE BOUT DES DENTS. (Dans des loc. fig.). *Manger du bout des dents,* sans appétit. *Goûter qqch. du bout des dents.* — (1331). *Rire du bout des dents :* rire avec peine, par calcul, par nécessité... → **Rire** (rire jaune).

Je dissimulais, et, riant du bout des dents, je lui dis que je trouvais cette aventure plaisante (...) 6
A.-R. LESAGE, Don Guzman..., V, 4.

(...) c'était ce qu'on appelle un homme du monde, affectant toujours et partout un peu de dédain. Cette légère complaisance dans l'inflexion, cette affectation de négligence qui tenait les mots du bout des dents, m'en assuraient. 6.1
DRIEU LA ROCHELLE, la Comédie de Charleroi, p. 151.

À regret, avec dégoût. *Accepter qqch. du bout des dents.*

LE BOUT DES LÈVRES. *Du bout des lèvres :* avec dédain, et aussi sans sincérité, sans empressement. *Répondre du bout des lèvres.* Littér. *Du bout du cœur* (même sens).

Depuis lors, quand il me parla, ce fut toujours du bout des lèvres, d'un air méprisant. 7
Alphonse DAUDET, le Petit Chose, I, 2.

(...) je me prêtais à ses projets par convenance, du bout du cœur (...) GIDE, Si le grain ne meurt, I, 7. 8

Les voix restent toujours quelque peu confidentielles ; elles n'échangent les pensées ou les sentiments que du bout des lèvres. H. BOSCO, Un rameau de la nuit, p. 177. 9

Thérèse se lève, obéit en silence, reçoit de secs «merci» dits du bout des lèvres et sifflant comme coups de bec. 9.1
Suzanne PROU, la Terrasse des Bernardini, p. 89.

*Le bout d'un doigt, des doigts, de nos doigts* (cit. 18). *Par le bout, du bout du doigt.*

*(Isabelle)* appuya sur la manche rapée du Baron le bout de ses doigts délicats (...) 9.2
Th. GAUTIER, le Capitaine Fracasse, p. 86.

Blazius, content de sa besogne, mena par le bout du petit doigt, comme on mène une jeune épousée à l'autel, le baron de Sigognac devant la glace de Venise (...) 9.3
Th. GAUTIER, le Capitaine Fracasse, p. 148.

Loc. *Toucher qqch. du bout des doigts,* délicatement. Vx. *Avoir des yeux au bout des doigts :* avoir des doigts très habiles, un toucher délicat.

Fig. *Ne pas remuer le bout du petit doigt :* ne pas bouger. — (1665). *Connaître, savoir* quelque chose sur le bout du doigt,* le savoir parfaitement. → **Connaître.** — *Jusqu'au bout des doigts :* de façon complète. *Avoir de l'esprit jusqu'au bout des doigts.*

(...) Pour moi, j'aime mieux qu'Émile ait des yeux au bout de ses doigts que dans la boutique d'un chandelier. 10
ROUSSEAU, Émile, II.

On ne remue pas le bout du petit doigt sans faire du mal à quelqu'un. 11
G. DUHAMEL, Chronique des Pasquier, II, XXII.

*Au bout, jusqu'au bout des ongles* (même sens) :

Ils voient que je suis bourgeois jusqu'au bout des ongles et pourtant homme. 11.1
DRIEU LA ROCHELLE, la Comédie de Charleroi, p. 198.

*Le bout de l'oreille.* — Fig. *Montrer le bout de l'oreille.* → **Trahir** (se).

(...) je ne suis pas encore content ; l'*auteur* y montre *(dans la Mare au Diable)* encore de temps en temps le bout de l'oreille (...) 12
G. SAND, François le Champi, Avant-Propos.

Loc. *À bout de bras :* à l'extrémité du bras levé ou tendu, en faisant un effort. *Tenir, porter qqch. à bout de bras.* — Par métaphore ou fig. *Il tient son affaire à bout de bras,* par son effort personnel.

(*Bout*, non spécifié par un compl. de nom). *Tirer à bout portant,* (vx) *à bout touchant,* de façon à ce que l'arme touche l'adversaire, la cible, et, par ext., tirer de très près. — Fig. *Répondre à bout portant,* directement, immédiatement. → **Brûle-pourpoint** (à).

13 Au pied de la montagne, on boit vite une bière froide qui vous fracasse les tempes à bout portant.
COCTEAU, le Grand Écart, I.

**BOUT À BOUT** [butabu] (XIVe; «sans avantage de part ni d'autre», 1268). Loc. adv. De façon qu'une extrémité touche l'autre. *Mettre bout à bout.* → **Abouter, ajointer, joindre, rabouter.** *Coudre deux tissus bout à bout. Être bout à bout.* → **Queue** (à la queue leu leu). Fig. *Mettre bout à bout mots et phrases.* → Non, cit. 55.4. *En mettant leur expérience bout à bout, ils iront loin,* en ajoutant leur deux expériences.

14 Quatre Mathusalem bout à bout ne pourraient
Mettre à fin ce qu'un seul désire.
LA FONTAINE, Fables, VIII, 25.

15 L'homme n'a pas une seule et même vie; il en a plusieurs mises bout à bout, et c'est sa misère.
CHATEAUBRIAND, Mémoires d'outre-tombe, I, 3.

Loc. fig. *Brûler la chandelle par les deux bouts :* manquer d'esprit d'économie. Aussi : mener une vie débridée, sans égards pour sa santé. → **Gaspiller.** *Manger son bien par les deux bouts.*

16 (...) le maître d'hôtel et l'intendant étaient d'accord ensemble et brûlaient la chandelle par les deux bouts (...)
A.-R. LESAGE, Gil Blas, VII, XV, 71.

*Joindre les deux bouts :* équilibrer son budget. → Pleurer, cit. 29.

17 Mes deux bouts que j'ai peine à joindre sont malheureusement les deux bouts de bien des choses.
SAINTE-BEUVE, Lettre à Guttinguer, 5 sept. 1839.

17.1 (...) elle se trouvait indépendante, elle le faisait remarquer, sa toute petite rente, sa retraite, mais cependant un peu juste pour tous ses besoins «spiritueux» en plus et de sa vie mondaine!... Elle aurait pas pu s'habiller... Comme ça «governess» chez Titus ça lui faisait joindre les deux bouts... CÉLINE, Guignol's band, p. 250.

17.2 On doit remuer à peine les lèvres pour ses fins de mois difficiles, on doit dissimuler ses acrobaties pour un budget. Ne pas joindre les deux bouts, une lèpre. Il faut cacher cette maladie. Violette LEDUC, la Folie en tête, p. 53.

Spécialt. Partie extrême (d'un objet) distincte et constituée par un élément ajouté (ornemental ou fonctionnel). *Le bout d'une canne.* → **Embout.** *Le bout d'un instrument à vent.* → **Embouchure.** *Enlever, remettre le bout. Sertir un bout.* → **Emboutir.**

♦ **2** (1468, *prendre qqch. par le bon bout*). Abstrait. Manière dont qqch. se présente. → **Aspect, côté.** *Je ne sais pas par quel bout commencer ce travail, aborder cette affaire. Prendre une affaire par le bon, le mauvais bout,* d'une manière qui convient, ne convient pas.

17.3 Et pour commencer par un bout : avez-vous vu, dites-moi (...) MOLIÈRE, l'Avare, I, 4.

17.4 (...) Son cœur, croyez-moi, n'est point roche, après tout,
À quiconque la sait prendre par le bon bout.
MOLIÈRE, l'Étourdi, III, 2.

17.5 Il faut signaler aussi le cas de ceux qui ne verbalisent pas leur demande et qui, bien souvent, sont écrasés par le poids de leur symptôme. Leur demande est pour ainsi dire totale, ils ne savent pas comment l'exprimer, par quel bout la prendre.
TAHAR BEN JELLOUN, la plus Haute des Solitudes, p. 51.

*Prendre qqn par le bon, le mauvais bout,* en tenant compte ou non de son caractère, de ses susceptibilités. — Loc. *On ne sait pas par quel bout le, la prendre :* il, elle est difficile, revêche, peu abordable.

*Tenir le bon bout* (d'une affaire) : être en passe de réussir, avoir l'avantage.

♦ **3** Limite (d'un espace matériel ou métaphorique). *Le bout de la route. — Accompagner qqn jusqu'au bout de la route. Disparaître au bout de l'horizon. Aller au bout du monde.* → **Éloigner** (s'). *Suivre qqn jusqu'au bout du monde. Parcourir les deux bouts de la terre. Voyage au bout de la nuit,* roman de Céline. — *Tout au bout :* à l'extrême limite.

Robin mouton, qui par la ville 18
Me suivait pour un peu de pain,
Et qui m'aurait suivi jusques au bout du monde.
LA FONTAINE, Fables, IX, 19.

Dieu leur a promis qu'encore qu'il les disperserait aux bouts du monde, néanmoins, s'ils étaient fidèles à sa loi, il les rassemblerait. PASCAL, Pensées, 638. 19

Maintenant elle avait pris l'habitude d'aller dès le matin tout au bout des terres, sur la haute falaise de Pors-Even (...) LOTI, Pêcheur d'Islande IV, 8, p. 292. 20

Le missionnaire va jusqu'au bout de la terre pour trouver son compte entre les brebis de Dieu.
CLAUDEL, Feuilles de Saints, Ste Thérèse. 21

Au bout de l'esprit, le corps. Mais au bout du corps, l'esprit.
VALÉRY, M. Teste, p. 116. 21

Vers le bout de la jetée, la construction se complique, la chaussée se divise en deux (...)
A. ROBBE-GRILLET, le Voyeur, p. 13. 21

Celui *(le piquet)* qui se dressait au bout de l'allée centrale était encore plus volumineux que les autres (...)
A. ROBBE-GRILLET, le Voyeur, p. 19. 21

Au bout du paysage de l'avenir, au bout de ces routes de ciment, de ces ponts suspendus, de ces dédales des villes, de ces dessins des fils et des transistors, il y a peut-être encore ce même pays, inconnu, ce pays vieux de millions d'années (...) J.-M. G. LE CLÉZIO, Haï, p. 14. 21

Elle vient de l'autre bout de la ville, de derrière les môles et les entrepôts à huile, à l'opposé de ce boulevard de la Mer, de ce périmètre qui lui fut il y a dix ans autorisé (...)
M. DURAS, Moderato cantabile, 10/18, p. 96. 21

L'auto était garée sous un toit de joncs au bout du jardin.
M. DURAS, les Petits Chevaux de Tarquinia, p. 19. 21

Loc. fig. (1619, *in* D. D. L.). *C'est le bout du monde (si...) :* c'est à la limite de ce qui est possible. *C'est bien le bout du monde si on n'y arrive pas :* il est quasi certain qu'on y arrivera. — *Ce n'est pas le bout du monde :* ce n'est pas bien difficile à faire.

Je pars, et si je vous écris encore lundi, c'est le bout du monde. Mme DE SÉVIGNÉ, 296, 8 juil. 1672. 22

**D'UN BOUT À L'AUTRE :** du début jusqu'à la fin, de haut en bas, entièrement.

(1530, *in* D. D. L.). Littér. **DE BOUT EN BOUT :** d'une extrémité à l'autre, complètement. *Traverser un pays de bout en bout.* → **Part** (de part en part).

Et d'un bout à l'autre il *(Tartuffe)* ne dit pas un mot (...) qui ne peigne aux spectateurs le caractère d'un méchant homme. MOLIÈRE, Tartuffe, Préface. 23

Quoi? Jouer nos amours ainsi de bout en bout! 24
CORNEILLE, la Suite du Menteur, Variante, I.

Cette architecture bizarre se répète d'un bout à l'autre avec la plus exacte symétrie. 25
E. FROMENTIN, Un été dans le Sahara, I, p. 103.

Le building monte! Il va vivre : vingt puits d'ascenseurs le perforent de bout en bout. 26
G. DUHAMEL, Scènes de la vie future, VIII, p. 112.

Le jeune physicien, dès qu'on le laisse à lui-même, frappe la table de son hochet ou de son poing. Il ne se lasse pas de recommencer. D'où ces petits fragments d'Univers, toujours mesurés aux forces et aux projets; et ces chemins explorés de bout en bout. 26
ALAIN, les Dieux et les Arts, Pl., p. 1224.

Il gambillait comme un cabri d'un bout à l'autre du terrain. CÉLINE, Mort à crédit, p. 242. 26

Loc. fig. *Être au bout de son rouleau, du rouleau.* → **Rouleau** (*supra* cit. 2); → ci-dessous, *à bout, infra* cit. 32.3.

*À tout bout de champ.* → ci-dessous, avec une valeur temporelle, I., 4.

♦ **4** Fin* (d'une action, d'une durée, d'un temps qui s'écoule). → **Terme, terminaison.** *Le bout de l'année. Arriver au bout d'un travail. Voir le bout de ses peines. Ne pas être au bout de ses ennuis, de ses peines. On en voit le bout.*

.3 Tes desseins n'ont pas naissance
Qu'on en voit déjà le bout. MALHERBE, II, 2.

*Prières, service du bout de l'an,* service religieux que l'on fait faire pour un mort au jour anniversaire de son décès.

.4 (...) quelque frère vous récitera les prières du bout de l'an.
CHATEAUBRIAND, Mémoires d'outre-tombe, IV, 9.

**AU BOUT DE** (une durée) : après que s'est écoulé. *Au bout de quelques jours. Au bout d'un moment, d'un certain temps :* après un certain temps.

27 Au bout de quelque temps que messieurs les louvats
Se virent loups parfaits et friands de tuerie (...)
LA FONTAINE, Fables, III, 13.

28 Il se plia sur le côté, baissa les yeux; et, au bout d'une minute, parlait de nouveau.
VALÉRY, M. Teste, p. 33.

29 (...) ces empoisonnements qui n'agissent qu'au bout d'un certain temps.
PROUST, À la recherche du temps perdu, t. IX, p. 252.

.1 (...) ce n'est qu'au bout de plusieurs secondes qu'il vit ses prunelles glisser vers la pelote de ficelle qu'il tenait dans la main (...) A. ROBBE-GRILLET, le Voyeur, p. 10.

*Au bout de* (qqch.) : à la fin de. *Être, arriver au bout d'une opération, d'un travail.* → **Accomplir, achever.** *Arriver au bout de sa carrière, de sa vie. Arriver au bout d'un voyage. En être au bout de son discours. Être au bout de ses peines.* Loc. *Il n'est pas au bout de ses peines*.*

30 C'est que d'abord elle était au bout de son pauvre argent.
LOTI, Pêcheur d'Islande, VIII, p. 106.

31 Il avait forcé la voix pour arriver au bout de sa tirade.
MARTIN DU GARD, les Thibault, t. IX, p. 125.

.1 Hier à huit heures Madame Bérenge, la concierge, est morte (...) C'était une douce et gentille et fidèle amie. Demain on l'enterre rue des Saules. Elle était vraiment vieille, tout au bout de la vieillesse.
CÉLINE, Mort à crédit, p. 11.

.2 (...) le total, la somme sont pour le langage des terres promises, entrevues au bout de l'énumération (...)
R. BARTHES, S/Z, p. 120.

Loc. **À BOUT.** *À bout de course :* à la fin de son mouvement (en parlant d'un mécanisme). — *Fig.* Fatigué, épuisé.

32 (...) ma femme n'était pas d'attaque, elle n'en pouvait plus, à bout de course, recrue de fatigue.
F. MAURIAC, le Nœud de vipères, XIII.

(1616). *À bout de... :* en n'ayant plus de... *Être à bout de forces, de ressources, d'arguments, de nerfs, de patience. À bout de souffle*.*

.1 Il aboyait comme un dogue... Ils ont hurlé le pour et le contre, entre les crises et les furies... J'allais pas moi, leur causer...
À bout d'arguments, ma mère est remontée m'entreprendre... Elle voulait que je lui confesse...
CÉLINE, Mort à crédit, p. 196.

.2 Peut-être pouvait-elle encore se rattraper? Mais elle était à bout d'arguments, à bout de force, et l'autre n'avait pas bronché! H. TROYAT, le Vivier, p. 104.

.3 (...) son cri pénètre de force les courtines défonce les baldaquins dorés
puis s'effondre à bout de tout et coagule au creux des draps M. LEIRIS, Haut mal, p. 33.

Absolt. *Être à bout :* n'en pouvoir plus, être épuisé. *Mes forces sont à bout. Ma patience est à bout. Pousser, mettre qqn à bout,* l'exaspérer*.

.3 Les valets enrageaient, l'époux était à bout.
LA FONTAINE, Fables, VII, 2.

*(Sa mauvaise conduite)* Met à chaque moment ma patience à bout. MOLIÈRE, l'Étourdi, I, 7. 34

Tu m'as fait trop de peine, tu m'as souvent caché la vérité, je suis à bout. 34.1
PROUST, le Côté de Guermantes, Folio, p. 313.

(XV^e^). **VENIR À BOUT DE (qqch., qqn),** s'en débarrasser par une suite d'efforts. *Venir à bout d'un travail,* aboutir, l'achever. *Venir à bout d'une difficulté, d'un adversaire.* → **Triompher** (de), **vaincre.** — *Venir à bout de* (et inf.). *Venir à bout de faire qqch., d'inspirer un sentiment* (→ Cependant, cit. 6.2, Rousseau).

(...) mais un peu de courage 35
Vous le fera trouver, vous en viendrez à bout.
LA FONTAINE, Fables, V, 9.

Une espèce de préjugé nous fait croire que le seul équilibre qu'on doive chercher entre deux êtres, est celui du bonheur. Le reste, nous l'appelons crise, et nous n'avons pas de cesse, que nous n'en soyons venus à bout. 36
J. ROMAINS, Psyché, t. I, Lucienne, p. 195.

Le gros animal tapi au fond de sa tanière a été enfumé, il est sorti... ouvre, qu'il entre... Mais regardez, la dose a été trop forte, il s'affale, ses gros yeux bulbeux se voilent, il va expirer... Et nous qui pensions qu'il aurait encore la force de mordre, qu'on n'en viendrait jamais à bout... 36.1
N. SARRAUTE, Vous les entendez?, p. 159.

*Jusqu'au bout :* jusqu'à la fin. — Fig. Complètement. *Aller jusqu'au bout d'une affaire,* la terminer, l'achever. — *Aller jusqu'au bout de ses idées :* être logique, conséquent. *Personne qui va jusqu'au bout de ses idées.* → **Jusqu'au-boutiste.** *Être fidèle jusqu'au bout.*

Vous êtes généreux; soyez-le jusqu'au bout. 37
CORNEILLE, Polyeucte, IV, 5.

(...) Vous devez, Madame, espérer jusqu'au bout. 38
RACINE, la Thébaïde, III, 1.

Habitués qu'ils sont à frapper l'esprit du public par des formules sonores et creuses, les politiques se vantent volontiers d'aller «jusqu'au bout de leurs idées». 39
G. DUHAMEL, Défense des lettres, III, p. 256.

(...) je sentais que ce n'était pas la phrase qui était mal faite, mais moi pas assez fort et agile pour aller jusqu'au bout. 39.1
PROUST, le Côté de Guermantes, t. II, Folio, p. 25.

(...) une fois sur mille je pouvais suivre l'écrivain jusqu'au bout de sa phrase (...) 40
PROUST, le Côté de Guermantes, t. III, Folio, p. 26.

De quoi j'ai souffert le plus? Peut-être de l'habitude de développer toute ma pensée, d'aller jusqu'au bout en moi. 41
VALÉRY, M. Teste, p. 74.

C'est gentil à vous, dit-elle, d'être resté jusqu'au bout. Cette pièce est absurde. Et je suis une vieille comédienne qui n'intéresse plus personne (...) Ils sont tous partis les uns après les autres. 42
A. ROBBE-GRILLET, la Maison de rendez-vous, p. 138.

*Au bout du compte :* tout compte fait, après tout, en définitive... → **Finalement.**

On trouve au bout du compte que les choses sont bien comme elles sont. FONTENELLE, Sapho, Laure. 43

*À tout bout de champ* [atubudʃɑ̃] (métaphore du sens I, 3, 1636; *à chacun bout de champ,* XV^e^, proprt «à chaque fois que la charrue arrive au bout du champ») : à tout propos, à chaque instant.

Autrefois on rencontrait à tout bout de champ des personnages dont les allures ressemblaient à celles de M. de Talleyrand, et l'on n'y prenait pas garde (...) 44
CHATEAUBRIAND, Mémoires d'outre-tombe, IV, 9.

(...) mon ami Achmet, gai ou rêveur, homme du peuple et poétique à l'excès, riant à tout bout de champ et dévoué jusqu'à la mort! LOTI, Aziyadé, VII, p. 82. 45

**II** (1580). ♦ **1** Partie, fragment (d'une matière ou d'un objet). → **Morceau** (cit. 2). *Un bout de fromage, de réglisse. Un bout de fil. Un bout de bougie. Un bout de paille.* → **Brin.** *Un petit bout d'os. Se défaire par petits bouts.*

Fam. Morceau de forme irrégulière ou non spécifiée. *Un bout de papier* (cit. 2). *Un bout de pain. Un bout de bois. Un vieux bout de savon. Un gros bout de viande.*

45.1 (...) un bout de tablier retroussé par un coin, un large couteau plongé dans une gaine de bois, tempérait ce que sa mine pouvait avoir d'un peu farouche (...)
Th. GAUTIER, le Capitaine Fracasse, p. 87.

46 Jamais cette minute ne reviendrait, jamais cet éclat incroyable d'un tout petit bout de ciel n'étendrait de nouveau un espace vierge entre ces nues opaques et ces vagues rebelles. Edmond JALOUX, les Visiteurs, I, 8.

47 Fabien (...) fumait dans le secret les bouts de cigarettes opiacées où Fanny avait injecté des parfums.
F. MAURIAC, le Mal, p. 20.

47.1 Il ramasse tous les morceaux au fur et à mesure qu'ils se débinent, des bouts de commande et des boulons, des petites goupilles et des grosses pièces.
CÉLINE, Mort à crédit, p. 72.

47.2 C'est moi qui tenais les paris, le ginger, les chocolats, les images, les bouts de cigarettes... même des bouts de sucre... trois allumettes.
CÉLINE, Mort à crédit, p. 241.

47.3 Quelques-unes *(des photographies)* sont épinglées avec des petits bouts de fil de laiton que m'apporte le contremaître et où je dois enfiler des perles de verre coloriées.
Jean GENET, Notre-Dame des fleurs, p. 14.

47.4 Cette merveilleuse éclosion de belles et sombres fleurs, je ne l'appris que par fragments : l'un m'était livré par un bout de journal, l'autre cité négligemment par mon avocat (...)
Jean GENET, Notre-Dame des fleurs, p. 10.

**BOUT SAIGNEUX :** cou de veau, de mouton, tel qu'on le vend chez le boucher. (On écrit aussi *bout-saigneux*).

Loc. fam. (orig. obscure). *Discuter le bout de gras :* bavarder (→ Tailler une bavette).

47.5 Les Baponot et les Sabotier discutaient le bout de gras à quelques pas de l'entrée en un groupe compact et distant.
R. QUENEAU, Loin de Rueil, p. 106.

(1919). Cin. **BOUT D'ESSAI :** morceau de pellicule développé rapidement pour contrôler la prise de vue. — Par ext. Essai, fragment de film tourné pour juger un acteur. *Faire un bout d'essai* (au cinéma, au théâtre).

(1895, *in* Petiot). Fam. (Sports). Vx. **BOUT DE BOIS :** volant (d'une auto). *À toi de prendre le bout de bois,* de conduire.

Vieilli. *Mettre les bouts de bois* (ci-dessous, 2.).

♦ **2** Absolt, fam. (De *bout de bois* «jambe», argot). *Mettre les bouts :* partir, s'en aller, s'enfuir. → Mettre les cannes*. «*Charlamilébou*» (Queneau, *Zazie dans le métro*).

47.6 Dès que le patron a mis les bouts, le petit Robert, il se tenait plus. CÉLINE, Mort à crédit, p. 180.

47.7 Hé la p'tite dame z'avez une putain qui met les bouts!
Tony DUVERT, Paysage de fantaisie, p. 102.

♦ **3** Partie (d'une chose abstraite). *Il n'a écouté qu'un bout du cours. Il ne connaît que des petits bouts du cours. Il ne connaît que des petits bouts de la théorie.* → **Bribe, fragment.** *J'ai appris cette nouvelle par petits bouts. Entendre un bout de sermon, un bout de messe,* une partie du sermon, de la messe.

48 Je vous embrasse mille fois, et m'en retourne à mon jardin, et puis à un bout de salut (...)
Mme DE SÉVIGNÉ, 244, 29 janv. 1672.

Loc. Par antiphrase. *En connaître, en savoir un bout :* savoir beaucoup de choses, en savoir long (→ En connaître un rayon*). *Il en connaît un bout sur ses antécédents politiques.* — Absolt. Être très compétent.

48.1 — Ne t'inquiète pas, Landry te sortira de là. Laisse-le faire, il est un peu brutal, mais il en connaît un bout.
René FLORIOT, La vérité tient à un fil, p. 140.

Partie (d'une étendue, d'un espace). *Faire un bout du chemin à pied.* Fam. *Faire un bout de conduite à qqn,* l'accompagner une partie de sa route.

(...) elle nous adopta tous (...) me fit un bout de conduite quotidienne sur le chemin de l'école. 49
COLETTE, Histoires pour Bel-Gazou, VI.

Par antiphrase. *C'est un bout de chemin !,* une grande distance. Absolt. *Il y a un bout, un bon bout d'ici au village.*

Partie (d'une durée). *Un petit bout de temps :* peu de temps. *Un bon bout de temps :* un temps long. *Il y a un bout de temps qu'il est parti.*

Il est resté là un bout de temps à rêvasser, les yeux fixés en terre (...) 50
Mme DE GENLIS, Théâtre d'éducation, La Rosière, II, 4.

♦ **4** *Un bout de :* un peu de. *Un bout de lettre :* une lettre courte, rapide. *Jouer un bout de rôle :* jouer un rôle secondaire, sans importance. *Faire un bout de lecture à qqn. Faire un bout de toilette. Chanter un bout de mélodie. Il a un bout de jardin derrière sa maison.*

Il comprit que monsieur Squadra, ayant remarqué cette desserte dans la chambre, venait de l'apporter là, puisqu'il devait être rentré faire un bout de ménage. 51
ZOLA, Rome, p. 607.

(...) nous avons acheté un bout de terrain dans le Midi (...) pour avoir un coin vraiment à nous, où planter notre tente par la suite (...) 52
Bernard MOITESSIER, Cap Horn à la voile, p. 57.

*Un bout d'homme :* un homme de petite taille. — Fig. Homme sans capacité. *Un petit bout, un gentil petit bout :* un enfant gracieux. *Un bout de chou, un petit bout de chou :* un petit enfant.

Enfin et surtout, il existe à Marseille un petit bout de femme qui s'appelle Françoise (...) 53
Bernard MOITESSIER, Cap Horn à la voile, p. 37.

**III** (On prononce le *t* : [but]). Mar. Cordage. *Passe-moi le bout. Un vieux morceau de bout. Ranger tous les bouts* [but] *qui traînent dans le fond d'un bateau.*

Un bout frappé sur l'arrière de *Vencia* nous avait permis d'amener l'ancre en paix, de brosser la chaîne, de laver le pont maculé de vase et d'établir la voilure sur un bateau propre. 54
Bernard MOITESSIER, Cap Horn à la voile, p. 91.

CONTR. **Centre, ensemble, milieu; tout.** ◊ COMP. **Abouter, bouts-rimés, debout, embouter, surbout.** — V. **Bout-dehors.** — HOM. (Sauf III.). **Boue,** formes du v. **bouillir.**

**BOUTADE** [butad] n. f. — 1580, Montaigne; de *bouter* «pousser une pointe».

♦ **1** Trait d'esprit. → **Mot, propos, saillie.** *Boutade vive, cruelle, mordante. Boutade spirituelle, drôle. Ce n'est qu'une boutade.* → **Plaisanterie.**

Je hasarde souvent des boutades de mon esprit (...) 1
MONTAIGNE, Essais IV, 64.

Elle bavardait comme une pie : il lui donna la réplique avec entrain ; elle avait une franchise amusante, des boutades drolatiques ; ils échangeaient en riant leurs impressions (...) R. ROLLAND, Jean-Christophe, p. 516. 2

L'abbé Calou était de ces innocents qui ne savent pas toujours retenir un mot drôle et qui, plutôt que de ravaler une boutade, s'exposeraient à être pendus. 3
F. MAURIAC, la Pharisienne, XVI, p. 249.

♦ **2** Littér. Trait de mauvaise humeur.

Marie n'avait pas précisément son franc-parler — maman ne l'eût point toléré — elle s'en tenait aux boutades : quelques mots partaient en sifflant, chassés par une furia comprimée. GIDE, Si le grain ne meurt, I, 6. 4

♦ **3** Littér., vx. Caprice. *Agir par boutade. Travailler par boutade.* → **Accès, à-coup.** «*Quelle boutade vous prend?*» (Académie).

5 Cessez donc ces boutades d'enfant malade. Elles viennent de ce que vous rêvez au lieu de réfléchir; de ce que vous suivez la passion, au lieu de la raison.
LOTI, Aziyadé, XXIII, p. 106.

**BOUTANCHE** [butɑ̃ʃ] n. f. — 1889, *in* Cellard et Rey; altér. de *bouteille*.

Fam. Bouteille. *Une bonne boutanche.*

On me file une boutanche de Négrita dont j'use abondamment. Ces messieurs sont aux petits soins pour ma pomme.
SAN-ANTONIO, le Secret de Polichinelle, p. 87.

**BOUTARGUE** [butaʀg] n. f. — 1441; provençal *boutargo*; p.-ê. anc. esp. *botargo*, arabe *biṭārīḫāh* «caviar».

Mets provençal composé d'œufs de mulet (ou muge) salés, pressés, séchés et épicés. Syn. : *poutargue.*

**BOUT-DEHORS** [budəʀ] n. m. — 1844; *boute-hors* «jeu où l'on doit expulser un des joueurs pour prendre sa place», 1394; de *bouter*, et *hors*, altéré en *bout-dehors*.

Mar. (Var. anc. : *boute-hors*).

♦ **1** Anciennt. Pièce de mâture qui peut s'ajouter à une vergue ou au mât de beaupré, pour établir une voile supplémentaire. *Des bouts-dehors.*

1 On rentra le bout-dehors. Les panneaux furent condamnés avec soin. Pas une goutte d'eau ne pouvait, dès lors, pénétrer dans la coque de l'embarcation.
J. VERNE, le Tour du monde en 80 jours, p. 178.

♦ **2** Mod. *Bout-dehors de foc*, ou, absolt, *bout-dehors* : espar horizontal à l'avant d'un bateau, permettant d'amurer le ou les foc(s) en avant de l'étrave des petits voiliers.

2 Nous avons profité de la dernière semaine pour mettre au point le système des changements de foc sur le bout-dehors : un gros fil de fer (...) est tendu entre le ridoir de la draille de foc et un hauban du grand mât (...) C'est un moyen tout simple pour manœuvrer à l'extrémité de ce bout-dehors qui prolonge l'étrave de 2,20 mètres.
Bernard MOITESSIER, Cap Horn à la voile, p. 181.

**BOUT-DE-PIED** [budpje], **BOUT-DE-TABLE** [budtabl]. → **Bout** (*infra* cit. 2).

**BOUTE-EN-TRAIN** [butɑ̃tʀɛ̃] n. m. et adj. invar. — 1718; «broche portée sur le sein», 1694; de *bouter*, et de la loc. *en train* «en mouvement».

♦ **1** Personne qui met en train, en gaieté, qui excite à la joie ou amuse ceux avec lesquels elle se trouve. → **Amuseur.** *Boute-en-train facétieux.* → **Farceur.** *Des boute-en-train. Elle était le boute-en-train de la bande. Cette fille est un vrai boute-en-train.*

Dans les cabarets, on faisait cercle autour de lui *(l'oncle Pierre)*... il était la vie, l'âme, le boute-en-train de tout le monde.
RENAN, Souvenirs d'enfance..., III, Mon oncle Pierre.

Adj. *Il, elle est très boute-en-train.*

♦ **2** Zootechn. Individu (en général, mâle) traité aux androgènes et utilisé pour la détection des femelles en chaleur (dans les espèces où cet état est difficilement décelable : juments, brebis).

**BOUTEFAS** [butfa] n. m. — 1868, *boutefa*; var. *bourrifas*, 1634; probablt de *bout-*, du lat. *buttis* «tonneau», et *-fars*, rad. de *farcir*, avec infl. probable de *bourrer*, de *faim* (*boutefam*, cf. *matefaim*), de *bouter*.

Régional (Suisse). Saucisson de porc, enveloppé dans le gros boyau de l'animal. « *Une tranche de boutefas à la panse rebondie, ni trop maigre ni trop gras et fumé à point...* » (*Gazette de Lausanne*, 6 janv. 1945).

**BOUTEFEU** [butfø] n. m. — 1324; de *bouter* «mettre», et *feu*.

♦ **1** Anciennt. Bâton garni à son extrémité d'une mèche pour mettre le feu à la charge d'un canon, allumer un feu. *Des boutefeux.*

Par métonymie. Personne qui allume un feu.

Les Jungmannen entourent le bûcher selon un carré ouvert du côté où le vent chassera fumées et flammèches. Le plus petit se détache et marche vers le bûcher. Il a à la main une bluette palpitante et légère comme un papillon de lumière, si fantasque que nous craignons tous qu'elle ne s'éteigne avant que le petit boutefeu n'ait accompli son office. 1
M. TOURNIER, le Roi des Aulnes, p. 300.

♦ **2** (1569, Calvin). Fig. Vx. Personne qui suscite des querelles, qui excite les discordes. *Des boutefeux.*

Le roi Guillaume *(d'Angleterre)* était l'âme, le boute feu et le constructeur de cette guerre (...) 2
SAINT-SIMON, Mémoires, 97, 29.

CONTR. **Pacificateur.**

**BOUTEILLE** [butɛj] n. f. — 1160, *botele*; du bas lat. *butticula*, de *buttis* «tonneau» (→ Botte), à rattacher, selon Guiraud, à un rad. roman **boutt* exprimant l'idée de renflement.

♦ **1** Récipient* plus haut que large, muni d'un goulot étroit, souvent en verre, et destiné à contenir et à transporter des liquides. — Spécialt. Récipient de verre destiné à contenir du vin. *Bouteille de vin, d'alcool, d'eau minérale. Une bouteille d'eau de Javel. Bouteille à liqueurs,* pour les liqueurs. *Bouteille d'eau de seltz.* → **Siphon.** *Bouteille de bière.* → **Canette.** — *Une bouteille de verre*. Une bouteille de, en grès, en plastique. Fabrication des bouteilles.* → 2. **Bouteillerie.** *Bouteille spéciale en métal, en cuir.* → **Gourde.** *Bouteille ronde, carrée, plate, clissée. L'anneau, la bague, le col, le collet, le goulot, l'épaule, le fût, le ventre, la panse, le cul, le fond d'une bouteille. Débris d'une bouteille.* → **Tesson.** *Contenu d'une bouteille. Petite bouteille de verre.* → **Fiole, flacon.** *Bouteille d'un litre.* → **Litre.** *Grande bouteille de vin.* → **Magnum.** *Grandes bouteilles de champagne ayant la contenance de deux bouteilles ordinaires* (→ **Magnum**), *quatre bouteilles* (→ **Jéroboam**), *six* (→ **Réhoboam**), *huit* (→ **Mathusalem**), *douze* (→ **Salmanazar**), *seize* (→ **Balthazar**), *vingt bouteilles* (→ **Nabuchodonosor**). *Grosses bouteilles enveloppées de paille ou d'osier.* → **Bonbonne, dame-jeanne, fiasque, tourie.** *Enveloppe pour protéger les bouteilles.* → **Paillon.** — *Panier à bouteilles. Casier à bouteilles.* → **Porte-bouteilles.** *Coucher les bouteilles dans les casiers.* — *Laver, rincer, égoutter une bouteille.* → **Goupillon, hérisson.** — *En bouteille. Mettre du vin en bouteilles.* → **Embouteiller.** — *Boucher une bouteille.* → **Bouchage, boucheur; bouchon, capsule, serre-bouchon.** *Bouteille étiquetée, cachetée à la cire. Apposer une capsule-congé sur une bouteille. Coiffer, décoiffer une bouteille. Déboucher une bouteille avec un tire-bouchon. Vider une bouteille. Vider une bouteille sans la déboucher.* → **Vide-bouteille.** *Bouteille pleine; bouteille vide.* → **Cadavre** (fam.). *Boire à la bouteille. Mettre un bateau dans une bouteille. Bateau en bouteille. Manuscrit trouvé dans une bouteille,* nouvelle de Poe (trad. Baudelaire). — Loc. prov. *Avec des si* on mettrait Paris dans une bouteille.* — (Opposé à *litre*). Récipient contenant à peu près 73 cl (destiné à contenir des vins d'appellation contrôlée). *Bouteille de bourgogne* (bourguignonne), *de bordeaux* (bordelaise), *d'alsace, de champagne* (champenoise). *Commander un vin en bouteille, en demi-bouteille, au restaurant* (par oppos. à *en pichet, en carafe*). → **Demi-bouteille,** (fam.) 2. **fillette.**

1 Un soir, l'âme du vin chantait dans les bouteilles (...)
BAUDELAIRE, les Fleurs du mal, CIV, «L'âme du vin».

2 Tout cela ne vaut pas, ô bouteille profonde,
Les baumes pénétrants que ta panse féconde
Garde au cœur altéré du poëte pieux (...)
BAUDELAIRE, les Fleurs du mal, CVII, «Le vin du solitaire».

3 (...) si, au théâtre, l'on nous sert des poulets de carton et des bouteilles de bois tourné, nous nous précautionnons, pour la vie ordinaire, de mets plus substantiels.
Th. GAUTIER, le Capitaine Fracasse, p. 35.

4 Les dix flacons avaient été religieusement vidés, et le Pédant renversa le dernier, en faisant rubis sur l'ongle; ce geste fut compris par le Matamore, qui descendit à la charrette chercher d'autres bouteilles.
Th. GAUTIER, le Capitaine Fracasse, p. 50.

5 Celle *(la goutte)* qui reste toujours au goulot de la bouteille! Tu n'as pas encore saisi le coup pour la rattraper. Ce n'est pourtant pas sorcier (...)! Tu verses en faisant un quart de tour, puis, avec le bouchon, tu remets la goutte dans le goulot.
M. PAGNOL, Marius, I, 3.

6 (...) je n'imagine pas Arlette versant du poison dans la bouteille de médicament.
G. SIMENON, Maigret et la vieille dame, p. 48.

7 Sans rien dire, elle emplit le verre jusqu'au bord. Puis elle quitte de nouveau la pièce. La bouteille est un litre ordinaire en verre incolore, à demi pleine d'un vin rouge de teinte foncée (...)
A. ROBBE-GRILLET, Dans le labyrinthe, p. 65.

Loc. fig. Régional (Belgique). *Mettre qqn en bouteille,* se moquer de lui. → En boîte.

(1839, Balzac, *in* D. D. L.). Par appos. *Vert bouteille :* couleur vert jaune assez sombre (de certaines bouteilles en verre). *Tissu vert bouteille. Boiseries vert bouteille* (→ Suer, cit. 9).

*Bouteille à la mer :* bouteille enfermant un message, jetée à la mer par les marins naufragés dans l'espoir qu'elle flottera jusqu'à un navire ou un lieu habité (*la Bouteille à la mer,* titre d'un poème de Vigny, où un Capitaine, qui sait qu'il va se perdre en mer, confie son journal à une bouteille; symbole de l'œuvre que «Dieu prendra du doigt pour la conduire au port»). *Lancer une bouteille à la mer.*

8 (...) est-ce que tu comprends bien que tout ceci vers toi n'était, n'est qu'une bouteille à la mer, et il n'y a pas la plus petite chance que le flot l'emporte à tes pieds, elle va se perdre ou tomber aux mains d'un enfant aveugle (...) les phrases défaites comme des chevelures, les syntaxes brisées, la chanson morte (...) tout n'est qu'une bout' à la m' (...) L'obsession chez moi de ce concept, dans mes pensées, est si grande que cela vient de m'échapper sous la forme secrète que je lui donne pour moi seul. J'ai dit *bout' à la m'...* et parfois l'écriture en varie à ce lieu de passage où la conscience se forme en prenant air de langage. Orthographe même, variable d'ailleurs, *boute-à-l'âme* comme d'un vieux mot français pour la solitude des marins, peut-être un parler de boucanier; ou bien c'est encore d'un seul mot *boutalame,* où la mer peut-être le cède à la lame (...)
ARAGON, Blanche..., III, I, p. 373-374.

Fig. Fam. *C'est la bouteille à l'encre,* une question, une situation confuse, embrouillée, obscure. *C'est la bouteille à l'encre, nous n'en sortirons pas!* (→ Affirmer, cit. 4).

9 Nous sortons d'*on ne sait quoi :* la Raison n'est que douteuse. J'ajouterai, pour être franc, que la Mort m'étonne encore plus que sa triste Sœur; c'est, vraiment, la bouteille à l'encre!...
VILLIERS DE L'ISLE-ADAM, Tribulat Bonhomet, p. 45.

10 Cette affaire-là, jusqu'ici, c'est la bouteille à l'encre. Je ne dis pas que d'un côté comme de l'autre il n'y ait à cacher d'assez vilaines turpitudes. Que même certains protecteurs plus ou moins désintéressés de votre client puissent avoir de bonnes intentions, je ne prétends pas le contraire.
PROUST, le Côté de Guermantes, Folio, t. I, p. 294.

Loc. *Laisser sa raison, ses sens au fond d'une, de la bouteille.* → **Enivrer** (s').

*Ce vin a cinq ans de bouteille. Vin qui prend de la bouteille,* qui vieillit en bouteille. Fig. *Une amitié qui comptait vingt ans de bouteille,* d'âge, d'ancienneté (Balzac, *in* G. L. L. F.). — *Prendre de la bouteille :* acquérir de l'expérience, de la maturité en vieillissant. — Par ext. Vieillir.

*N'avoir rien vu que par le trou d'une bouteille :* avoir l'esprit borné ou peu cultivé.

Par métonymie. Contenu d'une bouteille. *Toute la bouteille d'huile s'est répandue par terre.* — Spécialt (vin, alcool). *Boire, payer une bouteille.* → (fam.) **Boutanche, kil, pot,** 2. **rouille;** → Pomper, cit. 4. *Une bouteille de rouge. Une bouteille de champagne.* → **Roteuse** (à Roteur, 2.). *Vider une bouteille. Casser, tordre le cou* à une bouteille. Coucher, étouffer une bouteille. Rafraîchir, chambrer une bouteille. Laisser vieillir une bouteille. Une bonne bouteille. Une bouteille millésimée. Décanter une bouteille de bordeaux dans une carafe. — Aimer, cultiver la bouteille* (fam.) : s'adonner à la boisson.

Vieilli. *Payer bouteille (à qqn) :* payer une bouteille de vin au café.

Régional (Wallonie). «Médicament liquide à absorber ou à appliquer» (Hanse). *Une bouteille pour les rhumatismes.*

Vx. *Maison de bouteille :* petit pied-à-terre à la campagne. → **Vide-bouteille.**

Loc. *La dive* bouteille.*

♦ **2** Récipient métallique destiné à contenir un liquide à température et à pression constante, un gaz sous pression. — Contenu de cette bouteille. *Bouteille d'air comprimé, d'oxygène.*

*Bouteille isolante,* et, cour., *bouteille thermos* :* bouteille à deux parois réfléchissantes entre lesquelles on a fait le vide (vase de Dewar) et qui conserve au contenu sa température primitive.

(1835). *Bouteille de Leyde :* condensateur électrique. *Grande bouteille de Leyde.* → **Jarre** (électrique).

*Bouteille optique :* appareil qui permet de réaliser des expériences sur un seul atome, rendu visible par l'action de faisceaux laser.

*Bouteille à neutrons :* récipient de cuivre ou de verre pour le stockage des neutrons très lents. — Par anal. *Bouteille magnétique :* champ magnétique clos permettant d'emmagasiner des neutrons très lents pendant une période notable (env. 45 minutes).

♦ **3** N. f. pl. (1690). Mar. Water-closet des officiers («Expression encore en usage», Gruss).

DÉR. **Boutanche, bouteiller, bouteillerie.** — V. **Bouteillon.**
◊ COMP. **Embouteiller; porte-bouteilles, vide-bouteille.**

1. **BOUTEILLER** [buteje] n. m. — 1138; de *bouteille.*
Hist. Maître échanson. Grand officier* de la couronne qui avait l'intendance du vin, des vignobles.

Le bouteiller, aidé par les échansons, s'occupe des vignobles et de la cave du roi et surveille le commerce des boissons. 1
O. MARTIN, Précis d'hist. du droit franç., n° 422.

(...) l'office de bouteiller était à la cour du roi capétien l'une des charges les plus importantes. 2
Georges DUBY, Guerriers et Paysans, p. 266.

DÉR. 1. **Bouteillerie.**

2. **BOUTEILLER** [buteje] n. m. — 1786; de *bouteille.*
Régional (notamment Suisse). Casier à bouteilles, dans une cave. — Porte-bouteilles.

1. **BOUTEILLERIE** [butɛjʀi] n. f. — 1155, de 1. *bouteiller.*
Vx. Charge de bouteiller.

2. **BOUTEILLERIE** [butɛjʀi] n. f. — 1845, *Bescherelle*; de *bouteille*.

Techn. Fabrication des bouteilles. *Travailler dans la bouteillerie.*

Usine où l'on fabrique des bouteilles. *Installer une bouteillerie.*

**BOUTEILLON** [butɛjɔ̃] ou **BOUTHÉON** [buteɔ̃] n. m. — 1917; altér. d'après *bouteille*, de *Bouthéon*, n. de l'inventeur.

Marmite aplatie et cintrée des troupes en campagne. Var. : *boutéon* :

Maillat traversa un groupe d'une dizaine de soldats qui picniquaient, assis en cercle sur le sable. Au milieu d'eux trônait un boutéon plein de vin, où ils trempaient un quart à tour de rôle.

Robert MERLE, Week-end à Zuydcoote, p. 28.

Argot milit. Fausse nouvelle.

**BOUTER** [bute] v. tr. — 1080; francique **bôtan* «frapper» d'où, d'après Guiraud, une forme romane **botitare*, d'une rac. **bot-* «gonfler». → Bout, bouton.

♦ **1** Vx ou littér. Pousser. → **Bousculer, refouler.** *Bouter l'ennemi hors de France. Bouter qqn à terre,* renverser.

1 Le président et dictateur Santa Anna envoie 300 galériens par la mer. Il leur a promis des terres, des outils, du bétail et leur réhabilitation s'ils arrivent à bouter les Américains dehors.

B. CENDRARS, l'Or, *in* Œ. compl., t. II, p. 178.

Au participe passé :

2 (...) la mendiante, voyant qu'il ne se décidait pas à prendre un billet, a voulu se rappeler à son attention, et elle s'est penchée vers lui en s'appuyant sur une béquille boutée hors du trottoir pour donner plus d'élan à sa requête.

A. PIEYRE DE MANDIARGUES, la Marge, p. 24.

♦ **2** Régional et vx. Placer, mettre.

♦ **3** Archit. Soutenir une poussée (→ **Arc-boutant**).

DÉR. **Bout, boutade, bouterolle, bouteur, boutis, boutisse, boutoir, bouton, bouture.** ◊ COMP. **Débouter, rebouter.** — **Arc-boutant, boute-en-train, boutefeu, boute-hors** (V. **Boutdehors**), **bouteroue, boute-selle.** — V. **Bousculer.**

**BOUTEROLLE** [butʀɔl] n. f. — 1202; de *bouter*.

Technique.

♦ **1** Garniture métallique au bas d'un fourreau d'épée. — Blason. Cette garniture sur une armoirie.

♦ **2** Filet.

♦ **3** Outil à tête arrondie en creux avec laquelle on façonne une pièce de métal (tête de rivet, en particulier). — Outil de bijoutier, tige à tête ronde. — Outil de joaillier à tête de cuivre, pour user les pierres dures.

♦ **4** (1676). Serrur. Une des gardes de la serrure. — Fente de la clef qui la reçoit.

**BOUTEROUE** [butʀu] n. f. — 1631; *boute-roe*, XIIIe; de *bouter* «pousser», et *roue*.

Technique ou histoire.

♦ **1** Borne* placée à l'angle d'un édifice, d'un mur, d'une porte pour en écarter les roues des voitures.

♦ **2** (1863). Bande de fer dont on garnit la voie d'un pont pour le protéger contre le frottement des roues.

**BOUTE-SELLE** [butsɛl] n. m. invar. — 1549; de *bouter* «mettre», et *selle*.

Anciennt. Sonnerie de trompette pour avertir les cavaliers de mettre la selle pour partir, et de monter à cheval. *Des boute-selle.*

Tout à coup, un boute-selle furieux sonna, appelant aux armes. C'était l'ennemi qui nous surprenait et qui avait égorgé au couteau, silencieusement, nos sentinelles. Il fallait sauter à cheval. 1

BARBEY D'AUREVILLY, les Diaboliques, «À un dîner d'athées».

(...) il ne faut pas être le dernier à faire son paquet, si les jeunes gens nous arrivent en sonnant le boute-selle. C'est notre jour de mobilisation, à nous. 2

J.-R. BLOCH, Et compagnie, p. 85.

**BOUTEUR** [butœʀ] n. m. — 1973; de *bouter*.

Techn. (mot recommandé par l'Administration). Bulldozer* (admis par l'Académie sous la forme *bouldozeur*). *Bouteur à pneus. Bouteur biais.* → **Angledozer.** *Bouteur inclinable*, dont la lame peut être inclinée par rapport à l'horizontale et à la verticale. — REM. Ce mot n'est pas attesté, à notre connaissance, dans l'usage spontané.

**BOUTHÉON** [buteɔ̃] n. m. → **Bouteillon.**

**BOUTIQUAIRE** [butikɛʀ] n. m. — 1974; de *boutique*; mot créé pour l'aéroport de Roissy.

Rare. Ensemble de boutiques constituant un centre commercial. *Le boutiquaire d'un aéroport.*

**BOUTIQUE** [butik] n. f. — 1242, *bouticle*; de l'anc. provençal *botica*, du grec *apothêkê* «magasin, dépôt». → Apothicaire.

♦ **1** Petit local commercial situé au rez-de-chaussée d'une maison, présentant généralement une vitrine et dans lequel un commerçant spécialisé dans un domaine expose et vend des produits au détail. → **Bazar, débit, échoppe, magasin, officine; commerce, fonds** (de commerce). *Boutique de charcutier, d'épicier, de fruitier, de rôtisseur; de chapelier, de savetier, de fripier; de droguiste. Boutique de mercerie, de parfumerie, d'herboristerie; d'horlogerie. Boutique du marchand de tabac.* → **Bureau** (de tabac).

Chaque boutique aperçue lui faisait prévoir les suivantes alignées le long du boulevard, et deviner la figure du marchand si souvent entrevu derrière sa vitrine. 0.1

MAUPASSANT, Fort comme la mort, éd. 1889, p. 215.

Près de la place Maubert, à l'endroit où chaque matin de bonne heure j'attends l'autobus, trois boutiques voisinent : Bijouterie, Bois et Charbons, Boucherie. 0.2

Francis PONGE, le Parti pris des choses, p. 78.

*Boutique franche* : boutique située dans une zone où les marchandises vendues ne sont pas soumises au paiement de droits ou de taxes (recomm. off. pour traduire *tax free shop, duty free shop*).

Spécialt. Magasin ou rayon de prêt-à-porter d'un grand couturier. *Les boutiques du Quartier latin.* — REM. Dans cet emploi, *boutique* n'a pas les connotations modestes ou archaïques du mot dans ses autres emplois, bien au contraire.

Après la guerre de 70, elle avait fait une fortune avec son mari dans le commerce des gants «d'agneau», Passage des Panoramas. C'était une boutique célèbre, ils en avaient une autre encore, Passage du Saumon. À un moment, ils employaient dix-huit commis. 0.3

CÉLINE, Mort à crédit, p. 111.

Magasin ou rayon de prêt-à-porter (d'un grand couturier). — Appos. *Écharpe boutique.*

(Av. 1575). Vieilli. Lieu dans lequel un artisan travaille, et éventuellement vend les produits qu'il fabrique. → **Atelier.** *La boutique d'un artisan** (cit. 3). *La boutique d'un ébéniste, d'un cordonnier; une boutique d'ébéniste, de cordonnier. La devanture d'une boutique.* → **Devanture, étalage, montre, vitrine.** *Enseigne* de boutique. Exposer des marchandises* dans une boutique* (→ **Déballage**). *L'arrière-salle d'une boutique.* → **Arrière-boutique.** *Les clients, les chalands d'une boutique. Une boutique bien achalandée*.* — *Garçon de boutique.* → **Commis.** *Une boutique en désordre.* → **Bric-à-brac, capharnaüm.** *Ouvrir, avoir, tenir, fermer boutique. Se mettre en boutique :* ouvrir et gérer une boutique (en parlant d'une famille).

1 Les uns y tiennent boutique et ne songent qu'à leur profit.
ROUSSEAU, Émile, IV.

1.1 On a quitté la rue de Babylone, pour se mettre en boutique, tenter encore la fortune, Passage des Bérésinas (...)
CÉLINE, Mort à crédit, p. 62.

Étalage en plein vent. *Boutique de foire.* → **Baraque.** *Boutique de marchand ambulant. Plier (la) boutique.*

2 Toujours les mêmes boutiques, sans le moindre vitrage, ouvertes au vent (...)
LOTI, Mme Chrysanthème, I, 12, p. 85.

Fig. *Fermer, plier boutique :* cesser de faire quelque chose, renoncer.

3 L'abbé Tétu (...) dit qu'il avait fermé sa boutique pour l'amitié, mais qu'il la rouvre pour vous (...)
Mme de SÉVIGNÉ, 1345, 29 oct. 1692.

Loc. fig. (vx). *Faire de son corps une boutique d'apothicaire.* → **Apothicaire** (cit. 2).

♦ **2** Par métonymie. Ensemble des marchandises dont une boutique est garnie. «*Il a engagé toute sa boutique*» (Académie). *Fonds de boutique. Il ne pouvait se décider à choisir et voulait emporter toute la boutique.*

4 Quand il me donnerait toute la boutique d'un mercier, cela ne me ferait pas tant de plaisir qu'un petit peloton qu'Arlequin m'a donné.
MARIVAUX, la Double Inconstance, II, 1.

Ensemble des outils d'un artisan.

Fam. *Toute la boutique :* ensemble d'objets hétéroclites. → **Bazar; attirail, outillage.** *Il est parti avec toute sa boutique. Et toute la boutique :* et tout le reste*.

(XVIe). Fam. Parties génitales (d'un homme, plus rarement d'une femme).

4.1 Jusqu'au coup de cloche qui annonçait le dîner, nous nous montrions mutuellement nos petites boutiques et nous égayions en tripotages et intromissions impossibles.
Henri CALET, la Belle Lurette, p. 60.

♦ **3** Commerce, activité de détaillant. *Travailler dans la boutique.*

Entreprise que constitue un commerce.

4.2 La boutique sombrait sans recours... Des bibelots on en vendait plus, même pas à des prix dérisoires...
CÉLINE, Mort à crédit, p. 103.

Par ext. Fam. Affaire, travail. *Ça marche la boutique? Parler boutique :* parler de ses activités professionnelles (cf. Parler affaires); fig. parler en professionnel, en personne avertie (d'un sujet quelconque) :

4.3 — Vous aimez les minettes? demanda le voisin.
— Pas spécialement. Je préfère les femmes mûres, dit Martial, heureux de rompre sa solitude. (Et puis, c'est toujours intéressant de parler boutique avec un amateur éclairé.)
Jean-Louis CURTIS, le Roseau pensant, p. 195.

Milieu social constitué par les professionnels d'un même domaine. *Être de la boutique. Avoir l'esprit de boutique.*

4.4 Nous n'avons pas à prendre parti sur le formalisme et l'esprit de boutique, dont les documents officiels du groupe lui-même font état pour les dénoncer.
J. LACAN, Écrits, p. 246.

♦ **4** (Déb. XVIIIe). Fam. Maison, lieu de travail. → **Bahut, baraque, bazar, boîte, turne.** *Quelle sale boutique! Je ne vais pas faire long feu dans cette boutique!*

Il *(Tonnerre)* était fort mal dans cette petite cour par ses bons mots; il lui avait échappé de dire qu'il ne savait pas ce qu'il faisait dans cette boutique (...) 5
SAINT-SIMON, Mémoires, 24, 530.

Les grisettes de Paris adorent le spectacle et les acteurs : elles ont aussi un doux penchant pour les auteurs, parce qu'ils font des pièces, qu'ils vont sur les théâtres, et enfin qu'ils sont ce qu'elles appellent de la *boutique* (la boutique pour ces demoiselles signifie le théâtre), et elles aiment tellement la *boutique,* que tout ce qui en approche, y tient, y touche, a des droits à leur affection. 6
Ch.-Paul DE KOCK, la Grande Ville, t. I, p. 343.

♦ **5** (1309; avec infl. de l'anc. franç. *boute* «tonneau»). Pêche. Caisse percée de trous et immergée dans laquelle on conserve le poisson vivant; compartiment d'un bateau de pêche, aménagé pour conserver le poisson vivant. → **Vivier.**

**DÉR. Boutiquaire, boutiquer, boutiquier.** ◊ **COMP. Arrière-boutique.**

**BOUTIQUER** [butike] v. tr. — 1859; de *boutique* «atelier».

Fam. Faire, fabriquer. *Qu'est-ce que tu boutiques?*

Ils se demandent sûrement ce que nous boutiquons.
Pierre ACCOCE, le Polonais, p. 146.

**BOUTIQUIER, IÈRE** [butikje, jɛʀ] n. et adj. — 1596; *bouticlier,* 1414; de *boutique.*

♦ **1** N. (Souvent péj.). Personne qui tient une boutique*. → **Commerçant, marchand** (cit. 3).

C'était la Dame, la cliente qu'avait tout l'argent sur elle, tout le pognon des boutiquiers planqué dans ses trousses... 1
CÉLINE, Mort à crédit, p. 94.

(...) Thérèse supportait mal que Paul eût épousé, introduit dans sa maison une boutiquière. Qu'était Laure de plus que Thérèse? Elle disait qu'elle aurait admis un mariage de convenance avec une riche héritière, elle trouvait que cette alliance avec la fille d'un boucher fleurait le mariage d'amour. 2
Suzanne PROU, la Terrasse des Bernardini, p. 102.

Péj. Commerçant.

Toute cette bourgeoisie absurde se sera usée et perdue par des calculs de petits boutiquiers (...) 3
G. DUHAMEL, Cri des profondeurs, II, p. 30.

Je remarque avec Giles que Herbert Spencer avait pensé à cela, exactement à cela. Un philosophe pourtant. Mais le philosophe d'une nation de boutiquiers est plus profondément boutiquier que philosophe, comme un chien de chasse n'est pas tellement chien de chasse qu'il n'est chien. 4
Henri MICHAUX, Un barbare en Asie, p. 180.

(En franç. d'Afrique; non péj.). Commerçant; gérant d'un fonds de commerce.

♦ **2** Adj. Relatif aux boutiquiers.

En dépit d'une littérature abondante, celle qu'on appelait jadis la fille-mère, et aujourd'hui la mère célibataire, a été moins en France qu'ailleurs mise au ban de la société, mis à part le petit monde louis-philippard de la bourgeoisie boutiquière. 5
Jean FERNIOT, Pierrot et Aline, p. 284.

Péj. Digne de la petite bourgeoisie commerçante. *Une amabilité boutiquière* (surtout usité au fém.). → **Commerçant** (adj.).

— Madame est difficile comme toutes les personnes de goût, dit le chef de l'établissement en s'avançant avec ces grâces boutiquières où le prétentieux et le patelin se mélangeaient agréablement. 6
BALZAC, Gaudissart, II, Pl., t. VI, p. 859.

Costals faisait une si drôle de figure (...) en racontant ces histoires, que Mme Dandillot trouva qu'il était «un amour» : la terminologie boutiquière lui venait assez aisément. 7
MONTHERLANT, le Démon du bien, p. 85.

**BOUTIS** ou **BOUTTIS** [buti] n. m. — 1360, Froissart; «choc», en anc. franç.; de *bouter,* «soulever la terre», même mot que *bouter* «pousser, heurter».

Vén. Action de fouiller avec le boutoir (sanglier). Par ext. Trou fait par un sanglier.

— (...) La laie et les petits ont dû aller aux fouges faire leurs boutis, ce qui veut dire, pour vous, profane, chercher sous la terre les racines de fougères.
Paul VIALAR, la Grande Meute, p. 319.

**BOUTISSE** [butis] n. f. — 1444, *pierres boutices;* mot wallon, de *bouter* «s'enfoncer dans».

Techn., archit. Pierre, brique placée dans un mur selon sa longueur, perpendiculairement au parement, de manière à ne montrer qu'un de ses bouts. — Appos. *Pierre boutisse.*

**BOUTOIR** [butwaʀ] n. m. — 1361, «outil de maréchal-ferrant»; de *bouter.*

♦ **1** (1611). Extrémité du groin avec lequel le sanglier, le porc fouissent la terre. *Terre fouillée par un boutoir de sanglier* (boutis).

*Coup de boutoir :* coup violent et répété. → **Bélier** (coup de bélier). — Fig. Propos dur et blessant; trait d'humeur brutal.

La patience *(de Maisons)* fut inaltérable aux coups de boutoir que mon impatience porta souvent sur les présidents et les usurpations (...)
SAINT-SIMON, Mémoires, 377, 99.

♦ **2** Techn. Instrument de maréchal-ferrant, de sabotier, de corroyeur. → aussi **Bute, butoir.**

**BOUTON** [butɔ̃] n. m. — 1160, «bourgeon»; de *bouter* «pousser».

♦ **1** Petite excroissance d'où naissent les branches, feuilles, fruits ou fleurs d'un végétal. → **Bourgeon, œil.** *Bouton à bois, à feuilles, à fruit.* — Spécialt. *Bouton de fleur :* la fleur au début de son développement, avec la ou les enveloppes qui recouvrent les organes de la reproduction. *Ouverture du bouton.* → **Anthèse, aperture.** *Bouton de rose. Bouton qui s'épanouit, qui éclot.*

1 Le *bouton* n'est autre chose qu'un petit *bourgeon,* le rudiment d'un *bourgeon* (...) on se sert plus particulièrement de *bouton* en parlant des fleurs, de *bourgeon* pour désigner un embryon végétal d'où doivent se développer des feuilles et des branches.
LAFAYE, Suppl., Bouton, bourgeon.

2 *(L'écolier)* Gâtait jusqu'aux boutons, douce et frêle espérance,
Avant-coureurs des biens que promet l'abondance.
LA FONTAINE, Fables, IX, 5.

3 On remarque dans un bouton de rose naissante ce qui promet une belle fleur (...) FÉNELON, XIX, 124.

4 Les rameaux des arbres sont parsemés de boutons de fleurs blanches et cramoisies (...)
BERNARDIN DE SAINT-PIERRE, Harmonies de la nature, I, Tabl. génér.

*Une fleur en bouton.* — Fig. *Des promesses en bouton,* qui vont s'épanouir, se développer*. «*La femme en bouton*» (Hugo, *in* P. Larousse).

Sculpt. Ornement figurant une fleur en bouton.

Par métaphore, fam. Clitoris.

♦ **2** [a] (1530). Petite tumeur faisant saillie à la surface de la peau. → **Bourgeon** (vx), **dôse** (régional), **pustule, tumeur, vésicule.** *Bouton d'acné, de petite vérole, d'herpès. Boutons de jeunesse, de l'enfance. Bouton de fièvre. Éruption de boutons sur le visage, être couvert de boutons* (→ **Boutonneux**). — Par ext. *Bouton d'Orient, d'Alep, de Biskra... :* leishmanioses cutanées.

Comme il était de peau délicate, d'exubérants boutons se soulevaient sous leurs morsures *(des puces)* qu'il enflammait en se grattant comme à plaisir. 5
GIDE, les Caves du Vatican, IV, 1.

Il était très long, osseux, avec un grand nez, de gros traits, des cheveux roux, et je l'ai toujours connu le visage couvert, non pas de ces petits boutons d'acné qui désespèrent les jeunes gens, mais de gros boutons rouges ou violets qu'il passait son temps à couvrir de pommades et de poudres médicamenteuses. 5.1
G. SIMENON, les Mémoires de Maigret, p. 8.

[b] *Bouton de sein.* → **Bout, mamelon.**

(...) la toile qui couvrait son corps était si souple et si diaphane qu'elle laissait voir les boutons des seins (...) 6
Th. GAUTIER, Mlle de Maupin, IX.

[c] Histol. *Bouton synaptique :* renflement terminal d'une fibre nerveuse (axone) au niveau du contact synaptique avec la membrane de l'élément suivant (dit *postsynaptique*), dendrite ou corps cellulaire.

[d] Biol. *Bouton céphalique* (du spermatozoïde). → **Acrosome.**

♦ **3** Petite pièce, souvent circulaire, servant à l'assemblage des parties d'un vêtement et cousue à l'une d'elles (→ **Attache**). *Bouton d'habit, de veste, de chemise, de culotte, de braguette. Bouton de col, de plastron. Bouton de bottine.* — Loc. *Des yeux en boutons de bottine,* très petits et ronds. *Habit, soutane à boutons. Veste à trois, quatre boutons. Engager un bouton dans sa boutonnière*.* → **Boutonner.** *Attacher, coudre un bouton.* — Anciennt. *Planchette à astiquer les boutons.* → **Patience.** — *Acheter des boutons dans une mercerie, à un marchand ambulant. Carte de boutons. Bouton de métal, d'argent, de cuivre, d'or; bouton de celluloïd, de céramique, de corne, de corozo, d'ivoire, de jais, de matières plastiques, de galalithe, de nacre, d'os, de verre. Bouton de tissu,* formé d'un *moule de bouton* recouvert de tissu. *Bouton à freluche, à queue, sans queue. Bouton à pression* ou *bouton-pression.* → **Pression** (cit. 7). *Des boutons-pression.* — *Bouton-poussoir. Des boutons-poussoirs.*

Il trouva ce conquérant *(Charles XII)* vêtu d'un habit de gros drap bleu, avec des boutons de cuivre doré. 7
VOLTAIRE, Charles XII, 2.

M. le duc de Villeroy eut avant-hier deux boutons de son justaucorps emportés d'un coup de mousquet à la tranchée. 8
PELLISSON, Lettres historiques, t. III, p. 331, *in* POUGENS.

Comme cette femme est mennonite 8.1
Ses rosiers et ses vêtements n'ont pas de boutons
Il en manque deux à mon veston
La dame et moi suivons presque le même rite
APOLLINAIRE, Alcools, p. 42.

Il travaillait pour la marchande (...) Il lui vendait tous ses boutons, le long de l'avenue près de la porte, il se vadrouillait dans le marché, avec sa tablette sur le bide, retenue au cou par une ficelle. «Treize cartes pour deux sous mesdames!...» CÉLINE, Mort à crédit, p. 108. 8.2

Resté seul, l'infirmier boutonne sa canadienne en toile, d'une teinte terreuse, pâlie et tachée sur le devant, trois boutons de cuir tressé qu'il fait passer l'un après l'autre dans leurs brides; ils sont très abîmés tous les trois, celui du bas est entaillé d'une large écorchure au milieu de l'arrondi : un lambeau de cuir soulevé, d'un demi-centimètre. 8.3
A. ROBBE-GRILLET, Dans le labyrinthe, p. 132.

(1876, Zola, *in* D. D. L.). *Boutons de manchette :* dispositif qui permet de fermer les manchettes d'une chemise, en passant dans deux brides, sans être cousu à l'un des côtés (→ Gammée, cit. 1). *J'ai perdu un bouton de manchette.*

Fig. et fam. *Bouton de culotte :* chose sans valeur.

Insigne servant à la décoration d'un vêtement. — Vén. Bouton symbolique qui permet à quelqu'un de revêtir la tenue d'un équipage de chasse. Par métonymie. Tenue de l'équipage de chasse, que portent les veneurs — Par ext. Veneur d'un équipage.

8.4 *(Il)* avait pris l'air maussade et irritable du vieux veneur dès que le cerf est attaqué.
«j'ai horreur qu'on me suive de trop près» cria-t-il aux jeunes gens (...)
Et comme l'usage interdisait aux invités de dépasser les boutons, force était aux jeunes gens de demeurer sur place. DRUON, la Chute des corps, II, x, p. 178.

*Il ne manque pas un bouton (de guêtre) :* tout est fin prêt (dans une revue de détail militaire, et, par ext., en toute circonstance).

♦ **4** Partie saillante, plus ou moins circulaire (d'un objet), servant à manœuvrer, ouvrir, fermer. *Bouton de porte, de serrure, de tiroir, de couvercle.* → **Poignée.**

9 (...) elle aperçut une grande porte à deux battants dont elle tourna le bouton (...)
Th. GAUTIER, le Capitaine Fracasse, XVI.

9.1 L'œil de l'enfant arrive sensiblement au niveau du bouton de porte, ovoïde, en porcelaine blanche.
A. ROBBE-GRILLET, Dans le labyrinthe, p. 82.

Par ext. Dispositif permettant d'ouvrir ou de fermer un circuit électrique. *Bouton électrique.* → **Commutateur, interrupteur.** *Bouton d'appel d'un ascenseur. Le bouton d'une minuterie. Bouton de sonnerie, de sonnette. — Tourner le bouton d'un poste de radio* (pour l'ouvrir ou le fermer). *Bouton moleté. Appuyer sur le bouton. Bouton à ressort.* → **Piston.** — *Presser un bouton. La génération presse-bouton* (→ Presse-bouton).

10 (...) chaque fois que la porte cochère s'ouvrait, la concierge appuyait sur un bouton électrique qui éclairait l'escalier.
PROUST, À la recherche du temps perdu, t. IX, p. 166.

10.1 Ah ! tourner le bouton ! Le téléspectateur est un dieu maître d'interrompre à la seconde une revue à grand spectacle, comme était celle-là.
F. MAURIAC, Bloc-notes 1952-1957, p. 338.

10.2 Ce soir, 21 juillet, je tourne le bouton de la radio.
F. MAURIAC, le Nouveau Bloc-notes 1958-1960, p. 80.

10.3 Le bouton de la minuterie, en porcelaine blanche, est placé juste en haut de l'escalier, à l'angle du mur.
A. ROBBE-GRILLET, Dans le labyrinthe, p. 101.

10.4 Imaginons même qu'il n'y ait qu'un bouton à presser, pour obtenir l'évolution la plus favorable possible aux pays riches. A. SAUVY, Croissance zéro ?, p. 298.

Équit. *Bouton de bride :* anneau de cuir qui permet de resserrer les rênes. *Bouton mobile, coulant. — Mettre un cheval sous le bouton.* — Loc. fig. Vx. *Serrer le bouton à quelqu'un,* le menacer, le presser vivement.

11 Je suis homme pour serrer le bouton à qui que ce puisse être. MOLIÈRE, George Dandin, I, 4.

Techn. *Bouton de fin :* parcelle d'or, d'argent qui reste après l'opération de la coupelle.

Lutherie. Cheville fixant les cordes du violon, de la harpe.

Petite saillie ronde. *Le bouton d'un couvercle de soupière.*

Spécialt. *Bouton de fleuret.* — (1885). *Coup de bouton,* qui touche avec le bout du fleuret. → **Boutonner,** III.

11.1 Je ne dis pas que Chevillard soit imbattable au coup de bouton, mais il me séduit. Il a des retraits de corps d'une grâce imprévue. Tout son jeu est une composition de haut style. Sa phrase d'armes est presque littéraire.
J. RENARD, Journal, 5 août 1893.

*Bouton de mire.* — Vx. *Bouton de culasse d'un canon.* — Vx. *Bouton de feu :* tige à bouton que l'on chauffe pour cautériser une plaie.

Mar. Gros nœud faisant une boule à l'extrémité d'un cordage. *Erse à bouton.*

Par métaphore (du sens 3). *Ne tenir qu'à un bouton :* être peu assuré, précaire. → Ne tenir* qu'à un fil, un cheveu.

La colère du roi fit peur aux Bouillons ; leur rang et leur échange ne tenaient qu'à un bouton (...) 12
SAINT-SIMON, Mémoires, 76, 246.

DÉR. **Boutonné, boutonner, boutonnerie, boutonneux, boutonnier, boutonnière.** ◊ COMP. **Bouton-d'argent, bouton-d'or, bouton-poussoir, bouton-pression, pousse-bouton, presse-bouton, tire-bouton.**

**BOUTON-D'ARGENT** [butɔ̃daʀʒɑ̃] n. m. — 1808 ; de *bouton, de,* et *argent.*

Renoncule* à fleurs blanches. → **Achillée, mille-feuille.** *Des boutons-d'argent.*

**BOUTON-D'OR** [butɔ̃dɔʀ] n. m. — 1775 ; de *bouton, de,* et *or.*

Renoncule âcre à fleurs jaune doré. → **Bassinet, populage.** — (1849, *in* D. D. L.). Couleur de cette fleur. *Des soies bouton-d'or.*

**BOUTONNAGE** [butɔnaʒ] n. m — 1867 ; de *boutonner.*

♦ **1** Action de boutonner (un vêtement).

♦ **2** Manière dont un vêtement se boutonne. *Boutonnage de droite à gauche, de gauche à droite ; devant ; dans le dos.*

CONTR. **Déboutonnage.**

**BOUTONNÉ, ÉE** [butɔne] adj. — 1160 ; de *bouton.*

♦ **1** Qui se ferme à l'aide de boutons. *Une robe boutonnée derrière.* — Fermé par des boutons. *Habit boutonné. Un costume étroitement boutonné* (→ 1. Boulot, cit. 1).

(...) le col de sa chemise veuf de cravate mais soigneusement boutonné, la veste boutonnée aussi d'un de ces complets en tissu de mauvaise qualité (...) 1
Claude SIMON, le Palace, p. 31.

♦ **2** Par métaphore. *«Un vocabulaire très boutonné»,* guindé. → Carambouillage, cit. 2.

♦ **3** Escr. *Fleuret boutonné,* dont l'extrémité est munie d'un bouton.

D'Artagnan prit d'abord ces fers pour des fleurets d'escrime, il les crut boutonnés. 2
A. DUMAS, les Trois Mousquetaires, t. I, p. 36.

CONTR. **Déboutonné.**

**BOUTONNEMENT** [butɔnmɑ̃] n. m. — 1846 ; de *boutonner.*

Bot. Formation des boutons.

**BOUTONNER** [butɔne] v. — Fin XIIe ; de *bouton.*

**I** V. intr. Pousser des boutons. → **Bourgeonner.** *Un rosier qui boutonne.*

(1542). *Un visage, une peau qui boutonne.*

**II** **A** V. tr. ♦ **1** (1344). Fermer, attacher au moyen de boutons. *Boutonner sa veste.*

Sa grosseur était si prodigieuse que sept personnes d'une taille médiocre pouvaient tenir ensemble dans son habit et le boutonner (...) 1
BUFFON, Suppl. à l'Hist. nat., 1 t. XI, p. 118.

Il me serra la main sans relever la tête. Je boutonnai bien ma houppelande, à cause du vent. 1.1
VILLIERS DE L'ISLE-ADAM, Tribulat Bonhomet, p. 58.

♦ **2** Fam. Attacher les boutons des vêtements de (qqn). *Boutonner un enfant.*

Fig. *Être boutonné jusqu'au menton :* ne pas laisser pénétrer sa pensée, être secret.

♦ **3** (Sujet n. du dispositif qui attache).

1.2 Je ne remarquai rien d'abord mais quand nous ressortîmes j'eus la stupeur de voir, à la patte d'étoffe servant à boutonner la poche de sa chemise, une sorte de petit lézard inquiet et tranquille à la fois, suspendu par les dents. C'était la pince d'acier dont nous avions besoin et que Stilitano venait de voler.
Jean GENET, Journal du voleur, p. 58.

**B** V. intr. Se fermer au moyen de boutons. *Ce corsage boutonne par derrière* (Brunot, *la Pensée et la Langue,* p. 369).

2 La duchesse de Bourgogne vint au sermon en habit de chasse qui boutonnait jusqu'au menton.
P.-L. COURIER, II, 235.

♦ **SE BOUTONNER** v. pron. (passif). *Ce gilet se boutonne sur le côté.* — (Réfl.). Fam. Boutonner ses vêtements. *Tu t'es encore boutonné de travers.*

**III** V. tr. Escr. *Boutonner quelqu'un,* lui porter un coup de bouton de fleuret.

♦ **BOUTONNÉ, ÉE** p. p. adj. (au sens II). → **Boutonné.**

DÉR. et COMP. **Boutonnage, boutonnement. Déboutonner, reboutonner.**

**BOUTONNERIE** [butɔnʀi] n. f. — 1660, Oudin; de *bouton.*

Techn. Fabrication, commerce des boutons. Fabrique de boutons.

**BOUTONNEUX, EUSE** [butɔnø, øz] adj. — 1837; «bourgeonnant», 1557; de *bouton,* 2.

Qui a des boutons (2.). *Visage boutonneux. Un adolescent boutonneux.* → **Bourgeonneux.** *Peau boutonneuse.* — Qui s'accompagne de boutons. *Rougeole boutonneuse.*

**BOUTONNIER, IÈRE** [butɔnje, jɛʀ] n. — 1268; de *bouton.*

Techn. Ouvrier, ouvrière qui fait des boutons.

**BOUTONNIÈRE** [butɔnjɛʀ] n. f. — 1596; *botennire* «garniture faite de boutons», 1353; de *bouton.*

♦ **1** Petite fente faite à un vêtement pour y passer un bouton. → **Bride, œillet.** *Border, ourler, brider, passepoiler une boutonnière. Patte à boutonnière. Galon entourant une boutonnière.* → **Brandebourg.** *Boutonnière fermée,* qui n'est que figurée sur le vêtement.

Absolt. *Boutonnière :* la boutonnière du revers de veste. *Avoir une fleur, un œillet, une décoration, un ruban, une rosette à la boutonnière.*

1 Il distribua (...) une petite croix faite d'un bout de ruban (...) et les invités (...) durent garder ce signe pour en orner (...) leur boutonnière (...)
G. SAND, la Mare au diable, Appendice I, p. 144.

1.1 (...) un vieux monsieur dont je venais de faire la connaissance et auquel je crus pouvoir offrir la rose qu'il admirait à ma boutonnière (...)
PROUST, À l'ombre des jeunes filles en fleurs, Folio, p. 532.

Cout. *Point de boutonnière.*

Fleur portée sur un corsage ou au revers d'une veste, à la boutonnière.

1.2 Je regardais M. de Charlus. La houppette de ses cheveux gris, son œil dont le sourcil était relevé par le monocle et qui souriait, sa boutonnière en fleurs rouges, formaient comme les trois sommets mobiles d'un triangle convulsif et frappant.
PROUST, le Côté de Guermantes, Folio, t. I, p. 323-324.

♦ **2** (XVIII^e). Incision longue et étroite. Fam. *Faire une boutonnière à quelqu'un avec un poignard.*

Spécialt. Chir. Incision pratiquée dans la peau pour atteindre un organe, dans la paroi d'une cavité, d'un organe.

On lui fit une très belle boutonnière et on lui glissa dans la vessie une sonde spéciale. 2
G. DUHAMEL, Cri des profondeurs, XI, p. 214.

Fig. Fente.

(...) les cils (...) bordaient (...) la boutonnière mince de l'œil. 3
MARTIN DU GARD, les Thibault, t. III, p. 21.

♦ **3** (V. 1953). Géol. Dépression résultant de l'évidement d'un bombement anticlinal dont la voûte a été entaillée et aplanie par l'érosion. *La boutonnière du pays de Bray.*

DÉR. **Boutonniériste.**

**BOUTONNIÉRISTE** [butɔnjeʀist] n. — 1955, *Dict. des Métiers;* de *boutonnière.*

Techn. Ouvrier, ouvrière qui fait les boutonnières, à la main ou à la machine.

**BOUTON-POUSSOIR** [butɔ̃puswaʀ] n. m. — Mil. XX^e; de *bouton* et *poussoir.*

Commutateur électrique qui se manœuvre par pression. *Des boutons-poussoirs.*

**BOUTON-PRESSION** [butɔ̃pʀɛsjɔ̃] n. m. → **Pression.**

**BOUTRE** [butʀ] n. m. — Av. 1866; orig. incert., p.-ê. de l'arabe *būt* «bateau à voile», empr. angl. *boat* «bateau».

Petit navire arabe à voiles, à l'arrière très élevé (→ **Sambouk,** cit.).

**BOUT-SAIGNEUX** [busɛɲø] n. m. → **Bout.**

**BOUTS-RIMÉS** [buʀime] n. m. pl. — 1649, Scudéry; de *bout,* et *rimé.*

♦ **1** Rimes* proposées d'avance pour faire des vers sur un sujet souvent pris à volonté. *Le faiseur de bouts-rimés.* → Rime, cit. 8.

Nos actions sont comme les bouts-rimés, que chacun fait rapporter à ce qu'il lui plaît.
LA ROCHEFOUCAULD, Maximes, 382.

♦ **2** Au sing. *Un bout-rimé :* une pièce de vers composée sur des rimes données.

**BOUTTIS** [buti] n. m. → **Boutis.**

**BOUTURAGE** [butyʀaʒ] n. m. — 1845; de *bouturer.*

Action de multiplier des végétaux par boutures (cit. 1). *Le bouturage de géraniums.*

**BOUTURE** [butyʀ] n. f. — 1583; «pousse», 1446; de *bouter.*

Fragment (pousse, etc.) prélevé sur une plante qui, plantée en terre, prend racine et forme un nouvel individu. *Boutures, greffes et marcottes. La reproduction par bouture ou bouturage. Faire des boutures.* → **Bouturer; ébouturer.** *Bouture qui prend racine.* → **Prendre, raciner.** *Rameau, feuille, bourgeon servant de bouture.* → **Crossette, plançon.** *Bouture de l'année.* → **Mailleton.**

Le bouturage est moins émouvant que le greffage et ne comporte pas de magie. N'empêche que je ne me blasai jamais, dans mes jardins, sur le moment où la bouture qui a perdu connaissance et semble succomber à son sectionnement brutal, décide de vivre, rouvre ses verts canaux à l'ascension de la sève, et se redresse par imperceptibles saccades... 1
COLETTE, Gigi, «Flore et Pomone», p. 175.

Par métaphore :

2 Le propre de la superstition, c'est qu'elle reprend de bouture. L'idolâtrie engendre l'idolâtrie ; un fétiche se greffe sur l'autre. HUGO, Post-Scriptum de ma vie, IV, 3.

DÉR. **Bouturer.**

**BOUTURER** [butyʀe] v. tr. — 1836 ; de *bouture.*

♦ **1** Reproduire (une plante) par boutures.

♦ **2** (Plantes). Intrans. Pousser des tiges par le pied. → **Drageonner.**

DÉR. **Bouturage.**

**BOUVARD** [buvaʀ] n. m. — 1362 ; de *boeuf.*

Agric. Jeune bœuf ou jeune taureau. — REM. On écrit parfois *bouvart.*

**BOUVARDIA** [buvaʀdja] n. m. — D. i. ; de *Bouvard,* médecin de Louis XIII, d'après G. L. E.

Plante ligneuse ou herbacée (famille des *Rubiacées*), cultivée pour ses fleurs.

Un tout petit bouquet discret mais embaumant de cette fleur qu'on ne trouve qu'à Paris , la *(sic)* bouvardia, et que les engageantes marchandes du quai aux Fleurs qui en laissent dépouiller leur panier s'entêtent à appeler le boulevardia. B. CENDRARS, Trop c'est trop, p. 35.

**BOUVEAU** [buvo] n. m. — XIV^e ; de *boeuf.*

Agric. Jeune bœuf*. → **Bouvard, bouvillon** (on dit aussi *bouvelet*).

**BOUVERIE** [buvʀi] n. f. — Fin XII^e, *boverie ;* de *boeuf.*

Vx ou techn. (agric.). Étable à bœufs.

*(j'ai vu)* l'accouplement des bêtes en forêt sous les yeux des enfants, et des convalescences de prophètes au fond des bouveries (...) SAINT-JOHN PERSE, Éloges, Anabase, X, p. 141.

**BOUVET** [buvɛ] n. m. — 1600, par anal. avec les sillons tracés par le boeuf ; «jeune bœuf», 1305 ; de *bœuf.*

Techn. Rabot* servant, en menuiserie, à faire des rainures ou des languettes. → **Gorget.**

DÉR. **Bouveter.**

**BOUVETER** [buvte] v. tr. — 1876, au p. p. ; de *bouvet.*

Techn. Raboter à l'aide d'un bouvet.

DÉR. **Bouveteuse.**

**BOUVETEUSE** [buvtøz] n. f. — 1929 ; de *bouveter.*

Techn. Machine à bois pour faire des rainures ou des languettes.

**BOUVIER, IÈRE** [buvje, jɛʀ] n. — 1119, *buvier ;* du bas lat. *bovarius* «marchand de boeufs», de *bos* «bœuf».

♦ **1** Personne qui garde et conduit les bœufs. → **Gardien.**

1 Marie, je ne suis qu'un bouvier, mais vraiment tu me prends pour un bœuf. G. SAND, la Mare au diable, X, p. 82.

2 (...) le morne et silencieux monologue du bouvier conduisant ses bœufs de labour (...) E. FROMENTIN, Dominique, II.

Fig. et vx. Personne grossière et maladroite. *«Cet homme sale (...) ce bouvier débraillé* (un médecin)*»* (Montherlant, *in* T. L. F.). — Nom d'une constellation de l'hémisphère boréal.

♦ **2** N. m. Oiseau des champs se nourrissant des mouches qui tournent autour des bœufs.

♦ **3** N. m. *Bouvier des Flandres :* espèce de chien de berger.

DÉR. V. **Bouvreuil.**

**BOUVIÈRE** [buvjɛʀ] n. f. — 1611 ; orig. obscure, p.-ê. du rad. de *boue,* n'est probablt pas à rapprocher du précédent.

Poisson osseux de rivière *(Cyprinidés),* au corps couvert de grosses écailles, appelé aussi *rosière* (2. Rosière).

**BOUVILLON** [buvijɔ̃] ou **BOVILLON** [bɔvijɔ̃] n. m. — XV^e ; de *boeuf.*

Jeune bœuf plus âgé que le veau. → **Veau.** Syn. : *bouvard, bouveau.*

**BOUVREUIL** [buvʀœj] n. m. — 1743 ; *bouvreur,* 1700 ; contraction de **bouvereuil,* de *bœuf,* par métaphore, à cause de la silhouette trapue de cet oiseau, plutôt que dimin. de *bouvier.*

Oiseau passereau des jardins et des bois *(Fringillidés),* au plumage gris et noir, rouge sur la poitrine. *Le bouvreuil se nourrit de graines, de baies et d'insectes. Gai comme un bouvreuil :* très gai.

(...) elle *(Fadette)* lui avait parlé d'amitié, d'une voix si douce que celle des bouvreuils qui gazouillaient en dormant dans les buissons paraissait dure auprès. G. SAND, la Petite Fadette, XX, p. 141.

**BOUVRIL** [buvʀil] n. m. — 1867 ; de *boeuf.*

Techn. Lieu où on loge les bœufs* dans les abattoirs.

**BOUZINE** [buzin] n. f. → **Bousine.**

**BOUZY** [buzi] n. m. — 1861 ; n. de lieu.

Vin de champagne (notamment, rouge) de Bouzy. *Du bouzy rouge.*

**BOVARYSME** [bɔvaʀism] n. m. — 1865, Barbey d'Aurevilly ; de *(Madame) Bovary,* roman de Flaubert.

Didact. Pouvoir «qu'a l'homme de se concevoir autre qu'il n'est» (J. de Gaultier, *le Bovarysme,* 1902, *in* Lalande) et «par suite, de se faire une personnalité fictive, de jouer un rôle qu'il s'attache à soutenir malgré sa vraie nature et malgré les faits» (Lalande). — (Psychol.). Attitude psychologique dans laquelle ses aspirations insatisfaites, alliées à un manque d'autocritique, poussent le sujet (généralement une femme, pour des raisons socioculturelles) à s'évader d'une réalité qu'il juge médiocre pour se réfugier dans une vie imaginative et romanesque, surtout dans le domaine sentimental. — Cour. Évasion dans l'imaginaire par insatisfaction.

Somme toute, nous ne sommes pas très loin ici, me semble-t-il, de ce que M. Jules de Gaultier appellera le *bovarysme* — nom qu'il donne, d'après l'héroïne de Flaubert, à cette tendance qu'ont certains à doubler leur vie d'une vie imaginaire. GIDE, Dostoïevsky, p. 236. 1

Le même bovarysme (...) qui chez l'un aboutit à l'échec, peut aboutir chez un autre à la réussite. 2
A. POROT, citant J. Delay, *Névrose et Création,* 1954, *in* Manuel alphabétique de Psychiatrie, 1975.

**BOVARYSTE** [bɔvaʀist] adj. — 1857 ; de *(Madame) Bovary.*

Didact. Relatif au bovarysme.

**BOVETTE** ou **BOWETTE** [bɔvɛt] n. f. — D. i. (cf. *bouveau,* même sens, 1867) ; mot flamand, de *bove* «caverne», bas lat. **bova* «trou».

Techn. et régional. Galerie de mine creusée dans le rocher.

Le schéma le plus courant du mouvement des berlines (...) est le suivant : la berline part du culbuteur du jour, elle descend par la cage du puits, arrive à l'accrochage du fond. Un cheval, une locomotive ou un système de traînage l'emmène dans la bowette d'étage, puis dans la voie du fond d'étage. Michel CAZIN, les Mines, p. 93.

DÉR. **Bovetteur.**

**BOVETTEUR** [bɔvetœʀ] n. m. — D. i. (XXe, attesté); de *bovette.*

Techn. et régional. Ouvrier employé au creusement des galeries de mine dans le rocher (→ **Bovette**).

**BOVIDÉS** [bɔvide] n. m. pl. — 1836; du rad lat. *bos, bovis* «boeuf», et suff. *-idés.*

Zool. Famille de mammifères ongulés ruminants, à cornes creuses, dont la denture ne comporte ni incisives ni canines, et dont les membres se terminent par deux doigts munis de sabots (→ **Cavicorne**). *Cri des bovidés.* → **Beuglement, meuglement, mugissement.** *Les bovidés peuvent être répartis en cinq sous-familles : les bovinés*, les céphalophinés, les hippotraginés* (cob ou kob, gnou), *les antilopinés* (gazelles) *et les caprinés. Les ovins, les bovins* (→ **Bœuf**), *les chèvres, les antilopes, les gazelles et les chamois sont des bovidés.*

Adj. *Les mammifères bovidés.*

REM. Dans la langue courante, *bovidés* ne s'emploie guère qu'à propos des bovinés bovins*.

Au sing. *Le bœuf est un bovidé.*

Par comparaison :

Il regarda ma main. Un regard splendidement, étonnamment, inhumainement vide. Un regard de bovidé à la panse pleine.
Louis CALAFERTE, Partage des vivants, p. 56.

**BOVILLON** [bɔvijɔ̃] n. m. → **Bouvillon.**

**BOVIN, INE** [bɔvɛ̃, in] adj. et n. m. — V. 1121, adj.; rare jusqu'au XIXe; du bas lat. *bovinus,* de *bos, bovis* «boeuf».

♦ **1** Qui a rapport au bœuf (espèce). *Races bovines* (→ **Bétail**, cit. 1).

Fig. et fam. Qui a la lourdeur du bœuf.

Spécialt. *Regard, œil bovin* (d'une personne), éteint, morne et sans intelligence.

(...) un nombre indéterminé de bonnes femmes, dont la moitié, vénales, et l'autre moitié, bovines (...)
Jean-Louis CURTIS, le Roseau pensant, p. 156.

♦ **2** N. m. pl. *Les bovins :* les animaux de l'espèce *bœuf :* les bœufs, les vaches, les taureaux et les veaux. — Au sing. *Un bovin.*

Zool. → **Bovinés.**

**BOVINÉS** [bɔvine] n. m. pl. — 1898; du lat. *bos, bovis* «boeuf».

Zool. Sous-famille de bovidés dont le bœuf est le type (→ **Bovin**, 2.), comprenant aussi l'aurochs, le buffle, le yack, le bison, le zébu.

**BOWETTE** [bɔvɛt] n. f. → **Bovette.**

**BOWLING** [boliŋ; buliŋ] n. m. — 1908, *in* Höfler, répandu v. 1950; mot angl. des États-Unis, de *to bowl* «jouer aux quilles».

Anglic. Jeu de quilles et de boules. *Jouer au bowling.* — Lieu où l'on y joue. *Aller dans un bowling.*

1 Il m'emmena dans un bowling où nous avons bu de la bière, en regardant tomber des quilles (...)
S. DE BEAUVOIR, les Mandarins, p. 314 (1954).

Hélène m'a plus d'une fois proposé de sortir avec ce qu'elle appelle «la bande de profs». Ça ne me dit rien d'aller jouer au bowling, ou de voir un spectacle à la Maison de la Culture (...) Yanny HUREAUX, la Prof, p. 88. 2

**BOW-WINDOW** [bowindo] n. m. — 1863; attestation isolée, *bow window,* 1830; mot angl., de *bow* «arc», et *window* «fenêtre».

Anglic. Fenêtre en saillie sur le mur d'une maison. *Des bow-windows.* Syn. : *bay-window.* — Recomm. off. → **Oriel.**

Chaque cottage porte une petite excroissance plus claire, de forme carrée; c'est un bow-window. Dans chaque bow-window, il y a un pot de fleurs. Derrière chaque pot de fleurs, il y a un parloir. Ombre de Dickens ! 1
J.-R. BLOCH, Sur un cargo, p. 20.

Elle avait une teinte bleu-gris, une petite véranda donnant sur l'avenue Jean-Charcot, et un bow-window du côté de la rue. Patrick MODIANO, Villa triste, p. 175. 2

**BOX** [bɔks], plur. **BOXES** [bɔks] n. m. — 1838; «loge de théâtre», 1777; angl. *box* «boîte».

♦ **1** Stalle d'écurie servant à loger un seul cheval.

(1918, *in* Höfler). Compartiment cloisonné (d'un garage). → **Stalle.**

♦ **2** (1879, *in* Höfler). Espace à demi-cloisonné, dans un lieu public, dans les locaux d'une collectivité, pour isoler les personnes. *Le box des accusés au tribunal. — Boxes de cafés. Boxes de dortoirs dans un pensionnat. Les boxes d'une salle d'hôpital. Boxes vitrés d'employés de bureau, de dactylos, dans une entreprise.*

Vincent entre dans le bar. Une longue salle voûtée avec des boxes à droite et à gauche. 1
H.-F. REY, les Pianos mécaniques, p. 20.

Conduis-moi au box de M. Canet, dit Noël à un grouillot. 2
Dans la salle carrée attenante au grand hall *(de la Bourse),* une quarantaine de cages minuscules et identiques, le long des murs, contenaient des hommes de tous âges qui s'égosillaient dans leurs téléphones (...) Au-dessus de l'une des cages était gravé dans le cuivre le nom de l'agent de change.
M. DRUON, les Grandes Familles, IV, XV, p. 258.

Sartre l'a trouvée couchée dans un des boxes d'une grande salle de réanimation, inconsciente, bardée d'appareils destinés à faire battre le cœur, le bras pris dans un goutte-à-goutte. S. DE BEAUVOIR, Tout compte fait, p. 109. 3

Si jamais les nouvelles du Maroc leur devaient quelque jour donner de l'inquiétude, ils savent bien qu'aucun box assez vaste n'existe dans aucun tribunal pour accueillir tous les responsables du coup de force de Rabat. 4
F. MAURIAC, Bloc-notes 1952-1957, p. 51.

♦ **3** Anglic. (repris à l'angl. *box*). Vx. Appareil de photo rudimentaire («boîte»).

HOM. **Box** (box-calf), **boxe.**

**BOXANT, ANTE** [bɔksɑ̃, ɑ̃t] adj. — XXe; de 1. *boxer.*

Rare. Qui pousse à pratiquer la boxe.

(...) non loin de ces lieux où germa la vocation boxante de Jacques L'Aumône (...)
R. QUENEAU, Loin de Rueil, p. 62.

**BOX-CALF** [bɔkskalf] ou **BOX** [bɔks] n. m. — 1899; mot angl. des États-Unis, du nom du bottier anglais Joseph *Box,* et de *calf* «veau», l'image de la marque représentant un veau *(calf)* dans une boîte *(box).*

Cuir fait de peaux de veau tannées au chrome, servant à la confection des chaussures, sacs, etc. *Un sac en box noir.* On dit aussi *calf*. Des box-calfs. Des box.*

Isabelle crachait plus fort sur le box-calf. Ma brosse était sous le pied de la surveillante.
Violette LEDUC, la Bâtarde, p. 104.

HOM. (De *box*) **Box, boxe.**

**BOXE** [bɔks] n. f. — 1804; angl. *box* «coup».
Sport de combat, réglementé depuis la fin du XIXᵉ siècle, opposant deux adversaires qui se frappent à coups de poing, mais en portant des gants spéciaux (gants de boxe). → **Pugilat** (→ Le noble art). *Boxe anglaise. Boxe française,* dans laquelle les coups peuvent être portés avec les mains et avec les pieds (→ **Savate**).

1 Mais combat n'est pas sport : les partisans de la boxe française répètent qu'elle est plus efficace que la boxe anglaise : comme elle est, d'un côté, moins efficace que le jiu-jitsu, ce n'est pas elle qu'il faudrait adopter.
Jean PRÉVOST, Plaisirs des sports, p. 89.

Plus cour. Boxe anglaise. *Boxe olympique. Match, combat de boxe.* → **Arbitre, boxeur, gong, juge, reprise** (ou **round**), **ring.** *Gagner un match de boxe aux points, par abandon, par jet de l'éponge*, par arrêt de l'arbitre, par K.-O.* (→ aussi **Break; compte; knock-down, knock-out**). *Le tenant du titre et son challenger*, dans un match de boxe. Coups classiques de la boxe.* → **Crochet, direct, swing, uppercut.** *Catégories de poids, en boxe* (→ Boxeur). *Promoteur, organisateur de matchs de boxe.* → **Match-maker** (anglic.).

2 Le fils de notre crémière nous fait demander de lui prendre des billets d'assaut de boxe.
Ed. et J. DE GONCOURT, Journal, t. I, p. 170.

3 La conversation britannique est un jeu comme le cricket ou la boxe : les allusions personnelles sont interdites comme les coups au-dessous de la ceinture, et quiconque discute avec passion est aussitôt disqualifié.
A. MAUROIS, les Silences du colonel Bramble, VI, 60.

DÉR. 1. **Boxer, boxeur.** ◊ HOM. **Box.** V. **Box-calf.**

1. **BOXER** [bɔkse] v. — 1772; «se battre comme les Anglais», 1767, *in* D. D. L.; de *boxe.*

♦ **1** V. intr. Livrer un combat de boxe, pratiquer la boxe. *Apprendre à boxer. Il boxe bien. Se mettre en garde pour boxer.*

♦ **2** V. tr. (1791, *in* Höfler). Fam. Frapper à coups de poing (qqn). *Je vais te boxer!*

— Calme-toi. Ce n'est pas dans mes procédés de boxer les clients. Seulement, celui-là, qu'il revienne et il saura ce que c'est qu'un emplâtre.
Francis CARCO, les Belles Manières, p. 85.

(1801). Rencontrer (un adversaire) dans un combat de boxe.

DÉR. **Boxant.**

2. **BOXER** [bɔksɛʀ; bɔksœʀ] n. m. — 1919, *Larousse mensuel;* mot all. «boxeur».
Chien de garde, voisin du dogue allemand, à robe fauve ou tachetée. *L'élevage des boxers.*

Le boxer me fixait, planté sur ses quatre pattes écartées. Il se tourna, je vais lui caresser les reins. Sa petite queue frétillait.
Violette LEDUC, la Folie en tête, p. 264.

3. **BOXER** [bɔksœʀ] ou **BOXER-SHORT** [bɔksœʀ ʃɔʀt] n. m. — V. 1970; mot angl. «culotte courte de boxeur».
Anglic. Short de sport doublé d'un slip.

**BOXEUR, EUSE** [bɔksœʀ, øz] n. — 1788; de *boxe.*
Personne qui pratique la boxe*. → **Pugiliste.** *Catégorie (poids) de boxeurs :* poids bantam (ou poids coq), poids plume, léger, moyen, mi-lourd, lourd. *Ce boxeur a un bon punch*, une bonne frappe*, mais il manque d'allonge*. Le jeu de jambes, l'esquive d'un boxeur. Le manager, le soigneur d'un boxeur. Boxeur amateur, professionnel. Écurie de boxeurs. L'entraînement d'un boxeur* (→ **Punching-ball; sparring-partner**). *Coquille* protégeant le bas-ventre d'un boxeur.*

Loc. *Une tête de boxeur :* Un visage marqué, irrégulier (comme le visage d'un boxeur dont les traits ont été déformés par les coups). *Un nez de boxeur.*

La porte refermée fit osciller la lampe : les visages disparurent, reparurent : à gauche (...) la tête de boxeur crevé d'Hemmelrich, tondu, nez cassé, épaules creusées.
MALRAUX, la Condition humaine, p. 13.

**BOX-OFFICE** [bɔksɔfis] n. m. — 1950; attestation isolée, 1923; mot amér., propr «guichet de théâtre». → Box.
Anglic. Dans le milieu du spectacle, échelle de succès d'après le montant des recettes. *Être, figurer au box-office. Arriver en tête du box-office. Des box-offices.*

Marina Gospel, la plus grande vedette du box-office, interprétait le rôle d'une naïade éprise d'un pilote d'avion qui s'était réfugié sur une île déserte avec une cargaison d'or.
Jean CAYROL, Histoire de la mer, p. 164 (1973).

**BOXON** [bɔksɔ̃] n. m. — 1837; *bocson* «cabaret», 1811; mot angl. «cabinet particulier de taverne»; de *box* «salon particulier dans un café». → Box.
Familier.

♦ **1** Maison de prostitution. → **Bordel; bobinard** (cit. 3), **bocard.** — Var. : *bocson.*

Ils venaient surtout eux, au boxon, pour la rigolade. Souvent ils se battaient pour finir, énormément. La police arrivait alors en trombe et emportait le tout dans des petits camions. 1
CÉLINE, Voyage au bout de la nuit, p. 209 (1932).

Chez mon frère, c'était le 47 de la rue Thiers, le boxon le plus cher, le plus célèbre, le mieux coté d'Épinal. Trente femmes sages comme des images y travaillaient avec application. Les fafiots s'accumulaient dans la tirelire de Dominique et pour les généraux, Camélia, en personne, soi-même, se mettait à l'ouvrage. 2
R. QUENEAU, le Chiendent, p. 413.

♦ **2** Grand désordre. → **Bordel.** *Quel boxon, chez toi!*

DÉR. V. 2. **Bocard.**

**BOY** [bɔj] n. m. — 1857, *in* Höfler; attestation isolée, 1836; mot angl., «garçon».

♦ **1** (1872). Jeune palefrenier.

♦ **2** (1843). Jeune domestique indigène en Extrême-Orient, en Afrique, etc. → **Boyesse.** *Des boys* [bɔj].

C'est elle qui jetait à son chien les restes de viande, plutôt que de les laisser finir par ses boys. 1
GIDE, Voyage au Congo, *in* Souvenirs, Pl., p. 831.

Nous ne prendrons rien, dit Rolain en voyant le boy apporter un plateau garni de verres immenses. 2
Henri FAUCONNIER, Malaisie, p. 23.

(En franç. d'Afrique). Loc. *Boy-cuisinier. Boy de chambre, de table.*

♦ **3** (1947). Danseur de music-hall (→ **Girl**); musicien d'un orchestre de variétés à l'américaine.

Il nous arrivait de voir ensemble un film nouveau; nous allâmes en grande pompe écouter Jack Hylton et ses boys (...) 3
S. DE BEAUVOIR, la Force de l'âge, p. 43.

♦ **4** (Réempr. à l'angl.). *Les boys* [bɔjz] : les soldats (britanniques, américains).

DÉR. **Boyesse.**

**BOYARD** ou **BOÏAR** [bɔjaʀ] n. m. — 1415, *boyare;* mot russe, «seigneur».

♦ **1** Anciennt. Noble, en Russie. *Les moujiks et les boyards.*

Enfouis sous un amoncellement de burnous et de couvertures, Paul et moi, nous avions l'air de deux boyards (...)
GIDE, Si le grain ne meurt, II, 1.

♦ **2** (1932). Fam. Vieilli ou par plais. Homme riche, cossu. *Il s'est payé un costume de boyard. C'est un vrai boyard.*

**BOYAU** [bwajo] n. m. — V. 1340; *boiel*, 1100; lat. *botella* «entrailles», de *botellus* «petite saucisse».

♦ **1** Intestin* d'un animal. → **Tripe.** *Les boyaux des bêtes abattues sont utilisés en charcuterie* (→ **Boudin, saucisse...**). — *Remplir un boyau de graisse, de viande...* (→ **Boudinière**). — Au plur. Fam. Intestin de l'homme. → **Entrailles, viscères.** (1790, *in* D. D. L.). *Rendre tripes et boyaux.* → **Vomir.** *Perdre ses boyaux.* → **Ébouler** (s'), **éventrer.** *Alcool si fort qu'il semble tordre les boyaux.* → **Tord-boyaux.**

1 Sa fièvre est augmentée avec une colique dans les boyaux (...) Mme DE SÉVIGNÉ, Lettres, 334.

1.1 Léon, de la main droite, soulevait un long bout de boyau vide, dans l'extrémité duquel un entonnoir très évasé était adapté; et, de la main gauche, il enroulait le boudin autour d'un bassin, d'un plat rond de métal, à mesure que le charcutier emplissait l'entonnoir à grandes cuillerées. ZOLA, le Ventre de Paris, t. I, p. 141.

Chir. *Boyau de chat servant à faire des sutures.* → **Catgut.**

*Corde à boyau*, ou *boyau* : corde faite avec les intestins de certains animaux, et servant à garnir les violons, les harpes, à monter des raquettes. — Fam. et vx. *Racler le boyau* : jouer mal du violon. — *Un boyau de raquette de tennis.* — *Travail des boyaux.* → **Boyauderie, boyaudier.**

REM. On trouve chez Céline le dérivé *boyasse* [bwajas] «entrailles humaines».

1.2 Il nous avait tout gloutonné... tout l'or!... Ah! le gros bâfreux sale ventru!... Et il jubilait tout ravi!... à travers les quintes!... Il se tenait plus de rigolade lui le phénomène!... Toute sa boyasse qui tintait!... CÉLINE, Guignol's band, p. 233.

♦ **2** Par anal. Conduit long et étroit servant d'écoulement... → **Tuyau.** *Un boyau en toile, en caoutchouc. Le boyau d'une pompe.*

(1904, *in* Petiot). *Boyau de bicyclette* : pneumatique très mince, utilisé sans chambre à air. *Boyaux d'un vélo de course. Les boyaux coûtent cher et sont très fragiles.*

♦ **3** Chemin, passage étroit. *Un boyau de mine* : galerie étroite faisant communiquer des sections plus importantes. *Boyau de tranchée en zigzag.* → **Tranchée.** *Une rue en boyau.*

1.3 (...) cette porte est l'entrée d'un boyau, aussi obscur que long, des sinuosités duquel ta frayeur en entrant t'empêcha, sans doute, de t'apercevoir; d'abord ce boyau descend, parce qu'il faut qu'il passe sous un fossé de trente pieds de profondeur, ensuite il remonte après la largeur de ce fossé, et ne règne plus qu'à six pieds sous le sol; c'est ainsi qu'il arrive aux souterrains de notre pavillon, éloigné de l'autre d'environ un quart de lieue (...) SADE, Justine..., t. I, p. 161 (1791).

1.4 La boutique, où l'oncle Gradelle avait amassé son trésor, sou à sou, était une sorte de boyau noir, une de ces charcuteries douteuses des vieux quartiers (...) ZOLA, le Ventre de Paris, t. I, p. 80.

2 Derrière l'église, la grand'rue se rétrécit, forme un boyau. MARTIN DU GARD, les Thibault, t. VIII, p. 172.

3 Elles *(les bêtes)* cheminent lentement, sûrement, les unes derrière les autres, tels des soldats dans les boyaux d'un champ de bataille. G. DUHAMEL, Scènes de la vie future, VIII.

DÉR. **Boyauderie, boyaudier, boyauter** (se). ◊ COMP. **Tord-boyaux.** — V. **Ébouler, tournebouler.**

**BOYAUDERIE** [bwajodʀi] n. f. — 1835; de *boyau*.

Techn. Préparation des boyaux. — Lieu où se fait cette préparation.

**BOYAUDIER** [bwajodje] n. m. — 1690; *boiotier*, 1680; de *boyau*.

Techn. Ouvrier spécialisé dans la préparation des boyaux.

**BOYAUTER (SE)** [bwajote] v. pron. — 1901, Bruant; de *boyau*.

Fam. Rire* très fort, se tordre* de rire. → **Bidonner** (se).

Caché par les deux époux, Ribouldingue se boyautait tel un chapeau-claque qui aurait des coliques hépatiques. «Ah! l'animal! pouffait-il entre ses dents, c'qu'il en a un culot!» 1
L. FORTON, les Aventures des Pieds-Nickelés, *in* l'Épatant, 1910, p. 135.

(...) il en pouvait plus de se boyauter les cannes en l'air (...) 2
Tony DUVERT, Paysage de fantaisie, p. 27.

**BOYCOTT** [bɔjkɔt] n. m. — 1888, *in* Höfler; mot angl. → Boycotter.

Anglic. Boycottage*. *Un «boycott des produits français»* (*l'Express*, 28 mai 1973). *Boycott économique. Des boycotts.*

**BOYCOTTAGE** [bɔjkɔtaʒ] n. m. — 1881, *in* Rey-Debove et Gagnon; de *boycotter*.

Interdit ou blocus matériel prononcé contre un individu, un groupe, un pays et contre les biens qu'il met en circulation. — Syn. : *boycott. Boycottage des produits de certains pays; d'un pays.*

Elle se félicita que les professeurs de maintien, de la Souabe à la Franconie, eussent approuvé en chœur le boycottage, s'engageant à remplacer désormais la révérence française par un pas qu'ils venaient d'inventer et qui s'appelait révérence Meyer-Goya. 1
GIRAUDOUX, Siegfried et le Limousin, p. 132.

(...) en décembre 1976, un consortium de banques suisses réunit d'urgence 340 millions de dollars destinés à la toute jeune dictature argentine; ce crédit permet au général Videla de consolider son pouvoir et d'échapper au premier boycottage international. 2
Jean ZIEGLER, Main basse sur l'Afrique, p. 24.

**BOYCOTTER** [bɔjkɔte] v. tr. — 1880; angl. *(to) boycott*, de *Boycott*, propriétaire irlandais mis en quarantaine (1832-1897).

Infliger ou tenter d'infliger un dommage matériel ou moral à (un individu, un groupe, un pays), en refusant des relations ou en se livrant à des actes agressifs, particulièrement dans le domaine économique et social. *Boycotter quelqu'un, un commerçant, un employeur.* — Par ext. *Boycotter quelque chose, un produit.* → **Frapper; index** (mettre à l'index), **interdit** (jeter l'interdit), **quarantaine** (mettre en). *Boycotter une marchandise étrangère.*

En Amérique, la colère, l'indignation furent profondes. Nos marchandises furent boycottées. Le tourisme américain se détourna de nos ports. Toutes nos œuvres françaises créées et maintenues avec tant d'effort périclitèrent. 0.1
CLAUDEL, l'Amérique et nous, Œ. en prose, Pl., p. 1213.

Refuser de prendre part à. *Boycotter des élections. Boycotter un congrès scientifique, un spectacle, un journal.*

Nous nous promettons de résister à leur sollicitation et de boycotter les feuilles du milieu du jour. 1
GIDE, Journal, 23 août 1914.

Refuser d'admettre (quelqu'un).

Contre le noir, la coalition *(des ouvriers américains)* est tacite et spontanée : exceptionnellement on le reçoit dans le syndicat, plus généralement on le boycotte. 2
André SIEGFRIED, les États-Unis d'aujourd'hui, p. 98.

DÉR. **Boycottage, boycotteur.**

**BOYCOTTEUR, EUSE** [bɔjkɔtœʀ, øz] n. — 1881, *in* Höfler; de *boycotter*.

Personne qui boycotte.

**BOYESSE** [bɔjɛs] n. f. — 1921, *in* Höfler; de *boy*.

Rare. Domestique indigène féminine, en Extrême-Orient, en Afrique, etc. — REM. En franç. d'Afrique, le mot est vieilli ou péj.

**BOY-FRIEND** [bɔjfʀɛnd] n. m. — 1947, *in* Rey-Debove et Gagnon; mot angl., de *boy* «garçon», et *friend* «ami».

Anglic. Plais. Homme, garçon avec qui l'on a une relation amoureuse. → **Flirt.** *Elle nous a présenté son boy-friend. Des boy-friends.*

**BOY-SCOUT** [bɔjskut] n. m. — 1910; mot angl., «garçon-éclaireur».

♦ **1** Vx ou iron. Garçon faisant partie d'un mouvement de scoutisme. → **Éclaireur, scout.** *L'uniforme du boy-scout. Des boy-scouts.*

Par plais., prononcé [bwaskut] :

1 Car il faut vous dire, mes chers auditeurs, que dans la loge du Père se trouvent trois charmants petits boiscouts qui sont aussi enfants de chœur (...)
Boris VIAN, le Dernier des Métiers, p. 45.

♦ **2** Fig. et fam. Idéaliste naïf qui cherche à bien faire. *Une mentalité de boy-scout.* — Adj. *Il est un peu boy-scout.*

2 Une révolution même «très civilisée» comme fut celle-là, selon nos deux auteurs qui en sont tout attendris, n'est pas un jeu de boy-scout.
F. MAURIAC, le Nouveau Bloc-notes 1958-1960, p. 171.

3 Comme presque toutes les femmes Bertille a un côté boy-scout. Elle rêvait déjà de conversion (...)
Hervé BAZIN, Cri de la chouette, p. 47.

DÉR. **Boy-scoutesque.**

**BOY-SCOUTESQUE** [bɔjskutɛsk] adj. — V. 1960; de *boy-scout.*

Rare. Qui rappelle la mentalité des boy-scouts (2.).

(...) cette volonté d'ordre, de stabilité, de cette conception obstinément boy-scoutesque et optimiste du monde à quoi il s'accroche, qu'il cherche à toute force à préserver, à tenir pour vraie contre l'évidence même (...)
Claude SIMON, le Vent, p. 149.

**BOZO** [bozo] n. m. — V. 1930; angl. (des États-Unis, puis du Canada) *bozo* «gars, type» (1920), p.-ê. d'un créole esp. des Caraïbes.

Au Canada. Fam. Personnage excentrique, déroutant, et, par ext., maladroit, ridicule, un peu niais. *Tu parles d'un maudit bozo! Des bozos.* (Aussi surnom : cf. les chansons *Bozo*, de Félix Leclerc (1946) et *Bozo les culottes*, de Raymond Lévesque (1963) : *«Il flottait dans ses pantalons / De là lui venait son surnom / Bozo les culottes (...) Il savait à peine compter / Bozo les culottes (...)».*) — Adj. *Lui, je le trouve pas mal bozo.*

**B. P.** [bepe]

Abrév. de *boîte* postale.*

**Bq** [beky]

Symb. du *becquerel.*

**Br** [beɛʀ]

Symb. chimique du *brome.*

**BRABANÇON, ONNE** [bʀabɑ̃sɔ̃, ɔn] adj. et n. — 1174, *breibançon*; lat. médiéval *brabantio*, de *Brabantia, Bracbantia* «le Brabant», province du centre de la Belgique.

Du Brabant. *Mœurs brabançonnes.*

Ses œuvres traitent de légendes brabançonnes — d'un bâtiment posthume, — d'un virtuose guerroyeur enlevé par Celle qu'on révère à Paphos (...)
VILLIERS DE L'ISLE-ADAM, Tribulat Bonhomet, p. 75 (1887).

(1890). *Cheval brabançon,* ou, n. m., *brabançon* : cheval de trait dont la race est originaire du Brabant. (1910). *Terrier brabançon. Terrière brabançonne* (→ 2. Terrier, cit. 2).

N. Personne originaire du Brabant, ou y habitant. *La Brabançonne* : l'hymne national belge.

**BRABANT** [bʀabɑ̃] n. m. — 1835; *charrue de Brabant*, 1800; du n. de la province où elle était fabriquée (→ Brabançon).

Agric. Charrue* métallique à avant-train. *Brabant simple. Double-brabant,* à deux socs et deux versoirs. — Appos. *Charrue brabant.*

(...) il biaise, il se traverse, comme un jeune cheval au brabant. BERNANOS, la Joie, Œ. roman., Pl., p. 607.

**BRACELET** [bʀaslɛ] n. m. — 1415; *brachelés* «poignet d'une armure», 1387; *bracelet* «petit bras», v. 1150; de *bras*, et suff. *-elet.*

♦ **1** Bijou en forme d'anneau, de cercle qui se porte autour du poignet. → **Anneau, chaînette, jonc.** *Bracelet en or, en ivoire, en cuir, en velours. Bracelet de perles. Fragment de corail pour bracelet.* → **Puntarelle.** *Bracelet d'une plaque d'identité. Chaînette de sûreté d'un bracelet. Bracelet de sept anneaux.* → **Semaine.** *Bracelet à mailles.* → **Gourmette.** *Bracelet en forme de serpent. Bracelet antique pour le cou, les bras, les jambes.* → **Psellion.** *Bracelet antique figuré sur les chapiteaux.* → **Armilles.** — *Porter des bracelets* (→ Anneau, cit. 6; bijou, cit. 1).

(...) la vieille semblait au comble de l'irritation, levait son poing cliquetant de bracelets comme celui d'une romanichelle. MARTIN DU GARD, les Thibault, t. II, p. 233. 1

Elles réclamaient mes conseils avant d'arrêter leur choix sur les glands, les barrières de perles, les tassettes et les bracelets de moire destinés à achever la splendeur de leurs robes. 2
Jean RAY, les Derniers Contes de Canterbury, p. 89.

*Bracelet d'une montre* : cercle de cuir, d'étoffe ou bijou qui entoure le poignet et tient la montre. → **Bracelet-montre, montre-bracelet.**

Par anal. Enveloppe de cuir que certains travailleurs portent autour du poignet. *Bracelet de force.* → **Poignet** (de force).

♦ **2** (Au plur.). Argot. Menottes. *On lui a passé les bracelets.*

♦ **3** Par ext. du sens 1. Anneau porté au pied comme ornement.

Chaque danseur avance à petits pas saccadés qui font tinter les bracelets de ses chevilles. 3
GIDE, Voyage au Congo, *in* Souvenirs, Pl., p. 729.

♦ **4** Archit. Ornement annulaire. → **Annelure, bague.**

♦ **5** Lien élastique circulaire, et assez large.

COMP. **Bracelet-montre, montre-bracelet.**

**BRACELET-MONTRE** [bʀaslɛmɔ̃tʀ] n. m. — 1909, *in* D. D. L.; de *bracelet*, et *montre* pour trad. l'angl. *wrist-watch.* → Montre-bracelet.

Bijou composé d'un bracelet sur lequel est montée une montre. *Des bracelets-montres.*

Tandis qu'on épuisait les stoïciens, elle consulta son bracelet-montre. C'était un boîtier entouré de brillants.
M. AYMÉ, Maison basse, p. 186.

**BRACHIAL, IALE, IAUX** [bʀakjal, jo] adj. — 1541; lat. *brachialis,* de *brachium.* → Bras.

Anat. Qui appartient au bras. *Muscles brachiaux. Biceps brachial.* → **Biceps.** *Triceps brachial.* → **Triceps.** *Névralgie du plexus* brachial* (ou *brachialgie* [bʀakjalʒi]).

**BRACHIATION** [bʀakjasjɔ̃] n. f. — 1964; empr. à l'angl. *brachiation* (1889), du lat. *brachium* «bras».

Zool. Mode de déplacement de certains singes arboricoles à l'aide des bras, par balancement de branche en branche.

**BRACHIOPODES** [bʀakjɔpɔd] n. m. pl. — 1805, Cuvier; du lat. *brachium* (→ Bras), et *-pode.*

Zool. Groupe d'animaux marins enfermés dans une coquille à deux valves, une ventrale et une dorsale, le plus souvent fixés (directement ou par un pédoncule).

**BRACHY-** Élément préfixal, du grec *brakhus* «court», entrant dans la composition de nombreux mots savants (peut s'opposer à *aux-,* à *dolicho-*). — REM. Outre les termes traités ci-dessous à l'ordre alphabétique, on peut signaler : *brachyanticlinal, aux,* n. m., géol. : anticlinal court; *brachyœsophage,* n. m., méd., brièveté anormale de l'œsophage; *brachysynclinal, aux,* n. m., géol. : synclinal court.

**BRACHYCÉPHALE** [bʀakisefal] adj. — 1836; de *brachy-,* et *-céphale.*

Didact. (anthrop.). Qui a le crâne arrondi, presque aussi large que long. *Homme, race brachycéphale.* — N. *Un, une brachycéphale.*

CONTR. **Dolichocéphale.** — V. aussi **Mésocéphale.** ◊ DÉR. **Brachycéphalie, brachycéphalisation.**

**BRACHYCÉPHALIE** [bʀakisefali] n. f. — 1859, Broca; de *brachycéphale.*

Didact. (anthrop.). Caractère d'un crâne brachycéphale. — (Anat.) Malformation crânienne liée à une fermeture prématurée de la suture coronale (jonction de l'os frontal et des deux pariétaux), caractérisée par une augmentation des dimensions verticale et transversale du crâne, avec réduction de la distance d'avant en arrière.

**BRACHYCÉPHALISATION** [bʀakisefalizasjɔ̃] n. f. — XX^e^, *in* Manuila, 1970; de *brachycéphale.*

Didact. Passage graduel de l'état de dolichocéphale à l'état de mésocéphale puis de brachycéphale, observé chez l'*Homo sapiens* depuis le Paléolithique supérieur jusqu'à nos jours. *La «brachycéphalisation serait un phénomène évolutif»* (Manuila).

**BRACHYCÈRES** [bʀakisɛʀ] n. m. pl. — 1790; de *brachy-,* et grec *keras* «corne».

Zool. Sous-ordre d'insectes diptères à antennes courtes, palpes dressés et à ailes larges. *Les taons, les bombydes* (Orthorrhaphes); *les syrphes, les drosophiles, les muscidés* (mouches), *les œstrides* (Cyclorrhaphes) *sont des brachycères.* — Au sing. *Un brachycère.*

**BRACHYDACTYLE** [bʀakidaktil] adj. et n. — 1863, Littré; de *brachy-,* et *-dactyle.*

Didact. Qui a les doigts courts.

**BRACHYLOGIE** [bʀakilɔʒi] n. f. — 1842; de *brachy-,* et *-logie.*

Didact. et vx. Manière de s'exprimer avec une extrême concision; obscurité qui en résulte.

**BRACHYNE** [bʀakin] n. m. — 1846, Bescherelle; *brachine,* 1834, Landais; lat. sc. *brachynus* dû à Weber, av. 1811; probablt du grec *brakhus* «court», avec suffixation obscure.

Zool. Carabe de couleur bleu foncé ou noire, variée de jaune, qui vit à l'abri de pierres, etc. par petits groupes et se défend en émettant par l'anus un liquide corrosif. — Syn. : *bombardier,* 3.

**BRACHYOURES** [bʀakjuʀ] ou **BRACHYURES** [bʀakjyʀ] n. m. pl. — 1801, Latreille; de *brachy-,* et grec *oura* «queue». → Anomoures, macroures.

Zool. Division du sous-ordre des décapodes* marcheurs (tribu des *Reptantia*), à abdomen très réduit (à la différence des langoustes, des homards, et des anomoures) et à carapace circulaire aplatie. Syn. cour. : → **Crabe.** — Au sing. *Un brachyoure.*

**BRACHYPTÈRE** [bʀakiptɛʀ] adj. et n. m. — 1867, P. Larousse (adj. «qui a les ailes courtes»), et 1834, Landais (n. d'oiseaux, d'insectes hyménoptères et de coléoptères proches du charançon); de *brachy-,* et *-ptère.*

Zool. Se dit des insectes hémiptéroïdes à ailes plus courtes que l'abdomen. — N. m. (av. 1899). Coléoptère à élytres très courts *(Nitidulidés).*

**BRACHYRHYNQUE** [bʀakiʀɛ̃k] adj. et n. m. — 1867, P. Larousse (adj. et n. d'insectes, de plantes); de *brachy-,* et grec *rhugkhos* «bec».

Zoologie.

♦ **1** Vx. Se dit d'un crabe à corps massif, par opposition à *oxyrhynque.*

♦ **2** Mod. Se dit d'un animal à bec court.

**BRACO** [bʀako] n. m. — XX^e^; abrév. de *braconnier.*

Fam. Braconnier. *«Un truc local toujours payant en pareil cas, et que nos bracos et pêcheurs resquilleurs connaissent bien...»* (*Au bord de l'eau,* n° 366, p. 35, 1967).

Pour conduire un braco en prison, un gendarme vaut un gendarme. M. GENEVOIX, Raboliot, 1925, p. 234.

**BRACONNAGE** [bʀakɔnaʒ] n. m. — 1834; cf. anc. franç., «chasse avec un braque», 1228; de *braconner.*

Action de braconner, délit de celui qui braconne. → **Filetage.** *Il vivait de braconnage.*

Et ils se mirent à défendre le braconnage : on sait d'abord 1
que les lapins rongent les jeunes pousses, les lièvres abîment les céréales (...)
FLAUBERT, Bouvard et Pécuchet, X.

**BRACONNER** [bʀakɔne] v. — 1718; divers sens, depuis 1228, dont «chasser avec des braques», de l'anc. franç. **bracon,* attesté en anc. provençal, germ. **brakko* «chien de chasse»; cf. all. *Bracke.* → Braque.

**I** V. intr. Chasser, et, par ext., pêcher sans permis, ou à une période, en un lieu, avec des engins prohibés. Fig. *Braconner sur les terres d'autrui :* ne pas respecter ce qui est sa propriété (ses droits, son champ d'activité; son conjoint, etc.).

Manifestement, après les avanies subies à Alger, en Syrie, 1
en Indochine, il ne lui déplaît pas de braconner sur les brisées des Américains.
Régis DEBRAY, l'Indésirable, p. 174.

**II** V. tr. ♦ **1** Chasser en braconnant dans (un lieu).

2 Au pré, quand les alentours étaient déserts, la mémé quittait ses galoches et ses bas, retroussait sa lourde jupe et ses jupons, et, pieds dans l'eau, allait tâter les herbes aquatiques, glisser ses mains sous les pierres pour braconner la rivière. R. SABATIER, les Noisettes sauvages, p. 117.

♦ **2** Fig. (fam. et vx). *Braconner quelqu'un :* entraîner quelqu'un avec soi. → **Lever, racoler.** *Braconner une femme.*

DÉR. **Braconnage, braconnier.**

**BRACONNIER, IÈRE** [bʀakɔnje, jɛʀ] n. et adj. — 1637; *broconnier* «officier chargé de dresser les braques», v. 1178; de *braconner.*

Chasseur (ou pêcheur) qui se livre au braconnage. *Le garde-chasse a surpris des braconniers. Braconnier qui tend des pièges.* → **Tendeur.** *Piège de braconnier pour prendre des chevreuils* (→ **Dardière**); *des lièvres* (→ **Laçon**); *des oiseaux* (→ **Gluau**).

0.1 Bouvard soutenait n'avoir pas injurié Sorel, mais, en prenant le parti du braconnier, avoir défendu l'intérêt de nos campagnes; il rappela les abus féodaux, les chasses ruineuses des grands seigneurs. FLAUBERT, Bouvard et Pécuchet, X.

1 Au fond de tout paysan, même le plus honnête, il y a un braconnier. ZOLA, la Terre, p. 37-38.

2 C'est un Paris de piéton fureteur et fouilleur comme un braconnier. J. ROMAINS, les Hommes de bonne volonté, t. V, p. 131.

3 Les braconniers souvent sont subtils, et m'intéressent. Ils sont pleins d'enseignements quand leur humeur les porte au récit. Mais quelque chose dans leur silence m'éloigne d'eux. Leur mutisme a trop écouté les derniers sons des dernières terreurs qui hérissent la plume, agglutinent le poil et voilent d'une taie bleuâtre les doux yeux des bêtes capturées. COLETTE, Flore et Pomone, *in* Gigi, p. 154-155.

Abrév. fam. : *braco,* n. m.

Adj. Littér. ou régional. *Des habitudes braconnières.*

**BRACONNIÈRE** [bʀakɔnjɛʀ] n. f. — 1386; *bragonnière,* 1309; p.-ê. de l'ital. *braconi* «haut-de-chausses de hallebardier», de *braca* (du lat. *braca;* → Braie).

Anciennt. Pièce d'armure qui protégeait le bassin et les cuisses. *Une braconnière de mailles.*

**BRACTÉAL, ALE, AUX** [bʀakteal, o] adj. — 1863; de *bractée.*

Bot. Propre aux bractées; qui avoisine les bractées.

**BRACTÉATE** [bʀakteat] adj. et n. f. — 1751; du lat. *bractea* «feuille de métal».

Didact. (numism.). Dont l'empreinte, frappée d'un seul côté sur un flan de métal très mince, est en relief sur la face et en creux sur le revers. *Une monnaie bractéate.*

N. f. Monnaie bractéate. — Archéol. Mince feuille de métal estampée.

**BRACTÉE** [bʀakte] n. f. — 1783, *bractea* «feuille de métal».

Bot. Petite feuille ordinairement colorée, située le plus souvent à l'insertion des pédicelles. → **Bractéole.** *On trouve les bractées en collerette à la base des ombelles et des capitules.* → **Involucre.** *Bractées de l'épillet des graminées.* → **Glume, glumelle.** *Les grandes bractées du spathe de palmier.*

Un adolescent perdit une bonne part de son admiration pour le bougainvilléa, ce manteau de feu orangé, violacé, rose, qui couvre des murs algériens. «Depuis que je sais que ce ne sont que des bractées...», dit-il sans s'expliquer davantage. Eh oui, des bractées seulement. Nous ne voulons révérer que le cratère, qui est la fleur. COLETTE, Flore et Pomone, *in* Gigi, p. 142.

DÉR. **Bractéal.** — V. **Bractéole.**

**BRACTÉOLE** [bʀakteɔl] n. f. — 1566; lat. *bracteola,* de *bractea.* → Bractée.

Bot. Bractée* d'ordre secondaire, à la base des pédicelles d'une inflorescence composée.

**BRADAGE** [bʀadaʒ] n. m. — V. 1960; de *brader.*

Action de brader. *Le bradage des invendus.*

Fig. «*Bradage, abandon des traditions, vandalisme disait-on*» (*le Monde,* 15 nov. 1966).

**BRADEL (À LA)** [alabʀadɛl] loc. adj. et n. m. — 1850, Balzac; de *Bradel,* n. d'une famille de relieurs.

Techn. (reliure). *Reliure, cartonnage à la bradel,* ou *bradel :* reliure où le bloc des cahiers est emboîté dans un cartonnage léger, le dos étant séparé des plats par une rainure longitudinale.

**BRADER** [bʀade] v. tr. — 1866; «griller des viandes», puis «détruire par le feu», d'où «gaspiller», Flandres, v. 1440; cf. les fig. de *griller;* mot wallon et picard, du néerl. *braden,* cf. all. *braten* «rôtir».

♦ **1** Vendre en braderie. *On brade, on brade!*

♦ **2** Par ext. Se débarrasser de (une marchandise, un bien) à n'importe quel prix. → **Liquider, sacrifier.** *J'ai bradé ma voiture.*

Ne la brade pas quand même! ajoute la malheureuse. Mets ce qu'il faut. 1
BERNANOS, Nouvelle histoire de Mouchette, *in* Œ. roman, Pl., p. 1308.

Il est donc très facile de liquider la Vergeraie et la Bertonnière, excellentes métairies qui sont au surplus en fin de bail. Il l'est moins de brader la Belle Angerie, occupée, mal en point et défendue par les cris de la famille. 2
Hervé BAZIN, Cri de la chouette, p. 104 (1972).

Quant à la fusion, même échec; les deux administrateurs, affirmant que Brasselier voulait brader l'affaire, avaient alerté les actionnaires (...) 3
René FLORIOT, La vérité tient à un fil, p. 15.

♦ **3** (Dans le disc. polit.). *Brader l'Empire, brader les colonies :* abandonner des territoires nationaux sans les défendre. *La droite accusait la gauche de vouloir brader l'Algérie.*

(...) les mêmes qui ont fait croire à une partie de l'opinion que P.M.-F.[1] a bradé l'Empire français (...) 4
F. MAURIAC, Bloc-notes 1952-1957, p. 315.

1. Pierre Mendès-France.

*Premier banquier :* C'est foutu. Un gouvernement de traîtres nous brade notre empire. 5
*Deuxième banquier :* Ainsi, de l'Indépendance ils ont fixé la date[1]! Aimé CÉSAIRE, Une saison au Congo, I, IV.

1. Il s'agit du Congo.

DÉR. **Bradage, braderie, bradeur.**

**BRADERIE** [bʀadʀi] n. f. — 1867; rouchi «gaspillage», 1834; «rôtisserie», 1448; mot d'orig. wallonne et picarde, de *brader.*

♦ **1** Régional (Nord) puis cour. Foire où les habitants vendent à bas prix des vêtements ou objets usagés. Par ext. Liquidation de soldes en plein air. *Des braderies de quartier.*

♦ **2** Action de brader (2.), et (polit.), d'abandonner (→ Brader, 3.).

La grande presse a noyé le plus qu'elle a pu l'acte de Dakar. L'image imbécile de «braderie» inventée contre Mendès-France demeure partout inscrite dans le filigrane.
F. MAURIAC, le Nouveau Bloc-notes 1958-1960, p. 278.

**BRADEUR, EUSE** [bʀadœʀ, øz] n. — D. i.; attesté 1957 au sens 2; «rôtisseur», 1421; de *brader.*

♦ **1** Personne qui brade, se débarrasse à bas prix de quelque chose. *Des étalages de bradeurs.* → **Braderie** (1.).

♦ **2** Polit. Personne qui brade le territoire national. *On l'accuse d'être un bradeur d'Empire.*

1 Votre *(il s'agit de P. Mendès-France)* grande force en Algérie, c'est d'avoir raison comme vous aviez raison au Maroc, en Tunisie, en Afrique Noire, où le général de Gaulle a pu déjà accomplir (trop tard, hélas! à Rabat et à Tunis) ce qui vous faisait traiter de bradeurs et de traîtres.

F. MAURIAC, le Nouveau Bloc-notes 1958-1960, p. 110.

2 Le bradeur d'Empire! Personne n'était moins disposé que lui à brader, personne n'eût été un plus dur négociateur, si on lui en avait laissé la charge.

F. GIROUD, Si je mens, p. 155 (1972).

**BRADILLON** [bʀadijɔ̃] n. m. → **Brandillon.**

**BRADY-** Élément préfixal (du grec *bradus* «lent») entrant dans la composition de mots savants.

**BRADYCARDIE** [bʀadikaʀdi] n. f. — 1893, Littré, *Dict. de méd., in* D. D. L.; de *brady-,* et *-cardie.*

Méd. Ralentissement du rythme cardiaque (moins de 60 pulsations).

CONTR. **Tachycardie.**

**BRADYCINÉSIE** [bʀadisinezi] ou **BRADYKINÉSIE** [bʀadikinezi] n. f. — Mil. XX^e^; de *brady-,* et *-cinésie, -kinésie.*

Méd. Lenteur anormale des mouvements observée dans certaines maladies mentales et nerveuses.

**BRADYKININE** [bʀadikinin] n. f. — Mil. XX^e^; terme dû à Rocha e Silva, 1949; de *brady-,* et *kinine.*

Biol. Kinine* comptant neuf aminoacides, formée à partir de globulines du plasma sanguin, qui provoque une contraction lente et progressive de la musculature lisse et une hypotension prolongée. — REM. La *bradykinine* est parfois appelée *kallidine I,* par opposition à la *kallidine* proprement dite, ou *kallidine II.*

**BRADYLALIE** [bʀadilali] n. f. — 1907, Larousse; de *brady-,* et *-lalie.*

Méd. Lenteur anormale de l'articulation, dans la parole.

**BRADYPE** [bʀadip] n. m. — 1826; lat. zool. *bradypus,* grec *bradupous* «au pied lent».

Zool. Lémurien du genre aï*. → **Paresseux.**

**BRADYPEPSIE** [bʀadipɛpsi] n. f. — 1584; grec *bradupepsia,* de *pepsia* «digestion». → Brady-.

Méd. Digestion anormalement lente (cf. Molière, *le Malade imaginaire,* II., 5).

**BRADYPSYCHIE** [bʀadipsiʃi] n. f. — Mil. XX^e^ (*in* Porot, 1952); de *brady-,* et *-psychie.*

Méd. Ralentissement anormal des activités psychiques, inertie du développement des idées, observée dans différents troubles physiques et mentaux (intoxications, lésions des centres nerveux, inhibition émotive, anxiété, épilepsie, confusion mentale...). → **Ralentissement** (psychique), **viscosité** (mentale).

CONTR. **Tachypsychie.**

**BRAGARD, ARDE** [bʀagaʀ, aʀd] n. et adj. → **Braguard.** REM. Le mot a un homonyme (adj. et n.) «de Saint-Dizier».

**BRAGOU-BRAS** ou **BRAGOU-BRAZ** [bʀagubʀa] n. m. — 1838, Stendhal; mot breton, proprt «culotte large», de *bragou,* plur. de *bragez* «culotte», et *braz* «grand». → Brague, braie (mot d'orig. gauloise).

Anciennt et régional. Large culotte bouffante du costume masculin breton traditionnel, portée avec un gilet brodé *(chupen)* et le chapeau rond.

REM. Mentionné avant le XIX^e^ s. dans les dict. breton-français, comme mot breton.

*Bragou-bras,* grande culotte à la mode des Bas-Bretons, et des paysans de plusieurs autres provinces.

L. LE PELLETIER, Dict. de la langue bretonne, art. *Braghes* (Paris, 1752).

**BRAGUARD, ARDE** ou **BRAGARD, ARDE** [bʀagaʀ, aʀd] n. et adj. — 1495; du moy. franç. *braguer* «faire le fier» (1547), dér. de l'anc. franç. *brague* «plaisanterie, vantardise».

Vx. Personne aimant les plaisirs. → **Fêtard, noceur, paillard.** — REM. Le mot se trouve encore au XX^e^ s. dans un discours archaïsant (La Varende, *in* T. L. F.).

1. **BRAGUE** [bʀag] n. f. — 1308; empr. du provençal *braga,* du lat. *braca,* lui-même du gaul. → Braie.

Vx. Culotte. → **Haut-de-chausses.**

DÉR. 1. **Braguet, braguette.**

2. **BRAGUE** [bʀag] n. f. — 1553; probablt empr. au génois *braga,* du lat. médiéval *bragoto* (cf. ital. *braca* «culotte» et «cordage»).

Mar. Cordage qui était destiné à freiner le recul d'un canon.

DÉR. 2. **Braguet.**

1. **BRAGUET** [bʀagɛ] n. m. — 1802; de 1. *brague.*

Vx. Pagne (Baudry de Lozières, *Voyage à la Louisiane*).

2. **BRAGUET** [bʀagɛ] n. m. — 1834; de 2. *brague.*

Mar. anc. Cordage destiné à maintenir un mât.

**BRAGUETTE** [bʀagɛt] n. f. — 1534; *brayette,* 1379, aussi «petite braie»; dimin. de *brague* «culotte», provençal *braga.* → Braie.

♦ **1** Anciennt. Pièce de tissu triangulaire, s'attachant sur le devant du haut-de-chausses et recouvrant les parties sexuelles de l'homme. *Les aiguillettes* d'une braguette.*

Pour la braguette feurent levées seize aulnes un quar- 0.1
tier d'icelluy mesmes drap. Et fut la forme d'icelle comme d'un arc-boutant, bien estachée joyeusement à deux belles boucles d'or, (...) Car (ainsi que dict Orpheus, *libro De Lapidibus,* et Pline, *libro ultimo*) elle a vertu érective et confortative du membre naturel.

L'exiture de la braguette estoit à la longueur d'une canne[1], deschicquetée, comme les chausses, avecques le damas bleu flottant comme davant. (...) Mais je vous en exposeray bien dadvantaige au livre que j'ay faict *De la dignité des braguettes.* D'un cas vous advertis que, si elle estoit bien longue et bien ample, si estoit-elle bien guarnie au dedans et bien avitaillée, en rien ne ressemblant les hypocriticques braguettes d'un tas de muguetz, qui ne sont plenes que de vent (...)

(1. Mesure valant plus de 1,75 m.)

RABELAIS, Gargantua, VIII.

♦ **2** Mod. Ouverture sur le devant (d'un pantalon, d'un short, d'un caleçon) de la ceinture à l'entrejambe. *Braguette à boutons, à glissière, à fermeture-éclair. Fermer, boutonner, ouvrir sa braguette. Avoir la braguette ouverte.*

1 Gabriel rougit et resserra le nœud de sa cravate après avoir vérifié d'un doigt preste et discret que sa braquette était bien close.
R. QUENEAU, Zazie dans le métro, Folio, p. 98.

2 Laura fixe le regard, avec une moue de répugnance, sur la braguette déformée du mince pantalon collant.
A. ROBBE-GRILLET, Projet pour une révolution à New York, p. 110.

REM. La fonction de la braguette, qui ne se trouve à l'origine que sur les pantalons d'hommes, semble restreindre les possibilités d'emploi de ce terme pour désigner l'ouverture d'un pantalon de femme.

♦ **3** Par métonymie. Sexe (de l'homme); activités sexuelles. *«Il y a moins de bêtise dans la braguette de l'homme que dans son cerveau et dans son cœur»* (Montherlant, *les Lépreuses, in* T. L. F.). *Elle est un peu portée sur la braguette.*

**BRAHMAÏSME** [bʀamaism] n. m. Vx. → **Brahmanisme.**

**BRAHMAN** [bʀaman] n. m. — 1928; mot sanscrit «l'absolu».
Didactique (religion).

♦ **1** Savoir, connaissance contenus dans les textes fondamentaux du brahmanisme.

1 Le mot *brahman* est souvent employé dans le Véda, mais pour signifier la prière, le rite, la religion, dont les actes s'exécutent dans l'enceinte sacrée.
Émile BURNOUF, la Science des religions, p. 153.

2 Il *(le brahmane)* est le détenteur du *brahman* (mot neutre), la parole souveraine ou le mot de l'énigme, le savoir védique s'exprimant volontiers précisément sous forme d'énigmes.
Jean FILLIOZAT, les Philosophies de l'Inde, p. 11.

♦ **2** Être universel, absolu, dont procède toute chose. — Divinité qui l'incarne. *Le śabdabrahman* (absolu-parole) *joue un rôle essentiel dans la philosophie indienne.*

3 Bien entendu, le mot Être traduit mal le Brahman incréé, la Déité suprême — auquel le sage accède par ce qu'il y a de plus profond dans l'âme, et non par l'esprit. Les dieux ne sont que des moyens différents de l'atteindre, et «chacun va à Dieu à travers ses propres dieux». C'est lui que le Bouddha tente de détruire dans sa prédication primitive, lorsqu'il donne pour la fin dernière à l'extase, ce qu'il appelle avec grandeur : la paix de l'abîme.
MALRAUX, Antimémoires, Folio, p. 299.

4 Le produit du cœur est l'esprit *(manas),* celui de l'esprit la parole; celui de la parole l'acte *(karman).* C'est cet acte qui, accompli, est l'homme, lieu du Brahman. Ainsi le cycle se referme, car le Brahman est aussi le maître des créatures d'où tout est issu et qui habite dans l'individualité psychique humaine façonnée par la pensée et la parole passée en actes. C'est ce Brahman, inapparent mais latent par nature en l'homme, que la philosophie des *Upanishad* enseigne à trouver en soi-même.
Jean FILLIOZAT, les Philosophies de l'Inde, p. 16.

DÉR. **Brahmique.**

**BRAHMANE, BRÂHMANE** [bʀaman] n. m. — 1667; *brachmane,* 1532; *abraiaman,* 1298; var. *bra(h)min(e),* XVIe-XVIII[e]; 1699, *brame;* du sanscrit *brāhmana,* probablt par le portugais.

♦ **1** Membre de la caste sacerdotale, la première des grandes castes traditionnelles de l'Inde. — Syn. (vx.) : *brahmine (bramine). Le sanscrit, langue liturgique des brahmanes. Brahmane savant et fondateur de sectes.* → **Pandit.** *Femme d'un brahmane.* → **Brahmine.**

(...) tout brâhmane devra passer successivement par quatre états de vie : celui d'étudiant brahmanique, entre l'initiation et la fin de ses études védiques, pendant lequel il doit observer une chasteté absolue; celui de maître de maison marié, où il sacrifie, engendre des fils, qui est la phase sociale par excellence; celui d'habitant de la forêt, stade intermédiaire et largement théorique (...) et, enfin, celui de «renonçant» intégral — sannyāsin — qui lui assure la délivrance.
Madeleine BIARDEAU, l'Hindouisme, anthropologie d'une civilisation, p. 34.

♦ **2** Par ext., littér. Sage (Giraudoux, *in* T. L. F.).

DÉR. **Brahmanisme, brahmine.**

**BRAHMANIQUE** [bʀamanik] adj. — 1830; de *brahmanisme.*

Propre au brahmanisme. *La société brahmanique.* → **Brahmique.** *Textes brahmaniques. Spéculations philosophiques brahmaniques.*

**BRAHMANISME** [bʀamanism] n. m. — 1801; de *brahmane.*

Système social et religieux de l'Inde, faisant suite au védisme et précédant l'hindouisme, caractérisé par la suprématie des brahmanes et l'intégration de tous les actes de la vie civile aux rites et devoirs religieux (→ **Brahmanique**). — Var. (vx) : *brahmaïsme.*

(...) le brâhmanisme est né d'un abaissement des Asuras au profit des dieux et bientôt au profit du plus grand d'entre eux, Brahmâ.
Émile BURNOUF, la Science des religions, p. 216.

DÉR. **Brahmanique, brahmaniste.**

**BRAHMANISTE** [bʀamanist] n. et adj. — 1927, E. Favre; du rad. de *brahmanisme.*

Relatif au brahmanisme.
N. Personne qui pratique le brahmanisme.

**BRÂHMÎ** [bʀami] n. f. — 1928, Larousse; sanscrit *brāhmī,* d'abord «énergie personnifiée de Brahmâ, parole».

Didact. L'une des écritures de l'Inde, attestée depuis le IIIe siècle av. J.-C., qui se répandit en Indochine et en Indonésie, et dont la forme demeurée usuelle est la *devanagari. La brahmi, sans doute d'origine sémitique, est fondée sur un système alphabétique et s'écrit de gauche à droite.* — Adj. *L'écriture brâhmî.*

REM. L'orthographe *brāhmī* (transcription du sanscrit) est usitée par les spécialistes et dans les éditions savantes.

**BRAHMINE** [bʀamin] n. f. — Av. 1704, cit.; *bramine,* 1502; var. de *brahmane.*

♦ **1** Vx. Brahmane. — Var. : *bramine.*

S'il fut étonné de tant de richesses réunies en un seul endroit, il le fut bien davantage quand il vint à juger de la richesse du royaume en général, en considérant qu'à la réserve des brahmines et des ministres des idoles, qui faisaient profession d'une vie éloignée de la vanité du monde, il n'y avait dans toute son étendue ni Indien ni Indienne qui n'eût des colliers, des bracelets et des ornements aux jambes.
A. GALLAND, les Mille et Une Nuits, t. III, p. 372.

♦ **2** Femme d'un brahmane.

**BRAHMIQUE** [bʀamik] adj. — Mil. XXe; de *brahman.*
Didactique.

♦ **1** Relatif au brahman.

♦ **2** Rare. Relatif aux brahmanes; de la caste des brahmanes. → **Brahmanique.**

**BRAI** [bʀɛ] n. m. — 1309; «boue», XIIe; de 2. *brayer* «enduire de goudron».

Techn. (relativement cour.). Résidu pâteux de la distillation des goudrons, des pétroles et d'autres matières organiques. *Le brai est utilisé comme agglomérant du poussier de houille, pour la fabrication de peintures, enduits d'étanchéité, etc. Brai sec provenant de la térébenthine distillée.* → **Arcanson, colophane.** *Brai gras :* brai sec liquéfié par addition de goudron, de poix grasse. *Brai liquide.* → **Goudron.** *Poussier de charbon agglutiné au brai.* → **Aggloméré.** *Enduire de brai* (→ **Brayer**) *les coutures d'une carène avec le guipon.*

Après vingt-cinq à trente couches de papier journal, j'obtiendrai un bordé assez robuste, et terminerai alors par une dernière couche en sac de jute, cousue et barbouillée de brai, exactement comme on habille un kayak.
Bernard MOITESSIER, Cap Horn à la voile, p. 19.

HOM. **Braie, brayer.**

**BRAIE** [bʀɛ] n. f. — 1172; lat. *braca,* plur. *bracae,* mot gaul. → Braconnière, brague.

♦ **1** Au plur. Ancienn.

**BRAIES :** pantalon ample, en usage chez les Gaulois et les peuples germaniques.

0.1 (...) les Celtes avec leurs capuchons de laine, leurs blouses assez semblables à celles de nos paysans de naguère, leurs shorts de sportifs et leurs amples braies qui redeviendront de mode chez les sans-culottes de la Révolution
M. YOURCENAR, Archives du Nord, p. 23.

Loc. Vx. *Se tirer d'une affaire les braies nettes :* se tirer heureusement d'une mauvaise affaire.

1 Moi, je dis que nos libertés auront peine à sortir d'ici les braies nettes. MOLIÈRE, les Précieuses ridicules, 11.

♦ **2** (1680). Vx. Couche ou lange pour les jeunes enfants (rare au sing.).

2 (...) Ce petit *Amour* (...) les courtes jambes encore alourdies, déformées par des braies mal nouées, qui tombent et le découvrent à demi (...)
GIDE, Journal, Feuillets, 1895.

♦ **3** Mar. Toile appliquée autour du trou pratiqué dans le pont pour le passage d'un mât, d'une pompe... pour empêcher l'eau d'entrer dans le bâtiment.

Pêche. Chalut fixe, maintenu ouvert par des perches, et dirigé vers la côte.

♦ **4** Fortif. Ouvrage construit à l'extérieur d'une fortification pour en protéger le pied. *Fausse braie :* enceinte basse ajoutée au pied d'une enceinte préexistante. — Techn. anc. Garniture, en meunerie, forge; protection, en typographie (sens attestés de 1690 au XIXe s.).

DÉR. 1. **Brayer.** — V. **Brêler.** ◊ HOM. **Brai, braye.**

**BRAIEMENT** [bʀɛmɑ̃] n. m. → **Braiment.**

**BRAILLARD, ARDE** [bʀajaʀ, aʀd] n. et adj. — 1528; de *brailler.*

Familier.

♦ **1** Personne qui est en train de brailler, qui braille souvent. → **Brailleur, gueulard.** *Un braillard insupportable.* — Adj. *Un enfant braillard.* → **Pleurard.**

0.1 Alors, tapie dans la haie, retenant son souffle, le cœur submergé d'une délicieuse angoisse, elle épiera la troupe braillarde.
BERNANOS, Nouvelle Histoire de Mouchette, *in* Œ. roman., Pl., p. 1267.

♦ **2** Personne qui s'exprime en criant très fort; et, spécialt, qui crie beaucoup mais n'agit pas. *Un grand braillard. Une braillarde.* → **Criard, fort** (fort en gueule, fam.). *Ce (grand) braillard d'adjudant. «Les braillards de l'antisémitisme»* (Clemenceau).

1 Par la morbleu! vous êtes de grands braillards vous autres, et vous avez la gueule ouverte de bon matin (...) Diable soit les brailleurs!
MOLIÈRE, la Princesse d'Élide, I, 2.

2 (...) c'est cela, la paix; la disparition de tous ces braillards belliqueux. Paul LÉAUTAUD, Passe-temps, p. 84.

(Animaux). → **Criard.** *Des mouettes braillardes.*

♦ **3** Adj. Qui se manifeste bruyamment. *Une gaieté braillarde. Une voix braillarde. Des discussions intarissables et braillardes.*

♦ **4** N. m. Petit porte-voix utilisé à bord des bateaux.

**BRAILLE** [bʀaj] n. m. — 1927, pour *écriture* ou *alphabet Braille,* du n. de l'inventeur, Louis *Braille* (1852).

Alphabet conventionnel basé sur un système de points saillants (également applicable aux chiffres, à la musique, à la sténo), à l'usage des aveugles. *Apprendre le braille. Écriture braille,* en alphabet braille. *Procédé d'impression en relief* (anaglyptique*) *du braille.*

— Vous n'avez pas essayé le Braille?
— Vous voulez dire, ces trucs avec les points?
— Oui. J.-M. G. LE CLÉZIO, le Déluge, p. 115.

**BRAILLEMENT** [bʀajmɑ̃] n. m. — 1590, Brantôme; de *brailler.*

Action de brailler. *Un braillement de chansons à boire.*

Cri, éclat de voix d'une personne qui braille. *Des braillements insupportables.* → **Criaillerie.**

Un vrai maigre bouffon avec sa guiterne et son braillement de chansons à l'espagnole (...)
BANTÔME, *in* HUGUET.

Spécialt. Cri, hurlement (d'un jeune enfant).

**BRAILLER** [bʀaje] v. — V. 1220; lat. vulg. **bragulare,* de **bragere* «braire». → Braire.

**I** V. intr. Fam. ♦ **1** Crier fort, parler de façon assourdissante et ridicule. → **Crier, hurler.** *Il ne parle pas, il braille. Cesse donc de brailler comme ça! Ce n'est pas la peine de brailler, on a compris! Toute la salle braillait, se mit à brailler.* — En incise : *Ta gueule!, braillait-il.*

Chanter mal et fort. → **Beugler.** — Péj. Chanter. *«Tâchez de brailler en mesure!»* (Courteline).

(Sujet n. de chose). *Des hauts-parleurs braillaient.*

Spécialt (en parlant des enfants). Pleurer bruyamment.

Il *(cet enfant)* braille à faire sourd un chantre (...) 1
HUGO, Notre-Dame de Paris, IV, I.

Exprimer ses idées de façon tapageuse. *Ils ne savent que brailler au lieu de discuter. Ceux «qui braillent sur la question des prolétaires et des salaires»* (Balzac, *in* T. L. F.).

♦ **2** Chasse (en parlant d'un chien). Crier, aboyer sans être sur la voie.

(En parlant du paon). Pousser son cri.

**II** V. tr. ♦ **1** (Personnes). Dire, chanter très fort, en criant. *Brailler des injures. Brailler ses opinions sur tous les toits. Brailler une chanson.*

Quatre-vingt-dix mille cloîtrés qui braillent ou qui nasillent du latin (...) 2
VOLTAIRE, l'Homme aux quarante écus.

La seule chose qui manque ce sont ces bonshommes qui se font pisser le sang à coups de verge en braillant des cantiques derrière les processions. 3
Claude SIMON, le Palace, p. 126.

Au p. p. *Des invectives braillées.*

♦ **2** (Animaux). Par retour au sens étymologique :

Et les bons ânes 4
Braillent hi-han et se mettent à brouter les fleurs
Des couronnes mortuaires.
APOLLINAIRE, Alcools, p. 125.

DÉR. **Braillard, braillement, brailleur.**

**BRAILLEUR, EUSE** [bʀajœʀ, øz] adj. et n. — 1586; de *brailler.*

Qui braille. *Un gosse brailleur. — Un âne brailleur.*

N. *Ce n'est qu'un (grand) brailleur.*

REM. Le mot est à peu près synonyme de *braillard**, mais il est moins usuel; le verbe *brailler* étant lui-même péj., l'opposition des suffixes (*-eur*, neutre; *-ard*, péj.) n'apporte guère de nuance.

**BRAIMENT** [bʀɛmɑ̃] n. m. — 1590; «cri, pleur», 1160; de *braire.*

♦ **1** (En parlant d'un âne, d'un mulet, d'une mule...). Cri caractéristique, à deux temps : aspiration très sonore, d'un timbre désagréable, sifflant ou rauque; brusque expiration. *Le braiment d'un âne. Des braiments sonores, répétés.*

J'entendais le braiment des ânes (...)
LAMARTINE, Graziella, III, 13 (→ Bruit, cit. 5).

REM. On écrit parfois *braiement* (vieilli).

♦ **2** (En parlant d'une personne). Cri bruyant, laid et prolongé. — REM. En emploi métaphorique, le mot est sans doute influencé par *braillement.*

**BRAIN DRAIN** [bʀɛndʀɛn] n. m. — V. 1960-1965; mot angl. des États-Unis, «drainage de cerveaux».

Anglic. Recrutement à l'étranger (drainage), au profit des États-Unis, de cadres de valeur (ingénieurs, techniciens, chercheurs...).

**BRAINSTORMING** [bʀɛnstɔʀmiŋ] n. m. — 1959, *in* Höfler; mot angl. des États-Unis, littéralt «tempête *(storming)* des cerveaux *(brain)*».

Anglic. Technique de recherche des idées au cours de séances spécialement organisées, où chacun est invité à fournir ses suggestions sur une question, pour résoudre un problème. *«Ce "brain storming", le vidage violent des cerveaux...»* (*Paris-Match,* 27 oct. 1973, p. 82). — Réunion où l'on applique cette technique. *Des brainstormings.* — REM. Le mot, critiqué par les puristes, n'a pas reçu d'équivalent français efficace; Louis Armand avait proposé le plaisant : *remue-méninges* (le mot est parfois employé, en particulier au Québec) : *À Kamarina, les séances de brain-storming, ou de remue-méninges, ont lieu à l'ombre, pour éviter que les esprits ne s'échauffent* (*le Nouvel Obs.,* 24 juin 1983).

**BRAIN-TRUST** [bʀɛntʀœst] n. m. — 1947, *in* Höfler; *brain trust,* 1933; mot angl. des États-Unis, «trust du cerveau».

Anglic. Hist. Nom donné à l'équipe d'intellectuels et de professeurs dont s'entoura F. Roosevelt. — Petite équipe d'experts, de techniciens, etc., qui assiste une direction. *Des brain-trusts.*

1 (...) le groupe d'intellectuels qu'un journaliste a baptisé : Brain-Trust, le Trust du Cerveau (...) Roosevelt, gouverneur de New York, s'est lié avec un certain nombre de professeurs de l'Université de Columbia; devenu Président, il a fait de ces professeurs des sous-secrétaires d'État (...)
A. MAUROIS, Chantiers américains, II, p. 69-70.

2 *(un personnage parle)* il est devenu ingénieur et enfin P.-D. G. (...) d'un brain-trust spécialisé dans l'engineering (...) Hervé BAZIN, Cri de la chouette, p. 26.

**BRAIRE** [bʀɛʀ] v. — 1640; «crier», 1080; du lat. pop. **bragere,* d'un rad. **brag-;* cf. gaélique *braigh* «crépiter». → aussi Brailler.

REM. Le verbe s'emploie surtout à l'inf. et à la 3e pers. du présent et du futur de l'ind. *(il braira).* Le conditionnel, plus rarement l'imparfait (*je brayais,* A. France) se rencontrent aussi, de même que le passé composé *(l'âne a brait).*

**I** V. intr. ♦ **1** (En parlant d'un âne). Crier (de manière caractéristique, très sonore et disgracieuse). → **Braiment.**

Ils y trouvèrent, attelé à une voiture grande comme une brouette, un tout petit âne qui s'ennuyait sans doute, et qui se mit à braire en les voyant, d'un ronflement si fort et si prolongé, que les vastes toitures des Halles en tremblaient. 0.1
ZOLA, le Ventre de Paris, t. I, p. 35.

(...) non pas un âne pétulant, un de ces ânes qui (...) cabriolent sur les talus, qui ruent dans les brancards, lèvent la croupe et braient comme douze trompettes dès qu'ils reniflent l'odeur enivrante de l'âne (...) 1
H. BOSCO, l'Âne Culotte, p. 13.

Par métaphore ou compar. (Sujet n. de personne). *Il brayait comme un âne.*

(Avec les valeurs péj. de *âne*) :

Laissez donc braire maître Aliboron, dit Fréron (...) 2
VOLTAIRE, Lettre à Marmontel, 2 avr. 1772.

♦ **2** Fig. et fam. Crier, pleurer bruyamment. → **Brailler.**

Berthe-jambe-de-bois, qui faisait le promenoir, elle me repère elle devant le *Daisy...* 3
— Ah! qu'elle se met à braire... Tes du cirque?...
CÉLINE, Guignol's band, p. 326.

♦ **3** (Mil. XXe). Fam. *Faire braire :* ennuyer profondément. *Tu me fais braire avec tes histoires.* → **Suer** (faire).

Ils me font braire ceux qui dissertent sur le malaise de la jeunesse. Le malaise, la difficulté d'être, c'est nous qui l'éprouvons, nous qui cherchons tout le temps à nous faire pardonner notre âge. 4
Benoîte et Flora GROULT, Il était deux fois, p. 341.

**II** V. tr. Crier, chanter fort et mal. → **Brailler.** *Ils braient des sottises. Braire un air ancien. «On brait un oratorio de Mendelssohn»* (Berlioz, *in* D. D. L.).

DÉR. **Braiment.**

**BRAISAGE** [bʀɛzaʒ] n. m. — 1957; de *braiser.*

Cuis. Action de braiser, opération culinaire par laquelle on braise (un aliment).

On braise les viandes de 2e catégorie (...) La base de cette technique est le *fonds de braisage* (...) Dans un premier temps, on saisit dans la cocotte la viande sur toutes ses faces (...) On prépare alors le fonds de braisage en faisant rissoler les légumes, auxquels on ajoute le bouquet et les couennes.
François LÉRY, Technique de la cuisine, p. 82 (1962).

1. **BRAISE** [bʀɛz] n. f. — V. 1170, *breze* (→ Brésil); orig. incert.; p.-ê. d'un germanique **brasa, *bras* par un empr. au rad. gotique **bras-.* → aussi Brasero, brasque, brésolles.

Bois réduit en charbons ardents. *Remplir de braise une chaufferette, un brasero. Cuire, griller sur la braise. Souffler sur la braise, les braises. Attiser la braise. La braise, les braises d'une bûche, d'un tison.*

— Pendant que nous avons une si bonne braise, qu'une aune de boudin viendrait bien à propos! 0.1
Ch. PERRAULT, Contes, «Les souhaits ridicules».

(...) Et il faut souffler patiemment sur cette petite braise enfouie sous les cendres, pour qu'elle s'attise (...) pour qu'elle flambe, peut-être, un jour! 1
MARTIN DU GARD, les Thibault, t. VI, p. 230.

*Viande à la braise,* cuite dans un plat entouré de braise.

Spécialt. Bois formant un charbon léger qui se rallume aisément. *Braise de boulanger.* → **Braisette.** *Remuer la braise dans le four avec un fourgon. Retirer la braise du four avec un tire-braise* (→ **Débraiser, ébraiser**). *Éteindre, conserver la braise.*

Loc. fam. *Être sur la braise* (→ Être sur des charbons* ardents).

Vieilli. *Tomber de la poêle dans la braise* (→ de Charybde* en Scylla). *Passer sur qqch. comme chat sur braise :* glisser sur un sujet sans oser en parler à fond.

2 Le garde des sceaux parla peu, dignement, en bons termes, mais comme un chat qui court sur la braise.
SAINT-SIMON, Mémoires, 514, 60, *in* LITTRÉ.

*Avoir des yeux de braise,* des yeux vifs, brillants (→ Ardent, cit. 18).

3 On voyait luire ses petits yeux devenus couleur de braise (...) E. FROMENTIN, Un été dans le Sahara, II.

*Être chaud comme braise :* être très ardent, très amoureux. → **Ardent.**

4 Les Calabraises sont noires dans la plaine, blanches sur les montagnes, amoureuses partout; Calabraise et braise, c'est tout un. P.-L. COURIER, Lettres, XLIX, Pl., p. 729.

(1680). Vx. *Rendre qqch., le rendre chaud comme braise,* sur le champ.

**DÉR.** et **COMP.** **Braiser, braisette, braisier, braisière, braisiller, braser, brasier, brasière, brasiller. Embraser.** V. **Brésil.**

2. **BRAISE** [bʀɛz] n. f. — 1783; soit de *braise,* mot du Lyonnais, «miette, débris» (→ 2. Brésiller), soit emploi métaphorique de 1. *braise* «charbon», celui-ci servant à «faire bouillir la marmite».

Fam. Argent (monnayé). *T'as de la braise?*

1 Comm' ça j'gagn' pas mal de braise,
Mon beau-frère en gagne autant,
Pisqu'i' r'fil' ma sœur Thérèse (...)
À Ménilmontant. A. BRUANT, Dans la rue, p. 89.

2 Jean ouvre des châsses comme des soucoupes : il n'a pas dû voir souvent autant de braise éparpillée sur sa descente de lit. A. SARRAZIN, l'Astragale, p. 210.

**BRAISER** [bʀeze] v. tr. — 1767; de 1. *braise.*

Faire cuire (une viande, un poisson, certains légumes) à feu doux et à l'abri de l'air. *Braiser un gigot.* — Absolt. *«On ne rissole, on ne braise que sous sa direction...»* (P. Morand, *in* T. L. F.). — P. p. adj. (plus cour.). *Bœuf braisé. Laitues braisées.*

**DÉR.** **Braisage.**

**BRAISETTE** [bʀɛzɛt] n. f. — 1836; de 1. *braise.*

Rare. Menue braise.

**BRAISIER** [bʀɛzje; bʀezje] n. m. — 1701; «grand feu de charbons ardents», XIII^e; de 1. *braise.*

♦ **1** Anciennt. Huche où le boulanger met la braise étouffée.

♦ **2** Vx. Brasero.

**BRAISIÈRE** [bʀɛzjɛʀ] n. f. — 1706; de 1. *braise.*

♦ **1** Étouffoir pour la braise.

♦ **2** (1798). Récipient de fonte (→ **Cocotte**) utilisé pour braiser les viandes ou cuire doucement un mets, caractérisé par un couvercle creux à rebord où l'on met de l'eau (autrefois des braises) pour empêcher l'évaporation du jus de cuisson. → **Daubière.**

**BRAISILLANT, ANTE** [bʀezijɑ̃, ɑ̃t] adj. → **Braisiller.**

**BRAISILLEMENT** [bʀezijmɑ̃] n. m. — 1886, Zola; de *braisiller.*

Littér. Scintillement léger, discret. → **Brasillement.**

**BRAISILLER** [bʀezije] v. intr. — 1882, Zola; 1869, p. prés. adj.; de 1. *braise.*

Littér. Scintiller (en parlant de la braise). → **Brasiller.** *Des charbons qui braisillent faiblement.* — Par anal. «*Le soleil braisillait dans un ciel d'un bleu pur*» (Zola, *la Terre*).

Au p. prés. adj. Scintillant.

(...) le soleil à son déclin jetait des lueurs braisillantes d'or rouge! ZOLA, Rome, p. 377.

**DÉR.** **Braisillement.** ◊ **HOM.** 1. et 2. **Brésiller.**

1. **BRAME** [bʀam] n. m. Vx. → **Brahmane.**

2. **BRAME** [bʀam] ou **BRAMEMENT** [bʀammɑ̃] n. m. — 1787, *bramement*; de *bramer.*

Littéraire ou technique (vénerie).

♦ **1** Cri du cerf en rut (en vénerie, on dit surtout *brame*). → **Bramée.**

Il écoutait attentivement leurs deux râles presque égaux (...) incertaine d'abord, cette voix plaintive, longuement poussée, se rapprochait, s'enfla, devint cruelle; et il reconnut, terrifié, le bramement du grand cerf noir. 1
FLAUBERT, Trois contes, «La légende de saint Julien l'Hospitalier».

Il me fait entendre toute sorte de cris d'animaux, et singulièrement des brames de cerfs en rut qui seraient d'une puissance d'évocation admirable (...) 1.1
M. TOURNIER, le Roi des Aulnes, p. 85.

♦ **2** Fig. Hurlement prolongé.

(...) un cri s'élève, suraigu, terrifiant (...) Il avait commencé comme un haut bramement d'agonie, et voici qu'il s'achève et s'éteint en une sorte de rire, sinistrement burlesque, comme le rire des fous (...) 2
LOTI, Ramuntcho, I, 8, p. 97.

**BRAMÉE** [bʀame] n. f. — 1863; de *bramer.*

Régional.

♦ **1** Cri du cerf. → **Brame.**

♦ **2** Fig. (en Suisse). Cri aigu et prolongé.

**BRAMER** [bʀame] v. intr. — 1528; anc. provençal *bramar* «chanter», et aussi «mugir, braire», du gothique *bra(m)mon.

♦ **1** (En parlant du cerf). Pousser son cri. *La biche brame. Les cerfs se mirent à bramer.*

Le faon, tout de suite, fut tué. Alors sa mère, en regardant le ciel, brama d'une voix profonde, déchirante, humaine. 1
FLAUBERT, Trois contes, «La légende de saint Julien l'Hospitalier».

♦ **2** (Sujet n. de personne). Fig. et fam. Crier, chanter fort. → **Beugler, brailler, lamenter** (se), **pleurer.** *Bramer comme un veau.* — *Bramer après, vers qqn, qqch.,* soupirer fortement.

Ah! Je brame après cette santé, cet équilibre heureux (...) 2
GIDE, Journal, 1918.

— Vous me feriez sortir de mon sang-froid, cria Cadet Blanchet en bramant comme un taureau. 3
G. SAND, François le Champi, IX, p. 78.

Par métonymie :

— Non mais, brama le téléphone, qu'est-ce qu'i faut pas entendre. T'déranger toi? qu'est-ce que tu pourrais branler d'important? 4
R. QUENEAU, Zazie dans le métro, Folio, p. 138.

◆ **BRAMANT, ANTE** p. prés. et adj. Qui brame.

**DÉR.** 2. **Brame, bramée.**

**BRAMINE** [bʀamin] n. m. → **Brahmane.**

1. **BRAN** ou **BREN** [bʀɑ̃] n. m. — 1205, *brent*; du lat. vulg. **brennus* «son», p.-ê. d'un rad. gaul. **brenno*.

♦ **1** Régional. Partie la plus grossière du son.

Loc. prov., vx. *Faire l'âne* pour avoir du bran :* se faire passer pour plus stupide qu'on est pour obtenir une faveur, un renseignement (→ **Son**).

1 (...) deux factionnaires en uniforme couleur de bran, baïonnette au fusil, montent la garde (...)
A. PIEYRE DE MANDIARGUES, la Marge, p. 35.

(1743). *Bran de scie :* sciure* de bois.

♦ **2** (1306; déb. XIIIe, «boue»). Vx et fam. Excrément. → **Merde.** *Du bran de chien.*

Régional. *Bran d'agace :* gomme sécrétée par l'écorce du cerisier et du prunier.

♦ **3** Interj. Fam., vieilli. Exclamation de colère, de mépris. → **Merde.** *Bran pour lui !*

2 Du bran pour la psychologie.
FLAUBERT, Lettre à E. Chevalier, 6 nov. 1839, Correspondance, Pl., t. I, p. 55.

DÉR. (De *bren*) **Breneux.** — V. aussi **Brignolet.**

2. **BRAN** [bʀɑ̃] n. m. — 1080, *brant* «lame d'épée»; du francique **brand* «tison», ou p.-ê., selon Guiraud, de l'anc. franç. *branca* «patte, branche», et de *brander* «allumer». → Brandir, brandon.

Anciennt. Épée à forte lame dont on se servait au moyen âge. Var. : *branc* [bʀɑ̃k], *brand, brant.*

**BRANCARD** [bʀɑ̃kaʀ] n. m. — 1429, *branquart*, au sens 3; 1380, «chariot», de *branque*, forme normande de *branche* ou du provençal mod. *brancal*.

♦ **1** Barre de bois fixée à un objet et qui permet de le transporter. → **Bras,** 5. *Les brancards d'une civière, d'un meuble; d'une charrette à bras; d'une brouette* (cit. 3).

0.1 Les pieds du petit homme qui court entre les brancards continuent, sur un rythme vif et régulier, à frapper l'asphalte lisse.
A. ROBBE-GRILLET, la Maison de rendez-vous, p. 23.

♦ **2** Par métonymie (objet muni de brancards). — Hist. du meuble. Ancien guéridon à bras.

0.2 Les grandes tapisseries exécutées aux Gobelins et représentant la visite de Louis XIV à la Manufacture, nous ont conservé la reproduction des objets d'argent qu'on y fabriquait. On voit sur l'une d'elles, au premier plan, ce qu'on appelait un brancard, sorte de guéridon muni, en effet, de brancards à l'aide desquels il pouvait être transporté par deux hommes. Ce meuble devait servir de support à une grande torchère. Luc LANEL, l'Orfèvrerie, p. 97.

Cour. Civière*. → **Bard, comète, litière.** *Transporter un blessé, un malade sur un brancard.* → **Brancarder.** *Personne qui transporte un malade sur un brancard.* → **Brancardier** (cit.).

1 Il avait été longtemps promené sur divers brancards, avec des temps d'arrêt dans des ambulances.
LOTI, Pêcheur d'Islande, III, p. 141.

2 (...) le brancard était trop court pour un homme d'une bonne taille (...)
G. DUHAMEL, Récits des temps de guerre, t. II, p. 53.

♦ **3** Pièce de bois prolongeant la caisse d'une voiture, d'une charrette, et permettant d'atteler un cheval. → **Limon.** *Harnais servant à atteler un cheval dans les brancards.* → **Dossière, porte-brancard.** *Brancard de caisse.* → **Longeron.**

2.1 Charles, posé sur le bord extrême de la banquette, conduisait les deux bras écartés, et le petit cheval trottait l'amble dans les brancards, qui étaient trop larges pour lui.
FLAUBERT, Mme Bovary, I, VIII.

3 (...) une vieille calèche dresse en l'air deux moignons de brancards, sur lesquels dorment des poules.
MARTIN DU GARD, les Thibault, t. VIII, p. 174.

*Âne qui rue dans les brancards* (→ Braire, cit. 1). Loc. fig. *Ruer** (cit. 5) *dans les brancards.*

DÉR. **Brancarder, brancardier.**

**BRANCARDAGE** [bʀɑ̃kaʀdaʒ] n. m. — 1917, *in* D. D. L.; de *brancarder*.

Techn. Action, manière de transporter sur un brancard. *Les techniques de brancardage. Le brancardage des blessés.*

**BRANCARDER** [bʀɑ̃kaʀde] v. tr. — 1877; de *brancard*.

Techn. Transporter (qqn qui ne peut pas se déplacer) sur un brancard. *Brancarder un blessé, un infirme.*

DÉR. **Brancardage.**

**BRANCARDIER, IÈRE** [bʀɑ̃kaʀdje, jɛʀ] n. — 1651, Scarron; de *brancard*.

♦ **1** Personne qui est chargée du transport des blessés ou des malades, sur un brancard*. → **Ambulancier.** *Soldat brancardier, brancardier militaire :* soldat qui relève les blessés sur un champ de bataille et les transporte à l'ambulance.

Déjà, dans la cour, des équipes de brancardiers, avec leurs brancards et leurs petites voitures, guettaient les fourgons, les tapissières, les véhicules de toutes sortes recrutés pour le déménagement de l'Hôpital.
ZOLA, Lourdes, p. 214.

♦ **2** (1863). N. m. Vx. Cheval attelé entre les brancards d'une voiture. → **Limonier.**

1. **BRANCHAGE** [bʀɑ̃ʃaʒ] n. m. — 1454; *branchaige* «famille», 1453; de *branche*.

♦ **1** Ensemble des branches* (d'un arbre). → **Frondaison, ramée.** *Élaguer le branchage d'un arbre.*

Le Ciel permit qu'un saule se trouva, 1
Dont le branchage, après Dieu, le sauva.
LA FONTAINE, Fables, I, 19.

Laissons l'aurore poindre et luire, et le zéphir 2
Frissonner à travers les branchages profonds.
HUGO, les Années funestes, XVIII, 2.

Le souffle des cieux sans étoiles agitait plaintivement les hauts branchages dans les ténèbres autour de l'étang (...) 2.1
VILLIERS DE L'ISLE-ADAM, Tribulat Bonhomet, p. 15.

♦ **2** (1845). Au plur. Petites branches coupées. → **Broutille.** *Branchages assemblés en fagots, en fascines. Une jonchée de branchages.*

La nuit tombante ramena le sentiment de l'hiver et ils rentrèrent dîner devant le feu, qui était une flambée de branchages. LOTI, Pêcheur d'Islande, V, 5, p. 269. 3

♦ **3** (1813). Par anal. (en parlant du cerf). Bois, ramure.

♦ **4** (1875). Techn. Branchement. *Un branchage d'égout.*

2. **BRANCHAGE** [bʀɑ̃ʃaʒ] n. m. — D. i. (XVIIIe ?); de *brancher* II., 1.

Vx et rare. Action de pendre, de brancher (qqn). «*Un branchage de notables*» (Barrès, *in* T. L. F., sous 1. *branchage*).

**BRANCHE** [bʀɑ̃ʃ] n. f. — V. 980; du bas lat. *branca* «patte (d'un animal)».

**I** ♦ **1** Ramification latérale de la tige ligneuse (d'un arbre). — REM. En arboriculture, on réserve ce nom aux plus fortes ramifications (opposé à *rameau* et à *scion*). — Arbor. *Branche mère,* qui pousse directement sur le tronc. *Branches charpentières d'un arbre fruitier,* qui constituent la charpente, le squelette de l'arbre. *Branche à bois,* qui est conservée pour porter les branches à fruits. *Branches fruitières.* → **Brindille** (hortic.), **courçon.** *Base d'une branche coupée dans un arbre fruitier.* → **Ergot.** *Branche chiffonne :* rameau qui ne porte que des boutons à fleurs. *Branche à bouquet,* qui porte plusieurs boutons à fruits. *Branche gourmande,* dont le développement excessif épuise la branche à fruits.

Cour. *Maîtresse branche. Branche morte. Secouer les branches d'un arbre. «Un cassis sauvage (...) qui passait une branche de fleurs par la fenêtre»* (Proust). *Branche noueuse, flexible. Les branches basses. Sur la plus haute branche. Les branches du chêne. Une branche de hêtre. Le bruit du vent dans les branches. Allumer un feu avec de petites branches sèches. L'écureuil saute de branche en branche. Branches courbées sous le poids des oiseaux.* → Perchoir, cit. 1. — *Ensemble des branches d'un arbre.* → **Branchage, ramée, ramure.** *Petite branche.* → **Branchette, brindille, rameau, ramille, rouette.** *Branches nouvelles.* → **Pousse, rejet, rejeton, surgeon, taille;** (rare) **bouture, crossette.** *Branches repiquées pour la reproduction.* → **Bouture, ente, greffe, marcotte, plançon, scion.** — (Vén.). *Branches hardées :* petites branches des taillis qui accrochent au passage les bois des cerfs. *Branche rompue par le veneur pour reconnaître le passage d'un gibier.* → **Brisée.** — *Dépouiller un arbre de ses branches* (→ **Découronner, ébrancher, élaguer, émonder).** *Couper la branche d'un arbre* (→ **Ravaler).** *Un moignon de branche. Branche chargée de ses ramifications secondaires.* → **Branchée, ramée.** *Ployer une branche. Courbure d'une branche.* → **Arcure.** *Menues branches coupées et liées ensemble.* → **Clayonnage, croisillon.** *Une branche de buis*. Chant des oiseaux dans les branches.* → **Ramage.** — *Ornement architectural sculpté en branche de vigne.* → **Pampre.**

1 (...) on les entendait babiller et chanter ensemble comme deux merles dans une branche.
G. SAND, la Petite Fadette, p. 18.

2 (...) les branches anguleuses des vieux arbres, hérissées de pâles lichens, s'étendaient et s'entrecroisaient comme de grands bras décharnés sur la tête de nos voyageurs (...)
G. SAND, la Mare au diable, X.

3 Des branches d'églantine, dont l'une portait déjà de petites baies, fleurissaient un buisson en travers du sentier.
MARTIN DU GARD, les Thibault, t. II, p. 260.

4 Je saisis une branche, la plus proche, et je tirai. Elle résista, plia, craqua, mais tint bon. Je dus la tordre, l'arracher fibre par fibre. Mes doigts s'engluaient dans la gomme. Tout à coup la branche se détacha et tomba à terre. Je fus effrayé de sa grandeur, elle était formée de plusieurs rameaux.
H. BOSCO, l'Âne Culotte, p. 84.

4.1 (...) dehors il fait froid, le vent souffle dans les branches noires dénudées; le vent souffle dans les feuilles, entraînant les rameaux entiers dans un balancement, balancement qui projette son ombre sur le crépi blanc des murs.
A. ROBBE-GRILLET, Dans le labyrinthe, p. 9.

Spécialt. Bâton, morceau de bois formé d'une branche coupée. *Un petit chameau «que poussaient avec des branches, deux petits Arabes»* (Maupassant).

♦ **2** (Av. 1704). Ramification d'une partie quelconque de la plante. *Les branches d'une racine.* — (1863). *Asperges, céleris en branches,* avec la tige complète. — Loc. fig. et fam. *Il n'y en a pas plus que de beurre en branche.* → **Beurre** (*infra* cit. 4.4). *C'est de la connerie en branche :* c'est complètement idiot.

♦ **3** Par anal. *Une branche de corail.* (Av. 1250). *Les branches du cerf.* → **Bois.**

4.2 Elle est garnie d'idoles, qui, des trois côtés de la pièce disposées sur deux files, brandissent des épées, des luths, des roses et des branches de corail (...)
CLAUDEL, Connaissance de l'Est, 1907, p. 31.

♦ **4** Loc. fig. *Être comme l'oiseau sur la branche :* occuper une position précaire, incertaine.

*Scier la branche sur laquelle on est assis :* compromettre sa position.

Ainsi la monarchie de Juillet était discréditée, ébranlée par ceux qui l'avaient faite, par ces élus censitaires qui sciaient la branche sur laquelle ils étaient assis. 5
J. BAINVILLE, Hist. de France, XIX.

*S'attacher aux branches :* s'arrêter aux circonstances inutiles, en négligeant l'essentiel.

(1690). *Sauter de branche en branche :* dans la conversation, passer brusquement d'un sujet à l'autre (→ Coq-à-l'âne).

*S'accrocher à toutes les branches :* se servir de tous les moyens nécessaires, ne rien négliger.

*Se rattraper aux branches :* rétablir une situation critique en saisissant une opportunité.

**II** Par anal. ♦ **1** (1293). Ramification ou division (d'un organe, d'un appareil, etc.) qui part d'un axe ou d'un centre. — (1637). Anat. *Branches collatérales, terminales d'un nerf, d'un vaisseau.*

*Les branches d'un chemin, d'une voie de communication, d'une mine, d'une tranchée, d'un égout.* → **Embranchement.** *Faire se rejoindre les deux branches d'un tuyau* (→ **Brancher, embrancher).**

La grande artère qui envoie ses branches par tout le corps. 6
DESCARTES, Disc. de la méthode, 5.

*Le chandelier* à sept branches. Les branches d'un compas, d'une paire de lunettes, d'un mors, d'un fer à cheval, d'une paire de ciseaux. Les branches d'un lustre. Branche d'une hélice.*

À six heures du soir, le *Mongolia* battait des branches de son hélice les eaux de la rade d'Aden et courait bientôt sur la mer des Indes. 6.1
J. VERNE, le Tour du monde en 80 jours, p. 61.

Élément partant d'un nœud, dans un graphique en forme d'arbre*. *Les branches d'un arbre généalogique.*

Math. Portion d'une courbe non fermée (parabole, etc.). *Branche parabolique d'une courbe.*

♦ **2** (V. 1178). Fig. Division (d'une œuvre, d'un système complexe).

(1306). *Branches d'une famille :* série généalogique provenant d'une souche commune. *Branche cadette. Un Bourbon de la branche aînée.*

Un de nos amis dit qu'il y a une branche aînée au poison, où l'on ne remonte point, parce qu'elle n'est pas originaire de France; ce sont ici des petites branches de cadets qui n'ont pas des souliers. 7
M^me^ DE SÉVIGNÉ, 777, 31 janv. 1680.

— Il y a plusieurs branches d'Artagnan à Tarbes et dans les environs, dit le cardinal, à laquelle appartenez-vous? 8
— Je suis le fils de celui qui a fait les guerres de religion avec le grand roi Henri, père de Sa Gracieuse Majesté.
A. DUMAS, les Trois Mousquetaires, t. II, p. 466.

Elle était de la branche des ducs de la Rochefoucauld, ma grand-mère est des ducs de Doudeauville. 9
PROUST, le Côté de Guermantes, Folio, t. II, p. 289.

*Les branches du roman de Renart :* les parties (écrites à des époques différentes). *Les différentes branches de la science. Les branches de l'enseignement* (classique, moderne, technique). → **Discipline, spécialité.**

♦ **3** Écon. Ensemble des entreprises qui fabriquent la même catégorie de produits (→ Secteur, cit. 3.1). *Les branches les plus touchées par la crise. Il y a beaucoup de chômage dans cette branche de l'industrie.*

Cour. Domaine d'activité. *Choisir sa branche.*

♦ **4** (1872). Techn. (Hippol.). *Cheval qui a de la branche,* qui a le garrot bien sorti, l'encolure longue et la tête petite.

(Av. 1907). Loc. fig. **AVOIR DE LA BRANCHE :** être racé, avoir de l'allure et de la distinction.

10 Faut-il le dire? Je trouvai cet homme très comme il faut. Il n'était pas jeune, oh non! mais il portait beau; il avait de la «branche».
GORON, l'Amour à Paris, t. I, p. 352-355.

**III** (1877). Fam. **VIEILLE BRANCHE :** vieux camarade (→ Pote). — Vieilli, sauf en appellatif. *Salut, vieille branche! Je compte sur toi, ma vieille branche.*

11 (...) Nouveau, un de mes vieux copains, poète et *prosateur* de beaucoup d'esprit et de talent, serait heureux de savoir si tu pourrais lui accepter deux ou trois récits humoristiques pour *Le Réveil.* Il te serait reconnaissant de vouloir bien lui écrire un mot à ce sujet, et si tu acquiesces, il t'enverrait ou te remettrait ses manuscrits. Je te recommande cette vieille branche chaudement.
VERLAINE, Lettre à E. Lepelletier (1882), *in* G. NOUVEAU, Pl., p. 860.

CONTR. **Tronc, souche, tête.** ◊ DÉR. 1. **Branchage, branchée, branchement, brancher, branchette, branchu.** — V. **Brancard.** → COMP. **Ébrancher.** — **Sous-branche.** — V. **Embrancher.**

**BRANCHÉE** [bʀɑ̃ʃe] n. f. — Av. 1849; de *branche.*

Rare. Ce que porte une branche. *Une branchée de feuilles, de fleurs.*

**BRANCHEMENT** [bʀɑ̃ʃmɑ̃] n. m. — XVIe; de *branche* (I.) ou de *brancher* (II., mais le verbe est attesté un peu après).

♦ **1** Vx. Action de pousser des branches (se dit d'un végétal).

♦ **2** (1853). Action de brancher. → 1. **Branchage,** 4. *Réaliser un branchement, le branchement d'un appareil.*

Canalisation, conduite, galerie secondaire partant de la voie principale pour aboutir au point d'utilisation. *Un branchement d'égout a crevé. Branchement d'évacuation. Branchement de ventilation* (tuyau d'évent).

Ce puits avait-il d'autres branchements que la communication verticale avec la mer? Se ramifiait-il vers d'autres portions de l'île?
J. VERNE, l'Île mystérieuse, t. II, p. 463.

Techn. *Branchement de voie :* appareil d'aiguillage. *Branchement entre deux lignes téléphoniques.* → **Bretelle,** II., 3.

♦ **3** Inform. Rupture de séquence, dans le déroulement d'un programme. → **Alternative, bifurcation.**

**BRANCHER** [bʀɑ̃ʃe] v. — 1510; *brancé,* n. m., «fait de se percher», déb. XIVe; de *branche.*

**I** V. intr. ou pron. *(Se brancher).* Se percher sur les branches d'un arbre. *Le faisan, la perdrix branchent, se branchent.*

1 Dans le brouillard immobile qui pleure aux arbres, ils *(les chats-huants)* se branchent et chantent.
COLETTE, la Paix chez les bêtes, Chats-Huants.

Au participe passé :

1.1 (...) pourvu que tu t'empares de l'animal, qu'importe si c'est par ruse ou par force? Tu peux le poursuivre ou l'attendre, l'affûter, le tirer posé ou branché, le prendre au gîte.
BERNANOS, Monsieur Ouine, *in* Œ. roman., Pl., p. 1386.

**II** V. tr. ♦ **1** (1543). Vx. Pendre (qqn) à une branche ou à un gibet. *Brancher un voleur.*

♦ **2** Vx. Diviser en plusieurs parties. *Brancher une famille.*

♦ **3** (1863). Mod. Rattacher (une conduite, un circuit secondaire) à une canalisation, à un circuit principal. *Brancher des conduites de gaz sur le réseau urbain. Brancher le téléphone. Votre téléphone, votre appareil est branché, vient d'être branché.* — Par ext. *Brancher une maison sur le tout-à-l'égout. Je suis directement branché sur le ministère. «Allô! l'hôpital Cochin? On le brancha au moins sur quatre services différents»* (G. Simenon).

Mettre momentanément en communication (un circuit secondaire) avec un réseau principal. *Brancher une lampe, un aspirateur, un poste de radio, un poste téléphonique.*

Il l'aidait à disposer les coussins, à brancher une lampe de chevet sur la prise électrique. 2
MARTIN DU GARD, les Thibault, t. VII, p. 209.

Par métaphore :

Un enfant n'aurait pas la force de pousser une locomotive : il peut cependant la lancer s'il ouvre le bon robinet. Branchez votre volonté au bon endroit et vous serez le maître du monde. 3
A. MAUROIS, les Discours du Dr O'Grady, XIV, p. 145.

Pron. *Se brancher sur...*

♦ **4** Fig. *Brancher* (qqn, qqch.) *sur* (qqch.) : orienter, diriger. *Brancher la conversation sur tel sujet.*

Je branche la dame sur la mode et les potins littéraires, je décapite son paquet, j'offre du feu; et la fourrure de cette bonne fée embaume l'atelier, et je respire de tout mon nez, volant au grotesque et à la misère quelques secondes parfumées. 4
A. SARRAZIN, la Cavale, p. 229.

Pron. *Se brancher sur un sujet.*

♦ **5** (V. 1960). Fam. (mot à la mode; langage des jeunes). Intéresser vivement, mettre en communication psychique. *Est-ce qu'il t'a branché?,* mis au courant, intéressé au problème.

Passif (plus cour.). *Être branché sur qqch.,* en relation d'intérêt. *Il est pas branché sur le jazz.* — *Être branché sur qqn,* avoir un intérêt affectif pour.

(Sujet n. de chose). Concerner, être important pour... *«La musique, c'est fantastique parce que ça branche les jeunes, c'est le seul spectacle encore possible»* (*le Nouvel Obs.,* 16 oct. 1978). — (Sujet n. de personne). *Il, elle me branche.*

◆ **BRANCHÉ, ÉE** p. p. adj. (Au sens I). → ci-dessus, cit. 1.1. — (Au sens II). *Voleur branché,* pendu. — *Conduite branchée. Téléphone branché.*

*Conversation branchée sur un sujet.*

Fam. (au sens II, 5). Intéressé, mis au courant et concerné.

Si «branchée» que soit la jeune journaliste noire, elle n'a cependant pas eu le temps de voir venir un monsieur qui, en très peu de temps, s'est imposé comme une super-star. 5
Ph. KOECHLIN, *in* le Nouvel Obs., 15 janv. 1973, p. 16.

Les homos, eux, au moins, se foutent complètement de ce que je peux penser ou écrire. Puisque je suis de l'autre côté, pas branché, donc bloqué, donc insignifiant (...) Genet? Non? Ah, bon. 6
Ph. SOLLERS, Femmes, p. 167.

(Choses). À la mode. Cf. Dans le coup. *Une discothèque branchée.*

N. *Un branché, une branchée.*

Le soir, avec quinze autres branchés, ils font les nuits de la MJC, au bar, avec musique à fond, bière et joints, ils dérangent les réunions du Groupe des Femmes ou de la Semaine Homosexuelle avec leur son impitoyable, ils essaient de toucher des gens nouveaux mais le folk tient bon. 7
Actuel, févr. 1980, p. 59.

DÉR. (De II., 1.) 2. **Branchage.** — V. **Branchement.** ◊ COMP. **Débrancher.**

**BRANCHETTE** [bʀɑ̃ʃɛt] n. f. — Fin XIIIe, *brancete;* de *branche.*

Littér. Petite branche.

Un vieux tronc d'arbre d'où s'élève une branchette, comme un vieillard qui, au printemps, mettrait sa béquille sur son épaule.
J. RENARD, Journal, 19 mai 1904.

**BRANCHE-URSINE** [bʀɑ̃ʃyʀsin] n. f. — 1600; *branceursine*, XV^e; lat. médiéval *branca ursina*, de *branca* «patte» (→ Branche), et *ursinus*, de *ursus* «ours», parce que les feuilles de cette plante ressemblent à une patte d'ours.

Bot. Acanthe sans épine.

**BRANCHIAL, ALE, AUX** [bʀɑ̃kjal, o] adj. — 1770; de *branchie*.

Didact. (zool.). Qui appartient aux branchies. *La respiration branchiale. Fentes branchiales.* → **Ouïes.** *Arcs* (II., B., 1.) *branchiaux. Filtres branchiaux.* → Planctonique, cit. 2.

Chez les amphibiens les branchies sont externes, originaires de téguments et supportées par la surface externe des arcs branchiaux.

Jean GUIBÉ, les Batraciens, p. 33.

**BRANCHIE** [bʀɑ̃ʃi] n. f. — 1690; lat. d'orig. grecque *branchia*.

Organe de respiration des animaux aquatiques, constitué par des touffes ou des lamelles du tégument (mollusques, crustacés), ou de fentes du pharynx (poissons, têtards). *Les branchies des poissons, des mollusques.*

DÉR. **Branchial.** ◊ COMP. **Abranche, branchiopodes.** — V. **Branchiosaure.**

**BRANCHIOPODES** [bʀɑ̃kjɔpɔd] n. m. pl. — 1803; du rad. de *branchie*, et *-pode*.

Zool. Sous-classe de crustacés primitifs, aux pattes aplaties et lobées. — Au sing. *La daphnie est un branchiopode.*

**BRANCHIOSAURE** [bʀɑ̃kjɔzɔʀ] ou **BRANCHIOSAURUS** [bʀɑ̃kjɔzɔʀys] n. m. — 1887, *in* Encycl. Berthelot; lat. zool. *branchiosaurus*. → Branchie, et -saure.

Didact. (zool.). Petit amphibien fossile aquatique de l'ordre des *Stégocéphales*. — Plur. Le groupe correspondant, syn. de *phyllospondyles*.

**BRANCHU, UE** [bʀɑ̃ʃy] adj. — V. 1160; de *branche*.

♦ **1** Qui a beaucoup de branches*. *Un arbre branchu. Chou branchu :* chou qui pousse des tiges touffues.

♦ **2** Fig. Qui possède de nombreuses ramifications.

Un escalier étroit, branchu comme une artère, s'élevait dans le milieu de la baraque et distribuait en tous sens des galeries tortueuses (...)

G. DUHAMEL, Vue de la terre promise, IV.

**BRAND** [bʀɑ̃] n. m. → 2. **Bran.**

**BRANDADE** [bʀɑ̃dad] n. f. — 1788; provençal *brandado* «chose remuée».

Régional ou cuis. Morue émiettée, mêlée à de l'huile, du lait (ou de la crème), de l'ail pilé. *Brandade nîmoise.* — (Tautologie). *De la brandade de morue.*

REM. Le mot est parfois employé pour désigner un plat de morue émiettée et de purée de pommes de terre.

1. **BRANDE** [bʀɑ̃d] n. f. — 1478; lat. médiéval *branda* «bruyère», 1205 (en Bretagne); de l'anc. v. *brander* (1160), «brûler», du germanique **brand* «tison», parce qu'on brûlait les bruyères. → Brandir, brandon.

Régional ou didactique.

♦ **1** Ensemble des plantes de sous-bois (bruyères, ajoncs, genêts, fougères). — Terre infertile où poussent ces plantes. → **Lande.**

1 Au bout d'un quart d'heure, ils avaient franchi les brandes.

G. SAND, la Mare au diable, XV, p. 125.

(...) un feu sournois qui rampe sous la brande, embrase un pin, puis l'autre, puis de proche en proche crée une forêt de torches. 2

F. MAURIAC, Thérèse Desqueyroux, IV, p. 57.

Sans discuter, Tiffauges obliqua vers le talus de gauche, s'enfonça dans les congères boueuses qui le bordaient, et sentit sous ses pieds le sol mou et traître de la brande. 3

M. TOURNIER, le Roi des Aulnes, p. 392.

♦ **2** Régional. Fagot* de brins de bruyère, enduit d'une substance inflammable. *Se chauffer avec des brandes.*

2. **BRANDE** [bʀɑ̃d] n. f. → **Brante.**

**BRANDEBOURG** [bʀɑ̃dbuʀ] n. — 1708; «casaque à galons», n. f., 1656; de *Brandebourg*, État allemand d'où venait cette mode.

♦ **1** N. m. Ornement en broderie ou en galon sur un vêtement. → **Passementerie.** *Brandebourg de boutonnière. Une tunique à brandebourgs.* → **Dolman.**

Il y avait sur le quai de la gare un ostrogoth en uniforme de je ne sais quoi, une espèce d'adjupette en leggings, mal luné et congestionné, genre revenant du cadre noir, corseté, taille de guêpe, fin de siècle, ou de louveterie, serré dans un pet-en-l'air à brandebourgs et passementeries, une pièce de musée, quoi : le général du Grand Chenil luimême (...)

B. CENDRARS, la Main coupée, *in* Œ. compl., t. X, p. 215.

♦ **2** N. f. Vx. Pavillon, berceau de jardin.

**BRANDEVIN** [bʀɑ̃dvɛ̃] n. m. — 1641, Richelieu; néerl. *brandewijn* «vin (*wijn*) distillé». → Brandy.

Vieilli. Eau-de-vie de vin.

DÉR. **Brandevinier.**

**BRANDEVINIER, IÈRE** [bʀɑ̃dvinje, jɛʀ] n. — 1718; de *brandevin*.

Vx. Personne qui fabrique ou vend du brandevin.

**BRANDILLANT, ANTE** [bʀɑ̃dijɑ̃, ɑ̃t] adj. — 1879; de *brandiller*.

Rare. Qui brandille, oscille, ballotte.

Il marche de long en large, dans la brandillante cellule du compartiment, cage étroite devenue soudain vide (...)

J.-R. BLOCH, Sybilla, p. 320.

REM. On trouve aussi *brandouillant*.

**BRANDILLER** [bʀɑ̃dije] v. — Fin XIII^e; de *brandir*, et *-iller*.

**I** V. tr. Vx. Remuer* d'un mouvement alternatif. → **Agiter, balancer, ballotter, mouvoir.** *Brandiller les jambes.* — V. pron. *Se brandiller sur sa chaise.*

**II** V. intr. (Rare ou littér.). Être agité avec un mouvement alternatif. → **Ballotter.** *Le drapeau brandille au vent.* → **Flotter.** *Un cadavre brandillait au bout de la corde.*

REM. On trouve aussi *brandouiller*.

DÉR. **Brandillant, brandilloire, brandillon.**

**BRANDILLOIRE** [bʀɑ̃dijwaʀ] n. f. — 1572; de *brandiller*.

Vx. Balançoire faite de cordes ou de branches entrelacées.

**BRANDILLON** [bʀɑ̃dijɔ̃] n. m. — 1902, Lyon et 1912, pop., Paris (*in* Esnault); de *brandiller*.

Argot. Bras. — REM. On rencontre aussi la var. *bradillon* [bʀadijɔ̃].

1 Je récupère mon huile, que la dame avait prise pour de l'eau de Cologne et qu'elle voulait confisquer, et je me prépare à me mettre tout ça sur les bradillons.
A. SARRAZIN, la Cavale, p. 337.

2 Il met son brandillon en avant. Je le lui bloque et le tords. Il gueule ; une torsion, le voilà à genoux par terre.
SAN-ANTONIO, Au suivant de ces messieurs, p. 154-155.

**BRANDIR** [bʀɑ̃diʀ] v. tr. — 1080, *Chanson de Roland ;* p.-ê. de l'anc. franç. *brand, brant* «tison» — le verbe a eu en moy. franç. le sens de «scintiller» —, d'où «lame d'épée» (à cause de l'éclat), du francique **brand,* même sens (→ 2. Bran, brandon), ou, d'après Guiraud, d'un gallo-roman **brancitare* «agiter, secouer», du bas lat. *branca* «patte». → Branche.

♦ **1** Agiter en tenant en l'air, d'une manière menaçante. *Brandir un poignard, un bâton.*

1 Elle avait l'air de brandir une petite lance d'amazone, elle était très belle.
A. MAUROIS, Bernard Quesnay, XXX, p. 205.

Par métaphore. *Brandir l'étendard de la révolte.*
Par ext. (abstrait). *Brandir la menace de sa démission.*

♦ **2** Agiter (qqch.) en élevant, pour attirer l'attention.

2 (...) le type brandissait des journaux en murmurant : «*Paris-soir,* dernière. Il m'en reste deux, achetez-les.»
SARTRE, les Chemins de la liberté, t. II, Le sursis, p. 9.

DÉR. **Brandiller, brandissement, brandisseur. — V. Branler.**

**BRANDISSAGE** [bʀɑ̃disaʒ] n. m. — 1885, Zola ; de *brandir* «calfeutrer», fin XIII^e, en wallon.

Techn. Action de boucher les fentes dans la voûte d'une galerie de mine. — Matière qui sert à boucher ces fentes.

**BRANDISSEMENT** [bʀɑ̃dismɑ̃] n. m. — 1660 ; «éclat», de *brandir* au sens anc. de «scintiller», 1587 de *brandir.*

Rare. Action de brandir. *«Le brandissement d'un sabre levé sur ma tête pour me tailler en pièces»* (Nerval, *in* T. L. F.).

**BRANDISSEUR, EUSE** [bʀɑ̃disœʀ, øz] n. — 1848 ; de *brandir.*

Rare. Personne qui brandit (qqch.).

Exaltée brandisseuse de chapelets, fervente diseuse de litanies (...) G. CHEVALLIER, Clochemerle, p. 122.

**BRANDON** [bʀɑ̃dɔ̃] n. m. — 1130 ; du francique **brand* «tison» par l'interm. de l'anc. franç. *brant* «tison» (→ Brandir), ou p.-ê. par croisement entre l'anc. franç. *brandir* «agiter» (→ Brandir) et *brander* «allumer» (Guiraud, d'origine germanique). → 2. Bran, brandir.

♦ **1** Vx. Torche* de paille enflammée servant à éclairer ou à mettre le feu. → **Flambeau.**

1 (...) Mais l'homme était venu ; l'homme était entre elles comme un brandon insensible qui les brûlait toutes deux.
Edmond JALOUX, les Visiteurs, V, p. 52.

Vx. *Dimanche des Brandons :* premier dimanche du Carême, pendant lequel avait lieu une procession aux flambeaux.

♦ **2** Loc. fig. (1275). Mod. et littér. *Brandon de discorde* :* personne, chose qui provoque une querelle, le trouble. *C'est un brandon de discorde. — Jeter le brandon de la discorde.*

♦ **3** (1634). Débris enflammé qui s'échappe d'un incendie.

Par métaphore :

Un feu subtil s'allume, et ses brandons épars 2
Sur votre don fatal courent de toutes parts (...)
CORNEILLE, Médée, V, 1.

Pourtant des factions que son bras vient d'abattre 3
Il éteint le dernier brandon. HUGO, Odes, II, 7.

♦ **4** (1416). Dr., vx. Bâton entortillé de paille planté sur le bord d'un champ dont la récolte était judiciairement saisie. → **Saisie-brandon.**

DÉR. (De 4.) **Brandonner.**

**BRANDONNER** [bʀɑ̃dɔne] v. tr. — 1345 ; de *brandon.*

Dr., vx. Entourer (un champ) de brandons (4.) pour en marquer la saisie. *Brandonner un champ, une terre.*

**BRANDOUILLER** [bʀɑ̃duje] v. → **Brandiller.**

**BRANDY** [bʀɑ̃di] n. m. — 1791, *in* Höfler ; *brandi,* 1688, attestation isolée ; mot angl., abrév. de *brand-wine,* néerl. *brandewijn.* → Brandevin.

Eau-de-vie en provenance d'Angleterre, et, par ext., de pays où le mot est adopté. *Un verre de brandy. Des brandys espagnols.*

Les gentlemen assis autour de la table tapotent leurs vieilles pipes culottées, sirotent leur brandy (...)
N. SARRAUTE, Vous les entendez ?, p. 8.

**BRANLADE** [bʀɑ̃lad] n. f. — 1849 ; de *branler.*

Fam., vulg. et vx. Action de branler, masturbation. → **Branlage, branlée, branlette.**

Toutes les femmes musulmanes allaient le voir et le polluaient, si bien qu'il en est crevé d'épuisement. Du matin au soir c'était une branlade perpétuelle.
FLAUBERT, Lettre à L. Bouilhet, 4 déc. 1849, Correspondance, t. I, Pl., p. 542.

**BRANLAGE** [bʀɑ̃laʒ] n. m. — 1936 ; de *branler.*

Fam. et vulg. Action de (se) branler, masturbation. → **Branlade, branlée, branlette.**

(...) à l'infirmerie huit jours on lui guérit le cul il se branlait sans arrêt ça lui passait la douleur son lit défoncé craquait vibrait à toute allure on avait un peu honte pas pour les branlages mais pour son pauvre cul.
Tony DUVERT, Paysage de fantaisie, p. 218.

**BRANLANT, ANTE** [bʀɑ̃lɑ̃, ɑ̃t] adj. — XIV^e ; de *branler.*

♦ **1** Qui branle, qui est instable. → **Chancelant, instable ; brimbalant.** *Avoir la tête branlante, le chef branlant. Dent branlante. Siège, tabouret branlant. Escalier branlant. Maison branlante. Pierre branlante.*

Les échelles, de sept mètres, se succédaient, les unes 1
solides encore, les autres branlantes, craquantes, près de se rompre (...) ZOLA, Germinal, IV, 6.

On la fit entrer dans un vestibule branlant, dont les murs 1.1
crevassés étaient étayés par des poutres neuves.
G. LEROUX, Rouletabille chez Krupp, p. 92.

Loc. fig. *Château branlant :* édifice précaire ; enfant qui commence à marcher et tombe souvent.

Il marche présentement, mais c'est comme un château 2
branlant. M^me DE SÉVIGNÉ, 58.

♦ **2** (Abstrait). Mal assuré, qui manque de force, semble près de s'écrouler. *Un régime branlant. Des raisonnements branlants. Un commerce branlant.*

CONTR. **Assuré, fixe, immobile, solide, stable, sûr.**

**BRANLE** [bʀɑ̃l] n. m. — V. 1165, *prendre son branle* «se mettre en mouvement»; de *branler.*

♦ **1** Vx ou littér. [a] Ample mouvement d'oscillation. → **Balancement.** *Le branle d'une cloche.* — Vx. *Sonner en branle :* donner aux cloches leur balancement maximum. → **Volée** (à la volée); **bourdonner.** → ci-dessous, Mettre en branle.

*Le branle de la tête.* → **Branlement, hochement.**

1 Et les yeux à terre, le crâne dur, ils dirent non, toujours non, d'un branle farouche.

ZOLA, Germinal, t. II, p. 32.

2 Le moindre sujet d'alarme se traduisit chez elle par un branle machinal de son petit front d'ivoire (...)

MARTIN DU GARD, les Thibault, t. III, p. 120.

Poét. *«Le branle universel de la danse macabre»* (cit. 3, Baudelaire).

[b] Mouvement.

2.1 Mais toujours passions folles, sang qui bout, viscérales lubies qui donnent au monde son branle.

Régis DEBRAY, l'Indésirable, p. 194.

[c] Loc. mod. **METTRE EN BRANLE.** *Mettre en branle une cloche.* → ci-dessus, Sonner en branle. — Fig. *Mettre en branle :* mettre en mouvement, donner la première impulsion à. → Netteté, cit. 6.

3 (...) vers la fin du jour, après un grand effort, je crois avoir remis en branle l'informe masse.

GIDE, Journal (1907).

4 (...) je suis responsable de cette déplaisante petite agitation, de cette mise en branle de forces oisives (...)

COLETTE, la Naissance du jour, p. 89.

5 On voit quelles forces l'Internationale peut mettre en branle quand elle le veut.

MARTIN DU GARD, les Thibault, t. VI, p. 39.

*Être en branle, se mettre en branle :* se mettre en mouvement, en action.

6 La marche a quelque chose qui anime et avive mes idées : je ne puis presque penser quand je reste en place; il faut que mon corps soit en branle pour y mettre mon esprit.

ROUSSEAU, les Confessions, V.

♦ **2** Fig. et vx. Première impulsion (donnée à qqch. que l'on met en activité, en mouvement, en train). *Suivre le branle général* (Académie). *Donner le branle à une affaire.*

♦ **3** (XIII^e). [a] Ancienn (hist. de la mus.). Danse à figures où un ou deux danseurs conduisaient les autres; air sur lequel on la dansait. *Danser un branle. Jouer un branle.*

7 Le branle, qui fut tellement célèbre que chaque province avait le sien, est l'ancêtre vénérable et joyeux de nos quadrilles et de certaines figures du cotillon.

F. DE MIOMANDRE, Danse, p. 28.

Loc. fig. (vx). *Mener, ouvrir, commencer le branle :* donner le premier l'exemple d'une chose.

[b] Mod. Danse en chaîne à pas réglé. *La gavotte* bretonne est un branle.*

♦ **4** (1678). Vx. Hamac de matelot. *Mettre bas les branles.* → **Branle-bas.**

REM. Dans de nombreux emplois, le mot est d'usage restreint, à cause de la fréquence du sens érotique de *branler* et de ses dérivés.

COMP. (De 4.) **Branle-bas.**

**BRANLE-BAS** [bʀɑ̃lba] n. m. invar. — 1687, ordre de mettre *bas les branles* «les hamacs», qui étaient sur les entreponts, pour se disposer au combat.

♦ **1** Mar. *Branle-bas de combat :* ensemble des dispositions prises sur un navire de guerre en vue du combat. *Branle-bas du matin, du soir,* préparatifs de l'équipage au moment du lever, du coucher. *Des branle-bas. Sonner le branle-bas.*

Yves entendit au-dessus de lui faire le branle-bas du soir, tous les hamacs qui s'accrochaient, et puis le premier cri des hommes de quart marquant les demi-heures de la nuit. 1

LOTI, Mon frère Yves, VI, p. 31.

♦ **2** (1863; «épouvante», 1832). Fig. et cour. Agitation vive et souvent désordonnée, dans la préparation d'une opération. → **Bouleversement, remue-ménage.** *Branle-bas général. Mettre tout en branle-bas.*

(...) le gouvernement serbe se trouvait, ces jours-ci, dans le branle-bas des élections (...) 2

MARTIN DU GARD, les Thibault, t. VI, p. 100.

Je pense que de sa décision du 18 Juin, l'espoir avait conservé pour lui un accent tragique. Un branle-bas de combat régnait dans l'hôtel autour du destin reparu. 3

MALRAUX, Antimémoires, Folio, p. 158.

(...) qui aurait pu percevoir la menace, le danger, le branle-bas, la fuite désordonnée, les appels, les supplications (...) 4

N. SARRAUTE, Vous les entendez ?, p. 14.

**BRANLÉE** [bʀɑ̃le] n. f. — 1936; de *branler.*

♦ **1** Fam. et vulg. Fait de branler; masturbation. → **Branlade, branlage, branlette.**

(...) ils causaient se tapaient dessus sortaient courir ou jouaient aux cartes jusqu'au moment des branlées quand le soleil tombait ils aiment me mettre tout nu au milieu d'eux (...) Tony DUVERT, Paysage de fantaisie, p. 18.

♦ **2** Mar., fam. Coup de vent difficile à étaler. *On s'est pris une de ces branlées !*

Cour. (fam.). Fait d'être battu, écrasé. → **Défaite;** (fam.) **raclée.**

♦ **3** Techn. Sonnerie de cloches.

**BRANLEMENT** [bʀɑ̃lmɑ̃] n. m. — V. 1355, *branlemens;* de *branler.*

Mouvement de ce qui branle.

♦ **1** Rare. *Le branlement d'une carriole.* → **Balancement, brimbalement.**

♦ **2** Cour. *Branlement de tête :* action, manière de branler la tête. *«Un branlement sénile de la tête»* (Daudet).

Un branlement de tête et des grimaces affectées (...)

RACINE, Alexandre, 1^re préface.

**BRANLE-QUEUE** [bʀɑ̃lkø] n. m. — XVI^e; de *branler,* et *queue.*

Bergeronnette. → **Hoche-queue.**

**BRANLER** [bʀɑ̃le] v. — 1080; contraction de *brandeler* «agiter, osciller», de *brandir* ou p.-ê. d'orig. gallo-romane de **brancitulare* ou *branculare* «remuer les pattes» ou «remuer comme une branche», de *branca* «patte», «branche» en roman (Guiraud).

Vieux ou en locution (à cause de l'emploi érotique).

[I] V. tr. ♦ **1** Vx. Remuer en balançant, en faisant osciller. *Branler les bras, les jambes. «Oiseaux qui volent sans branler les ailes»* (Malherbe, *in* G. L. L. F.).

Sganarelle, tendant toujours la main et la branlant, comme pour signe qu'il demande de l'argent. 1

MOLIÈRE, le Médecin malgré lui, III, 2 (jeux de scène).

Mod. *Branler la tête,* la remuer d'avant en arrière, ou d'un côté à l'autre. → **Balancer, hocher, secouer; branlement.**

(...) une infinité de petites lois cul-de-jatte, qui, à peine nées, branlent la tête comme de vieilles femmes. 2

HUGO, Littérature et Philosophie mêlées, p. 52.

♦ **2** (Av. 1585, *in* D. D. L.). Fam. et vulg. Masturber. → **Branlocher.**

2.1 (...) le collégien branlant en silence sa pine amoureuse ne se sentira donc plus le nez piqué par cette âcre odeur qui ajoute à son plaisir.
FLAUBERT, Lettre à Louis Bouilhet, 4 sept. 1850, *in* Correspondance, t. I, Pl., p. 681-682.

2.2 J'ai vu il y a 8 jours un singe dans la rue se précipiter sur un âne et vouloir le branler de force.
FLAUBERT, Lettre à Louis Bouilhet, 15 janv. 1850, *in* Correspondance, t. I, Pl., p. 573.

Pron. (1785, cit. 2.3). *Se branler :* se masturber (cit. 1). → Branlette, cit. 1.

2.3 – Tiens, Françon, me dit-il, en sortant un vit monstrueux de sa culotte, dont je pensai tomber à la renverse d'effroi, tiens, mon enfant, continuait-il en se branlant, as-tu jamais rien vu de pareil à cela ?
SADE, les 120 Journées de Sodome, t. I, I, p. 118.

♦ **3** Fig. et fam. Faire, fabriquer. *Qu'est-ce qu'ils branlent ?* → **Glander.** *J'en ai rien à branler :* cela m'est égal (cf. Rien à faire, à foutre). → **Foutre** (II., 1.).
*Se branler de (qqch.), s'en branler,* se moquer. *Tu parles s'il s'en branle ! Tes histoires, je m'en branle.* → **Foutre** (III., se foutre de). — (Compl. n. de personne). *On s'en branle, de ce crétin !*

2.4 Moi j'suis un mataf. J'ai qu'ma paye. Faut que j'me démerde autrement. C'est pas déshonorant. C'est de la came que je propose. Il a pas à me juger. Et même si c'est un flic, moi j'm'en branle.
Jean GENET, Querelle de Brest, p. 189.

2.5 – Et le type ? demanda Gridoux, qu'est-ce qu'il branle ?
R. QUENEAU, Zazie dans le métro, Folio, p. 73.

♦ **4** Argot mar. *Se faire branler :* essuyer un coup de vent très fort et très pénible.
Fam. Subir une défaite cuisante, un échec. → **Branlée.**

**II** V. intr. ♦ **1** Être instable, mal fixé. → **Chanceler, osciller, vaciller.** *Une chaise, une dent qui branle.* — *Branler au manche, dans le manche,* se dit d'un outil, d'un instrument emmanché. *«Des couteaux branlant dans le manche»* (→ Couper, cit. 17, France). Fig. Manquer de stabilité, de solidité.

3 Pendant que le comte-duc peut tout encore, et que tu possèdes ses bonnes grâces, profite du temps, hâte-toi de t'enrichir ; car ce ministre, à ce qu'on m'a dit, branle dans le manche.
A.-R. LESAGE, Gil Blas, XII, 7.

3.1 – On prétend qu'il *(Arnoux)* branle dans le manche ? dit Pellerin.
Le marchand de tableaux venait d'avoir un procès pour ses terrains de Belleville, et il était actuellement dans une compagnie de kaolin bas-breton avec d'autres farceurs de son espèce.
Dussardier en savait davantage ; car son patron lui, M. Moussinot, ayant été aux informations sur Arnoux près du banquier Oscar Lefebvre, celui-ci avait répondu qu'il le jugeait peu solide (...)
FLAUBERT, l'Éducation sentimentale, II, II.

♦ **2** Vx (en parlant des personnes). Bouger, remuer.

4 On leur a dit qu'il ne faut pas branler ni aller et venir quand ils sont dans leurs rangs (...)
Mme DE SÉVIGNÉ, 1178, 15 mai 1689.

5 Si tu branles, ajouta-t-il, avant que le soleil soit levé, comme je te l'ai déjà dit, je te prendrai par les pieds et je te casserai la tête en mille pièces contre cette muraille.
A. GALLAND, les Mille et Une Nuits, t. I, p. 308.

REM. Cet emploi est encore vivant au Canada, où le mot n'a pas la valeur érotique qu'il a prise en français central. En France, le mot est d'usage difficile, même au sens II, 1.

CONTR. **Demeurer, rester, tenir.** ◇ DÉR. **Branlade, branlage, branlant, branle, branlée, branlement, branlette, branleur, branlocher, branloire.** → COMP. **Ébranler. — Branle-queue.**

**BRANLETTE** [bʀɑ̃lɛt] n. f. — 1936 ; «manière de pêcher (en secouant la ligne)», 1836 ; de *branler.*

Fam. Masturbation (solitaire ou non). → **Branlade, branlage, branlée.**

En tout cas, quel plaisir j'ai pris rétrospectivement à ma jolie branlette d'autrefois ! Avec quelle émotion j'ai rencontré cette enfant pleine de sève qui voulait se branler, qui se branlait et qui en éprouvait du plaisir. 1
Marie CARDINAL, les Mots pour le dire, p. 129.

J'achevai le parcours, sans bouder mon plaisir. C'était pas la femme et son mystère, ses pudeurs ses odeurs sa tendresse sa sauvagerie, mais c'était quand même mieux qu'une branlette. 2
CAVANNA, les Ritals, p. 126.

**BRANLEUR, EUSE** [bʀɑ̃lœʀ, øz] n. et adj. — 1690, Furetière ; de *branler.*

**I** Adj. Rare. Qui n'est pas bien fixé, qui bouge.
REM. Ce sens paraît fictif ; Furetière écrit : «qui branle. Il n'est guère en usage qu'en un sens odieux et obscène», bien qu'il définisse le mot comme «adjectif».

**II** N. (1690 ; → ci-dessus, REM.). Fam. ♦ **1** Personne qui masturbe (qqn). → **Masturbateur.** *«La meilleure branleuse que le château renfermât»* (Sade, *in* D. D. L.).

On chargea Hercule du même emploi chez les garçons, qui toujours bien plus adroits dans cet art-là *(de masturber)* que les filles, parce qu'il ne s'agit que de faire aux autres ce qu'ils se font à eux-mêmes, n'eurent besoin que d'une semaine pour devenir les plus délicieux branleurs qu'il fût possible de rencontrer. 1
SADE, les 120 Journées de Sodome, t. I, I, p. 188-189.

Adj. (Rare) :

Elle cherche mon sexe... Je n'ai pas oublié comme elle est branleuse... J'ai beaucoup regardé ses doigts pendant le dîner... Elle a compris... Elle a mis une jupe noire fendue... Le rêve... 2
Ph. SOLLERS, Femmes, p. 156.

Personne qui se masturbe. → **Masturbateur, onaniste.**

(...) ce n'était pas une mince ironie que de jouir, moi, de cette réputation au milieu d'une armée de petits branleurs qui s'en allaient communier tous les dimanches. 3
H. BAZIN, la Mort du petit cheval, p. 21-22.

♦ **2** Par ext. Personne qui ne fait rien de son temps. *C'est un bon à rien, un petit branleur.*

Le temps s'écoule : bavardages, évocations du temps de la guerre quand les hommes étaient des hommes, considérations grinçantes sur les nouvelles générations de casseurs – des petits branleurs sans morale –, prévisions sombres sur l'avenir ! 4
Roger BORNICHE, le Gang, p. 52.

(Injure). *Sale petite branleuse !*

**BRANLOCHER** [bʀɑ̃lɔʃe] v. tr. — 1932 ; de *branler.*

Fam. et rare. Masturber. → **Branler.**

Je fais d'abord coucher mon idiot pour qu'il me foute sérieusement la paix... Je le branloche un tout petit peu, ça le tenait tranquille d'habitude... ça l'endormait aisément (...)
CÉLINE, Mort à crédit, Folio, p. 278.

Pron. *Se branlocher. «René debout se branloche...»* (Duvert, *Paysage de fantaisie,* p. 122).

**BRANLOIRE** [bʀɑ̃lwaʀ] n. f. — V. 1350 ; de *branler.*

Vx. Planche en équilibre servant de balançoire. → **Bascule.** — Caisse suspendue sous une voiture.

**BRANQUE** [bʀɑ̃k] n. m. et adj. — Av. 1900, *in* Cellard et Rey ; «mauvais ouvrier», 1890 ; «âne», 1821 ; d'orig. obscure, p.-ê. de formes régionales, avec infl. de *braque* «étourdi» ; cf. provençal *branco* «traînard», suisse roman *branko* «vieux mulet».

Fam. Sot, imbécile (avec infl. de *braque** «fou»).

(...) il n'a pas remarqué ma voiture au passage. Je l'ai rangée dans une rue transversale et je suis revenu à pinces, en promeneur nocturne, trouver ce bon branque. 1
Albert SIMONIN, Touchez pas au grisbi, p. 106.

Adj. *Être branque, se sentir branque.* «*Une affaire complètement branque, dit-il en soupirant*» (P. Gombert, *le Prix d'un taxi,* p. 105).

2 — D'abord, les poissons, c'est les seuls animaux propres à élever, pas bruyants et qui puent pas... Et puis, ça pourra te sembler branque, toute cette flotte qui coule, jour et nuit dans leur bassin, claire et fraîche, parce qu'il faut qu'elle soit fraîche, c'est le plus dur à trouver, j'ai jamais rien rencontré d'aussi reposant... (...) Ça te semble ridicule peut-être?
Albert SIMONIN, Touchez pas au grisbi, p. 213.

COMP. **Branquignol.**

**BRANQUIGNOL** [bʀɑ̃kiɲɔl] n. m. et adj. — 1899, *in* Cellard et Rey; de *branque,* et suff. *-ignol* (→ Croquignol, tartignol), p.-ê. sous l'infl. de *guignol.*

Fou, loufoque. → **Braque.** *Les Branquignols,* pièce de R. Dhéry. *Il est un peu branquignol.* → **Dérangé, fêlé, piqué, siphonné, timbré.**

Un vieux branquignol, qui ne frottait que les lendemains de boue, et encore, où ça se voyait, devant les fenêtres.
MARTIN DU GARD, les Thibault, t. IV, p. 156.

DÉR. **Branquignollerie.**

**BRANQUIGNOLLERIE** [bʀɑ̃kiɲɔlʀi] n. f. — Mil. XX^e^; de *branquignol.*

Rare. Spectacle drôle, un peu loufoque.

Sur les Champs-Élysées, on donnait un western, un film érotique suédois, une branquignollerie française, un Jerry Lewis (...)
Jean-Louis CURTIS, le Roseau pensant, p. 371.

**BRANT** [bʀɑ̃] n. m. → 2. **Bran.**

**BRANTE** [bʀɑ̃t] ou **BRANDE** [bʀɑ̃d] n. f. — 1549, *brante; brande,* 1569; dér. franco-provençal *brentaye,* v. 1340; latinisé en *brenda,* 1450; d'un rad. préroman **brenta* (XIII^e^ en Italie du Nord).

Régional (Suisse).

♦ **1** Récipient en bois servant à transporter à dos d'homme la vendange, le moût... *Porter la brande, la brante.*

Ils se sont baissés de nouveau, ayant rempli leurs seilles; ils les portent à la brante où on foule avec le fouloir, et la brante s'en va à son tour à la cuve, et la cuve au pressoir.
C.-F. RAMUZ, le Village sur la montagne, t. III, p. 119.

Rare. Hotte servant à transporter un autre liquide. *Brante à lait.* → **Boille.**

♦ **2** Contenu d'une brante (mesure de capacité; env. 40 l). «*Une vigne de 70 à 80 brantes*» (*Feuille d'avis du Valais,* 21 janv. 1958).

**BRAQUAGE** [bʀakaʒ] n. m. — 1867; de *braquer.*

♦ **1** Action de braquer les roues d'une voiture, les gouvernes d'un avion. *Le braquage des roues. — Angle de braquage,* formé par les roues directrices avec l'axe longitudinal de la voiture (le volant tourné à fond). *Rayon de braquage,* du cercle tracé par les roues extérieures dans un virage.

Par ext. *Le braquage d'une antenne, d'une tuyère, des gouvernes d'un avion.*

♦ **2** (1941, Esnault; de *braquer* 1., b). Argot. Attaque à main armée, particulièrement au revolver.

1 Je comptais remettre sa fiche signalétique aux doigts de Julien, j'avais rêvé de ligotage, braquage, opération-surprise : toujours cette Série Noire (...)
A. SARRAZIN, l'Astragale, p. 190.

2 Toutefois, assuré de son résultat, le grand laissait son imagination folâtrer, extrapolant dans de futures arnaques divertissantes et nourricières, dont la plus élémentaire lui semblait devoir être une seconde livraison bidon à cet acheteur méfiant, avec braquage dès le début de l'analyse (...)
Albert SIMONIN, Hotu soit qui mal y pense, p. 21 (1971).

**BRAQUE** [bʀak] n. m. et adj. — 1500; ital. *bracco,* provençal *brac;* orig. germanique **brakko* ou bien, d'après Guiraud, du provençal *braca* «chercher», de l'ital. *braccare,* même sens, le chien cherche le gibier qu'il dirige (→ Braquer) vers son maître. → Braconner.

♦ **1** N. m. Chien de chasse à poils ras et à oreilles pendantes, très bon chien d'arrêt.

La grande voix de cloches des braques au chenil (...) 1
COLETTE, Flore et Pomone, *in* Gigi, p. 148.

♦ **2** Adj. (1736; d'abord *fou, étourdi comme un braque*). Fam. Un peu fou, écervelé, toqué. → aussi **Branque, branquignol.**

(...) il a eu trop d'embêtements dans l'existence ça l'a rendu un peu braque. 2
ZOLA, Paris, t. I, p. 20.

N. (rare au fém.). *C'est un vrai braque, ce type.*

Entendez-moi, monsieur; après chacune de ses bêtises, il reste des semaines sans travailler. Il est temps que ça finisse et je lui promets que, s'il recommence de faire le braque, je lui jette un pot d'eau bouillante à la figure. 3
J. RENARD, Bucoliques, *in* Œ., Pl., t. II, p. 185.

**BRAQUEMART** [bʀakmaʀ] n. m. — 1411; *bragamas,* 1392; moy. néerl. *breecmes* «couperet».

♦ **1** Anciennt. Épée courte à deux tranchants, en usage aux XIV^e^ et XV^e^ siècles (→ Arme, cit. 40).

(...) et avec son grand braquemart *(le moine)* frappait sur ces fuyards à grand tour de bras, sans se feindre ni épargner. Tant en tua et mit en pièces que son braquemart rompit en deux pièces. 1
RABELAIS, Gargantua, XLIV.

(...) il dégaine son braquemart et s'apprête à férir le fauve (...) 2
R. QUENEAU, les Fleurs bleues, p. 103.

REM. À cause du sens 2, le mot n'est plus employé que par plaisanterie.

♦ **2** Fam. Pénis.

(...) tant de bracquemars en roiddys qui habitent par les braquettes claustrales. 3
RABELAIS, Pantagruel, XV.

**BRAQUEMENT** [bʀakmɑ̃] n. m. — 1690, Furetière; de *braquer.*

Vx. Action de braquer; état de ce qui est braqué.

**BRAQUER** [bʀake] v. tr. — 1546, Rabelais, «faire tourner, orienter»; var. *brater* «diriger une voiture», 1611; orig. incert., p.-ê. du lat. pop. **brachitare,* de *bracchium* «bras», le changement de *-ter* à *-quer* demeurant difficile à expliquer; d'après Guiraud, à rattacher à **brachicare,* de *brachiare* «orienter une voile à l'aide de bras» (sorte de cordage. → Bras, 5.), *brater* s'explique à partir du doublet **brachitare,* même sens.

♦ **1** [a] Tourner (une arme à feu, un instrument d'optique...) dans la direction de l'objectif. → **Diriger.** *Braquer ses canons, sa lorgnette, une lampe de poche sur qqn, sur qqch.*

*Braquer,* en parlant d'un canon, c'est diriger, tourner celui-ci du côté où l'on veut tirer. *Pointer,* c'est ajuster le canon de manière à pouvoir frapper le but qu'on se propose de toucher. 1
BAILLY, Dict. des synonymes, art. *Braquer.*

(...) il s'en sert ainsi que d'un tromblon, et il braque sur moi, sans trêve, la large gueule menaçante. 2
COURTELINE, Messieurs les ronds-de-cuir, III, III.

(...) on aperçoit, majestueux, fin, et braquant son monocle sur les visages remarquables, M. Albert Besnard, venu de Rome à l'appel du gouvernement (...) 3
Georges LECOMTE, Ma traversée, p. 487.

Par anal. Fixer (le regard, etc.).

3.1 Et je braquais mon œil sur l'ouverture lumineuse.
VILLIERS DE L'ISLE-ADAM, Tribulat Bonhomet, p. 171.

4 Il ne parle pas pour cette rangée d'officiers qui braquent leurs yeux sur lui.
MARTIN DU GARD, les Thibault, t. VIII, p. 137.

5 Moi qui ai horreur de l'attendrissement! lança-t-elle avec feu, braquant soudain sur Antoine un regard tellement inflexible (...)
MARTIN DU GARD, les Thibault, t. III, p. 150.

6 (...) il est nécessaire d'isoler, parmi les éléments du plan *(de travail)*, celui qui, le premier, exige des actions immédiates. C'est sur lui que doit être braquée toute la lumière de l'attention. A. MAUROIS, Un art de vivre, p. 96.

[b] (1930). Argot. Mettre en joue (qqn); attaquer à main armée. *Braquer une banque.* → **Braquage.**

6.1 Trois hommes masqués vont pénétrer chez vous et vous dérober vos bijoux. Pour le faire tranquillement, ils vous braqueront, vous saucissonneront et vous enfermeront sans doute dans quelque placard.
Pierre NORD, les Espionnes au coin du feu, p. 323.

6.2 Il s'était redressé, la manivelle du cric à la main.
«Veux-tu lâcher ça, petit imprudent», je lui ai dit.
C'était pas un battant. Comme je le braquais, il a tout de suite obéi.
Albert SIMONIN, Touchez pas au grisbi, p. 106.

♦ **2** Rare. Faire tourner (un véhicule) en orientant le timon, en manœuvrant la direction. Absolt, cour. (d'une automobile). *Braquer pour se garer.* — V. intr. *Voiture qui braque mal,* qui tourne mal, qui a un trop grand rayon de braquage.

6.3 L'Ancien ouvrit le portail, démarra, braqua, plaça les roues sur les deux bandes cimentées qui bordent les rangées de pavillons, pendant que Yves fermait le portail. Roule (...)
Claude COURCHAY, La vie finira bien par commencer, p. 163 (1972).

♦ **3** (1798). Fig. *Braquer qqn contre...,* l'amener à s'opposer entièrement à. → **Dresser.** *Être braqué contre... :* être opposé obstinément, d'une manière déterminée à... *Il est braqué contre ce projet, il ne veut rien entendre.*

7 La Curie, composée en énorme majorité de prélats italiens et espagnols, n'était guère portée à la conciliation, braquée d'avance contre des ouvertures qui pouvaient être un piège et aboutir à la plus avilissante des avanies.
Louis MADELIN, Hist. du Consulat et de l'Empire, t. VIII, p. 110.

(Sans compl. second) :

8 — Au téléphone j'ai senti une réticence quand il a compris que je ne serais pas seule, poursuivit-elle. Ah, j'ai peur d'avoir fait une gaffe!
— Vous l'avez braqué? demandai-je. Il est jaloux?
Jacques LAURENT, les Bêtises, p. 75.

Pron. *Se braquer contre qqn, qqch. Il s'est braqué.* → **Buter** (se), **cabrer** (se).

9 Pour ne pas s'exposer à un échec, il combina soigneusement sa démarche en descendant sans se presser la rue de Clichy. «Combien lui demander? Si c'est trop, il se braquera.» R. DORGELÈS, Tout est à vendre, p. 118.

Au p. p. *Il est complètement braqué.*

CONTR. **Détourner.** ◊ DÉR. **Braquage, braquement, braqueur.**

**BRAQUET** [bʀakɛ] n. m. — 1900, *bracket, in* Petiot; de *braquet* «petit clou».

♦ **1** Rapport de multiplication (entre le nombre de dents du plateau et celui du pignon), qui commande le développement* d'une bicyclette. *Le dérailleur permet de changer de braquet. Petit, grand braquet. Braquet de 14/46 :* développement obtenu en utilisant un pignon de 14 dents et un plateau de 46 dents.

Busard retourna sa bicyclette et se mit à expliquer le principe des démultiplications, et comment on utilise le dérailleur et les braquets, en fonction de la pente, du vent, selon qu'on prend un virage à la corde ou sur le plus grand rayon, et aussi en rapport de l'attitude des adversaires et en tenant compte de sa propre fatigue. 1
Roger VAILLAND, 325 000 francs, p. 189.

Par comp. (même emploi que : *vitesse, démultiplication*).

Mais la variété du cinéma permettait toujours d'avoir au moins l'illusion et parfois la réalité d'un changement de braquet. F. GIROUD, Si je mens, p. 67 (1972). 2

♦ **2** Régional (Wallonie). Scie égoïne.

**BRAQUEUR, EUSE** [bʀakœʀ, øz] n. — 1947, Esnault; de *braquer* «mettre en joue».

Argot. Agresseur qui utilise une arme à feu. → **Flingueur.** — Rare au féminin.

Si je lui réponds, je vais encore écorcher, sous le cuir d'un caïd de *thriller*, une peau sensible de *caballero*. Humphrey Bogart a couché, vers 1930, avec la Maja nue et ils ont mis au monde cet Eldorado de braqueurs gentilshommes. 1
Régis DEBRAY, l'Indésirable, p. 16.

Pardi, si je me rappelle Marseille. La place de la Bourse avec les macs et les équipes de braqueurs. 2
Henri CHARRIÈRE, Papillon, p. 380.

**BRAS** [bʀa] n. m. — 1080, *braz;* du lat. pop. **bracium,* lat. class. *bracchium,* grec *brakhiôn.*

♦ **1** [a] Anat. Segment du membre supérieur compris entre l'épaule et le coude (opposé à *avant-bras*). *Du bras.* → **Brachial.** *Os du bras.* → **Humérus.** *Mouvement du bras :* abduction, adduction, élévation, rotation. *Muscles du bras.* → **Biceps, triceps, deltoïde.** *Système artériel du bras. Pli entre le bras et l'avant-bras.* → **Saignée.**

[b] Cour. (impropre en anat.). Le membre supérieur, de l'épaule à la main (argot *brandillon*). → **Arrière-bras** (rare), **avant-bras.** *Bras droit, bras gauche* (en blason : → **Dextrochère, senestrochère**). *Avoir de longs bras. Bras nerveux, décharné, bras charnu, gros, musclé. Avoir des bras musclés* (→ **Biceps,** fam. **biscoteau**), *forts, gros.* → ci-dessous, Gros bras. *La force des bras. Avoir le bras fatigué, ankylosé; blessé. Avoir un bras cassé, en écharpe** (cit. 2 et 3). *Être estropié, amputé d'un bras,* manchot. — *Avoir les bras couverts, nus.*

(...) les manches pagodes relevées jusqu'aux épaules, laissant nus les bras gracieux qui ont le poli de l'ambre et qui en rappellent un peu la couleur. 1
LOTI, M^me^ Chrysanthème, XI, p. 79.

Ils demeuraient si beaux, ses bras, de l'aisselle pleine et musclée jusqu'au poignet rond, qu'elle les contempla un moment. 2
«Belles anses, pour un si vieux vase!»
COLETTE, Chéri, p. 156 (→ Anse, cit. 4; et aussi amphore, cit. 2).

Et des bras plus jolis que les vôtres. Et les marques du vaccin sur son bras (...) 2.1
MONTHERLANT, Pitié pour les femmes, p. 58.

Deux bras nus, deux angoisses froides 2.2
Gelaient tout le long de son torse.
Robert VIVIER, Au bord du temps, «Le motocycliste».

*Lever, baisser, plier, étendre les bras. Se croiser les bras. Écarter, arrondir les bras.* — Loc. *Lever les bras au ciel* (pour prendre le ciel à témoin, en signe de désespoir, etc.). *Balancer les bras. Agiter les bras. Faire des signaux* à bras. Les bras en croix. Croiser les bras sur la poitrine. Avoir les bras collés au corps. Écarter les bras du corps. — Porter sur ses bras, entre ses bras, dans ses bras. Tenir entre ses bras, dans ses bras* (→ **Brasse, brassée**). *Lever un poids à bras tendu, à bout* de bras. Brandir à bout* de bras. Porter, tenir un objet sous le bras. Rester l'arme au bras.*

3 (...) des danseuses antiques (...) arrondissant en l'air leurs bras blancs et frêles comme les anses d'une amphore d'albâtre (...) Th. GAUTIER, Fortunio, XVI, p. 110.

4 (...) un matelot, qui était couché les bras étendus en croix. LOTI, Mon frère Yves, V, p. 25.

5 Elle s'imposait de rester là, debout, les bras ballants (...) MARTIN DU GARD, les Thibault, t. V, p. 264 (→ Ballant, cit. 2).

5.1 (...) le médecin lève les bras au ciel en ouvrant les doigts, comme un inspiré qui prêche une nouvelle religion, ou comme un chef d'État qui répond aux acclamations de la foule. A. ROBBE-GRILLET, Dans le labyrinthe, p. 202.

5.2 Le soldat porte un paquet sous son bras gauche. A. ROBBE-GRILLET, Dans le labyrinthe, p. 20.

Danse. *Port de bras. Positions de bras.*

**c** Loc. et syntagmes verbaux. *Saisir, tenir qqn par le bras. Ouvrir les bras, tendre les bras. Jeter les bras au cou de qqn* (→ Sauter au cou*). *Serrer dans ses bras, entre ses bras.* → **Embrasser.** *Se jeter entre les bras, dans les bras de qqn. Tomber dans les bras l'un de l'autre.*

6 Par quels embrassements il vient de m'arrêter!
Ses bras, dans nos adieux, ne pouvaient me quitter (...)
RACINE, Britannicus, V, 3.

7 Il avait jadis dormi dans ses bras, vécu dans son amour. MAUPASSANT, les Sœurs Rondoli, «Rencontre», p. 248.

8 Tes bras, qui se joueraient des précoces hercules,
Sont des boas luisants les solides émules,
Faits pour serrer obstinément,
Comme pour l'imprimer dans ton cœur, ton amant.
BAUDELAIRE, les Fleurs du mal, LII, «Le beau navire».

9 (...) elle s'arrêtait de dormir (...) éclatait de rire, me disant, en nouant ses bras à mon cou (...) PROUST, À la recherche du temps perdu, t. XII, p. 231.

10 (...) elle s'était jetée sur lui, elle l'avait serré des deux bras, l'embrassant, l'étouffant (...) MARTIN DU GARD, les Thibault, t. I, p. 94.

*Être dans les bras de... :* être enlacé avec (une personne, dans une situation érotique).

11 Vous veniez de mon front observer la pâleur,
Pour aller dans ses bras rire de ma douleur.
RACINE, Andromaque, IV, 5.

*Donner, offrir le bras à qqn,* pour qu'il puisse s'y appuyer (cit. 31) en marchant. *Donner le bras à deux femmes* (→ Faire le pot à deux anses*). *Elle donnait le bras à son fiancé; elle était au bras de son mari. Se donner le bras. Marcher en se donnant le bras* (cf. *infra,* Bras dessus, bras dessous). *Donner, tendre, offrir le bras à un vieillard. Prendre le bras, s'appuyer au bras de quelqu'un.*

12 Elle prenait mon bras, et nous marchions sous les arbres (...) E. FROMENTIN, Dominique, XIII.

13 (...) le Marquis s'avança, et, offrant son bras à la femme du médecin, l'introduisit dans le vestibule. FLAUBERT, Mme Bovary, I, VIII.

14 Elle se mit debout avec effort, et, appuyée au bras de Bernard, gagna la pièce qu'elle occupait au-dessus du grand salon F. MAURIAC, Thérèse Desqueyroux, p. 173.

Loc. littér. *Lever le bras sur qqn,* menacer de le frapper; par ext., le menacer.

*Arrêter le bras de qqn,* l'empêcher de frapper, d'exécuter une violence.

**d** (1660, Oudin). Loc. fig. **GROS COMME LE BRAS** (se dit ironiquement pour accompagner une appellation flatteuse).

15 Ça lui coupait les moyens, d'être «monsieur Sorel» gros comme le bras. F. MALLET-JORIS, le Jeu du souterrain, p. 71.

16 Tous les plus gros monsieurs me parlaient chapeau bas :
«Monsieur de Petit Jean», ah! gros comme le bras!
RACINE, les Plaideurs, I, 1.

17 Aujourd'hui Pierrotte n'est plus Pierrotte : c'est M. Pierrotte gros comme les deux bras. Alphonse DAUDET, le Petit Chose, II, 2.

Vx. *Faire les beaux bras :* affecter la grâce, prendre de grands airs.

**COUPER BRAS ET JAMBES (à qqn) :** lui enlever ses moyens d'action, le paralyser d'étonnement, le décourager. *Cet arrêt nous a coupé bras et jambes* (Académie). *Ce malheur lui a coupé bras et jambes.* → **Anéantir** (*supra,* cit. 12), **décourager.**

Martial s'assit, hébété. Il ne dit rien, de quelques instants. Enfin il dit une chose qui pouvait sembler relativement peu appropriée à la circonstance : 17.1
— Oh, putain!
(...) Ça me coupe bras et jambes (...)
Jean-Louis CURTIS, le Roseau pensant, p. 47.

**LES BRAS M'EN TOMBENT :** je suis stupéfait.

**BAISSER LES BRAS :** renoncer à agir, à poursuivre une action entreprise (cf. Laisser tomber). → **Abandonner.**

*Rester les bras ballants (devant qqch.) :* ne savoir que faire, ne rien pouvoir faire; rester oisif.

*Se tordre les bras de douleur (d'inquiétude, de désespoir) :* manifester sa douleur, etc., en s'agitant.

*Lier les bras :* empêcher d'agir.

(...) la gentilhommerie vous tient les bras liés. MOLIÈRE, George Dandin, I, 3. 18

*Vivre de ses bras,* d'un travail manuel. *Avoir les bras rompus,* fatigués par un travail excessif; *les bras retournés, à la retourne* (fam.) : être paresseux. *Se croiser les bras, demeurer, rester les bras croisés,* sans rien faire.

*(Je)* demeure les bras croisés comme un jocrisse (...) MOLIÈRE, Sganarelle, 16. 19

Je ne sais rien faire de mes bras... Je ne paie pas ma place au soleil de la vie. Alphonse DAUDET, le Petit Chose, II, 14. 20

*Tendre, ouvrir les bras à qqn,* lui porter secours, lui pardonner.

*Tendre les bras à qqn, vers qqn,* implorer son aide, son secours. → **Implorer, prier.**

*Se jeter, se réfugier dans les bras de :* se mettre sous la protection de. Par métaphore. *Dans les bras de* (qqch. d'abstrait). → cit. 22 et 25. — *Recevoir qqn à bras ouverts,* l'accueillir avec effusion, empressement. *S'arracher des bras de quelqu'un.*

Je reviens à son âme *(de Turenne)*... nul dévôt ne s'est avisé de douter que Dieu ne l'eût reçue à bras ouverts (...) 21
Mme DE SÉVIGNÉ, 431, 16 août 1675.

(...) il vaut mieux se jeter entre les bras du christianisme ou de la philosophie, que de s'arrêter plus longtemps sur ce désagréable endroit. 22
Mme DE SÉVIGNÉ, 1101, 9 déc. 1688.

Le pape, à qui Charles Martel était nécessaire, lui tendait les bras. MONTESQUIEU, l'Esprit des lois, XXXI, 11. 23

Je m'attendais que, confus de ma condescendance et de mes avances, Grimm me recevrait les bras ouverts, avec la plus tendre amitié. ROUSSEAU, les Confessions, IX. 24

(...) Claude, contristé et découragé dans ses affections humaines, s'était jeté avec plus d'emportement dans les bras de la science, cette sœur qui du moins ne vous rit pas au nez (...) HUGO, Notre-Dame de Paris, IV, 5. 25

Enfin, vers minuit et demi, une pirogue, portant deux hommes, accosta la grève. C'était Ayrton, légèrement blessé à l'épaule, et Pencroff, sain et sauf, que leurs amis reçurent à bras ouverts. 25.1
J. VERNE, l'Île mystérieuse, t. II, p. 623.

*Être dans les bras de Morphée :* dormir. *Tirer qqn des bras de la mort. S'endormir dans les bras du Seigneur :* mourir.

Elle se trouve toute vive et tout entière entre les bras de la mort, sans l'avoir presque envisagée. 26
BOSSUET, Oraison funèbre de Marie-Thérèse d'Autriche.

**SUR LES BRAS.** *Avoir qqn ou qqch. sur les bras,* en être chargé, importuné. *Avoir des enfants sur les bras.* → **Charge** (à charge). *Avoir un importun* toujours sur les bras. Avoir de nombreux ennemis sur les bras,* avoir à se défendre seul contre eux. *Avoir des affaires, des soucis, sur les bras. Se mettre, s'attirer sur les bras une vilaine affaire.*

27 Vous voilà sur les bras une fâcheuse affaire (...)
MOLIÈRE, le Misanthrope, I, 3.

28 Je me lasse de vous avoir sur les bras, et la garde de deux filles est une charge un peu trop pesante pour un homme de mon âge. MOLIÈRE, les Précieuses ridicules, 4.

29 (...) il se trouve que j'ai le gouvernement de Provence sur les bras (...) Mme DE SÉVIGNÉ, 245, 3 févr. 1672.

30 Jamais la France ne se vit tout à la fois tant d'ennemis sur les bras. RACINE, les Campagnes de Louis XIV.

30.1 (...) il savait (...) qu'une fois de plus, il s'était mis une sale histoire sur les bras.
F. MALLET-JORIS, le Jeu du souterrain, p. 87.

Fam. *En avoir plein les bras :* en avoir assez, être épuisé (cf. Par-dessus la tête, plein le dos*).

Fam. *Huile de bras :* force, énergie (cf. Huile de coude).

♦ **2** (Dans des loc. ; symbole de la force guerrière, du pouvoir). *Le bras de Dieu. Un bras protecteur, un bras puissant. Le bras séculier :* la puissance temporelle (par oppos. à celle de l'Église). *Le bras de la justice* (→ **Autorité**).

31 (...) Ce n'est pas que je veuille avec cet artifice
Dérober un coupable au bras de la justice :
Quoi qu'il ait fait pour vous, traitez-le comme tel,
Et punissez en moi ce noble criminel (...)
CORNEILLE, Horace, V, 3.

32 Et quand les Dieux vengeurs laissent tomber leur bras,
Il tombe assez souvent sur qui n'y pense pas.
CORNEILLE, Œdipe, II, 2.

33 Nous trouverons très naturel qu'ils nous abandonnent ici-bas au bras séculier, s'ils ne trouvent aucun autre moyen de prouver leur bienveillance à l'égard des vainqueurs.
BERNANOS, les Grands Cimetières sous la lune, p. 147.

*Avoir un bras de fer, d'airain,* une grande autorité*, une volonté* inflexible ou tyrannique. *Avoir un bras de coton :* être mou, lâche, veule. *La force, la valeur de son bras. La patrie a besoin de son bras.*

*S'appuyer sur le bras de qqn,* être soutenu, aidé par lui. — En terme de mystique. *S'appuyer sur un bras de chair :* mettre son espoir dans les choses temporelles.

34 Ton bras est invaincu, mais non pas invincible.
CORNEILLE, le Cid, II, 2.

35 Mon bras, qu'avec respect toute l'Espagne admire (...)
Trahit donc ma querelle, et ne fait rien pour moi ?
CORNEILLE, le Cid, I, 5.

36 C'est moi qu'Amphitryon députe vers Alcmène,
Et qui du port Persique arrive de ce pas ;
Moi qui viens annoncer la valeur de son bras (...)
MOLIÈRE, Amphitryon, I, 2.

37 La bataille sans doute allait être cruelle,
Et son événement vidait notre querelle,
Quand du fils de Créon l'héroïque trépas
De tous les combattants a retenu le bras.
RACINE, la Thébaïde, III, 4.

*Avoir le bras long :* avoir un grand pouvoir. → **Crédit, influence.**

Vx. *Avoir cent bras :* être fort actif.

38 Voyez comme Mme de La Fayette se trouve riche en amis... elle a cent bras, elle atteint partout (...)
Mme DE SÉVIGNÉ, 1268, 26 févr. 1690.

♦ **3** (Fin XVe). Par métonymie. **a** Personne qui agit, travaille, combat. → **Agent, soldat, travailleur.** *Ce domaine demande plus de cent bras pour l'entretenir. L'industrie réclame des bras. Avoir plusieurs bras à son service. Mille bras se sont armés pour le défendre* (Académie).

39 (...) j'ose dire encor qu'un bras si renommé
Peut-être aurait moins fait si le cœur n'eût aimé.
CORNEILLE, Héraclius, II, 7.

40 (...) les humoristes comparent l'agriculture, pour se moquer de certains orateurs, à la Vénus de Milo qui manque de bras.
J. BAINVILLE, la Fortune de la France, p. 348.

Spécialt. Personne qui exécute, par oppos. à celle qui organise. *Les tueurs n'ont été que les bras d'un complot dont la tête est à l'étranger.*

(1801). **BRAS DROIT.** *Le bras droit de qqn,* son principal agent d'exécution.

41 Quand le bras a failli, l'on en punit la tête.
CORNEILLE, le Cid, II, 8.

42 On disait le «général Vendémiaire» appelé à se faire, contre «les factions», le bras du gouvernement résolu à les combattre toutes.
Louis MADELIN, Hist. du Consulat et de l'Empire, L'ascension de Bonaparte, I, p. 5.

42.1 Ces femmes ont laissé tomber douceur, tendresse (...) pour cultiver en elles intelligence, logique, organisation, honnêteté, rigueur et surtout discipline. (...) Ces femmes sont des «bras-droits». Elles ne rivalisent pas avec l'homme-patron, s'abritent à l'ombre de son aile d'où elles jaillissent pour matraquer au moyen d'une force qui n'est pas la leur (...)
Michèle PERREIN, Entre chienne et louve, p. 127.

Fam. **GROS BRAS.** *Un gros bras :* un dur*, un casseur. *Jouer les gros bras :* jouer les durs. — Spécialt. Homme de main, garde du corps. → **Gorille.** *«Les "gros bras" qui étaient chargés de la sécurité dans certaines équipes* (sportives) *de l'Est»* (*l'Équipe,* 22 oct. 1972). — *Chauffeur de poids lourd.*

**b** **BRAS DE FER :** jeu opposant deux adversaires qui ont un coude posé sur une table, leurs avant-bras verticaux l'un contre l'autre, et essayent de faire plier le partenaire par des pressions de la paume de la main. — Fig. *«Entre sylviculteurs et papetiers on parle bien de se concerter, de passer des contrats à long terme (...) Ici on préfère encore les parties de bras de fer aux franches négociations»* (*le Monde,* 5 janv. 1980, p. 21).

**BRAS D'HONNEUR :** geste injurieux qui consiste à lever le bras droit plié en même temps qu'on pose l'avant-bras gauche sur la face antérieure du coude (simulacre d'érection). *Faire un bras d'honneur à qqn.*

42.2 Le chauffeur de taxi Jules Pasderas (...) résumait deux fois par jour la situation d'une manière peut-être grossière, mais toute la population d'Alger partageait à cette époque son point de vue : L'expédition d'Égypte ? ... mon zeb. — Le tout accompagné d'un magnifique «bras d'honneur». Jean LARTÉGUY, les Centurions, p. 347.

**c** Vx. Manche. *Avoir les bras retroussés jusqu'au coude.*

Loc. mod. **EN BRAS DE CHEMISE :** en chemise, sans veste.

42.3 Mais si l'hôtel de Guermantes commençait pour moi à la porte de son vestibule, ses dépendances devaient s'étendre beaucoup plus loin au jugement du duc qui (...) se faisait la barbe le matin en chemise de nuit à sa fenêtre, descendait dans la cour, selon qu'il avait plus ou moins chaud, en bras de chemise, en pyjama, en veston écossais de couleur rare, à longs poils, en petits paletots clairs plus courts que son veston (...)
PROUST, le Côté de Guermantes, Folio, t. I, p. 36.

42.4 (...) le jeune receveur des postes, M. Gabriel Pichobre, ouvre sa fenêtre et apparaît en bras de chemise au premier étage. H. BOSCO, l'Âne Culotte, p. 67.

42.5 (...) le notaire, qui a perdu le bouton de son faux col, descend en bras de chemise.
R. QUENEAU, le Chiendent, p. 71.

♦ **4** **a** (Animaux). Dans le membre antérieur du cheval, Partie qui fait suite à l'épaule et qui a pour base l'humérus.

Tentacule des mollusques céphalopodes. *Les bras d'une pieuvre.*

43 Quand un poulpe est retiré de sa coquille, une infinité de petites pierres s'attachent à ses bras.
RACINE, Remarques sur l'Odyssée.

Chacune des divisions radiaires du corps de certains Échinodermes (astérides, ophiures...). *Les cinq bras de l'étoile de mer; les dix bras ramifiés des crinoïdes.*

[b] Hortic. Branche qui part du tronc à l'horizontale. *Bras d'un cep de vigne, d'un poirier en espalier.*

Vx (par métaphore ou compar. poétique). Branche d'un arbre.

44 Je vois les tilleuls et les chênes,
Ces géants de cent bras armés.
RACINE, Poésies diverses, 22.

45 Un lieu très silencieux au-dessus duquel des chênes et des hêtres séculaires nouaient comme des bras leurs grosses branches moussues. LOTI, Mon frère Yves, p. 242.

♦ **5** Par anal. (de forme, de destination). [a] (1606). Mar. Manœuvre servant à orienter un espar (vergue, tangon), à le brasser*. → **Écoute, bouline.** *Bras de spi.* — Pêche. Filin de manœuvre d'un filet. — *Bras d'une ancre*.* → **Branche, patte.**

[b] (1175). Techn. Brancard, pièce allongée. *Les bras d'une chaise à porteurs.* → **Bâton.** *Siège à bras. — Les bras d'un gibet, d'une croix.*

[c] Accoudoir (d'un siège). *Recouvrir le dossier et les bras.*

46 Ne soyez pas inexorable à ce fauteuil qui vous tend les bras (...) contentez un peu l'envie qu'il a de vous embrasser. MOLIÈRE, les Précieuses ridicules, 9.
REM. Il s'agit d'une métaphore précieuse sur le sens 1, encore vivante dans la langue courante.

[d] Partie mobile (d'une grue, d'un sémaphore). *Le bras d'une manivelle. Bras de lecture d'un électrophone :* longue tige mobile qui porte la tête de lecture.

46.1 Le pick-up avait perdu son moteur et son bras. Il ne restait que l'interrupteur. BORIS VIAN, Vercoquin..., p. 61.

**BRAS DE LEVIER :** distance de la direction d'une force à son point d'application, évaluée perpendiculairement à la direction de cette force.

♦ **6** [a] (V. 1165). Division (d'un cours d'eau) que partagent des îles. *Bras principal, bras secondaires. Bras mort,* où l'eau ne circule plus. *Bras secondaire, à eaux stagnantes, dans la plaine du Mississipi.* → **Bayou.**

46.2 Trop lointaines, ces fenêtres, pour que je puisse rien voir, bien que ce bras du fleuve ne soit pas très large en cet endroit de l'île.
Claude MAURIAC, le Dîner en ville, p. 276.

**BRAS DE MER :** détroit, passage. *Traverser un bras de mer.*

[b] Par anal. (emploi stylistique). Division d'une chaussée.

46.3 En réalité, il rentrait à pied du Lycée Condorcet et après avoir franchi un premier bras de la place Clichy, il attendait sur le refuge du métro l'instant de franchir le second.
M. AYMÉ, Maison basse, p. 7.

♦ **7** Loc. adv. **À BRAS :** à l'aide des seuls bras (sans machine). *Il a fallu transporter tout cela à bras. Moulin, charrette à bras,* qu'on meut à bras.

**À TOUR DE BRAS :** de toute sa force*. *Frapper à tour de bras.* — Fig. En grande quantité, sans arrêter (avec des verbes comme *donner, distribuer...*).

47 Des jets de pompe, des seaux d'eau lancés à tour de bras.
LOTI, Mon frère Yves, XCII, p. 219.

47.1 (...) il donnait aux Israélites, à tour de bras, des certificats de baptême de toutes dates, à condition pourtant de les baptiser (...) MALRAUX, Antimémoires, Folio, p. 9.

(1871). **À BRAS RACCOURCIS.** *Frapper, se jeter sur qqn à bras raccourcis,* avec la plus grande violence.

(...) quelques louches individus (...) s'avisèrent de prendre la défense de leurs collègues et tombèrent sur les philosophes à bras tant raccourcis qu'allongés. 47.2
R. QUENEAU, Pierrot mon ami, éd. L. de Poche, p. 16.

Fig. Sans ménagement.

(...) je tombais à bras raccourcis sur la première bourgeoise venue. 47.3
Elle goûtait avec sa sœur et les enfants de sa sœur.
«Ce n'est pas tout ça» lui dis-je entre deux éclairs au chocolat.
DRIEU LA ROCHELLE, la Comédie de Charleroi, p. 177.

(Fin XVIII^e; *a brache de corps,* 1465; de *brac(h)e* «les deux bras», et *corps*). **À BRAS-LE-CORPS :** avec les bras et par le milieu du corps. *Traîner, porter, tenir, saisir, prendre qqn à bras-le-corps.*

Saisi à bras-le-corps, soulevé, il gigota une seconde; puis, acceptant le jeu, il éclata d'un rire clair. 48
MARTIN DU GARD, les Thibault, t. IX, p. 26.

La voyant bondir vers l'air libre, l'instinct de proie me saisit, je la rattrapai vers l'escalier, la pris à bras-le-corps et la ramenai en la traînant à terre jusque sur le lit où elle tomba tout à fait. 48.1
M. BLANCHOT, l'Arrêt de mort, p. 67.

**BRAS DESSUS, BRAS DESSOUS :** en se donnant le bras.

(...) Et on s'en va, bras dessus, bras dessous, du côté de Recouvrance (...) LOTI, Mon frère Yves, IV, p. 21. 49

DÉR. et COMP. **Bracelet, brassée,** 2. **brasser, brassier, brassière. — Appui-bras, dessous-de-bras, fort-à-bras, garde-bras, repose-bras, sous-bras, tire-bras.** — V. **Braquer, brassard, brasse,** 1. **brasser.** — (Du lat. *bracchium*) **Brachial, brachiopodes.**

**BRASAGE** [bʀazaʒ] n. m. — 1867; de *braser.*

Assemblage (de métaux) par brasure.

**BRASER** [bʀaze] v. tr. — 1578; «embraser», XIII^e; de 1. *braise.*

Assembler (des métaux) par brasure (→ **Souder).**

DÉR. **Brasage, brasure.**

**BRASERO** [bʀazeʀo] n. m. — 1784; *bracero,* 1722; mot esp., de *brasa* «braise».

Appareil de chauffage constitué d'un bassin de métal, rempli de charbons ardents, posé sur un trépied. → (VX) **Braisier, brasier, brasière.**

(...) tout cela faisait de la cendre, qui s'amassait et se confondait dans un brasero de cuivre (...) 1
LOTI, les Désenchantées, I, 3, p. 28.

La lumière des braseros vacillait, répandait l'odeur de l'huile chaude et de la fumée. 2
J.-M. G. LE CLÉZIO, Désert, p. 18.

**BRASIER** [bʀazje] n. m. — 1130; de 1. *braise.*

♦ **1** Masse d'objets ou matières en complète ignition du fait d'un incendie. *L'incendie transforme les maisons en brasier, en un brasier. Brasier ardent. La fumée, les flammes, les flammèches d'un brasier.*

(...) par moments, la fumée se déchirait, les toits effondrés laissaient voir les chambres béantes, le brasier montrait tous ses rubis; des guenilles écarlates et de pauvres vieux meubles couleur de pourpre se dressaient dans ces intérieurs vermeils (...) 1
HUGO, Quatre-vingt-treize, I, IV, VII.

Il demeura hésitant sur le seuil, ébloui par le brasier de cette chapelle en feu. HUYSMANS, En route, p. 127. 2

Je flambe dans le brasier à l'ardeur adorable 2.1
Et les mains des croyants m'y rejettent multiple innombrablement
Les membres des intercis flambent auprès de moi
Éloignez du brasier les ossements
APOLLINAIRE, Alcools, «Le brasier», p. 108.

2.2 Quand, une heure et demie plus tard environ, ils arrivèrent en vue de l'île où avait eu lieu l'explosion, celle-ci n'était plus qu'un brasier.
G. LEROUX, Rouletabille chez Krupp, p. 32.

*Son corps est un brasier, un brasier ardent* (→ Ardent, cit. 14) : *il a une forte fièvre, il éprouve une intense sensation de chaleur.*

Par anal. Illumination, lueur rouge. *Le brasier du couchant.*

3 Le soir vient, le soleil descend dans son brasier (...)
HUGO, la Légende des siècles, «La confiance du Marquis Fabrice», IX.

♦ **2** Fig. [a] Foyer de combats, de guerre.

4 Septembre languissait, mais le brasier de la Somme redoublait d'ardeur.
G. DUHAMEL, Récits des temps de guerre, I, II, 12.

[b] (Abstrait). Foyer intense (d'activité mentale, de passion). *Son cœur est un brasier. Sa tête est un brasier :* il a une imagination ardente.

♦ **3** Vx. Brasero. → **Braisier, brasière.**

**BRASIÈRE** [bʀazjɛʀ] n. f. — 1785; «étouffoir», 1706; de 1. *braise.*

Vx. Brasero. → **Braisier, brasier.**

**BRASILIO-** Élément, signifiant «du Brésil». → **Brésilien.** *La frontière brasilio-argentine.*

**BRASILLEMENT** [bʀazijmɑ̃] n. m. — 1835, Académie; de *brasiller.*

♦ **1** État de la mer qui brasille. → **Scintillement, phosphorescence.**

♦ **2** Le fait de brasiller; scintillement. → **Braisillement** (braisiller, dér.).

L'homme frappe sur l'enclume et, d'un seul coup, fait jaillir un brasillement d'étincelles par quoi toute la forge sombre s'éclaire.
Léon DAUDET, la Femme et l'Amour, Conclusion.

**BRASILLER** [bʀazije] v. — 1223, *bresilliee;* de 1. *braise.*

[I] V. tr. Faire griller* sur la braise. *Brasiller de la viande.*

[II] V. intr. (en parlant de la mer). Scintiller, présenter une traînée de lumière, la nuit (par luminescence ou réflexion de la lumière des astres). → **Briller, étinceler.** *La lune, une phosphorescence font brasiller la mer.*

Ressembler à de la braise; produire des étincelles, des lueurs; avoir une teinte de braise. → **Braisiller.**

1 La bougie brasillait. Elle s'éteignit brusquement et tout fut noir. Il y eut une odeur de fumée et de suif (...)
H. BOSCO, Un rameau de la nuit, p. 79.

Par métaphore :

1.1 Quand les vaillants se font connaître (...) alors on peut dire que ça fume! que ça brasille âcre aux fagots!
CÉLINE, Guignol's band, p. 21.

◆ **BRASILLANT, ANTE** p. p. adj. *Astres brasillants.* → **Flamboyant** (cf. Huguet, *Dict. du XVIe siècle*).

2 (...) la belle saison provençale constellée de géraniums brasillants (...) COLETTE, la Naissance du jour, p. 109.

DÉR. **Brasillement.**

**BRASQUE** [bʀask] n. f. — 1757; ital. du Nord *brasca,* du lat. vulg. **brasica,* même orig. que 1. *braise.*

Techn. Pâte servant au revêtement intérieur des creusets, des fourneaux où l'on réduit des oxydes métalliques. *La brasque est formée d'argile et de charbon.*

DÉR. **Brasquer.**

**BRASQUER** [bʀaske] v. tr. — 1812; de *brasque.*

Techn. Enduire de brasque.

1. **BRASSAGE** [bʀasaʒ] n. m. — 1324, sens 2; de 1. *brasser.*

♦ **1** (1331). Ensemble des opérations consistant à brasser la bière. *Salle de brassage d'une brasserie*.*

♦ **2** Action de mélanger en remuant. *Le brassage du métal en fusion dans un creuset. Cadence de brassage du linge dans une machine à laver.*

Mélange. *Brassage des gaz :* mélange gazeux d'air et d'essence dans la chambre de combustion d'un moteur à explosion (→ 1. **Brasseur,** 3.). *Brassage des ondes sonores.*

♦ **3** 1921. (Abstrait). *Le brassage des races, des peuples, des classes sociales. Les États-Unis, creuset* (→ anglic. **Melting-pot**) *où s'opère le brassage de populations très diverses.*

(...) nous nous plaçons à la veille de la dernière guerre, avant l'effroyable brassage qui en a été la conséquence (...) 1
André SIEGFRIED, l'Âme des peuples, II, p. 116.

Je connais assez, jusque dans ses détails, l'histoire de la Grèce (...) pour tenir compte du gigantesque et malheureux brassage de sa population au milieu des invasions de toute sorte qui ont multiplié les bâtardises, depuis les Gaulois jusqu'aux Turcs (...) 2
Albert TSERSTEVENS, Itinéraires de la Grèce continentale, p. 27.

Il serait en tout cas de votre intérêt que le brassage des partis brouille l'image que nous avons gardée du M. R. P. et nous permette de l'oublier. 3
F. MAURIAC, le Nouveau Bloc-notes 1958-1960, p. 8.

2. **BRASSAGE** [bʀasaʒ] n. m. — 1867; *brasseyage,* 1771; de 2. *brasser.*

Mar. Action de brasser une vergue; angle de la vergue par rapport à sa position de repos.

**BRASSARD** [bʀasaʀ] n. m. — 1562; altér. de *brassal,* 1546; de l'ital. *bracciale* «bracelet», de *braccio* «bras» ou du provençal *brassal.*

♦ **1** Anciennt. Pièce d'armure* qui couvrait le bras. *Brassard et cuissard. «Le brassard se compose de deux pièces réunies par la cubitière»* (Réau).

Garniture de protection du bras (dans certains métiers, certains jeux).

♦ **2** (1845). Bande d'étoffe ou ruban servant d'insigne, qu'on porte au bras. *Brassard de premier communiant, d'infirmier. Brassard de deuil.* → **Crêpe.**

Ces hommes qui ont au coude gauche un brassard d'étoffe rouge? Ce sont les chefs. 1
ZOLA, la Fortune des Rougon, I, p. 34.

Rouletabille (...) entra dans une grande salle et aperçut tout de suite, à une petite table placée contre une fenêtre donnant sur l'avenue de Clichy, un militaire de taille et de corpulence imposantes, habillé d'un bleu horizon immaculé, et dont la manche s'adornait d'un brassard avec un bel A majuscule. 2
G. LEROUX, Rouletabille chez Krupp, p. 7.

DÉR. **Brassardé.**

**BRASSARDÉ, ÉE** [bʀasaʀde] adj. — Av. 1747, Voltaire; de *brassard.*

Rare. Qui porte un brassard.

Les occupants grévistes organisaient une discipline de grande courtoisie. Les réceptionnaires brassardés recevaient les visiteurs avec les formules de la politesse administrative.
Pierre HAMP, la Peine des hommes (Moteurs), p. 110.

**BRASSE** [bʀas] n. f. — 1409 ; v. 1080, *brace* «longueur des deux bras étendus» ; du lat. pop. *brachia,* plur. de *brachium* «bras», pris pour un féminin.

♦ **1** Anciennt. Mesure de longueur égale à cinq pieds (env. 1,60 m).

1 Un honnête homme, en pareil cas,
Aurait fait un saut de vingt brasses.
LA FONTAINE, Fables, V, 11.

Spécialt, mar. Mesure de profondeur valant env. 1,60 m. *La sonde donnait dix brasses.*

2 Les plus grandes profondeurs où les plongeurs puissent descendre, qui sont de vingt brasses.
BUFFON, Preuves sur la théorie de la Terre, 2e Discours.

3 Nous donnâmes fond par six brasses.
CHATEAUBRIAND, Itinéraire..., II, 18.

♦ **2** (1835, *nager à la brasse*). Nage sur le ventre par mouvements simultanés et symétriques des bras, puis des jambes ; chacun des espaces successifs ainsi parcourus. *Brasse coulée,* où l'avancée correspondant au repliement des jambes se fait sous l'eau. *Nager la brasse. Champion du deux cents mètres brasse. — Brasse papillon*.*

♦ **3** Espace parcouru par un nageur à chaque déploiement des bras. → **Brassée.** *Il sait à peine nager, il ne fait que deux ou trois brasses* (Littré).

♦ **4** Quantité (de qqch.) qu'on peut tenir dans les bras. → **Brassée.** *Faire un feu avec une brasse de paille.*

**DÉR. Brassé,** 2. **brasseur.** V. **Brassiage.**

**BRASSÉ** [bʀase] adj. m. — D. i. (XXe) ; de *brasse* (2.). Sport (nage). Exécuté en brasse. *Dos brassé.*

**HOM. Brassée, brasser.**

**BRASSÉE** [bʀase] n. f. — XIIIe, *bracie ; braciee,* v. 1170, «mesure de longueur» ; de *bras.*

♦ **1** Quantité (de qqch.) que l'on peut tenir entre les bras. → **Brasse,** 4. *Brassée de foin, de paille, de fleurs. Porter de l'herbe à brassées.*

1 Mme Lepic tombe sur ses enfants et les étreint d'une seule brassée.
J. RENARD, Poil de Carotte, p. 29.

2 Marie, en bonne Suissesse, aimait les fleurs ; nous en rapportions des brassées.
GIDE, Si le grain ne meurt, I, 2.

Par ext. Grande quantité. *Une brassée d'enfants. Il lit par brassées.*

♦ **2** Mouvement des bras dans la nage. → **Brasse.** *Faire quelques brassées.*

**HOM. Brassé, brasser.**

1. **BRASSER** [bʀase] v. tr. — V. 1175, *bracier* «mélanger ; remuer» ; 1176, «faire de la bière» ; dès l'orig., croisement d'un verbe dérivé du lat. pop. **braciare,* de *braces,* cf. anc. franç. *brais* «malt», et d'un verbe dérivé de *bras ;* sens combinés au figuré.

**A** *Brasser la bière :* préparer le moût en faisant macérer le malt dans l'eau (opération qui précède le houblonnage et la fermentation) ; par ext., fabriquer la bière. → 1. **Brasseur.** — Par ext. *Brasser le cidre.*

0.1 Au mois de novembre ils brassèrent du cidre. C'était Bouvard qui fouettait le cheval et Pécuchet, monté dans l'auge, retournait le marc avec une pelle.
FLAUBERT, Bouvard et Pécuchet, II.

**B** ♦ **1** Remuer en mêlant. *Brasser du métal en fusion. Brasser la pâte dans le pétrin.* → **Pétrir.** *Brasser des feuilles. Un ventilateur brassait l'air.*

1 Antoine, songeur, brassait et rebrassait la salade.
MARTIN DU GARD, les Thibault, t. V, p. 212.

Le vent tournait autour de la maison, brassait les feuilles mortes des tilleuls. 2
F. MAURIAC, le Nœud de vipères, II, 18.

Régional (Sud-Est de la France, Suisse ; attesté v. 1820). Remuer (la salade). → **Fatiguer, touiller.** *Brasser la salade.*

Loc. (XVIIIe). *Brasser la neige, la boue :* marcher avec difficulté dans la neige, la boue ; patauger dans. *«Chercher un passage à travers champs en brassant la neige jusqu'au ventre»* (*Feuille d'avis de Neuchâtel,* 4 févr. 1907).

Fam. Mélanger (les cartes). *Brasser les cartes avant de donner.* → **Battre** (→ Brême, cit. 1). Dér. : *la brasse.*

Pêche. *Brasser l'eau,* la troubler en la remuant. → **Battre, bouiller.**

Fig., fam. *Brasser de l'air,* et, absolt, *brasser :* s'agiter, parler beaucoup, mais sans agir, ou sans obtenir de résultat. *Il brasse, il brasse, mais il ne sait rien faire.*

♦ **2** (Sujet n. de chose). Mélanger, mêler. *Le service militaire brasse les couches sociales.*

♦ **3** (V. 1175). Fig., vx. Tramer, comploter en secret. *Brasser des intrigues.* → **Machiner, ourdir.**

(...) tous deux *(Diderot et Grimm)* avaient eu (...) de fréquents et secrets colloques avec sa mère, sans qu'elle eût pu rien savoir de ce qui se brassait entre eux. 3
ROUSSEAU, les Confessions, IX.

♦ **4** (1808). Fig. Mod. Manier beaucoup (d'argent), traiter beaucoup (d'affaires). *Brasser des affaires* (→ 1. **Brasseur).**

Il me fallait des affaires, je les cherchai ; j'en brassai bientôt à moi seul plus que tous les autres officiers ministériels. 4
BALZAC, *in* Pierre LAROUSSE.

Ils ont construit d'énormes usines, troué des montagnes, noyé des vallées et peuplé des déserts, ils ont brassé des milliards et gagné beaucoup d'argent, mais ils ont aussi profané la science et gâché leur vie, tout en polluant au passage le ciel, la terre et les mers. 5
Raymond ABELLIO, Ma dernière mémoire, t. II, p. 18.

**DÉR.** 1. **Brassage.** — (De A.) **Brasserie,** 1. **brasseur, brassin.** ◊ **HOM. Brassé, brassée,** 2. **brasser.**

2. **BRASSER** [bʀase] v. tr. — 1694 ; *brassayer,* 1683 ; cf. anc. franç. *brac(e)ier* «agiter les bras» ; de *bras.*

Mar. Orienter un espar* en agissant sur son (ses) bras. — Absolt. *Brasser carré* (à angle droit avec la quille), *en pointe* (à angle aigu). *Brasser à culer, sur le mât,* pour faire reculer le navire. *Brasser le tangon* du spi.* — REM. On dit aussi *brasseyer.*

**DÉR.** 2. **Brassage.** ◊ **HOM. Brassé, brassée,** 1. **brasser.**

**BRASSERIE** [bʀasʀi] n. f. — 1371 ; de 1. *brasser.*

♦ **1** Fabrique de bière (→ **Bière).** *Aménagement, équipement d'une brasserie :* magasin à malt (→ **Malterie),** germoir*, atelier de broyage, grille de brassage, de houblonnage, de réfrigération, bacs de dépôt, cuves* de fermentation, filtres ; atelier de mise en fûts, en cannettes* (cannetterie).

Industrie de fabrication de la bière. *La brasserie française, allemande, anglaise.*

♦ **2** (1844). **a** Anciennt. Établissement (café) où on consommait surtout de la bière.

**b** Mod. Grand café-restaurant servant des repas (en principe, simples et rapides). *Brasserie alsacienne. Dîner dans une brasserie.* → Trottoir, cit. 4.

1. **BRASSEUR, EUSE** [bʀasœʀ, øz] n. — 1250; de 1. *brasser.*

♦ **1** Personne qui fabrique de la bière ou qui en vend en gros. *Ouvrier brasseur.* → **Malteur.** — Vx. *Brasseur de bière.*

1 Jason était manillier, (...) Morgant, brasseur de bière.
RABELAIS, Pantagruel, 30.

♦ **2** (Entre 1826 et 1856). Personne qui s'occupe de nombreuses affaires.

2 Il a une femme jeune; il lui faut comme intermède sentimental, les baisers édentés de l'ancienne brasseuse d'affaires devenue ensuite marchande de pain d'épices.
le Charivari, Paris à la petite semaine, 20 août 1891.

♦ **3** Techn. Dans un moteur, dispositif qui opère le brassage* des gaz.

HOM. 2. **Brasseur.**

2. **BRASSEUR, EUSE** [bʀasœʀ, øz] n. — 1932, *in* Petiot; de *brasse.*

Sport. Nageur, nageuse de brasse.

HOM. 1. **Brasseur.**

**BRASSEYER** [bʀaseje] v. → 2. **Brasser.**

**BRASSIAGE** [bʀasjaʒ] n. m. — 1751, de l'anc. franç. *brassier* «mesurer à la brasse», de *brasse.*

Mar. Mesure de la profondeur de l'eau (→ **Sondage**). — Hauteur d'eau indiquée par la sonde.

**BRASSICALES** [bʀasikal] n. f. pl. → **Crucifères.**

**BRASSICOLE** [bʀasikɔl] adj. — Mil. xx$^{e}$; du rad. de *brasserie,* d'après les adj. du type *agricole.*

Techn. Relatif à l'industrie de la bière, à la brasserie. *Plusieurs entreprises de brasserie «ont décidé de rassembler leurs activités brassicoles sur le marché français»* (*le Monde,* 5 oct. 1983, p. 42).

**BRASSICOURT** [bʀasikuʀ] adj. et n. m. — 1690, Furetière; ital. du Nord *brassicorto* «qui a les bras courts».

Techn. (hippol.). Cheval qui a les genoux naturellement arqués.

**BRASSIER** [bʀasje] n. m. — 1455, «paysan qui n'a pas d'animal de trait»; de *bras.*

Régional. Ouvrier agricole qui reçoit la moitié de sa rémunération annuelle en nature.

**BRASSIÈRE** [bʀasjɛʀ] n. f. — 1341; 1278, *braciere* «garniture intérieure placée sous l'armure pour la défense des bras»; de *bras.*

♦ **1** Anciennt (langue class.). Chemise de femme très ajustée.

1 (...) une méchante petite jupe avec des brassières de nuit qui étaient de simple futaine (...)
MOLIÈRE, les Fourberies de Scapin, I, 2.

(1843). Mod. Petite chemise de bébé, courte, à manches longues, en toile fine (*brassière de dessous;* la *brassière de dessus* est en laine tricotée). → **Cache-brassière.**

Loc. fam. *Mettre, tenir qqn en brassière(s),* dans un état de contrainte qui lui enlève la liberté de sa propre conduite. *Être en brassières.*

2 M. de Couronges se désolait de la fermeté qu'il rencontrait sur beaucoup de points qui tenaient M. de Lorraine fort en brassières dans son état.
SAINT-SIMON, Mémoires, 62, 37.

♦ **2** Mar. Gilet de sauvetage. *Le port de la brassière est obligatoire.*

♦ **3** (1838). Vx (au plur.). Lanières de cuir, d'étoffe... qui passent sous le bras et servent à porter une charge. → **Bretelle, bricole.**

Embrasse fixée à l'intérieur d'une voiture.

COMP. **Cache-brassière.**

**BRASSIN** [bʀasɛ̃] n. m. — 1240, «quantité de liquide brassé en une fois»; *bracin* «complot», v. 1185; de 1. *brasser.*

Techn. Cuve où l'on brasse la bière. — Contenu de cette cuve.

**BRASURE** [bʀazyʀ] n. f. — 1803, Boiste; attestation isolée, 1478; de *braser.*

Techn. Procédé de soudure consistant à interposer, entre les pièces à souder, un alliage ou un métal fusible. *Souder par brasure.* → **Braser.** — Cet alliage, ce métal.

**BRAVACHE** [bʀavaʃ] n. m. et adj. — 1570, *bravasche;* ital. *bravaccio,* péj. de *bravo.* → Brave, 2. bravo.

Littér. ou style soutenu. Faux brave qui fanfaronne. → **Fanfaron, fier-à-bras, matamore, olibrius, rodomont** (vx). *Prendre un air de bravache. Militaire qui affecte des airs de bravache* (cf. Fendeur de nasaux, traîneur de sabre).

C'est un bravache (...) il n'a plus de quoi être un héros. 1
LA BRUYÈRE, les Caractères, XII, 93.

Naturellement on fait le bravache, on chante, en allant de la rive gauche à la rive droite (...) 2
H. BOSCO, l'Âne Culotte, p. 40.

(...) quand on est seul, on n'est pas tenté de se donner la comédie à soi-même et de faire le bravache. 3
J. GREEN, Journal, La terre est si belle, 1$^{er}$ déc. 1977.

REM. Le fém. *(une bravache)* est virtuel.

Adj. *Un air bravache.*

CONTR. **Brave.** ◊ DÉR. **Bravacherie.**

**BRAVACHERIE** [bʀavaʃʀi] n. f. — 1594; de *bravache.*

Rare. Attitude d'une personne bravache; paroles, actes bravaches. → **Bravade** (2.).

Si la bande ne se désolidarisait jamais de Loulou bien qu'elle n'appréciât pas ses excès, c'est qu'elle éprouvait comme les rois, le besoin d'un bouffon et que, comme eux, elle lui accordait le droit absolu au caprice, donc, indirectement, un pouvoir certain. En plus, les bravacheries de Loulou ne trompaient personne.
Jacques LAURENT, les Bêtises, p. 391.

**BRAVADE** [bʀavad] n. f. — 1494; ital. *bravata,* de *bravare* «faire le brave», de *bravo.* → Brave, 2. bravo.

♦ **1** Ostentation de bravoure. *Un chef qui s'expose inutilement par bravade.*

(...) je mettais une espèce de bravade à traiter cette adversaire en ami. 0.1
M. YOURCENAR, le Coup de grâce, p. 169.

♦ **2** Action ou attitude de défi insolent envers une autorité qu'on brave. *«Elle perdait le bénéfice de sa bravade»* (Cocteau).

les matrones chantaient d'une voix perçante et poussaient de grands éclats de rire en signe de mépris et de bravade contre ceux du dehors (...) 1
G. SAND, la Mare au diable, Appendice II.

Mélek les pressait de relever aussi leur voile, par bravade contre la règle tyrannique (...) 2
LOTI, les Désenchantées, V, XXX, p. 176.

J'ai fait pipi sur le tapis! Je l'ai même fait exprès, par désœuvrement, par bravade. 3
COLETTE, la Paix chez les bêtes, La chienne trop petite.

Péj. Action de bravache. → **Bravacherie, fanfaronnade, rodomontade, vanterie.**

4 (...) ils se dépensent en bravades grossières, par orgueil désespéré (...). F. MAURIAC, le Jeune Homme, p. 66.

DÉR. **Bravader.**

**BRAVADER** [bʀavade] v. intr. — Attesté XX^e; de *bravade.*

Littér. (rare). Affecter un air de bravade.

Ne va-t-il pas rentrer dans le bar et affronter la naine, bravader à son tour pour faire aux putes rompre les rangs (...)
A. PIEYRE DE MANDIARGUES, la Marge, p. 74.

**BRAVE** [bʀav] adj. — Après 1535; n. m., «spadassin», 1521 (→ 2. Bravo); «courageux, orgueilleux, noble, beau, excellent», jusqu'au XVII^e; ital. *bravo* «courageux, beau noble», du lat. *barbarus* «barbare», puis «fier». → Bravache, bravade, bravo...

♦ **1** Vx. Qui est vêtu avec soin.

1 M^me de La Fayette me mande comme elle se fait brave pour la noce de son fils (...)
M^me DE SÉVIGNÉ, 1238, 27 nov. 1689.

♦ **2** (1549). Mod. (généralt placé après le nom, en épithète, sauf si le contexte permet de lever l'ambiguïté). Qui affronte avec courage le danger, les périls. — Spécialt. Courageux au combat, devant l'ennemi. → **Audacieux, courageux, crâne, hardi, héroïque, intrépide, invincible, résolu, vaillant, valeureux** (→ fam. Avoir de l'estomac, du ventre, avoir qqch. dans le ventre; être d'attaque; n'avoir pas froid aux yeux). *Un homme brave et généreux. Un cœur, une figure, un air brave et résolu. «De bons et braves soldats»* (De Gaulle, *in* T. L. F.). *Il n'est brave qu'en paroles.* → **Bravache, fanfaron.**

2 Brave qui n'est pas bon n'est brave qu'à demi.
HUGO, la Légende des siècles, XVII, «L'aigle du casque».

3 Marat était audacieux, mais nullement brave.
MICHELET, Hist. de la Révolution franç., t. II, p. 63.

N. Personne qui n'hésite pas à affronter les dangers. *Un faux brave.* → **Bravache.** *Faire le brave :* affecter la bravoure.

Spécialt. Soldat d'un grand courage. *C'est un brave.* → **Héros, lion, paladin, preux.** — Loc. fam. *Un brave à trois poils, à tout poil :* un homme intrépide. → **Poilu** (→ argot milit. Lascar). *Les actes de courage, de valeur d'un brave.* → **Arme** (faits d'armes), **exploit, prouesse.** *Le brave des braves :* surnom du maréchal Ney.

4 Il est de faux dévots ainsi que de faux braves (...)
MOLIÈRE, Tartuffe, I, 5.

5 On ne veut point perdre la vie, et on veut acquérir de la gloire : ce qui fait que les braves ont plus d'adresse et d'esprit pour éviter la mort, que les gens de chicane n'en ont pour conserver leur bien.
LA ROCHEFOUCAULD, Maximes, 221.

6 J'aurais besoin peut-être, d'ici peu, de quelques braves à tout poil pour une expédition qu'on me propose (...)
Th. GAUTIER, le Capitaine Fracasse, XII.

7 (...) il vous suffira de dire : J'étais à la bataille d'Austerlitz pour que l'on vous réponde : Voilà un brave!
NAPOLÉON, Proclamation d'Austerlitz, citée par MADELIN, Hist. du Consulat, t. V, p. 334.

8 Elle faisait la brave, et le toisait, une main sur la hanche, la tête d'aplomb sur son beau cou.
COLETTE, la Chatte, p. 173.

8.1 Nous nous reconnaissions comme des braves, comme de ceux qui sont le sel d'une armée. Et chacun devenait encore plus brave en regardant l'autre.
DRIEU LA ROCHELLE, la Comédie de Charleroi, p. 64.

*Paix des braves :* paix honorable pour ceux qui se sont battus courageusement (à propos de la proposition de cessation des hostilités aux nationalistes algériens).

J'avais pensé à ce qu'on appelait alors «la paix des braves», et à la fraternisation dont je ne sais, encore aujourd'hui, dans quelle mesure elle fut sincère ou truquée. Mais pour moi comme pour lui, ni le maintien de la Communauté, ni l'indépendance de nos anciennes colonies d'Afrique si elle succédait à la Communauté, ne permettraient la poursuite sans fin de la guerre d'Algérie. 8.2
MALRAUX, Antimémoires, Folio, p. 200.

♦ **3** Mod. (placé avant le nom, en épithète). Honnête et bon avec simplicité. *Un brave homme, une brave femme. De braves gens. Un brave type. Un brave garçon.* → **Bon, honnête, obligeant, serviable.** — Par ext. *Un brave cœur.* → **Généreux.**

Du Metz, brave homme, mais chaud et emporté (...) 9
RACINE, Notes historiques.

Ce sont de braves cœurs que les gens de la plaine (...) 10
HUGO, la Légende des siècles, XI, «Le Cid exilé», 4.

(...) au nom de principes et de convenances (...) qu'ils invoquaient en commun avec lui, en braves gens de même acabit (...) 11
PROUST, À la recherche du temps perdu, t. I, p. 203.

Elle avait une brave figure de curé de campagne, énergique, riante, finaude aussi, et portait sur des cheveux courts tout blancs un chapeau de pêcheur à la ligne. 12
MARTIN DU GARD, les Thibault, t. II, p. 98.

Là, avec nous, vivaient, patriarcalement encore, deux braves serviteurs, comme hélas! on n'en rencontre plus guère aujourd'hui (...) 13
H. BOSCO, l'Âne Culotte, p. 18.

Je me souviens aussi d'un compagnon de guerre de mon père, venu lui rendre visite en 1920. Sa femme l'accompagnait, et le temps du thé fut celui d'une constante scène de ménage larvée. «Et pourtant, me dit mon père lorsqu'il l'eut reconduit, c'est un brave homme et un homme brave — un des officiers les plus braves que j'aie connus...» 13.1
MALRAUX, Antimémoires, Folio, p. 620.

Par ext. (en parlant d'un animal). Qui fait correctement ce qu'on attend de lui. *«Ces braves chiens de berger, tout affairés après leurs bêtes»* (Daudet).

D'une bonté ou d'une gentillesse un peu naïve et attendrissante. *Il est bien brave, mais il m'ennuie.* → **Gentil.** Cf. régional Bravounet. *Mon brave homme* (appellatif condescendant et archaïque).

Ces deux concierges étaient bien braves mais je leur faisais grief de n'être pas des anciens. 13.2
Jacques LAURENT, les Bêtises, p. 365.

Cette «brave Oriane», comme il eût dit cette «bonne Oriane», ne signifiait pas que Saint-Loup considérât M^me de Guermantes comme particulièrement bonne. Dans ce cas, bonne, excellente, brave, sont de simples renforcements de «cette», désignant une personne qu'on connaît et dont on ne sait trop que dire avec quelqu'un qui n'est pas de votre intimité. 14
PROUST, À la recherche du temps perdu, t. I, p. 122.

N. m. Vieilli (appellatif condescendant à l'égard d'un inférieur). *Bonjour, mon brave.*

♦ **4** Régional (Sud-Est de la France, avec une valeur voisine de celle de l'ital. *bravo, brava*). D'une apparence et d'un comportement plaisant, agréable (avec l'idée d'efficacité souriante).

CONTR. **Capon, couard, craintif, lâche, peureux, poltron, pusillanime, timide. — Malhonnête, mauvais.** ◊ DÉR. **Bravement, braver, braverie. — V. Bravoure.**

**BRAVEMENT** [bʀavmɑ̃] adv. — 1465; de *brave.*

♦ **1** Avec bravoure, d'une manière décidée, sans hésitation. → **Courageusement, hardiment, vaillamment, valeureusement.** *Défendre bravement sa patrie. Supporter bravement les difficultés. Se tirer bravement d'une épreuve.*

1 La Zabelle prit bravement son parti et promit que dès le lendemain elle reconduirait le Champi à l'hospice.
G. SAND, François le Champi, II, p. 39.

2 Ma mère, qui allait bravement et sans faiblir parmi des reliques, buta sur cette poignée d'or, jeta un cri (...)
COLETTE, la Naissance du jour, p. 47.

♦ **2** Vx ou régional (Sud-Est). Bien, honnêtement. *Il fait très bravement son travail.*

CONTR. **Lâchement, timidement. — Maladroitement, malhonnêtement.**

**BRAVER** [bʀave] v. — 1515; de *brave,* d'après l'ital. *bravare.* → Bravade.

♦ **1** V. intr. Vx. Parader*; humilier par son luxe.

1 J'en ai aussi vu d'autres (...) qui engageaient tout ce qu'ils avaient et celui de leurs voisins, pour acheter chevaux et accoutrements afin de braver.
DU FAIL, Contes d'Eutrapel, 2, *in* HUGUET.

♦ **2** V. tr. Mod. Défier orgueilleusement en montrant qu'on ne craint pas. → **Affronter, opposer** (s'), **provoquer.** *Braver l'ennemi. Braver qqn en face. «Tu me braves, Cinna, tu fais le magnanime»* (Corneille). — (Compl. n. de chose). *Braver le danger. Braver la colère de qqn. Braver l'autorité.*

2 Au moyen âge, les individus pouvaient encore braver l'État et les ligues de mécontents le tenir en échec.
J. BAINVILLE, Hist. de France, V.

3 (...) elle parvenait à braver son regard, sans faiblir (...)
MARTIN DU GARD, les Thibault, t. VI, p. 156.

4 Mais en même temps grondait en elle cette juste fureur contre laquelle il lui était si malaisé de se défendre, lorsqu'on osait braver ses ordres, et se soustraire à ce qu'elle avait résolu et prescrit.
F. MAURIAC, la Pharisienne, p. 239.

Vx (langue class.). *Braver qqn avec insolence.* → **Insulter, narguer, nique** (faire la nique à qqn). — (Compl. n. de chose) :

5 Vous triomphez, cruelle, et bravez ma douleur.
RACINE, Iphigénie, II, 5.

♦ **3** V. tr. Se comporter sans crainte devant (qqch. de redoutable qu'on accepte d'affronter). → **Mépriser.** *Braver le sort, la faim, le froid, la mort.* → **Moquer** (se). *Braver un danger inconsidérément. Braver les années,* se refuser à subir leur atteinte.

6 Cependant que mon front, au Caucase pareil,
Non content d'arrêter les rayons du soleil,
Brave l'effort de la tempête.
LA FONTAINE, Fables, I, 22.

7 On ne songe qu'à conserver son enfant; ce n'est pas assez; on doit lui apprendre à se conserver étant homme, à supporter les coups du sort, à braver l'opulence et la misère, à vivre, s'il le faut, dans les glaces d'Islande ou sur le brûlant rocher de Malte. ROUSSEAU, Émile, I, p. 13.

8 Il y a des misères que l'on brave, que l'on méprise d'un cœur léger, pour soi-même. On ne se pardonne pas de les infliger à un autre. Paul BOURGET, Un divorce, V.

Ne pas craindre de ne pas respecter (une règle, une tradition). *«Le latin, dans les mots, brave l'honnêteté»* (Boileau), se permet de transgresser l'honnêteté, la bienséance.

*Braver les convenances, les bienséances.* → **Offenser, violer.** *Braver l'opinion, le qu'en-dira-t-on.* → **Moquer** (se); → fam. Pisser au bénitier*, jeter son bonnet* par-dessus les moulins.

9 (...) il fallut me soumettre à tout risque, et me résoudre à braver le qu'en dira-t-on, sauf à délibérer dans la suite si je me résoudrais à montrer mon ouvrage ou non.
ROUSSEAU, les Confessions, IX.

10 Je sais quel charme austère il y a pour les fortes natures à braver la médiocrité impuissante et à provoquer la rage des sots.
RENAN, Philosophie de l'Hist. contemporaine, Œ. compl., t. I, p. 56.

11 (...) il se sentit décidé plus témérairement à braver les règles, les lois, les entraves quelconques de ce monde.
LOTI, Ramuntcho, XI, p. 286.

◆ **SE BRAVER** v. pron. Récipr. Se défier, se provoquer l'un l'autre.

Oronte et lui se sont tantôt bravés (...) 12
MOLIÈRE, le Misanthrope, II, 6.

CONTR. **Éviter, fuir, respecter, soumettre** (se).

**BRAVERIE** [bʀavʀi] n. f. — 1541, «bravade, défi»; de *brave.*

♦ **1** (Av. 1555). Vx. Parure, toilette (encore au XIXe s.).

(...) la braverie et l'ajustement est la chose qui réjouit le plus les filles (...) MOLIÈRE, l'Amour médecin, I, 1. 1

Élégance, recherche vestimentaire.

♦ **2** Rare (littér.). Assurance, audace. → **Bravoure.**

J'en tire le désir et déjà presque l'habitude d'une certaine braverie morale, un peu hargneuse, mais belle en somme, et la seule certainement capable de grandes choses. 2
GIDE, Journal, 10 juin 1891.

♦ **3** Littér. Fanfaronnade, bravoure ostentatoire.

Elle était généreuse par braverie et se plaisait aux remerciements. G. SAND, François le Champi, VII. 3

CONTR. **Timidité; modestie.**

**BRAVISSIMO** [bʀavisimo] interj. — 1775, *in* D.D.L.; superl. ital. de *bravo.* → 1. Bravo.

Exclamation exprimant un très haut degré de contentement. *Bravo!, bravissimo!*

Bravo! bravo! bravo! *(À part. — Écoutant la musique qui continue.)* C'est encore plus faux... tant mieux!... ça m'exerce... *(À Antoine.)* Fais comme moi! *(Applaudissant plus fort.)* Bravissimo! bravissimo!
E. LABICHE, la Chasse aux corbeaux, I, 6.

1. **BRAVO** [bʀavo] interj. et n. m. — 1738; mot ital. *bravo* «bon». → Brave.

♦ **1** Exclamation dont on se sert pour applaudir, pour approuver. → **Bravissimo.** *Bravo! c'est parfait! Bravo à toi! Bravo à votre succès!*

Mais presque aussitôt, Mrs. Edith se releva et, prenant les mains de M. Darzac, elle lui dit avec une force, une exaltation véritable cette fois-ci (décidément, aurais-je mal jugé Mrs. Edith en la trouvant affectée) : 1
«Bravo, monsieur Robert! *All right! You are a gentleman!*»
G. LEROUX, le Parfum de la dame en noir, p. 304.

♦ **2** N. m. Applaudissement, marque d'approbation. → **Vivat.** *J'entendais «les rires et les bravos»* (Mérimée). *Un tonnerre de bravos.*

La salle craquait sous les bravos; on recommença la strette entière; les amoureux parlaient des fleurs de leur tombe, de serments, d'exil, de fatalité, d'espérances (...) 2
FLAUBERT, Mme Bovary, II, XV.

REM. Jusqu'au XIXe s., on trouve les formes *bravi* et *brava,* appliquées respectivement à plusieurs personnes et à une femme, selon l'usage de l'adjectif italien.

2. **BRAVO** [bʀavo], plur. **BRAVI** [bʀavi] n. m. — 1832; mot ital. «mercenaire», de *bravo* «courageux». → Brave.

Hist. Tueur à gages, spadassin italien.

(...) ce qui est plus vraisemblable, c'est qu'il *(Danton)* s'était engagé comme bravo de l'émeute (...)
MICHELET, Hist. de la Révolution franç., t. I, p. 625.

Par ext. Vieilli. Homme de main. Maître chanteur.

**BRAVOURE** [bʀavuʀ] n. f. — 1648, *bravure;* ital. *bravura,* de *bravo.* → Brave.

♦ **1** Qualité d'une personne brave. *Avoir, témoigner de la bravoure. Manquer de bravoure. Bravoure de sentiments* (→ ci-dessous, cit. 1.1). — Spécialt. Courage militaire. → **Audace, courage, hardiesse, héroïsme, vaillance, valeur.** *Une bravoure chevaleresque.*

1 *(Il n'est)* à la cour, oreille qu'il ne lasse
À conter sa bravoure et l'éclat de sa race?
MOLIÈRE, le Misanthrope, I, 1.

1.1 — Est-ce vrai? s'écria-t-elle, en le regardant avec un sourire qui éclairait tout son visage, un peu semé de taches de son. Il ne résista pas à cette bravoure de sentiment, à la fraîcheur de sa jeunesse, et il reprit (...)
FLAUBERT, l'Éducation sentimentale, Pl., t. II, p. 283.

2 (...) cette forme particulière de bravoure, qui n'est pas du courage, et qui consiste à fermer les yeux pour ne pas voir le danger où l'on court.
Ch. PÉGUY, Œ. compl., t. XII, p. 89.

3 Quand il n'y a pas de joie, il n'y a pas d'héroïsme; il n'y a que de la bravoure (...)
MARTIN DU GARD, les Thibault, t. VII, p. 180.

Vx (surtout au plur.). *Une, des bravoures.* Exploit, prouesse militaire.

♦ **2** [a] Rare. Qualité d'un musicien virtuose. *La bravoure d'un pianiste.*

[b] (1798; italianisme). Mus. (vieilli). *Air de bravoure :* air brillant destiné à faire valoir le talent du chanteur.

4 Car M. de Norpois, chez qui l'âge avait éteint ou désordonné les qualités les plus belles, en revanche avait perfectionné en vieillissant les «airs de bravoure», comme certains musiciens âgés, en déclin pour tout le reste, acquièrent jusqu'au dernier jour, pour la musique de chambre, une virtuosité parfaite qu'ils ne possédaient pas jusque-là. PROUST, Albertine disparue, Folio, p. 303.

Mod. *Morceau de bravoure :* partie d'une œuvre (littéraire, cinématographique, etc.), d'un discours, que l'auteur a voulue particulièrement brillante.

5 J'ai récité la même litanie à la tribune de six Congrès de six Partis différents, en l'espace de trois mois, sans changer un iota (...). Mon morceau de bravoure s'appelait «Salutations du délégué du Comité central du vaillant Parti frère» (...)
Régis DEBRAY, l'Indésirable, p. 235.

CONTR. **Couardise, crainte, lâcheté, peur, poltronnerie, timidité.**

**BRAYE** [bʀɛ] n. f. — 1863; var. de *brai.*

Vx. Boue, terre grasse, corroi dont on enduit le fond ou les parois des bassins, des étangs.

HOM. **Brai, braie.** — Formes du v. **braire.**

1. **BRAYER** [bʀeje] n. m. — 1389; v. 1130, *braier* «ceinture qui maintient les braies»; de *braie.*

Technique.

♦ **1** Techn. Bande de cuir soutenant le battant d'une cloche.

(1701). Ceinture de cuir à poche qui soutient la hampe d'un drapeau.

♦ **2** (1564). Méd. Bandage herniaire.

♦ **3** (1678). Techn. Cordage dont les maçons se servent pour élever du moellon ou du mortier.

HOM. **2. Brayer.**

2. **BRAYER** [bʀeje] v. tr. — 1382; *broier,* 1295; anc. nordique *braeda* «goudronner».

Techn. Enduire de brai. *Brayer un navire.*

HOM. **1. Brayer.**

**BRAYETTE** [bʀɛjɛt] n. f. Vx. → **Braguette.**

**BREACK-WATER** [bʀɛkwatœʀ] n. m. → **Break-water.**

1. **BREAK** [bʀɛk] n. m. — 1830; mot anglais.

♦ **1** Anciennt. Voiture à quatre roues, ouverte, avec un siège de cocher élevé et deux banquettes longitudinales à l'arrière (→ 1. Banquette, cit. 1).

(...) et le landau, la calèche, deux grands breaks déposaient au perron de la cour d'honneur où retentissaient les coups de timbres, d'illustres habitués de la rue de Poitiers (...)
A. DAUDET, l'Immortel, p. 277.

(1900, Baudry de Saulnier). Carrosserie d'automobile analogue.

♦ **2** (1950). Mod. Type de carrosserie automobile en forme de fourgonnette, mais à arrière vitré. *Un break Peugeot. Une 204 break.*

2. **BREAK** [bʀɛk] n. m. — 1909, *in* Petiot; mot. anglo-amér. «interruption».

Anglicisme.

♦ **1** Sports. Interruption momentanée d'un match de boxe, ordonnée par l'arbitre. — Loc. *Faire le break :* au tennis, Creuser à son avantage un écart de deux jeux dans le score en gagnant son propre service et celui de son adversaire..

♦ **2** (1926, *in* Höfler). En jazz, Interruption du jeu de l'orchestre pendant quelques mesures, créant un effet d'attente.

Cadence improvisée, pendant cette interruption.

Le chanteur de blues débute souvent par un break, c'est-à-dire une fantaisie de quelques notes, une phrase nettement ciselée, sur les quatre premières mesures, n'exposant la phrase principale qu'à partir de la cinquième mesure.
Lucien MALSON, les Maîtres du jazz, p. 10.

♦ **3** Aviat. Interjection (internationale) commandant une manœuvre extrêmement rapide et imprévue.

♦ **4** Action de faire attendre quelqu'un pour préparer un effet. «*Fischer* (champion d'échecs) *cherche maintenant à faire le break pour casser le moral de son adversaire*» (A. de Penanster, *l'Express,* p. 33, nº 1099, 31 juil.-6 août 1972).

REM. «De nombreux termes français traduisent parfaitement les concepts rendus par les mots anglais *break* ou *to break.* Selon le contexte, il convient d'utiliser les substantifs : *arrêt, coupure, dislocation, dégagement, décrochage, rupture, cassure, esquive,* etc., ainsi que les verbes correspondants» (in *la Banque des mots,* 4, p. 209).

**BREAKDOWN** [bʀɛkdawn] n. m. — 1949; mot angl. «effondrement» dans *nervous breakdown,* de *to break down* «tomber en se brisant».

Anglic. Dépression nerveuse.

**BREAKFAST** [bʀɛkfœst] n. m. — 1862, cit.; mot angl. de *to break* «rompre», et *fast* «jeûne».

Anglic. Petit déjeuner à l'anglaise comportant en général des céréales (parfois du porridge), des œufs, du jambon ou du bacon, des toasts ou des muffins et, comme boisson, du thé. *Des breakfasts.*

Le déjeuner fut modeste, frugal, comme il est d'habitude 1
en Angleterre pour ce *breakfast* matinal : le thé, l'inévitable thé, le beurre, le lait, un œuf cuit sur un morceau de jambon, une microscopique tranche de pain dépouillée de croûte et coupée en carré, formaient tous les éléments du repas.
L. SIMONIN, Visite aux mines de Cornouailles, *in* le Tour du monde 1865, t. I, p. 359 (texte rédigé en 1862).

Je rentre pour le breakfast : porridge, thé, fromage ou 2
viande froide, ou œufs.
GIDE, Voyage au Congo, *in* Souvenirs, Pl., p. 816.

**BREAK-WATER** [bʀɛkwatœʀ] n. m. — 1818; angl. *breakwater,* de *to break* «briser», et *water* «eau».

Anglic. Techn. Jetée à l'entrée d'un port, destinée à casser la houle du large. → **Brise-lames.** — Var. orthographique : *breack-water* (vx).

**BRÉANT** [bʀeɑ̃] n. m. → **Bruant.**

**BREBIETTE** [bʀəbijɛt] n. f. — V. 1170; de *brebis.*

Vx. Jeune brebis. — REM. On écrit aussi *brebillette.*

**BREBIS** [bʀəbi] n. f. — XIIIe; *berbis*, XIIe; lat. pop. **berbicem*, class. *berbecem*, var. de *vervecem*, accusatif de *vervex*.

♦ **1** Femelle adulte de l'espèce ovine (moutons).

1 *(Le terme de brebis)* s'applique plus particulièrement aux femelles qui ont déjà mis bas. Avant d'être brebis, les femelles sont, suivant l'âge, dites *agnelles* ou *antenaises*.
Omnium agricole, Brebis.

*Brebis blanche, noire. Brebis bêlante. Toison de brebis. Mâle de la brebis.* → **Bélier.** *Brebis qui met bas.* → **Agneler.** *Jeune brebis.* → **Antenaise, brebiette, vacive.** *Petit de la brebis.* → **Agneau, agnelle.** *Lait, fromage* de brebis. «Qui sauve le loup tue les brebis»* (→ Action, cit. 21, Hugo). *Mener paître les brebis. Brebis immolée aux dieux* (Grèce antique). → **Apotropée.**

2 C'est là qu'on voit errer les taureaux qui mugissent, les brebis qui bêlent, avec leurs tendres agneaux qui bondissent sur l'herbe fraîche (...)
FÉNELON, Télémaque, III.

Loc. (vieilli). *Faire un repas de brebis :* manger sans boire.

Prov. *Brebis qui bêle perd sa goulée.* → **Bêler.** *À brebis tondue, Dieu mesure le vent :* Dieu proportionne les épreuves à notre faiblesse. *Qui se fait brebis, le loup le mange :* ceux qui ont trop de bonté sont la proie des méchants. *Brebis comptées, le loup les mange :* les précautions les plus minutieuses se révèlent toujours insuffisantes, ou se retournent contre ceux qui les prennent.

♦ **2** Fig. Personne innocente, jeune fille très douce. Loc. prov. *C'est la brebis du bon Dieu :* c'est une personne tout à fait inoffensive.

♦ **3** (Métaphore évang.). Chrétien fidèle à son pasteur. → **Ouaille.** *«Les brebis de Dieu»* (Claudel). *Ramener la brebis égarée au bercail*. Le bon Berger donne sa vie pour ses brebis.* → **Berger** (cit. 13).

3 Si un homme a cent brebis, et qu'une d'elles vienne à s'égarer, ne laissera-t-il pas sur les montagnes les quatre-vingt-dix-neuf autres, pour aller à la recherche de celle qui s'est égarée ?
BIBLE (CRAMPON), Évangile selon saint Matthieu, XVIII, 12.

4 Lorsque le Fils de l'homme viendra dans sa gloire (...) Il séparera les uns d'avec les autres, comme le berger sépare les brebis d'avec les boucs; et il mettra les brebis à sa droite et les boucs à sa gauche.
BIBLE (SEGOND), Évangile selon saint Matthieu, XXV, 31-33.

5 Mais certains de vos jeunes collègues, par excès de zèle sans doute, donnent aux vrais fidèles l'impression déprimante de ne plus s'intéresser à eux, de ne s'intéresser qu'à ceux qui sont en dehors de l'Église, aux brebis perdues ou à récupérer : les ouvriers synd...
— L'Église, interrompit l'abbé (...)
Jean-Louis CURTIS, le Roseau pensant, p. 258.

Cour. *Brebis galeuse.* → **Galeux.**

DÉR. **Brebiette.**

1. **BRÈCHE** [bʀɛʃ] n. f. — 1119; de l'anc. haut all. *brecha* «fracture». Cf. all. mod. *brechen* «briser».

♦ **1** Ouverture* (d'un mur, d'une clôture). *Réparer les brèches d'une haie.*

1 (...) Germain (...) occupait la dernière heure du jour à fermer les brèches que les moutons avaient faites à la bordure d'un enclos voisin des bâtiments.
G. SAND, la Mare au diable, IV, p. 39.

Ouverture (dans une enceinte fortifiée). — Percée (d'une ligne fortifiée, d'un front). → **Trouée.** *Faire, ouvrir une brèche. S'élancer, foncer* (→ Attaquer, cit. 10), *pénétrer dans la brèche. Refaire, réparer, colmater une brèche.*

(...) chaque division, formant carré, ses bagages au centre, ses canons aux angles, prenait l'aspect d'une forteresse vivante dont les brèches se réparaient à l'instant même où elles se creusaient(...) 2
Louis MADELIN, Hist. du Consulat, t. II, Ascension de Bonaparte, XVI, p. 238.

Débouchant de la forêt de Villers-Cotterets, des centaines de chars Renault et Larraque ouvrirent une brèche dans la forteresse allemande (...) 3
A. MAUROIS, Terre promise, XXVII, p. 183.

Loc. fig. *S'engouffrer dans la brèche :* profiter d'un précédent créé par quelqu'un d'autre.

Loc. **SUR LA BRÈCHE.** *Monter sur la brèche. Être toujours sur la brèche :* être toujours à combattre ou prêt au combat, à la lutte, et, fig., être toujours au travail, en pleine activité. *Mourir sur la brèche :* mourir en plein combat, et, fig., en pleine activité.

On l'avait vu *(un nègre)* sur la brèche des derniers; il avait battu en retraite pied à pied (...) 4
E. FROMENTIN, Un été dans le Sahara, II, p. 134.

*Battre en brèche.* → **Battre** (cit. 37 et *supra*).

♦ **2** Petite entaille (sur un objet d'où s'est détaché un éclat). → Ébrécher. *Brèche sur une lame d'acier.* → **Cassure, hoche.** *Brèches en dents de scie.*

Par ext., vx. *Faire une brèche à un pâté.* → **Entamer.**

♦ **3** (Abstrait). Lieu où est interrompu (qqch.). → **Ouverture, trou, passage.** *Une brèche dans une forêt,* un vide causé par les coupes. *Brèche dans une muraille de montagnes.* → **Coupure, trouée.** *La brèche de Roland. Brèche dans la coque d'un navire.*

(Abstrait). *Une brèche dans la pensée.*

(...) «le ciel» est ici ce qui est seulement entrevu dans une brèche de la pensée s'oubliant elle-même, dormant et ne dormant pas, attentive à se réveiller au niveau des muscles de plus en plus fins et attendant l'heure vers le matin (...) 4.1
Ph. SOLLERS, Nombres, p. 31.

Fig. Dommage qui entame. *Faire une brèche sérieuse à sa fortune.* → **Perte.** *Faire une brèche à l'honneur, à la réputation. Ouvrir une brèche dans un principe, dans un système de doctrines.*

Milady avait donc fait brèche, avec sa fausse vertu, dans l'opinion d'un homme prévenu horriblement contre elle (...) 4.2
A. DUMAS, les Trois Mousquetaires, t. II, p. 628.

Rejeter ces obligations, ce serait ouvrir une brèche dans l'armature des institutions qui font qu'une communauté nationale comme la France est un organisme équilibré, vivant. 5
MARTIN DU GARD, les Thibault, t. VII, p. 173.

♦ **4** Comm. Interruption dans l'alignement des produits présentés au public (signalant que le produit a été vendu).

CONTR. **Fermeture, lien, soudure.** ◊ DÉR. **Bréchu.** — COMP. **Ébrécher.** — V. **Brèche-dent.** — HOM. 2. **Brèche,** 3. **brèche.**

2. **BRÈCHE** [bʀɛʃ] n. f. — 1611, *bresche*; ital. *breccia*, mot d'orig. ligure.

Géol. Roche sédimentaire à structure fragmentaire formée de débris à angles vifs agglomérés dans un ciment naturel. → **Conglomérat.** *Brèche ossifère,* formée par des ossements agglomérés de mammifères.

DÉR. **Bréchification.** ◊ HOM. 1. **Brèche,** 3. **brèche.**

3. **BRÈCHE** [bʀɛʃ] n. f. — D. i.; emploi régional; probablt emploi fig. de 1. *brèche* «ébréchure».

Apic. Miel vendu avec son gâteau de cire. — Fragment de rayon de miel (retiré de la ruche).

HOM. 2. **Brèche,** 3. **brèche.**

**BRÈCHE-DENT** [bʀɛʃdɑ̃] adj. et n. — XIIIe, *brichedent*; de l'anc. franç. *brécher* «faire une brèche», et *dent*.

Vx. Qui a perdu une ou plusieurs dents de devant. *Une vieille brèche-dent.*

N. *Des brèche-dents.*

(...) quant à la figure, il y avait encore grande différence entre eux et moi : le premier était bossu; le second, brèche-dent; le troisième, borgne; le quatrième, aveugle (...)
A. GALLAND, les Mille et une Nuits, t. I, p. 429.

REM. On écrit parfois *un, une brèche-dents* (invar.).

**BRÉCHET** [bʀeʃɛ] n. m. — XVIe; *brichet, bruchet,* XVe; angl. *brisket,* du moy. angl. *brusket* sous l'infl. de *breast* «poitrine», à rattacher à l'anc. scandinave *brjosk* «cartilage».

Crête osseuse saillante et verticale sur la face externe du sternum de la plupart des oiseaux. → **Carène** (zool.); **fourchette.**

1 Son thorax bombe comme un bréchet; son crâne déplumé, son cou maigre, son nez proéminent et busqué, font penser à un vautour.
MARTIN DU GARD, les Thibault, t. VIII, p. 116.

Par ext. Sternum (humain).

2 Elle se dévêtit et m'exhiba une poitrine flasque, qui se tordait d'une façon émouvante sur un bréchet provocant.
DRIEU LA ROCHELLE, la Comédie de Charleroi, p. 182.

3 Arrogant, le bréchet gonflé, il dégustait sa phrase.
Christine DE RIVOYRE, les Sultans, p. 106.

**BRÉCHIFICATION** [bʀeʃifikasjɔ̃] n. f. — Av. 1974, *la Recherche,* no 41; du rad. de 2. *brèche,* et *-fication.* → -fier.

Géol. Processus de formation d'une brèche (2. Brèche).

**BRECHTIEN, IENNE** [bʀɛʃtjɛ̃, jɛn] adj. — Mil. XXe; de *Bertold Brecht,* dramaturge allemand.

Didact. Qui se rapporte à, ou évoque Brecht, sa pensée, son œuvre. *L'univers brechtien.*

(...) atteindre au statut du personnage brechtien, objet aliéné mais source de critique.
R. BARTHES, Mythologies, p. 181.

**BRÉCHU, UE** [bʀeʃy] adj. — Attesté XXe; de 1. *brèche.*

Rare. Qui présente des brèches (1. Brèche). → **Ébréché.**

(...) j'étais le chevalier crotté, fourbu, haletant d'une équipée fabuleuse par les forêts enchantées, la barbe roussie par le souffle des dragons (...) l'épée bréchue (...)
Jacques PERRET, Bande à part, p. 93.

**BREDI-BREDA** [bʀədibʀəda] loc. adv. — V. 1580; onomatopée, même orig. que *bredin, bredouiller,* p.-ê. du lat. *brittus* «breton».

Fam. et vx. Avec précipitation et confusion (avec des verbes comme *dire, raconter*...).

**BREDIN** [bʀədɛ̃] n. m. — 1574; de *brediner, berdiner,* vx, (→ Brediner) même orig. que *bredi-breda, bredouiller**.

Régional. Niais, imbécile. «*Tafarel tout bredin de colère*» (G. Chevallier, *Clochemerle*). Var. : *berdin.*

**BREDOUILLAGE** [bʀədujaʒ] n. m. — Fin XVIIe; de *bredouiller,* et *-age.*

Fait de bredouiller. *Un bredouillage inintelligible.* — Paroles confuses. *Ne proférer que des bredouillages.* → **Bafouillage, balbutiement, bredouillement, bredouillis.**

Le duc de Guiche se submergeait en bredouillages.
SAINT-SIMON, Mémoires, 509, 244.

**BREDOUILLANT, ANTE** [bʀədujɑ̃, ɑ̃t] adj. — 1857; de *bredouiller.*

Qui bredouille. → **Bégayant; bafouillant.** *Articuler* (cit. 8) *d'une voix bredouillante.*

Jean se sentait si écrasé, si humble devant cet homme si noble, si laid devant cet homme si beau, si mal habillé devant cet homme si chic, si bredouillant devant cet homme si disert, qu'il en éprouvait une sorte de honte.
PROUST, Jean Santeuil, Pl., p. 577.

**BREDOUILLE** [bʀəduj] n. f. et adj. — 1611, t. de jeu; 1534, adj., *in* Rabelais, sens obscur; orig. incert., le rapport avec *bredouiller* n'est pas établi, sauf à rattacher le mot à *berdouille* «boue» (Nord), d'où *être bredouille, bredouiller* «patauger» (hypothèse de Guiraud).

**I** Vx. ♦ **1** N. f. *La bredouille :* marque du jeu de tric-trac indiquant que l'on a gagné un certain nombre de points sans que l'adversaire en ait marqué. *Grande bredouille :* gain total sur la partie (cf. le grand schelem au bridge); *petite bredouille. Faire la bredouille* (Académie); *avoir la bredouille :* gagner sans que l'adversaire puisse marquer un point. Loc. *Mettre (qqn) en bredouille,* le faire perdre en ayant la bredouille, et, fig. (1627, *in* D. D. L.), mettre dans un grand embarras.

♦ **2** (Du point de vue du perdant). Loc. *Perdre une partie bredouille,* sans avoir marqué un point, l'adversaire ayant «eu la bredouille».

N. f. Archaïsme littér. Échec complet (Audiberti, *in* T. L. F.).

**II** Adj. Mod. Du sens I, 2; d'abord (1704) en parlant d'une femme qui va au bal sans être invitée une seule fois à danser; cf. Faire tapisserie. ♦ **1** *Rentrer, revenir bredouille* (de la chasse, de la pêche, etc.), sans avoir rien pris. — Par anal. *Nous avons cherché une chambre d'hôtel, mais nous sommes revenus bredouilles.*

Somme toute nous reviendrons bredouilles (n'étaient les volailles du début), mais ravis.
GIDE, Voyage au Congo, *in* Souvenirs, Pl., p. 849.

♦ **2** (En attribut). Qui n'a rien obtenu, a échoué. *Être bredouille, complètement bredouille après une démarche.*

**BREDOUILLEMENT** [bʀədujmɑ̃] n. m. — 1611; de *bredouiller.*

Action de bredouiller; ensemble de paroles confuses. → **Balbutiement** (cit. 1); **bafouillage, bredouillage, bredouillis.** *Les bredouillements d'un timide.*

(...) ce bredouillement, l'incohérence de ses paroles, le flux de mots où il noyait sa pensée, son manque apparent de logique, attribués à un défaut d'éducation, étaient affectés. 1
BALZAC, Eugénie Grandet, éd. 1838, p. 39.

Le même bredouillement de syllabes se fit entendre, couvert par les huées de la classe. 2
FLAUBERT, Mme Bovary, I, I (→ Articuler, cit. 8).

**BREDOUILLER** [bʀəduje] v. — 1564; altér. de l'anc. franç. *bredeler,* var. probable de *bretter, bretonner* «parler comme un Breton» (→ Bretonnant), du lat. *brittus,* ou, d'après Guiraud, emploi métaphorique de *berdouille* «boue» (mot du Nord). → Bredouille.

**I** V. intr. Parler d'une manière précipitée et peu distincte. → **Bafouiller, balbutier, bégayer, marmonner.** *Il en bredouillait d'émotion.*

Je savais aussi qu'il était un peu bavard et fatigant à entendre, parce qu'il parlait lentement, cherchait ses phrases, bredouillait (...) 1
Alphonse DAUDET, le Petit Chose, II, 6.

C'était un gros vieux homme ardent, essoufflé, qui rougeoyait comme une forge, qui bredouillait, sifflait et postillonnait en parlant. 2
GIDE, Si le grain ne meurt, I, 6.

**II** V. tr. Dire en bredouillant. → **Bafouiller, balbutier, bégayer...** *Que bredouillez-vous ? Bredouiller un compliment, une excuse.*

3 – Avez-vous quelquefois lu votre contrat de mariage? – Ma foi, non!... je l'ai entendu bredouiller un jour par votre notaire de Caen... et je l'ai signé de confiance.
E. LABICHE, les Petites Mains, II, 3.

Parler confusément et mal (une langue). Par ext. :

4 (...) ne prenez ces impressions que pour de simples réactions d'abordage. On ne peut rien conclure sur des gens parmi lesquels on est depuis trois semaines et dont on commence à bredouiller le langage.
J.-R. BLOCH, Deux hommes se rencontrent, p. 216.

Fig. Interpréter, réciter confusément (qqch.).

◆ **BREDOUILLÉ, ÉE** p. p. adj. *Mots bredouillés. Excuses bredouillées à mi-voix.* — Par métonymie (pour *bredouillant*). «*Une élocution bredouillée*» (Gide).

CONTR. **Articuler.** ◊ DÉR. **Bredouillage, bredouillant, bredouillement, bredouilleur, bredouillis.**

**BREDOUILLEUR, EUSE** [bʀədujœʀ, øz] n. et adj. — 1642, Oudin; de *bredouiller.*

Personne qui bredouille.

L'avocat bredouilleur (...)
MOLIÈRE, Monsieur de Pourceaugnac, II, 2.

Didact. «*Contrairement au bègue, le visage du bredouilleur est peu mobile, l'élocution est molle, assourdie, confuse, mais la respiration est aussi déséquilibrée*» (R. Lafon, *Vocabulaire de psychopédagogie et de psychiatrie de l'enfant,* art. *Bredouillement,* 1973).

REM. On trouve, dans le même sens, deux variantes : *bredouillard,* adj. m. (1611). «*(...) l'accent (...) bredouillard*» (Verlaine, *in* T. L. F.). — *Bredouillon,* adj. et n. m. (1852). Régional. «*Ce petit Romain (...) bredouillon*» (Daudet, *in* T. L. F.).

**BREDOUILLIS** [bʀəduji] n. m. — 1600; de *bredouiller,* et *-is.*

Action de bredouiller; paroles confuses. → **Bafouillage, balbutiement, bredouillage, bredouillement.** *De vagues bredouillis. La fin de la phrase se perdit dans un bredouillis incohérent.*

1 Revoici, grâce aux *propos familiers* retenus et recueillis par Mondor, notre Valéry, et ce bredouillis à la fin des phrases où se perd quelque merveille, je l'entends (...)
F. MAURIAC, Mémoires intérieurs, p. 323.

2 L'homme, dans un bredouillis haletant, déclara qu'il était «vélite dans la troisième du second».
William DE BAZELAIRE, l'Or de la Bérézina, p. 197.

**BREEDER** [bʀidœʀ] n. m. — 1962; mot angl., de *to breed,* v. intr., «se reproduire, se multiplier».

Anglic., techn. Réacteur nucléaire surgénérateur*. «*les réacteurs à eau légère ne dureront pas. Ensuite viendront les breeders, ou surgénérateurs, si vous préférez*» (*l'Express,* nº 1156, 3-9 sept. 1973, p. 127).

1. **BREF, BRÈVE** [bʀɛf, bʀɛv] adj. et adv. — Fin XVe; *brief, brieve* «de peu de durée», v. 1040 (encore au XVIIe), du lat. *brevis* «court».

**I** Adj. ♦ **1** (1115). Vx ou littér. Petit, court. *Une brève stature.*

0.1 Hormis le brun noir de ses cheveux et le noir de sa (très) brève robe (...) il n'est rien là qui ne soit rose ou vert (...)
A. PIEYRE DE MANDIARGUES, la Marge, p. 210.

0.2 Et j'ai reçu dans le cœur ce visage à la fois enfantin et tourmenté. Les sourcils brefs, le front plat et le regard grave du jeune Bonaparte peint par Boilly (...)
Geneviève DORMANN, le Bateau du courrier, p. 30-31.

N. m. Vx. *Pépin le bref* (le petit).

♦ **2** De peu de durée. *Un bref épisode.* → **Court, momentané.** *Chant, cri bref. Un bref silence. Brève étreinte. Brève rencontre. Brève averse. Un délai très bref. À bref délai* : dans un avenir très proche. *Assigner* (cit. 17) *à bref délai. Une vie brève. Jeter un bref coup d'œil.* → **Rapide.** *Esquisser un bref sourire.*

Par ext. Qui semble très court, passe très rapidement. *Les heures trop brèves que nous avons passées ensemble.*

(...) six années tellement brèves, effrayantes d'avoir été si brèves, tant s'accélère de plus en plus la fuite du temps, au déclin de la vie. 1
LOTI, Suprêmes visions d'Orient, p. 1.

Scène étourdissante et brève, ce quart d'heure singulier s'en était allé en folie dans le tourbillon de son souvenir. 2
Pierre LOUŸS, les Aventures du roi Pausole, IV, IX, p. 257.

Un peu de jour, un peu d'amour, 2.1
Un peu de soleil, comme en rêve,
Et son front et ces lys autour,
C'était chose fragile et brève.
Charles VAN LERBERGHE, Premiers poèmes, 1886, «Au bois dormant».

Mais elle ne pouvait pas comprendre que l'humeur sensuelle de l'homme est une saison brève, dont le retour incertain n'est jamais un recommencement. 3
COLETTE, la Chatte, p. 136.

REM. Aux sens 1 et 2, l'adj. est souvent placé avant le nom, en épithète.

♦ **3** (Av. 1200). De peu de durée (dans l'expression, dans le discours). *Une brève allocution. Un discours bref. Une lettre brève.* → **Succinct.** *Être bref. Soyez bref* : parlez en peu de mots, ne faites pas un long discours. → **Concis, laconique.** *Pour être bref, nous nous contenterons de dire que... Rendre bref.* → **Abréger, accourcir, raccourcir.**

(...) Surtout soyez bref. 4
MOLIÈRE, le Mariage forcé, 4.

Son discours s'acheva par un bref mais foudroyant réquisitoire contre les grands journaux (...) 5
Georges LECOMTE, Ma traversée, p. 208.

Tranchant, sec. *Répondre d'un ton bref.* → **Brusque, coupant.** *Avoir un parler bref. Donner des ordres brefs.*

Son parler était bref; sa politesse, distante, même avec ses collaborateurs. 6
MARTIN DU GARD, les Thibault, t. VIII, p. 199.

REM. On trouve encore au XIXe s., la forme *brief, briève* (par archaïsme).

(...) s'il parlait peu, c'est que les dolmens parlent peu, comme les jardins de La Fontaine. Quand cela lui arrivait, du reste, c'était de briève façon. 6.1
BARBEY D'AUREVILLY, les Diaboliques, p. 305.

♦ **4** (1549). Didact. Dans la métrique ancienne, se dit d'une voyelle ou syllabe dont la quantité est, par rapport à une *longue,* à peu près dans le rapport 1 à 2 (→ aussi Ambigu, I., 4.).

Ling. Se dit d'un son dont la durée d'émission est brève par rapport à une durée d'émission moyenne (ou propre aux sons voisins). → **Brève; brévité.**

♦ **5** N. m. (Rare). *Le bref d'un exposé.*

**II** Adv. ♦ **1** Littér. De manière brève. *Parler bref* : s'exprimer de façon concise.

♦ **2** (V. 1450). Absolt. Pour résumer les choses en peu de mots. → **Enfin, résumé** (en). Cf. En un mot comme en cent. *Bref, j'ai fini. Enfin, bref, tout va bien.*

Pleurs, soupirs, tout en fut : bref, il n'oublia rien. 7
LA FONTAINE, Fables, XI, 2.

Bref, il tirait argument (...) 8
GIDE (→ Avantage, cit. 48).

Loc. adv. (1403). Littér. EN BREF : en peu de mots. *Expliquer les choses en bref* (Littré). *Voilà, en bref, la décision prise.*

9 À juger en bref, il semble que l'importance de la mémoire soit moindre dans la création artistique. Il n'en est rien.
G. DUHAMEL, Inventaire de l'abîme, V.

CONTR. **Ample, grand, long, prolongé. — Prolixe; bavard, délayé, diffus, étendu, mielleux, onctueux, verbeux.** ◊ DÉR. **Brève.** — V. **Brièvement, brièveté,** et aussi **brévité.** → COMP. **Abréger.**

2. **BREF** [bʀɛf] n. m. — 1557; «lettre, missive», 1080; bas lat. *brevis, breve,* subst. de l'adj. *brevis* «sommaire».

Religion catholique.

♦ **1** Rescrit du pape, de caractère privé, sur des matières de moindre importance que celles dont traite la bulle. *Secrétaire des brefs. Sceau rouge d'un bref.*

(...) onze mois plus tard, sa veuve, la toujours belle Flavia (...) avait épousé un homme magnifique, son cadet de dix ans, un Suisse nommé Jules Laporte, ancien sergent de la garde du Saint-Père, ensuite courtier marron d'un commerce de reliques, aujourd'hui marquis Montefiori, ayant conquis le titre en conquérant la femme, par un bref spécial du pape.
ZOLA, Rome, p. 63.

♦ **2** Petit livre indiquant les rubriques du bréviaire pour l'office de chaque jour.

DÉR. **Brevet.**

**BREGMA** [bʀɛgma] n. m. — 1546, *bregme;* mot grec, «sommet du crâne».

Anat. Jonction des sutures osseuses du crâne, entre les pariétaux et le frontal. → **Fontanelle.**

**BRÉHAIGNE** [bʀeɛɲ] adj. f. — XIII^e; au XII^e, *baraine, baraigne* en parlant d'une terre stérile; Guiraud décompose le mot en *bar-,* rad. pré-roman exprimant l'opposition, et *haigne* (cf. anc. franç. *meshaigne* «mutiler»), d'un dial. *haigner* «mordre, mutiler» d'où «châtrer» (un mâle ou une femelle).

♦ **1** Vx ou littér. (en parlant d'une femme). Stérile.

1 (...) une demoiselle heureusement bréhaigne que deux ans de mariage rendirent la plus laide et conséquemment la plus hargneuse femme de la terre.
BALZAC, Melmoth réconcilié, Pl., t. IX, p. 279.

♦ **2** Techn. (en parlant des femelles de certains animaux). Stérile. *Jument bréhaigne. Biche bréhaigne.* — Par ext. *Carpe bréhaigne,* qui n'a ni œufs ni laitance.

2 Lorsque la tuerie cessa, onze cerfs et quatre biches brehaignes *(sic)* fumaient dans leur sang. Il était bon que les femelles devenues impropres à la reproduction fussent abattues, car entrant en chaleur les premières, elles épuisaient inutilement les mâles.
M. TOURNIER, le Roi des Aulnes, p. 225.

♦ **3** Par ext. Littér. et rare. Qui ne produit rien. «*Cervelles bréhaignes*» (Gautier, *in* G. L. L. F.).

**BREITSCHWANZ** ou **BREITSCHWANTZ** [bʀɛʃvɑ̃ts] n. m. — 1899, *breitschwanze;* mot all. «large queue».

Variété d'astrakan (agneau né avant terme); sa fourrure. → **Caracul.**

Il s'empresse de congédier sa secrétaire, et examine la jeune femme d'un regard de propriétaire satisfait. Tailleur de Drecoll, rehaussé d'un clip discret; trois-quarts en breitschwantz; petite toque en feutre gris (...)
Roger NAÏM, l'Ère des truands, p. 227.

**BRÊLAGE** [bʀɛlaʒ] n. m. — 1863, Littré; de *brêler.*

Technique.

♦ **1** Assemblage destiné à maintenir ensemble plusieurs pièces de bois au moyen de cordages.

♦ **2** Sangle de toile portée par un soldat en tenue de combat, servant à porter le matériel militaire.

REM. 1. L'emploi en argot milit. de *brèle** «mulet» fait interpréter le mot comme «harnachement».
2. On écrit parfois *brélage* et *brellage.*

**BRELAN** [bʀəlɑ̃] n. m. — XIII^e, *brelenc;* «table de jeu», v. 1165; anc. haut all. *bretling* «tablette», de *bret* «table».

♦ **1** Vx. Réunion où l'on joue. — Maison de jeu. → **Tripot.** *Tenir brelan. Hanter, courir les brelans* (→ Bal, cit. 3).

♦ **2** (Av. 1615). Anciennt. Jeu de cartes dans lequel chaque joueur n'a que trois cartes. *La bouillotte* est une variante du brelan.*

Louis XIV (...) ordonne au Duc de Bourgogne de commencer une partie de brelan.
PROUST, le Côté de Guermantes, Pl., t. II, p. 193.

♦ **3** Mod. À certains jeux de cartes (dont l'ancien jeu de *brelan*), Réunion de trois cartes de même valeur. *Avoir un brelan de rois, au poker.* — À certains jeux de dés, Coup amenant trois faces semblables.

Fig. «*Un tel brelan d'atouts politiques*» (De Gaulle).

DÉR. **Brelander, brélandier.**

**BRELANDER** [bʀəlɑ̃de] v. intr. — 1481; de *brelan.*

Vx (péj.). Jouer aux cartes. Fréquenter les brelans (1.).

**BRÉLANDIER, IÈRE** [bʀelɑ̃dje, jɛʀ] n. — 1386, *bellandier;* de *brelan.*

Vx (péj.). Personne qui aime à jouer aux cartes.

**BRÈLE** [bʀɛl] n. m. — 1914, *in* Esnault; arabe algérien (bgal) *bghel* (*gh* guttural), arabe classique *baghl;* l'existence de l'homonyme *brêle* (2.) a pu favoriser l'emprunt. → aussi Brêlage.

♦ **1** Argot milit. Mulet.

(...) ce n'est pas une raison parce qu'on mange du zob de brèle, ce soir, que tu doit te lécher les babines ostensiblement en parlant de la sarcelle au jus de citron.
Armand LANOUX, le Commandant Watrin, p. 251.

♦ **2** (1952). Fam. (argot milit.). Idiot, imbécile. *Espèce de brèle! Quel brèle, ce type! Bande de brèles!*

HOM. **Brêle.**

**BRÊLE** [bʀɛl] n. f. — 1700; de *brêler.*

♦ **1** Techn. Troncs d'arbres liés ensemble pour le flottage.

♦ **2** Agric. et régional. Harnachement (martingale) d'une bête de somme.

REM. On écrit parfois *brelle.*

HOM. **Brèle.**

**BRÊLER** [bʀele] v. tr. — 1863, *breller,* Littré; *embraeler,* 1309; de l'anc. franç. *brael* «ceinture; lien», de *braie.*

Technique.

♦ **1** Assembler, fixer à l'aide de cordages (des poutres, un chargement).

♦ **2** Harnacher (une bête).

REM. On écrit encore *breller* (vx).

DÉR. **Brêlage, brêle.**

**BRELLAGE** [bʀɛlaʒ] n. m., **BRELLE** [bʀɛl] n. f., **BRELLER** [bʀele] v. tr. → **Brêlage, brêle, brêler.**

**BRELOQUE** [bʀəlɔk] n. f. — 1694; *brelique,* XVI^e^; *oberliques,* mil. XV^e^; var. *berloque;* orig. obscure, p.-ê. formation expressive apparentée à *emberlificoter*,* les var. provençales *barloco, berloco, burloco* incitent Guiraud à rattacher le mot au lat. pop. **barare,* lat. *varare* (idée de confusion, d'agitation).

♦ **1** Petit bijou de fantaisie qu'on attache à une chaîne de montre, à un bracelet. → **Babiole.** *«Il porte en breloque une amulette arabe»* (Duhamel). → Amulette, cit. 3.

1 Les demoiselles portaient des bandeaux colorés autour de la tête, juste au-dessus des sourcils, des grappes de breloques aux oreilles.
Jean-Louis CURTIS, le Roseau pensant, p. 95.

Curiosité de peu de prix. *«S'il y a de l'or pur, il peut y avoir aussi de la breloque et du zeste»* (Huysmans, *in* T. L. F.).

Pop. et vx. Montre, pendule, horloge.

♦ **2** [a] (1808). Anciennt (d'abord «batterie de tambour appelant à la distribution de vivres»). Signal militaire (sonnerie ou batterie) de fin d'exercice.

[b] Spécialt. Sonnerie signalant la fin d'une alerte (notamment d'une alerte aérienne, en 1916-1918). — REM. Dans ce sens, la var. *berloque* se rencontre encore.

2 (...) Rumeur triste des pompiers dans la nuit. Alertes toujours présentes après quarante-deux années. J'avais trois ans. La berloque (...)
Claude MAURIAC, le Dîner en ville, p. 230.

3 L'après-midi, le soir, souvent la breloque sonnait. Boubal chassait précipitamment les clients et verrouillait les portes (...)
S. DE BEAUVOIR, la Force de l'âge, p. 548.

[c] (1791, *in* D. D. L.). Loc. cour.

BATTRE LA BRELOQUE : fonctionner mal, être dérangé.

4 Je me sens très vieux, mon cher. Je suis une machine usée : les leviers n'obéissent plus. Le cœur bat la breloque (...)
MARTIN DU GARD, Jean Barois, III, 3, p. 464.

(Sujet n. de personne). Être dérangé, un peu fou.

5 Ce pauvre vieux battait la breloque, évidemment.
Louise MICHEL, la Misère, t. I, p. 42.

**BRÈME** [bʀɛm] n. f. — XII^e^, *braisme;* francique **brahsima.*
Poisson d'eau douce *(Cyprinidés),* au corps long et plat. — *Brème bordelière* (ou *petite brème*). → **Brémette.**

On dit que la brème est un long poisson plat dont la capture offre plus d'intérêt que la chair, qui se révèle à la consommation molle et décevante.
Suzanne PROU, la Terrasse des Bernardini, p. 91.

*Brème de mer :* nom donné à plusieurs poissons de mer au corps comprimé, notamment la *dorade grise* ou *canthère* et la *dorade rose* ou *rousseau.*

DÉR. **Brémette.** ◊ HOM. **Brême.**

**BRÊME** [bʀɛm] n. f. — 1821; orig. incert., le rapport avec le «poisson plat» est loin d'être établi, l'argot ital. *bremma* «carte à jouer, billet de banque» semble postérieur.

Fam. ou pop. Carte à jouer (surtout au plur. : *donner les brêmes,* ou en emploi collectif). *Maquiller les brêmes :* truquer les cartes (en les marquant, en les biseautant, etc.), pour pouvoir tricher.

1 — Tu es une flemmarde, dit des Cigales qui brassait méthodiquement les brêmes.
R. QUENEAU, Loin de Rueil, p. 12.

2 Elle se fout de moi cette peau!... Elle se fout de moi!... Mimi! Mimi! tu m'écoutes?... Dis à la Joconde qu'elle monte!... les hommes faut qu'elle vous fasse les brêmes!
CÉLINE, Guignol's band, p. 85.

Collectivement :

3 Elle en était à espérer que Messieurs les hommes, qui tapent la brême dans l'arrière-salle, terminent leur belote, et puis viennent boire le der au rade, quand Paulo a fait une entrée radieuse.
Albert SIMONIN, Hotu soit qui mal y pense, p. 56.

(1846, *in* Cellard et Rey). Carte (de prostituée). *Être en brême :* être en carte*.

HOM. **Brème.**

**BRÉMETTE** [bʀemɛt] n. f. — 1867, *brêmotte, in* P. Larousse; de *brème.*

Pêche. Brème de petite taille (appelée aussi *petite brème, brème bordelière*), espèce qui vit dans les eaux tranquilles.

**BREN** [bʀɑ̃] n. m. → 1. **Bran.**

**BRENEUX, EUSE** [bʀənø, øz] ou **BRENNEUX, EUSE** [bʀenø, øz] adj. — V. 1320; de *bren.* → 1. Bran.
Vx ou régional (souvent plais.). Souillé d'excréments. → **Merdeux.**

Fig. Minable (→ **Merdeux,** fig.; → Marmiteux, cit. 2).

REM. On rencontre la var. *bréneux* (→ Cénaculaire, cit. 2, Bloy).

**BRENNE** [bʀɛn] n. f. — XVI^e^, Rabelais; n. pr. : région du Berry, probablt apparenté à *bren.*

Géogr. ou régional. Terre infertile sur des sables grossiers. *«Ces traînées de sables granitiques qui forment les brennes...»* (Vidal de la Blache, *Tableau de la géographie de la France*).

**BRÉSIL** [bʀezil] n. m. — 1168; de *breze,* var. anc. de *braise.*

Bois d'un arbre de la famille des Césalpinées, contenant un colorant rouge (comme une braise). *Teindre avec du brésil.* → 1. **Brésiller.** Syn. : *brésillet, bois de brésil. Les bois de brésil proviennent des Indes, de l'Amérique méridionale, des Antilles.*

DÉR. **Brésiline.** — 1. **Brésiller, brésillet.**

**BRÉSILIEN, IENNE** [bʀeziljɛ̃, jɛn] adj. — 1578; de *Brésil* «pays du brésil».

Du Brésil (→ **Brasilio-**). *Musique, danse brésilienne.* → **Bossa-nova, matchiche, samba.** *L'économie brésilienne. Le Nord-Est brésilien* (Nordeste). *La steppe brésilienne* (sertaõ). *Le* cinema nôvo *(«nouveau cinéma») brésilien. Le candomblé*, la macoumba*, cérémonies religieuses des communautés noires brésiliennes.* — N. *Un Brésilien, une Brésilienne.*

Spécialt. Relatif à l'usage de la langue portugaise au Brésil. *Mot brésilien, tournure brésilienne.*

COMP. **Afro-brésilien.**

**BRÉSILINE** [bʀezilin] n. f. — 1838; de *brésil.*

Techn. Matière colorante extraite du bois de brésil.

1. **BRÉSILLER** [bʀezije] v. tr. — 1346; de *brésil.*

Techn. Teindre avec du brésil.

2. **BRÉSILLER** [bʀezije] v. — 1545; p.-ê. dér. dial. de *briser* (cf. l'anc. provençal *brezilh* «sable fin», → 2. Braise), ou même orig. que le précédent.

Technique ou littéraire.

[I] V. tr. ♦ **1** Réduire en menus morceaux, pulvériser.

Pron. *Se brésiller :* s'émietter, tomber en poussière.

♦ **2** Fig. Vx ou littér. → **Disperser** (se).

1 (...) elle avait encombré sa vie de maintes préoccupations adventices, de sorte que l'idée de devoir, souvent, se brésillait chez elle en un tas de menues obligations.
GIDE, Si le grain ne meurt, p. 165.

**II** V. intr. Tomber en poussière. *Ce tabac brésille.*

◆ **BRÉSILLÉ, ÉE** p. p. adj. → **Brisé.**

2 (...) mandez-moi si vous dormez, si vous n'êtes point brésillée. Mme DE SÉVIGNÉ, 467, 13 nov. 1675.

**BRÉSILLET** [bʀezijɛ] n. m. — 1694; de *brésil.*

Techn. (vx). Bois de brésil. → **Brésil.**

**BRÉSOLLES** [bʀezɔl] ou **BRESSOLLES** [bʀesɔl] n. f. pl. — 1735; ital. du Nord *brasola,* de *brasa* «braises» (toscan *bracia*), ital. mod. *brace* «charbons ardents», même orig. que *braise; bressolles* d'après un nom propre : le marquis de *Bressoles.*

Cuis. Plat fait de viande en tranches minces alternant avec de la farce et cuit au four. — REM. On trouve parfois *brussoles* [bʀysɔl] (1783, *Encyclopédie*).

**BRESSAN, ANE** [bʀesɑ̃, an] adj. et n. — 1650; v. 1176, *Breissens;* de *Bresse,* province de France.

Adj. De la Bresse. *Costume bressan. Race bressane* (de bovins). *Volailles, poulardes bressanes* (on dit plutôt : *de Bresse*). — N. Personne originaire de la Bresse.

HOM. **Bressant.**

**BRESSANT** [bʀesɑ̃] n. f. — XIXe; du nom de l'acteur *Bressant.*

Coupe des cheveux en brosse. *Une bressant.* — Loc. *À la Bressant. Coiffé, coiffure à la Bressant.*

*(Cela)* ne déplaisait pas plus que, chez un Hector de théâtre se promenant dans la coulisse, la coiffure à la Bressant qu'il porte encore, réservant sa perruque pour le dernier moment. PROUST, Jean Santeuil, Pl., p. 350.

HOM. **Bressan.**

**BRÉTAILLER** [bʀetaje] v. intr. — 1752, Trévoux; de *brette.*

Vx. Tirer l'épée, se battre en duel à tout propos. → **Batailler, ferrailler.**

Par ext. Fréquenter les salles d'armes.

DÉR. **Brétailleur.**

**BRÉTAILLEUR** [bʀetajœʀ] n. m. — 1752; de *brétailler.*

Vx. Homme qui se bat à tout propos (→ **Bretteur**).

**BRETAUDER** [bʀətode] v. tr. — 1611, sens 1; 1600, sens 2; 1200, *bertauder* «tondre»; d'un gallo-roman **bistositare,* du lat. *bis,* et *to(n)sitare,* de *tondere* «tondre».

Vieux.

♦ **1** Techn. Tondre inégalement (un animal). *Bretauder un chien.*

Par plais. (vx). Couper les cheveux à (quelqu'un).

Mme de Nevers y vint coiffée à faire rire : (...) La Martin l'avait bretaudée par plaisir comme un patron de mode excessive. Mme DE SÉVIGNÉ, 146, 18 mars 1671.

♦ **2** Techn. **a** Couper la queue ou les oreilles à (un animal). *Bretauder un cheval.* — Au p. p. *Cheval bretaudé.*

**b** (1690). Châtrer.

**BRETÈCHE** [bʀətɛʃ] n. f. — 1155; lat. médiéval *brittisca* «fortification», p.-ê. du lat. pop. **brittus* «de (Grande) Bretagne».

♦ **1** Techn. (fortif.). Logette à mâchicoulis faisant saillie sur une façade, utilisée autrefois comme ouvrage de défense.

REM. Le nom entre dans des noms propres de lieu : *Saint-Nom-la-Bretèche.*

♦ **2** Archit. Loggia.

DÉR. V. **Bretessé.**

**BRETÉCHÉ** [bʀəteʃe] adj. → **Bretessé.**

**BRETELLE** [bʀətɛl] n. f. — Fin XIIIe; anc. haut all. *brittil* «rêne». → Bride.

**I** ♦ **1** Bande de cuir, d'étoffe, que l'on passe sur les épaules pour porter un fardeau. → **Courroie, lanière; bandoulière.** *La boucle d'une bretelle. La bretelle d'un fusil. Porter l'arme à la bretelle,* (vx) *en bretelle. Bretelle d'un drapeau.* → **Brayer.** *Bretelle d'un havresac, d'une hotte.* → **Brassière.** *La bretelle d'un portefaix.* → **Bricole.**

Ils ont, tous les deux abandonné leur sac. Le blessé a laissé aussi son fusil. Mais, lui, a conservé le sien, dont la bretelle vient de céder et qu'il est obligé de tenir à la main, horizontalement, par le milieu. 0.1
A. ROBBE-GRILLET, Dans le labyrinthe, p. 210.

Loc. *Piano* (cit. 6) *à bretelle, à bretelles :* accordéon.

♦ **2** (1718). Souvent au plur. Bandes de tissu, de ruban, qui retiennent les pièces de lingerie féminine ou certains vêtements. → **Épaulette**(s). *Bretelles d'une combinaison, d'un soutien-gorge. Les bretelles d'un tablier.*

♦ **3** Au plur. Bandes élastiques, passant sur les épaules, servant à retenir un pantalon. *Une paire de bretelles. Mettre, porter des bretelles. Il préfère les bretelles à la ceinture.*

En un clin d'œil, il se débarrassa de son gilet, détacha ses bretelles, les rompit d'un coup sec, et, s'agenouillant de nouveau, en fit un garrot qu'il noua serré à la naissance de la cuisse. 1
MARTIN DU GARD, les Thibault, t. II, p. 139.

C'étaient de beaux pantalons de velours brun, côtelé, luisant, attachés au poitrail et au cou par des bretelles de cuir bien astiquées. H. BOSCO, l'Âne Culotte, p. 15. 2

Syn. fam. et vx : *balancines* (au Canada, on dit *attelles*).

♦ **4** Harnais de sécurité, remplaçant ou complétant la ceinture* de sécurité (dans une automobile).

**II** (Objet permettant une communication entre deux autres). ♦ **1** (1946). Techn. Dispositif d'aiguillage permettant de passer d'une voie ferrée à une voie voisine.

Milit. Ligne intérieure de défense entre deux lignes latérales.

♦ **2** Cour. Voie de raccordement (entre deux itinéraires routiers à grande circulation). *Les bretelles d'une autoroute. Bretelles d'accès vers un grand centre urbain. Bretelle intermédiaire, de liaison.*

La voiture quitte maintenant l'autoroute et s'engage sur une «bretelle» qui lui permet d'arriver jusqu'à une petite baie (...) 3
Christine ARNOTHY, Un type merveilleux, p. 165.

♦ **3** Techn. Branchement entre deux lignes téléphoniques. *«Deux cent cinquante "bretelles" – permettant des écoutes téléphoniques de caractère politique – auraient été mises à la disposition du ministre»* (*le Monde,* 17 févr. 1977).

**BRETESSÉ, ÉE** [bʀətese] ou **BRETÉCHÉ, ÉE** [bʀəteʃe] adj. — 1690; p. p. de l'anc. franç. *bretescher* «garnir de bretèches».

Blason. Crénelé symétriquement des deux côtés.

Au centre de ce fouillis ornemental rayonnait le blason du marquis, qui portait d'or à la fasce bretessée et contre-bretessée de gueules, avec deux hommes sauvages pour support. Th. GAUTIER, le Capitaine Fracasse, p. 129.

**BRETON, ONNE** [bʀətɔ̃, ɔn] adj. et n. — 1080, *Bretun*; lat. *Bri(t)to, -onis.*

♦ **1** Cour. De Bretagne (province française). *La population bretonne. Les mégalithes bretons* (dolmens, menhirs). *Chapeau breton,* ou, n. m. (1920, *in* D. D. L.), *un breton* (chapeau masculin, noir, à bride). *Les coiffes bretonnes* (ex. : la coiffe bigoudène*). *Armoire bretonne, lit-clos breton. Les pardons, fêtes religieuses bretonnes. Les enclos paroissiaux bretons. Bas breton :* de «basse Bretagne» (→ **Armoricain).**

*Cheval breton, vache bretonne. La race bretonne pie noire* (race bovine).

*Gâteau breton :* gâteau de pâte brisée, fait au beurre, dont la surface, dorée à l'œuf, est marquée de croisillons.

1 (...) les binious bretons sonnaient un air rapide et monotone du temps passé (...)
LOTI, Mon frère Yves, LXXI, p. 170.

N. *Un Breton, une Bretonne.*

N. m. *Le breton :* langue celtique du groupe brittonique, parlée en Bretagne. *Parler breton, apprendre le breton. Dictionnaire breton-français.*

2 Si le gaulois a complètement disparu depuis le début du moyen âge, il reste aujourd'hui des survivances importantes des deux autres groupes : gaéliques (irlandais; gaélique d'Écosse); brittonique, gallois (du pays de Galles) et breton (...) A. DAUZAT, l'Europe linguistique, p. 48.

3 Il parlait avec beaucoup de volubilité, prenant évidemment à pouvoir faire des plaisanteries en breton le plaisir d'un enfant qui commence à savoir assez bien nager pour pouvoir faire quelques mouvements gracieux comme les vrais nageurs. PROUST, Jean Santeuil, Pl., p. 197.

Adj. De la langue bretonne. *La grammaire bretonne. Mots bretons passés en français* (ex. : *bagad, bigouden, biniou, boëtte, bragou-bras, cromlech, dolmen, fest-noz, goémon, goéland, menhir, peulven, raz;* et, contestés, *baragouin, bijou*). *Parlers bretons du Finistère* (groupes du Nord et du Sud), *du Morbihan..., divisés en quatre dialectes :* léonard, cornouaillais, trégorrois, vannetais.

♦ **2** Didact. Qui appartient aux peuples celtiques de Grande-Bretagne et de Bretagne, à leurs traditions et à leur civilisation. *Les romans bretons du XIIe siècle.*

(1807, Stendhal, *in* D. D. L.). Vx. De Grande-Bretagne.

DÉR. **Bretonnant.**

**BRETONNANT, ANTE** [bʀətɔnɑ̃, ɑ̃t] adj. — 1269; de *breton.*

Qui parle breton. *Les Bretons bretonnants. La Bretagne bretonnante,* où l'on parle breton.

**BRETTE** [bʀɛt] n. f. — XVIe; de *brette,* fém. de *bret* «breton», lat. pop. **brittus,* class. *Brito.*

Vieux ou technique.

**I** ♦ **1** Ancienne épée longue et étroite.

♦ **2** Outil de maçon, à face armée de dents.

**II** Régional (Wallonie). Dispute, altercation («à éviter», Hanse).

DÉR. **Brétailler, bretter, bretteur.**

**BRETTELÉ, ÉE** [bʀɛtle] adj. — Mil. XIXe; de *bretteler.*

Techn. Dentelé. *Truelle brettelée :* truelle dont le tranchant est dentelé.

**BRETTELER** [bʀɛtle] ou **BRETTER** [bʀete] v. tr. — 1611, *bretteler; bretter,* 1690; de *brette.*

Techn. Rayer, strier avec un outil dentelé. → **Denteler.** *Bretteler un mur.*

DÉR. **Brettelé.**

**BRETTEUR, EUSE** [bʀɛtœʀ, øz] n. et adj. — 1653; de *brette.*

Anciennement.

♦ **1** **a** Personne qui aime se battre à l'épée (le fém. est rare). → **Ferrailleur, spadassin.** — Personne qui sait se battre à l'épée. → **Escrimeur.**

Ce sont les cadets de Gascogne 1
De Carbon de Castel-Jaloux;
Bretteurs et menteurs sans vergogne,
Ce sont les cadets de Gascogne!
Edmond ROSTAND, Cyrano de Bergerac, II, 7.

**b** Par métaphore ou fig. Personne qui se bat (fig.).

Parmi tous les autres bretteurs, j'ai beaucoup admiré Malraux. Sur le terrain, c'est celui que je préfère. 2
R. GARY, la Promesse de l'aube, p. 190.

♦ **2** Adj. Qui aime à se battre à l'épée (→ **Brétailler);** où l'on aime à se battre à l'épée.

Mais la principale raison qui décide de cette martiale fête 3
d'un assaut, fut la réputation d'une ville qui s'était appelée «la bretteuse» et qui était encore, dans ce moment-là, la ville la plus bretteuse de France. La Révolution de 1789 avait eu beau enlever aux nobles le droit de porter l'épée, à V... ils prouvaient que s'ils ne la portaient plus, ils pouvaient toujours s'en servir.
BARBEY D'AUREVILLY, les Diaboliques, «Le bonheur dans le crime».

Par métaphore ou fig. Batailleur. *Un tempérament bretteur.*

**BRETZEL** [bʀɛdzɛl] n. m. — 1893, E. Rostand; 1492, *brechale* (encore attesté en Suisse romande); mot alsacien et all. *Brezel;* du lat. vulg. **brachitella,* dimin. de **brachita,* de *brachium* «bras», par anal. de forme.

Pâtisserie légère, en forme de huit (ou de bras entrelacés), salée et saupoudrée de cumin. *Manger des bretzels en prenant l'apéritif.*

Une servante rentra avec une cruche de bière et des bretzels (...) GIRAUDOUX, Siegfried et le Limousin, p. 79.

**BREUIL** [bʀœj] n. m. — V. 1190, *brueil;* 1080, *bruill;* du bas lat. *brogilus,* du gaulois **brogilos,* de *brogae* «champ».

Régional. Bois, taillis, buisson, clos de haies servant de retraite au gibier.

**BREUVAGE** [bʀœvaʒ] n. m. — XVIe; *beverage, bovrage,* XIIe; *bruvaige,* 1450; des inf. *beivre, boivre,* var. anc. de *boire.*

♦ **1** Vx ou littér. Boisson. *Boire un breuvage agréable, amer.*

Qui te rend si hardi de troubler mon breuvage? 1
LA FONTAINE, Fables, I, 10.

Avec notre goût émoussé, violenté, accoutumé aux 2
liqueurs fortes nous sommes d'abord tentés de déclarer ce breuvage insipide (...)
TAINE, Philosophie de l'art, t. II, p. 161.

Arrière la rancune abominable! arrière 2.1
L'oubli qu'on cherche en des breuvages exécrés!
VERLAINE, la Bonne Chanson, IV, Pl., p. 104.

♦ **2** Mod. Boisson d'une composition spéciale ou ayant une vertu particulière (→ Boisson, cit. 1). *Un breuvage empoisonné. Breuvage préparé pour un malade. Ordonner, administrer un breuvage.*

3 (...) il lui fit boire *(à la vache)* un breuvage que la petite Fadette lui avait appris à composer.
G. SAND, la Petite Fadette, XXVI, p. 172.

Littér., poét. *Le, un breuvage des Dieux.* → **Nectar.** *Breuvage mystérieux, qui engendre l'amour.* → **Philtre.**

4 O baiser ! Mystérieux breuvage (...)
A. DE MUSSET, la Confession d'un enfant du siècle, III, 11 (→ Baiser, cit. 13).

5 Je rappellerai seulement que l'idée de symboliser l'amour involontaire, irrésistible et éternel, par ce breuvage dont l'action — et c'est en quoi il diffère des philtres vulgaires — se prolonge pendant toute la vie et persiste même après la mort (...)
G. PARIS, Préface à Trisan et Iseult (éd. J. Bédier).

♦ **3** Anglic. (Conservé au Canada, sous l'infl. de l'angl. *beverage*). Boisson non alcoolisée. *Et comme breuvage ? Thé ou café ?*

**BRÈVE** [bʀɛv] n. f. — 1680 ; fém. de 1. *bref.*

♦ **1** Voyelle, syllabe brève.

♦ **2** Mus., anciennt. Unité de durée, dans la musique médiévale (notamment dans le plain-chant). *Une longue vaut deux brèves. La brève fut notée par un carré noir, sans queue, puis par une note blanche carrée, sans queue.* → **Carrée** (I., 1). *Mesure correspondant à la brève.* → **Alla breve** (mesure).

**BREVET** [bʀəvɛ] n. m. — 1316 ; 1223, «écrit, billet» ; 1160, *brievet* ; dimin. de 2. *bref.*

♦ **1** Dr. *Brevet,* ou *acte en brevet :* acte* notarié simple dont l'original est remis aux parties, et seulement mentionné au répertoire de l'étude du notaire (par oppos. à *acte notarié en minute*). *L'acte en brevet ne peut recevoir la formule exécutoire. Les principaux actes en brevet sont les certificats de vie, de propriété, procurations, quittances, actes de notoriété.*

♦ **2** Vx. Formule magique. → **Talisman.** *Brevet pour, à...* (et inf.).

1 Et pour gagner Paris, il vendit par la plaine
Des brevets à chasser la fièvre et la migraine.
CORNEILLE, l'Illusion comique, I, 3.

♦ **3** [a] (1680). Anciennt (et hist.). Acte non scellé, délivré au nom du roi, par lequel il conférait une dignité, un bénéfice. *Un brevet de noblesse.* → **Parchemin.**
[b] (1791, *brevet d'invention*). Mod. Titre ou diplôme délivré par l'État, permettant au titulaire d'exercer certaines fonctions et certains droits. *Brevet d'invention :* titre par lequel le gouvernement confère à toute personne qui prétend être l'auteur d'une découverte ou d'une invention industrielle et en fait le dépôt dans les formes, un droit exclusif d'exploitation pour un temps déterminé. → **Propriété** (industrielle). *Se munir d'un brevet. Céder le droit d'exploitation d'un brevet à un tiers.* → **Licence** (d'exploitation). *Contrefaçon des brevets. Acheter, déposer un brevet.*

2 Toute nouvelle découverte, ou invention dans tous les genres d'industrie, confère à son auteur, sous les conditions et pour le temps ci-après déterminé, le droit exclusif d'exploiter à son profit la dite découverte ou invention. Ce droit est constaté par des titres délivrés par le Gouvernement, sous le nom de brevets d'invention.
Loi du 5 juil. 1844.

*Brevet de perfectionnement,* consacrant le perfectionnement d'une invention déjà brevetée.
[c] (Dans l'enseignement). Certificat accordé à une personne.
*Brevet de capacité,* attestant certaines connaissances. *Brevet de capacité en droit. Brevet de capacité de l'enseignement primaire* (naguère, *brevet élémentaire* et *brevet supérieur*). Absolt. *Il n'a même pas son brevet,* le brevet élémentaire. — *Brevet d'études du premier cycle* (du second degré), ou *B. E. P. C. Brevet (d'enseignement) commercial, professionnel. Brevet d'expert-comptable. Brevet d'État d'éducateur sportif. Brevets militaires* (de chef de section, de pilote, de mécanicien, etc.). *Brevet d'enseignement militaire supérieur* (naguère, *brevet d'état-major*). *Brevet sportif populaire.*

Fille de paysans, elle avait été si bonne écolière que ses 2.1
parents l'avaient laissée aller jusqu'au brevet supérieur.
M. DURAS, Un barrage contre le Pacifique, p. 23.

*Brevet d'apprentissage :* certificat délivré par un patron à son apprenti au terme de la période d'apprentissage (cf. Congé d'acquit).

♦ **4** Fig. et littér. Garantie, assurance.

Car on leur donne *(aux gamins de l'école primaire)* le bré- 3
viaire même du monde moderne, un brevet de la tranquillité du monde moderne.
Ch. PÉGUY, la République..., p. 347.

(1798). Vieilli. *Donner, délivrer, décerner à qqn un brevet d'extravagance, d'honnête homme,* le déclarer extravagant, honnête homme.

À côté de cela certaines opinions artistiques, moins anti- 4
germaniques que pendant les premières années de la guerre, se donnaient cours pour rendre la respiration aux esprits étouffés, mais il fallait pour qu'on les osât présenter un brevet de civisme.
PROUST, le Temps retrouvé, Pl., t. III, p. 837.

**DÉR. Breveter.**

**BREVETABILITÉ** [bʀəvtabilite] n. f. — XIXe ; de *brevetable.*

Dr. Caractère de ce qui peut être breveté.

**BREVETABLE** [bʀəvtabl] adj. — 1845 ; de *breveter.*

Dr. Susceptible de recevoir un brevet. *Ce procédé est brevetable.*

**DÉR. Brevetabilité.**

**BREVETÉ, ÉE** [bʀəvte] adj. — 1835, *inventeur breveté ;* p. p. de *breveter.*

♦ **1** Qui a obtenu un brevet (civil, militaire). *Officier breveté* (d'état-major). *Matelot breveté. Pilote breveté. Ingénieur breveté.* → **Diplômé.**

De bons ingénieurs brevetés sortiront de ces écoles (...) 1
G. DUHAMEL, Inventaire de l'abîme, VIII.

En fin de compte, cet expert breveté, qu'attend-on de lui ? 2
Hé quoi ! il demande des jours et des nuits pour commencer à y voir clair dans une situation pourtant si simple (...)
F. MAURIAC, Bloc-notes 1952-1957, p. 323.

N. *Un breveté, une brevetée.*

♦ **2** Garanti par un brevet. *Procédé breveté. Breveté S. G. D. G.,* sans garantie du gouvernement.

♦ **3** Par ext. Qui possède un brevet de fabrication. *Fabricant breveté.* — N. *Les brevetés.*

♦ **4** En franç. d'Afrique. Titulaire du Brevet* d'études du premier cycle (B. E. P. C.).

**BREVETER** [bʀəvte] v. tr. [CONJUG. : *jeter.*] — 1751 ; de *brevet.*

♦ **1** Anciennt (ou hist.). Pourvoir d'un brevet* (1.).
Décerner un brevet d'aptitude à (qqn).

♦ **2** Protéger par un brevet. *Faire breveter une invention, un procédé.*

**DÉR. Brevetable, breveté.**

**BRÉVIAIRE** [bʀevjɛʀ] n. m. — 1230; du lat. *breviarium* «abrégé», de *brevis*. (→ Bref, et aussi brimborion), spécialisé en lat. ecclés., «sommaire du grand Office».

♦ **1** Relig. et cour. Livre de l'office divin, renfermant les formules de prières par lesquelles l'Église loue Dieu chaque jour et à toute heure. → **Heure** (livre d'heures), 2. **bref.** *Un bréviaire à tranche dorée.* — *Contenu de ce livre. Lire, dire, réciter son bréviaire. Le bréviaire romain comprend le calendrier liturgique, l'ordinaire, le psautier, le propre du temps, le propre des saints, les offices propres à certains lieux.*

1 Le moine disait son bréviaire (...)
LA FONTAINE, Fables, VII, 9.

2 À travers la porte vitrée, il apercevait le curé qui allait et venait, dans le potager, en lisant son bréviaire.
F. MAURIAC, la Pharisienne, p. 102.

♦ **2** Fig. Livre servant de modèle et contenant un enseignement indispensable (→ Brevet, cit. 3).

3 (...) Flaubert nous avoue ses trois bréviaires de style : La Bruyère, quelques passages de Montesquieu, quelques chapitres de Chateaubriand.
Ed. et J. DE GONCOURT, Journal, p. 236.

4 On les a inondés *(les instituteurs)* [...] de bréviaires laïques, de formulaires.
Ch. PÉGUY, De Jean Coste, *in* Œ. en prose 1898-1908, Pl., p. 536.

5 (...) je lui apportai ce que j'avais dans ma cantine : le plus récent *Service des Armées en campagne, l'Aide-Mémoire d'État-Major,* le dernier *Cours de tactique générale de l'École de guerre,* et quelques autres bréviaires du même ordre.
L.-H. LYAUTEY, Paroles d'action, p. 458.

**BRÉVILIGNE** [bʀeviliɲ] adj. et n. — 1888, *in* D.D.L.; du lat. *brevis* «court», et de *ligne*.

Adj. Didact. Qui a les membres relativement courts, l'aspect trapu (en parlant d'un animal, notamment d'un cheval, parfois d'une personne). *Le cheval boulonnais est bréviligne.*

(...) *Chevaux à intensité de contraction,* plus aptes à déployer de la force que de la vitesse; ils ont la poitrine ronde, les formes trapues, les lignes écourtées, les muscles plus développés en épaisseur qu'en longueur, les angles articulaires plutôt fermés : c'est le type bréviligne (...) le type du cheval de trait (...)
Henri AUBLET, l'Équitation, p. 39.

(En morphopsychologie, école ital. de Viola et Pende). *Type morphologique bréviligne sthénique,* psychologiquement expansif, gai, extroverti. — N. *Un bréviligne.*

CONTR. **Longiligne.**

**BRÉVILINGUE** [bʀevilɛ̃g] adj. et n. m. — 1888, zool.; du lat. *brevis* «court», et *lingua* «langue».

Didact. Dont la langue est courte et peu extensible.

N. m. pl. Zool. **BRÉVILINGUES :** sous-ordre des Sauriens, caractérisé par une langue courte, peu rétractile. — Au sing. *L'orvet est un brévilingue.*

**BRÉVITÉ** [bʀevite] n. f. — 1819; anc. franç. «brièveté»; lat. *brevitas,* de *brevis.* → Bref.

Phonét. Caractère de la syllabe ou de la voyelle brève.

**BRI** [bʀi] n. m. — 1871; breton *pri* «argile».

Didact. Sédiment bleuâtre du littoral de l'Ouest de la France (on dit aussi *terre de bri*). — REM. On écrit parfois *bry.*

HOM. 1. **Brie,** 2. **brie, bris.**

**BRIARD, ARDE** [bʀijaʀ, aʀd] adj. et n. m. — 1838; de *Brie,* lat. médiéval *Brigia (silva).*

De la Brie (région française). — *Chien briard; briard* (n. m.) : chien de berger à poil long, aussi appelé *berger de Brie.*

Mme Lemaire possédait une énorme chienne briarde (...); elle attaquait à l'improviste les enfants et les petits animaux; on l'attachait (...)
S. DE BEAUVOIR, la Force de l'âge, p. 537.

**BRIBE** [bʀib] n. f. — V. 1290; probablt d'un rad. expressif désignant des choses menues et sans valeur. → Birbe, brimborion.

♦ **1** Vx. Morceau de pain, et, par ext., de nourriture donné à un mendiant.

♦ **2** Mod. Petit morceau, petite quantité. → **Fragment, miette, morceau, parcelle.** *Des bribes de viande, de tabac.*

(...) un déjeuner (...) qu'il partageait avec un autre camarade, car, pour moi, très content d'en avoir quelque bribe, je ne touchais pas même à leur vin (...) 1
ROUSSEAU, les Confessions, I.

«Et plus une bribe de tabac», soupira-t-il à mi-voix. 2
MARTIN DU GARD, les Thibault, t. V, I, p. 10.

Notre conscience est faite de bribes et de morceaux, c'est comme une tapisserie ouvrée par des artistes différents, de telle sorte que chaque partie n'a guère le sentiment de l'ensemble, et ne tient pas toujours beaucoup à sa conservation totale (...) 3
Edmond JALOUX, le Jeune Homme au masque, IX, p. 142.

(Abstrait). *Les bribes d'un ouvrage, d'un chapitre* (→ **Citation, extrait, passage**). *Des bribes de conversation, de phrases. Apprendre qqch. par bribes. Des bribes de souvenirs.*

(...) des bribes de phrases incohérentes où se marquait le désordre de sa pensée. 4
G. DUHAMEL, Chronique des Pasquier, V, XIX.

Jacques saisissait au passage des bribes de conversation (...) 5
MARTIN DU GARD, les Thibault, t. VII, p. 206.

Sur M. Cyprien, j'avais appris, par bribes, soit à l'école, soit même à la maison, pas mal de choses. 6
H. BOSCO, l'Âne Culotte, p. 33.

Durtal se remâchait des bribes de réflexions sur les monastères. 7
HUYSMANS, En route, p. 127.

(...) il le sentait, ce cerveau (...) assembler sans répit, ces incohérentes visions de kaléidoscope, qu'il nommait «rêves» lorsque sa mémoire, au passage, en avait retenu quelques bribes. 8
MARTIN DU GARD, les Thibault, t. IV, VII, p. 198.

Il gueulait si fort que des bribes de son discours arrivaient jusqu'à moi. Union... frères... Marx... capital... bifteck... amour. Je n'y comprenais rien. 9
S. BECKETT, Nouvelles, p. 102.

♦ **3** Au plur. Restes insignifiants. → **Débris, miette.** «*Donnez aux malheureux les bribes tombées de votre table*» (Lamennais). *Des bribes de coque, de carène qui surnagent.* → **Bris, épave.** *Les bribes d'une fortune.* → **Débris.** *Il ne connaît que des bribes d'anglais.*

CONTR. **Bloc, ensemble, masse, tout.**

**BRIC-À-BRAC** [bʀikabʀak] n. m. invar. — 1827; 1616, *à bric et à brac;* v. 1570, «à tort et à travers»; formation expressive d'orig. obscure. → aussi Bric et de broc (de).

♦ **1** Amas de vieux objets hétéroclites, destinés à la revente. *Marchand de bric-à-brac.* Par ext. Boutique de brocanteur. *Un fauteuil trouvé au bric-à-brac du coin.*

Le premier, Pons avait collectionné les tabatières et les miniatures. Sans célébrité dans la Bricabraquologie, car il ne hantait pas les ventes, il ne se montrait pas chez les illustres marchands, Pons ignorait la valeur vénale de son trésor. 1
Feu Dusommerard avait bien essayé de se lier avec le musicien; mais le prince du Bric-à-Brac mourut sans avoir

pu pénétrer dans le musée Pons, le seul qui pût être comparé à la célèbre collection Sauvageot.
BALZAC, le Cousin Pons, Pl., t. VI, p. 532.

2 Avez-vous connu un marchand de bric-à-brac nommé ou plutôt surnommé Trompe-l'œil ?
Louise MICHEL, la Misère, t. III, p. 671.

♦ **2** Amas d'objets hétéroclites et en désordre. → Pêle-mêle, cit. 3. *Quel bric-à-brac !* → **Bazar ;** → Caverne (cit. 4.1) d'Ali Baba.

3 (...) elle eut l'illusion suprême que ce sang était l'équivalent visible du trou noir qu'un violon éventré, vu chez le juge au milieu d'un bric-à-brac de pièces à conviction, désignait avec une insistance dramatique (...)
Jean GENET, Notre-Dame des fleurs, p. 17.

4 (...) il pouvait les distinguer maintenant : des prie-Dieu, des statues de plâtre, des ostensoirs, l'harmonium, la camelote épineuse de faux gothique, le pieux bric-à-brac clandestin.
Claude SIMON, le Palace, p. 106.

(Abstrait). Amas de vieilleries disparates. *Cette œuvre est encombrée de tout le bric-à-brac romantique.*

5 (...) cette chiffonnière de mots et de notions trimbalait, comme ça, un bric-à-brac de connaissances fragmentaires (...) A. BLONDIN, Monsieur Jadis, p. 143.

♦ **3** (Au Canada ; coutume très répandue en Amérique du Nord). Mise en vente à prix réduit, par un particulier et sur sa propriété, d'objets dont il veut se défaire (souvent pour cause de départ). Syn. : *vente*-débarras.*

**BRICAGE** [bʀikaʒ] n. m. → **Briquage.**

**BRICELET** [bʀislɛ] n. m. — 1565, var. *brisselet* au XIXe ; de *brissel, bresel* (1426, Fribourg), d'un dér. du lat. *brachium* «bras».

Régional (Suisse). Gaufre très mince, croustillante, préparée au *fer à bricelets.* — REM. On écrit aussi *brisselet.*

Une grande assiette de brisselets, sortes de gaufres plates fort croquantes, en usage dans la campagne aux temps de fête et particulièrement au nouvel-an.
A. CARTERET, Deux amis, t. I, p. 103 (1872).

**BRIC ET DE BROC (DE)** [d(ə)bʀiked(ə)bʀɔk] loc. adv. — 1615, *in* D. D. L. ; formation expressive. → Bric-à-brac.

En employant des morceaux de toute provenance, au hasard des occasions. *Une chambre meublée de bric et de broc* (→ De pièces* et de morceaux).

1 Ces recommandations étaient toutes de hasard (...) de bric et de broc (...) J. VALLÈS, le Bachelier, p. 110.

2 Il faut dire que c'était un mois de juin magnifique. On mangeait de bric et de broc.
Jean FERNIOT, Pierrot et Aline, p. 125 (1973).

3 Sindy, porté vers l'étude et la réflexion par son hérédité paternelle et ses propres tendances, réussit, tant bien que mal, à poursuivre ses études de bric et de broc, et parvint au niveau du deuxième baccalauréat.
Roger NAÏM, l'Ère des truands, p. 21 (1972).

**BRICHETON** [bʀiʃtɔ̃] n. m. — 1878 ; 1867, *brigeton ;* de *brichet* «pain de deux livres», de l'anc. franç. *briche* «morceau de pain», même orig. que *brique,* avec infl. de *briffer, briffeton.*

Fam. Pain. → **Briffeton** (vieilli), **brignolet** (argot). — Par ext. *Nourriture.*

— J'ai faim, n. d. D... On arrête les gens et on ne leur f... même pas à «briffer». J'ai faim ; qu'on me donne au moins du «bricheton». GORON, l'Amour à Paris, t. I, p. 16.

DÉR. **Brichetonner.**

**BRICHETONNER** [bʀiʃtɔne] v. intr. et tr. — Fin XIXe ; de *bricheton.*

Fam. Manger. → **Briffer, briftonner.**

1. **BRICK** [bʀik] n. m. — 1781 ; angl. *brig,* abrév. de *brigantine,* du franç. *brigantin*.*

Voilier à deux mâts gréés à voiles carrées. *Brick-goélette.*

C'était un très modeste petit bateau du petit port d'Antibes... un brick, qui chargeait pour les îles du Levant des jarres de terre cuite fabriquées à Vallauris (...) 1
LOTI, Matelot, V, p. 22.

Pencroff encadra de nouveau le brick dans le champ de 2
la longue-vue, et il reconnut que ce brick, d'une jauge de trois à quatre cents tonneaux, merveilleusement effilé, hardiment mâté, admirablement taillé pour la marche, devait être un rapide coureur des mers.
J. VERNE, l'Île mystérieuse, t. II, p. 604-605.

HOM. 2. **Brick, brique ;** formes du v. **briquer.**

2. **BRICK** [bʀik] n. m. — Répandu v. 1960 ; mot arabe de Tunisie, finale *-ck* par attraction de 1. *brick.*

Plat tunisien, beignet salé fait d'une pâte très fine renfermant généralement un œuf. *Brick à l'œuf.*

HOM. 1. **Brick, brique ;** formes du v. **briquer.**

**BRICOLAGE** [bʀikɔlaʒ] n. m. — Attesté XXe ; de *bricoler.*

♦ **1** Action, habitude de bricoler. → **Bricole,** B. — Travail du bricoleur. *Le salon du bricolage. La passion du bricolage.*

(...) la chambre de mes parents, au nord, ne disposait elle aussi que d'une porte donnant sur le passage étroit, fermé d'un petit mur, qui bordait la maison à l'arrière, sur les champs, et où mon oncle, l'armurier, avait installé un petit atelier de bricolage pour réparer à l'occasion les fusils de chasse des voisins.
Raymond ABELLIO, Ma dernière mémoire, t. I, p. 66-67.

Spécialt. Activités manuelles dirigées (à l'école).

♦ **2** Réparation ou travail manuel effectué approximativement. *Un bricolage rapide. C'est du bricolage, ça ne tiendra pas longtemps.*

Fig. et péj. Travail peu soigné.

♦ **3** (Depuis Lévi-Strauss). Travail dont la technique est improvisée, adaptée aux matériaux, aux circonstances.

**BRICOLE** [bʀikɔl] n. f. — 1372 ; *brigole,* 1360 ; ital. *briccola* «machine de guerre», probablt d'un rad. longobard **brikkil* «celui qui brise», rétabli d'après le moyen haut all. *brëchel* (cf. all. mod. *brechen* «briser»). Guiraud rattache le mot à *brique* «palet» et au verbe dial. *holer, houler* (Picardie, Wallonie) «pousser, lancer».

**A** ♦ **1** Didact. Ancienne catapulte à courroies.

(1578). Courroie du harnais qu'on applique sur la poitrine du cheval ; bretelle de porteur (→ Attelle, 1.).

(1721). Pêche. Ligne à deux hameçons.

Régional (Belgique). Lacet, nœud coulant.

N. f. pl. (1601). Chasse. **BRICOLES :** filet destiné à prendre les cerfs, les daims.

♦ **2** (1694 ; «zig-zag», 1583 ; *mettre en la bricole* «tromper», 1440). Jeux. *Coup de bricole :* coup, au billard, où la bille frappe la bande avant de toucher l'autre bille. *Jouer de bricole.*

Vx. *Par bricole :* par raccroc, par ricochet, de seconde main.

C'est que vous m'aviez paru, dans votre lettre, n'être ins- 1
truite (comme vous le dites vous-mêmes) que par bricole (...) Mme DE SÉVIGNÉ, 1362, 26 août 1693.

♦ **3** (1752). Mar. Vx. (Par anal. avec le balancement de la catapulte). Balancement d'un navire dû au poids des manœuvres hautes.

♦ **4** Mod. et cour. Petit accessoire, petit objet; chose insignifiante. → **Babiole.** *Je ne peux lui faire un gros cadeau, je lui offrirai une petite bricole. Cent mille francs, c'est une bricole pour lui.* → **Rien.** *Il doit me rester une ou deux bricoles à manger.*

2 Enfin le baron, une fois lancé dans ce chemin, ôta son gilet de peau, son corset; il se débarrassa de toutes ses bricoles. BALZAC, la Cousine Bette, Pl., t. VI, p. 271.

3 – Figure-toi que Mlle Suzanne n'est pas venue, cet après-midi! Une mauvaise grippe...
– Si vous voulez que j'en parle à la fille de ma concierge? dit Mme Marthe. Elle s'occupe un peu de couture... elle pourra toujours nous aider pour les bricoles.
H. TROYAT, la Tête sur les épaules, p. 88.

Loc. *Il va lui (t') arriver des bricoles,* des ennuis (iron., de graves ennuis).

*De la bricole :* une chose sans importance (→ Peu* de chose; fam., de la gnognote).

4 – Dis, c'est pas de la bricole, Dédé. Si t'appelles pas ça de l'actualité, je ne sais pas ce qu'il te faut. Ça fait le dixième suicide d'enseignant en deux mois.
Yanny HUREAUX, la Prof, p. 330.

Loc. Argot professionnel. *Travail à la bricole.* → **Bricolier,** 3.

♦ **5** Petit travail; activité, opération insignifiante, sans importance. *Il arrondit ses fins de mois en faisant quelques bricoles à droite et à gauche.* → **Brocante** (vx). *S'occuper à des bricoles. Il me reste quelques bricoles à faire, à terminer, avant de partir.*

**B** (Déverbal de *bricoler*). Action de bricoler. → **Bricolage.** *C'est le roi de la bricole.*

5 Tous bricoleurs! La fonction a désormais dans nos mœurs son crédit, et dans la langue ses lettres patentes. Il paraît que la «bricole» était une machine de guerre, avant que nous ne nommions ainsi une activité qui s'emploie à pallier l'infortune de la paix, à faire de presque rien quelque chose. COLETTE, De ma fenêtre, 19 déc. 1940, p. 46.

**DÉR. Bricoler, bricolier.**

**BRICOLER** [bʀikɔle] v. — 1480; de *bricole.*

**I** V. intr. ♦ **1** Vx. Ricocher; zigzaguer, biaiser.

(1611). Jeux. Jouer de bricole*, au billard.

♦ **2** (Av. 1859). Mod. Gagner sa vie en faisant toute sorte de métiers, ou de petites besognes. *Cet ouvrier n'a pas de métier, il bricole par-ci, par-là* (Académie). *Bricoler dans l'édition.* — Péj. *Il bricole dans la finance* (→ **Magouiller).**

♦ **3** Plus cour. Se livrer à des travaux manuels (aménagements, réparations, etc.). *Il «bricole à ravir, menuise, soude, cloue, ramone»* (Colette).

1 En hiver, après l'angélus, on a le temps de bricoler, n'est-ce pas?
MARTIN DU GARD, les Thibault, t. IV, X, p. 252.

2 Urbain (...) devait bricoler au jardin comme il le faisait ordinairement le dimanche matin.
M. AYMÉ, la Vouivre, p. 122.

3 Je leur proposai de me mettre à leur disposition, quelques heures par jour, pour les menus travaux d'entretien dont toute maison a besoin, si l'on ne veut pas qu'elle tombe en poussière. Bricoler, c'est encore une chose possible, je ne sais pourquoi.
S. BECKETT, Premier amour, p. 14-15.

**II** V. tr. ♦ **1** (1919). Installer, aménager (qqch.) en amateur, pendant ses temps de loisirs et avec ingéniosité. *Elle a bricolé une très belle bibliothèque. Il a bricolé une installation de douches dans sa cuisine. Bricoler un moteur, une pendule.*

Parfois péj. Installer, réparer tant bien que mal.

4 Ces grilles coûtent les yeux de la tête et les trois quarts du temps elles ne servent à rien parce que les ouvriers les bricolent (...)
Roger VAILLAND, 325 000 francs, p. 211.

(Abstrait). *Les députés ont bricolé une loi à la dernière minute.*

Au p. p. *Ça fait un peu bricolé.*

Par ext. Arranger pour falsifier. → **Trafiquer, tripoter.** *Ce meuble «ancien» a été bricolé.*

(...) et puis ma voiture était à moi, je travaillais à mon compte. Le compteur, on le bricole un peu, tu t'en doutes. 5
Robert MERLE, Week-end à Zuydcoote, p. 18.

♦ **2** Techn. *Bricoler un cheval,* lui mettre la bricole.

**DÉR. Bricolage, bricole** (B.), **bricoleur.**

**BRICOLEUR, EUSE** [bʀikɔlœʀ, øz] n. — 1778; de *bricoler.*

♦ **1** Vx. Chien qui s'écarte de la piste en faisant des zigzags.

♦ **2** (Av. 1859). Péj. et vx. Personne qui n'a pas d'emploi fixe, qui vit d'expédients.

Vieilli. Personne qui travaille sans goût, sans compétence.

♦ **3** (1938). Cour. Personne qui aime bricoler, se livre à des travaux d'intérieur.

Un bricoleur est rarement indemne de poésie. La France entière est bricoleuse. Une rêverie inventive, un art personnel ont seuls pu créer le petit ciseau à froid que j'ai trouvé un jour, emmanché de cuivre cannelé (...) gravé d'arabesques (...) Adroit, touche-à-tout, indiscret, artiste, industrieux, modeste au fond, vantard en surface (...) Si je fais le portrait du bricoleur type, je fais celui du Français. COLETTE, De ma fenêtre, 19 déc. 1940, p. 43.

Adj. *Des goûts bricoleurs. Population bricoleuse* (→ ci-dessus, cit.).

Abrév. fam. : *bricolo* [bʀikɔlo] n. (1979).

**BRICOLIER** [bʀikɔlje] n. m. — 1751; de *bricole.*

♦ **1** Anciennt. Cheval attelé à côté du cheval de brancard, et qui porte la bricole.

♦ **2** (1926). Rare. Bricoleur (2.).

♦ **3** Argot professionnel. Chauffeur de taxi travaillant chez un petit loueur (travail dit *à la bricole*).

**BRIDAGE** [bʀidaʒ] n. m. — 1867; de *brider.*

Rare. Action de brider*. *Le bridage d'un cheval. Le bridage d'une volaille.* — Manière dont qqch. est bridé.

**BRIDE** [bʀid] n. f. — V. 1223; moy. haut all. *brîdel* «rêne» (cf. aussi l'anc. haut all. *brittil.* → Bretelle).

♦ **1** Pièce du harnais fixée à la tête du cheval pour le diriger, le conduire. → **Bridon; frontail, gourmette, montant, mors, muserolle, œillère, rêne, sous-gorge, têtière.** *Mettre une bride à un cheval. Le bouton* de la bride.*

Rênes. *Tenir un cheval par la bride.*

(...) en tenant la bride du cheval pendant que Germain plaçait son fils sur le devant du large bât (...) 1
G. SAND, la Mare au diable, VI, p. 56.

Loc. *Tenir son cheval en bride,* le maintenir à l'aide de la bride. Fig. *Tenir en bride ses instincts,* les contenir. — *Tenir qqn en bride.* — *La prévision* (cit. 1) *est tenue en bride par la nécessité. Tenir la bride haute, courte à un cheval,* la tirer à soi, la maintenir ferme pour freiner son allure. Fig. *Tenir la bride haute à qqn,* ne pas lui laisser la liberté d'action, ne rien lui céder. — Vx. *Aller bride en main :* marcher doucement, avec prudence; fig., avec circonspection. → **Retenue.**

Une des raisons qui m'a fait aller bride en main. 2
RACINE, Lettres.

Il est bon de lui tenir un peu la bride haute. 3
MOLIÈRE, l'Avare, I, 5.

4 Retiens un peu la bride à tes bouillants désirs.
CORNEILLE, Clitandre, V, 3, variante.

5 À l'attrait de la coquetterie la femme sans argent, et même dénuée, ajoute celui de la liberté d'allures, du franc-parler sans grossièreté, du mépris des conventions bêtes, des brides et du licol.
Léon DAUDET, la Femme et l'Amour, I.

Loc. fam., vx. *Avoir plus besoin de bride que d'éperon,* d'être freiné que d'être excité.

6 Notre esprit assez souvent n'a pas moins besoin de bride que d'éperon (...)
BOILEAU, le Longin, Traité du sublime, II.

*Rendre la bride à son cheval,* le laisser libre de ses mouvements. — Fig. *Lâcher,* (vx) *rendre la bride à qqn. «La populace, toujours barbare quand on lui lâche la bride»* (Voltaire). — *Lâcher la bride à ses passions.*

*Cheval auquel on met, on laisse la bride sur le cou,* qu'on laisse aller librement.

7 La première chose que je fis fut de laisser ma mule aller à discrétion, c'est-à-dire au pas. Je lui mis la bride sur le cou (...) A. R. LESAGE, Gil Blas, I, II, p. 5.

Fig. et cour. *Avoir la bride sur le cou :* être libre, sans contrainte.

8 (...) je ne veux point le fâcher : après lui avoir dit ces raisons, je lui mets la bride sur le cou.
Mme DE SÉVIGNÉ, 269, 27 avr. 1672.

9 (...) en Angleterre les enfants vont seuls, les filles sont leurs maîtresses, l'adolescence a la bride sur le cou.
HUGO, les Travailleurs de la mer, I, III, 13.

(1532, *à bride avallée*). *Aller, courir à bride avalée** (vx), *à bride abattue* (1538); *à toute bride* (1559), en abandonnant toute la bride au cheval.

9.1 On n'apercevait pas la mer qui était encore à deux lieues, mais à tous moments on rencontrait des flocons d'écume filant sur les terres avec une vitesse incroyable, comme ces fuyards ou ces officiers en reconnaissance qui, passant à bride abattue, indiquent qu'on est bien sur le chemin de la grande bataille qu'on ne voit pas encore.
PROUST, Jean Santeuil, Pl., p. 374.

Fig. *À bride abattue :* rapidement; sans retenue.

10 Nous entendîmes, après dîner, le sermon du Bourdaloue, qui frappe toujours comme un sourd, disant des vérités à bride abattue (...)
Mme DE SÉVIGNÉ, 794, 29 mars 1680.

11 (...) je me suis laissée aller à la tentation de parler de moi à bride abattue, sans retenue et sans mesure.
Mme DE SÉVIGNÉ, 1047, 13 nov. 1687.

12 (...) je fus libre de suivre à bride abattue le vol rapide de son imagination insatiable.
A. DE VIGNY, Journal d'un poète, p. 237.

*À toute bride :* très rapidement.

13 (...) la réception de ces lettres était toujours suivie soit d'un abattement qui ne durait jamais plus de quelques heures, soit d'un redoublement de verve qui l'entraînait à toute bride pendant plusieurs semaines.
E. FROMENTIN, Dominique, III.

Fig. et vieilli. *Prendre la bride (de...) :* prendre la direction, le gouvernement. *Prendre les brides du pouvoir.* → **Commandement; barre, gouvernail.**

Cour. *Tourner bride :* rebrousser chemin, revenir sur ses pas; fig., changer d'avis, de conduite.

14 Alors les cavaliers tournaient bride et hâtaient leur galop pour revenir. LOTI, les Désenchantées, I, I, 33.

15 N'est-ce pas là déjà ce qui, dans ce pèlerinage que je fis à la Grande-Chartreuse, à vingt ans, m'en écarta au dernier moment (...) de sorte que, sur le point d'atteindre mon but, je tournai bride et repartis (...)
GIDE, Journal, 22 oct. 1928.

Prov. (vx). *À cheval donné, on ne regarde pas à la bride :* quand on reçoit un cadeau, on ne doit pas regarder au détail.

♦ **2** Lien servant à retenir. *La bride d'une coiffure.* → **Jugulaire, sous-mentonnière.** *La bride d'une combinaison.* → **Bretelle.** *La bride d'une chaussure.*

(...) la vieille Mélanie (...) nouait devant sa glace les brides de son bonnet blanc à bavolet de dentelle (...) 16
FRANCE, le Petit Pierre, XIV.

Elle remonta, sous sa blouse, la bride de la combinaison, qui avait glissé. 17
H. TROYAT, la Tête sur les épaules, p. 16.

Couture. Arceau de fils, de ganse servant à retenir un bouton, une agrafe, ou servant de point d'arrêt; fils rejoignant les motifs d'une dentelle (→ **Barrette**). *Les brides d'un point de France, de Venise.*

Mar. *Bride d'un navire :* étrier métallique servant à lier fortement la quille à l'étambot.

Techn. Collier qu'on serre sur un objet pour retenir les pièces qui le composent; pièce d'assemblage de deux tuyaux. *Bride à emboîtement. Bride en saillie.*

Pathol. Bande de tissu conjonctif fibreux de la peau (cicatrisation anormale d'une plaie, d'une brûlure) ou entre deux surfaces séreuses (du péritoine, de la plèvre), à la suite d'une inflammation.

Anat. Repli cutané ou travée fibreuse reliant deux parties anatomiques. *Bride mongolique.* → **Brider** (p. p., 3.).

DÉR. **Brider, bridon.**

**BRIDER** [bʀide] v. tr. — 1395; «tendre le fil d'une fileuse», XIIIe; de *bride.*

♦ **1** Mettre, attacher la bride à (un cheval). *Brider sa monture, son cheval.*

Il mena la cavale à l'écurie du palais, où il la mit entre les mains d'un palefrenier pour la brider (...) 0.1
A. GALLAND, les Mille et une Nuits, t. II, p. 340.

Pour cent francs par an, elle faisait la cuisine et le ménage, cousait, lavait, repassait, savait brider un cheval, engraisser les volailles (...) 1
FLAUBERT, Trois contes, «Un cœur simple».

Prov. (vx). *Chacun bride sa bête :* chacun se conduit suivant sa fantaisie. *Brider son cheval par la queue :* faire les choses à l'envers.

♦ **2** (Av. 1630). Techn. Serrer avec une bride. *Brider deux tuyaux. Brider une pierre,* l'élinguer.

Mar. Ligaturer (plusieurs cordages) au moyen d'un petit filin.

Couture. Arrêter par une bride.

(1783). Cuis. *Brider une volaille,* ficeler ses membres pour empêcher toute déformation à la cuisson. → **Trousser,** et aussi **bridure.**

Loc. fig. (vx). *Brider la bécasse.* → **Bécasse.**

(1690). Vieilli. *Ce veston me bride,* me serre trop, me gêne.

♦ **3** [a] (XVe). Fig. (Sujet n. de chose ou (plus rare) n. de personne; → cit. 4). Contenir dans son action, dans son développement (un sentiment, un élément du psychisme). → **Freiner, refréner, réprimer.** *Brider l'ardeur de la jeunesse. Brider les désirs, les sentiments de qqn.*

La crainte en moi fait l'office du zèle, bride mes sentiments, et (...) MOLIÈRE, Dom Juan, I, 1. 2

Une douleur fixe me bridait le cœur et me tenait les yeux aussi secs que si je n'eusse jamais pleuré. 3
E. FROMENTIN, Dominique, XVII.

Nous nous laissions aller, vis-à-vis d'Hélène, à une familiarité qu'elle ne tentait pas de brider. 4
COLETTE, l'Étoile Vesper, p. 111.

(Compl. n. de personne). Littér. *Brider qqn dans ses élans.*

Certes, les examens le *(le jeune homme)* brident : «On a tant d'examens à passer avant l'âge de vingt ans, dit Sainte-Beuve, que cela coupe la veine.» 5
F. MAURIAC, le Jeune Homme, p. 12.

**b** Régler (un appareil) de façon à l'empêcher d'atteindre le maximum de ses possibilités. *Brider une soupape; un moteur.*

♦ **4** Étirer de façon à donner l'impression d'être bridé (3.). *Brider les paupières.*

6 (...) un sourire qui s'allongeait soudain aux coins des lèvres, bridant les paupières, plissant les tempes (...)
MARTIN DU GARD, les Thibault, t. VI, p. 62.

◆ **BRIDÉ, ÉE** p. p. adj.

♦ **1** *Cheval sellé et bridé.*

♦ **2** (1534). *Oie bridée, oison bridé,* à laquelle (auquel) on a passé une plume dans le bec pour l'empêcher de traverser les haies et clôtures. Fig. et vx. (1611, *oison bridé*). *Oie bridée, oison bridé :* personne niaise et docile.

♦ **3** (1797). *Yeux bridés :* yeux caractéristiques de nombreux Asiatiques, présentant à l'angle interne un repli cutané qui retient comme une *bride* la paupière supérieure quand l'œil est ouvert. Par ext. Dont les paupières sont comme étirées latéralement. *Ces lunettes «derrière lesquelles deux petits yeux bridés papillotaient»* (Martin du Gard).

6.1 Enfin on y voyait aussi (...) des Turcomans, avec ces yeux bridés auxquels semble manquer la paupière, — tous enrôlés sous le drapeau de l'émir (...)
J. VERNE, Michel Strogoff, p. 264.

6.2 (...) l'œil *(des Japonais)* est libre dans sa fente (qu'il emplit souverainement et subtilement), et c'est bien à tort (par un ethnocentrisme évident) que nous le déclarons *bridé;* rien ne le retient, car inscrit à même la peau, et non sculpté dans l'ossature, son espace est celui de tout le visage.
R. BARTHES, l'Empire des signes, p. 135.

Par métonymie. Terme raciste. *Les bridés :* les Asiatiques.

♦ **4** *Moteur bridé,* dont on a volontairement limité le nombre de tours minute. — *Voilier bridé,* mal réglé, qui ne peut atteindre sa pleine vitesse. (Abstrait). *Une imagination bridée.*

7 Ce qui est vrai, c'est qu'il a l'imagination tellement bridée, que je crois qu'il n'en reviendra pas sitôt.
Mme DE SÉVIGNÉ, 153, 8 avr. 1671.

8 Un jésuite bridé entre les menaces de la Société et l'inclination naturelle qui lui fait admirer la mémoire de son oncle *(de Descartes).*
Mme DE SÉVIGNÉ, 842, 14 août 1680.

CONTR. **Débrider, encourager, exciter, libérer.** ◇ DÉR. **Bridage, bridure.** → COMP. **Débrider.**

1. **BRIDGE** [bʀidʒ] n. m. — 1892; mot angl. — sans rapport avec *bridge* «pont» —, adapt. d'un mot levantin : le jeu vient de Russie *(biritch),* puis de Turquie *(britch),* passe en Angleterre (1875), aux États-Unis, puis en France.

Jeu de cartes, issu du whist, qui se joue à quatre (deux contre deux), avec 52 cartes, et qui consiste, pour l'équipe qui (après les annonces) a fait la plus forte enchère, à réussir le nombre de levées correspondant (à remplir son contrat). *Le bridge* plafond *est à peu près abandonné pour le bridge* contrat. *Partie, méthode de bridge. Jouer au bridge. Faire un bridge. Faire le mort** (cit. 18) *dans une partie de bridge. Compter les points au bridge. Faire le chelem*, le trick*, contrer*, surcontrer* au bridge. Tournoi de bridge. Champion de bridge.*

DÉR. **Bridger, bridgeur.** ◇ HOM. 2. **Bridge,** formes du v. **bridger.**

2. **BRIDGE** [bʀidʒ] n. m. — 1901, *in* Höfler; mot angl. «pont».

Appareil de prothèse* dentaire servant à maintenir une dent artificielle, en prenant appui sur des dents solides. *Bridge amovible,* fixé au moyen de tenons aux dents «d'ancrage», et amovible pour éviter de les ébranler.

HOM. 1. **Bridge,** formes du v. **bridger.**

**BRIDGER** [bʀidʒe] v. intr. [CONJUG.: *bouger.*] — 1906; de 1. *bridge.*

Jouer au bridge. *Ils vont bridger chez des amis.*

Elle avait dû se reposer ces deux jours, sans lui, lui qui l'obligeait trop souvent à sortir; elle avait dû bridger avec ses amis, s'occuper de son appartement, lire ce nouveau livre (...)
F. SAGAN, Aimez-vous Brahms ?, p. 80.

**BRIDGEUR, EUSE** [bʀidʒœʀ, øz] n. — 1893; de 1. *bridge.*

Joueur, joueuse de bridge. *Un excellent bridgeur. Elle est meilleure bridgeuse que son frère.* — Adj. *La haute société formaliste et bridgeuse* (→ **Débutant,** cit. 3, Morand).

**BRIDON** [bʀidɔ̃] n. m. — 1611; de *bride.*

Bride légère à mors brisé et articulé.

Après avoir bu les chevaux repartaient en trottant, par deux, les hommes courant au milieu, jurant après eux et s'amusant à se suspendre aux bridons, on pouvait entendre le bruit des sabots sur la boue gelée (...) 1
Claude SIMON, la Route des Flandres, p. 9.

La main au bridon, le palefrenier menait la bête. Le matin était parfumé de lavande. 2
J. GIONO, Naissance de l'Odyssée, p. 68.

**BRIDURE** [bʀidyʀ] n. f. — 1421, «défaut d'une étoffe qui fait un pli»; 1773, t. de mar.; de *brider* «ficeler (une volaille, etc.)».

Technique.

♦ **1** Cuis. Lien servant à brider une volaille, une pièce de gibier, etc.

Un cochon de lait à l'estouffade, servi dans une feuille de bananier (...) sa bridure faite d'une liane de vanille et d'un brin de mancenillier.
B. CENDRARS, Bourlinguer, p. 198.

♦ **2** Mar. Réunion de deux cordages (parfois plus) par plusieurs tours serrés d'un cordage plus mince.

1. **BRIE** [bʀi] n. m. — 1643; pour *fromage de (la) Brie,* province de France.

Fromage fermenté à pâte molle et croûte moisie. *Une roue de brie. Tranche de brie. — Quart de brie* (fig. et fam.) : grand nez.

HOM. **Bri,** 2. **brie, bris.**

2. **BRIE** [bʀi] n. f. — 1700; cf. *broie* au XIIIe; de *brier*,* var. normande de *broyer.*

Techn. Anciennt. Pièce de bois utilisée par le boulanger pour façonner la pâte. → **Brié, brier.**

HOM. **Bri,** 1. **brie, bris.**

**BRIÉ, ÉE** [bʀije] adj. — 1857; de *brier.*

Vx. *Pain brié :* pain à mie très dense, fait en Normandie.

HOM. **Briée, brier,** 1. **briller,** 2. **briller.**

**BRIÉE** [bʀije] n. f. — 1811; de *brier.*

Vx. Quantité de pâte travaillée en même temps à la brie (→ 2. **Brie).**

HOM. **Brié, brier,** 1. **briller,** 2. **briller.**

**BRIEF, BRIÈVE** [bʀijɛf, bʀijɛv] (forme anc. de *bref*). → 1. **Bref.**

**BRIEFER** [bʀife] v. tr. — V. 1970; de *briefing*.

Anglic. Mettre au courant par un «briefing». *Le directeur a briefé ses collaborateurs. «Aller "briefer" sur ce sujet le shah d'Iran»* (*l'Express*, 21 janv. 1978, p. 59). — REM. Ce verbe, dont l'orthographe n'est pas même francisée, relève du discours à la mode, journalistique et publicitaire; cependant, il correspond à l'absence d'un verbe français signifiant «informer collectivement pour une action». → Informer. On a proposé l'équivalent *breffer*.

Chaque capitaine qui accepte de faire ce travail d'espion pour la France a été briefé, formé par nos techniciens.
Philippe BERNERT, S. D. E. C. E. Service 7, p. 129.

HOM. **Briffer.**

**BRIEFING** [bʀifiŋ] n. m. — V. 1945; mot angl., de *to brief* «donner des instructions», de *brief* «lettre, note», emprunté au franç. → 2. Bref.

♦ **1** Aviat. Réunion où les équipages reçoivent, avant de partir en mission, les dernières instructions. — Par ext. Réunion analogue, dans l'armée.

1 — Ouvrez vos oreilles, je vais vous faire un briefing.
Toujours perché sur sa caisse, il rejeta la tête en arrière pour brailler :
— Sous-officiers! Rassemblement! Grouillez-vous!
Pierre GOMBERT, le Prix d'un taxi, p. 143.

♦ **2** (1951). Cour. Réunion d'information, mise au point de dernière minute entre personnes devant accomplir une même action.

2 Excusez-moi de vous faire un briefing, mais n'est-ce pas ainsi que se résume votre situation?
Cecil SAINT-LAURENT, les Passagers pour Alger, p. 275.

Discours par lequel les informations sont présentées. *Il nous a fait un briefing d'une demi-heure.*

REM. Ce mot appartient surtout au langage commercial, publicitaire et journalistique, particulièrement marqué par le snobisme anglicisant. Les équivalents proposés *exposé*, *pré-exposé*, etc. ne conviennent guère. *Bref*, n. m., ou *breffage*, n. m., semblent plus souhaitables.

DÉR. **Briefer.**

**BRIER** [bʀije] v. tr. — 1180; forme normande de *broyer*.

Techn. Écraser (la pâte à pain) avec la brie*.

DÉR. **Brie, brié, brioche.** ◊ HOM. **Brié, briée, 1. briller, 2. briller.**

**BRIÈVEMENT** [bʀijɛvmɑ̃] adv. — V. 1130; aussi *briefment*, de *brief*. → 1. Bref.

♦ **1** En peu de mots. → **Compendieusement, succinctement.** *Expliquer, raconter brièvement qqch. Donner brièvement un ordre, une consigne.*

Nous avons montré, aussi brièvement qu'il est possible (...)
SAINT-SIMON, Mémoires, 372, 198.

♦ **2** Rare. En peu de temps, rapidement. *«Une étoile filante raya brièvement le haut du ciel»* (Colette).

CONTR. **Longuement.**

**BRIÈVETÉ** [bʀijɛvte] n. f. — V. 1265; *brietez*, 1211; de *brief* (→ 1. Bref), var. anc. *brévité*.

♦ **1** Courte durée. *La brièveté de la vie, du temps. La brièveté d'un règne.*

1 C'était le sentiment de la brièveté du temps qui nous restait à passer ensemble.
LAMARTINE, Graziella, XVII, 145.

2 (...) des conceptions de durée un peu écrasantes pour nos brièvetés humaines.
LOTI, Figures et Choses..., p. 88.

3 Ce plaisir lui avait rendu les malheurs de la vie comme indifférents, sa brièveté illusoire.
A. MAUROIS, Études littéraires, t. I, Proust, p. 117.

♦ **2** Concision* dans l'expression, le langage. → **Laconisme.** *La brièveté d'une déclaration, d'un ordre. La brièveté de ses phrases. S'exprimer avec brièveté*, brièvement. — Par ext. Rare. *Brièveté du ton.* → **Brusquerie.**

La brièveté sous laquelle gémit nécessairement une matière si féconde, me fera supprimer une infinité de passages. 4
SAINT-SIMON, Mémoires, 372, 181.

*La brièveté d'une voyelle* (voyelle brève). → **Brévité.**

♦ **3** Littér. (1549, *breveté*). Petitesse* (→ **1. Bref, I., 1.**).

Il restait petit de corps et remédiait à la brièveté de sa taille par la hauteur de sa pensée. 5
FRANCE, la Vie en fleur, VI.

CONTR. **Ampleur, longueur; durabilité, durée, éternité, longévité, pérennité, perpétuité. — Prolixité, verbosité. — Douceur, onction. — Grandeur, hauteur.**

**BRIFAUD, BRIFAUT** [bʀifo] n. m., **BRIFE** [bʀif] n. f., **BRIFER** [bʀife] v., **BRIFETON** [bʀiftɔ̃] n. m., **BRIFETONNER** [bʀiftɔne] v., **BRIFEUR, EUSE** [bʀifœʀ, øz] n. → **Briffaud, briffe, briffer, briffeton, briffetonner, briffeur.**

**BRIFFAUD** [bʀifo] n. m. — V. 1223; du rad. onomatopéique *brf*. → Briffer.

Vx et fam. Personne qui mange gloutonnement (var. : *brifaud, brifaut, briffaut*). → **Briffeur.**

**BRIFFE** [bʀif] n. f. — 1798; de *briffer*.

♦ **1** Vx et fam. Gros morceau de pain.

♦ **2** Mod. et fam. Nourriture. → **Bouffe.** *Passer à la briffe. L'heure de la briffe.* — REM. On écrit aussi *brife*.

**BRIFFER** [bʀife] v. intr. et tr. — 1530; d'un rad. onomatopéique, évoquant la gloutonnerie. → Briffaud.

♦ **1** Vx. Manger gloutonnement. → **Bâfrer.**

Oh! le bon appétit! Tenez, comme il briffe. 1
DU FAIL, Propos rustiques, XII, *in* LITTRÉ.

♦ **2** (1628). Fam. Manger. → **Becqueter, 2. bouffer, brichetonner, briffetonner.** → Bricheton, cit.; goinfre, cit. 2.

Y a pas à dire, c'est les derniers clops. Et les Frisés n'ont pus *(plus)* qu'dalle. Y a pus grand chose à briffer. Pus de fumée. Pus de becqueter. 2
Jean GENET, Pompes funèbres, p. 57.

Fig. *T'as briffé du lion.* → **Bouffer** (plus cour.).

Calme-toi pépère tu me flanques les foies prends tes petites images bien doucement ma parole t'as briffé du céhéresse *(du C. R. S.)* [...] 3
Tony DUVERT, Paysage de fantaisie, p. 83.

REM. On écrit parfois *brifer*.

DÉR. **Briffe, briffeton, briffeur.** — V. aussi **Briffaud.** ◊ HOM. **Briefer.**

**BRIFFETON** [bʀiftɔ̃] n. m. — 1916; de *briffer*, probablt d'après *bricheton*.

Fam. et vieilli. Pain; par ext., nourriture. → **Bricheton, briffe.** — REM. On écrit aussi *brifeton, brifton*.

DÉR. **Briffetonner.**

**BRIFFETONNER** [bʀiftɔne] v. intr. et tr. — 1916; de *briffeton*.

Fam. et vieilli. Manger. → **Briffer, brichetonner.** — REM. On écrit aussi *brifetonner, briftonner*.

**BRIFFEUR, EUSE** [bʀifœʀ, øz] n. — 1611; de *briffer*.

Vx, fam. Personne qui mange gloutonnement. → **Bâfreur, briffaud.** — REM. On écrit aussi *brifeur*.

**BRIGADE** [brigad] n. f. — V. 1370; ital. *brigata* «troupe» (→ Brigand), de *briga* «lutte» (→ Brigue), probablt par l'interm. du v. *brigare*, au sens de «aller en troupe», que P. Guiraud rattache au gotique **brikan* «briser», exprimant l'idée de «morceau, partie». → Broyer.

♦ **1** Vx (langue class.). Troupe.

1 Le péril approchait, leur brigade était prête.
CORNEILLE, le Cid, IV, 3.

Hist. littér. Premier nom du groupe de poètes devenu la *Pléiade**, au XVIe siècle.

♦ **2** (V. 1650). Unité composée de deux régiments (jusqu'en 1914, pour l'infanterie et 1940, pour la cavalerie); de nos jours, Unité tactique à l'intérieur de la division. *La division compte le plus souvent trois brigades. Général de brigade. Brigade aérienne. Demi-brigade.* → **Régiment.** *Les régiments actuels sont groupés en divisions* et non plus en brigades. Brigade d'infanterie, de cavalerie.* — Loc. *Ce régiment fait brigade, est de brigade avec cet autre. Brigades internationales :* formations de volontaires qui combattirent aux côtés des républicains pendant la guerre civile espagnole.

1.1 À la tête des Brigades internationales, qu'il «épurait», le communiste français André Marty devenait le «boucher d'Albacete».
Raymond ABELLIO, Ma dernière mémoire, t. II, p. 280.

Par ext. (généralt au plur.). Nom que se donnent certains groupements se réclamant d'une organisation militaire. *Brigades rouges* (ital. *brigate rosse*) : organisation terroriste italienne fondée en 1970 (→ **Brigadiste**). *Brigades autonomes.*

♦ **3** (1835). Petit groupe d'hommes réunis sous les ordres d'un chef. *Une brigade de douaniers, de gardes forestiers.*

Spécialt. Unité de gendarmerie la plus petite. *Il existe une brigade de gendarmerie dans chaque chef-lieu de canton.* — Territoire administré par une brigade de gendarmerie.

Subdivision de la police. *La brigade des jeux, la brigade des mœurs. Brigade mondaine. Brigade anti-gang.*

2 On m'a demandé souvent, en me parlant de mes débuts et de mes différents postes :
— Avez-vous fait la police des mœurs aussi?
On ne l'appelle plus ainsi aujourd'hui. On dit pudiquement la «Brigade mondaine».
G. SIMENON, les Mémoires de Maigret, p. 119.

3 Une fois, la police est arrivée chez elle au milieu d'une réunion (...) avec une fausse dénonciation prévenant la brigade des mœurs.
A. ROBBE-GRILLET, la Maison de rendez-vous, p. 20.

Équipe (de travailleurs). *Une brigade de cantonniers, de balayeurs. Chef de brigade. Brigade volante,* qui n'est pas affectée à un poste fixe et qui intervient en fonction des besoins.

Techn. (cuis.). Équipe de cuisiniers (rôtisseur, saucier, entremétier...), de commis et d'apprentis, dirigée par un *chef de brigade.*

DÉR. et COMP. **Brigadier, embrigader. — Demi-brigade.**

**BRIGADIER** [brigadje] n. m. — 1640, Oudin; de *brigade.*

**I** Milit. ♦ **1** Anciennt. Celui qui commandait une brigade.

Mod. Officier supérieur dans certaines armées. *Brigadier général.* Fam. Général de brigade.

♦ **2** **a** Celui qui a, dans la cavalerie, l'artillerie et le train des équipages, le grade le moins élevé (correspondant à caporal). *Brigadier-chef :* militaire du grade immédiatement supérieur à brigadier.

Quand il choisissait l'étoffe d'un pantalon pour son esca- 1
dron, il fixait sur le brigadier tailleur un regard capable de déjouer Talleyrand (...)
PROUST, le Côté de Guermantes, Folio, t. I, p. 157.

**b** Chef d'une brigade (de gendarmes, de policiers, de gardes forestiers, de cantonniers, de douaniers). *Brigadier des douanes, de gendarmerie.*

Ma chronique devait se trouver en page quatre. Effecti- 2
vement, l'un des agents, après être allé la montrer au brigadier, revint vers moi, avec une moue peu convaincue.
A. BLONDIN, Monsieur Jadis, p. 180.

En appellatif :

Brigadier, répondit Pandore, 3
Brigadier vous avez raison.
G. NADAUD, les Deux gendarmes.

♦ **3** Mar. Premier matelot.

**II** Techn. (théâtre). Bâton qui sert à frapper les trois coups annonçant le début d'une pièce de théâtre (dans les formes traditionnelles de théâtre).

COMP. **Sous-brigadier.**

**BRIGADISTE** [brigadist] n. — V. 1975; ital. *brigadisto,* plur. *brigadisti,* de *brigata* (dans *brigate rosse ;* → Brigade).

Polit. Membre des Brigades* rouges (italiennes).

**BRIGAND, ANDE** [brigɑ̃, ɑ̃d] n. — 1350; ital. *brigante* «qui va en troupe», de *brigata.* → Brigade, brigue.

♦ **1** N. m. Vx. Soldat n'appartenant pas à l'armée régulière.

♦ **2** N. m. (Fin XVe). Homme qui pratique le brigandage*. → **Bandit, coupe-jarret, malandrin, malfaiteur, pillard, voleur.** *Une troupe, une bande*, une horde de brigands. Un nid, un repaire de brigands. Une caverne de brigands. Un chef de brigands. Brigands qui brûlaient les pieds de leurs victimes.* → **Chauffeur.** *Les brigands rançonnaient, détroussaient leurs victimes. Brigand du Sud de la France.* → 2. **Barbet** (cit.). *Brigand des montagnes grecques.* → **Clephte.** *Région infestée de brigands.*

Le roi Jean, délivré, vécut encore quatre ans qu'il passa à 1
nettoyer le pays des brigands qui l'infestaient.
J. BAINVILLE, Hist. de France, VI.

(...) les cheveux hirsutes, la barbe longue, le corps cras- 2
seux et pouilleux, ils présentaient l'aspect de bandes de brigands «toute la *ladrerie* de Provence et de Languedoc» écrira, des soldats d'Italie, le poète Alfieri.
Louis MADELIN, Hist. du Consulat et de l'Empire, Ascension de Bonaparte, II, p. 47.

Ils *(ma grand-tante et mes grands-parents)* hébergeaient 3
— avec la parfaite innocence d'honnêtes hôteliers qui ont chez eux, sans le savoir, un célèbre brigand — un des membres les plus élégants du Jockey Club (...)
PROUST, Du côté de chez Swann, Pl., t. I, p. 15-16.

REM. Sans être vieux, le mot ne s'applique guère aux activités criminelles modernes (→ Criminel, gangster, truand); on le réserve à des contextes historiques ou exotiques. — Spécialt (hist.). Nom donné aux membres de bandes armées, insurrectionnelles ou de résistance, par leurs adversaires, par l'armée régulière, etc. (en 1789-1790, aux paysans qui attaquaient les châteaux, en 1793, aux Vendéens, etc.).

Loc. fig. *Histoires de brigands :* histoires invraisemblables et forgées (→ Contes à dormir* debout, contes bleus...).

REM. Le fém. *brigande* employé au XVIe s. (Amyot) se trouve encore dans Mirabeau (*in* Littré), et est encore usité au XXe s. dans des emplois littéraires.

Dans la forêt avec sa bande 4
Schinderhannes s'est désarmé
Le brigand près de sa brigande
Hennit d'amour au joli mai (...)
APOLLINAIRE, Alcools, p. 122.

5 Ne disait-on pas qu'il se cachait dans la montagne en compagnie d'une brigande dont les exploits terrorisaient les voyageurs?
P. MAC ORLAN, l'Ancre de miséricorde, p. 105-106.

♦ **3** Homme malhonnête. → **Bandit, requin.** *«Les négriers du commerce et les brigands des banques»* (Huysmans, *in* T. L. F.).

Par plais. Fam. (à l'adresse d'un enfant). *Petit brigand!* : petit coquin. → **Bandit, chenapan, coquin, vaurien.** *Brigand, veux-tu me rendre ce que tu m'as pris!*

REM. En ce sens, le fém. est courant. *Ah, la petite brigande!*

(Avec une nuance admirative). *Ah, le brigand, il a encore réussi, il a encore gagné! Quel brigand!*

6 Que tu es joli, mon amour!... Oh! ta petite frimousse! (...) Et ces yeux là... ces grands yeux polissons, petit brigand?
O. MIRBEAU, le Journal d'une femme de chambre, p. 331.

REM. Tous ces emplois sont analogues à ceux de *bandit* et de *coquin*.

DÉR. **Brigandage, brigandeau, brigander, briganderie, brigandine.**

**BRIGANDAGE** [bʀigɑ̃daʒ] n. m. — 1410; de *brigand.*

♦ **1** Crime commis avec violence et à main armée, par des malfaiteurs, le plus souvent réunis en bande. → **Pillage, pillerie, vol.** *Acte de brigandage. Exercer le brigandage. Réprimer, supprimer, combattre le brigandage.*

1 Un bois plein de voleurs est un plus sûr passage;
Dans ces lieux jour et nuit ce n'est que brigandage.
J.-F. REGNARD, le Joueur, I, 7.

*Brigandage sur mer.* → **Piraterie.**

2 Tu céderas ou tomberas sous ce vainqueur, Alger, riche des dépouilles de la chrétienté (...) nous verrons la fin de tes brigandages (...) et la navigation va être assurée par les armes de Louis.
BOSSUET, Oraison funèbre de Marie-Thérèse d'Autriche.

♦ **2** Par exagér. Acte de grande malhonnêteté et d'injustice. → **Concussion, déprédation, exaction, rapine.** *Ce régime ne subsiste que par le brigandage.*

3 Une compagnie, qui, dans son administration indienne, n'a subsisté que d'un secret brigandage.
VOLTAIRE, Précis du siècle de Louis XV, 35.

4 (...) le brigandage du négoce (qu'il faut bien distinguer du commerce) [...]
JAURÈS, Hist. socialiste..., t. VIII, Le gouvernement révolutionnaire, p. 152.

**BRIGANDEAU** [bʀigɑ̃do] n. m. — 1542, Estienne; de *brigand.*

Vieilli. Brigand de petite envergure. → **Fripon.** — (À l'adresse d'un enfant). Petit coquin. *Figaro traite Chérubin de brigandeau.*

**BRIGANDER** [bʀigɑ̃de] v. — 1507; de *brigand.*

**I** V. intr. Se livrer au brigandage. *«Des déserteurs brigandant dans les bois»* (H. Pourrat, *in* T. L. F.).

**II** V. tr. (Vx). S'emparer par brigandage de (qqch.). → **Ravir.**

Qu'importe combien il a brigandé de royaumes.
MALHERBE, Trad. des Bienfaits de SÉNÈQUE, VII, 2.

Régional (Suisse). Maltraiter, brutaliser (qqn, un animal). — Surmener (une bête). — V. pron. *Se brigander* : se surmener.

**BRIGANDERIE** [bʀigɑ̃dʀi] n. f. — 1534; de *brigand.*

Rare. Acte de brigandage*.

**BRIGANDINE** [bʀigɑ̃din] n. f. — 1411; de *brigand* «soldat» ou p.-ê. à expliquer par l'étym. gotique **brikan* «briser», d'où le sens initial possible «cuirasse rompue».

Anciennt. Corselet d'acier en usage aux XVe et XVIe siècles. *«La brigandine venue d'Italie remplace le haubert»* (Réau).

**BRIGANTIN** [bʀigɑ̃tɛ̃] n. m. — 1360; aussi *brigandin;* ital. *brigantino,* de *brigante.* → Brigand.

Mar. Ancien navire à deux mâts, analogue au brick, gréant des huniers carrés.

C'est après-demain que s'embarque la bande joyeuse dans un joli brigantin appareillé de fête (...)
ROUSSEAU, Julie ou la Nouvelle Héloïse, VI, 5.

DÉR. **Brigantine.** — V. aussi 1. **Brick.**

**BRIGANTINE** [bʀigɑ̃tin] n. f. — 1835; *brigandine,* 1480; de *brigantin.*

♦ **1** Mar. Voile trapézoïdale de l'arrière, enverguée sur la corne d'artimon. *Vergue de la brigantine.* — Adj. :

En me voyant reployer ce papier grand comme une voile brigantine (...) 1
G. DUHAMEL, Scènes de la vie future, I.

♦ **2** (XVe; d'abord «brigantin à rames»). Anciennt. Petit navire à voile de la Méditerranée.

Sur le bureau : longues-vues, sextants et petites maquettes de vaisseaux anciens : brigantines, goélettes (...) 2
Régis DEBRAY, l'Indésirable, p. 147.

**BRIGHT** [bʀajt] **(MAL, MALADIE DE).** → **Néphrite.**

**BRIGHTIQUE** [bʀajtik] adj. — 1890; de *Bright,* nom du médecin qui décrivit cette maladie.

Méd. Relatif au mal de Bright. → **Néphritique.**

**BRIGHTISME** [bʀajtism] n. m. — 1877; de *Bright,* médecin anglais.

Méd. (vx). Néphrite chronique.

**BRIGNOLE** [bʀiɲɔl] n. f. — Av. 1615; de *Brignoles,* ville de Provence.

Prune séchée provenant de Brignoles. → **Pruneau.**

**BRIGNOLET** [bʀiɲɔlɛ] n. m. — 1876; de *brignon* «pain pour les chiens»; de *bren* «son», dér. dial. (Nord, Flandre).

Argot fam. Pain; bricheton. *«Une croûte de brignolet»* (Huysmans).

**BRIGUE** [bʀig] n. f. — 1477; «dispute», 1314; ital. *briga* d'orig. incert.; P. Guiraud le rattache au gotique **brikan,* par l'idée de «briser».

Vieux ou littéraire.

♦ **1** Littér. (ou style soutenu). Manœuvre secrète consistant à engager des personnes dans ses intérêts en vue d'obtenir par faveur quelque avantage ou poste immérité. → **Intrigue.** *Obtenir qqch. par brigue, à force de brigues* (Académie). *Triompher, vaincre par la brigue. Participer à une brigue.*

Vous l'avez eu par brigue, étant vieux courtisan. 0.1
CORNEILLE, le Cid, I, 3.

Ne descendons jamais dans ces lâches intrigues : 1
N'allons point à l'honneur par de honteuses brigues.
BOILEAU, l'Art poétique, IV.

On l'accueille, on lui rit, partout il s'insinue; 2
Et s'il est, par la brigue, un rang à disputer,
Sur le plus honnête homme on le voit l'emporter.
MOLIÈRE, le Misanthrope, I, 1.

Vous n'ignorez pas que tout se fait par brigue et par cabale chez les grands (...) 3
A. R. LESAGE, Gil Blas, VII, 12.

♦ **2** Vx. Action de briguer (qqch.). *«La brigue des emplois»* (Michelet).

(1636). Sollicitation amoureuse.

4 (...) la secrète brigue
Que font auprès de toi don Sanche et don Rodrigue.
CORNEILLE, le Cid, I, 1.

♦ **3** Vx. Ensemble des personnes qui coopèrent au succès d'une brigue (ci-dessus, 1.). → **Cabale, complot, conjuration, conspiration, faction, ligue, parti.** *Une puissante brigue. Former une brigue.*

5 On dit même qu'au trône une brigue insolente
Veut placer Aricie et le sang de Pallante.
RACINE, Phèdre, I, 4.

DÉR. **Briguer.**

**BRIGUER** [bʀige] v. tr. — 1518; «se quereller», 1478; de *brigue.*

Vieux ou littéraire.

♦ **1** Vx. Tenter d'obtenir par brigue. *«On brigue sourdement la faveur; on demande hautement des récompenses»* (Voltaire). — Absolt. Intriguer.

1 Elle-même a brigué pour me voir souverain.
CORNEILLE, Pulchérie, II, 4.

♦ **2** Mod. (littér. ou style soutenu). Rechercher avec ardeur, empressement. → **Ambitionner, convoiter, poursuivre, rechercher, solliciter.** *Briguer les honneurs, un poste, une dignité, une décoration. Briguer un ministère, un siège dans une société. Briguer les voix, les votes, les suffrages des électeurs. Briguer l'honneur de... Briguer la faveur, la protection de qqn.*

2 (...) De tous les Grecs, je brigue le suffrage.
RACINE, Andromaque, I, 1.

3 Il ne briguait aucune récompense. Les gens vous le reprochent. COCTEAU, le Grand Écart, I.

REM. *Briguer* ne s'emploie plus guère qu'avec des compl. désignant des avantages sociaux ou concrets; ses possibilités d'usage dans la langue classique étaient beaucoup plus étendues.

4 Mourir pour le pays est un si digne sort,
Qu'on briguerait en foule une si belle mort (...)
CORNEILLE, Horace, II, 3.

5 (...) Cette foule d'amants qui brigue sa conquête.
MOLIÈRE, la Princesse d'Élide, I, 1.

DÉR. **Brigueur.**

**BRIGUEUR, EUSE** [bʀigœʀ, øz] n. — 1560; «querelleur», 1373; de *briguer.*

Vx. Personne qui brigue. *«Des brigueurs d'éloge»* (Balzac, *in* Larousse).

**BRILLAMMENT** [bʀijamɑ̃] adv. — 1787; *brillantement,* 1583; de *brillant.*

♦ **1** D'une manière brillante, avec beaucoup de lumière. *Pièce brillamment éclairée, illuminée.*

La scène se passe dans un salon tendu de rouge, brillamment éclairé. E. SUE, *in* Pierre LAROUSSE.

♦ **2** D'une manière brillante, avec éclat et facilité. *Jouer brillamment son rôle. Passer brillamment un examen. Elle a brillamment réussi. Cet article est brillamment rédigé, écrit.*

CONTR. **Médiocrement.**

**BRILLANCE** [bʀijɑ̃s] n. f. — 1928; de *brillant,* avec infl. de l'angl. *brilliancy, brilliance.*

♦ **1** Vx (phys.), ou mod. (astron. et télév.). Luminance. *Brillance apparente (ou subjective).* → **Phanie.** *Brillance radio :* intensité du rayonnement radioélectrique d'un astre — *Amplificateur de brillance. Brillance sonore :* «Aspect de la sensation auditive classant les sons depuis les plus *"brillants"* jusqu'aux plus *"ternes"*» (R. Chocholle, *in* Piéron). *La brillance est d'autant plus élevée que le son comporte plus d'harmoniques supérieurs.*

♦ **2** Littér. Caractère de ce qui est brillant. → **Éclat; brillant,** II., A. (n. m.), **brillement.**

Puis la coloration blanche s'affaiblit, se dilua et l'eau reprit une faible brillance qui rendit le paysage brumeux, à peine distinct. 1
Jean CAYROL, Histoire de la mer, p. 40 (1973).

Si vous savez les dompter, les éléments en furie vous donneront en retour la vivacité du teint, la brillance du regard, la joie de vivre (...) 2
J.-M. G. LE CLÉZIO, le Déluge, VIII, p. 162.

REM. La phrase est extraite d'une publicité radiophonique, dans le roman.

Littér. Reflet brillant.

(...) je demande à aller aux Toilettes, pour renifler le propre, le néon et les brillances du comptoir, pour toucher au gros œuf de savon qui tourne sur son axe chromé (...) 3
A. SARRAZIN, l'Astragale, p. 146 (1965).

♦ **3** Techn. Caractère (d'un liquide), lié à des propriétés optiques, et correspondant à la limpidité. *La brillance d'un vin, d'une bière* (ne contenant plus de matières en suspension).

COMP. **Surbrillance.**

**BRILLANT, ANTE** [bʀijɑ̃, ɑ̃t] adj. et n. m. — 1564; de 2. *briller.*

**I** Adj. ♦ **1** (En épithète, presque toujours après le nom). Qui brille*, soit en émettant, soit en réfléchissant la lumière, et de manière à frapper la vue (par oppos. à *clair, luisant...*). → **Brasillant, clair, coruscant, doré, éblouissant, éclatant, étincelant, flamboyant, fulgurant, luisant, lumineux, lustré, miroitant, phosphorescent, radieux, rayonnant, resplendissant, rutilant, scintillant.** *Un soleil brillant. Les brillantes Pléiades* (cit. 1). *Une constellation, une clarté, une lumière brillante. Un métal brillant. Brillant comme l'acier. Des perles brillantes. Rendre brillant du fil, du coton* (→ **Merceriser).** *Des couleurs, des étoffes brillantes.* → **Chatoyant, miroitant, satiné, soyeux.** — *Brillant de...* (suivi d'un nom qualifiant la source de lumière; → cit. 2).

Ce coteau renferme dans des lits d'argile beaucoup de gypse cristallisé en filets soyeux, brillants, et déliés (...) 1
H. B. DE SAUSSURE, Voyage dans les Alpes, t. I, p. 55.

La rivière qui coulait à mes pieds tour à tour se perdait dans le bois, tour à tour reparaissait brillante des constellations de la nuit, qu'elle répétait dans son sein. 2
CHATEAUBRIAND, le Génie du christianisme, I, V, XII.

À mes vitres scintillantes, 3
Il *(l'hiver)* trace des fleurs brillantes.
BÉRANGER, Hiver.

Le roi brillant du jour, se couchant dans sa gloire, 4
Descend avec lenteur de son char de victoire :
Le nuage éclatant qui le cache à nos yeux
Conserve en sillons d'or sa trace dans les cieux (...)
LAMARTINE, Premières méditations, «La prière».

Ma jeunesse ne fut qu'un ténébreux orage, 5
Traversé çà et là par de brillants soleils (...)
BAUDELAIRE, les Fleurs du mal, «Spleen et idéal», X.

*Yeux brillants, regards brillants.*

Il reprit aussitôt son air flambant, planta dans mes yeux deux yeux froids et brillants comme l'acier (...) 6
Alphonse DAUDET, le Petit Chose, I, XIII.

Deux admirables yeux noirs, veloutés et brillants, éclairaient son visage. 7
MARTIN DU GARD, les Thibault, V, p. 70.

*Brillant de...* (avec un subst. désignant la cause de l'effet produit). *Un visage brillant de fraîcheur. Des yeux brillants de larmes; de fièvre, de plaisir. Un regard brillant de bonheur, de désir, de convoitise.*

(Par transposition au domaine sonore). Qui a de l'éclat. *Son brillant* (opposé à *terne*). → Brillance.

♦ **2** Fig. (en épithète, souvent avant le nom). Qui sort du commun, s'impose à la vue, à l'imagination par sa qualité (dans le domaine des apparences, spectacle, société, etc.). → **Beau; attrayant, éblouissant, éclatant, fastueux, luxueux, magnifique, reluisant, riche, séduisant, somptueux, splendide, superbe.** *Un brillant spectacle, un spectacle brillant, très brillant. Une brillante cérémonie. Une brillante société.*

8 Ainsi parle tous les jours le monde, et le monde le plus brillant et le plus somptueux (...)
MASSILLON, Carême, Aumône.

9 La société était si brillante dans le dix-huitième siècle, elle était si spirituelle, qu'elle était à elle-même son unique point de vue.
VILLEMAIN, Littérature franç., XVIIIe s., II, 2e leçon.

10 Au cours d'une fête splendide que Talleyrand, arrivé avec lui, offrit à la noblesse polonaise, l'Empereur se montra ébloui, et, en tout cas, charmé par la brillante compagnie qu'il y rencontra (...)
Louis MADELIN, Hist. du Consulat et de l'Empire, t. VI, Vers l'Empire d'Occident, p. 237.

*Faire un brillant mariage.* → **Distingué, riche.** *Un parti brillant.*

11 Longtemps Juliette Rondeaux avait dédaigné les plus brillants partis de la société rouennaise (...)
GIDE, Si le grain ne meurt, I, 1.

(En parlant des actions, événements, situations sociales). Qui réussit, a réussi remarquablement. *Une brillante entreprise.* → **Florissant.** *Une situation brillante. Espérer un brillant avenir, une brillante carrière. Faire de brillantes études. — Une brillante réputation.* → **Fameux, glorieux, illustre** (plus forts).

12 La plus brillante fortune ne mérite point ni le tourment que je me donne, ni la petitesse où je me surprends (...)
LA BRUYÈRE, les Caractères, VIII.

13 La voyant dans une situation aussi brillante, je l'ai suppliée de vous envoyer quelques secours.
BERNARDIN DE SAINT-PIERRE, Paul et Virginie.

14 Ce terme ne veut absolument rien dire, et il est d'un pédantisme effarant (...) Cela n'empêchera pas le mot de faire, j'en suis sûr, une brillante carrière.
A. THÉRIVE, Querelles de langage, t. III, p. 167-168.

(En parlant des qualités, des dons, des dispositions d'une personne). *Être en brillante forme, dans une forme brillante.* → **Éblouissant, éclatant.** *Intelligence, imagination brillante. Un brillant esprit.* → **Doué, étincelant, fin, intelligent, pétillant, remarquable, spirituel, vif.**

15 Il y a quelque différence entre un esprit de feu et un esprit brillant : un esprit de feu va plus loin et avec plus de rapidité; un esprit brillant a de la vivacité, de l'agrément et de la justesse.
LA ROCHEFOUCAULD, Réflexions diverses, De la différence des esprits.

Vx (en parlant de la beauté physique).

16 (...) Vos brillants attraits, vos yeux perçants et doux.
MOLIÈRE, les Femmes savantes, V, 1.

Rare (en parlant des apparences physiques) :

17 (...) pourtant j'ai idée que la tâche des maîtres était un peu ingrate devant ces visages dont les plus brillants n'étaient pas ceux qui écoutaient le mieux la leçon (...)
A. MAUROIS, Études littéraires, J. de Lacretelle, t. II, p. 212.

Cour. (en parlant des personnes). Qui réussit avec éclat (intellectuellement, socialement). *Un homme brillant. Un brillant acteur. Un brillant écrivain. Un brillant conférencier, un brillant causeur.* → **Captivant, intéressant.** *Un brillant officier.*

Je le retrouvai brillant, les dames se l'arrachaient. 18
ROUSSEAU, les Confessions, IV.

Ces dignes prêtres ont été mes premiers précepteurs spirituels (...) J'ai eu depuis des maîtres autrement brillants et sagaces; je n'en ai pas eu de plus vénérables (...) 19
RENAN, Souvenirs d'enfance..., Le broyeur de lin, I, p. 29.

(...) un monde où les femmes les plus brillantes affichaient des amants moins respectables que celui-ci (...) 20
PROUST, À la recherche du temps perdu, t. VII, p. 8.

(...) comme il *(Fontainas)* n'a jamais été brillant causeur (moi non plus), il se reforme, à tous instants, de grands silences que l'on ne rompt qu'en se battant les flancs. 21
GIDE, Journal, 17 janv. 1902.

(En parlant des activités et œuvres intellectuelles, artistiques). Qui séduit par ses qualités immédiatement sensibles (parfois légèrement péj.). *Une brillante improvisation. Exécution brillante d'un passage musical.* → **Brio.** *Un style brillant. Une brillante métaphore. Un mot brillant; une page brillante, un discours brillant* (→ Morceau de bravoure*). *Une politique brillante.* → **Habile, intelligent.** *Une brillante démonstration. Son essai est plus brillant que profond.*

(...) persuadé qu'une politique brillante a nécessairement pour résultat une augmentation de forces et de ressources (...) Georges LECOMTE, Ma traversée, p. 363. 22

Il avait soutenu, l'année précédente, une thèse non pas brillante, mais exactement monumentale (...) 23
G. DUHAMEL, Chronique des Pasquier, III, IV.

(Personnes). *Brillant de...* (suivi du nom d'une qualité). *Être brillant de santé.* — Absolt. *Être brillant,* en brillante forme. → **Allègre, dispos, lucide.** *Être brillant de jeunesse, d'enthousiasme.* → **Ardent, brûlant.**

(...) le fils du proconsul s'approcha d'elle, tout brillant de jeunesse (...) 24
FRANCE, Thaïs, II.

REM. En emploi absolu, le mot s'applique à la fois au domaine physique et à l'intellectuel (ci-dessous) :

Mardi dernier, de même, j'étais «brillant». Je veux dire que mes idées circulaient allégrement dans ma tête (...) 25
GIDE, Journal, 5 févr. 1902.

Par euphémisme (négatif). *Le résultat n'est pas brillant,* est médiocre. *Ses affaires ne sont guère brillantes,* guère prospères. *Sa santé n'est pas brillante.* → **Fameux.**

Il allongea ses quarante sous et fit un carton. Ce n'était pas brillant. 25.1
R. QUENEAU, Pierrot mon ami, éd. L. de Poche, p. 21.

Péj. Qui n'attire que par un éclat superficiel. → **Clinquant.** *Des apparences brillantes. Des pensées plus brillantes que justes.* → **Concetti.** *De brillantes promesses.*

**II** N. m. **A** ♦ **1** (1608). Éclat, caractère de ce qui brille. → **Brillance, chatoiement, clarté, éclat, fulgurance, fulguration, lumière, luminosité, lustre, nitescence, phosphorescence, splendeur.** *Le brillant d'un bijou.* → **Feu.** *Le brillant du métal. Des yeux qui ont le brillant de l'acier. Donner du brillant aux cheveux.*

La fine poussière qui ternit le brillant des surfaces horizontales, le bois vernis de la table, le plancher ciré, le marbre de la cheminée, celui de la commode, le marbre fêlé de la commode, la seule poussière provient de la chambre elle-même (...) 25.2
A. ROBBE-GRILLET, Dans le labyrinthe, p. 9-10.

♦ **2** (1636). Fig. *Le brillant d'une cérémonie.* → **Faste, magnificence.** *Le brillant de sa conversation.*

Je n'ai pas manqué (...) de lui faire voir le brillant de cette cour (...) 26
Mme DE SÉVIGNÉ, 788, Mercredi des cendres, 1680.

*Le brillant de la gloire, du succès. Le brillant du style. Préférer le brillant au solide.* → **Apparence, vernis.**

27 Leur gloire a son brillant et ses règles à part.
CORNEILLE, l'Illusion, V, 2.

*Faux brillant* (→ ci-dessous, C.).

Littér. (Personnes). Apparence brillante, prospère.

27.1 Voyons, petite, regarde-moi bien en face. Oui, tu as tout à fait le même regard que ta mère; tu seras pas mal dans quelque temps, quand tu auras pris du brillant. Il faut engraisser, pas beaucoup, mais un peu; tu es maigrichonne.
MAUPASSANT, Fort comme la mort, éd. 1889, p. 68.

**B** ♦ **1** (1671). Le plus souvent au plur., dans l'usage courant. Diamant taillé à facettes. *Un brillant, des brillants. Pierre montée en brillant. Tailler un diamant en brillant.* → **Brillanté, brillanter.** *Les brillants d'une bague. Bijou orné de brillants.* — En appos. *La taille brillant comporte 58 facettes.*

28 L'Impératrice était habillée de satin blanc brodé d'argent et semé de brillants sous le manteau de velours blanc brodé d'or, le front ceint d'un diadème de perles et de diamants (...)
Louis MADELIN, Hist. du Consulat et de l'Empire, t. V, p. 204.

*Un faux brillant* : un diamant faux (→ aussi ci-dessous, C.).

♦ **2** Par métaphore, vx (langue classique) :

29 Mais voyant de ses yeux tous les brillants baisser,
Au monde, qui la quitte, elle veut renoncer (...)
MOLIÈRE, Tartuffe, I, 1.

**C** Loc. Vx (langue class.). **FAUX BRILLANT** : éclat illusoire, effet d'une chose brillante mais sans valeur profonde.

Spécialt (littér.). «Trait mal appliqué» (Furetière, 1690).

REM. L'expression fait interférer le sens A («éclat») et le sens B («diamant») par une métaphore sur le *brillant* (diamant) éclatant mais faux; cette dernière métaphore est surtout sensible au pluriel (cit. 30, 32 et 32.1 ci-dessous).

30 (...) La plus belle couronne
N'a que de faux brillants dont l'éclat l'environne.
CORNEILLE, Héraclius, I, 1.

31 En vain l'ambition qui presse mon courage,
D'un faux brillant d'honneur pare son noir ouvrage.
CORNEILLE, Sertorius, I, 1.

32 *(La pompe fleurie)* De tous ces faux brillants, où chacun se récrie.
MOLIÈRE, le Misanthrope, I, 2.

32.1 Mais on endurcit difficilement un bon cœur, il résiste aux raisonnements d'une mauvaise tête, et ses jouissances le consolent des faux brillants du bel-esprit.
SADE, Justine..., t. I, p. 9.

33 (...) une lucidité de l'esprit qui sépare à l'instant ce qui est digne d'admiration de ce qui n'est que faux brillant.
E. DELACROIX, Écrits, t. II, p. 24.

CONTR. **Éteint, fané, flétri, foncé, froid, mat, obscur, ombreux, pâle, sombre, ténébreux, terne, terni. — Laid, pauvre, repoussant. — Malheureux, triste. — Effacé; médiocre, sot.** ◊ DÉR. **Brillamment, brillance, brillanter, brillantine.**

**BRILLANTAGE** [bʀijɑ̃taʒ] n. m. — Attesté 1947; de *brillanter.*

Techn. Action de brillanter; son résultat. *Le brillantage d'un diamant. — Brillantage du métal, du cuir, d'un tissu.*

(...) ils achètent n'importe quoi (...) de singuliers produits de nettoyage pour la seule satisfaction de voir le marchand de couleurs faire l'article à propos d'un déboucheur de lavabos (...) d'un décapeur de bouilloires (...) d'un tampon de brillantage.
Christine DE RIVOYRE, les Sultans, p. 36.

**BRILLANTÉ** [bʀijɑ̃te] n. m. — 1867; de *brillanter.* Technique.

♦ **1** Étoffe de coton où sont tissés en relief de petits dessins brillants. → **Jaconas.**

♦ **2** Petit diamant taillé en brillant (II., B.).

**BRILLANTER** [bʀijɑ̃te] v. tr. — 1740; de *brillant,* II., B.

♦ **1** Tailler (une pierre précieuse) en brillant.

♦ **2** **a** Littér. et vieilli. Rendre brillant, parsemer de choses brillantes. → **Iriser.**

La lumière qu'elle *(l'émeraude)* lance en rayons aussi vifs que doux, semble, dit Pline, brillanter l'air qui l'environne, et teindre, par son irradiation, l'eau dans laquelle on la plonge. BUFFON, Hist. nat. des minéraux, VI, p. 197. 1

Les blanches clartés des bougies (...) passaient à travers ses boucles soyeuses en les brillantant et y faisant resplendir quelques fils d'or. BALZAC, Béatrix, Pl., t. II, p. 424. 2

Il cherchait partout de quoi monter sa palette, chauffer ses tons, les enflammer, les brillanter. 2.
Ed. et J. DE GONCOURT, Manette Salomon, p. 429.

Vx. *Brillanter son style,* le charger d'images recherchées, le fleurir.

**b** (1871). Techn. Revêtir d'un aspect brillant (par polissage ou autre procédé). *Brillanter une surface métallique.*

◆ **BRILLANTÉ, ÉE** p. p. adj. Taillé en brillant. *Pierre brillantée.* → **Brillanté.** — *Rendu brillant.*

(...) le sol brillanté de réverbérations luisait comme du métal fourbi (...) 3
Th. GAUTIER, le Roman de la momie, I.

*Style brillanté,* fleuri, recherché.

*Coton brillanté* (→ **Jaconas**). *Dentelles brillantées.*

N. m. → **Brillanté.**

CONTR. **Assombrir, obscurcir, ternir.** ◊ DÉR. **Brillantage, brillanté, brillanteur.**

**BRILLANTEUR** [bʀijɑ̃tœʀ] n. m. — Av. 1973, in *la Clé des mots; de brillanter.*

Techn. Substance utilisée pour augmenter la brillance des bains électrolytiques de revêtement.

**BRILLANTINE** [bʀijɑ̃tin] n. f. — 1823; de *brillant,* I.

♦ **1** Vx. Percale brillante servant à doubler les vêtements.

♦ **2** (1867). Mod. Pommade, huile parfumée, servant à donner du brillant aux cheveux. → **Cosmétique.** *Lustrer des cheveux avec de la brillantine.*

La tête de sa voisine pesait lourd sur son épaule, elle sentait le cheveu et la brillantine (...)
SARTRE, le Sursis, p. 155 (1945).

DÉR. **Brillantiner.**

**BRILLANTINER** [bʀijɑ̃tine] v. tr. — 1914; de *brillantine.*

Enduire de brillantine. *Se brillantiner les cheveux.*

(...) ses cheveux noirs qui prenaient des reflets bleus de nuit lorsqu'il les brillantinait. 1
J. CAU, la Pitié de Dieu, p. 26.

Au p. p. *Cheveux brillantinés.*

Cheveux brillantinés, teint mat, sourcils épais, son air bonhomme n'avait rien d'effrayant. 2
Fernand FOURNIER-AUBRY, Don Fernando, p. 210-211.

**BRILLAT-SAVARIN** [bʀijasavaʀɛ̃] n. m. invar. — 1851 «brioche»; du nom de l'écrivain et gastronome.

Fromage triple crème, à pâte molle et à croûte fleurie, fabriqué en Normandie. *Des brillat-savarin.*

**BRILLEMENT** [bʀijmɑ̃] n. m. — 1564; de 2. *briller.* Rare. Fait de briller, d'avoir de l'éclat. → aussi **Brillant** (II., A.). *«Ce brillement des yeux»* (Giono). Reflet, éclat brillant. → **Brillance.**

1. **BRILLER** [bʀije] v. intr. — 1559; ital. *brillare* «s'agiter» (XVe), p.-ê. issu de *prillare* «s'agiter» d'un radical expressif **pir(l)-* «s'agiter, tourner» (→ Pirouette) plutôt que de *beryllus* «béryl».

Vieux.

♦ **1** (1583). Chercher le gibier, en parlant d'un chien de chasse. → **Quêter.**

1 La princesse m'a donné le plus beau petit chien du monde (...) Cela est joli à voir briller et chasser devant soi dans une allée. Mme DE SÉVIGNÉ, 461, 23 oct. 1675.

♦ **2** S'agiter, frétiller, aller et venir.

2 (...) ne croyez pas que nous puissions (...) nous accoutumer à ne vous voir plus briller dans cette maison. Mme DE SÉVIGNÉ, 1079, 1er nov. 1688.

REM. Ce sens a été éliminé par la diffusion de 2. *briller.*

HOM. **Brié, briée, brier,** 2. **briller.**

2. **BRILLER** [bʀije] v. intr. — 1564; de même orig. que 1. *briller* (ital. *brillare*) p.-ê. à cause du scintillement tremblant des étoiles.

♦ **1** Émettre ou réfléchir et répandre une lumière vive, qui frappe la vue (à la différence de *luire** [cit. 2]). → **Étinceler, resplendir.** *Briller d'un vif éclat.* → **Éclater** (vx), **radier.** *Briller en éblouissant*, en aveuglant*. Les astres brillent dans le firmament. Briller de mille feux.* → **Scintiller** (→ Astre, cit. 12). *Le feu, le soleil, la lumière brillent. Briller comme le feu.* → **Étinceler, flamboyer, pétiller.** *Briller au soleil.* → **Brasiller, chatoyer, iriser** (s'), **irradier, miroiter, rayonner.** *Les eaux du lac brillent au soleil. Briller et se refléter*. La soie, le satin brillent à la lumière. Briller comme l'or, le diamant.* → **Rutiler.** *Briller comme l'acier. Faire briller qqch.* → **Brillanter, iriser.** — *Briller doucement, de manière atténuée.* → **Luire.**

3 (...) trois lacs qui, sous le dur soleil d'Orient, brillent comme des plaines d'acier. MAUPASSANT, la Vie errante, Tunis, p. 186.

4 Le vin, qui brillait dans son verre ainsi que de l'ambre liquide (...) FRANCE, Histoire comique, XI, p. 184.

5 (...) les vieilles faïences brillaient çà et là sur les murailles (...) LOTI, les Désenchantées, XI, p. 93.

6 Dans le rayon horizontal du soir, la chevelure encore humide et lourde brillait comme une averse illuminée de soleil. Pierre LOUŸS, Aphrodite, I, 21.

7 La toile brilla de tous ses bleus, laissa voir tous les artifices du peintre, comme un visage grimé (...) COLETTE, la Naissance du jour, p. 117.

8 L'extrémité de son poil court et fourni brille, s'irise au soleil comme fait l'hermine. COLETTE, la Paix chez les bêtes, «Nonoche».

Prov. *Tout ce qui brille n'est pas or.* → **Or.**

*Faire briller :* rendre (une surface) polie, luisante. *Faire briller des chaussures, des meubles, un parquet avec du cirage, de la cire, de l'encaustique.* → **Astiquer, briquer, cirer.**

♦ **2** Par ext. (le sujet désigne un élément humain, physique ou psychique). Avoir de l'éclat, être resplendissant. *Son visage brille de joie, de bonheur.* → **Illuminer** (s'), **irradier** (s'), **rayonner.** *Des yeux qui brillent comme des escarboucles.* → **Luire, pétiller.** *Ses yeux brillent de désir, de convoitise.*

9 La jeunesse en sa fleur brille sur son visage. BOILEAU, le Lutrin, I.

10 Triste, levant au ciel ses yeux mouillés de larmes,
Qui brillaient au travers des flambeaux et des armes (...)
RACINE, Britannicus, II, 2.

Ses yeux (...) brillaient de désir en regardant ma montre posée sur la table. 11
FRANCE, Histoire comique, IX, p. 146.

Souvent, je lui disais : «À ma mort, vous me bénirez», rien que pour le plaisir de voir ses yeux briller de convoitise. 12
F. MAURIAC, le Nœud de vipères, IX, p. 117.

(En parlant d'une personne). *Briller de..., par...*

Elle brillait de mille attraits, et ce n'était qu'agrément et que charmes que toute sa personne. 13
MOLIÈRE, les Fourberies de Scapin, I, 2.

Comment bien voir ce qui flotte, brille, étincelle, éblouit? mais elle me semblait plus belle que le rêve et d'un éclat surnaturel. FRANCE, le Livre de mon ami, II, 11. 14

♦ **3** Fig. [a] (Choses). Se manifester avec éclat, se distinguer par quelque qualité brillante. → **Frapper, impressionner, ressortir.**

Il y a de certains défauts qui, bien mis en œuvre, brillent plus que la vertu même. 15
LA ROCHEFOUCAULD, Maximes, 354.

Je ne connais dans tout le recueil de La Fontaine que cinq ou six fables où brille éminemment la naïveté puérile (...) 16
ROUSSEAU, Émile, II.

Car la vérité brille où l'éternité luit (...) 17
HUGO, l'Année terrible, Mars, 4.

[b] Personnes (souvent ironique, dans la langue contemporaine). Se distinguer*, se faire remarquer dans un groupe, dans une société. → **Exceller, réussir.** *Briller dans le monde.* → **Florès** (faire florès). *Briller par son esprit, ses reparties, sa conversation* (→ Faire des étincelles, fam.). *Le désir de briller, d'étaler ses avantages, son luxe.* → **Paraître; éclabousser** (fam.). *Briller à un examen, à un concours. Faire briller qqn,* lui donner l'occasion de faire remarquer ses qualités.

Il allait souvent disputer à des thèses dans les classes de philosophie, et il brillait fort par sa qualité de bon argumenteur (...) FONTENELLE, Varignon. 18

Quand on s'est attendu que je brillerais dans une conversation, je ne l'ai jamais fait. J'aimais mieux avoir un homme d'esprit pour m'appuyer que des sots pour m'approuver. MONTESQUIEU, Cahiers, p. 8. 19

Tel brille au second rang qui s'éclipse au premier. 20
VOLTAIRE, Henriade, I, V.

Je n'avais nulle envie de briller sur ces bancs tachés d'encre, car, à dix ans, j'étais sans ambition. 21
FRANCE, le Petit Pierre, XXXIV.

Non seulement elle se retirait sans cesse et s'effaçait chaque fois qu'il aurait fallu briller (...) 22
GIDE, Si le grain ne meurt, I, 1.

— J'ai connu des gens très brillants, très brillants (...) 22.1
— Que faisaient-ils ces gens brillants?
— Ils brillaient beaucoup! (...)
— Et où brillaient-ils ces gens brillants? (...)
— Ils brillaient en société, ils brillaient dans les salons!... Ils brillaient partout! (...)
— Ah! Mon cher, il n'y en a plus de ces gens qui brillent... *(on le voit disparaître par la droite, on l'entend)* cela a disparu. Je n'en connais plus que deux, aujourd'hui... de ces gens brillants... (...) ...plus que deux. L'un est à la retraite, et l'autre est décédé! IONESCO, Tueur sans gages, II.

Fam. (en emploi négatif; → Brillant). *Il ne brille pas par le courage :* il est plutôt peureux. Loc. *Il brillait par son absence* (cit. 2).

Brutus et Cassius brillaient par leur absence. 23
M.-J. DE CHÉNIER, Tibère, I, 1.

*Faire briller qqch. aux yeux de qqn.* → **Miroiter** (faire miroiter), **promettre.** *Faire briller ses avantages.* → **Étaler, manifester, montrer.**

CONTR. **Assombrir** (s'), **éteindre** (s'), **flétrir** (se), **obscurcir** (s'), **pâlir, ternir.** — **Disparaître, éclipser** (s'), **effacer** (s'). ◊ DÉR. **Brillant, brillement.** — HOM. **Brié, briée, brier,** 1. **briller.**

**BRIMADE** [bʀimad] n. f. — 1818, «action de brimer»; de *brimer.*

Épreuve* vexatoire, souvent aggravée de brutalité, que les anciens imposent aux nouveaux dans les régiments, dans les écoles (→ Amadouer, cit. 5). *Les brimades d'un bizutage*.* → **Épreuve.**

Par ext. Vexation, avanie.

1 Toujours un peu humiliant pour celui qui en est l'objet, le rire est véritablement une espèce de brimade sociale.
H. BERGSON, le Rire, III, 1.

2 Ce que j'ai souffert jeune femme, les brimades qu'invente la jalousie, la claustration, et tout ce que la solitude d'un château en Armagnac autorise de supplices cachés, de vengeances impunies, on en pourrait faire un roman (...)
F. MAURIAC, la Pharisienne, p. 45.

CONTR. **Cajolerie, caresse, flatterie.**

**BRIMBALEMENT** [bʀɛ̃balmɑ̃] n. m. — 1564, *brimballement;* de *brimbaler.*

Fam. et vieilli. Balancement, ballottement, agitation. «*Dans un brimbalement de bouteillons et de bidons*» (Dorgelès). → **Bringuebalement.**

**BRIMBALANT, ANTE** [bʀɛ̃balɑ̃, ɑ̃t] adj. → **Bringuebaler** (bringuebalant).

**BRIMBALER** [bʀɛ̃bale] v. — Av. 1544, «s'agiter»; en 1440, «jouir d'une femme»; formation expressive issue d'un croisement entre *baller* «danser» (→ Trimballer) et les mots en *bri-, brimb-* (→ Bribe); cf. le moy. franç. *brimber* «mendier».

Vieilli.

♦ **1** V. tr. Agiter, secouer. *Brimbaler des cloches.*

♦ **2** V. intr. Osciller de manière irrégulière. «*Sa gamelle qui brimbalait*» (Dorgelès). — REM. On écrit aussi *brimballer.*

Elle tenait à deux mains un petit plateau chargé d'une tasse, d'une cafetière, d'un pot à lait et d'une assiette tapissée de tartines. Et cette vaisselle brimballait à chaque mouvement. H. TROYAT, le Vivier, p. 80.

REM. Dans ses deux emplois, ce verbe a vieilli; il est supplanté par *bringuebaler*.*

DÉR. **Brimbalement. V. Bringuebaler.**

**BRIMBALE** [bʀɛ̃bal] n. f. → **Bringuebale.**

**BRIMBELLE** [bʀɛ̃bɛl] n. f. — 1765, *brinbelle;* mot dial. (Normandie, Provence, Est), du rad. *bri(m)b-* exprimant la petitesse (→ Bribe, brimborion), et suff. *-elle,* p.-ê. sous l'infl. d'*airelle.*

Régional. Myrtille, airelle.

**BRIMBORION** [bʀɛ̃bɔʀjɔ̃] n. m. — 1611; «prière marmottée», v. 1450; altér., par croisement avec *bri(m)be,* de *brebarion,* prononc. anc. du lat. ecclés. *breviarium* «bréviaire».

♦ **1** Surtout au plur. Menu objet de peu de valeur. → **Babiole.**

1 (...) Cent brimborions dont l'aspect importune (...)
MOLIÈRE, les Femmes savantes, II, 7.

2 Les brimborions de la parure causaient à Albertine de grands plaisirs.
PROUST, À la recherche du temps perdu, t. XI, p. 38.

3 Grande interruption dans ces pauvres notes de tous les jours : j'en suis très attristé; il me semble que ces brimborions, écrits à la volée, sont tout ce qui me reste de ma vie, à mesure qu'elle s'écoule.
E. DELACROIX, Journal, 11 mars 1854.

♦ **2** Personne de petite taille, ou qui paraît minuscule.

4 L'agile brimborion, dont la tête, plus grosse que celle de Jenn, égalait en hauteur le restant de l'individu, mit soudain à profit l'indépendance récente de ses mouvements pour se gratter furieusement la barbe (...)
Raymond ROUSSEL, Impressions d'Afrique, p. 92.

5 Le mouvement des humains, en bas, paraît s'accélérer, et sur le quai des brimborions s'empressent.
A. PIEYRE DE MANDIARGUES, la Marge, p. 45.

**BRIMER** [bʀime] v. tr. — 1826; de *brimer* «geler, flétrir», mot dial. de l'Ouest, de *brime,* altér. de *brume* par croisement avec *frime* «frimas», ou p.-ê., selon Guiraud, sens dial. (Normandie) de «battre», de *brim* «mèche de fouet». → Brin.

Soumettre à des brimades. *Les bizuths se plaignent d'avoir été brimés.* — Soumettre à des vexations.

1 Ce qui est pour moi esprit et vie ne saurait apparaître aux collaborateurs de *l'Express,* brimés à cause de moi, que comme une loi stupide, imposée du dehors.
F. MAURIAC, le Nouveau Bloc-notes 1958-1960, p. 407.

2 Que veux-tu, les jeunes, maintenant, veulent vivre leur vie; et je ne peux pas leur donner tort. Nous avons été trop brimés, nous autres, dans notre jeunesse.
Jean-Louis CURTIS, le Roseau pensant, p. 35.

CONTR. **Aider, cajoler, caresser, flatter.** ◊ DÉR. **Brimade.**

**BRIN** [bʀɛ̃] n. m. — 1471; *brain,* v. 1393; orig. incert.; p.-ê. du gaul. **brinos* «baguette»; par analogie avec *jet,* de *jeter,* P. Guiraud suppose un déverbal de *bringuer, bringa* «sauter».

♦ **1** Tige fine (d'une plante) qui sort de terre; pousse grêle et allongée. → **Brindille.** *Un brin d'herbe, de muguet. Un brin de thym, de persil. Désherber, effeuiller brin à brin.*

(...) Arrachez brin à brin
Ce qu'a produit ce maudit grain (...)
LA FONTAINE, Fables, I, 8.

(1611). Sylv. Rejeton qui pousse d'une souche restée en terre après que l'arbre a été abattu. *Tailler les brins d'un taillis.*

*Arbre de brin :* arbre qui n'a qu'une tige d'un seul jet.

Loc. fam. (1718). *Un beau brin de fille :* une fille grande et bien faite (→ Appât, cit. 19). → Une belle plante*. — Rare. *Un beau brin de gars, de garçon.*

*Un joli brin de plume* :* une manière agréable d'écrire (souvent compris au sens abstrait, 5).

Techn. *Bois de brin :* bois équarri, qui n'a pas été scié. *Un chêne de brin. Solives de brin.*

♦ **2** (1471). Filament délié de chanvre, de lin.

Par ext. Filament qui constitue un fil, une corde. *Fil de laine, cordelette à plusieurs brins. Le brin libre d'une corde. Les deux brins d'un fil électrique. Le brin conducteur d'une courroie de transmission.*

♦ **3** Petite partie longue, mince et souple (d'une matière, d'un objet). *Balai de brins de bouleau. Brin de paille.* → **Fétu.** *Natte de brins de jonc tressés.* → Polycolore, cit. *Un brin de laine traîne sur le tapis.* «*Il n'a que quelques brins de cheveux sur la tête*» (Académie). — *Brin de fil liant un écheveau.* → **Centaine.** *Brins d'un câble téléphonique, d'un fil électrique.*

Loc. Techn. *De premier, de deuxième brin :* de première, de deuxième qualité (fibres).

♦ **4** Techn. Partie longue, mince et rigide (d'un objet démontable). → **Élément.** *Brins d'une antenne, d'une canne à pêche.*

♦ **5** (1497). Fig. *Un brin de... :* une parcelle, une quantité infime. — REM. N'est courant que dans quelques expr. *(brin de cour, brin de toilette). Faire un brin de cour à une femme.* → **Doigt.** *Il n'y a pas un brin de vent.* → **Souffle.** *Ne pas avoir un brin d'amitié, d'envie, d'espérance, de raison. Un brin de folie.*

→ **Grain.** *Faire un brin de toilette.* → Plonger, cit. 3. *Un brin de causette.*

2 Cependant, au fond de mon cœur, j'ai un petit brin de confiance.
Mme DE SÉVIGNÉ, 61, 9 déc. 1664.

Loc. adv. *Un brin :* un petit peu. *Pas un brin :* pas du tout. *Tu n'en auras pas un brin. Il est un brin délirant.* → **Tantinet** (un).

3 Ne t'attends pas que je t'aide un seul brin (...)
LA FONTAINE, Contes, IV, 5, «Le diable de Papefiguière».

4 Pas moins, vous devez bien être un brin empêtrée.
A. DE MUSSET, Louison, I, 4.

CONTR. **Masse.** ◇ DÉR. et COMP. **Brindille. Monobrin, multibrin.**

**BRINDE** [bʀɛ̃d] n. f. — 1554; «verre à boire», 1552; altér. de l'all. *bringe dir's* «je te porte (un toast)», doublet de 2. *bringue.* → Brindezingue, 2. *bringue.*

Vx. Action de boire (un toast) à la santé de quelqu'un. → **Toast.** *Faire brindes. Porter des brindes. Être dans les brindes :* être ivre. → **Brindezingue.**

DÉR. **Brinder, brindezingue, 2. bringue.**

**BRINDER** [bʀɛ̃de] v. intr. — 1945, cit.; «boire avec excès», 1588; de *brinde.*

Vx ou régional. Porter un toast.

Alors tout le monde se dressa et on leva les verres. À la plus haute période du banquet, il était de rigueur, chez nous, de brinder en faisant un vœu, puis d'échanger les coupes et de s'embrasser, garçons et filles.
H. BOSCO, le Mas Théotime, I, p. 24.

**BRINDEZINGUE** [bʀɛ̃dzɛ̃g] adj. et n. — Av. 1899; *être dans les brindezingues,* 1756 (encore usité au XIXe : Zola, *l'Assommoir*); déformation argotique de *brinde,* et suff. provenant peut-être de *zinc* (d'un café). → 2. Bringue.

♦ **1** Adj. (Fin XIXe). Fam. Ivre.

♦ **2** Adj. et n. Un peu fou, déséquilibré. *Il est complètement brindezingue. — Un vieux brindezingue.*

♦ **3** N. m. pl. Loc. *Être dans les brindezingues :* être ivre.

**BRINDILLE** [bʀɛ̃dij] n. f. — 1798; *brindelle,* 1551; de *brin,* le *d* d'appui étant inexpliqué.

♦ **1** Branche mince, assez courte (surtout quand elle est sèche, cassée). *Fagot de brindilles.* → 1. **Margotin.**

1 Abondante chute de neige cette nuit (...) La moindre brindille fait support à un faix énorme.
GIDE, Journal, 7 mars 1916.

2 Il faut faire flamme de la moindre brindille.
G. DUHAMEL, Scènes de la vie future, Introd.

Hortic. Le plus court rameau d'une branche à fruit. *La taille des brindilles (d'un arbre fruitier).*

♦ **2** Petit morceau de forme allongée (d'un végétal). *Une brindille de tabac.*

**BRINGÉ, ÉE** [bʀɛ̃ʒe] adj. — 1507, anc. normand; d'un gaul. **brinos* (→ Brin) ou p.-ê. du normand *bringe* «verge», le sens de «rayé» s'expliquerait par les rainures laissées par les lanières du fouet sur la peau.

Régional (Ouest). Tacheté, rayé (du pelage des animaux).

(...) il (...) me propose l'achat d'une «chienne bull bringée gris, toute beauté (...)»
COLETTE, la Vagabonde, p. 38.

Roux taché de noir (pelage). *Vache bringée.*

1. **BRINGUE** [bʀɛ̃g] n. f. — 1808; «cheval mal bâti», 1738; p.-ê. du rad. de *brin;* selon Guiraud, à rapprocher de formes dial. (Jura) comme *bringou* «boiteux», *bringala* «marcher en boitant».

♦ **1** Fam. *Une grande bringue :* une grande fille dégingandée.

(...) elles s'imaginaient que la vente allait mieux chez «la grande bringue d'en face». 1
ZOLA, le Ventre de Paris, t. I, p. 216.

(...) Sigismond (...) s'attarde au voisinage de deux marins 2
américains *(qui)* ont le genre plutôt de la lourde brute que de la bringue élastique.
A. PIEYRE DE MANDIARGUES, la Marge, p. 133.

♦ **2** (1751, Vadé). Fam. et vx. *En bringues :* en morceaux.

♦ **3** Loc. fam. (1936). *À toute bringue :* à toute vitesse, très rapidement. → À tout berzingue*.

2. **BRINGUE** [bʀɛ̃g] n. f. — 1901; «santé, toast», 1611; var. de *brinde*;* Guiraud en fait un dérivé du provençal *bringa* «sauter, boiter». → Brin.

♦ **1** Fam. Beuverie, noce, foire. → **Débauche.** *Faire la bringue, une bringue à tout casser.* → 2. **Bombe; bringuer.**

Il travaille très bien dans les matières colorantes, fait une 1
bringue modeste et régulière (...) c'est un bon petit.
COLETTE, Julie de Carneilhan, p. 73-74.

La femme tiendra la bourse. Une seule bringue par mois, 2
le jour de la foire (...)
Roger VAILLAND, 325 000 francs, p. 75.

♦ **2** (Sens étymologique; germanisme). Régional (Suisse).

a Toast. → **Brinde.**

b Querelle, chicane. Loc. *Être en bringue,* en procès.

La politique, l'argent, le Collège, c'est rien que des brin- 3
gues, des histoires, tout le monde dépose plainte contre tout le monde, on se déteste, on se fait des coups tordus (...)
Jacques CHESSEX, Portrait des Vaudois, p. 20.

c Rengaine, scie. *«On s'est mis à chanter aussi, alouette, la claire fontaine, les bringues du service militaire»* (J. Chessex, *Portrait des Vaudois,* p. 225).

DÉR. **Bringuer.**

**BRINGUEBALANT, ANTE** [bʀɛ̃gbalɑ̃, ɑ̃t] ou **BRINQUEBALANT, ANTE** [bʀɛ̃kbalɑ̃, ɑ̃t] adj. → **Bringuebaler.**

**BRINGUEBALE** [bʀɛ̃gbal] ou **BRINQUEBALE** [bʀɛ̃kbal] n. f. — 1634; *brimballe* «clochette», av. 1593 (de *brimbaler*); de *bringuebaler, brinquebaler.*

Techn. (vx). Levier servant à actionner le piston d'une pompe. — On a dit aussi *brimbale* [bʀɛ̃bal].

REM. Var. graphiques : *bringueballe* et *brinqueballe.*

**BRINGUEBALEMENT** [bʀɛ̃gbalmɑ̃] ou **BRINQUEBALEMENT** [bʀɛ̃kbalmɑ̃] n. m. — XXe; de *bringuebaler.*

Action de bringuebaler; mouvement, bruit de ce qui bringuebale. → **Brimbalement.** *Un brinquebalement métallique* → Verni, cit. 1.

REM. Var. graphiques : *bringueballement* et *brinqueballement.*

Demain j'aurai dormi dans l'odeur d'essence et le brinqueballement des camions.
J.-M. G. LE CLÉZIO, Désert, p. 426.

**BRINGUEBALER** [bʀɛ̃gbale] ou **BRINQUEBALER** [bʀɛ̃kbale] v. 1835, *bringuebaler; brinquebaler,* 1853; renforcement expressif de *brimbaler.*

I V. tr. Vx ou littér. Agiter, secouer. → **Brimbaler.**

0.1 (...) les femmes accourent, secouant et brinquebalant leurs balloches (...)
GIDE, Voyage au Congo, *in* Souvenirs, Pl., p. 722.

**II** V. intr. Mod. Aller d'un côté et de l'autre de façon brusque et irrégulière. → **Balancer** (se), **cahoter, osciller.**

1 (...) l'avenue, où défilaient, au pas, des voitures de maraîchers. Leur interminable colonne bringuebalait sur les pavés avec un grincement de café qu'on moud.
MARTIN DU GARD, les Thibault, t. V, p. 264.

◆ **BRINGUEBALANT, ANTE** ou

◆ **BRINQUEBALANT, ANTE** adj. (On dit aussi *brimbalant*). *Guimbardes cahotantes* (cit. 1) *et brinquebalantes.*

2 C'est une vieille Ford toute bringuebalante. Elle tanguait et roulait. G. DUHAMEL, Chronique des Pasquier, X, 6.

REM. On écrit aussi *bringueballer, brinqueballer, brinqueballant.*

3 L'enfant poussa la grille, son petit cartable brinqueballant sur son dos, puis il s'arrêta au seuil du parc.
M. DURAS, Moderato cantabile, p. 49.

DÉR. **Bringuebale.**

**BRINGUER** [bʀɛ̃ge] v. intr. — 1542, au sens 2, mot régional (Suisse), «faire une brinde», «porter un toast»; de 2. *bringue.*

♦ **1** Régional (Suisse). Fréquenter les cafés, les lieux de plaisir. → **Bringue** (faire la).

♦ **2** (Suisse). Insister exagérément, en importunant; chicaner, rabâcher.

1 Le mot bringuer recouvrait des réalités fort diverses : l'esprit de chicane du gamin qui poussait les siens à bout; la commère qui n'en finissait pas de raconter les mêmes histoires.
Jean-A. HALDIMANN, Chronique de mon village, p. 116.

♦ **3** (1936). Rare et fam. Faire la bringue. → **Nocer.**

2 — (...) J'achèterai une paire de bœufs et trois vaches (...) Avec ce qui restera, je pourrai bringuer, en attendant d'être appelé militaire.
Roger VAILLAND, 325 000 francs, p. 80.

DÉR. **Bringueur.**

**BRINGUEUR, EUSE** [bʀɛ̃gœʀ, øz] n. — 1953; de *bringuer.*

Fam. Personne qui aime faire la bringue. → **Noceur.**

**BRINQUEBALANT, ANTE** [bʀɛ̃kbalɑ̃, ɑ̃t] adj., **BRINQUEBALE** [bʀɛ̃kbal] n. f., **BRINQUEBALEMENT** [bʀɛ̃kbalmɑ̃] n. m., **BRINQUEBALER** [bʀɛ̃kbale] v. tr. → **Bringuebalant, bringuebale, bringuebalement, bringuebaler.**

**BRIO** [bʀijo] n. m. — 1824; *con brio,* 1812, Stendhal; ital. *brio* «vivacité» emprunté à l'esp., probablt par l'anc. provençal *briu* «valeur, force»; issu d'un gaul. **brivos* «force».

♦ **1** Adresse, chaleur, vivacité (dans l'exécution d'une œuvre d'art, musicale, etc.) → **Virtuosité.** *Le brio d'un musicien. Jouer avec brio. Avoir du brio. Un brio éblouissant, étincelant, étourdissant!* → **Brillant, éclat, entrain, fougue, panache, pétulance, vivacité.**

1 (...) cette gaieté italienne pleine de brio et d'imprévu (...)
STENDHAL, la Chartreuse de Parme, t. II, p. 43-44.

2 Ce *brio,* mot italien intraduisible et que nous commençons à employer est le caractère des premières œuvres. C'est le fruit de la pétulance et de la fougue intrépide du talent jeune, pétulance qui se retrouve plus tard dans certaines heures heureuses (...)
BALZAC, la Cousine Bette, I, Pl., t. VI, p. 206.

Il ouvrit le piano, frappa quelques accords, puis se lança dans une petite étude de Stephen Heller, en forme de fanfare, qu'il mena d'un train d'enfer et avec un étourdissant brio. GIDE, Si le grain ne meurt, I, 6. 3

J'admire cette espèce de maladresse, de pesanteur d'exécution. Aucune maestria de la main; aucun brio; chez aucun artiste peut-être la tête n'a dominé de plus haut le métier. GIDE, Journal, 20 mars 1906. 4

♦ **2** Talent brillant, virtuosité. *Parler avec brio. Il a défendu sa cause avec brio, avec beaucoup de brio, avec un brio remarquable.* — REM. Le mot n'est pas employé au pluriel.

CONTR. **Froideur, lourdeur, maladresse, pâleur.**

**BRIOCHE** [bʀijɔʃ] n. f. — 1404; de *brier*,* forme normande de *broyer.* → 2. Brie, brier.

♦ **1** Pâtisserie légère formant deux boules inégales superposées faite avec une pâte levée (farine, œufs, beurre et levure). *Manger de la brioche au goûter. Acheter une brioche pour le petit déjeuner du dimanche. Brioche mousseline.*

(...) je me rappelai le pis-aller d'une grande princesse à qui l'on disait que les paysans n'avaient pas de pain, et qui répondit : «Qu'ils mangent de la brioche.» 1
ROUSSEAU, les Confessions, VI.

En arrivant, elle déposait, sur le rebord de cette fenêtre, un gros paquet blanc, entouré d'une ficelle rose. C'était une brioche. 2
G. LEROUX, le Parfum de la dame en noir, p. 47.

Loc. fam. *S'en aller, partir en brioche :* s'émietter (comme une brioche sèche), se désagréger; (fig.) se défaire. Cf. Partir en couille, en eau de boudin.

♦ **2** Fam. **a** Tête. *Tu en fais, une drôle de brioche.* **b** Petit ventre proéminent (d'un adulte). *Prendre de la brioche, un peu de brioche.* → **Ventre; bide** (fam.). *Il commence à avoir une petite brioche.*

Il s'est noué autour de la brioche une ceinture de flanelle. 3
SAN-ANTONIO, le Secret de Polichinelle, p. 14.

♦ **3** (1821, *in* D. D. L.). Fam. et vieilli. Bévue, maladresse. *Faire une brioche, des brioches.*

DÉR. **Brioché.**

**BRIOCHÉ, ÉE** [bʀijɔʃe] adj. — 1955; de *brioche.*
*Pain brioché,* dont la consistance, le goût ressemblent à ceux de la brioche.

**BRIOLAGE** [bʀijɔlaʒ] n. m. — 1928; de *brioler.*
Régional. Chant de labour.

**BRIOLER** [bʀijɔle] v. intr. — 1842, Sand, mot dial. (Centre), à rapprocher du moy. franç. *brioler* «courir avec beaucoup d'agitation»; du gaul. **brivos* «force».
Régional (Centre de la France). Chanter pour stimuler l'ardeur des bœufs pendant le labour (G. Sand, *in* T. L. F.).

DÉR. **Briolage.**

**BRIOLETTE** [bʀijɔlɛt] n. f. — 1866; *brillolette,* 1875; *brignolette,* 1877; orig. obscure, p.-ê. à rapprocher de *briller* et de *riolé.* → Bariolé.
Techn. Diamant taillé en forme de poire.

**BRIQUAGE** ou **BRICAGE** [bʀikaʒ] n. m. — 1899, *briquage; bricage,* 1888; de *briquer.*
Action de briquer, de nettoyer à fond. → **Asticage.** *Le briquage, bricage du pont d'un navire.*

**BRIQUAILLON** [bʀikajɔ̃] n. m. — 1751; de *brique.*

♦ **1** Techn. et vx. Morceau de brique cassée (surtout au pluriel).

♦ **2** Régional (Belgique). Au plur. Débris de démolition. → **Gravats.**

**BRIQUE** [bʀik] n. f. — 1204; aussi «morceau, miette», jusqu'au XVIe et dial. (Nord) → Bricheton; moy. néerl. *bricke* «brique»; cf. all. *brechen* «briser» mot d'orig. germanique (gotique **brikan* «briser»).

♦ **1** Pierre artificielle fabriquée avec de la terre argileuse pétrie, moulée, séchée, et dont on se sert pour bâtir. *Une brique carrée.* → **Carreau.** *Brique parallélépipédique, plate, pleine, creuse, tubulaire. Brique poreuse, réfractaire, vernissée. Brique crue,* séchée au soleil. *Brique cuite au four. Brique faite d'argile et de paille.* → **Adobe.** *Fabrication de briques.* → **Briqueterie.** *Construire en briques.* → **Briqueter.** *Maison de briques. Palais bâtis en briques.* → Pierre, cit. 13. *Peindre en imitant les briques.* → **Briqueter.** *Cheminée d'usine en briques. Briques pour cheminée.* → **Chantignole.** *Briques, boutisses disposées de chant. Débris, fragments de briques.* → **Blocaille, briqueton.**

1 Les maisons des paysans, coiffées d'un chaume poli par le temps, se confondaient avec les champs voisins : leurs briques ternes avaient pris la couleur de la glaise jaunâtre.
A. MAUROIS, les Silences du colonel Bramble, I, p. 16.

1.1 Les colons étaient arrivés sur le terrain reconnu la veille. Il se composait de cette argile figuline qui sert à confectionner les briques et les tuiles, argile, par conséquent, très convenable pour l'opération qu'il s'agissait de mener à bien. La main-d'œuvre ne présentait aucune difficulté. Il suffisait de dégraisser cette figuline avec du sable, de mouler les briques et de les cuire à la chaleur d'un feu de bois.
Ordinairement, les briques sont tassées dans des moules, mais l'ingénieur se contenta de les fabriquer à la main.
J. VERNE, l'Île mystérieuse, t. I, p. 165.

1.2 Les murs seront faits de briques tubulaires brevetées, conformes au modèle. Toute liberté est laissée aux architectes pour l'ornementation.
J. VERNE, les 500 Millions de la Bégum, 1879, p. 158.

*Terre à brique :* matériau dont sont faites les briques.

Fam. *Ça ne casse pas des briques.* → **Casser** (ça ne casse rien).

Collectif *(de la brique).* Élément de construction fait de briques; assemblage de briques. *Construire en brique. Maçonnerie de brique.* → **Briquetage, galandage.** *Revêtement en brique.*

*Couleur (de) brique :* rougeâtre. → **Briqueté.** *Rouge brique.* Ellipt. *Un teint brique.*

2 Ce satyre est d'une belle brique bien dure, bien jaunâtre et bien cuite.
DIDEROT, Salons de 1759, X, p. 95, *in* BRUNOT, Hist. de la langue franç., t. VI, p. 791.

3 (...) le mannequin apparut.
Il était couleur brique, sans chevelure, sans peau, avec d'innombrables filets bleus, rouges et blancs le bariolant.
FLAUBERT, Bouvard et Pécuchet, Pl., t. II, p. 720.

Par anal. [a] Matériau moulé en forme de brique. → 1. **Briquette.** *Une brique de tourbe, de béton, de savon, d'étain.*

Mar. *Brique à pont :* pierre plate de grès fin que les marins utilisent pour blanchir un pont.

[b] Emballage parallélépipédique utilisé pour certains liquides alimentaires. *Une brique de lait, de jus de fruits* (→ **Carton;** aussi **berlingot).**

♦ **2** (1926). Fam. Liasse de billets d'une valeur de un million de centimes (ou, avant la réforme monétaire, de un million de francs). Par ext. Somme de un million de centimes. → **Bâton,** C.

4 Et j'aim' pas l'fric
Les bagnol's qui coût'nt trois briques.
Boris VIAN, Textes et chansons, J'aime pas.

5 (...) ma bonne valise était prête comme toujours, avec les trois costards, les six limaces, et le toutim; le petit nécessaire de l'homme en cavale; et puis, en dessous, deux bonnes briques en talbins de dix mille, tout neufs, que j'avais le jour même été retirer de mon coffre.
Albert SIMONIN, Touchez pas au grisbi, p. 18.

♦ **3** (1878; du sens étymologique «petit morceau, miette», conservé dans des dialectes). Fam. *Bouffer des briques, des briques à la sauce caillou :* n'avoir rien à manger; avoir très peu à manger.

(...) manger des briques c'est se serrer la ceinture, danser devant le buffet, se taper du vent (...) 6
Roger VAILLAND, Drôle de jeu, 1945, p. 70.

♦ **4** Régional (Est, Suisse). Fragment (d'une chose cassée); éclat, tesson. — Loc. *Mettre en briques :* casser en nombreux morceaux. *En (mille) briques. Une brique de... :* un morceau de..., et, par ext., un peu de...

Elle en profita pour se glisser une brique de chocolat entre les dents. 7
Louis COURTHION, Contes valaisans, p. 49 (1904).

*Pas une brique de... :* pas du tout de... *«Il n'y a pas une brique de neige»* (usage parlé, 1974). *Je n'y comprends pas une brique.*

DÉR. **Briquaillon, briquer, briquetage, briqueter, briqueterie, briquetier,** 1. **briquette,** 2. **briquette.** — V. aussi 1. **Briquet** et 3. **briquet.** ◈ HOM. 1. **Brick,** 2. **brick.**

**BRIQUER** [bʀike] v. tr. — 1850, Esnault; de *brique.*

♦ **1** Mar. Nettoyer (les ponts, les mâts) à la brique (avec du sable et de l'eau). *Briquer le pont.*

♦ **2** (Av. 1944). Cour. Nettoyer en frottant vigoureusement. → **Astiquer.** *Briquer un meuble. Briquer les cuivres.* — Au p. p. → cit. 3.

— Je descends briquer la bagnole. 1
S. DE BEAUVOIR, les Belles Images, p. 95.

Il lui fallait être partout et nulle part, balayer, nettoyer, briquer, ranger, aller en courses, aider à la cuisine et au service, essuyer rebuffades et taloches (...) 2
Herbert LE PORRIER, le Luthier de Crémone, p. 28.

Fanaux de cuivre dans les angles et aux murs, sabres d'abordage, portulans. Le tout briqué, lustré, verni, les bois rouges à souhait. 3
Régis DEBRAY, l'Indésirable, p. 147.

DÉR. **Briquage.**

1. **BRIQUET** [bʀikɛ] n. m. — 1701; «petit morceau», XVIe; de *brique* «morceau». → Brique.

[I] ♦ **1** Vx. Pièce d'acier dont on se servait pour tirer du feu d'un caillou. → **Fusil.** *Battre le briquet.*

Il battit le briquet, souffla sur l'amadou. 0.1
BERNANOS, l'Imposture, *in* Œ. roman., Pl., p. 521.

Par comparaison :

Quand un cheval pète en sortant de l'écurie, c'est bon signe : il marchera bien. Le nôtre bat le briquet avec ses fers, et ce bruit me berce. 0.2
J. RENARD, Journal, 9 juil. 1897.

Loc. métaphorique ou fig. (mod.). *Battre le briquet.*

Quand elle eut ainsi un peu battu le briquet sur son cœur sans en faire jaillir une étincelle (...) 1
FLAUBERT, Mme Bovary, I, VII.

♦ **2** Mod. Appareil pouvant produire du feu à répétition. *Briquet à essence, à gaz, à amadou. La mèche d'un briquet. Pierre à briquet.* → **Ferrocérium.** *Briquet de table, de bureau, de poche. Briquet jetable. Briquet pneumatique;* (1829, *in* D. D. L.) *briquet phosphorique. Briquet électrique. Briquet pour allumer le gaz.* → **Allume-gaz.**

(...) il semblait un peu irréel dans cette ombre, où mon faible briquet l'éclairait mal. 2
H. BOSCO, le Jardin d'Hyacinthe, p. 63.

Ensuite il allume le feu avec son briquet à amadou en faisant bien attention à mettre la flamme du côté où il n'y a pas de vent. 3
J.-M. G. LE CLÉZIO, Désert, p. 134.

[II] (1885, Zola). Régional (Nord de la France; Belgique). Casse-croûte; «paquet de tartines» (Hanse).

2. **BRIQUET** [bʀikɛ] n. m. — 1807; «couteau à longue lame», 1734; altér. de *braquet* «petite épée»; p.-ê. de *braquemart* avec infl. de 1. *briquet*.

Anciennt. Sabre court et recourbé de l'infanterie. — Appos. *Sabre briquet.*

3. **BRIQUET** [bʀikɛ] n. m. — 1440; probablt de *braque*, ou de *brique* «petit morceau». → Brique.

Petit chien de chasse (chien courant), issu du griffon vendéen.

**BRIQUETAGE** [bʀiktaʒ] n. m. — 1394; de *briqueter* (attesté plus tard) ou de *brique*.

Technique.

♦ **1** Maçonnerie de briques. *Cloison en briquetage.* — Par ext. Paroi en briques. *Un mince briquetage.*

(1718). Enduit sur lequel on trace des lignes figurant des briques.

♦ **2** (De *briqueter*). Fabrication des briquettes.

**BRIQUETER** [bʀikte] v. tr. — 1418; de *brique*.

♦ **1** Construire en briques, paver de briques. *Briqueter une cloison; un passage.*

♦ **2** (1835). Techn. Peindre en figurant des briques. *Briqueter une façade, un mur.*

Colorer en teinte brique, rouge ocre.

♦ **3** (1928). Transformer en briquettes.

◆ **BRIQUETÉ, ÉE** p. p. adj. Construit en briques. — Qui a l'apparence, et, spécialt, la couleur rougeâtre de la brique. *Teinte briquetée.*

**DÉR. Briquetage.**

**BRIQUETERIE** [bʀik(ə)tʀi; bʀiketʀi] n. f. — 1407; de *brique*.

Fabrique de briques. → **Tuilerie.**

**BRIQUETIER** [bʀiktje] n. m. — 1503; de *brique*.

Ouvrier d'une briqueterie. → **Tuilier.** *Ratissette de briquetier.*

Un ouvrier exercé peut confectionner, sans machine, jusqu'à dix mille briques par douze heures; mais dans leurs deux journées de travail, les cinq briquetiers de l'île Lincoln n'en fabriquèrent pas plus de trois mille, qui furent rangées les unes près des autres, jusqu'au moment où leur complète dessiccation permettrait d'en opérer la cuisson, c'est-à-dire dans trois ou quatre jours.
J. VERNE, l'Île mystérieuse, t. I, p. 165.

1. **BRIQUETTE** [bʀikɛt] n. f. — 1612; de *brique*.

♦ **1** Petite brique plate utilisée pour faire des revêtements. → **Tomette.** *Sol en briquettes. Foyer d'une cheminée recouvert de briquettes. Revêtement en briquettes. Pour le rez-de-chaussée, vous prendrez de la briquette ou du parquet?*

♦ **2** (1835). Petite masse combustible formée de poussière de charbon, de tourbe, etc. agglutinée en forme de brique. → **Aggloméré.** *Brûler des briquettes.*

(...) quelques briquettes beaucoup trop lourdes pour être faites de charbon et simplement enveloppées dans du papier journal (à seule fin, sans doute, d'en cacher la couleur). Claude SIMON, le Palace, p. 29.

2. **BRIQUETTE** [bʀikɛt] n. f. — 1959, Esnault; de *brique* «million».

Fam. *De la briquette :* une chose négligeable, de la broutille*. → **Gnognotte.**

Je rigole, maintenant, mais je me sens paumée, paumée, paumée. Tant qu'il y avait du pognon, il y avait de l'espoir; les cent sacs du pécule, c'est de la briquette, de la briquette mangeable, mais ça n'est rien, je mangerai autre chose. Ce qui m'amuse moins, c'est de penser à tout ce qui traîne à la banque et ailleurs, et qui va probablement prendre le même chemin. A. SARRAZIN, la Cavale, p. 33.

Loc. *Laisse tomber, c'est de la briquette :* abandonne, ça n'a pas d'intérêt.

**BRIS** [bʀi] n. m. — 1413; déverbal de *briser*.

♦ **1** Littér. ou didact. Action de casser. *Bris par choc, par torsion.*

(...) les voisins les plus proches, entendirent de grands 1
cris, des trépignements, un cliquetis d'épées, et un bris prolongé de meubles.
A. DUMAS, les Trois Mousquetaires, p. 128.

Par métaphore :

Dans sa recherche de la pureté, le poète détruit les choses, 2
lui aussi, à travers les mots. L'image est pour ainsi dire un bris de vocables.
R. QUENEAU, Bâtons, chiffres et lettres, p. 178.

Cour. *Bris de glace. Commerçant assuré contre les bris de vitrine.*

Dr. (dans des expr.). Rupture intentionnelle constituant un délit. *Bris de clôture :* destruction intentionnelle de tout obstacle placé pour empêcher l'introduction dans l'habitation ou le terrain d'autrui. *Bris de scellés* :* destruction ou enlèvement intentionnel des empreintes d'un sceau ou de la bande sur laquelle elles ont été apposées.

Dans le langage du palais, où il s'agit de qualifier des actes 3
plutôt que de raconter des faits ou des actions, on se sert du mot *bris* pour exprimer la rupture faite avec violence d'un scellé ou d'une porte fermée; hors de là *brisement* convient seul.
LAFAYE, Dict. des synonymes, Abandon...

♦ **2** (Fin XVI^e). Vx. Naufrage; débris d'un navire.

(1611). *Droit de bris :* droit qui appartient au seigneur sur les épaves*.

♦ **3** (1690). Blason. **BRIS D'HUIS :** pièce de fer soutenant une porte sur son pivot.

**HOM. Bri, brie.**

**BRISANCE** [bʀizɑ̃s] n. f. — Mil. XX^e; de *brisant*, adj.

Techn. Capacité d'un explosif à fragmenter plus ou moins une masse donnée de matières disposées autour de lui (à masse égale et à disposition identique). *La brisance est quasi proportionnelle à la vitesse de détonation.*

**BRISANT** [bʀizɑ̃] n. m. — 1529; p. prés. de *briser*.

♦ **1** N. m. pl. Mar. Rocher sur lequel la mer se brise et déferle. → **Écueil;** → Récif, cit.

(...) rien ne luit 1
Dans les brisants, parmi les lames en démence (...)
HUGO, la Légende des Siècles, «Pauvre gens», II.

(...) il écoute, avec une tristesse indéfinie, venir de là-bas 2
ce bruit puissant et sourd, presque incessant depuis les origines, que font les brisants de la mer de Biscaye (...)
LOTI, Ramuntcho, I, 13, p. 120.

C'était là, à deux encablures environ, que se dressait au 3
milieu des brisants la silhouette tragique et ridicule de la Virginie dont les mâts mutilés et les haubans flottant dans le vent clamaient silencieusement la détresse.
M. TOURNIER, Vendredi..., p. 15.

Écume qui se forme sur un écueil.

♦ **2** (1835). Ouvrage destiné à briser les lames, en avant d'une digue, d'une jetée. *Protéger une jetée par des brisants.*

**BRISANT, ANTE** [bʀizɑ̃, ɑ̃t] adj. — 1863; de *briser.*

♦ **1** Techn. Dont la vitesse de détonation est très grande et la pression de détonation très élevée; qui a une forte puissance de fragmentation. *Un explosif peu brisant, très brisant* (→ **Brisance**).

1 – Ne pourriez-vous donc employer cette nitro-glycérine au chargement des armes à feu? demanda le marin.
– Non, Pencroff, car c'est une substance trop brisante. Mais il serait aisé de fabriquer de la poudre-coton, ou même de la poudre ordinaire, puisque nous avons l'acide azotique, le salpêtre, le soufre et le charbon.
J. VERNE, l'Île mystérieuse, t. I, p. 232.

2 De tout ceci, il résultait une puissance brisante plus forte incomparablement que la mélinite ou le trinitrotoluène mais surtout une puissance *asphyxiante* et *brûlante* surprenante à concevoir sous un aussi petit volume.
G. LEROUX, Rouletabille chez Krupp, p. 29.

♦ **2** (En parlant de la mer). Qui brise, déferle. *Une mer brisante* (→ **Brisant**, n. m.).

♦ **3** Littér. Qui fatigue beaucoup. *Un voyage brisant.* → **Crevant** (fam.), **épuisant.**

DÉR. **Brisance.**

**BRISCARD** ou **BRISQUARD** [bʀiskaʀ] n. m. — 1861; de *brisque.*

♦ **1** Hist. Vieux soldat de métier.

Loc. littér. *Un vieux briscard :* un soldat expérimenté.

1 Pour l'instant, ça peut aller, dis-je avec le ton du vieux briscard qui sait ce que siffler veut dire. Mettons que ça passe à deux mètres.
Jacques PERRET, Bande à part, p. 12.

♦ **2** Rare. Personne qui a l'habitude de se battre (pour une cause), vieux militant.

2 Un jour, Étienne Lalou m'a raconté que, chargé par l'O. R. T. F. d'un reportage auprès d'un vieux militant socialiste devenu communiste, il faisait égrener ses souvenirs à ce briscard des luttes ouvrières, qui parlait avec émotion de Jaurès (...) Jean FERNIOT, Pierrot et Aline, p. 82.

1. **BRISE** [bʀiz] n. f. — 1540; mot largement attesté à la fois dans l'aire germanique (angl. *breeze,* néerl. *brise*) et dans l'aire romane (ital. *brezza,* esp. et port. *brisa*), d'orig. incert., p.-ê. du frison de l'est *brîse* «vent frais venu de la mer».

Vent peu violent. *Une brise fraîche; tiède; chaude. Brise embaumée, parfumée. Brise vivifiante; alanguie. «Brise marine»,* sonnet de Heredia, les Trophées. *La brise se joue parmi les feuilles. L'haleine, le souffle de la brise.*

1 Les grues émigrantes passent (...) Il leur arrive parfois de perdre le vent, lorsque des brises capricieuses se combattent ou se succèdent dans les hautes régions.
G. SAND, la Mare au diable, Appendice I.

2 Des brises chaudes montaient, avec je ne sais quelles odeurs confuses et quelle musique aérienne du fond de ce village en fleurs (...)
E. FROMENTIN, Un été dans le Sahara, I.

3 (...) si l'on monte quelque peu et que l'on atteigne le plateau fouetté d'une brise perpétuelle (...) la perspective est splendide. RENAN, Vie de Jésus, I.

4 Ell était tiède, cette brise, mais si vivifiante, qu'elle semblait fraîche (...) LOTI, Matelot, XLVII, p. 175.

5 Une brise délicieuse comme une eau tiède coulait pardessus le mur (...)
ALAIN-FOURNIER, le Grand Meaulnes, p. 165.

6 La brise longue et égale courait à travers les arbres avec un murmure de rivière. COLETTE, la Chatte, p. 184.

7 Le vent n'est du reste pas très fort — il paraîtrait à peine brise auprès du siroco, du mistral.
GIDE, Voyage au Congo, *in* Souvenirs, Pl., p. 829.

Mar. Vent faible ou modéré. *La brise adonne, refuse. Légère brise, petite brise, jolie brise, bonne brise. Brise de mer, de terre,* soufflant de la mer vers la terre, de la terre vers la mer.

Vx. *Brises folles; folles brises,* changeantes et faibles.

8 Cependant l'embarcation était si légère, ses voiles hautes, d'un fin tissu, ramassaient si bien les folles brises, que, le courant aidant, à six heures, John Bunsby ne comptait plus que dix milles jusqu'à la rivière de Shangaï, car la ville elle-même est située à une distance de douze milles au moins au-dessus de l'embouchure.
J. VERNE, le Tour du monde en 80 jours, p. 183.

9 Le vent soufflait, notre canot glissait lentement. La brise de terre dura toute cette première nuit. Avant de tomber dans la zone des vents réguliers, nous comptions surtout, pour avancer, sur l'alternance quotidienne des «brises de terre» et des «brises de mer». La mer souffle le matin, et c'est la brise qui va vers la terre; elle s'arrête pour prendre son élan, puis aspire la brise du soir comme si elle faisait provision d'air pour la nuit. Profonde respiration de l'océan, nous allions à ce souffle vivant en un gigantesque balancement (...) Voici les raisons de ce phénomène : le matin, lorsque le soleil s'est levé, la terre se chauffe plus vite que la mer, l'air chaud s'élève pour prendre place (...) L'air froid de la mer se précipite sur la terre, il s'y chauffe et un courant mer-terre s'établit. Mais si la mer se chauffe lentement, elle retient plus longtemps également ce qu'elle a pris le soir, car elle reste plus longtemps chaude que la terre et le mouvement inverse se produit.
Alain BOMBARD, Naufragé volontaire, p. 69.

HOM. **Brize**; formes du v. **briser.**

2. **BRISE** [bʀiz] n. f. → **Brize.**

**BRISE-** Premier élément de mots composés (substantifs), tiré du verbe *briser,* le second élément étant un substantif (voir à l'ordre alphabétique).

**BRISÉ** [bʀize] n. m. — XX$^{e}$; p. p. substantivé de *briser.*

Danse class. Léger croisement de jambes qui s'ajoute à des pas simples tels que glissades ou jetés. *Exécution de brisés dans des glissades battues. Brisé Télémaque :* groupement de plusieurs pas battus. — *Position de la main perpendiculaire à l'avant-bras, dans quelque situation qu'il soit par rapport au bras.*

**BRISE-BISE** [bʀizbiz] n. m. invar. — 1898; de *brise-,* et *bise.*

Petit rideau garnissant le bas d'une fenêtre. — Au plur. *Des brise-bise.*

1 Ce fil rose, flottant, parlait aussi clairement que le brise-bise de dentelle aux vitres d'un appartement.
COLETTE, Histoires pour Bel-Gazou, X.

2 Les soirs de pluie (...) des filles errantes se réfugiaient dans le passage, au dépit courroucé de celles qui — derrière des brise-bise — attendaient près d'un méchant réchaud à gaz l'arrivée d'un client.
Francis CARCO, Nostalgie de Paris, p. 39.

**BRISE-CŒURS** [bʀizkœʀ] n. — 1934; de *brise-,* et *coeur.*

Par plais. Personne qui brise les cœurs; séducteur, séductrice qui fait souffrir. *C'est un brise-cœurs, ce garçon!* (→ Bourreau* des cœurs; casse-cœur). — Au plur. *Des brise-cœurs.* — Adj. :

(...) sauf qu'il est plus dessalé qu'avant son départ, étant devenu un peu brise-visière et brise-cœurs, par l'effet de son stage à la caserne.
G. CHEVALLIER, Clochemerle, p. 152.

REM. On écrit aussi : *un brise-cœur* (invar.).

**BRISE-COU** [bʀizku] n. m. invar. — 1690; de *brise-,* et *cou.*

Vx. Passage, escalier où l'on risque de tomber. → **Casse-cou,** 1. — Au plur. *Des brise-cou.*

**BRISÉE** [bʀize] n. f. — Déb. XIII^e, *brisïes;* de *briser.*

♦ **1** Vx ou techn. Branche brisée pour servir de repère (notamment, à la chasse à courre). *Je reconnais ma brisée, mes brisées. Une brisée.*

0.1 Se guider au milieu de ces massifs d'arbres, sans aucun chemin frayé, était chose assez difficile. Aussi, le marin, de temps en temps, jalonnait-il sa route en faisant quelques brisées qui devaient être aisément reconnaissables.
J. VERNE, l'Île mystérieuse, t. I, p. 111.

Spécialt. (Au plur.). Vén. Branches que le veneur casse, sans les couper, pour reconnaître l'endroit où est la bête, où elle a été détournée. *Faire des brisées. Aller aux brisées, sur les brisées.*

1 Qu'au reste les veneurs, allant sur leurs brisées,
Ne forcent pas le cerf, s'il est aux reposées.
CORNEILLE, Clitandre, II, 4.

Foresterie. Branches taillées pour marquer la limite d'une coupe.

Sing. collectif. Vén. *La brisée :* la piste, le chemin à suivre pour trouver la bête, que marquent des brisées.

1.1 Selon les ordres de monsieur le marquis, commença le piqueux, je viens frapper à ma brisée à onze heures. Le cerf est lancé aussitôt.
M. DRUON, la Chute des corps, I, II, p. 24.

♦ **2** Loc. **SUR LES BRISÉES.** *Aller, courir, marcher sur les brisées de qqn,* entrer en concurrence avec lui sur un terrain qu'il s'était réservé. *Il a l'audace* (cit. 22) *d'aller sur mes brisées.*

2 (...) je vais vous faire voir que, le jour comme la nuit, je sais punir les chevaliers audacieux qui vont sur mes brisées.
A.-R. LESAGE, Gil Blas, IX, VI.

3 (...) Carrio était amoureux d'elle (...) je ne voulais pas aller sur les brisées d'un ami (...)
ROUSSEAU, les Confessions, VII.

4 Quand Rougon lui eut affirmé qu'il n'avait jamais songé à elle, il lui avoua qu'il l'aimait depuis six mois, mais qu'il se taisait, de peur d'aller sur ses brisées.
ZOLA, Son Excellence Eugène Rougon, t. I, p. 151.

Littér. *Suivre les brisées de qqn,* l'imiter, suivre sa trace*, son exemple.

HOM. Briser.

**BRISE-FER** [bʀizfɛʀ] n. m. invar. — 1862, Hugo; de *brise-,* et *fer.*

Enfant qui casse les objets les plus solides. → **Brise-tout.** *Quel brise-fer, cet enfant!* — Adj. *Il est gentil, mais un peu brise-fer.*

**BRISE-GLACE** [bʀizglas] n. m. — 1704; de *brise-,* et *glace.*

♦ **1** Techn. Arc-boutant placé en amont des piles d'un pont pour briser les glaces. → **Avant-bec.** — Au plur. *Des brise-glaces.*

♦ **2** (1867). Éperon à l'avant d'un vaisseau, destiné à briser la glace.

(1898; «navire destiné à rompre la glace sur les canaux», 1836). Cour. Navire à étrave renforcée, spécialement construit pour la navigation arctique. *Brise-glace de haute mer,* destiné à pratiquer un chenal dans une banquise épaisse et à précéder des convois; *brise-glace pour banquise peu épaisse,* destiné à transporter du fret ou des passagers. *Brise-glace utilisé en ferry-boat.*

1 Le brise-glace est né en Russie, qui sur la Baltique et dans la mer Blanche devait assurer la navigation sur des mers gelées pendant une grande partie de l'année. Aussi dès 1870, un petit bâtiment, le *Pilot,* fut aménagé pour naviguer dans les glaces, mais le véritable brise-glace, baptisé l'*Ermark,* fut construit en 1899 à Newcastle-sur-Tyne (...)
V. ROMANOVSKY et A. CAILLEUX, la Glace et les Glaciers, p. 43.

... quand il s'est avancé... tel un brise-glace puissant 2
ouvrant, fendant, faisant craquer des blocs énormes... tout s'est débandé...
N. SARRAUTE, Vous les entendez?, p. 14.

REM. On écrit parfois : *un brise-glaces* (invar.).

**BRISE-JET** [bʀizʒɛ] n. m. — 1906; de *brise-,* et *jet.*

Ajutage que l'on adapte à un robinet pour atténuer la force du jet et éviter les éclaboussures. *Mettre, adapter des brise-jets aux robinets d'une cuisine. Brise-jet en caoutchouc, en éléments métalliques.*

**BRISE-LAME** ou **BRISE-LAMES** [bʀizlam] n. m. — 1818; de *brise-,* et *lame,* d'après l'angl. *break-water.* → Break-water.

♦ **1** Construction établie à l'entrée d'un port pour briser l'effort des lames, des vagues. → **Digue.** *Portes servant de brise-lames à l'entrée d'un bassin* (cf. Portes de flot). — Au plur. *Des brise-lames.*

Le bateau de pêche commandé par le patron Javel, entrant dans le port a été jeté à l'Ouest et est venu se briser sur les rochers du brise-lames de la jetée.
MAUPASSANT, Contes de la Bécasse, p. 147.

♦ **2** Techn. (mar.). Cloison métallique fixée sur le pont d'un navire pour briser les lames, les paquets de mer.

**BRISE-MÈCHE** [bʀizmɛʃ] n. m. — D. i; de *briser,* et *mèche.*

Techn. Casse-mèche.

**BRISE-MÉNAGE** [bʀizmenaʒ] n. invar. — Mil. XX^e; de *brise-,* et *ménage.*

Rare. Personne qui aime à détruire, briser un ménage. *Ces filles sont des brise-ménage.*

Le Chef n'est pas un brise-ménage, au contraire. Seulement, il n'est pas habitué à des épouses comme nous.
A. SARRAZIN, la Cavale, p. 274 (1965).

**BRISEMENT** [bʀizmɑ̃] n. m. — Fin XII^e; de *briser.*

Rare ou littéraire.

♦ **1** Action de briser. → **Bris, cassage, rupture.**

(...) nous comprenions alors (...) ce désir de la créature 0
finie succombant sous un amour infini, et croyant faire plus de place à ce torrent d'amour infini par le brisement des organes et la mort.
BARBEY D'AUREVILLY, les Diaboliques, «La vengeance d'une femme».

(1718). Action de se briser. *Le brisement des flots, des vagues sur la jetée, la côte.* → **Déferlement.**

Le brisement de la mer m'avertit que le vent s'était levé (...) 1
CHATEAUBRIAND, Itinéraire..., 271.

Il n'y avait plus de radeau, plus d'Ulysse grincheux (...) 1.
mais le vin doux de l'écume, plus de tumultes affreux, ni de fracas d'avion, mais le château blanc d'une voilure au loin, plus de brisements (...)
Jean CAYROL, Histoire de la mer, p. 140.

Fig. Action de détruire, d'anéantir.

♦ **2** (Av. 1704). Fig. État d'une personne qui ressent une douleur vive et profonde, qui est brisée. → **Anéantissement, bouleversement.**

La faiblesse et le brisement que ressentait Béatrix forcèrent 2
Camille à la faire porter à la ferme (...)
BALZAC, Béatrix, Pl., t. II, p. 493.

(Plus cour.). *Brisement de cœur.*

(...) il n'est personne de nous qui n'ait été témoin de ces 3
faits mystérieux de sentiment ou de passion qui perdent toute une destinée, de ces brisements de cœur qui ne rendent qu'un bruit sourd.
BARBEY D'AUREVILLY, les Diaboliques, «Le dessous de cartes».

**BRISE-MOTTES** [bʀizmɔt] n. m. invar. — 1796; de *brise-,* et *motte.*

Techn. Rouleau servant à écraser les mottes de terre. → **Croskill.** *Brise-mottes à double rangée d'étoiles.*

**BRISER** [bʀize] v. — 1080; lat. pop. **brisiare,* du bas lat. *brisare* «fouler le raisin», probablt à rattacher à *brisa* «marc de raisin», d'orig. obscure, probablt gaulois (cf. irlandais *brissim* «je brise»), le *s* sonore venant p.-ê. d'un croisement avec l'anc. franç. *bruisier,* même sens, aussi d'orig. celtique.

**I** V. tr. ♦ **1** Littér. ou régional. Casser. — REM. Ce verbe, dont l'emploi en français central est réservé à un style écrit ou soutenu, en dehors des loc. ou des emplois techn., est d'usage courant et neutre régionalement, et notamment au Canada. → **Démolir, fracasser, rompre; pièce** (mettre en pièces). → aussi **Couper, fendre.** *Action de briser.* → **Bris, brisement.** *Briser en menus morceaux.* → **Broyer, pulvériser, réduire** (en poudre, en miettes). *Briser par compression.* → **Aplatir, écraser, effondrer.** *Briser une porte.* → **Défoncer, enfoncer; effraction.** *Briser une serrure.* → **Forcer, fracturer.** *Briser le bord d'une assiette.* → **Ébrécher.** *Briser les mottes de terre à l'aide d'un brise-mottes. Briser le moule* après y avoir fondu une statue. Briser les images. Qui ne peut être brisé.* → **Incassable, infrangible.** *Briser le crâne de qqn. — Briser des chaussures neuves,* les assouplir en les portant, en les forçant dans des embauchoirs.

1 (...) et le plafonds
Ne trouvant plus rien qui l'étaie,
Tombe sur le festin, brise plats et flacons,
N'en fait pas moins aux échansons.
LA FONTAINE, Fables, I, 14.

2 Comme le prince idiot de Dostoïewsky, le malheureux qui souffre de ce mal *(le complexe d'infériorité)* est sûr que, par la force des choses, il finira par briser le vase qu'il aperçoit à l'autre extrémité de la chambre, et, en fait, il parvient le plus souvent à le briser.
G. DUHAMEL, Manuel du protestataire, p. 74.

3 (...) ceci encore est un axiome indiscuté par les techniciens — un arrêt net brise tous les rouages de ce mécanisme compliqué, et les rend pour longtemps inutilisables.
MARTIN DU GARD, les Thibault, t. VI, p. 212.

3.1 Le bon géant avait été attaché à la fabrication de pièces spéciales, assez délicates, dont il avait commencé par briser comme fétus un certain nombre, avant de parvenir à mener à bien son travail.
G. LEROUX, Rouletabille chez Krupp, p. 85.

Dr. *Briser un cachet, un sceau, des scellés.* → **Bris.**

Loc. fig. *Briser la glace*.* → **Rompre.**

Techn. *Briser la laine,* la démêler. *Briser le chanvre, le lin avec un brisoir.*

Par ext. *Briser une phrase, une période,* en séparer les éléments (pour alléger le style, etc.).

Fig. et vieilli. *Briser les oreilles, les tympans de qqn.* → **Casser.**

Fig. et fam. *Tu nous les brises!* → **Casser.** *Il nous les brise menu!*

♦ **2** Fig. Rendre inutile, inefficace; supprimer* de façon violente. — REM. Dans ce sens, *casser* n'est pas synonyme de *briser.* (Le compl. désigne une caractéristique humaine, une abstraction). *Briser le courage, la volonté, l'énergie, le ressort de qqn.* → **Abattre, affaiblir, décourager.** *Briser la fougue, l'élan. Briser le charme.* → **Rompre.** *Briser les lois, les limites de la raison.* → **Enfreindre.** *Briser l'avenir, la carrière, la situation, les espérances, la vie de qqn.* → **Anéantir, détruire, renverser.**

4 (...) Peux-tu, dès tes jeunes années,
Sans briser d'autres destinées,
Rompre la chaîne de tes jours? HUGO, Odes, I, 1.

Le temps était au fanatisme. L'excès des émotions avait brisé, humilié, découragé la raison. 5
MICHELET, Hist. de la Révolution franç., t. II, p. 1052.

Pressé d'en finir d'une façon ou d'une autre, pressé de briser ce charme ou bien de s'y soumettre et de fuir devant lui, il tire sa montre (...) 6
LOTI, Ramuntcho, II, 13, p. 312.

Le choc brisa mon sommeil comme une coquille. 7
J. RENARD, Journal, 17 juil. 1894.

Je briserai votre volonté. Je vous couperai les vivres. 8
MARTIN DU GARD, les Thibault, t. IV, p. 32.

(...) ce geste d'autorité nationaliste, qui semblait annoncer l'intention du gouvernement de briser l'élan de la protestation ouvrière (...) 9
MARTIN DU GARD, les Thibault, t. VII, p. 76.

*Briser l'orgueil, l'égoïsme... de qqn.* → **Abattre.**

(...) Adam Smith ne croit pas à la possibilité de briser l'égoïsme du monopole et d'instituer l'entière liberté du commerce. JAURÈS, Hist. socialiste, t. V, p. 256. 10

*Briser le cœur* (de qqn) :* causer une vive douleur, une grande affliction (à qqn). → **Affliger, bouleverser; fendre** (le cœur). Par plais. *Briser les cœurs* (→ **Brise-cœurs).**

Rien ne brise le cœur comme la simplicité des paroles dans les hautes positions de la société et les grandes catastrophes de la vie. 11
CHATEAUBRIAND, Mémoires d'outre-tombe, IV, 4.

Tâchez, s'il n'y a pas de cœurs à briser, de rester libre et de nous revenir léger. 12
SAINTE-BEUVE, Correspondance, t. I, p. 41.

(Le compl. désigne une personne). *Briser qqn,* abattre son orgueil, le heurter profondément dans sa sensibilité. → **Accabler.**

Maudit qui brise une femme, qui lui ôte ce qu'elle avait de fierté, de courage, d'âme! 13
MICHELET, la Femme, p. 47.

En heurtant, bien souvent l'on brise; et c'est tout. Il faut émouvoir. GIDE, Journal, Honfleur, 1893. 14

♦ **3** (Métaphore du sens 1). Rompre l'unité de... *Briser les fers, les chaînes, le joug, les liens de qqn,* l'affranchir* d'une domination. → **Rompre.**

Ah! qu'on a de peine à briser les nœuds qui lient nos cœurs à la terre! et qu'il est sage de la quitter aussitôt qu'ils sont rompus! 15
ROUSSEAU, Julie ou la Nouvelle Héloïse, III, Lettre XXI.

(...) j'appliquai toutes les forces de mon âme à briser les fers de l'opinion, et à faire avec courage tout ce qui me paraissait bien, sans m'embarrasser aucunement du jugement des hommes. ROUSSEAU, les Confessions, VIII. 16

L'art, c'est la pensée humaine 17
Qui va brisant toute chaîne!
HUGO, les Châtiments, I, 9, 1.

Mais la force des liens à briser fait la beauté de la délivrance, et mon premier soin fut de tisser d'abord les liens. 18
GIDE, Journal, 30 déc. 1929.

*Briser une alliance, un contrat; une amitié, une relation... Briser un ménage* (→ **Brise-ménage).**

*Briser une grève,* la faire échouer (→ **Briseur; casser).**

(...) tu te vantes de briser la grève à coups de millions? 19
A. MAUROIS, Bernard Quesnay, XIV, p. 92.

Boxe. *Briser un corps-à-corps :* séparer les adversaires.

♦ **4** (Sujet n. de chose ou de personne; compl. n. de personne). Fatiguer à l'extrême par une grande agitation. → **Éreinter, harasser.** *Les secousses du voyage l'ont brisé.*

Le perpétuel état de défense où il devait vivre, le brisait. 20
ZOLA, le Dr Pascal, t. I, p. 42.

(Le compl. désigne le corps ou une partie du corps). *«Ce sommeil qui brise le corps...»* (A. Dumas, *in* T. L. F.).

20.1 (...) Sensation qui me brisa les jambes et me fit m'accrocher haletant à cette porte derrière laquelle se passait le plus grand drame de la terre (...) et cette sensation, je pensais immédiatement que Nicole avait dû la ressentir également.
G. LEROUX, Rouletabille chez Krupp, p. 141.

♦ **5** (Le compl. désigne un fait de discours). Vx. Interrompre brusquement. *Briser un discours, un entretien, une conversation.* — Absolt. (Vx, ou par plais.). *Brisons-là* (ou *brisons là*), *brisons là-dessus :* arrêtons la conversation (cf. Il suffit, n'insistez pas). «*Je brisai cette conversation ridicule*» (Nerval).

21 Brise-là ce discours dont mon amour s'irrite.
CORNEILLE, la Veuve, II, 2.

22 (...) Brisons-là, s'il vous plaît (...)
MOLIÈRE, l'École des femmes, IV, 8.

23 Un éclat à briser tout commerce entre nous ?
MOLIÈRE, Dom Garcie de Navarre, I, 1.

23.1 — Vous voyez ! Eh bien, brisons là cette conversation et tenons-nous-en à ces prémices de la compréhension mutuelle et unescale entre les peuples et de la paix future. Vous permettez que je continue ma promenade ? Enchanté de vous avoir rencontré.
R. QUENEAU, les Fleurs bleues, p. 31.

♦ **6** Blason. Modifier par une brisure*. *Briser un écu. Briser d'un lambel, d'une bordure.*

24 Guy prit le nom de Laval, et brisa la croix de Montmorency de cinq coquilles. SAINT-SIMON, Mémoires, 188, 8.

**II** V. intr. ♦ **1** (1678). En parlant de la mer. Déferler ou écumer quand le vent attaque la crête de la vague. → **Déferler.** *Les vagues brisent à la côte* (→ **Brisant**).

♦ **2** (XIIIe). Vén. Marquer le chemin avec des branches brisées. → **Brisée.** *Briser bas ; briser haut.*

♦ **3** Blason. Avoir son écu modifié par une brisure (par rapport à celui de la branche aînée ou légitime). *La branche cadette brise d'une bordure de gueules* (Littré).

◆ **SE BRISER** v. pron.

♦ **1** Se casser. → **Rompre** (se). *Le verre, la porcelaine se brisent facilement. Un obus qui se brise en éclats*.* → **Éclater.** *Se briser comme du verre, comme verre. Se briser une jambe.*

25 Un jeune enfant (...) tomba du haut du clocher en bas, et se brisa, sur le pavé, la tête, les bras et les jambes.
MOLIÈRE, le Médecin malgré lui, I, 4.

26 Et le vent qui se brisa à l'angle des ruines
Gémit dans les hauts peupliers !
HUGO, Odes, V, 18, 2.

26.1 Mon verre s'est brisé comme un éclat de rire.
APOLLINAIRE, Alcools, p. 112.

♦ **2** (En parlant de la mer). Déferler, briser (II., 1.). *Les vagues se brisent contre la digue, la falaise.*

27 Son sourire d'azur et d'argent avait l'éclat de la mer, le matin, quand elle se brise au rivage duLiban.
M. BARRÈS, Un jardin sur l'Oronte, p. 36.

Par extension :

28 Déjà des sanglots venaient se briser à ses lèvres, ses larmes coulaient (...)
PROUST, les Plaisirs et les Jours, p. 121.

♦ **3** Fig. Échouer. *L'assaut vint se briser sur les lignes ennemies.*

Être supprimé de façon violente. *Son courage se brise, ses espérances se sont brisées. Ses chaînes se brisèrent. Son orgueil s'est brisé devant l'adversité.*

29 Nous marchons dans la vie si machinalement que certains caractères, dont l'habitude est insouciante, iraient se heurter ou se briser sans avoir pu se souvenir de Dieu, s'il ne paraissait un peu de limon à la surface de leur bonheur. NERVAL, la Bohème galante, «Émilie».

30 (...) je suis arrivé à l'heure où, l'apaisement venu des désirs qui s'élancent, des espoirs qui se brisent, on embrasse l'ensemble de la route parcourue, d'un regard lavé et d'un cœur détaché.
R. ROLLAND, le Voyage intérieur, p. 11.

*Avoir le cœur qui se brise :* être profondément affligé, peiné.

♦ **4** *Voix qui se brise,* qui devient irrégulière, presque inaudible, sous le coup d'une douleur, d'une émotion.

♦ **5** Phys. (en parlant d'un rayon lumineux). Changer brusquement de direction. → **Réfracter** (se).

♦ **6** Techn. (en parlant d'un ouvrage de menuiserie). Pouvoir se replier sur soi-même. *Bois de lit, siège qui se brisent.*

◆ **BRISÉ, ÉE** p. p. adj.

♦ **1** (Correspond à *briser*, I.). *Verre, pot brisé. Vase brisé.*

Le vase où meurt cette verveine 31
D'un coup d'éventail fut fêlé (...)
N'y touchez pas : il est brisé !
SULLY-PRUDHOMME, Stances et poèmes, «Le vase brisé».

Fig. *Voix* brisée par l'émotion. Courage, espoir, avenir brisés. Cœur brisé.*

On vit alors combien lentement les âmes, une fois brisées, reprennent courage et force. 32
MICHELET, Hist. de la Révolution franç., t. I, p. 1097.

Puis, il le vit simplement qui s'éloignait d'un pas brisé, ralenti, comme si le café, presque vide, ne lui eût pas convenu. ZOLA, Paris, t. I, p. 116. 32

*Un homme brisé par le malheur.* → **Abattu.**

Il y voit un Jacques éteint, soumis, apathique, brisé, mais par quoi ? 33
A. MAUROIS, Études littéraires, t. II, p. 180.

*Brisé de fatigue.* → **Fatigué, harassé, moulu.**

(...) je rentrai chez moi, brisé de lassitude, gorgé de couleurs, mais fort satisfait (...) 34
E. FROMENTIN, Une année dans le Sahel, p. 194.

Elle revint à elle, brisée de joie, la chair heureuse et lasse (...) FRANCE, le Lys rouge, XXI. 35

Il *(Jean-Christophe)* était brisé de fatigue et s'endormit presque aussitôt. 36
R. ROLLAND, Jean-Christophe, p. 108.

♦ **2** (Emplois spéciaux). Blason. Qui porte une brisure. Géom. *Ligne brisée,* composée de segments de droite qui se succèdent en formant des angles variables.

Par analogie :

(...) entre deux murs de terre assez hauts, une rue étroite comme un corridor, sinueuse et sans cesse brisée. 36
GIDE, Voyage au Congo, *in* Souvenirs, Pl., p. 826.

Archit. *Arc brisé :* arc aigu (opposé à *plein cintre*). *Comble brisé,* dont le toit présente deux pentes différentes sur le même versant. (→ **Brisis**).

(...) de bien loin et quand j'avais à peine dépassé Saint-Georges-le-Majeur, j'apercevais cette ogive qui m'avait vu, et l'élan de ses arcs brisés ajoutait à son sourire de bienvenue la distinction d'un regard plus élevé et presque incompris. 36
PROUST, Albertine disparue, éd. Folio, p. 288.

*Fronton brisé,* dont les rampants sont coupés avant leur intersection. — *Bâtons brisés.* → **Chevron.**

Reliure. *Dos brisé :* dos de reliure fixé au mors, qui s'écarte du dos des cahiers quand on ouvre le volume.

*Rimes brisées :* rimes de vers dont les hémistiches riment entre eux et peuvent se lire séparément en offrant un sens. Ex. :

Soit du Pape maudit — Qui hait les jésuites 37
Celui qui en eux croit — Soit mis en paradis
A tous les diables soit — Qui brûle leurs écrits
Qui leur science suit — Acquiert de grands mérites
E. TABOUROT, *in* LITTRÉ.

CONTR. **Arranger, conserver, consolider, raccommoder, rajuster, recoller, reconstituer, réparer.** ◊ DÉR. **Bris, brisant** (adj. et n.), **brisé, brisée, brisement, briseur, brisis, brisoir, brisure.** — V. aussi 2. **Braise,** 2. **brésiller.** ➛ COMP. V. l'élément **brise-,** et aussi **débris.** ➛ HOM. **Brisée.**

**BRISE-SOLEIL** [bʀizsɔlɛj] n. m. invar. — V. 1966; de *brise-,* et *soleil.*

Dispositif (formé de lamelles de métal ou de béton) fixé contre la façade d'un bâtiment vitré de façon à le protéger du soleil. → **Pare-soleil.**

Un dogue énorme apparaît entre les perles de cet espèce de brise-soleil ou de pare-mouches dont s'orne la porte.
Robert PINGET, Graal flibuste, p. 130.

**BRISE-TOUT** [bʀiztu] n. invar. — 1371; n. propre de personne, 1364; de *brise-,* et *tout.*

Personne maladroite qui casse tout ce qu'elle touche. → **Brise-fer.** *Un, une, des brise-tout.* — Adj. (invar.). *Elle est brise-tout.*

**BRISEUR, EUSE** [bʀizœʀ, øz] n. — Fin XIIe; de *briser.*

♦ **1** [a] Personne qui brise (qqch.). — (1694). *Briseur d'images :* iconoclaste.

Loc. cour. (1933). *Briseur de grève :* personne qui ne fait pas la grève lorsqu'elle a été décidée; personne embauchée pour remplacer un gréviste (→ **Jaune**).

[b] Rare et littér. Chose qui brise (qqch.).

1 Autour de la fontaine les déesses, hier encore étreintes jusqu'aux yeux par la glace, souriaient victorieuses (...) et gardant près d'elles le jet d'eau incessant briseur de la glace qui les avait aidées à vaincre et qu'elles laissaient caresser leur visage comme un animal aimé.
PROUST, Jean Santeuil, Pl., p. 775.

♦ **2** N. f. Techn. Première carde d'un assortiment.

2 L'opération de cardage s'effectue par passage de la laine dans plusieurs cardes successives (...); constituant un *assortiment* (...) la première, dite *briseuse,* est double à avant-train; la deuxième ou *repasseuse* et la troisième dite *fileuse* ne diffèrent de la *briseuse* que par quelques détails (...) Charles MARTIN, la Laine, p. 44.

**BRISE-VENT** [bʀizvɑ̃] n. m. invar. — 1690; de *brise-,* et *vent.*

Obstacle (haie, rideau d'arbres) disposé pour abriter les cultures contre les vents dominants (→ aussi **Abrivent**). *Les brise-vent servent également à diminuer l'érosion éolienne du sol. Planter, des brise-vent.*

**BRISE-VUE** [bʀizvy] n. m. invar. — D. i.; de *brise-,* et *vue.*

Régional (Belgique). Rideau protégeant une partie de l'ouverture d'une fenêtre. → **Brise-bise.**

**BRISIS** [bʀizi] n. m. — 1676; de *briser.*

Archit. Versant inférieur d'un comble brisé.

L'eau ruisselait doucement sur le brisis du toit, et, par intervalles, des bouffées de vent se faufilaient en mugissant sous les tuiles du grenier.
MARTIN DU GARD, les Thibault, t. IV, p. 53.

**BRISKA** [bʀiska] n. m. — 1836; du polonais *bryczka* «voiture légère, découverte», de l'all. dial. *Barutsche.*

Anciennt. Calèche de voyage.

**BRISOIR** [bʀizwaʀ] n. m. — 1680; de *briser.*

Techn. Instrument pour briser le chanvre, la paille... → **Broie.** — Baguette à battre la laine.

**BRISQUE** [bʀisk] n. f. — 1752; var. *briscan,* n. m., XVIIIe; d'orig. obscure, p.-ê. formation régressive à partir de *briscambille,* ou bien d'après Guiraud, d'un gallo-roman **briscare,* du lat. *brisare* «briser».

♦ **1** Jeu de cartes plus couramment appelé *mariage.*

On ne fumait pas alors au 27e, si ce n'est entre soldats, au 1
corps de garde, quand on jouait la partie de brisque sur le tambour.
BARBEY D'AUREVILLY, les Diaboliques, «Le rideau cramoisi».

(D'abord au jeu de brisque). Carte privilégiée (→ **Atout**). *L'as et le dix sont les brisques au bésigue.*

♦ **2** (1863). Vx. Chevron d'un soldat rengagé. *Avoir deux brisques.* Par ext. *Une vieille brisque :* un briscard*.

Jeannet, dans son dernier mois de service, s'était fait arra- 2
cher ses brisques et mettre au gnouf après une altercation avec son capitaine.
Hervé BAZIN, Cri de la chouette, p. 98.

DÉR. **Briscard.**

**BRISSELET** [bʀislɛ] n. m. → **Bricelet.**

**BRISSOTIN, INE** [bʀisɔtɛ̃, in] adj. et n. — 1792; de *Brissot,* homme politique français, 1754-1793.

Hist. Girondin. *«La clique brissotine»* (Marat, *in* D. D. L.).

N. Partisan de Brissot. → **Girondin.** *Les brissotins.*

REM. Le nom de *Brissot* a donné naissance à de nombreux dérivés, pendant la période révolutionnaire *(brissoter, brissotage, brissotier...).*

**BRISTOL** [bʀistɔl] n. m. — 1836; mot angl. de *Bristol board* «carton de Bristol», ville d'Angleterre où ce papier fut fabriqué.

♦ **1** Papier fort et blanc, employé pour le dessin, les cartes de visite. *Dessiner sur bristol. Acheter du bristol.*

♦ **2** (1893). Vieilli. Carte de visite. *Déposer un bristol.*

**BRISURE** [bʀizyʀ] n. f. — 1207; de *briser.*

♦ **1** Littér. Cassure, fente. *Brisure d'un os.* → **Fracture.** *Brisure de l'écorce terrestre.* → **Clase, faille, fente.** — Par ext. Petit morceau. → **Fragment.**

C'est Dieu qui voulait montrer (...) qu'il secoue la terre et 1
la brise et qu'il guérit en un moment toutes ses brisures.
BOSSUET, Oraison funèbre d'Anne de Gonzague.

Par ext. Apparence brisée (d'une ligne, d'un faisceau lumineux).

Ce geste était léger. Robert le dessinait dans l'air lentement, 2
avec des brisures : l'une quand la main semblait sortir de la poche du volé, l'autre en entrant dans la sienne.
Jean GENET, Journal du voleur, p. 149.

Fig. et rare. (littér.). Fait de rompre, de se rompre. *«La brisure avec les fidélités paternelles»* (Nizan, *in* T. L. F.). → **Rupture.**

♦ **2** Techn. Articulation* par charnière de deux parties (d'un ouvrage de menuiserie, de serrurerie). *La brisure d'un volet.* → **Joint.**

♦ **3** Blason. Pièce d'armoirie qui modifie un écu pour distinguer la branche cadette de la branche aînée, la branche bâtarde de la branche légitime.

**BRITANNICITÉ** [bʀitanisite] n. f. — Mil. XXe; de *britannique.*

Rare. Caractère de ce qui est britannique.

— Veuillez entrer, sir.
Pourquoi a-t-il dit sir, il n'en sait rien, il n'a aucune preuve de la britannicité de l'anonyme lequel ne semble pas s'étonner de cette dénomination.

Il entre.
— Asseyez-vous... sir, dit le médecin.
— Merci docteur.
R. QUENEAU, le Vol d'Icare, p. 43 (1968).

**BRITANNIQUE** [bʀitanik] adj. — 1512; lat. *britannicus* «de Bretagne», de *Britannia* «(Grande-)Bretagne».

♦ **1** Qui se rapporte à la Grande-Bretagne et à l'Irlande. *Les îles Britanniques comprennent la Grande-Bretagne* (Angleterre, Écosse, Pays de Galles) *et l'Irlande, ainsi que de nombreuses petites îles.*

♦ **2** Qui se rapporte au Royaume-Uni (Grande-Bretagne et Irlande du Nord ou Ulster). *L'Empire britannique. Sa majesté britannique. Le léopard, le lion britannique. La ténacité, la réserve, le flegme, l'humour britannique.* → **Anglais.**

1 Avec l'Empire (ou plutôt le Commonwealth, comme on l'appelle désormais de préférence) le territoire relevant de l'influence britannique dans le monde comprend plus du quart de l'ensemble mondial. Ce n'est donc pas de son territoire métropolitain propre que l'Angleterre tire sa grandeur : cette grandeur a d'autres bases, d'autres sources.
André SIEGFRIED, l'Âme des peuples, IV.

2 Mr Cromer n'était pas le moins agité, donnant un démenti à la traditionnelle réputation du flegme britannique (...)
G. LEROUX, Rouletabille chez Krupp, p. 53.

3 La conversation britannique est un jeu comme le cricket ou la boxe : les allusions personnelles sont interdites comme les coups au-dessous de la ceinture, et quiconque discute avec passion est aussitôt disqualifié.
A. MAUROIS, les Silences du colonel Bramble, p. 6.

N. *Les Britanniques* (→ **Anglo-saxon).**

DÉR. **Britannicité; britanniser, britannisme.**

**BRITANNISER** [bʀitanize] v. tr. — 1866, au p. p., Amiel; de *britannique.*

Rare. Donner un caractère, un aspect britannique à; faire subir l'influence britannique à.

Au participe passé :

Mais de quel œil Brahma, Shiva et Whisnou devaient-ils considérer cette Inde, maintenant «britannisée», lorsque quelque steam-boat passait en hennissant et troublait les eaux consacrées du Gange, effarouchant les mouettes qui volaient à sa surface, les tortues qui pullulaient sur ses bords, et les dévots étendus au long de ses rives!
J. VERNE, le Tour du monde en 80 jours, p. 113.

**BRITANNISME** [bʀitanism] n. m. — 1884, Verlaine; du rad. de *britannique.*

♦ **1** Rare. Manière d'être, comportement britannique.

♦ **2** Ling. Forme de langage propre à l'anglais parlé par les Britanniques. → **Anglicisme.** — Spécialt. S'oppose à *américanisme, canadianisme, australianisme,* etc. → **Briticisme.**

**BRITICISME** [bʀitisism] n. m. — 1972; anglais des États-Unis *briticism,* de *(Great-)Britain* «Grande-Bretagne».

Ling. Vocable, sens ou tournure idiomatique propre à l'anglais des îles Britanniques (par distinction avec l'usage anglais aux États-Unis d'Amérique. → **Américanisme**).

1 Peu de dictionnaires généraux signalent les américanismes, les briticismes, ou les termes propres à l'Australie, au Canada, à la Nouvelle-Zélande, etc. En un sens, c'est naturel : la langue anglaise est une, avec ses multiples variétés mondiales.
G.-J. FORGUE et R. MCDAVID, la Langue des Américains, p. 132 (1972).

2 On voit bien sortir de temps à autre des glossaires américain-anglais, mais la tendance est plutôt à expliquer les «briticismes» aux Américains que l'inverse.
G.-J. FORGUE, les Mots américains, p. 8 (1976).

**BRITISH** [bʀitiʃ] n. et adj. — XX$^e$; mot angl., «britannique».

Fam. Anglais, anglaise. *Les British.* → **Angliche.** — Adj. *Un style très british.*

N. m. L'anglais, tel qu'il est parlé dans les îles Britanniques. — Adj. De cet usage de l'anglais. *Il a l'accent british.*

Pourtant, je m'applique à mettre des *do* et des *did* là où il faut. Et des *get,* qui veulent dire n'importe quoi. Et *isn't?* à la fin des phrases, ce qui fait très chic, très britiche *(sic)* courant.
Geneviève DORMANN, le Bateau du courrier, p. 53.

**BRITTONIQUE** [bʀitɔnik] adj. et n. m. — Fin XIX$^e$; lat. *Britto, -onis* «breton».

Hist. Relatif aux Celtes qui occupèrent la Grande-Bretagne avant l'arrivée des Romains. *Les peuples brittoniques. L'influence brittonique.*

N. m. Langue celtique parlée en Grande-Bretagne avant l'ère chrétienne. *Le gallois et le breton-armoricain actuels dérivent du brittonique.* → Breton, cit. 2.

**BRIZE** [bʀiz] n. f. — 1557; grec *briza,* sorte de blé ou de seigle.

Plante herbacée *(Graminées)* aux ramifications ténues et gracieuses dont les épillets* verts ou roussâtres tremblent à la moindre brise. → **Amourette** (noms régionaux : *langue de femme, mouvette, pain d'oiseau, tremblette*). — REM. On trouve aussi la graphie *brise.*

Quand il changeait d'herbe, on le voyait jeter autour de lui un coup d'œil très aigu, très sélectif, avant d'aller cueillir celui *(le brin)* qu'il avait choisi, souvent une graminée, brise-amourette ou long dactyle (...)
Jacques PERRET, Bande à part, p. 67.

HOM. **Brise;** formes du v. **briser.**

1. **BROC** [bʀo] n. m. — 1380, «cruche»; mot anc. provençal, p.-ê. du grec *brokhis,* ou selon Guiraud, du provençal *brocher* «mettre un tonneau en perce» , de *broche* «cheville» puis «robinet de tonneau», d'où *broc* «pot avec lequel on tire du vin à la broche» ou «pot muni d'une broche».

♦ **1** Vx. Récipient à anse, à bec évasé, dont on se sert pour transvaser les liquides. *Un broc à ventre renflé, un broc en cône tronqué. Un broc en émail, en étain, en bois cerclé de cuivre. Un broc à vin, à bière.* → **Bidon, pichet.**

Un dressoir en chêne supportait toutes sortes d'ustensiles, 1
des brocs, des assiettes, des écuelles d'étain (...)
FLAUBERT, Trois contes, «Un cœur simple», 2.

♦ **2** Mod. Récipient de ce type utilisé pour mettre en réserve l'eau de toilette quand il n'y a pas d'eau courante.

Il (...) bondit à sa toilette, mouille dans le broc son mou- 2
choir. GIDE, les Caves du Vatican, IV, 1.

Contenu de ce récipient. *Il faudra bien deux brocs d'eau pour remplir le tub.*

2. **BROC** [bʀɔk] n. → **Brocanteur.**

HOM. **Broque.**

**BROCAILLE** [bʀɔkaj] n. f. — 1936, Céline; du rad. de *brocante,* et suff. *-aille.*

Péj. Brocante.

Le vieux il devait se débarrasser, fourguer tout ça à Petticoat, le pavé de la brocaille, leurs Puces, se faire de la place! CÉLINE, Guignol's band, p. 184.

**BROCANTAGE** [bʀɔkɑ̃taʒ] n. m. — 1808; de *brocanter.*

Vx. *(Le brocantage).* Action de brocanter, commerce de brocanteur. → **Brocante, revidage.** *La réglementation spéciale du brocantage.*

*(Un, des brocantages).* Opération de brocante.

1 Ces deux bandits (...) le ruinaient *(leur maître)* dans un brocantage continuel par des marchés de dupe, qu'ils lui persuadaient être des marchés d'escroc.
ROUSSEAU, les Confessions, VII.

2 (...) des Juifs revenus de Pologne, étiolés et blanchis par des siècles de brocantages et d'usure, sous les ciels du Nord (...) LOTI, Jérusalem, XIII, p. 158.

*Le brocantage de qqch.*, sa vente au rabais. — Fig. *«Le brocantage de ses opinions* (de Talleyrand) *au congrès de Vienne»* (Chateaubriand, *Mémoires d'outre-tombe*).

**BROCANTE** [bʀɔkɑ̃t] n. f. — 1782, Mercier, *in* Brunot, t. VI, p. 1301; de *brocanter.*

♦ **1** Commerce du brocanteur. → **Brocantage.** *Il a commencé par la brocante et fini dans le commerce d'exportation. «Le quartier de la brocante londonienne»* (P. Morand, *Londres*).

Par métonymie. Ensemble des brocanteurs. → **Brocanterie** (3.), 2. **chine.**

♦ **2** Action de brocanter. *Avoir le goût de la brocante.*

Alors il s'est mis à faire la brocante. Au début il prétendait toujours vendre des trucs de famille, un héritage (...) Les gens se méfiaient.
François NOURISSIER, le Maître de maison, p. 106.

♦ **3** Fam. Vx. Petit marché; magasin de brocanteur. *Faire quelques brocantes dans sa journée. Les brocantes du Temple.*

♦ **4** Fam. Vx. Petit travail d'occasion qu'une personne fait en dehors de sa journée, pour en ajouter le produit à son salaire. → **Bricole.** *Quelques brocantes aidant, il se fait de bons mois.*

DÉR. **Brocaille.**

**BROCANTER** [bʀɔkɑ̃te] v. — 1696, Regnard; orig. incert.; p.-ê. de l'anc. haut all. *brocko* «morceau» ou du néerl. *brok,* même sens; d'après Guiraud, mot d'argot à rapprocher de *broque* «bijou sans valeur, menu objet», puis «pièce» (d'art, d'orfèvrerie), d'où *brocanter* «acheter à la pièce»; cf. angl. *broker* «courtier». → Broker.

♦ **1** V. intr. Faire commerce d'objets anciens et de curiosités qu'on achète d'occasion pour la revente. → **Chiner.**

1 Habile en tous métiers, intrigante parfaite;
Qui prête, vend, revend, brocante, troque, achète (...)
J.-F. REGNARD, le Joueur, V, 2.

.1 C'est un petit rentier qui avait des fonds russes; il habite maintenant une sorte de cabane, derrière l'usine de produits chimiques. La misère et la crasse semblent l'avoir rendu inaltérable. Pour vivre, il chiffonne et brocante.
R. QUENEAU, le Chiendent, p. 85.

Fig. et littér. Faire un commerce mesquin ou honteux. *«Une de ces marchandes (...) qui brocantent sur la chair humaine jeune»* (Maupassant, *in* T. L. F.).

♦ **2** V. tr. Vendre (des objets achetés d'occasion) en tant que brocanteur. *Brocanter des tableaux, des bronzes, des manuscrits.* — Au p. p. *Un objet brocanté.*

2 (...) ces échanges, bonheur ineffable des collectionneurs! Le plaisir d'acheter des curiosités n'est que le second; le premier c'est de les brocanter.
BALZAC, le Cousin Pons, I, Pl., t. VI, p. 532.

Plus souillé qu'un haillon qu'on brocante au bazar (...) 3
HUGO, la Légende des siècles, XLIX, «La colère du bronze».

DÉR. **Brocantage, brocante, brocanterie, brocanteur.**

**BROCANTERIE** [bʀɔkɑ̃tʀi] n. f. — 1767; de *brocanter.* Rare.

♦ **1** Objet brocanté.

♦ **2** Commerce du brocanteur. → **Brocantage, brocante.**

♦ **3** (1841, *in* D. D. L.). Ensemble des brocanteurs.

**BROCANTEUR, EUSE** [bʀɔkɑ̃tœʀ, øz] n. — 1694, Ménage; de *brocanter.*

Personne qui brocante. → **Antiquaire, bouquiniste, fripier, revendeur.** *Un brocanteur de ferrailles. Le capharnaüm, le bric-à-brac du brocanteur. Une brocanteuse de la Foire aux puces.*

Chaque lundi matin, le brocanteur qui logeait sous l'allée 1
étalait par terre ses ferrailles.
FLAUBERT, Trois contes, «Un cœur simple», 2.

Fig. *Une «brocanteuse de chair humaine»* (Goncourt, *in* T. L. F.).

Abrév. fam. : *broco* [bʀoko] (1936, Céline, *in* D. D. L.), *broc* [bʀɔk] (v. 1930).

Une perpétuelle manie de fureter chez les brocos de la rive 2
gauche avait fini par devenir chez ce dernier une sorte de profession. Doué d'un flair miraculeux, Malepatte s'était mis à collectionner les objets de Chine qu'il rafistolait au besoin (...) Francis CARCO, Ombres vivantes, p. 270.

Et la rue Quincampoix est maintenant le domaine exclusif 3
des brocs et des biffins (...)
J.-P. CLÉBERT, Paris insolite, p. 197 (1952), *in* CELLARD et REY.

1. **BROCARD** [bʀɔkaʀ] n. m. — 1470; lat. médiéval *brocardus,* altér. de *Burchardus,* nom latinisé du juriste Burckard.

Hist. du dr. Adage juridique. → **Aphorisme, maxime.**

Au XVIe siècle on se servit du brocard *Le mort saisit le vif* comme d'une arme pour lutter contre les prétentions fiscales des seigneurs.
M. PLANIOL, Traité de droit civil (10e éd.), t. III, p. 449.

HOM. 2. **Brocard,** 3. **brocard, brocart.**

2. **BROCARD** [bʀɔkaʀ] n. m. — 1466; *brocart,* 1373; dér. du moy. franç. *broquer* «piquer», var. dial. de *brocher.*

Vx. (Souvent au plur.). Petit trait moqueur, raillerie. *Lancer, décocher, jeter des brocards à qqn. S'exposer aux brocards.*

On nous jette de tous côtés cent brocards à votre sujet (...) 1
MOLIÈRE, l'Avare, III, 1.

(...) Votre honneur m'est cher, et je ne puis souffrir 2
Qu'aux brocards d'un chacun vous alliez vous offrir.
MOLIÈRE, Tartuffe, II, 2.

Tous ces insolents railleurs, qui n'auraient pas eu assez 3
de brocards pour la confession d'un pauvre moine, dite à haute voix (...) firent absolument la même chose (...)
BARBEY D'AUREVILLY, les Diaboliques, «À un dîner d'athées».

CONTR. **Compliment, flatterie, louange.** ◊ DÉR. **Brocarder.** → HOM. 1. **Brocard,** 3. **brocard,** 1. **brocart.**

3. **BROCARD** (Académie), **BROCART** ou **BROQUART** [bʀɔkaʀ] n. m. — 1394, *brocart;* de *broque* «dague», var. normanno-picarde de *broche**.

Vén. Vieilli. «Bête fauve d'un an» (LITTRÉ). Mod. Chevreuil mâle d'un an environ. *Les broches** (cit. 6) *d'un brocard.*

(...) une frise de chevreuils roux trottant à la lisière d'un bois, — brocarts, chevrettes et faons à la file (...)
M. GENEVOIX, Forêt voisine, p. 122.

*Vieux brocard :* brocard de plus de deux ans.

HOM. 1. **Brocard,** 2. **brocard,** 1. **brocart.**

**BROCARDER** [bʀɔkaʀde] v. tr. — XV^e; de 2. *brocard.*
Vx ou littér. Railler par des brocards. *Il n'hésite pas à brocarder ses meilleurs amis* (Académie). — Absolt. *À brocarder toujours, on se fait des ennemis.*

1 Quant à moi, tournant sa fâcherie en risée, je recommençai à le brocarder.
Charles SOREL, Vraye hist. comique de Francion, *in* LITTRÉ.

Au participe passé :

2 Et de quelle moquerie ne serait-il pas l'objet, par un détour, dans la personne de son vicaire, déjà assez brocardé !
BERNANOS, Sous le soleil de Satan, Œ. roman., Pl., p. 215.

CONTR. **Courtiser, flatter, louanger.** ◈ DÉR. **Brocardeur.**

**BROCARDEUR, EUSE** [bʀɔkaʀdœʀ, øz] n. et adj. — 1540; de *brocarder.*
Vx. Personne qui brocarde, qui en brocarde une autre. → **Moqueur, railleur.** «*La belle Cordière eut des ennemis et des brocardeurs jusqu'au sein de son triomphe*» (Sainte-Beuve, *in* T. L. F.).

1. **BROCART** [bʀɔkaʀ] n. m. — 1519; var. *brocat* au XVI^e et encore au XVII^e; ital. *broccato* «(tissu) broché».
Riche tissu de soie rehaussé de dessins brochés en fils d'or et d'argent. → **Samit.** *Une robe de brocart. Des brocarts d'or* (→ 1. Or, cit. 4).

1 *(Juger)* des beautés d'un point, ou d'un brocart nouveau.
MOLIÈRE, les Femmes savantes, III, 2.

2 (...) la vieille marquise douairière dans sa robe de brocart couleur de feu (...)
Alphonse DAUDET, Lettres de mon moulin, «Trois messes basses».

3 (...) on voit scintiller aux murailles, aux arceaux, aux voûtes, un revêtement qui semble une étoffe brodée et rebrodée de nacre et d'or, sur fond vert. Peut-être un vieux brocart à ramages, ou du précieux cuir de Cordoue.
LOTI, Jérusalem, VIII, p. 91.

HOM. 1. **Brocard,** 2. **brocard,** 3. **brocard.**

2. **BROCART** [bʀɔkaʀ] n. m. → 3. **Brocard.**

**BROCATELLE** [bʀɔkatɛl] n. f. — 1680; *brocadelle,* 1519; ital. *brocatello,* même sens, de *broccato.* → Brocart.

♦ **1** Vx ou techn. Brocart dont les dessins sont petits et peu saillants.
Tissu imitant le brocart.

1 On ne veut pas que j'honore un homme vêtu de brocatelle et suivi de sept ou huit laquais !
PASCAL, Pensées, V, 315.

2 (...) don Vigilio s'effaçait pour le laisser entrer dans un premier salon, une pièce tendue de brocatelle rouge (...)
ZOLA, Rome, p. 68.

♦ **2** (XVIII^e). Par anal. Marbre coquillier, qui rappelle l'étoffe de brocart par la variété de ses couleurs.

**BROCCIO** [bʀɔtʃjo] ou **BRUCCIO** [bʀutʃjo] n. m. — Attesté 1960; 1840, *bruccio;* mot corse.
Fromage frais de Corse, au lait de chèvre ou de brebis, non salé, chauffé et battu. → 2. **Brousse.**
REM. On trouve aussi la forme *brocciu* [bʀɔtʃ(j)u].

1. **BROCHAGE** [bʀɔʃaʒ] n. m. — 1822; de *brocher.*
♦ **1** Techn. Procédé de tissage* permettant de former des ornements sur le fond uni de l'étoffe. → **Brocart, brocatelle.** — Ces dessins. *Un brochage d'or, d'argent.*

♦ **2** [a] (1835). Action, manière de brocher (les feuilles imprimées). → **Brochure, reliure.** *Opérations constituant le brochage.* → **Assemblage, chaînette, couture, ébarbage.** *Un atelier de brochage. Le brochage succède au pliage en cahiers*.*

[b] Assemblage qui maintient des feuilles brochées.

(...) il coupa les ficelles du brochage, détacha les premiers cahiers *(du livre)* [...]
GIDE, Journal, 9 janv. 1930.

♦ **3** Techn. Opération consistant à inciser la peau d'une bête abattue, avant de la bouffer (→ 1. Bouffer, B.).

♦ **4** Techn. Usinage d'un trou à l'aide d'une broche.

2. **BROCHAGE** [bʀɔʃaʒ] n. m. — XX^e; de *broche,* I., 2.
Chir. Contention d'une fracture au moyen de broches.

1. **BROCHE** [bʀɔʃ] n. f. — 1121; du lat. pop. **brocca,* fém. substantivé de *broccus* «saillant, proéminent (en parlant des dents)».

**I** Instrument, pièce à tige pointue. ♦ **1** (1172). Cour. Ustensile de cuisine composé d'une tige de fer pointue qu'on passe au travers d'une volaille ou d'une pièce de viande à rôtir, pour la faire tourner au-dessus de la flamme. → **Brochette, hâtelet.** *Placer une lèchefrite* sous la broche. Mettre la broche sur le hâtier* et le contre-hâtier.*

Nous avons là une petite botte de paille pour faire le feu 1
(...) donnez-nous seulement la permission de mettre la broche en travers à votre cheminée.
G. SAND, la Mare au diable, Appendice, II, p. 159.

Dès que son frère partait, il descendait, il s'installait au 1.
fond de la boutique, ravi des quatre broches gigantesques qui tournaient avec un bruit doux, devant les hautes flammes claires.
ZOLA, le Ventre de Paris, t. I, p. 66.

Elle préfère rester seule accroupie devant le feu, et elle 1.
tourne elle-même les broches, les bouts de fil de fer sur lesquels sont enfilés les morceaux de viande.
J-M. G. LE CLÉZIO, Désert, p. 163.

*Mettre à la broche.* → **Brocheter, embrocher** (→ Débrocher).

Thibault l'agnelet passera 2
Sans qu'à la broche je le mette (...)
LA FONTAINE, Fables, X, 5.

*Faire cuire en broche* (vieilli), *à la broche. Viande, porcelet à la broche.*

Disant ces mots, il vit des bergers pour leur rôt 3
Mangeant un agneau cuit en broche.
LA FONTAINE, Fables, X, 5.

*Tourner la broche, donner un tour de broche,* à la main ou mécaniquement. → **Tournebroche.**

Miraut, notre bon chien, a tourné ma broche pendant qua- 4
torze ans (...) Il se contentait pour prix de sa peine de lécher la rôtissoire. Mais il se fait vieux. Sa patte devient raide, il n'y voit goutte et ne vaut plus rien pour tourner la manivelle.
FRANCE, la Rôtisserie de la reine Pédauque, II.

♦ **2** (1694). Techn. [a] Tige de fer recevant la bobine* dans les filatures. *Broches à filer le coton. Bancs à broches,* sur lesquels les rubans de coton sont amincis en mèches par torsion. → **Fuseau.** *Broche supportant la canette* (→ Pointicelle, cit.).
[b] Tige métallique utilisée en chirurgie pour consolider ou fixer un os fracturé, une articulation. *Après son accident, on lui a mis des broches. Pose de broches sur une fracture.* → 2. **Brochage.**
[c] Alpin. Long piton muni d'un anneau utilisé dans la neige et la glace, ou en artificielle*.
[d] Anciennt. Tige de métal percutant l'amorce, dans certains fusils (dits *fusils à broche*).
[e] Cheville ou tige servant à enfiler des objets.
[f] Tige constituant la partie mâle d'une connexion électrique.
[g] (1680). Tige à l'intérieur du pêne d'une serrure, lorsque la clef est creuse.

**h** (1268). Cheville pour boucher le trou fait au foret* dans un tonneau.

**i** Partie tournante (portant un mandrin, une pointe de tour, une fraise, etc.) d'une machine-outil, servant à usiner un trou dans une pièce (→ **Brocher**; 1. **brochage**).

♦ **3** (1690). Vx ou régional. Longue aiguille à tricoter en métal.

♦ **4** Vx. Éperon. → Brocher, 1.

**II** (1332). Cour. Bijou muni d'une longue épingle* et d'un fermoir, servant à attacher un châle, un col, ou à garnir un corsage. → **Attache, fibule; brochette,** 2. *Faire faire une broche* (→ Bleuet, cit. 2).

5 Les garnitures de dentelles, les broches de diamants, les bracelets à médaillon frissonnaient aux corsages, scintillaient aux poitrines, bruissaient sur les bras nus.

FLAUBERT, Mme Bovary, I, VIII.

**III** Plur. Vén. ♦ **1** Défenses du sanglier.

♦ **2** Premiers bois du chevreuil. → 3. **Brocard.**

6 C'est bien plutôt des chevreuils que vient le danger, car la fougue d'un jeune brocard ne recule pas devant la masse d'un grand cerf, et ses broches peuvent lui infliger des blessures irréparables.

M. TOURNIER, le Roi des Aulnes, p. 230.

Pop. et vx. Dents.

**IV** Loc. fam. *Il n'y en a pas plus que de beurre en broche* (var. de : *de beurre en branche*). → **Beurre** (cit. 4.5).

DÉR. et COMP. 2. **Brochage, brochée, brocher, brochet, brocheter, brochette. — Débrocher** (une viande), **embrocher. —** V. 3. **Brocard, broque.**

2. **BROCHE** [bʀɔʃ] n. m. Argotique. → **Brochet,** 2.

**BROCHÉ** [bʀɔʃe] n. m. — XVIIIe; de *brocher.*

Techn. Vx. Brochage. — Tissu broché. *Du broché.*

HOM. **Brochée, brocher.**

**BROCHÉE** [bʀɔʃe] n. f. — 1556; de 1. *broche.*

Vx. Quantité de viande qu'on fait rôtir à une broche en une seule fois. *Des brochées de volailles.*

HOM. **Broché, brocher.**

**BROCHER** [bʀɔʃe] v. tr. — 1080; de *broche.*

♦ **1** Enfoncer l'éperon, la «broche». **a** Vx. Éperonner. *Brocher son cheval.*

**b** (1610). Fig. et vieilli. Composer, rédiger à la hâte, sans soin. «*Je broche une comédie dans les mœurs du sérail*» (Beaumarchais). → **Bâcler, bricoler.** *Brocher un article, un mémoire, un travail.*

1 Et qui vous dit, mes divins anges, que je brochais un drame?

VOLTAIRE, Lettre à d'Argental, 13 juil. 1763, *in* LITTRÉ.

1.1 Elle courait le monde, assistant tantôt à une première, tantôt à un lancement de navire aérien, à une soirée, à un bal, couvrant son carnet de notes et brochant ensuite des articles pour le journal.

A. ROBIDA, le Vingtième Siècle, p. 226.

♦ **2** (1718). Relier sommairement, après assemblage, pliure et couture des feuilles, avec une couverture de papier. *Brocher ensemble les différents fascicules d'un ouvrage* (→ 1. **Brochage, brochure).** *Machine à brocher.* → **Brocheuse.**

♦ **3** (XIIIe; de *broche,* I., 2., a). **a** Tisser en entremêlant sur le fond des fils de soie, d'argent ou d'or, de manière à former des dessins en relief. → **Rebrocher** (vx). *Métier à brocher.* → **Brocheur.** *On ne brochait autrefois que des étoffes précieuses* (→ **Brocart, broché).**

Au passif :

Quand je rédigeai ce fragment perdu du journal, je fus longtemps hanté par la beauté d'Albert, coiffé toujours de cette casquette de la marine fluviale (dont le ruban noir est broché de fleurs). 1.2

Jean GENET, Journal du voleur, p. 163.

**b** Par anal. (au p. prés.). Blason. *Pièce brochante,* qui passe par-dessus d'autres.

Loc. *Brochant sur le tout :* passant d'un côté de l'écu à l'autre.

Rien au monde cependant n'était plus pastoral et plus simple : quelques arbres (...) une femme et un rayon de soleil brochant sur le tout comme un chevron d'or sur un balcon. 2

Th. GAUTIER, Mlle de Maupin, *in* MATORÉ, (Voc. sous Louis-Philippe).

Fig. (Dans une énumération péjorative de malheurs et de défauts, de choses ou de personnes déplaisantes). Vx ou littér. Par surcroît, pour comble. (→ Sans-, cit.).

Il y avait des médecins (...) quelques anciens moines (...) deux ou trois prêtres soi-disant mariés, mais en réalité concubinaires, et, brochant sur le tout, un ancien représentant du peuple, qui avait voté la mort du roi (...) 3

BARBEY D'AUREVILLY, les Diaboliques, «À un dîner d'athées».

J'y fus trompé, puis je reconnus mon erreur, jusqu'au jour enfin où je découvris dans cette même erreur la seule part de vérité substantielle à quoi j'ai mordu de ma vie. En attendant, et brochant sur le tout, j'avais pour Sophie la camaraderie facile qu'un homme a pour les garçons quand il ne les aime pas. 4

M. YOURCENAR, le Coup de grâce, p. 158.

♦ **4** (1680). Techn. Enfoncer (des clous) dans le sabot d'un cheval qu'on ferre. *On broche les clous à l'aide d'un brochoir.* — Absolt. *Marteau à brocher.* → **Brochoir.**

♦ **5** Techn. Inciser la peau de (une bête abattue) pour procéder au bouffage*.

♦ **6** Techn. Usiner (un trou) à la broche.

◆ **BROCHÉ, ÉE** p. p. adj. *Livre broché,* assemblé par brochage ou par collage, ou par collage et brochage et couvert de papier (opposé à *relié,* à *cartonné*). — *Une tenture de soie brochée, brochée d'or.*

CONTR. **Débrocher.** ◇ DÉR. 1. **Brochage, broché, brocheur, brochoir, brochure.** — V. 2. **Brocard.** — COMP. **Débrocher** (un livre), **rebrocher.** — HOM. **Broché, brochée.**

**BROCHET** [bʀɔʃɛ] n. m. — 1268, Étienne Boileau; de *broche,* à cause de la forme pointue du museau.

♦ **1** Grand poisson d'eau douce *(Ésocidés),* à corps étroit, élancé, couvert de fines écailles, au museau large, plat et pointu, armé de dents aiguës. → **Bécard, becquet, brocheton, lanceron.** *Tête de brochet.* → **Hure.** *Le brochet est parfois appelé requin des eaux douces. La chair estimée du brochet; les œufs du brochet, bien que légèrement toxiques, sont utilisés en cuisine* (Europe de l'Est). *Pêcher le brochet. Brochet au bleu, brochet grillé. Brochet-lance :* poisson d'Amérique du Nord. → **Lépidostée.**

En franç. d'Afrique. Poisson de mer vorace, au corps effilé, comestible. Syn. : *brochet de mer.*

Ma commère la carpe y faisait mille tours, 1
Avec le brochet son compère.

LA FONTAINE, Fables, VII, 4.

Le brochet est très bon à manger; mais ses œufs ont quelquefois une action purgative analogue à celle des œufs du barbeau. 2

LITTRÉ, Dict., art. *Brochet.*

Et elle montrait, sur des planches lessivées, d'une propreté excessive, de grands brochets étalés par rang de taille, à côté de tanches bronzées et de lots de goujons en petits tas. 3

ZOLA, le Ventre de Paris, t. I, p. 183.

♦ **2** (1872, Poulot). Argot anc. Souteneur. → **Maquereau.** — Syn. (vx) : *broche,* n. m. (Bruant; L. P. Fargue, *in* T. L. F.).

DÉR. **Brocheton.**

**BROCHETER** [bʀɔʃte] v. tr. [CONJUG.: *jeter.*] — 1705; de *broche.*

Rare. Traverser avec une broche ou une brochette. *Brocheter un gigot, une volaille.*

**BROCHETON** [bʀɔʃtɔ̃] n. m. — 1397; dimin. de *brochet.*

Jeune brochet (de 4 à 6 semaines).

Sur le banc en face des Variétés, des pêcheurs improvisés débitent, à 2 francs pièce, des brochetons gros comme des goujons, pêchés on ne sait où.

Ed. et J. DE GONCOURT, Journal, t. IV, p. 84.

DÉR. **Brochetonnet.**

**BROCHETONNET** [bʀɔʃtɔnɛ] n. m. — XX^e; de *brocheton;* var. régionale *brochetonneau* (F. E. W.).

Techn. (pisciculture). Alevin de brochet, lorsqu'il devient capable de nager seul.

**BROCHETTE** [bʀɔʃɛt] n. f. — 1393; «pointe acérée», v. 1180; de *broche.*

♦ **1** [a] Petite broche qui sert soit à assujettir de grosses pièces de viande à la pièce principale, soit (plus cour.) à faire rôtir ou griller de petites pièces. → **Hâtelet, lardoire.** *Rognons à la brochette* (vieilli), *en brochette.* Enlever la brochette avant de manger.

1 (...) j'ai vu sur votre table des mauviettes enfilées dans des brochettes d'or.

VOLTAIRE, la Princesse de Babylone, III.

[b] Cour. Les morceaux embrochés. *Manger des brochettes.* «*Une brochette saignante*» (Cendrars, *in* T. L. F.). *Une brochette de rognons, de foie. Couscous brochettes,* servi avec de la viande (mouton) en brochettes. *Brochette de mouton à l'orientale.* → **Chachlik, chiche-kebab, souvlaki.** *Faire cuire des brochettes au feu de bois, sur un barbecue. Il vendait des brochettes et des merguez. Brochette de fruits de mer, de petits poissons, d'éperlans.*

2 Le bar des cornes, un peu plus bas, a son plein de gros hommes (...) qui engloutissent des brochettes de moules rouges en crachant partout les cure-dents.

A. PIEYRE DE MANDIARGUES, la Marge, p. 87-88.

♦ **2** (1453). Petite broche servant à porter sur l'habit plusieurs médailles ou décorations; cette série. *Une brochette de décorations* (→ Cordon, cit. 4.1).

3 J'ose à peine la nommer, tant je redoute une raillerie déplacée : je veux parler de la manie de *Faire des mariages.* La brochette de mes décorations ne provient pas d'une autre source.

VILLIERS DE L'ISLE-ADAM, Tribulat Bonhomet, p. 48.

♦ **3** Techn. Petite broche.

♦ **4** Par ext. Par plais. Ensemble disposé en ligne (d'objets identiques, de personnes du même genre). → **Rangée.** «*Le banc de droite branlait (...) sous une brochette de petites filles*» (Colette, *in* T. L. F.). *Il y avait une belle brochette de généraux dans la délégation étrangère.*

♦ **5** Techn. Bâtonnet qui sert à enfoncer la nourriture dans le bec de jeunes oiseaux. → **Becquée.** — Loc. fig. (Goncourt, 1860). Vx. *Élever un enfant à la brochette,* avec trop de soin, de délicatesse. → **Coton** (élever dans du).

DÉR. **Brocheter.** — V. **Broquette.**

**BROCHEUR, EUSE** [bʀɔʃœʀ, øz] n. — 1751; «tricoteur», 1680; de *brocher.*

♦ **1** Ouvrier, ouvrière dont le métier est de brocher (des tissus, des livres). *Brocheur d'étoffes, en reliure.* Absolt. *Elle est brocheuse* (elle travaille dans un atelier de brochage).

Ma mère, malade, se fit brocheuse, coupa, plia.

MICHELET, *in* Pierre LAROUSSE.

♦ **2** N. m. Métier pour le broché (on dit aussi *battant brocheur*).

♦ **3** N. f. Machine pour le brochage des livres. «*Le plioir de la brocheuse*» (Balzac, *Œ. div.,* t. II, p. 122).

**BROCHOIR** [bʀɔʃwaʀ] n. m. — 1611; *brochouer,* 1443; de *brocher.*

Techn. Marteau servant à ferrer les chevaux (→ **Brocher,** 4.).

**BROCHURE** [bʀɔʃyʀ] n. f. — 1377; de *brocher.*

♦ **1** Techn. Décor tissé sur le fond d'une étoffe brochée. *Une brochure d'argent. Les fleurs de la brochure.*

♦ **2** Techn. Action de brocher un livre; résultat de cette action. *La brochure demandera quelques jours.* → **Brochage** (plus cour.). *Une brochure solide.*

♦ **3** (1718). Cour. Ouvrage imprimé et broché ou sommairement assemblé, dont le nombre de pages est trop réduit pour constituer un livre. → **Opuscule, pamphlet** (vx), **tract.** *Une brochure de propagande. Brochure publicitaire. Distribuer des brochures. Brochure mensuelle, périodique.*

Ces pages agitées que je traçais le jour étaient des notes relatives aux événements du moment, lesquelles, réunies, devinrent ma brochure : «*De Bonaparte et des Bourbons*».

CHATEAUBRIAND, Mémoires d'outre-tombe, t. III, 3.

DÉR. **Brochurette, brochurier.**

**BROCHURETTE** [bʀɔʃyʀɛt] n. f. — 1858; de *brochure.*

Rare. Petite brochure. *Lire une brochurette.*

**BROCHURIER, IÈRE** [bʀɔʃyʀje, jɛʀ] n. — 1803; de *brochure.*

Vieilli. Personne qui écrit des brochures de propagande.

Casuiste médical plein de mystères et conjecturant brochurier plein d'intentions, mais thaumaturge hypothétique, il serait peut-être le premier docteur du monde pour guérir les gens de mettre le pied chez lui (...)

Léon BLOY, le Désespéré, p. 18.

**BROCO** [bʀɔko] n. → **Brocanteur.**

**BROCOLI** [bʀɔkɔli] n. m. — 1560; plur. ital. *broccoli* «pousses de choux», au sing. *broccolo,* dimin. de *brocco* «chou».

♦ **1** Chou-fleur d'une variété non pommée à longue tige, originaire d'Italie. *Des brocolis blancs. Brocolis violets, verts.*

♦ **2** (1740). Vx. Jeune pousse de chou, au printemps.

**BRODEQUIN** [bʀɔdkɛ̃] n. m. — 1476, *brouzequin; brodequin* «étoffe servant à faire des chausses», fin XIV^e; *broissequin,* 1314; d'orig. incert., p.-ê. de l'esp. *borcequi,* avec infl. de *broder,* ou d'un croisement entre le lat. *bruscum* «noeud de l'érable» et un étymon arabe signifiant «étoffe de couleur sombre». Le rapprochement avec le néerl. *broseken* «petit soulier» n'est pas assuré.

♦ **1** Didact. [a] Hist. Chaussure d'étoffe, de peau, couvrant le pied et le bas de la jambe. *Les brodequins d'un évêque, d'un consul romain.*

Vitellius (...) ayant la toge, le laticlave, les brodequins d'un consul et des licteurs autour de sa personne. 1

FLAUBERT, Trois contes, «Hérodias», 2.

1.1 Pour revenir au brodequin, il est la chaussure favorite des Francs, ces superbes marcheurs devant l'Éternel. Plus tard, il évolue encore, devient de plus en plus léger, pour ne désigner, au Moyen Âge, qu'une sorte de bas de cuir, qu'on enfile avant de mettre le pied dans la botte.
Alain BOSQUET, les Bonnes Intentions, p. 226.

[b] Spécialt. Chaussure à l'usage des personnages de comédie, chez les anciens.

Par métonymie. Vx. *Le brodequin :* le genre comique. — Loc. *Chausser le brodequin :* composer, jouer des comédies. *Quitter le brodequin pour prendre le cothurne :* abandonner le comique pour le tragique.

2 Mais quoi! je chausse ici le cothurne tragique!
Reprenons au plus tôt le brodequin comique (...)
BOILEAU, Satires, X.

3 *(Eschyle)* Sur les ais d'un théâtre en public exhaussé,
Fit paraître l'acteur d'un brodequin chaussé.
BOILEAU, l'Art poétique, 3.

♦ **2** Hist. (Au plur.). Pièces de bois qui servaient à serrer les jambes d'un condamné soumis à la question. *Le supplice des brodequins.* Cf. Balzac, *Œ. div.* t. I, p. 517, *in* T. L. F.

♦ **3** Vx. Chaussure légère de femme ou d'enfant. → Pied, cit. 1.

♦ **4** (1894, *in* D. D. L.). Vieilli (ou langue admin., milit.). Chaussure* montante de marche, lacée sur le cou-de-pied. *Brodequins militaires, de chasseur.* → **Godillot.** *Brodequin à guêtre.* → 2. **Ranger,** 3. (anglicisme).

4 (...) un grand gaillard, très brun, à la physionomie riante et éveillée et qui, dans son costume de sport et ses brodequins à crampons, ne manquait pas d'allure.
Francis CARCO, les Belles Manières, p. 26.

5 (...) j'acceptai de décrotter et de cirer chaque matin ses merveilleux brodequins, car j'ai toujours aimé toucher des chaussures. M. TOURNIER, le Roi des Aulnes, p. 21.

**BRODER** [bʀɔde] v. tr. — Av. 1105, *brosder;* orig. discutée; soit du germanique **buzdan* — qui expliquerait aussi l'anc. provençal *braydar* —, soit du francique **brozdôn;* ou p.-ê., d'après Guiraud, d'un gallo-roman **broccidare, broder* étant, par l'interm. de l'anc. franç. *broche* «aiguille à broder», à rapprocher de *brocher.*

♦ **1** [a] Orner (un tissu) de broderies. → **Festonner.** *Broder un mouchoir, un napperon.*

Absolt. *Broder à l'aiguille, au crochet, au tambour, à la main, au métier. Broder en ambigu. Métier à broder :* appareil servant à exécuter des ouvrages de broderie. → **Brodeuse.** *Coton à broder. Fil à broder.* → **Cannetille, cartisane, cordonnet.**

1 Pour les lui présenter on choisit cent pucelles,
Toutes sachant broder, aussi sages que belles (...)
LA FONTAINE, les Filles de Minée.

[b] Exécuter en broderie. *Broder un chiffre sur une chemise.*

[c] Orner en brodant. *Broder une chemise. Broder une chemise d'un chiffre, d'initiales.*

2 Elles étaient occupées à broder de paillettes d'or de petites pantoufles rouges, à bouts retroussés comme des trompettes. LOTI, Aziyadé, XXIII, p. 207.

REM. Les emplois métaphoriques concrets (→ ci-dessous, cit. 3, 5 et 7) semblent plus modernes, encore que très littéraires, que les emplois abstraits.

3 Des pluies de choses jaunes et rouges grêlaient les ténèbres, et la nuit était comme un métier à tapisserie où des fils d'or couraient sans cesse, brodant la trame noire d'arabesques changeantes et de dessins inattendus.
Edmond JALOUX, le Jeune Homme au masque, I, p. 22.

Par métaphore (cit. 6) et fig. Orner, embellir.

*(L'amour)* C'est l'étoffe de la nature que l'imagination a brodée. VOLTAIRE, Dict. philosophique, Amour. 4

(...) et la mer qui se brise, 5
Là-bas, d'un flot d'argent brode les noirs îlots.
HUGO, les Orientales, X.

Les vertus que les anachorètes brodent soigneusement sur 6
le tissu de la foi sont aussi fragiles que magnifiques (...)
FRANCE, Thaïs, I.

(...) itinéraires changeants, fortuits, brodés chaque fois 7
d'une sinuosité de plus.
J. ROMAINS, les Hommes de bonne volonté, t. III, p. 271.

Par métaphore du sens 1, b. Ajouter (qqch.) comme un embellissement.

Nous sommes aujourd'hui à l'énergie et à l'atrocité, et nous 8
brodons sur le canevas de ces passions des ornements qui seraient d'un terrible à faire dresser les cheveux sur la tête, si nous pouvions les prendre au sérieux.
G. SAND, François le Champi, Avant-propos, 15.

♦ **2** Fig. [a] Absolt ou v. intr. Amplifier ou exagérer à plaisir. → **Exagérer, mentir.** *Vous brodez, les choses se sont passées plus simplement. C'est un bavard, il ne peut pas raconter une histoire sans broder. Broder autour d'un sujet donné. Il brode à merveille sur ce thème.*

(...) il s'agit de faits ayant une grande part de vérité, mais 9
sur lesquels l'imagination aurait plus ou moins brodé au détriment de l'exactitude historique.
DANIEL-ROPS, le Peuple de la Bible, IV, I, p. 281.

[b] V. tr. (1690). Vx. Enrichir de détails fournis par l'imagination; inventer (un tel détail). → **Agrémenter, développer, embellir.** *Broder ses aventures.*

(...) la musique et la poésie ne sont, pour ainsi dire, que 10
les thèmes sur lesquels chacun brode ses propres sentiments (...) LAMARTINE, Graziella, XVIII, p. 78.

Mus. Agrémenter de variations, de fioritures (un morceau de musique).

◆ **SE BRODER** v. pron. Passif. *La toile se brode facilement.*

◆ **BRODÉ, ÉE** p. p. adj. Qui comporte des broderies. *Un mouchoir, un drap brodé. Un habit brodé.*

(...) cette Espagnole (...) 11
Qui soulève, en dansant son fandango léger,
Les plis brodés de sa basquine!
HUGO, les Orientales, 21.

Techn. *Tissu brodé :* tissu dont les fils du dessin sont orientés dans tous les sens.

Exécuté en broderie. *Initiales brodées.*

Fig. *Melon brodé,* dont l'écorce présente des dessins évoquant une broderie. — Subst. (n. m.) :

— Enfin, est-ce qu'ils n'ont pas mangé un melon l'autre 12
jour qu'on n'pouvait pas en approcher; pas un brodé... un cantalou... deux fois ma tête. J'suis loin de m'opposer à ce qu'ils en mangent, du melon; qu'ils en crèvent s'ils veulent, j'm'en moque pas mal encore; mais qu'ils viennent exprès étaler leurs épluchures sur le carré en face mon paillasson, j'dis qu'c'est une petitesse.
Henri MONNIER, Scènes populaires, «Le roman chez la portière», p. 22.

CONTR. **Enlaidir. — Abréger, simplifier.** ◊ DÉR. **Broderie, brodeur.** — COMP. **Rebroder, surbrodé.**

**BRODERIE** [bʀɔdʀi] n. f. — 1393; *brouderie,* 1270; de *broder.*

♦ **1** Ouvrage consistant en points qui recouvrent un motif dessiné sur un tissu ou un canevas; art d'exécuter de tels ouvrages. → **Dentelle, guipure, tapisserie.** *Une broderie fine, délicate, savante, riche. La broderie d'une chasuble, d'un ornement, d'un habit. Faire de la broderie.* → **Broder.** *Broderie en forme d'alvéoles.* → **Nid** (d'abeilles). — Techn. *Broderie* *blanche, broderie sur blanc,* destinée à l'ornementation de la lingerie et du linge (plumetis, bourdon, point de feston, grille ajourée). *Broderie sur métier* (tambour) ou *broderie d'art; broderie de couleur* (broderie d'application, d'or, au crochet, etc.). *Broderie à la machine; broderie mécanique,* effectuée sur des métiers industriels. — (1849, *in* D. D. L.). *Broderie anglaise :* broderie effectuée autour de parties évidées (et imitant la dentelle). *Broderie caucasienne*. — Broderie rehaussée de clinquant*. Broderie de faux or, de faux argent.* → **Oripeau.** *Broderie d'or des vêtements liturgiques.* → **Orfroi.** *Bande de broderie qui coupe un tissu.* → **Entre-deux.** *Dessin de broderie entouré d'un liserage. Le traçage, le poinçonnage d'un dessin de broderie.*

1 (...) Des guerriers si bien mis,
Tant d'habits, comme au bal, chargés de broderie.
CORNEILLE, Poésies diverses, 97.

2 Je voudrais bien qu'on fît de la coquetterie
Comme de la guipure et de la broderie!
MOLIÈRE, l'École des maris, II, 6.

*Une, des broderies.*

3 (...) en habits et vestes de soie feuille morte, rose tendre, bleu céleste, agrémentés de broderies et galonnés d'or, les hommes sont aussi parés que les femmes.
TAINE, les Origines de la France contemporaine, t. I, p. 160.

4 (...) sur fond de velours vert-émir, une ancienne et admirable broderie d'or, dessinée par un célèbre calligraphe du temps passé (...) LOTI, les Désenchantées, I, 3, p. 46.

♦ **2** Commerce, industrie du brodeur. *Travailler dans la broderie.*

♦ **3** (1690). Fig. et rare. Détail dû à l'imagination, que l'on ajoute à un récit. → **Amplification, exagération.** *Agrémenter une histoire de quelques broderies.*

5 Aquaviva manda d'être en garde contre tout ce qui viendrait des Français, avec force broderies pour appuyer cet avis. SAINT-SIMON, *in* Pierre LAROUSSE.

Mus. Ornement s'ajoutant à un thème musical.

**BRODEUR, EUSE** [bʀɔdœʀ, øz] n. — 1268; de *broder.*

♦ **1** Ouvrier, ouvrière en broderie. *Brodeuse à la main. Brodeur à la mécanique. L'art du brodeur. Une habile brodeuse.*

1 Les modes changeaient, l'art du brodeur se transformait, mais on retrouvait encore là, scellée au mur, la chanlatte, la pièce de bois, où s'appuie le métier, qu'un tréteau mobile porte, à l'autre bout. ZOLA, le Rêve, III.

♦ **2 BRODEUSE,** n. f. Métier, machine à broder. (On trouve aussi, plus rarement, le n. m. *brodeur mécanique*).

♦ **3** Fig., vx. Personne qui brode, en parlant, pour embellir son récit. → **Hâbleur.**

2 D'où vient qu'il *(Charles Bovary)* retournait aux Berteaux (...)? Ah! c'est qu'il y avait là-bas une personne, quelqu'un qui savait causer, une brodeuse, un bel esprit.
FLAUBERT, Mme Bovary, I, II.

(1821, Ansiaume). Spécialt. Argot anc. Écrivain public (au bagne). — N. f. (1901, Bruant). Plume à écrire.

**BROGLIEN, IENNE** [bʀɔglijɛ̃, ijɛn; bʀœjɛ̃, jɛn] adj. — 1940; du nom de *Louis de Broglie,* physicien français né en 1892.

Didact. Qui concerne les théories de la mécanique ondulatoire établies par L. de Broglie. *Ondes brogliennes.*

**BROIE** [bʀwa] n. f. — 1370; de *broyer.*

Techn. Ancienn. Instrument qui servait à broyer la tige du chanvre et du lin pour détacher la filasse de la chènevotte. → **Brisoir, macque.** *Les mâchoires d'une broie.*

**BROIEMENT** [bʀwamɑ̃] n. m. — XVe, *broyment;* de *broyer.*

Rare ou littér. Action de broyer*. → **Broyage.**

Peu, très peu de plantes de mer échappent au broiement éternel du galet froissé, refroissé. 1
MICHELET, *in* Pierre LAROUSSE.

L'effort est une cruauté, l'existence par l'effort est une cruauté. Sortant de son repos et se distendant jusqu'à l'être, Brahma souffre d'une souffrance qui rend des harmoniques de joie peut-être, mais qui à l'extrémité ultime de la courbe ne s'exprime plus que par un affreux broiement. 2
A. ARTAUD, le Théâtre et son double, Lettres sur la Cruauté, Idées/Gallimard, p. 156-157.

Méd. État d'un tissu broyé ou d'une plaie provoquée par écrasement.

Chir. Acte consistant à écraser une structure organique (un calcul, par ex.) afin d'en faciliter l'extraction. — Syn. : *broyage.*

**BROIGNE** [bʀwaɲ] n. f. — 1130; *bronie,* Xe; du francique **brunnia* «protection pour la poitrine du combattant».

Ancienn. Tunique épaisse, parfois de cuir, en usage au moyen âge, et qui servait d'armure, de cuirasse. → **Haubert.**

**BROKER** [bʀɔkœʀ] n. m. — D. i.; mot angl. de *to break,* proprt «rompre». → Brocanter.

Anglic. Courtier. — Spécialt. Agent de change (britannique ou américain). *Les brokers américains de Paris.*

**BROMAL** [bʀɔmal] n. m. — 1858, Nysten; de 2. *brome.*

Chim. Aldéhyde acétique tribromé, liquide lacrymogène.

**BROMATE** [bʀɔmat] n. m. — 1838; de 2. *brome.*

Chim. Sel ($HBrO_3$) ou ester de l'acide bromique. — Anion oxygéné de brome ($BrO_3$).

**BROMATOLOGIE** [bʀɔmatɔlɔʒi] n. f. — 1906, in *Rev. gén. des sc.,* no 6, p. 260; du grec *brôma, -atos* «nourriture», et *-logie.*

Didact. Étude des aliments.

On vogue évidemment d'une façon normale de l'agriculture à l'arboriculture, puis de celle-ci à l'horticulture, et de celle-ci à l'art du liquoriste et à la bromatologie, et de là à la chimie (...)
R. QUENEAU, Bâtons, chiffres et lettres, p. 113.

DÉR. **Bromatologique.**

**BROMATOLOGIQUE** [bʀɔmatɔlɔʒik] adj. — XXe; de *bromatologie.*

Didact. Relatif à la bromatologie. → **Alimentaire, nutritif.** *Valeur bromatologique d'une céréale.*

1. **BROME** [bʀom] n. m. — 1559; lat. *bromos,* mot grec.

Agric. Plante fourragère *(Graminées)* herbacée. *Brome mollet.* → Prairie, cit. 1.1.

2. **BROME** [bʀom] n. m. — 1826, Balard; du grec *brômos* «puanteur».

Corps simple (symb. *Br;* p. at. 79,909; no at. 35), métalloïde de la famille des halogènes, rouge foncé, à odeur suffocante, que l'on extrait des eaux de la mer, des gisements salins *(dépôts de Stassfurt),* de jaillissements de saumure *(Michigan). Le brome est utilisé pour fabriquer des bromures* métalliques, ainsi qu'un antidétonant pour les carburants. Intoxication due au brome.* → **Bromisme.**

DÉR. et COMP. **Bromal, bromate, bromhydrique, bromique, bromisme, bromure.**

**BROMÉLIACÉES** [bʀɔmeljase] n. f. pl. — 1810, *in* D. D. L.; du lat. bot. *bromelia* «sorte d'ananas» (→ Bromélie), et suff. *-acées*.

Bot. Famille de plantes monocotylédones, exotiques, herbacées ou ligneuses, souvent épiphytes, dont les plus importantes sont l'ananas, la tillandsie, la billbergia (des appartements), la bromélie. *Les broméliacées croissent dans les régions équatoriales de l'Amérique.* — Au sing. *L'ananas est une broméliacée.*

**BROMÉLIE** [bʀɔmeli] n. f. — 1863, *in* Littré; lat. bot. *bromelia*, 1744, Linné; de *Bromelius (Bromel)*, botaniste suédois.

Plante de la famille des broméliacées*, cultivée comme ornementale.

**BROMHYDRIQUE** [bʀɔmidʀik] adj. — 1845; de 2. *brome*, et *-hydrique*.

Chim. *Acide bromhydrique :* acide produit par la combinaison de l'hydrogène et du brome. *L'acide bromhydrique est un gaz incolore de densité 2,8, se solidifiant à 69°.*

**BROMIQUE** [bʀɔmik] adj. — 1838; de 2. *brome*.

♦ **1** Chim. *Acide bromique :* acide oxygéné du brome, obtenu en traitant un bromate par l'acide sulfurique. *La solution d'acide bromique est incolore, oléagineuse, et douée d'un pouvoir décolorant. Sel de l'acide bromique.* → **Bromate.**

♦ **2** Méd. Dû au brome. *Acné bromique,* causée par des médicaments à base de brome. *Intoxication bromique.* → **Bromisme.**

**BROMISME** [bʀɔmism] n. m. — 1877; de 2. *brome*.

Méd. Intoxication par le brome et ses composés (spécialt, le bromure de potassium).

**BROMURE** [bʀɔmyʀ] n. m. — 1828; de 2. *brome*.

Chimie.

♦ **1** Composé du brome avec un autre corps simple.

♦ **2** Sel ou ester de l'acide bromhydrique. *Le bromure d'argent est utilisé en photographie.* → **Gélatino-bromure.** *Bromures de potassium, d'ammonium, de calcium employés en thérapeutique.* — Cour. Bromure de potassium (sédatif et anaphrodisiaque puissant). *Prendre du bromure.*

Ce soir, j'avalerai un gramme de bromure de potassium; cela m'assagira les sens.
HUYSMANS, Là-bas, 1891, t. I, p. 152.

COMP. **Gélatino-bromure, pentabromure, protobromure.**

**BRONCA** [bʀɔ̃ka] n. f. — V. 1980; mot esp. passé dans l'usage des corridas en France.

Régional (Sud-Ouest). Concert de huées*.

(...) il paraît difficile, désormais, de lui refuser (*au mot* bronca) l'accès au dictionnaire (...) La «bronca», c'est l'ensemble de hurlements et de sifflets qui salue l'apparition des picadors dans une arène, avant même qu'ils aient fait le moindre geste. Elle (...) déferle sur le matador dont le travail n'a pas satisfait le public.
Les «broncas» sont toujours d'une grande intensité, mais elles s'éteignent vite dès la première passe réussie.
Yvan AUDOUARD, «Faut-il admettre le mot "bronca" au dictionnaire?», *in* le Canard enchaîné, 31 août 1983, p. 7 (à propos d'un titre du *Quotidien de Paris : «En Arles, la "bronca" anti-Mitterrand»*).

**BRONCHE** [bʀɔ̃ʃ] n. f. — 1633; *bronchie*, 1560; lat. *bronchia*, grec *brogkhia* (plur.).

Anat. Conduit aérien du poumon (→ **Broncho-**). *Bronche souche :* chacun des deux conduits cartilagineux qui naissent par bifurcation de la trachée, pénètrent dans les poumons et s'y ramifient en formant l'*arbre bronchique.* → **Bronchiole.** *Affections des bronches.* → **Bronchectasie, bronchite...** *Bronches graillonnantes* (→ Pituiteux, cit. 2). *Incision dans la région des bronches.* → **Bronchotomie.**

La bronche droite, plus oblique que la gauche, et dont la direction prolonge celle de la trachée, est la voie habituelle suivie par les corps étrangers entrés accidentellement dans les voies respiratoires. 1
Dr VALLERY-RADOT, Notre corps, p. 66.

Gise lui avait posé ces ventouses; elles commençaient à agir; déjà les bronches se dégageaient, la respiration devenait plus aisée. 2
MARTIN DU GARD, les Thibault, t. VIII, p. 224.

DÉR. **Bronchial, bronchiole, bronchique, bronchite.** ◊ COMP. **Bronchectasie.** V. **Broncho-.**

**BRONCHECTASIE** [bʀɔ̃ʃɛktazi] n. f. — 1855; de *bronche*, et *-ectasie*.

Méd. Dilatation pathologique des bronches. — Var. : *bronchiectasie.*

**BRONCHEMENT** [bʀɔ̃ʃmɑ̃] n. m. — 1801, *in* Brunot; de *broncher*.

Vx. Action de broncher*, de faire un faux pas.

**BRONCHER** [bʀɔ̃ʃe] v. intr. — Av. 1580; «pencher en avant», 1176; lat. pop. **bruncare*, de **bruncus* «souche» — l'étymon **pronicare* «pencher», de *pronus* «penché en avant» (→ Pronation) est moins probable; mot d'orig. obscure; Guiraud le rattache à l'anc. provençal *bronc* «saillie, excroissance d'arbre», du lat. *bronchus, broncus*, doublet de *brocchus* «qui fait saillie», d'où *broncher*, trans., «abattre un arbre» puis «abattre qqn, le faire tomber par terre» (comme un arbre qu'on abat).

♦ **1** Vieilli. Faire un faux pas en marchant. → **Achopper, chopper, trébucher.** *Un cheval qui bronche; un cheval assuré, qui ne bronche pas. Broncher à chaque pas. Broncher contre, sur une pierre.*

Si quelqu'un marche pendant le jour, il ne bronche point, parce qu'il voit la lumière de ce monde (...) 1
BIBLE (SEGOND), Évangile selon saint Jean, XI, 9.

Le cheval reculait toujours, ronflant, soufflant et bronchant comme un cheval effarouché qu'il était. 2
SCARRON, le Roman comique, II, 13.

Communément, il glissait, butait, bronchait, trébuchait de toutes les manières concevables et inconcevables (...) 3
FRANCE, le Petit Pierre, XXXII.

Prov. (Vx). *Il n'y a si bon cheval qui ne bronche :* les plus habiles se trompent parfois; personne n'est infaillible.

Par métaphore ou fig. (Littér.). *Broncher contre, sur (qqch.) :* buter sur (une difficulté). — Absolt. *Broncher.*

(...) je ne pouvais rencontrer un homme d'esprit sans qu'aussitôt j'en fisse ma société. Ah ! je vois que vous bronchez sur cet imparfait du subjonctif. 3.1
CAMUS, la Chute, p. 10.

En un mot comme en cent : la bonne brave vieille difficulté d'être. Et de se connaître. Et de se reconnaître. Et de s'accepter. Beaucoup de braves gens bronchent sur ce chemin. On dit qu'ils ne se sentent pas bien dans leur peau. Nous sommes les pires ennemis de notre liberté. 3.2
Jean-Louis BORY, Ma moitié d'orange, p. 51.

♦ **2** Fig. Vx. Commettre une erreur ou une faute légère. → **Faillir, hésiter, tromper** (se).

Après ce mauvais pas où vous avez bronché, 4
Le reste encore longtemps ne peut être caché (...)
CORNEILLE, le Menteur, IV, 5.

5 (...) il *(votre cœur)* manque, il se trompe, il bronche à tout moment : ses allures ne sont point égales (...)
Mme DE SÉVIGNÉ, 965, 17 juin 1685.

6 Mais il y a en lui *(Danton)* un fond solide qui ne bronche pas. Louis BARTHOU, Danton, p. 300.

Spécialt. En parlant d'une femme, Tromper son mari, manquer à la vertu. → **Faillir.**

7 Cette épouse est trop assistée de son époux pour broncher et déchoir de son chemin.
Saint François DE SALES, *in* Pierre LAROUSSE.

♦ **3** (XVIIIe). Fig. Mod. Manifester son impatience, son humeur, par un mouvement, une réaction. → **Bouger, remuer.** *Que personne ne bronche! Recevoir des injures sans broncher,* sans rien dire. → **Manifester, murmurer.**

8 Eux, bien entendu, n'avaient pas bronché, osant à peine les suivre des yeux (...)
LOTI, les Désenchantées, 11, p. 92.

9 Car, si les femmes et jeunes filles reçoivent des hommes, sans broncher, des compliments sur les attraits précis de leur corps, une louange féminine les flatte mieux (...)
COLETTE, la Naissance du jour, p. 120.

CONTR. **Taire** (se). ◊ DÉR. **Bronchement.**

**BRONCHIAL, ALE** [bʀɔ̃ʃjal] adj. — 1666; de *bronche.*

Vx. Qui a rapport aux bronches. → **Bronchique.**

Une artère bronchiale inconnue au plus grand scrutateur du poumon (...)
FONTENELLE, Éloge des Académiciens, Ruysch.

**BRONCHIECTASIE** [bʀɔ̃ʃjɛktazi] n. f. → **Bronchectasie.**

**BRONCHIO-** → **Broncho-.**

**BRONCHIOLE** [bʀɔ̃ʃjɔl] n. f. — 1877; dimin. sav. de *bronche.*

Anat., méd. Ramification terminale des bronches.

DÉR. **Bronchiolite.**

**BRONCHIOLITE** [bʀɔ̃ʃjɔlit] n. f. — 1899; de *bronchiole.*

Méd. Inflammation des bronchioles.

**BRONCHIQUE** [bʀɔ̃ʃik] adj. — 1560, Paré; de *bronche.*

Anat., méd. Qui appartient aux bronches. → **Bronchial** (vx). *Artère bronchique. L'arbre bronchique :* les ramifications des deux branches de la trachée dans les poumons.

**BRONCHITE** [bʀɔ̃ʃit] n. f. — 1823; de *bronche,* par l'angl. *bronchitis* (1812).

Inflammation de la muqueuse des bronches*. *Symptômes de la bronchite :* toux, expectoration (→ **Bronchorrhée**), dyspnée, douleur thoracique. *Bronchite capillaire :* infection bronchique qui gagne les bronchioles, puis les alvéoles (syn. : *bronchio*-alvéolite*). *Fumeur atteint de bronchite chronique. Il est au lit avec une bonne bronchite.*

1 Léonide enrouée à ne pas l'entendre. Paul, dans sa loge d'avant-scène où j'entends la pièce, s'écrie : «Bon, une voix de bronchite!... la pièce est fichue, si nous sommes forcés de la suspendre quatre ou cinq jours.»
Ed. et J. DE GONCOURT, Journal, éd. Charpentier, t. VII, p. 22.

2 L'été, il était affligé du rhume des foins et, dès les premiers froids, sa bronchite chronique lui donnait une toux caverneuse qu'on entendait d'un bout à l'autre des locaux de la Police Judiciaire.
G. SIMENON, les Mémoires de Maigret, p. 116.

DÉR. **Bronchité, bronchiteux, bronchitique.**

**BRONCHITÉ, ÉE** [bʀɔ̃ʃite] adj. — 1892; de *bronchite,* d'après *grippé.*

Rare. Qui est atteint de bronchite.

Ce soir, rue de Berri, j'ai la surprise de me rencontrer avec des orateurs de mon banquet, avec Hérédia qui doit parler à la place de Coppée, bronchité, de Régnier qui parlera au nom de la jeunesse.
Ed. et J. DE GONCOURT, Journal, t. IX, p. 235.

**BRONCHITEUX, EUSE** [bʀɔ̃ʃitø, øz] adj. et n. — 1892, Goncourt; de *bronchite.*

Qui est souvent atteint de bronchite. *Il a toujours été bronchiteux.*

N. *Des bronchiteux.* → **Bronchitique.**

Toutes lui firent signe, même la bronchiteuse qui avait une larme sur son cerne.
Corinna BILLE, Juliette éternelle, p. 203.

**BRONCHITIQUE** [bʀɔ̃ʃitik] adj. et n. — 1865; de *bronchite.*

Méd. Propre à la bronchite; atteint de bronchite. *Symptômes bronchitiques. Malade bronchitique.*

N. Personne atteinte de bronchite. *Un, une bronchitique.*

**BRONCHO-** Élément, du grec *brogkhia* «bronches», qui entre dans la composition de termes (adj. ou n.) relatifs à la médecine des voies respiratoires. Voir à l'ordre alphabétique, et aussi : *broncho-dilatateur* adj. m.; *bronchologie* n. f.; *broncho-pulmonaire* adj. (1820) «qui concerne les bronches et les poumons»; *bronchorragie* n. f.; *bronchospirométrie* n. f.

REM. Sous la forme *bronchio- : bronchio-alvéolite* n. f. «affection des petites bronches et des alvéoles pulmonaires» (syn. : *bronchite capillaire*).

**BRONCHOGRAPHIE** [bʀɔ̃kɔgʀafi] n. f. — Mil. XXe; de *broncho-,* et *-graphie.*

Méd. Radiographie des bronches.

**BRONCHOLITHE** [bʀɔ̃kɔlit] n. f. — 1878, P. Larousse, *Premier Suppl.;* de *broncho-,* et *-lithe.*

Méd. Calcul des bronches.

**BRONCHO-PNEUMONIE** [bʀɔ̃kopnømɔni] n. f. — 1836; de *broncho-,* et *pneumonie.*

Méd. et cour. Inflammation du poumon, des bronches, bronchioles et alvéoles, d'origine infectieuse, survenant d'emblée, ou plus souvent comme complication d'une maladie infectieuse (grippe, rougeole).

Il est percé jusqu'aux os. La crainte de la broncho-pneumonie a été pour beaucoup dans son retour : c'est un homme soucieux de sa petite santé.
J. ANOUILH, Pauvre Bitos, III, p. 117.

DÉR. **Broncho-pneumonique.**

**BRONCHO-PNEUMONIQUE** [bʀɔ̃kopnømɔnik] adj. — 1880; de *broncho-pneumonie.*

Méd. Relatif à la broncho-pneumonie.

L'état pulmonaire s'aggrava et c'est avec les symptômes d'une phtisie à forme broncho-pneumonique que le malade succomba le 17 février 1917.
B. CENDRARS, Moravagine, *in* Œ. compl., t. IV, p. 258.

**BRONCHORRHÉE** [bʀɔ̃kɔʀe] n. f. — 1833, Nysten, *in* D. D. L.; de *broncho-,* et *-rrhée.*

Méd. Hypersécrétion du mucus bronchique qui s'observe dans les bronchites chroniques.

**BRONCHOSCOPE** [bʀɔ̃kɔskɔp] n. m. — 1909, *in* D. D. L.; de *broncho-*, et *-scope*.

Méd. Instrument qui sert à examiner l'intérieur de la trachée et les grosses bronches (→ **Bronchoscopie**).

**BRONCHOSCOPIE** [bʀɔ̃kɔskɔpi] n. f. — 1904, in *Année sc. et industr.*; de *broncho-*, et *-scopie*.

Méd. Examen de la cavité des bronches à l'aide d'un bronchoscope.

Il paraît que c'est très désagréable, la bronchoscopie. On vous enfonce un tube de métal dans la trachée pour observer je ne sais quoi. L'infirmière m'a dit qu'on ne m'endormirait pas, sinon superficiellement avec un vaporisateur.

Pierre MOUSTIERS, la Mort du pantin, p. 74.

**BRONCHOTOMIE** [bʀɔ̃kɔtɔmi] n. f. — 1617; du grec *brogkhos* «gorge», et *temnein* «couper». → Broncho-, et -tomie.

Chirurgie.

♦ **1** Vieilli. Incision pratiquée sur l'arbre respiratoire (trachéotomie, laryngotomie ou trachéolaryngotomie).

♦ **2** Mod. Incision d'une bronche.

**BRONDIR** [bʀɔ̃diʀ] v. intr. — 1878; orig. onomatopéique (rac. **brund-* exprimant un bourdonnement).

Rare. Produire un brondissement. → **Vrombir.**

DÉR. **Brondissement.**

**BRONDISSEMENT** [bʀɔ̃dismɑ̃] n. m. — 1878; de *brondir*.

Rare. Bruit produit par une toupie qui tourne rapidement.

Ronflement* de l'air dans un poêle dont le tirage est trop violent. → **Vrombissement.**

**BRONTOSAURE** [bʀɔ̃tɔzɔʀ] n. m. — 1890, P. Larousse, *Deuxième Suppl.*; 1889, *in* Cottez; lat. zool. *brontosaurus*, 1879, Marsh; du grec *brontê* «tonnerre», et *saura* ou *sauros* «lézard» (→ -saure).

Didact. Grand reptile dinosaurien fossile de la période jurassique. *Le brontosaure mesure environ vingt-deux mètres, il a une petite tête, quatre pattes et une longue queue massive.*

**BRONZAGE** [bʀɔ̃zaʒ] n. m. — 1845; de *bronzer*.

♦ **1** Techn. Action de bronzer (le métal, le bois, le plâtre, etc.); son résultat. *Bronzage du cuivre, du zinc. Bronzage de la fonte, du fer par galvanoplastie. Bronzage des canons de fusil, des statuettes en plâtre, des papiers peints.*

♦ **2** (1924). Cour. Fait de bronzer sous l'action du soleil. *Séances de bronzage sur la plage. Bronzage artificiel,* avec une lampe spéciale. *Crème, lait... pour le bronzage rapide sans coups de soleil.* → **Brunisseur.**

1 Mes mollets blanchâtres mal semés de poils noirs semblent réfractaires au bronzage et, à travers l'empeigne de mes sandalettes ajourées, mon pied laisse passer des orteils obstinément livides.

Pierre DANINOS, Un certain Monsieur Blot, p. 200.

Couleur foncée de la peau bronzée. → **Hâle.** *Le bronzage est l'un des impératifs de la mode.* → **Bronzomanie.** *Un beau bronzage. Tout son bronzage est parti depuis quinze jours que le temps est gris. — Bronzage intégral,* sur tout le corps.

2 Près d'elle son mari dormait (...) Le bronzage de sa peau était si frais qu'il paraissait le devoir au soleil de la nuit.

GIRAUDOUX, les Aventures de Jérôme Bardini, p. 101.

**BRONZANT, ANTE** [bʀɔ̃zɑ̃, ɑ̃t] adj. — V. 1975; du p. prés. de *bronzer*.

Qui provoque ou facilite le bronzage de la peau. *Crème, huile bronzante.* → **Solaire.**

COMP. **Autobronzant.**

**BRONZE** [bʀɔ̃z] n. m. — 1511; ital. *bronzo*; d'orig. obscure, p.-ê. du lat. médiéval **brundium*, de *brundusium* «de Brindisi», ville célèbre pour la fabrication du bronze, mais l'évolution phonétique n'est pas claire. On a proposé le grec tardif *bronteion* «instrument imitant le tonnerre sur la scène», de *brontê* «tonnerre», ou encore l'arabe **buruz*, du persan **purung*. Pour P. Guiraud, le mot vient du lat. médiéval *bronzium*, autre forme de *brontium*, du lat. class. *brontea* «pierre du tonnerre», de *bronte* «tonnerre», d'où l'adj. *bronteus* ou *brontea* «qui retentit comme le tonnerre».

♦ **1** [a] Alliage de cuivre et d'étain. → **Airain, orichalque.** *Bronzes spéciaux* (avec addition de zinc, de plomb, etc.). *Une cloche de bronze. Des cymbales en bronze. Portes de bronze sculptées. Travail du bronze.* → **Bronzerie, bronzeur, bronzier.** *Fabrication du bronze. Bronze industriel. Bronze moulu.* → **Purpurine.** *Statue de bronze. — Médaille de bronze :* troisième prix dans une compétition. *L'athlète français a obtenu la médaille de bronze en saut à la perche aux Jeux olympiques.* — Ellipt. *Il a obtenu le bronze,* la médaille de bronze.

Spécialt. Vx. Littér. *Le bronze :* les canons. — *Le bronze sonore :* les cloches.

Aux accents du bronze qui tonne, 1
La France s'éveille et s'étonne,
Du fruit que la mort a porté.

LAMARTINE, Méditations, I.

Ce bronze doit jeter un sourd rugissement (...) 2

HUGO, l'Année terrible, juil. 4.

*Bronze au manganèse, au vanadium. Bronze phosphoreux. Bronze chinois, japonais. Bronze blanc, fondu. Coulée de bronze :* masse de bronze en fusion. *Bronze doré, patiné. Le bronze devient vert en s'oxydant. — Une couleur, une patine de bronze,* semblable à celle du bronze.

Le quai de la Mergellina, où les lazzaroni demi-nus se cuisent et donnent à leur peau une patine de bronze. 3

Th. GAUTIER, Voyage en Italie, I.

Tous les vases sont en bronze, mais le dessin en est varié à l'infini (...) 4

LOTI, Mme Chrysanthème, XXXIV, p. 165.

Il laissait à regret derrière lui les pommiers qui, plantés de travers au bord de la route, portaient droit l'énorme éventail de leurs feuilles et de leurs pommes, passaient la nuit là en tête à tête avec ce ciel qui s'assombrissait, prenant eux aussi leur vêtement de nuit, cet éclat de bronze que prend alors par un temps gris leur feuillage sombre, où la verdure presque bleue semble arrivée aussi à son extrême maturité. 4.1

PROUST, Jean Santeuil, Pl., p. 512.

[b] Couleur, teinte du bronze. *Bronze noir* (noir-fumée, noir-noir), *bronze vert* (ou *bronze antique*), *bronze médaille.* — (1843, Balzac). En appos. *Vert bronze.* — Couleur du bronze, jaune foncé, marron clair. *«J'étais en (...) habit bronze»* (Stendhal, *in* T. L. F.).

[c] (1860). *Bronze d'aluminium :* alliage de cuivre et d'aluminium. *Des porte-crayons, des chaînettes, des pendules en bronze d'aluminium. — Poudre de bronze :* pigment métallique jaune.

[d] Loc. L'ÂGE DU BRONZE : période de diffusion de la technique du bronze (environ deuxième millénaire av. J.-C.). *L'âge de bronze succède au chalcolithique* et précède l'âge de fer.* — Absolt. *Le bronze ancien, moyen, récent, final.*

♦ **2** *(Un, des bronzes).* Objet d'art (surtout sculpté) en bronze; médaille, monnaie de bronze antique. *Bronze d'art. Un bronze antique. De beaux bronzes* (→ **Bronzerie).**

4.2 (...) la Chine rongée par le sang comme ses bronzes à sacrifices (...)
MALRAUX, la Condition humaine, p. 48.

Numism. *Le grand, le petit, le moyen bronze :* grande, petite, moyenne médaille.

Par ext. Reproduction d'un bronze. «*Un bronze artistique en zinc...*» (Mallarmé).

Loc. fam. *Couler un bronze :* déféquer.

♦ **3** Vieilli. [a] Fig. *De bronze :* qui a la dureté, la couleur, la patine du bronze. Méd. *Maladie de bronze.* → **Bronzé,** 3. — *Un corps de bronze :* un corps fort, rude, solide, athlétique.

Fig. Dur, insensible*, inflexible. *Un homme de bronze.* → **Rude.** *Avoir un cœur de bronze. Être de bronze.* → **Fer, pierre** (un cœur de pierre).

5 Âmes de bronze, humains, celui-là fut sans doute
Armé de diamant, qui tenta cette route,
Et le premier osa l'abîme défier.
LA FONTAINE, Fables, VII, 12.

6 Ah! si ton cœur pour moi n'est de bronze ou de fer (...)
MOLIÈRE, l'Étourdi, III, 8.

6.1 (...) je me bronzais, jusque dans les yeux, pour qu'il ne pût pas soupçonner ce qui fermentait sous ce front de bronze où couvait l'idée de ma vengeance. Je fus absolument impénétrable.
BARBEY D'AUREVILLY, les Diaboliques, «La vengeance d'une femme».

[b] (Par métaphore du sens 1). *Dur comme le bronze, plus dur que le bronze.* → **Pierre.**

7 Leurs cœurs deviennent plus durs que la pierre et que le bronze. BOURDALOUE, la Passion de J.-C., I, p. 286.

DÉR. **Bronzer, bronzerie, bronzier.**

**BRONZÉ, ÉE** [bʀɔ̃ze] adj. — XVI^e; p. p. de *bronzer.*

♦ **1** Qui a la couleur du bronze. *Une statue bronzée. Couleur bronzée. Des tanches bronzées* (→ Brochet, cit. 3).

♦ **2** Cour. Hâlé. *Il est rentré de vacances tout bronzé. Une peau bronzée, un teint bronzé.* → **Brun.** *Un gars superbe, athlétique, bronzé.*

1 Micheline s'était allongée sur le sable (...) Ceux des passants, hommes ou femmes, qui ralentissaient leur marche pour admirer son corps bronzé, étaient frappés par la tristesse de son visage. M. AYMÉ, Travelingue, p. 211.

Par euphém. Dont la peau est naturellement foncée, sans être noire.

♦ **3** Méd. *Maladie bronzée* (ou *de bronze*) : maladie due à des lésions (tuberculeuses) des capsules surrénales, qu'accompagne une coloration bronzée de la peau par hypersécrétion hypophysaire.

♦ **4** Fig. et vx. Résistant comme le bronze. → **Dur.**

2 Il faut être bronzé pour étudier notre architecture ecclésiastique. STENDHAL, Mémoires d'un touriste, I, p. 66.

*Bronzé à (qqch.) :* endurci* à...

3 (...) ce prêtre bronzé d'abord à des expéditions de brigands, plus tard missionnaire à travers les peuplades sauvages, et qui avait l'air d'avoir pris, dans son apostolat chez les noirs, sous le ciel féroce de l'Afrique, un peu de la dureté d'un négrier.
Ed. et J. DE GONCOURT, M^me Gervaisais, p. 261.

CONTR. **Blanc, clair.**

**BRONZE-CUL** [bʀɔ̃zky] n. m. invar. — V. 1970; de *bronzer,* 2. et *cul.*

Familier.

♦ **1** Action de se faire bronzer au soleil. *Faire du bronze-cul pendant toutes ses vacances.* → **Bronzette.**

♦ **2** Lieu où l'on se fait bronzer. «*L'Occitanie est réduite à n'être que le "bronze cul" de l'Europe...*» (*le Nouvel Obs.*, p. 18, n° 407, 28 août 1972).

**BRONZER** [bʀɔ̃ze] v. — 1559; de *bronze.*

♦ **1** V. tr. Techn. Recouvrir (certains objets en métal, bois, plâtre...) de substances qui imitent la couleur du bronze. *Bronzer une statue de plâtre, un vase.* Revêtir (un métal) d'une couleur brune ou bleuâtre par oxydation à la chaleur. *Bronzer un ressort, le canon d'un fusil.*

Le zinc, il est vrai, peut se bronzer et recevoir la patine verte ou brune; mais insensiblement cette patine qui ne fait pas corps avec le métal, s'use aux endroits saillants. 1
Ch. GARNIER, *in* le Moniteur universel, 12 nov. 1867.

♦ **2** Cour. [a] V. tr. Brunir (qqn). → **Hâler, noircir.** «*Il a plu à la Providence de bronzer les hommes aux Grandes Indes*» (Voltaire). *Le soleil a bronzé son visage.*

REM. Les emplois anciens sont plus extensifs («faire paraître brun, sombre»); aujourd'hui ce qui *bronze* ne peut être que le soleil.

Son visage durci et bronzé par l'ombre, prenait une expression mystérieuse, presque inquiétante. 2
FRANCE, le Lys rouge, IV.

[b] V. intr. Mod. et cour. Se dit des parties du corps, et, par ext., des personnes dont la peau devient foncée par l'action du soleil ou d'une source de lumière. → **Brunir.** *Vous avez bronzé pendant votre séjour aux sports d'hiver. Se faire bronzer. S'exposer au soleil pour bronzer.* → **Bain** (de soleil). *Crème, lampe à bronzer.* — Loc. *On ne veut plus bronzer idiot,* passer des vacances passives à rester au soleil (→ **Bronze-cul, bronzette, bronzomanie).**

Guéri de sa mauvaise toux, il bronzait au beau soleil du Midi. 3
Michel DÉON, les Vingt Ans du jeune homme vert, p. 159.

♦ **3** (Av. 1795). Fig. Vx. Rendre dur et résistant comme le bronze. «*Le malheur a bronzé son cœur*» (Académie). → **Durcir, endurcir.**

◆ **SE BRONZER** v. pron.

♦ **1** (→ Bronze, cit. 6.1). «*En vivant et en voyant les hommes, il faut que le cœur se brise ou se bronze*» (Chamfort).

Elle ne se bronza pas au danger, affronté chaque nuit. 4
BARBEY D'AUREVILLY, les Diaboliques, «Le rideau cramoisi».

♦ **2** S'exposer au soleil pour bronzer. *Elle passe ses étés à se bronzer sur les plages.* → **Bronzage, bronzomanie.**

(...) sur le sable de la petite plage bretonne, elle se bronzait au soleil en compagnie de Théorème et ils étaient presque nus. M. AYMÉ, le Passe-muraille, p. 26. 5

◆ **BRONZÉ, ÉE** p. p. adj. Voir à l'ordre alphabétique.

CONTR. **Adoucir, amollir.** ◊ DÉR. **Bronzage, bronzant, bronzé, bronzette, bronzeur.** — COMP. **Bronze-cul, bronzomanie.**

**BRONZERIE** [bʀɔ̃zʀi] n. f. — 1867; de *bronze.*

Rare.

♦ **1** Technique du bronzeur, du bronzier.

♦ **2** Ensemble d'œuvres d'art en bronze.

**BRONZETTE** [bʀɔ̃zɛt] n. f. — V. 1970; de *bronzer*, 2.

Fam. Action de se faire bronzer au soleil. → **Bronze-cul.** *Aimer la bronzette. Faire une partie de bronzette.*

**BRONZEUR** [bʀɔ̃zœʀ] n. m. — 1866; de *bronzer*.

Techn. Ouvrier procédant aux opérations de bronzage (1.). *Bronzeur sur métaux, sur bois.*

REM. Le fém. *bronzeuse* est virtuel; comme le masc., il serait d'ailleurs plutôt compris comme «celle qui se bronze au soleil», dans la langue courante.

**BRONZIER** [bʀɔ̃zje] n. m. — 1846; de *bronze*.

Techn. Artiste ou fabricant en bronzes d'art.

REM. Le fém. *bronzière* est virtuel.

**BRONZOMANIE** [bʀɔ̃zomani] n. f. — 1958; de *bronzer*, 2., et *-manie*.

Fam. Besoin de se bronzer, d'avoir la peau bronzée.

Le désir de voir noircir sa peau est autre chose qu'une simple lubie aggravée par l'instinct grégaire (...) La «bronzomanie» comme ils l'appellent est en effet le signe tangible d'un changement de civilisation.
J. DUTOURD, le Fond et la Forme, p. 104 (1958).

**BROOK** [bʀuk] n. m. — 1846, *in* Höfler; mot angl., proprt «ruisseau».

Anglic. (Hippisme). Fossé rempli d'eau constituant un des obstacles d'un parcours de steeple-chase.

**BROQUART** [bʀɔkaʀ] n. m. → 3. **Brocard.**

**BROQUE** [bʀɔk] n. f. — 1627; régional, 1625; forme normanno-picarde de *broche* «morceau de métal» (et «fourche»).

♦ **1** Argot anc. Liard, menue pièce de monnaie (Hugo, *les Misérables*).

♦ **2** Argot mod. Chose de peu de valeur. → **Broquille.** *Tout ça c'est de la broque, ça ne vaut rien. Ça ne vaut pas une broque.*

Partie infime. *Je n'en sais pas une broque.*

Je me doute pas une broque de seconde que d'ici quelques heures... Mais n'anticipons pas, comme disait Jules Verne.
SAN-ANTONIO, Remets ton slip, gondolier!, p. 69.

HOM. 2. **Broc.**

**BROQUEL** [bʀɔkɛl] n. m. — XVIIe; mot espagnol.

Anciennt (archéol.). Petit bouclier en usage en Espagne et en Italie, du XVe au XVIIe siècle. → **Rondelle.**

**BROQUETEUR** [bʀɔktœʀ] n. m. — 1845, Bescherelle; de *broque*, forme normanno-picarde de *broche* «fourche» (et «morceau de métal»).

Techn. Ouvrier qui charge les gerbes sur les voitures.

**BROQUETTE** [bʀɔkɛt] n. f. — 1565; forme normanno-picarde de *brochette*.

♦ **1** Techn. Petit clou* à large tête, utilisé par les tapissiers. → **Semence.** — Collectif. Une certaine quantité de ces clous. *Clouer avec de la broquette.*

♦ **2** Fam. et vx. Pénis (surtout en parlant d'un enfant).

Sur le sein des mères, le moutard à la broquette pointue éprouve des érections précoces.
FLAUBERT, Correspondance, Lettre à Louis Bouilhet, 10 févr. 1851, Pl., p. 754.

**BROQUILLE** [bʀɔkij] n. f. — 1835, *in* Esnault; «boucle d'oreille; petit bijou», 1821; de *broque*, 2.

Argot. Minute («à cause de l'instantanéité de l'escamotage des *broquilleurs*» : voleurs *à la broquille* (de bijoux), Chautard). *Dix plombes et vingt broquilles.*

Comme ça, on ne nous fera pas le coup de la bonne foi, 1
en nous mettant devant les yeux une montre qu'on vient d'avancer subrepticement de quelques broquilles.
A. SARRAZIN, la Cavale, p. 353.

— J'ai un client à déposer à l'Alma... J'y serai dans dix 2
minutes...
Effectivement, douze broquilles plus tard, je vois paraître un grand costaud aux tempes grisonnantes portant un blouson beige à col de laine.
SAN-ANTONIO, Des gueules d'enterrement, p. 187.

**BROSSAGE** [bʀɔsaʒ] n. m. — 1837; de *brosser*.

Action de brosser. *Le brossage d'un vêtement.*

La peinture sous-marine de *Joshua*, au zinc silicaté, ne pouvant être utilisée que pour les coques acier, autorise un brossage énergique sans se détériorer.
Bernard MOITESSIER, Cap Horn à la voile, p. 99.

**BROSSE** [bʀɔs] n. f. — V. 1300, *broisse*; 1165, «taillis»; p.-ê. du lat. pop. **bruscia* «pousse d'arbre», de *bruscum* «excroissance ligneuse de l'érable», ou p.-ê. de **broccia*, du gaul. **wroikos* «bruyère»; Guiraud rattache le mot à un gallo-roman **broccia* «qui a des dents, des épines», de *broccus* «dent saillante».

♦ **1** Ustensile de nettoyage, formé d'un assemblage de filaments souples (poils, crins, fibres synthétiques, fils métalliques) ajustés sur une monture. *La monture* (ou *patte*), *le manche, le dos d'une brosse. La garniture d'une brosse. Brosse en chiendent, en crin, en fibre, en ligneul, en soie de porc, en tampico. Brosse en nylon. Brosse métallique. Brosse à cirer, à reluire, à décrotter.* → **Polissoire.** *Brosse à poussière, à épousseter.* → **Époussette.** *Brosse à parquets, brosse à frotter.* → **Frottoir.** *Brosse à laver. Brosse à carder.* → **Carde.** *Brosse à ramasser les miettes.* → **Ramasse-miettes.** *Brosse à panser, à étriller les chevaux.* → **Étrille.** — *Brosse à chapeaux. Brosse à habits* (→ ci-dessous). *Brosse à chaussures, à souliers. Brosse double. — Brosses utilisées pour la toilette* (→ ci-dessous les syntagmes). *Brosse à dos,* à très long manche. — Techn. *Brosse d'orfèvre* (→ **Soie**). *Brosse de boulanger* (→ **Passe-partout**). *Brosse de calfat, d'imprimerie. Brosse à épreuves. Brosse à machine, brosse à tubes. Brosse à voitures.*

Le cocher Tydacus 1
Qui, tenant l'ombre d'une brosse,
Nettoyait l'ombre d'un carrosse.
PERRAULT, Mémoires (Avignon 1759), p. 9.

L'on s'assied devant une psyché d'acajou qui contient, sur 1.1
sa plaque de marbre, des lotions (...) des brosses à tête aux crins gras, des peignes acérés et chevelus (... *le coiffeur*) se rue de nouveau sur votre caboche, qu'il ratisse maintenant avec un petit peigne et rabote sans trêve avec deux brosses.
HUYSMANS, De tout, «Le coiffeur», p. 46 et 48.

Syntagmes et contextes très courants. **BROSSE À HABITS** : brosse allongée, sans manche, souvent à dos de bois, destinée à brosser les vêtements. *Des brosses à habits* [bʀɔsaabi]. — Absolt (même sens). *Donner un coup de brosse à un pantalon.* — Par ext. *Brosse adhésive* : rouleau adhésif enlevant les particules sur les vêtements.

(1751, *Encyclopédie*) **BROSSE À DENTS** [bʀɔsadɑ̃] : petite brosse à manche allongé, servant à nettoyer les dents. *Brosse à dents dure, souple. Brosse à dents électrique* (animée d'un mouvement de va-et-vient). *Brosse à dents à manche courbe, galbé. Partir en voyage en emmenant un pyjama et une brosse à dents,* le strict minimum.

(1835, Académie). **BROSSE À ONGLES :** petite brosse assez dure, pour nettoyer les ongles.

**BROSSE À CHEVEUX** (on a dit : *brosse à tête,* in *Encyclopédie,* 1751 ; → ci-dessus, cit. 1.1). — Absolt. *Se donner un coup de brosse. La brosse et le peigne**. *Brosse chauffante des coiffeurs. Séchage* (des cheveux) *à la brosse.* → **Brushing** (anglic.). *Brosse ronde.* Vx. *Brosse à barbe* (*in* Littré). → **Blaireau** (mod.). *Le plateau et la brosse des anciens barbiers.*

(En composition). *Tapis-brosse.* → **Tapis** (cit. 10 et *supra*). *Balai-brosse.* → **Balai-brosse.**

Loc. fam. **BROSSE À RELUIRE.** *Manier la brosse à reluire :* être servilement à la dévotion de qqn ; le flatter bassement. — *La brosse à reluire :* la personne ou la chose qui donne de l'éclat à (qqn, un groupe), et dont on se sert pour paraître important.

1.2 Qui ne connaît René Rezeau ? (...) Tenez-vous bien et respectez-moi, car c'était mon grand-oncle (...). C'est lui, «la brosse à reluire de la famille», c'est lui le grand homme (...)
Hervé BAZIN, Vipère au poing, p. 18.

Fig. et vx. *Passer la brosse :* effacer, oublier (→ Passer l'éponge*).

**EN BROSSE.** *Cheveux (taillés) en brosse,* coupés court et droit comme les poils d'une brosse. → Pince-nez, cit. — Ellipt. *La brosse,* cette coupe de cheveux. *Porter la brosse. Couper, tailler en brosse. Coupe de cheveux en brosse.* → **Bressant.**

2 Il *(Hermann Müller)* a le front haut et fuyant sous une brosse de cheveux qui s'argentent.
Georges LECOMTE, Ma traversée, p. 476.

3 (...) ses cheveux grisonnants, très denses, étaient plantés bas et taillés en brosse.
MARTIN DU GARD, les Thibault, t. VIII, p. 197.

Var. (rare) : *à la brosse.*

3.1 La portière s'ouvrit. Une jambe raide apparut d'abord (...) puis les pans d'un manteau de tweed, puis la tête de Lamballe, cheveux coupés à la brosse (...)
Roger VAILLAND, Bon pied, bon œil, p. 19.

Par analogie :

4 Dans les massifs encadrés d'iris taillés en brosse (...)
GIRAUDOUX, Bella, III.

Loc. fig. et fam. (Vieilli). *Prendre une brosse :* se soûler. *Être en brosse,* ivre.

Fam. *Une brosse, la brosse (pour qqn) :* rien du tout. → Se brosser.

♦ **2** Pinceau* de peintre. *Peindre à la brosse.* → **Brosser.** *Brosse de peintre en bâtiment. Brosse à faire les faux bois.* → **Spalter.** — Par métonymie. *Une belle brosse :* une exécution soignée, en parlant d'un tableau. «*Tableau fait à la grosse brosse*» (Académie), fait grossièrement.

4.1 (...) la belle brosse est forcée de s'arrêter quand la touche est heureuse. E. DELACROIX, Journal, 26 janv. 1832.

♦ **3** Zool. Touffe de poils des jambes du cerf. — Rangée de poils sur les pattes ou le torse de certains insectes (notamment pour amasser le pollen).

5 M. de Réaumur a fait représenter la coque de cette chenille à brosses.
Charles BONNET, Insectes, Observation, 25.

♦ **4** Haie bordant un bois.

DÉR. **Brosser, brosserie, brossier, broussaille.** — V. **Brousser.**
◊ COMP. **Balai-brosse, porte-brosse, tapis-brosse.**

**BROSSÉE** [bʀɔse] n. f. — 1841 ; de *brosser.*

Fam. Correction ; défaite cuisante. → fam. **Peignée, raclée.** «*Les ennemis ont reçu une brossée*» (Académie).

— Bien, bien, mais crois-moi, si j'ai eu main un peu dure, c'est que je ne pouvais l'avoir plus légère que son père. Il y allait de ma dignité. J'ai jugé bon qu'elle ne trouvât pas ma brossée plus douce que celle d'un bûcheron (...)
R. QUENEAU, les Fleurs bleues, p. 127.

**BROSSER** [bʀɔse] v. — 1374, *bruissier ;* de *brosse.*

**I** V. tr. ♦ **1** Nettoyer, frotter avec une brosse. → **Épousseter.** *Brosser ses habits, ses souliers. Brosser le parquet.* → **Frotter.** *Brosser ses cheveux, ses ongles, ses dents. Brosser ses chaussures avec une brosse de crêpe.*

(...) j'avais rehaussé mon col, brossé mon mauvais chapeau 0.
et mon pantalon avec les paremens de mon habit, mon habit avec ses manches, et les manches l'une par l'autre (...)
BALZAC, le Message, éd. 1834, p. 13.

Je jugeai qu'un homme qui passe deux heures tous les 1
matins à brosser ses ongles peut bien passer quelques instants à remplir de blanc le creux de sa peau.
ROUSSEAU, les Confessions, IX.

*Se brosser les cheveux, les ongles. Se brosser les dents.*

(Compl. n. de personne). *Brosser qqn,* brosser les vêtements qu'il porte ; le frictionner.

Pron. *Se brosser :* brosser ses propres habits.

Il ne s'est pas brossé avec assez de soin, il y a des cendres 1.
sur son gilet, il y a de la poussière dans le pli de son pantalon (...) N. SARRAUTE, le Planétarium, p. 170.

*Brosser un cheval.* → **Étriller.** *Brosser un animal à contre-poil, à rebrousse-poil.*

Fig. et fam. *Se brosser le ventre :* se passer de manger. — Pron. (1892, *in* D. D. L.). Absolt. *Se brosser :* être obligé de se passer de qqch. → **Priver** (se), **renoncer.** *Tu peux toujours te brosser :* tu n'obtiendras pas ce que tu désires, tu t'en passeras. → **Fouiller** (se).

Julien réfléchit, secoue la tête : «Mon vieux, tu peux tou- 1.
jours te brosser.» André proteste : «Alors, pourquoi qu'elle me fait de l'œil ?»
Henri FAUCONNIER, Malaisie, p. 162.

♦ **2** (1840). Fig. et fam. Battre (qqn), infliger des coups à (qqn). → **Brossée.**

Battre au jeu. *Il s'est fait brosser à la belote.*

♦ **3** Exécuter (un tableau, et, spécialt, les fonds) à la brosse. → **Peindre.** *Brosser un décor de théâtre.*

Toute sa vie, en effet, Chas n'a cessé de peindre, mais il 1.
le faisait en secret, pour lui seul (...) il brossait des nus, des figures, des scènes de la mythologie ou de contes de fées. Francis CARCO, Nostalgie de Paris, p. 240.

Loc. fig. *Brosser un tableau, un portrait de (qqch.),* décrire à grands traits. → **Peindre, dépeindre.** *Dans ses romans, il brosse un portrait fidèle des milieux populaires de son temps.*

(...) la peinture qu'il brossait de la bourgeoisie pay- 2
sanne (...)
A. MAUROIS, Études littéraires, t. II, p. 23.

♦ **4** Sports. Frapper (la balle, le ballon) de manière à lui imprimer un mouvement de rotation, un effet* particulier qui trompera l'adversaire. — Au p. p. *Une balle brossée.*

**II** V. intr. (XV^e ; de *brosse* «broussaille»). Vx. Passer au travers des buissons, des broussailles (→ **Brousser**).

Il est aisé de juger que le respect qu'on porte au dieu Mars, 3
à qui elle *(la forêt)* est consacrée, fait qu'on n'ose ni couper aucunes branches ni même brosser au travers.
CORNEILLE, la Toison d'or.

**III** V. tr. (du sens II, pour *brousser ;* cf. l'école buissonnière). Régional (Belgique). Fam. Manquer volontairement (un cours), ne pas assister à... *Brosser un cours.* → **Sécher.**

Je brosse le cours ! C'est décidé... avait déclaré Coco. 4
G. SIMENON, la Maison des sept jeunes filles, III.

DÉR. **Brossage, brossée, brosseur.**

**BROSSERIE** [bʀɔsʀi] n. f. — 1832; de *brosse*.

♦ **1** Fabrication, commerce des brosses et ustensiles analogues (balais, plumeaux, etc.). *Brosserie fine. Grosse brosserie.*

♦ **2** Fabrique de brosses. *Une petite brosserie artisanale.*

**BROSSEUR** [bʀɔsœʀ] n. m. — 1468, attestation isolée; repris XIXe; de *brosser*.

**I** ♦ **1** Celui qui brosse.

(1831). Spécialt et vieilli. Domestique d'un officier. → **Ordonnance.**

1 Tandis que Jean se préparait, son brosseur achevait de l'astiquer, de lui donner ses affaires. «Est-il bien, mon ceinturon, tu sais que je dîne en ville ce soir.»
PROUST, Jean Santeuil, Pl., p. 569.

2 Saint-Honoré. Table d'hôte. Un monsieur, avec une distinction de brosseur, dit, en s'asseyant :
— Toute la matinée, j'ai eu le corps dérangé.
J. RENARD, Journal, 19 août 1903.

REM. Le fém. *brosseuse* est virtuel.

♦ **2** (1819, «soldat qui flatte les officiers»). Fam. et vx. Celui qui passe la brosse* à reluire. → **Flatteur.**

**II** Régional (Belgique). Étudiant habitué à brosser (III.) les cours.

**BROSSIER, IÈRE** [bʀɔsje, jɛʀ] n. — 1597; de *brosse*. Techn. Ouvrier, ouvrière en brosserie. — Appos. *Ouvrier brossier.*

**BROU** [bʀu] n. m. — 1549; *broust* «couleur extraite de l'enveloppe de la noix», XVe; de *brout** «pousse». → Brouter.

♦ **1** Rare. Enveloppe verte des fruits à écale (noix, noisettes, amandes). → **Écale.**

♦ **2** (1694). Cour. **BROU DE NOIX.** **a** Liqueur à base de noix dont le bois n'est pas encore formé. **b** Teinture brune de menuisier, faite avec le brou de la noix. *Passer du bois blanc au brou de noix.*

Je te soigne, ma table, le papier de verre te purifie, le brou de noix te rend ta couleur.
Violette LEDUC, Folie en tête, p. 419.

HOM. **Broue, brout.**

**BROUAILLES** [bʀuaj] n. f. pl. — XIVe; *breuille*, XIIe; lat. pop. **botula*, de *botulus* «boyau».
Rare. Intestins de poisson, de volaille.

**BROUE** [bʀu] ou **BROUÉE** [bʀue] n. f. — 1316, *brōee*; var. ou dér. de l'anc. franç. *breu* (→ Brouet) «bouillon», puis «écume, mousse».
Vx ou régional (Balzac donne le mot pour tourangeau). Brouillard.

La brouée se leva.
CHATEAUBRIAND, Mémoires d'outre-tombe, t. IV, 8.

DÉR. V. 1. **Brouillard.** ◊ HOM. (De *broue*) **Brou, brout.**

**BROUET** [bʀuɛ] n. m. — XIIIe; de l'anc. franç. *breu* (→ Broue) «bouillon» (attesté dans les dial. franco-provençaux), à rapprocher de l'anc. provençal **bro*, même sens, du germanique **brod* «bouillon, jus».
Vx. Aliment liquide. → **Bouillon, jus.** *Un brouet clair* (La Fontaine, *Fables*, I, 18). — Loc. *Brouet d'andouilles*, dans lequel on a fait cuire des andouilles. Loc. fig. Vx. *S'en aller en brouet d'andouilles* : n'aboutir à rien (→ Partir en eau de boudin*).
(1609). Péj. Mauvais ragoût, mauvais potage. *Brouet noir, spartiate, lacédémonien* : mets simple et grossier des anciens Spartiates.
Spécialt. → **Chaudeau.**

Ce repas se composait d'une bouillie où entrait essentiellement une variété de renouée, appelée vulgairement poivre d'eau, mêlée en proportions diverses à des ombellifères, des patiences, des liserons et des marguerites. Je ne crois sincèrement pas que ce brouet végétal constituait l'ordinaire des anciens Germains qui étaient chasseurs et pêcheurs. 1
M. TOURNIER, le Roi des Aulnes, p. 200.

(...) dans la cuisine une pâtée de son cru. Penché sur le fourneau, il remue avec une grande cuillère de bois une espèce de boue noirâtre (...) Théodore dit qu'il a trouvé dans l'almanach une recette de santé pour ses lapins : des herbes choisies mêlées de sang de bœuf, une poignée de farine, des épices (...) La grosse lapine tachetée va mettre bas, et il compte essayer sur elle les vertus du brouet fortifiant. 2
Suzanne PROU, la Terrasse des Bernardini, p. 49.

**BROUETTAGE** [bʀuɛtaʒ] n. m. — 1867; de *brouetter*. Rare. Transport par brouette.

**BROUETTE** [bʀuɛt] n. f. — 1202; dimin. d'un anc. franç. **beroue*, du bas lat. *birota* «(véhicule) à deux roues», de *bis*, et *rota*.

♦ **1** Anciennt (jusqu'au XVIIe). Véhicule à deux roues; (1690) sorte de chaise à porteur montée sur deux roues. → **Vinaigrette.** *L'invention de la brouette à porteur est attribuée à Pascal.*

Passepartout, les mains dans les poches, se rendit donc vers le port Victoria, regardant les palanquins, les brouettes à voile, encore en faveur dans le Céleste Empire, et toute cette foule de Chinois, de Japonais et d'Européens, qui se pressait dans les rues. 1
J. VERNE, le Tour du monde en 80 jours, p. 180.

♦ **2** (1329). Mod. Petit véhicule à une roue muni de deux brancards et qui sert à transporter des fardeaux à bras d'homme. *Pousser une brouette. Brouette traditionnelle, en bois. Brouette en métal, en matière plastique, à roue caoutchoutée. La roue, le coffre d'une brouette. Brouette de jardinier, de terrassier. Brouette à fond grillé, à barres. Brouette à bascule. Brouette à deux roues.* → **Diable.** *Brouette à bagages.*

(...) des jeux qui n'étaient maintenant plus de leur âge : comme de faire petites brouettes d'osier, ou petits moulins (...) 2
G. SAND, la Petite Fadette, VII, p. 47.

Et voilà qu'on me jugeait capable de pousser la brouette. À vrai dire, je m'y étais déjà exercé en cachette dans la cour, derrière chez moi. J'avais bien craché dans mes mains comme on doit faire pour qu'elles ne glissent pas sur les poignées toutes lisses à force d'usage. Mais les brancards d'une brouette sont faits pour les grandes personnes. J'avais les bras trop courts, la caisse était plus lourde que je ne pensais, cette maudite roue cerclée de fer avait sûrement planté des racines dans le sol, une force invisible pesait à droite ou à gauche dès que je soulevais de terre les pieds de bois, bref, le mieux que je pus faire en m'y donnant tout entier fut de pousser l'engin sur quelques mètres. 3
P.-J. HÉLIAS, le Cheval d'orgueil, p. 264.

Fam. et vieilli. Véhicule poussif. *Sa voiture est une vraie brouette. Ne prends pas ce train : c'est une brouette.*
Loc. fam. *Cuir de brouette* : bois.
Par métonymie. → **Brouettée.** *Une brouette de paille.*
Par anal. Jeu d'enfant dans lequel une personne marche sur les mains pendant qu'une autre lui tient les jambes à la façon des brancards d'une brouette.

(...) le grand écart, le poirier, la roue, la cabriole, le cochon pendu, la brouette. 4
Marie CARDINAL, les Mots pour le dire, p. 189.

DÉR. **Brouettée, brouetter.** ◊ COMP. **Motobrouette.**

**BROUETTÉE** [bʀuete] n. f. — 1304; de *brouette.*

Contenu d'une brouette. *Une brouettée de terre. Une pleine brouettée* (→ **Brouette**).

Parmi eux, il reconnut Lacaille, qui prit la rue Saint-Honoré, en poussant devant lui une brouettée de carottes et de choux-fleurs. Il le suivit, espérant qu'il l'aiderait à sortir de la cohue.
ZOLA, le Ventre de Paris, t. I, p. 47.

**BROUETTER** [bʀuete] v. tr. — 1304, *in* Godefroy; de *brouette.*

Transporter dans une brouette. *Pelleter et brouetter des déblais.*

Il y a 25° à l'ombre, et Philippe, qui brouette du sable en plein soleil, dit :
– Ma foi, il fait bien doux !
J. RENARD, Journal, juil. 1896.

Absolt. *Il pelletait et brouettait du matin au soir.*

DÉR. **Brouettage, brouetteur, brouettier.**

**BROUETTEUR, EUSE** [bʀuɛtœʀ, øz] n. — 1291, *broueteur; broueteire,* 1270; de *brouetter.*

Personne, spécialt, travailleur manuel, assurant la manutention de matériaux avec une brouette.

Les brouetteurs de copeaux, vieux ouvriers qui ramassaient les déchets, pressaient le pas vers la cour où s'entassaient les débris de métal.
Pierre HAMP, la Peine des hommes (Moteurs), p. 286.

**BROUETTIER** [bʀuetje] n. m. — Mil. XIVe; de *brouetter.* Technique.

♦ **1** Vx. Brouetteur.

♦ **2** (1863). Fabricant de brouettes. — Ouvrier charron* effectuant de petites opérations.

**BROUGHAM** [bʀugam] n. m. — 1853, Gautier; mot angl. (1851), du nom du baron *Henry P. Brougham.*

Anciennt. Petite voiture attelée, élégante, à caisse basse.

Sur le *turf* d'Hyder-Pacha défilaient gravement des arabas, des talikas et même des coupés et des broughams remplis de femmes très-richement parées et dont les diamants scintillaient au soleil (...)
Th. GAUTIER, Constantinople, 1873, p. 166.

**BROUHAHA** [bʀuaa] n. m. — 1552; *brou, brou, brou, ha, ha, brou, ha, ha,* interj., 1548; orig. incert., p.-ê. altér. onomatopéique de la formule d'accueil en hébreu *bārūkh habbā.*

♦ **1** Vx. Rumeur d'approbation, applaudissements.

1 (...) si le comédien ne s'y arrête *(au beau vers),* et ne vous avertit par là qu'il faut faire le brouhaha ?
MOLIÈRE, les Précieuses ridicules, 9.

2 Les applaudissements commencèrent dès la protase; à chaque vers c'était un brouhaha, et à la fin de chaque acte un battement de mains à faire croire que la salle s'abîmait.
A. R. LESAGE, Gil Blas, X, 5.

♦ **2** (Av. 1755). Mod. Bruit confus qui s'élève dans une foule. → **Rumeur, tapage.** *Le brouhaha d'un hall de gare. Des brouhahas de voix.*

3 (...) la porte de la salle céda; un brouhaha de séance parlementaire; des étudiants, en grappes, riant, s'interpellant, se pressaient les uns contre les autres (...)
MARTIN DU GARD, les Thibault, t. III, p. 275.

4 Des éclats de rire aigus, un petit brouhaha d'accueil dans le hall (...)
COLETTE, Chéri, p. 70.

5 C'était un mouvement, une excitation, une cohue, un brouhaha dont on ne saurait donner une idée, les indigènes de classe inférieure étant fort démonstratifs, et les étrangers ne leur cédant guère sur ce point.
J. VERNE, Michel Strogoff, p. 74.

Fig. Ensemble confus et agité. «*Le brouhaha des idées parisiennes*» (Taine, *in* T. L. F.).

**BROUILLADE** [bʀujad] n. f. — 1876, mot provençal, même rac. que *brouiller.*

Régional (Provence). Œufs brouillés. *Une brouillade aux oignons.*

Il n'y avait plus, dans le halo trouble atteint par son regard, que la fiasque de vin, un coin de plat où des frelons butinaient la brouillade d'asparagus.
J. GIONO, Naissance de l'Odyssée, p. 160.

**BROUILLAGE** [bʀujaʒ] n. m. — 1802, au sens 2; «confusion», 1573; de *brouiller.*

♦ **1** Action de brouiller. «*L'impitoyable loi du brouillage des traces et de l'évanouissement à volonté*» (R. Debray, *l'Indésirable*).

♦ **2** Par métonymie et spécialt. Mines. Point où un gisement est dérangé et mêlé de blocs hétérogènes.

♦ **3** (1924). Trouble dans la réception des ondes de radio, de télévision, de radar dû à l'addition involontaire (→ **Parasite**) ou volontaire d'un signal différent du signal émis. *Brouillage sonore, visuel.* — Action de provoquer ce trouble, d'empêcher la réception d'un signal. *Le brouillage des émissions par les belligérants. Brouillage d'émissions pirates. Appareil de brouillage.* → **Brouilleur** (cit.).

COMP. **Antibrouillage.**

**BROUILLAMINI** [bʀujamini] n. m. — 1566, Henri Estienne; *bouliaminy,* 1378; altér. sous l'infl. de *brouiller,* du lat. pharm. *boli armenii* «bol* d'Arménie», petites boules d'argile utilisées comme médicament.

♦ **1** Vx. Emplâtre pour les chevaux où entre le bol d'Arménie.

♦ **2** Fam. Situation très embrouillée. → **Confusion, embrouillamini, embrouille, embrouillement.** *Il y a bien du brouillamini dans cette histoire.*

Il y a trop de tintamarre là-dedans, trop de brouillamini. 1
MOLIÈRE, le Bourgeois gentilhomme, II, 4.

(...) mieux vaut que je renonce à démêler ce brouillamini. 2
COCTEAU, Journal d'un inconnu, p. 24.

1. **BROUILLARD** [bʀujaʀ] n. m. — 1538, Estienne; *broillars,* XVe, Ch. d'Orléans; altér. par changement de suff. de l'anc. franç. *brouillas* (1210, jusqu'au XVIIe), de *brouiller.* → Broue, brouet.

♦ **1** Phénomène atmosphérique naturel produit par des gouttes d'eau extrêmement petites qui flottent dans l'air près du sol et provoquent une diffusion intense de la lumière. → **Brume, vapeur; brouillasse, bruine, crachin;** → Nuage, cit. 4. — Météor. *Brouillard d'advection, de rayonnement. Brouillard pellucide* (cit.). — Cour. *Un brouillard épais, dense, opaque* (Cf. Purée de pois). *Le brouillard d'automne* (→ Vergogneux, cit.). *Un brouillard à couper* au couteau. Des phares qui percent le brouillard* (→ **Antibrouillard**). *Envelopper de brouillard.* → **Embrumer.** *Des nappes de brouillard. L'humidité du brouillard. Le brouillard s'élève; se dissipe. Un navire, un avion pris dans le brouillard. Signaux de brouillard. Brouillard artificiel pour camoufler un navire, une armée. Brouillard givrant :* brouillard dont les gouttelettes d'eau forment du givre à la surface du sol. — Vx. *Il fait brouillard :* il y a du brouillard. Mod. *Il fait du brouillard.* → **Brouillarder** (rare).

Quand il fait mouillé, quand il fait brouillard, je ne sors point (...) 1
Mme de SÉVIGNÉ, 1226, 16 oct. 1689.

La vapeur des brouillards ne voile point les cieux. 2
RACINE, Lettres.

(...) Montagnes que voilait le brouillard de l'automne. 3
LAMARTINE, Harmonies... «Milly».

4 (...) un brouillard flottait comme une écharpe sur les sinuosités de la Toucques.
FLAUBERT, Trois contes, «Un cœur simple», 2.

5 Les lointains de la rade étaient noyés dans un brouillard blanchâtre fait d'embruns et de pluie.
LOTI, Mon frère Yves, III, p. 15.

6 Il faisait sombre dans la chambre : un brouillard jaune était tendu contre les vitres, comme un écran (...)
R. ROLLAND, Jean-Christophe, p. 555.

7 Le fond de la vallée s'enfume d'un brouillard blanc qui s'effile, se balance et s'étale comme une onde.
COLETTE, la Paix chez les bêtes, «Nonoche».

8 La ville était morte et ruisselait sous le brouillard.
MARTIN DU GARD, les Thibault, t. III, p. 100.

8.1 (...) le brouillard, sensible et têtu comme un homme fort et triste, tombe dans la rue, épargne les maisons et nargue les rencontres.
ÉLUARD, «Quelques poètes sont sortis», *in* Œ. compl., Pl., t. I, p. 79.

Par ext. *Un brouillard de fumée.*

Par analogie :

9 C'étaient des cheveux blonds, d'un blond cendré, d'un blond de poudre, et il y en avait, et ils étaient fins, un brouillard d'or autour de la tête.
A. DAUDET, le Petit Chose, II, 10.

Phys. Suspension de gouttelettes dans un gaz saturé en vapeur. → **Aérosol.**

♦ **2** Loc. métaphorique et fig. *Avoir un brouillard sur les yeux, devant les yeux; voir à travers un brouillard :* avoir la vue troublée, distinguer les objets avec peine (→ Avoir un voile* devant les yeux).

Techn. *Brouillard de fond.* → **Bruit,** cit. 43 et *supra.*

Fam. *N'y voir que du brouillard :* n'y rien comprendre (→ N'y voir que du feu*).

Loc. (Vx). *Une créance hypothéquée sur les brouillards de la Seine, de la rivière...,* dont rien ne garantit le paiement.

10 Quinze mille écus (...) assignés sur les brouillards de la rivière Seine. FURETIÈRE, le Roman bourgeois, I, 30.

♦ **3** Par métaphore ou fig. Vieilli. Obscurité, confusion. *Un esprit plein de brouillards,* confus, trouble.

11 Sans nous plonger dans les brouillards de la métaphysique. VOLTAIRE, Jenni, 9, *in* LITTRÉ.

*Le brouillard de l'ennui, de l'oubli, de la tristesse.*

12 (...) ce sont en moi d'étranges marques d'oubli. À l'éblouissante quinzaine qu'avait ouverte la rencontre avec Georges, une sorte de brouillard et d'éclipse avait succédé. SAINTE-BEUVE, Volupté, XIV.

13 (...) l'invariable ennui, le profond ennui, le brouillard intérieur, le néant devenu sensible.
FRANCE, le Petit Pierre, X.

*Être dans les brouillards, dans le brouillard :* être un peu ivre*.

Loc. *Être dans le brouillard :* ne pas voir clair dans une situation qui pose des problèmes. *Foncer dans le brouillard :* agir de manière déterminée, brutale, alors qu'on ignore l'essentiel de la situation.

DÉR. **Brouillarder, brouillardeux.** — V. aussi **Brouillasser.** ◊ COMP. **Antibrouillard, microbrouillard.** → HOM. 2. **Brouillard.**

2. **BROUILLARD** [bʀujaʀ] n. m. — 1611; «brouillon», 1496; de *brouiller.*

♦ **1** Vx. En appos. *Papier brouillard :* papier non collé. → **Buvard.**

♦ **2** N. m. Comm. Livre de commerce où l'on note les opérations à mesure qu'elles se font. → **Brouillon** (vx), **main** (main courante).

HOM. 1. **Brouillard.**

**BROUILLARDER** [bʀujaʀde] v. impers. — Av. 1951, Céline; de 1. *brouillard.*

Rare. Faire du brouillard; être caractérisé par le brouillard.

Après la pluie qu'il en a! Le temps affreux qu'il fait dehors... qu'il brouillarde et pleut en même temps! On n'y voit pas à trois yards!
CÉLINE, Guignol's band, p. 331-332.

**BROUILLARDEUX, EUSE** [bʀujaʀdø, øz] adj. — 1860; de 1. *brouillard.*

♦ **1** Couvert, chargé de brouillard. *Un temps brouillardeux.* → **Brumeux.**

Nittis a chez lui des vues de Paris, enlevées au pastel, qui 1
m'enchantent. C'est l'air brouillardeux de Paris, c'est le gris de son pavé, c'est la silhouette diffuse de passant.
Ed. et J. de GONCOURT, Journal, 23 févr. 1878.

Par anal. *Un salon «tout brouillardeux de fumée»* (Goncourt).

Visible, vu indistinctement, dans un brouillard.

Mais cet œil n'existe pas, pas plus que ces mains, que cette 2
guitare, ce paysage où passe un boutre brouillardeux.
J.-M. G. LE CLÉZIO, le Déluge, p. 279.

♦ **2** Fig. Plongé comme dans un brouillard. *Se sentir brouillardeux, tout brouillardeux.*

J'ai dû ramasser sur les routes une fameuse angine, je me 3
trimballe toute fébrile et brouillardeuse, mon nez occupe toute ma tête; mais les yeux pleins de larmes et les orteils en plomb il faut rire et avancer quand même (...)
A. SARRAZIN, la Traversière, p. 67.

(Choses abstraites). → **Brumeux.**

**BROUILLASSE** [bʀujas] n. f. — 1863, Littré; de *brouillasser.*

Bruine; brouillard peu dense. — Péj. Brume.

**BROUILLASSÉ, ÉE** [bʀujase] adj. — 1893; de *brouillasser.*

Rare. Qui est recouvert d'un brouillard, d'une buée.

Tout cela (...) distingué à travers un paquet de fumée comme un fond de mer artificiel à travers la vitre brouillassée d'un aquarium souterrain (...)
COURTELINE, Messieurs les ronds-de-cuir, 6e tableau, III.

REM. Courteline emploie le dér. *brouillasserie* (*les Femmes d'amis,* p. 54, *in* D. D. L.).

**BROUILLASSER** [bʀujase] v. intr. — 1834; «mélanger», déb. XVIIe; de l'anc. franç. *brouillas* «trouble, confusion». → 1. Brouillard.

Impers. *Il brouillasse :* il y a de la brume, du brouillard. *Il commençait à brouillasser. Ça brouillasse.*

(...) quand il disait qu'il bruinait, on pouvait être sûr qu'il s'agissait bien de la bruine, et qu'il ne pleuvinait, et qu'il ne brouillassait point.
GIRAUDOUX, Juliette au pays des hommes, p. 131.

Par ext. (impropre). Bruiner.

DÉR. **Brouillasse.**

**BROUILLE** [bʀuj] n. f. — 1617, «querelle», Richelieu, *Correspondance ;* de *brouiller.*

Mésintelligence survenant entre personnes qui entretenaient des rapports familiers ou affectueux. → **Brouillerie, fâcherie, mésentente, rupture, trouble, zizanie;** et aussi **dispute, querelle** (→ Brouiller, cit. 34). *Mettre, jeter la brouille dans une famille, un ménage. Une brouille s'est élevée, est survenue entre eux. Une petite brouille. Une brouille passagère. Une brouille sérieuse, grave.*

Il ne restait plus qu'à paraître ennuyé de cette indiscrétion 0.1
des journaux qui pouvait amener des brouilles avec les personnes qu'on n'avait pu inviter (...)
PROUST, Sodome et Gomorrhe, éd. Folio, p. 192.

1 Je sentais qu'ils me menaient vers une brouille définitive ou une réconciliation, et je les suivis au Jockey.
GIRAUDOUX, Bella, VI.

1.1 Ils regardaient devant eux, muets comme après une grande brouille (...)
GIRAUDOUX, les Aventures de Jérôme Bardini, p. 56.

*La brouille* (collectif) :

2 Le goût de la brouille est un héritage de famille.
F. MAURIAC, le Nœud de vipères, p. 13.

Loc. (Vx). *Être en brouille (avec qqn)* : être brouillé*. → (fam.) Être en bisbille*.

CONTR. **Arrangement, raccommodement, réconciliation.**

**BROUILLEMENT** [bʀujmɑ̃] n. m. — 1419, *brullemens* «mise en désordre»; repris au XIX^e^; de *brouiller.*

Rare.

♦ **1** Action de brouiller, de mêler. «*Brouillements féeriques de couleurs*» (Goncourt, *in* T. L. F.). — *Un brouillement de cris.*

♦ **2** État de ce qui est embrouillé, compliqué. → **Embrouillement.**

(...) ensuite il contribua, par des conversations animées et par l'ascendant qu'il exerçait sur les esprits, à ces brouillements qui amenèrent Moreau devant une cour de justice.
CHATEAUBRIAND, Mémoires d'outre-tombe, t. III, 2.

REM. L'idée de confusion l'emporte ici sur celle de mésentente, de brouille (→ Brouillerie, 2.).

**BROUILLER** [bʀuje] v. tr. — 1219; gallo-roman **brodiculare,* de **brodicare;* du germanique **brod* «bouillon». → Brouet, brouillade, 1. brouillard.

♦ **1** Mêler en agitant, en dérangeant. → **Mélanger, mêler.**

Vx (objets concrets, matériels). *Brouiller des papiers, des dossiers. Brouiller une pelote de fil.* → **Bouleverser, emmêler, enchevêtrer.**

Mod. (avec une valeur, souvent symbolique ou métaphorique, de suppression d'un ordre). *Brouiller la combinaison d'un coffre-fort. Brouiller les pistes*.* → **Embrouiller.**

Loc. **BROUILLER LES CARTES,** les battre avant de donner. — Fig. Mettre du trouble, de la confusion dans une affaire.

1 C'est dans le jeu politique et parlementaire (...) que des joueurs, mauvais joueurs, battus, brouillent les cartes, renversent le jeu, font perdre le voisin.
Ch. PÉGUY, Œ. compl., t. XII, p. 22.

1.1 (...) une conscience scrupuleuse eût précisément évité les fautes qui nous ont coûté l'Indochine et, au Maghreb, ont brouillé irréparablement les cartes de la France.
F. MAURIAC, le Nouveau Bloc-notes 1958-1960, p. 47.

Spécialt. *Brouiller des œufs* (→ Jus, cit. 4, et ci-dessous, le p. p.). *Brouiller des couleurs. Brouiller en écrasant.* → **Broyer.**

♦ **2** Vieilli. Rendre trouble, confus (un liquide). → **Altérer, déranger, troubler.** *Brouiller un liquide, du vin,* le rendre trouble en le remuant. → **Agiter.**

Mod. Rendre trouble, difficile à voir. *Brouiller les verres d'une lunette, un objectif,* les rendre troubles, opaques. *La pluie, la buée brouille les fenêtres. Brouiller les yeux, la vue. Les larmes lui brouillent la vue. Brouiller le teint :* altérer la coloration de la peau. *Les nuages brouillent le ciel.*

2 Par moments un nuage traînant brouille le fond du paysage.
GIDE, Journal, 1909, la Mort de Charles-Louis Philippe.

♦ **3** Rendre inaudible. *Brouiller une émission de radio,* la rendre inaudible en émettant un son parasite sur la même longueur d'onde (→ **Brouillage,** 3.).

♦ **4** Fig. Rendre confus, embrouiller.

Mod. *La colère lui a brouillé l'esprit, la cervelle, les idées.* → **Troubler.** *Brouiller les souvenirs, les dates d'histoire.* → **Confondre, mêler.**

Là ma douleur trop forte a brouillé ces images (...) 3
CORNEILLE, Polyeucte, I, 3.

Quel accident nouveau te brouille ainsi le sens? 4
CORNEILLE, Mélite.

C'étaient discours en l'air inventés par ma flamme, 5
Pour brouiller ton esprit et celui de sa femme.
CORNEILLE, Pertharite, IV, 2.

Ce serait brouiller toutes ses affaires. 6
RACINE, Remarques sur l'Odyssée.

J'avais les plus belles pensées du monde, et vos discours m'ont brouillé tout cela. MOLIÈRE, Dom Juan, I, 2. 7

Vous savez mieux que personne comme on est peu maîtresse de ses craintes et de ses imaginations; elles ont ici toute leur étendue; rien ne brouille, ni ne démêle ces émotions (...) M^me^ DE SÉVIGNÉ, 830, 10 juil. 1680. 8

(...) le désespoir de se voir toujours oublié dans les promotions lui a brouillé la cervelle. 9
A. R. LESAGE, le Diable boiteux, X, 101.

Elle perdait la mémoire, brouillait les époques (...) 10
FRANCE, le Petit Pierre, XXIV.

La mémoire a donc bien ses degrés successifs et distincts de tension ou de vitalité, malaisés à définir, sans doute, mais que le peintre de l'âme ne peut pas brouiller entre eux impunément. 11
H. BERGSON, Matière et Mémoire, p. 186.

Vx. *Brouiller une affaire. Il a tripoté dans mes affaires et n'est parvenu qu'à les brouiller. Cet homme brouille tout ce qu'il touche* (→ 1. **Brouillon).**

Vx. Troubler, altérer, gâter.

Je me console des inquiétudes qui viennent brouiller la joie de vous voir bientôt à Paris. 12
M^me^ DE SÉVIGNÉ, 859, 6 oct. 1680.

Vx. Absolt. → **Bafouiller, bredouiller.**

Il cherche, il brouille, il crie, il s'échauffe (...) 13
LA BRUYÈRE, les Caractères, XI, 7.

♦ **5** Loc. Vx. *Brouiller du papier,* le noircir en griffonnant, en écrivant rapidement. → **Barbouiller.** — Par ext. *Brouiller un sonnet.*

Ma sœur, un mot d'avis sur un méchant sonnet 14
Que je viens de brouiller dedans mon cabinet.
CORNEILLE, Mélite, II, 4.

J'ai plus brouillé de papier à dire de méchantes choses, que vous n'en aviez employé à écrire les plus belles choses du monde. RACINE, Lettres. 15

♦ **6** (Compl. n. de personne; sujet n. de personne ou de chose). Désunir en provoquant une brouille. *Brouiller qqn avec son meilleur ami. Ce mot a failli me brouiller avec toute la bande* (→ Pisse-froid, cit. 1).

La déesse Discorde ayant brouillé les Dieux (...) 16
LA FONTAINE, Fables, VI, 20.

Elle est très mauvaise, cette fille-là... Elle savait bien qu'elle te brouillerait avec la Madelon (...) 17
G. SAND, la Petite Fadette, XVII.

Mais M^me^ Verdurin (...) avait fini par trouver un plaisir désintéressé dans ce genre de drames et d'exécutions, l'avait irrémédiablement brouillé avec la personne dangereuse, sachant, comme elle le disait, «mettre bon ordre à tout» et «porter le fer rouge dans la plaie». 17.1
PROUST, Sodome et Gomorrhe, éd. Folio, p. 305.

◆ **SE BROUILLER** v. pron.

♦ **1** (Choses). Devenir trouble, confus. *Ce liquide, ce mélange s'est brouillé. Son teint se brouille. Sa vue se brouille. Le ciel, le temps se brouille.* → **Gâter** (se).

Les nuages couvrirent bientôt la surface de la terre; dès que mon fils commença à parler, le temps se brouilla (...) 18
M^me^ DE SÉVIGNÉ, 846, 28 août 1680.

Fig. et vx. *Les affaires se brouillent.*

Mod. (Abstractions humaines). *Son esprit, ses idées, ses souvenirs se brouillent.*

19 Oh ! qu'ils *(les souvenirs)* se brouillent donc et que tout se confonde (...) LOTI, les Désenchantées, VI, 52.

20 (...) mais je ne me rappelle même plus. Ce qu'on me dit se brouille dans ma tête, j'y attache si peu d'importance ! PROUST, À la recherche du temps perdu, t. XII, p. 165.

Vx (faux pronominal). *Se brouiller l'esprit, la tête :* agiter en vain des idées. → **Casser** (fam., se casser la tête), **torturer** (se).

21 (...) Si nous n'aimions point à nous brouiller l'esprit
Ni de ce que l'on fait ni de ce que l'on dit !
CORNEILLE, Imitation de J.-C., I, 668.

22 Je m'aperçus bientôt que tous ces auteurs étaient entre eux en contradiction presque perpétuelle, et je formai le chimérique projet de les accorder, qui me fatigua beaucoup et me fit perdre bien du temps. Je me brouillais la tête, et je n'avançais point. ROUSSEAU, les Confessions, VI.

Vx. *Se brouiller :* s'embarrasser, s'embrouiller.

♦ **2** (Personnes). Cour. Cesser d'être ami. → **Fâcher** (se). *Se brouiller avec ses parents.*

23 Pompée et César s'unissent par intérêt et puis se brouillent par jalousie. BOSSUET, Hist. des variations, III, 17.

24 (...) quelque chose d'épouvantable (...) qui eût été capable (...) de nous brouiller, ce qui nous permettrait de nous réconcilier, de refaire différente et plus souple la chaîne qui nous liait.
PROUST, À la recherche du temps perdu, t. XI, p. 33.

Fig. *Se brouiller avec le bon sens :* perdre le bon sens.

*Se brouiller avec la justice :* s'exposer à l'action de la justice en commettant un délit, un méfait.

25 — Une aventure où je me brouillai avec la justice (...)
— Je te conjure au moins de ne m'aller point brouiller avec la justice.
MOLIÈRE, les Fourberies de Scapin, I, 2 et 5.

◆ **BROUILLÉ, ÉE** p. p. adj.

♦ **1** (Choses). Mêlé, mélangé.

(1611). *Œufs brouillés,* dont les blancs et les jaunes ont été mélangés (et non battus, comme pour l'*omelette*) en cours de cuisson. → **Brouillade** (régional) ; et → Fondue, cit. 3.

♦ **2** Qui a été rendu confus, peu net. *Un teint brouillé. Ciels brouillés,* poème de Baudelaire. — (Passif et p. p.). *Brouillé de..., par... Des yeux brouillés (de...),* dont le regard n'est pas net. *Vue brouillée.*

26 Et, sur ce visage étrange *(de Danton),* brouillé de petite vérole (...)
MICHELET, Hist. de la Révolution franç., t. I, p. 1025.

27 (...) aux yeux battus, tout brouillés de sommeil (...)
ZOLA, l'Assommoir, t. I, p. 7.

28 (...) des yeux gris, dans un teint de brune, un peu brouillé (...)
MARTIN DU GARD, les Thibault, t. II, p. 217.

29 (...) ma vue était brouillée par mon trop grand désir de l'embrasser (...)
PROUST, À la recherche du temps perdu, t. XII, p. 225.

30 Jean-Pierre releva le front, montrant des yeux gonflés mais beaux qui, même brouillés par les larmes, illuminaient son étroite figure d'adolescent.
G. DUHAMEL, Chronique des Pasquier, X, 3.

30.1 Au repos, l'expression de Valérie était d'une tristesse tendre, et Ferral se souvenait que la première fois qu'il l'avait vue il avait dit qu'elle avait un visage brouillé, — le visage qui convenait à ce que ses yeux gris avaient de doux. MALRAUX, la Condition humaine, p. 98.

*Avoir l'estomac brouillé,* et, par métonymie, *être, se sentir brouillé après un bon repas* (par confusion avec *barbouillé**).

*Une émission de radio brouillée. Une voix brouillée.* (Abstrait). *Affaires brouillées. Cartes, pistes brouillées. Idées, souvenirs brouillés.* → **Disparate.** *Esprit brouillé.*

Là, le petit solitaire put faire tout son saoûl, des lectures brouillées, indigestes. 31
MICHELET, Extraits historiques, p. 350.

Plus les pistes lui paraissent brouillées, plus l'homme est enclin, pour sortir à tout prix de la confusion, à accepter une doctrine toute faite qui le rassure, qui le guide. 32
MARTIN DU GARD, les Thibault, t. IX, p. 238.

♦ **3** Passif, p. p. et adj. (Personnes). *Être brouillé avec qqn,* ne plus être en bons termes avec lui. → **Fâché** (→ Paix, cit. 7). *Brouillé à mort. Ils sont brouillés.*

Que votre oncle soit brouillé ou non avec elle, il faudra bien se raccommoder. 33
A. DE MUSSET, Il ne faut jurer de rien, III, 5.

(...) je fus surpris d'entendre Andrée, que je croyais brouillée à mort avec elle, dire : « Je lui écrirai demain, parce que si j'attends sa lettre d'abord, je peux attendre longtemps, elle est si négligente. » Et se tournant vers moi elle ajouta : « Vous ne la trouveriez pas très remarquable évidemment, mais c'est une si brave fille, et puis j'ai vraiment une grande affection pour elle. » Je conclus que les brouilles d'Andrée ne duraient pas longtemps. 34
PROUST, À l'ombre des jeunes filles en fleurs, éd. Folio, p. 562.

(V. passif). Fig. *Être brouillé avec la raison, le bon sens, la justice* (→ ci-dessus, Se brouiller, 2.). *Être brouillé avec la grammaire, avec les mathématiques, les chiffres, les noms,* ne pas les comprendre ou les oublier facilement. — P. p. *Un élève brouillé avec l'orthographe.*

— Dites-moi, ma bonne tante, demanda M. de Guermantes à M$^{me}$ de Villeparisis, qu'est-ce que ce monsieur assez bien de sa personne qui sortait comme j'entrais ? Je dois le connaître parce qu'il m'a fait un grand salut, mais je ne l'ai pas remis ; vous savez je suis brouillé avec les noms, ce qui est bien désagréable, dit-il d'un air de satisfaction. 35
PROUST, Du côté de Guermantes, éd. Folio, p. 277.

CONTR. **Accorder, arranger, clarifier, classer, débrouiller, démêler, distinguer, éclaircir. — Accorder, raccommoder, réconcilier, réunir. — Clair, net.** ◈ DÉR. **Brouillage,** 1. **brouillard,** 2. **brouillard, brouille, brouillement, brouillerie, brouilleur, brouillis,** 1. **brouillon,** 2. **brouillon.** — COMP. **Antibrouillé ; débrouiller, embrouiller.**

**BROUILLERIE** [bʀujʀi] n. f. — Déb. XVII$^{e}$ ; « désordre », 1418 ; de *brouiller.*

♦ **1** Vieilli. Brouille passagère, sans gravité.

Il connaît le fond et les causes de la brouillerie des deux frères. 1
LA BRUYÈRE, les Caractères, II, 39.

À quoi bon faire part aux autres de nos petites brouilleries ? ce sont quelques légers nuages qui passent un instant dans le ciel, pour le laisser plus tranquille et plus pur. 2
A. DE MUSSET, le Chandelier, I, 1.

♦ **2** Vx (en parlant de troubles politiques ; l'idée de « confusion », de « trouble » l'emporte sur celle de « mésentente »). *« Les troubles de la Ligue et les brouilleries de la Fronde »* (Chateaubriand).

**BROUILLEUR, EUSE** [bʀujœʀ, øz] n. et adj. — 1411, « personne qui frelate » ; de *brouiller.*

**I** Vx. Personne qui « brouille », frelate (des vins, etc.). Littér. (Dans quelques syntagmes). Celui, celle qui brouille (qqch.). *Brouilleur, brouilleuse de ménages. Brouilleur de jeu, de pistes.*

**II** (1937). ♦ **1** N. m. Techn. Émetteur qui sert au brouillage volontaire d'une émission de radio ou de télévision, d'un radar ou de tout appareil de détection.

Les Russes ont bien tenté de brouiller les stations clandestines de la Tchécoslovaquie, mais ils y ont renoncé, car ces stations étaient trop nombreuses et trop mobiles. Trop

nombreuses, ces stations exigent une infrastructure colossale de brouillage; trop mobiles, elles changent de zones de diffusion plus vite que le *brouilleur.*
le Figaro littéraire, 9-15 sept. 1968.

♦ **2** Adj. m. *Signal brouilleur,* volontairement destiné au brouillage.

**BROUILLIS** [bʀuji] n. m. — V. 1450; de *brouiller.*

♦ **1** Techn. (Œnol.). Mélange obtenu par distillation de vins. *Eau-de-vie obtenue à partir de brouillis.*

♦ **2** Littér. (Huysmans, *in* T. L. F.). Mélange (de teintes, etc.). → **Brouillement.**

HOM. **Brouilly.**

1. **BROUILLON, ONNE** [bʀujɔ̃, ɔn] adj. et n. — Mil. XVIe, Montaigne; de *brouiller.*

♦ **1** (Personnes, groupes; caractères humains). Qui mêle tout, n'a pas d'ordre, de méthode. → **Confus, désordonné.** *Il est agité et brouillon. Une fillette vive et un peu brouillonne. Un esprit brouillon. Une humeur brouillonne. Une activité brouillonne.*

1 N'est-ce pas une chose étrange (...)
Que cette troupe brouillonne
M'arrache de ce cabaret?
CORNEILLE, Poésies diverses, 72.

2 (...) ce démon brouillon dont il est possédé.
MOLIÈRE, l'Étourdi, V, 1.

2.1 – Vos réflexions métaphysiques vous donnent l'air encore plus brouillon que d'habitude...
– J'ai l'air brouillon en général?
– Tout à fait. Je n'oserais jamais vous laisser voyager seule, par exemple. Je vous trouverais dans une salle de transit, Dieu sait où, huit jours plus tard (...)
F. SAGAN, la Chamade, p. 103.

N. (1549). Vieilli. Personne qui agit confusément, qui sème le désordre par ses actes. *Cet homme est un brouillon, un touche-à-tout. Ce brouillon sème partout le trouble.* → **Trublion.**

3 Vous savez que nous le trouvons *(le temps)* un vrai brouillon, mettant, remettant, rangeant, dérangeant (...)
Mme DE SÉVIGNÉ, 471, 24 nov. 1675.

4 Eh! non, brouillonne, non; tu ne sais pas encore ce que tu dis. MARIVAUX, le Préjugé vaincu, 8, *in* LITTRÉ.

♦ **2** Confus, désordonné. *Une écriture brouillonne.*

5 Chose singulière, lui qui avait plutôt une écriture petite et brouillonne, s'appliquait, cette nuit-là, à des caractères très nets, et, sans doute, craignait-il de faire des pâtés, car il n'avait pas plutôt tracé quelques mots qu'il prenait grand soin de les faire sécher sur le buvard qui garnissait le pupitre.
G. LEROUX, Rouletabille chez Krupp, p. 182.

CONTR. **Méthodique, ordonné; clair** (esprit clair). ◊ HOM. 2. **Brouillon**; formes du v. **brouiller.**

2. **BROUILLON** [bʀujɔ̃] n. m. — 1551; de *brouiller.*

**A** ♦ **1** Première rédaction d'une lettre, d'un écrit scolaire ou didactique, qu'on se propose de mettre au net par la suite. *Faire le brouillon d'une dissertation. Corriger, recopier un brouillon; mettre un brouillon au net, au propre. Il ne fait jamais de brouillon, il rédige directement au propre. Des brouillons de poèmes. Déchirer un brouillon. Une poubelle pleine de brouillons.*

1 Ces quatre lettres, faites sans brouillon, rapidement, à trait de plume, et sans même avoir été relues, sont peut-être la seule chose que j'ai écrite avec facilité dans toute ma vie (...) ROUSSEAU, les Confessions, XI.

2 Les ouvrages d'Hugo ressemblent au brouillon d'un homme qui a du talent : il dit tout ce qui lui vient (...)
E. DELACROIX, Écrits, t. II, p. 84.

2.1 Nous n'avions plus grand temps avant le dîner. Nous fîmes plusieurs brouillons de lettres que nous brûlâmes, puis l'heure du dîner arrivant, nous décidâmes de nous en tenir au dernier, qui nous sembla alors le plus mauvais et nous fit regretter d'avoir brûlé les autres.
PROUST, Jean Santeuil, p. 184.

Que vous disais-je dans ma dernière lettre? Je ne fais pas de brouillon de ce que je vous écris. 2.2
MONTHERLANT, Pitié pour les femmes, p. 53.

♦ **2** Par métonymie. Papier utilisé pour rédiger des brouillons. *Je n'ai plus de brouillon. Cahier de brouillons* (on écrit aussi *cahier de brouillon* «cahier pour le brouillon»; *brouillon* est dans ce cas pris au sens 1).

♦ **3** Fig. Ébauche*, esquisse.

Le projet est le brouillon de l'avenir. Parfois, il faut à l'avenir des centaines de brouillons. 3
J. RENARD, Journal, 2 févr. 1902.

♦ **4** Loc. adv. AU BROUILLON (opposé à *au propre*). *Fais ton problème au brouillon, tu le recopieras plus tard.*

**B** Comm. Vx. Livre de comptes. → 2. **Brouillard.**

DÉR. **Brouillonner.** ◊ HOM. 1. **Brouillon**; formes du v. **brouiller.**

**BROUILLONNER** [bʀujɔne] v. — 1829, Boiste, v. tr.; de *brouillon.*

**I** V. tr. Écrire rapidement, au brouillon (qqch.). *Brouillonner un article de journal.*
Par métaphore. (Littér. et stylistique). Griffonner comme sur un brouillon.

Le papier gros bleu du ciel sur lequel le soir avait brouillonné, comme un collégien, les tire-bouchons d'un crayonnage rose. 1
PROUST, le Côté de Guermantes, Pl., p. 95.

**II** V. intr. (1900). Écrire au brouillon. *«Pendant que je rage, les autres "brouillonnent" déjà»* (Colette, *in* T. L. F.).

Et à main droite, le toc des tocs, le bloc où j'ai brouillonné avec des feuilles de papier mort. 2
Hélène CIXOUS, Souffles, p. 221.

**BROUILLY** [bʀuji] n. m. — D. i.; nom d'une commune du Beaujolais.
Vin rouge du Beaujolais.
HOM. **Brouillis.**

**BROUIR** [bʀuiʀ] v. tr. — 1564, *brouyr; broïr* «brûler», déb. XIIe; p.-ê. du francique **brôjan* «griller, échauder». Pour Guiraud, mot provençal «faire brûler (les mauvaises herbes)», de *brou* «pousse», du gréco-lat. *bryon* «mousse», p.-ê. croisé avec le germanique **brôjan.*
Vieilli ou régional. Brûler, dessécher, griller (en parlant de l'action du soleil sur les plantes). *Vignes brouies.*
DÉR. **Brouissure.**

**BROUISSURE** [bʀuisyʀ] n. f. — 1645; du rad. de *brouir.*
Vieilli ou régional. État de ce qui est broui; brûlure des bourgeons, des fleurs.

**BROUM!** [bʀum] interj. — 1843, «râclement de gorge», Balzac; onomatopée.
Onomatopée imitant le ronflement et la trépidation d'un moteur.

Il *(le petit garçon)* alla chercher une petite voiture et se mit à la faire rouler autour des pieds de Bresson, en faisant «brouououom, broum» pour imiter le ronflement d'un moteur. J.-M. G. LE CLÉZIO, le Déluge, IX, p. 177. 1

D'abord la vieille balance. Mme Bornimont laissait tomber dans ses plateaux des poids en fonte d'un modèle antique. «Brroum!» criaient les enfants, pour faire les bruits. 2
P. GUTH, le Naïf locataire, p. 115.

On dit aussi *vroum*.*

**BROUSSAILLE** [brusaj] n. f. — 1564; *broissaille,* 1559; *broçaille,* attestation isolée, v. 1160; de *brosse.*

♦ **1** Cour. Au plur. Végétation touffue des terrains incultes, composée d'arbustes et de plantes rabougris, rameux et épineux. *Touffe, haie de broussailles. Traverser des broussailles. Garnir (une haie, etc.) de broussailles.* → **Broussailler.** *Broussailles d'un terrain en friche* (→ **Écrues**). *Arracher les broussailles.* → **Débroussailler, essarter.** *Fagot de broussailles. Un terrain recouvert de broussailles.* → **Broussailleux, embroussaillé.** *Pays couvert de broussailles.* → 1. **Brousse, maquis.** *Mettre le feu aux broussailles; feu de broussailles.*

1 Je perce à travers un fourré de broussailles du côté d'où venait le bruit (...)
ROUSSEAU, Rêveries..., 7e promenade.

2 (...) une fois dans le jardin je fus saisi, enveloppé par les broussailles. J'essayai sans succès d'atteindre une allée. Je ne réussis qu'à m'égratigner affreusement.
H. BOSCO, Hyacinthe, p. 200.

Par compar. (→ **Broussailleux).**

3 Sa figure *(de Tolstoï)* avait pris les traits définitifs, sous lesquels elle restera dans la mémoire des hommes (...) les broussailles blanches des sourcils, la barbe de patriarche, qui rappelle le Moïse de Dijon.
R. ROLLAND, Vie de Tolstoï, p. 175.

(1837). *Cheveux, sourcils, barbe en broussailles,* emmêlés et touffus.

♦ **2** Rare. Au sing. *Se cacher dans une broussaille.* → **Fourré; buisson.** — Plus cour. (collectif). *La broussaille.*

Par métaphore. *«Une broussaille de conventions»* (Gide). *«La broussaille des préjugés»* (Mounier, *in* T. L. F.).

DÉR. **Broussailler, broussailleux.** ◊ COMP. **Débroussailler, embroussailler.**

**BROUSSAILLER** [brusaje] v. — XIXe; de *broussaille.*

Littéraire.

♦ **1** V. tr. Garnir de broussailles.

♦ **2** V. intr. Pousser en broussailles. — Par métaphore (en parlant des cheveux, des poils). Avoir un aspect broussailleux, hirsute.

N'est-ce pas? ajouta-t-il en fronçant des sourcils qui broussaillaient dans tous les sens.
G. CESBRON, Je suis mal, p. 197.

**BROUSSAILLEUX, EUSE** [brusajø, øz] adj. — 1857, Fromentin; attestation isolée, 1611; de *broussaille.*

♦ **1** Couvert de broussailles. *Un terrain broussailleux.* — Par métaphore :

1 Il va y avoir un an que j'ai pratiquement interrompu ce journal et cette quête, cette exploration dans la forêt broussailleuse si difficile à pénétrer, à la recherche de moi-même.
IONESCO, Journal en miettes, p. 195.

♦ **2** Fig. En broussailles. *Cheveux broussailleux. Barbe broussailleuse.*

2 (...) ses cheveux roux, durs et broussailleux, plantés comme de l'herbe sur son front bas (...)
MARTIN DU GARD, les Thibault, t. I, p. 82.

**BROUSSARD, ARDE** [brusar, ard] n. — 1885; de 1. *brousse.*

Fam. Personne qui vit dans la brousse, en brousse, loin des centres urbains. *Broussards et citadins, en Afrique.* — REM. En franç. d'Afrique, le mot a deux valeurs : a) chez les locuteurs européens (comme en Europe) «personne bien adaptée à la vie en brousse» : *un vrai broussard, un vieux broussard,* etc.; b) chez les locuteurs africains, «campagnard, provincial», dans un sens péjoratif (d'après I. F. A.).

1. **BROUSSE** [brus] n. f. — 1876; du provençal *brousso* «broussaille», mot probablt répandu par les soldats méridionaux des troupes coloniales, même orig. que *brosse**.

♦ **1** Région, étendue couverte de broussailles. — Broussailles.

Dans le bas du domaine, séparé du parc par une haie 1
d'arbustes, s'étendait le potager. Il était défiguré par la brousse.
G. DUHAMEL, le Désert de Bièvres, VI.

Spécialt, en Afrique.

[a] Savane arbustive.

[b] Région africaine éloignée des centres urbains et souvent inculte ou inhabitée. → **Bled.** *Être perdu dans la brousse. Marcher à travers la brousse.* → **Brousser.** *Vivre dans la brousse, en brousse.* → **Broussard.**

(Franç. d'Afrique). **ALLER EN BROUSSE*** : aller dans le pays, hors des villes et hors du village natal (opposé à *aller au village**). — Fam. *Aller en brousse :* satisfaire ses besoins naturels, aller déféquer.

♦ **2** Fam. Campagne; région isolée dans la campagne. → **Cambrousse.** *Il habite dans la brousse, un endroit perdu de la Lozère.*

♦ **3** Type de végétation arbustive dégradée des pays tropicaux. — *Feux de brousse.*

Sur la rive gauche, au loin, quelques lumières, un feu de 2
brousse (...)
GIDE, Voyage au Congo, *in* Souvenirs, Pl., p. 690.

DÉR. **Broussard.** — V. aussi **Brousser.** ◊ HOM. 2. **Brousse;** formes du v. **brousser.**

2. **BROUSSE** [brus] n. f. — 1579; *brosse,* 1505; anc. provençal *broce,* rattaché au francique **brukja* «ce qui est brisé».

Régional. Fromage blanc de Provence, fait avec du lait de chèvre ou de brebis. → **Broccio.**

REM. On trouve en 1861 la var. régionale provençale *brousso,* n. m.

HOM. 1. **Brousse;** formes du v. **brousser.**

**BROUSSER** [bruse] v. intr. — 1583; trans., *broiscier,* 1230; de *brosse* «taillis, broussailles». → 1. Brousse.

Rare. Parcourir les broussailles, les buissons. → **Brosser** (II., vx).

Tiffauges laissait les rênes molles à Barbe-Bleue qui de toute sa masse défonçait les épiniers, broussait dans les oseraies, broyait les fougeraies et les bruyères (...)
M. TOURNIER, le Roi des Aulnes, p. 316.

(Rattaché à 1. *brousse*). Parcourir la brousse.

**BROUSSIN** [brusɛ̃] n. m. — 1562; *broissin,* XIIIe; p.-ê. de *brosse,* ou de l'anc. franç. *brois,* var. *bruis* «excroissance de l'érable», du lat. *bruscum.*

Arbor. Loupe (de certains arbres). → 2. Loupe (4.). *Broussin des arbres fruitiers, de l'orme, de l'érable. Le broussin est utilisé en ébénisterie.*

**BROUSSO** [bruso] n. m. → 2. **Brousse.**

**BROUT** [bru] n. m. — V. 1560, *broult;* var. dial. de l'anc. franç. *brost* (XIIe), du germanique **brust* «jeune pousse». → Brou, brouter.

Agric. ou régional. Pousse de printemps. — *Mal de brout :* inflammation intestinale des bestiaux qui mangent trop de brout.

DÉR. V. **Brou, broutille.** ◊ HOM. **Brou, broue.**

**BROUTAGE** [bʀutaʒ] n. m. — 1845, Bescherelle; de *brouter.*

♦ **1** Rare. Action de brouter. *Le broutage d'un pré,* par les bestiaux.

♦ **2** Techn. Vibrations anormales dans un mécanisme en mouvement, dues à un frottement ou à un mauvais enclenchement des pièces. → **Broutement.**

**BROUTANT, ANTE** [bʀutɑ̃, ɑ̃t] adj. — D. i.; attesté 1901, Claudel, *in* T. L. F.; de *brouter.*

Rare. Qui broute. — Spécialt. Vén. *Les bêtes broutantes :* cerf, daim, chevreuil.

**BROUTARD** [bʀutaʀ] n. m. — 1867; de *brouter.*

Techn. (boucherie, élevage). Veau qu'on laisse brouter (au lieu de le nourrir au lait). *Des broutards et des génisses.* — En appos. *Veau broutard.*

**BROUTEMENT** [bʀutmɑ̃] n. m. — 1562, *brouttement;* de *brouter.*

♦ **1** Action de brouter.

♦ **2** (1845). Techn. Action, fonctionnement saccadé. → **Broutage.**

**BROUTER** [bʀute] v. — XIVe; *broster, bruster,* XIIe; de l'anc. franç. *brost,* du germanique **brust* «bourgeon» (→ Brout), à rattacher à **brustjan* «bourgeonner»; Guiraud rattache les deux formes *brouster* et *brouter* à deux rad. distincts, l'un germanique **brust,* d'où un lat. pop. **bruscitare,* puis *brouster;* l'autre gotique **brut,* d'où un lat. pop. **broccitare.* → Brout.

**I** V. tr. ♦ **1** Manger en arrachant sur place (l'herbe, les pousses, les feuilles). → **Paître.** *Un âne, un troupeau broutait l'herbe du pré.* → **Tondre.** *Taillis brouté.* → **Abrouti.**

1 Ce n'est donc pas proprement de l'herbe, ni des choses tombées à terre que broutent les animaux, mais bien des *broutilles,* des bouts de branches d'arbre (...) vers lesquels il faut que l'animal élève ou tende la gueule pour saisir sa nourriture. LAFAYE, Dict. des synonymes, Brouter.

2 Dans les maigres pâturages des îles de Bretagne, chaque brebis du troupeau, attachée à un pieu, ne peut brouter une herbe rare que dans l'étroit rayon de la corde qui la retient. RENAN, Œ. compl., t. I, III, p. 225.

Figuré :

3 Je sais que jamais un vrai grand homme n'a pensé qu'il fût grand homme, et que, quand on broute sa gloire en herbe de son vivant, on ne la récolte pas en épis après sa mort. RENAN, Souvenirs d'enfance..., VI, 4, p. 253.

Absolt. *Les moutons broutent. Le lapin broute.* → **Gagner** (→ Après, cit. 16).

4 Paissons l'herbe, broutons; mourons de faim plutôt.
LA FONTAINE, Fables, X, 5.

Prov. *Où la chèvre est attachée, il faut qu'elle broute :* il faut savoir s'accommoder de la situation où l'on est.

Par ext. Zool. (en parlant de poissons, de mollusques marins). Se nourrir d'algues (→ **Brouteur**). *Les patelles broutent.* — Trans. *Certains poissons broutent les algues.*

♦ **2** Fam. (érotique). *Brouter (qqn, les parties sexuelles de qqn) :* pratiquer des caresses buccales (des parties sexuelles). → **Sucer.**

5 Tu deviens actif, soudain? Un taureau, ma parole (...) Oui, mon chou, mords-moi, broute-moi. J'ai un goût d'algue, et d'huître et de pain pas entièrement cuit.
Alain BOSQUET, les Bonnes Intentions, p. 258.

Fig., fam. *Tu me les broutes! :* tu m'ennuies. → **Casser** (*supra* cit. 10.7).

**II** V. intr. (1803). Se dit d'un outil tranchant (rabot, en particulier) qui agit de façon irrégulière et saccadée, ou d'un accouplement mécanique (embrayage) qui fonctionne par saccades. → **Broutage.** *L'embrayage broute, il faudra changer le disque.*

Par ext. (en parlant de l'utilisateur de la machine défectueuse) :

*Brouter.* — Autrefois réservé aux ruminants. S'applique aujourd'hui aux freins des automobilistes, et aux automobilistes eux-mêmes, dont on dit qu'ils broutent comme ils *font de l'huile.* Pierre DANINOS, le Jacassin, p. 124. 6

DÉR. **Broutage, broutard, broutement, brouteur.** — **Broutant, brouture.**

**BROUTEUR, EUSE** [bʀutœʀ, øz] adj. et n. — 1571; repris au XIXe; de *brouter.*

Rare. Qui broute. *Animal brouteur.*

Par ext. Zool. *Mollusque, poisson brouteur.* — N. m. «*Des algues vertes* (Enteromorpha *et* Ulva) *qui se sont développées d'autant plus vite que leurs "brouteurs", les patelles, étaient tués par les détergents*» (*Sciences et Avenir,* mai 1978, no 375, p. 45).

**BROUTILLE** [bʀutij] n. f. — 1354; *brestilles,* 1329; de l'anc. franç. *brost.* → Brout.

♦ **1** Surtout au plur. Vx. Menue branche; petite pousse (→ Brouter, cit. 1). *Un fagot de broutilles.*

♦ **2** (1598). Mod. Fig. Objet ou élément sans valeur, insignifiant. → **Babiole, bricole.** *Acheter, collectionner des broutilles.* — (Abstrait). *Perdre son temps à des broutilles. Il n'y a plus que quelques broutilles à régler. Ce n'est rien : une broutille.*

Sachant que Delamain n'aimait pas les conversations de broutilles, il lui parla de son travail. 1
A. MAUROIS, Bernard Quesnay, IX, p. 59.

(...) vous-même, mon enfant, vous ne me suivez plus, vous piétinez, nous perdons du temps à des broutilles (...) 2
BERNANOS, Un mauvais rêve, *in* Œ. roman., Pl., p. 914.

(1832, Balzac). Spécialt, vx. Dossier, acte peu important (dans un procès).

**BROUTURE** [bʀutyʀ] n. f. — Fin XVIe, *broutteure,* O. de Serres; de *brouter.*

Agric. Branche nouvelle dont l'extrémité a été broutée.

**BROWNIE** [bʀoni] n. m. — 1993; mot angl.; de *brown* «brun».

Anglic. Biscuit au chocolat et aux noix de pécan, à pâte moelleuse et qui se sert découpé en carrés (recette américaine). «*Elles aiment le champagne et les brownies avec de la crème chantilly et une boule de vanille*» (*l'Express,* 31 mars 1994, p. 74).

**BROWNIEN, IENNE** [bʀawnjɛ̃, jɛn; bʀɔnjɛ̃, jɛn] adj. — 1855, Nysten; du nom de *R. Brown.*

♦ **1** *Mouvement brownien :* mouvement désordonné des très petites particules (de l'ordre du micron), dû à l'agitation thermique des molécules de la phase dispersante dans les systèmes à particules très fines, liquides ou gazeux (caractéristique des corps à l'état colloïdal). *Agitation brownienne.*

Par métaphore :

Quand tu appuies sur mes globes quand tu presses même légèrement il se fait un mouvement brownien là entre mes yeux et mes paupières (...)
Monique WITTIG, le Corps lesbien, p. 168.

♦ **2** Agité par un mouvement brownien. *Particules browniennes.*

**BROWNING** [bʀawniŋ; bʀɔniŋ] n. m. — 1907; mot angl. des États-Unis (1906), nom de l'inventeur *(John Moses) Browning.*

Pistolet automatique à chargeur. *Des brownings.*

1 (...) le jeune garçon se reprochait d'être monté, trop vite, cacher son revolver, alors qu'il aurait dû le conserver sur lui. C'était un gros browning, parachuté sans doute, en même temps que d'autres, dans la région.
Francis CARCO, les Belles Manières, p. 115.

2 C'est une balle de 7,65 revêtue d'une chemise de cuivre nickelé... Tudelle n'a pas encore l'expérience du docteur Paul, mais il est à peu près sûr qu'elle a été tirée par un browning automatique...
G. SIMENON, Maigret et les vieillards, p. 67.

REM. On a employé le nom propre en apposition, avant la lexicalisation du mot :

3 M. Syndon (...) avait mis à mort, au moyen d'un pistolet à répétition système Browning, un M. David (...)
A. JARRY, la Renaissance latine, 1903, «De la douceur dans la violence», *in* Œ. compl., t. VII, p. 112.

**BROWN SUGAR** [bʀawnʃugaʀ] n. m. invar. — V. 1975; mots angl., proprt «sucre brun».

Anglic. Héroïne non raffinée, d'une teneur relativement faible en principe actif. *La police a intercepté 20 kilos de brown sugar en provenance de l'Extrême-Orient.*

**BROYABILITÉ** [bʀwajabilite] n. f. — 1974, *in la Clé des mots;* de *broyable.*

Techn. Fait de pouvoir être broyé plus ou moins facilement. *Broyabilité d'un matériau, d'un produit.*

**BROYABLE** [bʀwajabl] adj. — Mil. XX^e; déjà proposé par Richard de Radonvilliers, 1845; de *broyer.*

Qui peut être broyé. *Ce produit est plus facilement broyable après séchage.*

DÉR. **Broyabilité.**

**BROYAGE** [bʀwajaʒ] n. m. — 1838; de *broyer.*

Action, fait de broyer. → **Broiement.** *Broyage au pilon. Broyage mécanique,* destiné à réduire un matériau à une dimension déterminée. *Broyage du lin.*

Techn. *Broyage autogène. Résistance au broyage.*

Chir. → **Broiement.**

**BROYER** [bʀwaje] v. tr. [CONJUG.: *noyer.*] — Après 1250, *broier; brier,* av. 1200; *breied,* après 1050, en judéo-français; orig. incert., soit du francique **brekan* et du gotique **brikan* «briser, casser», soit d'une seule source, le germanique **brehan,* par un lat. populaire.

♦ **1** Réduire en parcelles très petites, par pression ou par choc. → **Écraser, écrabouiller** (fam.), **pulvériser.** *Broyer par friction, pression, choc, déchiquetage* (→ **Broyeur**). *Broyer du sucre avec un pilon* (→ **Piler**), *un bocard* (→ **Bocarder**). *Broyer avec ses dents.* → **Croquer, mâcher, mastiquer.** *Les molaires servent à broyer les aliments. Broyer à la meule de moulin.* → **Moudre.** *Broyer des drogues dans un mortier.* → **Triturer.** *Broyer en aplatissant.* → **Écacher.**

1 (...) un monstre dont les yeux magnétiques la charmaient, dont la gueule ouverte semblait broyer sa proie par avance.
BALZAC, Séraphîta, I, Pl., t. X, p. 466.

Rare; le compl. désigne un liquide :

2 Le bateau passa sur l'eau que broyait son hélice (...)
FRANCE, le Lys rouge, XXVII.

Par ext. Écraser. *Les roues du camion ont broyé sa jambe, lui ont broyé la jambe.* — Passif et p. p. *Il a eu deux doigts broyés par, dans les engrenages.*

3 Une commotion d'une violence inouïe lui broie les mâchoires (...)
MARTIN DU GARD, les Thibault, t. VIII, p. 153.

Par exagér. Serrer fortement. *Vous me broyez la main.*

Spécialt. *Broyer le chanvre, le lin,* écraser les tiges pour en séparer la matière textile. *On rouit et sèche le chanvre avant de le broyer.* — *Broyer les couleurs :* pulvériser les matières colorantes en les écrasant à l'aide d'une molette plate (→ **Porphyre**).

Croyez-vous qu'un grand peintre passe son temps à broyer des couleurs et à préparer ses pinceaux? 4
FÉNELON, Télémaque, XXII.

♦ **2** Loc. fig. (1756, *in* D. D. L.). **BROYER DU NOIR :** s'abandonner à des réflexions tristes; avoir le cafard (→ Neurasthénie, cit. 2).

M. le Romain (...) que sa mélancolie retient dans l'obscurité de sa cahute, où il aime mieux broyer du noir dont il puisse barbouiller toute la nature (...) 5
DIDEROT, Lettre à Sophie Volland, sept. 1767 (III, 108), *in* F. BRUNOT, Hist. de la langue franç., t. VI, p. 1398.

(...) que veux-tu, avec un soleil pareil, comment broyer du noir. 5.1
J. PRÉVERT, Choses et autres, p. 48.

♦ **3** Par métaphore ou fig. Écraser (au sens figuré).

(...) cette main *(de Napoléon)* petite et belle, qui broya le monde. 6
FRANCE, le Lys rouge, III.

Ainsi, pas une protestation! De la reconnaissance au contraire! Comme Job que la main de l'Éternel broie sans obtenir de son cœur un blasphème... Ce martyr est décourageant. 7
GIDE, Dostoïevski, p. 30.

*Être broyé de fatigue,* abattu, harassé. → **Moulu.**

Vx. *Broyer de la besogne** (cit. 6) : travailler durement.

(Abstrait). Littér. Écraser, anéantir. *La douleur a broyé sa pensée, l'a broyé. «Que la douleur me broie»* (Aragon).

DÉR. **Broie, broiement, broyable, broyage, broyeur.**

**BROYEUR, EUSE** [bʀwajœʀ, øz] adj. et n. — 1422; de *broyer.*

♦ **1** N. Ouvrier chargé du broyage. *Broyeur de chanvre. Broyeur de couleur.* — Loc. fig. *Broyeur de noir :* personne d'humeur sombre, triste, qui broie* du noir.

(...) et Roland, broyeur de noir, se fût empressé de redoubler les teintes funèbres. 1
JAURÈS, Hist. socialiste..., t. VI, p. 59.

♦ **2** N. (1562). Machine qui sert à broyer (→ **Marteau, meule, pilon**). — N. m. *Broyeur de cacao pour la fabrication du chocolat. Trémie d'un broyeur. Broyeur à minerais.* → **Bocard.** *Broyeur à ordures. Broyeur à cylindres, à marteaux, à boulets, à dents. Broyeur à mâchoires.* → **Concasseur.** *Broyeur à force centrifuge. Broyeur autogène,* dans lequel les morceaux de matière à broyer, soulevés par la force centrifuge, s'effritent les uns les autres en retombant. — N. f. *Roue dentelée, lanterne, tavelle d'une broyeuse à chanvre, à lin.*

Par métaphore :

Je l'attends : je suis entre les dents d'une broyeuse. Je l'attends : tout est prêt pour me broyer. Est-ce que ce sera dramatique si je ne la rencontre pas? 2
Violette LEDUC, Folie en tête, p. 40.

♦ **3** Adj. Qui broie. *Pièces broyeuses. Insectes broyeurs. Molaires broyeuses.*

**BRRR!** [bʀʀ] interj. — XVIII^e, Beaumarchais, *in* Bescherelle; onomatopée.

S'emploie pour exprimer une sensation de frisson (froid, peur).

— Ah! Rosa!... Vous me faites l'effet d'un beau soir d'automne!... 1

— Et vous d'une belle journée d'hiver! Brrr!... Je suis fâchée de ne pas avoir pris mon manchon!

LABICHE, Deux merles blancs, III, 5, *in* Théâtre complet, t. VIII, p. 223.

2 «O jeune fille, jette-toi encore dans l'eau pour que j'aie une seconde fois la chance de nous sauver tous les deux!» Une seconde fois, hein, quelle imprudence! Supposez, cher maître, qu'on nous prenne au mot? Il faudrait s'exécuter. Brrr...! l'eau est si froide! CAMUS, la Chute, p. 170.

3 (...) il valait mieux qu'il aille attendre Ida dans leur chambre. «Brrr! Je n'ai jamais eu tant envie qu'on m'y remplace, dit-il. Dans le genre digne, elle est terrible!» Il s'exécuta en tremblant.

Maurice CLAVEL, le Tiers des étoiles, p. 114.

**BRU** [bʀy] n. f. — 1160; bas lat. *brutis,* du gotique **bruths* «jeune mariée».

Belle-fille (1.). *Je vous présente ma bru. Sa bru et son gendre* (→ Ajustement, cit. 3). *La belle-mère* (cit. 1) *et sa bru. Ses deux brus.* — REM. Sans être à proprement parler vieilli, le mot est quelque peu marqué : on emploie plus volontiers aujourd'hui *belle-fille.*

Tantôt elle oubliait de mettre son couvert, tantôt elle lui donnait une fourchette sale, ou bien, encore, en essuyant la table, elle laissait à dessein des miettes devant sa bru.

J. RENARD, Journal, 12 mars 1882.

**BRUANT** [bʀyɑ̃] n. m. — 1553; *bruyan,* 1370; var. anc. de *bruyant,* substantivé.

Petit passereau *(Fringillidés),* de la taille du moineau, nichant à terre ou très près du sol. — Var. vieillie : *bréant* [bʀeɑ̃].

**BRUCCIO** [bʀutʃjo] n. m. → **Broccio.**

**BRUCELLES** [bʀysɛl] n. f. pl. — 1751; orig. incert., p.-ê. du lat. médiéval *brucella* (sous la forme *bulsella*) par métathèse de *bursella,* ou encore altér. de *bercelle,* du lat. médiéval *bersella.* Dans les deux cas, l'attestation, tardive en franç., fait problème.

Techn. Pince fine à ressort servant à saisir de petits objets. *Brucelles d'horloger, de typographe.* — Var. (vx) : *bercelles.*

**BRUCELLOSE** [bʀyseloz] n. f. — 1946; de *brucella,* nom d'une bactérie, du nom de *D. Bruce,* médecin australien qui la découvrit, et suff. 2. *-ose.*

Méd. Maladie infectieuse causée par les bacilles du genre *brucella,* transmise à l'homme par des animaux domestiques (bovidés, porcins). → **Mélitococcie.** *La brucellose provoque chez les animaux l'avortement épizootique, chez l'homme elle est caractérisée par des poussées irrégulières de fièvre* (fièvre ondulante ou fièvre de Malte), *des douleurs musculaires et une grande fatigue.*

**BRUCHE** [bʀyʃ] n. m. ou f. — 1775; bas lat. *bruchus* «espèce de sauterelle», du grec *broukhos.*

Insecte coléoptère *(Bruchidés)* dont les larves vivent dans les graines des légumineuses. *Bruche des pois, des lentilles.*

**BRUCINE** [bʀysin] n. f. — 1819; du rad. du lat. *brucea,* anc. nom d'un arbuste abyssin découvert par *J. Bruce.*

Chim. Alcaloïde voisin de la strychnine, extrait de la noix vomique.

**BRUCOLAQUE** [bʀykɔlak] n. m. — 1657; du grec relig. *brukolakkos,* d'orig. incert., p.-ê. de *broukhos* «sauterelle» (→ Bruche), et *lasko* «je crie, je crisse», les stridulations de l'insecte passant pour démoniaques.

Didact. et rare. Revenant, spectre.

**BRUGES** [bʀyʒ] n. m. — 1879, A. Daudet; de *(dentelle de) Bruges,* nom de la ville de Belgique.

Dentelle au fuseau originaire des Flandres. *Robe garnie de bruges.*

**BRUGNON** [bʀyɲɔ̃] n. m. — 1680; *brignon,* 1600; de l'anc. provençal *brinho,* du lat. pop. **prunea,* lat. class. *pruna* «prune» — le passage de *pr-* à *br-* s'expliquant sans doute par l'infl. de *brun.* → Brunelle.

Pêche à peau lisse et à chair blanche dont le noyau adhère à la chair. → aussi **Nectarine.**

(...) déjà ses joues rondes avaient un peu pâli sous leur teinte brune. Avant elles étaient pareilles à ces brugnons très mûrs des pays du Midi, qui sont d'une couleur chaude et dorée. LOTI, Mon frère Yves, LVII, p. 138.

DÉR. **Brugnonier.**

**BRUGNONIER** [bʀyɲɔnje] n. m. — 1877; de *brugnon.*

Rare. Arbre, voisin du pêcher, qui donne le brugnon.

**BRUINE** [bʀɥin] n. f. — 1538, au sens mod.; *broïne* (v. 1130), *bruine* «gelée blanche, brouillard», 1200; lat. *pruina* «frimas», avec infl. de *bruma* «brume».

Petite pluie très fine et froide, qui résulte de la précipitation du brouillard. → **Boucaille** (mar.), **crachin**; et aussi **brouillasse, brumaille.** *Une bruine pénétrante, interminable.*

Or, depuis plus d'une semaine, il *(le mois d'octobre)* ne versait que de la bruine sur la côte, une bruine qui, par moments, se resserrait pour former une courte pluie. On frissonnait. J'ai horreur de ce temps. Il m'amollit. 1

H. BOSCO, Un rameau de la nuit, p. 52.

Il était une heure après minuit, une petite pluie tombait, une bruine plutôt, qui dispersait les rares passants. 2

CAMUS, la Chute, p. 81.

Eau répandue en très fines gouttelettes.

Tout était mélangé, et éternel, car chaque nouveau morcellement d'une goutte tombant sur la bassine renversée prenait vie à son tour et continuait son rythme d'alternance des graves et des aigus, et faisant cela, se morcelait à son tour en d'autres gouttelettes, qui devenaient d'autres parcelles, puis d'autres bruines, et des pluies, des douches (...) 3

J.-M. G. LE CLÉZIO, la Fièvre, p. 109 (1965).

Par anal. (littér.). Se dit d'une lumière diffuse, d'une apparence de bruine (avec les valeurs de *brume*).

Par métaphore :

Sans cesse cette pluie à l'âme, ce brouillard 4
Qui se condense et fond en bruines accrues.

RODENBACH, le Règne du silence, p. 179, *in* T. L. F.

DÉR. **Bruiner, bruineux.** ◊ HOM. Formes du v. **bruiner.**

**BRUINER** [bʀɥine] v. intr. impers. — 1680; 1551, autre sens; de *bruine.*

Faire de la bruine. → **Brouillasser, crachiner, pleuvasser, pleuviner.** *Il a bruiné toute la journée. Il ne fait que bruiner.*

Le vent était tombé, il bruinait, et la lueur des réverbères n'était qu'un halo dans le brouillard. 1

MARTIN DU GARD, les Thibault, t. IV, p. 9.

Il bruine toujours sur Paris et, dans l'avenue Victor-Hugo, les rares passants s'empressent de regagner leur domicile. 2

René FLORIOT, La vérité tient à un fil, p. 34.

Littér. Tomber comme de la bruine, en bruine.

**BRUINEUX, EUSE** [bʀɥinø, øz] adj. — XIIIe, «nébuleux, brumeux»; de *bruine.*

♦ **1** Qui contient, produit de la bruine. *Un temps froid et bruineux. Pluies bruineuses. Nuages bruineux.*

♦ **2** (Vx). Où il bruine. *Les pays bruineux du Nord. Un jour bruineux.* → **Pluvieux.**

**BRUIR** [bʀɥiʀ] v. tr. — 1751; «brûler», XIIe; du germanique **brojan* «roussir, échauder»; cf. all. *brühen* «échauder».

Techn. Imbiber de vapeur (une étoffe, pour l'assouplir). → **Bruissage.** *Bruir du drap.*

DÉR. **Bruissage.** ◊ HOM. **Bruire.**

**BRUIRE** [bʀɥiʀ] v. intr. [CONJUG.: **défectif**; *il bruit, ils bruissent; il bruissait; bruissant.*] — 1100-1150, *Voyage de Charlemagne;* du lat. pop. **brugere,* croisement du lat. class. *rugire* «rugir» et du lat. pop. *bragere* «bramer». → Braire.

♦ **1** Vx. Retentir. — Faire du bruit*, résonner. → **Bruisser.**

1 L'usage a préféré (...) *«faire du bruit»* à *«bruire»* (...)
LA BRUYÈRE, les Caractères, XIV, 73.

2 Pareille à ces coups de tonnerre
Qui ne font que bruire et passer.
RACINE, Poésies diverses, 9.

Fig. → **Résonner.**

3 Puisse tout l'univers bruire de votre estime!
CORNEILLE, l'Illusion comique, III, 9.

♦ **2** (1606). Littér. Produire un bruit, le plus souvent léger, formé de plusieurs sons indistincts. → **Chuchoter, frémir, murmurer.** *Le vent bruit dans les arbres. Les feuilles frissonnent et bruissent.*

4 Les joncs sifflaient à ras de terre et les feuilles des hêtres bruissaient en un frisson rapide, tandis que les cimes, se balançant toujours continuaient leur grand murmure.
FLAUBERT, Mme Bovary, I, VII.

5 (...) les mouvements agiles de l'eau qui bruit et ruisselle.
TAINE, Philosophie de l'art, t. II, p. 231.

6 À force d'écouter, ils entendent bruire leurs propres oreilles, battre leurs propres artères.
LOTI, Ramuntcho, II, 9, p. 269.

7 Le souffle frais qui faisait bruire les feuillages de l'avenue sembla venir attaquer l'air vicié de la chambre (...)
MARTIN DU GARD, les Thibault, t. I, p. 59.

*Bruire de... :*

8 (...) l'unique platane bruissait de cris d'oiseaux (...)
F. MAURIAC, l'Enfant chargé de chaînes, p. 78.

♦ **3** Littér. et vieilli. Se répandre (nouvelle, «bruit»); avoir un certain retentissement.

◆ **BRUISSANT, ANTE** p. prés. adj. Littér. *Un jardin bruissant d'oiseaux. Une conque bruissante* (→ Buccin, cit., Malraux). *J'avais la tête bruissante* (Flaubert, *in* T. L. F.).

9 (...) les lames de la mer qui apportent et remportent les coquillages bruissants (...)
LAMARTINE, cité par DOCHEZ, Dict.

CONTR. **Taire** (se). ◊ DÉR. **Bruissement, bruisser, bruit, bruyant.** — HOM. **Bruir**; formes du v. **bruisser.**

**BRUISSAGE** [bʀɥisaʒ] n. m. — 1751; de *bruir.*

Techn. Action de bruir (une étoffe); son résultat. *Le bruissage du drap.*

**BRUISSANT, ANTE** [bʀɥisɑ̃, ɑ̃t] adj. → **Bruire** (cit. 9).

**BRUISSEMENT** [bʀɥismɑ̃] n. m. — Av. 1578; de *bruire.*

♦ **1** Bruit* généralement faible, continu, et formé de sons indistincts. → **Chuchotement, frémissement, murmure.** *Le bruissement des feuilles dans les arbres* (→ Bruit, cit. 5). *Bruissement des oiseaux, des insectes.* → **Battement** (d'ailes), **bourdonnement.** *Le bruissement d'une robe, d'une étoffe de soie.* → **Froissement, froufrou.** *Le bruissement de la vapeur.* → **Chuintement, sifflement.** *Un bruissement léger, aigu, sourd.*

1 (...) les colis montaient entre les deux tambours, et le tapage s'absorbait dans le bruissement de la vapeur (...)
FLAUBERT, l'Éducation sentimentale, I, I.

(...) il se faisait une étonnante musique de cigales (...) toutes ces montagnes résonnaient de leurs bruissements innombrables; tout ce pays rendait comme une incessante vibration de cristal. 2
LOTI, Mme Chrysanthème, II, p. 4.

Le bruissement régulier des palmes, si semblable aux gouttes de la pluie tombante, versait une illusion de fraîcheur. 3
Pierre LOUŸS, Aphrodite, V, V, p. 254.

Une foule d'aspirations confuses, que je croyais mortes depuis longtemps, font en moi un bruissement de ruche. 4
F. MAURIAC, l'Enfant chargé de chaînes, p. 151.

Les fenêtres étaient grandes ouvertes sur la nuit chaude, et on voyait les feuillages noirs (...) qui faisaient en remuant un bruissement continu, semblable à celui de la pluie. 5
MONTHERLANT, les Jeunes Filles, p. 277.

Spécialt. Bourdonnement des abeilles, lorsqu'elles volent ensemble sans être agitées ni dangereuses. Par métaphore. → ci-dessus, cit. 4.

Vx. Bourdonnement perçu. *Un bruissement d'oreilles. «J'ai des bruissements dans la tête»* (Balzac, *in* T. L. F.).

♦ **2** Littér. et vx. Caractère de ce qui bruit*, produit un certain résonnement (psychologique, social). *Un «grand bruissement intérieur»* (Colette).

**BRUISSER** [bʀɥise] v. intr. — 1894, L. Daudet; altér. de *bruire.*

Rare. Bruire.

**BRUIT** [bʀɥi] n. m. — 1155; «renommée», 1138; de *bruire,* d'après le lat. *brugitum,* p. p. de *brugere.* → Bruire.

♦ **1** Sensation perçue par l'oreille. → **Son** (→ Auditif, cit. 1). — REM. *Bruit* s'oppose à *son** par la complexité acoustique (non périodicité des vibrations). *Émettre, produire, faire un bruit, des bruits. Intensité d'un bruit.* → **Bruyance, décibel.** *Écouter, entendre, percevoir un grand bruit. Le bruit du tonnerre, de la tempête. Bruit de vaisselle, de ferraille. Un bruit de crécelle. Le bruit d'une sonnette.* → **Sonnerie.** *Le bruit d'une montre. Le bruit du tambour, du canon, d'une arme à feu. Le bruit d'une armée en marche, d'une patrouille* (cit. 2). *Bruits de moteurs. Un bruit mécanique. Le bruit d'une moto. Les bruits de la rue. Reconstituer des bruits pour une émission de radio.* → **Bruitage, bruiter.** — *Bruit ambiant :* ensemble des bruits et des sons en un lieu donné à un moment donné, à l'exclusion du son ou du bruit auquel on s'intéresse. *Bruit d'ambiance :* ensemble des bruits habituels dans un endroit donné. — *Bruits harmonieux, mélodieux.* → **Chanson** (du vent), **chant, musique, souffle, soupir.** *Bruits discordants. Bruit d'une musique grossière.* → **Bastringue, cacophonie, charivari.** — *Un bruit de voix*.* → **Chuchotement, cri, éclat** (de voix), **rire.** *Le bruit de conversations lointaines.* → **Brouhaha, rumeur.** *Bruits de dispute.* → **Bagarre** (vx), **barouf** (fam.), **boulevari** (vx), **chamaille, charivari, esclandre, grabuge, hourvari** (→ ci-dessous, Bruits gênants). — *Bruits de la nature, du vent, d'une cascade, d'un ruisseau. «Ô bruit doux de la pluie* (cit. 1) *Par terre et sur les toits». Le bruit de la mer, des vagues, du ressac. — Le bruit de la mer :* résonnement entendu en portant un coquillage vide à l'oreille. — *Bruits nocturnes. Entendre des bruits insolites, inquiétants. — Un bruit de pas, le bruit des pas de qqn. Le bruit d'une course, d'une galopade. Bruit d'un cheval au pas.* → **Battue** (2.). — *Un bruit s'élève, s'étend, retentit, se répercute* (→ **Écho, retentissement**), *s'apaise, se calme, s'éteint, se tait. Un bruit aigu, faible, mat* (2. Mat, cit. 5 et 6), *métallique, perçant, prolongé, retentissant, sec, sourd, strident. Un bruit grave, profond. Un bruit agaçant, assourdissant, crispant, énervant, pénible. — Un bruit infernal, monstrueux,* *terrible, formidable* (très fort); *anormal, inhabituel, insolite, menaçant, plaintif... Un drôle de bruit. Un bruit joyeux, sinistre. Un bruit soudain, répété, régulier, saccadé. «Le bruit des rameurs»* (→ Cadence, cit. 6; 1. Rame, cit. 1).

*Bruits légers.* → **Bruissement, chuchotement, chuintement, clapotage, clapotement, clapotis, clappement, cliquetis, craquètement, crépitation, crépitement, crissement, décrépitation, froissement, frôlement, froufrou, gargouillement, gargouillis, gazouillement, grésillement, grincement, murmure, pétillement, râlement, ronron, ronronnement, tintement.**

*Bruits forts, violents.* → **Brondissement, clameur, déflagration, détonation, éclat, éclatement, explosion, fracas, grondement, pétarade, roulement, stridulation, tapement, vrombissement**; et aussi **battement, bourdonnement, claquement, craquement, ronflement, sifflement.**

*Bruits gênants.* → **Tapage, tumulte, vacarme**; (fam.) **barnum, boucan, bousin, chahut, chambard, foin** (faire du foin), **pétard, potin, raffut, ramdam, tintamarre, tintouin**; et aussi **bazar, bordel**; → ci-dessus, Bruits de dispute, et ci-dessous (sens collectif) Le bruit, du bruit.

*Bruits vagues, confus.* → **Rumeur.**

*Bruits du corps, de l'organisme (bruits physiologiques). Écouter les bruits de l'organisme.* → **Ausculter.** *Bruits anormaux du cœur (bruit de galop, bruit de souffle). Les bruits sourds et prolongés de la pointe du cœur, les bruits secs et brefs de la base du cœur. Bruits musculaires, vasculaires. Bruits respiratoires.* → **Cornage, râle, sifflage, souffle, soupir, toux**; et aussi **hydatisme.** — *Bruits de l'estomac, de l'intestin.* → **Borborygme, flatuosité, gargouillement, gargouillis, pet, rot, vent.** *Bruit résultant de contractions du diaphragme.* → **Hoquet.** *Un bruit incongru :* un bruit de pet, de rot (→ ci-dessous, cit. 9.1, Vallès).

*Bruits d'animaux.* → **Cri.** — *Interjections onomatopéiques imitant divers bruits.* → **Atchoum, badaboum, bang, bing, boum, broum, brrr, bzitt, bzzz..., clac, clic, crac, cric-crac, crincrin, dig, ding, drelin, froufrou, flac, floc, glouglou, paf, pan, patapouf, patatras, pif, ploc, plof, plouf, pouêt, pouf, sniff, tac, tagada, tam-tam, tic-tac, toc, tsouin-tsouin, vlan, vroum, zim boum boum, zzz...** (→ aussi l'article Onomatopée).

Spécialt. Sensation auditive désagréable, ressentie comme excessive. *Le bruit d'un marteau-piqueur. Des bruits de casseroles.* — Didact. *Bruit perturbateur.*

(Sens collectif). *Le bruit, du bruit :* ensemble de bruits (considérés en général comme gênants, pénibles, fatigants). → ci-dessous, cit. 2, 3, 4 et 20.4. — (Dans l'abstrait). *Détester le bruit et le mouvement. Craindre, redouter, ne pas supporter le bruit. Il est jeune : il aime le bruit. Le bruit est une nuisance*. Lutte et dispositifs de lutte contre le bruit.* → **Antibruit; insonorisation, isolation; amortisseur.** *Surdités dues au bruit. Se protéger du bruit par des boules* de cire. Le problème du bruit autour des aérodromes.* → aussi **Pollution.** *Mesure du bruit.* — (Concret). *Faire du bruit.* → **Bruire** (cit. 1). *Faire beaucoup de bruit* (→ **Bruyant**). *Vous faites trop de bruit. Je n'aime pas ce quartier, cette rue : il y a trop de bruit. Ce n'est pas de la musique qu'il fait, c'est du bruit. Marcher sans faire de bruit. Le bruit que font les voisins. Niveau, intensité du bruit. Pas de bruit.* — (Exclam.). *Pas de bruit! Assez, plus de bruit!* → **Chut!**

UN BRUIT (qualifié). *Les voisins font un bruit terrible, un bruit d'enfer, à tout casser, à crever le tympan, à rompre la cervelle, à fendre la tête, un bruit de tous les diables* (→ Casser les oreilles*).

L'air en retentissait d'un bruit épouvantable; 1
La frayeur saisissait les hôtes de ces bois.
LA FONTAINE, Fables, II, 19.

(...) Vous ne savez pas combien le bruit me pèse. 2
MOLIÈRE, les Femmes savantes, II, 9.

Nos sens n'aperçoivent rien d'extrême; trop de bruit nous assourdit; trop de lumière éblouit (...) 3
PASCAL, Pensées, II, 72.

Le goût de la solitude et de la contemplation naquit dans mon cœur avec les sentiments expansifs et tendres faits pour être son aliment. Le tumulte et le bruit les resserrent et les étouffent; le calme et la paix les raniment et les exaltent. ROUSSEAU, Rêveries..., 10e promenade. 4

J'entendais le braiment des ânes, le chant du coq, le bruissement des feuilles, le gémissement alternatif de la mer, au lieu de ces roulements de voitures, de ces cris aigus du peuple et de ce tonnerre incessant de tous les bruits stridents qui ne laissent dans les rues des grandes villes aucune trêve à l'oreille et aucun apaisement à la pensée (...) 5
LAMARTINE, Graziella, III, 13.

(...) le bruit de votre voix est venu frapper mes oreilles. 6
A. DE MUSSET, Barberine, I, 2.

Le vent, qui fait un bruit d'enfer dans leurs bouquets de palmes, les rebrousse *(les palmiers)* entièrement comme un parapluie retourné. 7
E. FROMENTIN, Un été dans le Sahara, I.

(...) parmi des murmures d'oiseaux, des fourmillements d'insectes sous les feuilles, des bonds légers, des vols silencieux, tous ces bruits de la nuit qui dans la grande fatigue semblent des commencements de rêve (...) 8
Alphonse DAUDET, Contes du lundi, I, 17.

Depuis un instant, des bruits confus venaient de derrière les coteaux (...) C'étaient comme les cahots éloignés d'un convoi de charrettes. La Viorne, d'ailleurs, couvrait de son grondement ces bruits encore indistincts. Mais peu à peu ils s'accentuèrent, ils devinrent pareils aux piétinements d'une armée en marche. Puis on distingua dans ce roulement continu et croissant, des brouhahas de foule, d'étranges souffles d'ouragan cadencés et rythmiques; on aurait dit les coups de foudre d'un orage qui s'avançait rapidement, troublant déjà de son approche l'air endormi. Silvère écoutait, ne pouvant saisir ces voix de tempête que les coteaux empêchaient d'arriver nettement jusqu'à lui. Et, tout à coup, une masse noire apparut au coude de la route; la *Marseillaise* chantée avec une furie vengeresse, éclata, formidable. 9
ZOLA, la Fortune des Rougon, I, p. 30.

Il faut bien qu'il ait été vraiment un bon garçon, pour que je ne lui aie pas gardé rancune de deux ou trois brûlées que mon père m'administra, parce qu'on avait entendu de notre côté un bruit comique (...) 9.1
J. VALLÈS, Jacques Vingtras, L'enfant, p. 109.

Le silence de la nuit, interrompu seulement par le bruit sourd des fiacres qui roulaient sur le boulevard (...) 10
FRANCE, Histoire comique, III.

Il est minuit et, dans la paix de la maison close, point d'autre bruit que le grincement de ma plume (...) 11
LOTI, les Désenchantées, VI, 55, p. 253.

(...) il est comme un malade qui, la nuit, à l'heure où les bruits de la rue se sont tus, perçoit les battements de son cœur. M. BARRÈS, la Colline inspirée, p. 44. 12

Un pigeon se posa sur ma fenêtre et s'envola avec un bruit de serviette claquante. 13
J. RENARD, Journal, 21 mai 1894.

Des bruits de tambours funèbres mouraient dans les sables. 14
Francis JAMMES, Notes sur des oasis et sur Alger, p. 236.

(...) je savais déjà le temps qu'il faisait. Les premiers bruits de la rue me l'avaient appris, selon qu'ils me parvenaient amortis et déviés par l'humidité ou vibrants comme des flèches dans l'aire résonnante et vide d'un matin spacieux, glacial et pur (...) 15
PROUST, À la recherche du temps perdu, t. XI, p. 9.

Un bourdonnement de conversation et de rires répandit, dans ce jardin, sa ruche de bruits. 16
Edmond JALOUX, le Jeune Homme au masque, I, p. 1.

17 Au-dessus d'elle, le grand immeuble, déserté, était silencieux. Pas d'autre bruit que le ronflement du chien vautré sur le carrelage frais ; un lointain raclement de patins à roulettes sur l'asphalte d'une cour voisine, et la modulation d'une goutte d'eau qui, de seconde en seconde, tombait du robinet avec un son cristallin.
MARTIN DU GARD, les Thibault, t. V, p. 162.

18 Il y eut un grand moment de silence pendant lequel on entendit monter des profondeurs non plus une rumeur confuse, mais mille bruits, mille sons séparés et distincts.
G. DUHAMEL, Chronique des Pasquier, VIII, 5.

19 J'entends encore ce bruit décevant, qui croît, fait naître l'espoir d'un arrêt, puis continue, décroît et s'éloigne.
A. MAUROIS, Climats, II, II, p. 253.

20 Un coup de vent fit gémir la toiture. Première plainte qui me bouleversa. Puis s'éleva un long soupir et des chuchotements coururent dans le couloir.
Une porte grinça sur ses gonds, très loin, du côté des communs. Le vent pénétrant dans les combles par quelque lucarne mal jointe souleva l'immense peuple des tuiles dont le cliquetis doux se propagea tout le long des greniers (...) l'antique métairie de pierre livrait enfin ses bruits secrets.
H. BOSCO, Hyacinthe, p. 196.

20.1 Ils dansent et ces métaphysiciens du désordre naturel qui nous restituent chaque atome du son, chaque perception fragmentaire comme prête à retourner à son principe, ont su créer entre le mouvement et le bruit des jointures si parfaites que ces bruits de bois creux, de caisses sonores, d'instruments vides, il semble que ce soient des danseurs aux coudes vides qui les exécutent avec leurs membres de bois creux.
A. ARTAUD, le Théâtre et son double, Sur le théâtre balinais, Idées/Gallimard, p. 97.

20.2 Ces cris d'entrailles, ces yeux roulants, cette abstraction continue, ces bruits de branches, ces bruits de coupes et de roulements de bois, tout cela dans l'espace immense des sons répandus et que plusieurs sources dégorgent, tout cela concourt à faire se lever dans notre esprit, à cristalliser comme une conception nouvelle, et, j'oserai dire, concrète, de l'abstrait.
A. ARTAUD, le Théâtre et son double, Sur le théâtre balinais, Idées/Gallimard, p. 96.

20.3 (...) elle se penche (...) l'oreille guettant les bruits absents qui viendraient d'en bas : bruits de clef, bruits de porte, bruits de pas, bruits des pages d'un livre.
A. ROBBE-GRILLET, Projet pour une révolution à New York, p. 120.

20.4 Que nos poètes et nos chanteurs, avec harpes, guitares, bombardes, orgues, cuillères, bidules et tonitruantes sonos rassemblent des foules ferventes et en arrivent même à révolutionner l'Olympia et Bobino, je m'en réjouis d'autant plus que quelques-uns d'entre eux sont vraiment des poètes au plein sens du terme, qu'ils savent pourquoi et avec quoi ils font du bruit.
P.-J. HÉLIAS, le Cheval d'orgueil, p. 537.

(Par allus. au roman de Faulkner, reprenant une expression de Shakespeare, et traduit en français sous le titre *le Bruit et la Fureur*) :

20.5 Pourquoi être né au XX^e^ siècle, dans une époque de mutation, pleine de bruit et de fureur : deux guerres mondiales, des révolutions sans nombre (...)
Jean-Louis CURTIS, le Roseau pensant, p. 273.

Mus. Effet d'un objet sonore utilisé dans la musique concrète.

20.6 L'important est tout d'abord de surprendre le chercheur, non seulement dans l'incertitude, mais dans l'ambiguïté de sa démarche. On le voit s'essayer à toutes sortes de «bruits». Après la grenaille et les machines à vent, les tourniquets et les casseroles, il apporte au studio des corps sonores moins indignes : tiges calibrées, blocs de bois ou de métal, tuyaux d'orgue même.
Pierre SCHAEFFER, la Musique concrète, p. 19.

♦ **2** Fig. Vx. Retentissement, éclat. *Le bruit de son nom, de ses exploits.* → **Renommée.**

20.7 Ils ont à soutenir le bruit de leurs exploits (...)
RACINE, Bajazet, I, 1.

20.8 Tout autre que moi
Au seul bruit de ton nom pourrait trembler d'effroi.
CORNEILLE, le Cid, II, 2.

20.9 Souviens-toi de ton livre et de son peu de bruit.
MOLIÈRE, les Femmes savantes, III, 3.

Loc. *Faire du bruit, beaucoup de bruit* : avoir un grand retentissement. → **Bruire** (3.). *Ce livre a fait beaucoup de bruit. Cette affaire fera du bruit.* — Vx. *Faire grand bruit de (qqch.)* : accorder une grande importance à (qqch.). *Faire grand bruit d'une déclaration. Faire grand bruit d'un succès.* → **Prévaloir** (se).

Voici une comédie dont on a fait beaucoup de bruit (...) 21
MOLIÈRE, Tartuffe, Préface.

La Chambre établie contre les empoisonneurs a fait grand bruit, grand éclat dans la France. 22
FURETIÈRE, Dictionnaire, art. *Bruit.*

Cette nouvelle ne fait aucun bruit à Versailles. 23
M^me^ DE SÉVIGNÉ, 621, 2 juil. 1677.

Les États firent grand bruit, ne menaçant pas moins que d'exterminer le roi de Portugal. 24
RACINE, Notes historiques.

Loc. fam. (réflexion d'un valet de la comédie d'A. Duval (1767-1842), *les Héritiers*). *Ça fera du bruit dans Landerneau* : cette affaire, cet événement va susciter beaucoup d'intérêt, d'émotion ; on en parlera abondamment.

Mais enfin il ne faut tout de même pas nous la faire à l'oseille, il est bien certain que les charmantes opinions de monsieur mon neveu peuvent faire assez de bruit dans Landerneau. 25
PROUST, le Côté de Guermantes, éd. Folio, p. 286.

Vx. Agitation, trouble. *Se retirer loin des bruits du monde.* — Absolt. *Loin du bruit,* de l'agitation du monde.

Lieux que j'aimai toujours, ne pourrai-je jamais, 26
Loin du monde et du bruit, goûter l'ombre et le frais ?
LA FONTAINE, Fables, XI, 4.

(...) le vain bruit de ma vie augmente à mesure que le silence réel de cette vie s'accroît. 27
CHATEAUBRIAND, Mémoires d'outre-tombe, IV, 7.

♦ **3** Loc. **SANS BRUIT** : sans faire de bruit (concrètement, au sens 1), et, par métaphore, discrètement, doucement. *Marcher, travailler sans bruit.*

Les vents sont assoupis, les bois dorment sans bruit. 28
RONSARD, *in* LITTRÉ.

Il travaillait sans bruit, avec beaucoup d'adresse (...) 29
LA FONTAINE, Fables, VII, 6.

L'auto filait, sans bruit. 30
MARTIN DU GARD, les Thibault, t. V, p. 151.

La clef néanmoins a tourné sans bruit dans la serrure, les gonds n'ont pas grincé, la porte s'est refermée en silence. 30.1
A. ROBBE-GRILLET, Dans le labyrinthe, p. 214.

**À GRAND BRUIT** (vieilli au sens concret). *Appeler à grand bruit* (→ Appeler, cit. 11). — Fig. Avec un grand retentissement. → **Bruyamment.** *Manifester* à grand bruit.*

**À PETIT BRUIT** (vx) : en faisant peu de bruit. — Fig. Sans se faire remarquer. → **Subrepticement.**

J'aurai soin de me cacher et me divertirai à petit bruit. 31
MOLIÈRE, Dom Juan, V, 2.

**À BAS BRUIT** (vx) : à petit bruit. — Fig. (Méd.). Sans se manifester de manière observable. *Une évolution à bas bruit. Évoluer à bas bruit.*

Loc. prov. *Faire beaucoup de bruit pour rien* : donner de l'importance, de l'éclat à ce qui ne le mérite pas. *Beaucoup de bruit pour rien,* trad. française du titre d'une comédie de Shakespeare *Much ado about nothing.*

Vieilli. *Faire plus de bruit que de besogne* : parler beaucoup et travailler peu (→ **Bavard**). — *Faire plus de bruit que de mal* (→ Plus de peur* que de mal). — *Il n'aime pas le bruit s'il ne le fait* : il critique chez les autres ce qu'il se permet à lui-même.

♦ **4** (Fin XIV^e^). *Un, des bruits.* Nouvelle répandue, propos rapportés dans le public. → **Rumeur.** *Faire courir, circuler, répandre, semer un bruit. Un bruit qui court. Se faire l'écho d'un bruit.* → **Ébruiter,**

**répéter.** *Le bruit court que... Des bruits de guerre.* → **Botte** (bruit de bottes). *Les bruits de Bourse. Des bruits en l'air. Les bruits de la ville.* → **Chronique; bavardage, commérage, conte, dire, jacasserie, potin** (fam.), **rumeur** (→ On-dit*). *Un faux bruit :* une fausse nouvelle. → **Bobard.** *Accréditer un faux bruit. Démentir un faux bruit.*

Vx ou littér. *Au bruit de :* à la nouvelle de. *Au bruit de sa mort, le peuple se réjouit.*

Vx ou littér. *Il n'est bruit que de cela :* tout le monde en parle (→ ci-dessous, cit. 36).

32 Tout autre aventurier, au bruit de ces alarmes,
Aurait fui. LA FONTAINE, Fables, X, 14.

33 Il court un bruit sourd de peste, mais c'est un faux bruit. Un bruit confus nous apprend qu'il y a eu une grande affaire, mais c'est un bruit de ville, on n'en dit rien à la cour. FURETIÈRE, Dictionnaire, art. *Bruit.*

34 Crains-tu si peu le blâme et si peu les faux bruits?
LA FONTAINE, Fables, III, 4.

35 (...) Faire courir le bruit que j'ai chez moi de l'argent caché? MOLIÈRE, l'Avare, I, 3.

36 Il n'est bruit que de l'excès de notre bonne intelligence.
Mme DE SÉVIGNÉ, 350, 24 nov. 1673.

37 Vous avez cru des bruits que j'ai semés moi-même (...)
RACINE, Mithridate, II, 3.

38 Quels petits bruits ne dissipent-ils pas *(les gens d'esprit)*? Quelles histoires ne réduisent-ils pas à la fable et à la fiction? LA BRUYÈRE, les Caractères, IX, 34.

39 Réveillé au bruit de la chute de la Bastille comme au bruit avant-coureur de la chute du trône, Versailles avait passé de la jactance à l'abattement.
CHATEAUBRIAND, Mémoires d'outre-tombe, I, 6.

40 Sophie faisait encore circuler d'autres bruits particulièrement alarmants pour les Strélitz.
MÉRIMÉE, Hist. du règne de Pierre le Grand, p. 11.

41 Et quelquefois aussi ce bruit de la prédilection du maître était le résultat d'une erreur, née on ne sait où et colportée dans l'école.
PROUST, Sodome et Gomorrhe, éd. Folio, p. 247.

♦ **5** Sc. et techn. **a** (Opposé à 2. *son,* à 2. *ton*). Phénomène acoustique dû à la superposition de vibrations diverses non harmoniques. *Amplitude, phase, polarisation, à variation aléatoire, des ondes sonores qui composent un bruit.*

41.1 Acoustique des consonnes. — Contrairement aux tons — qui sont des vibrations périodiques — les *bruits* consistent en vibrations non périodiques. Tout comme les tons, les bruits peuvent être analysés (selon le théorème de Fourier) en un certain nombre de courbes sinusoïdales. Mais tandis que, dans les tons, les partiels supérieurs sont par définition des multiples entiers d'un fondamental (la fréquence la plus basse), il n'y a aucun rapport semblable entre les partiels du bruit, d'où l'impression désagréable qu'il fait sur l'oreille humaine. Le caractère acoustique du bruit est déterminé, comme celui du ton, par le nombre, la fréquence et l'intensité des partiels qui le composent. Un bruit avec prédominance de fréquences hautes a un caractère aigu, tandis que la prédominance de fréquences basses lui donne un caractère grave. Les bruits utilisés dans le langage humain sont produits par différentes modifications du courant d'air venant des poumons, qui est ou bien rétréci de façon à produire une friction, ou bien arrêté momentanément avec ouverture brusque subséquente.
Bertil MALMBERG, la Phonétique, p. 18-19.

Techn. *Bruit impulsif, bouffée de bruit, pulsion de bruit :* bruits de durée brève. *Bruit pulsé :* suite de pulsions de bruit. *Bruit blanc** ou *d'agitation thermique. Bruit rose :* bruit à spectre continu dont la densité spectrale est inversement proportionnelle à la fréquence.

**b** (Mil. XXe). Tout phénomène qui se superpose à un signal et limite la transmission de l'information. — REM. *Bruit* dans ce sens, désigne aussi des phénomènes non auditifs, notamment visuels. *Bruits sur un écran radar. Bruit radio-électrique. Rapport signal-bruit.* — (Didact. et cour.). *Bruit de fond :* ensemble des phénomènes parasites accompagnant la transmission, l'amplification ou la reproduction des sons, de la musique ou de la voix. → **Brouillage, parasite, souffle.** (Didact.). Impressions lumineuses dues à des décharges spontanées d'influx dans les fibres optiques. — *Bruit de ronfle :* bruit de fond de basse fréquence dû à la présence de traces de secteur. *Bruit de surface,* provoqué par les irrégularités de la surface du sillon d'enregistrement d'un disque. — Spécialt. Ling., sémiotique. *Bruit de canal,* qui gêne la transmission du signal, est extérieur au code. *Bruit de code :* divergence de deux codes qui gêne le décodage.

Pour la théorie moderne *l'évolution n'est nullement une propriété des êtres vivants* puisqu'elle a sa racine dans les *imperfections mêmes* du mécanisme conservateur qui, lui, constitue bien leur unique privilège. Il faut donc dire que la même source de perturbations, de «bruit» qui, dans un système non vivant, c'est-à-dire non réplicatif, abolirait peu à peu toute structure, est à l'origine de l'évolution dans la biosphère, et rend compte de sa totale liberté créatrice, grâce à ce conservatoire du hasard, sourd au bruit autant qu'à la musique : la structure réplicative de l'ADN. 42
Jacques MONOD, le Hasard et la Nécessité, p. 152.

(...) la modulation artificielle *(de l'énergie qui sert de porteuse à l'information)* se confond alors avec cette modulation essentielle, avec ce bruit blanc ou ce brouillard de fond qui se surimpose à la transmission; il ne s'agit pas ici d'une distorsion harmonique, car c'est une modulation indépendante de celle du signal, et non une déformation ou un appauvrissement du signal. Or, pour diminuer le bruit de fond, on peut diminuer la bande passante, ce qui diminue aussi le rendement en information du canal envisagé. Un compromis doit être adopté qui conserve un rendement d'information suffisant pour les besoins pratiques et un rendement énergétique assez élevé pour maintenir le bruit de fond à un niveau où il ne trouble pas la réception du signal. 43
Gilbert SIMONDON, Du mode d'existence des objets techniques, p. 134.

CONTR. **Calme, paix, silence, tranquillité.** ◊ DÉR. **Bruital, bruiter.** — COMP. **Ébruiter, antibruit, bruitophone.** — HOM. P. p. de **bruir.**

**BRUITAGE** [bʀɥitaʒ] n. m. — 1946, *in* D. D. L.; de *bruiter.* Reconstitution artificielle des bruits naturels qui doivent accompagner l'action (au théâtre, au cinéma, à la radio). *Service de bruitage de la radio. Un bruitage réussi.*

**BRUITAL, ALE, AUX** [bʀɥital, o] adj. — Mil. XXe; de *bruit.*

Didact. et rare. Qui est constitué de bruits. *Musique bruitale.*

Sur le phono, je mis du Bach, puis, me ravisant, un disque de musique concrète bruitale (...)
Jacques LAURENT, les Bêtises, p. 215.

**BRUITER** [bʀɥite] v. — 1834; de *bruit.*

**I** V. intr. Rare. Faire un, du bruit (E. de Guérin, *in* T. L. F.).

**II** V. tr. (Mil. XXe). Techn. Faire le bruitage de. *Bruiter un film, une émission de radio.*

Rare. Imiter le bruit de.

(...) il jouait la scène où Rollon culbute le roi de France, tout en bruitant le mascaret.
Maurice CLAVEL, le Tiers des étoiles, p. 93.

**BRUITEUR** [bʀɥitœʀ] n. m. — 1922, *in* D. D. L.; de *bruit.*

♦ **1** Spécialiste du bruitage. — REM. Dans ce sens, le fém. *bruiteuse* est virtuel.

♦ **2** Appareil avertisseur d'une machine. *Bruiteur du métro, annonçant l'imminence du départ, de la fermeture des portes.*

Un œil électronique décelait ces faux pas dans l'instant même, bloquait net tout le mécanisme de la presse et alertait le surveillant en déclenchant un bruiteur, dont le son était analogue au signal *occupé* sur le téléphone.
Roger VAILLAND, 325 000 francs, p. 153.

**BRUITOPHONE** [bʀɥitɔfɔn] n. m. — 1914, R. Rolland; de *bruit*, et *-phone*.

Rare (par plais.). Appareil à émettre des bruits.

À propos de printemps, j'ai entendu celui de Stravinsky. Les futuristes peuvent saluer en lui leur génie musical. Il est homme à faire sortir de leurs bruitophones la frénésie de puissants poèmes orgiaques.
R. ROLLAND, Deux hommes se rencontrent, Lettre du 9 mai 1914, p. 261.

**BRÛLABLE** [bʀylabl] adj. — 1546; de *brûler*.

♦ **1** Qui peut être brûlé. *Ce bois n'est pas brûlable.*

♦ **2** Vx. Qui mérite d'être brûlé. *Un ouvrage hérétique brûlable.* → **Condamnable.**

Deux tomes très condamnables et très brûlables, que de charitables âmes m'ont fait la grâce de m'imputer.
VOLTAIRE, Lettre à d'Argental, 13 avr. 1773.

CONTR. **Imbrûlable, ininflammable.**

**BRÛLAGE** [bʀylaʒ] n. m. — XVIe, repris XIXe; de *brûler*.

♦ **1** Action de brûler (dans des emplois spéciaux). *Faire le brûlage d'une peinture qu'on veut gratter. — Brûlage des terres :* opération consistant à brûler les herbes sèches, les broussailles. *Brûlage des cheveux,* traitement consistant à en flamber la pointe. Absolt. *Le coiffeur m'a fait un brûlage.*

♦ **2** (Au sens général). Rare. Destruction par le feu. — Fig. «*C'est un brûlage général! C'est Sardanapale!*» (Balzac, *la Cousine Bette, in* T. L. F.).

**BRÛLANT, ANTE** [bʀylɑ̃, ɑ̃t] adj. — XIIe; de *brûler*.

♦ **1** Vx. Qui est en flammes, en feu. → **Embrasé, enflammé, incendié.**

1 Des peuples qui dix ans ont fui devant Hector,
Qui cent fois effrayés de l'absence d'Achille,
Dans leurs vaisseaux brûlants ont cherché leur asile (...)
RACINE, Andromaque, III, 3.

2 Figure-toi Pyrrhus, les yeux étincelants,
Entrant à la lueur de nos palais brûlants (...)
RACINE, Andromaque, III, 8.

Par métaphore. «*Leur amour brûlant (...) qui se changeait en cendres*» (→ Brûler, cit. 2.1, Maupassant).

♦ **2** (Choses concrètes). Qui est assez chaud pour brûler (qqn). → **Bouillant.** *Prendre un thé brûlant. La pierre brûlante d'un sauna.*

Par exagération :

3 (...) de grosses larmes brûlantes qui roulent sur ses joues.
Alphonse DAUDET, le Petit Chose, I, 12.

Qui peut causer une brûlure. *Une casserole, des cendres brûlantes. Substances brûlantes.* → **Caustique, corrodant, corrosif.**

3.1 Et tu bois cet alcool brûlant comme ta vie
Ta vie que tu bois comme une eau-de-vie.
APOLLINAIRE, Alcools, p. 15.

Qui échauffe, dessèche. → **Torride.** *Une atmosphère brûlante. Un vent, un soleil brûlant. Saison brûlante* (→ Attiédir, cit. 1).

4 Une bouffée d'air brûlant s'échappa de l'ouverture sombre (...)
Th. GAUTIER, le Roman de la momie, Prologue.

5 (...) la triste Judée, desséchée comme par un vent brûlant d'abstraction et de mort.
RENAN, Vie de Jésus, I, p. 6.

5.1 L'après-midi était encore brûlant et le soleil était haut dans le ciel. Les plus petits enfants faisaient encore la sieste à l'ombre des manguiers.
M. DURAS, Un barrage contre le Pacifique, p. 114.

Qui donne ou éprouve une sensation de brûlure, de chaleur excessive, d'embrasement, de fièvre... *Saveur âcre et brûlante. Avoir la gorge brûlante, les mains brûlantes, la tête brûlante. Plaie brûlante. Assoupir* (cit. 2) *une fièvre brûlante. Une peau brûlante* (→ Brûlure, cit. 4).

Seule, je viens encor, de mon voile couverte, 6
Poser mon front brûlant sur sa porte entr'ouverte,
Comme une veuve en pleurs au tombeau d'un enfant.
A. DE MUSSET, Nuit d'Août.

Je me sentais de glace, sauf ce creux dans ma poitrine, tout brûlant. 7
BERNANOS, le Journal d'un curé de campagne, p. 195.

Loc. *Plante brûlante,* dont le contact éveille une sensation de brûlure. → **Cuisant.** *L'ortie, plante brûlante.*

♦ **3** Fig. *Une question brûlante, un sujet, un problème brûlant,* qui soulève les passions. *Un terrain brûlant :* un sujet de conversation qu'il est prudent d'éviter. → **Dangereux, délicat, épineux, glissant, périlleux.** *Problème d'une actualité brûlante.* — (Rare). *Point brûlant.* → **Chaud,** (point chaud).

Pierre le regardait à son tour, émerveillé de son aisance, de son audace tranquille, sur ce sujet brûlant. 7.1
ZOLA, Rome, p. 673.

Lui, le grand journaliste international, célèbre par ses reportages sur le Che *(Che Guevara)* et sur Mao, l'homme qui se trouve toujours aux points brûlants du globe. 7.2
Jean-Louis CURTIS, le Roseau pensant, p. 106.

♦ **4** Fig. (Personnes, en attribut; sentiments). Ardent, passionné. *Il était brûlant de passion, d'amour, de rage...* → **Dévoré, embrasé, enflammé.** *Une passion brûlante.* → **Bouillant, dévorant.** *Brûlant d'ardeur, de zèle, de courage.* → **Enthousiaste, fervent, vif.** *Des regards brûlants. Cœur, tempérament brûlant. Brûlant de toutes les ardeurs* (cit. 38). *La brûlante espérance qui l'anime* (cit. 27). *Un brûlant esprit d'apostolat* (cit. 1). *Style brûlant. Pages brûlantes de passion.*

D'un geste menaçant, d'un œil brûlant de rage. 8
RACINE, la Thébaïde, V, 3.

Avec un sang brûlant de sensualité presque dès ma naissance, je me conservai pur de toute souillure jusqu'à l'âge où les tempéraments les plus froids et les plus tardifs se développent. 9
ROUSSEAU, les Confessions, I.

Dieu d'un souffle brûlant avait formé mon âme : 10
Tout ce qu'elle approchait s'embrasait de sa flamme.
LAMARTINE, Nouvelles méditations, «Le Poète mourant».

(...) des indignations brûlantes comme la foudre. 11
M. BARRÈS, la Colline inspirée, p. 157.

CONTR. **Éteint, frais, froid, gelé, glacé, refroidi. — Glacial, rafraîchissant, refroidissant. — Flegmatique, indifférent, insensible, tiède.**

**BRÛLÉ, ÉE** [bʀyle] n. — XVIIe; du p. p. de *brûler**.

♦ **1** N. m. Odeur, goût d'une chose qui brûle ou a brûlé. *Odeur, goût de brûlé. Ça sent le brûlé. — Ça sent le brûlé,* se dit quand on pressent quelque danger. → **Roussi.** — Didact. *Le brûlé, considéré comme composante olfactive.* → **Empyreumatique.** — *Particules brûlées, aliment brûlé. Détacher le brûlé au fond d'une poêle.* → **Brûlon** (régional).

♦ **2** N. Personne qui a subi des brûlures. *Transport à l'hôpital des grands brûlés. Une brûlée. Service des brûlés,* et, ellipt., *les brûlés. Elle est infirmière aux brûlés.*

Personne suppliciée par le feu.

♦ **3** N. f. (Fam.). *Une brûlée :* une correction (→ Bruit, cit. 9.1).

**BRÛLE-BOUT** [bʀylbu] n. m. — 1852; de *brûler*, et *bout*.

Ancienn. Dispositif, bougeoir spécial permettant de brûler les bouts de bougie. → **Binet, brûle-tout.** — Au plur. *Des brûle-bouts.* — REM. Certains font le pluriel invariable.

**BRÛLE-GUEULE** [bʀylgœl] n. m. invar. — 1735; de *brûler*, et *gueule*.

Pipe à tuyau très court. → **Bouffarde; brûlot.** — Au plur. *Des brûle-gueule.*

1 (...) une petite pipe courte et brune, de celles qu'on appelle «brûle-gueule»
Alphonse DAUDET, le Petit Chose, I, 7.

2 Flambeau allume son petit brûle-gueule français à la longue pipe allemande du vieux.
Edmond ROSTAND, l'Aiglon, V, 1.

2.1 Les ouvriers allant au club, tout en fumant
Leur brûle-gueule au nez des agents de police (...)
VERLAINE, la Bonne Chanson, XVI, Pl., p. 112.

3 Pour Bob, son brûle-gueule entre les lèvres, il fumait à courtes bouffées, assis de travers sur sa chaise, le crâne à la muraille, regardant fixement devant lui, les yeux dilatés, l'air absorbé.
B. CENDRARS, Moravagine, *in* Œ. compl., t. IV, p. 205.

**BRÛLEMENT** [bʀylmɑ̃] n. m. — 1587; *bruillement*, 1120; de *brûler*.

Rare.

♦ **1** Action de brûler ou état de ce qui brûle. *Le brûlement des hérétiques, des sorcières.* → **Bûcher.** *Brûlement de parfums.*

♦ **2** Sensation de brûlure. *Sentir un brûlement. Des brûlements d'estomac.* → **Brûlure.** «*Chercher la fraîcheur de la terre pour éteindre le brûlement de sa peau*» (Goncourt, *in* T. L. F.).

**BRÛLE-PARFUM** [bʀylpaʀfœ̃] n. m. — 1785; de *brûler*, et *parfum*.

Réchaud sur lequel on brûle des aromates. → **Cassolette, encensoir.** — Au plur. *Des brûle-parfums.*

C'est là que fument les brûle-parfums en filigrane d'or et d'argent.
Th. GAUTIER, *in* Pierre LAROUSSE.

Argot. Pistolet (A. Le Breton, *Du Rififi...*).

REM. On écrit parfois *brûle-parfums*, au sing. D'autres font *brûle-parfum* invariable.

**BRÛLE-POURPOINT (À)** [abʀylpuʀpwɛ̃] loc. adv. — 1648; de *brûler*, et *pourpoint*.

♦ **1** Vx. *Tirer sur qqn à brûle-pourpoint*, de très près (de manière à brûler le pourpoint). → **Bout portant** (à).

1 *(Ils)* tirèrent à brûle-pourpoint deux coups de mitraille.
MICHELET, Hist. de la Révolution franç., t. I, p. 985.

♦ **2** (1701). Fig. et mod. (Après un verbe de déclaration). Sans préparation ou avec brusquerie. *Poser une question, dire qqch. à qqn à brûle-pourpoint.*

2 (...) un Français à barbe grise (...) qui visite la *Résolue*, s'était arrêté pour contempler Jean à la manœuvre, et, à brûle-pourpoint, lui avait dit (...)
LOTI, Matelot, XXV, p. 96.

3 Comment qu'il s'appelait finalement?... Courtral?... Comment?... Et où ça qu'il était né?... Connu?... Occupation?... — Il s'appelait pas Courtral du tout!... qu'elle a répondu à brûle-pourpoint!... Il s'appelait pas des Pereires!...
CÉLINE, Mort à crédit, p. 573.

Rare (après un verbe quelconque). *Venir, arriver à brûle-pourpoint.* → **Impromptu.**

**BRÛLER** [bʀyle] v. — 1120; orig. incert., probablt altér. de l'anc. franç. *usler*, lat. *ustulare*, p.-ê. sous l'infl. de l'anc. franç. *bruir* (→ Bruir); pour Guiraud, la parenté avec *ustulare* est secondaire : *brûler* serait issu d'une forme romane **bruscitulare*, diminutif de **brusciare* et de **brusculare* «flamber superficiellement (qqch.) avec de la bruyère», du roman *bruscum* «bruyère».

**I** V. tr. ♦ **1** Détruire par le feu. → **Calciner, carboniser, consumer, embraser, griller, incendier.** *Brûler un tas de vieux papiers, des mauvaises herbes dans le jardin. Brûler des bûches dans la cheminée. Les ennemis ont brûlé les villes, les maisons, les forêts, les moissons.* → **Incendier** (plus cour. dans ce contexte). «*Le corps et la tête furent brûlés sur un bûcher où l'on jeta aussi le* Dictionnaire Philosophique» (Lanson).

Vous amasserez aussi au milieu des rues tous les meubles 1
qui s'y trouveront, et vous les brûlerez avec la ville, consumant tout en l'honneur du Seigneur votre Dieu, de manière que cette ville devienne comme un tombeau éternel.
BIBLE (SACY), Deutéronome, XIII, 16.

Il *(Napoléon)* affecte de railler ces Russes, «qui brûlent 2
leurs maisons pour nous empêcher d'y passer la nuit».
J. BAINVILLE, Napoléon, t. II, 21.

Olivier répéta : 2.1
— Brûlez, brûlez-les, Any.
D'un même geste de ses deux mains, elle lança dans le foyer les deux paquets de papiers qui s'éparpillèrent en tombant sur le bois (...) Ce fut bientôt, tout autour de la pyramide blanche, une vive ceinture de feu clair qui emplit la chambre de lumière; et cette lumière illuminant cette femme debout et cet homme couché, c'était leur amour brûlant, c'était leur amour qui se changeait en cendres.
MAUPASSANT, Fort comme la mort, éd. 1889, p. 348-349.

Nous fîmes plusieurs brouillons de lettres que nous brû- 2.2
lâmes, puis l'heure du dîner arrivant, nous décidâmes de nous en tenir au dernier, qui nous sembla alors le plus mauvais et nous fit regretter d'avoir brûlé les autres.
PROUST, Jean Santeuil, Pl., p. 184.

*Brûler un cadavre* (dans un four crématoire*). → **Incinérer.** *Brûler qqn, brûler vif un condamné par le supplice du feu* (→ **Autodafé, bûcher**).

(...) d'après ton rêve et ton principe 2.3
L'enfer dans le bûcher s'éteint et se dissipe
De sorte que la flamme envoie au ciel les morts
Et que, pour sauver l'âme, il faut brûler le corps.
HUGO, Torquemada, Prologue.

(...) il ne faut pas brûler ses compatriotes pour des argu- 3
ments.
VOLTAIRE, Lettre à Gallitzin. → Argument, cit. 5.

Sire, tu veux jeter ta femme en ce brasier, c'est bonne 4
justice, mais trop brève. Ce grand feu l'aura vite brûlée, ce grand vent aura vite dispersé sa cendre. Et quand cette flamme tombera tout à l'heure, sa peine sera finie.
J. BÉDIER, Tristan et Iseut, p. 91.

*Brûler qqn à petit feu*, lentement.

(...) cette pauvre diablesse de Voisin, qui est, à l'heure que 5
je vous parle, brûlée à petit feu à la Grève.
Mme DE SÉVIGNÉ, 783, 21 févr. 1680.

Tu ne sais pas, toi, tu ne sais pas que si je meurs avant 5.1
d'avoir mené à bien leur œuvre maudite, ils m'ont promis de te brûler à petit feu!... à petit feu! entends-tu!
G. LEROUX, Rouletabille chez Krupp, p. 141.

REM. L'expression s'emploie aussi à l'intransitif (→ ci-dessous, II.).

C'est brûler à petit feu, ce me semble, que de savourer 6
ainsi dix ou douze jours une violente inquiétude (...)
Mme DE SÉVIGNÉ, 568, 14 août 1676.

(En parlant du feu). Détruire en consumant. → **Dévorer, embraser.** *Les flammes ont tout brûlé. Un feu qui brûle et détruit* (→ Ardent, cit. 10).

Livrer (qqch.) au feu volontairement, pour détruire, et, notamment, de manière symbolique.

*Brûler un livre de la main du bourreau.* → **Autodafé.** *Brûler des idoles, des emblèmes,* en signe d'exécration.

7 Il sortit de la maison de l'Éternel l'idole d'Astarté, qu'il transporta hors de Jérusalem vers le torrent de Cédron; il la brûla au torrent de Cédron et la réduisit en poussière (...) BIBLE (SEGOND), II Rois, XXIII, 6.

8 Philippe-le-Bel fit brûler à Paris cette bulle, et publier à son de trompe cette exécution (...) VOLTAIRE, Dict. philosophique, Bulle.

9 Doux Sicambre, incline le col, adore ce que tu as brûlé, dit le prêtre qui administrait à Clovis le baptême d'eau. CHATEAUBRIAND, Mémoires d'outre-tombe, IV, 9.

Loc. *Brûler la cervelle* à qqn,* le tuer d'une balle dans la tête.

♦ **2** Fig. et métaphorique (souvent en locution).

(1706). Passer sans s'arrêter à (un point d'arrêt prévu). *Le convoi a brûlé la station. Brûler un signal, un feu rouge.* → **Griller.** *Brûler une étape** (cit. 5), ne pas s'y arrêter.

10 Le navire qui le conduisait en extrême Asie avait ordre de se hâter, de brûler les relâches. LOTI, Pêcheur d'Islande, IX, p. 110.

10.1 Le métro brûle un tas de stations, ça fait étrange. S. DE BEAUVOIR, la Force de l'âge, p. 395.

10.2 – Ne dépasse pas la vitesse réglementaire.
– Compris.
– Évite surtout de brûler les feux rouges. Pour ne pas se faire prendre en chasse, évidemment. G. SIMENON, Feux rouges, p. 53.

(Av. 1789 «laisser impayé», *in* Esnault). Argot (vieilli). *Brûler le dur :* prendre le train sans payer. *Brûler le bateau :*

10.3 Dans mon portefeuille, j'avais la lettre d'un copain. Il m'écrivait qu'il était en taule à Bordeaux pour trois mois parce qu'il avait «brûlé le bateau en rentrant du Venezuela». «Brûler le bateau», en argot, ça veut dire faire le trajet clandestinement, sans payer, comme on dit pour les trains : «brûler le dur». Francis GUILLO, le P'tit Francis, p. 71.

Fig. *Brûler les étapes :* atteindre un but sans suivre la filière normale, sans observer les formes, les délais d'usage.

*Brûler la consigne,* ne pas s'y conformer (→ Manger la consigne*).

*Brûler la politesse à qqn :* partir brusquement, sans prendre congé. → **Filer enfuir** (s').

Fig. Surmener, user prématurément. *Brûler sa santé, sa vie. — Brûler ses chevaux.* — Loc. métaphorique. *Brûler ses bottes.*

11 Empressés, inquiets, sentant la fièvre et se rongeant les ongles, c'étaient des gens surchauffés, qui brûlaient leurs bottes, leurs chevaux, leur vie. FRANCE, Jocaste, II.

*Brûler ses vaisseaux :* accomplir un acte après lequel toute retraite, tout recul, tout revirement est impossible. → Précéder, cit. 3. (Allusion à la conduite d'Agathocle de Syracuse, de Guillaume le Conquérant, de Fernand Cortez, qui, décidés à vaincre ou à mourir, brûlèrent leurs navires pour s'interdire toute possibilité de se rembarquer).

11.1 (...) si (...) obéissant à je ne sais quel insidieux mot d'ordre vous ne désarmiez pas, mais vous confiniez dans une opposition stérile qui semble pour certains l'*ultima ratio* de la politique, si vous vous retiriez sous votre tente et brûliez vos vaisseaux, ce serait à votre grand dam (...) PROUST, le Côté de Guermantes, éd. Folio, p. 295.

*Brûler les ponts** (cit. 10) *derrière soi* (même sens).

Littér. ou vx. *Brûler le pavé :* se déplacer à toute allure. *Brûler le terrain* (même sens).

12 À mesure que les roues *(de la berline)* brûlaient le pavé du faubourg, les voyageurs oubliaient leurs soucis. FRANCE, Les dieux ont soif, p. 102.

13 Il lui ôta son bonnet (...) et s'en alla, souple, rapide, brûlant le pavé avec une envie de sauter et de courir (...) LOTI, Matelot, XXXII, p. 129.

La Biche aux cornes d'or que n'atteint pas la fronde 14
Qui, de ses quatre pieds qui brûlent le terrain,
Fait flamber l'herbe au feu de ses sabots d'airain!
H. DE RÉGNIER, les Médailles d'argile, «Bûcher d'Hercule».

*Brûler les planches :* jouer avec une fougue communicative.

Il *(le comédien)* doit être froid en brûlant les planches et rester tranquille au milieu des plus grandes furies. 15
Th. GAUTIER, le Capitaine Fracasse, X.

♦ **3** (1636). Faire brûler (un combustible, un objet destiné à produire du feu). *Brûler du bois, du charbon, du gaz, du pétrole... pour se chauffer, pour faire la cuisine.*

*Brûler une chandelle, une bougie, de l'huile,* pour s'éclairer.

Loc. fig. *Brûler la chandelle par les deux bouts** (cit. 16).

Il brûle au feu la moitié de son bois, 16
Avec cette moitié il cuit de la viande,
Il apprête un rôti et se rassasie;
Il se chauffe aussi, et dit : Ha! ha!
Je me chauffe, je vois la flamme!
BIBLE (SEGOND), Esaïe, XLIV, 16.

Vieilli. *Brûler une cigarette.* → **Fumer; griller** (fam.). *En brûler une.*

Par ext. Consommer (de l'énergie). *Brûler de l'électricité.*

♦ **4** Faire brûler (en symbole de qqch.). *Brûler un cierge, des parfums, de l'encens,* en l'honneur de la divinité ou d'un personnage sacré. → **Sacrifice;** → Brûle-parfum, cassolette, encensoir. *Brûler un cierge à saint Antoine.*

Et il *(Moïse)* brûla dessus *(sur l'autel)* l'encens composé d'aromates, selon que le Seigneur le lui avait commandé. 17
BIBLE (SACY), Exode, XL, 25.

Un passager, pendant l'orage, 18
Avait voué cent bœufs au vainqueur des Titans.
Il n'en avait pas un (...)
Il brûla quelques os quand il fut au rivage :
Au nez de Jupiter la fumée en monta.
LA FONTAINE, Fables, IX, 13.

Loc. fam. *Brûler un cierge, une chandelle à qqn,* éprouver pour lui de la reconnaissance.

Vx. *Brûler de l'encens devant quelqu'un.* → **Aduler, flagorner, flatter.**

♦ **5** Faire exploser, détoner (une substance explosive). *Brûler de la poudre, une amorce. Brûler quelques cartouches.* → **Tirer.**

Loc. fig. *Prendre une ville sans brûler une cartouche, une amorce* (vx), sans avoir à tirer, à se battre. — *Brûler ses dernières cartouches*.*

♦ **6** [a] (1884, Maupassant). Fam. et vieilli. *Brûler qqn,* le tuer avec une arme à feu.

Descendez donc avec moi, que nous parlions affaires dans un endroit tranquille. Si vous n'êtes pas sage, je vous brûle. Descendez, cher ami. ARAGON, Anicet, VIII, p. 118. 18.1

Fais comme les autres, que je lui ai dit, ou je te brûle! Roger VERCEL, Capitaine Conan, XV, p. 242. 18.2

[b] (1828, Vidocq). Vx. Dénoncer, démasquer. — (Sujet n. de chose). Compromettre, discréditer (qqn); faire connaître (de la police, etc.). *Cette dernière trahison l'a brûlé auprès de ses complices* (surtout au p. p., dans ce sens; → ci-dessous Brûlé, p. p., 6.).

♦ **7** (V. 1180, «dessécher»). Altérer par l'action du feu, de la chaleur, et, par ext., d'un caustique, d'un corrodant. *Brûler un vêtement, du linge au repassage.* → **Cramer, roussir.** *L'eau-forte brûle le linge.*

*Brûler un rôti.* → **Calciner.** — Par ext. *Brûler un plat en le faisant trop cuire.*

L'un me brûle mon rôt en lisant quelque histoire (...) 19
MOLIÈRE, les Femmes savantes, II, 7.

Attaquer, tuer (un végétal) en desséchant. *Le soleil, le vent brûlent les arbres. La gelée a brûlé les bourgeons.* → **Griller.** *Vignes brûlées par le soleil.* → **Brouir.**

19.1 Il est vrai que la mer ne montait pas à la même hauteur chaque année. Mais elle montait toujours suffisamment pour brûler tout, directement ou par infiltration.
M. DURAS, Un barrage contre le Pacifique, p. 25.

Cautériser (volontairement). *Brûler les tissus au thermocautère, à la neige carbonique.*

Soumettre à la torréfaction. → **Griller, torréfier.** *Brûler du café.*

Vx ou régional. Distiller. *Brûler du vin.*

19.2 Mais la qualité du feu tient à celle du bois. Car on ne «brûle» jamais du vin qu'au bois. Un «brûleur» de profession n'acceptera pas de distiller avec des bûches quelconques.
Joseph DE PESQUIDOUX, Chez nous, 1921, p. 53.

♦ **8** (Sujet n. de chose). Chauffer au point de donner une sensation de brûlure*, de dessèchement. *Le soleil, le vent brûle le visage. — Une liqueur qui brûle le gosier. Un feu me brûle* (→ Ardent, cit. 24). — *La fièvre le brûlait.*

20 Le vent du sud brûle l'atmosphère.
F. MAURIAC, le Nœud de vipères, p. 149.

21 (...) je sens un feu qui me brûle au-dedans,
Et veux chercher ici quelque herbe salutaire.
LA FONTAINE, Fables, IV, 12.

22 Oh! les pleins midis tombant d'aplomb sur la rivière, il me semble qu'ils me brûlent encore.
Alphonse DAUDET, Contes du lundi, «Le pape est mort».

23 Dans la fièvre ardente qui la brûlait, sa volonté, au fond d'elle, semblait se bander et résister au délire, tellement elle craignait de parler. ZOLA, la Terre, p. 170.

24 Les mouvements qu'il venait de faire avaient ravivé au creux du dos ces escarres qui le brûlaient comme un fer rouge.
MARTIN DU GARD, les Thibault, t. IV, II, p. 131.

Irriter (une partie du corps).

25 (...) la fumée résineuse et refoulée brûlait ses yeux, irritait sa gorge déjà malade à cause du tabac.
F. MAURIAC, Thérèse Desqueyroux, p. 186.

(Avec un pron. personnel compl. d'objet indirect). *Cet alcool lui brûlait l'estomac.*

25.1 (...) la fumée de la cigarette lui brûlant cette fois les lèvres pour de bon, la cigarette (...) lui brûlant en même temps les doigts de sorte que sa main sursauta vivement.
Claude SIMON, le Palace, p. 139.

Fig. *Le pavé lui brûle les pieds :* il a hâte de partir (→ ci-dessous, cit. 40 et *supra*).

26 Dès lors, le pavé de Plassans lui brûla les pieds. On le vit rôder sur les promenades comme une âme en peine. Puis il se décida brusquement, il partit pour Paris.
ZOLA, la Fortune des Rougon, II, p. 74.

♦ **9** Fig. (Sujet n. de chose; compl. n. de personne). Enflammer, enfiévrer. → **Dévorer, embraser.**

27 (...) cette soif de l'or qui le brûlait dans l'âme (...)
BOILEAU, Satires, X.

28 Je la vis entourée; je me rapprochai d'elle. J'entendis autour de moi des mots qui me brûlèrent : j'étais jaloux.
E. FROMENTIN, Dominique, XII.

29 Dieu m'est témoin que, malgré le feu d'amour qui me brûlait le sang, aucune mauvaise pensée ne me vint (...)
Alphonse DAUDET, Lettres de mon moulin, V.

(Sujet n. de personne; compl. n. de chose). Consumer (fig.).

30 Quels secrets dans son cœur brûle ma jeune amie (...)
VALÉRY, Poésies, «La dormeuse».

Par métaphore du sens concret :

31 (...) l'homme était entre elles comme un brandon insensible qui les brûlait toutes deux.
Edmond JALOUX, les Visiteurs, V, p. 52.

(Dans le langage précieux). Rendre amoureux, ardent.

Vous me connaissez mal : la même ardeur me brûle (...) 32
CORNEILLE, Polyeucte, I, 1.

Il a sa belle femme avec lui : elle brûlerait Rennes, si elle y était plus de quatre jours. 33
Mme DE SÉVIGNÉ, 1214, 11 sept. 1689.

**II** V. intr. (Après 1150). ♦ **1** Se consumer par le feu. *Un bois qui brûle lentement. Le bois d'aune brûle rapidement en donnant une chaleur vive. La ville a brûlé pendant trois jours. Sa maison a brûlé complètement, entièrement.* — Par métaphore. *«Le péché brûle avec le vil haillon charnel»* (→ 1. Bûcher, cit. 4.1).

Loc. fig. *Le torchon* brûle. Le tapis* brûle.*

Flamber. *Le feu qui brûle dans la cheminée. Le feu ne veut pas brûler.* → **Prendre.**

Du feu toujours ardent qui brûle pour nos dieux. 34
RACINE, Britannicus, V, 8.

Alors le Seigneur lui apparut dans une flamme de feu qui sortait du milieu d'un buisson; et il voyait brûler le buisson sans qu'il se consumât. 35
BIBLE (SACY), Exode, III, 2.

Rubis de la fournaise! ô braises! pierreries! 35.1
Flambez, tisons! brûlez, charbons! feu souverain,
Pétille! luis bûcher! prodigieux écrin
D'étincelles qui vont devenir des étoiles!
HUGO, Torquemada, III, 5.

Mon foyer, si modestement campagnard, ne brûlait pas tout bonnement, comme les autres (...) 36
H. BOSCO, le Jardin d'Hyacinthe, p. 85 (→ Foyer, cit. 4).

Être calciné, mal cuit, à feu trop vif. *La soupe a brûlé. Le rôti brûle. Ça a failli brûler.*

— La soupe est prête? 37
— Oui, madame, mais ce galampian nous a mis tellement en retard, qu'elle a failli brûler vingt fois!
H. BOSCO, l'Âne Culotte, p. 21.

Se consumer en éclairant. *La bougie brûle encore.* Par ext. *Une lampe brûle. Laisser brûler la lumière, l'électricité.*

Ce grand Nagasaki où brûlent tant de quinquets à pétrole, où papillotent tant de lanternes de couleur (...) 38
LOTI, Mme Chrysanthème, I, 12, p. 84.

(...) la secrétaire occupait un ancien placard à linge sale, sans fenêtre, où l'électricité brûlait du matin au soir et n'ayant guère plus de largeur que sa machine à écrire. 38.1
M. AYMÉ, Travelingue, p. 145.

♦ **2** (1688). Fig. Éprouver la sensation d'une brûlure, d'une irritation, d'une chaleur très vive, d'une extrême sécheresse; être brûlant. *Brûler de soif, de fièvre.*

Elle *(Mathilde)* ne frémissait plus. Elle entrait dans la fournaise d'une fièvre atroce et brûlait tout entière comme un jeune pin. 39
F. MAURIAC, Génitrix, p. 56.

(Avec un pron. compl. indirect). *La gorge, l'estomac me brûle, lui brûle. Ça me brûle.* — Fig. *Les mains lui brûlent :* il est impatient d'agir. — *Les pieds lui brûlent :* il a hâte de partir (→ ci-dessus, cit. 26 et *supra*, autre construction de sens analogue).

Les pieds me brûlaient à Paris; je ne pouvais m'habituer au ciel gris et triste de la France, ma patrie (...) 40
CHATEAUBRIAND, Mémoires d'outre-tombe, III, 13.

♦ **3** (1538). Sujet n. de personne ou d'abstraction humaine. Par métaphore (vx ou littér.) et fig. (littér.). Être animé d'une vive ardeur. → **Arder** (vx). *Brûler de la même ardeur* (cit. 12, 20). *Cœur, âme qui brûle. Brûler d'amour, de zèle, de curiosité, d'impatience.*

Ah! Quel étrange amour! et que les belles âmes 41
Sont bien loin de brûler de ces terrestres flammes!
MOLIÈRE, les Femmes savantes, IV, 2.

Au foyer de ces problèmes l'âme de la Convention brûlait. 42
JAURÈS, Hist. socialiste..., t. IV, p. 371.

43 Âme de feu dans un corps débile *(Napoléon)*. Volonté de fer, esprit qu'agitait un cœur effréné, fortifiant son génie naturel de ses passions mêmes, brûlant de toutes les ardeurs — les plus hautes et les pires — celles de l'amour et celles de la haine (...)
Louis MADELIN, Hist. du Consulat et de l'Empire, t. V, L'avènement de l'Empire, XII, 174.

Exprimer avec intensité l'ardeur, la passion.

44 Dans ce visage d'enfant, brûlait un regard attestant la maturité, l'autorité.
G. DUHAMEL, Chronique des Pasquier, Jardin des bêtes sauvages, II, p. 237.

Vx (dans le langage précieux). *Brûler pour qqn*, en être amoureux. → **Languir** (cit. 17).

45 Télamon pour Chloris avait l'âme embrasée,
Chloris pour Télamon brûlait de son côté (...)
LA FONTAINE, les Filles de Minée, 302-303.

46 On dit qu'il a longtemps brûlé pour la princesse.
RACINE, Andromaque, I, 3.

Littér. *Brûler que* (vx) : être impatient que... (cit. 48, ci-dessous). Mod. *Brûler de* (suivi d'un inf.) : être impatient de...

47 Mais je vois que déjà vous brûlez de me suivre.
RACINE, Athalie, IV, 3.

48 Achille... Vous brûlez que je ne sois partie.
RACINE, Iphigénie, II, 5.

49 (...) et pensant à ces magistrats qu'il brûlait de confondre (...) FRANCE, Les dieux ont soif, p. 198.

♦ **4** (1829). À certains jeux ou devinettes. Être tout près de découvrir l'objet caché, la solution. *Vous brûlez.*

49.1 Un savant s'approche de la vérité, il la flaire; il «brûle», comme on dit dans les jeux enfantins (...)
Jean ROSTAND, Esquisse d'une histoire de la biologie, p. 236.

50 — Allez, plus vite! Plus vite!
Vas-y Médor!
Hé tu brûles! Tu brûles!
J.-M. G. LE CLÉZIO, la Fièvre, p. 171.

◆ **SE BRÛLER** v. pron. **A** ♦ **1** Se détruire soi-même par le feu. *Plusieurs personnes se sont brûlées, se sont brûlées vives en signe de protestation* (suicide par le feu).

51 Il *(Sardanapale)* périt enfin dans sa ville capitale, où il se vit contraint à se brûler lui-même avec ses femmes, ses eunuques et ses richesses.
BOSSUET, Disc. sur l'Hist. universelle, I, 7.

*Le papillon s'est brûlé à la flamme de la bougie.*
Loc. fig. *Se brûler à la flamme, à la chandelle :* être comme le papillon de nuit, victime d'un danger ou d'une tentation qu'on a imprudemment sous-estimés.

52 Quand on se brûle au feu que soi-même on attise,
Ce n'est pas accident, mais c'est une sottise.
Mathurin RÉGNIER, Satires, 14.

53 Quelques-uns y avaient (...) laissé leur tête, gens trop étourdis pour ne pas se brûler aux flammes qu'ils avaient attisées (...)
Louis MADELIN, Talleyrand, V, 40, p. 441.

♦ **2** S'infliger une brûlure partielle. *Se brûler en renversant une casserole d'eau chaude.* → **Ébouillanter** (s'), **échauder** (s'). *Il s'est brûlé au deuxième degré et il a fallu l'hospitaliser. Se brûler à la main, au pied.*

♦ **3** Fig. Se perdre, se compromettre dans l'opinion.

53.1 (...) le fin du fin du journalisme catholique consiste à éviter de se brûler et donc à fuir les questions brûlantes.
F. MAURIAC, Bloc-notes 1952-1957, p. 205.

Se laisser découvrir par un adversaire.

53.2 (...) ça fait trop longtemps, on va se brûler, impossible que les flics ne s'intéressent pas à toi à l'heure qu'il est.
Régis DEBRAY, l'Indésirable, p. 98.

**B** (Réfléchi indirect; faux pronominal). **SE BRÛLER** (suivi d'un compl.). ♦ **1** Détruire volontairement par le feu (→ ci-dessus, A., 1.). *Les Amazones* (cit. 1), *selon la légende, se brûlaient le sein droit.*

♦ **2** Infliger (involontairement) une brûlure à (une partie du corps). *Elle s'est brûlé la main en sortant un plat du four. Se brûler le pied.*
Loc. fig. *Se brûler les ailes*.*
Fig. *Risquer de se brûler les doigts :* se mêler d'une affaire dans laquelle il est dangereux d'intervenir.

♦ **3** Par ext. *Se brûler la cervelle :* se suicider d'une balle dans la tête.

(...) certain colonel d'une garnison de l'Est, qui (...) croyant que la France cédait déjà devant l'ennemi, avait sorti son revolver, et, plutôt que de survivre au déshonneur, s'était brûlé la cervelle devant son régiment. 53.3
MARTIN DU GARD, les Thibault, t. VII, p. 285.

♦ **4** S'abîmer de façon irrémédiable (la vue, les yeux). *Se brûler les yeux à lire.* → **User** (s').

◆ **BRÛLÉ, ÉE** p. p. adj. Passif.

♦ **1** (Personnes). Mort par le feu. *Être brûlé, mourir brûlé.* → **Brûlé** (n.).

(...) le feu prit, l'incendie fut horrible, il y eut vingt-une personnes de brûlées, mais nous nous sauvâmes. 53.4
SADE, Justine..., t. I, p. 35.

♦ **2** (Choses). Qui a brûlé. *Bois brûlé.* — Endommagé par le feu ou par un agent corrodant. *Tissu brûlé. Peau brûlée.*

Très cuit, trop cuit. *Rôti brûlé.* → **Calciné.** *Pain brûlé.* Par ext. *Couleur pain* brûlé.* Ellipt. *Un ton brûlé.* — N. m. *Une odeur de brûlé.* → **Brûlé** (n.).

*Crème brûlée :* crème passée sous le gril quelques minutes afin que le dessus soit caramélisé. Syn. *Crème catalane.*

Par anal. Vieilli. *Teint brûlé.* → **Aduste** (vx), **boucané, bronzé, bruni, hâlé, noir.**
Vx (d'une personne) :

(...) les filles de sa province, ces filles brûlées du Midi, devaient rêver de lui, lorsqu'il venait à passer devant leur porte, par les chaudes soirées de juillet. 53.5
ZOLA, la Fortune des Rougon, I, p. 11.

♦ **3** Chauffé, desséché. *Brûlé par le soleil. Brûlé par les ardeurs du soleil, par la canicule.*

Certain jour, errant dans la partie élevée de la plaine de Cachena, harassé de fatigue, mourant de soif, brûlé par un soleil de plomb (...) MÉRIMÉE, Carmen, I. 54

(...) la route de Pistoïa brûlée par les soleils et les neiges (...) 55
FRANCE, le Lys rouge, VIII.

Absolt (rare). *Un pays brûlé.* → **Aride.**

Détérioré par une trop forte chaleur, un agent corrosif, etc. *Morue brûlée* (par excès de salage).
Fig. et littér. Détérioré par l'alcool. *«Le cerveau brûlé de la vieille alcoolique»* (Van der Meersch, *in* T. L. F.).

♦ **4** Ravagé par des incendies. Loc. *Tactique de la terre* brûlée.*

♦ **5** Loc. fig. *Un cerveau brûlé, une tête brûlée :* un individu exalté, qui se jette dans toutes sortes d'aventures, au mépris des risques. *Cette fille est une tête brûlée.*

Le parti janséniste se récria contre l'injustice de lui attribuer l'hérésie de quelques têtes brûlées qu'il désavouait entièrement. SAINT-SIMON, Mémoires, 250, 80. 56

Mais un certain nombre de voyageurs avaient été immédiatement séduits par la proposition. Elle plaisait particulièrement au colonel Proctor. Ce cerveau brûlé trouvait la chose très faisable. Il rappela même que des ingénieurs avaient eu l'idée de passer des rivières «sans pont» avec des trains rigides lancés à toute vitesse, etc. 56.1
J. VERNE, le Tour du monde en 80 jours, p. 251.

Adj. *Elle est un peu tête brûlée.*

♦ **6** (1830). Dont l'activité clandestine est désormais connue de l'adversaire. → **Démasqué.** *Leur agent, leur réseau d'espionnage est brûlé.*

56.2 Hélas! si la duègne proxénète pour qui la connaissance du Tout-Paris est une nécessité professionnelle, ne vous a pas reconnu la première fois, elle signale votre faux nom, donne toutes les indications pouvant vous faire reconnaître.
À la seconde ou à la troisième visite, vous êtes brûlé.
GORON, l'Amour à Paris, t. I, p. 208.

Qui a perdu tout crédit.

57 (...) toujours sans le sou, brûlé chez tous les usuriers.
J. LEMAITRE, les Rois, p. 93.

57.1 – J'ai cessé de plaire, parce que j'ai cessé d'être utile. Je suis brûlé – voilà le mot – je suis brûlé ici et ailleurs, je suis brûlé partout!
BERNANOS, l'Imposture, Œ. roman., Pl., p. 419.

♦ **7** Vx. *Brûlé de... :* tourmenté de façon dévorante par (un besoin, un désir, une passion). *Brûlé de soif, de convoitise, de désir.* → **Altéré, assoiffé, avide.** *Brûlé d'amour.*

58 Vaincu, chargé de fers, de regrets consumé,
Brûlé de plus de feux que je n'en allumai (...)
RACINE, Andromaque, I, 4.

59 Ah! que veux-tu qu'un cœur brûlé d'amour fasse durant tant de siècles? L'absence même serait moins cruelle.
ROUSSEAU, Julie ou la Nouvelle Héloïse, Lettre XXXIV.

60 (...) Madeleine se réveilla et appela Catherine, en disant d'une voix si faible qu'on ne l'entendait quasi point, qu'elle était brûlée de soif.
G. SAND, François le Champi, XVII, p. 123.

CONTR. **Geler, glacer, rafraîchir, refroidir.** ◊ DÉR. **Brûlable, brûlage, brûlant, brûlé, brûlement, brûlerie, brûleur, brûlis, brûloir, brûlot, brûlure.** – COMP. **Brûle-bout, brûle-gueule, brûle-parfum, brûle-pourpoint (à), brûle-tout.**

**BRÛLERIE** [bʀylʀi] n. f. — 1783; «action de brûler», 1417; de *brûler.*

♦ **1** Rare. Distillerie d'eau-de-vie (→ Brûloir, 3.).

♦ **2** Usine, atelier de torréfaction du café.

**BRÛLE-TOUT** [bʀyltu] n. m. invar. — 1822; de *brûler,* et *tout.*

♦ **1** Anciennt. Appareil permettant de brûler les bouts des bougies. → **Binet, brûle-bout.** — Au plur. *Des brûle-tout.*

♦ **2** (1884, Daudet). Vieilli. Personne passionnée, qui s'enflamme facilement.

Ces œuvres devraient être dans des musées, proféra-t-il. Ah! si j'étais encore aux Beaux-Arts! Mais il n'y a plus de place que pour les incapables. Routiniers ou brûle-tout : pas de milieu. R. DORGELÈS, À bas l'argent!, p. 31.

**BRÛLEUR, EUSE** [bʀylœʀ, øz] n. — XIIIe; de *brûler.*

**I** ♦ **1** Vx. Incendiaire. *Un brûleur de granges, de châteaux* (→ aussi **Pétroleuse**).

1 Représentez-vous un peu cet enfant devenu (...) un homme de guerre, un brûleur de maisons (...)
Mme DE SÉVIGNÉ, 1214, 11 sept. 1689.

♦ **2** **a** (1666). Bouilleur de cru (→ Brûler, cit. 19.2).
**b** Ouvrier procédant à la torréfaction (du café, de la chicorée). → **Torréfieur.**

♦ **3** (1823). Fig. *Un brûleur de planches :* un comédien qui joue avec brio.

2 Bosc se leva avec l'instinct du vieux brûleur de planches qui sent venir sa réplique. ZOLA, Nana, t. I, p. 142.

3 Pour tout dire par un exemple, l'air rapide de Figaro, à son entrée au premier acte du *Barbier de Séville,* se battait au numéro 33 du métronome et durait cinquante-huit minutes –, quand l'acteur était un brûleur de planches.
J. VERNE, Une fantaisie du docteur Ox, p. 47.

**II** (1853). Appareil destiné à mettre en présence un combustible (gazeux, liquide ou pulvérisé) et un comburant (air, oxygène) afin de permettre et de régler la combustion à sa sortie. *Les brûleurs d'une cuisinière à gaz.* → **Bec.** *Brûleur à mazout.*

Techn. *Brûleur à double débit,* qui possède deux orifices d'admission.

**BRÛLIS** [bʀyli] n. m. — V. 1170, *bruelleïz;* de *brûler.*

♦ **1** Action de brûler les broussailles pour défricher un terrain.

♦ **2** Portion de forêt incendiée ou de champ dont on a brûlé les herbes et les broussailles, pour améliorer le sol (à distinguer de *écobuage*). *Culture sur brûlis. «Le brûlis est une technique très ancienne (...) On l'a toujours utilisé partout dans le monde, sans doute depuis le paléolithique, pour entretenir les pâturages des animaux sauvages et domestiques. Il s'agit naturellement de brûlis contrôlé ...»* (*le Monde,* 24 mars 1982, p. 18).

Ils ouvrent des brûlis dans la forêt-galerie qui occupe le fond humide des vallées et ils plantent et cultivent des jardins (...) 1
Claude LÉVI-STRAUSS, Tristes tropiques, p. 240.

Depuis l'administration interdisait la culture sur brûlis aux montagnards, qui avaient le choix entre la mort lente et la révolte. 2
Claude COURCHAY, La vie finira bien par commencer, p. 207 (1972).

**BRÛLOIR** [bʀylwaʀ] n. m. — 1784; de *brûler.*

♦ **1** Appareil de torréfaction consistant en un réchaud sur lequel tourne un cylindre ou une sphère en tôle. → **Torréfacteur.**

♦ **2** Vieilli. Pièce d'un réchaud, par les trous et les fentes de laquelle sort le gaz. → **Brûleur.** *Réchaud à trois brûloirs. Nettoyer des brûloirs encrassés.*

♦ **3** (1843). Lieu aménagé pour distiller de l'alcool. → **Brûlerie.**

**BRÛLON** [bʀylɔ̃] n. m. — D. i.; dér. dial. de *brûler,* et suff. *-on (-umen).*

Régional (Suisse). Substance alimentaire brûlée qui reste attachée au fond d'un ustensile de cuisson. → **Brûlé (n.).**

HOM. Formes du v. **brûler.**

**BRÛLOT** [bʀylo] n. m. — 1627; de *brûler.*

♦ **1** (XVIIe et XVIIIe). Mar. Anciennt. Petit navire chargé de matières combustibles et destiné à incendier les bâtiments ennemis en se consumant lui-même. *Attacher un brûlot au flanc d'un navire.*

Les vaisseaux (...) embrasés par les brûlots, sautent en l'air (...) RACINE, les Campagnes de Louis XIV. 1

Par comparaison :

Ils se bornaient à lancer un pamphlet de Camille Desmoulins, comme un brûlot. 2
JAURÈS, Hist. socialiste..., t. VII, p. 351.

Par métaphore (moderne) :

Puis je créai le «Syndicat des Gens de Lettres», brûlot attaché au flanc du grand navire qu'est la Société des Gens de Lettres, afin de lui permettre d'ester en justice au profit de ses membres. 3
Georges LECOMTE, Ma traversée, p. 371.

(...) il *(Talleyrand)* trouva avec ce «gamin» endiablé *(Thiers)* un brûlot que, après l'avoir soigneusement préparé, il attacherait au flanc du bâtiment pour le faire sombrer. 4
Louis MADELIN, Talleyrand, V, 36, p. 390.

♦ **2** Fig. Objet, idée susceptible de causer des dommages, des dégâts.

Les *Cahiers (de la Quinzaine)* sont «un brûlot au flanc de la Sorbonne». 5
A. MAUROIS, Études littéraires, Charles Péguy, t. I, p. 237.

Spécialt. Journal polémique.

6 La *Revue de l'aviation française* se vendait bien, mieux en tout cas que *La Gauche,* petit brûlot de peu de flamme créé par lui de moitié avec un vieux radical hors d'âge nommé Georges Ponsot dans le but plus ou moins avoué d'empêcher l'alliance électorale des radicaux et des socialistes. Raymond ABELLIO, les Militants, p. 81.

(1740). Personne qui polémique vivement sans craindre de prendre des risques. *Le brûlot d'un parti.* → **Boutefeu, casse-cou.**

♦ **3** (1696, Canada). Moustique, petit insecte dont la piqûre donne une sensation de brûlure.

♦ **4** (1719). (Vx). Mets très épicé.

(1843). Mod. Préparation obtenue en faisant flamber un sucre arrosé d'eau-de-vie, qu'on mélange à une tasse d'eau-de-vie ou de café. *Se faire un brûlot.* «*Des mitrailleurs préparaient un brûlot dans une gamelle*» (Dorgelès, *in* T. L. F.).

♦ **5** Techn. Charbon de bois incomplètement traité.

♦ **6** (1845). Fam. Pipe. → **Brûle-gueule.**

**BRÛLURE** [bʀylyʀ] n. f. — V. 1220, *bruleüre; de brûler.*

♦ **1** Lésion produite sur une partie du corps par l'action de la flamme, de la chaleur (contact ou rayonnement), ou d'une substance corrosive. *Brûlures du premier degré* (rougeurs ou érythème), *du deuxième degré* (cloques ou phlyctènes), *du troisième degré* (escarres). *La cicatrice d'une brûlure. Risques d'infection d'une brûlure. La gravité d'une brûlure est fonction de son étendue plus que de son degré. Brûlures dues aux radiations atomiques. Brûlures par l'eau bouillante.* → **Échaudure.** *Brûlure de la peau. Brûlures internes. Brûlure des voies respiratoires. Un coup de soleil est une brûlure du premier degré. Se faire une brûlure à la main. Sensation de brûlure.* → **Douleur, 1. feu (fig.), irritation, urtication.**

1 Elle avait au sein la cicatrice d'une brûlure d'eau bouillante (...) ROUSSEAU, les Confessions, V.

2 Il soignait les brûlures avec l'acide picrique et entendait que ce fût le traitement initial. G. DUHAMEL, Biographie de mes fantômes, V.

Tache ou trou à l'endroit où une étoffe, un objet a brûlé. *Il a une brûlure de cigarette à son gilet. Les brûlures d'une moquette.*

♦ **2** (1539). Sensation de chaleur intense, d'irritation dans l'organisme. *Des brûlures d'estomac.* → **Acidité, aigreur.** *La brûlure de la fièvre*.* → **Chaleur, 1. feu.**

3 Après le froid de tout à l'heure, une brûlure lui tordait la poitrine, montait à sa tête bourdonnante (...) Alphonse DAUDET, Sapho, III.

4 (...) une peau sans un défaut, sans une rugosité, sans une moiteur, et brûlante, mais brûlante en dedans, comme on sent la brûlure de la fièvre à travers une manche de mousseline (...) MARTIN DU GARD, les Thibault, t. III, p. 41.

5 La brûlure de la lumière est sèche et poudreuse. Il n'y a pas une goutte de sueur sur le corps de Lalla, et sa robe bleue frotte sur son ventre et sur ses cuisses en faisant des crépitements électriques. J.-M. G. LE CLÉZIO, Désert, p. 201.

♦ **3** Altération produite sur les végétaux par le soleil ou la gelée. → **Brouissure, dessèchement.**

♦ **4** Techn. Altération (oxydation, début de fusion) d'un métal trop chauffé, qui le rend impropre à être forgé.

♦ **5** (1561, *brûlure de cœur*). Abstrait. Sensation vive et pénible. *Les brûlures de la jalousie, de l'amour-propre.* → **Blessure.**

6 Mille Rêves en moi font de douces brûlures (...) RIMBAUD, Poésies, XXVII, «Oraison du soir».

**BRUMAILLE** [bʀymaj] n. f. — 1866; de *brume.*

Temps brumeux. — Brume peu épaisse. → **Brouillasse, brumasse.**

Mais le brouillard ne devait pas tarder à se lever. Ce n'était qu'une brumaille de beau temps. Un bon soleil en chauffait les couches supérieures, et cette chaleur se tamisait jusqu'à la surface de l'îlot. J. VERNE, l'Île mystérieuse, 1874, t. I, p. 32.

Bruine, crachin.

Par métaphore. → **Brume.**

**BRUMAIRE** [bʀymɛʀ] n. m. — 1793; de *brume.*

Didact. (hist.). Deuxième mois du calendrier républicain, commençant trente jours après l'équinoxe d'automne (du 22 octobre au 21 novembre). *Le coup d'État du 18 Brumaire :* l'action de Bonaparte qui devait aboutir au Consulat. — REM. Sainte-Beuve emploie *brumairien, ienne* «partisan du 18 Brumaire».

Ainsi, les trois premiers mois de l'année, qui composent l'automne, prennent leur étymologie, le premier des vendanges qui ont lieu de septembre en octobre; ce mois se nomme *Vendémiaire;* le second, des brouillards et des brumes basses qui sont, si je puis m'exprimer ainsi, la transsudation de la nature d'octobre en novembre; ce mois se nomme *Brumaire;* le troisième, du froid tantôt sec, tantôt humide, qui se fait sentir de novembre en décembre; ce mois se nomme *Frimaire.* FABRE D'ÉGLANTINE, *in* JAURÈS, Hist. socialiste..., t. VIII, p. 256.

**BRUMAL, ALE** [bʀymal] adj. — 1551; «relatif au Nord», 1495; lat. *brumalis,* de *bruma.* → Brume.

Didact. et rare. D'hiver, qui appartient à l'hiver, à la saison des brumes. *Plante brumale.*

**BRUMAN** ou **BRUMEN** [bʀymɑ̃] n. m. — 1198; aussi *prumen;* anc. nordique **brudrmann* «garçon d'honneur».

Régional (Normandie). Vx. Fiancé. — Gendre.

**BRUMASSE** [bʀymas] n. f. — Attesté XX^e, mais antérieur; *brumas,* au XV^e; de *brume.*

Petite brume. → **Brumaille.**

DÉR. **Brumasser.** ◊ HOM. Formes du v. **brumasser.**

**BRUMASSER** [bʀymase] v. impers. — 1837; de *brumasse.*

Faire un peu de brume. *Il brumasse.* → **Brouillasser.**

**BRUME** [bʀym] n. f. — 1562; «jours d'hiver», 1265; lat. class. *bruma* «(solstice d') hiver», d'où «jours d'hiver les plus courts», probablt par l'anc. provençal *bruma.*

♦ **1** Brouillard (plus ou moins épais). → **Brumaille, brumasse.** *La vapeur d'eau se condense en brume. Banc, rideau de brume. Une brume épaisse. La saison des brumes :* l'hiver. → **Brumaire, brumal.** *Un pays de brumes. — Signal, trompe, corne de brume,* utilisés pour signaler sa présence sur l'eau en cas de brume.

Météor. Brouillard léger, laissant une visibilité supérieure à 1 km.

REM. Alors qu'en marine, *brume* peut désigner un brouillard épais, le mot *brume,* dans la langue courante, évoque plutôt une apparence visuelle assez légère, un voile de brouillard peu épais (→ Vapeur). *Une brume argentée, bleue* (→ Baigner, cit. 9), *dorée, ouatée, transparente. Brume légère, flottante, qui s'effiloche.*

En effet, vers six heures et demie, trois quarts d'heure après le lever du soleil, la brume devenait plus transparente. Elle s'épaississait en haut, mais se dissipait en bas. Bientôt tout l'îlot apparut, comme s'il fût descendu d'un nuage; puis, la mer se montra suivant un plan circulaire, 0.1

infinie dans l'est, mais bornée dans l'ouest par une côte élevée et abrupte.
J. VERNE, l'Île mystérieuse, t. I, p. 32.

1 C'était la première brume d'août qui se levait. En quelques minutes, le suaire fut uniformément dense (...)
LOTI, Pêcheur d'Islande, III, IX, p. 173.

2 Ici et là, des nappes de brumes dormantes s'étirent dans le vent, se lacèrent, et laissent paraître de grands espaces nouveaux.
MARTIN DU GARD, les Thibault, t. VIII, p. 150.

3 L'étang, dans le crépuscule d'aube, était un gouffre d'étain blême, sans rives, où traînaient des fumées de brume. Nous les voyions s'élever des eaux inertes, monter lentement entre les hauts roseaux. Elles enveloppaient les têtes des arbres, les cachaient de leur masse épaissie. Bientôt elles restèrent suspendues à quelques pieds au-dessus de l'étang. Leur nappe impénétrable voilait le ciel et les ramures (...)
M. GENEVOIX, Forêt voisine, VIII, p. 95.

♦ **2** (1752). Vapeur formée par de fines gouttelettes; nuage de particules en suspension. *Produire une brume en vaporisant un liquide.* → **Brumisateur.** *Une brume de poussière. — «Des brumes d'encens»* (Valéry). → **Fumée.**
Apparence légère, immatérielle. *Une brume de dentelles, de cheveux blonds.*

♦ **3** (Après 1850). Par métaphore ou fig. Ce qui empêche de voir clair, de bien comprendre; état où l'on ne voit, ne comprend pas clairement. → **Brumeux.** *Les brumes du sommeil, de l'ivresse* (→ **Embrumer**). *Des brumes intellectuelles.*

4 Réalisme, idéalisme, autant de brumes à travers lesquelles l'homme aveugle cherche la vérité.
J. RENARD, Journal, 17 janv. 1903.

Par comparaison :

5 (...) le cénobite n'a pas de pire ennemi que la tristesse. J'entends par là cette mélancolie tenace qui enveloppe l'âme comme une brume et lui cache la lumière de Dieu.
FRANCE, Thaïs, I.

DÉR. **Brumaille, brumaire, brumasse, brumer, brumeux, brumisateur, brumisation.** — V. aussi **Brumal.** ◊ COMP. **Embrumer.** — HOM. Formes du v. **brumer.**

**BRUMEN** [bʀymɑ̃] n. m. → **Bruman.**

**BRUMER** [bʀyme] v. impers. — 1863; de *brume.*
Rare. Faire de la brume. *Il brume ce matin.* → **Brumasser.**

**BRUMEUSEMENT** [bʀymøzmɑ̃] adv. — D. i.; attesté 1945, J. Gracq; de *brumeux.*
Littér. D'une manière brumeuse (2. ou 3.), vague.

**BRUMEUX, EUSE** [bʀymø, øz] adj. — 1787; de *brume.*

♦ **1** Qui est couvert, chargé de brume. → **Brouillardeux.** *Ciel, temps brumeux.* → **Nébuleux, obscur.** *Atmosphère brumeuse. Espace clair dans un ciel brumeux.* → **Éclaircie.**
(Lieu, objet). Enveloppé, couvert de brume. *La brumeuse Norvège.*
Par ext. Littér. Fait de brume; qui ressemble à la brume. *Des traînées brumeuses à l'horizon.*

♦ **2** Par métaphore et fig. Littér. Qui est sans netteté, terne ou sombre. *Image brumeuse, tableau brumeux.*
(Des sons). *«Rire brumeux»* (Colette); *voix brumeuse,* peu claire, peu nette.

♦ **3** (Attesté 1850, Flaubert). Abstrait. Qui manque de clarté. → **Flou, obscur.** *Esprit brumeux. Poésie, philosophie brumeuse.* → **Nébuleux.** *Votre raisonnement est un peu brumeux.*
Vague, indistinct. *Idées brumeuses. Un souvenir brumeux.*
Littér. Mélancolique.

Derrière les ennuis et les vastes chagrins
Qui chargent de leurs poids l'existence brumeuse (...)
BAUDELAIRE, les Fleurs du mal, III, «Élévation».

CONTR. **Clair, éclairci, ensoleillé, limpide, lumineux, transparent.** — **Gai.** ◊ DÉR. **Brumeusement.**

**BRUMISATEUR** [bʀymizatœʀ] n. m. — 1970; de *brume.*
(Esthétique, dermatologie). Atomiseur* pour les soins de la peau. *Brumisateur d'eau minérale.*

**BRUMISATION** [bʀymizasjɔ̃] n. f. — V. 1970; de *brume.*
Techn. Action de créer de la brume artificielle.

**BRUN, BRUNE** [bʀœ̃, bʀyn] adj. et n. — 1080, aussi «brillant», «luisant»; du bas lat. *brunus;* du germanique *brūn;* cf. all. *braun,* angl. *brown.*

**I** Adj. ♦ **1** D'une couleur sombre entre le roux et le noir. → **Bistre, brunâtre, brunet** (VX), **châtain, chocolat, marron, maure** (tête de maure), **nègre** (tête de nègre), **tabac, terreux.** *La couleur brune de la châtaigne. La chair brune d'un fruit trop mûr, blet. Étoffe de laine brune.* → 1. **Bure** (cit. 2 et 3). *Costume, uniforme brun, brun clair.* → aussi 2. **Kaki.** *Rendre brun.* → **Brunir.** *Brun minéral.* → **Terre** (terre d'ombre). *Teint brun; peau brune. Visage brun.* → **Basané, bistre, bistré, boucané, brique** (adj.), **bronzé, hâlé;** et aussi **noir** (I., A., 2.), **tanné.** *Avoir les cheveux bruns et les yeux marron. Cheveux très bruns, presque noirs. Cheval à robe brune.* → **Bai.** *Pelage brun. Fourrure* (cit. 6) *brune. — Teinture brune à base de brou* de noix.*

(...) je suis attiré par ce qui reste de soleil sur les peaux brunes (...) GIDE, Si le grain ne meurt, II, 1. 1

(...) lui-même, avec sa culotte de bure, sa chemise brune, sa peau recuite (...) H. BOSCO, l'Âne Culotte, p. 51. 2

(Dans des syntagmes, avec une valeur de spécification). *Ours brun* (opposé à *ours blanc*). — *Sucre brun,* non raffiné. *Bière brune* (→ ci-dessous, II., 3., Brune, n. f.). *Tabac brun* (opposé à *blond*). *Sauce brune :* sauce faite d'un roux éclairci de bouillon.
*La chemise brune des militants hitlériens* (→ ci-dessous, 3.).

♦ **2** Vx (langue class.). Obscur, sombre. *La nuit brune. «Un temps fort brun»* (La Fontaine). — Régional (Canada). *«Il faisait encore brun»* (Guèvremont).

♦ **3** *Chemise brune :* militant hitlérien, dont l'uniforme comportait une chemise brune.
Par métonymie. Fasciste, d'extrême-droite. *«Tout militant qui vient frapper à la porte du Front* (le Front National) *est reçu sans préjugés sur son passé idéologique, même le plus brun»* (*le Nouvel Obs.,* n° 1559, 22 sept. 1994, p. 84).

♦ **4** (Personnes). **a** Qui a les cheveux bruns. *Il est brun* (opposé à *blond*).
**b** Qui a le teint brun (d'une personne de race blanche). *Elle est naturellement brune. Il est revenu très brun de ses vacances* (opposé à *blanc,* à *pâle*). → **Bronzé, brunir** (au p. p.).

**II** N. ♦ **1** N. m. et f. (Fin XIIe). Personne qui a les cheveux bruns ou le teint brun. *Un beau brun.* — Fam. *Salut, beau brun!* (→ Beau blond*, plus cour.). *Une brune piquante. Une brune aux yeux bleus* (→ Aimer, cit. 19). *Petite brune.* → **Brunette.**

Une petite brune vive et piquante (...) 3
ROUSSEAU, Émile, V.

4 Je n'ai eu que des brunes pour amies, de ces femmes qui ont toujours l'air d'être à l'ombre, comme les sources.
Valery LARBAUD, Amants, heureux amants, p. 113.

Fig. *La brune et la blonde* : toutes les femmes. *Aller de la brune à la blonde. Courtiser la brune et la blonde.*

♦ **2** N. m. (1350). Couleur sombre entre le noir et le roux. *Brun clair. Brun foncé. Nuances de brun* (→ 1. Bure, cit. 2). *Brun chaud à reflets dorés.* → **Mordoré.** *Brun végétal; brun de cachou, de garance, de sépia. Cette étoffe tire sur le brun, elle est d'un beau brun* (Académie). *Les bruns d'un tableau. Cheveux d'un brun roux, clair.*

(En fonction adj., invar., *brun* étant qualifié). *Cheveux brun roux.* → **Auburn.** *Une robe brun pâle, brun clair.* → **Carmélite.**

5 Et les sièges leur ont des bontés : culottée
De brun, la paille cède aux angles de leurs reins.
RIMBAUD, Poésies, XXV, «les Assis».

(1502). Substance de cette couleur (utilisée en peinture). *Un tube de brun Van Dyck.*

♦ **3** N. f. BRUNE (opposé à *blonde*). [a] Bière brune. *Boire une brune. Préférer la brune à la blonde.*

[b] Cigarette brune. *Fumer des brunes.*

6 Vous fumez? dit-il.
Ce sont des brunes? dit l'homme.
J.-M. G. LE CLÉZIO, le Déluge, p. 113 (1966).

DÉR. **Brunante, brunâtre, brune, brunet, brunir.** — V. **Brunelle.** ◈ HOM. (Du fém.) **Brune** (n. f.).

**BRUNANTE** [brynɑ̃t] n. f. — 1810; du rad. de *brunir.*
Régional (Canada). Tombée de la nuit. *«La brunante descend sur la forêt»* (J.-Y. Soucy). — Loc. *À la brunante* : au crépuscule, le soir. → **Brune.**

Dans ce champ de trèfles rouges (...) et cet autre champ de blé d'Inde *(maïs)* à travers lequel je suis revenue, en pleurant, à la brunante...
Claude MAURIAC, le Dîner en ville, p. 78.

**BRUNÂTRE** [brynatʀ] adj. — 1557; de *brun.*
Tirant sur le brun. *Un gris brunâtre. Une robe brunâtre.* — REM. Ne se dit pas des cheveux.
N. m. *Un marron tournant au brunâtre.*

**BRUNCH** [brœnʃ] n. m. — V. 1970; mot angl. de *br(eakfast)* «petit déjeuner», et *(l)unch* «déjeuner».
Anglic. Repas pris dans la matinée qui sert à la fois de petit déjeuner et de déjeuner (en principe les dimanches et jours fériés). — Au plur. *Des brunches* [brœnʃ].

**BRUNE** [bʀyn] n. f. — V. 1450; de *brun,* adj.
Vx. Fin du jour, tombée de la nuit. → **Soir; brunante.**
Loc. adv. *Sur la brune* (vx), *à la brune* (mod.) : au crépuscule.

1 N'avez-vous jamais accepté, pour rentrer à la brune, le bras d'un inconnu?
A. DE MUSSET, la Confession d'un enfant du siècle, p. 237.

2 Une humble, une veuve qui a marié sa fille, qui s'en va acheter le lait et le pain à la brune, à l'heure où la mèche se noie dans le suif de l'église.
Violette LEDUC, la Folie en tête, p. 59.

HOM. Fém. de **brun.**

**BRUNELLE** [bʀynɛl] n. f. — 1694; *prunelle,* 1564; lat. médiéval *brunella;* du bas lat. *brunus* «brun», et de *pruna* «prune». → Brugnon.
Plante herbacée *(Labiacées)* à fleurs violettes, qui pousse dans les bois et les pâturages.

**BRUNET, ETTE** [bʀynɛ, ɛt] adj. et n. — Mil. XII[e]; de *brun.*
♦ **1** Adj. Vx. Tirant sur le brun. *Cheveux brunets.*
♦ **2** [a] N. Vieilli. Petit brun, petite brune. *Un brunet et un blondinet.* Mod. (p.-ê. sous l'infl. de l'angl. *brunette,* lui-même du français). *Une jolie brunette.*
[b] N. f. (1752). Vx. Romance (où il était question de *brunettes*).
♦ **3** N. f. Hist. *Brunette.* Étoffe précieuse, brune à l'origine (au moyen âge).

**BRUNI** [bʀyni] n. m. — 1808; de *brunir.*
Poli; partie polie. *Le bruni d'une pièce d'orfèvrerie.*
CONTR. **Mat.** ◈ HOM. P. p. de **brunir.**

**BRUNIR** [bʀyniʀ] v. — 1080, *Chanson de Roland,* au p. prés., *brunisant;* «être brillant», fin XIIe; de *brun.*

[I] V. tr. ♦ **1** (V. 1160). Techn. Procéder au brunissage de (un métal, une pièce mécanique). *Brunir de l'or, de l'argent. Brunir de l'acier.*

♦ **2** (XIIIe). Rendre brun; teindre en brun. *Le soleil brunit la peau.* → **Basaner, boucaner, bronzer, hâler,** et aussi **noircir, tanner.** *Brunir une boiserie.*

Ils brunirent leurs muscles, déjà noirs, en halant des bateaux et des filets. 1
Jean GENET, Journal du voleur, p. 157.

Par ext. → **Obscurcir.**

Mais déjà l'ombre plus épaisse 2
Tombe et brunit les vastes mers.
LAMARTINE, Méditations poétiques, I, 21.

[II] V. intr. (1690, Furetière). Devenir brun; prendre une couleur brune. *Ses cheveux ont bruni. Le soleil a fait brunir sa peau.* — (Des cheveux). *Un enfant blond qui a bruni en grandissant.* — (Du teint, du corps). *Brunir à la mer.* → **Bronzer.** *Se faire brunir.*

Aussi Jean n'alla pas d'abord au collège et quand il était 3
à Paris, les jambes nues pour se laisser brunir, il restait toute la journée aux Champs-Élysées (...)
PROUST, Jean Santeuil, p. 216.

◆ **SE BRUNIR** v. pron. S'exposer au soleil pour brunir. → **Bronzer** (se).

Il passait des heures entières sur la plage pour se brunir, 4
afin que Solange le trouvât plus séduisant.
J. DUTOURD, les Horreurs de l'amour, p. 622.

◆ **BRUNI, IE** p. p. adj. *Métal bruni.* → **Bruni** (n. m.). *Des meubles de bois brunis par l'âge. — Visage bruni.* → **Bronzé, brun, hâlé.** — *Il est revenu tout bruni de ses vacances.*

CONTR. **Apâlir, blanchir, éclaircir, matir, pâlir.** ◈ DÉR. **Bruni, brunissage, brunissant, brunissement, brunisseur, brunissoir, brunissure.** — COMP. **Rembrunir.** — HOM. (Du p. p.) **Bruni** (n. m.).

**BRUNISSAGE** [bʀynisaʒ] n. m. — 1680; de *brunir* (I., v. tr.).
Technique.
♦ **1** Opération consistant à polir en frottant un métal fin. *Le brunissage de l'or.*
Opération consistant à donner un certain poli à un métal par une oxydation superficielle.
♦ **2** (XXe). Opération consistant à roder la surface frottante d'une pièce mécanique. *Brunissage de deux engrenages, d'un alésage.*

**BRUNISSANT, ANTE** [bʀynisɑ̃, ɑ̃t] adj. — 1557; de *brunir.*
Qui devient brun; qui est en train de brunir.

On paie au Prêtre un toit ombré d'une charmille
Pour qu'il laisse au soleil tous ces fronts brunissants.
RIMBAUD, Poésies, XXXVIII, «les Premières Communions», I.

**BRUNISSEMENT** [bʀynismɑ̃] n. m. — 1587; de *brunir.*

**I** (De *brunir,* I., v. tr.). Vx. Brunissage (des métaux).

**II** (De *brunir,* II., v. intr.). ♦ **1** (1873). Fait de brunir, d'être bruni. *Le brunissement de la peau par le soleil.* → **Bronzage.**

♦ **2** Chim. et techn. *Brunissement des glucides :* phénomène biochimique par lequel un glucide brunit sous l'influence de la chaleur (caramel, croûte du pain, fromage des gratins, etc.).

**BRUNISSEUR, EUSE** [bʀynisœʀ, øz] n. — 1313, au sens I; de *brunir.*

**I** (De *brunir,* I., v. tr.). Techn. Ouvrier, ouvrière chargé(e) des opérations de brunissage.

**II** N. m. (Mil. XXe; de *brunir,* II., v. intr.). Cour. Produit destiné à hâler, ou à intensifier le bronzage de l'épiderme.

**BRUNISSOIR** [bʀyniswaʀ] n. m. — 1564; de *brunir.*

♦ **1** Techn. Outil servant au brunissage.

♦ **2** (Chir. dentaire). Instrument servant à finir par brunissage les obturations métalliques des dents. *Le brunissoir, à manche ou rotatif, est monté sur le tour.*

**BRUNISSURE** [bʀynisyʀ] n. f. — 1429, *brunisseure;* de *brunir.*

Technique.

**I** ♦ **1** Technique du brunisseur. → **Brunissage.** — Poli d'un ouvrage bruni.

♦ **2** (1723). Action de brunir par la teinture les nuances des étoffes pour mieux les assortir.

**II** (1903, in *Rev. gén. des sc.,* no 12, p. 682; de *brunir,* II., v. intr.). Maladie de certaines plantes. *Brunissure de la pomme de terre. Brunissure de la vigne.*

**BRUNOISE** [bʀynwaz] n. f. — 1815, *in* D. D. L.; orig. obscure.

Cuis. (vx). Julienne. — (Mod.). Aliment coupé en très petits dés (2 à 3 mm), pour la garniture des potages. → **Julienne.**

**BRUSHING** [bʀœʃiŋ] n. m. — V. 1966; procédé déposé; mot angl., «brossage».

Anglic. Mise en plis où les cheveux mouillés sont travaillés mèche après mèche sur une brosse ronde et en les séchant au séchoir à main. *Se faire faire une coupe et un brushing. Brushing pour gonfler les cheveux* (→ 1. **Bombage,** 3.), *pour les lisser.*

Équivalent français : *séchage à la brosse; séchage-brossage.*

**BRUSQUE** [bʀysk] adj. — 1549; «aigre» (vin), 1373; ital. *brusco* «âpre, non poli, rude».

**I** (En parlant d'êtres vivants; générait après le nom, en épithète). ♦ **1** Qui agit avec rudesse, par des actions vives. *Homme brusque.* → **Abrupt, bourru, brutal, cassant, cavalier, cru, escarpé, impatient, impétueux, nerveux, prompt, rude, violent.** *Il est brusque dans ses manières, en paroles.* → **Sec.** *Être brusque avec qqn.* → **Brusquer.** *Il est un peu brusque, mais très franc et très bon. Il est brusque et grossier, impoli, rébarbatif.*

REM. Le mot, sans précision et en contexte neutre, n'est ni péjoratif ni mélioratif.

L'on voit des gens brusques *(qui)* vous expédient, pour 1
ainsi dire, en peu de paroles, et ne songent qu'à se dégager de vous (...) LA BRUYÈRE, les Caractères, V, 26.

Mon père n'est pas toujours commode. Il est un peu 1.1
brusque parfois, il peut être très insociable, je crois qu'il est assez timide, au fond.
N. SARRAUTE, le Planétarium, p. 186.

Par ext. Propre à une personne brusque. *Caractère, allure brusque.*

Il *(le fils de Bussy)* a quelque chose de brusque et d'impé- 2
tueux qui ne lui attire pas beaucoup d'amis.
Mme DE SÉVIGNÉ, Lettres, 847, 28 août 1680.

♦ **2** (En parlant des mouvements, des gestes, des actes). Effectué avec une vivacité imprévisible. *Mouvements brusques.* → **À-coup, bond, ressaut, ruade, saccade, saut, soubresaut, sursaut.**

(...) jamais ses gestes *(de Marcelle)* n'avaient été si brus- 3
ques, ni sa voix si heurtée, si masculine.
SARTRE, les Chemins de la liberté, t. I, I, 12.

♦ **3** (XVIIe, d'une réplique). En parlant du comportement. D'une vivacité rude pouvant aller jusqu'à l'agressivité. *Manières brusques et joviales, brusques et désagréables* (→ **Rude**), *brusques et grossières. Ton brusque.* → **Bref, cinglant, sec.** — (Paroles). *Faire une réponse brusque. Il l'a rabroué, rembarré, repoussé par une phrase, une remarque brusque* (→ **Brusquer, rudoyer**).

♦ **4** Rare (en parlant du style). Rude et direct. *Des phrases brusques et expressives. «Un style brusque, inégal et violent»* (J. Lemaitre, à propos de Huysmans, *in* T. L. F.).

**II** (Av. ou après le nom, en épithète). Qui est soudain, que rien ne prépare. → **Imprévu, inattendu, inopiné, précipité, soudain, subit.** *Brusque et imprévu* (→ Assaillir, cit. 1). *Brusque réveil. Brusque silence. Brusque accession au pouvoir. Attaque brusque. Arrivée brusque.* → **Accès, irruption, trombe.** *Arrêt brusque. Virage un peu brusque. Changement brusque; un brusque changement. Brusque départ, retour. Sa décision, son action... a été brusque, complètement imprévisible. — Brusque coup de vent. De brusques ondées.*

Ce brusque retour des pluies nous a surpris au moment 4
de monter à cheval.
E. FROMENTIN, Un été dans le Sahara, I.

Un crescendo brusque, imprévu, effroyable, des râles, la 5
mêlée aérienne de deux voix furibondes (...)
COLETTE, la Paix chez les bêtes, «Prrou».

(...) un de ces vieux ânes butés, qui marchent le museau 6
entre leurs pattes, sournois, rusés, aigris, la lippe baveuse, méditant la ruade, le coup de dent, l'arrêt brusque, le départ en trombe et qui, patients sous les plus rudes volées de bois vert, attendent de passer devant une mare fangeuse pour courir s'y vautrer avec toute leur charge sur le dos. H. BOSCO, l'Âne Culotte, p. 13.

(En parlant des sentiments, des «mouvements de l'âme»). Soudain et intense. *Un brusque besoin* (cit. 30). *Une brusque envie de...*

Par ext. (du temporel au spatial). *La route fait des coudes, des virages brusques, de brusques détours.*

CONTR. **Bon, doux, flegmatique, patient, posé. — Graduel, lent, progressif.** ◊ DÉR. **Brusquement,** 1. **brusquer, brusquerie, brusquet.** — HOM. Formes des v. 1. **brusquer,** 2. **brusquer.**

**BRUSQUEMBILLE** [bʀyskɑ̃bij] n. f. — 1718; de *Bruscambille,* surnom d'un comédien.

Anciennt. Jeu de cartes.

**BRUSQUEMENT** [bʀyskəmɑ̃] adv. — 1534, Rabelais; de *brusque*.

♦ **1** a Vx. Avec rudesse, brusquerie. *Il l'a traité brusquement.*

b Mod. Avec soudaineté et brusquerie, en paroles. *Il ne faut pas répondre si brusquement, ce n'est pas poli. Interrompre brusquement qqn,* lui couper* la parole. *Répondre brusquement à qqn* (→ À brûle-pourpoint*, de but* en blanc; cf., vieilli, à la hussarde, de plein saut).

0.1 Il *(La Pérouse)* se tourna vers moi et, brusquement, brutalement, répéta, comme si je doutais de sa parole : – Oui, je l'ai chargé *(le pistolet).*
GIDE, les Faux-monnayeurs, *in* Romans, Pl., p. 1131.

♦ **2** Mod. D'une manière brusque, soudaine. → **Inopinément, soudainement; coup** (tout à coup).
REM. Le passage du sens social et psychologique (→ ci-dessus, 1.) au sens simplement temporel est incertain, en parlant des actions humaines. *Surgir brusquement. Agir brusquement. Brusquement, il se mit à crier. Partir brusquement.* → **Brûler** (la politesse), **planter** (planter là qqn). — *Ouvrir brusquement une porte.*

1 (...) devenus brusquement bavards à ne laisser personne leur répondre.
MAUPASSANT, Contes et nouvelles, «Le vieux», Pl., t. I, p. 1135.

Le sujet du verbe est un nom de chose :

2 Une tumeur qui évolue si brusquement (...)
MARTIN DU GARD, les Thibault, t. III, p. 195.

3 (...) la porte s'ouvre d'un seul coup, si brusquement qu'il doit s'accrocher au chambranle pour ne pas tomber, pour ne pas se trouver happé par ce corridor béant (...)
A. ROBBE-GRILLET, Dans le labyrinthe, p. 97.

♦ **3** D'une manière soudaine (→ **Brusque,** II.). *La pluie s'est brusquement mise à tomber. Le temps a brusquement changé.* → **Brutalement.**

4 J'hésitai vraiment à reconnaître la belle Claire Lenoir, en considérant les ravages causés sur ce visage, évidemment par quelque angoisse mystérieuse; elle était comme brusquement vieillie.
VILLIERS DE L'ISLE-ADAM, Tribulat Bonhomet, p. 154.

CONTR. **Doucement, patiemment, posément. — Graduellement, lentement.**

1. **BRUSQUER** [bʀyske] v. tr. — Mil. XVIIe; de *brusque.*

I ♦ **1** Vx. Traiter (qqn) de manière offensante.

♦ **2** Mod. Traiter d'une manière brusque, sans se soucier de ne pas heurter. *Vous avez tort de brusquer cet enfant.* → **Secouer.** *Il brusque tout le monde.*

1 Pour peu que j'eusse parlé, je n'aurais pu m'empêcher de le brusquer. MONTESQUIEU, Lettres persanes, 48.

Littér. (compl. n. de chose). *«Il n'aimait guère qu'on brusquât les convenances»* (Barrès). *Brusquer la nature.*

Rare. Dire d'une manière brusque. — En incise :

1.1 – Eh bien? brusqua Lampieur.
Francis CARCO, l'Homme traqué, p. 38.

II Précipiter (ce dont le cours est normalement lent, ou l'échéance éloignée). → **Hâter, presser.** *Brusquer une affaire, une décision. Brusquer un voyage. Brusquer le dénouement, la solution d'une crise. Brusquer une séparation. Il ne faut rien brusquer.*

2 Il était trop prudent *(le père Barbeau)* pour brusquer les choses et se devait tenir pour content de ce qu'il avait obtenu. G. SAND, la Petite Fadette, XXX, p. 203.

3 Il n'avait plus qu'une pensée : brusquer l'adieu, se retrouver seul (...)
MARTIN DU GARD, les Thibault, t. IX, p. 128.

Loc. (Vx). *Brusquer l'aventure :* prendre brusquement son parti, au hasard de ce qui peut arriver.

◆ **BRUSQUÉ, ÉE** p. p. *Attaque brusquée,* soudaine.

On croyait que l'affaire traînerait, elle fut brusquée. 4
MICHELET, Hist. de la Révolution franç., t. I, p. 892.

CONTR. **Flatter, ménager, ralentir.** ◊ HOM. 2. **Brusquer.**

2. **BRUSQUER** [bʀyske] v. tr. → 2. **Busquer.**

**BRUSQUERIE** [bʀyskəʀi] n. f. — 1666, Molière; de *brusque.*

I ♦ **1** Caractère d'une personne qui traite les autres sans ménagement, avec rudesse, ou de ses actes. → **Brusque** (I.). *Il est d'une brusquerie insupportable. La brusquerie de qqn, sa brusquerie. La brusquerie d'un geste, d'un mouvement, d'une réplique.* → **Rudesse.** *Traiter les gens avec brusquerie.* → 1. **Brusquer, rudoyer.**

(...) il veut qu'on agisse avec une brusquerie atterrante, dans le saisissement, d'une première entrevue (...) 1
LOTI, Ramuntcho, II, 9, p. 275.

(...) franche jusqu'à la brusquerie (...) 2
Éd. HERRIOT, la Vie de Beethoven, p. 131.

Littér. (en parlant du style). Caractère énergique et rude.

♦ **2** Précipitation (dans les actes). *«La brusquerie fait tout rater»* (Céline).

♦ **3** Littér. Caractère de ce qui est fait très rapidement, de ce que rien ne prépare (→ **Brusque,** II.). *La brusquerie d'une décision. La brusquerie d'un virage. «La brusquerie des tournants»* (Hugo, *in* T. L. F.).

II Vx. *(Une, des brusqueries).* Action ou parole brusque. *Se permettre des brusqueries* (Académie).

Il me divertit quelquefois avec ses brusqueries et son chagrin bourru (...) MOLIÈRE, le Misanthrope, V, 4. 3

Le maréchal de Joyeuse, qui ne se communiquait à personne et à qui il échappait des brusqueries fréquentes (...) 4
SAINT-SIMON, Mémoires, 29, 83.

Elle *(Miss Harriet)* avait des brusqueries, des impatiences, des nerfs. 5
MAUPASSANT, Contes et nouvelles, Pl., t. II, p. 872.

CONTR. **Affabilité, amabilité, aménité, cajolerie, caresse, douceur, patience.**

**BRUSQUET, ETTE** [bʀyskɛ, ɛt] adj. — 1548, Rabelais; de *brusque.*

Vx ou régional. Un peu brusque.
REM. L'adj. a servi de nom propre, notamment pour un chien.

Une petite fille sauta d'un banc, brusquette, comme un oiseau s'envole d'une branche.
MONTHERLANT, le Démon du bien, p. 23.

Prov. (Vx). *À brusquin brusquet :* envers qui agit de façon brutale, il faut agir plus brutalement encore (*brusquin,* de *brusque,* p.-ê. d'après *malin*).

HOM. Formes des v. 1. **brusquer,** 2. **brusquer.**

**BRUSSOLES** [bʀysɔl] n. f. pl. → **Brésolles.**

**BRUT, BRUTE** [bʀyt] adj. — Fin XIIIe; lat. *brutus* «stupide». REM. En épithète, toujours après le nom.

♦ **1** Vx. Qui représente un état primitif, peu évolué. → **Grossier, rudimentaire.** *«C'est ainsi que devaient naître ces âmes vivantes d'une vie brute et bestiale»* (Bossuet).

De tous les quadrupèdes, le cochon paraît être l'animal le plus brut. 1
BUFFON, Hist. nat. des animaux, Cochon, *in* LITTRÉ.

*Corps bruts :* minéraux (par oppos. aux *corps organisés*). → **Inorganique.** — REM. Cet emploi archaïque se trouve encore dans la langue littéraire (Claudel, *in* T. L. F.).

N. m. *Le brut :* l'inorganique.

2 Cela nous prouve que la nature ne tend pas à faire du brut, mais de l'organique.
BUFFON, Hist. nat. des animaux, Animaux reprod., *in* LITTRÉ.

♦ **2** Vx. Qui tient de la bête ; qui est dépourvu de raison ; par ext., lourd, stupide. *Un esprit brut.* → **Fruste, grossier, inintelligent, rude, simple.** *Force brute.* → **Brutal ; bestial** (cit. 1), **machinal.** — *Bête brute :* être privé de raison. → **Brute.**

3 Un enragé (...) qui passe cette vie en véritable bête brute (...) MOLIÈRE, Dom Juan, I, 1.

♦ **3** (1416). Mod. Qui est à l'état naturel, n'a pas encore été façonné ou élaboré par l'homme. → **Naturel, originel, primitif, pur, sauvage, vierge.** *Matière brute. Minerai brut,* tel qu'il sort de la mine. *Sucre brut. Pétrole brut,* non raffiné. — N. m. *Du brut :* des hydrocarbures non raffinés. *3 000 tonnes de brut se sont déversées sur les plages. — Pierre brute, diamant brut, marbre brut,* non taillés, non polis. *Dégrossissage du diamant brut.* → **Brutage ; bruteur.** *Statue brute,* à l'état d'ébauche*. → **Inachevé.** — *Fer brut. Fonte brute. Or brut.* → **Natif.** *Soie brute.* → **Grège.** *La laine brute est de couleur beige. — Bois brut,* non taillé. — *Terrain brut.* → **Friche** (en), **inculte.**

Spécialt (d'une espèce animale). Rare. Non domestique. → **Sauvage.**

3.1 Je demandai à mon cocher si ces cobayes que je voyais par centaines de milliers s'ébattre dans la rivière et sur les rives vivaient en liberté ou étaient le fruit d'élevages. «L'un et l'autre, me dit-il, ou plutôt on ne distingue plus l'espèce domestique de la brute».
Robert PINGET, Graal Flibuste, p. 13.

Qui résulte d'une première élaboration (avant d'autres transformations). *Métal brut, brut de coulée* (à la sortie de la lingotière), *brut de fonderie* (non usiné), *brut de laminage* (à la sortie du laminoir). Loc. fig. *Brut de fonderie, de coulée,* à l'état brut (→ ci-dessous, 4.). — *Coton brut, toile brute.* → **Écru.** — *Champagne brut,* auquel il n'a pas été ajouté de sucre après l'évacuation du dépôt. → **Sec.** Techn. *Champagne brut de dégorgement.* — N. m. *Une bouteille de brut.* (Comm. ; d'après *blanc de blancs*). *Du brut de brut.*

♦ **4** (Abstrait). Qui n'a subi aucune élaboration intellectuelle, est à l'état de donnée immédiate. *Fait brut. Le sens brut d'un mot.* → **Originel, premier.** *À l'état brut.* — REM. Dans les emplois class., ce sens ne peut être clairement distingué des emplois 1 et 2 («primitif», «fruste»).

4 L'éducation qui d'ordinaire dans les autres hommes embellit ou cultive un fonds encore brut ou ingrat (...)
MASSILLON, Villeroy, *in* LITTRÉ.

5 (...) chez vous *(dans les grandes villes),* rien n'est pur (...) au sens brut. R. ROLLAND, le Voyage intérieur, p. 127.

6 Les idées s'offraient presque toujours à l'état brut : il fallait les dégager péniblement de la gangue.
R. ROLLAND, Jean-Christophe, p. 384.

Sc. *Résultat brut d'une expérience :* résultat obtenu sans les corrections nécessaires. *Fait brut, résultat brut,* non analysé.

♦ **5 ART BRUT** (1944, première exposition d'art brut 1949 ; désignation diffusée par J. Dubuffet). Ensemble des productions artistiques «présentant un caractère spontané et fortement inventif, aussi peu que possible débitrices de l'art coutumier ou des poncifs culturels, et ayant pour auteurs des personnes obscures, étrangères aux milieux artistiques professionnels» (J. Dubuffet). *Le concept d'art brut tend à englober les formes non récupérées de l'art naïf* et de l'art dit populaire, ainsi que les productions spontanées d'artistes marginaux ou malades mentaux.*

L'art «brut», la pierre surprenante, la racine compliquée, le cristal, le poisson laminé entre deux feuilles de schiste rejoignent un plan esthétique que le jardin chinois avait atteint il y a plusieurs siècles, mais ils rejoignent aussi, de manière rassurante pour l'unité humaine, la recherche des formes insolites par les derniers Paléanthropiens. 7
A. LEROI-GOURHAN, le Geste et la Parole, II, p. 216.

♦ **6** Écon. Dont le montant est évalué avant déduction des taxes et frais divers. *Traitement, bénéfice brut, salaire brut* (opposé à *net*). *Produit national brut (P. N. B.). Immobilisations brutes,* avant amortissement. — Adv. *L'opération doit produire brut un million.*

Comm. Total, y compris l'emballage ou le véhicule de transport. *Poids brut* (opposé à *poids net*). — Adv. *Cette caisse d'oranges pèse brut cinquante kilos.* → **Ort.**

CONTR. **Achevé, affiné, apprêté, civilisé, complexe, cultivé, dégrossi, évolué, façonné, œuvré, ouvré, parfait, poli, raffiné, travaillé. — Net.** ◊ DÉR. et COMP. **Brutage, brute. — Abrutir. —** V. **Brutal, bruteur.**

**BRUTAGE** [bʀytaʒ] n. m. — 1877 ; de *brut.*

Techn. Action de dégrossir le diamant brut. *Ouvrier chargé du brutage* (→ **Bruteur).**

**BRUTAL, ALE, AUX** [bʀytal, o] adj. — XIV^e ; bas lat. *brutalis,* de *brutus.* → Brut. REM. En épithète, placé après le nom, sauf effet stylistique.

**I** Adj. ♦ **1** Vx. Qui tient de la brute. → **Animal, bestial, grossier.** *Des instincts, des appétits brutaux. Une passion brutale.*

Il y a tant de gens qui se laissent entraîner par leurs appétits brutaux. DESCARTES, *in* LITTRÉ. 1

La partie brutale veut toujours prendre empire sur la sensitive (...) MOLIÈRE, le Médecin malgré lui, III, 6. 2

Vos sentiments brutaux veulent se contenter (...) 3
MOLIÈRE, les Femmes savantes, IV, 2.

Mod. *La force brutale* (opposé à *la force morale de la raison*). — REM. Cet emploi est plutôt compris au sens 2.

♦ **2** (En parlant des personnes). Qui use volontiers de violence, du fait de son tempérament rude et grossier. → **Dur, emporté, irascible, méchant, vif, violent.** *Un homme brutal et borné.* → **Brute** (3.), **mufle** (cf. vx ou vieilli, C'est un bœuf, un bouledogue, un buffle, un cheval de charrue..., un charretier, un crocheteur). *Un soudard, un pillard brutal. Un gardien brutal. Elle est très brutale avec ses enfants. Il est brutal et méchant*, cruel*.*

(En parlant des tendances, des actions...). Qui est sans ménagement, ne craint pas de choquer. *Une franchise brutale. Assouvir* (cit. 3) *une fureur brutale. Réalisme brutal.* → **Cru.** *Ton brutal.* → **Brusque, direct,** 2. **franc, sec, vif.** *Réponse, discussion brutale. Bon sens brutal.*

Si vous demandez à un homme brutal : «Qu'est devenu un tel ?» il vous répond durement : «Ne me rompez point la tête». 4
LA BRUYÈRE, les Caractères de Théophraste, De la brutalité.

Mais quoi ? partir ainsi d'une façon brutale, 5
Sans me dire un seul mot de douceur pour régale !
MOLIÈRE, Amphitryon, I, 4.

(...) je ne l'aime pas : il est brutal avec sa petite sœur et il est malpropre. G. SAND, la Mare au diable, X, p. 85. 6

(En parlant de l'expression). *Discours, article, livre brutal.* → **Agressif, vif, violent.**

Par ext. *Une description d'un réalisme brutal* (→ **Brutalisme).**

7 Schwob m'en voulut, me fut-il redit. Mon livre brutal écrasait indécemment son livre délicat (...)
GIDE, Journal, 20 sept. 1931.

(Actes). D'une vivacité excessive, violent (mais sans méchanceté ni grossièreté). *Un coup de volant brutal.* → **Brusque.** *Il a des gestes maladroits et un peu brutaux.*

(Actes collectifs). D'une rigueur extrême, allant jusqu'à la violence. *Répression brutale.* → **Brutalité.**

♦ **3** (Choses). Imprévisible, soudain et violent. *Douleur brutale. Événement brutal.*

Spécialt. Qui frappe rudement et brusquement. *Le coup, le choc a été brutal.* → **Dur, fort, rude, violent.**

Dont les effets sont inévitables; qui échappe à l'action humaine. → **Brut.** *Le fait, le phénomène brutal. Que peut-on faire devant la réalité brutale?*

**II** N. ♦ **1** (1672). Personne brutale. → **Brute** (2.). *C'est une brutale. Agir en brutal.* → **Brutaliser.** *Les sévices d'un brutal. Apprivoiser* (cit. 4), *adoucir un brutal.*

8 — Toujours à vous louer il a paru de glace.
— Le brutal! MOLIÈRE, les Femmes savantes, IV, 2.

9 D'un fort, elle *(l'auto)* fait un brutal et d'un brutal une bête.
G. DUHAMEL, Scènes de la vie future, VI.

9.1 M. de Bismarck n'était pas un diplomate faux et menteur, mais un franc, un brutal, qui criait toujours la vérité, annonçait toujours ses intentions.
MAUPASSANT, Fort comme la mort, éd. 1889, p. 62.

♦ **2** N. m. (1744, *in* D. D. L.). Pop. et vx. *Le brutal* : le canon.

10 (...) quand le brutal gronde, on ne montre jamais d'or.
STENDHAL, la Chartreuse de Parme, p. 53.

♦ **3** N. m. Fam. (Argot vieilli). Eau-de-vie.

11 Le gros, qui croyait dur à l'efficacité des boissons au-dessus de quarante, a sonné Nana pour qu'elle monte le vieux marc. On s'est efforcé*(s)* de lui en verser quelques cuillerées dans la gorge, au mec Riton. Il fallait se rendre à l'évidence, même le brutal lui donnait pas la moindre sensation; il avalait même plus!
Albert SIMONIN, Touchez pas au grisbi, p. 170.

CONTR. **Élevé, humain, intelligent. — Aimable, amène, cajoleur, câlin, civil, civilisé, délicat, doux, galant, honnête, poli.**
◊ DÉR. **Brutalement, brutaliser, brutalisme, brutaliste, brutalité.**

**BRUTALEMENT** [bʀytalmɑ̃] adv. — 1428; de *brutal.*

♦ **1** D'une manière brutale* (I., 2.), avec brutalité. → **Cruellement, durement, férocement, grossièrement, rudement, violemment.** *Agir brutalement. Battre qqn brutalement. Parler brutalement à qqn.* → **Crûment.** *Mettre qqn à la porte brutalement.*

1 Agamemnon déclare brutalement qu'il aime autant Briséis que son épouse parce qu'elle fait d'aussi beaux ouvrages.
CHATEAUBRIAND, le Génie du christianisme, II, II, 12.

2 Il n'osait plus la manier brutalement, la saisir, la frapper, la pétrir comme sa chose mauvaise et rétive (...)
FRANCE, le Lys rouge, XXI.

Avec soudaineté et violence (mais sans rudesse ni grossièreté). *Tu manies ces bibelots trop brutalement.* → **Brusquement.** *Claquer la porte brutalement.*

♦ **2** Avec soudaineté, de manière imprévisible et violente (plus fort que *brusquement**). *L'orage a éclaté brutalement. La terrible nouvelle les a frappés brutalement. Il est mort brutalement. Virer brutalement.*

CONTR. **Délicatement, doucement.**

**BRUTALISER** [bʀytalize] v. tr. — 1704; p. p. «rendu semblable à une brute», 1572; de *brutal.*

♦ **1** Traiter d'une façon brutale* (I., 2.), avec violence. → **Battre, frapper, houspiller, malmener, maltraiter, molester, rudoyer.** *Brutaliser un enfant. Brutaliser des animaux.* → **Tourmenter.**

Si l'on vous brutalise, est-ce ma faute à moi.
J.-F. REGNARD, Menechmes, II, 5.

Fam. *Il ne faut pas me brutaliser,* me faire violence. → **Brusquer.**

Littér. Traiter, manier (qqch.) d'une manière brutale.

♦ **2** Rare et littér. Rendre brutal, plus brutal. *«Brutalisez votre style, me disait un ami»* (Amiel, *Journal, in* T. L. F.).

**BRUTALISME** [bʀytalism] n. m. — 1879; de *brutal.*

♦ **1** Rare. Caractère de ce qui est brutal. → **Brutalité.**

♦ **2** Didact. Attitude ou école littéraire prônant un réalisme très cru. → **Brutaliste.**

(...) l'ensemble est d'un érotisme inouï, un fondu et on enchaîne, un brutalisme bouleversant, des latences étonnantes, une poésie énorme.
M. AYMÉ, Travelingue, p 81.

REM. C'est un personnage de snob ridicule qui parle.

♦ **3** (V. 1965; angl. *brutalism,* P. et A. Smithson; de *brutal,* de même orig. que le franç. *brutal*). Arts. Mouvement et style d'architecture strictement fonctionnaliste, qui recherche l'effet esthétique par l'emploi délibéré, explicite, des matériaux et procédés les plus efficaces techniquement.

**BRUTALISTE** [bʀytalist] n. et adj. — 1874, cit.; adj., 1892; de *brutal.*

Didact. Relatif au brutalisme* (littéraire, architectural).

Il a commencé par être un réaliste, et il est maintenant un brutaliste, comme disent à présent les réalistes avancés.
BARBEY D'AUREVILLY, *in* le Constitutionnel, 20 avr. 1874 (*in* D. D. L.).

**BRUTALITÉ** [bʀytalite] n. f. — 1539; de *brutal.*

**I** *(La brutalité).* ♦ **1** Vx. Caractère d'une personne brutale (I., 1.), qui tient de la brute et de ses tendances. → **Animalité, bestialité** (→ ci-dessous, cit. 3).

♦ **2** Mod. Caractère d'une personne brutale (I., 2.), violente et grossière. → **Barbarie, cruauté, dureté, férocité, inhumanité, sauvagerie, violence.** *Agir, parler avec brutalité. La brutalité d'un soudard, d'un nervi, d'un sbire... Elle est d'une brutalité révoltante. Brutalité aveugle* (cit. 15), *insensée, sans nom.*

Grossièreté, impolitesse. → **Brusquerie, rudesse.** *Une brutalité insupportable. Parler, répondre avec brutalité,* brutalement.

(...) Vouloir d'un œil sec voir mourir ce qu'on aime : 1
L'effort en est barbare aux yeux de l'univers,
Et c'est brutalité plus que vertu suprême.
MOLIÈRE, Psyché, II, 1.

La brutalité est une (...) dureté, et j'ose dire une férocité, qui se rencontre dans nos manières d'agir, et qui passe même jusqu'à nos paroles. 2
LA BRUYÈRE, les Caractères de Théophraste, De la brutalité.

Il s'exprimait difficilement mais avec force; et quand il avait trouvé le terme dont il avait besoin, il le lançait contre son interlocuteur avec une brutalité qui semblait destinée à anéantir toute velléité de discussion ou de controverse. 2.1
G. LEROUX, Rouletabille chez Krupp, p. 19-20.

REM. Le sens psychologique et social du mot, dans l'usage classique, est encore marqué par le sens originel (→ ci-dessus, 1.) :

3 Ils ne se conduisent pas comme des hommes, mais comme des bêtes, en se laissant conduire à la brutalité de leurs appétits.
BOUHOURS, Nouvelles remarques sur la langue franç., *in* LITTRÉ.

(Actes collectifs, attitude sociale). Caractère violent et agressif. *La brutalité d'un régime, d'une police. Le gouvernement, l'armée... a réagi avec brutalité. La brutalité d'une répression.* — Absolument :

4 La propriété foncière est mère d'inégalité et de brutalité.
JAURÈS, Hist. socialiste..., t. I, p. 127.

Par ext. Caractère brutal, dur et contraignant (d'un pouvoir social).

5 L'empressement des citoyens peut encore faire oublier la brutalité des institutions.
G. DUHAMEL, Scènes de la vie future, I.

♦ **3** Caractère brutal (I., 3.), inattendu, violent (de qqch.). *La brutalité d'une passion. La brutalité d'un événement inattendu. La brutalité de la pluie.*

6 La brutalité de la saison a furieusement outragé la délicatesse de ma voix (...)
MOLIÈRE, les Précieuses ridicules, 9.

REM. Satire du langage précieux où *brutalité* a le sens initial et très fort de «rudesse grossière».

7 «Parbleu», pensa Antoine, étourdi par la brutalité du choc.
MARTIN DU GARD, les Thibault, t. IX, p. 128.

**II** (1680). *Une, des brutalités.* Acte brutal, parole brutale. *Souffrir des brutalités de qqn.*

8 (...) l'impiété et les brutalités d'un peuple barbare (...)
FLÉCHIER, Panégyriques, II, p. 367, *in* LITTRÉ.

Spécialt. Action brutale (d'un groupe social, de la force collective, etc.). *Les brutalités policières.* → **Sévices.**

CONTR. **Amabilité, aménité, civilité, douceur, galanterie, humanité, politesse. — Cajolerie, caresse.**

**BRUTE** [bʀyt] n. f. — 1669, Pascal; *brut*, masc., 1547; de *brut*.

♦ **1** Littér. Animal*, considéré dans ce qu'il a de plus bas, de plus éloigné de l'homme. → **Bête.** *L'instinct qui tient lieu de raison aux brutes* (Académie). *L'ange et la brute.*

1 La création est une ascension perpétuelle, de la brute vers l'homme, de l'homme vers Dieu.
HUGO, Post-scriptum de ma vie, VI.

*La brute primitive, ancestrale* (dans l'homme).

Vx ou littér. Homme à l'état sauvage, qui n'a pas subi l'influence de la civilisation.

2 Cette fois, la pure brute apparaît : tout le vêtement que les siècles lui avaient tissé et dont la civilisation l'avait revêtue, la dernière draperie humaine tombe à terre ; il ne reste que l'animal primitif, le gorille féroce et lubrique que l'on croyait dompté, mais qui subsiste indéfiniment dans l'homme, et que la dictature, jointe à l'ivresse, ressuscite plus laid qu'aux premiers jours.
TAINE, les Origines de la France contemporaine, t. III, III, 7.

2.1 Chevelure hérissée, barbe inculte descendant jusqu'à la poitrine, corps à peu près nu, sauf un lambeau de couverture sur les reins, yeux farouches, mais énormes, ongles démesurément longs, teint sombre comme l'acajou, pieds durcis comme s'ils eussent été faits de corne : telle était la misérable créature qu'il fallait bien, pourtant, appeler un homme ! Mais on avait droit, vraiment, de se demander si dans ce corps il y avait encore une âme, ou si le vulgaire instinct de la brute avait seul survécu en lui !
J. VERNE, l'Île mystérieuse, t. II, p. 504.

♦ **2** Mod. Personne grossière, sans intelligence ni culture, qui se laisse aller à ses instincts. → **Bête.** *Cet homme est une brute. Une grosse brute. Brute épaisse* (fam.). *Rendre semblable à une brute.* → **Abrutir.** «*Au point de vue moral, cette fille est une brute*» (Valery Larbaud, *in* T. L. F.).

(...) l'homme, tel que l'a conçu Rubens, semble une florissante brute, que ses instincts condamnent à l'engraissement du pâturage ou aux mugissements du combat. 3
TAINE, Philosophie de l'art, t. II, V, p. 309 (→ Assommeur, cit.).

(...) la plus riche imagination ne peut pas vous permettre de prévoir ce qu'ils sont capables de fabriquer... des abrutis, des brutes, pas un atome d'initiative, d'intérêt pour ce qu'ils font, pas la moindre trace de goût (...) 4
N. SARRAUTE, le Planétarium, p. 13.

Écrasé par cette masse de chair abandonnée de la plus ténue spiritualité, je connaissais le vertige de rencontrer enfin la brute parfaite, indifférente à mon bonheur. 5
Jean GENET, Journal du voleur, p. 142.

Fam. *On n'est pas des brutes ! :* nous ne sommes pas insensibles, grossiers.

*Dormir comme une brute,* d'un sommeil profond, qui fait perdre complètement conscience. — Par ext. *Comme une brute :* avec acharnement. → **Bête** (comme une). *Travailler (bosser, ramer...) comme une brute.*

(En appellatif). → **Idiot, butor.** «*Brute ! Lourdaud !*» (P. Bourget). *Triple brute.* → **Buse.**

♦ **3** Plus cour. Homme brutal*, violent et grossier. *Une vraie, une grande brute. Frapper comme une brute. C'est une brute et un lâche.*

(En appellatif). *Sale brute ! Arrête de taper, grande brute ! Bande de brutes !*

**BRUTEUR** [bʀytœʀ] n. m. — XX^e; de *brut (diamant brut), brutage.*

Techn. Personne qui effectue le brutage* des diamants. *(Le)* «*bruteur, cet artisan qui frotte les diamants les uns contre les autres pour découvrir les nervures de la pierre*» (*le Nouvel Obs.*, n° 739, 8 janv. 1979).

**BRUTION** [bʀytjɔ̃] n. m. — V. 1830; orig. obscure.

Argot. Élève ou ancien élève du Prytanée militaire de La Flèche.

**BRUXELLOIS, OISE** [bʀyselwa, waz] adj. et n. — Av. 1400, *Brouselois.*

De Bruxelles, capitale de la Belgique. *La population bruxelloise, l'humour bruxellois, l'accent bruxellois.* — N. *Les Bruxellois.*

Cuis. *À la bruxelloise :* garni de choux de Bruxelles et de pommes château.

**BRUXISME** [bʀyksism] n. m. — Après 1950 (*in* Manuila, 1970); adapt. du grec *brugmos* «grincement de dents», de *brukein* «grincer des dents».

Méd. Mouvement inconscient de friction intense et prolongée des dents, provoquant leur usure ou leur ébranlement. → aussi **Bruxomanie, brycomanie.**

**BRUXOMANIE** [bʀyksɔmani] n. f. — 1907, Marie et Pietkiewitz fils, *in* Garnier et Delamare; f. mal formé, du grec *brukein* «grincer des dents», et *-manie.*

Méd. Manie de grincer des dents; bruxisme attribué à des causes psychologiques.

REM. *Brycomanie* représente un syn. mieux formé, mais *bruxomanie* est renforcé par *bruxisme.*

**BRUYAMMENT** [bʀyjamɑ̃; bʀɥijamɑ̃] adv. — V. 1300, *bruiamment;* de *bruyant.*

♦ **1** D'une manière bruyante. *Rire bruyamment. Se moucher, éternuer bruyamment.*

Louis, voici le temps de respirer les roses,
Et d'ouvrir bruyamment les vitres longtemps closes (...)
HUGO, les Voix intérieures, XIV.

♦ **2** En parlant très fort, en faisant beaucoup de bruit. *Protester, approuver bruyamment.* — Par ext. *Il se vante, il triomphe trop bruyamment.*

♦ **3** Par métaphore et fig. En ayant un grand retentissement; avec éclat*. *Phénomène social, politique qui se manifeste, éclate bruyamment.*

CONTR. **Doucement, silencieusement. — Sourdement.**

**BRUYANCE** [bʀyjɑ̃s; bʀɥijɑ̃s] n. f. — V. 1210, *bruiance*, attestation isolée; repris 1867, Goncourt; du rad. de *bruyant.*

♦ **1** Littér. et rare (Goncourt). Manifestation bruyante.

♦ **2** (XXe). Didact. Niveau de pression acoustique d'un bruit (phénomène vibratoire). — *Bruyance perçue :* intensité d'une sensation auditive de bruit.

**BRUYANT, ANTE** [bʀyjɑ̃, ɑ̃t; bʀɥijɑ̃, ɑ̃t] adj. — 1165, *bruiant*, anc. p. prés. de *bruire.* → Bruant.

**I** ♦ **1** Qui fait beaucoup de bruit. → **Assourdissant, retentissant, sonore, tonitruant.** *Musique bruyante. Conversation bruyante. Une gaieté bruyante. Une explosion terriblement bruyante.* → 1. **Fort.**

0.1 Lola se vengeait du sort contraire en se livrant à toutes sortes de manifestations bruyantes de son mécontentement. Elle râlait, grognait, renâclait, gémissait, traînait les pieds dans la poussière, s'alourdissait de trente kilos à mon bras qui la remorquait, comme une bourrique à la longe.
Geneviève DORMANN, le Bateau du courrier, p. 66.

(Personnes). *Ces enfants sont bruyants.* → **Tapageur, turbulent.** *Une bande de noceurs bruyants.* → **Beuglard, braillard, hurleur, tapageur; gueulard** (fam.). *Une noce bruyante.* — (Actions). *Jeux bruyants.*

1 Tous ces galants de cour, dont les femmes sont folles,
Sont bruyants dans leurs faits et vains dans leurs paroles (...)
MOLIÈRE, Tartuffe, III, 3.

2 Des manières bruyantes et des tons de voix assommants.
MOLIÈRE, les Amants magnifiques, II, 2.

3 Il n'y a de bruyantes que les folles; les femmes sages ne font point de sensation.
ROUSSEAU, Émile, V.

4 Les jeux bruyants, la turbulente joie voilent les dégoûts et l'ennui.
ROUSSEAU, Émile, IV.

5 Un peu étourdi par le va-et-vient bruyant de la rue, j'allais devant moi (...)
Alphonse DAUDET, le Petit Chose, II, 4.

N. (rare au fém.). Personne bruyante. *Il fuit les bruyants et les agités.*

♦ **2** Péj. Qui se fait à grand bruit, avec éclat. *Dévouement bruyant. Il a le triomphe bruyant.*

♦ **3** Littér. Dont on parle beaucoup. *Une renommée bruyante. Un scandale bruyant.* → **Éclatant.** *Des honneurs bruyants.*

♦ **4** Par métaphore. Qui produit un effet violent. *Des tons bruyants et criards*.*

**II** ♦ **1** (1740). Où il y a beaucoup de bruit. *Une rue bruyante. Une réunion, une assemblée bruyante. La séance fut bruyante.* → **Tumulteux.** — *Bruyant de... Une salle bruyante de rires. La cour de récréation était bruyante des jeux et des cris des enfants.*

♦ **2** Par métaphore. Rempli d'une agitation vive. «*Âme bruyante de douleur*» (P. Louÿs, *in* T. L. F.).

CONTR. **Silencieux. — Calme, paisible, tranquille. — Discret.**
◊ DÉR. **Bruyamment, bruyance.**

**BRUYÈRE** [bʀyjɛʀ; bʀɥijɛʀ] n. f. — 1174, au sens 3; du lat. pop. **brucaria*, du bas lat. *brucus* «bruyère», p.-ê. d'un gaulois **bruko.*

♦ **1** (1180). Petit arbrisseau des landes *(Éricacées)* à tige rameuse, à petites fleurs rouge violacé. *Bruyère franche* ou *cendrée. Bruyère à balais. Balai de bruyère. Bruyère arborescente. Une lande couverte de genêts et de bruyères.*

(...) la bruyère aux clochettes mortes qui s'effritent et tombent en poussière aussitôt que nos doigts les effleurent. 1
M. GENEVOIX, Forêt voisine, IV, p. 37.

Des petites bruyères, roses et pâles, se montraient timidement à travers les restes de neige et semblaient sourire à ce peu de chaleur. Le thermomètre remonta enfin au-dessus de zéro. 1.1
J. VERNE, Un hivernage dans les glaces, p. 328.

Hortic. *Terre de bruyère :* terre siliceuse formée notamment par la décomposition des bruyères. — Ellipt. *Plante de bruyère :* plante qui ne pousse bien que dans la terre de bruyère.

♦ **2** Cour. Racine de cette plante. *Une pipe de bruyère.*

♦ **3** (1174). Lieu où pousse la bruyère. → **Brande, lande.** *Une bruyère inculte, sablonneuse.*

Le jour, je m'égarais sur de grandes bruyères terminées par des forêts. 2
CHATEAUBRIAND, René.

*Coq de bruyère.* → **Coq.**

DÉR. **Bruyéreux.**

**BRUYÉREUX, EUSE** [bʀyjeʀø, øz; bʀɥijeʀø, øz] adj. — 1803, *in* D. D. L. 20; de *bruyère.*

Rare. Couvert de bruyères. *Terrain bruyéreux.*

**BRY** [bʀi] n. m. → **Bri.**

**BRY-, BRYO-** Premier élément de mots savants (bot.), du grec *bruon* (lat. *bryon*) «mousse». Voir à l'ordre alphabétique.

**BRYACÉES** [bʀijase] n. f. pl. — 1845, Bescherelle; du lat. sav., de *bry-*, et suff. *-acées.*

Bot. Famille de plantes cryptogames (ordre des *Bryales* [bʀijal] n. f. pl.), embranchement des *bryophytes.* → 1. **Mousse.** — Au sing. *Une bryacée.*

**BRYCOMANIE** [bʀikɔmani] n. f. — 1928, Larousse; du grec *brukein* «grincer des dents», et *-manie.*

Méd. Syn. (mieux formé) de *bruxomanie*.*

**BRYOLOGIE** [bʀijɔlɔʒi] n. f. — 1838; de *bryo-* (→ Bry-), et *-logie.*

Didact. Partie de la botanique qui étudie les bryophytes*, les mousses.

DÉR. **Bryologique, bryologue.**

**BRYOLOGIQUE** [bʀijɔlɔʒik] adj. — 1838; de *bryologie.*

Didact. De la bryologie. *Revue bryologique et lichénologique,* titre d'une publication savante.

**BRYOLOGUE** [bʀijɔlɔg] n. — Mil. XIXe; de *bryologie.*

Didact. Spécialiste des bryophytes*, des mousses.

**BRYON** [bʀijɔ̃] n. m. — 1562, *brion*; lat. *bryon*, grec *bruon* «mousse». → Bry-.

Bot. Plante cryptogame, mousse (famille des *Bryacées*) vivace croissant surtout sur l'écorce des arbres. — REM. On écrit aussi *bryum* [bʀijɔm] n. m. (1741).

**BRYONE** [bʀijɔn] n. f. — 1256, *brioine*; lat. *bryonia*, grec *bruônia* «vigne blanche».

Bot. Plante des haies *(Cucurbitacées)*, herbacée, vivace et grimpante, à baies rouges ou noires, appelée parfois *couleuvrée, vigne noire, navet du Diable. On extrait de la bryone dioïque un purgatif violent, la bryonine.*

**BRYOPHYTES** [bʀijɔfit] n. f. pl. — 1924; du grec *bruon* «mousse», et *-phyte.*

Bot. Végétaux cryptogames, non vasculaires, sans racine et de petite taille, dont l'appareil végétatif est constitué d'un axe feuillé simple ou rameux né d'une spore et portant les organes reproducteurs (anthéridie ou archégone). *Après fécondation l'archégone des bryophytes est à l'origine d'un sporange porté par l'appareil végétatif. Les bryophytes comprennent les Sphagnales* (cit.), *les Hépatiques* et les Mousses*. Étude des bryophytes.* → **Bryologie.** — Au sing. *Une bryophyte.*

**BRYOZOAIRES** [bʀijɔzɔɛʀ] n. m. pl. — 1836; formation en *-zoaires** d'après le lat. sc. *bryozoa,* 1831, Ehrenberg, du grec *bruon* «mousse» (→ Bry-), et *zôa,* plur. de *zôon* «animal».

Zool. Groupe de métazoaires, généralement marins, qui vivent en colonies fixées sur les fonds rocheux ou coquilliers du littoral. — REM. On dit aussi *polyzoaires*.* — Au sing. *Un bryozoaire.*

**B. T. S.** [beteɛs] n. m. — 1962; sigle de *Brevet de Technicien Supérieur.*

En France, Diplôme national sanctionnant deux ou trois années d'études dans un domaine spécialisé. *Elle prépare un B. T. S. de tourisme.*

**BU, BUE** [by] p. p. adj. → **Boire.**

**BUANDERIE** [bɥɑ̃dʀi] n. f. — 1471; de *buandier.*

♦ **1** Local réservé à la lessive, aux lavages. *Le linge sèche dans la buanderie.*

On descendait tout le linge en ville à une buanderie spéciale. CÉLINE, Mort à crédit, p. 228, *in* T. L. F.

♦ **2** (1921). Régional (Canada). Blanchisserie.

**BUANDIER, IÈRE** [bɥɑ̃dje, jɛʀ] n. — Av. 1544; *bugadier,* 1408; de *buer* (vx) «faire la lessive» (→ Buée), et suff. franco-provençal *-andier, -andière,* sur le modèle de *lavandière.*

♦ **1** Vx. Personne qui fait la lessive. — Spécialt. Personne chargée du premier blanchiment* des toiles neuves.

Mod., techn. Ouvrier, ouvrière assurant le lavage du linge dans les grandes blanchisseries, à la main ou à la machine.

(...) si les draps et la paillasse sont tachés demain, la nouvelle buandière, Solange, acceptera plus aimablement de s'en occuper. A. SARRAZIN, la Cavale, p. 276.

♦ **2** Régional (Canada). Blanchisseur, blanchisseuse.

DÉR. **Buanderie.**

**BUBALE** [bybal] n. m. — 1752; lat. *bubalus* «gazelle d'Afrique», du grec *boubalos.*

Grande antilope d'Afrique *(Antilopidés). Les bubales ont des cornes en forme de lyre.*

**BUBBLE-GUM** [bœbœlgɔm] n. m. — Av. 1973; mot angl. de *to bubble* «faire des bulles», et *gum* «gomme».

Anglic. Chewing-gum* qui permet de faire des bulles.

De temps en temps il s'arrête de mâcher son chewing-gum, il entrouvre ses lèvres et il souffle une bulle. La bulle verte se gonfle, se distend, puis elle explose avec un bruit sec. On appelle ça un bubble-gum. J.-M. G. LE CLÉZIO, les Géants, p. 36.

**BUBE** [byb] n. f. — V. 1230; bas lat. *bubo* «bubon», grec *boubôn.* → Bubon.

Vx. Bouton qui se forme sur la peau. → **Pustule.**

DÉR. **Bubelé, bubelette.**

**BUBELÉ, ÉE** [byble] adj. — Attesté XIXe, Th. Gautier; de *bube.*

Vx. Couvert de bubes. *Nez, visage bubelés.* → **Boutonneux.**

**BUBELETTE** [byblɛt] n. f. — 1542, Rabelais; de *bube.*

Vx. Petite pustule. — REM. Chez Gautier, où il est attesté (1863) le mot semble un archaïsme repris à Rabelais.

**BUBO** [bybo] n. m. — 1829, Académie, *Suppl.*; lat. *bubo, -onis* «hibou», grec *buas.*

Didact. Grand duc (rapace nocturne).

**BUBON** [bybɔ̃] n. m. — 1372; bas lat. *bubo,* grec *boubôn* «aine; tumeur à l'aine». → Bube.

♦ **1** Vx. Adénite inguinale. — Mod. Tuméfaction inflammatoire des ganglions lymphatiques, en relation avec certaines maladies (syphilis, peste, etc.). → **Adénite.** *Bubon chancrelleux, bubon syphilitique, bubon pesteux. Inciser un bubon* (→ Laboratoire, cit. 4).

Il savait que dans le faubourg même une dizaine de 1
malades l'attendraient le lendemain matin, courbés sur leurs bubons. Dans deux ou trois cas seulement, l'incision des bubons avait amené un mieux. CAMUS, la Peste, I, p. 74.

Au milieu des taches, des points plus ardents se créent, 2
autour de ces points, la peau se soulève en cloques comme des bulles d'air sous l'épiderme d'une lave, et ces bulles sont entourées de cercles, dont le dernier, pareil à l'anneau de Saturne autour de l'astre en pleine incandescence, indique la limite extrême d'un bubon.
Le corps en est sillonné. Mais comme les volcans ont leurs points d'élection sur la terre, les bubons ont leurs points d'élection sur l'étendue du corps humain. À deux ou trois travers de doigt de l'aine, sous les aisselles, aux endroits précieux où les glandes actives accomplissent fidèlement leurs fonctions, des bubons apparaissent, par où l'organisme se décharge, ou de sa pourriture interne ou, suivant le cas, de sa vie. A. ARTAUD, le Théâtre et son double, Le théâtre et la peste, Idées/Gallimard, p. 26.

♦ **2** (Déb. XIXe). Vx. Plante dicotylédone *(Ombellifères),* aromatique, et qui était «employée pour la guérison du bubon inguinal» (P. Larousse).

DÉR. (Du sens 1) **Bubonique, bubonneux.**

**BUBONIDÉS** [bybɔnide] n. m. pl. → **Strigidés.**

**BUBONIQUE** [bybɔnik] adj. — Av. 1892, É. Reclus, *in* Guérin; de *bubon.*

*Peste bubonique,* caractérisée par des bubons.

**BUBONNEUX, EUSE** [bybɔnø, øz] adj. — 1910; de *bubon.*

Rare. Qui est couvert de bubons. *Un visage bubonneux.* — REM. Var. graphique : *buboneux* (Montherlant, *in* T. L. F.).

**BUBONOCÈLE** [bybɔnɔsɛl] n. f. — XVIIIe; du grec *boubôn* «aine», et *kêlê* «tumeur».

Méd. (vx). Hernie inguinale.

**BUCAIL** n. m. ou **BUCAILLE** n. f. [bykaj] — 1600, O. de Serres; du néerl. *boekweit* «sarrasin».

Régional. Sarrasin, blé noir.

**BUCARDE** [bykaʀd] n. f. — 1827; *boucarde*, 1757; ital. *bucardia*, du lat. sc. *bucardia*, du grec *bous* «boeuf», et *kardia* «cœur».

♦ **1** Mollusque bivalve (n. sc. : *Cerastoderma edule*) des côtes européennes. → **Coque**, I., 3.

♦ **2** Mollusque à valves semblables, à côtes rayonnantes portant une série d'épines (n. sc. : *Acanthocardia*). *Bucarde épineuse* (Acanthocardia aculeata). *Bucarde à papilles* (Acanthocardia echinata).

REM. On écrit parfois *buccarde* (J. Verne, *in* T. L. F.).

**BUCCAL, ALE, AUX** [bykal, o] adj. — 1735; du rad. du lat. *bucca* «bouche».

Didact. ou style soutenu. Qui appartient, a rapport à la bouche. → **Oral.** *La cavité buccale. Nerf buccal. Muqueuse buccale. Muscles buccaux.* → aussi **Bucco-**.

1 *Du visage.* Qu'est-ce que le visage de l'homme ou des animaux? C'est la partie antérieure de la tête. Où sont réunis les organes des sens principaux, avec l'orifice buccal. C'est là que se lisent les sentiments. De là que s'extériorisent la plupart des expressions.
Francis PONGE, le Parti pris des choses, p. 210.

2 D'abord l'espace buccal : c'est à sa bouche que le nourrisson porte tout objet, non pour le manger, mais comme au seul lieu de son corps où l'accord exact des mouvements et des sensations, exigé dès la naissance par la succion, permet aussi d'apprécier un contour, un volume, une résistance, tout cela encore confus évidemment (...)
Henri WALLON, l'Évolution psychologique de l'enfant, p. 142.

COMP. **Péribuccal.**

**BUCCIN** [byksɛ̃] n. m. — 1372, *buccine, buxine*; lat. *buccina*, altér. de *bucina* «trompette», par attraction de *bucca* «bouche».

Didactique.

**I** Hist. Trompette romaine. *Joueur de buccin.* → **Buccinateur.**

Les carabes de Rome entrèrent dans l'eau tiède au commandement des buccins; chaque soldat ployé, cuirasse dans le soleil, emplit son casque de coquillages et repartit, sans perdre sa place dans le rang, tenant ce casque plein de murex ou de conques bruissantes.
MALRAUX, Antimémoires, Folio, p. 86-87.

REM. On trouve encore *buccine* [byksin], *buisine* [bɥizin], ou *busine* [byzin] (n. f.) en ce sens, au XIXe s.

**II** (1733; d'abord *buxine*, 1563, *buccine*, 1698; lat. *bucinum* «coquillage», sens fig. de *bucinum* «trompette», dér. de *bucina*). Zool. Gros mollusque gastéropode des côtes de l'Atlantique. *Buccin ondé.*

**BUCCINATEUR** [byksinatœʀ] n. m. et adj. — 1549, fig., «panégyriste»; lat. *bucinator*, de *bucinare* «sonner de la trompette», de *bucina*. → Buccin.

♦ **1** (1611). Didact. (hist.) ou littér. Joueur de trompette, de buccin (à Rome, dans l'antiquité).

Le camp s'éveille. En bas roule et gronde le fleuve
Où l'escadron léger des Numides s'abreuve.
Partout sonne l'appel clair des buccinateurs.
J.-M. DE HEREDIA, les Trophées, «Trebbia».

♦ **2** Adj. et n. m. (1654). Se dit d'un muscle de la joue, qui permet de tirer en arrière les commissures labiales (comme pour jouer de la trompette).

REM. La forme fém. *buccinatrice* [byksinatʀis] est virtuelle.

**BUCCO-** Premier élément de mots savants, du lat. *bucca* «bouche». → **Buccal.** Voir à l'ordre alphab., ci-dessous; cf. aussi *bucco-pharyngien* (adj.) «de la bouche et du pharynx».

**BUCCO-DENTAIRE** [bykodɑ̃tɛʀ] adj. — XXe; de *bucco-*, et *dentaire*.

Didact. Qui se rapporte à la bouche et aux dents. *La cavité bucco-dentaire. Hygiène bucco-dentaire.*

**BUCCO-GÉNITAL, ALE, AUX** [bykoʒenital, o] adj. — XXe; de *bucco-*, et *génital*.

Didact. Qui concerne la bouche et les parties génitales. *Relations sexuelles bucco-génitales.* → **Cunnilinctus, fellation.**

**BUCENTAURE** [bysɑ̃tɔʀ] n. m. — 1579; *bugentor*, 1486; vénitien *bucintoro*, d'orig. obscure.

♦ **1** Être mythique analogue au centaure, mais à corps de taureau.

♦ **2** (N. propre). *Le Bucentaure* : navire d'apparat que montait le doge de Venise quand il épousait la mer.

Lorsque autrefois ces galériens ramaient à bord du Bucentaure (...) Les forçats vénitiens mariaient le Doge à la mer.
CHATEAUBRIAND, Mémoires d'outre-tombe, IV, 7.

**BUCÉPHALE** [bysefal] n. m. — Mil. XVIe; nom du cheval d'Alexandre le Grand; grec *boukephalos*, propr «à tête de boeuf».

Vieux.

♦ **1** Cheval de parade ou de bataille.

♦ **2** Iron. Cheval. *Monter sur son bucéphale.*

**BUCÉROS** [byseʀɔs] n. m. → **Calao.**

**BÛCHAGE** [byʃaʒ] n. m. — 1875, Goncourt; «action de couper du bois», 1853; de 2. *bûcher*.

Fam. Action de bûcher, de fournir un travail intellectuel soutenu.

Il *(Flaubert)* se couchait à quatre heures du matin, et s'étonnait de se trouver à sa table de travail, quelquefois à neuf heures. Un bûchage, coupé seulement de pleines eaux dans la Seine, le soir. 1
Ed. et J. DE GONCOURT, Journal, t. V, 1er sept. 1876, p. 217.

C'est pendant des années de bûchage sans espoir et sans horizon que j'ai été brave. 2
J. VALLÈS, le Bachelier, p. 427 (1881).

**1. BÛCHE** [byʃ] n. f. — V. 1130, *busche*; lat. pop. **buska* «bosquet», neutre plur. sur le modèle de *fructus, fructa* (→ Busc); orig. incert., p.-ê. mot germanique **buskum*; mais Guiraud rattache le mot au roman et le rapproche de *bois*; l'étymon commun serait *buxus* «buis» (à la fois l'arbuste, son bois, et les objets de buis); *bus(c)a* viendrait alors du roman **būxicus, -a* «semblable au buis», puis «lieu planté d'arbustes semblables au buis», puis «objets de buis».

♦ **1** Morceau de bois* de chauffage, de grosseur variable. *Grosses, petites* (→ **Bûchette**) *bûches. Mettre une bûche dans le feu* (→ Attiser, cit. 1; âtre, cit. 6). *Couper des bûches.* → 2. **Bûcher.** *Scie* à bûches. Coin de bois pour fendre des bûches.* → **Ébuard.** *Suage* d'une bûche.*

Les flammes dansaient joyeusement sur les énormes bûches du foyer (...) 1
Th. GAUTIER, le Capitaine Fracasse, XVI.

(...) le crépitement des grosses bûches dans l'âtre de la salle commune. 2
G. DUHAMEL, Chronique des Pasquier, V, VI.

Dès que Jean était réveillé, on venait allumer les énormes bûches couchées dans la cheminée qui occupait toute la longueur de sa chambre. 3
PROUST, Jean Santeuil, Pl., p. 516.

*Une cabane, une hutte de bûches.* → **Rondin.**

(1690). **Bûche de Noël :** grosse bûche que l'on faisait brûler à la veillée de Noël. → **Tronche.** — Par anal. Pâtisserie en forme de bûche spécialement faite pour les fêtes de fin d'année.

Techn. *Bûche économique :* combustible aggloméré fait avec de la houille, de l'anthracite et un peu d'argile. → **Boulet, briquette.**

Argot (vieilli). Allumette.

♦ **2** Par compar. *Dormir comme une bûche,* comme une masse, lourdement. — Vx. *Il n'entend pas plus qu'une bûche :* il est sourd; il ne comprend rien. — *Avoir la tête dure comme une bûche :* être très entêté. *Il reste là comme une bûche,* sans bouger, inerte.

Fig. *Une vraie bûche, quelle bûche !,* se dit d'une personne stupide et apathique.

4 (...) Monsieur la conscience ! qu'est là depuis une heure, qu'a rien dit... une bûche !
CÉLINE, Guignol's band, p. 111 (1951).

En appellatif. «*Bûche ! Enfant de bûche...*» (Céline).

♦ **3** Fragment ligneux infumable qu'on rencontre dans le tabac. *Il y a des bûches dans cette cigarette.*

♦ **4** Rare. Barre tracée pour apprendre à écrire. → **Bâton.**

♦ **5** Carte sans valeur, à certains jeux de cartes.

**DÉR.** 1. **Bûcher,** 2. **bûcher, bûchette, bûchille.** — V. **Bûcheron.** ◊ **COMP.** V. **Débucher, embûche.** ← **HOM.** 2. **Bûche;** formes du v. 2. **bûcher.**

2. **BÛCHE** [byʃ] n. f. — 1875; probablt déverbal du v. dial. *bûcher* «frapper, heurter, buter», de 1. *bûche.*

♦ **1** Fam. Chute. *Ramasser, prendre une bûche :* tomber. *Quelle bûche ! Attention à la bûche !*

♦ **2** Vx. *Prendre une bûche :* essuyer une défaite, un échec.

Les soldats de Verdun racontent peu la guerre : ce n'est pas leur genre, les récits de bataille. «On a fait du bon boulot...» (...) «Les Boches ont pris une pile... Une bûche sérieuse.» Voilà le plus souvent leur façon de résumer une victoire. M. BARRÈS, Mes cahiers, t. XIII, p. 246.

**HOM.** 1. **Bûche;** formes du v. 2. **bûcher.**

1. **BÛCHER** [byʃe] n. m. — Fin XIII^e, *buchier; buscier* «bosquet», fin XII^e; de 1. *bûche.*

♦ **1** Rare. Tas de bois. *Le bûcher brûle dans la cheminée.*

Lieu où l'on range le bois* à brûler. *Aller chercher du bois au bûcher.*

0.1 Venait ensuite, s'ouvrant immédiatement sur la cour, où se trouvait l'écurie, une grande pièce délabrée qui avait un four, et qui servait maintenant de bûcher, de cellier, de garde-magasin, pleine de vieilles ferrailles, de tonneaux vides, d'instruments de culture hors de service, avec quantité d'autres choses poussiéreuses dont il était impossible de deviner l'usage. FLAUBERT, Mme Bovary, I, V.

0.2 (...) il dormait (...) dans le bûcher où se trouvait sa couverture. Francis CARCO, l'Homme traqué, p. 122.

♦ **2** Amas de bois sur lequel on met les cadavres pour les brûler, les incinérer.

1 Romains, priverez-vous des honneurs du bûcher
Ce père, cet ami qui vous était si cher ?
VOLTAIRE, la Mort de César, III, 8.

1.1 La peste établie dans une cité, les cadres réguliers s'effondrent, il n'y a plus de voirie, d'armée, de police, de municipalité; des bûchers s'allument pour brûler les morts, au hasard des bras disponibles.
A. ARTAUD, le Théâtre et son double, Le théâtre et la peste, Idées/Gallimard, p. 31.

♦ **3** Amas de bois sur lequel on brûlait les condamnés au supplice du feu, les livres interdits... (→ **Autodafé**). — Supplice consistant à être brûlé vif. *Condamner qqn au bûcher. Le supplice du bûcher* (→ Apâlir, cit.). *Dresser le bûcher. Monter sur le bûcher. Jeanne au bûcher,* oratorio de Claudel et Honegger.

D'Iphigénie immolée 2
Je vois le bûcher fumant. J.-B.-L. GRESSET, Ode, VI.

Ces exemples de piété consistaient à suspendre les patients 3
à une haute potence dont on les faisait tomber à plusieurs reprises sur le bûcher.
VOLTAIRE, Essai sur les mœurs, 125.

Vous n'avez eu que des bûchers et des injures pour réfuter 4
mes raisonnements (...)
ROUSSEAU, Lettre à M. de Beaumont, p. 497.

Par métaphore :

Pour que l'enfer se ferme et que le ciel se rouvre 4.1
Que faut-il ? Le bûcher. Cautériser l'enfer (...)
La terre incendiée éteindra l'enfer sombre.
L'enfer d'une heure annule un bûcher éternel
Le péché brûle avec le vil haillon charnel,
Et l'âme sort, splendide et pure, de la flamme.
HUGO, Torquemada, Prologue.

Figuré :

Elle avait dressé de ses propres mains le bûcher où elle 5
devait consommer son sacrifice.
FLÉCHIER, Oraison funèbre de Marie-Thérèse d'Autriche.

**HOM.** 2. **Bûcher.**

2. **BÛCHER** [byʃe] v. tr. — 1200, *buskier;* de 1. *bûche.*

**I** Vx, régional ou techn. ♦ **1** Vx. Frapper, heurter. — Régional. Frapper, battre (qqn). → **Rosser.**

V. pron. **Se bûcher :** se battre.

(...) alors ils se sont éloignés en conscience. Quand on mon- 1
tait l'escalier, on les entendait se bûcher (...) et comme Adèle trouvait ça infect, ils se sont jeté la bouteille d'huile à la figure (...) ZOLA, l'Assommoir, t. I, p. 237.

Absolt et intrans. Cogner, taper (Balzac, *in* T. L. F.).

♦ **2** (1360). Techn. Dégrossir (une pièce de bois) à coups de hache. *Bûcher une poutre, un rondin. Bûcher une pierre,* en enlever les saillies.

Absolt. *Les outils à bûcher* (hache, herminette, etc.), par oppos. aux *outils à planer* (varlope, riflard, rabot, etc.) et aux *outils à refendre* (scies).

Intrans. Régional. Faire le travail du bûcheron.

**II** (1852). Fam. Travailler*, étudier avec acharnement. *Bûcher son examen.* — Absolt. *Il bûche toute la journée (Académie).* → **Bûcheur.** *Bûcher comme un sourd.*

(...) il le découvrit dans une pension bourgeoise de la rue 2
Saint-Jacques, bûchant sa procédure, devant un feu de charbon de terre.
FLAUBERT, l'Éducation sentimentale, I, III.

Auguste n'avait pas eu d'enfance. Il bûchait sans fin ni 3
trêve, tout le long du jour; le soir, il allait à l'école. Le dimanche, il s'occupait à la maison avec sa mère et Angèle, quand Angèle était là.
Louise MICHEL, la Misère, t. I, p. 13.

**REM.** Le mot, dans ce sens, tend à vieillir (→ plus cour. Bosser, gratter).

**CONTR.** **Caresser, dorloter.** — **Paresser.** ◊ **DÉR.** **Bûchage,** 2. **bûche, bûcheur.** ← **HOM.** 1. **Bûcher.**

**BÛCHERON, ONNE** [byʃʀɔ̃, ɔn] n. — 1555; anc. franç. *boscheron,* XII^e; de *bosc* (→ Bois), refait d'après 1. *bûche.*

Personne dont le métier est d'abattre du bois*, des arbres* dans une forêt. → (vx) **Abatteur,** 1. **boquillon.** *Cabane, chaumière de bûcheron.* → **Chaumine, loge.** *Outils du bûcheron.* → **Cognée, gouet, hache, serpe, tronçonneuse.** *Bûcheron sédentaire, nomade. Fort comme un bûcheron. Une carrure, des poings de bûcheron.*

1 Écoute, bûcheron, arrête un peu le bras!
Ce ne sont pas des bois que tu jettes à bas (...)
RONSARD, Élégies, XXX.

2 Un pauvre Bûcheron, tout couvert de ramée,
Sous le faix du fagot aussi bien que des ans (...)
LA FONTAINE, Fables, I, 16.

2.1 Ô délicate bûcheronne
À damner tous les bûcherons
Quel est le matou qui ronronne
En zieutant tes jolis seins ronds?
APOLLINAIRE, Poèmes à Lou, LX, *in* Œ. poétiques, Pl., p. 488.

3 C'était Mademoiselle qui s'avançait en trottinant, cassée en deux comme une vieille bûcheronne, et si recroquevillée maintenant (...)
MARTIN DU GARD, les Thibault, t. III, p. 120.

DÉR. **Bûcheronner.** ◊ HOM. Futur du v. 2. **bûcher.**

**BÛCHERONNAGE** [byʃʀɔnaʒ] n. m. — 1947; de *bûcheronner.*

Travail du bûcheron; abattage et débitage des arbres.

(...) un escadron disciplinaire sera formé à la première occasion. Constitué par les esprits les plus rebelles du régiment, il se consacrera à des travaux de bûcheronnage et d'artisanat, suivant les principes des Chantiers de Jeunesse. Roger NIMIER, le Hussard bleu, p. 145 (1950).

REM. Le mot évoque plutôt le travail artisanal (→ Foresterie).

**BÛCHERONNER** [byʃʀɔne] v. intr. — 1587; de *bûcheron.*

Abattre des arbres à titre professionnel et de manière artisanale; faire le travail de bûcheron.

1 Ce Drumeau bûcheronne dans la forêt de Servières que ses ancêtres n'ont pas quittée depuis des siècles, mais son travail prend fin aux premières neiges d'avril et il vit le reste de l'année d'un certain nombre de métiers divers (...)
BERNANOS, Un crime, Œ. roman., Pl., p. 746.

2 Mussbaüm était ailleurs, en course, au village, ou occupé à bûcheronner dans la montagne.
Catherine PAYSAN, le Clown de la rue Montorgueil, p. 81.

Par comparaison :

3 Et puis, Zola nous raconte ses petites affaires. Ah! le vieux bûcheron bûcheronne toujours.
J. RENARD, Journal, 2 mars 1895.

DÉR. **Bûcheronnage.**

**BÛCHETTE** [byʃɛt] n. f. — V. 1400; *buschete,* 1223; *busquette,* v. 1200; de 1. *bûche.*

♦ 1 Petit morceau de bois sec, petite bûche. *Ramasser, brûler des bûchettes. Faire prendre le feu avec des bûchettes.*

1 (...) une fourmi qui traîne une bûchette en terrain difficile (...)
ALAIN, les Idées et les Âges, *in* les Passions et la Sagesse, Pl., p. 260.

2 Ma vareuse trempée fumait sur le poêle que Conrad alimentait d'affreuses petites bûchettes humides (...)
M. YOURCENAR, le Coup de grâce, p. 182.

♦ 2 Petit bâton de bois servant aux enfants pour apprendre à compter. — Loc. (Vx). *Tirer à la bûchette :* tirer à la courte paille*.

**BÛCHEUR, EUSE** [byʃœʀ, øz] n. — 1853, *in* D. D. L.; de 2. *bûcher* (v.).

Personne qui bûche, étudie, qui travaille sans relâche. → **Bosseur, travailleur.**

J'étais un «bûcheur» et m'en faisais gloire : un bûcheur, rien que cela (...)
F. MAURIAC le Nœud de vipères, p. 22.

Adj. *Un élève bûcheur. Il est très bûcheur.*

**BÛCHILLE** [byʃij] n. f. — D. i.; de *bûche,* et suff. dimin. *-ille.*

Régional (Suisse). Copeau de bois équarri ou raboté.

On va ramasser les bûchilles sous le hangar du charpentier, et l'on dit proverbialement : «la bûchille n'a pas sauté bien loin du tronc».
E. LUGRIN, Locutions vaudoises, p. 69 (1917).

**BUCOLIQUE** [bykɔlik] n. f. et adj. — V. 1275; lat. *bucolicus* «pastoral» (d'un poème), du grec *boukolikos* «relatif aux bouviers, aux pâtres».

**I** N. f. ♦ 1 Poème pastoral, églogue, idylle. *Les Bucoliques de Virgile, d'A. Chénier.*

Du jour où j'ai connu le paysan, toute bucolique m'a paru mensonge, même les miennes. 0.1
J. RENARD, Journal, 19 sept. 1904.

♦ 2 Vx (1690; encore attesté déb. XIXe, *in* T. L. F.); probablt métaphore ironique. Vieux chiffons, vieux papiers.

**II** Adj. ♦ 1 Didact. Relatif à la poésie pastorale; qui compose cette poésie. *Un poète bucolique. Vers bucolique :* hexamètre latin dont la césure se fait au quatrième pied.

♦ 2 (1611). Littér. Qui a rapport à la vie des champs telle qu'elle est évoquée dans la poésie pastorale; qui aime la campagne, la nature (parfois iron.). *Il a des goûts bucoliques.*

Je vis aux champs; j'aime et je rêve; 0.2
Je suis bucolique et berger (...)
HUGO, Chansons des rues et des bois, p. 67.

Le convoi a pour musique ces airs bucoliques qui rappellent au Suisse exilé son père, sa mère, ses sœurs et les bêlements des troupeaux de sa montagne. 1
CHATEAUBRIAND, le Génie du christianisme, IV, 2, 7.

Qui a rapport à la vie de la campagne.

J'observe l'esprit bucolique et remarque non sans anxiété que le paysan n'est pas sans ressembler à la betterave qu'il cultive avec tant d'assiduité. 2
A. MAUROIS, les Discours du Dr O'Grady, XX, p. 221.

DÉR. **Bucoliquement, bucoliser.**

**BUCOLIQUEMENT** [bykɔlikmɑ̃] adv. — 1611, repris XIXe; de *bucolique.*

Littér. De façon bucolique.

**BUCOLISER** [bukɔlize] v. intr. — 1881; de *bucolique.*

Littér., rare. Être tranquillement à la campagne. «*Une berge des environs de Paris avec un voyou bucolisant par les sentiers*» (J. Laforgue, *in* D. D. L.).

**BUCRANE** ou **BUCRÂNE** [bykʀan] n. m. — 1838; 1803, «casque en tête de boeuf»; lat. *bucranium* «tête de bœuf; bugrane», du grec *boukranion,* même sens (→ Bugrane).

Motif ornemental constitué par une tête de bœuf sculptée, employé dans l'architecture de l'Antiquité et de la Renaissance. *Frise décorée de bucranes.*

La lune neige sa lumière sur la couronne gothique de la tour du tombeau de Metella et sur les festons de marbre enchaînés aux cornes des bucranes (...) 1
CHATEAUBRIAND, Mémoires d'outre-tombe, IV, 5.

Par ext. Littér. Crâne de bœuf.

Lucius Aemilius Carpus Sextumvir Augustal et Dendrophore a recueilli les forces du taureau, les a transportées du Vatican, et a consacré l'autel et le bucrâne à ses dépens, sous le sacerdoce de Quintus Sammius Secundus (...) 2
STENDHAL, Mémoires d'un touriste, I, p. 142.

Frank rêve de savanes noyées (...) de bucranes accrochés en totem sur des pieux (...) 3
Régis DEBRAY, l'Indésirable, p. 303.

**BUDGET** [bydʒɛ] n. m. — 1764; mot angl.; d'abord «sac du trésorier», de l'anc. franç. *bougette*, dimin. de *bouge* «sac, valise». → Bouge.

♦ **1** «Acte par lequel sont prévues et autorisées les recettes et les dépenses annuelles de l'État ou des autres services que les lois assujettissent aux mêmes règles.» (Décret du 5 mai 1862, art. 5). — REM. Le terme de *budget*, quoique toujours utilisé dans le langage courant, est actuellement abandonné dans la langue du droit au profit de l'expression *loi de finance (de l'année)* (Ordonnance du 2 janv. 1959). → **Crédit, dépense, recette.** *Dresser, préparer, discuter, voter, refuser, exécuter le budget. Le budget de l'État est préparé par le gouvernement et voté par les Chambres. Budget de la Guerre, de la Marine, de l'Éducation nationale. Budget ordinaire. Budget extraordinaire. Budget annexe*, se rapportant à un service doué d'une autonomie financière. *Budget du département. Budget de la commune. Budget de report*, constitué de crédits inutilisés d'un ancien budget, qui reçoivent une affectation nouvelle. *Budget provisoire.* → **Douzième.** *Budget rectificatif* : état des corrections apportées, en cours d'année, au budget primitif. *Budget économique* : exposé prévisionnel de l'ensemble des activités de l'économie nationale pour l'année à venir. *Les articles, les chapitres, les postes du budget. Inscrire une dépense au budget.* → **Imputer, inscrire; budgétiser.** *Équilibre* du budget. Budget en excédent*, en déficit** (→ Comptabilité, compte, dépassement, moins-value, plus-value...).

Par anal. Revenus et dépenses (d'une famille, d'une entreprise, d'un groupe...) → **Compte.** *Budget familial, domestique. Établir son budget. Équilibrer son budget; boucler son budget.* → **Bout** (joindre les deux bouts). *Un budget large, étroit. Écorner son budget. Gérer le budget d'une association.*

Le budget des dépenses ne s'élevant qu'à un milliard cinq cents millions pour frais d'exploitation et appointements des Italiens, la *Société du Parc européen* recueillera donc deux milliards de bénéfice par an!

A. ROBIDA, le Vingtième Siècle, p. 309.

*Budget minimal* : estimation des besoins minimum servant de base à l'établissement du salaire* minimum interprofessionnel de croissance. — *Budget-type*, établi d'après une liste d'articles de consommation courante, et caractéristique d'une catégorie de population.

♦ **2** Plan de dépenses envisagées (pour une activité précise). *Prévoir le budget d'un voyage, de ses vacances. Établir le budget d'une opération publicitaire.*

DÉR. **Budgétaire, budgéter, budgétisation, budgétiser.**
◈ COMP. **Budgétivore. — Sous-budget.**

**BUDGÉTAIRE** [bydʒetɛʀ] adj. — 1825, Balzac; de *budget*.

♦ **1** Qui a rapport au budget de l'État. *Prévision budgétaire. Loi budgétaire. Question budgétaire. Contingent, crédit, dépense budgétaire. Autorisation budgétaire. L'année budgétaire coïncide généralement avec l'année civile. Exercice budgétaire. Contrôle budgétaire.*

Roger Renault avait calculé que pour remettre au travail les 435 000 chômeurs officiellement recensés, il fallait dresser un plan, étalé sur trois ans, d'un montant global de vingt milliards de francs, ce qui était considérable puisque cette somme atteignait à elle seule la moitié du montant des recettes budgétaires de l'année 1936.

Raymond ABELLIO, Ma dernière mémoire, t. II, p. 263.

♦ **2** Relatif à un budget, aux dépenses. *La situation budgétaire de la famille est difficile.* — REM. À la différence de *budget* (2.), l'adj. n'est pas courant dans cet emploi.

DÉR. **Budgétairement.**

**BUDGÉTAIREMENT** [bydʒetɛʀmɑ̃] adv. — 1872, *in* Höfler; de *budgétaire*.

Didact. Au point de vue du budget.

**BUDGÉTER** [bydʒete] v. tr. [CONJUG.: *céder*.] — 1872; de *bugdet*.

Fin. Inscrire au budget. → **Budgétiser.** *Budgéter des dépenses.*

Au p. p. *Dépenses non budgétées.*

**BUDGÉTISATION** [bydʒetizasjɔ̃] n. f. — 1953; de *budget*.

Fin. Inscription au budget. *La budgétisation des prestations sociales.*

CONTR. **Débudgétisation.**

**BUDGÉTISER** [bydʒetize] v. tr. — 1953, *in* Höfler; de *budget*.

Fin. Inscrire au budget; faire la budgétisation* de. → **Budgéter.**

(...) certaines prestations sociales seraient budgétisées.

Jean-Paul COURTHÉOUX, la Politique des revenus, p. 32.

CONTR. **Débudgétiser.**

**BUDGÉTIVORE** [bydʒetivɔʀ] adj. et n. — 1845; de *budget*, et *-vore*.

Par plais. Qui émarge au budget de l'État, vit à ses dépens. — N. «*Les fonctionnaires, ces budgétivores*» (S. de Beauvoir, *in* T. L. F.).

**BUE** [by] n. f. — V. 1200, *buie; buhe*, en 1448; d'un francique **buka* «cruche», de l'anc. bas francique **buk* «récipient»; cf. all. *Bauch* «ventre».

Régional. Cruche ventrue, à anses. → **Buire.**

HOM. **Bu** (p. p. de *boire*).

**BUÉE** [bɥe] n. f. — V. 1220; p. p. subst. gallo-roman **bucata* «lessive», orig. incert., soit du francique **bukon*, soit mot roman, à rapprocher de l'anc. franç. *buie* «cruche, tuyau», lat. *buca*, doublet attesté de *bucca* «bouche» (Guiraud). → Buer.

**I** Vx ou régional. Lessive. *Faire la buée.* → **Buer,** I.

**II** ♦ **1** (1387, repris XIXᵉ). Vapeur qui se dépose en fines gouttelettes formées par condensation. *Dégager de la buée. Des vitres, des lunettes couvertes de buée.* → **Embué.** *Essuyer la buée d'un parebrise.* — «*La buée de lait qui baignait les champs*» (→ Illimiter, cit. 2, Maupassant).

(...) une vapeur bleuâtre ou grise, une buée universelle, qui fait autour des objets une gaze moite, même dans les beaux jours. 1

TAINE, Philosophie de l'art, t. I, III, III, p. 270.

Jeune fille. Une rougeur s'étale sur sa joue comme la buée sur un vase d'eau fraîche. 2

J. RENARD, Journal, 11 sept. 1907.

À cette heure, la salle *(du bar)* était pleine de noctambules attablés dans une buée tiède qui puait la cuisine, l'alcool, le cigare, et que brassaient en sifflant les ventilateurs. 3

MARTIN DU GARD, les Thibault, t. III, p. 222.

La buée qui sortait de sa bouche peu à peu effaçait sa figure bonasse, en se déposant sur la vitre. Et alors, de sa grosse main, il essuyait cette vapeur sur le carreau, pour continuer à me regarder. 4

H. BOSCO, le Jardin d'Hyacinthe, p. 115.

♦ **2** Littér. Apparence dont on n'aperçoit pas distinctement les détails. → aussi **Brouillard, brume.**

5 Tout ce gris pâlit jusqu'à n'être plus qu'une buée laiteuse, azurée (...)
GIDE, Voyage au Congo, *in* Souvenirs, Pl., p. 687.

♦ **3** Idée confuse, imprécise. *«Il n'y avait dans son esprit qu'une buée mentale, légère et presque lumineuse (...)»* (Queneau).

**BUEN RETIRO** [bwɛnʀetiʀo] n. m. — 1707, Lesage; nom d'un parc de Madrid où Philippe IV fit bâtir une résidence royale; proprt «bonne retraite».

♦ **1** Vx. Appartement privé. — Maison de campagne isolée.

♦ **2** Fam., vieilli (ou par plais.). Cabinet d'aisances. → **Cabinet,** I., 2.

(...) il eut hier une plaisante conversation avec un autre gueux qui demeure auprès du buen-retiro sur le passage de la cour.
A. R. LESAGE, leDiable boiteux, XVI, p. 177.

REM. On écrit aussi *buen-retiro;* on a employé la variante *retiro.*

**BUER** [bɥe] v. — Mil. XIIe; p.-ê. du francique **bûkôn* «tremper dans la lessive», ou plutôt du roman **bucare* «couler la lessive par la cannelle du cuvier», puis «passer le linge dans le cuvier», de *buie* «cruche, tuyau, cannette», lat. *buca* (→ Buée).

**I** V. tr. (Vx ou régional). Laver, lessiver. *Buer du linge :* faire la buée*.

**II** V. intr. ♦ **1** Techn. (En parlant du pain qui cuit). Dégager de la vapeur.

♦ **2** Littér. Rare. Se couvrir de buée. *«Les vitres buent»* (Huysmans, *in* T. L. F.). → **Embuer** (s').

DÉR. (Du I.) **Buandier.**

**BUFFALO** [byfalo] n. m. — 1796, *in* D. D. L.; mot amér.; port. *bufalo,* lat. pop. *bufalus* «buffle».

Anglic. Bison d'Amérique du Nord (dans un contexte américain). — Plur. : *des buffaloes* (Chateaubriand); *des buffalos* (Genevoix).

On voyait ces ruminants — ces buffalos, comme les appellent improprement les Américains — marcher ainsi de leur pas tranquille, poussant parfois des beuglements formidables. Ils avaient une taille supérieure à celle des taureaux d'Europe, les jambes et la queue courtes, le garrot saillant qui formait une bosse musculaire, les cornes écartées à la base, la tête, le cou et les épaules recouverts d'une crinière à longs poils. Il ne fallait pas songer à arrêter cette migration. Quand les bisons ont adopté une direction, rien ne pourrait ni enrayer ni modifier leur marche. C'est un torrent de chair vivante qu'aucune digue ne saurait contenir.
J. VERNE, le Tour du monde en 80 jours, p. 230 (1873).

**BUFFE** [byf] n. f. — V. 1200, *bufe;* orig. obscure, probablt du rad. onomatopéique *buff-* exprimant l'idée de gonflement, puis de bruit.

Vx et par archaïsme. Gifle, coup violent.

**BUFFET** [byfɛ] n. m. — 1268; v. 1150, «escabeau»; orig. obscure; p.-ê. rad. onomatopéique *buff-,* exprimant le bruit d'un souffle. → Bouffer.

♦ **1** Vx. Table, desserte. *Buffet dressé* (→ Argent, cit. 1). Assortiment de vaisselle présenté sur cette table. (1832). Mod. Table (souvent, simple plan sur tréteaux) où sont servis des plats froids, des pâtisseries, des rafraîchissements à l'occasion d'une réception privée ou publique. *Vous disposerez, vous placerez le buffet entre les fenêtres.* Ensemble des mets et des boissons ainsi servis. *Le buffet était excellent. Buffet froid.* — Système de restauration où les convives se servent librement à un tel buffet, moyennant un prix fixe.

Réunion, réception où la nourriture est ainsi servie. *Aller à un buffet.* → **Cocktail, lunch.**

*Buffet campagnard,* avec des charcuteries et du vin (le buffet traditionnel étant plutôt constitué de petits fours accompagnés de champagne, whisky, etc.).

Par métonymie. Salle où est servi un buffet. *«La salle à manger de Daudet, transformée en buffet de bal...»* (Goncourt).

♦ **2** (1547). Meuble de salle à manger ou de cuisine assez bas, de forme parallélépipédique, fermé par des battants, servant à ranger la vaisselle, l'argenterie, le linge de table, certaines provisions. → **Armoire, bahut, commode, crédence, desserte.** *Les boiseries d'un buffet. Corniche, chapiteau d'un buffet. Buffet de cuisine. Buffet rustique, ancien, Henri II. Buffet surmonté d'un vaisselier.*

C'est un large buffet sculpté; le chêne sombre, 0.1
Très vieux, a pris cet air si bon des vieilles gens;
Le buffet est ouvert, et verse dans son ombre
Comme un flot de vin vieux, des parfums engageants (...)
RIMBAUD, Poésies, «Le buffet», Pl., p. 68 (→ aussi Vieillerie, cit. 1).

Il y a aussi un vieux buffet 1
qui sent la cire, la confiture,
la viande, le pain et les poires mûres (...)
Francis JAMMES, De l'Angélus de l'aube..., «La salle à manger».

Un buffet vaisselier pour les livres. Une cuisine sombre avec chauffe-eau. Ça fleurait le moisi. 1.1
Claude COURCHAY, La vie finira bien par commencer, p. 24.

♦ **3** Loc. fig., fam. (du sens 1). *Danser devant le buffet :* n'avoir rien à manger.

S'ils mangeaient du pain au beau temps, les fringales arrivaient avec la pluie et le froid, les danses devant le buffet, les dîners par cœur, dans la petite Sibérie de leur cambuse. 2
ZOLA, l'Assommoir, t. II, X, p. 120.

♦ **4** (1680). Menuiserie (d'un orgue). *Le buffet d'un orgue; un buffet d'orgue. Le buffet du grand jeu.*

Du buffet d'orgues aux stalles, le bois naturel lui prête aussi l'intimité d'une église de campagne. 3
J. GREEN, Journal, 3 mai 1977 (La terre est si belle), p. 127.

Par ext. *Buffet d'orgue :* petit orgue.

♦ **5** (1704). Archit. **BUFFET D'EAU :** table de pierre, de marbre, supportant des coupes, des bassins disposés en gradins, et faisant rejaillir l'eau en cascades.

♦ **6** (1863). *Buffet de gare :* café-restaurant installé dans les gares importantes. → **Buvette, cafétéria.** *Dix minutes d'arrêt, buffet! Dîner au buffet de la gare. Tenancier d'un buffet.* → **Buffetier.** *Arrêt-buffet :* arrêt d'un train, lorsque la gare comporte un buffet (anciennt). — Fig. *Arrêt-buffet! :* on s'arrête, on s'interrompt.

C'est dans ce dernier compartiment que M. et Mme Darzac et le professeur Stangerson firent le voyage de Paris à Dijon. Là, tous trois étaient descendus et avaient dîné au buffet. 4
G. LEROUX, le Parfum de la dame en noir, p. 76.

*Buffet ambulant, roulant; buffet de quai.*

♦ **7** (1803). Fam. Ventre, estomac. → **Burlingue** (argot). — Poitrine. → **Caisse, coffre.** *Il n'avait rien dans le buffet,* rien mangé.

On se congratule quand tout à coup on s'aperçoit que le paternel est mort. Il a reçu un coup de pétard dans le buffet. Il est plein de grains de plomb. Il n'y a plus qu'à l'enterrer. 5
R. QUENEAU, Loin de Rueil, p. 41.

6 J'ai les pieds qui me rentrent dans les jambes, les jambes dans les genoux, les genoux dans les cuisses, les cuisses dans l'buffet et l'buffet dans la cafetière !
Armand LANOUX, le Commandant Watrin, p. 12.

**DÉR. Buffetier.**

**BUFFÈTEMENT** [byfɛtmɑ̃] n. m. — 1972; *adaptation de l'angl. buffeting, de to buffet* «frapper, secouer».

Techn. Vibration affectant les empennages ou les gouvernes d'un avion. — REM. L'anglicisme *buffeting* [byftiŋ] est employé dans la langue technique.

(...) les vibrations (...) sont imputables à de légères dissymétries dans les mouvements alternatifs des pièces des moteurs de l'hélice, ou encore apparaissent à la faveur des turbulences nées du mouvement relatif de l'air et du fuselage; aux grandes vitesses, ces turbulences peuvent induire un régime vibratoire très irrégulier dont les amplitudes atteignent parfois des valeurs importantes («buffeting») à l'approche des vitesses soniques (...)
Jacques GUILLERME, la Vie en haute altitude, p. 114.

**BUFFETIER, IÈRE** [byftje, jɛʀ] n. — 1874; de *buffet*.

Vieilli. Personne qui tient un buffet de gare. → aussi **Cafetier, restaurateur.**

Mod. Personne qui tient un buffet roulant, un buffet de quai.

**BUFFLE** [byfl] n. m. — V. 1200; ital. *bufalo*, lat. pop. *bufalus* «antilope», altér. du lat. class. *bubalus*. → Buffalo.

♦ **1** Mammifère ruminant *(Bovidés)*, voisin du bœuf, dont il existe plusieurs espèces en Afrique et en Asie. → **Karbau.** *Buffle de cafrerie,* à longues cornes élargies et arrondies. *Buffle d'Asie, buffle commun,* ou, absolt, *buffle,* vivant à l'état sauvage dans l'Inde, et domestiqué en Perse, en Turquie, en Égypte..., aux cornes dirigées en arrière, à l'aspect massif, au pelage noir. *Buffle d'eau,* vivant sur des terres inondées. *Lait, beurre de buffle.* → **Bufflesse.** *Travail de la peau de buffle.* → **Buffleterie.** — Loc. (Rare). *Être fort comme un buffle.* → **Bœuf.**

1 (...) il faisait front *(Jaurès)* comme un buffle qui va foncer.
MARTIN DU GARD, les Thibault, t. V, p. 290.

2 Faisne, qui a des délicatesses de buffle, entra dans la turne en grognant (...)
G. DUHAMEL, Récits des temps de guerre, t. II, p. 260.

3 Quelques jours avant, il avait capturé, à l'aide de trappes, un couple de buffles sauvages, qu'il retenait prisonniers avec de fortes lianes enroulées autour de leurs cornes et fixées à un tronc d'arbre.
Raymond ROUSSEL, Impressions d'Afrique, p. 281.

4 Inutile de dire que le buffle d'eau est lent. Le buffle d'eau désire se coucher dans la boue. En dehors de cela, il n'est pas intéressé.
Henri MICHAUX, Un barbare en Asie, p. 18.

Spécialt. Mâle de cette espèce (opposé à *bufflesse*).

Peau du buffle. *Une valise en buffle.*

♦ **2** Par métonymie. Vx. *Un buffle :* un justaucorps en peau de buffle. → **Buffleterie.** — *Corne de buffle.*

♦ **3** Fam., vieilli. Personne brutale, peu aimable. *Quel buffle !* → **Mufle.**

**DÉR. Bufflesse** ou **bufflonne, buffleterie, bufflетin, bufflon.**
◊ **COMP. Crapaud-buffle.**

**BUFFLESSE** [byflɛs] ou **BUFFLONNE** [byflɔn] n. f. — 1837, *bufflesse; bufflonne,* 1829; de *buffle.*

Rare. Femelle du buffle. *Lait de bufflesse.*

**BUFFLETERIE** [byflətʀi] n. f. — 1792; *buffetrie,* 1610; de *buffle.*

♦ **1** Techn. Méthode de chamoisage des peaux (à l'origine, de buffle), notamment pour les cuirs de l'équipement militaire.

♦ **2** Partie de l'équipement en cuir qui soutient les armes.

(...) une forme surgit du néant, passa dans un froissement musculeux de bête en course, de buffleteries de harnachement et de ferraille entrechoquée, le buste obscur incliné en avant sur l'encolure (...) 1
Claude SIMON, la Route des Flandres, p. 32.

Mais le dernier homme était resté là, sur le chemin. Il posa son fusil par terre, déboucla son ceinturon d'un geste fébrile, s'empêtra quelques secondes dans ses buffleteries et posa culotte. 2
Jacques PERRET, Bande à part, p. 124.

**DÉR. Buffletier.**

**BUFFLETIER** [byflətje] n. m. — 1845, Bescherelle; de *buffleterie.*

Techn. Ouvrier qui fabrique des buffleteries.

**BUFFLETIN** [byflətɛ̃] n. m. — 1594; de *buffle.*

♦ **1** Rare. Jeune buffle. → **Bufflon.**

♦ **2** (1690). Vx ou hist. Justaucorps en cuir.

**BUFFLON** [byflɔ̃] n. m. — 1845; de *buffle.*

Rare. Jeune buffle. → **Buffletin** (1.).

**BUFFLONNE** [byflɔn] n. f. → **Bufflesse.**

**BUFO** [byfo] n. m. — Attesté XX^e; mot lat., «crapaud». → Bufonidés, bufotaline, bufoténine, bufothérapie.

Didact. (zool.). Genre de Crapaud de la famille des Bufonidés* *(Anoures).*

Le genre Bufo est cosmopolite; il n'est absent qu'en Nouvelle-Guinée, en Polynésie, en Australie et à Madagascar (...) ce sont de tous les Amphibiens les plus prolifiques. (Une femelle de *B. marinus* d'Amérique du Sud peut donner jusqu'à 35 000 œufs par an).
Jean GUIBÉ, les Batraciens, p. 121.

**BUFONIDÉS** [byfɔnide] n. m. pl. — 1878, *in* Cottez; *bufonoïdes,* 1826, *in* Cottez; du lat. *bufo* «crapaud». → Bufo.

Didact. (zool.). Famille d'amphibiens anoures *(Bufonoïdea)* dépourvus de dents, possédant un tégument souvent épais et couvert de verrues. — Au sing. *Le crapaud* est un bufonidé.*

Les Bufonidés sont souvent des formes lourdes, à corps plus ou moins aplati, à pattes relativement courtes peu adaptées au saut. On connaît des représentants de cette famille sur l'ensemble du globe.
Jean GUIBÉ, les Batraciens, p. 121.

**BUFOTALINE** [byfɔtalin] n. f. — 1903, in *Rev. gén. des sc.,* n° 24, p. 1252; du lat. *bufo* «crapaud» (→ Bufo), d'après *digitaline.*

Biochim. Toxine contenue dans le venin des crapauds, qui agit sur le cœur. → **Bufoténine** (cit.).

**BUFOTÉNINE** [byfɔtenin] n. f. — 1903, in *Rev. gén. des sc.,* n° 24, p. 1252; du lat. *bufo* «crapaud» (→ Bufo), et de *sérotonine.*

Biochim. Toxine entrant dans la composition du venin de crapaud.

Dans celui *(le venin)* du Crapaud par exemple on trouve une toxine agissant sur le cœur à la façon de la digitaline (c'est la bufotaline), et une autre sur le système nerveux (la bufoténine); cette dernière présente une action assez rapide et efficace : certains Indiens d'Amérique du Sud empoisonnent leurs flèches du venin d'un petit amphibien.
Jean GUIBÉ, les Batraciens, p. 46.

**BUFOTHÉRAPIE** [byfoteʀapi] n. f. — Mil. XX^e; du lat. *bufo* «crapaud» (→ Bufo), et *-thérapie*.

Didact. (méd.). Emploi thérapeutique du venin de crapaud.

**BUG** [bœg] n. m. — V. 1975; mot angl. «cafard, punaise».

Anglic. Inform. → 4. **Bogue.**

**BUGAKU** [bugaku] n. m. — D. i. (attesté XX^e); mot japonais.

Didactique.

♦ **1** Musique japonaise, forme de gagaku* destinée à être dansée.

♦ **2** Danse exécutée sur cette musique, divertissement aristocratique très élaboré, exécuté avec de très riches costumes et parfois des masques.

**BUGGY** [bœgi] n. m. → **Boghei.**

1\. **BUGLE** [bygl] n. m. — 1832, *in* Höfler; mot angl., abrév. de *bugle-horn* «cor en corne de boeuf», empr. à l'anc. franç. *bugle* «jeune bœuf», du lat. *buculus,* même sens. → Beugler.

♦ **1** Instrument à vent de la famille des saxhorns (cuivres), utilisé notamment dans la musique militaire. → **Cornet, trompette.**

1 (...) donneur universel aussi en piston et en bugle, Montazeau avait été prêté pour le dimanche par la fanfare du XIII^e à celle de Cormeilles (...)
GIRAUDOUX, Églantine, p. 37.

2 (...) le chant lancinant de multiples transistors était parfois couvert par des chœurs en langues étrangères avec accompagnement de cornemuse, de bugle ou d'ocarina.
R. QUENEAU, les Fleurs bleues, p. 46.

♦ **2** Hist. (D'après le sens initial de l'anglo-normand *bugle,* XVI^e). Ancien instrument à vent fait d'une corne de bovidé.

DÉR. **Bugler.** ◊ HOM. 2. **Bugle,** formes du v. **bugler.**

2\. **BUGLE** [bygl] n. f. — XIII^e; *bucle,* v. 1290; lat. médiéval *bugula.*

Bot. Plante herbacée *(Labiacées),* dont une espèce à fleurs bleues est commune dans les lieux humides. *Une espèce de bugle était autrefois employée comme vulnéraire.*

HOM. 1. **Bugle,** formes du v. **bugler.**

**BUGLER** [bygle] v. intr. — 1873; de 1. *bugle.*

Rare. Produire un son qui ressemble à celui du bugle. → aussi **Beugler, corner.**

J'entends le vent du nord
Qui bugle comme un cor
C'est l'hallali des trépassés
J'aboie après mon tour assez
J'entends le vent du nord
J'entends le glas du cor.
Tristan CORBIÈRE, les Amours jaunes, Pl., p. 809 (1873).

**BUGLOSSE** [byglɔs] n. f. — 1372; lat. *buglossa,* grec *bouglôsson* «langue de boeuf».

Bot. Plante herbacée des lieux incultes *(Borraginacées),* à fleurs généralement bleues, aussi appelée *fausse bourrache.*

**BUGNE** [byɲ] n. f. — 1810; «tumeur», 1732, Trévoux; forme franco-provençale de *beigne**.

Régional. Beignet* de pâte, frit dans l'huile (spécialité lyonnaise). *Manger des bugnes. «Bugne à l'éperon; bugne à la rose»* (Nizier du Puitspelu, *le Littré de la Grand'Côte,* 1894).

Fig. *«Va t'en donc, grande bugne!»,* grand nigaud (Nizier du Puitspelu, *le Littré de la Grand'Côte,* 1894).

**BUGRANE** [bygʀan] n. f. — 1545; *bugrave,* 1542; *bouveraude,* 1379; du lat. *bucranium* (→ Bucrane), croisé avec des formes issues du lat. vulg. **boveretina* «arrête-bœuf», de *bos* «bœuf», et *retinere* «arrêter, retenir», plante ainsi appelée à cause de ses racines qui arrêtent la charrue.

Bot. Plante épineuse *(Papilionacées),* à fleurs bleues, appelée aussi *arrête-bœuf.* → **Ononis.**

**BUILDING** [byldiŋ; bildiŋ] n. m. — 1895; mot anglo-amér., de *to build* «construire».

Anglic. Vaste immeuble moderne, à nombreux étages. → **Tour; gratte-ciel** (→ Batterie, cit. 5). *Habiter dans un building de 40 étages. La société a ses bureaux dans un building.*

Le building monte! Il va vivre : vingt puits d'ascenseurs le perforent de bout en bout. 1
G. DUHAMEL, Scènes de la vie future, VIII, p. 112.

La seule lumière venait du building voisin : un grand rectangle d'électricité pâle... 2
MALRAUX, la Condition humaine, p. 7.

(...) les buildings sont des ex-votos à la réussite, ils sont derrière la statue de la Liberté, comme les statues d'un homme ou d'une entreprise qui se sont élevés au-dessus des autres. 3
SARTRE, Situations III, p. 87.

(...) les phares des autos balayaient l'avenue où brillaient les hauts buildings. 4
S. DE BEAUVOIR, les Mandarins, p. 328.

REM. En France, le mot a tendance à vieillir, sauf en parlant des États-Unis (→ Immeuble, tour). Il reste usuel en Belgique, au sens de «immeuble moderne» (même lorsqu'il est assez petit).

**BUIRE** [bɥiʀ] n. f. — V. 1175; p.-ê. altér. de l'anc. franç. *buie* «cruche» (→ Bue), du francique **buk* «ventre», ou d'un bas francique **buri* «récipient».

♦ **1** Archéol. Vase en forme de cruche, à bec et à anse. → **Aiguière.** *Mettre des liqueurs dans une buire d'or, d'argent.*

♦ **2** Régional. Bidon, cruche servant au transport du lait, de l'huile... → **Bue.** — Contenu de ce bidon.

DÉR. **Burette.**

**BUIS** [bɥi] n. m. — 1160; *bois,* XIII^e; *buix,* 1360; *bouys,* 1471; anc. franç. *bois,* lat. *buxus* (→ Buxacées); *buis* est issu de *buxus* (avec p.-ê. infl. de *buisson*), ou plus probablt de *buxeus,* forme adjectivée. → Bois.

♦ **1** Arbuste à petites feuilles persistantes *(Buxacées),* souvent employé en bordures dans les jardins. *Buis bénit :* branche de buis qu'on bénit le jour des Rameaux (→ Bénir, cit. 24).

Des bordures de buis rigoureusement taillées y dessinaient des cadres où se déployaient, comme sur une pièce de damas, des ramages de verdure d'une symétrie parfaite. 1
Th. GAUTIER, le Capitaine Fracasse, V.

Bien qu'il ne vît dans la nuit ni les buis ni les fusains, il devinait leur feuillage sombre par leur odeur amère. 2
MALRAUX, la Condition humaine, p. 206.

Maigret s'avança sans bruit, s'inclina, trempa un brin de buis dans l'eau bénite et en aspergea le cercueil. 3
G. SIMENON, M. Gallet décédé, p. 41.

♦ **2** Bois jaunâtre, dense et dur, de cette plante. *Ouvrage de tabletterie, d'ébénisterie en buis. Boule en buis, de buis. Peigne de buis. Sculpter du buis.*

Par anal. *Couleur de buis. «Ces vieilles au menton de buis jaune»* (A. Daudet, *in* T. L. F.).

Fam. *Tête de buis :* tête de bois, tête dure.

♦ **3** Techn. Lissoir en buis des cordonniers servant à polir les talons et le bord des semelles.

DÉR. **Buiser, buissaie** ou **buissière, buisse** ou **bouisse.** — V. **Buisson.**

**BUISER** [bɥize] v. tr. — 1954; *buisser,* 1892; *bouysser,* 1473; de *buis.*

Régional. Garnir avec des rameaux de buis. *Buiser une tombe.*

**BUISINE** [bɥizin] n. f. — 1080; du lat. pop. **bucina.* → Buccin.

Vx. Trompette. → **Buccin.**

**BUISSAIE** [bɥisɛ] ou **BUISSIÈRE** [bɥisjɛʀ] n. f. — 1866, *buissaie; buissière,* 1507; de *buis.*

Régional. Lieu planté de buis (cf. Daudet, Arnoux, *in* T. L. F.). *Traverser une buissière.*

**BUISSE** [bɥis] ou **BOUISSE** [bwis] n. f. — 1751, *Encyclopédie;* de *buis.*

Vx. Outil de cordonnier servant à cambrer les semelles. — Instrument de tailleur pour rabattre les coutures.

**BUISSON** [bɥisɔ̃] n. m. — V. 1160; *boissun,* 1080; altér., p.-ê. d'après *buis,* de l'anc. franç. *boisson,* du lat. *buxeus* (→ Buis), dimin. de *bois.*

♦ **1** Bouquet, touffe d'arbrisseaux sauvages et rameux. *Buisson épineux. Bruyères, églantiers, genêts, ronces en buisson.* → **Buissonnant.** *Un buisson d'aubépine. Fourré de buissons touffus.* → **Hallier.** *Lieu où poussent les buissons.* → **Garrigue, lande.** *Buisson où se réfugie le gibier.* → **Breuil.**

0.1 Je n'ai jamais vu dans un endroit en maçonnerie une telle multiplicité de fers de lance, de pals, d'artichauts, de buissons et de ronces.
B. CENDRARS, Moravagine, Œ. compl., t. IV, p. 250.

*Arbre de buisson, buisson :* arbre fruitier nain que l'on taille en buisson. — *Arbre que l'on taille tous les deux ou trois ans afin qu'il ne dépasse pas trois mètres de hauteur.*

*Se cacher dans un buisson. Explorer, fouiller les buissons...* — Loc. *Battre** (cit. 16 à 18) *les buissons.*
Chasse. *Faire, trouver buisson creux :* ne plus trouver dans l'enceinte la bête qu'on avait détournée; (fig.) ne pas trouver la personne ou la chose qu'on était allé chercher.

Fig. *Se sauver à travers les buissons :* chercher des échappatoires quand on est trop pressé dans la discussion.

Par métaphore (en parlant d'un obstacle, d'une chose qui ralentit une action) :

1 Ma vie a été misérablement accrochée aux buissons de ma route; heureux si j'avais été l'oiseau libre qui chante et fait son nid dans ces buissons!
CHATEAUBRIAND, Mémoires d'outre-tombe, II, 12.

2 (...) j'ai, comme un mouton
Qui laisse sa laine au buisson,
Senti se dénuer mon âme.
A. DE MUSSET, Poésies nouvelles, «Nuit de décembre».

3 Des branches d'églantine (...) fleurissaient un buisson en travers du sentier.
MARTIN DU GARD, les Thibault, t. II, p. 260.

(1262). *Le buisson ardent où Dieu se révéla à Moïse.* → **Buisson-ardent.**

4 (...) il *(Moïse)* a une vision singulière. Un buisson brûle et pourtant ne se consume pas (...)
DANIEL-ROPS, le Peuple de la Bible, II, I, p. 83.

Par anal. Touffe.

5 L'œil est rentré sous l'arcade sourcilière qu'enfile un buisson de poils. GIDE, les Faux-monnayeurs, I, 4.

♦ **2** (1739). Mets arrangé en forme de pyramide hérissée d'épines. *Buisson d'écrevisses* (cit. 1).

♦ **3** (1886). Didact. Partie inférieure d'une tornade, plus large que la colonne centrale, constituée de gouttelettes d'eau soulevées de la mer ou de poussières, de débris soulevés du sol.

DÉR. **Buissonner, buissonneux, buissonnier.** ◊ COMP. **Buisson-ardent.**

**BUISSON-ARDENT** [bɥisɔ̃aʀdɑ̃] n. m. — 1680; de l'expression *buisson ardent.*

Arbuste méditerranéen *(Rosacées)* à baies écarlates, ornemental (jardins), appelé aussi *arbre de Moïse* (n. sc. : *cotoneaster*).

**BUISSONNANT, ANTE** [bɥisɔnɑ̃, ɑ̃t] adj. — 1898, *Nouveau Larousse illustré;* de *buissonner.*

♦ **1** Qui buissonne (plante). → **Buissonneux.** *Des rosiers buissonnants. Espèce buissonnante pour la décoration des parterres.*

Il vit de loin (...) les tomates buissonnantes. 1
PAGNOL, Jean de Florette, p. 254.

Par anal. *Des favoris buissonnants.*

♦ **2** Fig. Se dit d'un classement en arbre (taxinomique ou génétique) dont les divisions et les subdivisions sont nombreuses dès la base, et les branches irrégulières. *«Le caractère "buissonnant" du monde vivant...»* (*Science et Vie,* n° 588, p. 59; 1967).

Cette apparente option est constante et justifie l'expression d'évolution «buissonnante» qu'emploient les paléontologistes pour rendre compte de la diversification des êtres vivants. 2
A. LEROI-GOURHAN, le Geste et la Parole, I, p. 43.

**BUISSONNEMENT** [bɥisɔnmɑ̃] n. m. — 1875; de *buissonner.*

Rare. Action de buissonner (2.).

**BUISSONNER** [bɥisɔne] v. intr. — XVe; *boissoner,* v. 1200; de *buisson.*

♦ **1** Chasse. Aller dans les buissons à la recherche du gibier. *Le chien buissonne.* — (En parlant du cerf). Se retirer, se cacher dans un buisson.

Par ext. Vx. Se promener tranquillement. — Spécialt. Faire l'école buissonnière.

♦ **2** (1838). Pousser en forme de buisson (en parlant des plantes); développer de nombreux rameaux feuillés latéraux près du sol. *Un géranium qui buissonne.* → **Buissonnant.**

DÉR. **Buissonnant, buissonnement.**

**BUISSONNEUX, EUSE** [bɥisɔnø, øz] adj. — V. 1175, *boissonneus;* de *buisson.*

♦ **1** Qui est couvert de buissons. *Pays buissonneux.*

(...) il fallait courir vers la berge molle, fangeuse mais buissonneuse et assez inclinée pour être protectrice. 1
Jacques LAURENT, les Bêtises, p. 320.

(...) face à ce quadrilatère de grands rosiers emmêlés ils voient la fuite buissonneuse de la pente la maison et le jardin (...) 2
Tony DUVERT, Paysage de fantaisie, p. 214.

♦ **2** En forme de buisson. *Arbre buissonneux.* → **Buissonnant.** Constitué de buissons.

Ses cheveux étaient gris et rares, mais sur les arcades sourcilières à l'architecture massive, s'accrochait une énorme et buissonneuse végétation. 3
G. DUHAMEL, Chronique des Pasquier, Cécile, X, p. 79.

**BUISSONNIER, IÈRE** [bɥisɔnje, jɛʀ] adj. — V. 1540; *buyssoniere,* n. f., 1538, «lieu couvert de buissons»; de *buisson.*

♦ **1** Loc. **ÉCOLE BUISSONNIÈRE.** Vx. École clandestine tenue au moyen âge en plein champ. — Mod. *Faire l'école buissonnière :* flâner, se promener au lieu d'aller en classe, et, par ext., manquer à son travail, à son occupation (→ 1. Muser, cit. 2).

De toutes les écoles que j'ai fréquentées, c'est l'école buissonnière qui m'a paru la meilleure et dont j'ai le mieux profité. FRANCE, le Petit Pierre, VIII.

♦ **2** (1580). Vx. Qui habite les buissons. *Lapin, merle buissonnier.*

♦ **3** (1547; repris v. 1965). Mod. Qui s'écarte des chemins battus. → **Libre, original, vagabond.** *Tourisme buissonnier. Rivière, route buissonnière. Plaisir buissonnier.*

**BULBAIRE** [bylbɛʀ] adj. — 1833; de *bulbe.*

Anat. Relatif au bulbe rachidien. *Nerfs crâniens bulbaires. Contrôle et régulation bulbaires de la vie végétative.*

**BULBE** [bylb] n. m. — $xv^e$; lat. *bulbus* «oignon».

**I** ♦ **1** Bot. et cour. Organe souterrain renflé, constitué par un bourgeon au centre d'écailles fixées sur une tige en plateau, porteur de racines adventives, rempli de réserves nutritives grâce auxquelles la plante reconstitue chaque année ses parties aériennes. → **Oignon.** *Bulbe écailleux, tuniqué. Bulbe de jacinthe, de lis, de tulipe. Culture des plantes à bulbes.* → **Bulbiculture.** *Le bulbe de colchique est prescrit contre la goutte. Tige florale d'un bulbe. Enveloppe d'un bulbe.* → **Tunique.**

Bot. *Bulbe de propagation :* bourgeon se développant sur un bulbe. → **Caïeu.**

1 Lorsque les feuilles sont très serrées et confondues avec le plateau de manière à ne constituer qu'une seule masse, on dit que le bulbe est *solide :* Safran, Glaïeul.
POIRÉ, Dict. des Sciences, Bulbe.

REM. Selon Académie, huitième éd., *bulbe* au sens botanique est féminin : *une bulbe.* Cette forme semble inusitée.

♦ **2** (1732). Anat. Renflement arrondi et globuleux. *Bulbe dentaire, pileux,* à la base d'une dent, d'un poil. *Bulbe d'une plume. Bulbes oculaires, auditifs. Bulbe de l'ovaire, de l'urètre. Bulbe spongieux* (de l'urètre). *Bulbe vestibulaire* (ou *bulbe du vagin*) : chacun des deux organes érectiles situés de part et d'autre des orifices de l'urètre et du vagin.

Anat. et cour. *Bulbe rachidien,* ou, absolt, *bulbe :* segment inférieur de l'encéphale, qui fait suite à la moelle épinière (on l'appelait autrefois *moelle allongée*), se continuant par la protubérance annulaire. *Le bulbe est le lieu d'origine des quatre dernières paires de nerfs crâniens* (glosso-pharyngien, pneumogastrique, spinal et grand hypoglosse). → **Bulbaire.**

2 La région du bulbe est, au point de vue physiologique, d'une importance capitale. Elle sert en effet d'origine à un grand nombre de nerfs crâniens (...) et par suite, une lésion du bulbe entraînant une lésion du noyau d'origine de ces nerfs, les désorganise et les annihile au point de vue physiologique. POIRÉ, Dict. des Sciences, Bulbe.

♦ **3** Coupole sphérique se terminant en pointe (en forme d'oignon). *Bulbe d'une église russe. Église à bulbes.* → **Bulbé, bulbeux** (2.).

3 (...) n'ayant d'autre route que le rebord dentelé d'une corniche, d'où l'on aperçoit les plaques de cuivre du toit et les bulbes des clochetons (...)
Th. GAUTIER, Voyage en Russie, «Le Kremlin», p. 279.

Anthrop. *Bulbe de percussion.*

Les roches clastiques comme le silex ou les quartzites, soumises à un choc violent, libèrent des éclats qui présentent sur leur plan d'éclatement une surface conchoïdale, le bulbe de percussion. 4
A. LEROI-GOURHAN, le Geste et la Parole, I, p. 130.

**II** (1897, *in* Höfler; angl. *bulb* «oignon; bulbe, ballon»). Mar. Renflement de la partie inférieure de la quille, destiné à diminuer la résistance à l'eau.

Renflement de l'avant de la carène d'un grand navire moderne, destiné à faciliter sa pénétration dans l'eau. *Le bulbe d'un pétrolier, d'un cargo. Le bulbe émerge en partie quand le bateau navigue à vide.*

REM. Dans cet emploi, on rencontre parfois la forme anglaise *bulb.*

DÉR. **Bulbaire, bulbé, bulbille.** V. **Bulbeux.** ◊ COMP. **Bulbiculteur, bulbiculture.** V. **Bulbo-.**

**BULBÉ, ÉE** [bylbe] adj. — Attesté 1957; de *bulbe.*

Rare. En forme de bulbe. «*Un de ces clochers bulbés*» (J. Laurent, *les Bêtises,* p. 236). → **Bulbeux** (2.).

**BULBEUX, EUSE** [bylbø, øz] adj. — 1545; lat. *bulbosus,* de *bulbus.* → Bulbe.

♦ **1** Bot. Qui a un bulbe. *Plante bulbeuse. Liliacées à racines bulbeuses.*

♦ **2** Renflé, en forme de bulbe. → **Bulbé.**

Il faut aussi que la demie de sept heures ait sonné au clocher bulbeux (...)
COLETTE, la Naissance du jour, p. 195.

Anat. *Corps bulbeux. Artère bulbeuse.*

**BULBICULTEUR, TRICE** [bylbikyltœʀ, tʀis] n. — $xx^e$; de *bulbe,* et *-culteur.*

Techn. Horticulteur, horticultrice spécialisé(e) dans les plantes à bulbes*. *Les bulbiculteurs hollandais.*

**BULBICULTURE** [bylbikyltyʀ] n. f. — $xx^e$; de *bulbe,* et *-culture.*

Techn. Culture des plantes d'agrément à bulbes (tulipes, etc.).

**BULBILLE** [bylbij] n. f. — 1836, Landais; de *bulbe.*

Bot. Petit bulbe qui naît à l'aisselle d'une feuille et sert de bourgeon de remplacement. *Les bulbilles de l'ail. Bulbilles radiculaires, foliaires.*

**BULBO-** Élément, de *bulbe**, entrant dans la composition de mots d'anatomie, et désignant soit le bulbe rachidien (→ **Bulbo-médullaire**), soit le bulbe de l'urètre (→ **Bulbo-caverneux**).

**BULBO-CAVERNEUX, EUSE** [bylbokavɛʀnø, øz] adj. et n. m. — 1805, Cuvier; de *bulbo-,* et *caverneux.*

Anat. Se dit du muscle qui recouvre, chez l'homme, le bulbe* spongieux de l'urètre et, chez la femme, le bulbe vestibulaire. *Muscle bulbo-caverneux.* — N. m. *Le bulbo-caverneux.*

**BULBO-MÉDULLAIRE** [bylbomedylɛʀ] adj. — V. 1920; de *bulbo-,* et *médullaire.*

Anat. Qui se rapporte au bulbe* rachidien et à la moelle épinière.

**BULBUL** [bylbyl] n. m. — 1838, Lamartine; mot persan.
Zool. et littér. Petit passereau au plumage brun verdâtre.

1 Ils entendent des voix que nous n'entendons pas,
Ils savent ce que dit l'étoile dans sa course (...)
Le bulbul à l'aurore et le cœur au soupir.

LAMARTINE, Fragment du Livre primitif, «La chute d'un ange».

2 (...) le bulbul chante le poëme de ses amours avec la rose, caché sous des touffes de myrtes.

Th. GAUTIER, Constantinople, p. 356.

**BULGARE** [bylgaʀ] adj. et n. — 1732; *bulgaire,* 1606; anc. franç. *bou(l)gre* «hérétique; sodomite», les Bulgares ayant été manichéens (→ Bougre); lat. *Bulgares.*

De la Bulgarie. *Le peuple bulgare. Yaourt bulgare. Unité monétaire bulgare.* → **Lev.** — N. *Les Bulgares.* — N. m. *Le bulgare,* langue slave du groupe méridional. *Le bulgare s'écrit en caractères cyrilliques.*

**BULGOMME** [bylgɔm] n. m. — Mil. XX$^{e}$; marque déposée, de *gomme* et *bulle.*

Sous-nappe imperméable en mousse de caoutchouc (de la marque de ce nom), qui protège le dessus de la table des chocs et de la chaleur. «*Avec un grand rire il avait retourné le matelas et son contenu sur le bulgum* [sic]» (Yann Queffélec, *les Noces barbares,* p. 69).

**BULL** [byl; bul] n. m. → **Bulldozer.**

**BULLAGE** [bylaʒ] n. m. — Mil. XX$^{e}$; de 1. *bulle.*
Technique.

♦ **1** Opération consistant à introduire du gaz dans un liquide (de manière à former des bulles). *Bullage d'air comprimé.*

♦ **2** Agitation d'un fluide provoquée à l'aide d'un gaz (généralement de l'azote).

♦ **3** Formation de bulles ou de pores à la surface d'une couche de peinture. → aussi **Cloquage.**

**BULLAIRE** [bylɛʀ] n. m. — 1727; lat. médiéval *bullarium,* de *bulla.* → 1. Bulle.

Relig. Recueil des bulles des papes. — Scribe qui copiait ces bulles.

**BULL-DOG** [byldɔg; buldɔg] n. m. → **Bouledogue** (1.).

**BULLDOZER** [byldɔzɛʀ] ou [buldozœʀ] n. m. — 1927; mot angl. des États-Unis, d'abord «celui qui malmène», de *to bulldoze* «intimider».

♦ **1** Engin de terrassement, tracteur à chenilles très puissant, utilisé notamment dans les travaux publics. — Recomm. off. → **Bouteur.**

(...) vous voyez cette belle machine peinte en rouge, qui est en train de démolir un immeuble. C'est quelque chose de terrible, vraiment, parce que vous ne vous y attendiez pas. Elle est là, seule au milieu du chantier, pareille à un gros insecte aux bras épais, avec son cockpit fermé, où on ne voit pas d'homme. Il y a tellement de moteurs partout, et le bulldozer est seul sur la plaine de gravats, et il avance, recule, avance en grognant. Devant lui, ses deux bras musclés portent une main aux doigts recourbés, et c'est avec ça qu'il démolit la maison.
Le bulldozer avance sur ses chenilles. La lumière du soleil rebondit sur sa coque de métal rouge et sur le cockpit de plexiglas. Avec sa puissance, il escalade les tas de cailloux et de plâtre, il marche vers les murs de la maison en ruines. Quand il arrive devant le mur, il lève un peu ses bras, et il les laisse retomber. La main crochue frappe négligemment le mur qui s'effondre. Puis le bulldozer recule, et avec sa main, il tasse les morceaux de mur. On renifle la poussière âcre qui vole dans l'air, on entend tous les bruits effrayants, les craquements de la pierre écrasée, les coups de la main de métal, les grincements des chenilles, les rugissements du moteur. C'est tellement beau qu'on ne peut plus le haïr. On est enlevé à soi, arraché, on est soumis à la machine qui travaille. Il y a tant de solitude et de force, dans ce chantier (...)

J.-M. G. LE CLÉZIO, les Géants, p. 182.

Abrév. fam. : *bull* [byl; bul] n. m.

♦ **2** Fig. Personne qui renverse tout sur son passage, qui passe allègrement par-dessus les obstacles. *C'est un vrai bulldozer, ce garçon!*

1. **BULLE** [byl] n. f. — V. 1190, *buille* «sceau»; lat. médiéval *bulla,* spécialisation du lat. class. *bulla* «bulle d'eau; médaillon, ornement en forme de boule». → Boule.

**I** ♦ **1** Antiq. rom. Petite boule que les patriciens portaient au cou jusqu'à l'âge de dix-sept ans.

Des toges, des prétextes, des bulles. 1

ROUSSEAU, Émile, IV.

♦ **2** Boule de métal attachée à un sceau, et, par ext., ce sceau. *La bulle des papes est à l'effigie de saint Pierre et de saint Paul. Bulle d'un prince du moyen âge.*

♦ **3** (1214, *boille*). Lettre patente du pape avec le sceau de plomb, désignée par les premiers mots du texte (ex. : *bulle Unigenitus*) et contenant ordinairement une constitution générale. *Bulles à caractère privé.* → 2. **Bref; rescrit.** *Fulminer, publier une bulle. Brûler une bulle. Bulle d'excommunication**. *Bulle d'indiction,* pour la convocation d'un concile. *Bulle sabbatine. Les appelants* (II., 2.), *opposants à la bulle Unigenitus. Officier de la chancellerie romaine qui écrit les bulles.* → **Scripteur.** *Recueil de bulles.* → **Bullaire.**

La bulle *in Cœnâ Domini* indigna tous les souverains catholiques, qui l'ont enfin proscrite dans leurs états; mais la bulle *Unigenitus* n'a troublé que la France. On attaquait dans la première les droits des princes et des magistrats de l'Europe; ils les soutinrent. On ne proscrivait dans l'autre que quelques maximes de morale et de piété. 2

VOLTAIRE, Dict. philosophique, Bulle.

Acte, ordonnance des empereurs d'Allemagne. *La bulle d'or de Charles IV réglait la forme des élections impériales* (→ Bas, cit. 44).

♦ **4** (1690). Archéol. Tête de clou richement ornée décorant des vantaux, des coffres.

**II** Cour. ♦ **1** (Av. 1590). Quantité (d'air ou de gaz) enfermée dans une matière. — Spécialt. Petite quantité (d'air ou de gaz) qui s'élève à la surface d'un liquide en mouvement, en effervescence, en ébullition. *Bulle d'air, de gaz. Bulles dans une matière en fusion.* «*Des bulles d'air sous l'épiderme d'une lave*» (→ Bubon, cit. 2, Artaud). *Liquide qui fait des bulles.* → **Effervescent, gazeux, pétillant.** *Bulles qui montent dans un verre d'eau minérale, de bière. Les bulles du mousseux, du champagne. Amas de bulles.* → **Mousse.** *Des bulles éclatent à la surface de l'eau qui bout. Bulle de salive. Niveau** *à bulle. Bulles dans de la colle; bulles dans l'épaisseur d'une couche de peinture.* → **Bullage** (3.); et aussi **cloque.** — Techn. *Piège** *à bulles.*

Des mousses, jusqu'au fond descendues, faisaient une profondeur avec l'ombre : des algues glauques retenaient des bulles d'air pour la respiration des larves. 2.1

GIDE, Paludes, *in* Romans, Pl., p. 104.

(...) un bruit de pas sans écho sur le gravier d'une allée, une bulle formée contre une plante aquatique par l'eau de la rivière et qui crève aussitôt, mon exaltation les a portés et a réussi à leur faire traverser tant d'années successives (...) 3

PROUST, À la recherche du temps perdu, t. I, p. 248.

4 (...) comme une bulle d'air détachée des profondeurs d'une eau dormante par le passage d'une bête invisible.
H. BOSCO, le Jardin d'Hyacinthe, p. 145.

5 Je laissais ce prénom éclater comme une bulle à la surface de notre vie. F. MAURIAC, le Nœud de vipères, p. 65.

.1 (...) on hésite même à préciser le sens du mouvement, vers le haut ou vers le bas, comme pour des particules en suspension dans une eau tranquille, des petites bulles dans un liquide chargé de gaz, des flocons de neige, de la poussière.
A. ROBBE-GRILLET, Dans le labyrinthe, p. 80.

Loc. fam. (métaphore du *niveau à bulle*). **COINCER LA BULLE :** ne rien faire, se reposer (comme la bulle du niveau, qui reste immobile quand on l'a placée [«coincée»] entre les repères, le niveau étant horizontal). → 2. **Buller.**

.2 Je ne rigole pas, je suis vraiment en vacances, je vais t'expliquer ça, mais ça ne te dérange pas, je retourne sous le lit parce que si le responsable des cuisines me trouve en train de coincer la bulle, il risque de ne pas me féliciter. Joseph JOFFO, Un sac de billes, p. 165.

État d'une personne qui ne fait rien, qui n'a rien à faire; inaction, repos. *C'est la bulle, ce travail.*

**BULLE DE SAVON :** globe formé d'une pellicule d'eau savonneuse et pouvant se tenir en suspension dans l'air. *Faire des bulles de savon avec un chalumeau. Irisations sur une bulle de savon. — S'envoler, flotter comme une bulle de savon.* — Par métaphore. Chose fragile, illusoire.

*Faire, souffler des bulles de chewing-gum.* → **Bubblegum** (cit.).

Inclusion d'air dans une matière solidifiée (parfois volontaire, parfois constituant un défaut de fabrication). *Bulles dans une matière plastique. Verre qui présente des bulles.* → **Bullé.**

Par ext. Objet de forme plus ou moins sphérique. → **Balle, boule.**

6 Car la terre n'est qu'une goutte de boue dans l'espace, et le soleil une bulle de gaz bientôt consumée.
FRANCE, le Mannequin d'osier, 1 t. XI, p. 364.

7 Et c'est ensuite le silence, jalonné seulement par le bruit régulier (régulier?) de ce (...) qui s'est révélé, après examen, provenir de cette espèce de boule, ou de balle, ou de bulle, ou de perle, qui traverse sans cesse dans des directions changeantes l'espace cubique de la cellule.
A. ROBBE-GRILLET, Souvenirs du Triangle d'or, p. 156.

♦ **2** [a] Méd. Soulèvement de l'épiderme ménageant une cavité remplie de sérosité. → **Ampoule, cloque, phlyctène, vésicule; bulleux.** *Bulle d'emphysème.*

[b] *Bulle tympanique :* cavité contenant les organes de l'oreille moyenne, chez certains mammifères.

♦ **3** (V. 1960). Espace délimité par une ligne courbe fermée, placé à proximité de la bouche d'un personnage dessiné et contenant un texte correspondant à ses paroles, ses pensées... *Les bulles d'une bande dessinée* (→ 1. Bande, cit. 6). → **Ballon; phylactère** (3.); cf. ital. *fumetto.* — Par ext. Texte contenu dans une bulle.

8 (...) quelques notes de musique se détachent sur un fond clair : c'est un chant (*dans la bande dessinée* Krazy Kat). La bulle doit être lue comme paroles d'une rengaine; une graphie inégale (...) suggère les inégalités d'une voix peu posée. Alain REY, les Spectres de la bande, p. 102.

♦ **4** Sc. [a] (Mil. XX$^{e}$). Phys. *Chambre* à bulles.*

[b] (V. 1980). *Bulle magnétique* ou *bulle :* domaine magnétisé minuscule, placé et circulant en très grand nombre sur un substrat plat pour constituer une mémoire de grande capacité et de faible encombrement. *Mémoire à bulles.*

♦ **5** Enceinte stérile dans laquelle on place dès leur naissance les enfants présentant un déficit immunitaire. → **Bébé** (bébé-bulle). *Bulle d'élevage.*

DÉR. **Bullage, bullé,** 2. **buller, bulleux.** — V. **Bullaire,** 1. **buller, bulletin, bulteau.** ◊ HOM. **Bull,** 2. **bulle,** formes des v. 1. **buller,** 2. **buller.**

2. **BULLE** [byl] n. m. et adj. invar. — 1808; *bule,* 1765, «pâte à papier grossière»; orig. obscure.

♦ **1** Papier jaunâtre, de qualité très ordinaire. — Adj. m. invar. *Papier bulle.*

♦ **2** Pop. Vx. Argent (monnaie).

HOM. **Bull,** 1. **bulle,** formes des v. 1. **buller,** 2. **buller.**

**BULLÉ, ÉE** [byle] adj. — 1834; de 1. *bulle.*

Techn. Qui présente, contient des bulles. → **Bulleux.** — Spécialt. *Verre bullé.*

1. **BULLER** [byle] v. tr. — Fin XIII$^{e}$; lat. médiéval *bullare,* de *bulla.* → 1. Bulle.

Relig., hist. Sceller avec une bulle. *Buller un acte.*

Au p. p. *Acte bullé. Bénéfice bullé,* conféré par une bulle.

2. **BULLER** [byle] v. intr. — 1951; de *(coincer la) bulle* (→ 1. Bulle, II., 1.).

Fam. Ne rien faire. *Il bulle toute la journée.*

**BULLETIN** [byltɛ̃] n. m. — 1532; anc. franç. *bulette,* de *bulle* «sceau», avec infl. de l'ital. *bollettino* «billet».

♦ **1** Vx. Billet faisant part d'un avis, d'une décision, d'un événement, d'un ordre.

Il lui bailla incontinent un bulletin, par la vertu duquel la porte lui fut ouverte et les chevaux baillés. 1
MARGUERITE DE NAVARRE, Nouvelles, XII, *in* LITTRÉ.

♦ **2** (1539). *Bulletin de vote :* papier indicatif d'un vote, que l'électeur dépose dans l'urne. *Bulletin nul,* irrégulier (par modification, surcharge, etc.). *Bulletin blanc,* vierge (en signe d'abstention). *Mettre, déposer son bulletin dans l'urne. Composer son bulletin à son gré* (→ Panachage, cit.). *Compter, dépouiller les bulletins.*

♦ **3** (1611). Certificat ou récépissé délivré à un usager. → **Reçu.** *Bulletin de bagages, de consigne. Bulletin de salaire, de paye,* comportant les indications légales concernant un travail salarié, et qui doit accompagner le paiement du salaire. → **Feuille, fiche.** *Bulletin de commande, d'expédition.* → **Bordereau, ordre.** *Bulletin de demande de remboursement. Bulletin de casier judiciaire. — Bulletin de naissance.* → **Acte.**

Loc. fam. *Avaler son bulletin de naissance :* mourir.

♦ **4** Information émanant d'une autorité, d'une administration, et communiquée au public. → **Communiqué, rapport.** *Bulletin météorologique, bulletin météo. Bulletin militaire. Bulletin de l'armée,* faisant le récit officiel des opérations en cours. *Les bulletins de la Grande Armée.*

Bernard avait répondu par un petit billet de deux lignes sur un ton de général qui griffonne un bulletin en pleine bataille. 2
A. MAUROIS, Bernard Quesnay, XVIII, p. 106.

Toujours suspendus aux écouteurs de la radio pour capter les bulletins météo, nous continuons sagement à raser les murs, touchant un port à la moindre grimace du ciel. 2.1
Bernard MOITESSIER, Cap Horn à la voile, p. 60.

*Bulletins de statistique,* publiés par les offices de statistique.

*Bulletin de santé,* par lequel les médecins traitants rendent compte de l'état d'un personnage important.

2.2 Aussi avec quelle anxiété on attendit, au début, les bulletins de santé que publiaient les médecins de Dieppe auxquels le comte confia le malade !
M. LEBLANC, l'Aiguille creuse, p. 90-91.

*Bulletin scolaire,* ou, absolt, *bulletin :* rapport (généralement trimestriel) des professeurs et de l'administration, contenant les notes de travail et de conduite d'un élève. → **Carnet** (de notes). *Il a eu un bon bulletin. Montre ton bulletin à ton père.*

Article résumant et commentant des nouvelles dans un certain domaine. *Bulletin de l'étranger.*

*Bulletin d'information :* émission de télévision ou de radio au cours de laquelle sont données les principales informations de la journée. → **Journal** (parlé). *Le bulletin de la mi-journée.*

(1793). *Bulletin des lois :* recueil officiel des lois. → **Journal** (officiel). *Bulletin de la Bourse.* → **Cote** (des valeurs).

Revue se bornant généralement à rendre compte brièvement de certaines activités. *Le bulletin d'une association sportive. Éditer un bulletin. Bulletin scientifique, littéraire, politique.*

3 Mourlan, aux jours héroïques de l'Affaire, avait fondé un bulletin de combat, tiré à la polycopie, et qu'on se passait, alors, chaque semaine, de main en main.
MARTIN DU GARD, les Thibault, t. V, p. 285.

4 Dans cette prétention, ils *(les planistes)* s'accordaient d'ailleurs aux personnalistes et même, au-delà, aux «néo-capitalistes» de la «Société d'études et d'informations économiques» de MM. Pinot, Lambert-Ribot et Peyerimhoff, qui éditait le célèbre *Bulletin quotidien* du Comité des Forges et qui fut dans les années 20 le premier séminaire de ces nouveaux «ingénieurs politiques».
Raymond ABELLIO, les Militants, p. 57.

**BULLEUX, EUSE** [bylø, øz] adj. — 1803 ; de 1. *bulle.*

♦ **1** Rare. Qui présente des bulles (II., 1.). → **Bullé.**

1 (...) j'ai mal au ventre les crèmes glacées que je ne digère pas le coca-cola s'y mélange les bulles le gras bulleux la vanille blême.
Tony DUVERT, Paysage de fantaisie, p. 149.

Didact. *Sables bulleux, laves bulleuses.*

2 À peine éclairé d'une lumière diffuse, le paysage semblait comme déterré, gardant dans ses creux, dans ses fissures, sur ses pitons, des couches de lave bulleuse.
Jean CAYROL, Histoire de la mer, p. 47.

♦ **2** Méd. Qui présente des bulles (II., 2.). *Dermatose bulleuse* (ex. : impétigo, pemphigus). *Érythrodermie bulleuse.*

Par métaphore :

3 Les alluvions des mangroves roulent leurs ventres effervescents, bulleux, cloqués de pépites gluantes et jaunes.
P. GRAINVILLE, les Flamboyants, p. 13.

**BULL-FINCH** [bulfinʃ] n. m. — 1862 ; attestation isolée, *ball-finch,* 1829 ; mot angl., p.-ê. altér. de *bull-fence* «clôture à taureaux».

Anglic. Obstacle de steeple-chase, formé d'un talus surmonté d'une haie. — Plur. *Des bull-finches.*

(...) de sorte qu'il *(de Reixach)* se trouva à peu près au milieu de la piste et seul, devançant légèrement le second cheval, les deux autres à environ cinq mètres derrière, tous les quatre se dirigeant vers le bull-finch d'un galop maintenant moins coulé, plus saccadé (...)
Claude SIMON, la Route des Flandres, p. 152.

**BULL-TERRIER** [bultɛʀje] n. m. — 1858 ; mot angl., de *bull(dog),* et *terrier.*

Chien d'une race anglaise, bon ratier. *Des bull-terriers.*

**BULOT** [bylo] n. m. — Av. 1877 ; mot dial. (Normandie, Picardie) d'orig. obscure, probablt à rapprocher de formes anc. de l'angl. *whelk,* correspondant au flamand de l'Ouest *willok* (cf. le moyen franç. *willox* «escargot», 1382, Nord).

Gros mollusque gastéropode des côtes de l'Atlantique, qui se mange cuit. → **Buccin, escargot** (de mer). *Des bulots à la mayonnaise.*

**BULTEAU** [bylto] n. m. — 1752 ; altér. de *bouleteau,* de *boule,* sous l'infl. de 1. *bulle.*

Sylv. Arbre en boule. *Tailler des arbres en bulteau,* les étêter.

**BUMPER** [bœmpœʀ] n. m. — V. 1960, *in* Rey-Debove et Gagnon ; mot angl., de *to bump* «heurter, rebondir».

Anglic. Borne ou plot sur lequel la bille métallique d'un billard électrique rebondit. → **Billard** (cit. 5 et *supra*).

**BUN** [bœn] n. m. — 1827, *in* Rey-Debove et Gagnon ; mot angl. d'orig. incertaine, probablt de même orig. que *bugne*.*

Anglic. Petit pain au lait, généralement servi avec le thé (spécialité britannique).

Elle sait que bientôt il sera temps de faire griller les «buns» et de sonner la cloche pour le thé.
N. SARRAUTE, Tropismes, p. 108.

**BUNA** [byna] n. m. — 1948 ; mot allemand, nom déposé ; de *bu(tadiène),* et *Na,* symbole du sodium.

Techn. Caoutchouc synthétique — de fabrication allemande — obtenu par polymérisation du butadiène en présence du sodium.

La polymérisation du butadiène étant effectuée en présence de sodium, les Allemands désignèrent tout caoutchouc qui en dérivait par le terme général de Buna (BUtadiène — NAtrium).
Jean VÈNE, les Caoutchoucs et Textiles synthétiques, p. 16.

**BUNGALOW** [bœ̃galo] n. m. — 1826, *in* D. D. L. ; *bungaloe,* 1808 ; mot angl., de l'hindi *bangla* «du Bengale».

♦ **1** Maison indienne basse entourée de vérandas.

Les plus importantes de ces constructions ressemblent aux bungalows des Indes ; le toit est plat et s'avance de manière à couvrir une galerie extérieure, bien treillissée, basse et ombreuse, appuyée sur des poteaux. 1
Trad. de R. BURTON, Voyage à la cité des Saints, *in* le Tour du monde, 1862, t. VI, p. 364.

Joseph sauta de la carriole, prit le cheval par la bride, quitta la piste et tourna dans le petit chemin qui menait au bungalow. La mère l'attendait sur le terre-plein, devant la véranda. 2
M. DURAS, Un barrage contre le Pacifique, p. 15.

♦ **2** (1925, *in* Höfler). Petit pavillon en rez-de-chaussée. *Les bungalows d'un village de vacances.*

La «Villa Mektoub» est la dernière habitation sur la gauche, juste à la lisière de la forêt. D'aspect, c'est un compromis entre le bungalow et le pavillon de chasse. Le long de la façade, une véranda (...) Le portail est peint à la chaux (...) Marcheret a fait édifier, tout autour du parc, une palissade en bois de teck. 3
Patrick MODIANO, les Boulevards de ceinture, p. 25-26.

**BUNGARE** [bœ̃gaʀ] n. m. — 1829, *bongare,* Académie, *Suppl.* ; mot bengali.

Zool. Serpent venimeux *(Colubridés)* de l'Insulinde, à rayures noires et jaunes, ou totalement bleu.

REM. On trouve aussi l'orthographe *bongare* [bɔ̃gaʀ].

COMP. **Bungarotoxine.**

**BUNGAROTOXINE** [bœ̃gaʀotɔksin] n. f. — V. 1970; de *bungare*, et *toxine*.

Biochim. Toxine (provenant du venin du *Bungarus multicinctus*) qui entraîne une paralysie neuromusculaire. *La bungarotoxine a été utilisée pour dénombrer les sites récepteurs à l'acétylcholine.*

1. **BUNKER** [bunkɛʀ; bunkœʀ] n. m. — V. 1942; mot all., d'abord «soute à charbon».

♦ **1** Casemate construite par les Allemands pendant la guerre de 1939-45. *Le bunker de la chancellerie à Berlin.*

1 Les deux jeunes officiers S. S. qui montaient la garde devant la porte du bunker de Hitler fouillèrent les deux hommes pour s'assurer qu'ils ne portaient sur eux aucune arme. Puis ils s'effacèrent.
D. LAPIERRE et L. COLLINS, Paris brûle-t-il?, I, IX, p. 39.

♦ **2** Casemate. — Construction souterraine très protégée.

2 Les machines sombres n'hésitent pas, elles savent tout de suite ce qu'il faut faire, elles connaissent le secret des paroles qui sont aussi des actions. Elles ne veulent pas de bruit. Elles veulent du silence, de la puissance, de l'électricité. Dans leurs bunkers de béton aux murs épais, dans l'air conditionné à 20 °C qui souffle jour et nuit, les machines sombres ne connaissent pas la vie sur la terre.
J.-M. G. LE CLÉZIO, les Géants, p. 165.

2. **BUNKER** [bœnkœʀ] n. m. — 1902, *in* Petiot; mot angl., «banc, coffre» (1738); p.-ê. apparenté à *bank* «talus».

Anglic. Sports. Trou garni de sable, au golf.

**BUNRAKU** [bunʀaku] n. m. — XX^e; mot japonais.

Didact. Théâtre japonais de marionnettes, issu d'un style de narration accompagné au biwa*, le *joruri*, puis (au XVI^e siècle) de l'accompagnement de shamisen*, enfin de l'utilisation de poupées articulées. *Chaque poupée du bunraku, haute de un à deux mètres, est manipulée par un maître et deux aides, tandis que des récitants disent le texte, accompagnés au shamisen. Chikamatsu Monzaemon, l'un des plus grands dramaturges japonais, est l'auteur de pièces de bunraku.*

Le Bunraku, lui, (c'est sa définition) sépare l'acte du geste : il montre le geste, il laisse voir l'acte, il expose à la fois l'art et le travail, réserve à chacun d'eux son écriture.
R. BARTHES, l'Empire des signes, p. 73.

**BUNTSANDSTEIN** [buntsɑ̃tʃtajn] n. m. — 1903, *Encycl. Berthelot*, art. *Trias*; en all., fin XVIII^e, d'après Berthelot; mot all., de *bunt* «bigarré», et *Sandstein* «grès».

Didact. (géol.). Étage inférieur du trias. *Le buntsandstein* ou *grès bigarré.*

**BUPLÈVRE** [byplɛvʀ] n. m. — 1562, *bupleuron*; du grec *boupleuron* «flanc de boeuf», de *bous*, et *pleuron*, par le latin.

Bot. Plante dicotylédone *(Ombellifèracées)*, à fleurs jaunes, à vertus médicinales (vulnéraire). *Buplèvre à feuilles rondes* ou *perce-feuille.*

**BUPRESTE** [bypʀɛst] n. m. — 1372; lat. *buprestis*, grec *bouprêstis*, littéralt «enfle-boeuf».

Zoologie.

♦ **1** Coléoptère *(Pentamères)* aux couleurs métalliques, au vol léger, qui vit sur les fleurs, sur les arbres. *Larve xylophage du bupreste.*

Nous récoltions des cailloux d'or dans le sable, les coquilles rares que le flot avait laissées, et les buprestes couleur d'émeraude sur les tamaris de la plage.
GIDE, le Voyage d'Urien, *in* Romans, Pl., p. 30.

♦ **2** Vx. Coléoptère du genre méloé.

**BUQUER** [byke] v. intr. — 1440; *buskier*, 1200; p.-ê. du francique **buskan*, ou forme picarde de *bûcher* «abattre du bois».

Vx ou régional. Frapper, heurter.

**BURALISTE** [byʀalist] n. et adj. — Fin XVII^e; de *bureau*, p.-ê. d'après *journaliste*.

♦ **1** N. Personne préposée à un bureau de recette, de timbres, de poste; spécialt, personne qui tient un bureau de tabac.

Vx. Personne tenant un bureau, un guichet.

♦ **2** Adj. *Recette buraliste :* lieu où l'on peut se procurer des timbres fiscaux, etc.

**BURAT** [byʀa] n. m. — 1593; *bural*, 1570; probablt de l'ital. *buratto*, lat. médiéval *buratus*, de *bura*. → Bure.

Anciennt. Étoffe de laine plus grosse que l'étamine.

**BURATIN** [byʀatɛ̃] n. m., ou **BURATINE** [byʀatin] n. f. — 1690, *in* Furetière; ital. *burattino*, dimin. de *buratto*. → Burat.

Vx. Popeline dont la chaîne est de soie et la trame de laine.

**BURDIGALIEN** [byʀdigaljɛ̃] n. m. — 1892, créé par Ch. Depéret (d'après Haug); de *Burdigala*, n. lat. de Bordeaux.

Didact. (géol.). Dernier âge du miocène.

1. **BURE** [byʀ] n. f. — 1441; p.-ê. du lat. pop. **bura*, pour *burra* (→ Bourre), moins probablt dér. régressif de *burrel*, *bureau*; Guiraud rattache le mot (ainsi que *bureau*) à l'anc. adj. *bur* «brun foncé», du lat. *burrus* «roux».

Étoffe grossière de laine brune. → **Bureau** (I., vx), **burelle** (régional). *Culotte de bure* (→ Brun, cit. 2). *Se vêtir de bure.*

Quelquefois la Mort se pare des lambeaux de la pourpre ou de la bure dont elle a dépouillé le riche et l'indigent. 1
CHATEAUBRIAND, les Martyrs, p. 263.

Ce costume se composait d'une veste en bure brune, sans col ni poche (sauf qu'un détenu avait percé la doublure et fait ainsi une sorte de poche intérieure). Toutes les boutonnières existaient. Tous les boutons manquaient. Cette bure était très usée, pourtant elle l'était moins que celle du pantalon. Il était réparé par neuf morceaux de drap dont l'usure était plus ou moins vieille. Il y avait donc neuf teintes différentes de brun. 2
Jean GENET, Miracle de la rose, p. 18-19.

Les chaussons sont en bure brune. La sueur les rend rigides. Le calot plat est en bure brune. Le mouchoir est rayé bleu et blanc. 3
Jean GENET, Miracle de la rose, p. 19.

Par ext. Vêtement de cette étoffe. *La bure du moine, de l'ermite. La bure des carmélites.*

Par métaphore, littér. Chose brune qui couvre, enveloppe. *«La bure tenace des feuilles mortes»* (Mauriac, *in* T. L. F.).

DÉR. V. **Bureau.** ◊ HOM. 2. **Bure.**

2. **BURE** [byʀ] n. m. — 1751, *Encyclopédie*; mot wallon, de l'anc. haut all. *bur.*

Techn. Puits vertical reliant deux galeries de mine.

HOM. 1. **Bure.**

**BUREAU** [byʀo] n. m. — 1190, *buriaus*; *burel*, v. 1150; de 1. *bure* «étoffe grossière» ou, selon P. Guiraud, de l'anc. franç. *bur* «brun foncé», du lat. *burrus* «roux», comme 1. *bure.*

**I** Vx. Bure*. *«Ma veste de bureau»* (G. Sand, *in* T. L. F.).

**II** ♦ **1** (1316). Vx ou techn. Tapis recouvrant une table. «*Le bureau de drap foncé*» (d'un orfèvre). → Bijouterie, cit. 1.

♦ **2** (1361, «table recouverte d'un tapis»). Table sur laquelle on écrit, on travaille. *Être assis devant son bureau. Son bureau est encombré de papiers.*

Table à tiroirs et à tablettes où l'on peut enfermer des papiers, de l'argent. → **Secrétaire.** *Bureau d'acajou, de chêne. Bureau Louis XIV, Empire... — Bureau à cylindre :* bureau à couvercle cylindrique se rabattant sur la table. *Bureau ministre :* grand bureau luxueux comme peut en avoir un ministre. *Bureau (à) dos d'âne,* dont la partie servant à écrire est inclinée. *Table-bureau. Sous-main de bureau. S'asseoir à son bureau. Un large bureau de bois noir* (→ Bibliothèque, cit. 3).

1 Entre les fenêtres, le bureau de la comtesse, meuble coquet du dernier siècle, sur lequel elle écrivait les réponses aux questions pressées apportées pendant les réceptions.
MAUPASSANT, Fort comme la mort, éd. 1889, p. 88.

1.1 (...) il essaya de situer Émile Gallet, dans le fauteuil tournant planté devant le bureau. Sur ce dernier, il y avait un encrier en métal blanc, une boule de cristal servant de presse-papier. G. SIMENON, M. Gallet décédé, p. 48.

1.2 (...) il s'installe à neuf heures derrière son bureau-ministre.
Robert PINGET, Graal Flibuste, p. 58.

*Déposer un projet sur le bureau d'une Assemblée,* le déposer sur le bureau devant lequel est assis le président de l'Assemblée.

Fig., fam. *Cette affaire est sur le bureau,* on commence à s'en occuper.

**III** ♦ **1** (1495). Pièce où est installée la table de travail (bureau, II.), avec les meubles indispensables (bibliothèque, classeurs, etc.). → **Cabinet.** *Le bureau d'un avocat, d'un banquier, d'un homme d'affaires. Le mobilier d'un bureau.* → **Armoire, bibliothèque, cartonnier, classeur, fichier, serre-papiers, table** (et → ci-dessus, II.). *Travailler, s'installer dans son bureau. Être convoqué dans le bureau du directeur.*

1.3 Le reporter fut introduit tout de suite dans le bureau de la direction.
G. LEROUX, Rouletabille chez Krupp, p. 10.

2 M. Achille installa son petit-fils dans son bureau particulier, antre obscur, encombré de registres centenaires, et lui confia des «prix de revient» à vérifier.
A. MAUROIS, Bernard Quesnay, IV, p. 23.

*Bureau des dépêches :* salle où sont installés les téléscripteurs et où l'on classe les dépêches, dans un journal. — Syn. : *salle des dépêches* (terme recomm. pour remplacer l'anglicisme *desk*).

♦ **2** Par ext. Lieu de travail des employés (d'une administration, d'une entreprise). → **Cabinet, étude ;** (pop.) **boîte, burlingue.** *Les bureaux d'une administration, du ministère, de la préfecture, de la mairie... Les bureaux d'une société.* → **Direction, service** (caisse, comptabilité, contrôle, secrétariat...). *Frais de bureau. Personnel d'un bureau.* → **Chef, commis, dactylographe, employé, garçon, huissier, secrétaire.** *Heures de bureau. Ouverture, fermeture des bureaux. Aller au, à son bureau. Sortir du bureau à cinq heures. Travailler dans un bureau.*

2.1 Sans aucun souci du lendemain, dans un bureau clair et moderne, je passe mes jours.
Francis PONGE, le Parti pris des choses, I, le Monologue de l'employé, p. 17.

DE BUREAU. *Meubles, fournitures de bureau; articles de bureau :* matériel utilisé dans les bureaux (pour écrire, ranger, reproduire des documents, etc.). *Calculateur de bureau. Chaise, table de bureau* (aussi au sens III., 1.). «*Une petite table de bureau supportant des paperasses*» (C. Simon, *le Palace*).

— *Travail de bureau. Informatique de bureau.* → **Bureautique.**

*Le bureau, les bureaux,* en tant que lieu de travail (opposés aux *champs,* à *l'usine*). → **Secteur** (tertiaire). Loc. *Homme de bureau,* qui se consacre à sa vie de bureau. → **Bureaucrate, cabinet** (homme de).

Un de ces êtres minutieux qui installent dans toute leur vie l'exactitude de l'heure du bureau et l'ordre des cartons étiquetés. Alphonse DAUDET, Contes du lundi, II, 6. 3

*Garçon de bureau. Employé de bureau.*

Loc. *Prendre l'air* du bureau.*

♦ **3** Établissement ouvert au public et où s'exécute un service d'intérêt collectif. *Les guichets d'un bureau.* — (Qualifié). *Bureau des hypothèques, de l'enregistrement. Bureau de déclarations de la direction générale des impôts. Bureau du cadastre. Bureau de l'état civil. Bureau d'accueil. Bureaux des changes, de douane, de l'octroi.*

(...) dans une laide bâtisse prétentieuse qui est une espèce de bureau d'état-civil (...) 4
LOTI, Mme Chrysanthème, V, p. 54.

(Av. 1770, *bureau à tabac*). **BUREAU DE TABAC,** où se fait la vente du tabac et des articles de la Régie (→ Tabac, cit. 2). *Tenir un bureau de tabac.* → **Buraliste.** *Bureau de tabac dans un café.* → **Tabac** (bar-tabac, café-tabac ; tabac).

**BUREAU DE POSTE.** → **Poste.**

Vx. *Bureau d'affaires.*

La diète est un bureau d'affaires pour la bureaucratie allemande ; c'est à peine et de fort loin un corps politique. 4.1
J.-A. DE GOBINEAU, Correspondance avec Tocqueville, 1854, p. 215.

Succursale. *Cette compagnie de transports a des bureaux dans toute la France. Bureau à l'étranger d'un journal,* sa représentation à l'étranger.

♦ **4** Guichet (d'une salle de spectacle). *Les bureaux d'un spectacle* (Académie). *Bureau d'un théâtre. Bureau de location, de supplément. Jouer à bureaux fermés* (toutes les places étant déjà louées), *à bureaux ouverts. Assiéger les bureaux.*

(...) trois mois de représentations pendant lesquels l'établissement de la rue Richer avait joué sans discontinuer à bureaux fermés en réalisant le maximum des recettes (...) 4.2
Guy DES CARS, la Demoiselle d'opéra, p. 251.

♦ **5** (1557). Service (assuré dans un bureau). *Le bureau administratif, commercial. Les bureaux d'un état-major. Deuxième bureau* ou *service de renseignements. Bureau d'un ministère. Bureau des longitudes :* service effectuant des prévisions astronomiques et éditant notamment des éphémérides. *Bureau d'aide sociale :* service municipal chargé d'appliquer certaines lois d'aide sociale et de venir en aide aux personnes les plus démunies. *Bureau international du travail (B. I. T.) :* organisme administratif permanent de l'Organisation internationale du travail (O. I. T.). *Bureau de recrutement militaire.* — Vieilli. *Bureau de placement,* procurant des emplois aux chômeurs. *Bureau d'assistance, de bienfaisance, de charité. Bureau de nourrices,* qui recherchait des nourrices.

5 Tu méconnais, Comtois, ses bonnes qualités ;
Lui, c'est un philanthrope ; il est des comités
De secours, d'indigence ; il régit les hospices,
La maison des vieillards, le bureau des nourrices.
ÉTIENNE, les Deux Gendres, I, 1, *in* LITTRÉ, Dict., art. *Philanthrope.*

Absolt. *Les bureaux* (→ ci-dessous, IV., 1.).

*Bureau d'étude :* établissement privé qui effectue certaines études à la demande de clients.

♦ **6** Vx. **BUREAU D'ESPRIT :** salon ayant de grandes prétentions intellectuelles. *Tenir un bureau d'esprit.*

.1 Cette personne s'appelle la marquise de Villeparisis. J'avoue que l'espoir de devenir l'un des habitués d'un pareil bureau d'esprit me consolerait, me ferait envisager sans ennui de renoncer à me présenter à l'Institut. Chez elle aussi on tient commerce d'intelligence et de fines causeries.
PROUST, le Côté de Guermantes, Folio, t. I, p. 314.

**IV** ♦ **1** (1718). Ensemble des employés travaillant dans un bureau. *La lenteur des bureaux administratifs. Tout le bureau s'est réuni.*

Absolt. *Les bureaux :* la bureaucratie*, l'ensemble des services. → **Administration** (notamment celle de l'État).

6 Ce que nous appelons la raison d'État, c'est la raison des bureaux.
FRANCE, l'Anneau d'améthyste, V.

.1 Les Services, on en médit beaucoup. Les «Bureaux», selon le terme consacré, sont, dans tous les pays du monde, chargés des péchés d'Israël.
L.-H. LYAUTEY, Paroles d'action, p. 113.

♦ **2** Membres d'une assemblée élus par leurs collègues pour diriger les travaux. *Président, vice-président, secrétaire, trésorier du bureau. Bureau de l'Académie. Bureau d'une association, d'une société, d'un syndicat. Élire, renouveler le bureau. Faire partie du bureau. Bureau provisoire, définitif, démissionnaire. Réunion du bureau. Bureau d'une réunion publique. Bureau politique :* direction collective d'un parti ou d'une instance d'un parti, notamment dans le Parti communiste. *Bureau de cellule, de section, bureau fédéral* (fédération); *bureau politique* (cf. Politburo, du russe).

♦ **3** *Bureau de vote :* section du corps électoral communal; organisme qui préside au vote dans une section.

7 Le bureau de chaque collège ou section est composé d'un président, de quatre assesseurs, et d'un secrétaire choisi par eux parmi les électeurs.
Décret du 2 févr. 1852.

♦ **4** Groupe de délégués chargés d'étudier une question. → **Comité, commission.** — *Bureau Veritas :* comité technique de surveillance des avions, des navires.

DÉR. et COMP. **Buraliste, bureaucratie.** — V. 1. **Bure, burlingue.**

**BUREAUCRATE** [byʀokʀat; byʀɔkʀat] n. m. et adj. — 1790; de *bureaucratie.*

♦ **1** (Sens étym.). Vx. Personne qui a le pouvoir dans un bureau; haut fonctionnaire (cf. Balzac, Stendhal).

♦ **2** Fonctionnaire qui attribue une importance exagérée à sa fonction et en abuse vis-à-vis du public. *Bureaucrates et technocrates.*

♦ **3** **a** Péj. Employé de bureau. → **Gratte-papier, gratteur** (de papier), **paperassier, plumitif, rond-de-cuir, scribe, scribouillard** (→ Méticuleux, cit. 1).

Je me suis moqué des bureaucrates, et, voilà ! je suis beaucoup moins libre qu'un employé de bureau. Je suis lié comme un chien de garde.
G. DUHAMEL, Chronique des Pasquier, III, XII.

Adj. *Il est trop bureaucrate. Rendre les gens bureaucrates* (→ Bureaucratiser, cit. 1).

**b** (En franç. d'Afrique). Non péj. Fonctionnaire; personne travaillant dans un bureau.

DÉR. **Bureaucratiser.**

**BUREAUCRATIE** [byʀokʀasi; byʀɔkʀasi] n. f. — Mot créé par Gournay (mort en 1759), et répandu sous la Révolution (1790); de *bureau,* et *-cratie.*

♦ **1** Pouvoir politique des bureaux; influence abusive de l'administration*. *La bureaucratie et la technocratie.*

L'appareil législatif était beaucoup plus succinct, l'administration moins ramifiée, moins touffue, la bureaucratie modeste, la paperasserie raisonnable. 1
G. DUHAMEL, Inventaire de l'abîme, VII.

Chaque bureaucratie aménage (s'aménage) son espace. 2
Elle le jalonne, le marque. Il y a l'espace fiscal, l'espace administratif, l'espace juridique.
Henri LEFEBVRE, la Vie quotidienne dans le monde moderne, p. 296.

Ancien membre de l'exécutif de l'Internationale commu- 3
niste, Souvarine était le plus avancé, le plus original aussi, dans sa critique de la bureaucratie stalinienne.
Raymond ABELLIO, les Militants, p. 62.

♦ **2** *La bureaucratie :* l'ensemble des fonctionnaires considérés du point de vue de leur pouvoir (notamment dans l'État). *Une bureaucratie paperassière* (cit. 2).

Tous *(ces hommes),* ils appartiennent au même grand et 4
seul parti de la bureaucratie.
Ch. PÉGUY, Situations, p. 158.

DÉR. **Bureaucrate, bureaucratique.**

**BUREAUCRATIQUE** [byʀokʀatik; byʀɔkʀatik] adj. — 1796, in D. D. L.; de *bureaucratie.*

Propre à la bureaucratie. *Société bureaucratique. Pouvoir, impérialisme bureaucratique. Excès bureaucratiques.*

(...) ce niveau de vie record évoque désormais un tableau 1
de travail collectif, de discipline, d'organisation bureaucratique monstre, où l'initiative et la fantaisie d'autrefois sont devenues difficiles, pour ne pas dire impossibles.
André SIEGFRIED, l'Âme des peuples, III, p. 177.

La loi des Parkinson, d'après laquelle les bureaux sécrètent 2
et engendrent des bureaux, ne décrit pas complètement le processus, à savoir l'organisation bureaucratique de la quotidienneté.
Henri LEFEBVRE, la Vie quotidienne dans le monde moderne, p. 295.

Fam. Qui évoque les bureaux, les employés de bureau. *Des attitudes, des manières bureaucratiques.*

DÉR. **Bureaucratiquement.**

**BUREAUCRATIQUEMENT** [byʀokʀatikmɑ̃; byʀɔkʀatikmɑ̃] adv. — 1961, in T. L. F.; de *bureaucratique.*

D'une manière bureaucratique.

**BUREAUCRATISATION** [byʀokʀatizasjɔ̃; byʀɔkʀatizasjɔ̃] n. f. — 1905; de *bureaucratiser.*

Péj. Transformation en bureaucratie; accroissement du pouvoir des services administratifs. *«La lutte du citoyen contre la bureaucratisation»* (*le Monde,* 13 avr. 1966).

Pourtant les communistes continuent follement à appliquer leur tactique «classe contre classe», qui vide leurs partis mais en facilite la bureaucratisation, la centralisation staliniennes.
Raymond ABELLIO, les Militants, p. 122.

**BUREAUCRATISER** [byʀokʀatize; byʀɔkʀatize] v. tr. — 1876; de *bureaucrate.*

Transformer par la mise en place d'une bureaucratie*. *Bureaucratiser un service.*

La bureaucratie bureaucratise les gens bien mieux qu'en 1
les régentant. Elle tend à les intégrer en les rendant bureaucrates (et par conséquent en faisant d'eux ses délégués dans la gestion bureaucratique de leur vie quotidienne).
Henri LEFEBVRE, la Vie quotidienne dans le monde moderne, p. 295.

Par ext. Soumettre à l'esprit de la bureaucratie.

Son esprit travaille, me disais-je, satisfaite de compter sur 2
elle. Les vieux, d'habitude, bureaucratisent l'avenir.
Violette LEDUC, Folie en tête, p. 473.

◆ **BUREAUCRATISÉ, ÉE** p. p. adj. Transformé en bureaucratie. Conçu, organisé par un bureaucrate, comme par un bureaucrate.

3 Heureusement, l'excès de la jouissance débilite l'imagination comme le jugement (...) certains mariages, qui sont des débauches bureaucratisées, deviennent en même temps les monotones corbillards de l'audace et de l'invention. CAMUS, la Chute, p. 123.

Polit. *Parti, syndicat bureaucratisé.*

DÉR. **Bureaucratisation.**

**BUREAUTIQUE** [byʀotik] n. f. et adj. — 1976; nom déposé; de *bureau,* d'après *informatique* (mot mal formé).

Ensemble des techniques (informatique, télématique...) visant à automatiser les travaux de bureau. *Il est conseil en bureautique. Salon de la bureautique.*

Adj. *Techniques bureautiques. — Logiciel bureautique.*

**BURELAGE** [byʀlaʒ] n. m. — XX^e; de *burelé.*

Techn. Fond rayé (d'un timbre-poste).

**BURELÉ, ÉE** [byʀle] adj. — 1235; de l'anc. franç. *burel* «tapis (rayé)». → Bureau.

Blason. Divisé par des burelles. — Techn. (timbres). *Fond burelé,* rayé.

DÉR. **Burelage.**

**BURELLE** ou **BURÈLE** [byʀɛl] n. f. — XV^e, *burelle; burèle,* 1631; de l'anc. franç. *burel* «étoffe (rayée)». → Burelé.

♦ **1** Blason. Fasce rétrécie sur un écu. *Les burelles sont en nombre pair, de couleurs différentes, et alternent l'une avec l'autre.* → **Burelé.**

♦ **2** Régional. Étoffe de bure*.

**BURETTE** [byʀɛt] n. f. — 1360; *bivrete,* XIII^e, «petite cruche»; de *buire,* et suff. *-ette;* Guiraud rapproche le mot de *buire, bure,* qui signifient à la fois «treillis d'osier pour pêcher, nasse» et «flacon, cruche», selon le même type d'évolution sémantique que *bourriche*.*

♦ **1** Liturgie. Vase destiné à contenir les saintes huiles, ou l'eau et le vin de la messe.

♦ **2** (1611). Petit flacon à goulot. *Les burettes d'un huilier. Burette de cristal.*

(1866). Récipient à tubulure pour verser un liquide. *Burette en cuivre. Burette de mécanicien versant goutte à goutte de l'huile de graissage.*

Chim. Récipient cylindrique en verre gradué, muni à sa partie inférieure d'un dispositif d'écoulement. *Utilisation des burettes en analyse volumétrique.*

♦ **3** Au plur. Fam. Testicules. → **Burne, couille.** *Casser les burettes à qqn,* l'importuner (→ Casser* les pieds, les couilles). — REM. Comme d'autres loc. fam., l'expression est assez démotivée pour pouvoir s'appliquer aux femmes.

Et je me plonge dans ma lecture, sourde aux tentatives que fait le colis *(une détenue)* pour me brancher : elle s'extasie sur mes cheveux frisés, s'apitoie sur mon âge encore tendre; bref, elle me casse les burettes. A. SARRAZIN, la Cavale, p. 294.

**BURG** [burg] n. m. — 1842, Hugo; mot all., «château fort». → Burgrave.

Didact. Château fort, en Allemagne.

Du lac de Constance aux Sept-Montagnes, chaque crête du Rhin avait son burg et son burgrave. 1
HUGO, le Rhin, 1842, p. 120.

Puis il tourna autour d'un château médiéval, perché en haut d'une colline de sapins noirs; de la brume blanche encerclait le burg sinistre, et les cimes neigeuses étaient immobiles à l'horizon, une muraille rose et grise. 2
J.-M. G. LE CLÉZIO, la Fièvre, p. 32.

HOM. **Bourgue.**

**BURGAU** [byʀgo] n. m. — 1563, B. Palissy; probablt mot des Antilles; l'esp. et le port. sont postérieurs au français.

Zool. Coquillage univalve nacré; nacre de ce coquillage. *Incrustations de burgau.*

Des pupitres croisés en X, pareils à ceux dont nous nous servons pour feuilleter les recueils de gravures, sont dispersés çà et là et soutiennent les manuscrits du Koran; plusieurs sont ornés d'élégantes nielles et de délicates incrustations de nacre, de cuivre et de burgau. 1
Th. GAUTIER, Constantinople, p. 271.

Dans une belle boîte incrustée de burgau, une boîte à chocolats (...) COLETTE, Julie de Carneilhan, p. 118. 2

DÉR. **Burgaudine, burgauté.**

**BURGAUDINE** [byʀgodin] n. f. — 1701; *burgadine,* 1654; de *burgau.*

Techn. Nacre fournie par le burgau.

**BURGAUTÉ, ÉE** [byʀgote] adj. — 1884; de *burgau.*

Didact. et rare. Incrusté de nacre. — *Nacre burgautée,* qui ressemble à la nacre du burgau.

Par un plafond d'albâtre et des lampes d'argent tombe une lumière mate, que tout absorbe, sauf les plateaux de nacre burgautée, qui la renvoient en jouant. Paul MORAND, Bouddha vivant, p. 126.

**BURGRAVE** [byʀgʀav] n. m. — 1482; *bourchgrave, bourgrave,* 1413; all. *Burggraf* «comte d'une forteresse», de *Burg* (→ Burg), et *Graf* «comte».

♦ **1** Hist. Dans le Saint Empire, Commandant d'une ville ou d'une citadelle (fonction, puis titre nobiliaire). → **Burg** (cit. 1). *Les Burgraves,* drame de V. Hugo.

♦ **2** Fam., vx. Vieillard à idées arriérées. → **Barbon.** — REM. Sens en usage dans la deuxième moitié du XIX^e s.

DÉR. **Burgraviat.**

**BURGRAVIAT** [byʀgʀavja] n. m. — 1550; de *burgrave.*

Didactique.

♦ **1** Dignité de burgrave.

♦ **2** Territoire soumis à l'autorité d'un burgrave.

**BURIN** [byʀɛ̃] n. m. — 1420; ital. *burino,* du longobard **boro* «foret», à rapprocher de l'all. *bohren* «percer».

♦ **1** Ciseau d'acier que l'on pousse à la main et qui sert à graver, à couper les métaux. *Ciseler, sculpter, tailler au burin. Variétés de burins.* → **Bédane, charnière, drille,** 2. **échoppe, guilloche, onglette, pointe** (pointe sèche). *Graver au burin* (→ Airain, cit. 2).

Ah! si j'osais attaquer le bois directement avec le burin, sans me refroidir à le dessiner d'abord! Je n'indique d'ailleurs au crayon que l'ébauche, le burin peut ensuite avoir des trouvailles, des énergies et des finesses inattendues. 0.
ZOLA, Paris, p. 203.

On pense si la signature de celui qui signait au burin les violons Hartford était superbe. 0.
GIRAUDOUX, les Aventures de Jérôme Bardini, p. 114.

Loc. fig. Littér. *Graver au burin :* marquer de façon indélébile.

1 Il est des esprits qui ne voient bien les choses qu'après qu'elles sont passées. Mais alors, rien ne leur échappe, les moindres détails sont gravés au burin.
R. ROLLAND, Jean-Christophe, Le Buisson ardent, I, p. 1258.

♦ **2** Gravure au burin. *Livre illustré de burins du XVIIIe siècle.*

Procédé de gravure utilisant le burin. *Le burin et l'eau-forte.*

♦ **3** Par métonymie. Littér. Manière de graver. *Avoir le burin léger, ferme, net, spirituel.*

2 Il *(l'original du portrait)* était gravé d'un burin tout de flamme. CORNEILLE, Poésies diverses, 9.

♦ **4** Techn. (Même valeur sémantique que 1.). Ciseau d'acier (souvent mécanique) pour couper les métaux, dégrossir les pièces. — Gros épissoir de calfat.

Chir. Instrument à extrémité biseautée tranchante, pour entailler l'os.

DÉR. **Buriner.**

**BURINAGE** [byʀinaʒ] n. m. — 1881, «travail au burin»; de *buriner.*

Techn. Action de buriner (les métaux), d'enlever les bavures des pièces.

**BURINÉ, ÉE** [byʀine] adj. — XIXe; p. p. de *buriner.*

Techn., arts. Gravé au burin. — Fig., cour. *Visage buriné; traits burinés,* marqués et énergiques.

**BURINER** [byʀine] v. — 1554; de *burin.*

**I** V. tr. ♦ **1** Graver au burin. *Buriner une planche.*

Sinon, mon très cher frère, je te séquestre, te torture, te tue, et ferai buriner sur ta pierre, par tes partisans : «Ci-gît un martyr».
VILLIERS DE L'ISLE-ADAM, Tribulat Bonhomet, p. 117.

Techn. Travailler au burin (les métaux).

♦ **2** (1798). Littér. Fig. Écrire d'un style énergique et profond. *«Tacite n'écrit pas, il burine l'histoire»* (Académie).

**II** V. intr. (1888, Villatte). Fam., vx. Travailler sans relâche, avec application. → **Bûcher.**

DÉR. **Burinage, buriné, burineur.**

**BURINEUR, EUSE** [byʀinœʀ, øz] n. — 1877; «graveur», 1599; de *buriner.*

**I** ♦ **1** Techn. Ouvrier spécialisé dans le burinage des pièces métalliques.

Quoique fort laborieux *(Jules Renard),* il produit peu, et surtout peu à la fois, semblable à ces patients burineurs qui taillent l'acier avec une lenteur géologique.
R. DE GOURMONT, le Livre des masques, p. 108.

♦ **2** (1907). Fam., vieilli. Personne qui travaille dur. → **Bûcheur.**

**II** N. m. (Av. 1867). Techn. Outil utilisé pour buriner. → **Burin.**

**BURLAT** [byʀla] n. f. — 1955; du nom du botaniste Burlat.

Grosse cerise rouge foncé à chair ferme, variété de bigarreau.

1. **BURLESQUE** [byʀlɛsk] adj. et n. — 1666, n. m., «ouvrage burlesque»; *bourrelesque,* 1594, *Satire Ménippée;* ital. *burlesco,* de *burla* «plaisanterie».

♦ **1** Littér. D'un comique extravagant et déroutant. → **Bouffon, comique, loufoque.** *Une histoire burlesque. Chansonnette burlesque. Coq-à-l'âne, jeu de mot burlesque. Invention burlesque. Peinture d'une scène burlesque.* → **Bambochade, caricature, charge.** *Farce burlesque.* → **Pantalonnade.** *Travestissement, accoutrement burlesque. Pantin burlesque. Film burlesque* (→ ci-dessous, 3., *le burlesque*).

J'aime mieux Bergerac et sa burlesque audace 1
Que ces vers où Motin se morfond et nous glace.
BOILEAU, l'Art poétique, IV.

REM. Ici, le sens général est confondu avec le sens littéraire (→ ci-dessous, 3.).

Enfin on peut compter plus de mines burlesques 2
Que Callot n'en grava jamais dans ses grotesques.
SANLECQUE, Poème sur le geste, *in* LITTRÉ.

Dans certains sermons burlesques, un homme prêche 3
tandis que l'autre fait des gestes.
VOLTAIRE, Instit. phil., 125.

Par ext. Tout à fait ridicule et absurde. → **Grotesque.** *Quelle idée burlesque! Son explication, ses justifications sont tout simplement burlesques.*

♦ **2** N. m. Caractère d'une chose burlesque, absurde et ridicule. *Cela tient du burlesque. Mêler le burlesque et le tragique.*

Ce fut le burlesque au milieu de la terreur, contraste fré- 4
quent dans les choses humaines.
BALZAC, Une ténébreuse affaire, Pl., t. VII, p. 526.

Genre cinématographique d'un comique rapide fondé sur des situations concrètes et utilisant de nombreux gags*. → **Slapstick.**

Rien ne nous retint de goûter le genre nouveau qui venait 4.1
de naître en Amérique : le burlesque. Les derniers Buster Keaton, les derniers Harold Lloyd, les premiers Eddie Cantor prolongeaient, d'ailleurs avec charme, la vieille tradition comique (...)
S. DE BEAUVOIR, la Force de l'âge, p. 115.

♦ **3** (Mil. XVIIe). Hist. littér. *Le genre burlesque,* ou, n. m., *le burlesque,* parodie de l'épopée consistant à travestir, en les embourgeoisant, des personnages et des situations héroïques (à l'inverse du genre héroï-comique*). *Virgile travesti, de Scarron, est un poème burlesque. Style burlesque,* propre à ce genre. *Mot burlesque,* propre au genre burlesque.

Le burlesque était tantôt un jeu de l'imagination bouffe, 5
tantôt un goût de reproduire avec exactitude les choses triviales. FAGUET, XVIIe s., Études littéraires, p. 273.

*Auteurs burlesques.* — N. *Les burlesques de la période baroque.* → **Grotesque** (→ aussi ci-dessus, cit. 1, Boileau).

CONTR. **Dramatique, grave, sérieux, tragique, triste.** ◊ DÉR. **Burlesquement.** — V. 2. **Burlesque.**

2. **BURLESQUE** [byʀlɛsk] n. m. — 1935, *in* D. D. L.; mot américain, empr. au franç. 1. *burlesque.*

Anglic. Aux États-Unis, Cabaret ou revue de music-hall présentant des femmes dévêtues (correspond à peu près au «français» *strip-tease**).

**BURLESQUEMENT** [byʀlɛskəmɑ̃] adv. — 1690; de 1. *burlesque.*

D'une manière burlesque. → **Comiquement; absurdement, cocassement, grotesquement, ridiculement.**

Il faut pleurer d'être dans un pays *(la Provence)* où l'on porte le deuil si burlesquement.
Mme DE SÉVIGNÉ, 442, 9 sept. 1675.

CONTR. **Gravement, sérieusement, tristement.**

**BURLINGUE** [byʀlɛ̃g] n. m. — 1877, *in* Esnault; de l'argot *burlin* (v. 1836; dimin. de *bureau*), et suff. péjoratif.

♦ **1** Fam. Bureau (lieu de travail).

1 (...) le sous-chef est sorti de son burlingue pour prendre le registre des mains du brigadier, il va sûrement lui demander si tout le monde s'est bien tenu.
A. SARRAZIN, la Cavale, p. 408.

2 Ne soupçonnant pas qu'un œil admiratif l'épinglait chaque jour sur le trajet qui le menait de la caserne au burlingue (...)
R. QUENEAU, le Dimanche de la vie, p. 11.

♦ **2** Argot. Ventre. → **Buffet.** *Il a reçu deux bastos dans le burlingue.*

**BURNE** [byʀn] n. f. — 1888, *in* Esnault; mot rouchi, «noeud, excroissance d'un arbre», par anal. de forme.

(Au plur.). Fam. et vulg. Testicules. → **Burette, couille.**

Avec les autres matelots, en mer, il avait dit qu'à Brest il irait se vider les burnes et cette nuit il ne songeait même pas qu'il aurait dû baiser la fille.
Jean GENET, Querelle de Brest, p. 182.

*Casser* les burnes à qqn,* l'importuner. *Tu nous casses les burnes !*

**BURNOUS** [byʀnus] n. m. — 1735; *bornoz,* et nombreuses var., 1686; *albernoux,* 1478; arabe *bŭrnŭs* «sorte de manteau».

♦ **1** Grand manteau de laine à capuchon (en usage dans les pays arabes du Maghreb). *Burnous blanc. Le burnous était porté par les régiments de spahis.*

0.1 Je n'ai pas parlé à Alcassar de la visite au pacha dans sa tente. La selle à sa droite, son sabre sur son matelas blanc, couvertures; un homme à ses pieds dormant enveloppé dans un burnous noué par derrière.
E. DELACROIX, Journal, 11 mars 1832.

1 Il *(notre hôte)* porte deux *burnous,* un noir par-dessus un blanc.
E. FROMENTIN, Un été dans le Sahara, I, p. 18.

2 (...) sous un amoncellement de burnous et de couvertures, Paul et moi, nous avions l'air de deux boyards.
GIDE, Si le grain ne meurt, II, 1.

Loc. fam. *Faire suer* le burnous.*

♦ **2** Cape très enveloppante, à capuchon (notamment pour les jeunes enfants). *Burnous de bébé.*

3 Son chapeau de paille nacrée avait une garniture de dentelle noire. Le capuchon de son burnous flottait au vent (...)
FLAUBERT, l'Éducation sentimentale, II, IV.

**BURON** [byʀɔ̃] n. m. — 1611; *buiron,* 1772; du germanique **bûr* «hutte, cabane». → 2. Bure.

Régional (Auvergne). Petite cabane de berger, et, spécialt, petite fromagerie.

On voit partout *(sur le Puy-de-Dôme)* les burons ou les chalets de l'Auvergne.
CHATEAUBRIAND, Clermont, 120.

DÉR. **Buronnier.**

**BURONNIER** [byʀɔnje] n. m. — D. i. (le mot n'est pas dans Littré, contrairement à ce qu'indique Wartburg); de *buron.*

Régional. Berger qui fabrique artisanalement des fromages dans un buron.

**BURSAIRE** [byʀsɛʀ] adj. et n. f. — 1800, *in* Boiste; du lat. bot. *bursaria,* de *bursa* «bourse».

Didactique.

♦ **1** Adj. Qui a la forme d'une bourse.

♦ **2** N. f. [a] Bot. Arbrisseau d'Australie.

[b] (Lamarck, 1809). Zool. Genre d'infusoires.

**BURSAL, ALE, AUX** [byʀsal, o] adj. — 1553, Rabelais; du rad. du lat. *bursa, byrsa.*

Hist. Qui porte création d'impôts exceptionnels (sous l'Ancien Régime). *Édits bursaux.*

1. **BUS** [bys] n. m. — 1893, *in* D. D. L.; abrév. de *omnibus.*

♦ **1** Véhicule automobile de transport en commun, dans une zone urbaine. → **Autobus.** *Prendre le bus. Attraper le dernier bus. Arrêt de bus. Chauffeur de bus. Ticket de bus.*

Il n'y avait pas de moyens de transport, pas de métro, pas de bus.
Jean FERNIOT, Pierrot et Aline, p. 136.

Par métonymie. Trajet de bus. *Combien coûte le bus pour... ?*

♦ **2** Anglic. Véhicule de transport en commun interurbain. → **Car.** *Traverser l'Inde en bus.*

COMP. **Minibus.** ◊ HOM. **2. Bus.**

2. **BUS** [bys] n. m. — Mil. XXᵉ; de l'angl. *omnibus.*

Inform. Conducteur commun à plusieurs circuits permettant de distribuer des informations ou des courants d'alimentation.

HOM. **1. Bus.**

**-BUS** Élément, de *autobus,* indiquant un moyen de transport collectif (ex. : *airbus, minibus, trolley-bus*) ou un véhicule affecté à un usage particulier et public (ex. : *bibliobus*).

**BUSAIGLE** [byzɛgl] n. m. — 1845; de 1. *buse,* et *aigle.*

Zool. Buse dont les tarses sont entièrement empennés.

**BUSARD** [byzaʀ] n. m. — 1174, *busart;* de l'anc. franç. *bu(i)son.* → 1. Buse.

Oiseau rapace diurne *(Falconidés),* à longues ailes et longue queue. *Busard des roseaux; busard des marais* (→ **Harpaye**), *busard cendré. Le busard vit dans les endroits très découverts.*

Brasselier sent la panique l'envahir, comme le flamant rose survolé par le busard (...)
René FLORIOT, La vérité tient à un fil, p. 5.

**BUSC** [bysk] n. m. — 1611; *buste, buz,* 1545; ital. *busto,* avec infl. de l'ital. *busco* «brindille», de même racine que *bûche.* → Bûche, bush.

♦ **1** Anciennt. Lame de métal, d'ivoire, étroite et flexible, qui sert à maintenir le devant d'un corset. → **Baleine.**

Un coup de busc sec sur les doigts qui s'émancipent vaut bien un coup de votre rapière. 1
Th. GAUTIER, le Capitaine Fracasse, t. II, X.

(...) et des petits pieds, je n'en ai jamais vu de pareils, ils ne sont pas plus larges que son busc. 2
BALZAC, la Cousine Bette, I, Pl., t. VI, p. 240.

Corset maintenu par des baleines. *Porter un busc.*

♦ **2** Techn. Coude de la crosse d'un fusil.

♦ **3** (1751). Techn. Saillie contre laquelle viennent buter les portes d'une écluse.

DÉR. **Busqué, busquière.** — V. **1. Busquer.**

1. **BUSE** [byz] n. f. — 1460; de l'anc. franç. *buson, buison,* du lat. *buteo, -onis.* → Busard, butor.

♦ **1** Oiseau rapace diurne, aux formes lourdes, qui se nourrit de rongeurs. *Buse pattue.* → **Busaigle.** *Buse bondrée.* → **Bondrée.** *Buse des marais.* → **Busard** (B. harpaye). *Des buses planaient* (→ 2. Planer, cit. 3).

(...) la buse des bois cramponnée à sa maîtresse branche *(du bouleau)* pour guetter les perdreaux couplés. 1
M. GENEVOIX, Forêt voisine, p. 55.

♦ **2** (1545). Fig., fam. Personne sotte et ignorante. → **Âne, balourd, bête, crétin, cruche.** *Dès qu'on lui parle, il prend une tête de buse.* — (En appellatif). *Triple buse !*

2 Pas une buse diplomatique qui ne se crût supérieure à moi de toute la hauteur de sa bêtise.
CHATEAUBRIAND, Mémoires d'outre-tombe, II, 2.

3 (...) dites-lui que l'examinateur qui m'a interrogé en octobre, sur la cosmo, était une buse (...)
BERNANOS, Lettres à l'abbé Lagrange, déc. 1904, *in* Œ. roman., Pl., p. 1725.

Adj. *Il est vraiment trop buse !*

4 Je le regarde alors de tout près ce petit rageur... Il me paraît moins buse que les autres à la réflexion... Je le saisis ! hop ! je l'entraîne !...
CÉLINE, Guignol's band, p. 307.

COMP. **Busaigle.** ◊ HOM. 2. **Buse,** formes du v. **buser.**

2. **BUSE** [byz] n. f. — XIII^e ; p.-ê. moy. néerl. *bu(y)se* ou de l'anc. franç. *busel* «tuyau», du lat. *bucina.* → Buisine.

**I** ♦ **1** Conduit, tuyau. *Buse en ciment. Buse d'aérage,* dans les mines. *Buse d'injection.* → **Trémie.** *Buse de carburateur :* pièce formant un étranglement qui accroît la dépression. → **Venturi.** *Buse aspiratrice. Buse d'un arroseur. Buse d'arrosage à gicleur interchangeable.*

Techn. Canal qui amène l'eau d'un bief de moulin sur la roue. Tuyau d'aération d'un puits de mine. *Buse d'aérage.*

Tuyau adapté à la tuyère d'un haut fourneau.

♦ **2** Régional. Tuyau de poêle.

**II** Régional (Belgique ; du wallon *buse* «chapeau haut-de-forme» ; cf. Tuyau de poêle). Échec aux élections ; échec à un examen. *Attraper une buse.*

DÉR. **Buser, busette.** ◊ HOM. 1. **Buse,** formes du v. **buser.**

**BUSER** [byze] v. tr. — D. i. ; de 2. *buse* (II.).

Régional (belgicisme). Fam. Recaler, faire échouer.

L'après-midi, ai fait passer des examens. N'ai busé personne. À quoi bon !
Marianne PIERSON-PIERARD, Premier été sans Fabienne, p. 15 (1975).

Passif et p. p. *Être busé aux élections, à un examen. Candidat busé.*

**BUSETTE** [byzɛt] n. f. — 1905 ; «canal, conduit», 1313 ; de 2. *buse.*

Techn. Orifice d'une poche de coulée ; son garnissage en matières réfractaires (en métallurgie).

**BUSH** [bœʃ] n. m. — 1860, in *le Tour du monde ;* mot angl., proprt «broussailles».

Anglic. (Géogr.). Association végétale des pays secs (Afrique orientale, Madagascar, Australie), formée de buissons serrés et d'arbres isolés. *Maquisards réfugiés dans le bush. Ferme dans le bush.*

1 Sur le bord de la galerie forestière, quantité d'arbres fleuris (...) Puis, dans le bush, d'autres arbustes isolés (...) les herbes, depuis les dernières pluies, ont atteint déjà près d'un mètre de haut.
GIDE, Retour du Tchad, VIII, Pl., p. 999.

2 La plupart d'entre eux furent dirigés sur les Montagnes Bleues, d'autres s'engagèrent pour défricher le «bush», la pouilleuse forêt australienne, et quelques-uns, attirés par les fallacieuses promesses des nouveaux placers de l'hinterland, se perdirent définitivement.
Jean RAY, les Derniers Contes de Canterbury, p. 190.

3 Le paysage qui se découvre sous nos pieds a quelque chose d'irréel. Pas de vastes prairies, pas de zones cultivées, c'est le bush à l'infini, une grandiose solitude plus angoissante que la nudité du Sahara, car ce paysage où tout respire la vie est vide d'humanité.
R. FRISON-ROCHE, Nahanni, p. 82.

**BUSHI** [buʃi] n. m. invar. — D. i ; mot japonais.

Hist. Guerrier japonais de l'époque féodale, seigneur féodal. → **Samouraï.** *Il est né dans une famille de bushi. Code d'honneur du bushi.* → **Bushido.**

À partir de 1615 furent promulguées les «lois pour les maisons militaires» (...) régulièrement complétées et précisées par la suite, elles fixèrent les limites sévères dans lesquelles pouvait s'exercer l'autorité — par d'autres côtés inquiétante — des *bushi.* Si le *bushi* pouvait décider souverainement de la vie ou de la mort de ses sujets roturiers, il lui était interdit d'effectuer, sans l'autorisation du shōgun, la moindre réparation sur son château (...)
D. et V. ÉLISSÉEFF, la Civilisation japonaise, p. 114.

DÉR. **Bushido.**

**BUSHIDO** [buʃido] n. m. — D. i. ; mot jap., de *bushi.* → Bushi.

Hist. Ensemble des préceptes qui constituent la morale du bushi* japonais (mot répandu en Occident par l'enseignement des arts martiaux, et généralement dévié de son sens).

**BUSINE** [byzin] n. f. → **Buccin.**

**BUSINESS** [biznɛs] n. m. — 1876, *in* Höfler ; mot angl., de *busy* «affairé» ; cf. les graphies en *bis-, biz-,* adaptations orales.

Anglicisme.

♦ **1** Vx. Travail, affaires. → **Bisness** (1.). *Il est dans le business.* → **Négoce.**

Argot. Prostitution. → **Bisness** (2.).

(...) Marinette parlait business maintenant, de la chaude soirée qui se préparait pour ses perruches, l'*Ile-de-France* ayant le matin même dépoté au Havre un contingent d'amerloques (...) 1
Albert SIMONIN, Touchez pas au grisbi, p. 183.

♦ **2** Mod. *Le big business* [bigbiznɛs] : le monde des affaires, du grand capitalisme. *Un patron du big business américain. «Sous la pression conjuguée du* big business *et des syndicats, les États-Unis (...) commencent à fermer leurs frontières»* (*le Nouvel Obs.,* 31 oct. 1977).

La haine des races, attisée exprès par le big business, se conforme à l'ancien précepte de l'empire romain : divide et impera (...) Roger NAÏM, l'Ère des truands, p. 190. 2

COMP. V. **Businessman.**

**BUSINESSMAN** [biznɛsman] n. m. — 1871 ; mot anglais.

Homme d'affaires (→ Absent, cit. 7). — Plur. *Des businessmen* [biznɛsmɛn] ou *businessmans* [biznɛsman].

J'ai attendu Fitzgerald pendant une heure. Je ne pouvais pas régler l'affaire avec sa secrétaire : je veux un reçu signé par lui. Je connais les businessmen américains : je m'en méfie. Roger NAÏM, l'Ère des truands, p. 242.

**BUSINESS SCHOOL** [biznɛsskul] n. f. — V. 1970 ; mot amér., de *business**, et *school* «école».

Anglic. Aux États-Unis, École de commerce. *Une business school prestigieuse. «C'est une carrière de banquier à faire rêver les jeunes loups. Mais elle ne passe par aucune business school»* (*l'Express,* 9 oct. 1972).

**BUSQUÉ, ÉE** [byske] adj. — XVI^e, *(femme) busquée* «qui porte un busc» ; de *busc.*

♦ **1** Rare. Muni d'un busc. *Corset busqué.*

♦ **2** Littér. (Cour. en parlant du nez). Qui présente une courbure convexe, comme le devant d'un corset muni d'un busc. *Nez* busqué.* → **Aquilin, bourbonien.**

1 Très droit, le monocle levé, le nez busqué formant proue, la moustache blanche à la gauloise (...) Un profil de vieil aigle prêt à jouer du bec.
MARTIN DU GARD, les Thibault, t. IV, p. 94.

2 (...) la force était dans l'accord du nez busqué et du menton presque en galoche (...)
MALRAUX, la Condition humaine, p. 68.

Techn. *Cheval busqué,* dont la tête est arquée.

♦ **3** (1751). Techn. *Portes busquées* (d'une écluse), dont les deux vantaux forment un angle en s'appuyant l'un contre l'autre.

**DÉR.** V. **Busquer.** ◇ **HOM.** 1. **Busquer,** 2. **busquer.**

1. **BUSQUER** [byske] v. — 1718; de *busc* ou de *busqué.*

**I** V. tr. ♦ **1** Anciennt. Munir d'un busc. *Busquer un corset.* — Pron. (Vx). *Se busquer :* se vêtir d'un corset à busc.

♦ **2** (1860). Littér. Rendre courbe, arquer. → **Bomber, courber.** *Le chirurgien a légèrement busqué le nez de son patient.* — Pron. *Se busquer :* devenir busqué. *Son nez se busque.*

Rare (sujet n. de personne). Se courber, se voûter.

(...) son seigneur l'entend et se busquant un peu, pour lui faire passer le ravin de ténèbres, il l'arme intérieurement jusqu'au cœur (...) Hélène CIXOUS, Souffles, p. 152.

**II** V. intr. Techn. (en parlant des portes d'une écluse). Se fermer à angle droit.

**HOM.** **Busqué,** 2. **busquer.**

2. **BUSQUER** [byske] v. tr. — V. 1550; esp. *buscar* «chercher»; lat. vulg. **buskum,* d'orig. germanique. → Bûche.

Loc. Vx. *Busquer fortune :* chercher fortune.

**REM.** On trouve une forme altérée *brusquer fortune* (av. 1571), le v. étant confondu avec *brusquer*.*

**HOM.** **Busqué,** 1. **busquer.**

**BUSQUIÈRE** [byskjɛʀ] n. f. — 1690; de *busc.*

Anciennt. Partie du corset dans laquelle on glissait le busc.

**BUSSEROLE** [bysʀɔl] n. f. — 1803; *bousserole,* 1775; provençal *bouisserolo,* de *bouis* «buis».

Sorte d'arbousier *(Éricacées),* arbrisseau à feuilles vertes persistantes et à baies rouges.

**BUSTE** [byst] n. m. — 1356; ital. *busto,* du lat. class. *bustum* (→ Buse) «bûcher funèbre», d'où «tombeau, monument funéraire» (orné du buste du mort).

♦ **1** Partie supérieure du corps humain, de la tête à la ceinture. → **Torse, tronc.** *Dresser, redresser le buste. Rejeter le buste en arrière. Garder le buste droit. Se caler le buste dans un fauteuil. Buste étroit, creusé; buste large, épanoui. Incliner le buste pour saluer qqn. Les sirènes ont un buste de femme et une queue de poisson. Se faire peindre en buste,* dans un portrait qui ne représente que le buste. *Portrait gravé en buste.* — Spécialt. Poitrine de femme, seins. → **Gorge.** *Gymnastique pour la beauté du buste.*

1 Je plongeais les yeux dans toutes les loges peuplées de femmes; cela formait, vu d'en bas une irritante exposition de bustes à peu près sans corsage et de bras nus gantés très court. E. FROMENTIN, Dominique, X.

2 Malgré des hanches rondes et un buste épanoui, elle paraissait mince (...)
Marcel PRÉVOST, les Demi-vierges, I, p. 5.

3 (...) il carrait les épaules, redressait et dilatait le buste.
MARTIN DU GARD, les Thibault, t. III, p. 11.

4 (...) le buste bien pris dans une robe de drap qui lui comprimait la gorge.
G. DUHAMEL, Chronique des Pasquier, III, I.

L'émotion l'étouffait un peu, il ramena ses mains sur les bras du fauteuil et, appuyé sur elles, il redressa le buste. 5
H. BOSCO, Un rameau de la nuit, p. 263.

♦ **2** Sculpture représentant la tête d'une personne et une partie de ses épaules, de sa poitrine généralement sans les bras. *Buste antique. Buste de marbre, buste en plâtre. Buste en hermès*,* dont la base est cubique. *Buste en piédouche*,* dont la base arrondie repose sur un pied. *Buste de femme servant de figure de proue. Faire le buste de qqn. Un buste de Voltaire* (→ Pèlerinage, cit. 3).

C'était un buste creux, et plus grand que nature. 6
LA FONTAINE, Fables, IV, 14.

(...) vous voyez la sculpture s'altérer profondément. Les bustes impériaux ou consulaires perdent leur sérénité et leur noblesse (...) 7
TAINE, Philosophie de l'art, t. II, III, II.

**DÉR.** **Bustier.**

**BUSTIER** [bystje] n. m. — Déb. XXᵉ; de *buste.*

♦ **1** Didact. Sculpteur spécialisé dans les bustes. → **Statuaire.**

♦ **2** (V. 1955). Cour. Soutien-gorge sans bretelles, dont la base enserre le buste jusqu'à la taille. *Le bustier permet le grand décolleté montrant les épaules.* — Vêtement de même forme avec ou sans bretelles. *Bustier habillé porté avec une jupe du soir.*

(...) alors il se déguise, ah ah! une fois, à un réveillon, il a mis mon bustier et mes escarpins les plus hauts.
Christine DE RIVOYRE, les Sultans, p. 88.

**BUT** [by(t)] n. m. — 1245; probablt du francique **but* «souche, billot» (servant à l'orig. de cible pour le tir à l'arc), cf. anc. nordique *butr, même sens; pour Guiraud, *but* serait une forme de *bout* et une métonymie de 1. *butte* «tertre».

♦ **1** Point visé, objectif. → **Cible, mire** (point de mire), **objectif, visée; carton, silhouette.** *Viser le but. Diriger, braquer son arme vers le but. Coucher en joue le but. Atteindre, frapper, toucher le but.* → **Blanc** (tirer au blanc), **mille** (mettre dans le mille), **mouche** (faire mouche). *Manquer le but. Le projectile passa à côté, au-dessus du but. Dépasser le but, aller au-delà du but. But à éclipse, but mobile. Figurine, poupée servant de but. Lancer un projectile vers le but.* → **Abuter.** *Tir* au but.* — Artill. *But à battre.*

Il peut frapper au but une fois entre mille (...) 1
LA FONTAINE, Fables, VIII, 16.

Là-bas, au large, la torpille 2
touche le but.
COCTEAU, le Discours du grand sommeil.

Rien au monde n'est capable de l'empêcher *(la torpille)* 2.1
d'atteindre exactement son but, ni d'éclater à l'heure fixée et à l'endroit fixé.
G. LEROUX, Rouletabille chez Krupp, p. 23.

Spécialt (boules). Cochonnet. *Pointer une boule vers le but.*

Loc. (1660). **DE BUT EN BLANC** [d(ə)bytɑ̃blɑ̃] (var. anc. : *de pointe en blanc,* ou *de blanc en blanc*). — Milit. *Tir de but en blanc :* tir effectué d'une butte de tir en visant le blanc de la cible par la ligne de mire sans se servir d'une hausse mobile, sans préparation. — Fig. *De but en blanc :* sans préparation, brusquement. → **Blanc** (cit. 32 et 33).

— Écoutez, disait Mᵐᵉ Cottard, on est excusable de répondre 3
un peu de travers quand on est interrogée ainsi de but en blanc, sans être prévenue.
PROUST, À la recherche du temps perdu, t. IV, p. 9.

Par anal. Math. *But d'une application**, son ensemble d'arrivée.

♦ **2** Point que l'on se propose d'atteindre. → **Terme.** *Le but de la course.* → **Arrivée.** *Courir, se ruer vers le but. Atteindre le but, toucher au but. S'arrêter au but. Le but d'une promenade, d'une expédition, d'un voyage. Atteindre le but par petites étapes. Allons voir cette petite église : ce sera un but de promenade. Marcher, se promener sans but, sans but précis* (errer, flâner...).

4 Gageons, dit celle-ci, que vous n'atteindrez point
Sitôt que moi ce but (...)

LA FONTAINE, Fables, VI, 10.

♦ **3** a Chacune des deux limites avant et arrière d'un terrain de jeu, encadrées par les touches. *Le but d'un jeu de barres, d'un jeu de chat perché.* — (Même sens au sing. et au plur.). Espace déterminé que doit franchir le ballon (ou la balle, le palet) pour qu'un point soit marqué, au football, hand-ball, hockey, etc. *Barre transversale d'un but. Poteaux d'un but* (au football, on dit aussi *les bois*). *Filet tendu derrière le but, au football. Au basket, le but est formé par le panier* suspendu au panneau. Gardien de but.* → **Gardien, goal** (2.). *Tirer au but.* — Au plur. *Les buts. Envoyer la balle dans les buts.* → **Cage** (I., 5). *C'est à ton tour d'aller dans les buts. Les buts adverses. Organiser la défense* des buts.* (Football, rugby). *Ligne de but :* ligne tracée au fond du terrain, au milieu de laquelle sont dressés les poteaux du but *(poteaux de but). Surface de but,* qui se trouve devant le but. → aussi **En-but.** — (Au basket). *Zone de but :* zone qui se trouve devant le panier. → aussi **Raquette** (4.).

b (1922). Point marqué quand le ballon a pénétré le but adverse. → **Goal** (1., vx); et aussi **panier** (5., b.). *Marquer* (cit. 22) *un but. Notre équipe a marqué trois buts. C'est l'avant-centre qui a rentré tous les buts.* → **Buteur.** *Un but marqué sur coup franc, sur penalty. Crier : but! Transformer un essai* en but, au rugby. Gagner par trois buts à un. Les deux équipes en étaient à un but partout à la mi-temps. Le score est de trois buts à zéro* (ou, par abrév., *de trois à zéro*).

.1 Les coudes écartés ou les poings en avant, les plus hardis fonçaient, et une longue clameur saluait chaque «but». C'était un jeu de grands, et les petits comme moi n'y avaient que faire.

Raymond ABELLIO, Ma dernière mémoire, t. I, p. 113.

c Loc. (Vx). **BUT À BUT :** à égalité, sans avantage, de part et d'autre. → **Également.** *Être but à but. Troquer but à but.*

♦ **4** Fig. Ce que l'on se propose d'atteindre; ce à quoi l'on tente de parvenir. → **Achèvement, dessein, fin, intention, objectif, objet, propos, résolution, visée, vue.** *Son but est d'obtenir..., de parvenir à..., d'accéder à... N'avoir qu'un but, n'avoir pas d'autre but que...* (→ Ne vivre que pour...). *Chercher à atteindre deux buts à la fois* (→ Courir deux lièvres* à la fois). *Voilà son but caché, secret.* → **Motif, motivation; cause, raison.** *Ses désirs, ses efforts, ses tentatives, ses essais tendent* à ce but, le portent vers ce but. Assigner un but à qqn.* → **Mission.** *Se proposer un but. Tendre vers le même but, vers un but commun.* → **Concorder, concourir, confluer, conspirer, converger.** *Ne considérer* que le but. Rapporter tout à un but. Viser un but. Avoir pour but qqch.* (→ En vue). → **Buter** (vx). *S'agiter, s'évertuer sans but précis.* → **Aventure** (à l'aventure). *Deviner le but caché de qqn* (→ Où il veut en venir). *Dissimuler son but.* — Par métaphore. *Aller, avancer, marcher, cheminer, s'acheminer vers un but. Approcher du but. Remuer ciel et terre pour atteindre* le but. Tous les moyens lui sont bons pour arriver à son but. Toucher* le but, au but; parvenir au but.* → **Aboutir; port** (arriver au port).

Loc. *Aller droit au but, sans détour** (→ Ne pas y aller* par quatre chemins). *Toucher au but, frapper au but* (Académie) : dans une affaire, trouver le point essentiel. — *Passer, dépasser son but. Être détourné de son but, être encore loin du but. But absurde, extravagant; but coupable, criminel; but sensé, louable; but éloigné, distant; but rapproché, facile à atteindre. Le but de l'existence, de la vie.* → **Raison; destination, destinée.** *But général de l'action.* → **Direction, ligne** (de conduite). *Ne pas confondre les moyens et les buts.* → **Fin.** *Je ne sais pas le but de sa visite. — Sans but. Association sans but lucratif.*

L'homme croit souvent se conduire lorsqu'il est conduit, 5
et pendant que par son esprit il tend à un but, son cœur l'entraîne insensiblement à un autre.

LA ROCHEFOUCAULD, Maximes, 43.

Nous connaissons d'abord les choses (...) Je touche au but 6
du premier coup, et je vous apprends que votre fille est muette. MOLIÈRE, le Médecin malgré lui, II, 4.

C'est une chose si délicate que la réputation de ces Mes- 7
sieurs *(les officiers)* qu'ils aiment mieux passer le but que de demeurer en chemin.

Mme DE SÉVIGNÉ, 634, 6 août 1677.

(...) Mon intérêt seul est le but où tu cours. 8

RACINE, Esther, II, 5.

L'art doit se donner un but qui recule sans cesse. 9

RIVAROL, Notes, p. 79.

Ne vous donnez pas pour but d'être quelque chose, mais 10
d'être quelqu'un. HUGO, Post-scriptum de ma vie, II.

On reproche aux gens qui écrivent en bon style de négliger 11
l'idée, le but moral, comme si le but du médecin n'était pas de guérir, le but du peintre de peindre, le but du rossignol de chanter, comme si le but de l'Art n'était pas le Beau avant tout.

FLAUBERT, Correspondance, t. I, p. 157.

Quand le bonheur égoïste est le seul but à la vie, la vie 12
est bientôt sans but.

R. ROLLAND, Jean-Christophe, t. VIII, p. 94.

Vivre sans but, c'est laisser disposer de soi l'aventure. 13

GIDE, les Faux-monnayeurs, III, 14.

On dédaigne volontiers un but qu'on n'a pas réussi à 14
atteindre, ou qu'on a atteint définitivement.

PROUST, À la recherche du temps perdu, t. XIII, p. 308.

La volonté de séduire, c'est-à-dire de dominer, les diverses 15
manières de bander un souhait ou un ordre, de les darder vers leur but, je les sens encore élastiques (...)

COLETTE, la Naissance du jour, p. 75.

Dans d'autres cas, on ne peut pas dire que le véritable 15.1
but fût sacrifié au but accessoire et imaginé après coup, mais le premier était tellement opposé au second que si la personne qu'Albertine attendrissait en lui déclarant l'un, avait appris l'autre, son plaisir se serait aussitôt changé en la peine la plus profonde.

PROUST, À l'ombre des jeunes filles en fleurs, *in* Folio, p. 613.

(Gramm.). *Complément de but,* marquant dans quelle intention, par quel but on accomplit l'action. *Le complément de but peut être un nom ou un verbe à l'infinitif. Conjonction de but,* introduisant les propositions finales (ou propositions subordonnées de but). *Afin que, de crainte que, de façon à ce que, de manière à ce que, de peur que, pour que, en sorte que, de sorte que, sont des conjonctions et locutions conjonctives de but.*

REM. Certaines locutions tout à fait courantes sont, ou ont été rejetées par certains puristes.

Loc. prép. **DANS LE BUT DE, DANS UN BUT... :** dans le dessein, l'intention de. *Il l'a fait dans un but tout à fait désintéressé.*

16 Par le temps actuel, il serait à craindre qu'un monument élevé dans le but d'imprimer l'effroi des excès populaires donnât le désir de les imiter (...)
CHATEAUBRIAND, Mémoires d'outre-tombe, III, 3.
17 Ce fut moins par vanité que dans le seul but de lui complaire. FLAUBERT, Mme Bovary, III, 5.
18 Poil de Carotte (...) ne se préoccupe que de ne pas nettoyer son assiette (...) Dans ce but, il se livre à des calculs compliqués. J. RENARD, Poil de Carotte, Agathe.
19 (...) cette fois il ne l'avait fait que dans le but d'exaspérer son frère.
MONTHERLANT, les Célibataires, I, 3, p. 76.

REM. Les deux locutions sont condamnées par Littré («On n'est pas dans un but ; car, si on y était, il serait atteint»), et au XXe s. par quelques puristes ; elles ne sont pas signalées dans Académie, huitième éd. Cependant, *but* signifie au figuré «dessein, intention», et de même que l'on dit *dans le dessein, l'intention de...*, on doit pouvoir dire *dans le but de...* En fait, ces expressions sont couramment employées, et par les meilleurs écrivains (cf. Grevisse, n° 934,10, et aussi Durrieu qui, tout en condamnant la construction, cite Mme de Staël, Chateaubriand, Hugo, Balzac, Nerval, Flaubert, Loti, A. France, etc.).

Loc. **POURSUIVRE UN BUT,** (vx) *suivre un but :* chercher à réaliser un dessein.
20 Il suit toujours son but jusqu'à ce qu'il l'emporte (...)
CORNEILLE, Nicomède, V, 4.

REM. Autre expression condamnée par quelques puristes (notamment Durrieu, qui cite pourtant Corneille, Lamartine, Renan, etc.) mais admise par Académie, huitième éd. (art. *Poursuivre*) : *«Poursuivre un but, un avantage».*

**REMPLIR UN BUT :** réaliser un dessein, arriver à ses fins.

REM. Cette expression également condamnée par Littré et quelques autres est justifiée par le sens figuré de *remplir* (cf. Remplir un dessein, un devoir, ses obligations, ses promesses, etc.).

21 Il avait très industrieusement et très frauduleusement rempli son but.
SAINT-SIMON, Mémoires, 346, *in* LITTRÉ.
22 Je ne remplirai pas le but de ce livre.
ROUSSEAU, les Confessions, II.

CONTR. **Départ** (point, ligne de départ). ◊ DÉR. et COMP. **Abuter, 1. buter, buteur, 1. butte, débuter, en-but, rebuter.** — HOM. **Bute, 1. butte, 2. butte,** formes des v. **1. buter, 2. buter, 1. butter.**

**BUTADIÈNE** [bytadjɛn] n. m. — 1913 ; de *buta(ne),* et *di(éthyl)ène.*

Chim. Hydrocarbure éthylénique employé dans la fabrication du caoutchouc synthétique. → **Buna** (cit.).

COMP. **V. Buna.**

**BUTAGAZ** [bytagɑz] n. m. — XXe ; marque déposée, de *buta(ne),* et *gaz.*

Gaz en bouteille (le plus souvent du butane), utilisé à des fins domestiques. *Cuisinière au butagaz.* → **Butane.**

Sur des tréteaux rudimentaires, les réchauds à butagaz supportent les alambics d'acétylisation.
Roger BORNICHE, le Ricain, p. 337.

Réchaud alimenté par du gaz en bouteilles. *Il a fait réchauffer des conserves sur le butagaz.* → **Camping-gaz.**

**BUTANE** [bytan] n. m. — 1874 ; du rad. de *but(ylique),* et suff. chim. *-ane.*

Cour. Hydrocarbure saturé, gazeux et liquéfiable, employé comme combustible ($C_4H_{10}$). *Une bouteille de butane. Cuisinière au butane.* → **Butagaz** (marque déposée). — Appos. *Gaz butane.*

DÉR. et COMP. **Butadiène, butagaz, butanier, butanol.**

**BUTANIER** [bytanje] n. m. — 1950 ; de *butane.* → Pétrolier.

Techn. Navire destiné au transport du butane.

**BUTANOL** [bytanɔl] n. m. — XXe ; de *butane,* et suff. chim. *-ol.*

Chim. Alcool butylique.

**BUTANT, BUTTANT** [bytɑ̃] adj. m. — XVIIIe ; de 1. *buter.*

Archit. (Rare). Qui supporte une poussée. → **1. Buter.** *Pilier-butant. Arc-butant.* → **Arc-boutant.**

**BUTE** [byt] n. f. — 1690 ; de 1. *buter.*

Techn. Instrument pour couper la corne des sabots du cheval.

HOM. **But, 1. butte, 2. butte,** formes des v. **1. buter, 2. buter, 1. butter.**

1. **BUTÉE** [byte] n. f. — 1676 ; de 1. *buter.*

♦ **1** Archit. Massif de pierre destiné à supporter une poussée. — Spécialt. Culée d'un pont (établie pour résister à la poussée des arches).

♦ **2** Techn. et cour. Organe, pièce supportant un effort axial. *Palier de butée. Collier de butée. Vis de butée. Plaque de butée. Butée à billes :* roulement à billes absorbant une poussée. *La butée d'une porte.* → **Butoir.**

Elle ouvre la porte d'un seul coup, avec violence. Le battant frappe contre une butée de caoutchouc et revient en vibrant jusqu'à moitié course.
A. ROBBE-GRILLET, Projet pour une révolution à New York, p. 118.

REM. On trouve aussi la forme *buttée.*

HOM. **2. Butée, 1. buter, 2. buter, 1. butter.**

2. **BUTÉE** [byte] ou **BUTÉA** [bytea] n. f. — 1832 ; lat. sc. *butea,* d'après le nom du comte de *Bute.*

Plante dicotylédone *(Légumineuses-Papilionacées)* qui donne une gomme astringente. — Syn. : *arbre à laque.*

HOM. (De *butée*) **1. Butée, 1. buter, 2. buter, 1. butter.**

**BUTÈNE** [bytɛn] ou **BUTYLÈNE** [bytilɛn] n. m. — 1845, *in* Cottez, *butène ; butylène,* 1867 ; du rad. de *butyle,* ou de *butyle,* et suff. chim. *-ène.*

Chim. Hydrocarbure éthylénique ($C_4H_8$). *Les butènes sont utilisés pour la fabrication du butadiène, et entrent parfois dans la composition du butane.*

1. **BUTER** [byte] v. — 1500, Pasquier ; «toucher à ; aller jusqu'à» (en parlant d'une terre, d'une surface), 1289 ; de *but.*

**I** V. intr. ♦ **1** Vx. *Buter à :* viser à (qqch., à faire qqch.).

Toutes mes volontés ne butent qu'à vous plaire. 1
MOLIÈRE, l'Étourdi, V, 2.

♦ **2** Mod. *Buter contre :* heurter le pied contre (qqch. de saillant). → **Achopper, chopper, cogner, heurter.** *Buter contre une pierre, un rebord.*

Adoum reste plié en deux de rire, parce qu'un de nos pagayeurs, pris de peur et voulant reculer, a buté contre une souche et roulé à terre. 1.1
GIDE, Voyage au Congo, *in* Souvenirs, Pl., p. 852.

*«Pour qu'ils* (tes pieds) *ne butent pas aux pierres»* (Ramuz, *in* T. L. F.).

J'entendais ces accusations avec la rage de me sentir buter à un des endroits à partir desquels le chemin rustique et familier qu'était le caractère de Françoise devenait impraticable, pas pour longtemps heureusement. 1.2
PROUST, À l'ombre des jeunes filles en fleurs, éd. Folio, p. 564.

Absolt. → **Broncher, trébucher.**

2 Communément, il glissait, butait, bronchait, trébuchait de toutes les manières concevables et inconcevables, se cognait contre tous les murs (...)
FRANCE, le Petit Pierre, XXXII.

Fig. *Buter sur, contre, devant* (une difficulté, etc.) : se heurter à (une difficulté). → **Broncher.**

3 Dans la politique (...) l'Angleterre a résolu des problèmes sur lesquels ont buté tous les autres pays.
André SIEGFRIED, l'Âme des peuples, III, p. 102.

♦ **3** (Sujet n. de chose). *Buter sur, contre :* s'appuyer sur, être arrêté, calé par. *La poutre bute contre le mur.* — On trouve aussi la forme *butter** (1. Butter, 2.).

3.1 Le mouvement de la porte butait sur une chaise d'où s'écroulaient des dossiers.
Pierre HAMP, la Peine des hommes (Moteurs), p. 12.

**II** V. tr. ♦ **1** (1694). Archit. Soutenir, étayer. → **Appuyer, épauler.** *Buter un mur, une voûte au moyen d'un arc-boutant, d'une butée, d'une culée.*

♦ **2** Vx. Contrecarrer (qqn).

♦ **3** Mod. Réduire, acculer (qqn) à une position de refus entêté. → **Braquer.** *Tu l'as buté, on n'en tirera plus rien maintenant.*

◆ **SE BUTER** v. pron.

♦ **1** Se heurter (à qqn, qqch.). *Se buter contre un mur. Se buter à un obstacle, à une difficulté insurmontable. Se buter dans une attitude boudeuse.*

4 (...) je ne pouvais plus mettre le pied dehors sans me buter à des gens de connaissance (...)
COURTELINE, Boubouroche, II, 1.

♦ **2** Fig. Se fixer (à une résolution, à une attitude) avec obstination. → **Entêter** (s'), **obstiner** (s'), **opiniâtrer** (s'). *Je me bute à cette idée.*

Absolt (plus cour.). → **Braquer** (se).

4.1 (...) il se butait là, il s'était obstiné à vouloir terminer tout, avant de repeindre la figure centrale (...)
ZOLA, l'Œuvre, p. 462.

5 Car le propre de la divinité c'est l'entêtement. Si l'homme savait pousser l'obstination à son point extrême, lui aussi serait déjà dieu. Voyez les savants, et les secrets divins qu'ils arrachent de l'air ou du métal, simplement parce qu'ils se butent. GIRAUDOUX, Amphitryon 38, III, 1.

◆ **BUTÉ, ÉE** p. p. adj. (1859, Monselet, *in* D. D. L.). Entêté dans son opinion, dans son refus de comprendre. → **Entêté, obstiné, têtu.** *Un enfant boudeur et buté. Il est exclusif et buté dans ses opinions. Buté comme une mule. Esprit buté.* → **Borné, étroit.** *Un âne buté* (→ Brusque, cit. 6). — REM. L'adj. peut exprimer une attitude habituelle ou, au contraire, particulière à une situation. *N'insiste pas, elle est butée.*

Qui exprime cet entêtement. *Un visage, un air buté. Une mine butée.*

6 (...) ma tante Charles, également butée et complètement imperméable aux sentiments, pensées ou intentions d'autrui. GIDE, Journal, 18 sept. 1916.

7 Ils ne comprennent rien, ils sont là, butés, cette idiote et cet imbécile, à qui j'apporte des millions et qui au lieu de tomber à mes genoux comme je l'imaginais, discutent, ergotent (...)
F. MAURIAC, le Nœud de vipères, II, 12, p. 143.

8 (...) il y avait en nous quelque chose d'irrémédiablement buté qui nous interdisait de faire confiance aux mots.
M. YOURCENAR, le Coup de grâce, p. 243.

CONTR. **Contourner, franchir** (un obstacle). — **Changer** (d'avis, d'idée), **renoncer.** — (De *buté*) **Changeant, versatile.** — **Ouvert, souple** (esprit). ◊ DÉR. **Butant, bute, 1. butée.** — V. **Butoir.** — HOM. **1. Butée, 2. butée, 2. buter, 1. butter.**

2. **BUTER** [byte] v. tr. — 1821 ; de 2. *butte,* probablt sous l'infl. de 1. *buter.*

Argot. Tuer, assassiner. *Il s'est fait buter par des tueurs, par un gang adverse.*

On va le *buter,* répéta La Pouraille, il est depuis deux mois *gerbé à la passe* (condamné à mort). 1
BALZAC, Splendeurs et misères des courtisanes, Pl., t. V, p. 1057.

— Y a un mec qui s'est fait buter cette nuit Villa Saint-Marceau, un nommé Brignon... 2
H.-G. CLOUZOT et J. FERRY, Quai des Orfèvres (Scénario), 1947, *in* l'Avant-Scène, nº 29, p. 26.

Tu leur aurais dit il y a un an : «Retourne au Basto ! Business elle est morte ! Fini Londres !...» Ils t'auraient buté Roi des folles !... CÉLINE, Guignol's band, p. 81. 3

(...) pourquoi prendre la peine de me buter, puisque je n'existe déjà pas ? A. SARRAZIN, l'Astragale, p. 115. 4

On trouve, plus rarement, la forme *butter.*

HOM. **1. Butée, 2. butée, 1. buter, 1. butter.**

3. **BUTER** [byte] v. tr. → **1. Butter.**

**BUTEUR** [bytœʀ] n. m. — Déb. XXᵉ ; de *but.*

(1932, *in* Petiot). Football. Joueur qui sait tirer au but et marquer. *Notre équipe manque de buteurs.* — (Rugby). Celui qui fait la transformation. → **Botteur.** — (1904, *in* Petiot). Serveur, à la pelote basque.

REM. Le fém. *buteuse* [bytøz] est virtuel.

HOM. **Butteur.**

**BUTIN** [bytɛ̃] n. m. — Déb. XVᵉ ; «partage de ce qui a été pris à l'ennemi», 1350 ; du moyen bas all. *bûte ;* cf. all. *Beute.*

♦ **1** Ce qu'on prend aux ennemis, pendant une guerre, après la victoire. → **Capture, dépouille, prise, proie, trophée.** *Un riche butin. Amasser, faire, enlever du butin.* → **Butiner** (vieilli). *Partager, distribuer le butin. Avoir part au butin.*

Les militaires regrettaient ces campagnes d'Italie qui rapportaient de l'avancement et du butin (...) 1
J. BAINVILLE, Hist. de France, VIII.

♦ **2** Par ext. Produit d'un vol, d'un pillage. *Le voleur surpris a dû abandonner son butin. Part de butin.* → (argot) **2. Fade, pied.**

Le butin se partage, *Cœur-de-fer* veut que j'aie ma portion, elle se montait à vingt louis, on me force de les prendre (...) 1.1
SADE, Justine..., I, p. 48.

♦ **3** (XVIIᵉ). Produit, récolte qui résulte d'une recherche. → **Découverte, profit.** *Le butin des dernières fouilles est très important. Le butin que rapportent les fourmis. Les abeilles* (cit. 2) *dégorgent leur butin, vont à la recherche du butin.* → **Butiner.**

(...) Se charger l'esprit d'un ténébreux butin 2
De tous les vieux fatras qui traînent dans les livres.
MOLIÈRE, les Femmes savantes, IV, 3.

Aussitôt nous avons mis notre butin en sûreté, et pendant la récréation de midi, nous avons pu l'inventorier à loisir. 3
MARTIN DU GARD, les Thibault, t. I, p. 16.

(...) dans ces clichés romantiques, il serait difficile de découvrir une note juste, un vrai butin littéraire. 4
A. THIBAUDET, Gustave Flaubert, p. 18.

CONTR. **Perte.** ◊ DÉR. **Butiner.**

**BUTINAGE** [bytinaʒ] n. m. — 1380 ; de *butiner.*

♦ **1** Vx. Action de prendre du butin à l'ennemi.

♦ **2** (1901 ; en parlant d'un insecte). Action de butiner. *Le butinage des abeilles.*

**BUTINER** [bytine] v. — 1513; «partager ce qu'on a pris à l'ennemi», 1350; de *butin*.

**I** V. tr. ♦ **1** Vx. Prendre comme butin. → **Piller, voler.**

1 La Normandie était petite et la police y était trop bonne pour qu'ils puissent butiner grand'chose les uns sur les autres. MICHELET, Extraits historiques, p. 95.

♦ **2** (1718). Mod. (En parlant des insectes). Visiter pour y rechercher du pollen. *Les abeilles butinent les fleurs.*

1.1 (...) il s'est assis sur une large touffe de petites fleurs des sables que butinaient des abeilles (...) A. PIEYRE DE MANDIARGUES, la Marge, p. 9.

Absolument :

1.2 Le matin, quand on est abeille, pas d'histoire, faut aller butiner. Henri MICHAUX, Face aux verrous, «Tranches de savoir», p. 60.

♦ **3** Mod. Par métaphore ou fig. Récolter, ramasser çà et là. *Butiner quelques renseignements.* → **Glaner.** — Rare. Visiter pour se procurer certaines choses.

1.3 Oui, comme lieu de promenade, quand on est obligé de sortir, laissez-moi les cimetières (...) j'erre, les mains derrière le dos, parmi les pierres, les droites, les plates, les penchées, et je butine les inscriptions. Elles ne m'ont jamais déçu, les inscriptions (...) S. BECKETT, Premier amour, p. 9.

**II** V. intr. ♦ **1** Vx. S'emparer de butin. → **Piller.** «*Les Barbares butinèrent jusque sous les murs de Constantinople*» (Chateaubriand, *in* T. L. F.).

♦ **2** (1718; en parlant d'un insecte). Visiter les fleurs pour y rechercher de la nourriture. *Les abeilles butinent sur les fleurs.*

2 Les abeilles ne butinent qu'un temps; après se font trésorières. GIDE, les Nourritures terrestres, p. 81.

◆ **BUTINANT, ANTE** p. prés. et adj. *Abeille butinante.* → **Butineur.**

3 (...) un vrai romancier (...) apporte sa contribution à l'histoire de l'homme et de la femme. Que s'il prend un trait à l'un, que s'il emprunte à l'autre un mot, il accomplit son devoir de témoin, il joue son rôle d'abeille butinante. G. DUHAMEL, Défense des lettres, II, V, 158.

DÉR. **Butinage, butineur.**

**BUTINEUR, EUSE** [bytinœʀ, øz] adj. et n. — 1845, *in* Bescherelle; n. 1443, «officier qui garde et vend le butin»; de *butiner*.

**I** Adj. (En parlant d'un insecte). Qui butine, dont le rôle est de butiner. *Insecte butineur. Abeille* (cit. 15) *butineuse;* (n.) *une butineuse* (→ Abeille, cit. 5). — Syn. : *butinant, ante.*

**II** N. m. (Techn.). Appareil qui permet de rassembler les divers éléments d'une commande.

**BUTLER** [bœtlœʀ] n. m. — D. i.; mot anglais.

Anglic. Maître d'hôtel, majordome (dans un contexte anglais).

**BUTOIR** [bytwaʀ] n. m. — 1790, «boutoir à sculpter»; altér. de *boutoir*, d'après 1. *buter*.

♦ **1** Couteau* emmanché à ses deux extrémités, et servant à racler le cuir. → **Drayoire.** *Le butoir est utilisé pour le corroyage des cuirs.*

Outil à sculpter le bois. → aussi **Boutoir.**

♦ **2** (1845). Pièce, dispositif servant à arrêter. *Butoir d'une porte, en caoutchouc ou en métal. Butoir dans une serrure. Butoir d'une voie de chemin de fer :* obstacle artificiel adapté à l'extrémité d'une voie de garage et contre lequel viennent buter les tampons d'une locomotive, d'un wagon. → **Heurtoir.** *Butoir en béton. — Butoir d'un pare-chocs d'automobile.* → **Banane.**

Embusqués dans un hall aux verrières de rouille
Où les rails sont des parallèles qui s'embrouillent
Si bien que sur un rire de butoirs ternis
S'arrête court le roulement de mille années.
Robert VIVIER, Embrun de l'âge, Des nuits et des jours.

Sports. *Butoir artificiel :* planche qui borde le cercle d'envoi, au lancer du disque, du poids. — Au saut à la perche, Dispositif dans lequel le sauteur place la pointe de la perche, pour s'enlever (syn. : *boîte d'appel*). — *Butoir servant d'appui aux coureurs de vitesse.* → **Cale, starting-block.**

HOM. **Buttoir.**

**BUTOME** [bytom] n. m. — 1783; lat. bot. *butomus*, 1694; grec *boutomos*, proprt «qui coupe la langue des boeufs».

Plante aquatique *(Alismacées)* appelée communément *jonc fleuri*, aux fleurs blanches ou roses.

Le gazon s'élevait alors à cinq ou six pieds de hauteur. L'herbe avait fait place aux plantes marécageuses, auxquelles l'humidité, aidée de la chaleur estivale, donnait des proportions gigantesques. C'étaient principalement des joncs et des butomes, qui formaient un réseau inextricable, un impénétrable treillis, parsemé de mille fleurs, remarquables par la vivacité de leurs couleurs, entre lesquelles brillaient des lis et des iris, dont les parfums se mêlaient aux buées chaudes qui s'évaporaient du sol. J. VERNE, Michel Strogoff, p. 217.

DÉR. **Butomées** ou **butomacées.**

**BUTOMÉES** [bytɔme] ou (vx) **BUTOMACÉES** [bytɔmase] n. f. pl. — XVIIIe; de *butome*.

Bot. Famille de plantes (ordre des *Fluviales*) qui comprend des espèces poussant au bord de l'eau et dont les fleurs durent très longtemps.

**BUTOR, ORDE** [bytɔʀ, ɔʀd] n. — XIIe; du lat. *buteo, butio* (→ 1. Buse), et élément final obscur, p.-ê. de *taurus* «taureau».

**I** N. m. Oiseau échassier appelé aussi *bœuf d'eau (Ardéidés)*, héron des marais au plumage fauve et tacheté, dont le cri évoque le mugissement du taureau.

Par appos. *Héron butor.*

**II** N., rare au fém. (1661). Fig. Personne grossière, sans délicatesse. *C'est un butor.* → **Âne, balourd, bête, cruche, ganache, lourdaud, maladroit, sot, stupide.** — En appellatif injurieux. (Cour. dans la langue class.; archaïque ou plais. en franç. mod.). *Butor !, imbécile !* — Adj. *Il est butor, grossier...* (→ ci-dessous, cit. 1).

Ce Pierre Boy était si butor, si bête, et se comporta si brutalement que, pour ne pas me mettre en colère, je me permis de le plaisanter (...) ROUSSEAU, les Confessions, XII. 1

Il y avait surtout le fils d'un entrepreneur forain (...) un butor de forme athlétique... qui mettait son orgueil à rester dernier de la classe (...) GIDE, Si le grain ne meurt, I, 4. 2

À la voir debout dans le métro parisien, le plus enragé butor lui céderait une place assise. G. DUHAMEL, Scènes de la vie future, XI. 3

CONTR. **Délicat, distingué, fin, intelligent, vif.** ◊ DÉR. **Butorderie.**

**BUTORDERIE** [bytɔʀdəʀi] n. f. — 1754, Voltaire; de *butor*.

Rare. Caractère d'une personne butorde. → **Grossièreté.** *Il est d'une butorderie incroyable.*

*(Une, des butorderies).* Chose, action digne d'un butor.

Tout pardonnant aux autres qu'il est, on sent que son esprit a de bons yeux, et qu'il perçoit parfaitement les niaiseries, les lâchetés, les butorderies qui lui sont données à voir. Ed. et J. de GONCOURT, Journal, 28 août 1855.

**BUTTAGE** [bytaʒ] n. m. — 1835, *butage;* de 1. *butter.*

Hortic. Action de butter (une plante). *Le buttage de la vigne.*

**BUTTANT** [bytɑ̃] adj. m. → **Butant.**

1. **BUTTE** [byt] n. f. — V. 1375; «but d'une course», 1225; forme fém. de *but.*

♦ **1** Petite éminence de terre. → **Colline, hauteur, mont, monticule, motte, tertre.** *Monter sur une butte. Une butte de sable. Une butte rocheuse, boisée. Les Buttes-Chaumont. La Butte rouge,* chanson de Montéhus.

1 Le Lido est une zone de dunes irrégulières assez approchantes des buttes aréneuses du désert de Sabbah.
CHATEAUBRIAND, Mémoires d'outre-tombe, cité par BRUNEAU, Hist. de la langue franc., t. XII, p. 307.

2 Dans notre Flandre, aussi, on baptise mont, la butte du Kemmel qui a cent mètres.
DANIEL-ROPS, le Peuple de la Bible, II, II, p. 119.

Spécialt. *La Butte :* la butte Montmartre, à Paris. *Les artistes de la Butte. Ubu sur la Butte,* pièce de A. Jarry.

1.1 Il avait chanté dans des cabarets de Montmartre des poèmes volontiers lestes, dans la tradition grivoise chère à la Butte ils feraient aujourd'hui rougir un régiment de singes. J.-L. BORY, Ma moitié d'orange, p. 56.

Géogr. *Butte-témoin :* butte représentant, sur une plate-forme démantelée par l'érosion, les restes du relief ancien. *Butte résiduelle.*

Hortic. Petit tas de terre que l'on fait au pied d'une plante. *Marcottage en butte. Faire des buttes autour d'une plante.* → 1. **Butter; buttage.**

Techn. (ch. de fer). Élévation permettant le triage «à la gravité» des wagons. → **Bosse.**

Trav. publ. *Travail en butte,* en élévation, en remblai (opposé à *en fouille*).

♦ **2** (1451, «cible»). Tertre naturel ou artificiel auquel on adosse une cible. *Butte de tir. La butte d'un polygone d'artillerie.*

Loc. fig. *Être en butte à :* être exposé à (comme si on servait de cible). → **Flanc** (prêter le flanc), **mire** (servir de point de mire), **prise** (donner)... *Être en butte à la calomnie, aux coups de la fortune, du sort, aux attaques, à des tourments* (→ Persécuter, cit. 1), *à des vexations. Être en butte aux coups de deux parties.* → **Marteau** (être entre le marteau et l'enclume). *Mettre en butte à :* exposer à.

3 Ceux qui croient avoir du mérite se font un honneur d'être malheureux, pour persuader aux autres et à eux-mêmes qu'ils sont dignes d'être en butte à la fortune.
LA ROCHEFOUCAULD, Maximes, 50.

4 Cependant je fus en butte à des vexations sans nombre (...)
FRANCE, Pierre Nozière, I, 6.

5 Comment pourra-t-il *(le gouvernement)* être arbitre et chef s'il est lui-même en butte aux attaques justifiées d'innombrables ennemis?
Louis MADELIN, Hist. du Consulat et de l'Empire, I, 6.

CONTR. **Creux, dépression, fossé, plaine.** ◊ HOM. **But, bute.** 2. **butte,** formes des v. 1. **buter,** 2. **buter,** 1. **butter.** — DÉR. 2. **Butte,** 1. **butter, butture.**

2. **BUTTE** [byt] n. f. — 1821, Ansiaume; emploi métonymique de 1. *butte* «petit tertre» (sur lequel on montait l'échafaud).

Argot.

♦ **1** Vx. Échafaud.

♦ **2** (Senti comme déverbal de 2. *buter*). Meurtre, mort violente. → 2. **Buter.**

C'était rien que quelques farces assez méchantes, mais vrai, je voyais pas comment lui clore la gueule ainsi qu'à ses gonzes et ses gonzesses, autrement que par la butte.
Albert SIMONIN, Touchez pas au grisbi, p. 119.

HOM. **But, bute,** 1. **butte,** formes des v. 1. **buter,** 2. **buter,** 1. **butter.** ◊ DÉR. 2. **Buter.**

**BUTTÉE** [byte] → 1. **Butée.**

1. **BUTTER** [byte] v. tr. — 1701; *buter,* 1694; de 1. *butte.*

♦ **1** Hortic., agric. Disposer (de la terre) en petites buttes; garnir (une plante) de terre qu'on élève autour du pied. → **Chausser.** *Butter des pommes de terre. Butter un arbre.*

(...) solidement agrippé aux mancherons de son motoculteur rouge, il continue de butter des choux dans le potager. 1
Hervé BAZIN, Cri de la chouette, p. 89.

REM. On trouve plus rarement *buter.*

La mère taillait ses bananiers. Le caporal les butait et les arrosait derrière elle. 2
M. DURAS, Un barrage contre le Pacifique, p. 114.

Au p. p. *Terres buttées :* terres amassées en petites buttes.

♦ **2** Heurter. — REM. *Butter,* en ce sens, n'est qu'une variante orthographique rare de 1. *buter*.*

(...) Couche-toi sans pudeur 3
Vieux cheval dont le pied à chaque obstacle butte.
BAUDELAIRE, les Fleurs du mal, LXXX.

CONTR. **Déchausser.** ◊ DÉR. **Buttage, butteur.** — HOM. **Butée,** 1. **buter,** 2. **buter.**

2. **BUTTER** [byte] → 2. **Buter.**

**BUTTEUR** [bytœʀ] ou **BUTTOIR** [bytwaʀ] n. m. — 1866, *butteur; buttoir,* 1835; de 1. *butter.*

Hortic. Petite charrue utilisée pour butter (des plantes). — Outil à fer en forme de V qu'on passe entre les rangées cultivées.

HOM. **Buteur.** — **Butoir.**

**BUTTURE** ou **BUTURE** [bytyʀ] n. f. — 1690; de 1. *butte.*

Vétér. Tumeur à l'articulation du pied d'un chien.

**BUTYLE** [bytil] n. m. — 1854; du rad. de *but(yrique),* et suff. chim. *-yle.*

Chim. Radical univalent de formule $-C_4H_9$. → **Butylique.** *L'acétate de butyle est un plastifiant.*

DÉR. **Butylène, butylique.** — V. **Butène.**

**BUTYLÈNE** [bytilɛn] n. m. → **Butène.**

**BUTYLIQUE** [bytilik] adj. — 1854; de *butyle.*

Chim. Se dit des alcools, esters et composés contenant le radical butyle. *Alcool butylique* (→ **Butanol**), *aldéhyde butylique.*

COMP. V. **Butane, butène.**

**BUTYR-, BUTYRO-** Élément, du grec *bouturon,* lat. *butyrum* «beurre», entrant dans la composition de nombreux mots savants. → **Butyrique, butyromètre.**

**BUTYRATE** [bytiʀat] n. m. — 1816, *in* Cottez; du rad. de *butyrique,* et suff. *-ate.*

Chim. Sel de l'acide butyrique.

**BUTYREUX, EUSE** [bytiʀø, øz] adj. — 1560; du lat. *butyrum* «beurre».

Didact. Qui a l'apparence ou les caractères du beurre. → **Beurreux.**

Il restait au fond du verre après qu'on avait bu, une sorte de crème épaisse et presque butyreuse que les pailles n'aspiraient plus. GIDE, Journal, 3 juin 1905.

*Taux butyreux* (du lait) : contenance du lait en matières grasses (aptes à former le beurre).

**BUTYRINE** [bytiʀin] n. f. — 1819; du rad. de *butyrique,* et suff. *-ine.*

Chim. Corps gras présent dans le beurre.

COMP. **Tributyrine.**

**BUTYRIQUE** [bytiʀik] adj. — 1816, *in* Cottez; de *butyr(o)-,* et suff. *-ique.*

♦ **1** Didact. Qui se rapporte au beurre.

♦ **2** Chim. *Acide butyrique :* acide organique d'odeur désagréable, présent dans le beurre rance, la sueur et au cours de certaines décompositions de matières organiques. — *Fermentation butyrique :* formation d'acide butyrique par décomposition du sucre, de l'acide lactique ou de l'amidon, due à certains micro-organismes.

DÉR. et COMP. V. **Butyle, butyrate, butyrine.**

**BUTYROMÈTRE** [bytiʀɔmɛtʀ] n. m. — 1855, *in* Nysten, *Addenda;* de *butyr(o)-,* et *-mètre.*

Didact. (techn.). Appareil servant à mesurer la quantité de matière grasse contenue dans le lait.

**BUVABLE** [byvabl] adj. — 1611; *bevable,* déb. XIVe; n. m., «buveur», 1272; du rad. *buv-* de *boire.*

♦ **1** Qui peut se boire, n'est pas désagréable au goût. *Ce vin est à peine buvable.* — Pharm. *Ampoules buvables,* à prendre par la bouche.

Il a fait une marmite de bouillon. Il n'était pas buvable. Il était infect. J. RENARD, Journal, p. 855, *in* T. L. F.

♦ **2** Fam. (dans une tournure négative). Supportable, tolérable. *Ce type n'est pas buvable.* → **Imbuvable.**

CONTR. **Imbuvable.**

**BUVANDE** [byvɑ̃d] ou **BUVANTE** [byvɑ̃t] n. f. — 1564; du rad. *buv-* de *boire.*

Régional. Boisson légère; piquette*. *Buvande de prunelles.*

**BUVANT, ANTE** [byvɑ̃, ɑ̃t] adj. — XVIIe; du rad. *buv-* de *boire.*

Vx. Qui aime bien boire.

Il avait raison. C'est folie
De compter sur dix ans de sa vie,
Soyons bien buvants, bien mangeants (...)
LA FONTAINE, Fables, VI, 19.

CONTR. **Sobre.**

**BUVARD** [byvaʀ] n. m. — 1830; «papier non collé; sous-main», 1828; du rad. *buv-* de *boire.*

♦ **1** Sous-main garni d'un papier spécial, non collé, qui boit l'encre; feuille de buvard (2.).

1 (...) elle a soulevé le buvard et lu le nom de Loselée sur le feuillet que j'avais trouvé et laissé là (...) Pensive et triste, Mme Millichel referma le buvard. H. BOSCO, Un rameau de la nuit, p. 174.

Chose singulière, lui qui avait plutôt une écriture petite et brouillonne, s'appliquait, cette nuit-là, à des caractères très nets, et, sans doute, craignait-il de faire des pâtés, car il n'avait pas plutôt tracé quelques mots qu'il prenait grand soin de les faire sécher sur le buvard qui garnissait le pupitre. 2
G. LEROUX, Rouletabille chez Krupp, p. 182.

*Buvard-réclame :* feuille de papier buvard portant une inscription publicitaire.

♦ **2** (1867). *Papier buvard* (ou, vx, papier brouillard*) ou *buvard :* ce papier; feuille de ce papier. *Sécher une lettre avec un buvard. Acheter du buvard.*

Enfin, nous avons appris comment Rouletabille avait mis à profit cette station répétée de Serge devant le pupitre de la porte B pour faire tenir au Polonais, par le truchement d'un papier buvard, les instructions nécessaires à une entreprise dont nous verrons les résultats. 3
G. LEROUX, Rouletabille chez Krupp, p. 191.

*Tampon buvard.* → **Tampon** (cit. 0.1 et *supra*).

DÉR. **Buvarder.**

**BUVARDAGE** [byvaʀdaʒ] n. m. — Attesté 1965; de *buvarder.*

Fam. Action de buvarder. — Trace laissée par l'encre sur un buvard. *«Le terne sous-main imbibé de mille buvardages»* (A. Sarrazin, *in* D. D. L.).

**BUVARDER** [byvaʀde] v. tr. — XXe; de *buvard.*

Fam. Sécher avec un buvard. *Buvarder une lettre.*

Avec soin, elle buvarda la page et referma son journal à clef. Cécil SAINT-LAURENT, Clarisse, p. 36.

DÉR. **Buvardage.**

**BUVEAU** [byvo] n. m. → **Biveau.**

**BUVÉE** [byve] n. f. — 1700; *bevée* «coup à boire», XIIe; du rad. *buv-* de *boire.*

Agric. (Régional). Breuvage composé de son et de farine, destiné au bétail (cf. Henri Pourrat, *Gaspard des montagnes, in* T. L. F.).

**BUVERIE** [byvʀi] n. f. → **Beuverie.**

**BUVETIER, IÈRE** [byvtje, jɛʀ] n. — 1586; de *buvette.*

Vx. Personne qui tient une buvette. → **Cafetier.**

Il n'y avait pas d'autre Buvetier que le Juge.
RESTIF DE LA BRETONNE, la Vie de mon père, p. 50.

**BUVETTE** [byvɛt] n. f. — 1534; du rad. *buv-* de *boire.*

♦ **1** Vx. Action de boire. *Faire une petite buvette.* → **Beuverie (vx).**

(1611). Réunion où l'on boit (aux XVIIe et XVIIIe siècles).

♦ **2** (1624). Mod. Dans certains établissements publics, Petit local ou comptoir où l'on sert à boire. → **Bar, café.** *La buvette d'une gare.* → **Buffet.** *La buvette de la Chambre, du Palais.*

Endroit où l'eau thermale est proposée à la consommation, où l'on peut la boire, dans une station de cure.

Petit café modeste. *La buvette d'un hameau de campagne.*

Sous le fallacieux prétexte d'acheter le cheval, Moravagine entraîne le vieux cocher chez tous les maquignons, dans tous les quartiers, dans toutes les rues. Ils font toutes les maisons de thé, toutes les buvettes, roulent de bar en traktir. 1
B. CENDRARS, Moravagine, *in* Œ. compl., t. IV, p. 167.

Débit de boissons non permanent. *La buvette d'une fête foraine. Une buvette en planches.*

2 Emma voulut sortir ; la foule encombrait les corridors, et elle retomba dans son fauteuil avec des palpitations qui la suffoquaient. Charles, ayant peur de la voir s'évanouir, courut à la buvette lui chercher un verre d'orgeat.
FLAUBERT, Mme Bovary, II, XV.

DÉR. **Buvetier.**

**BUVEUR, EUSE** [byvœʀ, øz] n. — 1470 ; *beveor,* 1170 ; du rad. *buv-* de *boire.*

♦ **1** Personne qui aime boire du vin, des boissons alcoolisées. → **Ivrogne.** *Un grand buveur.* — (Rare au fém.). *«C'est une buveuse.» «Fortes buveuses»* (Pesquidoux, *in* T. L. F.).

1 (...) la trogne enluminée du gros buveur (...)
TAINE, Philosophie de l'art, t. II, p. 73.

*Buveur de... :* personne qui boit habituellement (une boisson). *C'est une buveuse de bière. Un buveur, un grand buveur de cidre. Buveurs d'eau, de lait.*

1.1 (...) un homme qui pouvait avoir dans les quarante ans, plutôt gras, mais bel homme quand même parce qu'il était grand. Ce devait être une solide fourchette et un beau buveur de bière.
G. LEROUX, Rouletabille chez Krupp, p. 118.

Par exagér. Littér. *Buveur de sang :* personne cruelle, sanguinaire.

Fam., vx. *Buveur d'encre :* employé de bureau (La Bédallière, 1842, *in* T. L. F.).

♦ **2** Personne qui boit, est en train de boire. *Les buveurs à la terrasse d'un café.* → **Consommateur.**

1.2 Quant aux autres personnages, ils ne paraissent pas se soucier de ce qui se passe de ce côté-là : l'ensemble des buveurs attablés, parlant avec animation et gesticulant (...)
A. ROBBE-GRILLET, Dans le labyrinthe, p. 109.

♦ **3** Spécialt. (Vieilli). Personne qui boit l'eau thermale, dans un établissement, une station de cure. → **Baigneur, curiste.**

2 (...) je me rendis à Mühlenbad (bain du moulin) : les buveurs et les buveuses se pressaient autour de sa fontaine (...)
CHATEAUBRIAND, Mémoires d'outre-tombe, IV, 4.

**BUVOTER** [byvɔte] v. intr. — Av. 1564 ; *buveter,* 1539 ; fréquentatif de *boire.*

Rare. Boire* à petits coups et fréquemment. → **Siroter.**

**BUXACÉES** [byksase] n. f. pl. — 1857 ; du lat. *buxus* «buis».

Bot. Famille de plantes dont le type est le buis. — Au sing. *Une buxacée.*

**BUYSE** [bɥiz] ou **BUYSSE** [bɥis] n. f. — 1866 ; du scandinave *bûza* «navire».

Techn. (pêche). Petit bâtiment hollandais servant à la pêche aux harengs.

**BUZZER** [bœzœʀ] n. m. — Mil. XXe ; mot angl., de *to buzz* «bourdonner».

Anglic. Vibreur* sonore.

**BY** [bi] n. m. — 1326, *buy ;* var. de *bief*.*

Régional. Fossé creusé dans le fond d'un étang, et servant à le vider pour le curer.

**BYBLOS** [biblos] n. m. — 1842 ; mot grec, «papyrus».

Histoire antique.

♦ **1** Papyrus que les Égyptiens utilisaient pour faire des chaussures.

♦ **2** Chaussure faite avec ce matériau. *«Pontifes chaussés de byblos»* (Flaubert, *in* T. L. F.).

**BYE-BYE** [bajbaj] ou **BYE** [baj] interj. — 1934 ; mot anglais.

Fam. Au revoir, adieu ; salut. → **Ciao.** *«Vous direz au revoir aux autres pour moi. Allez, bye !»* (A. Sarrazin).

**BYLINE** [bilin] n. f. — 1898 ; russe *bylina.*

Littér. Épopée populaire russe.

**BY-PASS** [bajpas] n. m. invar. — 1922, *in* Höfler ; mot angl., «dérivation», de *pass* «passage», et *by* «proche, secondaire».

Anglicisme.

♦ **1** Techn. Canal de dérivation pratiqué sur le trajet d'un fluide. — Robinet à double voie, vanne commandant ce dispositif.

♦ **2** (1952). Voie de dérivation permanente, dans la circulation automobile. → **Dérivation.**

♦ **3** (1965). Chir. Opération ayant pour but de rétablir la circulation sanguine interrompue par l'oblitération d'une artère. — Syn. : *pontage.*

Recomm. off. : *dérivation, déviation, contournement, circuit de contournement, évitement,* et la francisation *bipasse* [bipas], peu recommandable dans la mesure où *pontage* est déjà en usage.

**BYRONIEN, IENNE** [bajʀɔnjɛ̃, jɛn] adj. et n. — 1831 ; de *Byron,* poète romantique anglais, 1788-1824.

Didact. Qui concerne l'œuvre de Byron, sa manière. Digne de Byron. *Héros byronien. Désespoir byronien.*

(...) un volume de vers byroniens de peu de promesses, mais suffisamment poissés de mélancolie pour donner à certaines âmes liquides le mirage du *Saule* de Musset sur le tombeau d'Anacréon.
Léon BLOY, le Désespéré, p. 12.

N. *Des byroniens.*

**BYRONISME** [bajʀɔnism] n. m. — 1862 ; de *Byron.* → Byronien.

Didact. Influence (littéraire, intellectuelle) de Byron. — Vieilli. Manières, style de vie inspirés de Byron.

**BYSSINOSE** [bisinoz] n. f. — 1894 ; *byssinosis,* 1877, Adrien Proust ; du grec *bussinos* «de lin, de coton».

Méd. Pneumoconiose due à la poussière de fibre de coton.

**BYSSUS** [bisys] n. m. — 1530 ; *bysse,* 1519 ; *byssum,* 1291 ; mot lat., grec *bussos* «lin très fin, coton».

♦ **1** Anciennt. Tissu de lin très fin, très estimé. — REM. Dans ce sens, on a employé la var. *bysse.*

♦ **2** (1809 ; *bysse,* 1805). Faisceau de filaments soyeux, sécrétés par une glande de certains lamellibranches, leur permettant de se fixer.

Elle *(Géraldine)* ne ramassait plus les coquilles porte-soie dont le byssus fin, brillant et moelleux, pouvait devenir une fibre textile qu'elle peignait et filait les nuits où elle ne dormait pas, afin d'en fabriquer des sacs pour ranger sa nourriture.
Jean CAYROL, Histoire de la mer, p. 181.

**BYTURE** [bityʀ] n. m. — 1816, *in* D. D. L. ; du lat. *byturum* «vermisseau».

Zool. Insecte coléoptère *(Byturidés),* nuisible aux fleurs de framboisier.

HOM. **Bitture.**

**BYZANTIN, INE** [bizɑ̃tɛ̃, in] adj. — 1732; n. m., 1338, «monnaie de Byzance»; bas lat. *Byzantinus,* de *Byzantium,* grec *Buzantion* «Byzance».

♦ **1** De Byzance, propre à Byzance et à son empire. *Empire byzantin :* empire romain d'Orient (fin IVe-1435). *L'histoire, la civilisation byzantine. Littérature byzantine. Droit byzantin. Le grec byzantin. L'Orient byzantin. Le Monde byzantin,* œuvre de L. Bréhier.

N. (rare au fém.). *Les Byzantins. «L'économie dirigée que pratiquaient les Byzantins»* (H. Pirenne, *Grands courants de l'hist. universelle,* t. II, p. 99). *L'art, le style byzantin,* art chrétien d'Orient, développé notamment dans les Balkans et en Italie. *Église byzantine. Mosaïques, fresques byzantines. Chapiteau byzantin.*

1 À l'apogée de l'art impérial, la puissance romaine s'étendait jusqu'aux confins du monde méditerranéen; au VIe siècle, seule la puissance byzantine conserve forme d'empire dans l'anarchie universelle. Ce Nouvel Empire a substitué un peuple d'apparitions immobiles à un peuple de statues.

MALRAUX, la Métamorphose des dieux, p. 113.

Vx (au XIXe). Dont le style se rapproche du byzantin. — REM. L'adj. s'oppose à *gothique* et est approximativement appliqué à l'art roman (→ Roman).

2 Les deux parties latérales *(de la cathédrale de Strasbourg)* sont des chefs-d'œuvre de sculpture et d'architecture; l'une est mauresque, l'autre est byzantine, et chacune est bien préférable à l'immense façade (...)

NERVAL, Lorely, Du Rhein au Mein, I, Pl., t. II, p. 747.

N. B. *Mauresque* qualifie ici l'arc en tiers-point du style gothique.

♦ **2** (1838). Fig. Qui évoque, par son excès de subtilité, par son caractère formel et oiseux, les disputes théologiques de Byzance. *Discussion, querelle byzantine* (→ Discuter sur le sexe des anges*). *La France byzantine,* de J. Benda.

3 Croyez bien qu'il ne s'agit pas là d'un luxe futile n'intéressant que les grammairiens patentés, les amateurs de querelles byzantines et autres fendeurs de fils en quatre.

G. DUHAMEL, Discours aux nuages, I.

DÉR. **Byzantiner, byzantinisant, byzantinisme, byzantiniste.**
◊ COMP. **Byzantinologie, byzantinologue.**

**BYZANTINER** [bizɑ̃tine] v. intr. — 1870; de *byzantin.*
Didact., vx. Se livrer à des discussions byzantines.

**BYZANTINISANT, ANTE** [bizɑ̃tinizɑ̃, ɑ̃t] adj. — Attesté XXe; de *byzantin.*

Rare. Qui rappelle l'art byzantin; qui s'en inspire.

(...) c'était dans une chapelle récente, dessinée et décorée dans un style d'un modernisme byzantinisant que nous réunissaient les offices et les prières.

M. TOURNIER, le Roi des Aulnes, p. 58.

**BYZANTINISME** [bizɑ̃tinism] n. m. — 1838; de *byzantin.*

Didactique.

♦ **1** Tendance aux discussions byzantines.

♦ **2** (1868). Caractère byzantin.

Strzygowski a étudié toute une série de tissus trouvée par lui en Égypte (...) dont le byzantinisme est incontestable, mais qui accusent une transformation du style assez marquée, que l'auteur attribue à l'influence de la Chine.

Michèle BEAULIEU, les Tissus d'art, p. 34.

**BYZANTINISTE** [bizɑ̃tinist] n. — Déb. XXe; de *byzantin.*

Didact. Spécialiste de l'histoire et de la civilisation byzantines. — REM. On emploie aussi *byzantinologue.*

**BYZANTINOLOGIE** [bizɑ̃tinɔlɔʒi] n. f. — V. 1950; de *byzantin,* et *-logie.*

Didact. Étude de l'histoire et de la civilisation byzantines.

**BYZANTINOLOGUE** [bizɑ̃tinɔlɔg] n. → **Byzantiniste.**

**BZITT** [bzit] interj. — 1859.

Onomatopée imitant le bruit d'un liquide qui jaillit par un orifice très fin.

**BZZZ...** [bzz] interj. — Onomatopée.

Bruit, sifflement léger et continu évoquant le bruit d'un vol d'insecte. → Zzz...

# C

## c - charybde

**C** [se] n. m.

**I** Troisième lettre et deuxième consonne de l'alphabet. *C se prononce* [s] *devant* e, i, y (cigare, céleste, cymbale), *et devant* a, o, u *quand il porte une cédille* (façade, hameçon, aperçu); *dans les autres cas, devant* a, o, u, *il se prononce* [k] (car, court, culasse, claque, croc), *sauf dans* second *et ses dérivés, où il se prononce* [g]; *en fin de mot, il se prononce* [k] (lac) *ou ne s'entend pas* (tabac) [taba]. — *Ch note la fricative sourde* [ʃ].

*C...* pour *con**, par euphémisme. *Être c... comme la lune.*

**II** Math. Symbole représentant l'ensemble des nombres complexes (ℂ, parfois **C**). — Abréviation du nombre *cent,* en chiffres romains (ex. : *CXX :* 120). — (Minuscule). Symbole du *centime.*

Métrol. Symbole du coulomb. — Symbole du préfixe *centi-.* — *Ca :* centiare.

Phys. *°C :* degré Celsius.

Chim. Symbole chimique du *carbone.*

Mar. Troisième pavillon du Code international de signaux qui, hissé isolément, signifie «oui» (réponse affirmative, où le groupe qui précède doit être compris comme une affirmation).

Mus. *C,* nom ancien (et angl., all.) de la note *do;* sur la portée, il indique une mesure à quatre temps (→ **Mesure**); traversé d'une barre verticale, il indique la même mesure, mais battue à deux temps; hors de la portée, il est mis pour *canto* «chant».

**Ca** [sea] Symbole chimique du calcium*.

**1. ÇA** [sa] pron. dém. — 1649; abrév. de *cela,* d'après *çà,* adv. de lieu.

♦ **1** Cela, ceci (sujet et compl.). *Il ne manquait plus que ça. Donne-moi ça. À part ça. Ça n'a rien à voir. Ça vaut bien ça. Ça me fait de la peine. Me faire ça, à moi. Comprenez-vous ça?* (→ Arbre, cit. 47). *Tout ça; et tout ça.* → **Tout** (I., A., 1., d). *Ça dépend. Ça ira. Comment ça va? Ça va, ça va bien, mal.*

(...) nous lui mettrions le cou sur un rail, de manière à ce que le premier train le décapitât. On pourrait chercher ensuite, quand il aurait tout ça écrasé : plus de trou, plus rien (...) Est-ce que ça va, dis? — Oui, ça va, c'est très bien. 1
ZOLA, la Bête humaine, p. 365.

Mais non, ma pauvre Lucie, tout cela est loin de moi, maintenant (...) Tout cela est bien fini. Oui, je suis très attaché à cette malheureuse; mais ça n'a rien à voir (...) 2
F. MAURIAC, le Désert de l'amour, p. 211.

**COMME ÇA.** *C'est comme ça :* c'est ainsi. → **Ainsi.** *Il est comme ça. Me faire une chose comme ça. C'est comme ça que je lui ai dit,* c'est de cette façon, de cette manière. *Comme ça :* simplement, à priori.

— Après tout, c'est leur affaire, hein? J'en ai rien à foutre. 2.1
— Moi non plus... mais, à vue de nez, comme ça, comment verrais-tu le problème?
Régis DEBRAY, l'Indésirable, 1975, p. 291.

*Comme ça, vous ne restez pas?* → **Donc.** — *«Comment allez-vous? comme ça»,* à peu près. *Comme ci, comme ça :* plutôt mal que bien. → **Couci-couça.** — *Comme ça!* (souvent avec un geste du pouce vers le haut) : très bien, extraordinaire. *C'était comme ça, ton repas! — Je m'en soucie comme de ça,* pas du tout.

«Que le Diable m'emporte si elle ne ressemblait pas, sous sa nuée blanche *(une mousseline transparente),* à une statue de corail vivant! Aussi, depuis ce temps-là, je me suis soucié de la blancheur des autres femmes comme de ça!» Et Mesnilgrand envoya d'une chiquenaude une peau d'orange à la corniche (...) 2.2
BARBEY D'AUREVILLY, les Diaboliques, «À un dîner d'athées».

*Il y a,* fam. *y a* [ja] *de ça! :* c'est en partie vrai. *Il lui ressemble. — Oui, y a de ça!* [jadsa].

— On va vieillir douillettement. 2.3
— Dans la terrible certitude du lendemain.
— Espèce de mort prématurée.
— Eh! Ben, dites donc, vous êtes gais!
— Hélas! y'a de ça... c'est pourtant vrai...
— Je vois les choses comme elles sont...
Sacha GUITRY, Ils étaient neuf célibataires, p. 220.

Vieilli. *Avoir de ça,* de l'argent, de l'esprit. — Fam. *Elle a de ça! :* elle a des appas. — *Et avec ça?,* formule utilisée par un commerçant pour demander à un acheteur s'il désire autre chose.

♦ **2** Renforçant une interrogation, une affirmation, une négation. (Avec des pronoms et adv. interrogatifs). *Qui ça? Où ça?*

3 Pour des raisons logiques, ou des raisons sentimentales, telles que l'impatience, l'angoisse, une volonté exaspérée, on insiste sur la question qu'on pose. Divers mots mettent en valeur le caractère interrogatif : *donc, ça, par hasard :* Est-ce que par hasard vous m'auriez oublié? — Qui ça? Antoine? — Vous allez au bal, où ça?
F. BRUNOT, la Pensée et la Langue, XII, V, p. 499.

3.1 Siècle de vitesse! qu'ils disent. Où ça? Grands changements! qu'ils racontent. Comment ça? Rien n'est changé en vérité. CÉLINE, Voyage au bout de la nuit, p. 13.

(Avec les adv. d'affirmation et de négation). *Ça oui. Ça non.* — Parfois, en simple interj. *Ça! Ah ça! Ça alors!* — *Je ne veux pas de ça,* et, absolt, *pas de ça! Pas de ça, Lisette!,* exprime un refus amusé. *Pas ça! :* rien du tout (souvent accompagné d'un geste, l'ongle du pouce sous une dent du haut; → ci-dessous, cit. 3.3).

3.2 Ah! J'ai passé des nuits à rôder dans ma chambre, tenant ces chiffons de papier dans mes doigts crispés, ruminant l'assaut sur le monde avec ces correspondants pour capitaines! Heureusement je me suis vu dans la glace (...) Pas de ça, mon gars : halte-là!
J. VALLÈS, l'Insurgé, 1886, p. 53.

3.3 PETITE CHOSE : (...) Pas seulement de disputes?
Pas seulement un raccommodage?
MITSOU, l'ongle sous la dent : — Pas ça. Il ne me dispute jamais. COLETTE, Mitsou, 1919, p. 21.

3.4 Si l'on voulait bien se donner la peine de viser haut sans considération de rang ni de fortune, on en ferait rentrer des impôts! — Ça! Rien n'est plus évident, c'est sûr, à qui le dites-vous!
Pierre DANINOS, Un certain monsieur Blot, 1960, p. 231.

Conférant une valeur superlative à des adjectifs, des verbes. *Ça, pour être gentil, il est gentil. Ça, pour dormir, il s'y entend. Ça, comme bavard, il est un peu là!*

♦ **3** Pour indiquer différents modes d'énonciation, dans quelques contextes spécifiques. — (L'approbation). *C'est ça! :* c'est très bien, bravo! — (La satisfaction). *C'est toujours ça de gagné, de pris. C'est toujours ça.* — (L'admiration). *Je ne vous dis que ça!*

3.5 (...) ses lèvres font un bruit répugnant, son baiser claque sur le bout de ses doigts... Je ne vous dis que ça. Une pure merveille.
N. SARRAUTE, Vous les entendez?, 1972, p. 136.

(L'indignation, l'étonnement). *Ça, par exemple! Ah, ça, alors!* — (Le doute). *Avec ça qu'il ne l'a pas dit! Avec ça! :* je vous crois! *Rien que ça!,* exclamation d'étonnement devant un chiffre important, une chose impressionnante.

♦ **4** Fam. Désigne un sujet non déterminé remplaçant un pron. impers. → **Il.** *Ça a neigé toute la nuit. Ça sent bon ici.*

4 Les impersonnels tendent à prendre un autre sujet que *il.* Dans beaucoup de cas, *ça* représente une idée exprimée antérieurement, il joue le rôle de représentant : Ne vous fourrez pas dans cette affaire, *ça* sent la faillite; *ça* renvoie à *cette affaire.* Mais en outre, surtout dans le langage familier, on emploie souvent de nos jours le mot *ça,* sans qu'il représente un autre sujet : ça me fâche *de penser* que vous êtes parti sans m'avertir.
F. BRUNOT, la Pensée et la Langue, VIII, II, II, p. 288.

♦ **5** Désignant des personnes. Celui-là, celle-là, ceux-là (avec mépris). *Ça, ce n'est pas un homme! Un ministre, ça!*

5 — (...) Ces sales ouvriers ont encore choisi un jour où j'ai du monde. Allez donc faire du bien à ça!
ZOLA, Germinal, t. II, p. 66.

5.1 Quant au quarteron de grotesques spécialisés en ethnologie sud-américaine, parlons-en! (...) Et Jean-Pierre et toi, vous vous laissez intimider par *ça,* par vraiment ce qu'il y a de plus médiocre au monde.
Jean-Louis CURTIS, le Roseau pensant, p. 328.

Exprimant l'indulgence amusée, la tendresse :

La loge, c'était comme un lieu public et tout le monde aimait mes parents. La porte ne restait jamais longtemps fermée, ça bavardait, ça racontait mille choses, des histoires de quartier. 5.2
Jean FERNIOT, Pierrot et Aline, p. 29.

Ça peut être aussi un terme de tendresse : Les grands-mères, ça ne fouette jamais. Une mère dira, en montrant son enfant : Vous voyez comme on est attaché à ça. 6
F. BRUNOT, la Pensée et la Langue, VI, VI, p. 190.

♦ **6** Spécialt. L'acte sexuel (→ La chose). *Ils ont fait ça dans le foin. Je ne pense qu'à ça* (titre d'un album de Wolinski).

Ensuite, c'était une putain. Ce qu'elle voulait c'était ça, et vite. Elle s'allonge sur le canapé et soulève ses jupes. Moi aussi, certes, je voulais ça, mais aussi autre chose. Enfin nous faisons ça. 6.1
DRIEU LA ROCHELLE, la Comédie de Charleroi, 1934, p. 179.

Elle possédait d'amples ressources, cette amie, puisqu'elle se faisait dans les cent dollars par jour en maison (...) L'amour qu'elle exécutait pour vivre ne la fatiguait guère. Les Américains font ça comme des oiseaux. 6.2
CÉLINE, Voyage au bout de la nuit, Pl., p. 228.

Qu'est-ce qu'elles ont donc toutes ces bêtes à se grimper comme ça sur le dos? On dirait qu'elles ne pensent qu'à ça et qu'il n'y a que ça dans la vie. 6.3
R. QUENEAU, les Œ. compl. de Sally Mara, Journal intime, p. 88.

♦ **7** REM. 1. Employé comme sujet des v. *devoir* et *pouvoir* suivis de *être, ça* s'emploie pour exprimer la vraisemblance *(ça doit être..., ça peut être...),* les deux v. pouvant être combinés *(ça doit pouvoir se faire).*

Oui, elle est tombée de la fenêtre (...) ça ne peut être qu'un accident. F. MAURIAC, le Désert de l'amour, p. 213. 7

2. En revanche, *ça* ne peut précéder immédiatement le v. *être,* bien que cet usage soit fréquent (mais critiqué) dans le franç. de Belgique : *ça est beau,* etc. (→ Belgicisme, cit. 2).

**HOM.** 2. **Çà,** 3. **ça, sa.** ◊ **DÉR.** 3. **Ça.**

2. **ÇÀ** [sa] adv. de lieu. — 1080; lat. pop. *ecce hac* «voici, par ici».

♦ **1** Vx. Ici, cet endroit-ci. *Viens çà.*

Viens çà, que je voie. Montre-moi tes mains. 1
MOLIÈRE, l'Avare, I, 3.

Mod. *Çà et là. Courir, errer, se promener, vaguer çà et là,* de côté et d'autre. *Jeter, semer çà et là.* → **Désordre** (en), **pêle-mêle.**

(...) comme un bruyant attelage de mules espagnoles piqué çà et là par les apostrophes du sagal. 2
HUGO, Notre-Dame de Paris, VII, 3.

(...) Çà et là 3
comme Antar mort debout,
les goumiers veillent.
COCTEAU, Poèmes, «Discours du grand sommeil».

Quand les gendarmes (...) font irruption dans la villa, ils ne trouvent que (...) quelques hauts fonctionnaires ou hommes d'affaires en vue, qui conversent çà et là dans les fauteuils, les canapés, ou se tiennent debout dans une encoignure de fenêtre (...) 3.1
A. ROBBE-GRILLET, la Maison de rendez-vous, 1965, p. 20.

♦ **2** Interj. Vx. S'emploie pour exciter, encourager, exhorter qqn. *Çà, travaillons!* → **Aller** (*supra* cit. 77). → Authentique, cit. 7.

Çà, déjeunons, dit-il. Vos poulets sont-ils tendres? 4
LA FONTAINE, Fables, IV, 4.

(Marquant la menace, l'impatience). *Çà, allez-vous vous taire!*

(L'étonnement, l'indignation). → Dépouiller, cit. 7.1. *Ah! çà, pour qui me prenez-vous?* (Académie).

Vx. **Or çà,** marque qu'on va se mettre à faire une chose.

5 Le renard étant proche : «Or çà, lui dit le sire,
Que sens-tu ? dis-le moi. Parle sans déguiser.»
LA FONTAINE, Fables, VII, 7.

6 Or çà,
Verbalisons. RACINE, les Plaideurs, II, 4.

COMP. **Deçà.** ◊ HOM. **1. Ça, 3. ça, sa.**

3. **ÇA** [sa] n. m. — 1926, *in* D. D. L. ; de 1. *ça,* trad. de l'all. *Es* (1923, Freud, Groddeck), pron. neutre substantivé : *das Ich (le je) und das Es;* d'abord traduit par le *soi.*

Psychan. Dans la théorie des trois instances (cit. 11) de la personnalité (Freud), Pôle des pulsions dont les contenus inconscients sont en partie héréditaires, en partie acquis (et refoulés). *Le ça, réservoir de l'énergie psychique* (→ **Pulsion**), *entre en conflit avec le moi et le surmoi.*

1 La psychanalyse distingue, au point de vue organisation psychique, entre le ça, le moi et le surmoi. Le ça est formé par l'ensemble des tendances primitives, des instincts élémentaires. Il est actif, exigeant, alogique et sexuel. Il est d'autre part inconscient. Il est sous la domination du principe du plaisir et demeure étranger au principe de réalité.
Guy PALMADE, la Psychothérapie, p. 67.

2 Freud veut que nous soyons raisonnables ; mais il nous prouve que, au mieux, nous ne le serons pas à 25 %. Le Moi, en effet, — seul capable de raison — est pris entre le ça, aux pulsions incoercibles, dont il n'est qu'un rameau, et le «surmoi», autre rameau du ça, qui commande le Moi sans condescendre à justifier les ordres qu'il lui donne.
Emmanuel BERL, le Virage, 1972, p. 71.

HOM. **1. Ça, 2. çà, sa.**

**C. A.** [sea] n. m. — Abréviation.

♦ **1** Chiffre* d'affaires. *Un C. A. de six millions de francs.* — (En appos. après un chiffre). *«Groupe multinational [...] (plus de 20 millions C. A.)»* (*l'Express,* 4 déc. 1972).

♦ **2** Conseil d'administration*. *Assister au C. A.*

**CAB** [kab] n. m. — 1848 ; mot angl. (1827), abrév. du franç. *cabriolet.*

Anciennt. Variété de cabriolet* d'origine anglaise, où le cocher est placé derrière.

1 Il se rappela qu'elle lui avait dit un jour : Je n'aurais qu'à dire à Madame Verdurin que ma robe n'a pas été prête, que mon cab est venu en retard (...)
PROUST, Du côté de chez Swann, Pl., t. I, p. 371.

2 On m'apprenait qu'en accompagnant une dame, il me fallait lui offrir la main gauche pour l'aider à monter sur le haut marchepied du cabriolet, tandis que le bras droit s'interposerait entre sa robe et la haute roue du cab, contre la boue (...) Paul MORAND, Venises, 1971, p. 63.

**CABAJOUTIS** [kabaʒuti] n. m. — 1833, → cit. ; normand-angevin *cabagétis* «cahute, bicoque», du normand *cabas* «vieux meubles» (→ Cabas), et de *ajouter,* par un dér. *ajoutis.*

Régional et vx. Construction formée de parties datant de plusieurs époques, donc disparates.

Cette maison était une de celles qui appartiennent au genre dit cabajoutis. Ce nom très significatif est donné par le peuple de Paris à ces maisons composées, pour ainsi dire, de pièces de rapport.
BALZAC, Ferragus, *in* D. D. L., II, 2 (1833).

**CABALE** [kabal] n. f. — 1532, «tradition transmise» ; de l'hébreu rabbinique *qabbala* «tradition».

**I** ♦ **1** (1611). CABALE ou CABBALE (orthographe vieillie de *kabbale*). → **Kabbale.** *L'école, les docteurs de la cabale.*

♦ **2** (1546). Vieilli. Science occulte prétendant faire communiquer ses adeptes avec des êtres surnaturels. → **Magie, occultisme, théosophie.** *«Abracadabra» est un terme de cabale.*

**II** Fig. Littér. ou style soutenu. ♦ **1** (1546). Manœuvres secrètes, concertées contre qqn ou qqch. → **Brigue, complot, conjuration, conspiration, intrigue.** *Faire, monter une cabale contre qqn. Former des cabales. Être initié à une cabale* (→ Antre, cit. 5 ; argumenter, cit. 2 ; aventurer, cit. 9).

Point de cabale en eux, point d'intrigues à suivre (...) 1
MOLIÈRE, Tartuffe, I, 5.

Il faut avoir de l'esprit pour être homme de cabale : l'on 2
peut cependant en avoir à un certain point, que l'on est au-dessus de l'intrigue et de la cabale, et que l'on ne saurait s'y assujettir (...)
LA BRUYÈRE, les Caractères, VIII, 92.

(...) M. Laudet sait très bien qu'à tort ou à raison *les Cahiers* 3
*de la Quinzaine* et moi sommes ou si l'on veut sont ce qui est le plus en butte aux attaques, aux violences, aux perfidies, aux offenses, aux campagnes, aux cabales, aux ignominies, à tous les coups du Parti Intellectuel.
Ch. PÉGUY, Un nouveau théologien, p. 141.

Il tape du pied *(Marinetti);* il fait voler la poussière ; il 4
jure, sacre et massacre ; il organise des contradictions, des oppositions, des cabales pour ressortir de là triomphant.
GIDE, Feuillets, *in* Journal, 1889-1939, Pl., p. 348.

Assuré de l'appui de Louis XIII après la «journée des 5
dupes», Richelieu n'en eut pas moins à combattre les intrigues et les cabales auxquelles le frère du roi se prêtait.
J. BAINVILLE, Hist. de France, XI, p. 201.

On fait ou on emploie une cabale pour chasser celui qui 6
est en possession, afin de se mettre à sa place ou simplement afin de le perdre, et sans qu'on ait l'idée de lui succéder. LAFAYE, art. *Cabale.*

Et voilà qu'il se forme contre moi une cabale dans laquelle 6.1
entre même la servante : — «Que madame ne mette pas le pain sur la table et monsieur sera bien obligé d'aller le chercher.» Les parents d'Élise obliquement me lancent que je devrais écrire des articles pour l'*Intransigeant* ou le *Figaro* : — Fais travailler ton mari (...)
Marcel JOUHANDEAU, Chroniques maritales, p. 21.

♦ **2** (1636). Vx. Ensemble des membres d'une cabale. → **Clique, coterie, faction, ligue.** *La cabale remplissait le parterre.*

Les propos incessamment rebattus de la cabale philo- 7
sophique qui l'entourait lui revinrent à l'esprit. Quand j'allai vivre à l'Hermitage, ils publièrent, comme je l'ai déjà dit, que je n'y tiendrais pas longtemps. Quand ils virent que je persévérais, ils dirent que c'était par obstination, par orgueil, par honte de m'en dédire, mais que je m'y ennuyais à périr, et que j'y vivais très malheureux.
ROUSSEAU, les Confessions, XI.

DÉR. **Cabaler, cabalisme, cabaliste.**

**CABALER** [kabale] v. intr. — 1617 ; de *cabale.*

Vx. Susciter une cabale* (II.) ; faire partie d'une cabale. → **Comploter, conspirer, intriguer.** *Cabaler contre qqn, en faveur de qqn.*

Mentir (...) cabaler, nuire, c'est leur état *(celui des faux* 1
*dévôts).* LA BRUYÈRE, les Caractères, XIII, 22.

On cabalait, mais on gardait le silence, et on laissait cla- 2
bauder les caillettes et les cafards, ou soi-disant tels, que le Conseil mettait en avant pour se rendre odieux à la populace, et faire attribuer son incartade au zèle de la religion.
ROUSSEAU, les Confessions, XII.

Le Comité de la Société des Gens de Lettres, où sié- 3
geaient alors quelques gaillards méfiants, timorés, irascibles, sans goût, ne comprenant rien aux scrupuleuses études et recherches de sculpteurs ou bien mal résignés au choix que, malgré eux, on avait fait de Rodin, s'alarmèrent ou plutôt cabalèrent en exigeant qu'on mît l'artiste en demeure de livrer son œuvre «fin courant».
Georges LECOMTE, Ma traversée, p. 220.

(...) ils cabalaient avec toute l'autorité que leur donnait 4
l'engouement du moment contre tout ce qui tendait à sortir de l'ornière tracée.
E. DELACROIX, Journal, 28 avril 1853.

◆ **CABALANT, ANTE** p. prés. et adj.

Vx. Qui aime à intriguer.

5 Mais, Monsieur Martin, avez-vous vu Paris ? *(dit Candide).* Oui, j'ai vu Paris (...) C'est un chaos, c'est une presse dans laquelle tout le monde cherche le plaisir (...) Je connus la canaille écrivante, la canaille cabalante et la canaille convulsionnaire.
VOLTAIRE, Candide, 1759, éd. Garnier, p. 172.

DÉR. **Cabaleur.**

**CABALEUR, EUSE** [kabalœʀ, øz] n. — 1680 ; *cabaleuse,* mil. XVII^e ; de *cabaler.*

Vx. Personne qui cabale*. → **Cabaliste** (2.).

**CABALISME** [kabalism] n. m. — 1866 ; de *cabale,* d'après *cabaliste.*

Didact. Théories de la kabbale. — Par ext. Système d'occultisme (cf. Renan, *l'Avenir de la science*).

**CABALISTE** [kabalist] n. m. et adj. — 1532 ; de *cabale.*

♦ **1** Vieilli. Philosophe, théologien versé dans la cabale juive. → **Kabbaliste.** — Adj. *Un juif, un rabbin cabaliste.*

1 (...) plus d'un rabbin cabaliste se répand de la cendre sur la tête et fait des conjurations afin d'obtenir de Dieu le châtiment de peuples balayés de la face du monde depuis des siècles.
Th. GAUTIER, Constantinople, p. 234.

♦ **2** (1690). Fig. et vx. Celui qui cabale. → **Cabaleur.**

2 Les Jésuites ont voulu joindre Dieu au monde et n'ont gagné que le mépris de Dieu et du monde. Car du côté de la conscience cela est évident, et du côté du monde ils ne sont pas de bons cabalistes.
PASCAL, Pensées, XIV, 935.

DÉR. **Cabalistique.**

**CABALISTIQUE** [kabalistik] adj. — 1532 ; de *cabaliste.*

♦ **1** Vieilli. Qui est relatif à la Kabbale juive. *Science, livre, interprétation cabalistique.*

♦ **2** Didact. Qui a rapport à l'occultisme. → **Ésotérique, magique.** *Art cabalistique. Termes, chiffres, signes cabalistiques.*

Entre tous les hommes, ces figures géométriques, ces signes cabalistiques : homme, femme, statue, table, guitare, redeviennent des hommes, des femmes, des statues, des tables, des guitares, plus familiers qu'auparavant, parce que compréhensibles, sensibles à l'esprit comme aux sens.
ÉLUARD, Donner à voir, Pl., t. I, p. 942.

♦ **3** (1867). Cour. *Langue, style cabalistique,* mystérieux, difficilement compréhensible.

CONTR. (Du 3.) **Clair, limpide.** ◊ DÉR. **Cabalistiquement.**

**CABALISTIQUEMENT** [kabalistikmɑ̃] adv. — Av. 1834 ; de *cabalistique.*

Littér. D'une manière cabalistique, empreinte de mystère et de magie, et selon une signification qui échappe aux non-initiés. → **Mystérieusement ; magiquement.**

1 Amalia disposait cabalistiquement sur le guéridon son précieux jeu de tarots.
COLETTE, le Pur et l'Impur, 1932, p. 118.

2 J'ai plus de lecteurs au Japon qu'en France, m'a-t-on dit. Je ne me souviens guère des inaugurations ; je me souviens d'un dialogue, en 1960, dans un jardin que je suis en train de survoler : le jardin «des Sept Pierres», le fameux Jardin-Sec — petits menhirs sur un sable cabalistiquement ratissé.
MALRAUX, Antimémoires, Folio, p. 569.

**CABALLERO** [kabaleʀo] ou, à l'esp. [kabajeʀo] n. m. — 1595, *cavallero, in* D. D. L. ; mot esp., «cavalier» (XI^e), «gentilhomme» (1620).

Hist. Gentilhomme espagnol de petite noblesse. — Fam. Monsieur, bourgeois (dans un contexte espagnol ou par allusion à l'Espagne).

**CABALLIN** [kabalɛ̃] adj. — XV^e ; du lat. tardif *caballus* «cheval».

Vx. Relatif au cheval. — *Aloès caballin,* utilisé en médecine vétérinaire.

**CABAN** [kabɑ̃] n. m. — 1448 ; de l'ital. de Sicile *cabbanu,* par le provençal *caban,* de l'arabe *qăbā'* «tunique».

♦ **1** Vêtement de dessus à manches et à capuchon. → **Manteau ; capote.** *Se vêtir d'un caban pour se protéger de la pluie.*

Je traînai une chaise-longue près de la cheminée. Au moment de m'y installer je pensai qu'un manteau ne me serait pas inutile. Un gros caban de cuir était pendu dans un réduit, près de la salle. 1
H. BOSCO, Hyacinthe, p. 95.

Spécialt. Manteau court en gros drap porté dans la marine. *Caban de marin, d'officier de marine. Un caban bleu marine.*

♦ **2** Longue veste de sport en gros drap, croisée haut. → **Vareuse.**

Dieu sait quel caban de landes 2
Enténèbre ma poitrine.
Mes jambes toujours plus grandes
M'enlèvent, cheminent.
Robert VIVIER, Légende, «Le miracle enfermé» (1939).

**CABANAGE** [kabanaʒ] n. m. — 1803 ; de *cabaner* ou de *cabane.*

♦ **1** Action de cabaner (1.). — Par métonymie. Ensemble de cabanes.

♦ **2** (1930, Morand, *in* T. L. F.). Cabane.

À rester toujours assis sur mon cul près du lac, j'ai oublié que j'étais un dieu qui marchait dans sa création, car un dieu ça ne fait pas un feu et un cabanage en disant : ici c'est chez moi, je m'installe.
Jean-Yves SOUCY, Un dieu chasseur, p. 197 (roman québécois).

**CABANE** [kaban] n. f. — 1387 ; provençal *cabanna,* du bas lat. *capanna* «hutte».

♦ **1** Petite construction en matériaux légers ou sommaires, grossièrement construite. → **Baraque, bicoque, cabanon, cahute, case, hutte.** *Vivre, habiter dans une cabane. Cabane de berger.* → **Buron.** *Cabane de bûcheron.* → **Loge.** *Cabane de pêcheur. Cabane de bambou ;* fam. *la cabane bambou* (→ ci-dessous, 4., a.). — *Une pauvre, une misérable cabane. Cabane en planches, en terre battue ; cabane couverte de chaume.* → **Chaumière.** *Cabane à outils.*

Le pauvre en sa cabane où le chaume le couvre (...) 1
MALHERBE, VI, 18.

Il est nuit. La cabane est pauvre, mais bien close. 2
HUGO, la Légende des siècles, LII, «Les pauvres gens», I.

Ses vingt-quatre disciples, ayant construit leurs cabanes proche la sienne, imitaient ses austérités. 3
FRANCE, Thaïs, p. 8.

Le gendarme qui les gardait les comptait trois fois par jour, pour être bien sûr qu'il ne manquait personne. Plus tard, on les laissa libres de faire ce qu'ils voulaient ; on les enfermait seulement la nuit, dans une grande cabane de bois, où ils dormaient sur des hamacs tendus entre deux barres. 3.1
ZOLA, le Ventre de Paris, t. I, p. 133.

(1837 ; *cabane du sucre,* 1707). *Cabane* ou *cabane à sucre :* au Canada, Bâtiment construit à l'intérieur d'une propriété agricole dans une forêt d'érables et destiné à la fabrication du sucre et du sirop d'érable. → **Sucrerie** (d'érable).

Peut-être même est-ce la première cabane de la série de toutes les cabanes habitées ? Cabane à sucre abandonnée (...) les immenses chaudrons noirs servent à bouillir le sirop d'érable. 4
Anne HÉBERT, les Enfants du sabbat, p. 85.

(1786, H. de Saussure). Spécialt. Refuge de haute montagne. *Coucher en cabane :* faire étape au refuge. *Gardien de cabane,* chargé de la gérance de la cabane en saison d'excursions.

5 Comme sur une cible, le gardien est là devant la porte de la cabane. La cabane est tassée derrière lui : un triangle de moellons de granit sous l'auvent des neiges.
Maurice CHAPPAZ, la Haute Route, p. 58.

6 Tu ne voudrais pas que je me fasse gardien de cabane à vingt-six ans ? Faut laisser ça aux vieux guides.
R. FRISON-ROCHE, Premier de cordée, p. 217.

REM. Le mot est courant en Suisse romande ; en Savoie, il semble reculer devant *refuge.*

♦ **2** (1462). Abri pour les animaux. *Cabane à poules, à lapins :* casier en planches pour élever les poules, les lapins. — Fig. **CABANE À LAPINS :** maison de piètre apparence ; qualifie aussi un immeuble moderne, aux appartements exigus (→ Cage* à poules, cage à lapins). *Ces immeubles sont de véritables cabanes à lapins.*

♦ **3** Case où l'on place les vers à soie pour qu'ils y filent leur cocon. → **Cabaner.**

7 Dès ce temps jusqu'à ce qu'ils *(les vers à soie)* fussent en cabane, il *(M. le capitaine Wildermett)* les nourrit avec les feuilles de mûrier rose d'Italie enté.
VLAMONT DE BOMARE, Dict. raisonné universel d'hist. nat., 1775, *in* D. D. L., II, 6.

♦ **4** [a] (1925). Fam. **EN CABANE :** en prison. *Descendre, se trouver en cabane. Se faire mettre en cabane. Mettre, foutre qqn en cabane.* — (1905). Vieilli. Prison militaire. *La cabane bambou* (dans l'armée coloniale).
[b] (1925). Argot. Maison de tolérance. *Expédier une gonzesse en cabane. Être en cabane.*

♦ **5** Vx. Cabine (1.) de bateau.

♦ **6** Loc. fig. Vieilli. *Attiger la cabane :* exagérer. → **Charrier, cherrer.**

DÉR. **Cabanage, cabaneau, cabaner, cabanette, cabanon.**

**CABANEAU** [kabano] n. m. — XVII^e ; de *cabane.*
Mar., pêche. Cabane des équipages des morutiers.

**CABANER** [kabane] v. tr. — XVI^e, *se cabaner* «habiter une cabane» ; de *cabane.*

♦ **1** (1605, au p. p.). Vx. Loger dans une cabane.

♦ **2** (1867 ; au p. p., 1763). Techn. Disposer un abri de branchages pour que les vers à soie y filent leur cocon. → **Encabaner.**

♦ **3** (1783). Mar. Renverser une embarcation, la mettre quille en l'air. *Cabaner un navire sur cale.* — Intrans. (en parlant d'une embarcation). Chavirer. *Pris par le travers, le canot a cabané.* — Par ext. (personnes) :

— Vous savez tous, aussi bien que moi, ce que c'est qu'un marche-pied qui part. Petit-Louis cabane et tombe à l'eau en grand.
E. CORBIÈRE, la Mer et les Marins, 1833, V, X, *in* D. D. L., II, 13.

DÉR. V. **Cabanage.**

**CABANETTE** [kabanɛt] n. f. — 1635 ; de *cabane.*
Rare ou régional.

♦ **1** Petite cabane. → **Cabanon.**

En somme, en admettant que la chose *(le mariage)* se fasse, on pourrait prévoir cela pour octobre (...) Cela pourrait se faire à Perros-Guirec, où j'ai eu dans le temps une cabanette.
MONTHERLANT, le Démon du bien, 1937, p. 115.

♦ **2** Cabane (3.) pour les vers à soie.

**CABANON** [kabanɔ̃] n. m. — Av. 1752, «loge où l'on enferme les fous» ; de *cabane.*

♦ **1** Petite cabane. — (1867). En Provence, Petite maison de campagne.

— Dites, Norine, vous viendrez encore au cabanon, dimanche ? 1
M. PAGNOL, Marius, I, 8.

Chalet de plage.

L'ami de Raymond habitait un petit cabanon de bois à l'extrémité de la plage. La maison était adossée à des rochers et les pilotis qui la soutenaient sur le devant baignaient déjà dans l'eau. 1.1
CAMUS, l'Étranger, p. 74.

♦ **2** Anciennt. Cachot obscur où l'on enfermait les criminels dangereux. → **Cellule.**

Jacques Collin fut placé, comme le plus dangereux des deux prévenus, dans un cabanon tout en pierre de taille, qui tire son jour d'une de ces petites cours intérieures (...) 2
BALZAC, Splendeurs et Misères des courtisanes, III, Pl., t. V, p. 933.

(Premier sens attesté). Cellule où l'on enfermait les aliénés agités jugés dangereux. *On lui passa la camisole de force et on le mit au cabanon.*

Mais parle donc, espèce d'immolé ! hurla l'orateur (...) 3
Cela devait être un fanatique religieux, je ne trouvais pas d'autre explication. Il s'était peut-être échappé du cabanon.
S. BECKETT, Nouvelles, 1945, p. 103.

Loc. fig. et fam. *Être bon à mettre au cabanon, bon pour le cabanon,* complètement fou.

1. **CABARET** [kabaʀɛ] n. m. — 1275, *tenir kabaret ;* moy. néerl. *cabret,* anc. picard *camberete* «petite chambre».
→ Chambre.

♦ **1** Vieilli. Établissement où l'on sert des boissons, éventuellement des repas. → **Bistrot, bouchon, boui-boui, café, débit** (de boisson), **estaminet.** *Aller boire, manger au cabaret. Petit cabaret.* — Vx. *Tenir cabaret.* — *Tenancier de cabaret.* → **Cabaretier.** *Hanter, fréquenter le cabaret. Vivre dans les cabarets. Un pilier* de cabaret,* un habitué assidu ; par ext., un ivrogne. *Cabaret borgne*, mal famé.* → (vx ou vieilli) **Assommoir, bibine** (1.), **bousin, caboulot, popine, tapis-franc ;** (mod.) **troquet.** *Cabaret où l'on mange.* → **Gargote.** *Cabaret mal tenu.* → **Cambuse.** — *Cabaret où l'on danse.* → **Guinguette.** *Chansons de cabaret* (cf. Chansons à boire). *La Muse au cabaret,* poèmes de Raoul Ponchon (1920). — *Cabaret littéraire,* où se réunissaient des écrivains, des artistes.

REM. Dans ce sens, le mot a vieilli, sauf dans des emplois métaphoriques *(pilier de cabaret) ;* encore très usuel au XIX^e s., *cabaret* désignait parfois des débits de boisson servant aussi à manger, mais d'un rang social plus élevé. Dans cet emploi, *café* (précédé par *cabaret de café,* vx), puis *brasserie,* etc. l'ont remplacé. Mais *cabaret* reste vivant dans la langue contemporaine pour évoquer le passé.

(...) tous deux étaient des hommes très sages, n'allant jamais dans les cabarets et ne faisant point noce de tous les jours fériés (...) 1
G. SAND, la Petite Fadette, XXVI, p. 176.

Le tableau, dans son cadre de bois verni, représente une scène de cabaret. C'est une gravure en noir et blanc datant de l'autre siècle, ou une bonne reproduction. Un grand nombre de personnages emplit toute la scène : une foule de consommateurs, assis ou debout, et, tout à fait sur la gauche, le patron, légèrement surélevé derrière son comptoir. 1.1
A. ROBBE-GRILLET, Dans le labyrinthe, p. 24.

♦ **2** Établissement où l'on présente un spectacle satirique, musical, etc., et où les clients peuvent consommer des boissons, souper, danser. → **Café-concert ; boîte** (de nuit). *Passer la soirée au cabaret. Un cabaret parisien. Une revue de chansonniers, dans un cabaret. Cabaret chic, élégant. Souper au cabaret.*

2 Les cabarets de nuit s'éveillent tard, avec leurs lumières voilées et les odeurs d'eau-de-vie, dans l'estuaire même de la mort.
G. DUHAMEL, le Voyage de Patrice Périot, I, p. 8.

2.1 Presque toujours, les dîners de moins de huit ou dix personnes se terminent au spectacle; la plupart des cabarets de nuit offrent de véritables revues (...) les cabarets s'ouvrent à minuit. Le divertissement n'y est pas comme à Paris fourni par les clients ou par un couple de professionnels; c'est tout un spectacle qui est offert, d'un genre plus léger que le théâtre.
Paul MORAND, New York, p. 172 et 189.

♦ **3** (1694). Vieilli. Plateau* sur lequel on place un assortiment de flacons, de verres à liqueurs, de tasses...; cet assortiment. → **Cave** (à liqueurs). *Un cabaret de cristal,* petit meuble ou coffret contenant un service à liqueurs. *Un cabaret en laque.*

3 (...) des liqueurs contenues dans un de ces magnifiques cabarets en bois précieux qui sont comme des tabernacles.
BALZAC, Béatrix, Pl., t. II, p. 413.

**DÉR.** **Cabaretier.** ◇ **HOM.** 2. **Cabaret,** 3. **cabaret.**

2. **CABARET** [kabaʀɛ] n. m. — 1538; métathèse d'après 1. *cabaret;* de *baccaret,* du lat. impér. *baccar,* grec *bakkaris* «espèce d'immortelle orientale»; ou, d'après Guiraud, de *ca-,* préf. désignant le creux d'un abri (→ Caboulot), et anc. franç. *barrer* «fermer».

Plante dont les feuilles opposées se soudent, formant un réceptacle pour l'eau de pluie. → **Asoret.** — *Cabaret des oiseaux* (même sens).

**HOM.** 1. **Cabaret,** 3. **cabaret.**

3. **CABARET** [kabaʀɛ] n. m. — 1751; orig. obscure.

Vx. → **Chardonneret.**

**HOM.** 1. **Cabaret,** 2. **cabaret.**

**CABARETIER, IÈRE** [kabaʀtje, jɛʀ] n. — V. 1360; de 1. *cabaret.*

Vx (ou hist.). Celui, celle qui tient un cabaret (1.). → **Aubergiste, cafetier, gargotier.** *Le cabaretier leur servit à boire.*

1 Le Jupiter d'Homère avec ses deux tonneaux me fait lever les épaules; je n'aime point Jupiter cabaretier donnant, comme tous les cabaretiers, plus de mauvais que de bon.
VOLTAIRE, Memmius, IX.

**REM.** Le mot s'employait encore au XXe s., en milieu rural :

2 L'estaminet ne doit plus faire crédit, car Mme Isambert, la nouvelle cabaretière, n'est pas tendre pour les ivrognes.
BERNANOS, Nouvelles histoires de Mouchette, 1937, *in* Œ. roman., Pl., p. 1271.

**CABAROUET** [kabaʀwɛ] n. m. → **Cabrouet.**

**CABAS** [kaba] n. m. — 1372; *cabar,* 1364; provençal *cabas,* du lat. pop. **capacium,* p.-ê. de *capax* «qui contient beaucoup».

♦ **1** Panier souple qui sert à mettre des fruits. → **Couffe, couffin.** *Un cabas rempli de figues, de raisins. Cabas à olives.*

Contenu d'un cabas. *Un plein cabas de figues.*

♦ **2** Panier aplati ou sac à provisions que l'on porte au bras. *Faire son marché avec un cabas.*

1 Ils allaient dans les marchés avec des cabas pour s'offrir à porter les provisions que les bourgeois y achetaient.
A.-R. LESAGE, Don Guzman..., II, 2.

2 Félicité retirait de son cabas des tranches de viande froide, et on déjeunait dans un appartement faisant suite à la laiterie.
FLAUBERT, Trois contes, «Un cœur simple», II, p. 17.

3 Le soir tombait (...) des enfants qui sortaient de l'école refluaient vers la vieille ville en traînant leurs galoches. Des ménagères aux cabas vides erraient en quête de provisions (...)
Francis CARCO, les Belles Manières, p. 21.

**DÉR.** **Cabasset.**

**CABASSET** [kabasɛ] n. m. — 1284; de *cabas.*

Anciennt. Casque sans visière, en usage aux XVIe et XVIIe siècles. → **Bassinet.**

**CABBALE** [kabal] n. f. → **Cabale** (I., 1.).

**CABÈCHE** [kabɛʃ] n. f. — 1879, Esnault; *cavèche,* 1552 (→ Cavecé); esp. *cabeza* «tête», bas lat. *capitia* «tête», de *caput.*

Fam. et vieilli. Tête. → **Caberlot, caboche, ciboulot.** *Couper la cabèche.*

(Guerre de 1914-1918; tirailleurs marocains). *Couper cabèche :* couper la tête, tuer.

Un des tirailleurs entend, en passant, de quoi l'on parle. Il nous regarde, rit largement dans son turban casqué, et répète, en faisant : non, de la tête : Pas Kam'rad, non pas Kam'rad, jamais! Couper cabèche!
H. BARBUSSE, le Feu, 1916, t. I, p. 23.

**CABÉCOU** [kabeku] n. m. — 1960; mot du Rouergue, du lat. *capra* «chèvre».

Petit fromage de chèvre rond et plat, originaire du Quercy. *Un plateau de cabécous.*

**CABERLOT** [kabɛʀlo] n. m. — 1899, *in* E. Chautard, *la Vie étrange de l'argot;* orig. incert., à rapprocher du rad. du lat. *caput.*

Fam. et vieilli. Tête, crâne. → **Cabèche, caboche, ciboulot.**

Ils *(les obus)* éclatent presque toujours trop haut. Barque nous l'explique, bien que nous le sachions.
— Le pot de chambre *(le casque)* te protège suffisamment l'caberlot contre les billes de plomb. Alors ça t'démolit l'épaule et ça t'fout par terre, mais ça t'bouzille pas.
H. BARBUSSE, le Feu, 1916, t. II, p. 13.

Loc. *Taper sur le caberlot :* obséder, rendre fou.

**CABERNET** [kabɛʀnɛ] n. m. — 1861; terme du Médoc, p.-ê. du lat. *caput* «tête».

Cépage à petites grappes, à petits grains à peau fine *(cabernet franc)* ou dure et épaisse *(cabernet sauvignon). En France, le cabernet franc* (parfois appelé *bouchet) est courant* (Bordelais, Touraine) *et le cabernet sauvignon représente 50 à 70 % des cépages du Bordelais.*

L'on rencontre des crus où le cépage dominant est le malbec, ou le merlot, ou le larnet, ou le verdot, ou le cabernet (...) Le cabernet sauvignon a dans la Gironde la réputation d'être le plus avantageux à cultiver. Il produit le meilleur vin.
DUPUITS de MACONEIX, *in* Encyclopédie pratique de l'agriculteur, 1861, t. IV (*in* D. D. L., II, 12).

Régional. *Petit cabernet :* cabernet sauvignon.

Vin issu de ce cépage. *Les cabernets rosés sont moelleux et secs.*

**CABESTAN** [kabɛstɑ̃] n. m. — 1648; *cabestant,* 1382; provençal *cabestran,* de *cabestre* «corde de poulie». → Chevêtre.

Treuil à arbre vertical sur lequel peut s'enrouler un câble, une chaîne, et qui sert à tirer des fardeaux. → **Vindas.** *Cabestan à bras,* muni de barres horizontales (→ Barre d'anspect*). *Cabestan à vapeur. Cabestan électrique,* utilisé pour la manœuvre des plaques tournantes, le halage. *Petit cabestan à main.* → **Winch.** *Arbre, axe, mèche d'un cabestan; taquets, cliquets, linguet d'un cabestan. Plaque recevant le pivot du cabestan.* → **Saucier.** *Le cabestan est utilisé à bord des navires pour virer les amarres; pour actionner les barbotins.* → aussi **Guindeau.** *Haler un navire au cabestan.* → **Touer.** *Armer un cabestan,* l'équiper, le garnir d'un câble. — *Virer le cabestan, virer au cabestan. Dévirer le cabestan.*

Comme j'allais m'endormir, j'entendis sur le pont quelques pas précipités, comme pour une manœuvre (...) Bientôt, j'entendis les anneaux sonores de la chaîne de l'ancre se dérouler pesamment du cabestan; puis je sentis ce coup sec qui fait vibrer tout le navire, quand l'ancre a roulé jusqu'au fond solide (...)

LAMARTINE, Voyage en Orient, 5 sept. 1832.

**CABIAI** [kabjɛ] n. m. — 1741, mot galibi (langue indienne de Guyane), de *cabi* «herbe», et *aica* «manger». → Cobaye. — REM. Le nom tupi apparenté *capiigouare* est connu en 1575 (Thevet).

Mammifère rongeur *(Caviidés),* appelé scientifiquement *Hydrochœrus* et vulgairement *Cochon d'eau* (parce qu'il vit près des fleuves). *Le cabiai est le plus grand des rongeurs; il vit en Amérique du Sud.*

Les chasseurs (...) virent Top *(le chien)* aux prises avec un animal qu'il tenait par une oreille. Ce quadrupède était une espèce de porc long de deux pieds et demi environ, d'un brun noirâtre mais moins foncé au ventre, ayant un poil dur et peu épais, et dont les doigts (...) semblaient réunis par des membranes.
Hubert crut reconnaître en cet animal un cabiai, c'est-à-dire un des plus grands échantillons de l'ordre des rongeurs.
Cependant, le cabiai ne se débattait pas contre le chien. Il roulait bêtement ses gros yeux profondément engagés dans une épaisse couche de graisse.

J. VERNE, l'Île mystérieuse, t. I, p. 114.

**CABILLAUD** [kabijo] n. m. — 1762; *cabillau(t),* 1278; *cabellau,* v. 1250; du néerl. *kabeljau.*

Églefin* (famille des *Morues*). Morue fraîche. — On écrit aussi *cabillau. Œufs de cabillaud préparés.* → **Tarama.**

Et dire que les hommes m'appellent morue verte quand je suis morte... — Je t'ai mangée? — Petite malheureuse. On nous mange toujours les jours creux ou les jours tristes (...) C'était un cabillaud tendre et nostalgique.

Jean CAYROL, Histoire de la mer, p. 129.

**HOM. Cabillot.**

**CABILLOT** [kabijo] n. m. — 1687; provençal *cabilhot,* de *cabilha* «cheville».

♦ **1** Mar. Cheville à laquelle on amarre les manœuvres courantes. *Cabillot d'amarrage. Cabillot de tournage.*

♦ **2** Argot des marins (vx). Fantassin. — Spécialt. Soldat de l'infanterie de marine.

**HOM. Cabillaud.**

**CABIN-CRUISER** [kabinkʀuzœʀ] n. m. — 1960, *cabine cruiser, in* Höfler; mot angl., de *cabin* «cabine», et *cruiser* «croiseur».

Yacht de croisière à moteur. — Plur. *Des cabin-cruisers.*

Daniel s'était abouché avec un Américain qui vivait sur un cabin-cruiser.

Michel DÉON, les Poneys sauvages, p. 468.

**CABINE** [kabin] n. f. — 1688; de l'angl. *cabin* (XVIe), moy. angl. *caban* (XIVe), p.-ê. du franç. *cabane.* → Cabane. — REM. L'anc. picard *cabine* «maison de jeu» est attesté en 1364; d'après Guiraud, mot normanno-picard, var. de *cabenne, cabène,* de *ca-* «creux, intérieur» (→ Caboulet, cahute), et *benne, banne* «panier», puis «hutte»; la forme *cabine* serait à rapprocher du normanno-picard *binot, binette* «corbeille».

♦ **1** (1759; *cabain,* 1530). Petite chambre, à bord d'un navire. — Syn. vx : *cabane. Retenir une cabine à bord d'un paquebot.* → **Couchette.** *Cabine de luxe.*

Nous avons été visiter notre navire, notre maison pour tant 1
de mois! Il est distribué en petites cabines où nous avons place pour un hamac et pour une malle. Le capitaine a fait percer de petites fenêtres qui donnent un peu d'air et de lumière aux cabines.

LAMARTINE, Voyage en Orient, 15 juin 1832.

La vie était saine et rude; ce froid plus piquant augmentait 2
le bien-être du soir, l'impression de gîte bien chaud qu'on éprouvait dans la cabine en chêne massif, quand on y descendait pour souper ou pour dormir.

LOTI, Pêcheur d'Islande, III, 10, p. 176.

La jeune fille fut installée dans une cabine, que les mate- 3
lots disposèrent pour elle en peu d'instants et qu'ils rendirent aussi confortable que possible.

J. VERNE, Un hivernage dans les glaces, p. 235.

*Cabine des cartes :* chambre des cartes.

♦ **2** (XXe). *Cabine de navigation, cabine de pilotage,* à bord d'un avion. — *Cabine largable :* cabine de pilotage d'un avion militaire, qui peut se séparer du fuselage s'il faut évacuer l'équipage. — *Cabine spatiale :* habitacle d'un vaisseau spatial ou d'un satellite artificiel. *«Mercury, les premières cabines habitées américaines, quittaient leur orbite terrestre et pénétraient dans l'atmosphère comme des boulets de canon en suivant une trajectoire purement balistique (...) Avec les cabines Gemini s'amorça une évolution»* (*le Monde,* 13 déc. 1972, p. 21).

♦ **3** (1866). Petit espace clos où une personne au moins peut se tenir. → **Cabinet, réduit.** *Cabine de bain,* où l'on se déshabille avant le bain. *Louer une cabine à la piscine.* — (1862). *Cabine (téléphonique*) :* petit local affecté à l'usage du téléphone. *Cabine publique.*

— Il a même fallu que je lui dise si j'étais seule ou non. 4
Alors, il m'a expliqué que son coup de téléphone devait rester secret, qu'il ne m'appelait pas du ministère mais d'une cabine publique, qu'il était important pour lui d'entrer au plus tôt en contact avec toi.

G. SIMENON, Maigret chez le ministre, p. 9.

(1889). *Cabine d'ascenseur; la cabine d'un ascenseur.*

À l'extrémité du couloir (...) pas d'ascenseur. Sonnerait-il? 5
Il descendit. À l'étage inférieur (...) une dizaine de personnes attendaient la cabine qui arrivait.

MALRAUX, la Condition humaine, Pl., p. 12.

*Cabine de vote.* → **Isoloir.** — Ch. de fer. *Cabine d'aiguillage, de signaux. Cabine de conduite :* compartiment d'extrémité d'une voiture, où se tient le conducteur.

Sur un véhicule utilitaire, Emplacement aménagé pour le conducteur (et généralement une ou deux autres personnes). *Le siège de la cabine d'un camion* (cit. 6, Duras). *La cabine du chauffeur* (→ Camion, cit. 7).

**CABINET** [kabinɛ] n. m. — 1491, «chambre»; de *cabine;* l'ital. *gabinetto* «chambre, meuble» (après 1550) est probablt empr. au français.

**I** ♦ **1** Petite pièce située à l'écart, dans un appartement, et qui n'est pas utilisée comme chambre. → **Réduit.** *Cabinet attenant* (cit. 3) *à une chambre. Cabinet de débarras*.* → **Cagibi** (fam.). *Cabinet noir,* sans fenêtres. *Menacer un enfant de l'enfermer au cabinet noir. Faire de la photographie dans un cabinet noir* (cf. Chambre noire).

Mon petit papa, dit Jean en se mettant à genoux, on me 0.1
veut du mal, maman me persécute, défends-moi.
— Non, ta mère a raison, dit M. Santeuil incertain de ce qu'il allait dire (...) Jean, au moment où son père le poussait en lui donnant des claques vers le cabinet noir, tomba dans une violente attaque de nerfs.

PROUST, Jean Santeuil, p. 224.

Vieilli. *Cabinet particulier :* pièce où l'on sert des repas, dans un café, un restaurant. → **Salon** (particulier).

0.2 Trois heures du matin (...) La vie s'est réfugiée ici *(à Paris)*, la vie intense, louche, dorée, nomade, bohème, la vie qui ne veut pas dormir (...) Des adorateurs de toutes les races, de tous les climats, de toutes les langues, sont venus offrir leur encens, dans ce temple qu'on appelle le cabinet particulier, à cette idole parisienne, la «soupeuse».

Germain NOUVEAU, Petits tableaux parisiens, IX, Pl., p. 461.

(1751). Mod. **CABINET DE TOILETTE :** petite pièce aménagée pour qu'on puisse y faire sa toilette (lavabo, parfois douche, w.-c.). → **Bain** (salle de bains).

1 Le cabinet de toilette avait l'aspect d'une officine : sur l'étagère, sur la table, des fioles (...)

MARTIN DU GARD, les Thibault, t. III, p. 119.

REM. On a employé *cabinet*, dans ce sens, mêlé au sens 2. ci-dessous.

1.1 J'entrai dans le cabinet qui m'était destiné ; il avait environ huit pieds carrés ; le jour y venait comme dans l'autre pièce, par une fenêtre très haute et toute garnie de fer. Les seuls meubles étaient un bidet, une toilette *(table à toilette)* et une chaise percée.

SADE, Justine..., I, p. 157.

♦ **2** (1690). *Cabinet d'aisances**, et, absolt, *cabinet, cabinets.* → **Buen retiro** (vx), **garde-robe** (vx), **water-closet** (et les formes : vatères, vécés, waters, w.-c.); **latrines** ; (fam. et argot) **chiottes, gogues, goguenots, tartisses.** *La cuvette, le siège des cabinets* (cf. fam. Chaise percée, trône). *La chasse d'eau des cabinets. Aller aux cabinets* (cf. par euphém. Aller quelque part, aller au petit coin). *Papier* (cit. 7) *utilisé dans les cabinets :* papier hygiénique. — Fam. *Papier de cabinets.*

2 Un moutard (...) qui voudrait m'empêcher d'aller aux cabinets et de faire mes nécessités !

COURTELINE, Messieurs les ronds-de-cuir, 2e tableau, I, p. 66.

3 Grande «distinction morale». Mais *(elle)* croit un peu trop que les vrais poètes ne vont jamais aux cabinets.

GIDE, Journal, 25 avr. 1907.

3.1 Savez-vous où sont les cabinets ? dit-elle. Elle avait raison, je n'y pensais plus. Se soulager dans son lit, cela fait plaisir sur le moment, mais après on est incommodé. Donnez un vase de nuit, dis-je.

S. BECKETT, Premier amour, p. 44.

REM. L'extension de ce sens spécial de *cabinet* rend rare tout emploi absolu du mot, surtout au pluriel (→ ci-dessous, cit. 4, 5).

♦ **3** (1536). Vieilli. Lieu formant abri dans un jardin. *Cabinet de verdure.* → **Gloriette, tonnelle.**

3.2 (...) une de ces demeures où chaque salon a l'air d'un cabinet de verdure et où, sur la tenture des chambres, les roses du jardin dans l'une, les oiseaux des arbres dans l'autre, vous ont rejoints et vous tiennent compagnie...

PROUST, le Temps retrouvé, p. 697.

♦ **4** (1539). Littér. Pièce où l'on se retire pour travailler, pour converser en privé. *Cabinet de travail, d'étude.* → **Bureau.** — Loc. *Homme de cabinet :* homme d'études.

4 Une personne humble, qui est ensevelie dans le cabinet, qui a médité (...) pendant toute sa vie.

LA BRUYÈRE, les Caractères, II, 28.

5 Souvent ce cabinet superbe et solitaire
Des secrets de Titus est le dépositaire.

RACINE, Bérénice, I, 1.

6 Avant d'éteindre, il *(Antoine)* se retourna pour embrasser du regard ce cabinet de travail, qui était maintenant comme une alvéole vide.

MARTIN DU GARD, les Thibault, t. IV, p. 250.

7 Messieurs, dit-il, puisque vous désirez vous entretenir avec moi, nous serons mieux dans mon cabinet de travail qu'ici.

J. ROMAINS, les Copains, I, p. 55.

(1835). Vx. *Cabinet de lecture :* lieu où l'on peut consulter, emprunter des ouvrages, des journaux. → **Bibliothèque.** *S'abonner à un cabinet de lecture.*

Vx. *Cabinet de physique, de chimie.* → **Laboratoire.** — Par métonymie. Ensemble des instruments nécessaires aux expériences de physique, de chimie.

♦ **5** (1834). Lieu d'exercice de certaines professions libérales (avocats, médecins). *Le cabinet d'un avocat. Rendez-vous à mon cabinet. Cabinet de consultation* (d'un médecin). — (1970). *Cabinet de groupe :* réunion de plusieurs praticiens (généralistes ou spécialistes) qui exercent dans un même local et utilisent en commun les installations ainsi que le personnel de secrétariat.

(1834). *Cabinet d'affaires :* établissement où l'on se charge, moyennant rétribution, des affaires d'autrui. → **Agence.**

Par métonymie. Ensemble des affaires, des clients dont s'occupe un cabinet d'affaires, un notaire (→ **Étude),** un avocat, etc. *Cet avocat a un très bon cabinet.*

**II** ♦ **1** Vx ou hist. Conseil* où se traitent les affaires de l'État. *La politique des cabinets européens* (Littré). *Le prince a son cabinet...* (→ Ministère, cit. 9).

Je ne suis pas ici un historien qui doit vous développer le secret des cabinets. 8

BOSSUET, Oraison funèbre de Henriette Anne d'Angleterre.

Le roi cependant (...) avait résolu dans son cabinet qu'il n'y eût plus de guerre. RACINE, Disc. à l'Académie. 9

Vx. *Cabinet noir :* service qui procédait à l'ouverture de certaines correspondances, par ordre du gouvernement.

♦ **2** (1708 ; angl. *cabinet*, 1644 ; franç. *cabinet du Roy*, 1606). Mod. Ensemble des ministres*, secrétaires d'État, dans le régime parlementaire. → **Gouvernement, ministère.** *Le cabinet est soumis à la responsabilité politique devant les Chambres. Le cabinet s'est présenté devant les Chambres. Renverser le cabinet. La démission du cabinet. Le cabinet de M. X* (nom d'un Premier ministre), *le cabinet X. «Les ministres et secrétaires d'État seront vraisemblablement convoqués (...) par un conseil extraordinaire au cours duquel M. Barre remettrait sa démission et celle de son cabinet»* (*le Monde,* 31 mars 1978).

(...) alors que certains de ses collègues passaient à la Chambre sans laisser de traces, Point avait été réélu coup sur coup et, trois mois plus tôt, lors de la formation du dernier cabinet, avait reçu le portefeuille des Travaux Publics. 9.1

G. SIMENON, Maigret chez le ministre, p. 11.

*Former le cabinet, un cabinet de coalition.*

Incidemment, les Français lisent dans leur journal (...) que les sociaux-démocrates allemands, vainqueurs aux élections, songent à former un cabinet de coalition. 9.2

Jean FERNIOT, Pierrot et Aline, p. 12.

♦ **3** Service chargé de la préparation des affaires gouvernementales et administratives dans un ministère, une préfecture... *Le cabinet du ministre. Personnel du cabinet. — De cabinet. Chef de cabinet. Attaché de cabinet. Conseil de cabinet.* → **Conseil.** *Directeur de cabinet.* → **Directeur.**

**III** (1542). Vieilli ou dans des loc. Lieu où l'on place, où l'on expose des objets de curiosité, d'étude. *Cabinet de curiosités, de raretés, d'objets d'art ; cabinet de tableaux, d'armes...* → **Musée.** *Le Cabinet des Antiques,* roman de Balzac. *Le cabinet des médailles de la Bibliothèque nationale* (→ Bibliothécaire, cit.). *Le cabinet des poinçons de l'Imprimerie nationale. Cabinet d'histoire naturelle. Pièce de cabinet. Cabinet de cires :* lieu où est exposée une collection de reproductions en cire d'hommes et de scènes célèbres. — Syn. : *musée de cires.*

Une belle arme (...) est une pièce de cabinet (...) qui n'est pas d'usage, qui ne sert ni à la guerre ni à la chasse (...) 10

LA BRUYÈRE, les Caractères, III, 49.

11 Quelques personnes (...) ont voulu avoir dans leur cabinet un abrégé en tableaux des plus grandes actions de ce prince. RACINE, Campagnes de Louis XIV.

12 C'est une rare pièce, et digne, sur ma foi,
Qu'on en fasse présent au cabinet d'un roi!
MOLIÈRE, l'Étourdi, III, 4.

12.1 Car l'anatomie est alors un des grands goûts de la femme : peu s'en faut que les femmes à la mode n'aient dans un coin du jardin de leur hôtel, ce petit boudoir, ces délices de Mlle Biberon, la grande artiste en sujets anatomiques faits de cire et de chiffons, un cabinet vitré plein de cadavres! Ed. et J. DE GONCOURT, la Femme au XVIIIe siècle, t. II, p. 153.

Par métonymie. Ensemble des collections* contenues dans un cabinet de curiosités. *Il a un riche cabinet* (Académie).

**IV** ♦ **1** (1528). Vieilli ou techn. (hist. du mobilier). Meuble à plusieurs compartiments pour ranger des objets précieux. → **Buffet.** *Cabinet d'ébène, de laque.* — Loc. (Vx). *Mettre qqch. au cabinet,* le ranger dans un tiroir; le mettre au rebut.

13 Franchement, il *(ce sonnet)* est bon à mettre au cabinet. MOLIÈRE, le Misanthrope, I, 2.

REM. L'exemple n'est plus compris et évoque le sens I., 2. ci-dessus.

14 Des cabinets incrustés en pierres dures de Florence, bourrés de billets doux, de tresses de cheveux, de bracelets et de bagues et autres témoignages de passions oubliées (...) Th. GAUTIER, le Capitaine Fracasse, t. II, XIII, p. 111.

♦ **2** Techn. Meuble en bois dans lequel est fixé le mouvement d'une horloge.

♦ **3** (1668). *Cabinet d'orgue :* buffet d'orgue.

COMP. **Arrière-cabinet.**

**CÂBLAGE** [kablaʒ] n. m. — 1877; de *câbler.*

♦ **1** Fabrication d'un câble; torsion des fils d'un câble. *Les opérations du câblage, dans une câblerie.*

♦ **2** Montage des fils d'un appareil électrique; établissement des connexions d'un appareil électronique. → **Connecteur.** *Procéder au câblage d'un téléviseur. Câblage défectueux.*

Ensemble des fils du montage d'un appareil électrique, des connexions d'un appareil électronique. *Réparer le câblage.*

Aucun des défauts de l'amplification ne vient du mécanisme électronique des lampes; ils sont dus aux éléments extérieurs : capacités parasites des électrodes, résistances, capacités, transformateurs qui servent à relier une lampe à la suivante dans l'amplificateur, et qui constituent le délicat «câblage» des châssis de T.S.F. Pierre GRIVET et Pierre HERRENG, la Télévision, p. 90.

♦ **3** Action de câbler (une dépêche).

♦ **4** Téléphérage des bois en montagne.

**CÂBLE** [kabl] n. m. — 1180, *cable,* mot anglo-normand; *caavle,* 1310; provençal *cable,* du bas lat. *capulum* «espèce de corde»; s'est substitué à l'anc. franç. *cheable, chaable, châble.*

♦ **1** Faisceau de fils (de chanvre, d'acier) tressés. → **Corde.** *Câble rond, plat. Câble de levage. Câble pour retenir un chargement.* → **Liure.** *Câble de traction.* → **Remorque.** *Câble de funiculaire.* → **Téléphérage.** *Câble de mine. Câble télédynamique,* pour transmettre le mouvement d'une machine. *Fixer un câble à un fardeau.* → **Chabler.** — *Tendeur, poulies de câble. L'âme, les torons d'un câble. Entrelacement unissant les torons de deux câbles.* → **Épissure.**

1 Les câbles sont formés de torons en fils métalliques enroulés autour d'une âme, en chanvre garnie de suif et de goudron. Le diamètre des fils varie de 1/2 à 2 mm. P. POIRÉ, Dict. des sciences, art. *Câble.*

Trois grandes pirogues conjuguées forment bac; sur le plancher qui les rejoint, les deux autos s'installent. Un câble de métal, dont s'emparent les nautoniers, est tendu d'une rive à l'autre et permet de résister à la violence du courant. GIDE, Voyage au Congo, *in* Souvenirs, Pl., p. 716. 1.1

Mar. Gros cordage* composé de trois aussières commises en grelin, ou forte amarre en acier. *Filer, mouiller un câble :* lâcher le câble en le déroulant. *Haler, paumoyer un câble. Treuil pour filer, haler un câble.* → **Cabestan.** *Boucle, tour d'un câble enroulé sur lui-même.* → **Plet.** *Câble enroulé sur le tambour. Câble d'une boucle d'amarrage. Câble d'ancre.* → **Chaîne.** *Étalinguer un câble à l'organeau d'une ancre. Câble d'embossage.* → **Embossure.** *Câble de la barre du gouvernail.* → **Drosse.** *Câble de halage.* → **Remorque, touée.**

Ils gagnent leurs vaisseaux, ils en coupent les câbles (...) CORNEILLE, le Cid, IV, 3. 2

Mais un marin n'est jamais embarrassé, quand il s'agit de câbles ou de cordages, et Pencroff tressa rapidement une corde longue de plusieurs brasses au moyen de lianes sèches. Ce câble végétal fut attaché à l'arrière du radeau, et le marin le tint à la main (...) J. VERNE, l'Île mystérieuse, t. I, p. 49. 3

Loc. fam. (1850). Argot des marins. *Filer le (son) câble :* partir. *Filer son câble par le bout :* mourir. — Fam. *Couper le câble (avec qqn) :* cesser toute relation.

Le jour du mariage, Mme de Villeparisis eut chez elle toutes les nobles personnes dont elle se moquait, dont elle se moqua même avec les quelques bourgeois intimes qu'elle avait conviés et auxquels le prince de Lannes mit alors des cartes avant de «couper le câble» dès l'année suivante. PROUST, À la recherche du temps perdu, Pl., t. II, p. 450. 4

Ancienne mesure marine. → **Encâblure.**

Mécan. *Câble de commande. Câble de frein.*

♦ **2** Techn. **a** En passementerie, Gros cordon d'argent, de soie..., servant à relever des draperies, des rideaux, des tentures, à attacher des tableaux. → **Câblé.**

**b** En architecture, Moulure, torsade en forme de gros cordage. → **Rudenture.**

♦ **3** (1867). Fil conducteur métallique protégé par des enveloppes isolantes. *Isolant de câble.* → **Gutta-percha.** *Câble électrique. Câble aérien. Gaine, armure d'un câble. Câble alu-acier; câble à âme d'acier.* → **Bimétal.**

Pendant des semaines, Tiffauges arpenta les routes et les chemins de la région en poussant devant lui la brouette dérouleuse chargée de câbles de campagne ou portant sur la poitrine le plastron-dérouleur garni d'un câble d'assaut, cependant que deux camarades munis d'échelles et de lances à fourche faisaient courir les câbles le long des murs, d'arbre en arbre ou de poteau télégraphique en poteau télégraphique. M. TOURNIER, le Roi des Aulnes, p. 146. 5

*Poser, immerger un câble sous-marin. Câble télégraphique, téléphonique. Câble coaxial*, câble à fibres* optiques.* (1970). *Câble de télévision. Télévision par câbles.* → **Câblodistribution; télédistribution.** *Diffusion par câbles. — Le câble :* la télévision par câbles.

♦ **4** Fig. Techn. *Câble hertzien* : faisceau étroit d'ondes très courtes permettant une directivité très précise, et remplaçant une section de câbles.*

♦ **5** (1897). Câblogramme. *Envoyer un câble.* → **Câbler.**

Tu sais où est James? J'ai reçu un câble de lui ce matin. (On n'envoie pas de lettres ni de cartes postales). Pierre DANINOS, Un certain Monsieur Blot, p. 207. 6

DÉR. **Câblot, câbler, câblerie, câbleur, câbleuse, câblier, câblière, câbliste.** ◊ COMP. **Câblodistributeur, câblodistribution, câblogramme, câblo-opérateur. Monocâble, multicâble, serre-câble.**

**CÂBLÉ, ÉE** [kable] adj. et n. m. — 1690; de *câbler.*

**I** Adj. ♦ **1** *Fil câblé,* retordu.

♦ **2** Archit. *Moulure câblée,* en forme de câble.

♦ **3** Mar. *Ancre câblée,* munie d'un câble.

♦ **4** Électr. *Circuits câblés,* construits par câblage (2.), par opposition à *circuits* imprimés, intégrés.* — *Réseaux câblés de télécommunication.*

Inform. Dans un ordinateur, Qualifie les fonctions et les instructions ou opérations qu'elles permettent lorsque leur structure est réalisée matériellement et non pas par le logiciel (s'oppose à *programmé*).

♦ **5** Fam. À la mode. → **Branché.** «*Branché, vous ne l'êtes plus si vous continuez à le dire. Dorénavant, on est câblé.*» (*le Nouvel Obs.,* 9 nov. 1984, p. 22).

**II** N. m. ♦ **1** Gros cordon de passementerie fait de fils tortillés.

♦ **2** Fil à coudre. *Du câblé six fils. Câblé d'Alsace,* coton à tricoter.

**CÂBLEAU** [kablo] n. m. → **Câblot.**

**CABLEMAN** [kablǝman] n. m. → **Câbliste.**

**CÂBLER** [kable] v. tr. — 1680; de *câble.*

♦ **1** Assembler (plusieurs fils, plusieurs torons) en les tordant ensemble en un seul câble. *Câbler des haussières.*

♦ **2** (1877; de l'angl. *to cable,* v. 1871, du franç. *câble*). Envoyer (une dépêche) par câble télégraphique. → **Câble** (5.), **câblogramme.** *On vous câblera des instructions.* → **Télégraphier.**

DÉR. **Câblage, câblé.**

**CÂBLERIE** [kablǝʀi] n. f. — 1905, *in* D. D. L.; de *câble.* Technique.

♦ **1** Fabrication de câbles.

♦ **2** (1928). Fabrique de câbles. → **Corderie.**

**CÂBLEUR, EUSE** [kablœʀ, øz] n. — 1955; de *câble.* Technique.

♦ **1** Personne qui effectue la pose et le montage de câbles électriques. — Électr. Personne spécialisée dans le câblage (2.).

♦ **2** Bûcheron qui procède au transport des bois par câbles. → **Câblage** (4.).

**CÂBLEUSE** [kabløz] n. f. — V. 1950; de *câble.*

Techn. Machine à fabriquer des câbles. → **Tordeuse.**

**CÂBLIER** [kablije] n. m. et adj. — 1908, adj.; de *câble.*

♦ **1** Mar. Navire spécialement équipé pour le transport, la pose et la réparation des câbles sous-marins. *Les appareils de sondage d'un câblier.* — Adj. *Un navire câblier.*

♦ **2** Techn. Fabricant de câbles. — REM. Dans ce sens, le fém. *câblière* [kablijɛʀ] serait normal.

**CÂBLIÈRE** [kablijɛʀ] n. f. — 1795; de *câble.*

Techn. (mar., pêche). Pierre percée pour le passage d'un câble et qui sert de lest pour les filets de pêche...

**CÂBLISTE** [kablist] n. — 1973, *Voc. de l'audiovisuel,* O. R. T. F.; de *câble.*

Techn. Personne chargée de manipuler les câbles d'une caméra de télévision lors de ses déplacements dans une prise de vues. — Recomm. off. (*Journ. off.,* 18 janv. 1973) pour remplacer l'anglicisme *cableman.*

**CÂBLODISTRIBUTEUR, TRICE** [kablodistʀibytœʀ, tʀis] n. — 1982; de *câble* et *distributeur,* d'après *câblodistribution.*

Technicien, technicienne qui installe les câbles pour la câblodistribution*. «*La tuyauterie mise en place naguère par les câblodistributeurs, après n'avoir servi qu'à une meilleure réception des trois grands réseaux nationaux américains, transporte aujourd'hui plus de programmes qu'un télémaniaque surentraîné ne pourrait en voir*» (*l'Express,* 7-13 mai 1982, nº 1609, p. 25).

**CÂBLODISTRIBUTION** [kablodistʀibysjɔ̃] n. f. — V. 1965; de *câble* (4.), et *distribution,* d'après *télédistribution.*

Techn. (d'abord au Canada). Procédé de diffusion d'émissions télévisées par câbles, utilisé pour des réseaux d'abonnés à domicile ou en circuit fermé. *Le marché de la câblodistribution. Les réseaux de câblodistribution.* → **Télédistribution, téléenseignement.**

**CÂBLOGRAMME** [kablɔgʀam] n. m. — 1888; angl. *cablegram* (1868), de *cable,* du franç. *câble,* et *-gram* (→ -gramme), par anal. avec *telegram.*

Vieilli. Télégramme transmis par câble. → **Câble** (5.).

Il est possible que la filière du théâtre nous égare, comme nous égarerait celle de la presse. Dans la seconde, la mutation se produisit lorsque entrèrent en jeu le câblogramme et la similigravure.

MALRAUX, l'Homme précaire, p. 217.

**CÂBLO-OPÉRATEUR** [kablɔɔpeʀatœʀ] n. m. 1988; de *câble,* et *opérateur.*

Techn. Opérateur qui propose des services (téléphonie, télévision, Internet...) accessibles par l'intermédiaire d'un réseau câblé numérisé. *La concurrence entre les câblo-opérateurs et les opérateurs du satellite.*

**CÂBLOT** ou **CÂBLEAU** [kablo] n. m. — 1530, *câblot; câbleau,* 1553; *cablel,* 1404, devenu *cableau,* puis *câblot* par changement de suffixe; de *câble.*

♦ **1** Mar. Cordage de grosseur moyenne servant d'amarre aux embarcations (chaloupes, canots, barques). «*Joshua* (un bateau) *dort maintenant au bout de son câblot*» (B. Moitessier, *Cap Horn à la voile,* 1971; p. 107).

♦ **2** Ch. de fer. Élément de câble électrique à fort isolement qui réunit les circuits de deux véhicules ferroviaires. *Les câblots des voitures Corail. Câblots d'accouplement.*

**CABOCHARD, ARDE** [kabɔʃaʀ, aʀd] adj. et n. — 1579, adj.; de *caboche.*

Fam. Qui n'en fait qu'à sa tête. → **Entêté.** *Un enfant cabochard. Une bête cabocharde.*

N. *Un cabochard, une cabocharde.* → **Tête** (forte tête).

(*Fernand*) «montait» à Paris avec un chargement de beurre sur son vélo. Tout le monde avait peur pour lui. «Vous ne devriez pas rouler en ce moment, lui dis-je. Patientez, c'est la fin.» Il haussa les épaules et alla se préparer. Fernand était un cabochard.

Violette LEDUC, la Bâtarde, p. 624.

**CABOCHE** [kabɔʃ] n. f. — XIIIe; *caboce* «bosse, tête», v. 1160; orig. incert.; forme normanno-picarde, de *boce* «bosse», et préf. péj. *ca-*, confondue avec des dér. de *caput* «tête»; ou p.-ê., selon Guiraud, de *ca-*, et *boche*, du franco-provençal *boctio* «boule» (→ Cabochon).

♦ **1** Fam. Tête. *Grosse caboche.*

1 (...) j'appelle cela ma petite classe. Vous verrez, quoique vieux, qu'ils ne se gênent pas devant moi. Ils prétendent que je suis un des leurs. Et pas le moindre respect pour ma caboche blanchie.
PROUST, Jean Santeuil, Pl., p. 276.

Esprit, mémoire. → **Tête.** *Une bonne caboche :* un homme de sens. *Avoir la caboche dure :* être inintelligent; être entêté. → **Cabochard.** *Il a une rude, une sacrée caboche.* → **Cabèche, caberlot, ciboulot.**

2 Voyez-vous, vous avez la caboche un peu dure.
MOLIÈRE, l'Étourdi, IV, 1.

3 (...) dans leurs sacrées caboches où n'entrent jamais deux idées à la fois, le mot de fuite n'évoque pas grand-chose de bon (...)
BERNANOS, Un crime, *in* Œ. roman., Pl., p. 809.

♦ **2** (1680). Clou à grosse tête pour ferrer les souliers.

♦ **3** Portion de tige adhérant au pétiole. «(L'écabochage) *consiste à trancher les bases des pétioles ou caboches, portions trop épaisses et trop lignifiées*» (A. Chevalier et H. F. Emmanuel, *le Tabac*, p. 72).

DÉR. **Cabochard, cabochon.**

**CABOCHON** [kabɔʃɔ̃] n. m. — 1400, adj.; *cabouchon*, 1380; de *caboche*.

♦ **1** Pierre précieuse polie mais non taillée en facettes. *Cabochon de rubis. Émeraude en cabochon.*

1 Les tronçons basaltiques, emboîtés l'un dans l'autre, mesuraient quarante à cinquante pieds de hauteur (...) L'éclat du foyer de lumière, signalé par l'ingénieur, saisissant chaque arête prismatique et les piquant de pointes de feux, pénétrait pour ainsi dire les parois comme si elles eussent été diaphanes et changeait en autant de cabochons étincelants les moindres saillies de cette substruction.
J. VERNE, l'Île mystérieuse, t. II, p. 796.

2 J'ai grossi, c'est affreux! se lamenta Mme Pontet-Massène. Regardez mes mains! (Elle dégagea ses mains couvertes de cabochons et de diamants).
Pierre DANINOS, Un certain Monsieur Blot, p. 211.

Adj. *Rubis cabochon.* — Loc. Par ext. *Cabochon de cristal d'un bouchon de carafe.*

Fam. Feu de position (d'une automobile).

♦ **2** [a] (1732). Clou* à tête décorée. *Cabochon de cuivre. Meuble orné de cabochons.*

[b] Motif décoratif d'architecture en forme de tête de clou.

[c] Petit carreau d'un carrelage qui se place entre des carreaux plus grands, dans un angle à pans coupés.

♦ **3** Hist. du costume. Bonnet de femme en usage au XVIIIe siècle.

♦ **4** (1805, Cuvier). Mollusque univalve, dit aussi *bonnet de Hongrois.*

**CABOSSAGE** [kabɔsaʒ] n. m. — 1890, Goncourt; de *cabosser.*

Action de cabosser; son résultat. *Je dois faire réparer le cabossage de ma voiture.*

**CABOSSE** [kabɔs] n. f. — 1752; même var. de mot que l'anc. franç. *caboce* «tête». → Caboche.

[I] ♦ **1** Bot., techn. Fruit du cacaoyer. *Ce «fruit, ou cabosse (...) est une baie volumineuse, jaune ou rouge suivant les variétés (...) Il pèse de 300 à 500 g et contient vingt-cinq à soixante-quinze fèves»* (François Lery, *le Cacao*, p. 38).

♦ **2** Régional (Sud de la France). Épi du maïs.

[II] Fam. et vieilli. Bosse.

**CABOSSER** [kabɔse] v. tr. — 1570; *cabocier* «former des bosses», v. 1160; de l'anc. franç. *caboce* «bosse, tête». → Caboche.

Faire des bosses à. → **Bosseler, bossuer, déformer.** *Cabosser un chapeau. Le choc a cabossé la carrosserie.*

Par ext. Fam. et vieilli. *Cabosser la tête de qqn.* → **Contusionner, meurtrir.**

On lui cabossait la tête et les fesses de tous côtés. 1
M. AYMÉ, la Jument verte, p. 106.

◆ **SE CABOSSER** v. pron.

(Réfléchi; sujet n. de pers.). Se heurter, se faire des bosses. — Fig. *Il a eu de terribles déceptions ces derniers temps, il s'est pas mal cabossé* (cf. Léon Daudet, A. Arnoux, *in* T. L. F.).

◆ **CABOSSÉ, ÉE** p. p. adj. *Une vieille argenterie cabossée. L'aile de sa voiture est un peu cabossée.*

Le terrain y est pourtant plus cabossé. 2
G. SAND, François le Champi, XII, p. 98.

DÉR. **Cabossage.**

1. **CABOT** [kabo] n. m. — 1821, argot, «(chien) à grosse tête»; orig. incert., du rad. de *caput* (→ Chabot); ou, moins probablt, altér. de *clabaud* «chien qui aboie fortement».

Fam. Chien*. → **Clébard, clebs.** *Un petit cabot. Taistoi, sale cabot!*

Une dame mûre à prétentions (...) tenait un petit chien sur 1
ses genoux. Costals échangea avec le cabot, au passage, un coup d'œil extrêmement coquin. — Vous avez fait de l'œil à cette vieille peau! dit Solange, d'une voix peu aimable. — Pas du tout, j'ai fait de l'œil au chien. Oh! ce qu'il avait l'air affranchi!
MONTHERLANT, le Démon du bien, p. 234.

Des chiens aboyèrent sauvagement et foncèrent sur la 2
grille qu'ils ébranlèrent de tout leur poids, deux grands loups bruns (...) Une voix cria : «Mais qu'est-ce que c'est donc, à c't'heure! Ah! ben alors! Vos gueules, les cabots!»
Armand LANOUX, le Commandant Watrin, p. 69.

REM. La documentation enregistre l'abréviation *cab* [kab] (vx).

Le premier qui arriva à la grille du jardin s'arrêta et 3
attendit les autres (...) — C'est icicaille, dit l'un d'eux. — Y a-t-il un cab dans le jardin? demanda un autre. — Je ne sais pas. En tout cas j'ai levé *(apporté)* une boule que nous lui ferons morfiler *(manger).*
HUGO, les Misérables, Pl., p. 1038.

HOM. **2. Cabot, 3. cabot, 4. cabot.**

2. **CABOT** [kabo] n. m. — 1886; *cabo*, 1881; altér. probable de *capo*, abrév. de *caporal*, par attraction de 1. *cabot.*

Fam. Caporal (cit. 1). *Il est passé cabot, cabot-chef.*

Il était furieux, le cabot, et il jurait sans se soucier du 1
lieutenant. Il conduisit la roulante dans une cour couverte. La viande de l'intendance était arrivée, pour une fois. «On fait des biftèques et des frites? demanda le caporal. Ça vaudrait mieux que du singe!»
Armand LANOUX, le Commandant Watrin, p. 29.

REM. La motivation pseudo-étymologique apparaît dans la cit. suivante :

Être caporal c'est un métier de chien. Le cabot est le clebs 2
de ses hommes et souvent j'en ai marre.
— Mais c'est aussi un honneur, mon petit, et tu peux passer sergent.
— Ça, jamais! mon général.
B. CENDRARS, la Main coupée, *in* Œ. compl., t. X, p. 180.

HOM. **1. Cabot, 3. cabot, 4. cabot.**

3. **CABOT** [kabo] n. m. et adj. m. — 1847 ; abrév. de *cabotin,* p.-ê. avec infl. de 1. *cabot.*

♦ **1** Cabotin (2.). *Un vieux cabot.*

1 – Oui dit-il. Je ne comprenais pas le rôle. Je le jouais trop théâtre. Je le jouais en cabot, comme un cabot que je suis.
J. RENARD, Journal, 2 mai 1903.

2 (...) comme ces acteurs, ces cabots de cinéma morts et oubliés depuis belle lurette et toujours prêts à faire revivre sans fin sur l'écran scintillant la même stupide scène de séduction ou d'héroïsme (...)
Claude SIMON, le Palace, p. 16.

♦ **2** Par ext. → **Cabotin** (3.).

3 J'avais tout de suite compris la comédie qu'ils se jouaient à eux-mêmes, les deux pauvres cabots (...) et quand ils menaçaient de se quitter, je savais très bien qu'ils n'étaient pas sincères.
O. MIRBEAU, le Journal d'une femme de chambre, p. 375.

Adj. masc. *Il est un peu cabot. Elle est vraiment trop cabot.*

4 Il est encore plus cabot que moi : il adore que son nom soit cité dans les journaux.
Roger BORNICHE, Flic story, p. 234.

REM. Le fém. *cabote* [kabɔt], très rare, est attesté.

HOM. 1. **Cabot,** 2. **cabot,** 4. **cabot.**

4. **CABOT** [kabo] n. m. → **Chabot.**

**CABOTAGE** [kabɔtaʒ] n. m. — 1678 ; de *caboter.*

Navigation effectuée en deçà des limites assignées aux voyages de long cours, à distance limitée des côtes (*Code de commerce,* art. 377). *Grand cabotage,* entre des ports de mers différentes. *Petit cabotage,* entre deux ports d'une même mer. *Cabotage national, international. Navires armés au cabotage.* → **Caboteur.** *Capitaine, patron au cabotage.*

1 La navigation marchande se divise en navigation au long cours, au cabotage international et au cabotage français.
Loi du 30 janv. 1893, art. 1.

2 D'abord, un marin comme ça, il suffirait d'un peu d'argent d'avance pour lui faire suivre six mois les cours de cabotage, et il deviendrait un capitaine à qui tous les armateurs voudraient confier des navires.
LOTI, Pêcheur d'Islande, I, 5, p. 51.

CONTR. **Bornage, long cours** (navigation au long cours).

**CABOTER** [kabɔte] v. intr. — 1678 ; de l'esp. *cabo* «cap» ou directement de *cap* (le passage de *p* à *b* est fréquent, notamment en provençal).

Faire le cabotage*. *Caboter de port en port.* — Figuré :

L'étrangeté, avec les êtres vraiment jeunes, c'est qu'ils soient toujours si proches d'eux-mêmes, cabotant au plus près de leurs souvenirs, mêlés à eux, de sorte qu'on a le sentiment, les aimant, de faire irruption dans une vie bondée.
François NOURISSIER, la Crève, p. 140.

DÉR. **Cabotage, caboteur, cabotier.**

**CABOTEUR** [kabɔtœʀ] n. m. et adj. — 1542 ; de *caboter.*

♦ **1** Vx. Marin qui fait le cabotage. — Adj. *Marin caboteur,* qui fait le cabotage.

1 (...) il fit construire, pour son propre compte, le brick *La Jeune-Hardie* (...) Jean Cornbutte en céda alors le commandement à son fils Louis, brave marin de trente ans, qui au dire de tous les capitaines caboteurs était bien le plus vaillant matelot de Dunkerque.
J. VERNE, Un hivernage dans les glaces, p. 1966.

♦ **2** Bâtiment côtier. *Un petit caboteur.*

2 C'était la fille d'un armateur, et lui avant son mariage, n'était que second sur un vieux caboteur qui traînait, le long des mers du Nord, sa panse bourrée de blé.
Roger VERCEL, Remorques, p. 45.

Adj. (ou appos.). *Navire, bâtiment caboteur.*

C'était la guenon du bord, la mascotte du Cyclone. Le jour 3
où Royer l'avait sauvée sur un voilier caboteur (...) elle se balançait, insouciante, dans les haubans du bateau qui coulait bas.
Roger VERCEL, Remorques, p. 62.

**CABOTIER, IÈRE** [kabɔtje, jɛʀ] n. et adj. — 1671, adj. ; de *caboter.*

Vieux.

**I** Adj. Qui fait le cabotage (navire). *Bateau cabotier, barque cabotière. Bâtiment cabotier.*

**II** ♦ **1** N. m. → **Caboteur** (2.).

♦ **2** N. f. (1693). **CABOTIÈRE** : bateau plat pour la navigation fluviale.

**CABOTIN, INE** [kabɔtɛ̃, in] n. et adj. — 1807, «comédien ambulant» ; orig. incert., soit nom d'un comédien ambulant sous Louis XIII, soit mot picard, «homme très petit» (fin XVIIIe), du lat. *caput* «tête» ; soit, d'après Guiraud, à rapprocher du provençal *far cabot* «saluer», doublet de *capoter* «faire signe avec la tête».

♦ **1** Vx. Comédien* ambulant. → **Histrion.**

♦ **2** (1834). Fam. et péj. Comédien, acteur (cit. 3 et 6.1) sans talent. → 3. **Cabot, ringard.**

(...) elle *(Héloïse)* voulait pendre, et sans moi *(Crevel),* la 1
crémaillère rue Chauchat, avec des artistes, des cabotins, des gens de lettres (...)
BALZAC, la Cousine Bette, Pl., t. VI, p. 237.

La nuit tombait ; on allumait le gaz dans la boutique. Elle 2
entendait la clochette du théâtre qui appelait les cabotins à la représentation ; et elle voyait, en face, passer des hommes à figure blanche et des femmes en toilette fanée, qui entraient par la porte des coulisses.
FLAUBERT, Mme Bovary, III, 5.

♦ **3** Personne qui cherche à se faire valoir par des manières affectées. → 3. **Cabot** (2.).

Adj. Qui paraît affecté et prétentieux. *En public, il ne peut pas s'empêcher d'adopter un ton cabotin.* — Qui fait preuve de cabotinage (2.).

*(Les femmes)* sont cabotines dans l'âme, il leur faut une 3
galerie, un public, même imaginaire, avant de s'offrir en holocauste. Une femme ne se donne jamais, elle s'offre toujours en sacrifice.
B. CENDRARS, Moravagine, *in* Œ. compl., t. IV, p. 161.

DÉR. **Cabotinage, cabotiner, cabotinisme.**

**CABOTINAGE** [kabɔtinaʒ] n. m. — 1805, Stendhal ; de *cabotin.*

♦ **1** Fam. Façon de jouer d'un cabotin* (2.).

Cette jolie petite Félipe, élevée dans tout le cabotinage des 1
acteurs de Favart et du Conservatoire, n'a pas, je crois, seulement l'idée de la pudeur.
STENDHAL, Journal, p. 140.

♦ **2** Comportement affecté du cabotin (3.). → **Charlatanisme.** *Cabotinage politique. Un cabotinage hypocrite.*

C'était dit avec un élan qui révélait un corps jeune, mais 2
aussi avec un infect cabotinage.
M. BARRÈS, Leurs figures, p. 222.

Il se mêlait à ces petites mines un peu de ce cabotinage 3
innocent, dont presque aucun être ne peut se dégager quand il se sait observé.
R. ROLLAND, Jean-Christophe, t. VI, p. 274.

Un jeune vicaire s'agitait beaucoup, faisait l'important. Il 4
commentait les phases successives de l'office, avec une simplicité que Martial trouva factice. «Il en fait trop dans le dépouillement. C'est du cabotinage».
Jean-Louis CURTIS, le Roseau pensant, p. 85.

CONTR. **Naturel, simplicité.**

**CABOTINER** [kabɔtine] v. intr. — 1799; de *cabotin.*

♦ **1** Vx. Exercer le métier de comédien ambulant. — Par ext. et péj. Jouer mal et avec emphase.

♦ **2** Fam. Faire le cabotin (3.).

**CABOTINISME** [kabɔtinism] n. m. — 1845, *in* D. D. L.; de *cabotin.*

Littér. (et rare). Cabotinage systématique.

(...) le Didon, qui ne se satisfait pas d'être une bouche du néant, et qui va prostituant sa robe de moine sur les tréteaux du cabotinisme international, nous sortirait du clergé *honnête* pour nous mener droit aux soutaniers apostats ou schismatiques (...)
Léon BLOY, le Désespéré, p. 147.

**CABOULOT** [kabulo] n. m. — 1846; mot franc-comtois, «réduit» puis «loge dans une étable», de *boulo(t)* «petit local pour animaux», p.-ê. du celtique **buta* «hutte» ou, d'après Guiraud, de *boulin* «trou du colombier» (de *boule*), et initiale *ca-*, p.-ê. due à un croisement avec *cabane.*

Fam. et vieilli. Café*, cabaret* mal famé (→ Débit, cit. 4). → **Troquet.**

1 Car le caboulot est la grande plaie des foyers populaires et *l'Assommoir* de Zola est tristement vrai.
Léon DAUDET, la Femme et l'Amour, I, p. 18.

2 Nom de Dieu ! oui, c'était Nana ! Et dans une jolie toilette encore ! Elle n'avait plus sur le derrière qu'une vieille robe de soie, toute poissée d'avoir essuyé les tables des caboulots, et dont les volants arrachés dégobillaient de partout.
ZOLA, l'Assommoir, p. 197.

Par ext. Petit café ou restaurant, à clientèle régulière.

3 À ce moment, un homme entra et demanda à dîner. Un tel événement remplit de silence le petit caboulot. Le nouvel arrivé avait un drôle d'air.
R. QUENEAU, le Chiendent, p. 32.

4 Elle avait fait des manières pour l'emmener chez elle, et lui ne voulait pas payer l'hôtel après le dîner. C'est qu'elle habitait à Neuilly, rue de Chartres, au-dessus d'un petit caboulot pour cochers, près de la Justice de Paix.
ARAGON, les Beaux Quartiers, p. 278.

DÉR. **Caboulotière.**

**CABOULOTIÈRE** [kabulɔtjɛʀ] n. f. — 1866; de *caboulot.*

Fam. et vx. Serveuse de caboulot*. → **Bistrote.**

C'est *(Vaudoré)* le traditionnel bellâtre de garnison qui affole les caboulotières et qui ne parvient pas à se remettre de son effronté bonheur. Un désir infini d'être cru Parisien jusqu'aux bout des ongles est la soif cachée de cet indécrottable provincial.
Léon BLOY, le Désespéré, p. 198.

1. **CABRADE** [kabʀad] n. f. — 1883; de *cabrer,* ou du provençal mod. *cabrado,* de *cabrar* «se cabrer», et suff. *-ado.*

♦ **1** Rare. Mouvement de ce qui se cabre. → **Cabrage, cabrement.**

Mouvement du cheval qui se lève sur les membres postérieurs. — Contr. : *croupade.*

1 (...) après les exercices en piste sous la menace de la chambrière : la cabrade, l'immobilisation pied levé, la danse en rond, au commandement d'une jolie écuyère impitoyable (...)
Catherine PAYSAN, le Clown de la rue Montorgueil, p. 130.

Par métaphore :

2 Mais ils gardaient, tous les quatre, une assiette que les cabrades incohérentes du bateau n'avaient point encore surprise. Roger VERCEL, Remorques, p. 29.

♦ **2** Méd. (anesthésiologie). Mouvement de redressement esquissé par le corps d'un sujet, au début d'une anesthésie générale.

HOM. 2. **Cabrade.**

2. **CABRADE** [kabʀad] n. f. — 1867; provençal *cabrado,* de *cabra* «chèvre».

Régional (Provence). Troupeau de chèvres.

HOM. 1. **Cabrade.**

**CABRAGE** [kabʀaʒ] n. m. — 1886; de *cabrer.*

♦ **1** Action de cabrer, de se cabrer (pour un animal). → 1. **Cabrade, cabrement.**

♦ **2** Position d'un avion qui se cabre. *Vitesse de cabrage. «Le décollage des avions à réaction rapides fait intervenir (...) la notion de "vitesse de cabrage" V au-dessous de laquelle un cabrage prématuré engendrerait une traînée telle que le décollage pourrait devenir impossible»* (P.-D. Cot, *les Aéroports,* p. 33).

COMP. **Autocabrage.**

**CABRE** [kabʀ] n. f. — 1535, Rabelais; anc. provençal *cabra,* 1241; du lat. *capra.*

**I** Régional (régions de langue d'oc). Chèvre.

Il se tourna vers le tas imprécis où marchands de cabres, palefreniers, maquignons écoutaient.
J. GIONO, Naissance de l'Odyssée, p. 61.

**II** (1723; anc. provençal *cabra,* 1497). Techn. Petite chèvre*, appareil de levage servant à soulever des seaux, des bennes. — Vx. Chevalet de métier à tisser.

**CABREMENT** [kabʀəmɑ̃] n. m. — 1872; de *cabrer.*

Rare.

♦ **1** Action de cabrer, de se cabrer. → 1. **Cabrade, cabrage.**

♦ **2** Fig. et littér. Attitude de raidissement, de rigidité morale. *«Des raidissements et des cabrements en arrière»* (Péguy, *in* T. L. F.).

**CABRER** [kabʀe] v. tr. — V. 1180, v. intr.; du rad. lat. *capra* «chèvre», probablt par le provençal *cabrar* (non attesté), du rad. de l'anc. provençal *cabra* «chèvre».

♦ **1** (1636). Faire se dresser (un animal). *Cabrer son cheval.*

Relever la partie antérieure de (qqch.). *Cabrer un canon, un avion.* — (1908). Dresser (un avion) verticalement, au cours du vol. *Cabrer son avion pour échapper au tir des ennemis.* — (1928). Absolt. *«On cabre pour sauver son altitude»* (Saint-Exupéry, *Terre des hommes,* p. 46).

Vent d'Est. On est aveugle. Le soleil est roulé dans ses volutes jaunes (...) La terre n'apparaît qu'à la verticale, et encore ! Je cabre ? je pique ? je penche ? Va-t'en voir ! On plafonne à cent mètres. 0.1
SAINT-EXUPÉRY, Courrier Sud, 1928 (*in* D. D. L., II, 16).

♦ **2** (1627). Dresser, révolter (qqn), l'inciter à résister, à s'opposer. *On l'a cabré contre son père. Il faut éviter de cabrer cet enfant.*

Je payai *(pour lui)* en tremblant de le cabrer. 1
ROUSSEAU, Rêveries, 9, *in* LITTRÉ.

(...) rien de ce qui pousse à la révolte n'est définitivement dangereux — encore que la révolte puisse fausser le caractère (elle le replie, le retourne ou le cabre et conseille une ruse impie). 2
GIDE, les Faux-monnayeurs, I, XII, p. 146.

◆ **SE CABRER** v. pron.

♦ **1** (Av. 1315; *cabrer,* av. 1188). Se dresser sur les pattes de derrière (en parlant d'animaux, chevaux, etc.).

Des chevaux sautaient, caracolaient, se cabraient dans la foule, comme des chiens qui caressent leurs maîtres. 3
CHATEAUBRIAND, Mémoires d'outre-tombe, t. II, II, II, p. 247.

4 (...) Le peuple ? Un âne qui se cabre !
HUGO, les Châtiments, III, 8, 3.

5 (...) il prit peur, se cabra, lança quelques ruades, enfin, crinière au vent, partit au galop dans la plaine (...)
G. DUHAMEL, Chronique des Pasquier, III, p. 85.

Par anal. Se dresser d'un élan, verticalement.

6 La houle se cabra sous le navire et se renversa, rejetant l'épave dans sa crinière d'écume.
HUGO, l'Homme qui rit, I, II, 15.

6.1 Lyrisme des pagayeurs, au dangereux franchissement de la barre (...) À trois reprises la chaloupe se cabre, à demi dressée hors du flot ; et lorsqu'elle retombe un énorme paquet d'eau vous inonde, que font sécher bientôt le soleil et le vent.
GIDE, Voyage au Congo, *in* Souvenirs, Pl., p. 688.

(Avec ellipse de *se*). *Faire cabrer son cheval.*

7 L'animal se sentant blessé, la douleur le fit cabrer.
DU GUESCLIN, Mémoires, VI, *in* LITTRÉ.

♦ **2** (1606). Par métaphore ou fig. Se dresser contre (qqch. ou qqn). → **Braquer** (se), **rebiffer** (se), **révolter** (se). *Se cabrer à l'idée de céder. Cela le fait se cabrer, le fait cabrer.*

8 Il y a de certains esprits qu'il ne faut prendre qu'en biaisant, des tempéraments ennemis de toute résistance, des naturels rétifs, que la vérité fait cabrer, qui toujours se roidissent contre le droit chemin de la nation, et qu'on ne mène qu'en tournant où l'on veut les conduire.
MOLIÈRE, l'Avare, I, 5.

9 Le libéralisme de votre esprit se cabre contre les vieilleries du dogme (...)
FLAUBERT, Correspondance, 1860, p. 399, *in* T. L. F.

10 L'orgueil musulman se cabra, s'autorisant de prétextes religieux (...)
MICHELET, Extraits historiques, Hist. du XIXe siècle, p. 373.

11 Sa dignité hautaine *(de Franchita)* se cabrait vraiment à l'idée qu'il faudrait reparaître en solliciteuse devant son amant d'autrefois. LOTI, Ramuntcho, I, I, p. 18.

12 (...) parfois, un nom, une idée, moins même, une intonation, enfin je ne sais quel souffle traversait nos chamailles et les esprits, aussitôt, se cabraient comme des insectes en position de combat.
G. DUHAMEL, Chronique des Pasquier, III, p. 17.

◆ **CABRÉ, ÉE** p. p. adj. et n. m.

♦ **1** *Cheval cabré, à demi cabré* (→ Pendule, cit. 3). *Avion cabré.* — N. m. (1923). État, mouvement de ce qui est cabré. → **Cabrage, cabrement.** *Les cabrés de l'avion.*

12.1 Je me suis soulevé, j'ai enjambé la carlingue, et me suis maintenu d'abord sur l'aile (...) J'avais, avant de quitter la carlingue, réglé l'avion au cabré.
SAINT-EXUPÉRY, Pilote de guerre, p. 63.

♦ **2** Fig. (Personnes ; abstractions humaines). Qui se cabre, qui se révolte. → **Agressif, combatif** ; et aussi **farouche, ombrageux.** *Une attitude cabrée. — Être cabré devant, contre qqch.*

13 Son attitude cabrée, le feu de son regard, exprimant un orgueil démesuré, aveugle, insolemment agressif.
MARTIN DU GARD, les Thibault, t. VIII, p. 46.

14 Cabrée devant l'injustice, elle souhaitait jouer à la fois le rôle de la vertu persécutée et celui de la rebelle vengeresse.
A. MAUROIS, le Cercle de famille, p. 65.

15 (...) sa volonté si impétueuse, si cabrée, si hardie à sauter les obstacles.
PROUST, les Plaisirs et les Jours, p. 127.

16 On m'a peint ce Monsieur Orlov, comme de nature un peu fière, un peu... cabrée. GIDE, Robert, I, 2.

DÉR. 1. **Cabrade, cabrage, cabrement.**

**CABRETTE** [kabʀɛt] n. f. — 1926 ; anc. provençal *cabreto* «petite chèvre ; musette, cornemuse» ; de *cabro* «chèvre» (cf. *chievrette* «musette», XIIIe), et suff. *-eto* (franç. *-ette*).

Régional (Centre, Sud-Ouest). Instrument de musique à vent fait d'une peau de chèvre, analogue à la cornemuse*. → **Chabrette.** *«C'est maintenant une tradition. Chaque été, au pied de Montségur, forteresse cathare démantelée il y a sept siècles par les barons d'Île-de-France, on chante et on danse. Dans la prairie ariégeoise où, en 1244, deux cents hérétiques furent livrés aux flammes d'un immense bûcher, jeunes gens et jeunes filles forment des farandoles au son aigrelet des vielles et des cabrettes, ces binious du Midi. Provocation ?»* (*le Monde,* 15 mars 1977).

**CABRI** [kabʀi] n. m. — 1680 ; anc. provençal *cabrit,* av. 1394 ; bas lat. *capritus* «bouc», du lat. *capra* «chèvre».

♦ **1** Petit de la chèvre. → **Biquet, chevreau.** *Agile, leste, vif comme un cabri. Faire des bonds, des sauts de cabri. Sauter, sautiller, caracoler comme un cabri.*

Eux *(trois matelots)* qui avaient tant bu, tenaient ferme, sautaient comme des cabris (...) 1
LOTI, Mon frère Yves, LXXI, p. 170.

♦ **2** Chèvre naine à poil ras, en Afrique noire (ses cornes rudimentaires et sa petite taille, même adulte, lui ont fait donner le nom du chevreau). *Manger du cabri.*

Il est vrai, nous dit l'infirmier, que le blanc paie beaucoup moins cher que l'indigène les cabris et les poulets (...) 2
GIDE, Voyage au Congo, *in* Souvenirs, Pl., p. 769.

♦ **3** Ski (à cause de l'agilité du cabri ; → Chamois). Épreuve de compétition (slalom géant) ; prix qui lui correspond.

Le *chamois de France* et le *cabri* sont des épreuves de compétition également organisées par les écoles de ski. 3
Jean FRANCO, le Ski, p. 53.

♦ **4** Techn. (Rare). Petit chevalet. → **Chèvre.**

**CABRIOLE** [kabʀijɔl] n. f. — XVIe ; *capriole,* 1562 ; ital. *capriola* «femelle du chevreuil», lat. *capreola* «chèvre sauvage», *b* par infl. de *cabri.*

**I** ♦ **1** (Souvent au plur.). Bond léger, capricieux, désordonné. *Faire, exécuter des cabrioles.* → **Gambade.** — Spécialt. Tout saut agile qu'on fait en se retournant avec souplesse sur soi-même. → **Culbute, galipette, pirouette.** *Cabrioles de clown.*

(...) des bandes de karabataks *(de plongeons noirs)* exécutaient des cabrioles fantastiques autour des barques des pêcheurs (...) 1
LOTI, Aziyadé, Eyoub à deux, LXVI, p. 175.

(...) cette souplesse qui lui permettait tout geste sans qu'une jointure parlât, sans qu'un muscle saillît, et lui laissait faire tout effort, toute cabriole avec un corps de repos (...) 1.1
GIRAUDOUX, Églantine, p. 226.

(1690). Saut (avec l'idée de mouvements désordonnés ou de longue chute). *«Une cabriole du haut de ce clocher (...)»* (Nerval).

Loc. fam. *Faire la cabriole :* se livrer à des ébats amoureux (Zola, *l'Assommoir*).

♦ **2** (1611). Danse. Saut dans lequel les jambes battent l'une contre l'autre pendant que le danseur est en l'air. → **Bond, entrechat.** *Battre la cabriole.*

Où trouverez-vous (...) parmi les farceurs, un jeune homme qui s'élève si haut en dansant, et qui passe mieux la capriole *(cabriole)* ? 2
LA BRUYÈRE, les Caractères, III, 33.

♦ **3** (1564). Manège. Saut où le cheval décoche une ruade pendant qu'il est en l'air. *Faire aller un cheval à cabrioles. Danser la cabriole.*

Dans la *cabriole,* le cheval après s'être enlevé du devant, détache la ruade le plus horizontalement possible. C'est ce qu'on appelle dénouer l'aiguillette. Cet air se demande en partant du terre-à-terre. 3
H. AUBLET, l'Équitation, p. 96.

**II** Abstrait. ♦ **1** (1845). Chute (d'une entreprise). → **Banqueroute, dégringolade** (fam.), **krach.** *Ce négociant, cette affaire a fait la cabriole.*

Loc. fam. *Faire la cabriole :* mourir, disparaître. — *La cabriole finale :* la mort.

4 Mais le vilain de l'histoire était que cet entêté soulard se cassait davantage chaque fois, si bien que, de rechute en rechute, on pouvait prévoir la cabriole finale, le dernier craquement de ce tonneau malade dont les cercles pétaient les uns après les autres.

ZOLA, l'Assommoir, 1877, t. II, p. 204.

♦ **2** Plaisanterie, trait d'esprit paradoxal par lequel on coupe court à une discussion embarrassante. → **Échappatoire, pirouette.** *S'en tirer par une cabriole.*

♦ **3** (V. 1850). Vieilli. Retournement opportun d'attitude ou de principes aux dépens de la dignité. → **Apostasie, reniement, retournement, revirement.** *Les cabrioles d'un homme politique. N'en être pas à une cabriole près. «Tous les tours, tous les gestes, toutes les cabrioles du ministère»* (Balzac). → **Pirouette.**

**CABRIOLER** [kabʀijɔle] v. intr. — 1584; var. *caprioler,* du XVIe à la fin du XVIIe; de *capriole.* → Cabriole.

Faire la cabriole ou des cabrioles. *Un âne qui cabriole* (→ Braire, cit. 1).

1 Et ainsi sautant, dansant, voltigeant, pirouettant, cabriolant, nous arrivâmes au logis, où nous trouvâmes une table qui semblait avoir été servie par les fées.

VOITURE, Lettre 10, *in* LITTRÉ.

2 L'air tiède et le soleil (...) faisaient cabrioler les gamins et les marmitons blancs qui avaient déposé leurs corbeilles sur les bancs pour courir et jouer avec leurs frères les jeunes voyous (...)

MAUPASSANT, Fort comme la mort, éd. 1889, p. 82.

(En parlant d'une chose). → **Valdinguer, valser.**

3 Mais le vent s'est mis à souffler (...) le petit navire dansait si fort qu'une table cabriola les pieds en l'air; désarroi des grands naufrages. Et ce, avec un mètre cinquante de fond.

GIDE, Voyage au Congo, 1927, *in* Souvenirs, Pl., p. 828.

(Abstrait). *«Mon esprit cabriole et chahute»* (Léautaud, *in* T. L. F.).

DÉR. **Cabriolet, cabrioleur.**

**CABRIOLET** [kabʀijɔlɛ] n. m. — 1775; de *cabrioler,* à cause du mouvement sautillant.

**I** ♦ **1** **a** Anciennt. Voiture légère à cheval, à deux roues, à capote mobile. → **Boghei, cab, tilbury, wiski.** *Atteler, conduire un cabriolet. — Cabriolet milord* (cit. 2).

1 (...) une espèce de cabriolet, à capote de toile cirée, avec deux chevaux attelés en flèche qui ont au cou une quantité considérable de clochettes.

LOTI, Figures et Choses..., p. 56.

Compartiment ouvert, sur une diligence.

**b** (1928). Automobile décapotable. *Un cabriolet grand sport.*

♦ **2** (1757). Par anal. avec la forme de la voiture ou avec le mécanisme de la capote. Chapeau de femme, sous le Directoire, dont le bord s'évase par devant. On dit aussi : *chapeau en cabriolet, chapeau-cabriolet* ou *cabriolet.*

2 Cette jeune dame *(Rachel)* portait une robe de velours carmélite et un châle de cachemire de l'Inde, à grandes palmes. Une capote, en forme de cabriolet, encadrait son visage mince et pâle.

FRANCE, le Petit Pierre, 1918, p. 104.

♦ **3** Fauteuil de petite dimension, dont le dossier est incurvé pour épouser le dos. «(En raison de) *la rigueur du véritable statut hiérarchique qui réglait la vie mondaine (...) lorsque vers 1750, les menuisiers en siège inventeront le "cabriolet" dont la caractéristique est la "hotte" dessinée par le dossier (...) c'est avec indignation qu'on signalera son intrusion dans l'ordre des sièges consacrés»* (G. Janneau, *le Mobilier français,* no 26, p. 66). — *À cabriolet,* se dit du dessin de dossier caractéristique de ce fauteuil.

La console Louis XV est superbe, flanquée de deux fauteuils que je n'avais pas remarqués. Si leurs dossiers à cabriolet sont du pur Louis XV, les pieds eux semblent Louis XVI. C'est cela. Ce sont des meubles de la transition. 3

Claude MAURIAC, le Dîner en ville, p. 198.

**II** (1866; allus. à l'attelage du cabriolet). Argot anc. Corde à nœuds ou chaîne terminée par deux morceaux de bois, dont les agents se servaient pour lier les mains de ceux qu'ils arrêtaient. — Mod. Menottes. — Par métaphore :

Il éleva son poignet droit en l'air. «Tu ne la vois pas, mais tiens; moi, je la sens là, la menotte, la vie m'a passé le cabriolet.» 4

ARAGON, les Beaux Quartiers, p. 286.

**CABRIOLEUR, EUSE** [kabʀijɔlœʀ, øz] n. et adj. — 1625; de *cabrioler.*

Rare. (Personne ou animal). Qui fait des cabrioles. *«Ces chèvres cabrioleuses»* (M. Rollinat, *in* T. L. F.).

**CABROUET** [kabʀuɛ] ou **CABAROUET** [kabaʀwɛ] n. m. — 1719, *in* D. D. L.; de *ca-,* d'orig. obscure, soit préf. péj., soit, plus probablt, forme normanno-picarde de *char,* soit première syllabe de *cabriolet,* et *brouette.*

Régional. Petit chariot à deux roues. → **Diable,** III., A., 1.

Spécialt. Charrette à deux roues employée aux Antilles pour le transport des cannes à sucre.

Quelques vedettes, placées aux sommets des rochers voisins, éclairaient les alentours du quartier général de Biassou, dont le seul retranchement, en cas d'attaque, était un cordon circulaire de cabrouets, chargés de butin et de munitions.

HUGO, Bug-Jargal, *in* Œ. compl., t. VI, p. 71.

**CABUS** [kaby] adj. m. — 1393; anc. provençal *cabus,* 1256, du lat. *caput* «tête».

*Chou* cabus :* chou à tête ronde (→ **Pommé**) et à feuilles lisses. — N. m. *Des cabus.*

**CAC** [kak] n. m. — 1987, *le Monde;* sigle de *Compagnie des Agents de Change.*

*Indice CAC 40 :* indice établi en juin 1988 par la Compagnie nationale des agents de change sur la base d'un échantillon de 40 valeurs françaises cotées à la Bourse de Paris. *Le CAC 40 est en hausse.*

**CACA** [kaka] n. m. — 1534; mot enfantin, de formation expressive (cf. le lat. *cacare.* → Chier).

♦ **1** Fam. (lang. enfantin). Excrément*, matière fécale. *Un gros caca. — Faire caca :* déféquer (→ **Cacade**). *Il a fait caca dans sa culotte.*

(...) ce sont des thèmes qu'elle rencontre naturellement «à travers choux», et dont elle descend plus naturellement encore pour en venir à un petit singe qui lui a fait caca dans la main. 1

Ed. et J. DE GONCOURT, la Femme au XVIIIe siècle, t. II, p. 122.

(...) Un noir angelot qui titube, 2
Ayant trop mangé de jujube.
Il fait caca : puis disparaît :
Mais son caca maudit paraît,
Sous la lune sainte qui vaque,
De sang sale un léger cloaque.

RIMBAUD, Poésies, LV, Album dit «Zutique», «L'angelot maudit».

3 — À cet âge, ça ne sait pas encore (...) Il se porte bien au moins?
— Très bien, merci.
— Les cacas sont beaux? Le caca c'est tout l'enfant. Un enfant qui a de beaux cacas, c'est un enfant qui profite.
J. ANOUILH, Colombe, p. 11.

(1690). Ordure*, saleté (*le caca, du caca;* rarement, *un, des cacas*). *C'est du caca. — Ce bouquin, c'est du caca, c'est un vrai caca :* il est sans valeur. — Loc. fam. *Être dans le caca (jusqu'au cou),* dans une situation très difficile. *Tomber, retomber dans le (son) caca,* dans une position mauvaise. *Mettre le nez de qqn dans son caca,* l'obliger à reconnaître sa faute ou son erreur. → **Merde.** — *Faire un caca nerveux :* s'énerver, piquer une crise.

REM. Dans ces emplois, le mot correspond pour le sens à *merde**, mais relève d'un usage pseudo-enfantin plaisant, plus ou moins marqué par la mode selon les époques.

4 Voir Sarah Bernhardt dans *l'Aiglon,* qu'est-ce que c'est? du caca. Mounet-Sully dans *Œdipe?* caca.
PROUST, Sodome et Gomorrhe, Pl., t. II, p. 1070 — C'est Charlus qui parle.

Lang. enfantin. *Caca! Pipi caca. Caca boudin.* — Fam. (exclam.). *Caca!,* c'est infect.

♦ **2** (1867). Dans des comp. **CACA D'OIE :** *couleur caca d'oie,* ou *caca d'oie :* couleur jaune verdâtre. *Des peintures caca d'oie.* — Vx. **CACA DAUPHIN :** *couleur caca dauphin,* ou *caca dauphin :* couleur jaune orangé. (On écrit aussi *caca-dauphin*).

5 En novembre 1781, la naissance du Dauphin met en vogue la nuance caca Dauphin, et change en Dauphins les Jeannettes que toutes les femmes portaient au cou.
Ed. et J. DE GONCOURT, la Femme au XVIIIe siècle, t. II, p. 60.

♦ **3** Adj. invar. **a** Lang. enfantin. Très sale. *Touche pas, c'est caca!* — Fam. Ignoble, infect. → **Dégueulasse.**

6 Tout ce qu'on ouvrait c'était infect... Rien que des grimaces et des ludions (...) Cent allégories pour des bagues, plus caca les unes que les autres...
CÉLINE, Mort à crédit, *in* Romans, t. I, Pl., p. 648.

**b** (Pendant la guerre de 1914-1918; adapt. plaisante de l'allem. *KK Brot, Kriegskartoffelbrot* «pain de guerre de pommes de terre»). Fam. *Pain caca :* pain grossier, noir, à base de pommes de terre (dans les camps de prisonniers, en Allemagne).

DÉR. V. **Cacade.**

**CACABER** [kakabe] v. intr. — 1560; bas lat. *cacabare,* grec *kakabidzein.*

Rare. Crier, en parlant de la perdrix, de la caille.

**CACADE** [kakad] n. f. — 1690; de *cagade,* d'après *caca.*

♦ **1** Vx. et fam. Évacuation d'excréments*.

♦ **2** Fig. Vieilli. Reculade honteuse, échec ridicule. *Faire une cacade par lâcheté, par couardise.*

Quand je vois la cacade devant Dantzick (...)
VOLTAIRE, Lettr. Pruss., 109.

REM. Le mot se rencontre encore dans l'usage littéraire (cf. Céline au sens 1 et H. Bazin, L. Daudet au sens 2, *in* T. L. F.).

**CACAHUÈTE** [kakawɛt] n. f. — 1801; esp. *cacahuete,* mot nahuatl *tlacacahuatl,* de *tlalli* «terre», et *cacahuatl* «cacao» (→ Cacao).

Fruit de l'arachide*; graine contenue dans ce fruit, notamment quand elle est grillée. *Cacahuètes grillées. Manger des cacahuètes. Acheter un paquet de cacahuètes. Aux Antilles, les cacahuètes sont appelées pistaches* (cit. 1.1). — On écrit aussi *cacahouète, cacahouette. Cacahouettes et bananes,* roman de Jean-Richard Bloch.

Le sou vaut ici huit perles bleues. Un enfant achète une poignée de cacahouettes. On lui rend quatre perles.
GIDE, Voyage au Congo, *in* Souvenirs, Pl., p. 817.

(Trad. de l'angl. *peanut butter*). *Beurre de cacahuètes :* préparation pâteuse, sucrée, utilisée en tartines, etc. Syn. : *beurre* d'arachide.*

Loc. fam. *Valoir son pesant* de cacahuètes.*

**CACAO** [kakao] n. m. — 1569, «cacaoyer»; *cacap,* 1532; mot esp., nahuatl *cacahuatl.*

♦ **1** Graine de cacaoyer servant à fabriquer le chocolat*. *Les cacaos terrés sont les plus estimés. La théobromine est extraite du cacao. Beurre de cacao :* matière grasse exprimée du cacao. *Poudre de cacao* (*cacao* au sens 2).

On sait que Linné appelle le cacao *cacao theobroma* 1
(boisson des dieux). On a cherché une cause à cette qualification emphatique : les uns l'attribuent à ce que ce savant aimait passionnément le chocolat (...)
A. BRILLAT-SAVARIN, Physiologie du goût, I, p. 143.

♦ **2** (1903, au sens b (→ cit. 2)). **a** Poudre de cette graine que l'on dissout pour en faire une boisson chaude.

**b** Cette boisson. *Une tasse de cacao.* → **Chocolat.**

— Madame a les yeux battus... Madame devrait prendre 2
un verre de cognac.
— Non, merci, j'aime mieux mon cacao.
WILLY (COLETTE), Claudine s'en va, p. 19, *in* D. D. L., II, 16 (1903).

DÉR. **Cacaoté, cacaoyer** ou **cacaotier, cacaoyère** ou **cacaotière.**

**CACAOTÉ, ÉE** [kakaɔte] adj. — 1947; de *cacao.*

Qui contient du cacao. *Petit déjeuner cacaoté. Farine cacaotée.* → **Chocolaté.**

**CACAOUI** [kakawi] n. m. — 1672; mot algonquin.

Régional (Canada). Petit canard sauvage, appelé aussi *canard à longue queue de Terre-Neuve.*

**CACAOYER** [kakaɔje] ou **CACAOTIER** [kakaɔtje] n. m. — 1686, *cacaoyer; cacaotier,* 1698; de *cacao.*

Plante dicotylédone *(Sterculiacées),* originaire de l'Amérique du Sud, scientifiquement appelée *Theobroma cacao. Les fruits du cacaoyer* (→ **Cabosse**) *contiennent une pulpe renfermant les graines.* → **Cacao.** *Plantation de cacaotiers.* → **Cacaoyère** ou **cacaotière.**

**CACAOYÈRE** [kakaɔjɛʀ] ou **CACAOTIÈRE** [kakaɔtjɛʀ] n. f. — 1719, *cacaoyère; cacaotière,* 1722; de *cacao.*

Plantation de cacaoyers.

**CACARDEMENT** [kakaʀdəmɑ̃] n. m. — 1867, Goncourt (→ cit.); de *cacarder.*

Cri de l'oie (→ **Caquetage**).

Il contrefaisait le réveil d'une basse-cour, la fanfare fêlée du coq, les gloussements, les cacardements, les roucoulements, tous les caquetages gazouillants des bêtes qui semblaient s'éveiller sous sa blouse.
Ed. et J. DE GONCOURT, Manette Salomon, p. 26.

**CACARDER** [kakaʀde] v. intr. — 1613; repris en 1820; formation onomatopéique; → Couin-couin.

Rare. Crier, en parlant de l'oie.

(...) on entend cacarder les oies vigilantes d'une basse-cour 1
à l'autre. J. RENARD, Hist. nat., 1896, p. 100.

Par métaphore (au p. p., supposant un v. tr. non attesté) :

2 Avec ses yeux cuits persillés de cils ras, son gros foie d'oie balancé sur des pieds plats, sa voix cacardée du fond de la gorge, Madame Daroux manquait d'allure et le savait.
Hervé BAZIN, Cri de la chouette, 1972, Grasset, p. 50.

DÉR. **Cacardement, cacardeur.**

**CACARDEUR, EUSE** [kakaʀdœʀ, øz] adj. — 1919, R. Rolland ; de *cacarder*.

Qui cacarde. *Des oies cacardeuses.*

**CACATOÈS** ou **KAKATOÈS** [kakatɔɛs] n. m. — 1809, *cacatoès ; kakatoès*, 1760 ; *cacatois*, 1663 ; *cacatoua* ou *kakatou*, 1652 ; port. *cacatua*, malais *kakatūwa*, de *kaka*, n. d'un oiseau (corneille ?), et *tūwa* «vieux».

Oiseau grimpeur *(Psittacidés)* dont la tête est ornée d'une huppe érectile aux vives couleurs (→ **Perroquet**).

1 Par là-dessus, les cris déchirants du kakatoès (...)
Alphonse DAUDET, le Petit Chose, II, 12.

REM. Le mot s'est prononcé [kakatwa] jusqu'au XIXe s. (→ Cacatois) et écrit *kakatoès* jusqu'à la fin du XIXe s., en concurrence avec *cacatoès*, graphie normale aujourd'hui ; mais on rencontre encore au XXe s. la graphie *kakatoès*.

2 (...) un kakatoès qu'un singe a attrapé par la queue se débat à mort et il piaule (...)
GIRAUDOUX, Provinciales, p. 59.

**CACATOIS** [kakatwa] n. m. — 1835 ; *cacatoi*, 1832 ; de *cacatois* «cacatoès» (1663), par allus. à la voile appelée perroquet.

Mar. Petite voile carrée, au-dessus du perroquet*. *Serrer les cacatois.*

Le vent fraîchissait, et *La Jeune-Hardie* courait grand largue sous ses huniers, sa misaine, sa brigantine, ses perroquets et ses cacatois.
J. VERNE, Un hivernage dans les glaces, p. 221.

*Mât de cacatois*, et, absolt, *cacatois* : le mât qui porte cette voile.

**CACHALOT** [kaʃalo] n. m. — 1694 ; *cachalut*, t. d'apothicaire, 1628 ; esp. ou port. *cachalote* poisson «à grosse tête», de *cachola* «grosse tête», de la famille du lat. *caput*.

Mammifère cétacé* *(Odontocètes)*, scientifiquement appelé *physeter*, voisin de la baleine, mais possédant des dents — et non des fanons. *Le cachalot peut atteindre de 15 à 20 mètres de long ; sa tête est énorme. Pêche au cachalot. Produits extraits du corps du cachalot :* ambre* gris, blanc de baleine (→ **Spermaceti**).

Loc. fam. *Souffler comme un cachalot :* être très essoufflé.

**CACHE** [kaʃ] n. — 1561 ; *en cache* «en cachette», av. 1559 ; de *cacher*.

**I** N. f. Vieilli ou régional. Lieu secret propre à cacher, à se cacher. → **Cachette.** *Une bonne cache. Sortir de sa cache.*

1 Un invalide prétendait avoir travaillé autrefois à faire à Meudon une cache pour un gros trésor.
SAINT-SIMON, Mémoires, 120, p. 66.

2 C'était (...) comme un animal minuscule, dans le genre d'une souris et qui bondissait, rebondissait, s'échappait loin de lui, et le traînant avec elle, par petits soubresauts de l'échine par réflexes atrophiés, l'attirait vers sa cache, vers son trou au coin d'un mur (...)
J.-M. G. LE CLÉZIO, la Fièvre, p. 108.

**II** N. m. (1898 ; «feuille opaque pour éviter un décalquage», 1870). Photo et cinéma. Papier à surface opaque destiné à cacher une partie de la pellicule à impressionner. *Les caches «sont des plaques opaques masquant une partie du champ visuel. Les caches dits obscurs circonscrivent des zones d'ombres qui ne seront pas "exposées" et qui permettront une nouvelle exposition à l'aide du contre cache»* (H. Agel, *le Cinéma*, 1954 ; Casterman, p. 197).

Par ext. Élément destiné à masquer une partie d'une surface lors d'une opération effectuée sur cette surface. — (1884). Papillon collé sur un détail d'un projet d'architecture ou de décoration pour indiquer une variante.

DÉR. **Cachette.** ◊ HOM. **Cash.**

**CACHE-** Élément servant à former divers composés, de genre masculin, relevant notamment du vocabulaire des jeux (ex. : *cache-tampon*), de la mode (ex. : *cache-nez*) ou de la technique (ex. : *cache-flamme*).

**CACHE-BRASSIÈRE** [kaʃbʀasjɛʀ] n. m. — Av. 1973 ; de *cache-*, et *brassière*.

Petit corsage en tissu fantaisie destiné à protéger la brassière d'un bébé. *Le cache-brassière remplace le bavoir. Des cache-brassières.*

**CACHE-CACHE** [kaʃkaʃ] n. m. invar. — 1778 ; de *cacher*.

♦ **1** Jeu d'enfants où l'un des joueurs doit découvrir les autres qui sont cachés. → **Cachette** (3.), **cligne-musette** (vx). *Une partie de cache-cache.*

♦ **2** Loc. fig. *Jouer à cache-cache :* se cacher et se montrer tour à tour ; se manquer l'un l'autre alors qu'on cherche à se joindre.

Voyez-vous, plus l'heure est grave, plus on joue à cache-cache avec soi-même (...)
MARTIN DU GARD, les Thibault, t. III, p. 133.

**CACHE-CŒUR** [kaʃkœʀ] n. m. — Mil. XXe ; de *cache-*, et *cœur*.

Petite pièce de l'habillement féminin, portée croisée sur la poitrine. *«On nous a montré les sept façons de la porter* (l'étole), *et d'en faire à loisir une veste trotteur, un cache-cœur ou un cache-épaules»* (*le Monde*, 13 mars 1952). *Des cache-cœurs.* — Appos. *Un gilet cache-cœur.*

**CACHE-COL** [kaʃkɔl] n. m. — 1842 ; *cache-coul* «sorte de fraise», 1532, Rabelais ; de *cache-*, et *col*.

Écharpe qui entoure le cou. → **Écharpe, foulard ; cache-nez.** — On a dit aussi *cache-cou*.

REM. On fait traditionnellement le mot invariable, mais rien ne s'oppose à ce qu'on écrive régulièrement *des cache-cols*.

**CACHE-CORSET** [kaʃkɔʀsɛ] n. m. — 1879, *in* D. D. L. ; de *cache*, et *corset*.

Anciennt. Sous-vêtement féminin couvrant le buste (sur le corset). *Des cache-corset* ou *des cache-corsets*.

(...) il vit une petite métairie au bord de la route et, dans le pré, une femme en jupon rouge (...)
Elle avait les épaules et les bras nus hors d'un cache-corset de toile dans lequel elle étalait également de fort gros seins très hâlés.
J. GIONO, le Hussard sur le toit, 1951, p. 11.

**CACHECTIQUE** [kaʃɛktik] adj. — 1538 ; grec *kakhektikos*, par le lat. méd. *cachecticus*. → Cachexie.

Méd. Relatif à la cachexie. *État cachectique.* — Qui est atteint de la cachexie. — N. *Un, une cachectique.*

Antoine, silencieux et le cœur serré, observait le masque cachectique de son père (...)
MARTIN DU GARD, les Thibault, t. III, p. 124.

**CACHE-ENTRÉE** [kaʃɑ̃tʀe] n. m. — 1740; de *cache-*, et *entrée.*

Techn. Petite pièce métallique qui masque l'entrée d'une serrure quand la clef est enlevée. *Des cache-entrée* ou *des cache-entrées.*

**CACHE-FLAMME** [kaʃflam] n. m. — XX^e; de *cache-*, et *flamme.*

Techn. Appareil tronconique, placé à l'extrémité du canon d'une arme automatique, pour refroidir les gaz et dissimuler la flamme produite par leur combustion. *Le cache-flamme d'un fusil mitrailleur. Des cache-flammes* (→ Cache-col, REM.).

**CACHE-MAILLE** [kaʃmaj] n. f. — 1611; de *cache-*, et 2. *maille* «monnaie».

Vx ou régional. Tirelire. *Des cache-maille* ou *des cache-mailles.* — REM. On trouve chez Cendrars la var. par approximation phonétique : *cachemagne.*

**CACHE-MAILLOT** [kaʃmajo] n. m. — XX^e; de *cache-*, et *maillot.*

Vêtement léger que les femmes portent par-dessus le maillot de bain, avant ou après la baignade. *Des cache-maillot en tissu éponge. Des cache-maillots* (→ Cache-col, REM.).

**CACHEMENT** [kaʃmɑ̃] n. m. — XVI^e; de *cacher.*

Vx (langue class.). Action de cacher (qqch., qqn), de se cacher.

Les mines qu'elles affectèrent (...) leurs détournements de tête, et leurs cachements de visage.
MOLIÈRE, Critique de l'École des femmes, 3.

**CACHEMIRE** [kaʃmiʀ] n. m. — 1803; n. d'un État de l'Inde.

♦ **1** (1820). Tissu ou tricot fin en poil de chèvre du Cachemire ou du Tibet, mêlé de laine. *Pull-over en cachemire.* — Par ext. Tissu de laine très fin.

1 Voici des burnous de cachemire ondoyants comme des flots de clarté, puis des haillons superbes de misère (...)
MAUPASSANT, la Vie errante, p. 150.

REM. La graphie angl. *cashmere* est couramment employée en commerce, elle sert parfois à éviter l'ambiguïté avec le sens 2. *Pull en cashmere. Tissu en pure laine cashmere.*

1.1 (...) l'on découvrait, au milieu des jambons de Prague et des cachemires de l'Inde, des caviars d'Iran et des cashmeres d'Écosse (...)
A. BLONDIN, Monsieur Jadis, 1970, p. 203.

Loc. pop. (1886). Vieilli. *Donner un coup de cachemire,* un coup de torchon.

♦ **2** *Un châle de cachemire,* à dessins caractéristiques; absolt, *un cachemire.*

2 Les petites créatures qui passent leur vie à essayer des cachemires ou qui se font les portemanteaux de la mode n'ont pas de dévouement, elles en exigent et voient dans l'amour le plaisir de commander, non celui d'obéir.
BALZAC, la Peau de chagrin, Pl., t. IX, p. 87.

Par appos. *Impression cachemire :* motif reproduisant les dessins caractéristiques des châles en cachemire.

**CACHE-MISÈRE** [kaʃmizɛʀ] n. m. invar. — 1847; de *cache-*, et *misère.*

♦ **1** Vêtement de bonne apparence sous lequel on dissimule des habits ou du linge usagés.

♦ **2** Élément de décoration, tapisserie, tenture, papier peint..., qui cache une surface dégradée.

**CACHE-MOUCHOIR** [kaʃmuʃwaʀ] n. m. 1866; de *cache-*, et *mouchoir.* → **Cache-tampon.**

**CACHE-NEZ** [kaʃne] n. m. invar. — 1830; «sorte de masque», 1536; de *cache-*, et *nez.*

Écharpe* dont on s'entoure le cou et qui peut couvrir le bas du visage pour préserver du froid. → **Cache-col.** *Des cache-nez.*

Un feutre à larges bords jetait de l'ombre sur ses yeux étincelants; un gros cache-nez de laine entourait son cou (...)
M. BARRÈS, la Colline inspirée, p. 290.

**CACHE-POT** [kaʃpo] n. m. — 1830; loc., fin XVII^e; de *cache-*, et *pot.*

Enveloppe ou vase orné qui sert à cacher un pot de fleurs. *Des cache-pot* ou *des cache-pots.*

Une filandreuse plante verte jaillissait d'un cache-pot de peluche (...)
G. DUHAMEL, Chronique des Pasquier, IV, I.

(1684). Loc. vieillie. **À CACHE POT** OU **À CACHE-POT :** en fraude. *Vendre du vin à cache-pot.*

**CACHE-POUSSIÈRE** [kaʃpusjɛʀ] n. m. invar. — 1876; de *cache-*, et *poussière.*

Anciennt. Vêtement de dessus en tissu léger pour protéger les automobilistes de la poussière. *Des cache-poussière.*

Je reste immobile, à mon siège. Mon cache-poussière fait une tache blanche dans la nuit. M. et MM. Seymour Caress ne descendent pas de leur voiture.
Paul MORAND, l'Europe galante, Nicu Petresco, p. 75.

**CACHE-PRISE** [kaʃpʀiz] n. m. — 1979; de 1. *cacher,* et *prise.*

Dispositif de sécurité fait d'une substance isolante, que l'on enfonce dans les alvéoles d'une prise de courant afin d'en rendre les contacts inaccessibles, en particulier aux jeunes enfants. *Des cache-prises* ou *des cache-prise en plastique.*

1. **CACHER** [kaʃe] v. tr. — XIII^e, signifie aussi «presser» jusqu'au XVI^e, cf. l'anc. franç. *escachier.* → Cachet; du lat. pop. **coacticare* «comprimer, serrer», puis «cacher»; dér. du lat. class. *coactare* «contraindre».

♦ **1** Mettre (qqch.) dans un lieu où on ne peut le trouver; dérober, faire disparaître* (qqch.). *Cacher des papiers, des bijoux, de l'argent.* → **Camoufler, celer** (vx), **dissimuler, mucher** (fam.), **musser** (vx), **planquer** (fam.). *Cacher vivement qqch.* → **Escamoter.** *Cacher un trésor dans un lieu secret.* → **Abriter, enfermer, enserrer, renfermer, serrer; clef** (mettre sous clef), **sûreté** (mettre en sûreté). *Cacher un objet volé.* → **Receler.** *Cacher qqch. dans la terre.* → **Enfouir, ensevelir, enterrer.** *Cacher qqch. derrière un voile*, un écran*...* → **Couvrir, déguiser, envelopper, masquer, recouvrir, voiler.** *Cacher une lettre, des billets sous un livre, dans un livre, derrière qqch. — Cacher ses cheveux sous un bonnet.* → **Couvrir.** *Cacher son visage dans ses mains. Cacher sa nudité, son sein. Cachez ce sein* (forme erronée souvent donnée au passage célèbre de *Tartuffe : couvrez,* cit. 17, *ce sein...*).

Cela sent son vieillard, qui, pour en faire accroire, 1
Cache ses cheveux blancs d'une perruque noire.
MOLIÈRE, l'École des maris, I, 1.

(...) afin qu'au moindre bruit (...) je fasse cacher les lumières. 2
MOLIÈRE, le Sicilien, 2.

Dérober (qqn) à la vue, aux recherches. *Cacher un prisonnier, un évadé. Son complice l'a caché chez lui pendant un mois.*

♦ **2** (Sujet n. de choses). Empêcher de voir. → **Dissimuler, masquer.** *La marée haute cache les écueils. Cet arbre cache le soleil, la vue.* → **Arrêter, boucher.** *Les nuages ont caché le soleil.* → **Éclipser, occulter,**

**offusquer** (vx). Spécialt (corps humain). *Ses cheveux cachaient son front.*

3 (...) ce nuage épais
Est plus puissant que moi, puisqu'il cache mes traits (...)
LA FONTAINE, Fables, IX, 7.

4 (...) De Jérusalem l'herbe cache les murs !
RACINE, Esther, I, 1.

4.1 Il faisait nuit, mais non pas la nuit silencieuse sous les étoiles des champs de Réveillon, la pâle lumière des fenêtres du château dans la nuit. Les maisons lui cachaient le ciel, les becs électriques lui cachaient la nuit, le va-et-vient des voitures, des passants, lui cachait le silence.
PROUST, Jean Santeuil, Pl., p. 499.

Loc. *Un train peut en cacher un autre* (formule de l'Administration, aux passages à niveau).

♦ **3** Soustraire aux regards (une chose concrète révélatrice de sentiments). *Cacher ses yeux derrière des lunettes noires. Cacher ses larmes.* → **Rentrer** (ses larmes).

5 (...) elle se sauve *(Sophie)* dans les bras de sa mère et cache dans ce sein maternel son visage enflammé de honte.
ROUSSEAU, Émile, V, p. 563.

♦ **4** Loc. **CACHER SON JEU,** aux cartes. Fig. Cacher son but ou les moyens par lesquels on cherche à l'atteindre ; dissimuler. *Atteindre son but en cachant son jeu* (cf. Sans avoir l'air d'y toucher).

6 M... n'est pas précisément un hypocrite ; mais tout de même il cache son jeu. GIDE, Journal, 1er janv. 1907.

7 Félicité n'avait jamais su cacher son jeu, et sa belle-fille se flattait de l'entendre toujours venir de loin avec ses gros sabots. F. MAURIAC, Génitrix, IX, p. 110.

7.1 La maison appartenait à un vendeur d'esclaves. Ah ! on ne cachait pas son jeu, en ce temps là ! On avait du coffre, on disait : «Voilà, j'ai pignon sur rue, je trafique des esclaves, je vends de la chair noire». CAMUS, la Chute, p. 53.

♦ **5** (1549). Soustraire, dérober (qqch.) à la connaissance. → **Déguiser, dissimuler, farder, rentrer.** *Cacher ses inquiétudes, ses ennuis. Cacher sa passion, son émotion, son enthousiasme. Cacher ses défauts, ses vices. Cacher sa peur.* → **Crâner** (fam.), **fanfaronner,** *Cacher une déconvenue, un ridicule. Il a intérêt à cacher cela,* à ne pas s'en vanter. *Cacher ses actions.* → **Cachette, catimini, secret, tapinois** (agir en cachette, catimini, etc.). Cf. fam. En douce. *Cacher un scandale.* → **Étouffer.** *Cacher la vérité.* → Mettre sous le boisseau*.

8 La douleur que l'on cache est la plus inhumaine.
Mathurin RÉGNIER, Dialogue, Cloris et Philis, 61.

9 Le péché que l'on cache est demi-pardonné.
Mathurin RÉGNIER, Satires, XIII, 9.

10 On dit que l'amour, le feu et l'argent ne se peuvent longtemps cacher.
SCARRON, le Roman comique, II, XIX, p. 281.

11 Il n'est point de déguisement qui puisse longtemps cacher l'amour où il est, ni le feindre où il n'est pas.
LA ROCHEFOUCAULD, Maximes, 70.

12 C'est une grande habileté que de savoir cacher son habileté. LA ROCHEFOUCAULD, Maximes, 245.

13 Il arrive quelquefois qu'une femme cache à un homme toute la passion qu'elle sent pour lui, pendant que de son côté il feint pour elle toute celle qu'il ne sent pas.
LA BRUYÈRE, les Caractères, III, 67.

14 Pour sauver son crédit, il faut cacher sa perte.
LA FONTAINE, les Fables, XII, 7.

15 J'avais tort de cacher mon déplaisir, et je n'avais qu'à parler. MOLIÈRE, l'Amour médecin, I, 4.

16 T'ai-je jamais caché mon cœur et mes désirs ?
RACINE, Andromaque, I, 1.

17 Les femmes ont toutes l'art de cacher leur fureur, surtout quand elle est vive (...)
ROUSSEAU, les Confessions, IX.

18 Je ne veux pas qu'on soit un charlatan, et qu'on use en rien d'artifice ; mais je veux qu'on observe l'art : l'art est de cacher l'art...
Joseph JOUBERT, Correspondance, à Mme de Beaumont, 12 sept. 1801.

(...) la parole a été donnée à l'homme pour cacher sa pensée. STENDHAL, Armance, I, p. 661. 19

La jeune fille ne pouvait pas plus dérober à l'œil intelligent de son silencieux ami une tristesse, une inquiétude, un malaise, que celui-ci ne pouvait cacher à Caroline une préoccupation. 20
BALZAC, Une double famille, Pl., t. I, p. 933.

S'il y avait quelque chose à cacher, il le couvrait très bien de ses habitudes de silence. 21
BARBEY D'AUREVILLY, les Diaboliques, le Dessous de cartes.

Voilà donc la pensée qu'ils nous cachent sous tant de beaux semblants ! 22
Th. GAUTIER, Mlle de Maupin, V, p. 91.

La dissimulation est la première veste de l'homme civilisé et la pierre angulaire de la société. Il nous est aussi nécessaire de cacher notre pensée que de porter des vêtements. FRANCE, le Mannequin d'osier, XII, p. 369. 23

Il *(Antoine)* avait pu voir bien des choses ; il en soupçonnait beaucoup d'autres, mais faisait mine de ne remarquer rien de ce qu'on prétendait lui cacher. 24
GIDE, les Faux-monnayeurs, I, II, p. 21.

Cependant, cacher totalement une passion (ou même simplement son excès) est inconcevable : non parce que le sujet humain est trop faible, mais parce que la passion est, d'essence, faite pour être vue : il faut que cacher se voie. 24.1
R. BARTHES, Fragments d'un discours amoureux, p. 52.

*Cacher sa vie :* vivre hors du monde, à l'abri des regards.

Pour te garder *(le bonheur)* il faut savoir 25
Te cacher et cacher sa vie.
VOLTAIRE, Thélème et Macare.

Se garder de dire, de faire connaître. → **Celer, dissimuler, taire.** *Cacher à qqn une mauvaise nouvelle. Cacher son nom. Je ne cacherai pas ma pensée, mes intentions. Il cache son âge. Je ne vous cache pas que...* (→ **Avouer,** contr.). *Pour ne rien vous cacher :* pour tout vous dire.

Je voudrais vous cacher une triste nouvelle. 26
RACINE, Phèdre, I, 4, 26.

(...) au lieu de vouloir vous cacher mes ennuis, je cherche à m'épancher, et trouve une douceur secrète à vous découvrir mon âme (...) 27
A. R. LESAGE, le Diable boiteux, XIII, p. 121.

◆ **SE CACHER** v. pron.

♦ **1** (Personnes). Faire en sorte de n'être pas vu, trouvé ; se mettre à l'abri, en lieu sûr. → **Dérober** (se), **disparaître, embusquer** (s' ; fam.), **tapir** (se) ; **musser** (se ; vx), **planquer** (se ; fam.), **terrer** (se) ; **abri** (se mettre à l'abri). *Se cacher derrière un arbre* → **Affûter** (s' ; vx). *Un fuyard, un évadé, un banni qui se cache.* — (Animaux). *Les lapins se cachent dans des trous.* → **Clapir** (se).

Approchons cette table et vous mettez dessous. 28
— Comment ? — Vous bien cacher est un point nécessaire.
MOLIÈRE, Tartuffe, IV, 4.

Procris s'était cachée en la même retraite 29
Qu'un faon de biche avait pour demeure secrète.
LA FONTAINE, les Filles de Minée.

Thisbé s'était cachée en un buisson épais. 30
LA FONTAINE, les Filles de Minée.

Les gens contents doivent se cacher comme des malfaiteurs. HUGO, l'Homme qui rit, II, IV, 2. 31

— Cachons-nous. — Dans l'armoire ? 32
HUGO, Hernani, I, 2.

«On se cache, donc on conspire.» (Robespierre). 33
MICHELET, Hist. de la Révolution franç., t. II, p. 1099.

(...) nous nous sommes sauvés plus loin, et puis nous avons été nous cacher dans le bois. 34
G. SAND, la Mare au diable, XV, p. 127.

Un galant homme est toujours un galant homme, même le jour où certaines circonstances de la vie l'ont mis dans la nécessité de se cacher dans un bahut. 35
COURTELINE, Boubouroche, II, 3.

36 (...) les dames-fantômes, presque toutes gracieuses, qui le jour promenaient dans les rues leur énigme, se sont cachées, par convenance, évanouies aussitôt le crépuscule (...) LOTI, Suprêmes visions d'Orient, p. 98.

(Choses). *Le soleil s'est caché* (derrière un nuage), a disparu.

*Aller se cacher* : ne pas oser se montrer. *Va te cacher!* : va-t'en (→ fig. et fam. Va te coucher).

37 Allez vous cacher, vilaines, allez vous cacher pour jamais. MOLIÈRE, les Précieuses ridicules, 16.

38 Laissez-moi là, vous dis-je, et courez vous cacher. MOLIÈRE, le Misanthrope, I, 1.

♦ **2** (Choses abstraites). Se dissimuler. *Son ambition se cache sous des dehors d'indifférence. Se cacher sous le manteau de la vertu. La vérité se cache derrière l'apparence.*

39 Ce qui y paraît *(dans le monde)* ne marque ni une exclusion totale, ni une présence manifeste de divinité, mais la présence d'un Dieu qui se cache. Tout porte ce caractère. PASCAL, Pensées, t. III, VIII, 556, p. 6.

40 L'hypocrisie pour être utile, doit se cacher. STENDHAL, le Rouge et le Noir, X, p. 303.

41 Du reste, les sentiments honorables n'ont que faire de se cacher. — Les sentiments cachés n'ont que faire d'être honorables. GIDE, Robert, I, 3.

42 (...) derrière le plus beau motif, souvent se cache un diable habile et qui sait tirer gain de ce qu'on croyait lui ravir. GIDE, les Faux-monnayeurs, II, V, p. 281.

43 Une insatisfaction, qui se cachait au fond de lui, le retenait dans cette chambre (...) MARTIN DU GARD, les Thibault, t. III, p. 57.

Déguiser ses sentiments.

44 Si l'on mettait à se cacher autant de soin qu'on en met d'ordinaire à se montrer, on éviterait bien des peines. FRANCE, le Livre de mon ami, IV, p. 83.

♦ **3** (Personnes). **SE CACHER À, DE (qqn).** *Se cacher à...* → **Éviter, fuir.** *Se cacher à qqn. Se cacher au monde, aux yeux du monde* : mener une vie retirée.

45 (...) Quoi, Seigneur? croira-t-on
Qu'elle ait pu si longtemps se cacher à Néron?
RACINE, Britannicus, II, 2.

*Se cacher à soi-même* : s'ignorer soi-même. *Se cacher son caractère, ses défauts.*

46 Le plus malheureux effet de la faiblesse de l'âge était de se cacher à ses propres yeux. BOSSUET, Oraison funèbre de Michel Le Tellier.

(1666). *Se cacher de qqn,* lui cacher ce que l'on fait ou dit.

47 On trompe Iphigénie; on se cache d'Achille (...) RACINE, Iphigénie, II, 8.

48 Quand je voyais qu'Albertine avait combiné à mon insu, en se cachant de moi, le plan d'une sortie (...) PROUST, À la recherche du temps perdu, t. XI, p. 111.

(1667). *Se cacher de (qqch.),* n'en pas convenir. → **Secret** (tenir secret). *Il ne s'en cache pas,* il agit ouvertement.

49 Je ne m'en cache point : l'ingrat m'avait su plaire (...) RACINE, Andromaque, IV, 3.

50 Si vous ne vous cachiez pas de vos bienfaits (...) vous auriez eu plus tôt mon remerciement. LA BRUYÈRE, Lettres, XIX, À Bussy.

◆ **CACHÉ, ÉE** p. p. adj.

♦ **1** (Concret). Qu'on a caché; qui se cache, évite de se montrer. *Découvrir ce qui était caché. Complot, conspiration cachée.* → **Clandestin, secret.** *Recoin, repli caché. Source cachée.* → **Souterrain.** *Trésor caché.*

51 Gardez-vous (...) de vendre l'héritage
Que nous ont laissé nos parents :
Un trésor est caché dedans.
LA FONTAINE, Fables, V, 9.

Toute sa personne velue 52
Représentait un ours, mais un ours mal léché.
Sous un sourcil épais il avait l'œil caché (...)
LA FONTAINE, Fables, XI, 7.

(Lieu). Retiré.

(...) quelque asile caché où elle *(Mme de La Tour)* pût vivre seule et inconnue (...) 53
BERNARDIN DE SAINT-PIERRE, Paul et Virginie, p. 16.

(Personnes). *Vivre caché.* — Prov. *Pour vivre heureux, vivons cachés.*

Il en coûte trop cher pour briller dans le monde, 54
Combien je vais aimer ma retraite profonde!
Pour vivre heureux, vivons caché.
FLORIAN, Fables, II, 11.

♦ **2** (Abstrait). Secret, non exprimé; impossible à déceler. *Passion, douleur, peine cachée. Sentiments cachés.* → **Intime.** *La vérité, la réalité cachée sous l'apparence* (→ Apparence, cit. 11; apparent, cit. 2). *Pensée cachée.* → **Arrière-pensée.** *Action cachée.* → **Furtif** (vx.), **subreptice** (→ Action, cit. 17). *Doctrine cachée.* → **Abscons, ésotérique, mystérieux, occulte, sibyllin.** *Découvrir un sens caché à un texte.* → **Codé, cryptique.**

La plupart des hommes ont, comme les plantes, des propriétés cachées que le hasard fait découvrir. 55
LA ROCHEFOUCAULD, Maximes, 344.

Un scandale est l'effet que produit d'ordinaire la révélation d'une action cachée. Car les hommes ne se cachent guère que pour agir contrairement aux mœurs et à l'opinion. 56
FRANCE, le Mannequin d'osier, p. 377.

Les hommes appellent miracle l'apparition subite d'une réalité cachée. 57
R. ROLLAND, Au-dessus de la mêlée, p. 72.

Loc. fig. (1690). *C'est un trésor caché,* une personne dont la valeur est méconnue. — *N'avoir rien de caché pour qqn,* ne rien lui cacher.

♦ **3** Vx (langue class.). Qui dissimule. *Esprit caché.* → **Secret.**

Jamais capitaine n'a été plus caché dans ses desseins. 58
RACINE, les Campagnes de Louis XIV.

♦ **4** Mus. *Octave, quinte cachée* : octave, quinte qui n'est pas réellement écrite.

CONTR. **Afficher, arborer, découvrir, dévoiler, étaler, exhiber, exposer, montrer. — Divulguer, révéler. — Apparaître, manifester** (se), **montrer** (se), **paraître.** — (Du p. p.). **Apparent, découvert, évident, ostensible, sensible, visible.**
◊ DÉR. et COMP. **Cache, cacherie, cachet, cachette, cachot, cachotter. Écacher.** V. aussi **Cache-** (et composés).

2. **CACHER** [kaʃɛʀ] adj. invar. → **Kascher.**

**CACHE-RADIATEUR** [kaʃʀadjatœʀ] n. m. — 1935; de *cache-,* et *radiateur.*

Revêtement ou élément d'ameublement grillagé, destiné à cacher un radiateur d'appartement. *Des cache-radiateurs.*

**CACHERIE** [kaʃʀi] n. f. — Déb. XVIIIe, Saint-Simon; de *cacher.*

Vx et rare. Le fait de cacher, de dissimuler, ou de se cacher. «*L'aventure de la cacherie chez moi*» (Stendhal, 1842; *in* T. L. F.).

**CACHE-SEXE** [kaʃsɛks] n. m. — Fin XIXe; de *cache-,* et *sexe.*

Petit vêtement couvrant le bas-ventre, culotte minuscule. → **Slip, string.** *Des cache-sexe* ou *des cache-sexes.* — En apposition :

Les femmes n'ont d'autre vêtement qu'une feuille cache-sexe dont la tige, passant entre les fesses, rejoint par derrière la ficelle qui sert de ceinture.
GIDE, Voyage au Congo, *in* Souvenirs, Pl., p. 749.

**CACHET** [kaʃɛ] n. m. — 1464, «empreinte»; de *cacher* au sens anc. de «presser».

♦ **1** Plaque ou cylindre d'une matière dure gravée avec lequel on imprime une marque (sur de la cire). → **Sceau.** *Cachet monté en bague, muni d'un manche. Cachet d'or, de rubis, d'agate. Appliquer, apposer, mettre un cachet. Armes gravées sur un cachet.*

1 — Voilà le diamant que vous m'aviez fait prendre
— Fort bien. — Il est à vous encore ce bracelet.
— Et cette agate, à vous qu'on fit mettre en cachet.
MOLIÈRE, le Dépit amoureux, IV, 3.

2 (...) un cachet en forme de petit cylindre, sur lequel était gravée une scène religieuse (...)
DANIEL-ROPS, le Peuple de la Bible, I, 3, p. 76.

La cire, la matière qui porte l'empreinte du cachet. *Cachet fixant les scellés*. Fermer une lettre par un cachet de cire rouge. Briser un cachet. Cachet entier, rompu.* — Vieilli. *Cachet volant,* qui n'adhère qu'à la partie supérieure d'une lettre, sans la fermer.

3 (...) la première lettre du Directoire en renfermait une seconde, scellée de trois cachets rouges, au milieu desquels il y en avait un démesuré.
A. DE VIGNY, Servitude et Grandeur militaires, Cachet rouge, I, V, p. 70.

Fig. *Mettre un cachet sur la bouche de qqn,* lui imposer le silence.

Loc. (1636). **LETTRE DE CACHET :** sous l'Ancien Régime, Lettre au cachet du roi, contenant un ordre d'emprisonnement ou d'exil sans jugement. *Le roi embastillait par lettre de cachet. L'arbitraire des lettres de cachet.*

4 On peut compter quatre-vingt mille lettres de cachet décernées contre les plus honnêtes gens de l'État, sous le plus doux des ministères.
DIDEROT, Opinions des philosophes, *in* LITTRÉ.

♦ **2** (1564). Marque apposée à l'aide d'un cachet (ou d'un timbre en caoutchouc, d'un tampon). → **Empreinte.** *Le cachet d'oblitération de la poste.* → **Oblitération, timbre.** *Cachet postal, de la poste,* indiquant le lieu, la date et l'heure de départ d'une lettre, d'un paquet. *Le cachet de la poste faisant foi* (pour une date). *Le cachet d'une marque* commerciale, d'un fabricant.* → **Estampille.** *Appliquer un cachet sur des bouteilles.*

♦ **3** (1762). Fig. Marque, signe caractéristique, distinctif. → **Marque, originalité.** *Un cachet de nouveauté, d'originalité. Le cachet d'une époque. Le cachet d'un style.* → **Griffe, patte.** *Le cachet du génie. Paysage ayant un cachet d'exotisme. Ce village a du cachet. Cet homme a un cachet de distinction. Elle a du cachet, de l'élégance.*

5 Le style de M. Villemain appartient à notre temps par un certain souci et une certaine curiosité d'expression qui y met le cachet; c'est un style, après tout, individuel, et qui ressemble à l'homme.
SAINTE-BEUVE, Causeries du lundi, 19 nov. 1849, p. 120.

5.1 J'aurais voulu voir Ernest étaler ses grâces dans des polkas échevelées! Vous allez rester dans la tête de ces braves gens-là comme le type du chic parisien. Ils vous ont trouvé un «cachet plein de distinction», j'en suis sûr.
FLAUBERT, Correspondance, 7 juil. 1869.

♦ **4** [a] (1733). Vx. Carte où l'on marquait d'un cachet chaque leçon donnée, chaque service rendu dans un abonnement. *Leçons à deux cents francs le cachet.*

6 Mon écolière me présentait le petit cachet.
DIDEROT, le Neveu de Rameau, p. 158.

Vx. *Repas au cachet dans un restaurant.* → **Ticket.**

[b] Loc. mod. *Courir le cachet :* chercher à donner des leçons à domicile.

Elle l'avait adoré, en effet, au point de flatter le seul vice dont il fût capable, une paresse devenue bien vite monstrueuse, dévoratrice. Pour continuer à nourrir ce cancer, le modeste emploi perdu, le patrimoine dissipé, la malheureuse — selon le mot féroce, un des plus beaux du vocabulaire bourgeois — courut le cachet. 6.1
BERNANOS, Monsieur Ouine, *in* Œ. roman, Pl., p. 1352.

[c] (1898, *in* D. D. L.). Rétribution* d'un artiste, pour un engagement déterminé. *Le cachet d'un acteur, d'un musicien. Les cachets énormes des vedettes de cinéma.*

*(La Berma)* savait qu'elle abrégeait ses jours, mais voulait faire plaisir à sa fille à qui elle rapportait de gros cachets, à son gendre qu'elle détestait mais flattait (...) 6.2
PROUST, le Temps retrouvé, p. 995.

♦ **5** (1873). Pharm. Enveloppe de pain azyme dans laquelle on enferme un médicament en poudre. *Avaler, prendre un cachet.* → **Capsule, gélule.**

Que veux-tu, Père, ton estomac n'est plus un organe de jeune homme! Voilà huit mois au moins qu'on le bourre de potions, de cachets. 7
MARTIN DU GARD, les Thibault, t. III, p. 123.

Le soldat saisit le verre, et boit avec avidité. Mais les cachets à moitié fondus qu'il avale avec la dernière gorgée passent mal, et il ne lui reste plus d'eau pour les aider à descendre. Il garde dans la gorge une sorte de dépôt granuleux, âcre. 8
A. ROBBE-GRILLET, Dans le labyrinthe, p. 135.

Abusif. Comprimé. *Cachet d'aspirine. Prendre un cachet pour calmer la migraine.* — Loc. fam. *Être blanc comme un cachet d'aspirine :* avoir le teint, la peau très pâle; spécialt, ne pas être bronzé.

DÉR. **Cacheter, cacheton.**

**CACHETAGE** [kaʃtaʒ] n. m. — 1861; de *cacheter.*

Techn. Action de cacheter. *«Le nouveau bouchon imperméable et, dit-on, inattaquable par les alcalis même concentrés, permet de supprimer l'opération du cachetage des bouteilles»* (E. Cadol, in *Encyclopédie pratique de l'agriculteur,* 1861; Didot, t. IV, col. 215).

Fermeture de ce qui est cacheté.

**CACHE-TAMPON** [kaʃtɑ̃pɔ̃] n. m. — 1835, Ch. Paul de Kock; de *cache-,* et *tampon.*

Jeu d'enfant où l'on cache un mouchoir ou un objet quelconque que l'un des joueurs doit découvrir (on dit aussi *cache-mouchoir*). *Jouer à cache-tampon.*

Jean avait fait comme ceux qui à cache-tampon, après avoir été tout près de l'objet, s'en éloignent subitement. Car ceux qui sont amoureux croient avoir un plaisir désintéressé à voir les gens qui connaissent l'amour, à parler de l'amour. Mais c'est dans l'espoir d'y retrouver leur amour à eux. PROUST, Jean Santeuil, Pl., p. 779.

REM. *Cache-tampon,* comme *cache-col,* etc. pourrait porter la marque du pluriel; il est traditionnellement considéré comme invariable.

**CACHE-TÉLÉPHONE** [kaʃtelefɔn] n. m. — V. 1950; de *cache-,* et *téléphone.*

Revêtement, généralement en tissu, destiné à habiller un appareil téléphonique. *«On trouve le cache-téléphone de velours au drugstore de Neuilly»* (*le Figaro,* 28 sept. 1966, *in* P. Gilbert). *Des cache-téléphones.*

**CACHETER** [kaʃte] v. tr. [CONJUG.: *jeter.*] — 1464; de *cachet.*

♦ **1** Fermer avec un cachet; marquer d'un cachet. → **Estampiller, sceller.** *Cacheter une lettre, une enveloppe, un paquet.* — (1554). *Cacheter une bouteille.* —

*Cire* à cacheter :* mélange résineux pour cacheter les lettres. *Pain à cacheter :* petit morceau de pâte sèche qui remplace la cire.

1 Le visage barbouillé d'une couche de craie, le nez entièrement habillé d'une carapace de pains à cacheter écarlates, ses cheveux qu'il *(Lahrier)* portait longs (...)

COURTELINE, Messieurs les ronds-de-cuir, 2e tableau, II, p. 69.

♦ **2** Fermer (une enveloppe gommée ou autocollante). *Cacheter un pli. Il faut que je timbre et que je cachette cette lettre.*

◆ **CACHETÉ, ÉE** p. p. adj.

♦ **1** *Dossier, paquet cacheté. Lettre cachetée,* fermée.

2 Elle entre et le voit assis à sa table en face de plusieurs liasses de lettres. Certaines de ces liasses sont déjà cachetées; d'autres ne sont encore que ficelées; d'autres sont libres. Francis JAMMES, Clara d'Ellébeuse, p. 79.

♦ **2** *Bouteille cachetée,* dont le goulot et le bouchon sont cachetés, dans un but de conservation. — Par métonymie. *Vin cacheté :* vin vieux.

3 Coupeau et Lantier se payaient ensemble des noces à tout casser (...) et, attablés nez à nez au fond d'un restaurant voisin, ils se flanquaient par le coco des plats, qu'on ne peut manger chez soi, arrosés de vin cacheté.

ZOLA, l'Assommoir, t. II, p. 32.

N. m. (Vieilli). *Boire du cacheté.*

CONTR. **Décacheter, desceller; ouvrir.** ◊ DÉR. **Cachetage.** — COMP. **Décacheter, recacheter.**

**CACHETERO** [katʃeteʀo] n. m. — 1843, Gautier; mot esp., de *cachete* «poignard».

Taurom. Poignard court, à large garde, avec lequel on achève le taureau lorsqu'il survit à la mise à mort à l'épée. — Par métonymie. Celui qui tue le taureau avec ce poignard, enfoncé dans la moelle épinière.

**CACHETON** [kaʃtɔ̃] n. m. — 1946, cit.; «cachet pharmaceutique», 1937; dimin. de *cachet.*

Fam. Cachet (4.) de professeur, ou cachet d'artiste. Péj. *Courir le cacheton.*

Hai, dit un Corse, il a raison, le petit. Que si nous autres, l'instruction, on l'avait eue, qu'est-ce qu'on n'aurait pas fait? — À la tienne, répliqua le premier joueur. On serait capitaine de gendarmerie ou professeur de piano à courir le cacheton. Tu permets que je ne sois pas jaloux

M. AYMÉ, le Chemin des écoliers, 1946, p. 134.

DÉR. **Cachetonner.**

**CACHETONNER** [kaʃtɔne] v. intr. — Mil. XXe; de *cacheton.*

Fam. Courir le cachet (professeur, artiste).

1 Élodie se cachait pour voir ses amis de la télévision. Elle cherchait péniblement à cachetonner. L'argent de «Lucrèce Borgia» filait rapidement.

Jacqueline MONSIGNY, le Miroir aux pingouins, p. 245.

2 (... un) comédien raté, cachetonnant dans les bonnes ou les mauvaises comédies de boulevard d'avant-guerre et finissant par prendre le chemin du cirque comme clown (...)

Catherine PAYSAN, le Clown de la rue Montorgueil, p. 55.

**CACHETTE** [kaʃɛt] n. f. — 1559; *en quachetez,* 1313; du rad. de *cacher,* et suff. *-ette.*

♦ **1** Endroit retiré, propice à cacher qqch. ou qqn. → **Cache, planque** (fam.). *Mettre ses économies dans une cachette. Sortir de sa cachette.*

1 Il promit qu'il révélerait des cachettes où il y avait de grands trésors. J. AMYOT, Lucul. 64, *in* LITTRÉ.

Figuré :

Le vautour simulé par les plis de la jupe de la Vierge dans le tableau de Léonard, comme le sac de glands sous le bras du jeune homme de la chapelle Sixtine, sont des exemples des multiples cachettes à quoi se complaisent les génies. Pendant la Renaissance, elles ne relèvent pas de complexes, mais d'une volonté malicieuse de déjouer la police dictatoriale de l'Église! 1.1

COCTEAU, Journal d'un inconnu, p. 41.

♦ **2** Loc. adv. **EN CACHETTE :** en se cachant. → **Catimini** (en), **clandestinement, dérobée** (à la dérobée), **discrètement, furtivement, musse-pot** (à musse-pot, vx), **secret** (en), **secrètement, tapinois** (en). *Rire* en cachette.* → **Barbe** (dans sa barbe), **cape** (sous cape). *Faire qqch. en cachette.* → **Cacher** (se).

Mais le mal est, Monsieur, qu'il faudra s'introduire 2
En cachette. MOLIÈRE, le Dépit amoureux, V, 2.

Loc. prép. *En cachette de* (et subst.) : à l'insu de. *Il s'est engagé en cachette de ses parents.*

Subissant ce qu'il appelait «son mal», il y appliquait des compresses d'herbes diverses, surtout d'orties et de feuilles, cela en cachette du médecin dont il oubliait volontiers les remèdes. R. SABATIER, les Noisettes sauvages, p. 32. 3

♦ **3** Jeu d'enfants où l'on se cache. → **Cache-cache.** *Jouer à la cachette.* — REM. On dit aussi *jouer aux cachettes* (régional) :

Six mois plus tard, en jouant aux cachettes avec mon frère Paul, je m'enfermai dans le bas du buffet, après avoir repoussé les assiettes. 4

PAGNOL, la Gloire de mon père, p. 58.

**CACHEXIE** [kaʃɛksi] n. f. — 1537; lat. médical *cachexia,* grec *kakhexia,* de *kakos* «mauvais», et *hexis* «constitution».

♦ **1** «Trouble profond de toutes les fonctions de l'organisme» résultant d'une maladie (Garnier). *La cachexie est un état d'amaigrissement* et de fatigue généralisée dû à la sous-alimentation* (→ **Athrepsie, consomption**), *ou liée à la phase terminale de graves maladies. Cachexie aqueuse :* ankylostomiase (→ **Ankylostome**). *Cachexie hydropique.* → **Œdème** (œdème par carence). *Cachexie hypophysaire*. Cachexie pachydermique.* → **Myxœdème.** *Cachexie paludéenne.* → **Paludisme.** *Cachexie séreuse. Cachexie fluorique.*

♦ **2** Vétér. *Cachexie aqueuse, sèche, osseuse* (des bovins et des ovins).

DÉR. V. **Cachectique.**

**CACHINNATION** [kaʃinasjɔ̃] n. f. — 1969; du lat. *cachinnare* «rire aux éclats».

Psychiatrie. Rire forcé, ne traduisant aucun sentiment, propre aux schizophrènes.

**CACHOT** [kaʃo] n. m. — 1550, «lieu secret»; puis «cachette»; de *cacher.*

♦ **1** (1627). Cellule basse et obscure, dans une prison. → **Basse-fosse, cabanon, cellule, geôle, oubliette.** *Cachot sombre, obscur, souterrain. Mettre, jeter, plonger, enfermer un prisonnier dans un cachot, au cachot. Être muré dans un cachot. Ancien cachot d'un couvent.* → **In pace.**

J'ai une aversion mortelle pour la prison; je suis malade; un air renfermé m'aurait tué; on m'aurait peut-être fourré dans un cachot. 1

VOLTAIRE, Lettre à d'Argental, avr. 1734.

(...) et l'on n'entendit plus dans le cachot d'autre bruit que le soupir de la goutte d'eau qui faisait palpiter la mare dans les ténèbres. 2

HUGO, Notre-Dame de Paris, VIII, 4, p. 127.

Fig. → **Prison.**

(...) l'unique cachot est celui qui mure la conscience. 3

HUGO, Shakespeare, II, 3, p. 71.

Par ext. Toute prison. *Être aux cachots.* Loc. *La paille humide des cachots :* la prison.

4 Non, je ne regrette pas d'avoir fait, à quarante et six ans, l'expérience de ce qu'on est convenu d'appeler la paille humide des cachots.
G. DUHAMEL, Récits des temps de guerre, II, p. 255.

♦ **2** Punition (dans une prison, et, autrefois, une communauté) qui consiste à être enfermé seul dans une cellule. *Faire trois jours de cachot* (argot *mitard*).

5 (...) le plus petit air de répugnance aux propositions des Moines, de quelque nature que puissent être ces propositions, deux cents coups; une entreprise d'évasion; une révolte, neuf jours de cachot, toute nue, et trois cents coups de fouet chaque jour (...) SADE, Justine..., t. I, p. 165.

*Le cachot noir.* → **Cabinet** (noir).

**CACHOTTER** [kaʃɔte] v. tr. — 1689, → cit.; de *cacher*, et suff. dimin. *-ot(t)er.*

Class. (et rare). Cacher* (des petites choses sans importance). → **Mystère** (faire mystère de). — On a écrit aussi *cachoter :*

Je lui contai tout naïvement mes petites prospérités, ne voulant point les cachoter sans savoir pourquoi.
Mme DE SÉVIGNÉ, 1139, 21 févr. 1689.

DÉR. **Cachotterie, cachottier.**

**CACHOTTERIE** [kaʃɔtʀi] n. f. — 1698, Bossuet; de *cachotter.*

Cour. (à la différence de *cachotter*). Affectation de mystère dans les paroles et les actions, au sujet de choses sans importance; petit secret que l'on affecte de taire. → **Mystère, secret.** *Il a la manie de faire des cachotteries.*

CONTR. **Franchise, sincérité.**

**CACHOTTIER, IÈRE** [kaʃɔtje, jɛʀ] n. et adj. — 1670, adj.; de *cachotter.*

Personne qui aime à faire des cachotteries. *Un petit cachottier.*

— (...) je te préviens entre autres que de ma chambre on entend tout ce qui se dit au jardin.
— Et alors? Que veux-tu que ça me foute? Je ne suis pas une cachottière, moi, je ne m'entoure pas de mystère.
S. DE BEAUVOIR, les Mandarins, p. 332.

Adj. *Elle est très cachottière. — Des manières cachottières.*

**CACHOU** [kaʃu] n. m. et adj. — 1651; port. *cacho* (mod. *cachu*), tamoul ou malais *kāšu.*

♦ **1** N. m. Extrait du bois d'un acacia, utilisé en teinture.

♦ **2** N. m. Extrait (astringent) du fruit de l'*Acacia catechu* ou de la noix d'arec. → Catéchine, pyrocatéchine.

(1680). Cour. Pastille brune aromatisée au cachou. *Une boîte de cachous. Un cachou.*

1 Fumeuse avec ça, qui vous offrait des cachous. La petite boîte de fer ronde, vous savez, dont on fait tourner le couvercle, que ça t'ouvre un trou sur la tranche.
ARAGON, Blanche..., t. II, p. 52.

♦ **3** Adj. (invar.). De la couleur brun rougeâtre du cachou. → **Acajou.** *Des bas cachou.*

2 La maison qu'habitait Durtal était une ancienne bâtisse couleur de pierre ponce, coiffée de tuiles brunes et agrémentée de volets cachou. HUYSMANS, l'Oblat, p. 71.

**CACHUCHA** [katʃutʃa] n. f. — 1836, Paul de Kock; esp. *cachucha* d'orig. obscure.

Danse andalouse d'un mouvement animé et gracieux.

*(Le)* coup de jupe d'une danseuse espagnole piaffant une cachucha (...)
Éd. et J. DE GONCOURT, Manette Salomon, p. 25.

**CACHUNDÉ** [kaʃœde] n. m. — 1751; var. au XVIIIe; port. *cachondé* (1619), de *cacho* (→ Cachou), et malais *ondeh* «gâteau».

Vx (attesté surtout jusqu'en 1850). Substance aromatique, utilisée en tablettes pour parfumer l'haleine.

**CACIQUE** [kasik] n. m. — 1545; ital. *cacicco* (1507), puis esp. d'Amérique, mot arawak des Antilles.

♦ **1** Chef indigène des anciens habitants de l'Amérique centrale.

♦ **2** (Av. 1843). Major du concours d'entrée à l'École normale supérieure (→ Fulminer, cit. 9).

— J'ai beaucoup d'affection pour Lestandi. C'est une nature, une âme de «cacique», comme nous disions à Normale.
Patrick MODIANO, les Boulevards de ceinture, p. 168.

(1940). Par ext. Major du concours d'entrée à une grande école, quelle qu'elle soit, ou d'un concours de recrutement.

♦ **3** (1968, *in* Gilbert). Personnalité nantie d'une fonction importante (politique, administrative) ou d'une influence notable sur un groupe.

**CACO-** Préfixe, du grec *kakos* «mauvais», entrant dans la composition de nombreux mots savants ou dans celle de mots empruntés du grec.

**CACOCHYME** [kakɔʃim] adj. — 1478; grec médical *cakokhumos*, de *caco-*, et *khumos* «humeur».

♦ **1** Vx ou plais. D'une constitution débile, d'une santé déficiente par l'effet de l'âge. → **Maladif, malingre, valétudinaire.** *Un vieillard cacochyme.*

Je ne me chargerais pas d'un enfant maladif et cacochyme, dût-il vivre quatre-vingts ans.
ROUSSEAU, Émile, I, p. 29.

Par métaphore (choses, mécanismes). Délabré ou d'aspect fragile. *Un tacot cacochyme.*

♦ **2** (1680). Vx. D'humeur bizarre, aigrie, inégale. → **Quinteux.**

♦ **3** N. (Sens 1 ou 2). *Un pauvre cacochyme.*

CONTR. **Sain, valide, vigoureux. — Affable, égal.**

**CACOCHYMIE** [kakɔʃimi] n. f. — 1503; bas lat. *cacochymia* (Ve), grec *cakokhumia*, de *cakokhumos.* → Cacochyme.

Vx. État de faiblesse due à l'extrême vieillesse.

Pelletier, que j'ai rencontré en omnibus, en allant chercher des lunettes, m'a dit que je surmonterais la cacochymie du corps et de l'esprit en faisant de temps en temps un voyage. E. DELACROIX, Journal, 2 mars 1849.

**CACODYLATE** [kakɔdilat] n. m. — 1843; de *cacodyl(e)*, et *-ate.*

Chim. Sel ou ester de l'acide cacodylique. *Le cacodylate de soude* (de sodium), *de fer est utilisé en injections contre les asthénies.*

Tout le monde, en ce temps-là, prescrivait le cacodylate de soude en injections hypodermiques.
G. DUHAMEL, Biographie de mes fantômes, X, p. 184.

**CACODYLE** [kakɔdil] n. m. — 1842; all. *Kakodyl* (XIXe), du grec *kakôdês* «qui sent mauvais», et suff. *-yl* (→ -yle).

Chim. Composé arsénié, liquide transparent et vénéneux, d'une odeur désagréable, de formule $(CH_3)_2As{-}As(CH_3)_2$.

DÉR. **Cacodylate, cacodylique.**

**CACODYLIQUE** [kakɔdilik] adj. — 1842; de *cacodyl(e),* et *-ique.*

Chim. Qui a rapport au cacodyle. *Acide cacodylique.*

**CACOGRAPHE** [kakɔgʀaf] n. — 1820; de *cacographie.*

Didactique.

♦ **1** (1829). Vieilli. Personne qui orthographie mal. — (1820). Spécialt (anciennt). Pédagogue qui utilise la cacographie comme moyen d'enseignement.

♦ **2** Mauvais écrivain. *«Les deux cacographes* (Verhaeren et Gustave Robin)*»* (Claudel, *in* T. L. F.).

**CACOGRAPHIE** [kakɔgʀafi] n. f. — 1554, repris 1835; de *caco-,* et grec *-graphie.*

Didactique.

♦ **1** Vieilli. Orthographe fautive. — (1809). Spécialt. Anciennt. Méthode d'enseignement qui consiste à introduire volontairement dans un mot une faute d'orthographe pour la faire corriger par les élèves. *La cacographie n'est plus employée pour l'enseignement de l'orthographe.*

♦ **2** Mauvais style. → **Charabia.**

1 Je relève ce bel exemple de cacographie, dans un article de Henry Bataille sur Lucien Mühlfeld (*Renaissance latine,* 15 déc. 1902) : «Mystérieux talion pour les intellectuels dont le sort d'être ici-bas comme éternellement en voyage semble implacable, et pourquoi le désir amer de fixer enfin, quelque part, leur fugacité, sonne peut-être là-haut le châtiment d'un éternel repos.»

GIDE, Journal, 6 nov. 1942.

REM. On rencontre chez Proust le verbe *cacographier.*

2 *(Les)* Jardies où Honoré de Balzac, harcelé par les recors, ne s'arrêtait pas de cacographier pour une Polonaise, en apôtre zélé du charabia.

PROUST, Sodome et Gomorrhe, Pl., t. II, p. 1052. (C'est Brichot qui parle.)

DÉR. **Cacographe, cacographique.**

**CACOGRAPHIQUE** [kakɔgʀafik] adj. — 1832; de *cacographie.*

Didactique.

♦ **1** Vieilli. Qui utilise, en pédagogie, la cacographie. *Méthode, exercices cacographiques.*

♦ **2** Qui dénote un mauvais style. *Des écrits cacographiques.*

**CACOLET** [kakɔlɛ] n. m. — 1819; *cacolier,* 1808; d'un mot régional des Pyrénées *cacoulet,* p.-ê. du basque ou, d'après Guiraud, de **co-acoler* «placer ensemble sur son cou», forme reconstituée d'après le provençal *acolar* «se mettre (un manteau) sur les épaules», cf. anc. franç. *acoler* «pendre qqch. à son cou».

♦ **1** Bât* composé de deux sièges à dossier, et qui sert à transporter des voyageurs, des blessés, dans une armée en campagne ou en terrain difficile.

1 (...) des cacolets revenant des avant-postes avec les blessés qui se balancent aux flancs des mules (...)

Alphonse DAUDET, Contes du lundi, Mères.

*En cacolet :* disposé de chaque côté du dos d'une bête de charge, à la manière du cacolet.

2 Les bêtes de charge, trimbalaient (...) des peaux de vison et de chinchilla fourrées dans des longs sacs de toile en cacolet sur l'échine (...)

B. CENDRARS, Bourlinguer, éd. Folio, p. 469.

Par ext. (rare). Chacun des deux éléments dont se compose ce siège double.

3 Il couvrit d'une sorte de housse le dos de l'éléphant et disposa, de chaque côté sur ses flancs, deux espèces de cacolets assez peu confortables.

J. VERNE, le Tour du monde en 80 jours, p. 83.

♦ **2** Alpin. Siège en toile forte, muni de bretelles, permettant en montagne de transporter à dos un blessé.

♦ **3** Régional (Suisse). Châssis vertical auquel sont fixés un ou deux plans horizontaux, et muni de bretelles pour le transport à dos d'homme. *Porter des fromages, des caissettes de raisin, du bois sur son cacolet.*

**CACOLOGIE** [kakɔlɔʒi] n. f. — 1835, Académie; «injure», 1611; grec *kakologia* «injure; calomnie», de *kakos* «mauvais» (→ Caco-) et *logos* «discours; parole» (→ -logie).

Didact. et rare. Locution ou construction vicieuse. — Par ext. Texte jugé vicieux. → **Cacographie.**

Ergo le réquisitoire qui entraîna la condamnation à mort et l'exécution de Robert Brasillach — écrivain médiocre et traître majeur au demeurant — ne fut qu'une sinistre cacologie vomie par un ramassis de métèques mal débarbouillés *(dit le narrateur).*

M. TOURNIER, le Vent Paraclet, p. 86.

**CACOPHONIE** [kakɔfɔni] n. f. — 1587; grec *kakophônia* «voix ou son désagréable», de *kakos* «mauvais» (→ Caco-), et *phônê* «son» (→ -phonie).

♦ **1** Didact. Succession désagréable de sons, dans la parole; syllabes ou mots dont la rencontre est désagréable à l'oreille. *L'allitération engendre souvent la cacophonie.*

Et les moindres défauts de ce grossier génie 1
Sont ou le pléonasme, ou la cacophonie.

MOLIÈRE, les Femmes savantes, II, 7.

♦ **2** (1732). Cour. Mélange confus de plusieurs voix, de plusieurs bruits. → **Concert, dissonance.** *«La cacophonie des sifflets et des hurlements»* (Chateaubriand, *in* T. L. F.).

Par anal. Mélange confus de sensations diverses (dans un domaine autre que le son).

*(Les femmes)* restaient debout, se saluant, dans le bouquet 2
final des fromages. Tous, à cette heure, donnaient à la fois. C'était une cacophonie de souffles infects, depuis les lourdeurs molles des pâtes cuites, du gruyère et du hollande, jusqu'aux pointes alcalines de l'olivet.

ZOLA, le Ventre de Paris, t. II, p. 114.

CONTR. **Euphonie, harmonie.** ◊ DÉR. **Cacophonique.**

**CACOPHONIQUE** [kakɔfɔnik] adj. — 1853; de *cacophonie.*

♦ **1** Qui fait une cacophonie. *Sons cacophoniques.*

♦ **2** Qui produit une cacophonie. *Un orchestre cacophonique.*

Et souvent (j'étais moi aussi parti en vacances, le plus loin possible de la ville, de la chaleur et des plages cacophoniques) je pensais à lui *(Montès).*

Claude SIMON, le Vent, p. 230.

CONTR. **Harmonieux.**

**CACOSMIE** [kakɔsmi] n. f. — 1970; de *caco-,* et *-osmie.*

Méd. État pathologique où le sujet perçoit une odeur fétide, soit réelle (dans le cas d'une infection, d'une tumeur...), soit inexistante (hallucination olfactive). → aussi **Parosmie.**

**CACTACÉES** [kaktase] ou (vx) **CACTÉES** [kakte] n. f. plur. — 1850; *cacté,* adj., 1803; de *cact(us),* et *-acées, -ées.*

Bot. Famille de plantes phanérogames, dicotylédones dialypétales, comprenant des arbres, arbrisseaux ou herbes vivaces, charnus, à végétation lente, renfermant un suc aqueux ou laiteux, ce qui leur a valu le nom de *plantes grasses* (qu'elles partagent avec d'autres plantes). *Les cactacées, en forme de raquettes, de colonnes, de «cierges», de sphères, etc., ont des feuilles réduites à des épines (oponce; cierge).* → **Cactus.** *On dénombre environ 2 000 espèces de cactacées.* — Au sing. *Une cactacée, une cactée.*

De loin en loin, il y avait les silhouettes calcinées des petits acacias, des buissons, et les touffes des cactées et des palmiers nains, là où l'humidité de la vallée mettait de vagues taches sombres. J.-M. G. LE CLÉZIO, Désert, p. 210.

**CACTERAIE** [kaktəʀɛ] n. f. — XX^e^; de *cact(us)*, et suff. *-eraie*.

Rare. Lieu où poussent des cactus, des cactées.

Là, des villageois et des villageoises (...) s'affairaient dans cette cacteraie en transportant sur la tête ou sur l'épaule des jarres de terre cuite qu'ils entouraient de leurs longs bras.
R. SABATIER, les Enfants de l'été, 1978, p. 198-199.

**CACTUS** [kaktys] n. m. — 1788; *cactier*, 1791; lat. bot. *cactus*, grec *kaktos* «artichaut épineux».

♦ **1** Cactacée. *Des cactus de diverses espèces. Un jardin de cactus.* — Spécialt. Oponce *(Opuntia)*; figuier* de Barbarie.

1 Ces bois de cactus ont un aspect fantastique. Les troncs tordus ressemblent à des corps de dragons, à des membres de monstres aux écailles soulevées et hérissées de pointes. MAUPASSANT, la Vie errante, p. 251.

2 Autour du village, le désert. Un désert de laves et de grès avec ses cactus géants piqués comme des sentinelles, ses maigres broussailles, son effrayante aridité.
Bernard MOITESSIER, Cap Horn à la voile, p. 123.

♦ **2** (1967; d'une chanson de J. Lanzmann et J. Dutronc). Fig. et fam. Difficulté, complication, obstacle. → **Écueil, os** (4.). *Il y a des cactus.*

DÉR. **Cactacées, cacteraie.**

**CACUMINAL, ALE, AUX** [kakyminal, o] adj. — 1888, cf. *cacuminé* «en pointe» (1839); dér. du lat. *cacumen* «pointe».

Didact. (phonét.). Qui est produit par la pointe de la langue repliée vers le palais. *T cacuminal* (ou : *cérébral*).

**c.-à-d.** [sɛtadiʀ] Abréviation graphique pour *c'est-à-dire*.

**CADASTRAGE** [kadastʀaʒ] n. m. — 1948, *in* T. L. F.; a remplacé *cadastration*, 1892; de *cadastrer*.

Admin., techn. Action de cadastrer. *Le cadastrage des terres avant remembrement.* — Son résultat.

REM. La var. *cadastration* [kadastʀasjɔ̃] est hors d'usage.

**CADASTRAL, ALE, AUX** [kadastʀal, o] adj. — 1790; de *cadastre*.

Admin. Du cadastre. *Plan, relevé cadastral; matrice cadastrale. Éléments cadastraux.* → Cadastre. *Titres cadastraux. Revenu cadastral* (impôt foncier; prestations agricoles).

Après avoir attendu des semaines, elle se décida à aller à Kam. Les agents cadastraux avaient bien reçu son projet. S'ils ne lui avaient pas répondu c'était parce que, décidément, l'assèchement de la concession ne les intéressait pas. Néanmoins, ils lui donnaient l'autorisation tacite de faire ses barrages. La mère repartit, fière de ce résultat.
M. DURAS, Un barrage contre le Pacifique, p. 29.

**CADASTRE** [kadastʀ] n. m. — 1527; *cathastre*, 1525, mot provençal; ital. *catastico*, bas grec *katastikhon* «liste», et proprt «ligne par ligne», de *kata* «de haut en bas», et *stikhos* «rang, ligne».

♦ **1** (XVIII^e^). Registre public définissant dans chaque commune la surface et la valeur des biens-fonds et servant de base à l'assiette de l'impôt foncier. *Un plan parcellaire et une matrice cadastrale constituent le cadastre d'une commune.* — *Révision du cadastre. Cadastre rénové. Cadastre numérique :* ensemble des éléments cadastraux (informations concernant parcelles, propriétaires et bâtiments), mis sous forme numérique.

♦ **2** Administration fiscale chargée d'établir, de mettre à jour et de conserver les documents précédents. *Les employés, les agents du cadastre.* → **Cadastreur.**

(...) Bonaparte a prescrit que le *Cadastre* (...) soit enfin 1
établi, et il a tenu à ce que l'on poussât activement à ce travail énorme (...)
Louis MADELIN, Vers l'Empire d'Occident, VII, p. 96.

Les concessions cultivables n'étaient accordées, en général, 2
que moyennant le double de leur valeur. La moitié de la somme allait clandestinement aux fonctionnaires du cadastre chargés de répartir les lotissements entre les demandeurs.
M. DURAS, Un barrage contre le Pacifique, p. 25.

DÉR. **Cadastral, cadastrer.**

**CADASTRER** [kadastʀe] v. tr. — Av. 1781, Turgot; de *cadastre*.

♦ **1** Faire le cadastre de (un lieu), mesurer. *Cadastrer une région. Cette propriété est cadastrée sous tel numéro.* — Au p. p. :

Ils étaient tous bûcherons. Ils avaient fui la plaine pour 1
venir s'installer dans cette partie de la forêt non encore cadastrée par les Blancs, afin de ne pas payer d'impôts et de ne pas risquer l'expropriation.
M. DURAS, Un barrage contre le Pacifique, p. 159.

♦ **2** Fig. Borner, délimiter.

Il est vrai qu'à partir de cette mutation historique caracté- 2
risée par l'institution généralisée du marché et de ses concurrences, chaque homme est devenu le rival de chaque autre, que la liberté a été cadastrée comme la propriété : ma liberté s'arrête là où commence la liberté de l'autre.
Roger GARAUDY, Parole d'homme, p. 144.

DÉR. **Cadastrage** ou **cadastration, cadastreur.**

**CADASTREUR** [kadastʀœʀ] n. — 1838; de *cadastrer*.

Admin., techn. Personne qui établit le cadastre (→ **Arpenteur**) ou le rédige et le conserve (en général, un notaire). — REM. Le fém. *cadastreuse* est virtuel.

**CADAVÉREUX, EUSE** [kadaveʀø, øz] adj. — 1546, Rabelais; lat. *cadaverosus*, de *cadaver* «cadavre».

Littér. (ou style soutenu). Qui tient du cadavre. *Odeur cadavéreuse. Teint cadavéreux.* → **Cadavérique.**

(...) son père et sa mère l'avaient obtenu dans leur vieil- 1
lesse, et il *(le cousin Pons)* portait les stigmates de cette naissance hors de saison sur son teint cadavéreux qui semblait avoir été contracté dans le bocal d'esprit-de-vin où la science conserve certains fœtus extraordinaires.
BALZAC, le Cousin Pons, Pl., t. VI, p. 536.

Elle a, en ce moment, quelque chose de bouleversé qui ne 2
l'embellit pas. Elle est d'une pâleur cadavéreuse.
Louise MICHEL, la Misère, t. II, p. 341.

**CADAVÉRIQUE** [kadaveʀik] adj. — Av. 1787; du lat. *cadaver*.

♦ **1** Qui est caractéristique du cadavre. *Odeur, teinte cadavérique.*

Dans le *Repas d'Emmaüs*, le Christ de Rembrandt est un 1
ressuscité, figure cadavérique, jaunâtre et douloureuse, qui a connu le froid du tombeau, et dont le triste et miséricordieux regard s'arrête encore une fois sur les misères humaines (...)
TAINE, Philosophie de l'art, t. II, V, I, p. 227.

Anat. et méd. *Lividité, pâleur cadavérique. Rigidité cadavérique.*

(1827). Qui concerne, s'exerce sur un cadavre. *Examen, autopsie cadavérique.*

♦ **2** Plus cour. Qui rappelle par son aspect un cadavre. *Un visage cadavérique.* → **Cadavéreux.** *Rigidité, fixité cadavérique* (lorsqu'il ne s'agit pas d'un cadavre).

2 Elles *(des femmes)* virent des traits jaunes, mais durcis, et comme figés dans une fixité cadavérique, des lèvres contractées, des dents serrées.

LOTI, Mon frère Yves, V, p. 26.

3 Cet homme ne vivait pas (...) Sa figure, sèche et cadavérique, affectait des teintes sombres. Comme les tableaux de Léonard de Vinci, il avait poussé au noir.

J. VERNE, Maître Zacharius, p. 113.

**CADAVÉRISER (SE)** [kadaveʀize] v. pron. — 1830; du lat. *cadaver* ou de *cadavérique.*

♦ **1** Anat., méd. Devenir cadavre; subir l'altération qui succède à l'arrêt des fonctions vitales. — REM. Dans ce sens, l'emploi trans. est virtuel.

1 Dès que le bout du nez ou de l'oreille blanchit et se cadavérise, il faut le frotter avec de la neige; par réaction homéopathique, *similia similibus,* le sang et la vie reviennent aussitôt.

L. VIARDOT, Souvenirs de chasse, 1853, *in* D. D. L., II, 7.

♦ **2** Littér. Se figer dans une attitude de cadavre.

2 Stéphanie fondait en larmes. Tout à coup ses pleurs se séchèrent, elle se cadavérisa comme si la foudre l'eût touchée, et dit d'un son de voix faible : «Adieu, Philippe. Je t'aime, adieu!» — Oh! elle est morte! s'écria le colonel (...)

BALZAC, Adieu, 1830, Pl., t. IX, p. 790.

(XXe). Abstrait. Figer son esprit comme dans une rigidité de cadavre.

3 Incapable de me «cadavériser» ainsi, fût-ce par fidélité à moi-même.

Jean ROSTAND, Carnet d'un biologiste, p. 67.

**CADAVRE** [kadavʀ] n. m. — XVIe; *cadaver,* av. 1550; lat. *cadaver.*

♦ **1** Corps (d'un être humain ou d'un animal mort). — REM. Employé pour désigner le corps d'un animal, le mot s'applique surtout aux mammifères et aux gros oiseaux.

[a] Pour les êtres humains. → **Mort** (n. m.); **corps, dépouille** (dépouille mortelle), **macchabée** (pop.). *Un cadavre inerte, froid, pâle, verdâtre. La lividité, la rigidité du cadavre* (→ **Cadavéreux, cadavérique).** *Mettre un cadavre dans le cercueil, en bière. Cadavres enterrés, incinérés.* → **Charnier, cimetière, crématorium, fosse; crémation, ensevelissement, inhumation.** *L'immersion d'un cadavre en mer. Embaumement d'un cadavre* (→ **Momie).** — *Fossilisation d'un cadavre. Destruction du cadavre par décomposition, putréfaction. Cadavre décomposé.* → **Charogne.** *Dissection des cadavres.* → **Anatomie** (cit. 3). *Autopsier un cadavre.* → **Autopsie.** *Les cadavres de la morgue**. Lieu d'exposition des cadavres dans l'Antiquité romaine.* → **Gémonies; nécropole.** *Restes de cadavres.* → **Ossement, relique.** — *Le cadavre de qqn, d'un homme âgé, d'une femme, d'un enfant. Un petit cadavre :* un cadavre d'enfant. — *Légendes concernant les cadavres. — Attirance et répulsion pathologiques pour les cadavres.* → **Nécrophilie, nécrophobie.** — *Animaux qui se nourrissent de cadavres.* → **Nécrophage.** *La police a découvert un cadavre dans la malle.*

1 C'est, dit-il, un cadavre; ôtons-nous, car il sent.

LA FONTAINE, Fables, V, 20.

La chair changera de nature; le corps prendra un autre nom; même celui de cadavre ne lui demeurera pas longtemps. La chair deviendra un je ne sais quoi qui n'a plus de nom dans aucune langue (...) 2

BOSSUET, Sermon sur la mort.

Le cadavre embaumé *(de Cromwell),* que Charles II fit exhumer depuis et porter au gibet, fut enterré dans le tombeau des rois. 3

VOLTAIRE, Essai sur les mœurs, p. 181.

C'est presque une impression apaisante que de surprendre ainsi, à la lueur du grand soleil, le mystère des transformations souterraines; de voir que *ce n'est que cela,* un cadavre, qu'au bout de trois ou quatre années c'est déjà si peu humain, si proche du terreau et des pierres. 4

LOTI, Figures et Choses..., Profanation, p. 169.

Les trois hommes se courbèrent vivement. À moitié nu, le cadavre s'allongeait maigre, effrayant. La chair verdâtre, aux tons de cire molle, apparaissait par endroits, entre les vêtements déchiquetés. 4.1

(...) ils virent que toute cette chair grouillait abominablement (...) M. LEBLANC, l'Aiguille creuse, p. 77.

*Comme un cadavre. Être, rester comme un cadavre,* dans une immobilité de mort.

Et sans connaissance à présent, passif comme un cadavre, il *(Jean)* fut reporté par eux dans l'infirmerie chaude, qu'ils appelaient le «mouroir». 5

LOTI, Matelot, XLVII, p. 183.

M. Thibault était lourd et ne s'aidait pas; il se laissait manier comme un cadavre. 6

MARTIN DU GARD, les Thibault, t. III, p. 245.

(1927). Hist. littér. *Le cadavre exquis :* jeu collectif surréaliste consistant à composer des phrases dont l'ordre grammatical est respecté, chaque participant fournissant un élément dans un contexte inconnu de lui. (Le premier exemple était : *Le cadavre exquis boira le vin nouveau*).

[b] (Animaux). *Le cadavre d'un chien, d'un cheval. Un cadavre d'animal dépecé* (→ Carcasse). — REM. Cet emploi est en général stylistique et évoque plus ou moins le cadavre humain (il ne s'applique en fait naturellement qu'aux animaux familiers, plus ou moins humanisés); *le cadavre d'un oiseau, d'un poisson, d'un insecte,* etc. ne se dit que stylistiquement.

[c] *Cadavre vivant, cadavre ambulant, demi-cadavre :* personne qui a un aspect cadavérique. — *Cadavre* (dans le même sens). *«Le cadavre que je suis devenu»* (P. Bourget, *in* T. L. F.). — En appos. Qui évoque les cadavres. *Vert cadavre* (Goncourt, P. Bourget, *in* T. L. F.).

Pop. et vx. *Le cadavre :* le corps (dans quelques loc.). *Se refaire le cadavre* (*in* Balzac) : se réconforter. *S'arroser le cadavre :* boire.

[d] (Allus. au corps d'une personne assassinée). *«La police politique, au passé plein de "cadavres"»* (L. Daudet, *in* T. L. F.), de crimes.

Loc. *Il y a un cadavre entre eux :* ils sont liés par un acte criminel ou délictueux tenu secret. Cf. la loc. angl. *The skeleton in the cupboard* «Le squelette dans le placard» (sens différent). — *Savoir où est le cadavre, où sont les cadavres.*

[e] Loc. fig. *Ça sent le cadavre :* les choses vont mal, deviennent inquiétantes.

REM. Le mot est cru et direct; on l'emploie surtout dans un contexte sc. (anat.) ou policier. Dans de nombreux cas, on emploie l'euphém. *corps,* notamment lorsque la personne est identifiée (*la police a trouvé un cadavre,* mais *le corps de M. X*).

♦ **2** (1741). Littér. (plantes, objets). *Le cadavre d'un grand hêtre.*

Jérusalem n'était plus que le cadavre d'une grande ville. 7

BOSSUET, Politique tirée de l'Écriture sainte.

(...) cette cathédrale n'a plus d'âme; elle est un cadavre inerte de pierre (...) 8

HUYSMANS, la Cathédrale, p. 85.

Emploi métaphorique (*Cadavre de*, et inanimé abstrait). *Être hanté par le cadavre du passé. «Des cadavres de jours rongés par les étoiles»* (Apollinaire, *Alcools*, p. 103).

♦ **3** (1901). Fam. Bouteille bue, vidée jusqu'au bout.

**CONTR. Vivant.** ◊ **DÉR.** (Du lat. *cadaver*) V. **Cadavéreux, cadavérique, cadavériser** (se).

1. **CADDIE** ou **CADDY** [kadi] n. m. — 1896, *caddie*, in Höfler; *caddy*, 1900; mot angl. (1857), du franç. *cadet*.

Anglic. Sports. Au golf, Garçon qui porte les clubs du ou des joueurs et les lui passe, les leur passe. → **Cadet.** *Des caddies.*

**HOM.** 2. **Caddie, cadi, cadis.**

2. **CADDIE** [kadi] n. m. — 1952, marque déposée; mot angl. des États-Unis, de *caddie cart* «chariot de caddy» (golf). → 1. Caddie.

Anglic. Petit chariot métallique (fabriqué par la firme ayant déposé cette marque) pour transporter les denrées dans les magasins à libre-service, les bagages dans les gares ou les aéroports. *«Ce monde chaud et froid (...) cette mélasse sonore, musique d'ambiance lénifiante, hachée d'appels au haut-parleur et du bruit de plusieurs centaines de caddies qui s'entrechoquent au passage»* (*le Nouvel Obs.*, n° 426, 8-14 janv. 1973, p. 50). *Des caddies.*

**REM.** L'anglicisme est ici historique; cet instrument s'appelle *trolley* en Grande-Bretagne, *cart* aux États-Unis.

**HOM.** 1. **Caddie, cadi, cadis.**

**CADE** [kad] n. m. — 1518; provençal *cade*, bas lat. *catanum*.

Genévrier* oxycèdre des pays méditerranéens. — **HUILE DE CADE** : liquide noir et odorant employé en médecine comme parasiticide et comme topique dans certaines dermatoses. *L'huile de cade est extraite des baies* (→ **Cadenelle**) *du cade.*

**CADEAU** [kado] n. m. — 1416, «lettre capitale», d'où (1532) «enjolivures»; du provençal *capdel* «chef», fig. «lettre capitale», du lat. *capitellum*, dimin. de *caput* «tête» (→ 1. Capital).

♦ **1** (1656; langue class.). Vx. Divertissement offert à une dame.

♦ **2** (1669). Mod. Objet qu'on offre à qqn. → **Don, présent, souvenir.** *Les petits cadeaux entretiennent l'amitié* (loc. prov.). *Cadeaux de noce.* → **Corbeille, liste** (de mariage). *Cadeau de nouvel an.* → **Étrenne, gratification.** *Cadeau de Noël. Offrir, distribuer des cadeaux avec générosité, largesse, libéralité. Un beau cadeau. Recevoir un cadeau royal, magnifique. Faire un cadeau à qqn. Faire cadeau d'un livre.* → **Offrir.** *Un cadeau inattendu.* → **Surprise.**

1 (...) les bontés qu'elle prodiguait à Thérèse, lui faisant de petits cadeaux, l'envoyant chercher, l'exhortant à l'aller voir, la recevant avec cent caresses, et l'embrassant très souvent devant tout le monde.

ROUSSEAU, les Confessions, XL.

2 Et puis, l'une à l'autre, elles se présentent des cadeaux, gentiment, avec des sourires de petites filles.

LOTI, Mme Chrysanthème, XII, p. 86.

3 Le cadeau est attouchement, sensualité : tu vas toucher ce que j'ai touché, une troisième peau nous unit. Je donne à X... un foulard et il le porte : X... me *donne* le fait de le porter; et c'est d'ailleurs ainsi que, naïvement, il le conçoit et le dit.

R. BARTHES, Fragments d'un discours amoureux, p. 89.

**REM.** *Cadeau* s'emploie en apposition pour former des composés. — Pour désigner une présentation : *«L'emballage cadeau est passé dans les habitudes, dans la plus modeste boutique on vous demande toujours si "c'est pour offrir"»* (l'Écho de la mode, 20 nov. 1966, p. 56). *Une boîte-cadeau. Un coffret-cadeau. — Un paquet cadeau; un paquet-cadeau.* — Pour désigner un objet : *«À cette époque de l'année* (Noël), *tous les fabricants "d'objets-cadeaux" déversent sur le marché une série de produits nouveaux conçus spécialement pour attirer l'attention et qui, rarement, correspondent à un besoin précis de l'utilisateur»* (l'Express, 16 déc. 1968, p. 171). *Une idée-cadeau. Des jetons-cadeaux. Un cadeau souvenir.*

(Mil. XVIIIe). Argot. Rémunération d'une prostituée. *N'oublie pas mon cadeau, mon petit cadeau!*

(En franç. d'Afrique). Petite somme d'argent réclamée ou donnée. *M'sieu, cadeau!* — Adj. ou adv. En prime; gratis.

♦ **3** Loc. *Faire (le) cadeau de qqch. à qqn*, lui céder qqch. — (V. 1930). Fam. *Ne pas faire de cadeau(x) à qqn* : être dur (en affaires, etc.) avec lui. — Absolt. *Ne pas faire de cadeau(x).*

(...) ça n'avait pas dû être facile, je te le dis, parce qu'un 4
type qui monte en gentleman dans une course avec des jockeys, il peut s'attendre à ce qu'ils ne lui fassent pas de cadeau.

Claude SIMON, la Route des Flandres, p. 147.

*(Les lycéens)* n'appréciaient que les cours-détente, où l'on 5
peut s'exprimer (...) Le prof est chic, on peut chahuter. Ils ne faisaient d'ailleurs pas de cadeaux et tourmentaient à mort le prof de musique, une chère vieille chose incapable de se défendre.

Claude COURCHAY, La vie finira bien par commencer, p. 73.

♦ **4** Loc. fam. (en parlant de qqch. ou de qqn). *C'est pas un cadeau! C'est un joli cadeau!* : c'est une chose, une personne difficile à supporter.

**DÉR. Cadeauter.**

**CADEAUTER** [kadote] v. tr. — 1844; de *cadeau*.

Fam. et rare. Gratifier (qqn de qqch.).

Le poète Mallarmé (l'auteur du *Faune*) m'a cadeauté d'un 1
livre qu'il édite : *Vatek*, conte oriental.

FLAUBERT, Correspondance, t. VII, p. 313.

Jeanin habitait (...) porte à porte avec le seul parent qui lui 2
restait (...) surnommé le Bon-Dieu, à cause de sa dévotion. Lui-même, parce qu'il était beau de visage, grand et fort, avait été cadeauté par les femmes du sobriquet de Jeanin Bouquet.

A. DE CHÂTEAUBRIANT, la Brière, p. 93.

**REM.** 1. Le mot est normal et courant en français d'Afrique (cf. I. F. A.). 2. Variantes graphiques :

Puis il imagina de casser contre sa tête une assiette, en la 3
heurtant d'un petit coup. D'autres l'imitèrent; les morceaux de faïence volaient (...). — Ne vous gênez pas! Ça ne coûte rien! Le bourgeois qui en fabrique nous en cadote!

FLAUBERT, l'Éducation sentimentale, Pl., t. II, p. 156.

Il y a *(à Croisset)* une chambre d'amis qui sera arrangée. 4
Vous l'habiterez, Seigneur, s'il vous plaît de m'honorer de votre compagnie, de me gratifier de votre présence, de me cadotter de votre conversation, etc.

FLAUBERT, Correspondance, t. I, p. 158 (1844).

**CADÉDIOU** [kadedju] ou **CADÉDIS** [kadedis] interj. — XVIIe; gascon *cadediou, cadedis*, contraction de *cap de Dious* «tête de Dieu».

Vx ou plais. Juron gascon, en usage au XVIIe siècle.

**CADENAS** [kadna] n. m. — 1540; *cathenat*, 1529; anc. provençal *cadenat* (XIIIe), du bas lat. *catenatum*, de *catenatus* «enchaîné», de *catena* «chaîne» (→ Caténaire).

♦ **1** Serrure mobile munie d'un arceau qui se passe dans des pitons (pour fermer une porte, un coffre, une malle...). *L'arceau* (→ **Anneau, anse, crochet**) *du cadenas a l'une de ses extrémités qui tourne sur une charnière*, tandis que l'autre, quand le cadenas est fermé, est traversée par le pêne. Clef de cadenas. Cadenas à chiffre, à combinaison, à secret. Mettre, poser un cadenas. Forcer, ouvrir un cadenas. Fermer une porte au cadenas.* → **Cadenasser.**

1 Car sitôt que du soir les ombres pacifiques
D'un double cadenas font fermer les boutiques (...)
BOILEAU, Satires, VI.

2 (...) je vous défends, de la part de la sainte Inquisition, de toucher à ce cadenas, puisque c'est le sceau du Saint-Office. Je reviendrai demain ici à la même heure pour le lever, et vous apporter des ordres.
A. R. LESAGE, Gil Blas, VI, I, p. 346.

(1779). Loc. fig. (Vx). *Mettre un cadenas aux lèvres de qqn,* le faire taire.

3 Et nos prédicateurs ont-ils ces qualités ? Si par hasard ils ne les avaient pas, faudrait-il pour cela leur attacher des cadenas aux lèvres ? DIDEROT, Claude et Néron.

♦ **2** (1551). Anciennt. Coffret fermé à l'aide d'un cadenas, contenant l'argenterie dont se servaient les rois et les grands seigneurs.

♦ **3** Dr. comm. *Loi du cadenas :* loi qui, pour empêcher les spéculations, mettait immédiatement en vigueur, par décret, les projets de loi tendant au relèvement des droits de douane sur les marchandises.

**DÉR. Cadenasser.**

**CADENASSER** [kadnase] v. tr. — 1569; de *cadenas.*

♦ **1** Fermer avec un cadenas. *Cadenasser une porte, une malle.*

1 (...) l'homme a remis sa veste, rallumé son mégot; la femme cadenasse son cabas (...)
MARTIN DU GARD, les Thibault, t. VIII, p. 98.

♦ **2** Fig. *Cadenasser le bec à qqn,* le faire taire. → **Clouer** (le bec à qqn).

Par métaphore. Tenir enfermé.

2 Lâche pénitent, sans aucun doute, mais vergogneux et humilié. Il avouait, du moins, sa détresse et ne cadenassait pas exclusivement son ignominie dans le coffre-fort des confessionnaux et des tabernacles.
Léon BLOY, le Désespéré, 1886, p. 42.

◆ **SE CADENASSER** v. pron.

(Réfl. ; personnes). S'enfermer solidement. *Il s'est cadenassé dans sa chambre.* → **Verrouiller** (se). — Par métaphore. *Se cadenasser dans son mutisme.*

3 Des voyous accoudés aux comptoirs se retournent.
Ces visages qui se cadenassent, ces mains qui se ferment un peu. À présent tous les accidents deviennent possibles.
Pierre MERTENS, la Fête des anciens, p. 207.

◆ **CADENASSÉ, ÉE** p. p. adj.

♦ **1** *Porte cadenassée.*

♦ **2** Par métaphore et fig. (Choses). *«Un univers cadenassé»* (Colette, *in* T. L. F.). — (Pers.). Secret, impénétrable. *«(Il) demeurait secret, fermé, bouclé, cadenassé»* (H. Pourrat, *in* T. L. F.).

**CADENCE** [kadɑ̃s] n. f. — 1520; «chute», fin XV^e; ital. *cadenza,* du lat. *cadentia (verba),* de *cadere* «finir, se terminer».

♦ **1** Didact. ou littér. (en parlant de mots). Rythme de l'accentuation, en poésie ou en musique; effet qui en résulte. → **Harmonie, nombre.** *La cadence d'un alexandrin. Cadence harmonieuse, juste cadence.*

1 Enfin Malherbe vint, et, le premier en France,
Fit sentir dans les vers une juste cadence (...)
BOILEAU, l'Art poétique, I.

Rythme produit par l'agencement des éléments d'une phrase et l'organisation des assonances. *La cadence de cette période est belle* (Académie).

Il y a dans l'homme un goût naturel qui le rend sensible au nombre et à la cadence; et, pour introduire dans les langues cette espèce d'harmonie et de concert, il n'a fallu que consulter la nature. 2
ROLLIN, Traité des études, III, 3.

♦ **2** (1550). Mus. Terminaison d'une phrase musicale, consistant principalement dans la résolution d'un accord dissonant sur un accord consonant. *Cadence parfaite,* dans laquelle la basse va de la dominante à la tonique. *Cadence plagale* (sous-dominante à tonique). *La demi-cadence se termine sur l'accord de dominante; dans la cadence imparfaite, l'un des accords est renversé; la cadence rompue ou évitée annonce une cadence sans la résoudre. Cadence ornée d'un trille*.* Dans un concerto, Partie improvisée ou écrite, précédant la conclusion d'un mouvement et reprenant un ou des thèmes de la partition, que le concertiste exécute en soliste.

Le concerto comporte traditionnellement trois mouvements. Chacun d'eux se termine en principe par une *cadence* ou *point d'orgue,* sorte de brillante péroraison où le soliste n'est plus soutenu par l'orchestre, suivie de la reprise du thème principal en manière de coda. Au XVIII^e, il était d'usage d'improviser la cadence; mais il en résulta des abus de virtuosité analogues à ceux qui avaient amené les compositeurs à composer eux-mêmes leurs *doubles* (...). À partir de Beethoven, l'usage s'imposa d'écrire intégralement la cadence. Il est juste de préciser que d'autres maîtres (...) l'avaient précédé dans cette voie. 2.1
A. HODEIR, les Formes de la musique, p. 36.

♦ **3** (Fin XV^e). Chorégr. Mesure réglant le mouvement d'un danseur. → **Rythme.** *Donner, marquer, presser, suivre, perdre la cadence.*

Holà ! ne pressez pas si fort la cadence. 3
MOLIÈRE, les Précieuses ridicules, 12.

♦ **4** Cour. Rythme d'un mouvement régulier du corps. *La cadence de la marche. Accélérez la cadence !* — Par métonymie. Répétition du bruit produit par ce mouvement.

(...) la jeune femme et son compagnon n'entendaient en marchant que la cadence de leurs pas sur la terre du sentier... 4
FLAUBERT, M^me Bovary, II, III.

(Fin XVII^e). **EN CADENCE :** d'une manière rythmée, régulière. *Sauter en cadence. Marcher* (cit. 9) *en cadence. Les troupes armées défilent en marchant en cadence.*

Aux flancs du vase comme le long de la frise, la théorie des vierges marche en cadence. 5
Francis de MIOMANDRE, Danse, «La Grèce», p. 10.

En parlant des sons :

Un soir, t'en souvient-il ? nous voguions en silence; 6
On n'entendait au loin, sur l'onde et sous les cieux,
Que le bruit des rameurs qui frappaient en cadence
Tes flots harmonieux.
LAMARTINE, Premières méditations, «Le lac».

On n'entend que les lamentations, perpétuellement reprises en cadence. 7
LOTI, Figures et Choses..., p. 113.

REM. *Cadence* et *en cadence* peut qualifier le mouvement régulier d'objets et la succession rythmée de sons qu'ils produisent. *Le marteau s'abat en cadence sur l'enclume.*

Pour ponctuer le rythme des phrases, ses mains fermées, posées sur le bord de la table, se soulevaient et retombaient, sans violence, mais avec une cadence de marteau-pilon. 8
MARTIN DU GARD, les Thibault, t. V, p. 290.

♦ **5** Spécialt (idée de vitesse). *Cadence de tir d'une arme,* nombre de coups qu'elle peut tirer en un temps déterminé. — (Idée de rendement). Rythme de travail d'un ouvrier, d'une équipe ; de la production d'une entreprise. *Forcer la cadence. Une cadence infernale.* (L'expr. s'emploie, généralt au plur., pour désigner un rythme de travail à la chaîne jugé excessif). *À bas les cadences infernales ! À une bonne cadence :* à une bonne allure. *Accélérer la cadence de production.*

Par ext. Rythme, en général. *En province, on ne vit pas selon la même cadence qu'à Paris.*

DÉR. **Cadencer.**

**CADENCÉ, ÉE** [kadɑ̃se] adj. → **Cadencer.**

**CADENCEMENT** [kadɑ̃smɑ̃] n. m. — 1873, Zola ; de *cadencer.*

Rare. Mouvement bien rythmé.

(...) il lui sembla entendre un murmure confus qui venait de l'ouest. C'était comme le bruit d'une chevauchée lointaine sur la terre sèche. Pas de doute. Il se produisait, à une ou deux verstes en arrière, un certain cadencement de pas qui frappaient régulièrement le sol.

J. VERNE, Michel Strogoff, 1876, p. 232.

**CADENCER** [kadɑ̃se] v. tr. [CONJUG. : *placer.*] — 1701 ; *cadencé,* p. p., 1597 ; de *cadence.*

♦ **1** Didact. (littér.). Donner de la cadence à (des phrases, des vers). → **Rythmer.** *Cadencer une période, son style.*

♦ **2** Littér. Conformer (ses mouvements) à un rythme. *Cadencer son pas,* le régler. *Ce danseur ne cadence pas bien ses mouvements* (Académie).

1 *(Et vous étoiles)* Qui, cadençant vos pas à la lyre des cieux,
Nouez et dénouez vos chœurs harmonieux.

LAMARTINE, Méditations, II, 8.

Équit. *Cadencer un cheval,* donner à ses battues, au moyen du dressage, une cadence régulière.

◆ **CADENCÉ, ÉE** p. p. adj. (1597).

♦ **1** Qui a de la cadence, une cadence sensible. *Période cadencée. Prose nombreuse et cadencée.*

2 Qu'il est doux de voir sa pensée
En mètres divins cadencée.

LAMARTINE, Harmonies..., I, 1.

2.1 Sombre amant de la Mort, pauvre Léopardi,
Si, pour faire une phrase un peu mieux cadencée,
Il t'eût fallu jamais toucher à ta pensée,
Qu'aurait-il répondu, ton cœur simple et hardi ?

A. DE MUSSET, Poésies nouvelles, « Après une lecture », 1842, Pl., p. 431.

3 Une phrase doit être bouclée, cadencée, bien tombante, bien proportionnée.

Antoine ALBALAT, l'Art d'écrire, VIII, p. 149.

♦ **2** Cour. Rythmé. *Mouvements cadencés. Marcher au pas cadencé. Galop cadencé d'un cheval.*

4 Le fandango tourne et oscille (...) tous les bras, tendus et levés, s'agitent en l'air, montent et descendent avec de jolis mouvements cadencés, suivant les oscillations du corps.

LOTI, Ramuntcho, I, V, p. 68.

5 Et cette démarche assurée, cadencée, montrait que cette créature éblouissante avait conscience d'orner le monde où elle marchait (...)

Valery LARBAUD, Fermina Marquez, p. 15.

DÉR. **Cadencement.**

**CADÈNE** ou **CADENNE** [kadɛn] n. f. — 1540 ; ital. du Nord *cadena* (déb. XIV^e), du lat. *catena* « chaîne » (→ Cadenas), plutôt que du provençal *cadena* « chaîne ».

♦ **1** Vx. Chaîne de fer à laquelle on attachait les forçats. *Être à la cadène. Mettre, attacher à la cadène :* punir du châtiment infligé aux galériens.

Par métonymie. Troupe de galériens enchaînés (dite aussi *la Grande Cadenne*) et conduits vers le bagne (de Toulon ou de Brest). — Par ext. Le bagne.

♦ **2** Mar. [a] (1678). Vx. Chaîne de fer fixée au bordage d'un navire et sur laquelle sont ridés* les haubans, les étais.

Une fois arrivé au bâtiment, Ayrton, accroché, soit aux sous-barbes, soit aux cadènes des haubans, pourrait reconnaître le nombre et peut-être surprendre les intentions des convicts.

J. VERNE, l'Île mystérieuse, 1874, t. II, p. 613.

[b] Mod. Ferrure boulonnée sur le bordage et servant au même usage. *Cadène d'étai, cadène de hauban. Les ridoirs, fixés entre la cadène et la manœuvre, permettent le réglage.*

**CADENELLE** [kadnɛl] n. f. — 1867 ; *cadenele,* 1845 ; provençal *cadenelo,* du rad. *caden-,* de l'étymon de *cade* (→ Cade), et suff. dimin. *-elle.*

Bot. Fruit (baie) du cade.

**CADENETTE** [kadnɛt] n. f. — 1653 ; de Honoré d'Albert, Seigneur de *Cadenet* (Vaucluse), qui mit cette coiffure à la mode sous le règne de Louis XIII.

♦ **1** Anciennt. Longue mèche de cheveux portée surtout par les hommes, à droite ou à gauche du visage.

Religieux, nonains, nonettes, 1
Bourgeois portant cadenettes,
Avec cotillons divers (...)

J. LORET, la Muse historique, 1853, t. I, p. 410, *in* D. D. L., II, 7.

(XVII^e). Chacune des deux tresses de cheveux que les soldats de l'infanterie française portaient de chaque côté de la figure.

(...) je n'espère point tant de vous, ni que vous garderez 2
longtemps rancune à la bonne épée qui me vendra trop cher la gloire, si toutefois celui qui la porte sait retrousser une moustache blonde et friper une cadenette.

BERNANOS, la Mort avantageuse du chevalier de Lorges, *in* Œ. roman., Pl., p. 1764.

♦ **2** Mod. Petite tresse. *Les cadenettes d'une petite fille.* → 2. **Couette.**

**CADET, ETTE** [kadɛ, ɛt] n. — 1466 ; gascon *capdet,* provençal *capdel* « chef » (→ Cadeau), par homonymie d'après Guiraud entre le provençal *cadel* « chef » (lat. *capitellum*), et *cadel* « petit d'un animal » (lat. *catellus*) ; a supplanté « puîné » au XVIII^e.

♦ **1** Personne, enfant, qui, par ordre de naissance, vient après l'aîné, et, par ext., après un aîné. *C'est mon cadet, ma cadette. Les cadets obéissent à l'aîné.*

Un second lui succède *(à l'aîné),* et se met en posture ; 1
Mais en vain. Un cadet tente aussi l'aventure.
Tous perdirent leur temps, le faisceau résista (...)

LA FONTAINE, Fables, IV, 18.

Il avait un frère aîné, capitaine dans le même régiment, 2
pour lequel était toute la prédilection de la mère, qui (...) en usait très mal avec le cadet (...)

ROUSSEAU, les Confessions, XII, p. 172.

Après des déboires qui les avaient atteints physique- 3
ment, les deux cadets se refaisaient dans cette bienfaisante monotonie du cloître, comme des surmenés dans une cure de repos. M. BARRÈS, la Colline inspirée, p. 43.

Hist. (dr. féodal). *Cadet (de famille) :* jeune noble (autre que l'aîné) destiné à la carrière ecclésiastique.

Il suffit que ce jeune homme soit le cadet de sa maison, 3.1
pour ne pas douter qu'il ne soit dès là appelé aux fonctions redoutables de pasteur des âmes.

BOURDALOUE, Carême, *in* LITTRÉ.

(1671). Le dernier-né des enfants. → **Benjamin.** *La cadette de la famille,* la plus jeune.

Adj. *Frère cadet, sœur cadette,* plus jeune que l'aîné, ou qu'un aîné. — (1740). *Branche cadette,* issue d'un cadet.

♦ **2** (1690). *Le cadet de qqn :* une personne moins âgée (sans relation de parenté). *Il est mon cadet de deux ans.* — (Sans compl.). *Les cadets :* les plus jeunes (d'un groupe).

Fig. et vieilli. Personne qui, dans un certain domaine, a moins d'expérience qu'une autre. → **Apprenti, novice.**

Vx. *N'y allez pas si vite, mon (jeune) cadet ! Voilà un beau cadet !*

♦ **3** Loc. *C'est le cadet de mes (ses...) soucis,* le dernier, le moindre.

♦ **4** (1530). Anciennt. Gentilhomme qui servait comme soldat, puis comme officier subalterne, pour apprendre le métier des armes. — (1682). *Compagnie de cadets. Les cadets de Gascogne.*

4 J'allais devenir militaire, car on avait arrangé que je commencerais par être cadet.

ROUSSEAU, les Confessions, IV.

5 Ce sont les cadets de Gascogne
De Carbon de Castel-Jaloux ;
Bretteurs et menteurs sans vergogne,
Ce sont les cadets de Gascogne !

Edmond ROSTAND, Cyrano de Bergerac, II, 7.

Mod. Élève officier.

6 De temps en temps, je rends visite, à Malvern, puis à Ribbersford *(en Angleterre),* aux «cadets de la France libre». En 1940, j'ai créé leur école, destinée aux étudiants et collégiens passés en Angleterre.

Ch. DE GAULLE, Mémoires de guerre, 1954, t. I, p. 242.

♦ **5** (1928). Sports. Se dit d'une catégorie de sportifs plus âgés que les *minimes,* et trop jeunes pour être parmi les *juniors* (de 15 à 17 ans). *Elle sera cadette l'an prochain.*

(1906). Au golf, Garçon chargé de porter les clubs des joueurs. → 1. **Caddie.**

CONTR. **Aîné.**

1. **CADETTE** [kadɛt] n. f. — D. i. ; fém. de *cadet.*

Techn. (vx). Queue de billard moins longue qu'une autre, servant à certains coups, dans les anciens billards.

2. **CADETTE** [kadɛt] n. f. — 1559 ; mot d'orig. provençale ou franco-provençale (cf. le provençal *cadeto* «dalle»).

Techn. (vx). Pierre servant au dallage. *«Les cadettes de pierre du plancher»* (Lamartine, *le Tailleur de pierre de Saint-Point,* 1851, *in* T. L. F.).

**CADI** [kadi] n. m. — 1351, *cady ;* arabe *(')ăl- qādī* «le juge». → Alcade.

Magistrat musulman qui remplit à la fois les fonctions civiles, judiciaires et religieuses. *Des cadis.*

On voyait venir d'autres cadis, d'autres pachas, d'autres effendis, qui prenaient la place des expulsés (...)

VOLTAIRE, Candide, 30.

HOM. **1. Caddie, 2. caddie, cadis.**

**CADIS** [kadi] n. m. — 1352 ; anc. provençal *cadis,* probablt d'orig. catalane ; probablt sans rapport avec *Cadiz* «Cadix».

Vx ou régional. Serge de laine.

(...) et deux grands coquins de bergers drapés dans des manteaux de cadis roux qui leur tombent sur les talons comme des chapes.

Alphonse DAUDET, Lettres de mon moulin, Installations, p. 10.

HOM. **1. Caddie, 2. caddie, cadi.**

**CADMÉEN, ENNE** [kadmeɛ̃, ɛn] adj. — 1838 ; *victoire cadmée* ou *cadméane* «funeste à celui qui l'a remportée», XVI^e^ ; de *Kadmos,* fondateur légendaire de Thèbes.

Didact. *Lettres cadméennes :* les seize lettres de l'alphabet primitif des Grecs. *Alphabet cadméen,* composé de ces lettres.

**CADMIAGE** [kadmjaʒ] n. m. — V. 1925 ; de *cadmium* ou de *cadmier.*

Techn. Revêtement d'une surface métallique par dépôt électrolytique de cadmium.

**CADMIE** [kadmi] n. f. — 1538 ; *camie,* 1400 ; lat. *cadmia,* grec *kadmeia (petra)* «minerai de zinc» (→ Calamine) extrait près de Thèbes, en grec *Kadmos.*

Techn. (métall.). Résidu formant une sorte de suie sur les parois des fourneaux, dans la métallurgie du zinc (s'emploie surtout au plur.). *Les cadmies sont composées surtout d'oxyde de zinc.*

**CADMIER** [kadmje] v. tr. — XX^e^ ; de *cadmium.*

Techn. Traiter par cadmiage (une surface).

♦ **CADMIÉ, ÉE** p. p. adj. (1936). Recouvert de cadmium. *Acier cadmié.*

DÉR. V. **Cadmiage.**

**CADMIUM** [kadmjɔm] n. m. — 1817 ; all. *Cadmium, Kadmium ;* du rad. du lat. *cadm(ia)* (→ Cadmie), et suff. sc. *-ium.*

Chim. Corps simple (Cd, n° at. 48, masse at. 112,40, densité 8,64), métal blanc comme l'étain, ductile et malléable. *Le cadmium est utilisé en alliage, pour la protection des métaux* (→ **Cadmiage**), *pour les plaques des accumulateurs alcalins et dans les réacteurs nucléaires, pour absorber les neutrons. Alliage au cadmium.*

(1933 ; *sulfure,* 1861). *Jaune de cadmium,* ou, absolt, *cadmium :* sulfure de cadmium, jaune, utilisé en peinture comme pigment.

Les *clairs* jaune clair sur les nuages au-dessous du char : *Cadmium, blanc,* une pointe de *vermillon.*

E. DELACROIX, Journal, 10 juin 1850.

DÉR. **Cadmiage, cadmier.**

**CADOGAN** [kadɔgɑ̃] n. m.

→ **Catogan.**

Reine s'est fait montrer la miniature de François Dumesnil, galant magistrat du Directoire, en poudre et en cadogan, l'air bénin et assez fat (...)

M. YOURCENAR, Archives du Nord, 1977, p. 162.

**CADOLE** [kadɔl] n. f. — 1678 ; provençal *cadaula* «loquet», bas lat. **catabola,* grec *katabolê* «action de jeter de haut en bas».

Anciennt ou régional. Loquet ou sorte de pêne qu'on soulève avec un bouton. *Soulever la cadole.*

HOM. **Cadolle.**

**CADOLLE** [kadɔl] n. f. — 1860 ; mot franco-provençal, passé en Bourgogne et en Bresse ; du bas lat. **catabola,* du lat. médiéval *catabulum* «base, fondement», p.-ê. par métonymie du grec *katabolê* «action de jeter de haut en bas, fondations». → Cadole.

Régional. Petite construction en pierre ou en torchis servant à ranger des instruments.

HOM. **Cadole.**

**CADOR** [kadɔʀ] n. m. — 1878; p.-ê. de l'arabe *gaddour* (puissant), «chef» d'après Esnault; cf. *Capitaine*, n. de chien procédant de la même idée, et la finale *-dor* de *Médor*, *ca-* étant à rapprocher de *cabot*, pour le sens 1.

Argot.

♦ **1** Chien. → **Cabot, clebs.**

(...) comme un vieux cador qui se souvient tout à coup d'un coup douloureux reçu (...) dans sa jeunesse, et répond soudain à une caresse par une morsure (...)
Albert SIMONIN, Touchez pas au grisbi, p. 113.

♦ **2** (Du sens de l'arabe). Individu puissant; chef. → **Caïd.** — (En tournure négative). Fam. *C'est pas un cador :* il n'est pas très fort; c'est quelqu'un de médiocre.

**CADOTER** ou **CADOTTER** [kadɔte] v. tr. → **Cadeauter.**

**CADRAGE** [kadʀaʒ] n. m. — 1923; «ensemble de cadres», 1866; de *cadrer.*

♦ **1** Mise en place de l'image (photo, cinéma, télévision).

1 Parfois *(à la télé)*, il y a du brouillamini, dans le cadrage ou les gens qui deviennent transparents, qui tremblent par tranches... ARAGON, Blanche..., II, VII, p. 298.

2 Manny fait face à la caméra qui recule, recadrant la porte et les yeux (...) Ce cadrage reprend celui où Manny (...) voyait dans le rétroviseur (...) les yeux du conducteur le fixer.
J.-L. GODARD, *in* Coll. des Cahiers du cinéma, n° 72, juin 1957, p. 76-77.

♦ **2** Façon dont une image est cadrée. *Un bon cadrage, un cadrage précis.*

COMP. **Recadrage.**

**CADRAN** [kadʀɑ̃] n. m. — XIII^e, *quadran;* du lat. *quadrans*, p. prés. de *quadrare* «être carré».

♦ **1** Plan (d'abord carré, puis de forme quelconque, souvent hexagonal, rond) où sont indiqués les chiffres des heures. *Cadran sciathérique, cadran solaire* (cour.), *cadran lunaire*, où l'heure est marquée par l'ombre d'un style* projetée par le soleil ou par la lune (→ **Gnomon).** *Ligne soustylaire d'un cadran solaire.* — REM. Seul le syntagme *cadran solaire* est d'usage courant.

1 Beaucoup d'amis sont comme le cadran solaire; ils ne marquent que les heures où le soleil vous luit.
HUGO, Post-Scriptum de ma vie, Tas de pierres, II.

1.1 Est-il naturel qu'un petit instrument de cuivre puisse marcher tout seul et marquer les heures? On aurait dû s'en tenir au cadran solaire.
— Vous ne parlerez plus ainsi, Scholastique, répondit Aubert, quand vous saurez que le cadran solaire fut inventé par Caïn.
J. VERNE, Maître Zacharius, 1874, p. 120.

♦ **2** (1443). Surface (souvent circulaire) divisée en heures (et minutes), sur laquelle se déplacent les aiguilles d'une montre (horloge, pendule). *Cadran émaillé, en or. Cadran lumineux. Le cadran d'un chronomètre. Les aiguilles courent sur le cadran. La petite aiguille, la grande aiguille font le tour du cadran. Cadran d'une gare, d'une église. Le Café du Cadran.*

1.2 Passepartout ignorait ceci : c'est que si le cadran de sa montre eût été divisé en vingt-quatre heures comme les horloges italiennes, il n'aurait eu aucun motif de triompher, car les aiguilles de son instrument, quand il était neuf heures du matin à bord, auraient indiqué neuf heures du soir, c'est-à-dire la vingt et unième heure depuis minuit, — différence précisément égale à celle qui existe entre Londres et le cent quatre-vingtième méridien.
J. VERNE, le Tour du monde en 80 jours, 1873, p. 210.

Sur l'une des faces du clocher s'épanouissait un cadran peint, rougeâtre et or. 2
MARTIN DU GARD, les Thibault, t. IV, p. 81.

Par métaphore :

(...) il faudra partir quand la Grande Ourse se sera renversée dans le ciel immense. Nous suivons chaque nuit son mouvement régulier, elle est l'aiguille du cadran qui compte nos heures d'ivresse. 3
LOTI, Aziyadé, Salonique, XX, p. 31.

Loc. *Faire le tour du cadran :* revenir à son point de départ, et, fig., dormir douze heures d'affilée.

♦ **3** Surface plane, divisée et graduée, portant des informations (fournies par un appareil). *Cadran d'un compas, portant une rose*, des vents. Le cadran d'une boussole. Cadran d'un appareil de radio. Sur un navire de guerre, cadran de tir, cadran de transmission d'ordres. Cadran d'instruments de physique* (ampèremètre, baromètre, galvanomètre, manomètre. — → aussi Compteur.). — *Les nombreux cadrans d'un tableau* de bord d'avion.*

«Je ne vois plus les cadrans : j'allume.» Il toucha les contacts, mais les lampes rouges de la carlingue versèrent vers les aiguilles une lumière encore si diluée dans cette lumière bleue qu'elle ne les colorait pas (...) 3.1
SAINT-EXUPÉRY, Vol de nuit, p. 24.

*Le cadran d'un téléphone automatique* (cercle mobile portant des lettres, des chiffres, et permettant de composer un numéro).

On formerait, sur un cadran, le mot auquel on s'intéresse et l'appareil donnerait, à haute voix, la définition et les explications. 4
G. DUHAMEL, Cri des profondeurs, III, p. 53.

♦ **4** (1777). Techn. (arbor.). Sur les vieux arbres malades, Série de fentes transversales allant du centre du tronc à la circonférence et donnant à une coupe l'aspect d'un cadran (→ **Cadranure).**

♦ **5** (1857). Argot. Tête. *«Qué qu't'as donc dans le cadran?»* (*in* Esnault).

DÉR. **Cadrannerie, cadranure.**

**CADRANNERIE** [kadʀanʀi] n. f. — 1783, *Encyclopédie;* de *cadran.*

Techn. Atelier où l'on fabrique les appareils de navigation à cadran.

**CADRANURE** ou **CADRANNURE** [kadʀanyʀ] n. f. — 1791; de *cadran.*

Techn. (arbor.). Maladie des bois qui se manifeste par des fentes disposées en cadran (→ **Cadran,** 4.).

**CADRAT** [kadʀa] n. m. — 1625, *cadrat* ou *quadrat;* du lat. *quadratus* «carré».

Techn. (imprim.). Petit lingot de métal plus bas que les lettres, employé par les typographes pour laisser des blancs et remplir la justification (II.) des lignes.

DÉR. **Cadratin.**

**CADRATIN** [kadʀatɛ̃] n. m. — 1688; *quadratin*, 1680; de *cadrat.*

Technique (imprimerie).

♦ **1** Cadrat de l'épaisseur du caractère.

♦ **2** (Plus cour.). Espace correspondant à un cadratin. *Enfoncement de deux, trois cadratins.*

**CADRATURE** [kadʀatyʀ] n. f. — 1751; lat. *quadratura.* → Quadrature.

Techn. Assemblage des pièces qui meuvent les aiguilles d'une montre. (On écrit aussi *quadrature.*) *La cadrature relie les aiguilles entre elles et au mouvement.*

DÉR. **Cadraturier.**

**CADRATURIER** [kadʀatyʀje] n. m. — XVIIIe; de *cadrature.*

Rare. Ouvrier horloger qui fait des cadratures. — REM. Le fém. *cadraturière* est virtuel.

**CADRE** [kadʀ] n. m. — 1549, *quadre,* Rabelais; ital. *quadro,* adj., «carré», lat. *quadrus, a, um,* adj.

**I** (Concret). ♦ **1** Bordure carrée (et, par ext., d'une forme quelconque) entourant une glace, un tableau, etc. → **Encadrement.** *Cadre rectangulaire, rond, ovale. Cadre en bois, en plâtre, en bronze. Cadre peint, sculpté, doré. Un superbe cadre Renaissance, Louis XV. Cadre de plafond, de bas-relief. Mettre une photographie, une peinture dans un cadre.* → **Encadrer.** *Cadre à fond mobile.* → **Passe-partout.** *Cadre et sous-verre*. Accrocher, fixer un cadre au mur.*

1 Aux plus grossiers de ces dessins, je mets des cadres bien brillants. ROUSSEAU, Émile, 2.

2 Comme un beau cadre ajoute à la peinture (...)
BAUDELAIRE, les Fleurs du mal, «Spleen et Idéal», Un fantôme, III.

3 Il *(un marchand de saintes images)* avait posé à terre son panier, tout plein de ces peinturlures aux cadres dorés (...)
LOTI, Ramuntcho, I, XVII, p. 151.

3.1 Il regarde de nouveau l'agrandissement photographique accroché au mur, au-dessous des cheveux noirs de la femme. L'image a une forme ovale, estompée sur les bords; le papier tout autour est resté blanc-crème, jusqu'au cadre rectangulaire en bois très foncé.
A. ROBBE-GRILLET, Dans le labyrinthe, p. 71.

Régional (domaine franco-provençal). Tableau, gravure. *Accrocher des cadres au mur.*

♦ **2** (1690). Techn. Châssis fixe fait de pièces assemblées. *Cadre en bois, en métal. Le cadre d'une porte, d'une fenêtre.* → **Chambranle.** *Cadre où l'on coule du béton.* → **Coffrage.** *Cadre soutenant les parois d'un puits, d'une galerie de mine.* → **Boisage.** *Cadres d'une ruche où les abeilles font leurs rayons.*

Cour. *Cadre de bicyclette :* assemblage de tubes métalliques creux et soudés constituant la charpente de la bicyclette.

*Cadre de déménagement :* grande caisse capitonnée servant au transport du mobilier. *Louer un cadre. Cadre conteneur.* → **Cadre-conteneur, conteneur.** — Emballage léger, à claire-voie. *Ce maraîcher transporte ses produits dans des cadres.*

Radio. Appareil de radiotélégraphie constitué par un self* de grande dimension noyé dans un isolant, que l'on connecte à un récepteur radioélectrique. *Récepteurs à cadre, utilisés en radiogoniométrie.*

♦ **3** (1736). Mar. Couchette de toile montée sur un châssis en bois. — *Avoir des hommes sur les cadres :* avoir des malades à bord.

**II** Fig. ♦ **1** Ce qui circonscrit un espace, une scène; l'espace, la scène. → **Décor, entourage, milieu.** *Un cadre agréable, plaisant, sympathique. Aller déjeuner dans un cadre champêtre, plaisant.*

4 La mer d'un côté, des forêts de l'autre formaient le cadre de ce grand tableau *(le champ de bataille).*
CHATEAUBRIAND, les Martyrs, 196.

5 Les amants heureux s'accommodent volontiers de tous les cadres; ils portent en eux de quoi embellir les déserts.
SAINTE-BEUVE, Causeries du lundi, 29 oct. 1849.

6 Toute philosophie est nécessairement imparfaite, parce qu'elle aspire à renfermer l'infini dans un cadre limité.
RENAN, *in* Pierre LAROUSSE.

7 Elle, plus aisément que lui, se faisait à l'idée de ce cadre tout à fait *peuple,* qui allait être, pour longtemps ou pour toujours, celui de sa vie déchue.
LOTI, Matelot, XVIII, p. 65.

CADRE DE VIE : entourage, milieu physique ou humain dans lequel on vit. *Défense du cadre de vie. — Cadre* (même sens). *Un cadre familier. C'est son cadre.*

Cette angoisse mystérieuse ressentie tout le long du jour, 7.1
il se l'explique maintenant : hors de son cadre habituel, le coffre, le casier d'imprimés, le sous-main dont il a caché les blessures avec du papier collant, l'encrier d'encre rouge pour les débiteurs, il n'est plus rien.
J. GIONO, l'Esclave, 1924, Pl., t. I, p. 798.

(Abstrait). Ce qui limite, impose une contrainte. → **Contrainte.** *Un cadre rigide. Imposer un cadre précis à la discussion, à la réflexion. Un cadre trop strict.* → **Carcan, corset.**

(...) le vice qui nous rendra comiques est au contraire celui 8
qu'on nous apporte du dehors comme un cadre tout fait où nous nous insérons. Il nous impose sa raideur, au lieu de nous emprunter notre souplesse.
H. BERGSON, le Rire, p. 11.

Didact. Structures imposées par la nature, la réalité (à la pensée), par les institutions (à la société), etc. *Les cadres sociaux, psychologiques de la mémoire. Les cadres de l'histoire, du temps.*

Les souvenirs de l'enfance ne sont pas, comme ceux de 9
l'âge mûr, classés dans les cadres du temps. Ce sont des images isolées, de tous côtés entourées d'oubli, et le personnage qui nous y représente est si différent de nous-mêmes que beaucoup d'entre elles nous paraissent étrangères à notre vie. A. MAUROIS, le Cercle de famille, p. 13.

(...) le machinisme, pénétrant partout, pénétrait tout, fai- 10
sant craquer les cadres multiséculaires d'une société toute marquée encore d'influences néolithiques.
André SIEGFRIED, l'Âme des peuples, I, p. 6.

On aboutit ainsi à la dictature d'un homme, d'un parti ou 11
d'une bureaucratie, et au bout de la route il y a l'asservissement dans un cadre que, par habitude, on continue pourtant encore d'appeler démocratique.
André SIEGFRIED, l'Âme des peuples, I, 2.

→ **Loi-cadre.**

♦ **2** (1803). Arrangement des parties (d'un ouvrage). → **Plan.** *C'est un cadre heureux, mais il n'est pas bien rempli* (Académie). *Cadre trop vaste. Cadre étroit, limité.* — Ce qui limite un sujet, et particulièrement un sujet littéraire. *Le cadre du récit.*

L'on y trouve *(dans le songe d'Énée),* dans un cadre étroit, 12
tous les genres de beauté qui lui *(Virgile)* sont propres.
CHATEAUBRIAND, Génie du christianisme, II, 5.

♦ **3** DANS LE CADRE. *Être, rester, dans le cadre de,* les limites prévues, imposées par... *Dans le cadre de ses fonctions, de ses attributions* (→ **Compétence**). *Dans le cadre de... :* expression de style administratif employée au sens de «dans l'ensemble organisé de...». — REM. L'expression, dévaluée par sa fréquence excessive, est souvent critiquée ou employée ironiquement :

(...) dans une société un peu rationnelle il importe que 13
les mères soient honorées légalement au jour M fixé par décret dans le cadre de la maternité collective (...)
Jacques PERRET, Bâtons dans les roues, p. 29.

**III** (Personnes). ♦ **1** (1796). Ensemble des officiers et sous-officiers qui dirigent les soldats d'un corps de troupe (→ **Encadrer**). *Les cadres d'un bataillon, d'un régiment. Cadre colonial. Des cadres décimés. Manquer de cadres. Former, instruire des cadres. Cadre d'activité. Officiers, sous-officiers du cadre de réserve :* civils qui, en cas de mobilisation, auraient un grade. — Spécialt. *Cadre de réserve :* corps des officiers généraux qui ne sont plus en activité à cause de leur âge, mais restent disponibles pour le temps de guerre. *Un officier hors cadre.*

Aviat. *Cadre sédentaire* (au sol) *et personnel navigant.* — (1825, *in* Petiot). *Le Cadre noir :* les écuyers militaires de l'École de Saumur.

14 C'était l'École d'application. Sept cents chevaux ! (...) Des chevaux, il y en avait de magnifiques. Des gars du Cadre noir venaient se perfectionner là.
Jean FERNIOT, Pierrot et Aline, p. 81.

*Cadres techniques et administratifs des Services du génie et du matériel,* créés en 1966. — (En dehors de l'armée). *Préfet hors cadre.*

♦ **2** (1840). Tableau des emplois et du personnel qui les remplit. *Figurer sur les cadres. Être rayé des cadres :* avoir son nom ôté du tableau, être libéré ou licencié.

♦ **3** (1931 ; métonymie du sens III, 1 ; par anal., d'abord toujours employé au plur. pour désigner collectivement le personnel d'encadrement). *Les cadres :* le personnel d'encadrement des entreprises. *Régime de prévoyance, caisse* (d'assurance) *des cadres. Confédération générale des cadres* (C. G. C.).

15 Ils ont l'orgueil de leurs cadres, de la grosse mécanique bien huilée qu'aucun de ces désastres nationaux, dont ils furent les auteurs, durant les dernières années, n'a arrêtée ni même troublée dans son fonctionnement.
F. MAURIAC, Bloc-notes 1952-1957, p. 141.

(Au sing.). *C'est un petit cadre, un cadre moyen, un cadre supérieur. — Il est passé cadre :* il fait partie des cadres. *Un jeune cadre dynamique. Elle est cadre.*

16 Les cadres, grammaticalement, passent encore. Mais «le» cadre, c'est plus intrigant. Cette personnalisation, cette singularisation du terme, et puis des expressions telles que «cadre moyen, supérieur», «petit cadre», «il est passé cadre», correspond au besoin de désigner une catégorie sociale nouvelle.
Jean-François REVEL, *in* l'Express, 12 juin 1967.

En appos. *Femme cadre.*

(Par anal.). *Cadre politique :* militant qui assume au sein d'une organisation politique des fonctions de responsabilité.

**COMP. Encadrement, encadrer, encadreur.**

**CADRE-CONTENEUR** [kadʀ(ə)kɔ̃tnœʀ] n. m. — 1938 ; de *cadre* et *conteneur.*

Techn. Grande caisse métallique qui sert à transporter des marchandises. *«Ce train transporte sur des wagons plats spéciaux de grands cadres-conteneurs»* (*le Monde,* 24 avr. 1968).

**CADRER** [kadʀe] v. — 1539, *cadrer à ;* du lat. *quadrare,* ou de *cadre.*

**I** V. intr. ♦ **1 CADRER AVEC (qqch.) :** aller bien avec. → **Accorder** (s'), **assortir** (s'), **concorder, convenir, rapporter** (se). *Les dépositions de témoins ne cadrent pas ensemble. La réponse ne cadre pas avec la demande* (Académie). — Sans compl. *Ça ne cadre pas.*

1 Les livres cadrent mal avec le mariage (...)
MOLIÈRE, les Femmes savantes, V, 3.

2 Les explications ne cadrent pas avec le texte.
BOSSUET, Préface.

3 La loi (...) cadre donc bien mal avec l'opinion des hommes ? LA BRUYÈRE, les Caractères, XIV, 60.

4 Cet événement n'a pu cadrer fortuitement avec la prophétie. ROUSSEAU, Émile, IV.

5 (...) une certaine tournure d'esprit (...) un genre de bêtise qui cadre bien avec le milieu dans lequel vous vivez (...)
LOTI, Aziyadé, Eyoub à deux, XXIII, p. 105.

6 Là où le rythme du mouvement est assez lent pour cadrer avec les habitudes de notre conscience (...)
H. BERGSON, Matière et Mémoire, p. 226.

7 De longue date je souhaitais écrire ce Bacchus. Il se présenta sous forme de pièce, de film, de livre. Je revins à l'idée de pièce, estimant que le théâtre cadrerait mieux avec l'histoire.
COCTEAU, Journal d'un inconnu, p. 86.

♦ **2** Loc. *Faire cadrer (qqch.) à, avec (qqch.).* → **Concilier.**

(1840). Comptab. *Faire cadrer un compte,* en modifier les chiffres pour obtenir le résultat désiré.

**II** V. tr. ♦ **1** (De l'esp.). En tauromachie, Immobiliser le taureau avant de l'estoquer. — Au p. p. *Taureau cadré.*

♦ **2** (1912). Photogr., cin., télév. Disposer, mettre en place (les éléments de l'image). *Cadrer une image.*

Pierrot ne voit rien ; il a l'œil collé au viseur, il cadre l'image, mais il est incapable d'apprécier les distances. 8
R. FRISON-ROCHE, Peuples chasseurs de l'Arctique, p. 346.

*Cadrer une scène :* procéder au cadrage d'une scène. — Au p. p. :

(...) même quand c'est mal cadré, mal photographié, mal monté, on sent que derrière la caméra française se tient un artiste (...) 9
J.-L. GODARD, Jean-Luc Godard, févr. 1959, *in* Coll. des Cahiers du cinéma, p. 186.

Projeter en bonne place (sur l'écran). — Au p. p. *Image mal cadrée par le projectionniste.*

**CONTR. Contredire, diverger ; déparer, détonner, jurer ; choquer. ◊ DÉR. Cadrage, cadreur. → COMP. Recadrer.**

**CADREUR, EUSE** [kadʀœʀ, øz] n. — 1952 ; de *cadrer.*

♦ **1** Personne qui effectue les cadrages, au cinéma.

♦ **2** (Pour remplacer *cameraman*). Personne qui manie la caméra, au cinéma, à la télévision ; «agent d'exécution chargé du maniement d'une caméra, de la mise au point, ainsi que de la définition du champ de prise de vues pour composer l'image» (*Journ. off.,* 18 janv. 1973). → **Opérateur ; cameraman** (anglic.).

REM. Le fém. semble rare ; on dirait plutôt : *elle est cadreur à la télévision.*

**CADUC, UQUE** [kadyk] adj. — 1346 ; lat. *caducus,* rac. *cadere* «tomber». → Choir.

♦ **1** Vx. Qui touche à sa fin, menace ruine, est près de tomber. → **Vieux ; faible, fragile.** *Un bâtiment caduc.*

Quel architecte est celui qui, faisant un bâtiment caduc, y met un principe pour se relever dans ses ruines ! 1
BOSSUET, Traité de la connaissance de Dieu..., IV, 2.

(Personnes). → **Abattu, cassé, vieux.** *Devenir caduc.* — (Choses). *Âge caduc,* où le corps s'affaiblit. *Santé caduque.* → **Chancelant.**

(...) elle *(Yvonne)* baissait la tête, restait longtemps caduque, en laissant pendre la mâchoire d'en bas à la manière des morts. 2
LOTI, Pêcheur d'Islande, III, XIV, p. 198.

Sur sa face luisante, comme vernie, ses sourcils broussailleux débordaient en auvents, et des milliers de filets sanguins se jouaient par la fraîcheur caduque de ses joues (...) 3
COURTELINE, Messieurs les ronds-de-cuir, 2e tableau, I, p. 55.

Au bout, à l'extrême bout de la rangée de baraques, comme si, honteux, il s'était exilé lui-même (...) je vis un pauvre saltimbanque, voûté, caduc, décrépit, une ruine d'homme, adossé contre un des poteaux de sa cahute. 3.1
BAUDELAIRE, le Spleen de Paris, XIV, «Le vieux saltimbanque».

♦ **2** Mod. (Littér. ou style soutenu). Qui n'a plus cours. → **Démodé, dépassé** (fam.), **périmé, vieux.**

(...) ce qui était bon hier est périmé et caduc aujourd'hui. 4
CHATEAUBRIAND, Mémoires d'outre-tombe, t. V, III, XV.

C'est pour imaginer trop vite, que tant d'artistes d'aujourd'hui font des œuvres caduques et de composition détestable. GIDE, Journal, Feuillets, 1893. 5

Mais la chute du Cabinet dont il faisait partie *(M. Édouard Herriot)* rendit caduc son projet de loi qui ne fut pas repris par son successeur. 6
Georges LECOMTE, Ma traversée, p. 370.

Littér. (Personnes). Que l'on néglige, délaisse.

6.1 *(La femme)* la plus austère se sent déchue dès qu'elle cesse d'être désirée et, quoi qu'elle en ait, elle gémit sous l'ombre de la dure loi biblique qui fait conduire par l'épouse caduque la jeune esclave au lit du patriarche embarrassé d'un reste de vigueur (...)
Roger VERCEL, Remorques, 1935, p. 170.

(1690). Dr. *Un acte juridique est caduc lorsqu'un événement postérieur le rend inefficace.* → **Annulé, nul.** *Legs caduc :* legs annulé par la mort du légataire survenant avant celle du testateur. *Donation entre vifs caduque. Contrat de mariage caduc.*

7 La dot était caduque après la mort de la femme.
MONTESQUIEU, l'Esprit des lois, XXIII, 21.

*Loi caduque,* tombée en désuétude ou remplacée par une nouvelle loi.

♦ **3** Loc. (1520). Vx. *Le mal caduc.* → **Épilepsie.**

♦ **4** [a] (1833). Anat. *La membrane caduque,* et, n. f., *la caduque :* la membrane muqueuse de l'utérus devenue caduque lors de la fécondation et qui est expulsée au cours de l'accouchement (avec le placenta). Syn. : *déciduale.*

[b] (1803). Bot. *Organes caducs,* destinés à se détacher de la plante, à tomber. *Feuilles caduques* (opposé à *persistantes*). → **Décidu.**

[c] Zool. Qui tombe normalement après avoir rempli sa fonction. *Les bois du cerf sont caducs. Le serpent possède une peau caduque.*

♦ **5** Phonét. Qui «tombe», n'est pas prononcé. *E caduc :* e* dit «muet».

CONTR. **Jeune, neuf, vivace.** ◊ DÉR. **Caducité.**

**CADUCÉE** [kadyse] n. m. — 1455, *caduce ;* lat. *caduceus,* du grec *kêrukeion* «insigne de héraut».

♦ **1** Attribut de Mercure, constitué par une baguette entourée de deux serpents entrelacés et surmontée de deux courtes ailes. *Le caducée est le symbole de la paix, de l'éloquence, du commerce.*

1 Le jour en était pris, quand quelqu'un vint leur dire
Que le singe de Jupiter
Portant un caducée, avait paru dans l'air.
LA FONTAINE, Fables, XII, 21.

2 L'envié le porte *(le serpent)* dans son cœur, et l'éloquence à son caducée.
CHATEAUBRIAND, le Génie du christianisme, I, III, 2.

♦ **2** Emblème des professions médicales et paramédicales (un seul serpent). *Le caducée est l'attribut du corps de santé. Le caducée des médecins, des infirmières ; des vétérinaires ; des pharmaciens. C'est un médecin, il y a un caducée sur sa voiture.*

**CADUCITÉ** [kadysite] n. f. — 1479, «état de ce qui est prêt à tomber» ; de *caduc.*

♦ **1** (1538). Vx ou littér. État de ce qui est caduc. → **Décrépitude, vieillesse.** *La caducité d'un immeuble, d'une plante. La caducité d'un vieillard* (→ Âge, cit. 35).

1 La caducité commence à l'âge de soixante et dix ans ; elle va toujours en augmentant, la décrépitude suit.
BUFFON, De la vieillesse et de la mort.

1.1 (...) l'interlocuteur invalide se tenait dans une sorte d'alcôve (...) De son lit, de son fauteuil peut-être où le clouait je ne sais quelle maladie ou caducité, l'invisible patron nous avait adressé une salutation courtoise (...)
Jacques PERRET, Bande à part, p. 11.

2 (...) le port des feuilles, la disposition des ramures, la caducité de l'écorce (...)
GIDE, Si le grain ne meurt, V, p. 129.

♦ **2** Mod. État de ce qui est faible, passager, périssable. *La caducité des choses humaines.* → **Vanité.**

3 Le vice le plus inséparable des choses humaines c'est leur propre caducité (...) BOSSUET, Hist., III, 5, *in* LITTRÉ.

Dr. *La caducité d'un legs.* → **Caduc ; annulation, nullité.** *La caducité d'un acte juridique.*

CONTR. **Jeunesse, persistance, solidité, vigueur.**

**CADURCIEN, IENNE** [kadyʀsjɛ̃, jɛn] adj. et n. — 1866 ; du lat. *Cadurci,* n. d'un peuple d'Aquitaine.

De Cahors (on dit aussi *cahorsin*). — N. *Les Cadurciens.*

**CÆCAL, ALE, AUX** [sekal, o] adj. — 1654 ; de *cæc(um).*

Qui a rapport au cæcum. *L'appendice cæcal.*

COMP. **Iléo-cæcal.**

**CÆCUM** [sekɔm] n. m. — 1538 ; lat. médical *(intestinum) cæcum* «intestin aveugle», le cæcum étant un cul-de-sac.

Didact. Première partie du gros intestin, fermée à sa base et située en deçà du point de jonction de l'intestin grêle et du gros intestin. → **Côlon, iléon.** *Inflammation du cæcum.* → **Typhlite ; appendicite.** *L'appendice* du cæcum.*

(...) il *(le gros intestin)* comprend quatre segments : à droite le cæcum où s'implante l'appendice, et auquel fait suite le côlon ascendant, puis le côlon transverse, enfin, à gauche, le côlon descendant prolongé par l'S iliaque qui aboutit au rectum. P. VALLERY-RADOT, Notre corps, p. 80.

CONTR. **Rectum.** ◊ DÉR. **Cæcal.**

**CÆSIUM** [sezjɔm] n. m. → **Césium.**

**C. A. F.** [seaɛf] ou **CAF** [kaf] adj. ou adv. — D. i. ; sigle.

Abréviation de *coût, assurance, fret* (en anglais, C. I. F. : *cost, insurance, freight*), signifiant que le vendeur d'une marchandise acquitte les frais d'expédition, les droits de sortie du port et les assurances maritimes, l'acheteur répondant des pertes et des dommages survenus après l'embarquement. *Vente CAF. La marchandise est vendue C. A. F. Marchandise (livrée) CAF Bordeaux.*

1. **CAFARD, ARDE** [kafaʀ, aʀd] n. et adj. — 1589 ; *caphar,* 1512 ; probablt arabe *kāfir* «mécréant, renégat» (d'où le sens «faux dévot») ; P. Guiraud conteste cette orig. et évoque le rad. *caf-* (cf. *cafre,* en picard, XIIe), du lat. *cavus,* par une évolution sémantique obscure.

♦ **1** N. (Vx ou littér.). Personne qui affecte l'apparence de la dévotion. → **Bigot, cagot, dévot** (faux dévot), **hypocrite, tartufe ; cafardise.** *C'est un cafard* (→ Appeler, cit. 29).

♦ **2** Adj. *Avoir l'air cafard, la figure cafarde.* → **Fourbe, patelin, sournois.**

(...) le maintien cafard ou effronté des moines (...) 1
ROUSSEAU, les Confessions, V, p. 249.

(...) ce masque cafard de domestique congédié, de voleur pris sur le fait, ce masque effronté et honteux (...) 2
MARTIN DU GARD, les Thibault, t. VII, p. 70.

«Si tu le portes manquant, avec toutes les histoires qu'il a eues déjà...» Pietro a un air cafard pour me dire ça. Je sais bien qu'il ne m'aime pas, et qu'il compte abuser de ma bonté. 3
DRIEU LA ROCHELLE, la Comédie de Charleroi, p. 192.

♦ **3** N. et adj. (1834). Fam. (Personne) qui dénonce sournoisement les autres. → 1. **Cafarder ; cafardeur, cafeteur** (argot scolaire), **délateur, dénonciateur, espion, mouchard, rapporteur ;** → aussi Récréation, cit. 4. — (1836 ; *in* Esnault). Argot, vx. *La Cafarde :* la lune.

N. m. Argot. Agent de police. → **Condé, flic, poulet.**

4 On allait venir, il le savait. Il n'avait pas d'histoire à préparer pour la police. Il ne portait pas d'arme et personne ne pourrait prouver qu'il en avait porté une (...) Alors, inutile de préparer un conte de fées pour les cafards : il n'avait rien vu. Loup DURAND, le Caïd, p. 373.

CONTR. **Ouvert. — Franc, sûr.** ◊ DÉR. **1. Cafarder, cafarderie, cafardise.**

2. **CAFARD** [kafaʀ] n. m. — 1542, *caffar;* de 1. *cafard,* par métaphore sur la couleur noire et les habitudes de l'insecte, qui se cache.

♦ **1** Blatte* orientale (n. sc. : *Blatta orientalis*). — Par ext. (cour.). Blatte. *Il y a des cafards dans cette maison.* — Par compar. *Grouiller comme des cafards.*

♦ **2** Loc. *Avoir un cafard dans la tête :* avoir l'esprit dérangé (→ Avoir une araignée* au plafond). (1882). Vx. Idée fixe. → 3. Cafard.

3. **CAFARD** [kafaʀ] n. m. — 1857, Baudelaire; de 2. *cafard* (2.).

Tristesse, mélancolie* accompagnées d'idées sombres et obsessives. → **Bourdon, noir** (fam.); **découragement, déprime, mélancolie; spleen** (littér.).

1 Parfois il *(le Démon)* prend, sachant mon grand amour de l'Art
La forme de la plus séduisante des femmes
Et, sous de spécieux prétextes de cafard,
Accoutume ma lèvre à des philtres infâmes.
BAUDELAIRE, les Fleurs du mal, «La destruction».

2 Tant qu'il n'occuperait pas à de nouvelles opérations officiers et soldats, il fallait combattre ce que d'autres soldats d'Afrique devaient, un demi-siècle après, appeler «le cafard». Louis MADELIN, l'Ascension de Bonaparte, XVII, Le Gouvernement de l'Égypte, p. 252.

*Avoir le cafard :* avoir des idées noires. → 2. **Cafarder.** *Cela me donne, me fiche le cafard. Attraper le cafard. Une crise de cafard.*

3 (...) il a ce ton inquiet et tendre, protecteur, qu'il prend quand elle a ses moments de dépression, ses crises de larmes (...) Elle sent que ses yeux aussitôt se remplissent de larmes (...) «Je ne sais pas, j'ai le cafard. C'est idiot. C'est pour des riens...» N. SARRAUTE, le Planétarium, p. 81.

4 (...) c'est dur, ça me fout le cafard, bon Dieu ! Je peux pas arriver à me tirer de ma coquille. BERNANOS, l'Imposture, *in* Œ. roman., Pl., p. 476.

Loc. fam. *Coup de cafard :* accès brusque de cafard. *Agir sur un coup de cafard,* par un acte impulsif, irraisonné, inspiré par le cafard.

CONTR. **Enthousiasme, gaieté.** ◊ DÉR. **2. Cafarder, cafardeux.**

**CAFARDAGE** [kafaʀdaʒ] n. m. — V. 1765, J.-J. Rousseau; de 1. *cafarder.*

Action de cafarder. → fam. **Mouchardage, rapportage.**

(...) au cours de mon premier stage d'avocate, j'ai connu plusieurs voleurs : ils ne m'ont parlé que de cafardages, de petites complicités avec les gardiens, de combinaisons sordides et de coups bas (...) Roger VAILLAND, Bon pied, bon œil, p. 167.

1. **CAFARDER** [kafaʀde] v. tr. — 1508; *capharder,* 1470; de 1. *cafard,* 3.

Argot scol. Faire le cafard. → **Dénoncer, espionner;** fam. **cafeter, moucharder, rapporter.** *Cafarder son camarade auprès du professeur.* — Absolt. Faire le mouchard.

Accoutumé à lui voir dévorer ses maladies et ses chagrins, Anatole ne put se défendre d'un triste étonnement, en retrouvant cet homme si fort, si concentré, si maître de lui-même, descendu à cela : — à dire peureusement du mal de cette femme, à s'en venger comme un enfant qui *cafarde* derrière le dos de son tyran ! Ed. et J. DE GONCOURT, Manette Salomon, p. 423.

DÉR. **Cafardage, cafardeur.**

2. **CAFARDER** [kafaʀde] v. intr. — 1918, Genevoix; de 3. *cafard.*

Avoir des idées noires. *Je suis déprimé en ce moment, et je cafarde pour des riens.*

**CAFARDERIE** [kafaʀdəʀi] n. f. — 1888, *capharderie;* 1541, «manière d'être du cafard»; de 1. *cafard,* 3.

Rare. Action de cafarder, de dénoncer. → **Cafardage.**

**CAFARDEUR, EUSE** [kafaʀdœʀ, øz] adj. et n. — XIX^e; de 1. *cafarder.*

Rare. Délateur, délatrice. → 1. **Cafard** (3.), **cafeteur.**

Comment s'appelle-t-il ? — Je ne peux pas te le dire. J'ai promis. Après, s'il se faisait attraper, il penserait que je suis une cafardeuse. H. TROYAT, la Grive, 1956, p. 347.

HOM. (Du fém.) Fém. de **cafardeux.**

**CAFARDEUX, EUSE** [kafaʀdø, øz] adj. — 1918, *in* D. D. L.; de 3. *cafard.*

♦ **1** Qui a le cafard (3. Cafard); qui dénote le cafard. → **Déprimé, mélancolique, triste.** *Être un peu cafardeux. Un air cafardeux.*

(...) comme un retraité trop rompu au travail pour n'être pas embarrassé de son loisir, comme un soldat cafardeux pendant sa permission car il ne connaît que la guerre (...) M. LEIRIS, Frêle bruit, 1976, p. 119. 1

N. *Un cafardeux, une cafardeuse.*

Encore une autre complication... Elle faisait du spleen, la Portugaise. En fait de fantaisie Cascade il la regardait même pas !... Il voulait même la rembarquer !... Je veux pas des cafardeuses ici !... Je suis assez malchanceux moi-même !... CÉLINE, Guignol's band, 1951, p. 69. 2

♦ **2** Qui suscite le cafard. *Les paysages cafardeux où s'élèvent les crassiers.* → **Déprimant, triste.**

HOM. (Du fém.) Fém. de **cafardeur.**

**CAFARDISE** [kafaʀdiz] n. f. — 1551; de 1. *cafard* (1.).

Rare. Dévotion affectée. → **Bigoterie, cagoterie, cagotisme.** — Hypocrisie.

L'autre, un Parisien de petite bourgeoisie, de caractère falot et sans contours, mettait dans les petites choses cette sorte de cafardise naturelle dont les enfants sournois se faisaient jadis un moyen de défense dans les internats trop durement dirigés. Raymond ABELLIO, les Militants, 1975, p. 23.

**CAF'CONC'** [kafkɔ̃s] n. m. — 1878; abréviation.

Fam. et vieilli. Café-concert (→ Noctambulisme, cit.).

J'arrivais de province et découvrais en somme Paris sous le jour où je me l'étais représenté (...) Un caf'conc' du boulevard de Sébastopol avec ses gommeuses, ses chanteuses de genre, ses diseuses à voix me comptait tous les soirs parmi les habitués (...) On débitait sur la poudreuse estrade de cet établissement, des romances, des grivoiseries et des chansons vécues qui battaient les records de la stupidité. Francis CARCO, Nostalgie de Paris, 1952, p. 60. 1

Iron. *Un répertoire, des refrains de caf'conc'.*

Il a été d'une gaieté charminte *(sic)* et s'est oublié jusqu'à chanter des refrains de caf'conc'. E. DELAHAYE, Lettre à Paul Verlaine, 31 déc. 1881, *in* G. NOUVEAU, Pl., p. 859. 2

1. **CAFÉ** [kafe] n. m. — 1665; *cafeh,* 1651; turc *kahve,* arabe *qăhwăh,* proprt «boisson enivrante» (→ aussi Caoua), p.-ê. par l'ital. de Venise *caffè.*

♦ **1** Graine du caféier, arbre originaire de l'Arabie, et qui, infusée, fournit une boisson excitante et tonique. *Plantation* (cit. 3), *plant de café.* → **Caféier.** *Balle de café.* → **Farde.** *Sortes de café :* bourbon, martinique, moka; arabica, colombie, robusta. *Grain de café en coque, en cerise*. Pellicule de café* (→ **Écalure**). *Propriétés stimulantes du café dues à un alcaloïde* (→ **Caféine**). *Café soluble** (→ **Nescafé,** marque), *lyophilisé* (→ **Lyophiliser**). *Café décaféiné*. Principe aromatique du café.* → **Caféone.** *Parfumer une crème, une glace avec de l'essence de café.* — *Préparation du café.* → **Macération, torréfaction** ou **grillage.** *Café vert :* café non grillé. *Griller, brûler, torréfier du café* (→ **Brûloir, torréfacteur**).

Spécialt. Café torréfié. *Café en grains, en poudre* (moulu). *Moudre le café dans un moulin* à café. Acheter un paquet de café. Pot à café.*

*Marc* de café :* résidu du café moulu et infusé *Divination à l'aide du marc de café.*

1 Avec cela, une femme forte, qui ne croit ni à Dieu ni au diable, mais qui accepte aveuglément les prédictions des somnambules et du marc de café.
Alphonse DAUDET, le Petit Chose, II, 11.

2 Marie de Lados moulait du café. Mais ses yeux craintifs de chienne couchante ne quittaient pas ceux de la maîtresse (...)
F. MAURIAC, Genitrix, p. 153.

*Au café :* parfumé avec de l'essence de café. *Glace, gâteau, éclair, religieuse au café. Crème au café. Parfait au café.*

♦ **2** Boisson obtenue par infusion des grains de café torréfiés et moulus. → pop. **Caoua** (cit. 1), **jus.** *Faire le café. Faire du café. Passer le café.* → **Cafetière, filtre, percolateur** (cit. 2). *Le café ne passe* (cit. 22) *pas. Du café décaféiné* (fam. *déca*). *Un café filtre.* → **Filtre.** *Un café express.* → **Express.** *Un café serré,* fort. *Servir, verser le café. Faire réchauffer du café. Laisser bouillir le café.* Prov. Régional. *Café bouillu, café foutu. Une tasse, une cuiller, un service à café. Prendre, boire son café. Inviter qqn à prendre le café. Aimer le café brûlant. Café noir,* non mélangé de lait. → **Noir,** n. m. *Une tasse, un bol de café. Être intoxiqué par le café.* → **Caféique.**

2.1 Je ne dis que le pain qu'on coupe
En le tenant bien contre soi,
Le café qui brûle les doigts
Quand l'aube, aux fenêtres s'égoutte (...)
Maurice CARÊME, le Sablier, 1969.

(1835). *Café au lait. Prendre du café au lait au petit déjeuner.* — *Couleur café au lait :* brun clair.

2.2 Dans le cheval café au lait, je me suis bien trouvé, après l'avoir trop éclairci, d'avoir repris les ombres (...)
E. DELACROIX, Journal, 21 nov. 1854.

(1898). **CAFÉ CRÈME** (d'abord *café à la crème,* 1833, Balzac) : café à la crème, et (cour.) au lait. → **Crème.** *Café crème à l'italienne.* → **Cappuccino.** — (Autres syntagmes). *Café glacé, frappé. Café mêlé d'eau-de-vie, de rhum.* → **Bistouille, gloria.** *Café arrosé*.* Fam. *Café cognac, café rhum, café calva* (→ Calvados, cit. 5). *Un bon café, un café très fort. Un mauvais café.* → **Jus** (de chapeau, de chaussette, de chique); **lavasse.** — *Café mêlé de chicorée*.*

3 Il est hors de doute que le café porte une grande excitation dans les puissances cérébrales; aussi tout homme qui en boit pour la première fois est sûr d'être privé d'une partie de son sommeil.
A. BRILLAT-SAVARIN, Physiologie du goût, t. I, p. 137.

4 Dans peu d'instants le lait bouillant, le café noir, le beurre reposé au fond du puits rempliraient leur office de panacée (...)
COLETTE, la Naissance du jour, p. 187.

Loc. fam. *C'est fort de café :* c'est un peu fort, exagéré, invraisemblable.

Allus. littér. *Racine passera comme le café* (comme la mode du café), jugement faussement attribué à Madame de Sévigné et que l'on rappelle ironiquement à une personne qui ne croit pas à la durée d'une réussite.

*Café liégeois.* → **Liégeois.**

♦ **3** Tasse (verre, bol...) de café. *Elle boit dix cafés par jour. Prendre un café sur le zinc.* → **Noir.** — *Un café au lait, un café crème.* → **Crème.** *Garçon, un café crème !*

*Café complet :* petit déjeuner où la boisson est le café.

♦ **4** (1798). Le moment du repas où l'on prend le café, après les desserts et avant les alcools dits pousse-café. *Arriver au café. Ne m'attendez pas pour dîner, je viendrai seulement au café* (Académie).

DÉR. 2. **Café, caféier, caféine, caféique, caféisme, caféone, cafetière.** ◊ COMP. **Nescafé** (marque), **pause-café, pousse-café.**

2. **CAFÉ** [kafe] n. m. — 1694, *salle de café; cabaret de cahué,* 1662; le premier établissement de ce genre est ouvert en 1654 à Marseille, en 1672 à Paris; de 1. *café.*

Lieu public où l'on consomme des boissons. → **Bar, bistrot, bougnat, buvette, cabaret, cafeteria, débit** (de boissons), **estaminet, troquet, zinc.** *Un grand, un beau café. Un petit café.* → **Cafeton** (vx). *Café borgne*, mal tenu.* → (vx ou vieilli) **Assommoir, bouchon, boui-boui,** 2. **bousin, caboulot, cambuse, gargote, mastroquet, popine, tapis-franc;** (mod.) **troquet.** *Le patron d'un café.* → **Cafetier, tenancier.** *Garçon de café :* professionnel chargé de servir les consommations (ellipt *garçon*). *Les barmans, les garçons d'un café. Le chasseur d'un grand café. Aller au café. Fréquenter les cafés. Un pilier de cafés. Consommer sur le zinc*, au comptoir*, à la terrasse* d'un café. Avoir rendez-vous dans un café,* à l'intérieur, dans la salle. *Consommer dans un café sans avoir de quoi payer.* → **Griveler** (→ Achalander, cit. 2; 1. bar, cit. 1). *Avoir une ardoise* dans un café. Café où l'on mange.* → **Brasserie, cafeteria, pub.** *Noms de cafés. Café de la Gare, du Commerce, des Sports,* etc. — *Café littéraire, artistique,* où se réunissent écrivains, artistes. *Café-bar.* → **Bar.** *Café-tabac :* café où se trouve un débit de tabac. — (1828, *in* D. D. L.). *Café-restaurant* (→ Restaurant).

Il y a encore, à ce que j'entends dire, quelques-uns de ces beaux esprits subalternes qui passent leur vie dans les cafés, lesquels font à la mémoire de M. Despréaux le même honneur que les Chapelains faisaient à ses écrits de son vivant. 4.1
VOLTAIRE, Lettre à M. Brossette, 14 avr. 1732.

C'est une règle de l'art français qu'entre les expressions, il n'y en a qu'une qui est bonne, il faut entendre par là : qui convienne au sens en se conformant au sujet traité et aux circonstances. Ce choix entre les mots n'est pas une nécessité seulement pour l'écrivain, il s'impose au langage quotidien, si l'on ne veut ni fausser la pensée ni manquer aux convenances. Essayez de confondre un *restaurant* avec une *guinguette,* un *café* avec un *caboulot* ou un *zinc.* 5
Ce sont tous des débits, mais qui ne débitent pas exactement les mêmes choses, ou surtout ne les débitent pas aux mêmes gens, ni dans le même cadre, ni pour les mêmes prix.
F. BRUNOT, la Pensée et la Langue, XIII, III, p. 581.

Ils échangent leurs vues. Le premier CAFÉ est créé. 5.1
Songer, faire songer à cette institution essentielle et immémoriale et universelle, (— à quoi les historiens qui sont des sots et ne voient jamais le fonctionnement des choses ne songent pas) — laquelle est nécessaire à la formation des *opinions* (...) VALÉRY, Cahiers, Pl., t. II, p. 1341.

Dans tous les Cafés du Commerce, des orateurs exposent des plans admirables : «Si j'étais Président du Conseil (...)» 6
A. MAUROIS, Un art de vivre, VII, I, p. 38.

7 Cependant la petite place offrait enfin à ma curiosité une façade amie, celle d'un café. Devant une porte vitrée, que voilait un rideau de perles de verre, on avait installé une table de bois et une chaise. Sur les volets ouverts, il y avait deux plaques de fer blanc : l'une pour le mot *Byrrh*, à demi mangé par la pluie et le soleil; l'autre où le nom d'un chocolat luttait contre la rouille.
H. BOSCO, Un rameau de la nuit, p. 13.

8 Fernand m'avait amenée à des réunions qui se tenaient le soir, dans le café-tabac qui fait l'angle du boulevard Raspail et de l'avenue Edgar-Quinet.
S. DE BEAUVOIR, la Force de l'âge, p. 58.

*Des discussions de café du Commerce :* des discussions politiques oiseuses (→ ci-dessus cit. 6).

(1850). Vx. *Café chantant,* où l'on peut écouter de la musique. On écrit aussi *café-chantant. Des cafés-chantant.* → aussi **Café-concert.**

9 À onze ans, Robert et Anselme s'arrangent, en revenant de l'école, pour s'arrêter devant un café-chantant où, dès six heures, on entend de la musique. On pourrait croire que ce qui les attire ce sont les appas généreux des dames violonistes, mais non. C'est vraiment la musique.
F. MALLET-JORIS, le Jeu du souterrain, p. 88.

*Café-concert.* → **Caf'conc', café-concert.**

*Café-théâtre.* → **Café-théâtre.**

**CONTR.** **Cafetier.** ◊ **COMP.** **Café-concert, café-théâtre, cybercafé.**

**CAFÉ-CONCERT** [kafekɔ̃sɛʀ] n. m. — 1852, Nerval; de 2. *café,* et *concert.*

Établissement où l'on assiste à un spectacle (musique de variétés, danses...) en consommant des boissons. → **Cabaret, music-hall,** et aussi **alcazar,** 2. (vx). *Le café-concert a succédé au café* chantant et est typique de l'époque 1900. Musique, style de café-concert.* → **Caf'conc'.** *Des cafés-concerts.*

1 Il y avait jusqu'à un phonographe (...) dont elles s'étaient amusées quelques jours, s'initiant aux bruits d'un théâtre occidental, aux fadaises d'une opérette, aux inepties d'un café-concert. LOTI, les Désenchantées, 1906, p. 43.

2 Le samedi soir, nous ne manquions jamais le café-concert. Le troupier, la divette, le fin diseur passaient sous un feuillage raide d'arbres de printemps après s'être mis, pour détailler le couplet, au pied de l'escalier de pierre (...)
Henri CALET, la Belle Lurette, p. 19.

**CAFÉIER** [kafeje] n. m. — 1835; *cafier,* 1715; de 1. *café.*

♦ **1** Plante dicotylédone *(Rubiacées),* scientifiquement appelée *coffea,* arbrisseau originaire d'Abyssinie à feuilles persistantes. *La culture du caféier n'est praticable que dans les pays tropicaux. Le fruit* (→ **Cerise,** 3.) *du caféier contient deux graines (grains de café*). Plantation de caféiers.* → **Caféière, cafèterie.**

(...) toute l'année durant chaque brindille de caféier porte à la fois des cerises jumelles acaules et des fleurs et des bourgeons. B. CENDRARS, Bourlinguer, p. 359.

♦ **2** Rare. Planteur de caféiers.

**DÉR.** **Caféière.**

**CAFÉIÈRE** [kafejɛʀ] n. f. — 1797; de *caféier.*

Agric. Plantation de caféiers. → **Cafèterie.**

**CAFÉINE** [kafein] n. f. — 1823, *cafeine;* de 1. *café.*

Alcaloïde contenu dans le café, le thé (théine), le guarana et la kola. *La médecine utilise la caféine comme antinévralgique, diurétique, stimulant tonique du cœur. Intoxication par la caféine.* → **Caféisme.**

**COMP.** **Décaféiner.**

**CAFÉIQUE** [kafeik] adj. — 1891; de 1. *café.*

Didactique.

♦ **1** *Acide caféique,* extrait de la caféine.

♦ **2** (Personnes). Intoxiqué par la caféine. — N. *Un, une caféique.*

Se priver, étant alcoolique, tabachique (adonné au tabac), ou caféique et morphinomane invétéré, de ces excitants qui seuls le galvanisent, est au-dessus des forces d'un nécrophage *(celui qui mange de la viande).*
E. BONNEJOY, le Végétarisme, 1891, *in* D. D. L., II, 14.

**CAFÉISME** [kafeism] n. m. — 1878; de 1. *café,* et suff. *-isme.*

Didact. Intoxication aiguë ou chronique par la caféine provenant du café ou d'autres produits d'origine végétale en contenant (thé, maté).

**CAFÉONE** [kafeɔn] n. f. — 1867; de 1. *café.*

Didact. Principe aromatique du café.

**CAFETAN** ou **CAFTAN** [kaftɑ̃] n. m. — 1537, *cafetan; caftan,* 1546; turc *qăfṭān* «robe d'honneur»; arabo-persan *hăftān* «armure militaire».

Vêtement oriental, ample et long, parfois fourré. *Cafetan turc.*

(...) ce ne sont que mignonnes vestes brodées d'or et d'argent, gentils pantalons bouffants de soie, petits caftans à soutaches, tarbouches puérils ornés de croissants (...) 0.1
Th. GAUTIER, Journal, 26 janv. 1832.

J'ai fait ce tour de force d'apprendre en deux mois la langue turque; je porte fez et cafetan (...) 1
LOTI, Aziyadé, Solitude, X, p. 50.

Sa barbe *(du Zadik),* qui tombait en deux ruisseaux d'argent jusqu'à sa large ceinture, ne se distinguait de la soie du caftan que par des reflets fauves qui rappelaient encore la jeunesse, et d'innombrables grains de tabac à priser qui la saupoudraient de points noirs. 2
Jérôme et Jean THARAUD, l'Ombre de la croix, II, p. 58.

Vêtement russe, «longue robe moscovite, attachée autour des reins par une ceinture d'étoffe de laine tressée» (M. Ancelot, *Six mois en Russie,* lettre XIV, 14 juin 1826, *in* D. D. L.).

**CAFETER** ou **CAFTER** [kafte] v. tr. — 1900; du rad. de 1. *cafard.*

Argot scol. Dénoncer. → 1. **Cafarder.** *Ils m'ont cafeté au surgé* (surveillant général). — Absolt. *Je l'ai surpris à cafter.* → **Rapporter.** *«(La petite fille) et ses petits camarades chinois ne tenaient pas du tout le "garde rouge" de service dans leur classe pour un "révolutionnaire" mais simplement pour un mouchard, qui "caftait"»* (*le Nouvel Obs.,* 16 janv. 1978).

**DÉR.** **Cafeteur.**

**CAFETERIA** [kafetɛʀja] n. f. — 1925, *in* Höfler; *cafèterie,* déb. XXe; mot amér. (1839), de l'esp. *cafeteria* «boutique où l'on vend du café».

Lieu public où l'on sert du café, des boissons, à l'exception des boissons alcoolisées, et parfois des plats sommaires, des gâteaux, etc. On écrit *cafeteria, caféteria* ou *cafétéria. Des cafeteria, des cafétérias.*

Après quoi Norman me déclara qu'il mourait de faim. J'étais entrée pour téléphoner dans une *cafeteria :* il y choisit incontinent sa table et d'autorité commanda deux *ham-steaks.* 1
Philippe HÉRIAT, les Enfants gâtés, p. 114 (1939).

Pendant quelque temps, elle servit le thé dans une espèce de cafeteria du boulevard Saint-Michel qui était aussi une bibliothèque et une discothèque (...) 2
S. DE BEAUVOIR, la Force de l'âge, p. 287.

On trouve également la var. *cafétaria* (1948) [kafetaʀja]. *«Le comptoir du service après-vente. Le rayon auto-moto. À l'entrée de la cafétaria, des vélos de course double-plateau-dix vitesses, 800 F, pendent au plafond»* (*le Nouvel Obs.*, 9 oct. 1972).

REM. On a employé le mot *caféterie* [kafetʀi] dérivé de *cafetier*, au sens de «pièce où l'on prépare le café» (dans un hôtel, etc.), et au sens actuel de *cafeteria*.

3 (...) Françoise (probablement en visite à la caféterie ou en train de regarder coudre la femme de chambre)...
PROUST, À l'ombre des jeunes filles en fleurs, Pl., t. I, p. 800.

4 (...) les opératrices obligeantes fournissaient de tasses de café les bureaux voisins qui ne disposaient pas d'une cantine comme les standardistes (...) Le local surpeuplé des téléphonistes était bien organisé pour l'éreintement des opératrices et la mise en rage des gens avec qui elles entraient en communication. Ils entendaient le tapement de la machine à écrire de Mme Arnaud, les vociférations de M. Kalentian, le remuement de la caféterie, les conversations des visiteurs.
Pierre HAMP, la Peine des hommes (Moteurs), p. 17-18.

Abrév. fam. : *cafèt'* [kafɛt]. *La cafèt' de la cantine.*

**CAFÈTERIE** [kafɛtʀi] n. f. — XVIIIe; *caffeterie*, 1791; de 1. *café*, et suff. *-(t)erie*.

♦ **1** Plantation de caféiers. → **Caféière.**

1 *(Dans la région de Caracas)* nous rencontrâmes en effet souvent des habitations, la plupart de cacao, et quelques cafèteries.
Duc de BROGLIE, Journal de mon voyage aux États-Unis et dans la Nouvelle Espagne commencé en 1782, *in* D. D. L., II, 7.

♦ **2** Usine de torréfaction du café.

2 Ces milliers de sucreries, d'indigoteries, de cotonneries, de cafèteries dont les maîtres enrichis s'enorgueillissaient à la veille de 1789 qu'étaient-elles, sinon du travail, de la sueur, du sang du nègre?
Paul MORAND, Magie noire, p. 19.

♦ **3** → **Cafeteria** (cit. 3, 4 et *supra*).

**CAFETEUR, EUSE** ou **CAFTEUR, EUSE** [kaftœʀ, øz] n. et adj. — 1914; de *cafeter, cafter.*

Argot scol. Celui, celle qui rapporte, qui «cafte» (→ 1. **Cafard**, 3.). *Méfie-toi de lui, c'est un cafeteur. Sale cafteur! Hou, la cafteuse, la vilaine cafteuse!*

Seule, Céline m'a émue. Elle ne disait rien, mais me considérait d'un air méfiant, incrédule, et je retrouvais tout à coup ma sœur d'autrefois, la redoutable aînée, la cafeteuse, qui devinait avant tout le monde mes comédies et mes mensonges.
Geneviève DORMANN, le Chemin des dames, p. 234.

**CAFÉ-THÉÂTRE** [kafeteatʀ] n. m. — V. 1965; de 2. *café*, et *théâtre*.

Petite salle où l'on peut éventuellement consommer et où se donnent des spectacles scéniques échappant aux formes traditionnelles. *Des cafés-théâtres. «Dans l'un des plus charmants cafés-théâtres de Paris une parodie tonitruante des mythes du western»* (*l'Express*, 27 nov. 1972).

(...) il dit que les spectacles qu'on donnait maintenant à Paris étaient exécrables, sauf une petite pièce dans un café-théâtre de la banlieue : celle-là était à mourir de plaisir.
Jean-Louis CURTIS, le Roseau pensant, p. 152.

**CAFETIER, IÈRE** [kaftje, jɛʀ] n. — 1740; «celui qui vend du café en fève», 1680; de 2. *café*, d'après *cabaretier*.

Personne qui tient un café*. → **Limonadier, mastroquet.** — (Rare au fém.).

Il avait été tué, lui, tout petit cafetier sans fortune, qui, parti à la mobilisation âgé de vingt-cinq ans, avait laissé sa jeune femme seule pour tenir le petit bar qu'il croyait regagner quelques mois après.
PROUST, le Temps retrouvé, p. 845.

**CAFETIÈRE** [kaftjɛʀ] n. f. — 1690; de 1. *café*.

♦ **1** Récipient permettant de préparer une infusion de café. → **Bouillante** (fam.), **filtre, percolateur.** *Cafetière d'argent, de porcelaine. Cafetière russe. Cafetière à piston, cafetière à pression. Cafetière électrique.* — Contenu de ce récipient.

♦ **2** (V. 1880). Fam. → **Tête.** *Recevoir un coup sur la cafetière,* sur le crâne.

Anita noue sur sa tête (...) les coins d'une loque de soie crasseuse (...) — C'est comme ce torchon que j'ai sur la «cafetière» (...) oui, oui, vous pouvez crier qu'il vous dégoûte, je-ne-le-chan-ge-rai pas! La direction m'en doit un (...) COLETTE, l'Envers du music-hall, p. 42. 1

Un jour ce fusil partira tout seul et tu te feras sauter la cafetière, marmonnant entre ses dents qu'avant de donner des armes à des gens il vaudrait peut-être mieux commencer par leur apprendre à s'en servir (...) 2
Claude SIMON, le Palace, p. 82.

**CAFETON** [kaftɔ̃] n. m. — 1886; de 2. *café*, et suff. péj. et diminutif.

Rare et vx. Petit café. → **Bistrot.**

Cette opération, réalisée sur un établissement de vingt mètres de terrasse, et situé à Montmartre, était l'orgueil de sa carrière, quoiqu'il n'en eût pas retiré le bénéfice que lui procurait le moindre des cafetons de banlieue, dont il trafiquait ordinairement.
M. AYMÉ, Maison basse, p. 31.

**CAFIER** [kafje] n. m. Vx. → **Caféier.**

**CAFIGNON** [kafiɲɔ̃] n. m. — Attesté 1931 (très antérieur); mot régional (Auvergne) d'orig. obscure, p.-ê. à rapprocher de *cafournion*.

Régional. Petit recoin sombre.

**CAFISTE** [kafist] n. — XXe; de C. A. F., Club alpin français.

Adhérent, adhérente du Club alpin français.

**CAFOUILLAGE** [kafujaʒ] n. m. — 1901; *cafouillache* «menus objets de peu d'importance», 1725; de *cafouiller*.

Fam. Le fait de cafouiller, dans l'action, la pensée, la parole. — Trouble, désordre qui en résulte. *Quel cafouillage!* → **Cafouillis, pagaille.**

Sports. Jeu confus. *Le but a été marqué sur un cafouillage de la défense.*

Sur un cafouillage consécutif à une touche, Bombabinette s'extirpa d'un paquet de joueurs et se précipita vers les buts de Pommard.
René FALLET, le Triporteur, p. 378.

**CAFOUILLANT, ANTE** [kafujɑ̃, ɑ̃t] adj. — 1925, cit.; p. prés. de *cafouiller*.

Qui cafouille. → **Cafouilleux.**

(...) trois autres *(avants bleus)* au bord de la touche sont en paquet; celui du milieu attrape la balle (...) puis lutte après quelques pas sur la défense reformée, passe court aux deux compagnons de sa trouée. Mais l'élan des trois sangliers se ralentit, s'arrête, toutes les forces des deux équipes cafouillantes dans un remous, sur lequel siffle la première mêlée.
Jean PRÉVOST, Plaisirs des sports, p. 127 (1925).

**CAFOUILLER** [kafuje] v. intr. — Av. 1740, mot picard et normand; de *fouiller*, et du préf. péj. *ca-*.

Fam. et cour. Agir d'une façon désordonnée. — (Choses). Marcher mal (sens concret ou psychologique).

(...) Boris n'aurait pas su aimer une fille de son âge. Si les deux sont jeunes, ils ne savent pas se conduire, ça cafouille, on a toujours l'impression de jouer à la dînette.
SARTRE, l'Âge de raison, II, p. 31.

DÉR. **Cafouillage, cafouillant, cafouilleur, cafouilleux, cafouillis.**

**CAFOUILLEUR, EUSE** [kafujœʀ, øz] n. — 1918; de *cafouiller.*

Fam. Personne qui cafouille. → **Cafouilleux,** II. *Quel cafouilleur!*

HOM. (Du fém.) Fém. de **cafouilleux.**

**CAFOUILLEUX, EUSE** [kafujø, øz] adj. et n. — 1896; de *cafouiller.*

Familier.

**I** Adj. Qui cafouille, fonctionne mal, échoue dans le désordre. *Ce pianiste a un jeu cafouilleux.* Syn. : *cafouillant. Il nous a fait un discours cafouilleux.*

1 Je serais probablement déçu si m'étaient révélés leurs sublimes secrets (des «grands initiés» du pouvoir), (...) les cafouilleux aléas de leurs expédients à la petite semaine.
Jacques PERRET, Bâtons dans les roues, p. 97.

En parlant de personnes :

2 Ça les amuse de me voir comme ça... pris au piège, hagard, cafouilleux... Une distraction. C'est bien le genre de ces gens-là...
CÉLINE, le Pont de Londres, 1961, p. 28.

**II** N. Personne qui agit de façon confuse, désordonnée. → **Cafouilleur.**

Spécialt, mar. (emploi assez répandu en plaisance). Mauvais marin, malhabile à la manœuvre; plaisancier, équipier maladroit.

3 Ce n'était pas la régate qu'il avait manquée ni le temps perdu qui rendaient le yéti aussi cassant mais le mépris d'un marin pour une cafouilleuse, la peine d'un marin pour un bateau perdu.
Geneviève DORMANN, la Passion selon saint Jules, p. 62.

HOM. (Du fém.) Fém. de **cafouilleur,** n.

**CAFOUILLIS** [kafuji] n. m. — 1898, *in* Petiot; var. régionale *gafouillis,* 1910; de *cafouiller,* d'après *fouillis.*

Fam. Grande confusion. → **Cafouillage.** *Son langage, quel cafouillis!*

Nous sommes des objets de l'incohérence générale (...) Nous sommes des morceaux d'une grande construction dont il faut plus de temps, plus de silence et plus de recul pour découvrir l'assemblage (...) Dans le cafouillis des problèmes posés, dans l'éboulement, nous sommes nous-mêmes divisés en morceaux.
SAINT-EXUPÉRY, Pilote de guerre, p. 29.

**CAFOURNION** [kafuʀnjɔ̃] n. m. — 1844, altér. de *cafourneau,* p.-ê. de *caverne* (?), et de *fourneau.*

Régional (Centre). Petit abri, cabane. — Var. : *cafornion* (G. Sand, *in* T. L. F.), *cafourneau.*

**CAFRE** [kafʀ] adj. et n. — 1616, *in* D. D. L.; arabe *kāfir* «infidèle, renégat». → 1. Cafard.

♦ **1** Vx. Indigène (de quelques pays).

(1685). En parlant du Siam.

Nous entrâmes dans leurs villages et envoyâmes à leur capitaine, par quelques uns des caffres qui nous guydoient du tabac, une pipe, de l'eau de vie, un couteau, et quelques grains de corail.
Voiage de Siam du père BOUVET, 53, *in* D. D. L., II, 4.

(1721). En parlant de l'Éthiopie. «Nom de peuple qui habite une grande région de la Basse Éthiopie» *(Dict. de Trévoux).*

♦ **2** Mod. De la Cafrerie, région de l'Afrique australe. *Les Cafres :* ethnie noire de l'Afrique du Sud. — *La langue cafre,* ou, n. m., *le cafre :* langue du groupe bantou parlée en Cafrerie.

**CAFTAN** [kaftɑ̃] n. m. → **Cafetan.**

**CAGADE** [kagad] n. f. — 1616, d'Aubigné; provençal *cagado* «merde», de *cagar* (→ Caguer); du lat. *cacare* «aller à la selle». → Cacade.

Régional et fam. Situation inextricable. *Quelle cagade!* → **Merdier** (vulg.).

Et tu ne vas rien faire? Tu vas laisser ce cancrelat lui manger le foie sans rien dire? C'est ça que tu appelles l'amitié? — Il a le droit de faire sa vie comme il veut. — S'il était seul, ce serait déjà une belle cagade, mais avec l'autre vautour!
Loup DURAND, le Caïd, 1976, p. 176.

**CAGE** [kaʒ] n. f. — V. 1160; du lat. *cavea* «enceinte où sont enfermés des animaux», de *cavus* «creux».

**I** Espace clos, généralement à claire-voie, servant à tenir enfermés des animaux vivants. ♦ **1** Loge garnie de barreaux servant à enfermer ou à transporter des animaux sauvages ou des hommes. *La cage d'un lion, d'un tigre.* → **Ménagerie.** *Les cages d'un cirque. Le dompteur entre dans la cage. Cage de fer, de bois, en bois. Voiture-cage,* destinée au transport, parfois à l'exposition, des fauves. — *En cage :* enfermé dans une cage. *Un ours en cage.* — Fig. *Être, tourner comme un ours, un fauve en cage :* montrer manifestement son impatience. — *Enfermer un homme dans une cage de fer.*

Il *(le Cardinal La Balue)* fut enfermé dans une de ces cages de fer qu'on employait en Italie et dont il avait lui-même recommandé l'emploi. 1
J. BAINVILLE, Hist. de France, VII.

Mourlan fit deux ou trois fois son tour de fauve en cage (...) 2
MARTIN DU GARD, les Thibault, t. VII, p. 144.

Il y a seulement dans la pièce, en dehors de la table et des chaises, une cage de fer du genre cage à fauve, cubique, d'un mètre cinquante de côté environ, dont les barreaux espacés d'une dizaine de centimètres (...) 2.1
A. ROBBE-GRILLET, Projet pour une révolution à New York, p. 149.

♦ **2** Petite enceinte garnie de barreaux et dans laquelle on enferme des oiseaux. *Acheter une cage à oiseaux. Mettre un oiseau dans une cage, en cage. Le perchoir, le juchoir d'une cage. Grande cage où l'on élève des oiseaux.* → **Oisellerie, volière.** *Cage destinée à attraper les oiseaux.* → **Chanterelle, mésangette.** *L'oiseau s'est échappé de sa cage.*

Et, dans des cages pendues aux branches, il y a des pinsons, des merles, des linots, spécialement chargés de la musique (...) LOTI, les Désenchantées, XIII, p. 104. 3

Il y avait en face de moi, une cage accrochée au mur par un clou doré, et dorée elle-même, mais d'un vieil or éteint, une cage de luxe en forme de pagode, dans laquelle, empaillé sur son perchoir, on voyait un oiseau. 4
H. BOSCO, Un rameau de la nuit, p. 99.

Prov. *Mieux vaut être oiseau de campagne qu'oiseau de cage.*

*La belle cage ne nourrit pas l'oiseau :* une demeure luxueuse ne remplace pas le nécessaire.

*Cage servant à enfermer des oiseaux de basse-cour.* → **Épinette, mue, nichoir; poule** (cage à poules). — Vx. *Cage à volailles, aux volailles* (sur un bateau).

Nous étions dans la rade, le bateau allait à demi-vapeur. Tout le monde se taisait; on entendait de-dessous l'avant du navire glousser une poule dans la cage aux volailles, et 4.1

au haut du mât la lanterne qui crépitait dans l'humidité de la nuit.
FLAUBERT, Correspondance, t. II, p. 222 (1850).

(1833). Mod. **CAGE À POULES.**

4.2 En arrivant au Sénégal, on leur apprendra à venir comme des imbéciles attaquer la nuit un brick de guerre, où ils croyaient ne trouver que trois hommes de quart endormis sur les cages à poules.
E. CORBIÈRE, la Mer et les Marins, 1833, *in* D. D. L., II, 13.

Fig. *Cage à poules :* avion biplan, en 1914. — Fam. et péj. Mod. Logement étroit et sordide.

Par anal. *Cage d'écureuil.* → **Tournette** (au fig. → ci-dessous, II., 3.). — *Cage à lapins.* → **Lapinière.** Fig. Se dit d'un logement exigu, ou de logements d'aspect uniforme. → Cabane* à lapins.

Pisciculture. Récipient à claire-voie pour garder les poissons. — Sorte de grillage adapté à la bonde d'un étang, et servant à empêcher les poissons de s'échapper.

Pêche. Nasse* qu'on jette sur les poissons pour s'en emparer.

♦ **3** Par métaphore. Lieu où qqn est enfermé. → **Geôle, prison.** *Mettre qqn en cage,* l'enfermer. *Être en cage :* être en prison.

4.3 De qui qu'elle me cause? Devinez? Du Pierrot!... Pierrot les Petits-Bras! Il vient de tomber! Trois ans de cage! (...) En boîte à Dartmoor.
CÉLINE, Guignol's band, p. 61.

Cellule fermée par des grilles, dans laquelle sont enfermés les détenus dans les commissariats. «*C'est à ce moment que les C. R. S. sont arrivés. — Les flics m'ont embarqué. Je me suis retrouvé dans la cage*» (*l'Express,* 19 déc. 1977). — REM. On emploie aussi *cage à poules* dans ce sens.

4.4 Je m'étends sur le banc, une ampoule dans l'œil comme d'habitude, et le souffle aigu du vasistas le long du cou. Au matin, j'aurai la mine figée des lendemains de cage.
Antoine BLONDIN, Monsieur Jadis, 1970, p. 21.

Loc. *L'oiseau est sorti de la cage :* le prisonnier s'est évadé; la personne que l'on cherchait n'est pas là.

♦ **4** Fig., littér. → **Chaîne, lien, servitude.**

5 Le vers est toujours un peu la cage de la pensée.
J. RENARD, Journal, 26 janv. 1898.

6 Est-ce que je suis encore libre? (...) Je suis dans une cage sans barreaux (...)
SARTRE, l'Âge de raison, VIII, p. 120 (→ Barreau, cit. 5).

Pièce exiguë. → **Cagibi** (fam.). *La cage d'un concierge.* → **Loge.** *La cage d'un huissier.*

Petite loge vitrée ou à guichet dans laquelle se tient un employé. *Cage de verre. La cage de la standardiste.*

♦ **5** Sports (football, handball, hockey, etc.). Les buts, formés de deux poteaux reliés par une traverse et d'une armature métallique, placée derrière, qui soutient un filet.

7 Le premier tir de la finale passa à trois mètres de la cage de Sariéloubal.
René FALLET, le Triporteur, p. 368.

Athlétisme. Endroit, espace grillagé d'où on lance le marteau.

**II** ♦ **1** Espace clos servant à enfermer, à limiter qqch. — Techn. *La cage d'une maison,* les gros murs. *La cage d'une mine. Cage de descente. Cage d'extraction :* la benne servant à monter le minerai.

8 *(Étienne)* regardait en l'air filer les câbles qui passaient sur les molettes pour descendre à pic dans le puits s'attacher aux cages d'extraction (...) Et c'était dans les berlines vides que s'empilaient les ouvriers (...) Puis (...) la cage plongeait silencieuse, tombait comme une pierre (...)
ZOLA, Germinal, t. I, p. 26-27.

Absolt. *La cage* (→ cit. *supra*).

*Cage à eau :* la benne servant à enlever les eaux d'infiltration.

*La cage d'une pendule, d'une montre.* → **Boîte, boîtier.**

♦ **2** Sc. et techn. Assemblage de supports enfermant une partie d'une machine, un élément mécanique. *Cage de roulements à bille. La cage du différentiel. Cage d'un laminoir. Cage de boîte d'essieu* (sur une locomotive).

Mar. *Cage d'hélice :* espace clos dans lequel tourne le propulseur.

♦ **3** Sc. *Cage de Faraday :* enceinte servant à intercepter les phénomènes électrostatiques.

Électr. *Cage d'écureuil :* «Dispositif comportant un conducteur par encoche, les extrémités de tous les conducteurs étant réunies de chaque côté par des anneaux métalliques qui les ferment en court-circuit» (Barbier-Cardiergues, *Dict. technique du bâtiment et des travaux publics,* 1971).

♦ **4** Cour. **CAGE D'ESCALIER :** l'espace où est placé l'escalier.

Ce soir-là, il serait certainement entré dans sa chambre *(celle de Claire),* s'il n'avait aperçu, à l'étage supérieur, la petite face blanche de mademoiselle Saget, penchée sur la rampe. Il passa, et il n'avait pas descendu dix marches, que la porte de Claire, violemment refermée derrière son dos, ébranla toute la cage de l'escalier. 9
ZOLA, le Ventre de Paris, t. I, p. 211.

**CAGE D'ASCENSEUR :** l'espace où se déplace la cabine d'un ascenseur. «*À chaque station deux ascenseurs de forme demi-circulaire, de 7 m 50 de diamètre, se meuvent dans la même cage*» (*Année sc. et industr.,* 1891, p. 228).

(...) lorsqu'un remous (...) le plaqua contre la cage de l'ascenseur entourant la fosse graisseuse et vide (soit que la mécanique fût en panne, soit qu'on eût bloqué une fois pour toutes la cabine aux étages supérieurs). 10
Claude SIMON, le Palace, p. 161.

Techn. *La cage (de charpente) d'un clocher — Cage d'un moulin à vent,* assemblage de charpente

En effet, on avait le grain, mais non la farine, et l'installation d'un moulin fut nécessaire (...) 11
On se mit donc à l'œuvre en choisissant des bois de charpente pour la cage et le mécanisme du moulin.
J. VERNE, l'Île mystérieuse, 1874, p. 533.

♦ **5** (1856). Anat. et cour. **CAGE THORACIQUE :** ensemble formé par les vertèbres, les côtes, le sternum et le diaphragme. *Ampliation* de la cage thoracique, au cours des mouvements respiratoires.*

♦ **6** Psychol. *Cage sonore :* situation expérimentale destinée à déterminer les degrés de précision dans la localisation spatiale du son chez un sujet.

**DÉR. Cagée, cageot, cagerotte, caget, cagette.** ◊ **COMP. Encager.**

**CAGÉE** [kaʒe] n. f. — Fin XVIe, «contenu d'une cage»; de *cage.*

Rare.

♦ **1** (1842, *Académie*). Ensemble des oiseaux d'une cage.

♦ **2** (1848). Par métaphore. Voiture pleine de prisonniers.

**CAGEOT** [kaʒo] n. m. — 1873; *cajot,* 1899; *cageau,* 1467; de *cage.*

♦ **1** Techn. Caisse* de forme variable, en bois, en osier, et servant à transporter la volaille, les fruits, les fromages... → **Billot, bourriche.**

♦ **2** Cour. Emballage léger, à claire-voie, généralement en bois blanc, servant au transport des denrées périssables. → **Cagette, clayette; caissette.** *Cageot de laitues, de fruits.*

A mi-chemin de la cage au cachot la langue française a cageot, simple caissette à claire-voie vouée au transport de ces fruits qui de la moindre suffocation font à coup sûr une maladie.
Agencé de façon qu'au terme de son usage il puisse être brisé sans effort, il ne sert pas deux fois. Ainsi dure-t-il moins encore que les denrées fondantes ou nuageuses qu'il enferme.
Francis PONGE, le Parti pris des choses, p. 38.

♦ **3** (V. 1975). Fam., péj. Fille ou femme laide, mal faite. *Oh là là, cette nana, quel cageot!*

**CAGEROTTE** [kaʒʀɔt] n. f. — 1551; de *cage.*
Techn. Forme d'osier à claire-voie destinée à faire égoutter les fromages. → **Caget.**

**CAGET** [kaʒɛ] n. m. — 1922; *cajet,* 1895; de *cage.*
Techn. Claie sur laquelle on met les fromages à égoutter. → **Cagerotte.**

**CAGETTE** [kaʒɛt] n. f. — 1928; «petite cage», 1321; de *cage.*
Petit cageot servant à transporter des fruits et des légumes, ou des fleurs (→ **Cageot, clayette**).

**CAGIBI** [kaʒibi] n. m. — 1902; mot de l'Ouest, probablt métathèse de *cabigit* «cahute», apocope de *cabagitis,* de *cabagétis.* → Cabajoutis.
Fam. Pièce de dimensions étroites. → **Appentis, cagna, réduit.** *S'enfermer dans un cagibi.*

0.1 – À qui la faute? Si vous m'aviez écoutée, je serais votre maîtresse, mussée bien tranquille dans un petit rabicoin...
– Rabicoin?
– Oui, dans un petit cagibi quelconque, loin de tout votre monde, et vos réceptions suivraient leur train accoutumé.
WILLY (COLETTE), Claudine en ménage, 1902, *in* D. D. L., II, 6.

1 Arrivant au «cagibi» de l'huissier en uniforme à queue et à boutons métalliques, notre jeune fonctionnaire trouve un vieux bonhomme assis à une table (...) qui tambourinait une marche militaire sur la couverture sonore du buvard qu'il avait devant lui.
Georges LECOMTE, Ma traversée, p. 117-118.

2 Elle parle de «son petit cagibi» où elle s'enferme (...)
GIDE, Journal, 14 janv. 1943.

Petit local destiné au rangement. *Cagibi servant de débarras.* → **Débarras.**

3 – Au fond de la cave, il y a un cagibi; j'ai demandé à la concierge de le dégager : tu te serais caché là.
S. DE BEAUVOIR, les Mandarins, 1954, p. 9.

**CAGISTE** [kaʒist] n. m. — 1955, *Dict. des métiers;* de *cage.*
Techn. Ouvrier qui fabrique des cages métalliques.

**CAGNA** [kaɲa] n. f. — 1914; annamite *cai-nha* (1896) «la maison».

♦ **1** Argot milit. Abri militaire, généralement souterrain; abri de tranchée.

1 La cagna qui m'était réservée avait l'avantage appréciable de comporter une vitre, au ras du sol, et un minuscule poêle. G. DUHAMEL, la Pesée des âmes, VIII, p. 204.

2 (...) il pleut, je griffonne ce mot de dedans une froide cagna souterraine, j'ai l'onglée, les marmites *(obus)* ébranlent tout, et je suis obligé de repousser du pied des rats entreprenants qu'encourage mon immobilité (...)
J.-R. BLOCH, Deux hommes se rencontrent, p. 374.

♦ **2** Maison rudimentaire, cabane, cahute. → **Guitoune.**

3 Puisque je raconte, que je vous dépeins... que je vous promène, dans sa cagna... son plafond était à se souvenir... Tout des paysages à l'envers!... Toutes ses toiles fixées au plafond...
CÉLINE, Féerie pour une autre fois, 1950, p. 208.

1. **CAGNARD, ARDE** [kaɲaʀ, aʀd] adj. — 1520, *cagnar;* de *cagne* «chienne». P. Guiraud rattache le mot au préf. *ca-* «creux» et à l'anc. franç. *niart* «qui reste dans son nid».
Vx ou régional (fam.). Paresseux* (comme une chienne qui aime à demeurer au coin du feu). → **Apathique, fainéant, mou, nonchalant, oisif;** fam. **cossard, flemmard.** *Rendre cagnard.* → **Acagnarder.** *Un homme cagnard. Mener une vie cagnarde.* — N. *Un cagnard :* un paresseux (→ 1. Cagne, cit.)
CONTR. **Actif, courageux, dynamique, travailleur, vif.** ◇ DÉR. et COMP. **Acagnarder, cagnarder, cagnardise.**

2. **CAGNARD** [kaɲaʀ] n. m. — 1611; *caignart* «abri misérable, niche», 1420; de l'anc. provençal *canha* «chienne». → 1. Cagnard, cagne.

♦ **1** Vx. Arche de pont servant d'abri à des chemineaux, à des vagabonds.

♦ **2** Vx. [a] Lieu de prostitution.
[b] Endroit malpropre, recoin où s'amoncellent les immondices.

♦ **3** (1792). Mar., anciennt. Abri de planches ou de toiles fixées sur un pont de dunette pour protéger l'homme de veille des intempéries.

♦ **4** Régional (altér. de *coignart,* 1480; de *cuneus* «coin»). En Provence et dans le Languedoc, Lieu ensoleillé, abrité du vent. — Loc. (sous l'infl. de 1. *cagnard*). *Faire du cagnard :* se reposer au soleil.

**CAGNARDER** [kaɲaʀde] v. intr. — XVIe, Calvin; de 1. *cagnard.*
Fam. et vieilli. Vivre en cagnard. → **Paresser;** aussi **acagnarder** (s').
(...) il ne se leva qu'assez tard, vers les sept heures, après avoir cagnardé au lit. Il se lava soigneusement tous les endroits où ça peut sentir mauvais, se mouilla les cheveux (...)
R. QUENEAU, Pierrot mon ami, Folio, p. 56.
CONTR. **Affairer** (s'), **agir, travailler.**

**CAGNARDISE** [kaɲaʀdiz] n. f. — 1540, Calvin; de 1. *cagnard.*
Vx et fam. Indolence, fainéantise. → fam. **Cosse, flemme.**

**CAGNASSE** [kaɲas] n. f. → 1. **Cagne.**

1. **CAGNE** [kaɲ] n. f. — 1456, *caigne* «femme de mauvaise vie»; anc. provençal *canha* «chienne», lat. pop. **cania,* lat. *canis* «chien».

♦ **1** Vx et péj. Chienne.

♦ **2** Vx. Femme paresseuse et méprisable. (On dit aussi *cagnasse.*)

♦ **3** Régional (Provence). Paresse (→ 1. **Cagnard**). *Avoir la cagne :* n'avoir pas envie de travailler. → **Flemme** (fam.).
La cagne est une maladie toulonnaise. Jadis, la voiture du préfet maritime contournait un cagnard endormi sur la route. La cagne, c'est la flemme, le farniente italien.
COCTEAU, Journal d'un inconnu, p. 104.
DÉR. 1. **Cagnard,** 1. **cagneux.**

2. **CAGNE** [kaɲ] n. f. → **Khâgne.**

1. **CAGNEUX, EUSE** [kaɲø, øz] adj. — Déb. XVIIe; *coigneux,* 1607; de *cagne* «chienne» (p.-ê. d'après la forme de ses pattes antérieures).

Qui a les genoux tournés en dedans. → **Tordu.** *Un cheval cagneux.* → **Panard.** — (Personnes). *Il est un peu cagneux. — Des jambes cagneuses.*

1 — C'est égal... ma tante dit que ça ne vous fait pas plaisir, les prétendus.
— Si celui-là ne te convient pas, j'en ai un autre tout prêt... M. Oscar de Buzenval. *(À part.)* Un petit être cagneux très velu... imitant parfaitement l'araignée !
LABICHE, Mon Isménie, 3, p. 275.

Figuré :

2 *(Ils)* prosternent, cagneux, devant sa majesté,
Leur bassesse avachie en imbécillité.
HUGO, les Châtiments, VI, 5.

N. *Un cagneux, une cagneuse.*

CONTR. **Droit.**

2. **CAGNEUX, EUSE** [kaɲø, øz] n. → **Khâgneux.**

**CAGNOTTE** [kaɲɔt] n. f. — 1801 ; provençal *cagnoto* «petit cuvier pour fouler la vendange» ; p.-ê. de l'anc. provençal *cana* «mesure de capacité». P. Guiraud rapproche le mot de 1. *cagnard* et de *caniche,* du préf. *ca-* «creux» et du roman **nidica,* tous ces mots évoquant le nid, le creux, la cachette, d'où *ca-niotte* «cachette» (où l'on cache l'argent).

♦ **1** Boîte, corbeille (d'abord, plateau) dans laquelle des joueurs déposent l'argent qu'ils sont convenus de payer dans certaines circonstances. → **Tirelire.** *Verser, mettre de l'argent dans la cagnotte.*

1 On appelle cagnotte, le plateau sur lequel est placé le flambeau des tables où l'on joue à la bouillotte. C'est là que l'on met les jetons pour le prix des cartes. Comme on paie aux doubles passes, aux brelans, etc. (...), au bout de quelques jours la cagnotte, ou le flambeau, a tout l'argent des joueurs.
J.-B. PUJOUX, Paris à la fin du XVIIIe s., 1801, *in* D. D. L., II, 2.

Caisse commune d'une association, d'un groupe. *Fonder, entretenir, gérer une cagnotte.*

2 Cinquante passagers commencèrent par former une cagnotte de dix mille francs en versant chacun deux cents francs (...)
Raymond ROUSSEL, Impressions d'Afrique, p. 321.

♦ **2** (1855). Par métonymie. Argent contenu dans une cagnotte. *Dépenser, manger* (fig.) *la cagnotte.* — Par ext. Argent économisé peu à peu. *Se constituer une cagnotte.*

♦ **3** Régional (Suisse). Société d'épargne dont le siège social se trouve dans un établissement public. *Verser sa cotisation à la cagnotte.*

**CAGOT, OTE** [kago, ɔt] n. — 1535, Rabelais, «hypocrite» ; d'après *bigot ;* béarnais *cagot* «lépreux blanc», p.-ê. de *cagar* «chier», ou p.-ê. selon le même type d'évolution sémantique que *cafard.*

Vieilli ou littér. Personne qui affiche une dévotion excessive, outrée ou d'une sincérité douteuse. → **Bigot, bondieusard, cafard, calotin, dévot** (faux dévot), **pharisien.**

1 Que son front doux et serein
Est à mon gré préférable
Au visage sec, chagrin
De ce cagot qui du diable
Craint partout l'esprit malin.
LA FARE, Ode 6, *in* LITTRÉ.

2 Cela nous met un peu loin des cagots et des dévotes, aussi loin du reste, qu'est le catholicisme moderne de la mystique, car décidément cette religion est aussi terre à terre que la mystique est haute (...)
HUYSMANS, En route, p. 284.

Adj. *Avoir un ton, un air cagot.* → **Hypocrite.**

3 Il *(Daniel)* baissa les paupières d'un air cagot, s'approcha lentement (...) SARTRE, la Mort dans l'âme, p. 118.

Qui est marqué d'une bigoterie excessive.

Pour savoir où s'établir, ils passèrent en revue toutes les 4
provinces (...) La Bretagne leur aurait convenu, sans l'esprit cagot des habitants.
FLAUBERT, Bouvard et Pécuchet, Pl., t. II, p. 680.

REM. On trouve aussi le dér. féminin *cagotine* [kagɔtin] : petite cagote.

Surpris de trouver chez une cagotine un si malicieux esprit 5
de répartie, et sans doute tant de bon sens, l'oncle Anthime est momentanément désarçonné.
GIDE, les Caves du Vatican, I, III.

CONTR. **Convaincu, croyant, dévot, pieux, sincère. — Athée, incroyant.** ◊ DÉR. **Cagoterie, cagotisme.**

**CAGOTERIE** [kagɔtʀi] n. f. — 1598 ; de *cagot.*

Vieilli ou littér. Dévotion excessive ou suspecte du cagot*. → **Bigoterie, hypocrisie, tartuferie.** *Une cagoterie déplacée.* — Manière d'agir propre aux cagots. Esprit cagot. → **Cagotisme.**

Si cet homme a vu les livres, en Italie, purgés, c'est-à-dire biffés, raturés, mutilés par la cagoterie, il cessera de se plaindre de nos bibliothèques.
P.-L. COURIER, Pamphlets politiques, Lettre III, Pl., p. 14.

CONTR. **Conviction, croyance, dévotion, piété. — Athéisme, incroyance.**

**CAGOTISME** [kagɔtism] n. m. — 1667 ; de *cagot.*

Vx. Attitude, comportement, caractère du cagot. → **Cagoterie** (→ Bigotisme, cit. 3).

Son cagotisme en tire à toute heure des sommes,
Et prend droit de gloser sur tous tant que nous sommes.
MOLIÈRE, Tartuffe, I, 2.

CONTR. **Droiture, loyauté, sincérité.**

**CAGOUILLE** [kaguj] n. f. — 1611 ; du lat. *conchylia,* n. pl. de *conchylium* «coquille» ou, p.-ê., d'après P. Guiraud, de *caque* «coquille» (rac. *cacc-* «creux»), et suff. *-ouille.*

♦ **1** Régional (Aunis, Saintonge, Poitou). Escargot*.

♦ **2** (1687, Desroches, *Dict. de marine*). Mar. (Vx). Volute au haut de l'éperon d'un navire.

**CAGOULARD, ARDE** [kagulaʀ, aʀd] n. — V. 1937 ; de *Cagoule,* nom donné au *Comité secret d'action révolutionnaire.*

Membre de la Cagoule ; activiste pro-fasciste.

(...) la plupart avançaient (...) que mon entourage, noyauté de fascistes et de cagoulards, me poussait à instituer en France (...) un pouvoir personnel absolu.
Ch. DE GAULLE, Mémoires de guerre, t. II, p. 86.

**CAGOULE** [kagul] n. f. — 1552, *cagoulle,* Rabelais ; v. 1175, *cagole* «vêtement de moine» ; lat. ecclés. *cuculla,* de *cucullus* «capuchon». P. Guiraud évoque le préf. *ca-* «creux», *coule* étant la forme franç. pour *cuculla.*

♦ **1** Froc sans manche, muni d'un capuchon percé d'ouvertures à la place des yeux et de la bouche, et que portaient les moines (→ Baisser, cit. 3).

À quoi répondit Gargantua : «Il n'y a rien de si vrai que 1
le froc et la cagoule tirent à soi les opprobres, injures et malédictions du monde, tout ainsi comme *(que)* le vent, dit Cecias, attire les nues».
RABELAIS, Gargantua, XL.

Un moine en cagoule rabattue suivit le cortège, loin de 2
tous les autres, sans que personne osât lui parler.
FLAUBERT, Trois contes, «la Légende de saint Julien l'Hospitalier», II.

(...) le voile épais (...) qu'elle fit retomber jusqu'au bas du 3
visage afin de le dissimuler comme sous une cagoule.
LOTI, les Désenchantées, II, p. 18-19.

Capuchon pointu, fermé, percé à l'endroit des yeux.

4 Les pénitents s'avancent sur deux files, en longues robes et en cagoules qui les masquent (...) Ces «frères de lumière» portent d'une main un gros cierge, la flamme vers le sol (...) De l'autre main ils retiennent par-devant le capuchon, pour que ses œillères restent bien à la hauteur des yeux (...)
MONTHERLANT, les Bestiaires, p. 155.

♦ **2** Cour. Sorte de passe-montagne, porté surtout par les enfants. — Capuchon en tissu ignifugé recouvrant entièrement la tête, à l'exception des yeux.

♦ **3 LA CAGOULE :** nom donné au *Comité secret d'action révolutionnaire,* C. S. A. R., groupe d'extrême droite, actif de 1932 à 1940 (→ **Cagoulard**).

5 Il a tout cumulé. La Cagoule, plus tard la Milice... Un gala.
F. GIROUD, Si je mens, p. 56.

Par ext. Groupe apparenté à l'extrême droite; son idéologie.

6 Paris, mardi 6 avril 1954.
Déjà la fatigue, le dégoût. Manifestation de l'Arc de Triomphe. Relent de cagoule.
F. MAURIAC, Bloc-notes 1952-1957, p. 71.

**DÉR. Cagoulard.**

**CAGUER** [kage] v. intr. — Ancien (XVIe ?), d'après Cellard et Rey; de l'anc. provençal *cagar,* du lat. *cacare* qui a donné *chier* et aussi une forme *caguer.* → Cagade.

Argot. Chier. — Fig. *Tu nous fais caguer !*

Il achète des terrains pour faire caguer ses concurrents, il aménage, il bâtit, et pendant ce temps, les millions filent.
R. DORGELÈS, Tout est à vendre, p. 275-276.

**CAHIER** [kaje] n. m. — 1559, *cahier* «mémoire»; *cayer,* 1283; *caer, quaer,* fin XIIe; du bas lat. *quaternio* «groupe de quatre feuilles», de *quaterni* «quatre, chaque fois», de *quattuor.*

♦ **1** Assemblage de feuilles de papier cousues ou agrafées ensemble ou pliées les unes dans les autres, et munies d'une couverture. → **Album, bloc-notes, calepin, carnet, registre.** *Les feuilles d'un cahier. Cahier de papier à lettres. Cahiers d'écolier, de brouillon*, de devoirs, de mathématiques, de français. Cahier de cours. Cahier de corrigés. Mettre ses cahiers dans un cartable. Écrire, noter (qqch.) sur, dans un cahier.*

1 De fait, peu à peu les bâtons commençaient à marcher plus droit, la plume crachait moins, et il y avait moins d'encre sur les cahiers (...)
Alphonse DAUDET, le Petit Chose, I, VI.

2 (...) deux de ses cahiers de collégien, couverts de figures de géométrie, et sur lesquels, un soir de beau soleil et de beau rêve, il avait inscrit la date de son admissibilité au *Borda.* LOTI, Matelot, XLVIII, p. 185.

*Cahier* (ou *carnet*) *de correspondance,* sur lequel sont inscrites les notes d'un élève, dont les parents peuvent prendre connaissance. *Cahier de textes,* qui enregistre la liste des devoirs et des leçons donnés.

*Cahier des punitions, du règlement...,* où sont consignés les punitions, le règlement...

3 Le soir, à la récréation de quatre heures, il vint vers moi et me remit, toujours souriant, toujours muet, le cahier du règlement ouvert à la page 12 : *Devoirs du maître envers les élèves.* Alphonse DAUDET, le Petit Chose, I, VI.

4 Et ce gros livre, qu'est-ce que c'est?... Oh! oh!... Cahier de punitions... *Boucoyran, 500 lignes... Soubeyrol, 400 lignes... Boucoyran, 500 lignes... Boucoyran, Boucoyran...* Sapristi! Tu ne le ménageais pas le nommé Boucoyran...
Alphonse DAUDET, le Petit Chose, II, IV.

*Un cahier cartonné, un cahier de moleskine, un cahier bleu, rouge...* suivant la nature ou la couleur de la couverture.

(...) Jacques tira de dessous sa veste un énorme cahier rouge qu'il avait cartonné lui-même. 5
Alphonse DAUDET, le Petit Chose, I, IV.

*Un cahier blanc, rayé, quadrillé, à feuilles blanches, etc. Cahier de musique,* sur lequel sont imprimées des portées musicales; livret portant la partition d'un ou plusieurs morceaux de musique.

♦ **2** (1549). Techn. (imprim.). Ensemble, plié et coupé dans l'ordre voulu, des pages fournies par une feuille. → **Livre.** *Les cahiers d'un fascicule. Publications par cahiers. Coudre des cahiers en brochure. Le cinquième cahier de ce livre a été mal plié. Il y a une erreur de reliure : il manque un cahier.*

♦ **3** (1559). Mémoire. *Les cahiers d'une Assemblée :* mémoires présentés au Chef de l'État par les membres de cette assemblée et renfermant leurs remontrances, revendications, demandes, doléances... *Les cahiers des États généraux.*

On a beaucoup parlé, et avec admiration, des «cahiers» qui, selon la coutume, furent rédigés dans tous les bailliages et qui devaient résumer les vœux de la nation. En réalité, ils sont ou bien contradictoires ou bien vagues. Ils soulèvent tous les problèmes sans en résoudre aucun. 6
J. BAINVILLE, Hist. de France, XV.

*Cahier de rapport de mer :* registre* coté et paraphé par les autorités locales, sur lequel le commandant d'un navire écrit son rapport de mer.

Dr. *Cahier des charges :* document fixant les modalités de conclusion et d'exécution des marchés publics (→ **Adjudication**). — Document écrit énumérant les droits et obligations des parties à un contrat administratif. — Cour. *Cahier à souches*. Cahier d'entrée et sortie,* présentant les crédits et les débits. *Cahier de comptes. Cahier de recettes et dépenses.*

♦ **4** (Souvent au masc. plur., avec une majuscule). Littér. Notes, mémoires non entièrement rédigés. Journal d'un écrivain. *Cahiers intimes,* de M. Barrès. — Publication périodique. *Les Cahiers de la Quinzaine,* de C. Péguy.

Me voici revenir à la chère, vieille habitude, contractée depuis l'enfance, de rédiger un cahier de «libre examen» (...) 7
P. KLOSSOWSKI, la Révocation de l'Édit de Nantes, p. 7.

**COMP. Fesse-cahier, protège-cahier.**

**CAHIN-CAHA** [kaɛ̃kaa] adv. — 1552, Rabelais; altér. de *kahu-kaha,* XVe; de formation onomatopéique, p.-ê. d'après *cahot.* On a proposé des locutions latines comme *que* (ou *qua*) *hinc que (qua) hac,* mais l'expression semble d'orig. pop. et régionale.

Fam. Tant bien que mal, péniblement. → **Balin-balan** (régional), **clopin-clopant.** *Arriver cahin-caha.*

(...) tous clopin-clopant, cahin-caha, se ruant vers la lumière, et vautrés dans la fange comme des limaces après la pluie. HUGO, Notre-Dame de Paris, II, 6. 1

Un talika, en effet, débouchait d'une voûte d'arbres, arrivait cahin-caha, par le sentier mauvais. 2
LOTI, les Désenchantées, I, VI, p. 72.

Elle *(Marguerite)* est venue cahin-caha en écrasant lourdement l'herbe, et elle est là maintenant qui pleure, accroupie contre l'abreuvoir. GIONO, Colline, p. 177. 3

Fig. *Aller cahin-caha* (en parlant d'une association, d'une affaire, de la santé, etc.), d'une manière difficultueuse, précaire*.

(...) gagnant cahin-caha sa pauvre vie. 4
RABELAIS, le Quart Livre, Prologue.

(...) la vie continue, cahin-caha... Et la paix aussi! 5
MARTIN DU GARD, les Thibault, t. V, p. 182.

**CONTR. Aisément, facilement, légèrement, lestement.**

**CAHORS** [kaɔʀ] n. m. — 1807; de *vin de Cahors,* du nom d'une ville du Lot.

Vin rouge de la région de Cahors.

**CAHOT** [kao] n. m. — V. 1460; de *cahoter.*

♦ **1** Saut que fait une voiture en roulant sur un terrain inégal. → **Heurt, secousse.** *Un rude, un violent cahot. Les cahots menacent de faire verser la voiture.*

1 Il vient un cahot qui vous culbute, et l'on ne sait plus où l'on est. Mme DE SÉVIGNÉ, 638, *in* LITTRÉ.

2 Exprès, il laissait sa tête baller en arrière aux cahots de la course. COCTEAU, les Enfants terribles, II.

3 Au milieu du grand silence, et dans le désert de l'avenue, les voitures de maraîchers montaient vers Paris, avec des cahots rythmés de leurs roues, dont les échos battaient les façades des maisons, endormies (...) ZOLA, le Ventre de Paris, t. I, p. 5.

Littér. Bruit d'un véhicule cahoté.

4 De la vie, *(Jean Péloueyre)* ne percevait plus que les chants des coqs, des cahots de charrette, des appels de cloche, ce ruissellement indéfini sur les tuiles *(des pluies de l'hiver).* F. MAURIAC, le Baiser au lépreux, p. 144.

♦ **2** Aspérité qui provoque un cahot. *Les ornières et les cahots d'un chemin. Conduire en évitant les cahots* (→ **Cartayer).**

♦ **3** Par métaphore ou fig. → **Difficulté, obstacle; contrariété, vicissitude.** *Une affaire pleine de cahots. Être meurtri par les cahots de l'existence.*

**DÉR. Cahoteux.** ◊ **HOM. Chaos, K.O.**

**CAHOTAGE** [kaɔtaʒ] n. m. — 1694; *cahottage,* 1632, *in* D. D. L.; de *cahoter.*

Rare. Fait de cahoter; son résultat. *Le cahotage éreintant d'une charrette, d'un tombereau.*

Par métaphore : *«Ce cahotage de tous les styles»* (Sainte-Beuve, *in* T. L. F.).

**CAHOTANT, ANTE** [kaɔtɑ̃, ɑ̃t] adj. — 1798, Académie; p. prés. de *cahoter.*

♦ **1** Qui fait cahoter. *Chemin cahotant. Route cahotante.* → **Cahoteux.**

♦ **2** (Véhicules). Qui cahote, fait éprouver les cahots. *Voiture cahotante,* mal suspendue. → **Bringuebalant.**

1 Ils passèrent, dans leurs gimbardes cahotantes et bringuebalantes, les bœufs suivaient avec une noblesse comique, les voitures disparurent, l'une après l'autre, derrière le tournant (...) SARTRE, le Sursis, p. 65.

Par ext. Qui est agité de mouvements analogues à des cahots.

2 Le Cyclone, à l'avant et à l'arrière, emmenait toujours deux baquets débordants d'une eau cahotante, mais les coups de mer jaillis à la proue devenaient de plus petit calibre (...) Roger VERCEL, Remorques, p. 71.

**CONTR. Uni.**

**CAHOTEMENT** [kaɔtmɑ̃] n. m. — 1769; de *cahoter.*

Fait de cahoter. Secousse que fait éprouver une voiture qui cahote. → **Ballottement, cahot.** *Une nuit de cahotement dans le train.*

Littér. Bruit fait par un véhicule secoué par des cahots.

1 Le pluvieux automne chuchotait sur les tuiles. Un contrevent claquait; le cahotement d'une charrette s'éloignait. F. MAURIAC, le Baiser au lépreux, p. 67.

Par anal. Suite de secousses.

2 Une souffrance effroyable me fendait (...) Une douleur vivante, une force extraordinaire, tendaient mes muscles (...) Je me sentais vertigineusement emporté dans un cahotement de fièvre (...) DANIEL-ROPS, Mort, où est ta victoire?, p. 246.

**CAHOTER** [kaɔte] v. — 1564; du moy. néerl. *°hotten* «secouer», et préf. *ca-.*

♦ **1** V. tr. Secouer par des cahots. → **Ballotter, secouer.** — REM. Le verbe est rare à l'actif; cour. au passif. *On est terriblement cahoté, dans cette vieille guimbarde.*

1 Les ornières cahotaient les grosses roues, les chaînes de l'attelage grelottaient au vent du matin (...) HUGO, Quatre-vingt-treize, IV, 1.

Fig. *La vie l'a cahoté.* → **Éprouver, malmener.**

♦ **2** V. intr. Éprouver des cahots; être secoué par des cahots. *Voiture qui cahote.* → **Bringuebaler.**

1.1 *(Noémie)* secoua sa robe pleine de sable; des charrois cahotaient; un geai cria. F. MAURIAC, le Baiser au lépreux, p. 152.

◆ **CAHOTÉ, ÉE** p. p. et adj.

♦ **1** Secoué par des cahots. *Voiture cahotée.* — (Personnes). *Voyageurs cahotés, secoués.*

2 Il y avait là dans la chaise *(roulante)* un jeune homme grossièrement vêtu (...) Sa petite femme brune (...) était cahotée à côté de lui. VOLTAIRE, Jeannot et Colin, *in* LITTRÉ.

3 Disloqué, de cailloux en cailloux cahoté,
Il respirait toujours; sans abri, sans asile (...)
HUGO, la Légende des siècles, «le Crapaud».

♦ **2** Fig. Saccadé dans sa démarche, heurté dans son expression, sa forme. *Un style cahoté.* → aussi **Chaotique.**

**DÉR. Cahot, cahotage, cahotant, cahotement.**

**CAHOTEUX, EUSE** [kaɔtø, øz] adj. — 1678; de *cahot.*

Qui fait éprouver des cahots. *Chemin cahoteux.*

Par métaphore :

Il revoyait, avec une précision parfaite, le tableau *(la Chaussée de Sein) :* une chaussée, oui, une route d'écume, une avenue cahoteuse, large de quatre milles et hérissée de milliers de cailloux noirs. Roger VERCEL, Remorques, p. 124.

**CAHUTE** [kayt] n. f. — XVIe, Calvin; *quahute,* XIVe; *chaüte,* XIIIe; de *hutte,* et préf. péj. *ca-;* cf. néerl. *kajuit,* soit croisement de *hutte* avec des mots comme *cabane, caverne.*

♦ **1** Hutte, cabane grossière. → **Cabane, hutte.** *Construire une cahute; s'abriter dans une cahute. Une méchante cahute. Une cahute couverte de chaume.*

1 (...) il *(Julien)* répara le bateau avec des épaves de navires, et il se fit une cahute avec de la terre glaise et des troncs d'arbres. FLAUBERT, Trois contes, «la Légende de saint Julien l'Hospitalier», III.

1.1 (...) la maigreur de ces gens, leur apparente détresse, ne nous apparaissent pas différentes de celles des habitants des villages que nous traversons. Rien de plus misérable que les cahutes où ils vivent, entassés pêle-mêle (telle hutte en contient onze et telle autre treize). GIDE, Voyage au Congo, *in* Souvenirs, Pl., p. 805.

♦ **2** Petit réduit; abri rudimentaire et misérable. → **Baraque.**

2 Bréhier avait cloué, au mur de la cahute, une grande carte du front. G. DUHAMEL, la Pesée des âmes, XIII, p. 306.

3 En amont, un bidonville a essaimé ses cahutes à flanc de montagne (...) Des toits de zinc, retenus par de grosses pierres contre les rafales de vent, tombent des cascades qui vont grossir le marigot de l'artère principale. Régis DEBRAY, l'Indésirable, p. 302.

♦ **3** Fam. et vieilli. Maison. *Une grande cahute.* → **Bicoque.**

4 J'ai reçu avant-hier dans une lettre de ma mère la grande nouvelle (...) Quel dîner il a dû y avoir dans la cahute paternelle à Croisset. FLAUBERT, Lettre à Louis Bouilhet, 10 sept. 1850, *in* Correspondance, t. I, Pl., p. 685.

**CAÏD** [kaid] n. m. — 1694; *caïte,* 1310; arabe *qāʾid,* proprt «celui qui conduit».

♦ **1** En Afrique du Nord, Fonctionnaire musulman qui cumule les attributions de juge, d'administrateur, de chef de police, etc. → aussi 2. **Aga.**

1 (...) M. Warnier (...) a été reçu avec les honneurs qui n'ont jamais été rendus, à Tanger, à aucun Européen; le caïd est venu, à cheval, le recevoir (...)
PRINCE DE JOINVILLE, Lettre de 1844, *in* Augustin JAL, Glossaire nautique.

REM. Dans ce sens, on a aussi écrit *kaïd* (Delacroix, *Journal,* 29 janv. 1832).

♦ **2** a (1903). Argot fam. Chef d'une bande de mauvais garçons; personnage considérable dans le milieu. → **Cador,** 2.

Par ext. Personnage socialement important. *Un gros caïd.* → **Huile, manitou, ponte.**

2 Son premier client fut un gros caïd de la S. N. C. F. à qui elle fit les lignes de la main.
Jacques PERRET, Bâtons dans les roues, p. 171.

b Fam. Homme remarquable et qui s'impose avec une certaine brutalité. → **Chef, dur.** *Faire le caïd, son caïd* : chercher à en imposer. *Jouer au caïd, jouer les caïds.*

3 Avec son flair de caïd, il aurait senti s'il pouvait pousser ses avantages. Une telle pensée m'eût semblé sacrilège. Je me contentai d'admirer la carnation de l'épicière.
P. GUTH, le Naïf sous les drapeaux, III, II, p. 102.

DÉR. (Du sens 1) **Caïdat.**

**CAÏDAT** [kaida] n. m. — 1899; de *caïd.*

♦ **1** Didact. Dignité de caïd (1.).

♦ **2** Système de hiérarchie sociale propre au milieu, dans lequel des «caïds» (2., a.) imposent leur loi. — Spécialt. Ce système, tel qu'il tend à s'instaurer parmi des détenus. *«L'affaire, du moins, ne risque plus d'être enterrée. Car, au-delà du "cas Patry", ce sont les pratiques du caïdat en prison dont on espère que l'on va parler. Pratiques qu'encouragent les conditions de vie des maisons d'arrêt vétustes...»* (*le Point,* 28 août 1978, nº 310, p. 60). — REM. Le mot semble être dans ce sens (2) une création journalistique. Il est maintenant fréquemment employé dans des contextes décrivant les conditions de vie en milieu carcéral.

**CAÏEU** ou **CAYEU** [kajø] n. m. — 1651; mot normanno-picard «rejeton»; cf. anc. franç. *chael* «petit chien»; du lat. *catellus.*

Bot., hortic. Bourgeon qui se développe à partir du bulbe principal. *Caïeu de tulipe, de lis. Caïeu d'ail* (→ **Gousse**). *Des caïeux.*

1 La reproduction (...) des plantes par racines ou par caïeux.
BUFFON, Hist. nat. des animaux, Génération, *in* LITTRÉ.

2 De gros caïeux de lis paraissaient à la surface de la terre.
CHATEAUBRIAND, Itinéraire..., 33.

Fleur qui naît d'un caïeu. *Cette tulipe n'est qu'un caïeu de l'année* (Académie).

**CAILLAGE** [kajaʒ] n. m. — 1867; de *cailler.*

Action de faire cailler; son résultat. *Le caillage du lait.* → **Caillement.**

**CAILLASSE** [kajas] n. f. — 1846; du rad. de *caillou,* et suff. péj. *-asse.*

♦ **1** Géol. Lit de calcaire grossier mêlé de marne, de silice, de sable, de gypse. *La caillasse est d'époque tertiaire.*

♦ **2** Fam. Pierraille, graviers. *Marcher dans la caillasse. Caillasse servant à l'empierrement des chemins.*

1. **CAILLE** [kaj] n. f. — Déb. XIIe; *quaccola* (VIIIe), onomat. cf. bas lat. *quaccula, quacquara.*

♦ **1** Oiseau de petite taille, à plumage tacheté, voisin de la perdrix (n. sc. : *coturnix.* → **Turnix;** *Phasianidés*). *La caille, de la taille du merle, vit dans les champs et les prés; c'est un gibier de passage apprécié. Chasser la caille. Filet pour prendre les cailles.* → **Tirasse.** *Cri de la caille* (→ **Cacaber, caqueter, carcailler, courcailler, margoter**). *Caille des blés* (espèce appelée en général *caille*). *Caille du Japon.*

Un dimanche, M. le maire chassait aux cailles dans mon pré (...) 1
P.-L. COURIER, II, 296, *in* LITTRÉ.

Loc. fam. *Gras, rond comme une caille* : grassouillet, rondelet. — Fig. *Chaud comme une caille* : ardent en amour (vx); mod., dont le corps est chaud (du fait d'une légère fièvre, d'un exercice violent, etc.).

♦ **2** Fam. Terme d'affection* s'adressant à un enfant, à une femme... *Ma petite caille.* → **Cocotte, poulette, poule** *(ma poule).*

— Est-ce que vous êtes souffrante? 2
— Non, monsieur...
— Elle est intimidée, pauvre petite caille.
LABICHE, Célimare le bien-aimé, II, 1, *in* Théâtre complet, t. III, p. 46.

Pop. et vieilli. Jeune fille, jeune femme, parfois de mœurs légères. → **Cocotte, grue, poule.**

Petit-Pouce et Paradis eux, pour eux la vie était belle, vraiment. Un bras passé autour de la taille d'une succulente caille, de l'autre négligemment manipulant le volant de leur véhicule réduit, ils se payaient du bonheur à quarante sous les cinq minutes. 3
R. QUENEAU, Pierrot mon ami, éd. L. de Poche, p. 20.

DÉR. **Caillet** ou **cailleteau,** 3. **caillette.** ◊ HOM. 2. **Caille.**

2. **CAILLE** [kaj] n. f. — 1906; de **cail* «présure ou organe digestif dont on fait la présure», du lat. *coagulum* «présure». → 1. Caillette.

Argot. Estomac. *L'avoir à la caille* : être contrarié, avoir qqch. «sur l'estomac». — (1910). *Avoir qqn à la caille,* le détester.

Moi, dit Pépin, j'm'en fais pas pour les embusqués ou les demi-embusqués, pisque c'est perdre le temps qu'on a, mais où j'les ai à la caille, c'est quand i crânent (...) qu'après, i' viennent pas dire : «J'ai été un guerrier.»
H. BARBUSSE, le Feu, t. I, p. 55.

HOM. 1. **Caille.**

**CAILLÉ, ÉE** [kaje] adj. et n. m. — → Cailler.

♦ **1** Adj. Qui s'est coagulé et présente des caillots. *Sang, lait caillé.*

Par métaphore (littér.). *«Le ciel caillé et les flèches précipitées de la pluie»* (Nizan, *in* T. L. F.).

♦ **2** N. m. (XIVe). Partie coagulée du lait caillé. → **Caillebotte.** *La séparation du caillé et du petit-lait.* Spécialt. Fromage mou provenant du caillé. Syn. : *fromage à la pie.*

**CAILLEBOTIS** [kajbɔti] n. m. — 1678, *caillebottis;* de *caillebotte,* par anal. avec les claies sur lesquelles on fabrique les caillebottes.

♦ **1** Mar. Treillis recouvrant l'ouverture d'une écoutille*. — Treillis amovible servant de plancher.

Ils viennent d'apercevoir le bateau. Leur vieux bateau. Il a besoin d'être écopé, l'eau affleure le caillebotis. Mais le fond a été repassé au coaltar, le bordé repeint, les tolets graissés. Hervé BAZIN, Cri de la chouette, 2, p. 159. 1

♦ **2** (1916). Par ext. Panneau de lattes servant de passage (dans les tranchées; puis dans un chemin boueux, sur un sol meuble).

2 (...) un de ces chemins de lattes que l'on appelait des caillebotis.
G. DUHAMEL, la Pesée des âmes, VIII, p. 187.

3 La fonte des neiges et la pluie délayaient si bien la terre des rues non pavées qu'un peu partout avaient été posés des planches et des caillebotis permettant le passage (...)
Pierre GASCAR, le Temps des morts, p. 213.

**CAILLEBOTTE** [kajbɔt] n. f. — 1546, Rabelais; de *caillebotter.*

Masse de lait caillé. → **Caillé,** 2.

**DÉR. Caillebotis.**

**CAILLEBOTTER** [kajbɔte] v. tr. — Déb. XIVe; de *caille(r),* et *botter* «mettre en caillé, s'agglomérer».

Vx. Réduire en caillots (du lait). → **Cailler, coaguler.**

♦ **SE CAILLEBOTTER** v. pron. Se prendre en caillots. *Le lait se caillebotte.* → **Prendre** (se).

♦ **CAILLEBOTTÉ, ÉE** p. p. et adj. Chim. *Précipité caillebotté,* formé de caillots blanchâtres.

**DÉR. Caillebotte.**

**CAILLE-LAIT** [kajlɛ] n. m. invar. — 1701, Furetière; du rad. de *cailler,* et de *lait.*

Bot. (rare). Gaillet*, plante à laquelle on attribue la propriété de cailler le lait. *Des caille-lait.*

**CAILLEMENT** [kajmɑ̃] n. m. — 1478; de *cailler.*

Rare.

♦ **1** Fait de cailler le lait (→ **Caillage**) ou le sang.

♦ **2** État de ce qui est caillé.

**CAILLER** [kaje] v. — Déb. XIIe, *caillier;* du lat. *coagulare.* → Coaguler.

♦ **1** V. tr. Faire prendre en caillots*. → **Coaguler, figer.** *La présure* caille le lait*. Lait caillé.* → **Caillé** (2.), **caillebotte.**

Fig. (par métaphore) :

0.1 Dans le vaste ciel boueux des forces dorment. Le temps lentement les approche du réveil. Déjà elles sont tièdes (...). Il regarda le ciel lourd et tiède où la brume était peu à peu caillée en gros nuages.
J. GIONO, le Chant du monde, p. 199 et 203.

♦ **2** V. pron. **SE CAILLER.** *Le lait se caille. Le sang se caille.*

1 On craint le lait trié ou caillé : c'est une folie, puisqu'on sait que le lait se caille toujours dans l'estomac.
ROUSSEAU, Émile, I, p. 36.

Par ellipse de *se. Faire cailler le lait* (→ aussi 3.).

Par métaphore. Se figer, s'immobiliser.

2 Et puis la saignée s'arrêta, le temps se cailla de nouveau (...)
SARTRE, la Mort dans l'âme, p. 137.

♦ **3** Intrans. *Le lait a rapidement caillé. Faire cailler le lait* (→ aussi 2., par ellipse de *se*).

Par anal. (pop.). Être figé par le froid. *Je caille. On va cailler.* — Emploi impers. Faire froid. *Ça caille ici.* — Emploi trans. (par euphém.). *On se les caille.*

3 (...) peut-être novembre, octobre, je me rappelle qu'il avait plu des cordes. Un temps, on se serait cru à la fin de l'hiver. Je me souviens de ça parce que j'avais mis mon trench-coat. (...) je le revois, il portait une chemise rouge, le col ouvert sur un tricot et toujours son pantalon de velours. Ce jour-là, hein, ça caillait.
François NOURISSIER, le Maître de maison, p. 230.

*Se cailler le sang, le raisin, le mou :* se faire du souci.

4 Sosthène lui il était fixé. Il *se caillait* plus *le mou.* Il voulait plus se remuer pour rien. Il attendait l'accomplissement de la prophétie, que les bourriques viennent nous cueillir.
CÉLINE, le Pont de Londres, p. 365.

**DÉR. Caillage, caillement.** ◈ **COMP. Caillebotter, caille-lait.** — **HOM. Cahier.**

**CAILLETAGE** [kajtaʒ] n. m. — 1758; de *cailleter.*

Vx. Bavardage de caillette (2.). → **Babillage, bavardage.** *Un cailletage frivole.*

La vie uniforme et simple des religieuses, leur petit cailletage de parloir (...) ROUSSEAU, les Confessions, II.

**CONTR. Discrétion, mutisme, silence.**

**CAILLETEAU** [kajto] n. m. — 1372; de 1. *caille.*

Rare. Petit de la caille*. — REM. On rencontre parfois la forme *caillet* [kajɛ].

**CAILLETER** [kajte] v. intr. [CONJUG.: *jeter.*] — 1766, Rousseau; de 2. *caillette.*

Vx. Bavarder comme une caillette (2.). → **Babiller, bavarder.**

**CONTR. Taire** (se). ◈ **DÉR. Cailletage.**

1. **CAILLETTE** [kajɛt] n. f. — 1393; dimin. d'un anc. franç. *cail «présure», du lat. *coagulum.* → Cailler.

Quatrième compartiment de l'estomac* des ruminants, où se trouve la présure (→ **Abomasum).** *La caillette joue le rôle essentiel dans la digestion des jeunes ruminants à l'allaitement.*

**HOM.** 2. **Caillette,** 3. **caillette.**

2. **CAILLETTE** [kajɛt] n. f. — Av. 1544; du nom d'un bouffon de Louis XII et de François Ier; masc. jusqu'au XVIIe, p.-ê. influencé par 1. *caille.*

Vieilli ou hist. Femme frivole et bavarde. *Babillage, bavardage de caillette.* → **Cailletage.**

Quand le dix-huitième siècle, ses conventions, ses exemples, le bon goût, le bon ton du monde, les leçons de la vie, ont renouvelé complètement l'éducation et presque la nature de la femme, quand ils l'ont dépouillée de tout naturel, de toute timidité, de toute simplicité, la femme devient ce type des mœurs sociales : la caillette. 0.1
Ed. et J. DE GONCOURT, la Femme au XVIIIe siècle, t. II, p. 131.

Un attachement de douze ans n'avait plus besoin de paroles; nous nous connaissions trop pour avoir plus rien à nous apprendre. Restait la ressource des caillettes, médire, et dire des quolibets. 1
ROUSSEAU, les Confessions, IX.

Me voici tombant en pleine réunion de caillettes; elles étaient dix, et Boylesve seul homme, au milieu. 2
GIDE, Journal, 19 avr. 1917.

**DÉR. Cailleter.** ◈ **HOM.** 1. **Caillette,** 3. **caillette.**

3. **CAILLETTE** [kajɛt] n. f. — 1838; de 1. *caille,* par anal. de couleur.

Régional. Pétrel* de petite taille.

**HOM.** 1. **Caillette,** 2. **caillette.**

**CAILLOT** [kajo] n. m. — 1560; dimin. d'un anc. franç. *cail. → 1. Caillette.

♦ **1** Petite masse de liquide caillé, coagulé. → **Grumeau.** *Un caillot de lait.*

♦ **2** Cour. Petite masse de sang coagulé. *Caillot de sang formé par la fibrine retenant les globules rouges.* → **Cruor.** *Un caillot se formant lors d'une artérite* (→ Artérite, cit.) *peut causer une embolie*.* → **Thrombose.**

Il bave; et, du coin de ses lèvres qu'il ne peut presque plus entr'ouvrir, il rejette un caillot de sang, compact comme la pulpe d'un fruit. 1
MARTIN DU GARD, les Thibault, t. VIII, p. 155.

Avec une épine de la tige il se fit une entaille longitudinale sur la face inférieure du poignet gauche, ouvrant ainsi une veine saillante et gonflée d'où il retira, pour le déposer sur sa couche, un caillot de sang verdâtre entièrement solidifié. 1.1
Raymond ROUSSEL, Impressions d'Afrique, p. 180.

Par métaphore :

2 Quelque chose se formait dans sa gorge, qui l'étouffait à demi : elle aurait voulu éclater en sanglots, se rouler à terre, vomir ce caillot d'angoisse qui la paralysait.
Edmond JALOUX, les Visiteurs, XXX, p. 233.

**CAILLOU** [kaju] n. m. — V. 1275, *caillou,* forme normanno-picarde ; *chaillou,* forme francienne, fin XII^e ; du moy. franç. *chail,* p.-ê. du gaulois **caljávo* «caillouteux», de **caljo-* «pierre», rad. **cal-* ; P. Guiraud évoque l'adj. **calleus,* de *callum* «durillon», ainsi qu'un dér. de *calculus,* d'où *cail, chail.*

♦ **1** Fragment de pierre, de roche, de petite ou moyenne dimension (du centimètre à quelques décimètres). → **Gravier, pierre.** *Caillou dur, friable. Cailloux arrondis.* → **Galet.** *Cailloux d'ornementation.* → **Rocaille.** *Gros caillou.* → **Bloc.** *Casser des cailloux,* pour l'entretien des routes. — Loc. fam. *Être condamné à casser des cailloux :* être condamné aux travaux forcés. — *Chemin plein de cailloux.* → **Rocailleux.** *Cailloux pour l'empierrement* d'une route, pour le ballast d'une voie ferrée.* → **Caillasse, cailloutis, rudération.** *Concasser des pierres pour produire le caillou* (→ **Concasseur**). *Tas de cailloux. Écraser les cailloux au cylindre compresseur. Maçonnerie en cailloux. Caillou qui servait de projectile.* → **Jalet.**

1 Prends ton pic, et me romps ce caillou qui te nuit.
LA FONTAINE, Fables, VI, 18.

2 Une grêle de cailloux, lancés contre la fenêtre et la porte qui donnaient sur cette galerie (...)
ROUSSEAU, les Confessions, XII.

3 La vie est un caillou que le sage ramasse
Pour lapider le ciel.
HUGO, les Contemplations, «Au bord de l'infini», VI.

3.1 Et si le sol dur d'une route est souvent joyeusement senti par le voyageur dont les pieds ont ainsi leur part des sensations de fatigue saine, de vie rude et naturelle que la campagne lui fait vivement goûter, de même Jean retrouve avec exaltation, à sentir sous ses bottines le délicat glissement des innombrables cailloux de l'allée si unis, si rapprochés qu'ils bougent à peine sous ses pas, ce plaisir plus raffiné et moins sain qu'il éprouve depuis qu'il est dans ce jardin vide d'habitants (...)
PROUST, Jean Santeuil, Pl., p. 323.

4 (...) il se sentait captif, condamné à la passivité, entraîné par l'événement mondial, solidaire de sa patrie, de sa classe : aussi impuissant qu'un caillou pris dans la masse glissante d'un tombereau qu'on décharge.
MARTIN DU GARD, les Thibault, t. VII, p. 260.

Au sing., avec une valeur collective :

4.1 Le caillou sonne et luit sous mes talons poudreux (...)
VERHAEREN, Un matin, «les Forces tumultueuses».

(V. 1780). Géol. *Cailloux éclatés :* silex anguleux. *Caillou impressionné :* galet calcaire qui a conservé l'empreinte d'un contact avec un galet siliceux. *Caillou gélivé,* éclaté par le gel. — Plus cour. *Caillou roulé :* galet de forme arrondie, usé par l'action des eaux. *Cailloux polis, striés,* entraînés par les glaciers. — Fam. *Du caillou :* de la roche. → **Caillasse.**

Mar. (fam.). Rocher, petite île, en général mal signalés.

4.2 Il me semble que, depuis, je n'ai pas arrêté. Surtout cet été-là dans l'île. Que faire d'autre quand on est assise sur un caillou au milieu de la mer, en attendant une lettre qui ne vient pas ?
Geneviève DORMANN, le Bateau du courrier, p. 23.

Par compar., fam. *Avoir un cœur de caillou, le cœur dur comme un caillou,* insensible. → **Pierre.**

♦ **2** (1723). Fragment de cristal de roche, de quartz hyalin, ou pierre ayant l'apparence du cristal, employé en joaillerie. *Caillou de Médoc, du Rhin. Caillou d'Égypte :* jaspe au veinage ramifié, très décoratif.

Fam. Pierre précieuse, diamant.

♦ **3** Pierre très dure qui fait feu sous l'acier. → **Silex.**

Des veines d'un caillou, qu'il frappe au même instant, 5
Il fait jaillir un feu qui pétille en sortant.
BOILEAU, le Lutrin, III.

♦ **4** Par métaphore (littér.). → **Épreuve, difficulté, obstacle, souci.** → **Pierre, roc.** *Le chemin de la vie présente bien des cailloux.*

Je suis tout étonnée de ne plus trouver sur mon cœur, 6
ni le jour, ni la nuit, ce caillou que vous aviez mis par l'inquiétude de votre accouchement.
M^me DE SÉVIGNÉ, 224, 2 déc. 1671.

♦ **5** (1866). Fam. → **Figure, tête.** *Avoir un caillou à caler les roues d'un corbillard :* avoir une sale tête ; une tête d'enterrement. *Se sucer le caillou :* s'embrasser. — *Avoir le caillou déplumé ; n'avoir plus de mousse sur le caillou, ne plus avoir un poil sur le caillou :* avoir le crâne chauve.

Pendant le premier mois, Nana s'amusa joliment de son 7
vieux (...). Plus de mousse sur le caillou, quatre cheveux frisant à plat dans le cou, si bien qu'elle était toujours tentée de lui demander l'adresse du merlan qui lui faisait la raie.
ZOLA, l'Assommoir, t. II, p. 177.

Tête (comme siège de l'intelligence). *Ne rien avoir dans le caillou.* — (Comme organe représentatif du caractère). Vieilli. *Un dur caillou :* une forte tête.

C'est là, dit-il, qu'on a fusillé le soldat du 204, ce matin (...). 8
Il avait voulu couper aux tranchées (...). C'était pas un bandit ; c'était pas un de ces durs cailloux comme tu en vois.
H. BARBUSSE, le Feu, t. I, p. 56.

DÉR. (Du rad.) **Caillasse, cailloutage, caillouter, caillouteux, cailloutis.**

**CAILLOUTAGE** [kajutaʒ] n. m. — 1694 ; *caillotage,* av. 1638 ; de *caillou* (le mot est antérieur à *caillouter*).

♦ **1** Action de caillouter. *Le cailloutage préserve les routes. Procéder au cailloutage d'un chemin.*

♦ **2** Ensemble des cailloux qui couvrent un chemin ; revêtement de cailloux. → **Pavage.** *Chemin de cailloutage* (Académie). *Le cailloutage vient d'être refait.*

♦ **3** Techn. (maçonn.). Béton fait de cailloux noyés dans de la chaux hydraulique. *Le cailloutage d'un mur.*

Ces murs sont ainsi composés : un lit de grosses pierres, une maçonnerie mêlée, une couche de cailloutage.
CHATEAUBRIAND, Itinéraire..., II, 306.

♦ **4** (Av. 1844). Céram. Faïence fine faite avec une poudre de quartz ou de silex ; poterie faite avec cette matière. Syn. : *terre* (III., 2.) *anglaise.*

**CAILLOUTER** [kajute] v. tr. — 1769, Turgot ; de *caillou,* avec *t* de liaison.

♦ **1** Garnir, revêtir de cailloux. → **Empierrer.** *Caillouter une route, une voie ferrée.*

♦ **2** Céram. Mêler de silex pulvérisé.

◆ **CAILLOUTÉ, ÉE** p. p. adj.

♦ **1** Revêtu de cailloux ; empierré. *Route cailloutée.*

Après le dîner, la princesse se tenait dans une petite galerie aux pilastres plaqués de morceaux de glace, feuillagés d'acanthe, aux portes bleues à filets dorés, au petit pavé caillouté de violet et de jaune (...)
Ed. et J. DE GONCOURT, Madame Gervaisais, p. 89.

(Correspond au sens 2 de l'actif). *Pâte cailloutée.*

♦ **2** N. m. *(Un caillouté).* Ornementation en cailloux de diverses couleurs dans les jardins. — Faïence fine. → **Cailloutage, 4.**

♦ **3** Par anal. Tacheté de clair et de sombre, en parlant d'un oiseau, de son plumage.

**CAILLOUTEUX, EUSE** [kajutø, øz] adj. — 1829; *cailloteux,* fin XVIe; de *caillou.*

♦ **1** Où il y a beaucoup de cailloux. *Chemin caillouteux.* → **Pierreux.** *Terres caillouteuses.*

1 Cette vallée *(du Chéliff),* ou plutôt cette plaine inégale et caillouteuse, coupée de monticules, et ravinée par le Chéliff, est à coup sûr un des pays les plus surprenants qu'on puisse voir.
E. FROMENTIN, Un été dans le Sahara, p. 39.

2 On avait beau marcher dans toutes les rues, et même au-delà, à travers la campagne caillouteuse que la pluie fertilisait, nulle part on ne rencontrait la véritable solitude (...) J.-M. G. LE CLÉZIO, le Déluge, p. 44.

♦ **2** Fig. Heurté, qui n'est pas harmonieux. *Une prose caillouteuse.*

**CAILLOUTIS** [kajuti] n. m. — 1700; de *caillou.*

Amas ou ouvrage de petits cailloux concassés. *Recouvrir une route de cailloutis.* → **Empierrement.** Géol. *Cailloutis glaciaire :* cailloux, graviers et sables charriés par un glacier.

1. **CAÏMAN** [kaimɑ̃] n. m. — 1588; *caymane,* 1584; esp. *caiman;* mot probablt caraïbe.

♦ **1** Reptile crocodilien, de taille modeste, dont la tête est plus courte que celle du crocodile. *Les caïmans vivent en troupes dans les fleuves et les marais d'Amérique. Caïman noir de l'Amazone* (le plus grand caïman).

1 Il étouffait sous ces feuillages interminables *(de la Guyane hollandaise).* Puis lorsqu'il se dégageait enfin (...) l'homme se trouvait en face de larges rivières qui lui barraient la route; il les descendait, surveillant les échines grises des caïmans, fouillant du regard les herbes charriées, passant à la nage, quand il avait trouvé des eaux plus rassurantes.
ZOLA, le Ventre de Paris, t. I, p. 139.

2 C'est la peau du ventre et des flancs des Caïmans qui est ordinairement vendue dans le commerce sous le nom de *peau de crocodile* et est employée dans la maroquinerie.
P. POIRÉ, Dict. des sciences, art. *Caïman.*

REM. *Caïman* est le nom usuel de plusieurs animaux du genre *Alligator* vivant en Amérique tropicale; mais le mot, considéré comme suggestif, est souvent employé erronément pour désigner d'autres crocodiliens. → Crocodile. Cet emploi est usuel et normal en franç. d'Afrique, notamment pour désigner le crocodile à museau large (I. F. A.).

3 Mais la faune, plus que la flore encore, fait l'intérêt constant du paysage. Par instants, les bancs de sable sont tout fleuris d'échassiers, de sarcelles, de canards, d'un tas d'oiseaux si charmants, si divers que l'œil ne peut quitter les rives, où parfois un grand *caïman,* à notre passage, se réveille à demi pour se laisser choir dans l'azur.
GIDE, Voyage au Congo, *in* Souvenirs, Pl., p. 822.

♦ **2** Fig. *« Ce vieux caïman de Grandet »* (Balzac, *in* T. L. F.). → **Crocodile.**

2. **CAÏMAN** [kaimɑ̃] n. m. — 1880; probablt de 1. *caïman,* «animal féroce, dangereux, etc.».

Argot. Préparateur ou directeur d'études (agrégé répétiteur) à l'École normale supérieure.

**CAÏQUE** [kaik] n. m. — Av. 1752; *caique,* fém., 1619; *caïq,* masc., 1579; turc *qāyïq,* p.-ê. par l'ital. *caicco.*

Embarcation légère, à voiles ou à rames, longue, étroite et pointue, de la Méditerranée et de la mer Noire (→ Yali, cit.).

1 Le caïque est une barque de quinze à vingt pieds de long sur trois de large, taillée comme un patin, se terminant à chaque extrémité de manière à pouvoir marcher dans les deux sens (...) Th. GAUTIER, Constantinople, p. 207.

2 Ces caïques, il y en a de toutes sortes, depuis les très grands à éperon d'or (...) jusqu'aux tout petits, pareils à un arc, à un croissant de lune posé sur la mer (...)
LOTI, Suprêmes visions d'Orient, p. 25.

**CAIRN** [kɛʀn] n. m. — 1805, puis 1825, *in* Höfler; *Karn,* 1785; irlandais *cairn* «tas de pierres», rac. celtique *kar-* «dur».

Didactique.

♦ **1** Monticule ou tumulus celte, fait de terre ou de pierres.

Les highlanders vous disent en signe d'amitié : «J'ajouterai une pierre à votre *cairn* (monument funèbre).» (...) 1
La pierre, entourée de quatre autres plus petites et d'une espèce d'enclos, garde le nom de *cairn na huseoig,* le cairn de l'hirondelle.
MICHELET, Hist. de France, t. I, p. 153-154 (1833).

♦ **2** (1860). Pyramide élevée par des alpinistes, des explorateurs, comme point de repère ou marque de leur passage. → **Champignon, steinmann.**

Les vivres et le bateau (...) furent débarqués, tandis qu'une 2
escouade visitait l'île de Washington Irving, à la recherche d'un emplacement pour y élever un *cairn* ou signal en pierre, et d'une hauteur d'où l'on pût examiner au loin les glaces et la mer.
G. S. NARES, Récit d'un voyage à la mer polaire, *in* le Tour du monde, 1875, t. II, p. 170.

Par métaphore :

Ma joie ne demeurera que si elle est la joie de tous. Je ne 3
veux pas traverser les batailles une rose à la main.
J'ai dressé ce cairn à la fin de mon apprentissage panique, au moment où j'arrivais sur le premier sommet. Il marquera la route parcourue.
J. GIONO, les Vraies Richesses, p. 26.

**CAIROTE** [kɛʀɔt] adj. et n. — 1889; de *Le Caire.*

Du Caire (capitale de l'Égypte).

A la même heure, l'alerte est donnée à Alexandrie. Néguib, entouré des Officiers libres, prend le téléphone : le ministre de l'Intérieur l'appelle d'Alexandrie. Des journalistes cairotes et étrangers viennent aux nouvelles.
Jean ZIEGLER, Main basse sur l'Afrique, p. 128.

**CAISSE** [kɛs] n. f. — 1553; *quecce,* 1365; anc. provençal *caissa,* du lat. *capsa* «coffre». → Châsse.

**I** ♦ **1** Grande boîte faite de planches assemblées ou coffre (de bois, de métal) utilisé pour l'emballage, le transport des marchandises. → **Caissette, coffre, colis.** *Fabrique de caisses.* → **Caisserie.** *Ouvrier qui fabrique les caisses.* → **Layetier.** *Le fond, les parois d'une caisse. Planches de tête et côtés d'une caisse. Compartiments d'une caisse. Couvercle de caisse cloué, à charnières. Caisse cerclée, renforcée. Caisse à claire-voie.* → **Harasse.** *Des caisses et des cageots**. *Caisse pleine,* dont les planches sont assemblées. *Clouer une caisse. Charger, arrimer des caisses sur un camion. Expédier une caisse.* → **Expédition.** *Déballer, désemballer le contenu d'une caisse. Caisse à produits pharmaceutiques* (→ Ballotter, cit. 8). *Caisse de livres, de vaisselle. Caisse de raisins, d'oranges. Caisse capitonnée pour le transport du mobilier.* → **Cadre.**

On entend (...) le roulis des caisses et des meubles qui se 1
heurtent dans les flancs du brick.
LAMARTINE, Voyage en Orient, Départ de Jaffa.

À chaque nouveau colis, la foule frémissait. On se nom- 2
mait les objets à haute voix. «Ça, c'est la tente-abri... Ça, ce sont les conserves... la pharmacie... les caisses d'armes...»
Alphonse DAUDET, Tartarin de Tarascon, I, XIII.

Tous revinrent auprès de la caisse qui mesurait cinq pieds 2.
de long sur trois de large. Elle était en bois de chêne, très soigneusement fermée, et recouverte d'une peau épaisse que maintenaient des clous de cuivre.
J. VERNE, l'Île mystérieuse, t. I, p. 316.

Loc. (fig. et fam.). **CAISSE À SAVON.** **a** Voiture d'enfant faite de matériaux de récupération. — Par ext. Mauvaise voiture, guimbarde.

**b** Meuble bon marché, en bois blanc grossièrement assemblé.

♦ **2** **a** Grande boîte, coffre destiné à des usages divers. *Caisse à clous, à outils. Caisse à liqueurs.* → **Cave.** — *Caisse à fleurs,* contenant de la terre où poussent des plantes (→ **Encaissage; bâche, germoir**), des arbustes. *Caisse à fleurs, sur un balcon.* → **Balconnière, jardinière.** *Cultiver des orangers en caisse.*

3 Il y a un bois entier d'orangers dans de grandes caisses.
M^me^ DE SÉVIGNÉ, 202, *in* LITTRÉ.

*Caisse roulante* (pour les matériaux). → **Banne, benne, caisson.**

**b** Régional (Belgique). *Caisse de cigares, à cigares :* boîte de cigares, à cigares.

3.1 Fred jouait au maître, faisait circuler le pot à tabac et les caisses de cigares.
G. SIMENON, la Maison du canal, I.

3.2 Il y avait une caisse de havanes sur la cheminée, mais le commissaire préféra bourrer sa pipe.
G. SIMENON, l'Écluse n° 1, V.

**c** Fam. Bac où l'on dispose la litière des chats d'appartement; cette litière.

3.3 Pi *(puis)* si c'est pas trop te d'mander
Faudra qu'tu changes la caisse du chat (...)
RENAUD, Mistral gagnant, «J'ai raté télé-foot», p. 115.

♦ **3** Techn. Dispositif rigide (de protection, etc.). — (1906). Autom. *Caisse (de voiture) :* carcasse de la carrosserie; la carrosserie, par oppos. au châssis. — Fam. L'auto elle-même. → **Bagnole, chignole, tire.** — Fam. *C'est de la caisse :* c'est de la bonne voiture. — Argot. *Aller à fond la caisse :* rouler très vite (auto, moto).

(1820). *Caisse de piano, d'orgue* (→ **Buffet**), la boîte renfermant le mécanisme. *Caisse d'horlogerie,* renfermant le mouvement d'une horloge, etc. — *Caisse d'une poulie,* qui enveloppe le rouet.

Cuis. Petit papier plié, avec rebords, dans lequel on fait cuire certains mets délicats. → **Papillote.**

(1831). Mar. *Caisse à eau,* contenant l'eau douce d'un navire. → **Réservoir.** *Caisse d'assiette :* cale à eau permettant de modifier l'assiette d'un navire, d'un sous-marin. *Caisse de mât :* partie quadrangulaire formant le pied de certains mâts.

♦ **4** (1832). Anat. *Caisse du tympan :* cavité du fond de l'oreille, située en arrière du tympan, où sont logés les trois osselets de l'oreille (marteau*, enclume*, étrier*).

♦ **5** Phys. *Caisse catoptrique :* instrument d'optique grossissant de petits corps très rapprochés.

**II** ♦ **1** **a** (1636, «coffre»). Rare en emploi libre. Réceptacle, meuble où l'on dépose l'argent, les valeurs. — REM. On emploie plutôt des mots spécialisés comme *coffre*, tirelire*,* etc. — Cour. (avec *en, dans, de* et des verbes comme *remplir, vider*). Emplacement où est l'argent. *Mettre de l'argent dans la caisse, en caisse* (→ **Encaisser**), *sortir de l'argent de la caisse* (→ **Décaisser**). *Vider la caisse.* — Loc. fig. *Partir avec la caisse* (plutôt compris au sens 3 ci-dessous) : disparaître après avoir volé les fonds.

**b** Au plur. *Les caisses de l'État, les caisses publiques.* → **Trésor.**

4 Il avait fait entrer dans les mêmes caisses publiques plus de trésors qu'aucun des autres aventuriers.
G.-T. RAYNAL, Hist. philosophique..., VII, 3.

**c** Appareil qui reçoit, protège, enregistre les fonds, dans un commerce, une entreprise. Techn. *Caisse comptable, caisse totalisatrice.* Cour. *Caisse enregistreuse* ou *caisse,* qui enregistre les sommes versées, imprime des *tickets de caisse,* et protège les fonds (→ **Tiroir-caisse**). *Caisse électronique.* — Par ext. Lieu où s'effectuent les paiements, dans un magasin, etc. *Les caisses d'un grand magasin.*

♦ **2** Bureau, guichet (d'une banque, d'une entreprise...) où se font les paiements, les versements. *Employé préposé à la caisse.* → **Caissier.** *Aller, passer à la caisse :* recevoir sa paie; être congédié ou licencié; recevoir le solde de son compte.

Bourdoncle se chargeait des exécutions. Il avait de ses lèvres minces, un terrible : «Passez à la caisse!» qui tombait comme un coup de hache. Tout lui devenait prétexte pour déblayer le plancher (...) — Vous avez une sale figure, vous! finit-il par dire un jour à un pauvre diable dont le nez de travers l'agaçait. Passez à la caisse! 4.1
ZOLA, Au bonheur des dames, t. I, p. 185.

*Caisse !,* se dit pour réclamer le compte d'un client à la personne qui tient la caisse.

Base, vernis. Là. Terminé? Caisse, s'il vous plaît. Combien pour M^me^ Pontet-Massène? 4.2
Pierre DANINOS, Un certain monsieur Blot, p. 213.

Pop. *Voyez caisse !,* exclamation ironique à l'adresse d'une personne qui «encaisse» des coups.

♦ **3** (1690). Les fonds qui sont en caisse. → **Encaisse, fonds.** *La caisse d'un banquier, d'un négociant, d'une administration. Caisse d'un corps de troupe.* → **Masse.** *Tenir la caisse. Avoir une caisse de plusieurs millions. Faire l'état de sa caisse. Faire sa caisse. Situation d'une caisse livrant d'avance des valeurs.* → **Découvert.** — *Bordereau de caisse. Bon de caisse. Livre de caisse :* registre où sont inscrits les mouvements de fonds. — (1822). **CAISSE NOIRE :** fonds clandestins, dont l'utilisation est plus ou moins secrète.

♦ **4** (1673). Établissement où l'on dépose des fonds pour les faire valoir ou les administrer. *Caisse d'amortissement,* de la dette publique. *Caisse des dépôts et consignations,* qui reçoit les dépôts judiciaires, les cautionnements... *Caisse d'épargne,* pour encourager l'épargne et faire fructifier les petits capitaux. *Caisses de crédit, de prévoyance, de retraite... Caisse d'escompte. Caisse de compensation*. Caisses d'allocations familiales, de la Sécurité sociale.*

Que le comité consente à ne plus barioler nos assignats à la façon de cette caisse d'escompte, qui n'a mis de bon sens à rien, pas même à sa cupidité. 5
MIRABEAU, Collection, t. IV, p. 233.

Le ménage a déteint sur elle. L'ombre de la caisse d'épargne est sur son front. 6
Ed. et J. DE GONCOURT, Journal, p. 62.

Lui est encore là, à l'abri, avec, dans une poche de sa vareuse, un carnet, un gros crayon, et le papier de la caisse des retraites. 6.1
Francis PONGE, le Parti pris des choses, p. 20.

**III** (1611). Cylindre, garni d'une membrane sonore (d'un instrument à percussion); cet instrument. *Caisse de tambour. Battre* la caisse :* battre du tambour, et, au fig. (1787), faire du battage, de la réclame. — *La caisse est crevée.* — **CAISSE CLAIRE :** tambour plat. *Les timbres* (I., 4.) *d'une caisse claire.* — *Caisse roulante :* tambour allongé des musiques militaires. — **GROSSE CAISSE :** gros tambour tenu ou posé verticalement et qu'on frappe avec une mailloche. → **Batterie** (→ Orchestre, cit. 6). — Loc. fig. *Battre la grosse caisse* (même sens que *battre la caisse*).

La grosse caisse grognait comme un ours en colère, les tambours sonnaient le fêlé, et le fifre, grimpé à des hauteurs impossibles, battait des trilles extravagants (...) 7
Th. GAUTIER, Constantinople, p. 18.

*Les caisses d'une batterie* de jazz* (caisse claire, tom médium, tom basse, grosse caisse). *Les caisses et les cymbales.*

Cour. *Caisse de résonance*.*

**IV** ♦ **1** Argot milit. Salle de police. *Grosse caisse.* → **Prison.**

♦ **2** (1880, par anal.). Fam. Estomac; poitrine. → **Buffet, coffre.** *Partir, s'en aller de la caisse :* être poitrinaire, tuberculeux.

8 La petite Fanny ne va pas bien (...) Tout le monde le remarque et dans tout le quartier les gens répètent toute la journée : «La petite s'en ira de la caisse, et César partira du ciboulot». PAGNOL, Fanny, I, 14.

9 On se demande ce qui va nous emporter à la fin. Lui s'en va de la caisse, moi de la prostate plutôt. Nous nous envions, il m'envie, je l'envie, par moments. S. BECKETT, Textes pour rien, p. 133.

Loc. fam. *Rouler sa caisse :* rouler les épaules, le buste pour impressionner. → **Rouler** (les mécaniques...).

♦ **3** Fam. Tête, crâne. *Bourrer* la caisse (à qqn),* (lui) raconter des histoires.

♦ **4** Régional (Suisse, Bretagne, etc.). Loc. fam. *Avoir une (sa) caisse, prendre une caisse, ramener (rentrer) sa caisse :* être ivre, s'être enivré. → **Cuite.**

10 Il était plein comme une outre; il avait une belle caisse. W. BIOLLEY, le Grand Coupable, p. 142 (1902).

DÉR. **Caisserie, caissette, caissier.** ◈ COMP. **Décaisser, encaisse, encaissement, encaisser, encaisseur, rencaisser.**

**CAISSERIE** [kɛsʀi] n. f. — 1869; de *caisse.*

Technique.

♦ **1** Industrie de la fabrication des caisses. *Bois utilisé en caisserie.*

♦ **2** Fabrique d'emballages rigides. *Une caisserie industrielle, artisanale.*

**CAISSETTE** [kɛsɛt] n. f. — 1569, Ronsard; repris 1836, Stendhal; de *caisse.*

Petite caisse (→ Cageot, cit.).

Notre véranda est encombrée de caisses et de colis (...) Quarante-trois caissettes, sacs ou cantines, contenant l'approvisionnement pour la seconde partie de notre voyage, seront expédiés directement à Fort-Archambault (...) GIDE, Voyage au Congo, *in* Souvenirs, Pl., p. 696.

Spécialt. Emballage léger (contenant des fruits sélectionnés); son contenu. *Acheter une caissette de pêches.*

**CAISSIER, IÈRE** [kɛsje, jɛʀ; kesje, jɛʀ] n. — 1611; *cassier,* 1585; de *caisse.*

♦ **1** Personne qui tient la caisse dans une administration, un établissement public ou privé. → **Comptable, trésorier.** *Les caissiers d'une banque, d'une maison de commerce. La caissière d'un cinéma. Elle est caissière dans un grand magasin, dans un supermarché.*

1 Dans l'antiquité, au moyen âge et jusqu'à la fin du XVIIIe siècle, les banquiers étaient avant tout des trafiquants de métaux précieux, des changeurs de monnaies, des transporteurs de capitaux d'une place sur une autre, des caissiers au service de leurs clients (...) Paul REBOUD, Précis d'économie politique, 6e éd., Dalloz, no 629.

2 Et il lui montra en dehors de l'enceinte, en face, dans une autre cabine de bois jaune, la caissière, une vieille et énorme femme, qui rangeait des piles de sous et de pièces de cinq francs. ZOLA, le Ventre de Paris, p. 153.

3 Les personnages dominants y sont sans contredit d'abord le groupe des musiciens (...) puis les Caissières assises en surélévation derrière leurs banques, d'où leurs corsages clairs et obligatoirement gonflés tout entiers émergent, enfin de pitoyables caricatures de maîtres d'hôtel (...) Francis PONGE, le Parti pris des choses, p. 70-71.

♦ **2** Haut fonctionnaire au ministère des Finances. *Le caissier général du Trésor.*

**CAISSON** [kɛsɔ̃] n. m. — 1751; «petite caisse», 1636; *caixon,* 1418; anc. provençal *caisson,* de l'occitan *caissa* «caisse».

♦ **1** Chariot de l'armée consistant en une grande caisse montée sur des roues, utilisé pour les transports militaires. *Caissons d'artillerie. Caisson de munitions, de vivres.*

Des querelles, des clameurs, dont le bruit se joint aux roulements des tambours, aux jurements des charretiers, au bruit des caissons et des canons. Ph. P. SÉGUR., Hist. de Napoléon, IV, 7. 1

♦ **2** (1787). Vieilli. Coffre ménagé sous le siège ou à l'arrière d'une voiture.

♦ **3** Caisse métallique pleine d'air permettant d'effectuer des travaux sous l'eau. → **Cloche** (à plongeur). *Caisson à air comprimé.*

*Maladie des caissons :* ensemble des troubles liés aux accidents de décompression (→ **Barotraumatisme**) dont peuvent être victimes les scaphandriers et les ouvriers des caissons.

♦ **4** (1832). Mar. Caisse contenant certains objets du bord. *Les caissons d'un canot. Caisson à hamacs.* → **Bastingage** (1).

Ces quatre caissons étanches (1200 litres au total) serviront de réserve pour l'eau potable et pour une partie des provisions. Mais leur raison essentielle sera de pouvoir contribuer à la sécurité du bateau dans le cas où cette partie de la carène tosserait trop longtemps sur un rocher (...) Bernard MOITESSIER, Cap Horn à la voile, p. 44. 1.

♦ **5** (1694). Archit. Vide laissé par l'assemblage des solives d'un plafond. — Compartiment creux, orné de moulures, servant à décorer un plafond, une voûte. *Un plafond à caissons. Plafond* (cit. 1) *en caissons. Une haute voûte à caissons dorés* (→ Polyédrique, cit.).

Alors Besson se retourna vers le trou lumineux qui brillait au fond de l'église, et il laissa monter la peur (...) Le mouvement de roulis balançait les colonnes de marbre, faisait monter et descendre le plafond à caissons. J.-M. G. LE CLÉZIO, le Déluge, p. 201. 1.

Techn. (ameublement). Partie d'un bureau placée sous la table, de part et d'autre de la place réservée à l'utilisateur, et où peuvent se loger des tiroirs superposés. *Un bureau à caisson.*

♦ **6** Techn. Enveloppe d'un réacteur nucléaire qui contient le fluide refroidisseur.

♦ **7** Fam. → **Tête.** *Se faire sauter le caisson :* se brûler la cervelle, se tirer un coup de revolver dans la tête. → **Suicider** (se).

C'est à se faire sauter le caisson, si l'on ne se sent pas le courage d'être un lâche! J. VALLÈS, le Bachelier, p. 100. 2

Elle lui a donné trois semaines de plaisir et puis elle l'a quitté — pour le comique de la troupe. Papa était un homme qui prenait l'existence au sérieux. Il a soigneusement astiqué son grand revolver d'ordonnance et il s'est fait sauter le caisson. J. ANOUILH, Colombe, p. 18. 3

**CAJEPUT** [kaʒpyt] n. m. — 1739; du malais *kayou* «arbre», et *pouti* «blanc».

♦ **1** Bot. Plante dicotylédone *(Myrtacées)* des Indes, scientifiquement appelée *melaleuca leucadendron* et dont on extrait une essence huileuse verte utilisée en pharmacie pour ses propriétés stimulantes.

♦ **2** Essence de cajeput.
**DÉR. Cajeputier.**

**CAJEPUTIER** [kaʒpytje] n. m. — XIXe; de *cajeput.*
Bot. Cajeput (arbre).

**CAJET** [kaʒɛ] n. m. → **Caget.**

**CAJOLABLE** [kaʒɔlabl] adj. — Mil. XVIIe; de *cajoler.*
Rare. Qui peut être cajolé.

Mme de Warens se mit à cajoler Grossi, qui pourtant n'était pas trop cajolable. ROUSSEAU, les Confessions, V.

**CAJOLANT, ANTE** [kaʒɔlɑ̃, ɑ̃t] adj. — V. 1865, Sainte-Beuve; de *cajoler.*
Qui cajole. *Voix cajolante.*

(...) cette intonation cajolante, humide et molle s'insinue en vous, cherche à vous atteindre aux endroits les plus secrets, les mieux gardés, c'est un manque de décence, un manque de respect, une tentative de viol (...)
N. SARRAUTE, Martereau, p. 47.

**CAJOLER** [kaʒɔle] v. — 1551; moy. franç. *gayoler* «babiller comme un oiseau», de *gaiole,* forme picarde de *geole* «cage» avec infl. sémantique de *enjôler* «attirer (dans une cage) par des vocalises flatteuses».

**I** V. intr. (vx ou régional). ♦ **1** (1551-1616; *cageoller,* 1579). Chanter, crier (en parlant du geai ou de la pie).

0.1 Sur le plateau, par dizaines, les geais cajolent autour des restes de l'ours; des corbeaux arrivent en croassant, venus d'on ne sait où.
Jean-Yves SOUCY, Un dieu chasseur, p. 15.

♦ **2** (1637). Échanger de galants propos.

1 (...) Bien que tout le jour il cajole avec toi.
CORNEILLE, la Suivante, II, 8.

2 Tudieu! comme avec lui votre langue cajole!
MOLIÈRE, l'École des femmes, V, 4.

**II** V. tr. (1596). ♦ **1** Mod. Traiter (qqn) en l'entourant d'attentions, avoir envers (qqn) des manières, des paroles tendres et caressantes. *Cajoler un enfant.* → **Amignarder (vx), câliner, caresser, choyer, dorloter, mignoter.** — Pron. *Ils se cajolent tendrement.*

3 (...) le plus jeune était le plus gâté et le plus cajolé comme son âge le comportait.
G. SAND, François le Champi, V, p. 55.

♦ **2** (1596). Vieilli. Chercher à gagner, à séduire par des prévenances, des flatteries, des attentions aimables. → **Amadouer, courtiser, enjôler, flagorner, flatter.** *Cajoler (qqn) du regard et de la voix.*

4 Voir cajoler sa femme et n'en témoigner rien
Se pratique aujourd'hui par force gens de bien.
MOLIÈRE, Sganarelle, 17.

5 Cajoler les mères pour obtenir les filles (...)
MOLIÈRE, les Amants magnifiques, I, 2.

6 S'il *(Onuphre)* se trouve bien d'un homme opulent (...) il ne cajole point sa femme, il ne lui fait du moins ni avance ni déclaration (...) Il est encore plus éloigné d'employer pour la flatter et pour la séduire le jargon de la dévotion (...)
LA BRUYÈRE, les Caractères, XIII, 24.

7 À force de cajoler les dames d'Annecy, il s'était mis à la mode parmi elles; elles l'avaient à leur suite comme un petit sapajou. ROUSSEAU, les Confessions, IV.

8 (...) il n'y avait sorte de bassesse qu'il *(M. Bagueret)* n'employât pour me cajoler.
ROUSSEAU, les Confessions, V.

Entretenir complaisamment (un sentiment, une pensée).

9 On s'étonnera de voir Mme d'Orgel, si fine, incapable de démêler des fils si gros. Mais à force de cajoler certaines illusions de son cœur, elle en avait fait ses esclaves.
R. RADIGUET, le Bal du comte d'Orgel, p. 134.

**CONTR. Brusquer, brutaliser, rudoyer.** ◊ **DÉR. Cajolable, cajolant, cajolerie, cajoleur.**

**CAJOLERIE** [kaʒɔlʀi] n. f. — 1609, saint François de Sales; de *cajoler.*

♦ **1** *(La cajolerie).* Attitude d'une personne qui cajole (II.); parole ou manière par laquelle on cajole. → **Câlinage, câlinerie, caresse, tendresse.** *Faire des cajoleries.* → **Bicherie** (2.).

♦ **2** *(Une, des cajoleries).*

(...) Séduire les personnes innocentes et simples par des cajoleries affectées. FLÉCHIER, Sermons, II, 57. 1

Rien n'est pareil aux cajoleries dont elle *(la duchesse de Bourgogne)* sut bientôt ensorceler Mme de Maintenon. 2
SAINT-SIMON, Mémoires, 41, 255.

Après quelques cajoleries préliminaires, qui me gagnèrent d'autant mieux que je n'en voyais pas le but (...) 3
ROUSSEAU, les Confessions, I, p. 46.

Fig. Flatterie. *Basses cajoleries. Cajoleries hypocrites.*

**CONTR. Bourrade, brusquerie, brutalité, coup.**

**CAJOLEUR, EUSE** [kaʒɔlœʀ, øz] n. et adj. — Av. 1641; adj. 1616, *cageoleuse* «qui cajole»; adj., 1585, *cajolleuse* «bavarde»; de *cajoler.*

♦ **1** N. Personne qui cajole, cherche à séduire. → **Courtisan, enjôleur, flatteur.** *Un cajoleur de petites filles.* — Péj. Personne qui cherche, par la flatterie, à gagner les bonnes grâces (de qqn). → **Flagorneur.** *Un cajoleur obséquieux.*

(...) voulant être utile et non cajoleur, il ne savait point flatter les gens qu'il n'estimait pas. 1
ROUSSEAU, les Confessions, XII.

♦ **2** Adj. Qui cajole. *Une mère cajoleuse. Il n'est pas très cajoleur. — Une attitude, une voix cajoleuse. Un sourire cajoleur.* → **Enjôleur.**

(...) la voix plus cajoleuse que vraiment caressante (...) 2
GIDE, Journal, 15 avr. 1910.

(...) voix cajoleuse (il savait donner à sa voix les inflexions les plus prenantes). 3
Jean-Louis CURTIS, le Roseau pensant, p. 323.

Fig. *Une brise cajoleuse,* douce, agréable.

**CONTR. Bourru, brusque, brutal, rude.**

**CAJOU** [kaʒu] n. m. — 1765; *caju,* 1602; mot tupi. → Acajou.

*Cajou, noix de cajou :* fruit de l'anacardier (anacarde), appelé aussi *acajou à pommes,* dont l'amande réniforme se mange comme la cacahuète; cette amande, grillée et salée. *Une boîte de cajous, de noix de cajou des Indes.* — REM. Le mot angl. *cashew* [kaʃu] est parfois employé en français.

**CAJUN** [kaʒœ̃] n. et adj. — 1885, *cajan;* notation phonét. par l'angl. (j = dj) du mot *Acadien,* prononcé en Louisiane avec un fort accent sur la deuxième syllabe (*cadien*) et palatalisation du *di* en *dj.*

Descendant des Acadiens, établi en Louisiane. *Les Cajuns de la région de Lafayette.* — Relatif à la communauté francophone de Louisiane. *Le folklore cajun. Les parlers cajuns.*

REM. 1. L'adj. est invar. en genre *(musique québécoise et musique cajun)* et il arrive qu'on fasse le nom invar. en nombre. «*Grelot bayou* (nom d'un groupe folk) *ces cajun au goût sauvage*» (*Actuel,* n° 9, déc. 1974, p. 54).
2. Les spécialistes emploient la forme *cadjin* [kadʒɛ̃], féminin *cadjine.*

**CAKE** [kek; kɛk] n. m. — 1795; mot angl., abrév. de *plum-cake* «gâteau aux raisins secs».

♦ **1** Gâteau garni de raisins secs et de fruits confits. *Une tranche de cake. Pâte à cake. Un moule à cake.*

(...) il avait pour elle *(sa gouvernante)* plutôt de l'animosité (...) elle retirait les grains de raisin de son cake de quatre heures, sous prétexte que c'était mauvais pour lui, en réalité parce qu'elle en était friande elle-même (...)

MONTHERLANT, Pitié pour les femmes, p. 50 (1936).

♦ **2** Loc. (1964, *in* D. D. L.). *En cake,* se dit d'un cosmétique présenté en pâte compacte. *Mascara en cake.*

**CAKE-WALK** [kɛkwɔk] n. m. — 1895; mot angl. des États-Unis (1879), proprt «marche *(walk)* du gâteau *(cake)*».

Vx. Danse des Noirs américains, en vogue au début du XXe siècle, en Europe.

1 (...) suivant des yeux tous les mouvements d'un nègre désossé qui danse un cake-walk. Son smoking est constellé de décorations car Olympio s'est produit devant toutes les Cours.

B. CENDRARS, Moravagine, 1926, *in* Œ. compl., t. IV, p. 180-181.

Musique sur laquelle le cake-walk se dansait. *Un air de cake-walk. Jouer le cake-walk.*

2 Parfois, un amateur de nouveautés exécutait un cake-walk, excentricité de fraîche importation et pour laquelle Debussy venait d'écrire une page pittoresque.

G. DUHAMEL, Biographie de mes fantômes, IV, p. 68.

On trouve, chez Queneau, la graphie phonét. *kékouok.*

3 — À cette époque-là, Léonie et moi on était intimes. On dansait ensemble le kékouok à la Boîte à Dix Sous près de la République.

R. QUENEAU, Pierrot mon ami, 1943, p. 79.

**CAL** [kal] n. m. — 1314; *chaul,* XIIIe; lat. *callus* «durillon».

♦ **1** Épaississement et durcissement de l'épiderme produits par frottement ou pression répétée. → **Callosité, calus, durillon.** *Avoir la paume des mains, la plante des pieds pleine de cals.*

1 Le cal des cors est dur et épais comme la corne de lanterne.

Ambroise PARÉ, V, 31, *in* LITTRÉ.

♦ **2** (Av. 1628). Méd. Formation osseuse qui soude les deux fragments d'un os fracturé. *Cal normal. Cal difforme, exubérant. Cal douloureux. Formation insuffisante du cal.* → **Pseudarthrose.**

1.1 «(...) Il est déjà tout rapiécé, regardez.» On voyait en effet sur la radio l'appareillage des clavicules, fracturées à plusieurs reprises, le cal des côtes brisées et ressoudées.

Joseph PEYRÉ, Sang et Lumières, 1935, p. 219.

2 Marie-Martine souffrait d'une épaule (...) le docteur a diagnostiqué une fêlure de la clavicule. À Trousseau, on lui a mis des bandes plâtrées et on lui a défendu de faire de la gymnastique. Le cal s'est bien formé.

Jean FERNIOT, Pierrot et Aline, 1973, p. 236.

*Le casque* du bec de certains oiseaux est une sorte de cal.*

♦ **3** (1863). Bot. Amas de cellulose qui obstrue les tubes criblés de certaines plantes (vigne).

HOM. 1. **Cale,** 2. **cale,** 3. **cale,** 4. **cale,** 5. **cale,** formes du v. 1. **caler,** 2. **caler.**

**CALABRAIS, AISE** [kalabʀɛ, ɛz] adj. et n. m. — 1845; adj., 1555, *calabrois;* de *Calabre,* province du Sud de l'Italie.

De Calabre. *Les légendaires bandits calabrais. L'économie calabraise.* — N. *Un Calabrais, une Calabraise :* habitant, habitante de la Calabre, ou personne qui en est originaire.

(...) la chevelure noire (...) la sécheresse calabraise du teint qui faisaient de la cousine Bette une figure de Giotto (...)

BALZAC, la Cousine Bette, Pl., t. VI, p. 165.

N. m. (1866). *Le calabrais,* dialecte italien parlé en Calabre.

N. f. (1863, *in* D. D. L.; *calabrèse,* 1826). Danse italienne.

**CALADE** [kalad] n. f. — 1690; *calate,* 1611, «terrain en pente»; *calade,* 1564, «cale, quai en pente douce»; ital. *calata* «pente, descente».

Manège. Terrain en pente sur lequel on fait descendre les chevaux au petit galop pour leur donner de la souplesse.

**CALADIUM** [kaladjɔm] n. m. — 1816, francisé en *caladion* (vx); lat. bot. *caladium* (1750), du malais *kélady.*

Bot. Plante monocotylédone *(Aracées)* herbacée, tubéreuse, à larges feuilles colorées, que l'on fait pousser comme une plante d'ornement. *Le caladium est vénéneux. Caladium exotique.* → **Colocase.**

En entrant dans la serre, il vit, sous les larges feuilles d'un caladium, près le jet d'eau (...) 1

FLAUBERT, l'Éducation sentimentale, t. I, p. 215, *in* LITTRÉ, Suppl.

Beauté du caladium et de sa grande feuille oreillarde, irriguée de rose, de vert, de marron! 2

COLETTE, Gigi, «Flore et Pomone», p. 143.

1. **CALAGE** [kalaʒ] n. m. — 1863; de 1. *caler.*

Mar. Action de caler (1.), de baisser (les mâts, les vergues, etc.). *Le calage des vergues.*

HOM. 2. **Calage.**

2. **CALAGE** [kalaʒ] n. m. — 1866; de 2. *caler.*

♦ **1** Action de caler* (2.), de fixer, d'étayer avec une cale ou de monter avec précision (une pièce).

Spécialt (autom.). *Calage de la magnéto :* montage de la magnéto d'un moteur à explosion tel que l'étincelle se produise au moment voulu. — Électr. *Calage des balais.*

♦ **2** *Calage d'une hélice :* angle que fait la pale de l'hélice d'un avion avec le plan de rotation (cf. Angle d'attaque).

♦ **3** Action de remettre à zéro, de régler (un capteur, un instrument de mesure). — Météor. *Calage altimétrique :* réglage de la position de l'échelle d'un altimètre (ou baromètre) anéroïde sur la pression effective, à un moment donné et en un lieu déterminé, afin qu'il indique la hauteur d'un aéronef au-dessus du lieu considéré.

♦ **4** Cour. (De 2. *caler,* 4.). Arrêt brutal d'un moteur, dû à une cause fortuite.

HOM. 1. **Calage.**

**CALAISON** [kalɛzɔ̃] n. f. — 1730; de 1. *caler.*

Mar. Hauteur immergée (d'un navire) suivant le chargement. → **Tirant** (d'eau).

**CALALOU** [kalalu] n. m. — 1751, *Encyclopédie; callaluh,* 1823; mot probablt antillais.

Franç. d'Afrique. Plat de farine frite à l'huile (manioc, maïs) et assaisonnée de divers condiments. *«Le calalou se mange avec du poisson, des crevettes, etc.»* (P. Vézinet, *Pages africaines,* II, p. 39, Hatier).

C'étaient des calebasses de couscous, de pâte de maïs (...) des terrines de calalou (...)

O. BHÉLY-QUÉNUM, Un piège sans fin, *in* Pages africaines, II, p. 39.

**CALAMAR** [kalamaʀ] n. m. — 1606; *calemar,* 1552; esp. *calamar,* var. de *calmar.* → Calmar.

Calmar.

(...) des poulpes, des seiches et de longs calamars tachetés comme des ocelots (...)

A. PIEYRE DE MANDIARGUES, la Marge, 1967, p. 196.

**CALAMBAC** [kalɑ̃bak], **CALAMBAR** [kalɑ̃baʀ] n. m. — 1588, *calambac;* *calambar,* 1842; port. *calambuco,* malais *kalambac.*

Bois d'aloès odorant utilisé en tabletterie. *Coffret en bois de calambac.* — REM. On trouve aussi les formes *calamboc* [kalɑ̃bɔk] et *calambour* [kalɑ̃buʀ].

HOM. (De la var. *calambour*) **Calembour.**

**CALAME** [kalam] n. m. — 1540; lat. *calamus* «roseau». Hist. (antiq.). Roseau* dont les Anciens se servaient pour écrire.

(...) il pensait au grand cheikh Ma el Aïnine qui avait été enterré devant la maison en ruine, à Tiznit. On l'avait couché dans la fosse, le visage tourné vers l'Orient; dans ses mains on avait mis ses seules richesses, son livre saint, son calame, son chapelet d'ébène.
J.-M. G. LE CLÉZIO, Désert, 1980, p. 402.

**CALAMENT** [kalamɑ̃] n. m. — XII^e^; lat. médiéval *calamintha,* grec byzantin *kalaminthê.*

Pharm. Herbe aromatique, scientifiquement appelée *Calamintha (Labiacées). Le calament officinal* (ou *baume sauvage, menthe de montagne*) *entre dans la fabrication de l'eau de mélisse*.* — Var. : *calaminthe* [kalamɛ̃t] n. f. (1601).

**CALAMINAIRE** [kalaminɛʀ] adj. — Fin XIV^e^; du rad. de *calamine,* ou p.-ê. lat. *calaminaris.*

Minér. Qui contient de la calamine. *Gisement calaminaire. — Pierre calaminaire.* → **Calamine.**

**CALAMINE** [kalamin] n. f. — 1390; *calemine,* fin XIII^e^; bas lat. *calamina,* altér. du lat. *cadmia.* → Cadmie.

♦ **1** Minér. Silicate hydraté naturel de zinc. Minerai de zinc, formé d'un mélange de carbonate et d'autres composés.

♦ **2** Techn. Résidu charbonneux de la combustion d'un carburant dans un moteur à explosion. *Ôter la calamine des cylindres.* → **Décalaminer.**

♦ **3** (1928). Oxyde qui apparaît à la surface des métaux soumis à une haute température.

En effet la calamine est bien connue pour provoquer des phénomènes d'électrolyse en milieu salin, du fait de sa différence de potentiel par rapport à l'acier. Il est donc préférable d'en débarrasser la coque avant de passer aux travaux de peinture.
Bernard MOITESSIER, Cap Horn à la voile, p. 44.

DÉR. et COMP. **Anticalaminant, calaminaire, calaminer** (se), **décalaminer.**

**CALAMINER (SE)** [kalamine] v. pron. — 1960; trans., 1587; de *calamine.*

Techn. Se couvrir de calamine* (2.).

◆ **CALAMINÉ, ÉE** p. p. adj. (1927). Encrassé de calamine. *Cylindres calaminés.*

En rentrant à l'usine, il se déchaussa... Ses orteils trouant ses chaussettes apparurent aussi noirs que le métal calaminé.
Pierre HAMP, la Peine des hommes (Moteurs), 1942, p. 129.

**CALAMINTHE** [kalamɛ̃t] n. f. → **Calament.**

**CALAMISTRER** [kalamistʀe] v. tr. — V. 1375; du lat. *calamistratus* «frisé», de *calamistrum* «fer à friser».

Friser* les cheveux ou les onduler.

◆ **CALAMISTRÉ, ÉE** p. p. adj.

♦ **1** *Cheveux calamistrés,* ondulés.

1 Des cheveux noirs, soigneusement calamistrés, se tordaient au long des joues en spirales brillantes un peu alanguies par la pluie (...)
Th. GAUTIER, le Capitaine Fracasse, t. I, p. 39.

♦ **2** *Cheveux calamistrés,* lustrés, noirs et brillants; et aussi, pommadés, gominés. — REM. Cette extension constitue un contresens par rapport à l'étymologie.

(...) quelque chose d'intraitable et de cadavérique, avec le profil de sa joue décharnée, le cou décharné et nu entouré du mouchoir noué, la chevelure calamistrée et noire de danseur mondain soigneusement ordonnée comme celle de ces défunts sur lesquels on a déjà procédé à la toilette funèbre et que plus rien ne pourra jamais déranger. 2
Claude SIMON, le Palace, 1962, p. 75.

1. **CALAMITE** [kalamit] n. f. — Av. 1590; *calemite,* 1265; lat. médiéval *calamita,* du bas lat. *calamites (storax)* «styrax en roseau», du grec *kalamos,* «roseau».

♦ **1** Vx. Résine tirée des roseaux.

♦ **2** Paléont. Plante cryptogame fossile très répandue dans les terrains houillers. *Les calamites ressemblent aux prêles actuelles.*

♦ **3** Zool. Crapaud* des roseaux.

HOM. 2. **Calamite.**

2. **CALAMITE** [kalamit] n. f. — 1527, «boussole»; *calmite,* 1316; ital. *calamita,* du grec *kalamos* «roseau».

♦ **1** Vx. Pierre d'aimant, que l'on plaçait dans un roseau pour la faire flotter. — Par ext. Boussole.

Voyez à la calamite de votre boussole. 1
RABELAIS, le Quart Livre, 18.

Faustroll, l'œil sur la calamite, conclut que nous ne devions plus être très éloignés du nord-est de Paris. 2
A. JARRY, Gestes et Opinions du docteur Faustroll, Pl., p. 684.

♦ **2** (1611). Marne, argile* blanchâtre qui, mise dans la bouche, stimule la sécrétion de la salive.

HOM. 1. **Calamite.**

**CALAMITÉ** [kalamite] n. f. — 1355; lat. class. *calamitas.*

♦ **1** (1490). Grand malheur public. → **Catastrophe, désastre, fléau.** *La famine, la guerre, les épidémies sont des calamités pour le genre humain. Les calamités fondent, s'abattent sur ce pays. Une époque remplie de calamités. Les dégâts, les ruines laissées par de grandes calamités.*

Les plus grands poètes du monde sont venus après de grandes calamités publiques. 1
HUGO, les Orientales, Préface de 1824.

Les plus terribles calamités sont près de fondre sur la France. FRANCE, le Mannequin d'osier, p. 384. 2

Dr. *Calamités agricoles :* dommages matériels, non assurables, d'importance nationale, dus à des variations anormales d'un agent naturel. *Les calamités agricoles sont couvertes par le régime de garantie de 1964.*

♦ **2** Grande infortune. → **Désolation, malheur, misère.** *Sa mort est une calamité pour la famille. Subir des calamités sans nombre. Les misères, les calamités de la vieillesse.*

Et qu'une femme enfin dans la calamité 3
Me fasse des leçons de générosité.
CORNEILLE, Polyeucte, IV, 6.

(...) c'est une triste chose, lorsque l'amour, au lieu de faire la félicité de la vie, en devient la calamité (...) 4
GIDE, les Faux-monnayeurs, III, III, p. 320.

♦ **3** Fam. Personne ou chose qui est cause d'ennuis constants. → **Catastrophe.** *C'est une (vraie) calamité, ce type-là! Encore elle! Quelle calamité!*

Quand ce n'était pas aux plantes, c'était aux enfants que la mère s'intéressait. 5
Il y avait beaucoup d'enfants dans la plaine.
C'était une sorte de calamité. Il y en avait partout, perchés sur les arbres, sur les barrières (...)
M. DURAS, Un barrage contre le Pacifique, 1950, p. 115.

CONTR. **Bonheur. — Bénédiction, félicité.** ◊ DÉR. **Calamiter.**

**CALAMITER** [kalamite] v. tr. — XXᵉ; de *calamité,* d'après *catastropher.*

Fam. Abattre, attrister (qqn) comme une véritable calamité. → **Catastropher.**

La verdure morte, enterrée dans ces vasques glacées, l'eau courante le long des vitres comme des larmes sur une joue (...) tout cela le calamitait, le catastrophait (...)
René FALLET, le Triporteur, p. 27.

**CALAMITEUX, EUSE** [kalamitø, øz] adj. et n. — Av. 1544; lat. *calamitosus* «désastreux, funeste».

♦ **1** Adj. Vx ou littér. Qui a le caractère de la calamité; qui abonde en calamités. → **Catastrophique, désastreux, funeste.** *Époque calamiteuse.* — (Personnes). *Un homme calamiteux.* → **Malheureux, pitoyable.**

1 La plus calamiteuse et frêle de toutes les créatures, c'est l'homme (...) MONTAIGNE, Essais, II, 158, *in* LITTRÉ.

2 Sire, je demande pardon à votre Majesté de la calamiteuse nouvelle que je lui apporte (...)
HUGO, Notre-Dame de Paris, X, 5, p. 280.

♦ **2** Adj. Littér. (Personnes). Qui entraîne fatalement des calamités; qui aime à vivre dans une atmosphère de catastrophe. → **Funeste.**

3 (...) se rappelant la mine effarée de cette demoiselle si moderne, si affranchie, il trouva drôle le petit outrage (...) et il sourit, en l'honneur de la solidarité masculine et du sain mépris masculin pour la race calamiteuse des femmes.
Jean-Louis CURTIS, le Roseau pensant, 1971, p. 134.

Nom :

4 Le voyage des Argonautes (...) les crimes dont on accable Médée, la traitant d'empoisonneuse et de calamiteuse (...)
COCTEAU, Journal d'un inconnu, p. 143.

CONTR. **Heureux. — Bénéfique, béni.**

**CALANCHER** ou **CALENCHER** [kalɑ̃ʃe] v. intr. — 1846, *callancher;* de *caler* «s'arrêter», et finale pop.

Fam., vieilli. Mourir. → **Clamser.** *Il va calancher (calencher).*

1 Elle s'occupe de tout Arlette, de me défendre par téléphone, par bouquets qu'elle va faire cadeau... Elle retourne le sablier de la Cour au moment où je vais calencher...
— Il mourra jamais!
CÉLINE, Féerie pour une autre fois, p. 260.

2 Mais plutôt qu'en leur compagnie, j'aurais préféré (...) calancher assise.
Jeanne CORDELIER, la Passagère, p. 269.

**CALANDOS** [kalɑ̃dos] n. m. → **Calendo.**

**CALANDRAGE** [kalɑ̃dʀaʒ] n. m. — 1771; de *calandrer.*

Techn. Opération qui consiste à calandrer (les étoffes, le papier). → **Satinage.** — Son résultat. *Un bon calandrage.*

1. **CALANDRE** [kalɑ̃dʀ] n. f. — V. 1236, *kalandre;* anc. provençal *calandra,* grec *kalandra* «alouette».

Grande alouette du sud de l'Europe. *La calandre est granivore.*

DÉR. **Calandrelle.** ◊ HOM. 2. **Calandre,** 3. **calandre**; formes du v. **calandrer.**

2. **CALANDRE** [kalɑ̃dʀ] n. f. — 1504; var. dial. de *charançon,* d'orig. obscure.

Zool. Insecte coléoptère nuisible *(Curculionidés).* — Syn. : *charançon. La calandre dévaste les greniers à blé.*

HOM. 1. **Calandre,** 3. **calandre**; formes du v. **calandrer.**

3. **CALANDRE** [kalɑ̃dʀ] n. f. — 1483; anc. franç. **colandre,* bas lat. **colendra,* grec *kulindros* «cylindre», avec changement de genre.

♦ **1** Techn. [a] Machine formée de cylindres, de rouleaux, et qui sert à lisser, à lustrer les étoffes, ou à glacer les papiers.

[b] Machine faisant fonctionner les pompes d'épuisement, dans une mine de houille.

♦ **2** (1948). Cour. Garniture métallique verticale sur le devant du radiateur de certaines automobiles. *Calandre nickelée, chromée.*

Il appuie à fond sur l'accélérateur, déclenche le rapport inférieur qui donne au moteur un regain de puissance, monte dans le virage à cinquante, soixante (...) Il braque à gauche d'un seul coup, heurte de plein fouet la calandre du coupé, dans un bruit de verre brisé — le phare — et un grand hurlement de klaxon.
Régis DEBRAY, l'Indésirable, 1975, p. 304.

DÉR. **Calandrer.** ◊ HOM. 1. **Calandre,** 2. **calandre**; formes du v. **calandrer.**

**CALANDRELLE** [kalɑ̃dʀɛl] n. f. — 1838; de 1. *calandre.*

Petite alouette, plus petite que la calandre, à gros bec jaune et à plumage brun.

**CALANDRER** [kalɑ̃dʀe] v. tr. — 1483; p. p., 1400, *calandré* «lustré avec la calandre»; de 3. *calandre.*

Techn. Faire passer (une étoffe, un papier) à la calandre. → **Lisser, lustrer, moirer, satiner.** — Au p. p. *Étoffe calandrée.*

DÉR. **Calandrage, calandreur.**

**CALANDREUR, EUSE** [kalɑ̃dʀœʀ, øz] n. — 1313, *kalandreur;* de *calandrer.*

Technique.

♦ **1** Personne qui travaille à la calandre à papier.

♦ **2** N. m. Cylindre de calandre.

**CALANQUE** [kalɑ̃k] n. f. — 1690; *calangue,* 1678; provençal *calanco,* de **cala* «abri de montagne» ou «pente raide», et suff. *-anca;* ne s'est répandu en franç. cour. qu'au XXᵉ.

Crique* profonde et étroite, entourée de rochers, en Méditerranée. *Se baigner dans une calanque.*

Je n'aime pas le large, répondit René Hautard, on ne s'y reconnaît plus. Il me faut la calanque (...) On mouille où l'on connaît les fonds, la qualité de l'eau, le roc. 1
H. BOSCO, Un rameau de la nuit, II, p. 84.

REM. La graphie *calangue* a concurrencé *calanque* jusqu'au XIXᵉ s.

Une de ces cavernes, dans laquelle on pénètre par l'arche surbaissée d'un pont naturel, couvert d'un énorme bloc de granit, donne accès à la mer et s'ouvre ensuite sur une étroite et obscure vallée que la mer remplit tout entière (...) C'est une calangue connue des pêcheurs où, pendant que la vague rugit et écume au dehors (...) les plus petites barques sont à l'abri (...) 2
Sur les deux flancs de cette vallée marine montent à perte de vue deux murailles de rochers presque à pic (...)
Au fond de la calangue, la mer s'élargit un peu, serpente (...) et finit enfin par une belle nappe d'eau dormante sur un lit de coquillages violets concassés et serrés comme du sable. LAMARTINE, Voyage en Orient, juil. 1832.

**CALAO** [kalao] n. m. — 1778; mot malais.

Zoologie.

♦ **1** Oiseau passeriforme à long bec recourbé surmonté d'une excroissance cornée. *Le calao, passereau des forêts chaudes (Asie, Insulinde, Afrique), est aussi appelé* bucéros.

♦ **2** En Afrique, Oiseau à gros bec, de la famille des *Bucérotidés* (I. F. A.). — Syn. : *toucan* (2.), *perroquet gros bec.*

**CALASIRIS** [kalaziʀis] n. f. — 1838 ; *calasyris,* 1832 ; grec *kalasiris.*

Anciennt. Tunique de lin, au bas bordé d'une frange, que portaient les Égyptiens.

(...) par les quais coulait un fleuve d'êtres humains se dirigeant vers le Nil. La variété la plus étrange bariolait cette multitude. Les Égyptiens formaient la masse et se reconnaissaient à leur profil pur, à leur taille svelte et haute, à leur robe de fin lin, ou à leur calasiris soigneusement plissé (...)

Th. GAUTIER, le Roman de la momie, 1858, p. 62.

**CALAVÉRITE** [kalaveʀit] n. f. — 1890 ; de *Calaveras,* localité de Californie.

Minér. Tellurure naturel d'or ($AuTe_2$) contenant 3 % environ d'argent, trouvé en Californie et en Australie.

L'or a peu d'affinités chimiques ; on le rencontre la plupart du temps à l'état natif, allié à d'autres métaux et surtout à l'argent. Comme autres minéraux d'or, il n'y a que des tellurures et des séléniures, par exemple la calavérite $AuTe_2$ (soit 44,5 % d'or). Michel CAZIN, les Mines, p. 12.

**CALBAR** [kalbaʀ] n. m. → **Calebar.**

**CALBOMBE** [kalbɔ̃b] n. f. — 1902 ; « chandelle », 1878 ; de *caleil* « lampe », avec infl. de *chandelle* pour le genre ; l'élément *-bombe (-bonde)* n'est pas identifié.

Argot, vx. Bougie, et, par ext., lampe, ampoule électrique. *Souffler la calbombe :* souffler la bougie, éteindre.

1 Il me braque dans le portrait le faisceau d'une formidable torche électrique.
— Qui va là ? demande-t-il, suivant la plus pure tradition.
— Baissez votre calbombe, mon vieux, je rétorque, vous allez me causer un décollement de la rétine (...)

SAN-ANTONIO, le Secret de Polichinelle, 1958, p. 77-78.

Var. : *calebombe ; calebonde, calbonde* [kalbɔ̃d].

2 « J'éteins dans trois minutes, rangez vos affaires », dit la matonne *(gardienne)* à travers le judas (...) Il n'y a pas deux minutes qu'on nous a soufflé la calebonde, que des coups frappés à la cloison me ramènent en sursaut aux localités. A. SARRAZIN, la Cavale, 1965, p. 37-39.

Loc. fig. et pop. *Tenir la calbombe :* tenir la chandelle*.

**CALC-** → **Calci-.**

**CALCAIRE** [kalkɛʀ] adj. et n. m. — 1751, *Encyclopédie ;* du lat. *calcarius,* de *calx* « chaux ». → Calci-.

**I** Adj. ♦ **1** Qui contient du carbonate de calcium ; d'où l'on peut tirer de la chaux. *Pierre, roche calcaire.* → **Castine, liais.** *Grain calcaire.* → **Pisolithe.** *Croûte calcaire qui se forme sur une pierre.* → **Calcin** (2.). *Mesure des sels calcaires d'une eau.* → **Hydrotimétrie.** *Terrain calcaire* (plus de 13 % de carbonate de calcium). *Plateau calcaire.* → **Causse.** *Relief calcaire.* → **Karstique.**

1 Les plâtres sont disposés comme les pierres calcaires, par lits horizontaux.

BUFFON, Hist. nat. des minéraux, t. II, p. 57.

2 *(Pour un)* écrivain qui refuse de croire en un Dieu auteur de l'univers (...) les montagnes sont des *protubérances* de pierres *calcaires* ou *vitrescibles* (...)

CHATEAUBRIAND, le Génie du christianisme, III, III, 5.

♦ **2** Pathol. *Dégénérescence calcaire.* → **Calcification.**

♦ **3** Chim. De calcium. *Sels calcaires.*

♦ **4** Littér. Qui évoque la couleur blanche des roches calcaires.

3 C'était un délicat et même un charmant Utrillo (...) Cela représentait une rue de banlieue avec, à gauche, une maison d'un blanc calcaire, à droite un bureau de tabac (...)

G. DUHAMEL, Chronique des Pasquier, I, p. 354.

**II** N. m. (1835). Roche composée essentiellement de carbonate de calcium. → aussi **Calci-.** *Calcaire pur.* → **Calcite, cipolin, marbre** (blanc) ; **craie.** *Calcaire compact, grossier, siliceux* (→ **Meulière**), *argileux. Calcaire lithographique ; calcaire marneux.* → **Marne.** *Calcaire magnésien, dolomitique,* mêlé de carbonate de magnésium. *Calcaire dissous, en dépôt.* → **Stalagmite, travertin, tuf.** *Calcaire oolithique*. Calcaires organiques : calcaire corallien, à entroques ; calcaire conchylien, coquillart, coquillier.*

Mélange d'argile et de calcaire dur. → **Ciment.** *On reconnaît le calcaire à son effervescence au contact d'un acide.*

Loc. fig. Fam. *Coup de calcaire :* moment de dépression (→ Coup de blues*).

COMP. **Silicocalcaire.**

**CALCANÉEN, ENNE** [kalkaneɛ̃, ɛn] adj. — 1867 ; de *calcanéum.*

Anat. Du calcanéum. *L'appui de la tubérosité calcanéenne* (→ Appui, cit. 3).

**CALCANÉUM** [kalkaneɔm] n. m. — 1541 ; bas lat. *calcaneum* « talon ».

Anat. Os du tarse* qui forme le talon*.

Le calcanéum est le plus gros d'entre les autres *(os du pied),* et sur lequel nous marchons (...)

Ambroise PARÉ, IV, 38, *in* LITTRÉ.

DÉR. **Calcanéen.**

**CALCAR-** Élément, d'un mot lat. signifiant « éperon », qui sert à former quelques mots didactiques tels que : *calcarifère* [kalkaʀifɛʀ] adj., muni d'un éperon ; *calcariforme* [kalkaʀifɔʀm] adj., en forme d'éperon.

**CALCÉDOINE** [kalsedwan] n. f. — Mil. XII^e ; du lat. *chalcedonius,* du grec *Khalkêdôn,* ville de Bithynie près de laquelle on extrayait cette pierre.

Minér. et cour. Pierre (silice cristallisée) dont certaines variétés d'une transparence laiteuse, légèrement teintées, sont précieuses. *Calcédoine rouge* (→ **Cornaline**), *brune* (→ **Sardoine**), *verte* (→ **Chrysoprase, plasma**), *bleuâtre. Calcédoine à taches rouges.* → **Héliotrope, jaspe** (sanguin). *Calcédoine de plusieurs couleurs, à structure rubanée, veinée.* → **Agate.** *Camée en calcédoine.*

Les calcédoines sont quelquefois ondées ou ponctuées de rouge ou d'orangé, et se rapprochent par là des cornalines et des sardoines. 1

BUFFON, Hist. nat. des minéraux, t. VI, p. 321.

D'autres étaient revenus de l'Inde avec des paons, du poivre et des tissus nouveaux. Quant à ceux qui vont acheter des calcédoines par le chemin des Syrtes et le temple d'Ammon, sans doute ils avaient péri dans les sables. FLAUBERT, Salammbô, Pl., t. I, p. 858. 2

DÉR. **Calcédonieux.**

**CALCÉDONIEUX, IEUSE** [kalsedɔnjø, jøz] adj. — 1892 ; *chalcedoineux,* 1690 ; de *calcédoine.*

Minér. Qui ressemble à la calcédoine. *Rubis calcédonieux,* à taches laiteuses.

**CALCÉMIE** [kalsemi] n. f. — 1927, *in* D. D. L. ; du lat. *calx, calcis* « chaux », et suff. *-émie.*

Didact. Teneur du sang en calcium. *La calcémie normale est de 0,1 g par litre.*

(...) si on greffe des parathyroïdes à un Chien qui en a été privé, la calcémie monte en quelques heures, sans dépasser le niveau normal, mais si on pratique la greffe sur un Chien normal, la calcémie ne varie pas.
Pierre REY, les Hormones, p. 75.

**CALCÉOLAIRE** [kalseɔlɛʀ] n. f. — 1803; du lat. *calceolus* «petit soulier», par anal. de forme.

Bot. Plante dicotylédone *(Scrofulariacées)*, originaire d'Amérique du Sud, cultivée comme ornementale. *Calcéolaire herbacée, calcéolaire ligneuse. La calcéolaire a de belles fleurs en forme de sabot.*

**CALCER** [kalse] v. tr. [CONJUG.: *placer*.] — 1952, *in* Esnault; de l'argot esp. *calzarse (a una)* «posséder, avoir une femme», de *calzar* «chausser».

Argot. Posséder sexuellement (une femme). *Elle s'est fait calcer par ce type!*

**CALCET** [kalsɛ] n. m. — XVII^e^; ital. *calcese*, lat. *carchesium*.

Mar. Pièce de bois placée sur un mât à antenne et percée de trous pour le passage des manœuvres. *Mât de calcet.*

**CALCI-** Élément de formation de mots savants, tiré du lat. *calx, calcis* «chaux», et signifiant «calcium» ou «calcaire». — Ex. : *calcicole, calcifuge.* → aussi **Calc-, calcio-, calco-.**

**CALCICOLE** [kalsikɔl] adj. — 1865; de *calci-*, et *-cole*.

Bot. Se dit d'une plante qui croît dans les terrains calcaires. *La betterave est calcicole.* — On dit aussi *calciphile* [kalsifil].

**CALCIF** [kalsif] n. m. → **Calecif.**

**CALCIFÉROL** [kalsifeʀɔl] n. m. — 1932; de *calci-, -fer*, et *(ergostér)ol*.

Didact. (chim., physiol.). Vitamine $D_2$ antirachitique, que l'on obtient par irradiation de l'ergostérol. *Le calciférol «joue un rôle important dans la fixation du calcium»* (Garnier-Delamare).

**CALCIFICATION** [kalsifikasjɔ̃] n. f. — 1848; du rad. du lat. *calx, calcis* «chaux», et *-fication*. → Calcifier.

♦ **1** Physiol. Dépôt de sels calcaires au cours du processus normal de formation des os. → **Ossification.**

♦ **2** Pathol. et cour. Infiltration par des sels de calcium de tissus ou organes qui n'en contiennent pas normalement. *La calcification d'une artère. Calcification au niveau d'une valvule cardiaque.*

COMP. **Décalcification, recalcification.**

**CALCIFIÉ, ÉE** [kalsifje] adj. — 1765, *Encyclopédie*; du rad. du lat. *calx, calcis*.

♦ **1** Chim. Converti en carbonate de chaux.

♦ **2** Méd. Qui a subi une calcification. *Artère calcifiée.* — Bot. *Algues calcifiées.*

**CALCIFUGE** [kalsifyʒ] adj. — 1877; de *calci-*, et *-fuge*.

Bot. Se dit d'une plante qui ne pousse pas dans les terrains calcaires. *Le châtaignier est calcifuge.* — On dit aussi *calciphobe* [kalsifɔb].

**CALCIN** [kalsɛ̃] n. m. — 1765; déverbal de *calciner*. Technique.

♦ **1** Débris de glace, de verre, utilisés pour les émaux.

♦ **2** (1873). Dépôt calcaire à l'intérieur des chaudières à vapeur. — Dépôt de carbonate de chaux laissé sur les pierres calcaires par l'eau de pluie. *Statue attaquée par le calcin.*

**CALCINATION** [kalsinasjɔ̃] n. f. — 1516; lat. médiéval *calcinatio*, du supin de *calcinare*. → Calciner.

♦ **1** Vx. Réduction des pierres calcaires en chaux par l'action de la chaleur (→ Chaux, cit. 1.2).

♦ **2** Mod. Opération par laquelle on modifie la structure d'un corps en le soumettant à une haute température. → **Combustion.** *Calcination du plomb. Résidu de calcination. Le soufre est obtenu par calcination des pyrites. La calcination du sulfate ferreux donne le sesquioxyde de fer* (colcotar).

**CALCINER** [kalsine] v. tr. — XIV^e^; du lat. médiéval *calcinare*, de *calx, calcis* «chaux».

♦ **1** Techn. Transformer (une pierre calcaire) en chaux* par l'action d'un feu intense.

♦ **2** Plus cour. Soumettre (un corps) à l'action d'une haute température. *Calciner un métal pour le transformer en oxyde. Calciner du plomb, de l'or, de l'argent. Arche à calciner.* — *Calciner du bois, de la houille.*

♦ **3** Cour. Transformer en charbon, en cendres. → **Brûler, griller.** *Une forêt que l'incendie a calcinée.* — Par ext. *Calciner un rôti,* le cuire* à l'excès.

Littér. Soumettre à une intense chaleur.

Les sables, les déserts qu'un ciel d'airain calcine. 1
HUGO, les Châtiments, V, 11.

◆ **SE CALCINER** v. pron. *Elle a laissé le rôti se calciner sur le feu* (→ ci-dessus, 3.).

◆ **CALCINÉ, ÉE** p. p. adj. *Métal calciné,* réduit en oxyde. — Par ext. → **Brûlé.** *Rôti calciné.* — *Cendres calcinées. Débris calcinés.*

Littér. Soumis à une intense chaleur qui détruit la végétation, etc.

Tous ces rocs calcinés par un soleil rongeur, 2
Brûlent et font hâter les pas du voyageur.
André CHÉNIER, 34, *in* LITTRÉ.

Un endroit désolé, consumé de soleil, calciné même en 3
plein hiver, pareil, pour la couleur et le désordre, à un vaste foyer dont il ne resterait plus que des cendres.
E. FROMENTIN, Une année dans le Sahel, p. 37.

D'immenses espaces brûlés (...) Il semble que sur ce sol cal- 3.1
ciné aucune vie ne pourra jamais reparaître et le vert très tendre du gazon qui surgit entre les chaumes noirs, déjà trois jours après l'incendie, semble presque une fausse note.
GIDE, Voyage au Congo, *in* Souvenirs, Pl., p. 803.

Par métaphore :

Mon sang est calciné, la fièvre me consume. 4
ROUSSEAU, Lettre à Peyrou, 6 avr. 1765.

CONTR. **Éteindre, refroidir.** ◊ DÉR. **Calcin.**

**CALCIO-** → **Calci-.**

**CALCIOFERRITE** [kalsjofeʀit] n. f. — XX^e^; de *calcio-*, et *ferrite*.

Minér. Phosphate hydraté naturel de fer. — REM. On trouve aussi *calcoferrite* [kalkofeʀit].

**CALCIPEXIE** [kalsipɛksi] n. f. — XX^e^; de *calci-*, et grec *pexis* «fixation».

Didact. (physiol.). Fixation de calcium.

**CALCIPHILE** [kalsifil] adj. → **Calcicole.**

**CALCIPHOBE** [kalsifɔb] adj. → **Calcifuge.**

**CALCIQUE** [kalsik] adj. — 1838; du rad. du lat. *calx, calcis* «chaux».

Chim. Qui se rapporte au calcium ou à la chaux; qui en contient. *Sels calciques.* → **Calcaire.** *Lait calcique,* enrichi de calcium.

**CALCISTIE** [kalsisti] n. f. — XX^e; de *calc-,* et grec *(h)istos* «tissu».

Physiol. Présence de calcium dans les tissus.

**CALCITE** [kalsit] n. f. — 1867; all. *Calcit,* 1845; du rad. du lat. *calx, calcis* «chaux».

Carbonate naturel de calcium cristallisé ($CaCO_3$), à structure rhomboédrique. → aussi **Aragonite.** *La calcite est la forme la plus fréquente de cristallisation du carbonate de calcium, et le principal constituant des roches calcaires, en particulier des concrétions calcaires des grottes; on la trouve associée à d'autres minéraux.* → **Calcomalachite.** *Certaines variétés de calcite possèdent une biréfringence très élevée.* → **Spath** (d'Islande).

**CALCITHÉRAPIE** [kalsiteʀapi] n. f. — XX^e; de *calci-,* et *-thérapie.*

Méd. Emploi thérapeutique des sels de calcium.

**CALCIUM** [kalsjɔm] n. m. — 1808; du rad. du lat. *calx, calcis* «chaux».

♦ **1** Métal d'un blanc jaune, brillant (symb. : *Ca*; poids at. : 40,08; n° at. : 20), de densité 1,55, mou, fondant vers 845°. *On prépare le calcium par électrolyse du chlorure de calcium, ou en décomposant l'iodure de calcium.* → **Chaux.** *Chlorure de calcium. Bromure, iodure de calcium. Fluorure de calcium.* → **Fluorine.** *Sulfure de calcium. Carbonates (naturels) de calcium ou de chaux.* → **Aragonite, calcite; calcaire.** *Le carbure de calcium fournit l'acétylène. Hydrure de calcium* ou *hydrolithe. Sulfate de calcium.* → **Gypse, plâtre, sélénite.** *Phosphate, chlorure de calcium. De nombreux sels de calcium sont utilisés en médecine. — L'alliage calcium-aluminium est utilisé comme antifriction.*

♦ **2** Fam. Produit pharmaceutique renfermant des sels de calcium. *Prendre du calcium,* prendre ce fortifiant.

DÉR. (Du rad. du lat. *calx, calcis*) **Calcémie, calcification, calcifié, calciner, calcique, calcite.** — V. aussi **Calcaire; calci-** et composés.

**CALCIURIE** [kalsiyʀi] n. f. — XX^e; de *calci-,* et *-urie.*

Méd. Présence de calcium dans l'urine. *La calciurie est augmentée dans le rachitisme.*

**CALCO-** → **Calci-.**

**CALCOFERRITE** [kalkofeʀit] n. f. → **Calcioferrite.**

**CALCOMALACHITE** [kalkomalaʃit] n. f. — XX^e; de *calco-,* et *malachite.*

Minér. Minerai, mélange naturel de calcite* et de malachite.

**CALCOSODIQUE** [kalkosɔdik] adj. — 1905, in *Rev. gén. des sc.,* n° 16, p. 510; de *calco-,* et *sodique**.

Minér., chim. Qui contient du calcium et du sodium. *Feldspaths calcosodiques.*

1. **CALCUL** [kalkyl] n. m. — 1484; de *calculer.*

**I** Sc. ♦ **1** Math. Ensemble d'opérations* effectuées sur des symboles, représentants de grandeurs. — Par ext. Ensemble de procédés de représentation des relations logiques. → **Algorithme;** et aussi **algèbre, arithmétique, mathématique.** *Calcul numérique :* calcul effectué sur des nombres, qui apporte des solutions numériques très fines par des techniques appropriées. → **Interpolation, itération; graphe.** *Règle* à calcul.*
*Calcul sur les doigts, calcul digital* (vx) ou *dactylonomie. Calcul mental* (→ ci-dessous, II., 2.). *Calcul analogique, booléen,* utilisés en informatique. → **Ordinateur.**
*Calcul algébrique,* sur des symboles et des équations. *Calcul fonctionnel. Calcul infinitésimal.* → **Analyse.** *Calcul différentiel, calcul intégral,* étudiant les variations des fonctions pour des variations infiniment petites des variables. *Calcul logarithmique.* → **Logarithme.** *Calcul vectoriel,* concernant les vecteurs*. *Calcul matriciel* (cit.). → **Matrice.** *Calcul tensoriel.* → **Tenseur.** *Calcul des probabilités*.*

La découverte du calcul infinitésimal, que Newton a faite, 1
a donné lieu de dire au savant Halley qu'il n'est pas permis à un mortel d'atteindre de plus près à la divinité.
VOLTAIRE, le Siècle de Louis XIV, 34.

Le calcul numérique est un moyen de détermination. Le 1.1
calcul algébrique est un moyen de représentation.
VALÉRY, Mathématiques, Cahiers, t. II, Pl., p. 784.

*Calculs astronomiques* (cit.).

♦ **2** Log. Opérations sur des symboles logiques. *Calcul des propositions. Calcul modal, bivalent, plurivalent. Calcul des prédicats.*

**II** Cour. ♦ **1** *(Un, des calculs).* Action de calculer, opération* numérique. *Faire un calcul. Calcul exact, juste; faux. Des calculs difficiles, savants. Il s'est trompé dans ses calculs. Faire la preuve de la justesse d'un calcul. Calcul approché.* → **Approximation.** *Résultats d'un calcul. — Le calcul. Erreur de calcul. Calcul de comptabilité*. Calcul d'un revenu, d'un bénéfice. Calculs statistiques. — Le calcul d'un prix de revient; des dépenses* (→ **Compte**), *d'un bilan, du chiffre d'affaires* (→ **Comptabilité**). — *Calcul économique :* ensemble des opérations permettant de chiffrer pour chaque projet d'investissement (notamment les investissements collectifs) son taux de rentabilité.
*Techniques, pratiques pour simplifier les calculs : instruments* (→ **Arithmographe, arithmomètre, boulier...**), *instruments logarithmiques* (→ Règle* à calcul), *procédés graphiques* (→ **Abaque;** et aussi **nomographie**), *machines* (→ **Calculatrice, ordinateur;** → Machine à calculer*), *tables numériques* (→ **Barème**).

Je refuse d'introduire dans mon équation de ces facteurs 2
non déterminés qui fausseraient tous mes calculs.
G. DUHAMEL, Scènes de la vie future, X, p. 163.

♦ **2** *(Le calcul).* Pratique des opérations arithmétiques. *Résoudre un problème par le calcul.* → **Arithmétique.** *Cet enfant est bon en calcul. Difficultés dans l'apprentissage du calcul.* → **Dyscalculie.** — *Calcul mental,* par la seule pensée, sans l'aide de l'écriture. — *Instruments, machines utilisés pour le calcul.* → **Calculateur** (3.), **calculatrice; calculer** (machine à calculer).

♦ **3** (1694). *Un, des calculs.* Estimation d'un effet probable. → **Appréciation, comput, computation, évaluation, prévision, spéculation, supputation.** *Les calculs de qqn, ses calculs. D'après mes calculs, il arrivera demain. Ne jamais se tromper dans ses calculs*

(→ Avoir le compas* dans l'œil). *Il est inconséquent dans ses calculs. Faire un mauvais calcul.*

3 Donc, à votre calcul (...)
Monsieur, tout bien compté, ne vaut pas bien Madame ?
MOLIÈRE, Sganarelle, 6.

4 Tant qu'un être vit, toutes les choses qu'il pourra encore accomplir, et qu'on ignore, constituent des inconnues qui faussent les calculs.
MARTIN DU GARD, les Thibault, t. IV, p. 268.

4.1 Si l'intention de la jeune Laura avait été de masquer par son agitation les bruits de la pièce contiguë, c'était en tout cas un mauvais calcul, d'autant plus que ça reprenait de plus belle derrière la cloison (...)
A. ROBBE-GRILLET, Projet pour une révolution à New York, p. 59.

♦ **4** Péj. [a] *(Un, des calculs).* Moyens que l'on combine pour arriver à un but, à une fin. → **Combinaison, plan, projet.** *La malchance a fait échouer son calcul. Faire un faux calcul.* → **Mécompte.** *Cette entreprise n'est pas désintéressée : il y entre du calcul. Les calculs de l'ambition. Déjouer les calculs de ses ennemis. Fonder, appuyer ses calculs sur...* → **Tabler** (sur...).

5 Si je ne te connaissais pas pour la plus pure et la plus angélique créature du monde, je te dirais que tes calculs sentent la dépravation.
BALZAC, Mémoires de deux jeunes mariées, XV, Pl., t. I, p. 190.

6 Mais il ne faut pas exagérer sa grandeur d'âme ; il y eut plus d'un calcul dans son attitude.
Louis BARTHOU, Mirabeau, p. 35.

[b] *(Le calcul).* Comportement de celui qui agit dans une intention intéressée. *Agir par calcul.* → **Intérêt ; calculateur, intéressé.** *Sans calcul, sans aucun calcul :* spontanément. *C'est du pur calcul de sa part, il n'est pas sincère.*

CONTR. **Désintéressement, imprévoyance.** ◈ DÉR. **Acalculie, calculette. — Dyscalculie.** ← HOM. 2. **Calcul,** formes du v. **calculer.**

2. **CALCUL** [kalkyl] n. m. — 1546, Estienne ; lat. *calculus* « caillou ».

Méd. et cour. Concrétion solide de sels minéraux ou de matières organiques, formée dans un organe, un conduit ou une glande, et pouvant provoquer divers troubles. *Les calculs se forment le plus souvent dans les canaux d'excrétion* (biliaire, urinaire, salivaire). *Le calcul biliaire, par dépôt de cholestérol, sels biliaires, sels de calcium, dans les conduits biliaires et la vésicule biliaire, peut occasionner des coliques hépatiques. Le calcul rénal, calcul urinaire, par précipitation de substances normalement dissoutes dans l'urine, peut occasionner de l'hématurie, des coliques néphrétiques.* → **Gravelle, lithiase.** *Médicament qui prévient la formation des calculs.* → **Antilithique.** *Dissolution, broiement d'un calcul. Extraction d'un calcul. Calcul salivaire. Calcul de certains animaux.* → **Bézoard.**

DÉR. **Calculeux.** ◈ HOM. 1. **Calcul,** formes du v. **calculer.**

**CALCULABILITÉ** [kalkylabilite] n. f. — XXe ; de *calculable.*

Didact. Caractère de ce qui est calculable.

C'est lui *(le système des signes de la pensée classique)* qui introduit dans la connaissance la probabilité, l'analyse et la combinatoire (...) C'est lui qui donne lieu à la fois à la recherche de l'origine et à la calculabilité (...)
Michel FOUCAULT, les Mots et les Choses, p. 77.

**CALCULABLE** [kalkylabl] adj. — 1732 ; de *calculer.*

Qui peut se calculer*. *Des effets calculables. Des phénomènes mesurables et calculables.* — (Souvent en emploi négatif). *Les conséquences ne sont pas calculables.*

Rendons d'abord l'atmosphère à la fois brumeuse et sèche, échevelée, où la cigarette est toujours posée de travers depuis que continûment elle la crée.
Puis sa personne : une petite torche beaucoup moins lumineuse que parfumée, d'où se détachent et choient selon un rythme à déterminer un nombre calculable de petites masses de cendres.
Francis PONGE, le Parti pris des choses, p. 40.

DÉR. et COMP. **Incalculable.** ◈ DÉR. **Calculabilité.**

**CALCULATEUR, TRICE** [kalkylatœʀ, tʀis] n. et adj. — 1546, Estienne ; lat. impérial *calculator,* de *calculare.* → Calculer.

♦ **1** N. Personne qui sait calculer. *Un bon calculateur.*

On pense à moi pour une place, mais par malheur j'y étais propre : il fallait un calculateur, ce fut un danseur qui l'obtint. 1
BEAUMARCHAIS, le Mariage de Figaro, V, 3.
REM. On rappelle cette phrase pour marquer le peu de discernement qui préside à la distribution des emplois.

L'homme d'affaires. C'est un hybride du danseur et du calculateur. VALÉRY, Rhumbs, p. 29. 2

♦ **2** Adj. (1794). Habile à combiner des projets, des plans, à prévoir les conséquences d'un acte ou d'un événement. *Esprit calculateur et intéressé. Il est très calculateur et très avisé* (→ Aviser, cit. 6).

Elle regretta d'être venue. Mais elle était poussée par un sentiment si puissant, si naturel, par un dévouement si peu calculateur, qu'elle rassembla son courage pour soutenir cette entrevue. 3
BALZAC, la Cousine Bette, Pl., t. VI, p. 452.

(...) Marat a eu des heures de grandeur, et, son cœur (...) connut aux heures de crise des émotions irrésistibles et entières dont l'âme, sincère aussi, mais toujours calculatrice de Robespierre ne fut jamais bouleversée. 4
JAURÈS, Hist. socialiste..., t. VII, la Montagne, p. 218.

♦ **3** N. m. (1962 ; *calculateur mécanique,* 1859). Machine de calcul, utilisant des cartes, bandes perforées ou rubans magnétiques, capables d'effectuer en un seul passage une série d'opérations successives. → aussi **Calculatrice.** *Calculateur électronique. Calculateur analogique.* → **Analogique.** *Calculateur digital.* → **Ordinateur.** — *Calculateur de poche :* calculateur de dimension réduite utilisant une technologie électronique très intégrée. → **Calculette, minicalculatrice.**

♦ **4** N. f. → **Calculatrice.**

CONTR. **Imprévoyant, irréfléchi. — Spontané.** ◈ DÉR. **Calculatrice.** ← COMP. **Supercalculateur.**

**CALCULATRICE** [kalkylatʀis] n. f. — 1962 ; de *calculateur* (3.).

♦ **1** Machine de bureau effectuant les quatre opérations arithmétiques (et parfois les dérivations, les intégrations). *Calculatrice imprimante. Calculatrice à clavier.*

♦ **2** Ordinateur* dont le calcul est la fonction principale, mais de taille supérieure à celle du calculateur. *Calculatrice analogique.*

REM. On emploie souvent le mot pour désigner (inexactement) le *calculateur* de poche.*

COMP. **Minicalculatrice.**

**CALCULER** [kalkyle] v. tr. — 1372 ; bas lat. *calculare,* du lat. *calculus* « caillou servant à compter ».

♦ **1** Chercher, déterminer par le calcul. *Calculer une somme d'argent, une dépense, un bénéfice.* → **Chiffrer, compter.** — *Calculer la distance d'une étoile. Impossible à calculer.* → **Incalculable.** — Par ext. *Calculer une éclipse.*

*Calculer que :* faire le compte que. *Je calcule que, cette année, mon budget va s'élever à (telle) somme.* — *Calculer combien..., quand...*

0.1 Eh bien ! Hora, dit Poëri à Tahoser, la vue de ces moissonneurs et de ces troupeaux t'a-t-elle amusée ? (...) Maintenant, va prendre ton repas avec tes compagnes ; moi, je rentre au pavillon, et je vais calculer combien de boisseaux de froment ont rendus les épis.
Th. GAUTIER, le Roman de la momie, p. 129.

Absolt. Faire des calculs. *Calculer de tête, mentalement. Perte de la capacité de calculer.* → **Acalculie.**

1 Faire de l'Algèbre, c'est essentiellement *calculer,* c'est-à-dire effectuer, sur des éléments d'un ensemble, des «opérations algébriques», dont l'exemple le plus connu est fourni par les quatre règles «de l'arithmétique élémentaire».
N. BOURBAKI, Traité d'Algèbre, Introd.

2 Si la place d'un Cassini devenait vacante, et que le suisse ou le postillon du favori s'avisât de la demander (...) il le trouverait capable d'observer et de calculer (...)
LA BRUYÈRE, les Caractères, VIII, 61.

*Machine à calculer :* instrument faisant automatiquement des calculs. → **Arithmographe, arithmomètre, calculateur, calculatrice, calculette, ordinateur.** — *Règle* à calculer.*

Absolt. Faire des calculs d'argent. *Le comptable n'a pas fini de calculer.*

♦ **2** Par ext. (Absolt ou intrans.). Ne dépenser qu'avec mesure, parcimonie. → **Compter.** *Dépenser sans calculer,* sans compter.

3 Il *(l'avare)* passait les nuits et les jours
A compter, calculer, supputer sans relâche,
Calculant, supputant, comptant comme à la tâche.
LA FONTAINE, Fables, XII, 3.

♦ **3** (1671). Apprécier (qqch.) ; déterminer la probabilité de (un événement). → **Estimer, établir, évaluer, peser, prévoir, supputer.** *Calculer ses chances. Calculer les conséquences d'un acte, les résultats, les suites d'une démarche. Calculer les avantages d'une situation. Ne négliger aucun des facteurs en calculant.*

4 Calculer des événements qui, vu la nature des choses et le caprice de la fortune, (...) ne sont guère soumis au calcul (...) MONTESQUIEU, l'Esprit des lois, XIX, 27.

5 (...) on peut calculer la valeur d'un homme d'après le nombre de ses ennemis et l'importance d'une œuvre au mal qu'on en dit.
FLAUBERT, Correspondance, t. II, p. 244.

♦ **4** (XVe). Décider ou faire (qqch.) après (l') avoir prémédité, réglé. → **Agencer, ajuster, arranger, combiner, préméditer, régler.** *Calculer le moindre de ses gestes, de ses actes, la moindre de ses paroles. Bien calculer un effort en vue d'un résultat.* → **Adapter, coordonner, proportionner.** *Calculer son élan. Il calcule son intérêt.*

6 Quand on ne calcule que son intérêt, le résultat seul décide si l'on ne s'est pas trompé.
B. CONSTANT, Journal intime, p. 173-174.

7 Vous jetez la balle au chat, qui calcule mal son élan, exprès, et la laisse rouler sous le fauteuil.
COLETTE, la Paix chez les bêtes, Poucette, p. 29.

Absolt. *Il est trop spontané pour calculer avant d'agir.* → **Raisonner, réfléchir.**

◆ **CALCULÉ, ÉE** p. p. adj.

♦ **1** Évalué par le calcul. *Ce compte est bien calculé,* est juste.

♦ **2** *Un ordre, une présentation calculée,* disposée, combinée, réglée d'avance. *Tout bien calculé :* tout bien pesé. *Un risque calculé.*

8 Dans ses descriptions, il *(Rabelais)* aime mieux donner l'impression des ensembles par l'entassement précipité que par le sacrifice calculé des détails.
Gustave LANSON, l'Art de la prose, p. 37.

♦ **3** Inspiré par la recherche d'un avantage personnel. *Une générosité, une bonté calculée.* → **Intéressé.** *Un acte calculé* (→ Acte, cit. 5).

CONTR. (Du p. p.) **Intuitif, spontané.** ◊ DÉR. et COMP. 1. **Calcul, calculable.**

**CALCULETTE** [kalkylɛt] n. f. — V. 1970 ; de *calcul,* et suff. *-ette.*

Petit calculateur* de poche qui effectue principalement des calculs. — *Calculette à mémoires ; calculette programmable.*

**CALCULEUX, EUSE** [kalkylø, øz] adj. — 1540 ; de 2. *calcul.*

Médecine.

♦ **1** Qui a rapport aux calculs* (2.). *Concrétion calculeuse. Affection calculeuse.*

♦ **2** Vx. Qui est affecté de calculs. *Ce vieillard est calculeux* (Littré). — N. (1550). *Un calculeux, une calculeuse.*

**CALDARIUM** [kaldaʀjɔm] n. m. — 1838 ; mot latin.

Didact. (antiq. rom.). Étuve, dans les bains romains. → **Bain** (cit. 8). *Des caldariums.*

Puis, c'était aussi, plus loin, à l'horizon, une autre ruine cyclopéenne, les thermes de Caracalla, laissée là de même comme le vestige d'une race de géants, disparue de la terre : des salles d'une ampleur, d'une hauteur extravagantes et inexplicables ; deux vestibules à recevoir la population d'une ville ; un frigidarium où la piscine pouvait contenir à la fois cinq cents baigneurs ; un tépidarium, un caldarium d'égale taille, nés de la folie de l'énorme (...)
ZOLA, Rome, p. 180.

**CALDERA** [kaldeʀa] n. f. — 1903, in *Rev. gén. des sc.,* no 15, p. 820 ; *caldeira,* 1874 (→ ci-dessous, cit. 2) ; mot port. des Açores, «chaudière».

Géol. Grand cratère volcanique, formé par l'effondrement de la partie supérieure du cône volcanique, dans le vide laissé par certaines éruptions très intenses et rapides (éruptions ignimbritiques). *Des calderas.* — REM. On écrit aussi *caldeira* [kaldeʀa ; kaldejʀa]. *Des caldeiras.* Terme francisé : *caldère* [kaldɛʀ].

Le Halemaumau *(un volcan)* est un puits de 1 000 mètres de diamètre, dont la profondeur a varié, selon l'activité du volcan, de zéro à plusieurs centaines de mètres (...) il est situé dans le sud-ouest d'un vaste cratère oblong, de quatre kilomètres sur trois, chaudron volcanique qu'en jargon de métier on appelle caldera. 1
H. TAZIEFF, Histoires de volcans, p. 96.

Les émanations les plus actives sont concentrées dans trois excavations naturelles qui ont reçu le nom de caldeiras, à cause de leur ressemblance avec des chaudières, remplies d'eau en ébullition. 2
L. FIGUIER, l'Année scientifique et industrielle 1874, p. 28 (1873).

**CALDOCHE** [kaldɔʃ] n. — V. 1960 ; de *Calédonie,* et suff. *-oche.*

Fam. (franç. de Nouvelle-Calédonie). Européen implanté en Nouvelle-Calédonie depuis une génération au moins. — (Diffusé 1984, en France). Par ext. (abusif). Européen de Nouvelle-Calédonie. *Les Caldoches et les Kanaks.*

Adj. *La communauté caldoche.*

1. **CALE** [kal] n. f. — Déb. XIIIe ; de 1. *caler ;* le sens «action d'immerger», mentionné par le T. L. F., semble fictif, mais le sens 3. correspond bien à «action de caler».

♦ **1** Espace situé entre le pont et le vaigrage de fond d'un navire. *Le fond de la cale.* → **Sentine.** *Les baux, les barrots, les étais d'une cale. La cale est destinée* *à recevoir la cargaison. Mettre, arrimer des marchandises dans la cale. — Le fond de la cale. À fond de cale* (→ ci-dessous, 2.) *: au fond de la cale. — Cale remplie d'eau. Eau de cale. — Passager de cale :* passager clandestin.

1 (...) je me cachai à fond de cale d'un bâtiment marchand qui partait pour les Indes (...)
A. DE VIGNY, Servitude et grandeur militaires, I, V, p. 69.

2 Par le panneau de la cale, on ne voyait plus descendre la lueur grise du jour (...)
LOTI, Mon frère Yves, VI, p. 31.

3 La grue de l'*Asie (un navire)* va cueillir à fond de cale les caisses qu'elle enlève dans un filet à larges mailles, puis déverse dans le chaland transbordeur.
GIDE, Voyage au Congo, *in* Souvenirs, Pl., p. 688.

Compartiment de la cale. *La cale avant, arrière. Un navire à quatre cales.*

Par ext. (en parlant d'un avion). *Cale à bagages.* → **Soute.**

*Cale à eau,* servant de réservoir. → **Caisse.** *Cale à charbon.* → **Soute.**

♦ **2** Loc. fig. *Être à fond de cale,* dépourvu d'argent, de ressources.

♦ **3** Loc., vx (*cale* semble être ici un déverbal de 1. *caler,* I., 1.). *Supplice de la cale,* qui consistait à suspendre un homme à bout de vergue et à le laisser tomber à la mer plusieurs fois de suite.
*Prendre la cale,* «se dit d'une embarcation suspendue verticale (...) par suite du décrochage d'un des palans qui la soutiennent» (Gruss).

**CONTR. Pont.** ◊ **DÉR. Calier.** — **HOM. Cal, 2. cale, 3. cale, 4. cale, 5. cale,** formes des v. **1. caler, 2. caler.**

2. **CALE** [kal] n. f. — 1694; provençal *calo* «quai en pente», ou déverbal de 1. *caler* comme le précédent.
Techn. (marine).

♦ **1** Partie en pente d'un quai. *Cale de chargement, de déchargement, de halage. Mettre des marchandises sur la cale.*

♦ **2** (1751). Plus cour. Plan incliné servant à la construction, à la réparation des navires. *Cale sèche, cale flottante, cale de radoub.* → **Bassin** (de radoub). *Cale de construction, de lancement. Cale couverte. Cale d'échouage.*

**EN CALE.** *Mettre un navire en cale. Navire qui entre en cale sèche.*

**COMP. Avant-cale.** ◊ **HOM. Cal, 1. cale, 3. cale, 4. cale, 5. cale,** formes des v. **1. caler, 2. caler.**

3. **CALE** [kal] n. f. — 1611; all. *Keil* «coin»; P. Guiraud évoque un sens dérivé de *cale* «écaille».

Ce que l'on place sous un objet pour lui donner de l'aplomb, de l'assiette, pour le mettre de niveau. *Cale en forme de coin. Mettre une cale à un meuble boiteux. Mettre une cale derrière les roues d'un véhicule pour le maintenir immobile.*

Pour pouvoir sans cesse surveiller la cour, *(Nestor)* avait même surélevé son pupitre avec des petites cales de bois et remplacé par un verre ordinaire l'un des petits carreaux de verre dépoli dont toutes les fenêtres de classes étaient garnies. M. TOURNIER, le Roi des Aulnes, p. 36.

Mécan. Pièce pour maintenir un écartement, remplir un vide.

(1939). Sports. *Cale de départ :* butoir, starting-block.

**DÉR. 2. Caler, 1. calot.** ◊ **HOM. Cal, 1. cale, 2. cale, 4. cale, 5. cale;** formes des v. **1. caler, 2. caler.**

4. **CALE** [kal] n. f. — XII^e; orig. obscure (→ 2. Calot); p.-ê. dér. régressif de *calotte,* ou de l'anc. franç. *écale,* de *cale* «coquille», du lat. *callum* «peau dure», selon l'hypothèse de P. Guiraud.

Vieux.

♦ **1** Coiffure de femme, emboîtant le crâne, et portée seule ou sous le chapeau.

♦ **2** (XVII^e). Béguin blanc porté par les servantes.

**DÉR. 2. Calot, calotte.** ◊ **HOM. Cal, 1. cale, 2. cale, 3. cale, 5. cale;** formes des v. **1. caler, 2. caler.**

5. **CALE** [kal] n. f. — 1606; anc. provençal *cala.* → Calanque.

Vx. (Mar.). Crique, abri.

**HOM. Cal, 1. cale, 2. cale, 3. cale, 4. cale;** formes des v. **1. caler, 2. caler.**

**CALÉ, ÉE** [kale] adj. → **2. Caler, p. p.**

**CALEBAR** ou **CALBAR** [kalbaʀ] n. m. — 1946, *in* Esnault; var. suffixale de *caleçon.*

Pop. Caleçon. → **Calecif.** *Il s'est barré en calbar.*

**CALEBASSE** [kalbas] n. f. — 1572; *calabasse,* 1542; *calebace,* 1527; esp. *calabaza,* d'orig. incert., p.-ê. dér. préroman de la rac. **kal-* «abri» (→ 5. Cale, calanque, chalet), var. de **kar-;* l'hypothèse de l'emprunt à l'arabe *qar'a* «gourde», assez souvent évoquée, n'est pas entièrement satisfaisante.

♦ **1** Fruit du calebassier* ou de cucurbitacées (*Lagenaria* ou *Courge calebasse,* etc.). *La calebasse, vidée et séchée, peut servir de récipient; elle est utilisée comme caisse de résonance d'instruments de musique* (→ ci-dessous, 2.).

Les vases dans lesquels on nous servit du vin étaient tout à fait semblables aux calebasses de Saint-Jacques (...) 1
Cardinal de RETZ, V, 417.

Appos. *Courge calebasse :* fruit du faux calebassier.
Récipient fait de ce fruit vidé, séché et laissé entier (la *calebasse* affecte alors la forme d'une bouteille), ou coupé en deux selon sa longueur (elle évoque dans ce cas une cuillère à pot, une louche), ou encore perpendiculairement à sa longueur (forme de coupe grossièrement hémisphérique). *La calebasse d'un pèlerin.* → **Gourde.**

Il n'y avait dans ce lieu qu'une calebasse pour puiser de l'eau. CHATEAUBRIAND, Atala, 261. 2

On boit dans de grandes calebasses le suc de l'érable (...) 3
CHATEAUBRIAND, Voyage en Amérique..., 41.

Le lait s'est aigri 4
Dans les calebasses
La bouillie a durci
Dans les vases.
Dans les cases
La peur passe, la peur repasse.
Nuit noire, nuit noire!
Birago DIOP, Leurres et Lueurs, «Abandon», *in* Littératures de langue franç. hors de France, p. 44.

Contenu d'une calebasse. *Une (pleine) calebasse de sorgho, de mil.*

♦ **2** Mus. Instrument à percussion utilisant comme caisse de résonance l'écorce du fruit (→ **Arc** [musical], **kora).**

Dès que le *Ruby (un navire)* se met en marche, trois nègres commencent un assourdissant tam-tam, sur une calebasse et un énorme tambour de bois long comme une couleuvrine, grossièrement sculpté et peinturluré. 5
GIDE, Voyage au Congo, *in* Souvenirs, Pl., p. 705.

Maracas* fait d'une calebasse dans laquelle on a introduit des cailloux, des graines...

Un maigre feu de broussailles, au milieu d'un grand cercle; une ronde qu'activent deux tambours et trois calebasses sonores, emplies de graines dures, et montées sur un manche court qui permet de les agiter rythmiquement. 6
GIDE, Voyage au Congo, *in* Souvenirs, Pl., p. 778.

♦ **3** [a] (1829). Pop., vx. Tête*. *Recevoir un coup de bambou sur la calebasse.*

[b] Sein* pendant (→ Blague à tabac).

DÉR. **Calebassier.**

**CALEBASSIER** [kalbasje] n. m. — 1640; *calbassier* «baobab», 1637; de *calebasse.*

Plante dicotylédone *(Bignoniacées),* scientifiquement appelée *Crescentia,* vivant en Amérique tropicale. *Fruit du calebassier.* → **Calebasse.** *Graines de calebassier.*

Par ext. *Faux calebassier, calebassier rampant* (courge calebasse : *Cucurbitacées*). *Calebassier du Sénégal :* baobab.

**CALEBOMBE** [kalbɔ̃b], **CALEBONDE** [kalbɔ̃d] n. f. → **Calbombe.**

**CALÈCHE** [kalɛʃ] n. f. — 1656; *calege,* 1646; all. *Kalesche,* du tchèque *kolesa* ou du polonais *kolaska.*

Anciennt. Voiture à cheval, à quatre roues, généralement découverte, munie d'une capote à soufflet à l'arrière, et d'un siège surélevé à l'avant. *Calèche légère.* → **Briska.** *Promenade en calèche. L'attelage d'une calèche. La capote, le mantelet* d'une calèche. Calèche de louage, de poste, de voyage.*

1 À six heures donc on monte en calèche (...)
M^me DE SÉVIGNÉ, 563, 29 juil. 1676.

2 (...) je m'endormis au grignotement de la pluie sur la capote de la calèche.
CHATEAUBRIAND, Mémoires d'outre-tombe, t. VI, III, IV.

3 On s'installa dans la calèche, moi à côté de M^me Millichel, Marthe près du cocher (...)
H. BOSCO, Un rameau de la nuit, p. 130.

DÉR. **Caléchier.**

**CALÉCHIER** [kaleʃje] n. m. — 1875, «loueur de calèche»; de *calèche.*

Vx. Fabricant ou loueur de voitures à chevaux élégantes.

**CALECIF** ou **CALCIF** [kalsif] n. m. — 1916, *in* Esnault; resuffixation de *caleçon,* probablt de *morcif.*

Pop. Caleçon. *Enfiler son calecif.* → **Calebar.**

(...) il m'aime bien le Chef, parce que je suis calme, et parce que j'ai passé des jours et des jours, autrefois, à raccommoder ses calecifs.
A. SARRAZIN, la Cavale, p. 339.

**CALEÇON** [kalsɔ̃] n. m. — 1643; *calçon,* 1571; *calleson* (de femme), *calçon,* 1563; ital. *calzone* «vêtement d'homme ou de femme», plur. *calzoni,* de *calza* «chausse». → Chausse.

♦ **1** Sous-vêtement masculin, culotte à jambes longues ou, plus souvent, courtes. *Il préfère le caleçon, les caleçons au slip*. Caleçon de toile, de flanelle. Être en caleçon. Porter un caleçon, des caleçons. Des caleçons longs en flanelle.* → pop. **Calebar, calecif.**

REM. *Caleçon,* comme *culotte,* peut s'employer indifféremment au singulier ou au pluriel. *Mettre un caleçon, des caleçons.*

1 Francion en classe, le caleçon passant hors de son haut-de-chausses jusqu'à ses souliers.
Charles SOREL, Vraye histoire comique de Francion, p. 138.

(1842). Anciennt. Sous-vêtement féminin descendant sous le genou. *Porter un caleçon, des caleçons de soie.*

2 Simplement, comme une belle esclave qui sert de modèle, elle avait défait son corselet, ses bandelettes, ses caleçons fendus (...)
Pierre LOUŸS, Aphrodite, I, 3.

♦ **2** [a] (1835, *in* D. D. L.). Vieilli. *Caleçon de nageur. Caleçon de bain.* → **Maillot** (de bain), **slip** (de bain).

[b] Mod. Pantalon très collant pour les femmes, généralement en maille. *Un caleçon en coton, en soie. Caleçons pour femmes enceintes.*

♦ **3** (En franç. d'Afrique). Cache-sexe (*slip* n'est pas usuel).

DÉR. **Caleçonnade.** — V. **Calebar, calecif.**

**CALEÇONNADE** [kalsɔnad] n. f. — V. 1930; de *caleçon,* et *-ade.*

Spectacle de théâtre où sont mises en scène des situations intimes et scabreuses. *Les caleçonnades du boulevard* traitent volontiers de l'adultère bourgeois.*

Au théâtre du Palais-Royal (...) la pièce déroula ses caleçonnades. On nous montra un couple dans un lit. On nous fit entendre des soupirs. Je n'y goûtai qu'une petite honte.
P. GUTH, le Naïf sous les drapeaux, 1956, I, I, p. 14.

**CALÉDONIEN, ENNE** [kaledɔnjɛ̃, ɛn] adj. et n. — 1654, *in* D. D. L.; de *Calédonie,* lat. *Caledonia,* nom anc. de l'Écosse.

♦ **1** De Calédonie (Écosse). — Géol. *Chaîne calédonienne :* chaîne de montagnes du Nord de l'Europe, de formation primaire (Silurien). *Le plissement calédonien a produit les montagnes d'Écosse, de Scandinavie.*

♦ **2** De Nouvelle-Calédonie (pour *néo-calédonien*). *Le nickel calédonien.*

N. *Les Calédoniens.* → **Néo-calédonien.**

COMP. V. **Néo-calédonien.**

**CALÉFACTEUR** [kalefaktœʀ] n. m. — 1836; du rad. du lat. *calefactus,* p. p. de *calefacere* «chauffer».

Vx. Appareil destiné à la conservation de l'eau chaude, ainsi qu'à une cuisson économique des aliments.

Le plus gros du bagage était parti dès la veille. Les instruments de jardin, les couchettes, les matelas, les tables, les chaises, un caléfacteur, la baignoire et trois fûts de Bourgogne iraient par la Seine, jusqu'au Havre (...)
FLAUBERT, Bouvard et Pécuchet, 1881, Pl., t. II, p. 683.

**CALÉFACTION** [kalefaksjɔ̃] n. f. — XIV^e, *calefacion* «échauffement»; bas lat. *calefactio,* de *calefacere* «chauffer».

Didactique.

♦ **1** Action de chauffer; résultat de cette action. → **Chaleur.**

♦ **2** (1690). Phénomène qui fait prendre à une goutte liquide, projetée sur une plaque de métal fortement chauffée, la forme d'une lentille tournant en spirale et se vaporisant.

♦ **3** Syn. de *pollution thermique.* → **Pollution.**

**CALÉIDOSCOPE** [kaleidɔskɔp] n. m. → **Kaléidoscope.**

**CALEIL** [kalɛj] n. m. → **Calen.**

**CALEMBOUR** [kalɑ̃buʀ] n. m. — 1768; *calambour,* 1757; p.-ê. de l'élément *calem-* (→ Calembredaine), et *bour(de)* (→ Bourde); P. Guiraud y voit un composé tautologique formé de *cale* «coquille», et *bourre* «fétu; mensonge», avec un *m* expressif devant le *b,* ou une forme dialectale à rapprocher de *calender* «dire des balivernes» (Picardie) et *calander* «bavarder» (Lorraine).

Jeu de mots fondé soit sur une similitude de sons (homophonie) recouvrant une différence de sens (→ **Équivoque**), soit sur des mots pris à double sens. *Faire, dire des calembours. Avoir la manie des calembours. Un plat, un mauvais calembour. Il adore les calembours, les contrepèteries et les jeux de mots. Un calembour digne de l'almanach Vermot.*

1 Le calembour est la fiente de l'esprit qui vole.
HUGO, les Misérables, I, III, 7.

2 Le calembour est la forme la plus basse du sentiment des sonorités verbales : voilà pourquoi il lui arrive de rapprocher les grands artistes et les grands imbéciles.
Gustave LANSON, l'Art de la prose, p. 32.

3 Dans le calembour, c'est bien la même phrase qui paraît présenter deux sens indépendants, mais ce n'est qu'une apparence, et il y a en réalité deux phrases différentes, composées de mots différents, qu'on affecte de confondre entre elles en profitant de ce qu'elles donnent le même son à l'oreille (...) H. BERGSON, le Rire, p. 92.

4 Les calembours naissent souvent de ce que le verbe prend avec chaque objet un sens différent : *il savait l'art de toucher les cœurs et des bénéfices; il refaisait des vêtements et sa clientèle.*
F. BRUNOT, la Pensée et la Langue, IX, II, XXIII, p. 357, note.

5 (...) il remplaçait communément, n'étant pas très spirituel, le trait par le calembour (...)
GIDE, Si le grain ne meurt, p. 207.

DÉR. **Calembourdier** ou **calembouriste.** ◊ HOM. **Calambour** (V. **Calambac**).

**CALEMBOURDIER, IÈRE** [kalɑ̃buʀdje, jɛʀ] n. — 1776; de *calembour.*

Vieilli. Personne qui fait des calembours. → **Calembouriste.**

REM. On trouve aussi les formes *calembourdiste* (1777) [kalɑ̃buʀdist] et *calembourier* [kalɑ̃buʀje].

Le Roi chassait dans la plaine de Saint-Denis, lorsque monsieur Necker la traversa pour se rendre à la campagne. Nos calembouriers se demandent : «Qu'est-ce que le roi a chassé? Necker», répondent-ils.
LESCURE, Correspondance secrète, 1781, *in* Cl. MANCERON, les Hommes de la liberté, II, p. 393.

**CALEMBOURISTE** [kalɑ̃buʀist] n. — 1783; de *calembour.*

Faiseur, faiseuse de calembours. → **Calembourdier.**

**CALEMBREDAINE** [kalɑ̃bʀədɛn] n. f. — 1798; altér. de *calembourdaine,* dial., même rad. que *calembour.* → Calembour.

♦ **1** Propos extravagant et vain; plaisanterie cocasse. → **Bourde, sornette, sottise.** *Dire, débiter des calembredaines* (→ Battologie, cit.).
Par ext. *Faire des calembredaines.* → **Bêtise, sottise.**

♦ **2** Chose, action si peu sérieuse qu'elle en est dérisoire.

1 Nos généraux fabuleux avaient inventé une magnifique calembredaine, la carapace. Cette calembredaine était une bien curieuse tentative pour se défendre contre les fléaux modernes *(l'artillerie)* avec un procédé romain. Donc, on se serrait les uns contre les autres à quarante ou cinquante, en faisant le gros dos.
DRIEU LA ROCHELLE, la Comédie de Charleroi, 1934, p. 55.

2 On peut se battre pour des passions confuses, on ne peut pas — vous voyez ce que je veux dire? — se battre toujours pour des calembredaines. Ça finit par la vente des journaux gauchistes sur les boulevards; non certes par manque de courage! mais parce que ce courage ne rencontre jamais son ennemi.
MALRAUX, les Chênes qu'on abat, 1971, p. 212.

**CALEN** [kalɛn] n. m. — 1552; *caleih,* v. 1240, Basses-Alpes; du lat. *caliculus,* proprt «petite coupe», dimin. de *calix* «vase à boire».

Régional. Lampe à huile.

Au fond, une petite flamme fouillait les ténèbres. Il s'approcha d'elle. Elle émergeait d'un calen de fer pendu à la stèle votive. 1
J. GIONO, Naissance de l'Odyssée, p. 185.

REM. On trouve les formes *caleil* [kalɛj] (1552) et *chaleil* [ʃalɛj] (1475).

Elle *(la lampe tempête)* éclairait tous les recoins que le caleil familial et sa maigre mèche à huile était bien incapable d'atteindre en temps normal. 2
Claude MICHELET, Des grives aux loups, p. 45.

**CALENCAR** [kalɑ̃kaʀ] n. m. — 1755; *calencards,* 1730; *caraca* (trad. du port.), 1628; persan *kalamkar* «étoffe décorée, peinte au crayon d'ardoise».

Didact. (hist.). Toile peinte de Perse ou des Indes (en usage au XVIIIe et au déb. du XIXe siècle).

**CALENCHER** [kalɑ̃ʃe] v. intr. → **Calancher.**

**CALENDAIRE** [kalɑ̃dɛʀ] n. m. et adj. — XIIIe; du bas lat. *calendarium.* → Calendrier.

♦ **1** Relig., vx. Obituaire.

♦ **2** Adj. (XXe). Législ. sociale. *Jour calendaire :* journée de calendrier (indemnisée par les assurances sociales et l'assurance chômage, en France, qu'il s'agisse d'un jour ouvrable ou d'un jour férié). *Année calendaire :* année qui va du 1er janvier au 31 décembre.

**CALENDES** [kalɑ̃d] n. f. pl. — V. 1165; *kalendes,* v. 1119; lat. *calendæ.*

♦ **1** Didact. Premier jour de chaque mois chez les Romains. *Le mois romain était divisé en trois parties par les calendes, les nones* et les ides*. Les calendes étaient le jour d'échéance des dettes.*

Je suis venu ici plus de dix fois depuis les calendes du mois dernier. — Comment dites-vous cela, s'il vous plaît? Les Cal... — Les Calendes, Mademoiselle, c'est la manière de compter des Romains et la mienne. 1
J.-F. REGNARD, la Coquette, III, 3.

Vous faites un bel éloge du jour de l'an, mais je vous aime toute l'année, et tous les jours sont pour moi les calendes de janvier. 2
VOLTAIRE, Lettre à Cideville, 4 févr. 1765.

♦ **2** Loc. (1552). **CALENDES GRECQUES.** *Remettre, renvoyer aux calendes, aux calendes grecques :* remettre à un temps qui ne viendra jamais (les Grecs n'ayant pas de calendes).

L'arrêt sera donné ès *(aux)* prochaines calendes grecques, c'est-à-dire jamais (...) RABELAIS, Gargantua, XX. 3

Par ext. Avenir très éloigné.

REM. Cet emploi étant assez courant et le sens 1. didactique, on rencontre l'expression *renvoyer aux calendes* avec ce sens (erroné).

DÉR. V. **Calendrier.**

**CALENDO** [kalɑ̃do] ou **CALENDOS** [kalɑ̃dos] n. m. — 1931; orig. incert.; J. Cellard et A. Rey évoquent un calembour sur *cale-en-dos* «bossu» *(Dict. du français non conventionnel).*

Fam. ou pop. Camembert. — REM. On écrit aussi *calandos.*

Je lui confiai les photos et les jumelles, et je m'astreignis à passer rue de Bellechasse une ou deux fois par jour, malgré la gêne que me faisaient éprouver Lev Mikhaïlovitch et l'odeur de hareng mariné qui avait remplacé dans la chambre celle du calandos.
Vladimir VOLKOFF, le Retournement, p. 92.

**CALENDRIER** [kalɑ̃dʀije] n. m. — 1372; *kalendier,* 1119; bas lat. *calendarium* «livre d'échéances», de *calendæ.* → Calendes.

♦ **1** Système officiel de division du temps* en années, en mois et en jours. → **Chronologie.** *Calendrier égyptien antique. Le calendrier grec avait des mois, des jours intercalaires. Calendrier romain.* → **Calendes, ides, nones; fastes, férie.** *Calendrier des chrétiens grecs.* → **Ménologe.** *Calendrier julien* ou *vieux calendrier. Nouveau calendrier* ou *calendrier grégorien,* après la réformation de Grégoire XIII. → **Année, mois, semaine, jour; bissextile** (année), **intercalaire** (jour). *Calendrier ecclésiastique.* → **Comput, ordo.** *Calendrier républicain :* calendrier institué en France en 1793. (*Mois :* Vendémiaire, brumaire, frimaire, nivôse, pluviôse, ventôse, germinal, floréal, prairial, messidor, thermidor, fructidor. *Décades. Jours :* Primidi, duodi, tridi, quartidi, quintidi, sextidi, septidi, octidi, nonidi, décadi. *Jours supplémentaires, ou* sans-culottides). — *Le calendrier musulman commence le 16 juillet 622.* → **Hégire.** *Calendrier israélite :* année de douze (année commune) ou treize mois (année embolismique).

1 Le calendrier n'était pas autre chose que la succession des fêtes religieuses.
FUSTEL DE COULANGES, la Cité antique, p. 185.

*Vouloir réformer le calendrier :* s'attaquer follement à une tâche démesurée, vouloir «refaire le monde».

Système de mesure du temps réglé sur les principaux phénomènes astronomiques ou climatiques. *Calendrier lunaire, solaire.*

♦ **2** Division du temps en fonction d'un programme fixé. *Établir un calendrier de voyage, de travail.*

2 (...) un calendrier, c'est-à-dire un avenir divisé en cases, où je vais pouvoir distribuer mes projets et mes espérances.
ALAIN, Propos, p. 180.

(1872). Répertoire des épreuves officielles de la saison sportive. → **Saison.**

Emploi du temps. *Avoir un calendrier très chargé. Mon calendrier ne me permet pas de vous recevoir avant quinze jours.*

Rare. Suite d'événements. *«Le calendrier de mes voyages»* (A. Arnoux, *in* T. L. F.).

♦ **3** Tableau de la suite des saisons, des mois et des jours de l'année, contenant généralement les fêtes de l'année, et le nom d'un saint pour chaque jour, ainsi que des indications sur le début des saisons, les phases de la lune, le lever et le coucher du soleil. → **Almanach; agenda, annuaire, éphéméride.** *Consulter le calendrier. Accrocher un calendrier au mur. Calendrier des postes. Calendrier de poche. Un bloc calendrier; calendrier à effeuiller. Les saints, tous les saints du calendrier. Son nom n'est pas dans le calendrier.*

*Calendrier perpétuel,* combinant les indications de jours et de quantièmes selon les années, et permettant d'établir le calendrier d'une année quelconque, connaissant ses caractéristiques (lettre dominicale, épacte...).

Fig. et fam. *Ce n'est pas un saint de votre calendrier :* ce n'est pas un de vos amis.

**CALENTURE** [kalɑ̃tyʀ] n. f. — 1750; esp. *calentura* «chaleur, fièvre», de *calentar* «chauffer», du lat. *calere.*

Méd. (Vx). Délire, parfois furieux, dû à l'insolation, dans les zones tropicales.

Certes, déclara le Dr Isemgrim, il arrive que marins et voyageurs soient atteints, sous les cieux étrangers, de dangereuse calenture mais jamais fièvre du Capricorne n'a nourri ses victimes de saucisses chaudes, de lapin de garenne et d'oie fumée, ni ne les a abreuvées de vin de riche treille.
Jean RAY, les Derniers Contes de Canterbury, p. 203.

**CALE-PIED** [kalpje] n. m. — 1895; de 2. *caler,* et *pied.*
Petit butoir de métal souple adapté à la pédale de la bicyclette, et qui maintient le pied du cycliste dans une bonne position. *Des cale-pieds.*

Un vélo? dit Yann au bout d'un moment. — Ouais tout neuf (...) — Il est peint en quoi? — En rouge — Il est rouge? — Ouais, avec un guidon de course — Ah! — Et des cale-pieds.
Tony DUVERT, Paysage de fantaisie, p. 123.

**CALEPIN** [kalpɛ̃] n. m. — 1534, «dictionnaire»; de *Calepino,* lexicographe italien, auteur d'imposants dictionnaires multilingues.

♦ **1** Vx (langue class.). Dictionnaire. — (1662). Recueil de renseignements.

N'êtes-vous pas fort plaisant avec vos cinq langues? Vous voudriez (...) que mes lettres fussent des calepins. 1
RACINE, Lettres.

Archit. Dessin indiquant les dimensions et l'épaisseur des pierres de taille utilisées pour une construction. — *Calepin d'appareil,* reproduisant à une échelle donnée la partie de l'édifice à réaliser.

♦ **2** (1845). Mod., cour. Petit carnet de poche sur lequel on note des renseignements, des impressions... → **Carnet.** *Consulter son calepin.*

Là-dessus, il (...) tira de sa poche son calepin, de son calepin sa carte et la tendit à Boubouroche. 2
COURTELINE, Boubouroche, Nouvelle, p. 64.

*Mettez cela sur votre calepin :* notez cela. — Fig. Gardez cela en tête et tirez-en la leçon.

♦ **3** Régional (Belgique). Cartable.

1. **CALER** [kale] v. — V. 1165; anc. provençal *calar* «abaisser», du lat. *c(h)alare,* grec *khalan* «détendre, laisser aller». → Déchaler.

**I** ♦ **1** V. tr. Mar. Baisser*, abaisser (un mât, une vergue). *Caler une vergue, une voile. Caler un mât de hune.* — Absolt. *Caler bas; caler à mi-mât.*

Loc. fam. (Vx). *Caler la voile :* se radoucir, rabattre de ses prétentions, de ses exigences. → **Filer** (doux).

♦ **2** (1524). Absolt (ou intrans.). Cour. Céder (devant qqn); renoncer. → **Céder, reculer.** *Il fut obligé de caler* (Académie). *Il a calé devant l'adversaire, devant la difficulté. Il a fini par caler* (par céder; et aussi, par s'arrêter; → 2. Caler, 3.). — REM. On trouve chez G. Sand la var. *caller.*

Puis elle lui dit, sans caller aucunement : «Vous ne ferez point votre perte en écoutant votre mauvaise tête». 1
G. SAND, François le Champi, IX, p. 80.

Ses tempes étroites dénotaient un entêtement de bélier, un intraitable orgueil. Jamais il ne calerait. 2
FLAUBERT, Bouvard et Pécuchet, *in* T. L. F.

Fam. Ne plus pouvoir continuer (à manger, etc.). *Il a calé sur le cassoulet. Ça suffit, je cale!*

♦ **3** *Caler une ligne de pêche, un filet,* les enfoncer dans l'eau.

**II** V. intr. ♦ **1** Mar. (en parlant d'un navire). S'enfoncer dans l'eau. → **Calaison.** *Ce navire cale trop de l'arrière.* — (Avec un compl. interne). *Ce bateau cale six pieds.*

♦ **2** Régional (Québec). S'enfoncer (le sujet désigne un être animé, le verbe a une valeur progressive).

Alexis, lui, n'avait écouté que son cœur. Il s'était précipité dans le remous au bord duquel avait calé Joson. 3
Et là, il se mit à tâtonner à travers les longues écorces qui tournaient comme des varechs, à lutter de désespoir

contre les tourbillons de l'eau, à battre de ses bras fraternels, à l'aveuglette, vers des semblances vagues de forme humaine.
Félix-Antoine SAVARD, Menaud, Maître-Draveur, 1964, IV, *in* Littératures de langue franç. hors de France, p. 449.

DÉR. 1. **Calage, calaison,** 1. **cale. — Caleter. —** 1. **Caleur. —** V. 2. **Cale.** ◊ HOM. 2. **Caler.**

2. **CALER** [kale] v. — 1676; de 3. *cale.*

**A** Trans. ♦ **1** Mettre d'aplomb au moyen d'une cale. → **Assujettir, étayer, fixer.** *Caler le pied d'une chaise. Caler un meuble bancal. Caler la roue d'une automobile.*

1 Calez-moi ça de chaque côté avec ces pierres que vous voyez-là! G. SAND, la Mare au diable, VIII, p. 66.

1.1 Le jour où j'adoptai cette remise j'y trouvai un canot, la quille en l'air. Je le retournai, le calai avec des pierres et des morceaux de bois, enlevai les bancs et en fis mon lit.
S. BECKETT, Nouvelles, p. 105.

Rendre stable. → **Stabiliser.** *Caler le buste d'un malade dans un fauteuil. Caler sa tête sur un oreiller.* → **Appuyer.** *Caler une pile de linge contre un mur.*

2 Il entra donc, pliant sous le poids des dossiers (...) dont il se hâta de caler, à la molesquine d'une chaise, la pile énorme et vacillante.
COURTELINE, Messieurs les ronds-de-cuir, II, III.

3 Antoine (...) soutenait son père de ses deux bras, tandis que sœur Céline calait le buste avec des coussins (...)
MARTIN DU GARD, les Thibault, t. IV, p. 171.

SE CALER : s'installer dans une position confortable. → **Carrer** (se). *Il s'est bien calé dans son fauteuil.*

Remplir (en parlant d'un aliment). *Caler l'estomac.* — Absolt. *Un aliment qui cale.*

(1878). Fig. et fam. *Se caler les joues :* bien manger.

3.1 La fille était belle. Je venais de me caler les joues. Les drinks se succédaient. J'avais les poches pleines. Les petits oiseaux mécaniques chantaient toujours. Le bar rutilait et, vraiment, j'avais par trop bourlingué à bord de ce sacré baleinier de malheur.
B. CENDRARS, Moravagine, *in* Œ. compl., t. IV, p. 202.

(1903). Ellipt. *Se les caler.*

3.2 Hé! père Viron, vite une chopotte, du saucisson, une côtelette de brie; ce que vous aurez, quoi! — Briffe! Cale-toi les!
J. LORRAIN et D. FABRICE, Clair de lune, 1903, I, VI, *in* D. D. L., II, 2.

*Être calé :* avoir l'estomac plein.

♦ **2** *Caler une bille,* la lancer en faisant ressort avec les doigts. — Absolument :

4 (...) une autre *(bille),* translucide, en cornaline, couleur d'écaille claire, dont je me servais pour *caler.*
GIDE, Si le grain ne meurt, I, 1, p. 12.

♦ **3** (1867). Mécan. Rendre fixe ou immobile (une pièce). → **Assujettir, fixer.** *Caler une clavette. Caler une valve. Caler une frette à la presse, à chaud. Caler les balais d'une dynamo.*

*Caler le moteur,* le faire s'arrêter* par une fausse manœuvre. → **Bloquer.**

4.1 Une motocyclette conduite par un petit homme sec (...) m'avait doublé et s'était installée devant moi, au feu rouge. En stoppant, le petit homme avait calé son moteur et s'évertuait en vain à lui redonner souffle.
CAMUS, la Chute, 1956, p. 61.

Absolt. Caler le moteur de son véhicule.

4.2 *(Armande)* prend le sens interdit (...) au ras d'un groupe de Noirs. Hurlement haineux. Si elle cale... Elle n'a pas calé.
Claude COURCHAY, La vie finira bien par commencer, 1972, p. 162.

♦ **4** Fig. Fixer dans le temps. *Caler les étapes d'un programme. Caler plusieurs rendez-vous.* — Spécialt. Radio, télév. *Caler (une émission, un programme) :* mettre au point, préparer dans le détail.

**B** Intrans. ♦ **1** (Choses). S'immobiliser. *Le moteur, la voiture a calé.*

♦ **2** (Personnes). Être bloqué, s'arrêter par suite d'une défaillance. *Le coureur, épuisé, a calé. Il voulait manger tout le plat, mais il a calé avant de finir.* (Abstrait). *Il a fini par caler,* par renoncer. → 1. **Caler** (I, 2.).

◆ **CALÉ, ÉE** p. p. adj.

♦ **1** Muni d'une cale. *Roue calée.* — Fixé, assujetti.

(...) il se sentait les mains creuses (...) il lui manquait quelque chose dans les mains, le poids d'une boule cloutée, bien calée dans sa paume (...) 5
SARTRE, le Sursis, p. 158.

Rassis maintenant à l'arrière, les jambes allongées et le dos bien calé contre le sac rembourré d'herbe qui me servait de coussin, j'avalai mon calmant. 5.1
S. BECKETT, Nouvelles, p. 112.

♦ **2** (1782). Fig. et fam. Vx. Bien établi, riche.

On n'a pas servi, pendant quarante ans, dans de bonnes maisons, sans faire quelques petites économies... Pas vrai?... — Oui, mais combien?... Alors, d'une voix basse, chuchotée : — Peut-être quinze mille francs... Peut-être plus... — Mazette!... Vous êtes calé, vous! 5.2
O. MIRBEAU, le Journal d'une femme de chambre, 1900, p. 198.

♦ **3** (1819). Fam., mod. Savant, instruit. *Il est rudement calé en physique.* → **Fort.**

Veux-tu mieux, sans déroger à ta dignité de jeune fille charmante, lis Plutarque, et quelque deux ou trois volumes de cette force, et tu seras calée pour toute ta vie. 5.3
BALZAC, Correspondance, 1819, *in* D. D. L., II, 2.

♦ **4** (1789, *in* D. D. L.; en parlant d'une chose abstraite). Difficile, compliqué. *Un problème calé.*

(...) une foule de trucs inédits, et plus calés les uns que les autres, pour dépouiller le pauvre monde. 6
Léon DAUDET, la Femme et l'Amour, IV, p. 94.

DÉR. 2. **Calage,** 2. **caleur.** ◊ COMP. **Cale-pied, décaler.**

**CALETER** ou **CALTER** [kalte] v. intr. — 1878; *calleter,* 1847; *caloter,* 1798; probablt de 1. *caler* «reculer» (Lacassagne, *l'Argot du milieu*).

Fam. S'en aller en courant, fuir. → **Barrer** (se; cit. 7), **déguerpir, filer.** *On a calté en vitesse. Caltez, volailles!*

— Ça va, gros père, dit Gros-Louis, je m'en vais... — Je t'ai dit de caleter. — Je m'en vais, dit Gros-Louis. T'as pas besoin d'avoir peur; c'est pas moi qui resterais dans une compagnie où je ne suis pas désiré. 1
SARTRE, le Sursis, p. 34.

À Pierrot : — Toi, j'ai un bon conseil à te donner : déguerpis immédiatement, et qu'on ne te revoie plus ici. Inutile de revenir demain. Allez, calte. 2
R. QUENEAU, Pierrot mon ami, p. 27 (1943).

1. **CALEUR, EUSE** [kalœʀ, øz] n. — 1785; p.-ê. du normand *caleux* «paresseux», de 1. *caler.*

♦ **1** Argot des typographes. Personne qui travaille peu, qui paresse.

♦ **2** (1813). Vx. Personne lâche, qui recule devant le danger.

HOM. 2. **Caleur.**

2. **CALEUR, EUSE** [kalœʀ, øz] n. — XX$^{e}$; de 2. *caler.*

Techn. Personne chargée de freiner, à l'aide d'un sabot, les wagons de chemin de fer (notamment, naguère, au triage par gravité).

HOM. 1. **Caleur.**

**CALF** [kalf] n. m. — 1964.

Abréviation de *box-calf.* → **Box-calf.** «*La montre à la mode, bracelet calf noir*» (*Paris-Match,* 31 oct. 1964). *Un sac en calf.*

**CALFAT** [kalfa] n. m. — 1611; *calefas,* 1371; ital. *calafato;* arabe *qălfăt,* ou de *calfater.*

Mar. Professionnel qui calfate* les navires. → **Calfateur.** *Outils de calfat :* bec-de-corbin, ciseau (de calfat), clavet, coin, guignette, guipon (pinceau), patarasse.

Au loin, les marteaux de calfat tamponnaient des carènes, et une brise lourde apportait la senteur du goudron.
FLAUBERT, Trois contes, «Un cœur simple», II.

**CALFATAGE** [kalfataʒ] n. m. — 1832; «étoupe servant à calfater», 1527; de *calfater.*

Mar. Action de calfater. *Le calfatage n'est pas terminé. Bassin de calfatage.* — Résultat de cette action. *Un calfatage impeccable.*

Soit que les maisons cachassent une partie du port, un bassin de calfatage ou peut-être la mer même (...)
PROUST, À l'ombre des jeunes filles en fleurs, Folio, p. 493.

**CALFATER** [kalfate] v. tr. — V. 1382; *calafater,* déb. XIVe; de l'arabe *qalfata,* probablt par l'ital. *calafatare,* ou l'anc. provençal *calafatar,* plutôt que par le grec byzantin *kalafatês.*

♦ **1** Mar. Rendre étanche le pont, les bordages de (la coque d'un navire) en garnissant d'étoupe goudronnée les joints et les interstices. → **Caréner, radouber.** — Au p. p. *Un pont mal calfaté* (→ Cambuse, cit. 1). — Absolt. *Calfater avec du brai, du goudron, du ploc, de la poix...* → **Brayer, goudronner.**

1 Le navire ne reçoit son pilote que premièrement ne soit callafatée *(calfatée)* et chargée (...)
RABELAIS, Gargantua, I, 3.

2 Les lois sont faites après coup, comme on calfate des vaisseaux qui ont une voie d'eau.
VOLTAIRE, Lettre à Catherine II, 45.

3 Lalla va s'asseoir dans le sable, au bord de la mer, là où Naman le pêcheur a allumé son grand feu de branches pour chauffer la poix, pour calfater son bateau.
J.-M. G. LE CLÉZIO, Désert, p. 133.

♦ **2** Boucher hermétiquement par un calfatage. *Calfater un interstice, une voie d'eau.*

Par métaphore (attraction probable de *calfeutrer*). «*Calfater les brèches des fenêtres*» (Vialar).

DÉR. **Calfatage, calfateur.** — V. **Calfat, calfeutrer.**

**CALFATEUR** [kalfatœʀ] n. m. — 1382; *calphadeur,* attestation isolée, 1373; de *calfater.*

Mar. (Vx). Ouvrier spécialisé dans le calfatage des navires. → **Calfat.** — REM. Le fém. *calfateuse* [kalfatøz] est virtuel.

(...) des chantiers navals, des hangars pour calfateurs de péniches (...)
Paul MORAND, New York, p. 250.

**CALFEUTRAGE** [kalføtʀaʒ] n. m. — 1718; de *calfeutrer.*

Action de calfeutrer; résultat de cette action. *Le calfeutrage de cette fenêtre n'est pas efficace.* — Fait de se calfeutrer. — REM. On dit aussi *calfeutrement* [kalføtʀəmɑ̃].

**CALFEUTRER** [kalføtʀe] v. tr. — 1540; *galefeustrer,* 1478; *calefestrer,* 1382; altér. de *calfater,* d'après *feutre.*

♦ **1** Rendre étanche (une ouverture mobile) en bouchant les interstices avec une lisière, un bourrelet, pour empêcher l'air de pénétrer, éviter une déperdition de chaleur. *Calfeutrer une fenêtre avec de l'étoupe, du papier. Calfeutrer une porte, un châssis, une trappe.*

Par métaphore :

(...) pour vivre tranquille il faut vivre seul et calfeutrer toutes ses fenêtres de peur que l'air du monde ne vous arrive. 1
FLAUBERT, Correspondance, t. I, p. 156.

♦ **2** Fig., rare. Enfermer (qqn).

◆ **SE CALFEUTRER** v. pron. (Av. 1721).

S'enfermer. *Se calfeutrer chez soi. Il s'est calfeutré dans sa chambre.*

(...) les paysans les moins cultivés se calfeutrent dans des alcôves (...) 2
GIDE, les Faux-monnayeurs, II, IV, p. 250.

Quand il faisait mauvais à Réveillon on se calfeutrait au coin de son feu ou, si l'on craignait d'avoir mal à la tête, on allait faire une course au village ou faire une visite à un château voisin. 3
PROUST, Jean Santeuil, Pl., p. 495.

Fig. S'isoler volontairement. → **Cloîtrer** (se), **confiner** (se).

DÉR. **Calfeutrage** ou **calfeutrement.**

**CALIBRAGE** [kalibʀaʒ] n. m. — 1838; de *calibrer.*

♦ **1** Action de donner ou de mesurer le calibre*. → **Calibrer.**

Cour. Action de classer des objets plus ou moins sphériques d'après leur calibre. *Le triage et le calibrage des fruits.*

♦ **2** Imprim. Évaluation de la longueur qu'occupera un texte manuscrit quand il sera imprimé.

**CALIBRATION** [kalibʀasjɔ̃] n. f. — 1963; de *calibrer.*

Phys. Étude des variations de la réponse d'un récepteur photométrique à des flux lumineux. «*Les mesures se font normalement entre 0 et 30 °C, mais pour une demande particulière on peut faire la calibration dans un domaine de température plus large*» (*Ingénieurs et Techniciens,* 1966, no 200, p. 31).

**CALIBRE** [kalibʀ] n. m. — 1478; arabe *qālib* «moule à métaux; forme en bois pour fabriquer des chaussures».

**A** ♦ **1** **a** Diamètre* intérieur d'un tube. *Le calibre des artères, des veines. Calibre d'une conduite d'eau, d'un tuyau.*

Le fer, préalablement préparé en longues et minces tiges, dont les extrémités avaient été amincies à la lime, ayant été introduit dans le grand calibre de la filière, fut étiré par l'arbre de couche, enroulé sur une longueur de vingt-cinq à trente pieds, puis déroulé et représenté successivement aux calibres de moindre diamètre ! 0.1
J. VERNE, l'Île mystérieuse, t. II, p. 559.

**b** (1571). Spécialt. Diamètre intérieur (du canon d'une arme à feu). *Le calibre d'un canon, d'une mitrailleuse, d'un fusil, d'un pistolet... Pistolet de 7,65 mm de calibre (un 7,65). Canon de gros calibre* (artillerie lourde). *Vérifier le calibre d'une arme.* → **Calibrer.**

Seize canons d'un calibre tel qu'on n'en avait point encore vu en Europe. 1
CHATEAUBRIAND, le Génie du christianisme, IV, V, 1.

**c** Par ext. Arme à feu (qualifiée par son calibre). *Un calibre lourd. Un calibre 6,35; 12.*

Même avec un calibre lourd dans les mains, on essaie de se faire plus petit quand un lion vient à vous de cette manière. 1.1
J. KESSEL, le Lion, p. 207.

Le seize, demandai-je, c'est plus gros que le douze? 1.2
— Non, dit l'oncle. C'est un peu plus petit.
— Pourquoi?
— Oui ! dit mon père. Pourquoi les plus petits numéros sont ceux des calibres les plus gros?

— C'est un bien petit mystère, dit l'Oncle Jules (...). Un calibre seize, c'est un fusil pour lequel on peut fabriquer seize balles rondes avec une livre de plomb. Pour un calibre douze, la même livre de plomb ne fournit que douze balles rondes, et s'il existait un calibre un, il tirerait des balles d'une livre.
M. PAGNOL, la Gloire de mon père, t. I, p. 197.

Fam. Arme à feu portative. → **Pistolet, revolver**; fam. **feu, flingue, pétard.**

♦ **2** Techn. Unité de mesure, rapport entre la longueur du tube et le calibre. *Canon de 100 calibres* (5 m de long pour 50 mm de calibre).

(1636). Grosseur (d'un projectile). *Obus de gros, de petit calibre. Calibre d'une cartouche, d'une balle.* — Absolt. *Cette balle n'est pas de calibre.*

♦ **3** Diamètre (d'un cylindre, d'un objet sphérique), utilisé pour classer selon la taille. *Colonnade formée d'éléments de même calibre. Calibre d'un fruit* (→ Calville, cit. 1). *Des œufs de calibre différent. Calibre d'une maille de chaîne.* — Par ext. *Le calibre d'une chaîne d'ancre.*

♦ **4** (1548). Fig. et fam. Importance, grosseur. *Une bêtise de grand calibre.*

1.3 La porte était à peine entrebâillée que déjà le visiteur était dans la chambre. C'était un petit homme vêtu de noir, de ce calibre restreint des huissiers ou des quêteurs que seule la chaîne de sûreté peut contenir.
J. GIRAUDOUX, les Aventures de Jérôme Bardini, 1930, p. 172.

Qualité, état d'une personne relativement à un modèle. → **Acabit, classe.** *Ces deux gredins sont du même calibre* (cf. lat. Ejusdem farinæ). *Il est d'un autre calibre que ce médiocre.* → **Envergure.**

2 Cela s'entend prix pour prix et sans faire comparaison de deux comédiens de campagne à deux Romains de ce calibre-là. SCARRON, le Roman comique, XVI.

**B** Par métonymie. ♦ **1** (1690). Techn. Instrument servant à mesurer un calibre. → **Étalon.** *Calibres d'acier trempé* (→ Calibriste, cit.) *Calibre mâchoire. Calibre d'épaisseur. Calibre à réglette graduée.* → **Vernier.** *Calibre Johanson, à lames, de haute précision.*

Mandrin* servant à mesurer le diamètre et l'épaisseur d'un diamant.

♦ **2** Spécialt. Instrument servant à calibrer des balles. → **Passe-balles.**

DÉR. **Calibrer, calibriste.**

**CALIBRER** [kalibʀe] v. tr. — 1552, Rabelais; dénominatif de *calibre.*

Technique.

♦ **1** Donner le calibre* convenable à (qqch.). *Calibrer des balles. Calibrer un thermomètre, etc.*

♦ **2** (1845). Mesurer le calibre de (qqch.). *Calibrer une machine, un tour...* — Par ext. Classer suivant le calibre. *Calibrer des fruits.*

♦ **3** Imprim. Évaluer la longueur (par le nombre de signes, les espaces...) qu'occupera un texte manuscrit quand il sera imprimé. *Calibrer un volume de poèmes.*

DÉR. **Calibrage, calibration, calibreur.** ◊ COMP. **Sous-calibré.**

**CALIBREUR, EUSE** [kalibʀœʀ, øz] n. — 1845, au fém.; de *calibrer.*

Techn. Appareil ou machine pour trier des produits selon leur calibre. *Un calibreur de fruits.*

**CALIBRISTE** [kalibʀist] n. m. — 1941; de *calibre.*

Techn. Ajusteur-outilleur chargé de la confection des calibres (5.).

(...) les gars de l'équipe des calibres (...) Tous de fins ouvriers, ils grattaient le métal, les calibres d'acier trempé, avec une petite pierre indienne (...) Ils accomplissaient un travail d'une extrême précision (...)
Je regardais assez souvent les calibristes. L'un ou l'autre me rendait mon regard avec un sourire de sympathie.
Georges NAVEL, Travaux, p. 68.

1. **CALICE** [kalis] n. m. — 1180; lat. *calix, -icis* «coupe»; cf. grec *kúlix.*

♦ **1** Liturgie cathol. et cour. Vase sacré où se fait la consécration du vin, lors du sacrifice de la messe. *Le prêtre élève le calice pour la consécration. Linge sur lequel le prêtre pose le calice.* → **Corporal.** *Carton couvrant le calice.* → **Pale.** *Couvrir le calice avec la patène*. Calice d'or, d'argent, de vermeil.*

Nos calices avaient cherché leurs noms parmi les plantes, 1
et le lys leur avait prêté sa forme (...)
CHATEAUBRIAND, le Génie du christianisme, IV, I, 2.

♦ **2** (1660). Terme de mystique. Épreuve cruelle. *Le calice d'amertume. Partager le calice du Christ.* → **Coupe.**

Jésus répondit *(aux fils de Zébédée)* : «Pouvez-vous boire le 2
calice que, moi, je dois boire?» — «Nous le pouvons», lui dirent-ils. Il leur dit : «Vous boirez en effet mon calice (...)»
BIBLE (CRAMPON), Évangile selon saint Matthieu, XX, 22.

Mon père, s'il est possible, que ce calice s'éloigne de moi! 3
BIBLE (CRAMPON), Évangile selon saint Matthieu, XXVI, 39.

Loc. cour. (1680). *Boire le calice jusqu'à la lie* : souffrir, endurer jusqu'au bout qqch. de pénible, de douloureux, de cruel. → **Boire** (cit. 36 à 39). *Le calice de l'affliction, de la douleur, du malheur, du sacrifice; de l'humiliation.*

Il faut avaler ce calice, et penser à revenir pour vous 4
embrasser (...) Mme DE SÉVIGNÉ, 795, 3 avr. 1680.

Quel homme, sentant un peu son cœur battre, voudrait 5
avaler le pouvoir dans ce calice de honte et de dégoût (...)
CHATEAUBRIAND, Mémoires d'outre-tombe, III, 15.

Évariste but comme un calice amer le silence de la jeune 6
femme. FRANCE, Les dieux ont soif, p. 235.

♦ **3** Didact. (hellénisme tardif). Vase à boire, chez les Anciens. → **Coupe.**

HOM. 2. **Calice.**

2. **CALICE** [kalis] n. m. — 1575; lat. *calyx, -ycis,* grec *kālux; -i-* par contamination de 1. *calice.* → Calyco-.

♦ **1** Bot. et cour. Enveloppe extérieure de la fleur* qui, le plus souvent, recouvre la base de la corolle et est formée de petites feuilles. → **Foliole, sépale.** *Calice d'une seule pièce* (monosépale), *à sépales soudés* (gamosépale), *à sépales libres* (dialysépale, polysépale). *Calice supplémentaire de certaines fleurs.* → **Calicule.** *Calice bilabié. Calice urcéolé.* → **Urcéole.** *Les divisions du calice alternent avec celles de la corolle*. Calice régulier, irrégulier.* — REM. On emploie parfois, dans la langue courante, *calice* pour *corolle.*

Elle *(une tulipe)* a un beau vase ou un beau calice (...) 1
LA BRUYÈRE, les Caractères, XIII, 2.

Les tièdes voluptés des nuits mélancoliques 2
Sortaient autour de nous du calice des fleurs.
A. DE MUSSET, Poésies nouvelles, «Lucie».

Le dos brun jaillit du corsage, engaine comme d'un calice 3
la base de cette folle fleur.
Francis JAMMES, Almaïde d'Étremont, III.

3.1 (...) c'étaient les iris, dans la lumière propice et tamisée, desserrant la membrane sèche roulée à la base de leur calice, les iris qui par milliers éclosaient.
COLETTE, Flore et Pomone, *in* Gigi, p. 139.

♦ **2** Anat. *Calices du rein :* canaux membraneux, collecteurs d'urine, à extrémité élargie en coupe. *Petits calices,* qui partent des papilles rénales; *grands calices* (de deux à cinq par rein), formés par la confluence des petits et dont la réunion constitue le bassinet*.

4 L'urine, à sa sortie des papilles du rein, est recueillie par de petites poches musculo-membraneuses appelées *calices.* Les calices, toujours très courts, se réunissent les uns aux autres pour former un réservoir commun : le *bassinet.*
L. TESTUT, Traité d'anatomie, t. V, I, II, 1, p. 51.

**DÉR. et COMP. Caliciforme, calicin.** ◈ **HOM. 1. Calice.**

**CALICHE** [kaliʃ] n. m. — 1863; mot espagnol.

Minér., techn. Mélange naturel de sels alcalins dont on extrait le nitrate de sodium et l'iode.

**CALICIFORME** [kalisifɔʀm] adj. — 1838; de 2. *calice,* et *-forme.*

Bot. Qui présente la forme d'un calice.

**CALICIN, INE** [kalisɛ̃, in] adj. — Av. 1826; de 2. *calice.*

Bot. Qui est de la nature du calice.

**DÉR. Calicinal.**

**CALICINAL, ALE, AUX** [kalisinal, o] adj. — 1803; de *calicin.*

Bot. Qui appartient au calice; qui en tient lieu. *Feuilles calicinales.*

**CALICOT** [kaliko] n. m. — 1808, *in* Höfler; *calico,* 1750; *callico,* attestation isolée, 1663; de *Calicut,* ville indienne de la côte de Malabar, probablt par l'anglais.

♦ **1** Toile de coton assez grossière.

1 (...) une flèche de bois soutenait un rideau de calicot blanc qui enveloppait le lit d'acajou.
F. MAURIAC, Génitrix, I, p. 10.

Par ext. (par métonymie). Bande de calicot portant une inscription. *Les manifestants défilent avec leurs calicots.*

1.1 Les ouvriers parcouraient les rues en brandissant des calicots, des drapeaux.
Conrad DETREZ, l'Herbe à brûler, p. 211.

♦ **2** (1815, n. pr.). Fam., vieilli. Commis de magasin de nouveautés (parfois péj.).

1.2 Robert eut peut-être l'idée alors que cet enfer où il vivait, avec la perspective et la nécessité d'un mariage riche, d'une vente de son nom, pour pouvoir continuer à donner cent mille francs par an à Rachel, il aurait peut-être pu s'en arracher aisément et avoir les faveurs de sa maîtresse, comme ces calicots celles de leurs grues, pour peu de chose.
PROUST, le Côté de Guermantes, 1920, Folio, p. 194.

2 Les danses ardentes et chaloupées du Moulin de la Galette, où fréquentent indistinctement trottins et gigolettes, calicots valseurs, barbillons, rapins et curieux.
Francis CARCO, Jésus-la-Caille, II, IV, p. 101.

**CALICULE** [kalikyl] n. m. — V. 1500; lat. *calyculus* «petite coupe», de *calyx.* → 2. Calice.

Bot. Deuxième calice, formé de sépales supplémentaires (bractées) insérés en dehors et dans l'intervalle des sépales ordinaires. *L'œillet, le fraisier ont des calicules.*

**CALIER** [kalje] n. m. — 1845; de 1. *cale.*

Mar. Matelot chargé du service de la cale.

**CALIFAT** [kalifa] n. m. — 1560; de *calife.*

♦ **1** Dignité de calife. — Régime politique à la tête duquel se trouve un calife.

♦ **2** (1887, *in* D. D. L.). Territoire soumis au calife. *Le califat de Bagdad.*

♦ **3** (1863). Durée du règne d'un calife ou d'une dynastie. *Califat d'Orient* (632-1258), *de Cordoue* (929-1031), *d'Égypte* (909-1171).

REM. On trouve aussi, notamment chez les spécialistes (histoire, etc.), la graphie *khalifat* [kalifa].

**CALIFE** [kalif] n. m. — V. 1360; *califfe,* déb. XIII^e^; *calif,* v. 1244, *in* D. D. L.; arabe *ḫalīfāh* «successeur (de Mahomet)».

Souverain musulman, successeur de Mahomet, qui réunissait le pouvoir spirituel et le pouvoir temporel. *Le calife de Bagdad. Les califes omeyades, abbassides, fatimides, almoravides, almohades...*

REM. On trouve aussi la graphie *khalife.*

**DÉR. Califat.**

**CALIFORNIE** [kalifɔʀni] n. f. — 1850, «grande quantité», Flaubert; de *Californie* (→ Californien), comme symbole d'un pays riche.

Vx. Contrée aux immenses ressources naturelles. → **Eldorado** (cf. J. Vallès, *in* T. L. F.). *Des californies.*

**CALIFORNIEN, ENNE** [kalifɔʀnjɛ̃, ɛn] adj. et n. — 1797; de *Californie,* nom d'un État de l'Ouest des États-Unis.

Relatif à la Californie. — Habitant ou originaire de la Californie.

**CALIFORNIUM** [kalifɔʀnjɔm] n. m. — 1953; mot amér. (1950), l'élément ayant été découvert à l'Université de Californie.

Chim. Élément radioactif artificiel (n° at. 98). «*On sait que le phénomène de scission d'un noyau lourd en deux fragments plus légers a lieu spontanément par exemple pour le californium-252*» (*la Recherche,* juil.-août 1974).

**CALIFOURCHON (À)** [akalifuʀʃɔ̃] loc. adv. — 1690; *à calfourchons,* 1560; *a caleforchies,* 1262; anc. franç. *calefourchies;* orig. discutée, p.-ê. de *fourche,* et *caler,* ou du breton *kall* «testicules»; P. Guiraud rattache *cal(i)-* au préfixe *ca-* «creux», d'où *califourchon, calfourchon* «(assis) sur le creux de la fourche (en parlant des jambes)».

Une jambe d'un côté, la deuxième de l'autre. → **Cheval** (à). *Se mettre, monter à califourchon. Être à califourchon sur une selle. À califourchon sur une branche d'arbre, les jambes pendantes.*

Des villageois, à califourchon sur un escabeau portatif, 1
trayaient des vaches (...)
CHATEAUBRIAND, Mémoires d'outre-tombe, I, 7.

(...) il (...) prit une chaise, la retourna, et se campa dessus, 2
à califourchon.
MARTIN DU GARD, les Thibault, t. VII, p. 168.

*Porter qqn à califourchon sur son dos (sur ses épaules).*

*(Les brancardiers)* soutenaient ceux qui pouvaient mar- 3
cher, portaient les autres dans leurs bras, ainsi que des petits enfants, ou bien à califourchon sur leur dos, les mains ramenées autour de leur cou.
ZOLA, la Débâcle, 1892, t. I, p. 300.

**CALIGE** [kaliʒ] n. f. — 1546, Rabelais; lat. *caliga.*

Archéol. Chaussure ou sandale des soldats romains.

**CALIGINEUX, EUSE** [kaliʒinø, øz] adj. — 1529; *caligneux*, 1482; repris au XIXe; lat. *caliginosus* «nébuleux, sombre», de *caligo, -ginis* «obscurité, ténèbres».

♦ **1** Didact. Qui a l'aspect du brouillard. *Une vapeur caligineuse.* — Fig. Obscur. *Un raisonnement caligineux.*

♦ **2** Méd. Se dit de l'œil qui a perdu son éclat, qui est trouble.

**CÂLIN, INE** [kalɛ̃, in] n. et adj. — 1833; «gueux, mendiant», av. 1593, mais cette valeur, comme celle de «paresseux», correspond pour Guiraud à un autre mot (dér. de *cale* «coquille»); de *câliner*.

**I** N. ♦ **1** Personne qui aime à être caressée, à être traitée avec une grande douceur. *Un petit câlin.* — Par ext. Personne qui caresse, câline. → **Cajoleur.** *Il fait le câlin.* — Fig. → **Enjôleur.**

♦ **2** N. m. *Un câlin* : un échange de tendresses, de caresses. *Un petit câlin.* — Loc. *Faire (un) câlin à qqn*, le câliner. *Gros câlin*, roman de E. Ajar (Romain Gary).

0.1 Il manqua dire «Fais-moi un câlin», mais s'arrêta au seuil du sacrilège. Sa mère, sa mère seule...
Gilbert CESBRON, Don Juan en automne, p. 17.

Euphém. Acte amoureux.

**II** Adj. ♦ **1** Qui aime les caresses, la tendresse. *Un enfant câlin.* → **Aimant, caressant, doux.** *Une femme tendre et câline.* — Par ext. *Air, regard, ton câlin.* → **Enjôleur, gracieux.**

1 (...) la suivante favorite dit à sa maîtresse d'un ton câlin et compatissant, comme une jeune mère qui berce les petits chagrins de son nourrisson (...)
Th. GAUTIER, le Roman de la momie, p. 59.

2 L'autre se laissait caresser avec un air de lion câlin, en répondant par un bon sourire à dents blanches.
LOTI, Pêcheur d'Islande, I, 1.

(Choses). Fait pour les caresses. *Des mains câlines.*

3 *(Nana)* roulait très bien ses queues de violettes (...) Le chic était dans les doigts minces de gourgandine qui semblaient désossés, souples et câlins.
ZOLA, l'Assommoir, 1877, t. II, p. 170.

Fam. *Le fisc n'est pas câlin avec nous*, il est dur.

♦ **2** (1740). Vx. Niais, naïf (encore chez Labiche, 1862).

♦ **3** Vieilli. Indolent, paresseux et délicat (cf. G. Sand, 1853).

CONTR. **Brutal, dur, rogue.**

**CÂLINAGE** [kalinaʒ] n. m. — 1837; de *câliner*.

Rare. Action de câliner. → **Câlinerie.**

**CÂLINEMENT** [kalinmɑ̃] adv. — 1842; de *câliner*.

D'une manière câline, caressante.

Je venais de voir Andrée, dans un de ces mouvements gracieux qui lui étaient particuliers, poser câlinement sa tête sur l'épaule d'Albertine (...)
PROUST, Sodome et Gomorrhe, Pl., t. II, p. 804.

**CÂLINER** [kaline] v. tr. — 1808; *se caliner* «paresser», 1616; mot de l'Ouest, du normand *caline* «chaleur étouffante», lat. vulg. **calina*, du rad. de *calere* «être chaud»; mais Guiraud considère deux verbes différents, *câliner* pouvant venir de *caliner* «paresser» (→ Câlin, étym.), avec infl. de *chael*, du lat. *catellus* «petit d'un animal».

Traiter avec une grande douceur. → **Cajoler, caresser, choyer, dorloter, flatter.** *Câliner un enfant. Il aime bien se faire câliner.*

Il soignait et câlinait son besson à plein cœur, lui donnant ce qu'il y avait de meilleur à manger, le croûton de son pain et le cœur de sa salade (...)
G. SAND, la Petite Fadette, V, p. 36.

◆ **SE CÂLINER** v. pron. *Se câliner à, contre qqn* : se blottir tendrement contre qqn. — (Récipr.). Être câlin l'un envers l'autre.

CONTR. **Bourrer, brusquer, brutaliser, malmener, maltraiter, rabrouer, rembarrer, rudoyer.** ◊ DÉR. **Câlin, câlinage, câlinement, câlinerie.**

**CÂLINERIE** [kalinʀi] n. f. — 1831, Balzac; de *câliner*.

Manières câlines; caresse*, parole câline. → **Cajolerie; câlin** (I., 2.).

Si je trouve drôle que notre maîtresse t'embrasse, c'est parce que tu me parais trop grand pour ça, et que ta câlinerie te fait paraître encore plus sot que tu n'es. 1
G. SAND, François le Champi, V, p. 57.

Par quelles interventions de prodigieux avatars (...) Gabrielle peu à peu était devenue Tata? Mystère et éternel assoiffement de câlinerie des amoureux demeurés très enfants. 2
COURTELINE, Messieurs les ronds-de-cuir, 2e tableau, I, p. 54.

Louise murmura qu'elle enviait l'existence des poissons. — Ça doit être si doux de se rouler là-dedans, à son aise, de se sentir caressé partout. 3
Et elle frémissait avec des mouvements d'une câlinerie sensuelle.
FLAUBERT, l'Éducation sentimentale, 1869, Pl., t. II, p. 283.

CONTR. **Brusquerie, brutalité, dureté, rudoiement.**

**CALINOTADE** [kalinɔtad] n. f. — 1878; de *Calinot*, puis *Calino*, type créé par les Goncourt en 1852.

Vx. Naïveté, niaiserie, sottise plaisante. → **Bêtise, fadaise.**

**CALIORNE** [kaljɔʀn] n. f. — 1634; provençal *caliourno*, p.-ê. de *cau* «gros câble», du grec *kalôs*.

Mar. Fort palan* servant à élever de gros fardeaux. *Caliorne de redresse.*

Quant aux canons provenant du brick, c'étaient de jolies pièces en acier fondu qui, sur les instances de Pencroff, furent hissées au moyen de caliornes et de grues jusqu'au palier même de Granite-house (...)
J. VERNE, l'Île mystérieuse, 1874, p. 464.

**CALISSON** [kalisɔ̃] n. m. — 1838; *calison* «friandise», fin XIIIe; provençal *calisson*, forme dissimilée de *canisson*, *canissou(n)* «clayon de pâtissier», de *canitz* «clayon», du lat. pop. **cannicium* «(objet) fait de roseaux», de *canna* «canne».

Petit gâteau d'amandes pilées, en forme de losange, dont le dessus est glacé. *Les calissons d'Aix* (Aix-en-Provence) *sont renommés.*

**CALLER** [kale] v. → 1. **Caler** (I., 2.).

**CALLEUX, EUSE** [kalø, øz] adj. — 1478, au fém.; *cailleux*, XIVe; lat. *callosus* «qui présente des cals».

♦ **1** Qui est dur et épais, qui présente des callosités*. → **Cal.** *Des mains calleuses.*

(...) de cette lèvre calleuse, sur laquelle une de ces dents empiétait comme la défense d'un éléphant (...) 1
HUGO, Notre-Dame de Paris, I, 5, p. 60.

Tu mérites d'avoir toute ta vie pour maîtresses des caillettes, des gaupes, des gotons, des Maritornes aux mains rendues calleuses par le balai. 2
Th. GAUTIER, le Capitaine Fracasse, t. I, p. 322.

♦ **2** (1751). Anat. CORPS CALLEUX : large bande médullaire blanche qui réunit les deux hémisphères du cerveau chez les mammifères. — *Syndrome calleux* : ensemble des symptômes observés dans les tumeurs du corps calleux.

CONTR. **Doux, lisse.**

**CALL-GIRL** [kolgœʀl] n. f. — 1960; angl. *to call* «appeler», et *girl* «fille».

Anglic. Prostituée que l'on appelle chez elle par téléphone. *Des call-girls.*

1 (...) trafic de devises, chantages divers exercés sur d'autres fraudeurs que soi-même, interventions monnayées ou dîme sur des attributions de marchés, et même réseaux de call-girls. Loup DURAND, le Caïd, 1976, p. 578.

2 Les réseaux de call-girls, putains de luxe et concubines constituent évidemment nos meilleures affaires, puisque nous en retirons à la fois d'irremplaçables contacts avec les hommes au pouvoir et la plus grande partie de nos ressources financières. A. ROBBE-GRILLET, Projet pour une révolution à New York, 1970, p. 56.

**CALLI-** Élément, du grec *kallos* «beauté», qui entre dans la composition de plusieurs mots (voir à l'ordre alphabétique).

**CALLIGRAMMATIQUE** [ka(l)ligʀa(m)matik] adj. — 1918; de *calligramme.*

Didact. Qui prend la forme d'un calligramme, de calligrammes*. *Pièce calligrammatique. Poésie calligrammatique.*

Le prototype de certaines stances d'*Alcools (d'Apollinaire)* comme aussi le modèle des bons vers calligrammatiques, se pourrait trouver déjà dans les *Fanfreluches antidatées* du premier livre de *Gargantua.* G. A. MASSON, *in* le Carnet critique, 1918, nº 7.

**CALLIGRAMME** [ka(l)ligʀam] n. m. — Av. 1918, Apollinaire; de *calli-*, et *-gramme*, par croisement de *idéogramme* avec *calligraphie.*

Poème où les vers sont composés typographiquement de manière à former un dessin (illustrant le plus souvent le sujet du poème). *Calligrammes,* titre d'un recueil d'Apollinaire.

DÉR. **Calligrammatique.**

**CALLIGRAPHE** [ka(l)ligʀaf] n. — 1751, *Encyclopédie;* grec *kalligraphos, de kallos,* (→ Calli-), et *graphein* «écrire».

Personne qui a une belle écriture; spécialiste de la calligraphie. *Broderie* (cit. 4) *dessinée par un calligraphe. Un, une calligraphe arabe. Un grand calligraphe japonais. Poète et calligraphe chinois.*

**CALLIGRAPHIE** [ka(l)ligʀafi] n. f. — 1569, H. Estienne; grec *kalligraphia* «belle écriture».

♦ **1** Art de bien former les caractères d'écriture; écriture formée selon cet art. *Calligraphie élégante, ornée. La calligraphie chinoise, japonaise; arabe. École de calligraphie.*

1 Il *(Lahrier)* avait une calligraphie à lui, une bâtarde fantaisiste, pétaradante d'enjolivements (...) COURTELINE, Messieurs les ronds-de-cuir, 2ᵉ tableau, I, p. 61.

2 La calligraphie a été, au moyen âge et dans l'Orient musulman, un art véritable qui n'a pas été sans influence sur le style de la peinture et de la sculpture. Louis RÉAU, Dict. d'art, art. *Calligraphie.*

♦ **2** (Par métonymie). Œuvre du calligraphe. *Une calligraphie du XVIIᵉ siècle. Recueil de calligraphies.*

Peinture abstraite évoquant une écriture.

DÉR. **Calligraphier.** — (Du rad.) **Calligraphique.** — V. **Calligramme.**

**CALLIGRAPHIER** [ka(l)ligʀafje] v. tr. — 1844, Mérimée; de *calligraphie.*

Former avec beaucoup d'application, de soin (les caractères écrits). *Calligraphier une lettre.* — Au p. p. *Adresse calligraphiée.*

**CALLIGRAPHIQUE** [ka(l)ligʀafik] adj. — 1823, *in* Boiste; du rad. de *calligraphie.*

♦ **1** Relatif à la calligraphie. *Exercices calligraphiques.*

♦ **2** Arts. Qualifie certaines œuvres abstraites où domine le signe. *Les peintures calligraphiques de Georges Mathieu.*

DÉR. **Calligraphiquement.**

**CALLIGRAPHIQUEMENT** [ka(l)ligʀafikmɑ̃] adv. — 1854, G. Sand; de *calligraphique.*

Didact. D'une manière calligraphique.

**CALLIPYGE** [ka(l)lipiʒ] adj. et n. f. — 1786, *in* Cottez; grec *kallipugos,* épithète d'Aphrodite; de *kallos* (→ Calli-), et *pugê* «fesse» (→ -pyge).

Didact. ou plais. Qui a de belles fesses. *La Vénus callipyge :* la Vénus aux belles fesses (nom d'une statue antique de Vénus).

(...) la chambre où (...) en contemplant les bergères troussées et les nymphes callipyges (...) Claude SIMON, le Palace, p. 24.

Adj. et n. f. Par ext. (anthrop.). Qui a les fesses fortement développées.

DÉR. **Callipygie.**

**CALLIPYGIE** [ka(l)lipiʒi] n. f. — XXᵉ; de *callipyge.*

Didact. Ampleur généreuse des fesses, dans les cultures où ce phénomène, chez la femme, est valorisé. *La callipygie de la Vénus hottentote.*

**CALLISTE** [kalist] n. m. — 1826, Boié; grec *kallistos* «très beau».

Zoologie.

♦ **1** Passereau au plumage vif, varié selon les espèces.

♦ **2** (1846). Coléoptère, carabe à corps orangé taché de noir, corselet rouge et tête bleue.

**CALLISTÈPHE** [ka(l)listɛf] n. f. — 1845, *in* Bescherelle; de *calli-*, et grec *stephos* «couronne».

Bot. Plante phanérogame *(Composacées)* originaire de Chine ou du Japon, appelée couramment *reine marguerite* ou *aster de Chine,* aux fleurs roses ou mauves, parfois blanches ou soufrées dans les variétés cultivées.

**CALLITRICHE** [ka(l)litʀiʃ] n. m. — 1766, Buffon; lat. *callithrix* (Pline), du grec *kallithrix,* proprt «à la belle toison».

♦ **1** Zool. Singe catarrhinien* à face noire, à longs favoris et à beau pelage fournissant une fourrure. *La queue du callitriche atteint la taille du corps. Le ouistiti* est un callitriche.* → aussi **Tamarin.**

♦ **2** Bot. Plante aquatique appelée *étoile d'eau (Euphorbiacées),* parce que les feuilles supérieures s'étalent, en rayonnant, à la surface de l'eau.

**CALLOPSITTE** [ka(l)lɔpsit] n. m. — XXᵉ; *callipsittacus,* 1899; de *kallos* «beauté», et *-psitte,* du lat. sav. *psittacus,* grec *psittakos* «perroquet». → Psittacidés, psittacisme, psittacose.

Zool. Perroquet de petite taille originaire d'Australie.

**CALLOSITÉ** [kalozite] n. f. — 1314, *caillosité, callosité*; lat. *callositas*, de *callus*. → Cal.

♦ **1** Épaississement circonscrit et durcissement de l'épiderme dû à l'augmentation de sa couche de cellules cornées, se produisant aux endroits soumis à des frottements ou pressions répétées (aux mains, aux pieds, aux genoux). → **Cal, cor, durillon, oignon.** *Mains couvertes de callosités.*

(...) comme la plupart des gens issus de campagnards, qui gardent toujours à l'âme quelque chose de la callosité des mains paternelles.
FLAUBERT, Mme Bovary, I, IX, p. 46.

Induration* qui se produit sur les bords d'un ulcère.

♦ **2** Bot. Bourrelet dur (sur une plante).

**CALLOT** [kalo] n. m. → 2. **Calot**, 2. (cit. 2); 3. **calot**, 2.

**CALLOVIEN** [kalɔvjɛ̃] n. m. — 1852, A. d'Orbigny, *Paléontologie française*; de *Kellaways Rock*, n. d'un site dans le Wiltshire, au sud de l'Angleterre, et *-ien*.

Géol. Étage supérieur du jurassique moyen, supérieur au bathonien* et inférieur à l'oxfordien*. *Callovien inférieur, moyen, supérieur. Le callovien est particulièrement fossilifère.*

Le CALLOVIEN tire son nom de la localité de Kellaways, dans le Wiltshire, où affleure le *Kellaways Rock*, calcaire sableux très fossilifère, encadré entre deux niveaux argileux. L'argile inférieure et le calcaire renferment à peu près la même faune (...) avec un certain nombre de Lamellibranches (...)
Le CALLOVIEN INFÉRIEUR n'affleure pas sur le littoral normand, mais dans l'Orne il est constitué par des calcaires marneux à *Macrocephalites macrocephalus, Herveyi, Zeilleria obovata*, qui remplissent des dépressions creusées dans le Bathonien (...)
Le CALLOVIEN SUPÉRIEUR comprend, dans l'Orne, des calcaires marneux (...) Sur le littoral, il a été mis à découvert en 1898, à Villers-sur-Mer, par un coup de mer.
Émile HAUG, Traité de géologie, p. 1007-1009 (1927).

**CALLUNAIE** [kalynɛ] n. f. — D. i.; de *callune*, et *-aie*.

Bot. Formation buissonnante où dominent les bruyères, les fougères, les ajoncs et les genêts.

**CALLUNE** [kalyn] n. f. — 1845, *in* Bescherelle; du grec *kallunein* «nettoyer».

Bot. Plante de la famille des Éricacées, appelée aussi *bruyère commune.*

DÉR. **Callunaie.**

**CALMANDE** [kalmɑ̃d] n. f. — 1723, *calemande*, 1696; *callemandre*, 1848; ital. *calamandra*, d'orig. obscure.

Techn. Étoffe de laine lustrée d'un côté, comme le satin.

**CALMANT, ANTE** [kalmɑ̃, ɑ̃t] adj. et n. m. — 1726; de *calmer*.

♦ **1** Adj. (1751). Qui calme la douleur, l'excitation nerveuse, qui rend calme. → **Apaisant, lénifiant.** *Des paroles calmantes. Un silence calmant.*

1 Une voix fit trembler l'appareil. Une vraie voix française, posée, affable (...) une voix pénétrante et persuasive de grand frère. Je déteste les voix françaises (...) La voix reprit, calmante et bénigne (...)
SARTRE, le Sursis, 1945, p. 293.

♦ **2** Adj. Se dit d'un médicament qui rend calme, ou qui atténue ou fait disparaître la douleur. → **Analgésique, anesthésique, antispasmodique, hypnotique, sédatif, tranquillisant.**

2 Ma tête me faisait de plus en plus mal et je renonçai à l'interroger davantage (...) Lewis a été m'acheter des cachets calmants, j'en ai absorbé deux, j'ai dormi.
S. DE BEAUVOIR, les Mandarins, 1954, p. 515.

N. m. *Un calmant.*

C'est dans ces guérisons que j'admire la nature : elles sont si miraculeuses et si simples. À vrai dire, je crois que, pareille à ces médecins qui sous différents noms de calmants vous donnent de l'opium, ses remèdes sont toujours à base d'oubli, ou plutôt d'habitudes qui est le vrai nom, vous le savez, l'oubli n'est qu'une variété. 3
PROUST, Jean Santeuil, Pl., p. 201.

CONTR. **Angoissant. — Excitant, irritant, stimulant.**

1. **CALMAR** [kalmaʀ] n. m. — 1606; *calmart*, 1464; anc. provençal *calamar* «écritoire», fin XIIIe, ital. *calamaro*, du bas lat. **calamarium* «écritoire», de *calamaria (theca)*, même sens.

Vx (depuis Richelet, 1680). Étui pour les plumes à écrire.

2. **CALMAR** [kalmaʀ] n. m. — 1751; *calamar*, 1606; *calemar*, 1552; ital. *calamaro* (→ 1. Calmar), par métaphore, à cause de la poche d'encre.

Mollusque céphalopode *(Dibranchiaux décapodes)*, à nageoires triangulaires, à corps cylindrique et tentacules courts situés à l'extrémité céphalique, dont la coquille interne est une pièce cornée appelée *plume.* → **Encornet** (régional). *Le calmar est voisin de la seiche.*

Cuis. *Calmar frit; à l'encre.*

1. **CALME** [kalm] n. m. — 1418; grec *kauma* «chaleur brûlante», d'où «calme de la mer par temps très chaud», par l'ital. *calma* ou par une langue ibérique.

♦ **1** État d'immobilité (de l'atmosphère, de la mer); absence de vents, de mouvements. *Le calme de la nature, de la nuit. Calme crépusculaire.* — (1704). *Calme plat* [kalməpla] : calme absolu de la mer. → **Bonace.** — Au fig. Absence d'événements, stagnation (dans le monde des affaires, de la politique, etc.). — *Un voilier immobilisé* (→ **Encalminé**) *dans un calme plat. Le calme après la tempête.* → **Accalmie, embellie.**

Soudain la brise tombe; un calme sans haleine s'établit sur les flots. 1
Victor BÉRARD, Trad. HOMÈRE, l'Odyssée, p. 201-202.

Ce long calme, il est vrai, retarde vos conquêtes. 2
RACINE, Iphigénie, I, 1.

Et fais, comme il me plaît, le calme et la tempête. 3
RACINE, Esther, III, 5.

Une grosse mer qui régnait au large, malgré le calme des vents. 4
BERNARDIN DE SAINT-PIERRE, Paul et Virginie.

Rare ou spécialt (mar., géogr.). Au plur. *Des calmes, les calmes.*

(...) des vents violents alternant avec des calmes plats (...) 5
E. FROMENTIN, Dominique, III.

Géogr. *Calmes équatoriaux, tropicaux*, dans la zone de basses pressions, près de l'équateur, des tropiques.

♦ **2** (1671). Absence d'agitation, de bruit. Impression de repos qui en résulte, ou, péj., de stagnation qui en découle. — (Matériel). *Le calme de la campagne, de la nuit. Chercher le calme, aspirer au calme. Troubler le calme. Le calme d'un sanctuaire.* → **Paix, tranquillité.**

Bientôt le silence de toute la nature l'invite au repos; un calme délicieux suspend ses sens; sa paupière s'appesantit, ses idées fuient, échappent, elle s'endort. 6
CONDILLAC, Acuité des sens, III, 7.

(Société). *Rétablir le calme* (dans un pays, une région, etc.), y faire cesser les troubles publics. → **Ordre.**

Dans le calme d'une profonde paix (...) 7
BOSSUET, Oraison funèbre de Henriette-Anne d'Angleterre.

8 Mais un roi vraiment roi, qui, sage en ses projets,
Sache en un calme heureux maintenir ses sujets (...)
BOILEAU, Épîtres, 1.

9 (...) toutes les fois qu'une faction obtient un triomphe complet, il y a calme *dans l'État,* parce que les résistances s'évanouissent.
CHATEAUBRIAND, Polémique (1818-1827), p. 245, *in* T. L. F.

Péj. (Affaires). *Le calme des affaires,* leur ralentissement ou leur arrêt. → **Marasme, stagnation.**

♦ **3** Moment d'apaisement au sein d'une souffrance, physique ou morale. *Le malade a un moment de calme.* → **Assoupissement; détente, rémission, repos, soulagement.** *Après ce grand désespoir, il a reconquis le calme.*

10 Pour mieux goûter le calme, il faut avoir passé
Des pénibles détroits d'une vie orageuse
Dans une vie enfin plus douce et plus heureuse (...)
André CHÉNIER, Élégies, 27, *in* LITTRÉ.

♦ **4** Absence de passions, de désirs; paix intérieure. *Calme de l'âme, du cœur; calme intérieur.* → **Ataraxie, détachement, impassibilité, insensibilité, paix, quiétude, sécurité, sérénité, tranquillité; béatitude, extase, nirvâna.** *Un calme alcyonien* (cit.).

11 (...) la tranquillité en amour est un calme désagréable (..)
MOLIÈRE, les Fourberies de Scapin, III, 1.

12 Nulle paix pour l'impie. Il la cherche, elle fuit,
Et le calme en son cœur ne trouve pas de place.
RACINE, Esther, II, 8.

12.1 (...) comment cette passion fut-elle accompagnée, dès sa naissance, des sentiments qu'elle inspire le moins : la paix du cœur, le calme, la sérénité, la sécurité, l'assurance?
ROUSSEAU, les Confessions, II.

12.2 Je n'avais ni transports ni désirs auprès d'elle *(Mme de Warens)*; j'étais dans un calme ravissant, jouissant sans savoir de quoi. ROUSSEAU, les Confessions, III.

13 Calme ineffable! Olympienne sérénité! Telle est maintenant ma vie (...)
G. DUHAMEL, Chronique des Pasquier, VI, 8.

♦ **5** Absence de nervosité dans le comportement; maîtrise de soi. → **Assurance, contrôle** (de soi), **flegme, patience, sang-froid.** *Conserver, garder son calme. Être un modèle de calme. C'est le calme en personne* (→ 1. Personne, cit. 13). *Calme inaltérable. Perdre, retrouver son calme. Allons, du calme! Se comporter avec le plus grand calme.* → **Pondération.** *Un calme excessif, énervant.* → **Insensibilité, placidité.**

14 (...) elle lui en voulait de ce calme si bien assis, de cette pesanteur sereine, du bonheur même qu'elle lui donnait.
FLAUBERT, Mme Bovary, I, 7.

15 L'idéal du calme est dans un chat assis.
J. RENARD, Journal, 30 janv. 1889.

16 (...) j'augmentais mon agitation en me prêchant un calme qui était l'acceptation de mon infortune.
PROUST, À la recherche du temps perdu, t. I, p. 49.

17 (...) sa grâce, sa douceur, le calme de ses mouvements, la beauté apaisante de sa voix en faisaient un être reposant et aimable comme un beau jardin.
A. MAUROIS, Ariel..., p. 301.

18 Ils déboutonnent sans se presser leurs vestes de cuir (...) ils ont cet air imperturbable, ces gestes lents, ce calme professionnel du médecin tandis que la famille anxieuse attend (...) leur visage est impassible, fermé.
N. SARRAUTE, le Planétarium, p. 14.

19 (...) un visage inexpressif, aux traits creusés par la fatigue, contrastant par son calme, avec les contorsions et grimaces répandues partout alentour.
A. ROBBE-GRILLET, Dans le labyrinthe, p. 113.

CONTR. **Ouragan, tempête. — Agitation, ardeur, désordre, émotion, trouble.** ◊ DÉR. 2. **Calme.** ← HOM. 2. **Calme**; formes du v. **calmer.**

2. **CALME** [kalm] adj. — 1585; *carme,* fin XVe; probablt de 1. *calme.*

♦ **1** (Éléments, lieux). Qui n'est pas troublé, agité. → **Tranquille.** *Un lieu calme et tranquille.* → **Quiet.** *Une mer calme. Un temps calme. Atmosphère, ciel calme.*

Les sonneries pieuses de l'Angélus du soir, se répondant de paroisse en paroisse, versaient dans l'air quelque chose de calme, de doux et de mélancolique, image de la vie que j'allais quitter pour toujours. 1
RENAN, Souvenirs d'enfance..., III, 2.

(...) un roulement lointain et voilé flottait dans l'air calme du soir. 1.1
A. MAUROIS, les Silences du colonel Bramble, XXII, p. 223.

Littér. (En parlant de lieux habités, d'objets..., envisagés comme un milieu pour l'homme). *Dans cette calme maison. La «calme clarté de la lampe»* (Gide).

(En parlant du temps). *Un calme après-midi d'été. Passer une soirée très calme* (dans ce sens, peut ou non impliquer les valeurs du sens 2).

Spécialt. (De la société). Qui ne connaît pas de troubles publics. *Tout le pays est calme.*

Souvent péj. (Des affaires). Qui a une faible activité. *Les affaires sont calmes. La Bourse, le marché est calme* (contr. : *actif*).

♦ **2** (1601; personnes; manifestations psychologiques, physiques). Qui n'est plus agité par une souffrance, physique ou morale. *Le malade est calme. Ses pleurs et ses cris ont cessé, elle est redevenue calme.* → **Rasséréné, rassuré.** — *Sommeil calme.*

Qui est exempt de nervosité; qui indique la maîtrise de soi. *Un enfant calme. Un visage, regard, caractère calme. Une attitude courageuse et calme; un courage calme. Essayez de rester calme, maîtrisez-vous.*

Jamais ils ne se querellaient, étant tous deux calmes et placides. MAUPASSANT, l'Auberge, Pl., t. II, p. 788. 2

Qui révèle, qui connaît la paix intérieure. → **Serein.**

Calme bonheur dont je me savais exclu, zone de pureté et de rêve qui m'était interdite. Tranquille amour, vague assoupie qui venait mourir à quelques pas de mon rocher. 3
F. MAURIAC, le Nœud de vipères, p. 102.

CONTR. **Actif, agité, bruyant, colérique, ému, énervé, exalté, excité, mouvementé, nerveux, orageux, troublé.** ◊ DÉR. **Calmement, calmer.**

**CALMEMENT** [kalməmɑ̃] adv. — 1552, Ronsard; de 2. *calme.*

Dans le calme, d'une manière calme (avec les valeurs du sens 2 de 2. *calme**). → **Tranquillement; doucement.** *Réfléchir calmement. Parler, écouter qqn calmement, sans s'énerver. — Sa vie se passe calmement.* → **Sereinement.** — Var. fam. (suff. *-os*) : *calmos* [kalmos]. *«Je me suis dit... Calmos! Calmos... On verra bien... On improvisera...»* (Bertrand Blier, *les Valseuses,* p. 231 [1972]). → Du calme!

**CALMER** [kalme] v. tr. — XVe; de 2. *calme.*

Rendre calme. → **Apaiser** (cit. 1).

♦ **1** *Calmer la tempête, les flots.*

Que Neptune en courroux s'élevant sur la mer, 1
D'un mot calme les flots, mette la paix dans l'air (...)
BOILEAU, l'Art poétique, III.

♦ **2** (XVIe). Apaiser, faire rentrer dans l'ordre. *Calmer la sédition, une querelle. Calmer les esprits aigris* (→ Accommodement, cit. 1). → **Pacifier** (→ ci-dessous, cit. 3 et 5).

(XVIIe). Diminuer la force (de la douleur, des mouvements de l'âme). *Calmer un mal, une douleur.* → **Adoucir, alléger, apaiser, assoupir, endormir, éteindre, lénifier, soulager.** *Calmer la fièvre. Calmer* *la soif.* → **Assouvir, désaltérer, étancher, satisfaire.** *Calmer ses nerfs. Calmer ses passions, son impatience, son inquiétude.* → **Tranquilliser; dompter, étouffer, maîtriser, modérer, tempérer.**

2 Prends du repos, ma fille, et calme tes douleurs (...)
CORNEILLE, le Cid, II, 8.

3 Quand il fallait calmer toute une populace,
Le sénat n'épargnait promesse ni menace (...)
CORNEILLE, Nicomède, V, 2.

4 (...) calmer des passions violentes qu'une résistance emportée ne ferait qu'aigrir.
BOSSUET, Oraison funèbre de Marie-Thérèse d'Autriche.

5 Cette majesté intérieure qui modère les passions, qui tient les sens dans le devoir, qui calme par son aspect tous les mouvements séditieux.
BOSSUET, 1er Sermon pour la purification de la sainte Vierge, 2.

6 C'est une pitié que d'être si vive; il faut tâcher de calmer et de posséder un peu son âme.
Mme DE SÉVIGNÉ, 410, 26 juin 1675.

7 J'ai cru que des présents calmeraient son courroux (...)
RACINE, Athalie, II, 5.

8 Le prélat resté seul calme un peu son dépit,
Et jusques au souper se couche et s'assoupit.
BOILEAU, le Lutrin, I.

9 Le temps calme les ivresses, même celle de l'amitié (...)
Joseph JOUBERT, Pensées, t. I, p. 186.

10 L'orage qui bouleversait le cœur de Wilfrid fut soudain calmé par ces paroles (...)
BALZAC, Séraphita, Pl., t. X, p. 480.

11 Les mots de «quatre mille francs» calmèrent un peu le désespoir de la veuve.
PONSON DU TERRAIL, Rocambole, t. I, L'héritage mystérieux, p. 731.

12 (...) tu mènes une vie de séminariste qui a fait des vœux, de bénédictin qui prend des bains de science pour calmer la chair (...) E. FROMENTIN, Dominique, IX.

13 Ma fureur contre M. Thiers n'est pas calmée, au contraire! Elle s'idéalise et s'accroît.
FLAUBERT, Correspondance, t. III, p. 348.

14 Ces deux discours étaient l'expression d'une pensée très sage qui cherchait plutôt à calmer les maux qu'à les aggraver (...) Louis BARTHOU, Mirabeau, p. 273.

15 (...) pour calmer ses nerfs, elle *(Gisèle)* tournait en rond dans sa prison.
MARTIN DU GARD, les Thibault, t. I, p. 254.

Loc. (D'abord au football). *Calmer le jeu,* apaiser une situation tendue, des compétiteurs (surtout en politique, et dans l'usage journalistique).

♦ **3** Rendre (qqn, un animal) plus calme. → **Apaiser, consoler, rassurer.** *Calmer un enfant. Calmer un animal,* le ramener à la docilité.

15.1 Lorsqu'une racine arrêtait le soc, le laboureur criait d'une voix puissante, appelant chaque bête par son nom, mais plutôt pour calmer que pour exciter (...)
G. SAND, la Mare au diable, II, p. 21.

15.2 On ne bercera jamais assez les enfants, du temps de leur prime jeunesse. Et même, je serais d'avis qu'on usât, pour les calmer, les endormir, d'appareils profondément bousculatoires.
GIDE, Voyage au Congo, *in* Souvenirs, Pl., p. 683.

Rendre (à qqn) son sang-froid; faire cesser l'agitation des passions (d'une personne). *Calmer les mécontents.*

15.3 Non pas, monsieur le comte, lui dis-je en revenant à lui d'un pas grave; vos gens ne se mêleront pas de cette affaire, trouvez bon qu'elle se passe entre nous. Mon action, mon air, le calmèrent à l'instant même : la surprise et l'effroi se marquèrent dans son maintien.
ROUSSEAU, les Confessions, VII, p. 119.

Fam. *Attends un peu, je vais te calmer!,* menace contre une personne surexcitée ou insolente.

◆ **SE CALMER** v. pron.

Devenir calme. *La tempête, la mer s'est calmée.* → **Calmir.** *Le vent se calme.*

Comment s'est calmé l'orage? 16
Quelle main salutaire a chassé le nuage?
RACINE, Esther, III, 9.

Diminuer d'intensité. *La fièvre s'est calmée.* → **Tomber.** *Le bruit se calma.* → **Cesser.**

Le bruit des canons s'était subitement calmé et l'on n'entendait plus dans la salle vitrée que le pas magistral et mesuré du général. 17
A. MAUROIS, les Silences du colonel Bramble, XV, p. 157.

Reprendre son sang-froid. *Calmez-vous, je vous prie.* → **Contenir** (se), **rasséréner** (se).

À la facile audience de ce sage magistrat et par la tranquillité de son favorable visage, une âme agitée se calmait. 18
BOSSUET, Oraison funèbre de M. Le Tellier.

(...) attendant que se calment un peu les battements précipités de son cœur, il met ensuite un temps très long à se remettre (...) GIDE, Journal, 18 août 1930. 19

Fam. *On se calme!,* calmez-vous. → Du calme!; ne nous énervons pas. «*C'est un fait : en français actuel,* on se calme! *(grâce à Coluche) remplace de plus en plus* calme-toi!» (Pierre Merle, *Dictionnaire du français branché*).

◆ **CALMÉ, ÉE** p. p. adj.

(Éléments). Apaisé. «*Sur la mer calmée*» (air de *Madame Butterfly*). *Ouragan à demi calmé.*

(Personnes). Devenu calme; qui a perdu sa nervosité, dont les sentiments violents se sont apaisés. *Il s'est endormi à peine calmé. Un coléreux calmé.* — (Tendances, besoins). *Appétit calmé.* — (Douleur). *Souffrance calmée* (→ Sourd).

CONTR. **Agiter, attiser, exciter, irriter. — Emporter** (s'), **énerver** (s'), **impatienter** (s'), **inquiéter** (s'), **troubler** (se).
◊ DÉR. **Calmant.**

**CALMIR** [kalmiʀ] v. intr. — 1787, Bernardin de Saint-Pierre; var. de *calmer.*

Mar. Devenir calme (de la mer, du vent). *Le temps, le vent calmit.*

**CALO** [kalo] n. m. — 1941; 1847, Mérimée, *Calés* «gitans»; mot gitan emprunté par l'espagnol.

Argot espagnol moderne qui emploie de nombreux mots gitans.

REM. On rencontre aussi, en français, la graphie espagnole *caló.*

HOM. 1. **Calot,** 2. **calot,** 3. **calot.**

**CALOGÈNE** [kalɔʒɛn] adj. — V. 1970; de *calo(r)-,* et *-gène.*

Didact. Qui produit des calories. «*Le concept de réacteur calogène*» (*Sciences et Avenir,* mai 1978, no 375, p. 17).

**CALOMEL** [kalɔmɛl] n. m. — 1751, *Encycl.;* du grec *kalos* «beau», et *melas* «noir», p.-ê. à cause de la substance qui servit à l'obtenir.

Chlorure mercureux, qui se présente sous la forme d'une poudre cristalline blanche. *Le calomel est utilisé comme purgatif et antiseptique intestinal. Donner, prendre du calomel.*

**CALOMNIATEUR, TRICE** [kalɔmnjatœʀ, tʀis] n. — Mil. XIIIe; lat. *calumniator.*

Personne qui calomnie. → **Accusateur, délateur, dénonciateur, détracteur, diffamateur.** *Un bas, un affreux, un méprisable calomniateur. Un calomniateur effronté. La mauvaise foi des calomniateurs. Confondre ses calomniateurs.*

1 Rien n'est trop hardi pour des calomniateurs de profession. PASCAL, les Provinciales, XVI.

2 Les flatteurs, les fourbes, les calomniateurs, ceux qui ne délient leur langue que pour le mensonge et l'intérêt (...) LA BRUYÈRE, les Caractères, XII, 41.

3 Souvent dans ses chagrins un misérable auteur
Descend au rôle affreux de calomniateur.
VOLTAIRE, Alzire, 3e disc.

4 C'est tout autre chose avec Grimm, homme faux par caractère, qui ne m'aima jamais, qui n'est pas même capable d'aimer, et qui, de gaieté de cœur, sans aucun sujet de plainte, et seulement pour contenter sa noire jalousie, s'est fait, sous le masque, mon plus cruel calomniateur. ROUSSEAU, les Confessions, X.

5 Calomniateurs anonymes, disais-je, ayez le courage de dire qui vous êtes; un peu de honte est bientôt passée; ajoutez votre nom à vos articles, ce ne sera qu'un mot méprisable de plus. CHATEAUBRIAND, Mémoires d'outre-tombe, III, VII.

Adj. (1548). *Propos calomniateur. Un journal calomniateur. «L'absurdité calomniatrice des cancans»* (Proust, *in* T. L. F.).

6 Vous faites autant d'honneur aux belles-lettres que tous ces écrivains mercenaires et calomniateurs y jettent de honte et d'opprobre. VOLTAIRE, Lettre de Boissi, 6 avr. 1773.

CONTR. **Apologiste, défenseur, glorificateur, laudateur, panégyriste.** — V. aussi **Médisant.**

**CALOMNIE** [kalɔmni] n. f. — Déb. XIVe, Christine de Pisan; lat. *calumnia.*

Imputation mensongère qui attente à la réputation, à l'honneur (de qqn). → **Accusation, allégation, attaque, cancan, délation, dénonciation** (calomnieuse), **détraction, diffamation, insinuation, mensonge, ragot.** *C'est une basse calomnie, une noire, une infâme, une odieuse calomnie. Inventer, avancer, semer, répandre, soutenir des calomnies. Être en butte aux calomnies des envieux. Être au-dessus des calomnies. Ces calomnies ne l'atteignent pas. Repousser une calomnie. Se laver d'une calomnie.* — Au sing. (collectif). *La calomnie* (→ ci-dessous, cit. 3, 4 et 5). *Braver la calomnie. C'est de la pure calomnie, «c'est une calomnie très pure»* (→ Prêche, cit. 1).

1 Pour vous voir vous laver de cette calomnie. MOLIÈRE, le Misanthrope, V, 4.

2 Mentir pour son avantage à soi-même est imposture, mentir pour l'avantage d'autrui est fraude, mentir pour nuire est calomnie : c'est la pire espèce de mensonge. Mentir sans profit ni préjudice de soi ni d'autrui n'est pas mentir; ce n'est pas mensonge, c'est fiction. ROUSSEAU, Rêveries..., 4e promenade.

3 Depuis que je suis né, j'ai vu la calomnie
Exhaler les venins de sa bouche impunie.
VOLTAIRE, Tancrède, III, 3.

4 Ces gens qui n'ont jamais su combattre qu'avec le stylet de la calomnie. MIRABEAU, Collection, t. III, p. 288.

5 La calomnie, monsieur! Vous ne savez guère ce que vous dédaignez; j'ai vu les plus honnêtes gens près d'en être accablés. Croyez qu'il n'y a pas de plate méchanceté, pas d'horreurs, pas de conte absurde, qu'on ne fasse adopter aux oisifs d'une grande ville en s'y prenant bien : et nous avons ici des gens d'une adresse!... D'abord un bruit léger, rasant le sol comme l'hirondelle avant l'orage, *pianissimo,* murmure et file, et sème en courant le trait empoisonné. Telle bouche le recueille, et *piano, piano,* vous le glisse en l'oreille adroitement. Le mal est fait; il germe, il rampe, il chemine, et, *rinforzando,* de bouche en bouche il va le diable; puis tout à coup, ne sais comment, vous voyez calomnie se dresser, siffler, s'enfler, grandir à vue d'œil. Elle s'élance, étend son vol, tourbillonne, enveloppe, arrache, entraîne, éclate et tonne, et devient, grâce au ciel, un cri général, un *crescendo* public, un *chorus* universel de haine et de proscription. Qui diable y résisterait? BEAUMARCHAIS, le Barbier de Séville, II, 8.

6 Une médisance anonyme est peut-être plus honteuse qu'une calomnie signée. HUGO, Littérature et Philosophie mêlées, p. 32.

(...) les calomnies frivoles qu'elle avait semées par la ville. 7
FRANCE, le Mannequin d'osier, p. 411.

*Calomnie et médisance.* → **Médisance; médire.**

CONTR. **Apologie, défense, éloge, glorification, louange, panégyrique.** — V. aussi **Médisance.**

**CALOMNIER** [kalɔmnje] v. tr. — 1555; *calomnier qqch.,* 1541; *calumpnier,* 1375; lat. *calumniari.*

Attaquer (qqn) par des calomnies. → **Attaquer; décrier, diffamer, dire** (du mal...), **insinuer, noircir, répandre** (des calomnies), **salir** (l'honneur, la réputation); et aussi **médire, mentir.** *On l'a indignement calomnié. Il calomnie indignement son prochain.* Cf. Baver sur, cracher sur, déchirer (littér. et vx), traîner (dans la boue)... *Calomnier qqn derrière son dos, en cassant du sucre* (fam.) *sur son dos. Il a beaucoup médit* de lui, mais sans le calomnier.*

Bénissez ceux qui vous maudissent, et priez pour ceux qui vous calomnient. 1
BIBLE (SACY), Évangile selon saint Luc, VI, 28.

Vous croyez pouvoir faire votre salut en calomniant vos ennemis. 2
PASCAL, les Provinciales, 15.

(...) un pays immense où les hommes se mangent les uns les autres aussi communément que nous persécutons, que nous calomnions notre prochain à Paris. 3
VOLTAIRE, Fragments sur l'histoire, 23.

Se laisser calomnier est une des forces de l'honnête homme. 4
HUGO, Post-scriptum de ma vie, p. 13.

Par ext. *Calomnier les intentions de qqn.* → **Dénaturer.** *Calomnier son pays,* l'accuser injustement.

Notre ignorance de l'histoire nous a fait calomnier notre temps. 5
FLAUBERT, Correspondance, t. IV, p. 75.

Absolt. *Calomniez, calomniez, il en restera toujours qqch.!...* (→ Calomnie, cit. 5).

Le monde accuse, soupçonne et calomnie avec une déplorable facilité. 6
MAUPASSANT, Fort comme la mort.

◆ **SE CALOMNIER** v. pron.

Dire du mal de soi, se faire plus mauvais que l'on est, se rabaisser.

◆ **CALOMNIÉ, ÉE** p. p. adj. *Un novateur injustement calomnié.* → **Dénigré, vilipendé.** — N. (rare). *«Sénèque, ce grand calomnié»* (E. Blanche, *in* T. L. F.).

CONTR. **Défendre, glorifier, justifier, laver** (d'une calomnie).

**CALOMNIEUSEMENT** [kalɔmnjøzmɑ̃] adv. — 1574; *calumpnieusement,* 1377; de *calomnieux.*

D'une manière calomnieuse. *Accuser calomnieusement qqn.*

**CALOMNIEUX, EUSE** [kalɔmnjø, øz] adj. — 1565; *calompnieux,* 1312; bas lat. *calumniosus.*

Dr. et style soutenu. Qui contient une calomnie, des calomnies. → **Diffamatoire, faux, inique, injurieux, injuste, mensonger, venimeux.** *Écrit, libelle calomnieux. Accusation calomnieuse. Dénonciation calomnieuse :* imputation mensongère d'un fait blâmable dénoncé à l'autorité publique.

Quiconque aura, par quelque moyen que ce soit, fait une dénonciation calomnieuse contre un ou plusieurs individus aux officiers de justice (...) sera puni d'un emprisonnement (...) Code pénal, art. 373.

CONTR. **Apologique, élogieux, flatteur, juste, laudatif.** ◊ DÉR. **Calomnieusement.**

**CALOPHYLLUM** [kalɔfilɔm] n. m. — 1839, *calophylle;* mot du lat. bot., Linné; grec *kallophullos* «aux belles feuilles».

Bot. Arbre ou arbrisseau des régions tropicales *(Guttiférales)* dont certaines espèces donnent un bois de menuiserie, d'autres des sucs, des baumes utilisés en pharmacie, etc. *L'«huile de calophyllum, émollient (...) utilisé dans les lotions capillaires»* (Ch. Bourgeois, *Chimie de la beauté,* p. 95).

**CALOPORTEUR** [kalɔpɔʀtœʀ] adj. et n. m. — 1958; de *calo(r),* et *porteur.*

Didact. Se dit du fluide circulant dans le cœur d'un réacteur nucléaire pour en évacuer la chaleur (angl. *coolant*).

Par ext. Se dit d'un fluide déplaçant de l'énergie thermique d'un point à un autre.

**CALOQUET** [kalɔkɛ] n. m. — XVIIIe; de 2. *calot,* d'après *paltoquet.*

Argot. (Vx). Chapeau.

«Regarde donc! dit tout d'un coup Gervaise. – Quoi donc! – Ce caloquet de velours, là-bas.» Ils se grandirent. C'était, à gauche, un vieux chapeau de velours noir, avec deux plumes déguenillées qui se balançaient; un vrai plumet de corbillard. ZOLA, l'Assommoir, t. II, p. 196.

**CALOR-, CALORI-** Éléments, du lat. *calor* «chaleur», entrant dans la formation de mots savants.

**CALORIE** [kalɔʀi] n. f. — Entre 1819 et 1824, Clément; répandu en phys. après 1845; du lat. *calor* (→ Chaleur), d'après *calorifique, calorique.*

♦ **1** Phys. Unité employée naguère (elle n'est plus légalement autorisée depuis le 31 déc. 1977) pour évaluer les quantités de chaleur (symb. : *cal*); quantité de chaleur nécessaire pour élever la température d'un gramme d'eau de 14,5 °C à 15,5 °C sous la pression atmosphérique normale. *Kilocalorie* ou *grande calorie, valant 1 000 calories. La thermie vaut 1 000 000 de calories.* — Unité d'énergie, dite *hors système,* dont la valeur a été fixée à 4,184 joules*.

0.1 Deux températures seront comparées par la dilatation d'une même masse de mercure convenablement disposée. Les calories sont comptées d'après un poids de glace changée en eau, et le poids lui-même est mesuré par un équilibre stable d'un levier tournant.
ALAIN, les Idées et les Âges, *in* les Passions et la Sagesse, Pl., p. 109.

♦ **2** Physiol. Unité utilisée pour mesurer la valeur énergétique des aliments (il faut en moyenne 2 500 kcal [→ ci-dessus, 1.] par jour pour un adulte). *Dépenser, fournir des calories. Aliments riches en calories.*

1 Une ration alimentaire normale doit apporter à l'organisme une quantité suffisante de calories pour couvrir à la fois les dépenses cellulaires et professionnelles (...) Le travail musculaire accroît la dépense d'énergie dans des proportions considérables. C'est ainsi qu'une marche de moins d'une heure en terrain plat exige près de 150 calories (...) 1 600 calories sont utilisées uniquement pour les besoins cellulaires *(dépense de fond).*
P. VALLERY-RADOT, Notre corps..., p. 87.

2 De préférence, dit-il, prenez ce gruau à la crème. Il vous donnera deux cents calories de plus que les patates douces (...) Je dis deux cents calories. C'est un aliment beaucoup plus riche que l'autre.
G. DUHAMEL, Scènes de la vie future, II, p. 37.

Fam. *Mange, ça donne des calories,* ça réchauffe, ça donne de l'énergie.

3 L'idée de manger des calories me gâte l'appétit.
G. DUHAMEL, Scènes de la vie future, p. 38.

Par ext. (Abusivt). *Régime basses calories, à basses calories,* peu calorique. → **Hypocalorique.**

CONTR. **Frigorie.**

**CALORIFÈRE** [kalɔʀifɛʀ] adj. et n. m. — 1807; de *calori-,* et *-fère.*

♦ **1** Adj. Didact. Qui porte ou répand la chaleur. *Tuyau calorifère.*

♦ **2** N. m. Cour. Appareil de chauffage* distribuant dans une maison, au moyen de tuyaux, la chaleur provenant d'une chaudière*. → 2. **Poêle** (cit. 2). *Calorifère à air chaud, à eau chaude, à vapeur.*

– C'est la première fois que nous n'y serons pas : à cause des rhumatismes à Monsieur le Duc, le docteur a défendu qu'on y retourne avant qu'il y ait un calorifère, mais avant ça, tous les ans, on y était pour jusqu'en janvier. Si le calorifère n'est pas prêt, peut-être Madame ira quelques jours à Cannes chez la duchesse de Guise, mais ce n'est pas encore sûr.
PROUST, le Côté de Guermantes, Pl., p. 39.

**CALORIFIANT, ANTE** [kalɔʀifjɑ̃, ɑ̃t] adj. — XIXe; de *calori-,* et *-fier,* d'après *calorifique.*

Didact. Qui chauffe, donne de la chaleur. *Action calorifiante du soleil.*

**CALORIFICATION** [kalɔʀifikasjɔ̃] n. f. — 1860; de *calorifique.*

Didact. (physiol.). Production de chaleur dans un organisme vivant. *La calorification maintient le corps à une température constante.*

**CALORIFIQUE** [kalɔʀifik] adj. — 1779; attestation isolée, 1550; lat. *calorificus* «qui échauffe».

♦ **1** Didact. (phys.). Qui donne de la chaleur, produit des calories. *Rayons, radiations calorifiques. Pouvoir calorifique. Capacité calorifique d'un corps homogène,* produit de sa masse par sa chaleur spécifique.

Un soleil brillant, mais sans action calorifique, sortait alors de l'Océan, et son énorme disque se balançait à l'horizon. La mer formait une nappe tranquille et bleue comme celle d'un golfe méditerranéen, quand le ciel est pur. J. VERNE, l'Île mystérieuse, t. I, p. 272.

♦ **2** Physiol. *Valeur calorifique* (d'un aliment). → **Calorique.**

CONTR. **Frigorifique.** ◇ DÉR. **Calorification.**

**CALORIFUGE** [kalɔʀifyʒ] adj. et n. m. — 1846; de *calori-,* et *-fuge.*

Phys., techn. Qui empêche la déperdition de la chaleur, étant mauvais conducteur. *Substance calorifuge. Paroi à revêtement calorifuge. Matières calorifuges.*

Le liège, surtout le liège aggloméré, et la poudre de liège paraissent être les meilleures matières calorifuges; puis viendraient les fibres de bois, la laine minérale, la sciure de bois, l'amiante.
P. POIRÉ, Dict. des sciences, art. *Calorifuge.*

CONTR. **Frigorifuge.** ◇ DÉR. **Calorifuger.**

**CALORIFUGEAGE** [kalɔʀifyʒaʒ] n. m. — 1932; de *calorifuger.*

Techn. Action de calorifuger; son résultat.

(...) d'où la nécessité de le transporter *(l'oxygène liquide)* et de le conserver en réservoir ouvert muni d'un calorifugeage efficace.
Jean-François THÉRY, les Carburants nouveaux, p. 28.

**CALORIFUGER** [kalɔʀifyʒe] v. tr. [CONJUG.: *bouger.*] — 1926, au p. p.; de *calorifuge.*

Recouvrir d'un calorifuge.

◆ **CALORIFUGÉ, ÉE** p. p. adj.

Muni d'un revêtement calorifuge. *Conduite de vapeur calorifugée.*

(...) l'épiderme nu ne résistait pas à plus de huit secondes d'exposition *(à la chaleur du volcan).*
Heureusement nous avions des vêtements en tissu calorifugé, costumes-miroirs de toile plaquée d'aluminium en feuille mince.
H. TAZIEFF, Histoires de volcans, p. 127.

REM. Le mot est relativement courant, par rapport aux autres termes de la famille.

CONTR. **Frigorifuger.** ◊ DÉR. **Calorifugeage.**

**CALORIMÈTRE** [kalɔʀimɛtʀ] n. m. — 1743; de *calori-*, et *-mètre.*

Didact. (phys.). Instrument destiné à mesurer la quantité de chaleur absorbée ou dégagée lors d'une transformation physique ou d'une réaction chimique.

On peut prédire ce qui arrivera dans un système clos, ou à peu près clos, par exemple dans un calorimètre, dans un circuit électrique, dans le système solaire, si l'on considère les positions des astres seulement.

ALAIN, 81 chapitres..., *in* les Passions et la Sagesse, Pl., p. 1178.

CONTR. **Frigorimètre.** ◊ DÉR. **Calorimétrie, calorimétrique.**

**CALORIMÉTRIE** [kalɔʀimetʀi] n. f. — 1803; de *calorimètre.*

Phys. Technique de détermination expérimentale des énergies calorifiques (dans les phénomènes d'échanges, etc.). *Calorimétrie animale.*

COMP. **Microcalorimétrie.**

**CALORIMÉTRIQUE** [kalɔʀimetʀik] adj. — 1838; de *calorimètre.*

Phys. De la calorimétrie. *Méthodes calorimétriques* (des mélanges; des changements de phase*; méthodes électriques). *Coefficients calorimétriques,* concernant la quantité de chaleur reçue par un fluide au cours d'une transformation thermoélastique. — *Bombe calorimétrique :* instrument utilisé pour déterminer le pouvoir calorifique des combustibles, constitué d'une enceinte métallique hermétiquement fermée que l'on place dans un calorimètre.

— Mais, demandais-je, vous n'en restiez point là; vous vous rapprochiez de la bombe calorimétrique, j'entends parfaite, c'est-à-dire définie.

ALAIN, Entretiens au bord de la mer, *in* les Passions et la Sagesse, Pl., p. 1327.

**CALORIQUE** [kalɔʀik] n. m. et adj. — 1787, *in* Cottez; du lat. *calor* «chaleur» (→ calor-), et *-ique.*

♦ **1** Vx. Principe hypothétique de la chaleur. *Calorique latent, libre, spécifique d'un corps.*

♦ **2** Adj. (1864). Mod. *Valeur calorique.* → **Énergétique.** *Intensité calorique,* qui est propre à la chaleur. *Rayonnement calorique,* qui transmet de la chaleur.

Qui apporte des calories* (à un organisme). → **Calorifique.** *Minimum calorique. Excès calorique.*

COMP. **Isocalorique.**

**CALORISATION** [kalɔʀizasjɔ̃] n. f. — 1927; de *caloriser.*

Techn. Cémentation par l'aluminium (aluminiage). → **Caloriser.**

**CALORISER** [kalɔʀize] v. tr. — 1927; de *calor-*, et *-iser.*

Techn. Enduire (une surface métallique) d'une mince couche d'aluminium pour la soustraire à l'oxydation; traiter par calorisation*.

DÉR. **Calorisation.**

**CALOSOME** [kalozom] n. m. — 1804, Latreille; lat. sc. *calosoma,* du grec *kalos* «beau», et *sôma* «corps».

Zool. Coléoptère *(Scarabée)* aux belles couleurs mordorées.

Du haut des pins, lentement descendues, une à une, en file brune, l'on voyait les chenilles processionnaires — qu'au bas des pins, longuement attendues, boulottaient les gros calosomes.
— Je n'ai pas vu les calosomes ! dit Angèle (car je lui montrai cette phrase).
— Moi non plus, chère Angèle, — ni les chenilles. — Du reste, ça n'est pas la saison; mais cette phrase, n'est-il pas vrai — rend excellemment l'impression de notre voyage...

GIDE, Paludes, *in* Romans, Pl., p. 138.

1. **CALOT** [kalo] n. m. — 1732; dimin. de 3. *cale.*

Pièce de bois pour caler.

HOM. **Calo, 2. calot, 3. calot.**

2. **CALOT** [kalo] n. m. — 1883; «partie supérieure d'un shako», 1839; «fond de chapeau», 1803; «calotte de chapeau dans laquelle ils *(les fondeurs)* mettent les dragées *(grains de plomb)* après qu'elles sont séparées des branches», 1751, *Encyclopédie;* de 4. *cale* «coiffure».

♦ **1** Coiffure militaire, dite aussi *bonnet de police,* de forme allongée et sans bords. *Le calot sur l'oreille. En France, les militaires — hormis les aviateurs (personnel au sol) — ont remplacé le calot par le béret. Le calot des C. R. S.*

Le calot est posé droit sur le crâne, dont il cache entière- 1
ment les cheveux, coupés très ras comme on peut en juger d'après les tempes.

A. ROBBE-GRILLET, Dans le labyrinthe, p. 29.

♦ **2** (1854, *callot;* → ci-dessous, cit. 2). Par anal. Petite toque féminine.

— Remarqué dans les caveaux que la coiffure d'une des 2
comtesses d'Eu est la même que celle des femmes du Tréport, sauf les perles et l'étoffe : c'est une espèce de callot *(sic),* mais très gracieux.

E. DELACROIX, Journal, 20 sept. 1854.

Reverrai-je *(Jadin),* sa petite silhouette de gargouille, coiffée 3
jusqu'aux sourcils d'un des calots «à la mode» qu'elle fabriquait elle-même ? Hier soir encore, elle avançait dans ma loge un museau mal poudré pour me montrer sa dernière création : une toque en lapin (...)

COLETTE, la Vagabonde, p. 21.

DÉR. **Caloquet.** ◊ HOM. **Calo, 1. calot, 3. calot.**

3. **CALOT** [kalo] n. m. — 1866; «noix écalée», 1690; de *cale,* déglutination de *écale.*

♦ **1** Régional (Centre, Ouest). Coquille de noix; noix (cf. P. Vialar, *in* T. L. F.).

♦ **2** (1836; argot des jeux, 1866). Grosse bille.

(...) des corps comparables pour la plupart à des billes de 1
verre pour d'autres à des calots (...)

Monique WITTIG, le Corps lesbien, p. 176.

REM. On écrit aussi *callot.*

♦ **3** (1846). Au plur. Fam. Œil. *Rouler, ribouler des calots :* faire des yeux étonnés.

Ne lève pas les yeux sur moi, Messaline ! (...) Vous la voyez, 2
criait-il en prenant à témoin des dieux invisibles : elle montre ces calots-là en plein midi !

COLETTE, la Vagabonde, p. 146.

HOM. **Calo, 1. calot, 2. calot.**

**CALOTIN** [kalɔtɛ̃] n. m. — 1780; membre du *Régiment de la Calotte,* ordre burlesque, 1717; n. propre, 1664; de *calotte.*

Fam. et péj. Celui qui porte la calotte; ecclésiastique. → **Curé.** — (1851). Par ext. Partisan du clergé. → **Clérical.**

(...) les rudes propos des soldats français contre les «calo- 1
tins» avaient, par la suite, — de la Belgique au royaume de Naples, — accrédité la légende, bientôt grossie, d'une

France athée, révoltée contre Dieu, blasphématrice de son nom et persécutrice de ses prêtres.
Louis MADELIN, Hist. du Consulat et de l'Empire, VII, Les raisons du concordat, p. 101.

2 (...) c'est là qu'un patron l'avait séduite, rendue mère et poussée dans cette fameuse mauvaise voie dont toute la clique des calotins devait tant la préserver.
Louise MICHEL, la Misère, t. I, p. 118.

Dévot excessif, bigot.

3 Chonteau (...) bel homme et révolutionnaire (...) blaguait férocement Pache, qu'il venait de surprendre en train de faire sa prière, à genoux derrière la tente. En voilà un calotin ! ZOLA, la Débâcle, p. 24.

REM. La var. graphique *calottin* est rare.

**CALOTTE** [kalɔt] n. f. — 1394; anc. provençal *calota*, XIII^e, de 4. *cale* «coiffure» (→ 2. Calot), ou du bas lat. *calautica* «coiffure de femme».

**I** ♦ **1** Petit bonnet rond qui ne couvre que le sommet de la tête. *Calotte traditionnelle, dans certaines cultures.* → **Chéchia, fez; kippa.**

1 Sa calotte *(de M. Pinault)* rembourrée pour préserver son vieux crâne des névralgies, formait autour de sa tête un bourrelet hideux.
RENAN, Souvenirs d'enfance..., IV, II, p. 174.

Spécialt. Coiffure ecclésiastique. *La calotte noire des prêtres. La calotte blanche du pape.* — Vieilli. Calotte rouge des cardinaux. → **Barrette, chapeau.**

2 Le roi mit la calotte sur la tête du cardinal de Noailles avec force gracieusetés. SAINT-SIMON, Mémoires, 78, 3.

*Calotte en drap, en velours...*

3 (...) une soutane noire avec une longue queue, une aube, un surplis, à grandes manches roides d'empois, des bas de soie noire, deux calottes, l'une en drap, l'autre en velours (...) Alphonse DAUDET, le Petit Chose, I, II.

*Calotte grecque,* la coiffure ancienne des Grecs, comparable au fez des Turcs. → **Chéchia.** — Par anal. (Vx). Bonnet d'intérieur muni d'un gland.

♦ **2** (Mil. XVIII^e). Par métonymie. Péj. *La calotte :* le clergé, les prêtres; leurs partisans. *Influence de la calotte. Donner dans la calotte,* dans le cléricalisme*. → **Calotin.** *À bas la calotte !*

3.1 — Monsieur, lui dis-je, vous exercez une belle profession.
— Ah ! me répondit-il, en allumant sa pipe, vous trouvez ça beau de rédiger des canards dans les départements. Et des canards cléricaux. Je travaille pour la calotte. Mais on ne choisit pas son parti, n'est-il pas vrai ?
FRANCE, Pierre Nozière, p. 113.

♦ **3** (1808, «coup donné à la tête»). Fig. et fam. Tape sur la tête. → **Claque, coup, gifle, soufflet; (fam.) baffe, beigne, taloche, tarte.** *Donner, flanquer une calotte, une paire de calottes à qqn, à un enfant. Recevoir des calottes.*

3.2 Et, s'avançant, *(Gervaise)* flanqua à Nana deux gifles soignées. La première mit de côté le chapeau à plumes, la seconde resta marquée en rouge sur la joue blanche comme un linge (...) Quand *(Nana)* faisait mine de rechigner, une calotte par derrière la remettait dans le chemin de la porte. ZOLA, l'Assommoir, t. II, p. 198.

3.3 Vous savez combien j'aime tous nos grands écrivains. Eh bien, il arrive que je demande après la lecture de telle page que j'admire, une page de Flaubert, oui.
«Cette page, est-ce que je la signerais ? — Je ne la signerais pas.»
Hein, ma vieille amie, donnez-moi une belle calotte.
J. RENARD, l'Œil clair, *in* Œ., Pl., t. II, p. 461.

**II** Par anal. ♦ **1** Voûte de forme hémisphérique. — (1832). Anat. *Calotte du crâne :* partie supérieure de la boîte crânienne. — Géom. *Calotte sphérique,* l'une des deux parties d'une sphère coupée par un plan autre que médian. — Géogr. *Calottes glaciaires de la Terre, d'une planète* (→ Iceberg, cit. 4). — (1690). Archit. Partie supérieure d'une voûte hémisphérique à cintre peu élevé. → **Dôme.**

Si le dôme est petit, ce n'est plus qu'une ignoble calotte. 4
CHATEAUBRIAND, Itinéraire..., 97.

♦ **2** (1640). Littér. et vx. *La calotte des cieux :* la voûte céleste.

♦ **3** Techn. Pièce de métal qui forme la couverture d'un bouton.

DÉR. (Du I.) Calotin, calotter. ◊ COMP. Décalotter.

**CALOTTER** [kalɔte] v. tr. — 1808; de *calotte* (I., 3.).

♦ **1** Donner une gifle, une calotte à. *Calotter un enfant.*

♦ **2** (1907). Fam. Voler. *On lui a calotté mille francs.* → **Carotter.**

Tu as ton argent ?
— Oui, je l'ai.
— Te le fais pas calotter.
R. QUENEAU, le Dimanche de la vie, p. 73.

**CALOYER, YÈRE** [kalwaje, jɛʀ] n. — 1509; *caloier*, 1392; grec mod. *kalogeros* «beau vieillard», de *kalos* «beau», et *gerôn* «vieillard».

Didact. (hist.). Moine grec, religieuse grecque, de l'ordre de saint Basile.

J'avais disputé un point du gaillard d'arrière à deux gros caloyers qui ne me l'avaient cédé qu'en grommelant.
CHATEAUBRIAND, Mémoires d'outre-tombe, II, IV.

**CALQUAGE** [kalkaʒ] n. m. — 1766; de *calquer.*

♦ **1** Techn. Fait de calquer.

♦ **2** Fig. Action d'imiter; son résultat. *Être accusé de plagiat, de calquage.*

**CALQUE** [kalk] n. m. — 1762; ital. *calco,* de *calcare* (→ Calquer).

♦ **1** Copie, reproduction calquée. *Prendre un calque. Faire le calque d'une carte. Reproduire fidèlement un dessin par le calque. Papier-calque :* papier transparent pour calquer.

Vu avec bien du plaisir les calques des petits dessins de Géricault (...) E. DELACROIX, Journal, 18 avr. 1824. 1

Les différentes images de Jenny au cours de ces années-là se superposaient devant ses yeux comme des calques (...) 2
MARTIN DU GARD, les Thibault, t. VI, p. 232.

♦ **2** (1835). Fig. Imitation, et, particulièrement, imitation servile d'une œuvre. → **Plagiat.**

♦ **3** (1894). Ling. Transposition d'un élément d'une langue dans une autre, par traduction. *Calques sémantiques. Calques et emprunts.*

COMP. Photocalque.

**CALQUER** [kalke] v. tr. — 1642; ital. *calcare* «presser», du lat. *calcare,* «fouler, piétiner, presser».

♦ **1** Reproduire un modèle sur une surface contre laquelle il est appliqué. → **Décalquer.** *Calquer un dessin avec une pointe, une plume, un crayon. Calquer qqch. au papier transparent, au papier carbone, à la gélatine, à la vitre. Calquer une carte, un dessin, une estampe, un plan. Calquer une lettre pour en faire le fac-similé.*

Absolt. *Prisme servant à calquer.* → **Chambre.**

Il faut nettoyer le verre sur lequel on doit calquer le dessin qu'on veut grandir, avec un chiffon et de l'eau-de-vie. 0.1
E. DELACROIX, Journal, 15 déc. 1850.

Par métaphore :

(...) pour moi (...) je n'ai jamais assez (...) de m'appesantir sur les contours du tableau; de m'attester, comme l'aveugle pour les pierres des murs, qu'il est là, toujours debout dans ma mémoire, et de calquer, même en froides paroles, ces lignes, si peintes au dedans de moi, de la maison la mieux connue, du paysage le plus fidèle. 1
SAINTE-BEUVE, Volupté, IV, p. 27.

♦ **2** (1753). Fig. Imiter exactement, fidèlement (et parfois servilement; → **Plagier**). *Ils ont calqué leur organisation sur celle de leur concurrent.*

2 Ils calquent les modes françaises sur l'habit romain.
ROUSSEAU, Julie ou la Nouvelle Héloïse, II, 17.

3 Bentivoglio, en Italie, calqua Tite-Live.
CHATEAUBRIAND, le Génie du christianisme, III, III, 3.

DÉR. **Calquage, calqueur.** ◊ COMP. **Décalquer. — Contre-calquer.**

**CALQUEUR, EUSE** [kalkœʀ, øz] n. — 1827, Stendhal; de *calquer.*

Personne qui fait des calques. — Spécialt. Au cinéma, Personne chargée de reproduire les dessins, dans la réalisation des films d'animation. *L'équipe des calqueurs de Walt Disney.*

**CALTER** [kalte] v. intr. → **Caleter.**

**CALTHA** [kalta] n. f. — 1694, en lat. bot., Tournefort; lat. *caltha* «souci des champs».

Bot. Plante aquatique *(Renonculacées)* à fleur formée de cinq sépales jaunes en corbeille.

**CALUMET** [kalymɛ] n. m. — 1609, «roseau pour fabriquer des pipes»; forme normanno-picarde de *chalumeau,* avec substitution de suffixe.

♦ **1** Régional. Roseau servant à faire des tuyaux de pipe.

♦ **2** (1732). Cour. Pipe à long tuyau que les Indiens fumaient officiellement pendant les délibérations graves. *Calumet de guerre* (blanc et gris); *calumet de (la) paix* (rouge).

1 (...) un Caraïbe fait fumer, en signe de paix, des matelots dans son calumet (...)
BERNARDIN DE SAINT-PIERRE, Études de la nature, II, Bienfaisance de la nature.

2 Le calumet de paix, dont le fourneau était fait d'une pierre rouge, fut présenté au frère d'Amélie (...)
CHATEAUBRIAND, les Natchez, I.

3 Assis contre le tronc géant d'un sycomore,
Le cou roide, les yeux clos comme s'il dormait,
Une plume d'ara, jaune et pourpre, au sommet
Du crâne, le Sachem, le dernier Sagamore
Des Florides, est là, fumant son calumet.
LECONTE DE LISLE, Poèmes tragiques, «Le calumet du Sachem».

Fig. *Offrir le calumet de la paix à qqn :* faire une offre de réconciliation, de paix. *Fumer le calumet de la paix avec qqn.*

**CALURE** [kalyʀ] n. f. — Av. 1970; de *calé.*

Régional (Suisse) et fam. Étudiant brillant; personne très instruite, très capable. *C'est une calure. Quelle calure!*

On se contente de «speaker», c'est-à-dire de demander aide oralement à un plus «calé» ou plus «costaud». Ces «calures» affrontent bien des dangers.
André MAILLARD, l'Argot au Collège Saint-Michel, p. 53.

**CALUS** [kaly] n. m. — 1680; *callus,* av. 1590; lat. *callus,* autre forme de *callum.* → Cal.

♦ **1** Durillon produit par le frottement. → **Cal, callosité.**

1 (...) des mains laborieuses, endurcies de calus (...)
VOLTAIRE, l'Homme aux quarante écus, Aventure avec un Carme.

♦ **2** (1690). Par métaphore ou fig. Endurcissement de la sensibilité.

2 Peut-être ne parvient-on à rien sans s'être fait des calus aux endroits les plus sensibles du cœur.
BALZAC, Illusions perdues, Pl., t. IV, p. 859.

**CALVADOS** [kalvados] ou **CALVA** [kalva] n. m. — 1881, → cit. 1; du nom du département d'origine.

Eau-de-vie de cidre. *Faire le trou* normand avec un merveilleux calvados.*

Et Gorju les accompagna jusque dans la cuisine, où Germaine arrivait, en se traînant pour faire le dîner. Ils remarquèrent sur la table une bouteille de calvados, aux trois quarts vidée (...) 1
FLAUBERT, Bouvard et Pécuchet, IV (1881).

On trouvait le père et la mère *(Prouane)* en travers des portes assommés par le calvados, la terrible eau-de-vie normande; tandis que la petite les enjambait, pour égoutter leurs verres. 2
ZOLA, la Joie de vivre, 1884, p. 1001.

REM. L'abréviation *calva* est très courante. *Un vieux calva. Un café* calva.*

Dites donc, vous devez avoir soif, tous les quatre. Vous boirez bien une goutte de calva? 3
B. VIAN, l'Équarrissage pour tous, XXIV, *in* Théâtre, p. 266.

Chez la modiste, il y avait une gentille équipe d'ouvrières et d'apprenties qui s'amusaient de jouer au bistroquet, et comme le calva qu'on y débitait était bon, on était sûr d'y rencontrer les plus fameux soiffards des Montparnos (...) 4
B. CENDRARS, la Grande Copine, *in* Trop c'est trop, p. 13.

Vers les 4 heures, l'aube commença. Il s'assit sur une chaise, une petite heure; puis descendit. Déjà des hommes se dirigeaient vers leur travail. Hippolyte, tout gaillard, servait aux uns et aux autres le café noir et le calva. 5
R. QUENEAU, le Chiendent, p. 45 (1932).

**CALVAIRE** [kalvɛʀ] n. m. — 1762; *cauvaire,* fin XIIe; lat. ecclés. *calvariae (locus)* «lieu du crâne», trad. de l'araméen *gulgoltâ* «crâne» (transcription grecque : *Golgotha*), nom de la colline où Jésus fut crucifié.

♦ **1** Nom du lieu où Jésus-Christ fut crucifié. *Le chemin, les stations du Calvaire.*

Lorsqu'ils furent arrivés au lieu appelé Calvaire, ils l'y crucifièrent, ainsi que les malfaiteurs, l'un à droite, l'autre à gauche. Et Jésus disait : «Père, pardonnez-leur, car ils ne savent pas ce qu'ils font». 1
BIBLE (CRAMPON), Évangile selon saint Luc, XXIII, 33-34.

Par métaphore. *Gravir son calvaire.* → **Croix** (porter sa).

Ils *(ces soldats)* devaient subir, parfois, de nouvelles opérations. Certains d'entre eux s'engageaient sur les pentes d'un calvaire où nous les voyons encore trébucher avant de mourir. 2
G. DUHAMEL, la Pesée des âmes, XIV, p. 322.

(1838). Fig. Épreuve longue et douloureuse. → **Martyre, supplice.**

♦ **2** (Av. 1778). Représentation plastique ou picturale de la scène du Calvaire. *Peindre un calvaire.*

Lejay vient de mettre Voltaire 3
Entre la Baumelle et Fréron;
Ce serait vraiment un calvaire,
S'il s'y trouvait un bon larron.
VOLTAIRE, Sur un portrait de lui (où il était représenté entre la Baumelle et Fréron).

Croix, généralement dressée sur une plate-forme et qui commémore la passion du Christ. *«Les calvaires bretons sont de véritables monuments représentant la scène de la crucifixion avec une multitude de figurants taillés dans le granit»* (Réau, *Dict.*).

Un calvaire pointait au haut d'une des montées du chemin; de là on découvrait un long ruban de la chaussée. 4
CHATEAUBRIAND, Mémoires d'outre-tombe, IV, III.

Aux carrefours, les vieux christs qui gardaient la campagne étendaient leurs bras noirs sur les calvaires, comme de vrais hommes suppliciés (...) 5
LOTI, Pêcheur d'Islande, III, XII, p. 188.

CONTR. **Éden.**

**CALVILLE** [kalvil] n. f. — 1650; *calleville,* 1630; *calvil,* 1544; de *Calleville,* nom d'un village de Normandie.

Pomme à peau rouge et blanche, marquée de sillons, très savoureuse (→ 1. Pomme, cit. 1). *Calville blanche, rouge. Des calvilles* ou (invar.) *des calville* (→ Canada, cit. Zola et ci-dessous, cit. 1).

1 Aussitôt le pomologiste de vouloir «sélectionner» ici, et de discuter calibre, transport et conservation. Calville, rainettes du Canada, rainettes et Calville : nous n'en sortîmes plus, si l'on excepte quelques wagons de pommes à cuire.
COLETTE, Flore et Pomone, *in* Gigi, p. 173.

2 Je m'y engageai (...) pour voir ce qu'était devenue mon ancienne tanière, mais je n'y trouvai que deux tas de pommes de terre (...) À côté, dans l'ex-sacristie, embaumait un étalage de reinettes grises, mélangées de calvilles.
Hervé BAZIN, Cri de la chouette, p. 83.

**CALVINIEN, IENNE** [kalvinjɛ̃, jɛn] adj. — 1560, Ronsard; du nom de Calvin.

Qui appartient à la doctrine de Calvin. *Principes calviniens. Théologie calvinienne.* → **Calvinisme; calviniste.**

**CALVINISME** [kalvinism] n. m. — 1570; du nom de Calvin.

Doctrine du réformateur Calvin, qui créa le protestantisme* en France. → **Protestantisme, réforme.** *La Bible, autorité souveraine du calvinisme.*

1 Dans l'accord fait avec Calvin en 1554, on voit que le calvinisme commençait à gagner (...)
BOSSUET, Hist. des variations.

2 Louis XIV, qui avait proscrit le calvinisme avec tant de hauteur (...) VOLTAIRE, le Siècle de Louis XIV, 36.

**CALVINISTE** [kalvinist] adj. et n. — 1562; du nom de Calvin.

Qui vient de Calvin, a rapport à Calvin, à sa doctrine. → **Protestant, réformé.** *Doctrine, religion calviniste. Prédicant calviniste.* → aussi **Calvinien.**

1 Le jeune ministre calviniste, fort instruit, plein de feu dans la dispute, nullement dressé à la politesse d'un monde qu'il n'avait pas vu, ne reconnaissant rien de supérieur à lui que la raison (...) FONTENELLE, Saurin, *in* LITTRÉ.

2 Chacune des deux religions pouvait se croire la plus parfaite; la calviniste se jugeant plus conforme à ce que Jésus-Christ avait dit, et la luthérienne à ce que les apôtres avaient fait. MONTESQUIEU, l'Esprit des lois, 24, V.

3 Il y a trente ans que, dans une ville d'Italie, un jeune homme expatrié se voyait réduit à la dernière misère, il était né calviniste. ROUSSEAU, Émile, IV.

N. Personne qui se réclame de la religion de Calvin. → **Protestant.** *Les calvinistes des Cévennes.* → **Camisard.** *Calvinistes et luthériens.*

4 Les calvinistes sont bien aises de jeter le chat aux jambes des papistes.
VOLTAIRE, Lettres, *in* LITTRÉ, art. *Chat.*

**CALVITIE** [kalvisi] n. f. — XIVe; lat. *calvities,* de *calvus* «chauve». → Chauve.

♦ **1** Absence de cheveux totale ou partielle, due à leur chute définitive. → (adj.) **Chauve.** *Calvitie précoce, sénile. Un début de calvitie. La calvitie est généralement masculine. L'alopécie*, cause de calvitie.*

1 Une calvitie précoce lui dégageait le front et le grandissait encore.
MARTIN DU GARD, les Thibault, t. VIII, p. 195.

♦ **2** La surface de cuir chevelu rendu apparent; l'état du crâne d'une personne chauve. *Une calvitie distinguée, ridicule. La calvitie de qqn, sa calvitie.*

2 (...) cette calvitie nette, à peau fine, qui semble distinguée et studieuse.
J. ROMAINS, les Hommes de bonne volonté, t. I, p. 72.

CONTR. V. **Chevelure.**

**CALYCANTHE** [kalikɑ̃t] n. m. — 1805; lat. bot. *calycanthus,* Linné, 1798, du grec *kalux, -ukos* (→ Calyco-), et *anthos* (→ -anthe).

Bot. Arbrisseau aromatique *(Monimiacées)* d'Amérique du Nord, à fleurs odorantes et décoratives.

La rivière baignait en murmurant notre presqu'île que les calycanthes parfumaient de l'odeur de la pomme.
CHATEAUBRIAND, Mémoires d'outre-tombe, 1848, I, p. 295, *in* T. L. F.

**CALYCO-** Élément, du grec *kalux, kalukos* «calice», servant à former quelques mots didactiques.

**CALYPSO** [kalipso] n. m. — 1957, n. f., *in* D. D. L.; mot angl. de la Jamaïque, du nom de la nymphe *Calypso.*

Danse à deux temps, originaire de la Jamaïque. — Musique de type antillais qui accompagne cette danse.

Et j'ai sous les yeux, pour ne pas dire aux oreilles, l'exemple de ma fille qui semble ne pouvoir assimiler Tacite ou Salluste qu'avec le fond sonore d'un calypso de Belafonte ou d'un *rock'n'roll* de Johnny Raye.
Pierre DANINOS, Un certain Monsieur Blot, p. 191.

**CALYPTO-** Élément, du grec *kaluptos* «couvert, caché» (→ **Eucalyptus**), qui sert à former quelques mots didactiques.

**CALYPTOBLASTIDES** [kaliptoblastid] n. m. pl. — 1889, *calyptoblastes;* lat. sc. *calyptoblastica,* 1869; de *calypto-, -blaste,* et *-ides.*

Zool. Sous-ordre de Cnidaires, hydraires* dont la forme dominante est celle de polypes* vivant en colonies arborescentes. *Les calyptoblastides se reproduisent soit par des méduses libres, soit par des polypes reproducteurs.* — Au sing. *Un calyptoblastide.* — On dit aussi *calyptoblastique* [kaliptoblastik].

**CAMAÏEU** [kamajø] n. m. — 1727; *kamaheu* «camée», XIIIe; *camaü,* fin XIIe; p.-ê. altér. de l'arabe *qāmā'īl,* plur. de *qŭm'ŭl* «bouton de fleur» (en arabe, ces formes ne sont attestées que dans les dict.); P. Guiraud rattache le mot à d'anc. formes comme *gameuz, gamauz,* d'où *gamahieu,* avec un [j] (yod) développé entre les deux voyelles en hiatus; toutefois, le changement du *g* initial en *c* reste difficile à expliquer.

♦ **1** Pierre fine taillée, formée de deux couches de même couleur mais de ton différent.

♦ **2** (1676, *camayeu*). Peinture, imitant parfois les bas-reliefs, où l'on n'emploie qu'une couleur avec des tons différents. → **Camée** (2.). *Peindre une miniature en camaïeu. — Un camaïeu :* un tableau peint en camaïeu. *Camaïeu en grisaille.* → **Grisaille.**

(...) au-dessus des portes les quatre saisons étaient peintes 1
en camaïeu. Th. GAUTIER, Omphale, p. 233.

Enfin, pour orner ses thermes comme pour peindre LA 2
BATAILLE D'ALEXANDRE ou le portrait de LA BOULANGÈRE, Rome, en peinture et en mosaïque, pratiquait un camaïeu d'ocres, hérité ou non des vases grecs.
MALRAUX, la Métamorphose des dieux, p. 121.

*Gravure en camaïeu,* obtenue par tirages successifs de même couleur, mais de tons différents.

♦ **3** Fig. Œuvre littéraire empreinte de monotonie, ou d'une extrême discrétion. Uniformité monotone.

REM. Plur. : *des camaïeus* (Mauriac, Cocteau, *in* Grevisse), parfois (Proust, Vialar, *ibid.*) *des camaïeux.* L'Académie 1987 donne *des camaïeux.*

**CAMAIL** [kamaj] n. m. — Déb. XIII^e^; anc. provençal *capmalh* «tête de mailles», du v. **capmalhar* «revêtir la tête d'une cuirasse»; de *cap* «tête» (lat. *caput*), et du rad. du lat. *macula.* → Maille.

♦ **1** Didact. Au moyen âge, Armure de tête en tissu de mailles. — Mod. Partie de la housse du cheval qui enveloppe la tête et l'encolure.

♦ **2** (1548). Courte pèlerine que les ecclésiastiques portent par-dessus le surplis ou le rochet, ou sur la soutane. → **Domino** (vx), **mosette.** *Camail à petit capuchon. Camail rouge des cardinaux. — Ecclésiastique en camail* (→ Pèlerine, cit. 1). *Être en camail et en surplis. Des camails.*

1 Je sortis ainsi avec mon rochet et mon camail en donnant des bénédictions à droite et à gauche (...)
RETZ, Mémoires, II, Les barricades.

1.1 J'ai vu passer et repasser tout le personnel de l'église, depuis l'éclopé donneur d'eau bénite, affublé comme un personnage de Rembrandt, jusqu'au curé dans son camail de chanoine et sa chape de cérémonie.
E. DELACROIX, Journal, 26 juin 1853.

♦ **3** (1596). Petit manteau, d'homme ou de femme, sans manches, de forme variée, muni ou non d'un capuchon.

2 La jeune femme (...) se leva, et montra jusqu'à la ceinture sa taille enveloppée d'un camail à la turque *(féredjé)* aux plis longs et rigides.
LOTI, Aziyadé, Salonique, IV, p. 12.

♦ **4** Techn. Capuche garnie d'un masque de toile métallique, qu'utilisent les apiculteurs.

♦ **5** (1922). Zool. Longues plumes du cou, de la poitrine du coq.

**CAMALDULE** [kamaldyl] n. et adj. — 1694, Corneille; de *Camaldoli* (Toscane), où ces religieux se sont d'abord établis, au début du XI^e^.

Religieux, religieuse de l'ordre de saint Romuald. → **Bénédictin.** *La règle des camaldules est celle de saint Bernard.* → **Trappiste.** — Adjectif :

Au douzième siècle, le Septizonium appartenait à des moines camaldules, lesquels le cédèrent à la puissante famille des Frangipani, qui le fortifièrent, comme ils avaient fortifié le Colisée, les arcs de Constantin et de Titus, toute une vaste forteresse englobant le mont vénérable, le berceau, presque en entier. ZOLA, Rome, p. 186.

**CAMARADE** [kamaʀad] n. — 1587; «chambrée», av. 1571; esp. *camarada* «chambrée», de *cámara* «chambre».

♦ **1** Personne qui a les mêmes habitudes, les mêmes occupations qu'une ou plusieurs autres personnes, et contracte ainsi avec elle(s) des liens de familiarité (se dit surtout d'enfants, d'adolescents). → **Ami, collègue, compagnon, confrère, connaissance, copain;** (fam.) **pote, poteau;** (var. argotiques) **camarluche, camaro.** *Un camarade de régiment, de chambrée, de lit. Camarade d'enfance, de collège, de jeu, d'étude, de promotion, de travail, de bureau. Une camarade de jeux, de travail. Avoir de bons, de mauvais camarades. Va jouer avec tes petits camarades. Elle a une gentille camarade. Un bon, un chic*, un vrai, un vieux camarade :* un ami sûr et dévoué. *Faire de qqn son camarade* (→ Asseoir, cit. 8; attelage, cit. 5). *Se faire des camarades. Traiter* (qqn) *en camarade.*

1 Il *(le baudet)* pria le cheval de l'aider quelque peu (...)
Le cheval refusa, fit une pétarade;
Tant qu'il vit sous le faix mourir son camarade (...)
LA FONTAINE, Fables, VI, 16.

2 Accablé de passe-droits et supplanté par tous vos camarades pour avoir fait votre service à la tranchée tandis qu'ils faisaient le leur à la toilette.
ROUSSEAU, Émile, V.

Ils ne traitaient pas tout à fait Jacques comme ils faisaient entre eux : en camarade d'équipe. 3
MARTIN DU GARD, les Thibault, t. V, p. 47.

Il n'est de camarades que s'ils s'unissent dans la même cordée, vers le même sommet. 4
A. MAUROIS, Études littéraires, Saint-Exupéry, t. II, p. 261.

(1913, titre d'un pamphlet de Robert de Jouvenel dénonçant les complaisances du régime républicain). *La république des camarades,* surnom donné par la droite française à la III^e^ République.

Compagnon*, compagne avec lequel on partage une aventure. *Un, une camarade d'infortune.* → **Compagnon.**

Spécialt (en parlant d'un homme et d'une femme). *En camarades :* avec des relations d'amitié platonique. *On peut continuer à se voir, mais en camarades. Sortir en camarades.*

♦ **2** [a] Vieilli. Appellatif familier. *Eh, camarade!*

Allons, camarade, allons chercher fortune autre part (...) 5
MOLIÈRE, les Précieuses ridicules, 16.

Apprends-moi ton métier, camarade, de grâce (...) 6
LA FONTAINE, Fables, XII, 9.

Vieilli (avec une nuance de condescendance dans la forme). *Mon camarade.* → **Ami** (mon petit, mon jeune).

L'endroit parut suspect aux voleurs : de façon 7
Qu'à notre prometteur l'un dit : «Mon camarade,
Tu te moques de nous (...)»
LA FONTAINE, Fables, IX, 13.

[b] Spécialt. Appellation habituelle dans certains partis politiques, tels que les partis socialistes, communistes (cf. *citoyen* au cours de la Révolution de 1789) et dans les syndicats ouvriers. *Camarades syndiqués! Le camarade Untel, la camarade secrétaire...*

(Dans le contexte de l'Union soviétique). Terme appellatif et désignatif (traduisant le russe *tovarichtch*).

(Dans le contexte d'un parti de gauche). Membre du parti. *Les camarades et les sympathisants.*

♦ **3** Loc. Vx. *Faire camarade :* se rendre à l'ennemi (all. *Kamerad*).

♦ **4** *Camarade de...,* se dit d'une chose qui va normalement avec une ou plusieurs autres; (au plur.), choses qui s'accompagnent nécessairement. → **Compagnon; accompagner, compagnie** (aller de).

Que le bon soit toujours camarade du beau (...) 8
LA FONTAINE, Fables, VII, 2.

Le tourment et le sommeil ne sont pas camarades de lit. 9
Alphonse DAUDET, le Petit Chose, II, XIV.

CONTR. **Inconnu. — Adversaire, ennemi, rival.** ◊ DÉR. **Camarader, camaraderie, camarluche, camaro.**

**CAMARADER** [kamaʀade] v. intr. — 1843; de *camarade.*

Fam. et rare. Devenir, être camarades. → **Copiner** (familier).

Harry's arrive juste à temps pour les arracher l'une à l'autre *(les deux chiennes)*, mouchetées de morsures roses et leurs rubans en loques (...) — «Elles camaradent bien, d'habitude, elles couchent ensemble, dans ma chambre, à l'hôtel».
COLETTE, l'Envers du music-hall, 1913, p. 180.

**CAMARADERIE** [kamaʀadʀi] n. f. — 1671, Sévigné; de *camarade.*

♦ **1** Relations familières qui existent entre camarades*. → **Amitié, copinage, copinerie, familiarité, intelligence** (bonne intelligence). *Avoir des relations de bonne camaraderie. Une camaraderie éphémère. Une solide camaraderie. Une camaraderie de longue date. Vivre sur un pied de camaraderie (avec qqn),* dans un esprit d'entraide amicale.

1 (...) un peu de réserve et d'esprit critique, au début n'empêche pas une amitié sérieuse de naître, elle l'assure même contre les déceptions ultérieures, et nous aide à la distinguer des simples camaraderies.
J. ROMAINS, les Hommes de bonne volonté, t. II, p. 162.

2 (...) il lui semblait qu'une joie née de la camaraderie exige de l'esprit qu'il mette tout en commun avec le camarade, qu'il jette au foyer de l'amitié les idées fugitives.
J. ROMAINS, les Hommes de bonne volonté, t. VII, p. 120.

3 *(Jacques et Antoine)* étendirent devant le feu leurs paletots trempés, s'entr'aidant avec une camaraderie toute neuve.
MARTIN DU GARD, les Thibault, t. IV, p. 81.

4 La camaraderie mène à l'amitié (...)
F. MAURIAC, le Jeune Homme, p. 35.

Par ext. Manière simple de se comporter, comme entre amis. *Une réunion empreinte de camaraderie.*

♦ **2** (Fin XIXe). Union, entente qui existe entre des personnes ayant des intérêts communs. → **Entraide, liaison.** *Une camaraderie littéraire. Succès dû à la camaraderie. L'esprit de camaraderie qui existe dans les grandes écoles.* → **Solidarité.** — Parfois péj. → **Coterie.**

5 Depuis dix ans, la politique l'avait condamné à vivre isolé derrière un barrage de camaraderie hypocrite et méfiante.
MARTIN DU GARD, les Thibault, t. III, p. 160.

CONTR. V. **Mésintelligence.**

**CAMARD, ARDE** [kamaʀ, aʀd] adj. et n. — 1534, Rabelais; de *cam(us),* et suff. péj. *-ard.*

Vieilli ou littéraire.

♦ **1** Adj. a Qui a le nez* plat et écrasé. *Il est camard.*

1 C'était une grosse fille écrasée, bonne, laide, camarde, avec de l'esprit (...) SAINT-SIMON, Mémoires, 24, 16.

2 Pancho, fauve au dedans, est difforme au dehors;
Il est camard, son nez étant sans cartilages (...)
HUGO, la Légende des siècles, X, Cycle chrétien, «Le jour des rois», III.

3 La mort dissimulait sa face
Aux trous profonds, au nez camard,
Dont la hideur railleuse efface
Les chimères du cauchemar.
Th. GAUTIER, Émaux et Camées, p. 222.

b *Nez camard,* aplati. → **Camus.**

4 (...) il *(l'enfant)* devint un gars fort mignon (...) malgré sa boiterie et son petit nez camard.
G. SAND, la Petite Fadette, XXXIV, 224.

♦ **2** N. (1584). *Un camard, une camarde.*

(1653). Littér. *La camarde :* la mort (parce qu'on la figure avec une face décharnée, une «tête de mort» dont le nez, réduit à l'arête osseuse, paraît aplati).

5 — Je crois qu'elle regarde...
Qu'elle ose regarder mon nez, cette camarde!
Edmond ROSTAND, Cyrano de Bergerac, V, 6.

6 Si vous saviez comme j'en ai peur de la «camarde» et comme j'y pense, pendant ces longs jours d'hiver. Je n'ai ni bicyclette ni «bouquins» pour me distraire.
BERNANOS, Lettres à l'abbé Lagrange, VI, 1er déc. 1905, Œ. roman., Pl., p. 1733.

CONTR. **Fin, pointu, retroussé... (V. Nez).**

**CAMARGUAIS, AISE** [kamaʀgɛ, ɛz] adj. et n. — 1877; de *Camargue,* région du Sud de la France, dans le delta du Rhône.

De la Camargue. *Cheval, oiseau camarguais. Du riz camarguais.*

(T. de mode). *Botte camarguaise,* ou, n. f., *camarguaise :* botte de cuir retourné très épais, à bout rond et talon droit (à l'origine, botte des gardians). *Une paire de camarguaises.*

N. (Personnes). *Un Camarguais, une Camarguaise.*

**CAMARILLA** [kamaʀija] n. f. — 1824, Chateaubriand; mot esp., *camarilla* «cabinet particulier du roi», de *camara,* proprt «chambre».

♦ **1** Hist. Parti absolutiste, formé par les familiers du roi d'Espagne.

♦ **2** Péj. (Vieilli ou littér.). Ensemble des personnes qui approchent un prince, un personnage important, et qui, ayant sur lui une grande emprise, sont politiquement influentes. → **Coterie, entourage.** *La camarilla groupe les favoris, les intrigants.*

À bas les courtisans! les hommes de la camarilla qui ont condamné les sergents de La Rochelle!
E. SUE, *in* Pierre LAROUSSE.

**CAMARLUCHE** [kamaʀlyʃ] n. m. — V. 1850; de *camar(ade),* et suff. argotique *-muche,* passé à *-luche* pour l'euphonie.

Argot. (Vieilli). Camarade de travail, de groupe politique.

**CAMARO** [kamaʀo] n. m. — 1846; de *camar(ade),* et suff. pop. *-o.*

Pop. (Vieilli). Camarade.

1. **CAMBIAL, ALE, AUX** [kɑ̃bjal, o] adj. — 1872; ital. *cambiale,* de *cambio* «change».

Fin. Relatif au change. *Droit cambial.*

HOM. 2. **Cambial.**

2. **CAMBIAL, ALE, AUX** [kɑ̃bjal, o] adj. — 1892; du rad. de *cambium.*

Bot. Du cambium. *Anneau cambial.*

HOM. 1. **Cambial.**

**CAMBISTE** [kɑ̃bist] n. m. — 1675; ital. *cambista,* du rad. de *cambio* «change».

Bourse. Celui qui effectue des opérations de change; agent de change ou banquier. → **Changeur** (1.).

C'est le sens arrière qui pérore (...) Le sens arrière continue imperturbable; c'est un banquier, lui. Du moins le prétend-il; on le soupçonne d'être tout au plus cambiste. Mais enfin, c'est un meussieu très bien.
R. QUENEAU, le Chiendent, p. 39 (1932).

Adj. *Un banquier cambiste.*

**CAMBIUM** [kɑ̃bjɔm] n. m. — 1560; méd., 1515; lat. bot., de *cambiare* «changer».

Bot. Assise génératrice annuelle des tiges et des racines des *Dicotylédones,* des *Gymnospermes,* qui donne naissance au bois et au liber secondaires *(cambium interne),* et au liège *(cambium externe).* → **Méristème.**

Incessamment ils parlaient de la sève et du cambium, du palissage, du cassage, de l'éborgnage (...)
FLAUBERT, Bouvard et Pécuchet, II (1881).

DÉR. 2. **Cambial.**

**CAMBODGIEN, IENNE** [kɑ̃bɔdʒjɛ̃, jɛn] adj. et n. — 1877; de *Cambodge,* ancien État de l'Asie du Sud.

Du Cambodge. *La civilisation, la langue cambodgienne.* — N. *Parler cambodgien, le cambodgien.* — *Les Cambodgiens.* → **Khmer.**

**CAMBOUIS** [kɑ̃bwi] n. m. — 1690; *cambois,* 1393; orig. inconnue; Wartburg suppose une altér. du lyonnais **camboil, *cambouil,* de *cambouiller* «bouillir à gros bouillons», de *bouillir,* et préf. péj. *ca-;* pour P. Guiraud, le sens initial du mot serait «amas de boue», du wallon *cabouiller, cabouier* «enduire de boue», de *bouiller* «faire des bulles», et préf. *ca-* «(en fouillant) dans les creux».

Graisse, huile oxydée ou chargée de poussières métalliques ou terreuses quand elle a servi un assez long temps à lubrifier les axes, les essieux des machines. *Se tacher les mains de cambouis. Enlever une tache de cambouis avec de l'essence.*

1 La main de l'homme est rouge, abîmée par les travaux rudes et le froid; les doigts *(sont)* tachés de noir, comme par du cambouis, qui aurait adhéré aux régions crevassées de la peau et dont un lavage trop rapide ne serait pas venu à bout.
A. ROBBE-GRILLET, Dans le labyrinthe, 1959, p. 66.

(1886). Argot milit. *Le Royal Cambouis :* le train* des équipages.

2 Il s'est déshonoré, le mec (...) Se faire allonger par un tringlot, un gars du Royal Cambouis! C'est ça qui dépasse tout! Roger VERCEL, Capitaine Conan, 1934, p. 56.

**CAMBRAGE** [kɑ̃bʀaʒ] n. m. — 1867; de *cambrer.*
Opération qui consiste à donner une cambrure, de la cambrure à un objet. *Cambrage des tiges de chaussures.* — Techn. Travail de pressage. *Cambrage des pantalons.*

**CAMBRAI** [kɑ̃bʀɛ] n. m. — 1608, *in* D. D. L.; *cambrésine,* 1580; du nom de *Cambrai,* ville où ce tissu se fabrique.

♦ **1** Techn. Fine toile de lin très claire (fabriquée à Cambrai). *Du cambrai.* — Par métonymie. Coiffe paysanne faite de cette toile. → **Cambrésine.**

♦ **2** Dentelle de Cambrai faite à la machine.

**CAMBRE** [kɑ̃bʀ] n. m. — 1963; n. f., syn. de *cambrure,* 1751; de *cambrer.*
Techn. (sports). Espace formé par la cambrure de deux skis placés semelle contre semelle. *«Deux skis placés (...) semelle contre semelle présentent (...) un cambre qui peut aller de 2 à 5 cm»* (J. Franco, *le Ski,* p. 9).

**CAMBREMENT** [kɑ̃bʀəmɑ̃] n. m. — 1636 (action); (état) 1832; de *cambrer.*
Action de cambrer (le corps).

Dans cette cabine obscure, ils se tenaient comme des ivrognes, ils titubaient, avec de brusques rentrées du ventre, des oscillations, des cambrements des reins, des fléchissements brutaux sur les hanches (...)
Roger VERCEL, Remorques, 1935, p. 69.

**CAMBRER** [kɑ̃bʀe] v. tr. — 1530; pron., «se détourner», XIII^e; de *cambre* «courbé» (adj.), forme normanno-picarde de l'anc. franç. *chambre,* du lat. *camur, camurus* «recourbé».

♦ **1** Techn. Courber légèrement en forme d'arc. → **Arquer, infléchir.** *Cambrer une poutre.* — *Cambrer la tige, la semelle d'un soulier.* → **Cintrer.** — Reliure. Recourber vers l'intérieur les angles du carton.

♦ **2** (1798). Cour. Redresser la taille en se penchant légèrement en arrière. *Cambrer la taille, les (ses) reins.*

1 Jérôme cambra la taille (...)
MARTIN DU GARD, les Thibault, t. III, p. 60.

◆ **SE CAMBRER** v. pron.

♦ **1** (1530). Se redresser, pour se donner un air martial (cf. Bomber le torse). *Se cambrer en marchant.*

2 Cela l'amusait beaucoup, en le regardant *(le hibou)* de tout près, de tout près, dans les yeux, de le voir se retirer, se cambrer, d'un air de dignité offensée, en dodelinant de la tête avec un tic d'ours.
LOTI, Mon frère Yves, XI, p. 49.

Fig. Se raidir dans une attitude orgueilleuse.

3 Malgré soi l'on prend posture; l'on se cambre; on voudrait tant pouvoir se voir de dos!
GIDE, Journal, août 1910.

♦ **2** (En parlant d'un avion). Se redresser. → **Cabrer.**

◆ **CAMBRÉ, ÉE** p. p. adj.
Qui forme un arc. → **Arqué; cambrure.** *Chaussures cambrées,* dont la partie située entre la semelle et le talon est courbe. *Pied cambré,* qui présente nettement en son milieu une courbe concave en-dessous, et convexe au-dessus. *Taille cambrée,* creusée par derrière.

(...) Chrysanthème est gentille, lançant ses flèches, la taille 4
cambrée en arrière pour mieux bander son arc (...)
LOTI, M^me Chrysanthème, XI, p. 78.

CONTR. **Aplatir; redresser. — Droit, plat.** ◊ DÉR. **Cambrage, cambre, cambrement, cambreur, cambrure.**

**CAMBRÉSINE** [kɑ̃bʀezin] n. f. — 1723; pour désigner une cotonnade indienne, plus tard appelée *cambrasine,* 1580; de *Cambrai.*
Technique ou régional.

♦ **1** Toile de lin (fabriquée d'abord à Cambrai). → **Cambrai** (1.).

♦ **2** Par métonymie. Coiffe de femme en toile. → aussi **Cambrai** (1.).

**CAMBREUR** [kɑ̃bʀœʀ] n. m. — 1838; de *cambrer.*
Techn. Ouvrier qui donne leur cambrure aux cuirs des chaussures. → **Cambrage.** — REM. Le fém. *cambreuse* [kɑ̃bʀøz] est virtuel.

**CAMBRIEN, ENNE** [kɑ̃bʀijɛ̃, ɛn] n. m. et adj. — 1838; angl. *cambrian,* de *Cambria,* nom breton du pays de Galles.
Géol. Première période de l'ère primaire. → **Primaire.** *Le cambrien est le premier système des temps fossilifères.* — Adj. *Les trois étages de la période cambrienne : inférieur* (→ **Géorgien**)*, moyen* (→ **Acadien**)*, supérieur* (→ **Postdamien**). *Le terrain cambrien,* ou, n. m., *le cambrien est un terrain sédimentaire.* — *La faune cambrienne* ou *faune primordiale.*

COMP. **Antécambrien, éocambrien, infracambrien, précambrien.**

**CAMBRIOLAGE** [kɑ̃bʀijɔlaʒ] n. m. — 1898, *in* Esnault; de *cambrioler.*
Action de cambrioler; résultat de cette action. *Redouter un cambriolage. Le cambriolage de plusieurs appartements. Un cambriolage avec bris de serrure. Se protéger contre les cambriolages.*

Dans la chambre de M^me de Fontanin, les vêtements sur le lit, les chaussures à terre, les tiroirs ouverts, éveillaient l'idée d'un cambriolage.
MARTIN DU GARD, les Thibault, t. VI, p. 78.

**CAMBRIOLE** [kɑ̃bʀijɔl] n. f. — 1821; de *cambrioler* (ne pas confondre avec l'ancien mot *cambriole* «chambre», d'où viennent *cambrioler* et *cambrioleur*).
Argot et vieilli. Activités du cambriolage. *Un roi de la cambriole.*

Un vieux juge d'instruction de mes amis, qui a puisé dans l'étude des dossiers criminels une connaissance approfondie des choses de la cambriole (...)
A. ALLAIS, Contes et chroniques, p. 220.

**CAMBRIOLER** [kɑ̃bʀijɔle] v. tr. — Av. 1847; de l'argot *cambriole* «chambre», du provençal *cambro,* même sens.

♦ **1** Dévaliser* (une maison, un appartement) en pénétrant par effraction. *Son domicile a été cambriolé.*

♦ **2** Rare. Dérober (qqch.) par cambriolage. → **Voler.** *Cambrioler qqch. chez qqn, dans la maison de qqn.*

♦ **3** Voler (qqn), en commettant un cambriolage chez lui. *Cambrioler un antiquaire. Ils ont été cambriolés. Se faire cambrioler. Ils se sont fait cambrioler.* — Rare. *On l'a cambriolé de (quelque chose).*

DÉR. **Cambriolage, cambriole.**

**CAMBRIOLEUR, EUSE** [kɑ̃brijɔlœr, øz] n. — 1828; de l'argot *cambriole* «chambre». → Cambrioler.

Personne qui pénètre par escalade, par effraction dans les appartements, dans les maisons, pour les dévaliser. → **Voleur; casseur, monte-en-l'air.** *Nous avons reçu la visite des cambrioleurs. D'habiles cambrioleurs. Une cambrioleuse de chambres d'hôtel.* → **Souris** (d'hôtel); et aussi **rat** (d'hôtel).

(En référence à Arsène Lupin, héros de Maurice Leblanc). *Gentleman-cambrioleur :* cambrioleur possédant l'aisance d'un homme du monde et ambitionnant d'ériger en art sa coupable industrie.

**CAMBROUSIER, IÈRE** [kɑ̃bruzje, jɛr] n. — 1841; *cambrouzier,* 1836, Vidocq, «voleur dans la campagne»; de *cambrous(s)e.* → Cambrousse.

Vieilli, péj. Paysan(ne), provincial(e). → **Cambroussard.**

**CAMBROUSSARD, ARDE** [kɑ̃brusar, ard] ou **CAMBROUSARD, ARDE** [kɑ̃bruzar, ard] n. et adj. — 1951, *cambroussard; cambrousard,* 1915; de *cambrous(s)e.*

Fam., péj. Paysan. → **Péquenaud, péquenot.** — Adj. *Des habitudes cambrousardes.*

**CAMBROUSSE** [kɑ̃brus] n. f. — V. 1860; *cambrouse* «province», 1836; *garçon de cambrouse* «voleur de grande route», 1821; du provençal mod. *cambrousso* «cambuse», de *cambra* «chambre»; la forme *cambrousse* d'après *brousse.*

**I** Fam. ♦ **1** Campagne*. *Se perdre en pleine cambrousse. Quelle cambrousse!*

La campagne! La pure cambrousse! quelque part bien loin de toutes les sales usines (...)
G. DUHAMEL, Récits des temps de guerre, t. I, II, p. 285.

♦ **2** Lieu retiré (de province, de campagne). *Il habite une cambrousse, je ne sais plus où. Où ça se trouve, votre cambrousse?* → **Bled.** — REM. Dans ce sens, le mot subit l'attraction de *brousse* (→ 1. Brousse).

**II** Argot anc. ♦ **1** (1878, *in* Esnault). Chambre.

♦ **2** (1842; → Blanquette, cit.). Cambriolage.

CONTR. **Banlieue, ville.** ◊ DÉR. **Cambroussard.**

**CAMBRURE** [kɑ̃bryr] n. f. — 1537; de *cambrer.*

♦ **1** État de ce qui est cambré*. → **Cintrage, courbure.** *Cambrure d'une pièce de bois.* — (1867). *Cambrure de la taille, des reins.* → **Ensellure.**

1 (...) les Parisiennes, c'étaient ces femmes dont la taille mince avait aux reins une cambrure artificielle (...)
LOTI, Pêcheur d'Islande, 1, III, p. 31.

2 (...) son regard soucieux parcourut distraitement, depuis les palettes des omoplates jusqu'à la cambrure ombrée des reins (...)
MARTIN DU GARD, les Thibault, t. III, p. 145.

♦ **2** (Ce qui est cambré). *Cambrure du pied :* partie médiane cambrée. → **Voûte** (plantaire). — (1680). Partie courbée entre la semelle et le talon d'une chaussure.

*Cambrure orthopédique :* semelle fortement cambrée que l'on met dans des chaussures pour corriger un défaut de cambrure de la voûte plantaire.

♦ **3** Sc. et techn. Paramètre qui détermine la forme (courbe) d'une lentille. — Rapport entre l'amplitude et la longueur d'une onde. *Les ondes d'oscillations «se réfléchissent d'autant mieux sur les talus (...) que leur "cambrure" est plus faible»* (J. Larras, *l'Hydraulique,* p. 72).

Ski. → **Cambre.**

Action de cambrer les plats d'une reliure.

♦ **4** Par métaphore (d'une attitude cambrée) et littér. Manque de simplicité, recherche prétentieuse. *La cambrure du style.* → **Apprêt, recherche.**

Les *Mémoires* de Retz. Voilà longtemps que je n'avais goûté pareille joie. Étrange style, qui semble tout en substantifs et en verbes et qui marche sur les talons. Apparenté tout à la fois à Montesquieu et à Saint-Simon, avec plus de cambrure et d'étroitesse que celui-ci. 3
GIDE, Journal, 29 janv. 1902.

DÉR. **Cambrurier.**

**CAMBRURIER, IÈRE** [kɑ̃bryrje, jɛr] n. — Fin XIXe; de *cambrure.*

Techn. Ouvrier, ouvrière qui dépèce les chaussures usées pour en récupérer les diverses parties.

**CAMBUSE** [kɑ̃byz] n. f. — 1773; du néerl. *kabuis* et *kombuis* «cuisine de navire», moy. bas all. *kabūse, kambūse.*

♦ **1** Mar. Magasin du bord où sont conservés et distribués les vivres, les provisions. *Tenir la cambuse. Aller à la cambuse.*

La mer de plus en plus grosse submerge constamment le pont mal calfaté. L'eau pénètre dans la cambuse et abîme les vivres emmagasinés, caisses de biscuits, pommes de terre, sacs de riz (...) qui représentent trois mois de provisions. 1
B. CENDRARS, l'Or, p. 62.

♦ **2** Par ext. **a** Cantine d'un chantier.

**b** (1872). Fam. et vieilli. Auberge pauvre et mal tenue. → **Gargote.**

**c** (1828). Cour. Chambre, habitation mal tenue. → **Turne** (fam.).

S'ils mangeaient du pain au beau temps, les fringales arrivaient avec la pluie et le froid, les danses devant le buffet, les dîners par cœur, dans la petite Sibérie de leur cambuse. 2
ZOLA, l'Assommoir, t. II, p. 120.

DÉR. **Cambusier.**

**CAMBUSIER** [kɑ̃byzje] n. m. — 1792; de *cambuse.*

Mar. Matelot qui a la responsabilité de la cambuse et de la distribution des vivres aux hommes d'équipage.

Pour la première fois peut-être depuis l'embarquement, le second néglige d'opérer au-dessous de l'entrepont sa ronde habituelle. Peut-être a-t-il eu tort de fêter, ainsi que son chef, certains flacons poudreux exhumés ce soir-là d'un petit réduit dont le cambusier ne possède pas la clef.
la Science illustrée, 1888, t. II, p. 286.

(1902, *in* D. D. L.). Fam. Aubergiste, cantinier. — REM. Le fém. *cambusière* [kɑ̃byzjɛr] est virtuel.

1. **CAME** [kam] n. f. — 1842; *camme,* 1751; all. *Kamm* «peigne».

Pièce (arrondie non circulaire ou présentant une encoche, une saillie) destinée à transmettre et à transformer le mouvement d'un mécanisme. *«Pendant la rotation, les cames font prise, avec d'autres saillies appelées* mentonnets, *implantées sur la tige d'un organe qu'il s'agit de soulever»* (Poiré, *Dict. des sc.*). — *Arbre à cames :* arbre muni de cames qui permettent de déclencher un fonctionnement à un moment déterminé de la rotation. *Roue à cames. Levée de la came. Came de butée. Cames d'un moteur, d'une serrure, d'un bocard.*

1 (...) il sut habilement profiter de la force mécanique, inutilisée jusqu'alors, que possédait la chute d'eau de la grève, pour mouvoir un moulin à foulon.
Rien ne fut plus rudimentaire. Un arbre, muni de cames qui soulevaient et laissaient retomber tour à tour des pilons verticaux, des auges destinées à recevoir la laine, à l'intérieur desquelles retombaient ces pilons (...)
J. VERNE, l'Île mystérieuse, t. II, p. 450.

2 Antoine le ramenait une heure plus tard, fourbu, dégoûté, pour un an, d'engrenages, de cames et d'excentriques, presque à point pour l'estocade.
A. MAUROIS, Bernard Quesnay, VIII, p. 54.

**HOM.** 2. **Came**, formes du v. **camer** (se).

2. **CAME** [kam] n. f. — Fin XIXe ; abrév. de *camelote* «marchandise».

♦ **1** Fam. Marchandise de peu de valeur. → **Camelote, pacotille.**

♦ **2** Argot. Marchandise illicite.

1 Nadine rit comme une dingue, me dit qu'elle n'a pas l'intention de se mettre fourgue et que ma came ne l'intéresse pas : elle en a déjà, des bijoux, honnêtement volés ceux-là.
A. SARRAZIN, la Cavale, p. 123.

♦ **3** (V. 1930). Argot. Drogue, en particulier cocaïne. — Par ext. Tout stupéfiant ou hallucinogène.

2 «Avec moi t'as pas à t'inquiéter. Je te dis qu't'auras ton fric. Tu t'amènes avec tes cinq kilos de came et tu ramasses tes sous. Compris?»
Jean GENET, Querelle de Brest, p. 189.

**DÉR.** **Camer** (se). ◊ **HOM.** 1. **Came**, formes du v. **camer** (se).

**CAMÉE** [kame] n. m. — 1752; ital. *cameo.* → Camaïeu.

♦ **1** Pierre fine (agate, améthyste, onyx) sculptée en relief (opposé à *intaille*). *Les graveurs nuancent les camées en utilisant les couleurs variées des diverses couches de la pierre. Camée monté en bague, en pendentif, en broche. Une broche-camée. Une épingle-camée. Le Grand Camée de Vienne,* œuvre du graveur Dioscoride. *Émaux et Camées,* poèmes de Th. Gautier.

1 (...) au lieu de voir apparaître ma grand-mère qui, en cette saison, portait à l'intérieur de vieilles fourrures ruisselant autour d'épaules frileuses, un énorme camée sur la poitrine, un éventail de jais à la main (...)
Jacques LAURENT, les Bêtises, p. 149.

*Profil, visage de camée,* bien dessiné et régulier.

2 Elle avait le visage classique qu'on appelle un visage de camée (...) cette sorte de visage, si impatientant pour les âmes passionnées, avec son invariable correction et son unité.
BARBEY D'AUREVILLY, les Diaboliques, «À un dîner d'athées».

3 (...) ces aimables prêtres arméniens aux profils de camée (...) LOTI, Jérusalem, XXI, p. 237.

*Camée en coquillage,* où la pierre trop dure est remplacée par une coquille plus tendre (on dit aussi *camée coquille*).

♦ **2** (1819). Grisaille (peinture) imitant le camée. → **Camaïeu.**

**CONTR.** **Intaille.** ◊ **HOM.** **Camer** (se).

**CAMÉLÉON** [kameleɔ̃] n. m. — XIIe; lat. *chamaeleon,* grec *khamaileôn* «lion qui se traîne à terre», de *khamai* «à terre», et *leôn* «lion».

♦ **1** Reptile saurien *(Vermilingues),* insectivore, analogue à un grand lézard, de couleur gris verdâtre, au corps comprimé latéralement, orné d'une crête dorsale, monté sur des pattes grêles et terminé par une queue prenante. *La langue longue et visqueuse du caméléon. Le caméléon a la faculté de changer de couleur sous l'action d'émotions, de sensations diverses, pour adopter la couleur du milieu où il est placé.* → **Caméléonisme, mimétisme.**

♦ **2** Par compar., métaphore ou fig. Personne qui change de conduite, d'opinion, de langage, au gré de l'intérêt. → **Girouette.** *Il change d'attitude comme un caméléon. C'est un vrai caméléon. Ce politicien est un caméléon.*

Je définis la cour un pays où les gens, 1
Tristes, gais, prêts à tout, à tout indifférents
Sont ce qu'il plaît au Prince, ou, s'ils ne peuvent l'être,
Tâchent au moins de le paraître ;
Peuple caméléon, peuple singe du maître (...)
LA FONTAINE, Fables, VIII, 14.

Le ministre ou le plénipotentiaire est un caméléon, est un Protée. LA BRUYÈRE, les Caractères, X, 12. 2

Ce sont de vrais caméléons qui changent de couleur suivant l'humeur et le génie des hommes qui les approchent. 3
A.-R. LESAGE, Gil Blas, t. I, IV, VII, p. 246.

♦ **3** Par anal. *Caméléon minéral :* manganate de potassium qui prend des couleurs variées sous l'influence de causes diverses.

Adj. *Étoffe caméléon :* tissu à reflets changeants.

**DÉR.** **Caméléonesque, caméléonien, caméléonisme.**

**CAMÉLÉONESQUE** [kameleɔnɛsk] adj. — 1835, Balzac ; de *caméléon,* et suff. *-esque.*

Littér. De la nature du caméléon ; changeant. → **Caméléonien.**

Flavie admira cet être caméléonesque : un genou en terre, les mains en croix sur la poitrine et les yeux levés vers le ciel, dans une extase religieuse, il récitait une prière, il était le catholique le plus fervent, il se signa. Ce fut beau comme la communion de saint Jérôme.
BALZAC, les Petits Bourgeois, Pl., t. VII, p. 199.

**CAMÉLÉONIEN, IENNE** [kameleɔnjɛ̃, jɛn] adj. et n. m. — 1831 ; de *caméléon.*

♦ **1** Adj. (1831). Variable, changeant. → **Caméléonesque.**

♦ **2** N. m. pl. *Caméléoniens :* famille de sauriens dont le type est le caméléon. — Syn. : *caméléonidés.* — Au sing. *Un caméléonien.*

**CAMÉLÉONISME** [kameleɔnism] n. m. — 1850 ; de *caméléon,* et suff. *-isme.*

♦ **1** Vieilli. Propriété que possèdent certains animaux, notamment le caméléon, de changer de couleur. → **Mimétisme.**

♦ **2** Fig. et péj. Aptitude à changer d'opinion, d'attitude, selon les circonstances.

**CAMÉLÉOPARD** [kameleɔpaʀ] n. m. — 1495, *camelieopars;* lat. *camelopardа* «girafe», du grec *kamèlopardalis,* de *kamèlos* «chameau», et *pardalis* «panthère, léopard».

Vx. Girafe. — REM. Encore chez Bernardin de Saint-Pierre (1814) et par allusion historique ou étymologique.

**CAMÉLIA** [kamelja] n. m. — 1829 ; *camellie,* 1819 ; lat. des botanistes *camellia* (1764), créé par Linné en l'honneur du père *Kamel,* qui apporta l'arbuste de l'Asie tropicale à la fin du XVIIe siècle.

♦ **1** Bot., cour. Arbrisseau *(Théacées)* à feuilles ovales, luisantes et persistantes, à fleurs larges, simples ou doubles, blanches, roses ou rouges, rappelant beaucoup la rose. *Le camélia est cultivé comme plante ornementale. Une haie de camélias en fleurs.* — En bot., on écrit *camellia.*

1 Il y avait dans le parc un arbre dont l'oncle de Jean était très fier : c'était un immense camélia, qui était deux fois comme un homme, mais surtout s'arrondissait presque dès le pied jusqu'au faîte en une ombelle si large, composée de tant de milliers de larges feuilles vernies qu'on eût cru que c'était la contribution de beaucoup d'arbustes qui avait réussi à la bomber ainsi plutôt qu'un seul. Partout, sur l'énorme ombelle, s'étalaient de larges fleurs rouges, roses, comme si on en eût attaché là des milliers.
PROUST, Jean Santeuil, Pl., p. 333-334.

♦ **2** Fleur du camélia. *Offrir des camélias. Un bouquet de camélias. La Dame aux camélias,* roman d'Alexandre Dumas fils (1848).

2 À regarder un camélia luisant et verni, une rose aux bords défaillants, au cœur de soufre où semble extravasée une goutte de sang, ses yeux avaient une volupté (...)
Ed. et J. DE GONCOURT, Madame Gervaisais, p. 39.

**CAMÉLIDÉS** [kamelide] n. m. pl. — 1867; du rad. du lat. *camelus* «chameau». → Chameau.

Zool. Famille de mammifères ruminants ongulés artiodactyles*, sans cornes, à estomac sans feuillet, dont les types principaux sont l'alpaga, le chameau, le dromadaire, le guanaco, le lama, la vigogne. — Au sing. *Un camélidé.*

**CAMÉLIEN, IENNE** [kameljɛ̃, jɛn] adj. — 1838; du rad. du lat. *camelus* «chameau». → Chameau.

Didact. et rare. Relatif au chameau. *L'espèce camélienne.* → **1. Camelin.** — N. m. *Les Caméliens.* → **Camélidés.**

1. **CAMELIN, INE** [kamlɛ̃, in] adj. — 1509; lat. *camelinus* «qui appartient au chameau», de *camelus.* → Chameau.

Rare. Du chameau; qui a rapport au chameau. → **Camélien.**

HOM. **2. Camelin.** — (Du fém.) **Cameline.**

2. **CAMELIN** [kamlɛ̃] n. m. — 1244; de 1. *camelot,* avec substitution de suffixe.

Hist. Étoffe de poils de chameau ou de chèvre mêlés de laine et de soie, fabriquée au moyen âge. → **1. Camelot.**

HOM. **1. Camelin.**

**CAMELINE** [kamlin] ou **CAMÉLINE** [kamelin] n. f. et adj. — 1549, *camelina;* au sens II, *sauce kameline,* 1275 et n. f., 1393; bas lat. *chamæmelina (herba),* de *chamæmelon.* → Camomille.

**I** N. f. Bot. Plante dicotylédone *(Crucifèracées),* herbacée, à petites fleurs jaunes, annuelle, cultivée pour ses graines oléagineuses. — Syn. : *sésame d'Allemagne.*

**II** Adj. *Sauce cameline* et, n. f., *cameline* : sauce brune très épicée, au vin rouge et à l'huile de cameline, en usage au moyen âge.

**CAMELLE** [kamɛl] n. f. — 1779, → cit. provençal *camello,* lat. *camelus* «chameau», à cause du profil irrégulier de la crête.

Techn. Tas de sel, dans un marais salant.

Les sels provenant de ces salines, seront après leur facture relevés des tables avec les précautions d'usage, et on en formera des camelles, lesquelles seront placées sur une chaussée construite à cet effet (...)
Recueil général des anciennes lois franç., XXVI, p. 98, *in* D. D. L., II, 12 (1779).

**CAMELLIA** [kamelja] n. m. → **Camélia.**

1. **CAMELOT** [kamlo] n. m. — 1589; *camelos,* 1168; arabe *hamlăt,* plur. de *hămlăh* «peluche de laine».

Anciennt. Grosse étoffe qui était réputée faite en poil de chameau. — Étoffe de laine, parfois mêlée de poils de chèvre ou de soie formant la chaîne. → **2. Camelin.**

On met celui qui est vêtu de soie au-dessus de celui qui n'est vêtu que de camelot.
FURETIÈRE, le Roman bourgeois, I, 48, *in* HATZFELD.

DÉR. **2. Camelin, cameloter.**

2. **CAMELOT** [kamlo] n. m. — 1821; probablt dér. régressif de *camelotier,* avec p.-ê. infl. de 1. *camelot.*

♦ **1** Marchand ambulant qui vend des articles de pacotille, des marchandises à bas prix. → **Cameloteur, camelotier; charlatan, étalagiste.** *Les boniments d'un camelot.*

Des camelots, mués en changeurs, circulaient, une boîte sur le ventre. 1
MARTIN DU GARD, les Thibault, t. VII, p. 140.

Un terrain vague, cependant, s'ouvre à gauche, où des camelots, sous une lampe à acétylène portée par un pieu, débitent de menues utilités en matière plastique. 1.1
A. PIEYRE DE MANDIARGUES, la Marge, p. 64.

♦ **2** (1888). Vieilli. Vendeur de journaux, de chansons; distributeur de prospectus. *La criée des camelots.*

Des camelots traversaient le carrefour en criant des éditions spéciales. 2
MARTIN DU GARD, les Thibault, t. VII, p. 186.

Oh! être n'importe quoi! être ce camelot misérable et bossu qui vend ses journaux le soir. 3
A. ARTAUD, Scenari, *in* Œ. compl., t. III, p. 12.

Loc. (1917). Hist. **CAMELOT DU ROI** : jeune militant royaliste, vendant bénévolement des journaux, tels l'*Action française.* — Par ext. Militant royaliste.

Dans la montée d'ensemble du fascisme européen, l'émeute parisienne du 6 février 1934 ne fut, malgré sa trentaine de morts, qu'un épisode mineur, et son avortement immédiat donna la juste mesure des possibilités révolutionnaires de la «droite» française dans l'histoire du moment. Les «camelots du roi» et les anciens combattants «croix de feu» qui la menèrent ont toujours cru qu'ils avaient été à deux doigts de réussir. 4
Raymond ABELLIO, Ma dernière mémoire, t. II, p. 229-230.

REM. Le mot n'a pas de forme féminine. On trouve *femme-camelot* (A. Arnoux). *Elle est camelot.*

**CAMELOTE** [kamlɔt] n. f. — 1751, *reliure à la camelote* «reliure à bon marché»; probablt de *camelotier,* par apocope.

Familier.

♦ **1** Ouvrage mal fait; marchandise de mauvaise qualité et de peu de valeur. → **Pacotille, toc.** *Vendre, acheter de la camelote. C'est de la camelote.*

Par métaphore :

(...) visite d'un Marinetti, directeur d'une revue de camelote artistique du nom de *Poesia.* 1
GIDE, Journal, 1905, Pl., p. 152.

On célèbre devant nous l'un des mystères les plus bas d'une civilisation qui est celle de la pacotille et de la camelote. 2
G. DUHAMEL, Manuel du protestataire, V, p. 141.

La porte ovale au milieu de ces baies carrées a un air faux, rapporté, tout l'ensemble est laid, commun, de la camelote, celle du faubourg Saint-Antoine ne serait pas pire (...) N. SARRAUTE, le Planétarium, p. 12. 3

(Abstrait). Attitude, comportement trompeur et de peu de valeur.

Le démon imite Dieu, crée une sorte de faux paradis. Ce qu'il a à offrir est toujours de la «camelote». 4
J. GREEN, Ce qui reste de jour, 9 févr. 1968, p. 73.

♦ **2** Fam. **a** (1815). Toute marchandise. *Montrez-moi votre camelote. C'est de la bonne camelote.*

b Argot. Marchandise illicite. *Ils ont entreposé la camelote chez un receleur.* — Spécialt. Drogue. → 2. **Came** (3.).

DÉR. 2. **Came.** V. **Cameloter** (II.).

**CAMELOTER** [kamlɔte] v. — 1539, R. Estienne, *in* Hatzfeld; de 1. camelot.

I Trans. Vx. Façonner grossièrement comme on fait de l'étoffe dite *camelot** (1. Camelot).

II Intrans. (1845; d'après 2. *camelot, camelote*). Fam. Fabriquer ou vendre de la camelote.

**CAMELOTEUR, EUSE** [kamlɔtœʀ, øz] n. — 1867, Delvau; de *camelotier,* avec changement de suffixe.

Vieilli. Marchand ambulant, camelot.

**CAMELOTIER, IÈRE** [kamlɔtje, jɛʀ] n. — 1612, *camelottier;* argot *coesmelotier,* 1596; de *coesme* «gros mercier», d'orig. incert., p.-ê. à rapprocher du dial. *couème* «sot, poltron» (Sainéan), ou de l'anc. franç. *caïmand* «mendiant» (Dauzat); P. Guiraud propose l'étymon **coagmen,* d'après le lat. *coagmentare* «rassembler, réunir», d'où **coemer,* même sens, et *coème* (mercier) «qui rassemble (la marchandise)».

Vieux.

♦ **1** Voleur. — Contrebandier.

♦ **2** Fabricant ou vendeur de camelote.

♦ **3** (1821). Marchand, marchande.

DÉR. **Camelote, cameloteur.** — V. 2. **Camelot.**

**CAMEMBERT** [kamɑ̃bɛʀ] n. m. — 1867 (le fromage aurait été créé en 1791 par Marie Fontaine); nom du village de l'Orne d'où est originaire ce fromage.

♦ **1** Fromage gras, à pâte molle affinée, cylindrique et peu épais, préparé avec du lait de vache. → fam. **Calendo** (ou **calendos**). *Un camembert bien fait, fait à cœur*; crayeux, plâtreux; coulant. Affinage, salage des camemberts. Boîte de camembert.*

— Un manque de distinction qui pue au nez. Bouffer un camembert! Voilà qui ne se dit pas! Et puis parler d'un camembert en poésie!
J. ROMAINS, les Copains, I, p. 31.

Altér. argotique. *Camembji* [kamɑ̃bʒi].

♦ **2** Par anal. de forme. a Argot de l'imprim. Demi-bobine de papier.

b Fam. Schéma en forme de cercle ou de demi-cercle (diagramme* en secteurs) représentant des effectifs, des pourcentages.

**CAMER (SE)** [kame] v. pron. — 1952, *camer,* v. tr.; de 2. *came.*

Argot (puis fam.). Se droguer.

1 Mado a toujours mal quelque part, c'est bien connu. Et moi, au fond, je ne tiens pas tellement à me droguer : on sait quand on commence... à mon avis, se camer devrait être, et devrait rester, délibéré.
A. SARRAZIN, la Cavale, p. 36.

◆ **CAMÉ, ÉE** p. p. adj. et n.

Drogué. *Elle est complètement camée.* — N. *Un camé, une camée :* un drogué, une droguée.

2 Quand chaque rue est une impasse, avec, masqué d'incurable détresse, un camé qui vous met sous la gorge le couteau (...) PRÉVERT, Choses et autres, p. 246.

1. **CAMÉRA** [kameʀa] n. f. — 1838; du lat. sc. *camera (lucida).*

Vx. Instrument d'optique pour dessiner, appelé aussi *chambre* claire.*

2. **CAMÉRA** [kameʀa] n. f. — 1872; angl. *(movie) camera,* même sens, lui-même de *camera* «appareil photographique», du lat. sc. *camera obscura.* → Chambre* noire.

Appareil cinématographique de prises de vues. *Des caméras. Magasins, mécanisme d'entraînement, objectifs d'une caméra. Caméra d'amateur. Caméra à moteur électrique, munie d'un zoom... Caméra de 8 mm, caméra super-huit. L'œil de la caméra.*

Est-il possible de courir en regardant son ombre? D'être à la fois derrière l'œil de la caméra et dans la peau de son personnage? Régis DEBRAY, l'Indésirable, p. 297. 1

Par métonymie. *La caméra :* l'art de la prise de vues. *Les grands de la caméra.*

En général, les chevaliers de la caméra n'acceptent pas de bon cœur les observations qu'on ose leur présenter. 2
G. DUHAMEL, Manuel du protestataire, V, p. 142.

Loc. *Caméra-stylo* («caméra utilisée à la manière d'un stylo») : style de cinéma utilisant l'esprit ou les techniques du reportage.

Par anal. (de fonction). *Caméra de télévision :* appareil de prises de vues à tube électronique. *Caméra vidéo,* utilisant les techniques de la vidéo*. *Caméra vidéo portative.* → **Caméscope.**

COMP. **Caméscope.**

**CAMÉRAL, ALE, AUX** [kameʀal, o] adj. — 1846; d'après l'all. *kameralisch,* du lat. *camera* «chambre».

Didactique.

♦ **1** Relatif aux finances publiques. *La science camérale* ou *caméralistique* [kameʀalistik] n. f.

♦ **2** Méd. Relatif à une «chambre», spécialt, à la chambre pulpaire* de la dent. *Une «nécrose totale de la pulpe camérale et radiculaire»* (P.-L. Rousseau, *les Dents,* p. 43).

**CAMERAMAN** [kameʀaman] n. m. — 1919; mot angl., de *camera* «caméra; appareil de photo», et *man* «homme».

Anglic. Opérateur* de prises de vues (de cinéma, de télévision). — REM. On trouve parfois le fém. (angl.) *camerawoman* [kameʀawuman]; plur. *Des cameramen* [kameʀamɛn], *des camerawomen* [kameʀawimɛn; kameʀawumɛn].

À L'ÉCOLE D'UNE CAMERAWOMAN. — Il y a plusieurs façons de parler des courts métrages d'Agnès Varda (...) 1
J.-L. GODARD, *in* Coll. des Cahiers du cinéma, nº 92, févr. 1959, p. 189.

(...) ce défilé incessant de cameramen, de photographes, de journalistes, le stationnement, devant notre porte, des camions de la Radiodiffusion (...) 2
Pierre DANINOS, Un certain Monsieur Blot, p. 182.

REM. Alors qu'on emploie encore cet anglicisme au cinéma au lieu de *opérateur,* le langage de la télévision utilise plutôt *cadreur*.*

**CAMÉRIER** [kameʀje] n. m. — 1350, repris 1671; ital. *cameriere,* du lat. *camera* «chambre».

♦ **1** Officier de la chambre du pape ou d'un cardinal.

(1867). Spécialt. Prélat chargé du trésor du pape et de ses aumônes. *Camérier secret.*

On fut bien étonné de voir un camérier du pape qui ordonna à Charles VIII de retirer ses troupes.
VOLTAIRE, Essai sur les mœurs, 107, *in* LITTRÉ.

♦ **2** Hist. Valet de chambre (d'un grand personnage). *Le camérier du roi.*

**CAMÉRIÈRE** [kameʀjɛʀ] n. f. — V. 1665; esp. *camarera* «dame d'honneur d'une princesse».

Vx et rare. Femme de chambre. → **Cabériste.**

Milady sourit à elle-même et à l'idée qui lui était venue que cette jeune femme pouvait être son ancienne camérière.
DUMAS, les Trois Mousquetaires, t. II, p. 682.

**CAMÉRISTE** [kameʀist] n. f. — 1741; var. *camariste*, 1740-1755; esp. *camarista*, de *cámara* «chambre», modifié sous l'infl. de l'ital. *camerista*, empr. lui-même à l'espagnol.

♦ **1** Hist. En Espagne et dans d'autres pays, Titre donné aux dames qui servaient les princesses dans leur chambre.

♦ **2** Anciennt. Femme de chambre (dans un milieu socialement élevé). → **Camérière.** *Elle se faisait coiffer par sa camériste.*

Mod. Par plais. Femme de chambre.

**CAMERLINGAT** [kamɛʀlɛ̃ga] n. m. — 1570; de *camerlingue.*

Relig. Dignité de camerlingue.

**CAMERLINGUE** [kamɛʀlɛ̃g] n. m. — 1572; *camerlin*, 1418; ital. *camerlingo.* → Chambellan.

Relig. Cardinal de la cour pontificale qui administre la justice et le trésor, préside la chambre apostolique et gouverne quand le Saint-Siège est vacant.

1 Giovanni! Giovanni! Et, le cadavre n'ayant pas répondu, le camerlingue se tournait après avoir patienté quelques secondes, disait : «Le pape est mort!»
ZOLA, Rome, p. 642.

Par apposition :

2 Au décès du souverain pontife le gouvernement des États Romains tombe aux mains des trois cardinaux chefs d'ordre, diacre, prêtre et évêque, et au cardinal camerlingue.
CHATEAUBRIAND, Mémoires d'outre-tombe, III, XIII.

DÉR. **Camerlingat.**

**CAMEROUNAIS, AISE** [kamʀunɛ, ɛz] adj. et n. — XXe; de *Cameroun*, port. *camarão*, proprt «crevette».

Du Cameroun. *L'économie camerounaise.* — N. *Les Camerounais.*

**CAMÉSCOPE** [kameskɔp] n. m. — 1982; de *camé(ra)*, et *-scope*, dans *magnétoscope.*

Caméra vidéo portative, à magnétoscope intégré.

Dimanche 22 juillet, dix heures trente (...) j'ai commencé à expérimenter la vidéo (...) J'ai cherché un bon angle en posant le caméscope sur son pied, j'ai appuyé sur le bouton rouge, vérifié qu'il y avait bien «Record» dans le viseur (...)
Hervé GUIBERT, le Protocole compassionnel, p. 98.

1. **CAMION** [kamjɔ̃] n. m. — 1352, *chamion, camion* «espèce de charrette»; orig. inconnue; on a proposé le rad. de *caminar* «cheminer» et le bas lat. *chamulcus* «chariot bas»; pour P. Guiraud, l'idée générale est celle de petitesse, le *camion* est un «petit chariot»; le mot serait une forme de *chat-mion* «petit chat», cette image désignant souvent des instruments, d'après *mionner* «miauler», et l'argot *mion* «garçon», d'où «petit chat»; cette hypothèse ingénieuse reste assez gratuite.

♦ **1** (1751). Anciennt. Véhicule bas, à quatre roues de petit diamètre, utilisé pour le transport des marchandises pesantes. → **Voiture, chariot, fardier.** *Camion à chevaux.*

1 Des camions, qui tenaient la largeur de la chaussée, roulaient bruyamment vers les docks.
MARTIN DU GARD, les Thibault, t. III, p. 103.

Techn. Petit chariot de maçon.

♦ **2** (D'abord sous la forme *camion-auto*, 1915, *camion automobile*). Gros véhicule automobile servant au transport des marchandises, des matériaux. → **Poids** (lourd). *Le moteur, le châssis, la remorque, les roues d'un camion. Moteur, roue... de camion. La cabine d'un camion. Les camions et camionnettes* sont des véhicules utilitaires.* → **Utilitaire.** *Camions militaires* (pour le transport des marchandises ou des troupes). *Camion de dix, quinze, vingt tonnes.* → **Tonne** (un dix tonnes, un quinze tonnes). *Poids utile d'un camion. Un gros camion* (→ fam. Gros cul*). *Transport par camions.* → **Camionnage, routage.** *Route encombrée de camions. Monter dans, sur un camion. Traverser la France en camion. Conducteur de camion.* → **Chauffeur, routier.** *Garage de, pour camions. Gare routière, où s'arrêtent les camions. Camion en douane. — Camions et engins d'un chantier. Parc* de camions d'une entreprise.*

La route était couverte de camions aux bâches jaunes de poussière. 2
MALRAUX, l'Espoir, I, III, 2.

Cars et camions, lourdement chargés, roulent à grande allure, avec une brutalité sauvage dont on verra les effets chaque jour de mieux en mieux, sur des chemins étroits, tournants et malaisés. 3
G. DUHAMEL, Manuel du protestataire, IV, p. 137.

D'autres *(troupes en armes)* passent en camions découverts, sur lesquels les hommes se tiennent assis raides, le fusil vertical, serré à deux mains, entre les genoux; ils sont placés sur deux rangées, dos à dos, tournés chacun vers un côté de la rue. 4
A. ROBBE-GRILLET, Dans le labyrinthe, p. 212.

On arrive sur une place : le camion est là. Un trente-deux tonnes Saviem. Bleu. Avec remorque. Arrêté. 5
M. DURAS, le Camion, p. 9.

On aurait vu que sur la banquette-lit, au-dessus du siège de la cabine du camion, il y avait une masse sombre : c'est un homme. C'est le deuxième chauffeur du camion. Il dort. 6
M. DURAS, le Camion, p. 15.

Puis on voit un nuage de poussière, un nuage jaune où se mêle la fumée bleue du moteur. Le camion rouge arrive à toute vitesse sur la route de goudron. Au-dessus de la cabine du chauffeur, il y a une cheminée qui crache la vapeur bleue, et le soleil brille fort sur le pare-brise et sur les chromes. Les pneus dévorent la route de goudron (...) 7
J.-M. G. LE CLÉZIO, Désert, p. 174.

*Camion ouvert, à plate-forme; camion fermé.* → **Fourgon.** *Camion à benne basculante; camion à benne* (→ **Benne**). *Camion à remorque*, à semi-remorque* (ou *camion semi-remorque*). → **Semi-remorque.** *Camion-citerne,* conçu pour le transport des liquides en grande quantité et en vrac (pétrole, vin...) et des gaz. *Des camions-citernes. — Camion-grue.* — Fam. *Camion-toupie :* camion portant une bétonneuse (de forme cylindro-conique et tournant librement). *Camion frigorifique, isotherme,* destiné au transport des denrées périssables. — *Camion-gonio.* → **Gonio.** — *Camion de livraison. Le camion du laitier. Décharger, charger un camion.* — Loc. fig. et fam. *Être beau comme un camion :* être très beau, superbe.

(En franç. d'Afrique). Camionnette; break.

Par ext. Charge d'un camion. *Un plein camion de pommes de terre, de betteraves. La marchandise arrive par camions entiers.*

DÉR. **Camionnage, camionner, camionnette, camionneur.** V. 3. **Camion.**

2. **CAMION** [kamjɔ̃] n. m. — 1564; *gamyon*, 1496; orig. inconnue; autre mot que 1. *camion.*

Techn. Très petite épingle, utilisée pour les travaux délicats. *Camion de dentellière.*

3. **CAMION** [kamjɔ̃] n. m. — 1845; orig. incert., p.-ê. à rattacher à 1. *camion.*

Techn. (peinture). Récipient dans lequel les peintres en bâtiment délaient et mélangent les couleurs. — Pharmacie. Vase de verre cylindrique.

**CAMIONNAGE** [kamjɔnaʒ] n. m. — 1820; de 1. *camion.*

♦ **1** Transport par camion. — Anciennt. *Camionnage hippomobile.* — Mod. *Camionnage automobile.* → **Roulage.** — REM. Les emplois récents de *camionnage* correspondent tous à cette valeur. *Entreprise de camionnage. Camionnage de marchandises. Frais de camionnage. Camionnage d'office.*

(...) après avoir fait le tour de l'atelier, *(il)* alla donner un coup d'œil aux services de camionnage.
M. AYMÉ, Travelingue, 1941, p. 104.

♦ **2** Prix d'un transport par camion. *Payer, régler un camionnage, le camionnage d'une marchandise.*

**CAMIONNER** [kamjɔne] v. tr. — 1829; de 1. *camion.*

Transporter par camion (d'abord, hippomobile; de nos jours, automobile). — Au p. p. *Marchandises camionnées.*

**CAMIONNETTE** [kamjɔnɛt] n. f. — 1917; de 1. *camion.*

Véhicule automobile utilitaire de faible tonnage, d'une structure analogue à celle des gros véhicules de tourisme (et donc, très différent du camion). → **Fourgonnette, pick-up; 1. camion** (franç. d'Afrique). *Camionnette de livraison. Voiture aménagée en camionnette. Camionnette aménagée pour le camping.* → **Autocaravane, camping-car.**

Partis en auto ce matin à neuf heures pour les chutes de la M'Bali. Une camionnette nous accompagne, avec notre attirail de couchage, car nous ne devons rentrer que le lendemain.
GIDE, Voyage au Congo, 1927, *in* Souvenirs, Pl., p. 715.

**CAMIONNEUR, EUSE** [kamjɔnœʀ, øz] n. — 1554, selon Bloch-Wartburg; de 1. *camion.*

♦ **1** N. m. (1819). Vx. Cheval de trait pour camion hippomobile.

♦ **2** (Attesté XX^e). Cour. Personne qui conduit un camion (d'abord à chevaux; de nos jours automobile).

Spécialt. Chauffeur de camion (automobile). *Travailler comme camionneur dans une entreprise de transports routiers, de déménagements. Un camionneur expérimenté.* → **Routier** (plus cour.). *Elle est camionneuse. Camionneur indépendant, artisan* (qui possède son camion). → ci-dessous, 3.

♦ **3** Personne qui possède, gère une entreprise de camionnage. *Un gros camionneur parisien.*

♦ **4** N. m. Gros pull à côtes anglaises et à col à fermeture Éclair. — En appos. *Un pull camionneur.*

**CAMISARD** [kamizaʀ] n. m. et adj. — 1688; de l'occitan *camisa* «chemise», et suff. *-ard.*

♦ **1** Hist. Calviniste cévenol insurgé, durant les persécutions qui suivirent la révocation de l'édit de Nantes. *Les camisards doivent leur nom à la chemise blanche qu'ils portaient par-dessus leurs vêtements, pour se faire reconnaître des leurs.* — Adj. *Soulèvement camisard.*

♦ **2** Fig. Insurgé.

Tu vois d'ici : bataillon d'Afrique, camisard, un de ces soldats fortes têtes qui a fait toutes les prisons militaires du Maroc et de l'Algérie.
Henri CHARRIÈRE, Papillon, p. 302.

**CAMISOLAGE** [kamizɔlaʒ] n. m. — 1949, H. Bazin; de *camisoler.*

Rare. Fait de passer la camisole de force à quelqu'un.

L'évasion impossible, l'internement interminable, la discipline de fer, les camisolages gratuits.
Hervé BAZIN, la Tête contre les murs, p. 147.

**CAMISOLE** [kamizɔl] n. f. — 1578; *camizolle,* 1547; provençal *camisola* (1524), dimin. de *camisa* «chemise».

♦ **1** Vx (XVI^e-XIX^e). Vêtement à manches, plus ou moins long, porté sur la chemise (par les hommes).

Il (...) fait voir (...) une camisole de velours vert, dont il 1
est vêtu.
MOLIÈRE, le Bourgeois gentilhomme, I, 2 (Jeu de scène).

♦ **2** (1849). Vx ou régional. Vêtement de femme, porté sur la chemise, pour la nuit (→ **Chemise** [de nuit]), ou comme vêtement négligé, de travail, etc. (→ **Blouse,** 1.). «*Cette horrible femme vêtue d'une camisole de nuit (...) et portant par-dessus sa camisole un châle...*» (Ponson du Terrail, *in* T. L. F.). *Mettre, passer une camisole. Être en camisole.* → **Brassière, caraco, casaquin.**

(...) un bonnet lui cachant les cheveux, des bas gris, un 2
jupon rouge, et par-dessus sa camisole un tablier à bavette, comme les infirmières d'hôpital.
FLAUBERT, Trois contes, «Un cœur simple», I.

(...) des couloirs au bout desquels, serrés entre le mur et 2.1
l'escalier, se trouvent des réduits où trônent des concierges éternellement en camisole parmi des légumes et de la couture.
Francis CARCO, Nostalgie de Paris, 1952, p. 116.

(En franç. d'Afrique). Vêtement féminin à manches courtes couvrant le haut du corps (I. F. A.).

♦ **3** (1832). **CAMISOLE DE FORCE,** et, absolt, **CAMISOLE :** vêtement de contention paralysant les mouvements, et utilisé dans l'ancienne psychiatrie pour maîtriser des malades agités (dits autrefois *fous* furieux*). *Mettre, passer la camisole à qqn.* → **Camisoler.**

(...) Letondu, qu'on venait de fourrer à Bicêtre avec la cami- 3
sole de force.
COURTELINE, Messieurs les ronds-de-cuir, 16^e tableau, II, p. 246.

«Allez ! la petite chemise !» dit le gardien chef (...) On venait 4
de passer la camisole de force à Lulu. Du sac d'épaisse toile grise, seule sortait une tête hurlante, avec d'énormes tempes empourprées.
M. DRUON, les Grandes Familles, 1948, p. 380-381.

Par métaphore. *Camisole chimique* (H. Bazin, *la Fin des asiles,* p. 39, Grasset, 1959), se dit des neuroleptiques puissants et en général de la chimiothérapie psychiatrique utilisée pour calmer les agités. → **Tranquillisant** (majeur).

Loc. fam. *Mériter la camisole, être bon pour la camisole, pour la camisole de force :* être complètement fou* (fig.).

Par métaphore et littér. Ce qui contraint. → **Joug.** «*La camisole de l'habitude*» (Colette).

DÉR. **Camisoler.**

**CAMISOLER** [kamizɔle] v. tr. — 1867; de *camisole.*

Vx. Mettre la camisole de force à (qqn). *Camisoler un furieux.* — Au participe passé :

L'écume encore aux dents, près de leurs rations,
Les fous camisolés s'endorment dans leurs cages,
Bercés et consolés de douces visions.
J. LAFORGUE, Recueillement du soir, 1880, *in* D. D. L., II, 7.

Par métaphore. → **Camisole** (chimique). «*Le fou (...) camisolé par les traitements*» (H. Sztulman et M. Porot, *in* Porot, 1975, p. 61 *a.*).

DÉR. **Camisolage.**

**CAMOMILLE** [kamɔmij] n. f. — 1365; bas lat. *camomilla*, altér. du lat. *chamæmelon*, grec *khamaimêlon*, littéralt «pomme *(mêlon)* à terre *(khamai)*». → Cameline.

♦ **1** Plante odorante *(Composacées)*, dont les fleurs sont digestives et fébrifuges. → **Anthémis, matricaire.** *Camomille commune, romaine. Un champ où pousse la camomille. — Lotion de camomille, pour éclaircir les cheveux blonds.*

♦ **2** Tisane, infusion des fleurs de cette plante. *Boire une camomille, une tasse de camomille. Prendre de la camomille. — Compresses de camomille* (décongestives, antiprurigineuses).

**CAMOUFFLE** [kamufl] n. f. → **Camoufle.**

**CAMOUFLAGE** [kamuflaʒ] n. m. — 1887, «déguisement»; de *camoufler*.

♦ **1** (1917). Fait de camoufler (du matériel de guerre, des troupes) en utilisant des moyens naturels (branchages, etc.) ou artificiels (filets; peinture; fumées).

1 Je m'étais pris à réfléchir sur le sens de ce fameux camouflage qui, depuis ce temps et dans la seconde guerre comme dans la première, a fait l'objet de tant de soins.
G. DUHAMEL, la Pesée des âmes, VII, p. 165.

Par métonymie. Ce qui camoufle. *Il avançait sous un camouflage de branches.*

♦ **2** Fig. Fait de cacher en modifiant les apparences. → **Maquillage.** *Le camouflage des bénéfices.*

2 De nos jours, où pourtant le risque d'un discrédit moral est moins grand qu'il n'était naguère et la sanction moins rigoureuse, les feintes et les camouflages en littérature sont nombreux.
GIDE, Journal, 8 déc. 1929.

3 Connaissant ce qu'il pense *(Proust)*, ce qu'il est, il m'est difficile de voir là autre chose qu'une feinte, qu'un désir de se protéger, qu'un camouflage, on ne peut plus habile, car il ne peut être de l'avantage de personne de le dénoncer.
GIDE, Journal, 2 déc. 1921.

4 (...) étranger autant qu'on peut l'être aux idéologies de la gauche, il *(de Gaulle)* l'est plus encore à ce camouflage des intérêts les plus âpres qui fait horreur dans la droite française.
F. MAURIAC, le Nouveau Bloc-notes 1958-1960, p. 299.

*Camouflage d'une conversation, de messages radios ou téléphoniques*, à l'aide de mots conventionnels, de codes.

**CAMOUFLE** [kamufl] n. f. — 1821; de *camouflet*.

Argot. (Vx). Chandelle, bougie. → aussi **Camouflet** (1.). — REM. On écrit parfois *camouffle* (→ ci-dessous, cit. 2).

1 Et, comme la porte du père Bazonge laissait passer une raie de lumière, *(Gervaise)* entra droit chez lui (...) La camoufle, restée allumée, éclairait sa défroque, son chapeau noir aplati dans un coin, son manteau noir qu'il avait tiré sur ses genoux, comme un bout de couverture.
ZOLA, l'Assommoir, 1877, t. II, p. 250.

2 — Nous avons, dit-il à l'enfant, de quoi béquiller pendant cinq jours; deux boîtes d'allumettes et un paquet de *camouffles* (...)
Louise MICHEL, la Misère, t. III, p. 664-665.

Loc. fig. (Vx). *Souffler sa camoufle* : mourir.

**CAMOUFLER** [kamufle] v. tr. — 1836; pron., «se déguiser», 1821; probablt du rad. de *camouflet*, la notion de «dissimulation» découlant de celle de «fumée» plutôt que de l'ital. *camufare* «déguiser, tromper».

♦ **1** Déguiser de façon à rendre méconnaissable ou inapparent (particulièrement en technique militaire). → **Camouflage** (1.); **cacher, déguiser, dissimuler, maquiller.** *Camoufler une batterie, un bâtiment, du matériel de guerre à l'aide d'une peinture bigarrée.*

♦ **2** Fig. Masquer. *Camoufler une intention, une faute. Camoufler un meurtre en suicide*, le travestir* en suicide.

Il fallait, coûte que coûte, soutenir le commandement, camoufler ses fautes, sauvegarder son prestige (...) 1
MARTIN DU GARD, les Thibault, t. VIII, p. 262.

◆ **SE CAMOUFLER** v. pron. *Ce commando ne s'est pas bien camouflé. Les enfants se sont camouflés derrière un arbre.* → **Cacher** (se). — Fig. Masquer sa vraie nature en affectant une apparence trompeuse.

◆ **CAMOUFLÉ, ÉE** p. p. *Canons de DCA camouflés pour échapper aux regards de l'ennemi.* — Figuré :

Il *(M. Beigbeder)* demeure en tous cas un allié plus ou moins camouflé du Parti (...) 2
F. MAURIAC, Bloc-notes 1952-1957, p. 9.

DÉR. **Camouflage.**

**CAMOUFLET** [kamuflɛ] n. m. — 1611, *chaumouflet, camouflet; chault moufflet* «fumée qu'on souffle malicieusement au nez (de qqn) au moyen d'un cornet de papier allumé», XV^e; de *mouflet* «souffle», de *moufle* «museau», et préf. *ca-* substitué à l'adj. *chault* «chaud».

♦ **1** Anciennt. Plaisanterie consistant à souffler de la fumée au nez de qqn (→ ci-dessus, étymologie). (1836). Par métonymie et vx (argot). Objet dégageant de la fumée, chandelle, chandelier. → **Camoufle.**

♦ **2** (1863). Techn. Fourneau de mine destiné à détruire une galerie ennemie et à asphyxier ceux qui y travaillent.

♦ **3** (1680). Fig. et littér. Mortification, vexation humiliante. → **Affront, nasarde, offense.** *Donner, infliger un camouflet à qqn. Essuyer, encaisser un camouflet.*

Les défaites de la guerre russo-japonaise ont laissé dans l'État-major russe un amer besoin de revanche; et ils n'ont jamais encaissé le camouflet que leur a infligé l'Autriche en annexant la Bosnie-Herzégovine.
MARTIN DU GARD, les Thibault, t. VI, p. 210.

DÉR. **Camoufle.** — V. **Camoufler.**

**CAMP** [kɑ̃] n. m. — Fin XV^e; *lit de can*, v. 1450; forme normanno-picarde ou provençale de *champ;* lat. *campus.*

**I A** ♦ **1** Zone provisoirement ou en permanence réservée pour les rassemblements de troupes de toutes armes, soit pour des manœuvres, des exercices *(camp d'instruction)*, soit pour des essais, des études *(camp d'expérimentation).* → **Bivouac, campée** (rare), **campement, cantonnement, quartier.** *Établir son camp. Reconnaissance, choix de l'emplacement d'un camp.* → **Castramétation.** *Aller, arriver au camp. Se retrancher dans un camp. S'emparer du camp ennemi. Camp retranché, fortifié* : zone fortifiée, organisée défensivement en permanence (→ Arrière-garde, cit. 1; asseoir, cit. 6).

Rome est dans notre camp, et notre camp dans Rome (...) 1
CORNEILLE, Horace, I, 3.

Un camp d'instruction (...) est un terrain jalonné de tranchées invraisemblables où des officiers qui ne font pas la guerre apprennent à la faire à des camarades chevronnés. 2
A. MAUROIS, les Discours du D^r O'Grady, X, p. 99.

*Camp léger* : camp provisoire remplaçant les casernes d'une garnison, utilisé pendant les périodes de formation des jeunes recrues. — *Camp volant* (→ ci-dessous, 6.).

Par métonymie. Le camp et les troupes qui y sont installées. *La vie du camp. Donner l'alarme* au camp.* — (1671). *Lever le camp* : quitter le camp en démontant les installations (au fig., → ci-dessous, 5.).

Loc. *Maréchal* de camp.* — *Aide* de camp. Lit* de camp* (facilement transportable).

Vieilli. *Table de camp.*

Allus. hist. *Le Camp du Drap d'or,* où se rencontrèrent en 1520 François Ier et le roi d'Angleterre (près d'Ardres).

♦ **2** Spécialt. *Camp de prisonniers* et, absolt, *camp* où sont groupés des prisonniers de guerre. *Barbelés, miradors, baraquements d'un camp. Les camps allemands des deux guerres mondiales.* → **Offlag, stalag.**

2.1 Il s'agissait d'un camp de dimensions modestes, puisqu'il ne comprenait que quatre doubles baraques de bois, juchées sur de courts pilotis, couvertes de toile goudronnée (...) cernées par deux clôtures de barbelés dont l'intervalle était rempli par des chevaux de frise entremêlés.
M. TOURNIER, le Roi des Aulnes, 1970, p. 174.

(1906). **CAMP DE CONCENTRATION :** lieu où l'on groupe en temps de guerre ou de troubles, sous la surveillance des autorités militaires ou policières, les suspects, les étrangers, les nationaux ennemis... — REM. Cette définition administrative ne correspond pas à l'usage courant du syntagme, qui, depuis la chute du nazisme, est appliqué aux camps d'extermination (→ ci-dessous, et l'adj. *concentrationnaire*).

2.2 Vous savez que c'est une affreuse espionne, s'écriait Mme Verdurin (...) Je le sais et d'une façon précise, elle ne vivait que de ça. Si nous avions un gouvernement plus énergique, tout ça devrait être dans un camp de concentration. Et allez donc !
PROUST, le Temps retrouvé, Pl., t. III, p. 765.

3 Un Français, en 1900, aurait été profondément bouleversé si quelque vaticinateur s'était avisé de décrire les camps de concentration, les cruautés hitlériennes, les fours crématoires, les charniers, la misère de ces personnes que l'on dit, pudiquement, «déplacées»
G. DUHAMEL, Manuel du protestataire, I, p. 20.

*Camps d'extermination,* où furent affamés, suppliciés et exterminés certains groupes ethniques (Juifs, Tsiganes), politiques (communistes) et sociaux (homosexuels...), notamment par le régime nazi. — Absolt. *Les camps.*

3.1 Je vais rejoindre le Comité rassemblé pour ériger un monument à Jean Moulin. Ceux qui le composent sont les délégués des organisations de résistance, des déportés, des rescapés des camps d'extermination.
Il y a vingt ans que je pense aux camps. L'horreur et la torture ont passé dans presque tous mes livres, en un temps où l'on ne connaissait encore que le bagne.
MALRAUX, Antimémoires, Folio, p. 600.

Loc. *Les camps de la mort :* les camps d'extermination.

3.2 Il fallait porter l'étoile jaune (...) La jeune sœur de Maurice, Anna, fut arrêtée (...) Elle se trouvait dans le métro (...) Un contrôleur la fit descendre, l'amena au chef de quai. Elle ne revint jamais des camps de la mort.
J. FERNIOT, Pierrot et Aline, 1973, p. 146.

*Camp disciplinaire, camp de redressement, de représailles, camp de travail :* lieu d'internement collectif et massif, où une discipline très dure, des conditions de travail inhumaines sont souvent imposées à des personnes, pour des raisons politiques. → **Goulag.**

3.3 L'existence des camps de travail n'est pas un phénomène accidentel et dont on pourrait espérer un jour l'abolition (...) On a (...) procédé à la création systématique d'un sous-prolétariat ne recevant en échange d'un travail maximum qu'un strict minimum vital : un tel ajustement n'est possible qu'en système concentrationnaire.
S. DE BEAUVOIR, les Mandarins, 1954, p. 296-297.

*Camp de réfugiés, camp de transit,* où sont maintenues par la contrainte des personnes «déplacées» (→ ci-dessus, cit. 3), des populations ségréguées, indésirables pour un pouvoir politique, etc.

Absolt. *Les camps,* selon les contextes, désigne les camps de concentration, d'extermination (→ ci-dessus, cit. 3.1 et 3.2), de travail forcé, de regroupement, et, en général, tout système policier où les personnes sont contraintes de vivre et travailler dans des conditions collectives, forcées et inhumaines. *Un évadé des camps. Lutter contre les camps et la torture.*

Par métonymie. *Le camp :* les personnes qui sont gardées dans le camp. *Tout le camp a été rassemblé devant les baraquements.*

♦ **3** (1921). **CAMP D'AVIATION :** ensemble des installations nécessaires à une formation aérienne militaire.

Vieilli. Aérodrome civil et ses annexes. → **Aérodrome, champ** (d'aviation), **terrain** (d'aviation).

Beaucoup de villes, pour le pilote, ne sont qu'un camp d'aviation, qu'un terrain d'atterrissage. Qu'il aille à Melbourne ou à Chungking, à Calcutta ou à New York, à Tunis ou à Rio, il verra des pistes, des hangars, un camion d'essence, du sable, de la terre battue et peut-être au loin quelques arbres. 4
A. MAUROIS, Études littéraires, t. III, p. 264.

♦ **4** Rare. Espace de terrain où l'on campe, aménagé pour camper*. → **Campement, camping** (cour. ; pour lever les ambiguïtés, on dit parfois *camp de camping*). *Passer ses vacances dans un petit camp des Alpes.* Spécialt (dans un groupe organisé sur un modèle plus ou moins militaire, au moins à l'origine). Terrain où se réunissent les membres d'une association ; réunion de campeurs. *Un camp scout. Un camp de jeunesse* (en 1941-44 : *chantiers* de jeunesse*). — Par ext. (dans d'autres formes de collectivités). *Revenir au camp après une excursion.* — *Un camp de vacances : camp fixe* (→ **Colonie**), *camp itinérant. Camp de nudistes ; camp nudiste, naturiste.*

Je sais qu'il ne prend jamais son plaisir sans avoir éteint ou tiré les rideaux ; hors des camps nudistes où elle se voile miraculeusement d'innocence, la nudité des femmes lui inspire le même éloignement sacré qu'à son bisaïeul de Claquebue. 4.1
M. AYMÉ, la Jument verte, 1933, p. 23.

Je me mets à chantonner une ânerie que les gars des camps de jeunesse aimaient bien : «Avec l'ami Bidasse / On n'se quitte jamais /...» 5
Jacques LAURENT, les Bêtises, 1971, p. 319.

Loc. *Feu* de camp.*

(1924). **CAMP DE BASE :** campement où sont déposés matériel et ravitaillement et qu'utilisent des alpinistes, des explorateurs polaires comme relais ou position de repli.

♦ **5** Loc. fig. (Du sens I., A., 1). **LEVER LE CAMP :** s'en aller, partir après une étape (qu'il s'agisse ou non d'un *camp* au sens 4, par exemple) ; par ext. → **Décamper** (→ Cheminer, cit. 2).

(...) Nous levons le camp pour monter vers Jérusalem. 6
LOTI, Jérusalem, II.

(1836). Fam. **FICHER LE CAMP, FOUTRE LE CAMP :** s'en aller*, partir* rapidement. → **Filer** (→ Ficher, cit. 6). *Il va falloir ficher le camp sans demander notre reste. Allez, fichez le camp ! — Fous* (cit. 2) *le camp ! Fous-moi le camp de là !*

Je n'y trouve que l'occasion de m'en aller. Je ne sais pourquoi on dit : *f...* le camp. C'est *lever* le camp qu'il faudrait. *F...* le camp, c'est le planter et *stare.* 6.1
VALÉRY, Correspondance avec Gide, 1926, *in* T. L. F.

— «Foutre le camp !» gronda-t-il en bloquant les mâchoires. «Foutre le camp !» 7
MARTIN DU GARD, les Thibault, t. IV, p. 262.

Var. : *foutre son camp, foutre son petit camp.*

— (...) Je l'ai entendu dire qu'il se chargeait de ton compte. Hier matin, il était avec un agent de la Gestapo. Je serais 7.1

toi, je foutrais mon camp. — Où ça, mon camp ? — À Paris, chez ton vieux.
Francis CARCO, les Belles Manières, 1945, p. 76.

(Surtout *foutre le camp* ; sujet non humain). Se dégrader, se perdre. *Tout fout le camp, dans ces immeubles modernes ! La plomberie commence à foutre le camp.* — (Abstrait). *La morale fout le camp. «Tout fout le camp avec la République»* (Goncourt, *Journal*, 1870). *Je regardais tout qui fichait* (cit. 5.1) *le camp.*

♦ **6** Loc. (1548). **CAMP VOLANT,** s'est dit de l'espace où est organisée une unité légère très mobile, chargée d'inquiéter et d'observer l'ennemi. — (1833). Fig. *Vivre en camp volant :* vivre d'une manière instable, sans installation définitive (cf. Comme l'oiseau sur la branche).

8 La semaine qui suivit fut une de ces périodes agitées comme on en traverse dans les existences maritimes : vivre en camp volant à l'hôtel dans le désordre des malles à moitié défaites, ignorant la route qu'on prendra demain (...) LOTI, Mon frère Yves, LX, p. 144.

Par métonymie. *Un camp volant* ou *un camp-volant.* → **Bohémien, nomade.**

8.1 D'abord nous autres, tu comprends, c'est pas pareil, nous sommes mariés, nous avons deux petits, c'est autre chose, nous sommes pas des camps-volants.
Thyde MONNIER, le Figuier stérile, p. 186.

♦ **7** Vx (au pluriel). **CAMPS :** armées*. → **Guerre, ost** (vx), **troupe.** *La vie des camps.* — REM. Ce sens est archaïque, du fait du développement du sens 2, absolt.

9 Ce prince n'a pas plus de grâce, lorsqu'à la tête de ses camps et de ses armées, il foudroie une ville qui lui résiste (...)
LA BRUYÈRE, Disc. de réception à l'Académie.

**B** (1813). Se dit de deux ou plusieurs groupes qui s'opposent, se combattent. *Les deux camps ; l'un et l'autre camp. Être dans un camp, pour un camp contre l'autre* (cf. Être de l'autre côté de la barricade). — Loc. *La balle* est dans votre camp* (par allus. au sens sportif ; → ci-dessous). *Le camp victorieux.*

**CHANGER DE CAMP** (fig. ; sujet n. de chose) :

10 L'espoir changea de camp, le combat changea d'âme.
HUGO, les Châtiments, V, 13, 2.

11 (...) en juillet 1918, la victoire changea de camp.
A. MAUROIS, Terre promise, XXVII, p. 183.

(En sport, jeu, etc. ; 1875, *in* Petiot). *Les joueurs sont distribués en deux camps. Constituer deux camps.* → **Équipe.**

11.1 Un jour qu'on allait jouer aux barres, Mlle Nelly Kossichef, la sœur cadette de Marie, assignait à chacun le camp où il se trouverait. Elle tirait chacun par l'épaule, disant : «Vous, vous serez dans mon camp ; vous, dans celui de Marie». En arrivant à Jean (...) elle dit en riant : «Oh ! non, vous, vous êtes pour le camp de Marie, cela vous fait trop de plaisir (...)» PROUST, Jean Santeuil, Pl., p. 218.

(1813). Polit. Parti, groupe (opposé à d'autres). *Passer au camp, dans le camp de l'opposition.* → **Avec.**

(Dans un conflit intellectuel) → **Côté, faction, groupe, parti.**

12 Nous nous sommes jetés dans le camp d'Aristote.
MASSILLON, Panégyrique de saint Bernard.

**II** Régional (Canada), sous l'influence de l'amér. *camp.* *Camp (d'été).* → **Chalet, villa.** *Passer la fin de semaine au camp. — Camp de pêche, de chasse.* → **Pavillon.** — (1859). *Camp de bûcherons,* ou chantier*.

13 La population des *camps,* comme on appelle en Californie les centres miniers, est un peu différente de celle des placers. Voici par exemple la manière dont se groupaient les habitants de Coulterville en 1859.
L. SIMONIN, Voyage en Californie, *in* le Tour du monde, 1859, p. 26.

DÉR. **Camper, camping.** ◊ COMP. **Décamper.** — HOM. **Quand, quant.**

**CAMPAGNARD, ARDE** [kɑ̃paɲaʀ, aʀd] adj. et n. — 1611, *campaignard ;* de *campagne.*

**I** Adj. ♦ **1** Qui vit à la campagne*. → **Contadin** (rare), **paysan.** *Gentilhomme campagnard.* → **Hobereau.** — *Qui a trait aux habitants de la campagne. Un accent campagnard. Un air, un aspect campagnard.* → **Agreste, rustique, simple.**

M. de Sotenville, gentilhomme campagnard (...) 1
MOLIÈRE, George Dandin, Présentation des acteurs.

Campagnard : «Hé, ardé ! C'est-y un nez ? Nanain !» 2
Edmond ROSTAND, Cyrano de Bergerac, I, 4.

Le ciel gardait son aspect campagnard, sa crudité des 3
vacances, tandis que la ville s'assombrissait, prenait son air morose, frileux et pauvre de la semaine de Toussaint.
Valery LARBAUD, Amants, heureux amants, p. 184.

Parfois péj. Rustique, grossier, sans raffinement. *Il gardait des manières campagnardes.*

♦ **2** Que l'on trouve à la campagne. *Une armoire campagnarde.* Qui évoque la simplicité de la vie à la campagne. — Loc. *Buffet campagnard :* buffet où sont présentés, entiers, des produits régionaux (charcuteries, beurre en motte, pain en miches), des tartes, que l'on sert avec du vin en tonneau, du cidre.

**II** N. (Rare, dans des contextes neutres ou positifs). Personne vivant à la campagne. → **Paysan, rural ; agriculteur.**

Un campagnard fort riche et de bonne famille 4
Est si sot que d'Anselme il épouse la fille ;
Le voilà bien logé !
Thomas CORNEILLE, la Comtesse d'Orgueil, IV, 6.

Bien rarement passait sur la route poudreuse le pas trai- 5
nant d'un grave paysan, ou d'une belle campagnarde aux yeux lumineux dans la figure hâlée (...)
R. ROLLAND, Jean-Christophe, La foire sur la place, 1908, p. 783.

Cour. (dans des contextes péj. ou de moquerie). *Campagnards endimanchés ; «une campagnarde engourdie»* (*in* T. L. F.). → **Rustre ;** et (fam.) **bouseux, cul** (terreux).

CONTR. **Bourgeois, citadin, urbain ; raffiné.**

**CAMPAGNE** [kɑ̃paɲ] n. f. — 1671 ; *campaigne,* 1536 ; forme normanno-picarde de l'anc. franç. *champagne, champaigne,* bas lat. *campania.*

**I** (Terre découverte et plate). **LA CAMPAGNE :** vaste étendue de pays découvert, sans reliefs très importants, par opposition aux *montagnes,* aux *bois* et aux *régions maritimes. Parcourir la campagne, la rase campagne.* Loc. *En rase campagne :* à découvert, sans protection ; dans un endroit sans habitations, donc sans ressources. *Tomber en panne de voiture en rase campagne.*

Cette portion notable de la croûte terrestre qu'on appelle la 0.1
rase campagne est sillonnée chaque jour par des piétons innombrables, aux foulées diverses, qui revendiquent avec modestie le titre de promeneurs.
Paul COLINET, De l'amélioration des promenades en rase campagne, *in* Phantomas, nº 14, mai 1959.

REM. Dans ce sens, *campagne* (opposé à *montagne, mer, forêt*) garde sa valeur étymologique (→ Plaine) ; mais celle-ci n'est plus sentie nettement et l'emploi déterminé *(une, des campagnes)* n'est plus possible :

Tircis (...) 1
Chantait un jour le long des bords
D'une onde arrosant des prairies
Dont Zéphire habitait les campagnes fleuries.
LA FONTAINE, Fables, X, 11.

Au sing., *la campagne*, généralement comprise au sens III, ci-dessous, peut encore évoquer la «plaine», la «terre découverte» :

2 Au Sud, la campagne bleuâtre, délicatement accidentée : fermes, coteaux, cyprès, cultures, routes étroites, et lointainement un ou deux villages.
H. BOSCO, Un rameau de la nuit, p. 147.

Loc. *Battre, parcourir la campagne.* — Loc. fig. *Battre la campagne.* → **Battre** (cit. 20, 21, 22).

**II** Spécialt. ♦ **1** (1857). Vieilli. Étendue de terrain, zone où les armées se déplacent, lorsqu'elles sont en guerre (opposé à *camp, place forte*). *Faire des manœuvres en campagne. Tenir la campagne; être maître de la campagne :* forcer l'ennemi à se retirer dans ses places; être maître du pays. — Mod. *Capituler en rase campagne* (→ Capitulation, cit. 2 et *supra*).

♦ **2** (1671). Mod. L'état de guerre, les combats, pour une armée. *Faire campagne :* participer à une opération de guerre. — *Artillerie, batterie, pièce de campagne.* — TENUE DE CAMPAGNE : tenue du soldat qui va combattre ou manœuvrer. *Infliger une tenue de campagne à un soldat,* lui infliger une punition qui consiste à revêtir la tenue complète de campagne et son équipement.

*Une campagne :* ensemble des opérations militaires sur un théâtre d'activité et à une époque déterminés. → **Expédition, opération.** *Une glorieuse campagne. Une longue, une épuisante campagne. Les campagnes d'Italie, d'Égypte. La campagne de France. Une ample campagne policière* (cit. 1).

3 Encore une campagne, et nos seuls escadrons
Aux aigles de Sylla font repasser les monts.
CORNEILLE, Sertorius, II, 2.

4 Toutes les provisions de guerre et de bouche amassées par les ennemis pour la campagne.
VOLTAIRE, le Siècle de Louis XIV, 23.

Titre de service de guerre. *Un soldat, un sergent, un officier qui a six campagnes. Campagne simple, double; demi-campagne. Raconter ses campagnes.*

5 Ses plans d'avenir étaient (...) très raisonnables : l'été prochain, revenir avec les galons de quartier-maître; ensuite, repartir vite pour une campagne lointaine, qui finirait son temps de service (...) LOTI, Matelot, XXI, p. 81.

EN CAMPAGNE. *Entrer, être en campagne.* — *Règlement de service en campagne :* instruction ministérielle permanente fixant la conduite à tenir par les unités et les soldats dans les différentes circonstances de la bataille.

Loc. *Se mettre en campagne :* se mettre sur le pied de guerre, commencer une opération. — Spécialt. Se dit d'une unité chargée de la recherche des renseignements et du contact avec l'ennemi, qui part en opérations. — Fig. Partir pour une recherche méthodique (de qqn ou de qqch.). → **Chercher, rechercher.** *Être en campagne.* → **Équipée, voyage.**
Vx. *Se mettre en campagne :*

6 On dit aussi d'un homme prompt et colère, que quand on luy dit quelque chose qui ne luy plaist pas, qu'aussitost il se met en *campagne,* pour dire qu'il s'échappe, qu'il s'emporte. FURETIÈRE, Dict., art. *Campagne.*

7 Voilà toutes les femmes en campagne pour l'avoir pour galant, et toutes les filles pour *épouseur.*
LA BRUYÈRE, les Caractères, VII, 14.

8 J'avais loué à Cordoue un guide et deux chevaux, et m'étais mis en campagne (...) MÉRIMÉE, Carmen, 1.

♦ **3** (1798). *Une, des campagnes.* Période d'activité, d'affaires, de prospection, de propagande portant sur une période déterminée. *Campagne commerciale. Campagne des agrumes.* → **Saison.** *Jonction de deux campagnes agricoles.* → **Soudure.** *Campagne publicitaire, campagne électorale.* → Panneau, cit. 11. *Organiser la campagne d'un candidat. Campagne de presse, de propagande. Campagne d'alphabétisation. Mener une campagne contre qqn. Faire campagne* (fig. ; → ci-dessus, II., 2.) *pour, contre (qqn, qqch.) :* militer pour, contre... *Faire campagne pour un accroissement des avantages sociaux; contre l'esprit de système, l'intolérance d'un parti.*

(...) *les Cahiers de la Quinzaine* et moi sommes ou si l'on veut sont ce qui est le plus en butte aux attaques, aux violences, aux perfidies, aux offenses, aux campagnes, aux cabales, aux ignominies, à tous les coups du Parti Intellectuel. Ch. PÉGUY, la République..., p. 276. 9

(...) déchaîner partout à la fois une campagne ouverte, officielle, retentissante (...) 10
MARTIN DU GARD, les Thibault, t. V, p. 139.

*Campagne de fouilles archéologiques :* l'ensemble des fouilles effectuées par tranches successives dans une région déterminée.
*Campagne scientifique :* l'ensemble des travaux menés durant une période déterminée et destinés à atteindre un résultat scientifique.
*Campagne de pêche :* ensemble des opérations de pêche en haute mer, depuis le départ des bateaux du port d'attache jusqu'à leur retour.

Répéter pendant dix-huit heures le même geste, de jour et de nuit, sous le ciel gris puis sous les abats-jours *(sic)* des globes électriques (...) couper, trancher, décoller de la chair froide dans le roulis, les brumes, les embruns, les coups de mer (...) c'était cela *une bonne campagne!* 10.1
Roger VERCEL, Jean Villemeur, *in* DUPRÉ, Encyclopédie des citations, n° 4310.

Écon. Cycle de transformation des produits, pour une entreprise à caractère saisonnier, depuis l'achat des matières premières jusqu'à la vente du produit fini. — Période d'utilisation d'un matériel déterminé pour une production particulière. *Crédit de campagne,* accordé pour une campagne.

**III** (Terre cultivée, loin des villes). ♦ **1** *(Une, des campagnes).* Étendue de terres, partiellement cultivées, hors des zones urbaines. → **Champ, terre.** *De riches campagnes. Une belle campagne, bien cultivée.* — REM. Cet emploi est archaïque, sauf dans quelques expressions.

Rien ne suffit aux gens qui nous viennent de Rome : 11
La terre et le travail de l'homme
Font pour les assouvir des efforts superflus.
Retirez-les : on ne veut plus
Cultiver pour eux les campagnes (...)
LA FONTAINE, Fables, XI, 7.

Entendez-vous dans les campagnes 11.1
Mugir ces féroces soldats (...)
ROUGET DE LISLE, la Marseillaise.

— Campagnes ! où sont les campagnes ? 11.2
— Cher ami, dit Hubert marchant aussi, tu exagères : les campagnes commencent où finissent les villes, simplement. GIDE, Paludes, *in* Romans, Pl., p. 111.

♦ **2** *(La campagne).* Le milieu géographique, social, humain, défini par l'activité agricole, l'élevage... hors des zones urbaines; par ext. le milieu non urbanisé (→ **Nature**). *Vivre à la campagne. Aimer la campagne.* → **Nature.** *Préférer la campagne à la montagne, à la mer. Filles, gars de la campagne.* → **Campagnard.** *Un curé, un médecin de campagne. Aller passer la journée, le week-end à la campagne. Goûter les scènes de la campagne.* → **Bucolique, champêtre, pastoral.** *L'air pur de la campagne. Paix, silence, solitude de la campagne. Un lieu isolé, un coin perdu dans la campagne* (→ péj. **Bled, brousse, cambrousse**). *Les plaisirs de la campagne. Séjour à la campagne.* → **Villégiature.** *Une partie de campagne.* → **Excursion, pique-nique.**

Au plus loin dans les champs, il n'y avait absolument personne. Il y avait quelque chose d'exaltant à partir ainsi, sans avoir dîné, quand la nuit venait déjà, et à allonger 11.3

sa promenade ainsi, avant de revenir dîner, par la pleine lune, sous les étoiles, dans cette campagne endormie, dans ce silence absolu qui faisait presque peur tant on le sentait près de soi quand dans les villages déjà éloignés tout le monde dormait.
PROUST, Jean Santeuil, Pl., p. 506-507.

REM. Les connotations attachées à *campagne* ont beaucoup varié avec l'évolution de la culture : d'abord très négative dans le discours des gens de la ville (→ cit. 12, La Bruyère), la *campagne* s'est parée de valeurs positives avec le préromantisme (→ cit. 13, Rousseau). L'évolution est comparable à celle de *montagne**.

12 L'on voit certains animaux farouches, des mâles et des femelles, répandus par la campagne (...) attachés à la terre qu'ils fouillent (...)
LA BRUYÈRE, les Caractères, XI, 128.

13 La campagne était pour moi si nouvelle, que je ne pouvais me lasser d'en jouir. Je pris pour elle un goût si vif, qu'il n'a jamais pu s'éteindre. Le souvenir des jours heureux que j'y ai passés m'a fait regretter son séjour et ses plaisirs dans tous les âges (...) ROUSSEAU, les Confessions, I.

**MAISON DE CAMPAGNE** : maison à la campagne qui constitue une résidence secondaire pour un habitant de la ville. — Absolt. *Une campagne. Venez me voir dans ma campagne.*

14 Acheter une campagne ? on n'en avait pas encore les moyens.
Alphonse DAUDET, Fromont jeune et Risler aîné, p. 161.

**... DE CAMPAGNE** (avec un nom de mets), préparé comme à la campagne. *Pâté de campagne. Pain de campagne.*

Loc. fam. et vieillie. (V. 1890, Verlaine, *in* D. D. L.). *Emmener (qqn, qqch.) à la campagne,* se moquer de (qqn, qqch.).

CONTR. **Bois, mer, montagne. — Ville.** ◊ DÉR. **Campagnard.**

**CAMPAGNOL** [kɑ̃paɲɔl] n. m. — 1758, Buffon ; adj. ital. *campagnolo* « campagnard », de *campagna* « campagne ».

Petit mammifère rongeur *(Muridés),* au corps plus ramassé que celui du rat, à queue courte et poilue. *L'espèce de campagnol la plus commune en France est le campagnol dit* rat des champs (n. sc. : *arvicola.* → **Arvicole**). → aussi **Mulot.**

Un chat sauvage loge dans la haie et vit de campagnols et de gibier. J. RENARD, Journal, 9 oct. 1905.

**CAMPANAIRE** [kɑ̃panɛʀ] adj. — 1636, Mersenne, *eschele campanaire* « instrument pour mesurer les cloches » ; du lat. *campana* « cloche » → Campanile.

Didact. Relatif aux cloches. *L'art campanaire :* l'art du fondeur de cloches. *Un musée campanaire.* — De l'usage musical des cloches. *L'art campanaire chinois.*

**CAMPANE** [kɑ̃pan] n. f. — 1174, « cloche », attestation isolée ; régional « clochette », XVII^e ; bas lat. *campana* « cloche ».

♦ **1** Vx ou régional. Clochette. → **Campanelle, clarine, sonnaille.**

1 Le bidet fait sonner sa campane.
J. GIONO, Colline, p. 20.

2 On entendait siffler les derniers bergers arrivants et sonner les campanes des béliers et des mulets (...)
J. GIONO, le Serpent d'étoiles, p. 93.

♦ **2** (1393). Anciennt. Ornement de soie, de fil d'or ou d'argent, muni de glands en forme de cloches. *Campane de carrosse, de lit, de dais.*

♦ **3** (1676). Archit. Chapiteau en forme de cloche renversée.

DÉR. **Campanelle.**

**CAMPANELLE** [kɑ̃panɛl] n. f. — XVI^e ; *campanele,* v. 1205 ; de *campane.*

♦ **1** Vx ou régional. Clochette, sonnaille.

♦ **2** (XVI^e) Régional. Liseron des champs.

**CAMPANIEN, IENNE** [kɑ̃panjɛ̃, jɛn] adj. et n. — 1732, Trévoux ; de *Campanie.*

♦ **1** Adj. De la Campanie, région du sud de l'Italie (Naples, Salerne, Bénévent, etc.). — Archéol. *Vases campaniens :* vases grecs du III^e siècle, trouvés en Campanie.

Les « sphinges » principalement ont grande allure (...) leurs visages ont cette pureté de traits, ce regard pénétrant que nous retrouverons dans la célèbre *Médée* d'une fresque campanienne.
G. CONTENAU et V. CHAPOT, l'Art antique, p. 244.

♦ **2** N. m. Ensemble des parlers italiens de Campanie (dont le napolitain). *Le campanien.*

**CAMPANIFORME** [kɑ̃panifɔʀm] adj. — 1771, Trévoux ; du lat. *campana* « cloche », *-i-,* et *-forme.*

♦ **1** Bot., vx. (Qui présente des fleurs) en forme de cloche. *Le muguet est campaniforme.* → aussi **Campanulé.**

♦ **2** Archit. Se dit des chapiteaux égyptiens en forme de cloche renversée. → **Campanulé.**

*(Dans la grande salle hypostyle de Karnak)* deux rangs de colonnes (...) le plus souvent à chapiteaux inspirés de la fleur de lotus en bouton, du papyrus, ou évasés en cloche renversée, d'où leur nom de *campaniformes.*
G. CONTENEAU et V. CHAPOT, l'Art antique, p. 62.

**CAMPANILE** [kɑ̃panil] n. m. — 1732 ; *campanil,* 1586 ; *campanille,* 1480 ; ital. *campanile* « clocher », de *campana* « cloche ».

♦ **1** Cour. (en parlant de l'Italie). Clocher* à jour, et, par ext., tour dressée dans le voisinage d'une église, à laquelle elle sert de clocher. *Le campanile de Florence.*

(...) quand le palais ducal, avec sa découpure arabe et ses campaniles chrétiens soutenus par mille colonnettes élancées, se détacha sur les régions lumineuses de l'horizon, ils crurent voir un Turner. 1
A. MAUROIS, Lélia, IV, II, p. 197.

Le paraphe des martinets a signé une trêve, dans l'air — et il faisait si limpide que l'on entendait sonner ensemble tous les campaniles d'Italie. 1.1
André HARDELET, Lourdes, lentes..., p. 92.

(...) il m'emmène dans son palais. La vue sur Venise y est adorable. Vingt campaniles se dressent dans la lumière du soir et sonnent tous la fois. 1.2
Claude MAURIAC, le Temps immobile, 1974, p. 11.

Par métaphore :

Sur les pentes austères, les cyprès dressaient leurs campaniles muets (...) 2
Edmond JALOUX, Fumées dans la campagne, XXII, p. 187.

♦ **2** (1787). Archit. Lanterne surmontant le toit de certains édifices civils et contenant souvent une cloche d'horloge.

Il rangea sa voiture et, de son siège, regarda les façades, chercha l'horloge, à droite. Elle était là où il était sûr de la trouver, dans son campanile, marquant midi (...) 3
Albert AYGUESPARSE, le Partage des jours, La lumière noire, 1972, *in* Littératures de langue franç. hors de France, p. 284.

**CAMPANULACÉES** [kɑ̃panylase] n. f. pl. — 1809 ; de *campanule.*

Bot. Famille de plantes *(Dicotylédones gamopétales)* comprenant des plantes à fleurs en forme de clochettes : campanule*, lobélie*, goutelet, raiponce, spéculaire. — Au sing. *Une campanulacée.*

**CAMPANULE** [kɑ̃panyl] n. f. — 1694; lat. médiéval *campanula* «petite cloche», VIIIᵉ.

Bot. et cour. Plante dicotylédone *(Campanulacées)* herbacée, annuelle ou vivace, aux nombreuses variétés présentant des clochettes bleues, blanches ou violettes. *Les campanules sont cultivées comme ornementales.* — Fleur de cette plante.

DÉR. **Campanulacées, campanulé.**

**CAMPANULÉ, ÉE** [kɑ̃panyle] adj. — 1778; de *campanule.*

♦ **1** Bot. En forme de clochette. *Corolle campanulée.* → aussi **Campaniforme.**

♦ **2** (1884). Archit. *Chapiteau campanulé,* évasé en cloche renversée. → **Campaniforme.**

**CAMPÊCHE** [kɑ̃pɛʃ] n. m. — 1679; nom d'une ville du Mexique.

Bot. Arbre de l'Amérique tropicale (Mexique), de la famille des *Césalpinées,* qui fournit un bois dur et compact. → **Campêcher.** — Cour. *Bois de campêche,* le bois de cet arbre, renfermant une matière colorante rouge, l'hématoxyline. Syn. : *bois noir, bois bleu, bois d'Inde.*

Par métonymie. La matière colorante extraite de cet arbre.

DÉR. **Campêcher.**

**CAMPÊCHER** [kɑ̃peʃe] n. m. — V. 1940, Haïti; de *campêche,* au sens de «bois de campêche».

Bot. Arbre qui produit le bois de campêche (→ **Campêche).**

(...) elle arriva devant une barrière. On voyait la case au fond de la cour dans l'ombrage des campêchers.

Jacques ROUMAIN, Gouverneurs de la rosée, t. II, p. 25 (1972).

**CAMPÉE** [kɑ̃pe] n. f. — Mil. XXᵉ; mot dial. (Centre) «espace du terrain»; de *camper.*

Régional ou littér. Camp, campement; durée d'un campement.

Il descendit, l'oreille au guet, imaginant déjà la campée des bûcherons : les haches pendues, la soupe de chou, les souples litières de feuilles.

J. GIONO, Naissance de l'Odyssée, p. 73.

**CAMPEMENT** [kɑ̃pmɑ̃] n. m. — 1584; de *camper.*

♦ **1** Rare. Action de camper*, de préparer, d'organiser un camp.

1 Je ne parle point des campements et des marches, bien qu'en cet article seul je trouve de quoi donner à M. Le Prince, je n'oserai dire la préférence (...)

LA FONTAINE, Lettres, XII.

Cour. *Matériel de campement* (tente, matériel de couchage, ustensiles : bidon, gamelle, etc.).

♦ **2** Lieu, installations où l'on campe. → **Bivouac, camp, campée, cantonnement.** *Armée, troupe au campement.* → **Quartier.** *L'installation du campement. Emplacement du campement. Chercher, trouver un campement pour la nuit.* — REM. Les synonymes *camp* et *(terrain de) camping,* selon les contextes, sont plus usuels.

1.1 Ils arrivaient du sud, certains avec leurs chameaux et leur chevaux, mais la plupart à pied, parce que les bêtes mouraient de soif et de maladie sur le chemin. Chaque jour, autour du rempart de boue de Smara, le jeune garçon voyait les nouveaux campements. Les tentes de laine brune ajoutaient de nouveaux cercles autour des murs de la ville.

J.-M. G. LE CLÉZIO, Désert, 1980, p. 31.

Vx. Camp militaire :

Le prince, par son campement, avait mis en sûreté non seulement toute notre frontière et toutes nos places, mais encore tous nos soldats. 2

BOSSUET, Oraison funèbre de Louis de Bourbon.

Milit. Détachement occupant le terrain où doit être installé un camp (vx); détachement envoyé pour reconnaître les lieux et préparer un cantonnement.

♦ **3** Par métaphore. Installation provisoire ou désordonnée. *Ma chambre est un campement.* — Loc. *Je suis en campement,* installé de manière provisoire.

♦ **4** Franç. d'Afrique. «Lieu d'hébergement éloigné des agglomérations, souvent d'architecture traditionnelle (...) syn. : *case de passage*» (I. F. A.).

**CAMPER** [kɑ̃pe] v. — 1465; «s'installer en un lieu», 1426; «placer», fin XIIᵉ; de *camp.*

**I** V. intr. ♦ **1** S'établir, être établi dans un camp*. → **Bivouaquer, cantonner.** *L'armée campe devant les lignes ennemies.*

Au chapitre général que Saint François tint près d'Assise en 1219, où il se trouva plus de cinq mille frères mineurs qui campèrent en rase campagne (...) 1

VOLTAIRE, Dict. philosophique, Quête.

(1889, alpin.). Coucher sous la tente. *Camper en haute montagne.* (1936; sous l'infl. de *camping*). Pratiquer le camping*.

Et il y a un an encore, je campais en montagne, je faisais mes quarante kilomètres dans la journée, sac au dos (...) 1.1

MONTHERLANT, Pitié pour les femmes, p. 189.

♦ **2** (1677). Fig. S'installer provisoirement (quelque part). *Nous campons à l'hôtel. Nous ne sommes pas dans nos meubles : nous campons.*

Mes gens sont occupés à déménager; j'ai campé dans ma chambre (...) 2

Mᵐᵉ DE SÉVIGNÉ, 368.

**II** V. tr. ♦ **1** Vx. Établir dans un camp (militaire). *Camper les troupes devant les lignes ennemies. Camper une armée pour l'hiver.* → **Cantonner.**

Le Maréchal de Villeroi avait campé son armée. 3

VOLTAIRE, le Siècle de Louis XIV, 20.

♦ **2** Vieilli. Installer (qqch.) avec décision, avec une certaine audace. → **Mettre, placer, poser.** *Camper son chapeau sur sa tête.*

À tout instant, il tirait, d'un étui en peau de serpent, une volumineuse paire de lunettes et il se la campait sur le nez (...) 4

G. DUHAMEL, Chronique des Pasquier, X, p. 292.

Vx. Donner avec vigueur (un coup). *Il lui campa un soufflet, une gifle.* → **Flanquer.** — Loc. *Camper qqn à la porte.* → **Ficher, foutre** (mod.).

Ah ! mais il m'agace, celui-là; je ne crois pas qu'il use beaucoup d'escarpins à mon service !... Je vais prier ma femme de le camper à la porte... 4.1

E. LABICHE, le Clou aux maris, 6.

(1789). Vx. *Camper là qqn,* le quitter brusquement. → **Laisser, planter.**

Fig., littér. *Camper un récit,* le dire ou l'écrire avec sûreté et vivacité. — Cour. *Camper un personnage,* le représenter avec vigueur, dans l'expression écrite ou le dessin, ou bien dans le jeu théâtral.

◆ **SE CAMPER** v. pron. (1690). Se tenir en un lieu dans une attitude fière, hardie, provocante. → **Dresser** (se), **planter** (se). *Il se campait avantageusement devant la glace.* → **Poser** (se).

Ce monstre, à voix humaine, aigle, femme et lion,
Se campait fièrement sur le mont Cythéron. 5

CORNEILLE, Œdipe, I, 3.

Campe-toi sur un pied. 6

MOLIÈRE, les Fourberies de Scapin, I, 5.

7 Matamore se campait dans une pose extravagamment anguleuse, dont sa maigreur excessive faisait encore ressortir le ridicule.
Th. GAUTIER, le Capitaine Fracasse, t. I, p. 159.

8 Mais, arrivée devant la maison Detcharry, elle vit Dolorès qui, près de rentrer chez elle, se retournait et se campait sur sa porte pour la regarder passer.
LOTI, Ramuntcho, I, XXVII, p. 197.

9 Vial sauta sur ses pieds, se campa devant moi, pareil à un mitron des noirs royaumes.
COLETTE, la Naissance du jour, p. 99.

◆ **CAMPÉ, ÉE** p. p. adj.

♦ **1** (Personnes). → **Assis, établi, fixé, placé, planté, posé, posté.** *Être solidement campé sur ses jambes.* — Par ext. (vx). *Bien campé :* bien bâti. *C'est un enfant bien campé.*

Fig. et vx. *C'est un homme bien campé,* dont la situation est solide, stable. → **Installé.**

♦ **2** *Un récit bien campé,* mis en valeur par sa clarté, sa précision. *Un personnage bien campé.* → **Décrit, dessiné, représenté.**

10 Parfois pourtant une scène habilement campée, un mot montre qu'il ne tenait qu'à eux de faire meilleur, de satisfaire aussi les délicats.
GIDE, Journal, 1907.

DÉR. **Campée, campement, campeur.** ◇ COMP. **Décamper.**

**CAMPEUR, EUSE** [kɑ̃pœʀ, øz] n. — 1913, *in* Petiot; de *camper.*

Personne qui pratique le camping*, campe et couche sous la tente ou dans une caravane, un camping-car, pour son plaisir. *Ce terrain peut abriter deux cents campeurs. La route était encombrée par les caravanes des campeurs.* → 2. **Caravanier.** *Campeurs individuels, qui font du camping sauvage.*

Encore une saison pourrie
Priez pour les pauvres campeurs
Comme pommes à la vapeur
À mariner dans les prairies.
ARAGON, le Voyage de Hollande et autres poèmes, p. 45.

**CAMPH-, CAMPHOR-** Élément de mots scientifiques (chimie, botanique), désignant des substances apparentées au camphre, des plantes contenant de telles substances, etc. Ex. : *camphène, camphorine.*

REM. De nombreux autres composés sont attestés dans le vocabulaire de la chimie : *camphorate,* n. m.; *camphosulfonate,* n. m., etc.

**CAMPHÈNE** [kɑ̃fɛn] n. m. — 1833; de *camph-,* et *-ène.*

Chim. Hydrocarbure terpénique ($C_{10}H_{16}$) servant à la fabrication du camphre synthétique. → **Terpène.**

**CAMPHOR-** → **Camph-.**

**CAMPHORINE** [kɑ̃fɔʀin] n. f. — 1865; de *camphor-,* et *-ine.*

Bot. Plante dicotylédone vivace, à tige ligneuse, et dont les feuilles exhalent une odeur de camphre. N. sc. : *camphorosma* (famille des *Salsolacées*). — REM. On dit aussi *camphrée.* → **Camphré,** 2.

**CAMPHRE** [kɑ̃fʀ] n. m. — XIIIe; *canfre,* 1256; du lat. médiéval *camphora;* de l'arabe *kāfūr,* même sens, cf. anc. franç. *cafour,* XIIIe.

♦ **1** Substance aromatique (cétone terpénique), blanche, transparente, d'une saveur amère et piquante, d'une odeur vive, provenant du camphrier. *À 0°, la densité du camphre est celle de l'eau; il fond à 175° et bout à 204°. Le camphre est utilisé en médecine comme sédatif, antispasmodique, stimulant, antiseptique.*

Elle *(Emma)* pâlissait et avait des battements de cœur. Charles lui administra de la valériane et des bains de camphre. FLAUBERT, Mme Bovary, I, IX. 1

Le suc dont se forme le camphre coule par une ouverture que l'on fait au haut de l'arbre, et se reçoit dans le vase où il prend consistance et devient ce qu'on appelle camphre. 2
A. GALLAND, les Mille et une Nuits, t. I, p. 225.

Solution camphrée. *Piqûre de camphre.*

Littér. *« Des ciels de camphre et de sel »* (J. Lorrain, *in* T. L. F.), d'une blancheur laiteuse.

♦ **2** Rare. Camphrier. *Bois de camphre.*

♦ **3** Comm. et cour. Substance extraite d'un végétal et possédant des propriétés analogues à celles du camphre. *Camphre de menthe* (menthol), *de thym* (thymol).

Vx. Alcool, eau-de-vie (*in* Huysmans).

DÉR. **Camphré, camphrer, camphrier.** — V. aussi **Camph-.**

**CAMPHRÉ, ÉE** [kɑ̃fʀe] adj. et n. f. — 1564; de *camphre.*

♦ **1** Adj. Qui contient du camphre. *Solution camphrée. Alcool camphré. Huile camphrée.*

Qui a rapport au camphre. *Odeur camphrée.*

♦ **2** N. f. (1751). *Camphrée.* → **Camphorine.** *Camphrée de Montpellier.*

**CAMPHRER** [kɑ̃fʀe] v. tr. — 1564; de *camphre.*

Imprégner de camphre. *Camphrer des fourrures, des lainages pour les préserver des vers.*

◆ **SE CAMPHRER** v. pron. (Av. 1854). Pop. et vx. S'enivrer (→ **Tuer le ver***).

Se camphrer, c'était faire un léger extra d'eau-de-vie, c'était visiter plus souvent que d'habitude le comptoir du débitant en détail.
RASPAIL, *in* Revue complémentaire des sciences appliquées, nov. 1854, (*in* D. D. L., II, 16).

**CAMPHRIER** [kɑ̃fʀije] n. m. — 1751, *Encyclopédie;* de *camphre.*

Bot. et cour. Arbuste *(Lauracées)* d'Extrême-Orient (laurier du Japon, *laurus camphora*), dont le bois distillé donne le camphre. *Bois de camphrier* (dit aussi *bois de camphre**).

Il régnait partout le plus bel ordre. Des allées de magnolias, de palmiers, de bananiers, de camphriers, d'orangers, de citronniers, de poivriers, traversaient les vastes cultures pour converger vers la ferme.
B. CENDRARS, l'Or, 1925, *in* Œ. compl., t. II, p. 175.

Par ext. Plante dont on peut extraire le camphre (camphrier proprement dit, camphorine, etc.). — On dit parfois *faux camphrier* pour les plantes autres que le *laurus camphora.*

**CAMPING** [kɑ̃piŋ] n. m. — 1903, *in* Petiot; mot angl. (fin XIXe), de *to camp* « camper ».

♦ **1** Activité touristique qui consiste à vivre en plein air, sous la tente, et à voyager avec le matériel nécessaire. *Matériel de camping.* → **Campement** (1.). *Faire du camping* (→ **Camper, campeur,** et aussi **Camping-**). *Aimer le camping. — Camping en caravane.* → **Caravanage, caravaning.**

Je découvris les joies du camping. J'étais toujours émue, le soir, quand j'apercevais les tentes dressées sur l'herbe d'un pré ou sur la mousse d'une châtaigneraie, si légères, si précaires et, cependant, accueillantes et sûres.
S. DE BEAUVOIR, la Force de l'âge, p. 205.

REM. L'équivalent francisé *campisme* [kɑ̃pism] n. m. ne semble guère employé.

**CAMPING SAUVAGE :** camping pratiqué dans des lieux qui ne sont pas réservés et aménagés à cet effet. *Nous ne supportons pas les terrains surpeuplés, nous faisons du camping sauvage en montagne.*

♦ **2** *Un terrain de camping* (cf. l'angl. *camping-place*), et, absolt, *un camping :* terrain où l'on pratique le camping. → **Camp.** — Spécialt. Terrain muni des installations sanitaires et autres, nécessaires aux campeurs. *Un camping municipal. Un camping privé. Camping de première catégorie*.*

REM. Ce faux anglicisme pourrait être remplacé par *terrain, camp** ou *campement**.

**-CAMPING, CAMPING-** Éléments, de l'angl. *camping* ou de l'emprunt, servant à former des mots composés. *Des autos-camping. Une croisière-camping. — Le camping-caravaning. Un camping-tour.* → aussi **Camping-car; camping-gaz.**

**CAMPING-CAR** [kɑ̃piŋkaʀ] n. m. — 1974, *le Point*, 8 juil., *in* Gilbert; faux anglicisme, de *camping*, et angl. *car* «voiture, véhicule». REM. Le terme a évincé *auto-camping* et *voiture-camping* — (1969, *in* Gilbert).

Camionnette dont l'intérieur est aménagé pour servir de logement. → **Motor-home.** — Au plur. *Des camping-cars.*

REM. Francisation normalisée au Québec (3 oct. 1980) : *autocaravane**.

Par ext. Forme de camping pratiquée en camping-car. *«Le camping-car, déjà très développé en Grande-Bretagne et aux États-Unis. Les géants de la location automobile hésitent à attaquer le marché français»* (*l'Express*, 3 nov. 1979).

**CAMPING-GAZ** [kɑ̃piŋgaz] n. m. invar. — V. 1960; marque déposée; de *camping*, et *gaz*.

Petit réchaud portatif à gaz butane pour le camping.

Non, je ne me vois pas assise derrière un volant, moi qui parviens déjà difficilement à me servir de mon camping-gaz sur lequel je vais faire réchauffer les pâtes de ce midi et cuire un œuf à la coque. Je dînerai en lisant *Le Monde*.
Yanny HUREAUX, la Prof, 1972, p. 167.

**CAMPO** [kɑ̃po] n. m. — 1857; mot port. du Brésil, «plaine».

Géogr. Savane des plateaux du Brésil.

À la «mata» s'opposent les «campos», associations ouvertes d'herbes et de graminées où l'arbre disparaît. En réalité le mot «campos» recouvre des paysages et des associations très différents. Le Brésilien distingue d'innombrables nuances parmi les campos : «campos limpos», dépourvus du moindre arbrisseau, «campos sujos» parsemés de buissons, et d'arbustes isolés.
Pierre MONBEIG, le Brésil, p. 19.

REM. On rencontre parfois l'hispanisme *campo* (plur. : *campos*) au sens de «plaine». *«Cette enfant du campo andalou»* (Montherlant).

**CAMPOS** [kɑ̃po; kɑ̃pos] ou **CAMPO** [kɑ̃po] n. m. — XVᵉ; argot lat. des écoliers *campos (habere, dare)* «(avoir, accorder) les champs».

Fam. Congé*, repos accordé aux écoliers... *Donner campos à qqn.* → **Clef** (clef des champs), **permission, vacance.** — (1690). Vx. Repos* que l'on s'accorde. *C'est campos aujourd'hui.*

Fig. Répit.

1 Elle comprit cela comme moi, et notre imagination nous donna plus d'un quart d'heure de *campos*.
Mme DE SÉVIGNÉ, 61, 9 déc. 1664.

Mod. (écrit *campo*). Repos, détente qu'on accorde. *Je vous donne campo, vous pouvez aller jouer* (→ Passage, cit. 3). *Faire campo.*

Quand on reçoit un décor sur la «cafetière», et que ça se passe chez des directeurs assez dégoûtants pour vous donner campo moyennant deux sous d'éther sur une compresse d'eau froide (...) quand on reste huit jours à moitié claquée à la taule (...) 2
COLETTE, l'Envers du music-hall, p. 39.

— Alors, dit le maire, comment va le chantier là-bas à Saint-Jean? 2.1
— Ça va, dit le maçon, mais je suis obligé de faire campo. Ils sont allés chercher du sable à la rivière.
J. GIONO, les Vraies Richesses, p. 164.

Figuré :

Pendant ce mois-là, je me suis donné campo. Je remettais la décision d'un jour sur l'autre. 3
J. DUTOURD, Pluche, XIII, p. 240.

CONTR. Travail.

**CAMPOSANTO** [kɑ̃posɑ̃to] n. m. — 1787; ital. *campo santo* «champ consacré».

Didactique.

♦ **1** Cimetière ayant un caractère artistique ou archéologique (généralt, en Italie). *Le camposanto de Pise.*

J'allais oublier de mentionner le cimetière qu'on rencontre à mi-côte dans un bosquet sombre (...) des tables de marbre brisées avec des fragments d'inscriptions, des colonnes gisantes, des urnes, des débris de statues et de sculptures, achèvent de donner à ce pittoresque campo santo le caractère antique qu'il convient. 1
J. GOURDAULT, Du Nord au Midi, 1884, III, p. 83, *in* D. D. L., II, 14.

♦ **2** (1842). Nécropole réservée à de hauts personnages.

Paris (...) s'aviserait-on jamais d'enterrer des peintres, des poètes, des savants, des musiciens, jusqu'à des comédiens dans l'auguste campo-santo des rois? 2
F. WEY, les Anglais chez eux, 1856, p. 119, *in* D. D. L., II, 14.

REM. On trouve également la graphie *campo santo*, et *campo-santo*. Au pluriel sont acceptés *campi santi* [kɑ̃pi sɑ̃ti] le pluriel italien, *campo santo* [kɑ̃posɑ̃to] considéré comme invariable, ou *campos-santos* [kɑ̃posɑ̃to], pluriel français. Lorsque le mot est écrit en un seul élément, le plur. franç. normal est *camposantos* [kɑ̃posɑ̃to].

**CAMPUS** [kɑ̃pys] n. m. invar. — 1894, *in* Höfler; amér. *campus* (employé dès 1774 à propos de Princeton), du lat. *campus* «champ».

♦ **1** Aux États-Unis, Vaste terrain où sont répartis les bâtiments d'une université, d'un collège.

J'ai fait mardi une conférence à Mills College. Le *campus* est un parc luxuriant accroché au flanc d'une colline (...) 1
S. DE BEAUVOIR, l'Amérique au jour le jour, p. 141.

Les universités, ces inventions du Moyen-Âge européen, se mettent à la mode de Columbia, Harvard, et Berkeley : à Grenoble, Toulouse et Caen, les nouveaux bâtiments encadrent de vastes pelouses vertes que l'on baptise, sans plus de façon, *campus*. 2
l'Express, 24-30 juill. 1967.

♦ **2** Université construite à la campagne et dont les bâtiments sont répartis autour d'un vaste espace vert. *Le campus (universitaire) d'Orléans. Les campus scandinaves, allemands.*

Université formée de plusieurs bâtiments séparés; espace réservé à une telle université.

**CAMUS, USE** [kamy, yz] adj. — 1243; *Camus*, surnom, 1221; orig. discutée, p.-ê. de *museau*, et préf. péj. *ca-*, ou du gaul. **kamusio*, du rad. celtique **kam-* «courbe», et suff. *-usio*, par l'anc. provençal *camus* «niais»; P. Guiraud propose l'étymon lat. *camus* «muselière», d'où *camensis* «muselé» et le doublet roman **camoceus*, **camuseus*, le premier avec infl. possible de *camur* «courbe».

♦ **1** Littér. Qui a le nez court et plat. → **Camard.** *Un visage camus. Une face camuse. Une personne camuse.* — N. *Un camus, une camuse.*

1 Pour toi, Socrate, tu n'étais qu'un pauvre homme, laid, camus, chauve (...) FÉNELON, XIX, 187, *in* LITTRÉ.

2 (...) des lueurs fauves tremblaient aux angles de sa face camuse et sur les bosses de son crâne tourmenté.
FRANCE, le Lys rouge, XXII, p. 170.

2.1 J'allai droit (...) vers ce serviteur dans lequel je crus reconnaître un personnage qui est de tradition dans ces sujets sacrés et dont il reproduisait scrupuleusement la figure camuse, naïve et mal dessinée (...)
PROUST, le Côté de Guermantes, Folio, p. 118.

2.2 Sa face était camuse, naturellement je crois, le nez ne paraissant pas avoir été abîmé par un coup de poing. Sa mâchoire était forte, solide. Son crâne était très rond et presque toujours rasé.
Jean GENET, Journal du voleur, p. 140.

*Chien camus,* qui a le nez écrasé. *Cheval camus :* cheval dont le chanfrein est enfoncé.

♦ **2** *Un nez camus,* aplati, écrasé. → **Camard.**

3 Il *(mon nez)* n'est ni camus ni aquilin, ni gros ni pointu, au moins à ce que je crois.
LA ROCHEFOUCAULD, Portrait par lui-même, *in* LITTRÉ.

♦ **3** (1410). Fam. et vx. Qui reste désappointé, confus, penaud. → **Ébahi, embarrassé, interdit.** *Demeurer camus.*

4 Je veux que Monsieur vous rende un peu camuse.
MOLIÈRE, Dom Juan, II, 4.

CONTR. **Aquilin, pointu.**

**CANADA** [kanada] n. f. — 1873; *pomme de Canada,* 1632; du syntagme *reinette du Canada,* 1775.

Variété de pomme de reinette très estimée, à chair douce, à peau rouge ou grise. *Une canada.* — REM. Le plur., en principe invariable *(des canada),* pourrait être normalisé *(des canadas).*

(...) les calville en robe blanche, les canada sanguines (...).
ZOLA, le Ventre de Paris, 1873, t. II, p. 99.

N. m. (collectif). *Un kilo de canada. Du canada.*

REM. Le mot, dans cet emploi, est inconnu en français canadien.

**CANADAIR** [kanadɛʀ] n. m. — V. 1972; nom de la firme canadienne qui mit au point cet appareil, un CL-215.

Avion (bombardier* à eau utilisant initialement de l'eau de mer) employé pour lutter contre les incendies.

Tous ces feux, cet été.
La nuit, je n'arrive pas à dormir. Je revois les pins qui brûlaient sur les collines, le passage des canadairs au ras des incendies, les nappes d'eau qui s'abattaient avec un bruit de grosse mitraille, miroitantes dans des trouées de soleil, à travers la fumée.
Sébastien JAPRISOT, l'Été meurtrier, 1977, p. 229.

**CANADIANISME** [kanadjanism] n. m. — 1888, cit. ci-dessous; de *canadien;* l'angl. *canadianism* est attesté en 1899.

Linguistique.

♦ **1** Fait de langue (mot, tournure) propre au français parlé au Canada. *«Débarbouillette» est un canadianisme qui équivaut, en français de France, à «gant de toilette». Canadianisme québécois* (québécisme), *acadien,* etc. *Canadianismes acceptés, autorisés, «de bon aloi»; canadianismes combattus, condamnés* (anglicismes*, etc.).

J'ai résolu de rassembler dans une brochure la série d'articles qui ont paru récemment dans l'*Électeur* et qui signalaient un certain nombre des anglicismes et des canadianismes dont notre langage et notre style fourmillent.
Arthur BUIES, Anglicismes et Canadianismes, 1888.

REM. Le même auteur, en 1865, dans ses articles pour le journal *le Pays,* parlait de *«barbarismes canadiens».*

♦ **2** Fait de langue propre à l'anglais parlé au Canada (opposé à *briticisme, américanisme, australianisme...*).

**CANADIEN, IENNE** [kanadjɛ̃, jɛn] adj. et n. — 1732, Trévoux; de *Canada,* mot huron, «village», nom donné par Jacques Cartier à une partie de la Nouvelle-France, 1535.

Du Canada ou qui concerne le Canada. *Le Saint-Laurent, fleuve canadien. Le peuple canadien. Les Indiens, les Esquimaux canadiens.*

(...) aucune nécessité géographique ne justifiait logiquement l'existence d'une unité politique spéciale appelée Canada. Cependant cette unité politique existe : il y a un État canadien, un peuple canadien, une nation canadienne. Mais c'est l'histoire qui en est le facteur déterminant (...) André SIEGFRIED, le Canada, III, 1. 1

Spécialt. Du Canada (État fédéral). *Le gouvernement canadien et les gouvernements provinciaux. L'ambassadeur canadien et le délégué général du Québec à Paris.*

N. Personne qui est de nationalité canadienne. *Un Canadien anglais* (un *«anglais»,* en français du Canada). *Un Canadien français,* de langue maternelle et de culture française (Acadien, Québécois, etc. → **Québécois**). *Les immigrés, dits néo-canadiens.*

Les Canadiens français acceptent le régime britannique, parce qu'il leur garantit cet essentiel, leur religion et leur langue, c'est-à-dire la possibilité de rester distincts. 2
André SIEGFRIED, le Canada, XIII, 3.

REM. *Canadien français* (n. et adj.) a vieilli depuis l'extension d'usage de *Québécois, oise,* sauf pour parler des réalités françaises et francophones du Canada, hors du Québec.

DÉR. **Canadianisme, canadienne.** ◊ COMP. **Franco-canadien, néo-canadien.**

**CANADIENNE** [kanadjɛn] n. f. — 1925, au sens 2; de *canadien.* REM. Dans les sens ci-dessous, le mot est inconnu (et prête à sourire), en français du Canada.

♦ **1** Long canot aux extrémités relevées, à pagaies.

♦ **2** Agric. Charrue formée de plusieurs petits socs (pour ameublir la terre).

REM. La variante *canadien* est attestée pour ces deux sens.

♦ **3** (1928). Longue veste, de peau ou de toile imperméabilisée, doublée de peau de mouton.

L'Homard (...) tirait vanité d'une canadienne de toile cachou doublée de mouton qui lui prêtait, avec sa trique et son vieux feutre aux bords et au ruban crasseux, la dégaine inquiétante d'un détrousseur de grands chemins.
Francis CARCO, les Belles Manières, p. 49.

♦ **4** Petite tente de camping dans laquelle on ne peut se tenir debout.

**CANAILLE** [kanaj] n. f. et adj. — V. 1470; ital. *canaglia* «troupe de chiens», de *cane* «chien»; a remplacé l'anc. franç. *chie(n)naille,* encore utilisé au XVI^e^.

**I** N. f. ♦ **1** Vieilli. *(La canaille).* Ramassis de gens méprisables ou considérés comme tels. → **Pègre, populace, racaille.** *La canaille qui s'était attroupée* (→ Attrouper, cit. 3). *La canaille des laquais. Fréquenter la canaille.* → **Encanailler** (s'encanailler, vieilli.).

REM. Le mot ne peut plus s'employer de nos jours, sauf par effet stylistique ou pour faire allusion à l'attitude aristocratique, en histoire, en opposant aux classes considérées comme supérieures les couches les plus modestes de la société. — On note en outre une opposition populace / canaille, dans les emplois antérieurs au XX$^{e}$ s. (→ cit. 1 et 5).

1 La *populace* est le bas peuple, ce qu'il y a dans la société de moins distingué, de moins considéré ou de plus obscur (...) La *canaille* est une vile *populace*, une *populace* sans probité et sans honneur : aussi oppose-t-on d'ordinaire la *canaille* aux honnêtes gens.

LAFAYE, Dict. des synonymes, Suppl., Populace...

2 Connaît-on à l'habit aujourd'hui la canaille ?

CORNEILLE, la Suite du Menteur, I, 1.

3 Un coupable puni est un exemple pour la canaille ; un innocent condamné est l'affaire de tous les honnêtes gens.

LA BRUYÈRE, les Caractères, XIV, 52.

4 Il y a une autre canaille à laquelle on sacrifie tout, et cette canaille — c'est le peuple.

VOLTAIRE, Au marquis de Condorcet, 27 janv. 1776.

5 Dans les émeutes, dans les querelles des rues, la populace s'assemble, l'homme prudent s'éloigne ; c'est la canaille, ce sont les femmes des halles qui séparent les combattants, et qui empêchent les honnêtes gens de s'entr'égorger.

ROUSSEAU, De l'inégalité parmi les hommes, I, p. 60.

6 C'est encore ici une des raisons pourquoi je veux élever Émile à la campagne, loin de la canaille des valets, les derniers des hommes après leurs maîtres (...)

ROUSSEAU, Émile, II.

6.1 La classe des infortunés, que la richesse insolente désigne sous le nom de canaille, est la partie la plus saine de la société.

MARAT, l'Ami du peuple, 7 oct. 1790, *in* WALTER, la Révolution française vue par ses journaux.

7 Il aimait à fréquenter la canaille.

FRANCE, Les dieux ont soif, p. 109.

8 (...) cet aristocrate, si méprisant de la «canaille» et même du «peuple».

Louis MADELIN, Talleyrand, II, IX, p. 106.

♦ **2** (1639). *Une canaille :* une personne digne de mépris. *Cette vieille canaille de Un Tel.* → **Coquin, crapule, fripon, fripouille, salaud, saligaud, scélérat.** *Une bande de canailles. Un ramas de canailles* (→ Pièce, cit. 3). — En interj. *Canaille ! Bandit !*

9 Hé quoi ! dit-il, cette canaille
Se moque impunément de moi ?

LA FONTAINE, Fables, XI, 3.

10 Tous les champis le sont *(voleurs)* de naissance et c'est une folie que de compter sur ces canailles-là.

G. SAND, François le Champi, II, p. 39.

11 (...) les véritables hommes d'État préfèrent toujours aux honnêtes gens les canailles.

M. BARRÈS, Leurs figures, p. 82.

12 Quoi qu'en disent les littérateurs, acharnés par conformisme romantique et par paresse d'esprit contre les médiocres, on doit reconnaître qu'un honnête homme aux mérites certains mais sans éclat, est moins estimé des gens du beau monde qu'une canaille qui se recommande par une personnalité singulière.

M. AYMÉ, le Confort intellectuel, V, p. 62.

REM. Sans être archaïque ni littéraire, ce sens est d'un style soutenu, écrit, peu familier.

♦ **3** Par plais. (en parlant d'enfants étourdis, insupportables). *Ah ! petite canaille !* → **Coquin, fripon, polisson.**

13 Que les parents sont malheureux, qu'il faille
Toujours veiller à semblable canaille !

LA FONTAINE, Fables, I, 19.

**II** Adj. (1867). Vulgaire, avec une pointe de perversité. → **Arsouille, voyou.** *Des manières canaille* (Littré) ; *des manières canailles* (Hatzfeld, *Dict. général*). *Un air, des yeux, des propos canaille* (ou *canailles*). *Des goûts canaille* (ou *canailles*). *Il a un genre un peu canaille.*

Derouet toussa pour se faire le creux et commença, d'une voix dont il exagérait systématiquement les intonations naturellement canailles (...) 14

COURTELINE, Messieurs les ronds-de-cuir, 6$^{e}$ tableau, III, p. 254.

N. m. (rare). *Le canaille :* le genre canaille.

CONTR. **Aristocratie, grand** (les grands), **qualité** (gens de), **société** (la, la bonne, la haute). — **Droit, honnête, loyal, probe.** — **Aristocratique, délicat, distingué, raffiné.** — **Innocent, pur.** ◊ DÉR. **Canaillement, canaillerie.** ← COMP. **Encanailler** (s'). — **Canaillocratie.**

## CANAILLEMENT [kanajmɑ̃] adv. — 1870, Goncourt ; de *canaille.*

Rare et littér. D'une manière canaille.

Le pick-up jouait en sourdine un air canaillement reposant.

Albert SIMONIN, Touchez pas au grisbi, p. 102.

## CANAILLERIE [kanajʀi] n. f. — 1821, Chateaubriand ; de *canaille.*

Littéraire ou style soutenu.

♦ **1** Caractère d'une canaille, ou d'une action digne d'une canaille. → **Friponnerie, improbité, indélicatesse, malhonnêteté.** *C'est de la pure canaillerie.*

Un refus par délicatesse serait de la canaillerie à mon endroit. FLAUBERT, Correspondance, t. IV, p. 382. 1

♦ **2** Caractère de ce qui est canaille (II.). Polissonnerie vulgaire.

(...) ce lieu sue la bêtise, pue la canaillerie et la galanterie de bazar. Il y flotte une odeur d'amour, et l'on s'y bat pour un oui ou pour un non (...) 2

MAUPASSANT, la Femme de Paul, p. 12.

(...) et une pointe de canaillerie faubourienne pimentait insensiblement l'amusement de ce qu'il *(Lahrier)* disait. 3

COURTELINE, Messieurs les ronds-de-cuir, 4$^{e}$ tableau, II, p. 138.

♦ **3** Par métonymie. *(Une, des canailleries).* Action malhonnête. → **Coquinerie, crapulerie.**

Eh ! bien , dis-je, de ces huit ans, pas un jour ne s'est écoulé qui n'ait été pour votre «amie» l'occasion d'une petite canaillerie nouvelle (...) 4

COURTELINE, Boubouroche, Nouvelle, p. 40.

## CANAILLOCRATIE [kanajɔkʀasi] n. f. — 1793 ; de *canaille,* et *-cratie,* d'après *(aristo)* ou *(démo)cratie.*

Rare. Suprématie de la canaille. → **Voyoucratie.**

## CANAL, CANAUX [kanal, kano] n. m. — Déb. XII$^{e}$ ; lat. *canalis,* de *canna* «roseau, tuyau».

**I** ♦ **1** (1690). Dispositif naturel ou artificiel permettant le passage* d'un liquide ou d'un gaz. → **Conduit.** *Canal circulatoire, cylindrique.* → **Conduite, tube, tuyau.** *Canal à ciel ouvert.* → **Caniveau, fossé, rigole, tranchée.** *Canal d'évacuation.* → **Égout, gouttière.** *Canal d'assèchement, de drainage, d'écoulement. Canal colateur.* → **Arrugie, cunette, dalot, drain, émissaire, goulette** ou **goulotte, noulet, saignée, watergang.** *Canal de colmatage,* pour le transport du limon. *Canal pour le transport du pétrole, du gaz naturel.* → **Gazoduc, oléoduc, pipeline.** *Canal d'adduction d'eau.* → **Adducteur, aqueduc,** 2. **buse, coursier, étier** (de marais salant). *Canal d'amenée. Canal de fuite. Canal d'irrigation*, d'arrosage*.* → **Conduite, séguia.** *Un réseau de canaux.*

(...) cette fertile terre d'Égypte, semblable à un jardin délicieux arrosé d'un nombre infini de canaux. 1

FÉNELON, Télémaque, II, p. 27.

L'eau, amenée de tous côtés par des canaux, permettait d'entretenir de grands bois de palmes, des plantations de cannes à sucre et des vergers pleins de roses. 2

LOTI, Jérusalem, XV, p. 182.

(1882). *Canaux de Mars :* formations apparemment rectilignes découvertes en 1877 par Schiaparelli à la surface de Mars, interprétées longtemps et erronément comme pouvant être des canaux creusés artificiellement à la surface de cette planète.

Conduit naturel par lequel s'effectue la circulation souterraine des eaux, des gaz. → **Galerie.**

Techn. *Canal d'injection, d'alimentation, dans le moulage des matières plastiques.*

Autom. *Canal d'admission, d'alimentation des gicleurs. — Canal de vidange,* dans une chaudière à vapeur.

♦ **2** (1538). Cours d'eau artificiel, et, spécialt, cours d'eau navigable creusé ou aménagé. *Canal de communication. Canal navigable. Les canaux sont parcourus par des bateaux plats.* → **Balandre, chaland, péniche.** *Aménagement d'un canal.* → **Balisage, clayonnage; berme, bief, déversoir, écluse, francbord.** *Le tirant* d'eau, la profondeur d'un canal. Entretien d'un canal.* → **Curage, désenvasement, déversement, dragage.** *Bateau dragueur de canaux.* → **Revoyeur.** *Surveillant d'un canal.* → **Garde-bord.** *Canal servant à la navigation et à l'irrigation. Canal de jonction, de point de partage,* mettant en communication les cours d'eau de deux bassins hydrographiques. *Canal latéral,* longeant la partie difficilement navigable d'une rivière. *Canal de dérivation. Établir un canal de dérivation pendant la construction d'un barrage*. Canal d'accès à la mer.* → **Chenal, robine.** *Canal maritime,* faisant communiquer deux mers, deux océans. *Canal de Suez, de Panama. — Les canaux d'une ville bâtie sur l'eau.* (1606). *Le grand canal* (écrit aussi : *Grand Canal,*) à Venise. *Les canaux de Bruges, d'Amsterdam.*

3 Je revois le canal, la lagune, les îles (...)
Ma gondole est là, son fer droit;
Et, durant tout un jour, j'ai eu toute Venise,
Venise tout entière à moi.

H. DE RÉGNIER, Vestigia Flammæ, «Soir vénitien».

3.1 Les palais du Grand Canal, avec leurs ceintures d'algues noires et de coquillages.

Paul MORAND, Venises, p. 133.

4 Un groupe de trois canaux (canal de Briare, 1605-1642; canal du Loing, 1719-1724; canal d'Orléans, 1692), réalisant la jonction de la Seine à la Loire, joua dans l'économie de Paris, durant tout le XVIII^e^ siècle et les débuts du XIX^e^, un rôle de premier plan (...) avant le canal de Saint-Quentin, ce fut pour Paris la grande voie d'arrivée du charbon.

DEMANGEON, Géographie économique et humaine de la France, t. I, p. 432.

5 En amont du barrage *(de Kembs)* se détache un canal ouvert à la navigation depuis mai 1931 (...) les bateaux se rendant de Strasbourg à Bâle remontent le Rhin jusqu'à ce canal, s'y engagent et rejoignent le fleuve dans le port de Bâle; et ainsi la traction n'exige plus de gros remorqueurs, ni de manœuvres dangereuses. Ce canal de Kembs n'est, dans la conception française, que la première section du canal latéral qui doit unir Bâle à Strasbourg, le Grand Canal d'Alsace.

DEMANGEON, Géographie économique et humaine de la France, t. I, p. 441.

6 (...) la rue *(une rue d'Amsterdam)* coupait une suite de canaux parallèles bordés de maisons dont les façades sans relief (...) se reflétaient dans l'eau semi-stagnante (...)

MARTIN DU GARD, les Thibault, t. II, p. 228.

7 Amsterdam. Cossues, les maisons à pignons se reflètent dans l'eau lisse des canaux.

A. MAUROIS, Bernard Quesnay, XXVIII, p. 188.

Spécialt. Pièce d'eau étroite et longue dans un jardin, un parc. → **Bassin, miroir** (d'eau).

8 C'est ce grand Trianon, solitaire et royal,
Et son perron désert où l'automne, si douce,
Laisse pendre, en rêvant, sa chevelure rousse
Sur l'eau divinement triste du grand canal.

Albert SAMAIN, le Chariot d'or, «Versailles», III.

♦ **3** Vieilli. Cours d'eau; partie de cours d'eau. → **Bras, lit.**

(...) un canal, formé par une source pure 9
Se trouve en ces lieux écartés (...)

LA FONTAINE, Fables, I, 11.

(...) la rivière se divise en deux canaux par des îles groupées au milieu des rapides (...) 10

CHATEAUBRIAND, Voyage en Amérique..., Journal sans date, *in* LITTRÉ.

♦ **4** (1549). Géogr. Nom donné à certains bras de mer. → **Détroit.** *Canal de Mozambique. Canal entre deux îles.* → **Embouquement, passe.** *Entrer dans un canal, en sortir.* → **Embouquer, débouquer.**

Nous fûmes obligés de tirer des bordées pour embouquer le canal (...) 11

CHATEAUBRIAND, Itinéraire..., II, 3, *in* LITTRÉ.

**II** ♦ **1** (1680). Anat. Structure tubulaire par laquelle s'écoulent diverses matières ou liquides organiques (*canal excréteur,* d'une glande; *canal biliaire*) ou qui livre passage à un vaisseau ou à un nerf *(canal osseux, fibreux...).* → **Tube, vaisseau; artère; canalicule, conduit, infundibulum, trompe, uretère, urètre, veine...** *Canal cholédoque, cystique, digestif, éjaculateur, excréteur, hépatique; médullaire, rachidien, vertébral. Canaux semi-circulaires de l'oreille interne. Orifice d'un canal.* → **Méat.** *Sondage d'un canal.* → **Cathétérisme.** *Ligaturer un canal.* → **Ligature.** *Canal accidentel.* → **Fistule.**

Le casoar a une vésicule de fiel, et son canal, qui se croise avec le canal hépatique, va s'insérer plus haut que celui-ci dans le duodénum. 12

BUFFON, Hist. nat. des oiseaux, t. II, *in* LITTRÉ.

Ce sont les canaux semi-circulaires q[ui] n[ous] donnent des notions sur les 3 dimensions de l'espace (Sens de l'espace — Maladie de Ménière — Vertige). Si ces canaux sont lésés, les notions qu'ils n[ous] donnent ne correspondent plus à celles q[ue] n[ous] procure la vue par ex[emple] et c'est de ce désaccord q[ue] naît le vertige. 12.

CLAUDEL, Journal, 26 janv. 1936.

*Canal artériel,* réunissant l'aorte et l'artère pulmonaire chez l'embryon jusqu'à la naissance (le sang de l'embryon n'ayant pas besoin de traverser le poumon). *Le canal artériel s'oblitère normalement après la naissance.*

Pathol. *Canal artériel persistant :* malformation grave, que l'on opère en ligaturant le canal (opération de Gross).

*Canal dentaire :* conduit situé au centre des racines de la dent, par lequel passe le filet vasculonerveux, et qui relie l'apex à la chambre pulpaire. *Canaux de l'ivoire. Infection des canaux. Ouvrir, boucher les canaux.*

(1813). Bot. *Canal médullaire*. Canaux sécréteurs, canaux de la sève.*

♦ **2** (1538). Partie évidée; creux. — Archit. et sculpt. Cannelure* (de certains piédestaux). — Sillon en spirale de la volute ionique. Cannelure du chapiteau corinthien. → **Glyphe, gorge, rainure.**

Techn. *Canal de fût, de lumière,* d'un fusil.

**III** (Abstrait ou fig.). ♦ **1** (1679). Ce qui sert à établir une communication; agent ou moyen de transmission. → **Filière, intermédiaire, voie.** *Répandre une information par le canal des journaux.*

Quand on songe à l'avenir et qu'on a de belles vérités à y faire passer, il est naturel de vouloir que ce soit par des canaux qui ne soient pas suspects. 13

M^me^ DE SÉVIGNÉ, 723, 20 juil. 1679.

Ayant reçu par les traces du sang et par le canal de la succession la propriété du duché (...) 14

RACINE, Factums.

La prière, le canal des grâces (...) 15

MASSILLON, Tiédeur, II, *in* LITTRÉ.

16 Les secours se multiplient, les canaux de l'abondance sont rouverts. THOMAS, Éloge d'Aguesseau, *in* LITTRÉ.

17 Je reçois, par un canal amical, votre avis bienveillant. SAINTE-BEUVE, Correspondance, II, p. 287.

Loc. *Par le canal de... :* par l'intermédiaire* de... (qqn, un moyen de transmission).

♦ **2** Didact. (théorie des communications, sémiotique; angl. *channel*). Ensemble des moyens sensoriels par lesquels une information est transmise. *Le canal visuel, le canal auditif. Les animaux communiquent fréquemment par le canal olfactif.* — Moyen concret par lequel un message est transmis d'un émetteur à un destinataire.

♦ **3** (Angl. *channel*). Domaine de fréquence occupé par une émission de télévision. *Dans un canal de télévision, réservé à un émetteur, se trouvent l'onde porteuse de l'image et celle du son.* — (Canada). *Canal de télévision* (→ **Chaîne**).

Moyen de transmission des signaux de chaque haut-parleur dans une reproduction sonore stéréophonique. *Canal gauche, droit.*

♦ **4** Écon. *Canal de distribution :* ensemble des éléments d'un système de distribution par lesquels s'effectue la commercialisation d'un produit. → **Circuit.** — REM. Comme le sens 3, ce dernier sens traduit l'angl. *channel*, mais il peut provenir d'une métaphore interne au français.

**DÉR. Canalicule. Canaliser.** ◊ **COMP. Multicanal.** — **HOM.** (De *canaux*) **Canot.**

**CANALICULAIRE** [kanalikylɛʀ] adj. — 1838; de *canalicule*.

Didactique (zoologie et botanique).

♦ **1** Qui se développe dans les conduites d'eau.

♦ **2** Qui a la forme d'un canalicule. *Formations canaliculaires.*

**CANALICULE** [kanalikyl] n. m. — 1820; de *canal*, et suff. *-icule*.

Didact. Petit canal.

Anat. *Canalicules biliaires du foie*, où passe la bile sécrétée par les cellules hépatiques.

**DÉR. Canaliculaire, canaliculé.**

**CANALICULÉ, ÉE** [kanalikyle] adj. — 1803, Boiste; de *canalicule*.

Hist. nat. (vieilli). Creusé, ou prolongé en forme de canal (II., 1.).

**CANALISABLE** [kanalizabl] adj. — 1836; de *canaliser*.

Qui peut être canalisé. *Rivière canalisable. Ce cours d'eau est trop irrégulier pour être canalisable.*

**CANALISATEUR, TRICE** [kanalizatœʀ, tʀis] n. et adj. — 1831, Balzac; de *canaliser*.

♦ **1** Personne qui creuse des canaux. *Les canalisateurs hollandais.*

♦ **2** Fig. Personne qui centralise. — Adj. Qui canalise en endiguant, en dirigeant. *Une campagne de presse canalisatrice des divers mouvements de l'opinion.*

**CANALISATION** [kanalizasjɔ̃] n. f. — 1823, Las Cases; de *canaliser*.

♦ **1** Action de canaliser (un cours d'eau). *La canalisation du Rhône.* — Action de doter (une région) d'un réseau de canaux. *La canalisation de l'Allemagne du Nord.*

♦ **2** Techn. Transport à distance (d'un liquide, d'un gaz, du courant électrique) au moyen de conduits, conduites, tubes, câbles, etc.

♦ **3** (1829). Ensemble des tuyaux et conduits, ou des câbles protégés, destinés au transport des fluides, de l'énergie (souvent au pluriel). → **Réseau; branchement, colonne** (colonne montante), **conduite, tuyauterie.** *Canalisations de gaz, d'électricité, de pétrole* (→ **Pipeline**), *d'eau potable* (→ **Borne, griffon, puits** [puits filtrant]); *des eaux d'arrosage, des eaux de rebut* (→ **Égout, tout-à-l'égout**). *Coups de bélier* dans une canalisation d'eau. — Il faut refaire les canalisations.* → **Plomberie.**

*Une canalisation :* un tuyau, un conduit, un tube destiné au transport d'un fluide et faisant partie d'un ensemble.

♦ **4** Fig. Fait de canaliser, de diriger dans un sens déterminé. *La canalisation des informations.* — (Concret). *La canalisation des troupeaux* (→ Canidés, cit.).

Spécialt. Orientation et distribution des courants de la circulation routière, grâce à des couloirs spécialement aménagés (signalisation horizontale de la chaussée, etc.).

**CANALISER** [kanalize] v. tr. — 1829; attestation isolée, «enfermer comme dans un canal», 1585; de *canal*.

♦ **1** (1842). Rendre (un cours d'eau) navigable. *Canaliser le Rhin au moyen d'épis* ou de canaux latéraux.*

♦ **2** Sillonner (une région) de canaux. *Les Flandres, la Hollande, terres que des générations ont canalisées.*

♦ **3** Techn. Transporter à distance (un liquide, un fluide : eau, gaz, pétrole, électricité). — REM. Cet emploi est rare.

♦ **4** (1838). Fig. Empêcher de se disperser, diriger dans un sens déterminé. → **Centraliser, concentrer, diriger, grouper, réunir.** *Canaliser la foule, le flot des spectateurs. Canaliser la circulation. Canaliser les recherches, les demandes.*

Le progrès de la matière vivante consiste dans une différenciation des fonctions qui amène la formation d'abord, puis la complication graduelle d'un système nerveux capable de canaliser des excitations et d'organiser des actions (...) 1
H. BERGSON, Matière et Mémoire, p. 278.

Un artiste doit capter son génie; il ne lui permet pas de s'éparpiller, au hasard. Canalise ta force. 2
R. ROLLAND, Jean-Christophe, t. IX, p. 303.

(...) il garde une chance, si minime qu'elle soit, de tempérer la politique du maître ou tout au moins de la canaliser. 3
Louis MADELIN, Talleyrand, II, IX, p. 105.

C'est de la même façon que, dans sa phase catholique, Rome disciplinait, canalisait, en le libérant de sa source juive, le courant initial de l'Évangile. 4
André SIEGFRIED, l'Âme des peuples, conclusion, p. 196.

*(Ils)* demeurent dans l'attente de ce qui va se passer, tandis que gendarmes et hommes de police tentent de canaliser voitures et camions pour éviter le complet embouteillage. 5
Michel LEIRIS, Frêle bruit, p. 71.

◆ **CANALISÉ, ÉE** p. p. adj. *Fleuve canalisé. La partie canalisée du Saint-Laurent. — Circulation canalisée.* — «*Agitation savamment canalisée*» (Georges Sorel, *in* T. L. F.).

**CONTR. Disperser, diverger** (faire), **éparpiller.** ◊ **DÉR. Canalisable, canalisateur, canalisation.**

**CANAMELLE** [kanamɛl] n. f. — 1715; *cannamelle*, 1611; lat. médiéval *can(n)amella*, de *canna* «canne», et *mel* «miel».

Bot. (vieilli). Canne* à sucre.

**CANANÉEN, ÉENNE** [kananeɛ̃, eɛn] adj. et n. m. — Fin XVII^e; *chananens*, v. 1235; de *C(h)anaan*.

Didact. Du pays de Canaan (Palestine et Phénicie).

N. m. Groupe de langues sémitiques (ougaritique, phénicien, hébreu) formant, avec l'araménien, le sémitique occidental (groupe du Nord).

**CANAPÉ** [kanape] n. m. — 1648; *conopé* «rideau de lit», v. 1180; lat. *conopeum* «moustiquaire; sorte de lit entouré d'une moustiquaire»; grec *kônôpeion*, de *kônôps* «moustique».

♦ **1** Siège* à dossier où plusieurs personnes peuvent s'asseoir ensemble. → **Méridienne, sofa.** *Canapé garni de coussins. Canapé de cuir, de tissu. Canapé à deux places.* → **Causeuse, tête-à-tête.** *Canapé oriental.* → **Ottomane.** *Canapé de forme circulaire. S'étendre, se glisser* (→ Pointe, cit. 15) *sur un canapé.* — *Canapé-lit transformable.* → **Clic-clac, convertible.** *Tu dormiras sur le canapé du salon.*

1 Le canapé, clouté d'or, revêtu de velours grenat, reposait sur des pattes incurvées.
H. BOSCO, Un rameau de la nuit, p. 98.

2 Les deux hommes s'assirent sur un petit canapé à deux places, dans un coin de l'atelier, sous un dais d'étoffes orientales, et, se reprenant les mains avec des airs attendris, ils se les serrèrent de nouveau.
MAUPASSANT, Fort comme la mort, éd. 1889, p. 168.

♦ **2** (1787). Cuis. Tranche de pain de mie frais ou grillé sur laquelle on dresse certains mets. *Canapé de bécasses. Canapés pour hors-d'œuvres, pour un buffet.* — Loc. ... **SUR CANAPÉS**, présenté sur des canapés. *Œufs sur canapés.*

**CANAQUE** ou **KANAK, E** [kanak] n. et adj. — 1878; ling., 1867; mot polynésien *kanaka* «homme».

♦ **1** Autochtone de la Nouvelle-Calédonie. *Les Canaques et les Caldoches.*

Adj. Relatif à cette population. *Les mœurs canaques. «Moi aussi, je suis pour l'indépendance. Car la France va nous abandonner comme elle a lâché l'été dernier les Français des Nouvelles-Hébrides. Plus personne n'investit ici. Le chômage s'étend et avec lui le nombre des partisans de l'indépendance canaque»* (*le Nouvel Obs.*, 2-8 févr. 1981).

REM. Dans ce sens, on emploie de plus en plus la graphie moins francisée *kanak*.

(...) les débats de ce congrès *(le X^e congrès de l'Union calédonienne)* ont mis l'accent sur le thème de l'indépendance kanake à propos de laquelle M. Jean-Marie Tchibaou, vice-président de l'Union calédonienne, a déclaré : *«Le pays colonisé, c'est le pays kanake. C'est donc le peuple indigène, seul peuple légitime de ce pays, qui est colonisé et qui se trouve en droit de revendiquer son bien.»*
l'Union calédonienne et l'Indépendance kanake, *in* le Monde, 7 sept. 1979.

♦ **2** N. m. Ensemble des langues parlées par les Canaques.

♦ **3** (1899). Fam. et vx (péj. et raciste). Sauvage, individu grossier. *«Nous ne sommes pas des canaques»* (Léon Daudet, *in* T. L. F.).

**CANARD** [kanaʀ] n. m. — 1487; *quanart*, XIII^e; surnom masculin, 1190; probablt du même rad. onomatopéique que l'anc. franç. *caner* «caqueter» (XIII^e), et suff. *-ard*, d'après *malard*.

**I** ♦ **1** Oiseau palmipède *(Anatidés)* au bec jaune, large, aux ailes longues et pointues ornées d'un miroir (B., 4.), aux pattes palmées (n. sc. : *anas*). *Femelle du canard; un canard femelle.* → **Cane.** *Petit du canard.* → **Caneton; canardeau** (rare). *Le dandinement du canard. Le canard est aquatique. Le canard barbote, nage, plonge. Mare aux canards.* → **Barbotière, canardière.** *Cri du canard.* → 2. **Cancaner; nasiller.** *Élevage du canard domestique.* → **Canarderie.** *Canard sauvage. Vol de canards sauvages. Mâle du canard sauvage.* → **Malard.** *Jeune canard sauvage.* → **Halbran.** *Le nyroque* (nyroca), *canard plongeur.* → **Milouin, morillon.** *Canard hollandais.* → **Tadorne.** *Produit du canard musqué* (au plumage sombre) *et du canard commun.* → **Mulard.** *Canard qui fournit le duvet à édredon.* → **Eider.** *Canard migrateur, voyageur.* → **Macreuse, pilet, souchet.** *Oiseaux voisins du canard.* → **Harle, sarcelle.** *Chasse aux canards* (→ Abriter, cit. 6). *Long fusil pour tirer les canards.* → **Canardière.**

REM. Si le contexte ne s'y oppose pas et en l'absence d'adj. épithète, *canard* signifie en général «canard domestique». *Un vol de canards* (pour : *de canards sauvages*) peut se dire, mais risque d'être mal interprété hors contexte.

Demeurez au logis, ou changez de climat : 1
Imitez le canard, la grue et la bécasse.
LA FONTAINE, Fables, I, 8.

(...) quand je le voyais, les jours de promenade, se dandiner à la queue de la colonne avec la grâce d'un jeune canard (...) Alphonse DAUDET, le Petit Chose, I, VI. 2

Canard domestique (destiné à l'alimentation humaine). *Canard rôti. Canard aux navets, aux olives, à l'orange. Canard au sang. Canard laqué** (plat chinois). *Canard pékinois. Aiguillettes de canard. Pâté de canard. Magret* de canard. Omelette aux foies de canard. — Aiguillettes, pâté de canard sauvage.*

(...) un extraordinaire canard à l'orange, avec sauce au curaçao épaissie de foies de volailles pilés (...) 3
GIDE, Journal, 10 janv. 1943.

*Œuf de canard* (ou *de cane*) :

Peut-on dire : *des œufs de canard?* Sans doute on dira plus exactement : *des œufs de cane.* Toutefois, si l'on observe que *canard* ne désigne pas proprement le mâle, mais l'espèce, on reconnaîtra que l'expression *des œufs de canard* n'est pas absurde comme : *des œufs de coq.* L'Académie écrit avec raison (au mot *Œuf*) : *Œuf de poule, de canard, de pigeon.* 4
J. HANSE, Nouveau dict. des difficultés du franç. moderne, art. *Canard.*

Spécialt. Canard mâle (par oppos. à *cane*) et adulte (par oppos. à *caneton, canardeau*).

♦ **2** Fam. *Marcher comme un canard.* → **Dandiner** (se dandiner, *supra* cit. 2); 1. **Caneter** (vx). — *Marcher en canard, les pieds en canard,* la pointe des pieds tournée vers l'extérieur.

Ou bien, il s'exerçait à marcher comme Charlot, les pieds en canard, en faisant tourner une badine imaginaire. 4.1
R. SABATIER, les Allumettes suédoises, p. 189.

(1696). *Mouillé, trempé comme un canard :* très mouillé. *Plonger, nager comme un canard,* avec une aisance parfaite. — *Ça ne casse pas trois pattes à un canard :* cela n'a rien de bien remarquable; c'est assez médiocre. *Il n'a pas cassé trois pattes à un canard :* il n'a rien fait d'extraordinaire. — *Glisser comme l'eau sur les plumes d'un canard* (en parlant d'événements, de comportements désagréables) : laisser indifférent. — *Être comme une poule qui a couvé des canards :* être étonné, voire déçu par qqn que l'on croyait bien connaître. — *Canard boiteux :* personne dépourvue de dons, de capacités, mal adaptée à la collectivité dans laquelle elle vit. — Par ext. Entreprise peu rentable, qui rencontre des difficultés à affronter la concurrence.

*Ce groupe industriel s'est séparé de sa filiale à l'étranger, qui n'était qu'un canard boiteux. Pas de pitié pour les canards boiteux! — Il ne faut pas prendre les enfants du bon Dieu pour des canards sauvages :* il ne faut pas prendre les autres pour des naïfs, des sots.

**Froid de canard :** froid très vif (les passages de canards sauvages ont lieu aux grands froids).

4.2 Et le cochon coûtait trois cents francs le kilo, les œufs vingt et un francs la pièce et le vin, je le répète, deux cents francs la bouteille. Supplémentairement, il faisait un froid de canard, quatre au-dessous dans l'appartement, et pas de bois, pas de charbon non plus.
M. AYMÉ, le Vin de Paris, p. 105.

(Terme d'affection). *Mon canard, mon petit canard.*

**II** (1840). Fig. Morceau de sucre trempé dans une liqueur, dans du café. *Prendre un canard.*

4.3 Il plongea un sucre dans son verre et lui sourit : «Je réponds à son sourire», raconte l'auteur. Il plongea alors un second sucre dans son kirsch et l'espace de quelques secondes tendit imperceptiblement sa main dans ma direction. Vraisemblablement il souhaitait que je goûte le «canard» qu'il avait préparé à mon intention.
M. TOURNIER, le Vent Paraclet, p. 217.

**III** ♦ **1** (1834). Par anal. (avec le cri du canard). Son criard, fausse note faite en chantant ou en jouant d'un instrument de musique. → **Couac.**

Par anal. (avec la forme du bec du canard). Méd. Tasse à long bec qui permet de donner à boire à un malade alité. *L'infirmière lui a tendu le canard.*

♦ **2** (V. 1750). Fig. et fam. (Vieilli). Fausse nouvelle lancée dans la presse pour abuser le public. → **Bobard, bruit** (faux bruit). *Ce n'est qu'un canard. Lancer des canards.*

4.4 Le *canard* est une nouvelle quelquefois vraie, toujours exagérée, souvent fausse (...) Le canard remonte à la plus haute antiquité. Il est la clef de l'hiéroglyphe, le verbe de ses phrases énigmatiques. Les histoires de tous les peuples ont commencé par des canards.
Le canard est la base des religions.
NERVAL, *in* P. GINISTY, Anthologie du journalisme, t. I, p. 306.

(1842). Par ext. Journal de peu de valeur.

5 En dehors de ces articles, on imprime, chaque jour, dans une foule de petits canards, des notes plus ou moins venimeuses, plus ou moins menaçantes (...)
G. DUHAMEL, Chronique des Pasquier, VIII, p. 455.

Journal (quelconque). *Prête-moi ton canard,* ton journal.

6 Celui-ci, après avoir plié les bandes de je ne sais quel canard, est au contrôle d'un petit théâtre des boulevards (...)
Ed. et J. DE GONCOURT, Journal, mai 1856.

Spécialt. *Le Canard enchaîné,* titre d'un journal satirique.

7 (...) mais à mesure qu'apparaît plus nettement à travers les caricatures et les textes du journal, ce «canard déchaîné» que vous êtes au moment de devenir et que vous semblez ne maîtriser qu'avec peine, je m'inquiète alors et je m'interroge (...)
F. MAURIAC, le Nouveau Bloc-notes 1958-1960, p. 288 (Lettre au *Canard enchaîné*).

**IV** Adj. invar. *Chien canard :* barbet à poil épais et frisé qu'on dresse pour la chasse aux canards. *Bois canard :* morceau de bois flotté qui va au fond ou s'arrête sur les bords du cours d'eau. Mar. *Bâtiment canard :* navire qui plonge facilement par l'avant et se relève avec peine, qui canarde* (II., 2.), par suite d'un vice de construction ou de chargement. (1926). *Bleu canard :* bleu vert.

**DÉR. Canardeau, canarder, canarderie, canardière.**

**CANARDEAU** [kanaʀdo] n. m. — 1547; repris 1820; de *canard.*

Rare. Jeune canard (plus âgé que le *caneton*).

**CANARDÉE** [kanaʀde] n. f. → **Canarder** (II., 3.).

**CANARDEMENT** [kanaʀdəmɑ̃] n. m. — 1942, Gide; de *canarder.*

Fam. et rare. Action de canarder (I.).

**CANARDER** [kanaʀde] v. — 1578; de *canard.*

**I** V. tr. (Fam.). Tirer, faire feu sur..., d'un lieu où l'on est à couvert (comme dans la chasse aux canards). → **Tirer.**

Il passa la rivière malgré ces arquebusiers qui le canardaient dans l'eau. D'AUBIGNÉ, Vie, 15, *in* LITTRÉ. 1

Ils *(les Allemands)* boutèrent le feu aux quatre coins des immeubles (...) puis, postés devant les portes, canardaient qui voulait sortir. GIDE, Journal, Août 1914. 2

Il n'y a pas un travailleur allemand qui souhaite quitter sa femme, ses enfants, son métier, pour prendre un fusil et canarder des travailleurs français! 3
MARTIN DU GARD, les Thibault, t. VII, p. 124.

(Cour.). *Se faire canarder :* se faire tirer dessus. *Se canarder :* se tirer l'un (les uns) sur l'autre (les autres).

Un magasin d'armes éventré fournit quelques centaines de revolvers et de fusils aux émeutiers. Bientôt les coups de feu claquent. Sur le standard radiophonique du quartier général de la police, les appels se font de plus en plus pressants : «On se fait canarder. Peut-on riposter?» 4
l'Express, 24-30 juil. 1967.

Absolt. *Ils s'étaient planqués pour canarder.*

**II** V. intr. ♦ **1** (1826). Mus. Faire une fausse note, un canard (III.), un couac. *Ce clairon canarde.*

♦ **2** (1819). Mar. Plonger par l'avant et embarquer de l'eau, en parlant d'un navire.

♦ **3** (XIXe, «plonger», Genève). Régional (Suisse). Tomber en glissant (dér. : *canardée*).

**DÉR. Canardement.**

**CANARDERIE** [kanaʀdəʀi] n. f. — 1800, Boiste; de *canard.*

Agric. (rare). Lieu où l'on élève des canards (J. Aicard, *in* G. L. L. F.).

**CANARDIÈRE** [kanaʀdjɛʀ] n. f. — 1665; de *canard.*

Technique (chasse) ou régional.

♦ **1** Mare pour les canards. — (1690). Lieu disposé pour la chasse au canard sauvage.

♦ **2** (1794). Long fusil pour tirer de loin les canards sauvages.

On m'accorde le droit de canne et de canotage, en échange des roseaux qui, j'ai bien compris, attireront l'acheteur-sud s'il aime manier la canardière.
Hervé BAZIN, Cri de la Chouette, p. 162.

1. **CANARI** [kanaʀi] n. m. — 1583; *canarin,* 1576 à 1851; esp. *canario* «serin des Canaries».

Serin des Canaries *(Fringillidés),* petit oiseau passeriforme, à la livrée jaune et brun olivâtre. *Chant du canari. Canaris en cage.*

Par compar. *Chanter, babiller comme un canari.*

Adj. (toujours invariable et postposé). *Un gilet canari,* de la couleur jaune du canari. *Jaune canari :* jaune tirant sur le vert. *Des gilets d'un jaune canari,* ou *jaune canari* (*jaune* étant adjectivé).

Nous observons longuement l'extraordinaire travail de la mouche-maçonne (celle-ci a l'étranglement de son abdomen jaune canari, et non noir comme l'espèce la

plus commune). En quelques minutes, elle a complètement muré une araignée dans l'alvéole de terre où elle l'avait forcée d'entrer.
GIDE, Voyage au Congo, *in* Souvenirs, Pl., p. 770.

HOM. 2. Canari.

2. **CANARI** [kanaʀi] n. m. — 1664; *canary,* 1673; galibi (langue indienne d'Amérique du Sud), *canâli* «terre» puis «poterie».

En franç. d'Afrique. Récipient, généralement de terre cuite. *Des canaris d'eau potable.*

1 Les jeunes filles, armées de canaris, se suivaient à la queue-leu-leu sur le sentier tortueux de la fontaine.
K. FODÉBA, Aube africaine, *in* Panorama de la littérature négro-africaine, p. 94.

2 De près, ce n'est qu'un égout dégageant des puanteurs de latrines. Les femmes des maisons riveraines vont y déverser de pleins canaris d'immondices. Le plus ravissant des cloaques!
Roger VERCEL, l'Île des revenants, p. 128.

HOM. 1. Canari.

**CANASSON** [kanasɔ̃] n. m. — 1866; altér. péj. de *canard* «mauvais cheval», et suff. *-asson.*

Fam. Mauvais cheval. → **Rosse.** — Par ext. Tout cheval (→ Bidard, cit.). *Il élève des chouettes canassons, de vrais pur-sang!*

1 (...) un vieux cocher à carrick, qui conduisait une haridelle boiteuse, ou, pour parler plus proprement, un horrible canasson. FRANCE, la Vie en fleur, XXIX, p. 337.

2 Vends tes canassons et tes cochons de lait, et laisse-moi tranquille! COLETTE, Julie de Carneilhan, p. 17.

**CANASTA** [kanasta] n. f. — V. 1945; mot esp. d'Uruguay, «corbeille», de *canastillo* «petit panier», du lat. *canistellum,* de *canistrum* «panier».

Jeu de cartes (deux jeux de cinquante-deux cartes et quatre jokers) qui consiste à réaliser des séries de sept cartes de même valeur, et qui se joue en équipes. *Jeu de canasta.*

Dès le soir de son arrivée, la dame avait révolutionné l'hôtel, faisant arrêter les ventilateurs, fermer les fenêtres de la mezzanine (...) portant sur les nerfs des joueurs de bridge ou de canasta et qui ne pipaient mot, trop galants pour protester (...)
B. CENDRARS, Noël aux quatre coins du monde, *in* Trop c'est trop, p. 147.

Par ext. La série de sept cartes de même valeur, à ce jeu. *Canasta parfaite. Canasta imparfaite :* série constituée de cartes naturelles et d'un maximum de trois cartes volantes (joker, etc.) remplaçant n'importe quelle carte.

**CANCALE** [kɑ̃kal] n. f. — 1891; de *Cancale,* ville d'Ille-et-Vilaine.

Huître élevée dans la baie de Cancale. *Des cancales. Une douzaine de cancales.*

1. **CANCAN** [kɑ̃kɑ̃] n. m. — 1821; collectif, «grand bruit à propos de quelque chose», v. 1640; *quanquan de collège,* 1554; lat. *quanquam* «quoique», avec l'anc. prononc., conjonction souvent employée dans les débats d'école.

(Souvent au plur.). Bavardage calomnieux, propos empreint de médisance, de malveillance. → **Bavardage, clabaudage, papotage,** (cit. 2), **potin, racontar, ragot.** *Des cancans de commère, les cancans des commères. Faire, dire des cancans (sur qqn).* → Casser du sucre* sur le dos de quelqu'un. *Colporter, faire courir, rapporter des cancans. Ce ne sont que des cancans sans fondement.*

1 Il se décida à louer une place au pavillon de la volaille, uniquement pour se distraire, pour occuper ses journées vides des cancans du marché. Alors, il vécut dans des jacasseries sans fin, au courant des plus minces scandales du quartier. ZOLA, le Ventre de Paris, t. I, p. 96.

(...) et maintenant les gens vont hocher la tête, faire des 2
cancans (...)
BERNANOS, la Joie, *in* Œ. roman., Pl., p. 723.

DÉR. 1. Cancaner, cancanier, cancanerie. ◊ HOM. 2. Cancan.

2. **CANCAN** [kɑ̃kɑ̃] n. m. — 1829; de *cancan,* nom enfantin, «canard», réduplication de *can* et onomatopée, par analogie avec le dandinement du canard.

Danse excentrique et tapageuse (quadrille), à la mode vers 1830 dans les bals publics.

Que dire du quadrille, du cancan? Ces pauvres trémous- 1
sements ont eu leur heure de gloire (...)
Francis DE MIOMANDRE, Danse, p. 37.

Vient un moment 2
Où, plein d'élan,
Vous risquez un léger cancan (...)
— Le cancan!... qu'est-ce que c'est que ça? (...)
— C'est une danse sans façon...
— Pauvre garçon (...)
LABICHE, Deux merles blancs, III, 5.

**FRENCH CANCAN** («cancan français»), dansé par des «girls» françaises dans certains cabarets, par référence au spectacle traditionnel du Montmartre de 1900. *Aller voir danser le french cancan au Moulin Rouge.*

DÉR. 3. Cancaner. ◊ HOM. 1. Cancan.

**CANCANAGE** [kɑ̃kanaʒ] n. m. — 1834; «période où le perroquet apprend à parler» ou «lieu où l'on élève les perroquets», 1654; de 1. *cancaner.*

Rare. Action de cancaner; ensemble de cancans. → **Cancanerie.**

1. **CANCANER** [kɑ̃kane] v. intr. — 1829; de 1. *cancan.*

Faire des cancans, des ragots (→ Papoter, cit. 1). *Trouver du plaisir à cancaner, à médire.*

Il était le seul homme du marché. Il avait la langue tellement longue, qu'après s'être fâché avec les cinq ou six filles qu'il prit successivement pour tenir sa boutique, il se décida à vendre sa marchandise lui-même, disant naïvement que ces pécores passaient leur sainte journée à cancaner et qu'il ne pouvait en venir à bout.
ZOLA, le Ventre de Paris, t. I, p. 97.

DÉR. Cancanage. ◊ HOM. 2. Cancaner, 3. cancaner.

2. **CANCANER** [kɑ̃kane] v. intr. — 1654, en parlant des perroquets; de *cancan,* nom enfantin du canard. → 2. Cancan.

Rare. Pousser son cri, en parlant du canard.

Par comparaison :

Ahuri, tétanisé de tics, fragile comme une fleur de serre, cancanant comme trente canards, Jerry Lewis les fit pâmer de rire.
Jean-Louis CURTIS, le Roseau pensant, p. 376.

HOM. 1. Cancaner, 3. cancaner.

3. **CANCANER** [kɑ̃kane] v. intr. — 1838; de 2. *cancan.*

Vieilli. Danser le cancan. — REM. L'homonymie avec 1. *cancaner* «faire des cancans» a éliminé ce mot, alors que *chahuter** s'est maintenu.

HOM. 1. Cancaner, 2. cancaner.

**CANCANERIE** ou **CANCANNERIE** [kɑ̃kanʀi] n. f. — 1836, G. Sand; de 1. *cancan.*

Rare. Action de cancaner. → **Cancanage, 1. cancaner.**

**CANCANIER, IÈRE** [kɑ̃kanje, jɛʀ] adj. et n. — 1834, n.; de 1. *cancan.*

Qui fait, qui rapporte des cancans, des ragots. *Des gens très cancaniers.* — N. *C'est un cancanier, une cancanière.* → **Commère.**

Dès neuf heures, tout le menu peuple du Marais — cette province cancanière — attendait aux fenêtres, aux portes, dans la rue, le passage des cabotins.
Alphonse DAUDET, Fromont jeune et Risler aîné, p. 271.

HOM. (Du masc.) Formes des v. 1., 2. et 3. **cancaner.**

**CANCEL** [kɑ̃sɛl] n. m. — Mil. XIIe; lat. *cancellus* «barreau»; → (var.) Chancel.

♦ **1** Vx. Dans une église, Balustrade qui ferme le chœur. — Var. (vieillie) : *chancel.*

♦ **2** (1845). Hist. Lieu entouré d'une balustrade où était disposé le grand sceau de l'État. — Var. : *chancel.*

HOM. Formes des v. 1. et 2. **Canceller.**

**CANCELLARIAT** [kɑ̃selaʀja] n. m. — 1829; du rad. du lat. *cancellarius.* → Chancelier.

Didact. (hist.). Dignité de chancelier.

1. **CANCELLER** [kɑ̃sele] v. tr. — Fin XIVe; *chanceler,* 1293; lat. *cancellare* «disposer en treillis; rayer».

Dr. (vx). Annuler (un acte) en le raturant par des croix ou en le lacérant. *Canceller et annuler des documents.*

◆ **CANCELLÉ, ÉE** p. p. adj. (1808). Biol., zool. Réticulé.

HOM. 2. **Canceller.**

2. **CANCELLER** [kɑ̃sele] v. tr. — V. 1970; angl. *to cancel* «supprimer, annuler».

Anglic. (très critiqué). Annuler, supprimer.

REM. Ne s'emploie que dans le franglais des transports aériens. *Le vol de 17 heures pour New York a été cancellé.*

HOM. 1. **Canceller.**

**CANCER** [kɑ̃sɛʀ] n. m. — 1372, «signe du Zodiaque»; lat. *cancer, cancri* «crabe, écrevisse». → 1. Cancre, chancre.

**I** ♦ **1** Vx. Crabe; crustacé à pinces.

♦ **2** Astron. Constellation zodiacale de l'hémisphère boréal figurant un crabe. *Tropique du Cancer :* tropique Nord.

Astrol. Quatrième signe du zodiaque*, correspondant à la période du 22 juin au 22 juillet. — Ellipt. *Elle est cancer :* elle est née sous le signe du cancer.

**II** (1478; le sens a évolué de «maladie rongeante» (→ Chancre) à «tumeur», puis s'est spécialisé (fin XIXe) au sens de «néoplasme»). ♦ **1** Cour. Tumeur ayant tendance à s'accroître, à détruire les tissus voisins et à donner d'autres tumeurs à distance de son lieu d'origine *(métastases*).* → **Tumeur** (maligne); et aussi **carcinome, épithéliome, néoplasme, sarcome, squirrhe.** *Cancer du sein; de l'estomac.*

1 (...) un cancer du sein, qui la faisait beaucoup souffrir, ne lui permettant plus d'écrire elle-même.
ROUSSEAU, les Confessions, II.

Méd. et cour. (l'idée de tumeur n'étant plus essentielle). État pathologique (et non pas : maladie) caractérisé par des lésions (cellulaires ou tissulaires) résultant d'une prolifération non contrôlée par l'organisme. *Vie cachée, développement d'un cancer. Prendre, déceler un cancer à son premier stade, à temps. Dissémination à distance d'un cancer.* → **Métastase.** *Symptomatologie, diagnostic du cancer,* par examen histologique, biopsie. *Pronostic et choix thérapeutique en matière de cancer* (système *T. N. M.* : étude des tumeurs, état des nodules, existence de métastases). *Facteurs pouvant favoriser les cancers* (→ **Cancérogène**); *facteurs chimiques, physiques, viraux, génétiques du cancer. Traitements, thérapeutiques du cancer :* chirurgie (exérèse), traitement par radiations (radiothérapie, bombe au cobalt*. → **Bêtathérapie, curiethérapie**), chimiothérapie, immunothérapie. — *Cancer de la gorge, de la langue, de l'estomac, du foie, de la prostate... Cancer du sang.* → **Leucémie.** *Cancer généralisé. — Avoir un cancer. Il s'est arrêté de fumer par peur du cancer. Être soigné pour un cancer. — Le cancer de qqn, son cancer. Son cancer est guéri.*

Par comparaison :

(...) ce désir était comme un cancer qui la minait. 2
FLAUBERT, Bouvard et Pécuchet, p. 274.

♦ **2** (Av. 1755). Fig. Ce qui ronge, détruit.

Le luxe est une plaie qui est devenue le cancer intérieur 3
qui ronge tous les particuliers.
SAINT-SIMON, Mémoires, 411, 147, *in* LITTRÉ.

Le cancer de la jeunesse, c'est ce doute sur soi-même. 3.1
On passe probablement sa vie à s'espérer capable d'autre chose que ce qu'on fait. Mais finalement, au jour de sa mort, on est désespérément réduit à ses actes.
Benoîte et Flora GROULT, Journal à quatre mains, p. 127.

Ce qui prolifère de manière anormale et dangereuse.

Comment guérir la concupiscence? Elle n'est jamais 4
limitée à quelques actes : c'est un cancer généralisé; l'infection est partout.
F. MAURIAC, Souffrances et Bonheur du chrétien, p. 92.

Spécialt. Extension d'une influence, d'un pouvoir jugés néfastes. «*Le rapporteur conclut en proposant qu'un groupe de travail recense les manifestations du "cancer" administratif et détermine les entraves qu'il conviendrait d'éliminer en priorité*» (le Monde, 5 janv. 1968).

DÉR. **Cancéreux, cancérisation, cancériser.** — V. aussi **cancéri-, cancéro-, carcino-.**

**CANCÉREUX, EUSE** [kɑ̃seʀø, øz] adj. — 1743; bas lat. *cancerosus,* de *cancer.* → Cancer.

♦ **1** De la nature du cancer. *Tumeur cancéreuse* (maligne*). *Heureusement, ce n'est pas cancéreux. — Tissu cancéreux,* proliférant. *Cellule cancéreuse* (anomalie des mitoses, de la synthèse protéique).

♦ **2** Qui est atteint d'un cancer. *Organisme cancéreux.*

N. (1845). *Un, des cancéreux.*

♦ **3** Littér. Qui évoque, d'une certaine manière, le cancer.

L'odeur cancéreuse du canal faisait flaques dans une nuée 1
verdâtre nourrie des eaux mortes (...)
B. CENDRARS, Bourlinguer, Rotterdam, Folio, p. 316.

♦ **4** Fig. Qui prolifère d'une façon malsaine et dangereuse.

C'est bien connu que je n'approuve pas les prix, que je les 2
rends responsables de cette prolifération cancéreuse dont souffre la librairie.
F. MAURIAC, le Nouveau Bloc-notes 1958-1960, p. 270.

COMP. **Anticancéreux.**

**CANCÉRI-** → **Cancéro-.**

**CANCÉRIGÈNE** [kɑ̃seʀiʒɛn] adj. et n. m. — V. 1920; de *cancéri-*, et *-gène.*

♦ **1** Adj. Capable de provoquer une tumeur maligne, un néoplasme. *Action cancérigène de certains virus, de substances chimiques.* → aussi (didact.) **Carcinogène.** — REM. L'Académie des Sciences recommande *cancérogène**.

♦ **2** N. m. L'élément, le facteur capable de provoquer un cancer (virus, etc.).

Plus longue est la durée pendant laquelle les cellules sont soumises au cancérigène et plus grande est leur différence avec les cellules dont elles proviennent. On voit apparaître des cellules géantes et des mitoses aberrantes.

Jean VERNE et Simone HÉBERT, la Culture des tissus, p. 111.

CONTR. **Anticancéreux.**

**CANCÉRISATION** [kɑ̃seʀizasjɔ̃] n. f. — 1865; attestation isolée, 1845; répandu v. 1920; de *cancer*, et *-isation.*

Méd. Transformation (d'une tumeur bénigne) en cancer. *La cancérisation possible d'un ulcère de l'estomac.*

**CANCÉRISER (SE)** [kɑ̃seʀize] v. pron. — Mil. XX^e; au p. p., *cancérisé*, v. 1920; de *cancer*, et *-iser* (*cancérisation* est antérieur).

Méd. Subir une cancérisation.

◆ **CANCÉRISÉ, ÉE** p. p. adj.

Qui a subi une cancérisation. *Tumeur bénigne cancérisée.*

**CANCÉRO-, CANCÉRI-** Premier élément de composés savants signifiant «relatif au cancer». — Ex. : *cancérogène* (ou *cancérigène*), *cancérologie, cancérophobie.* → aussi **Cancérologue.**

**CANCÉROGÈNE** [kɑ̃seʀɔʒɛn] adj. et n. m. — V. 1960; de *cancero-*, et *-gène.*

♦ **1** Adj. Qui peut provoquer un cancer. → **Cancérigène, cancérogénique, carcinogène, oncogène.** *«(...) les risques cancérogènes que font courir aux malades, porteurs de greffes d'organes, les traitements immunodépressifs chroniques, malheureusement indispensables à la survie du greffon»* (*la Recherche*, n° 41, janv. 1974, p. 79).

♦ **2** N. m. L'élément, le facteur cancérogène. *«Des expériences faites sur des animaux ont montré l'effet protecteur du sélénium lors de traitements par des cancérogènes chimiques»* (*la Recherche* n° 42, févr. 1974, p. 167).

REM. La forme *cancérogène* est préférée à *cancérigène** par l'Académie des Sciences.

DÉR. **Cancérogénique.**

**CANCÉROGENÈSE** [kɑ̃seʀoʒənɛz; kɑ̃seʀoʒenɛz] n. f. — Mil. XX^e (attesté 1979, ci-dessous); de *cancéro-*, et *-genèse.*

Didact. Processus de formation du cancer. → **Carcinogenèse.** *«C'est à sir Perceval Pott en Angleterre que l'on doit une des premières (sinon première) notions de cancérogenèse chimique (...) Parallèlement aux recherches menées sur la cancérogenèse chimique, l'hypothèse virale de certains cancers a été énoncée au début du siècle par un élève de Pasteur»* (*la Recherche*, n° 100, mai 1979, p. 436).

**CANCÉROGÉNIQUE** [kɑ̃seʀoʒenik] adj. — 1946; de *cancérogène.*

Méd. Syn. de *cancérogène* (1.). *«Le pouvoir cancérogénique (...) d'un virus ne tient pas seulement à son affinité pour un type déterminé de cellules qu'il viendrait à infecter»* (*le Monde*, 15 oct. 1966).

**CANCÉROLOGIE** [kɑ̃seʀɔlɔʒi] n. f. — 1920; de *cancéro-*, et *-logie.*

Didact. Étude du cancer. → **Carcinologie, oncologie.** — REM. *Cancérologie* et ses dérivés sont hybrides (radical latin, et élément *-logie*, du grec), mais plus clairs que *carcinologie*, employé aussi en zoologie. *«(...) le B. C. G. qui fait actuellement l'objet d'une expérimentation très active en cancérologie et auquel on attribue un pouvoir d'activation des défenses individuelles contre le cancer»* (*Science et Vie*, janv. 1967). *Le service de cancérologie d'un hôpital.*

DÉR. **Cancérologique.**

**CANCÉROLOGIQUE** [kɑ̃seʀɔlɔʒik] adj. — 1965; de *cancérologie.*

Didact. Relatif au cancer, à la connaissance du cancer. *Études cancérologiques. Recherche cancérologique.*

**CANCÉROLOGUE** [kɑ̃seʀɔlɔg] n. — 1920; de *cancéro-*, et *-logue*, d'après *cancérologie.*

Spécialiste du cancer, des recherches sur le cancer. → **Carcinologue, oncologue.** *Elle est cancérologue dans un grand hôpital. «(...) le congrès le plus éprouvant de l'année. En effet, durant une semaine et à l'intention de plus de 6 000 cancérologues représentant 63 nations, 2 000 rapporteurs firent éclater simultanément leurs travaux»* (*Science et Vie*, janv. 1967).

**CANCÉROPHOBIE** [kɑ̃seʀofɔbi] n. f. — 1954; de *cancéro-*, et *-phobie.*

Didact. Phobie du cancer. *«Rien, d'ailleurs, n'illustre mieux la propagation extraordinaire de cette cancérophobie que la faveur avec laquelle sont accueillies les spécialités pharmaceutiques supposées douées d'une action préventive contre le cancer»* (*les Temps modernes*, n° 98, janv. 1954, p. 1153).

**CANCHE** [kɑ̃ʃ] n. f. — 1783; orig. inconnue; p.-ê. à rapprocher de *ganne* «graminée des bois», et du normand *guinche, ganche* «herbe sèche des forêts».

Rare ou régional. Graminée des prairies appelée scientifiquement *aira*, utilisée comme fourrage et parfois comme plante ornementale. *Canche élevée. Canche flexueuse. Canche élégante.*

**CANCOILLOTTE** [kɑ̃kwajɔt; kɑ̃kɔjɔt] n. f. — 1881; mot franc-comtois *coillotte* (cf. moy. franç. *caillotte* «masse de lait caillé»), de *caillot*, et *can-*, élément obscur.

Fromage de Franche-Comté, à pâte molle et fermentée, fait de lait de vache écrémé et caillé mélangé à du beurre, du vin blanc et des aromates.

1. **CANCRE** [kɑ̃kʀ] n. m. — 1552; attestation isolée, 1265; lat. *cancer, cancri* «crabe». → Cancer.

Vx. Crabe* tourteau (Bernardin de Saint-Pierre, *in* T. L. F.).

HOM. 2. **Cancre.**

2. **CANCRE** [kɑ̃kʀ] n. m. — 1651; métaphore de 1. *cancre* (→ Crabe); lat. *cancer, cancri.* → 1. Cancre.

♦ **1** Vx. Être qui végète, miséreux.

Vos pareils y sont misérables, 1
Cancres, hères et pauvres diables (...)

LA FONTAINE, Fables, I, 5.

♦ **2** (1740). Vx. (Par allus. aux pinces du crabe). Personne méprisable par son avarice.

♦ **3** (1801). Mod. et cour. Écolier paresseux et nul. *Quel cancre, ce gosse! C'est un malheureux cancre, un parfait cancre. Cette fille est un cancre.*

1 Cancre : sorte d'écrevisse; la lenteur et la pesanteur de sa marche ont fait donner son nom dans les collèges aux écoliers paresseux et aux jeunes gens dépourvus de dispositions, parce qu'on suppose qu'ils se traînent paisiblement sur les traces des autres, ou parce qu'au lieu d'avancer ils marchent à reculons.
COUSIN JACQUES, Dict. des néologismes, 1801, Moutardier, *in* D. D. L., II, 11.

2 (...) le surveillant d'étude qui bâille sur ses auteurs de licence, les paresseux qui bâclent leur thème, et les cancres qui attrapent des mouches (...)
Valery LARBAUD, Fermina Marquez, VIII, 56.

Adj. Niais, imbécile. *Des élèves assez cancres, plutôt cancres. Un air cancre et ahuri.*

DÉR. **Cancrerie.** ◊ HOM. 1. **Cancre.**

**CANCRELAT** [kɑ̃kʀəla] n. m. — 1775, *cancrelas;* du néerl. *kakkerlak* «blatte d'Amérique» (1675), avec attraction de *cancre.*

♦ **1** Blatte* d'Amérique (n. sc. : *periplaneta americana*).

♦ **2** Par métaphore. Personne sournoise et envahissante, un peu répugnante.

Et tu ne vas rien faire? Tu vas laisser ce cancrelat lui manger le foie sans rien dire? C'est ça que tu appelles l'amitié? — Il a le droit de faire sa vie comme il veut.
Loup DURAND, le Caïd, p. 176.

**CANCRERIE** [kɑ̃kʀəʀi] n. f. — 1885; de 2. *cancre.*

Fam. Caractère, état du cancre (2. Cancre, 3.). *Il est d'une cancrerie absolue.* → **Nullité.**

REM. Le mot a vieilli, sans être archaïque.

1 Paul, au lycée, n'eut que des prix de gymnastique et d'escrime, se distingua surtout par une cancrerie volontaire, entêtée, cachant un esprit pratique et le sens précoce de la vie (...) Alphonse DAUDET, l'Immortel, 1888, p. 21.

2 «Taisez-vous donc, tas de crétins», s'écria la grosse voix toujours écoutée de Buffeteur, que l'excès de sa cancrerie avait rendu considérable (...) aux élèves (...)
PROUST, Jean Santeuil, Pl., p. 259.

**CANCROÏDE** [kɑ̃kʀɔid] n. m. — 1806, Alibert; du rad. du lat. *cancer, cancri* (→ Cancer), et *-oïde.*

Méd. (vieilli). Épithéliome de la peau et des muqueuses siégeant surtout à la face et plus particulièrement aux lèvres. → **Epithélioma** (spinocellulaire). — REM. Les anciens auteurs appelaient le cancroïde *noli-me-tangere* (lat. «ne me touchez pas») parce que les topiques ne font que l'irriter.

**CANDELA** [kɑ̃dela] n. f. — 1949; lat. *candela* «chandelle».

Phys. Unité d'intensité lumineuse (symb. : cd). → (vx) Bougie* (4.) nouvelle. *La candela est «l'intensité lumineuse, dans une direction donnée, d'une source qui émet un rayonnement monochromatique de fréquence 540 × 10*$^{12}$ *hertz et dont l'intensité énergétique dans cette direction est 1/683 watt par stéradian»* (*Journ. off., Unités de mesure,* 1982). — *Candela par mètre carré :* unité de mesure de luminance lumineuse (symb. : cd/m$^2$), équivalant à la luminance d'une source dont l'intensité lumineuse est de 1 candela et l'aire de 1 mètre carré.

**CANDÉLABRE** [kɑ̃delabʀ] n. m. — XIII$^e$; *chandelabre,* XI$^e$; lat. *candelabrum,* de *candela* «chandelle».

♦ **1** Grand chandelier à plusieurs branches. → **Flambeau, torchère.** *Candélabre garni de bougies, de becs de gaz, d'ampoules électriques. Clarté, lumière des candélabres* (→ Aviver, cit. 1).

Un candélabre tout couvert de fleurs ciselées brûlait au fond, et chacune de ses huit branches en or portait dans un calice de diamants une mèche de byssus. 1
FLAUBERT, Salammbô, VII, p. 127.

(...) notre vieux faste oriental, à ce dîner de mariage, ne se retrouve plus guère que dans la profusion des candélabres d'argent, tous pareils, qui sont rangés en guirlande autour de la table (...) LOTI, les Désenchantées, II, IV, p. 60. 2

*En candélabre :* en forme de candélabre (→ ci-dessous, 4.).

♦ **2** Vieilli. Dispositif d'éclairage des voies publiques consistant en une colonne métallique creuse portant une ou plusieurs lanternes. *Les candélabres de la place de la Concorde.* → **Lampadaire.**

♦ **3** (1694). Archit. Couronnement, balustre figurant une torchère.

♦ **4** (1867). Arbor. Forme (évoquant celle d'un candélabre) présentée par un arbre, un arbuste, soit naturellement, soit après l'opération de la taille. *Arbre fruitier taillé en candélabre.*

En apposition :

Un petit enclos où l'on distingue trois croix de bois (...) Auprès de l'enclos une énorme euphorbe candélabre se donne des airs de cyprès. 3
GIDE, Voyage au Congo, *in* Souvenirs, Pl., p. 701.

**CANDEUR** [kɑ̃dœʀ] n. f. — 1558; «pureté d'une langue», 1546; «lueur, clarté», v. 1330; lat. *candor* «blancheur».

♦ **1** Littér. ou style soutenu. Qualité d'une âme pure et innocente qui se montre telle qu'elle est, sans défiance. *Candeur de l'innocence, de l'enfance.* → **Crédulité, franchise, ingénuité, innocence, naïveté, pureté, simplicité, sincérité.** *Plein de candeur.* → **Candide.** *Avouer, parler avec candeur. Air de candeur. Fausse candeur. Dans sa candeur naïve, il a cru que... Candeur de cygne, d'agneau :* extrême candeur.

Il y a dans la véritable vertu une candeur, une ingénuité que rien ne peut contrefaire. 1
FÉNELON, Télémaque, 9.

(...) elle a jusques au déclin de la vie la candeur de l'innocence (...) 2
BALZAC, M$^{me}$ de la Chanterie, I, Pl., t. VII, p. 298.

(...) c'est lui qui est l'art, l'artiste, si tu veux, chargé de traduire cette candeur, cette grâce, ce charme de la vie primitive, à ceux qui ne vivent que de la vie factice et qui sont, permets-moi de le dire, en face de la nature et de ses secrets divins, les plus grands crétins du monde. 3
G. SAND, François le Champi, Avant-propos, p. 9.

(...) un agneau de quatre semaines n'a pas plus de candeur (...) Th. GAUTIER, Fortunio, XII, p. 86. 4

La candeur d'une enfant qui ignore sa beauté et qui voit Dieu clair comme le jour est la grande révélation de l'idéal, de même que l'inconsciente coquetterie de la fleur est la preuve que la nature se pare en vue d'un époux. 5
RENAN, Souvenirs d'enfance..., Préface.

Les plus vantées *(les femmes)* pour leur candeur furent comédiennes encore (...) 6
R. DE GOURMONT, le Livre des masques, p. 189.

La candeur pour lui *(Talleyrand)* n'est que la forme la plus raffinée de la malice. Il l'ordonne à ses agents, comme il se l'impose à soi-même. 7
Éd. HERRIOT, la Vie de Beethoven, p. 9.

Iron. ou péj. Innocence puérile des sentiments, naïveté un peu niaise du jugement. *Manifester une candeur sans bornes. Quelle candeur!*

♦ **2** Littér. (le premier emploi du mot, v. 1330, est au sens de «lueur»; on le rencontre jusqu'au XVII$^e$. Le sens moderne est du XVI$^e$, où il coexiste avec d'autres emplois : «pureté, clarté» (de la langue, de la poésie); le sens latin de «blancheur» était vivant en ancien provençal : *candor*). Blancheur très pure. *La candeur de l'aube.*

8 Tu penches, grand Platane, et te proposes nu,
Blanc comme un jeune Scythe,
Mais ta candeur est prise, et ton pied retenu
Par la force du site.

VALÉRY, Charmes, «Au platane», Pl., p. 113.

9 (...) dans l'espace des nuages d'encre (...) il y eut une triple fissure blanche dessinée (...) Parfaitement nette, tracée comme à la craie (...) elle brillait sans éclat, gonflée d'un tel suc de candeur neigeuse qu'elle cessait presque d'être de la lumière. J.-M. G. LE CLÉZIO, le Déluge, p. 175.

CONTR. **Dissimulation, fourberie, ruse.**

**CANDI** [kɑ̃di] adj. m. — 1256; arabe *qăndīyy*, de *qănd* «sucre de canne».

*Sucre candi*, dépuré et cristallisé.

1 Nous aperçûmes de loin une île de sucre avec des rochers de sucre candi et de caramel.

FÉNELON, t. XIX, 38, *in* LITTRÉ.

2 Dans le jardin, où, en ce jour de Pâques, je cherchais autrefois des œufs en sucre candi, je recueille des objets éparpillés.

Claude MAURIAC, le Temps immobile, p. 206.

N. m. *(Du candi, le candi). Candi blanc, rouge, en poudre :* sucre candi blanc, rouge, en poudre. *Fruit candi*, enveloppé de sucre candi. *Des fruits candis.*

Chim. (anc.). *Soufre candi :* soufre cristallisé.

DÉR. **Candir.** ◊ HOM. Formes du v. **candir.**

**CANDIDA** [kɑ̃dida] n. m. invar. — XX^e^; mot lat *candida* «blanche».

Biol. Famille de levures dont la plus connue *(Candida albicans)* provoque chez l'être humain des affections de la peau et des muqueuses (→ **Candidose).**

HOM. **Candidat.**

**CANDIDAT, ATE** [kɑ̃dida, at] n. — 1546; «soldat d'élite», 1284; lat. *candidatus* «vêtu de blanc», de *candidus* «blanc», les candidats aux fonctions publiques à Rome s'habillant de blanc.

♦ **1** Personne qui postule une place, une fonction, un poste, un titre, un mandat électoral. → **Aspirant, postulant, prétendant.** *Être candidat, candidate à un poste* (→ **Aspirer, briguer).** *Il y a plusieurs candidats, candidates sur les rangs pour ce poste, ce concours.* → **Compétiteur, concurrent.** *Se porter candidat à des élections*. Mettre en avant, présenter, proposer un candidat. Candidat officiel. Liste des candidats. Candidat inscrit sur une liste. Programme du candidat. Candidat élu. Candidat inéligible. Candidat battu aux élections.* → (fam.) **Blackbouler.** *Ce candidat s'est désisté en faveur de... Candidat à un fauteuil vacant de l'Académie.* — Spécialt. Personne qui se présente à un examen, un concours. *Être candidat à un examen* (→ **Présenter, se présenter).** *Candidat libre*. Poser une colle à un candidat. Candidat admissible*, admis, reçu; refusé, révoqué, ajourné*. Candidat astreint à un stage.* → **Stagiaire.**

REM. L'usage du féminin est flottant; on dit parfois (anormalement) *elle est candidat à ce poste; M^me^ X est candidat aux élections;* mais normalement, *le candidat le mieux placé est une femme.*

1 Il n'y a point de candidat qui ait fait plus de bruit que lui dans toutes les disputes de notre École.

MOLIÈRE, le Malade imaginaire, II, 5.

2 Sur mes seize ans je passai à la diable un affreux petit examen nommé baccalauréat, bien fait pour avilir en même temps les candidats et les examinateurs.

FRANCE, la Vie en fleur, XII.

3 Nous ne pouvons pas songer à faire passer ici un candidat (...) vraiment dans nos idées (...) Nous tâcherons de faire voter pour vous.

J. ROMAINS, les Hommes de bonne volonté, t. XXI, II, p. 86.

Il monta à pas rapides l'escalier : drôle de journée qui se passait à monter des escaliers comme s'il avait été candidat à l'Académie. 4

S. DE BEAUVOIR, les Mandarins, p. 241.

♦ **2** Régional (Belgique). Titulaire d'un diplôme de candidature (2.).

HOM. **Candida.** ◊ CONTR. **Corps** (électoral), **électeur. — Jury.**
→ DÉR. **Candidature.**

**CANDIDATURE** [kɑ̃didatyʀ] n. f. — 1816; de *candidat.*

♦ **1** Action de se porter candidat; état de candidat. *Annoncer, poser sa candidature à un poste, aux élections... Candidature officielle,* patronnée par le gouvernement. *Faire acte de candidature. Candidature unique :* candidature d'union soutenue en commun par plusieurs partis politiques. *Renoncer à une candidature. Retirer sa candidature.*

Il n'y a d'élections véritablement libres que si les électeurs ont le droit de se réunir pour discuter les candidatures. 1

PROUDHON, *in* P. LAROUSSE.

L'ambition ne m'est pas naturelle, je me la suis inoculée à propos de ma candidature académique. 2

SAINTE-BEUVE, cité par A. BILLY, Sainte-Beuve, t. I, p. 389.

♦ **2** Régional (Belgique). Premier cycle d'études universitaires comprenant deux, parfois trois années. *Candidature préparatoire à une licence. La candidature en sciences médicales conduit au doctorat en médecine.*

**CANDIDE** [kɑ̃did] adj. — 1611; «bon, bienveillant», 1549; «éclatant», XV^e^; lat. *candidus* «blanc, éclatant».

♦ **1** Littér. (le premier emploi du mot, au XV^e^ s., est au sens de «d'un blanc éclatant»; on le retrouve au XIX^e^ et au XX^e^ s., principalement dans la langue poétique où l'on joue de l'ambiguïté de ses sens). D'un blanc pur.

Cet homme marchait pur loin des sentiers obliques, 1
Vêtu de probité candide et de lin blanc (...)

HUGO, la Légende des siècles, II, «Booz endormi».

♦ **2** Qui a de la candeur. → **Franc, ingénu, innocent, naïf, pur, simple.** *Homme candide. Âme, cœur candide.*

Ce sont bien, eux aussi *(les esprits chimériques),* des coureurs qui tombent et des naïfs qu'on mystifie, coureurs d'idéal qui trébuchent sur les réalités, rêveurs candides que guette malicieusement la vie. 2

H. BERGSON, le Rire, p. 14.

(1668). Iron. et péj. Crédule jusqu'à la sottise. → **Innocent, niais, novice.**

♦ **3** Qui exprime la candeur. *Air candide. Figure candide. Jeux candides.* → **Innocent.**

Que son œil était pur, et sa lèvre candide! (...) 3
Le beau lac de Némi, qu'aucun souffle ne ride,
A moins de transparence et de limpidité.

LAMARTINE, Harmonies..., «Premier regret».

(...) son front candide et serein devenait trouble par moments sous sa pensée, comme un miroir sous une haleine (...) HUGO, Notre-Dame de Paris, II, 7. 4

Vois quels hymnes candides! 5
Quelle sonorité
Nos éléments limpides
Tirent de la clarté.

VALÉRY, Charmes, «Cantique des colonnes», Pl., p. 116.

CONTR. **Faux, fourbe, rusé.** ◊ DÉR. **Candidement.**

**CANDIDEMENT** [kɑ̃didmɑ̃] adv. — 1694; «de façon bienveillante», 1611; «sincèrement», 1561; de *candide.*

Littér. Avec candeur. *Dire candidement sa pensée.*

**CANDIDOSE** [kɑ̃didoz] n. f. — XX^e; du rad. du lat. *candid(us)* «blanc», et suff. 2. *-ose*. → Candide.

Didact. (méd.). Maladie infectieuse, touchant surtout la peau et les muqueuses, causée par une levure *(candida albicans)*. → **Muguet.** *Candidose buccale. Candidose vaginale.*

**CANDIOTE** [kɑ̃djɔt] adj. et n. — XIX^e; de *Candie*, anc. nom de la Crète.

Poét. et vx. Crétois.

Laubé, au moment de la naissance de Nina, vivait en Crète (...)
C'est donc en terre étrangère que s'étaient passées les premières années de la fillette, élevée tendrement par une nourrice candiote qui lui avait transmis un léger accent rempli de charme et de douceur.
Raymond ROUSSEL, Impressions d'Afrique, p. 223.

**CANDIR** [kɑ̃diʀ] v. tr. — 1600; de *candi*. → Candi.

Technique.

♦ **1** Faire fondre et réduire (le sucre) jusqu'à la cristallisation. *Candir du sucre.*

♦ **2** Revêtir d'une couche de sucre candi. *Candir des pastilles.*

◆ **SE CANDIR** v. pron.

Se cristalliser* (en parlant du sucre, de confitures). *Les confitures trop cuites se candissent* (Académie). *Substances qui se sont candies.*

(Sans pronom). *Faire candir du sucre* (candisation). *Le sucre commence à candir (à se candir).* — REM. On peut considérer cet emploi comme un intransitif.

**CANDOMBLÉ** [kɑ̃dɔ̃ble] n. m. et adj. invar. — 1958, n. m., R. Bastide; mot port. du Brésil, empr. à une langue africaine.

♦ **1** N. m. Au Brésil (surtout dans le *Nordeste*), Lieu de culte adopté par des communautés religieuses suivant des croyances et des pratiques d'origine africaine (yoruba) apportées par les Africains. → aussi **Macoumba.** *Les candomblés de Bahia. Confrérie de candomblé.*

Par ext. Cérémonie de ce culte.

Certes, la transe existe. Elle place l'homme en contact avec les morts, avec ses morts. On a voulu rattacher le théâtre aux faits de possession parce que le candomblé ou le vaudou offrent des aspects de théâtralisation, mais c'est dans la tragédie qu'émergent, comme dans la transe, les morts, Œdipe, nos pères, notre culture — et non plus une nature libérée!
R. BASTIDE, cité par J. DUVIGNAUD, *in* le Nouvel Obs., n° 409, 11-17 sept. 1972.

♦ **2** Adj. invar. *Secte candomblé. Mystique candomblé.*

**CANE** [kan] n. f. — XV^e; *quennes*, 1358; *quanes*, 1355; dér. régressif de *canard*, avec infl. de l'anc. français *aine, ane*, lat. *anas* «canard».

Femelle du canard. → **Canard.** *Petite cane.* → 1. **Canette.** *Cane sauvage; cane domestique* (vx : *cane privée*). *Œufs de cane.* «*Quand les canes vont aux champs la première marche (va) devant...*», comptine. *La cane et ses canetons.*

Loc. Vx (*in* Rabelais). *Faire la cane; plonger comme une cane* : s'esquiver à l'approche du danger, montrer de la poltronnerie. → 1. **Caner.**

Mod. *Marcher comme une cane,* en se dandinant. *Être comme une poule qui a couvé* un œuf de cane* : être très étonné. *Couver qqn comme une cane son canard,* le protéger avec excès.

DÉR. **1. Caner, 1. caneton, 1. canette, caniche.** ◇ COMP. **Bec-de-cane, canepetière.** — HOM. **1. Canne, 2. canne;** formes des v. **1.** et **2. caner, 1.** et **2. canner.**

**CANÉFICIER** [kanefisje] n. m. — 1647; de *canéfice*, nom vulg. de la *casse* (2. Casse); de l'esp. *cañafistola*. → 2. **Casse.**

**CANEPETIÈRE** [kanpətjɛʀ] n. f. — 1798; *canepetiere*, 1606; *cannes petieres*, 1547, Rabelais; de *cane*, et *petière*, de *pet*, en raison du bruit que fait l'oiseau en s'enfuyant.

Petite outarde* à collier blanc.

**CANÉPHORE** [kanefɔʀ] n. f. — 1570; grec *kanêphoros* «qui porte une corbeille», de *kaneon* «corbeille», et *pherein* «porter».

♦ **1** Antiq. grecque. Jeune fille qui portait les corbeilles sacrées dans certaines fêtes.

De jeunes canéphores reportaient aux jardins de Vénus les corbeilles sacrées.
CHATEAUBRIAND, les Martyrs, II, 74.

♦ **2** (1835). Archit. Statue représentant une canéphore, utilisée comme colonne ou décorant un bas-relief (ne pas confondre avec *cariatide**).

**CANEPIN** [kanpɛ̃] n. m. — 1310; orig. obscure; un emprunt à l'ital. *canepino* «du chanvre» fait difficulté.

Techn. et vx. Peau fine d'agneau ou de chevreau qui servait aux travaux de maroquinerie (gants de femme, etc.), à éprouver la qualité des lancettes (en chirurgie), etc.

Elle était vêtue d'une robe de futaine à petit collet de canepin de bien séante apparence, et un bonnet à quartiers qui emprisonnait complètement sa chevelure.
Jean RAY, les Derniers Contes de Canterbury, p. 48.

1. **CANER** [kane] v. intr. — 1821; de *cane**, *faire la cane* «se sauver, faire le poltron», au XVI^e et XVII^e.

Fam. Reculer devant le danger ou la difficulté. → **Céder, flancher** (→ Se dégonfler).

Ce gaillard-là n'avait pas cané devant l'ouvrage. 1
COURTELINE, Messieurs les ronds-de-cuir, 5^e tableau, III, p. 208.

Eh bien! il *(mon père)* a tourné court, il a cané, deux ou 2
trois fois. Depuis, il se défie.
G. DUHAMEL, Chronique des Pasquier, IV.

Un goût amer lui râpait la langue. Devant Dominique, 3
elle n'avait pas cané. Maintenant, au milieu de cette foule affairée, loin du cadavre de l'empoisonnée, elle se ventait vaincue. Les autres triomphaient.
R. QUENEAU, le Chiendent, p. 312.

DÉR. **Caneur.** ◇ HOM. **2. Caner, canné, 1. canner.**

2. **CANER** ou **CANNER** [kane] v. intr. — 1872; de 1. *canne* «jambe».

Argot. S'enfuir (jouer des cannes). → **Calter, décaniller.** Fig. Mourir (sens métaphorique de *s'en aller*). *Canner dans son plumard, à l'hosto. Il est cané* : il est mort.

L'enfant était tombé sur le côté, sans sortir les mains de 1
ses poches. Il soubresautait et on entendait claquer ses dents. Ils firent un lit avec les affaires d'Angélo et ils y couchèrent l'enfant (...)
Qu'est-ce qui le tenait debout? La fierté, hein! Tu ne voulais pas caner, hein!
J. GIONO, le Hussard sur le toit, p. 54.

S'il me fait une fleur *(le Chef)*, c'est comme ça, gratuitement, 2
parce qu'il gèle au cachot. Et, comme il l'a dit tout à l'heure, je pourrais décider d'y caner et il ne veut pas de mon cadavre.
A. SARRAZIN, la Cavale, p. 185.

«C'est Mathieu le Professeur. Il n'est pas encore canné. Il 3
respire.» On le souleva et on le transporta sur une charrette à âne qui amenait de la brousse destinée à être vendue aux premières lueurs de l'aube.
Loup DURAND, le Caïd, p. 46.

HOM. **1. Caner, canné, 1. canner.**

**CANETAGE** ou **CANNETAGE** [kantaʒ] n. m. — 1948; de 2. *canette.*

Techn. Opération qui consiste à mettre sur canette les fils de trame. *Canetage (cannetage) et rechargement des navettes d'un métier à tisser.*

1. **CANETER** [kante] v. intr. — XVIe; de *cane.*

Vieux.

♦ **1** Se dandiner (comme un canard, une cane).

♦ **2** Jacasser, piailler.

**HOM.** 2. **Caneter.**

2. **CANETER** ou **CANNETER** [kante] v. intr. — XIXe; de 2. *canette.*

Techn. Enrouler du fil, de la soie sur une canette (2. Canette). *Machine à caneter.* → **Canetière.**

**HOM.** 1. **Caneter.**

**CANETIÈRE** ou **CANNETIÈRE** [kantjɛʀ] n. f. — 1867; de 2. *canette.*

Technique.

♦ **1** Ouvrière chargée de disposer la soie sur les canettes (2. Canette).

♦ **2** Machine employée à garnir de fil les canettes. *Canetière à main, automatique.*

La préparation de la trame est infiniment plus simple. Elle consiste seulement à garnir de fils les cannettes qui seront placées dans les navettes. Certaines canetières font ce travail automatiquement.

Jacques LOURD, le Lin et l'Industrie linière, p. 64.

**CANETILLE** [kantij] n. f. → **Cannetille.**

**CANETON** [kantɔ̃] n. m. — V. 1600, O. de Serres; *cannetton,* 1530; de 1. *canette.*

Le petit du canard (plus jeune que le *canardeau*). *Une cane suivie de ses canetons. — Canetons à l'orange.*

1. **CANETTE** [kanɛt] n. f. — 1461, «petit d'une cane», Villon; de *cane.*

Petite cane.

(...) et il s'asseyait sur les racines où ils s'étaient assis ensemble, il mettait ses pieds dans tous les filets d'eau où ils avaient pataugé comme deux vraies canettes (...)

G. SAND, la Petite Fadette, VI, p. 38.

(1564). Sarcelle.

**DÉR.** **Caneton.** ◊ **HOM.** 2. **Canette,** 3. **canette,** 1. **cannette.**

2. **CANETTE** ou **CANNETTE** [kanɛt] n. f. — 1407, *cannette; canete* «soie tissée à la canette», 1260; ital. de Gênes *cannetta,* les fils d'or et d'argent provenant de cette ville.

(1545). Techn. Bobine de métal, bois ou carton sur laquelle est enroulé le fil dans la navette d'un métier à tisser, ou le fil d'une machine à coudre (ne pas confondre avec 3. *cannelle*). *Canette de machine à coudre.*

À droite, un grand panneau d'un mètre carré, bordant la chaîne, se composait d'une foule d'alvéoles séparés par de fines parois; chacune de ces cases abritait une étroite navette dont la canette, mince bobine fixée de l'avant à l'arrière, portait une provision de soie unicolore.

Raymond ROUSSEL, Impressions d'Afrique, p. 126.

**DÉR.** **Canetage, caneter, canetière.** ◊ **HOM.** 1. **Canette,** 3. **canette,** 1. **cannette.**

3. **CANETTE** ou **CANNETTE** [kanɛt] n. f. — 1723; *kanete* «vase», XIIIe. → 1. et 2. Canne.

♦ **1** Vx. Bouteille.

♦ **2** (1856). Petite bouteille de bière, bouchée par un cône de porcelaine maintenu par un ressort; son contenu (25 à 30 centilitres). *Déboucher une canette de bière.* — REM. Le mot comme la forme spécifique et le système de bouchage particulier tend à disparaître au profit de *bouteille.*

♦ **3** (Au Canada). *Bière en canette,* en boîte (anglicisme; de *can*).

Plus tard, beaucoup plus tard, Thomas d'Amour alla s'asseoir sur le toit, avec sa tasse de café et quelques canettes de bière glacée.

Jacques GODBOUT, D'amour, P. Q., p. 106.

REM. Cet emploi, interférant avec l'emploi français normal de *canette* est en général condamné au nom de la norme.

**HOM.** 1. **Canette,** 2. **canette,** 1. **cannette.**

**CANEUR** [kanœʀ] adj. et n. m. — 1847; de 1. *caner.*

Pop. et vx. Poltron.

**CANEVAS** [kanva; kanvɑ] n. m. — 1509; *canevach,* 1281; forme picarde de l'anc. franç. *chenevas,* de *cheneve,* forme anc. de *chanvre.*

♦ **1** Techn. Grosse toile dont on fabrique des voiles et les torchons, dont on entoile les vêtements. *«Manteau de canevas»* (Chateaubriand).

♦ **2** (1584). Grosse toile claire et à jour qui sert de fond aux ouvrages de tapisserie à l'aiguille. *Gros canevas. Canevas fin. Broderie sur canevas.* — Par métonymie. Ouvrage de broderie (sur canevas). *Faire du canevas.* Dessin de la broderie (sur canevas). *Tracer un canevas.*

♦ **3** Géod. *Canevas trigonométrique :* triangulation d'une zone dont on se propose de lever le plan. *Canevas de rattachement :* levé souterrain. — Ensemble des lignes et points essentiels d'une figure; dessin préparatoire.

♦ **4** (V. 1630; métaphore des sens 2 et 3). Cour. Donnée première (d'un ouvrage). → **Ébauche, esquisse,** 3. **plan, scénario; ossature, schéma.** *Donner un canevas. Travailler sur un bon canevas. Le canevas d'un discours, d'un poème, d'un article.*

Voilà, Monsieur, le canevas de ce que je vous supplie de vouloir dire pour moi à Mme de... 1

RACINE, Lettres à Despréaux.

Il ne m'appartient pas, à mon âge, de me rengorger d'avoir fourni le canevas des divertissements de la cour (...) 2

VOLTAIRE, Lettre à Damilaville, 4 avr. 1765.

Le motif en notes détachées, par lequel débute l'allégro *(de la IVe Symphonie)* n'est qu'un canevas sur lequel l'auteur répand ensuite d'autres mélodies plus réelles. 3

BERLIOZ, Beethoven, p. 31.

(...) les attentes passionnées qui font de l'âme des adolescents le canevas incohérent d'un infini roman d'amour. 4

MAUPASSANT, Fort comme la mort, p. 264.

Fig. *Broder sur un canevas :* ajouter à un fait, à un récit, à un texte, des développements, des détails de pure invention.

Nous sommes aujourd'hui à l'énergie et à l'atrocité, et nous brodons sur le canevas de ces passions des ornements qui seraient d'un terrible à faire dresser les cheveux sur la tête, si nous pouvions les prendre au sérieux. 5

G. SAND, François le Champi, Avant-propos, 15.

Spécialt. [a] Mus. Premières paroles qu'on fait sur un air, pour représenter seulement la mesure et le nombre des syllabes que demande la mélodie, et qui servent ensuite de modèle pour faire les paroles définitives. → **Monstre** (mus.). *Faire un canevas sur un air.*

**b** Théâtre. Plan détaillé sur lequel les comédiens peuvent improviser. *Les canevas de la Commedia dell'Arte. Canevas italiens.*

DÉR. Canevasser.

**CANEVASSER** [kanvase] v. tr. — XXe; de *canevas.*

Rare. Quadriller comme par un canevas (3.); préparer le canevas (4.) de...

**CANEZOU** [kanzu] n. m. — Fin XVIIIe; orig. incert., p.-ê. croisement du provençal *camisoun* «petite chemise» avec *caneçon,* var. pop. anc. de *caleçon;* pour P. Guiraud, le mot a p.-ê. signifié à la fois «mousseline» et «châle de mousseline» (cf. provençal *canuzir* «lustrer les étoffes») suivant la même évolution sémantique que *cachemire* «étoffe» et «châle».

Anciennt. Vêtement de femme, en général sans manches, qui tient lieu de corsage. *Canezou de lingerie, de dentelle.*

1 Laurence avait une amazone vert-bouteille pour se promener à cheval, une robe en étoffe commune à canezou orné de brandebourgs pour aller à pied (...)
BALZAC, Une ténébreuse affaire, I, Pl., t. VII, p. 481.

2 Cette espèce de spencer en mousseline, invention marseillaise dont le nom, canezou, corruption du mot quinze août prononcé à la Canebière, signifie beau temps, chaleur et midi. HUGO, les Misérables, I, III, IV.

REM. Cette étymologie est anecdotique.

**CANFOUINE** [kɑ̃fwin] n. f. — 1883; mot régional (Anjou) «cahute, vieille maison», p.-ê. en relation avec *furnus* «four»; cf. *cafourniau, cafourniot* «débarras».

Pop. et vx ou régional. Chambre; logement sommaire.

De près, toutes ces canfouines de bois pourri, ces jardinets entourés de haies (...) étaient aussi misérables que vus de ma fenêtre.
André SOUBIRAN, les Hommes en blanc, II, p. 148.

**CANGE** [kɑ̃ʒ] n. f. — 1839; *canje,* 1785; *gemges,* 1661; arabe *qăndjăh* «sorte de barque».

Légère embarcation à voiles qui servait sur le Nil à transporter les voyageurs. → **Barque.**

On a le désert d'un côté (...) et plus loin les prairies du Nil, avec le fleuve tacheté de voiles blanches. Les canges ont toutes deux grandes voiles croisées qui font ressembler le bateau à une hirondelle volant avec deux immenses ailes.
FLAUBERT, Correspondance, 4 oct. 1849.

**CANGUE** [kɑ̃g] n. f. — 1686; port. *canga,* du chinois *K'ang (Hia)* «portant sur les épaules (une cangue)».

♦ **1** Instrument de torture, fait d'une planche percée de trois trous dans lesquels on engageait le cou et les poignets du condamné (en Extrême-Orient). *Le supplice de la cangue.*

Une cruauté ingénieuse et fantasque avait présidé à l'enchaînement de ces prisonniers. Les uns étaient liés derrière le dos par les coudes (...) ceux-ci avaient les poignets pris dans les cangues de bois; ceux-là, le col étranglé dans un carcan ou dans une corde qui enchaînait toute une file, faisant un nœud à chaque victime.
Th. GAUTIER, le Roman de la momie, p. 76.

♦ **2** Le supplice lui-même. *La cangue a été abolie.*

**CANICHE** [kaniʃ] n. m. — 1829; n. f., «femelle du barbet», 1743; de *cane,* ce chien aimant barboter dans l'eau.

Chien de l'espèce des barbets, à poil frisé. *La fidélité du caniche est proverbiale. — Tondre* un caniche.*

Comme elle ne pouvait emmener son chien Dick, affreux bâtard de caniche et de barbet, Dundas en accepta gravement la garde.
A. MAUROIS, les Discours du Dr O'Grady, III, p. 38.

Loc. (1878). *Être fidèle, dévoué comme un caniche. Suivre qqn comme un caniche,* pas à pas, fidèlement.

Fig. Personne d'un dévouement servile. *Être le caniche de qqn. C'est un vrai caniche!*

**CANICULAIRE** [kanikylɛʀ] adj. — 1478; lat. *canicularis* «de la canicule».

♦ **1** Didact. Relatif à la canicule*. *Les jours caniculaires.*

C'est l'adieu brûlant de l'été caniculaire.
E. FROMENTIN, Une année dans le Sahel, p. 238.

♦ **2** Plus cour. Brûlant comme la chaleur de la canicule. *Il fait un temps caniculaire. Chaleurs caniculaires.* → **Torride.**

**CANICULE** [kanikyl] n. f. — 1539; «chienne», fin XVe; lat. *canicula* «petite chienne», appliqué à l'étoile Sirius «le chien d'Orion», de *canis* «chien».

♦ **1** Didact. Principale étoile de la constellation du Grand Chien, appelée aussi *Sirius.*

♦ **2** **a** (1660). Époque de grande chaleur (l'étoile *Sirius* [ou *Canicule*] se lève et se couche avec le Soleil, du 24 juillet au 24 août). *Les jours de la canicule.*

**b** Cour. Grande chaleur de l'atmosphère. *L'ardente canicule* (→ Ardeur, cit. 3). *En pleine canicule. Un jour de canicule. La canicule de l'été new-yorkais. Quelle canicule!*

Nous voilà en pleine canicule. 1
E. FROMENTIN, Un été dans le Sahara, p. 200.

(...) j'écoutais, ressuscités par mon attention, les criquets qui sciaient en menus éclats la canicule (...) 2
COLETTE, la Naissance du jour, p. 122.

Or, rentrer à Paris, en pleine canicule, serait me tuer. Pourrai-je seulement attendre sans nouvelles crises la fin de cet abominable été? 3
BERNANOS, la Joie, *in* Œ. roman., Pl., p. 706.

CONTR. Froid.

**CANIDÉS** [kanide] n. m. pl. — 1834; du rad. du lat. *canis* «chien».

Zool. Famille de mammifères carnivores digitigrades, au corps élancé, aux pattes hautes, au museau allongé. *Principaux types de canidés.* → **Chacal, chien, dingo, fennec, loup, lycaon, otocyon, renard.** *Les canidés ont les ongles non rétractiles; leurs pattes antérieures possèdent cinq doigts, les pattes postérieures quatre.* — Au sing. *Le chien est un canidé.*

Rabatteurs et chasseurs à la piste, les canidés ont un comportement très proche de celui du chasseur humain. Quoiqu'on ne sache encore rien de l'origine du chien qui manquait encore aux Magdaléniens, on comprend très bien la conciliation qui a pu s'établir entre le canidé et l'homme, dans la chasse, puis dans la canalisation des troupeaux.
A. LEROI-GOURHAN, le Geste et la Parole, t. I, p. 225.

**CANIER** [kanje] n. m. — Attesté XIXe, Mistral; mot provençal, du lat. *canna* «roseau».

Régional. Lieu où poussent les roseaux. → **Cannaie.**

J'aurais voulu que tu sois dans les caniers de l'Eurotas quand Ulysse me conta ses aventures.
J. GIONO, Naissance de l'Odyssée, p. 60.

REM. On trouve également la graphie *cannier* chez Giono (1947).

**CANIF** [kanif] n. m. — 1611; *quenif*, 1441; anc. bas francique **knif*, de même famille que l'angl. *knife*.

♦ **1** Petit couteau de poche à une ou plusieurs lames* (cit. 4) qui se replient dans le manche. *L'onglet d'une lame de canif. Canif* (ou *couteau) suisse*, à plusieurs lames.

♦ **2** Techn. Outil de graveur sur bois, petite lame munie d'un manche.

♦ **3** Loc. *Donner un coup de canif dans le contrat* (de mariage), se dit de l'époux qui est infidèle à son conjoint.

Je n'acceptais pas sa conception du mariage (...) Je n'admettais pas qu'un des deux époux «trompât» l'autre : s'ils ne se convenaient plus, ils devaient se séparer. Je m'irritais que mon père autorisât le mari à «donner des coups de canif dans le contrat».
S. DE BEAUVOIR, Mémoires d'une jeune fille rangée, p. 189.

**CANIN, INE** [kanɛ̃, in] adj. — V. 1390; lat. *caninus*, même sens, de *canis* «chien».

♦ **1** Relatif au chien. *Race, espèce canine. Exposition canine.*

Littér. Digne d'un chien.

1 Il m'aimait d'une façon canine et exclusive.
FLAUBERT, Correspondance, t. II, p. 241.

♦ **2** Loc. *Une faim canine* : une faim dévorante.

2 Notre renard, pressé par une faim canine,
S'accommode en celui qu'au haut de la machine
L'autre seau tenait suspendu.
LA FONTAINE, Fables, XI, 6.

♦ **3** (1541). *Dent canine*, et, plus cour., *canine* [kanin], n. f. : dent pointue située entre les molaires et les incisives et dont on se sert pour déchirer les aliments. *Canines développées des carnivores* (→ **Croc**), *du sanglier* (→ **Défense**).

3 Quand même vous auriez arraché les canines du tigre, et qu'il ne pourrait plus manger que de la bouillie, il lui restera toujours son cœur de carnassier!
FLAUBERT, Correspondance, t. II, p. 371.

*Fosse canine* : dépression de la face externe du maxillaire supérieur, au-dessus du niveau de la dent canine.

*Muscle canin* : muscle élévateur de la commissure labiale.

DÉR. **Caninement.**

**CANINE** [kanin] n. f. → ci-dessus **Canin** (3.).

**CANINEMENT** [kaninmɑ̃] adv. — 1790; de *canin*.

Rare. À la manière des chiens. *«Suivre caninement» quelqu'un* (Colette, *in* T. L. F.).

Ah! comme vous voilà lotis! Logés, nourris, dressés caninement (...) Ah! laissez aux dogues de mériter ainsi les faveurs de leurs maîtres.
J. F. L'ANGE, Plaintes et représentations d'un citoyen décrété passif aux citoyens décrétés actifs, 1790, *in* D. D. L., II, 9.

**CANINETTE** [kaninɛt] n. f. — 1982; nom déposé, de *canin* «relatif au chien».

Moto équipée d'un dispositif destiné à aspirer les excréments des chiens, dans les grandes villes. Syn. fam. : *moto-crotte. Les caninettes nettoient les trottoirs.*

**CANISSE** ou **CANNISSE** [kanis] n. f. — 1600; mot provençal, bas lat. *cannicius* «de roseau», du lat. class. *canna* «roseau».

Régional. Canne de Provence longue et flexible. → 1. **Canne** (1.). *Cultures protégées du vent par des canisses* (des *cannisses*). *Disposer des cannisses sur une terrasse, pour se protéger des regards indiscrets. «Or, en examinant au microscope les poussières de ces chambrées, recueillies sur les litières, sur le sol, les murs, les canisses, etc., passées à travers un tamis de soie...»* (*Année sc. et industr.* 1866, p. 397).

Il aurait voulu marcher entre les haies de cyprès et de cannisses.
Claude COURCHAY, La vie finira bien par commencer, p. 68.

DÉR. **Canissier.**

**CANISSIER** [kanisje] n. m. — 1859; de *canisse*.

Vannier qui travaille les canisses. — REM. Le fém. *canissière* est virtuel.

**CANITIE** [kanisi] n. f. — 1397; *canecie*, XIIIe; lat. *canities* «blancheur des cheveux», de *canus* «blanc». → Chenu.

Didact. État de décoloration des cheveux, devenus blancs naturellement avec l'âge, ou accidentellement sous l'influence d'une émotion vive. *Canitie précoce. Canitie partielle, généralisée.*

**CANIVEAU** [kanivo] n. m. — 1694, Th. Corneille; orig. incert., p.-ê. du lat. *canna* «roseau» par l'interm. de *cannicius* «canisse» ou du bas lat. **canabellum*, var. de *canabula* «canal de drainage»; un rattachement à *canif* ou une formation à partir de *niveau* et du préf. *ca-* semblent peu convaincants; P. Guiraud reprenant l'hypothèse de Littré, y voit un dér. de 2. *canne* «conduit, tuyau».

♦ **1** Pierre creusée en rigole pour faire écouler l'eau, ou tout liquide.

Un ruisseau de sang jaillit qui s'unit à d'autres ruisseaux, 1
coule dans les caniveaux du sol et tombe aux étages inférieurs où l'on en fait je ne sais quoi (...)
G. DUHAMEL, Scènes de la vie future, VIII, p. 127.

Tranchée maçonnée, à ciel ouvert ou fermée, permettant le passage d'un liquide. → **Canal.**

Le drainage prévoyait un réseau de tranchées (...) au fond 1.1
desquelles était ménagée une manière de caniveau formé par trois dalles, deux verticales, la troisième horizontale, recouvrant en toiture les deux autres.
M. TOURNIER, le Roi des Aulnes, p. 176.

♦ **2** (1867). Cour. Bordure pavée d'une rue, le long d'un trottoir. → **Rigole, ruisseau.** *Tomber dans le caniveau. L'eau qui coule dans le caniveau.*

Judith, cette fois, ne revient plus. Elle regarde des enfants 1.2
qui jouent pieds nus dans les caniveaux de la place. Une masse d'eau argileuse circule entre leurs pieds.
M. DURAS, Dix heures et demie du soir en été, p. 14.

♦ **3** Techn. Conduit qui reçoit des tuyaux, des canalisations, des câbles conducteurs.

♦ **4** Fig. et rare. Strie, sillon.

De la nuque à bourrelet jusqu'à mes fanons de petite 2
vache, il n'y a pas une fronce, pas un caniveau, pas une gaufrure de ma peau qui n'inspire confiance.
COLETTE, la Paix chez les bêtes, «Poucette».

**CANNA** [kana] n. m. — 1816, *kanna*; lat. *canna* «roseau, balisier».

Balisier*. *Les fleurs rouges des cannas. Fécule tirée du rhizome de certains cannas.* → **Tolomane.**

Dans les parcs provinciaux les bancs demeurent presque 1
tout le temps vacants pendant les matinées de semaine, au bord des massifs bouffis de cannas et de marguerites.
CÉLINE, Voyage au bout de la nuit, p. 347.

(...) dès la grande entrée apparaît, précieusement entre- 2
tenu, le grand jardin que j'ai connu sauvage : des parterres orangés et rouges, cannas et glaïeuls, rendent presque

mates les tuiles vernissées d'un orangé plus pâle, et les murs de pourpre sombre.

MALRAUX, Antimémoires, Folio, p. 564.

HOM. **Khanat**; formes des v. 1. **caner**, 2. **caner**, 1. **canner.**

**CANNABINACÉES** [kanabinase] n. f. pl. — 1898; *cannabinées*, 1842; du lat. *cannabis* «chanvre».

Bot. Famille de plantes phanérogames angiospermes, classe des *dicotylédones apétales* qui ne comprend que deux types : le chanvre* *(cannabis)*, et le houblon* *(humulus)*. *Les cannabinacées sont des plantes à fécondation croisée.* — Au sing. *Une cannabinacée.*

**CANNABIQUE** [kanabik] adj. — Après 1970; de cannabisme.

Didact. Qui se rapporte au chanvre indien (→ **Cannabis**). *Intoxication, ivresse cannabique* (→ **Cannabisme**).

**CANNABIS** [kanabis] n. m. — 1846; lat. *cannabis* «chanvre».

(Répandu v. 1960, par diffusion du nom sc. de la plante). Didact. Chanvre indien (plante à propriétés psychotropes). → **Chanvre.**

Ils rirent aux larmes en feuilletant un bulletin de l'Unesco consacré à la drogue. On y voyait un fier gabelou U.S. débusquant trois feuilles de cannabis dans les entrailles d'une torche électrique. Sur le balcon, la marie-jeanne prospérait. Le Maître prétendait que c'est bon, en tisane.

Claude COURCHAY, La vie finira bien par commencer, p. 245.

**CANNABISME** [kanabism] n. m. — 1945, *in* Cottez; de *cannabis*.

Didact. Intoxication produite par le chanvre indien *(cannabis)*. → **Haschischisme.**

DÉR. **Cannabique.**

**CANNAGE** [kanaʒ] n. m. — 1872; «mesurage des étoffes», 1723; de *canner*.

♦ **1** Fait de canner (un siège, etc.).

♦ **2** Partie cannée (d'un siège, etc.). *Le cannage est en bon état; est à refaire, à réparer.*

**CANNAIE** [kanɛ] n. f. — 1600; *canoie*, fin XII^e; de 1. *canne*.

Rare. Plantation de canne à sucre, de roseau. → **Canier** (régional).

HOM. Formes des v. 1. **Caner**, 2. **caner**, 1. **canner.**

1. **CANNE** [kan] n. f. — 1180; *chane* «cruche», v. 1160 (→ 2. Canne, 3. canette, 1. canon); du lat. *canna* «roseau».

♦ **1** (XVI^e). Vieilli. Plante à tige droite, cylindrique et noueuse (roseau, bambou, balisier, rotin). *Un champ, une plantation de cannes.*

(Vx). «Bois de canne». *Un fauteuil de canne* (Balzac). → **Bambou, rotin.**

(Mod.). CANNE À SUCRE : grande graminée à longue tige pleine (n. sc. : *saccharum*), de laquelle on extrait le sucre dit *sucre de canne*. → **Canamelle** (vieilli). *Plantation de cannes à sucre.* → **Cannaie.** *La tige de la canne à sucre peut atteindre 7 mètres de hauteur. Broyage des tiges de canne à sucre, pour en extraire le jus.* → **Vesou,** et aussi 1. **bagasse.** *Distillation du jus, des mélasses de canne à sucre.* → **Rhum, tafia.** — REM. On dit aussi *canne* dans les contextes où le mot n'est pas ambigu, notamment en franç. des Antilles.

*Canne de Provence* (n. sc. : *Arundo donax*) : grande graminée dont la tige sert à faire des cannes à pêche, des claies, des treillages... → **Canisse.**

♦ **2** (1586). Bâton* léger (de roseau, de jonc ou de bois), parfois ouvragé, sur lequel on appuie la main en marchant. *Se promener la canne à la main. Faire des moulinets avec sa canne. Canne d'alpiniste.* → **Alpenstock** (vx). *Canne à bout ferré. Embout, virole d'une canne. Canne de jonc flexible.* → **Badine, jonc,** 1. **stick.** — Techn. *Canne entée*, composée de plusieurs pièces emboîtées les unes dans les autres. — *Canne à pomme, à pommeau, à crosse, à bec d'or, d'argent. Le pommeau* (cit. 2, 4) *d'une canne. Poignée de canne en ivoire, en ambre. Donner des coups de canne à qqn. Lever sa canne sur qqn,* pour le frapper.

La redingote du grand-père, sa canne à pomme d'argent, d'autres objets venus de lui, s'en allaient aussi. 1

LOTI, Matelot, XVI, p. 59.

Le maître des cérémonies s'inclina de nouveau, faisant sonner sous sa canne les dalles du parvis. 2

MARTIN DU GARD, les Thibault, t. IV, p. 274.

Il a toujours une canne. Il dit : «La canne et la poche font partie de la physiologie humaine. La canne et la poche sont des annexes de l'organisme». 3

G. DUHAMEL, Chronique des Pasquier, VI, VIII.

*Canne anglaise, canne d'avant-bras.* → **Béquille** (d'avant-bras).

*Canne blanche :* instrument distinctif utilisé par les mal-voyants et les aveugles.

C'est le Londres de toute ma jeunesse, avec ses chiens qui quêtent pour les hôpitaux, une tirelire sur le dos, avec ses belles dactylographes rousses dans des cirés bleus, avec ses aveugles à canne blanche (...) 3.1

Paul MORAND, Londres, p. 112.

Par métonymie. *Les cannes blanches :* les aveugles.

(Considérée comme emblème). Anciennt. *Canne de compagnon, de compagnonnage. Canne de tambour-major, de majorette.*

Spécialt (comme arme de défense). *Canne armée, canne à épée, canne-épée.* → **Canne-épée.** *Canne-fusil*, qui peut se transformer en fusil. *Canne plombée*, qui peut servir de massue.

Plusieurs générations avaient laissé des cannes dans le porte-cannes : la canne-fusil du grand-oncle Ousilanne (...) la canne à épée du grand-père Lapeignine et celles dont les bouts ferrés rappelaient des villégiatures à Bagnères-de-Bigorre. 3.2

F. MAURIAC, le Baiser au lépreux, p. 12.

(Canne à plusieurs usages). *Canne-pliant*, conçue de façon à se transformer en pliant*. — *Canne-parapluie.*

Loc. fam. *Avoir l'air d'avoir avalé* sa canne. Casser sa canne :* mourir. → 2. **Caner**; → casser sa pipe*.

♦ **3** (1882). Sports. Bâton flexible utilisé pour un sport de combat proche de l'escrime. — *Escrime à la canne.* Sport utilisant ce bâton. *Pratiquer la canne.*

(...) Barrada professait à bord tous les genres d'exercices en usage parmi les matelots : boxe, canne, chausson (...) 4

LOTI, Mon frère Yves, XXVI, p. 83.

(1933). *Canne de golf.* → **Club.**

(Au plur.; ski). → **Bâton** (de ski). «*(...) les cannes de skis, des cannes qui ont conquis les skieurs aussi bien par leur design (noir et blanc) que par les poignets, soit à dragonne, soit à protection de phalange*» (*Ski Flash Magazine*, n° 37 [nouvelle série], mars 1979, p. 49).

♦ **4** (1636). CANNE À PÊCHE : gaule* portant une ligne de pêche. *Scion d'une canne à pêche.*

♦ **5** (1704). Techn. Instrument de verrier, au moyen duquel on «cueille» le verre et on souffle les objets à fabriquer (ancienne technique).

5 L'outil dont la fabrication offrit le plus de difficulté fut la «canne» du verrier, tube de fer, long de cinq à six pieds, qui sert à recueillir par un de ses bouts la matière que l'on maintient à l'état de fusion.
J. VERNE, l'Île mystérieuse, t. I, p. 419.

6 L'abolition de l'esclavage ne supprimerait pas l'exploitation de l'homme (...) J'ai connu dans ma jeunesse un salopard de maître verrier qui faisait souffler dans des cannes des garçons de quinze ans, et pour les remplacer quand leur pauvre petite poitrine venait à crever, l'animal n'avait que l'embarras du choix.
BERNANOS, Journal d'un curé de campagne, *in* Œ. roman., Pl., p. 1067.

Techn. *Canne de niveau :* jauge permettant de déterminer le niveau des ergols dans les réservoirs d'un avion.

♦ **6** (Av. 1885; du sens 2). Fam. Jambe. *Je ne tiens plus sur mes cannes! Jouer des cannes.* → 2. **Caner.** *Mettre les cannes :* s'enfuir; s'en aller. → **Bout** (mettre les bouts).

7 Lorsque je regrimpe dans mon pigeonnier j'ai les cannes en coton à repriser. Au point que je suis obligé de m'agripper à la rampe pour ne pas m'affaler dans l'escadrin.
J'ai connu bien des escaladeuses, mais jamais des comme Martine.
SAN-ANTONIO, le Secret de Polichinelle, p. 128-129.

8 (...) sous le prétexte d'aller chercher une autorisation de mariage chez le curé de Mobile où habite ma mère, j'ai mis les cannes et c'est alors que vous ne m'avez plus revu.
B. CENDRARS, Moravagine, *in* Œ. compl., t. IV, p. 208.

♦ **7** Ancienn. Mesure de longueur (de 1,70 m à 3 m) et de superficie (Midi de la France; Italie).

**DÉR. Cannaie, 1. cannelle, 2. cannelle, 2. caner, 1. canner, 1. cannette.** ◊ **COMP. Canne-épée, canne-plantoir.** → **HOM. Cane, 2. canne;** formes des v. **1. caner, 2. caner, 1. canner.**

**2. CANNE** [kan] n. f. — V. 1160, *chane* «cruche»; du lat. *canna* «tuyau», même mot que le précédent.

Dial. (Ouest). Récipient* en cuivre qui servait au transport du lait, puis de l'eau. → aussi **Channe.**

**HOM. Cane, 1. canne;** formes des v. **1. caner, 2. caner, 1. canner.**

**CANNÉ, ÉE** [kane] adj. — 1877; de *canner,* ou de 1. *canne.*

Garni de brins entrelacés de canne, de jonc ou de rotin. *Fauteuil canné. Chaise cannée.*

1 Je vins m'asseoir à côté d'elle non sans émoi (car j'étais fort jeune) sur le siège canné du bateau.
A. MAUROIS, les Discours du Dr O'Grady, III, p. 34.

2 À cause de la chaleur, à laquelle ne change rien le très petit ventilateur électrique posé sur une chaise cannée (...)
A. ROBBE-GRILLET, la Maison de rendez-vous, p. 190.

**CANNEBERGE** [kanbɛʀʒ] n. f. — 1665; *cannebirge,* 1846; orig. inconnue.

Bot. Arbuste vivace à feuilles persistantes, qui croît dans les marais et tourbières des régions montagneuses et porte une baie rouge foncé plus grosse que l'airelle (famille des *Éricacées;* n. sc. : *oxycoccos*). *La canneberge a des baies comestibles.* — Par ext. La baie (aussi appelée *airelle des marais, myrtille des marais*).

Cuis. *Renne à la confiture de canneberges* (plat scandinave). *Poulet, dinde aux canneberges* (dans les pays anglo-saxons).

REM. Ce mot est rare ou didactique dans l'usage français, beaucoup plus fréquent au Canada francophone, où cette baie, comme dans les pays scandinaves et anglo-saxons (angl. *cranberries*), est courante et appréciée. Un synonyme d'origine indienne, *atoca**, est considéré au Québec comme un régionalisme (parfois critiqué).

**CANNE-ÉPÉE** [kanepe] n. f. — XXe; *canne à épée,* 1867; de *canne,* et *épée.*

Canne creuse dissimulant une épée. *Les cannes-épées sont des armes prohibées.*

**CANNELÉ, ÉE** [kanle] adj. — 1553; *quenelé,* 1342; de 2. *cannelle.*

♦ **1** Arts. Qui présente des cannelures*. *Colonne cannelée.*

N. m. Meuble à cannelures.

(...) des marchands de malles, d'articles pour fumeurs, de guéridons, de petits sièges, d'armures, de «cannelés» Louis XVI, se succèdent sans interruption dans ces couloirs où les boutiques ont partout le même air somnolent, qu'on leur voit dans des rêves. 1
Francis CARCO, Nostalgie de Paris, p. 39.

♦ **2** Creusé de cannelures. *Meule cannelée. Pneus cannelés. — Ongles cannelés,* marqués de stries profondes.

Barkilphedro (...) avait les ongles cannelés et courts, les doigts noueux, les pouces plats (...) 2
HUGO, l'Homme qui rit, II, I, VII.

Comm. *Tissu cannelé,* et, n. m., *le cannelé :* tissu de soie (taffetas), de coton (reps) qui présente des côtes longitudinales ou transversales. *Cannelé de Reims.*

Par métaphore :

(...) dans un des plis cannelés de ce rideau, d'une forte étoffe de soie croisée, que j'avais ôté de sa patère et qui tombait devant la fenêtre, perpendiculaire et immobile. 3
BARBEY D'AUREVILLY, les Diaboliques, «Le rideau cramoisi».

**CONTR. Lisse.** ◊ **DÉR. Canneler.** → **HOM.** Formes du v. **canneler.**

**CANNELER** [kanle] v. tr. [CONJUG.: *appeler.*] — 1611; de *cannelé.*

Garnir de cannelures*. *Canneler une colonne, un pilastre.*

**HOM. Cannelé** (adj. et n.).

**CANNELIER** [kanəlje] n. m. — 1743; *cannelliers,* 1645; *arbres canelliers,* 1575; de 1. *cannelle.*

Bot. Variété de laurier* (famille des *Lauracées*), scientifiquement appelée *laurus cinnamomum* ou *cinname,* dont l'écorce dépourvue de son épiderme constitue la cannelle (→ 1. Cannelle).

**1. CANNELLE** [kanɛl] n. f. — Déb. XIIe, *canele;* de *canne* «tuyau», et suff. *-elle;* ou lat. médiéval *cannella.*

♦ **1** Substance aromatique constituée par l'écorce du cannelier dépouillée de son épiderme (elle prend alors la forme de petits tuyaux). *La cannelle est utilisée en cuisine, en pâtisserie, en parfumerie et en médecine comme stimulant. Cannelle giroflée. Cannelle blanche. Cannelle en poudre. Boire un bol de vin chaud parfumé avec de la cannelle. Poudre de cannelle.*

♦ **2** Loc. fig. (1798). Vx. *Mettre en cannelle :* réduire en poussière, ruiner.

Loc. Vx ou régional (Suisse). *Tomber, partir en cannelle :* tomber en pièces. *Avoir les jambes en cannelle :* être épuisé, fourbu.

♦ **3** Adj. (1728). *Couleur cannelle :* de la couleur roux clair de l'écorce du cannelier.

Et le maître de la voiture (...) s'était fait faire pour la cérémonie un carrick prodigieux, un carrick cannelle à cinq collets, comme on en voit sortir à l'Ambigu des berlines d'émigrés.
Ed. et J. DE GONCOURT, Journal, 20 févr. 1853.

**DÉR. Cannelier.** ◊ **HOM.** Formes du v. **canneler; 2. cannelle, 3. cannelle.**

2. **CANNELLE** [kanɛl] n. f. — 1718; *canelle,* 1496; de *canne* «conduit, tuyau».
Techn. Petit tube, robinet que l'on adapte à une cuve, à un pressoir, à un tonneau. — REM. On dit aussi *cannette* (→ 1. Cannette).

DÉR. **Cannelé.** ◇ HOM. Formes du v. **canneler**; 1. **cannelle,** 3. **cannelle.**

3. **CANNELLE** [kanɛl] n. f. — 1929; *kénelle,* 1857; de *canne* «tuyau, bobine». → 1. Canne, 1. canon.

♦ **1** Techn. Rainures situées de chaque côté du chas d'une aiguille.

♦ **2** Dans les métiers à tisser, Bobine sur laquelle s'enroule le ruban provenant de l'étirage (ne pas confondre avec 2. *canette*).

HOM. Formes du v. **canneler**; 1. **cannelle,** 2. **cannelle.**

**CANNELLONI** [kanelɔni; kanɛllɔni] n. m. — 1918, Apollinaire; mot ital. «tubes de grande dimension», de *canna* «tuyau» (→ 1. Canne), et suff. augmentatif *-one.*
Cuis. Pâte roulée en cylindre, farcie au gras ou au maigre. *Un cannelloni.* — Plus souvent au plur. *Des cannelloni* ou *des cannellonis.*
REM. On trouve, dans le *Grand Dictionnaire de cuisine* (1873) d'Alexandre Dumas père, la forme francisée *cannellon* [kanelɔ̃] : *«Cannellon. — On appelle ainsi, de la forme de leurs moules, certaines compositions de pâtes fines».*

**CANNELURE** [kanlyʀ] n. f. — 1547; *canneleüre,* 1545; ital. *cannellatura,* même sens, de *canna* «tuyau», lat. *canna.* → 2. Canne.

♦ **1** Sillon longitudinal (creusé dans du bois, de la pierre, du métal...) → **Moulure, rainure, strie.** *Les cannelures d'une colonne, d'un pilastre, d'un vase. Cannelures à arête vive. Cannelures à côte. Cannelures torses,* qui tournent en spirale autour du fût (d'une colonne, etc.).

1 Les tuiles neuves, dont les cannelures conservaient encore quelques minces filets de neige (...)
Th. GAUTIER, le Capitaine Fracasse, t. I, VIII.

2 L'huissier ouvrit à deux battants la haute porte à cannelures d'or sur fond pâle (...)
COURTELINE, Messieurs les ronds-de-cuir, 6e tableau, II, p. 230.

3 La lampe avait un abat-jour rose en verre cannelé dont les enfants aimaient caresser du bout des doigts les cannelures (...) F. MAURIAC, le Mal, IX, p. 146.

♦ **2** Bot. Strie profonde qui parcourt la tige de certaines plantes. *Les cannelures de la bette, du céleri.*

♦ **3** Techn. Sillon creusé sur une surface. *Cannelure de poulie.* → **Gorge, goujure.** *Cannelure d'une vis** : sillon formé par le filet.

♦ **4** Géogr. Sillon au profil arrondi qui se creuse dans les roches nues sous l'action de l'érosion externe. *Cannelures glaciaires.*

**CANNE-PLANTOIR** [kanplɑ̃twaʀ] n. f. — 1951, *in* T. Ballu, *le Machinisme agricole,* p. 64; de 1. *canne,* et *plantoir.*
Agric. Plantoir perfectionné formé de deux mâchoires en forme d'entonnoir dans lesquelles on place le tubercule. — Au plur. *Des cannes-plantoirs.*

1. **CANNER** [kane] v. tr. — 1867; «mesurer à la canne» (1. Canne, 7.), 1613; de 1. *canne.*
Garnir (un fond, un dossier de siège, une tête de lit, etc.) avec des cannes de jonc, de rotin entrelacées. *Canner une chaise, un fauteuil* (→ **Canné**). *Artisan occupé à canner une chaise.* → **Canneur.**
Au p. p. → **Canné.**

DÉR. **Cannage, canné, canneur.** ◇ HOM. 1. **caner,** 2. **caner; canné,** adj.

2. **CANNER** [kane] v. intr. → 2. **Caner.**

**CANNETAGE** [kantaʒ] n. m. → **Canetage.**

**CANNETER** [kante] v. intr. → 2. **Caneter.**

**CANNETIÈRE** [kantjɛʀ] n. f. → **Canetière.**

**CANNETILLE** ou **CANETILLE** [kantij] n. f. — 1547, *cannetille; canetille,* 1535, *in* Rabelais; esp. *cañutillo* même sens, de *cañuto* «tuyau», du lat. *canna* «roseau», par le mozarabe *quannût,* même sens.
Technique.

♦ **1** Fil de métal (or, argent...) retordu, servant à des travaux de broderie.

(...) une grosse bourse en velours rouge à glands d'or, et brodée de cannetille usée, provenant de la succession de sa grand'mère.
BALZAC, Eugénie Grandet, éd. 1838, p. 234.

♦ **2** Mus. Fil de métal (laiton argenté) enroulé autour d'un boyau pour former les grosses cordes d'instruments à cordes frottées (violoncelles, contrebasses).

DÉR. **Cannetiller.** ◇ HOM. Formes du v. **cannetiller.**

**CANNETILLER** [kantije] v. tr. — Av. 1571; de *cannetille.*
Techn. Orner de cannetilles (1.).

1. **CANNETTE** [kanɛt] n. f. — XVIIIe; de 1. *canne.*
Technique.

♦ **1** Robinet adapté à un tonneau. → 2. **Cannelle.**

♦ **2** (1867). Tube couvert ou rempli de poudre, servant à mettre le feu dans le trou d'une mine ou d'une roche.

HOM. 1. **Canette,** 2. **canette,** 3. **canette.**

2. **CANNETTE** [kanɛt] n. f. → 2. **Canette.**

3. **CANNETTE** [kanɛt] n. f. → 3. **Canette.**

**CANNEUR, EUSE** [kanœʀ, øz] n. — 1877; de 1. *canner.*
Personne qui canne les sièges. → aussi **Rempailleur.**

**CANNIBALE** [kanibal] n. m. — 1558; *canibale,* 1515; esp. *caníbal,* même sens; arawak *caniba,* désignant les Caraïbes antillais.

♦ **1** Anthropophage. — Fig. *Un appétit de cannibale,* féroce.

Les nègres nus crient, rient et se querellent en montrant des dents de cannibales. 1
GIDE, Voyage au Congo, *in* Souvenirs, Pl., p. 686.

Les habitants de Mihu, redoutables cannibales, parquèrent les naufragés sous bonne garde pour se repaître de leur chair; chaque jour, l'un des prisonniers, après une rapide exécution, était dévoré séance tenante en présence de tous les autres. 2
Raymond ROUSSEL, Impressions d'Afrique, p. 279-280.

Adj. *Un sauvage cannibale.* — Se dit aussi d'un animal qui dévore ceux de son espèce. *Certains poissons sont cannibales.*

♦ **2** Par ext. Personne cruelle et féroce. → **Sauvage.**

Aussi me revient-il que quelques-uns de nos cannibales parlementaires trouvent bien rigoureuse (...) la punition que Votre Majesté a faite de ces magistrats prévaricateurs (...) 3
D'ALEMBERT, Lettre au roi de Prusse, 29 févr. 1780.

Adj. Cruel, digne d'un cannibale. *Goûter un plaisir cannibale à critiquer (à «mettre en pièces») quelqu'un.*

4 Il racontait longuement au monstre, qui n'y comprenait goutte, mais approuvait avec des hochements de tête et de grands sourires cannibales, les traitements qu'on appliquerait à l'immonde Sholto quand on l'aurait capturé.
J. DUTOURD, Mémoires de Mary Watson, p. 244.

♦ 3 Régional (Belgique). *Cannibale* (n. m.), ou *toast cannibale :* pain de mie grillé couvert de viande crue hachée et assaisonnée (filet américain*). → Steak tartare*.

DÉR. **Cannibalesque, cannibalique, cannibalisme.**

**CANNIBALESQUE** [kanibalɛsk] adj. — 1862; de *cannibale,* et suff. *-esque.*

Digne d'un cannibale. *Cruauté cannibalesque.*

(...) il *(un jeune Anglais)* parle, il parle continuement *(sic),* et sa voix un peu chantante et s'arrêtant et repartant aussitôt qu'elle s'arrête, vous entre, comme une vrille, dans les oreilles ses cannibalesques paroles.
Ed. et J. DE GONCOURT, Journal, t. II, p. 26 (1862).

**CANNIBALIQUE** [kanibalik] adj. — 1950; de *cannibale.*

Psychan. Relatif au cannibalisme (3.). *Stade cannibalique :* stade oral dans sa phase de morsure ambivalente (dit aussi *stade sadique-oral*).

**CANNIBALISATION** [kanibalizasjɔ̃] n. f. — 1969; angl. *cannibalization,* de *to cannibalize.* → Cannibaliser.

Anglicisme.

♦ 1 Techn. Action de cannibaliser (un objet hors d'usage). *La cannibalisation de véhicules militaires déclassés; d'armements hors d'usage.*

♦ 2 Comm. Action de cannibaliser (un produit; un marché). *La cannibalisation d'un produit de base peut causer une perte financière pour le producteur.*

♦ 3 Comm. Action de se cannibaliser*.

**CANNIBALISER** [kanibalize] v. tr. — V. 1969; angl. *to cannibalize,* de *cannibal.* → Cannibale.

Anglicisme.

♦ 1 Techn. Utiliser (un objet fabriqué usagé) en en récupérant les pièces en bon état pour réparer des objets de même type. *«(...) des réacteurs de DC-8 envoyés pour révision en Belgique y sont restés pour non-paiement de la facture, et il a fallu "cannibaliser" un appareil pour rééquiper l'autre»* (*l'Express* n$^o$ 1696, 6 janv. 1984, p. 78).

Au p. p. *«Les avions déclassés ou cannibalisés»* (*le Nouvel Obs.,* n$^o$ 1004, 3 févr. 1984, p. 24).

♦ 2 Comm. Pour un produit fabriqué, Remplacer un autre produit, plus ancien sur le marché, sans que cela ait été voulu par le producteur.

Détruire (un marché, une société) par une autoconcurrence.

◆ **SE CANNIBALISER** v. pron.

Comm. Se nuire ou se détruire en se faisant concurrence à soi-même. → **Autoconcurrence.**

**CANNIBALISME** [kanibalism] n. m. — 1797; de *cannibale.*

♦ 1 Anthropophagie.

Certaines sociétés observent vis-à-vis de leurs morts une attitude de ce type. Elles leur refusent le repos, elles les mobilisent : littéralement parfois, comme c'est le cas du cannibalisme et de la nécrophagie quand ils sont fondés sur l'ambition de s'incorporer les vertus et les puissances du défunt (...)
Claude LÉVI-STRAUSS, Tristes tropiques, p. 199-200.

♦ 2 Fig. → **Cruauté, férocité.**

♦ 3 Psychan. Fantasme du stade oral consistant à vouloir inconsciemment s'incorporer et s'approprier l'objet aimé et ses qualités (→ **Cannibalique**).

**CANNIER** [kanje] n. m. → **Canier.**

**CANNISSE** [kanis] n. f. → **Canisse.**

**CANOË** [kanɔe] n. m. — 1867; angl. *canoe* [kanu], *canowe,* XVI$^e$-XVII$^e$; *canoa,* 1555; esp. *canoa,* arawak des Bahamas *canoa.* REM. Le mot *canoe* apparaît en français en 1519 comme emprunt direct à l'arawak, mais pour donner *canot.* → Canot.

♦ 1 Embarcation légère et portative, pontée ou non, mue à la pagaie simple. → **Canot, kayak, pirogue.** *Canoë canadien.*

REM. Au Canada, où l'on écrit aussi *canoé,* le terme admet le synonyme *canot* dans le cas d'une embarcation non pontée. → Canot (1.).

♦ 2 Sport de la manœuvre, de la navigation en canoë. *Faire du canoë.* — Syn. : *canoéisme.*

DÉR. **Canoéisme; canoéiste.** ◇ COMP. **Canoë-kayak.**

**CANOÉISME** [kanɔeism] n. m. — 1948; de *canoë,* d'après *canoéiste.*

Sport du canoë.

**CANOÉISTE** [kanɔeist] n. — 1888; angl. *canoeist,* 1886; de *canoë,* et suff. *-iste.*

Personne qui pratique le sport du canoë, fait du canoë.

**CANOË-KAYAK** [kanɔekajak] n. m. — Mil. XX$^e$; de *canoë,* et *kayak.*

Sport du canoë ou du kayak. *Canoë-kayak de vitesse. Canoë-kayak d'eaux vives. «Le sport du canoë-kayak diffère de l'aviron classique par l'esquif et par la technique»* (Petiot, *Dict. des sports,* art. *Canoë*).

1\. **CANON** [kanɔ̃] n. m. — 1338; ital. *cannone,* augmentatif de *canna* «tube» (→ 1. Canne); «conduit, tuyau», XIV$^e$; «bobine», 1282; de 1. *canne.*

**I** ♦ 1 Pièce d'artillerie servant à lancer des projectiles lourds. → **Arme, artillerie, batterie, bouche à feu, mortier, obusier, pièce,** et aussi (anciennt) **aspic, basilic, bombarde, caronade, couleuvrine, émerillon, faucon, fauconneau, pierrier, veuglaire.** — Spécialt. Pièce d'artillerie à trajectoire tendue (opposé à *mortier, obusier*). *Canons en fonte, en bronze coulé, en acier. — Les canons.* → **Bronze** (poét. et vx). — *Canon de campagne, de montagne, de place, de siège, de côte, de marine. Canon antiaérien* (D. C. A.). *Canon anti-char. Canon de chasse, canon de retraite d'un navire de guerre. — Canon atomique,* dont l'obus peut recevoir une charge atomique (désignation fautive). — *Batterie* de canons. — Canon de petit, de moyen, de gros calibre*. Canon de 57, de 75, de 155, de 305, de 420... millimètres de diamètre intérieur* (ellipt. : un 57, un 75, etc.). → **Calibre.** *Un canon de 155 long,* à long tube et longue portée, par opposition à l'obusier de 155 court. *Les berthas*, canons allemands à longue portée de la guerre de 1914-1918. Canon à tubes jumelés, multiples :* lance-fusées, pom-pom, rocket. *Canon-revolver. Canon automatique.* → **Mitrailleuse.** — (1970). *Canon mitrailleur :* arme automatique montée sur affût, sur véhicule ou sur aéronef. *Canon automouvant, automoteur, autoporté.* → **Autocanon** (vieilli).

— *Soldat qui sert une pièce de canon.* → **Artilleur, canonnier, servant.** *Équipement, pièces d'un canon. Tube du canon* (bouche, tranche de bouche, bourrelet de bouche, couvre-bouche, galets de bouche, frein de bouche; volée; rayures, âme). *Cercle d'acier qui renforçait les anciens canons de bois.* → **Frette.** *Culasse* du canon* (percuteur, extracteur, éjecteur; cordon tire-feu; tranche de culasse). *Le feu était mis autrefois à la charge du canon au moyen d'une mèche* enflammée passant par la lumière.* → **Lumière; chapiteau, couvre-lumière.** — *Frein hydraulique du canon,* neutralisant le recul et ramenant le tube en batterie. *Cordage qui limitait le recul des canons.* → **Brague.** *Canon sans recul. Soulever un canon sans anses avec une élingue. Boucliers, siège, essieu, roues du canon. Affût* du canon. Tourillons qui assujettissent le canon sur son affût. Flèche d'un canon* (flasque, crosse, poignée de crosse, bêche de crosse, lunette de cheville ouvrière). *Canon biflèche,* muni de deux flèches ouvrantes qu'on écarte pour la mise en batterie. *Appareils de pointage d'un canon* (collimateur, goniomètre, télémètre, hausse; volants de pointage, manivelle de hausse, berceau de pointage). *Canons pointés par télécommande* (télépointage). — *Entretenir, démonter, graisser un canon.* → **Écouvillon, refouloir** (→ Arsenal, parc). — *Canon à tir rapide. Portée* d'un canon. Plate-forme pour canons.* → **Barbette, risban.** *Canons d'une tourelle. Mise en batterie d'un canon. Tir au canon. Braquer, pointer un canon.* → **Braquer** (cit. 1). *Charger un canon. Projectiles de canons.* → **Boîte** (à mitraille), **cartouche; boulet, obus; mitraille, shrapnel.** — Loc. *Boulet de canon. Arriver comme un boulet* de canon. Tirer un coup de canon, tirer le canon.* → **Bombarder, canonner.** *Tir* au canon.* → **Bordée, canonnade, salve, volée.** *Le canon crache, vomit le fer, le feu, la mort. Détruire un objectif à coups de canon. L'artillerie fait feu de tous ses canons* (→ Arroser, battre en brèche*, pilonner; barrage [tir de]...). *Déclaveter, égueuler, enclouer, faire sauter un canon avant qu'il ne tombe entre les mains de l'ennemi.*

Par métonymie. Artillerie en action. *Le canon tonne, gronde, rugit. Le bruit lointain du canon.* → **Bombardement, canonnade.** «*Dansons la carmagnole, Vive le son Du canon...*»

1 Le canon me semblait la voix de Bonaparte; et, tout enfant que j'étais, quand il grondait, je devenais rouge de plaisir (...)
A. DE VIGNY, Servitude et Grandeur militaires, III, III, p. 187.

2 Quand la nation se trouve sous le canon des ennemis et sous le poignard des traîtres, l'indulgence est parricide.
FRANCE, Les dieux ont soif, p. 58.

2.1 L'ingénieur avait lieu de penser que ces canons étaient de fabrication excellente, et il s'y connaissait. Faits en acier forgé, et se chargeant par la culasse, ils devaient, par là même, pouvoir supporter une charge considérable, et par conséquent avoir une portée énorme.
J. VERNE, l'Île mystérieuse, t. II, p. 663.

3 Les gros canons, appuyés sur leurs *jambes de force,* se tenaient tant bien que mal, cordés par des câbles de fer.
LOTI, Mon frère Yves, XXVIII, p. 90.

4 Puis, le canon tonne au quartier turc et c'est, ce soir, la salve annonciatrice de la lune nouvelle, de la fin du ramadan. LOTI, Jérusalem, XIII, p. 163.

5 Sans y prêter attention, comme l'oreille s'habitue à un tic-tac d'horloge, on entend le canon. Quand ce sont les 75 de la gare qui tirent, on dirait que leur miaulement traverse la place. R. DORGELÈS, les Croix de bois, VI, p. 113.

6 Quelques détonations étouffées par l'éloignement, puis quelques coups de canon, espacés, le tirèrent de cette prostration.
MARTIN DU GARD, les Thibault, t. IX, p. 133.

Le bruit des canons s'était subitement calmé (...) 7
A. MAUROIS, les Silences du colonel Bramble, XV, p. 157.

(...) déjà les canons français, mis en batterie sur le rebord du plateau, faisaient pleuvoir boulets et obus. 8
Louis MADELIN, Hist. du Consulat et de l'Empire, t. V, Austerlitz.

Spécialt. Canon de marine (sur un vaisseau de guerre). → **Pièce.** *Un croiseur de tant de canons. Vaisseau de soixante-quatorze canons.*

Loc. *Poudre* à canon.*

Péj. *Marchand de canons :* fabricant et vendeur d'armes lourdes de guerre (cf. Trafiquant d'armes).

Loc. *Du beurre** (cit. 4.6) *ou des canons. Homme-canon, femme-canon :* athlète de cirque qui (à l'origine) portait sur ses épaules un petit canon; ou qui était projeté comme un boulet.

Loc. **CHAIR À CANON :** les soldats exposés à être blessés, mutilés, tués («hachés») par le canon, la mitraille (→ Chair, cit. 14 et 15).

(...) l'ogre de Rastenburg *(Hitler),* qui exigeait de ses sujets, pour son anniversaire, ce don exhaustif, cinq cent mille petites filles et cinq cent mille petits garçons de dix ans, en tenue sacrificielle, c'est-à-dire tout nus, avec lesquels il pétrissait sa chair à canon. 8.1
M. TOURNIER, le Roi des Aulnes, p. 251.

(1922). *Canon paragrêle :* canon destiné à empêcher la formation des grêlons — *Canon lance-harpon,* pour la capture des grands cétacés. — *Canon porte-amarre,* pouvant lancer un cordage à un navire en perdition. — Anc. *Canon d'amarrage :* canon réformé fiché dans un quai pour l'amarrage des navires. → **Bitte, bollard.** — *Canon à neige :* appareil projetant de la neige artificielle destinée à améliorer une piste de ski. *Canon à avalanches,* qui permet de déclencher une avalanche menaçante, de rendre non dangereux un couloir d'avalanches.

(1903). Par métaphore. *Canon à électrons, canon électronique :* dispositif servant à accélérer les électrons cathodiques et à les rassembler en faisceau. *Canon électromagnétique. Canon-laser.* → **Laser.**

♦ **2** (1569). Tube qui, dans les armes à feu, dirige le projectile. *Canon d'un fusil, d'une carabine, d'un revolver. Montage du canon sur le fût. Anneau fixant le canon au fût.* → **Capucine, grenadière.** *Fusil de chasse à deux canons,* à deux coups. *Fusil à long canon pour la chasse aux canards.* → **Canardière.** *Rétrécissement du canon pour regrouper les plombs.* → **Choke-bore.** *Fusil à canon scié. Canon lisse. Canon rayé,* communiquant à la balle*, aux plombs de la cartouche*, un mouvement de rotation qui augmente la portée et la force de pénétration. *Carabine à canon scié* (pour servir d'arme meurtrière). *Canon rubané. Canon ovalisé; piqué par la rouille. Canon d'un fusil de guerre. Baïonnette au canon :* baïonnette fixée au bout du fusil.

Mais, dans le mouvement de détente, le canon de ce fusil dévia par hasard dans le même sens. 9
LOTI, Pêcheur d'Islande, III, I, p. 139.

**II** (XVI^e^). ♦ **1** Techn. Se dit de divers objets cylindriques. — (1611). *Canon d'une seringue :* le corps de pompe de la seringue. — (1676). *Canon d'une clef,* sa partie forée. *Canon d'une serrure :* pièce de la serrure qui reçoit la tige de la clef. *Canon d'une plume,* le tuyau. *Canon d'arrosoir :* tuyau qui reçoit la pomme de l'arrosoir. *Canon d'une montre :* pièce de la roue des heures, sur laquelle est tourné l'ajustement de l'aiguille des heures. *Canon du mors :* partie du mors qui s'appuie sur la barre. — (1448). *Canon d'une fontaine :* tuyau d'une fontaine.

La petite fontaine qui alimentait l'abreuvoir était bien entretenue. Son canon de bois enfoncé dans le flanc d'un 9.1

talus avait été cerclé récemment d'un anneau de fer qui était encore brillant.
J. GIONO, le Hussard sur le toit, p. 279.

♦ **2** (1578). Anciennt. Pièce de toile ou de drap, large, ornée de dentelle, de rubans et qu'on utilisait comme parure en l'attachant au bas de la culotte, au-dessous du genou.

10 (...) de ces grands canons où, comme en des entraves,
On met tous les matins ses deux jambes esclaves (...)
MOLIÈRE, l'École des maris, I, 1.

11 Le courtisan autrefois (...) portait de larges canons (...) Cela ne sied plus : il porte (...) le bas uni (...)
LA BRUYÈRE, les Caractères, XIII, 16.

♦ **3** Zool. Partie des membres du cheval comprise entre le genou et le boulet dans les membres antérieurs, et le jarret et le boulet, dans les membres postérieurs.

**III** (De 1. *Canon,* 1) ♦ **1** Adj. Intensif. Très fort, magnifique. *C'est canon, son truc!* — Spécialt. Très belle (d'une fille, d'une femme).

♦ **2** N. m. (1989 dans *Dict. de l'argot,* Larousse). Très belle femme aux formes épanouies et désirables.

**DÉR.** **Canonner, canonnerie, canonnier, canonnière.** ◊ **COMP. Autocanon.** — **HOM.** 2. **Canon,** 3. **canon**; formes des **v.** 1. **et** 2. **caner,** 1. **canner.**

2. **CANON** [kanɔ̃] n. m. — 1259; lat. *canon* «modèle, règle»; du grec *kanôn* «règle».

**I** ♦ **1** Théol. Loi ecclésiastique, et, spécialt., règle, décret des conciles en matière de foi et de discipline. *Canons de l'Église. Saints canons. Canon d'un concile œcuménique. Canon apostolique. Défenses, peines imposées par les canons de l'Église* (→ **Canonial, canonique).**

1 Comme vous vous êtes trouvés embarrassés entre les canons de l'Église qui imposent d'horribles peines aux simoniaques, et l'avarice de tant de personnes qui recherchent cet infâme trafic (...)
PASCAL, les Provinciales, 12.

Adj. (V. 1511). Plus cour. *Droit canon :* droit ecclésiastique, fondé sur les canons de l'Église, les décrétales. → **Capitulaire** (droit capitulaire). *Corps du droit canon. École de droit canon. Docteur en droit canon.* → **Canoniste.** *Le droit canon a été codifié en dernier lieu par le* corpus juris canonici, *promulgué en 1917.*

♦ **2** (1690). Ensemble des livres admis comme divinement inspirés. *Canon des Écritures. Canon de l'Ancien, du Nouveau Testament.* → **Bible.** *Canon juif. Canon chrétien. Les protestants rejettent certains livres comme n'étant pas du canon des Écritures* (Académie).

2 On vénérait le souvenir de la révélation mosaïque, on conservait les vieux textes dans les archives, mais cela ne constituait pas encore vraiment, d'un mot grec qui signifie règle, mesure, modèle, un *canon.*
DANIEL-ROPS, le Peuple de la Bible, IV, p. 309.

♦ **3** (V. 1350). Catalogue des saints reconnus et canonisés par l'Église romaine (→ **Canonisation).** — *Canon pascal :* table des fêtes mobiles, dressée pour plusieurs années. — (V. 1295). *Canon de la messe :* partie de l'office, contenant les paroles sacramentelles et des oraisons, qui va de la Préface au Pater.

2.1 (...) le rite chrétien dans son ensemble se présente sous deux aspects : il est quotidien et a pour centre le canon de la messe (...)
Émile BURNOUF, la Science des religions, p. 231.

(1550). Tableaux placés au milieu de l'autel et qui contiennent une partie de l'office. — *Canons d'autel :* tablettes contenant certaines prières, pour la plupart extraites du canon de la messe.

♦ **4** Didact. Norme, règle.

Dans l'antiquité, Liste d'auteurs considérés comme modèles*. *Hérodote est le canon du dialecte ionien.*

(1814). Arts. Ensemble de règles* fixes servant de module pour déterminer les proportions des statues, conformément à un idéal de beauté. → **Idéal, type.** *Canon de Polyclète, de Lysippe.*

Les dimensions du corps ne varient pas seulement suivant le sexe, mais encore avec les races et suivant les conditions d'âge, de milieu, de climat, etc... Cela explique la diversité des canons. Il en est autant que de races. Aucun n'a la prétention de fixer un idéal de beauté ou de santé. Mais tous ont leur utilité en donnant un aperçu de la conformation corporelle moyenne; car, ils ont été établis en partant de mensurations très nombreuses, pratiquées sur des individus considérés, *a priori,* comme normaux. 3
A. BINET, les Formes de la femme, p. 15.

L'un et l'autre portaient (...) une tête stylisée, qui paraissait moins construite par la nature que composée d'après un canon (...) 4
MARTIN DU GARD, les Thibault, t. V, p. 70.

Typogr. Calibre des caractères d'imprimerie. *Caractère d'un petit, d'un gros, d'un double canon.*

**II** (1690). Imitation, par une partie vocale ou instrumentale, d'un thème qui vient d'être énoncé. *Canon à l'octave. Canon à deux voix. Thème en canon. Canon et fugue. Chanter un canon à trois voix.*

Les muézins, qui sont des bergers, debout sur leurs toits de terre, chantent tous ensemble, comme en canon et en fugue (...) 5
LOTI, Jérusalem, III, p. 15.

M. Vincent d'Indy, dans son *cours de composition musicale* a très précisément décrit le *canon,* cette pièce polyphonique vocale ou instrumentale, dans laquelle le thème proposé par *l'antécédent* est imité ensuite par toute la série des *conséquentes.* 6
Éd. HERRIOT, la Vie de Beethoven, p. 305.

«Frère Jacques, dormez-vous? Sonnez les matines... Din, din, don...» est le type du canon à quatre «entrées» successives. 7
Initiation à la musique, Canon, p. 372.

**DÉR.** 1. **Canonial, canoniste.** V. aussi **Canonicat, canonique, canoniser, chanoine.** ◊ **HOM.** 1. **Canon,** 3. **canon**; formes des **v.** 1. **et** 2. **caner,** 1. **canner.**

3. **CANON** [kanɔ̃] n. m. — 1596; métaphore de 1. *canon.*

♦ **1** **a** Anciennt. Mesure de capacité utilisée pour le vin (1/16e de pinte*).

**b** (XVIIIe). Bouteille ou récipient contenant un canon.

♦ **2** (1826). Fam. et cour. (surtout rural). Verre de vin. *Un canon de rouge.* — Boisson, verre que l'on prend (dans un café...). → **Coup; chopine, verre.** *Venez donc boire un canon. Allez, encore un petit canon!*

(...) au milieu (...) se creusait un bassin à rafraîchir et à rincer, où des litres entamés alignaient leurs cols verdâtres. Puis, l'armée des verres, rangée par bandes, occupait les deux côtés : les petits verres pour l'eau-de-vie, les gobelets épais pour les canons (...)
ZOLA, le Ventre de Paris, t. I, p. 161.

**HOM.** 1. **Canon,** 2. **canon;** formes des **v.** 1. **et** 2. **caner,** 1. **canner.**

**CAÑON** [kaɲɔ̃] ou **CANYON** [kanjɔ̃; kanjɔn] n. m. — 1883, *in* Höfler; *cagnon,* 1856, dans une traduction; *canon,* 1877, Littré, *Suppl.; canyon,* 1886; esp. du Mexique *cañón* «tube, tuyau», par l'anglais.

Géogr. Gorge ou ravin étroit, profond, sinueux, creusé par un cours d'eau dans une chaîne de montagnes. *Les cañons du Colorado. Le Grand Cañon.*

Leur séparation ou «dissection» par des vallées, très profondes eu égard à leur largeur, et encaissées entre remparts abrupts ou même verticaux : les cañons (cagnons ou canyons), mot espagnol signifiant : tuyau, tube, canal et que les Américains appliquent à toutes les vallées de ce genre.

Édouard-Alfred MARTEL, les Causses majeurs, 1, p. 5.

(1949, *in* Höfler). Océanographie. Longue dépression sous-marine formant une vallée à versants escarpés.

1. **CANONIAL, ALE, AUX** [kanɔnjal, o] adj. — V. 1165; de 2. *canon.*

Qui est réglé par les canons; conforme à la règle. — (1429). *Heures canoniales :* les petites heures du bréviaire (matines, laudes, primes, tierce, sexte, none, vêpres, complies). *Défenses canoniales. Devoirs canoniaux.*

2. **CANONIAL, ALE, AUX** [kanɔnjal, o] adj. — XIIIe; a remplacé *chanuinal,* XIIe; de *chanoine,* refait sur le lat. ecclés. *canonicalis.*

Relig. Qui a rapport au canonicat. *Office canonial,* que les chanoines chantent dans l'église. *Vie canoniale :* vie prescrite aux chanoines en communauté.

(...) les nouveaux monastères du XIIe siècle dénotent, dans la masse du peuple, une vitalité semblable à celle qui lance au même moment tant de fils de la noblesse dans les expéditions lointaines et dans l'état monastique ou canonial.

Georges DUBY, Guerriers et Paysans, p. 207.

**CANONICAL, ALE, AUX** [kanɔnikal, o] adj. — 1832; fin XVe au sens de 1. *canonial;* lat. *canonicalis,* de *canonicus* «chanoine».

Relig. D'un chanoine. *Maison, cellule, robe canonicale.* — REM. On dit aussi *canonial* dans ce sens (→ 2. **Canonial**).

**CANONICAT** [kanɔnika] n. m. — 1611; lat. ecclés. *canonicatus,* de *canonicus.* → Chanoine.

♦ **1** Hist. Bénéfice d'un chanoine, d'une chanoinesse. *Obtenir un canonicat.*

1 Cette grâce, Sire, est un canonicat de votre chapelle royale de Vincennes (...)

MOLIÈRE, Tartuffe, 3e Placet au Roi.

Fig. et vx. *C'est un canonicat, un vrai canonicat,* une place lucrative, une sinécure.

♦ **2** Relig. Dignité, office de chanoine. → **Chanoinie;** → Aumusse, cit. 1. *Obtenir le canonicat.*

2 (...) l'abbé Birotteau avait remplacé ses deux passions satisfaites par le souhait d'un canonicat. Le titre de chanoine était devenu pour lui ce que doit être la pairie pour un ministre plébéien.

BALZAC, les Célibataires, éd. 1834, p. 48.

**CANONICITÉ** [kanɔnisite] n. f. — Av. 1704, Bossuet; de *canonique.*

♦ **1** Relig. Caractère de ce qui est canonique (1.).

Un concile d'une si médiocre canonicité pourrait avoir de grandes suites.

SAINT-SIMON, Mémoires, 465, 91, *in* LITTRÉ.

♦ **2** Didact. Caractère de ce qui est canonique (5.).

**CANONIQUE** [kanɔnik] adj. — 1321; n., 1250; lat. ecclés. *canonicus* «conforme à la règle», grec *kanonikos**, de *kanôn.* → 2. Canon.

♦ **1** Relig. Conforme aux canons. *Peines canoniques.*

♦ **2** Loc. (1783). Relig. **ÂGE CANONIQUE :** âge de quarante ans, âge minimum pour être servante chez un ecclésiastique.

1 Capus, frileux dans sa robe de chambre, l'air d'un petit curé qui vient se coucher avec sa bonne d'âge canonique.

J. RENARD, Journal, 19 janv. 1908.

Cour. *Âge canonique :* âge respectable, assez avancé (on pense à un âge beaucoup plus avancé que celui qui motive l'expression). — Par ext. (Personnes). Qui a l'âge canonique. *Le pays a élu un président canonique !*

♦ **3** Relig. Relatif aux canons. *Droit canonique :* droit canon. → **Canon.** — Qui compose les canons. *Livres, Évangiles canoniques.*

Néanmoins, s'il est vrai que les livres canoniques soient 2
sortis l'un après l'autre du mystère où ils étaient tenus, la forme sous laquelle nous les possédons n'est pas celle que leurs auteurs leur avaient donnée (...)

Émile BURNOUF, la Science des religions, p. 90.

♦ **4** Art. Conforme à une norme reconnue. *La beauté canonique. Les proportions canoniques de l'art grec.*

♦ **5** Didact. Qui pose une règle ou correspond à une règle. → **Normatif.**

Qui correspond à une norme. *La forme canonique et les variantes d'une unité linguistique.*

Math. Qui est le plus simple relativement à certaines structures, en parlant d'un être mathématique. *Base canonique. Décomposition canonique d'une application. Équation canonique,* de forme simple, servant de modèle à une famille d'équations pouvant s'y ramener.

N. f. (1847). Système de règles.

Les réflexions qui suivent ne sont pas une canonique de la 3
critique. Je dis plus loin que la critique n'est pas autorisée à donner des règles aux genres littéraires.

A. THIBAUDET, Physiologie de la critique, p. 18, *in* FOULQUIÉ.

DÉR. **Canonicité, canoniquement.**

**CANONIQUEMENT** [kanɔnikmɑ̃] adv. — 1374; de *canonique.*

♦ **1** Relig. Conformément aux canons (de l'Église). Littér. et par plais. Comme un chanoine. *Renan, «les mains canoniquement croisées sur le ventre»* (Goncourt).

♦ **2** Didact. De manière canonique (4. et 5.).

**CANONISABLE** [kanɔnizabl] adj. et n. — 1867; «louable», 1601; de *canoniser.*

Relig. Qui peut être canonisé. *Un bienheureux canonisable.*

**CANONISATION** [kanɔnizasjɔ̃] n. f. — XVIe; *canonization,* déb. XIVe; *canonnisasion,* fin XIIIe; de *canoniser.*

Action de canoniser. → **Béatification** (cit. 1). *Procès de canonisation. Le pape prononce les canonisations des saints.*

(...) je citerai le fait récemment découvert de la canonisation par l'Église romaine d'un grand personnage indien du VIe siècle avant notre ère.

Émile BURNOUF, la Science des religions, p. 254.

Par métaphore. *«Le crédit est la canonisation de l'argent»* (Proudhon). → **Sanctification.**

**CANONISER** [kanɔnize] v. tr. — 1495; *cannoniser,* XIVe; *canonisier,* XIIIe; lat. ecclés. *canonizare,* grec *kanonizein* «mesurer, régler», de *kanôn.* → 2. Canon.

♦ **1** Mettre au nombre des saints* suivant les règles et avec les cérémonies prescrites par l'Église. *Il est béatifié, mais il n'est pas encore canonisé.*

Fig. et fam. (vieilli). *Canoniser qqn, qqch.,* le sanctifier, le mettre au rang des choses saintes, sacrées. → **Encenser, glorifier, louer, prôner.**

♦ **2** Relig. Déclarer canonique, conforme aux canons de l'Église. — Au p. p. *Livre canonisé.*

DÉR. **Canonisable, canonisation.**

**CANONISTE** [kanɔnist] n. m. — Déb. XVe; de 2. *canon.*

Relig. Homme d'Église spécialiste du droit canon.

**CANONNADE** [kanɔnad] n. f. — 1552, Rabelais; ital. *cannonata,* même sens.

Tir soutenu d'un ou plusieurs canons. *Une vive canonnade. Bruit de la canonnade.*

1 Conrad et sa sœur m'attendaient sur les marches du perron, sous la marquise dont les canonnades de l'été précédent n'avaient pas laissé une seule vitre intacte (...)
M. YOURCENAR, le Coup de grâce, p. 177.

Ce bruit. *Entendre une canonnade dans le lointain.*

2 Toute la nuit, à partir de 10 heures, la lointaine canonnade a fait trembler le sol dans un indistinct grondement continu. GIDE, Journal, 23 avr. 1943.

**CANONNAGE** [kanɔnaʒ] n. m. — 1771; de *canonner.*

♦ **1** Techn. (milit.). Technique du canonnier (spécialt, sur les navires de guerre).

♦ **2** Cour. Fait de canonner (un objectif). *Le canonnage des positions ennemies. Un canonnage systématique; sporadique.*

**CANONNER** [kanɔne] v. tr. — 1534; de 1. *canon.*

♦ **1** Tirer au canon sur (un objectif). → **Bombarder** (cit. 1). *Canonner un camp, une place, une position ennemie.* — Pron. *Les deux armées se canonnèrent.* Par métaphore. *Les gamins nous canonnaient à coup de cailloux.* → **Bombarder, mitrailler.**

(Abstrait). Attaquer violemment.

(...) s'ils *(ne)* croyaient pas *(à Dieu),* d'autres y croyaient : leurs ennemis ! et c'était assez pour maugréer, blasphémer et canonner dans leurs discours tout ce qu'il y a de saint et de sacré parmi les hommes.
BARBEY D'AUREVILLY, les Diaboliques, «À un dîner d'athées».

♦ **2** (1829). Mar. *Canonner une voile,* l'enrouler (lui donnant ainsi la forme tubulaire du canon).

DÉR. **Canonnage.**

**CANONNERIE** [kanɔnʀi] n. f. — 1845; «action de canonner», 1549; de 1. *canon.*

Vx. Fonderie où l'on coule des canons.

**CANONNIER** [kanɔnje] n. m. — 1383; «fabricant de canons», 1382; de 1. *canon.*

Soldat ou marin chargé du service d'une pièce de canon. → **Artilleur.** *Canonnier de la marine. La Sainte-Barbe, fête des canonniers.*

**CANONNIÈRE** [kanɔnjɛʀ] n. f. — 1424; *kannonire,* 1415; de 1. *canon.*

♦ **1** Vx. Petite ouverture étroite pratiquée dans un mur pour tirer sans être vu. → **Meurtrière.**

♦ **2** (1680; *canoniere,* av. 1634). Jouet fait d'un tuyau de sureau avec lequel les enfants lancent des boulettes. → **Clifoire, pétoire, sarbacane, tube.**

♦ **3** Mar. Petit bâtiment armé d'un ou de plusieurs canons. *Canonnière fluviale, de haute mer.*

Parfois on croisait une jonque des factoreries chargée de peaux de yaks (...) parfois aussi des sampans (...) plus rarement la canonnière britannique déléguée par les cinq nations concessionnaires pour garantir ce trafic compromis par des riverains versatiles.
A. BLONDIN, Un singe en hiver, p. 6.

Loc. *La politique de la canonnière :* politique de force, dans les rapports avec des pays lointains, colonisables.

Adj. (1777, *in* D. D. L.). *Chaloupe* (cit. 2) *canonnière.*

**CANOPE** [kanɔp] n. m. — 1838, adj.; lat. *canopus;* grec *kanôpos,* nom d'une ville de Basse-Égypte où des vases en terre au couvercle surmonté d'une figure humaine servaient au culte du dieu Osiris.

(1846). Didact. Vase funéraire (égyptien ou étrusque) ayant pour couvercle une tête emblématique et qui contenait les viscères des morts embaumés.

Adj. *Vase canope.*

Le sperme l'urine le sang s'étalent autour de moi comme les entrailles d'une momie dans ses vases canopes.
Tony DUVERT, Paysage de fantaisie, p. 93.

**CANOT** [kano] n. m. — 1599; *canoe,* 1519; esp. *canoa,* mot arawak (langue indienne caraïbe). → Canoë. REM. Les marins (notamment bretons) prononcent [kanɔt] n. m., et font parfois le nom féminin.

♦ **1** (1603). Vx ou régional (Canada). Embarcation* légère, non pontée, marchant soit à l'aviron, soit à la pagaie. → **Canadienne, canoë, kayak, périssoire, pirogue.** *Canot indien.*

L'Esquimau va prendre des peaux de loup marin; il les étend avec des barbes de baleine; il en forme un long canot. CHATEAUBRIAND, les Natchez, VIII, 340. 1

♦ **2** (1677). Cour. Embarcation légère non pontée (à aviron, rame, moteur, voile). → **Barque, chaloupe, esquif, nacelle, skiff, youyou.** *Canot de pêche. Canot de plaisance,* pour la promenade (→ **Canoter, canotier**). *Se promener en canot.* — Régional, au fém. (→ REM. en tête d'article). *Une belle canot* [kanɔt].

Petite embarcation, utilisée pour le service d'un bateau plus grand. → **Annexe.** *Mettre les canots à la mer.*

Le canot du steamer soulevé par la houle 2
Vint me prendre, et ce fut un long embrassement.
HUGO, les Contemplations, V, En marche, XV.

*Canot de l'amiral,* ou *canot amiral :* canot affecté à l'usage de l'amiral. *Canot major,* affecté à l'usage des officiers sur les navires de guerre (on écrit parfois : *canot-major*). *Le canot du commandant. Canot de bord.* → **Baleinière, chaloupe.**

**CANOT DE SAUVETAGE :** canot insubmersible, parfois pneumatique, prêt, dans certains ports, à porter secours aux navires en détresse. — *Canot pneumatique,* en toile imperméable et gonflé à l'air comprimé. → **Bib.**

(...) chaque soldat, sur le dos, avait une outre en peau qui, gonflée, servait de canot pneumatique. 3
DANIEL-ROPS, le Peuple de la Bible, III, II, p. 216.

(1903, *in* Petiot). *Canot automobile.* → **Vedette.** *Canot à moteur hors-bord.* → **Hors-bord.**

♦ **3** Navigation en canot (1. ou 2.). → **Canotage.** *Faire du canot. Aimer le canot.*

DÉR. **Canoter, canotier.** ◊ HOM. **Canaux.**

**CANOTAGE** [kanɔtaʒ] n. m. — 1843; de *canoter.*

♦ **1** Action de canoter. — Sport pratiqué sur un canot. → **Aviron.** *Les joies du canotage.*

♦ **2** En parlant d'un canot (1.), d'un canoë. Manœuvre d'un canot*. *Être expert en canotage.*

**CANOTER** [kanɔte] v. intr. — 1858; de *canot.*

♦ **1** S'adonner à la pratique du canotage.

Aller se promener en canot, en barque (→ **Ramer**).

♦ **2** Régional (Canada). Faire du canot (1.) ou canoë.

DÉR. **Canotage, canoteur.**

**CANOTEUR, EUSE** [kanɔtœʀ, øz] n. — XXe; de *canoter.*

Personne qui canote, se promène en canot de plaisance. *Les canoteuses, les canoteurs du bois de Boulogne.* — REM. La forme normale est *canotier,* qui a vieilli à cause du sens II («chapeau»).

**CANOTIER, IÈRE** [kanɔtje, jɛʀ] n. — 1830, *in* Petiot; *canautier,* fin XVIe; de *canot.*

**I** ♦ **1** N. m. Mar. Marin désigné pour faire partie de l'armement d'un canot en qualité de rameur.

♦ **2** Vieilli. Personne qui s'adonne au sport du canotage. *Les canotiers du bois de Boulogne.* → **Canoteur.**

1 Te voilà donc devenue une canotière. La voile fait une peur abominable à ta grand-mère.
FLAUBERT, Correspondance, 1864, Conard éd., 9, 144, *in* T. L. F.

2 Au delà du pont, au milieu de la nappe élargie de la rivière, très-bleue, moirée de vert à la rencontre des deux bras, une équipe de canotiers en vareuses rouges ramaient, pour maintenir leur canot à la hauteur du Port-aux-Fruits.
ZOLA, Son Excellence Eugène Rougon, t. I, p. 98.

3 Des canotiers passaient en périssoires, et, dans l'île, des femmes en robes claires les appelaient avec des rires argentins. FRANCE, Jocaste, XI, p. 109.

**II** (1903, Colette; *chapeau canotier,* 1874). *Un canotier :* un chapeau de paille à fond plat et à bords étroits. → **Paille,** n. m. *Être coiffé d'un canotier. Être en canotier.*

**CANT** [kɑ̃t] n. m. — 1824, Stendhal; mot angl., «jargon d'un milieu formaliste», 1681; p.-ê. lat. *cantus* «chant».

Vieilli. Affectation excessive ou hypocrite de pudeur, de respect des convenances. → **Formalisme, pruderie.**

Rien n'éloigne davantage des deux grands vices anglais : le *cant* et la *bashfulness,* (hypocrisie de moralité et timidité orgueilleuse et souffrante...)
STENDHAL, De l'amour, XLVI.

CONTR. **Franchise, simplicité.**

**CANTABILE** [kɑ̃tabile] n. m., adj. et adv. — 1757; adj. ital. *cantabile,* adj. lat. *cantabilis* «digne d'être chanté».

Musique.

♦ **1** N. m. Morceau de musique* ou de chant au mouvement lent et souvent empreint de mélancolie.

(...) le violon seul chante sa pastorale mystique, reprise par les clarinettes et les bassons, en *cantabile* enamouré.
R. ROLLAND, le Chant de la résurrection, p. 424 (1937).

♦ **2** Adj. (1803). *Adagio, andante, moderato cantabile. Moderato cantabile,* titre d'un roman de M. Duras.

♦ **3** Adv. *Jouer cantabile. Exposer un thème cantabile.*

**CANTAL** [kɑ̃tal] n. m. — 1643; nom de région, puis de département français.

Fromage à pâte ferme, à croûte lavée, fabriqué dans le Cantal (Auvergne), avec du lait de vache. → Fourme (du Cantal, de Salers). *Des cantals. Le cantal était connu du temps des Romains.*

**CANTALOUP** [kɑ̃talu] n. m. — 1791; *cantaloupe,* 1771; de *Cantalupo,* villa des papes aux environs de Rome, où ce melon était cultivé.

♦ **1** Melon* à côtes rugueuses et à chair orangée.

1 Alors *(Pécuchet)* tenta ce qui lui semblait être le summum de l'art : l'élève du melon. Il sema les graines de plusieurs variétés dans des assiettes remplies de terreau (...) Les cantaloups mûrirent. Au premier, Bouvard fit la grimace.
FLAUBERT, Bouvard et Pécuchet, II, Pl., p. 695.

2 Entre la galette de plomb et le quatre-quarts trône un cantaloup mystérieux comme un puits, qui a bu un verre de porto et deux cuillerées de sucre en poudre...
COLETTE, Flore et Pomone, *in* Gigi, p. 150.

Adj. *Melon cantaloup.*

REM. On rencontre la graphie *cantalou* (→ Broder, cit. 12).

♦ **2** Argot fam. Biceps volumineux. *Quel costaud! T'as vu ses cantaloups?*

**CANTATE** [kɑ̃tat] n. f. — 1703; ital. *cantata* «ce qui se chante», p. p. fém. de *cantare* «chanter»; → Sonate, toccata.

♦ **1** Didact. Poème lyrique écrit pour être mis en musique et chanté.

♦ **2** Mus. (plus cour.). Pièce musicale composée sur un tel texte lyrique, pour une ou plusieurs voix accompagnée(s). *Récitatifs, airs, duos d'une cantate. Cantate pour soprano, ténor et orchestre à cordes. Cantate religieuse, sacrée. Cantates profanes. Les cantates de Bach.*

DÉR. **Cantatille.**

**CANTATILLE** [kɑ̃tatij] n. f. — 1752, Trévoux; de *cantate,* et suff. *-ille.*

Mus. Vx. Petite cantate, généralement à une seule voix.

**CANTATRICE** [kɑ̃tatʀis] n. f. — 1762, «chanteuse italienne»; ital. *cantatrice* «chanteuse»; lat. *cantatrix, -icis,* de *cantare* «chanter».

Artiste lyrique, virtuose de l'opéra ou du chant classique. → **Chanteuse.** *Une grande, une célèbre cantatrice.* → **Diva.**

Ils étaient comme ces abonnés de l'Opéra qui se garderaient de porter un jugement sur une nouvelle cantatrice avant de l'avoir entendue dans le grand air du premier acte (...)
Jean-Louis CURTIS, le Roseau pensant, p. 17.

Allus. littér. *La Cantatrice chauve,* pièce de E. Ionesco (où il n'est nullement question de cantatrice, qu'elle soit chevelue ou chauve).

**CANTER** [kɑ̃tɛʀ] n. m. — 1862; mot angl., probablt de *Canterbury,* d'après l'allure relativement lente des chevaux des pèlerins de cette ville.

Turf. Train d'essai d'un cheval de course; galop modéré. *Prendre son, un canter.*

Par ext. Course d'entraînement. *Être vainqueur dans un canter.*

Loc. fig. (1867). *Dans un canter :* facilement, sans effort. → **Fauteuil** (dans un fauteuil).

Par induction, on dit également, quand un cheval gagne 1
avec une excessive facilité, laissant tous ses concurrents loin derrière lui, qu'il a gagné *dans un canter.*
N. PEARSON, Dictionnaire du sport français, *in* PETIOT.

Figuré :

Il *(un pianiste)* commence, molo, dans un style on ne peut 2
plus classique, pour dégourdir ses vieux doigts noueux, maigres et tachés de nicotine. Un simple canter. Vieille lune de Bilbao. Et ça repart comme en 1921.
André HARDELLET, Lourdes, lentes..., p. 110.

HOM. **Canthère.**

1. **CANTHARE** [kɑ̃taʀ] n. m. — 1611, «hanap»; repris comme t. d'archéol. grecque; lat. *cantharus,* grec *kantharos* «coupe avec des anses».

Didactique (Antiquité).

♦ **1** Vase à boire (grec ou romain) muni de deux grandes anses.

D'autres pièces trahissent plutôt une origine asiatique : ainsi le canthare de Boscoreale, décoré de cigognes, oiseaux qui, par essaims, passent l'hiver en Anatolie (...)
G. CONTENAU et V. CHAPOT, l'Art antique, p. 303.

♦ **2** (1856). *Canthare* ou *cantharus* [kɑ̃taʀys] : bassin d'ablutions.

2\. **CANTHARE** [kɑ̃taʀ] n. m. → **Canthère.**

**CANTHARIDE** [kɑ̃taʀid] n. f. — XIVe; lat. *cantharis,* grec *kantharis, -idos,* même sens.

♦ **1** Zool. Insecte coléoptère *(Méloïdés)* de couleur vert doré et brillant, appelé aussi *mouche d'Espagne* ou *de Milan.*

Une bête tiède (...) saute sur la table, d'un bond muet et si précis, qu'il n'a pas dérangé les attelles de papier sur le gros scarabée, ni éparpillé un monceau scintillant de cantharides (...)
COLETTE, la Paix chez les bêtes, p. 140.

♦ **2** (1575). Préparation faite à partir du corps desséché de l'insecte, réduit en poudre, utilisée autrefois comme vésicant et surtout comme aphrodisiaque. *Poudre de cantharide,* cantharide.

♦ **3** (1901). Argot et vx. Femme qui se plaît à susciter le désir sensuel, «allumeuse».

DÉR. **Cantharider, cantharidine.**

**CANTHARIDER** [kɑ̃taʀide] v. tr. — 1880; de *cantharide.*

Didact. Mêler, saupoudrer de cantharide pulvérisée.

♦ **CANTHARIDÉ, ÉE** p. p. adj.

Mêlé de poudre de cantharide.

(...) des brûle-parfums japonais où brûlaient des pastilles du sérail cantharidées.
Charles CROS, Œuvres en collaboration, 1880, «Le drame de la rue des Anglais», Pl., p. 471.

**CANTHARIDINE** [kɑ̃taʀidin] n. f. — 1832; de *cantharide.*

Didact. Principe toxique, congestionnant, extrait de la poudre de cantharide. *Pommade de cantharidine.*

**CANTHARUS** [kɑ̃taʀys] n. m. → 1. **Canthare.**

**CANTHÈRE** [kɑ̃tɛʀ] n. m. — 1863; *canthare,* XVIe; lat. *cantharus,* grec *kantharos,* même sens.

Zool. Poisson acanthoptérygien, type de la famille des *Cantharidés,* appelé communément *brème de mer* ou *brème de rochers. Le canthère est un poisson au corps épais, au museau court.* — REM. On dit aussi *canthare* [kɑ̃taʀ], *cantre* [kɑ̃tʀ].

HOM. **Canter.**

**CANTIGA** [kɑ̃tiga] n. f. — D. i.; mot esp., «chanson».

Hist. de la mus. Chanson du répertoire des troubadours ibériques, du XIe au XIIIe siècle. *Cantiga profane. Les Cantigas de Santa Maria,* d'Alphonse X le Sage.

**CANTILÈNE** [kɑ̃tilɛn] n. f. — Après 1477; p.-ê. ital. *cantilena;* lat. *cantilena* «petit chant, refrain».

♦ **1** Mus. (vx). Chant profane, d'un genre simple.

♦ **2** Littér. Texte lyrique et épique, de forme relativement brève. *La cantilène* (ou «séquence») *de sainte Eulalie (v. 880) est le plus ancien poème en langue française.*

Poème de forme brève, d'inspiration lyrique, aux harmonies douces.

♦ **3** (1817). Cour. Chant monotone, mélancolique. → **Complainte, romance.**

Mus. Mélodie de caractère populaire et rêveur (dans une composition instrumentale).

(...) l'adagio *(de la 2e Symphonie),* cantilène simple et naïve, qui vous berce mollement et finit par produire l'attendrissement le plus profond (...)
BERLIOZ, Beethoven, p. 75.

**CANTILEVER** [kɑ̃tilɛvœʀ] adj. et n. m. — 1883; mot angl., de *cant* «rebord», et *lever* «levier».

Techn. Qui est suspendu en porte-à-faux (sans câbles). *Le célèbre pont cantilever du Firth of Forth, en Écosse. Suspension cantilever.*

*Aile* (d'avion) *cantilever,* qui n'est reliée au fuselage par aucun mât ou hauban. — N. m. *Un cantilever. Aile d'avion en cantilever.*

**CANTINE** [kɑ̃tin] n. f. — 1680; ital. *cantina* «cave, cellier», de *canto* «coin, réserve».

**I** ♦ **1** (Vx). Caisse* divisée en compartiments, et servant à transporter des vins, des liqueurs.

♦ **2** (1689). Coffre de voyage utilisé par les officiers, les soldats. — Malle d'aspect rudimentaire (en bois, métal). *Cantine à bagages. Cantine médicale :* caisse à pansement, à pharmacie.

Quarante-trois caissettes, sacs ou cantines, contenant l'ap- 0.1
provisionnement pour la seconde partie de notre voyage, seront expédiés directement à Fort-Archambault (...)
GIDE, Voyage au Congo, *in* Souvenirs, Pl., p. 696.

♦ **3** Régional (Suisse). Ustensile de métal pour transporter un repas au lieu de travail, etc. → **Gamelle.**

Il préparait le dîner qu'il emportait dans une espèce de 0.2
cantine en fer blanc.
A. RIBAUX, Contes pour tous, p. 211.

**II** ♦ **1** Établissement où l'on sert à manger, à boire aux personnes d'une collectivité. → **Buvette, popote** (fam.), **réfectoire, restaurant.** *La cantine d'une école, d'un atelier, d'un chantier, d'une entreprise. Une cantine universitaire.* → **Resto U** (fam.). *La cantine d'une prison* (→ **Cantiner**). *La cantine et le foyer d'une caserne. Cantine réservée aux officiers.* → **Mess.** *La cantine d'un navire.* → **Cambuse.** *Tu apportes une gamelle ou tu manges à la cantine? Le menu de la cantine.* — *Cantine ambulante,* qui accompagne les troupes en campagne. → **Cuisine, roulante.**

Tu ferais une parfaite cantinière, petite Marie; mais par 1
malheur, tu n'as pas de cantine, et je serai réduit à boire l'eau de cette mare.
G. SAND, la Mare au diable, VIII, p. 70.

Aussi était-il du bivouac et mangeait-il à notre cantine, au 2
hasard de notre fourchette.
J. VALLÈS, le Bachelier, p. 29.

*Tenir une cantine,* (vx) *tenir cantine :* gérer une cantine. → **Cantinier.**

*(Les sous-officiers)* étaient derechef à table (...) Son saisis- 3
sement avait été si vif que, du plus loin qu'il aperçut le gros homme, il s'informa : — Qu'est-ce que c'est, maintenant? Tu tiens cantine?
Francis CARCO, les Belles Manières, p. 10.

♦ **2** Service, généralement subventionné, qui prépare et distribue les repas d'une collectivité (et les sert dans une cantine, un restaurant d'entreprise, un self-service, etc.). *Cantine scolaire. Cantine d'entreprise. La cantine de notre usine fonctionne bien.* Syn. fam. (suff. pop. *-oche*) : *cantoche* [kɑ̃tɔʃ] n. f.

DÉR. **Cantiner, cantinier.**

**CANTINER** [kɑ̃tine] v. — 1927, «s'assurer contre argent du linge et des vivres avant le départ pour le bagne» (Esnault); de *cantine*.

Argot.

♦ **1** V. tr. Acheter (des vivres, etc.) à la cantine de la prison.

1 Bah, on cantinera des bières, trois d'avance, et on les planquera pour se soûler! A. SARRAZIN, la Cavale, p. 79.

♦ **2** V. intr. Faire des achats à la cantine de la prison. *«Interdit de cantiner tant qu'on n'a rien gagné»* (Esnault).

2 Je dépose au greffe une petite somme que votre père m'a confiée : vous pourrez ainsi cantiner jusqu'à votre transfert à Sainte-Anne.
Hervé BAZIN, la Tête contre les murs, p. 108.

**CANTINIER, IÈRE** [kɑ̃tinje, jɛʀ] n. — 1762; de *cantine*.

♦ **1** Vx. Personne qui tient une cantine (syn. fam. : *cambusier*).

♦ **2** N. f. Anciennt. CANTINIÈRE : jusqu'en 1914, Gérante d'une cantine militaire. *La cantinière du régiment.* → **Vivandière.**

1 Fabrice trouva bientôt des vivandières (...)
— Tu ferais tout aussi bien de ne pas tant te presser, mon petit soldat, dit la cantinière touchée par la pâleur et les beaux yeux de Fabrice.
STENDHAL, la Chartreuse de Parme, p. 46.

REM. Dans ce sens, le masculin est rare :

2 *(Lefebvre de Béhaine)* nous lit les lettres qu'il lui a écrites, les gîtes, les couchers de la campagne (...) son passage au milieu des blessés arriérés et des cantiniers attardés (...)
Ed. et J. DE GONCOURT, Journal, 10 juin 1867.

**CANTIQUE** [kɑ̃tik] n. m. — 1532; *cantike*, v. 1130; lat. ecclés. *canticum* «chant religieux».

♦ **1** Chant d'action de grâces consacré à la gloire de Dieu. *Le cantique de Siméon. Le cantique chanté par la Vierge Marie.* → **Magnificat.**

(1614; trad. littérale de la *Vulgate*, rendant le génitif superlatif de l'hébreu; la trad. normale serait : «le grand poème», «le chant suprême»). *Le Cantique des cantiques :* poème attribué à Salomon et qui fait partie de l'Ancien Testament (→ **Bible**). *Le Cantique des cantiques est formé de chants d'amour qui célèbrent symboliquement l'*unio mystica.

1 *Le Cantique des cantiques* est écrit dans une langue postérieure d'au moins trois siècles à l'hébreu de Salomon.
DANIEL-ROPS, le Peuple de la Bible, III, I, p. 199.

Par métaphore :

1.1 Elle cherchait dans l'œil de sa pâle victime
Le cantique muet que chante le plaisir,
Et cette gratitude infinie et sublime
Qui sort de la paupière ainsi qu'un long soupir.
BAUDELAIRE, les Fleurs du mal, «Les épaves», III.

(Dans un titre littéraire). Poème exaltant qqch. ou qqn. *Le Cantique des colonnes,* de Valéry *(Charmes). Le Cantique de la connaissance,* de Milosz.

♦ **2** Chant religieux en langue commune (et non en latin) destiné à être chanté dans les églises. → **Motet.** *Chanter des cantiques. Les Cantiques spirituels,* de Racine.

2 Dans la profonde nuit nous t'offrons ce cantique.
RACINE, Poésies diverses, I, 7.

3 Puis, quand elle s'était agenouillée, quand les premiers cantiques avaient pris leur vol sous la voûte aux sonorités infinies, cela devenait peu à peu une extase (...)
LOTI, Ramuntcho, I, XVIII, p. 157.

4 (...) les communiantes, le nez en l'air, la bouche grande ouverte, envoyaient vers Dieu des cantiques (...)
H. BOSCO, l'Âne Culotte, p. 9.

♦ **3** Spécialt. Chant religieux (psaumes* exceptés), chez les protestants.

**CANTON** [kɑ̃tɔ̃] n. m. — XIIIe; anc. provençal *canton* «coin, angle», de *can* «voûte, bord».

♦ **1** Vx. Coin (de pays*). *Un canton fertile.* — Par ext. → **Coin.**

*(L'homme)* égaré dans ce canton détourné de la nature. 0.1
PASCAL, Pensées, 1670 (Éd. Brunschwicg, II, 72).

(...) C'était à la campagne, 1
Près d'un certain canton de la Basse-Bretagne
Appelé Quimper-Corentin.
LA FONTAINE, Fables, VI, 18.

Quand les hommes apparurent dans ce petit canton qui devait s'appeler la France, la terre était vieille de plusieurs millions de siècles. 2
Pierre GAXOTTE, Hist. des Français, I.

♦ **2** (V. 1775). *Canton de bois :* étendue déterminée d'une forêt.

C'est encore, dans ces Assemblées, qu'on assigne chaque année le canton que chacun doit couper dans les bois communs : on tire au sort (...) 2.1
RESTIF DE LA BRETONNE, la Vie de mon père, p. 216.

(1867). Mod. Admin. *Canton de route, de voie ferrée :* portion de cette route, de cette voie, délimitée en vue de son entretien. → **Cantonnement, cantonnier.**

♦ **3** (1467; probablt de l'ital. *cantone*). État composant la Confédération helvétique. *Les cantons sont des républiques pratiquant la démocratie directe ou représentative. Le canton de Berne. Administration d'un canton suisse* (→ **Avoyer**). *Le lac des Quatre-Cantons.*

*Demi-canton :* État résultant de la division historique d'un canton. *«Les demi-cantons ne sont pas des moitiés de canton, mais des cantons qui ont un statut diminué sur certains points particuliers»* (Aubert, *Traité de dr. const. suisse,* t. I, p. 206).

♦ **4** (1775; terme repris par les administrations républicaines). Division territoriale de l'arrondissement, sans personnalité morale, sans budget, limitant la compétence territoriale de certains agents de l'État (juge de paix, percepteur...), servant de cadre pour l'accomplissement de certaines opérations administratives, et constituant des circonscriptions en vue de certaines élections (Conseil général...). *Chef-lieu de canton. Le juge de paix du canton.*

Votre royaume est composé de provinces; ces provinces le sont de cantons ou d'arrondissements qu'on nomme, selon les provinces, bailliages (...) 3
TURGOT, Mémoires sur les municipalités (1775), *in* LITTRÉ.

(1862). Au Canada, Division cadastrale de cent milles* carrés environ. *Les cantons Rousseau, Paradis,* en Abitibi. — *Les cantons de l'Est,* au Québec.

♦ **5** (1275). Blason. Petit quartier de l'écu; partie de l'écu formée par les pièces (croix, sautoirs) dont il est chargé. → **Honorable** (pièce honorable).

DÉR. **Cantonal, cantonner, cantonnier, cantonnière.**

**CANTONADE** [kɑ̃tɔnad] n. f. — 1455, «angle de maison, coin de rue»; provençal *cantonada* «coin, angle». → Canton.

♦ **1** (1694). Vx. Dans les théâtres italiens, Chacun des côtés de la scène où prenaient place certains spectateurs privilégiés. — Par ext. Groupe de personnes qui entourent qqn.

♦ **2** (1835). Techn. L'intérieur des coulisses d'un théâtre.

Loc. cour. (1752). **À LA CANTONADE.** *Parler «à la cantonade» :* parler à qqn qui est supposé être dans les coulisses. *X, à la cantonade : ...* (indication de scène). — Fig. Parler en semblant ne s'adresser précisément à personne.

(...) la patronne du café parut à la porte de l'arrière-salle réservée aux réunions, et cria, à la cantonade : «On demande Thibault au téléphone».
MARTIN DU GARD, les Thibault, t. VI, p. 241.

**CANTONAL, ALE, AUX** [kɑ̃tɔnal, o] adj. — 1817, Maine de Biran; de *canton,* 3. et 4.

♦ **1** (En Suisse). Du canton (3.). *Les autorités, les lois cantonales, en Suisse* (opposé à *fédéral*). *Élections, votations cantonales. Vote cantonal. Impôt cantonal. Routes cantonales et routes nationales.*

♦ **2** (En France). Du canton (4.). *Route cantonale.* — *Délégué cantonal,* qui surveille les écoles primaires d'un canton. — *Élections cantonales,* des conseils généraux. — N. f. *Les cantonales.*

Vous savez, comme nous tous, que l'on ne peut rien augurer de la cuisine des cantonales (...)
F. MAURIAC, le Nouveau Bloc-notes 1958-1960, p. 52.

**CANTONNEMENT** [kɑ̃tɔnmɑ̃] n. m. — 1752; fig. «fait de vivre cantonné, retiré», déb. XVIII^e; de *cantonner.*

♦ **1** Action de cantonner* des troupes. → **Bivouac, campement.** *Mettre des troupes en cantonnement.* → **Installation, logement.** *Prendre ses cantonnements.* → **Quartier.**

1 L'oberleutnant (...) était arrivé la veille par le train de vingt-trois heures cinquante pour assurer le cantonnement des troupes et le logement des officiers.
Francis CARCO, les Belles Manières, p. 9.

(1752). Lieu où cantonnent les troupes. *Choix d'un cantonnement.* → **Castramétation.**

Installation chez l'habitant de troupes, de matériel militaire (→ **Réquisition).**

Par métonymie. Les troupes cantonnées. *Cette nouvelle a mis le cantonnement en effervescence.*

♦ **2** (1845). Techn. (Eaux et Forêts). Circonscription forestière placée sous la responsabilité d'un Inspecteur des Eaux et Forêts, appelé *chef de cantonnement.*

Fig. Opération par laquelle le propriétaire d'une forêt grevée d'un droit d'usage abandonne à l'usager la propriété d'une partie de cette forêt, pour libérer le reste de toute servitude. *Racheter un droit d'usage par cantonnement.*

*Cantonnement de pêche :* portion de rivière dont la pêche est louée par affermage.

(1832). *Cantonnement des bestiaux :* partie d'un terrain réservée à des bestiaux malades.

♦ **3** Techn. (ch. de fer). Division en cantons* (2.) ou sections. — *Poste de cantonnement,* situé à chaque extrémité d'une section de voie et renfermant des signaux.

2 Sous le jour finissant, de l'autre côté de la voie, on apercevait son mari, Misard, dans un poste de cantonnement, une de ces cabanes de planches, établies tous les cinq ou six kilomètres et reliées par des appareils télégraphiques, afin d'assurer la bonne circulation des trains.
ZOLA, la Bête humaine, p. 39.

♦ **4** Dr. Limitation à certains biens du débiteur (des droits d'un créancier). *Cantonnement d'une saisie.*

♦ **5** Fig. et rare. Fait de se cantonner, de se limiter. — Absolt. *Le «cantonnement et (...) l'esprit particulier»* (J. de Maistre).

**CANTONNER** [kɑ̃tɔne] v. tr. — 1352, «se fixer»; de *canton.*

♦ **1** Établir, faire séjourner (des troupes) en un lieu déterminé. → **Camper** (vx). *Cantonner une compagnie dans un village.*

Intrans. *Les troupes cantonnent.* → **Quartier** (prendre ses quartiers). *Faire cantonner des troupes.*

Le corps d'armée cantonnait sur la Marne, en attendant 1
d'aller se goberger dans un secteur calme (...)
G. DUHAMEL, Récits des temps de guerre, IV, p. 22.

(...) trente gros camions (...) commencèrent dès la pointe 1.1
du jour à circuler entre la gare des marchandises et les divers hôtels où les troupes devaient cantonner.
Francis CARCO, les Belles Manières, p. 31.

♦ **2** Archit. Garnir en disposant aux coins. *Cantonner une colonne de pilastres.*

◆ **SE CANTONNER** v. pron.

♦ **1** Se retirer dans un lieu où l'on estime être en sûreté. → **Établir** (s'), **fortifier** (se), **renfermer** (se). *Les rebelles s'étaient cantonnés dans un coin de la province* (Académie).

♦ **2** Élire domicile, demeurer exclusivement (dans).

Revenus à Paris, ils se cantonnèrent en divers quartiers, 2
où ils répandirent tant de venin contre moi (...)
LA BRUYÈRE, Disc. de réception à l'Académie, Préface.

Se tenir (dans un lieu) sans sortir. *Il s'était cantonné chez lui.* → **Isoler** (s'), **retirer** (se).

♦ **3** Fig. *Se cantonner dans ses études, dans ses recherches.* → **Borner** (se), **limiter** (se). — *Se cantonner en soi-même :* se renfermer en soi-même.

◆ **CANTONNÉ, ÉE** p. p. adj.

♦ **1** *Troupes cantonnées.*

♦ **2** Archit., blason. Garni aux quatre coins de... *Tour cantonnée de clochetons.* — *Croix cantonnée d'étoiles.*

♦ **3** *(Cantonné dans..., en...).* Enfermé (dans un lieu; par ext., dans un domaine, une activité). *Cantonnés dans leur chambre. Il est, reste cantonné dans son travail.*

(...) les garçons cantonnés dans la maison, même le vieux 3
chanteur et les vieilles commères, se mirent en devoir de garder le foyer.
G. SAND, la Mare au diable, Appendice III, p. 167.

La parole de Dieu n'est point cantonnée dans l'Évangile et 4
Dieu continue de s'expliquer, et s'exprime autant dans la dernière encyclique du pape que par les paroles mêmes du Christ; et l'Église ne cesse pas d'être divinement inspirée.
GIDE, Journal, 1918, Feuillets, II, Religion.

DÉR. **Cantonnement.**

**CANTONNIER** [kɑ̃tɔnje] n. m. — 1832; argot, «prisonnier», 1628; de *canton* «coin».

Ouvrier qui travaille à l'entretien des routes, des fossés et des talus qui les bordent; agent affecté à l'entretien des voies ferrées. *La massette, la racle, outils du cantonnier. Chef cantonnier.*

Vous allez dire au cantonnier qui travaille là-haut sur la route que vous l'emmenez (...)
G. SAND, la Mare au diable, VII, p. 57.

Adj. *Cantonnier, ière* [kɑ̃tɔnje, jɛʀ] : relatif au cantonnier. *Maison cantonnière.*

**CANTONNIÈRE** [kɑ̃tɔnjɛʀ] n. f. — 1603; «ce qui garnit les coins de qqch.», XVI^e; de *canton* «coin».

Technique (ameublement).

♦ **1** Vx. Tenture d'étoffe, de tapisserie dont on couvrait les colonnes du pied d'un lit.

Le fond de l'atelier était entièrement rempli par un grand divan-lit qui ne laissait de place, dans un coin, qu'à une psyché en acajou, à pieds à griffes. Sous le jour de la baie, une sorte d'alcôve s'enfonçait là entre deux grandes cantonnières de tapisserie à verdure, sous un large *tendo* de toile grise, qui rappelait le ton et le grand pli lâche d'une voile sur une dunette de navire.
Ed. et J. DE GONCOURT, Manette Salomon, p. 134.

♦ 2 Mod. Bande (rigide ou drapée) qui garnit, encadre une fenêtre, une porte.

**CANTOR** [kɑ̃tɔʀ] n. m. — V. 1900; all. *kantor* «celui qui dirige la chapelle, ou le chant liturgique dans une institution religieuse»; lat. médiéval *cantor,* même sens.

Hist. de la mus. Chanteur, dans les offices religieux; maître de chapelle et maître de chœur. *J.-S. Bach fut cantor à la Thomas-Kirche de Leipzig; on l'appelle souvent «le cantor de Leipzig».*

1. **CANTRE** [kɑ̃tʀ] n. m. — 1751; probablt du rad. du lat. *canthus.* → Chantier.

Techn. Partie de l'ourdissoir*, formée de broches horizontales.

Cet appareil *(le cantre)* se compose de cadres verticaux, parallèles entre eux munis de broches fixes horizontales. Les bobines sont enfilées sur ces broches, autour desquelles elles peuvent tourner librement.
Charles MARTIN, la Laine, p. 70.

2. **CANTRE** [kɑ̃tʀ] n. m. → **Canthère.**

**CANULAIRE** [kanylɛʀ] adj. — XVIe, A. Paré, de *canule.*

Méd. En forme de canule. — REM. On dit aussi *canulé* [kanyle].

**CANULANT, ANTE** [kanylɑ̃, ɑ̃t] adj. — 1835, *in* D. D. L.; p. prés. de *canuler.*

Fam. Ennuyeux, importun. → **Barbant, rasant.** *Ce qu'il est canulant, ce gosse!*

**CANULAR** [kanylaʀ] n. m. — 1913; argot scol. *canularium* «épreuves que subissent les bizuts*», latinisation plaisante de *canuler.*

♦ 1 Argot de Normale Sup. Épreuves burlesques, brimades imposées aux nouveaux élèves.

♦ 2 Mystification plaisante. *Monter un canular.* → **Blague.**

Romains s'était rendu célèbre à l'École Normale par de ces mystifications que l'on appelle canulars.
G. DUHAMEL, le Temps de la recherche, p. 214.

♦ 3 Fausse nouvelle (colportée volontairement et par plaisanterie). → **Bobard.**

DÉR. **Canularesque.**

**CANULARESQUE** [kanylaʀɛsk] adj. — V. 1930; attestation isolée, 1895; de *canular.*

Fam. Qui tient du canular. *Propos canularesques,* qui cherchent à mystifier.

Cet aspect cocasse ou canularesque, propre à toutes les choses sérieuses de la vie (...) ne trompe pas.
Régis DEBRAY, l'Indésirable, p. 222.

**CANULE** [kanyl] n. f. — XVe; «petit roseau», 1314; lat. *cannula,* «petit roseau», de *canna* «tuyau». → Canne.

♦ 1 Vx. Petit tuyau que l'on adapte à l'extrémité d'une seringue, d'un tube à injection, d'une poire à lavement. *Canule à lavement.* → **Clysoir.**

Mod. Chir. Tube souple ou rigide, servant à introduire un liquide ou un gaz dans une cavité ou un conduit de l'organisme. *Canule à trachéotomie,* introduite par incision de la trachée pour assurer le passage de l'air dans les poumons. → **Cathéter, drain, sonde.**

♦ 2 Techn. Robinet de bois que l'on adapte à un tonneau ou à une cuve. → 2. **Cannelle.**

♦ 3 Fig. et fam. (vieilli). Se dit d'une personne ou d'une chose ennuyeuse, importune (→ **Canuler**). *Quelle canule!*

À peine le train arrivé il a sauté aussi dans le dur, derrière moi... jusqu'à Paris qu'il m'a collé... (...) Il m'a rejoint tout de suite, la canule!...
CÉLINE, Mort à crédit, p. 678.

DÉR. **Canulaire.**

**CANULÉ** [kanyle] adj. → **Canulaire.**

**CANULER** [kanyle] v. tr. — 1830; de *canule,* p.-ê. par référence au désagrément attaché à l'emploi de cet objet.

Fam. Ennuyer, importuner (qqn) par des propos fastidieux. → **Fatiguer, importuner.** *Tu commences à nous canuler.*

CONTR. **Charmer, séduire.** ◊ DÉR. **Canulant, canular.**

**CANUT, USE** [kany, yz] n. — 1831; fém., 1928; p.-ê. de *canne* «bobine de fil» (→ 2. Canette), ou moins probablt du lat. *canutus* «blanc brillant»; P. Guiraud rattache le mot à l'anc. provençal *canut* «taffetassier» (1397) apparenté à *canuzir* «lustrer (le taffetas) par blanchiment» (→ Canezou).

♦ 1 Celui, celle qui travaille dans les industries de la soie à Lyon. *Un canut. Les révoltes des canuts. Les Canuts,* chanson d'A. Bruant.

1 (...) j'ôte mon cilice
Tissé de crins soyeux par de cruels canuts.
APOLLINAIRE, Alcools, p. 94.

2 Les murs *(des maisons de la Croix-Rousse)* étaient encore plus encrassés que dans le vieux Lyon (...) s'amoncelaient des retombées de fumées, des poussières, toute espèce de détritus. Dans ces taudis habités jadis par des canuts sont parqués aujourd'hui les Nord-Africains.
S. DE BEAUVOIR, Tout compte fait, p. 263.

Par ext. *Des canuts (de Lyon) :* des malheureux; (péj.) des misérables.

REM. Le mot est rarement utilisé au féminin.

♦ 2 Loc. *Cervelle de canut.* → **Cervelle,** 3.

**CANYON** [kanjɔ̃; kanjɔn] n. m. → **Cañon.**

**CANYONING** [kanjɔniŋ] n. m. — 1990; empr. à l'angl., de *to canyon,* verbe attesté en 1869 au Colorado, d'où *to go canyoning,* plus tard substantivé. *To canyon* est dér. de *canyon,* n. → Canyon.

Anglic. Sport nautique qui consiste à descendre un cours d'eau aux gorges accidentées et au parcours difficile. *«Parce qu'il n'y a pas de montagne sans torrent, un guide de haute montagne propose du canyoning pour découvrir les plus beaux canyons du Mont-Blanc» (l'Express,* 12 août 1993, p. 13).

**CANZONE** [kantsɔne; kɑ̃dzɔn] n. f. — Av. 1845; ital. *canzone,* du lat. *cantare* «chanter».

♦ 1 Littér. Petit poème italien divisé en stances égales, et terminé par une stance plus courte. *Les canzones* (ou *canzoni* [kantsɔni]) *de Pétrarque.*

♦ 2 Mus. [a] (XV[e]). Genre choral, puis pièce instrumentale de style vocal (ou adaptée d'une pièce vocale). La *canzone d'orgue,* de J.-S. Bach.

[b] Chanson de genre populaire, en Italie. *Les canzoni napolitaines.*

DÉR. **Canzonette.**

**CANZONETTE** [kɑ̃dzɔnɛt] n. f. — 1845; ital. *canzonetta,* de *canzone.* → Canzone.

Mus. (Italie et Provence). Petite chanson, plus courte que la canzone, et de rythme alerte. — REM. On trouve aussi *canzonetta* [kantsɔnɛ(t)ta].

**C. A. O.** [seao] n. f. Sigle de *conception assistée par ordinateur.*

**CAODAÏSME** [kaɔdaism] n. m. — V. 1930; de *Cao daï* «être suprême», en vietnamien.

Didact. Religion philosophique fondée à Saigon en 1926 et qui unit le bouddhisme, le taoïsme à des éléments spirites et éclectiques.

À gauche se dresse la montagne de Tay Ninh, berceau du caodaïsme, place forte Viêt-cong.
Claude COURCHAY, La vie finira bien par commencer, p. 251.

DÉR. **Caodaïste.**

**CAODAÏSTE** [kaɔdaist] adj. et n. — V. 1930; de *caodaïsme.*

Didact. Du caodaïsme. Qui pratique le caodaïsme.

**CAOLIN** [kaɔlɛ̃] n. m. → **Kaolin.**

**CAOUA** [kawa] n. m. — 1883, *cahoua,* Algérie; 1863, t. de soldat; arabe *qãhwãh.* → Café.

♦ **1** Pop. ou familier. Café (boisson). *Ça sent bon le caoua! Des caouas bien chauds.*

1 Je ne crois pas qu'Anick aime tellement les tartines, dit Lerouge. Elle préfère certainement une autre tasse de café. Pas vrai?
— Bon, ça va, caoua pour tout le monde alors.
A. SARRAZIN, la Cavale, p. 416.

2 Il me faudra, en plus, un caoua un peu corsé, j'ai encore à sortir... je turbine à la tâche en ce moment!
A. SIMONIN, Touchez pas au grisbi, p. 31.

♦ **2** Vx. Café, débit de boissons (Courteline, *in* T. L. F.)

**CAOUANE** ou **CAOUANNE** [kawan] n. f. — 1643, *caoüanne;* d'une langue d'Amérique du Sud, par l'espagnol.

Grande tortue des mers chaudes. → 2. **Caret.**

**CAOUTCHOUC** [kautʃu] n. m. — 1736, répandu déb. XIXe; d'un mot indien du Pérou.

♦ **1** Substance élastique, imperméable et résistante, provenant du latex de diverses plantes ou élaborée artificiellement, constituée surtout par un hydrocarbure terpénique, formé de macro-molécules très allongées. *Caoutchouc naturel, de plantation.* → **Gomme.** *Arbres à caoutchouc :* céara, ficus, hévéa*, intisy, urcéole, vahé. → **Caoutchoutier** (2.). *Arbre, liane, plante à caoutchouc. Caoutchouc artificiel, synthétique (caoutchouc nitrile, lentyle; néoprène).* → **Élastomère.** *Le caoutchouc est un polymère de l'isoprène*.*

*Caoutchouc traité, vulcanisé* (→ **Vulcanisation).** *Caoutchouc régénéré :* produit de récupération obtenu en utilisant des objets en caoutchouc usagés. — *Caoutchouc mousse* (marque déposée), renfermant des inclusions d'air dans sa masse.

Par métonymie. Exploitation, industrie du caoutchouc. *Travailler dans le caoutchouc. La crise du caoutchouc. Manaus fut la capitale du caoutchouc.*

0.1 Le père de M. Jo s'intéressa ensuite aux planteurs de caoutchouc du Nord. L'essor du caoutchouc était tel que beaucoup s'étaient improvisés planteurs, du jour au lendemain, sans compétence. Leurs plantations périclitèrent.
M. DURAS, Un barrage contre le Pacifique, p. 63.

♦ **2** *Caoutchouc minéral* ou *fossile :* l'élatérite* (substance molle, élastique).

♦ **3** *(Un, des caoutchoucs).* Objet en caoutchouc ou imperméabilisé au caoutchouc.

[a] Fil, bande de cette matière. → **Élastique.**

[b] Vieilli ou régional. Vêtement caoutchouté. → **Imperméable.**

S'il pleuvait, bien que le mauvais temps n'effrayât pas Albertine qu'on voyait parfois, dans son caoutchouc, filer en bicyclette sous les averses, nous passions la journée dans le casino (...) 1
PROUST, À l'ombre des jeunes filles en fleurs, Folio, p. 559.

[c] Plur. Chaussures de caoutchouc, généralement destinées à être portées par-dessus des chaussures de ville pour les garantir de la pluie. → (vieilli) **Snow-boot** (cit.).

(...) Madame de Parme n'était pas partie et me voyait chaussant mes caoutchoucs américains (...) «Oh! quelle bonne idée, s'écria-t-elle, comme c'est pratique!» 2
PROUST, le Côté de Guermantes, Pl., t. II, p. 546.

[d] Vx. Bandage d'une roue de bicyclette.

♦ **4** Bot. Plante ornementale d'appartement *(Ficus elastica). Un caoutchouc en pot.*

À gauche, pareillement distante de l'autel, une haute plante, vieille et lamentable, faisait un triste pendant au palmier resplendissant; c'était un caoutchouc à bout de sève et presque tombé en pourriture. 3
Raymond ROUSSEL, Impressions d'Afrique, p. 8.

DÉR. **Caoutchouter, caoutchouteux, caoutchoutier.**

**CAOUTCHOUTAGE** [kautʃutaʒ] n. m. — XXe (av. 1958); de *caoutchouter.*

Techn. Action de caoutchouter. *Le caoutchoutage d'un tissu.* — Son résultat. *Le caoutchoutage de cette toile est irrégulier.*

**CAOUTCHOUTER** [kautʃute] v. tr. — 1844; de *caoutchouc.*

Enduire de caoutchouc (opération du caoutchoutage).

◆ **CAOUTCHOUTÉ, ÉE** p. p. adj.

(Plus cour. que l'actif). *Roues caoutchoutées. Tissu caoutchouté,* imperméabilisé au caoutchouc.

Poursuivi rue des Couronnes, l'effroi que me causaient les inspecteurs m'était communiqué par le bruit terrible de leurs imperméables caoutchoutés. Chaque fois qu'à nouveau je l'entends, mon cœur se serre.
Jean GENET, Journal du voleur, p. 109.

DÉR. **Caoutchoutage.**

**CAOUTCHOUTEUX, EUSE** [kautʃutø, øz] adj. — 1908; de *caoutchouc.*

Qui a la consistance du caoutchouc. *Une viande caoutchouteuse.*

Le sol n'était plus un plancher (...) mais un linoléum ou quelque chose du même genre, caoutchouteux, étouffant le bruit des pas, l'ensemble (...) 1
Claude SIMON, le Vent, p. 201.

Qui a l'aspect du caoutchouc.

Le visage est imberbe : un masque vulgaire mais d'une vigueur splendide, amplement modelé en une pâte incolore et caoutchouteuse, dont l'apparente élasticité contraste étrangement avec l'immobilité des traits. 2
MARTIN DU GARD, Devenir, 1908, p. 36.

**CAOUTCHOUTIER, IÈRE** [kautʃutje, jɛR] adj. et n. — 1892, n.; adj., 1936; de *caoutchouc.*

♦ **1** Relatif au caoutchouc. *La production caoutchoutière.* — N. Personne travaillant le caoutchouc. Industriel du caoutchouc.

♦ **2** N. m. (1899). Plante qui produit le caoutchouc. *L'hévéa est un caoutchoutier.*

1. **CAP** [kap] n. m. — XIII^e; anc. provençal *cap* «tête»; lat. *caput.*

♦ **1** Vx. Tête. → **Chef.** — Loc. (Vx). *Se trouver cap à cap avec qqn* (→ Tête* à tête). — Mod. *Armé* (→ Armer, cit. 19), *habillé de pied en cap,* des pieds à la tête, entièrement. → **Pied** (cit. 33.1).

1 Il eût pu s'exempter de faire de la dépense en parure, car sa grande perruque seule l'habillait parfaitement de pied en cap. ROUSSEAU, les Confessions, IV.

2 Elle quittait jamais son chapeau, ni sa voilette, ni ses gants, elle faisait telle quelle son ménage... harnachée de pied en cap ! avec ses plumes, son lorgnon...
CÉLINE, Guignol's band, p. 200.

*Cap de Dious :* juron gascon.

♦ **2** *Cheval cap de more :* cheval dont la tête et les extrémités des membres sont noires (→ **Cavecé**).

♦ **3** Mar. anc. *Cap-de-mouton :* bloc de bois de forme ronde et percé de trous dans lesquels passent des rides pour tendre les haubans. → **Ridoir.** *Des caps-de-moutons.*

DÉR. 2. **Cap.** ◊ HOM. 1. **Cape,** 2. **cape.**

2. **CAP** [kap] n. m. — 1392; emploi spécialisé et métaphorique de 1. *cap* «tête».

**I** ♦ **1** Pointe de terre souvent élevée qui s'avance dans la mer. → **Bec, pointe, promontoire.** *Le cap de Bonne Espérance. Le cap Horn. Dépasser, doubler, franchir un cap* (→ Battre, cit. 39).

1 Le bras de mer s'appelle entre Guernesey et Herm le petit Ruau (...) La pointe de France la plus proche est le cap Flamanville. HUGO, l'Archipel de la Manche, IX.

2 Jamais un noir vaisseau n'a doublé notre cap *(des sirènes),* sans ouïr les doux airs qui sortent de nos lèvres.
Victor BÉRARD, Trad. HOMÈRE, l'Odyssée, p. 202.

3 Ceux qui menaient le navire connaissaient sans doute, malgré l'éloignement et la vague, ces caps avancés des continents qui sont comme des points de repère éternels sur les grands chemins du monde.
LOTI, Pêcheur d'Islande, II, IX, p. 112.

4 Or, l'heure actuelle comporte cette question capitale : l'Europe va-t-elle garder sa prééminence dans tous les genres ? L'Europe deviendra-t-elle *ce qu'elle est en réalité,* c'est-à-dire : un petit cap du continent asiatique ?
VALÉRY, Crise de l'Esprit (1919).

Par plaisanterie (la cit. est tirée de la célèbre «tirade des nez» du *Cyrano* de Rostand) :

5 Descriptif : «C'est un roc !... c'est un pic... c'est un cap ! Que dis-je, c'est un cap ?... c'est une péninsule !»
Edmond ROSTAND, Cyrano de Bergerac, I, 4.

♦ **2** Loc. fig. *Franchir, passer, dépasser un cap :* aller au-delà d'une certaine limite, d'un point plus ou moins redoutable. *Passer le cap des élections sans encombre.*

6 La marquise (...) pouvait avoir dépassé le cap de la trentaine (...) que les femmes ont une si naïve répugnance à franchir.
Th. GAUTIER, le Capitaine Fracasse, t. I, p. 142.

*Doubler le cap des tempêtes :* échapper à un péril, à des ennuis et retrouver le calme, la tranquillité.

7 (...) il me semble que j'ai doublé le cap des tempêtes, et pénétré dans une région de paix et de silence.
CHATEAUBRIAND, Mémoires d'outre-tombe, IV, 1.

Absolt. *Il a maintenant passé le cap. — Franchir, doubler le cap de* (avec un nom de nombre), une étape, un palier (en vue d'un objectif déterminé). *L'entreprise a dépassé le cap des cent mille employés.*

**II** (1529). Mar. Point d'orientation vers lequel un navire se dirige. *Mettre (le) cap sur.. :* se diriger vers... — Mar. *Cap vrai,* mesuré sur la carte. *Cap compas,* établi en tenant compte de la déclinaison et de la variation (c'est le cap donné à l'homme de barre).

Loc. *Faire cap sur... :* se diriger sur... *Mettre le cap au large :* s'éloigner. *Virer cap pour cap :* adopter la direction opposée à celle que l'on suivait. *Changer de cap,* de direction (→ **Déroutement**); fig., modifier son comportement, et, spécialt, sa ligne politique. *«La politique française change ouvertement de cap en se réclamant de nouveau de la seule puissance nationale»* (*le Monde,* 31 mars 1966).

Aéron. Angle que forme la route suivie par l'avion et la direction du nord. *Cap magnétique. Cap au compas, cap compas* (→ ci-dessus, mar.). — *Tenir le (son) cap.*

(...) j'ai admirablement réglé le pas de mes hélices, et je tiens mon cap à un degré près. 8
SAINT-EXUPÉRY, Pilote de guerre, p. 46.

Loc. fig. *Mettre le cap sur, vers... :* se diriger vers...

(...) d'autres étapes sollicitaient nos errances (ou nos fuites ?). Nous mettions le cap vers le sud-est. Les avenues y sont ombragées (...) 9
Patrick MODIANO, les Boulevards de ceinture, p. 91.

Fig. *Ne plus savoir où mettre le cap :* hésiter, ne plus savoir quelle conduite adopter.

CONTR. **Baie, crique...** ◊ COMP. **Décaper, encaper** (mar.). → HOM. 1. **Cape,** 2. **cape.**

**C. A. P.** [seape] n. m. — 1946; sigle.

♦ **1** Certificat d'aptitude professionnelle. *«Telle cette O. S. parisienne : "Mon voisin, raconte-t-elle, est mieux payé simplement parce qu'il possède un C. A. P. de mécanicien. C'est injuste. D'une part, je sais réparer ma machine aussi bien que lui (...)"»* (*l'Express,* nº 1116, 27 nov. 1972, p. 81).

♦ **2** Certificat d'aptitude pédagogique. *Le C. A. P. d'instituteur.*

**C. A. P. A.** [kapa] n. m. — 1941; sigle.

Certificat d'aptitude à la profession d'avocat, permettant d'accéder au stage d'avocat, après la licence en droit.

**CAPABLE** [kapabl] adj. — 1507; *capavle de,* v. 1350; du bas lat. *capabilis* «qui peut contenir» (de *capere* «contenir») et, au fig., «qui est susceptible de».

**I** ♦ **1** Vx. *Capable de* (et subst.). Qui a le pouvoir, la possibilité de contenir, de recevoir, de supporter. → **Susceptible** (être susceptible de). — REM. Les cit. classiques, même lorsqu'on peut les interpréter au sens 2, doivent être comprises comme faisant référence à l'idée de «contenance» (→ par ext. les cit. 2, 4, 5); la nature des compléments, différents de ceux du mot dans ses emplois modernes, indique la différence de sens.

(...) les hommes sont tout ensemble indignes de Dieu, et capables de Dieu, indignes par leur corruption, capables par leur première nature. 1
PASCAL, Pensées, VIII, 557.

(...) toutes les horreurs dont une âme est capable 2
A vos déloyautés n'ont rien de comparable (...)
MOLIÈRE, le Misanthrope, IV, 3.

Elle *(M^lle de Grignan)* laisse la rigueur de la règle, dont elle n'était point capable. 3
M^me DE SÉVIGNÉ, 1001, 25 oct. 1686.

Je n'aurais jamais cru être capable d'une si grande solitude. RACINE, Lettres. 4

Si les hommes ne sont point capables sur la terre d'une joie plus naturelle, plus flatteuse et plus sensible, que de connaître qu'ils sont aimés (...) 5
LA BRUYÈRE, les Caractères, X, 31.

♦ **2** Mod. *Capable de* (et subst., ou indéfini). Qui est en état, a le pouvoir d'avoir (une qualité...), de faire (qqch). *Capable d'une action d'éclat. Capable du meilleur comme du pire.*

Il faut qu'une femme soit capable de sérieux et d'enfantillage. A. MAUROIS, Climats, II, 10 p. 200. 6

*Il est capable de cela, il n'en est pas capable. Voyons de quoi vous êtes capable. — Il n'est capable de rien :* c'est un bon à rien, un incapable.

♦ **3** *Capable de* (et un infinitif). *Qui a la possibilité de... (faire).* → **Apte** (à), **état** (en état de), **faculté** (avoir la faculté de), **faire** (être fait pour), **force** (de force à), **habile** (à), **susceptible** (de); **même** (à même de), **propre** (à), **situation** (en situation de), **taille** (de taille à), **tailler** (être taillé pour). *Il est, il se sent capable de réussir :* il est de force, de taille à réussir. *Être capable de garder un secret. Il en est bien capable. Il est capable de nous tirer d'affaire* (→ Admiratif, cit. 1; atténuer, cit. 8; apte, cit. 7). — (En parlant des choses). *L'émotion est capable de le tuer. Cette occasion est capable de nous sauver.*

7 La parfaite valeur est de faire sans témoins ce qu'on serait capable de faire devant tout le monde.
LA ROCHEFOUCAULD, Réflexions ou sentences et maximes morales, 216, p. 275.

8 La peste (...)
Capable d'enrichir en un jour l'Achéron (...)
LA FONTAINE, Fables, VII, 1.

9 Le courroux de Monsieur Purgon est aussi peu capable de vous faire mourir que ses remèdes de vous faire vivre.
MOLIÈRE, le Malade imaginaire, III, 6.

10 Le soupé *(souper)* que me donna le premier président (...) ne fut point capable de me réjouir.
Mme DE SÉVIGNÉ, 814, 27 mai 1680.

11 L'homme est extraordinairement habile à s'empêcher d'être heureux; il semble que moins il est capable de supporter le malheur, plus il est apte à se l'apprivoiser.
GIDE, Journal, s. d., 1895.

12 Mon «injustice» à l'égard de la Musique vient peut-être du sentiment qu'une telle puissance est capable de faire vivre jusqu'à l'absurde. VALÉRY, Rhumbs, p. 245.

13 L'animal aime presque autant que nous le bonheur (...) Mais il fuit le malheur comme il fuit la fièvre; et je le crois capable, à la longue, de le bannir (...)
COLETTE, la Naissance du jour, p. 32.

14 Très en avance, mais non pas très impatient. Il se sentait capable d'attendre bien plus sans éprouver nulle trace d'ennui.
J. ROMAINS, les Hommes de bonne volonté, t. I, p. 66.

Par ext. *Il est capable de ne pas venir, il en est bien capable.* Cf. Il est fichu, foutu de...

♦ **4** *Être capable de tout :* pouvoir s'acquitter avec succès de tous les emplois (→ **Universel**); n'être effrayé par rien, n'être arrêté par aucun scrupule, ne reculer devant aucune action.

15 Si vous me réduisez au désespoir, je vous avertis qu'une femme en cet état est capable de tout (...)
MOLIÈRE, George Dandin, III, 6.

16 Mirabeau, capable de tout pour de l'argent, même d'une bonne action. RIVAROL, Esprit de Rivarol.

♦ **5** (1507). Absolt. Qui a de l'habileté, une compétence certaine. → **Adroit, compétent, doué, entendu, expert, fort, habile, intelligent, qualifié** (cf. Il s'y connaît, il s'y entend). *C'est un ouvrier très capable.* Absolt (fam.). *Capable, le mec! —* Abrév. *Cap'. T'es pas cap'.* — Fam. *Prendre, avoir l'air capable* (Académie). → **Entendu.**

N. m. Vx. *Faire le capable :* se donner l'apparence d'une habileté supérieure à celle que l'on a en réalité. → **Prétentieux, suffisant.**

♦ **6** Dr. Qui a le droit, la capacité légale (→ **Capacité**). *Capable en justice. Capable de contracter, d'ester en justice... Rendre capable de...* → **Habiliter** (à).

**II** (1751; lat. *capabilis* «qui contient»). Math. *Arc capable (relatif à un angle $\alpha$ et à deux points A et B) :* l'arc de cercle formé par les points M du plan tels que l'angle des vecteurs $\overrightarrow{MA}$ et $\overrightarrow{MB}$ soit constant et égal à $\alpha$. *L'arc capable relatif à deux points A et B est un arc de cercle d'extrémités A et B.*

CONTR. **Incapable. — Inapte, incompétent.** ◈ DÉR. et COMP. **Capablement. — Incapable.**

**CAPABLEMENT** [kapabləmɑ̃] adv. — 1654; attestation isolée, 1565; de *capable.*

Rare ou régional. Avec compétence. *Accomplir très capablement son mandat.*

**CAPACIMÈTRE** [kapasimɛtʀ] n. m. — Mil. XXe; de *capaci(té),* et *-mètre.*

Électr. Appareil utilisé pour la mesure des capacités électriques.

**CAPACITAIRE** [kapasitɛʀ] n. et adj. — 1834, adj. (en droit); de *capacité.*

♦ **1** N. (1906). Titulaire du diplôme de la capacité en droit.

♦ **2** Adj. (1949). Didact. Relatif à une capacité (II.).

Dans la perspective jacksonienne, les maladies nerveuses présentent, selon la profondeur de la lésion qui les engendre, différents tableaux cliniques représentant différents niveaux de dissolution, caractérisés chacun par un aspect déficitaire ou négatif et par un aspect capacitaire ou positif qui correspond aux capacités restantes.
Jean DELAY, Introd. à la médecine psychosomatique, Notes et observations, p. 50.

*Suffrage capacitaire :* système dans lequel l'exercice du droit de vote est subordonné à un certain degré d'instruction.

**CAPACITANCE** [kapasitɑ̃s] n. f. — 1927, *in* Höfler; angl. *capacitance.*

Électr. Impédance* qui oppose au passage d'un courant alternatif une portion du circuit comportant plusieurs condensateurs.

**CAPACITÉ** [kapasite] n. f. — 1314; lat. *capacitas,* de *capax* «qui peut contenir». → Capable.

**I** ♦ **1** Propriété de contenir une certaine quantité de substance. → **Contenance (et contenant), mesure, volume.** *La capacité d'un récipient. Récipient d'une grande capacité. Mesures de capacité :* → **Arrobe, baril, barrique, bichet, bock, boisseau, boujaron, canon, chopine, conge, feuillette, gallon, hémine, litron, médimne, minot, muid, picotin, pinte, pipe, pot, quart, quartaut, quarte, rasière, roquille, setier, tonneau, velte...**; et aussi **centilitre, décalitre, hectolitre, litre.** *Mesurer la capacité d'un récipient avec une jauge*. Capacité en balles, en grains* (d'une cale). — Mar. *Capacité de charge d'un navire.* → **Portée, tonnage.** — Cour. *La capacité d'une casserole, d'une bonbonne. Capacité d'une valise, d'un coffre de voiture,* son volume utile.

Figuré :

Ils connaissaient cette valise, aussi exactement qu'ils connaissaient à cette époque ma capacité même : ils savaient le maximum de ce qu'elle pouvait recevoir (...) 1
GIRAUDOUX, Bella, VIII, p. 178.

♦ **2** (Emplois spéciaux). Techn. *Capacité du cylindre d'un moteur à explosion.* → **Cylindrée.**

Agric. *Capacité de rétention* (en eau) : proportion en poids de l'eau que le sol peut retenir après avoir été saturé d'eau et ressuyé. *Capacité au champ :* capacité de rétention mesurée directement sur le sol en place.

*Capacité de tolérance :* quantité maximale d'altéragène* que peut tolérer un organisme vivant ou un milieu dans des conditions données (syn. : *capacité d'acceptation*).

Trav. publ. *Capacité de transmission :* grandeur caractérisant le débit maximum d'une voie de communication (en bit/sec).

Anthrop. *Capacité crânienne :* volume de la cavité interne de la boîte crânienne.

Physiol. *Capacité pulmonaire vitale :* la plus grande quantité d'air que peuvent absorber les poumons.

Inform. *Capacité (de) mémoire :* volume de mémoire disponible sur une machine donnée. *Une capacité mémoire de 128 Ko.* — On dit aussi *capacité de stockage.*

♦ **3** Par anal. (Sc.). *Capacité calorifique* ou *capacité thermique :* dérivée partielle de l'énergie à la température (en première approximation : variation d'énergie calorifique par unité de température). *Capacité calorifique à volume constant. Capacité calorifique à pression constante :* dérivée partielle de l'enthalpie par rapport à la température. *Capacité de saturation**.

(1890). *Capacité électrostatique d'un conducteur isolé,* valeur constante du rapport de sa charge à son potentiel. → **Farad.** — *Capacité électrique d'un condensateur,* caractéristique de cet appareil qui indique la quantité d'électricité qu'il peut emmagasiner sur une tension donnée. *De la capacité.* → **Capacitif.** *Mesure des capacités* (→ **Capacimètre).** *Capacité d'un accumulateur,* quantité totale d'électricité qu'il peut emmagasiner et restituer (en ampères-heures).

1.1 Un des phénomènes les plus gênants de la triode était la capacité mutuelle importante dans le système formé par la grille de commande et l'anode; cette capacité créait en effet un couplage capacitif entre ces deux électrodes, et on ne pouvait augmenter notablement la dimension de ces électrodes sans risquer de voir s'amorcer une auto-oscillation.
Gilbert SIMONDON, Du mode d'existence des objets techniques, p. 29.

**II** ♦ **1** Pouvoir, aptitude humaine. → **Capable.** Puissance de faire qqch. → **Aptitude, faculté, force, pouvoir.** *Capacité de travail. Capacité d'aimer.*

2 Il n'y a point de doctrine plus propre à l'homme que celle-là, qui l'instruit de sa double capacité de recevoir et de perdre la grâce, à cause du double péril où il est toujours exposé, de désespoir ou d'orgueil.
PASCAL, Pensées, t. II, VII, 524, p. 418.

3 On disait l'autre jour (...) que la vraie mesure du mérite du cœur, c'était la capacité d'aimer.
Mme DE SÉVIGNÉ, 255, 9 mars 1672.

4 Le Latin possède une extraordinaire capacité d'analyse, en même temps que de généralisation (...)
André SIEGFRIED, l'Âme des peuples, II, II, p. 38.

*Capacité productrice, de production d'une société, d'une industrie, d'un pays.*

♦ **2** (1370). Qualité de celui qui est en état de comprendre, de faire qqch. → **Adresse, aptitude, compétence, disposition, faculté, mérite, talent, valeur.** *Avoir beaucoup de capacité. Une grande, une vaste capacité. Être doué d'une haute capacité professionnelle. Faire preuve de capacité* (cf. Donner sa mesure). *Manquer de capacité pour les affaires. — La capacité de l'esprit.* → **Étendue, portée.**

(Souvent au plur.). *Capacités intellectuelles* (→ **Intelligence, science),** *artistiques. Une grande capacité pour les mathématiques.* → **Bosse** (fam. : la bosse des maths). *Les capacités d'abstraction, de résistance* (chez l'homme).

5 (...) sa haute capacité dans la science des bons morceaux.
MOLIÈRE, le Bourgeois gentilhomme, IV, 1.

6 Quand la capacité de son esprit se hausse
À connaître un pourpoint d'avec un haut de chausse.
MOLIÈRE, les Femmes savantes, II, 7.

7 La critique souvent n'est pas une science; c'est un métier, où il faut plus de santé que d'esprit, plus de travail que de capacité, plus d'habitude que de génie.
LA BRUYÈRE, les Caractères, I, 63.

Tous les citoyens (...) sont également admissibles à toutes dignités, places et emplois publics, selon leur capacité, et sans autre distinction que celle de leurs vertus et de leurs talents. 8
Déclaration des droits de l'homme et du citoyen, Constitution du 3 sept. 1791, art. 6.

Avec de l'argent, tout devenait possible, facile. Même d'acheter l'intelligence, le dévouement de quelques jeunes médecins sans ressources, auxquels il assurerait l'aisance, et dont il utiliserait les capacités (...) 9
MARTIN DU GARD, les Thibault, t. V, p. 169.

Par métonymie (au plur.). *Les capacités :* les personnes capables, remarquables par leurs connaissances, leur position.

♦ **3** (1690). Dr. *Capacité légale. Capacité de jouissance :* aptitude à jouir d'un droit. *Capacité d'exercice :* aptitude à exercer un droit. *Avoir capacité pour tester, pour contracter.* → **Habiliter** (être habilité à). *La capacité d'un donataire. La capacité d'un mineur émancipé.*

La femme mariée a la pleine capacité de droit. L'exercice de cette capacité n'est limité que par le contrat de mariage et par la loi. 10
Code civil, anc. art. 216.

♦ **4** *Capacité en droit :* diplôme délivré aux étudiants (bacheliers ou non bacheliers) après deux ans d'études. → **Capacitaire.**

CONTR. **Impéritie, impuissance, inaptitude, incapacité, inhabileté.** ◊ DÉR. et COMP. **Capacimètre, capacitaire, capacitif. Incapacité, surcapacité.**

**CAPACITIF, IVE** [kapasitif, iv] adj. — Déb. XXe; de *capacité.*

Électr. Relatif à la capacité électrique; correspondant à une variation de capacité. *Mesure capacitive. «Le déséquilibre capacitif entraîne des variations»* (*Ingénieurs et Techniciens,* no 200, p. 27). *Couplage capacitif* (→ Capacité, cit. 1.1).

**CAPADE** [kapad] n. f. — XVIIIe; provençal *capado.*

Vx. Quantité d'étoffe employée pour faire un chapeau. *Étouper une capade.*

**CAPARAÇON** [kapaʀasɔ̃] n. m. — Av. 1525; *capparasson,* 1498; anc. esp. *caparazón,* p.-ê. de *capa* «manteau» ou du préroman **krapp* (→ Carapace), rac. **kar(r)-,* var. de **kal-* «écale, abri», avec métathèse d'après *capa.*

Didactique ou littéraire.

♦ **1** Armure*, harnais d'ornement dont on équipait les chevaux. *Caparaçon de tournoi, de combat.*

Les chevaux blanchissants frissonnent; 1
Et les masses d'armes résonnent
Sur leurs caparaçons d'acier.
HUGO, Odes et Ballades, Bal. 7.

Mod. Équipement d'apparat destiné aux chevaux lors de cérémonies solennelles (sacre; cortèges funèbres).

Le corbillard (...) s'achemina vers le Père-Lachaise, tiré par quatre chevaux noirs ayant des tresses dans la crinière, des panaches sur la tête, et qu'enveloppaient jusqu'aux sabots de larges caparaçons brodés d'argent. 2
FLAUBERT, l'Éducation sentimentale, Pl., p. 411.

♦ **2** Housse, couverture que l'on met sur le dos d'un cheval pour le protéger contre les intempéries, contre les mouches, etc.

DÉR. **Caparaçonner.**

**CAPARAÇONNER** [kapaʀasɔne] v. tr. — 1546, *caparassonner;* de *caparaçon.*

♦ **1** Recouvrir (une monture) d'un caparaçon. *Caparaçonner un cheval, un éléphant.*

♦ **2** Revêtir (une personne), recouvrir (une chose) d'une manière décorative et voyante ou lourde. → **Protéger.**

0.1 Puis elle brancha le fer à repasser, caparaçonna la table de cuisine et se mit à l'ouvrage.
COLETTE, Julie de Carneilhan, p. 69.

Pron. *Se caparaçonner :* se vêtir comme d'un caparaçon. *Les cosmonautes se caparaçonnent dans leurs combinaisons spatiales.*

♦ **3** Fig. Protéger comme par une armure.

Pronominal :

0.2 Les appartements frigorifiques vaporisent sur mes bras nus une buée glacée, je m'en frictionne, m'en caparaçonne avant de regagner l'étuve.
A. SARRAZIN, la Traversière, p. 94.

◆ **CAPARAÇONNÉ, ÉE** p. p. adj.
Recouvert, revêtu d'un caparaçon*. *Un cheval caparaçonné de noir.*

1 Abd-ul-Hamid s'avançait (...) monté sur un cheval blanc monumental, à l'allure lente et majestueuse, caparaçonné d'or et de pierreries. LOTI, Aziyadé, p. 54.

Fig. Recouvert comme d'un caparaçon.

2 Je parais, lente, les sourcils hauts, lourde d'un innocent sommeil, et caparaçonnée encore d'un bout de couverture traînante. COLETTE, la Paix chez les bêtes, p. 31.

3 Les nuits de lune, des lueurs bougent (...) sans qu'un prophète soit là pour savoir qu'un jour des espèces d'insectes grossièrement caparaçonnés *(les cosmonautes)* s'aventureront là-haut dans la poussière de cette boule morte.
M. YOURCENAR, Archives du Nord, p. 18.

1. **CAPE** [kap] n. f. — 1671; *cappe,* v. 1460; anc. provençal *capa,* par croisement avec l'anc. franç. *cape,* forme normanno-picarde de *chape.*

**I** ♦ **1** Vêtement* de dessus, sans manches, qui enveloppe le corps et les bras, avec ou sans capuchon. → **Houppelande, pèlerine.** *La cape des mousquetaires, des romantiques... Cape d'écolier. Cape d'agent de police. S'envelopper, s'emmitoufler dans sa cape. — Cape de fourrure* (vêtement plus particulièrement féminin). — (XVI^e; esp. *capa*). *Cape à l'espagnole, cape de Béarn.*

1 *(La)* cape de Béarn est un habit de gros drap, faite de laine grossière blanche, à capuchon, sans manches et longue presque à mi-jambes (...)
NICOT, *in* L. SAINÉAN, la Langue de Rabelais, I, p. 162.

1.1 C'est l'enfant cette fois qui vient à sa rencontre (...) Bientôt il est facile de distinguer l'étroit pantalon noir qui enserre les jambes agiles, la cape noire rejetée en arrière qui vole autour des épaules, le béret de drap enfoncé jusqu'aux yeux. A. ROBBE-GRILLET, Dans le labyrinthe, p. 41.

Loc. Vx. *N'avoir que la cape et l'épée :* être sans fortune, ou encore, n'avoir que l'apparence du mérite.

2 Ce sont de ces mérites qui n'ont que la cape et l'épée.
MOLIÈRE, le Misanthrope, V, Scène dernière.

Mod. **DE CAPE ET D'ÉPÉE.** *Comédie, roman de cape et d'épée,* dont les personnages sont des héros chevaleresques, dégainant fréquemment leur épée pour de justes causes. *Récit, histoire, aventure de cape et d'épée. Héros de cape et d'épée.*

Pièce d'étoffe ayant la forme d'une cape, dont le torero se sert pour exécuter les passes. *Travailler un taureau à la cape. Faire des passes* de cape.* La cape et la muleta*.

♦ **2** Loc. fig. **SOUS CAPE.** → **Cachette** (en), **dérobée** (à la), **tapinois** (en). Vx. *Faire qqch. sous cape; regarder qqn sous cape.* — Mod. *Rire sous cape :* rire ou se réjouir sans le montrer.

3 Io *(M^me de Ludres)* a été à la messe : on l'a regardée sous cape (...) M^me DE SÉVIGNÉ, 618, 15 juin 1677.

Je riais souvent sous cape de l'embarras de mon père et de ma mère, qui fort souvent ne savaient où se mettre. 4
SAINT-SIMON, Mémoires, 30, 99, *in* LITTRÉ.

(...) il se divertissait sous cape. 5
BALZAC, Maître Cornélius, Pl., t. IX, p. 942.

♦ **3** (1529). Mar. (vx). Grande voile du grand mât.
Loc. (1484). *Être à la cape, se mettre, se tenir à la cape,* se dit d'un navire qui réduit sa voilure, diminue sa vitesse et gouverne de façon à dériver. → **Panne** (en). *Mettre à la cape.* → **Capéer** (vx), **capeyer.** *Mettre à la cape debout à la lame :* mettre le navire debout au vent en supprimant la voilure. *Prendre la cape, tenir la cape, abandonner la cape. Cape courante* (voile d'avant bordée à contre, barre sous le vent, pour un voilier); *cape sur ancre flottante; cape sèche* (à sec de toile).

En haut, dans la mâture, on essayait de serrer les huniers, déjà au bas ris; la *cape* était déjà dure à tenir, et maintenant il fallait, coûte que coûte, marcher droit contre le vent, à cause des terres douteuses qui pouvaient être là, derrière nous. LOTI, Mon frère Yves, XXVII, p. 85. 6

(...) à deux reprises, le capitaine avait été sur le point de prendre une cape courante, de céder à la mer et au vent. Prendre la cape, c'est diminuer de vitesse (...) On dérivait dans le lit du vent (...) 7
Roger VERCEL, Remorques, p. 67.

♦ **4** (1878). Feuille de tabac qui forme l'enveloppe extérieure du cigare. Syn. : *robe. La cape et la souscape.*

**II** Vx. Pièce d'étoffe couvrant la tête (A. Daudet, A. France, *in* T. L. F.). → **Capuche, capuchon**; et aussi 2. **cape.**

**DÉR. Capéer, capeyer, 1. capot.** V. **Capeline.** ◊ **COMP. Décaper. Sous-cape.** — **HOM. 1. Cap, 2. cap, 2. cape.**

2. **CAPE** [kap] n. f. — 1922; angl. *cap* «casquette».
Rare et vx. Chapeau melon.

**HOM. 1. Cap, 2. cap, 1. cape.**

**CAPÉER** [kapee] v. intr. — 1606; *cappéer,* 1573; de 1. *cape* (I., 3.).
Vx. → **Capeyer.**

**CAPELAGE** [kaplaʒ] n. m. — 1771; de *capeler.*
Marine.

♦ **1** Action de capeler (un cordage; un espar). *Capelage d'une vergue. Nœud de capelage.*

♦ **2** Dispositif de fixation formé par les boucles des manœuvres. *Le capelage a lâché. Le capelage d'un mât. Le capelage des galhaubans.*

Ces *capelages,* d'un certain volume, sont d'un effet disgracieux dans le bel appareil de mâts et de cordes qui se dressent sur le navire; aussi a-t-on l'attention d'en déguiser les formes grossières, en les recouvrant d'une toile peinte en couleur claire.
J. LECOMTE, Dict. pittoresque de marine, 1836, art. *Capelage.*

♦ **3** Point du mât, de la vergue où s'applique le capelage. *Le capelage, la flèche et la pomme d'un mât de perroquet. Frapper une bosse à la hauteur du capelage.*

**CAPELAN** [kaplɑ̃] ou **CAPÉLAN** [kapelɑ̃] n. m. — 1558, ichtyologie; *cappellan,* 1433; anc. provençal *capelan* «chapelain», p.-ê. en raison de la couleur grisâtre du dos de ce poisson.

♦ **1** Régional et fam. Prêtre* (dans le Midi de la France).

♦ **2** Poisson de mer osseux de la famille des gades* (n. sc. : *gadus*). *Le capelan sert d'appât pour la pêche à la morue. Il existe deux espèces de capelans, le* *grand capelan, plus fréquent en Méditerranée, et le petit capelan, représenté surtout dans la Manche et l'Atlantique. Capelan séché.* — Loc. *Sec comme un capelan :* maigre.

On nous *(les morues)* mange toujours les jours creux ou les jours tristes (...) Mais toi aussi, tu dévores les harengs, les capelans et les crabes.

Jean CAYROL, Histoire de la mer, p. 129.

Poisson (n. sc. : *Mallotus villosus*) ressemblant à l'éperlan, qui vit dans les eaux de Terre-Neuve (appellation normalisée par l'Office de la Langue française du Québec, 5 sept. 1980).

**CAPELER** [kaple] v. tr. [CONJUG.: *appeler.*] — 1687 ; mot probablt normand, de *capel* «chapeau». → Chapeau.

Marine.

♦ **1** [a] Passer (un lien) en faisant une boucle, pour fixer. *Capeler une amarre sur une bitte. Capeler une boucle par-dessus le bout libre d'un filin.*

[b] Fixer (qqch.) avec la boucle d'une manœuvre. *Capeler le gréement. Capeler une vergue avec une estrope. Capeler les manœuvres sur le mât. Capeler le mât avec les haubans.* — Absolt. *Deux demi-clefs à capeler* (nom d'un nœud).

♦ **2** Par ext. [a] Fixer solidement, par des nœuds.

Au participe passé :

1 (...) il aperçut le cadavre du matelot de quart, toujours solidement capelé au cabestan, comme un supplicié à son poteau.

M. TOURNIER, Vendredi..., p. 24.

[b] (1833, *in* D. D. L.). Argot des marins. Endosser (un vêtement). *Capeler le ciré, le caban. Capeler son gilet de sauvetage.* — Loc. *Capeler l'habit :* revêtir un scaphandre.

2 Les matelots se servent du mot *capeler,* dans leur langage pittoresque, pour dire qu'ils se revêtent, lorsqu'ils sont en fête et qu'ils mettent leur meilleur habillement. Pour exprimer : Il y aura du plaisir aujourd'hui, je me suis fait beau, ils disent : *Il y a gras aujourd'hui, j'ai capelé le rechange neuf.*

J. LECOMTE, Dict. pittoresque de marine, 1836, art. *Capelage.*

3 – Tu veux que je te relève ? Il fera jour dans deux heures.
– Non, ça va Loïck... pas fatigué... (...)
– S'il y a quelque chose, tu m'appelles, j'ai capelé mon ciré.

Bernard MOITESSIER, Cap Horn à la voile, p. 73.

♦ **3** Fig. (de 1., a.). Recouvrir (qqch., une embarcation), en parlant d'une vague. *Le bateau s'est fait capeler par une déferlante.* — Au p. p. (plus cour.). *Embarcation capelée par une lame.*

DÉR. **Capelage.**

**CAPELET** [kaplɛ] n. m. — 1678 ; provençal *capelet* «chapelet».

Vétér. Tumeur qui se développe à la pointe du jarret du cheval.

**CAPELINE** [kaplin] n. f. — 1367, «armure de tête» ; anc. provençal *capelina* «chapeau de fer», de *cappa.* → 1. Cape.

♦ **1** Anciennt. Armure de tête à couvre-nuque que portaient les «gens de pied», au moyen âge.

♦ **2** (1512). Vx ou régional. Chapeau féminin à larges bords. — (1635). Coiffure féminine tombant sur les épaules. → **Coiffe.**

Devant l'auberge, elle questionna une bourgeoise en capeline de veuve (...)

FLAUBERT, Trois contes, «Un cœur simple», II, p. 12.

Vx. Chapeau d'homme (à grands bords souples). *Capeline de vendangeur.*

♦ **3** (1907, *in* D. D. L.). Mod. Chapeau de femme à calotte et à très larges bords souples. *Pour se protéger du soleil, elle porte une grande capeline.*

♦ **4** Chir. Bandage de tête recouvrant toute la calotte crânienne.

**CAPELLA (A)** → **A cappella.**

**CAPENDU** [kapɑ̃dy] n. m. — 1423 ; dit pour *pomme de capendu* (aussi *pommier de caspendu,* 1523) ; orig. incert. ; les variantes *de court pendu* (Rabelais), et *carpendu, courpandu,* reposent probablt sur une hypothèse non fondée de Robert Estienne, *Petit Dictionnaire françois-latin :* «de *capendu* ou *carpendu,* quasi qui diroit court pendu, Malum curtipendulum». À rapprocher du nom de lieu *Capendu* (Aude) «champ en pente», du provençal *camp* «champ», et *pendut* «pendu» (d'après Dauzat et Rostaing) ?

Variété de pomme* rouge. — REM. Aussi (1924, Poiré), «variété de poire à couteau à maturité en automne».

**CAPERON** [kapʀɔ̃] n. m. → **Capron.**

**C. A. P. E. S.** [kapɛs] n. m. — 1945 ; sigle.

Certificat d'aptitude au professorat de l'enseignement du second degré. *Titulaire du C. A. P. E. S.* → **Capésien, certifié.**

Me voici prof, prof pour de bon avec mes élèves, mes cours. Finie la comédie de ce stage pédagogique de C. A. P. E. S. de l'an passé où j'allais assister à des cours rasoirs de prétentieux conseillers qui, parfois, daignaient me laisser leur place.

Yanny HUREAUX, la Prof, p. 35.

DÉR. **Capésien.**

**CAPÉSIEN, IENNE** [kapesjɛ̃, jɛn] n. — V. 1950 ; de *C. A. P. E. S.* (jeu de mot avec *capétien*).

Titulaire du C. A. P. E. S. → **Certifié.** «*Personnellement, après avoir formé des bacheliers, comme agrégé, je forme, depuis près de vingt ans, des capésiens et (...) des agrégés*» (courrier du *Nouvel Obs.,* nº 407, 28 sept. 1972).

HOM. **Capétien.**

**C. A. P. E. T.** [kapɛt] n. m. — 1965 ; sigle.

Certificat d'aptitude au professorat de l'enseignement technique.

**CAPÉTIEN, IENNE** [kapesjɛ̃, jɛn] adj. — XIVe ; de Hugues Ier dit *Capet.*

Relatif à la dynastie des rois de France, du sacre de Hugues Capet (987) à la mort de Charles IV le Bel (1328) ; relatif à cette époque. *Dynastie capétienne. La politique capétienne.*

N. (1643). *Les Capétiens. Un Capétien.*

HOM. **Capésien.**

**CAPEYER** [kapeje] v. intr. — 1690 ; *capéer,* 1606 ; *cappéer,* 1573 ; de 1. *cape* (I., 3.).

Mar. Être à la cape. Rester à la cape. → Navire, cit. 5. — Syn. (vx) : *capéer.*

Nuit douce en perspective : la mer s'est calmée, nous sommes déjà sous le vent du cap Balgerie et *Joshua* capeye en paix comme une mouette qui attend le jour.

Bernard MOITESSIER, Cap Horn à la voile, p. 147.

**CAPHARNAÜM** [kafaʀnaɔm] n. m. — 1833, Balzac ; «prison», 1649, attestation isolée ; nom d'une ville de Galilée où Jésus attira la foule devant sa porte, avec p.-ê. infl. du berrichon *cafourniau* «débarras» (du lat. *furnus* «four»).

Familier.

♦ **1** Lieu qui renferme beaucoup d'objets en désordre. *Cette chambre, cette maison est un vrai capharnaüm. La boutique de ce brocanteur est un capharnaüm.* → **Bric-à-brac.**

1 *(Ce coin)* faisait naître en leur esprit l'idée d'un capharnaüm de bric-à-brac, où on eût vendu de tout.
COURTELINE, Messieurs les ronds-de-cuir, 4ᵉ tableau, III.

(Altér. probable de *cafourniau*). Régional. Débarras*.

2 Vous me reprendrez peut-être sur ce mot-là *(carphanion)*, parce que le maître d'école s'en fâche et veut qu'on dise *carphanaüm (sic)*; mais, s'il connaît le mot, il ne connaît point la chose, car j'ai été obligé de lui apprendre que c'était l'endroit de la grange (...) où l'on serre les jougs, les chaînes (...) G. SAND, la Petite Fadette, XXVI, p. 176.

♦ **2** Amas d'objets en désordre, entassés confusément. → **Méli-mélo, pêle-mêle.**

3 Dans la vaste maison où tout un capharnaüm de la compagnie des Indes dormait dans les pièces fermées de l'été (...) un des cirques avait oublié un ara vert.
MALRAUX, Antimémoires, Folio, p. 32.

Par métaphore :

4 C'était (autant que je puis m'en souvenir) une sorte de pot-pourri de légendes sans suite, et, comme on dit, sans rime ni raison. Il était question, là-dedans, de Mahomet, d'Adam et d'Ève, du Sultan, des régiments de la Suisse et des chevaliers errants : c'était, enfin, le capharnaüm le plus chaotique dont cerveau brûlé ait jamais conçu l'extravagance.
VILLIERS DE L'ISLE-ADAM, Tribulat Bonhomet, p. 79.

**CAP-HORNIER** [kapɔʀnje] n. m. — 1944 ; du n. propre *cap Horn.*

♦ **1** Hist. de la mar. Grand voilier qui suivait les routes passant par le cap Horn. — Au plur. *Des cap-horniers.*

♦ **2** Marin servant sur ces voiliers. «*(...) un ancien cap-hornier qui ouvre une souscription pour sauver le dernier grand voilier français...*» (*l'Express*, nº 1421, 2 oct. 1978). — Navigateur ayant passé le cap Horn. — REM. Dans cet emploi, le fém. est *cap-hornière* [kapɔʀnjɛʀ].

*Joshua* en voudrait davantage, mais je le laisse rouspéter pour une fois sous sa voilure réduite et vais rejoindre ma future cap-hornière, petite femme aux os fragiles qui dort comme un bébé et doit rêver à quelque chose de très joli car elle sourit dans son sommeil.
Bernard MOITESSIER, Cap Horn à la voile, p. 201.

**CAPILL-, CAPILLI-, CAPILLO-** Élément, du lat. *capillus* «cheveu».

**CAPILLACÉ, ÉE** [kapi(l)lase] adj. — 1784, Bernardin de Saint-Pierre ; lat. *capillaceus* «qui ressemble à des cheveux», de *capillus* «cheveu».

Bot. (vx). Qui présente la finesse du cheveu. → **Capillaire.** *Une racine capillacée.*

**CAPILLAIRE** [kapi(l)lɛʀ] adj. et n. m. — 1314 ; lat. *capillaris* «relatif aux cheveux», de *capillus* «cheveu».

**I** Adj. ♦ **1** Fin comme un cheveu. — Anat. Se dit des vaisseaux sanguins les plus élémentaires, dernières ramifications du système circulatoire, qui relient artérioles et veinules. *Veines, vaisseaux capillaires,* et, n. m., *les capillaires* (sing. : *un capillaire*). *Inflammation, maladie des capillaires.* → **Capillarite.** *Examen des capillaires.* → **Capillaroscopie.** — *Bronches capillaires. Bronchite capillaire :* inflammation des bronches capillaires. — Bot. Se dit de certaines parties fines et déliées des plantes. *Racines capillaires.* → **Capillacé.**

Une goutte de rosée qui filtre dans les tuyaux capillaires d'une plante leur présente des milliers de jets d'eau (...) 1
BERNARDIN DE SAINT-PIERRE, 1ʳᵉ étude.

Phys. *Tube capillaire* (n. m., *un capillaire*) : tube de très petite section intérieure. — Par ext. *Phénomènes capillaires, forces capillaires.* → **Capillarité,** 2.

L'attraction et la répulsion des petits corps qui nagent à la surface des liquides sont des phénomènes capillaires que l'on peut soumettre à l'analyse. 2
LAPLACE, Exposition du système du monde, V, 17.

♦ **2** (1838). Relatif aux cheveux*, à la chevelure. *Lotion capillaire.* — (Dans certaines locutions hyperboliques du langage commercial ou publicitaire). *Art capillaire. Artiste capillaire.* → **Capilliculteur, coiffeur.**

**II** N. m. (1579, A. Paré). Bot. Nom donné à plusieurs plantes cryptogames vasculaires (→ **Fougère**) à pétioles très fins. *Capillaire de Montpellier* ou *Cheveu de Vénus.* → **Adiante.** *Capillaire noir, blanc. Capillaire du Canada,* dont les feuilles sont utilisées dans la préparation d'un sirop béchique. *Sirop de capillaire.*

Sur ses flancs *(du rocher)* bruns et humides rayonnaient en étoiles vertes et noires de larges capillaires (...) 3
BERNARDIN DE SAINT-PIERRE, Paul et Virginie, p. 48.

DÉR. et COMP. (Du même rad.) **Capillarimètre, capillarite, capillarité, capillaroscopie. — Électrocapillaire.**

**CAPILLARIMÈTRE** [kapi(l)laʀimɛtʀ] n. m. — Mil. xxᵉ ; du lat. *capillari(s),* et *-mètre.*

Didact. Appareil destiné à étudier la capillarité.

**CAPILLARITE** [kapi(l)laʀit] n. f. — 1932, Gougerot ; du lat. *capillaris* «capillaire».

Méd. Altération aiguë ou chronique des petits vaisseaux cutanés (capillaires, artérioles, veinules, plexus veineux superficiel). *Érythèmes, purpuras, manifestations de capillarite.*

**CAPILLARITÉ** [kapi(l)laʀite] n. f. — 1820 ; dér. sav. du lat. *capillaris.* → Capillaire.

♦ **1** État de ce qui est ténu comme un cheveu. *La capillarité des dernières ramifications des bronches.* — Qualité d'un tube, d'un conduit très fin où les phénomènes capillaires se manifestent (→ ci-dessous, 2.).

♦ **2** (1832). Phys. Phénomène relatif aux actions mécaniques liées à la grandeur de la surface d'un liquide, notamment lorsque, cette surface étant très faible, la tension* superficielle produit des phénomènes spécifiques. *L'ascension, la dépression d'un liquide dans un tube capillaire, la forme incurvée prise par la surface d'un liquide dans lequel baigne une paroi plane, l'imbibition... sont des phénomènes de capillarité.*

Géol., agric. Progression des liquides à contre-gravité, dans des conduits très étroits (phénomène particulier dû à la capillarité, au sens large). *L'eau a monté par capillarité.*

C'est par capillarité que s'imbibent les corps poreux dont une partie est mise en contact avec un liquide. C'est la même cause qui fait monter à la surface du sol, à mesure qu'elle se dessèche par l'évaporation, l'eau contenue dans les couches inférieures. Omnium agricole, p. 185.

COMP. **Électrocapillarité.**

**CAPILLAROSCOPIE** [kapi(l)laʀɔskɔpi] n. f. — 1920; du lat. *capillar(is)* «capillaire», et *-scopie.*

Didact. Examen au microscope des capillaires du derme ou des muqueuses conjonctivales sur le sujet vivant. — Syn. : *dermatoscopie.*

**CAPILLI-** → **Capill-.**

**CAPILLICULTEUR, TRICE** [kapi(l)likyltœʀ, tʀis] n. — V. 1960; de *capilliculture.*

Didact. et comm. Coiffeur*, coiffeuse spécialiste des soins de la chevelure (→ **Capilliculture**).

On a donné un bain d'herbes à mes cheveux. La capillicultrice s'appelait Carole, elle a tartiné ma tête d'une gelée orange.
Christine DE RIVOYRE, Fleur d'agonie, p. 115.

**CAPILLICULTURE** [kapi(l)likyltyʀ] n. f. — V. 1960; de *capilli-*, et *-culture.*

Didact. et comm. Ensemble des soins donnés à la chevelure (→ **Capilliculteur**).

DÉR. **Capilliculteur.**

**CAPILLIFORME** [kapi(l)lifɔʀm] adj. — 1837; du lat. *capill(us)* «cheveu», et *-forme.*

Didact. Qui a la forme d'un cheveu.

**CAPILLO-** → **Capill-.**

**CAPILOTADE** [kapilɔtad] n. f. — 1555; *capilotaste,* 1542; var. *capirotade* (Montaigne); p.-ê. empr. à l'esp. *capirotada* «ragoût aux câpres», de *capirote* «capuchon», empr. au gascon *capirot,* même sens, de *capa* «manteau» (→ Cape). Pour P. Guiraud, la relation entre *capirotada* et *capirote* est fondée sur l'homonymie en roman entre *cappa* «capuchon» et *cappare* «couper», *capilotade* étant à rattacher au lat. *capellare* «retrancher» (cf. provençal *capoula, capoura* «hacher», esp. *capolar,* même sens).

♦ **1** Vieilli ou cuis. Ragoût* fait de restes de viande, de volailles. *Une capilotade de perdrix.*

♦ **2** (1610). Fam. Mise en pièces, en bouillie. → **Déconfiture, gâchis, marmelade.** *La défaite fut une véritable capilotade.* — Loc. **EN CAPILOTADE :** en piteux état. *Avoir le bras, le dos en capilotade,* couvert de blessures, meurtri. *Les ennemis sont en capilotade. Mettre qqn en capilotade,* l'accabler* de coups.

Mon nez était en capilotade, mais à l'infirmerie, les dégâts internes furent jugés peu graves.
R. GARY, la Promesse de l'aube, p. 242.

Fig. *Mettre en capilotade :* traiter sans ménagement, déchirer par des médisances.

Par exagér. *Avoir (le dos...) en capilotade :* éprouver des douleurs (dans le dos...) comme si on avait été roué de coups. — *Avoir la tête en capilotade :* avoir très mal à la tête.

**CAPISTON** [kapistɔ̃] n. m. — 1881; de *capit(aine),* avec infl. de *piston* «tracassier».

Argot milit. (vieilli). Capitaine. → 2. **Piston, pitaine.** *Le tampon* (ordonnance) *du capiston.*

Ah, zut alors! que dit l'capiston. Ôtez-moi ça d'mon nez. Ça empeste positivement. H. BARBUSSE, le Feu, XX.

DÉR. 2. **Piston.**

**CAPITAINE** [kapitɛn] n. m. — 1288; bas lat. *capitaneus* «qui est en tête», de *caput* «tête».

**I** ♦ **1** Littér. Chef militaire doté des qualités nécessaires pour le commandement. → **Chef, commandant.** *Un vaillant, un grand capitaine.* → **Soldat.** *Les grands capitaines de l'antiquité. Le captal, capitaine gascon du moyen âge. Ce capitaine est un foudre* de guerre. Soldats et capitaines.*

1 Chacun s'enfuit au plus fort,
Tant soldat que capitaine.
LA FONTAINE, Fables, IV, 6.

2 Sous lui se sont formés tant de renommés capitaines que ses exemples ont élevés aux premiers honneurs militaires (...)
BOSSUET, Oraison funèbre de Louis de Bourbon.

3 Il tenait pour maxime qu'un habile capitaine peut bien être vaincu, mais qu'il ne lui est pas permis d'être surpris (...)
BOSSUET, Oraison funèbre de Louis de Bourbon.

4 De Palos de Moguer, routiers et capitaines
Partaient, ivres d'un rêve héroïque et brutal.
J. M. DE HEREDIA, Trophées (→ Gerfaut, cit. 2).

♦ **2** (V. 1550). Cour. Officier qui commande une compagnie d'infanterie, un escadron de cavalerie, une batterie d'artillerie. Par ext. Officier des armées de terre et de l'air dont le grade est intermédiaire entre celui de lieutenant et celui de commandant ou de chef de bataillon. → fam. ou argot. **Capiston** (vx), 2. **piston** (vx), **pitaine.** *Le capitaine porte trois galons. Capitaine commandant la compagnie. Capitaine en premier, en second. Être nommé, devenir, passer capitaine. Capitaine de chasseurs, de tirailleurs, d'artillerie, de blindés. Capitaine d'aviation, capitaine aviateur.* — *Capitaine instructeur. Capitaine d'habillement. Capitaine trésorier.* — Par anal. *Capitaine de gendarmerie. Capitaine des pompiers.*

5 Vous étonnerez-vous après cela que le même soleil, tombant sur Tarascon, ait pu faire d'un ancien capitaine d'habillement comme Bravida, le brave commandant Bravida (...)
Alphonse DAUDET, Tartarin de Tarascon, VII.

*Grade correspondant à celui de capitaine dans la marine.* → **Lieutenant** (de vaisseau).

En appellatif (de la part d'un civil). *Entrez donc, capitaine!* — (De la part d'un subordonné). *Oui, mon capitaine!*

♦ **3** (1540). Mar. Officier qui commande un navire de commerce (sur les bateaux de pêche, → **Patron**). *Capitaine au cabotage. Le capitaine est seul maître à bord. Capitaine au long cours. Capitaine de la marine marchande, capitaine marchand. Capitaine commandant un grand paquebot.* → **Commandant.** *Capitaine d'armement :* ancien capitaine qui inspecte les navires pour le compte d'un armateur. *Capitaine-expert,* chargé d'évaluer les avaries et d'en rechercher les causes. *Capitaine de port,* chargé de la surveillance et de la police des ports de commerce, et, par anal., des ports de plaisance (→ **Capitainerie,** 2.). *Capitaine d'armes :* sous-officier qui a la garde des menues armes du bord et est chargé de la police. *Capitaine porteur :* capitaine au long cours ne s'occupant que de la navigation sur un navire de pêche. *Capitaine de navire corsaire* (anciennt).

6 Oh! combien de marins, combien de capitaines,
Qui sont partis joyeux pour des courses lointaines,
Dans ce morne horizon se sont évanouis!
HUGO, les Rayons et les Ombres, «Oceano Nox».

REM. Ce passage célèbre a été pastiché. → 2. Marin, cit. 6.1.

7 Le *capitaine* est celui qui exerce le commandement à bord d'un navire de commerce. Il est nommé *patron* sur les petits bâtiments, notamment sur les bateaux de pêche.
DALLOZ, Nouveau répertoire, Marine marchande, art. 110 Cf. Code commercial, art. 221 à 249 *(Du capitaine).*

Allus. littér. : «*Ô Mort, vieux capitaine...*» (→ 1. Mort, cit. 17, Baudelaire).

(Course ou plaisance). Celui, celle qui commande, à bord d'un yacht de course ou de croisière. → **Chef** (de bord), **skipper.**

Allus. *Capitaine courageux,* traduction française du titre d'un roman de Rudyard Kipling (et de son adaptation cinématographique). *Le capitaine Haddock :* personnage truculent de capitaine au long cours, dans *Tintin et Milou.*

Mar. milit. «Appellation du lieutenant de vaisseau lorsqu'il ne commande pas un bâtiment» (Gruss. — Le titre de *commandant* est donné à tout officier lorsqu'il commande un navire. → **Commandant**). *Capitaine de corvette, de frégate, de vaisseau :* officiers dont les grades correspondent respectivement à ceux de commandant, lieutenant-colonel et colonel des armées de terre et de l'air. *Capitaine de pavillon :* officier commandant le bâtiment battant pavillon amiral.

♦ **4** (1590). Hist. Gouverneur d'une résidence royale **(→ Gouverneur).** Chef d'une capitainerie*. — (1671). *Capitaine des chasses, capitaine de louveterie* **(→ Louvetier),** chargé de la surintendance des chasses.

♦ **5** (1902, *in* Petiot). Chef (d'une équipe sportive). *Le capitaine d'une équipe de football, de rugby. Le capitaine et l'entraîneur de l'équipe.*

7.1 C'est à ce moment que le souci de la tactique les domine tous : le capitaine, pendant la pause, désespérant de la vitesse de ses trois-quarts, a recommandé à ses avants le jeu au pied.
Jean PRÉVOST, Plaisirs des sports, p. 133.

♦ **6** Péj. et vx. *Un capitaine de brigands. Capitaine d'aventure. Personnage de capitaine bravache et ridicule.* → **Capitan.** — *Le Capitaine Fracasse,* roman de Th. Gautier.

Loc. mod. *Capitaine d'industrie :* chef d'une grande entreprise industrielle.

8 On a souvent comparé le grand entrepreneur à un chef militaire qui dispose ses soldats, ses canons et tout son matériel de guerre de façon à obtenir le résultat le plus efficace : d'où le nom de capitaine d'industrie qu'on lui donne quelquefois.
Paul REBOUD, Précis d'économie politique, t. I, n° 239.

Fam. et vx. Titre donné ironiquement à des personnages littéraires.

9 Capitaine renard allait de compagnie
Avec son ami bouc des plus haut encornés.
LA FONTAINE, Fables, III, 5.

**II** (P.-ê. du *capitaine* Jacquier, explorateur de l'Oubangui, dont l'exophtalmie était rappelée par les yeux saillants du poisson). En franç. d'Afrique. Gros poisson d'eau douce *(Lates niloticus),* à la chair estimée. — *Capitaine de mer, capitaine :* le *Polynemus quadrifilis* (autre poisson comestible, marin).

**DÉR.** (De I.). **Capitainerie, pitaine.**

**CAPITAINERIE** [kapitɛnʀi] n. f. — 1339; de *capitaine.*

♦ **1** (1575). Vx ou hist. Charge de capitaine des chasses, ou de gouverneur d'une résidence royale. — Résidence, logement, circonscription, juridiction de ce capitaine.

Nous allons ce soir coucher à la capitainerie de Fontainebleau.
Mme DE SÉVIGNÉ, Lettre à Mme de Grignan, 26 juin 1676.

♦ **2** (1933). Mod. (mar.). Bureau du capitaine de port; services dépendant de ce bureau. *La capitainerie d'un port de plaisance. Consulter le bulletin météo à la capitainerie.*

1. **CAPITAL, ALE, AUX** [kapital, o] adj. — V. 1200; lat. *capitalis* «qui se trouve en tête; important», et «qui peut coûter la tête à (qqn)»; de *caput, -itis* «tête».

♦ **1** (V. 1255). Qui peut coûter la tête à (qqn). *Peine capitale :* peine de mort. → 1. **Mort** (*supra* cit. 32). *Exécution capitale.*

Qui entraîne la peine de mort. *Procès capital. Sentence capitale.*

On a beaucoup loué le regret que Néron témoigna de savoir écrire, à la première sentence capitale qu'il eut à signer. DIDEROT, Claude et Néron. 1

Qui mérite la peine capitale; par ext., très grave. *Crime capital.*

(...) Cinna vous impute à crime capital 2
La libéralité vers le pays natal!
CORNEILLE, Cinna, II, 1.

Le crime capital pour un écrivain, c'est le conformisme (...) 3
R. DE GOURMONT, le Livre des masques, p. 13.

♦ **2** Vx. Qui est à la tête de qqch. *Ville capitale.* → **Capitale** (I.).

Dans cette ville capitale (...) 4
BOURDALOUE, Carême, I, Aumône, 146.

La ville capitale est située à l'extrémité d'une belle vallée, 4.1
formée par une montagne qui est au milieu de l'île, et qui est bien la plus haute qu'il y ait au monde.
A. GALLAND, Les Mille et une Nuits, t. I, p. 262.

*Lettre capitale,* mise en tête de l'alinéa. → **Capitale** (II.).

♦ **3** (1389). Qui est le plus important, le premier par l'importance, et, par ext., qui est très important. → **Essentiel, fondamental, important, premier, primordial, principal, suprême.** *Point capital.* → **Clef** (clef de voûte), **cœur** (du problème). *C'est son œuvre capitale.* → **Chef-d'œuvre.** *C'est d'un intérêt capital. Affaire* (cit. 56) *capitale. La question est d'une importance capitale. — Capital à qqn* (vx), *pour qqn. Pour moi, c'est capital. — Attention! c'est un point capital, c'est capital. Jouer un rôle capital. Une erreur capitale. Un défaut capital.* — Loc. *Péché capital. Les sept péchés capitaux,* d'où découlent tous les autres. — Vx. *Ennemi capital,* mortel.

— N'est-ce point quelqu'un de ses amis? (...) 5
— Non, monsieur; au contraire, c'est son ennemi capital.
MOLIÈRE, les Fourberies de Scapin, 1671, II, 9.

Ce mal est si capital, que, pour moi, j'en suis dans une 6
véritable peine.
Mme DE SÉVIGNÉ, 1430, 20 sept. 1695.

Une affaire importante, et qui serait capitale à lui ou aux 7
siens (...) LA BRUYÈRE, les Caractères, IV, 71.

(...) j'ai découvert cette vérité que je crois capitale : que la 8
tragédie est le développement d'une action et la comédie d'un caractère. STENDHAL, Journal, p. 50.

Alceste est l'œuvre capitale de Gluck où il a pris le plus 9
nettement conscience de sa forme dramatique (...)
R. ROLLAND, Musiciens d'autrefois, p. 208.

L'ensemble des choses lues est capital. 9.
VALÉRY, Cahiers, t. II, Pl., p. 1317.

N. m. (1656). Vx. *Le capital :* ce qui est essentiel.

Le capital pour une femme n'est pas d'avoir un directeur, 10
mais de vivre si uniment qu'elle s'en puisse passer.
LA BRUYÈRE, les Caractères, III, 38.

**CONTR. Accessoire, secondaire; infime, insignifiant.** ◊ **DÉR.** 2. **Capital, capitale, capitalement.** — **HOM.** 2. **Capital, capitale.**

2. **CAPITAL, AUX** [kapital, o] n. m. — 1567; de 1. *capital.*

**I** ♦ **1** (1567). Somme constituant une dette (opposé à *intérêt*). → **Principal.** *Capital amortissable.*

♦ **2** Écon. Toute richesse destinée à produire un revenu ou de nouveaux biens; moyens de production (spécialt lorsqu'ils ne sont pas mis en action par leur propriétaire). *Le capital provient du travail et des richesses naturelles.*

1 Richesse, c'est l'ensemble des choses qui servent à la satisfaction de nos besoins. Capital, c'est l'ensemble des moyens de satisfaction résultant d'un travail antérieur.

LITTRÉ, Dict., art. *Capital.*

2 (...) ce qu'on appelle le capital n'est autre chose que la richesse envisagée sous un certain aspect (...) le capital n'est (...) qu'un produit du travail et de la nature.
(...) aucune richesse ne peut être produite sans le concours d'une autre richesse préexistante (...) Nous lui donnons *(le nom)* de *capital.*

Charles GIDE, Cours d'économie politique, p. 177 sqq.

3 *(La production technique)* s'opère par la collaboration de trois facteurs ou agents : le *Travail,* la *Nature* et le *Capital* (...) Le capital, dans les sens d'instruments, d'outillage fabriqué par l'homme, est un facteur dérivé des deux premiers.

Paul REBOUD, Précis d'économie politique, t. I, n° 176.

4 (...) le charbon sera «capital» s'il est utilisé pour faire marcher une machine ou une locomotive. Il sera «bien de consommation» s'il est placé dans la cheminée qui sert à chauffer la pièce dans laquelle nous nous tenons.

PIROU, Traité d'économie politique, t. I, 1, p. 117.

*Doctrine classique et doctrine marxiste du capital. Capital, travail et plus-value,* chez Marx.

4.1 Les découvertes de base (*dans* le Capital, *de Marx*) concernent donc : 1) le couple valeur/valeur d'usage; le renvoi de ce couple à un autre couple (...) : le couple travail abstrait/travail concret; l'importance toute particulière que Marx, à l'encontre des économistes classiques, donne à la valeur d'usage et à son corrélat, le travail concret; la référence aux points stratégiques où valeur d'usage et travail concret jouent un rôle décisif : les distinctions du capital constant et du capital variable d'une part, les deux secteurs de la production d'autre part (...) 2) la plus-value.

L. ALTHUSSER, *in* ALTHUSSER et BALIBAR, Lire «le Capital», t. I, p. 96-97.

Système économique et social basé sur le capitalisme; pouvoir social et historique de ce système. *Le Capital* (1867), ouvrage fondamental de Karl Marx.

♦ **3** (1606). Somme que l'on fait valoir dans une entreprise. — *Capital en nature* ou *immobilier* (terres, bâtiments, usines, machines, matériel, instruments, etc.). *Capital technique, capital productif* (→ **Production**). *Capital fixe,* rendant des services continus. *Capitaux circulants,* qui s'aliènent ou se transforment pour produire d'autres biens (houille, semences, etc.). *Capitaux agricoles, industriels, commerciaux. Le talent d'un artiste, un brevet d'invention peut être considéré comme un capital.* — Figuré :

5 (...) le temps est le seul capital des gens qui n'ont que leur intelligence pour fortune (...)

BALZAC, Illusions perdues, Pl., t. IV, p. 552.

*Capital juridique :* ensemble des droits à toucher un revenu. *Capital lucratif. Capital en valeur.* → **Argent, fonds, fortune, numéraire, valeur.** *Accumuler des capitaux* (→ **Épargne**). *Augmenter, doubler, épuiser, manger son capital. Immobiliser un capital. Capital improductif. Engager, investir dans une affaire un capital, des capitaux* (→ **Investissement, placement**). *Avancer des capitaux à une société* (→ **Commandite**). *Placer ses capitaux. Faire valoir un capital. Posséder un capital. Réaliser un capital. Circulation du capital.*

Comptab. La partie de la richesse évaluable en monnaie de compte. *Capital social :* montant des richesses apportées à une société* par des associés et dont on assure le maintien dans le patrimoine*. *Capital-actions, capital-obligations. Capital souscrit. Capital de crédit, capital extra-social,* dû aux fournisseurs, aux créanciers. *Capital nominal. Capital effectif :* le capital versé seul. *Capital immobilisé. Capital disponible. Capital souscrit. Capital de roulement. Capital versé, entièrement versé. Le capital d'une société*, d'une banque*, d'une entreprise. Société au capital de... Augmentation de capital.*

(...) une petite société au capital de six millions (...) 6

A. MAUROIS, Bernard Quesnay, VII, p. 48.

*Capital-décès :* somme versée au moment du décès d'un assuré aux personnes qu'il avait à sa charge. *Capital différé. «En cas de décès avant l'échéance, le bénéficiaire de votre choix touchera, sans droits de succession à payer, pour les contrats de type "capital différé" avec contre assurance le remboursement des sommes versées...»* (le Nouvel Obs., 5 nov. 1973).

♦ **4** Cour. Ensemble des richesses possédées. *Le capital des individus, de la nation.* → **Fortune.** *Avoir un joli capital, un beau petit capital.*

Il ne suffit pas à un pays de ne rien perdre sur la masse d'argent qu'il possède et qui forme son capital (...) 7

BALZAC, le Médecin de campagne, Pl., t. VIII, p. 357.

Par métaphore (plais.). *Petit capital :* virginité d'une jeune fille.

(...) celles qui, simplement, ne savent pas dire non, jamais la peur de l'enfant ne les a retenues au bord d'un canapé. Celles qui pratiquent l'art de ne céder que la bague au doigt poursuivront cette exploitation avisée de leur petit capital. 7.1

F. GIROUD (art. sur la pilule), *in* l'Express, 17-23 juil. 1967.

Fig. Ensemble des biens (intellectuels, spirituels ou moraux) possédés par un individu, un pays. → **Patrimoine, trésor.** *Gaspiller son capital intellectuel dans des travaux sans intérêt.*

♦ **5** (1848). L'ensemble de ceux qui possèdent les richesses, en tant que moyens de production. → **Capitaliste.** *Le capital et le travail, et le prolétariat. Le capital en tant que classe*. — Le petit capital* (épargnants, actionnaires); *le grand, le gros capital.*

*(Meynestrel)* Vos réformistes se trompent lourdement... doublement : primo, parce qu'ils surestiment le prolétariat; secundo, parce qu'ils surestiment le capital. 8

MARTIN DU GARD, les Thibault, t. V, p. 62.

**II** N. m. pl. (1793). **CAPITAUX :** sommes en circulation, valeurs disponibles. *Circulation des capitaux. Inflation de capitaux. Les capitaux se font rares. Fuite, émigration des capitaux. Les capitaux privés. Les capitaux étrangers. Geler, immobiliser des capitaux. Capitaux non productifs.*

Le franc n'était soutenu que par des artifices. Les capitaux fuyaient. 9

A. MAUROIS, le Cercle de famille, p. 194.

*Capitaux fébriles :* capitaux cherchant de place en place, en période de crise, la plus-value maximale dans le minimum de temps.

CONTR. **Consommation** (biens de consommation). — **Intérêt, rente, revenu.** — **Prolétariat, travail.** ◇ DÉR. **Capitaliser, capitalisme, capitaliste.** – COMP. **Capital-risque.** – HOM. 1. **Capital** (adj.), **capitale.**

**CAPITALE** [kapital] n. f. — 1509; de *(ville) capitale, (lettre) capitale.*

**I** ♦ **1** Ville qui occupe le premier rang dans un État, une province et qui est le siège du gouvernement. *Capitale administrative,* où sont centralisées les administrations d'un pays. — *Capitale politique :* centre de l'activité politique d'un pays, d'une région. — *Capitale fédérale,* des États fédératifs. *Washington, Brasilia, Canberra sont des capitales fédérales.* — *Capitale internationale :* grande ville qui est le siège d'organismes internationaux. → **Métropole.** *Strasbourg, Bruxelles, Luxembourg, capitales de l'Europe.*

1 C'est la capitale qui, surtout, fait les mœurs des peuples; c'est Paris qui fait les Français.
MONTESQUIEU, Cahiers, p. 176.

1.1 Dans les plis sinueux des vieilles capitales
Où tout, même l'horreur, tourne aux enchantements.
BAUDELAIRE, les Fleurs du mal, «Tableaux parisiens».

1.2 La construction de capitales nouvelles, comme Washington et Saint-Pétersbourg au XVIII^e siècle, marque le sommet d'un urbanisme sans doute inspiré de réminiscences antiques, mais surtout dominé par la recherche d'un équilibre rationnel de l'espace humanisé par la construction.
A. LEROI-GOURHAN, le Geste et la Parole, t. II, p. 175.

Absolt (en parlant de la capitale de l'État du pays où l'on vit). *Se rendre dans la capitale pour y trouver du travail.*

♦ **2** Fig. Ville qui prime les autres en un certain domaine; qui garde les traces d'une civilisation, d'une splendeur passées. *Aix, capitale de la Provence. Revendiquer le titre de capitale de... Capitale des arts, de la mode. (Avoir) un air, un aspect de capitale.*

2 Linné se rendit à Upsal, qu'on pouvait alors regarder comme la capitale littéraire de la Suède.
CONDORCET, Linné.

3 Être à soi seul la capitale politique, littéraire, scientifique, financière, commerciale, voluptuaire et somptuaire d'un grand pays; en représenter toute l'histoire; en absorber et en concentrer toute la substance pensante aussi bien que tout le crédit et presque toutes les facultés et disponibilités d'argent, et tout ceci, bon et mauvais pour la nation qu'elle couronne, c'est par quoi se distingue entre toutes les villes géantes, la ville de Paris.
VALÉRY, Regards sur le monde actuel, Fonction de Paris, p. 141.

Par métaphore, littér. *Capitale de la douleur,* de P. Éluard.

**II** (1567). Grande lettre. → **Majuscule.** *Grande, petite capitale. Mettre une capitale à un nom propre. Capitale romaine, italique, grasse.*

**III** Techn. (fortif.). Dans un ouvrage fortifié, Ligne bissectrice d'un angle saillant.

HOM. 1. **Capital,** 2. **capital.**

## CAPITALEMENT [kapitalmɑ̃] adv. — XIV^e; de 1. *capital.*

Vx. D'une manière capitale, fondamentale. → **Absolument, complètement, fondamentalement.**

## CAPITALISABLE [kapitalizabl] adj. — 1842, Richard de Radonvilliers; de *capitaliser.*

Écon., fin. Qui peut être capitalisé. *Intérêts capitalisables.*

## CAPITALISATION [kapitalizasjɔ̃] n. f. — 1829; de *capitaliser.*

♦ **1** Écon., fin. Action de capitaliser, de convertir en capital. *Capitalisation d'une rente. Taux de capitalisation. Capitalisation des intérêts,* qui permet à un assureur de capitaliser les intérêts produits par les cotisations perçues jusqu'à la réalisation de l'engagement qu'il a pris. — *Société de capitalisation.* — *Capitalisation boursière :* calcul de la valeur globale des actions d'une société d'après leur cours à la Bourse.

♦ **2** Fig. Accumulation, en vue de former ou de grossir des biens. → **Thésaurisation.** *Procéder à la savante capitalisation de ses talents.*

COMP. **Recapitalisation, sous-capitalisation.**

## CAPITALISER [kapitalize] v. tr. — V. 1770; de 2. *capital.*

♦ **1** Écon., fin. Convertir, transformer (les intérêts ou les bénéfices) en capital. *Capitaliser les intérêts.*

♦ **2** (1863). Fin. Évaluer la valeur d'un capital, d'après son revenu. *Capitaliser une rente.*

Fig. Accumuler, mettre en réserve. *Capitaliser ses découvertes, en différant de les révéler.*

♦ **3** V. intr. (1831). Cour. Amasser de l'argent. → **Thésauriser.** *Il ne dépense pas tous ses revenus, il ne cesse de capitaliser.*

Ce qui empêche les travailleurs de capitaliser, c'est que la propriété ne leur en laisse pas le moyen.
PROUDHON, av. 1865, *in* Pierre LAROUSSE.

DÉR. **Capitalisable, capitalisation.** ◊ COMP. **Recapitaliser.**

## CAPITALISME [kapitalism] n. m. — 1842; «état de celui qui est riche», 1753; de 2. *capital.*

♦ **1** Régime économique et social dans lequel les capitaux, source de revenu, n'appartiennent pas, en règle générale, à ceux qui les mettent en œuvre par leur propre travail. *Capitalisme libéral* ou *de libre échange,* basé sur la libre concurrence des entreprises. → **Libéralisme, propriété** (privée). *Capitalisme monopoliste,* reposant sur une forte concentration des entreprises avec formation de trusts ou monopoles. *Capitalisme d'État* (→ **Étatisme**). *Origines du capitalisme.* → **Mercantilisme.** *Capitalisme et machinisme.*

Il est admis aujourd'hui que le capitalisme a débuté sous la forme commerciale, avant de se constituer sous la forme industrielle. 1
GONNARD, Hist. des doctrines économiques, éd. 1930, p. 52 (origines du mercantilisme).

Le paupérisme (selon Karl Marx) est la conséquence fatale du capitalisme, non moins que l'enrichissement excessif d'un petit nombre de privilégiés. 2
GONNARD, Hist. des doctrines économiques, p. 506.

La supériorité des Occidentaux tient (...) en dernière analyse, au capitalisme, c'est-à-dire à la longue accumulation de l'épargne. 3
J. BAINVILLE, Fortune de la France, p. 117.

Pour ce qui est des structures, il va de soi que Marx a insisté sur le caractère temporaire ou historiquement transitoire du capitalisme, dont l'économie classique considérait les lois comme permanentes. 4
J. PIAGET, Épistémologie des sciences de l'homme, p. 337.

Nous lisions et relisions l'*Accumulation du capital,* de Rosa Luxemburg. Ce livre nous enseignait que les anciennes crises cycliques du capitalisme qui, par périodes de dix ans environ tout au long du XIX^e siècle et au début du XX^e, avaient servi de purges à l'économie en rétablissant ses automatismes, se liaient désormais dans une dépression permanente, de plus en plus profonde et bientôt catastrophique. Raymond ABELLIO, les Militants, p. 105. 5

♦ **2** Doctrine de ceux qui soutiennent ce régime. *Les arguments du capitalisme.*

♦ **3** Ensemble des capitalistes, des pays capitalistes. *Le capitalisme international. Les intérêts du capitalisme financier.* — (Dans la théorie marxiste). *Le capitalisme impérialiste.* → **Impérialisme.** *Le capitalisme en tant que pouvoir de classe.* → **Bourgeoisie.**

CONTR. **Communisme, socialisme.**

## CAPITALISTE [kapitalist] n. et adj. — 1832; «homme riche», 1759; de 2. *capital.*

**I** N. ♦ **1** (1798). Personne qui possède des capitaux, notamment des capitaux engagés dans une entreprise, et qui en tire un revenu. → 2. Capital (I., 5.). *Un riche, un opulent capitaliste. Les petits capitalistes sont menacés. Une capitaliste.*

1 Dans le monde, on n'accorde le nom de capitaliste qu'aux hommes dont l'unique ou du moins le principal revenu consiste dans l'intérêt de leurs capitaux.
J.-B. SAY, Cours d'économie politique.

2 Les socialistes opposent la classe des *prolétaires* qui disposent seulement de leurs bras à celle des *capitalistes* qui sont propriétaires des capitaux et qui les font valoir à l'aide du travail d'autrui.
Paul REBOUD, Précis d'économie politique, t. I, nº 218.

♦ **2** Fam. Celui qui possède beaucoup d'argent. → **Riche.** *Un gros capitaliste.*

Par plais. *Tu pourrais bien me prêter cent francs, toi, un capitaliste. Des cigares de capitaliste.*

♦ **3** Partisan du régime capitaliste.

2.1 On est capitaliste ou communiste, pas de milieu.
Raymond ABELLIO, Heureux les pacifiques, 1946, le Portulan, p. 239.

**II** Adj. ♦ **1** (1832). Qui a des capitaux et les investit dans une entreprise. *Proposer aux épargnants de devenir capitalistes.*

♦ **2** Relatif au capitalisme libéral. *Théorie, doctrine capitaliste. Régime, économie capitaliste* (→ **Libéral).** — (Dans la théorie marxiste). *Société bourgeoise* (cit. 13) *et capitaliste. Les pays capitalistes. Classe capitaliste.*

2.2 Rien ne ressemble plus au système «capitaliste» dont le trait essentiel est l'abandon de la gestion du capital à des tiers et l'ignorance de ce qu'ils en font — que le système administratif à centralisation extrême, qui soustrait à la vue la corrélation des services rendus par l'État avec les prestations exigées des particuliers.
VALÉRY, Cahiers, t. II, Pl., p. 1513.

♦ **3** Qui caractérise le système capitaliste.

3 Le profit, c'est une certaine quantité de travail non payé : voilà tout le secret de l'exploitation capitaliste.
Charles GIDE, Cours d'économie politique, t. II, p. 426.

4 En profitant de ces défaillances théoriques, à la faveur d'une conjoncture historique, avec un coût social incalculable (deux guerres mondiales, une troisième en perspective), sur la base de transformations techniques accélérées, les rapports de production capitalistes n'ont pas disparu. Ils se sont adaptés et consolidés (momentanément) dans une partie du monde, non sans peser sur l'autre partie.
Henri LEFEBVRE, la Vie quotidienne dans le monde moderne, p. 358.

CONTR. **Prolétaire. — Anticapitaliste, collectiviste, communiste, marxiste, socialiste...** ◊ COMP. **Anticapitaliste.**

**CAPITAL-RISQUE** [kapitalʀisk] n. m. — V. 1990; de l'angl. *venture capital.*

Écon. Financement et développement d'une entreprise sous forme de participation. *Start-up qui se développe grâce au capital-risque. Société de capital-risque.*

**CAPITAN** [kapitɑ̃] n. m. — 1637; «chef militaire, capitaine», v. 1514; ital. *capitano* «capitaine».

Vx. Personnage de soldat, de «capitaine» ridicule, d'une bravoure affectée. → **Bravache, fanfaron, matamore.** *Le capitan, personnage de la comédie italienne.*

Des attitudes forcées ou immodestes (...) qui font un capitan d'un jeune abbé, et un matamore d'un homme de robe (...) LA BRUYÈRE, les Caractères, XIII, 15.

**CAPITANE** [kapitan] n. f. et adj. — 1571, *la cappitane; gallere capitane,* 1563; ital. *(galera) capitana.*

Hist. Galère principale (d'un État). *La capitane; la galère capitane.* Syn. : *navire amiral.*

1 Don Juan d'Autriche, et Veniero (...) attaquèrent la capitane, ottomane (...)
VOLTAIRE, Essai sur les mœurs, 160.

Alors s'en vont en foule et sultans et sultanes, 2
Pyramides, palmiers, galères capitanes,
Et le tigre vorace et le chameau frugal.
HUGO, les Orientales, XLI, «Novembre».

**CAPITAN-PACHA** [kapitɑ̃paʃa] n. m. — 1798; *capitaine-bassa,* 1580; ital. *capitan passa;* du turc *qapūdān* «capitaine», et *paša* «pacha».

Amiral turc. — Par métonymie. Vaisseau amiral turc. — Au plur. *Des capitans-pachas.*

(...) quand brûlaient au sein des flots fumants
Les capitans-pachas avec leurs armements (...)
HUGO, les Orientales, V, 1.

**CAPITATION** [kapitasjɔ̃] n. f. — 1584; bas lat. *capitatio* «impôt par tête».

Hist. Impôt*, taxe* levée par individu selon sa classe (fortune et rang). — Féod. Redevance, droit payé par les serfs au seigneur.

Les tailles s'imposent par capitation sur chaque personne.
FURETIÈRE, *in* BRUNOT, Hist. de la langue franç., t. VI, p. 481.

**CAPITÉ, ÉE** [kapite] adj. — 1808, Boiste; du lat. *caput, -itis* «tête».

Bot. Terminé en tête arrondie. *Fleurs capitées. Stigmate capité.*

**CAPITEUX, EUSE** [kapitø, øz] adj. — 1740; «qui excite les sens» (en parlant d'une femme), av. 1558; *capitoux* «obstiné», fin XIVe; ital. *capitoso,* de *caput* «tête».

Littéraire ou style soutenu.

♦ **1** Qui porte, qui monte à la tête, qui échauffe les sens. → **Enivrant, excitant.** *Vin capiteux. Liqueurs capiteuses. Parfum capiteux. Des odeurs, des senteurs capiteuses.*

Les murs transpiraient humectés de vendanges. Des 1
vapeurs capiteuses formaient un brouillard autour des lampes. E. FROMENTIN, Dominique, I, p. 14.

Je me sentais surexcité, vibrant, comme si j'avais bu des 2
vins capiteux, respiré de l'éther ou aimé une femme.
MAUPASSANT, la Vie errante, II, p. 15.

(...) effluves capiteux du pressoir (...) Oui j'ai connu plus 3
tard l'enivrante vapeur des vendanges (...)
GIDE, Si le grain ne meurt, VI, p. 170.

♦ **2** Qui excite le désir. *Un charme capiteux, une sensualité capiteuse.* — (Personnes). *Une femme capiteuse.* → **Excitant.**

(...) une fille admirable, la tête petite, le cou rond et fort, 4
la hanche libre. Elle était là, dans le soleil et la vermine, pure comme une amphore, capiteuse comme une fleur.
FRANCE, le Lys rouge, IV, p. 59.

(...) ce ballet m'a paru moins capiteux, moins ensorcelant 5
que ceux d'autrefois. Le diable avait plus de talent vers 1925.
J. GREEN, Journal (Vers l'invisible), 5 nov. 1960.

CONTR. **Calmant, refroidissant.**

**CAPITOLE** [kapitɔl] n. m. — 1673; lat. *Capitolium* (→ 1.), de *caput* «tête».

♦ **1** (Nom propre). Antiq. Nom d'une des sept collines de Rome, de la citadelle et du temple de Jupiter élevés sur cette colline. *La montée au Capitole, consécration suprême du triomphateur. Du Capitole.* → **Capitolin.**

Brûlons ce Capitole où j'étais attendu. 1
RACINE, Mithridate, III, I.

Il avait vu le triomphe de son vainqueur, il ne lui res- 2
tait plus qu'à mourir. Au moment où le cortège, sortant du forum, gravit les pentes du Capitole à la lueur des lampadaires que portaient quarante éléphants, le roi des Arvernes fut conduit dans la prison creusée au pied de la montagne sacrée; et pendant que César amenait ses autres victimes à Jupiter, Vercingétorix fut mis à mort.
Camille JULLIAN, Vercingétorix, p. 343.

(1867). Loc. fig. (vx). *Monter au Capitole :* triompher, accéder au pouvoir. *Les oies du Capitole :* les oies consacrées à Junon et dont les cris réveillèrent le consul Manlius au moment où les Gaulois, mettant la nuit à profit, pénétraient dans la forteresse. *Faire comme les oies du Capitole, jouer les oies du Capitole :* avertir qqn d'un danger imminent. — (V. 1791). *La Roche Tarpéienne est près du Capitole :* la chute suit de près le triomphe (allusion à la roche proche de la forteresse, d'où les Sabins précipitèrent Tarpéia après sa trahison, et qui servit par la suite à l'exécution des condamnés à mort politiques).

3 On voulait, il y a peu de jours, me porter en triomphe, et maintenant on crie dans les rues : *La grande trahison du Comte de Mirabeau...* Je n'avais pas besoin de cette leçon pour savoir qu'il est peu de distance du Capitole à la Roche Tarpéienne. MIRABEAU, Collection, t. III, *in* LITTRÉ.

♦ **2** (1867). Édifice public consacré à la vie municipale et politique, dans certaines villes. *Le Capitole de Toulouse :* l'hôtel de ville (→ **Capitoul**). — (1867). *Le Capitole de Washington :* siège du Congrès.

**DÉR.** (Correspondant au sens 1) **Capitolin.**

**CAPITOLIN, INE** [kapitɔlɛ̃, in] adj. — Av. 1648; lat. *capitolinus* «relatif au Capitole», de *Capitolium.* → Capitole.

Antiq. Du Capitole. — (1731). *Le mont Capitolin,* ou, n. m. (1849), *le Capitolin :* le Capitole.

1 Un des consuls tués, l'autre fuit vers Linterne
Ou Venuse. L'Aufide a débordé trop plein
De morts et d'armes. La foudre au Capitolin
Tombe, le bronze sue et le ciel rouge est terne.
J.-M. DE HÉRÉDIA, Trophées, «Après Cannes».

*La triade capitoline :* Jupiter, Junon, Minerve, auxquels était dédié le temple du Capitole. *Jupiter capitolin :* Jupiter en tant qu'on lui rendait un culte dans ce temple du Capitole. *Les jeux capitolins,* célébrés en l'honneur de Jupiter capitolin.

2 Mais le Dieu de Rome, le Dieu qui a pris la place de Jupiter capitolin, pourrait-il n'être pas le vrai Dieu ? Valery LARBAUD, Fermina Marquez, XIV, p. 142.

**CAPITON** [kapitɔ̃] n. m. — 1386; ital. *capitone* «grosse tête», du rad. du lat. *caput* «tête».

♦ **1** Bourre qu'on enlève du cocon après avoir dévidé la bonne soie, et qu'on utilisait pour le rembourrage des sièges.

♦ **2** (1857). Cour. Chacune des divisions formées par la piqûre dans un siège rembourré*. *Les capitons d'un compartiment de chemin de fer.*

Par ext. Garniture à capitons. *Capiton d'un siège, d'une tête de lit.* → **Capitonnage.**

0.1 J'aurais dû (...) demeurer avec lui sur le capiton bleu sale des compartiments de seconde classe, parmi le bavardage cordial, l'odeur humaine du wagon plein (...) COLETTE, la Vagabonde, 1949, p. 197.

1 (...) mastodontesques fauteuils de velours grenat, dont la monture et la forme même se dissimulaient sous l'intumescence du capiton. GIDE, Si le grain ne meurt, VI, p. 157.

♦ **3** Épaisseur protectrice (pour amortir les heurts...). → **Rembourrage, tampon.**

2 Comme j'ai beaucoup maigri, un insuffisant capiton de chair ne me permet pas de ne plus sentir indiscrètement mon squelette. GIDE, Journal, 19 mars 1943.

3 (...) nous fûmes accueillis par une débauche de capiton qui épaississait la porte, les murs, les fauteuils et le notaire lui-même, boudiné de partout (...) Hervé BAZIN, Cri de la chouette, 1972, p. 73.

Fig. Ce qui recouvre comme un capiton.

J'ai retrouvé (...) les beaux paysages de montagnes descen- 4
dant doucement vers le bleu de la mer : en cette saison, elles étincelaient de blancheur sous leur capiton de neige. S. DE BEAUVOIR, Tout compte fait, 1972, p. 264.

**DÉR. Capitonner.**

**CAPITONNAGE** [kapitɔnaʒ] n. m. — 1871; de *capitonner.*

♦ **1** Action de capitonner; manière de capitonner. *Le capitonnage du fauteuil par le tapissier. Le capitonnage du canapé a coûté trop cher.*

Antoine fut mis au capitonnage des caisses. On lui montra à placer la bourre et les découpes de soie. Pendant des mois, tant qu'il y avait à capitonner, «pas trop maladroit», il capitonna. Herbert LE PORRIER, le Luthier de Crémone, p. 31.

♦ **2** Ensemble des capitons; surface capitonnée. *Un capitonnage épais, moelleux, confortable.*

Par métaphore. *«Le capitonnage rondelet de M. Cléophas»* (A. Arnoux). → **Rembourrage.**

**CAPITONNER** [kapitɔne] v. tr. — 1842; *se capitonner* «se couvrir la tête», 1546; de *capiton.*

♦ **1** Rembourrer en piquant la garniture de place en place. *Capitonner un canapé.* — Absolt. → Capitonnage, cit.

♦ **2** Garnir confortablement (de tissu, etc.). Fig. Recouvrir d'une manière moelleuse, comme ferait un capiton. *La neige capitonne les montagnes.*

◆ **SE CAPITONNER** v. pron. (Réfl.).

Fig., fam. Se vêtir chaudement.

◆ **CAPITONNÉ, ÉE** p. p. adj. (Passif).

Garni de capitons. *Un fauteuil capitonné.* — Rembourré et piqué. *Un cercueil capitonné.* — *Cellule capitonnée,* où étaient enfermés les agités, autrefois, dans les hôpitaux psychiatriques. — Garni de tissu de manière douillette, confortable.

(...) pour s'acheminer (...) vers l'escalier capitonné d'une épaisse moquette rouge, vers le grand salon où les attendent des rafraîchissements. A. ROBBE-GRILLET, la Maison de rendez-vous, p. 74.

**DÉR. Capitonnage.**

**CAPITOUL** [kapitul] n. m. — 1513; *capitoux,* 1389; mot languedocien, ellipse de **(senhor de) capitoul;* lat. ecclés. *capitulum* «chapitre, assemblée de religieux».

Hist. Magistrat municipal de Toulouse (au moyen âge et sous l'Ancien Régime). *Les capitouls, ou consuls* de la ville de Toulouse.*

C'est à la chapelle Saint-Roch, et plus tard chez les Minimes, qu'on appelait aussi les Roquets, que les rois de France s'arrêtaient quand ils arrivaient à Toulouse par la route de Paris, et le Parlement venait en cortège les saluer là, hors des murs, tandis que les magistrats municipaux, les capitouls, manifestaient leur indépendance en les attendant à l'entrée de la ville, à la porte Arnaud-Bernard. Raymond ABELLIO, Ma dernière mémoire, t. I, p. 130.

**CAPITOULAT** [kapitula] n. m. — Av. 1626; *capitolat,* 1567; lat médiéval *capitulatus* «charge de capitoul de Toulouse», de *capitulum.*

Hist. Charge, dignité de capitoul. — Durée de la fonction de capitoul. — Quartier de Toulouse administré par un capitoul. *Le capitoulat de Saint-Barthélemy.*

1. **CAPITULAIRE** [kapitylɛʀ] adj. — 1486; *collations capituleres,* XIIIe; lat. médiéval *capitularis* «qui a rapport au chapitre (d'un couvent)», de *capitulum* «chapitre».

♦ **1** Dr. canon. Relatif aux assemblées d'un chapitre* (de chanoines ou de religieux). *Acte capitulaire,* fait en réunion de chapitre. *Assemblée capitulaire.*

♦ **2** (1843). *Salle capitulaire,* où se réunit le chapitre. *La salle capitulaire d'une abbaye clunisienne.*

Dans la salle capitulaire de la cathédrale on peut regarder de tout près les chapiteaux qui en proviennent.
S. DE BEAUVOIR, Tout compte fait, 1972, p. 261.

**DÉR. Capitulairement.**

2. **CAPITULAIRE** [kapitylɛʀ] adj. et n. — Av. 1429; lat. médiéval *capitularis* «qui marque le début d'un chapitre», de *capitulum* «chapitre (d'un ouvrage)».
Didactique.

♦ **1** Hist. Divisé en chapitres. *Édits capitulaires.*
N. m. (1680). Ordonnance (des rois et empereurs francs). *Les capitulaires de Charlemagne. Le capitulaire de Kiersy-sur-Oise* (877). → **1. Capitule.**

1 Ce malheureux compilateur, Benoît Lévite, n'alla-t-il pas transformer cette loi wisigothe qui défendait l'usage du droit romain, en un capitulaire qu'on attribua depuis à Charlemagne?
MONTESQUIEU, l'Esprit des lois, XXVIII, VIII.

2 Le capitulaire *De villis,* ce guide rédigé aux alentours de l'an 800, à l'usage des régisseurs des propriétés royales, leur recommandait de dresser attentivement l'inventaire des forgerons, des *ministeriales ferrarii* (...)
Georges DUBY, Guerriers et Paysans, p. 23.

♦ **2** (Av. 1429). Paléographie. Relatif à l'un des chapitres d'un livre. *Lettre capitulaire :* grande lettre, le plus souvent ornée et enluminée, qui commençait chaque chapitre. — N. f. *La capitulaire.*

**CAPITULAIREMENT** [kapitylɛʀmɑ̃] adv. — 1611; *capitulerement,* attestation isolée, 1403; de 1. *capitulaire.*
Relig. En chapitre. *Décision prise capitulairement.*

**CAPITULANT** [kapitylɑ̃] adj. et n. m. — 1405, n.; bas lat. *capitulans,* p. prés. d'un verbe *capitulare* «se réunir en chapitre», de *capitulum* «chapitre».
Relig. Qui a voix dans un chapitre. *Religieux capitulant.* — N. m. *Les capitulants.*

**HOM. Capitulant** (p. prés. de *capituler*).

**CAPITULARD, ARDE** [kapitylaʀ, aʀd] adj. et n. — 1871, Goncourt; de *capituler,* et suff. péj. *-ard.*
Péjoratif.

♦ **1** Qui veut capituler, qui est partisan de se rendre (d'abord, dans le contexte de la guerre de 1870). «*Louis Blanc et les maires capitulards*» (Goncourt). — N. «*Les infortunés capitulards de généraux*» (Verlaine).

♦ **2** N. Personne lâche qui cède, se dérobe, abandonne devant la difficulté, le danger. → **Défaitiste.** — REM. Le fém. est rare.

**CONTR. Résistant; combatif, courageux.**

**CAPITULATION** [kapitylasjɔ̃] n. f. — V. 1591; «pacte, accord», av. 1528; lat. médiéval *capitulatio* «convention».

♦ **1** Didact. (dr. internat., hist.). Convention par laquelle une puissance s'engage à respecter certains droits et privilèges sur les territoires soumis à sa juridiction. → **Traité.** *Signer une capitulation.*

1 Il y a une belle capitulation entre Henri IV et Saint-Malo : la ville traite de puissance à puissance, protège ceux qui se sont réfugiés dans ses murs, et demeure libre (...) de faire fondre cent pièces de canon.
CHATEAUBRIAND, Mémoires d'outre-tombe, I, 1.

(Au plur.). Hist. Conventions qui réglaient les droits des sujets chrétiens en pays musulmans. *Régime des capitulations. Les capitulations conclues entre François Ier et Soliman le Magnifique.*

♦ **2** (1636). Cour. Convention par laquelle une place forte, une armée se rend à l'ennemi. → **Reddition.** *Pourparlers de capitulation. Négocier, signer une capitulation. Clauses de capitulation. Capitulation honorable, déshonorante, honteuse. Capitulation en rase campagne,* conclue par le commandant d'une troupe opérant en dehors d'une place de guerre*. *Capitulation sans conditions, pure et simple. Les clauses de la capitulation.*

Tout général, tout commandant d'une troupe armée, qui capitule en rase campagne, est puni : — 1° De la peine de mort, avec dégradation militaire, si la capitulation a eu pour résultat de faire poser les armes à sa troupe, ou si, avant de traiter verbalement ou par écrit, il n'a pas fait tout ce que lui prescrivaient le devoir et l'honneur; — 2° De la destitution dans tous les autres cas. 2
Loi du 9 juin 1857, art. 210.

Le major resta quelques secondes étourdi par cette idée du drapeau blanc, de la défaite, de la capitulation *(de Sedan),* qui tombait au milieu de son impuissance à sauver tous les pauvres bougres (...) qu'on lui amenait. 3
ZOLA, la Débâcle, t. II, p. 22.

(...) ils *(les plénipotentiaires alliés)* avaient là débattu et signé avec les maréchaux Marmont et Moncey, les articles de la capitulation *(de Paris, en 1814).* 4
Louis MADELIN, Talleyrand, XXVII, p. 278.

♦ **3** (1713). Fig. Abandon complet d'une attitude critique ou de résistance, ou de la position que l'on soutenait. → **Composition, renoncement.**

Elle se contraignait à sourire (...) et ce sourire, en fait, était une capitulation momentanée. 5
MARTIN DU GARD, les Thibault, t. I, p. 118.

*Capitulation de conscience :* accord passé avec soi-même, concession que l'on se permet pour s'accommoder d'une situation donnée. → **Accommodement.**

**CONTR. Intransigeance, obstination, refus, résistance.**

1. **CAPITULE** [kapityl] n. m. — 1721; lat. médiéval *capitulum* «lecture d'un chapitre de l'Écriture», de *caput* «chapitre».

♦ **1** Relig. Court passage de l'Écriture, approprié à l'office du jour et qui se dit après les psaumes et avant l'hymne.

♦ **2** Hist. Article compris dans un capitulaire. → **2. Capitulaire, 1.**

2. **CAPITULE** [kapityl] n. m. — 1732, Trévoux; lat. class. *capitulum* «petite tête», dimin. de *caput* «tête».
Bot. Inflorescence dans laquelle les fleurs, dépourvues de pédicelle*, sont insérées les unes à côté des autres sur l'extrémité élargie du pédoncule* (réceptacle du capitule). *Les capitules de la bardane, de la pâquerette, du dahlia donnent l'impression d'une fleur unique. Plante à capitules.* → **Capitulé.**

**DÉR. Capitulé.**

**CAPITULÉ, ÉE** [kapityle] adj. — 1803, Boiste; de 2. *capitule.*
Bot. *Fleurs capitulées,* assemblées en capitule. *La fritillaire est une fleur capitulée. Plantes capitulées* ou *à capitules.*

**HOM. Capituler.**

**CAPITULER** [kapityle] v. intr. — XVI^e; «convenir d'un accord, négocier», 1540; lat. médiéval *capitulare* «faire une convention», de *capitulum* «clause, article».

♦ **1** Vx. Convenir des articles d'un traité. *Capituler avec qqn.* → **Traiter.**

1 L'accomplissement et exécution de ce qui aura été traité et capitulé.
SULLY, Économie royale, oct. 1607, *in* HATZFELD.

♦ **2** Mod. Se rendre à l'ennemi par capitulation (en parlant d'une armée, d'une place assiégée). → **Rendre** (se); → Déposer, rendre les armes*, ouvrir les portes* (de la ville), livrer les clefs* (d'une ville), hisser le drapeau* blanc. *Capituler en rase campagne* (→ **Capitulation**), *sans conditions. Capituler avec les honneurs de la guerre,* en conservant armes et bagages. — Loc. (vx au sens propre). *Capituler avec armes et bagages.* → **Bagage** (*infra* cit. 2).

2 Utrecht envoya ses clefs, et capitula avec toute la province qui porte son nom. Louis *(Louis XIV)* fit son entrée triomphale dans cette ville (...)
VOLTAIRE, le Siècle de Louis XIV, X.

3 Un mois après Baylen, le duc tout frais d'Abrantès capitule à son tour, bien que, du moins, l'honorable convention de Cintra assure à son armée ce retour en France que les soldats de Dupont n'ont pas obtenu.
J. BAINVILLE, Napoléon, XVII.

4 (...) ils *(les Autrichiens)* se font fort de pouvoir, en deux ou trois semaines, contraindre militairement la Serbie à capituler (...)
MARTIN DU GARD, les Thibault, t. V, p. 130.

Prov. *Ville qui capitule est à demi rendue,* ou *ville qui capitule, ville rendue.* Au fig. La personne qui en est à discuter est près de céder; dans un autre contexte : celle qui résiste aux avances finira par céder.

♦ **3** (Av. 1696). Par métaphore ou fig. Céder devant (qqn, qqch.), abandonner la résistance. *Il me tenait tête, mais il a fini par capituler. — Capituler avec sa conscience* (→ **Capitulation**).

Vx et fig. (dans un emploi à rattacher au sens 1). Accepter de transiger, de parlementer.

5 Lorsqu'on désire, on se rend à discrétion à celui de qui l'on espère : est-on sûr d'avoir, on temporise, on parlemente, on capitule. LA BRUYÈRE, les Caractères, XI, 20.

6 Cent fois déjà il avait ainsi capitulé sans coup férir (...)
COURTELINE, Messieurs les ronds-de-cuir, 6^e tableau, I, p. 213.

7 On dit que dans sa cellule
Deux hommes cette nuit-là
Lui murmuraient capitule
De cette vie es-tu las.
ARAGON, Ballade de celui qui chante dans les supplices.

DÉR. **Capitulard.** ◊ HOM. **Capitulé.** — (Du p. prés.) **Capitulant.**

**CAPODASTRE** [kapɔdastʀ] n. m. — D.i.; probablt de l'espagnol.

Mus. Accessoire que l'on adapte au manche de certains instruments à cordes pincées (guitare, en particulier) et qui permet de modifier mécaniquement, par raccourcissement des cordes, la tonalité propre de l'instrument.

1. **CAPON, ONNE** [kapɔ̃, ɔn] n. et adj. — 1798; «prêteur dans une maison de jeux», 1713; «écolier indiscipliné», 1690; «gueux», 1628; orig. incert., p.-ê. forme régionale (picard, provençal?) de *chapon,* par allusion soit aux ergots (comparés aux «griffes» du voleur?), soit à la couardise de l'animal châtré.

♦ **1** Vx. Flatteur sans scrupule. → **Flagorneur.**

♦ **2** (1808). Vieilli ou régional. Personne peureuse par lâcheté. → **Couard, poltron.** *C'est un capon. Ah! les capons : ils s'enfuient! Une petite caponne.*

Adj. : *il est trop capon pour se battre.*

1 Legnagna qui est né faible, envieux, capon et que l'insuccès a encore aigri (...)
J. VALLÈS, Jacques Vingtras, L'enfant, p. 345.

2 (...) en analysant l'émotion caponne que j'avais au fond de moi, je me disais que d'autres à la même place en avaient eu de pires et de même nature pourtant.
FLAUBERT, Correspondance, t. II, p. 216.

♦ **3** Vx (argot scol.). Rapporteur. → **Délateur;** (fam.) 1. **cafard, mouchard.**

CONTR. **Audacieux, brave, courageux, crâne, hardi, intrépide, téméraire.** ◊ DÉR. 1. **Caponner.** — HOM. 2. **Capon.**

2. **CAPON** [kapɔ̃] n. m. — Fin XVII^e; ital. *capone,* augmentatif de *capo* «tête».

Mar. anc. Palan qui servait à hisser l'ancre sur les navires.

DÉR. 2. **Caponner.** ◊ HOM. 1. **Capon.**

**CAPONNADE** [kapɔnad] n. f. — XX^e; de 1. *caponner.*

Littér. Action de capon, de peureux (→ **Caponnerie**). *Des caponnades.* → **Couardise.**

Le seul incident un peu vif de ces jours derniers est la panique qui a saisi la division de réserve qui formait notre gauche. Elle a brusquement lâché pied (...) Cette caponnade ridicule nous a procuré pendant deux jours et deux nuits la sensation d'être parfaitement coupés, tournés et perdus.
J.-R. BLOCH, *in* Deux hommes se rencontrent, p. 268.

1. **CAPONNER** [kapɔne] v. intr. — 1808; argot scol. «tromper ses camarades», 1704; de 1. *capon.*

Familier et vieux.

♦ **1** Se conduire comme un capon, céder à la peur.

Si tu veux te venger, il faut caponer *(sic),* avoir l'air d'être au désespoir et te faire rouler par ta maîtresse.
BALZAC, la Cousine Bette, Pl., t. VI, p. 492.

♦ **2** Moucharder. → 1. **Cafarder.**

DÉR. **Caponnade, caponnerie.** ◊ HOM. 2. **Caponner.**

2. **CAPONNER** [kapɔne] v. tr. — XVII^e; de 2. *capon.*

Mar. anc. Hisser (l'ancre) à l'aide du capon. *Caponner l'ancre.*

HOM. 1. **Caponner.**

**CAPONNERIE** [kapɔnʀi] n. f. — 1852; de 1. *caponner.*

Littér. Attitude du capon; couardise. → **Poltronnerie.** *Il est d'une caponnerie méprisable. Sa caponnerie.*

**CAPONNIÈRE** [kapɔnjɛʀ] n. f. — 1671; ital. *caponiera,* proprt «cage à chapons».

Technique.

♦ **1** Fortif. Chemin établi dans un fossé à sec d'une place forte, pour communiquer d'un ouvrage à un autre. *Caponnière joignant la tenaille à la demi-lune.*

♦ **2** Ch. de fer. Niche aménagée dans la paroi d'un tunnel pour permettre aux agents circulant sur la voie de s'abriter, lors du passage d'un train.

**CAPORAL, AUX** [kapɔʀal, o] n. m. — V. 1570; «chef (en général)», v. 1520; ital. *caporale* «principal», de *capo* «tête».

♦ **1** Celui qui a le grade le moins élevé dans les armes à pied, l'aviation... → **Brigadier** (I.), 2. **cabot** (fam.; cit. 1. et 2.). *Passer caporal. Galon de laine de caporal. Caporal de relève. Caporal d'ordinaire,* chargé de la cuisine. *Caporal chef de pièce. Caporal commandant une escouade, un demi-groupe... Le Petit Caporal :* Napoléon I^er.

1 Il observait le caporal d'ordinaire qui jetait les morceaux de viande (...)
— On va tirer au sort, dit le cabot.
— Non, protestèrent plusieurs escouades (...)
R. DORGELÈS, les Croix de bois, II, p. 29.

2 Appelé en 1915 avec sa classe, Antoine partit pour le front avec le grade de caporal, refusant de suivre les cours d'élève-officier, simplement parce qu'il jugeait absurde qu'un homme fût désigné au commandement par des aptitudes scolaires.
M. AYMÉ, le Confort intellectuel, VIII, p. 112.

2.1 Tous les insignes distinctifs de son costume ont été décousus (...) laissant voir à l'emplacement qu'ils occupaient une petite surface de drap neuf (...) le losange de l'infanterie, les deux minces rectangles obliques, parallèles, indiquant le grade de caporal (...)
A. ROBBE-GRILLET, Dans le labyrinthe, 1959, p. 98.

**CAPORAL-CHEF** [kapɔʀalʃɛf] : militaire qui a le grade immédiatement supérieur à celui de caporal. — Au plur. *Des caporaux-chefs.*

Fig., fam. *Un caporal et quatre hommes :* la force militaire. *On en viendrait à bout avec quatre hommes et un caporal.*

Adj. Littér., rare. Autoritaire, qui agit d'une manière militaire. → **Caporalisme.**

3 J'ai des maîtres qui règnent par la terreur. Ils ont des lettres une conception caporale.
VALÉRY, cité par A. MAUROIS, Études littéraires, P. Valéry, II, p. 13.

♦ **2** (1833, *in* D. D. L., concurremment avec *tabac de caporal*). *Caporal,* ou *caporal ordinaire :* tabac de seconde qualité, mais supérieur au tabac de troupe (dit : *du troupe**). *Fumer du caporal ordinaire. Caporal gris.* → **Gris** (II., 3.).

4 Je fume avec toi le calumet de la paix, ce qui veut dire que je vais bourrer ma pipe de caporal.
FLAUBERT, Correspondance, 1840, t. I, p. 65.

DÉR. **Caporaliser, caporalisme.**

**CAPORALISATION** [kapɔʀalizasjɔ̃] n. f. — 1896; de *caporaliser.*

Rare. Action de caporaliser (un peuple, etc.); fait d'être caporalisé.

Oui, les chiens sont, en tant qu'espèce, éminemment méprisables, aussi bien pour l'écœurante banalité de leur affection que pour leur extraordinaire faculté de caporalisation.
A. ALLAIS, Œ. posthumes, «Le chien gaffeur», 1896, *in* D. D. L., II, 14.

**CAPORALISER** [kapɔʀalize] v. tr. — 1866; v. intr., 1829, *in* D. D. L.; de *caporal.*

Rare. Faire du caporalisme*, imposer un régime autoritaire à. *Caporaliser la jeunesse.*

P. p. *«(...) rupture asilaire avec le milieu familial (...) vie carcérale ou au mieux caporalisée»* (H. Sztulman et M. Porot, *in* Porot, éd. 1975, p. 61 a.).

DÉR. **Caporalisation.**

**CAPORALISME** [kapɔʀalism] n. m. — 1852, Hugo, *Napoléon le Petit;* de *caporal.*

♦ **1** Péj. Régime politique où l'influence militaire est prépondérante, tyrannique et mesquine. *Caporalisme à la prussienne.* → **Césarisme, militarisme.**

1 Le caporalisme, c'est l'absolutisme. C'est Narvaës. C'est Bismarck. Le despotisme est un paradoxe. L'omnipotence militaire monarchique offense le bon goût.
HUGO, Paris, IV, I.

♦ **2** Forme d'autorité qui exige le respect littéral des règlements militaires. — Par ext. Autorité tatillonne. → **Autoritarisme.**

La négation du véritable esprit militaire, c'est cette chose hideuse qu'on appelle le caporalisme; or, il y a un caporalisme dans toutes les professions. 2
L.-H. LYAUTEY, Paroles d'action, p. 50.

Tout se faisait silencieusement, d'après un rythme préétabli, voulu, d'après une discipline sévère, stricte, d'après un caporalisme qui régnait jusque dans les plus infimes détails, qui ne laissait rien à l'imprévu. 3
B. CENDRARS, Moravagine, *in* Œ. compl., t. IV, p. 72.

CONTR. **Libéralisme.**

1. **CAPOT** [kapo] n. m. — 1819; «sorte de cape», 1576; de 1. *cape.*

**I** Vx ou régional (Canada). Manteau à capuchon. → **Capote,** 1.

**II** (Dispositif destiné à protéger). ♦ **1** (1819). Mar. Construction légère ou bâche recouvrant les ouvertures, les appareils situés sur un pont. *Capot d'échelle,* garantissant de la pluie l'ouverture d'un escalier. *Capot de cheminée,* rabattant les fumées vers l'arrière. *Capot d'habitacle pour le compas.*

Spécialt. Fermeture étanche obturant l'ouverture par laquelle on pénètre dans un sous-marin.

Demain, vous prendrez ce coffret, vous quitterez ce salon, dont vous fermerez la porte; puis, vous remonterez sur la plate-forme du Nautilus, et vous rabattrez le capot, que vous fixerez au moyen de ses boulons. — Nous le ferons capitaine, répondit Cyrus Smith. 1
J. VERNE, l'Île mystérieuse, t. II, p. 816.

♦ **2** (Fin XIXe). Cour. Couverture métallique mobile protégeant un moteur. *Le capot d'une automobile. Sous le capot :* dans le moteur. *Regarder sous le capot. Ouvrir, soulever le capot* (pour examiner, réparer le moteur). *Faire cinquante mille kilomètres sans soulever le capot,* sans avoir d'ennuis mécaniques. *Le capot d'un camion.*

J'ai vu une de ces voitures monstrueuses, plus monstrueuse encore que toutes celles que j'ai vues jusqu'ici (...) Un frisson m'a secoué tout le corps, rien qu'à considérer le redoutable capot qui protège le moteur (...) C'est un prodigieux cube de tôle, flanqué de sirènes de paquebot, armé de phares lenticulaires, gigantesques. 2
O. MIRBEAU, la 628-E8, p. 61 (1907).

♦ **3** Techn. (archit.). Tambour d'un escalier. — Boîte de souffleur d'un théâtre.

Hortic. Couche de fumier sur laquelle on répand de la terre et qui a pour effet d'activer la végétation.

DÉR. **Capote.** ◈ HOM. 2. **Capot,** 3. **capot, kapo.**

2. **CAPOT** [kapo] n. m. — 1689; altér. possible du provençal *fas caboto* «saluer»; de *cap* (lat. *caput*) «tête», ou de 3. *capot.*

Mar. (vx). *Faire capot :* chavirer en se renversant (en parlant d'une embarcation non pontée). → 2. **Capoter;** → Faire chapeau*.

DÉR. 2. **Capoter.** ◈ HOM. 1. **Capot,** 3. **capot, kapo.**

3. **CAPOT** [kapo] adj. et n. — 1585, *in* D. D. L.; orig. incert. : une série de verbes *caper, se caper, s'acaper,* dans l'Ouest, signifient «se cacher», «se renfrogner» (cf. Sous cape) et peuvent être à l'origine du sens «humilié, confus» (1690); le rad. provençal *cap* «tête» a été invoqué, et une métaphore de 2. *capot* n'est pas exclue. P. Guiraud y voit une orig. provençale de *far *capota* «plonger la tête en avant, plonger de l'avant», forme reconstruite à partir de *far caboto* «faire la révérence». — REM. *Capot* a donné l'all. *kaputt* «vaincu, tué».

♦ **1** Jeux. Battu complètement, sans avoir fait une seule levée (dans certains jeux de cartes : piquet, etc.). *Être capot. Jouer capot. Elles sont capot* (invar.). — *Faire qqn capot,* le battre sans qu'il puisse faire une seule levée.

Loc. fig., vx (usage des Précieux). *Faire qqn capot, pic, repic et capot :* subjuguer entièrement. *Être, se trouver capot,* vaincu, subjugué.

1 (...) vous allez faire pic, repic et capot tout ce qu'il y a de galant dans Paris.
MOLIÈRE, les Précieuses ridicules, 9.

2 Et par un six de cœur, je me suis vu capot (...)
MOLIÈRE, les Fâcheux, II, 2.

2.1 Hé! Hé! si les bigots savaient peindre! Au fond, nous sommes dupes, l'abbé, repics et capots. Un gâcheur de plâtre, qui ne songe qu'à se remplir les tripes, montre plus de malice que moi (...)
BERNANOS, Sous le soleil de Satan, Œ. roman., Pl., p. 292.

N. m. (1680). Vx. Coup où l'on empêche l'adversaire de faire une seule levée (→ mod. **Chelem**). *Faire, réussir un capot.*

♦ **2** (1690). Vieilli ou littér. Humilié et confus. → **Embarrassé, interdit, penaud.**

2.2 Point n'avez (si dois-je y souscrire),
Du temps à perdre, à lettres lire;
Mais par Vous-même encouragé,
Bonne défense envers Vous j'ai,
Et dis-je, avec votre indulgence,
Que vous êtes capot d'avance!
G. NOUVEAU, Placet rimé, 1918, Pl., p. 770.

3 Il nous a rejoints ici, fort étonné lui-même et fort capot de tout le bruit fait autour de son équipée.
F. MAURIAC, la Pharisienne, XIV, p. 225.

HOM. 1. **Capot**, 2. **capot**, **kapo.**

1. **CAPOTAGE** [kapɔtaʒ] n. m. — 1875; de 1. *capoter.*

Techn. Action de capoter (une voiture); disposition de la capote d'une voiture.

HOM. 2. **Capotage**, 3. **capotage.**

2. **CAPOTAGE** [kapɔtaʒ] n. m. — 1898; aviat., 1928; de 2. *capoter.*

Fait de capoter; retournement sens dessus dessous (d'un véhicule).

1 (...) l'autre *(accident)* venant de se produire : simple capotage; nous assistons à l'extraction de deux dames pas trop endommagées, mais pantelantes, de dessous l'auto retournée. A. GIDE, Carnets d'Égypte, Pl., p. 1039.

2 L'avion venait de sauter par-dessus, comme un cheval. Il commençait à tourner autour du champ. En bas, pas un morceau de glace ne sonnait dans un verre; tous guettaient des cris.
— Le capotage, reprit Scali. Sûrement il n'a plus de pneus (...)
Il agitait ses bras courts, comme s'il eût voulu aider l'avion. Celui-ci toucha terre, s'infléchit, accrocha l'extrémité d'un plan et cela sans capoter.
MALRAUX, l'Espoir, 1937, p. 478.

HOM. 1. **Capotage**, 3. **capotage.**

3. **CAPOTAGE** [kapɔtaʒ] n. m. — D. i. (XX^e); de 1. *capot,* II., 2.

Techn. Fermeture par un capot.

HOM. 1. **Capotage**, 2. **capotage.**

**CAPOTE** [kapɔt] n. f. — 1688; de 1. *capot* qui avait les mêmes sens.

♦ **1** Anciennt. Grand manteau à capuchon. → 1. **Capot**, I.

♦ **2** Manteau ample et long, de coupe vague. *Porter une capote. Se vêtir d'une capote. Capote d'hôpital.* — (1832). Manteau militaire. *La capote kaki de l'infanterie française. Capote bleue de l'aviation.*

1 Il y a des capotes de toutes les teintes, de toutes les formes, de tous les âges. Celles des grands sont trop petites et celles des petits trop longues. La martingale de Fouillard lui bat minablement les fesses, et sur le large coffre du père Hamel, la capote trop étroite fait des plis circulaires, tous les boutons prêts à péter.
R. DORGELÈS, les Croix de bois, IV, p. 69.

La capote militaire est boutonnée jusqu'au col, où se trouve inscrit le numéro matricule, de chaque côté, sur un losange d'étoffe rapporté. 1.1
A. ROBBE-GRILLET, Dans le labyrinthe, 1959, p. 29.

♦ **3** (1839). Couverture mobile (de certains véhicules, hippomobiles, à moteur, etc.). *La capote d'une voiture décapotable* (→ **Décapotable**). *Abaisser, relever, tendre la capote d'un cabriolet. Les arceaux, le soufflet* d'une capote. Capote à commande électrique.*

(...) une espèce de cabriolet, à capote de toile cirée, avec deux chevaux attelés en flèche (...) 2
LOTI, Figures et Choses..., À Loyola, p. 56.

(...) ses quatre roues, écartées (...) assurent *(au véhicule)* un certain équilibre sur des routes cahoteuses (...) Une forte capote de cuir, pouvant se rabaisser et le fermer presque hermétiquement, en rend l'occupation moins désagréable par les grandes chaleurs. 3
J. VERNE, Michel Strogoff, 1876, p. 120.

Entre les deux hautes roues *(du pousse-pousse),* dont les rayons de bois sont peints en rouge vif, la capote de toile noire qui surmonte en auvent le siège unique masque complètement le client assis sur celui-ci. 4
A. ROBBE-GRILLET, la Maison de rendez-vous, p. 16.

♦ **4** (1820). Anciennt. Chapeau de femme ou de fillette, à brides, en étoffe plissée ou piquée. *Capote de crêpe, de satin.*

Frédéric l'attendait toujours quand ils devaient sortir; elle était fort longue à disposer autour de son menton les deux rubans de sa capote; et elle se souriait à elle-même, devant son armoire à glace. 5
FLAUBERT, l'Éducation sentimentale, 1869, Pl., t. II, p. 384.

♦ **5** (1836, Landais; on a dit aussi *redingote, redingote anglaise*). Loc. fam. *Capote anglaise :* préservatif masculin. → **Condom.**

C'est *(un bas-relief égyptien)* bordel comme une gravure lubrique Palais-Royal 1816 (...) Quels abîmes de réflexions, Monsieur; c'est à croire, tant c'est moderne, que du temps de Sésostris, on connaissait les capotes anglaises. 6
FLAUBERT, Lettre à L. Bouilhet, 2 juin 1850, Pl., t. I, p. 634.

Elliptiquement :

Quant aux grecques et aux juives, elles vous sont permises si vous avez des capotes. 7
MÉRIMÉE, Correspondance, 23 oct. 1850, *in* D. D. L.

Depuis le développement des maladies sexuellement transmissibles, notamment le sida, les préservatifs masculins et leur nom familier ont perdu leur caractère quelque peu tabou pour entrer dans la langue courante. *Distributeur de capotes* (parfois appelé par abrév. *point cap*).

DÉR. 1. **Capotage**, 1. **capoter.** ◊ COMP. **Décapoter, recapoter.**

1. **CAPOTER** [kapɔte] v. tr. — Attesté 1877, mais antérieur, → 1. Capotage; de *capote,* 3.

Techn. Munir (un véhicule) d'une capote. — Fermer la capote de (un véhicule). *La pluie commençant à tomber, ils capotèrent le cabriolet.*

◆ **CAPOTÉ, ÉE** p. p. adj.

Muni d'une capote; dont la capote est fermée, rabattue. *Cabriolet capoté.*

Par métaphore. «*Des yeux capotés*» (Huysmans), à paupières lourdes.

DÉR. 1. **Capotage.** ◊ HOM. 2. **Capoter.**

2. **CAPOTER** [kapɔte] v. intr. — 1792; de 2. *capot.*

♦ **1** Mar. Être renversé sens dessus dessous, se retourner (en parlant d'une embarcation). → 2. **Capot** (faire capot); **chavirer.**

♦ **2** (1907). Culbuter, se retourner (en parlant d'un véhicule : automobile, avion, etc.). → 2. Capotage, cit. 2.

♦ **3** Fig. Échouer. *Faire capoter une affaire qui allait réussir.*

Ne pas louper un message, surtout; la vente capoterait.
Pierre ACCOCE, le Polonais, p. 10.

DÉR. 2. **Capotage.** ◊ HOM. 1. **Capoter.**

**CAPPA** [kapa] ou **CAPPA MAGNA** [kapamagna] n. f. — XX^e; mots ital., du lat. *cappa.*

Liturg. cathol. Vêtement de chœur que portent les cardinaux, les évêques et certains dignitaires de la cour pontificale aux cérémonies. *Cappa en soie rouge des cardinaux, en laine violette des évêques.*

1 (...) il fut tout d'un coup très intéressé par un portrait en pied du cardinal, peint récemment. Celui-ci y était représenté en grand costume de cérémonie, la soutane de moire rouge, le rochet de dentelle, la cappa jetée royalement sur les épaules. ZOLA, Rome, p. 88.

2 Si le pape supprimait les orgues, l'encens, les mitres des évêques et la *cappa magna* des cardinaux, tu serais moins catholique que moi, qui ne le suis que depuis deux ans.
P. GUTH, le Naïf sous les drapeaux, III, IV, p. 161.

**CAPPARIDACÉES** [kaparidase] n. f. pl. — 1869; du lat. impérial *cappar(is)* «câprier», et suff. *-idacées* (de *-idées* et *-acées,* par contamination).

Bot. Famille de plantes phanérogames *(Dicotylédones dialypétales)* comprenant des arbres, des arbrisseaux, et des herbes annuelles ou vivaces. → **Câprier.** — Au sing. *Une capparidacée.*

**CAPPELLA (A)** → **A cappella.**

**CAPPUCCINO** [kaputʃino] n. m. — 1937; mot ital., «capucin», allus. à la couleur marron beige de la robe.

Café au lait mousseux, à l'italienne.

REM. On trouve les var. graphiques *capucino* et *capuccino.*

On s'assoit chez Florian *(à Venise),* et devant le «capucino» ou la glace panachée, on regarde le charmant va-et-vient de la place.
G. BAUËR, les Billets de Guermantes, juil. 1937, p. 173.

**CAPRE** [kapʀ] n. m. — 1675, Colbert; néerl. *kaper* «vaisseau corsaire».

Ancienn^t ou histoire.

♦ **1** Navire de corsaires.

♦ **2** Matelot embarqué à bord d'un navire corsaire.

1. **CÂPRE** [kapʀ] n. f. — 1474; de l'ital. *cappero;* lat. impér. *capparis,* grec *kapparis,* même sens.

Bouton à fleur du câprier, que l'on confit dans le vinaigre pour servir d'assaisonnement, de condiment. *Boîte à conserver les câpres.* → **Câprière.** *Bocal de câpres. — Sauce aux câpres. Raie au beurre noir avec des câpres.*

Par anal. *Câpres capucines :* boutons de fleurs de capucine préparés comme les câpres.

DÉR. **Câprier, capron.** — V. 2. **Câpre, câprière.** ◊ HOM. 2. **Câpre.**

2. **CÂPRE, CÂPRESSE** [kapʀ, kapʀɛs] n. — 1842, fém., sans accent, *in* E. Sue; p.-ê. de 1. *câpre,* par anal. de couleur.

Régional (Antilles) ou littér. Personne issue de parents noir et mulâtre, ou noir et indien.

1 Puits
Arbres creux qui abritent les Câpresses vagabondes.
APOLLINAIRE, Calligrammes, «Les fenêtres».

2 (...) toutes nuances et colorations de peau, nègres, et sacatras, câpres, mulâtres.
André SCHWARZ-BART, la Mulâtresse Solitude, p. 90.

HOM. 1. **Câpre.**

**CAPRICANT, ANTE** [kapʀikɑ̃, ɑ̃t] adj. — 1838; *caprisant,* 1832; *caprizant,* 1589; du lat. *capra,* avec le *c-* de *capricorne,* p.-ê. sous l'infl. de *caprice* et des adj. comme *mordicant, suffocant,* etc.

♦ **1** Didact. Inégal, saccadé, sautillant. *Pouls capricant.*

1 *Dico* que le pouls de Monsieur est (...) repoussant (...) et même un peu capricant.
MOLIÈRE, le Malade imaginaire, II, 6.

2 Je lui pris le bras et lui tâtai le pouls; il était à la fois capricant et filiforme; j'eus pitié de sa folie et m'assis à son chevet.
VILLIERS DE L'ISLE-ADAM, Tribulat Bonhomet, p. 155.

♦ **2** Littér. Qui évoque les bonds fantasques de la chèvre. → **Caprin.** *Allure capricante.* → **Bondissant, sautillant.**

3 Elle court, capricante, décoiffée, sur elle une de ces robes que n'importe quel homme saurait faire voler — ô mes proies d'autrefois!
François NOURISSIER, la Crève, p. 153.

(1862). Fig. Capricieux, fantasque. *Une humeur capricante.*

4 Dans la beauté accomplie des chefs-d'œuvre elle ne touchait plus ici qu'une beauté immobile, insensibilisée, inexpressive, presque inhumaine, et là qu'une beauté faunesque animée de la joie ivre, capricante et malfaisante du premier âge champêtre et bestial de l'homme primitif.
Ed. et J. DE GONCOURT, Madame Gervaisais, p. 140.

**CAPRICCIO** [kapʀitʃjo] n. m. — Av. 1900; mot ital., «caprice».

Mus. Morceau instrumental de forme libre, de caractère folklorique. → **Caprice.** *Le Capriccio espagnol,* de Lalo. *Le Capriccio pour piano et orchestre,* de Stravinski. *Des capriccios* (plur. francisé).

**CAPRICE** [kapʀis] n. m. — 1558; adapt. de l'ital. *capriccio* «frisson (de peur)», XIII^e, «idée fantastique», XVI^e; de *capo* «tête», du lat. *caput.*

♦ **1** *(Le caprice).* Disposition à des enthousiasmes brefs, à des désirs passagers, à des changements d'intention fréquents. → **Inconstance, instabilité, versatilité.** *Agir par caprice. C'est le caprice qui le mène. «Je suis avant tout l'homme de la fantaisie, du caprice, du décousu»* (Flaubert, *in* T. L. F.). — *Le caprice de qqn, son caprice,* sa tendance à de tels changements (→ ci-dessous, cit. 2 et 5). *Le caprice des enfants* (→ ci-dessous, cit. 4), leur tendance à faire des caprices.

1 (...) le chef de cette république,
Par caprice ou par politique,
Le changea bientôt de logis.
LA FONTAINE, Fables, VII, 6.

2 Et ne connaissant d'autres lois
Que son caprice (...)
LA FONTAINE, Fables, Appendice aux Fables, 3.

3 Cette amoureuse ardeur qui dans les cœurs s'excite
N'est point, comme l'on sait, un effet du mérite :
Le caprice y prend part, et quand quelqu'un nous plaît,
Souvent nous avons peine à dire pourquoi c'est.
MOLIÈRE, les Femmes savantes, V, 1.

4 Le caprice des enfants n'est jamais l'ouvrage de la nature, mais d'une mauvaise discipline : c'est qu'ils ont obéi ou commandé; et j'ai dit cent fois qu'il ne fallait ni l'un ni l'autre. ROUSSEAU, Émile, II, 122.

5 Du reste, aucun choix dans ses relations. Sa facile humeur, la vivacité de son caprice le jetaient à la tête du premier venu et le reprenaient aussi lestement.
Alphonse DAUDET, Numa Roumestan, III, p. 51.

(Par jeu de mots étymologique). → Chèvre, cit. 1.

♦ **2** *(Un, des caprices).* Effet de cette disposition; volonté subite, désir passager; détermination arbitraire fondée sur la fantaisie. → **Désir, envie; accès, bizarrerie, boutade, coup** (de tête), **fantaisie, foucade, lubie, toquade.** *Agir selon ses caprices. Il a des caprices, il est sujet à des caprices. Faire, passer à qqn tous ses caprices; céder à ses caprices. Imposer ses caprices à son entourage. Les dangereux caprices d'un despote, d'un tyran, d'un dictateur. — Les caprices de la foule, de l'opinion.*

6 Malouet a dit un mot très pénétrant : «Il n'y avait à la gauche de l'Assemblée que deux hommes qui ne fussent point des démagogues, Mirabeau et Robespierre». Il entendait par là qu'ils suivaient leur pensée et développaient leur plan sans plier aux caprices de la foule, aux mouvements passagers de l'opinion.
JAURÈS, Hist. socialiste, t. I, la Constituante, p. 421.

7 (...) l'homme est toujours heureux qu'on lui fasse sur le champ ses caprices, et pardonne aisément qu'on soit infidèle à ses *volontés* plus anciennes, dont lui-même ne sent plus l'aiguillon.
J. ROMAINS, les Hommes de bonne volonté, t. I, p. 79.

8 Avant la guerre, les clients, êtres augustes dont on ne parlait qu'avec une terreur respectueuse, imposaient sans efforts leurs caprices cruels à des industriels divisés et toujours affamés de travail.
A. MAUROIS, Bernard Quesnay, VI, p. 38.

9 «Allons...» soupira-t-elle comme si le choix de ce restaurant à quarante-cinq kilomètres de Paris n'était qu'une concession de plus aux caprices d'un despote.
MARTIN DU GARD, les Thibault, t. VI, p. 12.

Par ext., littér. Volonté arbitraire; bon plaisir. *Le caprice de l'imagination, du désir.*

10 Ces exigences ridicules *(de la Grammaire)* ne méritent aucun respect. Les grands écrivains n'ont jamais été faits pour subir la loi des grammairiens mais pour imposer la leur, et non pas seulement leur volonté, mais leur caprice.
CLAUDEL, Positions et Propositions, p. 84.

Par allus. étymologique :

11 Le mot caprice est gracieux, irritant et d'une origine parlante. Il évoque les bonds de la chèvre, son instabilité, son humeur vagabonde.
G. DUHAMEL, Inventaire de l'abîme, VII, p. 101.

Loc. *Passer un caprice à qqn :* se plier de bonne grâce au désir de qqn. *Se passer un caprice :* contenter son envie.

Spécialt. Exigence obstinée, souvent accompagnée de colère (notamment en parlant des enfants). → **Capricieux.** *Cet enfant est insupportable, il ne cesse de faire des caprices. Il ne faut pas céder à ses caprices. Il a fait un gros caprice.*

♦ **3** (Choses). *Le, les caprices de...* (le plus souvent, au plur.), changements fréquents, imprévisibles. *Les caprices de la mode. Les caprices de la fortune, de la chance, du sort.*

12 Le caprice de notre humeur est encore plus bizarre que celui de la fortune.
LA ROCHEFOUCAULD, Maximes, 45, p. 250.

13 (...) les caprices du hasard ou les jeux de la fortune.
LA BRUYÈRE, les Caractères, VI, 80.

14 En attendant les caprices et les virevoltes de la mode, caprices et virevoltes d'autant moins improbables que le nombre des formes n'est point indéfini (...)
G. DUHAMEL, Cri des profondeurs, I, p. 9.

♦ **4** Spécialt. Amour, inclination, passion qui naît brusquement et ne dure pas. → **Amourette, béguin, passade, toquade** (fam.). *Avoir un caprice pour qqn. Inspirer un caprice à qqn. Un caprice,* comédie en un acte de Musset.

15 On nomme hardiment amour un caprice de quelques jours, une liaison sans attachement, un sentiment sans estime, des simagrées de sigisbée, une froide habitude, une fantaisie romanesque, un goût suivi d'un prompt dégoût : on donne ce nom à mille chimères.
VOLTAIRE, Questions sur l'Encyclopédie.

— ... Eh bien ! oui, les caprices. Il est certain qu'un homme peut en avoir, et qu'une femme... 16
— ... En a quelquefois...
A. DE MUSSET, Un caprice, 8.

Les caprices ont de la grâce, mais le crime est, pour satisfaire un caprice, d'éveiller une passion durable. 17
A. MAUROIS, Un art de vivre, II, 5, p. 83.

Vx. Objet de cette inclination. *Garder dans un album les photographies de ses divers caprices.*

♦ **5** Arts. Œuvre d'art s'écartant des règles ordinaires. → **Fantaisie.** *Les Caprices,* de Goya. — Mus. → **Capriccio.**

♦ **6** Par ext. (Au plur.). Changements fréquents et brusques dans la forme ou le mouvement. *Les caprices du terrain. Les caprices de la lumière dans un ciel orageux.*

**CAPRICIEUSEMENT** [kapʀisjøzmɑ̃] adv. — 1612; de *capricieux.*

D'une manière capricieuse. *Agir capricieusement.*

**CAPRICIEUX, EUSE** [kapʀisjø, øz] adj. et n. — 1584; ital. *capriccioso,* de *capriccio.* → Caprice.

♦ **1** Qui a une tendance au caprice (1.), à faire des caprices (2.). Vieilli. (Personnes). → **Bizarre, changeant, fantasque, inconstant, instable, lunatique.** *Il est capricieux jusqu'à l'extravagance.* — Cour. Qui fait des caprices (en parlant d'un enfant). *Cet enfant est capricieux et affectivement instable. Un enfant gâté* et capricieux, insupportable.* — N. *Un petit capricieux.* — REM. Sauf dans ce dernier emploi (enfants), le mot, sans être vieux, n'est plus usuel ; il s'employait pour qualifier l'instabilité intellectuelle autant qu'affective :

Il est un peu capricieux (...) et parfois il a des moments où son esprit s'échappe (...) 1
MOLIÈRE, le Médecin malgré lui, II, 1.

Par ext. *Caractère capricieux, humeur capricieuse.* → **Capricant** (vx). *Attitude capricieuse, comportement capricieux.* — (Entités psychologiques). *Des idées, des fantaisies capricieuses.* → **Bizarre, excentrique, extravagant.** *La verve capricieuse d'un conteur.* → **Fantasque, léger.** — Par métonymie. *Un récit capricieux.*

Je trouve aisément la suite du cauchemar le plus capricieux et le plus échevelé. 2
Th. GAUTIER, Mlle de Maupin, VI, p. 111.

(...) ce charme hardi, capricieux, irrésistible, comme la grâce d'un animal qui court et qui saute. 3
MAUPASSANT, Fort comme la mort, II, p. 188.

La joie est capricieuse. 4
J. ROMAINS, les Hommes de bonne volonté, t. VI, p. 13.

♦ **2** (Animaux). Qui a un comportement imprévisible. *Cheval capricieux. Mule capricieuse. — Les bonds capricieux d'un animal.* → **Capricant.**

♦ **3** (Choses concrètes). Dont la forme, le mouvement varie, est vif et imprévisible. → **Fantaisiste, irrégulier.** *Mode capricieuse. Flots capricieux. Ruisseaux capricieux. Souffles capricieux du vent. Arabesques capricieuses.*

On conçoit aisément que biologistes et médecins (...) ne désespèrent pas de plier à la rigueur des sciences exactes toute cette phénoménologie capricieuse, «ondoyante et diverse» dont la matière vivante est l'insaisissable et déconcertant substrat. 5
G. DUHAMEL, Biographie de mes fantômes, XI, p. 209.

Nous allions par petites étapes, suivant un itinéraire capricieux, au gré de notre fantaisie. 6
G. DUHAMEL, le Temps de la recherche, VII, p. 92.

CONTR. **Constant, persévérant, tenace. — Raisonnable.**
◊ DÉR. **Capricieusement.**

**CAPRICORNE** [kapʀikɔʀn] n. m. — V. 1120; lat *capricornus,* de *caper* «bouc», et *cornu* «corne».

♦ **1** Animal fabuleux, à tête de chèvre et queue de poisson (→ **Ægipan**), dont le nom désigne une constellation zodiacale de l'hémisphère austral. *Tropique du Capricorne :* tropique sud.
Astrol. Dixième signe du zodiaque* correspondant à la période du 21 décembre au 19 janvier. — Ellipt. *Elle est capricorne :* elle est née sous le signe du Capricorne.

♦ **2** (1753). Zool. Insecte coléoptère *(Cérambycidés)* dont le nom scientifique est *cérambyx. Le capricorne compte parmi les plus grands coléoptères; sa larve creuse de longues et sinueuses galeries, notamment dans le chêne.* → **Longicorne.**

♦ **3** (1809). Zool. Antilope vivant en Asie.

**CÂPRIER** [kɑpʀije] n. m. — 1562; *cappier,* 1517; de 1. *câpre.*
Plante dicotylédone (*Capparidacées;* n. sc. *Capparis spinosa*), arbre ou arbrisseau à tige souple, à rameaux sarmenteux, à feuilles simples arrondies, à grandes fleurs d'un blanc rosé. *Le fruit du câprier est une baie charnue. Le câprier est cultivé pour ses boutons à fleurs* (→ 1. **Câpre**) *qui sont utilisés comme condiment.*
DÉR. **Câprière.**

**CÂPRIÈRE** [kɑpʀijɛʀ] n. f. — Fin XVI^e, O. de Serres; de *câprier* (sens 1), et de 1. *câpre* (sens 2).

♦ **1** Plantation de câpriers.

♦ **2** Boîte, pot à conserver les câpres.

**CAPRIFICATION** [kapʀifikasjɔ̃] n. f. — V. 1710; dér. sav. du lat. *caprificus* «figuier *(ficus)* à bouc». → Caprifiguier.
Agric. Opération qui consiste à suspendre parmi les branches d'un figuier cultivé des figues sauvages *(caprifigues)* recelant un insecte hyménoptère (le blastophage), qui assure la fécondation des figues d'été.

**CAPRIFIGUIER** [kapʀifigje] n. m. — 1791; du lat. *caprificus* «figuier *(ficus)* à bouc», refait sur *figuier.*
Figuier* sauvage, dont les fruits sont appelés *caprifigues* (employées pour la caprification* des figuiers cultivés).

**CAPRIFOLIACÉES** [kapʀifɔljase] n. f. pl. — 1809; dér. sav. du lat. *caprifolium.* → Chèvrefeuille; *-acées.*
Bot. Famille de plantes phanérogames angiospermes *(Dicotylédones gamopétales)* comprenant des arbres, arbrisseaux ou herbes, parfois sarmenteux et grimpants. *Types principaux de caprifoliacées :* adoxa, camérisier, chèvrefeuille*, diervilla, linnée, sureau, symphorine, viorne*. — Au sing. *Une caprifoliacée.*

(...) les sureaux abondaient dans l'île, vers l'embouchure du Creek-Rouge, et les colons employaient déjà en guise de café les baies de ces arbrisseaux, qui appartiennent à la famille des caprifoliacées.
J. VERNE, l'Île mystérieuse, t. I, p. 402.

Vx. Adj. *Plante caprifoliacée* (ou *caprifoliée*).

**CAPRIN, INE** [kapʀɛ̃, in] adj. — Mil. XIII^e; lat. *caprinus,* de *capra* «chèvre».

♦ **1** Relatif à la chèvre. *Espèces, races caprines. Un troupeau caprin,* de chèvres. — *Élevages caprins.*

♦ **2** Qui rappelle la chèvre, propre aux chèvres. *Des gambades caprines.* → aussi **Capricant.**

— Et comment vont les chevaux ? demande Cidrolin.
— Ils trouvent le terrain plutôt en pente, répond le duc. Ils n'ont pas l'humeur caprine.
R. QUENEAU, les Fleurs bleues, p. 238.

**CAPRINÉS** [kapʀine] n. m. pl. — 1907, Larousse; du lat. *capra* «chèvre», et suff. *-inés.*
Zool. Sous-famille de mammifères, de la famille des bovidés*, comprenant les chèvres et les espèces apparentées. — Au sing. *Un capriné.*

**CAPRIPÈDE** [kapʀipɛd] adj. et n. m. — 1743; du lat. *capra* «chèvre», et *pes, pedis* «pied».
Didact. Qui a des pieds de chèvre. *Satyre capripède. Faune capripède.* — N. m. *Un capripède :* un satyre.

**CAPRIQUE** [kapʀik] adj. — 1816, Chevreul; du lat. *capra* «chèvre».
Chim. *Acide caprique.* → **Caprylique.**

**CAPRISQUE** [kapʀisk] n. m. — 1810; lat. zool. *capriscus,* grec *kapriskos,* dimin. de *kapros* «sanglier», à cause du grognement de ce poisson.
Zool. Poisson du genre baliste (cf. J. Verne, *Vingt mille lieues sous les mers,* p. 128).

**CAPROÏQUE** [kapʀɔik] adj. → **Caprylique.**

**CAPRON** ou **CAPERON** [kapʀɔ̃] n. m. — 1642, Oudin; de 1. *câpre,* à cause de la saveur aigre de ce fruit.
Bot. Variété de grosse fraise.
DÉR. **Capronier.**

**CAPRONIER** [kapʀɔnje] n. m. — 1796; de *capron.*
Bot. Fraisier qui produit le capron.

**CAPRYLIQUE** [kapʀilik] adj. — 1859; du rad. du lat. *capra* «chèvre», et *-yle.*
Chim. *Acide caprylique :* acide gras, de formule $C_8H_{16}O_2$, qui existe dans le beurre (de chèvre, etc.), l'huile de coco, substances d'où on l'extrait. — REM. On dit aussi *caprique* [kapʀik], *caproïque* [kapʀɔik].

**CAPSA** [kapsa] n. f. — 1520, «urne funéraire»; mot lat., même sens.

♦ **1** Archéol. Boîte destinée à renfermer manuscrits, parfums, etc., dans l'antiquité romaine. *Une capsa d'ivoire.*

♦ **2** (1688). Hist. Boîte pour les suffrages, dans les élections à la Sorbonne.

**CAPSELLE** [kapsɛl] n. f. — 1820; lat. *capsella* «coffret».
Bot. Plante dicotylédone *(Crucifèracées),* herbacée, appelée *bourse-à-pasteur* (n. sc. *Thlaspi*). *La capselle est commune dans les chemins.*

**CAPSIDE** [kapsid] n. f. — 1959, Lwoff, Anderson et Jacob; du lat. *capsa* «boîte», et suff. *-ide.*
Biol. Petit réceptacle dans la matière vivante. *Une capside entoure le matériel génétique des virus* (→ Capsomère, cit.).

*(Le virus)* pénètre à l'intérieur *(de la cellule)* en perdant sa capside protidique (...)
V. VIC-DUPONT, la Maladie infectieuse, p. 38.

DÉR. et COMP. **Capsomère. Décapsidation, décapsider. Nucléocapside.**

**CAPSOMÈRE** [kapsɔmɛʀ] n. m. — 1959, Lwoff, Anderson et Jacob; du rad. de *capside*, et suff. *-mère*.

Biol. Unité constitutive de la capside des virus.

Il a été proposé (A. Lwoff, R. Horne et P. Tournier, 1962) une systématique des virus en groupant ceux-ci suivant la nature de leur matériel génétique (A.D.N. ou A.R.N.), le type de symétrie de la capside (cubique ou hélicoïdale), le nombre des capsomères (pour les virus à symétrie cubique) ou le diamètre de la capside (pour les virus à symétrie hélicoïdale). Ce système (...) est commode, bien qu'il conduise à réunir dans certains sous-groupes des virus sans analogie autre que structurale.

P. LÉPINE, les Virus, *in* Encycl. Pl., Biologie, p. 1892-1893.

**CAPSULAGE** [kapsylaʒ] n. m. — 1878; de *capsuler*.

Techn. Fixation d'une capsule métallique sur le goulot d'une bouteille. *Capsulage à la machine* (*capsulateur*, n. m.).

**CAPSULAIRE** [kapsylɛʀ] adj. — 1690, Furetière; de *capsule*.

♦ **1** (1798). Bot. En forme de capsule. *Fruit capsulaire*, s'ouvrant de lui-même lorsqu'il est mûr. → **Capsule, follicule.**

♦ **2** Anat. Qui se rapporte à une capsule, notamment articulaire. *Ligament capsulaire* (→ Articulaire, cit. 1). — Spécialt. *Artères, veines capsulaires*, des capsules surrénales. → **Surrénal.**

**CAPSULE** [kapsyl] n. f. — 1532, Rabelais, *capsule du cœur; casule*, 1478; lat. *capsula* «petite boîte», de *capsa*. → Caisse.

♦ **1** (Formations naturelles). [a] Anat. Formation anatomique qui a une disposition en enveloppe. *Capsule articulaire* (cit. 1). → **Articulation** (cit. 3). *Capsule synoviale. Capsules surrénales* : glandes à sécrétion interne, situées à la partie supérieure du rein. Lésion, syndrome de la capsule interne.* — *Capsule de Tenon* : enveloppe fibreuse du globe oculaire, s'étendant, en avant, jusqu'au bord de la cornée.

[b] (1690). Bot. Fruit déhiscent dont l'enveloppe est sèche et dure (spécialt, lorsque ce n'est pas une silique ou une pyxide). *Capsules à plusieurs loges. Capsule séminale*, renfermant les semences, les graines. *Capsule des crucifèracées.* → **Silique.** *La balsamine** (→ **Noli me tangere**) *porte des capsules qui éclatent au moindre contact. Capsule d'iris, de pavot, de tulipe; de coton. Capsule de noisette.* → **Coquerelle.**

1 Les plantes à coton du pays, renversant leurs capsules épanouies, ressemblent à des rosiers blancs.

CHATEAUBRIAND, Voyage en Amérique..., 350, *in* LITTRÉ.

Sommité du sporange* (des mousses et des hépatiques), généralement en forme d'urne.

♦ **2** [a] (1690). Chim. Récipient en forme de calotte, fait de matière réfractaire, où l'on fait évaporer les liquides. → **Godet.** *Capsule d'évaporation. Capsule en platine.*

[b] (1834). Pharm., cour. Enveloppe soluble dont on enrobe certains médicaments (surtout liquides) pour en masquer le goût, l'odeur. → **Cachet.** *Capsule médicamenteuse. Médicament en capsules.*

2 Pour tenter de se soustraire à ce cauchemar, Laura fouille à tâtons dans l'étroite poche de sa robe, sans pouvoir quitter des yeux le spectacle. Elle en extrait non sans mal une petite capsule pharmaceutique qu'elle avale sans hésiter.

A. ROBBE-GRILLET, Projet pour une révolution à New-York, p. 143.

♦ **3** [a] (1834). Techn., cour. *Capsule fulminante* : petite enveloppe de cuivre dont le fond est garni de poudre fulminante (→ **Amorce**), et qui est employée dans les armes à feu. → **Détonateur.** *Capsule d'une arme à piston.* — Par ext. *Capsule d'une cartouche*, l'amorce. *Pistolet d'enfant à capsules*, à amorces.

[b] Électr., radio. *Capsule de la galène. Capsule microphonique* (d'un microphone à charbon; on dit aussi *cellule, pastille microphonique*). *Changer la capsule d'un micro.*

♦ **4** *Capsule (spatiale* ou *aérospatiale)* : élément d'un «train» spatial pouvant contenir des occupants ou des appareils de laboratoire. *Larguer une capsule. Capsule biplace. «L'énorme assemblage qui s'est arraché du sol du Cap Kennedy (...) s'est énormément raccourci, ne consistant plus qu'en deux éléments : la capsule-cabine et la capsule-usine»* (*Paris-Match*, 28 déc. 1968).

♦ **5** (1864). Cour. Calotte de métal embouti, qui sert à fermer une bouteille, ou à garnir le goulot, après bouchage. *Capsule de bouteille de bière.* → **Bouchon** (bouchon-couronne). *Joint interne* (en liège, en plastique) *d'une capsule. Capsule d'une bouteille de vin, d'eau minérale. La capsule d'un bouchon. Munir d'une capsule.* → **Capsuler; capsulage.** *Enlever la capsule d'une bouteille.* → **Décapsuler.** *Le trottoir près du café est jonché de capsules. Collectionner les capsules.*

**CAPSULE-CONGÉ** : capsule que l'on appose sur les bouteilles de vin et d'alcool, portant l'attestation du paiement des taxes fiscales.

**DÉR. et COMP. Capsulaire, capsuler, capsulerie. Décapsuler. Écapsuleuse.**

**CAPSULER** [kapsyle] v. tr. — 1845; de *capsule*.

Fermer par une capsule (5.). *Capsuler une bouteille à la machine. Machine à capsuler* (ou **capsuleuse**, n. f.).

◆ **CAPSULÉ, ÉE** p. p. adj. Muni d'une capsule (1.). *Tumeur capsulée*, entourée d'une capsule fibreuse. — (Au sens 3 de *capsule*). *Électrode capsulée.* — (Au sens 5). *Bouteilles capsulées.*

**CONTR. Décapsuler.** ◊ **DÉR. Capsulage.**

**CAPSULERIE** [kapsylʀi] n. f. — 1867; de *capsule*.

Vx. Usine où étaient fabriquées les capsules (3., a) pour les armes à percussion.

**CAPTABLE** [kaptabl] adj. — Av. 1958; de *capter*.

Qui peut être capté. → **Capter** (2., 3.). *Onde, émission captable.*

**CAPTAGE** [kaptaʒ] n. m. — 1863; de *capter*.

Technique.

♦ **1** Action de capter. *Le captage des eaux d'une source. Captage de l'eau pour l'alimentation d'une ville. Captage par tranchée, par aqueduc.* → **Captation** (B.). — REM. *Captage* désigne en général l'action de capter (B, 2. et 3.); *captation* s'emploie surtout dans le domaine psychologique et en droit (→ Capter).

♦ **2** Action de recueillir les poussières, fumées, brouillards et gaz à l'émission.

**CAPTAL** [kaptal] n. m. — Fin XIV^e; repris XX^e dans l'usage didact.; mot gascon, du lat. *capitalis* «qui est le premier; chef». → Capitoul.

Hist. Au moyen âge, Capitaine, chef militaire gascon.

**CAPTATEUR, TRICE** [kaptatœʀ, tʀis] n. — 1606, Du Vair; lat. *captator*, de *captare*. → Capter.

Dr. Personne qui use de captation (2.). *Un captateur d'héritage, de testament, de succession. La captatrice d'un héritage.*

**CAPTATIF, IVE** [kaptatif, iv] adj. — 1926, *in* D. D. L.; du lat. *captare* «chercher à prendre». → Capter.

♦ **1** Psychol. Qui cherche à accaparer qqn, à prendre pour soi. → **Abusif** (2.), **possessif.** *Amour captatif* (opposé à *amour oblatif*). — (Personnes). *Un sujet, un enfant captatif.*

1 On peut même dire que l'amour captatif implique la jalousie, qu'il se confond avec l'amour jaloux, la jalousie y étant virtuellement présente, même en dehors de toute situation réelle de rivalité.
Daniel LAGACHE, la Jalousie amoureuse, II, 13, *in* FOULQUIÉ, Dict. de la langue philosophique.

2 Ce que je redemandais, c'était cet élan qu'elle éprouvait justement pour ma personne, élan joyeux, non captatif. Moiselle est la première qui m'ait donné l'impression de ne pas exister relativement.
Michèle PERREIN, Entre chienne et louve, p. 116.

♦ **2** Dr. Relatif à la captation (2.). → **Captatoire.**

CONTR. (Du sens 1) **Oblatif.** ◊ DÉR. **Captativité.**

**CAPTATION** [kaptasjɔ̃] n. f. — 1520, *captation de beni volence* (bienveillance); lat. *captatio*, de *captare*. → Capter.

**A** ♦ **1** Manœuvres faites pour la conquête (d'une chose, d'une personne ou d'un de ses pouvoirs), essentiellement par intérêt.

0.1 Toute cette vie, toutes ses attentes, ses ennuis, sa faim, son sommeil, son insomnie, ses projets, ses tentatives de jouissance esthétique et leur échec, ses essais de jouissance sensuelle et leur brusque terminaison, ses essais de captation d'une personne qui plaît et leur dérisoire enlisement, cette odeur a enveloppé tout cela.
PROUST, Jean Santeuil, Pl., p. 400.

1 Ce machinisme est néanmoins surtout une technique : celle de la captation des forces naturelles, asservies par l'homme, dont la puissance se trouve de la sorte démesurément accrue.
André SIEGFRIED, l'Âme des peuples, Conclusion, I, p. 198.

Psychol. Fait de chercher à accaparer (qqn; son affection). → **Captativité.**

♦ **2** (1752). Dr. Usage de moyens propres à se rendre agréable à une personne en vue de s'attirer une libéralité, lorsqu'ils sont accompagnés de pratiques artificieuses ou d'insinuations mensongères *(captation dolosive).* → **Dol, suggestion.** *La captation n'est répréhensible que si elle est empreinte de dol. La captation par manœuvres déloyales entraîne la nullité de la donation* (Jurisprudence de l'art. 901 du Code civil). *Captation d'héritage, de testament. Manœuvres de captation.* → **Captatif** (2.), **captatoire.**

1.1 Les Charbonnel, qui n'avaient jamais compté sur l'héritage, devenus brusquement héritiers par la mort d'un frère du défunt, crièrent alors à la captation (...)
ZOLA, Son Excellence Eugène Rougon, t. I, p. 54.

2 Le Code n'a pas reproduit la disposition de l'ordonnance de 1735. Il y avait dans le projet de l'An VIII un article portant que les testaments «ne pourraient plus être attaqués pour cause de captation ou de suggestion».
M. PLANIOL, Traité élémentaire de droit civil, t. III, nº 2883.

**B** (1934, *in* D. D. L.; sens concret). ♦ **1** Rare. Fait de capter, d'amener un fluide, de le conduire. *La captation des eaux par un tuyau collecteur.* → **Captage** (terme recommandé).

♦ **2** Radio, télév., cour. Action de recueillir (des ondes), d'enregistrer (des sons). → **Capter** (B., 3.).

DÉR. **Captatoire.**

**CAPTATIVITÉ** [kaptativite] n. f. — 1926, *in* D. D. L.; de *captatif*.

Didact. (psychol., psychan.). Caractère de la conduite d'un sujet captatif. → **Possessivité.**

CONTR. **Oblativité.**

**CAPTATOIRE** [kaptatwaʀ] adj. — 1771, Trévoux; de *captation*.

Dr. Qui a rapport à la captation (2.). → **Captatif** (2.). *Manœuvres captatoires.*

**CAPTER** [kapte] v. tr. — XVe, «gagner (la bienveillance de l'auditeur)»; vx au XVIIe, semble reprendre vie au XVIIIe; lat. *captare* «essayer de prendre».

**A** ♦ **1** **a** Chercher à obtenir* (qqch.), à gagner* (qqn) par des manœuvres intéressées, souvent peu honnêtes. → **Captiver** (A., 2.), **circonvenir, (vx) embobeliner** (qqn). *Capter l'attention* (cit. 30), *la bienveillance de quelqu'un.*

(...) je déployais toute mon éloquence pour capter la bienveillance de Mme de Warens. 1
ROUSSEAU, les Confessions, II.

(1762). *Capter les suffrages, les voix.*

**b** Retenir, obtenir (l'attention, l'intérêt...).

Sa voix de basse avait, dès les premiers mots, capté l'attention. MARTIN DU GARD, les Thibault, t. VII, p. 118. 2

♦ **2** (1935; très probablt antérieur, *captation* datant du XVIIIe). Dr. *Capter une donation, un legs.* → **Captation** (2.).

**B** ♦ **1** **a** (1863, Littré). *Capter une source, l'eau d'une rivière, etc.* : amener l'eau à un point déterminé par un canal, un tuyau... → **Canaliser** (→ Amener, cit. 7).

Intercepter (des éléments naturels : vent, force des marées, lumière...) pour utiliser. *Capter la chaleur solaire.* → **Capteur.**

**b** (Abstrait). Recueillir pour utiliser (→ aussi Canaliser, cit. 2).

De même, la plupart des désespoirs d'artistes se fondent sur la difficulté ou l'impossibilité de rendre par les moyens de leur art une image qui leur semble se décolorer et se faner en la captant dans une phrase, sur une toile ou sur une portée. VALÉRY, Variété I, p. 251. 3

Saisir intellectuellement. *Capter avec finesse les pensées d'autrui.*

♦ **2** Recueillir (une émanation, une énergie), sans idée d'utilisation. — Au passif :

Une vague odeur engourdissante de peinture (...) flottait, captée par les tapis et les sièges. 3.1
MAUPASSANT, Fort comme la mort, I, 1.

♦ **3** (XXe). Techn. *Capter un message, une émission de radio, un courant électrique,* les recevoir ou les intercepter. *Capter un sans-fil.* — Par métaphore :

(...) la vérité étant plutôt un courant qui parle de ce qu'on nous dit et qu'on capte tout invisible qu'il soit, que la chose même qu'on nous a dite. 4
PROUST, Sodome et Gomorrhe, II, p. 315.

CONTR. **Disperser, répandre. — Écarter, perdre.** ◊ DÉR. **Captable, captage, capteur. — V. Captateur, captation.**

**CAPTEUR** [kaptœʀ] n. m. — V. 1780 au sens A, 1; de *capter*.

**A** Vx. ♦ **1** Personne qui s'empare de (qqch., qqn). *Le capteur du fuyard recevra une prime.*

♦ **2** (1783). Mar. Navire qui s'empare d'un autre navire.

♦ **3** Fig. Personne qui capte (A., 1.). — Adj. «*Si gentils, si capteurs des âmes*» (→ Aimer, cit. 9.1).

**B** Mod. (de *capter*, B.). ♦ **1** (V. 1960). Sc. Dispositif permettant de détecter, en vue de le représenter, un phénomène physique sous la forme d'un signal (généralement électrique). → **Détecteur.** «*Un capteur photo-électrique (...) transforme les rotations en impulsions électriques*» (*France-Europe*, n° 16, p. 60). *Capteur tactile, visuel d'un robot.* — Par appos. *Un microphone capteur.* — *Capteur de cap.*

♦ **2** Techn. *Capteur solaire* ou *capteur :* dispositif destiné à emmagasiner de l'énergie solaire pour produire de l'énergie thermique (en chauffant des réservoirs dont l'eau cédera sa chaleur à des circuits de chauffage) ou de l'énergie électrique. → **Photopile.** «*Si la totalité du rayonnement solaire pouvait être captée et accumulée (...) il suffirait d'environ dix mètres carrés de capteurs pour chauffer une maison individuelle*» (*le Nouvel Obs.*, 19 juin 1978). *Capteur plan. Capteur à concentration* (de forme parabolique).

COMP. **Phonocapteur, photocapteur.**

**CAPTIEUSEMENT** [kapsjøzmɑ̃] adv. — XIVe; de *captieux.*

Rare. De façon captieuse, insidieuse. Fallacieusement. → **Insidieusement.**

CONTR. **Sincèrement.**

**CAPTIEUX, EUSE** [kapsjø, øz] adj. — XIVe; *capcieux*, v. 1389; du lat. *captiosus*, du rad. de *capere* «prendre». Littér. ou style soutenu.

♦ **1** Qui tend, sous des apparences de vérité, à surprendre l'esprit, à tromper, à induire en erreur. → **Fallacieux, insidieux, sophistique, spécieux.** *Raisonnement, discours captieux. Proposition captieuse. Convaincre, séduire qqn par des arguments captieux.*

1 Et toi, crédule amant, que charme l'apparence,
Et dont l'esprit léger s'attache avidement
Aux attraits captieux de mon déguisement.
CORNEILLE, Rodogune, IV, 5.

2 (...) mais devons-nous honorer les gens de bien comme un fourbe les persécute? et le philosophe imitera-t-il des raisonnements captieux dont il fut si souvent la victime?
ROUSSEAU, Lettre à M. d'Alembert, p. 128.

3 Ils sont sophistes autant que philosophes (...) une subtile distinction, une longue analyse raffinée, un argument captieux et difficile à débrouiller, les attire et les retient. Ils s'amusent et s'attardent dans la dialectique, les arguties et le paradoxe.
TAINE, Philosophie de l'art, t. II, IV, I, IV.

4 (...) certains mots venus du cœur toucheraient le lecteur davantage que tous ces raisonnements plus ou moins captieux, c'est précisément pour cela que, ces mots, je ne les ai point prononcés.
GIDE, Journal, 1918, Feuillets, II, Pl., p. 672.

♦ **2** Vx (personnes). *Un raisonneur, un philosophe captieux,* qui cherche à tromper par des raisonnements spécieux. → **Sophiste.**

CONTR. **Correct, sincère, vrai.** ◊ DÉR. **Captieusement.**

**CAPTIF, IVE** [kaptif, iv] adj. et n. — 1450; lat. *captivus* «prisonnier», de *capere* «prendre».

♦ **1** Hist. ou littér. Qui a été fait prisonnier au cours d'une guerre, et généralement utilisé comme esclave. → **Prisonnier** (mod.). *Un roi, un peuple captif. Tuer les vaincus, et emmener leurs femmes captives. Être captif* (→ Être dans les fers*). — Par ext. *Une ville, un pays captif. Rome rendit sa liberté à la Grèce longtemps captive* (Académie).

N. *Un captif. Une captive. Le triomphateur traînait à la suite de son char les captifs enchaînés. Payer la rançon d'un captif. La délivrance, la libération des captifs.* — *La Jeune Captive,* poème de Chénier.

Pour éblouir le peuple, Hamilcar, dès le lendemain de la victoire, avait envoyé à Carthage les deux mille captifs faits sur le champ de bataille. 1
FLAUBERT, Salammbô, IX, p. 182.

♦ **2** Littér. Privé de liberté. → **Détenu, emprisonné, enfermé, incarcéré, prisonnier** (→ Assurance, cit. 12). — Nom :

Les récits des captifs nous montrent l'horrible confusion qui régnait en Allemagne à la fin de la tragédie : toutes les races mêlées, — admirable résultat du racisme — des millions de personnes hors de leur lieu naturel, les camps, les charniers, la misère et la ruine générales. 2
G. DUHAMEL, Manuel du protestataire, p. 18.

(Animaux). Qui est prisonnier de l'homme. *Un oiseau captif.* → **Cage** (en cage). *Des bêtes captives, enfermées dans un zoo.*

♦ **3** (1845; qualifiant une chose, dans quelques syntagmes). *Ballon captif :* aérostat retenu par un câble. — Géol. *Nappe captive :* nappe aquifère retenue entre deux couches imperméables. — Littér. Qui ne peut se déployer, aller librement. *L'eau captive d'un bassin.*

♦ **4** (1488). Littér. Qui est fasciné par (qqn, qqch.); qui est soumis à l'emprise de (qqn, qqch.). → **Asservi, attaché, esclave; séduit, soumis.** *Tenir qqn captif. Devenir captif de qqn.*

C'est proprement un charme : il rend l'âme attentive, 3
Ou plutôt il la tient captive (...)
LA FONTAINE, Fables, VII, À Madame de Montespan.

N. *Le captif, la captive de (qqch.),* personne soumise, asservie à (un pouvoir).

Même dans une société libre, il y aura toujours des captifs, ceux de la misère, ceux de l'âge, ceux des préjugés, des passions. 4
MICHELET, la Femme, p. 460.

(...) je suis le captif des mille êtres que j'aime (...) 5
SULLY-PRUDHOMME, Tendresse et Solitudes, «Les chaînes», p. 5.

(1671). Spécialt. *Être captif de ses passions, de son caractère.* — N. (→ ci-dessus, cit. 4).

(...) les commodités dont il se munit sont autant d'assujettissements dans lesquels il s'embarrasse, et l'artifice de son confortable le tient captif. 6
TAINE, Philosophie de l'art, t. II, IV, II, 1.

CONTR. **Libre.** — **Affranchi, détaché, épanoui.**

**CAPTIVANT, ANTE** [kaptivɑ̃, ɑ̃t] adj. → **Captiver.**

**CAPTIVER** [kaptive] v. tr. — Av. 1559; *se captiver* «se soumettre», déb. XVe; bas lat. *captivare*, de *captivus.* → Captif.

**A** ♦ **1** (1665). Vx. Retenir captif (qqn); faire prisonnier. → **Enchaîner.**

Ni grilles ni verrous ne tiennent contre moi. 1
Cessez, indignes fers, de captiver un roi (...)
CORNEILLE, Médée, IV, 5.

Par métaphore. Retenir, garder (qqn) avec soi.

Je ne sais comme nous pûmes vous captiver un hiver ici. 2
Vous voltigez (...)
Mme DE SÉVIGNÉ, 1245, 21 déc. 1689.

♦ **2** (Compl. n. de chose). → **Assujettir; asservir, maîtriser, soumettre.** *Captiver la volonté, l'attention de qqn.* → **Capter** (A., 1.).

Il n'y a point d'assujettissement si parfait que celui qui garde l'apparence de la liberté; on captive ainsi la volonté même. 3
ROUSSEAU, Émile, II, 121.

Si toutes les productions de la Nature sont des effets résultatifs des lois qui la captivent; si son action et sa réaction perpétuelle supposent le mouvement nécessaire à son essence, que devient le souverain maître que lui prêtent gratuitement les sots? 3.1
SADE, Justine..., t. I, p. 78.

♦ **3** (Par métaphore du sens 1). Asservir à ses charmes.

4 Cet unique vaillant, la fleur des capitaines,
Qui dompte autant de rois qu'il captive de reines.
CORNEILLE, l'Illusion comique, III, 5.

**B** Mod. ♦ **1** (Compl. n. de chose). Vieilli ou littér. (Sujet n. de personne). Attirer et fixer (l'attention); retenir en séduisant, en plaisant. → **Charmer, conquérir, dompter, enchaîner, enchanter, ensorceler, gagner, occuper, passionner, plaire** (à), **saisir, séduire.** *Captiver le cœur de qqn par ses mérites. Captiver l'attention, l'esprit, l'intelligence de quelqu'un.*

(Sujet n. de chose) :

5 Attraits, appas, charmes *(dans une femme)*. Ces trois mots expriment les beautés qui dans une femme saisissent les yeux et les captivent. LITTRÉ, Dict., art. *Attrait.*

♦ **2** Cour. (Compl. n. de personne ou de groupe). *Sa lecture le captive. Il a su captiver l'auditoire. Captiver les foules.* — Absolt. *Un spectacle qui captive* (→ ci-dessous, *captivant*).

Passif et p. p. *Être captivé par un film.*

6 Le vieux seigneur la prit chez lui, et il fut bientôt si captivé qu'il ne pouvait se passer d'elle une minute.
MAUPASSANT, Clair de lune, p. 148.

REM. Seul ce sens, le pronominal et l'adjectif participial *captivant* qui y correspond (→ ci-dessous) sont courants en français moderne.

◆ **SE CAPTIVER** v. pron.

Se passionner pour (qqn ou qqch.). *Se captiver à une lecture, à un sport.*

◆ **CAPTIVANT, ANTE** p. prés. et adj.

Qui captive (2.). *Un film captivant. Une lecture captivante.* → **Attachant.** *Une conversation, une pensée, une question captivante.* → **Enthousiasmant, passionnant, prenant.** *Un charme captivant.* → **Enveloppant, séduisant, vainqueur.** *Un homme captivant.* → **Charmeur, magicien, sorcier.**

7 (...) la terre est tellement captivante, qu'elle fait presque oublier la mer.
MAUPASSANT, la Vie errante, III, p. 59.

8 C'est chose exquise et saine que de lire dix lignes de Bossuet en choisissant un passage où il n'est nullement orateur, mais exprime simplement une pensée simple, sans mot à effet, mais lumineux et captivant par la seule vertu du terme juste.
Émile FAGUET, Études littéraires, p. 422.

9 Durant vingt minutes, le merveilleux orateur nous tint sous le charme de son élocution captivante, avec un rapide exposé qui, plein de clarté spirituellement évocatrice, prenait pour sujet l'histoire des Électeurs de Brandebourg.
Raymond ROUSSEL, Impressions d'Afrique, p. 83.

◆ **CAPTIVÉ, ÉE** p. p. adj. *Des auditoires captivés. Un air captivé* (→ ci-dessus, cit. 6).

CONTR. **Affranchir, détacher, libérer.** — (Du p. p.) **Ennuyeux, repoussant.**

**CAPTIVITÉ** [kaptivite] n. f. — XIIIe; lat. *captivitas,* de *captivus.* → Captif.

♦ **1** État d'une personne captive; fait d'être captif, retenu dans un lieu contre sa volonté. — REM. Le mot suppose un contexte ancien, historique, et ne s'emploierait plus pour «emprisonnement*, prison*». *La captivité de qqn, sa captivité. Longue, pénible, dure captivité. Pendant, durant sa captivité. À la fin de sa captivité.* — EN CAPTIVITÉ. *Emmener, réduire en captivité. Tenir en captivité.* → **Enfermer, incarcérer.** *Vivre en captivité.*

10 La correspondance continua jusqu'au jour. Cette nuit était la cent soixante-treizième de sa captivité *(de Fabrice, enfermé dans la citadelle de Parme)*, et on lui apprit que depuis quatre mois on faisait des signaux toutes les nuits (...) deux apparitions rapides suivies de deux lettres voulaient dire *évasion.*
STENDHAL, la Chartreuse de Parme, II, XX.

Spécialt, plus cour. État de prisonnier de guerre. *Retour de captivité. Compagnons de captivité.*

Ellipt. *La captivité de Babylone :* la captivité des Hébreux à Babylone (→ Apocryphe, cit. 2).

Le sceptre ne fut point interrompu par la captivité de Babylone, à cause que le retour était promis et prédit. 1
PASCAL, Pensées, 637.

Par ext. Fait d'être privé (momentanément, volontairement) de liberté. *Une captivité volontaire. La captivité quotidienne des ouvriers à l'usine.*

♦ **2** (1690). Fig., littér. Assujettissement de l'esprit à (qqn ou à qqch.). → **Assujettissement, attachement, dépendance, esclavage, servitude, sujétion.** *La captivité des passions* (→ Bercer, cit. 8).

Le péché c'est ce qu'on ne fait pas librement. 2
Délivrez-moi de cette captivité, Seigneur!
GIDE, Journal, 1916-1919.

CONTR. **Affranchissement, détachement, évasion, libération, liberté.**

**CAPTURE** [kaptyʀ] n. f. — 1406, «prise de butin»; lat. *captura,* de *capere* «prendre». → Captif.

♦ **1** Action de capturer (un être vivant). *La capture d'un criminel.* → **Arrestation** (cf. Un beau coup de filet). — *La capture d'un oiseau, d'un animal sauvage.*

La capture du coupable, toujours imminente d'ailleurs, n'était pas encore effectuée, mais on tenait toutes les issues du parc. Une évasion était impossible. 1
M. LEBLANC, l'Aiguille creuse, p. 42.

Par métaphore. Action de gagner, de séduire (une personne).

♦ **2** Action de saisir (qqch.). «*Capture (...) de documents importants*» (Joffre, *in* T. L. F.).

(1787). Mar. Prise d'un navire ennemi. *Surcouf a effectué de nombreuses captures.*

(1740). Saisie de marchandises (de contrebande...) opérée par le service des douanes.

C'est que ce Detcharry est resté fameux à Erribiague, pour ses ruses, ses embuscades, ses captures de marchandises de contrebande. 2
LOTI, Ramuntcho, XV, p. 135 (1897).

♦ **3** Par métonymie. Ce qui constitue la prise. → **Butin, prise, trophée.** *Une belle capture.*

♦ **4** Géogr. *Capture d'une rivière :* phénomène naturel selon lequel une rivière change de cours pour se développer dans une autre rivière.

♦ **5** Phys. Phénomène par lequel une particule s'intègre à un système atomique ou nucléaire. *Capture d'un neutron par un noyau.* — *Capture multiple,* dans laquelle un noyau acquiert, simultanément ou successivement, plusieurs neutrons.

DÉR. **Capturer.**

**CAPTURER** [kaptyʀe] v. tr. — XVIe; de *capture.*

♦ **1** S'emparer de (un être vivant). → **Arrêter, prendre, saisir.** *Capturer un malfaiteur* (littér. ou style soutenu). *Capturer un animal féroce, une proie.* → **Emparer** (s'). — Au p. p. *Animaux capturés.*

Sur la rive, je poursuis de grands papillons noirs lamés d'azur (...) Il y en a d'énormes, et j'enrage de ne pouvoir m'en saisir. (J'en capture pourtant quelques-uns, mais les plus surprenants m'échappent).
GIDE, Voyage au Congo,
*in* Souvenirs, Pl., p. 706 (1927).

Par métaphore. S'assurer de la soumission de (qqn) sur le plan intellectuel, moral, sentimental. → **Asservir, séduire, soumettre.** «*Tu captures et tu captives un grand homme*» (Balzac).

Saisir, comprendre (qqch., qqn) par l'intellect, par l'art.

♦ **2** Rare. Prendre (qqch). — *Carte bancaire capturée par un distributeur de billets,* retenue, avalée. — (1835). Mar. *Capturer un navire :* saisir un bâtiment ennemi.

♦ **3** Phys. (s'agissant d'un système nucléaire ou atomique). Absorber (une particule) par capture.

CONTR. **Lâcher, libérer, relâcher.**

**CAPUCCINO** [kaputʃino] n. m. → **Cappuccino.**

**CAPUCE** [kapys] n. m. — 1618; *capuzze,* 1606; ital *cappuccio* «capuchon».

Didact. Capuchon* taillé en pointe que portent certains moines. *Le capuce des capucins.*

DÉR. **Capucine.**

**CAPUCHE** [kapyʃ] n. f. — 1507; var. régionale (Nord, Est) pour *capuce, capuchon,* jusqu'au mil. du XIXe; de *cape,* et suff. *-uche.*

♦ **1** Ancienn. Capuchon muni d'une collerette qui protège les épaules.

♦ **2** Mod. [a] Petit capuchon de poche; capuchon amovible.

Je dévale la rue en courant. Il pleut à torrents et je n'ai pas ma capuche en plastique.
Yanny HUREAUX, la Prof, p. 193.

[b] Capuchon (1.).

**CAPUCHON** [kapyʃɔ̃] n. m. — 1542; de *capuche,* p.-ê. avec l'infl. de l'ital. *cappuccio.* → Capuce.

♦ **1** Large bonnet formant la partie supérieure d'un vêtement et que l'on peut rabattre sur la tête. *Baisser, rabattre son capuchon. Capuchon de moine.* → **Cagoule, capuce, cuculle** (didact.). *Coiffure de femme en forme de capuchon.* → **Capuche, capulet** (vx), **chaperon.** *Vêtements munis d'un capuchon :* anorak, caban, capote, domino, pèlerine. *Pèlerine, manteau, imperméable à capuchon.*

1 (...) il baissa comme une cagoule le capuchon de sa pèlerine (...) MARTIN DU GARD, les Thibault, t. IV, p. 74.

2 Son capuchon pointu et noir se dressait démesurément sur ses épaules. Il le rendait difforme (...)
H. BOSCO, Un rameau de la nuit, p. 118.

♦ **2** Pèlerine à capuchon. *Prends ton capuchon, il va pleuvoir.*

♦ **3** Fig. [a] (1762). Bot. Prolongement en forme de sac, de casque, des pétales et sépales de certaines plantes. *Les aconits présentent un capuchon.*
Biol. *Capuchon du spermatozoïde.* → **Acrosome.**

[b] (1783). Mar. Coiffe goudronnée qui couvre les haubans.

[c] Techn. Garniture de tôle sur un tuyau de cheminée.

[d] Cour. Pièce (souvent filetée) servant à fermer et à protéger. *Capuchon de stylo. Mettre, visser le capuchon.* → **Bouchon.**

3 Il rebouchait les flacons de parfum, revissait le capuchon du tube de dentifrice, rangeait les pots de crème sur la tablette du lavabo (...)
H. TROYAT, la Tête sur les épaules, p. 13.

DÉR. **Capuchonner.** ◊ COMP. **Décapuchonner, encapuchonner.**

**CAPUCHONNER** [kapyʃɔne] v. tr. — 1861; *capuchonné* «qui porte un capuchon», 1571; de *capuchon.*

♦ **1** Vx. Couvrir d'un capuchon* (1.). → **Encapuchonner.**

♦ **2** Techn. Couvrir d'un couvercle en capuchon. — Ancienn. *Capuchonner une cheminée de locomotive* (à vapeur).

◆ **CAPUCHONNÉ, ÉE** p. p. adj.

♦ **1** Qui porte un capuchon (vx ou technique).

♦ **2** Bot. Qui est en forme de capuchon (→ Capuchon, 3., a). *Sépales capuchonnés.*

CONTR. **Décapuchonner.**

**CAPUCIN, INE** [kapysɛ̃, in] n. — 1611; *capuchin,* v. 1580; *capussin,* 1542, Rabelais; ital. *cappuccino* «porteur de capuce», de *cappuccio* «capuche, capuce».

♦ **1** Religieux réformé de l'ordre de saint François. → **Franciscain.** *Les capucins portent un ample capuchon pointu.* → **Capuce.** — Au fém. (1622). *Les capucines,* religieuses du même ordre.

♦ **2** Vx (langue class.). Homme qui affiche une dévotion étroite. — *À la capucine :* à la façon d'un capucin, d'un dévot (grande simplicité, ou dévotion excessive). *Discours à la capucine.* → **Capucinade.**

Les sermons du P. Séraphin, dont il répétait souvent deux fois de suite les mêmes phrases, étaient fort à la capucine. 1
SAINT-SIMON, Mémoires, 35, 151, *in* LITTRÉ.

*Parler comme un capucin :* parler du nez.
Loc. *Barbe* de capucin :* longue barbe.
Loc. (Vx). *Capucin de cartes :* jeu de cartes pliées et entaillées en forme de capuce, que les enfants s'amusent à renverser. — Loc. mod. *Tomber comme des capucins de cartes,* les uns sur les autres.

Toute l'armée de Quiquendone fut couchée à terre, comme une armée de capucins... Heureusement il n'y eut aucune victime : quelques écorchures et quelques bobos, voilà tout. J. VERNE, le Docteur Ox, p. 105. 2

♦ **3** Bot. (Dans des syntagmes). *Barbe-de-capucin.* → **Chicorée.** *Poudre de capucin.* → **Cévadille.**

♦ **4** Singe d'Amérique à longue barbe. → **Saï, sajou.**

Nous apercevons dans les branches quatre singes noirs et blancs, de ceux qu'on appelle, je crois, des «capucins». 3
GIDE, Voyage au Congo, *in* Souvenirs, Pl., p. 713 (1927).

♦ **5** Fam. (Dans le langage des chasseurs). Lièvre*.

DÉR. **Capucinade, capucinière.** ◊ HOM. (Du fém.) **Capucine.**

**CAPUCINADE** [kapysinad] n. f. — 1724; de *capucin,* dans la loc. *à la capucine.* → Capucin (2.).

Vx (langue class.) ou littér. Banal discours de morale. *Dire des capucinades. Ce sermon n'est qu'une capucinade* (Académie).

(...) plus adroit pourtant que fripon, et qui, débitant d'un ton de racoleur ses capucinades, ressemblait à l'ermite Pierre prêchant la croisade le sabre au côté. 1
ROUSSEAU, les Confessions, II.

(...) il n'a plus en bouche que des capucinades; et quand j'ai bien trimé, faisant marché, cuisine et ménage, Monsieur cite son Évangile (...) 2
GIDE, les Caves du Vatican, Farce, I, 8.

Affectation verbale de dévotion. *Faire une capucinade.*

**CAPUCINE** [kapysin] n. f. et adj. invar. — 1694; de *capuce,* et suff. *-ine.*

♦ **1** Plante dicotylédone (*Tropæloacées;* n. sc. *tropæolum*), herbacée, annuelle ou vivace, ornementale, généralement grimpante, aux fleurs de couleur variant du jaune au pourpre. *La capucine tubéreuse est cultivée pour ses racines comestibles. Plants de capucines.*

Le soleil jouait sur les briques, sur les vitres brillantes des fenêtres qu'égayaient des capucines et des géraniums.
MARTIN DU GARD, les Thibault, t. II, p. 230.

*Câpre* capucine.*

Plus cour. Fleur de la capucine (qui a la forme d'un capuchon).

Adj. invar. (1798). De la couleur rouge-orangé de la capucine. *Des bérets capucine.*

*Dansons la capucine !,* refrain d'une ronde enfantine, au terme de laquelle on s'accroupit.

♦ **2** (1829). Anciennt. Chacun des trois anneaux de métal qui relient le canon et le bois d'une arme à feu.

Loc. fam. (Vx). *Jusqu'à la troisième capucine :* complètement. *Être soûl jusqu'à la troisième capucine* (*in* Esnault).

**HOM. Capucine** (fém. de *capucin*).

**CAPUCINIÈRE** [kapysinjɛʀ] n. f. — 1753; de *capucin.*

♦ **1** Vx (langue classique). Maison de capucins. Séminaire.

♦ **2** Fig. et péj. Maison habitée par des dévots.

**CAPUCINO** [kaputʃino] n. m. → **Cappuccino.**

**CAPULET** [kapylɛ] n. m. — 1818; mot béarnais; de *capule,* même sens, du lat. vulg. **cappulus,* croisement de *cappellus* «coiffe», et *cucullus* «capuchon».

Régional (Pyrénées) et vx. Capuchon* porté par les femmes.

Une espèce de capuchon fait en drap écarlate. On le nomme Capulet dans le pays. On en fait en drap blanc et en drap noir; mais la couleur écarlate est la plus recherchée.

J.-M.-J. DEVILLE, Annales de la Bigorre, 1818, p. 214, *in* D. D. L., II, 12.

**CAPUT MORTUUM** [kapytmɔʀtyɔm] n. m. — 1751; expression latine, «tête morte».

♦ **1** Alchim. Reste, résidu. *Le caput mortuum d'une calcination.*

♦ **2** (1845). Fig. Didact. Reste, résidu, résultat négligeable de quelque chose.

**CAQUAGE** [kakaʒ] n. m. — 1730; de 1. *caquer.*

Technique.

♦ **1** Action de mettre en caque (du poisson; par ext., de la poudre, du salpêtre, du suif). → **Encaquement.**

♦ **2** Préparation (des poissons) en vue de les mettre en caque. *Le caquage des harengs* (rare : on dit plutôt *mise en caque*).

1. **CAQUE** [kak] n. f. — Déb. XVe; *kaque,* 1397; *caque,* masc., v. 1264; de l'anc. nordique *kaggi, kaggr* «tonneau», rapproché de 1. *caquer* au mil. du XIVe.

Techn. ou fig. et littéraire.

♦ **1** Barrique où l'on empile des harengs salés. *Une caque de harengs. Mettre, mise en caque.* → **Caquage** (rare). *Sentir la caque :* sentir très fort le poisson. «*Le garnement sentait la caque...*» (→ Poissonnerie, cit. Zola).

Prov. *La caque sent toujours le hareng :* on porte toujours la marque de son origine, de sa vulgarité, malgré des apparences flatteuses.

Fig. *Serrés comme des harengs en caque* (cf. Comme des sardines...). → aussi **Encaquer, fig.**

Nous serons tassés comme des harengs en caque.

J. RENARD, Journal, 14 nov. 1889.

♦ **2** Techn. Baril servant à mettre du salpêtre, de la poudre. — Tonneau de bois contenant du suif fondu.

♦ **3** Régional (Champagne). Récipient (de bois, d'osier) servant à transporter les vendanges. → **Hotte.**

**COMP. Encaquer.**

2. **CAQUE** [kak] n. f. — D. i. (→ Caca, 1534); déverbal de 2. *caquer.*

Régional (Suisse) et fam. Excrément (des petits animaux : oiseaux, etc.). → **Crotte, fiente; chiure.**

**CAQUELON** [kaklɔ̃] n. m. — 1717; *quaquellon,* 1707; de *caquelle* (Jura suisse, Franche-Comté), de l'alémanique *kachel* plutôt que de *caque,* du néerl. *caken* ou de *kakel* «brique vernissée» (XVe, canton de Neuchâtel).

Régional (Suisse romande; Est de la France). [a] Anciennt. Casserole ou marmite en terre, en métal, munie d'un manche et de trois pieds.

[b] Mod. (Suisse, Franche-Comté, etc.). Poêlon où l'on prépare la fondue*.

(...) tous vinrent s'attabler autour du caquelon de terre où mijotait la fondue.

R. FRISON-ROCHE, Premier de cordée, p. 215 (1941).

1. **CAQUER** [kake] v. tr. — 1340; *quaquer,* XIVe; du néerl. *kaken* «ôter les ouïes».

♦ **1** Préparer (le poisson) pour le mettre en caque*. *Caquer le hareng.*

♦ **2** (1832). Mettre en caque (des harengs, de la poudre, du suif fondu...). → **Encaquer.**

**DÉR. Caquage.** — V. 1. **Caque.**

2. **CAQUER** [kake] v. intr. — D. i.; lat. *cacare,* comme *chier*,* signalé dans plusieurs régions, y compris à Paris, par Wartburg.

Régional (Est, Bourgogne, Wallonie, Suisse). Déféquer. → **Chier** (généralt senti comme plus trivial); **caguer** (domaine occitan). — Loc. fig. *Faire caquer qqn* (cf. Faire chier). *Envoyer caquer qqn.*

**CAQUET** [kakɛ] n. m. — V. 1450; *cacquet* «jacasserie, cris de certains animaux», 1547; de *caqueter.*

♦ **1** Rare. Gloussement de la poule au moment où elle pond.

♦ **2** Vieilli ou littér. (sauf dans quelques contextes). Bavardage* indiscret, intempestif. → **Babil.** *Avoir du caquet. Des caquets de médisants. Le caquet d'un fat.* → **Jactance.** *Un caquet bien affilé* (cit. 3). — Loc. (XVe). *Rabattre, rabaisser le caquet de qqn,* l'obliger à se taire, lui faire baisser le ton* (→ Clouer* le bec).

Autrement je saurais te rendre ton paquet. 1
— Et moi pareillement rabattre ton caquet.

CORNEILLE, Mélite, variante, 5.

Un lion en passant rabattit leur caquet. 2

LA FONTAINE, Fables, III, 10.

(...) pour rembarrer vos raisonnements et rabaisser votre caquet. 3
MOLIÈRE, le Malade imaginaire, III, 3.

Personne ne va au spectacle pour le plaisir du spectacle, mais pour voir l'assemblée, pour en être vu, pour ramasser de quoi fournir au caquet après la pièce; et l'on ne songe à ce qu'on voit que pour savoir ce qu'on en dira. 4

ROUSSEAU, Julie ou la Nouvelle Héloïse, II, Lettre XVII.

Ces caquets, particuliers à la province, où tout ce qui essaye de marcher hors des sentiers battus, a le don d'exciter la curiosité publique, ces caquets avaient trouvé un auditeur fervent dans M. Madozet. 4.1

Louise MICHEL, la Misère, t. I, p. 189.

Par métaphore :

(...) dans la solitude il n'y a personne pour rabattre l'impudent caquet de sa vanité. 5

Valery LARBAUD, Amants, heureux amants, p. 206.

Littér. *(Un, des caquets).* Propos futiles, médisants. → **Cancan, commérage.**

♦ **3** Vx et fam. *Caquet bon bec,* surnom donné par La Fontaine à la pie. — *Un caquet bon bec :* une personne bavarde jusqu'à l'indiscrétion.

**CAQUETAGE** [kaktaʒ] n. m. — 1556; de *caqueter.*

♦ **1** Action de caqueter (en parlant de poules, ou d'oiseaux). → **Caquètement.**

0.1 (...) le murmure des voix féminines, augmentant, faisait comme un caquetage d'oiseaux.
FLAUBERT, l'Éducation sentimentale, II, II.

♦ **2** Bavardage futile et lassant. → **Babillage, caquet, jaserie** (vx), **piaillerie.** *Le caquetage de qqn. Un caquetage importun. Étourdir, assourdir qqn par son caquetage. Des caquetages insupportables. Des caquetages et des cancans.*

1 Quel ennuyeux et insignifiant caquetage que la conversation d'hommes d'ailleurs spirituels, quand elle n'est pas dirigée. STENDHAL, Journal, p. 245.

1.1 Dérangé par les caquetages d'un jeune avocat, insolent comme tous les jeunes gens, et de son client, bavard insupportable.
E. DELACROIX, Journal, 6 oct. 1849, t. I, p. 388.

2 (...) dans l'étroite église (...) le caquetage des dames couvrait l'harmonium à bout de souffle (...)
F. MAURIAC, Thérèse Desqueyroux, IV, p. 57.

**CAQUETANT, ANTE** [kaktɑ̃, ɑ̃t] adj. — Av. 1892, Renard; de *caqueter.*

♦ **1** Qui caquette (1.).

1 (...) il apportait, en manière de politesse et de participation aux frais, une grande quantité de provisions, dont un grand cageot de poules caquetantes.
Jean FERNIOT, Pierrot et Aline, p. 32.

♦ **2** Fig. (correspond à *caqueter,* 2.) :

2 (...) un paquet de trois ou quatre jeunes filles déboula, caquetantes et jacassantes.
Roger IKOR, les Fils d'Avrom, Les eaux mêlées, p. 503.

**CAQUÈTEMENT** [kakɛtmɑ̃] n. m. — 1572, *caquettement;* de *caqueter.*

♦ **1** Action de caqueter (1.). → **Caquetage.** Cri de la poule, d'une volaille, quand elle caquette.

1 Un porteur d'hebdomadaires singeait à la fois le caquètement de la poule pondeuse et le cocorico du coq victorieux.
René FALLET, le Triporteur, p. 352.

♦ **2** Fig. et rare. Action de caqueter (2.). → **Caquetage** (2.).

2 Mon fils m'a dit de me mettre au service de la jeune comtesse, me répondit la sage-femme (...) Si elle est parvenue à le rejoindre (...) et sa voix ne put retenir un caquètement d'orgueil, je pense que mon Grigori et elle se seront mariés.
M. YOURCENAR, le Coup de grâce, p. 224 (1939).

REM. Alors que *caquet* et *caquetage* désignent, au figuré, un contenu de paroles (bavardage, cancans), *caquètement* fait surtout allusion au son, au bruit.

**CAQUETER** [kakte] v. intr. [CONJUG.: *jeter.*] — V. 1450; *quaquetter* «faire entendre un cri particulier» (pour des oiseaux), fin XV$^{e}$; de l'onomat. *kak-.* → Cacaber.

♦ **1** (1690). Glousser au moment de pondre (en parlant de la poule).

0.1 Les poules dans la cour caquètent.
APOLLINAIRE, Alcools, p. 22.

♦ **2** Bavarder de façon indiscrète et intempestive. → **Jaboter, jacasser, jaser** (→ Bavard, cit. 7). — REM. Les contextes les plus fréquents concernent le bavardage collectif de femmes *(des commères qui caquettent),* mais, comme on le voit au dérivé *caquetage**, le mot s'applique aussi à des hommes.

Elle la méprisait (...) pour ce qu'elle savait lire et écrire, et que le dimanche, elle lisait des prières dans un coin du verger au lieu de venir caqueter et marmotter avec elle et les commères d'alentour. 1
G. SAND, François le Champi, II, p. 34.

Mieux vaut passer le temps à caqueter qu'à soupirer. 1.1
BERNANOS, Dialogues des carmélites, Tableau IV, 9, in Œ. roman., Pl., p. 1670.

Par métaphore :

Quel calme, si le ruisseau bavard ne caquetait pas, ne chuchotait pas, n'agaçait pas autant, à lui seul, qu'une assemblée de vieilles femmes. 2
J. RENARD, Poil de carotte, Le chat, II.

CONTR. **Taire** (se). ◊ DÉR. **Caquet, caquetage, caquetant, caquètement, caqueterie, caqueteur, caquetoire.**

**CAQUETERIE** [kak(ə)tʀi; kakɛtʀi] n. f. — 1418, *quaqueterie;* de *caqueter.*

Rare. Entretien, conversation qui ne se compose que de caquets.

Mais alors que caqueterie se prend objectivement et au pluriel, pour une pluralité ou une suite de caquets, ce mot *(caquetage)* a rapport au bruit, à la manifestation.
LAFAYE, Dict. des synonymes, Caquet, caqueterie.

**CAQUETEUR, EUSE** [kaktœʀ, øz] n. et adj. — 1507; de *caqueter.*

♦ **1** Rare. Personne qui caquette, bavarde de façon lassante.

♦ **2** N. f. (XVII$^{e}$). Anciennt. Siège à dossier très élevé, sans bras, considéré comme pratique pour la conversation. → **Caquetoire.**

**CAQUETOIRE** [kaktwaʀ] n. f. — 1522; de *caqueter* «bavarder».

Arts décor. Fauteuil à siège bas, à dossier haut. → **Caqueteuse** (n. f.).

(...) *la caquetoire* (...) À la vérité les technologues n'ont pu parvenir à décider de la forme de ce siège. On en trouve la mention dans nombre d'inventaires (...) mais les embryons de description qui les accompagnent sont assez contradictoires. «Petite chaise basse» (...) «petite chayre» (...) Les dictionnaires de Furetière et de Richelet comparent, en 1685 et 1680, la caquetoire au «fauteuil», c'est-à-dire au type du siège à bras.
Guillaume JEANNEAU, le Mobilier français, p. 29-30.

1. **CAR** [kaʀ] conj. et n. m. — X$^{e}$; conj. de subordination, v. 1170; du lat. *quare* «c'est pourquoi»; mot critiqué au XVII$^{e}$ par les puristes, et défendu par Voiture.

Conjonction de coordination qui introduit un rapport de cause : explication (preuve, raison) de la proposition qui précède. → **En effet, effectivement;** et aussi **comme, parce que, puisque; attendu que, vu que; donner** (étant donné que). *Il ne viendra pas ce soir, car il est malade.* — *Car enfin... :* car, tout bien considéré...

Je fais ce que tu veux, mais sans quitter l'envie 1
De finir par tes mains ma déplorable vie;
Car enfin n'attends pas de mon affection
Un lâche repentir d'une bonne action.
CORNEILLE, le Cid, III, 4.

Ils sont insupportables avec les impertinentes égalités dont ils traitent les gens. Car enfin il faut qu'il y ait de la subordination dans les choses (...) 2
MOLIÈRE, la Comtesse d'Escarbagnas, 2.

Car enfin, ma princesse, il faut nous séparer. 3
RACINE, Bérénice, IV, 5.

(...) Car c'est double plaisir de tromper le trompeur. 4
LA FONTAINE, Fables, II, 15.

Je vous plains : car pour moi, dans ce péril extrême, 5
Je saurai m'éloigner, ou vivre en quelque coin.
LA FONTAINE, Fables, I, 8.

6 Les maux qui affligent la terre ne viennent pas de Dieu, car Dieu est amour, et tout ce qu'il a fait est bon; ils viennent de Satan.
F. DE LAMENNAIS, Paroles d'un croyant, XXXIV.

7 Un arbre vaut mieux que le marbre
Car on y voit les noms grandir.
COCTEAU, Pièce de circonstance.

REM. *Car en effet* est un pléonasme, excepté dans le cas où *en effet* est adverbe, et signifie «dans la réalité».

(Présentant une proposition interrogative). *«Car dans le doute qu'est-ce qu'on risque?»* (Barrès). (Une proposition exclamative). *«Car que de hardiesse!»* (Sainte-Beuve). (Une proposition elliptique). *«L'hiver on souffrait du froid, car pas de vitres aux fenêtres»* (Gide); cf. exemples *in* T. L. F.

REM. 1. *Car* peut s'employer au début d'une incise (→ ci-dessus, cit. 6), mais pas en tête de phrase (à la différence de *parce que* et *puisque*). 2. Dans deux propositions coordonnées, *car* est répété, repris par *et* (ou *ni*) — *... car il était sale et il jurait* — ou n'est pas répété; la reprise par *que* — *car il pleuvait et qu'il était tard* — est considérée comme fautive.

N. m. (V. 1616). *Le car, les car.*

8 Quelle persécution le *car* n'a-t-il pas essuyée! et s'il n'eût trouvé de la protection parmi les gens polis, n'était-il pas banni honteusement d'une langue à qui il a rendu de si longs services, sans qu'on sût quel mot lui substituer?
LA BRUYÈRE, les Caractères, XIV, 73.

*Les si et les car :* les arguments invoqués (péj.). *Je n'ai rien à faire de tous tes si et tes car, je sais la vraie raison de ton acte.*

**HOM.** 2. **Car, carre, quart.**

2. **CAR** [kaʀ] n. m. — 1928, abrév. de *autocar;* «voiture sur rails», 1857; angl. *car* (1830), du normand, var. de *char.*

♦ **1** Vx. (Anglic.). Voiture de tramway; compartiment de cette voiture (v. 1860-1880).

♦ **2** Mod. Véhicule automobile de transport en commun, conçu et aménagé pour les transports interurbains (à la différence du bus, de l'autobus) ou spéciaux. → **Autocar, bus** (anglic.). *Un car de quarante places. Prendre, attendre le car. Ligne de cars. Un car de ramassage* scolaire* (cf., au Canada, Autobus scolaire). *Un car de tourisme. Voyage en car. Tu pars en train ou en car, ou par le car?*

La petite vallée du Sausseron, modeste affluent de l'Oise, était, depuis de longues années, desservie par une voie ferrée. On vient d'abandonner brusquement le rail et de mettre en circulation des cars. Nul ne s'aviserait de critiquer ce changement, si la route sur laquelle ces cars doivent rouler était faite à leur usage.
G. DUHAMEL, Manuel du protestataire, IV, p. 136.

*Car de police :* véhicule destiné à transporter des agents de police chargés d'effectuer des rondes de surveillance et susceptibles de répondre à des appels. → **Panier** (à salade). — *Car de reportage :* véhicule équipé de manière à permettre la transmission télévisée en direct des événements qui se déroulent.

**COMP. Autocar, car-navette.** ◊ **HOM.** 1. **Car, carre, quart.**

**CARABE** [kaʀab] n. m. — 1668; lat. *carabus,* grec *karabos* «crabe».

Insecte coléoptère *(Carabidés),* de couleur variable, aux reflets métalliques. *Le carabe est un grand destructeur d'insectes, larves, vers, chenilles. Carabe doré,* dit aussi *jardinière, couturière, sergent* ou *vinaigrier. Le brachyne** ou *bombardier, carabe de couleur bleue.*

Il arrive encore que les murs de la petite cour et son pavage grouillent la nuit venue de carapaces luisantes, carabes, iules (...)
François NOURISSIER, le Maître de maison, p. 184.

REM. L'emprunt *carabe* (lat. *carabus* «canot recouvert de peaux brutes») est attesté chez Malraux (*Antimémoires,* Folio, p. 86).

**CARABIN** [kaʀabɛ̃] n. m. et adj. — 1803; «cavalier», v. 1585; *carabin de Saint-Côme* «élève chirurgien», 1650; p.-ê. de *escarrabin* «ensevelisseur de pestiférés», mot du Midi, de la famille de *escarbot* «nécrophore», et, par métaphore, «soldat de cavalerie légère»; pour P. Guiraud, *carabin* ne peut, pour des raisons chronologiques, être rattaché à *escarrabin;* mais la relation entre les sens 1 et 2, bien établie, est d'ordre métaphorique.

♦ **1** Anciennt. Soldat de cavalerie légère, au XVIe siècle. *L'arquebuse longue ou carabine* (1.), *arme du carabin.*

♦ **2** (1803). Mod., fam. Étudiant en médecine. — REM. Le mot n'a pas normalement de féminin, à cause de l'homonymie avec *carabine;* on dira : *elle est carabin.*

Le Dr Fiessinger prétend que son goût pour les blanchisseuses et les boniches provenait d'anciennes habitudes de carabin. 1
A. BILLY, Sainte-Beuve, sa vie et son temps, I, Le romantique, 6, p. 51.

(Par référence à l'esprit, aux traditions propres à ces étudiants). *Farce, plaisanterie, blague de carabin,* de goût plus ou moins macabre ou obscène. *Chansons de carabins.*

En appos. (ou adjectif) :

J'ai été (...) externe, un simple externe, mais qui n'avait pas les yeux dans sa culotte, un débrouillard, quoi, un vrai carabin... L'esprit carabin se perd, mon ami; on nous remplace par des types à lunettes, des coupeurs de fil en quatre (...) 2
BERNANOS, Monsieur Ouine, *in* Œ. roman., Pl., p. 1405.

Baudelaire (...) a dû plus d'une fois longer les anciens bâtiments de l'École *(de Médecine).* Rien ne s'oppose donc à l'idée qu'ayant eu très jeune l'odorat offensé par ces odeurs, elles lui aient inspiré les vers de la Charogne. L'élément «carabin» qu'on découvre dans son œuvre vient de là. 3
Francis CARCO, Nostalgie de Paris, p. 52.

**DÉR.** (Du sens 1.) **Carabine.**

**CARABINE** [kaʀabin] n. f. — 1611; *charabine,* fin XVIe; de *carabin* (1.).

♦ **1** Vx. Petite arquebuse à rouet que portaient les carabins (1.).

♦ **2** (1694). Fusil* léger à canon court, rayé en hélice à l'intérieur. *Carabine de chasse. Carabine de précision. Carabine pour concours de tir. Tir à la carabine. Porter sa carabine à l'épaule, en bandoulière. — Être de première force à la carabine, au tir à la carabine. Préférer la carabine au fusil.*

Imaginez-vous une grande salle tapissée de fusils et de sabres, depuis en haut jusqu'en bas; toutes les armes de tous les pays du monde : carabines, rifles, tromblons, couteaux (...) 1
Alphonse DAUDET, Tartarin de Tarascon, I.

Pour armes, on choisit les deux fusils à pierre, plus utiles dans cette île que n'eussent été des fusils à système (...) Cependant, on prit aussi une des carabines et quelques cartouches. 2
J. VERNE, l'Île mystérieuse, t. I, p. 327.

*Carabine à bouchon, carabine à air comprimé,* jouets d'enfant.

**DÉR. Carabinier.**

**CARABINÉ, ÉE** [kaʀabine] adj. — 1836; *brise carabinée,* 1687; de *carabiner* «se battre» (1611), et, fig., «souffler en tempête» (XVIIIe); de *carabin* (1.).

♦ **1** Mar. Qui souffle par intermittence (en parlant du vent : comme un *carabin* (1.) attaque, puis se retire). *Vent carabiné,* en rafales violentes.

♦ **2** Cour., fam. Violent, intense. *Semonce carabinée.* → **Énergique.** *Une gifle carabinée.* → **Brutal, fort.** *Une grippe, des douleurs carabinées.* → **Grave, intense.** — *Un grog carabiné,* très fort. *Une bringue, une cuite carabinée.*

Rare. (Personnes). Qui est de première force; (iron.) remarquable dans son genre.

Il ne renseignait personne sur *(sa)* félicité cachée (...) lui, le Lauzun de garnison, le fat le plus carabiné et le plus fastueux (...)
BARBEY D'AUREVILLY, les Diaboliques, «À un dîner d'athées» (1874).

CONTR. **Bénin, doux, faible.**

**CARABINIER** [kaʀabinje] n. m. — 1634; de *carabine.*

♦ **1** Anciennt. Soldat à pied ou à cheval, armé d'une carabine, et chargé de harceler l'ennemi.

0.1 Ensuite, après des escadrons de carabiniers, de dragons et de guides, commençaient les voitures de gala.
ZOLA, Son Excellence Eugène Rougon, t. I, p. 109.

♦ **2** (1846; ital. *carabiniero*). Gendarme italien. — (1906). Douanier ou gendarme espagnol.

1 Appréhendé au corps par deux carabiniers, au détour d'un sentier d'ombre (...) LOTI, Ramuntcho, I, IV, p. 46.

Loc. *Arriver comme les carabiniers (d'Offenbach),* trop tard, quand il n'en est plus besoin (par allus. à un couplet des *Brigands*, opéra-bouffe d'Offenbach, livret de Meilhac et Halévy).

2 Nous sommes les carabiniers,
La sécurité des foyers;
Mais par un malheureux hasard
Au secours des particuliers,
Nous arrivons toujours trop tard.
MEILHAC et HALÉVY, les Brigands.

CONTR. **Brigand. — Contrebandier.**

**CARACAL** [kaʀakal] n. m. — 1750; *karacoulac,* 1664; mot esp., du turc *qara qâlâq* «oreille noire».

Zool. Variété de lynx vivant en Afrique et dans le Sud de l'Asie. → **Lynx.** *Des caracals.*

**CARACO** [kaʀako] n. m. — 1774; orig. incert., p.-ê. empr. au turc *kerake* «manteau large à manches» ou de l'hispano-amér. *caracol* «vêtement de nuit large et court»; P. Guiraud y voit une forme provençale de *caracon* (Cotgrave), doublet de *caraquin* (cf. Furetière, Trévoux), forme hypercorrigée de *casaquin.*

Vieilli ou rural. Corsage de femme, blouse droite et assez ample. → **Camisole.** *Des caracos.*

1 Elle a un caraco rouge à pois blancs, décoloré par la sueur sous les bras. J. GIONO, Colline, p. 160.

2 La séance terminée *(l'Assemblée nationale)* se vida sans bruit. En partant, je dépassai une pauvre femme en caraco et en pantoufles qui brandissait un balai, et je crus rencontrer ce qui, au temps de Fleurus, s'était appelé la République. MALRAUX, Antimémoires, Folio, p. 160.

**CARACOLADE** [kaʀakɔlad] n. f. — 1850; de *caracoler,* et suff. *-ade.* → Galopade.

Rare. Fait de caracoler (→ **Caracole**); de gambader. — Figuré :

(...) son débit était devenu beaucoup plus uniforme; ce qui laissait penser que dans ses caracolades du début, il y avait une manœuvre d'entrée en scène (...)
J. ROMAINS, les Hommes de bonne volonté, t. XXII, p. 21.

**CARACOLANT, ANTE** [kaʀakɔlɑ̃, ɑ̃t] adj. → **Caracoler.**

**CARACOLE** [kaʀakɔl] n. f. — V. 1650; *caragol,* 1615; *caracol,* n. m., 1611; esp. *caracol* «limaçon, escargot».

♦ **1** Techn. et vx. Spirale. *Escalier en caracole.* → **Colimaçon.**

Techn. (mines). Outil courbe à crochet, servant à extraire les tiges cassées dans un trou de sonde.

♦ **2** [a] Techn. (manège). Mouvement circulaire que l'on fait exécuter à un cheval, avec ou sans changement de main. *Faire des caracoles.* → **Volte.**

Lui faisant faire *(à son cheval)* des voltes ou des caracoles, il tombe lourdement et se casse la tête. 1
LA BRUYÈRE, les Caractères de Théophraste, D'une tardive instruction.

Le cheval qui était vigoureux, fit plusieurs caracoles devant Giondar, et il le mena jusqu'à un bois, où il se jeta (...) 2
A. GALLAND, les Mille et une Nuits, t. II, p. 168.

[b] Vx. Cabriole (faite par une personne). *«Il faisait des caracoles sur la charrette»* (Balzac).

DÉR. **Caracoler.**

**CARACOLER** [kaʀakɔle] v. intr. — 1642, Oudin; de *caracole.*

Courant (à la différence de *caracole*).

♦ **1** Faire des caracoles, des voltes* (en parlant d'un cheval). *Cheval qui caracole. Faire caracoler son cheval, sa monture.*

Des chevaux sautaient, caracolaient, se cabraient dans la foule comme des chiens qui caressent leurs maîtres. 1
CHATEAUBRIAND, Mémoires d'outre-tombe, II, 2.

Exécuter une succession de voltes (en parlant d'un cavalier). *L'écuyer caracole et fait danser son cheval.*

(...) tout en bas, à droite, sur deux chevaux de feu, caracolant côte à côte, la mine farouche et sombre, voici le Kha-Khan de tous les Oïghours et Khubilaï enfant (...) 1.1
J. D'ORMESSON, la Gloire de l'Empire, t. II, p. 630.

♦ **2** (Sujet n. de personne). Avancer en sautant, en bondissant, selon une ligne irrégulière. → **Cabrioler, sautiller.** *Les enfants caracolaient dans le jardin.*

Fig. *«Ma plume caracole»* (A. Arnoux, *in* T. L. F.).

Fig. *Caracoler en tête des sondages,* venir largement en tête. *Il y a cinq candidats, mais l'un d'eux caracole en tête (des sondages).*

♦ **CARACOLANT, ANTE** p. prés. et adj.

♦ **1** Équit. Qui effectue des caracoles.

En tête marchait le maréchal Murat, gouverneur de Paris, caracolant sur un cheval noir (...) 2
Louis MADELIN, l'Avènement de l'Empire, XV, p. 203.

♦ **2** Fig. Vif, alerte (comme un cheval qui caracole).

Certes on voit d'ici avec quelle incomparable et majestueuse légèreté (...) de quelle piaffante, trépidante, trépignante et caracolante allure *(Robert de Montesquiou)* saurait développer puis resserrer autour de la victime élue ou couronnée ses savantes évolutions. 3
PROUST, *in* les Arts de la vie, nº 20 (1905), p. 69 (*in* D. D. L., II, 12).

DÉR. **Caracolade.**

**CARACOULER** [kaʀakule] v. intr. — 1600; onomat., p.-ê. altér. de *roucouler.*

Rare. Pousser son cri (en parlant du ramier*). → **Roucouler.**

**CARACTÈRE** [kaʀaktɛʀ] n. m. — 1596; *charactere,* 1567; *carathere,* 1550; *karactere,* 1274; *caractère* «empreinte», 1372; lat. *character* «manière d'être correspondant à un style; comportement»; grec *kharatêr* «signe gravé, empreinte».

**I** Marque, signe distinctif. ♦ **1** (XVIᵉ). Signe* gravé ou écrit, élément graphique d'une écriture.

→ **Chiffre, lettre, signe, symbole.** *Caractères conventionnels, symboliques, hiéroglyphiques, cunéiformes. Caractères pictographiques, idéographiques.* → **Pictogramme; idéogramme.** *Caractères phonétiques, syllabiques,* correspondant respectivement à un élément de sens, à un son, à une syllabe. → **Lettre.** *Les caractères chinois, coréens, japonais* (caractères chinois utilisés dans l'écriture du japonais; → **Kandji**). *Dictionnaire de caractères. Les clés* des caractères chinois. Inscrire, graver un nom en caractères d'or sur un monument. Déchiffrer des caractères. Les caractères d'une inscription. Les caractères de l'alphabet. Caractères grecs, arabes, hébraïques, romains, gothiques, cyrilliques.* → **Lettre.** *Écrire en gros, en petits caractères. Caractères moulés. Emploi de caractères particuliers en musique, en phonétique. — Caractères polyphones. — Caractères algébriques, astronomiques. Caractères alphanumériques*.*

1 Qui croira que, les caractères de l'alphabet ayant été jetés en confusion, un coup du hasard ait rassemblé toutes les lettres dans l'arrangement nécessaire pour décrire de grands événements?

FÉNELON, Traité de l'existence de Dieu, 5.

2 Mais sa main ne forma que des caractères inlisibles (...)

VOLTAIRE, Hist. de l'empire de Russie, II, 17.

3 Même un paralysé, atteint d'agraphie après une longue attaque et réduit à regarder les caractères comme un dessin, sans savoir les lire, aurait compris que M<sup>me</sup> de Cambremer appartenait à une vieille famille où la culture enthousiaste des lettres et des arts avait donné un peu d'air aux traditions aristocratiques.

PROUST, À la recherche du temps perdu, t. X, II, p. 106.

4 (...) sur les volets pourpres d'un boucher israélite, s'étalait en caractères hébraïques une enseigne dorée qui retint longuement son regard.

MARTIN DU GARD, les Thibault, t. VII, p. 136.

4.1 Ben Saïd (...) continue à couvrir sa page quadrillée, avec lenteur mais sans rature, de minuscules caractères appliqués dont les ballottements du métro troublent à peine l'ordonnance régulière.

A. ROBBE-GRILLET, Projet pour une révolution à New York, p. 148.

4.2 Il est de coutume, lorsqu'on parle des caractères chinois, d'évoquer leur caractère imagé. Qui ignore cette écriture se la représente volontiers comme un ramassis de «petits dessins». Il est vrai que dans l'état le plus ancien que nous connaissons, nous pouvons y relever un nombre important de pictogrammes (...) mais à côté d'eux figurent des caractères plus abstraits et qu'on peut déjà qualifier d'idéogrammes (...)

À partir d'un nombre limité de caractères simples, ont été forgés par la suite des caractères complexes (...) On obtient un caractère complexe en combinant deux caractères simples : c'est ainsi que le mot clarté (...) est formé du soleil (...) et de la lune (...) Mais le cas le plus général d'un caractère complexe est du type «radical + signe phonétique».

François CHENG, l'Écriture poétique chinoise, p. 12.

♦ **2** (1675). Techn. Tige de métal portant un caractère (au sens 1), une lettre, utilisée pour l'impression typographique. *Caractères d'imprimerie*, caractères typographiques.* → **Plomb, type; lettre; cadrat, cadratin, espace.** *Les caractères dits* «en plomb» (→ **Plomb**) *sont composés d'un alliage de plomb, d'antimoine et d'étain. Fonte des caractères.* → **Matrice, poinçon.** *Œil d'un caractère :* partie en relief qui imprime. *Cran d'un caractère :* entaille qui indique au compositeur le sens des lettres. *Corps d'un caractère,* sa longueur, mesurée de l'extrémité des lettres montantes à la base des jambages inférieurs. *Mesurer un caractère au typomètre. Caractères de 3 points, 5 points...* → **Point.** *Caractères de 12 points.* → **Cicéro.** *Composer en caractères de 7 points* (en 7). *Combiner des caractères de différents corps.* → **Parangonnage.** *Forme des caractères : caractères gothiques, romains, italiques; caractères elzéviriens... Caractères gras, maigres. Les caractères d'une casse. Caractère bas de casse* (minuscules), *en capitales* (majuscules). *Caractères en relief pour les aveugles.* → **Braille.** *Composer avec des caractères mobiles ou avec des linotypes.* → **Composition; compositeur, linotype, monotype.** *Boîte à caractères.* → **Casse** (haut de casse, bas de casse).

Il y a un tel livre qui court, et qui est imprimé chez Cramoisy, en tels caractères (...) 5

LA BRUYÈRE, les Caractères, I, 33.

Dessin caractéristique d'un signe d'imprimerie, non matérialisé. *Choisir un caractère, des caractères pour imprimer un livre en photocomposition. Police* de caractères. Graphiste qui crée des caractères.*

Au sing. (collectif). Ensemble de caractères d'imprimerie.

La journée du lendemain fut tout entière employée à classer le caractère (...) Nous avions pris de l'elzévir de dix points et de sept points, l'un pour l'impression normale, l'autre pour les notes et additions. Nous avions de l'italique et, en outre, un assez bon choix de caractères accessoires : médicis, égyptienne, antique (...) Le caractère était neuf. Il avait cet éclat métallique un peu voilé du plomb vierge (...) 6

G. DUHAMEL, Chronique des Pasquier, VIII.

Cour. Empreinte d'un caractère. *Les caractères de ce livre sont beaux, très lisibles. —* Collectif. *Un beau caractère.*

♦ **3** Fig. Empreinte. *Graver*, imprimer*, marquer* avec des caractères, en caractères ineffaçables.* → **Empreinte, sceau.** *Marquer qqn, qqch. d'un caractère infamant.*

Quoique cette idée générale de la beauté soit gravée dans le fond de nos âmes avec des caractères ineffaçables, elle ne laisse pas que de recevoir de très grandes différences dans l'application particulière. 7

PASCAL, les Passions de l'amour.

N'est-il pas juste d'imprimer le sceau douloureux de la croix sur une chair qui a été marquée tant de fois du caractère honteux de la bête. MASSILLON, Jeûne. 8

Son attitude est celle du commandement, sa tête regarde le ciel et présente une face auguste sur laquelle est imprimé le caractère de sa dignité. 9

BUFFON, Hist. naturelle de l'homme.

L'instruction fait tout; et la main de nos pères 10
Grave en nos faibles cœurs ces premiers caractères.

VOLTAIRE, Zaïre, I, 1.

♦ **4** Techn. Signe ou signal qui, inséré parmi d'autres, contribue à remplir une fonction.

**II** (XVII^e). Signe ou ensemble de signes distinctifs.

♦ **1** Sc. et cour. Trait propre (à une personne, à une chose), qui permet de distinguer. → **Attribut, caractéristique, indice, marque, particularité, propriété, qualité, signe, trait.** *Caractères distinctifs, particuliers, individuels, propres, originaux, typiques. Les caractères qui fondent un classement, une typologie.* → **Différence** (spécifique). *Les caractères d'une classe.* → **Trait** (pertinent). *Caractères essentiels, dominants, saillants. Caractères qualitatifs, quantitatifs.* → **Variable.** *L'un des caractères qui distinguent les matières animales des matières végétales consiste dans... Un caractère qui n'appartient qu'au seul sapajou. Le magot a tous les caractères du cynocéphale. — Caractères spécifiques,* communs à tous les individus d'une espèce. *Classification* des individus selon leurs caractères. Caractères congénitaux, innés, primitifs, ethniques, ataviques. Caractères héréditaires,* transmis par les gènes.

*Caractères hérités de la mère, du père* (→ Matroclinie, patroclinie). *Caractères acquis.* — Anthrop. Trait distinctif de la structure biologique de l'homme. *Caractères dominants, récessifs. Caractères sexuels secondaires.* — Pédologie. *Caractère morphologique :* caractère d'un horizon ou d'un profil directement observable et enregistré objectivement. *Caractère génétique :* caractère d'un horizon ou d'un profil résultant d'un processus lié à la genèse du sol et dont il devient le témoin.

11 Le caractère qui le distingue des autres phoques est le capuchon (...)
BUFFON, Hist. naturelle, Les quadrupèdes, t. XI, p. 162.

12 *(Les)* perroquets amazones dont le caractère principal est d'avoir du rouge sur les ailes.
BUFFON, Hist. naturelle, Les oiseaux, t. XI, p. 137.

13 Quoi qu'il en soit, il est bien démontré que le singe n'est pas une variété de l'homme, non seulement parce qu'il est privé de la faculté de parler, mais surtout parce qu'on est sûr que son espèce n'a point celle de se perfectionner, qui est le caractère spécifique de l'espèce humaine.
ROUSSEAU, De l'inégalité parmi les hommes, Notes, p. 109.

14 *(Linné)* tira des pistils les caractères de ses divisions secondaires. CONDORCET, Linné.

15 L'anthropologie étudie les corps humains pour arriver à classer les hommes en races d'après leurs caractères physiques.
Ch. SEIGNOBOS, Hist. sincère de la nation franc., p. 5 (→ Anthropologie, cit. 5).

16 Goiran a prétendu que cette néfaste mystique de la force n'est pas tant un résultat du régime impérial qu'un caractère ethnique, spécifique, de la race : instinct plutôt que doctrine.
MARTIN DU GARD, les Thibault, t. IX, p. 232.

17 D'abord l'expérience ne montre pas que les caractères acquis par l'individu soient transmissibles à sa postérité.
A. MAUROIS, Études littéraires, Bergson, t. I, p. 169.

♦ **2** Cour. Élément propre, particulier, qui permet de reconnaître, de juger. → **Qualité.** *La simplicité est le caractère de son style.* → **Marque, trait.** *Le véritable caractère pour juger si...* → **Critère, critérium.**

18 C'est le caractère du vrai génie de répandre la fécondité sur un sujet stérile, et de varier ce qui semble uniforme.
VOLTAIRE, Vie de Molière.

19 Le goût de l'extraordinaire est le caractère de la médiocrité.
DIDEROT, Salon de 1765.

20 Le caractère de l'esprit juste, c'est d'éviter l'erreur en évitant de porter des jugements (...)
CONDILLAC, l'Art d'écrire, I, 1.

21 *(La méditation)* caractère essentiel de l'âme et de la force mentale (...)
CHATEAUBRIAND, le Génie du christianisme, I, I, 9.

22 Je suis donc d'avis que le caractère de la force est de se f... de tout et d'aller en avant.
STENDHAL, Journal, p. 228.

*Avoir tel ou tel caractère.* → **Nature.** *Acquérir, conserver, perdre tel ou tel caractère. Conférer, revêtir tel ou tel caractère.* → **Qualité, titre.** *Avoir le caractère d'ambassadeur. Le caractère d'un ambassadeur rend sa personne inviolable. Le sacre donnait un caractère divin aux rois de France. Un magistrat en possession du caractère sacré et des auspices* (→ Auspice, cit. 1). *Caractère officiel, administratif, privé, bénévole, confidentiel d'une entreprise, d'une démarche. Des mesures d'un caractère social.*

23 L'artisan exprima si bien
Le caractère de l'idole,
Qu'on trouva qu'il ne manquait rien
À Jupiter que la parole. LA FONTAINE, Fables, IX, 6.

24 Vous savez que l'ordination confère aux curés un caractère indélébile, qui les suit jusqu'en enfer.
Ch. PÉGUY, la République..., Compte rendu de mandat, p. 36.

*Un caractère de simplicité, de distinction, de beauté.* → **Air, allure, apparence, aspect, cachet, extérieur, figure.** *Des mots qui ont un caractère de sensualité* (→ Appas, cit. 13). *Sa maladie n'a, ne présente aucun caractère de gravité. Cet écrit porte un caractère d'authenticité* (Académie).

Ce style (...) est la marque des esprits faux et porte un caractère de servitude que je déteste. 25
VOLTAIRE, Lettre à Thiriot, 11 sept. 1735.

À la lueur des flambeaux (...) les statues paraissent des figures pâles, qui ont un caractère plus touchant et de grâce et de vie. Mme DE STAËL, Corinne, VIII, 2. 26

La ferme avait, comme eux, un caractère d'ancienneté. 27
FLAUBERT, Trois contes, «Un cœur simple», II.

N'était-il pas, en tout cas, déplorable que l'Empereur dût, dès juillet 1806, se préparer à une lutte qui pouvait revêtir un caractère si dangereux? 28
Louis MADELIN, Vers l'Empire d'Occident, XII, Le conflit avec le Saint-Siège.

(...) le style cursif, haché (...) conférait à ces notes un caractère de vérité qui forçait l'intérêt. 29
MARTIN DU GARD, les Thibault, t. IV, p. 105.

Valeur. → **Sens, signification.** *Un caractère moral s'attache aux scènes de l'automne* (cit. 12).

*(L'écrivain de génie)* en saisit le vrai caractère *(des choses...)*. 30
CONDILLAC, l'Art d'écrire.

Comment Wagner ne comprendrait-il pas admirablement le caractère sacré, divin du mythe, lui qui est à la fois poète et critique? 31
BAUDELAIRE, l'Art romantique, «Richard Wagner et Tannhäuser», II.

♦ **3** Absolt (surtout en emploi négatif). Air expressif, personnel, original. → **Allure, cachet, originalité, personnalité, relief.** *Avoir du caractère, n'avoir aucun caractère. Un style plat et sans caractère. Une physionomie sans caractère.* → **Expression.**

C'était une de ces tristes rues de province, sans magasin, sans animation d'aucune sorte, ni caractère, ni agrément. 32
GIDE, Si le grain ne meurt, I, 4, p. 96.

*Danse de caractère,* caractéristique d'un pays, d'un folklore; ou expressive. *Musique de caractère,* exotique.

On pria Blanca d'exécuter une de ces danses de caractère où elle surpassait les plus habiles *guitanas.* 33
CHATEAUBRIAND, le Dernier Abencérage, p. 166, *in* LITTRÉ.

*De caractère,* se dit, dans le langage des transactions immobilières, des immeubles, logements anciens et pittoresques. *Studio de caractère, avec poutres apparentes.*

**III** ♦ **1** (1665). «Ensemble des manières habituelles de sentir et de réagir qui distinguent un individu d'un autre» (Lalande). *Étude des caractères.* → **Caractérologie, psychologie.** *Le caractère, élément de l'individualité.* → **Personnalité, tempérament; constitution, idiosyncrasie.** *Le caractère est une manière d'être constante, l'humeur une disposition passagère. Analyse du caractère par les traits du visage* (→ **Physiognomonie**), *les bosses du crâne* (→ **Phrénologie**), *l'écriture* (→ **Graphologie**). *Formation du caractère. Son caractère n'est pas encore formé, il n'est pas encore adulte. Mobilité du caractère. Changer de caractère.* → **Naturel** (n. m.). *Être jeune de caractère. — Troubles du caractère.* → **Caractériel.** — Psychol. *Caractère hystérique, paranoïaque, obsessionnel.*

Caractère signifie étymologiquement empreinte et l'histoire d'un caractère est dans une large mesure celle de ses contacts. Chacune des fonctions sociales que nous avons exercées à l'intérieur d'un groupe, familial, professionnel, religieux, national, politique, a créé en nous un certain personnage et les conflits entre nos tendances et celles du groupe ont engendré nos caractères. 33.1
Jean DELAY, la Psycho-physiologie humaine, p. 98.

*Traits de caractère. L'Athénien* (cit. 3) *s'éloigne du Spartiate par mille traits de caractère. Épicurien de caractère, par caractère. Le même caractère. Des caractères très différents. Affinités, contrastes, incompatibilités de caractères.*

34 Vit-on jamais en deux hommes *(Condé et Turenne)* les mêmes vertus avec des caractères si différents, pour ne pas dire si contraires? BOSSUET, Louis de Bourbon.

35 Il y a des gens d'une certaine étoffe ou d'un certain caractère avec qui il ne faut jamais se commettre (...) LA BRUYÈRE, les Caractères, V, 28.

36 Le caractère de l'enfance paraît unique; les mœurs, dans cet âge, sont assez les mêmes (...) LA BRUYÈRE, les Caractères, XI, 52.

37 Leurs caractères différents faisaient un assortiment complet et heureux (...) FONTENELLE, Varignon.

38 C'est le sort des monarchies que leur prospérité dépende du caractère d'un seul homme. VOLTAIRE, le Siècle de Louis XIV, 17.

39 Peut-on changer de caractère? Oui, si on change de corps (...) Tant que ses nerfs *(de cet homme)*, son sang et sa moelle allongée seront dans le même état, son naturel ne changera pas plus que l'instinct d'un loup et d'une fouine. VOLTAIRE, Dict. philosophique, Caractère.

40 (...) chaque homme apporte en naissant un caractère, un génie et des talents qui lui sont propres. ROUSSEAU, Julie ou la Nouvelle Héloïse, V, Lettre III.

41 Il y a des caractères doux et tranquilles qu'on peut mener loin sans danger dans leur première innocence; mais il y a aussi des naturels violents dont la férocité se développe de bonne heure, et qu'il faut se hâter de faire hommes, pour n'être pas obligé de les enchaîner. ROUSSEAU, Émile, II.

42 Je ne vous dirai pas : changez de caractère;
Car on n'en change point, je ne le sais que trop,
Chassez le naturel, il revient au galop.
J.-L. DESTOUCHES, le Glorieux, III, 5.

43 (...) on ne peut connaître son caractère et surtout l'influence qu'on a sur lui, qu'autant qu'on a passé par beaucoup d'alternatives de joie et de malheur. STENDHAL, Souvenirs d'égotisme, p. 198.

44 Les traits les plus marquants d'un caractère se forment et s'accusent avant qu'on en ait pris conscience. GIDE, Si le grain ne meurt, VIII, p. 215.

45 Mais on peut former son caractère, on peut le refaire (...) A. MAUROIS, Climats, I, p. 73.

Cour. Manière d'agir habituelle (d'une personne). → **Comportement, nature.** *Complexité, mobilité du caractère. Un caractère changeant* (→ **Cire** [cire molle]), *fantasque, flexible, frivole, hésitant, inconstant, indécis, irrésolu, lunatique, malléable, ondoyant, vacillant, versatile. Assouplir* le caractère. Un caractère énigmatique, étrange, indépendant, singulier... Caractère insensible, froid, amorphe, apathique, flegmatique, grave, pondéré, sérieux... Caractère sensible, affectueux, tendre, ardent, bouillant, exubérant, fougueux, passionné, véhément, vif... Donner un caractère à un personnage* (cit. 9).

46 L'exil est quelquefois, pour les caractères vifs et sensibles, un supplice beaucoup plus cruel que la mort. Mme DE STAËL, Corinne, XIV, 3.

47 Il a été aussi amical et aussi ouvert avec moi que le permet son caractère froid (...) STENDHAL, Journal, p. 142.

48 Pierre n'est plus reconnaissable, dit ma mère, son caractère est devenu inégal, bizarre. Il passe brusquement et sans cause de la joie à la tristesse. FRANCE, la Vie en fleur, XI.

*Avoir un bon* caractère, avoir bon caractère; avoir un caractère agréable, accommodant. Être d'un caractère accommodant, accort, affable, agréable* (cf. Être d'un commerce agréable), *aimable, amène, avenant, charmant, commode, complaisant, conciliant, coulant* (fam.), *débonnaire, docile, doux, égal, enjoué, gai, jovial, paisible, patient, placide, rond, sociable, sympathique* (la plupart de ces adj. peuvent qualifier aussi la personne). *Il a trop bon caractère* (→ C'est une bonne pâte* d'homme). *Être d'un heureux caractère,* optimiste. *Un caractère en or*. Avoir le caractère égal, uni. Égalité de caractère.*

Ne pouvoir supporter tous les mauvais caractères dont le monde est plein, n'est pas un fort bon caractère : il faut, dans le commerce, des pièces d'or et de la monnaie. LA BRUYÈRE, les Caractères, V, 37. 49

Il est épatant Robert (...) Bien sûr, s'il peut vivre comme il vit, c'est grâce à Cathie... — Grâce à son caractère, aussi. Il a un caractère... — Oh! en or, dit Bernard qui, lui, n'a pas un caractère en or (...) Il ne sait pas dire non. F. MALLET-JORIS, le Jeu du souterrain, p. 24. 49.1

*Avoir un mauvais* caractère, avoir mauvais caractère; avoir un caractère désagréable, facilement agressif. Être d'un caractère abrupt, acariâtre, acerbe, acrimonieux, agressif, aigre, arrogant, atrabilaire, belliqueux, boudeur, bourru, brusque, brutal, capricieux, chagrin, chatouilleux, colérique, détestable, despotique, difficile, dur, emporté, à l'emporte-pièce, exécrable, hargneux, incommode, inégal, insociable, intraitable, irascible, irritable, maussade, morose, ombrageux, rétif, revêche, vindicatif, violent* (ces adj. peuvent caractériser aussi la personne). — Fam. *Avoir un sale, un fichu, un foutu caractère. Avoir un caractère de chien, de cochon.* → **Tête** (de cochon, de mule). *Avoir son (petit) caractère :* ne pas être d'une humeur facile.

Diseur de bons mots, mauvais caractère. PASCAL, Pensées, I, 46. 50

N. B. Cette «pensée» est en général interprétée au sens moderne de *caractère* (psychologique); c'est ce que fait La Bruyère quand il écrit... : «Je le dirais, s'il n'avait été dit» *(La Cour).* Il faut plutôt lire, semble-t-il, au sens de *caractère* (II.) : «Le fait de dire des bons mots est un signe, une marque négative, mauvaise».

Mon humeur était impétueuse, mon caractère inégal. CHATEAUBRIAND, René. 51

Son caractère ombrageux à l'excès prenait de jour en jour des angles plus vifs, son visage des airs plus impénétrables (...) E. FROMENTIN, Dominique, XIV. 52

Les soucis d'un amour maternel poussé jusqu'à la passion assombrirent son caractère et troublèrent sa santé naturellement bonne. FRANCE, le Petit Pierre, I. 53

(Qualification portant sur la volonté, le courage). *Avoir un caractère audacieux, courageux, déterminé, énergique, fier, héroïque, indomptable, inflexible, orgueilleux, résolu, stoïcien, stoïque, tenace, volontaire.*

Loc. *Soutenir, ne pas démentir son caractère :* rester fidèle à son comportement habituel. *Sortir de son caractère :* sentir ou réagir d'une manière qui n'est pas habituelle, qui n'est pas conforme à son caractère. *Un calme qui perd patience et sort de son caractère.*

Si le fat pouvait craindre de mal parler, il sortirait de son caractère. LA BRUYÈRE, les Caractères, XII, 51. 54

Littér. Manière d'être morale. *L'élévation, la bassesse du caractère. Un grand, un beau, un noble caractère.* → **Grandeur** (d'âme). *Un caractère bas, abject, bestial.* → **Âme.** — *Vigueur, force de caractère.* — *Affermir, fortifier le caractère.*

Cet homme (...) d'un caractère si haut qu'on ne pouvait ni l'estimer, ni le craindre, ni l'aimer, ni le haïr à demi (...) BOSSUET, Oraison funèbre de Michel Le Tellier (→ À, cit. 67). 55

(...) cette force de caractère qui en imposait, et dont j'aurais eu besoin pour réussir. ROUSSEAU, les Confessions, VI. 56

♦ **2** (1736). *Avoir du caractère,* un caractère déterminé, énergique. → **Courage, détermination, énergie, fermeté, résolution, ténacité, trempe, volonté.** *Manquer de caractère. Un homme sans caractère,* veule. *Faire preuve de caractère.*

Madame Rolland avait du caractère plutôt que du génie : le premier peut donner le second, le second ne peut 57

donner le premier.
CHATEAUBRIAND, Mémoires d'outre-tombe, I, 7.

58 Un homme de caractère n'a pas bon caractère.
J. RENARD, Journal, 2 janv. 1907.

♦ **3** (Av. 1757). Littér. Les personnes mêmes considérées dans leur individualité, leur originalité, leurs qualités morales. → **Personnalité.** *L'abaissement des caractères. Un grand caractère; un homme de grand caractère.*

59 Ni la bonne éducation ne fait les grands caractères, ni la mauvaise ne les détruit. FONTENELLE, Czar Pierre.

60 En fait, je n'ai d'amour que pour les caractères d'un idéalisme absolu, martyrs, héros, utopistes, amis de l'impossible. RENAN, Souvenirs d'enfance, p. 101.

61 Paris nous impose un uniforme; il nous met comme ses maisons, à l'alignement; il estompe les caractères, nous réduit tous à un type commun.
F. MAURIAC, la Province, p. 13.

62 J'ai bien assez vécu déjà pour dire avec fermeté que si j'admire les grands artistes, j'admire plus encore les grands caractères. Je les recherche et les honore.
G. DUHAMEL, Défense des lettres, II, III, p. 134.

♦ **4** (XVII<sup>e</sup>). Mœurs (d'une personne, d'un groupe). *L'invraisemblance des caractères. Peindre, décrire des caractères.* — (Dans un titre). *Les Caractères de Théophraste. Les Caractères* de La Bruyère.

63 Ce sont les caractères ou les mœurs de ce siècle que je décris.
LA BRUYÈRE, les Caractères ou les mœurs de ce siècle.

64 Corneille nous assujettit à ses caractères et à ses idées; Racine se conforme aux nôtres.
LA BRUYÈRE, les Caractères, I, 54.

65 L'invraisemblable du roman, l'énormité des faits, l'enflure des caractères (...)
BEAUMARCHAIS, le Barbier de Séville, Préface.

66 *(Son caractère)* loin d'avoir été embelli par ses biographes, a été rapetissé par eux (...) Souvent, en croyant l'agrandir, *(ils)* l'ont en réalité amoindri.
RENAN, Vie de Jésus, XXVIII.

67 Peindre des caractères, c'est-à-dire des types généraux, voilà donc l'objet de la haute comédie.
H. BERGSON, le Rire, III, 1, p. 114.

(1751). *Comédie*, pièce de caractère.*

68 Corneille lui-même avait donné le Mentor, pièce de caractère et d'intrigue prise du théâtre espagnol (...)
VOLTAIRE, le Siècle de Louis XIV, 32.

♦ **5** (1748). Par anal. *Le caractère d'une nation.* → **Âme, génie.** *Le caractère français.*

69 Comment les lois peuvent contribuer à former les mœurs, les manières et le caractère d'une nation.
MONTESQUIEU, l'Esprit des lois, XIX, 27.

70 Saisir un fait par un mot, et le caractère et les mœurs d'une nation par un fait (...)
M<sup>me</sup> DE STAËL, Corinne, XI, 4.

71 (...) la position défensive est antipathique au caractère français.
CHATEAUBRIAND, Mémoires d'outre-tombe, III, p. 285.

**DÉR. Caractériel, caractériser. — V. Caractéristique.** ◊ **COMP. Caractérologie.**

## CARACTÉRIEL, ELLE [kaʀaktɛʀjɛl] adj. et n.

— 1841, répandu XX<sup>e</sup>; de *caractère.*

♦ **1** Didact. Du caractère. *Traits caractériels. Structure caractérielle. «La structure caractérielle est une structure psychosomatique»* (R. Mucchielli, *in* Foulquié). — *Types caractériels :* types de caractères dont l'étude conduit à l'établissement de familles de caractères, dites *familles caractérielles. Types caractériels normaux* ou *pathologiques.*
*Troubles caractériels :* ensemble des dispositions pathologiques constitutionnelles et des réactions affectives qui concernent la formation du caractère. *Névrose caractérielle.*
(Personnes). Se dit d'un individu (spécialt, d'un enfant) qui a de tels troubles, rendant difficile son adaptation au milieu. — REM. Cet emploi est entré dans la langue courante. *Il est un peu caractériel.*

Caractériel, asocial et cyclothymique, Victor avait traîné dans tous les asiles psychiatriques de l'Île-de-France avec de brèves périodes de liberté qui s'étaient régulièrement achevées par des extravagances justifiant un réinternement. M. TOURNIER, le Roi des Aulnes, p. 178. 1

♦ **2** N. (1951). Méd. Personne qui a des troubles caractériels. *Un caractériel,* enfant caractériel ou personne qui présente des troubles du caractère. → **Inadapté.** *Le caractériel peut être un instable, un dépressif, un cyclothymique, un mythomane, un pervers, etc.*

Une autre catégorie de névrosés que l'on rencontre plus fréquemment de nos jours est faite de ceux que l'on désigne comme «caractériels», dont la personnalité tout entière est perturbée par des troubles du comportement sans que l'on puisse détecter d'autres symptômes spécifiques. 2
S. NACHT, Guérir avec Freud, *in* la Nef, n° 31, p. 169.

Courant :

Après avoir fait végéter Marine dans un cours de caractériels de luxe (...) des garçons, de jolis chéris, toujours très nerveux, «surtout ne le grondez pas, Mademoiselle, il est si sensible (...)» 3
Benoîte et Flora GROULT, Il était deux fois, p. 287.

**DÉR. Caractériellement.**

## CARACTÉRIELLEMENT [kaʀaktɛʀjɛlmɑ̃] adv.

— 1969; de *caractériel.*

Didact. D'une manière qui se rapporte au caractère, aux troubles du caractère. *Caractériellement, il est plutôt dépressif, actif.*

## CARACTÉRIOLOGIE [kaʀaktɛʀjɔlɔʒi] n. f. → **Caractérologie.**

## CARACTÉRISATION [kaʀaktɛʀizasjɔ̃] n. f.

— 1840, Pierre Leroux; de *caractériser.*

Fait de caractériser; manière dont une chose est caractérisée. *Chercher à établir la caractérisation d'une maladie. «La caractérisation contribue à nommer...»* (Brunot, *la Pensée et la Langue,* p. 577).
Ling. Opération par laquelle un élément (adjectif, adverbe, etc.) ajoute au contenu sémantique d'un autre élément (substantif, verbe) et forme avec lui une nouvelle unité sémantique.

## CARACTÉRISER [kaʀaktɛʀize] v. tr.

— 1512, «marquer d'un signe»; de *caractère.*

♦ **1** (Sujet n. de personne). Indiquer avec précision, dépeindre le caractère ou les caractères distinctifs de (une personne, une chose). → **Distinguer, marquer, montrer, préciser, souligner.** *Caractériser un être, un objet par rapport à d'autres. Caractériser par une définition.* → **Définir.**

Sera-t-on fondé à prétendre que Racine n'ait pas su caractériser les hommes? 1
VAUVENARGUES, Racine et Corneille.

Caractériser, c'est noter les caractères, essentiels ou accessoires, naturels ou acquis, durables ou éphémères d'un être, d'une chose, d'un acte, d'une notion quelconque (...) On caractérise êtres, personnes, actions pour les nommer (...) 2
F. BRUNOT, la Pensée et la Langue, XIII, I, p. 577.

♦ **2** (1663; sujet n. de chose). Constituer le caractère ou l'une des caractéristiques de (une personne, une chose); marquer l'appartenance à une classe. → **Définir, déterminer, individualiser, spécifier.** *Traits qui caractérisent un individu. La générosité qui vous caractérise. Symptômes, troubles qui* *caractérisent une maladie. Propriétés caractérisant une substance. Les signes qui caractérisent la passion.* → **Dépeindre, peindre.**

3 Une chose qui caractérise l'homme, et peint d'autant mieux son extravagance (...) MOLIÈRE, Critique, 6.

4 Si l'on considère le nombre des traits qui caractérisent un personnage comique, on peut dire que la comédie est une imitation exagérée.
MARMONTEL, Éléments de littérature, t. VI, p. 142.

5 Ce qui caractérise l'homme d'action, c'est la promptitude avec laquelle il appelle au secours d'une situation donnée tous les souvenirs qui s'y rapportent (...)
BERGSON, Matière et Mémoire, p. 166.

6 (...) le mot d'ascèse (...) caractérise assez bien notre correspondance de guerre (...)
G. DUHAMEL (cf. Ascèse, cit. 5).

◆ **SE CARACTÉRISER** v. pron.

Se manifester par des traits caractéristiques. *La maladie ne s'est pas encore bien caractérisée.* Être défini par tel ou tel caractère. *Cette maladie se caractérise par tels ou tels symptômes.*

◆ **CARACTÉRISÉ, ÉE** p. p. adj.

♦ **1** (1653). Indiqué, déterminé par (tel ou tel caractère). *Syndrome caractérisé par l'élévation de la température du corps...* (Garnier et Delamare, *Dict. de médecine*, art. *Fièvre*).

7 Le béribéri (...) caractérisé par de graves troubles nerveux (...) P. VALLERY-RADOT, Notre corps, p. 100.

♦ **2** (1653). Dont le caractère est bien marqué, qui peut être facilement reconnu (comme tel). → **Net.** *La maladie n'est pas nettement caractérisée.* — Dr. *Le délit est parfaitement caractérisé. Injures caractérisées.*

♦ **3** (Mil. XVIII^e). Littér. Qui a un caractère affirmé, qui se distingue avec netteté.

8 Ce sont deux physionomies d'amants forts tendres, mais qui n'ont rien de caractérisé ni d'original.
DIDEROT, Lettre à M^me Riccob.

DÉR. **Caractérisation.**

## CARACTÉRISTIQUE [kaʀakteʀistik] adj. et n. f.

— 1550, grammaire, «élément qui marque le temps d'un verbe, la fonction d'un mot»; grec *kharaktêristikos*, de *kharaktêr*. → Caractère.

**I** (1779). Qui caractérise, marque l'appartenance à une classe. *Différence, marque, propriété, signe, trait caractéristique.* → **Déterminant, distinctif, essentiel, particulier, personnel, propre, spécifique, typique.** *Le beffroi est le signe caractéristique de la liberté des villes. L'assimilation, propriété caractéristique des protoplasmes vivants. Motif caractéristique d'une composition musicale.* → **Leitmotiv.**

1 On s'arrête aux traits caractéristiques de la race, et, pour empêcher de la confondre avec une autre, on donne à tous les individus la même parenté de tournure, d'élégance et de beauté banales.
E. FROMENTIN, Un été dans le Sahara, p. 98.

**II** N. f. (1690). ♦ **1** Ce qui sert à caractériser. → **Caractère, indice, marque, signe, trait.** *Le s est la caractéristique du pluriel en français. Les caractéristiques d'une machine, d'un navire, d'une automobile, d'un avion...* → **Particularité, qualité.**

2 Une des caractéristiques des siècles de corruption est que la vertu et les talents isolés ne conduisent à rien.
DIDEROT, Essais sur Claude.

3 À côté de cette attirance vers les Littératures étrangères que suscite ce très vif besoin de renouvellement, il faut rappeler, comme une caractéristique de cette même époque, l'essor de la Littérature féminine (...)
Georges LECOMTE, Ma traversée, p. 100.

*Avoir pour caractéristique. C'est la caractéristique de* (qqn, qqch.) *que* (qqch.), *que de* (faire...).

♦ **2** Math. *Caractéristique d'un logarithme décimal*, sa partie entière (par opposition à la *mantisse*). — Exposant de la base d'un nombre écrit en virgule* flottante.

♦ **3** Ensemble, système de caractères. — Philos. Représentation des idées et de leurs relations par des caractères, par des signes; système de signes permettant une telle représentation. «*(...) la Caractéristique universelle de Leibniz (...) devait être à la fois une langue universelle et une logique algorithmique*» (Lalande, art. *Caractéristique*). — Syn. : *symbolique.*

## CARACTÉROLOGIE [kaʀakteʀɔlɔʒi] n. f.

— 1945; *caractériologie*, 1909, *in* D. D. L.; de *caractère*, et *-logie*, d'après l'allemand.

Didact. Étude psychologique des types de caractères. — On dit aussi *caractériologie.* → **Éthologie,** 2. (vx).

Au sens *étroit*, la caractérologie est *la connaissance des caractères*, si l'on entend par ce mot le squelette permanent de dispositions qui constitue la structure mentale de l'homme (...) La caractérologie n'en retient que (...) le système invariable de nécessités qui se trouve pour ainsi dire aux confins de l'organique et du mental. Les travaux de Malapert, de Heymans et Wiersma, de Kretschmer même (...) relèvent de ce premier sens du mot. 1
Au sens *large*, souvent employé par les Allemands, la caractérologie porte, non seulement sur ce qu'il y a de permanent (...) dans l'esprit d'un homme, mais sur la manière dont cet homme exploite le fonds congénital de lui-même, le spécifie, le compense, réagit sur lui. Suivant ce deuxième sens l'*Individualpsychologie* d'Alfred Adler est une section de la caractérologie (...)
Dans cet ouvrage (...) le mot de *caractérologie* sera toujours pris au sens étroit.
R. LE SENNE, Traité de caractérologie, Préface, p. 1-2.

On peut distinguer deux grands types de caractérologie, l'une *(sic) constitutionnelle*, qui s'intéresse surtout à la constitution d'un individu et aux facteurs innés, l'autre *institutionnelle* qui s'intéresse surtout à l'histoire d'un individu et aux facteurs acquis. La première est à orientation biologique, la seconde à orientation sociologique. 2
Jean DELAY, Introd. à la médecine psychosomatique, Notes et observations, p. 87.

DÉR. **Caractérologique, caractérologue.**

## CARACTÉROLOGIQUE [kaʀakteʀɔlɔʒik] adj.

— 1945, Le Senne; de *caractérologie*.

Psychol. Qui a trait, qui se rapporte à la caractérologie. *Structures caractérologiques. Le tableau caractérologique d'un individu.*

## CARACTÉROLOGUE [kaʀakteʀɔlɔg] n.

— 1945; de *caractérologie*.

Psychol. Psychologue spécialisé en caractérologie.

Les éléments les plus nombreux et les plus précis de cette description ont été rassemblés et systématisés par G. Heymans et E. Wiersma (...) les caractérologues ultérieurs leur doivent (...) beaucoup de gratitude.
R. LE SENNE, Traité de caractérologie, p. 3.

## CARACUL [kaʀakyl] n. m.

— Fin XVIII^e; nom de la ville de *Karakoul*.

♦ **1** Mouton de l'Asie centrale d'une espèce chez laquelle les agneaux nouveau-nés ont une toison bouclée. → **Astrakan** (cit. 1), **breitschwanz.** *L'Afrique du Sud élève et exporte le caracul sous le nom de swakara. Des caraculs.* — Spécialt. Agneau nouveau-né de cette variété de mouton.

Adj. ou appos. *Agneau caracul.*

♦ **2** Fourrure de ces agneaux lorsqu'ils ont plus de cinq jours (on écrit aussi *karakul*). *Manteau de caracul. Un tour de cou en caracul.*

**CARAFE** [kaʀaf] n. f. — 1642, *caraffe*; ital. *caraffa*, esp. *garrafa*; arabe *ǧarrāf* «pot à boire».

♦ **1** Récipient de verre de forme pansue et à col étroit. *Une carafe de verre, de cristal. Carafe d'eau, de vin. Du vin en carafe* (opposé à *en bouteille, bouché*). *Servir du bordeaux décanté en carafe.*

1 (...) toutes ces carafes qui flambent pleines de vin de toutes les couleurs (...)
Alphonse DAUDET, Lettres de mon moulin, «Trois messes basses».

2 (...) en posant le verre, il le fit tinter contre la carafe.
MARTIN DU GARD, les Thibault, t. IV, p. 100.

*Bouchon de carafe*, en verre, en cristal; fig. et fam., grosse pierre précieuse taillée, ou son imitation. *Elle porte au doigt un véritable bouchon de carafe.*
Par métonymie. Contenu d'une carafe. *Boire une carafe de vin. Carafe d'eau.*

♦ **2** Engin de pêche en forme de bouteille, de carafe. *Carafe à goujons. Carafe en fil de fer. — Pêche à la carafe.*

♦ **3** Loc. fam. (1896). **EN CARAFE.** *Rester, être en carafe* : être oublié, laissé de côté (cf. En plan); rester court. *Sa voiture est restée en carafe.* → **Panne** (en).

3 (...) la première personne que j'aperçus fut Nane (...) elle était, comme on aurait pu le prévoir, en carafe, vaguement affairée à un sac fermé d'une chaîne d'or coulissante pour se donner une contenance (...)
Maurice CLAVEL, le Tiers des étoiles, p. 179.

*Laisser* (qqn, qqch.) *en carafe*, (le) quitter brusquement; (le) laisser de côté.

4 (...) le siècle est un farceur et quand il se voit distancé par de trop malins, il peut changer de direction, laissant de côté les prétendus précurseurs avec leurs monuments en carafe (...)
Jacques PERRET, Bâtons dans les roues, p. 217.

♦ **4** (1901). Fam. Tête. *Recevoir une balle en pleine carafe.* → **Carafon** (2.).

♦ **5** Fam. Sot, gourde. *Quelle carafe, ce type!*

DÉR. **Carafon.**

**CARAFON** [kaʀafɔ̃] n. m. — 1700; *garafon*, 1677; de *carafe*; dans l'ital. *caraffone*, le suff. *-one* est au contraire augmentatif.

♦ **1** Petite carafe. *Un carafon de vin, de liqueur. Carafon d'un quart de litre des restaurants.*
Contenu d'un carafon.

♦ **2** Fam. Tête. → **Carafe** (4.). *Recevoir une beigne sur le carafon.*

Si tu voyais la gueule que t'as! – Ma gu...! – Elle en veut, elle en demande, ta gueule! (...) Et quand je réclame, pour la scène d'amour de la Dryade, d'en mettre tant et plus, et de me mouiller un peu ça, elle vous sort un carafon de première communiante!
COLETTE, la Vagabonde, p. 146.

**CARAÏBE** [kaʀaib] adj. et n. — 1658; *caribe*, n., 1568; mot indigène, *karib*.

♦ **1** Didact. De la population indigène des Antilles et des côtes voisines. *Les Indiens caraïbes ont été exterminés. Les dieux caraïbes. Les langues caraïbes.*
N. *Un Caraïbe, une Caraïbe* : un Indien, une Indienne caraïbe.

1 (...) le docteur, en riant d'un rire qui me montra deux rangées de dents à faire honneur aux maxillaires d'un Caraïbe (...)
VILLIERS DE L'ISLE-ADAM, Tribulat Bonhomet, p. 136.

Vx (au XIXe). Sauvage.

S'il vous entendait!... un sauvage!... un caraïbe!... qui verrouille toutes les portes!... 2
E. LABICHE, Deux merles blancs, III, 1.

N. m. Ling. *Le caraïbe*, groupe de langues indiennes de ces régions.

♦ **2** Relatif à la région de la mer des Antilles *(mer Caraïbe)* et de ses îles. *Projets de fédération caraïbe.*

Il semblerait que cet éparpillement des îles dans la mer Caraïbe, qui en effet constitua une barrière naturelle à la pénétration entre elles (...) ne dut plus jouer dans un monde ouvert par les moyens modernes de communication. Mais en réalité la colonisation a divisé en terres anglaises, françaises, hollandaises, espagnoles une région peuplée en majorité d'Africains. 3
Édouard GLISSANT, le Discours antillais, Introd., p. 15-16.

**CARAMBA** [kaʀamba; kaʀɑ̃ba] interj. — 1837; mot espagnol.

Juron espagnol, exprimant la surprise, la colère...
Par iron. *Le genre «Caramba!»* : le genre héroïque, ou qui évoque de façon traditionnelle le caractère hispanique (allusion au poème *Après la bataille* de V. Hugo, dans *la Légende des siècles*, 1859).

**CARAMBOLAGE** [kaʀɑ̃bɔlaʒ] n. m. — 1812; de *caramboler*.

♦ **1** Au billard, Coup dans lequel une bille touche les deux autres. *Faire plusieurs carambolages successifs.* → **Série.**

(...) toute l'attention est tournée vers la salle de billard où le toc-toc continue; au milieu de l'émotion générale, le champion vient d'accomplir son quatorzième carambolage.
R. QUENEAU, le Chiendent, 193, p. 248.

♦ **2** (1843). Vx. Coup* double.

♦ **3** Fig. et fam. Série, suite de chocs, de heurts, de chutes. *Carambolage d'automobiles sur une route encombrée.*

♦ **4** Fam. Fait de caramboler (II., 2.) une femme.

**CARAMBOLE** [kaʀɑ̃bɔl] n. f. — 1610; *carambolas*, 1602; esp. *carambola*, fruit de l'*averrou carambolia*, du portugais.

♦ **1** Fruit sphérique et orangé du carambolier.

Le soir, au Jardin Botanique *(de Saïgon)* goûter à une table chargée de fruits tropicaux, le corosol comme un gros hérisson vert rempli d'une crème délicieuse (...) la carambole (très acide)...
CLAUDEL, Journal, 1925, Pl., p. 659.

♦ **2** (1792). Vx. Bille rouge, au jeu de billard. — REM. Ce sens serait à l'origine de *caramboler* et de ses dérivés.

DÉR. **Caramboler, carambolier.** — V. **Carambouillage** ou **carambouille.**

**CARAMBOLER** [kaʀɑ̃bɔle] v. — 1792; *caramboller* «heurter», v. 1790; donné comme dér. de *carambole* (2.), hypothèse rejetée par Guiraud, qui postule un comp. de *bouler* «heurter la boule», et *quarre* «de coin».

**I** V. intr. ♦ **1** Toucher deux billes avec la sienne, au billard. *Il a carambolé.* — Se dit aussi au jeu de billes.

(...) une galerie donnant sur le jardin conduisait à la salle de billard, dont on entendait, dès la porte, caramboler les boules d'ivoire. 1
FLAUBERT, Mme Bovary, I, VIII, p. 35.

♦ **2** Vx (fin XIXe). Fig., fam. Faire coup double.

**II** V. tr. Fig. ♦ **1** Bousculer, heurter. *Le camion fou a carambolé plusieurs véhicules avant de heurter le platane.*

♦ **2** (1881). Fam., vulg. Posséder (une femme). → **Tringler** (vulg.). — (1877). *Se faire caramboler* (en parlant d'une femme) : être possédée sexuellement.

2 *(Gervaise)* sentit très bien, malgré son avachissement, que la culbute de sa petite, en train de se faire caramboler, l'enfonçait davantage, seule maintenant, n'ayant plus d'enfant à respecter, pouvant se lâcher aussi bas qu'elle tomberait.
Émile ZOLA, l'Assommoir, 1877, Fasquelle Éd., t. II, p. 181.

◆ **SE CARAMBOLER** v. pron. *Les billes se carambolent. Plusieurs voitures se sont carambolées au carrefour.* — Par métaphore. *Les idées se carambolent dans sa tête.* → **Bousculer** (se).

**DÉR. Carambolage.**

**CARAMBOLIER** [kaʀɑ̃bɔlje] n. m. — 1783; de *carambole.*

Petit arbre d'Asie (Inde) cultivé pour son fruit (n. sc. : *Averrhoa carambola*). → **Carambole** (1.).

**CARAMBOUILLAGE** [kaʀɑ̃bujaʒ] n. m. ou **CARAMBOUILLE** [kaʀɑ̃buj] n. f. — 1902, *carambouillage; carambouille,* 1918; probablt altér. de *carambole,* p.-ê. par croisement avec *fripouille, fouiller...*

♦ **1** Escroquerie consistant à revendre une marchandise non payée. *Un carambouillage; une carambouille. — La carambouille.*

1 (...) on lui avait passé des commandes fictives, établies uniquement pour un carambouillage.
Roger NAÏM, l'Ère des truands, p. 18.

2 L'escroquerie, la carambouille, l'arnaque, le hold-up, le rackett et le casse, camouflés derrière un vocabulaire très boutonné (...) ne font plus froncer de sourcils sur aucun front. Jean-Louis BORY, Ma moitié d'orange, p. 28.

♦ **2** Faillite frauduleuse.

**DÉR. Carambouiller.**

**CARAMBOUILLER** [kaʀɑ̃buje] v. tr. — 1928, Esnault; de *carambouille.*

Argot familier.

♦ **1** Revendre (des marchandises) sans avoir payé. — Absolt. Revendre de manière illicite ou peu honnête.

Par ext. Dérober, voler.

♦ **2** (Par confusion probable avec *caramboler*; emploi fréquent chez Céline). Mettre en désordre, abîmer.

N. B. On trouve chez Céline, dans ce sens, le dér. *carambouillade* [kaʀɑ̃bujad] n. f.

**DÉR. Carambouilleur.**

**CARAMBOUILLEUR, EUSE** [kaʀɑ̃bujœʀ, øz] n. — 1926; de *carambouiller.*

Argot familier.

♦ **1** Personne qui pratique le carambouillage. → **Escroc.**

♦ **2** Personne qui met en désordre.

**CARAMEL** [kaʀamɛl] n. m. et adj. invar. — 1680; esp. *caramel(o),* port. *caramello* «glaçon», probablt du bas lat. *calamellus,* de *calamus* «roseau», par anal. de forme entre le sucre durci (ou une stalactite de glace) et une tige de roseau.

♦ **1** *(Le, du caramel).* Produit brun, brillant, aromatique, de la déshydratation du sucre par l'effet de la chaleur. *L'odeur aromatique du caramel. Crème, flan au caramel.* — Appos. *Crème caramel* (cf. Crème renversée).

♦ **2** *(Un, des caramels).* Bonbon au caramel. *Caramels mous. Mangers des caramels. Des caramels au lait, au beurre, au café, au chocolat. Un sachet, une boîte de caramels.*

Et puis je fus seul avec une grosse dame à dentelles qui regardait par la portière en mangeant des caramels (...) ayant apaisé sa gourmandise, elle me vit (...)
H. BOSCO, Un rameau de la nuit, p. 124.

♦ **3** Couleur du caramel. *Toutes les teintes du beige, du sable au caramel.* — Adj. invar. *Des soies caramel,* d'un roux clair.

**DÉR. Caramélé, caraméliser.**

**CARAMÉLÉ, ÉE** [kaʀamele] adj. — 1877, *in* Littré, *Suppl.; caramêler,* 1735; de *caramel.*

Qui a l'apparence, le goût du caramel. *Crème caramélée.*

Par analogie (au sens de «caramélisé») :

(...) cette soupe au gruyère, mijotée, écumeuse, filante et caramélée d'oignon, qui était la spécialité de l'endroit.
MARTIN DU GARD, les Thibault, t. III, p. 223.

**CARAMÉLISATION** [kaʀamelizɑsjɔ̃] n. f. — 1832; de *caraméliser.*

Réduction du sucre en caramel. *Les produits de caramélisation, en brasserie.*

**CARAMÉLISER** [kaʀamelize] v. tr. — 1825; *se caraméliser,* à propos du suc des viandes, 1825; de *caramel.*

♦ **1** Réduire (du sucre) en caramel.

♦ **2** Mêler de caramel (une substance, une eau-de-vie).

♦ **3** Enduire de caramel. *Caraméliser un moule.*

Recouvrir de caramel. *Caraméliser un gâteau de riz.*

◆ **SE CARAMÉLISER** v. pron. *Le sucre se caramélise.* → **Caramélisation.** — Par ext. Prendre la couleur, la consistance du caramel. *La sauce devient brune et se caramélise.* — REM. Un équivalent intransitif se rencontre. *Le sucre caramélise,* se caramélise.

◆ **CARAMÉLISÉ, ÉE** p. p. adj. *Sucre caramélisé.* — Par ext. *Sauce caramélisée* (→ Caramélé, cit.). — (Au sens 2). *Eau-de-vie caramélisée.*

**DÉR. Caramélisation.**

**CARAPACE** [kaʀapas] n. f. — 1688; esp. *carapacho,* p.-ê. d'après *capa* «manteau», d'orig. incert., probablt du préroman **krapp-,* de **kar(r)-* «écale», ou métathèse du provençal *caparasso* «sorte de manteau». → Caparaçon.

♦ **1** Formation tégumentaire osseuse, calcaire ou écailleuse qui recouvre et protège la face dorsale de certains animaux (notamment reptiles, arthropodes). → **Test; bouclier, cuirasse.** *Carapace des chéloniens.* → **Tortue.** *Carapace des crustacés. Carapace d'une écrevisse, d'un crabe, d'un homard, d'une langouste. Carapace du tatou. Bouclier inférieur de la carapace.* → **Plastron.** *Les écailles* d'une carapace. Carapace cornée, calcaire, chitineuse.* — Par ext. (incorrect en sc.). Peau écailleuse.

Et les crocodiles rapaces 1
Sur le sable en feu des ilots,
Demi-cuits dans leurs carapaces,
Se pâment avec des sanglots.
Th. GAUTIER, Émaux et Camées, Nostalgie d'obélisques, II.

Les crabes (...) avaient l'air d'achever leur repas. Ces carapaces semblaient manger cette carcasse. 2
HUGO, les Travailleurs de la mer, II, IV, 4.

3 Elle rentra dans sa chambre, par un mouvement semblable à celui d'une tortue qui cache sa tête, après l'avoir sortie de sa carapace. BALZAC, *in* Pierre LAROUSSE.

♦ **2** Ce qui protège. → **Armure, cuirasse.** *La carapace d'acier d'un char d'assaut.* → **Blindage.** *Une carapace de béton* (cit. 1.1). — Ce qui recouvre d'une enveloppe dure. *Une carapace de glace, de boue.* — (Abstrait). *La carapace de l'égoïsme, de l'insensibilité.*

REM. La proximité de sens et de forme met en relation *carapace* et *caparaçon**, *caparaçonner*, en entraînant des déformations pour ces derniers (*carapaçonner*, barbarisme).

♦ **3** Géol. Concrétion épaisse, dure, à la surface du sol. *Carapace de latérite.* → **Cuirasse.**

**CARAPATE** [kaʀapat] n. f. — XX^e; déverbal de *(se) carapater.*

Fam. Fait de se carapater. *La Carapate* (titre de film, 1979).

**CARAPATER (SE)** [kaʀapate] v. pron. — Av. 1881; *carappater (se),* 1867; de *patte,* et p.-ê. argot *se carrer* «se cacher», du n. f. *carre* «coin», de *carrer* «donner une forme carrée»; P. Guiraud rattache le mot à l'anc. argot *carapata* «fantassin de ligne» et à la loc. adv. *de carre, en carre* «de côté, en travers», d'où *se carapater* «s'écarter, prendre la tangente»; le sens de «s'en aller en courant» serait alors secondaire.

Fam. S'enfuir, s'en aller vivement. → **Décamper, sauver** (se). (cf. fam. Cavaler, se tirer... des pattes).

Neuf vaches sont dans un bois, à 500 mètres de neuf autres dans un pré. Le berger va les chercher. Elles se carapatent à toutes pattes dans la direction opposée aux champs. René FALLET, le Triporteur, p. 131.

En emploi intrans. «*Se décarcasser...; carapater au Vésinet entre deux trains*» (Céline, *Mort à crédit,* Pl., p. 353).

DÉR. **Carapate.**

**CARAQUE** [kaʀak] n. f. et adj. — XIII^e; *carraque,* 1391; *karaque,* 1245; de l'ital. *caracca,* arabe *kărrākăh* «bateau léger».

Didactique.

♦ **1** Ancien navire (portugais) de fort tonnage, très haut sur l'eau, qui faisait des voyages au long cours.

(...) il envoya au-devant de la flotte aux voiles blanches et noires une assez puissante caraque (...)
J. D'ORMESSON, la Gloire de l'Empire, t. II, p. 460.

♦ **2** Adj. ou appos. *Porcelaine caraque :* porcelaine fine que les caraques portugaises rapportaient des Indes en Europe.

**CARASSIN** [kaʀasɛ̃] n. m. — 1816; *corrasin,* 1806; *carache,* 1686; all. *Karas,* du tchèque.

Zool. Poisson physostome *(Cyprinidés),* scientifiquement appelé *carassius,* et vivant en eau douce. *Le carassin ressemble à la carpe, mais n'a pas de barbillons. Carassin doré.* → **Cyprin** (dit couramment *poisson rouge*). *Carassin commun.*

(...) formons barrage pour empêcher la venue imminente de ces animaux vertébrés inférieurs qui se laissent domestiquer ou acheter par le premier enfant venu (...) surtout les carassins et les carpes dont les couleurs font l'adoration des collectionneurs.
Jean CAYROL, Histoire de la mer, p. 60.

**CARAT** [kaʀa] n. m. — 1355; ital. *carato;* arabe *qīrāt* «petit poids»; du grec *keration,* proprt «gousse», puis «tiers d'obole*».

♦ **1** Chaque vingt-quatrième d'or fin contenu dans une quantité d'or (presque toujours après un numéral). *L'or absolument pur aurait vingt-quatre carats, vingt-quatre carats de fin* (→ 1. Or, cit. 1). *Or à dix-huit, vingt, vingt-trois carats. Combien de carats de fin dans cet or ?*

Son mors doit être d'or à vingt-trois carats. 1
VOLTAIRE, Zadig, 3.

Loc. adj., vx. *À vingt-trois, à vingt-quatre carats :* parfait, absolu (souvent iron.). *Un sot à vingt-quatre carats.*

(...) quoique ignorante à vingt et trois carats, 2
Elle passait pour un oracle.
LA FONTAINE, Fables, VII, 15.

*À trente-six carats :* au-delà du possible.

♦ **2** *Carat (métrique) :* unité de masse qui sert d'étalon aux joailliers. *Le carat métrique vaut 0,2 g. Quart du carat.* → **Grain.** *Une perle, un diamant de dix carats.*

Par ext. *Du carat* (collectif), se dit de petits diamants dont le poids n'excède pas le carat et qui se vendent au poids.

♦ **3** Argot vieilli. Année (d'âge). *Une môme de vingt-deux carats.* — (Collectif). *Prendre du carat,* de l'âge.

♦ **4** Loc. fam. *(Le) dernier carat :* (l')extrême limite, (la) dernière limite. *Rendez-moi votre travail à la fin du mois, dernier carat. C'est le dernier carat.*

Vous devez opérer entre 5 h 15 et 5 h 30 du matin, dernier carat, a souligné Gérald. 3
Roger BORNICHE, le Gang, p. 62.

**CARAVAGESQUE** [kaʀavaʒɛsk] adj. et n. m. — 1951; de *Caravage,* d'après l'adj. italien.

Arts. Du peintre italien surnommé Le Caravage; qui caractérise sa technique picturale. *L'éclairage caravagesque.* → **Caravagisme.**

C'est par là qu'il *(Le Caravage)* annonce Vermeer (...) et 1
non pas parce que les poses, l'usage de l'espace et le clair-obscur sont caravagesques dans un Vermeer, d'ailleurs suspect, la Diane au bain de La Haye.
A. BERNE-JOFFROY, *in* N. R. F., 1953 (*in* D. D. L., II, 16).

N. m. Peintre disciple du Caravage. — On dit aussi *caravagiste* [kaʀavaʒist]. «*L'exposition Caravage et les Caravagesques*» (L. Benoist, *Musées et muséologie,* p. 70, n° 904).

La lumière des caravagesques tend d'abord à séparer leurs 2
personnages de l'obscurité (...)
MALRAUX, les Voix du silence, 1951, Pl., p. 388.

**CARAVAGISME** [kaʀavaʒism] n. m. — 1941, Isarlo; de *Caravage.*

Arts. Courant esthétique pictural issu du Caravage et caractérisé par les contrastes de lumière et d'ombre.

**CARAVANAGE** [kaʀavanaʒ] n. m. Francisation de *caravaning** (recomm. officielle).

1. **CARAVANE** [kaʀavan] n. f. — 1654, *in* D. D. L.; *carvane,* v. 1195; persan *karwân,* lors des croisades, p.-ê. du sanskrit *karabha* «chameau».

♦ **1** Groupe de voyageurs réunis pour franchir une contrée désertique ou peu sûre (avant les moyens de transport modernes ou quand ils ne sont pas utilisables). *Les caravanes d'Orient, d'Arabie, du Sahara. Une caravane de marchands, de pèlerins, de nomades. Le chameau, le dromadaire, bêtes de somme des caravanes. La route des caravanes. Relais, abri des caravanes.* → **Caravansérail, kan.** *Caravane attaquée par des pillards.*

(...) après avoir acheté plusieurs sortes de marchandises, 1
je me joignis à une caravane et passai en Perse.
A. GALLAND, les Mille et une Nuits, t. I, p. 388.

2 Puis, la poussière sembla prendre une forme, et l'on vit se dessiner une longue file de cavaliers et de chameaux chargés, qui venaient à nous (...) Enfin, il nous fut possible de distinguer l'ordre de marche et la composition de la caravane (...) Les cavaliers venaient en tête (...) puis, arrivait un bataillon tout brun de chameaux de charge, stimulés par la caravane à pied; enfin, tout à fait derrière, accourait (...) un énorme troupeau de moutons et de chèvres noires (...)
E. FROMENTIN, Un été dans le Sahara, p. 229-230.

3 En tête de la caravane il y avait les hommes, enveloppés dans leurs manteaux de laine, leurs visages masqués par le voile bleu. J.-M. G. LE CLÉZIO, Désert, p. 7.

Prov. *Les chiens aboient, la caravane passe* : il faut laisser crier les envieux, les médisants.

Par ext. Groupe de personnes susceptibles de se déplacer rapidement (pour une opération militaire, de secours...). *Caravane expéditionnaire. Caravane de recherches, de ravitaillement.*

♦ **2** Troupe, groupe, réunion de personnes qui se déplacent. *Une caravane de touristes, d'écoliers. Caravane scolaire. Se promener en caravane.* — (1787, Saussure). *Caravane d'alpinistes.*

Par ext. *Caravane de voitures.* — (1913). *La caravane du Tour de France. La caravane publicitaire* (qui précède les coureurs); *la caravane suiveuse* (des directeurs sportifs, etc.).

Littér. Suite (d'animaux). *Une caravane de fourmis, d'oiseaux migrateurs.*

♦ **3** (1824). Vx. Voiture de forains. → **Roulotte**; 2. **caravane.**

DÉR. 1. **Caravanier.**

2. **CARAVANE** [karavan] n. f. — V. 1930, *in* Rey-Debove-Gagnon; angl. *caravan,* plus ou moins assimilé à 1. *caravane* (sens 3).

Véhicule ou élément de véhicule (remorque) équipé pour servir de logement, de roulotte de camping (ce type de camping est appelé *caravaning* ou *caravanage*).

REM. 1. Équivalent normalisé au Québec du terme communément employé *roulotte.* 2. La *caravane* est en général tractée par une voiture, le véhicule de camping autonome étant appelé en France *camping-car* (anglicisme).

(...) je me suis glissée dans le bois d'eucalyptus réservé aux campeurs. Il n'y avait qu'une vingtaine de caravanes et quinze tentes, quinze voitures.
Christine DE RIVOYRE, Fleur d'agonie, p. 77.

DÉR. 2. **Caravanier.** — V. aussi **Caravanage, caravaning.**

1. **CARAVANIER** [karavanje] n. m. et adj. — 1673; de 1. *caravane.*

♦ **1** Conducteur des bêtes de somme d'une caravane.

♦ **2** Adj. Qui a rapport aux caravanes. *Chemin caravanier. Cité caravanière du Moyen Orient, au moyen âge.*

2. **CARAVANIER, IÈRE** [karavanje, jɛr] n. et adj. — V. 1960; adj., 1911; de 2. *caravane.*

Personne qui possède une caravane et l'utilise pour camper. «*Les caravaniers ont longtemps figuré dans la catégorie du tourisme social parce qu'on les pensait trop pauvres pour louer une "vraie maison". C'était une erreur (...) La moitié des caravaniers sont des cadres moyens ou supérieurs*» (*l'Express,* 29 mars 1971).

**CARAVANING** [karavaniŋ] n. m. — 1950; *caravanning,* 1932; de l'angl. *caravan,* d'après *camping.*

Anglic. Voyage et séjour en caravane. → 2. **Caravane.** — Pratique du voyage et du camping* en caravane. *Pratiquer le caravaning.* — Recomm. off. : *caravanage* [karavanaʒ] n. m.

**CARAVANSÉRAIL** [karavɑ̃seraj] n. m. — 1673, A. Galland, sous l'infl. de *sérail; carvansera,* 1432; persan *kārwānsarāy* «logement de caravane».

♦ **1** En Orient, Vaste cour, entourée de corps de bâtiments où les caravanes font halte. → **Auberge, bordj, hôtellerie.** *La foule bariolée d'un caravansérail.*

Le caravansérail est formé d'une cour immense entre quatre murs. Sur deux faces, une galerie couverte pour les chevaux; aux quatre angles, une chambre pour les voyageurs. 1
E. FROMENTIN, Un été dans le Sahara, p. 100.

Ce joli mot de caravansérail que traverse comme un éblouissement tout l'Orient féerique des *Mille et une Nuits.* 2
Alphonse DAUDET, Contes du lundi, «Le caravansérail».

♦ **2** Lieu fréquenté par des étrangers de diverses provenances. *Cette ville cosmopolite est un caravansérail, une tour de Babel.*

♦ **3** Fam. Lieu animé, en désordre. *Son appartement est toujours envahi de copains, c'est un vrai caravansérail.*

**CARAVELLE** [karavɛl] n. f. — 1495; *carvelle,* 1462; *caruelle,* 1438; port. *caravela,* bas lat. *carabus.* → Gabarre.

♦ **1** Anciennt. Navire de petit ou moyen tonnage, aux XVᵉ et XVIᵉ siècles. *Les caravelles avaient trois ou quatre mats, portant généralement des voiles à antennes. La Pinta et la Niña, caravelles de Christophe Colomb.*

1 Ou penchés à l'avant des blanches caravelles,
Ils regardaient monter en un ciel ignoré
Du fond de l'Océan des étoiles nouvelles.
J.-M. DE HEREDIA, les Trophées, «Les conquérants».

♦ **2** Nom d'un avion à réaction moyen-courrier, en service dans les années 1950 à 1970.

(...) la Caravelle met Rome aux portes de Paris. Je suis le dernier Français à user encore du train. 2
F. MAURIAC, le Nouveau Bloc-notes 1958-1960, p. 306.

♦ **3** Voilier monotype en bois, à bouchains vifs. *La Caravelle est un voilier d'initiation à plusieurs équipiers, utilisé dans les écoles de voile.*

**CARB-** ou **CARBO-** Premier élément de mots didactiques, du lat. *carbo* «charbon». Voir à l'ordre alphabétique. — Spécialt (chim.). Préfixe indiquant la présence du carbone ou d'un anhydride carbonique dans un composé.

**CARBAMATE** [karbamat] n. m. — 1868; du rad. de *carbamique,* et *-ate.*

Chim. Sel de l'acide carbamique.

**CARBAMIQUE** [karbamik] adj. — 1868; de *carbam(ide)* «urée», et *-ique.*

Chim. Se dit d'un acide de formule $NH_2$-CO-OH, monoamide de l'acide carbonique.

DÉR. V. **Carbamate.**

**CARBAZOL** ou **CARBAZOLE** [karbazɔl] n. m. — 1890; en all., 1872; cf. *carbazotique,* 1846; de *carb(o)-, az(ote),* et suff. *-ol.*

Chim. Composé hétérocyclique azoté ($C_{12}H_9N$) qui accompagne l'anthracène dans le produit extrait du goudron de houille et sert à la synthèse des matières colorantes.

**CARBET** [kaʀbɛ] n. m. — 1638; Brésil, 1614; mot tupi, employé aux Antilles.

Didact., régional (franç. des Caraïbes).

♦ **1** Grande case collective.

1 *(En Guyane)* l'ouvrier mineur travaille dans la boue jusqu'aux genoux, parfois jusqu'au ventre. Comme l'ouvrier qui soigne les balatas et le coupeur de bois, il loge sous des carbets à peine couverts.
J. GALMOT, *in* B. CENDRARS, Rhum, p. 53.

♦ **2** (Antilles, Guyane française). Abri, hangar pour abriter embarcations, engins de pêche.

2 Je ne dis rien de la baraque (...) J'en ai vu des centaines, du même genre, quand ton père était juge à la Guadeloupe. C'est un carbet, sans les margouillats.
H. BAZIN, Cri de la chouette, p. 129.

**CARBHÉMOGLOBINE** [kaʀbemɔglɔbin] n. f. → **Carbohémoglobine.**

**CARBINOL** [kaʀbinɔl] n. m. — Déb. XX^e; de *carb-*, et *-ol.*

Chim. Alcool méthylique.

**CARBO-** → **Carb-.**

**CARBOCHIMIE** [kaʀboʃimi] n. f. — XX^e; de *carbo-*, et *chimie.*

Chim., techn. Partie de la chimie industrielle englobant les divers procédés de transformation de la houille et de ses dérivés. → **Carbonisation, cokéfaction, distillation, gazéification, hydrogénation.**

DÉR. **Carbochimique.**

**CARBOCHIMIQUE** [kaʀboʃimik] adj. — XX^e; de *carbochimie.*

Chim. De la carbochimie. *Industries, usines, techniques carbochimiques.*

**CARBOGÈNE** [kaʀbɔʒɛn] n. m. — Fin XIX^e; de *carbo-*, et *-gène.*

Technique.

♦ **1** Mélange gazeux (90 % oxygène ; 10 % gaz carbonique) employé pour ranimer les asphyxiés.

♦ **2** Produit pulvérulent capable de donner une eau de table gazeuse.

**CARBOGLACE** [kaʀboglas] n. f. — 1955 ; nom déposé, de *carbo-* et *glace.*

Techn. Dioxyde de carbone solidifié utilisé pour la réfrigération. — Syn. cour. : *neige carbonique**.

**CARBOHÉMOGLOBINE** [kaʀboemɔglɔbin] n. f. — Mil. XX^e; de *carbo-*, et *hémoglobine.*

Physiol. Combinaison du gaz carbonique et de l'hémoglobine, qui se forme dans les globules rouges et se décompose dans les poumons, en libérant le gaz carbonique.

REM. On trouve parfois la variante *carbhémoglobine* [kaʀbemɔglɔbin].

**CARBOMYCINE** [kaʀbomisin] n. f. — V. 1960-1970 ; de *carbo-*, et *-mycine*, du grec *mukês* « champignon ».

Méd. Antibiotique administré par la bouche, utilisé pour combattre diverses infections, surtout celles que provoquent des bactéries rondes *(cocci).*

**CARBONADE** [kaʀbɔnad] n. f. → **Carbonnade.**

**CARBONADO** [kaʀbɔnado] n. m. — 1888 ; mot port., « charbonneux ».

Techn. Diamant* noir utilisé pour le forage des roches dures.

**CARBONARESQUE** [kaʀbɔnaʀɛsk] adj. — 1916, R. Rolland ; de *carbonaro.*

Rare. De carbonaro. *Le mouvement carbonaresque.*

**CARBONARISME** [kaʀbɔnaʀism] n. m. — 1818 ; de *carbonaro.*

Principes, doctrines des carbonari. Mouvement politique des carbonari.

Le comte Orlando Prada, d'une noble famille milanaise, fut tout jeune brûlé d'une telle haine contre l'étranger, qu'à peine âgé de quinze ans il faisait partie d'une société secrète, une des ramifications de l'antique carbonarisme.
ZOLA, Rome, p. 128.

**CARBONARO** [kaʀbɔnaʀo] n. m. — 1818 ; mot ital., « charbonnier », en mémoire d'anciens conspirateurs qui se réunissaient dans des huttes de charbonnier.

Membre d'une société secrète italienne, au début du XIX^e siècle. — Plur. (italien). *Des, les carbonari. Les carbonari travaillaient au triomphe des idées révolutionnaires. Réunion de carbonari.* → **Vente.**

D'aucuns, qui le connaissaient mal, le crurent longtemps carbonaro. Mais, pour ceux qui le connaissaient mieux, il y avait trop de déclamation (...) dans le carbonarisme, pour qu'un homme aussi absolu tombât dans des niaiseries qu'il jugeait, avec la ferme judiciaire de son pays.
BARBEY D'AUREVILLY, les Diaboliques, « À un dîner d'athées ».

DÉR. **Carbonaresque, carbonarisme.**

**CARBONATATION** [kaʀbonatɑsjɔ̃] n. f. — 1874 ; de *carbonater.*

Chim., techn. Fait de carbonater, ou d'être carbonaté. *La carbonatation, procédé de purification du jus de betteraves. Carbonatation de l'eau.* → **Carbonateur.**

**CARBONATE** [kaʀbɔnat] n. m. — 1787 ; de *carbone.*

Sel ou ester de l'acide carbonique. *Carbonate hydraté.* → **Hydrocarbonate.** *Carbonates naturels : carbonate de baryum* (→ **Withérite**), *de calcium* (→ **Aragonite, calcaire, calcite, chaux**), *de cuivre* (→ **Azurite, malachite**), *de fer* (→ **Sidérose**), *de magnésie* (hydromagnésie), *de manganèse, de plomb* (→ **Céruse, cérusite**), *de potassium, de sodium, de zinc* (→ **Smithsonite**). *Carbonate d'ammoniaque, de bismuth, de fer, de magnésie* (magnésium), *de potasse* (potassium), *de soude* (sodium ; → **Bicarbonate**), *utilisés en thérapeutique.*

(...) Nab et Pencroff, guidés par Cyrus Smith, charrièrent, sur une claie (...) plusieurs charges de carbonate de chaux, pierres très communes, qui se trouvaient abondamment au nord du lac. Ces pierres, décomposées par la chaleur, donnèrent une chaux vive, très grasse (...)
J. VERNE, l'Île mystérieuse, p. 169.

DÉR. **Carbonater.** ◊ COMP. **Bicarbonate.**

**CARBONATER** [kaʀbɔnate] v. tr. — 1845 ; *carbonaté*, 1801 ; de *carbonate.*

Techn. Transformer en carbonate. Additionner de carbonate. — Au p. p. *Eaux carbonatées.*

DÉR. **Carbonatation, carbonateur.**

**CARBONATEUR** [kaʀbɔnatœʀ] n. m. — 1886 ; de *carbonater.*

Techn. Appareil destiné à la carbonatation (notamment dans l'industrie des boissons gazeuses).

**CARBONCLE** [kaʀbɔ̃kl] ou **CARBOUCLE** [kaʀbukl] n. m. — 1080, *carbuncle*, Chanson de Roland ; *karbokle*, XI^e ; lat. *carbunculus*, de *carbo* « charbon ».

Vieux.

**I** Escarboucle.

**II** Méd. (*carbuncle* ou *carboncle*). Anthrax.

DÉR. V. **Escarboucle.**

**CARBONE** [kaʀbɔn] n. m. — 1787; lat. *carbo, -onis* «charbon». → Carb-, carbo-.

♦ **1** Chim. Corps simple métalloïde (symb. *C*; n° at. : 6; masse at. : 12,01) qui existe sous plusieurs formes allotropiques, est très répandu dans la nature à l'état combiné et se trouve dans tous les corps vivants. *Le carbone est l'élément essentiel du charbon.* → **Carb-, carbo-.** *Le carbone est bon conducteur, combustible et réducteur. Carbones naturels : cristallisés* (→ **Diamant, graphite**); *amorphes* (→ **Charbon**; et aussi **anthracite, houille, lignite, tourbe**). *Carbones artificiels.* → **Charbon** (de cornue, de bois), **coke, noir** (noir animal, noir de fumée). *Action absorbante du carbone sur les gaz. La combustion de 12 g de carbone dégage de 94* (carbone diamant, carbone graphite) *à 97 calories* (carbone amorphe). — *Étude des combinaisons du carbone :* chimie organique (→ **Carbonate, carbure, hydrocarbure**). *Hydrates de carbone.* → **Glucide, sucre.** *Carbone éliminé par la respiration* (gaz carbonique*).

1 À la fin du XVIIIe siècle, on étudiait déjà la composition de divers corps organiques (...)
Avec le début du XIXe siècle s'affinent les méthodes d'analyse (...) et se précise la théorie atomique. Dans la rubrique «chimie organique» vient se ranger une immense variété de composés qui contiennent toujours du carbone et de l'hydrogène, souvent de l'oxygène (...)
François JACOB, la Logique du vivant, p. 106.

*Modification de la composition d'un métal par combinaison avec le carbone.* → **Cément, cémentation.**
*Carbone asymétrique :* atome de carbone dont les quatre valences sont saturées par quatre éléments différents.
*Oxyde** (ou *monoxyde*) *de carbone :* gaz incolore, sans odeur ni saveur, de densité 0,96, de formule CO, qui brûle en donnant du dioxyde de carbone. → **Carbonyle.** *Dioxyde de carbone :* gaz carbonique ou anhydride carbonique ($CO_2$).
*Sulfure de carbone :* liquide incolore, de densité 1,6, de formule $CS_2$. *Sel du sulfure de carbone.* → **Sulfocarbonate.** *Sulfurage* de la vigne au sulfure de carbone. — Tétrachlorure de carbone.*
*Cycle du carbone,* série de ses combinaisons dans les êtres vivants.
CARBONE 14 : isotope radioactif du carbone, qui permet de dater les vestiges d'êtres organisés (symb. : *$^{14}$C ou C$^{14}$*). *Charbons soumis à l'analyse du carbone 14* (ou C$^{14}$).

2 Je viens de lire dans l'avion un très sérieux article sur le Suaire de Turin (...) Il serait plutôt authentique... Il faut encore attendre le test par carbone 14... Prudence que la science exige, bien sûr...
P. SOLLERS, Femmes, p. 170.

♦ **2** (1914). Cour. PAPIER CARBONE : papier chargé de couleur (à l'origine, de noir animal), et destiné à obtenir des doubles, en dactylographie, etc. — Absolt. *Taper une lettre en six exemplaires, avec des carbones.*

DÉR. et COMP. **Carbonate, carboné, carboneux, carbonifère, carbonique, carbonisation, carboniser, carbonyle.** — V. aussi **Carb- (carbure,** etc.).

**CARBONÉ, ÉE** [kaʀbɔne] adj. — 1787; de *carbone.*

Chim. Qui contient du carbone. *Les chaînes carbonées, en chimie organique.* → **Carburé.**

**CARBONEUX, EUSE** [kaʀbɔnø, øz] adj. — XIXe; de *carbone.*

Chim. Qui contient du carbone, de la nature du carbone.

**CARBONIFÈRE** [kaʀbɔnifɛʀ] adj. et n. m. — 1838; de *carbone,* et *-fère.*

Didact. ou technique.

♦ **1** Qui contient du charbon. *Terrain carbonifère.*

♦ **2** Géol. Époque géologique allant du dévonien au permien (ère primaire). *On divise l'époque carbonifère en trois étages : le dinantien, le westphalien, le stéphanien.* — N. m. *Le carbonifère. La faune du carbonifère se caractérise par l'expansion des batraciens, des reptiles et l'extinction des trilobites, des poissons cuirassés.*

**CARBONIQUE** [kaʀbɔnik] adj. — 1787; de *carbone.*
Se dit d'un anhydride résultant de la combinaison du carbone et de l'oxygène. *Gaz carbonique* (cour.) ou *anhydride carbonique* ou *dioxyde de carbone* ($CO_2$) : gaz incolore, liquéfiable par pression, incombustible. *L'anhydride carbonique gazeux a une densité de 1,53; il est soluble dans l'eau et sert à la fabrication des eaux gazeuses artificielles.* — *Neige carbonique :* anhydride carbonique solide. *Émanation naturelle d'anhydride carbonique.* → **Mofette.** — *Fixation de l'anhydride carbonique et de ses composés organiques.* → **Carboxylase.** *Élimination du gaz carbonique du sang par la respiration.* → **Carbohémoglobine.** — *Acide carbonique* ($H_2CO_3$) : acide très faible, jamais obtenu à l'état libre. *Sel de l'acide carbonique.* → **Carbonate.**

**CARBONISAGE** [kaʀbɔnizaʒ] n. m. — 1948; de *carboniser.*

Techn. Opération qui consiste à débarrasser la laine des impuretés végétales qu'elle peut contenir (épaillage) par passage dans un bain acide.

**CARBONISATION** [kaʀbɔnizasjɔ̃] n. f. — 1789; de *carbone* ou de *carboniser* (attesté un peu plus tard).

♦ **1** Transformation (d'une substance organique) en charbon, par la chaleur. *Carbonisation du bois* (charbon de bois), *des os* (noir animal). *Carbonisation de la houille.* → **Coke.** *Carbonisation en four. Four à carbonisation. Indice de carbonisation.*

♦ **2** Changement ou destruction (de qqch.) par le feu. *La carbonisation des chaumes, après l'incendie.*

♦ **3** Cuisson excessive. *Attention, le rôti est en voie de carbonisation !*

**CARBONISER** [kaʀbɔnize] v. — 1803; de *carbone.*

**I** V. tr. ♦ **1** Réduire des matières organiques en charbon. → **Brûler, calciner, consumer.** *Carboniser du bois.* — Pron. *Le bois s'est complètement carbonisé.*

Au laboratoire, on peut carboniser du sucre, non le transformer en alcool et gaz carbonique ainsi que le réalise la levure de bière. 1
François JACOB, la Logique du vivant, p. 111.

♦ **2** Cour. Brûler complètement. *L'incendie a carbonisé la forêt entière.*

♦ **3** (1825). Rôtir, cuire à l'excès. *Carboniser un rôti.* — Pron. *Le rôti va se carboniser.* — P. p. adj. :

Jardin tout noir et qui semblait pétrifié, où les arbres, les plantes et le bassin de marbre, plein d'une eau de 2

laque, rare, épaisse et dormante, avaient un air carbonisé, comme si de quelque ancienne ardeur, tout ne fût plus là qu'un témoignage volcanique.
Edmond JALOUX, le Jeune Homme au masque, XIII, p. 204.

**II** V. intr. Se transformer en charbon. *Ce tas de bois est en train de carboniser.*

DÉR. **Carbonisage.** — V. **Carbonisation.**

**CARBONNADE** ou **CARBONADE** [kaʀbɔnad] n. f. — 1534; *charbonnade,* XIIIe; ital. *carbonata,* de *carbone* «charbon».

Manière de griller la viande sur des charbons. *Tranches de jambon à la carbonnade.* — Viande ainsi apprêtée. *Manger une carbonnade.*

**CARBONYLE** [kaʀbɔnil] n. m. — 1855; de *carbone,* et *-yle.*

♦ **1** Chim. Radical carboné bivalent, de formule C=O. — Appos. *Groupement carbonyle, radical carbonyle :* groupe C=O, caractéristique des aldéhydes et des cétones. — *Chlorure de carbonyle* $COCl_2$ (oxychlorure de carbone). → **Phosgène.** — Adj. *Métal carbonyle :* composé d'un métal avec l'oxyde de carbone.

♦ **2** Techn. Mélange d'huiles de créosote et d'huiles d'anthracène, utilisé pour préserver les bois de la pourriture. *Peindre au carbonyle. Passer une couche de carbonyle.*

**CARBORUNDUM** [kaʀbɔʀɔ̃dɔm] n. m. — 1905, in *Rev. gén. des sc.,* no 11, p. 504; nom déposé angl., de *carbon* «carbone», et *corundum* «corindon».

Techn. Siliciure de carbone utilisé comme abrasif, comme matériau réfractaire. *Carborundum en grains, en poudre. Pierre de carborundum.*

**CARBOUCLE** [kaʀbukl]; **CARBUNCLE** [kaʀbɔ̃kl] n. m. → **Carboncle.**

**CARBOXYLASE** [kaʀbɔksilɑz] n. f. — XXe; de *carboxyle,* et *-ase.*

Biochim. Enzyme qui catalyse la fixation du dioxyde de carbone sur un composé organique, ou qui enlève le carboxyle des acides organiques.

**CARBOXYLE** [kaʀbɔksil] n. m. — 1890; de *carb-, ox(ygène),* et *-yle.*

Chim. Groupement monovalent –COOH, caractéristique des acides carboxyliques. *«Lorsque le carbone n'a plus que trois valences oxydées, il est sous la forme carboxyle»* (Jules Carles, *la Chimie du vin,* p. 94).

DÉR. et COMP. **Carboxylase, carboxylique. Décarboxyler. Décarboxylase.**

**CARBOXYLIQUE** [kaʀbɔksilik] adj. — 1890; de *carboxyle.*

Chim. Se dit d'un acide organique qui contient le radical carboxyle*.

La cellulose est un *échangeur d'ions :* elle fixe des cations par ses groupes carboxyliques, cédant des ions H+.
M. CHÊNE et N. DRISCH, la Cellulose, p. 28.

COMP. **Tricarboxylique.**

**CARBURANT** [kaʀbyʀɑ̃] adj. et n. m. — 1857, *appareil carburant;* de *carbure.*

♦ **1** Adj. Qui contient du carbure* d'hydrogène (ou un autre combustible). *Mélange carburant.*

♦ **2** N. m. (1899). Combustible qui, mélangé à l'air (→ **Carburation**), peut être utilisé dans un moteur à explosion, et, par ext., dans un moteur à turbine, un réacteur, etc. *Les alcools éthyliques et méthyliques sont les principaux carburants d'origine végétale. Carburants d'origine minérale.* → **Benzol, essence, gas-oil, pétrole; supercarburant.** *Additifs antidétonants*, qui augmentent la résistance à la détonation des carburants. Distillation des carburants.* → **Cracking.** *Carburants synthétiques. Indice d'octane* d'un carburant. Carburants et comburants*. Carburant pour voitures de tourisme, pour camions, pour moteurs Diesel, pour avions à réaction* (→ **Carburéacteur**), *pour fusées. Réservoir à carburant. Consommation, ravitaillement en carburant. Taxe sur les carburants. Économiser le carburant; la crise du carburant.* → **Énergie.**

L'Avant exige toutes les ressources, ce sont les carburants que demandent d'abord notre aviation, nos ravitaillements, nos transports de troupes (...)
L.-H. LYAUTEY, Paroles d'action, p. 249.

COMP. **Biocarburant, supercarburant.** V. **Carburéacteur.**

**CARBURATEUR, TRICE** [kaʀbyʀatœʀ, tʀis] adj. et n. m. — 1857; de *carbure* ou de *carburer.*

♦ **1** Adj. Vx. Où se produit la carburation de certains corps. *Appareil carburateur* (pour augmenter la puissance d'éclairage du gaz).

♦ **2** N. m. (1892, *Année sc. et industr.* 1892-93, p. 419 : *«Le carburateur est en métal...»*). Mod. et cour. Appareil dans lequel un carburant vaporisé est mélangé à l'air (mélange carburé) pour alimenter un moteur à explosion. *Le carburateur se compose d'un réservoir ou cuve maintenu à niveau constant par un flotteur, d'un gicleur entouré d'une buse ou venturi, d'un papillon des gaz. Carburateur d'automobile, d'avion. Réparer un carburateur. Inflammation du mélange carburé provenant du carburateur et du système d'injection.* → **Allumage.** *Commande du carburateur.* → **Accélérateur.** *Carburateur-injecteur. Double carburateur. Nettoyage, réglage du carburateur.* — *Moteur à carburateur et moteur à injection.*

— On leur fera réparer la prochaine fois, à ces salauds, 1
et s'ils recommencent, on leur foutra du sable dans leur carburateur, ça manque pas ici, le sable.
M. DURAS, Un barrage contre le Pacifique, p. 103.

Il pouvait lever le nez et détecter aussitôt une odeur (...) 2
de carburateur de Honda qui a un peu chauffé dans la descente (...)
Geneviève DORMANN, le Bateau du courrier, p. 30.

**CARBURATION** [kaʀbyʀasjɔ̃] n. f. — 1852; de *carbure* ou de *carburer.*

♦ **1** Techn. Enrichissement en carbone d'un corps métallique. *Carburation du fer* (acier).

♦ **2** Plus cour. Mélange d'air et d'un hydrocarbure gazeux. → **Carburant.** *La carburation de l'essence dans le carburateur* d'un moteur à explosion. La carburation se fait mal.*

Par métaphore :

(...) restreindre le plus possible les dépenses et ce trafic d'échanges qu'est la vie; ce qu'il appelait la carburation (...)
GIDE, les Faux-monnayeurs, II, IV, p. 250.

Fig. Fonctionnement (d'une économie, etc.) qui recherche un rendement maximum. *«La formidable "carburation" américaine commence donc à sécréter ses antitoxines. Déjà les hippies révoltés avaient (...) tourné le dos avec colère au "cauchemar climatisé"»* (*Science et Vie,* 1973; no 668, p. 36).

**CARBURE** [kaʀbyʀ] n. m. — 1787; du rad. de *carbone,* et suff. *-ure.*

♦ **1** Chim. Composé binaire du carbone avec un élément différent de l'oxygène. *Carbures d'hydrogène* (hydrocarbures) : groupes de corps, classés en séries de corps homologues, dont les molécules ne diffèrent que par le radical $CH_2$. → **Hydrocarbure.** *Carbure fondamental,* le premier terme de la série. *Carbures acycliques : saturés* (→ **Méthane; éthane; propane; butane**) *et non saturés* (éthyléniques et acétyléniques). → **Éthylène** (et alcène); **acétylène** (et alcyne). *Carbures cycliques : alicycliques ou naphténiques et de la série aromatique*.* → **Benzène; naphtalène; anthracène.**

1 On sait que le sol de l'Asie centrale est comme une éponge imprégnée de carbures d'hydrogène liquides. Au port de Bakou (...) les sources d'huiles minérales sourdent par milliers à la surface des terrains.
J. VERNE, Michel Strogoff, p. 435.

*Carbures métalliques :* carbures de fer, de calcium, de silicium, de tungstène.

♦ **2** Spécialt, cour. Carbure de calcium. *Mettre du carbure dans une lampe à acétylène. Lampe à carbure.*

2 Il pénétra dans la remise, sortit le sac de carbure et en versa dans une boîte de fer-blanc. Puis il alla remettre le sac dans la remise, revint à la boîte et se mit à écraser le carbure entre ses doigts.
M. DURAS, Un barrage contre le Pacifique, p. 18.

♦ **3** Argot (par métaphore). Argent.

3 Cinq ans plus tard, elle rapplique sur le coin avec quatre cents billets, et elle cherche Papa. Elle le trouve, elle lui refile son carbure et Papa, naturellement, ne la contrarie pas.
F. CARCO, Paname, p. 15.

4 L'argent! toujours l'argent! Que faire sans carbure?
Roger NAÏM, l'Ère des truands, p. 119.

DÉR. et COMP. **Carburant, carburateur, carburation, carburé, carburer. Décarburer. Bicarbure, fluocarbure, fluorocarbure, hydrocarbure.**

**CARBURÉ, ÉE** [kaʀbyʀe] adj. — 1823; de *carbure.*

Techn. Combiné avec du carbone (en parlant d'un corps autre que l'oxygène). *Hydrogène carburé.* → **Carboné.** *Métal carburé. — Mélange carburé.* → **Carburant.**

**CARBURÉACTEUR** [kaʀbyʀeaktœʀ] n. m. — 1959; de *carbu(rant),* et *réacteur.*

Techn. Carburant pour moteur à réaction ou à turbine (aviation). *Problèmes «d'alimentation en énergie, en carburéacteur et essence»* (*Science et Vie,* n° 594, p. 106).

REM. Ce terme est la traduction française de l'anglais *jet fuel.*

**CARBURER** [kaʀbyʀe] v. intr. — 1853, *carburer la flamme du gaz d'éclairage;* de *carbure.*

♦ **1** Techn. Effectuer la carburation. *Ce moteur carbure mal.*

♦ **2** (1920; sports). Fam. Aller (bien ou mal); marcher, fonctionner. *Ça carbure :* ça va.

1 Je te félicite, dit Chick.
Il évitait de regarder Alise.
— Qu'est-ce qu'il y a vous deux? dit Colin. Ça n'a pas l'air de carburer fort.
Boris VIAN, l'Écume des jours, XV, p. 56.

Loc. fam. *Carburer à* (et nom de boisson alcoolisée) : boire habituellement du..., de la...

2 (...) vous avez très bonne mine. — Merci, monsieur Anglade! (...) — Vous suivez un régime, peut-être? — Moi? Pas du tout. Je carbure au whisky.
Jean-Louis CURTIS, le Roseau pensant, p. 221.

Réfléchir, faire fonctionner son esprit. *Carbure donc un peu, tu trouveras la solution.*

DÉR. V. **Carburateur, carburation.**

**CARCAILLER** [kaʀkaje] v. intr. — 1621, *in* D. D. L.; formation onomatopéique, le second élément représentant *caille.*

Rare. Pousser son cri (en parlant de la caille).

**CARCAISE** [kaʀkɛz] n. f. — 1743, Trévoux; *carquèse,* 1701; orig. incert.; on a proposé l'anc. franç. *carcais* «carquois», qui convient mal pour le sens; le grec *karkhêsion,* lat. *carchesium* «coupe à étranglement central», n'est pas sûr.

Techn. Four de verrier pour le recuit du verre après coulage.

**CARCAJOU** [kaʀkaʒu] n. m. — 1703, *carcajoux;* mot indien du Canada.

Blaireau du Labrador.

Le carcajou est une espèce de tigre et de grand chat. 1
CHATEAUBRIAND, Voyage en Amérique, 20.

Mais au milieu de ces rameaux dont une constante humi- 2
dité entretient la verdure, ne cherchez pas avec l'auteur d'*Atala* «des carcajous se suspendant par leurs queues flexibles au bout d'une branche abaissée pour saisir dans l'abîme les cadavres brisés des élans et des ours».
L. DEVILLE, Voyage dans l'Amérique septentrionale, *in* le Tour du monde, 1861, p. 258.

1. **CARCAN** [kaʀkɑ̃] n. m. — V. 1172; *charcanz,* déb. XIIe; lat médiéval *carcannum,* d'orig. obscure; on a proposé l'anc. nordique *kverkband* «jugulaire» et l'arabe *halhal* «anneau de cheville»; pour P. Guiraud, les formes *charchant, carquant* renvoient à *charchier, carquier,* formes picardes de *charger,* d'où *carguant* «charge pénible», forme de *chargeant* «lourd, pesant» (XIIIe-XVIIe).

**A** ♦ **1** Anciennt. Collier de fer fixé à un poteau pour y attacher par le cou un criminel condamné à l'exposition publique. → **Pilori.** *La peine du carcan. Supplice du carcan.* → **Cangue.**

Être au carcan a son charme. Tout le monde voit que vous 1
êtes infâme.
HUGO, les Travailleurs de la mer, I, VI, 6.

Parmi les trois acolytes, de même style, se distingue un 2
rouquin efflanqué, aux oreilles décollées, comme engoncé dans un carcan qui est d'un effet assez comique.
Georges LECOMTE, Ma traversée, p. 477.

Par métonymie. Peine du carcan. *Être condamné au carcan.*

(1867). Collier de fer que portaient les forçats et qui était relié à la chaîne générale (cadène).

♦ **2** (1468). Anciennt. Chaîne de cou en or, collier de pierreries qui faisait partie du costume (essentiellement des femmes), du moyen âge au XVIIIe siècle. — Mod. Parure de cou.

Ces riches carcans, ces colliers, 3
Et cette pompe enchanteresse
Ne valent pas un des baisers
Que tu donnais dans ta jeunesse.
VOLTAIRE, Épître, 28.

♦ **3** (1832). Collier de bois qu'on place autour du cou des animaux pour les entraver. → **Tribart.**

♦ **4** En appos. *Un col carcan,* qui engonce, serre le cou.

**B** (Abstrait). Ce qui entrave la liberté. → **Assujettissement, contrainte, joug.** *Le carcan de la discipline.*

2. **CARCAN** [kaʀkɑ̃] n. m. — 1842; var. de *carcasse.*

Familier et vieux.

♦ **1** Vieux ou mauvais cheval. → **Rosse** (→ Carogne, cit. 1).

♦ **2** Femme grande et maigre, méchante; personne acariâtre.

**CARCASSE** [kaʀkas] n. f. — 1550, Ronsard, «ossements»; cf. l'anc. franç. *charcois*, d'origine inconnue; un rapport avec *carquois* est improbable; P. Guiraud rapproche le mot du normanno-picard *carquier* «charger, transporter» d'où *carcasse* «ce qui charrie, supporte (le corps)».

♦ **1** Ensemble des ossements décharnés du corps d'un animal (surtout des grands mammifères), qui tiennent encore les uns aux autres. → **Squelette; charpente** (charpente osseuse), **ossature.** *Carcasse de cheval. Des charognes et des carcasses d'animaux morts de soif.*

1 Et le ciel regardait la carcasse superbe
Comme une fleur s'épanouir.
La puanteur était si forte, que sur l'herbe
Vous crûtes vous évanouir.
BAUDELAIRE, les Fleurs du mal, XXIX, «Une charogne».

2 J'ai vu le long des routes désolées des carcasses de chameaux blanchir; — chameaux abandonnés des caravanes, trop las et qui ne pouvaient plus se traîner, qui pourrissaient d'abord, couverts de mouches, en dégageant d'épouvantables puanteurs.
GIDE, les Nourritures terrestres, VII, p. 165.

REM. On trouve chez Ronsard l'expression pléonastique *carcasse d'os*, où *carcasse* semble avoir précisément la valeur de «charpente».

3 Rien de nous ne reste en la bière
Qu'une vieille carcasse d'os. RONSARD, Odes, II, 17.

Techn. (boucherie). Animal de boucherie dépecé, prêt pour le commerce. *Livrer la carcasse d'un bœuf entier.*

(1680). Cour. *La carcasse d'une volaille :* ce qui reste du corps après avoir enlevé les cuisses, les ailes et les blancs. *Ronger une carcasse de poulet.*

3.1 (...) une oie extraite de la basse-cour du maître-coq; les ailes du volatile seraient écartées par une carcasse invisible, et ses pattes, collées au plancher par un enduit tenace, garderaient une attitude de fuite rapide.
Raymond ROUSSEL, Impressions d'Afrique, p. 344.

♦ **2** (1680). Fig. Personne ou animal d'une maigreur extrême. *Une vieille carcasse.*

(Av. 1696). Fam. Corps humain. *Les problèmes, les exigences de la carcasse. Soigner sa carcasse. Promener sa vieille carcasse.*

4 La vieille Sanguin est morte comme une héroïne, promenant sa carcasse par la chambre, se mirant pour voir la mort. Mme DE SÉVIGNÉ, 510, *in* LITTRÉ.

5 Quelquefois, pendant une bataille, il *(Turenne)* ne pouvait s'empêcher de trembler (...) alors, il parlait à son corps comme on parle à un serviteur. Il lui disait : «Tu trembles, carcasse; mais si tu savais où je vais te mener tout à l'heure, tu tremblerais bien davantage».
LAVISSE, Hist. de France (Cours moyen, 1re et 2e années), XIV, p. 107.

6 La lutte même qu'il lui avait fallu soutenir contre ce que, comme Turenne, il eût appelé «sa carcasse», l'avait habitué à l'énergie.
Louis MADELIN, de Brumaire à Marengo, VI, Bonaparte, p. 75.

7 Il va falloir que je me lève. La misérable carcasse est là, qui fait sentir ses exigences.
G. DUHAMEL, le Voyage de P. Périot, X, p. 188.

8 Celui qui n'a que sa carcasse, il y tient (...)
MARTIN DU GARD, les Thibault, t. VII, p. 222.

9 On peut peut-être encore utiliser ma vieille carcasse (...)
MARTIN DU GARD, les Thibault, t. VII, p. 294.

Par anal. Tronc et branches défeuillées (d'un arbre).

10 (...) les carcasses des charmilles, les bosquets maigres grelottent sous la pluie éternelle.
F. MAURIAC, le Nœud de vipères, p. 290.

♦ **3** (1704; en parlant d'un navire). Charpente (d'un appareil, d'un ouvrage); assemblage* des pièces soutenant un ensemble. → **Armature, charpente.** *La carcasse d'un navire en construction, en démolition.* → **Coque.** *La carcasse d'une barque, d'une péniche échouée* (→ Avarie, cit. 3). *La carcasse d'un immeuble en ciment armé. La carcasse d'un comble, d'un parquet.* → **Châssis.** *La carcasse d'un abat-jour, d'un parapluie.*

Comment tous les journaux vraiment ont-ils osé nous 11
parler d'architecture nouvelle à propos de cette carcasse métallique *(la tour Eiffel).*
MAUPASSANT, la Vie errante, I, Lassitude, p. 1.

Par ext. Débris (d'un objet, d'une construction...), tenant encore entre eux et évoquant la forme disparue. *Dans le grenier sont empilées les carcasses des meubles de jadis.*

♦ **4** Par métaphore. Éléments qui composent la structure (d'une œuvre). → **Charpente.** *La carcasse d'un discours, d'un roman, d'une pièce de théâtre.* → **Canevas, plan.**

DÉR. V. 2. **Carcan.** ◊ COMP. **Décarcasser.**

**CARCEL** [kaʀsɛl] adj. invar. et n. — 1800; du nom de l'inventeur, l'horloger *Carcel.*

Vieux.

♦ **1** Adj. apposé invar. *Lampe Carcel* ou *lampe carcel :* lampe à huile, à rouages et à piston. — N. f. *La, une carcel :* une lampe Carcel.

Son chapeau de tulle noir, à bords descendants, lui cachait un peu le front; ses yeux brillaient là-dessous (...) la carcel posée sur un guéridon, en l'éclairant d'en-bas comme une rampe de théâtre, faisait saillir sa mâchoire.
FLAUBERT, l'Éducation sentimentale (1869), II, VI.

♦ **2** N. m. Phys. Unité d'intensité lumineuse (représentée par une lampe de ce type).

**CARCÉRAL, ALE, AUX** [kaʀseʀal, o] adj. — 1959; du lat. *carcer* «prison». → Incarcérer.

Didact. De prison, qui a rapport à la prison, au régime pénitentiaire. *Le milieu, le monde, l'univers carcéral. «Pour ces délinquants primaires, l'entrée dans le monde carcéral représente un traumatisme intolérable»* (*l'Express*, no 1112; 30 oct. 1972).

Depuis leur arrestation, ils ont vite pris la mesure de l'univers carcéral où leur destin les a conduits.
Roger BORNICHE, le Gang, p. 276.

Par ext. Se dit de tout ce qui évoque une prison. *Le caractère carcéral de certaines institutions psychiatriques.*

**CARCINO-** Élément, du grec *karkinos* «crabe, chancre», signifiant «cancer». → **Cancéro-.**

**CARCINOGÈNE** [kaʀsinɔʒɛn] adj. — V. 1920; de *carcino-*, et *-gène.*

Didact. Qui peut causer un cancer. → **Cancérigène, cancérogène.** — REM. On trouve parfois *carcinogénétique* [kaʀsinoʒenetik].

**CARCINOGENÈSE** [kaʀsinoʒənɛz; kaʀsinoʒenɛz] n. f. — 1968; de *carcino-*, et *-genèse.*

Didact. (méd.). Processus de formation du cancer. → **Cancérogenèse.** *«Ce rôle de pourvoyeur de la recherche que joue l'épidémiologie (...) a permis en particulier d'établir l'un des préceptes de base de la carcinogenèse actuelle; à savoir qu'un agent cancérigène agit rarement seul, mais, le plus souvent, comme élément, dominant ou non, d'une addition»* (*le Point*, no 331, 22 janv. 1979).

**CARCINOLOGIE** [kaʀsinɔlɔʒi] n. f. — 1842; de *carcino-*, et *-logie.*

Didactique.

♦ **1** Zool. Étude des crustacés.

♦ **2** (1960). Étude du cancer. → **Cancérologie, oncologie.**

**DÉR. Carcinologique, carcinologue.**

**CARCINOLOGIQUE** [karsinɔlɔʒik] adj. — 1842; de *carcinologie*.

Didactique.

♦ **1** Relatif à la carcinologie (1.).

♦ **2** Relatif à la carcinologie (2.). → **Cancérologique.**

**CARCINOLOGUE** [karsinɔlɔg] n. — 1842; de *carcinologie*.

Didactique.

♦ **1** Spécialiste en carcinologie (1.).

♦ **2** Spécialiste en carcinologie (2.). → **Cancérologue** (plus courant), **oncologue.**

**CARCINOMATEUX, EUSE** [karsinɔmatø, øz] adj. — 1655; de *carcinome*.

Didact. Qui est de la nature du carcinome. *Tumeur carcinomateuse.*

**CARCINOME** [karsinom] n. m. — 1545; grec *karkinôma*, par l'angl. *carcinoma* et l'all. *Karzinom*.

Méd. Tumeur cancéreuse épithéliale ou glandulaire. → **Épithélioma.** *Carcinome glandulaire.* → **Adénocarcinome.**

**DÉR. Carcinomateux.** ◊ **COMP. Adénocarcinome, nævocarcinome.**

**CARDAGE** [kardaʒ] n. m. — 1765; *gardage*, 1404, attestation isolée; de *carder*.

Action de carder*. *Le cardage des laines.* — Résultat de cette opération.

Spécialt, techn. **a** Sens large. Troisième opération dans l'industrie du «peignage» de la laine (après le triage et le lavage; avant le défeutrage, le peignage proprement dit et le finissage).

**b** Spécialt. Opération par laquelle les fibres, après ensimage et échardonnage, sont étirées, démêlées et emportées par les organes de la carde dits «grand tambour» et «hérissons».

*«L'opération globale du cardage* (sens a) *comprenant l'ensimage, l'échardonnage et le cardage* (sens b)*»* (R. Thiébaut, *la Filature*, p. 68, nº 537).

**CARDAMINE** [kardamin] n. f. — 1545; lat. *cardamina*, grec *kardaminê*, de *kardamon* «cresson».

Bot. Plante dicotylédone *(Cruciféracées)*, herbacée, aux nombreuses variétés, qui croît surtout dans les endroits humides. *La cardamine des prés est appelée cresson des prés.*

1 Les pervenches, les primevères et les violettes apparurent les premières, puis je retrouvai successivement la cardamine des prés avec sa nuance lilas (...)

Paul BOURGET, le Disciple, IV, p. 225.

2 (...) les sources sauvages, gardées par l'œil ouvert des myosotis et des cardamines (...)

COLETTE, Gigi, «Flore et Pomone», p. 165.

**CARDAMOME** [kardamɔm] n. f. — V. 1210; *cardemome*, v. 1170; lat. *cardamomum*, grec *kardamômon*.

Bot. Plante d'Asie (Indes, Ceylan, Cambodge, etc.), de la famille des *Zingibéracées*, incluant diverses espèces (amomes, alpinies) et dont la graine (→ **Maniguette**) a une saveur poivrée et aromatique.

Je te donnerai grains
de cardamome boules de massala écrasé (...)

Édouard MAUNICK, Ensoleillé vif.

**CARDAN** [kardã] n. m. — 1867, *Année sc. et industr.* 1868, p. 134; on disait *de Cardan, à la Cardan;* nom francisé du savant italien *Cardano*, 1501-1576.

Mécan. et cour. Système de suspension dans lequel le corps suspendu conserve une position invariable malgré les oscillations de son support. — On dit aussi *suspension à la Cardan, articulation à la Cardan. Cardan* ou *joint de Cardan* : articulation mécanique transmettant un mouvement. *Arbre de transmission secondaire, sur une moto, avec joint de Cardan et couple conique.* — Spécialt (autom. et cour.) Dispositif transmettant régulièrement le mouvement moteur au différentiel du pont, en dépit des oscillations de ce dernier. *Transmission par cardan.*

**CARDE** [kard] n. f. — XIIIe, «tête de chardon servant d'outil à carder»; «cardon», XVIe; mot picard; soit lat. *carda*, plur. collectif de *carduus* «chardon», soit déverbal de *carder*, plutôt que du provençal *carda*.

**I** ♦ **1** Tête épineuse de la cardère* ou chardon à foulon qu'on employait pour carder la laine et peigner le drap.

♦ **2** (1835). Mod. Instrument en forme de brosse, garni de pointes métalliques, dont on se sert pour carder. *Carde à main. Carde mécanique à tambour, à volants. Cardes briseuses, finisseuses. Carde pour le chanvre.* → **Séran.** *Nettoyage des dents d'une carde.* → **Débourrage.**

**II** (1536). Côte comestible des feuilles de cardon et de bette *(bette à carde). Une botte de cardes, manger des cardes.* — Par métonymie. La bette elle-même. *Acheter des cardes au marché.*

**DÉR. Carder.**

**-CARDE, -CARDIE** Éléments de mots savants, du grec *kardia* «cœur». → **Endocarde, isocarde, myocarde, péricarde, hydropéricarde, tachycardie;** et aussi **cardio-.**

**CARDER** [karde] v. tr. — XIIIe, *karder;* de *carde*.

♦ **1** Peigner, démêler (les fibres textiles). *Carder de la laine, du coton, du drap.*

Par métonymie. *Carder un matelas,* en carder la laine, le crin, pour redonner au matelas son épaisseur primitive.

♦ **2** **a** Loc. fam. *Carder le poil à qqn,* le battre, le griffer.

**b** Par métaphore (littéraire) :

Dans cette vivante mâture *(de l'arbre)*, le travail du bois, surchargé de membres et cardant le vent, s'entendait comme une vibration sourde que traversait parfois un long gémissement.

M. TOURNIER, Vendredi..., p. 203.

◆ **CARDÉ, ÉE** p. p. adj. (1394). En parlant de la laine (opposé à *peigné*). Dont les fibres courtes, démêlées grossièrement, ne sont pas rectilignes et donnent au fil un aspect plus grossier que dans la laine peignée.

N. m. (1899). Comm. Tissu de laine cardée. *Le cardé est moins apprécié que le peigné.*

**DÉR. Cardage, carderie, cardeur.** — **V. Carde, cardère.**

**CARDÈRE** [kardɛr] n. f. — 1778, Lamarck; orig. incert., p.-ê. à rattacher à la famille de *chardon, carder,* ou bien formation savante à partir du lat. *carduus* «chardon».

Bot. Plante des lieux incultes, de la famille des *Dipsacées,* qui porte des capitules à bractées épineuses (celles-ci servaient autrefois au cardage), appelée aussi *chardon* à foulon. Les feuilles ornementales de la cardère ont fait donner à la plante le nom de* cabaret aux oiseaux (ou *lavoir, bain de Vénus*) *à cause de leur facilité à retenir l'eau de pluie.*

**CARDERIE** [kaʀdəʀi] n. f. — 1827; «laine cardée», 1358, *in* D. D. L.; «action de carder», 1397; de *carder.*

Techn. Lieu où l'on effectue les opérations de cardage.

**CARDEUR, EUSE** [kaʀdœʀ, øz] n. — 1337; de *carder.*

Technique.

♦ **1** Personne effectuant le cardage (à la main ou à la machine).

Je me suis arrêté ce matin à Birkenmühle où l'on m'avait signalé une certaine Frau Dorn, cardeuse de sa profession, mais qui posséderait un métier à tisser sur lequel elle confectionne des pièces d'étoffe pour peu qu'on lui apporte la laine. M. TOURNIER, le Roi des Aulnes, p. 344.

♦ **2** N. f. (1876). **CARDEUSE :** machine à carder les fibres textiles, dans les filatures. — Machine de matelassier, mue le plus souvent à bras d'homme, pour carder la laine.

**CARDI-, CARDIO-** Premier élément de mots savants, du grec *kardia* «cœur». — Ex. : *cardiographie.* → aussi **-carde.**

**CARDIA** [kaʀdja] n. m. — 1556; grec *kardia* «cœur; orifice supérieur de l'estomac».

Anat. Orifice supérieur de l'estomac, qui le fait communiquer avec l'œsophage et qui est situé non loin du cœur. *Incision du cardia.* → **Cardiotomie** (2.).

DÉR. **Cardial,** 2. **cardiaque.**

**CARDIAL, ALE, AUX** [kaʀdjal, o] adj. — V. 1930; de *cardia.*

Méd. Relatif au cardia. → 2. **Cardiaque.** *Douleurs cardiales.*

**CARDIALGIE** [kaʀdjalʒi] n. f. — 1546; lat. médiéval *cardialgia* «maladie du cœur», grec *kardialgia* «brûlure d'estomac», de *kardia* «cœur» (→ Cardio-), et *-algie.*

Méd. Douleur dans la région précordiale ou cardiaque. — Douleur de l'estomac au niveau du cardia. → **Gastralgie.**

DÉR. **Cardialgique.**

**CARDIALGIQUE** [kaʀdjalʒik] adj. et n. — 1832; de *cardialgie.*

Méd. Qui est affecté de cardialgie. — N. *Un, une cardialgique.*

Relatif à la cardialgie. *Des douleurs cardialgiques.*

1. **CARDIAQUE** [kaʀdjak] adj. et n. — 1372; grec *kardiakos,* de *kardia* «cœur».

♦ **1** Anat. Qui a rapport au cœur. *Nerfs cardiaques. Artère cardiaque ou coronaire. Le muscle cardiaque :* le cœur. — Méd. *Pulsations cardiaques* (→ Asphyxie, cit. 1). — *Névralgie cardiaque. Insuffisance cardiaque. Palpitations cardiaques.*

♦ **2** Adj. Qui est atteint d'une maladie de cœur. *Elle est cardiaque.* — N. *Un, une cardiaque.*

Comme il ne s'est pas aperçu du sinistre, je m'abstiens de le lui signaler; il est cardiaque sur les bords, et ça me ferait de la peine de le voir mourir! SAN-ANTONIO, le Secret de Polichinelle, p. 33.

Par métaphore. «*Un moteur rachitique, cardiaque*» (A. Arnoux, *in* T. L. F.).

♦ **3** Qui agit sur le cœur. *Remède, médicament cardiaque* (tonique ou stimulant). → **Cardiotonique, tonicardiaque.** — N. m. (1590). *Un cardiaque* (vx). → **Cordial.**

*Chirurgie cardiaque,* du cœur.

♦ **4** Rare, littér. Du cœur. «*Les qualités cardiaques* (de cœur)» (Malraux, faisant parler un personnage de *la Condition humaine*).

COMP. **Tonicardiaque.**

2. **CARDIAQUE** [kaʀdjak] adj. — 1805, Cuvier; de *cardia.*

Du cardia*. → **Cardial.** *Orifice cardiaque.*

**CARDIATOMIE** [kaʀdjatɔmi] n. f. → **Cardiotomie** (2.).

**CARDIGAN** [kaʀdigɑ̃] n. m. — 1928, *in* Höfler; mot angl., du nom du comte *Cardigan.*

Veste de laine tricotée à manches longues, et boutonnée devant jusqu'au cou. «*Les cardigans, les vestes de tailleurs et les pulls, tous longs, s'étirent jusqu'au bas des hanches au moins, sans pinces ni découpes superflues*» (*Noir et Blanc,* 1968).

**CARDIIDÉS** [kaʀdiide] n. m. pl. — 1899, *in* P. Larousse; du grec *kardia* «cœur», et suff. taxinomique *-idés,* d'après les noms scientifiques latins en *-cardia* des mollusques à coquille cordiforme. → Bucarde.

Zool. Famille de mollusques bivalves dont la coquille fermée présente, de profil, la forme d'un cœur. → **Bucarde, coque.** — Au sing. *Un cardiidé.*

1. **CARDINAL, ALE, AUX** [kaʀdinal, o] adj. et n. m. — 1279, *vertuz cardinals*; lat. *cardinalis,* de *cardo, cardinis* «gond, pivot» et, au fig., «principal».

♦ **1** Littér. Qui sert de pivot, qui est principal. → **Capital, essentiel, fondamental, principal.** — Loc. cour. *Les quatre vertus* cardinales* (la justice, la prudence, la tempérance et le courage).

(...) les quatre vertus cardinales, qui ont disparu avec les 1
temps d'innocence.
VOLTAIRE, Essai sur les mœurs, 141.

Je peux, dans ma chronique personnelle, considérer 2
comme une date cardinale celle de ce dimanche (...)
G. DUHAMEL, Cri des profondeurs, X, p. 185.

Des idées cardinales, nous autres, hommes de laboratoire, 3
nous en rencontrons trois ou quatre fois dans notre vie, et, pour certains, c'est même beaucoup.
G. DUHAMEL, le Voyage de P. Périot, VIII, p. 142.

(1845). Liturg. *Autel cardinal :* autel principal. *Messe cardinale :* messe solennelle.

♦ **2** Arithm. *Nombres cardinaux* (par oppos. à *nombres ordinaux*) : nombres désignant une quantité correspondant au nombre d'éléments dans un ensemble (propriété quantitative de l'ensemble). *Nombre cardinal,* ou, n. m., *cardinal d'un ensemble :* grandeur mathématique telle que deux ensembles aient même cardinal si et seulement s'ils sont équipotents*. → **Puissance** (II., 5.). *Le cardinal d'un ensemble fini est le nombre de ses éléments. Un ensemble dénombrable a le même cardinal que l'ensemble des entiers naturels. Arithmétique des cardinaux infinis.* → **Aleph; transfini.**

♦ **3** (1680). Géogr. et cour. *Les (quatre) points cardinaux* (Nord, Est, Sud, Ouest) : points à partir desquels on détermine la situation des autres points de l'horizon. — N. m. (rare au sing.). *Les cardinaux et les collatéraux*. — Vents cardinaux,* qui soufflent des quatre points cardinaux.

Mar. *Système cardinal de balisage**, permettant par des marques (balises, etc.), de situer un danger par rapport aux points cardinaux. *Le système cardinal est utilisé surtout en France; ses marques indiquent le point cardinal libre de danger.* — Adj. *Marque cardinale*, du système cardinal. *Bouée cardinale Sud.*

♦ **4** Anat. *Veines cardinales :* les quatre premières veines de l'embryon, chez les mammifères (elles donnent les jugulaires et les azygos). — *Veines cardinales antérieures et postérieures chez les poissons.*

3.1 Le sang revient au cœur par le système veineux. Les veines cardinales antérieures ramènent le sang qui a irrigué la tête, et les cardinales postérieures le sang qui a irrigué le reste du corps.

R. et M.-L. Bauchot, les Poissons, p. 40-41.

**CONTR. Accessoire, insignifiant, secondaire.**

2. **CARDINAL, AUX** [kaʀdinal, o] n. m. — V. 1230; *chardenal*, v. 1172; du lat. ecclés. *cardinalis*. → 1. Cardinal.

**I** Prélat choisi par le pape dans toutes les nations de la chrétienté pour être membre du sacré collège. *Dignité de cardinal.* → **Cardinalat.** *De cardinal.* → **Cardinalice.** *Il y a soixante-dix cardinaux. Les cardinaux ont droit de vote au conclave; le pape est ordinairement choisi parmi eux. Calotte* (→ **Barrette**), *vêtements pourpres du cardinal. Chapeau rouge du cardinal. Le rochet, la cappa* (cit. 1) *d'un cardinal. Titre de cardinal.* → **Éminence, éminentissime.** *Promotion de cardinaux. Les six cardinaux-évêques* (des diocèses suburbicaires), *les cinquante cardinaux-prêtres* (portant le titre d'une des vieilles églises paroissiales de Rome), *les quatorze cardinaux-diacres* (ayant le titre d'une ancienne diaconie). *Le cardinal doyen. Le cardinal camerlingue. Cardinal légat ayant des pouvoirs extraordinaires.* → **Latere** (a latere). *Le Cardinal X.*

4 Il existait à Rome des prêtres et des diacres appelés *cardinaux*, soit que leur nom vînt de ce qu'ils servaient aux *cornes* ou coins de l'autel, *ad cornua altaris*, soit que le mot *cardinal* dérivât du latin *cardo*, pivot ou gond.

Chateaubriand, Mémoires d'outre-tombe, III, 13.

4.1 (...) il évoqua ce qu'il savait de la splendeur d'hier, la basilique débordant d'une foule idolâtre, le cortège surhumain défilant au milieu des fronts prosternés, la croix et le glaive ouvrant la marche, les cardinaux allant deux à deux comme des dieux de pléiade, vêtus du rochet de dentelle, de la robe et du manteau de moire rouge, dont les caudataires tenaient la queue (...)

Zola, Rome, p. 205.

**II** Par anal. de la couleur du plumage avec la robe des cardinaux. ♦ **1** Oiseau passeriforme *(Fringillidés)* au plumage rouge foncé, tête écarlate et gorge noire. *Le cardinal est originaire d'Amérique du Nord et d'Afrique.*

5 (...) les bengalis, dont le ramage est si doux, les cardinaux, dont le plumage est couleur de feu (...)

Bernardin de Saint-Pierre, Paul et Virginie.

♦ **2** Régional. Poisson acanthoptérygien. → **Rouget.**

**DÉR. Cardinaliser. — V. Cardinalat, cardinalice.**

**CARDINALAT** [kaʀdinala] n. m. — 1508; lat. ecclés. *cardinalatus*, de *cardinalis*. → 2. Cardinal.

Relig. Dignité de cardinal. *Être promu au cardinalat. Appeler (qqn) au cardinalat* (→ Pourpre, cit. 4).

Le siège fut levé, la ville rendue, et la paix faite par l'entremise de Mazarin. Ce fut le premier degré par où il monta au cardinalat (...)

Scarron, le Roman comique, III, XIII, p. 388.

**CARDINALICE** [kaʀdinalis] adj. — 1819, *in* D. D. L.; *cardinalesque, cardinalique*, XVI^e; ital. *cardinalizio*, de *cardinale* «cardinal».

Didact. (relig.). Qui appartient aux cardinaux. *Charge, dignité cardinalice. Siège, titre cardinalice. Revêtir la pourpre cardinalice.*

**CARDINALISER** [kaʀdinalize] v. tr. — 1596; Rabelais, 1534 (→ ci-dessous, cit.), au fig., «rendre rouge»; de *cardinal*.

♦ **1** Promouvoir cardinal. *Cardinaliser un évêque.*

♦ **2** Fam. et vx. Rougir (par l'effet de la boisson). — Au p. p. *«Un nez cardinalisé»* (Gautier). — Pron. *Se cardinaliser :* devenir rouge.

Dans Rabelais trouvé ceci : «Les écrevisses se cardinalisent à la cuite».

J. Green, Journal, Ce qui reste de jour, 28 avr. 1969.

**CARDIO-** → **Cardi-.**

**CARDIO** [kaʀdjo] n. — XX^e; abrév. de *cardiologie*, de *cardiologue*.

Familier.

♦ **1** N. f. Cardiologie. *Le service de cardio d'un hôpital.*

♦ **2** N. Cardiologue. *Son cardio lui a prescrit un test d'effort.*

**CARDIOGRAMME** [kaʀdjɔgʀam] n. m. — 1901, *in* D. D. L.; de *cardio-*, et *-gramme*.

Enregistrement des mouvements du cœur. → **Électrocardiogramme.**

**COMP. Échocardiogramme.**

**CARDIOGRAPHE** [kaʀdjɔgʀaf] n. m. — 1865; *cardiagraphe*, 1832; de *cardio-*, et *-graphe*.

♦ **1** Vx. Spécialiste de l'étude du cœur. → **Cardiologue** (moderne).

♦ **2** Mod. Appareil enregistreur des pulsations du cœur. *Le cardiogramme est la courbe obtenue avec le cardiographe.* → **Électrocardiographe, phonocardiographe.**

**CARDIOGRAPHIE** [kaʀdjɔgʀafi] n. f. — 1858, Nysten; *cardiagraphie*, 1793; de *cardio-*, et *-graphie*.

♦ **1** Vx. Description du cœur. — Partie de la médecine qui traite du cœur. → **Cardiologie.**

♦ **2** Mod. Enregistrement, par des techniques graphiques, de l'activité cardiaque, et, spécialt, des mouvements du cœur. → **Électrocardiographie; phonocardiographie.**

**DÉR. Cardiographique.**

**CARDIOGRAPHIQUE** [kaʀdjɔgʀafik] adj. — 1865; *cardiagraphique*, 1832; de *cardiographie*.

Didact. Relatif à la cardiographie. *Enregistrement, tracé cardiographique :* cardiogramme.

**CARDIOÏDE** [kaʀdjɔid] adj. et n. f. — 1865; de *cardio-*, et suff. 1. *-ide*.

Didactique.

♦ **1** En forme de cœur. — N. f. Courbe cycloïde en forme de cœur.

♦ **2** Qui est caractérisé par une propriété représentée par une telle courbe. *Microphone cardioïde*, dont la courbe de réponse est une cardioïde. *Antenne cardioïde.*

**CARDIOLOGIE** [kaʀdjɔlɔʒi] n. f. — 1863, *in* Littré; *cardialogie,* 1762; de *cardio-,* et *-logie.*

Méd. Étude du cœur et de ses affections. Médecine cardiaque. *Le service de cardiologie d'un hôpital.* Abrév. fam. → **Cardio** (1.).

DÉR. **Cardiologique, cardiologue.**

**CARDIOLOGIQUE** [kaʀdjɔlɔʒik] adj. — 1866; *cardialogique,* 1832; de *cardiologie.*

Méd. De la cardiologie. *Recherches cardiologiques.*

**CARDIOLOGUE** [kaʀdjɔlɔg] n. — V. 1920; de *cardiologie.*

Médecin spécialiste du cœur, des maladies du cœur et de la circulation sanguine. *Une remarquable cardiologue.* Abrév. fam. → **Cardio** (2.).

C'était Lenoir (...) comme je devais l'apprendre, l'un des meilleurs cardiologues de ce temps.
G. DUHAMEL, Cri des profondeurs, XI, p. 225.

**CARDIOPATHIE** [kaʀdjopati] n. f. — 1855; de *cardio-,* et *-pathie.*

Didact. Affection du cœur. *Cardiopathie congénitale, acquise.* — Syn. cour. : *maladie du cœur.*

**CARDIO-PULMONAIRE** [kaʀdjopylmɔnɛʀ] adj. — 1878; de *cardio-,* et *pulmonaire.*

Méd. Relatif au cœur et aux poumons. *Fonctions cardio-pulmonaires.*

**CARDIO-RESPIRATOIRE** [kaʀdjoʀɛspiʀatwaʀ] adj. — 1896; de *cardio-,* et *respiratoire.*

Méd. Qui concerne la physiologie du cœur et des poumons. *Maladies cardio-respiratoires.*

**CARDIOTOMIE** [kaʀdjotɔmi] n. f. — 1848; «dissection du cœur», 1855; de *cardio-,* et *-tomie.*

Chirurgie.

♦ **1** Incision du cœur.

♦ **2** Incision du cardia (dite plus souvent *cardiatomie* [kaʀdjatɔmi] n. f.).

**CARDIOTONIQUE** [kaʀdjotɔnik] adj. et n. m. — V. 1920; de *cardio-,* et *tonique.*

Méd. Qui augmente la tonicité du muscle cardiaque. → **Tonicardiaque.** *Propriétés cardiotoniques d'une substance.* — N. m. *La digitaline est un cardiotonique.*

**CARDIO-VASCULAIRE** [kaʀdjovaskylɛʀ] adj. — 1910; de *cardio-,* et *vasculaire.*

Méd. Relatif à la fois au cœur et aux vaisseaux. *Troubles, maladies cardio-vasculaires. Thérapeutique cardio-vasculaire.*

**CARDITE** [kaʀdit] n. f. — 1755; dér. sav. du lat. *cardia* «cœur», probablt par le lat. mod. *carditis.*

♦ **1** Zool. Mollusque lamellibranche *(Isomyaires)* à coquille épaisse formée de deux valves symétriques sillonnées de côtes rayonnantes.

♦ **2** (1814; *carditie,* 1803; *carditis,* 1792). Méd. Maladie inflammatoire du cœur.

**CARDON** [kaʀdɔ̃] n. m. — 1507; anc. provençal *cardon* (XII^e^), bas lat. *cardo, -onis.*

Plante potagère du même genre que l'artichaut, dont les feuilles portent une côte médiane (→ **Carde**) que l'on mange après l'avoir fait étioler.

(...) la contrée qu'accidentaient quelques dunes hérissées de cardons, offrait l'aspect assez sauvage d'une vaste région sablonneuse.
J. VERNE, l'Île mystérieuse, t. I, p. 87.

**CARDONETTE** [kaʀdɔnɛt] n. f. → **Chardonnette.**

**CARÊME** [kaʀɛm] n. m. — Av. 1622; *quaresme,* 1119; du lat. pop. **quaresima,* du lat. class. *quadragesima (dies)* «le quarantième (jour avant Pâques)».

♦ **1** Période de quarante-six jours d'abstinence et de privation entre le Mardi gras et le jour de Pâques, pendant laquelle, à l'exception des dimanches, l'Église catholique prescrivait et recommandait le jeûne, la prière. → **Mi-carême.** *Temps de carême.* → **Quarantaine** (sainte quarantaine); **quadragésime.** *Commencement du carême.* → **Carême-prenant, cendres** (mercredi des cendres). *Dimanches de carême* (quadragésime, reminiscere, oculi, laetare, rameaux). — *Prêcher le carême. Sermon de carême.* → **Station.** *Prédicateur de carême.*

*(Un Rat)* qui ne connaissait l'avent ni le carême (...) 1
LA FONTAINE, Fables, IV, 11.

*Le ramadan* musulman correspond au carême* (→ ci-dessous, 4.).

Loc. prov. *Arriver comme mars en carême :* arriver sans faute, inévitablement, comme le mois de mars en carême. — REM. Cette loc. est souvent confondue avec la suivante, alors que son sens est tout différent. — *Cela arrive comme marée en carême :* cela arrive à propos, comme la marée qui est la bienvenue en carême.

♦ **2** Jeûne, abstinence qu'on fait pendant le carême. → **Jeûne.** *Faire carême. Faire, observer le carême. Rompre le carême.*

Il va rompre le carême pour un rhume. 2
M^me^ DE SÉVIGNÉ, 791, 20 mars 1680.

Faire rompre carême. RACINE, Lettres. 3

Fam. et vx. *Faire carême :* se passer de nourriture, et, par ext., de qqch. — *Face de carême,* pâlie, amaigrie (comme par les austérités du carême); ou encore, maussade, sinistre.

Voyez cet autre avec sa face de carême. 4
RACINE, les Plaideurs, III, 3.

♦ **3** Littér. Série de sermons prêchés par un même prédicateur pendant un carême. *Le Carême de Bourdaloue. Le Petit Carême de Massillon.*

♦ **4** (En franç. d'Afrique). Jeûne du ramadan. *Faire, casser le carême* (I. F. A.).

♦ **5** (En franç. des Antilles). Saison sèche (opposé à *hivernage**).

CARÊME. Saison sèche (de février à août). De plus en plus humide, car le temps ici se transforme. Croyance populaire : les Américains nettoient leurs couloirs aériens autour du cap Canaveral et rejettent les débris d'orages, de pluie et de cyclones sur nous. D'où les variations du temps. 5
Édouard GLISSANT, le Discours antillais, p. 496.

CONTR. **Gras** (faire gras). — **Bombance, carnaval.** ◊ COMP. **Carême-prenant, décarêmer, mi-carême.**

**CARÊME-PRENANT** [kaʀɛmpʀənɑ̃] n. m. — XII^e^, *feste caren-pernent* «fête de mardi gras»; de *carême,* et *prenant* «commençant», p. prés. de *prendre.*

Vx (langue classique).

♦ **1** Durée des trois jours qui précèdent le mercredi des Cendres, commencement du carême.

Spécialt. Mardi gras.

♦ **2** Réjouissance de Mardi gras. → **Carnaval.**

(...) on dirait qu'il est céans carême-prenant tous les jours (...) 1
MOLIÈRE, le Bourgeois gentilhomme, III, 3.

♦ **3** Personne déguisée et masquée pendant les jours gras. — (1670). Fig. et vx. Personne vêtue d'une manière bizarre, extravagante. → **Carnaval.** *Un vrai carême-prenant. Des carêmes-prenants.*

2 (...) vous voulez donner votre fille en mariage à un carême-prenant. MOLIÈRE, le Bourgeois gentilhomme, V, 6.

3 – Monsieur ! Voilà encore un carême-prenant.
Mme DE CHAMPVAUX (en culotte cycliste)
(elle entre en coup de vent). – Comment me trouves-tu ?
– On aura tout vu.
R. QUENEAU, le Vol d'Icare, p. 210.

**CARÉNAGE** [kaʀenaʒ] n. m. — 1678; de *caréner.*

♦ **1** Action de caréner (1.); résultat de cette action. *Petit carénage,* dans lequel la coque est nettoyée et repeinte. *Grand carénage,* qui comporte une révision générale du navire. — *Bassin de carénage,* où l'on effectue les carénages.

♦ **2** Lieu où l'on carène des navires. *Le carénage d'un port. Les remorqueurs conduisent le paquebot au carénage,* au chantier, au bassin de carénage. → **Carène.** *Un navire au carénage.* → **Radoub.**

♦ **3** Carrosserie carénée* (→ **Caréner**), aérodynamique. *Le carénage d'une motocyclette de compétition.*

**CARENCE** [kaʀɑ̃s] n. f. — Mil. XVe; bas lat. *carentia,* de *carere* «manquer».

Manque de qqch. → **Défaut, manque.**

♦ **1** (1611, *carance de biens*). Dr. Absence ou insuffisance de ressources d'un débiteur ou d'une personne décédée. *Certificat de carence. Procès-verbal de carence,* par lequel un huissier chargé d'une saisie constate son impuissance à saisir quoi que ce soit au domicile d'un débiteur.

Par ext. Insolvabilité d'un débiteur.

*Délai de carence,* durant lequel un salarié en arrêt de travail ne perçoit pas les indemnités servies par les assurances sociales.

♦ **2** (1910). Situation d'une personne, d'un groupe, d'un pouvoir... qui fait défaut, qui se dérobe devant ses obligations, qui manque à sa tâche. *La carence du gouvernement, du pouvoir.* → **Abstention, impuissance, inaction.**

1 De ce monde si imparfait, et qui pourrait être si beau, honni soit celui qui se contente ! *L'ainsi-soit-il,* dès qu'il favorise une carence, est impie.
GIDE, Journal, 28 mars 1935.

2 Est-ce paresse, fatigue ou inévitable carence ? L'individu même dans nos sociétés occidentales, n'admet plus d'être abandonné à sa responsabilité personnelle, à sa propre initiative (...)
André SIEGFRIED, l'Âme des peuples, I, II, p. 11.

♦ **3** (V. 1920). Méd. Absence ou insuffisance d'un ou de plusieurs éléments indispensables à l'équilibre ou au développement d'un organisme. *Maladie de carence, par carence.* → **Avitaminose** (cit. 1). *Carence en fer, en calcium, en protéines.* → **Carentiel.**

3 Les trois quarts des maladies dont souffrent les indigènes (épidémies mises à part) sont des maladies de carence.
GIDE, Voyage au Congo, *in* Souvenirs, Pl., p. 810.

4 La politique salariale du général Pinochet fait qu'au Chili – à Santiago, Temuco, Rancagua – plus de 2 millions d'enfants au-dessous de dix ans souffrent de carences alimentaires telles qu'ils sont menacés de devenir infirmes cérébraux, de mourir de faim.
Jean ZIEGLER, Main basse sur l'Afrique, p. 19.

♦ **4** (V. 1960). Psychol. *Carence affective :* manque ou insuffisance de liens affectifs de l'enfant avec la mère. *Carence en soins maternels. Carence familiale.*

DÉR. et COMP. **Carencer, carentiel. Précarence.**

**CARENCER** [kaʀɑ̃se] v. tr. [CONJUG. : *placer.*] — V. 1920; de *carence.*

♦ **1** Méd. (presque toujours au passif et au p. p.). Priver d'éléments nutritifs indispensables à l'équilibre physiologique. *Un organisme carencé. «L'alcoolique a en effet trois raisons d'être carencé en* (vitamine) *B 1»* (Dr Nauroy, in *Guérir,* oct. 1967).

L'augmentation rapide de la population du monde va rendre celui-ci trop petit pour les hommes. Déjà une partie appréciable de l'humanité est alimentairement carencée. 1
A. SAUVY, Croissance zéro ?, p. 9.

♦ **2** *Faire carencer* (qqn) : faire constater la carence (d'une personne), dans une affaire d'honneur, un match.

– Héro est capable de vous rendre votre gifle et de refuser de se battre. 2
– Je le ferai carencer ! Il mourra de honte ! Il n'osera plus se montrer nulle part.
J. ANOUILH, la Répétition, I, p. 30.

◆ **CARENCÉ, ÉE** p. p. adj.

♦ **1** (→ ci-dessus, 1.).

♦ **2** Psychol. Se dit d'un individu (surtout d'un enfant) souffrant d'une carence affective.

**CARENCIEL, IELLE** [kaʀɑ̃sjɛl] adj. → **Carentiel.**

**CARÈNE** [kaʀɛn] n. f. — 1246, *carenne,* attestation isolée; *carene,* 1552; ital. *carena,* mot génois; lat. *carina* «coquille de noix».

**I** (1552). Partie immergée de la coque (d'un navire), située sous la ligne de flottaison et comprenant la quille et les œuvres vives. *La carène d'un bateau, d'un navire, d'un voilier. Pièce intérieure renforçant la carène.* → **Carlingue.** *Flamber, mailleter une carène. Calfater une carène avec un guipon* (→ Calfat, cit. 1). *Bordé de carène :* bordé extérieur de la coque. — *Centre de carène.*

Qu'elle vogue au hasard, comme un corps palpitant, 1
La carène entr'ouverte,
Comme un grand poisson mort, dont le ventre flottant
Argente l'onde verte (...)
HUGO, les Orientales, II, «Canaris».

Par métonymie. Poét., vx. Navire. — Par comparaison :

La pauvre maison, avec sa ceinture de goudron, son crépi blême, ses minuscules fenêtres, continuait d'entrer lentement dans le jour, poussait lentement hors de la nuit, ainsi qu'une carène naïve, ses vieux flancs ruisselants d'ombre. 2
BERNANOS, Monsieur Ouine, Œ. roman., Pl., p. 1381.

Loc. *Mettre, abattre un navire en carène,* le coucher sur le côté pour le caréner ou pour réparer ses œuvres vives.

**II** Par anal. ♦ **1** Enveloppe d'un ballon dirigeable.

♦ **2** Zool. Chez les oiseaux, Partie saillante du squelette s'élevant au milieu du sternum et où s'insèrent les muscles pectoraux qui permettent le vol et la nage. — Syn. cour. : *bréchet**. *Oiseaux à carène.* → **Carinates.**

♦ **3** (1782; *carine,* 1753). Bot. Pièce formée par les deux pétales inférieurs des fleurs de papilionacées. — Syn., vx : *nacelle.*

DÉR. **Caréner.**

**CARÉNER** [kaʀene] v. tr. [CONJUG. : *céder.*] — 1642; de *carène.*

♦ **1** Mar. Nettoyer la carène de (un navire) des algues, de la végétation sous-marine, en effectuant le cas échéant les réparations et les travaux de peinture nécessaires. *Caréner un bâtiment.* → **Radouber.**

Absolt (plus courant) :

1 Fin mai, tout est paré; nous avons caréné à marée basse (c'est facile dans le port de Casablanca où le marnage dépasse deux mètres).
Bernard MOITESSIER, Cap Horn à la voile, p. 67.

Intrans. Passer en carène (en parlant d'un navire).

2 Plus d'un songeait à l'hélice gigantesque, une hélice de paquebot, qu'ils avaient tous admirée longuement, quand le remorqueur carénait en cale sèche (...)
Roger VERCEL, Remorques, p. 72.

♦ 2 Techn. Donner un profil aérodynamique à (une carrosserie). *Caréner une automobile.*

◆ **CARÉNÉ, ÉE** p. p. adj.

♦ 1 Dont la carène a telle caractéristique (en parlant d'un navire).

Par métaphore :

3 Elle admirait cette poitrine nue, bien carénée, elle pensait à un beau navire. Il reposait dans ce lit calme, comme dans un port (...)
SAINT-EXUPÉRY, Vol de nuit, p. 89.

♦ 2 *Automobile bien carénée. Train caréné.*

♦ 3 Qui a la forme d'une coque de navire, d'une carène. — Sc. nat. *Feuille carénée, pétale caréné. Bec, squelette caréné.*

**DÉR.** **Carénage.**

**CARENTIEL, IELLE** ou **CARENCIEL, IELLE** [kaʀɑ̃sjɛl] adj. — 1950, *in* D. D. L.; de *carence.*

Didactique.

♦ 1 Méd. Relatif aux carences physiologiques; déterminé par une carence. *«Les "psychoses toxiques" (...) quelques maladies carencielles»* (F. Cloutier, *la Santé mentale,* p. 8).

♦ 2 Qui présente une, des carences. *Un régime carentiel.*

♦ 3 Psychol. Qui présente des carences affectives. *Un milieu carentiel.*

**CARESSANT, ANTE** [kaʀesɑ̃, ɑ̃t] adj. — 1642, Oudin; p. prés. de *caresser.*

♦ 1 (En parlant d'une personne, ou de son corps). Qui caresse, aime à caresser. → **Affectueux, aimant, cajoleur, câlin, tendre.** *Un enfant caressant, doux* et caressant. Elle est caressante comme une chatte.* — *Corps caressant. Mains caressantes.*

1 Vous étiez si douce, si aimable et si caressante pour moi que j'en étais toute transportée de tendresse (...)
Mme DE SÉVIGNÉ, 489, 8 janv. 1676.

2 Au contraire, depuis nos doux aveux, souvent
Elle est plus caressante et plus libre qu'avant (...)
LAMARTINE, Jocelyn, IV, 163.

3 Ce long corps souple et caressant se contourne en des émotions extrêmes, et ces deux bras jetés en avant, pour les derniers refus, vont défaillir.
E. FROMENTIN, Un été dans le Sahara, I, p. 34.

Qui séduit, cherche à séduire.

4 Je fus coquette, séduisante, comme auprès d'un homme, caressante et perfide. J'affolai cet enfant.
MAUPASSANT, Clair de lune, «Une veuve», p. 152.

(Animaux). *Un chien très caressant.*

5 Il *(le lion pris jeune)* est doux pour le maître et même caressant surtout dans le premier âge.
BUFFON, Hist. nat. des animaux, Le lion.

♦ 2 Doux comme une caresse (gestes, manières). *Un coup d'œil caressant. Regard caressant.* → **Tendre.** *Voix caressante. Des inflexions caressantes.* — REM. Au sens concret («qui constitue une caresse, est accompagné de caresses»), le mot est archaïque (→ ci-dessous, cit. 8).

Des regards caressants que la bouche seconde, 6
Un souris chargé de douceur (...)
MOLIÈRE, Psyché, I, 1.

Moi, qui de mes parents toujours abandonnée, 7
Étrangère partout, n'ai pas même en naissant,
Peut-être reçu d'eux un regard caressant!
RACINE, Iphigénie, II, 3.

Ses bras savent trouver des étreintes caressantes. 8
ROUSSEAU, Émile, IV.

(...) Et ses soins caressants, 9
Tendres, réchaufferaient l'hiver de mes vieux ans.
COLLIN D'HARLEVILLE, le Vieux Célibataire, IV, 11.

(...) la voix plus cajoleuse que vraiment caressante (...) 10
GIDE, Journal, 15 avril 1910.

Par ext. → **Enjôleur, flatteur.** *Des paroles caressantes. Manières gracieuses et caressantes.*

Ces dehors agréables et caressants que quelques courtisans, et surtout les femmes (...) ont naturellement pour un homme de mérite (...) 11
LA BRUYÈRE, les Caractères, VII, 15.

♦ 3 Fig., littér. Qui effleure comme une caresse. *L'haleine caressante du zéphir. Une musique caressante.*

Lorsque du renouveau l'haleine caressante 12
Rafraîchit l'univers de jeunesse paré (...)
M.-J. CHÉNIER, Promenade.

Qui flatte ou émeut comme une caresse. *Le souffle caressant de la popularité. Une atmosphère douce et caressante.*

Je demande à l'amour un climat tiède, caressant, que la famille m'a refusé (...) 13
A. MAUROIS, Climats, II, 5, p. 180.

**CONTR.** **Froid, indifférent, insensible. — Brusque, brutal, rogue, rude.**

**CARESSE** [kaʀɛs] n. f. — 1545; *carresse,* 1538; *charesse,* 1534; ital. *carezza,* de *caro, cara* «cher, chère». → Caresser.

♦ 1 Manifestation physique de l'affection, de la tendresse (vieilli ou littér.); spécialt (mod.), attouchement tendre, affectueux ou sensuel. — REM. Les emplois classiques du mot lui donnent une valeur plus étendue que de nos jours, où il évoque en général la sensualité érotique : on ne parlerait plus des *caresses d'un ami* ni de *caresse amicale.* En outre, il s'agit le plus souvent aujourd'hui d'attouchements de la main, alors que le mot incluait les caresses des lèvres, les baisers (→ ci-dessous, cit. 2 et 13; baiser, cit. 14). — *Caresse affectueuse, amoureuse, tendre. De douces caresses. Caresse légère* (→ **Effleurement, frôlement**), *appuyée* (→ **Frottement, pression**). *Caresse excitante.* → **Chatouille, chatouillement, titillation.** *Faire des caresses à qqn, accabler, couvrir qqn de caresses.* → **Caresser; cajolerie, câlinerie, chatterie;** vx, **mignardise, mignotise;** fam. **papouille.** *Caresses indiscrètes.* → **Privauté;** fam. **pelotage.** *Recevoir les caresses de qqn.* — Spécialt. *Caresses données à un animal qu'on flatte.* — Collectif. *La caresse* (→ ci-dessous, cit. 5 et 8).

Si, pour te prodiguer mes plus tendres caresses (...) 1
BOILEAU, le Lutrin, II.

Madame la duchesse eut la bonté de la manger de caresses *(de baisers).* SAINT-SIMON, Mémoires, 262, 5. 2

Aussitôt ces deux petites créatures s'empressèrent autour de moi, me prirent les mains, et m'accablant de leurs innocentes caresses, tournèrent vers l'attendrissement toute mon émotion. 3
ROUSSEAU, Julie ou la Nouvelle Héloïse, IV, Lettre VI, p. 32.

Il est dans l'amour de certaines caresses que l'amour nous apprend. HELVÉTIUS, Pensées, p. 271. 4

L'homme a toujours besoin de caresse et d'amour, 5
Sa mère l'en abreuve alors qu'il vient au jour (...)
A. DE VIGNY, les Destinées, «Colère de Samson».

Car j'eusse avec ferveur baisé ton noble corps, 6
Et depuis tes pieds frais jusqu'à tes noires tresses
Déroulé le trésor des profondes caresses (...)
BAUDELAIRE, les Fleurs du mal, XXXII.

7 (...) c'est une caresse qui m'enveloppe, et je me sens écrasée comme si un dieu s'étendait sur moi.
FLAUBERT, Salammbô, III, p. 51.

8 L'amour humain ne se distingue du rut stupide des animaux que par deux fonctions divines : la caresse et le baiser. Pierre LOUŸS, Aphrodite, II, 5.

9 (...) la chair des femmes se nourrit de caresses comme l'abeille de fleurs.
FRANCE, le Lys rouge, XXIII, p. 180.

10 Les caresses semées ont fleuri dans mon cœur.
Francis JAMMES, le Deuil des primevères, Élégie seconde, II.

11 Claire cessa de trembler, se détendit et s'abandonna à de lentes caresses.
A. MAUROIS, Terre promise, XXXV, p. 238.

12 Immobile, l'échine courbée, la jeune femme se prêtait à cette caresse avec la frémissante immobilité d'une chatte.
MARTIN DU GARD, les Thibault, t. V, p. 29.

13 Elle se pencha, vite, très vite, et mit sur la tempe du jeune homme un baiser d'oiseau, une caresse imperceptible, mais si tiède et si tendre qu'elle acheva de le bouleverser.
G. DUHAMEL, Chronique des Pasquier, VIII, 12.

Spécialt. Attouchement ou contact érotique. — REM. Le mot peut désigner, soit, de manière vague et discrète, tout contact sensuel (→ ci-dessus, cit. 4, 6, 7, 9, 11 et 12), soit, très précisément et par euphémisme, les contacts sexuels, manuels ou buccaux, autres que le coït (fellation, masturbation, etc.). — *Les amants se couvrent de caresses, échangent des caresses. De savantes caresses.*

(1671). Fig. *La caresse du vent, des flots. La chaude caresse du soleil.* → **Bain, baiser, effleurement, frôlement.**

14 Le soir apportait sa caresse froide, son effleurement perfide. Edmond JALOUX, les Visiteurs, 1.

Littér. et vx. *Les caresses de la fortune.* → **Délice, volupté.**

♦ **2** (1616). Vieilli. Démonstration, manifestation, marque d'affection, de bienveillance (par la parole, le geste). *Faire mille caresses à qqn. Accabler* qqn de caresses. Des caresses adulatrices, étudiées, trompeuses. Amadouer qqn par des caresses.* → **Avance, flatterie, mamour** (fam.). *Dissimuler sous des caresses un dessein de nuire.* (→ Faire patte de velours*).

15 Toutes les caresses qu'il vous fait ne sont que pour vous enjôler. MOLIÈRE, le Bourgeois gentilhomme, III, 3.

16 Combien de gens vous étouffent de caresses dans le particulier, vous aiment et vous estiment, qui sont embarrassés de vous dans le public (...)
LA BRUYÈRE, les Caractères, VIII, 30.

17 Bien instruit des moyens par lesquels un vieillard peut être gagné, il n'y eût point de caresses qu'il ne lui fit, point de marques d'estime et d'amitié qu'il ne lui donnât.
ROLLIN, Hist. ancienne, Œ., t. II, p. 580.

18 Une caresse préalable assaisonne les trahisons.
HUGO, les Travailleurs de la mer, II, II, 1.

19 (...) il réconforta le patient avec toutes sortes de bons mots, caresses chirurgicales qui sont comme l'huile dont on graisse les bistouris. FLAUBERT, Mme Bovary, I, 2.

CONTR. **Brutalité, coup, rudoiement.**

**CARESSER** [kaʀese] v. tr. — 1410; ital. *carezzare* «chérir», de *carezza*. → Caresse.

**I** ♦ **1** Faire des caresses à (qqn), en signe de tendresse. — REM. Pour l'évolution sémantique du mot, → Caresse (REM.).

*Caresser un enfant, une femme, un amant.* → **Accoler, attoucher, baiser** (vx; cit. 3), **cajoler, câliner, chatouiller, effleurer, embrasser, enlacer, étreindre, frôler, manger** (de caresses), **mignoter, patiner** (fam. et vx), **peloter, presser, serrer, tapoter, titiller, toucher, tripoter.** *Il bécote, embrasse et caresse sa fiancée sans arrêt.* — (Le compl. désigne une partie du corps). *Caresser la joue, le bras de qqn* (→ ci-dessous, cit. 5 et 6). *Caresser un chien.* → **Flatter, rebaudir** (vénerie).

*(L'âne de la fable)* Qui, pour se rendre plus aimable 1
Et plus cher à son maître, alla le caresser.
LA FONTAINE, Fables, IV, 5.

Il commande chez l'hôte, y prend des libertés, 2
Boit son vin, caresse sa fille.
LA FONTAINE, Fables, IV, 4.

On en voit quelquefois *(des enfants)* qui dépérissent d'une langueur secrète, parce que d'autres sont plus aimés et plus caressés qu'eux. 3
FÉNELON, l'Éducation des filles, 5.

Elle *(la duchesse de Bourgogne)* les embrassait *(le roi et Mme de Maintenon)*, les baisait, les caressait, les chiffonnait. 4
SAINT-SIMON, Mémoires, 321, 195.

Cymodocée, flattant son vieux père de ses belles mains et caressant sa barbe argentée (...) 5
CHATEAUBRIAND, les Martyrs, I.

(...) il me caressa la joue pour mieux exprimer, sans doute, la tendresse que je lui inspirais spontanément. 6
FRANCE, le Crime de Sylvestre Bonnard, II, I, p. 340.

Je pouvais bien prendre Albertine sur mes genoux, tenir sa tête dans mes mains; je pouvais la caresser, passer longuement mes mains sur elle, mais, comme si j'eusse manié une pierre qui enferme la saline des océans immémoriaux ou le rayon d'une étoile, je sentais que je touchais seulement l'enveloppe close d'un être qui, par l'intérieur, accédait à l'infini. 7
PROUST, À la recherche du temps perdu, t. XII, p. 230.

«Es-tu souple !» dit-il, en la caressant comme on flatte une bête de sang. 8
MARTIN DU GARD, les Thibault, t. III, p. 15.

Spécialt. Faire à (un, une partenaire érotique) une caresse* (spécialt; *infra* cit. 13).

Effleurer de la main. *Caresser un objet. Caresser sa barbe, son menton; se caresser la barbe.*

Iron. Vieilli. *Caresser les épaules, l'échine de qqn à coups de bâton.* → **Battre.** — Mod. *Caresser les côtes (à qqn).*

(...) ils avaient manqué d'un père solide qu'aurait pas hésité à leur botter l'cul et à leur caresser les côtes. Pour ton garçon, Chalumot, l'est encore temps de le ressaisir. 8.1
Yves GIBEAU, Allons z'enfants, 1952, p. 155.

Fig. *Caresser qqn, qqch. de l'œil, du regard* : regarder amoureusement, avec un sentiment de convoitise ou de contentement.

(...) il caresse de l'œil toute la courbe de ce corps flexible replié sur soi-même, depuis le moelleux arrondi des épaules (...) 9
MARTIN DU GARD, les Thibault, t. III, p. 166.

♦ **2** (Av. 1777). Littér. (Sujet n. de chose). Effleurer doucement, agréablement. *Une douce brise nous caresse.* — (Passif). *Être caressé par le soleil.* → **Baigner.**

Cette brume de la mer me caressait, comme un bonheur. 10
MAUPASSANT, la Vie errante, p. 16.

En fin de journée, le soleil caressait les deux pièces ouvertes sur la rue. 11
G. DUHAMEL, Chronique des Pasquier, t. II, IV, p. 254.

Vx (d'abord t. techn. d'art). Envelopper en épousant les formes. *Draperie caressant un nu.*

Il nous enseigne aussi les belles draperies (...) 12
Dont l'ornement aux yeux doit conserver le nu,
Mais qui, pour le marquer, soit un peu retenu,
Qui ne s'y colle point, mais en suive la grâce,
Et sans la serrer trop, la caresse et l'embrasse.
MOLIÈRE, la Gloire du Val-de-Grâce, 144.

♦ **3** (1736; sujet n. de personne; compl. désignant une réalité psychologique). Entretenir complaisamment. → **Complaire** (se complaire dans), **entretenir, nourrir.** *Caresser un projet, une idée, un espoir, une espérance, un rêve, une chimère.*

(...) je caressais une folle chimère. 13
A. DE MUSSET, Une soirée perdue.

14 Il caressait déjà dans son âme hautaine
L'espoir vertigineux de faire, tôt ou tard,
Un manteau d'empereur des langes du bâtard.
J.-M. DE HÉRÉDIA, Trophées, «Les conquérants de l'or».

15 (...) il *(Ramuntcho)* caresse toutes sortes de projets sacrilèges, que, jusqu'à ce jour, il aurait à peine osé concevoir.
LOTI, Ramuntcho, II, III, p. 238.

16 Elle touchait pour de bon à l'accomplissement de ce rêve qu'elle avait, des années durant, caressé.
MARTIN DU GARD, les Thibault, t. III, p. 65.

♦ **4** Fam., vieilli. *Caresser la bouteille* : être porté sur la boisson.

**II** (1538). ♦ **1** Fig., vx. (Sujet et compl. n. de personne). Faire des démonstrations d'affection, d'amitié, de bienveillance plus ou moins sincères à (qqn). → **Caresse** (2.); **aduler, cajoler, courtiser, enjôler, flatter.** *Il sait caresser les gens pour en obtenir ce qu'il désire* (Académie).

17 Quel avantage a-t-on qu'un homme vous caresse,
Vous jure amitié, foi, zèle, estime, tendresse (...)
MOLIÈRE, le Misanthrope, I, 1.

18 Ceux qui caressent également tout le monde, qui promènent leurs civilités à droite et à gauche, et courent à tous ceux qu'ils voient avec les mêmes embrassades et les mêmes protestations d'amitié.
MOLIÈRE, l'Impromptu de Versailles, 3.

19 Selon qu'il vous menace, ou bien qu'il vous caresse
La cour autour de vous, ou s'écarte, ou s'empresse.
RACINE, Britannicus, IV, 1.

Par métaphore du sens concret (I., 1.) :

20 Mon héros, en me caressant d'une main, m'égratigne un peu de l'autre, selon sa louable coutume (...)
VOLTAIRE, Lettre à Richelieu, 11 juil. 1770.

♦ **2** (Compl. n. de chose abstraite). Littér. *Caresser les espérances, l'orgueil, l'amour-propre... (de qqn).* → **Flatter.**

21 (...) la récompense la plus agréable qu'on puisse recevoir des choses que l'on fait, c'est (...) de les voir caressées d'un applaudissement qui vous honore. Il n'y a rien assurément qui chatouille davantage que les applaudissements.
MOLIÈRE, le Bourgeois gentilhomme, I, 1 (→ Applaudissement, cit. 10).

22 Toutes les idées acceptées unanimement par eux sont celles qui caressent leur vanité ou répondent à leurs espérances, les idées consolantes (...)
FRANCE, la Vie en fleur, XXVIII.

◆ **SE CARESSER** v. pron.

♦ **1** (Récipr.). Se donner réciproquement des caresses. *Les amoureux, les fiancés n'arrêtent pas de se caresser.*

23 Deux tendres & légitimes époux se caresseraient avec moins d'ardeur (...) Leurs bouches se pressent, leurs soupirs se confondent, leurs langues s'entrelacent (...)
SADE, Justine..., t. I, p. 66.

♦ **2** (Réfl.). *Se caresser à, contre* (qqn, qqch.) : se frotter avec douceur à, contre (qqn, qqch.). *L'eau se caresse doucement au rivage.*

Absolt, érotique et par euphémisme. Se masturber (se dit surtout d'une femme).

CONTR. **Battre, brutaliser, châtier, frapper, rudoyer.** ◊ DÉR. **Caressant, caresseur.** — V. **Caresse.**

**CARESSEUR, EUSE** [kaʀesœʀ, øz] adj. et n. — 1566, au fig.; de *caresser.*

Rare.

♦ **1** Qui caresse, aime à caresser. → **Caressant.** *Mains caresseuses. — Des regards caresseurs.*

Rose, rasé, avec des boucles de cheveux à peine grisonnants, il avait un nez aimable, des lèvres humides, des yeux caresseurs, tout ce que la prélature romaine peut offrir de plus séduisant et de plus décoratif.
ZOLA, Rome, p. 41.

♦ **2** N. Personne qui aime à donner des caresses. — Fig. et vx. Flatteur.

1. **CARET** [kaʀɛ] n. m. — 1382, *fil de caret;* mot normanno-picard, dimin. de *car* «char», par assimilation d'un dévidoir à un chariot.

Techn. Dévidoir à l'usage des cordiers. — **FIL DE CARET :** gros fil, fait avec des fibres de chanvre, qui servait naguère à fabriquer les cordages* pour la marine. *Natte en fils de caret.* → **Paillet.** *Le fil de caret est aujourd'hui remplacé par les fibres synthétiques.*

2. **CARET** [kaʀɛ] n. m. — 1640; esp. *carey,* probablt d'une langue caraïbe.

♦ **1** Zool. Tortue des mers chaudes, à la carapace imbriquée. → **Caouane.**

♦ **2** (1652). Écaille de cette tortue. *Le caret est une écaille de premier choix.*

**CAREX** [kaʀɛks] n. m. — 1805; *careix, careiche,* 1794; lat. *carex* «laîche».

Bot. Plante monocotylédone *(Cypéracées),* communément appelée *laîche* (var. : *flaiche;* → ci-dessous, cit.), à feuilles coupantes, à fleurs en épis et à fruits akène, qui croît tantôt au bord de l'eau ou dans les lieux humides, tantôt dans les prés secs, les sables. *La variété dite* carex des sables *est souvent plantée pour fixer les dunes.*

Des saules et des frênes se dressaient de loin en loin le long du sentier, avec des touffes de carex, qu'on appelle aussi des flaiches ou des tournedous.
A. BILLY, Sur les bords de la Veule, p. 179.

**CAR-FERRY** [kaʀfeʀi; kaʀfɛʀe] n. m. — 1958, *in* Höfler; mot angl., de *car* «voiture», et *ferry* «passage»; d'après *ferry-boat.*

Anglic. Bateau servant au transport, à la fois des passagers et de leur voiture (→ Train* autos-couchettes). *Traversée de la Manche en car-ferry,* en ferry-boat*, en aéroglisseur. — Plur. *Des car-ferries. «(...) sur la Manche, les car-ferries tournent en pleine saison à raison de deux aller et retour par jour...»* (l'Express, 8-14 juil. 1968). — Abrév. : *ferry.*

**CARGAISON** [kaʀgɛzɔ̃] n. f. — 1611; *carquaison,* 1554; anc. gascon *cargueson,* de l'anc. provençal *cargar.* → Charger.

♦ **1** Ensemble des marchandises* chargées sur un navire. → **Charge, chargement, fret.** *Arrimer une cargaison.* → **Arrimage.** *Dommages subis par la cargaison.* → **Avarie.** *Agent de l'armateur préposé à la cargaison.* → **Subrécargue.** *Consignataire d'une cargaison. Déclaration de cargaison. Manifeste de cargaison. La cargaison d'un cargo, d'un pétrolier... Une cargaison d'huile, de vin, de pétrole, de charbon.*

Les dommages causés, soit aux navires, soit à leur cargaison soit aux effets et autres biens des équipages, des passagers ou autres personnes se trouvant à bord, sont supportés par les navires en faute, dans ladite proportion, sans solidarité à l'égard des tiers. 1
Code de commerce, Loi du 7 juil. 1967, art. 4.

*(Le tramp)* prend en vrac des cargaisons entières, allant les chercher là où elles peuvent se trouver. 2
André SIEGFRIED, Vue de la Méditerranée, p. 157.

♦ **2** Fam. Grande quantité (d'objets ou de personnes).

Les petits trains roulaient essoufflés sur Panama, avec leur cargaison fiévreuse d'Européens qui venaient à leur tour tenter fortune en chemises rouges, en bottes de cuir fauve et en pantalon de velours. 3
B. CENDRARS, l'Or, p. 148.

♦ **3** Fig. et fam. Grande quantité. → **Collection, provision, réserve.** *Une cargaison d'anecdotes. Il a toute une cargaison d'histoires drôles.*

**CARGO** [kaʀgo] n. m. — Attesté av. 1907, Claudel; *cargo-boat,* 1887; mot angl., «navire de charge», de *cargo,* empr. à l'esp. *cargo* «charge», et *boat* «bateau».

♦ **1** Navire destiné surtout au transport des marchandises. *Cargo assurant un service régulier* (dit *cargo-liner,* anglic.). *Cargo sans horaire ni parcours fixe.* → **Tramp** (anglic.). *Cargo charbonnier, méthanier, minéralier, pétrolier, bananier* (cf. Un charbonnier, un pétrolier, etc.). *Cargo moutonnier.* — (1923, *in* Höfler). *Cargo porte-conteneurs. Cargo mixte,* qui peut prendre aussi quelques passagers. — *Ce cargo fait du cabotage.* → **Caboteur.**

Un cargo passe dans la catégorie des *mixtes* lorsqu'il embarque plus de douze passagers en cabine.
GRUSS, Dict. de marine, Cargo.

*Cargo roulier,* où les manutentions peuvent se faire horizontalement (sans opérations de levage). *Cargo hors mer :* au Canada, Cargo long et étroit, adapté aux écluses des estuaires, des grands lacs.

♦ **2** (1948). Par appos. *Avion-cargo. Des avions-cargos à réaction, géants.*

**CARGUE** [kaʀg] n. f. — 1634; de *carguer.*

Mar. Cordage servant à carguer les voiles. *Cargues de voiles carrées.*

**CARGUER** [kaʀge] v. tr. — 1690; «pencher sur le côté (en parlant d'un bateau)», 1611; du lat. tardif *carricare* «charger», par le provençal ou l'esp. *cargar.*

Mar. Serrer et trousser (les voiles) contre leurs vergues ou contre le mât au moyen des manœuvres (cordages) appelées *cargues.* → **Ferler; serrer.** *Carguer les voiles**.

1 À peine en mer, le capitaine, dont le vaisseau vole et nous dépasse, fait carguer les voiles et nous attend.
LAMARTINE, Voyage en Orient, 28-30 juil. 1832.

2 *La Jeune-Hardie* était entièrement visible. Déjà l'équipage faisait ses préparatifs de mouillage. Les voiles hautes avaient été carguées. On pouvait reconnaître les matelots qui s'élançaient dans les agrès.
J. VERNE, Un hivernage dans les glaces, p. 223.

DÉR. **Cargue, cargueur.**

**CARGUEUR** [kaʀgœʀ] n. m. — 1829; «poulie pour amener et guinder le perroquet», 1678; de *carguer.*

Mar. Matelot employé à carguer (les voiles). — REM. Le féminin *cargueuse* [kaʀgøz] est virtuel.

**CARI** ou **CARY** [kaʀi] n. m. — 1602, *caril;* mot malabar. → Curry.

Vieilli. → **Curry.** — Var. graphique : *kari* [kaʀi].

Smaïl, tu vas nous préparer le bain, les vêtements du soir, et un bon poulet au kari.
Henri FAUCONNIER, Malaisie, p. 28.

HOM. **Carie.**

**CARIACOU** [kaʀjaku] n. m. — 1761, Buffon; t. usité en Guyane au XVIIIe; corruption, selon Buffon, de *cuguacu-(apara),* nom tupi dont on retrouve le premier élément (qui pourrait signifier «rouge») dans le nom brésilien du couguar*; mais peut-être faudrait-il rapprocher le mot du tupi *carajuru* «liane dont les feuilles fournissent une teinture rouge», d'où le français *cariarou,* même sens, et *carriatour* «drogue colorante».

Zool. Cerf de Virginie, voisin du caribou.

Il voit les bêtes : le maipouri, ventru et paisible comme un bœuf, le cariacou bondissant, les tatous à carapace grise, les pécaris en troupeaux qui annoncent l'aube prochaine (...)
B. CENDRARS, Rhum, p. 56.

**CARIANT, ANTE** [kaʀjɑ̃, ɑ̃t] adj. — 1967; de *carier.*

Méd. Qui provoque une carie. → **Cariogène.** *Acide cariant.*

**CARIATIDE** ou **CARYATIDE** [kaʀjatid] n. f. — 1550; *caryatide,* 1546; ital. *cariatide,* lat. *caryatides,* grec *karyatides,* de *Karyes,* ville du Péloponnèse; on présume que des femmes de Karyes réduites en esclavage ou que les danseuses célébrant Artémis de Karyes, à Lacédémone, furent les modèles des premières cariatides.

Statue de femme soutenant une corniche sur sa tête. *Des cariatides alternant avec des atlantes**. *Les cariatides de l'Érechthéion. Les cariatides de Jean Goujon.*

Que la cariatide, en sa lente révolte, 1
Se refuse, enfin lasse, à porter l'archivolte
Et dise : C'est assez !
HUGO, les Voix intérieures, IV, 1.

(...) son long buste bien dessiné comme celui des cariatides. 2
G. DUHAMEL, Récits des temps de guerre, II, p. 340.

*Rester plantée comme une cariatide; servir de cariatide :* rester immobile, dressée (en parlant d'une personne, notamment d'une femme).

**CARIBOU** [kaʀibu] n. m. — 1607; mot canadien, de l'algonquin.

Renne du Canada. *Des caribous.*

REM. L'Académie a supprimé en 1878 la forme *cariboux* admise jusque-là *(un, des cariboux).*

Une multitude d'animaux, placés dans ces retraites *(les rives du Meschacebé : Mississippi)* par la main du Créateur, y répandent l'enchantement et la vie (...) des cariboux se baignent dans un lac (...) 1
CHATEAUBRIAND, Atala, Prologue.

On rencontre encore dans ses forêts quelques ours et quelques caribous, mais les castors ont été depuis longtemps exterminés. 2
H. DE LAMOTHE, Excursion au Canada et à la rivière rouge du Nord, *in* le Tour du monde, 1878, p. 230.

REM. Le mot est évidemment plus fréquent en français du Canada, mais ne constitue pas un canadianisme.

**CARICATURAL, ALE, AUX** [kaʀikatyʀal, o] adj. et n. m. — 1842; de *caricature.*

♦ **1** Qui tient de la caricature. → **Burlesque, comique.** *Dessin, portrait caricatural. Bande dessinée réaliste et bande dessinée caricaturale.*

♦ **2** Qui déforme la réalité par exagération de certains aspects défavorables. *Interprétation caricaturale. Description caricaturale. Une comédie assez caricaturale.*

Curieux, chez ce peuple si sensible au rythme, la déformation caricaturale de nos sonneries militaires. Les notes y sont, mais le rythme en est changé au point de les rendre méconnaissables.
GIDE, Voyage au Congo, *in* Souvenirs, Pl., p. 816.

N. m. *«L'outré, le caricatural (...) n'épargnent aucun personnage»* (Colette, *in* T. L. F.).

♦ **3** Qui a naturellement un caractère de caricature, d'exagération, de comique ridicule; qui prête à la caricature (1.). → **Grotesque, ridicule.** *Des traits caricaturaux. Un profil, un nez caricatural. Une figure, une allure caricaturale. Un aspect caricatural.*

N. m. Littér. *Le caricatural d'une situation,* son côté caricatural.

DÉR. **Caricaturalement.**

**CARICATURALEMENT** [kaʀikatyʀalmɑ̃] adv. — 1845; de *caricatural.*

De façon caricaturale. *S'accoutrer caricaturalement.*

(...) il était moins caricaturalement séducteur que dans le film où je l'avais vu.
Pierre NORD, Miss Péril Jaune, p. 62.

**CARICATURE** [kaʀikatyʀ] n. f. — 1740; ital. *caricatura,* de *caricare* «charger».

♦ **1** Représentation graphique (dessin, peinture...) qui, par le trait et par le choix des détails, accentue ou révèle les aspects humoristiques ou déplaisants du sujet. → **Charge.** *Les caricatures de Léonard de Vinci* (→ Omettre, cit. 3, Baudelaire), *de Daumier, de Forain. Ce n'est pas un portrait, c'est une caricature. Caricature burlesque, grotesque, spirituelle. Caricature trop chargée,* qui déforme les traits ou la silhouette du modèle aux dépens de la ressemblance. *Caricatures qui raillent, stigmatisent, flagellent un régime, un état social, les abus, les vices, les travers d'une époque.* → **Satirique** (dessin).

0.1 Du reste, il y a dans les œuvres issues des profondes individualités quelque chose qui ressemble à ces rêves périodiques ou chroniques qui assiègent régulièrement notre sommeil. C'est là ce qui marque le véritable artiste, toujours durable et vivace même dans ces œuvres fugitives, pour ainsi dire suspendues aux événements, qu'on appelle *caricatures;* c'est là, dis-je, ce qui distingue les caricaturistes historiques d'avec les caricaturistes artistiques, le comique fugitif d'avec le comique éternel.
BAUDELAIRE, Curiosités esthétiques, «Quelques caricaturistes français».

1 C'est un art *(celui du caricaturiste)* qui exagère et pourtant on le définit très mal quand on lui assigne pour but une exagération, car il y a des caricatures plus ressemblantes que des portraits, des caricatures où l'exagération est à peine sensible, et inversement on peut exagérer à outrance sans obtenir un véritable effet de caricature.
H. BERGSON, le Rire, p. 27.

Art, technique du dessin caricatural. *La caricature et le dessin d'humour. Caricature et bande dessinée.*

2 La caricature n'a, en France, jamais tué personne.
Louis MADELIN, Avènement de l'Empire, XIII, La question du couronnement, p. 187.

2.1 Chose curieuse et vraiment digne d'attention que l'introduction de cet élément insaisissable du beau jusque dans les œuvres destinées à représenter à l'homme sa propre laideur morale et physique! Et, chose non moins mystérieuse, ce spectacle lamentable excite en lui une hilarité immortelle et incorrigible. Voilà donc le véritable sujet de cet article (...)
Nous allons donc nous occuper de l'essence du rire et des éléments constitutifs de la caricature. Plus tard, nous examinerons peut-être quelques-unes des œuvres les plus remarquables produites en ce genre.
BAUDELAIRE, Curiosités esthétiques, «Quelques caricaturistes français».

♦ **2** (Av. 1784). Description comique ou satirique par l'accentuation de certains traits (ridicules, déplaisants). *Faire dans un roman la caricature d'une société, d'un milieu.* → **Satire.**

♦ **3** Par métonymie (chose caricaturale). Ce qui évoque sous une forme déplaisante ou ridicule (une chose ou un être comparable). → **Déformation, parodie.** *Le chauvinisme, caricature du patriotisme.*

3 (...) la superstition n'est que la caricature du vrai sentiment religieux.
GIDE, Journal, 19 sept. 1934.

4 Parfois l'imitation proustienne nous paraît aller jusqu'à la caricature, jusqu'à la charge.
A. MAUROIS, À la recherche de M. Proust, VIII, 3.

5 (...) je vous aime tout de même moins quand je vois les caricatures de vous que sont, au fond, tous ces gens-là... Je sais bien que vous n'êtes pas comme ça par nature, mais vous êtes marqué par eux.
A. MAUROIS, Climats, I, 7.

6 Un corps vivant, non seulement nous cache Dieu, mais le singe : il en est la caricature.
F. MAURIAC, Souffrances et Bonheur du chrétien, p. 49.

♦ **4** (1808). Personne laide et ridiculement accoutrée. *Une vieille fée Carabosse, une vraie caricature. Ce type est une caricature.*

DÉR. **Caricatural, caricaturer, caricaturesque, caricaturiste.**

**CARICATURER** [kaʀikatyʀe] v. tr. — 1801; de *caricature.*

♦ **1** Faire la caricature* de (qqn). *Caricaturer une personne.*

Absolt, rare. Faire des caricatures. *Passer son temps à caricaturer.*

♦ **2** (1834). Représenter sous une forme caricaturale, satirique. → **Charger, contrefaire, parodier, railler, ridiculiser** (tourner en ridicule). *Caricaturer une société, un régime.*

Voyons comment Scarron a caricaturé ce sujet épique et traduit cette lutte colossale.
Th. GAUTIER, les Grotesques, p. 359.

Déformer soit par une simplification excessive, soit par l'outrance. *Caricaturer la pensée d'un philosophe en voulant la résumer.*

Absolt. *Tu prends vraiment plaisir à exagérer, à caricaturer!*

CONTR. **Reproduire** (exactement). — **Idéaliser.**

**CARICATURESQUE** [kaʀikatyʀɛsk] adj. — 1868, Barbey d'Aurevilly; de *caricature,* sur le modèle de *pédantesque.*

Didact. De la caricature; qui a trait à la technique de la caricature, à l'art du caricaturiste. — Caricatural.

**CARICATURISTE** [kaʀikatyʀist] n. — 1803; de *caricature.*

Artiste (spécialt, dessinateur) qui s'adonne à la caricature. *Gavarni, Daumier, Cham, célèbres caricaturistes. Une caricaturiste de talent. Esprit, verve de caricaturiste.*

Pour conclure, Daumier a poussé son art très loin, il en a fait un art sérieux; c'est un *grand* caricaturiste (...) Comme artiste, ce qui distingue Daumier, c'est la certitude. Il dessine comme les grands maîtres (...) Il a un talent d'observation tellement sûr qu'on ne trouve pas chez lui une seule tête qui jure avec le corps qui la supporte. Tel nez, tel front, tel œil, tel pied, telle main. C'est la logique du savant transportée dans un art léger, fugace, qui a contre lui la mobilité même de la vie. 0.
Quant au moral, Daumier a quelques rapports avec Molière. Comme lui, il va droit au but. L'idée se dégage d'emblée. On regarde, on a compris. Les légendes qu'on écrit au bas de ses dessins ne servent pas à grand'chose, car ils pourraient généralement s'en passer. Son comique est, pour ainsi dire, involontaire. L'artiste ne cherche pas, on dirait plutôt que l'idée lui échappe. Sa caricature est formidable d'ampleur, mais sans rancune et sans fiel.
BAUDELAIRE, Curiosités esthétiques, «Quelques caricaturistes français».

L'art du caricaturiste est de saisir ce mouvement parfois imperceptible, et de le rendre visible à tous les yeux en l'agrandissant. Il fait grimacer ses modèles comme ils grimaceraient eux-mêmes s'ils allaient jusqu'au bout de leur grimace. 1
H. BERGSON, le Rire, I (→ Caricature, cit. 1).

(...) l'éclairage oblique qui tombait sur lui le déformait comme l'eût fait un caricaturiste; il tournait à la charge, avec son grand nez osseux (...) 2
Edmond JALOUX, le Dernier Jour de la création, IX, p. 105.

Par ext. (Rare). Personne qui caricature volontairement (qqn, qqch.), soit par un autre mode d'expression, soit dans son comportement. *Une caricaturiste des mœurs, de la société.*

**CARIDINE** [kaʀidin] n. f. — 1837, Milne Edwards; du grec *karidion.*

Zool. Crevette d'eau douce ou saumâtre. *«Grâce aux* caridines, *petites crevettes d'eau saumâtre dont elles raffolent, les perches grossissent plus vite que partout ailleurs»* (*Toute la pêche,* n° 57, p. 17).

**CARIE** [kaʀi] n. f. — 1537; du lat. *caries* «pourriture».

♦ **1** Méd. Destruction progressive des tissus osseux. → **Ostéite.** — *Carie sèche :* variété de carie osseuse, caractérisée par l'absence de suppuration. — Par comparaison :

1 Une femme vertueuse est la couronne de son mari,
Mais la femme sans honneur est comme la carie dans ses os. BIBLE (CRAMPON), Proverbes, XII, 4.

Cour. Lésion qui détruit l'émail et l'ivoire de la dent et évolue en formant vers l'intérieur de celle-ci une cavité qui entraîne sa destruction progressive. → **Cavitation.** — On dit aussi *carie dentaire. Carie de l'émail :* premier stade de la carie, généralement indolore. *Carie de la dentine,* au second stade. *Carie de la pulpe* ou *du troisième degré.* → **Pulpite.** *Carie pénétrante,* qui touche la pulpe. *Carie non pénétrante,* qui n'atteint pas la cavité pulpaire. *Carie sèche* (lat. caries sicca), dont l'évolution a été arrêtée par la formation de dentine secondaire.

♦ **2** (1611). Bot. *Carie des arbres :* altération du tissu ligneux, suivie de ramollissement. → **Chancre.** *Carie de la vigne.* → **Anthracnose.** — *Carie du blé, des céréales :* infection produite au moment de la germination, par un champignon *(Ustilaginées)* qui détruit l'ovaire de la plante. *Traitement de la carie du blé par chaulage.*

♦ **3** Minér. Décomposition de la roche sous l'action d'agents érosifs. *Carie sèche de la roche.*

♦ **4** Fig. et littér. → **Pourriture.**

2 Il est pour eux *(les objets qui dépérissent)* des caries, des ruptures, des tumeurs, des folies.
Francis JAMMES, Des choses, p. 180.

**DÉR.** et **COMP.** **Carier, carieux, cariogène, cariogenèse.** ◊ **HOM.** **Cari, cary.**

**CARIEN, ENNE** [kaʀjɛ̃, ɛn] adj. et n. — 1547; de l'anc. nom d'une province grecque d'Asie Mineure, la *Carie.* Didactique.

♦ **1** Relatif à la Carie, à ses habitants. — N. Habitant, habitante de la Carie.

♦ **2** N. m. (1838). Ling. *Le carien,* parlé par les Cariens d'Asie Mineure.

**CARIER** [kaʀje] v. tr. — 1530, *carié; se carier,* v. 1560; de *carie.*

Attaquer par la carie*. → **Gâter.** *Une dent cariée peut carier les dents voisines.*

◆ **SE CARIER** v. pron. (passif). *Cette prémolaire est en train de se carier.* — Loc. fig. (Personnes). *Se carier jusqu'à l'os, jusqu'aux os :* être rongé par une maladie; (abstrait) se corrompre complètement.

1 Il demanda (...) qu'était devenue la duchesse d'Arcos de Sierra-Leone (...) À ce jeu terrible qu'elle avait joué, elle avait gagné la plus terrible des maladies. En peu de mois — dit le vieux prêtre —, elle s'était cariée jusqu'aux os (...)
BARBEY D'AUREVILLY, les Diaboliques, «La vengeance d'une femme».

◆ **CARIÉ, ÉE** p. p. adj.

Atteint de carie dentaire. → **Gâté.** *Soigner, plomber une dent cariée.* — Par comparaison :

2 De leur gothique *(celui des Anglais)* d'ailleurs genre «vignette Walter Scott», la matière même est friable. Ils ont de mauvaises pierres, comme ils auraient de mauvaises dents : gothique carié.
F. MAURIAC, Bloc-notes 1952-1957, p. 31.

**DÉR.** **Cariant.** ◊ **HOM.** **Carrier.**

**CARIEUX, EUSE** [kaʀjø, øz] adj. — 1546; de *carie.*

Didact. De la carie dentaire. «*Le processus carieux*» (P.-L. Rousseau, *les Dents*). «*La forme clinique de la cavité carieuse conditionne le choix des matériaux d'obturation*» (*Information dentaire,* n° 13, 28 mars 1968).

**CARIGNAN** [kaʀiɲɑ̃] n. m. — 1863; nom de lieu.

Agric. Cépage du Midi de la France, très productif.

**CARILLON** [kaʀijɔ̃] n. m. — 1718, *faire carillon* «faire du tapage»; *quarrellon,* 1345; *carenon,* 1178; du lat. pop. **quadrinio, -onis,* lat. class. *quaternio* «groupe de quatre cloches», de *quater* «quatre».

♦ **1** Ensemble de cloches* accordées à différents tons. *Le carillon d'une église, d'un beffroi. Le carillon de Bruges, de Malines. Le timbre d'un carillon. Sonneur de carillon.* → **Carillonneur.**

Le royal carillon du Palais jette sans relâche de tous côtés des trilles resplendissants, sur lesquels tombent à temps égaux les lourdes coupetées du beffroi de Notre-Dame, qui les font étinceler comme l'enclume sous le marteau. 1
HUGO, Notre-Dame de Paris, III, II, p. 177.

*Carillon électronique.*

♦ **2** (1752). *Le carillon d'une horloge, d'une pendule,* système de sonnerie qui se déclenche mécaniquement ou électriquement pour indiquer les heures et qui imite un carillon (1.). *Horloge à carillon,* et, ellipt., *un carillon.* → **Horloge.**

Cloche, sonnerie produisant plusieurs sons différents. *Carillon électrique.* → **Sonnette.** *Le carillon d'une porte d'entrée.*

Mus. Instrument à percussion formé d'une série de lames ou de tubes métalliques dont le timbre est analogue à celui des cloches d'un carillon (1.).

♦ **3** Air exécuté par un carillon (1.); sonnerie de cloches vive et gaie. *Sonner le carillon. Un carillon de fête. Composer un carillon.*

J'avais (...) les cloches de Saint-Germain... Tantôt des carillons joyeux et fous précipitant leurs doubles-croches (...) 2
Alphonse DAUDET, le Petit Chose, II, V.

Lorsque le cortège fit son entrée dans l'antique église des évêques de Léon, le bedeau, pendu à la corde d'une cloche, se tenait prêt à commencer le carillon joyeux que commandait la circonstance. 3
LOTI, Mon frère Yves, II, p. 12.

Par anal. Air sonné par une horloge ou une pendule, à certains intervalles. *Le cartel fait retentir son carillon.* — Sonnerie (sous forme de quelques mesures d'un air). *Je vais ouvrir, j'entends le carillon dans l'entrée.*

♦ **4** Fig., fam. (Vx). Tapage, vacarme. *Faire du carillon.*

**DÉR.** **Carillonner.**

**CARILLONNANT, ANTE** [kaʀijɔnɑ̃, ɑ̃t] adj. — 1653; p. prés. de *carillonner.*

♦ **1** Qui sonne en carillons. *Cloches carillonnantes. Une musique carillonnante tombe du clocher.* — Par ext. «*Rome (...) la ville sonnante et carillonnante*» (Zola).

♦ **2** Qui fait un bruit semblable à celui d'un carillon (1.). *Les clochettes carillonnantes du troupeau.*

**CARILLONNEMENT** [kaʀijɔnmɑ̃] n. m. — 1890; de *carillonner.*

Rare. Action de carillonner; bruit produit par un carillon. *Le carillonnement des cloches.*

**CARILLONNER** [kaʀijɔne] v. — XV^e; de *carillon*.

**A** V. intr. ♦ **1** Sonner en carillon*. *Les cloches carillonnent.* → **Sonner.**

Trans. *Carillonner une fête,* l'annoncer en faisant sonner le carillon, les cloches. — *Horloge qui carillonne les heures.*

1 Dans l'hôtel tout était muet, tout semblait mort, sauf la haute horloge flamande de l'escalier qui, régulièrement, carillonnait l'heure, la demie et les quarts, chantait dans la nuit la marche du temps, en la modulant sur ses timbres divers. MAUPASSANT, Fort comme la mort, p. 317.

♦ **2** (1648; sujet n. de personne). Sonner* bruyamment une cloche, une sonnette (d'une porte d'entrée). *Carillonner à la porte.*

2 À tout hasard, avant de carillonner, elle essaya d'entrer avec sa clef.
MARTIN DU GARD, les Thibault, t. VIII, p. 11.

Fam. Appeler au téléphone (en faisant retentir de nombreuses fois la sonnerie d'appel).

**B** V. tr. (1653). Proclamer* bruyamment (une nouvelle). → Faire grand bruit* de..., annoncer à sons de trompe*. *Carillonner la victoire de qqn.*

♦ **CARILLONNÉ, ÉE** p. p. adj. (1835). Loc. *Une fête carillonnée :* une fête solennelle, comportant une sonnerie de cloches.

DÉR. **Carillonnant, carillonnement, carillonneur.**

**CARILLONNEUR** [kaʀijɔnœʀ] n. m. — 1601; de *carillonner.*

Personne chargée de sonner le carillon, un carillon. → **Sonneur.** *Quasimodo, le carillonneur de Notre-Dame* (dans *Notre-Dame de Paris,* de Hugo).

Maudit sois-tu carillonneur
Que Dieu créa pour mon malheur
Dès le point du jour à la cloche il s'accroche
Et le soir encore carillonne plus fort
Quand sonnera-t-on la mort du sonneur?
Chanson populaire.

REM. Le fém. *carillonneuse* [kaʀijɔnøz] est virtuel.

**CARINATES** [kaʀinat] n. m. pl. — Av. 1928 (*in* Larousse du XX^e s.); du rad. du lat. *carina* (→ Carène), et suff. *-ates.*

Zool. L'une des deux sous-classes divisant les oiseaux* actuels (l'autre étant les Ratites), et comprenant tous les oiseaux caractérisés par l'existence d'une carène* (II., 2.) ou *bréchet. Les carinates comprennent les oiseaux les plus évolués; on les classe en une vingtaine d'ordres* (dont les Stéganopodes, Ciconiiformes, Ansériformes, Falconiformes, Galliformes, Charadriiformes, Columbiformes, Passériformes...) → **Oiseau.** — Au sing. *Un carinate.*

**CARIOGÈNE** [kaʀjɔʒɛn] adj. — XX^e; de *carie, -o-* d'appui, et *-gène.*

Didact. Qui provoque la carie. → **Cariant.**

**CARIOGENÈSE** [kaʀjoʒənɛz; kaʀjoʒenɛz] n. f. — XX^e; de *carie, -o-* d'appui, et *genèse.*

Didact. Processus de formation d'une carie dentaire.

**CARISSIME** [kaʀisim] adj. — Déb. XIV^e, *karissime;* lat. *carissimus,* de *carus* «cher»; cf. ital. *carissimo.*

Rare, littér. Très cher, très aimé.

**CARISTE** [kaʀist] n. m. — Av. 1972; probablt du lat. *carrus* «chariot».

Techn. Conducteur de chariot automoteur, d'engin de manutention, de wagonnet, etc. *«Les "caristes", ces conducteurs d'engins de manutention»* (*l'Express,* n° 1125; 29 janv. 1973).

**CARITATIF, IVE** [kaʀitatif, iv] adj. — Déb. XIV^e; lat. médiéval *caritativus,* de *caritas* «charité».

Didactique.

♦ **1** Inspiré par la charité* en tant que vertu (en particulier en tant que vertu chrétienne); qui a trait à cette vertu. → **Charitable.** *L'esprit caritatif qui anime l'Évangile.*

♦ **2** Qui porte secours ou qui a pour but de porter secours, assistance, notamment aux plus défavorisés. *L'action caritative des organisations internationales de santé.*

1. **CARLIN** [kaʀlɛ̃] n. m. — 1367; ital. *carlino,* de *Carlo* «Charles (d'Anjou)», qui fit frapper cette monnaie.

Ancienne monnaie d'Italie. *Carlin d'or, d'argent.*

2. **CARLIN, INE** [kaʀlɛ̃] n. m. et adj. — 1803, *in* Boiste; du nom de l'acteur ital. Carlo Bertinazzi dit *Carlin* (1713-1783), qui jouait à Paris le rôle d'Arlequin avec un masque noir.

♦ **1** Petit chien à poil ras, au museau noir et écrasé. → **Dogue.**

♦ **2** Loc. *Nez de carlin :* petit nez écrasé. — Par compar. *«Le visage plat comme un carlin»* (Loti).

♦ **3** Adj. *Chien carlin, chienne carline. Dogue carlin.*

**CARLINE** [kaʀlin] n. f. — 1545; soit provençal *carlino* ou esp. *carlina,* même sens, du catalan ou de l'esp. *cardina* «jachère», soit ital. *carlina,* d'un dér. de *cardo.*

Plante dicotylédone *(Composacées),* herbacée, annuelle ou vivace, aux feuilles épineuses, apparentée au chardon. *La carline est appelée aussi* herbe de Charlemagne, artichaut sauvage. *La carline pousse sur les terrains secs, les montagnes ou les terrains arides du Midi de la France.*

**CARLINGUE** [kaʀlɛ̃g] n. f. — 1573; *calengue,* mar., 1382; scandinave *kerling.*

♦ **1** Mar. Pièce de charpente longitudinale, parallèle à la quille*, et destinée à renforcer la carène. *Extrémité de la carlingue.* → **Marsouin.**

La fausse quille avait été séparée avec une violence inexplicable, et la quille elle-même, arrachée de la carlingue en plusieurs points, était rompue sur toute sa longueur. «Mille diables! s'écria Pencroff. Voilà un navire qu'il sera difficile de renflouer!» 1
J. VERNE, l'Île mystérieuse, t. II, p. 649 (1874).

(1929). Par anal. Pièce de charpente longitudinale, au fond d'un hydravion.

♦ **2** (1928). Aviat. et cour. Partie du fuselage d'un avion où prend place le pilote (→ Personnel, cit. 12, Carco).

Il s'agrippe d'une main au bord de la carlingue, il cherche à se redresser pour regarder dehors. 2
MARTIN DU GARD, les Thibault, t. VIII, p. 152.

Le terrain d'Alicante monte, bascule, se place, les roues le frôlent, s'en rapprochent comme d'un laminoir, s'y aiguisent (...) Bernis descend de la carlingue, les jambes lourdes (...) la tête pleine encore du bruit de son moteur (...) 3
SAINT-EXUPÉRY, Courrier Sud, p. 36.

♦ **3** Argot, pendant la Seconde Guerre mondiale, ou dans des contextes s'y rapportant. (Du nom d'un café de la place du Trocadéro fréquenté précédemment par des aviateurs, et pendant l'occupation allemande par des membres de la Gestapo). *La Carlingue :* la Gestapo.

4 Et derrière Louis, il y avait encore un autre homme que Jeannot reconnut comme François Sini, un ancien de la Carlingue miraculeusement blanchi par Flamant et qu'il n'aimait pas, sans trop s'expliquer pourquoi.

Loup DURAND, le Caïd, p. 369.

DÉR. **Carlinguier.**

**CARLINGUIER** [kaʀlɛ̃gje] n. m. — 1942; de *carlingue* (2.).

Techn. Ouvrier chargé du montage des carlingues d'avion.

Il ne laissait tranquilles que les carlinguiers, mais uniquement leur usinage et non les responsabilités, car dans beaucoup d'accidents il plaidait la faute des empenneurs pour mauvais atterrissage.

Pierre HAMP, la Peine des hommes (Moteurs), p. 228.

**CARLISME** [kaʀlism] n. m. — V. 1830; de *Don Carlos* d'Espagne.

Hist. Attachement à la politique absolutiste et réactionnaire de Don Carlos (1788-1855), ou à celle de Charles X en France.

**CARLISTE** [kaʀlist] adj. et n. — 1827, *in* D. D. L.; de *Don Carlos* d'Espagne. → Carlisme.

Hist. Qui a rapport au carlisme. *La première guerre carliste.* — Qui est partisan du carlisme. *Un basque carliste.* — N. *Un, une carliste.*

**CARLOVINGIEN, IENNE** [kaʀlɔvɛ̃ʒjɛ̃, jɛn] adj. Vx. → **Carolingien.**

**CARMAGNOLE** [kaʀmaɲɔl] n. f. — 1791; veste des fédérés marseillais portée depuis le XVIIe siècle par les ouvriers piémontais; traditionnellement, du nom de la ville de *Carmagnola;* mais P. Guiraud propose le provençal *carmena* «carder» d'où «se crêper le chignon», les danses étant souvent définies comme des empoignades, d'où *carmagnole* «chanson à étriller les nobles».

♦ **1** Hist. Veste* étroite, à revers très courts, garnie de plusieurs rangées de boutons. *La carmagnole devint populaire au cours de la Révolution française de 1789.*

Une dizaine d'entre eux *(les citadins)* portaient cette veste républicaine connue sous le nom de carmagnole.

BALZAC, les Chouans, Pl., t. VII, p. 767.

♦ **2** Par ext. Ronde chantée et dansée par les révolutionnaires. *«Dansons la carmagnole! Vive le son du canon!»* (paroles de cette ronde).

Fig., vx (expression révolutionnaire : 1789-93). *Faire danser la carmagnole à qqn :* se débarrasser de qqn, notamment en le guillotinant.

REM. Le mot *carmagnol* a désigné les républicains en 1793-95; ce sens a été repris sous la forme *carmagnole* (cf. G. Lefebvre, *in* T. L. F.).

♦ **3** Hist. Discours révolutionnaire (en 1789-93).

1\. **CARME** [kaʀm] n. m. — 1220; du nom du mont *Carmel* en Palestine.

Religieux de l'ordre de Notre-Dame du Mont-Carmel. → **Ordre** (→ Argumentant, cit.). *Carmes réformés. Carmes déchaux.* → **Déchaussé.** *Carmes et carmélites*.*

J'aurai pu jusqu'ici brouiller tous les chapitres,
Diviser Cordeliers, Carmes et Célestins (...)

BOILEAU, le Lutrin, I.

Loc. *Eau des Carmes,* nom d'une eau de mélisse*.

2\. **CARME** [kaʀm] n. m. — 1532, «vers»; lat. *carmen.* → Charme.

Littéraire, vieux.

♦ **1** [a] Vers.

On le pourrait traduire... (l'aphorisme latin *Fugax sequax, sequax fugax*) par deux carmes ou versiculets en cette teneur :
Fuyez, on vous suivra;
Suivez, on vous fuira.

Th. GAUTIER, le Capitaine Fracasse, VIII.

[b] Chant poétique.

♦ **2** Antiq. Prophétie d'un oracle.

3\. **CARME** [kaʀm] n. m. — 1835; de l'argot anc. *carme* «miche de pain» (1628), lui-même métaphore de 1. *carme,* la farine étant blanche comme la robe des *carmes.*

Argot, anc. Argent, monnaie.

**CARMELINE** [kaʀməlin] adj. f. — 1752; *laine carmeline,* 1723; esp. *carmelina.*

Vieilli. *Laine carmeline :* laine de vigogne.

**CARMÉLITE** [kaʀmelit] n. f. — V. 1317, attestation isolée; repris au XVIIe (v. 1640); lat. ecclés. *carmelita,* de *Carmel.* → 1. Carme.

Religieuse de l'ordre du Mont-Carmel. *Carmélites déchaussées*. La règle des carmélites est renommée pour sa sévérité. Le Dialogue des Carmélites,* œuvre de Bernanos.

(...) selon cette belle sentence, qui semble être prononcée 1
pour les carmélites (...) que «le triomphe de la modestie et la dernière perfection de l'honnêteté dans votre sexe, c'est de ne se laisser jamais voir (...)»

BOSSUET, Sermon pour la vêture de Mlle de Bouillon.

Ah! ce sont des carmélites! je savais bien qu'elles étaient 2
des friponnes, des intrigueuses, des ravaudeuses, des brodeuses, des bouquetières (...)

Mme DE SÉVIGNÉ, 663, 15 oct. 1677.

Par métonymie. *Les carmélites :* couvent de carmélites. *Être voisin des carmélites.*

(En apposition). *Couleur carmélite :* d'un brun clair qui rappelle la bure des carmélites.

Tout à coup Mme Dambreuse s'écria : — Duchesse, ah! quel 3
bonheur! Et elle s'avança jusqu'à la porte, au-devant d'une vieille petite dame, qui avait une robe de taffetas carmélite et un bonnet de guipure, à longues pattes.

FLAUBERT, l'Éducation sentimentale, II, IV (1869).

**CARMIN** [kaʀmɛ̃] n. m. et adj. invar. — V. 1165, *charmin;* du lat. médiéval *carminium,* de *minium,* et arabe *qirmiz.* → Kermès.

♦ **1** Colorant rouge vif (laque alumino-silicique), tiré à l'origine des femelles de cochenille. *Carmin tendre, dur, cramoisi,* allant du rose au pourpre (en peinture sur porcelaine).

♦ **2** Couleur rouge vif. → **Rouge, vermillon.** *Des lèvres de carmin,* de cette couleur.

La plus délicate des roses
Est, à coup sûr, la rose-thé.
Son bouton aux feuilles mi-closes
De carmin à peine est teinté.

Th. GAUTIER, Émaux et Camées, «La rose-thé».

Adj. invar. *Couleur carmin. Étoffe carmin. Des écharpes carmin.* → **Carminé.** — *Lèvres carmin.*

DÉR. **Carminé, carminer.**

**CARMINATIF, IVE** [kaʀminatif, iv] adj. et n. m. — XVe; lat. médiéval *carminativus,* de *carminare* «carder, nettoyer».

Méd. (Vx). Qui a la propriété de faire expulser les gaz intestinaux. *Un remède carminatif. Le vespétro, eau-de-vie carminative. Le thé, la menthe, l'anis, la mélisse sont carminatifs.*

Plus, du vingt-sixième, un clystère carminatif, pour chasser les vents de Monsieur, trente sols.
MOLIÈRE, le Malade imaginaire, I, 1.

N. m. Remède carminatif. *Administrer des carminatifs.*

CONTR. **Flatueux.**

**CARMINÉ, ÉE** [karmine] adj. — 1784, Bernardin de Saint-Pierre; de *carmin.*

Littér. D'un rouge vif. *Soie carminée. Lèvres carminées.* → **Carmin.**

Laniboire, le teint carminé comme un apache, cria : «Allons travailler, mademoiselle Moser, je me sens en train (...)» Alphonse DAUDET, l'Immortel, p. 314.

**CARMINER** [karmine] v. tr. — 1838; de *carmin;* le p. p. est antérieur.

♦ **1** Techn. Convertir en carmin. *Carminer la garance.*

♦ **2** Littér. Peindre, teindre avec du carmin. *Carminer ses lèvres. Se carminer les lèvres.* — Au p. p. → **Carminé.**

**CARNAGE** [karnaʒ] n. m. — 1546, «chair», Rabelais; orig. incert.; probablt forme normanno-picarde de *charnage* (XIe), de l'anc. franç. *char.* → Chair.

♦ **1** Vx. Chair d'animaux dont se nourrissent les bêtes sauvages. → **Pâture, viande.** *Avide de carnage* (→ Affamer, cit. 7).

1 Une lionne vient, monstre inspirant la crainte;
D'un carnage récent sa gueule est toute teinte.
LA FONTAINE, Fables, Appendice, 5.

2 Les hommes alimentés de carnage et abreuvés de liqueurs fortes ont tous un sang aigri et aduste (...)
VOLTAIRE, la Princesse de Babylone.

♦ **2** Mod. Action de tuer des personnes (ou certains animaux) en grand nombre; massacre* sanglant. → **Boucherie, hécatombe, tuerie.** *Un affreux, un monstrueux carnage* (→ Battre, cit. 79). — *Lieu, champ de carnage.*

3 De notre sang au leur font d'horribles mélanges;
Et la terre, et le fleuve, et leur flotte, et le port,
Sont des champs de carnage où triomphe la mort.
CORNEILLE, le Cid, IV, 3.

4 Ces énormes batailles de Napoléon sont au delà de la gloire; l'œil ne peut embrasser ces champs de carnage qui, en définitive, n'amènent aucun résultat proportionné à leurs calamités.
CHATEAUBRIAND, Mémoires d'outre-tombe, III, 1.

5 Ce que nous appelons la morale n'est qu'une entreprise désespérée de nos semblables contre l'ordre universel, qui est la lutte, le carnage et l'aveugle jeu de forces contraires.
FRANCE, Les dieux ont soif, VI, p. 63.

♦ **3** Fam. → **Destruction, dévastation, ruine.** *Quel carnage! Il a fait un vrai carnage dans l'appartement, tout est cassé.*

6 Il s'abattait sur un bureau à la façon d'une nuée de sauterelles, et tout de suite c'était la fin, le carnage, la dévastation (...)
COURTELINE, Messieurs les ronds-de-cuir, 1er tableau, III.

CONTR. **Paix. — Ordre.**

**CARNAIRE** [karnɛr] adj. — 1846; du lat. *caro, carnis* «chair».

Didact., rare. Qui se nourrit de viande, ou vit sur la viande. → **Carnassier.** *Mouche carnaire.*

**CARNASSE** [karnas] n. m. et f. — 1666; provençal *carnasso,* de l'anc. provençal *carnasa* «chair», de *car, carn.* → Carnassier.

**I** N. m. Régional. Méduse. — Syn. : *ortie de mer.*

Le carnasse de la Méditerranée est repoussant. C'est un contact odieux que cette gélatine animée qui enveloppe le nageur, où les mains s'enfoncent, où les ongles labourent, qu'on déchire sans la tuer, et qu'on arrache sans l'ôter, espèce d'être coulant et tenace qui vous passe entre les doigts (...)
HUGO, les Travailleurs de la mer, 1866, p. 374, *in* T. L. F.

**II** N. f. Techn. Résidu de tannerie, obtenu après l'écharnage et servant à la fabrication de colles.

**CARNASSIER, IÈRE** [karnasje, jɛr] adj. et n. — 1501, *carnacier,* adj.; d'un mot provençal, de *car, carn* «chair», lat. *caro, carnis.*

**I** Adj. ♦ **1** Qui se nourrit de chair crue, de viande crue. → **Carnage** (1.). *Les animaux carnassiers. Une bête carnassière. La loutre est carnassière.*

Tu t'en viens me traiter de bête carnassière; 1
Toi qui parles, qu'es-tu? N'auriez-vous pas sans moi,
Mangé ces animaux que plaint tout le village?
LA FONTAINE, Fables, XII, 1.

♦ **2** (1844). *Dent carnassière,* ou, n. f., *carnassière* : dent jugale, à couronne tranchante, caractéristique des carnassiers (→ ci-dessous, II).

♦ **3** Rare. *Plante carnassière.* → **Carnivore.**

♦ **4** (1583). Fig., littér. Qui fait preuve de férocité; qui révèle une nature cruelle. *Une avidité carnassière.*

**II** N. ♦ **1** (1805; vx en sciences). N. m. pl. *Les carnassiers.* → **Carnivore** (II.). — Au sing. *Un carnassier.*

L'homme anéantit plus d'individus vivants que tous les 2
carnassiers n'en dévorent.
BUFFON, Hist. nat. des animaux, Les animaux carnassiers.

♦ **2** N. m. Fig., littér. Personne cruelle et avide. *«Trois carnassiers dévorants sur le même corps»* (Zola, *in* T. L. F.).

HOM. (Du fém.). **Carnassière.**

**CARNASSIÈRE** [karnasjɛr] n. f. — 1752; *carnaciere,* 1743; provençal mod. *carnassiero.* → Carnassier.

Sac servant au chasseur pour porter le gibier. → **Carnier, gibecière.** *Une carnassière pleine de perdreaux, de lièvres.*

Il est un peu gêné quand, avec son fusil, sa carnassière, son paletot de monsieur, il passe près d'une charrue dont les laboureurs le connaissent.
J. RENARD, Journal, 25 sept. 1899.

HOM. **Carnassière** (fém. de *carnassier*).

**CARNATION** [karnasjɔ̃] n. f. — XVe; ital. *carnagione,* de *carne* «chair».

♦ **1** Couleur, apparence de la chair d'une personne. → **Teint.** *Une carnation saine, épanouie, florissante.*

(...) ces carnations épanouies comme des bouquets de 1
fleurs (...) Th. GAUTIER, Fortunio, «La toison d'or», I.

(...) les florissantes carnations laissent deviner la force d'un 2
sang jeune qui coule aisément et à pleines veines (...)
TAINE, Philosophie de l'art, t. II, V, I, 1, p. 229.

Mais rien n'empêchera plus qu'une ombre funeste, peu à 3
peu, s'avance sur elle, ternisse sa saine pâleur rosée, sa carnation de tubéreuse.
COLETTE, l'Étoile Vesper, p. 118.

(...) ni la structure, ni la carnation, ni la mobilité magique 4
de ce visage bien fait ne permettaient d'en expliquer l'heureuse et mystérieuse beauté.
G. DUHAMEL, Chronique des Pasquier, IX, III.

♦ **2** Peint. Coloration des parties du corps qui sont représentées nues. *Les carnations de ce tableau sont fort belles. Une carnation vive, naturelle.*

(1690). Blason. *De carnation :* présentant la couleur rosée de la peau. *Mains de carnation.*

**CARNAU** [karno] n. m. → **Carneau.**

**CARNAVAL** [karnaval] n. m. — 1549, *carneval; quarnivalle,* 1268 (à Liège); ital. *carnevale* «mardi gras»; de *carnelevare* «ôter *(levare)* la viande *(carne)*».

♦ **1** Période réservée aux divertissements, commençant le jour des Rois *(Épiphanie)* et prenant fin avec le début du carême *(mercredi des Cendres).* → **Gras** (jour gras); **carême-prenant.**

*En carnaval :* en période de carnaval. — Loc. fam. *Jeûner en carnaval :* vivre continuellement dans la misère.

*Le jour de carnaval :* le Mardi gras, veille du mercredi des Cendres. — *Enterrer gaiement le carnaval,* le finir par de joyeuses fêtes. — *Il est triste comme s'il revenait d'enterrer le carnaval.*

1 On parle d'une comédie d'Esther qui sera représentée à Saint-Cyr, le carnaval ne prend pas le train d'être gaillard.
Mme DE SÉVIGNÉ, 501.

2 (...) et je suis venu passer le carnaval à Venise.
VOLTAIRE, Candide, XXVI.

3 Le carnaval s'en va, les roses vont éclore;
Sur le flanc des coteaux déjà court le gazon.
A. DE MUSSET, Poésies nouvelles, «Mi-carême».

♦ **2** Divertissements (bals, défilés) de cette période, en pays catholique. *Les fêtes, les réjouissances du carnaval. Les bals masqués du carnaval.* → **Veglione.** *Le carnaval de Venise, de Nice. Le carnaval de Rio, de Bahia* (→ 1. Samba, cit.). *Accoutrement, déguisement de carnaval* (mascarade, masque*; chicard, chienlit, domino). *Lancer des confettis aux fêtes du carnaval* (→ Atroce, cit. 5).

Ethnol. Période où l'ordre social et les hiérarchies sont symboliquement modifiés ou renversés, et qui est l'occasion de fêtes, de spectacles où s'actualisent les oppositions (dans quelque culture que ce soit); ensemble des activités ludiques, spectaculaires, et des attitudes propres à ce phénomène social. → **Carnavalesque** (3.).

4 Tout invite à regarder le carnaval moderne comme une sorte d'écho moribond de fêtes antiques, du type des Saturnales.
Roger CAILLOIS, l'Homme et le Sacré, p. 157.

5 Le carnaval est essentiellement dialogique (...) Ce spectacle ne connaît pas de rampe; ce jeu est une activité; ce signifiant est un signifié (...) Celui qui participe au carnaval est à la fois acteur et spectateur (...) Dans le carnaval, le sujet est anéanti (...)
Ayant extériorisé la structure de la productivité littéraire réfléchie, le carnaval inévitablement met à jour l'inconscient qui sous-tend cette structure : le sexe, la mort. Un dialogue entre eux s'organise, d'où proviennent les dyades structurales du carnaval : le haut et le bas, la naissance et l'agonie, la nourriture et l'excrément, la louange et le juron, le rire et les larmes.
Julia KRISTEVA, Semeiotikê, p. 160.

Loc. (Vx). *Faire carnaval, faire le carnaval :* faire bombance. → **Fête** (faire la fête).

(Dans des titres musicaux). *Le Carnaval romain,* de Berlioz. *Le Carnaval des animaux,* de Saint-Saëns.

♦ **3** *Un carnaval,* mannequin grotesque, ridicule, qui personnifie le carnaval. *Sa Majesté Carnaval,* qu'on brûlait le jour des Cendres.

Fig. Vx ou régional. *Vêtu comme un carnaval. Un vrai carnaval :* un homme bizarrement accoutré, et, par ext., un homme grotesque. → **Carême-prenant** (3.; vx). *Des carnavals.* — T. d'injure :

6 D'un coup de bâton, elle rappela Léopard aux devoirs de sa charge en le traitant de vieux bouc, de grand carnaval et de charogne malade.
M. AYMÉ, la Vouivre, p. 30.

♦ **4** Régional, fam. Désordre; attitude débraillée; comportement bruyant. *Allons, petits drôles, arrêtez ce carnaval!* → **Sarabande.**

**CARNAVALESQUE** [karnavalɛsk] adj. et n. m. — 1845, Gautier; ital. *carnavalesco,* de *carnevale.* → Carnaval.

♦ **1** Relatif au carnaval. *Tenue carnavalesque. Masques carnavalesques.*

♦ **2** Digne d'un carnaval; grotesque. *«Le carnavalesque et immortel M. de Norpois* (personnage proustien)» (P. Morand).

♦ **3** Didact. Du carnaval, en tant que phénomène sociologique; spécialt (selon le critique russe M. Bakhtine), qui, en littérature, manifeste les caractères d'opposition dialogique dans le rire qui sont propres au carnaval. *Le caractère carnavalesque du discours rabelaisien, étudié par Bakhtine.* — N. m. *Le carnavalesque :* le genre littéraire carnavalesque.

Il faudrait mettre en garde contre une ambiguïté à laquelle se prête l'emploi du mot «carnavalesque». Dans la société moderne, il connote en général une parodie, donc une consolidation de la loi; on a tendance à occulter l'aspect *dramatique* (meurtrier, cynique, révolutionnaire...) du carnaval sur lequel justement Bakhtine met l'accent et qu'il retrouve dans la ménippée ou dans Dostoïevski.
Julia KRISTEVA, Semeiotikê, p. 162.

**CAR-NAVETTE** [karnavɛt] n. m. — XXe; de 2. *car,* et *navette* (1.).

Techn. Car destiné au transport des voyageurs, dans les aéroports, entre la salle d'attente et l'avion. *Des cars-navettes.* — Syn. cour. : *navette.*

1. **CARNE** [karn] n. f. — Déb. XIIe; mot normanno-picard, «pivot».

Vx ou techn. Angle saillant d'une pierre, d'une construction, d'un meuble. → **Coin.** *La carne d'une table.*

(...) je me suis donné un grand coup de la tête contre la carne d'un volet.
MOLIÈRE, le Malade imaginaire, I, 2.

2. **CARNE** [karn] n. f. — 1835, Raspail; ital. *carne* «viande».

Familier.

♦ **1** Viande* de mauvaise qualité (→ fam. **Barbaque**) ou très dure (→ **Semelle**). *«Cette carne bouillie des conserves»* (Goncourt).

♦ **2** Vieilli. Vieux cheval*. *Une vieille carne...* — Personne d'aspect misérable. → **Rosse.**

— C'est ma tante Claire qui a l'air d'une carne ce matin... 1
Dis monsieur, est-ce que c'est vrai que tu vas lui chauffer les pieds, la nuit?
ZOLA, le Ventre de Paris, t. I, p. 191 (1875).

Personne (en général, femme) méchante, désagréable, insupportable. → **Chameau, rosse, vache.** *La sale carne.* — (Appellatif injurieux). *Vieille carne!*

Aussitôt Mme Cloche a-t-elle disparu au coin de la rue que 2
Mme Belhôtel numéro 2 réapparaît :
— Partie, la vieille carne? — Oui, partie.
R. QUENEAU, le Chiendent, p. 65 (1932).

Adj. Vieilli. Qui adopte un comportement désagréable vis-à-vis des autres. → **Vache; rosse.**

Cependant, Tirette raconte les avanies que lui a fait subir, 3
pendant vingt et un jours, l'humeur agressive d'un certain commandant-major :
— C'gros cochon, c'était, mon vieux, tout c'qu'y a d'plus carne sur terre.
H. BARBUSSE, le Feu, t. II, p. 25 (1917).

DÉR. V. **Carnier.**

**CARNÉ, ÉE** [karne] adj. — 1669; dér. sav. du lat. *caro, carnis* «chair».

Didact. ou littéraire.

**I** Qui est de la couleur de la chair. *Œillet carné.* → **Rose.**

1 Le *cheval blanc :* peint avec des tons carnés dans les ombres, mais formés plutôt de tons lilas et violâtres *(terre de Cassel).*
E. DELACROIX, Journal, 5 mai 1851, t. II, p. 58.

2 Ceux-ci *(des pélicans)* sont gris ou blancs (...) mais ont les ailes bordées de noir. Il me semble me souvenir que les autres sont tout blancs, avec des tons carnés et soufrés.
GIDE, le Retour du Tchad, I, *in* Souvenirs, Pl., p. 873.

**II** (1889). Composé de viande. *Alimentation carnée. Régime carné.*

**CARNEAU** [kaʀno] n. m. — 1832; «créneau», 1360; de *carner,* var. picarde de *crener,* par métathèse (→ Cran) du lat. *crena.* → Créneau.

Techn. Conduit qui mène, du foyer à la cheminée, les produits d'une combustion. *Carneau d'un four. Carneau de circulation :* carneau disposé de façon telle que la chaleur des gaz qu'il transporte est utilisée comme moyen de chauffage.

REM. On trouve parfois *carnau.*

**CARNÈLE** [kaʀnɛl] n. f. — 1611; de *carneau, carnel,* altér. de *créneau.* → Carneau.

Techn. Bordure qui entoure le cordon d'une monnaie et qui forme la légende. — On écrit aussi *carnelle.*

DÉR. **Carneler.**

**CARNELER** [kaʀnəle] v. tr. [CONJUG.: *appeler.*] — 1636; de *carnèle.*

Techn. Orner d'une carnèle. *Carneler une médaille.*

**CARNELLE** [kaʀnɛl] n. f. → **Carnèle.**

**CARNET** [kaʀnɛ] n. m. — 1555, «registre»; *quernet,* 1416, «registre des impôts»; de l'anc. franç. *caer* ou *caern.* → Cahier.

♦ **1** Petit cahier de poche, destiné à recevoir des notes, des renseignements. → **Agenda, calepin, mémento, mémorandum, répertoire.** *Carnet de poche. Consigner, noter une information, une adresse sur un carnet. Les notes* d'un carnet. Tenir régulièrement un carnet. Carnet de voyage, de route. Carnet d'adresses.*

1 (...) Alcide Jolivet veilla près de *(Harry Blount),* après avoir tiré son carnet, qu'il chargea de notes, très décidé, d'ailleurs, à les partager avec son confrère, pour la plus grande satisfaction des lecteurs du Daily Telegraph.
J. VERNE, Michel Strogoff, p. 275.

2 Ben Saïd qui est en train de relater la scène avec un soin laborieux sur le carnet à couverture de molesquine usée (...) continue à couvrir sa page quadrillée (...)
A. ROBBE-GRILLET, Projet pour une révolution à New York, p. 147.

Spécialt. Carnet où un écrivain prend des notes (→ ci-dessous, cit. 3); notes prises au jour le jour et destinées à une éventuelle publication. *Tenir un, son carnet.* → **Journal.** *Publier les carnets d'un écrivain.*

3 Je n'ai jamais été plus modeste qu'en me contraignant à écrire quotidiennement dans ce carnet des pages que je sais et sens si pertinemment médiocres (...)
GIDE, Journal, 7 février 1916.

(1864). *Carnet de danses* (vx), *carnet de bal,* sur lequel une jeune fille inscrivait le nom de ses cavaliers pour les danses à venir. — *Carnet* (ou *cahier*) *de notes,* servant à consigner les notes d'un élève et devant être présenté à la signature des parents (→ Cahier* de correspondance). *Carnet scolaire.* → **Bulletin** (scolaire). — *Carnet de textes.* → **Cahier** (de textes). — *Carnet d'échéances,* sur lequel un négociant inscrit les effets qu'il a à payer. → **Échéancier.** — *Carnet d'agent de change,* sur lequel doivent être consignées toutes les opérations effectuées par un agent de change. — *Carnet de commandes,* où l'on note les commandes; fig., total des commandes d'une entreprise. *Le carnet de commandes est plein pour ce modèle.* — *Carnet de maternité :* carnet remis à une femme dès la déclaration de grossesse, composé de feuillets qui permettent de percevoir les prestations de sécurité sociale. — (1929, *in* D. D. L.). *Carnet de santé :* carnet remis aux parents d'un nouveau-né, et où sont consignés les renseignements concernant la santé de l'enfant depuis sa naissance — *Carnet; carnet mondain; carnet blanc, carnet rose :* rubrique d'un journal consacrée à l'état-civil, où sont insérées des annonces de mariages, de naissances, de décès. — *Carnet de route :* titre donnant la description d'une voiture et qui doit être visé par la douane au passage d'une frontière. → **Triptyque.**

*Carnet de bord.* — Mar. Sur un navire de commerce, Registre sur lequel sont consignés les horaires de marche et les renseignements relatifs aux conditions de travail. — Carnet sur lequel sont inscrits tous les temps (dans un rallye, etc.). — Fam. Journal tenu au jour le jour, de façon détaillée (→ ci-dessus).

Régional (Suisse). *Carnet d'épargne.* → **Livret** (de caisse d'épargne). — *Livret portant les achats faits à crédit chez un commerçant. Acheter au carnet,* à crédit.

Il faut qu'il aille (...) aussi chez le notaire pour y déposer un peu d'argent sur son carnet d'épargne. 4
A. L. CHAPPUIS, À petit feu, p. 88.

♦ **2** Assemblage de feuillets détachables. — (1897). *Carnet de chèques.* → **Chéquier.** — (1932). *Carnet à souche.*

♦ **3** Réunion de tickets, de timbres, etc., détachables. *Carnet de tickets de métro, de tickets d'autobus. Carnet de dix, de vingt timbres. Vous voulez un carnet ou des timbres à la feuille ?*

**CARNIER** [kaʀnje] n. m. — 1762; mot provençal, «gibecière» (XIIIe), lat. *carnarium* «lieu où l'on conserve les viandes» puis «gibecière», de *caro, carnis* «chair, viande».

Sac où l'on met le gibier tué (en principe, moins grand que la carnassière*). → **Gibecière.**

(...) chargé de son fusil, de son carnier.
ROUSSEAU, Émile, IV, *in* LITTRÉ.

**CARNIFICATION** [kaʀnifikasjɔ̃] n. f. — 1722, *in* Cottez (phénomène décrit en 1700); de *(se) carnifier* (XVIIIe) «se changer en chair».

Didact. Altération d'un tissu (surtout du parenchyme pulmonaire), qui prend l'apparence, la consistance du tissu musculaire. *La carnification est fréquente dans les congestions pulmonaires chroniques des cardiaques, et dans la bronchopneumonie.*

REM. La variante *carnisation* [kaʀnizasjɔ̃] est archaïque.

**CARNIFIER (SE)** [kaʀnifje] v. pron. — 1752, Trévoux; lat. méd. *carnificare,* du lat. *caro, carnis* «chair», et *facere* «faire».

Méd. Prendre l'apparence et la consistance du tissu musculaire (en parlant du parenchyme pulmonaire). — Au p. p. *Parenchyme carnifié.*

DÉR. **Carnification.**

**CARNITINE** [kaʀnitin] n. f. — Mil. XX^e; du lat. *caro, carnis* «chair», *-t-* de liaison, et suff. *-ine.*

Chim., biol. Substance vitaminique, constituant du tissu musculaire, qui joue un rôle dans le métabolisme des acides gras. — Syn. : *vitamine* $B_T$.

**CARNIVORE** [kaʀnivɔʀ] adj. et n. — 1536, attestation isolée; repris en 1751, *Encyclopédie;* lat. *carnivorus,* de *caro, carnis* «chair», et *vorare* «dévorer».

**I** Adj. ♦ **1** Qui se nourrit de chair. → **Carnassier** (I.). *L'homme est à la fois carnivore et frugivore.*

Le lait des femelles herbivores est plus doux et plus salutaire que celui des carnivores. ROUSSEAU, Émile, I.

Fam. (Personnes). Qui aime beaucoup la viande, mange beaucoup de viande (saignante). *Il est carnivore;* n., *c'est un carnivore.*

*Principaux animaux carnivores : mammifères* (belette, chat, chien, civette, coati, fouine, furet, glouton, lion, loup, loutre, lycaon, mangouste, martre, mouffette, musaraigne, otocyon, ours, panda, protèle, puma, putois, ratel, renard, suricate, tigre, varan, zorille), *oiseaux de proie.* — Vx. *Poissons carnivores.*

♦ **2** (1814). *Insectes carnivores* (→ ci-dessous, II, 1.).

(V. 1838). Bot. *Plante carnivore :* plante qui peut capturer ou retenir de petits animaux, des insectes, grâce à des sécrétions visqueuses, des organes contractiles, des feuilles en forme d'urne. → **Ascidie.** — Syn. (rare) : *plante carnassière.* → aussi **Entomophage, insectivore.** *La dionée, le drosera, la grassette, le népenthès, le sarracénia sont des plantes carnivores.*

**II** N. (1751). ♦ **1** N. m. pl. **CARNIVORES :** ordre de mammifères placentaires, aussi appelés *carnassiers,* à griffes, dont les dents (crocs, molaires tranchantes) et le système digestif permettent une alimentation à base de chair crue. *Les carnivores sont digitigrades ou plantigrades. Espèces de carnivores : canidés, félidés, hyénidés, mustélidés, procyonidés, ursidés, viverridés.*

Vieilli. Sous-ordre d'insectes coléoptères. → **Adéphages.**

Au sing. *Un carnivore.*

♦ **2** Fig. *«Ces charmants et terribles petits carnivores (...) les femmes»* (A. Dumas fils, *in* T. L. F.).

**CARNOTSET** [kaʀnɔtsɛ] n. m. — 1894; mot patois vaudois, probablt du rad. de [kaʀo] «coin, angle».

Régional (Suisse). Local, souvent aménagé dans une cave, où l'on peut manger et boire entre amis. — Var. : *carnotzet* [kaʀnotsɛ].

Carnotset est un mot patois que tous nos paysans connaissent et qui veut dire petit coin, endroit retiré, dissimulé, cachette pratiquée dans un mur. À l'Exposition d'Yverdon, c'est tout simplement un petit local, construit en planches de sapin, et dont l'aménagement est des plus simples. Au milieu, une table, des tabourets par-ci par-là (...) Sur la table s'alignent des bouteilles (...)
le Conteur vaudois, n° 36, 1894.

**CAROGNE** [kaʀɔɲ] n. f. — 1350; *caronge,* XII^e; forme normanno-picarde de *charogne**.

Pop., vieux.

♦ **1** Mauvais cheval. → 2. **Carcan.**

1 Je frappai le mulet sous le ventre, pas trop fort, mais en hurlant des ordres dans ses oreilles, tandis que le paysan l'appelait : «carcan, carogne» et l'accusait de se nourrir d'excréments.
M. PAGNOL, la Gloire de mon père, t. I, p. 118.

♦ **2** Femme méprisable, ou d'un caractère exécrable (t. d'injure dans la comédie classique).

Il pourrait même, pendant qu'il y est, frapper à coups redoublés sur sa charogne, ou comme dirait ma vieille bonne, sa carogne de mère. Voilà qui serait fort bien fait et (...) ce serait donner une correction méritée à un vieux chameau. 2
PROUST, le Côté de Guermantes, Folio, p. 346.

1. **CAROLE** [kaʀɔl] n. f. — Déb. XIII^e; *charole,* XII^e; soit du lat. médiéval *caraula,* probablt de *chorus* «danse en cercle», avec infl. possible de *choraula* «flûtiste accompagnant une danse», soit du lat. pop. *choreola,* de *chorea* «danse en chœur».

Ancienns. Danse en rond, au moyen âge.

Sans hâte, en cadence, une chaîne de jeunes femmes et filles, oscillait, place de la Grève, au rythme de la carole.
Jeanne BOURIN, la Chambre des dames, p. 60.

2. **CAROLE** [kaʀɔl] n. f. — XIII^e, Villard de Honnecourt; Wace, 1155, «cercle de colonnes»; du lat. *chorus* «chœur».

Archéol. (Vx). Déambulatoire* (d'une église).

1. **CAROLIN, INE** [kaʀɔlɛ̃, in] adj. — 1704; du lat. *Carolus* «Charles».

Didact. Relatif à l'époque de Charlemagne (dans quelques syntagmes : *écriture caroline* (1838), *lettre caroline*).

2. **CAROLIN, INE** [kaʀɔlɛ̃, in] adj. et n. — 1872; de *Caroline,* nom de deux États des États-Unis.

♦ **1** Bot. *Peuplier carolin,* ou, n. m., *un carolin :* peuplier d'Amérique.

Après déjeuner, nous suivons à pied, la longue, étroite, sauvage, île de Croissy (...) Des peupliers carolins, la Seine, de part et d'autre, avec une péniche parfois.
Claude MAURIAC, le Temps immobile, p. 275.

♦ **2** (1929). Zool. *(Canard) carolin :* canard sauvage, aux couleurs vives, originaire d'Amérique. *Une (cane) caroline.*

**CAROLINGIEN, IENNE** [kaʀɔlɛ̃ʒjɛ̃, jɛn] adj. et n. — 1842; de *carlovingien* (1643), d'après le lat. *Carolus* «Charles».

Didact. Relatif à la dynastie qui tire son nom de Charlemagne, et qui régna de Pépin le Bref à Louis V. *Empereur carolingien. Dynastie carolingienne. L'administration carolingienne.*

Aucune histoire de France ne donne les annales complètes des temps mérovingiens et carolingiens. 1
A. THIERRY, *in* Revue de Paris, 1842 I, (*in* D. D. L., II, 15).

N. (Rare au fém.). *Les Carolingiens.*

Plais. (par référence à Berthe «au grand pied» et par anal. avec le «nez bourbonien»). *Avoir le pied carolingien :* avoir de grands pieds

(...) une dame âgée, de stature élevée apparut. Elle ressemblait à l'amiral de Coligny. Cheveux blancs, ruban noir au cou (...) — Et moi qui vous avais prise pour un homme! dit Daphné. — Dans la famille de ma mère, nous avons tous des pieds carolingiens, expliqua la vieille dame. Cela peut tromper. 2
Paul MORAND, Éloge de la Marquise, *in* l'Europe galante, p. 137.

**CAROLUS** [kaʀɔlys] n. m. invar. — XV^e; lat. *Carolus* «Charles».

Hist., archéol. Monnaie de billon frappée sous Charles VIII, et employée comme monnaie de compte jusqu'au XVIII^e siècle. *Le carolus valait 11 deniers.*

**CARONADE** [karɔnad] n. f. — 1783; angl. *carronade*, de *Carron*, nom d'une ville d'Écosse.

Ancienn. Canon court et léger, à faible recul. *Les caronades étaient surtout utilisées dans la marine.*

1 Une des caronades de la batterie, une pièce de vingt-quatre, s'était détachée (...)
La faute était au chef de pièce qui avait négligé de serrer l'écrou de la chaîne d'amarrage et mal entravé les quatre roues de la caronade; ce qui donnait du jeu à la semelle et au châssis, désaccordait les deux plateaux, et avait fini par disloquer la brague.
HUGO, Quatre-vingt-treize, I, II, 4.

2 Le Duncan resta à croiser sur cette côte jusqu'au 3 mars. Ce jour-là, Ayrton entendit des détonations. C'était les caronades du Duncan qui faisaient feu, et, bientôt Lord Glenarvan et tous les siens arrivaient à bord.
J. VERNE, l'Île mystérieuse, t. II, p. 542.

**CARONCULE** [karɔ̃kyl] n. f. — 1690; *caruncule*, v. 1560, A. Paré; lat. *caruncula*, de *caro* «chair».

♦ **1** Anat. Petite excroissance charnue. *Caroncule lacrymale*, située à l'angle interne des paupières de l'homme. *Caroncule sublinguale. Caroncules myrtiformes de la vulve* (débris cicatriciels de l'hymen). *Grande et petite caroncule du duodénum* (paroi interne).

(1805). Excroissance charnue, rouge, qui orne la tête et le cou de certains oiseaux (coq, dindon, pigeon; casoar).

♦ **2** (1808). Bot. Excroissance en forme de bourrelet qui entoure le hile de certaines graines (par exemple, le ricin).

**DÉR.** Caronculé.

**CARONCULÉ, ÉE** [karɔ̃kyle] adj. — 1805, Cuvier; de *caroncule*.

Didact. (anat., bot.). Qui est pourvu de caroncule(s).

**CAROTÈNE** [karɔtɛn] n. m. — 1924; *carottine*, n. f., 1846; de *carotte*.

Chim., biol. Matière colorante jaune ou rouge, pigment que l'on trouve dans des végétaux (carotte), chez les animaux (corps jaune de l'ovaire). → Caroténoïde, cit. *Le carotène est un mélange isomérique de carbures d'hydrogène.*

**DÉR.** Caroténoïde.

**CAROTÉNOÏDE** [karɔtenɔid] n. m. — Mil. XX$^{e}$; de *carotène*, et *-oïde*.

Bot. Se dit de deux pigments rouge (carotène) et jaune (xanthophylle) chimiquement voisins.

Le carotène, ou plus exactement les caroténoïdes, sont très répandus tant dans le règne végétal qu'animal. Le carotène tire son nom du fait qu'il se trouve en grande quantité dans la carotte, à laquelle il donne sa coloration orangée.
S. GALLOT, les Vitamines, p. 61.

**CAROTIDE** [karɔtid] n. f. — 1541, adj.; n. f., 1611; du grec *karôtis, -idos* «(artères) du sommeil», de *karoûn* «assoupir».

Anat. Chacune des grosses artères qui conduisent le sang vers la tête. *Carotides primitives*, les deux artères de la tête et de la partie supérieure du cou. *Carotides externes* (qui vont à la face) et *internes* (qui vont au cerveau), naissant des artères carotides primitives.

Cour. Carotide externe. *Le meurtrier lui a tranché la carotide.*

**DÉR.** Carotidien.

**CAROTIDIEN, IENNE** [karɔtidjɛ̃, jɛn] adj. — 1762, Académie; de *carotide*.

Anat. Relatif à une artère carotide. *Canal carotidien* : canal de l'os temporal qui donne passage à l'artère carotide interne. *Nerf, plexus carotidien.*

**CAROTIQUE** [karɔtik] adj. — 1584; grec *karotikos* «qui donne un sommeil lourd», de *karos*. → Carus.

Didact. (méd.). Qui a rapport au carus*. → **Comateux.** *Assoupissement carotique.*

**CAROTTAGE** [karɔtaʒ] n. m. — 1844, Balzac; de *carotter* (I.).

**I** Action de carotter (qqn ou qqch.). — Filouterie, escroquerie.

Il ne leur sortait de la bouche que d'impures professions de foi, des délations abjectes, des vengeances de lettres anonymes, des recettes impudentes de carottage, de gaspillage et de grappillage.
Ed. et J. DE GONCOURT, Sœur Philomène, p. 67.

**II** (1929; de *carotte*, I.,4., ou de *carotter*, II.). Techn. Extraction de carottes, dans un sondage. *Carottage par forage. «Le grand treuil pour carottage qui permet d'obtenir des carottes de 10 à 12 mètres»* (*Science et Vie*, nº 592, p. 124). — Par ext. *Carottage électrique, radio-actif* : étude des terrains traversés dans un sondage.

**CAROTTE** [karɔt] n. f. et adj. — 1564; *carote*, 1538; *garroite*, 1393; lat. *carota*, grec *karôton*.

**I** **A** ♦ **1** Plante dicotylédone *(Ombellifèracées)* appelée scientifiquement *daucus*, à racine pivotante, comestible, cultivée comme plante potagère. *Tige, feuille de carotte. Plant de carotte. Fanes de carotte. Champ de carottes. Faire pousser, cultiver des carottes. Récolter, tirer les carottes.*

♦ **2** La racine seule (avec les fanes : *botte de carottes*, ou plus souvent sans elles). *Carottes fourragères*, blanches, jaunes ou rouges. *Carottes potagères*, rouges. *Carottes courtes, demi-longues, longues. La carotte contient du sucre, des phosphates.* — Spécialt. Racine rouge, conique, de la carotte potagère. *Éplucher des carottes. Manger des carottes, un plat de carottes. Carottes vichy, carottes à la crème. Carottes râpées* (servies crues, en hors-d'œuvre, souvent à la vinaigrette).

Les justes proportions, ah, pour ça il s'y connaît... un peu d'oignon, un peu d'ail, et persillées, salées, poivrées... les plus délicieuses carottes râpées... 0.1
N. SARRAUTE, le Planétarium, p. 120.

Régional (Suisse, Savoie). *Carotte rouge* : betterave rouge.

Loc. fam. (1878, *avoir ses carottes cuites* «être mourant»). *Les carottes sont cuites* : tout est fini, perdu (→ C'est la fin des haricots*).

Je résume : nous n'allons pas faire la grève générale à deux mois et demi de l'examen, et nous n'allons pas vider le père de Trou-Machin, pour la bonne raison que c'est impossible (...) Alors, on est d'accord : cette année, les carottes sont cuites. 0.2
Michel DE SAINT-PIERRE, les Nouveaux Aristocrates, p. 55.

(1966, emprunté à l'anglais). *La carotte ou le bâton* : l'incitation ou la menace (par allus. à l'âne qu'on ne fait avancer qu'à coups de bâton ou en lui tendant une carotte).

Donc, de Gaulle dissout la chambre, garde Pompidou, annonce les élections, et si ça ne suffit pas, il prendra d'autres mesures. La carotte ou le bâton. 0.3
Claude COURCHAY, La vie finira bien par commencer, p. 189.

*Marcher à la carotte :* agir poussé par l'appât d'un gain. *La politique de la carotte,* qui consiste à promettre des avantages aux gens dont on veut obtenir l'assentiment. *«L'idée de garder des condamnés douze, vingt-cinq ans d'affilée sans aucune carotte, sans aucun espoir, donne* (aux directeurs de prison) *le frisson»* (*l'Express,* 1978).

♦ **3** (1723; par anal. de forme avec la racine comestible). *Carotte de tabac :* rouleau de feuilles de tabac à chiquer, de forme plus ou moins conique. → **Chique.** — Enseigne rouge, à double pointe, des bureaux de tabac en France (icône* d'une carotte de tabac à chiquer). — REM. La signification n'en est que rarement perçue, le tabac ne se chiquant presque plus de nos jours.

♦ **4** (V. 1890). Techn. Échantillon cylindrique tiré du sol (par forage, etc.). → **Carottage** (II.).
Matière qui remplit le canal d'alimentation d'une presse à matières plastiques; (métall.) bouchon de métal solidifié dans le trou de coulée.

0.4 (...) une sorte de bavure, qu'on appelle carotte. C'est le reste du cordon ombilical de matière plastique qui, durant le refroidissement, relie la matrice au cylindre, au travers du conduit injecteur.
Roger VAILLAND, 325 000 francs, p. 98.

♦ **5** Jeu qui consiste à lancer un couteau de manière qu'il se plante en terre.

0.5 (...) un de ses camarades, dis-je, qui jouait à la carotte — lançant son couteau d'un geste bref pour le planter dans le bois d'une table — (...)
Michel LEIRIS, l'Âge d'homme, p. 137.

♦ **6** (1913). Au tennis, Balle qui tourne sur elle-même et trompe l'adversaire.

**B** Adj. invar. (1846). *Rouge carotte, couleur carotte.* — D'un rouge voisin de celui de la carotte. *Avoir les cheveux carotte* (cf., dans le même sens, *Poil de Carotte,* de Jules Renard). → **Roux.**

1 Poil de Carotte, va fermer les poules!
Elle donne ce petit nom d'amour à son dernier né, parce qu'il a les cheveux roux et la peau tachée.
J. RENARD, Poil de Carotte, Les poules.

**II** (1784). Fig., fam. *Tirer la carotte, une carotte, des carottes à qqn :* extorquer à qqn, par ruse, des aveux. — (1831). Soutirer de l'argent à qqn, par artifice. → **Carotter.**

2 Voilà la manière dont les femmes pieuses s'y prennent pour vous tirer des carottes de deux cent mille francs.
BALZAC, *in* RAT, Dict. des locutions françaises.

3 Il a bien tenté, la première année, de me tirer quelques carottes... il m'écrivait des histoires romanesques pour m'attendrir... (...) E. LABICHE, les Petits Oiseaux, I, 8.

Absolt. *Tirer la carotte* (vieilli) : simuler, tirer au flanc. → **Carotter.**

4 Un cinquième *(porteur),* qui se traîne à peine, nous paraît tirer la carotte. En effet il nous accompagne le lendemain, et ne parle plus de son mal lorsqu'il comprend qu'il ne sera pas payé s'il refuse sa charge.
GIDE, Voyage au Congo, *in* Souvenirs, Pl., p. 783.

(En emploi libre). *Une carotte :* une escroquerie.

5 Alors un soir, il me dit : — Alice, avant de me lier avec toi pour la vie, je veux éprouver la confiance que tu as en moi, et surtout ton dévouement. Tu vas me donner trente mille francs que je garderai chez moi jusqu'au jour de notre mariage.
Eh bien! Monsieur Goron, devinez à quel point je suis tourte : non seulement je ne flairai pas la carotte, mais je n'hésitai pas une seconde.
GORON, l'Amour à Paris, t. I, p. 368.

DÉR. et COMP. **Carotter. Décarottage. Carotène.**

**CAROTTER** [kaʀɔte] v. — 1732; de *(jouer, tirer la) carotte.*

**I** Fam. **A** V. intr. Vx. Jouer mesquinement, très petit jeu.

**B** V. tr. (V. 1840, Balzac). Extorquer (qqch. à qqn) par artifice, ruse. → **Escroquer, soutirer, voler.** *Il a carotté mille francs. — Carotter qqch. à qqn. Il nous a carotté presque mille francs.* → **Calotter.** — *Carotter qqn,* abuser de sa crédulité, de sa générosité, pour lui soutirer de l'argent, un avantage quelconque. → **Duper;** (fam.) **posséder, refaire, rouler.** *Il s'est fait carotter. Carotter qqn de qqch., de cent francs.*

Eugénie sera d'autant mieux à vous qu'elle vous a déjà carotté (...) 1
Rien n'attache plus les femmes à un homme que de le carotter.
BALZAC, À combien l'amour revient aux vieillards, Pl., t. V, p. 798.

*(Le petit ramoneur)* le sourire puéril des dents blanches et des yeux blancs, mais il sait des ordures et carotterait la dame la plus sensible. J. RENARD, Journal, p. 736. 1.1

Pron. *Se carotter* (mutuellement) *qqch.*

La Brasserie des Martyrs, une taverne et une caverne de tous les grands hommes sans nom, de tous les bohèmes du petit journalisme, d'un monde d'impuissants et de malhonnêtes, tout entiers à se carotter les uns aux autres un écu neuf ou une vieille idée (...) 1.2
Ed. et J. DE GONCOURT, Journal, t. I, p. 144 (1857).

(...) il carotte des cigares aux Américains et aux hôpitaux pour les revendre dans les boîtes de nuit. 2
COLETTE, la Fin de Chéri, p. 70.

Absolt. *Carotter avec qqch. :* spéculer avec qqch. *Carotter avec la vente de terrains à bâtir. — Carotter sur qqch. :* détourner une partie de qqch. à son propre avantage. *Carotter sur la quantité des commandes passées.*

(1858). Argot milit. *Carotter une permission.* — Vx. *Carotter le service* (→ Tirer au flanc).

**II** Techn. Extraire du sol (une carotte [I., 4.], un échantillon de terrain). — Absolt. *Il va falloir carotter,* procéder à un carottage.

DÉR. **Carottage, carotteur, carotteuse, carottier.**

**CAROTTEUR, EUSE** [kaʀɔtœʀ, øz] n. — 1752; de *carotter.*

♦ **1** Vx. Joueur mesquin, qui joue sou à sou.

♦ **2** (Av. 1850). Mod. Personne qui carotte (qqch.), qui escroque (qqn).

Par ext. → **Tire-au-flanc.**

REM. On emploie aussi *carottier, ière**.

**CAROTTEUSE** [kaʀɔtøz] n. f. — XXᵉ; de *carotter.*

Techn. Appareil servant à prélever et à extraire des carottes.

**CAROTTIER, IÈRE** [kaʀɔtje, jɛʀ] n. et adj. — 1750; de *carotter.*

**I** Personne qui a l'habitude de «carotter», de soutirer de menus profits d'autrui (→ **Carotteur**). — Adj. *Des mœurs carottières.*

(...) ta mère t'a mis au monde pour le plus grand bien des tapeurs et des poseurs de lapins. Tu n'as pas honte, gros cornichon, de payer les soucoupes de ces deux carottiers quand ce serait justement à eux de payer les nôtres?
G. COURTELINE, Boubouroche, Comédie, 2.

**II** N. m. Vx. Appareil à prélever les carottes, carotteuse.

**CAROUBE** [kaʀub] n. f. — 1512; lat. médiéval **carubia,* arabe *hărrūbăh,* même sens.

Fruit du caroubier, gousse longue et épaisse, renfermant une pulpe sucrée. *Alcool de caroube.*

Et il eût bien voulu se remplir le ventre des caroubes que mangeaient les porcs (...)
BIBLE (CRAMPON), Évangile selon saint Luc, XV, 16.

Loc. fam. (Vieilli). *Sec comme une caroube :* très maigre.

**DÉR. Caroubier. V. Carouge. ◊ HOM. Caroube** et **carroube (V. Carouble).**

**CAROUBIER** [kaʀubje] n. m. — 1553; de *caroube.*

Plante dicotylédone *(Légumineuses césalpinées),* scientifiquement appelée *Cératonia. Le caroubier est un arbre méditerranéen à feuilles coriaces, persistantes, à fleurs rougeâtres. Fruit du caroubier.* → **Caroube.** *Le bois de caroubier* (→ **Carouge**) *est dur et d'une couleur rouge sombre.*

1 Pendant cette journée, Harbert découvrit des essences nouvelles (...) telles que des fougères arborescentes (...) des caroubiers, dont les onaggas broutèrent avec avidité les longues gousses et qui fournirent des pulpes sucrées d'un goût excellent.
J. VERNE, l'Île mystérieuse, t. II, p. 735.

2 Premières pluies de septembre (...) les caroubiers mettent une odeur d'amour sur toute l'Algérie. Le soir ou après la pluie, la terre entière, son ventre mouillé d'une semence au parfum d'amande amère, repose pour s'être donnée tout l'été au soleil.
CAMUS, Noces, *in* Essais, Pl., p. 76.

Par métonymie. *Couleur caroubier* ou *caroubier :* couleur rouge sombre. *Une étoffe safran et caroubier.*

**CAROUBLE** [kaʀubl] n. f. — 1821, *in* Esnault; probablt du romani *carobi* «anneau».

Argot. Clé.

La matonne *(gardienne)* s'assoit sur une chaise, rassemble ses caroubes entre ses genoux avec un cliquetis précautionneux, et frime *(regarde)* par-dessus nos têtes recueillies (...)
A. SARRAZIN, la Cavale, p. 43.

REM. On écrit aussi *carrouble.* — Var. *caroube* ou *carroube* [kaʀub].

**CAROUBLEUR** [kaʀublœʀ] n. m. — 1834; de *caroubler* «ouvrir avec de fausses clés», 1901.

Argot anc. Voleur, cambrioleur, et, par ext., individu réputé brutal. — REM. On a dit aussi *caroubeur* [kaʀubœʀ] (attesté en 1833).

**CAROUGE** [kaʀuʒ] n. f. — 1845; sous les formes *carouge* (1680) et *carrouge* (1606) au sens de «caroubier»; var. de *caroube.*

Bois rougeâtre et dur du caroubier, utilisé en ébénisterie, en marqueterie.

**CAROUSSE** [kaʀus] n. f. → **Carrousse.**

**CARPACCIO** [karpatʃ(j)o] n. m. — 1973; du nom du peintre vénitien, à cause de la couleur rouge de certaines de ses toiles.

Plat d'origine vénitienne composé de très fines tranches de bœuf cru, assaisonnées à l'huile d'olive. — Par ext. *Carpaccio de saumon, de thon.*

**CARPATIQUE** ou **KARPATIQUE** [kaʀpatik] adj. — 1969; *karpathique,* 1904, in *Rev. gén. des sc.,* n° 15, p. 751; de *Carpates.*

Des Carpates. *Le relief carpatique.*

1. **CARPE** [kaʀp] n. f. — 1268; bas lat. *carpa;* mot wisigothique.

♦ **1** Gros poisson d'eau douce *(Cyprinidés),* scientifiquement appelé *Cyprinus. La carpe a un corps écailleux, un museau obtus, des lèvres épaisses; sa bouche est munie de deux barbillons de chaque côté. Carpe miroir,* à grandes écailles. *Carpe cuir. Carpe bossue. Carpe à la lune :* variété de carassin*. *Carpe de rivière, d'étang. La carpe peut pondre 500 000 œufs par an. Carpe laitée, carpe œuvée. Pêcher la carpe. Petit de la carpe.* → **Carpeau (vx), carpillon** (cit.). — *Carpe au court-bouillon. Carpe au bleu. Carpe frite. Carpe à la juive. Élevage de la carpe.* → **Carpiculture.**

Ma commère la carpe y faisait mille tours 1
Avec le brochet son compère.
LA FONTAINE, Fables, VII, 4.

J'ai vu des carpes chez M. de Maurepas, dans les fossés de son château, qui ont au moins cent cinquante ans bien avérés (...) BUFFON, Hist. nat. des animaux, X. 2

On déballait les carpes du Rhin, mordorées, si belles avec leurs roussissures métalliques, et dont les plaques d'écailles ressemblent à des émaux cloisonnés et bronzés (...) Doucement, dans les viviers, on versait des sacs de jeunes carpes; les carpes tournaient sur elles-mêmes, restaient un instant à plat, puis filaient, se perdaient. 2.1
ZOLA, le Ventre de Paris, t. I, p. 152.

♦ **2** Loc. fig. (1828). **SAUT DE CARPE :** saut où l'on se rétablit sur les pieds, d'une détente, étant couché sur le dos. — Syn. : *saut carpé.*

Vers l'âge de sept ans, Nello était très fort sur le saut de carpe, ce saut où, étendu sur le dos, sans se servir des mains, un garçonnet se relève debout sur ses pieds par le ressort d'un coup de reins. 2.2
Ed. DE GONCOURT, les Frères Zemganno, p. 78.

*Faire des sauts de carpe dans son lit,* des bonds.

Fam. **BÂILLER** (cit. 9) **COMME UNE CARPE :** bâiller fortement et plusieurs fois de suite, comme la carpe qui vient respirer ou gober des insectes à la surface de l'eau. — *Ouvrir une bouche de carpe :* ouvrir grand la bouche.

La comédie de l'avant-veille recommença. Lapérine, de nouveau, ouvrit une bouche de carpe; de nouveau, le médecin-major reconnut une inflammation dans la gorge de Lapérine, et, de nouveau, Lapérine s'efforça de ne pas crever de rire au nez du médecin. 2.3
COURTELINE, les Gaîtés de l'escadron, p. 21-22.

*Faire des yeux de carpe (pâmée), faire la carpe pâmée :* faire les yeux doux (→ Des yeux de merlan* frit). — *Être ignorant, sot, bête comme une carpe,* fort ignorant, fort niais (→ Piller, cit. 10). — (1612). *Être, rester muet comme une carpe.*

— (...) Ils étaient tous congestionnés, à demi-morts de soif, 3
— et muets comme des carpes...
MARTIN DU GARD, les Thibault, t. VII, p. 289.

♦ **3** En franç. d'Afrique. Poisson d'eau douce *(Percomorphes)* de la famille des *Tilapia.*

**DÉR. Carpé, carpeau, carpillon. ◊ COMP. Carpiculteur, carpiculture. ➝ HOM. 2. Carpe.**

2. **CARPE** [kaʀp] n. m. — 1546; du grec *karpos* «jointure», ou, d'après P. Guiraud, de l'anc. franç. *carper* «carder la laine», par anal. de forme. → -carpe, 2. carpo-.

Anat. Double rangée de petits os, située entre l'avant-bras et le métacarpe. → **Carpien.** *La rangée supérieure* (ou antébrachiale) *et la rangée inférieure* (ou métacarpienne) *du carpe. Os du carpe* (scaphoïde, semi-lunaire, pyramidal, pisiforme, trapèze, trapézoïde, grand os, os crochu). *Le carpe forme un massif osseux.*

**DÉR. Carpien. ◊ COMP. V. Métacarpe. ➝ HOM. 1. Carpe.**

**-CARPE** Élément, du grec *karpos*, signifiant soit «fruit», soit «carpelle», soit «péricarpe». → 1. **Carpo-**. — Ex. : *acarpe, angiocarpe, artocarpe, endocarpe, épicarpe, gymnocarpe, hétérocarpe, mésocarpe, métacarpe, péricarpe, pilocarpe, sarcocarpe.*

**CARPÉ** [kaʀpe] adj. m. — 1959; de 1. *carpe.*
Sports. *Saut carpé :* saut de carpe*.

**CARPEAU** [kaʀpo] n. m. — XIVe; *cuerpiau,* v. 1270; de 1. *carpe.*
Vx. Jeune carpe. → **Carpillon.**

Un carpeau qui n'était encore que fretin
Fut pris par un pêcheur au bord d'une rivière.
LA FONTAINE, Fables, V, 3.

**CARPE DIEM** [kaʀpedjɛm] interj. et n. m. — Mots latins (Horace, *Odes,* I, 11, 8) signifiant «cueille le jour présent».
Invitation à jouir du présent fugitif.

(...) j'ai trop peu de temps à vivre pour perdre ce peu. Horace a dit : «*Carpe diem,* cueillez le jour». Conseil du plaisir à vingt ans, de la raison à mon âge.
CHATEAUBRIAND, Mémoires d'outre-tombe, IV, 3.

N. m. *Le carpe diem horacien. La sagesse du carpe diem.*

**CARPELLAIRE** [kaʀpɛl(l)ɛʀ] adj. — 1904, in *Rev. gén. des sc.,* no 15, p. 752; de *carpelle.*
Didact. Qui se rapporte au carpelle. *Suture ventrale d'une feuille carpellaire.*

**CARPELLE** [kaʀpɛl] n. m. — 1836; du grec *karpos* «fruit».
Bot. Chacun des éléments foliacés qui forment le pistil* chez les Angiospermes. *Le carpelle comprend trois parties.* → **Ovaire, stigmate, style.** *Carpelles libres, accolés, soudés. Partie du carpelle où sont insérés les ovules.* → **Placenta.**
DÉR. **Carpellaire.**

**CARPETTE** [kaʀpɛt] n. f. — 1863; «tenture», 1582; «gros drap rayé», v. 1335; angl. *carpet,* de l'anc. franç. *carpite* «sorte de tapis», de l'ital. *carpita;* rad. lat. *carpere* «lacérer». → Charpie.

♦ **1** Petit tapis ne recouvrant qu'une partie du sol d'une chambre. → **Descente** (de lit).
Loc. *S'aplatir comme une carpette* (devant qqn), être à ses pieds, le flatter bassement. — *Lécher la carpette, les carpettes* (même sens).

♦ **2** Fam. Personnage plat, rampant. *C'est une vraie carpette. Quelle carpette, ce type !*
DÉR. **Carpettier.**

**CARPETTIER** [kaʀpetje] n. m. — 1909; de *carpette.*
Techn. Tisseur spécialisé dans le tissage mécanique des tapis, carpettes, moquettes. — REM. Le féminin *carpettière* [kaʀpetjɛʀ] est virtuel.

**CARPHOLOGIE** [kaʀfɔlɔʒi] n. f. — 1803, *in* Boiste; du grec *karphos* «flocon», et *legein* «ramasser».
Didact. (pathol.). Agitation continuelle et automatique des mains (semblant chercher quelque chose dans l'air, ou allant et venant sur les couvertures, etc.), symptomatique de certains états délirants.
DÉR. **Carphologique.**

**CARPHOLOGIQUE** [kaʀfɔlɔʒik] adj. — Déb. XIXe; de *carphologie.*
Didact. (pathol.). Qui a rapport à la carphologie. «(Notre patient) *présentait des mouvements carphologiques (mouvements continuels et automatiques des mains)*» (*la Recherche,* 1974, no 42, p. 126).

**CARPICULTEUR, TRICE** [kaʀpikyltœʀ, tʀis] n. — XXe; de 1. *carpe,* et *-culteur.*
Techn. Éleveur, éleveuse de carpes.

**CARPICULTURE** [kaʀpikyltyʀ] n. f. — 1929; de *carpe,* et *-culture.*
Techn. Élevage de la carpe.

**CARPIEN, IENNE** [kaʀpjɛ̃, jɛn] adj. — 1805, Cuvier; de 2. *carpe.*
Anat. Relatif au carpe. *Canal carpien,* où sont logés les os du carpe.

**CARPILLON** [kaʀpijɔ̃] n. m. — 1579; de 1. *carpe.*
Très petite carpe; petit de la carpe. → **Carpeau** (vx).

Le pauvre carpillon lui dit en sa manière :
Que ferez-vous de moi ? Je ne saurais fournir
Au plus qu'une demi-bouchée.
Laissez-moi carpe devenir.
LA FONTAINE, Fables, V, 3.

1. **CARPO-** Élément, du grec *karpos* «fruit», qui entre dans la formation de nombreux termes de botanique. — Ex. : *carpique* [kaʀpik] adj. (vx), «relatif aux fruits»; *carpocapse* [kaʀpokaps] n. f., «insecte parasite des fruits»; *carpolithe* [kaʀpɔlit] n. m., «concrétion dure des fruits»; *carpologie* [kaʀpɔlɔʒi] n. f., «partie de la botanique qui étudie les fruits»; *carpomorphe* [kaʀpɔmɔʀf] adj., «qui a l'aspect d'un fruit»; *carpophage* [kaʀpɔfaʒ] adj., «qui vit de fruits». → **-carpe.**

2. **CARPO-** Élément, du grec *karpos,* au sens de «jointure» et qui indique un rapport avec le carpe. → 2. **Carpe.** — Ex. : *carpo-métacarpien* [kaʀpometakaʀpjɛ̃] adj.; *carpocyphose* [kaʀposifoz] n. f., «déformation du carpe».

**CARPOPHORE** [kaʀpɔfɔʀ] n. m. — 1831, *in* Cottez; *carpophorum,* Link, 1824; de 1. *carpo-,* et *-phore.*
Bot. Partie aérienne des champignons supérieurs, constituant l'appareil sporifère et résultant de la caryogamie dangeardienne. *Le carpophore se présente le plus souvent en forme de parasol ou de massue* (Basidiomycètes), *de coupe ou de masse arrondie* (Ascomycètes).

**CARQUOIS** [kaʀkwa] n. m. — XIVe; *carcois,* 1296; *carqais,* 1213; *tarchais,* v. 1270; du grec byzantin *tarkasion,* par l'arabe *tīrkāš* «étui à flèches», du persan *terkeck,* même sens; le passage du *t* au *c* est dû à l'infl. de *carcois, carcan* «carcasse».

♦ **1** Étui à flèches. *Carquois de cuir, de bois. Porter l'arc* (cit. 4) *et le carquois. Le carquois en bandoulière.* → **Archère.** *N'avoir plus de flèches dans son carquois. Le carquois, attribut de Diane chasseresse. Le carquois d'Éros, de Cupidon, de l'amour* (cit. 43).

Ce monument, superbe entre les monuments, 1
Qui hérisse, au-dessus d'un mur de briques sèches,
Son faîte plein de tours comme un carquois de flèches (...)
HUGO, la Légende des siècles, XVI, «Sultan Mourad», V.

La tentation était trop forte. Il *(Julien)* décrocha son carquois. 2
FLAUBERT, Trois contes, «La légende de saint Julien l'hospitalier», II, p. 131.

Loc. fig., vx. *Vider, épuiser son carquois :* lancer toutes les épigrammes, tous les traits de satire que l'on peut.

Elles *(les femmes)* nous accablèrent d'abord de traits plaisants et fins, qui, tombant toujours sans rejaillir, épuisèrent bientôt leur carquois. 3
ROUSSEAU, Julie ou la Nouvelle Héloïse, II, Lettre XXI.

Par anal. de forme et de fonction. Étui oblong, ouvert à sa partie supérieure et destiné à recevoir des objets allongés. *Carquois pour les skis d'une nacelle de télécabine.*

♦ **2** Motif décoratif en forme de carquois, fréquent à l'époque Louis XVI. — *Pieds en carquois,* droits et cannelés, des meubles Louis XVI (par opposition aux *pieds de biche** Louis XV).

**CARRARE** [kaʀaʀ] n. m. — 1755; de *Carrare,* ville de Toscane.

Marbre blanc très estimé, tiré des carrières proches de Carrare. *Du carrare. Façade en carrare.*

**CARRE** [kaʀ] n. f. — XVe; de *carrer.*

♦ **1** Techn. Angle qu'une face d'un objet forme avec les autres faces (dans quelques emplois). *La carre d'un chapeau :* le haut de la forme. *La carre d'un habit.* → **Carrure.** *La carre d'un soulier :* le bout d'un soulier qui se termine en forme plus ou moins carrée. *La carre d'une planche,* son épaisseur.

Chacune des faces d'une lame d'épée, de fleuret.

♦ **2** [a] (1904, *in* Petiot). Baguette d'acier qui borde longitudinalement la semelle d'un ski. *Carres vissées, collées; cachées, débordantes. Dans le chasse-neige, on met les skis sur les carres internes. Lâcher les carres :* diminuer l'angle que la semelle des skis fait avec la neige. *Prise de carres, lâchage de carres* (dans un virage).

Nous louâmes sur place de vieux skis qui n'avaient même pas de carres.
S. DE BEAUVOIR, la Force de l'âge, p. 214.

[b] Chacune des deux arêtes inférieures de la lame (d'un patin à glace). *Carre intérieure, extérieure.*

♦ **3** Techn. Incision faite aux pins pour en recueillir la résine. → **Surlé.**

HOM. 1. **Car,** 2. **car, quart.** — Formes du v. **carrer.**

1. **CARRÉ, ÉE** [kaʀe] adj. — XIIe, au fig., «largement développé», var. *quarré;* du lat. *quadratus,* p. p. de *quadrare* «rendre carré».

♦ **1** Qui forme un quadrilatère dont les quatre angles sont droits et les quatre côtés égaux. *Figure carrée. Plan carré. Les surfaces carrées d'un cube.*

*Mètre carré :* mesure de surface d'un carré ayant un mètre de côté (écrit $m^2$). *Cent mètres carrés.* → **Are.** — Par anal. *Par seconde carrée :* par seconde par seconde (dans l'expression des unités d'accélération). *L'unité d'accélération est le mètre par seconde carrée* ($m/s^2$ ou $m{\cdot}s^{-2}$).

Math. *Nombre carré,* multiplié par lui-même. → 2. **Carré.** *Racine* carrée d'un nombre.* — *Tableau carré, matrice carrée,* qui a autant de colonnes que de lignes.

♦ **2** Se dit de toute surface quadrangulaire à côtés (approximativement) égaux. *Fenêtre carrée. Tableau, tapis carré. Jardin public carré.* → 2. **Carré, square.** *La Cour carrée du Louvre, à Paris.*

Qui a la base ou l'une des faces carrée (en parlant d'un solide). *Bonnet* carré. Tour carrée. La Maison carrée de Nîmes.* — *Bataillon carré,* qui avait autant de profondeur que de front. → 2. **Carré.**

*Muscle carré du menton. Front carré,* aux angles fortement marqués. *Épaules carrées,* larges, robustes. → **Carrure.**

1 (...) des doigts en spatule de M. Hubert, extraordinairement plats, larges et carrés du bout (...)
GIDE, Si le grain ne meurt, I, IV.

♦ **3** (XIXe; «large et fort, robuste», en parlant d'une personne, XIIe). [a] *Une tête carrée :* un homme d'un jugement juste et solide, d'un caractère décidé, ou, en mauvaise part, un homme obstiné, opiniâtre, têtu. — Spécialt., argot anc. Un Allemand.

[b] Dont le caractère est nettement tranché, accentué. *Un refus carré. Une réponse carrée. Une décision carrée. Un homme d'une honnêteté carrée* (J. Renard). — Vx. *Un esprit carré.*

Votre Monsieur, qui dépeint mon esprit juste et carré, composé, étudié, l'a très bien dévidé, comme disait cette diablesse. 2
Mme DE SÉVIGNÉ, 164, 6 mai 1671.

(Personnes). Direct et droit. *Être carré en affaires.* → **Rond.**

Or M. Nègre (...) était un monsieur très carré. 3
COURTELINE, Messieurs les ronds-de-cuir, 4e tableau, II, p. 151.

♦ **4** [a] (1694). Qui est à angle droit. *Écriture carrée :* écriture hébraïque dont les lettres à angles droits s'inscrivent dans un carré. — *Trait carré :* ligne que les charpentiers tracent perpendiculairement à une autre.

[b] Mar. Se dit de voiles qui se fixent aux vergues installées en croix. *Voiles carrées. — Voile à trait carré. — Mât carré,* portant ces voiles. — Par ext. *Un trois-mâts carré,* à voiles carrées.

♦ **5** Fig., fam. *Partie carrée :* partie de plaisir entre deux couples qui s'échangent (→ Partie, cit. 31).

CONTR. **Rond.** ◊ DÉR. 2. **Carré, carrée, carrément.** → COMP. **Bicarré, supercarré.** → HOM. 2. **Carré, carrée, carrer, quarrer.**

2. **CARRÉ** [kaʀe] n. m. — 1538, R. Estienne; de 1. *carré.*

♦ **1** Quadrilatère* dont les quatre angles sont droits et les quatre côtés égaux. *Le côté, la diagonale d'un carré. Réduction d'une aire à l'aire d'un carré.* → **Quadrature.**

Platon demande : où est le carré, où est la diagonale? Non sur l'arène, non sur le sable où je l'inscris. C'est une forme au ciel des formes. 1
Michel SERRES, Hermès, I, La communication, p. 88.

*Les carrés d'un damier, d'un échiquier.* → **Case.** *Carrés d'un papier.* → **Carreau, damier, quadrillage.**

CARRÉ MAGIQUE : tableau carré de nombres disposés de façon que la somme des nombres de chaque ligne, de chaque colonne, et parfois de chacune des diagonales soit constante. — (Math.). *Carré magique d'ordre 3,* à trois lignes et trois colonnes.

Didact. (sémiot.). *Carré sémiotique; carré des structures élémentaires de la signification* (Greimas) : schéma mettant en relation les contraires* et les contradictoires*.

Math. *Carré latin :* tableau carré de nombres ou de symboles disposés de façon qu'aucun d'eux n'apparaisse deux fois dans la même ligne ou la même colonne. *Carré gréco-latin,* obtenu en superposant deux carrés latins (soit une paire de symboles par case).

♦ **2** [a] Produit d'un nombre par lui-même. *Le carré du nombre n se note $n^2$. Seize est le carré de quatre, et quatre la racine carrée de seize.* → **Racine.** *Le carré de l'hypoténuse* (cit.) *d'un triangle rectangle. Élever un nombre au carré, à la puissance* deux,* calculer son carré.

Trois Baudoin n'étaient pas trois fois plus en retard qu'un seul Baudoin, mais neuf fois plus, en vertu de ce principe que le retard, dans cette famille, était proportionné au carré du nombre de personnes engagées dans l'opération. 2
DUHAMEL, les Pasquier, Suzanne et les jeunes hommes, p. 149, *in* T. L. F.

[b] Argot des grandes écoles (classes préparatoires). Élève qui suit les cours de seconde année d'une classe préparatoire pour la première fois, par oppos. aux *cubes* et aux *bicarrés** (cit.), qui, respectivement, doublent et triplent cette classe.

♦ **3** Cour. (abusif en sc.). Figure rappelant le carré; rectangle dont les deux dimensions sont peu différentes; surface ou espace ayant cette forme. *Carré long* (vx) : rectangle. *Carré de papier :* morceau de papier d'un format utilisé dans l'imprimerie (0,56 × 0,45). *Papier grand carré.*

Spécialt. [a] *Carré d'un escalier.* → **Palier.** *Locataires logeant sur un même carré.*

[b] *Avoir, cultiver un carré de terre. Carrés d'un jardin,* les compartiments de ce jardin. → **Planche.** *Un carré de légumes.* → **Carreau** (II., 2.).

3 À mesure que les plantes potagères s'étaient multipliées, il avait fallu agrandir les simple carrés, qui tendaient à devenir de véritables champs et à remplacer les prairies.
J. VERNE, l'Île mystérieuse, t. II, p. 531.

[c] *Un carré d'eau :* une pièce d'eau en carré.

[d] Espace de forme carrée. *Carré de lumière, de ciel.*

4 (...) une tabatière s'ouvrait sur un carré de ciel embrasé.
MARTIN DU GARD, les Thibault, t. VIII, p. 79.

5 À ma gauche, troué dans le vif de quelque haie compacte, s'ouvrait un assez long couloir, au bout duquel on apercevait un carré de lune.
H. BOSCO, Un rameau de la nuit, p. 139.

[e] Morceau de tissu en forme de carré, qu'on plie suivant la diagonale et qu'on porte comme foulard, comme fichu. *Carré de laine, de soie imprimée.*

[f] Régional. Place carrée. — (Québec). *Le Carré Jacques-Cartier,* à Québec. *Le Carré Saint-Louis,* à Montréal. → **Place, square.**

[g] **CARRÉ BLANC :** signe conventionnel, rectangulaire, indiquant naguère (de 1960 jusque vers 1974), en France, qu'une émission de télévision était déconseillée aux jeunes téléspectateurs.

5.1 Pour ce qui touche aux choses de la sexualité, il n'y a plus aucun tabou (...) Demain, les actrices montreront leur derrière en gros plan à la télé, et il n'y aura même pas de carré blanc. Mais la mort, alors, ça !... Interdiction d'en parler, quand on est bien élevé.
Jean-Louis CURTIS, le Roseau pensant, 1971, p. 346.

♦ **4** Objet ayant une forme carrée ou cubique (pour les solides). — Anat. Muscle de forme carrée. *Carré du menton, des lèvres, de la cuisse.*

*Carré de mouton :* partie du mouton entre le gigot et les premières côtelettes. *Carré d'agneau aux herbes.* — *Tailler des carrés de lard...,* des petits morceaux en forme de dés. → **Dé, carrelet** (4.).

Pêche. Filet de forme carrée. → **Carrelet.**

**CARRÉ DE L'EST :** fromage fermenté à pâte molle, voisin du camembert, de forme carrée.

♦ **5** Troupe disposée pour faire face des quatre côtés. *Former le carré. Carré d'infanterie.*

6 La batterie anglaise écrasa nos carrés.
HUGO, Châtiments, «L'expiation», II.

7 (...) chaque division, formant carré, ses bagages au centre, ses canons aux angles, prenait l'aspect d'une forteresse vivante dont les brèches se réparaient à l'instant même où elles se creusaient.
Louis MADELIN, l'Ascension de Bonaparte, XVI, De Malte aux Pyramides, p. 238.

♦ **6** (1828). Mar. Chambre d'un navire servant de salon ou de salle à manger aux officiers. *Le carré des officiers. Le carré des mécaniciens.*

♦ **7** (XX^e; ensemble de quatre éléments). Jeu. Au poker, Réunion de quatre cartes semblables. *Carré d'as.*

♦ **8** Loc. **AU CARRÉ :** disposé de manière angulaire. — Spécialt. *Coupe* (de cheveux) *au carré,* les cheveux donnant l'impression d'avoir la même longueur. — Loc. fam. *Mettre* (à qqn) *la tête au carré,* le frapper (jusqu'à lui déformer la tête). Cf. Faire une grosse tête.

*Lit fait au carré, lit au carré,* dont les couvertures sont bordées régulièrement et fort tirées sous le matelas, de manière à présenter une apparence de netteté, d'ordre (habitude militaire).

**HOM.** 1. **Carré, carrée, carrer.** ◊ **COMP. Carré-éponge.**

**CARREAU** [kaRo] n. m. — 1080, *quarrel,* sens I., 5.; du lat. pop. **quadrellus,* de *quadrus* «carré».

[I] ♦ **1** (1160, «pierre ou brique posée de chant»). Pavé plat (en terre cuite, en pierre, en marbre...), de forme généralement carrée, utilisé pour le pavage des sols ou le revêtement des murs. *Carreau en faïence; carreau vernissé. Carreau à quatre pans. Carreau rectangulaire, hexagonal. Carreau de revêtement.* → **Azulejo.** *Carreaux recouvrant un sol, une chaussée, une rue.* → **Dalle.** *Assemblage de carreaux.* → **Carrelage.**

Ils (...) la traînèrent (...) sur un pavé de pierres inégales et escarpées (...) elle était tout écorchée (...) par les pointes de ces carreaux. RACINE, Traductions. 1

(...) un grand maître tireur d'armes, qui vient, avec ses battements de pied (...) nous déraciner (...) tous les carriaux *(sic)* de notre salle. 2
MOLIÈRE, le Bourgeois gentilhomme, III, 3.

Les carreaux, par terre, sont blancs et verts, d'un vert plus pâle que celui des tables. 2.1
Jacques TEBOUL, Vermeer, p. 33.

♦ **2** [a] Vx ou régional. Sol pavé de carreaux. *Le carreau d'une chambre. Laver le carreau.* — Fig. *Jeter, coucher qqn sur le carreau,* le mettre à terre. *Laisser qqn sur le carreau,* le laisser à terre, mort ou gravement blessé. *Demeurer, rester sur le carreau :* être tué, gravement blessé. — Fig. Subir un échec; être laissé pour compte.

Il n'y a que moi jusqu'ici qui suis resté sur le carreau. Mais on ne peut pas savoir. La chance est dans ma famille; qui sait si je ne serai pas un jour président de la République? 2.2
PROUST, Sodome et Gomorrhe, Pl., t. II, p. 980.

Fig. *Laisser (qqn) sur le carreau :* abandonner (qqn) dans une situation difficile.

Loc. pop. Vx. *Mettre le cœur sur le carreau :* vomir (jeu de mots sur *cœur* (mal au cœur) et *carreau,* II., 3.).

[b] Mod. *Le carreau des Halles* (à Paris), endroit des anciennes Halles où l'on étalait et où l'on vendait les fruits, les légumes. — Dans des halles modernes, Emplacement regroupant des denrées de même nature.

Ils marchèrent dans une odeur exquise qui traînait autour d'eux et semblait les suivre. Ils étaient au milieu du marché des fleurs coupées. Sur le carreau (...) des femmes assises avaient devant elles des corbeilles carrées, pleines de bottes de roses (...) 2.3
ZOLA, le Ventre de Paris, t. I, p. 34 (1873).

*(Florent)* passa au carreau de la triperie, parmi les têtes et les pieds de veau blafards (...) 2.4
ZOLA, le Ventre de Paris, t. I, p. 48 (1873).

*Le carreau du Temple,* partie du marché du Temple, à Paris, où le prix des vêtements vendus peut être débattu.

[c] *Carreau de mine, de carrière :* emplacement où sont déposés les produits extraits. *Travailler au carreau ou au fond.*

(...) autour des bâtiments, le carreau s'étendait, et il *(Étienne)* ne se l'imaginait pas si large, changé en un lac d'encre par les vagues montantes du stock de charbon (...) encombré dans un coin de la provision de bois (...) 2.5
ZOLA, Germinal, t. I, p. 76 (1885).

♦ **3** (Du sens 1). Méd. Tuberculose des ganglions mésentériques (le ventre devenant dur comme un carreau).

♦ **4** (Par anal. du sens 1). **a** Plaque de verre dont sont munies les fenêtres, les portes vitrées. → **Vitre.** *Carreau cassé. Remettre, remplacer un carreau. Regarder aux carreaux,* à travers les vitres. — Par ext. Châssis garni de carreaux. *Ouvrir, fermer les carreaux* (Académie).

**b** Fam. → **Monocle.** — Mod. Verre de lunettes; (au plur.) lunettes. — Par ext. Les yeux.

2.6 Comme je le racontais tout à l'heure à c'gros presse-papier, j'ai ouvert les carreaux juste à temps pour me cramponner à ma toile de tente qui fermait mon trou (...)
H. BARBUSSE, le Feu, t. I, p. 8 (1917).

♦ **5** (1588, Montaigne; par anal. du sens 1). Vieilli. Coussin carré, parfois recouvert de tapisserie, et servant de siège, d'agenouilloir, ou garnissant le fond, le dossier de certains sièges. *Un carreau de velours.*

3 Une de ses femmes (...) lui apporte un siège; l'autre (...) met un carreau dessus.
RACINE, Remarques sur l'Odyssée.

4 J'aperçus la divinité assise sur un gros carreau de satin, je la trouvai charmante et grasse de la fumée des sacrifices.
A.-R. LESAGE, Gil Blas, III, IX.

5 Comme siège, on m'apporte un carreau de velours noir (...)
LOTI, Mme Chrysanthème, III, p. 24.

Petit métier portatif de dentellière, disposé sur un coussin.

♦ **6** Vx. Trait de l'arbalète, au fer court et pesant, losangé à quatre pans. — Par ext. (Littér.). *Les carreaux vengeurs de Jupiter. Les carreaux de la foudre.* → **Foudre.**

♦ **7** Techn. (objets de forme carrée). Grosse lime de serrurier. → **Carrelet** (3.), **carrelette.** — Gros fer à repasser des tailleurs.

**II** ♦ **1** Petit carré faisant partie d'un assemblage symétrique formant le décor d'un tissu. *Étoffe à carreaux. Tapisserie à grands, à petits carreaux.* → **Quadrillé.** *Les carreaux d'un tissu écossais. Veste à grands carreaux.*

5.1 Sur le damier de petits carreaux rouges et blancs de la toile cirée, le verre a laissé plusieurs traces circulaires, mais presque toutes incomplètes, dessinant une série d'arcs plus ou moins fermés.
A. ROBBE-GRILLET, Dans le labyrinthe, p. 40.

Dessin. *Carreaux de réduction, d'agrandissement, de reproduction de dessins, de cartes :* procédé de reproduction exacte d'un modèle à l'échelle voulue, qui consiste en un réseau de lignes parallèles et perpendiculaires formant des carreaux que l'on reporte sur la toile ou le papier. → **Carroyage.** *Mettre un croquis au carreau.* — Par métaphore. Réduire, régler (selon un principe).

5.2 Ainsi se révèle mon désir de peindre : peindre des femmes. Et les mettre au carreau de mon vouloir pour me leurrer sur ce qu'elles révèlent de mon impuissance.
Jacques TEBOUL, Vermeer, 1977, p. 258.

♦ **2** Vx ou régional (Auvergne, Suisse). Carré (de terre cultivée). *Les carreaux d'un jardin. Un carreau d'artichauts.*

6 Le pis fut que l'on mit en piteux équipage
Le pauvre potager; adieu planches, carreaux (...)
LA FONTAINE, Fables, IV, 4.

6.1 C'est pas bien grand un carreau de pois, pourtant c'est haut; quand on y est on ne voit plus rien (...)
C.-F. RAMUZ, Aline, *in* Œ. compl., t. I, p. 126.

♦ **3** Dans les cartes à jouer, Série dont la marque distincte est un carreau rouge. *L'as de carreau. Le roi, la dame, le valet, le dix..., le sept* (→ **Lindor**) *de carreau.*

Prov. *Qui se garde à carreau n'est jamais capot**, *dicton fondé sur la consonance.* — Loc. *Se garder à carreau;* (cour.) *se tenir à carreau :* être sur ses gardes.

(...) à travers sa pourpre, je reconnais sans cesse un froussard qui se garde à carreau. 7
GIDE, Journal, 11 avr. 1948.

Tiens-toi à carreau. 8
F. MAURIAC, le Sagouin, II, p. 79.

Qu'elle ait fait mauvaise impression, à Rueil, elle en paraissait d'ailleurs consciente (...) Elle se tenait à carreau (...) Elle se tassait par moments (...) engourdie, bénigne (...) 9
Hervé BAZIN, Cri de la chouette, p. 46.

DÉR. V. **Carreler, carrelet, carroyage.** ◊ COMP. **Lèche-carreaux, passe-carreau, porte-carreaux.**

## CARRÉE [kaʀe] n. f. — XIIIe; de 1. *carré.*

**I** ♦ **1** Vx, mus. Note de musique médiévale. → **Brève** (2.).

♦ **2** (Déb. XVIIIe). Vx. Cadre de bois où s'attachent les draperies d'un lit. — Châssis en bois garni d'une toile lacée qui occupe le fond d'un lit, d'un cadre.

**II** (1878). Argot fam. Chambre, logement. → **Piaule.**

Vers les 2 heures du matin, Saturnin rentra dans sa carrée; comme il n'avait pas du tout envie de se coucher, il se mit à écrire quelques pages destinées à l'ouvrage auquel il travaillait depuis bientôt un an.
R. QUENEAU, le Chiendent, p. 407.

HOM. 1. **Carré,** 2. **carré, carrer.**

## CARRÉ-ÉPONGE [kaʀeepɔ̃ʒ] n. m. — V. 1980; de *carré,* et *éponge,* dans *tissu, serviette... éponge.*

Carré de tissu éponge pour se laver le visage. *Le carré-éponge fait fonction de gant* de toilette; en français du Canada, il se nomme* débarbouillette. *Des carrés-éponges.*

## CARREFOUR [kaʀfuʀ] n. m. — V. 1120; du bas lat. *quadrifurcum* «à quatre fourches».

♦ **1** Endroit où se croisent plusieurs rues, voies ou chemins. → **Bifurcation, croisée** (des chemins), **croisement, embranchement, étoile, fourche, patte** (d'oie), **rond-point.** *Les carrefours d'une forêt, d'une ville. Attroupements obstruant un carrefour. Borne, plaque indicatrice d'un carrefour. Carrefour routier à niveaux séparés.* → **Échangeur.**

Le notaire qui loge au coin du carrefour. 1
MOLIÈRE, l'École des femmes, III, 1.

Un fol allait criant par tous les carrefours 2
Qu'il vendait la sagesse (...)
LA FONTAINE, Fables, IX, 8.

Il y avait de grands calvaires plantés aux carrefours des chemins. 3
LOTI, Pêcheur d'Islande, II, III, p. 83.

Il aborde avec prudence les carrefours dangereux. Sa mère lui a recommandé de prendre garde aux voitures. 4
J. ROMAINS, les Hommes de bonne volonté, XVIII, p. 182.

Fig. Croisement.

Il avait au coin de l'œil un carrefour de rides où toutes sortes de pensées obscures se donnaient rendez-vous. 5
HUGO, les Travailleurs de la mer, I, III, 3.

Vx. La voie publique. *Manières, langage de carrefour :* manières, langage grossiers, vulgaires. → **Trivial.** *Injures de carrefour. Vénus des carrefours :* prostituée.

♦ **2** Conjoncture où l'on doit choisir entre diverses voies (dans quelques expressions). *Parvenir, se trouver à un carrefour. Se situer au carrefour de plusieurs tendances.*

Les femmes se tiennent aussi longtemps qu'elles le veulent dans cette position équivoque, comme dans un carrefour qui mène également au respect, à l'indifférence, à l'étonnement ou à la passion. 6
BALZAC, *in* Pierre LAROUSSE.

Lieu de rencontre où sont confrontées des civilisations, des cultures différentes.

7 J'imagine que la société ne doit pas vous manquer. La Suisse, à cette époque de l'année, est un carrefour.
J.-R. BLOCH, *in* Deux hommes se rencontrent, p. 124.

Lieu où l'on confronte des idées, des théories. *« Un carrefour de l'intelligence »* (Duhamel). — (Abstrait). *Ce domaine de recherches est un carrefour.* — Loc. *Science carrefour :* science qui se trouve à l'intersection de plusieurs disciplines. *Discipline carrefour.* Spécialt. Réunion, rencontre en vue d'une confrontation d'idées. → **Symposium, table** (ronde). *« Un carrefour sur la réforme de l'Université a eu lieu à M. »* (*le Monde,* 16 sept. 1968).

**CARRELAGE** [kaʀlaʒ] n. m. — 1690; *quarrellage,* 1611; de *carreler.*

♦ **1** Action de carreler. *Procéder au carrelage d'une place.*

♦ **2** Pavage* ou revêtement* fait de carreaux assemblés. → **Dallage, mosaïque, pavement.** *Carrelage en brique. Carrelage à rangées de carreaux entremêlées,* dit *labyrinthe. Poser un carrelage. Fraîcheur, froid du carrelage* (→ Bruit, cit. 17).

CONTR. (Du sens 1) **Décarrelage.**

**CARRELER** [kaʀle] v. tr. [CONJUG. : *appeler.*] — Fin XIIe; de *carrel.* → Carreau.

♦ **1** Paver avec des carreaux. *Carreler une chambre. Carreler une pièce, un couloir, une cuisine avec de petits, de grands carreaux.*

♦ **2** (1867). Tracer des carrés sur (une feuille de papier, une toile, un dessin...). → **Quadriller.** *Carreler un dessin pour le reproduire.*

♦ **3** Vx. Raccommoder, rapiécer, ressemeler (de vieux souliers).

DÉR. et COMP. **Carrelage, carreleur. Décarreler, recarreler.**

**CARRELET** [kaʀlɛ] n. m. — 1360, *quarlet;* de *carrel.* → Carreau.

♦ **1** (1694; se dit d'objets présentant une surface quadrangulaire). Pêche. Filet carré (→ 2. **Carré,** 4.) tendu sur deux cerceaux qui se croisent et sont attachés au bout d'une perche. → **Ableret, échiquier.**
(1704). Châssis d'un blanchet* de pharmacien.

♦ **2** Poisson de mer comestible *(Pleuronectidés),* de forme quadrangulaire, à la peau marquée de taches orange (n. sc. *Pleuronectes platessa*). → **Plie.**

♦ **3** (1561; désigne des objets à quatre ou plusieurs pans). Grosse aiguille à pointe quadrangulaire dont se servent les bourreliers, les relieurs. — Règle quadrangulaire. — Lime à plusieurs pans. → **Carreau** (I., 7.); **carrelette.** Fleuret de section carrée.

C'était un vieux narquois, qui avait des railleries en action féroces. Ainsi, par exemple, il aimait à passer son carrelet à la flamme d'une bougie et (...) il appelait ce dur fleuret (...) du nom insolent de « chasse-coquin »
BARBEY D'AUREVILLY, les Diaboliques, « Le bonheur dans le crime ».

♦ **4** Régional (Suisse). Petit carré, petit cube. *Carrelets de lard.* → **Dé.** *Tremper « de gros carrelets de pain* (dans un bol de café au lait) » (W. Biolley, *Trop tard,* 1889).

♦ **5** Techn. Poutre courte de faible section.

DÉR. **Carrelette.**

**CARRELETTE** [kaʀlɛt] n. f. — 1676; de *carrelet* (3.).
Techn. Petite lime à métaux, de section rectangulaire.

**CARRELEUR, EUSE** [kaʀlœʀ, øz] n. — 1463; de *carreler.*

♦ **1** Personne qui pose des carreaux. → **Paveur.**

♦ **2** N. m. Vx. Savetier ambulant. *Carreleur de souliers.*

**CARRELURE** [kaʀlyʀ] n. f. — 1307; du rad. de *carreler* (3.).
Vx. Ressemelage des vieilles chaussures. — Semelles neuves qu'on met à de vieux souliers.

**CARRÉMENT** [kaʀemɑ̃] adv. — 1690; *quarrement,* XIIIe; de 1. *carré.*

♦ **1** Littér. D'une manière carrée, à angles droits, d'équerre. *Tracer un plan carrément. Tailler une pièce carrément. Pièce coupée carrément.*

Les ombres couleur de fer se découpaient carrément au milieu des rues, selon le profil des maisons. 1
Pierre LOUŸS, Aphrodite, V, 5, p. 249.

Par ext. D'aplomb. *Se tenir carrément sur ses jambes. S'asseoir carrément.*

Quenu, ravi de ces bonnes dispositions, ne s'était jamais si carrément attablé, le soir, entre son frère et sa femme. 1.1
ZOLA, le Ventre de Paris, t. I, p. 160.

♦ **2** (1866). Fig., cour. D'une façon nette, décidée; sans détour. → **Catégoriquement, fermement, franchement, hardiment, librement, nettement** (→ Réclamer, cit. 2). *Parler, répondre carrément,* sans ambages. *Dire carrément ce que l'on pense. Agir carrément.*

Je l'ai reçu carrément et dans tout le déshabillé franc de ma pensée. 2
FLAUBERT, Correspondance, t. II, p. 172.

Roublard, ayant vu du coin de l'œil son congé qui se formulait sur la bouche à demi ouverte de son chef, il prit carrément la parole (...) 3
COURTELINE, Messieurs les ronds-de-cuir, 1er tableau, III, p. 50.

Dans ce singulier pays, où les hommes ne sont certainement pas à la hauteur des institutions, tout se fait « carrément », les villes, les maisons et les sottises. 4
J. VERNE, le Tour du monde en 80 jours, p. 240.

Par ext. (qualifiant un adj.). *Il est carrément nul, idiot,* complètement. — En incise ou en réponse. *« Alors, il l'a plaquée ? Carrément ! »*

CONTR. (Du sens 2) **Ambigument, indirectement, mollement, timidement.**

**CARRER** [kaʀe] v. tr. — V. 1180; du lat. *quadrare* « rendre carré ». → Cadrer.

**I** ♦ **1** Donner une figure, une forme carrée à (qqch.). — Techn. *Carrer une pierre, un bloc de marbre,* les tailler à angles droits.
Vx. *Carrer une troupe,* la disposer en carré.
*Carrer les épaules* (→ Buste, cit. 3). → ci-dessous, Se carrer.

♦ **2** Fig. Caractériser nettement. *Carrer des phrases* (→ Monologue, cit. 2).

Tel est bien le trait qui le carre solidement, un robuste aplomb. 1
A. THIBAUDET, Gustave Flaubert, p. 111.

♦ **3** Math., géom. Trouver le carré équivalent à (une surface déterminée par des lignes courbes). *Chercher à carrer un cercle,* la quadrature* du cercle.

♦ **4** (1765; *quarrer,* 1549). Arithm., alg. Former le carré de (un nombre); multiplier un nombre par lui-même.

**II** (1835; de *carre* «cachette», lui-même emploi spécialisé de *carre* «angle, coin»). Argot. Cacher, dissimuler.

1.1 Tous ces poilus-là, ça n'emporte pas son couvert et son quart, pour manger sur le pouce. I's préfèr't mieux aller s'installer chez une mouquère de l'endroit (...) et la rombière leur carre dans son buffet leur vaisselle, leurs boîtes de conserves et tout leur bordel pour le bec.
H. BARBUSSE, le Feu, t. I, p. 49 (1917).

◆ **SE CARRER** v. pron. (1606; d'après *carrure*).

♦ **1** Vx. Développer toute sa carrure pour se mettre à l'aise ou prendre une attitude d'importance et de satisfaction. — (XIXe). *Se carrer dans un fauteuil, dans sa voiture,* s'y installer confortablement; s'y mettre à l'aise. → **Étaler** (s'), **prélasser** (se).

2 Dans ce penser il *(un baudet)* se carrait,
Recevant comme siens l'encens et les cantiques.
LA FONTAINE, Fables, V, 14.

3 C'est vrai qu'elle danse bien, mais la voilà qui fait la belle fille et qui se carre comme une agasse.
G. SAND, la Petite Fadette, XVI, p. 113.

3.1 Le représentant en vins se carrait dans un coin en agitant un journal comme un drapeau (...)
R. QUENEAU, le Chiendent, p. 44.

Figuré :

4 À l'aise dans son vieux fauteuil, il se carrait dans ses espérances.
BALZAC, le Cabinet des antiques, Pl., t. IV, p. 395.

♦ **2** Vx. Au jeu de bouillotte, Doubler sa mise.

♦ **3** (1866). Argot, vieilli. Se mettre à l'abri en s'enfuyant; fuir, filer. *«Se carrer à toutes pompes»* (Esnault). — REM. On trouve chez Céline l'emploi intransitif :

5 – Foutez-moi le camp! Foutez-moi le camp tous!
Ils reculaient, grognant, râlant... ces crocs!... s'ils regrettaient!
– Allez! Allez! Carrez! Carrez!
CÉLINE, Féerie pour une autre fois, p. 242 (1952).

Au fig. *Se carrer de* (qqch. ou qqn) : se méfier de (qqch. ou qqn).

DÉR. **Carre, carrure.** ◇ COMP. **Contrecarrer.** — HOM. 1. **Carré,** 2. **carré, carrée.**

**CARRICK** [karik] n. m. — 1805, Stendhal; mot angl., *carrick* «voiture légère» et «manteau du cocher».

Redingote ample à plusieurs collets étagés (à la mode en France au XIXe siècle).

1 Les chevaux, effrayés, soufflaient fortement et se cabraient au lieu d'avancer, mais le cocher avait parfaitement dîné : son épais carrick, et surtout le vin qu'il avait bu, l'empêchaient de craindre l'eau et les mauvais chemins.
MÉRIMÉE, la Double Méprise, Pl., p. 358 (1833).

2 Le garçon de bureau l'introduisit dans le cabinet du commissaire. Un homme de haute taille s'y tenait debout, derrière une grille, appuyé à un poêle, et relevant de ses deux mains les pans d'un vaste carrick à trois collets.
HUGO, les Misérables, III, VIII, XIV (1862).

**CARRIER** [karje] n. m. — 1284, *quarrier;* de 1. *carrière.*

Celui qui exploite une carrière comme entrepreneur ou comme ouvrier. — Par appos. *Un maître carrier; des ouvriers carriers. Le carrier extrait de la pierre.* → **Mineur, tailleur** (de pierres). *Marteaux de carrier.* → **Masse, picot.** *Scie de carrier. Levier, rouleau de carrier.*

Si, à quelque horizon, à quelque coin de bois du côté de Belle-Croix ou de la Reine-Blanche, il entendait un coup de pic régulier et résigné sur la pierre, il pensait malgré lui à la courte vie que fait aux carriers cette mortelle poussière de grès filtrant dans les ressorts de leurs montres, filtrant dans leurs poumons.
Ed. et J. DE GONCOURT, Manette Salomon, p. 293.

HOM. **Carier.**

1. **CARRIÈRE** [karjɛr] n. f. — V. 1170, *quarriere;* lat. pop. **quadraria* «lieu où l'on taille les pierres», de *quadrus* «carré».

**a** Techn. et cour. Lieu d'où l'on tire de la pierre, des terres. *Carrière d'ardoise* (→ **Ardoisière**), *de grès* (→ **Grésière**), *de marbre* (→ **Marbrière**), *de pierres meulières* (→ **Meulière**), *de ballast* (→ **Ballastière**). *Carrière d'argile* (→ **Glaisière**), *de chaux, de gypse* (→ Plâtrerie, cit.), *de marne* (→ **Marnière**), *de plâtre* (→ **Plâtrière**), *de sable* (→ **Sablière**). *Le délit d'une pierre de carrière. Lit de pierres, étanfiche, souchet d'une carrière. Bancs de roche d'une carrière. Carrière en cul de sac. Carrière à ciel ouvert. Couronnement, ciel d'une carrière. Carrière souterraine.* → **Mine.** *Filons, puits d'une carrière. Creuser, exploiter, fouiller une carrière. Débarder la pierre d'une carrière.*

**b** Cour. Exploitation d'extraction à ciel ouvert (par oppos. à la *mine,* souterraine).

**c** Hist. *Être condamné aux carrières,* à travailler dans les carrières de l'État, dans l'Antiquité.

DÉR. **Carrier.** ◇ HOM. 2. **Carrière.**

2. **CARRIÈRE** [karjɛr] n. f. — 1534; ital. *carriera* «chemin de chars»; lat. pop. **carraria, de carrus.*

♦ **1** Vx. Lieu disposé pour les courses de chars, de chevaux... → **Arène, champ** (de course), **lice.** *Descendre, entrer dans la carrière. Ouvrir, parcourir la carrière. Aller jusqu'au bout de la carrière.*

(...) À la fin quand il *(le lièvre)* vit 1
Que l'autre *(la tortue)* touchait presque au bout de la carrière,
Il partit comme un trait (...)
LA FONTAINE, Fables, VI, 10.

Il excelle à conduire un char dans la carrière (...) 2
RACINE, Britannicus, IV, 4.

Littér. Espace à parcourir.

(...) l'automobile n'est pas un bibelot de vitrine; elle veut, 3
elle exige une carrière où manifester ses qualités. Elle a soif d'espace.
G. DUHAMEL, Manuel du protestataire, IV, p. 128.

Manège. (Vx). Course que peut fournir, espace que peut parcourir un cheval sans perdre haleine. *Ce cheval a bien fourni sa carrière.*

Loc. **DONNER CARRIÈRE.** *Donner carrière à un cheval,* le laisser libre de courir, lui lâcher la bride.

(1611). *Donner carrière (à...) :* laisser le champ libre à (qqn). *Se donner carrière :* s'ouvrir un champ libre.

J'avais franchi les monts qui bornent cet État, 4
Et trottais comme un jeune rat
Qui cherche à se donner carrière (...)
LA FONTAINE, Fables, VI, 5.

Fig. *Donner carrière, libre carrière à* (qqch.) donner toute liberté d'action à... → **Libre** (libre cours). *Donner carrière à ses passions, à ses plaintes, à ses sentiments. Donner carrière à son éloquence, à son esprit, à son imagination. Donner carrière à sa méchanceté...*

Il nous enseigne *(ton ouvrage)* à prendre une digne 5
matière,
Qui donne au feu du peintre une vaste carrière (...)
MOLIÈRE, la Gloire du Val-de-Grâce, 60.

Legendre donna carrière à sa peur sous forme d'enthou- 6
siasme.
MICHELET, Hist. de la Révolution franç., t. II, p. 927.

(...) la littérature m'a empêché de donner carrière à mes 7
vertus comme à mes vices.
FLAUBERT, Correspondance, t. IV, p. 323.

Vx. *Se donner carrière aux dépens de qqn,* le railler.

♦ **2** Littér. Entreprise, voie où l'on s'engage. *Une carrière d'efforts, de luttes, de souffrance. La carrière de l'ambition, de l'honneur, de la gloire, du succès.*

8 Il *(le prince)* ne tient pas à lui que, forçant la victoire,
Il ne marche à pas de géant
Dans la carrière de la gloire.
LA FONTAINE, Fables, XII, 1.

*Ouvrir la carrière à qqn. Entrer dans la carrière.*

9 (...) C'est mal de l'honneur entrer dans la carrière
Que dès le premier pas regarder en arrière.
CORNEILLE, Horace, II, 3.

10 La victoire en chantant nous ouvre la carrière.
M.-J. DE CHÉNIER, Thimoléon, II, 6.

11 Nous entrerons dans la carrière
Quand nos aînés n'y seront plus.
ROUGET DE LISLE, la Marseillaise.

12 Entrer dans la carrière veut dire : s'avancer dans le chemin de la vie. J. VALLÈS, Bachelier, p. 7.

*Ouvrir, fermer la carrière :* être le premier, le dernier dans une voie.

♦ **3** Mod. Métier, profession qui présente des étapes, une progression. → **Profession, situation.** *Le choix d'une carrière. Embrasser, suivre une carrière. Débuter, s'avancer dans une carrière. Avancement* dans une carrière. Ouvrir à qqn une belle carrière. Briser sa carrière, une carrière. — Faire carrière :* réussir dans une profession. *Il ne cherche qu'à faire carrière.* → **Carriériste.** — *Se faire une carrière dans une maison de commerce. Carrière des armes, du barreau. Carrière d'administration, carrière politique.*

13 Heureux de terminer une carrière politique qui m'était odieuse, je rentre avec amour dans le repos.
CHATEAUBRIAND, Mémoires d'outre-tombe, IV, 1.

14 Se destiner à la carrière honteuse des courtisanes, avec l'intention d'en palper les avantages, tout en gardant la robe d'une honnête bourgeoise mariée (...)
BALZAC, Œ., t. VI, la Cousine Bette, p. 264.

15 La santé est beaucoup dans la carrière d'un homme.
Ed. et J. DE GONCOURT, Journal, p. 121.

16 Je ne voyais pas encore quelle carrière pouvait s'ouvrir pour moi. FRANCE, la Vie en fleur, XXV, p. 276.

17 Yves regrettera ces choses plus que moi-même (...) car, pour lui, c'est la première fois que pareil intermède vient couper sa carrière rude.
LOTI, Mme Chrysanthème, L, p. 262.

18 Il changera peut-être d'avis (...) après avoir subi cette épreuve; alors nous serions heureux de le diriger vers une autre carrière. LOTI, Matelot, V, p. 22.

19 À l'origine de toute carrière, il y a un miracle de travail.
Max JACOB, Conseils à un jeune poète, p. 89.

20 Tout homme qui a l'espoir d'une noble et utile carrière intellectuelle, ne doit pas choisir Paris pour son domicile.
A. BILLY, Sainte-Beuve, sa vie et son temps, I, Le romantique, p. 297.

Absolt. *La carrière :* la carrière diplomatique (souvent avec une majuscule). *Embrasser la carrière* ou *la Carrière. Un homme de carrière. Militaire de carrière.*

♦ **4** Vx ou littér. Cours du temps; durée de la vie. *Fournir une longue carrière. La carrière de qqn, sa carrière,* le cours de sa vie. *Être au bout de sa carrière. — Avoir eu une belle carrière.*

21 Et qu'un long âge apprête aux hommes généreux,
Au bout de leur carrière, un destin malheureux!
CORNEILLE, le Cid, II, 8.

22 La carrière d'Auguste a-t-elle été moins belle
Que les fameux exploits du premier des Césars?
LA FONTAINE, Fables, VII, 18.

23 Si, moins heureux ou trop sage, je m'étais vu réduit à finir en d'autres climats une infirme et languissante carrière (...)
ROUSSEAU, De l'inégalité parmi les hommes, À la République de Genève, p. 29.

Votre carrière, dites-vous, est finie. Mais convenez qu'elle est finie avant l'âge. 24
ROUSSEAU, Julie ou la Nouvelle Héloïse, VI, Lettre VI.

*La carrière d'un jour, d'une année...*

Ô lac! l'année à peine a fini sa carrière. 25
LAMARTINE, Méditations, «Le lac».

Littér., vx (en parlant du cours des astres) :

Le dieu *(le Soleil divinisé),* poursuivant sa carrière, 26
Versait des torrents de lumière
Sur ses obscurs blasphémateurs.
LEFRANC DE POMPIGNAN, Ode sur la mort de J.-B. Rousseau.

DÉR. **Carriérisme.** ◈ HOM. 1. **Carrière.**

**CARRIÉRISME** [karjerism] n. m. — 1908, J. Rivière; de 2. *carrière* (3.). → Carriériste.

Attitude, manière d'agir du carriériste. → **Arrivisme.**

**CARRIÉRISTE** [karjerist] n. — 1909; de l'angl., d'après 2. *carrière* (3.).

Personne qui recherche avant tout la réussite sociale par le moyen d'une carrière (le mot est souvent péjoratif et comporte peu ou prou l'idée d'absence de scrupules quant au choix des moyens). → **Arriviste.** *C'est un, une carriériste.*

E. gagne passablement d'argent, néglige d'en profiter pour se livrer tout entier à la nécessité de régner. On pourrait donc dire qu'il est ambitieux, mais le mot ne convient guère; aussi le dira-t-on plus justement arriviste ou plutôt, vu le cadre étroit où son activité s'exerce, carriériste.
J.-M. CAPLAIN, l'Ombre et la Lumière, 1967, *in* P. GILBERT, Dict. des mots contemporains.

**CARRIOLE** [karjɔl] n. f. — XVIe; anc. provençal *carriola* «brouette», de *carri* «chariot», du bas lat. *carreum,* de *carrus,* ou p.-ê. ital. *carriola,* lui-même du provençal.

♦ **1** Petite charrette campagnarde, recouverte d'une bâche, souvent grossièrement suspendue.

(...) une dizaine de carrioles s'attellent, allument leur lanterne, s'ébranlent avec des tintements de grelots (...) 1
LOTI, Ramuntcho, IV, p. 63.

Tous les sentiers, toutes les routes fourmillaient de pèlerins, à pied, en carrioles, ou bien entassés dans les voitures omnibus (...) 2
M. BARRÈS, la Colline inspirée, XVII, p. 289.

Fam. Mauvaise voiture. → **Bagnole.**

♦ **2** (1721). Au Canada, Voiture d'hiver hippomobile, montée sur patins, assez élégante, recherchée pour sa stabilité dans la neige.

**CARROSSABLE** [karɔsabl] adj. — 1825; de *carrosse.*

Où peuvent circuler des voitures, (de nos jours) les automobiles. *Chemin, route carrossable.* → **Automobile** (3., vx), **automobilisable.** *Il y a un raccourci, mais il est à peine carrossable. Ici, la piste n'est plus carrossable.*

**CARROSSAGE** [karɔsaʒ] n. m. — 1873; de *carrosser.*

♦ **1** Action de carrosser. *Le carrossage n'est pas terminé.* — Son résultat; manière dont un véhicule est carrossé. *Un beau carrossage.* → **Carrosserie.**

♦ **2** Techn. Inclinaison des extrémités (d'un essieu) vers le sol.

**CARROSSE** [karɔs] n. m. — 1575; *carroce,* v. 1260; ital. *car(r)ozza,* de *carro* «char»; lat. *carrus.*

Ancienne voiture de luxe à quatre roues, suspendue et couverte, tirée par des chevaux. *Monter dans un carrosse, en carrosse. Un carrosse à deux ou quatre chevaux. Avoir un carrosse* (→ Bosse, cit. 7). *Carrosse doré. La citrouille transformée en carrosse des contes de fées. Le Carrosse du Saint-Sacrement* (saynète de Mérimée).

1 On ne parlait chez lui que par doubles ducats;
Et mon homme d'avoir chiens, chevaux et carrosses.
LA FONTAINE, Fables, VII, 14.

2 (...) ce carrosse dont l'époque est assez indiquée par les glaces convexes, les panneaux bombés, et les sophas contournés.
RIMBAUD, Illuminations, «Nocturne vulgaire».

Loc. fig. *Avoir, rouler carrosse :* être dans l'aisance.

3 On roulait carrosse, on avait des manières de grand parvenu le cœur sur la main, et aujourd'hui, on dit à sa femme de faire des économies sur les épinards et les carottes.
Alain BOSQUET, les Bonnes Intentions, 1975, p. 197.

Vx. *Cheval de carrosse :* cheval grand et fort. — Fig., fam. Homme brutal, grossier et stupide.

Loc. fig. (fam.). *La cinquième roue* du carrosse.*

4 La douleur physique n'a jamais été pour nous que la cinquième roue du carrosse de la chair.
ÉLUARD, l'Immaculée Conception, Pl., t. I, p. 349.

DÉR. **Carrossable, carrosser, carrosserie, carrossier.**

**CARROSSER** [kaʀɔse] v. tr. — 1828, au p. p.; de *carrosse.*

♦ **1** (1863). Vx. Transporter en carrosse. → **Voiturer.**

♦ **2** Mod. **a** (1929). Munir un véhicule d'une carrosserie.

**b** Techn. Donner du carrossage à un train de roues de voiture automobile.

◆ **CARROSSÉ, ÉE** p. p. adj.

♦ **1** Muni d'une carrosserie. *Châssis carrossé.*

♦ **2** (1949). Fam. (Personnes). *Bien carrossé :* qui est d'un bel aspect physique. *Une fille bien carrossée.* → **Fait; roulé.**

DÉR. **Carrossage.**

**CARROSSERIE** [kaʀɔsʀi] n. f. — 1833; de *carrosse.*

♦ **1** Industrie de la fabrication des voitures. — Mod. Industrie, commerce des carrossiers (3.). *Travailler dans la carrosserie.*

♦ **2** (1863). Caisse d'une voiture, et, spécialt (v. 1900), d'une automobile. → **Bâti, caisse.** *Carrosserie et châssis formant une coque autoporteuse. Types de carrosseries.* → **Berline, break, coach, coupé, limousine, speeder, torpedo** (vieilli). *Carrosserie aérodynamique.* → **Carénage** (3.). *Carrosserie adaptée au châssis. Jumelles fixant la carrosserie aux ressorts de suspension d'une voiture. L'intérieur de la carrosserie. Les sièges et dossiers, les accessoires (glaces, tableau de bord...) font partie de la carrosserie.*

♦ **3** Enveloppe extérieure (d'une machine à laver, d'un réfrigérateur). — Syn. : *caisse.*

♦ **4** Fig., fam. Conformation physique.

Beau gars! Très beau gars! Vingt-deux ans au jugé, des cheveux blonds à ne savoir qu'en faire, un corps nerveux d'athlète, ce que Conan appelle une belle carrosserie (...)
Roger VERCEL, Capitaine Conan, p. 111, 1934.

**CARROSSIER** [kaʀɔsje] n. m. et adj. — 1589, «conducteur de carrosse»; de *carrosse.*

**A** (En rapport avec *carrosse*). ♦ **1** Conducteur de carrosse; cocher.

♦ **2** Cheval d'attelage de haute taille; cheval de carrosse.

Mais quelle peine j'ai eue à vous trouver une bête à votre poids! C'est un demi-sang (...) qui doit peser ses mille deux cents livres et fait au moins un mètre quatre-vingts au garrot. Au fond, c'est le type du carrossier de la grande époque. Il ne risque pas de s'envoler mais il pourrait en porter trois comme vous.
M. TOURNIER, le Roi des Aulnes, p. 237.

Adj. (1635). *Cheval carrossier.*

♦ **3** (1677, *«ouvrier carrossier»*). Anciennt. Fabricant de carrosses. → **Charron.**

**B** (1898; en rapport avec *carrosserie*). Mod. Ouvrier tôlier spécialisé dans la fabrication ou la réparation des carrosseries d'automobiles. *Carrossier carénant une automobile de série.* — Spécialt. Fabricant de carrosseries de luxe (en petite série). — Dessinateur, concepteur de carrosserie. *C'est un grand carrossier italien qui a dessiné ce modèle.* — Adj. *Ouvrier carrossier.* — REM. Dans ce sens, le fém. *carrossière* [kaʀɔsjɛʀ] est virtuel.

**CARROUBE** [kaʀub], **CARROUBLE** [kaʀubl] n. f. → **Carouble.**

**CARROUSEL** [kaʀusɛl] n. m. — 1620; *carrouselle,* XVI^e; p.-ê. mot napolitain *carusello,* jeu équestre d'orig. mauresque, du nom des balles de craie en forme de tête que se lançaient deux équipes de cavaliers, de *caruso* «tête rasée»; P. Guiraud rapproche le mot du franç. *car(r)ous, carrousse* «bombance», du roman **carosus* «qui fait bon visage» d'où «bombance, fête», de l'anc. franç. *cara* «tête» (franç. *chère*).

♦ **1** Parade, tournoi où des cavaliers divisés en quadrilles se livrent à des jeux, à des exercices, à des évolutions. *Donner, célébrer un carrousel.*

On fit en 1662 un carrousel vis-à-vis les Tuileries. 1
VOLTAIRE, le Siècle de Louis XIV, p. 25.

♦ **2** (1740). Lieu où se donnaient les carrousels. *L'arc de triomphe du Carrousel* (de la place du Carrousel, à Paris).

♦ **3** Techn. Dispositif circulaire (en manutention, etc.). — Spécialt. Dispositif tournant utilisé pour la délivrance des bagages dans les aérogares.

♦ **4** Fig. *Un carrousel de...,* succession rapide (d'impressions, de sensations, etc.). *Un carrousel d'images.* — Par ext. Ensemble (d'objets mobiles qui évoluent rapidement sur un espace réduit). *Le carrousel des voitures sur la place de la Concorde. Un carrousel d'avions, de motos.*

Les squelettes de papier dont le carrousel d'ombres passe, 2
à Mexico, sur les faces riantes des enfants, défient la photo fixe, sont liés à leur passage, qui suggère aussi la précarité de la vie.
MALRAUX, l'Homme précaire et la Littérature, p. 209.

Succession rapide (de personnes à une même place). *Un carrousel ministériel.*

♦ **5** Vx (en France) ou régional (Belgique, Nord, Suisse). Manège* forain (→ Chevaux* de bois).

La première *(baraque)* qu'on voyait était le carrousel 3
à vapeur. Il avait un mécanicien, une chaudière, des machines à engrenages, un sifflet comme une locomotive. Les voitures, peintes en rouge et toutes dorées, roulaient sur des rails, mais le plan n'était pas uni, c'était une montagne russe, c'est-à-dire que la piste tout le temps monte et redescend; et tantôt on est soulevé en l'air ou on retombe, comme les bateaux sur les vagues (...) Le second carrousel était à l'ancienne mode; les chevaux de bois sont pendus autour, deux de front, à de fortes tringles. Ils ont une vraie queue et une vraie crinière; les étriers sont en acier. Il faut pour la musique tourner la manivelle.
C.-F. RAMUZ, les Circonstances de la vie, Œ. compl., t. II, p. 8, 1940.

**CARROUSSE** ou **CAROUSSE** [karus] n. f. — 1546, *caros*, Rabelais, «action de boire en vidant son verre d'un trait»; *faire carousse*, 1573; l'étymologie traditionnelle fait état d'un moyen haut allemand *garans* «entièrement, jusqu'au bout», constituant une invitation à boire son verre en une seule fois (cf. notre moderne *cul sec!*). P. Guiraud invoque un roman **carosus*, du lat. *cara* «tête». → Carrousel.

Vx ou archaïsme stylistique. *Faire carousse :* boire d'abondance, boire sec. — Par ext. Festoyer en buvant, en faisant bonne chère.

Ce que c'est que la vie! Un soir, vous faites tranquillement carousse avec un ami dans un cabaret d'honneur; puis vous allez chacun de votre côté à vos petites affaires. Huit jours après quand vous demandez «que devient un tel», on vous répond : «Il est pendu».

Th. GAUTIER, le Capitaine Fracasse, XII.

**CARROYAGE** [karwajaʒ] n. m. — 1917, Esnault; du rad. de *carreau*.

Technique.

♦ **1** (Urbanisme). Quadrillage de voies.

♦ **2** Quadrillage pour reproduire un dessin.

(...) la ville au-dessous d'eux confuse et agonisante dans l'étouffante soirée de septembre : ce n'est pas encore le crépuscule, mais bientôt : à présent, et encore pour quelques instants, son *carroyage* de rues et d'avenues est sculpté en noir par la lumière frisante qui cède pied à pied devant la montée de brume marron s'élevant du port.

Claude SIMON, le Palace, p. 190.

DÉR. **Carroyer.**

**CARROYER** [karwaje] v. tr. [CONJUG.: *noyer.*] — V. 1950; de *carroyage*.

Quadriller (un plan, une carte) par un carroyage.

**CARRURE** [karyr] n. f. — V. 1190, *quarreure;* de *carrer*.

♦ **1** Largeur du dos, d'une épaule à l'autre. *Forte, belle carrure. La carrure de qqn, sa carrure. Un homme de forte carrure* (→ fam. Une armoire* à glace).

1 Il *(Jaurès)* n'avait pas les gestes habituels des orateurs, mais des gestes d'ouvrier manuel, enfonçant les idées dans le bois de la tribune, appuyant du pouce pour insister, gestes rudes et lourds instinctivement faits par son épaisse carrure de montagnard cévenol.

Ch. PÉGUY, la République... Notre Royaume de France, p. 20, Préparation du Congrès socialiste national, I, 3, 5 févr. 1900.

2 Ces belles filles avaient d'ailleurs la carrure et le rable particuliers aux femmes d'athlète qui servent de piédestal aux exercices de leur mari.

GIRAUDOUX, Bella, VIII, p. 191.

(1680). Largeur d'un vêtement aux épaules. *Veste trop étroite de carrure.*

♦ **2** (XIIIe). Forme ample, carrée. *La carrure de la poitrine.*

3 Au-dessous de ses joues creusées, la carrure des mâchoires, la saillie des muscles du cou donnaient la notion de son extrême force.

LOTI, Ramuntcho, I, I, p. 21.

♦ **3** (1866). Fig. Force, valeur (d'une personne). *Il manque de carrure. Son prédécesseur était d'une autre carrure.* → **Valeur; envergure, stature.** *Quelle carrure!*

4 (...) des bonshommes comme Néron, Richard III, Œdipe, Agamemnon ou Jean sans Terre ont une autre carrure que Roberti!

J. DUTOURD, les Horreurs de l'amour, p. 196.

**CARRY** [kari] n. m. → **Curry.**

**CARTABLE** [kartabl] n. m. — 1810; «registre», 1636; du lat. médiéval **cartabulum* «récipient à papier», de *charta* «papier».

Sacoche* de cuir, de carton... dans laquelle les écoliers mettent et transportent leurs livres, leurs cahiers, etc. → **Carton, sac, sacoche, serviette.** *Cartable à poignée, à bretelles. Un gros cartable. Porter son cartable à la main, sur les épaules.*

Edmond et Léonard ont posé leurs cartables, deux sacs de faux cuir jaune, tachés d'encre, et qui laissent voir le carton aux coutures; les courroies lâches pendent le long des pieds de la chaise (...)

M. GENEVOIX, Raboliot, p. 171.

**CARTAYER** [karteje] v. intr. [CONJUG.: *payer.*] — 1740; mot de l'Ouest; probablt du rad. de *quart* (parce qu'au passage de la voiture, la route se divise en quatre voies : les deux ornières à éviter et les traces des roues).

Conduire une voiture (en général une voiture à traction animale) de façon telle que les roues passent de part et d'autre d'une ornière. *Cartayer pour éviter les cahots.*

**CARTE** [kart] n. f. — 1393; du lat. *charta* «papier». — REM. phon. On dit *carte postale* [kartpɔstal], mais *carte grise* [kartəgriz]. Le *e* de *carte* se prononce quand le mot est suivi d'un mot d'une seule syllabe commençant par une consonne.

**I** (XVe). ♦ **1** Vx ou techn. Papier résistant et souple fait de plusieurs feuilles collées ensemble. → **Carton.** *De la carte. Une feuille de carte.*

Comm., techn. Rectangle de carton sur lequel du fil est enroulé (→ **Carter**), des petits objets sont présentés. *Une carte de boutons. Carte d'échantillons,* sur laquelle sont collés des échantillons d'étoffe, des brins de laine de couleurs différentes.

EN CARTE. *Mettre un dessin en carte :* tracer sur une carte le dessin qui sera reproduit par l'ouvrier tisseur. *Mise en carte.* → **Tissage.**

CARTE BLANCHE (vx) : feuille de carton sur laquelle rien n'est écrit. — Fig., mod. *Donner, laisser carte blanche à (qqn) :* laisser (qqn) libre de toute initiative dans l'action ou le choix. *Avoir carte blanche.* → **Liberté; blanc-seing.**

(...) Hoyos avait pu obtenir carte blanche pour l'Autriche, et rapporter à Vienne la promesse que l'Allemagne soutiendrait sans défaillance son alliée (...) 1

MARTIN DU GARD, les Thibault, t. VII, p. 42.

Avec Edwige, Papa, je m'arrangerai toujours. Elle me donne carte blanche. 2

G. DUHAMEL, le Voyage de P. Périot, I.

— Vous avez pensé à nos projets? Encore une fois, je vous laisse carte blanche. Vous écrivez ce que vous voulez. Les colonnes de mon journal vous sont ouvertes. 2.1

Patrick MODIANO, les Boulevards de ceinture, p. 112.

♦ **2** (1803; «addition», 1743). *Carte (de restaurant) :* feuille indiquant la liste des plats, des consommations, avec leurs prix. → **Menu.** *Demander, consulter la carte. Carte du jour. La carte des vins, des desserts.* — À LA CARTE. *Manger à la carte,* en choisissant librement sur la carte (opposé à *au menu, à prix fixe*). *Repas à la carte.* — Par ext. *À la carte :* au choix. *Voyages individuels à la carte.*

♦ **3** (1789, *in* D.D.L.). CARTE DE VISITE, et, ellipt., CARTE : petit rectangle de papier fort sur lequel on inscrit ou l'on fait imprimer (graver) son nom, son adresse, ses titres, et qu'on laisse chez les personnes à qui l'on fait visite, lorsqu'elles sont absentes. → **Bristol** (vieilli). → Commande, cit. 1; lithographie, cit. 1. *Déposer, laisser sa carte chez qqn.* — Vx. *Corner* sa carte.* — (Langue class.). *Remettre* *sa carte à qqn,* pour lui signifier qu'on le provoque en duel. → **Cartel.** — *Échanger sa carte avec qqn. Envoyer sa carte.* — REM. Les usages tendant à disparaître, le syntagme *carte de visite* est démotivé et s'emploie plus que *carte* seul.

2.2 Il faut avant d'aller plus loin parler maintenant de cette tante Louise qui devait «samedi vers deux heures» faire la connaissance d'Henri de Réveillon et qui avait appris à Jean les usages flatteurs et décevants, comme presque tous les usages mondains, qui ont trait aux cartes dites de visite. PROUST, Jean Santeuil, Pl., p. 425.

Fig. Références, expérience professionnelle qui constituent un atout pour la réussite d'une personne. *«Pour les heureux lauréats, ce prix est donc un véritable gage pour la qualité de leur travail et une excellente carte de visite pour la suite de leur carrière»* (*le Monde,* 1er mars 2000, p. 7).

♦ **4** (1877; *carte poste,* 1870). **CARTE POSTALE** ou **CARTE :** carte dont l'une des faces sert à la correspondance, l'autre étant souvent illustrée par une image, une photo (en Belgique; → **Carte-vue**). → aussi **Carte-lettre.** *Format carte postale. Écrire, envoyer, recevoir une carte postale. Carte postale en noir, en couleurs. Collectionner les cartes postales.* → **Cartophilie.** *À bientôt, je t'enverrai des cartes postales! Des personnages de carte postale,* conventionnels (→ Reconstruction, cit.).

Rectangle de carton, souvent illustré, utilisé dans certaines circonstances pour transmettre un message. *Carte de félicitations, de remerciements. Carte de vœux*. Carte de deuil.* → **Faire-part.**

**CARTE-RÉPONSE :** carte, généralement accompagnée d'un questionnaire, sur laquelle est imprimée l'adresse de la personne ou de la société qui désire recevoir une réponse, pour la formulation de laquelle est prévu un emplacement. *«Les gagnants des lots S. devront retourner à cette société la carte-réponse figurant sur leur billet de tombola»* (*le Figaro,* 23 nov. 1966). *Des cartes-réponses.*

♦ **5** (Qualifié). Papier, document établissant certains droits de la personne qui en est munie. *Carte d'identité*. Carte d'étudiant. Carte syndicale. — Carte d'un parti. Il a rendu sa carte (du parti).* — (1836). *Carte électorale; carte d'électeur,* qui constate l'inscription d'une personne sur les listes électorales et lui permet de voter. — *Carte d'agent de police, d'inspecteur. — Carte de commerce,* qui autorise certaines personnes à se livrer au commerce en dehors d'une boutique. — Spécialt. Autorisation de vendre, exclusivement ou non, pour le compte d'une firme. *Une bonne carte. Représentant qui a plusieurs cartes,* qui représente plusieurs maisons. → **Multicarte.**

(1948). *Carte de séjour,* délivrée par les autorités administratives aux étrangers qui résident plus de trois mois en France. — (1955). *Carte de travail,* permettant à un étranger d'occuper en France un emploi salarié. — (1790). *Carte d'admission.* → **Billet.** *Carte d'invitation*. Carte d'introduction* (→ Recommandation, cit. 3). *Carte d'entrée. Carte d'acheteur,* délivrée par les exposants d'une foire-exposition à des clients éventuels pour leur permettre d'entrer dans la foire. *Carte de fidélité. Carte de réduction.*

**CARTE DE CRÉDIT** (angl. *credit card*) : carte permettant à son titulaire d'effectuer des achats payés par la banque émettrice qui les débite en compte à terme. *Retirer de l'argent à un guichet automatique, à un distributeur* automatique de billets, grâce à une carte de crédit, à une carte magnétique. Ce restaurant n'accepte qu'une seule carte de crédit. Payer avec une carte de crédit. Carte à mémoire, carte à puce :* carte comportant un microprocesseur (→ **Puce**) et une mémoire qui permet d'identifier le titulaire de la carte, de gérer les débits et les crédits. *Carte de paiement,* contenant des informations qui permettent des transactions et des transferts de fonds informatisés (→ Monnaie* électronique). — Absolt. *Vous payez avec une carte ou par chèque?* — (Dans des noms de cartes). *La Carte bleue, la carte American Express. — Carte de téléphone à mémoire.* → **Télécarte.**

*Carte de chemin de fer. Carte à demi-tarif,* qui reconnaît à son titulaire le droit de voyager à demi-tarif. *Carte d'abonnement. Carte de circulation. Carte orange* (de transport) : carte d'abonnement mensuel sur les transports urbains et suburbains à Paris. *Carte d'invalidité, carte de priorité. — Carte grise :* titre de propriété d'un véhicule automobile (en France).

*Carte d'alimentation,* reconnaissant au titulaire le droit à certaines denrées alimentaires, en période de rationnement. *Carte de pain.* → **Ticket.**

Il se trouvait que cet homme avait besoin de faire porter très vite à Cannes une valise pleine de fausses cartes d'alimentation et qu'il avait jugé Gustin apte à remplir cette mission. Jacques LAURENT, les Bêtises, p. 31. 2.3

(1834). Anc. *Fille, femme en carte :* prostituée soumise aux visites sanitaires. → **Cartée** (régional). *Mettre en carte; être mise en carte.* → **Brème** (être en brème); **cartée; encarter.**

**II** (1393). **CARTE À JOUER** ou **CARTE :** petit rectangle de carton dont l'une des faces porte une figure, et qui est utilisée dans différents jeux par séries conventionnelles. → **Brème** (fam.). *Jouer aux cartes.* → fam. **Cartonner; carton** (battre, taper le carton). *Ne pas toucher aux cartes,* n'y jouer jamais. *Un jeu de cartes :* ensemble de cartes de couleur et de valeur diverses, qui sont nécessaires pour jouer. *Jeu de 32, de 52 cartes.* → **Carreau, cœur, pique, trèfle; as, dame, joker, manillon, reine, roi, tarot, valet.** *Jeu de cartes :* jeu* qui se joue avec des cartes, selon des règles variables. *Noms de jeux de cartes* (anciens et modernes). → **Baccara, bassette, bataille, belote, besigue, blanque, bog, bonneteau, boston, bouillotte, brelan, bridge, brisque, brusquembille, canasta, chemin** (de fer), **drogue, écarté, grabuge, hoc, hombre, impériale, lansquenet, manille, mariage, mistigri, mouche, nain jaune, pamphile, pharaon, piquet, poker, polignac, quadrille, réussite, reversi, revertier, romestecq, tarot, trente** (trente-et-un, trente-et-quarante), **tri, triomphe, vingt** (vingt-et-un), **whist.** *Jouer aux cartes à la muette,* sans parler. — *Une partie de cartes. — Basses cartes (du deux au dix). Hautes cartes. Différents groupements des cartes au cours d'une partie.* → **Brelan, couleur, flush, fredon, full, impériale, quarte, quinte, séquence, série, sizain, tierce.**

Si j'avais envie de faire un doux sommeil, je n'aurais qu'à prendre des cartes, rien ne m'endort plus sûrement. Mme DE SÉVIGNÉ, 547, 11 juin 1676. 3

J'avais senti pétiller mon argent au moment qu'il avait lâché le mot de cartes et de dés. HAMILTON, Mémoires du comte de Gramont, III. 4

Elle maudit les cartes qui en sont la cause, elle maudit celui qui les a inventées, elle maudit le tripot et tous ceux qui l'habitent (...) A. R. LESAGE, le Diable boiteux, III, *in* POUGENS. 5

Houel et Jeanfin avaient un démon familier qui leur donnait toujours des as quand ils jouaient aux cartes (...) VOLTAIRE, Philosophie, III, p. 148. 6

Un artiste vraiment fort est celui qui sait tourner ses défauts mêmes à avantage et sait faire, de toutes les cartes de son jeu, des atouts. GIDE, Journal, 11-12 avril 1929. 7

*Battre les cartes. Brasser, brouiller, mêler, remêler, touiller* (fam.) *les cartes.* — Loc. fig. *Brouiller* les cartes :* semer la confusion; obscurcir volontairement une affaire. → **Embrouiller.**

8 Les cartes sont tellement brouillées, que nous doutons si l'on ose demander un congé.
Mme DE SÉVIGNÉ, 349, 23 nov. 1673.

*Couper* les cartes. Distribuer les cartes.* → **Donner, faire; donne, maldonne, talon, tour.** *Tenir les cartes.* → **Prendre, renoncer; contrer.** — Collectif. *La carte. Le jeu de la carte.* → **Annonce, appel, atout, capot, chelem, contre, levée, pli, rentrée; couper, passer; mort** (faire le mort); **singleton.** *Affranchir* une carte. Prendre la carte :* accepter la couleur* proposée. *Demander la carte. Retourner une carte.* → **Écarter; retourne.** — Fig. *On ne sait avec lui de quelle carte il retourne :* on ne peut connaître sa véritable pensée. — *Redistribution des cartes :* nouvelle répartition du pouvoir (→ Nouvelle donne*).

*Couvrir* la carte. Se défausser d'une carte, d'une fausse carte :* se débarrasser d'une carte sans valeur — *Faire la carte :* faire plus de levées que le camp adverse (par oppos. à *perdre la carte*). — Loc. fig. (vx). *Perdre la carte.* → **Troubler** (se).

*Être premier en carte :* avoir la primauté sur les autres joueurs.

*Jouer sa dernière carte,* son va-tout*. — (1848). Fig. Entreprendre une dernière tentative, mettre son espoir dans un suprême effort. — *Se réserver une carte en cas de besoin.* → **Atout, chance.**

*Jouer la carte, sa carte.* — Fig. *(Jouer) la carte* (et adj.) : (parier sur) une option dans laquelle on s'engage. *Jouer la carte socialiste. Bonnes cartes :* avantages.

*Carte maîtresse :* carte qui fait la levée. — Fig. Ressource capitale.

*Étaler, montrer ses cartes.* — (1832). *Jouer cartes sur table.* — Fig. Agir franchement, loyalement.

8.1 Alors, jouons cartes sur table, une bonne fois.
J. ANOUILH, Ornifle, III, p. 179.

*Comptabilité d'une partie de cartes.* → **Marque, point.** *Gagner de l'argent aux cartes.* → **Miser, tailler.** *Tricher aux cartes.* → **Biseauter, filer, maquiller, piper.** *Filer* la carte.* — Fig. (vieux) :

9 Il n'y a que le faible qui trompe; le vrai politique est celui qui joue bien et qui gagne à la longue; le mauvais politique est celui qui ne sait que filer la carte, et qui, tôt ou tard, est reconnu.
VOLTAIRE, l'A. B. C., 12e entretien, *in* LITTRÉ.

*Voir le dessous des cartes,* la face des cartes que l'adversaire tient de son côté. — Fig. *Connaître le dessous des cartes de qqn, d'une affaire,* en saisir le secret, le dessein caché. *Un dessous de cartes.* → **Secret.**

10 Une de nos folies a été de souhaiter de découvrir tous les dessous de cartes de toutes les choses que nous croyons voir et que nous ne voyons point.
Mme DE SÉVIGNÉ, 419, 24 juil. 1575.

11 Vous connaissez ce bon d'Hacqueville, l'ami, le confident empressé de Mme de Sévigné et de tout son monde, celui qui se met en quatre et en mille pour tout voir, pour tout savoir, qui sait les dessous de cartes d'un chacun, et qui n'en est pas moins obligeant et indulgent pour cela.
SAINTE-BEUVE, Causeries du lundi, 22 oct. 1849, p. 50.

*Château de cartes :* échafaudage de cartes.

REM. L'expression s'est employée au sing., *carte* ayant alors le sens 1 («carton»).

12 (...) l'application d'une enfant à élever un château de cartes ou à se saisir d'un papillon (...)
LA BRUYÈRE, les Caractères, VIII, 61.

Fig. *Construire des châteaux de cartes :* faire des rêves, des projets fragiles et vains. *S'écrouler comme un château de cartes.* — (1690). *Un château de cartes :* une petite construction peu solide.

*Faire des tours de cartes.* → **Tour.** — *Carte forcée :* carte qu'un illusionniste oblige à choisir, en laissant l'apparence de liberté dans le choix. — Au fig. Obligation à laquelle on ne peut se dérober.

(1811). *Tirer, faire les cartes :* faire de la divination au moyen des cartes. → **Cartomancie;** et aussi **tarot.** *Fabrication des cartes à jouer.* → **Carterie, cartier.**

**III** (1532, *in* D. D. L.). Représentation à échelle réduite d'une partie ou de la totalité de la surface terrestre (à l'exclusion des zones urbaines; → **Plan**). *Carte de géographie.* — (1613). *Carte géographique. Carte universelle.* → **Mappemonde, planisphère.** *Carte partielle. Une carte d'Europe, de l'Europe, d'Allemagne, etc.* — REM. La tendance est de n'employer l'article qu'à propos de régions, de pays lointains : *carte de France, de Belgique,* mais *carte de la Chine* ou *de Chine;* ou si le nom du pays comporte l'article : *une carte du Québec, des États-Unis. Recueil de cartes.* → **Atlas.** *Collection de cartes.* → **Cartothèque.** *Exécuter, faire, dresser, tracer la carte d'une région.* → **Cartographie; échelle.** *Colorier une carte. Les cotes d'une carte.* → **Degré, méridien, parallèle.** *L'échelle d'une carte. Carte à petite, à grande échelle. Représentation du relief sur une carte.* → **Altimétrie.** *Légendes, cartouches d'une carte.* — *Carte muette :* carte sur laquelle ne figure aucun nom de lieu. — (1831). *Carte en relief*.* — (1690). *Carte topographique*.* → **Nivellement.** *Petite carte mettant en valeur un détail.* → **Carton.**

Cette manière d'histoire universelle est, à l'égard des histoires de chaque pays et de chaque peuple, ce qu'est une carte générale à l'égard des cartes particulières. 13
BOSSUET, Hist., Préface.

On a conservé la carte sur laquelle le czar Pierre traça la communication de la mer Caspienne et de la mer Noire qu'il avait projetée. VOLTAIRE, Russie, I, 9. 14

En nous orientant pour lever nos cartes, il a fallu tracer des méridiennes. ROUSSEAU, Émile, III. 15

Ptolémée a rendu de grands services à la géographie en rassemblant toutes les déterminations de longitude et de latitude des lieux et en jetant les fondements de la méthode des projections pour la construction des cartes géographiques. 16
LAPLACE, Exposition du système du monde, V, 3.

Il existe une carte de la France où la victoire outrecuidée traça, en 1816, une ligne qui retranchait de notre territoire une partie de nos provinces de l'Est et du Nord. 17
CHATEAUBRIAND, Captivité de la duchesse de Berry.

(1874). *Carte murale :* grande carte que l'on peut mettre au mur.

*Carte routière, carte touristique. Les cartes et les plans* d'un guide. Carte d'état-major.* — *Carte des chemins de fer :* tracé des voies ferrées d'un pays. — *Carte agronomique,* qui permet aux cultivateurs de connaître la nature des terres d'une région.

Fig. *Connaître la carte d'un pays, d'une région,* avoir une bonne connaissance topographique de ce pays, de cette région.

Fam. *Carte de géographie* ou *carte de France :* pollution nocturne ou tache d'urine sur un drap.

*Carte climatologique, démographique, géologique, hydrographique, hypsométrique, météorologique, minéralogique, orographique, pluviométrique.* — *Carte des vents*.* (1740). *Carte astronomique :* représentation d'une position du ciel, d'un astre. → **Cosmographie.** *Carte de la Lune. Carte photographique du ciel.*

(1532, *in* D. D. L.). Mar. *Carte marine,* portant les renseignements utiles pour le navigateur (roches et hauts-fonds, nature des fonds, phares, balises...). *Reporter le point* sur la carte. Carte bathymétrique. Carte routière,* sur laquelle on trace à petite échelle les routes générales de grande navigation*. — *Carte d'atterrissage,* utilisée pour fixer la position du navire aux approches de la terre. — *Carte côtière,* destinée à permettre aux navires de longer la côte.

18 (...) il *(Yves)* apprenait à comprendre les cartes marines, s'amusait à y marquer des points et à y mesurer des distances. LOTI, Mon frère Yves, XCIII, p. 226.

19 (...) et, sur les murs, les deux vieilles cartes marines où l'on voit jouer des dauphins et souffler Éole, joufflu, échevelé. H. BOSCO, Un rameau de la nuit, p. 29.

*Apprendre, étudier, lire, regarder, consulter la carte. Savoir lire une carte.*

20 Nous regardons une grande carte accrochée à la muraille et sur laquelle se trouve savamment reconstituée presque toute la Jérusalem d'Hérode. LOTI, Jérusalem, XI, p. 130.

21 (...) au-dessous de l'avion, la carte d'état-major sur laquelle il s'est tant usé les yeux depuis quatre jours, se déploie, à perte de vue, ensoleillée, colorée, vivante ! MARTIN DU GARD, les Thibault, t. VIII, p. 149.

(1654-1660). Fig., littér. *La carte de Tendre*, du Tendre.*

22 Je m'en vais gager qu'ils n'ont jamais vu la carte de Tendre, et que Billets-Doux, Petits-Soins, Billets-Galants, et Jolis-Vers sont des terres inconnues pour eux. MOLIÈRE, les Précieuses ridicules, IV.

Par métaphore :

23 La carte de notre vie est pliée de telle sorte que nous ne voyons pas une seule grande route qui la traverse, mais au fur et à mesure qu'elle s'ouvre, toujours une petite route neuve. Nous croyons choisir et nous n'avons pas le choix. COCTEAU, le Grand Écart, p. 26.

*Carte généalogique :* représentation de l'arbre* généalogique d'une famille.

(1936). Biol. *Carte chromosomique :* représentation de l'arrangement des gènes sur le chromosome.

DÉR. et COMP. **Cartée, carter, carterie, cartier, cartographie, écarter, encarter. Carte-lettre, carte-télégramme, carte-vue. Mandat-carte, multicarte, orthophotocarte, perce-carte, photocarte, porte-carte, télécarte.** ◊ HOM. **Kart,** fém. de **1. quart, quarte.**

**CARTÉE** [kaʀte] adj. f. — XX^e ; de *carte* (I., 5.).

Belgicisme. Encartée, mise en carte. *Prostituée fichée et cartée.*

**CARTEL** [kaʀtɛl] n. m. — 1527 ; ital. *cartello* «affiche», de *carta* «papier».

**I** ♦ **1** Vx. Carte (I., 3.), papier par lequel on provoquait qqn en duel. *Envoyer un cartel à qqn.*

1 Je ne me bats jamais au soleil couché (...) Lisez le cartel, c'est pour demain. PICARD, la Petite Ville, IV, 11, *in* LITTRÉ.

Par ext. → **Défi, provocation.**

Défi de chevalier à chevalier, dans les tournois.

♦ **2** (1704). Vx. Convention écrite entre deux chefs d'armées ennemies pour la rançon ou l'échange de prisonniers de guerre.

2 Les alliés envoyèrent le cartel pour l'échange des prisonniers. SAINT-SIMON, Mémoires, 41, 230.

♦ **3** Blason. Écu.

♦ **4** **a** (XVIII^e). Cartouche* ornemental qui entoure certaines pendules. → **Encadrement.** — Par ext. La pendule elle-même. *Un cartel Louis XV.*

**b** Ornement dans les bordures (de tableaux, de cheminées).

**II** (1901, *in* D. D. L.). Écon. Concentration horizontale qui réunit des entreprises de même nature, juridiquement et financièrement autonomes, pour la mise en commun de certaines activités, en vue de réglementer la concurrence et d'obtenir un monopole des prix. → **Association, consortium, entente, trust ; cartellisation.**

*Cartel de production, de vente.*

(1924). Polit. Association de groupements (politiques, syndicaux) en vue d'une action commune. *Le cartel des gauches. D'un cartel.* → **Cartelliste.**

DÉR. et COMP. **Cartellisation, cartelliste. Décartellisation.**

**CARTE-LETTRE** [kaʀtəlɛtʀ] n. f. — 1890 ; de *carte,* et *lettre.*

Feuille de papier qui, pliée et collée, peut être utilisée pour la correspondance. *Des cartes-lettres.*

**CARTELLISATION** [kaʀtelizasjɔ̃] n. f. — 1959, *in* D. D. L. ; de *cartel,* II.

Écon. Groupement d'entreprises en cartel.

CONTR. **Décartellisation.**

**CARTELLISTE** [kaʀtelist] adj. — 1934, *in* D. D. L. ; de *cartel.*

Relatif à un cartel politique.

**1. CARTER** [kaʀtɛʀ] n. m. — 1891 ; mot angl., du nom de l'inventeur *J. H. Carter.*

Garniture extérieure de métal servant à protéger (un mécanisme). *Le carter d'une chaîne de bicyclette. Carter d'une turbine hydraulique.* → **Bâche.** *Le carter du différentiel, du changement de vitesse, du vilebrequin dans le moteur d'une automobile* (→ **Boîte).**

Spécialt. Enveloppe métallique étanche, sous le moteur et autour de lui (elle sert aussi de cuve à huile).

Ou bien il essayait d'imaginer les moteurs quand ils sont arrêtés, froids, sur les talus, abandonnés, avec leurs roues immobiles et leur carter silencieux qui lâche goutte à goutte de l'huile noire. J.-M. G. LE CLÉZIO, les Géants, p. 213.

**2. CARTER** [kaʀte] v. tr. — XX^e ; de *carte.*

Comm., techn. Enrouler (du fil) sur une carte ; présenter (de petits objets) sur une carte (I., 1.). *Carter des boutons.*

Enfin, le finissage consiste en machine à pelotonner, à carter, à bobiner (...) Jacques LOURD, le Lin et l'Industrie linière, p. 71.

**CARTE-RÉPONSE** [kaʀt(ə)ʀepɔ̃s] n. f. → **Carte** (I., 4.).

**CARTERIE** [kaʀtəʀi] n. f. — 1850, Bescherelle ; de *carte.*

Fabrication des cartes à jouer. — Atelier où on les fabrique.

**CARTÉSIANISME** [kaʀtezjanism] n. m. — 1667 ; de *Cartesius,* n. lat. de Descartes.

Philosophie de Descartes ou de ses disciples et successeurs.

(...) il y a deux manières de regarder le cartésianisme, comme une métaphysique de la déduction ou comme une philosophie de l'intuition (...) 1
L. BRUNSCHVIG, Descartes, Rieder, p. 40.

Qu'est-ce que le cartésianisme, encore un coup ? C'est la *suppression du monde intelligible.* 2
Michel SERRES, Hermès I, la Communication p. 132.

**CARTÉSIEN, IENNE** [kaʀtezjɛ̃, jɛn] adj. — 1665; de *cartesius* n. lat. de Descartes. → Cartésianisme.

♦ **1** Relatif à Descartes, à sa philosophie, à ses disciples. *La philosophie cartésienne. Les principes cartésiens, le cogito cartésien. Le rationalisme cartésien. Le sujet cartésien :* le sujet conscient du cogito.

Math. *Repère* cartésien. Système d'axes cartésiens. Coordonnées* cartésiennes. Produit* cartésien de deux ensembles.*

♦ **2** Qui est partisan de la philosophie de Descartes. *Un philosophe cartésien,* et, subst., *un cartésien. Les grands cartésiens :* Malebranche, Leibniz, Spinoza.

♦ **3** *Esprit cartésien :* esprit qui présente les qualités intellectuelles considérées comme caractéristiques de Descartes. → **Clair, logique, méthodique, rationnel, solide.** — (Personnes). *On prétend que les Français sont cartésiens.*

1 (...) tels individus offrant à l'abord toute l'apparence de la santé et de la vigueur intellectuelle, solides, pondérés, cartésiens comme des bœufs (...)
M. AYMÉ, le Confort intellectuel, VII, p. 103.

Péj. Qui manifeste un esprit trop systématique.

2 Oh! bien sûr, à l'intérieur, c'est solide, on a son quant à soi. On a sa petite façon solide et bien établie de prendre la vie. On est cartésien et économe. On oppose une résistance sordide et minime au monde.
DRIEU LA ROCHELLE, la Comédie de Charleroi, 1934, p. 205.

**CARTE-TÉLÉGRAMME** [kaʀt(ə)telegʀam] n. f. — 1919; *carte télégramme,* 1879; de *carte,* et *télégramme.*

Vieilli. Pneumatique. *Des cartes-télégrammes.*

**CARTE-VUE** [kaʀtəvy] n. f. — 1901, *in* D. D. L.; de *carte,* et *vue.*

Régional (Belgique). Carte postale illustrée représentant une vue. *Des cartes-vues.*

1 C'étaient (...) sur sa table (...) les violentes taches d'un bleu hussard que faisaient les cartes-vues éparses expédiées par sa fille de chacune de ses étapes américaines.
Marcel THIRY, Nouvelles du grand possible, p. 24.

2 Dans son journal, le père écrit : «Sur le tapis, à ses pieds, une carte-vue parfaitement banale : un môle, une digue, des villas et un hôtel au sommet des dunes (...)»
Pierre MERTENS, l'Inde ou l'Amérique, p. 16.

**CARTHAGINOIS, OISE** [kaʀtaʒinwa, waz] adj. et n. — 1732, Trévoux; de *Carthage,* ville antique d'Afrique du Nord.

Habitant de Carthage. — Adj. Relatif à Carthage. → **Punique.**

**CARTHAME** [kaʀtam] n. m. — 1512; lat. médiéval *carthamus;* arabe *qŭrṭŭm.*

Bot. Plante dicotylédone *(Composacées),* herbacée, annuelle, dont les graines oléagineuses servent à la nourriture des volailles et des perroquets. *Le carthame est aussi appelé* graine de perroquet, safran bâtard. — *Les fleurs du carthame sont jaune-orangé, pourpre ou bleues.*

Devant elles, les esclaves noires ou blanches (...) leur tendaient des colliers fleuris tressés de crocus dont la fleur, blanche en dehors, est jaune en dedans, de carthames couleur de pourpre (...)
Th. GAUTIER, le Roman de la momie, p. 92.

*Des fleurs séchées du carthame, on extrait une teinture rouge, dite* carthamine (n. f.).

**CARTIER** [kaʀtje] n. m. — Déb. XVIe; de *carte.*

Technique.

♦ **1** Fabricant de cartes à jouer. — REM. Dans ce sens, le fém. *cartière* est virtuel.

♦ **2** (1751, *Encyclopédie*). Papier utilisé pour la fabrication des cartes à jouer. *Fabrication du cartier.* → **Dominoterie.**

HOM. **Quartier.**

**CARTILAGE** [kaʀtilaʒ] n. m. — 1314; lat. *cartilago.*

Anat. et cour. Tissu conjonctif, translucide, ne contenant ni vaisseaux ni nerfs, résistant mais élastique et souple (→ **Osséine**); élément anatomique formé de ce tissu *(un, des cartilages). Le squelette des vertébrés commence par être fait de cartilage* (→ **Ossification**). *Cartilage embryonnaire,* transformé en os au cours du développement fœtal. *Membrane qui recouvre les cartilages* (→ **Périchondre**). *Cartilage articulaire :* cartilage qui recouvre les surfaces osseuses d'une articulation (→ **Synchondrose**). *L'arthrose* se caractérise par des destructions du cartilage articulaire. Le cartilage du nez, de l'oreille. Cartilage du larynx.* → **Aryténoïde.** *Cartilage de la glotte.* → **Épiglotte.** *Cartilage semi-lunaire du genou. — Certains vertébrés inférieurs (les Chondrichthyens, divisés en Sélaciens* et holocéphales) ont un squelette entièrement formé de cartilage.* → **Cartilagineux.**

**CARTILAGINEUX, EUSE** [kaʀtilaʒinø, øz] adj. — 1314; lat. *cartilaginosus,* de *cartilago* «cartilage».

♦ **1** Anat. Relatif au cartilage. *Dégénérescence cartilagineuse.*

♦ **2** Qui est composé de cartilage. *Tissu cartilagineux. Cellules cartilagineuses* ou *chondroblastes. Les parties cartilagineuses du squelette. Une couche cartilagineuse.*

♦ **3** (1805). Vx. *Poisson cartilagineux* (Chondrichthyens).

**CARTISANE** [kaʀtizan] n. f. — 1642, Oudin; p.-ê. de l'ital. **carteggiana,* de *carta* «papier».

Techn. Petit morceau de carton recouvert de fil d'or, d'argent, et qui fait relief dans les dentelles, les broderies. *Broderies à cartisane.*

**CARTOGRAMME** [kaʀtɔgʀam] n. m. — 1888; de *carto(graphie),* et *-gramme.*

Didact. Schéma cartographique où les formes topographiques sont simplifiées, et où un certain type d'information est seul symbolisé (proportions, statistiques).

**CARTOGRAPHE** [kaʀtɔgʀaf] n. — 1829; de *cartographie.*

Didact. Spécialiste qui dresse et dessine les cartes de géographie. *Un, une cartographe. Dessinateur-cartographe. Cartographe-géographe :* géographe spécialisé dans l'établissement des cartes.

**CARTOGRAPHIE** [kaʀtɔgʀafi] n. f. — 1838; *chartographie,* 1832; de *carte,* et *-graphie.*

♦ **1** Théorie et technique de l'établissement, du dessin et de l'édition des cartes et plans. *Cartographie urbaine, nautique. Cartographie des sols. Cartographie linguistique. — Cartographie et géographie*.*

♦ **2** Représentation, sous forme de schémas, de phénomènes physiques. *Cartographie chromosomique.*

DÉR. **Cartographe, cartographier, cartographique.**

**CARTOGRAPHIER** [kaʀtɔgʀafje] v. tr. — 1906, *in* D. D. L.; de *cartographie.*

♦ **1** Établir la carte (de qqch.).

♦ **2** Relever l'emplacement de (qqch.).

«J'ignore qui le premier l'a cartographiée, mais elle *(une île)* se trouve notamment sur la carte de George Powell datée de 1822.»
Jean CHARCOT, Autour du Pôle sud, III, p. 316.

**CARTOGRAPHIQUE** [kaʀtɔgʀafik] adj. — 1838; *chartographique,* 1832; de *cartographie.*

Relatif à la cartographie. *Science cartographique. Service cartographique et topographique. Un relevé cartographique.*

**CARTOMANCIE** [kaʀtɔmɑ̃si] n. f. — 1803; de *carte,* et *-mancie.*

Prédiction de l'avenir par l'interprétation des cartes. → **Divination.**

DÉR. **Cartomancien.**

**CARTOMANCIEN, IENNE** [kaʀtɔmɑ̃sjɛ̃, jɛn] n. — 1803; de *cartomancie.*

Personne qui pratique la cartomancie, qui tire les cartes. → **Tireur** (de cartes), **voyante.** *Aller consulter une cartomancienne.*

**CARTON** [kaʀtɔ̃] n. m. — V. 1500; ital. *cartone,* augmentatif de *carta* «papier».

♦ **1** Matière formant une feuille assez épaisse, faite de pâte à papier (papier grossier ou ensemble de feuilles collées). *Carton-pâte* ou *carton gris,* fait de vieux papiers, de rognures... *Carton-cuir,* fait avec du bois. *Carton-paille.* → **Paille.** *Carton-amiante,* fait d'une pâte de fibres courtes d'amiante. *Carton-pierre,* préparé de façon à imiter des ornements en plâtre, en pierre. *Moulure de carton-pierre, de carton. — Carton bitumé :* carton imperméabilisé par une addition de goudron, et servant généralement à recouvrir une toiture. *Carton dur, absorbant, isolant, lustré. Carton bristol,* lisse et glacé. *Carton duplex, triplex. Feuilles de carton. Carton couché, frictionné* (techn.). *Carton ondulé. Objets fabriqués en carton.* → **Cartonnage.** *Poupée de carton. Masque de carton. Un morceau, un bout de carton.*

*Un, des cartons :* feuille de carton. *Un carton de grand format.* — Morceau d'une feuille de carton. *Passe-moi ce vieux carton. Une pile de cartons d'emballage.*

*Le carton :* la fabrication du carton. *L'industrie du carton.* → **Cartonnage,** 1. *Le papier-carton.*

♦ **2** (Allus. aux figures et accessoires de théâtre). Par métaphore ou fig. *De carton* (vieilli), *en carton :* factice, sans réalité ou sans force. — Loc. (vx). *C'est un personnage de carton,* un homme sans personnalité, utilisé dans un rôle de parade. → Homme de paille*. *Un roi, un général de carton.* Cf. Tigre de papier. — (Choses). *En carton :* fictif.

1 Je proposai à M. le duc d'Orléans d'aller à la revue de la gendarmerie (...) et, sous prétexte d'honorer en M. du Maine l'autorité du roi, d'y montrer ce roi de carton pâmé d'effroi et d'embarras.
SAINT-SIMON, Mémoires, 403, 263.

2 M. de Charlus savait bien que les tonnerres qu'il brandissait contre ceux qui ne se pliaient pas à ses ordres, ou qu'il avait pris en haine, commençaient à passer, selon beaucoup de gens, quelque rage qu'il y mît, pour des tonnerres en carton, et n'avaient plus la force de chasser n'importe qui de n'importe où.
PROUST, À la recherche du temps perdu, t. IX, p. 55.

**DE, EN CARTON-PÂTE :** factice, en trompe-l'œil. *Un paysage de carton-pâte.* — (Abstrait). *Un caractère, des sentiments de carton-pâte. Du carton-pâte :* qqch. de trompeur, de factice, qui n'offre que l'illusion de la réalité ou de la sincérité.

Saïgon leur offre sa jungle hachée d'avenues, son théâtre en carton-pâte, deux cinémas où l'on voit des crimes et des bergeries. Marie-Antoinette (...) 2.1
Paul MORAND, Bouddha vivant, p. 61.

Tu n'as pas le droit de te tromper sur les autres. Quand tu rencontres un Rémi Vierion, tu devrais savoir d'emblée que c'est du toc. Du carton-pâte. Et non pas tomber amoureuse de ce pantin (...) 2.2
Jean-Louis CURTIS, le Roseau pensant, p. 327.

♦ **3** (1611). Réceptacle, boîte, etc. en carton, servant notamment au transport de vêtements, de documents. → **Boîte.** *Mettre ses affaires dans un carton.* — Loc. *Carton à chapeaux, à chaussures.*

Spécialt. *Carton pour papiers :* casier à couvercle brisé, destiné à recevoir des papiers, des dossiers. → **Cartonnier.** — Loc. fig. *Dormir, rester dans les cartons; être enterré dans les cartons :* être en souffrance, ou complètement oublié. *Son dossier dort dans les cartons du ministère.*

Un de ces êtres minutieux qui installent (...) toute leur vie l'exactitude de l'heure du bureau et l'ordre des cartons étiquetés. 3
Alphonse DAUDET, Contes du lundi, II, 6.

Sur sa tête à demi vénérable déjà, d'antiques cartons, arrachés violemment à l'étreinte de leurs alvéoles, s'ouvraient, lâchant des avalanches de paperasses qui se répandaient par le vide (...) 4
COURTELINE, Messieurs les ronds-de-cuir, 1er tableau, III.

Vx ou régional. *Carton d'écolier.* → **Cartable.** *Qu'est-ce que tu as dans ton carton, des dictionnaires?*

(1800). **CARTON À DESSIN :** grand portefeuille de carton servant à serrer des dessins, des plans.

♦ **4** (1641, Poussin, *in* D. D. L.). Art. Dessin en grand, d'après lequel un artiste réalise une peinture murale, une tapisserie ou un vitrail. *Les cartons de Raphaël.* → **Étude, plan, projet.**

(...) car il est à remarquer que, toutes passées qu'elles sont, ces tapisseries conservent étonnamment le sentiment de la couleur, d'autant plus qu'elles n'ont dû être faites que d'après des cartons légèrement colorés. 4.1
E. DELACROIX, Journal, 26 janv. 1852.

♦ **5** Feuille de carton marquée de zones concentriques permettant un décompte de points, qui sert de cible dans le tir aux armes à feu (pistolet, carabine, etc.). *Faire un carton :* tirer sur un carton pour s'entraîner, par jeu, etc. *S'arrêter à un stand forain pour faire un ou deux cartons. Réussir un carton; faire un bon carton* ou *un carton :* totaliser un nombre élevé de points dans un tir sur carton, obtenir un bon «résultat de cible». → **Cartonner,** II., 3.

Loc. *Faire un carton (sur...) :* tirer (sur qqn, qqch. qu'on a tout loisir de viser).

Le lendemain, nous tiraillâmes contre le mur d'une propriété, en réussissant des cartons sur des cloches à melons. 4.2
J. LAURENT, les Bêtises, p. 235.

Abattre cette file indienne d'hommes désarmés au milieu du fleuve, c'était comme faire un carton à un stand de foire. 4.3
Régis DEBRAY, l'Indésirable, p. 273.

Sports (fam.). *Faire un carton :* infliger une défaite sévère à son adversaire (→ Cartonner, II., 3.). — *Prendre, ramasser un carton.*

♦ **6** Fam. *Battre, manier, taper* (cit. 4.1) *le carton :* jouer aux cartes*.

♦ **7** Carte de visite; carte d'invitation. *Recevoir un carton pour le dîner des Untel.*

♦ **8** Didact. Petite carte de géographie complémentaire d'une carte principale et figurant sur la même feuille, mais établie à une échelle plus grande pour mettre en valeur un détail, une documentation particulière.

♦ **9** (1621, *in* D. D. L.) Techn. (imprim.). Feuillet imprimé après coup, et destiné à remplacer dans un volume un passage défectueux ou à modifier. *Mettre un carton à un livre* (→ **Encarter**).

5 Le livre est imprimé, mais on fera des cartons.
BOSSUET, Lettres, 141.

CONTR. **Pelure.** ◊ DÉR. **Cartonnage, cartonner, cartonnerie, cartonneux, cartonnier.** ← COMP. **Carton-paille, carton-pâte, carton-pierre** (V. ci-dessus à l'article).

**CARTONNAGE** [kaʀtɔnaʒ] n. m. — 1785; de *carton.*

♦ **1** Techn. Industrie de la fabrication des objets en carton.

♦ **2** Ouvrage en carton. *Un cartonnage robuste.* — Emballage* en carton. → **Carton, emboîtage.**

♦ **3** Cour. Reliure comprenant généralement un dos en toile. *Cartonnage pleine toile. Cartonnage à la Bradel.*

**CARTONNER** [kaʀtɔne] v. — 1751, *Encyclopédie;* de *carton.*

**I** V. tr. ♦ **1** Garnir de carton. *Armature cartonnée. Un «polygone cartonné, couvert d'une broderie».* → Casquette, cit. 2.1.

♦ **2** Relier (un livre) en carton. — Au p. p. *Un livre cartonné.*

**II** V. intr. Fam. ou argotique. ♦ **1** (1866). Vieilli. Jouer aux cartes* (→ Taper le carton*).

Trégoz reste un fidèle de la table du fond, il cartonne là des journées avec son ami Pitteloup.
Félix VALLOTON, Corbehaut, p. 312.

♦ **2** Argot scol. Échouer.

♦ **3** *Réussir un, des cartons* (5.); marquer beaucoup de points dans un tir au carton.

Par métaphore. Toucher juste, réussir dans une action (notamment en sports; → Faire un carton*). *C'est après la mi-temps qu'ils ont cartonné, ils ont mis quatre buts.* — Impers. *Ça cartonne,* se dit d'un phénomène, d'une action qui met à mal, fait courir un danger. *Le vent soufflait à plus de cent vingt, ça a salement cartonné.*

**CARTONNERIE** [kaʀtɔnʀi] n. f. — 1751, *Encyclopédie;* de *carton.*

Technique.

♦ **1** Fabrique de carton.

♦ **2** Fabrication du carton. → **Carton, cartonnage.** *Travailler dans la cartonnerie.*

**CARTONNEUX, EUSE** [kaʀtɔnø, øz] adj. — 1876; de *carton.*

Qui rappelle le carton; qui a l'aspect, la consistance du carton. *Ce plastique a un aspect cartonneux.*

Par analogie :

(...) le vent s'engouffrait en tourbillons entre les murs, courbait, secouait feuilles et palmes avec un bruit rêche, cartonneux, un froissement, un frisson mauvais, rapide, après elles reprenaient leur immobilité.
Claude SIMON, le Vent, p. 15.

Par ext. Durci et séché (aliments). *Un gâteau cartonneux.*

**CARTONNIER, IÈRE** [kaʀtɔnje, jɛʀ] adj. et n. m. — 1680; de *carton.*

**I** Adj. ♦ **1** Qui fabrique ou vend du carton. *L'industrie cartonnière.*

♦ **2** Zool. *Guêpe cartonnière,* qui construit son nid avec une substance rappelant le carton.

**II** N. ♦ **1** Fabricant ou marchand d'objets, d'emballages en carton. *Un gros cartonnier.* — REM. Le fém. *cartonnière* semble inusité.

♦ **2** N. m. (1867). Anc. Meuble de bureau pour le classement des dossiers, comportant de nombreux tiroirs faits de carton fort. *Les cartonniers de la fin du XIXe siècle sont aujourd'hui très prisés des amateurs.*

Meublé d'un vieux fauteuil en tapisserie, d'une ancienne table à jeu et d'un cartonnier, ce débarras s'éclairait sur la cour par le cintre de la grande fenêtre du dessous.
Alphonse DAUDET, l'Immortel, p. 5.

**CARTON-PÂTE** [kaʀtɔ̃pɑt] n. m. → **Carton,** 1 et (fig.) 2.

**CARTON-PIERRE** [kaʀtɔ̃pjɛʀ] n. m. → **Carton,** 1.

**CARTOON** [kaʀtun] n. m. — 1930, *in* Höfler; angl. *cartoon* «dessin».

Anglicisme.

♦ **1** Dessin destiné à composer un film de dessins* animés, et, par ext., le film lui-même. *Auteur* (→ Cartoonist), *amateur de cartoons.*

♦ **2** Dessin d'une bande dessinée (→ **Case, vignette**).

♦ **3** (1946). Dessin humoristique, bande dessinée, aux États-Unis.

**CARTOONIST** ou **CARTOONISTE** [kaʀtunist] n. — 1946, *cartoonist; cartooniste,* 1960; angl. *cartoonist,* de *cartoon* «cartoon».

Anglicisme.

♦ **1** Personne qui exécute chaque image des dessins* animés ou des bandes* dessinées.

♦ **2** Dessinateur, dessinatrice humoristique, aux États-Unis. *«C'est sans doute pour avoir considéré que la B. D. est aussi une surface (...) que les cartoonists redécouvrent la platitude des vignettes»* (*Magazine littéraire, La bande dessinée,* nº 95, déc. 1974, p. 25).

**CARTOPHILE** [kaʀtɔfil] n. — V. 1970, attesté *in* G. D. E. L., 1982; de *carte,* et *-phile* (composé hybride).

Personne qui collectionne les cartes postales. → **Collectionneur** (de cartes postales). *Les cartophiles connaissent la cote des cartes postales anciennes, rares, grâce à des annuaires spécialisés.*

**CARTOPHILIE** [kaʀtɔfili] n. f. — V. 1970, attesté *in* G. D. E. L., 1982; de *carte,* et *-philie* (composé hybride).

Goût pour les cartes postales; recherche des cartes postales pour en faire collection. *Cartophilie générale, spécialisée* (par thèmes, sujets, époques).

**CARTOTHÈQUE** [kaʀtɔtɛk] n. f. — 1959; de *carte,* 3., et *-thèque.*

♦ **1** Didact. Collection de cartes géographiques; local où elle se trouve.

♦ **2** Régional (Suisse; p.-ê. d'après all. *Kartothek*). Fichier. *Le médecin «choisit dans sa cartothèque une fiche»* (A.-L. Chappuis, *À petit feu,* p. 74).

1. **CARTOUCHE** [kaʀtuʃ] n. m. — 1543; *cartoche,* 1546; ital. *cartoccio* «cornet de papier»; de *carta* «papier».

♦ **1** Ornement sculpté ou dessiné, en forme de feuille à demi déroulée, et destiné à recevoir une inscription, une devise, des armoiries. → **Encadrement.** *Le cartouche d'un blason*. Décoration en cartouche. Pendule montée sur cartouche. En-tête, titre, enseigne sur cartouche.*

Par métaphore :

1 Ces noms que la gloire a tracés
Dans un cartouche de lumière.
VOLTAIRE, Épîtres, 56.

♦ **2** Encadrement elliptique qui, dans les inscriptions hiéroglyphiques égyptiennes, entoure les noms des dynasties, les titres honorifiques.

2 Les porte-étendard venaient ensuite, élevant les hampes dorées de leurs enseignes représentant (...) des cartouches historiés au nom du roi, des crocodiles et autres symboles religieux ou guerriers.
Th. GAUTIER, le Roman de la momie, 1858, p. 77.

♦ **3** Emplacement réservé à la légende ou au titre, situé au bas d'un tableau, d'une carte géographique, etc.

HOM. 2. **Cartouche.**

2. **CARTOUCHE** [kaʀtuʃ] n. f. — 1591; *cartuche,* 1571; ital. *cartuccia,* de *carta* «papier; carton».

♦ **1** Enveloppe (de carton, de métal...) de forme cylindrique ou conique, contenant la charge d'une arme à feu. → **Munition, projectile.** — (Vx). *Déchirer une cartouche :* déchirer cet étui pour en verser la poudre dans le canon d'un fusil. — Ensemble formé par la douille ou l'étui renfermant la charge de poudre et le ou les projectiles des armes à feu portatives. *La douille, le culot, l'amorce, la poudre d'une cartouche. Cartouche de chasse. Cartouche de guerre à balle*. Le calibre d'une cartouche. Cartouche à percussion centrale. Cartouche à percussion latérale ou cartouche à broche. Cartouche à plomb. Charge d'une cartouche* (→ **Bourre).** *Le bourrelet d'une cartouche. Étui à cartouche.* → **Cartouchière.** *Fabrication des cartouches* (→ **Chargette, sertisseur).** *Épuiser sa provision de cartouches.* — Loc. fig. *Brûler (épargner) ses dernières cartouches :* utiliser (conserver) ses dernières ressources.
Vx. *Cartouche d'artillerie.* → **Gargousse, obus.**

♦ **2** Boîte contenant, renfermant des matières inflammables. *Cartouche de mine*. Cartouche de mélinite, de dynamite. Cartouche d'artificier.* → **Boîte.**

♦ **3** Petit étui cylindrique contenant en réserve un produit. *Une cartouche d'encre.* → **Recharge.**
Magasin permettant de charger facilement un appareil photographique, un magnétophone (il contient, à la différence de la cassette*, un ruban se déroulant dans un seul sens).

♦ **4** Emballage contenant plusieurs paquets de cigarettes (dix le plus souvent; aussi vingt ou vingt-cinq). *Une cartouche de gauloises, de cigarettes américaines.*

DÉR. **Cartoucherie, cartouchière.** ◊ HOM. 1. **Cartouche.**

**CARTOUCHERIE** [kaʀtuʃʀi] n. f. — 1872; de 2. *cartouche.*

Fabrique, dépôt de cartouches. *La cartoucherie d'un arsenal. Une cartoucherie désaffectée.*

**CARTOUCHIÈRE** [kaʀtuʃjɛʀ] n. f. — 1846; *cartouchier,* 1752; de 2. *cartouche.*

Petite sacoche fixée au ceinturon ou ceinture à poches dans laquelle on met des cartouches.

(...) je ne comptais plus rencontrer d'Allemands. Je jetai mon sac (...) Et puis après, je jetai mon fourniment, les cartouchières, ma baïonnette. J'étais désarmé.
DRIEU LA ROCHELLE, la Comédie de Charleroi, p. 109.

**CARTULAIRE** [kaʀtylɛʀ] n. m. — 1340; lat. médiéval *chartularium* «recueil d'actes», de *charta.*

Didact. Recueil de chartes* contenant la transcription des titres de propriété et privilèges temporels d'une église ou d'un monastère. *Un cartulaire du VII^e siècle.*

Un vieux cartulaire de l'église de Brioude, enterré dans 1
l'obscurité de plusieurs siècles, fut présenté au cardinal de Bouillon.
SAINT-SIMON, Mémoires, 167, 249, *in* LITTRÉ.

Dol, ville espagnole de France en Bretagne, ainsi la quali- 2
fient les cartulaires (...)
HUGO, Quatre-vingt-treize, III, II, 2.

**CARTUSIEN, IENNE** [kaʀtyzjɛ̃, jɛn] adj. — 1889; lat. médiéval *cartusia* «chartreuse».

Didact. (relig.). Relatif aux Chartreux, à l'ordre des Chartreux. *Bâtiments cartusiens. Liturgie cartusienne.*

Le Père Serge portait une soutane élimée, mais il portait bien. Je lui dis que sa pauvreté lui donnait une majesté cartusienne.
Georges BORGEAUD, le Voyage à l'étranger, I, p. 92.

**CARUS** [kaʀys] n. m. invar. — 1721; *caros,* 1573; grec *karos* «sommeil profond».

Méd. Dernier degré du coma*, caractérisé par la disparition complète des réflexes (→ **Carotique).** *Un carus qui résiste aux plus forts stimulants. Des carus.*

DÉR. V. **Carotique.**

**CARVI** [kaʀvi] n. m. — 1360; lat. médiéval *carvi,* arabe *kārāwīyā* «racine à sucre».

Bot. Plante dicotylédone *(Ombellifères),* appelée aussi *Cumin des prés,* qui produit des fruits aromatiques dits *graines de carvi* utilisés comme condiment dans la pâtisserie et dans la fabrication de la liqueur de kummel*. *Des carvis.*

**CARYATIDE** [kaʀjatid] n. f. → **Cariatide.**

**CARYO-** Élément, du grec *karuon* «noix, noyau», servant à former des mots de biologie, de botanique, de zoologie.

**CARYOCINÈSE** [kaʀjosinɛz] ou **KARYOKINÈSE** [kaʀjokinɛz] n. f. — 1896; de *caryo-,* et grec *kinêsis* «mouvement».

Biol. Vx. Division indirecte de la cellule vivante avec changement d'état du noyau (on dit aujourd'hui *mitose**). — Figuré :

Ce personnage unique, qui, par caryokinèse *(sic),* donnera naissance à deux des plus beaux monstres de notre littérature (Charlus et Norpois) [...]
A. MAUROIS, À la recherche de M. Proust, V, 3, p. 156.

**CARYOGAMIE** [kaʀjogami] n. f. — 1906, in *Rev. gén. des sc.,* n° 5, p. 224; de *caryo-,* et *-gamie.*

Biol. Fusion des noyaux des gamètes ou des spores intervenant à la suite de la plasmogamie, lors de la fécondation. → **Amphimixie;** et aussi **zygote.**

**CARYOPHYLLACÉ, ÉE** [karjofilase] ou **CARYOPHYLLÉ, ÉE** [karjofile] adj. et n. f. — 1615; *caryophyllate*, XVII^e; lat. bot. *caryophyllata*, grec *karuophullon*. → Girofle.

♦ **1** Adj. Se dit de fleurs à cinq pétales à onglet allongé. *L'œillet est une fleur caryophyllée.*

♦ **2** N. f. pl. (1898). **CARYOPHYLLÉES** (vx) ou **CARYOPHYLLACÉES.** Famille de plantes phanérogames angiospermes *(Dicotylédones dialypétales)*, comprenant des arbustes et des herbes annuelles ou vivaces qui croissent surtout dans l'hémisphère boréal. *Les Caryophyllacées se divisent en deux groupes :* 1) *Alsinées* (alsine, arenaria, bufonie, cherlérie, céraiste ou cerastium, eremogone, gouffeia, holostée, honckénéja, lepigonium, malaquie, moenquie, *mouron*, sabline, stellaire, spergulaire, *spergule*). 2) *Silénées* (agrostemma, caryophyllus ou eugenia ou *giroflier*, coronaria, cucubale, dianthus, gypsophile, *lychnis*, melandrium, *nielle*, *œillet*, *saponaire*, *silène*, tunique, vélézie). — Au sing. *Une caryophyllée, une caryophyllacée.*

**CARYOPSE** [karjɔps] n. m. — 1834; *cariopse*, 1843; grec *karuon* «noix», et *opsis* «apparence».

Bot. Fruit indéhiscent sec, dont le péricarpe très mince enveloppe intimement la graine comme dans les Graminées (avoine, blé, maïs, orge). → **Grain.**

**CARYOTYPE** [karjotip] n. m. — 1961; de *caryo-*, et *-type*.

Biol. (génét.). Arrangement caractéristique des chromosomes d'une cellule spécifique d'un individu ou d'une espèce donnée. *Le caryotype est repérable par photographie au microscope.*

Par ext. Schéma, modèle de cet arrangement.

Depuis quelques années, la culture de tissus a pris une importance considérable dans l'étude des chromosomes en permettant d'établir ce que l'on appelle le caryotype, c'est-à-dire la carte de l'équipement chromosomique des cellules. C'est dans une ville des États-Unis, à Denver, en 1960, qu'a été établi le caryotype humain qui a permis de montrer que des malformations ou des maladies étaient dues à des anomalies de ce caryotype (...)

Jean VERNE et Simone HÉBERT, la Culture de tissus, p. 92-93.

1. **CAS** [ka] n. m. — V. 1220, *quas*; lat. *casus* «chute», puis «circonstance, hasard», p. p. de *cadere* «tomber».

**I** (Emplois généraux). ♦ **1** (XIV^e). Ce qui arrive ou est supposé arriver. → **Accident, aventure, circonstance, conjoncture, événement, éventualité, fait, occasion, occurrence, situation.** *Cas grave, important; cas étrange, rare. Un cas imprévu, fortuit.* → **Hasard.** *Cas de force* majeure. Cas rédhibitoire. Cas semblable, identique, le même cas; cas différent, opposé. Cas général; cas particulier. Restreindre à un seul cas.* → **Particulariser.** *Cas limite. Cas type. Cas d'espèce. Cas prévu, inévitable. Cas possible, éventuel.* → **Hypothèse, possibilité.** *Plusieurs cas sont à envisager. Dans le premier cas.* → 1. **Casuel.** *Le cas échéant.* → **Échéant.** *Dans le cas présent; dans ce cas-là. Dans le cas contraire; dans un cas différent, un autre cas. Dans un cas ou dans l'autre. Dans le cas qui nous occupe. Être dans le même cas. Son cas est clair, n'est pas douteux. Son cas est difficile, embarrassant. Agir selon le cas, au cas par cas. Résoudre une question, un problème au cas par cas. Cela change le cas. L'exigence, les nécessités du cas. Le cas ne s'est pas encore présenté. Un cas de guerre.* → **Casus belli.**

1 Voici pourtant un cas qui peut être excepté.

LA FONTAINE, Fables, XI, 9.

Tous deux, par un cas surprenant, 2
Se rencontrent en un tournant.

LA FONTAINE, Fables, VIII, 10.

Ce cas n'arrive pas quelquefois en cent ans. 3

LA FONTAINE, Fables, XII, 12.

Posons le cas que vous ayez tout le bien qu'il faudrait. 4

Antoine HAMILTON, Mém. du comte de Gramont, 7.

♦ **2** Loc. (avec *en*...). *En ce cas.* → **Alors.** *En tel cas, en pareil cas. En certains cas.*

Loc. prép. *En cas de conflit; de divorce. En cas de besoin* (cit. 73) : s'il est besoin*. *En cas de nécessité.* — Loc. adv. (→ ci-dessous III., 4.). *En chaque cas, en tout cas. En aucun cas.* → **Façon** (en aucune façon).

Des cartes en cas de besoin. 5

M^me DE SÉVIGNÉ, 410, *in* LITTRÉ.

Un honnête homme, en pareil cas, 6
Aurait fait un saut de vingt brasses.

LA FONTAINE, Fables, V, 11.

Il lui conseilla de prendre dès à présent une forte somme, 7 de la lui confier pour être jouée avec audace dans une partie quelconque (...) En cas de gain ils fonderaient à eux deux une maison de banque (...) Si la chance tournait contre eux, Roguin irait vivre à l'étranger.

BALZAC, César Birotteau, I, p. 132, cité par BRUNOT.

*C'est le cas de...* → **Lieu** (il y a lieu de...), **occasion.** *C'est le cas ou jamais.* → **Moment** (le moment ou jamais). Fam. *C'est le cas, c'est bien le cas de le dire :* marque l'opportunité* de ce que l'on dit.

C'est le cas plus que jamais d'invoquer Dieu. 8

BOSSUET, Lettres, 152, *in* LITTRÉ.

Ce serait ici le cas ou jamais de faire une théorie sur la 9 beauté des haillons, car, il faut le dire, beaucoup de ces draperies, qui abusent de loin, vues de près sont des guenilles.

E. FROMENTIN, Un été dans le Sahara, II, p. 148.

**II** Spécialt. ♦ **1** (1283). Dr. Action envisagée par la loi et pouvant être sanctionnée. → **Crime, délit, fait.** *Cas prévu par la loi pénale.* → **Circonstance.** *Cas grave, cas pendable** (aussi au figuré); *cas bénin. — Cas de légitime défense*. Son cas est mauvais, n'est pas net,* se dit de celui qui est impliqué dans une fâcheuse affaire. — Cour. *Se mettre dans un mauvais cas.* — Prov. *Tout mauvais cas est niable :* on nie fréquemment les fautes qu'on a commises.

Situation faisant l'objet d'une délibération et donnant lieu à une décision de justice. → **Affaire, cause, procès.** *Soumettre un cas au juge. Citer un cas semblable. Cas difficile à juger* (→ Argument, cit. 14).

Sa peccadille fut jugée un cas pendable. 10

LA FONTAINE, Fables, VII, 1.

*(Dans ces lois)* on distingue avec finesse les cas, on y pèse 11 les circonstances.

MONTESQUIEU, l'Esprit des lois, XXX, 19.

Nul homme ne peut être accusé, arrêté ni détenu que dans 12 les cas déterminés par la Loi, et selon les formes qu'elle a prescrites.

Déclaration des droits de l'homme et du citoyen (Constitution du 3 sept. 1791, art. 7).

(...) il savait à quel point pèsent les précédents aux yeux de 13 la Curie et alla chercher dans tous les recoins de l'histoire ecclésiastique *les cas* qu'il disait pareils au sien et qu'on avait résolus dans un sens conforme à son désir (...)

Louis MADELIN, Talleyrand, II, X, p. 123.

Hist. Sous l'Ancien Régime, *Cas royaux, prévôtaux*, réservés aux juges royaux ou prévôtaux. *Cas privilégié :* crime que les juges royaux pouvaient seuls juger, sans exception *(le duel était un cas privilégié)*; cas où il s'agissait de prononcer une peine contre un ecclésiastique.

♦ **2** (1606). Relig. **CAS DE CONSCIENCE :** difficulté sur un point de morale, de religion (→ **Casuistique**). — Cour. Scrupule.

♦ **3** (Av. 1778). Méd. État et évolution d'un sujet, du point de vue médical. → **Maladie.** *Un cas grave, désespéré; un cas bénin.*

14 Toute maladie (...) se présente comme un cas premier, sans précédent identique; comme un cas *exceptionnel,* pour lequel une thérapeutique nouvelle est toujours à inventer.

MARTIN DU GARD, les Thibault, t. IX, p. 239.

Par ext. (sur le plan psychologique) :

15 L'amour, la jalousie, la vanité sont pour lui, à la lettre, des maladies. *Un Amour de Swann* est la description clinique de l'évolution complète d'un cas.

A. MAUROIS, Études littéraires, Marcel Proust, t. I, p. 129.

Le sujet lui-même. *Ce malade est un cas rare.* — Par ext. *Cette personne est un cas,* présente des caractères psychologiques singuliers. — Fam. (souvent péj.). *C'est un cas !*

♦ **4** Math. *Cas d'égalité, de similitude des triangles :* propositions qui expriment les conditions nécessaires et suffisantes pour que deux triangles soient égaux ou semblables. — Alg. *Cas irréductible :* cas «où les trois racines d'une équation du troisième degré sont réelles et inégales» (M. N. Bouillet, *Dictionnaire universel des sciences, des lettres et des arts,* 1859). — *Cas limite*.*

Loc. Cour. **CAS DE FIGURE,** situation envisagée à titre d'hypothèse (parmi d'autres). *Dans ce cas de figure, il conviendrait de... Ce n'est qu'un cas de figure,* qu'une hypothèse.

♦ **5** *Cas social :* situation particulièrement critique d'une personne, justiciable de l'assistance de la société. *Des cas sociaux.* Par métonymie. Personne qui est dans cette situation.

**III** Loc. ♦ **1** Vx. **(SE TROUVER, ÊTRE) DANS LE CAS DE,** en position de.

16 Si les hommes abondent de biens, et que nul ne soit dans le cas de vivre par son travail, qui transportera d'une région à une autre les lingots ou les choses échangées?

LA BRUYÈRE, les Caractères, XVI, 48.

♦ **2 FAIRE CAS DE (qqn, qqch.).** → **Apprécier, considérer, estimer.** *Il fait grand cas de cet homme. Faire peu de cas, ne faire aucun cas de qqn, de qqch.* **(→ Mépriser, négliger).** *C'est tout le cas qu'il fait des avertissements qu'on lui donne!*

17 (...) De sa propre gloire il fait trop peu de cas (...)

CORNEILLE, Horace, V, 1.

18 (...) Brigitte me dit d'un ton sévère ce qui s'était passé dans le bois; elle me pria de lui épargner de pareils affronts à l'avenir. Non pas, dit-elle, que j'en fasse cas (...)

A. DE MUSSET, la Confession d'un enfant du siècle, IV, II.

19 (...) ceux qui font cas d'une certaine vertu ont le plus grand mépris pour le défaut contraire.

NERVAL, Contes et facéties, «La main enchantée», II.

20 Ne croyant pas devoir me formaliser du peu de cas qu'on avait paru faire de ma personne (...)

MÉRIMÉE, Carmen, 1.

♦ **3** Loc. conj. **EN CAS QUE..., AU CAS QUE...** (vieilli), **AU CAS OÙ... :** en admettant que, à supposer que. → **Quand, si.** → pop. Quelquefois que, des fois que. *En cas qu'il vienne, au cas qu'il vienne* (subj.). *Au cas, dans le cas, pour le cas où il viendrait* (cond.). *Au cas où il mourrait.* → **Venir** (s'il venait à mourir).

21 Je ne fus pas longtemps en doute sur l'accueil qui m'attendait à Genève, au cas que j'eusse envie d'y retourner.

ROUSSEAU, les Confessions, XII.

22 J'ai demandé à Monsieur de Louvois le régiment de Sanzel (...) en cas que le pauvre Sanzel fût mort.

M^me^ DE SÉVIGNÉ, 435, *in* LITTRÉ.

Je pourrais aisément compter sur la connivence du premier président en cas que la chose lui fût bien recommandée. 23

VOLTAIRE, Lettre à M. de Cideville, 30 janv. 1731.

Elles attendaient le roi au cas qu'il se décidât à la fuite. 24
(Michelet, Histoire de la Révolution... I, 412). — On dit plutôt maintenant : *Au cas où. Au cas où il se présenterait, vous le recevriez, n'est-ce pas?*

F. BRUNOT, la Pensée et la Langue, XXV, IV, p. 876.

Fam. *Je ne sais pas s'il va pleuvoir, mais j'emporte mon imperméable, en cas.* → aussi **En-cas.**

**DANS TOUS LES CAS OÙ** (ind. prés.) : chaque fois, toutes les fois que.

♦ **4** Loc. adv. **EN TOUT (TOUS) CAS, DANS (EN) TOUS LES CAS :** quoi qu'il arrive*, de toute façon.

En tout cas, ce qui peut m'ôter ma fâcherie, 25
C'est que je ne suis pas seul de ma confrérie (...)

MOLIÈRE, Sganarelle, 17.

Puisque la chose est faite, il n'y faut plus penser : 26
Mon rival en tout cas ne peut me traverser.

MOLIÈRE, l'Étourdi, III, 4.

Si les raisons manquaient, je suis sûr qu'en tout cas 27
Les exemples fameux ne me manqueraient pas.

MOLIÈRE, les Femmes savantes, IV, 3.

En tout cas Tertullien se sera contrefait (...) il faudrait 28
donc laisser là ce dur Africain, sans faire un crime à toute l'Église des absurdités de son style et des irrégularités de ses pensées.

BOSSUET, Sixième avertissement aux protestants..., 94.

(...) il se trouva bien vite chez les Iroquois un avocat (...) 29
qui soutint que torturer, pendre, rouer, brûler, dans tous les cas, est toujours le meilleur.

VOLTAIRE, Dict. philosophique, Supplices, section I.

Dans tous les jeux, les paris, les risques, les hasards, dans 30
tous les cas, en un mot, où la probabilité est plus petite que un dix-millième, elle doit être et elle est en effet pour nous absolument nulle.

BUFFON, Essai d'arithmétique morale, Œ., t. X, p. 85.

DÉR. V. 1. **Casuel.** ◊ COMP. **En-cas.** → HOM. **K,** 2. **cas.**

2. **CAS** [ka] n. m. — XIII^e^; lat. *casus,* calque du grec *ptôsis* «déviation» par rapport au nominatif.

Chacune des formes d'un mot qui présente des flexions. → **Désinence; déclinaison.** *Les cas du latin.* → **Nominatif, vocatif, accusatif, génitif, datif, ablatif.** *La langue russe, l'allemand, le finnois ont des cas.* → 2. **Casuel; adessif, allatif, ergatif, illatif, inessif, instrumental, locatif...** *Des six cas du latin, l'ancien français n'en conserva que deux : cas sujet et cas régime.*

HOM. **K,** 1. **Cas.** ◊ DÉR. V. 2. **Casuel.**

**CASANIER, IÈRE** [kazanje, jɛʀ] adj. — 1552; *casenier,* n., «prêteur d'argent italien installé en France», 1315; p.-ê. ital. *casaniere* «prêteur d'argent», de *casana* (Lucques) «boutique de prêteur», p.-ê. par croisement avec *casa* «maison», les prêteurs italiens installés en France devant résider dans un endroit précis.

Qui aime à rester au logis (personnes); qui correspond à ce goût (comportements). → **Sédentaire; pantouflard** (fam.). *Une femme casanière.* → **Pot-au-feu** (fam.). *Habitudes casanières, vie casanière. Caractère casanier. Humeur casanière. Goûts casaniers.*

Il la trouvait toujours là, casanière, inactive dans leur petit 1
logis comme une femme d'Orient.

ALPHONSE DAUDET, Sapho, IV, p. 21.

(...) si notre vie est vagabonde notre mémoire est séden- 2
taire, et nous avons beau nous élancer sans trêve, nos souvenirs, eux, rivés aux lieux dont nous nous détachons, continuent à y continuer leur vie casanière (...)

PROUST, À la recherche du temps perdu, t. XV, p. 159.

N. (rare). *Un casanier. Une casanière.*

CONTR. **Bohème, errant, nomade.**

**CASAQUE** [kazak] n. f. — 1413; orig. incert., probablt du turc *quzzāh* ou *kazak* «aventurier», nom donné à des cavaliers des bords de la mer Noire (de l'ethnie Kazak) et appliqué ensuite à leur vêtement. On propose généralement le persan *kazāgand* «espèce de jaquette», avec apocope de la finale *-and.*

♦ **1** Vx. Vêtement de dessus à larges manches. → **Manteau, surtout.** *Casaque des condamnés de l'inquisition.* → **San-benito.**

1 On portait alors des casaques par-dessus un pourpoint orné de rubans.
VOLTAIRE, le Siècle de Louis XIV, 25.

Ancien manteau militaire. → **Cotte** (d'armes), **hoqueton, sayon** (des Gaulois...), **soubreveste.** — Spécialt. Manteau des mousquetaires, des gardes du corps, au XVIIe siècle. — Loc. *Prendre, rendre la casaque :* s'engager dans les mousquetaires, les quitter.

.1 Aramis, pourquoi diable m'avez-vous demandé la casaque, quand vous alliez être si bien sous la soutane? DUMAS, les Trois Mousquetaires, t. I, p. 45.

Par métonymie. Vx. *Une casaque :* soldat portant casaque.

2 Le bruit que nous faisions (...) fit sortir d'une salle basse le seigneur du château, suivi de quatre ou cinq casaques ou manteaux rouges de fort mauvaise mine.
SCARRON, le Roman comique, II, III, p. 168.

♦ **2** Loc. fig. **TOURNER CASAQUE :** fuir*, et, par ext., tourner le dos à ceux de son parti, changer de parti, d'opinion (cf. Changer son fusil d'épaule, retourner sa veste).

3 Il y a des gens qui disent qu'il tournera casaque, et qu'il vous aimera au lieu d'aimer l'Évêque.
Mme DE SÉVIGNÉ, 351, 27 nov. 1673.

4 Jamais nous ne fûmes aussi près de notre perte, et les plus acharnés étaient ceux des nôtres qui tournaient carrément casaque et qui allaient s'enrégimenter dans les rangs de nos ennemis et menaient la police sur des pistes sérieuses et toutes fraîches!
B. CENDRARS, Moravagine, *in* Œ. compl., t. IV, p. 123.

♦ **3** Sorte de livrée. *Une casaque de cocher.* — (1867, *in* Petiot). Veste en soie de couleur vive, que portent les jockeys. → **Jaquette.**

5 Quelques pas plus loin, c'est un fameux sellier et ses selles en peau de daim, ses éperons dorés, ses casaques de jockeys, cerise ou vert amande (...)
Paul MORAND, Londres, p. 207 (1933).

♦ **4** Vx. Blouse ou courte jaquette de femme.

♦ **5** Blouse de chirurgien. *La casaque, la calotte et la bavette du chirurgien.*

6 (...) le chirurgien se nettoie les mains puis enfile des gants de caoutchouc stériles comme en 1890. On sait qu'il y a ajouté l'emploi d'une «casaque» stérile, qu'il revêt avant l'opération (...)
Cl. D'ALLAINES, Histoire de la chirurgie, p. 90.

DÉR. **Casaquin.**

**CASAQUIN** [kazakɛ̃] n. m. — 1546; de *casaque.*

♦ **1** Ancien vêtement de dessus à l'usage des hommes.

Loc. fam. (1790, *in* D. D. L.). *Donner, tomber, sauter sur le casaquin de qqn, lui tomber (sauter) sur le casaquin.* → **Battre*.**

1 C'était comme sa bête brute de Coupeau, qui ne pouvait plus rentrer sans lui tomber sur le casaquin (...) Coupeau avait un gourdin qu'il appelait son éventail à bourrique; et il éventait la bourgeoisie, fallait voir!
ZOLA, l'Assommoir, t. II, p. 213 (1877).

♦ **2** (1787). Vx. Corsage porté sur la jupe par les femmes (notamment à la campagne).

À l'intérieur du cabriolet, il reconnut dame Angèle en casaquin de voyage. 2
HERBERT LE PORRIER, le Luthier de Crémone, p. 62.

**CASBAH** [kazba] n. f. — 1830, date de la prise d'Alger; *casouba,* 1813; arabe maghrébin *qāṣbāh,* arabe class. *qāṣābāh* «forteresse».

♦ **1** Citadelle d'un souverain, dans les pays arabes. — Par ext. Partie haute et fortifiée d'une ville arabe. *La casbah de Tanger.*

Anciennt. Quartier musulman dans une ville d'Afrique du Nord. *La casbah d'Alger :* le quartier arabe qui s'étend autour de la casbah.

C'est pendant les soirs de Ramadan qu'il faut visiter la Casbah. Sous cette dénomination de Casbah, qui signifie citadelle, on a fini par désigner la ville arabe tout entière. 1
MAUPASSANT, Au soleil, Province d'Alger, p. 83.

REM. On écrit aussi *kasbah.* → Perpendiculaire, cit. 1.

(...) le bruit déchirant des obus qui éclataient dans la Kasbah d'Agadir a retenti sur toute la vallée du fleuve Souss. J.-M. G. LE CLÉZIO, Désert, p. 405. 2

♦ **2** Argot. Maison, logement. → **Crèche, gourbi, piaule, taule, turne.**

**CASCADE** [kaskad] n. f. — 1640, Oudin; ital. *cascata,* de *cascare* «tomber».

**I** ♦ **1** Chute d'eau; succession de chutes d'eau. → **Cataracte, chute.** *Cascade naturelle. Rivière, torrent tombant en cascade. Cascade artificielle, en gradins.* → **Buffet** (d'eau).

Un nombre infini de sources s'y précipitaient par cascades du haut du mont (...) LA FONTAINE, Psyché, II. 1

La montagne est tellement escarpée, que l'eau se détache net et tombe en arcade, assez loin pour qu'on puisse passer entre la cascade et la roche quelquefois sans être mouillé. 2
ROUSSEAU, les Confessions, IV.

Des cascades descendaient de tous côtés, bondissaient sur des lits de pierres, comme les gaves des Pyrénées. 3
CHATEAUBRIAND, Mémoires d'outre-tombe, IV, 8.

Les plus hautes cascades déroulent pour ses yeux seuls leur nappe de cristal, plus calmes que la mer immobile, comme des cataractes du Paradis. 4
PROUST, À la recherche du temps perdu, t. VI, p. 93.

♦ **2** (XIXe). Fig. *Une cascade de pièces de monnaie. Cascade de draperies. Une cascade de boucles de cheveux.*

(...) deux cascades de cheveux châtains descendant par ondes au long de ses joues (...) 5
Th. GAUTIER, le Capitaine Fracasse, t. I, p. 35.

(...) le grand escalier (...) ruisselait incessamment dans la place comme une cascade dans un lac. 6
HUGO, Notre-Dame de Paris, I, 1.

(Abstrait). Ce qui se produit par saccades, par rebondissements successifs. *Une cascade de rires. Cascade d'applaudissements. Subir une cascade d'injures, d'imprécations.* — (1740). Ce qui se produit à la suite de divers rebondissements. *L'événement s'est produit par cascades.* — Loc. Vieilli. *Faire la cascade :* tomber, dégringoler.

Cette couronne tombe à Jeanne II après diverses cascades et de grandes guerres. 7
SAINT-SIMON, Mémoires, *in* LITTRÉ.

**EN CASCADE :** par une suite de rebondissements. *Des effets en cascades.* → **Ricochet.** — Par métaphore du sens 1 :

De son chapeau à sa barbe, de sa barbe à son ventre, de son ventre à ses pieds, la majesté ruisselait en petites cascades. J. ROMAINS, les Copains, V, p. 161. 8

♦ **3** Électr. *(En cascade). Montage en cascade :* montage en série*. *Couplage en cascade.*

♦ **4** (1808). Vx. Écart de conduite. *Faire des cascades.*

(1858). Lazzis inattendus d'un acteur.

**II** (Déverbal de *cascader*). Exercice du cascadeur* (II.). *«J'ai assisté à toutes les scènes de cascade* (...). *J'ai frémi le jour où il* (Jean-Paul Belmondo) *a exécuté un saut à la renverse alors qu'il était percuté par une voiture»* (*France-Soir Magazine,* 22 oct. 1983).

DÉR. **Cascader.** — V. **Cascatelle.**

**CASCADER** [kaskade] v. intr. — 1771, attestation isolée ; 1864 ; de *cascade.*

**I** ♦ **1** Tomber en cascade (en parlant d'un liquide). *Ruisselets qui cascadent sur une pente. L'eau cascade de pierre en pierre.*

1 De temps en temps, une lame plus forte que les autres gonflait la surface de la mer et recouvrait *(les)* croupes *(des rochers)* ; le liquide transparent s'étalait sur les masses arrondies, remplissait les cuvettes, cascadait le long des rigoles, nageait sur place à la manière d'unefumée.
J.-M. G. LE CLÉZIO, la Fièvre, p. 223.

Par ext. Produire un bruit de cascade ; faire tomber l'eau en cascade.

2 Un glissement faible et morne, indéfinissable, fait de pneus sur l'asphalte mouillé, de gouttières en train de cascader, de freins sifflants.
J.-M. G. LE CLÉZIO, le Déluge, p. 103.

♦ **2** Fig. Se produire par vagues, d'une façon discontinue (en parlant d'un bruit). *Des rires d'enfants qui cascadent.*

Pop., vx. (Sujet n. de pers.). Avoir une conduite désordonnée.

**II** (Sujet n. de pers.). Effectuer en série des sauts périlleux ou des chutes volontaires, des exercices périlleux (→ **Cascadeur**). *«Il ne m'a accepté que parce que j'étais* (...) *capable de cascader»* (*le Nouvel Obs.,* 25 nov. 1983, p. 75).

DÉR. **Cascadeur.**

**CASCADEUR, EUSE** [kaskadœʀ, øz] adj. et n. — 1859 ; de *cascader.*

**I** Fam., vieilli. Qui dénote des mœurs légères, désordonnées. *Un air cascadeur. Des allures cascadeuses.* — N. (Vx). *Un cascadeur.* → **Bambocheur, coureur, noceur, viveur.**

**II** ♦ **1** (1898). Acrobate qui exécute des séries de chutes, de sauts (souvent en groupe).

♦ **2** Acrobate qui tourne les scènes dangereuses d'un film, comme doublure de l'acteur, de l'actrice. *«Elle est devenue cascadeuse de cinéma pour "American Dreamer"»* (*le Point,* 26 déc. 1983, p. 50). — Par ext. Personne qui recherche le risque.

**CASCARA** [kaskaʀa] n. f. — 1890 ; mot esp. «écorce».

Pharm. Écorce desséchée et pulvérisée d'un arbre originaire de l'Amérique du Nord *(Rhamnus purshiana),* utilisée comme purgatif. *Des cascaras.*

**CASCARILLE** [kaskaʀij] n. f. — 1730, *cascaville ;* esp. *cascarilla,* de *cascara,* écorce.

Bot., pharm. Plante du genre croton*, dont l'écorce est astringente.

**CASCATELLE** [kaskatɛl] n. f. — 1740 ; ital. *cascatella,* de *cascata.* → Cascade.

Littér. Petite cascade.

1 On aperçoit à la fois le temple de Vesta et les cascatelles qui sortent d'un des portiques de la ville de Mécène.
CHATEAUBRIAND, Italie, 23.

Fig. *Des cascatelles de cheveux.* → **Cascade.** *«La glycine en cascatelles»* (→ Chèvrefeuille, cit. 2).

(...) d'épaisses cascatelles de cheveux aussi noirs que ceux de la Nuit, et filant d'un seul jet de la nuque au talon. 2
Th. GAUTIER, Fortunio, XXIV.

**CASCHER** [kaʃɛʀ] adj. → **Kascher.**

**CASE** [kɑz] n. f. — 1265 ; lat. *casa* «chaumière».

**I** ♦ **1** Fam. et vx. Maison rudimentaire ou misérable. → **Baraque.**

♦ **2** (1637 ; port. *casa*). Habitation traditionnelle, généralement construite en matériaux légers, dans certaines civilisations des pays tropicaux, notamment l'Afrique et les «Îles». *Cases africaines, antillaises. Case de terre sèche, de paille, de bambou.* → **Hutte, paillote.** Allus. littér. *La Case de l'oncle Tom* (titre français d'un roman de H. Beecher-Stowe). — (Franç. d'Afrique). *Case en banco, en dur. Case à impluvium. Case à palabres.*

Qui est-ce qui demeure là-haut dans ces petites cases ? 1
BERNARDIN DE SAINT-PIERRE, Paul et Virginie.

C'est ici la case sacrée 2
Où cette fille très parée (...)
Écoute pleurer les bassins (...)
BAUDELAIRE, les Fleurs du mal, «Bien loin d'ici».

J'attendais un enfer poussiéreux et abandonné ; je voyais des maisons coloniales neuves, beaucoup moins modestes que les cases de la Martinique, et une belle avenue couleur de sable. MALRAUX, Antimémoires, Folio, p. 171. 2.1

Parmi nombre de cases rondes, les premières en forme d'obus paraissent plus belles encore que je ne pouvais supposer. D'une perfection de forme qui fait penser à quelque travail d'insectes, ou à un fruit (...) Dans l'intérieur des cases rondes, bétail, volailles et gens couchent ; mais non point pêle-mêle, chacun à sa place attitrée ; tout est en ordre et tout est propre. 2.2
GIDE, le Retour du Tchad, I, *in* Souvenirs, Pl., p. 879.

C'était la case personnelle de mon père. 2.3
Elle était faite de briques en terre battue et pétrie avec de l'eau ; et comme toutes nos cases, ronde et fièrement coiffée de chaume. On y pénétrait par une porte rectangulaire. À droite, il y avait le lit, en terre battue (...) garni d'une simple natte en osier (...) Au fond de la case et tout juste sous la petite fenêtre, là où la clarté était la meilleure, se trouvaient les caisses à outils. À gauche, les boubous et les peaux de prière.
Camara LAYE, l'Enfant noir, *in* Pages africaines, II, p. 51.

*Case-pirogue,* construite sur des pirogues servant de flotteurs.

Bientôt une case-pirogue débouchait en amont (...) Les gens, massés sur le pont de ciment armé ne se lassaient pas du spectacle de ces longues cases montées sur deux ou trois pirogues jumelées et qui avaient parcouru des centaines de kilomètres. 2.4
Eza BOTO, Ville cruelle, *in* Pages africaines, I, p. 71.

Spécialt (franç. d'Afrique). Maison individuelle, «y compris la villa de type européen» (I. F. A.). — *Case de passage :* logement pour les hôtes de passage.

**II** (1650, «compartiment d'un jeu de trictrac» ; esp. *casa*). ♦ **1** Espace délimité par des lignes se coupant, généralement à angle droit, sur une surface. *Les cases d'un registre. Une petite carte jaune qui porte six cases.* → 1. Pointer, cit. 2.

Spécialt. **a** Chaque division tracée sur un damier, un échiquier, etc. *Les cases triangulaires du jeu de trictrac. Avancer un pion d'une case. Les 64 cases de l'échiquier. Les cases du jeu de l'oie. La case départ,* la première du jeu. — Loc. fig. *Revenir à la case départ,* se retrouver dans une situation que l'on croyait dépassée. *Retour à la case départ.*

2.5 (...) les voilà qui (...) reviennent au jeu de l'oie des familles en annonçant à propos de l'échec d'une fusée ou d'une négociation : «Retour à la case départ!» (...)

Pierre DANINOS, la France prise aux mots, p. 30-31.

**b** (XXe). Espace souvent rectangulaire qui constitue l'unité graphique d'une bande* dessinée. *Un «strip»* (bande) *de quatre cases. «Pour une fois un auteur* (Philippe Druillet) *de B. D. qui ne fait pas de petites cases, qui aime la S. F.* (science-fiction), *qui bouleverse l'architecture graphique et qui fait des dessins à regarder des heures durant»* (*Magazine littéraire*, nº 95, déc. 1974, p. 29).

♦ **2** Compartiment, subdivision (d'un volume). *Les cases d'une ruche d'abeilles.* → **Alvéole, cellule.** — Compartiment (d'un meuble, d'un tiroir, d'une boîte). *Les cases d'une boîte de couture.* — Espace ménagé sous un pupitre d'écolier pour ranger ses livres. → **Casier.** — *Case postale.* → **Boîte** (postale).

♦ **3** (Abstrait). Compartiment, subdivision. *Les nombreuses cases d'une classification.*

3 Encore un certain nombre de faits, et il faudra briser les cases de la chimie moderne.

CHATEAUBRIAND, le Génie du christianisme, III, II, 2.

4 (...) resserré par la compression de sa case sociale et déjeté tout d'un côté par une spécialité et une monomanie comme les personnages de Balzac.

TAINE, Philosophie de l'art, t. II, IV, II, III, p. 159.

♦ **4** *Les cases du cerveau :* divisions imaginaires du cerveau où l'on imagine que sont rangés les souvenirs, les connaissances, etc. *Il a un cerveau bien organisé, avec toutes ses petites cases bien en ordre.* — Loc. fam. *Il lui manque une case, il a une case en moins, une case vide :* il est anormal, fou*; son cerveau fonctionne mal.

**DÉR.** Caser, casier.

**CASÉEUX, EUSE** [kazeø, øz] adj. — Av. 1788, Buffon; *caseux,* 1599; dér. sav. du lat. *caseus* «fromage».

♦ **1** Techn. De la nature du fromage. *Partie caséeuse du lait.*

♦ **2** Méd. (Laennec). *Nécrose caséeuse,* caractérisée par la production d'un pus de consistance pâteuse, jaunâtre et granuleux. *Production, lésion caséeuse.* → **Caséification.**

**CASÉIFICATION** [kazeifikasjɔ̃] n. f. — 1871; dér. sav. du lat. *caseus* «fromage».

♦ **1** Techn. Transformation en fromage. — REM. On trouve parfois *caséation* [kazeasjɔ̃] n. f. (du rad. du lat. *caseus*).

♦ **2** Méd. Formation d'une nécrose caséeuse*.

**CASÉIFIER** [kazeifje] v. tr. — 1906; dér. sav. du lat. *caseus* «fromage».

Didactique.

♦ **1** V. tr. Faire coaguler la caséine de. *Caséifier du lait avec de la présure.*

♦ **2** V. pron. (1877). Méd. *Se caséifier :* se nécroser en rendant un pus caséeux. *Lésions tuberculeuses qui se caséifient.*

**CASÉINE** [kazein] n. f. — 1832; dér. sav. du lat. *caseus* «fromage».

Didact. Substance protéique contenue, partie en suspension, partie en dissolution, dans le lait, et qui constitue l'essentiel des fromages. → **Tyrine** (vx). *Caséine extraite du lait écrémé, du babeurre, du petit-lait. Coaguler la caséine avec de la présure* (→ **Caillé**), *avec un acide. Caséine sèche. Caséine alimentaire* (→ **Fromage**). *Caséine industrielle, pour la production de matières plastiques* (→ **Galalithe**). *Caséine végétale :* protéine extraite de tourteaux. → **Légumine.**

**DÉR.** Caséinerie, caséinier.

**CASÉINERIE** [kazeinʀi] n. f. — 1907; de *caséine.*

Technique.

♦ **1** Usine où l'on extrait du petit-lait la caséine. *«Tous les sérums produits dans les fromageries et les caséineries»* (M. Beau, *le Lait et l'Industrie laitière*, p. 103).

♦ **2** Industrie de la caséine. *Liquides résiduaires de fromagerie, de caséinerie.*

**CASÉINIER, IÈRE** [kazeinje, jɛʀ] adj. et n. — XXe; de *caséine.*

Technique.

♦ **1** De la caséinerie (industrie).

♦ **2** N. Personne, industriel qui fabrique de la caséine.

**CASEMATE** [kazmat] n. f. — 1539; orig. obscure; p.-ê. ital. *casamatta,* d'orig. incert., p.-ê. de *casa* «maison», et *matta* «folle», ou du grec *kasma, -atos* «gouffre». P. Guiraud rattache le mot au moy. franç. *matte* «touffe d'herbe», d'où «maison couverte de touffes d'herbes».

Abri* souterrain et voûté, protégé contre les obus, les bombes... → **Fortification; blockhaus, bunker, fortin.** *Casemate de béton. Casemate servant d'abri aux troupes, de magasin. Les casemates d'un fort, d'une citadelle. Casemates d'une ligne fortifiée.*

(...) des casemates en construction dressent leurs tiges de fer attendant le béton (...) Il faut espérer qu'on n'aura pas besoin des casemates avant que les coupoles ne les coiffent. ARAGON, les Communistes, Mai 1940, I.

Petit ouvrage fortifié.

Mar. Logement blindé, contenant un canon et situé sur le flanc d'un navire de guerre. *Casemate mobile.* → **Tourelle.**

**DÉR.** Casemater.

**CASEMATER** [kazmate] v. tr. — 1578, par métaphore; rare av. 1838 (Académie, Compl.); de *casemate.*

Milit. Garnir de casemates. — Au p. p. *Un rempart casematé.*

**CASER** [kaze] v. tr. — 1796; «loger qqch.», 1562, attestation isolée; de *case.*

♦ **1** Vx. Mettre dans une case, dans un compartiment. *Caser des papiers, du linge.* → **Ranger.** — Absolt. Au trictrac, Mettre deux dames sur une case.

♦ **2** Fam. Mettre à la place qu'il faut; dans une place qui suffit. *Caser sa voiture dans le garage.* → **Placer, ranger.** *Trouver un logement pour caser un ami.* → **Loger.** — Spécialt. Réussir à faire entrer (qqch. ou qqn) dans un espace limité. *J'ai pu caser tous mes meubles dans mon studio.* → **Distribuer, fourrer.**

(Le compl. désigne une chose abstraite). *Je n'ai pas pu caser cette affaire dans mon emploi du temps.*

Mais savez-vous pourquoi nous sommes toujours plus justes et plus généreux avec les morts? La raison est simple! Avec eux, il n'y a pas d'obligation. Ils nous laissent libres, nous pouvons prendre notre temps, caser l'hommage entre le cocktail et une gentille maîtresse, à temps perdu, en somme. 0.1

CAMUS, la Chute, *in* Récits et Nouvelles, Pl., p. 1492.

♦ **3** (Compl. n. de personne). Établir dans une situation. → **Établir, fixer.** *On l'a casé dans ce petit emploi, en attendant qu'il ait une situation.*

1 La chaire donnée à Quinet, il l'avait refusée pour ne pas quitter Paris, ce qui diminuait ses chances d'être jamais *casé* comme il disait.
A. BILLY, Sainte-Beuve, Sa vie et son temps, I, Le romantique, 44, p. 313.

Par ext. *Elle a deux filles à caser,* à marier.

♦ **4** Érotique. Posséder sexuellement. — REM. Auguste le Breton *(l'Argot chez les vrais de vrais)* explique anecdotiquement ce sens par les *cases* du bagne de Saint-Laurent-du-Maroni, où les forçats se livraient à la prostitution ; mais la métaphore (→ Miser) est normale et régulière.

◆ **SE CASER** v. pron. (1798). Fam. → **Placer** (se). *Il n'a pas pu se caser dans cet hôtel. Il s'est casé dans l'administration. Elle a trouvé à se caser,* à se marier.

2 C'est une réserve *(sept mille francs)* en cas de malheur. Il faut que j'avise à les placer et à me caser moi-même, dès demain matin.
FLAUBERT, l'Éducation sentimentale, I, IV.

3 (...) les miteux s'y logèrent à quinze ! Le reste se casa où il put (...)
COURTELINE, Messieurs les ronds-de-cuir, 6e tableau, III.

COMP. **Recaser, recasement.**

**CASEREL** [kaz(ə)ʀɛl] ou **CASERET** [kaz(ə)ʀɛ] n. m. — XVIe, *caseret ;* lat. **casearia,* de *caseus* «fromage», forme normande de l'anc. franç. *chasière.*

Techn., régional. Moule à claire-voie dans lequel certains fromages sont mis en forme et égouttés. — On dit aussi *chaseret* [ʃazʀɛ] ou *caserette* [kazʀɛt] (n. f.).

**CASERNE** [kazɛʀn] n. f. — Av. 1547, «loge pour les (quatre) soldats qui montaient la garde» ; p.-ê. du provençal *cazerna* «groupe de quatre personnes», du lat. vulg. *quaderna,* altér. de *quaterna ;* cette hypothèse est contestée par P. Guiraud qui voit dans le provençal *cazerna* un dér. de *casa* «maison» sur le modèle de *caverne, taverne.*

♦ **1** (1680). Bâtiment destiné au logement des troupes. → **Baraquement, casernement, quartier.** *Cour de caserne. Garnison* établie dans une caserne. Soldat consigné à la caserne. Les chambrées, la cantine, le foyer, la salle de police, le poste de garde... d'une caserne. La vie de la caserne :* réveil, lever des couleurs, exercice, corvées, appel et contre-appel, extinction des feux... *La discipline, le régime de la caserne. Caserne d'infanterie, de cavalerie, de gendarmerie, des pompiers. Être à la caserne,* être soldat.

1 Je continuai ma course jusqu'à la dernière cour devant les casernes. Là nous attendaient nos soldats.
A. DE VIGNY, Servitude et Grandeur militaires, II, 12.

2 (...) cette grande communauté qu'est une caserne où, le temps ayant pris la forme de l'action, la triste cloche des heures était remplacée par la (...) joyeuse fanfare de ces appels (...)
PROUST, À la recherche du temps perdu, t. VI, p. 94.

3 – Soldat, lève-toi, soldat, lève-toi (...) La sonnerie reprenait aux quatre coins de la caserne.
J. ROMAINS, les Copains, V, p. 189.

♦ **2** Fam. Grand immeuble peu plaisant, divisé en nombreux appartements.

4 Au coin d'Albert gate (...) s'élève l'Ambassade de France ; elle fut bâtie, conjointement avec la maison qui lui fait face, en 1852 (...) ; c'étaient les maisons les plus hautes de Londres, et comme ces deux casernes carrées ne trouvaient pas de locataires, on les surnommait Malte et Gibraltar, parce qu'imprenables.
Paul MORAND, Londres, p. 122 (1933).

Fam., péj. Établissement (école, lycée), entreprise où règne une discipline pesante.

DÉR. **Caserner, casernier.**

**CASERNEMENT** [kazɛʀnəmɑ̃] n. m. — 1800 ; de *caserner.*

♦ **1** Action de caserner. *Le casernement des troupes. Officier de casernement.*

Fait d'être caserné.

Au mois de janvier, le froid deviendrait tel qu'il ne serait plus possible de mettre le pied dehors, sans péril pour la vie. Pendant deux mois au moins, l'équipage serait condamné au casernement le plus complet ; puis le dégel commencerait (...) 1
J. VERNE, Un hivernage dans les glaces, p. 269.

♦ **2** Ensemble des constructions ; construction d'une caserne. → **Caserne.** *Revue de casernement. Les casernements affectés aux troupes. De vieux casernements désaffectés.*

Cette salle, il le remarque à présent, se distingue par un détail important des véritables chambrées de casernement militaire : il n'y a pas de planche à paquetage, courant le long du mur, au-dessus des lits. 2
A. ROBBE-GRILLET, Dans le labyrinthe, p. 106.

**CASERNER** [kazɛʀne] v. — 1718 ; de *caserne.*

♦ **1** V. tr. Loger dans une caserne. *Caserner une troupe, un régiment. Être caserné dans une ville frontière.* — Au p. p. *Troupes casernées.*

Est-ce qu'ils oseront rentrer sur nos hauteurs, 1
Ces anciens laboureurs et ces anciens pasteurs
Que l'Autriche aujourd'hui caserne dans ses bouges ?
HUGO, la Légende des siècles, XXXI, «Le régiment du baron Madruce», II.

(...) ma ville natale dotée d'une garnison, eut le spectacle d'une bien émouvante cérémonie : la remise de son nouvel étendard au régiment qui y était caserné. 2
Georges LECOMTE, Ma traversée, p. 33.

L'homme devait être caserné dans la ville même, ou dans ses environs immédiats, en attendant sa montée en ligne ; sans cela, il n'aurait pas pu venir embrasser sa femme avant de partir. Mais où les casernes se trouvent-elles dans cette cité ? 3
A. ROBBE-GRILLET, Dans le labyrinthe, p. 71.

Soumettre au régime de la caserne, de l'internat ; enfermer. *Caserner un élève.*

♦ **2** V. intr. Être logé dans une caserne. *Les troupes casernent dans cette ville.*

DÉR. **Casernement.**

**CASERNIER, IÈRE** [kazɛʀnje, jɛʀ] n. m. et adj. — 1838 ; de *caserne.*

♦ **1** Agent du génie militaire chargé du matériel d'un casernement.

♦ **2** Adj. (1876). Rare. Qui tient de la caserne. *Des manières casernières.*

**CASÉUM** [kazeɔm] n. m. — D. i. (XXe) ; lat. *caseum* «fromage».

Pathol. Nécrose amorphe, de couleur blanchâtre ou jaunâtre, des tissus tuberculeux infectés. *Caséum ramolli, sec.*

**CASH** [kaʃ] adv. et n. m. — 1916 ; angl. *cash* «argent liquide».

Anglicisme. Familier.

♦ **1** Adv. Par un versement comptant. *Payer cash.* → **Comptant, recta** (fam.). *Cent mille francs cash.*

(...) Simon donc alla trouver qui de droit, conclut un arrangement liquidatif, paya cash (...)
Roger IKOR, les Fils d'Avrom, Les eaux mêlées, p. 635.

♦ **2** N. m. Acompte. *Le montant de ce cash pourra être à valoir sur le montant des premières redevances annuelles.*

**HOM.** **Cache.**

**CASH AND CARRY** [kaʃɛndkaʀi] n. m. — 1968; mot angl., de *cash* «comptant», et *to carry* «emporter».

Anglic. (écon.). Formule de vente en gros utilisant le libre-service avec paiement comptant. — On dit aussi *libre-service de gros.* Recomm. off. : *payer-prendre.*

**CASHER** [kaʃɛʀ] adj. → **Kascher.**

**CASHEW** [kaʃu] n. m. → **Cajou.**

**CASH-FLOW** [kaʃflo] n. m. — 1966, *in* Höfler; mot angl., de *cash* «comptant», et *flow* «écoulement».

Anglic. (écon.). Ratio comptable permettant de déterminer les possibilités d'autofinancement d'une entreprise (→ **Liquidité**). — **REM.** L'abréviation *M. B. A.** (marge* brute d'autofinancement) peut remplacer cet anglicisme; on a proposé *argent vif,* mais *cash-flow* est d'usage très répandu dans les milieux d'affaires.

**CASHMERE** [kaʃmiʀ] n. m. Anglicisme. → **Cachemire.**

**CASIER** [kazje] n. m. — 1765, *Encyclopédie;* de *case.*

♦ **1** (1814). Ensemble de cases, de compartiments pouvant former meuble de rangement. → **Cartonnier, case** (II., 2.), 3. **casse, classeur.** *Casier de bibliothèque. Casier à musique, à disques. Ranger des dossiers dans un casier. Casier métallique. Casier à bouteilles.*

Par métaphore. Subdivision, élément d'une classification. → **Division.**

1 Pas de vivant qui n'ait son compartiment dans le casier de l'imaginaire.

HUGO, Post-Scriptum de ma vie, Promontorium somnii, III.

♦ **2** (1860). **CASIER JUDICIAIRE** et, absolt, **CASIER** : relevé des condamnations prononcées contre qqn (ainsi que des mesures de sûreté, des décisions disciplinaires, etc.); le service qui établit ce relevé. *Inscription au casier judiciaire. Avoir un casier judiciaire chargé. Casier judiciaire vierge,* sans condamnations. *Bulletins de casier judiciaire. Extrait de casier judiciaire. — Son casier est vierge, est chargé.*

*Casier fiscal :* relevé des impositions et, le cas échéant, des amendes fiscales dont un contribuable a été l'objet; service qui établit ce relevé.

♦ **3** (1765). Nasse* d'osier ou de grillage métallique servant à la capture des crustacés. *Casier à homards, à langoustes, à crabes, à crevettes.*

2 (...) il était allé faire une commande à certain vannier de ce village, qui avait seul dans le pays la bonne manière pour tresser les *casiers* à prendre les homards.

LOTI, Pêcheur d'Islande, II, III, p. 86.

Emballage en forme de caisse à claire-voie pour les crustacés. *Expédition de langoustes en casiers.*

**CASILLEUX, EUSE** [kazijø, øz] adj. — 1676; orig. incert.; l'hypothèse d'un croisement avec *casser,* ou celle d'un croisement de *casser* avec *casuel* «fragile» ne sont pas entièrement convaincantes; on a également proposé un rattachement au provençal *cassilhous,* même sens.

Techn. Se dit du verre qui se casse au lieu de se couper sous le diamant. *Verre casilleux.*

**CASIMIR** [kazimiʀ] n. m. — 1790; *casinire,* 1686; altér. angl. *cassimere,* n. angl. de la province indienne de *Cachemire.* → Cachemire.

♦ **1** Anciennt. Étoffe de laine croisée, mince et légère. *Être habillé en casimir.*

(...) les gens (...) revêtaient par la pensée ce monsieur de bottes à revers, d'une culotte de casimir vert-pistache à nœud de rubans (...)

BALZAC, le Cousin Pons, Pl., t. VI, p. 526.

♦ **2** (1866). Fam., vx. Gilet (parce que les gilets étaient souvent faits de cette étoffe).

**CASING** [kaziŋ] n. m. — 1888, *in* Höfler; angl. *casing,* de *to case* «mettre en caisse, envelopper».

Anglic., techn. Tubage extérieur, dans un sondage pétrolier. *Casings concentriques.*

**CASINO** [kazino] n. m. — 1740; ital. *casino* «maison de plaisance», puis «maison de jeu».

Établissement public comportant des salles de réunion, de spectacle, de danse, et où les jeux d'argent sont autorisés. *Le casino d'une station thermale, d'une ville d'eau, d'une station balnéaire, d'une plage. Le casino municipal. La salle de jeu, le dancing, le bar, le théâtre d'un casino. Jouer à la roulette, à la boule, au baccara dans un casino. Passer ses soirées dans les casinos.*

Je le fis entrer dans le petit Casino (...) maintenant plein du tumulte des jeunes filles qui, faute de cavaliers, dansaient ensemble. 1

PROUST, À la recherche du temps perdu, t. IX, p. 249.

Les riches casinos ne m'attirent pas. L'atmosphère éclairée par les lustres électriques m'ennuie. 2

Jean GENET, Journal d'un voleur, p. 38.

**DÉR.** **Casinotier.**

**CASINOTIER** [kazinɔtje] n. m. — Av. 1980, *le Monde,* 18 janv.; de *casino.*

Fam. Exploitant d'un casino. *«Un répit dans la dégradation constante de la situation financière des maisons de jeu, comme le pensent les "casinotiers"»* (*le Monde,* 18 janv. 1980, p. 12). — **REM.** Le fém. est virtuel.

**CASOAR** [kazɔaʀ] n. m. — 1733; *casouard,* 1677; lat. zool. *casoaris,* malais *kasuwāri.*

♦ **1** Oiseau coureur *(Casuaridés)* de grande taille, dont la tête et le cou sont dépourvus de plumes, et qui porte sur le front un appendice corné. *Casoar à casque. Les ailes du casoar sont plus courtes que celles de l'autruche. L'émeu* appartient à la même famille que le casoar.*

Nos gros oiseaux sont fort petits, si on les compare au casoar. BUFFON, Hist. nat. des oiseaux, Le casoar. 1

♦ **2** (1855). Plumet blanc et rouge ornant le shako des saint-cyriens. — Par ext. Shako orné du casoar.

Corrida ce soir entre la tarte aux champignons et les prunes. À propos de rien, comme d'habitude : du casoar des saint-cyriens qui montèrent à l'assaut en 1914, avec pantalons rouges et gants blancs. 2

Benoîte et Flora GROULT, Journal à quatre mains, p. 94.

**CASQUE** [kask] n. m. — Fin XVI^e; esp. *casco* «tesson, crâne», puis «casque», de *cascar* «briser», du lat. pop. **quassicare.* → Casser.

**I** Coiffure rigide recouvrant la tête afin de la protéger; ce qui rappelle la forme d'un casque.

♦ **1** Coiffure* militaire, généralement en cuir ou en métal, qui couvre et protège la tête. → (anciennt)

**Armure** (de tête); **armet, bassinet, bourguignotte, cabasset, capeline, heaume, morion, salade.** *Calotte d'un casque.* → **Timbre.** *Sommet du casque.* → **Apex, cimier, crête.** *Partie d'un casque protégeant le nez* (→ **Nasal),** *la gorge* (→ **Gorgerin),** *le menton* (→ **Mentonnière),** *les oreilles* (→ **Oreillon),** *la nuque* (→ **Couvre-nuque),** *le front et les yeux* (→ **Mézail, visière).** *Casque morné*, à visière close. Fentes dans la visière close d'un casque.* → **Ventail, vue.** *Casque de tournoi.*

1 Il sortait de leur casque un souffle d'épopée (...)
HUGO, la Légende des siècles, XX, Les quatre jours d'Elciis, I.

(Époque moderne et contemporaine). *Casque de dragon, de cuirassier. Casque à pointe :* ancien casque des soldats allemands (et, par ext., le soldat allemand portant ce casque). *Le casque anglais, le casque français, le casque américain... ont des formes différentes. Casque lourd,* en acier. *Casque léger,* en matière plastique.

Par métonymie. *Casques d'acier* (trad. de l'all.) : nom d'un groupe nationaliste allemand créé en 1918. — (1960, in D. D. L.). *Casques bleus,* nom donné aux troupes internationales de l'O. N. U. → **Onusien** (forces onusiennes).

1.1 PREMIER CONTINGENT : le 9 août, le Conseil de sécurité demande à la Belgique de retirer ses troupes du Katanga et autorise le secrétaire général à envoyer des Casques bleus à Élisabethville.
Jean ZIEGLER, Main basse sur l'Afrique, p. 252.

♦ **2** Coiffure protectrice. *Casque de motocycliste. Les motocyclistes et les cyclomotoristes doivent porter le casque.* — (1966). *Casque intégral* :* casque emboîtant qui protège toute la tête, bouche et menton compris, avec une visière transparente s'abaissant sur les yeux. — *Casque d'aviateur. — Casque de pompier. — Casque de scaphandrier. — Le port du casque est obligatoire dans certains sports, sur les chantiers. Casque de mineur* (→ 1. **Barrette),** *de spéléologue, muni d'une lampe.*

2 Ils *(des joueurs de rugby américains)* ont le crâne protégé par un casque à bourrelets, et de même les tibias par des jambières à la romaine.
G. DUHAMEL, Scènes de la vie future, XII, p. 180.

Vieilli. *Casque colonial :* coiffure renforcée de liège, destinée à protéger la tête du soleil.

♦ **3** Fam., vx. CASQUE À MÈCHE [kaskamɛʃ] : bonnet de coton, bonnet de nuit. — On rencontre la graphie plaisante *casquamèche :*

2.1 La ville avait pris le dessus sur les pensées d'Armand (...) Les lettres d'or aux balcons des commerces de gros, baroques et lyriques, achevaient de déconcerter ses yeux neufs (...) Des hercules en casquamèche le bousculèrent. Il se sentait petit au milieu (...) de ces torses de lutteurs asservis.
ARAGON, les Beaux Quartiers, p. 319.

♦ **4** Dispositif qui coiffe la tête. *Casque téléphonique* ou *radiophonique, casque d'écoute :* appareil récepteur constitué par deux écouteurs reliés entre eux par un support formant serre-tête. *Écouter au casque. Le casque d'un walkman. Casque de radiotélégraphiste (sur un avion).*

Appareil à air chaud, en forme de casque, qui sert à sécher les cheveux. → **Séchoir.** *Être sous le casque.*

2.2 Des clientes étaient assises, coiffées du casque qui séchait leurs cheveux. Des employées en blouse blanche virevoltaient autour d'elles. Une autre trônait à la caisse.
P. GUTH, le Mariage du naïf, p. 109.

♦ **5** Par métaphore (cheveux). *Un casque de cheveux noirs.* — Par métonymie. *Casque d'or :* nom de l'héroïne blonde d'une lutte entre Apaches (→ 2. Apache, cit. 1). *Casque d'or,* film de Jacques Becker (1952) inspiré par ce fait divers.

Je me représentai sa majesté native, 3
Son regard de vigueur et de grâces armé,
Ses cheveux qui lui font un casque parfumé.
BAUDELAIRE, les Fleurs du mal, Spleen et idéal, XXXII.

(...) un front carré dans un casque de cheveux très noirs. 4
Paul BOURGET, le Disciple, IV, p. 159.

Spécialt. Coiffure féminine où les cheveux sont relevés en cimier. *Cheveux en casque.*

♦ **6** Par métonymie. Fam. (Dans des loc.). La tête. (1710, in D. D. L.). *S'en donner dans le casque :* s'enivrer. — *Avoir le casque :* éprouver une violente migraine pour avoir trop bu (→ Gueule de bois).

♦ **7** Blason. Représentation d'un casque, d'un heaume sur l'écu ou en ornement extérieur.

Qu'est devenue la distinction des casques et des *heaumes* 5
(...) il ne s'agit plus de les porter de front ou de côté, ouverts ou fermés (...)
LA BRUYÈRE, les Caractères, XIV, 5.

**II** Sc. nat. Plante ou animal qui évoque, en tout ou partie, la forme d'un casque. ♦ **1** (1771). Bot. Pièce supérieure, dont le profil voûté évoque un casque (du calice ou de la corolle de certaines fleurs). *Le casque d'un calice. — Fleur en casque,* ayant cette forme. *L'aconit, la sauge, les orchidées sont des fleurs en casque.*

♦ **2** (1845). Zool. Appendice calleux qui surmonte la tête ou le bec (de divers oiseaux). *Le casque corné du casoar.* — Partie rigide de la tête (de certains insectes).

♦ **3** (1676). Mollusque gastéropode univalve à coquille renflée et spiralée (n. sc. : *Cassis*).

Les fonds étaient clairs. Un ami Saintois *(de l'archipel des Saintes)* leur laissait sa barque, et en échange, ils lui ramenaient des poissons armés et ces grands coquillages appelés «casques». 6
Claude COURCHAY, la Vie finira bien par commencer, p. 186.

DÉR. **Casqué,** 1. **casquer, casquette.**

## CASQUÉ, ÉE [kaske] adj. — 1734; de *casque.*

♦ **1** Coiffé d'un casque. *Médaille à tête casquée.*

*(Itobad)* ne doutait pas qu'étant casqué, cuirassé, brassardé, il ne vînt aisément à bout d'un champion en bonnet de nuit et en robe de chambre.
VOLTAIRE, Zadig, 21.

*Des motards, des ouvriers casqués. Les policiers casqués et protégés par des boucliers, attendaient les manifestants. — Casqué de..., par...* (rare). *Les «barbares, casqués d'airain»* (Barrès). *Chevalier casqué d'un heaume.* — Par métaphore. *«Les pigeonniers casqués de tuiles vernissées»* (Giono).

Par ext. *Une femme casquée d'épais cheveux noirs.*

♦ **2** *Aiguière casquée,* en forme de casque renversé.

♦ **3** Zool. Se dit d'un oiseau dont le bec ou la tête porte une protubérance calleuse; se dit du bec, de la tête. *Bec, tête casquée.*

HOM. 1. **Casquer,** 2. **casquer.**

## 1. CASQUER [kaske] v. tr. — 1883; de *casque.*

♦ **1** Rare. Coiffer (qqn) d'un casque ou comme avec un casque. → **Casqué.** — Pron. *Se casquer.*

Knock (...) va prendre un laryngoscope à réflecteur, s'en casque lentement, en projette soudain la lueur aveuglante sur le visage du gars (...) Quand l'autre est maté, il lui désigne la chaise longue.
J. ROMAINS, Knock, II, 6, p. 123.

♦ **2** (Le sujet désigne la coiffure). Littér. *Le chapeau qui casquait ses cheveux. Les cheveux épais qui semblaient le casquer.*

Au passif (plus cour.). *Être casqué de..., par,* coiffé comme par un casque.

HOM. **Casqué, 2. casquer.**

2. **CASQUER** [kaske] v. — 1836, «tomber dans un piège», puis, 1844, «payer»; ital. *cascare* «tomber». → Cascade.

Familier.

♦ **1** V. intr. Donner de l'argent, payer*. *Faire casquer qqn.*

1 (...) elle s'est mise à jouer, au Casino (...) Je l'ai su le jour où elle m'a écrit pour me demander de l'argent (...) Comme cela me donnait barre sur elle, j'ai casqué, sans protester (...)
J. ROMAINS, les Hommes de bonne volonté, t. XXII, p. 65.

2 Lucie eut un petit rire : «Vous n'imaginez pas que je viendrais vous demander de l'argent ? Voilà trois ans que je casque, et j'étais prête à continuer. J'ai même offert le gros sac à Mercier pour lui racheter le dossier, mais il est malin, il voyait loin.»
S. DE BEAUVOIR, les Mandarins, p. 171.

♦ **2** V. tr. [a] *Casquer une grosse somme d'argent, cent francs.*

3 (...) j'organise une série de conférences avec des conférenciers bénévoles. Des snobs, prêts à casquer deux mille balles pour vous voir en chair et en os, il s'en ramènera à la pelle, je suis tranquille.
S. DE BEAUVOIR, les Mandarins, p. 250.

[b] Vieilli. Payer (qqn). *Casquer son propriétaire* (Bruant).

DÉR. **Casqueur.** ◊ HOM. **Casqué, 1. casquer.**

**CASQUETTE** [kaskɛt] n. f. — 1813; de *casque,* suff. dimin. *-ette.*

♦ **1** Coiffure formée d'une coiffe souple ou rigide, et munie d'une visière*. — REM. La casquette est à l'origine et jusqu'à une époque récente, une coiffure masculine. Les casquettes à coiffes et visières rigides sont caractéristiques des uniformes, notamment militaires.

*Casquettes civiles :* s'oppose à *chapeau,* à *béret.* → fam. **Bâche, gâpette.** *Casquette de drap, de toile.* — Anciennt. *Casquette d'apache. Casquette à pont, à trois ponts* (coiffure traditionnelle du souteneur au XIXe siècle). — *Casquette à couvre-nuque, à oreilles, à oreillettes. Casquette fourrée. Casquette haute, basse* (fam., vx → Tampon*). *Casquette d'ouvrier* (au XIXe siècle; → ci-dessous, 2.). *La casquette de Gavroche. — Casquette à carreaux, en tweed. Elle vient de s'acheter une casquette en velours.* — Spécialt. *(Casquette de sport). Casquette de jockey, de joueur de base-ball. Casquette hémisphérique des cavaliers.* → **Bombe.**

1 Le dôme de la halle au blé est une casquette de jockey anglais sur une grande échelle.
HUGO, Notre-Dame de Paris, III, 2.

2 (...) un homme (...) non ! une casquette, une énorme casquette en peau de lapin, qui ne disait pas grand'chose et regardait la route d'un air triste.
Alphonse DAUDET, Lettres de mon moulin, p. 14.

2.1 (...) le *nouveau* tenait encore sa casquette sur ses deux genoux. C'était une de ces coiffures d'ordre composite, où l'on retrouve les éléments du bonnet à poil, du chapska, du chapeau rond, de la casquette de loutre et du bonnet de coton, une de ces pauvres choses, enfin, dont la laideur muette a des profondeurs d'expression comme le visage d'un imbécile. Ovoïde et renflée de baleines, elle commençait par trois boudins circulaires; puis s'alternaient, séparés par une bande rouge, des losanges de velours et de poil de lapin; venait ensuite une façon de sac qui se terminait par un polygone cartonné, couvert d'une broderie en soutache compliquée, et d'où pendait, au bout d'un long cordon trop mince, un petit croisillon de fils d'or, en manière de gland. Elle était neuve; la visière brillait. FLAUBERT, Mme Bovary, I, I, Pl., p. 328.

*Les chasseurs de casquettes* (le passage de Daudet a été repris par dérision; *chasseur de casquettes :* chasseur maladroit, incapable de tuer le moindre gibier).

Quand on est bien lesté (...) on se met en chasse. C'est-à-dire que chacun de ces messieurs prend sa casquette, la jette en l'air de toutes ses forces et la tire au vol (...) Inutile de vous dire qu'il se fait dans la ville un grand commerce de casquettes de chasses. Il y a même des chapeliers qui vendent des casquettes trouées et déchiquetées d'avance à l'usage des maladroits (...) 3
Alphonse DAUDET, Tartarin de Tarascon, I, 2, «Les chasseurs de casquette».

(*Casquettes d'uniformes,* de forme caractéristique, souvent rigide; s'oppose à *képi,* à *bonnet de police*). *Casquette d'officier allemand, américain, anglais. Casquette d'officier de marine, d'aviateur. Casquette d'agent des postes, de contrôleur des chemins de fer, de chef de gare.*

Vx. Képi à coiffe non rigide des officiers de l'armée d'Afrique. *L'as-tu vue, la casquette, la casquette, L'as-tu vue, la casquette du père Bugeaud ?* (marche des zouaves).

Loc. fig. *Avoir plusieurs casquettes :* détenir un poste-clef dans différentes entreprises. *Changer de casquette,* d'affectation, de fonction.

*Faire porter la casquette (à qqn) :* faire endosser (à qqn) la responsabilité d'un acte, d'une décision, dont on est l'instigateur. → **Chapeau.**

♦ **2** Par métonymie, vieilli. (Symbole de condition sociale). — *(Casquettes civiles). Les casquettes,* opposés aux *chapeaux :* les ouvriers, opposés aux bourgeois. *(Casquettes militaires).* — Vx. *Vieille casquette :* officier (péj., → Vieille baderne). — *Casquette plate :* officier allemand (en 1941-1945).

♦ **3** Loc. fam. (vx). *Être casquette,* un peu ivre.

DÉR. et COMP. **Casquetté, casquetterie, casquettier, casquettifère.**

**CASQUETTÉ, ÉE** [kaskete] adj. — 1850, Balzac; de *casquette.*

Par plais. Coiffé d'une casquette.

**CASQUETTERIE** [kaskɛtʀi] n. f. — XXe; de *casquette.*

Travail, commerce du casquettier.

Désormais, il *(le casquettier)* ne connut qu'un travail honnête et fade; de la casquetterie sans joie.
Roger IKOR, les Fils d'Avrom, La greffe de printemps, p. 177.

**CASQUETTIER, IÈRE** [kasketje, jɛʀ] n. — 1867; de *casquette.*

Personne qui fabrique ou vend des casquettes.

(...) j'aperçus dans une des boîtes en verre de la cour Zelten en personne, assis près d'un casquettier et qui, toutes les minutes, pour tromper sans doute une surveillance, se coiffait d'une casquette.
J. GIRAUDOUX, Siegfried et le Limousin, p. 225.

**CASQUETTIFÈRE** [kasketifɛʀ] adj. et n. — V. 1850, mot forgé par Balzac; de *casquette,* et *-fère.*

Fam., vx. Porteur de casquette (ce qui connote au XIXe siècle la médiocrité petite-bourgeoise; cf. Casquette, cit. 2.1).

**CASQUEUR, EUSE** [kaskœʀ, øz] n. — Fin XIXe; de 2. *casquer.*

Rare. Personne qui «casque», qui paye.

**CASSABLE** [kasabl] adj. — XVe, *quassable;* de *casser.*

♦ **1** Qui peut être cassé facilement. → **Cassant, fragile.**

♦ **2** Dr. Qui peut être cassé, annulé. *Un mariage cassable.*

CONTR. (Du sens 1.) **Incassable** (plus courant). ◊ COMP. **Autocassable, incassable.**

**CASSAGE** [kasaʒ] n. m. — 1838; de *casser.*

Action de casser. *Cassage des minerais.* → **Concassage.** — Agric. *Cassage des mottes :* opération qui accompagne le premier labour. → **Brise-mottes.**

Loc. (de *casser les vitres*). *Cassage de vitres :* intervention brutale, déclaration abrupte.

*Cassage de pieds :* le fait de casser* les pieds à qqn. → **Casse-pieds.** *Cassage de gueule :* violente altercation, souvent accompagnée de voies de fait.

Pour un peu avant-hier les journaux auraient eu à mentionner un nouveau cassage de gueule entre automobilistes. S. DE BEAUVOIR, les Belles Images, p. 119.

**CASSANDRE** [kasɑ̃dʀ] n. f. invar. — 1845; 1823 au masc.; de *Cassandre,* nom d'une prophétesse de la mythologie grecque.

Loc. *Jouer les Cassandre :* faire des prophéties pessimistes au risque de déplaire ou de ne pas être cru. *«Sans jouer les Cassandre ni les esprits chagrins, il faut bien constater que l'inflation n'est pas – pas encore – un phénomène du passé»* (*le Monde,* 1er févr. 2000, p. 14).

N. f. Prophète de mauvais augure. *Les prévisions des Cassandre* (ou *des Cassandres*).

**CASSANT, ANTE** [kasɑ̃, ɑ̃t] adj. — 1538; de *casser.*

♦ **1** (Se dit d'une matière rigide). Qui se casse, se rompt aisément; qui n'est pas souple. → **Cassable** (sens différent), **fragile.** *Métal cassant. L'acier trempé est cassant. Une glace cassante. Des branches d'arbres cassantes,* qui se rompent à la moindre flexion. *Cassant comme du verre.*

1 L'indigotier est une plante droite et assez touffue; de sa racine s'élève une tige ligneuse, cassante. G. I. RAYNAL, Hist. philosophique..., VI, 7.

*Poire cassante,* qui croque sous la dent (par oppos. à *poire fondante*).

♦ **2** (1824). Personnes. Qui affecte une attitude autoritaire, intransigeante. → **Absolu, brusque, dur, impérieux, inflexible, tranchant.** *Il est trop cassant avec ses collaborateurs. «Le vieux gentilhomme sec et cassant»* (A. France). *Caractère cassant.*

Par ext. *Un ton cassant.* → **Coupant, péremptoire, sec.** *Une voix cassante.*

2 Là, au milieu des chefs rassemblés, entouré de leurs regards inquiets (...) il semble vouloir les repousser de son attitude sévère et d'une voix brusque, cassante et concentrée (...) Ph. P. SÉGUR, Hist. de Napoléon, VI, 4.

3 *(Fénelon)* avait tous les dons de l'esprit dans une nonchalance caressante; comme Voltaire avait tous les dons de l'esprit dans une impétuosité conquérante et une certaine sécheresse cassante d'allures. É. FAGUET, Études littéraires, XVIIe s., Fénelon, IV, p. 473.

N. m. *Il a du cassant dans le caractère.*

♦ **3** (1947; de *se casser la tête,* etc.). Fatigant. *Ce n'est pas très cassant.* → **Foulant** (familier).

(Dans des constructions négatives). Qui est singulier, remarquable. *Ton travail n'a rien de cassant,* rien d'extraordinaire.

CONTR. **Flexible, malléable, résistant, solide, souple. – Affable, aimable, amène, doux, gentil. – Reposant. – Exceptionnel.**

**CASSATE** [kasat] n. f. — V. 1950; ital. *cassata,* mot sicilien désignant initialement une pâtisserie aux fruits confits.

Glace aux fruits confits (→ **Plombières**), enrobée d'une glace à un autre parfum.

1. **CASSATION** [kasasjɔ̃] n. f. — 1413; de *casser.*

♦ **1** Dr. Annulation (d'une décision juridictionnelle, juridique ou administrative) par une cour compétente. *La cassation d'un jugement, d'un acte, d'une procédure, d'un testament.*

Spécialt. Annulation par la Cour de cassation (voir ci-dessous) ou le Conseil d'État d'une décision juridictionnelle rendue en dernier ressort, et attaquée par un pourvoi pour vice de forme, violation de la loi... *Demande, pourvoi*, recours en cassation. Moyens de cassation :* les raisons alléguées pour faire casser un arrêt, un jugement. *Se pourvoir en cassation. Aller en cassation. Requête en cassation,* examinée par la Chambre des requêtes. → **Requête.** *Prononcer la cassation d'un arrêt. Renvoi après cassation.* → **Renvoi.**

(1804; d'abord *tribunal de cassation,* 1790). **COUR DE CASSATION :** juridiction suprême de l'ordre judiciaire dont l'attribution essentielle est de statuer sur les pourvois formés contre une décision judiciaire (→ **Cour**). *La Cour de cassation exerce aussi un pouvoir disciplinaire sur les membres des autres juridictions.* — Abrév. fam. : *la Cour de cass'.*

J'ajoutai qu'il était à propos de demander à la chambre des vacations du parlement de Rouen les motifs qu'il avait eus pour nous mettre en état d'opiner en connaissance de cause sur la cassation ou la manutention de l'arrêt (...) 1
SAINT-SIMON, Mémoires, 520, 160.

Tous les arrêts motivés rendus par la Cour de cassation sont insérés dans un bulletin mensuel, distinct pour les chambres civiles et pour la chambre criminelle. 2
Loi 23 juil. 1947, art. 62.

Le demandeur en Cassation doit, à peine de déchéance, produire son mémoire ampliatif dans un délai de six mois, à compter du dépôt du pourvoi. 3
Loi du 23 juil. 1947, art. 19.

♦ **2** Admin. Peine militaire par laquelle un caporal ou un sous-officier est cassé de son grade et replacé dans la position de soldat de deuxième classe. → **Dégradation.**

HOM. 2. **Cassation.**

2. **CASSATION** [kasasjɔ̃] n. f. — 1890; ital. *cassazione* «départ».

Mus. Divertissement écrit pour instruments (à vent, à cordes) et pour être exécuté en plein air. *Une cassation de Mozart.*

La cassation (de *cassazione :* départ) est une sorte de divertissement plus spécialement destiné à être exécuté en plein air, le soir : d'où son instrumentation, où dominent les vents. Très en vogue à l'époque du style galant (seconde moitié du XVIIIe), cette forme a été complètement négligée depuis (...) 1
André HODEIR, les Formes de la musique, p. 27.

Je lui demandais ce que voulaient dire les expressions : cassation, altérer les sensibles, flûte obligée, basse continue, flûte traversière. Isabelle, sans une phrase, m'offrit un livre : *La Musique et les Musiciens.* 2
Violette LEDUC, la Bâtarde, p. 131.

HOM. 1. **Cassation.**

**CASSAVE** [kasav] n. f. — 1599; esp. *cazabe,* mot de Haïti.

Galette cuite de fécule de manioc; cette fécule.

1. **CASSE** [kas] n. f. — 1341; anc. provençal *cassa,* du lat. pop. *cattia* «poêle», du grec *kuathion,* dimin. de *kuathos.*

Technique.

♦ **1** Récipient qui reçoit le métal en fusion, dans une fonderie.

♦ **2** Récipient, souvent à usage domestique, qui ressemble à une cuillère. *Casse de verrier,* servant à enlever les impuretés sur le verre en fusion. *Casse de savonnier :* poêlon de cuivre servant à verser l'eau sur la chaux. — Par ext. (vx). *Casse à rôt.* → **Lèchefrite.**

♦ **3** Régional (Suisse). Casserole. — Poêle à frire.

**DÉR. Casserole, cassolette.** ◇ **HOM.** 2. **casse,** 3. **casse,** 4. **casse,** 5. **casse.**

2. **CASSE** [kas] n. f. — 1256, *cassee;* lat. *cassia,* grec *kassia* «cannelier».

♦ **1** Bot. Plante dicotylédone *(Légumineuses-césalpinées),* scientifiquement appelée *cassia,* arbre ou herbe exotique dont les fruits *(gousses)* sont d'aspect variable. → aussi **Cassie.** *La pulpe de la gousse de la casse était utilisée anciennement en médecine comme laxatif.*

♦ **2** Pharm. Substance médicamenteuse extraite de cette plante. — Prov. (vx). *Passez-moi la casse, je vous passerai le séné* : faisons-nous de mutuelles concessions.

Pour réussir, il faut attendre le moment où l'on me demandera quelque service à moi. Je pourrai dire alors : je vous passe la casse, passez-moi le séné (...)
BALZAC, la Cousine Bette, Pl., t. VI, p. 360.

Syn. : 1. *cassier, canéficier.*

**DÉR.** 1. **Cassier.** ◇ **HOM.** 1. **Casse,** 3. **casse,** 4. **casse,** 5. **casse.**

3. **CASSE** [kas] n. f. — 1675; ital. *cassa* «caisse».

Imprim. Boîte sans couvercle divisée en casiers (→ **Cassetin**), contenant les caractères d'imprimerie nécessaires au compositeur. *Les caractères sont rangés dans la casse. — Une casse contenant des caractères en réserve.* → **Bardeau.** *Moitié de casse.* → 1. **Casseau.** *Meuble où sont rangées les casses.* → **Cassier.** *Divisions de la casse.* → **Cassetin.** — Loc. *Haut de casse :* partie supérieure de la casse divisée en petites loges ou cassetins* et qui contient les caractères les moins fréquemment employés (capitales, lettres accentuées...). *Bas de casse,* dont les cassetins renferment les caractères courants. *Lettres du bas de casse,* ou lettres minuscules. *Composer un texte en bas de casse,* en minuscules.

(...) Picquenart nous donnait les paquets *(de caractères)* et nous chargeait de les ranger, selon l'ordre traditionnel, dans les petites loges des casses, que l'on appelle cassetins.
G. DUHAMEL, Chronique des Pasquier, V, VIII (cf. Caractère, cit. 6).

**DÉR.** 1. **Casseau,** 2. **cassier.** — V. aussi **Cassetin.** ◇ **HOM.** 1. **Casse,** 2. **casse,** 4. **casse,** 5. **casse.**

4. **CASSE** [kas] n. f. — 1640, au sens 1; subst. verbal de *casser.*

♦ **1** Vx. Décision par laquelle un officier était cassé de son grade. → **Cassation, dégradation.**

Vx. *Donner de la casse :* déposséder qqn de son emploi.

♦ **2** (1821). Action de casser, de se casser; résultat de cette action. → **Bris.** *Ces objets sont mal emballés, il y aura de la casse* (Académie). *Payer la casse. Répondre de la casse.* — Fig. *Je ne réponds pas de la casse :* je dégage ma responsabilité dans cette affaire.

0.1 Mais, là, ils trouvèrent l'honorable Batulcar, furieux, qui réclamait des dommages-intérêts pour «la casse».
J. VERNE, le Tour du monde en 80 jours, p. 204.

Techn. Le fait de se casser (en parlant de la fibre textile). → Casse-trame, cit.

Par métonymie. Surface coupante produite par la cassure d'un objet, d'un métal. *La casse de cette assiette est tranchante.*

♦ **3** Fam. Violence; perte qui en résulte. → **Dégât, grabuge.**

Tout à coup M. Eyssette devint terrible; c'était dans l'habitude une nature enflammée, violente, exagérée, aimant les cris, la casse et les tonnerres (...) 1
Alphonse DAUDET, le Petit Chose, I, I.

La guerre exagérait sa casse! Elle ne se conformait pas aux prévisions des règlements!... 2
MARTIN DU GARD, les Thibault, t. IX, p. 118.

Ils virent de nouveau un obus arriver, tomber droit sur le hangar, à la place qu'ils occupaient tout à l'heure. Le fracas fut épouvantable, le hangar s'abattit. Du coup, une joie folle fit danser le gamin, qui trouvait ça très farce. 3
— Bravo! en v'là de la casse!
ZOLA, la Débâcle, t. I, p. 282.

♦ **4** Fait de démonter, dépecer une vieille voiture. *Cette voiture accidentée est bonne pour la casse. — Mettre une voiture à la casse,* à la ferraille. *Vendre à la casse,* au poids brut, au prix de la matière première (→ **Casseur**).

Il s'est acheté à la casse un appareil de cinéma muet, il l'a eu pour une poignée de cerises, vu même que le père Jourde, le ferrailleur, n'en aurait pas voulu. 4
CAVANNA, les Ritals, p. 81-82.

♦ **5** Techn. (vitic.). Altération des vins, d'origine chimique ou diastasique. *Casse blanche :* précipité de phosphore et de fer. *Casse cuivreuse, ferrique. Casse brune.* — Altération analogue de la bière. *En brasserie, la casse est une étape normale de la fermentation.*

Par analogie :

Les émulsifiants sont destinés à empêcher les fines particules constituant la phase dispersée de l'émulsion de s'agglomérer, entraînant ainsi la «casse» de l'émulsion. 5
Charles BOURGEOIS, Chimie de la beauté, p. 78.

**HOM.** 1. **Casse,** 2. **casse,** 3. **casse,** 5. **casse.**

5. **CASSE** [kas] n. m. — 1899; déverbal de *casser* ou abrév. de *cassement.*

Argot. Cambriolage, cassement (4.). *Faire un casse* (→ **Casseur**).

Là, sûr, l'affaire tourne mal : pour que le juge ordonne une saisie, c'est qu'il va nous fiche le casse de la bijouterie sur les endosses. A. SARRAZIN, la Cavale, p. 40.

**HOM.** 1. **Casse,** 2. **casse,** 3. **casse,** 4. **casse.**

**CASSE-** Élément tiré du verbe *casser,* entrant dans la formation de mots composés, le second élément étant un substantif (voir à l'ordre alphabétique).

**CASSÉ, ÉE** [kase] adj. et n. m. — D. i.; p. p. de *casser.*

**I** Adj. → **Casser,** p. p.

**II** N. m. ♦ **1** Sports. *Cassé du corps :* position dans laquelle le corps est incliné vers l'avant (perche, ski...).

♦ **2** Techn (cuis., confis.). Degré de cuisson du sucre*, précédant la transformation en caramel. *Petit cassé, grand cassé.*

**HOM. Casser.**

1. **CASSEAU** [kaso] n. m. — 1723, Savary des Bruslons; de 3. *casse.*

Imprim. Moitié de casse* à grands compartiments et servant de réserve pour différents caractères.

2. **CASSEAU** [kaso] n. m. — 1832, Raymond; de *casser.*

Méd. vétér. Cylindre de bois à rainure que l'on utilise pour la castration (→ **Bistournage**) ou la cure des hernies de certains animaux. → **Billot.** — REM. S'emploie presque exclusivement au pluriel.

**CASSE-CHAÎNE** [kasʃɛn] n. m. — 1890, Encycl. Berthelot; de *casse-*, et *chaîne.*

Techn. Organe du métier à tisser produisant mécaniquement l'arrêt de celui-ci quand un fil de chaîne vient à se casser. → Casse-trame, cit. On dit aussi *casse-fil. Des casse-chaînes.*

Souvent, les métiers sont munis également de casse-chaînes. Un casse-chaîne est constitué par des lamelles métalliques en nombre égal à celui des fils de chaîne.
Charles MARTIN, la Laine, p. 74.

**CASSE-CŒUR** [kaskœʀ] n. m. — V. 1900; de *casse-*, et *cœur.*

Fam. Séducteur, don Juan. → **Brise-cœur, tombeur** (fam.). *Des casse-cœurs.*

Tu connais son genre. Un peu lourd, un peu brutal, avec des manières de casse-cœur.
M. AYMÉ, Travelingue, p. 193.

**CASSE-COU** [kasku] n. m. invar. — 1718, Académie; de *casse-*, et *cou.*

♦ **1** Passage, lieu où l'on risque de tomber. → **Brise-cou.** *Cet escalier est un véritable casse-cou. Des casse-cou.* — Fam., vx. *Aller au casse-cou :* aller à la guerre. → **Casse-gueule, casse-pipe.**

Interjection pour avertir celui qui a les yeux bandés qu'il est sur le point de se heurter contre quelque chose, au jeu de colin-maillard.

*Crier casse-cou à qqn,* l'avertir d'un danger probable. → **Avertissement; gare** (crier gare).

1 (...) la tête abandonne les mains et les yeux
Rit quand elle s'entend crier casse-cou
ÉLUARD, Ralentir travaux, *in* Œ. compl., t. I, Pl., p. 277.

♦ **2** Fam. Personne qui s'expose, sans réflexion, à un danger, qui commet témérairement des imprudences. → **Audacieux, imprudent, risque-tout, téméraire.** *C'est un casse-cou intrépide. Ces fillettes sont de vrais casse-cou.* — (Attribut). *Elles sont très casse-cou.*

2 (...) il y a une majorité stupéfiante de casse-cou, de batailleurs, de ressauteurs-nés, toujours prêts à relever un défi?
MARTIN DU GARD, les Thibault, t. VII, p. 144.

(1798). Spécialt. Palefrenier qui dresse des chevaux difficiles. — Par ext. Cavalier audacieux mais sans talent.

**CASSE-COUILLES** [kaskuj] n. et adj. invar. — 1936, Céline; de *casse-*, et *couilles.*

Très fam. Personne ennuyeuse, importune. → **Casse-pieds.** — Adj. *Ce que tu peux être casse-couilles!* — On trouve aussi *casse-bonbons, casse-burnes.*

**CASSE-CROÛTE** [kaskʀut] n. m. invar. — 1898; «instrument pour casser les croûtes de pain, à l'usage des vieillards», 1803; de *casse-*, et *croûte.*

♦ **1** Repas léger et sommaire pris rapidement. → **Casse-dalle** (fam.), **casse-graine** (fam.), **collation.** — REM. On rencontre le dér. *casse-croûter* [kaskʀute] v. intr. (fam.).

♦ **2** (Mil. XXe). Au Québec, pour éviter l'anglicisme *snack-bar.* Café, restaurant ou bar où l'on sert des repas rapides.

**CASSE-CUL** [kasky] n. et adj. invar. — 1740, Académie; de *casse-*, et *cul.*

Familier.

♦ **1** Vx. Chute sur le derrière. → **Tape-cul.** *Faire des casse-cul.*

♦ **2** (1949). Personne ou chose contrariante, qui importune. *Quel casse-cul!* — Adj. *Il, elle est casse-cul avec toutes ses histoires* (→ Il nous les casse). → **Casse-pieds.** — (Choses) *C'est casse-cul, ces recherches.*

Ça ne vient pas du tout, protesta-t-il en toussant.
— Ce que tu es casse-cul! cria Guiccioli courroucé. Quand on ne sait pas vomir, on ne boit pas.
SARTRE, la Mort dans l'âme, p. 109.

**CASSE-DALLE** [kasdal] n. m. — Mil. XXe; de *casser,* et 1. *dalle* «gorge, gosier» (→ Avoir la dalle).

Familier.

♦ **1** Repas léger pris rapidement. → **Casse-croûte.**

♦ **2** Sandwich. *Il a pris un casse-dalle et un demi dans un café. Des casse-dalle* (ou *des casse-dalles*).

**CASSE-FIL** [kasfil] n. m. Techn. → **Casse-chaîne.**

**CASSE-GRAINE** [kasgʀɛn] n. m. invar. — 1940; de *casse-*, et *graine.*

Fam. Repas sommaire. → **Casse-croûte.** *Emporter son casse-graine.* — Repas.

(...) l'invitation au casse-graine chez Maxim's : magnum de champ *(champagne)* [...]
Albert SIMONIN, Touchez pas au grisbi, p. 23.

**CASSE-GUEULE** [kasgœl] n. m. et adj. invar. — 1808; de *casse-*, et *gueule.*

Familier.

♦ **1** Vx. Eau-de-vie*, liqueur très forte. → **Tord-boyaux.** *Des casse-gueule* (on dit aussi *casse-poitrine, casse-pattes*).

Gervaise, pour ne pas se faire remarquer, prit une chaise 1
et s'assit à trois pas de la table. Elle regarda ce que buvaient les hommes, du casse-gueule qui luisait pareil à de l'or, dans les verres (...)
ZOLA, l'Assommoir, t. II, p. 147.

♦ **2** Mod. Entreprise hasardeuse, opération risquée. — Spécialt. (1914). *Aller au casse-gueule :* aller à la guerre. → **Casse-cou** (vx), **casse-pipe.**

Adj. Plus cour. Périlleux. *Un exercice casse-gueule. C'est casse-gueule.* — Fig. Risqué. *Abandonnez ce projet, c'est casse-gueule!* → **Dangereux, redoutable.**

(...) avec le lieutenant Demougeot, j'irais sur n'importe quel 2
engin. Si vous aviez vu le décollage dans le port de Casa, pleine charge, entre tous les bateaux! Le second pilote voulait descendre tellement c'était casse-gueule.
J. KESSEL, Vent de sable, p. 86.

**CASSE-LUNETTES** [kaslynɛt] n. f. invar. — 1766; de *casse-*, et *lunettes.*

Vx. ou régional. Euphraise officinale, ou centaurée-bleuet, plante qui passe pour guérir les maux d'yeux. *De la casse-lunettes. Herbe de casse-lunettes* (même sens).

Elle savait (...) macérer l'herbe de casse-lunettes qui est un remède pour les yeux.
A. ARNOUX, Suite variée, p. 74.

**CASSE-MÈCHE** [kasmɛʃ] n. m. — 1890, Encycl. Berthelot; de *casse-*, et *mèche.*

Techn. Dispositif du banc d'étirage (filature) arrêtant le fonctionnement quand le ruban textile manque ou se casse. *Des casse-mèches.* — Syn. : *brise-mèche* (→ aussi Casse-chaîne, casse-trame). — On écrit aussi *casse-mèches.*

**CASSEMENT** [kasmɑ̃] n. m. — XIIIe; de *casser.*

♦ **1** Rare. Action de casser*.

♦ **2** (1851). *Cassement de tête :* ce qui procure des maux de tête, fatigue ou obsède l'esprit; cause de fatigue intellectuelle. → **Ennui, fatigue, préoccupation, souci, tracas**; → Casse-tête, 2. et 3. *Un cassement de tête insupportable. Ce travail est un cassement de tête.*

♦ **3** (1765). Jardin. Opération de taille des arbres fruitiers qui consiste en un pincement. *Cassement total. Cassement partiel.*

♦ **4** (1878; de *casser* I., A., 1.). Argot. Cambriolage, vol par effraction. *Faire un cassement.* → 5. **Casse; casseur.**

— À la volante ou à la voie publique... votre indic vous rencarde un tricard ou un cassement... Enfin, je veux dire un interdit de séjour ou un cambriolage...
— J'avais compris!... Je suis artiste.
H.-G. CLOUZOT et J. FERRY, Quai des Orfèvres, *in* l'Avant-Scène, nº 29, p. 28.

**CASSE-MUSEAU** [kasmyzo] n. m. — 1906; XVe, «pâtisserie molle et creuse»; de *casse-*, et *museau.*

Pâtisserie assez dure à croquer. *Des casse-museaux.*

**CASSE-NOISETTES** [kasnwazɛt] n. m. invar. — 1680; de *casse-*, et *noisette.*

Petit instrument pour casser les noisettes, constitué le plus souvent de deux leviers articulés formant pince. *Des casse-noisettes.* — Fig. *Menton en casse-noisettes,* dont la courbe est très accentuée vers le nez. *Profil de casse-noisettes.*

**CASSE-NOIX** [kasnwa; kasnwa] n. m. invar. — 1564; de *casse-*, et *noix.*

♦ **1** (1611). Instrument analogue au casse-noisettes, mais d'ouverture plus grande pour casser les noix. *Des casse-noix.*

♦ **2** Oiseau granivore, à bec fort, qui vit dans les forêts de conifères des régions septentrionales.

La forêt se dépeuplait de ses oiseaux, on les voyait s'élever au-dessus des gorges, les verdiers, les casse-noix, les faucons! Corinna BILLE, le Sabot de Vénus, p. 215.

**CASSE-PATTES** [kaspat] n. m. invar. — 1928; de *casse-*, et *patte.*

Fam., vieilli. Alcool fort. → **Casse-gueule** (1.), **casse-poitrine, tord-boyaux.**

(...) une bouteille d'eau-de-vie blanche, de cette saleté que les débardeurs appellent du casse-pattes.
G. DUHAMEL, Chronique des Pasquier, VI, XIII.

**CASSE-PIEDS** [kaspje] n. et adj. invar. — 1948, → cit.; de *casse-*, et *pied.*

Fam. Personne importune, sans-gêne. → **Fâcheux, gêneur**; fam. **casse-cul, crampon, raseur.** *Sa femme est une vraie casse-pieds.* → **Chieur, emmerdeur, enquiquineur.** *Des casse-pieds. Les Casse-Pieds,* film de Noël-Noël (1950).

Bonne nuit, pauvre petite (...) jeta le gendarme en jupon (...)
— Quel chameau! fis-je en claquant la portière *(du taxi).*
— Oui, quel casse-pieds! Imagine-toi, Blaise, que voici deux jours que je l'ai sur le dos et qu'elle n'a pas arrêté de me raconter des horreurs sur son mari.
B. CENDRARS, Bourlinguer, IV, Folio, p. 62 (1948).

Adj. Ennuyeux. *Ce qu'il peut être casse-pieds! — Un spectacle, un livre casse-pieds.* → **Chiant.**

**CASSE-PIERRE** ou **CASSE-PIERRES** [kaspjɛʀ] n. m. — XVIe; de *casse-*, et *pierre.*

♦ **1** Vx. Outil du tailleur de pierre. — Mod. *Machine casse-pierre* ou *casse-pierres :* machine formée de massettes reliées à un arbre rotatif. *Casse-pierre à mâchoire. Les casse-pierres sont utilisés pour le concassage du ballast des voies ferrées.*

♦ **2** Pariétaire* (plante). → **Christe-marine, saxifrage.**

**CASSE-PIPE** ou **CASSE-PIPES** [kaspip] n. m. — 1918; de *casse,* et *pipe.*

♦ **1** Tir forain où l'on s'exerce à abattre des pipes en terre. *Des casse-pipes.*

♦ **2** (V. 1918). Fam. *Le casse-pipe :* la guerre. — Spécialt. La zone de combat de première ligne, le front. *Aller, monter au casse-pipe(s).* → **Casse-cou** (vx), **casse-gueule.**

Tu as lu les journaux? La patrie en danger! Tous debout! 1
Sabre au clair! Zim boum boum! c'est le tam-tam, pour préparer le grand casse-pipes!...
MARTIN DU GARD, les Thibault, t. VII, p. 147.

Mais je me suis contenté d'une demi-mesure et je n'ai pas 2
cessé de biaiser : postuler une affectation qui simplement ne fût pas abusive et absurde, c'était encore user de mes prérogatives d'intellectuel, donc de bourgeois, refuser de prendre le taureau par les cornes et d'aller au casse-pipe comme le premier venu.
Michel LEIRIS, Biffures, p. 229 (1948).

Par métonymie. Danger de mort (spécialt, en combattant).

«Tu sais où ils m'enverront. En avant de la ligne Maginot : 3
c'est le casse-pipe garanti.»
SARTRE, l'Âge de raison, p. 127 (1945).

**CASSE-POITRINE** [kaspwatʀin] n. m. invar. — 1844, Vidocq; de *casse-*, et *poitrine.*

Pop. et vx. Eau-de-vie très forte, et de qualité inférieure. → **Casse-gueule** (1.), **casse-pattes, tord-boyaux.**

**CASSE-POT** [kaspo] n. m. — 1846, Bescherelle; de *casse-*, et *pot.*

→ **Cestreau** (plur. : *des casse-pots*).

**CASSER** [kase] v. — V. 1160; *quasser* «briser», 1080, *Chanson de Roland;* du bas lat. *quassare,* fréquentatif de *quatere* «secouer».

**I** V. tr. **A** ♦ **1** Mettre en morceaux, diviser (une chose rigide) d'une manière soudaine, sous l'action d'un choc, d'une pression, d'un coup (le sujet désigne soit une personne, soit une chose, une force qui est cause de l'action). → **Briser, broyer, disloquer, écraser, fracasser, rompre.** *Casser une glace, une assiette. Casser qqch. en deux; en mille morceaux. Casser un verre.* — Fig. *Qui casse les verres les paie :* celui qui cause un dommage doit le réparer. *Il est maladroit, il casse tout ce qu'il touche.* → **Brise-tout, casse-tout.** — *Casser le bec d'une cruche, d'un pot.* → **Égueuler.** *Casser la pointe d'un instrument.* → **Épointer.** *Casser le manche d'un outil.* → **Démancher.** *Endommager un vase en cassant le bord.* → **Ébrécher, écorner.** *Casser le pied d'un meuble.* → **Épater.** *Casser un carreau, une vitre.* — Loc. fig. *Casser les vitres :* faire un éclat, manifester sans ménagement son mécontentement (→ **Emporter** [s']; **colère** [se mettre en]); avoir un effet retentissant. *Casser la baraque.* → **Baraque.**

*Casser la cabane :* opérer une quasi-révolution (dans un domaine). «*Le jeune producteur qui, à trente-deux ans, a "cassé la cabane" du cinéma français, a surtout l'air d'un* (individu) *astucieux qui aurait commencé par vendre des cravates dans un parapluie*» (*Match,* nº 1275, 13 oct. 1973).

*Casser un œuf,* en briser la coquille. — Prov. *On ne fait pas d'omelette sans casser des œufs :* on n'obtient pas de résultat sans quelque sacrifice, sans quelque violence.

Mais trahir les vivants, c'est grave. «Si je parle, j'en tra- 0.1
hirai d'autres», me répondrait Robert. Et ils ajouteraient en chœur qu'on ne fait pas d'omelette sans casser des œufs. Mais à la fin, qui les mangera toutes ces omelettes? Les œufs cassés pourriront et infesteront la terre.
S. DE BEAUVOIR, les Mandarins, p. 336 (1954).

Fig. *Casser les assiettes :* être un «casseur* d'assiettes», faire du tapage, du scandale.

0.2 Ils aspirent à l'Élysée comme pour se reposer d'avoir cassé tant d'assiettes.
F. MAURIAC, Bloc-notes 1952-1957, p. 51.

Loc. fig. (De *casser* le pain, le rompre). *Casser une croûte, casser la croûte, la graine :* manger (→ **Casse-croûte, casse-graine).**

1 [...] *(elle)* passe la nuit à se serrer le ventre, et attend le matin pour casser une croûte.
J. VALLÈS, l'Enfant, p. 232.

Mar. *Casser les amarres.* → **Rompre.**

2 La nuit allait les prendre, le vent se levait (...) cela tournait mal, quand, tout-à-coup, vers six heures, les voilà dégagés, partis, cassant les amarres qu'ils avaient laissées pour se tenir (...) LOTI, Pêcheur d'Islande, II, XII, p. 129.

(1690). Agric. Donner un premier labour à (une terre en friche). *Casser une lande, une bruyère.* → **Cassage.**

*Casser du bois,* le couper (à la hache). Loc. fam. (vieilli). *Le pilote a cassé du bois en atterrissant,* il a endommagé son avion. — *Casser des fruits secs,* en briser la coquille.

3 Du matin au soir, elle cassait des amandes avec la tête d'un os de mouton, sur un gros pavé, serré entre ses genoux.
ZOLA, le Dr Pascal, I, p. 22.

Figuré :

4 La misère ne fait pas les amers désolés. Elle casse un ressort; elle brise l'indépendance (...)
Ed et J. DE GONCOURT, Journal, p. 184.

Loc. *Casser le morceau :* avouer, dénoncer (Cf. Se mettre à table). Argot. Dire. *Casser du boni :* faire du boniment. *Sans en casser une :* sans un mot.

4.1 Durant le parcours, because Nana, Riton en avait pas cassé une, et pendant la graine *(le repas)* ça aurait pas été poli pour Marinette de parler de nos affaires.
Albert SIMONIN, Touchez pas au grisbi, p. 93.

*Casser du sucre sur le dos de qqn,* le calomnier ou en médire. — *Casser sa canne* (vx), *sa pipe, la casser :* mourir. → **Casse-pipe.** — *Casser le cou à une bouteille.* → **Boire.** — *Casser sa tirelire* :* dépenser toutes ses économies. *Casser un billet :* commencer à dépenser la somme qu'il représente.

Argot. Ouvrir de force la porte de..., cambrioler. *Il veut casser une banque.* → **Cassement, casseur.**

(En parlant d'une partie du corps). **CASSER LA TÊTE (de qqn),** l'écraser, la fracasser (vx). *Il lui a cassé la tête.*

5 (...) le fidèle émoucheur
Vous empoigne un pavé, le lance avec raideur,
Casse la tête à l'homme en écrasant la mouche (...)
LA FONTAINE, Fables, VIII, 10.

*Se casser la tête :* se tuer par une chute sur la tête.

5.1 Lui faisant faire *(à son cheval)* des voltes et des caracoles, il tombe lourdement et se casse la tête.
LA BRUYÈRE, les Caractères de Théophraste, «D'une tardive instruction».

Fig. et mod. Assourdir par un grand bruit. → **Étourdir; cassement** (de tête). *Il nous casse la tête avec ses discours.*

5.2 Une jeune Noire est en train de faire le lit au son de la radio qui hurle un air de jazz (...) Anouk se retourne vers elle et lui dit sèchement :
– Je ne veux pas de la radio... Ça me casse la tête...
Christine ARNOTHY, Un type merveilleux, 1972, p. 99.

*Ce travail me casse la tête* (→ **Casse-tête).** *Se casser la tête à, sur :* travailler avec acharnement à, sur. — Vx :

5.3 Il se casse la tête d'application.
Mme DE SÉVIGNÉ, Lettres, 12 oct. 1677.

5.4 Quant à l'huissier à verge de Mont-de-Marsan, il ne lui reste qu'à se casser la tête sur les textes et règlements promulgués en novembre 69 par la commission permanente (...) Yanny HUREAUX, la Prof, p. 328.

*Se casser la tête :* se faire du souci.

— Ne vous cassez pas la tête; tenez, je sais faire cette règle aussi bien que vous; et même d'une manière plus courte. 5.5
RESTIF DE LA BRETONNE, la Vie de mon père, p. 85.

Fam. *Ne te casse pas la tête! :* ne te fatigue pas (→ Ne t'en fais pas). *Sans se casser la tête :* sans se fatiguer, simplement.

Oh! le mot lui est venu comme ça. Mais en somme il exprime bien sa pensée. Naturellement, parce qu'il aime Reine avec naturel. Sans avoir à se forcer, à se casser la tête. 5.6
F. MALLET-JORIS, le Jeu du souterrain, 1973, p. 28.

*Se casser la tête contre les murs :* s'abandonner au découragement. → **Désespérer** (se).

Fam. *Casser la figure*, la gueule*, le cou, les reins, les os, la margoulette à qqn.* → **Battre, éreinter, rosser.** *Il s'est fait casser la gueule par des loubards.* → Se faire bourrer* la gueule.

Par moments, des souffles de colère le soulevaient et il sentait des envies brutales d'aller casser les reins du marquis ou le souffleter au cercle. 6
MAUPASSANT, les Sœurs Rondoli, «Rencontre», p. 243.

(...) on répète qu'on le tient cette fois, qu'on l'attendait là *(Jaurès),* qu'on va lui casser les reins, qu'il faut qu'il en crève (...) Ch. PÉGUY, la République..., p. 41. 7

Et si je vous cassais la figure, maintenant? 8
COURTELINE, Boubouroche, II, 4.

Rien à tenter, mes gars; résignez-vous à vous faire casser la gueule!... 9
MARTIN DU GARD, les Thibault, t. VIII, p. 36.

Pron. (récipr.). *Se casser la figure, la gueule :* se battre. *Se casser la figure, la gueule :* tomber; avoir un accident; se tuer. *Attention, tu vas te casser la gueule!* (→ Tatouille, cit.).

Brusquement, *(le cheval)* s'emballa (...) et lança en arrière une ruade si violente, que Marjalet distingua les sept clous du fer, à un pouce de son visage. — Nom de Dieu de nom de Dieu! cria-t-il furieux, ce bougre-là va nous faire casser la gueule à tous! 9.1
COURTELINE, les Gaîtés de l'escadron, p. 70 (1866).

♦ **2** Disjoindre l'articulation ou rompre l'os de (un membre, du nez, etc.), rompre ou ébrécher (une dent), etc. *Le coup, la balle, la chute lui a cassé le bras. Il s'est cassé la jambe en faisant du ski.* — (Vx). *Casser les bras et les jambes :* battre, frapper.

Veux-tu te voir casser les jambes et les bras? 10
MOLIÈRE, le Dépit amoureux, III, 8.

Loc. fig. *Casser bras et jambes à qqn* (sujet n. de chose) : enlever le courage, la force, tout moyen d'agir. → **Affaiblir, couper** (les bras), **décourager.** *Cette nouvelle lui a cassé bras et jambes.* — Au p. p. :

Et quand il rentra, il avait les jambes cassées et l'humeur irritable comme après une fausse joie, une bonne nouvelle qui n'est pas venue, une grande espérance qui ne s'est pas réalisée. PROUST, Jean Santeuil, Pl., p. 778. 10.1

*Se casser le nez* (cit. 38), *se casser le nez (à la porte de qqn) :* trouver porte close.

*(M. Octave)* avait dit aux deux messieurs qu'ils seraient toujours sûrs de le trouver le jeudi après-midi; les autres jours ils risquaient fort de se casser le nez. 10.2
MONTHERLANT, les Célibataires, *in* Romans, t. I, Pl., p. 777.

*Se casser le nez, le cou, la gueule, les reins :* échouer (sujet n. de personne ou de notion abstraite).

Le grotesque est un genre rien moins que facile. Il demande plus de sensibilité que d'intelligence, aussi nombre de réalisateurs parmi les plus huppés s'y cassent les reins. 10.3
J.-L. GODARD, *in* Cahiers du cinéma, n° 62, août-sept. 1956.

Quoi? On pouvait vivre dans ces cellules et être innocent? Improbable, hautement improbable! Ou sinon mon raisonnement se casserait le nez. 10.4
CAMUS, la Chute, p. 127.

*Casser les reins à quelqu'un,* le ruiner, briser sa carrière.

*Il lui a cassé deux dents d'un coup de poing.* → **Édenter.** *Se casser une dent.* — Loc. fig. *Se casser les dents (sur, contre qqch.) :* se heurter à des obstacles, des difficultés. *Je me suis cassé les dents sur ce problème,* j'ai eu du mal à le résoudre.

♦ **3** Léser, faire mal à (une partie du corps). — REM. Cette valeur est rare au sens concret général.

Vulg. *Casser le cul, le pot à qqn,* le sodomiser. — Fig. *Tu nous casses le cul* (syn. vulg. de *casser les pieds*). *Se casser le cul à... :* se démener, faire de grands efforts pour... → Se décarcasser, se démancher.

10.5 C'est pas comme une usine où les ouvriers se cassent le cul, tandis que les patrons se tournent les pouces.
R. QUENEAU, le Dimanche de la vie, p. 180.

(1890). *Casser les pieds à qqn,* l'importuner (→ **Casse-pieds**). *Tu nous casses les pieds !*

10.6 Pourquoi pas alors façon de se taire ? Vous auriez dû comprendre, Monsieur le professeur, que cela fait nombre d'années que vous nous cassez les pieds avec votre questionne-ère *(sic)* [...]
J. PRÉVERT, Choses et autres, p. 146.

Var. vulg. *Casser les couilles, les burettes, les burnes, les parties* (cit. 16.1) *à* (qqn). Par euphém. *Tu nous les casses !* Syn. : *tu nous les brises, tu nous les brises menu ! ; tu nous les broutes !*

10.7 En prison. Voyous, anarchistes, mauvais Français... — Ça va, coupa Martin, tu nous en casses deux, avec tes renvois.
M. AYMÉ, le Vin de Paris, « La traversée de Paris », p. 55.

10.8 — Messieurs, Mesdames ! ma femme est folle !... (...) Je suis le Procureur Sacagne de Montargis dans la Côte-d'Or !... — Merde ! Eh, Chinois ! Tu nous les casses ! Au vent ta morue ! Wagon !...
Voilà comment la foule l'appelle...
CÉLINE, Guignol's band, p. 17.

*Casser les oreilles de qqn, à qqn :* faire trop de bruit. Syn. (vieilli) : *briser les oreilles.*

♦ **4** Fam. Causer à (un objet) un dommage qui l'empêche de fonctionner (sans toutefois le briser, le détruire). *Il a cassé sa bicyclette. La radio est cassée !*

10.9 J'ai cassé ma montre hier soir.
GIDE, Voyage au Congo, *in* Souvenirs, Pl., p. 698.

Fig. *Tu vas te casser les yeux à lire.* → **Abîmer.** — *Se casser la voix,* la rendre rauque en la forçant, en parlant ou en chantant trop fort ou trop haut. — Fam. *Casser le moral à qqn,* le démoraliser (→ ci-dessus *Casser bras et jambes*).

♦ **5** Loc. fig. et fam. **ÇA NE CASSE RIEN** *(ça ne casse pas trois pattes à un canard, ça ne casse pas les vitres, ça ne casse pas des briques) :* ce n'est pas extraordinaire, ça n'a rien de remarquable.

**À TOUT CASSER :** à toute allure. *Il conduit sa voiture à tout casser.* — Très fort (→ À tout rompre*).

Loc. adj. *Un film, un repas à tout casser,* extraordinaire (→ Cavaler, cit. 5). — Loc. adv. Tout au plus. *Ça vous coûtera dix francs à tout casser.*

♦ **6 SE CASSER** v. pron. [a] (Sens passif). *Ce matériau se casse facilement. L'assiette s'est cassée en tombant.*
[b] (Sens réfl.). Se voûter, en parlant d'une personne. *Ce vieillard commence à se casser.*
[c] (Réfl.). 1835, Raspail ; pour *casser* (plier) *ses jambes.* Fam. S'en aller au plus vite, s'enfuir. → **Tailler** (se).

10.10 Tu seras soupçonné (...) plus que soupçonné si les flics te piquent (...) — Si je me casse pas, faudra que j'aille à l'enterrement et j'aime pas du tout ce truc-là.
J. CAU, la Pitié de Dieu, p. 79.

10.11 On ralentit, on allait entrer dans un patelin. Les mômes, y se cassent. On se dit : on leur fait peur.
Roger NIMIER, le Hussard bleu, p. 107.

Fam. Se fatiguer ; faire un effort. *Il ne s'est pas cassé pour préparer son cours. Je ne vais pas me casser pour eux.* → **Fouler** (se fouler, 2.).

**B** (Abstrait). ♦ **1** (XIIIe). Annuler* (un acte, un jugement, une sentence). → **Abroger ; cassation.** *Casser une condamnation, un testament, un arrêt, un contrat.* → **Rescinder, rompre.**

J'ai ouï parler d'une espèce de tribunal qu'on appelle l'Académie française. Il n'y en a point de moins respecté dans le monde ; car on dit qu'aussitôt qu'il a décidé, le peuple casse ses arrêts, et lui impose des lois qu'il est obligé de suivre. MONTESQUIEU, Lettres persanes, LXXIII. 11

*Casser un mariage.* — Par ext. *Casser des fiançailles,* les rompre.

♦ **2** (Fin XVe). Dégrader* (un officier). → **Cassation.** — Par ext. Destituer* (qqn) d'une fonction, d'un emploi. → **Démettre, déposer, limoger, révoquer.** *Casser un fonctionnaire.* — *Casser qqn aux gages :* priver qqn de son emploi.

♦ **3** Neutraliser (un adversaire) ; abattre (un obstacle). *« Nous n'aurons pas la victoire tant que nous n'aurons pas cassé l'infrastructure vietcong »* (*l'Express,* 17 oct. 1966).

♦ **4** Supprimer ou désorganiser (une organisation) avec brutalité. *Casser une administration par des mesures soudaines.*

Dans les trois quarts des départements, les administrations légalement élues depuis deux ans étaient cassées et, d'autorité, le Directoire *nommait,* en violation de la Constitution, des fonctionnaires à sa dévotion. 12
Louis MADELIN, l'Ascension de Bonaparte, XIII, Campo-Formio, p. 180.

♦ **5** Interrompre ou gêner. *Casser le travail. Il casse le travail. Casser une grève.* → **Briser ; briseur** (de grève).

(...) d'une façon encore plus ténue, mais non moins blessante, il s'ingénie à « casser » la conversation, soit en imposant de passer brusquement d'un sujet grave (qui m'importe) à un sujet futile, soit en s'intéressant visiblement, pendant que je parle, à autre chose que ce que je dis. 12.1
R. BARTHES, Fragments d'un discours amoureux, p. 148.

*Casser le métier,* le dévaloriser (en particulier en acceptant de travailler pour une rémunération inférieure à ce qui est communément admis).

Écon. Désorganiser (un marché, un cours...). — *Casser les prix :* provoquer une brusque chute des prix sur le marché. *« La vente en masse permet de casser les prix — 10 à 15 % — pour la plupart des articles »* (*Femme pratique,* sept. 1970).

Modifier soudainement, détériorer. *Casser l'atmosphère. Casser le rythme d'une émission par des annonces publicitaires.*

♦ **6** *Casser l'atome,* en provoquer la fission. *« Si on est parvenu à "casser" l'atome — dans des bombes ou dans des centrales atomiques — on ignore toujours de quoi sont faits les protons et les neutrons qui le constituent »* (*le Nouvel Obs.,* 23 nov. 1966). — REM. Métaphore familière qui n'appartient pas au langage scientifique.

**II** V. intr. ♦ **1** Se rompre, se briser. *Le verre a cassé en tombant.* — Se rompre facilement. *Une branche qui casse. Cela casse comme du verre.* → **Cassable, fragile.**

La plaisanterie est comme le coton qui, filé trop fin, casse, a dit Bonaparte. 13
BALZAC, Illusions perdues, Pl., t. IV, p. 806.

Ça pouvait être dans les onze heures quand Panturle s'est arrêté pour raccommoder la longe qui venait de casser. 14
J. GIONO, Regain, II, IV.

Prov. *Quand la corde est trop tendue, elle casse :* il est dangereux de dépasser la mesure, les bornes.

Loc. fig. *Tout passe, tout lasse, tout casse :* tout a une fin.

♦ **2** Se désagréger, s'effriter. *Cette pâte casse sous les doigts.*

◆ **SE CASSER** v. pron. Voir ci-dessus I., A., 6.

◆ **CASSÉ, ÉE** p. p. adj. *Un verre cassé. De vieux jouets cassés, tout cassés. Payer les pots* cassés.*

15 – Elle ne marche pas, ta montre.
– Non, dit Marie, elle est cassée.
Bon, cassée. À cela rien à répondre. Ce ne fut qu'un peu plus tard. Pourquoi Marie accrochait-elle au mur une montre qui ne pouvait indiquer l'heure puisqu'elle était cassée ? Et puis, on ne casse pas comme cela une montre.
André BAILLON, Délires, «La mort».

(1871, Zola, *in* D. D. L.). *Col cassé :* col dur dont les deux coins supérieurs sont rabattus. → fam. Col à bouffer de la tarte.
*Blanc* cassé.*
Fig. *Une voix* cassée.* → **Faible, voilé.**

16 Tout à coup, elle frémissait de la tête aux pieds, en entendant partir du coin de la cheminée un petit filet de voix cassé, flûté, comme étouffé sous terre.
LOTI, Pêcheur d'Islande, III, XIV, p. 201.

17 (...) une voix qui, bien que cassée et chevrotante, avait encore une grande douceur.
Th. GAUTIER, M^lle^ de Maupin, VI, p. 156.

(Personnes). *Un vieillard cassé.* → **Caduc, courbé, décrépit, usé, voûté.** — *Un corps cassé par l'âge.* — Fam. (Personnes). Dans un état second dû à l'alcool ou à la drogue. *Il est complètement cassé, ce type !* → **Flingué.**

18 (...) Un vieillard insensé
Qui fait le dameret dans un corps tout cassé.
MOLIÈRE, l'École des maris, I, 2.

19 Alors il vint, cassé de débauches, l'œil terne,
Furtif, les traits pâlis,
Et ce voleur de nuit allume sa lanterne
Au soleil d'Austerlitz !
HUGO, les Châtiments, «Nox», 3.

20 Il *(le vieillard)* n'était pas voûté, mais cassé, son échine
Faisant avec sa jambe un parfait angle droit.
BAUDELAIRE, les Fleurs du mal, Tableaux parisiens, «Les sept vieillards».

21 Je serai *(Péguy)* un vieux cassé, un vieux courbé, un vieux noueux. Je serai un vieux retors.
Ch. PÉGUY, la République..., p. 267.

Argot milit. *Gueule* cassée :* mutilé de la face (à la suite d'une blessure de guerre).

**CONTR. Arranger, raccommoder, recoller, réparer. — Confirmer, ratifier, valider. — Droit, jeune.** ◊ **DÉR. Cassable, cassage, cassant,** 1. **cassation,** 4. **casse, cassé,** 2. **casseau, cassement, casseur, cassin,** 2. **cassis, casson, cassure. —** V. 5. **Casse.** ◆ **COMP. Incassable.** V. **Concasser. — Casse-chaîne, casse-cœur, casse-cou, casse-couilles, casse-croûte, casse-cul, casse-dalle, casse-fil, casse-graine, casse-gueule, casse-lunettes, casse-mèche, casse-museau, casse-noisettes, casse-noix, casse-pattes, casse-pieds, casse-pierre, casse-pipe, casse-poitrine, casse-pot, casse-sucre, casse-tête, casse-tout, casse-trame.** V. **Casse-.**

**CASSEROLE** [kasʀɔl] n. f. — 1583 ; de 1. *casse,* et suff. *-ole* (allongement *-erole*), p.-ê. d'après l'ital. *cazzeruolo.*

♦ **1** Ustensile de cuisine généralement en métal, de forme cylindrique et à manche. → **Braisière, sauteuse ;** 1. **Casse,** 3. *Casserole en aluminium, en cuivre, en terre cuite. Étamer un fond de casserole. Queue d'une casserole. Récurer les casseroles. Une série de casseroles.*

1 Quant à la propreté, le poli de ses casseroles faisait le désespoir des autres servantes.
FLAUBERT, Trois contes, «Un cœur simple».

2 Ce jour-là le nombre des casseroles était innombrable, tant le dimanche il devait y avoir de plats.
PROUST, Jean Santeuil, Pl., p. 337.

Contenu d'une casserole. → **Casserolée.** *Verser une casserole d'eau.*

♦ **2** Loc. *À la casserole,* se dit de divers plats préparés dans une casserole. *Veau à la casserole.*

C'était sous le hangar de la charretterie que la table était 3
dressée. Il y avait dessus quatre aloyaux, six fricassées de poulets, du veau à la casserole, trois gigots et, au milieu, un joli cochon de lait rôti (...)
FLAUBERT, M^me^ Bovary, I, IV.

Fig. et fam. (par référence aux volailles que l'on tue pour les faire cuire). *Passer qqn à la casserole,* le tuer ; lui faire subir une épreuve désagréable. *Passer à la casserole :* être mis dans une mauvaise situation (→ Être cuit, frit).

Y a pas à chier, on est bon. Si c'est pas demain qu'on passe 4
à la casserole, c'est après-demain.
Jean GENET, Pompes funèbres, p. 94.

Il ne reste plus qu'attendre pour savoir si nous pas- 5
serons à la casserole ou à la poêle et qui en tiendra la queue (...)
F. MAURIAC, le Nouveau Bloc-notes 1958-1960, p. 51.

Spécialt. *Passer à la casserole.* Se dit d'une femme dans l'obligation d'accepter l'acte sexuel, ou qui s'y prête pour la première fois.

J'éprouvai du plaisir, ce que je n'avais pas espéré de cette 6
rencontre. Elle m'apprit que je pouvais la prendre normalement parce qu'elle n'était plus vierge : son cousin. Elle avait consenti parce que sa cousine, France, qu'elle admirait était passée à la casserole elle aussi. C'était la nouvelle mode. Jacques LAURENT, les Bêtises, p. 146 (1971).

♦ **3** (1931). Fam. Mauvais piano. — Loc. (par référence aussi au bruit métallique, désagréable, qu'occasionne le heurt d'une casserole). *Chanter comme une casserole :* chanter de façon discordante. *Faire un bruit de casserole :* produire un son désagréable.

♦ **4** Fam. Objet ou personne de peu de valeur. *Être une casserole :* n'être bon à rien. — Loc. *Raisonner comme une casserole :* penser faux. — (1848). Fam. Mouchard, dénonciateur.

Il ne s'agit pas de *battre l'antife* (marquer le pas) sur le bou- 7
levard, sans avoir à *béquiller* (manger), crois-moi, fais-toi *casserole* (mouchard), c'est une position tout à fait tranquille. Louise MICHEL, la Misère, t. III, p. 640.

♦ **5** (1924). Fam. Projecteur (→ **Gamelle**) ; réflecteur électrique.

**DÉR. Casserolée, casserolier.**

**CASSEROLÉE** [kasʀɔle] n. f. — 1838 ; de *casserole.*

Contenu d'une casserole pleine. *Une casserolée de pâtes.* — Dans ce sens, *casserole* est plus usuel.

Elle me dit tout, fait Marthe. Vous savez, Madame, elle ne sait rien faire et maintenant qu'elle est seule, sans bonne, c'est une pitié ! Je l'ai vue faire cuire une escalope dans une casserolée d'eau, à gros bouillons.
Hervé BAZIN, Cri de la chouette, p. 154.

**CASSEROLIER** [kasʀɔlje] n. m. — XX^e^, attesté ; de *casserole.*

Régional (Suisse). Marmiton chargé de l'entretien de la batterie de cuisine, dans un restaurant.

**CASSE-SUCRE** [kassykʀ] n. m. invar. — 1892 ; de *casse-,* et *sucre.*

Techn. Instrument servant à casser le sucre en morceaux réguliers.

**CASSE-TÊTE** [kastɛt] n. m. invar. — 1690, Furetière, *casseteste* «vin fort» ; de *casse-,* et *tête.*

♦ **1** (1762). Massue* en pierre ou en bois très dur, servant d'arme de guerre dans certaines civilisations archaïques. — Arme portative consistant en un nerf de bœuf ou en un bâton à l'extrémité plombée, parfois garni de clous. → **Matraque, poing** (coup de poing). *Des casse-tête.*

1 On distinguait dans l'ombre des choses hideuses inventées par les barbares : casse-tête garnis de clous, javelots empoisonnant les blessures (...)
FLAUBERT, Trois contes, «Hérodias».

♦ **2** (1803). Bruit assourdissant qui fatigue la tête. → **Cassement** (de tête).

♦ **3** (1706). Travail intellectuel complexe qui demande un effort soutenu et fatigue l'esprit. *L'algèbre est un vrai casse-tête* (Académie).

2 — Mon ami, interrompis-je, au lieu de vivre chez soi, tranquillement, sans ambition ni casse-tête spéculatifs, à quoi bon se préoccuper de toutes ces choses en l'air ?
VILLIERS DE L'ISLE-ADAM, Tribulat Bonhomet, p. 115.

(1829). Jeu de patience (→ **Puzzle**). — (1818, *in* D. D. L.). *Casse-tête chinois,* consistant à assembler des pièces de bois de forme tortueuse. — Fig. Problème difficile à résoudre. *Cet énoncé est un véritable casse-tête chinois.* — Au Canada, s'emploie pour éviter l'anglicisme *puzzle**.

**CASSETIN** [kastɛ̃] n. m. — 1552, «petit casier»; ital. *cassettino,* de *cassetta.* → Cassette.

♦ **1** (1611). Imprim. Chacune des petites loges de grandeur variable qui divisent une casse d'imprimerie (→ 3. **Casse, cit.**).

♦ **2** (1863). Techn. Dans un four métallurgique, cavité qui reçoit le métal en fusion.

**CASSE-TOUT** [kastu] n. invar. et adj. invar. — XX^e^; de *casse-,* et *tout.*

Fam. Personne maladroite, qui casse tout. → **Brise-fer, brise-tout.** *C'est une casse-tout.* — Adj. *Il, elle est casse-tout.*

Avec ses allures de casse-tout, Nietzsche est un craintif universitaire très dévotement lié au dogme de la supériorité des antiques — très gœthéen dans le sens stérile du mot.
J.-R. BLOCH, *in* Deux hommes se rencontrent, p. 67.

**CASSE-TRAME** [kastʀam] n. m. — 1890, Encycl. Berthelot (le dispositif a été inventé en 1844); de *casse-,* et *trame.*

Techn. Organe du métier à tisser (constitué par une tige pivotant, à chaque passage de navette, autour d'un axe horizontal parallèle aux duites), provoquant mécaniquement l'arrêt de celui-ci lorsque la trame fait défaut ou vient à casser accidentellement. Plur. *Des casse-trame* ou *des casse-trames.*

S'il vient à se produire une casse, des organes de contrôle provoquent instantanément l'arrêt du métier. Ce sont les casse-trames et casse-chaînes.
Jacques LOURD, le Lin et l'Industrie linière, p. 65.

**CASSETTE** [kasɛt] n. f. — 1348; de l'anc. franç. *casse* «caisse, coffre», et *-ette.*

♦ **1** Anciennt. Petit coffre* destiné à serrer de l'argent, des bijoux... *Cassette à bijoux.* → **Boîte, coffret.**

1 Et dans quoi est-ce que cet argent était ? Dans une cassette.
MOLIÈRE, l'Avare, V, 2.

2 Jetez les yeux sur cet hôtel magnifique, vous y verrez un grand seigneur couché dans un superbe appartement. Il a près de lui une cassette remplie de billets doux.
A. R. LESAGE, le Diable boiteux, III.

♦ **2** (1690). Fig. *La cassette royale, la cassette d'un prince :* le Trésor particulier du roi, du prince. → **Trésor.** *Les biens de la cassette.*

3 Qui sait, au contraire, si l'homme dévot a de la vertu ?
Il n'y a rien pour lui sur la cassette (...)
LA BRUYÈRE, les Caractères, XIII, 28.

Fam. *Je prendrai cette somme sur ma cassette personnelle.* → **Cagnotte, réserve.** — Fig. et fam. *Pour les beaux yeux de sa cassette :* pour sa dot (Molière, *l'Avare,* V, 3).

♦ **3** (V. 1960). Boîtier, de petite taille, muni de bobines de bande* magnétique défilant dans les deux sens (→ **Mini-cassette**; → Cartouche). *Enregistrement sur cassette. Magnétophone à cassettes.* → **Magnétophone; magnétocassette.** «*Il n'y a pas que des cassettes préenregistrées : on peut fort bien acheter des chargeurs contenant des bandes vierges*» (*Femme pratique,* sept. 1970). *Lecteur* de cassettes. Cassettes pour magnétoscope.* → **Vidéocassette.**

COMP. **Magnétocassette, minicassette, musicassette** (marque), **radiocassette, vidéocassette. Cassettothèque.**

**CASSETTOTHÈQUE** [kasɛtɔtɛk] n. f. — 1972; de *cassette,* et *-thèque.*

Rare. Collection de cassettes (3.). — Lieu où l'on conserve et où l'on peut consulter des cassettes. *Ce film manque dans ma cassettothèque personnelle.*

**CASSEUR, EUSE** [kasœʀ, øz] n. — 1558; de *casser.*

♦ **1** Personne qui casse (qqch.). — (Par activité professionnelle). *Un casseur de pierres.*

Le livre de leçons de choses avait été (...) l'un des apaisements de mon anxieuse enfance. Le casseur de pierres est content de casser les pierres qui sont sur terre pour devenir des maisons grâce aux maçons (...) 1
Jacques LAURENT, les Bêtises, p. 443.

(Par accident). *Le casseur, la casseuse d'un objet précieux* (rare; → ci-dessous 3. et 4.).

♦ **2** Personne qui fait le commerce des pièces en bon état de voitures mises à la casse*. — REM. Dans ce sens, le mot ne semble pas avoir de féminin.

♦ **3** (N. m.). Fig. *Un casseur d'assiettes.* → **Fanfaron, querelleur, tapageur.** — *Un casseur. Jouer les casseurs,* les durs*, les violents.

*Un casseur de vitres :* un faiseur de scandales.

*Un grand casseur de raquettes :* un homme solide, vigoureux.

*Un casseur de cœur :* un séducteur. → **Casse-cœur.**

♦ **4** N. m. (Répandu v. 1968). Personne qui, au cours d'une manifestation, endommage volontairement des biens publics ou privés. *Répression des agissements des casseurs* (→ Loi anticasseurs*). *Les casseurs seront les payeurs*.*

Pas un bruit n'arrive à moi de la ville où les «casseurs» — pas très nombreux — brisent les vitrines, envahissent les épiceries. 2
J. GREEN, Journal, (Ce qui reste de jour), 10 mai 1970.

♦ **5** (1885; de 5. *casse*). Argot, puis fam. Cambrioleur. — REM. Dans ce sens, le fém. est virtuel.

Les jules donnent aux filles la peur des durs parce qu'ils en ont peur eux-mêmes, qu'ils sont des respectueux, amis des flics, et éprouvent l'horreur du tueur, ou même du casseur. 3
Jacques LAURENT, les Bêtises, p. 158.

Je pourrais écrire le Guide du parfait casseur, le bottin des fourgues parisiens, un traité sur la peur et l'envie de courir, les mémoires d'une paire de gants (...) 4
A. SARRAZIN, la Traversière, p. 225.

♦ **6** Adj. (Rare). Qui casse par maladresse. *Une employée de maison casseuse.*

Elle doit être, sans cesse, sur le dos des gens, à les asticoter de toutes les manières... Et des «savez-vous faire ceci ?»... Et des «savez-vous faire cela ?...» Ou bien encore : «Êtes-vous casseuse ?... Êtes-vous soigneuse ?...» 5
O. MIRBEAU, le Journal d'une femme de chambre, p. 27.

Qui caractérise un casseur (3.). *Un air casseur.*

6 Pas saccager la Tradition! Si vous prenez l'air capricieux, casseur, versatile, tantôt dans un pub, dans un autre (...) alors (...) les flics vous déferlent sur les os (...)
CÉLINE, Guignol's band, p. 33 (1944).

COMP. **Anticasseur(s).**

**CASSIE** [kasi] n. f. — 1694; provençal mod. *cacio* «fleur de l'acacia», par aphérèse d'*acacia.*

Bot. Casse* (→ 2. Casse : *cassia, cassier* ou *canéficier*) d'une variété nommée aussi *acacia de Farnèse* et que l'on cultive dans le Midi de la France pour ses fleurs jaunes très odorantes.

Et prenant la fleur de cassie qu'elle avait à la bouche, elle me la lança, d'un mouvement du pouce, juste entre les deux yeux (...) MÉRIMÉE, Carmen.

Parfum extrait de cette plante.

HOM. **1. Cassis, 2. cassis.**

1. **CASSIER** [kasje] n. m. — 1512; de 2. *casse.*

→ **2. Casse.**

2. **CASSIER** [kasje] n. m. — XIX^e (1863, Littré); de 3. *casse.*

Techn. Armoire, meuble où l'on range les casses d'imprimerie.

**CASSIN** [kasɛ̃] n. m. — 1792, Vaud; de *casser* «meurtrir», et suff. *-in* (lat. *-imen*).

Régional (Suisse).

♦ **1** Ecchymose, meurtrissure.

♦ **2** Cal.

**CASSINE** [kasin] n. f. — 1509, Marot; ital. (piémontais) *cassina, cascina.*

♦ **1** (1532, Rabelais). Vx (langue class.). Petite maison* de plaisance au milieu des champs. → **Casino.**

(...) et là trouvai les plus beaux lieux du monde (...) belles prairies, force vigne et une infinité de cassines à la mode italique par les champs, pleins de délices (...)
RABELAIS, Pantagruel, XXXII.

♦ **2** Fam. et vx. Maisonnette de pauvre apparence. → **Baraque, cabane.**

♦ **3** (1752). Vx. Petite maison isolée, servant de poste d'embuscade, au cours d'un combat.

1. **CASSIS** [kasis; kasi] n. m. — 1552; probablt du lat. *cassia* (→ 2. Casse), avec un *s* final inexpliqué, le cassis ayant été employé au moyen âge pour remplacer la casse comme laxatif.

♦ **1** Groseillier* noir *(Saxifragacées)* à feuilles odorantes avec les fruits duquel on fabrique une liqueur ayant des propriétés stomachiques. — Syn. rare : *cassissier. Les baies noires du cassis commun.*

1 (...) une petite pièce (...) que parfumait aussi un cassis sauvage poussé au dehors entre les pierres de la muraille et qui passait une branche de fleurs par la fenêtre entr'ouverte.
PROUST, À la recherche de temps perdu, t. I, I, p. 23.

2 Du flanc de la colline où le cassis bleuit (...)
C. DE NOAILLES, le Cœur innombrable, «Bittô».

♦ **2** (1860). Le fruit de cette plante. *Cueillir, manger du cassis. Du cassis blanc. Crème, sirop de cassis :* liqueur, sirop fait avec ce fruit (→ ci-dessous 3.).

♦ **3** [a] Liqueur fabriquée avec ce fruit. *Boire du cassis. Un verre de cassis. — Un cassis-cognac; un mêlé-cassis* (pop. et vx; → **Mêlé-casse**), *un blanc-cassis* (abrév. fam. : *blanc-casse;* → **Kir**). — Fig., fam. *Une voix de cassis-cognac, de mêlé-cassis.* → **Mêlé-casse.**

[b] Sirop fabriqué à partir de ce fruit. *Cassis à l'eau. Boire du cassis avec de la limonade (diabolo* cassis).*

♦ **4** (1907). Fam. Tête. → **Citron, poire, pomme.** *Tomber sur le cassis.*

La vieille lui vide sur le cassis toute sa bassine entière de flotte. CÉLINE, Mort à crédit, p. 670 (1936). 3

(Comme organe de la pensée). *Il n'a rien dans le cassis.*

— Tu me fais ronfler le cassis avec toutes tes histoires. 4
R. QUENEAU, les Derniers Jours, p. 166.

COMP. V. **Mêlé-casse.**

2. **CASSIS** [kasis, kasis], rare [kasi] n. m. — 1701; mot dial. (Normandie), 1448; de *casser.*

♦ **1** Rigole pratiquée en travers d'une route pour l'écoulement des eaux.

♦ **2** Dépression transversale assez brusque d'une route. *Les cassis et les dos d'âne sont signalés par panneaux.*

Les phares de son automobile creusent les cassis de la route, accusent les bosses du macadam (...) 1
A. ARNOUX, Suite variée, p. 87.

À l'intérieur enfin, le calme étendait son silence, et même aux passages à niveaux ou aux cassis un peu trop bossus (...) 2
R. QUENEAU, Pierrot mon ami, éd. L. de Poche, p. 132.

**CASSISSIER** [kasisje] n. m. → **1. Cassis.**

**CASSITÉRITE** [kasiteʀit] n. f. — 1832; grec *kassiteros* «étain».

Minér. Étain oxydé naturel ($SnO_2$). *La cassitérite, principal minerai d'étain, est exploitée principalement en Asie tropicale.*

**CASSOLETTE** [kasɔlɛt] n. f. — 1529; de l'anc. franç. *cassole* «petit récipient», de 1. *casse,* plutôt que de l'anc. provençal *casoleta.*

♦ **1** Réchaud fait d'une boîte de métal au couvercle ajouré dans laquelle on fait brûler des parfums. → **Brûle-parfum, encensoir.** *Cassolette d'or, d'argent, précieusement ciselée, travaillée.*

*(Les parfumeurs)* fournissaient (...) les chambres des dames d'eau rose, d'eau de naphe et d'eau d'ange, et à chacune la précieuse cassol(*l*)ette, vaporante de toutes drogues aromatiques. RABELAIS, Gargantua, LV. 1

(...) et dans les quatre coins *(de la terrasse)* s'élevaient quatre longues cassolettes remplies de nard, d'encens, de cinnamome et de myrrhe. 2
FLAUBERT, Salammbô, III, p. 48.

(...) on eût dit que des mains balançaient en silence des cassolettes dans l'obscurité, pour quelque fête cachée, pour quelque enchantement magnifique et secret. 3
LOTI, Ramuntcho, XX, p. 169.

♦ **2** Petite boîte d'orfèvrerie contenant des parfums et que l'on porte en pendentif.

♦ **3** (1929). Petit récipient utilisé pour cuire un mets au feu ou au four et le présenter sur la table. *Cassolette en terre, en porcelaine à feu. Plat en cassolette.*

En fonte, en terre, en grès, en porcelaine, en aluminium, en étain, que de marmites (...) de cassolettes, de soupières (...) 4
S. DE BEAUVOIR, Mémoires d'une Jeune fille rangée, p. 77.

Par métonymie. Le plat lui-même. *Déguster une cassolette de ris de veau.*

**CASSON** [kasɔ̃] n. m. — 1359; de *casser.*

Technique.

♦ **1** Débris de verre destiné à être refondu pour la fabrication du verre.

♦ **2** Pain de sucre informe. *Sucre en cassons.*

DÉR. **Cassonade.**

**CASSONADE** [kasɔnad] n. f. — 1574; probablt du provençal *cassonada.* → Casson.

Sucre qui n'a été raffiné qu'une fois, appelé aussi *sucre roux* en raison de sa couleur.

Notre cuisine en hiver : la plus chaude, la plus gaie, la plus fréquentée du quartier (...) Le poêle chauffait à blanc (...) chacune à son tour décollait les gaufres, le saladier de cassonade brute tournait de main en main autour du poêle. Violette LEDUC, la Bâtarde, p. 52 (1964).

**CASSOTON** [kasɔtɔ̃] n. m. — 1867, Littré, «casserole en fonte», mot régional ancien, de *cassotte* (Bordeaux 1523), var. de *cassette* de 1. *casse* (anc. provençal *cassa*), mot qui a donné par ailleurs *casserole*.*

Régional (Suisse). Poêlon (en fonte, cuivre).

**CASSOULET** [kasulɛ] n. m. — 1897, mot languedocien, «plat cuit au four», de *cassolo* «terrine», dimin. de *casso* «poêlon»; anc. provençal *cassa.* → 1. Casse.

♦ **1** Plat de grès dans lequel on prépare le cassoulet (2.).

♦ **2** Ragoût languedocien ou landais de filets d'oie, de canard, de porc ou de mouton confits avec des haricots blancs, éventuellement diverses charcuteries (saucisses de Toulouse, etc.). *Cassoulet de Castelnaudary. Des cassoulets bien mijotés. — Cassoulet en conserve. Ouvrir une boîte de cassoulet.*

**CASSURE** [kasyʀ] n. f. — 1333; de *casser.*

♦ **1** Solution de continuité qui résulte du cassement d'une chose. → **Arête, brèche, brisure, casse, crevasse, faille, fente, fissure, fracture.** *Cassure d'un membre. Cassure nette, vive.*

♦ **2** (1831, Balzac). Minér. Fracture dans un terrain rocheux. *Cassure dans les couches géologiques.* → **Diaclase, faille, joint.**

1 (...) les assises étaient lisses, pas une cassure, pas un relief, la muraille était aussi correctement rejointée qu'une muraille neuve, et Radoub retomba. HUGO, Quatre-vingt-treize, 111, V, 3.

2 Tandis que le plissement peut avoir lieu sans rupture, le gauchissement entraînera généralement la formation de cassures dans les couches tordues. Émile HAUG, Traité de géologie, t. I, p. 224.

Point où l'on casse un minerai dont on veut étudier la structure. *Cassure vitreuse, schistoïde.*

♦ **3** (XXe). Abstrait. Coupure, fêlure, rupture. *Une cassure dans une vie, dans une amitié. Querelle qui laisse subsister une cassure.* → **Brisure, brouille.**

3 (...) mille éléments de tendresse existant en nous à l'état fragmentaire et qu'elle a assemblés, unis, effaçant toute cassure entre eux. PROUST cité par A. MAUROIS, Études littéraires, t. I, p. 133.

CONTR. **Colmatage, raccommodage, recollage, soudure.**

**CASTAGNE** [kastaɲ] n. f. — 1898; forme d'oc de *châtaigne.*

Argot.

♦ **1** Coup de poing. *Donner, filer une castagne à qqn.* → **Marron.** *Recevoir une castagne, des castagnes.*

♦ **2** (1932). *La castagne :* échange de coups, bagarre. → **Baston.** *Aller à la castagne. Aimer, chercher la castagne.*

(...) faut pas être surpris si je me sentais en humeur pour la castagne. Albert SIMONIN, Touchez pas au grisbi, p. 46.

**CASTAGNER (SE)** [kastaɲe] v. pron. — D.i.; de *castagne.*

Argot fam. Se battre, se bagarrer.

**CASTAGNETTES** [kastaɲɛt] n. f. pl. — 1606; *cascagnettes,* 1582; esp. *castañeta,* de *castaña* «châtaigne».

Petit instrument de musique, à percussion, composé de deux pièces de bois ou d'ivoire creusées, réunies par un cordon, et que le joueur s'attache aux doigts pour les faire claquer l'une contre l'autre et pour marquer le rythme d'un air de danse ou de chant. → **Cliquette.** *Une paire de castagnettes. Jouer des castagnettes. Rythmer un fandango au son des castagnettes. Castagnettes de tzigane. Castagnettes antiques.* → **Crotale.**

J'entendais les castagnettes; le tambour, les rires et les bravos; parfois j'apercevais sa tête quand elle sautait avec son tambour. MÉRIMÉE, Carmen. 1

On n'entend que le froufrou des robes, et toujours le petit claquement sec des doigts imitant un bruit de castagnettes. LOTI, Ramuntcho, I, V, p. 68. 2

Deux ou trois hautbois (...) mènent un chœur éperdument joyeux de voix d'hommes, scandé par une trentaine de tambours de basque et par une légion de castagnettes. LOTI, Figures et Chœurs, «Messe de minuit», p. 98. 3

Fam. (par compar.). *Claquer des dents de froid en faisant un bruit de castagnettes.*

Au sing. *Une castagnette :* une des deux pièces de bois formant les castagnettes.

**CASTAPIANE** [kastapjan] n. f. — 1883; orig. incert., p.-ê. altér. de *cataplasme* avec *l* mouillé.

Fam. Blennorragie. → **Chaude-pisse** (fam.). *«Une vague et ancienne castapiane»* (Verlaine, *Correspondance,* in Cellard et Rey).

**CASTE** [kast] n. f. — 1659; portugais *casta* «caste hindoue», (XVIe); fém. de *casto* «pur», p.-ê. du lat. *castus* «pur, sans mélange».

♦ **1** Se dit des classes très fermées de la société hindoue (aujourd'hui — et depuis Gandhi — théoriquement abolies). *La caste des prêtres* (→ **Brahmane**), *celle des guerriers, celle des bourgeois, celle des artisans, divisions hiérarchiques de la société hindoue. Les castes et sous-castes. Les parias ou intouchables sont hors-caste* (n'appartiennent à aucune caste).

Un certain honneur que des préjugés de religion établissent aux Indes, fait que les diverses castes ont horreur les unes des autres (...) il y a tel Indien qui se croirait déshonoré s'il mangeait avec son roi. MONTESQUIEU, l'Esprit des lois, XXIV, XXII. 1

♦ **2** Péj. Classe élevée de la société considérée comme ayant un esprit d'exclusion et désireuse de préserver ses droits ou ses privilèges. → **Clan, classe.** *La caste de qqn, sa caste. Il a les préjugés de sa caste. Esprit, orgueil, préjugés de caste. Caste nobiliaire.*

Il n'y a plus de castes, de races, d'épidermes aristocrates. Il n'y a plus chez nous que des gens riches et des gens pauvres. Aucun autre classement ne peut différencier les degrés de la société contemporaine. MAUPASSANT, La Vie errante, I, p. 7. 2

(...) les bourgeois d'alors se faisaient de la société une idée un peu hindoue, et la considéraient comme composée de castes fermées où chacun, dès sa naissance, se trouvait placé dans le rang qu'occupaient ses parents, et d'où rien, à moins des hasards d'une carrière exceptionnelle ou d'un mariage inespéré, ne pouvait vous tirer pour vous faire pénétrer dans une caste supérieure. PROUST, À la recherche du temps perdu, t. I, p. 28. 3

4 (...) tout orgueil nobiliaire (...) tout fanatisme de caste semble mesquin (...)
Valery LARBAUD, Fermina Marquez, p. 12.

5 En Allemagne aussi, la caste militaire essaie de torpiller la paix. MARTIN DU GARD, les Thibault, t. IX, p. 267.

Groupe d'individus unis par la même profession, les mêmes intérêts. *La caste médicale. La caste des gens de lettres.*

♦ **3** Zool. Chez les insectes, Ensemble d'individus spécialisés dans une fonction (reine, ouvrière, soldat...). *La caste chez les abeilles, les guêpes, les fourmis, les termites.*

**CASTEL** [kastɛl] n. m. — Fin XVII^e, Saint-Simon ; mot provençal, équivalant au franç. *chastel.* → Château.

Petit château. → **Gentilhommière.** *Un castel coquet, élégant. Un castel délabré, en ruines.* — REM. Le mot relève d'un style littéraire évocateur.

Elle sentait que le contraste du riche château de Bruyères et du misérable castel de Sigognac devait produire une impression douloureuse sur l'âme du pauvre gentilhomme.
Th. GAUTIER, le Capitaine Fracasse, I, V, p. 120.

**CASTILLAN, ANE** [kastijɑ̃, an] adj. et n. — 1517 ; de *Castille,* nom d'une province d'Espagne.

De Castille, propre à la Castille. *Orgueil castillan. Fierté castillane.* — N. *Un Castillan, une Castillane.*

Paraissez, Navarrois, Maures et Castillans,
Et tout ce que l'Espagne a nourri de vaillants.
CORNEILLE, le Cid, V, 2.

N. m. *Le castillan :* dialecte espagnol parlé en Vieille Castille et devenu la langue espagnole officielle (comme le francien d'Île-de-France est devenu le français). *Parler castillan* (→ **Espagnol**).

**CASTILLE** [kastij] n. f. — 1456 ; probablt esp. *castillo* «château».

♦ **1** Hist. Combat simulant l'attaque d'un château, dans un tournoi.

♦ **2** Vx. Petite dispute. *Chercher castille à quelqu'un,* chercher querelle (G. Sand, *la Petite Fadette*). — REM. Ce sens se trouve encore chez Gide, la Varende.

DÉR. **Castiller** (se).

**CASTILLER (SE)** [kastije] v. pron. — 1879, Huysmans ; probablt de *castille.*

Rare, vx. Se disputer.

**CASTINE** [kastin] n. f. — Av. 1603 ; all. *Kalkstein,* de *Stein* «pierre», et *Kalk* «chaux».

Techn. Pierre calcaire que l'on mélange au minerai de fer pour en faciliter la fusion.

**CASTING** [kastiŋ] n. m. — Av. 1972 ; mot angl. «distribution» (dans un spectacle).

Anglic. Sélection des acteurs, des figurants d'un spectacle (théâtre, cinéma). *Agence de casting. Le directeur du casting d'un film. Séance de casting.* — Recomm. off. : *distribution artistique.*

Fig. Distribution des rôles (dans le domaine social, professionnel ou politique). *Ce ministre n'est pas à sa place au gouvernement, il y a une erreur de casting.*

**CASTOR** [kastɔʀ] n. m. — V. 1130 ; lat. *castor,* grec *kastôr ;* a supplanté l'anc. franç. *bièvre.*

♦ **1** Mammifère rongeur *(Castoridés),* amphibie, au corps massif, à tête large et museau court, pourvu d'une large queue plate, velue près du corps, écailleuse ensuite. *Les quatre pattes du castor sont armées d'ongles puissants ; les pattes postérieures sont palmées. Les castors sont végétariens, bons nageurs. En Norvège, en Mongolie, en Amérique, les castors forment des colonies et bâtissent dans l'eau des digues, des huttes dont les parois sont faites de branches entrelacées, liées par un mortier de boue. Les castors de France vivent par couples dans des terriers. Fourrure de castor. Excrétion du castor.* → **Castoréum.**

Que ces castors ne soient qu'un corps vide d'esprit, 1
Jamais on ne pourra m'obliger à le croire.
LA FONTAINE, Fables, Disc. à M^me de la Sablière.

Le grand ingénieur des lacs, le castor qui prévoit la 1.1
crue des eaux, se fait plusieurs étages où il montera à volonté (...) MICHELET, l'Oiseau, LVII, p. 209.

♦ **2** Fourrure du castor. *Manteau de castor. Chaussons de castor.* → Polaire, cit. 2. — Fourrure (de mammifère, voisin du castor). *Castor du Chili :* fourrure du coypou. *Castor du Canada :* fourrure du rat musqué. → aussi **Castorette.**

♦ **3** Anciennt. Chapeau d'homme, en feutre fait de poils de castor.

Voyez, je vous ferai meilleur marché qu'un autre, 2
Des gants, des baudriers, des rubans, des castors.
CORNEILLE, la Galerie du palais, I, 7.

♦ **4** (1695). Argot, vx. Demi-mondaine, de moralité douteuse (dans la série *castor fin, castor* et *demi-castor ;* → 2. **Demi-castor**).

♦ **5** Mar. (vx, fam.). Mousse, novice.

♦ **6** (1950 ; au plur.). Fig. Personnes associées pour construire leurs logements, sans faire appel à des entrepreneurs ni à des ouvriers salariés. *Le mouvement des castors.*

DÉR. **Castorette, castoréum, castorine.** ◊ COMP. 1. **Demi-castor,** 2. **demi-castor.**

**CASTORETTE** [kastɔʀɛt] n. f. — 1925, *in* D. D. L. ; de *castor.*

Comm. Peau de faible valeur teinte et traitée de manière à évoquer la fourrure du castor.

(...) il est bien évident qu'il faut une certaine dose d'ingénuité pour ne pas reconnaître, sous des peaux désignées *castorette,* (...) *herminette,* (...) *chinchillette, visonnette* (...) le plus vulgaire lapin de choux.
René THÉVENIN, les Fourrures, p. 123.

**CASTORÉUM** [kastɔʀeɔm] n. m. — XIII^e ; lat médiéval *castoreum,* de *castor.*

Méd. Excrétion sébacée du castor, utilisée comme remède antispasmodique.

**CASTORINE** [kastɔʀin] n. f. — 1802 ; de *castor.*

Vx. Étoffe fine, en poils de castor mêlés à de la laine. *Houppelande de castorine.*

Par métonymie. Vêtement en castorine. *Mettre, porter une castorine.*

**CASTRAL, ALE, AUX** [kastʀal, o] adj. — 1619 ; lat. *castralis,* de *castrum.* → Château.

Didact. et rare. Relatif à un château ; d'un château.

**CASTRAMÉTATION** [kastʀametasjɔ̃] n. f. — 1555 ; lat. médiéval *castrametatio,* du lat. *castra* «camp», et *metari* «mesurer».

Antiq. Art de choisir et de disposer l'emplacement d'un camp. → **Bivouac, campement, cantonnement.** *Les traités de castramétation des Romains.*

**CASTRAT** [kastʀa] n. m. — 1749; ital. *castrato* «châtré»; «animal châtré», 1556, comme mot gascon (*in* Huguet); gascon *castrat,* cf. anc. provençal *castrat* (XIVe).

♦ **1** Méd. Individu mâle qui a subi la castration. → **Eunuque.**

♦ **2** (1749; de Brosses). Chanteur qu'on châtrait dans l'enfance pour qu'il conserve une voix de soprano. → **Sopraniste.** *Les castrats de la Chapelle Sixtine.*

1 Les castrats étaient des chanteurs incomparables. Voués exclusivement, dès l'enfance, à l'étude du chant (...)
Initiation à la musique, p. 125.

2 Quant au castrat lui-même *(Sarrasine, héros de la nouvelle de Balzac),* on aurait tort de le placer de droit du côté du châtré : il est la tâche aveugle et mobile de ce système; il va et vient entre l'actif et le passif; châtré, il châtre (...)
R. BARTHES, S/Z, p. 43.

Par métaphore. «*Nous sommes des espèces de castrats moralement*» (Valery Larbaud).

**DÉR. Castrature.**

**CASTRATEUR, TRICE** [kastʀatœʀ, tʀis] adj. — V. 1930; de *castration.*

♦ **1** Psychol. Qui provoque un complexe de castration chez quelqu'un. *Une mère castratrice. Une attitude castratrice.*

1 Ils peuvent en faire le tour, l'examiner à loisir : avare; mesquine; bornée; béotienne; lâche qui profite brutalement de sa force; mère dénaturée; *castratrice* (...)
N. SARRAUTE, le Planétarium, p. 55.

♦ **2** Qui pratique une castration, qui châtre.

Par métaphore :

2 Le texte est en somme un fétiche; et le réduire à l'unité du sens, par une lecture abusivement univoque, c'est *couper la tresse,* c'est esquisser le geste castrateur.
R. BARTHES, S/Z, p. 166.

**CASTRATION** [kastʀasjɔ̃] n. f. — 1380; lat. *castratio.*

♦ **1** Opération par laquelle on prive un individu, mâle ou femelle, de la faculté de se reproduire. → **Castrer, châtrer.** *La castration a pour effet la stérilisation. Castration complète, bilatérale. Castration par ablation des deux testicules* (→ **Émasculation**), *des deux ovaires* (→ **Ovariectomie**), *d'un seul de ces organes (castration incomplète). Castration par atrophie, écrasement, mortification des organes de la génération* (→ **Bistournage**). *Billot pour la castration des animaux.* → **Casseau.**

Dr. *Crime de castration.*

1 Toute personne coupable du crime de castration subira la peine des travaux forcés à perpétuité.
Si la mort en est résultée avant l'expiration des quarante jours qui auront suivi le crime, le coupable subira la peine de mort.
Code pénal, art. 316.

État d'un individu (notamment, d'un homme) castré; état de castrat*.

♦ **2** Bot. Ablation des anthères (d'une fleur) pour obtenir la création d'hybrides, après fécondation par le pollen d'une espèce voisine.

♦ **3** Psychan. *Angoisse de castration,* axée sur le fantasme de castration. (→ Castrature, cit.). *Complexe de castration.* (→ Nécrophilique, cit.). «*Amour objectal limité par la prédominance du complexe de castration*» (G. Palmade).

2 La structure et les effets du complexe de castration sont différents chez le garçon et chez la fille. Le garçon redoute la castration comme réalisation d'une *menace* paternelle en réponse à ses activités sexuelles (...) Chez la fille, l'absence du pénis est ressentie comme un préjudice subi qu'elle cherche à nier, compenser ou réparer.
J. LAPLANCHE et J.-B. PONTALIS, Voc. de la psychanalyse, art. *Complexe de castration.*

**DÉR. Castrateur.** ◊ **COMP. Autocastration.**

**CASTRATURE** [kastʀatyʀ] n. f. — 1968, Barthes; de *castrat.*

Didact. Condition de castrat (1. et 2.).

Faire coïncider la *castrature,* condition anecdotique, avec la *castration,* structure symbolique, telle est la tâche réussie par le performateur (*Balzac, dans* Sarrasine).
R. BARTHES, S/Z, p. 169.

**CASTRER** [kastʀe] v. tr. — 1600; lat. *castrare* «châtrer».

♦ **1** Pratiquer la castration* sur (un individu, spécialt, un mâle). → **Châtrer, émasculer; bistourner, chaponner, hongrer.** *Castrer un chat* (→ **Couper**), *un cheval, un taureau, un agneau, un bélier.*

(...) j'ai connu Étendard, un taureau (...) Étendard entrait dans la huitième année quand le grand-père Haudoin se décida à l'engraisser pour la boucherie, et Ferdinand vint tout exprès (...) pour le castrer. Huit jours plus tard (...) il n'y avait plus qu'un bœuf de mardi-gras.
M. AYMÉ, la Jument verte, p. 242.

♦ **2** Fig. Mutiler, amputer (un texte littéraire, une œuvre artistique); affaiblir (un moyen d'expression). → **Châtrer** (fig.).

**CASTRISME** [kastʀism] n. m. — V. 1960; du nom de Fidel *Castro,* homme d'État cubain.

Mouvement révolutionnaire né de Fidel Castro; politique qui en découle. *Le castrisme en Amérique latine.*

**CASTRISTE** [kastʀist] adj. et n. — V. 1960; de Fidel *Castro* (→ Castrisme).

Relatif au castrisme, inspiré par le castrisme. *Révolution castriste.* — N. *Un castriste :* un partisan du castrisme. *Politique agraire des castristes.*

**CASUALITÉ** [kazɥalite] n. f. — XVIe, en dr.; lat. *casualitas,* de *casualis* «casuel».

Didact. et rare. Qualité, condition de ce qui est casuel, soumis au hasard.

**CASUARINA** [kazɥaʀina] n. m. — 1786; lat. bot., de *casuaris,* Linné, nom du *casoar* «oiseau», par anal. entre les rameaux de l'arbre et les plumes de l'oiseau.

♦ **1** Bot. Arbre d'Australie et de Malaisie, ne possédant pas tous les caractères des angiospermes (type du seul genre d'une famille, les *Casuarinacées,* et d'un ordre, les *Casuarinales*), croissant en terrain humide, à bois très serré (dit *bois de fer*), utilisé en menuiserie. → **Filao.**

C'étaient plus particulièrement des casuarinas et des eucalyptus, dont quelques-uns devaient fournir au printemps prochain une manne sucrée tout à fait analogue à la manne d'Orient.
J. VERNE, l'Île mystérieuse, t. I, p. 152.

♦ **2** Techn. Substance brune extraite de l'écorce de cet arbre, au tanin abondant, qui teint la laine et la soie.

1. **CASUEL, ELLE** [kazɥɛl] adj. et n. m. — 1370; lat. *casualis,* de *casus* «accident». → 1. Cas.

♦ **1** Didact. Qui peut arriver ou non, suivant les cas. → **Accidentel, aléatoire, contingent, éventuel, fortuit, occasionnel.** *Impressions casuelles,* dues aux circonstances.

C'est une affaire privée que la beauté; l'impression de la reconnaître et ressentir à tel instant est un accident plus ou moins fréquent dans une existence, comme il en est de la douleur, et de la volupté; mais plus casuel encore. 0.1
VALÉRY, Variété III, p. 42.

Dr. *Condition casuelle.*

1 La condition *casuelle* est celle qui dépend du hasard, et qui n'est nullement au pouvoir du créancier ni du débiteur.
Code civil, art. 1169.

♦ **2** N. m. (1669). Profit, revenu incertain et variable d'un office, d'un emploi, qui peut s'ajouter au gain, au revenu fixe. → **Appoint, complément, supplément.**

2 Moyennant les seize cents francs (...) un fixe mensuel de quinze louis, le casuel, et, de temps en temps, les petits cadeaux inévitables (...)
COURTELINE, Boubouroche, Nouvelle, p. 32.

Spécialt. Honoraires que les fidèles donnent au curé dans certaines occasions telles que baptêmes, mariages, enterrements. *Le casuel d'une cure.*

3 Il a été entendu que je ne toucherai pas mon traitement de l'évêché et que mon faible casuel, mes honoraires de messe, j'en disposerai à mon gré en faveur de mes pauvres et de mes confrères.
A. BILLY, Sur les bords de la Veule, p. 119.

CONTR. **Assuré, certain, invariable. — Fixe.** ◊ DÉR. **Casuellement.** — HOM. 2. **Casuel.**

2. **CASUEL, ELLE** [kazɥɛl] adj. — V. 1860, Renan; lat. *casualis,* de *casus* «cas». → 2. Cas.

Ling. Qui comporte des cas. *Langues casuelles,* où des paradigmes d'affixes nominaux expriment les cas.

Relatif aux cas. *Relations, désinences casuelles.* → **Déclinaison.** *Valeurs casuelles.*

HOM. 1. **Casuel.**

**CASUELLEMENT** [kazɥɛlmɑ̃] adv. — 1468; de 1. *casuel.*

Vx. D'une manière casuelle.

**CASUISME** [kazɥism] n. m. — 1843, Balzac; de *casuiste.*

Péj., rare. Attitude des casuistes (2.).

**CASUISTE** [kazɥist] n. — 1611; esp. *casuista,* du lat. ecclés. *casus* «cas de conscience».

♦ **1** N. m. Théologien qui s'applique à résoudre les cas ou les difficultés de conscience par les règles de la raison et du christianisme. *Casuiste sévère, subtil. Casuiste complaisant.*

1 (...) quelques religieux relâchés et quelques casuistes corrompus, qui ne sont pas membres de la hiérarchie, ont trempé dans ces corruptions, il est constant (...) que les véritables pasteurs de l'Église, qui sont les véritables dépositaires de la parole divine, l'ont conservée immuablement contre les efforts de ceux qui ont entrepris de la ruiner.
PASCAL, Pensées, XIV, 889.

2 Comme il y a un nombre infini d'actions équivoques, un casuiste peut leur donner un degré de bonté qu'elles n'ont point, en les qualifiant telles (...)
MONTESQUIEU, Lettres persanes, 57, *in* LITTRÉ.

3 Le meilleur de tous les casuistes est la conscience; et ce n'est que quand on marchande avec elle qu'on a recours aux subtilités du raisonnement.
ROUSSEAU, Émile, IV, p. 348.

♦ **2** Personne qui se plaît à subtiliser, à composer, à transiger avec la conscience. → **Sophiste.** *C'est une casuiste.*

DÉR. **Casuisme, casuistique.**

**CASUISTIQUE** [kazɥistik] n. f. — 1829; de *casuiste.*

Didactique ou littéraire.

♦ **1** Relig. Partie de la théologie morale qui s'occupe des cas de conscience. *Casuistique jésuite.* «*Les Jésuites ont beaucoup écrit sur la casuistique*» (Académie).

La casuistique qui n'eut ni cœur ni âme n'a point stipulé pour la femme. Mais aujourd'hui c'est l'homme même, dans sa justice généreuse, qui doit plaider pour elle, s'il le faut, contre lui. MICHELET, la Femme, p. 458. 1

La casuistique se fait et sert pour les cas difficiles; sous son empire, toutes les peccadilles courantes sont à l'aise. 2
TAINE, Philosophie de l'art, t. II, III, II, III.

♦ **2** (Péj.). Tendance à subtiliser, en morale, souvent de manière complaisante. → **Sophistique.** *La casuistique du cœur.*

L'Antiquité, qui comptait tant de sophistes, n'était pas ignorante des subtilités et des faux-fuyants de la casuistique. 3
Grand dict. universel du XIXe siècle, art. *Casuistique.*

(...) si nous avons aperçu dans la casuistique des scribes, des moyens détournés pour se débarrasser des préceptes (...) 4
DANIEL-ROPS, le Peuple de la Bible, IV, p. 368.

♦ **3** Adj. De la casuistique. *Subtilité casuistique.*

**CASUS BELLI** [kazysbɛlli] n. m. invar. — Av. 1867; lat. *casus,* et *bellum,* «cas de guerre».

Dr. internat. Acte de nature à motiver, pour un gouvernement, une déclaration de guerre. *Des casus belli.*

En effet, depuis huit ou neuf cents ans, Quiquendone avait dans son sac un *casus belli* de la plus belle qualité; mais elle le gardait précieusement, comme une relique, et il semblait avoir quelques chances de s'éventer et de ne plus pouvoir servir. J. VERNE, le Docteur Ox, p. 80.

**CAT-, CATA-** Élément emprunté au grec *kata* «en bas, en dessous, en arrière»; «contre»; «en commençant»; «en achevant». → aussi kata- *(katabatique, katafront).*

**CATABOLIQUE** [katabɔlik] adj. — 1905, in *Rev. gén. des sc.,* no 2, p. 71; de *catabolisme.*

Didactique.

♦ **1** Relatif au catabolisme. *La phase catabolique du métabolisme.*

♦ **2** Chez qui se manifeste le catabolisme. *Organisme catabolique.*

**CATABOLISER** [katabɔlize] v. tr. — XXe; de *catabolisme.*

Didact. (physiol.). Transformer une partie de la matière vivante en déchet. «*En outre les cellules musculaires lisses possèdent un récepteur pour les lipoprotéines et peuvent ainsi les reconnaître, les emmagasiner et les cataboliser (les digérer)*» (*Sciences et Avenir,* 1978; no 22, p. 33).

**CATABOLISME** [katabɔlism] n. m. — 1896; de *cata-,* et *(méta)bolisme.*

Didact. (physiol.). Phase du métabolisme qui comprend les processus de dégradation des composés organiques, avec dégagement d'énergie sous forme de chaleur ou de réactions chimiques et élimination des déchets.

À côté des substances favorisant la culture, il faut mentionner les substances inhibitrices qui en retardent ou en arrêtent le développement. Parmi elles se trouvent principalement les substances de déchet qui se produisent du fait même de la vie cellulaire, substances de dégradation produites par ce qu'il est convenu d'appeler le catabolisme.
Jean VERNE et Simone HÉBERT, la Culture de tissus, p. 14.

CONTR. **Anabolisme.** ◊ DÉR. **Catabolique, cataboliser, catabolite.**

**CATABOLITE** [katabɔlit] n. m. — V. 1960; de *catabolisme.*

Didact. (physiol.) Substance formée au cours du catabolisme (→ **Anabolite**).

**CATACHRÈSE** [katakʀɛz] n. f. — 1557; lat. *catachresis,* grec *katakhrêsis,* même sens.

Didact. Figure de rhétorique qui consiste à détourner un mot de son sens propre. → **Métaphore.** *On dira par catachrèse «ferré d'argent», «aller à cheval sur un bâton».*

Il affectait dans l'excitation générale un parler grave et solennel où se chevauchaient d'ahurissantes propositions dans un fatras de catachrèses, antiphrases et prosopopées, le tout à l'état natif.
Jacques PERRET, Bande à part, p. 91.

Spécialt. [a] Métaphore lexicalisée (qui n'est plus sentie comme une figure). Ex. : *les ailes d'un château, d'un moulin.*

[b] Extension de sens d'un signe lexical (mot) par métaphore, métonymie, synecdoque à une notion non désignée dans la langue.

REM. Ces deux notions peuvent coïncider, mais elles sont construites selon des critères différents.

**CATACLYSMAL, ALE, AUX** [kataklismal, o] adj. — XX[e]; de *cataclysme.*

Littér. Qui a le caractère d'un cataclysme. → **Cataclysmique** (2.).

Le froid, la guerre ont fait un signe : c'est assez pour que (...) nous enviions notre semblable qui, sous tous les règnes du froid cataclysmal, se pencha, ramassa le bois mort et en fit jaillir la flamme.
COLETTE, De ma fenêtre, 16 janv. 1941, p. 60.

**CATACLYSME** [kataklism] n. m. — Av. 1553, *cataclisme;* lat. *cataclysmos,* grec *kataklusmos* «inondation».

♦ **1** Bouleversement de la surface du globe, causé par un phénomène naturel destructeur (déluge, tremblement de terre...). → **Bouleversement, catastrophe, désastre.**

1 (...) si jamais notre planète est victime d'un cataclysme, à ce moment redoutable, il se trouvera des hommes qui, au milieu du bouleversement et du chaos, auront une pensée désintéressée, scientifique (...)
RENAN, Œuvres, t. I, p. 218.

♦ **2** (1845). Désastre, bouleversement (dans un état, dans une société...) → **Calamité, crise, fléau.** *Cette révolution fut un vrai cataclysme.*

2 Et si jamais pestes au monde, famines, guerres, orages, cataclysmes, conflagrations et autre malheur advient, ne l'attribuez *(pas),* ne le référez *(pas)* aux conjonctions des planètes maléfiques, aux abus de la cour romaine, aux tyrannies des rois (...) attribuez le tout à l'énorme, indicible, incroyable et inestimable méchanceté (...)
RABELAIS, le Cinquième Livre, 11.

Fam. Brusque mise en désordre.

♦ **3** Cause d'un désordre; personne qui met en désordre, cause des dégâts par sa maladresse, son agitation, etc. *Ce gosse est un (vrai) cataclysme.*

DÉR. **Cataclysmal, cataclysmique.**

**CATACLYSMIQUE** [kataklismik] adj. — 1863; de *cataclysme.*

Didactique.

♦ **1** Géol. Qui fait intervenir le bouleversement causé par un cataclysme. *Théorie cataclysmique de la formation de l'écorce terrestre* (→ **Catastrophisme**).

♦ **2** Qui a le caractère d'un cataclysme. → **Cataclysmal, désastreux, terrible.** *Un vent d'une violence cataclysmique.* — Par plais. *Un éternuement cataclysmique.*

**CATACOMBE** [katakɔ̃b] n. f. — 1690; *cathacombes,* fin XIIIe; lat. chrét. *catacumbae* «cimetière souterrain», altér. de **cata-tumbae;* du grec *kata* «en bas», et du lat. chrét. *tumba* «tombe», la dissimilation étant due p.-ê. à l'infl. de *cumbere* «être couché».

♦ **1** Souterrain en galerie ayant servi de sépulture (→ **Cimetière, hypogée).** *Morts enterrés dans les catacombes. Les catacombes de Rome.*

Je vis s'allonger devant moi des galeries souterraines, qu'à peine éclairaient de loin à loin quelques lampes suspendues. Les murs des corridors funèbres étaient bordés d'un triple rang de cercueils placés les uns au-dessus des autres. La lumière lugubre des lampes rampant sur les parois des voûtes, et se mouvant avec lenteur le long des sépultures, répandait une mobilité effrayante sur ces objets éternellement immobiles (...) Je reconnais les catacombes ! 1
CHATEAUBRIAND, les Martyrs, t. I, V, p. 214.

Le Tibre sépare les deux gloires : assises dans la même poussière, Rome païenne s'enfonce de plus en plus dans ses tombeaux et Rome chrétienne redescend peu à peu dans ses catacombes. 2
CHATEAUBRIAND, Mémoires d'outre-tombe, II, 2.

Les Catacombes de Rome, dont les galeries forment plusieurs étages, sont décorées de peintures symboliques de style pompéien. 3
Louis RÉAU, Dict. d'art et d'archéologie, *Catacombes.*

Par ext. Excavation où ont été réunis des ossements. → **Ossuaire.** *Les catacombes de Paris* (dans les anciennes carrières souterraines de la rive gauche).

♦ **2** Par métaphore. Abîme, dédale, labyrinthe.

Plus l'esprit est vigoureux, plus il se perd dans les catacombes de l'incertitude humaine. 4
A. DE VIGNY, Journal d'un poète, p. 151.

On pressent le silence sinistre de ces bureaux inoccupés et de ces archives lambrissées : catacombes administratives qu'emplit tantôt un froid de glace, tantôt une chaleur d'étuve (...) 5
COURTELINE, Messieurs les ronds-de-cuir, 1er tableau, II, p. 29.

REM. Le mot semble inusité au singulier.

**CATACOUSTIQUE** [katakustik] n. f. — 1751; de *cat-,* et *acoustique.*

Phys. Partie de l'acoustique qui a pour objet l'étude de la réflexion du son (→ **Écho).**

**CATADIOPTRE** [katadjɔptʀ] n. m. — Mil. XXe; de *catadioptrique.*

Sc., cour. Cataphote (→ Bicyclette, cit. 0.2).

Elle *(la voiture)* avançait le long des rues avec ses phares allumés, et elle croisait d'autres phares, des feux rouges, des clignotants, des catadioptres, des reflets métalliques. Il y avait tellement de lumières qu'on avait besoin de lunettes noires pour ne pas être aveuglé.
J.-M. G. LE CLÉZIO, les Géants, 1973, p. 83.

**CATADIOPTRIQUE** [katadjɔptʀik] adj. et n. f. — 1771; croisement de *catoptrique,* et de *dioptrique.*

Didactique (physique).

♦ **1** Adj. Relatif aux phénomènes de réflexion et de réfraction de la lumière; qui comprend des appareils de réflexion et de réfraction. *Télescope catadioptrique.*

♦ **2** N. f. Vieilli. Étude de la réflexion et de la réfraction. → **Optique; catoptrique, dioptrique.**

DÉR. **Catadioptre.**

**CATADROME** [katadʀɔm] adj. et n. m. — XXe; autres sens au XIXe; de *cata-,* et grec *dromos* «course».

Zool. Se dit des poissons qui vivent en rivière et vont frayer en mer (opposé à *anadrome*). — Syn. : *thalassotoque.*

(...) les *Catadromes* ou Thalassotoques se nourrissent dans les rivières, puis descendent vers la mer dans les profondeurs de laquelle a lieu l'acte sexuel; leur type est l'Anguille. R. et M.-L. BAUCHOT, les Poissons, p. 119.

CONTR. **Anadrome, potamotoque.**

**CATAFALQUE** [katafalk] n. m. — XVIIIe; «échafaud», 1690; ital. *catafalco*, du lat. pop. *catafalicum.*

♦ **1** Estrade décorée sur laquelle on place le cercueil pendant une cérémonie funèbre (le cercueil vide, dans les cérémonies commémoratives). Décoration funèbre qu'on élève au-dessus du cercueil. → **Chapelle** (chapelle ardente). *Le baldaquin, les cierges d'un catafalque. Dresser un catafalque au milieu d'une église.*

1 Et le prêtre fait à grands pas le tour du catafalque, le brode de perles d'eau bénite, l'encense (...)
HUYSMANS, En route, p. 15.

1.1 Baudelaire disait que l'on reconnaissait toute vraie poésie, harnachée ou non de catafalques, à la métamorphose que lui dispensait la mort; mais après 1860, le siècle même devenait l'objet de cette métamorphose-là.
MALRAUX, l'Homme précaire et la littérature, p. 247.

♦ **2** Fig. Meuble, monument, ensemble massif d'apparence sinistre.

2 Je nomme catafalque, le piano mécanique, ancien, éprouvé par le temps, d'un noir de vieux frac.
COLETTE, la Naissance du jour, p. 206.

**CATAGENÈSE** [kataʒənɛz] n. f. — 1863, Littré, en sc. (vx); de *cata-*, et *-genèse.*

(1907). Philos. Chez Bergson, Évolution régressive.

1. **CATAIRE** [katɛʀ] ou **CHATAIRE** [ʃatɛʀ] n. f. — 1733; bas lat. *cattaria*, de *cattus* «chat».

Bot. Plante dicotylédone de la famille des Labiées (→ **Népète**), dont l'odeur forte attire les chats (d'où son nom d'*herbe aux chats*).

HOM. 2. **Cataire.**

2. **CATAIRE** [katɛʀ] adj. — 1833; du rad. du lat. *cattus* «chat».

Didact. et rare. Qui a rapport au chat.

(1833). Méd. *Frémissement cataire :* frémissement vibratoire, semblable au ronronnement du chat, qu'une main appliquée sur la poitrine peut percevoir dans le cas de rétrécissement de l'orifice mitral. «*Ce bruit* (n'a jamais lieu) *sans que la main appliquée sur la région précordiale n'y perçoive un frémissement particulier, qu'on a comparé à celui qui accompagne le murmure de satisfaction que font entendre les chats quand on les caresse, et qu'on a en conséquence désigné sous le nom de frémissement cataire*» (*Journal de médecine et de chirurgie pratiques,* 1833, IV, 390).

HOM. 1. **Cataire.**

**CATALAN, ANE** [katalɑ̃, an] adj. et n. — 1452, *cathalain;* catalan *català* (XIVe), de *Catalunya* «la Catalogne».

De Catalogne. *Le peuple catalan, la nation catalane. Barcelone, capitale catalane. Littérature, poésie catalane. La sardane*, danse catalane. — L'art catalan* (spécialt, art roman de Catalogne). *Une vierge catalane. — Couteau catalan :* couteau à lame étroite et effilée, à cran d'arrêt. — *Méthode catalane* (ancien procédé métallurgique).

Cette réduction se fait en soumettant le minerai en présence du charbon à une haute température, soit par la rapide et facile «méthode catalane», qui a l'avantage de transformer directement le minerai en fer dans une seule opération (...) J. VERNE, l'Île mystérieuse, t. I, p. 190.

N. *Un Catalan, une Catalane. Picasso, Miró, Catalans célèbres.*

Loc. *À la catalane :* préparé avec du riz, des aubergines à l'huile (viande), des tomates, poivrons, cornichons (thon). *Du thon (à la) catalane.*

N. m. *Le catalan :* langue romane parlée en Catalogne (espagnole et française) et aux îles Baléares. *Parler catalan et espagnol. Parler le catalan. Renaissance du catalan en France.* — Adj. *La grammaire catalane. Dictionnaire catalan-espagnol.*

DÉR. **Catalanisme, catalaniste.**

**CATALANISME** [katalanism] n. m. — V. 1930; de *catalan.*

Polit. Autonomisme catalan.

**CATALANISTE** [katalanist] adj. et n. — 1929, Montherlant; de *catalan.*

Didactique.

♦ **1** Adj. Relatif au catalanisme; partisan du catalanisme. — N. *Un catalaniste convaincu.*

♦ **2** N. Spécialiste de la langue et de la civilisation catalanes.

**CATALASE** [katalaz] n. f. — XXe; de *catal(yse)*, et suff. *-ase.*

Biol. et chim. Enzyme qui active la décomposition de l'eau oxygénée en eau et en oxygène, très importante dans les processus d'oxydation de l'organisme accompagnés de production d'eau oxygénée qui est toxique.

**CATALECTIQUE** [katalɛktik] adj. — 1644; grec *katalêktikos*, de *katalêgein* «finir».

Versif. Se dit d'un vers grec ou latin auquel manque une syllabe.

**CATALEPSIE** [katalɛpsi] n. f. — V. 1580; *catalepse*, 1507; lat. méd. *catalepsis*, grec *katalêpsis* «action de saisir».

Méd. Suspension complète du mouvement volontaire des muscles et aptitude du tronc et des organes à garder les attitudes qu'on leur fait prendre. → **Cataplexie, catatonie** (cit. 1), **léthargie, paralysie.** *La catalepsie s'observe dans le sommeil hypnotique* (→ **Hypnose**) *et dans la schizophrénie. Accès, attaque de catalepsie.*

Une méditation profonde, une belle extase sont peut-être, dit-il en terminant, des catalepsies en herbe.
BALZAC, Louis LAMBERT, Pl., t. X, p. 441.

Cour. *En catalepsie. Être, tomber en catalepsie.*

**CATALEPTIQUE** [katalɛptik] adj. — Av. 1742; lat. méd. *catalepticus*, grec *katalêptikos* (→ Catalepsie).

Méd. Qui a rapport à la catalepsie. *Accès, état cataleptique. Insensibilité cataleptique. Sommeil cataleptique.*

(...) il avait sombré, pendant deux heures, dans un sommeil cataleptique, d'où il était sorti courbatu, hagard.
MARTIN DU GARD, les Thibault, t. VII, p. 135.

N. (Personnes). *Un, une cataleptique.*

**CATALOGAGE** [katalɔgaʒ] n. m. — 1928; de *cataloguer.*

♦ **1** Didact. Ensemble des opérations par lesquelles on élabore un catalogue; résultat de ces opérations. *Un catalogage systématique.*

♦ **2** Fig. et souvent péj. Action de ranger (quelqu'un, quelque chose dans une catégorie).

Renoncez donc pour moi à ce jeu de catalogage, qui est celui de tous les «partisans». Parce que je ne suis pas d'un parti, est-ce une raison pour que je sois d'un autre?
R. ROLLAND, Journal des années de guerre 1914-1919, p. 1387.

**CATALOGNE** [katalɔɲ] n. f. — 1635; anc. franç. «couverture de laine», du n. pr. *Catalogne.*

Régional (franç. du Québec). Étoffe dont la trame est faite de bandes de tissus généralement multicolores. *Couverture, tenture de catalogne.* — Spécialt. Tapis fait de cette étoffe.

Déjà admise dans l'auberge (...) Non pas installée comme une cliente ordinaire. Les bagages à côté du lit, sur la catalogne. Les affaires de toilette rangées sur le lave-mains (...)
Anne HÉBERT, Kamouraska, 1970, p. 210.

**CATALOGUE** [katalɔg] n. m. — 1262; bas lat. *catalogus,* grec *katalogos* «liste».

♦ **1** Liste méthodique des éléments d'une collection, accompagnée de détails, d'explications. → **Dénombrement, index, inventaire, liste, nomenclature, recueil, répertoire, rôle, table.** *Dresser un catalogue. Inscrire qqch. au catalogue. Catalogue par ordre alphabétique, par ordre chronologique, par ordre de matières. Catalogue des saints; catalogue des martyrs, de victimes.* → **Martyrologe.** *Catalogue de plantes. Le catalogue des tableaux d'une exposition.* → **Livret.** *Catalogue de livres. Catalogue d'une bibliothèque.* → **Répertoire.** *Catalogue des écrits relatifs à un sujet donné.* → **Bibliographie, collection, index.** *Catalogue des rubriques d'un ouvrage.* → **Index, table** (des chapitres, des matières). *Catalogue des livres divinement inspirés.* → 2. **Canon.** *Catalogue des livres interdits par l'autorité pontificale.* → **Index.**

1 Puis il regarda autour de lui, s'orienta, apprit le fonctionnement de cette grande machine *(la Bibliothèque nationale).* Il y avait notamment les catalogues, dont il fallait connaître le maniement, des catalogues nombreux, les uns imprimés, d'autres manuscrits, d'autres encore photographiques, les uns sur fiches les autres pas, par ordre alphabétique ou par ordre de matière : bref tout un apprentissage à faire. Lorsqu'il eut un peu compris, le premier soin de M. G. fut de chercher son nom au catalogue général; il l'y trouva; ce fut pour lui une bien grande émotion, une joie très vive.
R. QUENEAU, Contes et propos, «La petite gloire», p. 31-32.

♦ **2** Liste, souvent illustrée, de marchandises, d'objets à vendre. *Acheter, feuilleter un catalogue. Un catalogue publicitaire. Catalogue de meubles, de jouets, de vêtements. Catalogue de vente par correspondance. Vignettes d'un catalogue illustré.*

2 (...) ce matin encore, Mme de Champcenais a reçu un catalogue de nouveautés d'hiver qu'elle a feuilleté au lit. Les adversaires de la taille fine auraient tort de chanter victoire. Les vignettes montrent qu'elle reste en honneur.
J. ROMAINS, les Hommes de bonne volonté, t. I, p. 47.

♦ **3** Fig. Liste, énumération (d'éléments). *Cet article est un simple catalogue.* Loc. *Faire le catalogue de* (et n. au plur.) : énumérer.

Loc. métaphorique. *Rayez cela de votre catalogue :* ne croyez pas cela; n'y comptez pas.

DÉR. **Cataloguer.**

**CATALOGUER** [katalɔge] v. tr. — 1801; de *catalogue.*

♦ **1** Classer, dénombrer, inscrire par ordre dans un catalogue. *Cataloguer les livres d'une bibliothèque.* — Au p. p. *Les objets non encore catalogués.* — Énumérer comme dans un catalogue; faire la liste de.

Presque toutes les personnes dont j'ai parlé dans ces Mémoires ont disparu; c'est un registre obituaire que je tiens. Encore quelques années, et moi, condamné à cataloguer les morts, je ne laisserai personne pour inscrire mon nom au livre des absents. 1
CHATEAUBRIAND, Mémoires d'outre-tombe, I, VIII.

Dresser le ou les catalogues de. *Cataloguer une collection, une bibliothèque, un musée.*

♦ **2** (1902). Classer (qqn) en le jugeant de manière définitive. → **Juger.** *Il l'a catalogué tout de suite : c'est un faux modeste.*

Si l'on nous permet de cataloguer, pour plus de commodité, les journalistes en deux classes : (...) les uns sont imbus de bonne littérature et de culture classique (...) les seconds, à qui ce nom de Baudelaire était peu familier (...) 2
A. JARRY, Gestes, Le monument de Boulaine, Œ. compl., t. VII, p. 108, 1902.

Au p. p. (construit avec un adj. en apposition) :

En moins de temps qu'il n'en faut pour l'écrire, le neuf devient un nouveau cliché. Il se vulgarise trop vite, parce que, catalogué moderne il est une mode. 3
A. JARRY, Critique de théâtre, Le cochon, Œ. compl., t. VII, p. 256, 1903.

♦ **3** Classer, mettre une étiquette sur (qqn, qqch.); réduire en classant.

Et qu'est-ce que tu écris? dis-je. 4
— On peut appeler ça comme on veut : des nouvelles ou bien des poèmes. Ça ne se laisse pas cataloguer.
S. DE BEAUVOIR, les Mandarins, p. 398 (1954).

(...) on m'enfermait à nouveau dans ce monde dont j'avais mis des années à m'évader, où chaque chose a sans équivoque son nom, sa place, sa fonction (...) où d'avance tout est classé, catalogué, connu, compris et irrémédiablement jugé (...) 5
S. DE BEAUVOIR, Mémoires d'une jeune fille rangée, p. 192.

DÉR. et COMP. **Catalogage, catalogueur. Incatalogable.**

**CATALOGUEUR, EUSE** [katalɔgœʀ, øz] n. — 1801; de *cataloguer.*

Rare. Personne qui catalogue (1. ou 2.). *«Ce XIXe siècle, grand éplucheur d'archives, catalogueur de monuments»* (Louis Hourticq, *in* T. L. F.).

**CATALPA** [katalpa] n. m. — 1771; *catappas,* 1751; mot angl., de la langue des Indiens de Caroline.

Plante dicotylédone *(Bignoniacées),* arbre d'origine exotique, de grande taille, à larges feuilles cordiformes, se couvrant d'amples panicules de grandes fleurs blanches ponctuées de rouge. *Le catalpa est cultivé en Europe comme arbre d'agrément.*

Elle laissa donc un écureuil, qui jamais ne l'intéresserait plus, se plonger dans un catalpa (...) 1
GIRAUDOUX, Juliette au pays des hommes, p. 71.

Souvent un catalpa, dans une cour, se penchant par-dessus la muraille, envahit la rue où pendent ses vertes guirlandes. 2
Paul MORAND, New-York, p. 159.

**CATALYSE** [kataliz] n. f. — 1836; angl. *catalysis,* 1836; grec *catalusis* «action de dissoudre».

♦ **1** Chim. Modification (surtout accélération) d'une réaction chimique sous l'effet d'une substance (→ **Catalyseur**) qui ne subit pas de modification elle-même. On appelait ce phénomène *action de présence, action catalytique. Catalyse positive,* par laquelle la réaction est accélérée. *Catalyse négative* (ou *inhibition*), par laquelle la réaction est ralentie. *Catalyse homogène, hétérogène* (ou *de contact*). *Four, poêle à catalyse. Agir par catalyse. Dans les réactions biochimiques, les enzymes régissent les processus de catalyse.*

♦ **2** Fig. Action de catalyser (2.).

DÉR. **Catalyser, catalytique.** ◊ COMP. **Autocatalyse.**

**CATALYSER** [katalize] v. tr. — 1838; de *catalyse.*

♦ **1** Chim. Agir comme catalyseur en provoquant (une réaction). *Le mercure catalyse l'oxydation de l'aluminium.*

♦ **2** (V. 1950). Fig. Déclencher (une réaction) par sa seule présence. *Catalyser l'enthousiasme.*

Qu'as-tu fait de moi (...)? Rien d'autre que ce que je suis, que ce que j'aurais été forcé d'être tôt ou tard (...) Tu as catalysé le mal, nettoyé le champ opératoire, précipité l'inéluctable. Régis DEBRAY, l'Indésirable, 1975, p. 133.

DÉR. **Catalyseur.**

**CATALYSEUR** [katalizœʀ] n. m. — 1884; de *catalyser.*

♦ **1** Chim. Substance qui provoque la catalyse. *Le catalyseur agit souvent à dose infime, il se retrouve inaltéré à la fin de la réaction. La réaction a lieu en présence de tel catalyseur. Activité; sélectivité d'un catalyseur. Enzyme, ferment jouant le rôle de catalyseur* (→ **Biocatalyseur**). *Catalyseur positif* (→ **Initiateur; accélérateur**), *négatif* (→ **Inhibiteur**). — Spécialt. Catalyseur positif. *Désactivation d'un catalyseur, par «empoisonnement»* (→ **Poison**) *ou «encrassement».*

♦ **2** Par compar., par métaphore ou fig. Ce qui catalyse (2.), déclenche une réaction, par sa seule présence ou par son intervention. *Jouer le rôle d'un catalyseur; servir de catalyseur.*

1 (...) entre temps (...) se produisit ce second fait, une seconde intrusion (...) le protagoniste (...) n'agit en somme que comme une sorte de catalyseur, de révélateur. Claude SIMON, le Vent, 1957, p. 68.

2 Certains observateurs avaient noté que, pour eux *(les étudiants contestataires),* «les Bourgeois» remplissaient la même fonction que les Juifs pour les Nazis : un catalyseur de l'agressivité. Jean-Louis CURTIS, le Roseau pensant, p. 178.

Adj. masc. *Un agent catalyseur.*

3 (...) l'intervention du masque *(un objet trouvé par hasard)* semblait avoir pour but d'aider Giacometti à vaincre (...) son indécision (...)
Cet essai de démonstration du rôle *catalyseur* de la trouvaille n'aurait rien à mes yeux de péremptoire si ce même jour (...) je n'avais pu m'assurer que la cuiller de bois *(autre objet de rencontre)* répondait à une nécessité analogue (...) A. BRETON, l'Amour fou, p. 46-47.

COMP. **Biocatalyseur.** — V. **Catergol.**

**CATALYTIQUE** [katalitik] adj. — 1836; de *catalyse.*

Chim. Relatif à la catalyse. *Action catalytique d'une enzyme. Réaction catalytique. Pouvoir catalytique d'une substance. Substance, corps, agent catalytique.* → **Catalyseur.**

Nous n'avons discuté jusqu'à présent que de la première étape d'une réaction enzymatique (...) L'étape catalytique elle-même, qui suit la formation du complexe, ne nous arrêtera pas longtemps (...) Jacques MONOD, le Hasard et la Nécessité, 1970, p. 80.

**CATAMARAN** [katamaʀɑ̃] n. m. — Mil. XX^e; *catimaron* «radeau des Indes», 1699; mot angl., du tamoul *katta* «lien», et *maram* «bois».

♦ **1** Vx ou techn. Radeau de la côte de Coromandel, constitué de troncs d'arbres parallèles, reliés par des traverses.

♦ **2** Embarcation à voile (et, par ext., à moteur), à deux coques accouplées. *Les multicoques comprennent les catamarans, trimarans...*

♦ **3** Système de flotteurs d'hydravion. *Flotteurs en catamaran.*

DÉR. V. **Trimaran.**

**CATAMÉNIAL, ALE, AUX** [katamenjal, o] adj. — 1863; du grec *katamênia* «menstrues», de *kata* «par», et *mên* «mois».

Méd. (rare). Qui a rapport aux menstrues. → **Menstruel.** *Des douleurs cataméniales.*

**CATAPHORÈSE** [katafɔʀɛz] n. f. — 1893, en méd.; de *cata,* et *phoresis* «action de porter».

♦ **1** Chim. (vieilli). Syn. de *électrophorèse**.

♦ **2** Techn. Déplacement de particules colloïdales vers la cathode par l'action d'un courant électrique (opposé à *anaphorèse*).

**CATAPHOTE** [katafɔt] n. m. — V. 1931, marque déposée; du grec *kata* «contre», et *phos, -otos* «lumière».

Petit appareil réfléchissant la lumière et rendant visible la nuit le véhicule, l'obstacle qui le porte. → **Catadioptre, réflecteur.** *Bicyclette munie de cataphote.*

(...) le prix d'une bicyclette garde-boue chromée deux freins sonnette lanterne avant et cataphote arrière (...) Tony DUVERT, Paysage de fantaisie, 1973, p. 223.

**CATAPHRACTE** [katafʀakt] n. et adj. — XIV^e; grec *kataphraktês* «cuirasse», de *kata* «contre», et *phrasein* «couvrir, protéger».

Didactique.

**I** N. f. ♦ **1** Antiq. Cuirasse des cavaliers (en Orient, puis chez les Grecs et les Romains), faite de peau ou de toile recouverte de lames de métal imbriquées en écaille.

♦ **2** (1751). Mar. anc. Grand vaisseau de guerre à rames, recouvert d'un pont.

**II** N. m. Soldat revêtu de la cataphracte. — Adj. :

Par précaution contre les éléphants, Mâtho institua un corps de cavaliers cataphractes, où l'homme et le cheval disparaissaient sous une cuirasse en peau d'hippopotame hérissée de clous (...) FLAUBERT, Salammbo, IX, p. 185.

**CATAPLASME** [kataplasm] n. m. — 1390, *cathaplasme;* lat. *cataplasma,* grec *kataplasma* «emplâtre».

♦ **1** Préparation médicinale pâteuse, appliquée sur la peau. → **Fomentation.** *Le cataplasme est un topique. Cataplasme de farine de lin. Cataplasme sinapisé,* à la farine de moutarde. → **Sinapisme.** *Préparer, appliquer, renouveler un cataplasme sur un abcès. Cataplasme vésicant, émollient, révulsif, tonique, irritant.*

Ils sont faits de farine et *(de)* poudre mêlées et incorporées avec *(du)* jus ou autre chose humide; tels emplâtres doivent plutôt être appelés onguents durs ou cataplasmes qu'emplâtres. Ambroise PARÉ, XXV, 27, in LITTRÉ. 1

Des cataplasmes d'amidon sur une brûlure : ça ne guérit pas, mais ça soulage à condition de les renouveler tout le temps. COLETTE, Chéri, p. 153. 2

Spécialt. Cataplasme sinapisé enfermé dans un linge ou déposé sur une feuille souple à humecter et que l'on applique sur la peau. → **Sinapisme.**

Loc. fam. *Un cataplasme sur une jambe de bois :* une mesure inutile, inefficace.

Hortic. Mélange de bouse et de terreau que l'on applique sur les lésions des arbres. (On dit aussi *onguent de Saint-Fiacre*).

Fam. Aliment épais et indigeste. *Cette purée est un cataplasme, un cataplasme pour l'estomac.* → **Emplâtre.**

♦ **2** Paquet épais (de billets, de feuilles). → **Matelas.**

3 (...) Pas un des messieurs corrects, pas un des employés économes n'était dépourvu d'un raisonnable paquet de fonds turcs, ni d'un énorme cataplasme de fonds russes.
J. ROMAINS, les Hommes de bonne volonté, I, p. 32.

**CATAPLECTIQUE** [kataplɛktik] adj. — 1863, Littré; de *cataplexie*.

De la cataplexie. *« Des modèles animaux ont tenté de recréer certains aspects de cette maladie, et l'on peut induire un épisode de type cataplectique en injectant certaines drogues dans le tronc cérébral »* (*la Recherche*, févr. 1974; nº 42, p. 129).

**CATAPLEXIE** [katаplɛksi] n. f. — 1752; *cataplexis*, 1747; grec *kataplêxis* « stupeur », de *kata* « sur », et *plêssein* « frapper ».

Didactique (pathologie). Affection caractérisée par une perte de tonus musculaire sans perte de conscience, souvent sous l'effet d'une brusque émotion. *Sujet en cataplexie. État de cataplexie induit expérimentalement chez l'animal* (→ Cataplectique).

**DÉR. Cataplectique.**

**CATAPULTABLE** [katapyltabl] adj. — 1951; de *catapulter*.

Qui peut être catapulté. *Avion catapultable à partir d'un porte-avions.*

**CATAPULTAGE** [katapyltaʒ] n. m. — Déb. XXe; de *catapulter*.

Action de catapulter. — Spécialt. Lancement d'un avion à l'aide d'une catapulte. *Des dispositifs de catapultage sur les porte-avions.*

**CATAPULTE** [katapylt] n. f. — 1355; lat. *catapulta*, grec *katapeltês*.

♦ **1** Machine de guerre antique, où un système de poutres et de cordes tordues, formant ressort, projetait au loin de lourds projectiles. → 1. **Baliste** (cit. 2), **bricole** (A., 1.), **mangonneau, onagre, scorpion.**

(...) les catapultes, se composaient d'un châssis carré, avec deux montants verticaux et une barre horizontale.
FLAUBERT, Salammbo, XIII, p. 258.

♦ **2** (1927, *in* D. D. L.). Poutre métallique, portant un chariot projeté par une charge d'explosif, par l'air comprimé, etc., et qui sert à lancer un hydravion, un avion, une fusée (→ Rampe* de lancement). *Les catapultes d'un cuirassé, d'un porte-avions.*

**DÉR. Catapulter.**

**CATAPULTER** [katapylte] v. tr. — Déb. XXe; de *catapulte*.

♦ **1** Lancer par catapulte. — Spécialt. Lancer à l'aide d'une catapulte (2.) un avion ou un hydravion sur une aire de décollage réduite. — Au p. p. *Avion catapulté.*

♦ **2** Cour. [a] Lancer, projeter violemment au loin (qqch.).

[b] (Compl. n. de personne). Nommer subitement (qqn) à un poste, généralement plus élevé que précédemment. *Catapulter quelqu'un à la direction d'une affaire.* → **Élever, porter; bombarder** (fam.) — *Déplacer autoritairement (qqn) dans un lieu éloigné. Cet ingénieur a été catapulté en province par son ministère.* → **Parachuter.**

**DÉR. Catapultable, catapultage.**

1. **CATARACTE** [kataʀakt] n. f. — 1479, au sens 3.; lat. *cataracta*, grec *kataraktês* « chute d'eau ».

♦ **1** (1549, Estienne). Chute des eaux d'un grand cours d'eau. → **Cascade.** *Les cataractes du Nil ne sont que des rapides*. Cataractes du Zambèze, du Niagara.* → **Chute.**

(...) quand on a vu la cataracte du Niagara, il n'y a plus de chute d'eau. 1
CHATEAUBRIAND, Mémoires d'outre-tombe, IV, II.

La neige, tombant comme une écume de cataracte, avait éteint les torches l'une après l'autre. 2
HUGO, l'Homme qui rit, I, II, 18.

♦ **2** (1803). Chute violente (d'eau). → **Déluge, torrent, trombe.** *Des cataractes de pluie. Les vagues tombaient en cataractes sur le pont. Il tombe des cataractes,* une très forte pluie.

(...) des pluies épouvantables, semblables à des cataractes, tombèrent du ciel. 3
BERNARDIN DE SAINT-PIERRE, Paul et Virginie, p. 63.

Par comparaison :

(...) celui-ci passe en silence comme l'épanchement d'une source; celui-là attache un bruit à son cours comme un torrent; celui-là jette son existence comme une cataracte qui épouvante et disparaît. 4
CHATEAUBRIAND, Mémoires d'outre-tombe, IV, VI.

Fig. *Des cataractes de larmes. Cataracte de lumière.*

(...) des cataractes de soleil. 5
MAUPASSANT, Notre cœur, III, I, p. 243.

♦ **3** (1479). Au plur. Vieilli. Écluses, vannes qui retiennent les eaux du ciel (expression biblique : *le ciel ouvre ses cataractes*). *Les cataractes du ciel se sont ouvertes* (→ **Déluge**).

Il ouvrit les cataractes du ciel. 6
MASSILLON, Panégyrique de saint François, *in* LITTRÉ.

Loc. (vieilli). *Lâcher les cataractes :* laisser déborder sa colère, son indignation. — Pleurer abondamment.

**HOM.** 2. **Cataracte.**

2. **CATARACTE** [kataʀakt] n. f. — 1340; lat. médical *cataracta* « chute d'eau », puis « porte qui s'abat, herse », par métaphore, le malade ayant l'impression d'un voile qui s'abat sur lui.

Pathol. Affection de l'œil aboutissant à l'opacité partielle ou totale du cristallin*, ou à celle de la capsule* de Tenon. *Cataracte congénitale, sénile, traumatique, spontanée. Cataracte capsulaire, nucléaire, lenticulaire. Avoir la cataracte. Opération de la cataracte,* par section de la cornée, ouverture de la capsule, ablation du cristallin. *Être opéré de la cataracte.*

Une âme peut être opérée de l'athéisme comme une prunelle de la cataracte.
HUGO, Post-scriptum de ma vie, L'âme, Rêveries sur Dieu.

**DÉR. Cataracté.** ◊ **HOM.** 1. **Cataracte.**

**CATARACTÉ, ÉE** [kataʀakte] adj. — 1752; de 2. *cataracte*.

Pathol. Affecté de la cataracte. *Œil, cristallin cataracté.*

**CATARRHAL, ALE, AUX** [kataʀal, o] adj. — 1503; de *catarrhe*.

Méd. (vx). Relatif au catarrhe. *Fièvre catarrhale.*

**CATARRHE** [kataʀ] n. m. — 1370; lat. médical *catarrhus*, grec *katarrhos* « écoulement ».

Méd. (vx). Inflammation des muqueuses donnant lieu à une hypersécrétion. *Catarrhe pulmonaire. Catarrhe de la vessie. — Catarrhe du nez et des bronches. Catarrhe nasal du cheval.* → **Morfondure.**

1 Ils apportent leur cœur, leur vertu, leur catarrhe,
Et prosternent, cagneux, devant sa majesté,
Leur bassesse avachie en imbécillité.
HUGO, les Châtiments, VI, 5.

2 (...) des cailloux qui tombaient sur son grabat, où il *(le père Colmiche)* gisait, continuellement secoué par un catarrhe, avec des cheveux très longs, les paupières enflammées (...)
FLAUBERT, Trois contes, «Un cœur simple», III.

Fam. Gros rhume*.

**DÉR. Catarrhal.**

**CATARRHEUX, EUSE** [kataʀø, øz] adj. — 1478; bas lat. *catarrhosus,* de *catarrhus.* → Catarrhe.

♦ **1** Sujet au catarrhe (spécialt, au catarrhe des voies respiratoires). *Un vieillard catarrheux. — Être un peu catarrheux,* enrhumé chroniquement. — N. *Un catarrheux, une catarrheuse.*

♦ **2** Du catarrhe, caractéristique du catarrhe. *Toux catarrheuse.*

**CATARRHINIENS** [kataʀinjɛ̃] n. m. pl. — 1821; grec *kata* «en bas», et *rhis, rhinos* «nez».

Zool. Sous-ordre de primates *(Simiens*);* singes de l'Ancien Monde (cloison nasale dirigée vers le bas; trente-deux dents; pas de queue préhensile). Ex. : *babouin, cercopithèque, macaque, nasique.* — Au sing. *Un catarrhinien.*

Les Singes se divisent en deux grands groupes caractérisés par des différences anatomiques et qui se trouvent en même temps séparés par leurs patries respectives : l'Ancien Monde et le Nouveau. Ce sont les Catarrhiniens et les Platyrrhiniens.
René THÉVENIN, les Fourrures, p. 71.

**CATASTROPHE** [katastʀɔf] n. f. — 1552, Rabelais; lat. *catastropha,* grec *katastrophê* «bouleversement».

♦ **1** Didact. Dernier et principal événement (en général funeste) d'un poème, d'une tragédie. → **Dénouement.**

1 (...) la fin et catastrophe de la comédie approche (...)
RABELAIS, Pantagruel, IV, 27.

2 La catastrophe de ma pièce est peut-être un peu trop sanglante.
RACINE, Thébaïde, Préface.

3 Il parle de protase (...) et veut que cette première des quatre parties de la tragédie soit toujours la plus proche de la dernière qui est la catastrophe.
RACINE, Bérénice, Préface.

♦ **2** Cour. Malheur* effroyable et brusque. → **Bouleversement, calamité, cataclysme, coup, désastre, drame, fléau, infortune.** *Affreuse, cruelle, effroyable, épouvantable, horrible, sanglante, terrible catastrophe. Catastrophe brutale, inattendue. Courir à la catastrophe. Provoquer une catastrophe. En cas de catastrophe.*

Spécialt. **a** Événement dramatique (sinistre ou accident) causant de nombreux morts (humains). *Catastrophe aérienne, ferroviaire, maritime, minière. Catastrophe naturelle. Médecine* de catastrophe. Les dispositifs de sécurité ont empêché une catastrophe. Les conséquences funestes d'une catastrophe.* — Appos. *Film-catastrophe,* dont le scénario décrit un événement catastrophique, un sinistre ou un accident grave. *Scénario(-)catastrophe :* hypothèse la plus défavorable (d'un événement) présentée de manière dramatique.

4 (...) un jour de mars 1885, notre marche, jusqu'alors victorieusement progressive, eut un arrêt momentané. Anicroche d'un jour que l'aveuglement, le parti pris, la faiblesse transformèrent en catastrophe.
Georges LECOMTE, Ma traversée, p. 46.

Nous sommes arrivés au moment où, si tous font comme toi, si tous laissent les choses aller, la catastrophe est inévitable... 5
MARTIN DU GARD, les Thibault, t. V, p. 181.

La montée lente et l'amplitude croissante des catastrophes qui finissent par abattre Lise Darembert rappellent les effets de certains romans de Balzac (le dénouement final du *Père Goriot,* la déchéance du Baron Hulot). 6
A. MAUROIS, Études littéraires, Jacques de Lacretelle, t. II, p. 243.

**b** Événement aux conséquences graves et pénibles, atteignant une collectivité. *Une catastrophe économique, financière* (→ aussi Choc, 3.). — *Catastrophe écologique.*

Didact. *Réaction de catastrophe* (en psychophysiologie).

♦ **3** Fam. Événement fâcheux, qui porte préjudice; grave difficulté (→ **Désastre** [3.], **drame).** *Son départ en retraite va être une catastrophe pour lui. Ne pleure pas, ça n'est pas une catastrophe! Rien n'est prêt, c'est la catastrophe!* — Abrév. fam. *C'est la cata!*

Sans doute quelque catastrophe m'attend-elle à Paris, en rançon de tout ce bonheur. 7
GIDE, Journal, 1er sept. 1930.

Événement inopportun, aux conséquences gênantes (→ **Accident, ennui).** *Quelle catastrophe va-t-il encore déclencher?*

En interj. *Catastrophe! J'ai oublié ma clef.*

Par hyperbole. *Son dernier film est une catastrophe. Ce collaborateur est une véritable catastrophe.*

♦ **4** Loc. EN CATASTROPHE : en risquant le tout pour le tout. *Manœuvrer, atterrir, se poser en catastrophe. — (Agir) en catastrophe,* d'urgence, pour éviter le pire ou parer au plus pressé. *«Il ne s'agit pas d'évacuer* (le Viêt-nam) *en catastrophe, mais d'adopter un calendrier et un plan de compromis»* (*l'Express,* 20 oct. 1969). — Hâtivement, de manière bâclée. *«Voilà... voilà comment se terminent toutes nos émissions, comme ça, en catastrophe (à cause de l'horaire)»* (*O. R. T. F.,* 25 avr. 1970).

♦ **5** (1970, René Thom). Didact. *Théorie des catastrophes,* des situations physiques où un conflit entraîne des modifications analysables de la stabilité morphologique d'un objet. *Théorie des catastrophes restreintes, étudiant les catastrophes élémentaires* (ex. : *la catastrophe «pli»*). *Théorie des catastrophes générales. Applications de la théorie des catastrophes* (en mécanique, en biologie, en optique...).

On considère un champ de dynamiques locales définies comme gradient d'un potentiel. Par *catastrophe élémentaire,* on désigne toute situation de conflit entre régimes locaux, minima du potentiel, qui peut se produire de manière stable sur l'espace-temps à quatre dimensions. Par abus de langage, on désignera parfois sous le nom de catastrophe la morphologie qu'elle fait apparaître. 8
Il y a lieu de distinguer deux types de catastrophes : les catastrophes de *conflit,* et les catastrophes de *bifurcation*[1].
René THOM, Modèles mathématiques de la morphogenèse, IV, p. 71.
1. «Situations de conflit entre attracteurs dont un au moins cesse d'être structurellement stable» (p. 72).

CONTR. **Bonheur, chance, succès; heureux** (événement).
◊ DÉR. **Catastrophé, catastropher, catastrophique, catastrophisme, catastrophiste.**

**CATASTROPHÉ, ÉE** [katastʀɔfe] adj. — XXe; de *catastrophe.*

Fam. Abattu, affligé ou annihilé par une catastrophe. *Il en est tout catastrophé. — Un regard catastrophé.*

Je sens bien que je devrais prendre l'air catastrophé.
J. DUTOURD, Mémoires de Mary Watson, p. 212.

REM. Bien que le v. *catastropher* soit attesté antérieurement, l'adj. est plus courant aujourd'hui et n'est pas senti comme le p. p. du verbe.

**CATASTROPHER** [katastʀɔfe] v. tr. — XX$^e$; «faire tomber», 1896, Courteline; de *catastrophe.*

Fam. Rendre (qqn) catastrophé. → **Abattre, accabler, annihiler, atterrer, confondre.** → Calamiter, cit.

**CATASTROPHIQUE** [katastʀɔfik] adj. — 1845, répandu XX$^e$; de *catastrophe.*

♦ **1** Qui a les caractères d'une catastrophe. → **Affreux, effroyable, épouvantable.** *Événement catastrophique. Les conséquences catastrophiques de la crise économique. Une épidémie, une famine catastrophique.*

♦ **2** Qui provoque ou peut provoquer une catastrophe; dont les conséquences sont graves. *Projet catastrophique. Le gouvernement a pris des mesures catastrophiques.*

♦ **3** Fam. Qui constitue un événement désagréable, gênant ou inopportun. *J'ai obtenu une note catastrophique à cette épreuve. — Son dernier roman est catastrophique,* très mauvais.

♦ **4** (1970, René Thom). Didact. *Point catastrophique :* dans la théorie des catastrophes* (5.), point où se produit une perturbation du système, de l'objet étudié.

**CATASTROPHISME** [katastʀɔfism] n. m. — 1845; de *catastrophe.*

♦ **1** Géol. (vx). Conception théorique des XVIII$^e$ et XIX$^e$ siècles (Cuvier) qui attribuait les changements survenus à la surface de la Terre à des mouvements cataclysmiques *(tectonique instantanée).*

♦ **2** (1963, Beauvoir, *in* D. D. L.). Attitude qui consiste à prévoir, à envisager le pire; pessimisme* outré qui prévoit des catastrophes.

**CATASTROPHISTE** [katastʀɔfist] adj. — 1975; de *catastrophe* ou *catastrophisme.*

Qui prévoit des catastrophes, qui envisage le pire. *Des discours catastrophistes. Des prévisions catastrophistes.* → **Alarmiste.**

**CATATONIE** [katatɔni] n. f. — 1888; all. *katatonie,* 1874; du grec *kata* (→ Cat-) «en-dessous», et *tonos* «tension».

♦ **1** Psychiatrie. Syndrome psychiatrique caractérisé par l'inhibition motrice, des perturbations végétatives et endocriniennes. *La catatonie est souvent associée à la schizophrénie.*

1 Qu'est-ce que la catatonie? Décrit en 1874 par Kahlbaum ce syndrome consiste en quatre grands symptômes cardinaux qui sont ou associés, ou qui alternent d'un moment à l'autre : 1° une tendance à la conservation des attitudes [catalepsie] (...) 2° une raideur et un véritable trouble du tonus musculaire (d'où le nom de catatonie) consistant dans une sorte de résistance active aux mouvements qu'on veut faire faire au malade (...) 3° des mouvements automatiques divers, des gestes, des répétitions rapides dites stéréotypées, et aussi de véritables crises de gesticulation analogues à la crise hystérique (...) 4° de gros troubles organo-végétatifs, salivation, cyanose, troubles vasculaires considérables, etc.

H. BARUK, Psychoses et Névroses, p. 21.

♦ **2** Littér. État d'une personne totalement inactive, immobile.

2 La vacuité totale de la pensée donnait à Hubert une noblesse spiritualisée, presque janséniste. Le crâne duveteux, le long nez d'oiseau revêtirent quelque chose de monacal; et l'on eût pu croire qu'à force d'ennui, Hubert allait tomber dans la catatonie de l'extase.

Jean-Louis CURTIS, le Roseau pensant, p. 40.

DÉR. **Catatonique.**

**CATATONIQUE** [katatɔnik] adj. et n. — 1903, *in Rev. gén. des sc.,* n° 17, p. 893; de *catatonie.*

Psychiatrie. Qui se rapporte à la catatonie. *Syndrome catatonique. Psychose catatonique.* — N. *Un, une catatonique :* un, une malade atteint(e) de catatonie.

**CATAU** ou **CATEAU** [kato] n. f. — 1660, *cateau;* «fille de salle», 1832; prénom, diminutif de *Catherine.* → Catin.

Fam. et vx. Catin*, prostituée (*in* Zola, Daudet, etc.).

Var. : *cato* (1870).

Cette cato qui tortillait tant son derrière, autrefois, dans sa belle boutique bleue.

ZOLA, l'Assommoir, t. II, p. 144 (1877).

HOM. **Catho.**

**CATCH** [katʃ] n. m. — 1919, *in* Höfler; mot angl., abrév. de *catch as catch can* «attrape comme tu peux».

Lutte libre, où la quasi-totalité des prises sont permises. *Prise de catch. Porter une manchette, au catch. Match, rencontre de catch :* spectacle de cette lutte. *Catch à quatre. Catch féminin. Ils regardent le catch à la télé.*

La vertu du catch, c'est d'être un spectacle excessif. On trouve là une emphase qui devait être celle des théâtres antiques.

R. BARTHES, Mythologies, p. 13.

DÉR. **Catcher.**

**CATCHER** [katʃe] v. intr. — 1952, *in* Höfler; de *catch.*

Pratiquer le catch. *Il catche comme professionnel. Savoir catcher.*

DÉR. **Catcheur.**

**CATCHEUR, EUSE** [katʃœʀ, øz] n. — 1924, *in* Petiot; de *catcher.*

Personne qui pratique le catch. → **Lutteur.**

Ils se couchent sur le dos pour faire les mouvements abdominaux, on finira par le pont arrière : ça les amuse parce qu'ils se prennent pour des catcheurs. Brunet sent ses muscles qui travaillent, une longue douleur fine lui tire l'aine, il est heureux.

SARTRE, la Mort dans l'âme, p. 251 (1949).

**CATÉ** [kate] n. m. → **Catéchisme.**

**CATEAU** [kato] n. f. → **Catau.**

**CATÉCHÈSE** [kateʃɛz] n. f. — 1574; lat. *catechesis,* grec *katêkhêsis.*

Didact. Enseignement oral de la religion chrétienne par demandes et réponses.

Eusèbe dit qu'Origène faisait des catéchèses. 1

FÉNELON, II, 130, *in* LITTRÉ.

Instruction religieuse.

(...) il leur reste de découvrir le Christ directement, sans 2
passer par aucune catéchèse reçue du dehors et enseignée par des étrangers.

F. MAURIAC, Bloc-notes, 1925-1975, p. 177.

DÉR. **Catéchète.** — V. **Catéchétique.**

**CATÉCHÈTE** [kateʃɛt] n. m. — 1829; de *catéchèse.*

Hist. relig. Celui qui donnait la catéchèse aux premiers chrétiens.

**CATÉCHÉTIQUE** [kateʃetik] adj. et n. f. — 1636; grec *katêkhêtikos,* de *katêkhêsis.* → Catéchèse.

Didact. De la catéchèse. *Enseignement, école catéchétique.* → **Catéchistique.**

N. f. → **Catéchèse.**

**CATÉCHINE** [kateʃin] n. f. — 1853; du lat. sc. *(areca) catechu* (Linné); du nom indien du cachou. → Cachou.
Chim., techn. Principe actif du cachou, qu'on obtient par traitement à l'acide acétique. → **Pyrocatéchine.** — Syn. : *catéchol* [kateʃɔl] n. m.
COMP. **Pyrocatéchine.**

**CATÉCHISATION** [kateʃizasjɔ̃] n. f. — 1787; de *catéchiser.*
Didact. ou littér. Action de catéchiser (1. et 2.).

**CATÉCHISER** [kateʃize] v. tr. — 1583; *cathezizier,* 1374; lat. chrétien *catechizare,* grec *katêkhizein,* de *katêkhein.* → Catéchisme.

♦ **1** Instruire dans la religion chrétienne. *Catéchiser un infidèle, un enfant* (→ **Catéchisme).**

1 Elle avait beau être très croyante, jamais elle ne cherchait à imposer aux autres ses façons de voir. Aujourd'hui!... Si vous l'entendiez catéchiser ses malades!...
MARTIN DU GARD, les Thibault, t. IX, p. 55.

1.1 Je *(le dauphin)* suis d'un Ordre nouveau de missionnaire et je viens catéchiser les profondeurs malsaines de l'Océan, là où la Création est encore monstrueuse, sauvage et féroce.
Jean CAYROL, Histoire de la mer, p. 165.

♦ **2** (1694). → **Endoctriner, prêcher, sermonner.** *Catéchiser un tiède pour le convaincre, l'engager à agir. Il a essayé de la catéchiser, mais en vain.*
Faire une leçon de morale à (qqn, sur sa conduite). → **Chapitrer, gourmander, morigéner.**

2 Des ministres, des parents, des cagots, des quidams de toute espèce, venaient de Genève et de Suisse, non pas comme ceux de France, pour m'admirer et me persifler, mais pour me tancer et catéchiser.
ROUSSEAU, les Confessions, XII.

DÉR. **Catéchisation.**

**CATÉCHISME** [kateʃism] n. m. — 1610; *cathezime,* v. 1380; lat. *catechismus,* grec *katêkhismos* «instruction orale», de *katêkhein* «faire retenir».

♦ **1** Instruction* dans les principes de la foi chrétienne. → **Credo.** *Faire, enseigner le catéchisme. Leçon de catéchisme. Catéchisme des enfants. Apprendre, réciter le catéchisme. Savoir son catéchisme. Catéchisme par demandes et réponses.* → **Catéchèse.** — Par ext. *Aller au catéchisme,* au cours de catéchisme. *Assister au catéchisme. On l'avait renvoyée du catéchisme.* → Païen, cit. 6. — *Apprendre son catéchisme,* sa leçon de catéchisme.

1 Il s'en allait avec des gentillesses de petite fille au catéchisme. RIMBAUD, Une saison en enfer, «Délire», I.

2 (...) ces superstitieuses épouvantes qui vous restent du catéchisme, et s'évanouissent dans la flambée des passions de la jeunesse. M. VAN DER MEERSCH, l'Élu, p. 244.

*Réciter quelque chose comme son catéchisme,* par routine.

3 N'allez pas lui dire cela froidement comme son catéchisme. ROUSSEAU, Émile, IV.

Abrév. fam. **CATÉ** [kate] n. m. (Av. 1930, *in* D. D. L.). *Apprendre son caté. Aller au caté.* — On rencontre la var. *cathé* [kate] (1912, *in* D. D. L.).

3.1 Je crispais les poings de rage quand la très mamelue vieille fille qui nous serinait le «caté» nous assenait ces sornettes médiévales en riboulant des yeux (mon frère, très sain, chahutait). J.-L. BORY, Ma moitié d'orange, p. 34.

Par métonymie. Livre contenant l'instruction du catéchisme. *Acheter un catéchisme.*

3.2 — Ces polissons-là! murmura l'ecclésiastique, toujours les mêmes!
Et, ramassant un catéchisme en lambeaux qu'il venait de heurter avec son pied :
— Ça ne respecte rien! FLAUBERT, Mme Bovary, II, 6.

♦ **2** (1773). Exposition abrégée des principes fondamentaux (d'une science, d'une doctrine*). *Le Catéchisme d'agriculture* de l'abbé Bexon (1773).

Il relut quelques pages des *Nourritures terrestres* (...) Oui, cet ouvrage gardait (...) une curieuse actualité : l'apologie du dénuement (...) le culte de la sensation, le goût de l'errance et de l'aventure : tous les articles du catéchisme hippy! 3.3
Jean-Louis CURTIS, le Roseau pensant, p. 268.

(1738). Ce qui est pour quelqu'un article de foi. → **Dogme.**

♦ **3** (1762). Fam. Remontrance, leçon de morale. → **Sermon.** *Faire le catéchisme à quelqu'un.*

Ennuyé de vos longues morales, de vos éternels catéchismes. ROUSSEAU, Émile, IV. 4

DÉR. V. **Catéchèse, catéchiser, catéchiste, catéchumène.**

**CATÉCHISTE** [kateʃist] n. — 1578; lat. *catechista,* grec *katêkhistês.*
Celui, celle qui enseigne le catéchisme. *Le catéchiste de la paroisse.* — Appos. *Dame catéchiste.*

Dona Marina était la catéchiste *(des Mexicains).*
VOLTAIRE, Essai sur les mœurs, 147.

DÉR. **Catéchistique.**

**CATÉCHISTIQUE** [kateʃistik] adj. — 1752, Trévoux; de *catéchiste.*
Didact. Du catéchisme; de la catéchèse (→ **Catéchétique).** *Pédagogie, sens catéchistique.*

**CATÉCHOL** [kateʃɔl] n. m. → **Catéchine.**

**CATÉCHOLAMINE** [katekɔlamin] n. f. — 1998; de *catéch-* (dans *catéchine, catéchol*), et *amine.*
Physiol. Substance du groupe des amines sécrétée par la médullosurrénale, affectant le système sympathique et jouant un rôle de neurotransmetteur (ex. : adrénaline, noradrénaline, dopamine).

**CATÉCHUMÉNAT** [katekymena] n. m. — Av. 1733; de *catéchumène.*
Didact. (relig.). État du catéchumène. Temps durant lequel on est un catéchumène. *Se soumettre au catéchuménat.*

**CATÉCHUMÈNE** [katekymɛn] n. — 1374, *cathecumin;* lat. *catechumenus,* grec katêkhoumenos, de *katêkhein.* → Catéchisme.
Didactique.

♦ **1** Relig. Personne qu'on instruit dans la foi chrétienne, pour la disposer à recevoir le baptême. → **Prosélyte.**

Le corps des chrétiens primitifs se distinguait en *croyants* ou *fidèles,* et *catéchumènes.* 1
CHATEAUBRIAND, le Génie du christianisme, IV, III, 2.

(Suisse). Personne qui se prépare à la confirmation, dans la religion protestante.

♦ **2** (1844). Personne qui aspire à une initiation et que l'on instruit dans une doctrine.

Il avait dû néanmoins endurer pendant des mois ce qu'il croyait être le lot des catéchumènes, les épreuves de l'initiation : en fait, cors aux orteils et albuplastes aux talons. Il lui avait fallu sillonner cette ville gigantesque en taxis, en autobus, mais la plupart du temps à pied. 2
Régis DEBRAY, l'Indésirable, p. 86.

Cependant, Jean Paulhan, flanqué de sa muse énigmatique, Dominique Aury, laissait venir à lui les hommages de jeunes catéchumènes. 3
Claude MAURIAC, le Temps immobile, p. 88.

DÉR. **Catéchuménat.**

**CATÉGORÈME** [kategɔʀɛm] n. m. — 1555; grec *katêgorêma,* de *katêgoria.* → Catégorie.

Philosophie (Aristote).

♦ **1** Notion universelle, mode général d'énonciation (genre, espèce, différence; propre, accident).

♦ **2** Catégorie (1.).

**CATÉGORIE** [kategɔʀi] n. f. — 1564, Rabelais; bas lat. *categoria,* grec *katêgoria* «qualité attribuée à un objet».

♦ **1** Didact. (philos.). Qualité que l'on peut attribuer à un sujet. → **Prédicat.** — *Les catégories de l'être :* les attributs généraux de l'être. *Les dix catégories d'Aristote :* substance, quantité, qualité, relation, lieu, temps, situation, avoir, agir, pâtir.

1 (...) Aristote est le premier philosophe qui ait inventé des catégories, où les idées viennent se ranger de force (...)

CHATEAUBRIAND, le Génie du christianisme, I, IV, 2.

(Chez Kant). Concept fondamental de l'entendement. → **Concept.** *Les douze catégories de Kant. Les quatre grandes classes de catégories :* modalité, qualité, quantité, relation.

2 Les catégories sont les lois premières et irréductibles de la connaissance, les rapports fondamentaux qui en déterminent la forme et en régissent le mouvement.

RENOUVIER, Logique, I, p. 184.

Par ext. (et au plur.). Concept auquel un esprit a l'habitude de rapporter ses jugements, ses pensées. *Nous ne jugeons pas d'après les mêmes catégories.*

♦ **2** Sc. **a** Ling. (généralt au plur.). Classes à l'intérieur desquelles sont placés, selon des critères sémantiques ou grammaticaux, les éléments d'un vocabulaire. *Catégories logiques, grammaticales* (verbe, nom; genre; nombre). *Les catégories du discours.* → **Partie.**

**b** (V. 1950). Math. *Théorie des catégories :* théorie qui généralise la théorie des ensembles. *Une catégorie C est définie par la donnée de deux classes, l'une dite des objets, l'autre dite des morphismes de C, et par une opération sur les morphismes vérifiant certaines propriétés. Catégorie d'espaces topologiques, d'espaces métriques; catégorie algébrique. Catégories de base et sous-catégories.*

2.1 L'idée de «structures» au sens bourbakiste tend aujourd'hui à être complétée ou même supplantée par celle de «catégorie» (un ensemble d'objets et toutes leurs fonctions) mais S. Papert a fait remarquer finalement qu'il y avait là un effort pour remplacer les opérations «de la mathématique» par celles «du mathématicien» et, ici encore, on trouve des racines psychologiques ou «naturelles» assez profondes à l'idée de catégorie.

J. PIAGET, Épistémologie des sciences de l'homme, p. 228.

♦ **3** Cour. Classe* dans laquelle on range des objets de même nature. → **Espèce, famille, genre, groupe, ordre, série.** *Ranger des livres par catégories, en plusieurs catégories.* → **Classer, délimiter, diviser, séparer; classification.**

3 (...) rois et dieux mettent, quoi qu'on leur dise,
Tout en même catégorie.

LA FONTAINE, Fables, V, 18.

4 Il ne faut pas prétendre à des classifications rigoureuses. Partout les catégories voisines se pénètrent.

F. BRUNOT, la Pensée et la Langue, I, I, p. 6.

5 Il y a ainsi dans la vie toute une catégorie d'événements, dont l'importance est fort inégale, mais qui ont pour caractère commun de valoir moins par eux-mêmes que comme vérification d'une de nos rêveries.

J. ROMAINS, les Hommes de bonne volonté, t. IV, p. 234.

6 Ce sont évidemment des questions auxquelles on ne doit pas se hâter de répondre. C'est grave d'enfermer dans des catégories rigides, d'étiqueter ce qui est encore fluctuant, changeant (...)

N. SARRAUTE, Vous les entendez?, p. 51.

Spécialt. (alimentation). *Morceaux de boucherie de première, deuxième catégorie.*

Techn. *Catégorie de travaux :* ensemble de travaux appartenant à une famille technique déterminée. *Cette entreprise s'est spécialisée dans la catégorie de la vitrerie de façade.*

♦ **4** Ensemble de personnes ayant des caractères communs (→ Classe). *Catégorie sociale,* présentant les mêmes caractéristiques sociologiques. *Une catégorie socio-professionnelle* (→ **Catégoriel,** 2.).

Sports. Chacune des classes dans lesquelles — selon leur âge, leurs capacités, ou leur poids — sont placés les sportifs. *Championnat du monde toutes catégories.*

Par ext. (souvent péj.). *Ces gens-là sont de même catégorie.* → **Espèce, nature, race, sorte.** *Nous ne sommes pas de cette catégorie de gens qui...*

DÉR. **Catégoriel, catégoriser.** — V. **Catégorique.** ◊ COMP. **Sous-catégorie.**

**CATÉGORIEL, ELLE** [kategɔʀjɛl] adj. — 1943, Sartre; de *catégorie.*

♦ **1** Philos. Des catégories. Par ext. Conceptuel, abstrait. — REM. Dans ce sens on trouve aussi *catégorial, ale, aux* [kategɔʀjal, o] (Merleau-Ponty, Vuillemin).

♦ **2** Écon. polit. Propre à une catégorie de travailleurs ou de salaires. «*La F. E. N. n'a pas de véritable plate-forme corporative, elle se contente de présenter une mosaïque de revendications catégorielles*» (*l'Enseignement public,* janv. 1967).

♦ **3** Ling. *Symbole catégoriel,* représentant une catégorie grammaticale. *Composante catégorielle d'une grammaire générative,* définissant les relations entre les symboles catégoriels (structure profonde) et les systèmes de règles qui les régissent de manière à former les séquences grammaticales.

**CATÉGORIQUE** [kategɔʀik] adj. — 1542, Rabelais; n., 1495; bas lat. *categoricus,* grec *katêgorikos* «affirmatif».

♦ **1** Philos. Qui est relatif aux catégories. → **Catégoriel.** — *Proposition, jugement catégorique,* qui consiste en une assertion ne renfermant ni condition, ni alternative (par oppos. au jugement *hypothétique* et au jugement *disjonctif*). — *L'impératif catégorique,* dans la philosophie de Kant. → **Impératif.**

♦ **2** (1552). Cour. Qui ne permet aucun doute, ne souffre ni discussion ni objection. → **Absolu, indiscutable.** *Affirmation, réponse catégorique.* → **Formel.** *Une position catégorique.* → **Clair, net.**

Je le répète : *la nation* naît de l'effort catégorique — issu de l'instinct de justice — d'une avant-garde décidée à briser la domination impérialiste d'un peuple.

Jean ZIEGLER, Main basse sur l'Afrique, p. 223.

Par ext. (souvent péj.). *Un ton catégorique,* sans réplique, sans appel. → **Autoritaire, cassant, coupant, définitif, impératif, péremptoire, tranchant.**

CONTR. **Ambigu, confus, équivoque, évasif.** ◊ DÉR. **Catégoriquement.**

**CATÉGORIQUEMENT** [kategɔʀikmɑ̃] adv. — 1552, Rabelais; de *catégorique.*

D'une manière catégorique (2.), sans ambages, carrément, franchement. *Refuser catégoriquement une proposition. Trancher catégoriquement.*

Si je suis prêt à endosser les conséquences d'une piqûre mortelle faite par un autre, pourquoi me suis-je si catégoriquement refusé à la faire moi-même?

MARTIN DU GARD, les Thibault, t. III, p. 214.

**CATÉGORISABLE** [kategɔʀizabl] adj. — 1919; de *catégoriser.*

Didact. Qu'on peut classer par catégories.

Ni propriétaire, ni fermier, ni journalier, ni commerçant, ni industriel, ni fonctionnaire de l'État, ni rien du tout, Blaireau appartenait à cette classe d'êtres difficilement catégorisables et qui semblent, d'ailleurs, ne pas tenir enthousiastement à occuper une case déterminée sur le damier social. A. ALLAIS, l'Affaire Blaireau, p. 21.

**CATÉGORISATION** [kategɔʀizasjɔ̃] n. f. — 1853, *in* D. D. L.; de *catégoriser.*

Didact. Classement par catégories, notamment en linguistique, en psychologie sociale.

**CATÉGORISER** [kategɔʀize] v. tr. — 1845; de *catégorie.*

Didact. Classer par catégorie.

Rare. Classer, cataloguer.

(...) un homme a beau être catégorisé civil (...) je prétends que, lorsque chaque soir, à travers le Tibet ou l'Afrique centrale, il a dû assurer son bivouac contre les surprises (...) il a eu beau ne pas avoir appris beaucoup de petits livres bleus, il est un soldat.
L.-H. LYAUTEY, Paroles d'action, p. 6.

**DÉR. Catégorisable, catégorisation.**

**CATELLE** [katɛl] n. f. — 1582; *catale,* Fribourg, 1409; var. *caquelle, quaquelle,* 1423; adapt. de l'all. suisse *chachel,* all. *kachel* «écuelle», avec dissimilation pour les formes en *t.*

Régional (Savoie, Suisse). Carreau de faïence vernissée. *Poêle, fourneau de catelles, en catelles, à catelles.*

Carreau de faïence. «*Une de ces cuisines (...) où les murs sont habillés de catelles blanches jusqu'au ventre*» (A. Rivaz, *Nuages à la main,* p. 20).

**CATÉNAIRE** [katenɛʀ] adj. et n. f. — Fin XIX^e^; bot., 1838; lat. *catenarius,* de *catena* «chaîne».

Qui évoque une chaîne; qui s'enchaîne, dans l'espace ou dans le temps.

**I** Adj. ♦ **1** Anat. Qui se rapporte à une chaîne ganglionnaire.

♦ **2** (1928). Didact. Qui se produit en chaîne. *Réaction caténaire.*

♦ **3** Techn. (ch. de fer). *Suspension caténaire :* système de suspension du fil conducteur qui permet de maintenir celui-ci à distance constante d'une voie.

**II** N. f. ♦ **1** Math., vx. Chaînette (3.).

♦ **2** (1951). Suspension caténaire (→ ci-dessus, I., 3.). *La caténaire. Transport de courant électrique par caténaire. La caténaire est maintenue par un antibalançant*.*

**CATERGOL** [katɛʀgɔl] n. m. — 1948; de *cat(alyseur),* et *ergol.*

Chim. Propergol* dont la réaction exothermique exige la présence d'un catalyseur.

**CATERPILLAR** [katɛʀpilaʀ] n. m. — 1913, *in* D. D. L.; mot angl., «chenille» (larve du papillon).

♦ **1** Véhicule à chenilles de la marque de ce nom. — Par ext. et abusivt (vx). Tout véhicule à chenilles.

♦ **2** (1917). Vx. Chenille (d'un véhicule comportant ce dispositif de traction). *Tracteur à caterpillars.*

**CATGUT** [katgyt] n. m. — 1871; mot angl., «boyau *(gut)* de chat *(cat)*».

Chir. Fil résorbable dans les tissus de l'organisme, obtenu à partir de la couche sous-muqueuse de l'intestin grêle d'animaux (surtout du mouton et du chat), et utilisé pour les sutures et ligatures.

Les points de catgut qui retiennent les lèvres de mes blessures cèdent en déchirant la peau boursouflée.
Tony DUVERT, Paysage de fantaisie, p. 160.

**CATHARE** [kataʀ] n. et adj. — 1688, Bossuet; lat. médiéval *catharus,* XII^e^; grec *katharos* «pur». → Catharsis.

Hist. des relig. *Les cathares :* adeptes d'une secte manichéenne du moyen âge (XI^e^-XIII^e^ siècles) qui prêchaient une absolue pureté de mœurs. *Les cathares du sud de la France furent appelés* albigeois*.

L'extermination des cathares a été un des plus graves péchés de la France.
J. GREEN, Journal, 3 nov. 1959, Vers l'invisible, p. 157.

Adj. *L'hérésie cathare. Les sites et châteaux cathares.*

**DÉR. Catharisme.** ◊ **HOM. Catarrhe.**

**CATHARISME** [kataʀism] n. m. — XX^e^ (attesté 1947); de *cathare.*

Hist. des relig. Religion, philosophie religieuse des Cathares (→ Occitanien, cit. 1).

Lorsque Guillaume de Nogaret, occitanien et patarin de vieille souche, se mettait au service de Philippe le Bel et allait souffleter le pape Boniface VIII à Anagni, c'était le catharisme tout entier, devenu souterrain, qui, par ce geste extraordinaire, signifiait à l'histoire sa présence capitale, et le pape en mourait.
Raymond ABELLIO, Ma dernière mémoire, t. I, p. 42.

**CATHARSIS** [kataʀsis] n. f. — 1897; grec *katharsis* «purgation; purification».

♦ **1** Philos. «Purgation* des passions», selon Aristote, éprouvée par les spectateurs d'une représentation dramatique.

♦ **2** Psychan. Réaction de libération ou de liquidation d'affects longtemps refoulés dans le subconscient et responsables d'un traumatisme psychique. → **Abréaction** (cit.). *Mécanisme de catharsis. Catharsis hypnotique :* procédé thérapeutique par l'hypnose.

En 1893, dans leur ouvrage intitulé *Du mécanisme psy-* 1
*chique des phénomènes hystériques* Breuer et Freud écrivaient : «les divers symptômes de l'hystérie sont en étroite connexion avec un trauma provocateur qu'il est possible de retrouver par hypnose et dont la prise de conscience par les malades provoque régulièrement la guérison». Ils appelaient cette méthode thérapeutique la catharsis, reprenant le terme employé par Aristote (...)
Jean DELAY, Introd. à la médecine psychosomatique, Notes et observations, p. 109.

La psychanalyse est sortie de l'hypnose, en passant par les 2
étapes intermédiaires de la catharsis et de la suggestion.
Daniel LAGACHE, la Psychanalyse, p. 104.

♦ **3** Didact. Action purificatrice.

**DÉR.** V. **Cathartique.**

**CATHARTIQUE** [kataʀtik] adj. — 1598; grec *kathartikos* «qui purge, purifié», de *katharsis.* → Catharsis.

♦ **1** Méd. Qui a des propriétés purgatives. *Médicament cathartique.* → **Laxatif.** — N. m. *La cascara est un cathartique.*

♦ **2** (XX^e; au sens de *catharsis,* 1.). Qui purifie, libère des éléments considérés comme impurs. → **Purificatoire.** *Fonction cathartique.*

1 On doit abandonner l'humain avant d'accéder au divin. C'est dire que les rites cathartiques sont au premier chef des pratiques négatives, des abstentions.
Roger CAILLOIS, l'Homme et le Sacré, p. 44.

♦ **3** (1949). Psychan. *Méthode cathartique,* «où l'effet thérapeutique cherché est une "purgation" (catharsis), une décharge adéquate des effets pathogènes» (Laplanche et Pontalis).

2 Freud abandonna bientôt l'hypnose, dont la valeur cathartique lui parut limitée (...)
Jean DELAY, Introd. à la médecine psychosomatique, Notes et observations, p. 109.

**CATHEDRA (EX)** [ɛkskatedʀa] loc. adv. → **Ex cathedra.**

**CATHÉDRAL, ALE, AUX** [katedʀal, o] adj. — 1180; lat. médiéval *cathedralis,* de *cathedra* «siège épiscopal».

♦ **1** Rare. Qui est le siège de l'autorité épiscopale. *Église cathédrale.* → **Cathédrale.** *Chanoine cathédral,* qui siège au chapitre d'une église cathédrale.

1 Dans la paix carolingienne, leurs murailles avaient servi de carrière pour construire les nouveaux bâtiments cathédraux dont l'ampleur avait rejeté dans la périphérie du noyau urbain les activités économiques.
Georges DUBY, Guerriers et Paysans, p. 134.

♦ **2** Didact. et rare. Épiscopal.

2 Le vrai saint cathédral est saint Pierre. Saint Paul est suspect d'imagination, et, en matière ecclésiastique, imagination signifie hérésie.
HUGO, l'Homme qui rit, II, III, 3.

HOM. **Cathédrale** (n. f.).

**CATHÉDRALE** [katedʀal] n. f. — 1666; de *église cathédrale.*

♦ **1** Église épiscopale d'un diocèse. → **Église.** *L'évêque a dit la grand'messe à la cathédrale. L'écolâtre, professeur de théologie d'une cathédrale. — Cathédrale romane, gothique, renaissance, baroque, moderne. La cathédrale est l'endroit le plus* (cit. 76) *orné... Les grandes cathédrales gothiques. Les cathédrales de Chartres, de Reims, d'Amiens, de Paris; d'York, de Westminster; de Mayence, de Cologne; de Milan, de Florence; de Tolède, de Burgos. Flèches, tours d'une cathédrale. Vaisseau, nef, bas-côtés, chœur, transept, abside; tribune, triforium d'une cathédrale. Façade, chevet d'une cathédrale. Sculptures, vitraux d'une cathédrale. L'orgue, les cloches de la cathédrale. — La Cathédrale,* roman de Huysmans.

1 J'allai voir la cathédrale, vaisseau gothique à flèche élevée.
CHATEAUBRIAND, Mémoires d'outre-tombe, IV, 3.

2 (...) la cathédrale semblait une créature docile et obéissante sous sa main; elle attendait sa volonté pour élever sa grosse voix; elle était possédée et remplie de Quasimodo comme d'un génie familier. On eût dit qu'il faisait respirer l'immense édifice.
HUGO, Notre-Dame de Paris, IV, 3.

3 (...) lorsque le soleil se couche, elle *(la cathédrale)* se carmine et elle surgit, telle qu'une monstrueuse et délicate châsse, rose et verte, et, au crépuscule, elle se bleute, puis paraît s'évaporer à mesure qu'elle violit.
HUYSMANS, la Cathédrale, p. 356.

4 Le XIII^e siècle a été la plus grande ère des cathédrales. C'est lui qui les a presque toutes enfantées (...)
HUYSMANS, la Cathédrale, p. 151.

Par métaphore. Ce qui, par ses dimensions, son élévation, évoque une cathédrale.

5 Enfin (...) entre deux noires armées de pins qui soufflaient sur lui une haleine d'étuve et dont les milliers de pots emplis de gemme parfumaient comme des encensoirs la cathédrale sylvestre (...)
F. MAURIAC, le Baiser au lépreux, p. 41.

♦ **2** Techn. *Reliure à la cathédrale :* reliure romantique de style néo-gothique.

♦ **3** Appos. *Verre cathédrale :* verre translucide, de surface inégale.

Une bourrasque de novembre siffle aux joints de l'œil-de- 6
bœuf de la salle de bains, dont les vitres en quart-de-rond, embuées à gros grains, sont aussi opaques que du verre cathédrale.
Hervé BAZIN, Cri de la chouette, p. 7.

HOM. **Cathédrale** (adj.).

**CATHÈDRE** [katɛdʀ] n. f. — XVI^e, «chaire»; lat. *cathedra* «chaise (à dossier); chaire».

Didact. Chaise gothique à haut dossier. *Une cathèdre sculptée.*

Assis devant la table de marbre vert sur les deux cathèdres dorées que leur réserve la munificence municipale, Jeannet et Marie intimidés se tortillent (...)
Hervé BAZIN, Cri de la chouette, p. 194.

**CATHEPSINE** [katɛpsin] n. f. — 1931; empr. à l'all. *Kathepsin* (1929), du grec *kathepsein* «se réduire».

Biochim. Protéase intracellulaire.

**CATHERINETTE** [katʀinɛt] n. f. — 1882; de *(sainte) Catherine,* patronne des jeunes filles.

Jeune fille qui fête la Sainte-Catherine (fête traditionnelle des ouvrières de la mode restées célibataires après vingt-cinq ans). *Catherinette qui coiffe* Sainte-Catherine.*

**CATHÉTER** [katetɛʀ] n. m. — 1538; lat. médical *catheter,* grec *kathetêr.*

Méd. Sonde cannelée, creuse ou pleine, servant à explorer ou à dilater un canal, un orifice. → **Bougie, canule, sonde.** *Cathéter pulmonaire. «(...) la progressive augmentation de la pression dans l'artère pulmonaire. Pour faire ces mesures, un cathéter cardiaque est laissé pendant 14 à 18 h dans l'artère pulmonaire, et un enregistrement continu des modifications de pression est réalisé»* (*la Recherche,* 1974, n° 42, p. 125).

**CATHÉTÉRISME** [kateteʀism] n. m. — 1658; lat. médical *catheterismus,* de *catheter.* → Cathéter.

Méd. Introduction d'un cathéter, d'une sonde dans un conduit ou une cavité naturels dans un but diagnostique ou thérapeutique. *Cathétérisme par bougies* (bougirage), *canule* (canulation), *sonde* (sondage), *tube* (tubage). *Cathétérisme utérin, urétral. Cathétérisme cardiaque. «Nous enregistrons les modifications de la pression dans l'artère pulmonaire après cathétérisme cardiaque, pendant 14 à 18 h continuellement»* (*la Recherche,* 1974; n° 42, p. 126). *Cathétérisme laryngé.* → **Intubation.**

**CATHÉTOMÈTRE** [katetɔmɛtʀ] n. m. — 1853; du grec *kathetos* «vertical», et *metron* «mesure».

Didact. Appareil servant à mesurer la distance verticale de deux points ou de deux plans horizontaux (→ **Nivellement**).

**CATHO** [kato] n. et adj. — 1920, n. f., *in* D.D.L.; abrév. de *catholique.*

Familier.

♦ **1** N. f. *(La Catho).* Établissement catholique d'enseignement supérieur (faculté, université, institut).

♦ **2** Adj. Catholique. «*Une nana vient au micro : “quand je t'entends, t'es à braire, mon vieux. Avec ton ton d'espérance, ton sens du tragique. Si tu es catho, dis-le”*» (*Charlie-Hebdo*, 1977; nº 371, p. 3). N. (1968, *in* D. D. L.). *Un, une catho; les cathos.* «*Bel et bien dissociée du mariage et de la procréation, la sexualité des jeunes cathos ! Double transgression, consciente et tranquille, de la loi de l'Église...*» (*le Nouvel Obs.*, 1977; nº 682, p. 68). → aussi (argot scol.) 1. **Tala.**

**HOM. Catau.**

**CATHODE** [katɔd] n. f. — 1838; angl. *cathode*, Faraday, sur le modèle de *électrode*; de *cata-* «en bas», et du grec *hodos* «chemin».

Électrode* de sortie du courant, dans un électrolyseur. *La cathode est la source des électrons captés par l'anode*. Au cours d'une électrolyse, la cathode est reliée au pôle négatif du générateur. Métal déposé à la cathode, lors d'une électrolyse.*

Source primaire d'électrons, dans un tube* électronique (→ Anticathode, cit.). *Tube à cathode incandescente.*

**DÉR. Cathodique.** ◈ **COMP. Anticathode.**

**CATHODIQUE** [katɔdik] adj. — 1897; de *cathode*.

♦ **1** De la cathode; qui émane d'une cathode. *Compartiment cathodique d'un dispositif d'électrolyse. Rayons** (cit. 7) *cathodiques* (→ Anticathode, cit.). *Tube* à rayons cathodiques* ou *tube cathodique.* Techn. *Protection cathodique* : protection contre l'oxydation d'un métal en contact avec l'eau ou exposé à l'humidité, réalisée en créant entre ce métal et une masse à potentiel fixe, qui joue alors le rôle d'une anode, une différence de potentiel qui préserve ce métal en le faisant se comporter comme une cathode. «*Un produit en zinc silicaté (...) qui agit par protection cathodique en se détruisant à la place du fer*» (B. Moitessier, *Cap Horn à la voile*, p. 257).

♦ **2** Relatif à la visualisation obtenue sur l'écran d'un tube à rayons cathodiques. *Affichage cathodique.*

**CATHOLICISANT, ANTE** [katɔlisizɑ̃, ɑ̃t] adj. — 1875; de *catholiciser*.

Didact. Qui se rapproche du catholicisme. *Écrire un ouvrage catholicisant.*

**CATHOLICISER** [katɔlisize] v. tr. — XVIIIᵉ, Voltaire; *catholiser*, fin XVIᵉ; de *catholique*.

Rendre catholique; convertir au catholicisme. → **Christianiser.**

**CONTR.** et **COMP. Décatholiciser.** ◈ **DÉR. Catholicisant.**

**CATHOLICISME** [katɔlism] n. m. — 1598, repris 1734; de *catholique*.

♦ **1** Religion chrétienne dans laquelle le pape exerce l'autorité en matière de dogme et de morale. → **Église** (catholique). — *Le catholicisme s'oppose au protestantisme et à l'Église orthodoxe, à l'intérieur du christianisme*. Les dogmes, les institutions, les pratiques du catholicisme.* → **Théologie; sacrement; culte; liturgie.** *Se convertir au catholicisme. Embrasser le catholicisme.*

1 *(Il)* apportait au milieu du clergé de Paris, si tolérant et si éclairé, cette âpreté du catholicisme provincial (...)
BALZAC, Une double famille, Pl., t. I, p. 969.

2 (...) ah ! ce que le catholicisme suscite d'immondes rumeurs lorsque l'on rôde dans ses alentours, sans y entrer (...) HUYSMANS, En route, p. 43.

(...) un véritable reflux, irrésistible et révélateur, du catholicisme, naguère proclamé «anéanti». 3
Louis MADELIN, Hist. du Consulat et de l'Empire, Le Consulat, t. IV, VII.

♦ **2** Façon dont la doctrine catholique est comprise et appliquée par quelqu'un. *Un catholicisme sincère, étroit, austère.*

**COMP. Néo-catholicisme.**

**CATHOLICITÉ** [katɔlisite] n. f. — 1578; de *catholique*.

Didactique.

♦ **1** Conformité d'une doctrine à celle de l'Église catholique. → **Orthodoxie.** *La catholicité d'une opinion. La catholicité d'un écrivain.*

(...) la religion universelle, bien loin de pouvoir revenir à sa catholicité primordiale, tend à s'absorber, et le genre humain avec elle, dans ses formes particulières.
Émile BURNOUF, la Science des religions, p. 286.

♦ **2** Ensemble des catholiques. → **Église.** *Le pape est le chef de la catholicité.*

**CATHOLICON** [katɔlikɔ̃] n. m. — XVIᵉ; grec *katholicon*, adj. neutre «universel».

Pharm. anc. Électuaire de séné et de rhubarbe que l'on considérait comme un remède universel (→ **Panacée**).

**CATHOLIQUE** [katɔlik] adj. et n. — XIIIᵉ, *chatoliche*; lat. chrét. *catholicus*, grec *katholikos* «universel».

**I** ♦ **1** Adj. (1635; repris au sens grec). Vx ou relig. Universel. *Pour le protestant, le christianisme est catholique, au sens d'universel.* → **Œcuménique.**

(...) on devrait bien adopter une langue commune, universelle, *catholique*, le français ou l'anglais, par exemple, dans laquelle on pût s'entendre. 0.
Th. GAUTIER, Constantinople, p. 329.

Nom masculin :

(...) il ne dit pas que Socrate cherchait le général, mais exactement l'universel, le catholique comme nous disons, en traduisant littéralement un mot qui aura toujours deux sens, mais deux sens dont l'un est le principal. 0.
ALAIN, les Passions et la Sagesse, Platon, I, Pl., p. 851.

♦ **2** Adj. Techn., vx. *Fourneau catholique*, qui servait à diverses opérations chimiques. — *Gnomon catholique* : cadran solaire qui indique les heures à une latitude quelconque. — *Remède catholique.* → **Catholicon.**

**II** (Premier sens attesté). ♦ **1** Adj. Relatif au catholicisme*. → **Chrétien.** *La religion, la foi, la doctrine catholique. L'Église catholique, apostolique et romaine. Le clergé catholique. Un peuple catholique,* qui fait profession de catholicisme. *Être catholique; se faire catholique. La hiérarchie catholique.* → **Pape, évêque, curé; ordre.**

La confession de Bâle dit que l'Église catholique est le saint assemblage de tous les saints. 1
BOSSUET, Hist. des variations des Églises protestantes, 15.

Les miracles discernent aux choses douteuses : entre les peuples juif et païen, juif et chrétien; catholique, hérétique; calomniés et calomniateurs; entre les deux croix. 2
PASCAL, Pensées, 841.

Je ne pris pas précisément la résolution de me faire catholique; mais, voyant le terme encore éloigné, je pris le temps de m'apprivoiser à cette idée (...) 3
ROUSSEAU, les Confessions, II.

Et cette peur du péché, torture que peut seule comprendre une âme catholique, bouleverse en ce moment l'âme douce de Clara. Francis JAMMES, Clara d'Ellébeuse, I. 4

Qui professe le catholicisme.

5 Au dehors, la France devenait la première des puissances catholiques, la «fille aînée de l'Église» et c'était une promesse d'influence et d'expansion.
J. BAINVILLE, Hist. de France, III.

*Les Rois Catholiques :* Ferdinand II d'Aragon et Isabelle Ire de Castille *(Isabelle la Catholique). — L'enseignement catholique. Institut, faculté catholique* (fam. *la Catho**).

♦ **2** N. *(Un, une catholique; les catholiques).* → **Chrétien.** *Un bon catholique.* → **Croyant, pratiquant.** — Abrév. fam. → **Catho** (2.).

6 (...) la plupart des catholiques intelligents, et notamment beaucoup de prêtres cultivés, sont plus ou moins pragmatistes sans le savoir.
MARTIN DU GARD, les Thibault, t. IV, p. 310.

7 Il *(Péguy)* eut des accrochages avec les catholiques et d'autres, plus sérieux, avec les abonnés anticléricaux.
A. MAUROIS, Études littéraires, Charles Péguy, t. I, p. 228.

♦ **3** Adj. Fig., fam. ... *pas très catholique :* peu conforme à la morale; sujet à caution (→ **Douteux**). *Tremper dans une affaire pas très catholique. Il a un air pas très catholique.*

8 Et il y avait encore, pour les filles restées sages comme Nana, un mauvais air à l'atelier, l'odeur de bastringue et de nuits peu catholiques, apportée par les ouvrières coureuses (...) ZOLA, l'Assommoir, t. II, p. 167.

9 Tout ça ne me paraît pas très catholique, dit le hanvélo *(agent en vélo)* qui causait (...)
— J'ai pourtant fait ma première communion, réplique Trouscaillon.
— Oh que voilà une réflexion qui sent peu son flic, s'écria le hanvélo qui causait.
R. QUENEAU, Zazie dans le métro, p. 171.

DÉR. **Catholiciser, catholicisme, catholicité, catholiquement.** ◊ COMP. **Anticatholique, néo-catholique.**

**CATHOLIQUEMENT** [katɔlikmɑ̃] adv. — XIVe; de *catholique.*

Didact. D'une manière catholique, selon la doctrine catholique. → **Chrétiennement** (plus cour.).

**CATI** [kati] n. m. — 1694, La Bruyère; de *catir.*

Techn. Apprêt qui donne du corps et du lustre aux étoffes. *Donner le cati à du drap.* → **Catir, catissage,** 2. **lustre.**

Il a le cati et les faux jours, afin d'en cacher les défauts (...)
LA BRUYÈRE, les Caractères, VI, 43.

HOM. P. p. de **catir.**

**CATILINAIRE** [katilinɛʀ] n. f. — 1808; du nom francisé des quatre harangues de Cicéron contre *Catilina.*

Didact. ou littér. Discours véhément, violent, satire très vive contre quelqu'un. → **Diatribe, philippique, réquisitoire.**

**CATILLAC** [katijak] ou **CATILLARD** [katijaʀ] n. m. — 1771; origine inconnue.

Régional. Grosse poire d'hiver que l'on mange cuite.

**CATIMINI (EN)** [ɑ̃katimini] loc. adv. — Fin XIVe; de *catimini* «menstrues», XIVe; grec *katamênia* «menstrues»; → Cataménial, p.-ê. par croisement avec le picard *catimini* «chat», de *cate* «chatte», et *mini,* autre forme de *mine.* → Chattemite.

En cachette, discrètement, secrètement. → **Cachette** (en), **secret** (en), **tapinois** (en). *S'approcher, faire qqch. en catimini.*

1 Quelques bons boulets dans le pont-levis et les archers du roi entrent dans le châtiau comme ils veulent.
— Voilà maintenant que le frocard fait de la stratégie! s'écria le duc qui était entré en catimini.
R. QUENEAU, les Fleurs bleues, p. 92.

REM. On rencontre *catimini* (n. m. invar.) «façon d'agir secrète, dissimulée».

— C'est très amusant, dit la jeune femme. Cela me rappelle un soir où j'ai sauté par la fenêtre pour aller danser sur la place de Rians. Mon père ne m'interdisait pas de sortir, au contraire, mais, tous les catimini, quelle joie! 2
J. GIONO, le Hussard sur le toit, p. 318.

**CATIN** [katɛ̃] n. f. — 1530, Marot; abrév. fam., puis péj. de *Catherine;* d'après P. Guiraud, d'abord «fille de campagne, servante», par une assimilation sémantique courante entre «servante» et «putain» (cf. la série *catau, goton, margoton*).

Vieilli. Femme de mauvaises mœurs. → **Prostituée, putain** (→ Paillard, cit. 3).

(...) il l'a quittée pour des catins, pour des gourgandines, pour des sauteuses, des actrices (...)
BALZAC, la Cousine Bette, Pl., t. VI, p. 425.

**CATION** [katjɔ̃] n. m. — 1866; *cathion,* 1838; de *cat(hode), et ion.*

Phys. Ion positif, qui, dans une électrolyse, se porte à la cathode (opposé à *anion*).

**CATIR** [katiʀ] v. tr. [CONJUG.: *finir.*] — XIVe, «frapper ensemble»; du lat. pop. *coactire, de coactus,* p. p. de *cogere* «rassembler».

Techn. Donner du lustre à (une étoffe) en (la) pressant. *Catir du drap à chaud, à froid.* — Au p. p. *Laine catie.*

CONTR. et COMP. **Décatir.** ◊ DÉR. **Cati, catissage, catisseur.** — HOM. (Du p. p.) **Cati.**

**CATISSAGE** [katisaʒ] n. m. — 1838; de *catir.*

Techn. Opération par laquelle on catit. — Son résultat. *Le catissage de ce drap a été bien fait.*

CONTR. **Décatissage.**

**CATISSEUR, EUSE** [katisœʀ, øz] n. — 1723; de *catir.*

Techn. Personne qui catit les étoffes (→ aussi **Décatisseur**).

**CATO** [kato] n. f. → **Catau.**

**CATOBLÉPAS** [katoblepas] n. m. — 1552; grec *katoblepein* «regarder par-dessous».

Didact. Animal légendaire à long cou grêle dont la tête traîne à terre. *Le catoblépas, symbole littéraire de la bêtise humaine.*

Au début, c'était bien une charge à fond contre la bêtise humaine qu'il *(Flaubert)* voulait faire, un écorchement à vif du catoblépas (...) l'idée première de *Bouvard et Pécuchet* remonte à un écrit de jeunesse, presque d'enfance : *Une leçon d'histoire naturelle* qui parut dans *le Colibri* en 1837. 1
R. QUENEAU, Bâtons, chiffres et lettres, p. 106-107.

Il provoquait le plus souvent ces brouilles, ces discordes, semblable au catoblépas, cet animal fantastique qui se dévore lui-même. 2
René FALLET, Y-a-t-il un docteur dans la salle?, p. 200.

**CATOGAN** [katɔgɑ̃] n. m. — 1768; coiffure mise à la mode par le général anglais *Cadogan.*

♦ **1** Nœud ou ruban retenant les cheveux derrière la tête.

Sa femme avait une queue de cheval avec un catogan rouge! 1
Pierre DANINOS, Un certain Monsieur Blot, p. 64.

♦ **2** Par métonymie. Coiffure caractéristique des soldats d'infanterie, au XVIIIe siècle, puis coiffure de femme où les cheveux sont roulés en une grosse boucle et attachés sur la nuque. *Cheveux noués en catogan. Porter le, un catogan.*

2 Que Madeleine Cazavieilh paraissait épaisse! Un gros nœud de ruban s'épanouissait sur ses cheveux relevés en «catogan» et qu'Yves comparait à un marteau de porte.
F. MAURIAC, le Mystère Frontenac, p. 57.

♦ **3** Queue (d'un cheval) dont les crins sont coupés en catogan (2.).

REM. On relève aussi la graphie *cadogan.* Voir ce mot.

**CATOPTRIQUE** [katɔptʀik] adj. et n. f. — 1584, n. f.; grec *katoptrikos,* de *katoptron* «miroir».

Phys. Relatif à la réflexion de la lumière. — N. f. Partie de l'optique qui a pour objet l'étude des phénomènes de réflexion de la lumière. *Consulter un traité de catoptrique.*

COMP. **Catadioptrique.**

**CATTLEYA** [katlɛja] n. m. — 1893; *cattleye,* 1845; lat. bot., formé en angl., du nom de *W. Cattley.*

Plante monocotylédone *(Orchidées)* épiphyte, exotique, à pseudobulbe, à grandes fleurs aux larges pétales mauves. *Les cattleyas sont les seules orchidées odorantes.* — On écrit aussi *catleya.*

1 Elle trouvait à tous ses bibelots chinois des formes «amusantes», et aussi aux orchidées, aux catleyas surtout, qui étaient, avec les chrysanthèmes, ses fleurs préférées, parce qu'ils avaient le grand mérite de ne pas ressembler à des fleurs, mais d'être en soie, en satin.
PROUST, À la recherche du temps perdu, t. II, p. 11.

Allusion littéraire :

2 (...) bien plus tard quand l'arrangement (ou le simulacre d'arrangement) des catleyas fut depuis longtemps tombé en désuétude, la métaphore «faire catleya», devenue un simple vocable qu'ils employaient sans y penser quand ils voulaient signifier l'acte de la possession physique (...) survécut dans leur langage (...)
PROUST, À la recherche du temps perdu, t. II, p. 28.

**CAUCASIEN, IENNE** [kɔkazjɛ̃, jɛn; kokazjɛ̃, jɛn] adj. et n. — 1554, repris mil. XIXe; du rad. du lat. *Caucasus* «Caucase».

Du Caucase, chaîne de montagnes d'Asie. *Les républiques caucasiennes d'U. R. S. S.* (Géorgie, Arménie, Azerbaïdjan). *Les langues caucasiennes. La broderie caucasienne,* broderie de couleurs vives, soulignée de noir. *Les forêts caucasiennes. Le* kéfir, *boisson caucasienne.* — Vx. *Race caucasienne* : la race blanche. — On trouve aussi (vieilli) la forme *caucasique* [kɔkazik; kokazik].

N. *(Un Caucasien, une Caucasienne).*

COMP. **Transcaucasien.**

**CAUCHEMAR** [kɔʃmaʀ; koʃmaʀ] n. m. — 1564; *cauchemare,* jusqu'au XVIIe; *quauquemaire,* XVe; mot picard, *cauche,* impér. de *cauchier* «fouler, presser», probablt par croisement de l'anc. franç. *chauchier* et du picard *cauquier,* et de l'anc. picard *mare,* du néerl. *mare* «fantôme nocturne».

♦ **1** Rêve pénible dont l'élément dominant est l'angoisse, et qui peut se traduire par une agitation, des gémissements, etc. *Être sujet au cauchemar. Avoir le cauchemar* (vx). — Mod. *Avoir un, des cauchemars* (→ **Cauchemarder**). *Un cauchemar horrible. Les cauchemars peuvent être provoqués par une digestion pénible, une mauvaise position dans le lit, une cause psychique... Cauchemars de nerveux, d'hystérique, d'intoxiqué. Cauchemar accompagné de délire. Cauchemar persistant au réveil.* → **Hallucination.** *Angoisse* (cit. 1) *du cauchemar. Cauchemar et rêve d'angoisse, et terreurs* nocturnes.*

(...) mon sommeil fourbu n'assurait pas votre quiétude, car je tombais de rêve en cauchemar, de cauchemar en convulsions nerveuses. 1
COLETTE, la Paix chez les bêtes, «La chienne trop petite», p. 69.

Par ext. Rêve effrayant. → **Rêve** (mauvais rêve). *Avoir, faire des cauchemars toute la nuit.*

(...) un rêve qui commence par le cauchemar pour finir par le ravissement. 2
TAINE, Philosophie de l'art, t. II, IV, II, II, p. 146.

Il dévisageait l'Anglais avec l'expression d'un enfant qu'on a éveillé en plein cauchemar. 3
MARTIN DU GARD, les Thibault, t. VII, p. 68.

Loc. adj. **DE CAUCHEMAR** : effrayant, terrifiant. *Une vision de cauchemar.* → **Cauchemardesque.**

♦ **2** Fig. Obsession effrayante (qu'il s'agisse d'un événement appréhendé ou d'un souvenir qui hante). *C'est mon cauchemar.* → **Hantise, tourment.**

Chacun, malgré lui, y cherchait obstinément la grande nouvelle *(dans les éditions spéciales)* : que l'absurde cauchemar était enfin dissipé; qu'on en était quitte pour la peur (...) 4
MARTIN DU GARD, les Thibault, t. VII, p. 277.

Dès qu'il parlait, c'était des tranchées, de barbelé, de veille, de macaroni, de barrage, de gaz, de tout ce cauchemar qu'il ne pouvait oublier. 5
R. DORGELÈS, les Croix de bois, XVI, p. 326.

♦ **3** Fam. Personne ou chose qui importune, qui obsède, fait peur (comme dans un cauchemar).

Les pronoms relatifs ont été le cauchemar de Flaubert. 6
A. THIBAUDET, Gustave Flaubert, p. 226.

La vieille hésite, s'éloigne, se ravise, tourne le loquet. — Qui est là? — C'est moi, ma fille (...) Mathilde regarde son cauchemar qui avance. Alors, les dents claquantes, elle crie : — Laissez-moi. F. MAURIAC, Génitrix, p. 51. 7

(...) Je crains de ne garder qu'un souvenir confus; c'est trop étrange. Nous sommes enfin sortis du cauchemar de la forêt. La savane prend l'aspect d'un bois clairsemé (...) 8
GIDE, Voyage au Congo, *in* Souvenirs, Pl., p. 767.

DÉR. **Cauchemarder, cauchemardesque.**

**CAUCHEMARDANT, ANTE** [kɔʃmaʀdɑ̃, ɑ̃t; koʃmaʀdɑ̃, ɑ̃t] adj. — 1928; de *cauchemarder.*

♦ **1** Qui donne des cauchemars; par ext., qui obsède.

La loquacité de chacune de ces deux vieilles abandonnées est cauchemardante. Elles radotent éperdument.
GIDE, Voyage au Congo, *in* Souvenirs, Pl., 838.

♦ **2** Qui importune, ou ennuie excessivement. *Cet examen est cauchemardant.*

**CAUCHEMARDER** [kɔʃmaʀde; koʃmaʀde] v. — 1840; de *cauchemar.*

♦ **1** V. intr. Faire des cauchemars.

Les contes romantiques (...) ne désemplissent pas de doubles plus ou moins vampiroïdes. Bien jeune, sur la moquette d'aiguilles de pin, j'ai lu, de Chamisso, *Peter Schlemihl ou l'Homme qui a perdu son ombre.* J'en cauchemarde encore.
Jean-Louis BORY, Ma moitié d'orange, p. 50.

♦ **2** V. tr. (1867). Fam. Fatiguer (qqn) comme un cauchemar; importuner.

DÉR. **Cauchemardant.**

**CAUCHEMARDESQUE** [kɔʃmaʀdɛsk; koʃmaʀdɛsk] adj. — Déb. XXe; *cauchemaresque,* 1881; de *cauchemar.*

♦ **1** De cauchemar; qui est à la fois fantastique et terrifiant. *Une impression, une vision cauchemardesque.*

Même silence. Ce nègre était aussi muet qu'hilare. «Après tout, je m'en moque, me dis-je, en désespoir de cause. Tel qu'il est, je le trouve plus sympathique que M. Le Mesge, avec son érudition cauchemardesque». 1
Pierre BENOIT, l'Atlantide, 1919; p. 174.

♦ **2** *Sommeil cauchemardesque,* plein de cauchemars.

REM. On trouve les var. plus rares *cauchemardeux, euse* [koʃmaʀdø, øz], et *cauchemaresque* [koʃmaʀɛsk].

2 (...) si l'insane m'eût étranglé je me serais laissé faire tant sa venue était macabre et les quelques pas qu'il avait pu parcourir en titubant (...) étaient cauchemaresques (...)
B. CENDRARS, Bourlinguer, p. 222.

**CAUDAL, ALE, AUX** [kodal, o] adj. — 1792; du rad. du lat. *cauda* «queue».

Didact. Qui appartient à la queue ou à la partie terminale, postérieure, du corps d'un animal. *Plumes caudales. Appendice caudal. Nageoire caudale* (de poisson, de cétacé). — S'oppose parfois à *rostral**.

N. f. *La caudale :* la nageoire caudale.

COMP. **Sous-caudal.**

**CAUDATAIRE** [kodatɛʀ] n. m. — 1546, Rabelais; du lat. ecclés. *caudatarius,* lat. class. *cauda* «queue».

Didactique ou littéraire.

♦ **1** Celui qui, dans les cérémonies, porte la queue de la robe du pape, d'un prélat, d'un roi... Adj. *Gentilhomme caudataire.*

1 Il était en outre accompagné (...) du caudataire revêtu de la croccia, sorte de douillette en laine violette, avec des revers de soie (...)
ZOLA, Rome, p. 90.

2 «Il est perdu! il est perdu!» répétaient les caudataires et les attachés, avec la joie que l'on éprouve charitablement aux mésaventures d'un homme, quel qu'il soit.
CHATEAUBRIAND, Mémoires d'outre-tombe, II, II.

♦ **2** Homme obséquieux et flatteur. → **Adulateur, flagorneur, flatteur.** *Les caudataires du dictateur, du tyran.*

**CAUDÉ, ÉE** [kode] adj. — 1690, en blason; du rad. du lat. *cauda.*

Didact. (dans quelques expressions). Pourvu d'une queue. — Blason. *Étoile caudée d'or.* — Bot. *Graine caudée.* — Anat. *Le noyau caudé du télencéphale.* — Mus. *Note caudée,* et, n. f., *une caudée* (dans la musique grégorienne). → **Neumé.**

**CAUDILLO** [kawdijo] n. m. — V. 1940, en franç.; mot esp. «capitaine».

Général espagnol ayant pris le pouvoir (titre pris par le général Franco, en 1936). *Le Caudillo :* le général Franco. — *Un Caudillo :* un dictateur militaire (dans un pays de langue espagnole).

**CAUDRETTE** [kodʀɛt] n. f. — 1769; mot picard *cauderette,* de *caudière* «chaudière».

Pêche. Filet à crustacés en forme de poche, monté sur un cercle. → **Balance.** *Pêcher le crabe, le homard, la langouste avec une caudrette.*

**CAUL-, CAULI-, -CAULE** Éléments, du lat. *caulis* «tige». → **Acaule, caulescent, 1. caulicole, caulinaire.**

**CAULESCENT, ENTE** [kolesɑ̃, ɑ̃t] adj. — 1783; du rad. du lat. *caulis.* → Caul-.

Bot. Qui est pourvu d'une tige apparente. *Plante caulescente.*

CONTR. **Acaule.**

**CAULICOLE** [kolikɔl] adj. — 1863; de *cauli-,* et *-cole.*

Didact. Qui vit sur les tiges des plantes.

HOM. **Caulicoles.**

**CAULICOLES** [kolikɔl] n. f. pl. — 1694; *caulicules,* 1547; lat. *cauliculus,* dimin. de *caulis* «tige».

Archit. Tiges sculptées entre les feuilles d'acanthes, qui s'enroulent en volutes (chapiteaux corinthiens).

HOM. **Caulicole** (adj.).

**CAULINAIRE** [kolinɛʀ] adj. — 1783, *in* Cottez; du rad. du lat. *caulis* «tige». → Caul-.

Bot. Qui naît sur la tige; qui appartient à la tige. *Feuille caulinaire.*

**CAURI** [kɔʀi] ou **CAURIS** [kɔʀis] n. m. — 1731; *caury,* 1615; mot tamoul *kauri.*

Didact. (cour. en Afrique noire). Coquillage du groupe des porcelaines. *Les cauris ont servi de monnaie en Afrique orientale et au Tchad; on s'en sert encore pour les divinations, comme ornements, parures...*

*(Afrique)* Mon oreille collée sur ton ventre tendu,
j'interroge les dieux,
et scrutant le langage ambigu des cauris,
je cherche à discerner sous les rumeurs contraires
le sûr cheminement
de ton destin.
G. TIROLIEN, Balles d'or, *in* Pages africaines, II, p. 12.

HOM. **Kauri.**

**CAUSAL, ALE** [kozal] adj. — 1565; *cauzal* «raison, motif», XIIIe; lat. impérial *causalis.* → Cause.

Qui concerne la cause, lui appartient, ou la constitue (→ **Causatif**). *Lien causal. Loi causale. Agent causal d'un phénomène.* — (Rare au masc. plur.). *Ordre causal, enchaînements causaux.*

Gramm. *Conjonctions causales* (ou *locutions conjonctives*). *Proposition causale,* donnant la raison de ce qui a été dit.

Toutes les fois que nous trouvons dans le discours ces particules, *parce que, car, puisque,* et les autres qu'on nomme causales, c'est la marque indubitable du raisonnement.
BOSSUET, Traité de la connaissance de Dieu..., I, 13.

DÉR. **Causalement, causalisme, causalité.**

**CAUSALEMENT** [kozalmɑ̃] adv. — 1907, Hamelin, *in* T. L. F.; de *causal.*

Didact. Par le principe de causalité.

Il est (...) évident qu'une fois établi un ensemble de lois, n'importe quelle science cherche à les expliquer causalement, c'est-à-dire à en trouver la raison en les déduisant.
J. PIAGET, *in* Encycl. Pl.,Logique et Connaissance scientifique, p. 45.

**CAUSALGIE** [kozalʒi] n. f. — 1864; grec *kausis* «brûlure» (→ Caustique), et *-algie.*

Méd. Vive douleur des extrémités donnant une sensation de brûlure, qui peut être en rapport avec des lésions traumatiques des nerfs.

DÉR. **Causalgique.**

**CAUSALGIQUE** [kozalʒik] adj. — 1922; de *causalgie.*

Méd. Qui se rapporte à la causalgie. *Les troubles causalgiques sont augmentés par l'exposition à la chaleur. Manifestations de type causalgique.*

**CAUSALISME** [kozalism] n. m. — 1864; de *causal.*

Philos. Théorie de la causalité, et, spécialt, de la recherche scientifique des causes, chez Meyerson.

DÉR. **Causaliste.**

**CAUSALISTE** [kozalist] adj. — Mil. XXe; de *causalisme.*

Philos. Relatif au causalisme. *Explications causalistes. La pensée mécaniste et causaliste.* → **Déterministe.**

Certes la vraie connaissance me restait étrangère, qui consiste au contraire et d'abord à détruire toute croyance causaliste dans l'*effet* de la prière.
Raymond ABELLIO, Ma dernière mémoire, t. I, p. 171.

Adj. et n. Partisan du causalisme. *Un causaliste.*

**CAUSALITÉ** [kozalite] n. f. — 1375; de *causal.*

♦ **1** Rapport de la cause à l'effet qu'elle produit. → **Relation.** *Lien, rapport de causalité. Les causalités naturelles. — Principe* ou *loi de causalité :* axiome fondamental de la pensée en vertu duquel tout phénomène a une cause (→ **Causalisme, déterminisme**).

1 Si vous ôtez la causalité nécessaire, vous laissez mon vouloir dans une pleine contingence. FÉNELON, III, 300.

2 La causalité n'est autre chose que la volonté de Dieu faisant que deux choses se suivent ordinairement.
RENAN, *in* Pierre LAROUSSE.

♦ **2** Caractère d'une cause, de ce qui agit en tant que cause.

3 Je suis peu à peu arrivé à mettre en doute (...) toute causalité psychologique de l'image poétique.
G. BACHELARD, Poétique de l'espace, p. 156 (1957).

1. **CAUSANT, ANTE** [kozɑ̃, ɑ̃t] adj. — XVIIe; de 1. *causer.*

Vx. Qui agit comme cause (→ **Causal**); a une vertu de cause (→ **Causateur**).

Toutes choses étant causées et causantes (...)
PASCAL, Pensées, I, 1.

**HOM.** 2. **Causant.**

2. **CAUSANT, ANTE** [kozɑ̃, ɑ̃t] adj. — 1676; de 2. *causer.*

Fam. Qui parle volontiers; qui aime à causer. → **Communicatif, loquace** (surtout en emploi négatif). *Elle n'est pas très causante.*

1 Je ne suis plus si causante qu'à Paris (...)
Mme DE SÉVIGNÉ, 568, 14 août 1676.

2 Mouscaillot, qui ne proférait mot de peur de recevoir un coup de gantelet dans les gencives, suivait, monté sur Stéphane, ainsi nommé parce qu'il était peu causant.
R. QUENEAU, les Fleurs bleues, p. 15 (1965).

**HOM.** 1. **Causant.**

**CAUSATEUR, TRICE** [kozatœʀ, tʀis] adj. — 1829, Victor Cousin; de 1. *causer.*

Didact. Qui a la vertu de cause. → (vx) 1. **Causant.** «*La volonté est une puissance causatrice*» (V. Cousin).

**CAUSATIF, IVE** [kozatif, iv] adj. — XVe; bas lat. *causativus (casus causativus)* de *causa.* → Cause.

Gramm. Qui annonce ou indique la cause, la raison de ce qui a été dit. → **Causal.** Parce que, vu que *sont des conjonctions causatives. Verbe causatif.* → **Factitif.**

**CAUSATION** [kozasjɔ̃] n. f. — 1829, Victor Cousin; de 1. *causer.*

Didact. (philos.). Rapport entre cause et effet; pouvoir d'agir en tant que cause.

**CAUSE** [koz] n. f. — XIIe; lat. *causa,* aux deux sens de «cause» et de «procès». → Chose.

**I** Ce qui produit un effet. ♦ **1** (XIVe). Philos. et littér. Principe d'où une chose tire son être; le fait d'un être (→ **Agent, auteur, créateur**), qui modifie un autre être (le détruit ou plus souvent le crée). → **Fondement, moteur, origine, principe; causal, causalité.** *La cause suprême, souveraine, universelle :* Dieu. *Cause première,* au delà de laquelle on ne peut en concevoir d'autre. *Causes secondes,* dérivant, procédant de la première. *Cause finale :* but pour lequel chaque chose aurait été faite. → **Finalité.** *Cause déterminante, efficiente, formelle; immédiate, instrumentale, matérielle, médiate, morale, occasionnelle, occulte, physique, prédisposante, préexistante, suffisante. Des causes analogues produisent de mêmes effets.* → **Déterminisme.** *Analogie de cause à effet. Causes et effets correspondants.* → **Corrélation.** *Enchaînement des causes et des effets. — Connaissance, explication des causes premières.* → **Métaphysique.** *Rechercher, reconnaître, attribuer une cause.* → **Étiologie; analyse.**

La manière de démontrer est double : l'une se fait par l'analyse ou résolution, et l'autre par la synthèse ou composition. L'analyse montre la vraie voie par laquelle une chose a été méthodiquement inventée, et fait voir comment les effets dépendent des causes (...) 1
DESCARTES, Réponses aux 2mes objections.

Le ciel règle souvent les effets sur les causes (...) 2
CORNEILLE, Pompée, V, 2.

Il pensait que la cause universelle, ordinatrice et première était bonne. 3
DIDEROT, Opinions des anciens philosophes, Pythagorisme, *in* LITTRÉ.

Un être suprême, intelligent, infini est la cause originaire de tous les êtres. 4
VOLTAIRE, Traité métaphysique, II.

Si une horloge n'est pas faite pour montrer l'heure, j'avouerai alors que les causes finales sont des chimères (...) Toutes les pièces de la machine de ce monde semblent pourtant faites l'une pour l'autre. 5
VOLTAIRE, Dict. philosophique, Causes finales, 2.

Oh! demain, c'est la grande chose! 6
De quoi demain sera-t-il fait?
L'homme aujourd'hui sème la cause,
Demain Dieu fait mûrir l'effet.
HUGO, les Chants du crépuscule, V, «Napoléon», II, 2.

Ce qu'il y a de merveilleux dans les affaires humaines, c'est l'enchaînement des effets et des causes. 7
FRANCE, la Rôtisserie de la reine Pédauque, p. 25.

Vous me démontriez à la fois avec une dialectique irrésistible que toute hypothèse sur la cause première est un non-sens (...) 8
Paul BOURGET, le Disciple, IV, II, p. 141.

«Je crois», articula Bœhm, «que pour bien expliquer les faits par les causes, la bonne méthode serait d'aller chercher les choses plus avant (...)» 9
MARTIN DU GARD, les Thibault, t. IV, p. 122.

(...) les causes naissent indéfiniment les unes des autres, chaque cause étant l'effet d'une autre cause, et chaque effet, la cause d'autres effets. 10
MARTIN DU GARD, les Thibault, t. IV, p. 314.

♦ **2** (1170). Cour. Ce par quoi un événement arrive, une action se fait. → **Origine, motif, raison,** 1. **sujet** (2.), et aussi 3. **sujet** (II.) *Il n'y a pas d'effet (de phénomène) sans cause* (→ Pas de fumée* [*supra* cit. 1] sans feu). *À petite cause grands effets*. — (La, une cause de...).* Ce qui produit, occasionne (qqch.). *Cause profonde, réelle; apparente. Cause de bonheur, de succès, de réussite. La cause qui fait naître un sentiment, une réaction. Cause de douleurs, de maux. Cause de désunion, de division, de troubles* (→ **Semence, source**). *La cause d'une guerre* (→ **Casus belli**). *Cause conférant un droit* (→ **Titre**). *Trouver la cause; indiquer la cause.*

La cause de nos maux doit-elle être impunie? 11
CORNEILLE, Nicomède, V, 6.

On demande à Chloris la cause de sa peine : 12
Elle l'a dit; ce fut sans s'attirer de haine.
LA FONTAINE, Fables, Appendice, V, «Les Filles de Minée».

13 Plût aux Dieux (...) que votre amant fidèle
Pût avoir de leur haine une cause nouvelle (...)
RACINE, la Thébaïde, II, 2, var.

14 (...) ces étoiles extraordinaires dont on ignore les causes, et dont on sait encore moins ce qu'elles deviennent après avoir disparu (...) LA BRUYÈRE, les Caractères, II, 22.

15 Si les effets matériels de quelques actions sont pareils à diverses époques, les causes qui les ont produits sont différentes.
CHATEAUBRIAND, Mémoires d'outre-tombe, IV, 4.

16 La *cause* fait naître, elle est proprement efficiente. Le motif *meut*, pousse à vouloir, sollicite une *cause* libre à agir (...) Je sais la *cause* de votre affiction et le *motif* de votre démarche (...) Les *raisons* sont des motifs éclairés, des considérations (...)
LAFAYE, Dict. des synonymes, Suppl., Cause.

17 On connaît toujours trop les causes de sa peine,
Mais on cherche parfois celles de son plaisir (...)
SULLY-PRUDHOMME, Tendresses et Solitudes, «Joies sans causes».

18 (...) cette anomalie donc dérivait, comme beaucoup d'apparentes singularités sentimentales de causes très simples.
Paul BOURGET, Un divorce, III, p. 94.

19 Si grands qu'ils aient été, Cambon et Carnot ont été des administrateurs, non des gouvernants. Ils ont été des effets; Robespierre était une cause.
JAURÈS, Hist. socialiste..., t. VIII, le Gouvernement Révolutionnaire, p. 178.

20 (...) nous n'avons aucune puissance sur les passions tant que nous n'en connaissons pas les vraies causes.
ALAIN, Propos sur le bonheur, p. 7.

21 Aucune action humaine n'a de source unique, les motifs les plus divers se coalisent pour la nécessiter, elle est l'aboutissement de causes dissemblables et multiples, dont on ne voit que la plus sensibles ou la dernière.
Edmond JALOUX, Le jeune homme au masque, XIV, p. 225.

22 Je n'ose nommer qu'à présent la cause de ma gêne, de ma rougeur, de ma maladresse (...) elle se nomme timidité.
COLETTE, la Naissance du jour, p. 127.

23 Ces réformes-là, elles peuvent atténuer certains *effets* du mal : elles ne s'attaquent jamis aux *causes!*
MARTIN DU GARD, les Thibault, t. V, p. 225.

*Être cause de.., être cause que...* → 1. **Causer, occasionner, provoquer.** *Vous serez cause, la cause de son bonheur, de sa gloire, de sa douleur, de sa perte, de sa mort. Être la cause involontaire, innocente. Les affaires qui me sont survenues sont cause que je n'ai pu aller vous voir* (Académie).

24 (...) Le collier dont je suis attaché
De ce que vous voyez est peut-être la cause.
LA FONTAINE, Fables, I, 5.

25 Approchez; je suis sourd : les ans en sont la cause.
LA FONTAINE, Fables, VII, 16.

26 Madame, les conquérants, Alexandre et les autres mondes sont causes de notre départ.
MOLIÈRE, Dom Juan, I, 3.

27 (...) j'aurais un regret mortel, si j'étais cause.
Qu'il fût à mon cher maître arrivé quelque chose.
MOLIÈRE, le Dépit amoureux, V, 2.

28 Elle en mourra, Phœnix, et j'en serai la cause (...)
RACINE, Andromaque, II, 5.

29 Cette disposition acariâtre de la nation fut, il faut l'avouer, la cause de plusieurs des fautes dont on a fait peser la responsabilité sur le gouvernement de la Restauration.
RENAN, Philosophie de l'Hist. contemporaine, I.

30 (...) l'argent est cause de tous les maux (...)
FRANCE (→ Argent, cit. 47).

**POUR CAUSE DE...** *Fermé pour cause de décès, d'inventaire. Pour cause de santé.*

Loc. prép. **À CAUSE DE :** par l'action, l'influence de. → fam. **Because.** *À cause de lui :* par sa faute. *À cause de cela.*

31 Le rapport de cause est, dans le langage, intimement lié au rapport de suite dans le temps. Un fait qui s'est développé après un autre apparaît comme le résultat de cet autre. C'est le vieux sophisme : «Après cela, donc à cause de cela».
F. BRUNOT, la Pensée et Langue, XXI, VI, p. 812.

«Après cela, donc à cause de cela» est souvent un axiome faux. A. MAUROIS, Un art de vivre, I, 6, p. 27. 32

Par ext. *Je lui pardonne à cause de son âge.* → **Considération** (en), **raison** (en).

On est contraint parfois de souffrir leurs mauvaises qualités à cause des bonnes. 33
MOLIÈRE, le Malade imaginaire, I, 6.

Loc. conj. Vieilli. **À CAUSE QUE.** → **Parce que.**

Sa naissance inconnue est peut-être sans tache : 34
Vous la présumez basse à cause qu'il la cache (...)
CORNEILLE, Don Sanche, I, 1.

(...) le portrait, que j'ai laissé à moitié fait, à cause que je m'endormais. 35
MARIVAUX, la Vie de Marianne, V, p. 192.

♦ **3** Vieilli ou loc. Ce pour quoi on fait quelque chose. → **But, considération, intention, mobile, motif, objet, occasion, prétexte, raison,** 3. **sujet** (II.). *Cause grave, juste, légitime. Pour une cause légère, futile. Pour une cause sérieuse. Pour la bonne cause :* pour des raisons, des motifs honorables; (fam.) pour épouser. *Vous connaissez la cause qui m'a fait agir. La cause du crime.* → **Mobile.**

S'il fût tombé de l'arbre une masse plus lourde, 36
Et que ce gland eût été gourde?
Dieu ne l'a pas voulu : sans doute il eut raison;
J'en vois bien à présent la cause.
LA FONTAINE, Fables, IX, 4.

Pardonnez-moi, mais j'ai certaine cause 37
Qui me fait demander ce récit entre nous.
MOLIÈRE, Amphitryon, II, 2.

Mais que, de gaieté de cœur, 38
On passe aux mouvements d'une fureur extrême,
Que sans cause l'on vienne (...)
MOLIÈRE, Amphitryon, II, 6.

Mod. *Sans cause; non sans cause :* non sans raison.

De sa mort en ces lieux la nouvelle semée 39
Ne vous a pas vous seule et sans cause alarmée.
RACINE, Mithridate, V, 4.

*Et pour cause :* pour des motifs évidents, qu'il n'est pas nécessaire ou opportun d'expliciter.

Venez, singe, parlez le premier, et pour cause. 40
LA FONTAINE, Fables, I, 7.

(...) Taisez-vous, et pour cause. 41
MOLIÈRE, l'École des maris, III, 7.

Tous ces villages (...) sont à peu près déserts *(à cause)* de la crainte (...) que les blancs que nous sommes, suivis immédiatement du commandant ne parcourent le pays en vue de réquisitionner des hommes pour le chemin de fer, et de s'emparer d'eux par tous les moyens. Si grande que soit la gentillesse qu'on leur témoigne, ils se méfient, et pour cause. 41.1
GIDE, Voyage au Congo, *in* Souvenirs, Pl., p. 791.

♦ **4** Dr. *Cause d'une convention*, d'une obligation :* but en vue duquel une personne s'oblige envers une autre. → **Objet.** *Cause licite.*

Quatre conditions sont essentielles pour la validité d'une convention : 42
Le consentement de la partie qui s'oblige;
Sa capacité de contracter;
Un objet certain qui forme la matière de l'engagement;
Une cause licite dans l'obligation.
Code civil, art. 1108.

*Cause illicite, immorale.*

La cause est illicite, quand elle est prohibée par la loi, quand elle est contraire aux bonnes mœurs ou à l'ordre public. Code civil, art. 1133. 43

*Enrichissement sans cause.* → **Enrichissement.**

**II** ♦ **1** (V. 1120). Dr. Affaire*, procès* qui se plaide. *Bonne, mauvaise cause. Cause douteuse, embrouillée. Cause civile, criminelle. Causes célèbres. Appeler, déférer, évoquer une cause devant un tribunal. Liste d'inscription des causes à juger.* → **Rôle.** *Confier une cause à un avocat* (→ Bien-disant, cit.). *Se charger d'une cause. Plaider, défendre, soutenir une cause. Plaider sa cause. Instruire, juger* *une cause. Statuer sur une cause. Séparation de deux causes.* → **Disjonction.** *Gagner une cause. Avoir, obtenir gain de cause, avoir cause gagnée :* avoir l'avantage dans un procès, et, par ext., dans une affaire courante, une discussion. *Donner gain de cause. — Perdre une cause. La cause est en état,* prête à être plaidée. *La cause est entendue :* les débats sont clos; (au fig.) il n'y a rien à ajouter, l'opinion est faite. *Cause non jugée, pendante, remise. En l'état de la cause; en tout état de cause :* quoi qu'il en soit, de toute manière (→ Assistance, cit. 12), et, par ext., dans tous les cas. — Loc. fig. *Pour les besoins de la cause.* → **Besoin.**

44 Devant certaine guêpe on traduisit la cause.
LA FONTAINE, Fables, I, 21.

45 Depuis tantôt six mois que la cause est pendante (...)
LA FONTAINE, Fables, I, 21.

46 L'homme, trouvant mauvais que l'on l'eût convaincu,
Voulut à toute force avoir cause gagnée.
LA FONTAINE, Fables, X, 1.

47 Quelques autres (...) ont payé l'amende pour n'avoir pas comparu à une cause appelée.
LA BRUYÈRE, les Caractères de Théophraste, Du débit des nouvelles.

48 Devant elle *(la Justice)* à grand bruit ils expliquent la chose;
Tous deux avec dépens veulent gagner leur cause.
BOILEAU, Épîtres, 2.

Cour. Affaire.

49 (...) Je voudrais m'en coutât-il grand'chose,
Pour la beauté du fait avoir perdu ma cause.
MOLIÈRE, le Misanthrope, I, 1.

50 Achmet plaida avec larmes la cause de la raison, la cause même du simple bon sens (...) LOTI, Aziyadé, XIX.

51 (...) je vois en lui *(M. de Montalembert)* un orateur des plus distingués, l'avocat ou plutôt le champion, le chevalier intrépide et brillant d'une cause (...)
SAINTE-BEUVE, Causeries du lundi, 5 nov. 1849.

51.1 Je crains que vous ne sachiez vous faire entendre de l'estimable gorille qui préside aux destinées de cet établissement (...) À moins que vous ne m'autorisiez à plaider votre cause, il ne devinera pas que vous désirez du genièvre.
CAMUS, la Chute, p. 7.

Fam. *Un avocat sans causes,* sans clientèle.

**EN CAUSE.** *Être en cause :* être l'objet du débat, être partie au procès, et, par ext., à l'affaire dont il s'agit. *Mettre en cause :* appeler, citer au débat une personne qui est amenée à se défendre ou à témoigner. → **Appeler, citer, invoquer; accuser, attaquer, suspecter** (→ fam. Dans le coup*). *Être mis en cause. Mettre hors de cause :* renvoyer de l'accusation, dégager de toute suspicion. → **Acquitter, disculper.** *Cela est hors de cause :* il ne saurait en être question. — Figuré :

52 (...) elle disait tout cela avec le détachement d'une personne qui invente un joli conte, mais ne saurait être mise en cause (...) LOTI, les Désenchantées, XXX, p. 178.

53 La personnalité du lecteur est alors directement mise en cause; car c'est lui dont le sentiment admettra ou rejettera certains faits, décidera ce qui est histoire et ce qui ne l'est point. VALÉRY, Regards sur le monde actuel, p. 15.

*Remettre en cause (qqch.) :* réexaminer de manière critique; mettre en cause une deuxième fois. → **Reconsidérer, réexaminer** (→ Chambardement, cit. 1). — Syn. : *remettre en question** (*supra* cit. 22). — *Se remettre en cause :* accepter de faire la critique de son comportement. — *Remise en cause :* réexamen critique.

53.1 *(Ausonius)* acquiert, sans effort, une patience infinie (...) Il reprend sa besogne, se montre comme toujours serviable et avenant, renonce à se remettre en cause, se dit que dans l'absolu il est aussi digne de considération qu'à ses propres yeux. Alain BOSQUET, les Bonnes Intentions, p. 307.

53.2 (...) l'affection ne va pas jusqu'à la remise en cause de leurs propres lois morales. Ils sont conservateurs (...)
Alain BOSQUET, les Bonnes Intentions, p. 185.

*En désespoir de cause :* comme dernière ressource, tout autre moyen étant impossible.

*En connaissance de cause :* en connaissant les faits. *Agir, juger, parler en connaissance de cause, sans connaissance de cause.*

Je (...) saurai déchaîner contre *(mes ennemis)* des zélés indiscrets, qui, sans connaissance de cause, crieront en public contre eux (...) MOLIÈRE, Dom Juan, V, 2. 54

Mon cher Gide, votre générosité vous honore, mais nous n'avons pas besoin de vos avertissements; nous agissons en toute connaissance de cause; ce qui vous choque, vous, ondoyant, c'est la droiture de notre ligne de conduite (...)
GIDE, Journal, 7 janv. 1917. 55

♦ **2** (1549). Qualifié. Ensemble des intérêts à soutenir, à faire prévaloir. → **Intérêt, parti.** *La bonne cause. Une cause noble. Une cause injuste. La cause du prochain. La cause du peuple. La cause publique. La cause de l'État. Cause de l'Église, d'un parti. La cause de l'humanité, de la justice, de la paix, de la science* (→ Autopsie, cit. 2). *Embrasser, épouser, prendre en main une cause. Rallier qqn à une cause. Défendre, favoriser, servir, soutenir la cause de qqn. Combattre, mourir pour une cause. Faire triompher une cause. — Abandonner une cause. Une cause désespérée, perdue.*

Mais je viens de savoir quel étrange malheur 56
D'un fils victorieux a suivi la chaleur,
Et que son trop d'amour pour la cause publique
Par ses mains à son père ôte une fille unique.
CORNEILLE, Horace, V, 2.

Ils ont couvert leurs intérêts de la cause de Dieu (...) 57
MOLIÈRE, Tartuffe, Préface.

Plus n'est question, dans ce monde furieux, de servir hautainement la cause de l'esprit ou celle de l'humanité. 58
G. DUHAMEL, le Temps de la recherche, XI, p. 149.

(...) derrière cette réserve dont elle ne se départait pas, il sentait palpiter une sensibilité sous pression, prête à épouser, et à servir, toute grande cause qui fût vraiment digne d'un sacrifice total. 59
MARTIN DU GARD, les Thibault, t. VI, p. 225.

*Prendre fait et cause (pour qqn),* prendre son parti, le défendre, le soutenir avec vigueur.

*Faire cause commune (avec qqn),* mettre en commun ses intérêts. → **Accord, association.**

**CONTR. Conséquence, effet, produit, résultat.** ◇ **DÉR.** 1. **Causer.** — **COMP. Ayant cause.** — **HOM.** Formes des v. 1. **causer,** 2. **causer.**

1. **CAUSER** [koze] v. tr. — XIIIe; de *cause.*

(Sujet n. de personne ou de chose). Être la cause* de. → **Amener, apporter, attirer, déclencher, entraîner, faire, motiver, occasionner, produire, provoquer, susciter.** *Causer un malheur. Causer un dommage. Causer du scandale. L'orage a causé de graves dommages aux récoltes. — Causer de la peine* (contrarier, peiner), *du chagrin* (chagriner), *du dépit* (dépiter), *un choc à qqn. Vous lui avez causé bien des soucis. La situation nous a causé quelque inquiétude. Ça lui a causé beaucoup d'ennuis. — Causer le malheur, la mort de qqn. Causer l'enthousiasme, l'indignation de qqn.* — Vieilli. *Se causer un mal,* le causer à soi-même (→ ci-dessous, cit. 3).

La jalousie est le plus grand de tous les maux, et celui qui fait le moins de pitié aux personnes qui le causent. 1
LA ROCHEFOUCAULD, Maximes, 503.

(...) Et voyez, je vous prie, 2
Quelles rencontres dans la vie
Le sort cause (...) LA FONTAINE, Fables, VIII, 26.

Vous vous êtes causé vous-même tout le mal. 3
MOLIÈRE, l'Étourdi, IV, 6.

(...) il n'aura point regret de causer son bonheur. 4
MOLIÈRE, l'Étourdi, II, 11.

À ceux-ci je n'ai pas causé de si grands tourments, tout au plus des ennuis. 5
COLETTE, la Naissance du jour, p. 16.

6 Ce qu'il y a toujours de mystérieux, d'inacceptable, dans l'agonie d'un autre être humain, lui causait, en ce moment (...) une angoisse insurmontable.
MARTIN DU GARD, les Thibault, t. III, p. 211.

7 (...) Je voudrais obtenir de vous des associations d'idées naïves et spontanées et non pas des associations contrôlées dont, malgré vous, vous éliminez précisément ces souvenirs odieux qui causent vos cauchemars.
A. MAUROIS, les Discours du D[r] O'Grady, XII, p. 121.

*Causer préjudice, causer tort à qqn.*

◆ **CAUSÉ, ÉE** p. p. adj.

Didact. *Les phénomènes causés et leurs causes* (→ 1. Causant, cit.).

CONTR. **Dériver, procéder** (de), **venir** (de). ◊ DÉR. **1. Causant, causateur, causation.** → HOM. **2. Causer.** — Voir aussi **1. Causant, 2. causant, cause.**

2. **CAUSER** [koze] v. intr. — XIIIe, répandu XVe; lat. *causari* «faire un procès», «plaider, alléguer».

♦ **1** S'entretenir familièrement avec qqn. → **Parler; bavarder, converser, confabuler** (VX), **deviser, discuter.** *Nous causons ensemble. Causer avec qqn. Causer poliment* (cit. 1). *Causer librement, longuement. Aimer à causer* **(→ 2. Causant, causeur).** *Causer à bâtons rompus. — C'est assez causé. Assez* causé :* n'en parlons plus, brisons là; agissons.

1 Le duc d'Orléans (...) daigna un jour causer avec moi au bal de l'Opéra; il me fit un grand éloge de Rabelais.
VOLTAIRE, Lettre à Mme du Deffand, 13 oct. 1759, *in* Littré.

2 Un jour que quelques conseillers parlaient un peu trop haut à l'audience, M. de Harlay, premier président, dit : «Si ces messieurs qui causent ne faisaient pas plus de bruit que ces messieurs qui dorment cela accommoderait fort ces messieurs qui écoutent.»
CHAMFORT, Caractères et Anecdotes, M. de Harlay et ses conseillers.

3 (...) à cette époque de Louis XIV, toutes les femmes du monde écrivent avec charme; elles n'ont pour cela qu'à écrire comme elles causent et à puiser dans l'excellent courant d'alentour.
SAINTE-BEUVE, Causeries du lundi, 22 oct. 1849.

4 (...) — Je viens, sans rien en dire,
M'asseoir sous votre lampe et causer avec vous (...)
A. DE MUSSET, À Ninon.

5 M. Vasse (...) le soupirant (...) de Madame, causait tout bas avec elle dans un coin (...)
MAUPASSANT, la Maison Tellier, Pl., t. I, p. 280

6 (...) ces tête-à-tête nocturnes, où il monologuait plutôt qu'il ne causait.
MAUPASSANT, Notre cœur, II, VII, p. 222.

7 (...) à Clarke qui, depuis un mois, «causait» avec Yarmouth, on adjoignit Champagny pour «négocier» (...)
Louis MADELIN, Vers l'Empire d'Occident, XIII, Le soulèvement de la Prusse, p. 169.

Fam. *Cause toujours; cause toujours, tu m'intéresses :* tu peux parler, je ne t'écoute pas!

Allus. littér. *Tu causes, tu causes, c'est tout ce que tu sais faire!,* leitmotiv du perroquet Laverdure, dans *Zazie dans le métro* de R. Queneau.

.1 «Tu causes... tu causes...» Oui, nous jacassons, nous dont c'est le métier.
F. MAURIAC, le Nouveau Bloc-notes, 1958-1960, p. 311.

V. tr. ind. *Causer de quelque chose,* en parler, en discuter. *Causer longuement d'une affaire. Causer de littérature, de peinture... On en cause :* la chose est connue, on en parle.

2 (...) Causant de nous, de notre union, de la douceur de notre sort, et faisant pour sa durée des vœux qui ne furent pas exaucés. ROUSSEAU, les Confessions, VI.

Fam. *Causer de la pluie et du beau temps :* tenir de vains propos. *Causer de choses et d'autres :* converser sans propos déterminé. — Ellipt. *Causer chiffons.*

(...) avec les verbes qui signifient *parler*, il n'y a point de préposition du tout. On dit : causer plans, épigraphie, politique; — parler avenir, chiffons; — disserter finances; — «Il revit un petit café où ils se réunissaient pour fumer et pour causer politique.» (FLAUB., l'Éduc. sent., II, 7.). 8
BRUNOT, la Pensée et la Langue, X, VIII, p. 399.

(...) il va se promener sur le boulevard, fume son cigare, entre au cercle pour lire les journaux, cause littérature, cotes de la Bourse, politique ou chemin de fer. 8.1
TAINE, Philosophie de l'art, t. I, II, V.

REM. *En français contemporain, causer employé comme synonyme de parler, notamment dans la construction causer à quelqu'un est populaire et connote le manque d'éducation ou un usage régional. Elle cause bien! — Je te cause! :* tu pourrais écouter, faire attention!

Mais sa fille (...) demandait d'une voix rogue : 8.2
— Non, mais c'est pour moi, ce que vous venez de dire?
L'autre se retourna, le visage écarlate, l'œil dangereux, et toisant l'écolière, prononça d'un ton menaçant :
— Cause à ta table, saucisse.
M. AYMÉ, Maison basse, p. 10.

Il n'en était pas de même en français classique :

On ne cause pas à quelqu'un; on cause avec quelqu'un. Pourtant cette manière de parler se trouve dans J.-J. Rousseau, qui n'est pas toujours très pur, et sans doute dans d'autres. La première fois que je la vis elle était à la veille de son mariage; elle me causa longtemps avec cette familiarité charmante qui lui est naturelle (...) 9
ROUSSEAU, les Confessions, VII, *in* LITTRÉ, Dict., art. *Causer.*

J'avoue que *l'on vous cause,* lequel remonte à Corneille *(Place Royale),* n'est point ce qui heurte le plus dans la déchéance du langage, si l'on admet *parler avec* sur le même plan que *parler à.* 10
A. THÉRIVE, le Franç. langue morte? p. 90, *in* GREVISSE.

♦ **2** (1690). Parler trop, inconsidérément, avec indiscrétion, légèreté. → **Bavarder, jacasser, jaser, papoter.** *Ne lui dites que ce vous voudrez que tout le monde sache, car il aime à causer* (Académie).

Hé! voulez-vous, Madame, empêcher qu'on ne cause? 11
MOLIÈRE, Tartuffe, I, 1.

♦ **3** (1662). Vx (langue class.). Parler avec malignité. → **Cancaner, jaser, potiner.** — REM. Si les exemples suivants ont une allure moderne, leur valeur exacte n'est pas perçue :

Le monde, chère Agnès, est une étrange chose! 12
Voyez la médisance, et comme chacun cause!
MOLIÈRE, l'École des femmes, II, 5.

Transitif indirect :

J'ai peur (...) 13
Que de cet incident par la ville on ne cause.
MOLIÈRE, l'École des femmes, IV, 2.

CONTR. **Taire** (se). ◊ DÉR. **2. Causant, causerie, causette, causeur, causeuse.** → HOM. **1. Causer.** — Voir aussi **1. Causant, 2. causant; cause.**

**CAUSERIE** [kozʀi] n. f. — 1545; de 2. *causer.*

♦ **1** [a] *(Une, des causeries).* Entretien familier. → **Conversation.** *De longues causeries. Causeries à bâtons rompus* (→ Bâton, cit. 18). *Ce sport* (cit. 9) *de la causerie française. Une de ces bonnes et saines causeries* (→ Mûrir, cit. 7).

(...) dévorés de noires songeries, 1
Sans compagnon de lit, sans bonnes causeries.
BAUDELAIRE, les Fleurs du mal, C, «Tableaux parisiens».

(...) la leçon dégénérait en causerie. 2
GIDE, Si le grain ne meurt, V, p. 148.

[b] Rare. *La causerie :* le fait de causer.

Ce soir-là, dis-je, nous liâmes conversation, car les quelques rapports de causerie, d'officier de marine à simple passager, avaient été fort succints, entre nous, depuis le commencement de la traversée. 3
VILLIERS DE L'ISLE-ADAM, Tribulat Bonhomet, p. 52.

♦ **2** *(Une, des causeries).* Discours, conférence sans prétention. *Une causerie littéraire, scientifique. Causerie radiophonique, télévisée.* — Le président de la République abordera le problème au cours de sa causerie «au coin du feu» retransmise à la télévision.

**CAUSETTE** [kozɛt] n. f. — 1790, dialectal; de 2. *causer.*

Fam. Petite causerie (1.); entretien familier. → **Babillage, bavardage.** — REM. Le mot est souvent complément de *faire. Faire la causette, un brin de causette, une petite causette :* bavarder familièrement.

1 Je rencontrai Adèle dans une maison amie où elle venait, le dimanche soir, prendre le thé et faire la causette.
COURTELINE, Boubouroche, Comédie, I, 2.

2 Et puis voilà le vrai : elle le tripote, elle le caresse, son papier; elle les taille, un par un, ses petits coupons (...) Ça l'occupe. Qu'est-ce qu'il lui reste, sauf les causettes après la messe le dimanche et le soir avec moi?
Hervé BAZIN, Cri de la chouette, p. 78.

**CAUSEUR, EUSE** [kozœʀ, øz] adj. et n. — 1534, Rabelais; de 2. *causer.*

♦ **1** Adj. (Rare). Qui aime à causer (2. Causer). → **Loquace.** *Être d'humeur causeuse. Il n'est guère causeur.* → 2. **Causant.** *«Elle n'était pas causeuse, d'habitude»* (Zola, *la Joie de vivre,* in T. L. F.).

1 C'était *(Fadette)* un enfant très causeur et très moqueur, vif comme un papillon, curieux comme un rouge-gorge et noir comme un grelet.
G. SAND, la Petite Fadette, VIII, p. 59.

♦ **2** [a] Personne qui cause volontiers. *Un aimable, un brillant, un insupportable causeur. Faire taire les causeurs.*

2 Eh mon Dieu, c'est une causeuse qui ne dit pas ce qu'elle pense. MOLIÈRE, Critique de l'École des femmes, 3.

2.1 Mais aussi il peut se faire que le travail cérébral s'amorçant uniquement dans la solitude pour cette fin spéciale, le langage intérieur suivi par la plume ne s'amorce pas pour la conversation, inverse de ce qui arrive pour les grands causeurs qui n'ont plus de talent en écrivant.
PROUST, Jean Santeuil, Pl., p. 486.

REM. Le fém. du subst. est rare, sans doute à cause de l'homonymie avec *causeuse,* n. f.

[b] Vx (langue class). Personne qui bavarde indiscrètement. *Ne lui confiez rien, c'est un causeur.*

3 Ah! vous voilà, Monsieur le babillard, à qui j'avais tant recommandé de ne point parler (...) Vous êtes donc un causeur, et vous allez redire ce que l'on vous dit en secret?
MOLIÈRE, George Dandin, II, 5.

CONTR. **Silencieux, taciturne.** ◊ HOM. (Du fém.) **Causeuse.**

**CAUSEUSE** [kozøz] n. f. — 1787; de 2. *causer.*

Petit canapé* bas et capitonné (où deux personnes peuvent s'asseoir pour causer, pour bavarder). → Palissandre, cit.

Figurez-vous, me conta-t-elle (...) que j'étais assise là où nous sommes maintenant. (C'était une de ces causeuses qu'on appelait des *dos-à-dos,* le meuble le mieux inventé pour se bouder et se raccommoder sans changer de place).
BARBEY D'AUREVILLY, les Diaboliques, «Le plus bel amour de Don Juan».

HOM. **Causeuse** (fém. de *causeur*).

**CAUSSE** [kos] n. m. — 1791; mot du Rouergue; du bas lat. **calcina,* de *calx* «chaux».

Plateau calcaire, dans le centre et le sud de la France. *Les causses du Gévaudan. Le Causse de Gramat. Causse du Quercy. Les avens des causses. Le Causse noir. — Les moutons des causses.*

1 Dans le Sud de la France, partout où vous rencontrez le nom de *Causse,* la présence de calcaire est certaine (...) (...) sur le terrain, il est impossible de n'être pas frappé par l'abord du Causse (...) Le paysan est sensible surtout à l'amaigrissement du sol végétal, troué partout par la roche à nu, et à la sécheresse absolue de la surface, en dehors des gorges profondes de 400 à 500 mètres.
E. DE MARTONNE, Traité de géographie physique, t. II, VI, p. 649-651.

(...) je range encore parmi mes plus chers souvenirs, moins telle équipée dans une zone inconnue du Brésil central, que la poursuite au flanc d'un causse languedocien de la ligne de contact entre deux couches géologiques. 2
Claude LÉVI-STRAUSS, Tristes tropiques, p. 42.

DÉR. **Caussenard.**

**CAUSSENARD, ARDE** [kosnaʀ, aʀd] adj. — 1890, mot cévennol; de *causse.*

Du causse. *Région caussenarde.* — (Personnes). *«Je suis Caussenard»* (Genevoix). — Spécialt. *Mouton caussenard,* et, n. m., *un caussenard :* mouton à cornes atrophiées, à toison épaisse, bien acclimaté sur les causses.

**CAUSTICITÉ** [kostisite] n. f. — 1738; de 1. *caustique.*

♦ **1** Didact. (chim.). Caractère d'une substance caustique*. → **Acidité.** *Causticité d'un acide.*

♦ **2** Littér. ou style soutenu. Tendance à dire, à écrire des choses caustiques, mordantes. → **Acerbité, aigreur, malignité, mordacité, mordant.** *Sa causticité est naturelle. Sa causticité ne va pas jusqu'à la méchanceté. Elle est d'une causticité froide.*

Cependant on causait, on riait. Latouche se révélait étincelant de causticité, adorable de grâce paternelle. 1
A. MAUROIS, Lélia, III, I, p. 129.

(...) une causticité naturelle qui piquait et ne mordait jamais (...) 2
Louis MADELIN, De Brumaire à Marengo, VIII, Le gouvernement consulaire, p. 116.

Caractère de ce qui est caustique. *La causticité d'une épigramme, d'une satire. Son œuvre est pleine de causticité.* → **Acrimonie, mordant.**

CONTR. **Bénignité, douceur; bienveillance.**

**CAUSTIFIER** [kostifje] v. tr. — Av. 1844; de 1. *causti(que),* et *-fier.*

Chim. Rendre caustique (1. Caustique); transformer (une solution aqueuse de carbonate alcalin) en solution d'une base. Techn. Traiter (les tissus de coton) par la soude caustique.

**1. CAUSTIQUE** [kostik] adj. et n. m. — 1490; lat. *causticus,* grec *kaustikos* «brûlant».

Didactique ou style soutenu.

♦ **1** Qui désorganise, attaque, corrode les tissus animaux et végétaux. → **Acide, brûlant, corrodant, corrosif, cuisant, mordicant.** *Substance caustique. Agent caustique. Soude*, potasse* caustique.*

N. m. (1690). *Un, des caustiques. Les caustiques provoquent de l'exulcération. Caustique faible, superficiel; caustique profond* (→ **Escarotique).** *Caustique agissant par brûlure.* → **Cautère.** *Caustiques acides.* → **Acide.** *Caustiques alcalins* (→ **Ammoniaque, potasse),** *salins* (nitrate d'argent...).

♦ **2** (1690). Qui attaque, blesse par la moquerie et la satire. → **Acerbe, moqueur, mordant, narquois, piquant, satirique; causticité** (2.). *Humeur, esprit, caractère caustique. Propos caustiques.* → **Acéré, incisif.** *Épigramme, trait, pique, moquerie caustique. Un homme caustique. Caustique sans méchanceté. Être spirituel et caustique.*

Le caustique Boileau, que l'envie des critiques et l'étude ont rendu versificateur. 1
BOILEAU, Esquisse en prose de la satire, IX.

Sénèque le père fut d'une humeur caustique. 2
DIDEROT, Essai sur Claude, I, II.

3 Fier, il était caustique jusqu'à l'impertinence (...)
Louis MADELIN, Talleyrand, II, IX, p. 109.

CONTR. **Bénin, doux, bienveillant, débonnaire.** ◊ DÉR. **Causticité, caustifier, 2. caustique, caustiquement.** — HOM. **2. Caustique.**

2. **CAUSTIQUE** [kostik] n. f. — 1751, *Encyclopédie;* de 1. *caustique,* parce que les rayons lumineux brûlent.

Phys. Lieu des intersections des rayons réfléchis (catacaustique) ou réfractés (diacaustique). *La caustique est une surface tangente aux rayons d'un faisceau issu d'un même point-source et ayant traversé* (ou *ayant été réfléchis par*) *un instrument d'optique* (miroir, etc.) *imparfait.*

Adj. *Ligne, surface caustique.*

HOM. **1. Caustique.**

**CAUSTIQUEMENT** [kostikmɑ̃] adv. — 1863; de 1. *caustique.*

Littér. ou style soutenu. Avec causticité. *Il l'a attaqué caustiquement.*

**CAUTÈLE** [kotɛl] n. f. — V. 1265; lat. *cautela* «défiance».

♦ **1** Littér. Prudence rusée. → **Défiance, finesse, rouerie, ruse.** *La cautèle paysanne. Intriguer avec cautèle.*

1 Avec la finesse particulière aux gens qui font leur fortune par la cautèle (...)
BALZAC, les Paysans, VI, Pl., t. VIII, p. 99.

2 Né Gascon, mais devenu Normand, il doublait sa faconde méridionale de cautèle cauchoise.
FLAUBERT, Mme Bovary, II, V.

3 Pietro, clown au cirque Médrano, était haut comme ma botte. Il était affranchi, lui aussi, mais dans un genre tapageur, avec pourtant des dessous de cautèle. Aucune vergogne, une malignité véroleuse, et dans son sac des tours sordides.
DRIEU LA ROCHELLE, la Comédie de Charleroi, p. 170.

♦ **2** (1690). Dr. canon. Réserve. *Absolution à cautèle,* sous condition.

CONTR. (De 1.) **Candeur, droiture, franchise, ingénuité, naïveté.** ◊ DÉR. **Cauteleux.**

**CAUTELEUSEMENT** [kotløzmɑ̃] adv. — 1860; de *cauteleux.*

Littér. et rare. D'une manière cauteleuse.

**CAUTELEUX, EUSE** [kotlø, øz] adj. — Fin XIIIe, *cautileus;* de *cautèle.*

♦ **1** Vx. Qui a de la cautèle. → **Défiant, 2. fin, habile, 2. roué** (B., 2.), **rusé.**

1 Il est fin, cauteleux, doucereux, mystérieux (...)
LA BRUYÈRE, les Caractères, VIII, 61.

2 La femme est un animal fin et cauteleux.
D'ABLANCOURT, Lucien, t. I, Prométhée, *in* LITTRÉ.

♦ **2** Mod. Littér. ou style soutenu. (Personnes). Qui agit d'une manière hypocrite et habile. → **Hypocrite, sournois.** — (Choses). Qui marque la cautèle. *Air cauteleux. Manières cauteleuses.* → **1. Patelin, mielleux.**

3 (...) il inventait correctement les paroles d'une hypocrisie cauteleuse et prudente.
STENDHAL, le Rouge et le Noir, VIII, p. 72.

4 (...) le Bas-Normand, rusé, cauteleux, sournois et chicanier (...) MAUPASSANT, Clair de lune, p. 133.

5 Ausonius se dit qu'*(Anneliese)* baigne dans le bonheur, et rien ne le porte à croire qu'elle lui reproche tant de calculs, tant de mesquineries chiffrées, tant d'astuces cauteleuses.
Alain BOSQUET, les Bonnes Intentions, p. 273.

CONTR. **Candide, 1. droit, franc, naïf.** ◊ DÉR. **Cauteleusement.**

**CAUTÈRE** [kotɛʀ; kɔtɛʀ] n. m. — Fin XIIIe; lat. *cauterium,* grec *kautêrion,* de *kaiein* «brûler».

♦ **1** Méd. Agent physique ou chimique, destiné à brûler les tissus (→ **Moxa; ustion**). *Cautère actuel :* instrument à pointe chauffable au rouge, servant à brûler les tissus. → **Électrocautère, galvanocautère, ignipuncture, thermocautère; pointe** (pointe de feu). *Cautère potentiel* (→ **1. Caustique**).

Plaie artificielle que l'on entretient pour obtenir une suppuration. → **Exutoire; escarre, ulcération.** *Cautère obtenu avec un caustique. Cautère révulsif. Panser, entretenir, pratiquer un cautère.*

Il paraît que le cautère est tout à fait démodé. Pourquoi? Il garde encore des vertus dans certains cas rares. 1
G. DUHAMEL, Biographie de mes fantômes, X, p. 185.

Loc. *Un cautère sur une jambe de bois :* un remède, un expédient inutile*. — Syn. : *cataplasme, emplâtre.*

(...) j'ai vu que ça ne me faisait pas plus qu'un cautère sur une jambe de bois. 2
J. VALLÈS, Jacques Vintgras, L'enfant, p. 402.

♦ **2** Par métaphore ou fig. Ce qui guérit. → **Exutoire; remède.**

(...) pour parler la langue de Rivarol ou de Chamfort, des deux hommes qui lui ressemblent le moins *(à Proudhon),* je dirai qu'il n'ouvrit aucun cautère à ses convictions. 3
SAINTE-BEUVE, P.-J. Proudhon, Sa vie et sa correspondance, p. 102.

La classe! mot magique! cautère moral du troupier. 4
COURTELINE, le Train de 8 h 47, 1888; p. 53.

COMP. **Électrocautère, galvanocautère, thermocautère.**

**CAUTÉRISANT, ANTE** [koteʀizɑ̃, ɑ̃t; kɔteʀizɑ̃, ɑ̃t] adj. — Déb. XXe; de *cautériser.*

Méd. Qui rend possible la cautérisation. *Un baume cautérisant. Des substances cautérisantes.*

N. m. *Les antiseptiques et les cautérisants luttent efficacement contre l'infection.*

**CAUTÉRISATION** [koteʀizasjɔ̃; kɔteʀizasjɔ̃] n. f. — 1314; lat. médiéval *cauterisatio,* de *cauterizare.* → Cautériser.

Méd. Destruction de tissus à l'aide d'un cautère ou de substances caustiques ayant une action analogue (crayon de nitrate d'argent, par ex.). *La cautérisation d'une plaie.*

COMP. **Électrocautérisation.**

**CAUTÉRISER** [koteʀize; kɔteʀize] v. tr. — 1314, *cauterisier;* lat. *cauterizare,* du grec *kautêriazein* «marquer avec le fer chaud», de *kautêrion.* → Cautère.

♦ **1** Méd. Brûler les tissus avec un cautère. *Cautériser une plaie* (→ Piquer, cit. 4). *Cautériser une dent,* en brûlant le nerf. *Cautériser une plaie à l'aide d'un caustique, avec des pointes de feu...*

♦ **2** (XVIe). Par métaphore. **a** Brûler, rendre insensible; endurcir.

Des hommes dont la conscience est cautérisée. 1
BOSSUET, Hist. des Variations, 11.

**b** Littér. et vx. Dévaster, comme par le feu.

Nature forte, riche, puissamment accidentée, pleine de souvenirs féodaux, verdoyante, mais qui garde en tous lieux les empreintes du fer et du feu. Louis XIV et Turenne ont cautérisé cette ravissante contrée. 2
BALZAC, l'Auberge rouge, 1831, Pl., t. IX, p. 959.

DÉR. **Cautérisant.**

**CAUTION** [kosjɔ̃] n. f. — V. 1260, *caucion;* lat. *cautio* «précaution», de *cavere* «prendre garde».

**I** ♦ **1** Garantie d'un engagement pris pour soi-même ou pour un autre. → **Cautionnement** (1.); **assurance,**

2. **aval, gage, garantie, sûreté.** *Verser une caution :* verser de l'argent pour servir de garantie (dépôt de garantie).

(Vx). **CAUTION BOURGEOISE,** sur laquelle on peut compter. Fig. Garantie suffisante.

1 Je la garantis détestable *(la pièce).*
La caution n'est pas bourgeoise.
MOLIÈRE, Critique de l'École des femmes, 5.

**SOUS CAUTION :** à condition qu'une caution soit versée. *Mettre un inculpé en liberté sous caution* (droit américain).

♦ **2** Littér. Assurance, garantie.

2 L'honneur acquis est caution de celui qu'on doit acquérir.
LA ROCHEFOUCAULD, Maximes, 270.

3 (...) la lettre de son meilleur ami lui est une caution suffisante (...)
MOLIÈRE, Critique de l'École des femmes, 6.

4 (...) ils ressentent encore moins (...) de quelle nécessité lui devient *(à l'âme)* un être souverainement parfait, qui est Dieu, et quel besoin indispensable elle a d'une religion qui (...) lui en est une caution sûre.
LA BRUYÈRE, les Caractères, XVI, 3.

Garantie morale représentée par le soutien d'un personnage notable. → **Patronage, protection, recommandation.** *Se présenter aux élections avec la caution du chef d'un parti.*

♦ **3** (Av. 1615). **SUJET À CAUTION :** sur qui ou sur quoi l'on ne peut compter, faire fond. → **Douteux, suspect.** *Nouvelle sujette à caution. Témoin sujet à caution.*

5 — (...) crois-tu qu'il m'aime autant qu'il me le dit?
— Eh, eh! ces choses-là, parfois, sont un peu sujettes à caution. MOLIÈRE, le Malade imaginaire, I, 4.

6 Sa vie privée restait sujette à caution.
MARTIN DU GARD, les Thibault, t. V, p. 286.

♦ **4** (1535). La personne qui fournit une garantie, un témoignage. → **Garant, répondant, témoin.** *Vous serez ma caution.*

Loc., vx (encore chez Charles Nodier). *Être caution que...*

7 Je vous suis caution qu'il est très honnête homme.
MOLIÈRE, Sganarelle, 1.

**II** Dr. ♦ **1** Personne qui s'engage envers un créancier pour garantir l'exécution d'une obligation, au cas où le débiteur n'y satisferait pas. → **Fidéjusseur.** *Se rendre caution de quelqu'un. Se porter caution pour quelqu'un. Garantir la solvabilité d'une caution* (→ **Certificateur**). *Caution solvable. Donner, fournir caution :* désigner une personne qui accepte de se porter caution pour une obligation que l'on a contractée.

8 Celui qui se rend caution d'une obligation, se soumet envers le créancier à satisfaire à cette obligation, si le débiteur n'y satisfait pas lui-même. Code civil, art. 2011.

*Caution judicatum solvi,* qui s'engage à «exécuter le jugement».

9 (...) l'étranger qui sera demandeur principal ou intervenant sera tenu de donner caution pour le payement des frais et dommages-intérêts résultant du procès, à moins qu'il ne possède en France des immeubles d'une valeur suffisante pour assurer ce payement.
Code civil, art. 16.

*Caution judiciaire,* fournie en exécution d'un jugement (Code de procédure civile, art. 135, 155, 417). *Caution légale,* fournie en exécution d'une disposition de la loi (Code civil, art. 601, 771, 817, 1613). *Caution solidaire,* qui a renoncé au bénéfice de discussion, ou au bénéfice de division, quand il y a plusieurs créanciers (→ **Cofidéjusseur**).

*Caution réelle,* qui constitue une sûreté réelle sur un de ses biens.

♦ **2** Garantie donnée par la caution (personne). → **Cautionnement.** *Demander, accepter une caution* (peut s'employer aussi au sens 1). — REM. Les expressions ci-dessus (*caution judiciaire,* etc.) peuvent s'entendre aussi dans cette acception.

Par ext. *Caution juratoire :* engagement sous serment.

À défaut d'une caution de la part de l'usufruitier *(il)* pourra demander (...) qu'une partie des meubles nécessaires pour son usage lui soit délaissée, sous sa simple caution juratoire, et à charge de les représenter à l'extinction de l'usufruit. Code civil, art. 603. 10

DÉR. **Cautionner.**

**CAUTIONNABLE** [kosjɔnabl] adj. — 1842; de *cautionner.*

Dr. Qui peut recevoir la caution de quelqu'un. *Un contrat cautionnable. La personne dont je vous ai parlé est cautionnable.*

**CAUTIONNEMENT** [kosjɔnmɑ̃] n. m. — 1535; de *cautionner.*

♦ **1** Dr. Contrat, sur lequel la caution s'engage envers le créancier (→ **Caution**). *Du cautionnement,* titre XIV du Livre III du Code civil (art. 2011 à 2043). — L'Acte qui constate l'existence de ce contrat. *Signer un cautionnement.*

♦ **2** Dr. et cour. Dépôt* destiné à servir de garantie à des créances éventuelles. *Déposer une somme d'argent, des valeurs en cautionnement.* → **Gage, garantie.** *Cautionnement versé pour un objet prêté.* → **Consigne.** *Cautionnement administratif :* garantie exigée des comptables, des officiers ministériels, des adjudicataires des fournitures de l'État *(caution adjudicatoire).*

(1971). Dr. constit. *Cautionnement électoral :* somme d'argent à déposer par le candidat avant une élection.

**CAUTIONNER** [kosjɔne] v. tr. — 1360; de *caution.*

♦ **1** Dr. Se rendre caution* pour (qqn). *Cautionner un ami.*

Ce caissier que vous avez cautionné et qui vient de faire banqueroute de deux cent mille écus. 1
A.-R. LESAGE, Turcaret, III, 9.

♦ **2** Cour. Répondre de, se porter garant de (qqn). Être la caution de (une idée, une action), en l'approuvant. *Il ne veut pas cautionner cette politique.*

J'en réponds sur sa mine, et je le cautionne. 2
MOLIÈRE, l'Étourdi, V, 1.

CONTR. **Condamner, dénoncer, désavouer.** ◊ DÉR. **Cautionnable, cautionnement.**

**CAVAILLON** [kavajɔ̃] n. m. — 1922; «déchaussement de la vigne», 1860; provençal *cavalhon,* du lat. *caballio.*

Régional. Bande de terre entre les pieds de vigne, que la charrue ne peut labourer.

Une autre solution, dont la mise au point serait souhaitable, serait le traitement aux désherbants du seul cavaillon (bande de terre que les labours ordinaires laissent en place sur la ligne) et le travail à plat de l'interligne.
Louis LEVADOUX, la Vigne et sa culture, p. 104.

COMP. **Décavaillonner.**

**CAVALCADE** [kavalkad] n. f. — 1349; ital. *cavalcata,* de *cavalcare* «chevaucher».

**A** ♦ **1** Vx. Marche, promenade à cheval à laquelle participent plusieurs cavaliers ou cavalières.

La duchesse de Bourgogne fit avec le duc de Bourgogne et beaucoup de dames une grande cavalcade au Bois de Boulogne. 1
SAINT-SIMON, Mémoires, 186, 237, *in* LITTRÉ.

Mod. Chevauchée animée.

2 Puis la joyeuse cavalcade se mit en route, escortée par les enfants à pied, qui couraient en tirant des coups de pistolet et faisaient bondir les chevaux.
G. SAND, la Mare au diable, Appendice III, p. 172.

♦ **2** (1694). Défilé pompeux ou grotesque de cavaliers, de chars. *Une cavalcade historique. Cavalcade de la mi-carême.*

**B** Par métonymie. ♦ **1** Troupe de cavaliers.

♦ **2** Fam. Troupe désordonnée, bruyante. *Une cavalcade d'enfants dégringolant l'escalier.* → **Sarabande.**

**DÉR. Cavalcader.** ◊ **HOM.** Formes du v. **cavalcader.**

**CAVALCADER** [kavalkade] v. intr. — 1824, Balzac; de *cavalcade.*

♦ **1** Vx. Chevaucher en groupe.

1 Voyons, tiens... tu ne montes pas à cheval... Très-important... Si l'on te voyait cavalcader, tu comprends...
Ed. et J. DE GONCOURT, Manette Salomon, p. 335.

♦ **2** Mod. Courir en troupe bruyante et désordonnée. *Les enfants cavalcadaient dans toute la maison.* — Fam. Courir de droite et de gauche, à sa fantaisie. → **Gambader.**

2 J'ai le temps d'aller faire un tour avant la soupe, buvons et cavalcadons gaîment, je me sens en même temps vidée et lourde de joie. A. SARRAZIN, la Traversière, p. 85.

**CAVALCADOUR** [kavalkadur] adj. m. — 1549, Rabelais; orig. incert., soit de l'anc. provençal *cavalgador* «cavalier», soit de l'esp. *cabalgador,* ou de l'ital. *cavalcatore* «cavalier, écuyer».

Ancienn. *Écuyer cavalcadour,* qui avait la surveillance des chevaux et des écuries du roi, des princes.

Péj. (Vx; usage littéraire des romantiques). Recherché jusqu'à l'affectation, dans un genre poétique ancien (→ Troubadour).

(...) je n'aime pas le rejet
*La femme d'un agent*
*De change.*
*Agent de change* est un seul mot, et d'ailleurs il y a là, ce me semble, un peu trop d'intention de chic; ça me semble trop espagnol et cavalcadour.
FLAUBERT, À Louis Bouilhet, 19 déc. 1850, *in* Correspondance, t. I, Pl., p. 725.

1. **CAVALE** [kaval] n. f. — 1552; probablt ital. *cavalla,* du lat. *caballa.*

♦ **1** Poét. Jument de race. *Une cavale sauvage, indomptée. Une belle, une fière cavale. La crinière d'une cavale. Hennir comme une cavale.*

1 (...) elle était *(Madame de Coislin)* naturellement de la cour, comme d'autres plus heureux sont de la rue, comme on est cavale de race ou haridelle de fiacre (...)
CHATEAUBRIAND, Mémoires d'outre-tombe, III, 4.

2 La voix grêle des cymbales,
Qui fait hennir les cavales (...)
HUGO, les Orientales, I, 3.

3 C'était *(la France)* une cavale indomptable et rebelle
Sans frein d'acier ni rênes d'or. BARBIER, Iambes.

Par comparaison :

4 (...) la troisième qui ne livrait pas un coin de sa peau, vêtue d'une robe si étroitement ajustée, qu'elle en était troublante d'indécence, avec sa croupe tendue de cavale.
ZOLA, l'Œuvre, p. 385.

♦ **2** Pop. et vx. Grande femme mal bâtie (*in* Littré). → **Cheval** (un grand cheval).

**CONTR. Haridelle, rosse.** ◊ **DÉR. Cavaler.** — **HOM.** 2. **Cavale;** formes du v. **cavaler.**

2. **CAVALE** [kaval] n. f. — 1829; de *cavaler* «courir; s'évader».

Argot. *Être en cavale* : être en fuite. — Évasion; fuite après une évasion. → La belle (beau, II., C.). *Faire une belle cavale.* — (Par jeu de mot avec 1. *cavale*) :

Le seul moyen d'échapper au coma, c'est d'enfourcher la cavale, l'évasion comme on dit, et de n'en plus descendre. LA CAVALE cent fois abattue, relevée, c'est le vaccin et le doping, la meilleure recette pour accommoder la taule : en gardant sans cesse, en fond et obsession douce, l'envie de fuir, on se justifie de rester.
A. SARRAZIN, la Cavale, Prière d'insérer.

Par ext. Fugue. *L'enfant est rentré après une semaine de cavale.*

**HOM.** 1. **Cavale;** formes du v. **cavaler.**

**CAVALER** [kavale] v. intr. — 1575, v. tr., «poursuivre»; «chevaucher», déb. XVII<sup>e</sup>, repris XIX<sup>e</sup>; de 1. *cavale.*

Familier.

♦ **1** Courir*. *Il cavalait à toute vitesse.* — Fuir, s'en aller en courant, s'enfuir. → **Décamper, détaler.**

L'autre répondit : 1
Je les ai vus, j'ai cavalé.
HUGO, les Misérables, *in* Pierre LAROUSSE.

C'est ça, dit Lahrier, cavalez! je vous ai assez vu. 2
COURTELINE, Messieurs les ronds-de-cuir, p. 132.

(1821). S'évader de prison. → 2. **Cavale.**

Ma parole de Noël ou rien, pour eux, c'est du kif. Lui juge 3
et préjuge en fonction de ce sacré passé, ces antécédents qui leur font peur. J'ai cavalé, j'ai tenté de re-cavaler; donc, en bonne logique, je dois re-tenter de re-cavaler.
A. SARRAZIN, la Cavale, p. 313.

V. pron. (même sens). *Se cavaler.*

*Cavaler après qqn,* le poursuivre, (spécialt) de ses assiduités (→ **Cavaleur**). *Cavaler après une femme,* lui courir* (*supra* cit. 10) après.

Moi, il m'a collée avec lui, contre sa table, dans un petit 4
local de trois mètres sur trois (...) Il me coinçait contre les portes. Il me cavalait après toute la journée. Une fois il a même sauté par-dessus ma machine à écrire.
P. GUTH, le Naïf locataire, p. 59.

♦ **2** (1888, → cit. 5). Absolt. Mener une vie désordonnée. → **Courir** (*infra* cit. 24.1).

C'est pas vrai que j'ai dit dans le train à Croquebol : «Mon 5
salaud, nous allons tirer une bordée et cavaler à Bar-le-Duc?» C'est pas vrai que dans Bar-le-Duc nous avons fichu une noce à tout casser?
COURTELINE, le Train de 8 h 47, p. 246 (1888).

♦ **3** V. tr. (1878). Ennuyer. *Tu nous cavales.* → fam. **Courir** (II., 9.).

Si ta goinfrerie, tes fanfaronnades, tes brutalités et ta bas- 6
sesse de cœur ne compromettent pas l'éclat de ton auréole, je n'ai pas à être inquiète pour ma part de paradis. — Ta gueule, ripostait le colérique. Quand tu auras fini de me cavaler?
M. AYMÉ, le Vin de Paris, «La grâce», p. 92.

**DÉR.** 2. **Cavale, cavaleur.** ◊ **HOM.** V. 1. **Cavale,** 2. **cavale.**

**CAVALERIE** [kavalri] n. f. — 1308; ital. *cavalleria,* de *cavallo* «cheval».

♦ **1** Ensemble de troupes servant à cheval, d'unités de cavaliers. *Division de cavalerie grecque.* → **Hipparchie.** *Cavalerie romaine. Cavalerie de l'Empire. Combats de cavalerie. Charge de cavalerie. Reconnaissance, patrouille effectuée par la cavalerie. Cavalerie légère* (chasseurs, hussards, spahis). *Cavalerie de ligne* (dragons). *Cavalerie lourde* ou *grosse cavalerie* (cuirassiers). *Corps, unités de cavalerie.* → **Cavalier.** *Cavalerie allemande, russe, française. Sonnerie de cavalerie* (→ **Boute-selle).** *Trompette* de cavalerie. Sabre* de cavalerie. Service fournissant la cavalerie en chevaux.* → **Remonte.** *Fanion, guidon, cornette d'une unité de cavalerie.*

1 La cavalerie de Darius était forte de trois cent mille chevaux.
VAUGELAS, Trad. QUINTE-CURCE, III, *in* RICHELET.

Par métaphore ou figuré :

2 Sous la cavalerie effroyable des vents (...)
HUGO, la Légende des siècles, L, «L'élégie des fléaux».

3 D'un bout des dortoirs à l'autre, des escadrons de gros rats font des charges de cavalerie en plein jour.
Alphonse DAUDET, le Petit Chose, I, VIII.

Fig. *C'est de la grosse cavalerie* : cela manque de finesse; c'est du tout-venant (dans une vente, un inventaire). *Faire donner la grosse cavalerie* : recourir à un procédé grossier. — Avec un compl. en *de*.

3.1 Chaque fois qu'un spectacle semble immotivé, le bon sens fait donner la grosse cavalerie du symbole.
R. BARTHES, Mythologies, p. 88.

♦ **2** (1546). L'un des corps (→ **Arme**, II., 2.; **armée**, cit. 14) de l'armée, ne comprenant, à l'origine que des troupes à cheval, et aujourd'hui, des troupes mobiles, motorisées. → **Blindé, char.** *Division, brigade, régiment, escadron, peloton de cavalerie. Motocyclettes, automitrailleuses, chars d'assaut, camions d'un régiment de cavalerie. Officier de cavalerie. Soldat de cavalerie.* → **Cavalier.** *Être dans la cavalerie* (→ argot Basane).

♦ **3** (1866). Anc. Ensemble de chevaux (d'une entreprise, lorsque la traction hippomobile n'avait pas encore été détrônée par l'automobile). → **Écurie.** *La cavalerie d'une compagnie d'omnibus, d'un déménageur.* — Mod. *La cavalerie d'un cirque.*

♦ **4** Vx. Fig. et fam. *La cavalerie de saint George* (ou *saint Georges*) : l'argent anglais (les pièces portaient l'image de saint George à cheval). — Spécialt. L'or dépensé par la diplomatie anglaise pour essayer d'infléchir la politique internationale.

4 La «cavalerie de Saint-George», ainsi que l'on dira, était prête.
Louis MADELIN, l'Avènement de l'Empire, XII, L'Europe et le Nouvel Empire, p. 171.

♦ **5** (1935). *Traites, papiers, effets, chèques de cavalerie,* faits par complaisance ou pour couvrir frauduleusement une tractation. → **Complaisance** (*infra* cit. 10).

5 (...) ce monde invraisemblable de margoulins (...) de carambouilleurs (...) de requins, de naïfs, de spécialistes du chèque de cavalerie, de pirates (...)
M. DRUON, Rendez-vous aux enfers, p. 299.

Comm. *Effet de cavalerie :* effet de commerce sur un prête-nom, une société fictive, etc., et permettant d'obtenir de l'escompte auprès d'une banque.

CONTR. **Infanterie, piétaille.**

**CAVALEUR, EUSE** [kavalœʀ, øz] adj. et n. — 1901, *in* Esnault; de *cavaler*.

♦ **1** Fam. Personne qui recherche les bonnes fortunes. *Il est un peu cavaleur.* → **Coureur, dragueur.** *C'est une sacrée cavaleuse.*

♦ **2** Argot. Personne en cavale (2.).

J'ai répondu froidement : je ne veux pas établir une complicité de cavaleurs entre moi et ce Pedro aux yeux veloutés. A. SARRAZIN, l'Astragale, p. 108-109.

**CAVALIER, IÈRE** [kavalje, jɛʀ] n. et adj. — V. 1470, *in* F. E. W. «chevalier», puis mil. XVI$^e$; ital. *cavaliere* (→ Chevalier), de *cavallo* «cheval».

**I** ♦ **1** (1611). Personne qui est à cheval*, montée sur un cheval. *Cavaliers faisant un tour de manège. Un bon cavalier,* qui monte bien à cheval. *Beau cavalier,* ayant une belle prestance. *C'est une excellente cavalière, elle est excellente cavalière. Un mauvais, un piètre cavalier. Cavalier participant à un concours hippique*, à une fête équestre*, à une course de chevaux* (→ **Jockey**). *Cavalier de cirque.* → **Écuyer.** *Cavalier, dans une course de taureau.* → **Picador.** *Cavalier menant une voiture de poste.* → **Postillon.** *Une cavalière.* → **Amazone.** — *Carrousel, cavalcade, fantasia de cavaliers.*

(...) elle *(Hélène)* voyait, à droite, les cavaliers dans l'allée sablée. FRANCE, Jocaste, p. 66. 1

Alors les cavaliers tournaient bride et hâtaient leur galop pour revenir. LOTI, les Désenchantées, III, p. 33. 2

Vial se cala sur le divan avec le mouvement du cavalier qui s'affermit en selle. 3
COLETTE, la Naissance du jour, p. 162.

(...) un peu aussi comme un cavalier se laisse porter par son cheval, tout en ne cessant pas de l'exciter et de le guider. 4
J. ROMAINS, les Hommes de bonne volonté, XVII, p. 176.

*Les Quatre Cavaliers de l'Apocalypse* (Apocalypse de saint Jean, VI, 1 à 8).

Adj. (1923). *Piste, allée cavalière :* sentier réservé aux cavaliers, (dans un parc, une forêt...).

♦ **2** N. m. **a** Soldat servant à cheval (→ **Cavalerie**). *Cavaliers du moyen âge.* → **Chevalier.** *Cavaliers d'anciennes unités.* → **Argoulet, carabin, carabinier, cent-gardes, chevau-légers, cravate, éclaireur, estradiot, gendarme, guide, hussard, lancier, mousquetaire.** *Cavaliers allemands* (→ **Reître, uhlan**), *russes* (→ **Cosaque**), *musulmans* (→ **Goumier, mamelouk**), *polonais* (→ **Polaque**), *turcs* (→ **Bachi-bouzouk**). *Corps de cavaliers remplacé par la gendarmerie.* → **Maréchaussée.** *Équipement, uniforme de cavalier* (anciennt). → **Chabraque, sabretache; chapska, kolback, shako; dolman; portemanteau.** *Un peloton de cavaliers. Cavalier placé en sentinelle.* → **Vedette.** *Cavalier porte-étendard.* → **Cornette.** *Lance, sabre de cavalier.*

Les cavaliers sont froids, calmes, graves, armés, 5
Effroyables; les poings lugubrement fermés.
HUGO, la Légende des siècles, XV, «Éviradnus», VIII.

**b** Mod. Militaire servant dans la cavalerie*. → **Chasseur, cuirassier, dragon, spahi.** *Grades de cavaliers. Cavaliers et fantassins.*

♦ **3** (1752). Pièce de jeu d'échec* représentant une tête de cheval (autrefois, un cavalier monté). *La marche du cavalier s'effectue du noir au blanc et du blanc au noir, obliquement, en sautant une case. Cavalier blanc, noir. Déplacer un cavalier* (→ Pion, cit. 4).

**II** ♦ **1** N. m. (Av. 1578). Vx. Homme d'épée (sens tombé en désuétude après le XVII$^e$ s.). — Titre donné par politesse au XVII$^e$ siècle. → **Chevalier, seigneur.** Cf. esp. *Caballero.*

Dis-moi, me trouves-tu fait en cavalier? 6
CORNEILLE, le Menteur, I, 1.

Ah! seigneur cavalier, sauvez-moi, s'il vous plaît, des mains d'un mari furieux. MOLIÈRE, le Sicilien, 14. 7

Hist. (empr. angl.). Gentilhomme partisan des Stuarts (contr. : *tête ronde,* partisan de Cromwell).

♦ **2** (V. 1600). *Le cavalier de* (une dame), l'homme qui l'accompagne. *Elle donnait le bras à son cavalier.* — *Elles n'ont pas de cavalier pour danser.* → **Danseur.** *Servir de cavalier à une dame, être son cavalier.* (Vx). *Cavalier servant,* se dit de celui qui accompagne une dame et lui rend des soins assidus. → **Chevalier, galant, sigisbée.**

Je ne sais qui est plus à plaindre, ou d'une femme avancée en âge qui a besoin d'un cavalier, ou d'un cavalier qui a besoin d'une vieille. 8
LA BRUYÈRE, les Caractères, III, 28.

N. f. (1900, *in* D. D. L.). *La cavalière d'un danseur,* sa danseuse. *Embrassez vos cavalières.*

N. m. *Cavalier seul :* figure de quadrille où l'homme dansait seul; le pas qu'il exécutait. Fig. *Faire cavalier seul :* agir seul, en isolé; se mettre à l'écart. *Cavalier seul,* pièce d'Audiberti.

9 Nous aussi, nous gravitons les uns autour des autres, sans nous rencontrer, sans nous fondre. Chacun faisant cavalier seul.

MARTIN DU GARD, les Thibault, t. IX, p. 221.

Vx. Homme du monde. *Beau cavalier, galant cavalier. Un cavalier accompli.*

♦ **3** Adj. [a] (1620, → cit. 9.1). Vieilli. Qui est propre au cavalier. — (En parlant des manières). Libre, aisé. *Un air cavalier.* → **Dégagé.** *Tournure cavalière. Mine cavalière.*

9.1 Il hait la gentillesse à la Cour familière,
N'aime point les ballets, ni l'humeur cavalière,
Se moque avecques moi du mal-fait, et du beau,
Sait que tous sont de même à l'ombre du tombeau.

Théophile DE VIAU, Œuvres poétiques (1620), I, éd. Droz, p. 201, *in* D. D. L., II, 12.

9.2 Elle entra, cavalière, avec sa chaîne d'or sonnant sur son tablier, ses cheveux nus peignés à la mode, son nœud de gorge, un nœud de dentelle qui faisait d'elle une des reines coquettes des Halles.

ZOLA, le Ventre de Paris, t. I, p. 114.

[b] Mod. Qui manque de considération. → **Brusque, hardi, hautain.** — (Personnes). *Il a été un peu cavalier avec nous.* — (Actions). *Un procédé cavalier, une réponse cavalière.* → **Impertinent.** Spécialt. → **Inconvenant, leste.** *Plaisanterie un peu cavalière.*

[c] Loc. adv. (vx). **À LA CAVALIÈRE :** en cavalier. *Être vêtu à la cavalière,* librement, sans apprêt.

10 La brutalité de la saison a furieusement outragé la délicatesse de ma voix; mais il n'importe, c'est à la cavalière.

MOLIÈRE, les Précieuses ridicules, 9.

[III] ♦ **1** [a] N. m. (1546). Anciennt. Ouvrage de fortification dominant les retranchements, à l'arrière. → **Talus.** *Cavaliers de tranchée.*

[b] Adj. (1866). *Perspective cavalière :* vue d'arrière et de haut. *Plan cavalier, vue cavalière,* selon cette perspective.

♦ **2** N. m. Amas de déblais. → **Déblai, talus.**

[IV] N. m. ♦ **1** (1832). Papier de format intermédiaire entre le carré* et le grand raisin*, de format 0,46 × 0,62 m, qui était marqué à l'origine d'un cavalier.

♦ **2** (1890). Techn. (objets qui par leur position ou leur forme évoquent un cavalier sur sa monture). Clou, pièce métallique en U. *Balance à cavalier.* — Pièce métallique courbe servant au classement des fiches, des dossiers.

(XX^e^). Engin de manutention enjambant et soulevant la charge à déplacer.

*Cavalier de jonction :* élément mécanique permanent d'assemblage de deux ensembles ou sous-ensembles d'un engin spatial.

CONTR. **Piéton, fantassin. — Emprunté, respectueux, sérieux.**
◊ DÉR. **Cavalièrement.**

**CAVALIÈREMENT** [kavaljɛʀmɑ̃] adv. — 1613, «généreusement»; sens mod., 1642; de *cavalier* (II., 3.).

D'une manière cavalière*, dégagée et un peu insolente. *Il l'a traité cavalièrement. Il parle, il répond trop cavalièrement.*

Il y en a même, de ceux qui ne sont cavalièrement chrétiens, qui confondent le christianisme avec leurs anciennes superstitions (...)

J.-F. REGNARD, Voyage en Laponie, p. 109 (1731).

**CAVAS** [kavas] n. m. — 1850, Flaubert; arabe *qāwwās* «archer».

Vx. Policier, gendarme (notamment, attaché à un haut fonctionnaire), dans quelques pays islamiques (Égypte, etc.). — REM. Mot en usage chez les voyageurs, vers 1850-1870 (Fromentin, Nerval...). — Var. : *cawas* [kawas].

(...) une suite nombreuse s'empressait autour de lui, intendant, secrétaires, porte-pipes et autres menus officiers, sans compter les cawas et les domestiques.

Th. GAUTIER, Constantinople, p. 69.

**CAVATINE** [kavatin] n. f. — 1767, J. J. Rousseau; ital. *cavatina,* de *cavata* «action de tirer un son d'un instrument», de *cavare* «creuser».

Mus. Pièce vocale assez courte, plus brève que l'*air,* dans un opéra. *La cavatine de Don Juan,* dans l'opéra de Mozart.

Lucie entama d'un air brave sa *cavatine* en *sol* majeur; elle se plaignait d'amour, elle demandait des ailes.

FLAUBERT, M^me^ Bovary, II, XV.

1. **CAVE** [kav] n. f. — V. 1170, «trou, caverne»; lat. *cava,* fém. substantivé de *cavus* «creux». → 2. Cave.

♦ **1** (V. 1250). Local souterrain, ordinairement situé sous une habitation. *Cave voûtée. Cave en galerie. Cave fraîche, froide. Cave obscure, sombre. Cave à provisions. Cave à bois. Cave à charbon. La voûte, les soupiraux d'une cave. Mettre qqch. en cave.* → **Encaver.**

Un aveugle qui, pour se battre sans désavantage contre un qui voit, l'aurait fait venir dans le fond de quelque cave (...) DESCARTES, Disc. de la méthode, VI. 1

Il *(le savetier)* retourne chez lui; dans sa cave il enserre L'argent et sa joie à la fois. 2

LA FONTAINE, Fables, VIII, 2.

Le jour où la table sera au grenier, et moi à la cave, disait George Sand, il y aura du changement ici. 3

A. MAUROIS, Lélia, VIII, I, p. 420.

J'étais dans une sorte de cave, éclairée par un petit soupirail. Il s'ouvrait, en haut, dans une voûte. 4

H. BOSCO, Hyacinthe, p. 137.

Loc. *De la cave au grenier :* de fond en comble, entièrement. *La maison est pleine de la cave au grenier,* entièrement pleine. — Fig. et vieilli. *Aller de la cave au grenier :* écrire de travers; passer du coq à l'âne, extravaguer; passer d'un excès à l'excès opposé.

Poét. et vx. Caverne (→ Aire, cit. 3.)

♦ **2** Cave servant de cabaret, de dancing. → **Caveau.** *Les caves de Saint-Germain-des-Prés,* à Paris.

J'aimais le bruit de la musique, des danses, des voix, le grand cri unanime de la cave, l'agitation des corps, le cliquetis des glaçons dans l'alcool. Les cheveux des filles pendaient; elles portaient toutes le deuil; les rythmes voulaient que nous les jetions sur nos épaules. 4.1

Jacques LAURENT, les Bêtises, p. 259.

♦ **3** Fig., fam. **RAT DE CAVE.** [a] (1649, *in* D. D. L.). Commis des contributions indirectes qui contrôlait les boissons dans les caves.

Je serais dans la suite un conseiller du roi, 5
Rat de cave ou commis (...)

J.-F. REGNARD, le Joueur, I, 1.

[b] (1803). Bougie mince roulée sur elle-même, dont on se sert pour aller dans une cave.

(...) son cadavre de supplicié fut retrouvé avec autour du cou la plaie noirâtre produite par la longue mèche flexible d'un rat de cave consumé! 5.1

M. YOURCENAR, le Coup de grâce, p. 181.

♦ **4** Spécialt. [a] *Cave à vin,* ou, absolt, *cave.* → **Cellier, chai; caviste.** *Faire descendre du vin dans la cave* (→ **Avalage**). *Avoir du vin en cave. Cave pleine de tonneaux, de casiers à bouteilles, de porte-bouteilles.*

*Cave d'un distillateur, d'un viticulteur (cave viticole), d'un marchand de vin.*

6 En leurs greniers le blé, dans leurs caves les vins (...)
LA FONTAINE, Fables, VII, 6.

**b** (1851). *Cave :* les vins conservés dans une cave. *Une bonne, une excellente cave, une cave bien montée, une cave de choix. Se monter une cave. La cave d'un restaurant, d'un hôtel* (→ **Caviste, sommelier).**

**c** (1669). *Cave à liqueurs :* boîte, caisse à compartiments où l'on met des vins, des liqueurs.

7 Il se tourna vers Philippe et dit d'une voix faible :
– Il y a du whisky dans la cave à liqueur : Non : à droite, le petit meuble chinois; là. Tu trouveras aussi des verres. Tu nous sers : tu fais la jeune fille de la maison.
SARTRE, la Mort dans l'âme, p. 126.

CONTR. 1. **Comble, grenier, toit.** ◊ DÉR. et COMP. **Caveau, caviste. Encaver. Vide-cave.** ← HOM. 2. **Cave,** 3. **cave**; formes des v. 1. **caver,** 2. **caver.**

2. **CAVE** [kav] adj. — V. 1170; lat. *cavus* «creux».
Littéraire ou didactique.

♦ **1** Littér. Qui présente une cavité, un renfoncement. → **Creux.** *Des joues caves. Œil cave.*

1 Tout à coup il releva la tête, son œil cave parut plein de lumière (...) HUGO, Notre-Dame de Paris, X, 5.

1.1 Là-haut, les marches vieilles et caves touchent ce ciel songeur qui est le front de toutes choses (...)
Léon-Paul FARGUE, Poèmes, suivi de Pour la musique, p. 29.

♦ **2** (1538). Anat. *Veines caves,* amenant le sang veineux à l'oreillette droite du cœur. *Veine cave supérieure,* à laquelle aboutissent toutes les veines de la moitié supérieure du corps (à l'exception des veines cardiaques), et qui résulte de la réunion des deux troncs veineux brachio-céphaliques (dont les affluents sont les veines des membres supérieurs, de la tête , de la face et du cou, du thorax, du rachis). *Veine cave inférieure* ou *ascendante,* à laquelle aboutissent les veines de l'abdomen, celles du bassin et des membres inférieurs.

2 La veine cave, qui est le principal réceptacle du sang.
DESCARTES, Disc. de la méthode, 5.

♦ **3** (1708). Chron. *Année cave :* année lunaire de 353 jours. *Mois, lune (lunaison) cave,* de 29 jours.

DÉR. V. **Cavité.** ◊ HOM. 1. **Cave,** 3. **cave**; formes des v. 1. **caver,** 2. **caver.**

3. **CAVE** [kav] n. — 1690, Furetière; de 2. *caver.*

♦ **1** N. f. Le fonds d'argent que chaque joueur met devant soi, à certains jeux de cartes. → **Enjeu, mise.** *Cave de poker. Renouveler sa cave. Épuiser sa cave. Perdre sa cave. «La fiche est à un sou et la cave de dix»* (→ 2. Bouillotte, cit. 2).

♦ **2** N. m. (V. 1882; de *cavé* (1835), de 2. *caver,* au sens ancien de «tromper»). Argot, puis fam. Celui qui se laisse duper; qui n'est pas du milieu* (opposé à *affranchi, homme, mec*).

1 Quand on va voler et que le pistolet du cave est chargé, il ne faut pas l'éveiller (...)
A. SARRAZIN, la Cavale, p. 162.

2 Moi qui vous cause, j'ai bien souvent gambergé à ces problèmes tandis que vêtu d'un tutu je montre à des caves de votre espèce mes cuisses naturellement assez poilues il faut le dire mais professionnellement épilées.
R. QUENEAU, Zazie dans le métro, Folio, p. 117 (1959).

(Dans un sens étendu). Personne naïve, dupe. *Pauvre cave! Bande de caves!*

Adj. *Ce qu'elle est cave!* (→ **Cavette).**

DÉR. et COMP. (Du sens 1) 1. **Décaver.** (Du sens 2) **Cavette, cavillon.** ◊ HOM. 1. **Cave,** 2. **cave**; formes des v. 1. **caver,** 2. **caver.**

**CAVEA** [kavea] n. f. — 1886, Encycl. Berthelot, art. *Amphithéâtre;* mot latin.

Archéol. Partie d'un amphithéâtre d'un théâtre antique occupée par les gradins.

On a pu reconstituer les zones de gradins entre lesquelles se répartissait la foule des spectateurs (...) mais non la série des rangées, une à une. Les places d'en haut, sur bancs de bois, séparées du reste de la *cavea* par un mur surmonté d'une colonnade, étaient laissées aux gens de peu.
G. CONTENAU et V. CHAPOT, l'Art antique, p. 357.

**CAVEAU** [kavo] n. m. — XIIIe; de 1. *cave.*

♦ **1** Petite cave. *Caveau à vin. Caveau attenant à une cave. Caveau voûté.*

«Là», c'était l'ancienne chambre de Jacques, obscurcie déjà par la nuit commençante, pleine d'ombre et de silence comme un caveau. 1
MARTIN DU GARD, les Thibault, t. III, p. 163.

Par métaphore. *C'est un caveau, que cet appartement!*

♦ **2** (1729). Cabaret, café où se réunissaient gens de lettres, artistes, au XVIIIe siècle. — (1867). Mod. Se dit de certains cabarets, théâtres de chansonniers... *Les caveaux de Montmartre.*

REM. Le mot évoque les chansonniers, de la fin du XIXe s. à 1950 environ, alors que *cave,* mis à la mode vers 1945 à Saint-Germain-des-Prés, est réservé à la musique, à la danse.

Nous nous sommes rencontrés dans un caveau maudit 1.
Au temps de notre jeunesse
Fumant tous deux et mal vêtus attendant l'aube
APOLLINAIRE, Alcools, p. 67.

♦ **3** (1680). Construction souterraine pratiquée sous une église, dans un cimetière, et servant de sépulture. → **Columbarium, enfeu.** *Être enterré dans un caveau. Caveau de famille surmonté d'un mausolée*. Les niches funéraires d'un caveau. Caveau dans une crypte.*

(...) des couchettes qui semblaient creusées dans l'épaisseur de la charpente s'ouvraient comme des niches d'un caveau pour mettre les morts. 2
LOTI, Pêcheur d'Islande, I, I, p. 2.

**CAVE CANEM** [kavekanɛm]

Mots latins signifiant «prends garde au chien», que les Romains inscrivaient à l'entrée d'un vestibule.

**CAVECÉ, ÉE** [kavse] adj. — 1798; de l'anc. franç. *cavèce, cavèche* «tête», esp. *cabeza.* → Cabèche.

Hippol. Se dit d'un cheval dont la tête est d'une autre couleur que celle du corps. *Cheval bai cavecé de noir.*

**CAVEÇON** [kavsɔ̃] n. m. — 1580; ital. *cavezzone,* d'un lat. pop. **capitia* «ce qu'on met autour de la tête».

♦ **1** Techn. (hippol.). Demi-cercle de métal que l'on met sur les naseaux d'un cheval qu'on veut dompter (→ **Mors).** *Pièces du caveçon.* → **Sous-gorge, têtière.** *Caveçon fixé au chanfrein. Mettre le caveçon à un jeune cheval, à un cheval rétif. Dresser, dompter un cheval à coups de caveçon.*

Ce serait une barbarie (...) d'adapter cette espèce de muselière ou caveçon à une bouche si fraîche, si rose et si melliflue (...) 1
Th. GAUTIER, le Capitaine Fracasse, t. II, p. 165.

(...) il *(M. Thibault)* tirait le menton en avant, comme un cheval qu'impatiente le caveçon. 2
MARTIN DU GARD, les Thibault, t. I, p. 230.

♦ **2** Loc. fig. (Vx ou littér.). **COUP DE CAVEÇON :** mortification, coup qui force à rabattre de ses prétentions.

3 (...) cette impénétrabilité qui m'impatientait et m'irritait puis encore la certitude que j'eus bientôt des fantaisies à la Catherine II qu'elle se permettait, furent la double cause du vigoureux coup de caveçon que j'eus la force de donner pour sortir des bras tout-puissants de cette femme, l'abreuvoir de tous les désirs !

BARBEY D'AUREVILLY, les Diaboliques, «À un dîner d'athées» (1874).

♦ **3** (1867). Techn. Muselière pour les agneaux en sevrage.

**CAVÉE** [kave] n. f. — 1642; en picard, 1150; de *cave.*

Régional (Nord, Ouest). Chemin creux. *Une cavée dans un bois.*

1 Bien qu'il ne soit plus guère employé que dans certaines provinces, le mot de cavée est d'excellent français.

G. DUHAMEL, Inventaire de l'abîme, II, p. 23.

2 (...) les brusques passages des ombres étouffées, des cavées aux larges respirations sur la plaine infinie.

Ed. et J. DE GONCOURT, Madame Gervaisais, p. 182.

**HOM.** Formes des v. 1. **caver,** 2. **caver.**

1. **CAVER** [kave] v. — Av. 1150, au p. p.; du lat. *cavare,* de *cava.* → 1. Cave.

Vieux ou régional.

♦ **1** V. tr. Creuser, miner.

1 Cette eau qui tombe première sur ce rocher, le cave à l'endroit de sa chute (...)

BOSSUET, Traité de la concupiscence, 15.

♦ **2** V. intr. *La rivière a cavé sous la pile du pont.*

2 Elle ne se fait pas prier; elle donne du groin en avant et elle «cave», puisque c'est son métier.

COLETTE, la Paix chez les bêtes, «La petite truie de M. Rouzade», p. 177.

♦ **3** V. intr. Escrime. Retirer le corps en portant une botte.

◆ **SE CAVER** v. pron.

Devenir cave*. *Ses yeux se cavent,* se creusent.

**COMP.** 2. **Décaver.** ◊ **HOM. Cavée,** 2. **caver.** — V. aussi 1. **Cave,** 2. **cave,** 3. **cave.**

**2. CAVER** [kave] v. — 1642, Oudin; ital. *cavare* «creuser», puis «tirer de sa poche».

♦ **1** V. intr. Faire mise d'une somme d'argent, à certains jeux : poker, bouillotte... → **Miser.** — Fig. *Caver au plus fort :* porter tout à l'extrême. *Caver au pire :* prévoir le pire, s'y préparer.

♦ **2** V. tr. Trans. dir. *Caver mille francs.*

Il ne cavait d'abord que trois ou quatre pistoles.

Antoine HAMILTON, Mém. du comte de Grammont, 31.

Trans. indir. *J'ai cavé de mille francs.*

Pron. *Se caver. Il s'est cavé de...*

♦ **3** Vx. Tromper (au jeu).

**CONTR.** 1. **Décaver.** ◊ **DÉR.** (De 3.) 3. **Cave,** 2. → **HOM. Cavée,** 1. **caver.** — V. aussi 1. **Cave,** 2. **cave,** 3. **cave.**

**CAVERNE** [kavɛʀn] n. f. — 1120; lat. *caverna,* de *cavus* «creux».

♦ **1** Cavité* naturelle creusée dans la roche. → **Grotte** (cit. 2.1), **spélonque** (vx). *L'étude, l'exploration des cavernes.* → **Spéléologie.** *La voûte, les stalactites et stalagmites, les parois, les anfractuosités d'une caverne. Caverne souterraine. Caverne sous-marine. — Trouver abri, se réfugier dans une caverne.*

1 L'animal sauvage se retire dans une caverne
Et se couche dans sa tanière.

BIBLE (SEGOND), Job, XXVII, 8.

Une des merveilles de cette caverne, c'était le roc. Ce roc, tantôt muraille, tantôt cintre (...) était par places brut et nu, puis, tout à côté, travaillé des plus délicates ciselures naturelles (...) 2

HUGO, les Travailleurs de la mer, II, I, 13.

*Les cavernes du relief karstique. La faune des cavernes.* → **Cavernicole** (cit.).

Les *cavernes* avec leur circulation torrentielle sont un phénomène vraiment caractéristique du terrain calcaire (...) Un développement important des cavités souterraines suppose une roche perméable, soluble et en même temps cohérente sinon massive (...) La dissolution chimique travaille seule au début (...) mais dès que les vides sont assez grands ils forment drain (...) ainsi naissent de véritables cours d'eau souterrains (...) s'attaquant surtout aux ruptures de pente, souvent franchies en cascades, qui séparent des plans où l'eau peut s'étaler en lacs. Des éboulements se produisent et contribuent à élargir les cavités qui finissent par former de véritables coupoles. 3
Dans les cavernes assez anciennes, le suintement des eaux le long des parois et sur le plafond des galeries donne lieu à des dépôts de carbonate de chaux, qui forment à la longue des pendeloques ou des sortes de draperies flottantes (stalactites), tandis que les gouttes d'eau tombant à la même place sur le plancher de la galerie y édifient des formes ascendantes (stalagmites). Les effets extraordinaires qu'éveille la lumière dans ces profondeurs sont le principal attrait des grottes aménagées pour le tourisme, telles que Padirac, en France, Han-sur-Lesse en Belgique, Machoca en Tchécoslovaquie, etc.

E. DE MARTONNE, Traité de géographie physique, t. II, VI, Le relief calcaire.

*L'âge des cavernes :* l'époque où l'homme s'abritait dans des cavités naturelles, ne construisant pas encore. *L'homme des cavernes. Les cavernes préhistoriques de la Madeleine.* → **Magdalénien.** — *Habitant des cavernes.* → **Troglodyte.**

*Caverne de brigands, de voleurs.* → **Antre, repaire, tanière.** — Fig. Endroit où ont lieu des transactions louches. *Cette entreprise est une véritable caverne de brigands !*

Jésus entra dans le temple et chassa tous ceux qui vendaient et achetaient dans le temple (...) et il leur dit : «Il est écrit : *Ma maison sera appelée maison de prière;* mais vous, vous en faites une caverne de voleurs». 4

BIBLE (CRAMPON), Évangile selon saint Matthieu, XXI, 12-13.

*La caverne d'Ali-Baba,* où les voleurs avaient accumulé leur butin. — Par compar. ou métaphore. Accumulation hétéroclite d'objets considérés comme précieux. *Dans ce magasin, on trouve de tout, c'est une vraie caverne d'Ali Baba.*

(...) responsable de l'intendance *(il)* régnait sur un magasin débordant de sacs de légumes secs, de boîtes de bœuf, de jambons (...) sans compter les piles de couvertures (...) tout un bric-à-brac robuste et à l'odeur d'une indéchiffrable complexité qui par ces temps de pénurie paraissait opulent comme la caverne d'Ali Baba. 4.1

M. TOURNIER, le Roi des Aulnes, p. 258.

Par métaphore :

(...) les cavernes ténébreuses de la science. 5

HUGO, Notre-Dame de Paris, I, V, 2.

Il y a des cavernes dans l'hypocrite, ou pour mieux dire, l'hypocrite entier est une caverne. 6

HUGO, les Travailleurs de la mer, I, VI, 7.

♦ **2** (1546). Cavité pathologique, le plus souvent d'origine tuberculeuse, formée dans un organe parenchymateux (surtout le poumon) après élimination des tissus nécrosés. *Caverne du poumon* (→ **Cavitaire,** 1.). *Caverne cancéreuse.*

**CONTR. Protubérance.** ◊ **DÉR.** V. **Caverneux, cavernicole.**

**CAVERNEUSEMENT** [kavɛʀnøzmɑ̃] adv. — 1888; de *caverneux.*

Rare. D'une voix caverneuse.

Le ministre répliqua caverneusement (...)

A. ARNOUX, Suite variée, p. 233.

**CAVERNEUX, EUSE** [kavɛʀnø, øz] adj. — XIIIe, «qui présente des trous»; lat. *cavernosus, de cavus* «creux».

♦ **1** Vx. Où il y a des cavernes. *Montagne, pays caverneux.*

Mod. et littér. Qui présente des cavités. → **Creux.**

1 Dans son tronc caverneux et miné par le temps,
Logeaient, entre autres habitants,
Force souris sans pieds, toutes rondes de graisse.

LA FONTAINE, Fables, XI, 9.

Anat. *Tissu caverneux* (ou *érectile*), qui contient des capillaires dilatés et susceptible de gonfler fortement. *Corps caverneux* (de la verge, du clitoris). (1546). Pathol. Relatif aux cavernes (notamment, du poumon). *Râle caverneux.* — Qui présente des cavernes. *Poumon caverneux.*

♦ **2** (1845). Cour. (En parlant d'un son). Qui semble venir des profondeurs d'une caverne. *Voix* caverneuse.* → 1. **Basse** (cit. 5); **grave, profond, sépulcral.**

2 De la chaire, ensuite, tomba la voix grave et caverneuse d'un prêtre.

Edmond JALOUX, Fumées dans la campagne, XXVI, p. 218.

CONTR. **Plein.** ◊ DÉR. **Caverneusement.**

**CAVERNICOLE** [kavɛʀnikɔl] adj. et n. m. — 1874; du rad. du lat. *caverna* «caverne», et *-cole.*

Qui vit de façon permanente dans les cavernes, les grottes, les lieux obscurs. *Batraciens, poissons, insectes cavernicoles.*

(...) quelques vers blancs : c'étaient des poissons : très exactement des poissons cavernicoles. Loin du soleil, ils ont perdu les yeux. Ils ont oublié toute couleur, et leurs nageoires ne sont plus que de minuscules appendices vermiformes (...) Dans les cavernes souterraines où stagnent les poches d'eau pure, c'est un silence, une obscurité *(sic)* minérale. On y peut vivre, là aussi. Il y a des vivants, mais quels vivants : ces blanchâtres larves qui prétendent au nom de poissons.

R. QUENEAU, Saint Glinglin, p. 20-21.

**CAVET** [kavɛ] n. m. — 1545; ital. *cavetto, de cavo* «creux».

Archit. Moulure concave dont le profil est d'un quart de cercle (opposé à *quart-de-rond, convexe*). → Bougeoir, cit. 2. *Le cavet d'une corniche. Cavet plat,* dont le quart de cercle a été aplati.

HOM. Formes des v. 1. et 2. **caver.**

**CAVETTE** [kavɛt] n. f. — 1926, Esnault; de 3. *cave* (2.), et *-ette.*

Argot fam. Femme qui est «cave» (3. Cave), qui est dupe; femme qui n'est pas du milieu.

**CAVIAR** [kavjaʀ] n. m. — 1553; *cavyaire,* 1432; *caviat,* Rabelais; ital. *caviale,* vénitien *caviaro,* du turc *khâviār.* — REM. Le mot russe est *ikra.*

♦ **1** Œufs d'une variété d'esturgeon (→ **Sterlet**) préparés, salés (4 à 6 % de sel), constituant un hors-d'œuvre estimé et très coûteux (→ Assaisonnement, cit. 3). *Une grande partie du caviar provient de la mer Caspienne. Caviar russe, iranien. Caviar de la Gironde. Une tartine de caviar. Caviar et toasts, et blinis. Manger du caviar à la louche,* en abondance. *Boîte, pot de caviar. Caviar accompagné de vodka.*

1 Elle ne voulut point toucher à ces hors-d'œuvre, servis à part, tels que caviar, harengs coupés en petites tranches, eau-de-vie de seigle anisée, destinés à stimuler l'appétit, suivant un usage commun à tous les pays du Nord, en Russie comme en Suède ou en Norvège.

J. VERNE, Michel Strogoff, p. 115.

2 Une boîte de fer, haute d'un pied et pleine de caviar, faisait l'unité du repas.

Paul MORAND, Ouvert la nuit, La nuit turque, p. 79.

*Caviar malosol (molosol),* «demi-salé». *Caviar sevruga, beluga. Caviar «blanc», doré,* variétés les plus claires (en fait, gris). — *Caviar pressé,* réduit en bloc, de qualité moins fine (il est extrait des peaux adhérant aux ovaires, d'où son nom russe *pajusnaya*) et plus salé.

Par ext. (emploi abusif). Œufs d'autres poissons, préparés de manière analogue. *Caviar rouge, caviar de saumon* (œufs plus gros que ceux de l'esturgeon, colorés en rouge orangé). *Caviar de carpe, de mulet, de cabillaud* (pressé, fumé, écrasé...). → **Poutargue, tarama.**

Je me suis offert ce que cet endroit offrait de plus beau : pâté de lapin (...) rôti de veau froid, poutargue, caviar rouge, cornichons à la russe. 3

J. DUTOURD, Pluche, XI, p. 210.

*Succédané de caviar :* œufs de lump, artificiellement colorés en noir afin d'imiter le caviar d'esturgeon.

*Le caviar,* symbole du luxe, de la richesse mondaine; mets considéré comme le luxe suprême.

♦ **2** (1877). *Passer au caviar :* noircir à l'encre certains passages d'un écrit pour les rendre indéchiffrables (allusion au procédé appliqué par la censure russe, sous Nicolas Ier). → **Caviarder.** — Loc. Vx. *Caviar blanc :* lignes supprimées par la censure.

Les revues paraissent irrégulièrement et depuis quelque temps, avec beaucoup de caviar blanc. Dans tel article il y a plus de blanc que d'imprimerie. 4

O. LOURIE, Chroniques russes, avr. 1916, *in* la Russie en 1914-1917, *in* D. D. L., II, 7.

♦ **3** (1935). De la couleur sombre du caviar. *«1500 F. : veste pied-de-poule, pure laine, gilet caviar, pantalon rayé»* (*l'Express,* 24 oct. 1977, no 1372, p. 49).

DÉR. **Caviarder.**

**CAVIARDAGE** [kavjaʀdaʒ] n. m. — Déb. XXe; de *caviarder.*

♦ **1** Suppression (d'un mot, d'un passage) par oblitération à l'encre noire.

♦ **2** Fait de censurer, de supprimer (un passage). *«(...) s'il a accompli pour la Pléiade un remarquable travail de bénédictin, Jean Bruneau n'a pas eu de ces pudeurs de moine. Il présente sans caviardage tous les papiers du grand Viking de Croisset* (Flaubert) — *événement d'une rare importance»* (*l'Express,* 7 mai 1973, no 1139, p. 163).

**CAVIARDER** [kavjaʀde] v. tr. — 1907; de *caviar* (2.).

♦ **1** Biffer à l'encre noire, afin de rendre illisible.

♦ **2** Supprimer (un passage) dans une publication, un manuscrit. → **Censurer.**

Sa rage contre Brichot croissait d'autant plus que celui-ci était naïvement la satisfaction de son succès, malgré les accès de mauvaise humeur que provoquait chez lui la censure, chaque fois que, comme il le disait avec son habitude d'employer les mots nouveaux pour montrer qu'il n'était pas trop universitaire, elle avait «caviardé» une partie de son article.

PROUST, le Temps retrouvé, Pl., t. III, p. 792.

DÉR. **Caviardage.**

**CAVICORNE** [kavikɔʀn] adj. et n. — 1839; du lat. *cavus* «creux», et *cornu* «corne».

Zool. Qui a des cornes creuses. — N. m. pl. *(Les cavicornes).* Ruminants bovidés, dont les cornes creuses et persistantes ont pour assise un axe osseux dépendant du crâne (par opposition aux *cervicornes,* dont les cornes sont pleines et tombent chaque année). *Le bœuf, l'antilope, la chèvre, le mouton sont des cavicornes.* — Au sing. *Un cavicorne.*

**CAVILLON, ONNE** [kavijɔ̃, ɔn] n. et adj. — 1912, *in* Esnault; dimin. de 3. *cave* (2.).

Argot. Dupe, niais; petit cave*.

**CAVISTE** [kavist] n. — Av. 1790, *Année littér.*, d'après Boiste, 1808; de 1. *cave* (4.).

♦ **1** Spécialiste chargé de l'entretien et du vieillissement des vins en cave sous la direction du maître de chai. — Appos. *L'ouvrier caviste colle, filtre et soutire les vins.*

♦ **2** Employé chargé d'approvisionner en vins la cave d'un restaurant ou qui s'occupe du service des vins. → **Sommelier.**

♦ **3** Personne qui fait le commerce des vins et spiritueux. *Il y a un excellent caviste au coin de la rue.* → Marchand de vin.

**CAVITAIRE** [kavitɛʀ] adj. — 1838; de *cavité.*

♦ **1** Méd. Relatif à une caverne (2.), dans la tuberculose pulmonaire. *Lésion cavitaire. Signes cavitaires,* qui révèlent l'existence d'une caverne.

♦ **2** (1904, in *Rev. gén. des sc.*, n° 21, p. 980). Anat. Qui se rapporte à une cavité (normale); qui occupe une cavité. *Liquide cavitaire.*

**CAVITATION** [kavitasjɔ̃] n. f. — 1902; mot angl., 1895, du bas lat. *cavitas, -atis.* → Cavité.

♦ **1** Phys. Formation de cavités (de gaz) dans un liquide en mouvement (quand la pression du liquide devient inférieure à la tension de vapeur).

Les liquides se vaporisent en dégageant des bulles, mélangées de gaz primitivement dissous, dans les zones où la pression descend (même d'une façon fugitive) au-dessous de la tension de vapeur du liquide à la température du moment.
Les bulles reprennent brusquement la forme liquide initiale lorsqu'elles reviennent dans les zones de pressions plus élevées. D'où variations brutales de volume du liquide qui provoquent de petits coups de marteau dont la répétition constante fait vibrer les machines et finit par dégrader les parois, fixes ou mobiles, du système.
Ce phénomène destructeur porte le nom de *cavitation.*
J. LARRAS, l'Hydraulique, p. 122.

♦ **2** Méd. Processus de développement de la carie dentaire.

**CAVITÉ** [kavite] n. f. — XIIIe, *caveté; cauité,* 1549; bas lat. *cavitas, -atis,* de *cavus* «creux». → 2. Cave.

♦ **1** Espace creux, le plus souvent ouvert, à la surface ou à l'intérieur d'un corps solide. → **Anfractuosité, concavité, creux, enfoncement** (rare), **enfonçure, excavation, trou, vide.** *Les parois, l'orifice, la profondeur d'une cavité. Agrandir, combler, boucher une cavité.* — *Cavité creusée pour abriter une statue.* → **Niche.** *Cavités d'un rocher, d'un tronc d'arbre. Les cavités d'un gâteau de cire.* → **Alvéole.** *Cavités naturelles du sol et du sous-sol.* → **Abîme, aven, bétoire, caverne, chantoir, doline, galerie, gouffre, grotte, poljé, précipice, ravin.**

1 (...) on peut (...) distinguer dans une masse calcaire assez épaisse un niveau supérieur où les cavités sont généralement sèches (au moins les cavités de dimensions notables), une zone intermédiaire où, suivant l'abondance des précipitations, ces cavités sont humides ou asséchées, enfin une zone inférieure en contact avec la couche imperméable ou le niveau de la mer, où tous les vides sont constamment remplis d'eau.
E. DE MARTONNE, Traité de géographie physique, II, VI, Le relief calcaire.

*Cavités creusées dans le sol, cavités creusées de main d'homme, avec des machines.* → **Fosse, fossé, puits, tranchée**; et aussi **carrière, excavation,** 2. **mine; fondation**(s). — REM. Dans cet emploi général, *cavité* reste un terme abstrait, auquel l'usage courant préfère *trou, creux* et les mots spécifiques.

♦ **2** (Emplois spéciaux). Didact., anat. *Les cavités du corps. Cavités du cœur.* → **Oreillette, ventricule.** *Cavités du cerveau.* → **Aqueduc, ventricule.** *Cavité de l'œil.* → **Chambre.** *Cavité de l'oreille.* → **Conque.** *La cavité orale, buccale.* → **Bouche.** *Les cavités du nez.* → **Narine; cavum, rhinopharynx.** *Cavité utérine. Les cavités des os.* → **Acétabule, cotyle, glénoïde.** *Les cavités osseuses.* → **Boîte** (crânienne), **cage** (thoracique), **orbite, pelvis, sinus.** *La cavité abdominale. Cavités entourées d'une membrane.* → **Alvéole, capsule, citerne, sac, vésicule.** — *Cavités du protoplasme.* → **Vacuole.** *Cavités entre les fibres des tissus* (→ aussi Articulation, cit. 3; aqueduc, cit. 3).

Ce qui pouvait être demeuré en *ces* yeux allait m'apparaître en sens inverse, retourné de bas en haut, la cavité située derrière l'iris formant chambre noire. 1.1
VILLIERS DE L'ISLE-ADAM, Tribulat Bonhomet, p. 169.

Méd. Creux d'origine morbide, pathologique. *Cavité d'un abcès, d'une tumeur.* → **Poche; cavitaire.** *Cavités aux poumons, à l'abdomen...* → **Caverne** (2.). — *Cavité dentaire.* → **Carie.**

(...) il *(un docteur)* découvrit à mon abdomen des cavités inquiétantes et une disposition à enfler (...) 2
GIDE, Si le grain ne meurt, V, p. 128.

Embryol. *Cavité amniotique* (→ **Amnios**). *Cavité de segmentation* : sphère creuse formée par les cellules au cours de la phase de segmentation. → **Blastocœle.** — *Cavité générale,* ou *cavité cœlomique.* → **Cœlome.** — Bot. *Cavité renfermant les semences.* → **Loge.** *Cavité où sont logés les organes de la reproduction chez certaines algues.* → **Conceptacle.** — Zool. *Cavité centrale des spongiaires.* → **Atrium.** — Phys. *Cavités dans un liquide.* → **Cavitation.** *Cavité magnétosphérique.* → **Magnétosphère.**

CONTR. **Bosse, crête, éminence, protubérance, saillie.** ◊ DÉR. **Cavitaire.**

**CAVOLINE** [kavɔlin] n. f. — 1791; ital. *cavolinia,* nom tiré par le naturaliste Gioeni du nom du géologue Cavolini.

Zool. Mollusque gastéropode, à très fine coquille calcaire, répandu dans les mers chaudes et tempérées.

**CAVUM** [kavɔm] n. m. — 1896; mot lat., «trou».

Anat. Rhinopharynx.

**CAWAS** [kawas] n. m. → **Cavas.**

**CAWCHER** [kaʃɛʀ] adj. → **Kascher.**

**CAYENNE** [kajɛn] n. m. — 1895; de *(poivre de) Cayenne,* nom de la capitale de la Guyane française.

Poivre rouge, préparé à partir de piments desséchés et réduits en poudre, de saveur très piquante, utilisé comme condiment. *Relever un mets d'une pointe de cayenne.*

**CAYEU** [kajø] n. m. → **Caïeu.**

**Cb** [sebe] Symbole chimique du niobium (ou colombium).

**C. B.** [sibi] n. f. — V. 1975; sigle.

Anglic. Citizen band. → **Citizen band; cibiste** (et ex.).

**C. C. P.** [sesepe] n. m.

Abrév. de *compte courant postal.*

**C. C. R.** [seseʀ] n. m. — Sigle.
Bourse. Coefficient de capitalisation des résultats, «coefficient par lequel il convient de multiplier le bénéfice par action pour retrouver le cours coté» (*la Banque des mots,* 2 janv. 1976).

**cd** Symbole de la candela. — cd/m² : symbole de la candela par mètre carré.

**Cd** [sede] Symbole chimique du cadmium.

**CD** [sede] n. m. — V. 1981 ; initiales de l'angl. *compact disc.*
Anglic. Disque compact. → **Disque** (4.).

**C. D. D.** [sedede] n. m. Sigle. Contrat à durée* déterminée.

**C. D. I.** [sedei] n. m. Sigle. Contrat à durée* indéterminée.

**C. D.-I.** [sedei] n. m. invar. — 1988 ; initiales de *Compact Disque Interactif,* calque de l'anglais.
Anglic. Disque interactif où sont stockés des images et des sons, et que l'on peut consulter sur un écran de télévision.

**CD-ROM** [sedeʀɔm] n. m. invar., **CÉDÉROM** [sedeʀɔm] n. m. — 1985 (*Science et Vie,* n° 814); mot angl., sigle de *C*ompact *D*isc *R*ead *O*nly *M*emory «disque compact en mémoire morte».
Anglic. Inform. Disque optique numérique, à lecture seule et non effaçable, à grande capacité de mémoire, où sont stockées sous forme de fichiers des données (texte, son, image) que l'on consulte au moyen d'un micro-ordinateur. *Lecteur de CD-ROM. Banque de données, dictionnaire, encyclopédie sur CD-ROM.* — Recomm. off. : *disque optique compact;* abrév. : *doc* [dɔk] n. m. (usité au Canada). — REM. La forme *cédérom* est courante. *Des cédéroms.*

1. **CE** [sə] (masc.), **CET** [sɛt] (masc., devant une voyelle ou un *h* muet), **CETTE** [sɛt] (fém.), **CES** [se] (plur.) adj. dém. — 842, *cest, ceste;* du lat. pop. *ecce istum,* lat. class. *iste,* «celui-ci».
(Désignant la personne, la chose, l'idée signifiée par le nom qui suit et que le locuteur a présente sous les yeux ou à la pensée). *Regarde cet homme. Ce livre est bien écrit. Ces enfants sont bruyants. Cette femme est bien belle. Ce projet ne vaut rien. Je ne connais pas cet arbre.*

1 De cette nuit, Phénice, as-tu vu la splendeur? (...)
Ces flambeaux, ce bûcher, cette nuit enflammée,
Ces aigles, ces faisceaux, ce peuple, cette armée,
Cette foule de rois, ces consuls, ce sénat,
Qui tous de mon amant empruntaient leur éclat;
Cette pourpre, cet or, que rehaussait sa gloire (...)
RACINE, Bérénice, I, 5.

1.1 (...) je restais là des heures entières, entrevoyant de temps en temps cette écume et cette eau bleue dont j'entendais le mugissement à travers les cris des corbeaux et des oiseaux de proie (...) ROUSSEAU, les Confessions, IV.

1.2 Vois sur ces canaux
Dormir ces vaisseaux
Dont l'humeur est vagabonde (...)
BAUDELAIRE, les Fleurs du mal, «Spleen et idéal», LIII.

1.3 «Comment, vous ne connaissez pas ces splendeurs?» me dit la duchesse, en me parlant de l'hôtel où nous étions.
PROUST, Sodome et Gomorrhe, Pl., t. II, p. 669.

1.4 Et si vous tenez que je suis fou ou idiot de croire cela, il reste que je suis ce fou et que je suis cet idiot.
F. MAURIAC, le Nouveau Bloc-notes 1958-1960, p. 403.

(Indiquant que le nom qui suit désigne une chose, une personne dont on a parlé ou dont on va parler). *Pourquoi cette question? Qu'est-ce que c'est que cette histoire?*

Écoutez ce récit avant que je réponde 2
J'ai lu dans quelque endroit (...)
LA FONTAINE, Fables, III, 1.

(...) la salle de jeu ou fumoir (...) cette salle de jeu me fit l'effet d'une véritable chambre magique. 2.1
PROUST, Sodome et Gomorrhe, Pl., t. II, p. 688.

Si nos cadets tiraient la morale de nos vies (...) Aucun ne le fait — sauf peut-être ce Philippe. 2.2
F. MAURIAC, le Nouveau Bloc-notes 1958-1960, p. 132.

(Employé au lieu de l'art., pour présenter ou suggérer avec plus de force la personne ou la chose désignée par le nom, et développée (par un inf., une proposition relative, complétive ou consécutive)). → **Le, un.** *À cette différence que... Rends-lui cette justice qu'il t'avait prévenu.*

(...) il est vrai de dire qu'il *(le sot)* gagne à mourir, et que dans ce moment où les autres meurent, il commence à vivre. LA BRUYÈRE, les Caractères, XI, 143. 3

Passe il faut que tu poursuives 3.1
Cette belle ombre que tu veux
APOLLINAIRE, Alcools, «Clotilde».

Littér. et emphatique. (Avec un sens possessif). → **Mon.**

(...) ce malheureux visage 4
D'un chevalier romain captiva le courage (...)
CORNEILLE, Polyeucte, I, 3.

Fam. (Dans une exclamation marquant la surprise, l'indignation.) → **Quel.** *Il veut que je vienne, cette idée!*
(Dans une exclamation elliptique). **UN DE CES, UNE DE CES.** → **Un.** *Il m'a lancé un de ces regards! Elle a une de ces migraines!*
Renforcé par les particules adverbiales *-ci* et *-là,* placées après le nom. *Ce livre-ci* (marquant la proximité). *Cet homme-là* (marquant l'éloignement). — **CE... -CI, CE... -LÀ** en corrélation, pour distinguer deux personnes ou deux choses. *Cette affaire-ci me concerne, pas celle-là.* — **CE... -LÀ,** pour marquer l'étonnement, l'admiration. *Ce garçon-là ira loin!*
(Indiquant la proximité dans le temps, le moment où l'on se trouve). *Le vin est bon, cette année. Ce soir. Ce jour. Cet après-midi. En ce moment.* — Le futur proche. *Où partez-vous pour ces vacances?* — Le passé immédiat. *Qu'as-tu fait cet après-midi? Ce midi,* expression contestée, est employée par Gide (*la Symphonie pastorale,* p. 133, *in* Grevisse). — *Un de ces jours :* un des jours à venir. — *Ces jours-ci :* ces jours prochains.

Cette nuit, je vous sers, cette nuit je l'attaque. 5
— Mais cependant ce jour il épouse Andromaque.
RACINE, Andromaque, IV, 3.

Ce qu'il vient tôt. Pour moi, il n'a pas dû déjeuner pour mieux croûter ce soir à nos dépens. 6
R. QUENEAU, Pierrot mon ami, éd. L. de Poche, p. 29-30.

Vx (suivi d'un adj. poss.). *Ce mien cousin.*

COMP. **Ceci, cela.** ◊ HOM. 2. **Ce, se, sept**; formes du v. **savoir.**

2. **CE** [sə], **C'** (devant toute forme du verbe *être* commençant par une voyelle), **Ç'** (devant *a*) pron. dém. — Xᵉ, *ço;* du lat. pop. *ecce hoc,* de *hoc* «ceci».
Sert à désigner la chose que celui qui parle a dans l'esprit.

**I** ♦ **1** Suivi du verbe *être* à la 3ᵉ pers., ou des verbes *devoir, pouvoir,* précédant l'infinitif du verbe *être.* **C'EST, CE DOIT ÊTRE, CE PEUT ÊTRE,** met en valeur un membre de phrase. *C'est lui qui m'a dit cela. C'était le bon temps. Ce sera la première fois. Ce serait, ç'a été...* — *Ce,* servant à identifier (une personne, une chose). *Ce doit être, ce devait être lui. Ce ne peut être cela.* — *Ce,* désignant la situation actuelle. *C'est aujourd'hui. C'est l'hiver.*

0.1 Bientôt ce qui fut ennuyeux, ce fut tout. «C'est si ennuyeux, les belles choses ! Ah ! les tableaux, c'est à vous rendre fou (...) Comme vous avez raison, c'est si ennuyeux d'écrire des lettres !» Finalement ce fut la vie elle-même qu'elle vous déclara une chose rasante, sans qu'on sût bien où elle prenait son terme de comparaison.
PROUST, Sodome et Gomorrhe, Pl., t. II, p. 688.

0.2 Mais c'est Mme de Chaussepierre, vous avez été très impolie.
PROUST, Sodome et Gomorrhe, Pl., t. II, p. 673.

0.3 C'était le jeudi. Elle se levait et s'habillait silencieusement pour ne point éveiller Charles (...)
FLAUBERT, Mme Bovary, III, 5.

REM. 1. *Ce* devant le verbe *être* est employé comme sujet. Soit il reprend un sujet déjà exprimé (nom, infinitif, proposition) : *le premier des biens, c'est la santé ; vouloir, c'est pouvoir ; qu'il ne vienne pas, ce serait surprenant ;* — soit il annonce un sujet rejeté en fin de phrase et qui le précise : *c'est beau, la santé ; c'est un trésor que la santé ; c'est gentil d'être venu* (→ ci-dessous, 3., les REM.). Le verbe *être* qui le suit se met généralement au pluriel lorsque l'attribut est au pluriel : *c'est un brave homme ; ce sont de braves gens ; étaient-ce bien eux ? ; c'étaient ceux qui sont partis.* On rencontre fréquemment des exceptions à cette règle (Voltaire, Fénelon, Massillon, *in* Littré ; France, Barrès, Lemaitre *in* Grevisse).

1 Ce n'est pas seulement les hommes à combattre, c'est des montagnes inaccessibles, c'est des ravins et des précipices d'un côté, c'est partout des forts élevés.
BOSSUET, Oraison funèbre du prince de Condé.

2 Qui racontera ces détails (...)? Ce n'est pas les journaux.
CHATEAUBRIAND, De la censure, *in* LITTRÉ.

3 Ce n'est pas des visages, c'est des masques.
FRANCE, la Rôtisserie de la reine Pédauque, p. 314, *in* GREVISSE.

2. *C'est* reste au singulier devant les pron. *nous, vous. C'est vous, c'était nous.* 3. Pour *ce doit être, ce peut être, ce ne saurait être,* → ci-dessus, rem. 1, emploi de *ce* devant le verbe *être. Ce doit être eux* est plus fam. que *«ce doivent être deux Orientaux»* (Proust, *Sodome et Gomorrhe*, II, 1, p. 34, *in* Grevisse). 4. *Être,* ayant pour sujet *ce,* reste au singulier devant une préposition.

4 C'est d'eux seuls qu'on reçoit la véritable gloire
CORNEILLE, Horace, V, 3.

5 C'était bien de chansons qu'alors il s'agissait !
LA FONTAINE, Fables, VII, 9.

5. Suivi de deux ou plusieurs noms attributs au singulier ou dont le premier est au singulier, le verbe *être* se met plutôt au singulier, pour des raisons d'euphonie, sauf s'il s'agit d'une énumération. *Il y a quatre points cardinaux : ce sont le nord, le sud, l'est et l'ouest.*

6 Dans les ouvrages de l'art, c'est le travail et l'achèvement que l'on considère, au lieu que dans les ouvrages de la nature, c'est le sublime et le prodigieux.
BOILEAU, Réflexions critiques sur... Longin, 30.

Si l'un de ces noms est au pluriel : *«c'est la gloire et les plaisirs qu'il a en vue»,* mais : *«ce sont les plaisirs et la gloire qu'il a en vue»* (Littré). Lorsque les attributs développent un collectif, un pluriel, le verbe *être* se met au pluriel. *Une troupe s'avança, c'étaient des ennemis.* 6. Le verbe *être* est toujours au singulier dans certaines expressions figées : *si ce n'est* (→ Si), *fût-ce* (→ Être) ; dans certaines tournures interrogatives : *sera-ce..., en est-ce..., est-ce là..., qu'est-ce que...* ; dans l'indication de l'heure, d'une somme considérée comme un tout : *c'est mille francs qu'il me faut ; c'était deux heures qui sonnaient.*

♦ **2 CE** dans une phrase interrogative. *Est-ce vous ?* — Avec *qui** ou *que**, → ci-dessous, 3. *Qui est-ce ? qu'était-ce ?... — Qu'est-ce-là ? qu'est-ce-ci ?* → **Ceci, cela.**

7 Est-ce toi, chère Élise (...)? RACINE, Esther, I, 1.

8 Qu'est-ce qu'elle dit, cette morale ?
MOLIÈRE, le Bourgeois gentilhomme, II, 4.

9 Qui peut-ce être ? MOLIÈRE, l'Avare, IV, 7.

10 Qu'est-ce-ci, mes enfants (...)
CORNEILLE, Horace, II, 7.

Et qu'est-ce encore que celle-là ? s'écria Madame de Guermantes. 10.1
PROUST, Sodome et Gomorrhe, Pl., t. II, p. 673.

(Redoublement de *ce*). *Qu'est-ce que c'est ?*

Qu'est-ce que c'est que cette personne, Basin ? demanda-t-elle (...) 10.2
PROUST, Sodome et Gomorrhe, Pl., t. II, p. 673.

(Redoublé, dans une proposition subordonnée interrogative indirecte). *Ce que c'est que... Je sais ce que c'est que ce livre.*

Je ne sais pas ce que c'est que Chausse-pierre. 10.3
PROUST, Sodome et Gomorrhe, Pl., t. II, p. 673.

Vx. *Que c'est :* ce que c'est.

Voyez que c'est d'avoir étudié. 11
LA FONTAINE, Contes, «La jument du compère Pierre».

♦ **3** (Suivi du verbe *être* et du pronom relatif ou de la conjonction *que*). Le gallicisme **C'EST... QUI, C'EST... QUE** sert à détacher en tête un élément de pensée. *C'est une bonne idée que vous avez là.*

C'est l'acheter trop cher que l'acheter d'un bien (...) 12
LA FONTAINE, Fables, IV, 13.

Le moyen essentiel, qu'emploie la langue pour mettre en lumière tout élément qui doit ressortir, c'est l'emploi de la formule *c'est* devant le mot à souligner. — *«Hippolyte ? Grands dieux ! —* **C'est toi qui** *l'as nommé !»* (RAC., Phèd., I, 3). 13
F. BRUNOT, la Pensée et la Langue, VIII, XVI, p. 282.

C'était chez la mère Rolet qu'il devait envoyer ses lettres. 13.1
FLAUBERT, Mme Bovary, III, 3.

REM. Lorsque *c'est* est suivi d'un attribut, le nom rejeté en fin de phrase qui reprend l'élément de pensée annoncé par *ce* est précédé de *que,* ou parfois d'une simple virgule. *C'est un grave défaut que l'orgueil ; c'est une grande qualité, l'humilité.*

*C'est...* annonçant un infinitif. *C'est... que de.*

(...) ce n'est pas une petite peine que de garder chez soi une grande somme d'argent. MOLIÈRE, l'Avare, I, 4. 14

Littér. **C'EST... QUE** (par ellipse de *de*). *Ce serait une erreur que vouloir...*

Et ce n'est pas pécher que pécher en silence. 14.1
MOLIÈRE, Tartuffe, IV, 5.

**C'EST... DE** (par ellipse de *que*).

C'était lui faire injure de l'implorer. 15
PASCAL, les Provinciales, 4.

*C'est que, c'est de* donnant une explication, une raison, un motif.

Le marquis de Seignelay ayant demandé au doge de Gênes ce qu'il trouvait de plus singulier à Versailles, il répondit : c'est de m'y voir. 16
VOLTAIRE, le Siècle de Louis XIV, 14.

Mais c'est que justement je ne serai pas à Paris, répondit la duchesse au colonel de Troberville. 16.1
PROUST, Sodome et Gomorrhe, Pl., t. II, p. 683.

*C'est que, c'est donc que,* qui servent à mettre en relief la cause, le motif, mettent aussi en relief l'effet, la conséquence, la conclusion. Ce sont des formes ordinaires de raisonnement : *«Puisqu'il y a des dissentiments, puisqu'on sent le besoin d'un arbitre,* **c'est que** *la partie n'est pas définitivement perdue pour nous.»* (FEUILL., **Morte,**65.) 17
F. BRUNOT, la Pensée et la Langue, XXII, VIII, p. 840.

REM. *Ce n'est pas que,* suivi du subjonctif, écarte une opinion. *Ce n'est pas que je veuille médire* (Littré). *Ce n'est pas que... ne,* énonce une affirmation (les deux négations se détruisent). *Ce n'est pas que je ne veuille pas y aller, mais...*

Aussi, je refusai le souper. Ce n'est pas que je ne me plusse chez la princesse de Guermantes. 17.1
PROUST, Sodome et Gomorrhe, Pl., t. II, p. 709-710.

♦ **4 C'EST À... DE... (ou À...)** : il appartient à... *C'est à lui de jouer* ou *à jouer.* → **À** (cit. 2 et 3).

*C'est pour* ou, plus cour., *c'est à* [sɛta] suivi d'un infinitif : cela mérite* que, c'est de nature à. *C'est pour rire. C'est à pleurer, c'est à mourir de rire.*

*C'est à dire.* → **C'est-à-dire.**

*C'est pourquoi.* → **Pourquoi.**

♦ **5 C'EST FAIT DE..., C'EN EST FAIT DE...** → **Faire.**

♦ **6 CE** explétif. *Ce qui me plaît, c'est son attitude.* Il peut être supprimé : *ce que je crains est d'être surpris* (Littré), sauf si le verbe *être* est suivi d'un substantif pluriel ou d'un pronom personnel. *Ce qui me rassure, ce sont ses idées.*

REM. *C'est,* suivi d'une proposition introduite par *qui* ou *que,* peut rester au présent quel que soit le temps du verbe de cette proposition. *C'est lui qui va, qui ira, qui alla...* Toutefois, *c'est* peut se mettre par attraction au même temps que le verbe de la subordonnée, surtout aux temps simples. *Ce sera lui qui ira, ce fut lui qui alla.* — Dans une subordonnée, *c'est* s'accorde normalement. *Parce que c'est lui. Si c'était lui. Quand ce serait lui. Ce* devant *être* et un adjectif attribut s'emploie concurremment avec *il** : *il est bon de... C'est évident que...* Usuellement *il* est employé pour annoncer ce qui suit et *ce* pour renvoyer à ce qui précède. *Faut-il en parler? C'est inutile* : il est inutile d'en parler.

**II** Suivi d'une des formes du pronom relatif *(qui, que, quoi, dont)* ou de la conjonction *que,* est employé soit comme sujet, soit comme complément ou attribut. *Ce que vous dites est faux. Regarde ce que tu as fait.*

17.2 Ce que l'on conçoit bien s'énonce clairement (...)
BOILEAU, l'Art poétique, I.

17.3 Fay ce que vouldras. RABELAIS, Gargantua, LVII.

18 Vous êtes aujourd'hui ce qu'autrefois je fus.
CORNEILLE, le Cid, I, 3.

18.1 – Pour qui me prenez-vous?
– Pour ce que vous êtes, pour un grand médecin.
MOLIÈRE, le Médecin malgré lui, I, 5.

19 *Ce* a fini par former avec *que* une locution : *ce que,* dont la destinée a été grande dans la langue moderne. Non seulement elle sert à faire des locutions nominales : *Faites* **ce que** *vous voudrez.* Mais elle entre dans la composition d'une foule de locutions invariables : *parce que, jusqu'à ce que,* etc.
F. BRUNOT, la Pensée et la Langue, VI, VII, p. 193.

19.1 Alors vous tenez à ce que j'aie ma migraine? Vous savez bien que c'est la même chose chaque fois qu'il joue ça. Je sais ce qui m'attend.
PROUST, Du côté de chez Swann, Pl., t. I, p. 189.

*Ce qui... ce sont...*

20 Ce sont charmes pour moi que ce qui part de vous.
MOLIÈRE, les Femmes savantes, III, 1.

*Ce que...sont...*

21 Ce que je vous dis là ne sont pas des chansons (...)
MOLIÈRE, l'École des femmes, III, 2.

Vx. *Ce que :* la personne que.

22 Ce qu'on appelle un fâcheux est celui qui (...)
LA BRUYÈRE, les Caractères de Théophraste, «D'un homme incommode».

23 Il est doux de faire du bien à ce qu'on aime.
FRANCE, le Génie latin, p. 235, *in* GREVISSE.

*Tout ce qui, tout ce que :* toutes les choses qui, que.

24 Tout ce que ce palais renferme de mystères.
RACINE, Esther, II, 1.

Vx. *Ce que :* tout autant que.

25 Et Pompée est vengé ce qu'il peut l'être ici.
CORNEILLE, Pompée, V, 4.

Loc. conj. *À ce que...* → **Afin** (que), **pour** (que). *À ce que nul n'en ignore.*

Fam. *Ce que* [skə]... → **Combien, comme.** *Ce que c'est beau!*

26 On n'imagine pas ce que c'est difficile de le voir.
GIDE, les Caves du Vatican, IV, p. 185.

(...) Et ce que je peux l'énerver, c'est exquis! 26.1
Sacha GUITRY, Ils étaient 9 célibataires, p. 25.

À ce propos, les Chinois disent que la musique européenne est monotone. «Ce ne sont que des marches», disent-ils. En effet, ce qu'on trotte et ce qu'on claironne chez les Blancs. 26.2
Henri MICHAUX, Un barbare en Asie, p. 152.

Vx. *Ce qui est de* (suivi d'un adj.) : ce qu'il y a de.

Ce qui est de réel, est que (...) 27
FÉNELON, XXI, 228, *in* LITTRÉ.

REM. (Emploi de *ce qui* et *ce qu'il* devant un verbe impersonnel). Avec *falloir,* on emploie *ce qu'il. Faire ce qu'il faut.* Avec *plaire,* il faut employer *ce qu'il* lorsqu'on veut sous-entendre après *plaire* l'infinitif du verbe employé précédemment : *il dira ce qu'il lui plaira* (de dire). Avec les autres verbes, les deux formes se rencontrent : *ce qui me reste à vous dire* (Becque); *ce qu'il reste à dire* (Le Bidois).

Loc. conj. **PAR CE QUE** → **Parce que.**

**III** REM. En dehors des cas I. et II., *ce* est généralement remplacé par la forme composée (→ Cela, 2.). Par exception : ♦ **1** Vx. Employé comme objet direct, sans être suivi du pronom relatif. *Ce dit-il.*

Sortons, ce m'a-t-il dit... MOLIÈRE, les Fâcheux, I, 1. 28

Employé absolument devant un adverbe. *Ce devant, ce dessus, ce néanmoins, ce pendant* **(→ Cependant).** *Quand ce vint :* quand le moment fut venu. *Quand ce vint à payer* (La Fontaine, *Belphégor*).

(Archaïque) *Ce semble :* il* semble. → **Paraître** (paraît-il). — Mod. *Ce me semble* [səməsɑ̃bl]. → **Sembler.**

*Ce lui est, ce vous est :* c'est pour* lui, pour vous. — *Ce l'est. Est-ce vrai? Ce l'est.*

♦ **2** Employé absolument, pour résumer, reprendre ce qui a été dit. Vx. *En vertu de ce.* → **Cela.** — Mod. *Ce faisant* [səfəzɑ̃] : en faisant cela. *Ce disant. Ce que voyant, il partit,* ayant vu cela... *Pour ce faire.*

*Sur ce* [syʀsə] : après cela, ceci étant dit, étant fait, sur ces entrefaites. *Sur ce, je vous quitte.* → **Là-dessus.**

*Et ce...,* reprenant ce qui vient d'être dit.

Le petit navire dansait si fort qu'une table cabriola les pieds en l'air; désarroi des grands naufrages. Et ce, avec un mètre cinquante de fond. 29
GIDE, Voyage au Congo, *in* Souvenirs, Pl., p. 828.

**HOM. 1. Ce, se.**

## Ce [seø] Symbole chimique du cérium.

## CÉANS [seɑ̃] adv. — 1140, *çaenz;* de *ça,* et anc. franç. *enz* «dedans», du latin *intus* «à l'intérieur».

♦ **1** Vx. Ici dedans, en parlant du lieu où l'on est lorsqu'on parle. → **Ici.** *Il n'est pas céans.*

Un ordre de vider d'ici vous et les vôtres. 1
Mettre vos meubles hors (...)
– Moi, sortir de céans? MOLIÈRE, Tartuffe, V, 4.

REM. Le mot se rencontre encore parfois dans l'usage littéraire et, au moins jusqu'au XIX^e s., dans des usages régionaux.

Il est entré céans comme dans une auberge, sans dire bonjour ni bonsoir. 2
G. SAND, François le Champi, XVII, p. 121.

♦ **2** Mod. (avec une nuance plaisante). *Le maître de céans :* le maître du logis, le maître des lieux. *La dame, la maîtresse de céans. «Ce médecin de céans»* (Flaubert).

Si pauvres qu'elles fussent, les dames de céans, elles étaient femmes de goût (...) 3
LOTI, les Désenchantées, XIII, p. 107.

**HOM. Séant.**

## CÉARA [seaʀa] n. m. — 1927, Gide; de Ceará, nom d'un État du Nordeste (au Brésil).

Bot. Arbre à caoutchouc des zones tropicales, dit aussi *manioc à caoutchouc.*

**CÉBIDÉS** [sebide] n. m. pl. — Déb. XX^e; *cébiens,* 1846; du lat. *cebus,* nom sav. du sajou, grec *kêbos.*

Zool. Famille de primates, sous-ordre des *Platyrrhiniens* qui comprend les singes d'Amérique à queue prenante ou enroulante : ouistiti, sajou, lagotriche, atèle, hurleur, etc. (onze genres en tout). — Au sing. *Un cébidé.*

**CÉBISTE** [sebist] n. et adj. → **Cibiste.**

**CECI** [səsi] pron. dém. — Fin XII^e; de 2. *ce,* et 1. *ci.*

♦ **1** (Par oppos. à *cela**, pour désigner la chose la plus proche du locuteur, dans l'espace ou dans le temps). *Ceci est tout près, cela est trop loin.*

(Pour distinguer nettement deux choses, souvent en valorisant la première). *Ceci est bien, cela est mal. Ceci me plaît, mais pas cela.* → **Cela.**

Allus. littér. *Ceci tuera cela :* ce qui est nouveau fera disparaître l'ancien. → ci-dessous, cit. 2.

♦ **2** Pour présenter ce qui va suivre (*cela* se rapportant habituellement à ce qui précède). *Dites ceci à votre père... Retenez bien ceci... Vous avez raison à ceci près que...*

REM. Dans certaines locutions, *ceci* est synonyme de *cela* et renvoie à ce qui précède. *Ceci dit. Ceci posé. Ceci mis à part. Ceci soit dit en passant.*

♦ **3** (Sans opposition à *cela,* pour indiquer un objet présent, un fait actuel, une chose dont on parle). → **Cela.** *Ceci est à moi.* → **À** (cit. 1). *Regarde ceci. Ceci est une autre question. Qu'est ceci?*

REM. 1. Dans la langue parlée, *ceci,* comme *cela,* est souvent remplacé par *ça.* 2. Quand *ceci* a un attribut au plur., le verbe *être* est soit au sing., soit au plur. *Tout ceci n'est* ou *ne sont que des balivernes.*

♦ **4** *Ceci, cela :* tantôt une chose, tantôt une autre. *Qu'on dise ceci ou cela, il n'est jamais d'accord.*

1 L'un n'avait en l'esprit nulle délicatesse;
L'autre avait le nez fait de cette façon-là;
C'était ceci, c'était cela (...)
LA FONTAINE, Fables, VII, 5.

2 L'archidiacre considéra quelque temps en silence le gigantesque édifice, puis étendant avec un soupir sa main droite vers le livre imprimé qui était ouvert sur sa table et sa main gauche vers Notre-Dame, et promenant un triste regard du livre à l'église : — Hélas! dit-il, ceci tuera cela.
HUGO, Notre-Dame de Paris, V, 1.

3 On croit qu'il se passe ceci et c'est cela. On croit faire ceci, et l'on fait cela. Toute action est déception, toute pensée implique erreur. R. QUENEAU, le Chiendent, p. 326.

4 (...) un grand ouf, et puis rappel des mots d'ordre, si ceci alors cela, mais si cela alors ceci, une véritable ambiance de fête (...) S. BECKET, Premier amour, p. 16.

CONTR. **Cela.** ◊ **DÉR.** 2. **Ci.**

**CÉCIDIE** [sesidi] n. f. — 1904, in *Rev. gén. des sc.,* n° 6, p. 317; du grec *kêkis, -idos* «galle».

Bot. Galle des végétaux produite par des parasites animaux ou végétaux.

**CÉCIDOMYIE** [sesidɔmi] n. f. — V. 1820, Latreille; lat. sc. *cecidomyia,* 1803, Meigen, du grec *kêkis, -idos* «galle», et *muia* «mouche».

Zool. Insecte diptère dont la plupart des espèces sont parasites des plantes.

**CÉCITÉ** [sesite] n. f. — 1220; du lat. *cæcitas,* de *cæcus* «aveugle».

♦ **1** État d'une personne privée du sens de la vue. → **Amaurose,** et aussi **amblyopie; aveugle.** *Être frappé, atteint de cécité. Cécité totale, partielle. Cécité produite par la cataracte*. La cécité de qqn, sa cécité. Une demi-cécité, une quasi-cécité* (→ Mal voyant).

Ce n'était pas de mort, mais de cécité qu'allait être frappé Michel Strogoff. Perte de la vue, plus terrible peut-être que la perte de la vie! Le malheureux était condamné à être aveuglé. J. VERNE, Michel Strogoff, p. 342. 0.1

Sa vue, déjà naturellement faible, s'était profondément altérée, et bientôt le verdict unanime des médecins l'avait condamnée à une cécité précoce. 0.2
VILLIERS DE L'ISLE-ADAM, Tribulat Bonhomet, p. 60.

Méd. *Cécité corticale :* cécité due à une lésion des lobes occipitaux sans altération de l'œil.

♦ **2** Didact. *Cécité mentale* ou *psychique :* incapacité de reconnaître les objets pourtant normalement perçus.

La cécité psychique, ou impuissance à reconnaître les objets aperçus (...) 1
H. BERGSON, Matière et Mémoire, p. 91.

*Cécité verbale :* incapacité de reconnaître le sens des mots écrits ou imprimés (→ **Aphasie; alexie).**

♦ **3** (1374; abstrait). Littér. Incapacité de l'esprit à comprendre, du cœur à sentir qqch. → **Aveuglement.** *Cécité morale, intellectuelle. Cécité à, pour quelque chose.*

Grâce à cette absence de raison, je devrais dire à cette cécité, je me plongeai dans les mois qui suivirent, comme si j'étais entré dans un infini. 2
E. FROMENTIN, Dominique, p. 97.

J'aime que la cécité pour le mal vienne de l'éblouissement du bien; sinon vertu est ignorance — pauvreté. 3
GIDE, Journal 1889-1939, Littérature et morale, Pl., p. 88.

CONTR. **Clairvoyance, discernement, lucidité, perspicacité.**

**CÉCOGRAPHIE** [sekɔgʀafi] n. f. — D. i. (XX^e); du lat. *cæcus* «aveugle», et suff. d'orig. grecque *-graphie* (mot mal formé).

Didact. et rare. Méthode d'écriture destinée aux aveugles. → **Braille.**

**CÉCOLLE** [sekɔl] pron. pers. → **Cézigue.**

**CÉDANT, ANTE** [sedɑ̃, ɑ̃t] adj. — 1672; de *céder.*

Dr. Qui cède un droit (→ **Cession).** — N. *Le cédant, la cédante.*

Dans le transport d'une créance, d'un droit ou d'une action sur un tiers, la délivrance s'opère entre le cédant et le cessionnaire par la remise du titre.
Code civil, art. 1689.

CONTR. **Cessionnaire, acquéreur.**

**CÉDER** [sede] v. tr. et intr. [CONJUG.: *je cède, nous cédons; je céderai* (voir tableau des conjug.).] — 1377; lat. *cedere* «s'en aller».

**I** V. tr. ♦ **1** Abandonner, laisser* (une chose, un droit...) à qqn. → **Abandonner, accorder, concéder, donner, livrer, passer** (fam.), **transmettre; refiler** (fam.). *Céder sa place, son tour à qqn. Céder la parole à qqn. Céder le pas à qqn,* s'effacer devant lui; au fig., reconnaître sa supériorité, s'incliner devant lui. *Céder un objet auquel on tient.*

Alexandre, par générosité, lui céda l'objet de ses vœux. 1
MOLIÈRE, le Sicilien, 11.

Je leur cède *(aux grands)* leur bonne chère (...) mais je leur envie le bonheur d'avoir à leur service des gens qui les égaient (...) LA BRUYÈRE, les Caractères, IX, 3. 2

Voici Britannicus : je lui cède ma place. 3
RACINE, Britannicus, I, 2.

Napoléon s'est bien perdu pour ne pas céder un village. 4
STENDHAL, De l'amour.

À la voir debout dans le métro parisien, le plus enragé butor lui céderait une place assise. 5
G. DUHAMEL, Scènes de la vie future, XI, p. 164.

Loc. *Céder du terrain :* reculer, laisser le terrain à un ennemi qui avance. → **Battre** (en retraite). — Au fig. Faire des concessions, un compromis. → **Composer** (→ fam. Mettre les pouces*).

*Céder le haut du pavé :* laisser la première place (→ **Pavé).**

♦ **2** Dr. (En général sans compl. en *à*). Transporter* la propriété de (un bien, une chose) à une autre personne. → **Concéder, dessaisir** (se), **livrer, rétrocéder, transférer, vendre.** *Céder un magasin, un fonds, un bail. Céder ses droits. Céder une créance. Céder l'usufruit d'un domaine* (→ **Cédant; cession; cessionnaire; concession).** *Un bien qu'on ne peut céder* (→ **Incessible).**

6 Le preneur a le droit de sous-louer, et même de céder son bail à un autre, si cette faculté ne lui a pas été interdite.
Code civil, art. 1717.

6.1 Il paraît que tu leur as proposé de leur céder ton appartement (...) N. SARRAUTE, le Planétarium, p. 173.

♦ **3** Fig. et vieilli. **LE CÉDER À QQN,** être inférieur à lui, se reconnaître au-dessous de lui. — Sans compl. (Vx). *Le céder en habileté, en grâce, en mérite.* — Mod. *Il ne le lui cède en rien :* il est son égal. «*Il ne le cède à personne en courage*» (Académie).

7 Il aurait été tenté de nous regarder comme des intelligences supérieures, s'il n'avait éprouvé combien nous lui cédions à d'autres égards (...)
DIDEROT, Lettre sur les aveugles, *in* LITTRÉ.

7.1 Le prince Camaralzaman ne voulut pas céder au jardinier en générosité, et ils eurent une grande contestation là-dessus.
A. GALLAND, les Mille et une Nuits, t. II, p. 149.

**II** V. tr. ind. et intr. ♦ **1** (Sujet n. de personne). **CÉDER À... :** s'abandonner* à (qqch. ou qqn), ne plus résister. → **Acquiescer, consentir, déférer, faiblir, fléchir, incliner** (s'), **obéir, plier** (se), **résigner** (se), **soumettre** (se). *Céder au sommeil, à la fatigue. Céder à une impulsion, à un mouvement du cœur. Céder à la tentation.* → **Succomber.** *Céder aux circonstances, à la pression. Céder à ses obligations, à son devoir, à la nécessité, à la force, à la raison.* → **Écouter, obéir.**

8 Je sais ta passion, et suis ravi de voir
Que tous ses mouvements cèdent à ton devoir.
CORNEILLE, le Cid, II, 2.

9 Une mode (...) est abolie par une plus nouvelle, qui cède elle-même à celle qui la suit (...)
LA BRUYÈRE, les Caractères, XIII, 15.

10 (...) nous cédons à des tentations légères dont nous méprisons le danger. ROUSSEAU, les Confessions, II, p. 87.

11 (...) ils *(les hommes d'élite)* domptent la paresse, ils se refusent aux plaisirs énervants, ou n'y cèdent qu'avec une mesure indiquée par l'étendue de leurs facultés.
BALZAC, la Muse du département, Pl., t. IV, p. 213.

12 Quand elle *(Thaïs)* cédait à la volupté, il lui semblait tout-à-coup qu'un doigt glacé touchait son épaule nue et, toute pâle, elle criait d'épouvante dans les bras qui la pressaient.
FRANCE, Thaïs, II, p. 105.

13 Il cédait plus volontiers aux impulsions du cœur qu'aux remontrances de la raison (...)
G. DUHAMEL, le Temps de la recherche, XVI, p. 225.

*Céder à qqn, à ses prières, à ses larmes, à ses menaces, à sa tyrannie. Céder au vainqueur, à un rival. Céder à un enfant. Céder à qqn en qqch. Elle lui cède en tout, toujours.*

14 (...) Souvenez-vous que je cède à vos lois (...)
RACINE, Bérénice, I, 4.

15 Vous le prenez bien haut, monsieur! Sachez que quand je dispute avec un fat, je ne lui cède jamais. — Nous différons en cela, monsieur; moi je lui cède toujours.
BEAUMARCHAIS, le Barbier de Séville, III, 5.

En venant ce soir, il n'a fait que céder aux sollicitations 16
de la cour d'Annam; la terreur était telle que, sans lui, les parlementaires n'auraient pas osé se présenter au camp des Français.
LOTI, Figures et Choses..., Trois journées de guerre en Annam, IV.

(...) après ces quelques jours d'isolement, d'inaction, dans 17
l'état de faiblesse physique où il se trouve, c'est un soulagement pour lui de céder au despotisme du libraire.
MARTIN DU GARD, les Thibault, t. VIII, p. 129.

V. intr. → **Capituler, composer, fléchir, lâcher** (lâcher pied...), **mollir, obéir, reculer, rendre** (se), **renoncer;** fam. **caler, caner** (cf. Avoir le dessous). *Céder par faiblesse, par lassitude. Il faut céder. Mieux vaut céder que rompre. Il ne cède pas facilement, il se fait tirer l'oreille. Il cède volontiers. Céder sans résister. Il cède toujours! Céder devant la menace.*

Céder sans paraître obéir, voilà, dans les temps de fai- 18
blesse, quelle doit être la politique des gouvernements.
MIRABEAU, *in* Louis BARTHOU, Mirabeau, p. 253.

(...) j'aurais la plus grande répugnance à entrer dans une 19
famille qui rougirait de moi et ne céderait que par faiblesse et compassion.
G. SAND, la Petite Fadette, XXXVI, p. 234.

(...) ils avaient cédé par indifférence, oubli des choses 20
matérielles.
FLAUBERT, Bouvard et Pécuchet, Pl., p. 144.

Une seconde fois, elle résisterait, une troisième, puis elle 21
céderait (...) Paul BOURGET, Un divorce, V, p. 164.

Quoi qu'il arrive, c'est fini, je peux vous l'affirmer, je ne 22
sens plus d'animosité pour personne. Je refuse tout nouveau combat. Je cède, vous comprenez, je renonce. Je fais la paix.
G. DUHAMEL, Chronique des Pasquier, VI, p. 485.

Nous marchandons, et finissons par céder, sans sauver la 23
situation et sans nous faire aimer (...)
MAUROIS, le Cercle de famille, p. 292.

*Céder sur qqch. Il ne cédera pas sur ce point.*

Spécialt. (Le sujet désigne une femme). S'abandonner à un homme. *Elle lui a cédé.*

♦ **2** (Le sujet est un n. de chose). Ne plus résister à la pression, à la force, s'enfoncer, ployer (choses élastiques) ou rompre. → **Écrouler** (s'), **enfoncer** (s'), **rompre.** *Une branche qui cède sous le poids des fruits, qui s'affaisse*, ploie* et menace de céder.* → **Fléchir.** *La porte céda sous la poussée. Céder à la pression, sous la pression. Céder devant une force irrésistible.*

(...) il la toucha légèrement sur le haut de sa poitrine; la 24
chair un peu froide céda avec une résistance élastique.
FLAUBERT, Salammbô, XI.

(...) la porte de la salle céda; un brouhaha de séance parle- 25
mentaire : des étudiants, en grappes, riant, s'interpellant, se pressaient les uns contre les autres (...)
MARTIN DU GARD, les Thibault, t. III, p. 275.

J'ai l'impression de frapper contre un mur. Le mur ne cède 26
pas encore, mais, à force de m'y acharner (...)
MONTHERLANT, les Jeunes Filles, p. 187.

♦ **3** (Sujet n. de choses abstraites). → **Cesser, diminuer, tomber.** *La fièvre a cédé aux antibiotiques,* ou, absolt, *a cédé.*

Thérèse tremblait de colère. Mais cette irritation céda 27
bientôt pour faire place à un frémissement mystérieux.
M. BARRÈS, la Colline inspirée, XI, p. 183.

Les vomissements ont enfin cédé à la piqûre de morphine 28
que nous lui avons faite hier soir.
GIDE, Voyage au Congo, *in* Souvenirs, Pl., p. 801.

*Céder à qqch., devant qqch. :* laisser place à (qqch.).

Un orage effrayant se prépare, et l'enchantement cède à 29
la crainte.
GIDE, Voyage au Congo, *in* Souvenirs, Pl., p. 707.

♦ **4** Absolt. Mus. *Cédez :* retenez le mouvement.

**CONTR. Conserver, disputer, garder, réserver** (se), **retenir. — Acquérir. — Résister. — Cabrer** (se cabrer contre), **entêter** (s'), **obstiner** (s'obstiner contre), **opposer** (s'opposer à), **repousser, révolter** (se), **tenir** (bon), **vaincre.** ◊ **COMP. Concéder, recéder, rétrocéder.**

**CÉDÉROM** [sedeʀɔm] n. m. → **CD-ROM.**

**CÉDÉTISTE** [sedetist] adj. et n. — 1973, *le Monde*; de *C. (F.) D. T.*

Qui concerne la Confédération française démocratique du travail (C. F. D. T.). *«Des métallos cédétistes» (le Nouvel Obs.,* 12 juin 1978). — N. Membre de cette confédération. *Un cédétiste. Les cédétistes.*

**CEDEX** [sedɛks] n. m. — 1966; acronyme de *Courrier d'Entreprise à Distribution Exceptionnelle.*

Postes et télécommunications. Système de distribution de courrier qui permet aux entreprises ou organismes importants d'avoir leur courrier tôt le matin, à charge pour eux de le faire prendre au bureau principal de l'arrondissement ou de la ville où ils ont leur siège. *Le cedex fonctionne depuis 1966.* — (Dans une adresse comprenant le n° du code postal départemental). *63102 RIOM CEDEX.*

**CÉDILLE** [sedij] n. f. — 1655; *cerille,* 1606; esp. *cerilla* ou *cedilla* «petit c»; emploi du signe : 1531.

Petit signe* graphique en forme de *c* retourné, que l'on place sous la lettre *c* suivie des voyelles *a, o, u* pour indiquer qu'elle doit être prononcée [s]. *Façade, façon, reçu. Ç est épelé c cédille. Il faut écrire ce mot avec une cédille, un c cédille.*

**CÉDRAIE** [sedʀɛ] n. f. — Déb. XX^e; de *cèdre.*

Rare. Terrain planté de cèdres.

**CÉDRAT** [sedʀa] n. m. — 1723; *cedras* (plur.), 1556; *cédriac,* 1600; «cédratier», 1680; de l'ital. *cedrato,* dér. de *cedro* «citron», lat. *citrus.*

♦ **1** Fruit du cédratier, à peau jaune très épaisse, plus gros que le citron. *Des cédrats confits.*

Le *citrus medica* (cédrat) découvert par les Grecs et les Romains en Médie (...) On a cru longtemps que les fameuses pommes d'or du jardin des Hespérides étaient des cédrats (...)
Paul ROBERT, les Agrumes dans le monde, p. 23.

♦ **2** Cédratier.

**CÉDRATIER** [sedʀatje] n. m. — 1823; de *cédrat.*

Plante dicotylédone de la famille des *Aurantiacées* (genre *citrus*), arbre produisant les cédrats (→ Agrume, cit. 2).

**CÈDRE** [sɛdʀ] n. m. — Déb. XII^e; lat. *cedrus,* grec *kedros.*

♦ **1** Arbre de grande taille *(Conifères; Abiétinées),* originaire d'Afrique et d'Asie, à rameaux étalés, à feuilles persistantes. *Les cèdres du Liban, célèbres autrefois, ont en grande partie disparu. Cèdre de Singapour* ou *Cedrela. Cèdre nain* (cit. 6). *Plantation de cèdres.* → **Cédraie.**

1 Les nymphes avaient eu soin d'allumer en ce lieu un grand feu de bois de cèdre, dont la bonne odeur se répandait de tous côtés (...) FÉNELON, Télémaque, I, p. 8.

2 (...) le cèdre de la maison forestière, qui allongeait ses palmes noires sur le bleu du ciel.
MARTIN DU GARD, les Thibault, t. II, p. 264.

3 Le cèdre, avril venu, étire à la pointe de ses branches de petites flèches d'un vert fragile et pâle.
M. GENEVOIX, Forêt voisine, p. 17.

Loc. (Vx). *Depuis le cèdre jusqu'à l'hysope.* → **Hysope.**

♦ **2** Bois de cet arbre, utilisé en ébénisterie et, autrefois, dans la construction des navires.

♦ **3** (En parlant d'autres plantes). *Cèdre* ou *cèdre blanc :* au Canada, Conifère originaire d'Amérique du Nord, appelé *cyprès faux thuya, thuya d'Occident.* — *Cèdre rouge, cèdre de Virginie :* le genévrier de Virginie.

(Au sens de *cédrat*). → **Aigre-de-cèdre.**

DÉR. **Cédraie.** ◊ COMP. **Aigre-de-cèdre.**

**CÉDRIÈRE** [sedʀijɛʀ] n. f. — 1676; mot canadien, de *cèdre* (3.).

Régional (Canada). Terrain planté de cèdres (3.) ou de thuyas.

**CÉDULAIRE** [sedylɛʀ] adj. — 1796; de *cédule.*

Dr. fisc. (Anciennt). Relatif aux cédules. *Impôt cédulaire :* impôt qui atteignait une catégorie de revenus (supprimé en 1948).

**CÉDULE** [sedyl] n. f. — 1180, *sedule;* lat. *schedula* «feuillet», de *scheda* «bande de papyrus».

Vieux ou didactique (droit).

♦ **1** Vx. Reconnaissance d'une promesse, d'un engagement. → **Billet.**

La prescription (...) ne cesse de courir que lorsqu'il y a eu compte arrêté, cédule ou obligation, ou citation en justice non périmée. Code civil, art. 2274.

♦ **2** Dr. Feuillet utilisé pour la déclaration des revenus par catégories d'origine (avant 1949). — Chacune des catégories d'impôts cédulaires sur les revenus. *La cédule des bénéfices commerciaux.*

♦ **3** Dr. *Cédule de citation :* ordonnance de juge de paix notifiée par huissier, et par laquelle un témoin, un expert est cité à bref délai pour accélérer la marche d'une instance. — Ordonnance transmise par le juge d'instruction au procureur de la République et indiquant les témoins à citer. *Cédule hypothécaire :* titre écrit constatant une dette foncière sur un immeuble, remis au propriétaire de l'immeuble et susceptible de négociation.

DÉR. **Cédulaire.**

**CÉGEP** [seʒɛp] n. m. — 1965; sigle.

Au Québec, Collège d'enseignement général et professionnel, situé entre le secondaire et l'université (V. **Collégial,** 2.).

**CÉGÉSIMAL, ALE** [seʒezimal] adj. — 1933; de *C. G. S.*

Du système C. G. S.*.

**CÉGÉTISTE** [seʒetist] adj. et n. — 1908; de *C. G. T.*

Relatif à la Confédération générale du travail; de la C. G. T. *Mouvement cégétiste.* — Qui appartient à la Confédération générale du travail. *Militant, délégué cégétiste.*

Au cours d'une entrevue à Matignon, Blum présenta cette longue liste aux délégués cégétistes, presque tous communistes, de la fédération du Bâtiment. J'assistai à cette entrevue. 1
Raymond ABELLIO, Ma dernière mémoire, t. II, p. 278.

N. *Un, une cégétiste; les cégétistes.*

Les orateurs se succédaient à la tribune. Socialistes, cégétistes, communistes, s'alignaient benoîtement sur le radical (...) M. AYMÉ, Travelingue, p. 223. 2

**CEINDRE** [sɛ̃dʀ] v. tr. [CONJUG.: *atteindre.*] — 1080; du lat. *cingere* «entourer».

♦ **1** Vx ou littér. Entourer; serrer (le corps, une partie du corps) en entourant.

(Sujet n. de chose). *La ceinture*, le tablier qui le ceignait. Le bandeau qui ceint sa tête.*

Un grand tablier bleu la ceignait, si elle avait lavé la havanaise (...) 1
COLETTE, Histoires pour Bel-Gazou, III, «Où sont les enfants?», p. 24.

Fig. *Les lauriers qui ceignent son front.*

(Sujet n. de personne). *Ceindre la taille, les reins, la tête de* (qqn) *avec..., de...* (qqch.). *Ceindre ses reins; se ceindre les reins d'une corde, avec une corde.* → **Sangler.**

Au fig. *Ceindre ses reins* ou *se ceindre les reins :* se préparer par une vie austère à de grands efforts.

2 Mettez-vous à nu, ceignez vos reins.
BIBLE (SEGOND), Ésaïe, XXXII, 11.

3 J'ai ceint mes reins; j'ai gardé cette nuit mes sandales.
GIDE, le Retour de l'enfant prodigue, V.

♦ **2** (Sujet n. de personne). Entourer le corps de (qqn) d'un objet souple. *Ceindre qqn d'une écharpe* (autour de la taille). — Par ext. *Ceindre qqn d'une épée, d'une arme,* lui attacher une épée, etc. à l'aide de qqch. qui le ceint. — *Ceindre qqn d'un turban, d'un diadème* (autour de la tête). *«Ce juste laurier dont vous ceignez les tempes des conquérants»* (Claudel, *in* T. L. F.).

4 Je vous ceins du bandeau préparé pour sa tête.
RACINE, Andromaque, III, 7.

♦ **3** Entourer son propre corps avec (qqch.). *Ceindre une armure, une cuirasse.*

**a** Entourer sa taille. *Ceindre une écharpe.* — Spécialt. *Ceindre l'écharpe municipale :* être élu maire. *Ceindre l'épée, le baudrier.* — Au fig. Se préparer au combat.

5 Que chacun de vous ceigne son épée.
BIBLE (SEGOND), Samuel, I, XVII, 39.

**b** Entourer son front. *Ceindre la couronne, le diadème;* au fig. : devenir roi. *Ceindre la tiare :* devenir pape.

♦ **4** (Le compl est un n. de chose). *Ceindre une ville de murailles.* → **Cerner, encercler, enclore, enfermer, entourer, enserrer.** *Les coteaux, les vergers qui ceignent la ville.*

◆ **CEINT, CEINTE** p. p. adj.

6 Vous mangerez la Pâque les reins ceints.
BIBLE (SEGOND), Exode, XII, 11.

*Le front ceint de...* → **Couronné.**

7 L'Impératrice était habillée de satin blanc (...) le front ceint d'un diadème de perles et de diamants (...)
Louis MADELIN, Hist. du Consulat et de l'Empire, Avènement de l'Empire, XV, Le sacre de Notre-Dame, p. 204.

*Vallée, ville ceinte de montagne.* → **Entouré, environné.**

8 La nuit est close quand nous franchissons la porte de la ville, entièrement ceinte de remparts.
GIDE, Voyage au Congo, *in* Souvenirs, Pl., p. 825.

CONTR. **Détacher.** ◊ COMP. **Déceindre, enceindre.** — HOM. Formes du v. **saigner.** — V. aussi **Saint, sein.**

**CEINTRAGE** [sɛ̃tʀaʒ] n. m. — 1687; de *ceintrer.*

Mar. Action de ceintrer un navire.

HOM. **Cintrage.**

**CEINTRE** [sɛ̃tʀ] n. m. — 1831; de *ceintrer.*

Mar. Gros bourrelet de cordages dont on entoure le plat-bord d'une embarcation pour la protéger des chocs (→ **Ceinture,** 4.).

HOM. **Cintre.**

**CEINTRER** [sɛ̃tʀe] v. tr. — 1736, *cintrer;* du bas lat. **cincturare,* avec infl. probable de *ceindre.* → Cintrer.

Mar. Retenir en place les pièces qui tendent à s'écarter de la membrure d'un bâtiment. *Ceintrer des lisses.*

DÉR. **Ceintre, ceintrage.** ◊ HOM. **Cintrer.**

**CEINTURAGE** [sɛ̃tyʀaʒ] n. m. — 1867; de *ceinturer.*

Techn. Action d'entourer comme d'une ceinture; résultat de cette action. *Le ceinturage d'une roue, d'un obus.*

Arbor. Fait de marquer un arbre à abattre. — Entaille circulaire au-dessus de la racine d'un arbre, pour qu'il dépérisse et meure. → **Annélation.**

**CEINTURE** [sɛ̃tyʀ] n. f. — 1175; du lat. class. *cinctura,* rac. *cingere* «ceindre».

♦ **1** Bande de matière souple (étoffe, cuir, caoutchouc...) servant à serrer la taille; partie d'un vêtement qui l'ajuste autour de la taille. *Ceinture de jupe, de pantalon. Boucler, agrafer, attacher, serrer sa ceinture. Desserrer sa ceinture d'un cran. La boucle, la patte, l'agrafe, l'œillet, le cran d'une ceinture. Ceinture du soldat.* → **Ceinturon.** *Porter des pistolets dans sa ceinture.*

Les habitants *(Espagnols)* marchaient gravement avec des grains enfilés et un poignard à leur ceinture. 1
VOLTAIRE, la Princesse de Babylone, XI.

Le Sachem des Onondagas était un vieil Iroquois (...) manteau de peau, ceinture de cuir avec le couteau de scalpe (...) 2
CHATEAUBRIAND, Voyage en Amérique..., Les Onondagas.

En se baissant pour empoigner la manivelle je remarquai la ceinture de cuir, craquelé, mais épais. Une telle ceinture ne pouvait être un ornement comme celle qui tient le pantalon des élégants. 2.1
Jean GENET, Journal du voleur, p. 145.

*Ceinture de flanelle*.* — *Ceinture de crin* (→ aussi Cilice). *Ceinture de moine.* → **Cordelière, cordon.** *Ceinture de personnage officiel.* → **Écharpe.** — *Ceinture du costume féminin traditionnel, au Japon.* → **Obi.**

Loc. *Se mettre, se serrer, se boucler, s'attacher la ceinture :* se priver de nourriture, se passer de qqch. → **Passer** (se), **priver** (se). → fam. Se mettre la tringle*. — Fam. *Faire ceinture* (même sens). — Ellipt. *Ceinture! Il prend tout, et pour nous, ceinture!,* rien du tout. — Vieilli. *S'en mettre plein la ceinture :* manger gloutonnement.

Je croyais que tu devais quitter Paris pour les vacances... — Changement de programme. Mon père est fauché. Toute la famille fait ceinture. 2.2
H. TROYAT, la Tête sur les épaules, p. 21.

Ainsi va la vie, de hasard en hasard. Pourquoi ceci plutôt que cela? (...) À vous, tout; les autres, ceinture. On est là dans une profonde injustice (...) 2.3
MONTHERLANT, Pitié pour les femmes, p. 154.

*Être toujours pendu à la ceinture de qqn,* le suivre constamment.

Fam. et vieilli. *Une femme grosse à pleine ceinture* (Académie), dont la grossesse est avancée.

Spécialt. (Anciennt). Longue bourse qui se ceignait autour des reins. *Avoir de l'or dans sa ceinture.* — Prov. *Bonne renommée vaut mieux que ceinture dorée :* une bonne réputation est préférable à la richesse.

Antiq. *Ceinture de vierge* ou *ceinture virginale :* ceinture que portaient les jeunes femmes grecques et romaines, et que le mari dénouait le premier soir des noces. *Dénouer sa ceinture :* se marier.

CEINTURE DE CHASTETÉ : appareil muni d'un cadenas, qui enveloppait tout le bassin et rendait impossibles les relations sexuelles (XIVe-XVe siècles). *Les ceintures de chasteté, «imaginées par la jalousie pour garder les femmes»* (Littré).

Myth. *Ceinture de Vénus :* ceinture que la mythologie attribuait à Vénus et qui avait la vertu de charmer les cœurs.

On dirait que pour plaire, instruit par la nature, 3
Homère ait à Vénus dérobé sa ceinture.
BOILEAU, l'Art poétique, III.

Mod. Bande d'étoffe dont se ceignent ceux qui pratiquent les arts martiaux japonais et les sports de combat qui en dérivent. *Ceintures de diverses couleurs marquant les kyus*, et ceinture noire portée par les titulaires de dans*.* — Par métonymie. *Une* (ou *un*) *ceinture blanche, marron, noire... :* le pratiquant qui porte une ceinture de couleur variable, suivant sa force, sa qualification. *Il est tombé sur un ceinture noire dès le premier tour des éliminatoires.*

*Ceinture de natation;* (cour.) *ceinture de sauvetage :* sorte de corset fait de plaques de liège, etc., qui permet à une personne de se maintenir à la surface de l'eau.

Méd. *Ceinture orthopédique :* gaine* servant à maintenir en place les muscles abdominaux.

4 Un certain docteur (...) prescrivit le port d'une ceinture orthopédique (...) pour prévenir mon ballonnement.
GIDE, Si le grain ne meurt, V, p. 128.

*Ceinture de grossesse :* appareil de contention pour les femmes enceintes.

*Ceinture de sécurité,* et, absolt, *ceinture :* dispositif spécial qui maintient les passagers d'un avion ou d'une automobile attachés à leur siège, et destinée à atténuer les effets d'un choc éventuel (→ aussi **Bretelle,** I., 4.). *L'hôtesse lui a demandé d'attacher sa ceinture et de redresser le dossier de son fauteuil.* — Par métaphore et fam. *Attachez vos ceintures ! :* prenez des précautions ; ou : attention, il va y avoir du danger, de l'action.

♦ **2** La partie du corps qui peut être serrée par une ceinture (dans des tours indiquant le niveau, la hauteur). → **Taille.** *Être nu jusqu'à la ceinture. Entrer dans l'eau jusqu'à la ceinture.*

5 Un homme se présenta, nu jusqu'à la ceinture, comme les masseurs de bains.
FLAUBERT, Trois contes, «Hérodias».

Loc. fig. *Il ne vous arrive pas à la ceinture :* il est beaucoup plus petit que vous ; et aussi : il a moins de mérite que vous (→ Il ne vous arrive pas à la cheville*).

*Frapper au-dessous de la ceinture* (coup interdit en boxe) ; fig. : frapper, attaquer de manière déloyale. (1899, *in* Petiot ; dans la lutte). Sport. «Prise qui consiste à étreindre l'adversaire à la taille, debout (ceinture avant, arrière) ou au tapis (ceinture de côté, en souplesse) pour le déséquilibrer» (Petiot). → **Prise.**

♦ **3** Anat. Ensemble des pièces osseuses rattachant les membres au tronc. *Ceinture scapulaire,* composée de l'omoplate, de la clavicule... *Ceinture pelvienne,* composée des os ilion, pubis, ischion.

♦ **4** Élément, partie qui entoure qqch. → **Entourer ;** 1. **autour, encadrement, zone.**

Spécialt. [a] Mar. → **Bauquière.** Bourrelet en filin entourant les hauts d'une embarcation pour la garantir des chocs (→ **Ceintre**). — *Ceinture cuirassée :* blindage latéral d'un bâtiment de guerre.

[b] Archit. Petite moulure à la base ou au faîte d'une colonne. — *Ceinture d'un fauteuil :* cadre en bois qui fait le tour du siège, d'où partent les montants du dossier et les pieds, qui retient le bourrage du siège et sur lequel on cloue la tapisserie.

[c] *Ceinture d'un diamant :* limite extérieure d'un diamant taillé.

[d] Techn. *Ceinture d'un obus :* bande de métal malléable qui entoure l'obus. *Ceinture de la bouche d'un canon.*

Élément d'un pneu d'automobile situé sous la bande de roulement (syn. : *frette*).

♦ **5** Par métaphore. *Une ceinture de murailles, d'arbres, de montagnes.* → **Enceinte,** 3. **tour.**

J'avais imaginé que la ceinture des Alpes et du mont Jura serait une barrière contre les vents. 6
VOLTAIRE, Lettre au marquis Albergati, 27 oct. 1762.

*Chemin de fer de ceinture,* qui entoure une ville. *La Ceinture, la grande, la petite Ceinture,* en parlant des lignes de chemin de fer qui entouraient Paris ; *la Petite Ceinture :* ligne d'autobus desservant le pourtour de Paris.

**CEINTURE VERTE :** espaces de verdure autour d'une ville.

Astron. *Ceintures de radiations :* les deux couches de radiations situées autour de la Terre, constituées de particules chargées que les lignes de force du champ magnétique terrestre canalisent et retiennent sous forme de courants. *La ceinture intérieure est appelée Ceinture de Van Allen.*

**DÉR. Ceinturer, ceinturette, ceinturon.** ◊ **HOM.** Formes du v. **ceinturer.**

**CEINTURER** [sɛ̃tyʀe] v. tr. — 1549, *ceincturer* «entourer» ; de *ceinture.*

♦ **1** (Sujet n. de personne ou de chose). Entourer d'une ceinture*. → **Ceindre.** *Ceinturer un enfant. Une corde le ceinturait.* — Au passif :

(...) les magistrats du Tribunal ceinturés d'un large ruban bleu sur leur robe noire à rabat, ce qui constitue leur tenue d'apparat. 1
Georges LECOMTE, Ma traversée, p. 21.

♦ **2** (Sujet n. de personne). Prendre (qqn) par la taille, en le serrant de ses bras comme avec une ceinture ; faire une prise de lutte à la ceinture. *Ceinturer un adversaire. Ceinturer un joueur au rugby, pour le faire tomber.*

Fig. *Ceinturer qqn,* le neutraliser.

(...) non «le doux royaume de la terre» de Bernanos, mais celui où l'on est guetté et assailli à tous les tournants, où il faut avoir les réflexes rapides, et ceinturer quelquefois pour n'être pas ceinturé. 2
F. MAURIAC, Bloc-notes 1952-1957, p. 129.

♦ **3** (Sujet n. de personne). Entourer comme d'une ceinture. *Ceinturer une ville de murailles.*

Bernard replia la lettre. Elle était de même format que les douze autres du paquet. Une faveur rose les attachait, qu'il n'avait pas eu à dénouer ; qu'il refit glisser pour ceinturer comme auparavant la liasse. 3
GIDE, les Faux-monnayeurs, I, I, Pl., p. 934.

(Sujet n. de chose). *Les murailles qui ceinturent la ville.* → **Ceindre, encercler, entourer.**

♦ **4** Techn. Fait d'entourer d'une ceinture (4.). *Ceinturer une roue, un obus* (→ **Ceinturage**).

**CONTR. Desserrer. — Relâcher.** ◊ **DÉR. Ceinturage.**

**CEINTURETTE** [sɛ̃tyʀɛt] n. f. — XIIIe, *ceinturete ;* de *ceinture.*

Anciennt. Petite ceinture.

Et voici le défilé des articles dans le désordre où les crie le vendeur : ceinturettes, gants pour demoiselles.
Edmond FARAL, la Vie quotidienne au temps de saint Louis, p. 198.

**CEINTURON** [sɛ̃tyʀɔ̃] n. m. — 1579, Henri Estienne ; de *ceinture.*

Solide ceinture, ordinairement en cuir, et soutenant un équipement (baïonnette, revolver, couteau de chasse...). → **Baudrier.** *Un ceinturon de soldat, de chasseur, de boy-scout. Sabre attaché, épée attachée au ceinturon par une bélière, par un pendant.* → **Porte-épée, porte-glaive.** *Boucle de ceinturon. Boucler son ceinturon.*

(...) le Tyran boucla son majestueux abdomen d'un ceinturon soutenant une longue et solide rapière (...)
Th. GAUTIER, le Capitaine Fracasse, t. II, XI.

Loc. *Boucler son ceinturon.* → **Partir.**

Loc. Vx. *Quitter le ceinturon :* abandonner le métier des armes.

DÉR. **Ceinturonnier.** ◊ HOM. Forme du v. **ceinturer.**

**CEINTURONNIER** [sɛ̃tyʀɔnje] n. m. — 1800; de *ceinturon.*

Techn. Celui qui fabrique des ceinturons, des ceintures.

**CELA** [s(ə)la] pron. dém. — XIIIe; de 2. *ce,* et *là.*

♦ **1** Indiquant la chose la plus éloignée, par oppos. à *ceci*.* *Je ne veux pas que vous preniez ceci, mais cela, là-bas sur la table.*

REM. Cette opposition est devenue assez théorique en français actuel, et *cela* tend à se confondre avec *ceci,* au moins dans l'usage familier.

Servant à rappeler ce qui précède. «*Que votre ami se tienne tranquille, dites-lui cela de ma part*» (Académie).

♦ **2** Remplaçant *ce* dans tous les cas où l'on ne peut l'employer (→ Ce) ou bien pour représenter expressément la chose dont on a parlé. *Ne pensez pas à cela.* → 1. **Ça.** *Ne parlez pas de cela. Cela n'était pas bien. Cela va sans dire.*

REM. 1. Dans tous les cas où il n'y a pas opposition avec *ceci, cela* tend à l'emporter. 2. Pour les règles d'accord du verbe *être* employé après *cela.* → Ce. 3. Dans certains cas, *cela,* normalement employé dans la langue classique, serait archaïque. *Pendant cela :* pendant ce temps.

1 (...) Et lui, pendant cela,
Est disparu (...) RACINE, les Plaideurs, II, 7.

2 Le partage d'attributions entre *ce* et *cela* a été très délicat. Visiblement, quand il s'agit de représenter expressément une chose dont on a parlé, *cela* est nécessaire : *Nous avons revendiqué l'Alsace-Lorraine,* **cela** *n'était en aucune façon demander une conquête.* On peut dire assurément : *ce n'était pas revendiquer une conquête,* mais *ce* n'est pas là le représentant véritable de ce qui précède; c'est une simple formule.
F. BRUNOT, la Pensée et la Langue, VI, VI, p. 191.

3 *Cela* peut aussi représenter l'idée contenue dans une phrase : *Il s'agenouilla et* **cela** *devant toute l'armée;* — «*La contemplation de cette femme l'énervait comme l'usage d'un parfum trop fort.* **Cela** *descendit dans les profondeurs de son tempérament.*» (FLAUB., Éduc., I, 119).
F. BRUNOT, la Pensée et la Langue, VII, VII, p. 226.

♦ **3** Loc. *À cela près*.* — *Cela ne fait rien.* — Vx. *Point de cela :* je ne veux point de cela — *Il ne manque* plus que cela. Comme* cela.* → **Ainsi, donc.** *Comme cela, tu vas partir en voyage?* — Médiocrement. *Comment se débrouille-t-il en ski? Comme cela* (plus souvent : *comme ça; comme ci, comme ça*).

Pour renforcer une affirmation. *Voilà parler, cela!* (Littré).

Représentant un geste que l'on fait, indiquant une hauteur, exprimant le mépris, etc.

4 Je vous ai vu que vous n'étiez pas plus grand que cela.
MOLIÈRE, le Bourgeois gentilhomme, IV, 5.

5 Pour moi je m'en soucie autant que de cela.
MOLIÈRE, l'Étourdi, II, 7.

*Comment cela?* marque l'étonnement*.

*Cela... que...* annonce ce que l'on va dire. *Cela est vrai que...*

*Avec cela, avec tout cela* (→ **Avec,** cit. 31 à 35) : de toute façon, en tout état de cause.

*Pour cela :* effectivement. *Ah! pour cela, oui!*

*Il y a dix ans de cela :* dix ans se sont écoulés.

REM. De nombreuses locutions sont plus fréquemment employées, surtout dans la langue parlée, avec la forme contractée (→ 1. Ça).

♦ **4** Fam. En parlant des personnes, avec une nuance de mépris, de commisération, parfois d'affection (→ 1. Ça).

Cette petite fille m'a frappé en passant; je lui ai demandé qui étaient ses parents : cela meurt de faim, cela a quatorze ou quinze ans. 6
SAINT-SIMON, Mémoires, 355, 180.

CONTR. **Ceci.** ◊ DÉR. 1. **Ça.** — HOM. Formes du v. **celer.**

**CÉLADON** [seladɔ̃] n. m. — 1610; nom d'un personnage de l'*Astrée,* d'Honoré d'Urfé, lat. *Celado,* personnage d'Ovide.

♦ **1** N. m. et adj. invar. (1617). Couleur vert pâle légèrement bleuté (référence à la teinte du costume de berger revêtu par ce personnage). *Vert céladon. Céladon clair.* — Qui est de cette couleur. *Des rubans céladon.*

♦ **2** (1686). Fam. et vx. Amoureux, soupirant langoureux, généralement platonique. *C'est un céladon. Faire le céladon.*

♦ **3** (Du sens 1). *Porcelaine céladon :* porcelaine de Chine recouverte d'un émail craquelé, souvent de couleur vert pâle.

Il y avait une orchidée dans un vase céladon (...) 1
GIRAUDOUX, Juliette au pays des hommes, p. 82.

Ellipt. *Un céladon. Des céladons chinois* (Académie).

*(Ausonius)* peut rêver à la Corée (...) Il ne caressera pas les céladons verdâtres, ni les jarres gris perdrix de la dynastie Koryo (...) 2
Alain BOSQUET, les Bonnes Intentions, 1975, p. 124.

**CÉLASTRACÉES** [selastʀase] n. f. pl. — 1866, P. Larousse, adj.; *célastrinées,* 1834, Landais; du grec *kêlastra* «nerprun», et *-acées.*

Bot. Famille de plantes dicotylédones dialypétales (ordre des *Célastrales*) dont le type est le fusain. — Au sing. *Une célastracée.*

**CÉLASTRALES** [selastʀal] n. f. pl. — D. i. (XXe); du grec *kêlastra* «nerprun», et *-ales.*

Bot. Ordre de plantes angiospermes, dicotylédones dialypétales, comprenant plusieurs familles : célastracées, ilicacées, rhamnacées, vitacées (ampélidacées), généralement arbustives ou arborescentes. — Au sing. *Une célastrale.*

**-CÈLE** Élément, du grec *kêlê* «tumeur», entrant dans la composition de nombreux mots employés en médecine et désignant presque toujours les tumeurs formées par la hernie d'un organe. → **Hématocèle, hépatocèle, hydrocèle, kératocèle, lymphocèle, néphrocèle, sarcocèle, varicocèle.**

**CÉLÉBRANT** [selebʀɑ̃] n. m. — V. 1350; p. prés. de *célébrer.*

Relig. Celui qui dit, qui célèbre la messe, ou qui officie. → **Officiant.** — Adj. m. *Le prêtre célébrant.*

**CÉLÉBRATION** [selebʀasjɔ̃] n. f. — XIIe; lat. *celebratio,* de *celebrare.* → Célébrer.

Action de célébrer (une cérémonie, une fête...). *La célébration de l'office divin, des saints mystères, de la messe. La célébration d'un anniversaire.* → **Anniversaire** (cit. 1), **commémoration.** *Célébration d'un mariage. Célébration solennelle d'une fête. Organiser la célébration d'un centenaire, d'un bicentenaire.*

Avant la célébration du mariage, l'officier de l'état civil fera une publication par voie d'affiche apposée à la porte de la maison commune (...) Code civil, art. 63. 1

2 La prise de la Bastille, dit l'histoire, ce fut proprement une fête, ce fut la première célébration, la première commémoration et pour ainsi dire déjà le premier anniversaire de la prise de la Bastille.
Ch. PÉGUY, la République..., p. 360.

3 Après le culte protestant, la «célébration de l'Eucharistie», comme on parle aujourd'hui pour désigner la messe, nous est offerte par le petit écran.
J. GREEN, Journal, 19 janv. 1970, Ce qui reste de jour, p. 213.

**CÉLÈBRE** [selɛbʀ] adj. — 1532, Rabelais; du lat. *celeber* «fréquenté».

♦ **1** (1546). Vx. Solennel, éclatant.

1 Je n'ajouterai rien aux célèbres témoignages qu'elle *(la voix publique)* vous rend. CORNEILLE, Épître de Pompée.

2 Un bruit vient (...) à répandre à ma cour
Le célèbre mépris qu'elle fait de l'amour;
On publie en tous lieux que (...)
MOLIÈRE, la Princesse d'Élide, I, 1.

♦ **2** (1636). Mod. Très connu, dont la réputation est répandue partout. → **Fameux, glorieux, historique, illustre, immortel, légendaire, notoire, renommé, réputé; célébrité.** — REM. *Célèbre* dit moins que *glorieux* ou *immortel* (→ ci-dessous, cit. 7); il s'emploie en parlant des contemporains, à la différence de *historique* et *légendaire*; mais il suppose une grande notoriété, et est donc plus fort que *connu, notoire, renommé et réputé.* — *Porter un nom célèbre. Auteur, personnage célèbre dans le monde entier. Être célèbre par ses actions, son talent. Célèbre pour son courage. Une ville célèbre pour ses musées* (ou *par ses musées*). *Se rendre célèbre. Devenir célèbre. Adage, apophtegme, mot célèbre. Annales célèbres. Événement célèbre. Lieu célèbre. Les amours célèbres.*

3 Il invoque à la fin le dieu dont les travaux
Sont si célèbres dans le monde :
«Hercule, lui dit-il, aide-moi (...)»
LA FONTAINE, Fables, VI, 18.

4 *(La Victoire)* Amante de Louis, suivra partout ses pas.
Ses lauriers nous rendront célèbres dans l'histoire.
LA FONTAINE, Fables, VII, 18.

5 Son nom *(celui d'Ulysse)* fut célèbre dans toute la Grèce et dans toute l'Asie par sa valeur dans les combats et plus encore par sa sagesse dans les conseils.
FÉNELON, Télémaque, I, p. 4.

6 (...) les ouvrages célèbres dès le début gardent longtemps leur réputation et sont estimés encore après être devenus inintelligibles. FRANCE, le Jardin d'Épicure, p. 173.

7 Le 3 février, il *(Mirabeau)* fit imprimer sa réponse. Elle est plus que célèbre : elle est immortelle.
Louis BARTHOU, Mirabeau, p. 141.

8 Mettre à vos pieds ce gage — indigne — d'un amour
Égal à toutes les flammes les plus célèbres
Qui des grands cœurs aient fait resplendir les ténèbres.
VERLAINE, Fêtes galantes, «Lettre».

REM. En épithète, *célèbre* s'emploie plus rarement avant le nom. *Un célèbre homme d'État a dit... Un très célèbre écrivain. «Le célèbre moulin de la Galette»* (Ponson du Terrail, *in* T. L. F.).

(En mauvaise part). *Il s'est rendu célèbre par son étourderie, son ineptie. Date tristement célèbre.* — REM. Ce type d'emploi n'est guère possible si la dépréciation n'est pas explicite (adverbe, etc.); on ne dirait guère, par exemple, *les plus célèbres camps de concentration nazis.*

CONTR. **Ignoré, inconnu, obscur, oublié.** ◇ DÉR. **Célébrissime.** — HOM. Formes du v. **célébrer.**

**CÉLÉBRER** [selebʀe] v. tr. [CONJUG.: *céder.*] — V. 1120; lat. *celebrare* «visiter en foule», de *celeber* «fréquenté». → Célèbre.

♦ **1** Accomplir solennellement (une action, une suite d'actions officielles ou publiques). → **Célébration, cérémonie.** *Célébrer des jeux, un carrousel. On célébrait les jeux olympiques tous les quatre ans. Célébrer un concile. Célébrer des funérailles. Le maire a célébré le mariage.* → **Procéder** (à).

Et que deviendrez-vous, si dès cette journée 1
Je célèbre à vos yeux ce funeste hyménée?
RACINE, Bajazet, II, 5.

Au passif. *Être célébré* (→ Avoir lieu*, se tenir*).

Spécialt. Accomplir (une cérémonie religieuse). → **Officier.** *Célébrer le culte. Célébrer la messe, l'office.* → 1. **Dire.** — Absolt. *Le prêtre n'a pas encore célébré* (Académie).

Lorsqu'on croyait encore à quelque chose, on aimait à voir 2
un aumônier dans une tente ouverte, près d'un champ de bataille, célébrer une messe des morts sur un autel formé de tambours.
CHATEAUBRIAND, le Génie du christianisme, IV, I, XI.

♦ **2** Marquer (un événement) par une cérémonie ou une démonstration. → **Fêter.** *Célébrer chaque année un événement.* → **Solenniser.** *Célébrer un anniversaire, un centenaire, une victoire.* → **Commémorer.** *Célébrer le dimanche.* → **Sanctifier.** *Célébrer une fête par le repos.* → **Chômer.** *Célébrer la venue, le retour de qqn. Pendre la crémaillère pour célébrer son installation dans un nouveau logement.*

Vous conserverez le souvenir de ce jour, et vous le célé- 3
brerez par une fête en l'honneur de l'Éternel.
BIBLE (SEGOND), Exode, XII, 14.

Je viens, selon l'usage antique et solennel, 4
Célébrer avec vous la fameuse journée (...)
RACINE, Athalie, I, 1.

Nous deviendrons pieux en pratique, nous célébrerons 5
ensemble les anniversaires de la mort de ma mère; nous ferons le bien. SAINTE-BEUVE, Volupté, XIV, p. 127.

(...) elle chantait l'*Internationale,* d'une voie rauque et sac- 6
cadée; elle avait l'air de célébrer son propre triomphe, sa délivrance, la victoire de l'instinct (...)
MARTIN DU GARD, les Thibault, t. VII, p. 64.

♦ **3** (1180, «honorer»). Vieilli ou littér. Faire publiquement et avec force l'éloge, la louange de (qqn ou qqch.). → **Chanter, exalter, glorifier, 1. louer, prôner, publier, vanter.** *Célébrer la mémoire de qqn. Célébrer les hauts faits, la gloire, les vertus... Célébrer la beauté.*

Chantez la gloire de son nom, 7
Célébrez sa gloire par vos louanges!
BIBLE (SEGOND), Psaumes, LXVI, 2.

Je célébrerais ses mérites, et la noblesse de son cœur (...) 8
COURTELINE, Messieurs les ronds-de-cuir, 4e tableau, III, p. 154.

On discute beaucoup des services que Rome rendit au 9
monde. Je reprends qui les nie, mais je blâme qui les célèbre. Ch. MAURRAS, Anthinéa..., p. 225.

Du fond de cet abîme de tristesse, Beethoven entreprit de 10
célébrer la Joie.
R. ROLLAND, Vie de Beethoven, p. 60.

La presse parisienne tout entière célébrait la radieuse 11
beauté de Suzanne.
G. DUHAMEL, Chronique des Pasquier, IX, IV.

◆ **SE CÉLÉBRER** v. pron. *Les fêtes qui viennent de se célébrer.*

◆ **CÉLÉBRÉ, ÉE** p. p. adj. *Cérémonie célébrée avec faste.*

CONTR. **Abaisser, décrier, déprécier, diminuer, ravaler.** ◇ HOM. **V. Célébrant, célèbre.**

**CELEBRET** [selebʀɛt] n. m. — 1866; mot lat. signifiant «qu'il célèbre».

Relig. cathol. Pièce de l'autorité ecclésiastique qui autorise un prêtre à dire la messe en tout lieu. → **Admittatur.**

(...) il s'était décidé à faire viser son *celebret* au vicariat, il disait sa messe chaque matin à Sainte-Brigitte, place Farnèse (...) ZOLA, Rome, p. 213.

**CÉLÉBRISSIME** [selebʀisim] adj. — XX^e^; de *célèbre.* Fam. ou iron. Extrêmement célèbre.

**CÉLÉBRITÉ** [selebʀite] n. f. — 1578; «fête solennelle», XIV^e^; lat. *celebritas,* de *celeber.* → Célèbre.

♦ **1** Vx. Solennité, pompe (→ **Célébrer).**

1 Il se moque de la piété de ceux qui envoient leurs offrandes dans les temples aux jours d'une grande célébrité.
LA BRUYÈRE, les Caractères de Théophraste, «De la brutalité».

♦ **2** (1636). Mod. Réputation qui s'étend au loin, très grande notoriété. → **Éclat, notoriété, popularité, renom, renommée, réputation.** *La célébrité d'une personne, d'un nom, d'un œuvre, d'un événement, d'un lieu. L'amour de la célébrité. Rechercher, viser la célébrité. Parvenir à la célébrité. Acquérir la célébrité. Avoir son heure de célébrité.* — (Dans des contextes dépréciatifs). *Honteuse, triste, vaine célébrité.*

2 Les catholiques d'Irlande égorgèrent presque tous les protestants de leur île en 1641; ce massacre n'a pas dans l'histoire des crimes la même célébrité que la Saint-Barthélemy.
VOLTAIRE, *in* LAFAYE, Dict. des synonymes, Réputation... célébrité.

3 Helvétius, préoccupé de son ambition de célébrité littéraire (...) MARMONTEL, Mémoires, VI.

4 Célébrité : l'avantage d'être connu de ceux que vous ne connaissez pas.
CHAMFORT, Maximes et Pensées, VIII.

5 Il est aisé de réduire à des termes simples la valeur précise de la célébrité : celui qui se fait connaître par quelque talent ou quelque vertu se dénonce à la bienveillance inactive de quelques honnêtes gens, et à l'active malveillance de tous les hommes malhonnêtes.
CHAMFORT, Maximes et Pensées, X.

6 Trop souvent, à Paris, dans le désir d'arriver plus promptement que par la voie naturelle à cette célébrité qui pour eux est la fortune, les artistes empruntent les ailes de la circonstance (...)
BALZAC, les Comédiens sans le savoir, Pl., t. VII, p. 47.

7 À Paris, le char d'Apollon est un fiacre. La célébrité s'y obtient à force de courses.
FLAUBERT, Correspondance, t. III, p. 16.

♦ **3** (1831). Personne célèbre, illustre. → **Gloire; homme** (grand homme). *Une célébrité. Les célébrités du jour. Les célébrités du monde artistique, de la science.*

CONTR. **Obscurité, oubli. — Inconnu,** 4. (n. m.).

**CELER** [səle], cour. [sele] v. tr. [CONJUG.: *lever.*] — V. 1050; du lat. *celare.*

Vx ou littér. Garder, tenir secret. → **Cacher, dissimuler, taire.** *Celer qqch. à qqn. Celer un projet, un sentiment, un événement. Il cèle son jeu.* → **Déguiser.** *À ne vous rien celer, pour ne vous rien celer :* pour être tout à fait franc.

1 Pour moi, je ne le cèle point, je souhaite fort que (...)
MOLIÈRE, Dom Juan, V, 3.

2 Je crois voir l'intérêt que vous voulez celer.
RACINE, Mithridate, I, 3.

3 Qui ne sait celer ne sait aimer.
STENDHAL, De l'amour, p. 315.

4 Dites tout, Sylvain, il ne me faut rien celer.
G. SAND, la Petite Fadette, XXXVII, p. 239.

5 Mais qui donc peut longtemps tenir ses amours secrètes? Hélas! amour ne se peut celer!
J. BÉDIER, Tristan et Iseult, VII, p. 74.

REM. Il s'agit ici d'un archaïsme évoquant l'ancien français (le verbe du texte original a été conservé dans la traduction).

6 Son ton était calme, presque indifférent, mais il celait une grande tendresse et un orgueil plus grand encore.
J. KESSEL, l'Équipage, p. 15 (1924).

CONTR. **Divulguer.** ◊ DÉR. et COMP. **Déceler, receler, recel, recèlement, receleur.** → HOM. Formes des v. **sceller, seller.** — V. aussi **Cela, cellier, sel, selon...**

**CÉLÈRE** [selɛʀ] adj. — 1520, puis fin XVIII^e^; lat. *celer* «rapide».

Rare (latinisme). Rapide. «*La voiture la plus célère, et rapide comme une voiture de poste*» (Balzac, *Correspondance, in* T. L. F.).

**CÉLERETTE** [selʀɛt] n. f. — 1899; du lat. *celer* «rapide». → Célère; célérifère.

Ancienn et rare. Petite draisienne.

**CÉLERI** [sɛlʀi] n. m. — 1651, *seleris; scellerin,* 1419; plur. lombard *seleri;* du lat. *selinon,* grec *selinon* «ache».

♦ **1** Plante dicotylédone *(Ombellifères),* ache améliorée *(Apium graveolens),* dont une variété, dite *céleri à côtes* (cour. *céleri en branches*), est cultivée pour ses pétioles charnus et tendres, et une autre, dite *céleri-rave,* pour ses racines. → **Ache.** *Des céleris-raves. Des pieds de céleri. Faire blanchir du céleri. Sucre de céleri.* → **Mannite.** *Sel de céleri* (assaisonnement).

(...) toute la gamme du vert (...) gamme soutenue qui allait 1
en se mourant, jusqu'aux panachures des pieds de céleris et des bottes de poireaux.
ZOLA, le Ventre de Paris, t. I, p. 41.

♦ **2** Pétiole tendre du céleri à côtes *(salade de céleri)* ou racine de céleri-rave. *Céleri rémoulade,* coupé en fines lamelles et préparé à la sauce rémoulade.

(...) ils mangèrent des sardines à l'huile et du céleri rémou- 2
lade comme hors-d'œuvre.
G. SIMENON, Maigret et la vieille dame, p. 28.

**CÉLÉRIFÈRE** [seleʀifɛʀ] n. m. — 1794; du lat. *celer, -eris* «rapide» (→ Célère), et *-fère* «qui transporte».

Anciennement.

♦ **1** Voiture publique rapide.

♦ **2** Ancien appareil de locomotion composé de deux roues reliées par un cadre de bois (→ **Cycle),** que l'on faisait mouvoir par des appuis alternés des pieds sur le sol. *Célérifère muni d'une direction à pivot.* → **Draisienne.** *Le célérifère, ancêtre lointain de la bicyclette.*

**CÉLERI-RAVE** [sɛlʀiʀav] n. m. → **Céleri.**

**CÉLÉRITÉ** [seleʀite] n. f. — 1358; lat. *celeritas,* de *celer, -eris* «rapide». → Célère.

♦ **1** Littér. ou style écrit. Promptitude dans l'exécution. → **Activité, empressement, promptitude, rapidité, vélocité, vitesse.** *Agir avec une étonnante célérité.* → **Diligence** (faire diligence). *Exiger une plus grande célérité.* → **Accélération, hâte.** «*Cette affaire demande de la célérité, requiert célérité*» (Académie).

Dans les cas qui requerront célérité, le président pourra, 1
par ordonnance rendue sur requête, permettre d'assigner à bref délai. Code de procédure civile, art. 72.

Ô ses souffles, ses têtes, ses courses : la terrible célérité de 2
la perfection des formes et de l'action!
RIMBAUD, les Illuminations, XL.

♦ **2** Sc. Vitesse de propagation (d'une onde). *La célérité du son.* — Vitesse de réaction chimique.

(...) il ne faut pas confondre la «célérité» qui est la 3
vitesse apparente de propagation des déformations, avec la vitesse effective de déplacement des particules.
J. LARRAS, l'Hydraulique, p. 71.

CONTR. **Lenteur.**

**CÉLESTA** [selɛsta] n. m. — 1886; de *céleste*; mot créé par l'inventeur Auguste Mustel.

Instrument de musique à percussion et à clavier. *Tenir le célesta dans un orchestre. Des célestas.*

**CÉLESTE** [selɛst] adj. — 1050; lat. *cælestis,* de *cælum* «ciel».

♦ **1** Relatif au ciel* (II. ou III.), à l'espace au-dessus de la Terre. → **Aérien, cosmique.** *Les espaces célestes. Les corps, les globes célestes.* → **Astre.** — Poét. *Les célestes flambeaux :* les astres. *La voûte céleste :* le ciel, le firmament.

1 (...) le firmament et sa voûte céleste.
LA FONTAINE, Fables, IX, 2.

2 (...) je le vois trop bien, à court d'essence et peut-être d'espoir, monter, comme l'un de ses héros, vers quelque champ céleste, tout balisé d'étoiles.
A. MAUROIS, Études littéraires, t. II, Saint-Exupéry, p. 283.

Fig. → **Élevé, haut.**

3 Il parla longtemps (...) Planant dans les sphères célestes de la philosophie, il lançait la foudre sur les conspirateurs qui rampaient sur le sol.
FRANCE, Les dieux ont soif, p. 144.

(1560). *Couleur bleu céleste.* → **Azur** (cit. 3). — Chim. (par anal. de couleur). *Eau* céleste.*

♦ **2** Qui appartient au ciel (IV.), considéré comme le séjour de la Divinité, des bienheureux. *La gloire céleste. La béatitude céleste. La céleste patrie; la cité, la demeure, le royaume céleste.* → **Paradis.** *Les puissances célestes. Les messagers célestes; l'armée, la milice céleste.* → **Ange** (cit. 1). *Le Père; l'époux céleste :* Dieu; Jésus.

4 Si donc, méchants comme vous l'êtes, vous savez donner de bonnes choses à vos enfants, à combien plus forte raison le Père céleste donnera-t-il le Saint-Esprit à ceux qui le lui demandent.
BIBLE (SEGOND), Évangile selon saint Luc, XI, 13.

5 Le Seigneur (...) me sauvera pour me faire entrer dans son royaume céleste.
BIBLE (SEGOND), Deuxième épître à Timothée, IV, 18.

6 Sur ce monde céleste, angélique, innocent,
Le matin, murmurant une sainte parole,
Souriait, et l'aurore était une auréole.
HUGO, la Légende des siècles, II, D'Ève à Jésus, Le sacre de la femme, I.

7 Si Dieu m'accordait le calme céleste, aérien, la prière (...)
RIMBAUD, Une saison en enfer, «Mauvais sang», p. 28.

Divin. *Colère, courroux céleste. Feu céleste. Dons célestes. — Manne céleste :* nourriture de l'âme *Pain céleste.* → **Eucharistie.**

8 Ceux qui ont été une fois éclairés, qui ont goûté le don céleste, qui ont eu part au Saint-Esprit.
BIBLE (SEGOND), Épître aux Hébreux, VI, 4.

9 Que le plus coupable de nous
Se sacrifie aux traits du céleste courroux (...)
LA FONTAINE, Fables, VII, 1.

Myth. et littér. *Les célestes lambris :* le palais des dieux. *La troupe céleste :* les dieux de l'Olympe.

10 Le souverain pouvoir de la troupe céleste (...)
CORNEILLE, Horace, IV, 1.

N. m. (Jusqu'au XVIIe). Vx. *Un céleste :* un ange, ou habitant du ciel.

♦ **3** (1534). Littér. ou style soutenu. Merveilleux, surnaturel. *Une beauté céleste. Âme céleste. Un regard céleste.*

11 Et lorsqu'on vient à voir vos célestes appas (...)
MOLIÈRE, Tartuffe, III, 3.

12 Un vague et pur reflet de la lueur des cierges
Flottait dans son regard céleste et rayonnant (...)
HUGO, les Contemplations, V, «En marche», XIV.

Détaché de la terre.

Alexis (...) avait voulu contempler le visage d'un mourant à jamais détaché des réalités vulgaires et où ne pouvait plus flotter qu'un sourire héroïquement contraint, tristement tendre, céleste et désenchanté. 13
PROUST, les Plaisirs et les Jours, I, p. 24.

♦ **4** Mus. *Jeu, registre, voix céleste,* se dit d'un registre de l'orgue qui produit des sons doux et voilés. → aussi **Célesta.**

♦ **5** Loc. LE CÉLESTE EMPIRE : la Chine, l'ancien empereur de Chine étant considéré comme le Fils du Ciel. — N. Fam. et vx. *Les Célestes :* les Chinois.

CONTR. **Terrestre. — Humain.** ◊ DÉR. **Célestement.**

**CÉLESTEMENT** [selɛstəmɑ̃] adv. — 1544, Scève; de *céleste.*

Littér. D'une manière céleste. *«Une musique célestement mélancolique»* (Goncourt). → **Divinement.**

**CÉLESTIN** [selɛstɛ̃] n. m. — XIIIe; de *Célestin,* nom propre.

♦ **1** Religieux d'un ordre (règle de saint Benoît) institué vers 1254, par Célestin V. — Adj. *Moine, père célestin.*

♦ **2** (Au fém.). Loc. *À la célestine* [alaselɛstin] : à la façon des célestins. — (1853). *Omelette à la célestine,* composée de beaucoup d'œufs et très épaisse.

**CÉLIAQUE** [seljak] adj. → **Cœliaque.**

**CÉLIBAT** [seliba] n. m. — 1549; lat. *cælibatus,* de *cælebs, -ibis* «célibataire».

♦ **1** État d'une personne en âge d'être mariée et qui ne l'est pas, ne l'a jamais été. → **Célibataire.** *Vivre dans le célibat. Choisir le célibat. Rester dans le célibat. Le célibat ecclésiastique,* conséquence du vœu de chasteté* exigé par l'Église catholique, de ses prêtres et de ses religieux. *Garder, observer le célibat.*

Les autres avantages que Saint Paul relève comme d'être dans le célibat plus en état de prier, plus occupé de Dieu seul et moins partagé dans son cœur (...) 1
BOSSUET, 2e Instruction sur la version de Trévoux.

Quand Luther et Calvin (...) 2
Vinrent du célibat affranchir la prêtrise.
BOILEAU, Satires, XII.

L'homme n'est pas fait pour le célibat, et il est bien difficile qu'un état si contraire à la nature n'amène pas quelque désordre public ou caché. 3
ROUSSEAU, Julie ou la Nouvelle Héloïse, VI, Lettre VI, p. 309.

(...) plusieurs sectes vantent le célibat et le célibat est si nuisible à l'espèce humaine que, s'il était suivi partout, elle périrait. ROUSSEAU, Lettre à M. de Beaumont. 4

On proposait un mariage à M..., il répondit : «Il y a deux choses que j'ai toujours aimées à la folie, ce sont les femmes et le célibat. J'ai perdu ma première passion, il faut que je conserve la seconde». 5
CHAMFORT, Maximes et Pensées, «Femmes et Mariage», XVII.

Le mot le plus raisonnable et le plus mesuré qui ait été dit sur la question du célibat et du mariage est celui-ci : «Quelque parti que tu prennes tu t'en repentiras.» Fontenelle se repentit dans ses dernières années de ne pas s'être marié. Il oubliait quatre-vingt-quinze ans passés dans l'insouciance. CHAMFORT, Maximes et Pensées, XVIII. 6

Le mariage et le célibat ont tous deux des inconvénients; il faut préférer celui dont les inconvénients ne sont pas sans remède. 7
CHAMFORT, Maximes et Pensées, XXIV.

Baronius prouve que le vœu de célibat était général parmi le clergé dès le sixième siècle. Un canon du premier concile de Tours excommunie tout prêtre, diacre ou sous-diacre qui aurait conservé sa femme après avoir reçu les ordres. 8
CHATEAUBRIAND, le Génie du christianisme, I, I, VIII.

9 (...) dans beaucoup de villes grecques la loi punissait le célibat comme un délit.
FUSTEL DE COULANGES, la Cité antique, p. 51.

♦ **2** (1845). Par euphém. Chasteté, période de chasteté (dans le mariage).

10 Quoique mariée, la prophétesse druidique était astreinte à de longs célibats (...) Quoique *(les prêtresses)* fussent mariées, nul homme n'osait approcher de leur demeure, c'étaient elles qui, à des époques prescrites, venaient visiter leurs maris (...)
MICHELET, Hist. de France, t. I, p. 48.

Vie sans conjoint. *Le célibat d'un veuf, d'une veuve.*

CONTR. **Mariage.** ◊ DÉR. **Célibataire.**

**CÉLIBATAIRE** [selibatɛʀ] n. et adj. — 1711; de *célibat.*

♦ **1** N. Personne qui vit dans le célibat. → **Garçon, fille.** *Une célibataire qui coiffe (la) sainte Catherine.* → **Catherinette.** *Une vie de célibataire. Un célibataire endurci. Les Célibataires,* roman de Montherlant. *Ils étaient neuf célibataires,* pièce de Sacha Guitry (et adaptation cinématographique de cette pièce).

1 (...) l'égoïsme raffiné d'un vieux célibataire (...)
FRANCE, Œuvres, t. II, le Crime de Sylvestre Bonnard, p. 275.

2 De ce célibataire qui eut toujours la nostalgie du mariage, ne doutons pas que s'il se fût marié, il aurait eu, porté qu'il était à se torturer, celle du célibat.
A. BILLY, Sainte-Beuve, I, Le romantique, 45, p. 327.

3 Ils ont l'air si francs, si affectueux... Ils doivent s'entendre si bien... C'est vraiment une chance... Le vieux célibataire endurci que je suis, en vous voyant a parfois des regrets... Si on pouvait être sûr d'avance... J'ai été lâche, je n'ai pas osé courir le risque...
N. SARRAUTE, Vous les entendez?, p. 61.

Appos. *Mère célibataire* (remplace *fille**-*mère,* considéré comme péjoratif). → **Mère** (cit. 11.1, et *supra*).

Par ext. (D'une personne mariée). *Vivre en célibataire,* dans la continence conjugale.

♦ **2** Adj. **a** Qui vit dans le célibat. *Mes amis célibataires et mes amis mariés. Il, elle est célibataire.* — Propre au célibataire.

4 (...) très tôt j'en vins à aimer la solitude, la vie retirée, la pipe, la société des femmes de maison close lorsque le besoin vous y pousse; bref, les habitudes célibataires. Je ne me suis jamais marié (...)
R. QUENEAU, Pierrot mon ami, p. 56.

Par ext. (En parlant d'une personne mariée). Séparé(e) de son conjoint. *Je suis célibataire pour quinze jours : mon mari est en voyage.*

Par métaphore. «*Quand je me sens le cœur tout célibataire*» (J. Laforgue).

**b** Fig. *Électron, nucléon célibataire,* isolé, non apparié.

**CÉLIMÈNE** [selimɛn] n. f. — 1866; nom du principal personnage féminin du *Misanthrope,* comédie de Molière (1666).

Littéraire.

♦ **1** Rôle de grande coquette dans une comédie. *Jouer les célimènes.*

♦ **2** Femme d'esprit, coquette et séduisante, qui entend avoir tous les hommes à sa dévotion sans leur accorder quoi que ce soit. → **Coquette.** *Une célimène qui se joue des cœurs.*

CONTR. **Agnès.**

**CELLA** [sɛla; sela] n. f. — 1759, Trévoux; mot lat., «loge». → Cellule.

Archéologie.

♦ **1** Lieu du temple (grec, romain) où était la statue du dieu.

(...) si le temple affecte une grande largeur, la *cella,* partie principale du naos, celle qui reçoit la statue de culte, est divisée en plusieurs nefs par des colonnades, qui parfois se présentent en deux files superposées, ménageant ainsi un étage supérieur.
G. CONTENEAU et V. CHAPOT, l'Art antique, p. 165.

Loc. Vx. *Avoir accès à la cella :* être parmi les initiés, les privilégiés.

♦ **2** Chambre à provisions, cellier. — Plur. *Des cellæ* [sɛlle], didact., ou *des cellas* [sɛlla].

HOM. Formes des v. **celer, seller, sceller.**

**CELLE** [sɛl] pron. dém. f. → **Celui.**

**CELLÉRIER, IÈRE** [selɛʀje, jɛʀ] n. — V. 1175; du lat. ecclés. *cellarius, cellerarius,* de *cellarius* «chef de l'office», d'après *cellarium* «magasin de vivres».

Vieilli. Religieux, religieuse préposé(e) dans un couvent au soin du cellier. → **Économe, intendant.**

Selon la règle suivie dans les monastères bénédictins, les besoins de la communauté étaient classés sous deux rubriques : le *victus,* c'est-à-dire l'approvisionnement en nourriture dont le soin incombait au cellérier, gestionnaire de l'entreprise agricole (...)
Georges DUBY, Guerriers et Paysans, p. 122.

Adj. *Père cellérier. Sœur cellérière.*

**CELLIER** [selje] n. m. — Déb. XIIe; lat. *cellarium,* dér. de *cella* «chambre à provisions». → Cella.

♦ **1** Lieu aménagé, généralement au rez-de-chaussée d'une maison, pour conserver des provisions, et, spécialt, le vin, le cidre. *Cellier avec pressoir.* → 1. **Cave, hangar.**

Les cuves, le pressoir, le cellier, les futailles, n'attendaient que la douce liqueur pour laquelle ils sont destinés. 1
ROUSSEAU, Julie ou la Nouvelle Héloïse, V, VII, p. 238.

Dans un grenier où je fus enfermé à douze ans, j'ai connu le monde, j'ai illustré la comédie humaine. Dans un cellier, j'ai appris l'histoire. 1.1
RIMBAUD, les Illuminations, «Vies», III.

Du cellier qui sentait le bois et la futaille émanaient des coulées d'air. Il restait dans cette retraite des réserves d'ombre et de fraîcheur (...) 2
H. BOSCO, le Mas Théotime, I, p. 10.

♦ **2** Agric. Pièce ou hangar où l'on pressait le raisin, où l'on conserve du vin. → **Cuvier** (régional : *cuverie, vinée*).

Dans certaines régions (Champagne), Endroit où se fait le travail du vin (mais non pas son vieillissement).

DÉR. **Cellérier.** ◊ HOM. **Sellier;** formes des v. **celer, seller, sceller.**

**CELLISTE** [selist] n. — 1934; angl. *cellist,* de *cello,* ital. *violoncello.* → Violoncelle.

Anglic. Violoncelliste.

Il y avait cinq femmes (...) quatre s'étaient mises en rang pour nous accueillir par ce premier couplet de la chanson, le violon, la celliste, la trompette et la contrebassiste (...)
B. CENDRARS, Bourlinguer, p. 234.

**CELLOPHANE** [selɔfan] n. f. — 1914, *in* D.D.L.; marque déposée, mot angl.; de *cell(ulose), -o-,* et *-phane.* → Diaphane.

Hydrate de cellulose façonné en pellicule transparente. *Viande frigorifiée, fromage sous cellophane,* sous emballage de cellophane.

1 Entre la dame du vestiaire, Madame Belin, avec une branche d'orchidées dans une boîte de cellophane.
Sacha GUITRY, Ils étaient neuf célibataires, p. 285.

2 Ah, là, là ! Ces Américains ! On aurait dû nous les fournir dans des emballages en cellophane; d'autant que la cellophane, c'est amusant, on peut y mettre le feu et ça fait une belle flamme.
Roger NIMIER, le Hussard bleu, p. 182.

3 Arrachez la peau de votre corps, car ce n'est pas une vraie peau, c'est un tissu de cellophane qui bouche les pores et asphyxie. Ôtez le tissu : ôtez-le.
J.-M. G. LE CLÉZIO, les Géants, p. 57.

**CELLULAIRE** [selylɛʀ] adj. — 1740, méd.; de *cellule.*

**I** ♦ **1** (1855, sens mod.). Biol. De la cellule, relatif à la cellule, aux cellules (→ Cellule, cit. 5.2, 7, 8 et 9). *Membranes cellulaires.* → **Plasmalemme.** *Organites* cellulaires.* → **Appareil** (de Golgi), **centrosome, lysosome, mitochondrie, noyau** (et **nucléole), plaste** (chloro-, chromo-, leucoplaste), **réticulum** (et **ergastoplasme).** *Division cellulaire* (→ **Amitose, méiose, mitose).** *Culture cellulaire* (→ Explant). — *Biologie, physiologie cellulaire* (→ **Cytologie, histologie).**

♦ **2** Disposé en cellules, pourvu de cellules. *Tissu cellulaire.* — Bot. *Enveloppe, tissu cellulaire.* → **Parenchyme.** *Cryptogames cellulaires* (opposé à *vasculaire*).

♦ **3** Minér. *Texture cellulaire d'une roche.*

♦ **4** Techn. Comportant des cellules (aviation). — Formé par des cellules, des alvéoles. *Plastique cellulaire. Réseau cellulaire. Sols cellulaires* ou *polygonaux.*

♦ **5** Télécomm. *Téléphone cellulaire :* radiotéléphone qui fonctionne dans des zones ou cellules disposant chacune d'une antenne et de canaux radioélectriques. → Téléphone portable.

**II** (1841). *Système, régime cellulaire,* d'après lequel les prisonniers sont enfermés dans des cellules séparées. → **Réclusion.** *Mettre au régime cellulaire* (par oppos. au *régime en commun*). → **Secret** (mettre au secret). *Le régime cellulaire imposé en France par la loi du 5 juin 1875. Prison cellulaire. Le régime cellulaire auburnien*.*

1 Le régime des prisons cellulaires étant considéré comme plus dur que celui des prisons non cellulaires, la loi de 1875 a décidé, pour maintenir l'égalité entre les prisonniers, que ceux qui subiraient leur peine dans une prison départementale cellulaire auraient droit à une réduction du quart de la peine (art. 4).
DALLOZ, Nouveau répertoire, t. III, p. 557.

(1845). *Voiture cellulaire :* voiture divisée en compartiments et qui sert à transporter les prisonniers sans qu'ils puissent communiquer entre eux (→ fam. Panier* à salade).

2 — Eh bien, vous suivrez cette nuit, à onze heures, une voiture cellulaire qui partira de Mazas.
Louise MICHEL, la Misère, t. III, p. 642.

N. f. *La cellulaire :* la mise en cellule; le régime cellulaire. → **Pénitentiaire.**

3 Bonjour, solitude. Je savoure ma première minute de paix depuis un an (...) La cellulaire a ceci de bon : chacune chez elle, dans le même cubage et avec le même matériel que la voisine; on peut voir l'utilisation que chacune fait de son oxygène et de son bidet.
A. SARRAZIN, la Cavale, p. 339.

*(Un, une cellulaire).* Prisonnier en cellule ou qui a fait de la cellule. — REM. Dans ce sens, le fém. semble peu usité (p.-ê. par suite de l'homonymie avec le sens précédent).

4 Quand un compagnon tourneur au front tatoué : «Mort aux vaches» a été accepté, le bureau de l'embauche et le contremaître ont bien vu sa marque de fabrique. Ils l'ont pris par peur. Des directeurs de service ont tremblé devant des cellulaires.
Pierre HAMP, la Peine des hommes (Moteurs), p. 171.

DÉR. et COMP. **Cellulairement. Acellulaire, extracellulaire, hépatocellulaire, hétérocellulaire, intercellulaire, intracellulaire, monocellulaire, multicellulaire, pluricellulaire, subcellulaire, unicellulaire.**

**CELLULAIREMENT** [selylɛʀmɑ̃] adv. — 1862; de *cellulaire.*

♦ **1** Sc. Sous forme de cellules vivantes. — (Hist. des sc.). Conformément à la théorie cellulaire.

♦ **2** Rare. Selon un régime cellulaire. *«Ces jeunes gens sont enfermés cellulairement»* (Goncourt).

**CELLULAR** [selylaʀ] n. m. — 1902, *in* Höfler; angl., proprt «cellulaire».

Tissu à mailles lâches dont on fait des sous-vêtements, des chemises et des vêtements de sport. *Chemise, maillot de corps en cellular.*

En apposition :

Et il tomba la veste, le gilet, la chemise, qu'il jeta eux aussi par terre, resta en gilet cellular. Et il tomba les souliers, resta en chaussettes.
MONTHERLANT, le Démon du bien, p. 275.

**CELLULE** [selyl] n. f. — 1429; lat. *cellula,* dimin. de *cella* «chambre».

**I** Petite chambre destinée généralement à abriter une seule personne qui veut être isolée ou qu'on isole de force. *Être reclus* (cit. 3), *confiné dans sa cellule. Une chambre austère qui ressemble à une cellule.* → **Chambrette, loge.**

(...) j'ai vu la Marans dans sa cellule; je disais autrefois dans sa loge. Mme DE SÉVIGNÉ, 370, 15 janv. 1674. 1

Près de cinq mois bientôt qu'Antoine, confiné dans cette cellule rosâtre, surveillait les fluctuations de son mal et guettait en vain des symptômes nets de guérison. 2
MARTIN DU GARD, les Thibault, t. VIII, p. 205.

Chambre individuelle (d'un religieux). *Cellule de moine, d'ermite, de religieuse.*

(...) dans ce cloître un vieillard l'amena : 3
Il regarda tomber sa chevelure blonde,
Lui montra sa cellule, — et puis lui pardonna.
A. DE MUSSET, Premières poésies, «Le saule», VII.

Pièce d'une prison où un détenu (quelques détenus) est isolé (sont isolés). *Cellule de prisonnier.* → **Cachot.** *Être enfermé* dans une cellule. — Détention en cellule.* → **Cellulaire** (régime cellulaire). *Mettre en cellule.* → **Encelluler.** *Sortir de cellule. — Cellule disciplinaire de prison.* → (argot) **Mitard.** — (Dans l'armée). *Avoir huit jours de cellule,* de cachot.

Depuis notre retour ici, nous sommes un peu grisées, comme des captives qui sortiraient de cellule pour reprendre la prison simple (...) 4
LOTI, les Désenchantées, XX, p. 139.

Chambre d'isolement, dans un hôpital psychiatrique. → **Cabanon.** *Cellule capitonnée.*
*Cellule d'un concurrent au prix de Rome pendant la durée du concours, d'un cardinal pendant la durée du conclave.* → **Loge.**

**II** ♦ **1** (1503). Vieilli. Cavité* isolant ce qu'elle enferme. → **Case, compartiment, loge.** *Les cellules d'un gâteau de cire.* → **Alvéole** (→ Abeille, cit. 1; bâtir, cit. 2).

Travaillons, les frelons et nous : 5
On verra qui sait faire avec un suc si doux,
Des cellules si bien bâties.
LA FONTAINE, Fables, I, 21.

(Mil. XXe; techn. nucl.). Spécialt. Enceinte étanche utilisée pour stocker ou manipuler des produits radioactifs.

♦ **2** (XVIIe). Sc. nat. Petite cavité constitutive (de certains organes animaux ou végétaux). *Les cellules des poumons, du tissu spongieux, des os longs. Cellule d'un fruit.* → **Loge.** *Cellules renfermant les organes mâles et femelles des végétaux.* → **Anthéridie, oogone.**

♦ **3** (1824). Biol. Unité fondamentale, morphologique et fonctionnelle de tout organisme vivant, qui comporte généralement une membrane* périphérique limitant le cytoplasme* au sein duquel se trouvent les organites (→ **Noyau**). *Étude de la cellule par la biologie* cellulaire.* → **Cytologie; biocytologie.**

5.1 La cellule (...) constitue l'unité vitale, l'élément fondamental de toute vie, aussi bien végétale qu'animale (...) les êtres les moins élevés en organisation (protozoaires, levures, microbes) sont des cellules isolées, indépendantes, vivant à l'état libre, tandis que tout organisme un tant soit peu complexe se laisse décomposer en une multitude de petits organismes élémentaires, qui sont des cellules. Selon une comparaison consacrée, les cellules forment l'organisme comme les briques forment la maison.

Jean ROSTAND, Esquisse d'une histoire de la biologie, p. 133.

5.2 Le fait que la cellule constitue la base de l'organisation vitale ne fut clairement compris que vers 1839, quand les biologistes allemands Schleiden et Schwann fondèrent la «théorie cellulaire» (...) Le mot de cellule avait apparu en 1665 pour la première fois, dans l'ouvrage d'un botaniste anglais, Robert Hooke.

Jean ROSTAND, Esquisse d'une histoire de la biologie, p. 133-134.

REM. *Cellule*, chez Hooke, est pris au sens 2 ci-dessus.

5.3 Une cellule contient de 2000 à 5000 espèces de macromolécules (...) De plus, la nature a produit une immense variété d'organismes différents. Cependant, quand le monde vivant est considéré au niveau cellulaire, on découvre l'unité.
*Unité de plan :* chaque cellule possède un noyau inclus dans le protoplasme.
*Unité de fonction :* le métabolisme est essentiellement le même dans toutes les cellules.
*Unité de composition :* les macromolécules principales de tous les êtres vivants sont constituées par les mêmes petites molécules (...)

André LWOFF, l'Ordre biologique, p. 28-29.

*Tous les tissus des organismes sont formés de cellules.* → **Histologie; tissu.** *Organismes formés d'une seule cellule* (→ **Unicellulaire; protiste**) *ou de plusieurs cellules* (→ **Pluricellulaire; métazoaire**). *Cellules et tissus d'un organisme multicellulaire. Cellule bactérienne, formant à elle seule un organisme. Cellules des tissus végétaux.*

6 (...) des corps d'animaux, des corps humains, c'est-à-dire des assemblages de cellules dont chacun par rapport à une seule est grand comme une montagne.

PROUST, À la recherche du temps perdu, t. XIV, p. 95.

*Différenciation des cellules* (→ **Embryologie; histogenèse, organogenèse**). *Cellule embryonnaire* (→ Blaste, cyte). *Cellule nerveuse* (→ **Neurone**), *névroglique* (→ **Astrocyte**). *Cellule sensorielle* (→ **Récepteur**; → Bâtonnet, cône). *Cellule cartilagineuse* (→ **Chondroblaste**), *osseuse* (→ **Ostéocyte**). *Cellule du sang.* → **Globule.** *Cellule migratrice :* cellule (histiocyte*, lymphocyte*, etc.) qui peut pénétrer dans le tissu conjonctif de différents organes — *Cellules épithéliales.* → **Endothélium, épithélium.** *Cellules musculaires.* → **Fibre** (musculaire). — *Cellules sécrétrices :* cellules dispersées ou agencées en unités sécrétrices (→ **Glande**) qui excrètent les produits qu'elles ont élaborés (mucus, sébum, enzymes, hormones, etc.). *Cellule hépatique, cellule intestinale. Cellule-cible,* sensible à l'action de l'hormone circulante.

7 L'organisme est aussi hétérogène dans le temps que dans l'espace. Les types cellulaires se divisent grossièrement en deux classes. Les cellules fixes, qui s'unissent pour former les organes. Et les cellules mobiles, qui voyagent dans le corps entier. Les cellules fixes comprennent la race des cellules conjonctives, et celle des cellules épithéliales, cellules nobles qui forment le cerveau, la peau, les glandes endocrines. Les cellules conjonctives constituent le squelette des organes.

Alexis CARREL, l'Homme, cet inconnu, p. 86.

*Vie des cellules. Évolution de la cellule embryonnaire.* → **Embryogénie;** et aussi **ectoderme, endoderme, mésoderme.** *Prolifération des cellules par division directe ou indirecte.* → **Amitose, méiose, mitose, caryocinèse** (vx); et aussi **chromosome, germe.** *Cellule-mère,* celle qui s'est divisée; *cellules-filles,* cellules nées de cette division. *Cellules reproductrices.* → **Gamète; ovule, spermatozoïde; anthérozoïde, oogone, oosphère.** *Première cellule d'un organisme.* → **Œuf, zygote.** *Cellule-souche :* cellule jeune qui s'auto-renouvelle en même temps qu'elle se différencie. → **Ovogenèse, spermatogenèse.** *Capture de substances par la cellule.* → **Phagocytose, pinocytose.** *Destruction de la cellule.* → **Cytolyse.** *Réaction d'orientation des cellules.* → **Tactisme.** *Mouvements des cellules.* → **Amiboïsme, diapédèse.**

(...) on voit, sur les films cinématographiques, le corps cellulaire se secouer violemment, agiter dans tous les sens son contenu, et se diviser en deux parties, les cellules-filles. 8

Alexis CARREL, l'Homme, cet inconnu, p. 85.

L'œuf se divise d'abord en deux cellules : chacune d'elles à son tour, se divisera en deux, et ainsi de suite. C'est par ce procédé de bipartition cellulaire, bientôt accompagné de croissance, que se formeront peu à peu les millions de cellules dont se composera le nouvel être. 9

Jean ROSTAND, l'Homme.

♦ **4** (1881, *cellule (électrique)*, → cit. 9.1; probablt adapt. de l'angl. *cell*). Sc., techn. Unité productrice d'énergie.

(...) l'analyse succincte que nous allons donner d'une conférence faite par ce physicien *(W. de la Rue)*, le 28 janvier 1881, dans la salle du *Royal Institution* de Londres, sur les phénomènes des décharges électriques obtenues avec une batterie de 14000 *cellules* alimentées au chlorure d'argent. 9.1

L. FIGUIER, l'Année scientifique et industrielle 1882, p. 95 (1881).

*Cellule électrolyse* ou *d'électrolyse,* dans laquelle des réactions électrochimiques se produisent quand on applique un courant électrique (→ Électrolyseur). (1903, in *Rev. gén. des sc.,* n° 5, p. 285). Cour. *Cellule photoélectrique,* et, absolt, *cellule :* dispositif logé dans une enceinte fermée et transformant le rayonnement lumineux (photons) en courant électrique (libération d'électrons). *Porte à cellule photoélectrique.* → **Œil** (électrique). *Cellule utilisée en photographie.* → **Posemètre.** *Cellule au sélénium. Cellule solaire,* transformant le rayonnement solaire en énergie thermique ou électrique.
Radiotechn. *Cellule de Kerr :* système de modulation de la lumière fondé sur la rotation du plan de polarisation.

La *cellule de Kerr* est une boîte métallique contenant une solution de nitrobenzène (substance biréfringente) et 2 électrodes; un prisme polarisateur *(nicol)* d'entrée et un nicol de sortie sont disposés sur les deux côtés à la hauteur des deux électrodes (...) 9.2

LO DUCA, Technique du cinéma, p. 28.

Élément principal d'un lecteur (tête de lecture) de disques. *Cellules de lecture. Cellule magnétique, magnétodynamique. Cellule phonocaptrice à pointe de diamant. Cellule céramique.*

♦ **5** (1904). Aviat. Ensemble des structures formant l'aile et le fuselage. *La cellule a été construite en France et les réacteurs en Angleterre.*

**III** Par métaphore ou fig. ♦ **1** (1883). Élément constitutif. *La famille, cellule de la société* (→ Agréger, cit. 2).

10 (...) si l'on admet que la famille doit rester la cellule première du tissu social ne faut-il pas (...) qu'elle constitue cette (...) aristocratie plébéienne (...) où dorénavant se recrutent les élites?

MARTIN DU GARD, les Thibault, t. III, p. 257.

♦ **2** Mus. Élément fondamental d'une structure musicale. *Cellule rythmique, mélodique.*

11 *La sonate cyclique.* La cellule est, parmi les figures sonores dont se compose un thème, la plus caractéristique; par conséquent, celle dont le compositeur fera le plus abondant usage dans la construction de l'œuvre. Elle est, par définition, irréductible : on ne peut la simplifier, en retrancher la moindre note sans, du même coup, lui ôter toute signification.

André HODEIR, les Formes de la musique, p. 107.

♦ **3** (1920). Dans certains partis politiques, Unité groupant les membres, les militants d'un même lieu, d'une même entreprise, etc. → **Groupe.** «*Une cellule de nazis, créée dans toute affaire importante...*» (Tharaud, *in* G. L. L. F.).

12 En bref, il me proposait d'être le premier d'une nouvelle lignée apostolique, de faire avancer ensemble évangile et révolution et, plus simplement, de former et d'animer des cellules ouvrières dans la banlieue rouge.

Raymond ABELLIO, Ma dernière mémoire, t. II, p. 38.

Cette unité, dans le parti communiste. *Les cellules,* section.

11 À la cellule, c'était elle qui s'était chargée de vendre les brochures (...) On reçoit du centre tant et tant d'exemplaires. Il faut les écouler. Pas qu'on ait peur de l'engueulade à la section s'il vous en reste. Bien qu'à la section, ils voient les choses un peu simplement (...) chaque cellule son paquet, et puis débrouillez-vous!

ARAGON, les Communistes, nov. 39-mars 40, p. 215.

Réunion d'une cellule, séance tenue par une cellule.

12 (...) peut-être, c'est la dernière cellule avant qu'on parte (...)

ARAGON, les Communistes, sept. 1939, p. 179.

DÉR. **Cellulaire, celluleux, cellulite, cellulose.** — V. aussi **celluli-.** ◊ COMP. **Enceller. — Porte-cellule.**

**CELLULEUX, EUSE** [selylø, øz] adj. — 1740; de *cellule.*

Anat., bot. Divisé en cellules, formé de cellules.

**CELLULI-, CELLULO-** Premier élément de mots didactiques, signifiant «cellule». Ex. *celluliforme,* adj.; (1905, in *Rev. gén. des sc.,* nº 15, p. 707) *celluloadipeux, euse,* adj. (en parlant d'un tissu vivant où prédominent les cellules adipeuses); *cellulo-graisseux, euse,* adj. (même sens); *cellulo-vasculaire,* adj. *(membrane cellulo-vasculaire),* etc. → **Cellulothérapie.**

**CELLULITE** [selylit] n. f. — 1873; de *cellule.*

Méd. Inflammation du tissu conjonctif cellulaire.

Cour. (Spécialt). Gonflement, par infiltration du liquide séreux, du tissu conjonctif sous-cutané qui donne à la peau un aspect «capitonné», dit *peau d'orange.*

DÉR. **Cellulitique.** ◊ COMP. **Anticellulite.**

**CELLULITIQUE** [selylitik] adj. — 1952, *in* D. D. L.; de *cellulite.*

Didact. Qui a rapport à la cellulite. *Tissu cellulitique. Infiltration cellulitique.* «*Les substances de diffusion parviennent à chasser certaines accumulations cellulitiques localisées ou généralisées*» (Dr Boursay, in *Guérir,* oct. 1967).

**CELLULOÏD** [selylɔid] n. m. — 1877, in *Année sc. et industr.*; mot angl. créé aux États-Unis en 1869 par les inventeurs, de *cellul(ose),* et *-oïd.*

Substance thermoplastique, inflammable, ester nitrique de la cellulose à 10 % d'azote additionné de camphre. *Le celluloïd est flexible; il sert à la fabrication de nombreux objets façonnés. Feuilles, plaques, rubans de celluloïd. Cols, peignes, jouets, ouvrages de tabletterie en celluloïd. Le celluloïd, matière des premières pellicules du cinéma* (→ Acétocellulose, cit. 1).

Les plaques de celluloïd qui couvrent les murs, les moquettes, les métaux polis, les verres polis, les peintures laquées, tout cela est doux, doux. 1

J.-M. G. LE CLÉZIO, les Géants, p. 112.

(1929, *in* Höfler). Abrév. fam. : *cellulo.*

La femme avait des bottes et un manteau de castor; le mari, un col de cellulo sur une chemise douteuse. 2

Francis CARCO, les Belles Manières, p. 11.

Par métonymie. *Un celluloïd :* objet en celluloïd.

**CELLULOSE** [selyloz] n. f. — 1840; de *cellule,* et 1. *-ose.*

Chim., cour. Matière constitutive essentielle de la paroi pectocellulosique (ou membrane squelettique) des végétaux, polymère du glucose ($C_6H_{10}O_5$). → Cellulosique.

Techn. *Produits résultant de l'action de l'acide nitrique sur la cellulose.* → **Celluloïd, collodion, coton-poudre, pyroxyle, soie** (soie artificielle). *L'acétate de cellulose, produit de base de la fabrication moderne des films cinématographiques.* → **Acétocellulose.** *Cellulose sodique.* → **Viscose.** *Industrie de la cellulose. Ouate* de cellulose.*

Biochim. *La cellulose des aliments végétaux ne peut être digérée par l'appareil digestif humain.*

Or, la cellulose n'est autre chose que le tissu élémentaire des végétaux, et elle se trouve à peu près à l'état de pureté, non seulement dans le coton, mais dans les fibres textiles du chanvre et du lin, dans le papier, le vieux linge, la moelle de sureaux, etc.

J. VERNE, l'Île mystérieuse, t. I, p. 402.

DÉR. **Cellulosique.** ◊ COMP. **Acétocellulose, nitrocellulose.**

**CELLULOSIQUE** [selylozik] adj. — 1878; de *cellulose.*

Chim. À base de cellulose, relatif à la cellulose. *Matière cellulosique. Vernis cellulosique. Paroi cellulosique* (ou *pectocellulosique*) : formation extracellulaire enfermant la cellule des végétaux (dont la membrane est phospholipidique et ne renferme pas de cellulose).

**CELLULOTHÉRAPIE** [selyloteʀapi] n. f. — XXe; de *cellulo-,* et *-thérapie.*

Méd. Traitement par injections d'extraits cellulaires dans un but de revitalisation et de stimulation générale de l'organisme. → **Opothérapie.**

**CELTE** [sɛlt] n. m. et adj. — 1732, Trévoux; lat. *Celtae.*

*Les Celtes :* groupe de peuples indo-européens qui s'établirent en Europe occidentale, particulièrement sur les bords de la Manche, au cours de nombreuses migrations lors des IIe et Ier millénaires av. J.-C. → **Gaulois; breton, britonnique, celtibère, gaélique, galate.**

Dans son voyage, Pythéas avait reconnu que des deux côtés de la Manche, en Armorique et en Grande-Bretagne, vivaient des peuples de même langue. Les écrivains grecs les appelaient les Celtes; plus tard, selon les lieux, on les nomma aussi Galates et Gaulois.

Pierre GAXOTTE, Hist. des Français, t. I, p. 41.

N. m. *Le celte* (syn. : *le celtique*) : la langue des anciens Celtes (en fait, groupe de langues).

Adj. *La langue celte.* → **Celtique.** *Les peuples celtes. L'art celte.*

DÉR. **Celtique, celtisant, celtisme** ou **celticisme.** — V. **Celto-.**

**CELTIBÈRE** [sɛltibɛʀ] adj. et n. — 1732; lat. *celtiber,* de *Celtae* (→ Celte), et *iber* «d'Ibérie».

Didact. Relatif aux peuples issus des Celtes habitant la péninsule ibérique dans l'Antiquité.

REM. On trouve aussi l'adj. *celtibérien, ienne* [sɛltibeʀjɛ̃, jɛn].

**CELTICISME** [sɛltisism] n. m. → **Celtisme.**

**CELTIQUE** [sɛltik] adj. et n. — 1704, *in* D. D. L.; de *celte.*

Qui a rapport aux Celtes et à leur descendance. *Peuples celtiques.* → **Celte.** *Le barde, poète celtique. Mythologie celtique. Le cairn, monument celtique. Origine celtique. Langues celtiques :* famille de langues indo-européennes issues de la langue des anciens Celtes et dont certaines sont encore parlées en Europe du Nord-Ouest (syn. : *langues gaéliques*). → **Breton** (cit. 2), **cornique, gallois** (ou **kymrique), gaulois.**

Les peuples celtiques ont joué un grand rôle dans l'antiquité; leur langage a laissé une empreinte profonde dans l'Europe occidentale. Linguistiquement, ils sont intermédiaires entre le germanique et l'italique (...)
A. DAUZAT, l'Europe linguistique, p. 46.

**CELTISANT, ANTE** [sɛltizɑ̃, ɑ̃t] n. — 1866; de *celte.*

Didact. Spécialiste de l'étude des Celtes, de leur langue, de leur histoire, de leur civilisation.

**CELTISME** [sɛltism] n. m. — Fin XIXe; *celticisme,* 1765, *in* D. D. L.; de *celte.*

Didactique.

♦ **1** Ensemble des caractères propres aux Celtes.

1 Apollinaire garda toujours du goût pour le celtisme et pour tout ce que ce mot sous-entend de féerique et de merveilleux. A. BILLY, Apollinaire, p. 21.

♦ **2** Tendance à faire prévaloir les éléments celtes dans l'analyse des civilisations anciennes des pays de langue celtique, et même de toute la zone indo-européenne. → **Celtomane.** — REM. Dans ce sens, on emploie aussi *celticisme* [sɛltisism].

2 Ils *(les monuments gallois)* ont été l'objet de beaucoup de systèmes plus patriotiques que certains et, tout ce qu'on a pu faire dans cet ouvrage, a été de se défendre de ce qu'on appelle le celticisme, qui a voulu que les doctrines précédassent l'observation, et peut-être l'existence même des faits.
CHAMPOLLION-FIGEAC, Résumé complet d'archéologie, Avertissement, I, VIII, *in* D. D. L., II, 14.

Connaissance de tout ce qui concerne les Celtes.

♦ **3** *(Un, des celtismes).* Tour propre à la langue celtique.

**CELTO-** Premier élément de mots didactiques, signifiant «celte».

**CELTO-BRETON, ONNE** [sɛltobʀətɔ̃, ɔn] adj. et n. m. — 1821; de *celto-,* et *breton.*

Didact. Vx. Breton, en tant qu'issu des Celtes. — N. m. Vx. *Le celto-breton :* le breton (langue).

On y trouve les mots celto-bretons *entré arvein uss,* c'est-à-dire, entre les pierres élevées.
D.-L. MIORCEC DE KERDANET, Hist. de la langue des Gaulois, 8, *in* D. D. L., II, 10.

**CELTOMANE** [sɛltɔman] n. et adj. — 1838; de *celto-,* et *-mane.*

Didact. (Anciennt). Érudit qui fait remonter aux Celtes de nombreux faits historiques, dans le domaine gaulois et, même indo-européen. — Adj. *L'École celtomane, au* XIXe *siècle.*

**CELUI** [səlɥi] (masc. sing.); **CELLE** [sɛl] (fém. sing.); **CEUX** [sø] (masc. plur.); **CELLES** [sɛl] (fém. plur.) pron. dém. — Xe, *celui,* du lat. pop. **ecce illui; celle,* de *ecce illa(ne); ceux,* de *ecce illos; celles,* de *ecce illas;* en anc. franç. se rencontrent en outre les formes renforcées *icel, icelui,* et les formes *cel, cil;* XVIIe : généralisation du système actuel.

Désigne la personne ou la chose dont il est question dans le discours.

♦ **1** Suivi de la préposition *de, du, des,* et déterminé soit par un substantif soit par un infinitif introduit par la préposition. *Les paysages d'Europe sont plus variés que ceux d'Asie. Celui de tous ses amis qu'il aime le mieux. Outre ce plaisir, il aura celui de vous voir.*

(...) il entre dans les plaisirs des princes un peu de celui d'incommoder les autres. 1
LA BRUYÈRE, les Caractères, IX, 29.

Les amis de ce pays-là 2
Valent bien, dit-on, ceux du nôtre.
LA FONTAINE, Fables, VIII, 11.

Avec un adjectif intercalé entre *celui* et son complément. *«Celle* (la tyrannie), *farouche, de l'argent»* (Duhamel).

Vieilli ou littér. (*Celui* est élidé). *«Tes destins sont d'un homme»* (Voltaire). — Spécialt (dans les énoncés à valeur morale ou générale). *Qui dort dîne. «Heureux qui comme Ulysse a fait un beau voyage»* (→ Âge, cit. 2, du Bellay).

♦ **2** Suivi d'une proposition relative *(qui..., que..., dont...). Celui qui vient. Celle dont j'ai parlé. Ceux dont on parle. Celles à qui je m'adresse. C'est celui qu'il préfère. Quel est celui que tu veux? Il est de ceux qui agissent.*

Celui qui règne dans les cieux, et de qui relèvent tous les empires (...) est aussi le seul qui se glorifie de faire la loi aux rois (...) 3
BOSSUET, Oraison funèbre de Henriette-Marie de France.

(...) ha! toutes sortes d'hommes dans leurs voies et façons (...) celui qui taille un vêtement de cuir, des sandales dans le bois et des boutons en forme d'olives; celui qui donne à la terre ses façons (...) celui qui tire son plaisir du timbre de sa voix (...) et celui qui a fait des voyages et songe à repartir. SAINT-JOHN PERSE, Anabase, Pl., p. 112. 3.

Celui qui fait tout vivre et qui fait tout mouvoir. 4
Louis RACINE, la Religion, I.

Avec un adjectif intercalé entre *celui* et la proposition relative. *Ses arguments et ceux, encore plus convaincants, que tu as invoqués.*

Avec un complément partitif entre *celui* et la proposition relative. *Ceux d'entre vous qui le veulent...*

REM. Le verbe qui suit *celui qui...* s'accorde le plus souvent avec *celui* (3e pers. sing.). *Tu feras celui qui ne sait pas.* On rencontre des exceptions et notamment dans l'énoncé biblique : *Je suis celui qui suis* (Exode, III, 14).

♦ **3** Nominal, désignant une personne ou un groupe de personnes. *«Ceux qui pieusement sont morts...»* (Hugo, *les Chants du crépuscule,* III), les hommes qui... *Ceux de la ville et ceux de la campagne.*

(...) ceux qui sont vieux dans le pays le plus tôt sont levés. 4.
SAINT-JOHN PERSE, Éloges, Pl., p. 49.

Spécialt. Désigne la divinité (tour emphatique). → ci-dessus, cit. 3 et 4.

Loc. (souvent péj.). *Faire celui, celle qui... :* agir comme qui... *Il fait celui qui ne sait pas.*

Loc. *C'est à celui, celle qui... :* ils rivalisent pour... *C'est à celui qui criera le plus fort.*

Au plur. souvent précédé de *tout. Tous ceux qui veulent peuvent venir.*

*Celui qui, celle qui :* quiconque. *Celui qui commet une infraction s'expose à une sanction.*

♦ **4** (Emplois critiqués). *Celui, celle* devant un participe présent ou un participe passé, un adjectif en apposition, une préposition autre que *de*. *Les mois passés et ceux à venir. Son discours sur l'origine de l'inégalité et celui sur les arts. Les députés élus et ceux sortants.*

Devant un participe présent ou passé :

5 Les masses les plus nombreuses furent vraisemblablement celles apportées par les courants de l'Est.
VALÉRY, Regards sur le monde actuel, p. 121.

Devant une préposition autre que *de* :

6 Mon père et Séraphie avaient comprimé les deux *(passions)* celle pour la chasse (...) devint une véritable fureur.
STENDHAL, H. Brulard, t. I, p. 209, *in* GREVISSE.

Devant un adjectif suivi d'une proposition relative ou de tout autre complément :

7 Les régions dont je parlais ne sont pourtant pas inhabitées : ce sont celles sujettes à d'importantes évaporations (...) celles voisines des embouchures (...)
GIDE, les Faux-monnayeurs, XVII, p. 194.

8 Naturellement, on ne dit pas : *Vous m'offrez deux roses je prends* **celle jaune,** mais *je prends* **la jaune** (...)
Mais ailleurs *celui* supporte très bien la caractérisation.
F. BRUNOT, la Pensée et la Langue, XV, III, I, p. 634.

REM. *Celui* est quelquefois prononcé [sɥi] et écrit *çui* pour noter cet usage populaire. *Çui qui vient d'arriver.* → Çuici, çuilà (sous *celui-ci, celui-là*).

COMP. **Celui-ci, celui-là.**

**CELUI-CI** [səlɥisi] — (XIVe), **CELUI-LÀ** [səlɥila] — (XIIIe) pron. dém. masc. sing. (et **CELLE-CI** [sɛlsi], **CELLE-LÀ** [sɛlla], fém. sing.; **CEUX-CI** [søsi], **CEUX-LÀ** [søla], masc. plur.; **CELLES-CI** [sɛlsi], **CELLES-LÀ** [sɛlla], fém. plur.). → Celui.

*Celui-ci* désigne en principe ce qui est le plus rapproché; ce dont il va être question; *celui-là*, ce qui est le plus éloigné; ce dont il a été question.

REM. Dans le contexte, *celui-ci* renvoie au nom énoncé le dernier, *celui-là* au nom énoncé le premier.

1 Deux sortes de gens fleurissent dans les cours, et y dominent dans divers temps, les libertins et les hypocrites : ceux-là gaiement, ouvertement (...) ceux-ci finement, par des artifices. LA BRUYÈRE, les Caractères, XVI, 26.

2 Vivaient le cygne et l'oison :
Celui-là destiné pour les regards du maître,
Celui-ci pour son goût (...)
LA FONTAINE, Fables, III, 12.

2.1 Étienne et Saturnin ne se décidaient pas à partir.
— Vous ne trouvez pas que le néant imbibe l'être, disait celui-ci à celui-là qui répliquait :
— L'être ne conjugue-t-il pas plutôt le néant?
R. QUENEAU, le Chiendent, p. 417.

Sans indication de proximité ou d'éloignement, pour opposer deux objets quelconques. *Celui-ci est plus beau que celui-là.*

REM. Cette distinction tend à disparaître et la forme *celui-là* à l'emporter lorsqu'il n'y a pas d'opposition.

*Celui-ci* employé seul désigne une personne ou une chose proche, le moment où l'on parle, la personne ou la chose dont on parle, ce qui va être dit. *Et celle-ci qui ne m'écoute pas! L'autre soir et celui-ci. Il ne m'a donné qu'un conseil, celui-ci : ...*

*Celui-là* remplace *celui* dans tous les cas où la forme simple ne peut pas être employée : → Celui *(celui-là est meilleur)*, et dans les énoncés emphatiques.

Vx ou littér. *Celui-là*, à valeur nominale, antécédent d'une proposition relative (→ cit. 3.1). «*Celui-là qui conquit la toison*» (→ Âge, cit. 2, du Bellay).

3 (...) Ce n'est pas à dire que *celui-ci, celui-là* soient totalement impossibles devant les conjonctifs; quand il y a emphase, opposition, etc., ils reparaissent : «*Puisque* **ceux-là sont morts qui** *brisaient les bastilles*». (HUGO, Chât., Obéiss. passive). — Ici Hugo se conforme du reste à la règle de Vaugelas : *ceux-là* est séparé de *qui* par un verbe. Toutefois on ne dit plus : «*Un profond somme occupait tous les yeux même* **ceux-là qui** *brillent dans les cieux*». (LA FONT., IV, 37).
F. BRUNOT, la Pensée et la Langue, VI, VII, p. 192.

Ceux-là qui en naissant n'ont point flairé de telle braise, 3.1
qu'ont-ils à faire parmi nous? et se peut-il qu'ils aient commerce de vivants?
SAINT-JOHN PERSE, Anabase, Pl., p. 102.

Fam. Pour marquer l'étonnement, l'indignation... *Celui-là* [səlɥila], *celle-là...* : cette chose, cet homme... *Ah, celui-là quel imbécile! Elle est folle, celle-là!*

*Celle-là* veut dire : *cette histoire, cette affaire-là* : **celle-là** 4
*est forte;* **celle-là** *est verte; je ne m'attendais pas à* **celle-là.** F. BRUNOT, la Pensée et la Langue, VI, X, p. 199.

REM. *Celui-ci* est fréquemment prononcé [sɥisi] et *celui-là* [sɥila], et parfois écrits — pour noter cet usage familier oral — *çui-ci, çui-là* ou *çuilà*.

**CEMBRO** [sɛmbʀo] n. m. — D. i. (XXe), lat. sc. *cembra (pinus cembra)* de l'all. de Suisse *Zember, Zimber,* de l'anc. germ. *zimbar* «bois» (cf. angl. *timber*).

Pin aux graines comestibles, qui pousse notamment en Suisse, en Savoie, dans les Alpes provençales. — Appos. *Pin cembro.* → **Arolle** (régional).

**CÉMENT** [semɑ̃] n. m. — 1573; lat *cæmentum* «moellon».

♦ **1** Techn. Substance liquide, solide ou gazeuse qui, chauffée au contact d'un métal, diffuse certains de ses éléments plus ou moins profondément dans le métal (→ **Cémentation**).

♦ **2** (1805). Anat. Revêtement de nature osseuse qui recouvre l'ivoire de la racine, et parfois de la couronne des dents, chez la plupart des mammifères. → **Dent.**

DÉR. **Cémentation, cémenter, cémenteux.**

**CÉMENTATION** [semɑ̃tasjɔ̃] n. f. — 1620; *cimentation,* 1578; de *cément.*

Techn. Traitement par lequel on chauffe à très haute température un métal ou un alliage au contact d'un cément pour en modifier les propriétés. → **Calorisation.** *On transforme le fer en acier par cémentation, en chauffant dans un four le fer entouré de charbon de bois dur* (→ **Aciérer; trempe**). *Cémentation superficielle. Cémentation électrolytique. Acier de cémentation.*

Or, l'acier est une combinaison de fer et de charbon que l'on tire, soit de la fonte, en enlevant à celle-ci l'excès de charbon, soit du fer, en ajoutant à celui-ci le charbon qui lui manque. Le premier, obtenu par la décarburation de la fonte, donne l'acier naturel ou puddlé; le second, produit par la carburation du fer, donne l'acier de cémentation.
J. VERNE, l'Île mystérieuse, t. I, p. 202.

**CÉMENTER** [semɑ̃te] v. tr. — 1675; de *cément.*

Techn. Traiter par cémentation. *Cémenter du fer.* — Au p. p. (Plus cour.). *Acier cémenté.*

**CÉMENTEUX, EUSE** [semɑ̃tø, øz] adj. — 1845; de *cément.*

Techn. Qui a les caractères du cément. *Matière cémenteuse.*

**CÉNACLE** [senakl] n. m. — Déb. XIIIe; du lat. *cenaculum* «salle à manger», de *cena.* → Cène.

♦ **1** Hist. relig. Salle à manger où Jésus-Christ se réunit avec ses disciples quand il institua l'Eucharistie, et où les Apôtres étaient assemblés lorsqu'ils reçurent le Saint-Esprit (→ **Cène**).

Ce souffle ébranla le cénacle et consterna les disciples. 1
MASSILLON, Panégyrique de saint François.

♦ **2** (1829). Réunion d'un petit nombre d'hommes de lettres, d'artistes, de philosophes partageant les mêmes idées. → **Cercle, chapelle, club.** *Cénacle poétique, littéraire, politique. Le cénacle romantique. Fréquenter un cénacle.*

2 Qu'eussions-nous demandé, dans l'ordre temporel, à des hommes qui, la plupart, luttaient encore dans l'ombre, imprimaient parfois leurs livres à leurs frais (...) ne connaissaient enfin que la gloire enivrante mais amère des cénacles?
G. DUHAMEL, Défense des lettres, II, I, p. 108.

3 Le cénacle, c'est un nom ésotérique qui désigne simplement l'entourage d'un poète qui reçoit.
A. THIBAUDET, Hist. de la littérature franç., p. 178.

DÉR. **Cénaculaire.**

**CÉNACULAIRE** [senakylɛʀ] adj. — 1891; de *cénacle.*
Didact. Propre à un cénacle.

1 (...) mais cet art *(français)* même et cette littérature, demeurés tout cénaculaires, sont inconnus à nos derviches hurleurs.
R. DE GOURMONT, le Joujou patriotisme, 62, *in* D. D. L. II, 7.

2 (...) un groupe fervent et cénaculaire de jeunes écrivains dispersés maintenant dans les entrecolonnements bréneux de la presse à quinze centimes.
Léon BLOY, le Désespéré, p. 12.

**CENDRE** [sɑ̃dʀ] n. f. — Déb. XII^e; du lat. *cinis, -eris.*

♦ **1** *(La cendre; les, des cendres).* Résidu pulvérulent de la combustion de certaines matières. *De la cendre de bois, de papier. De la cendre chaude, froide, grise; des cendres chaudes. Cendre de charbon incomplètement brûlée.* → **Escarbille, fraisil.** *Odeur de cendre. Secouer, enlever les cendres, la cendre d'un poêle* (→ **Cendrier, garde-cendre).** *Couvrir un feu de cendre,* pour l'entretenir, le faire durer. *Le feu couve, dort sous la cendre. Faire cuire des châtaignes sous la cendre.*

1 (...) je me charge de vous le faire cuire sous la cendre sans goût de fumée.
G. SAND, la Mare au diable, VIII, p. 70.

2 (...) puis, le dîner étant fini, la vaisselle en ordre et la porte bien close, elle enfouissait la bûche sous les cendres et s'endormait devant l'âtre (...)
FLAUBERT, Trois contes, «Un cœur simple», I.

3 (...) la dernière flamme d'un feu sous la cendre, qui avait peut-être attendu ce soir pour achever de mourir.
MARTIN DU GARD, les Thibault, t. VI, p. 160.

4 Ils *(les mathématiciens)* se jettent alors dans l'action parce que la méditation n'a plus à leur narine qu'une odeur de cendre froide.
G. DUHAMEL, Chronique des Pasquier, III, IV, p. 44.

Spécialt. *La cendre d'une cigarette, d'un cigare. Attention, ta cendre va tomber. Mets ta cendre dans le cendrier.*

4.1 – Ah! ah! s'écria sir Henry Clifton, en secouant, par contenance, avec son petit doigt, la cendre de son cigare.
VILLIERS DE L'ISLE-ADAM, Tribulat Bonhomet, p. 55.

Par métaphore, fig. (En parlant d'une passion qui couve). *C'est un feu caché sous la cendre, un feu qui couve sous la cendre.*

5 Sous les cendres de cette tranquillité, couvait plus d'un tison ardent.
Th. GAUTIER, Fortunio, La toison d'or, I.

6 (...) il avait la révélation de ce feu caché sous la cendre, toujours prêt à s'embraser; et il mesurait la vanité de ses prétentions éducatrices.
MARTIN DU GARD, les Thibault, t. I, p. 292.

Géol. *Cendres volcaniques :* matières volcaniques analogues aux laves. → **Lapilli, lave.** *Cendre utilisée en agriculture, comme engrais. Cendre de végétaux terrestres.* → **Potasse.** *Cendre de végétaux marins, de varech.* → **Soude; charrée.** *Cendre de houille,* servant à l'amendement des terres. — Techn. *Cendre noire* (lignite), *cendre bleue* (cuivre azuré), *cendre verte* (carbonate de cuivre) : couleurs. — *Cendre gravelée :* résidu de la combustion du tartre brut ou lie de vin et servant surtout en teinture.

Techn. (orfèvrerie). Matière pulvérulente. *Cendre d'orfèvre :* poussière, débris résultant du travail de métaux précieux — *Lavage des cendres pour en extraire les parties solubles.* → **Lixiviation.**

Par anal. *Cendre de plomb :* plomb de chasse très fin. → **Cendrée.**

Résidu, déchet (radioactif). *Cendres radioactives.* «*Les scientifiques veulent ainsi étudier les effets à long terme de l'entreposage, dans le granit, de "cendres" nucléaires...*» (*Sciences et Avenir,* n° 379, sept. 1978, p. 9).

♦ **2** [a] EN CENDRES. (En parlant d'une ville, d'un pays). *Mettre, réduire en cendres.* → **Anéantir, détruire.** *L'incendie a réduit sa maison en cendres.*

Sans lui déjà nos murs seraient réduits en cendre. 7
RACINE, Alexandre, I, 1.

[b] *Les cendres :* les restes d'un édifice détruit par le feu. *Les cendres d'une ville, d'un monument.* → **Ruine.**

Je traversai ce monceau de ruines et de cendres qui avait été autrefois l'opulent Phanar (...) 8
LOTI, Aziyadé, Azraël, II, p. 226.

[c] Loc. fig. *Renaître de ses cendres* (→ **Renaître; phénix).**

Une autre Rome sort des cendres de la première. 9
BOSSUET, Hist., III, 1, *in* LITTRÉ.

L'État renaît pour ainsi dire de sa cendre. 10
ROUSSEAU, Du contrat social, II, 8.

♦ **3** (Fin XII^e). *Les cendres.* [a] Ce qu'il reste d'un cadavre* après qu'on l'a incinéré. *Recueillir les cendres de quelqu'un dans une urne* (→ **Columbarium).**
Par ext. *Les cendres des morts.* → **Reste.** *Les cendres de l'Empereur.*

(...) Les pleurs que son amour aurait dus à ma cendre! 11
RACINE, Mithridate, II, 3.

Thiers proposa tout de suite de ramener de Sainte-Hélène 12
les restes de l'empereur (...) Le retour des cendres ébranla les imaginations.
J. BAINVILLE, Hist. de France, XIX, p. 466.

[b] Fig. La mémoire (d'un mort). *Honorer les cendres des morts. Paix à ses cendres! Il ne faut pas remuer, troubler les cendres des morts :* il ne faut pas mettre en cause les actions de ceux qui sont morts.

Par anal. *Les cendres du passé.* → **Débris, reste.** *Remuer les cendres du passé.* → 1. **Souvenir** (se).

De tout ce qui fut nous presque rien n'est vivant; 13
Et, comme un tas de cendre éteinte et refroidie
L'amas des souvenirs se disperse à tout vent!
HUGO, les Rayons et les Ombres, XXXIV.

Il y a dans l'extrême jeunesse des années entières, de longues années, dont toute la cendre, hélas, tiendrait dans un médaillon de femme. 14
E. FROMENTIN, Une année dans le Sahel, p. 84.

♦ **4** Relig. ou littér. *La cendre :* symbole de la mortification, de la pénitence. *Faire pénitence avec le sac et la cendre* (par allus. à la coutume hébraïque de se répandre de la cendre sur la tête en signe de repentir). → **Pénitence.**

Tamar répandit de la cendre sur sa tête (...) 15
BIBLE (SEGOND), II, Samuel, XIII, 19.

À ces vains ornement, je préfère la cendre (...) 16
RACINE, Esther, I, 4.

Liturg. cathol. *Les Cendres :* symbole de la dissolution du corps, avec lesquelles le prêtre trace une croix sur le front des fidèles le premier jour du carême, le *Mercredi des Cendres. La cérémonie des Cendres.* — REM. Quand *les Cendres* désignent la liturgie, le mot s'écrit avec une majuscule. Quand il désigne matériellement les cendres utilisées dans cette liturgie, avec une minuscule : *recevoir les cendres* (→ Poussière). *Les cendres sont obtenues en faisant brûler les linges d'autel, le buis bénit.*

DÉR. **Cendré, cendrée, cendrer, cendreux, cendrier, cendrillon.** ◊ HOM. Formes du v. **cendrer.** — 1. **Sandre,** 2. **sandre.**

**CENDRÉ, ÉE** [sɑ̃dʀe] adj. — 1314; de *cendre.*

♦ **1** Qui a la couleur grisâtre de la cendre. *Un gris cendré.*

Qui contient des nuances de gris. *Cheveux cendrés, d'un blond* cendré. Elle a les cheveux blond-cendré.*

Donc votre mari, qui ne l'était pas encore à ce moment-là, préférait à Athénaïs sa femme de chambre d'un blond cendré — car il faut vous dire qu'à ce moment-là il les aimait d'un blond cendré, je peux peut-être me risquer à dire d'un blond fauve, ce ne serait pas exagéré.
PROUST, Jean Santeuil, Pl., p. 467.

(1817). Astron. *Lumière cendrée :* lumière pâle, bleuâtre, éclairant faiblement la partie de la lune qui ne reçoit pas la lumière solaire et correspondant à la réfraction de la lumière renvoyée par la Terre.

♦ **2** Recouvert de cendrée*. *Piste de stade cendrée.*

♦ **3** N. m. *Cendré d'Aisy** (fromage affiné à la cendre).

**CENDRÉE** [sɑ̃dʀe] n. f. — Fin XIIe, «cendres du foyer»; de *cendre.*

♦ **1** Techn. Écume de plomb. → **Massicot.**

♦ **2** (1680). Petit plomb pour la chasse du menu gibier, pour le lestage de lignes de pêche. → **Cendre** (de plomb).

♦ **3** (1907, *in* Petiot). Mélange de mâchefer et de sable aggloméré revêtant une piste de course. *La cendrée est en général remplacée par des revêtements synthétiques* (→ 2. Tartan, rubkor...). *Piste en cendrée.* — Cette piste.

Sa foulée agile, merveille de finesse, si perçante que je l'imaginais laissant sur la cendrée une trace pointue (...)
MONTHERLANT, les Olympiques, 1924, p. 286, *in* T. L. F.

**CENDRER** [sɑ̃dʀe] v. tr. — 1588; de *cendre.*

♦ **1** Techn. Donner une couleur de cendre; rendre grisâtre, cendré. *Cendrer un mur.*

♦ **2** (1784). Couvrir de cendre.

**CENDREUX, EUSE** [sɑ̃dʀø, øz] adj. — V. 1210; de *cendre.*

♦ **1** Qui a l'aspect, la couleur de la cendre. *Un teint cendreux.*

(...) un insecte écarlate, occupé à dévorer ce visage cendreux.
SARTRE, l'Âge de raison, I, p. 20.

♦ **2** Qui contient de la cendre. *Sol cendreux.*

♦ **3** Techn. *Métal cendreux,* qui prend mal le poli.

**CENDRIER** [sɑ̃dʀije] n. m. — Av. 1236, «linge contenant des cendres, pour couler la lessive»; sens 1, en 1620; de *cendre.*

♦ **1** Techn. Partie (d'un four, d'un poêle) généralement mobile, où tombent les cendres du foyer. *Le cendrier d'un poêle, d'une cuisinière,* en forme de tiroir. *Vider le cendrier.* — Spécialt. *Cendrier de foyer :* espace libre, situé au-dessous du foyer d'une locomotive à vapeur, où tombent les escarbilles, les cendres.

♦ **2** (1890). Cour. Petit récipient ou plateau destiné à recevoir les cendres de cigarettes, de cigares, de pipe. *Cendrier de cristal, de métal, de porcelaine. Cendrier publicitaire, de café. Cendrier de bureau. Cendrier sur pied. Vider les cendriers.*

Puis voyant que M. Guéraud-Houssin ne reprenait pas immédiatement la parole, il alla au cendrier et fit tomber la cendre de sa cigarette pour lui en donner le temps.
PROUST, Jean Santeuil, Pl., p. 717.

**CENDRILLON** [sɑ̃dʀijɔ̃] n. f. — 1697; nom d'une héroïne d'un conte de Perrault qui était obligée de rester près de l'âtre pour faire la cuisine; de *cendre.*

Vieilli. Servante maltraitée; souillon. *C'est la cendrillon de la maison,* en parlant d'une jeune fille, d'une femme qui doit assurer les travaux pénibles d'une maison. *Elle est habillée comme une cendrillon.*

**CÈNE** [sɛn] n. f. — Fin Xe, «repas du Christ la veille de la Passion»; lat. *cena* «repas du soir».

♦ **1** Relig. *La Cène :* repas que Jésus-Christ prit avec ses apôtres la veille de la Passion et au cours duquel il institua l'Eucharistie (→ **Cénacle**). — Liturgie chrét. Cérémonie du Jeudi saint. *Célébrer la Cène.* → **Jeudi** (saint); **messe.** *Au cours de la commémoration de la Cène, l'évêque catholique sert les pauvres après leur avoir lavé les pieds.* — Communion (spécialt, communion sous les deux espèces, dans la liturgie protestante). *Faire la Cène.* → **Eucharistie.**

♦ **2** (1704). Arts. Représentation de la Cène. *La Cène de Léonard de Vinci. Une cène* (sans majuscule). — (Rare au plur.). *Des cènes du XVIIe siècle.*

HOM. **Saine, scène, seine, sen.**

**-CÈNE** Élément savant, du grec *kainos* «récent» (ex. : *éocène, oligocène*).

**CENELLE** [sənɛl] n. f. — 1165; orig. obscure, p.-ê. du lat. pop. *acinella, de *acinus* «baie»; les hypothèses d'une orig. celtique par l'ancien cornique *kelin* et le breton «houx» ou le moyen irlandais *scian* «couteau», sont loin d'être convaincantes.

Baie rouge de l'aubépine et du houx.

Elle devint rouge comme une cenelle (...)
G. SAND, François le Champi, XXI, p. 147.

DÉR. **Cenellier.**

**CENELLIER** [sənelje] n. m. — 1878, *cénalé;* 1882, *cinaillier;* de *cenelle.*

Régional (Centre; Canada). Aubépine. — REM. On écrit aussi *senellier.*

**CÉNESTHÉSIE** [senɛstezi] n. f. — 1838; du grec *koinos* «commun», et *aisthésis* «sensibilité», → -esthésie.

Didact. Impression générale, sentiment global d'aise ou de malaise résultant de l'ensemble des sensations internes, indépendamment de leur spécificité. *La cénesthésie est «la sensation de notre propre existence»* (Richet).

REM. La graphie *cœnesthésie* est archaïque.

En effet, la nécessité, généralement incontestée, de reconnaître aux faits de la vie psychique des corrélations organiques fait souvent donner comme substrat au sentiment de personnalité la cénesthésie, ou sensibilité du corps propre. 1

Qu'à deux moments ou à deux périodes de son existence un individu ait peine à se reconnaître comme le même, c'est sa cénesthésie qui a changé; et cette explication commode a sans doute contribué pour beaucoup, naguère, à faire admettre, et même a fait surgir, la suggestion aidant, les cas aujourd'hui introuvables de double ou triple personnalité.
Henri WALLON, les Origines du caractère chez l'enfant, p. 179-180 (1949).

2 Il respira un bon coup pour s'équilibrer la cénesthésie et de nouveau la voix se fit entendre; la voix disait :
— Une cigarette, je vous prie.
R. QUENEAU, le Chiendent, p. 332.

DÉR. **Cénesthésique.** ◊ COMP. V. **Cénesthopathie.**

**CÉNESTHÉSIQUE** [senɛstezik] adj. — 1898, in *l'Année biol.*; de *cénesthésie.*

Didact. Relatif à la cénesthésie. *Sensation cénesthésique* ou sensation organique.

*(Les illusions, dans les délires d'influence)* qu'il paraît possible d'attribuer, comme à leur cause essentielle et immédiate, à des troubles cénesthésiques et sensoriels : voix dans le ventre, dans la poitrine, dans la tête et d'aventure dans les oreilles. Soi-disant hallucinations cénesthésiques ou auditives.
Henri WALLON, les Origines du caractère chez l'enfant, p. 180 (1949).

**CÉNESTHOPATHE** [senɛstɔpat] adj. et n. — 1946; de *cénesthopathie.*

Psychiatrie. Qui est atteint de cénesthopathie. — N. *Un, une cénesthopathe.*

**CÉNESTHOPATHIE** [senɛstɔpati] n. f. — 1907, Dupré, in Garnier-Delamare; du rad. de *cénesthésie*, et *-pathie.*

Psychiatrie. Trouble de la cénesthésie.

*(Dans la cénesthopathie)* le malade perd la sensation de l'existence de son corps ou de sa pensée. Il a l'impression d'être mort. Ses membres, ou sa tête, ou ses organes lui paraissent comme une matière inerte, comme du bois, ou encore il a l'impression que son cerveau est mort, qu'il ne pense plus. H. BARUK, Psychoses et Névroses, p. 29.

DÉR. **Cénesthopathe, cénesthopathique.**

**CÉNESTHOPATHIQUE** [senɛstɔpatik] adj. — XX$^e$; de *cénesthopathie.*

Psychiatrie. De la cénesthopathie. *Troubles cénesthopathiques associés à la mélancolie anxieuse.*

**CÉNO-** → **Cœno-.**

**CÉNOBIAL, ALE, AUX** [senɔbjal, o] adj. — 1848; lat. chrét. *cœnobialis* «relatif au monastère», de *cœnobia.* → Cénobie.

Didact. Relatif aux monastères, aux cénobites.

**CÉNOBIE** [senɔbi] n. f. — 1801; lat. ecclés. *cœnobia*, plur. neutre de *cœnobium* «communauté», puis «monastère».

Didact., rare. Lieu où vivent des cénobites.

**CÉNOBITE** [senɔbit] n. m. — XIII$^e$; lat. ecclés. *cœnobita*, de *cœnobium* «monastère», grec *koinobion* «vie en commun».

Didact. (relig.). Religieux* qui vit en communauté, en parlant des communautés chrétiennes primitives (opposé à *anachorète, ermite*). → **Moine** (→ Brume, cit. 5).

1 Anachorètes et cénobites vivaient dans l'abstinence (...)
FRANCE. → Abstinence, cit. 1.

2 Le pauvre petit jetait sur ce lit de cénobite un regard que son hôte comprit, car il l'engagea à se coucher, le couvrit de la soutane et l'arrangea de son mieux, sur l'herbe sèche.
Louise MICHEL, la Misère, t. I, p. 83.

Fig. *Vivre en cénobite :* vivre dans la retraite, d'une façon austère; par ext., vivre seul.

DÉR. **Cénobitique, cénobitisme.**

**CÉNOBITIQUE** [senɔbitik] adj. — 1586; de *cénobite.*

♦ **1** Didact. (relig.). Relatif aux cénobites (opposé à *anachorétique, érémitique*). *Vie cénobitique. Mœurs cénobitiques.* → **Ascétique.**

♦ **2** Fig., littér. (Rare). Austère.

**CÉNOBITISME** [senɔbitism] n. m. — 1833, G. Sand; de *cénobite.*

♦ **1** Didact. (relig.). Genre de vie des cénobites (opposé à *anachorétisme, érémitisme*).

♦ **2** Fig., littér. (Rare). Vie austère et retirée.

**CÉNOCYTE** [senɔsit] n. m.; **CÉNOCYTIQUE** [senɔsitik] adj. → **Cœnocyte; cœnocytique.**

**CÉNOMANIEN** [senɔmanjɛ̃] n. m. — 1852, d'Orbigny; lat. *Cenomanni* «Le Mans», capitale des *Cénomans.*

Géol. Étage inférieur du crétacé* supérieur.

**CÉNOTAPHE** [senɔtaf] n. m. — 1501; bas lat. *cenotaphium*, grec *kenotaphion* «tombeau vide», de *kenos* «vide», et *taphos* «tombeau».

Didact. ou littér. Tombeau élevé à la mémoire d'un mort, et qui ne contient pas son corps. → **Sarcophage, sépulcre, tombeau.** *Élever un cénotaphe.*

**CÉNOZOÉCIE** [senozɔesi] n. f. → **Zoécie.**

**CÉNOZOÏQUE** [senozɔik] adj. et n. m. — 1924; angl. *cœnozoic* (1841); de *ceno-* (→ Cœno-), et *-zoïque.*

Didact. (géol.). *Ère cénozoïque*, réunissant l'ère tertiaire (ou *néozoïque*) et l'ère quaternaire. — N. m. *Le cénozoïque :* l'ère cénozoïque.

**CENS** [sɑ̃s] n. m. — 1190; du lat. *census* «recensement». Histoire.

♦ **1** Antiq. rom. Dénombrement* des citoyens romains et évaluation de leur fortune effectués tous les cinq ans par les censeurs en vue de la répartition de l'impôt. *Faire, établir le cens* (→ Censeur, cit. 0.1).

Servius Tullius, successeur de Tarquin, établit le cens. 1
BOSSUET, Disc. sur l'Hist. universelle, I, 7.

♦ **2** (Sous le régime féodal). Redevance* fixe que le possesseur d'une terre payait au seigneur du fief. → **Champart** (→ Antiquité, cit. 5). *Relatif au cens.* → **Censuel.** *Terre assujettie au cens.* → **Censive.**

Les Vaudois prirent à cens les héritages des environs. 2
VOLTAIRE, Essai sur les mœurs, 138.

Les terres sont données à *cens*, c'est-à-dire moyennant un fermage fixe (...) 3
Pierre GAXOTTE, Hist. des Français, I, IX, p. 313.

♦ **3** (1830). Quotité d'imposition nécessaire, sous certains régimes, pour être électeur ou éligible (→ **Censitaire, 2.**). *Le cens électoral. Élever, abaisser le cens. La révolution de 1848 a supprimé le cens en France.*

Sur 800 députés, les républicains avancés ne furent pas une centaine; la plupart des élus auraient eu le cens requis sous Louis-Philippe pour être candidats. 4
Pierre GAXOTTE, Hist. des Français, XXV, p. 458.

DÉR. et COMP. **Censier, censitaire. Recensement.** V. 2. **Accense.** ◊ HOM. **Sens.**

**CENSÉ, ÉE** [sãse] adj. — 1611 ; p. p. de l'anc. v. *censer* «censurer, réformer» ; du lat. *censere* «estimer, juger».

Qui est supposé, réputé (suivi d'un infinitif, sauf s'il s'agit du verbe *être*, qui peut être élidé). → **Présumé.** *Il est censé arriver aujourd'hui :* il est admis qu'il arrive (arrivera) aujourd'hui. *Il est censé réussir :* on suppose, par hypothèse*, qu'il va réussir. *«Celui qui est trouvé avec les coupables est censé complice»* (Académie), censé être complice. *Il est censé être à Paris. — Tous les chemins sont censés mener à Rome. Je n'étais pas censé, elle n'est pas censée le savoir.*

1 Chacun fut de la foi censé juge infaillible (...)
BOILEAU, Satires, 12.

2 (...) le ministre (...) va, deux ans encore, *assister* avec amertume aux événements qu'*il est censé diriger.*
Louis MADELIN, Talleyrand, II, XV, p. 165.

3 Nul n'est, en principe, censé ignorer la loi. Autrement dit, la loi régulièrement publiée est réputée connue de tous — hormis les cas de force majeure (...)
DALLOZ, Nouveau répertoire, Loi, 44.
(Cf. l'adage latin *Nemo censetur ignorare legem*).

DÉR. **Censément.** ◊ HOM. **Sensé.**

**CENSÉMENT** [sãsemã] adv. — 1852 ; de *censé.*

(Le mot est marqué : peu courant, il n'appartient pas toutefois au registre soutenu et son emploi relève la plupart du temps de l'hypercorrection). Selon ce que les apparences permettent de penser ; apparemment. *«C'est vous, censément, qui achetez, mais en réalité, c'est moi»* (Académie).

Il veut aller en Californie.
Et, aujourd'hui, si près du but, il se trouve encore une fois en face d'obstacles censément infranchissables.
B. CENDRARS, l'Or, *in* Œ. compl., t. II, p. 155.

HOM. **Sensément.**

**CENSEUR** [sãsœr] n. m. — V. 1213 ; lat. *censor.* → Censure.

♦ **1** Didact. Magistrat romain de l'antiquité chargé d'établir le cens*, et qui avait le droit de contrôler les mœurs des citoyens. *Marcus Porcius Caton, dit «le Censeur».*

0.1 Les censeurs, au nombre de deux, sont élus pour cinq ans (...) ils ont mission de recenser les citoyens et les biens, de façon à procéder au classement systématique de chacun d'après son «cens», c'est-à-dire sa fortune. Mais ils possèdent aussi une juridiction morale. Ils peuvent noter d'infamie qui ils veulent, en raison de sa conduite privée.
Pierre GRIMAL, la Civilisation romaine, p. 130.

♦ **2** (XVI^e). Class. et littér. Personne qui reprend, contrôle, critique, blâme les opinions, les actions des autres. → **Critique, juge.** *Un censeur sévère, injuste, malveillant, pointilleux. Un censeur équitable. S'ériger en censeur des actions d'autrui. Cette femme est un redoutable censeur ; elle s'érige en censeur.*

1 (...) je n'ai quasi jamais rencontré aucun censeur de mes opinions qui me semblât ou moins rigoureux ou moins équitable que moi-même.
DESCARTES, Discours de la méthode, VI.

2 Je voudrais bien savoir (...)
Ce que ces beaux censeurs en moi peuvent reprendre.
MOLIÈRE, l'École des maris, I, 1.

3 (...) depuis quelques jours, tout ce que je désire
Trouve en vous un censeur prêt à me contredire.
RACINE, Britannicus, III, 9.

Péj. Critique systématique, outrancier.

4 Tout babillard, tout censeur, tout pédant,
Se peut connaître au discours que j'avance (...)
LA FONTAINE, Fables, I, 19.

Fig. *La conscience est le censeur du moi.*

♦ **3** (1704, *censeur des livres*). Personne chargée par un gouvernement d'examiner les livres, les journaux, les revues, les œuvres théâtrales, cinématographiques, avant d'en autoriser la publication ou la représentation (→ **Censure**). *Il, elle est censeur. Censeur des journaux. Censeur dramatique :* censeur des pièces de théâtre.

(...) je puis tout imprimer librement, sous l'inspection de 5
deux ou trois censeurs.
BEAUMARCHAIS, le Mariage de Figaro, V, 3.

♦ **4** Fin. Celui qui est chargé de surveiller les opérations d'un établissement financier. *Les censeurs de la Banque de France.*

Syn. de : *commissaire aux comptes d'une société.*

♦ **5** (1802). Anciennt. En France, Personne qui était chargée, dans un lycée, de la surveillance des études, de la discipline (remplacé par *Proviseur adjoint*). *Madame le censeur.*

REM. Le fém. théorique *censeuse* [sãsøz] ne semble pas en usage.

CONTR. **Adulateur, apologiste.** ◊ DÉR. V. **Censorat, censorial.** → HOM. **Senseur.**

**CENSIER** [sãsje] adj. m. et n. m. — 1190, adj. ; de *cens.*

Droit féodal.

♦ **1** Qui perçoit ou doit un cens. *Seigneur censier* ou *censier,* n. m. *Fermier censier.* — REM. Le fém. *censière* [sãsjɛʀ] ne figure que dans les dictionnaires.

♦ **2** *Registre censier,* ou, n. m., *censier,* sur lequel étaient inscrites les contributions du cens.

Un mouvement de pulvérisation des cadres anciens de l'exploitation paysanne se mit ainsi lentement en marche, puis s'accéléra pendant le XII^e siècle. Il suffit, pour en mesurer l'ampleur, de comparer en France les censiers, c'est-à-dire les listes des tenures et de leurs charges, établis aux approches de l'an 1200 aux inventaires qu'avaient dressés les administrateurs des IX^e et X^e siècles.
Georges DUBY, Guerriers et Paysans, p. 210.

**CENSITAIRE** [sãsitɛʀ] n. m. et adj. — 1718, «censier» ; de *cens.*

♦ **1** N. m. Sous le régime féodal, Celui qui devait le cens* (2.) au seigneur du fief.

♦ **2** N. m. (1842). Hist. Celui qui paye le cens (3.) pour être électeur ou éligible. — Adj. *Électeur censitaire.* → **Contribuable.**

(...) les électeurs censitaires étaient moins maniables que d'autres, la candidature officielle ne pouvait rien sur eux (...) J. BAINVILLE, Hist. de France, XVIII, p. 445.

♦ **3** Adj. Qui est fondé sur le cens. *Suffrage censitaire.*

**CENSIVE** [sãsiv] n. f. — 1260 ; lat. médiéval *censiva* «terre assujettie au cens».

Dr. féodal. Territoire d'un fief assujetti au cens*. — Par ext. Redevance en argent ou en nature due par le fermier censier.

(...) sur les quartiers nouvellement mis en culture aux lisières des terroirs, proliféraient deux nouveaux types de tenures, la censive et la tenure à champart.
Georges DUBY, Guerriers et Paysans, p. 235.

**CENSORAT** [sãsɔʀa] n. m. — 1878 ; de *censeur,* et suff. *-orat,* d'après le lat. *censor.*

♦ **1** Antiq. rom. Temps d'exercice de la fonction de censeur.

♦ **2** Mod. Fonction de censeur dans un lycée.

**CENSORIAL, ALE, AUX** [sɑ̃sɔʀjal, o] adj. — 1760; dér. du rad. du lat. *censorius*, et suff. *-al*, p.-ê. d'après l'angl. *censorial*, de *censor* «censeur».

Didact. Relatif à la censure, aux censeurs. *Loi censoriale.*

**CENSUEL, ELLE** [sɑ̃sɥɛl] adj. — 1266; lat. *censualis*, de *census*. → Cens.

Dr. féodal. Relatif au cens. — *Terre censuelle*, soumise au cens.

HOM. **Sensuel.**

**CENSURABLE** [sɑ̃syʀabl] adj. — 1656, Pascal; de *censurer*.

♦ **1** Littér. Qui peut être censuré; qui mérite d'être censuré (1.). *Conduite censurable.*

♦ **2** Qui peut être soumis à la censure, à une censure (3.).

**CENSURE** [sɑ̃syʀ] n. f. — 1387; lat. *censura* «charge de censeur», de *censor*. → Censeur.

♦ **1** Antiq. rom. Dignité, charge de censeur*. *La censure de Caton.*

♦ **2** (Mil. XVIe). Vieilli ou littér. Action de reprendre, de critiquer les paroles, les actions, les ouvrages de qqn. → **Animadversion, blâme, condamnation, critique, improbation, réprobation** (→ Aigre, cit. 11). *S'exposer à la censure de son entourage.*

1 Tous les autres vices des hommes sont exposés à la censure (...)
MOLIÈRE, Dom Juan, V, 2.

2 La maladresse des louanges que j'ai voulu donner m'a fait plus de mal que l'âpreté de mes censures.
ROUSSEAU, les Confessions, XI, p. 91.

Réprimande publique. → **Censurer.**

♦ **3** (1829). Mod. Examen exigé par le pouvoir des œuvres littéraires, cinématographiques, de la presse, des émissions télévisées, avant d'en autoriser la publication, la diffusion. *Établir, abolir la censure. Soumettre à la censure. Censure théâtrale, diplomatique. Censure de guerre. Le contrôle de la censure. Commission de censure. Loi de censure.* → **Censorial.** *Les ciseaux de la censure*, ou (loc. fam.), *les ciseaux d'Anastasie.*

2.1 La censure est mon ennemie littéraire, la censure est mon ennemie politique. La censure est de droit improbe, malhonnête et déloyale. J'accuse la censure.
HUGO, Correspondance, 1830, p. 465, *in* T. L. F.

3 La censure de guerre, qui nous a paru si naturelle, faisait, en 1830, crier à un attentat contre la liberté.
J. BAINVILLE, Hist. de France, XVIII, p. 453.

Par métonymie. Ensemble des personnes (→ **Censeur**) chargées de délivrer ces autorisations. *Lettre ouverte, arrêtée par la censure. Caviarder* un écrit interdit par la censure.*

(XVIIe). Relig. Condamnation après examen (d'une opinion, d'un texte relatifs au dogme). *Censure ecclésiastique.* → **Imprimatur.** — *Mesure disciplinaire prononcée par l'Église contre un de ses membres. Encourir les censures ecclésiastiques.* → **Excommunication, index, interdit, monition, peine** (disciplinaire), **suspense.**

♦ **4** (XXe). Polit. Sanction défavorable à la politique d'un gouvernement, prononcée par une assemblée par l'intermédiaire d'un vote. Loc. *Voter la censure. Motion** (cit. 3) *de censure.*

♦ **5** (1927). Psychan. (selon la théorie freudienne). Refoulement dans l'inconscient des éléments de la vie psychique que la société, les parents (ou leur image; → **Surmoi**) ne tolèrent pas. *C'est la censure qui empêche qu'on se souvienne de certains rêves.*

La théorie de l'inconscient engendrait celle du *refoulement*, 4
puis celle de la *censure* qui conduisait bientôt leur auteur sur ce qu'il allait nommer «la voie royale de l'inconscient» : le rêve.
G. BAUËR, les Billets de Guermantes, Août 1936, p. 84.

CONTR. **Adulation, apologie, approbation, éloge, exaltation, flatterie, louange, panégyrique. — Liberté.** ◇ DÉR. **Censurer.** → COMP. **Autocensure.**

**CENSURER** [sɑ̃syʀe] v. tr — 1518; de *censure*.

♦ **1** Vieilli. Reprendre, critiquer (les paroles, les actions des autres). → **Blâmer, critiquer.** *Censurer la conduite de qqn. Censurer les actions d'autrui* (cit. 3). Rare. *Censurer qqn de qqch.*, le critiquer à propos de qqch.

Socrate un jour faisant bâtir, 1
Chacun censurait son ouvrage.
L'un trouvait les dedans, pour ne lui point mentir,
Indignes d'un tel personnage;
L'autre blâmait la face, et tous étaient d'avis
Que les appartements en étaient trop petits.
LA FONTAINE, Fables, IV, 17.

(...) La sévérité de ces femmes de bien 2
Censure toute chose, et ne pardonne à rien (...)
MOLIÈRE, Tartuffe, I, 1.

Je montrai ce barbouillage à Mme de Merveilleux, qui, au 3
lieu de me censurer comme elle aurait dû faire, rit beaucoup de mes sarcasmes (...)
ROUSSEAU, les Confessions, IV, p. 218.

♦ **2** (1656, relig.) Mod. Interdire la publication intégrale de (un livre, un périodique), ou une représentation théâtrale ou cinématographique, une émission de radio, de télévision (le sujet désigne l'autorité administrative chargée de la censure). *Censurer un journal, une pièce de théâtre.* (→ **Caviarder, taillader**). — Par ext. Exercer un contrôle sur (un écrit, une œuvre soumise au public). *Les autorités ont prétendu censurer son discours. Le journal ne prendra votre article qu'en censurant, que si vous censurez ce passage.* — Pron. *Il a refusé de se censurer* (→ Autocensure).

(Le sujet désigne l'autorité ecclésiastique). Condamner une personne, une doctrine. → **Défendre, interdire.** *Censurer un livre, une proposition.*

♦ **3** (1835). Dans certains corps constitués, Réprimander publiquement. → **Blâmer.** *Censurer un avocat, un député. La Cour a censuré deux de ses membres* (Académie).

*Censurer le gouvernement* : voter une motion* de censure (→ **Censure, 4.**).

Psychan. Refouler par la censure* (5.).

◆ **CENSURÉ, ÉE** p. p. adj. Vx. *Conduite sévèrement censurée.* Mod. *Journal, pièce, film, émission censuré(e)*, interdit(e) ou modifié(e), coupé(e) par la censure. *Censuré* : mot remplaçant, dans certains cas, le passage supprimé par la censure.

Par ext. *Auteurs censurés.*

CONTR. **Aduler, approuver, encenser, exalter, flatter, louanger, louer, préconiser, prôner, vanter.** ◇ DÉR. **Censurable.** → COMP. **Autocensurer.**

1. **CENT** [sɑ̃] adj. et n. m. — 1080; du lat. *centum.*

REM. (Phonét.) Le *t* est prononcé quand l'adjectif *cent* est suivi d'un nom commençant par une voyelle (ex. : *cent ans* [sɑ̃tɑ̃]). Il est muet, suivi d'un numéral (ex. : *cent un* [sɑ̃œ̃]).

**I** Adj. numéral cardinal invariable sauf quand il est précédé d'un nombre qui le multiplie et n'est pas suivi d'un autre nombre cardinal. *Cent hommes. Deux cents mètres. Cinq cent trois francs. Deux cent mille. Deux cents milliers.* ♦ **1** Qui est formé par la réunion de dix dizaines d'unités. → **Hecto-; hectare, hectogramme, hectolitre, hectomètre, hectopièze, hectowatt.** *Cent kilogrammes.* → **Quintal.** *Qui vaut cent fois autant* (→ **Centuple**), *cent fois plus* (→ **Centuple** [au]). *Qui vaut cent fois moins.* → **Centième.** *Unité cent fois plus petite que l'unité première.* → **Centi-; centigrade, centigramme, centilitre, centime, centimètre, centipièze, centisthène...** *Qui est divisé en cent parties.* → **Centésimal.** *Onze cents, treize cents :* mille cent, mille trois cents. *Sacrifice antique de cent animaux.* → **Hécatombe.** *Durée de cent ans.* → **Siècle.** *Qui a cent ans, qui revient tous les cent ans.* → **Centenaire, centennal.** *Des vieux entre soixante-dix et cent ans* (→ Centenaire, cit. 3). *Les Cent-Jours :* règne de Napoléon après son retour de l'île d'Elbe. *Chef, groupe de cent hommes.* → **Centenier, centurie.** *Membre du collège des cent jurés de l'ancienne Rome.* → **Centumvir.** *Le Conseil des Cinq-Cents :* assemblée du Directoire.

1 Nous partîmes cinq cents; mais par un prompt renfort
Nous nous vîmes trois mille en arrivant au port (...)
CORNEILLE, le Cid, IV, 3.

2 La Suède et la Finlande composent un royaume large d'environ deux cents de nos lieues, et long de trois cents.
VOLTAIRE, Hist. de Charles XII, 1.

3 (...) il est de toutes les contrebandes, aussi bien de celles qui rapportent un salaire convenable que des autres où l'on risque la mort pour cent sous.
LOTI, Ramuntcho, II, IX, p. 264.

*Courir un cent mètres,* une course (→ **Sprint**) sur une longueur de cent mètres. Fam., par ext. *Piquer un cent mètres :* courir très vite sur une courte distance (d'environ cent mètres). → Piquer un sprint*.

♦ **2** Un grand nombre (indéterminé). → Trente-six, mille. *Cent fois mieux. Cent fois pire. Avoir cent fois raison,* tout à fait raison. *On vous l'a répété cent et cent fois. Il vous contera cent et une histoires. Il y en a plus de cent à qui cela est arrivé. Faire les cent pas* (1. Pas, cit. 7). *Faire les cent coups, les quatre cents coups. Être aux cent coups.* → **Coup.** — Vieilli. *Je vous le donne en cent :* essayez tant que vous voudrez, vous n'y arriverez pas (→ **Mille :** je vous le donne en mille). — *En un mot comme en cent :* sans qu'il soit nécessaire de répéter, d'expliquer. → **Bref.** — Fam. *Cent sept ans. Durer cent sept ans. Attendre cent sept ans,* très longtemps, indéfiniment.

4 Après avoir tourné le cas
En cent et cent mille manières,
*(Les avocats)* Y jettent leur bonnet, se confessent vaincus (...)
LA FONTAINE, Fables, II, 20.

5 (...) En un mot comme en cent,
On ne voit point mon père.
RACINE, les Plaideurs, II, 11.

6 Cent et cent fois j'avais fait, défait et refait la même page. De tous mes écrits, c'est celui *(Les Martyrs)* où la langue est la plus correcte.
CHATEAUBRIAND, Mémoires d'outre-tombe, II, V.

♦ **3** Adj. numéral ordinal invariable. → **Centième.** *Page cent :* page centième. *Le numéro quatre cent :* le quatre centième numéro.

Fam. *Le numéro cent,* et, absolt, *le cent :* les cabinets (notamment dans les hôtels, les restaurants de campagne).

*Cela est arrivé en mil sept cent :* en la mil sept centième année.

**II** N. m. ♦ **1** Invar. Le nombre cent. *Cent en chiffres arabes* (100), *en chiffres romains* (C). *Compter jusqu'à cent. Les multiples de cent. Le produit de cent multiplié par cent. Cent fois cent. Il y a cent à parier. Parier cent contre un.*

7 (...) il y a toujours cent contre un à parier, en France, qu'une chose quelconque ne durera pas : c'est à l'instant que le gouvernement paraît le mieux assis qu'il s'écroule.
CHATEAUBRIAND, Mémoires d'outre-tombe, IV, 5.

D'ailleurs, il y a cent à parier qu'il ne s'y passe rien du tout. LOTI, Mme Chrysanthème, VII, p. 61. 8

POUR CENT : pour cent unités. Abrév. : % (Précédé d'un nombre cardinal). Escompte, intérêt, profit qui est déterminé par chaque cent francs d'une somme avancée, gagnée, prêtée... → **Pourcentage.** *Gagner tant pour cent. Gagner cent pour cent sur un objet,* le revendre le double de son prix d'achat (→ Faire la culbute*). *Prêter son argent à cinq pour cent d'intérêt. De la rente à trois, quatre, cinq pour cent,* et, ellipt, *Du trois, du cinq pour cent :* nom désignant les rentes inscrites sur le Grand Livre de la Dette publique. *Acheter du trois pour cent.*

(1538). *Pour cent,* indiquant le rapport entre deux grandeurs dénombrables. *Cinquante pour cent des votants.* — REM. Le verbe est dans ce cas au sing. ou au plur. *Cinquante pour cent des présents ont voté* ou *a voté.* — (En parlant d'une grandeur non dénombrable). *Vingt pour cent de la production nationale.*

Loc. (1924, calqué de l'angl. des États-Unis *one hundred per cent*). **(À) CENT POUR CENT :** complètement, entièrement. — Adj. Complet, total, intégral. *Il est antiaméricain à cent pour cent; c'est un antiaméricain cent pour cent.*

Faire de ces panthères des brebis, ça, c'était beau; c'était là qu'il fallait être fakir cent pour cent. 8.1
MONTHERLANT, le Démon du bien, p. 192.

(...) cette puanteur sournoise qui émanait de certains papiers signés par exemple : *Comtesse de X..., catholique cent pour cent.* 8.2
F. MAURIAC, Bloc-notes 1952-1957, p. 63.

(Précédant un adj.). Fam. Complètement, entièrement. *Une production cent pour cent française.*

♦ **2** Variable au pluriel : *cents.* → **Centaine.** *Un cent, deux cents d'œufs. Vendre, acheter au cent.* — *Faire un cent de piquet, un cent de dominos :* une partie en cent points.

Mais aussi je les vends cent dix sols le cent. 9
MOLIÈRE, le Médecin malgré lui, I, 5.

*(Elle)* Achetait un cent d'œufs, faisait triple couvée (...) 10
LA FONTAINE, Fables, VII, 10.

Vx. *Un cent :* un quintal (Flaubert, *in* T. L. F.).
Vieilli. *Un cent de soldats.* → **Centaine.**
Fam. *Avoir des mille et des cents. Gagner des mille et des cents,* beaucoup d'argent.

DÉR. **Centile, centime.** — V. **Centaine, centenaire, centième,** etc. ◊ COMP. **Cent dix, cent vingt,** etc. — V. **Centi-; cent cinquantenaire, cent-gardes, cent-suisses.** — **Cent-millième; cent-millionième; cent-milliardième** adj. et n. Qui vient à cet ordre (cent mille, cent millions, etc.); qui est divisé par cent mille, cent millions, etc. — N. m. :

Le Français Paul Villard reconnut, en 1900, que le rayonnement le plus pénétrant était composé d'ondes analogues à celles de la lumière, mais beaucoup plus courtes, puisqu'elles pouvaient descendre jusqu'au cent-milliardième de millimètre. Il fut baptisé *rayonnement gamma.* 11
Pierre ROUSSEAU, De l'atome à l'étoile, p. 25.

→ HOM. **Sang, sans;** formes du v. **sentir.**

2. **CENT** [sɛnt] n. m. — 1835; mot américain, «centième» (1782), et néerlandais.

Centième partie de l'unité monétaire de divers pays, spécialement du dollar, aux États-Unis (1786) et au Canada (1853), et du florin, aux Pays-Bas. *Une pièce de cinq, de dix cents, de vingt-cinq cents* (quarter).

On ne paye que pour la boisson : vingt-cinq *cents* (à peu près un franc vingt-cinq centimes).
L. SIMONIN, Voyage en Californie, *in* le Tour du monde, 1862, t. I, p. 7.

REM. Au Canada francophone, on dit aussi (fam.) *sou* et [sɛn] écrit *cenne* ou *cent,* n. f.

Pièce de monnaie valant un cent.

3. **CENT** [sɑ̃] n. m. — 1996; de *centième,* avec infl. de l'angl. *cent.* → 2. Cent.

Centième partie de l'euro. *Une pièce de dix cents.* — On emploie aussi *cent d'euro.* → Centime d'euro.

1. **CENTAINE** [sɑ̃tɛn] n. f. — 1170, *centeine;* du lat. *centena,* distributif de *centum.*

♦ **1** Arithm. Groupe de cent unités. *La centaine comprend dix dizaines.* — Unité du troisième ordre dans chaque classe de la numération décimale. *La colonne des centaines dans une addition. Une erreur dans les centaines. Centaine de mille.*

♦ **2** Groupe de cent personnes ou de cent objets. *Dix francs la centaine. Numéroter la première centaine d'exemplaires.*

Ensemble d'environ cent. *Une centaine d'années. Une centaine de francs. Inviter une centaine de personnes. Une bonne, une petite centaine.*

1 Pour exprimer l'idée de quantité d'une façon approximative, on peut se contenter de prendre un nom tel que *une douzaine, une vingtaine, une centaine,* qui ne signifie pas toujours *douze, vingt, cent;* ou bien on a recours à un adverbe spécial : *environ.*

F. BRUNOT, la Pensée et la Langue, III, VI.

→ Environ.

*Des centaines :* un grand nombre. *Je te l'ai dit des centaines de fois. Des centaines et des centaines de fourmis* (→ Blessé, cit. 6; brèche, cit. 3).

Loc. *À la centaine, par centaines :* en grande quantité.

2 Que vouliez-vous donc la belle.
Qu'est-ce donc que vous vouliez?
Des canons par centaines
Des fusils par milliers
Des canons des fusils par milliers

ARAGON, Chanson du siège de La Rochelle.

Spécialt. *La centaine :* l'âge de cent ans. *Atteindre la centaine.* → **Centenaire.**

2. **CENTAINE** [sɑ̃tɛn] n. f. — V. 1170; bas lat. *centena,* de *centum* «cent».

Techn. Brin qui lie ensemble tous les fils d'un écheveau.

**CENTAURE** [sɑ̃tɔʀ] n. m. — Fin XII^e; lat. *centaurus,* grec *kentauros.*

♦ **1** [a] Myth. Être fabuleux, moitié homme et moitié cheval. → **Hippanthrope, hippocentaure,** et aussi **bucentaure.** *Le combat des centaures et des Lapithes.*

1 (...) on chante le combat des centaures avec les Lapithes, et la descente d'Orphée aux enfers pour en retirer Eurydice.

FÉNELON, Télémaque, I, p. 11.

REM. Dans ce sens, on écrit souvent *Centaure* avec la majuscule.

2 Moi le Thessalien, Centaure, homme et cheval
J'ai bu le vin jailli de l'outre qu'on débouche (...)

H. DE RÉGNIER, Poèmes, «le Centaure».

Par ext. *Centaure femelle.* → **Centauresse.**

[b] (XIX^e). Fig. et littér. Cavalier habile et infatigable qui fait corps avec sa monture.

Par anal. Motocycliste.

♦ **2** (1732). Astron. *Le Centaure :* une des constellations de l'hémisphère austral. *Alpha du Centaure.*

DÉR. **Centauresse.** ◈ COMP. **Hippocentaure.**

**CENTAURÉE** [sɑ̃tɔʀe] n. f. — Déb. XIV^e; *centoire* encore au XVII^e; du lat. *centaurea,* du grec *kentauriê* «plante Centaure» : on attribuait la découverte des vertus des simples au centaure Chiron.

Plante dicotylédone *(Composées)* très répandue qui comprend de nombreuses espèces, dont l'une est appelée *bleuet*. Grande centaurée employée en médecine* (→ **Amer**). *Centaurée des montagnes à fleurs violacées. Petite centaurée à fleurs rouges.*

Et tous deux, à pas lents, nous cherchons, à l'aurore,
La pâle centaurée et la pomme de pin.

H. DE RÉGNIER, Poèmes, «le Centaure».

**CENTAURESSE** [sɑ̃tɔʀɛs] n. f. — 1838; *centaurelle,* 1732, Trévoux; de *centaure.*

Myth. Centaure femelle.

Et elle fit signe à une centauresse qui s'en allait vers la mer, et elle la fit enfourcher par Caunos (...) Caunos effaré se retenait aux épaules et parfois il s'engloutissait sous la monstrueuse chevelure. La centauresse galopait par bonds allongés et puissants; elle s'enfuyait en ligne droite.

Pierre LOUŸS, Bilitis, I.

**CENTAVO** [sɛntavo]; cour. [sɑ̃tavo] n. m. — XX^e; mot espagnol.

Centième partie de l'unité monétaire (→ **Centime**) dans des pays d'Amérique du Sud.

**CENT CINQUANTENAIRE** [sɑ̃sɛ̃kɑ̃tnɛʀ] n. m. — XX^e; de *cent cinquante.* → Cent, d'après *cinquantenaire.*

Cent cinquantième anniversaire.

On a repris récemment, en 1952, à l'occasion du cent cinquantenaire de la naissance de Hugo, la pièce fameuse *(Hernani).*

F. GREGH, l'Âge de fer, p. 90, *in* GREVISSE.

**CENTENAIRE** [sɑ̃tnɛʀ] adj. et n. — 1370, *(nombre) centenaire* «de cent»; lat. *centenarius.*

**I** ♦ **1** Adj. (1539). Qui a vécu au moins cent ans. *Un chêne centenaire.* → **Séculaire.**

(...) je n'ai jamais connu cette grille que tordue, arrachée au ciment de son mur, emportée et brandie en l'air par les bras invincibles d'une glycine centenaire. 1

COLETTE, la Maison de Claudine, éd. Flammarion, p. 147.

Qui dure depuis cent ans. *Possession centenaire.*

Par ext. Extrêmement vieux.

♦ **2** N. (1798). Plus cour. Personne âgée de cent ans. *Le village s'enorgueillit de deux centenaires. Une centenaire encore active.*

— Tu viens bien, mon Enfant, lui dit le *Centenaire;* justement j'en suis au plus hautes, et je sens que mes bras ne veulent plus s'étendre. 2

RESTIF DE LA BRETONNE, la Vie de mon père, p. 61.

(...) il ne se passait rien. Alors, on s'ennuyait. Et comme le temps ne passait pas, les vieillards ne mouraient pas. Il y avait vingt-huit centenaires dans la commune sans compter les vieux d'entre soixante-dix et cent ans, qui formaient la moitié de la population. 3

M. AYMÉ, la Jument verte, p. 8.

**II** (1867) N. m. Centième anniversaire (d'une personne, d'un événement). *Célébrer un centenaire. Le centenaire de la fondation d'une ville.* → aussi **Cent cinquantenaire.** *Le centenaire de la mort, de la naissance de X.*

COMP. **Bicentenaire, tricentenaire.**

**CENTENIER** [sɑ̃tənje] n. m. — 1284, «centurion»; 1534, «officier bourgeois»; lat. *centenarius* «centurion», de *centum.* → 1. Cent.

♦ **1** Didact. Officier romain qui commandait une troupe de cent hommes. → **Centurion.** *Jésus-Christ guérit le serviteur du centenier* (cf. Évangile selon St Matthieu, VIII, 5, Segond).

♦ **2** Hist. Chef de cent hommes de la garde bourgeoise, au XVI^e siècle.

En une bande de mille hommes y aura dix centeniers, qui auront chacun douze livres par mois.

Édit pour la levée de sept légions d'infanterie, *in* Recueil général des anciennes lois franç., XII, 391 (*in* D. D. L., II, 12.)

**CENTENNAL, ALE, AUX** [sɑ̃tenal, o; sɑ̃tɛnnal, o] adj. — 1874; du lat. *centum* «cent», et *annus* «année».

Rare. Qui se fait, revient tous les cent ans. *Exposition centennale.* N. f. *Une centennale :* une exposition centennale. → **Centenaire, II.**

**-CENTÈSE** Élément, du grec *kentêsis* «action de piquer», entrant dans la composition de mots employés en médecine. → **Amniocentèse, paracentèse, thoracentèse.**

**CENTÉSIMAL, ALE, AUX** [sɑ̃tezimal, o] adj. — 1804; dér. sav. du lat. *centesimus.*

Didactique.

♦ **1** Arithm. Phys. Dont les parties sont des centièmes. *Fraction centésimale. Calcul centésimal. — Division, échelle centésimale,* qui contient cent parties ou un multiple de cent. — *Degré centésimal :* chaque division de l'échelle. *Divisions centésimales d'un alcoomètre, d'un thermomètre centigrade. Degrés centésimaux d'une circonférence.*

♦ **2** Méd. Se dit d'une préparation homéopathique où le rapport entre les quantités de médicament et d'excipient utilisées est de 1/100^e. *Dilution, trituration centésimale* (→ **Dilution, trituration**). N. f. *Une centésimale :* une dilution, une trituration centésimale. *CH, symbole graphique de «Centésimal»* (centésimale hahnemannienne).

Soulignons qu'une 9^e centésimale hahnemannienne s'écrit : 0,000000000000000001, soit l'unité précédée de 18 zéros, et qu'à ce degré d'infinitésimalité un très grand nombre de molécules existe encore. Au delà de la 10^e centésimale hahnemannienne, les résultats montrent des fluctuations, puis, rapidement, la disparition de tout élément matériel.

Pierre VANNIER, l'Homéopathie, p. 123.

Par ext. *Procédé, méthode centésimale,* qui applique, dans la préparation du remède, la méthode de dilution ou de trituration centésimale.

**CENT-GARDES** [sɑ̃gaʀd] n. m. plur. — 1854; de *cent,* et *garde.*

Hist. Garde particulière de Napoléon III, sous le Second Empire. *L'escadron des cent-gardes à cheval.* — Au sing. *Un cent-garde :* un soldat de cette garde.

**CENTI-** Élément de mots composés désignant la centième partie d'une unité (symbole : *c*). → **Centiare, centigrade, centigramme, centilitre, centimètre, centisthène.** — On peut signaler d'autres noms d'unités en *centi- : centibar* [sɑ̃tibaʀ] n. m. «centième du bar» *(cb); centipièze* [sɑ̃tipjɛz] n. f. «centième de la pièze» *(cpz); centipoise* [sɑ̃tipwaz] n. f. «centième de la poise» *(cPo); centistère* [sɑ̃tistɛʀ] n. m. «centième du stère»; *centistoke* [sɑ̃tistɔk] n. m. «centième du stoke» *(cSt).*

**CENTIARE** [sɑ̃tjaʀ] n. m. — 1793; de *centi-,* et *are.*

Centième partie de l'are*, correspondant à une surface de un mètre carré. *Une parcelle de quelques centiares.*

**CENTIÈME** [sɑ̃tjɛm] adj. et n. m. — 1170, *çantiesme;* du lat. class. *centesimus,* adj. ordinal de *centum.*

♦ **1** Adj. numéral ordinal de cent. Qui a rapport à cent pour l'ordre, le rang. *La centième année. Le centième anniversaire.* → **Centenaire.** — N. *Être le centième, la centième sur une liste d'admission, le deux centième, le trois centième... — La centième partie :* une partie quelconque d'un tout divisé en cent parties.

Par exagér. Avec *fois* (→ Cent). Indique la répétition (→ Dixième, nième). *C'est la centième fois que je le dis. Recommencer pour la centième fois.*

♦ **2** N. m. *Un centième, un deux-centième :* la centième, la deux centième partie d'un tout.

Par ext. La plus petite partie. *Il n'a pas fait le centième de ce qu'il raconte* (→ **Quart**).

♦ **3** N. f. Centième représentation (d'un spectacle). *Atteindre la centième. La centième d'une opérette* (→ Bouffe, cit. 3).

COMP. V. les comp. de **cent.**

**CENTIGRADE** [sɑ̃tigʀad] n. m. — 1811, Poisson; de *centi-,* et *grade.*

♦ **1** Cour. Adj. Divisé en cent degrés (en parlant d'une échelle de température). *Échelle, thermomètre centigrade.* → **Centésimal.**

*Degré centigrade :* degré de l'échelle centésimale. *La température au sol est de vingt degrés centigrades.* — REM. La Conférence des Poids et Mesures de 1948 a remplacé cet emploi par *degré Celsius.*

N. m. *(Un, des centigrades).* Degré centigrade.

Le climat, pourtant, n'est point, à vrai dire, mauvais (...) le thermomètre (j'en ai fait les observations) descend en hiver jusqu'à quatre *degrés,* et dans la forte saison, touche vingt-cinq, trente centigrades tout au plus (...)

FLAUBERT, M^me Bovary, I, II, II.

♦ **2** N. m. (Sc.). Centième partie du grade (unité d'angle). Symbole : *cgr.*

**CENTIGRAMME** [sɑ̃tigʀam] n. m. — 1795; de *centi-,* et *gramme.*

Cour. Centième partie du gramme (symb. : *cg*). *Peser une substance à un centigramme près.*

Par ext. Poids infime. *Il n'y en a pas, il n'y en a plus un centigramme.*

**CENTILE** [sɑ̃til] n. m. — 1960; probablt angl. *centile,* par aphérèse de *percentile,* de *per cent* «pour cent», et *-ile,* d'après *bissextile, quartile, décile,* etc.

Didact. (statist.). Chacune des cent valeurs de la variable au-dessous de laquelle se classent 1 %, 2 %,..., 99 % des éléments d'une distribution statistique.

Chacune des cent parties d'effectif égal d'un ensemble statistique donné (→ Décile, médiane, quartile).

**CENTILITRE** [sɑ̃tilitʀ] n. m. — 1800, Boiste; de *centi-,* et *litre.*

Cour. Centième partie du litre (symb. : *cl*). *Bouteille de soixante-quinze, de quatre-vingt-deux centilitres.*

**CENTIME** [sɑ̃tim] n. m. — 1793; de *cent,* d'après *décime.*

♦ **1** [a] (Jusqu'en 2002, sauf en Suisse). La centième partie du franc*. *Une pièce d'un centime. Une pièce de cinq centimes* (→ **Sou,** anciennt), *de dix, de vingt centimes, de cinquante centimes.*

REM. Depuis la multiplication par cent de la valeur du franc, le *centime* équivaut au *franc* ancien. Pour les petites sommes, l'usage contemporain hésite entre *franc** (ancien usage), *ancien franc* ou *balle* (fam.) et *centime*.

[b] Fam. Somme infime (dans des expressions). *N'avoir pas un centime. N'avoir plus un centime. Dépenser jusqu'au dernier centime.* → **Sou.** — *Il y en a pour quelques centimes.* — Fig. *Pas pour un centime* (→ Pas pour un sou*). *Il n'a pas pour un centime de méchanceté.* «*Elle n'a pas pour vingt-cinq centimes d'autorité*» (Colette).

♦ **2** Pièce de un centime. *Jeter une pluie de centimes par terre.*

♦ **3** *Centime additionnel, centime le franc.* → **Additionnel.**

♦ **4** *Centime d'euro* : centième de l'unité monétaire euro. → 3. **Cent.**

**CENTIMÈTRE** [sɑ̃timɛtʀ] n. m. — 1793; de *centi-*, et *mètre*.

♦ **1** Centième partie du mètre (unité physique fondamentale, avec le gramme et la seconde du système C. G. S.). Symb. *cm*. *Un ruban de vingt-cinq centimètres. Cinquante centimètres* : un demi-mètre. *Centimètre carré* (symb. $cm^2$); *centimètre cube* (symb. $cm^3$) : respectivement : dix-millième partie du mètre carré; millionième du mètre cube. — *Une 350* $cm^3$ (ou *350 cc*) : une moto de 350 $cm^3$ de cylindrée (abrév. : une 350). *Vitesse de un centimètre-seconde; accélération de un centimètre-seconde par seconde* (gal). — *Mesurer qqch. à un, à dix centimètres près. Dix centimètres de largeur, d'épaisseur. Il y a vingt-cinq centimètres de neige.*

Par ext. Distance, longueur infime. *On n'avance plus d'un centimètre.*

♦ **2** Ruban gradué en centimètres (→ **Mètre**). *Centimètre de couturière. Dérouler son centimètre.*

DÉR. **Centimétrique.**

**CENTIMÉTRIQUE** [sɑ̃timetʀik] adj. — 1912; de *centimètre*.

Didact. Mesuré, gradué en centimètres; de l'ordre du centimètre. *Ondes centimétriques.* — *Échelle centimétrique.*

(...) il n'est nullement inconcevable que de telles interactions, multipliées et répétées de proche en proche, ne puissent créer ou définir une organisation à l'échelle millimétrique, ou centimétrique par exemple.

Jacques MONOD, le Hasard et la Nécessité, p. 119.

**CENTISTHÈNE** [sɑ̃tistɛn] n. m. — XXᵉ; de *centi-*, et *sthène*.

Phys. Unité de force correspondant à la centième partie du sthène*. Symb. *cSn*.

**CENTON** [sɑ̃tɔ̃] n. m. — 1570; lat. *cento, -onis* «habit fait de plusieurs morceaux».

Littérature.

♦ **1** Pièce de vers ou de prose composée de vers ou de fragments empruntés à un même ou à divers auteurs.

♦ **2** Ouvrage littéraire ou musical fait de morceaux empruntés. → **Pastiche.**

Il venait justement de publier, sous le titre amorphe de *Péché d'amour*, un recueil de centons moraux et psychologiques ramassés partout (...)

Léon BLOY, le Désespéré, p. 199.

♦ **3** Chacun des fragments empruntés. *Truffer un discours de centons.*

HOM. **Santon**; formes du v. **sentir.**

**CENTR-** → **Centro-.**

**CENTRAFRICAIN, AINE** [sɑ̃tʀafʀikɛ̃, ɛn] adj. et n. — Mil. XXᵉ; de 1. *centre*, et *africain*.

De la république d'Afrique centrale située entre le Congo et le Cameroun, qui porte le nom de *République centrafricaine. L'économie centrafricaine.* — N. *Les Centrafricains.*

**CENTRAGE** [sɑ̃tʀaʒ] n. m. — 1834; de *centrer*.

Action de centrer.

♦ **1** (Au sens de *centrer*, 1.). *Le centrage d'un titre, d'une illustration, sur une page.*

♦ **2** Techn. (→ Centrer, 2.). Opération par laquelle on détermine, dans les ateliers d'ajustage, le centre de figure ou le centre de gravité d'une pièce. *Centrage automatique.* → Centreur. *Centrage d'un pneu*, bon positionnement de l'enveloppe sur la jante.

Aéron. *Centrage d'un avion*, détermination du centre de poussée.

Artill. *Centrage des projectiles.*

Opt. (→ Centrer, 2.). Action de centrer (une lunette).

♦ **3** (→ Centrer, 3.). *Le centrage du ballon.*

♦ **4** (→ Centrer, 4.). Rare. *Le centrage de l'intérêt sur un thème social* (dans un récit, une œuvre...).

COMP. **Recentrage.**

1. **CENTRAL, ALE, AUX** [sɑ̃tʀal, o] adj. — 1377; lat. *centralis*, de *centrum*.

[I] ♦ **1** Sc. Qui est au centre (d'un cercle, d'une sphère, d'une figure fermée...). *Point central.* — Qui passe par le centre. *Axe central.*

Cour. Qui est près du centre ou contient le centre. *Partie, zone centrale. Le feu central de la Terre* (vx). — *Région centrale d'un organe, du palais.*

Par ext. Phonét. Se dit des voyelles articulées dans la région centrale du palais (ex. : *e* muet en français).

Bot. *Placentation centrale* (opposé à *axile, pariétale*).

♦ **2** Qui est situé au centre (d'une surface, d'une zone). *L'Asie centrale. L'Europe centrale et orientale. Le Massif central* (en France). *Plateau central.* — (Centre d'une ville). *Un quartier central* (opposé à *périphérique*). → Centré (régional : Suisse). *Je n'aime pas ce quartier, il n'est pas assez central. C'est assez central et très commode.*

Le malaise qu'y crée peut-être une politique confuse impose aux États d'Europe centrale cette police dont la perfection écrase.

Jean GENET, Journal du voleur, p. 122.

(Dans un édifice, une pièce). *La pièce centrale de l'appartement. Un salon central.* «*Deux fauteuils (...) à droite et à gauche du guéridon central*» (Maupassant, *in* T. L. F.).

Vx (ou hist.). Relatif aux puissances d'Europe centrale, entre 1867 et 1918. *Les Empires centraux.* «*L'offensive des puissances centrales à l'automne 1915*» (Joffre, *in* T. L. F.). N. m. pl. *Les centraux* : l'Allemagne et l'Empire autrichien. *Les centraux et les alliés**.

Sports. Se dit d'un joueur affecté au centre* du terrain (opposé à *latéral*). *Arrière central.* → Demi-centre.

[II] Qui exerce une action de commande sur les éléments d'un ensemble. ♦ **1** (1718, en phys., concret). *Force centrale.* Spécialt. *Système nerveux central.* — Par ext. (méd.). Du système nerveux central. *Ataxie centrale. Lésion centrale.*

*Chauffage central,* distribué à partir d'une seule source de chaleur.

♦ **2** (Fin XVIIIe, en polit.). Qui constitue l'élément directeur; où aboutit et d'où émane l'information; d'où émane la décision, le pouvoir. *Pouvoir central* (opposé à *local*). *Renforcer le pouvoir central.* → **Centraliser.** *Administration centrale. Siège central* (d'une société). → **Siège.** *Bureau central de la poste.*

♦ **3** (1827, Vidocq). **MAISON CENTRALE, PRISON CENTRALE :** établissement pénitentiaire où sont regroupés les détenus purgeant des peines d'emprisonnement supérieures à un an et un jour. — N. f. *Être prisonnier dans une centrale, en centrale. La centrale de Melun.* → **Centrouse** (argot).

(1853). *École centrale (des Arts et Manufactures),* ou (n. f.) *Centrale.* → 1. **Piston** (argot scol.). *Il, elle a fait Centrale, elle est ingénieur de Centrale.* → **Centralien.**

Tennis. *Court central,* ou (n. m.) *un central* (→ 2. **Court).** *Le central de Roland-Garros.*

♦ **4** Par métonymie. Qui appartient à un organisme central. *Agent central.*

♦ **5** Fig. Fondamental (dans un ensemble). *L'œuvre centrale d'un auteur. Les idées centrales d'un essai.* → **Essentiel.** *C'est tout à fait central dans son raisonnement.*

DÉR. 2. **Central, centrale, centralement, centralien, centraliser, centralisme, centraliste, centralité.** — V. **Centrouse.**
◈ HOM. 2. **Central, centrale.**

2. **CENTRAL** [sɑ̃tʀal] n. m. — 1883; de 1. *central,* adj.

♦ **1** Organe technique auquel aboutissent les éléments d'un réseau de communication. *Construction d'un nouveau central téléphonique. Tableau annonciateur* d'un central.*

(...) si l'alignement des tableaux d'un central téléphonique est beau, ce n'est pas en lui-même ni par sa relation au monde géographique, car il peut être n'importe où; c'est parce que ces voyants lumineux qui tracent d'instant en instant des constellations multicolores et mouvantes représentent des gestes réels d'une multitude d'êtres humains, rattachés les uns aux autres par l'entrecroisement des circuits. Le central téléphonique est beau en action, parce qu'il est à tout instant l'expression et la réalisation d'un aspect de la vie d'une cité et d'une région (...)
Gilbert SIMONDON, Du mode d'existence des objets techniques, p. 186.

Organisme qui reçoit et transmet les communications d'un même réseau. *Le personnel du central.*

♦ **2** Par métaphore ou fig. *«New York est le grand central de l'Amérique»* (P. Morand).

HOM. 1. **Central, centrale.**

**CENTRALE** [sɑ̃tʀal] n. f. — 1927; de 1. *central.*

♦ **1** Usine génératrice d'énergie. *Centrale électrique. Centrale thermique,* produisant de l'électricité par combustion de charbon. *Centrale hydraulique* (→ **Barrage**), génératrice d'énergie électrique au moyen de moteurs hydrauliques. *Centrale atomique* ou *nucléaire,* génératrice d'énergie électrique au moyen de réacteurs nucléaires. *Filières* de centrales nucléaires.* — *Centrale solaire,* transformant l'énergie thermique solaire en électricité. *Centrale éolienne, centrale marémotrice.*

♦ **2** (1956). Groupement national de syndicats. → **Confédération.** *Les grandes centrales syndicales. Centrales ouvrières.*

♦ **3** Comm. **CENTRALE D'ACHAT :** commerce qui centralise les achats de firmes liées entre elles ou ayant les mêmes besoins (→ **Monoprix, prisunic).** *C'est aux centrales d'achat que revient l'initiative du choix des fournisseurs et de la sélection de la marchandise.*

♦ **4** Prison centrale. → 1. **Central,** II., 3.; **centrouse.**

1 Les centrales bandent plus roide, plus noir et sévère, la grave et lente agonie du bagne était, de l'abjection, un épanouissement plus parfait.
Enfin, maintenant gonflées de mâles méchants, les centrales en sont noires comme d'un sang chargé de gaz carbonique. Jean GENET, Journal du voleur, p. 12.

2 — Vous vous êtes évadé?
— Non, mon vieux. Il n'y a que les substituts pour se figurer qu'on s'évade des centrales.
J. ANOUILH, Pauvre Bitos, I, p. 60.

♦ **5** *Centrale* (majuscule; sans article) : École centrale. → 1. **Central,** II., 3.

**CENTRALEMENT** [sɑ̃tʀalmɑ̃] adv. — Av. 1582, écrit *centrallement;* de 1. *central.*

♦ **1** Rare. D'une manière centrale; en plein centre, au beau milieu.

1 La balle pénétra dans l'œil si centralement que les paupières ne furent nullement effleurées.
A. JARRY, Gestes, De la douceur dans la violence, *in* Œ. compl., t. VII, p. 115.

♦ **2** (1778). Didact. ou littér. Essentiellement, fondamentalement.

2 Dans cette Légende d'or de l'histoire de France qu'il s'imaginait toujours entendre chuchoter à son oreille, comme un grand conte plein de prodiges, et qui lui semblait la plus synthétiquement étrange, la plus centralement mystérieuse de toutes les histoires, — rien ne l'avait autant fasciné que cette énorme, terrible et enfantine épopée des temps Mérovingiens.
Léon BLOY, le Désespéré, p. 95.

**CENTRALIEN, IENNE** [sɑ̃tʀaljɛ̃, jɛn] n. — XXe; de *Centrale* «École centrale».

Élève ou ancien(ne) élève de l'École centrale des Arts et Manufactures (→ 1. **Piston,** argot scolaire).

**CENTRALISATEUR, TRICE** [sɑ̃tʀalizatœʀ, tʀis] adj. — 1838; de *centraliser.*

Qui centralise. *Régime centralisateur. Une politique centralisatrice.* — N. *Napoléon fut un grand centralisateur.*

CONTR. **Décentralisateur.**

**CENTRALISATION** [sɑ̃tʀalizasjɔ̃] n. f. — 1794; de *centraliser.*

♦ **1** Didact. ou rare. Action de centraliser. *Centralisation des informations, de l'offre et de la demande.*
Physiol. *Centralisation nerveuse.*

♦ **2** Polit. et cour. Système d'administration qui consiste à confier les pouvoirs de décision à des services centraux (→ **Concentration; centralisme).** *Centralisation politique et administrative.*

(...) Bonaparte (...) composa les institutions de l'an VIII, fondées sur la centralisation administrative, qui mettent la nation dans la main de l'État et qui sont si commodes pour les gouvernements que tous les régimes qui se sont succédé depuis les ont conservées.
J. BAINVILLE, Hist. de France, XVII, p. 394.

CONTR. **Décentralisation.**

**CENTRALISER** [sɑ̃tʀalize] v. tr. — 1790; de 1. *central.*

♦ **1** Didact. ou rare. Réunir en un même centre. *Centraliser tous les efforts.* — (Abstrait). *Centraliser ses aspirations sur une personne.*

Spécialt (plus cour.) *Centraliser les commandes. Centraliser les opérations de comptabilité.*

♦ **2** Réunir dans un même centre, ramener à une direction unique. → **Concentrer.** *Centraliser les pouvoirs, les services publics. Centraliser des renseignements.*

◆ **CENTRALISÉ, ÉE** p. p. adj. *Forces centralisées.*

Spécialt. Où le pouvoir, les organes de décision sont réunis. *Un pays fortement centralisé. Administration centralisée* (opposé à *décentralisé*).

La France, malgré les lois du 10 août 1871 sur les conseils généraux et du 5 avril 1884 sur les conseils municipaux, qui ont fait une tentative, au reste bien timide, de décentralisation, est restée un pays fortement centralisé.
Léon DUGUIT, Traité de droit constitutionnel, t. III, p. 68.

CONTR. **Décentraliser, disperser, disséminer.** ◈ DÉR. **Centralisateur, centralisation.** → COMP. **Décentraliser.**

**CENTRALISME** [sɑ̃tʀalism] n. m. — 1842; de 1. *central.*

Système qui produit la centralisation administrative et politique. « *Le centralisme bureaucratique qu'il reproche au programme socialo-communiste* » (J.-F. Revel, *l'Express,* 16 oct. 1972). *Le centralisme démocratique léniniste.*

**CENTRALISTE** [sɑ̃tʀalist] adj. et n. — 1845; de 1. *central.*

Qui est partisan du centralisme. *Esprit centraliste.* — N. *Un centraliste convaincu,* « *un centraliste enragé* » (J. Lacouture, *le Nouvel Obs.,* 7 août 1972). *Une centraliste.*

**CENTRALITÉ** [sɑ̃tʀalite] n. f. — 1792; de 1. *central.*

♦ **1** Didact. Fait de constituer un centre; caractère central. — (Concret). *La ligne de la centralité d'une éclipse.* — (Abstrait). « *Une conscience de centralité* » (Bachelard).

♦ **2** Vx. Caractère centralisé. → **Centralisation.**

**CENTRANTHE** [sɑ̃tʀɑ̃t] n. m. — 1805; lat. *kentranthus,* du grec *kentron* « aiguillon », et *anthos* « fleur ».

Bot. Plante dicotylédone *(Valérianacées),* herbacée, vivace, appelée communément *valériane rouge* ou *des jardins, barbe de Jupiter* ou *lilas d'Espagne. Le centranthe est cultivé comme plante ornementale.*

HOM. **Cent trente.**

**CENTRATION** [sɑ̃tʀasjɔ̃] n. f. — 1876; de *centrer.*

♦ **1** Didact. et vx. Fait de centrer. → **Centrage** (2.).

♦ **2** Philos. Fait de devenir centré, d'acquérir un centre.

Psychol. Surestimation d'une sensation. *Effet de centration.*

Freud a commencé par expliquer ce symbolisme inconscient par des mécanismes de camouflage dus au refoulement, mais il s'est rallié à la conception plus large de Bleuler qui, avec l'« autisme », expliquait le symbolisme par la centration sur le moi et il a prolongé ses recherches dans la direction des symboles artistiques.
J. PIAGET, Épistémologie des sciences de l'homme, p. 355.

**CENTRE** [sɑ̃tʀ] n. m. — 1275; lat. *centrum,* grec *kentron* « point central (d'une circonférence) ».

**I** ♦ **1** Point tel que tous les points d'une figure soient symétriques deux à deux par rapport à lui. *Le centre d'un cercle, d'un disque, d'une sphère. Angle au centre. Le centre d'une ellipse. Centre de l'orbite* des planètes. Le centre d'un carré est le centre du cercle inscrit.* — *Centre de symétrie.* → **Symétrie.**

1 *(L'univers)* C'est une sphère infinie dont le centre est partout, la circonférence nulle part.
PASCAL, Pensées, II, 72.

*Le centre de la terre.* — Par exagér. Profondeurs abyssales. *Voyage au centre de la terre,* roman de Jules Verne.

La raison et le langage ne s'appliquent qu'au fini. Les transporter dans l'infini, c'est comme si l'on prétendait mesurer la chaleur du soleil ou du centre de la terre avec un thermomètre ordinaire. 2
RENAN, Dialogues et Fragments philosophiques, p. 147.

J'aurais voulu m'enfoncer, m'étouffer dans le centre de la terre. ROUSSEAU, les Confessions, Folio, p. 127. 2.1

♦ **2** (XIVe). Le milieu (d'un espace quelconque). → **Milieu; cœur.** *Le centre d'un pays. Paris est situé au centre d'un bassin* (cit. 9) *tertiaire. Les départements du centre de la France.* Absolt. *Les provinces du centre.* — *Au centre du fruit, de la cellule.* → **Noyau.** — *En plein centre de la ville. Les quartiers du centre.* → **Central.** *Le centre et la périphérie* (cit. 2).

Notre frère Joseph travaillait dans le centre de la ville. 3
G. DUHAMEL, Chronique des Pasquier, III, I, p. 10.

(...) il y a au centre du continent une Allemagne, tantôt envahissante et tantôt envahie (...) 4
André SIEGFRIED, l'Âme des peuples, V, 1.

Figuré :

Les princes (...) sont nés et élevés au milieu et comme dans le centre des meilleures choses (...) 5
LA BRUYÈRE, les Caractères, IX, 42.

*Le centre d'une armée, d'une troupe* (par oppos. aux *ailes*).

(...) chaque division, formant carré, ses bagages au centre, ses canons aux angles, prenait l'aspect d'une forteresse vivante (...) 6
Louis MADELIN, Hist. du Consulat et de l'Empire, t. II, Ascension de Bonaparte, XVI, p. 238.

Partie centrale (d'un objet, d'un solide). → **Centrum** (didact.).

Sports (Jeux de ballon). **a** Partie centrale du terrain, le long de son plus grand axe. *Jouer au centre. Le centre et les deux ailes. Passer la balle au centre.* → **Centrer** (3.).

**b** Appos. (opposé à *aile*). Rugby. *Trois-quarts centre.* → 1. **Trois-quarts** (cit.). — (Football, handball). *Avant-centre.* — REM. En composition, sert à désigner des joueurs affectés au centre, dans l'axe du terrain. → **Avant-centre, centre-avant, demi-centre.**

**c** Basket (1931, *in* Petiot). Avant placé près du panier, dont le rôle est de tenter de marquer.

**d** (1900, *in* Petiot; déverbal de *centrer*). Coup de pied qui ramène le ballon dans l'axe du terrain. *Réussir un beau centre. L'ailier a fait un centre qui a dérouté la défense adverse.*

♦ **3** (1829). Polit., cour. *Le centre d'une assemblée :* les bancs, les places en face du président. *Centre droit. Centre gauche.* — Les élus (députés, sénateurs...) qui occupent ces places; les opinions qu'ils soutiennent (→ **Centrisme**), généralement modérées, entre la droite* et la gauche*. → **Modéré.** *Le parti du centre,* et, absolt, *le centre,* par opposition à *la droite, la gauche.* → **Centrisme.** *Les députés du centre* (→ **Centriste**). — *Appartenir au centre droit, au centre gauche.* — (En attribut). *Être centre gauche.* — Par ext. *Un centre gauche, un centre droit,* un élu de cette tendance.

Il nous aura fallu bien des catastrophes pour atteindre enfin à cette terre promise : une majorité et un ministère centre droit. 6.1
F. MAURIAC, Bloc-notes 1952-1957, p. 37.

**II** ♦ **1** (1680). Mécan., phys. Point d'application de la résultante de forces. « *Le centre d'un certain nombre de forces parallèles est le même quelle que soit leur direction, pourvu qu'elles conservent leur parallélisme et leurs intensités relatives* » (Poiré). *Centre* *de gravité d'un corps :* point d'application de la résultante des forces exercées par la pesanteur sur toutes les parties de ce corps. → **Barycentre.** Fig. : → ci-dessous, cit. 14 et 15. *Centre de pression d'un liquide sur une paroi plane. Centre de poussée d'un fluide* (sur un corps immergé). *Centre de poussée d'un avion.* → Centrage. *Centre d'oscillation d'un pendule.*

Mar. *Centre de carène :* centre de poussée d'un navire. *Centre de voilure :* point d'application de la résultante des forces exercées par le vent sur le bateau (force aérodynamique).

Astron. *Centre d'attraction* ou *de gravitation.* → **Attraction, centripète** (force). *Force attractive dirigée vers le centre du Soleil.*

Météor. *Centre de dépression, centre de basses pressions, de hautes pressions.* → **Dépression, pression.**

♦ **2** (1845). CENTRE NERVEUX : partie du système nerveux constituée de substance grise et reliée par les nerfs aux divers organes. *Centre sensoriel, moteur. Centres encéphaliques, ganglionnaires, médullaires.* — REM. Cet emploi est préparé par des usages spéciaux du sens général de *centre* (→ ci-dessous, II., 3. et II., 5.).

7 Chaque papille nerveuse devient le centre d'une jouissance rayonnante. BALZAC, Séraphîta, Pl., t. X, p. 486.

8 *(L'organe du sens)* est donc un immense clavier, sur lequel l'objet extérieur exécute tout d'un coup son accord aux mille notes provoquant ainsi, dans un ordre et en un seul moment, une énorme multitude de sensations élémentaires correspondant à tous les points intéressés du centre sensoriel.
H. BERGSON, Matière et Mémoire, p. 138.

*Centre vital :* organe essentiel à la vie (surtout au plur. : *les centres vitaux*). — Fig. *Les centres vitaux d'un pays* (→ ci-dessous, sens 3).

9 Ce peuple est emporté dans les rouages d'une mécanique dont personne, bientôt, ne connaîtra plus les secrets, les chevilles maîtresses, les zones vulnérables, les centres vitaux.
G. DUHAMEL, Scènes de la vie future, XV, p. 244.

♦ **3** (Qualifié). Point de convergence ou de rayonnement. *Un centre d'attraction, de rassemblement. Un centre d'action, d'activité. La Bourse est le centre des affaires. Il fit de cette ville le centre de sa domination* (Académie). → **Base, citadelle, siège** (principal). *Le prytanée d'Athènes, centre religieux de toute l'Attique. Paris fut considéré comme le centre du bon goût par la société française à partir du XVII*e *siècle.*

10 (...) Paris est le grand bureau des merveilles, le centre du bon goût, du bel esprit et de la galanterie.
MOLIÈRE, les Précieuses ridicules, 9.

11 *(Christine)* se retira à Rome, où elle passa le reste de ses jours dans le centre des arts (...)
VOLTAIRE, Hist. de Charles XII, 1.

12 L'opéra est le centre de la vie mondaine *(sous la Révolution)*...
Francis DE MIOMANDRE, Danse, Renaissance, p. 32.

Lieu où se concentrent certaines activités. *Un centre industriel, charbonnier, minier, commercial, religieux. Centre urbain.* → **Ville.**

12.1 Cette évolution anarchique se poursuit encore ou fait encore sentir ses conséquences dans un grand nombre de centres urbains.
A. LEROI-GOURHAN, le Geste et la Parole, t. II, p. 177.

CENTRE COMMERCIAL : grande surface de vente comprenant une gamme variée de commerces et de services et, généralement, un parc de stationnement. *Les boutiques d'un centre commercial* (→ Boutiquaire). — *Centre commercial de quartier.* — *Centre-auto,* où se vend ce qui concerne l'automobile (proposé pour remplacer l'anglic. *auto-center*). *Centre jardinier,* où se vend ce qui concerne le jardin (pour remplacer l'anglicisme *garden-center*).

♦ **4** [a] Absolt. *Les grands centres :* les grandes villes. → **Capitale.** *Un petit centre.* → **Agglomération.**

(...) Un centre *(El-ghouat)* où l'on vit pourtant, aussi simplement qu'ailleurs, sans se douter de l'effet qu'on produit à distance, ni de la curiosité qu'on inspire. 13
E. FROMENTIN, Un été dans le Sahara, p. 101.

[b] *Centre de :* organisme spécialisé dans (telle activité qu'indique le complément). *Centre de mobilisation* (→ Armée, cit. 13). *Le centre d'un réseau. Centre d'accueil, de soins.*

[c] Organisme à vocation culturelle, d'enseignement, de recherche. *Centre d'études.* — (En France). *Centre hospitalier universitaire* (C. H. U.). Dans des noms d'organismes. *Le Centre National de la Recherche Scientifique* (C. N. R. S.). — *Centre dramatique :* lieu d'expansion et de popularisation de l'art dramatique. *Création de centres dramatiques régionaux.* — *Centre culturel.* Cf. Maison de la culture. — *Centre nautique et école de voile.*

♦ **5** Abstrait. Point où des forces dispersées convergent et atteignent leur plus grande action, d'où elles émanent et exercent leur influence. → **Cœur, foyer, siège.** *Un centre d'influence, de rayonnement. Centre d'intérêt.*

Les parties les plus septentrionales de l'établissement romain (...) ont été envahies d'éléments germains, slaves ou mongols, insensibles à l'influence méditerranéenne. Il en est résulté une Europe dont les centres de gravité, les foyers modernes d'efficacité ne relèvent plus principalement de l'influence latine. 14
André SIEGFRIED, L'Âme des peuples, II, IV, p. 44.

Il lui semblait (...) avoir trouvé son vrai centre de gravité, occuper maintenant le cœur de lui-même, être enfin au siège de son identité. 15
MARTIN DU GARD, les Thibault, t. IV, p. 139.

L'Église elle-même est une société secrète (...) On ne peut rien comprendre à l'histoire de l'Europe monarchique sans mettre au centre cette formidable toile d'araignée qu'était la compagnie de Jésus (...) 16
A. MAUROIS, Études littéraires, t. II, J. Romains, p. 157.

Je sens à la douleur que je réveille en appuyant sur ce point précis que là était le centre du mal (...) 17
A. MAUROIS, Climats, I, 8, p. 64.

♦ **6** [a] Chose principale, fondamentale. → **Base, fondement, foyer, nœud, noyau, principe, voûte** (clef de voûte).

Ils *(les sages)* ont vu par lumière naturelle que, s'il y a une véritable religion sur la terre, la conduite de toutes choses doit y tendre comme à son centre. 18
PASCAL, Pensées, VIII, 556.

Je vois que dans toutes les affaires, il y a un centre, un point principal contre lequel toutes les chicanes doivent échouer. VOLTAIRE, Lettre à Delisle, 25 mars 1775. 19

Chez Wagner, la musique est le noyau du drame, le foyer rayonnant et le centre attractif ; elle absorbe tout ; elle est reine absolue. 20
R. ROLLAND, Musiciens d'aujourd'hui, p. 200.

[b] (En parlant des personnes). *Il est, il se croit le centre de tout.* → **Animateur, cerveau, cheville** (cheville ouvrière), **organe** (organe essentiel), **pivot.**

Voilà donc M. de Louvois mort, ce grand ministre, cet homme si considérable, qui tenait une si grande place, dont le *moi,* comme dit M. Nicole, était si étendu, qui était le centre de tant de choses ! 21
Mme DE SÉVIGNÉ, 1329, 26 juil. 1691.

[c] (1856, Flaubert). *Se croire le centre de l'univers, du monde, le centre de tout :* croire que tout gravite autour de soi, rapporter tout à soi-même. → **Égocentrisme ; axe, nombril, ombilic** (se croire le nombril, l'ombilic du monde).

L'homme, porté par les illusions des sens à se regarder comme le centre de l'univers, se persuade facilement que 22 les astres influent sur sa destinée, et qu'il est possible de la prévoir par l'observation de leurs aspects au moment de la naissance.

LAPLACE, Exposition du système du monde, V, 1.

23 Je crois que trop grand est aujourd'hui le nombre des gens qui passent leur temps à considérer leur nombril comme s'il était le centre du monde.

PROUST, À la recherche du temps perdu, t. X, p. 118.

♦ **7 -CENTRE** (sert à former des composés; aux sens I, 3, II, 5 et II, 6 de *centre*). *Idée-centre. Mot-centre* (autour duquel se groupent les mots qui ont entre eux un rapport de sens. → Clef).

CONTR. **Angle, bord, bout, circonférence, extrémité, périphérie, pourtour.** ◇ DÉR. et COMP. **Centrer, centriole, centrisme, centriste; anthropocentrique, concentrique, égocentrique, ethnocentrique, géocentrique, héliocentrique; avant-centre, centre-avant, demi-centre; barycentre; métacentre.** — V. aussi **Central; centrifuge, centripète; centro-; excentrique, homocentrique.**

**CENTRE-AVANT** [sɑ̃tʀavɑ̃] n. m. — XX^e; de *centre*, et *avant*.

Régional (Belgique). Avant-centre, au football. → **Avant-centre.**

**CENTRER** [sɑ̃tʀe] v. tr. — 1699; de *centre*.

♦ **1** Ramener au centre. *Centrer un titre sur une page.*

Mettre, placer (qqch.) au centre.

1 (...) l'homme qui calculait la quantité de charbon que la France pouvait économiser chaque année si l'on rendait les ménagères attentives à centrer exactement leurs casseroles sur les brûleurs de leur fourneau.

Raymond ABELLIO, Ma dernière mémoire, t. II, p. 102.

♦ **2** Techn. Déterminer le centre de; ajuster en fixant l'axe central. *Centrer une roue. Centrer un projectile.* — Opt. *Centrer une lunette :* disposer ses lentilles perpendiculairement à l'axe qui passe par leurs centres (opération dite *centrage* et (vx) *centration*).

♦ **3** (1900, *in* Petiot). Sports (football). Ramener (le ballon) vers l'axe du terrain. *Centrer le ballon,* et, absolt, *centrer.* → **Centre** (I., 2.). *L'ailier a centré après un débordement sur la gauche.*

♦ **4** (Abstrait). *Centrer qqch. sur... :* donner comme centre (d'action, d'intérêt). *Centrer une recherche sur... «Cette pièce était centrée sur le personnage de Minos»* (Montherlant).

2 Je centrais mon récit sur la marche éclair de la Première Armée française des sources du Danube vers Ulm (...)

Roger VAILLAND, Bon pied, bon œil, p. 35.

Pron. *Se centrer sur, autour de...*

◆ **CENTRÉ, ÉE** p. p. adj.

♦ **1** *Sujet centré; image centrée* (→ Cadré).

Par métaphore :

3 Cette loi fatale fait que les vieux résidents en Asie et les personnes les plus mêlées aux Asiatiques, ne sont pas les plus à même d'en garder une vision centrée et qu'un passant aux yeux naïfs peut parfois mettre le doigt sur le centre.

Henri MICHAUX, Un barbare en Asie, p. 97.

*Roue centrée.*

♦ **2** Régional (Suisse). Situé au centre. → **Central.** *Magasin, appartement bien centré.*

♦ **3** CENTRÉ SUR (qqch.). *Récit centré sur un fait.* — (Personnes). *Être centré sur soi-même :* avoir pour centre d'intérêt sa propre personne. → **Égocentrique.**

4 Il faut courir le risque, tenter sa chance (...) Mais si elle est comme ça, comme vous dites, si centrée sur elle-même (...)

N. SARRAUTE, le Planétarium, p. 186.

DÉR. **Centrage, centration, centreur.** ◇ COMP. **Autocentré.** — **Concentrer, décentrer, excentrer, recentrer.**

**CENTREUR** [sɑ̃tʀœʀ] n. m. — 1842; de *centrer*.

Dispositif de centrage pour les machines-outils. — Spécialt. Petite pièce circulaire servant à caler les disques à grand évidement central (disques quarante-cinq tours) sur le plateau d'un électrophone.

**CENTRIFUGATION** [sɑ̃tʀifygasjɔ̃] n. f. — 1897; de *centrifuger*.

Techn. Séparation de substances de densité différente au moyen de la force centrifuge, par rotation rapide. *Écrémer, essorer, décanter, filtrer par centrifugation. Séparation de gaz par centrifugation.*

**CENTRIFUGE** [sɑ̃tʀifyʒ] adj. — 1700; lat. sav. *centrifuga* (Newton), du lat. *centrum* «centre», et *fuga* «fuite». → -fuge.

♦ **1** Phys. Qui tend à éloigner du centre. *Force centrifuge,* engendrée par un mouvement de rotation, et qui tend à éloigner le corps en rotation du centre. *Effet centrifuge.* — Par métaphore :

Un sergent de ville qui voulut intervenir fut rejeté hors du tourbillon par la vertu centrifuge de l'ardeur des combattants.

R. QUENEAU, Pierrot mon ami, éd. L. de Poche, p. 16.

Techn. [a] Qui utilise la force centrifuge. *Écrémeuse centrifuge* (n. m. : *un centrifuge*).

[b] Qui est obtenu par centrifugation. *Écrémage centrifuge. Tuyaux centrifuges* (pour : *centrifugés**).

♦ **2** Didact. Qui se développe vers la périphérie. *Croissance centrifuge du bois. «Dans la tige, le bois est centrifuge»* (Plantefol).

*L'influx nerveux est centrifuge.*

*Phonèmes centrifuges,* dans l'articulation desquels la cavité de résonance est plus grande en avant de la partie la plus resserrée qu'en arrière.

CONTR. **Centripète.** ◇ DÉR. **Centrifuger.**

**CENTRIFUGER** [sɑ̃tʀifyʒe] v. tr. [CONJUG. : *bouger*.] — 1871; de *centrifuge*.

♦ **1** Séparer par un rapide mouvement de rotation des éléments de densité différente. → **Centrifugation.** *Centrifuger du lait. Tubes à centrifuger* (le sang). — Au p. p. *Lait centrifugé.*

On va même maintenant jusqu'à *centrifuger* les gaz pour les séparer et on y arrive pourvu que leurs densités soient assez différentes.

P. POIRÉ, Dict. des sciences, art. *Centrifugation.*

♦ **2** Former par centrifugation. — Au p. p. *Tuyaux, tubes centrifugés.*

DÉR. **Centrifugation, centrifugeur, centrifugeuse.**

**CENTRIFUGEUR** [sɑ̃tʀifyʒœʀ] n. m. — 1897; de *centrifuger*.

Techn. Appareil de laboratoire agissant par centrifugation. — Spécialt. Dispositif d'une centrifugeuse qui effectue la centrifugation

**CENTRIFUGEUSE** [sɑ̃tʀifyʒøz] n. f. — 1897, *centrifugeur*; de *centrifuger*. → Centrifugeur.

Technique.

♦ **1** Appareil muni d'un système de rotation très rapide (→ **Centrifugeur**) produisant une force centrifuge suffisante pour séparer deux substances de densité différente. *Centrifugeuse ménagère.*

Appareil de laboratoire permettant d'obtenir des accélérations comparables à celles des avions et des fusées, et d'étudier leurs effets sur l'organisme humain. *Soumettre des astronautes à un test en centrifugeuse.*

♦ **2** Dispositif électrique de séparation des isotopes.

**CENTRIOLAIRE** [sɑ̃tʀijɔlɛʀ] adj. — Av. 1965; de *centriole*.

Biol. De structure analogue à celle du centriole*.

**CENTRIOLE** [sɑ̃tʀijɔl] n. m. — 1903, in *Rev. gén. des sc.*, n° 11, p. 632; de *centre*, et suff. dimin. *-(i)ole*. → Vacuole.

Biol. L'un des corpuscules centraux du centrosome* (cit.).

**DÉR. Centriolaire.**

**CENTRIPÈTE** [sɑ̃tʀipɛt] adj. — 1700; lat. sav. *centripeta* (Newton); comp. du lat. *centrum* «centre», et *petere* «tendre vers».

♦ **1** Phys. Qui tend vers le centre, à se rapprocher du centre. *Force centripète. Pression centripète. Accélération centripète.*

C'est la force centripète qui ramène vers la terre les corps qui tombent; c'est elle aussi qui fait graviter la lune sur la terre, la terre sur le soleil. Dieu a donné à la matière brute la force centripète.

VOLTAIRE, Dialogues et Entretiens philosophiques, 25.

♦ **2** Didact. Qui se développe vers le centre. *Influx nerveux centripète, nerfs centripètes* (→ **Afférent**).

**CONTR. Centrifuge.**

**CENTRISME** [sɑ̃tʀism] n. m. — 1936, L. Daudet; de *centre*, I., 3.

Polit. Position de ceux qui se situent politiquement au centre. *«Des élus venus de tous les horizons du centrisme»* (G. Claisse, *l'Express*, n° 1110, 16 oct. 1972, p. 68).

**CENTRISTE** [sɑ̃tʀist] adj. et n. — 1922, L. Daudet; de *centre*, I., 3.

Qui appartient au centre, à une formation politique du centre. *Les candidats centristes; les centristes.* → **Modéré.** *Un ministre centriste.*

REM. Le mot s'est répandu après 1950-60. On le rencontre dans les années 1930 à propos de l'Allemagne (la coalition de Weimar était formée de sociaux-démocrates et de centristes).

**CENTRO-** Élément initial du lat. *centrum* «centre». — On peut signaler outre les mots traités ci-dessous : *centrodiérèse*, n. f. (biol.), *centrodesmose*, n. f.; *centrolobulaire* adj. (anatomie).

**CENTROLÉCITHE** [sɑ̃tʀolesit] adj. — 1931; de *centro-*, et *lécithe*.

Biol. Se dit de l'œuf dont le plasma germinatif est séparé en deux zones par le vitellus.

Chez les Insectes et beaucoup d'autres Arthropodes (Crustacés, Arachnides, etc.) les œufs sont relativement volumineux (...) il y a aussi une séparation assez complète du vitellus et du cytoplasme, qui forme ici une couche périphérique, tandis que le vitellus forme la partie centrale de l'œuf, dit *centrolécithe*.

Maurice CAULLERY, l'Embryologie, p. 12.

*Segmentation centrolécithe*, propre à ces œufs.

**CENTROMÈRE** [sɑ̃tʀɔmɛʀ] n. m. — 1973; de *centro-*, et *-mère*.

Biol. Constriction localisée du chromosome, et qui fixe celui-ci aux fibres du fuseau* achromatique, lors de l'anaphase. *Chromosomes classés selon leur taille et la place de leur centromère.*

Var. : *centromètre* [sɑ̃tʀɔmɛtʀ] n. m.; d'où *centrométrique*, adj. (R. Husson *et al.*, *Manuel de biologie*, *in* T. L. F.).

**CENTROPHYLLE** [sɑ̃tʀɔfil] n. m. → **Kentrophylle.**

**CENTROSOME** [sɑ̃tʀozom] n. m. — 1894; angl. *centrosome*, ou all.; de *centrum*, et *soma*.

Biol. Organite du cytoplasme cellulaire situé près du noyau, comprenant deux formations tubulaires, les centrioles*, et le cytoplasme qui les entoure, et dont la division précède celle du noyau. *Pendant la mitose, de fins filaments* (→ 2. **Aster**) *irradient autour du centrosome.*

(...) une aire claire qualifiée de centrosphère, dans laquelle on distingue parfois un ou deux corpuscules de condensation, les centrioles. Centrioles, centrosphère et aster forment ensemble le centrosome.

Albert DALCQ, l'Œuf et son dynamisme organisateur, p. 26.

**DÉR. Centrosomique.**

**CENTROSOMIQUE** [sɑ̃tʀozɔmik] adj. — 1903, in *Rev. gén. des sc.*, n° 11, p. 613; de *centrosome*.

Biol. Du centrosome.

**CENTROSPHÈRE** [sɑ̃tʀɔsfɛʀ] n. f. — 1904; empr. à l'all. *Centrosphäre*, Strasburger, 1893, de *centro-* (→ Centro-), et *Sphäre* (→ Sphère).

Biol. Partie du centrosome entourant les centrioles*.

**CENTROUSE** ou **CENTROUZE** [sɑ̃tʀuz] n. f. — 1887; du rad. de *central*, et suff. argotique *-ouse*. → Barbouze, piquouse, partouze, etc.

Argot. Maison centrale (de force, de correction). → **Centrale**, 4.

**CENTRUM** [sɑ̃tʀɔm] n. m. — 1890; mot lat., grec *kentron*.

Didact. (anat.). Partie centrale. Spécialt. Corps d'une vertèbre.

(...) la vertèbre *(des Lépospondyles)* est d'une seule pièce, avec un centrum massif en forme de sablier entourant la notocorde persistante.

Jean GUIBÉ, les Batraciens, p. 16.

**CENT-SUISSES** [sɑ̃sɥis] n. m. pl. — 1732; de *cent*, et *suisse*.

Hist. Corps d'infanterie suisse créé par Louis XI, qui faisait partie de la garde royale jusqu'en 1792. — Au sing. *Un Cent-Suisse* : un soldat de ce corps.

**CENTUMVIR** [sɑ̃tɔmviʀ] n. m. — 1636; mot lat.; de *centum* «cent», et *vir* «homme».

Didact. (antiq. rom.) Membre d'un tribunal composé de cent magistrats qui jugeaient les affaires civiles.

**DÉR. Centumvirat.**

**CENTUMVIRAT** [sɑ̃tɔmviʀa] n. m. — 1751; de *centumvir*.

Didact. (antiq. rom.). Dignité, charge de centumvir. — Durée de cette fonction.

**CENTUPLE** [sɑ̃typl] adj. et n. m. — 1370; empr. au lat. chrét. *centuplus*. → Centupler.

♦ **1** Adj. Qui égale cent fois une quantité donnée. *Mille est le nombre centuple de dix.*

♦ **2** N. m. (1643). Quantité qui vaut cent fois une autre. *Le centuple.* — Par ext. Quantité beaucoup plus grande qu'une autre.

Et quiconque aura quitté pour moi sa maison, ou ses 1
frères ou ses sœurs, ou son père, ou sa mère, ou sa femme,

ou ses enfants, ou ses terres, en recevra le centuple, et il aura pour héritage la vie éternelle.
BIBLE (SACY), Évangile selon saint Matthieu, XIX, 29.

2 Dieu, qui rend le centuple aux bonnes actions,
Pour comble donne encore les persécutions.
CORNEILLE, Polyeucte, V, 2.

Loc. adv. *Au centuple :* cent fois plus; beaucoup plus. *Porter au centuple.* → **Centupler.** *Être payé, récompensé au centuple.* — Loc. *Rendre qqch. au centuple* (allus. à l'Évangile : Matthieu, XIX, 29). → Charogne, cit. 2. *Multiplier, rapporter au centuple* (→ **Valeur**).

3 (...) il y a des terres sèches et pierreuses où la parole tombe inutilement; mais il y a des champs fertiles où elle fructifie au centuple. BOSSUET, Sermon sur l'Église, 3.

**CENTUPLER** [sɑ̃typle] v. tr. et intr. — Av. 1560; *centuplier,* 1542; du lat. chrét. *centuplicare,* du lat. class. *centuplex, -icis* «centuple».

♦ **1** V. tr. Porter au centuple. *Il a centuplé sa fortune. Centupler un nombre.*

Par ext. Augmenter de manière considérable. → **Agrandir, décupler, multiplier.**

1 Dans l'âme d'un grand peintre ou d'un grand poète, l'amour est divin comme centuplant le domaine et les plaisirs de l'art, dont les beautés donnent à son âme le pain quotidien. STENDHAL, De l'amour, p. 284.

2 (...) le désir physique, cette belle fatalité qui aiguillonne le monde et centuple ses énergies (...)
MICHELET, la Femme, p. 10.

♦ **2** V. intr. (1878). Être porté au centuple. *La production a centuplé cette année.*

**CENTURIE** [sɑ̃tyʀi] n. f. — 1284; lat. *centuria* «groupe de cent hommes».

Antiq. rom. Subdivision administrative formée de cent citoyens. *Les comices par centuries* (ou *centuriates*). → **Assemblée.**

Unité militaire de cent hommes d'armes. *La légion romaine était divisée en 10 cohortes réparties en 60 centuries.* → **Armée.**

**CENTURION** [sɑ̃tyʀjɔ̃] n. m. — Fin XII^e; lat. class. *centurio, -onis.*

Antiq. rom. Officier commandant une centurie*. → **Centenier.** Allus. évang. *Le centurion de l'Évangile* (cit.). *Le Voyage du centurion,* de Psichari.

1 Le centurion et ceux qui, avec lui, gardaient Jésus, voyant le tremblement de terre (...) furent saisis d'une grande frayeur (...)
BIBLE (CRAMPON), Évangile selon saint Matthieu, XXVII, 54.

2 Aussi se constitua-t-il une classe de demi-convertis, de «craignant Dieu» (...) le centurion de l'Évangile sera sans doute l'un d'eux.
DANIEL-ROPS, le Peuple de la Bible, IV, III, p. 338.

**CÉNURE** ou **CŒNURE** [senyʀ] n. m. — 1839; lat. zool. *cœnurus,* du grec *koinos* «commun», et *oura* «queue», à cause de la forme de l'animal.

Forme larvaire de certains ténias, parasite du tissu sous-cutané, des muscles et du cerveau chez l'homme et chez quelques mammifères, particulièrement le mouton. *Le cénure, appelé aussi* vercoquin, *est la cause de la maladie dite* tournis.

**CEP** [sɛp] n. m. — Déb. XI^e; du lat. *cippus* «pieu». → Cippe.

♦ **1** Pied (de vigne). *Cep de vigne, de treille; cep. Arracher des ceps.* → **Souche.** *Baguage* des ceps. Provigner* un cep.* — Bois de la vigne.

Elles sont sans feuilles, ces vignes, parce que l'avril n'est pas commencé; on voit leurs ceps énormes se tordre partout sur le sol comme des serpents au corps multiple (...)
LOTI, Jérusalem, III, p. 19.

Par compar. *Noueux, sec, tordu comme un cep, comme un cep de vigne.*

♦ **2** (1836). Techn. Pièce de bois ou de fer supportant le soc d'une charrue. Var. graphique : *sep* (vx).

♦ **3** (Déb. XI^e). Vx. Pièce de fer servant d'entrave pour des prisonniers. → **Chaîne.** *Être aux ceps. Mettre qqn aux ceps.* Var. graphique : *sep.*

**DÉR. Cépage, cépée.** ◊ **HOM. 1. Cèpe, 2. cèpe.**

**CÉPAGE** [sepaʒ] n. m. — 1573; de *cep.*

Variété de plant de vigne cultivée. *Noms de cépages :* aligoté, aramon, auvernat, cabernet, carignan, césar, gamay, gouet, grenache, picardan, picpouille, pineau, riesling, sémillon, silvaner ou sylvaner, traminer... → **Raisin, vigne.** *Cépage blanc, noir. Les cépages de Bourgogne.*

1. **CÈPE** [sɛp] n. m. — 1798; gascon *cep* «tronc», du lat. *cippus.* → Cep.

Bolet* comestible (→ **Champignon**), spécialt, le *bolet cèpe* ou *cèpe de Bordeaux.* — REM. Le mot *cèpe* est plus courant que *bolet,* et s'emploie exclusivement pour le commerce et l'alimentation. — *Aller chercher, cueillir des cèpes. Cèpes à l'ail, à la bordelaise. Omelette aux cèpes. Cèpes frais, en bocaux, en conserve.*

**HOM. Cep, 2. cèpe.**

2. **CÈPE** [sɛp] n. f. — XV^e, *sepe;* de l'ancien provençal *sepa* «tronc d'arbre», même orig. que *cep.*

Régional. Bûche, souche.

Une grosse cèpe d'olivier s'ouvrit comme une grenade mûre, s'effrita dans le brasier soupirant et ses débris étaient pareils à des roses
J. GIONO, Naissance de l'Odyssée, p. 43.

**HOM. Cep, 1. cèpe.**

**CÉPÉE** [sepe] n. f. — 1180; de *cep.*

♦ **1** Agric. Touffe de jeunes tiges de bois, de rejets sortant d'une même souche.

Sur les reliefs perpendiculaires du paysage, des pentes rases ou bouquetées de cépées de hêtres (...)
CHATEAUBRIAND, Mémoires d'outre-tombe, IV, II.

♦ **2** Taillis d'un à deux ans.

**CEPENDANT** [s(ə)pɑ̃dɑ̃] adv. et conj. — 1278, écrit *ce pendant;* 1424, *cependant que;* de *ce* (cela), et *pendant,* p. prés. de *pendre* «cela, ceci étant pendant».

♦ **1** Adv. Vx ou littér. (Exprimant la concomitance). Pendant* ce temps (à ce moment*, au moment même).

Cependant il advint qu'au sortir des forêts 1
Ce lion fut pris dans des rets (...)
LA FONTAINE, Fables, II, 12.

Allez, et cependant au pied de nos autels 2
J'irai rendre pour vous grâces aux Immortels.
CORNEILLE, Horace, I, 3.

Viens, suis-moi. La Sultane en ce lieu se doit rendre. 3
Je pourrai cependant te parler et l'entendre.
RACINE, Bajazet, I, 1.

Loc. conj. (Marquant la simultanéité). *Cependant que... :* pendant que, pendant le temps que... → **Alors** (que), **durant** (que), **tandis** (que).

Le temps s'en va, le temps s'en va, ma Dame, 4
(...) Et des amours, desquelles nous parlons,
Quand serons morts, n'en sera plus nouvelle :
Pour ce aimez-moi, cependant qu'êtes belle.
RONSARD, Pièces retranchées, «Continuation des amours», Pl., t. II, p. 814.

Cependant que j'ahanne, 5
À mon blé que je vanne (...)
DU BELLAY, le Vanneur.

6 Cependant que mon mari n'y est pas, je vais faire un tour (...) MOLIÈRE, la Jalousie du Barbouillé, 8.

♦ **2** Adv. (1541, Calvin). Cour. (Exprimant surtout une opposition, une restriction). → **Néanmoins, nonobstant, pourtant, toutefois; malgré** (malgré cela), **regard** (en regard de cela). Cf. aussi Toujours est-il, avec tout cela, n'empêche que.

REM. 1. Du fait que sa place est variable (surtout en début de proposition ou en incise) *cependant* est dit adverbe de liaison plutôt que conjonction de coordination.

.1 Maman, cependant, était bonne catholique, ou prétendait l'être (...) ROUSSEAU, les Confessions, VI.

.2 Le pigeon est fort timide et difficile à apprivoiser. Cependant je vins à bout d'inspirer aux miens tant de confiance, qu'ils me suivaient partout (...) ROUSSEAU, les Confessions, VI.

7 (...) agacé cependant de l'entendre soutenir une erreur avec tant de certitude et de suffisance. PROUST, À la recherche du temps perdu, t. IX, p. 122.

8 On ne peut sans abuser de l'analyse, essayer de retrouver dans *n'empêche que* le sens et la valeur d'une principale dont dépendrait le reste; *n'empêche que* veut dire à peu près : *et cependant.* F. BRUNOT, la Pensée et la Langue, I, XI.

2. *Cependant* est souvent combiné avec une conjonction de coordination, un adverbe, une conjonction de subordination. *Et cependant. Mais cependant. De manière cependant que...*

Littér. *Cependant que...* (exprimant l'opposition). *«L'italien est parfaitement phonétique, cependant que le français (...) possède quatre manières d'écrire k (...)»* (Valéry, *in* T. L. F.).

**CÉPHAL-** → **Céphalo-.**

**CÉPHALALGIE** [sefalalʒi] n. f. — 1495, *cephalargie;* bas lat. *cephalargia* ou *cephalalgia,* grec *kephalalgia,* de *kephalê* «tête», et *algein* «souffrir».

Méd. Douleur de tête, symptôme de nombreux états morbides. → **Céphalée, migraine;** cour. **mal** (de tête). *Céphalalgie diffuse, localisée. Céphalalgie interne.*

Christ! Ô Christ, éternel voleur des énergies,
Dieu qui pour deux mille ans vouas à ta pâleur,
Cloués au sol, de honte et de céphalalgies,
Ou renversés, les fronts des femmes de douleur.
RIMBAUD, Poésies, «Les premières communions», Pl., p. 92.

DÉR. **Céphalalgique.**

**CÉPHALALGIQUE** [sefalalʒik] adj. — 1837; de *céphalalgie.*

Méd. Relatif à la céphalalgie.

**-CÉPHALE** Élément final, tiré du grec *kephalê* «tête», et qui sert à former de nombreux mots didactiques et scientifiques. → **Acéphale, acrocéphale, androcéphale, autocéphale, bicéphale, bothriocéphale, brachycéphale, bucéphale, cynocéphale, dicéphale, dolichocéphale, hydrocéphale, leptocéphale, macrocéphale, mégalocéphale, mésocéphale, microcéphale, platycéphale, pycnocéphale, tricéphale, trichocéphale, trigonocéphale.** — La plupart de ces composés ont un nom (fém.) correspondant en *-céphalie.*

**CÉPHALÉ, ÉE** [sefale] adj. — 1809, Lamarck; dér. sav. du grec *kephalê* «tête», et suff. *-é.*

Zool. Muni d'une tête distincte. — N. m. pl. (Vx). *Les céphalés :* les animaux à tête distincte.

HOM. **Céphalée.**

**CÉPHALÉE** [sefale] n. f. — 1570; lat. class. *cephalea,* du grec *kephalaia.*

Méd. Mal de tête. → **Céphalalgie, migraine.**

HOM. **Céphalé.**

**CÉPHALINE** [sefalin] n. f. — Av. 1920, Legendre; de *céphal-,* et *-ine.*

Chim., biol. Substance lipidique phosphatée présente en grande quantité dans le cerveau et le foie, existant également chez certains végétaux et micro-organismes.

**CÉPHALIQUE** [sefalik] adj. — 1314; du bas lat. *cephalicus,* grec *kephalikos,* de *kephalê* «tête». → -céphale, céphalo-.

Anat. Qui a rapport à la tête*. *Artère céphalique.* → **Carotide.** *Veine céphalique :* grande veine superficielle du bras utilisée autrefois pour les saignées. *Souffle céphalique,* perçu chez le nouveau-né, au niveau de la fontanelle. *Douleur céphalique.* → **Céphalalgie, céphalée.** *Remèdes céphaliques,* contre les maux de tête.

Sans vouloir défendre mon mot, dit l'auteur, je vous ferai observer que *Huile Céphalique* veut dire huile pour la tête (...) 1
BALZAC, César Birotteau, Pl., t. II, p. 439-440.

Anthropométrie. *Indice céphalique :* rapport du diamètre transversal et du diamètre antéro-postérieur du crâne.

Biol. Relatif à la partie antérieure et supérieure d'un organisme (lorsqu'il ne s'agit pas d'une tête bien distincte). → Céphalon. *Extrémité céphalique des animaux inférieurs. Coiffe céphalique du spermatozoïde.* → **Acrosome.**

Entre la boîte céphalique et le corps (...) à la limite du champ de relation et de la partie locomotrice, se trouve une nageoire pectorale, palette articulée. 2
J. VERNE, l'Île mystérieuse, t. I, p. 235.

**CÉPHALISATION** [sefalizasjɔ̃] n. f. — 1906, in *Rev. gén. des sc.,* n° 15, p. 718; de *céphal-,* et suff. *-isation.*

Biol. Développement des structures et des fonctions nerveuses dans la tête ou l'extrémité céphalique. *La céphalisation progressive des hominidés.*

Si nous plaçons sur ce graphique tous les animaux usuels, nous avons une série de points qui semblent répartis au hasard; en fait ils se groupent tous sur des droites parallèles aux précédentes, et chaque droite correspond à une même famille naturelle (...)
Il est facile de caractériser le niveau de chaque droite, par un chiffre qui indiquera en quelque sorte, la valeur du développement cérébral. Ce chiffre est le *coefficient de céphalisation.*
Paul CHAUCHARD, le Système nerveux..., p. 106.

**CÉPHALO-, CÉPHAL-** Élément initial de mots savants, du grec *kephalê* «tête». — Outre les termes traités ci-dessous, on peut signaler : *céphalographie* [sefalɔgʀafi] n. f. (vx) «description scientifique de la tête»; *céphaloïde* [sefalɔid] adj. «en forme de tête»; *céphalopage* [sefalopaʒ] n. m. «monstre double à deux corps soudés par la tête»; *céphalotomie* [sefalotɔmi] n. f. (vx) «craniotomie»; *céphalotribe* [sefalotʀib] n. m. «forceps destiné à broyer la tête du fœtus mort pour faciliter l'expulsion».

**CÉPHALOCORDÉS** [sefalokɔʀde] n. m. pl. — XX^e; de *céphalo-,* et *cordés.*

Zool. Classe d'Agnathes sans encéphale. — Au sing. *L'amphioxus* est un céphalocordé.*

**CÉPHALOMÈTRE** [sefalɔmɛtʀ] n. m. — 1814; de *céphalo-,* et *-mètre.*

Didact. Instrument servant à mesurer les dimensions de la tête et du crâne (→ **Craniomètre**).

**CÉPHALOMÉTRIE** [sefalɔmetʀi] n. f. — Déb. XIXe; de *céphalo-*, et *-métrie.*

Didact. Mesure de la tête (→ **Craniométrie**).

DÉR. **Céphalométrique.**

**CÉPHALOMÉTRIQUE** [sefalɔmetʀik] adj. — 1838; de *céphalométrie.*

Didact. De la céphalométrie. (→ **Craniométrique**). *Mesures céphalométriques.*

**CÉPHALON** [sefalɔ̃] n. m. — 1906, in *Rev. gén. des sc.*, no 3, p. 155; du grec *kephalê* «tête». → Céphalo-.

Zool. Extrémité céphalique du corps de certains organismes (arthropodes). *Zone préorale et zone post-orale du céphalon d'un crustacé décapode. Le céphalon et le thorax soudés forment le céphalothorax*.*

**CÉPHALOPHINÉS** [sefalɔfine] n. m. pl. — 1899, *Nouveau Larousse illustré*, art. *Céphalolophe*; de *céphalolophe* «petite antilope de l'Afrique équatoriale» (1846, Bescherelle, var. *céphalolophe*, 1899; lat. sav. *cephalophus*, du grec *kephalê* «tête», et *lophos* «aigrette, touffe de poils», à cause de la houppe pileuse que l'animal porte au front), et suff. *-inés.*

Zool. Sous-famille de mammifères (petites antilopes) de la famille des *bovidés*, comprenant deux genres : *sylvicapra* et *cephalophus* ou *céphalophe*, type de la sous-famille. — Au sing. *Un céphalophiné.*

**CÉPHALOPODES** [sefalɔpɔd] n. m. pl. — 1798, Cuvier; de *céphalo-*, et *-pode.*

Zool. Classe de mollusques* supérieurs caractérisée par un pied à tentacules munis de ventouses, que porte la tête; par une bouche précédée d'un bec corné; par des yeux perfectionnés; par une tête distincte contenant un véritable cerveau; par un système complexe de locomotion et par la réduction ou l'absence de coquille. *On classe les céphalopodes, d'après le nombre de leurs branchies, en* Tétrabranchiaux (→ **Nautile**), *et* Dibranchiaux (Décapodes : → **Calmar, seiche**; Octopodes : → **Argonaute, pieuvre** [cit.], **poulpe**). *Céphalopodes fossiles* (ex. : les ammonites, les bélemnites). — Au sing. *Un céphalopode.* — Adj. *Un mollusque céphalopode.*

Ils ne parlaient pas, mais ils réfléchissaient, et cette réflexion dut venir à plus d'un, que quelque poulpe ou autre gigantesque céphalopode pouvait occuper les cavités intérieures, qui se trouvaient en communication avec la mer.
J. VERNE, l'Île mystérieuse, t. I, p. 235.

**CÉPHALOPTÈRES** [sefalɔptɛʀ] n. m. pl. — 1809, Geoffroy Saint-Hilaire, *in* Cottez; de *céphalo-*, et *-ptère.*

Zool. (Vx). Genre de passereaux d'Amérique du Sud (gobe-mouches) portant une huppe. — Au sing. *Un céphaloptère.*

**CÉPHALORACHIDIEN, IENNE** [sefalɔʀaʃidjɛ̃, jɛn] adj. — 1842, *céphalo-rachidien*, in D. D. L.; de *céphalo-*, et *rachidien.*

Anat. Qui concerne la tête (spécialt, l'encéphale) et la colonne vertébrale (ou *rachis*). → aussi **Cérébrospinal.** *Nerfs céphalorachidiens.* — REM. On écrit aussi *céphalo-rachidien.*

**CÉPHALOSCOPIE** [sefalɔskɔpi] n. f. — 1842; de *céphalo-*, et *-scopie.*

Méd. Vx. Examen de la boîte crânienne. REM. Le dér. *céphaloscopique* [sefalɔskɔpik] adj., vx, est attesté (1806, in D. D. L.).

**CÉPHALOSPORINE** [sefalospɔʀin] n. f. — Attesté 1969; empr. à l'angl. *cephalosporine*, 1951, du lat. mod. *Cephalosporium*, genre de champignon microscopique.

Pharm. Antibiotique proche de la pénicilline (mis en évidence dans la moisissure Cephalosporium).

**CÉPHALOTE** [sefalɔt] n. m. — 1838; lat. bot. *cephalotus*, grec *kêphalotos* «pourvu d'une tête».

Bot. Plante d'Australie, aux feuilles formant des réceptacles (analogues à des «têtes»). — Feuille de cette plante. *«Des "céphalotes", espèces de godets (...) qui pendaient aux branches d'arbustes coralliformes»* (J. Verne, *les Enfants du capitaine Grant*).

**CÉPHALOTHORACIQUE** [sefalotɔʀasik] adj. — XXe; de *céphalothorax.*

Zool. Du céphalothorax. *La «région céphalothoracique»* (Zool., *Encycl. Pl.*, t. 2, p. 265).

**CÉPHALOTHORAX** [sefalotɔʀaks] n. m. — 1843; de *céphalo-*, et *thorax.*

Zool. Partie antérieure du corps, formée de la tête (ou céphalon) et du thorax soudés, chez certains invertébrés (crustacés, limules, arachnides).

Le céphalothorax *(des crustacés décapodes)* est formé de segments complètement soudés dorsalement et latéralement de telle sorte qu'il ne subsiste pas de signe de segmentation externe.
Cl. DELAMARE-DEBOUTTEVILLE, les Crustacés, *in* Zoologie, t. II, Encycl. Pl., p. 263.

DÉR. **Céphalothoracique.**

**CÉPHÉIDE** [sefeid] n. f. — 1927; de *Céphée*, constellation boréale, lat. *cepheus*, grec *Kêpheus* «Céphée», personnage mythologique.

Astron. Étoile dont l'intensité lumineuse est variable de façon périodique, avec une courte période de variation d'éclat. Syn. : *étoile variable périodique à courte période. La luminosité absolue des céphéides est fonction de leur période.*

(...) ces belles et curieuses étoiles que sont les *céphéides*, ainsi nommées parce qu'elles ressemblent à l'étoile *Delta* de la constellation de Céphée.
Pierre ROUSSEAU, De l'atome à l'étoile, p. 113.

**CÉR-** → **Céri-.**

**CÉRAISTE** [seʀɛst] n. m. — 1808, Boiste, n. f.; *céreste, céraste*, déb. XIXe; du lat. bot. *cerastium**, ou du grec *kerastês* «cornu» (avec altér. de la 2e syllabe), à cause de la forme du fruit. → Céraste.

Bot. Plante dicotylédone dialypétale herbacée des champs et des bois, à tige velue, à feuilles simples opposées, à fleurs blanches ou blanchâtres, régulières, dont chacun des cinq pétales est divisé en deux au sommet (*Caryophyllacées*; n. sc. *Cerastium*). *Céraiste des champs* (Cerastium arvense). *Céraiste vulgaire* (Cerastium vulgatum). *Le céraiste cotonneux* (Cerastium tomentosum), appelé aussi *argentine, oreille-de-souris, traînasse... est ornemental.*

**CÉRAMBYCIDÉS** [seʀɑ̃biside] n. m. pl. — XXe; de *cérambyx*, et *-idés.*

Zool. Famille de coléoptères à corps allongé et longues antennes. Syn. : *longicornes.* — Au sing. *Un cérambycidé.*

**CÉRAMBYX** [seʀɑ̃biks] n. m. — 1775; lat. sc. *cerambyx*, Linné, 1735; grec *kerambux* «capricorne».

Zool. Capricorne*, type de la famille des *Cérambycidés.*

DÉR. **Cérambycidés.**

**CÉRAME** [seʀam] n. m. et adj. — 1751; grec *keramon* «vaisselle en argile». → Céramique.

♦ 1 Archéol. Vase grec en terre cuite. — Adj. *Vase cérame.*

♦ 2 (Adj.). Techn. GRÈS CÉRAME, utilisé en céramique. *Des grès cérames.*

**CÉRAMIE** [seʀami] n. f. — 1820; lat. bot. *ceramium*, du grec *keramion* «vase d'argile».

Bot. Algue marine rouge dont le thalle est formé de nombreux axes ramifiés.

**CÉRAMIQUE** [seʀamik] adj. et n. f. — 1806; grec *keramikos* «d'argile», de *keramos* «argile».

I Adj. ♦ 1 Relatif à la fabrication des vases en terre cuite, des faïences, des porcelaines... *Les arts céramiques. L'industrie céramique. Musée céramique. — Produits céramiques :* faïence, porcelaines (biscuit, etc.), poteries, terres cuites, grès cérames (et aussi verres, émaux). *Carreaux céramiques. Pâte céramique faite d'argile, de kaolin... Battitures, pourrissage de la pâte céramique. Substance qui diminue la plasticité d'une pâte céramique.* → **Amaigrissant.** *Coulage, modelage, tournage, cuisson au four d'une pièce céramique. Recouvrir une pièce céramique d'un enduit.* → **Engobage, glaçure, lut.** *Couleurs céramiques.*

♦ 2 Techn. *Matériau céramique* (→ ci-dessous, II., 4.). *Support céramique d'un circuit hybride.*

II N. f. ♦ 1 Technique du potier. *Étudier la céramique. Bernard Palissy fut l'un des créateurs de la céramique en France. — «Art de peindre la porcelaine, de cloisonner les émaux et même de fabriquer le verre»* (Académie).

Spécialt. *Céramique dentaire :* technique de prothèse dentaire utilisant la porcelaine.

Par ext. (sens large; → ci-dessous, 4.). *La céramique traditionnelle et les nouvelles techniques céramiques (néo-céramique). Céramique métallique.* → **Métallocéramique.**

♦ 2 a (Plus cour.). Matière (kaolin, argile...) dont sont faits les produits céramiques. *Des carreaux de céramique.*

b Techn. Matériau céramique (au sens I, 1 ci-dessus).

♦ 3 *(Une, des céramiques).* Objet de céramique (vaisselle, carreaux, objets décoratifs). → **Faïence, porcelaine, terre** (cuite). *Une céramique ancienne. Des céramiques d'art. Collection de céramiques.* — (Collectif). *La céramique :* les objets en céramique.

La surface d'une céramique, suivant qu'il s'agit d'un récipient géant à contenir du grain, d'un récipient à tenir l'eau fraîche ou d'un récipient imperméable, offrira des états de surface variés, grenu, poreux ou lisse, de caractère directement fonctionnel, qui feront appel à des références empruntées à l'esthétique physiologique.

A. LEROI-GOURHAN, le Geste et la Parole, t. II, p. 139.

♦ 4 Par ext. Techn. Tout matériau manufacturé inorganique, à l'exception des métaux et alliages (en général obtenus par traitement à haute température). REM. Cette notion large inclut les verres, liants, émaux, céramiques au sens 2, b *(céramiques traditionnelles)* et les *céramiques nouvelles* (produits frittés) tels que oxydes, carbures, nitrures et les composites comportant des matériaux inorganiques. → **Vitrocéramique.** *La céramique d'un circuit électronique. Les céramiques industrielles.*

DÉR. et COMP. **Céramiste, métallocéramique, vitrocéramique.** — (Du même rad.) V. **Céramographie, céramographique, céramologie.**

**CÉRAMISTE** [seʀamist] n. — 1856; de *céramique.*

Personne qui fabrique, décore de la céramique. *Une céramiste de grand talent.* — Appos. *Artisan céramiste. Peintre céramiste.*

**CÉRAMOGRAPHIE** [seʀamɔgʀafi] n. f. — 1866; du rad. de *céramique*, et *-graphie.*

Didact. Science de l'art céramique; traité historique de l'art céramique.

**CÉRAMOGRAPHIQUE** [seʀamɔgʀafik] adj. — Fin XIXe; «céramique (I.)», 1819; du rad. de *céramique*, et *-graphique.*

Didact. Relatif à la céramographie.

**CÉRAMOLOGIE** [seʀamɔlɔʒi] n. f. — V. 1960 (1974, Courrier du CNRS); du rad. de *céramique*, et *-logie.*

Didact. Étude archéologique de l'art céramique. *«Ainsi a-t-on fait au laboratoire de céramologie de Valence (CNRS) lequel, après s'être intéressé, comme son nom l'indique, à l'analyse des poteries, s'est ensuite tourné vers celle des sculptures»* (*Sciences et Avenir*, no 404, oct. 1980, p. 95).

**CÉRAMOLOGUE** [seʀamɔlɔg] n. — Mil. XXe; du rad. de *céramique*, et *-logue.*

Didact. Spécialiste de céramologie.

**CÉRASTE** [seʀast] n. m. — 1213; lat. *cerastes* «vipère à cornes», grec *kerastês* «cornu», de *keras* «corne». → Céraiste.

Zool. Serpent venimeux *(Vipéridés)*, vivant en Afrique et en Asie, portant une excroissance au-dessus de chaque œil. — En appos. *Vipère céraste.*

Syn. cour. : *vipère cornue, vipère à cornes.* → **Vipère** (cit. 1).

**CERASTIUM** [seʀastjɔm] n. m. — XIXe; lat. bot., du grec *kerastês* «cornu», à cause de la forme du fruit. → Céraste.

Bot. → **Céraiste.**

**CÉRAT** [seʀa] n. m. — 1539; lat. *ceratum*, p. p. de *cerare* «frotter avec de la cire».

Pharm. (Vieilli). Médicament externe à base de cire et d'huile, utilisé seul ou additionné de substances médicamenteuses, en dermatologie ou en cosmétologie. *Cérat de blanc de baleine. Cérat à la rose. Soigner des gerçures aux lèvres avec du cérat.*

L'air est tiède, d'une tiédeur moite. Il est chargé d'une odeur fade, d'un goût écœurant de cérat échauffé et de graine de lin bouillie.

Ed. et J. DE GONCOURT, Sœur Philomène, p. 2.

**CERATIAS** [seʀatjas] n. m. — Fin XIXe; du grec *keratias* «cornu». → Kérat-.

Zool. Poisson abyssal, portant un appendice lumineux sur la tête et à dents énormes (poisson osseux; famille des *Cératiidés*).

D'hier aussi, date la connaissance de l'étrange biologie sexuelle des *Ceratias*, les seuls Vertébrés dont les mâles nains se dégradent au point de vivre en parasites sur les femelles, de se souder à elles et de dégénérer presque totalement.

R. et M.-L. BAUCHOT, les Poissons, p. 5.

**CÉRATINE** [seʀatin] n. f. — 1820; lat. zool. *ceratina*, 1804, Latreille, grec *kêratinos* «en corne».

Zool. Petite abeille solitaire, nichant dans la tige de certaines plantes.

**CÉRATITE** [seʀatit] n. f. — 1832; grec *kêratitis* «cornu», de *kerastês*. → Céraste.

♦ **1** Paléont. Mollusque ammonoïde fossile du trias.

♦ **2** (1845). Zool. Coléoptère d'Afrique noire à larve xylophage.

**CÉRATOGLOSSE** [seʀatoglɔs] adj. — 1701; de *cérato-*, var. de *kérato-*, et *-glosse*.

Anat. Se dit d'un muscle fixé à la corne de l'os hyoïde. — REM. On écrit aussi *cérato-glosse* (vx).

**CÉRAUNIE** [seʀoni] n. f. — 1838; du lat. *ceraunus*, 1125, grec *keraunias* «frappé par la foudre», cette pierre étant, croyaient les Anciens, précipitée sur terre par la foudre.

Minér. Jade d'une variété communément appelée *pierre de foudre*.

**CERBÈRE** [sɛʀbɛʀ] n. m. — 1576; lat. *Cerberus*, du grec *Kerberos*, nom du chien à trois têtes qui gardait l'entrée des enfers.

1 (...) un chien, dont j'entends la voix, est la seule garde du prince : Cerbère aboie ainsi aux ombres dans les régions de la mort, du silence et de la nuit.

CHATEAUBRIAND, Mémoires d'outre-tombe, IV, VIII.

♦ **1** Portier brutal, hargneux; gardien sévère et intraitable. *C'est un cerbère. Un cerbère femelle.*

2 (...) ce chat exterminateur,
Vrai Cerbère, était craint une lieue à la ronde.

LA FONTAINE, Fables, III, 18.

Garde, gardien, concierge.

3 Une fois cette conviction bien arrêtée dans son esprit, il sut s'informer près des guichetiers; il avait une façon irrésistible de charmer les cerbères et de leur faire dire ce qu'il voulait savoir, sans qu'ils s'en doutassent le moins du monde.

Louise MICHEL, la Misère, t. III, p. 631.

♦ **2** Chien de garde hargneux, agressif.

**CERCAIRE** [sɛʀkɛʀ] n. f. — 1800, Boiste; lat. sav. *cercaria*, Müller, du grec *kerkos* «queue».

Zool. Larve des vers trématodes appelés *douves**.

Au terme de leur évolution, les cercaires quittent le mollusque (...) Ils vont alors se fixer, à fleur d'eau, sur des brins d'herbe.

E. GARCIN, Guide vétérinaire, 1944, p. 68, *in* T. L. F.

**CERCE** [sɛʀs] n. f. — 1762; *cercle*, «menuiserie entourant une meule de moulin», av. 1105; «garniture du bord d'un objet», v. 1270; *cherche* «courbe (d'une construction)», 1567; probablt de *cerche*, du lat. pop. **circa*, fém. de *circus* «cercle», par assimilation progressive, ou p.-ê. d'après *cerceau*.

Technique.

♦ **1** (*Serche*, 1577). Cercle de bois large et mince servant à monter les cribles et les tamis.

♦ **2** Menuiserie qui entoure les meules d'un moulin.

♦ **3** Ustensile d'encastage pour les poteries.

♦ **4** Patron permettant de profiler une construction d'après une forme donnée. → **Gabarit.** *Cerce pour établir le bombement d'une chaussée.*

**CERCEAU** [sɛʀso] n. m. — 1120, «anneau, cercle»; bas lat. *circellus* «petit cercle», de *circus* «cercle».

♦ **1** Cercle de bois ou en métal.

(V. 1200). Techn. *Cerceaux de tonneaux, de baquets*, maintenant les douves. → **Feuillard.** *Cerceaux des extrémités d'une futaille.* → **Sommier.** *Chassoir, davier pour faire entrer les cerceaux sur un tonneau.* — *Cerceaux de jupon, de crinoline*, en acier flexible.

Cercle de brodeur, servant à tendre l'étoffe à travailler.

*Cerceau d'acrobate, de faiseur de tours*, le plus souvent tendu de papier mince, que traverse l'acrobate. *Crever un cerceau. Cerceau enflammé.*

Dans la plaine les baladins 0.1
S'éloignent au long des jardins (...)
Ils ont des poids ronds ou carrés
Des tambours des cerceaux dorés

APOLLINAIRE, Alcools, p. 78.

(1835). Jouet que l'on fait rouler en le poussant avec un bâton (→ Bâton, cit. 15).

Le cerceau était grand et solide : trop grand pour la taille 1
de Louis (...) Rien qu'à le regarder, on sentait comment il pourrait courir, bondir.

J. ROMAINS, les Hommes de bonne volonté, XVII, p. 175.

♦ **2** (XVe). Cintre, demi-cercle en bois, en fer. → **Arceau.** *Cerceaux de voiture*, qui soutiennent la bâche. *Le cerceau d'un berceau d'enfant, d'une tonnelle de jardin.*

Méd. Appareil soulevant le drap et les couvertures au-dessus d'une partie malade. → **Arceau, archet.**

On garantit le moignon du poids des couvertures au 2
moyen d'un petit cerceau

Ph. BOYER, Traité des maladies chirurgicales, 1847, *in* D. D. L., II, 8.

(1680). Techn. anc. Balancier servant à porter deux seaux d'eau.

Arceau écartant l'entrée d'un filet. *Les cerceaux d'un carrelet*.*

Par métonymie. Pêche. Petit filet à écrevisses, poche montée sur un cerceau ou sur des cerceaux. → **Balance.**

♦ **3** (Choses naturelles). **a** Arc, arceau. *«Les cerceaux cartilagineux de la trachée»* (E. Perrier, *in* T. L. F.). **b** (1393, *serceaulx*). Zool. et chasse (faucon.). Plume du bout de l'aile des oiseaux de proie.

♦ **4** Cercle ou arc de cercle (forme). *Faire, former un cerceau.* **EN CERCEAU** : en arc de cercle, courbé, voûté. *Bras en cerceau. Se plier en cerceau, avoir le dos en cerceau.* — *Pattes en cerceau* (chien, cheval). — Méd. *Ventre en cerceau.*

**CERCLAGE** [sɛʀklaʒ] n. m. — 1819; de *cercler*.

♦ **1** Action de cercler; son résultat. *Cerclage de tonneaux. Un cerclage solide.*

♦ **2** Méd. Procédé de contention d'une fracture au moyen de lames métalliques réunissant les fragments osseux. — *Cerclage du col utérin*, consistant à fermer le col utérin pour prévenir une expulsion prématurée du fœtus.

**CERCLE** [sɛʀkl] n. m. — 1160, «objet circulaire»; lat. *circulus*, de *circus* «cercle».

**I** ♦ **1** Cour. (impropre en sc.). Surface plane limitée par une courbe (Cercle, II., 1.) dont tous les points sont à égale distance d'un point appelé *centre du cercle*. → **Disque.** *Diamètre, rayon d'un cercle. On obtient l'aire d'un cercle en multipliant le carré du rayon par 3,1416 (π). Quart de cercle. Sixième de cercle.* → **Sextant.** *Huitième de cercle.* → **Octant.** *Demi-cercle. Portion de cercle comprise entre deux rayons* (→ **Secteur** [secteur circulaire]), *entre un arc et une corde* (→ **Segment**). *Bord gradué d'un cercle.* → **Limbe.** *Circonscrire une figure à un cercle. Inscrire une figure dans un cercle. Cercles inscrits dans un autre cercle, ayant le centre commun* (→ **Concentrique; homocentre**), *n'ayant pas le même centre* (→ **Excentrique**).

(1690). **QUADRATURE DU CERCLE :** problème insoluble consistant à construire un carré dont la surface serait rigoureusement égale à celle d'un cercle donné (problème des grandeurs incommensurables). — Fig. *La quadrature du cercle :* un objet, un but impossible à atteindre. *Chercher la quadrature du cercle.*

♦ **2** Figure présentant une surface analogue au cercle. → **Circulaire.** *Un cercle lumineux.* → **Disque.** — *En forme de cercle, en cercle.* → **Circulaire.** *Édifices en forme de cercle* (→ **Abside, amphithéâtre, cirque**), *de demi-cercle* (→ **Hémicycle**). — *Vitrail en forme de cercle.* → **Rosace.**

*Mode de divination utilisant un cercle.* → **Gyromancie.** — *Délimiter un cercle sur le sol. Se mettre dans un cercle.* — *Le Cercle de craie caucasien,* pièce de B. Brecht. — *Cercle magique.*

Sports. Endroit d'où l'on lance (le poids, etc.).

*Les cercles de l'enfer :* divisions concentriques se succédant de l'entrée au fond du gouffre, dans l'*Enfer* de Dante.

Circonscription territoriale (dans certains pays germaniques). *Le cercle de Souabe.*

0.1 Les Huguenots avaient déjà établi en France des cercles, à l'imitation des Allemands.
VOLTAIRE, le Siècle de Louis XIV, 36, *in* Littré.

**II** ♦ **1** (V. 1265). Géom. La courbe limitant un cercle (au sens I, courant), un disque. → **Circonférence, courbe, rond.** *Faire, décrire, tracer un cercle. Les trois cent soixante degrés, les quatre cents grades d'un cercle. Degré d'un cercle divisé en soixante minutes. Grand cercle d'une sphère,* qui passe par le centre de la sphère, la partageant en deux parties égales. *Petit cercle d'une sphère,* cercle sécant. *Tangente à un cercle. Cercle tangent aux côtés d'un triangle.* → **Exinscrit, inscrit.**

1 (...) je trouve que la portion du cercle comprise entre les deux côtés de l'angle est la sixième partie du cercle.
ROUSSEAU, Émile, II.

2 Un géomètre vous démontre qu'entre un cercle et une tangente vous pouvez faire passer une infinité de lignes courbes (...) VOLTAIRE, l'Homme aux 40 écus.

3 (..) dans l'extrême éloignement, la mer, comme une grande vision diaphane, décrivait son cercle immense et éternel qui avait l'air de tout envelopper.
LOTI, Pêcheur d'Islande, VIII, p. 263.

*Arc en segment de cercle. Arc* de cercle. Entourer d'un cercle.* → **Cercler, cerner, encercler.**

Rue, avenue circulaire (cf. angl. *circle*).

Sports. Figure circulaire, en patinage.

Géogr. Lignes circulaires supposées tracées sur la sphère terrestre qui représentent la succession des saisons, les divisions de la sphère. → **Colure, équateur, horaire** (cercles horaires), **méridien** (longitude), **parallèle** (latitude), **tropique.** *Le cercle polaire arctique, antarctique.* → **Pôle.** *Partie d'une sphère comprise entre deux cercles parallèles.* → **Zone.** *Les cercles de la sphère armillaire*.* Astron. Lignes fictives supposées tracées sur la sphère céleste. *Cercles décrivant le mouvement des astres.* → **Orbe, orbite, écliptique, épicycle; révolution.**

Par ext. Équit. Exercice d'assouplissement latéral exécuté sur une ligne courbe.

(1906, *in* Petiot). *Cercle d'envoi :* demi-cercle tracé devant les buts, au hockey.

♦ **2** Cour. (par ext.). Ligne circulaire ou courbe fermée voisine du cercle. *Tour, enroulement en cercle.* → **Circonvolution, rotation.** *Chemin, itinéraire décrivant un cercle.* → **Circuit, périple.** *Cercles d'un cyclone qui se déplace en tournoyant. Cercles que décrit un oiseau, un avion. Faire des cercles dans l'eau.* → **Onde, rond.**

Il n'ose pas perdre une seconde à lever la tête pour suivre le vol de l'avion, dont le grondement l'assourdit, et qui, déjà, décrivant des cercles d'oiseau de proie, semble fondre sur lui pour le cueillir et l'emporter. 4
MARTIN DU GARD, les Thibault, t. VIII, p. 146.

♦ **3** Objet, figure ayant la forme approximative d'une circonférence. → **Anneau, cerne.** *Cercle d'acier, d'argent, d'ivoire.* — (Objet circulaire). *Mettre un cercle à une colonne pour l'empêcher d'éclater. Cercle métallique, pneumatique, entourant une roue.* → **Bandage.** *Cercle d'un moyeu de roue.* → **Frette.** *Cercle accouplant les organes d'un appareil, renforçant des pièces, servant à orner...* → **Bague, bracelet, collier, couronne...** *Cercle autour d'un tuyau.* → **Collerette.** *Cercle d'une pompe. Cercle d'un cabestan, d'un mât... Cercles d'une futaille, d'un tonneau.* → **Cerceau.** *Fabricant de cercles de tonneaux.* → **Cerclier.**

Par métonymie. Tonneau, foudre. *Du vin en cercles.* (Figures, formes circulaires). *Cercle du sein.* → **Aréole.** *Cercle entourant la tête d'un saint.* → **Auréole, nimbe.** *Cercle irisé qui entoure la lune.* → **Aréole, cerne, halo, parasélène.** *Le cercle d'un amphithéâtre*, d'un cirque*.* — *Portions de cercle, en architecture.* → **Arcade, arceau, cintre, lobe, voûte...**

Spécialt. Instrument formé d'une portion de cercle graduée en degrés, minutes, secondes. *Cercles d'arpenteur.* → **Demi-cercle, graphomètre.** *Cercle répétiteur, cercle mural.* → **Théodolite,** et aussi **quart-de-cercle, sextant, octant.**

Régional (notamment, Suisse). Anneau métallique adapté aux ouvertures circulaires d'un poêle, d'une cuisinière à charbon. → **Rond.**

Elle le prit *(le coquemar)* et l'ayant soulevé, lentement et l'un après l'autre, remit les cercles sur le trou. 5
C. F. RAMUZ, Vie de Samuel Belet, Œ. compl. t. V, p. 210.

♦ **4** Disposition de personnes ou d'objets rangés de façon à former une circonférence. *Un cercle de chaises. Former un cercle autour de qqn. Faire cercle.* (→ Boute-en-train, cit.). *Un cercle de curieux, d'auditeurs, d'admirateurs. Élargir, former, resserrer, dissoudre le cercle. Entrer dans le cercle.* — *En cercle. En demi-cercle. Ranger en cercle.*

Le ton de sa voix semblait dire : c'est inutile qu'on m'interrompe; je n'écoute jamais que moi. L'admirable, c'est qu'autour de lui l'on faisait cercle. 6
GIDE, Journal, Feuillets, Pl., p. 352.

Des sapins plantés en cercle autour de nous formaient comme un puits vertical et sombre dont la margelle enfermait le ciel bleu. A. MAUROIS, Climats, II, IV, p. 174. 7

(1653). Réunion des personnes groupées dans un salon.

(...) il va se jeter dans un cercle de personnes graves qui traitent ensemble de choses sérieuses, et les met en fuite. 8
LA BRUYÈRE, les Caractères de Théophraste, «Du grand parleur».

*Le cercle de famille :* la réunion de la proche famille.

Lorsque l'enfant paraît, le cercle de famille 9
Applaudit à grands cris (...)
HUGO, les Feuilles d'automne, XIX.

♦ **5** Groupe de personnes qui ont coutume de se réunir (pour converser, étudier, préparer une action...). *Fréquenter un cercle d'amis. Fonder un cercle d'études, un cercle littéraire. Membre d'un cercle.* → **Cercleux.** — *Cercle politique.* → **Club.**

Or, de toutes les sortes de liaisons qui peuvent rassembler les particuliers dans une ville comme la nôtre, les cercles forment sans contredit la plus raisonnable, la plus honnête et la moins dangereuse, parce qu'elle ne veut ni ne peut se cacher, qu'elle est publique, permise, et que l'ordre et la règle y règnent. 10
ROUSSEAU, Lettre à M. d'Alembert, p. 210.

10.1 On assure que la société du «parti de l'opposition», qui se rassemble à l'hôtel de Salm, a pris avant-hier le titre de Cercle constitutionnel.
l'Ami du peuple, 4 messidor an V, *in* AULARD, Paris pendant la réaction thermidorienne, IV, 185 (cité par BRUNOT, Hist. de la langue franç., t. IX, II, p. 822).

10.2 Le comte de Landa, un bon colosse, fier de sa taille et de ses épaules, bien que marié et père de deux enfants, ne se décidait qu'à grand'peine à dîner chez lui trois fois par semaine, et restait au Cercle les autres jours, avec ses amis, après la séance de la salle d'armes.
— Le Cercle est une famille, disait-il, la famille de ceux qui n'en ont pas encore, de ceux qui n'en auront jamais et de ceux qui s'ennuient dans la leur.
MAUPASSANT, Fort comme la mort, éd. 1889, p. 103.

Loc. (Écon.) : *Cercle de qualité* : groupe d'agents de production s'engageant à garantir la qualité de leurs produits (en échange d'avantages).

**III** (Abstrait). ♦ **1** Ce dont on fait le tour, dont on embrasse l'étendue. → **Domaine, étendue, limite.** *Parcourir le cercle des connaissances humaines* (→ **Encyclopédie).** *Étendre le cercle de ses occupations, de ses relations. Agrandir le cercle de ses idées, de ses connaissances. Un cercle vaste, étroit.*

11 Le petit cercle de ses idées se rétrécit encore (...)
FLAUBERT, Trois contes, «Un cœur simple», IV.

Ce qui entoure, enferme. → **Étreinte.** *Être enfermé, emprisonné, enserré dans un cercle. Cercle fatidique. Briser, rompre un cercle. Un cercle d'angoisse, de désespoir, d'impuissance.*

12 J'ai d'abord à briser le cercle d'impuissance dans lequel je tourne en désespéré ! J. VALLÈS, le Bachelier, p. 178.

13 Mais il lui fallait tout d'abord rompre, avant qu'il achevât de se souder, le cercle menaçant, qui (...) se formait autour de lui *(Bonaparte).*
Louis MADELIN, Hist. du Consulat et de l'Empire, Le Consulat, VI, La ligue du Nord, p. 77.

♦ **2** Class., littér. Succession* continue (de choses qui reviennent, se reproduisent). → **Cycle, retour.** *Le cercle des saisons.*

14 (...) un cercle continuel du péché à la pénitence, et de la pénitence au péché. FÉNELON, XVII, 73, *in* LITTRÉ.

♦ **3** Philos. Relation de deux termes pouvant se définir l'un par l'autre, de deux propositions pouvant se déduire l'une de l'autre.

**CERCLE VICIEUX** (raisonnement faux). → **Vicieux.**

**DÉR.** et **COMP. Cercler, cercleux, cerclier. Encercler. Demi-cercle, quart de cercle.**

**CERCLER** [sɛʀkle] v. tr. — Av. 1723 ; av. 1544, «disposer en cercle» ; de *cercle.*

♦ **1** Entourer, garnir, munir (qqch.) de cercles, de cerceaux. *Cercler un tonneau. Cercler une caisse. Cercler une roue.*

♦ **2** (Sujet n. de chose). Rare. Entourer comme d'un cercle. → **Encercler** (cour.). *Arbres qui cerclent un étang.*

◆ **CERCLÉ, ÉE** p. p. adj. (1690). *Tonneau bien cerclé.* — *Cerclé de... Lunettes cerclées de métal.*

Entouré d'un cerne. *Des yeux cerclés de bistre.* → **Cerné.**

(...) de grandes femmes aux formes viriles, avec des yeux cerclés de noir, le regard un peu louche (...)
E. FROMENTIN, Un été dans le Sahara, p. 147.

Techn. (vétér.) *Pied cerclé* (d'un cheval), dont le sabot présente une corne défectueuse marquée de rides circulaires.

**DÉR. Cerclage.** ◇ **COMP. Décercler, recercler.**

**CERCLEUX** [sɛʀklø] n. m. — 1895 ; de *cercle,* II., 5.

Fam., vx (mot à la mode à l'époque 1900). Membre d'un cercle.

Celui qui fréquente les cercles mondains. → **Clubiste.**

(...) il me semblait que Dechambre jouait la sonate de Vinteuil pour Swann quand ce cercleux, en rupture d'aristocratie, ne se doutait guère qu'il serait un jour le prince consort embourgeoisé de notre Odette (...)
PROUST, À la recherche du temps perdu, Pl., t. II, p. 894.

REM. Le fém. *cercleuse* [sɛʀkløz] est virtuel.

**CERCLIER** [sɛʀklije] n. m. — 1518 ; de *cercle,* II., 3.

Techn. Ouvrier, artisan qui fabrique des cercles (de tonneaux). *Serpe de cerclier.* → **Volain.**

**CERCO-** Premier élément de mots savants, du grec *kerkos* «queue» (→ **Cercopithèque ;** et aussi **-cerque).**

**CERCOPITHÈQUE** [sɛʀkopitɛk] n. m. — 1553, *cercopitheces ;* lat. *cercopithecus,* grec *kerkopithekos,* de *kerkos* «queue», et *pithêkos* «singe».

Zool. Singe catarrhinien *(Cercopithécidés),* à longue queue, vivant en Afrique. *Le grivet, le talapoin sont des cercopithèques. Avant le* XIX^e^ *siècle on appelait les cercopithèques «guenons».* → **Guenon.**

**CERCUEIL** [sɛʀkœj] n. m. — 1547 ; XI^e^, *sarqueu ; sarcou,* 1100 ; *sercueil,* v. 1165 ; du grec *sarkophagos* «pierre (à cercueils) ayant la propriété de consumer la chair». → Sarcophage.

♦ **1** Longue caisse dans laquelle on enferme le corps d'un mort pour l'ensevelir. → **Bière, sarcophage.** *Cercueil de bois, de plomb. Triple cercueil. Cercueil capitonné. Descendre un cercueil dans la sépulture*, dans le tombeau*.* → **Tombe.** *Estrade sur laquelle on place le cercueil.* → **Catafalque, chapelle** (ardente). *Cercueil placé dans un mausolée*. Drap couvrant le cercueil.* → 1. **Poêle.**

Un vieux notaire, lequel eut la vanité de se faire enterrer dans un cercueil de plomb. 1
A. R. LESAGE, le Diable boiteux, 12.

Tes os dans le cercueil vont tomber en poussière, 2
Ta mémoire, ton nom, ta gloire vont périr.
A. DE MUSSET, Lettre à Lamartine.

Il me semble, bercé par ce choc monotone 2.1
Qu'on cloue en grande hâte un cercueil quelque part.
BAUDELAIRE, les Fleurs du mal, «Spleen et Idéal», LVI, Pl., p. 57.

— Avez-vous observé que maints cercueils de vieilles 2.2
Sont presque aussi petits que celui d'un enfant ?
La Mort savante met dans ces bières pareilles
Un symbole d'un goût bizarre et captivant (...)
BAUDELAIRE, les Fleurs du mal, «Tableaux parisiens», XCI, Pl., p. 89.

(...) un de ces hommes si gros qu'il leur faut un cercueil sur commande. 3
Ed. et J. DE GONCOURT, Journal, p. 90.

Fig. *Descendre au cercueil* : mourir. *«Tyrans, descendez au cercueil»* (le Chant du Départ). *Être dans le cercueil* : être mort. *Avoir un pied dans le cercueil* (→ **Tombe) :** être près de mourir.

♦ **2** Fig., littér. Mort. → **Anéantissement, destruction, fin.** *Du berceau au cercueil* : de la naissance à la mort (→ **Tombe, fig.).**

Mais quoique ce combat me promette un cercueil, 4
La gloire de ce choix m'enfle d'un juste orgueil (...)
CORNEILLE, Horace, II, 1.

**CONTR.** (Du sens 2) **Berceau, naissance.**

**CERDAN, ANE** [sɛʀdɑ̃, an] adj. et n. — Attesté XX^e^, du catalan; du lat. *ceretanus.*

Rare. De la Cerdagne, région de Catalogne (Pyrénées orientales) partagée entre la France et l'Espagne. *Les vallées cerdanes.* N. *Un Cerdan, une Cerdane. Les Cerdans.*

**-CÈRE** Élément servant à former des termes de zoologie, du grec *keras* «corne», et signifiant «corne, antenne ou tentacule». → **Kérat(o)-.**

**CÉRÉALE** [seʀeal] n. f. — 1835; 1792, adj.; mil. XVI^e^, adj., «de Cérès»; XVI^e^ adj., «relatif au blé»; lat. *cerealis,* de *Ceres* «Cérès (déesse des moissons)».

♦ **1** N. f. Cour. (Souvent au plur.). Plante dont les grains peuvent servir à l'alimentation de l'homme et des animaux domestiques. *Les céréales* (à l'exception du sarrasin) *sont des graminées.* → **Alpiste** (nom sc. : *Phalaris*), **avoine** *(Avena),* **blé** *(Triticum),* **maïs** *(Zea),* **orge** *(Hordeum),* **riz** *(Oryza),* **sarrasin** *(Polygonum),* **seigle** *(Secale);* et **épeautre, froment** (blé), **méteil** (seigle et blé), **mil, millet, sorgho.** *Culture des céréales.* → **Céréaliculture.** *Développement de l'épi des céréales.* → **Épiage.** *Arrachage des chaumes de céréales.* → **Chaumage.** *Engranger, mettre en silos les céréales.* → **Ensiler.** *Les grains de céréales sont riches en amidon*. Alcool* de grains de céréales. Usages alimentaires des céréales :* bouillie alimentaire, flocons, gâteau, pain. *Parasites et maladies des céréales* (→ **Agrotis, charbon, ergot, ivraie, mélampyre, piétin, rouille).** *Échauffement, fermentation des céréales. Tige des céréales.* → **Paille.** *Enveloppe des grains de céréales.* → **Son.**
Par métonymie. Les graines de ces plantes; leur farine. *Bouillie de céréales. — Biscuits aux céréales.*
Anglic. Flocons (4.) de céréales.

♦ **2** Adj. (1792). Vx. *Les plantes céréales :* les céréales. *Semences céréales.* → **Céréalier.**

DÉR. et COMP. **Céréaliculture, céréalier, céréaline.**

**CÉRÉALICULTURE** [seʀealikyltyʀ] n. f. — 1929; de *céréale,* et *-culture.*

Didact. Culture des céréales.

**CÉRÉALIER, IÈRE** [seʀealje, jɛʀ] adj. — XX^e^; de *céréale.*

♦ **1** De céréales. *Production céréalière.*

Indépendamment des tracteurs pour la culture céréalière et betteravière, il existe des tracteurs spéciaux, notamment pour le travail des vignes.
Tony BALLU, le Machinisme agricole, p. 105 (1951).

Techn., comm. (Aliments). À base de céréales. *Préparation céréalière. Barre, confiserie céréalière.*

♦ **2** Qui est producteur de céréales. *Régions céréalières. Entreprise, exploitation céréalière.* — N. m. *Un céréalier :* un producteur de céréales. *Les grands céréaliers de la Beauce.*

**CÉRÉALINE** [seʀealin] n. f. — 1858; de *céréale,* et *-ine.*

Chim. Ferment diastasique découvert dans le son.

**CÉRÉBELLEUX, EUSE** [seʀebelø, øz; seʀebɛllø, øz] adj. — 1814, Nysten; du rad. du lat. *cerebellum* «petite cervelle», de *cerebrum* «cerveau» (→ Cerveau).

Anat. Relatif au cervelet*. *Masse cérébelleuse. Tissus cérébelleux. Pédoncules cérébelleux. Artères, veines cérébelleuses.*
Pathol. Qui a trait à une lésion du cervelet. *Ataxie, atrophie cérébelleuse. Syndrome cérébelleux :* troubles résultant d'une lésion du cervelet. → **Cérébellite.**

Aucune agression toxi-infectieuse ne peut être ici incriminée, mais seulement une dégénération cérébrale héréditaire, analogue aux dégénérescences médullaires ou cérébelleuses.
Jean DELAY, la Psycho-physiologie humaine, p. 92.

**CÉRÉBELLITE** [seʀebelit; seʀebɛllit] n. f. — Mil. XX^e^ (1965, *in* Garnier-Delamare); du rad. du lat. *cerebellum* (→ Cérébelleux), et *-ite.*

Méd. Inflammation du cervelet provoquant un syndrome cérébelleux.

**CÉRÉBR-** → **Cérébri-.**

**CÉRÉBRAL, ALE, AUX** [seʀebʀal, o] adj. — Av. 1615; du lat. *cerebrum* «cerveau». → Cerveau.

♦ **1** Anat. et cour. Qui a rapport au cerveau*. *Structure cérébrale. Artère cérébrale antérieure, artère cérébrale postérieure,* appelées aussi *les cérébrales. Nerfs cérébraux. Hémisphères cérébraux. Lobes cérébraux. Cortex cérébral. — Chirurgie cérébrale.*
Pathol., méd. Qui provient d'une lésion du cerveau. *Troubles cérébraux :* troubles de l'intelligence (→ **Aliénation),** de la sensibilité et de la motilité (→ **Aphasie, paralysie),** etc. *Arrêt des fonctions cérébrales.* → **Apoplexie.** *Congestion cérébrale. Anémie cérébrale. Hémorragie cérébrale. Ramollissement cérébral. Fièvre cérébrale* (→ **Méningite).** *Tumeurs cérébrales. — Localisations cérébrales :* localisation des fonctions à l'intérieur du cortex cérébral.
Phonét. (1838). *Phonèmes cérébraux,* que leur articulation situe entre les palatales et les vélaires (→ Cérébralisation).

♦ **2** (1825). Cour. Relatif à l'esprit, aux idées, à l'intellect. → **Intellectuel.** *Travail cérébral. Faculté, supériorité cérébrale. Vie cérébrale. Surmenage, épuisement cérébral.*

(...) l'encombrement de la tête humaine, la multiplicité et la contradiction des doctrines, l'excès de la vie cérébrale, les habitudes sédentaires (...) 1
TAINE, Philosophie de l'art, t. II, IV, II, III, p. 159.

Cette horreur d'agir s'explique par l'excès du travail cérébral qui, trop poussé, isole l'homme au milieu des réalités. 2
Paul BOURGET, le Disciple, IV, p. 97.

♦ **3** (Personnes). Qui vit surtout par la pensée, par l'esprit. *Il est trop cérébral.* → **Intellectuel.** — (Choses psychiques). *Amour cérébral,* intellectuel (opposé à *passionné* ou *sensuel*).

Sans doute était-il réellement plus cérébral que sensuel (...) 3
Louis MADELIN, Hist. du Consulat et de l'Empire, l'Ascension de Bonaparte, II, p. 25.

N. *C'est un cérébral. Elle est mathématicienne, mais ce n'est pas seulement une cérébrale.*

Ozy disait, en parlant de la pauvreté des moyens amoureux de deux illustres hommes, qui l'avaient aimée : «Ce sont, vous savez, des cérébraux!» 4
Ed. et J. DE GONCOURT, Journal, 28 janv. 1885.

DÉR. **Cérébralement, cérébralisation, cérébraliste, cérébralité.**

**CÉRÉBRALEMENT** [seʀebʀalmɑ̃] adv. — 1857, Michelet; de *cérébral,* 1.

♦ **1** Didact. Du point de vue du cerveau, en tant qu'organe. *Il est cérébralement mort.*

♦ **2** Littér. Au plan cérébral (le cerveau étant considéré comme siège de la pensée). → **Intellectuellement.**

Je suis sûr maintenant que parfois mon être se dédouble, cérébralement et physiquement. Pendant que vous me voyez devant vous, peut-être l'autre *moi* est-il à Melbourne.
A. ALLAIS, Œ. posthumes, «Mysterium», I, *in* le Chat Noir, 22 janv. 1887, *in* D. D. L., II, 14.

**CÉRÉBRALISATION** [seʀebʀalizasjɔ̃] n. f. — 1867; de *cérébral*, 1. (phonétique).
Phonét. Caractère cérébral* d'un son du langage, d'un phonème. Fait d'acquérir ce caractère, pour un son qui en est habituellement dépourvu. *Cérébralisation d'une palatale devant yod.*

**CÉRÉBRALISME** [seʀebʀalism] n. m. — 1888, O. Mirbeau; de *cérébral*, 2.
Intellectualisme.

**CÉRÉBRALISTE** [seʀebʀalist] adj. et n. — 1867; de *cérébral*, 2.
Rare, didact. Intellectualiste.

1 Enfin un tempérament : C'est rare au milieu d'une production narcissique et cérébraliste qui regarde le monde à huis-clos.
G. COSTAZ, *in* Magazine littéraire, n° 70, 47 (*in* D. D. L., II, 7).

2 Rousseau, dans le *«Discours sur l'inégalité des hommes»* (1775, p. 103 et suivantes), donne l'un des premiers l'ébauche d'une théorie «cérébraliste» de l'évolution humaine. «L'homme naturel» doué de tous ses attributs actuels, parti du zéro matériel initial, invente peu à peu, en imitant les bêtes et en raisonnant, tout ce qui dans l'ordre technique et social le conduit au monde actuel.
A. LEROI-GOURHAN, le Geste et la Parole, I, p. 19.

DÉR. **Cérébralisme.**

**CÉRÉBRALITÉ** [seʀebʀalite] n. f. — 1891; de *cérébral*, 2.
Didactique ou littéraire.
♦ **1** Activité intellectuelle. → **Intellect.** *Une «frénésie de cérébralité»* (Léautaud, *in* T. L. F.). *«Des romans de cérébralité»* (*Revue Blanche,* 1er oct. 1891, p. 71).

Eh bien ! Anatole ? Eh bien ! Anatole ? sévère pour le scandale, inquiet pour la cérébralité de l'officieux.
A. ALLAIS, Contes et Chroniques, p. 199.

♦ **2** Caractère d'une personne cérébrale. *«La froide cérébralité d'une romancière»* (Colette).

**CÉRÉBRATION** [seʀebʀasjɔ̃] n. f. — 1873; angl. *cerebration*, Carpenter, 1853; du lat. *cerebrum* «cerveau», et suff. *-ation*.
Psychol. Activité mentale sous son aspect purement cérébral.

**CÉRÉBRI-, CÉRÉBRO-** Premier élément préf., du lat. *cerebrum* «cerveau» servant à former des termes médicaux. → **Cérébro-spinal.** On peut signaler aussi : *cérébriforme* [seʀebʀifɔʀm] adj. (1965), qui a la forme du cerveau; *cérébroïde* [seʀebʀɔid] adj. (1878), qui ressemble au cerveau; *cérébro-psychique* [seʀebʀopsiʃik] adj., relatif au cerveau et à la constitution psychique; *cérébro-scopie* [seʀebʀoskɔpi] n. f. (1970), examen du cerveau; *cérébro-méningé* [seʀebʀomenɛ̃ʒe] adj., relatif au cerveau et aux méninges : *infection cérébro-méningée; cérébroside* [seʀebʀozid] n. m. (1905, in *Rev. gén. des sc.*, n° 17, p. 794), chim., biol. ; «substance lipidique complexe du cerveau» (Manuila).

**CÉRÉBROSIDE** [seʀebʀozid] n. m. — 1897; empr. à l'angl. *cerebroside*, 1885, du lat. *cerebrum* «cerveau», *ose-*, et *-ide*.
Biochim. Lipide constituant du tissu nerveux et du cerveau, contenant du galactose.

**CÉRÉBRO-SPINAL, ALE, AUX** [seʀebʀospinal, o] adj. — 1833; de *cérébro-*, et *spinal*.
Méd. Relatif au cerveau et à la moelle épinière. → **Céphalo-rachidien.** *Axe, appareil cérébro-spinal. Centres cérébro-spinaux. Congestion cérébro-spinale. Méningite cérébro-spinale.*

**CÉRÉMONIAIRE** [seʀemɔnjɛʀ] n. m. — 1863; de *cérémonie*, 1.
Relig. Prêtre, clerc qui dirige les cérémonies importantes, dans une grande église.

**CÉRÉMONIAL, ALE, ALS** ou **AUX** [seʀemɔnjal, o] adj. et n. m. — 1541; *cerimonial*, 1372; lat. *cærimonialis*, de *cærimonia*. → Cérémonie.

**I** Adj. Rare. ♦ **1** Qui a rapport aux cérémonies religieuses. → **Cérémoniel.** *Loi cérémoniale* (Calvin, Bossuet). *Les préceptes cérémoniaux* (Larousse, T. L. F.).
♦ **2** Cérémonieux. *«Une emphase cérémoniale»* (J. Gracq, *in* T. L. F.).

**II** N. m. (XVIIe). Cour. ♦ **1** (Rare au plur : *des cérémonials*). L'ensemble et l'ordre de succession des cérémonies établis par l'usage ou réglés par une autorité pour célébrer une solennité (mondaine, politique, diplomatique, militaire). → **Cérémonie, règle.** *Cérémonial de cour.* → **Étiquette.** *Règle du cérémonial diplomatique.* → **Protocole, traitement.** *Observer le cérémonial. Se plier au cérémonial. Le cérémonial d'usage pour l'introduction des ambassadeurs.*

Nous partons lundi, après avoir observé toutes les longues et les brèves du cérémonial de Bourbon. 1
Mme DE SÉVIGNÉ, 1043, 9 oct. 1687.

Ils *(les ambassadeurs de Pologne)* voulurent d'abord faire régler un cérémonial que le roi ne connaissait pas. 2
VOLTAIRE, Hist. de Charles XII, 2.

Spécialt. Ensemble des règles de déroulement des offices liturgiques (→ **Liturgie).**
Par métonymie. Livre contenant les règles liturgiques des cérémonies ecclésiastiques. → **Rituel.** *Des cérémonials* (plur. usité presque exclusivement en ce sens).

Il y a en elles quelque chose du cérémonial d'un rite religieux, en ce sens qu'elles extirpent de l'esprit de qui les regarde toute idée de simulation, d'imitation dérisoire de la réalité. 2.1
A. ARTAUD, Sur le théâtre balinais, le Théâtre et son double, p. 90.

♦ **2** Ensemble de formules, de règles (de politesse*, de courtoisie, etc.) que les particuliers observent dans leurs relations. → **Code, décorum, forme, rite, usage.** *Être attaché au cérémonial. Bannir tout cérémonial. Le cérémonial des usages, des convenances.*

Pour lui (...) une telle lettre était vraiment un surcroît inusité de cérémonial. LOTI, Matelot, XXXII, p. 127. 3

DÉR. **Cérémonialisme.**

**CÉRÉMONIALISME** [seʀemɔnjalism] n. m. — 1863; de *cérémonial*.
Didact. ou littér. Attachement aux règles d'un culte.

**CÉRÉMONIE** [seʀemɔni] n. f. — V. 1226, *ceremonies;* lat. *cærimonia* «respect religieux, cérémonie à caractère sacré», surtout au pluriel.
♦ **1** Forme extérieure, solennité avec laquelle on célèbre le culte religieux. *Les cérémonies du culte*. Cérémonies religieuses.* → **Fête** (liturgique); **cérémonial, liturgie, sacrement; procession.** *Prêtre responsable des cérémonies.* → **Cérémoniaire.** *La cérémonie du baptême, d'un mariage, d'un enterrement. Cérémonie nuptiale. Cérémonie mortuaire. Cérémonie*

*d'initiation. Prendre part, assister à une cérémonie. La cérémonie du sacre d'un évêque.* → **Sacre.** *Vêtements de cérémonie.* → **Ornement.**

1 Madame, tout est prêt pour la cérémonie.
RACINE, Iphigénie, III, 5.

2 Je désire (...) que la cérémonie mortuaire de Crouy se déroule avec toute la solennité dont il plaira au Conseil d'honorer ma dépouille.
MARTIN DU GARD, les Thibault, t. IV, p. 226.

♦ **2** (1404). Toute forme extérieure de solennité accordée à un événement, à un acte important de la vie sociale. → **Appareil, gala, pompe.** *Célébrer une fête par de grandes cérémonies. — Solennité dont les formes sont fixées. Les cérémonies d'un anniversaire national; les cérémonies de la fête de la victoire.* → **Anniversaire, commémoration.** *Cérémonie d'investiture. Les cérémonies de la cour. Cérémonie d'étiquette*. Cérémonie du sacre, du couronnement. — En grande cérémonie :* avec solennité. *Escorter un personnage officiel en grande cérémonie* (→ **Cortège; cavalcade, parade).** *La cérémonie de la distribution des prix. Les cérémonies qui ont marqué la visite des souverains étrangers.* → **Réception.**

3 Il *(le lion)* fit avertir sa province
Que les obsèques se feraient
Un tel jour, en tel lieu; ses prévôts y seraient
Pour régler la cérémonie.
LA FONTAINE, Fables, VIII, 14.

4 (...) il était décidé par l'université de Coïmbre que le spectacle de quelques personnes brûlées à petit feu, en grande cérémonie, est un secret infaillible pour empêcher la terre de trembler. VOLTAIRE, Candide, VI.

5 Des cris, des vivats et des fanfares terminèrent cette singulière cérémonie, et tous les assistants, trempés jusqu'aux os, se dispersèrent tumultueusement.
LOTI, Aziyadé, XVII, p. 95.

*Tenue, habit de cérémonie.* → **Habit; uniforme** (grand uniforme). *Maître de cérémonie.* → **Chambellan, protocole** (chef du protocole).

6 Celui-là, c'est le maître de cérémonies, une sorte de chambellan de la mort.
Alphonse DAUDET, le Petit Chose, II, XV.

♦ **3** (Fin XVe). Témoignage de politesse, de courtoisie, dans les relations sociales (surtout dans : *de cérémonie*). *Faire une visite de cérémonie. Compliment de cérémonie. Recevoir qqn avec cérémonie.* — Vx. *Par cérémonie :* par affectation.

*Une, des cérémonies* (surtout au plur.). *Manifestation excessive de politesse. Reconduire qqn avec des quantités de, avec mille cérémonies.* → **Affectation.** *Détester les cérémonies. Ne faites pas tant de cérémonies.*

Fig. *Voilà bien des cérémonies pour si peu de chose.* → **Complication, formalité; chinoiserie.** — Loc. *Faire des cérémonies :* faire des manières, des façons*; être cérémonieux.

7 À quelque temps de là, la cigogne le prie.
Volontiers, lui dit-il, car avec mes amis
Je ne fais point cérémonie.
LA FONTAINE, Fables, I, 18.

8 Mon Dieu ! mettez-vous *(couvrez-vous)* : point de cérémonie entre nous, je vous prie.
MOLIÈRE, le Bourgeois gentilhomme, III, 4.

Fam. Opérations compliquées.

9 L'on m'a appris qu'il fallait bien des (...) cérémonies pour rendre les olives douces. RACINE, Lettres, 1661.

CONTR. **Abandon, laisser-aller, naturel, rondeur, simplicité.**
◊ DÉR. **Cérémoniaire, cérémoniel, cérémonieux.**

**CÉRÉMONIEL, ELLE** [seʀemɔnjɛl] adj. — 1374; de *cérémonie.*

♦ **1** Littér. Qui concerne les cérémonies. *Des pompes cérémonielles.*

♦ **2** Vx. Qui a un caractère affecté. → **Cérémonie,** 3. «*Poésie cérémonielle*» (Sainte-Beuve).

♦ **3** Sociol. (emploi le plus cour.). Qui concerne les fêtes réglées, les cérémonies (dans un groupe social); qui observe les règles en matière de fêtes. *Danses, pratiques cérémonielles. Cycle cérémoniel.*

DÉR. **Cérémoniellement.**

**CÉRÉMONIELLEMENT** [seʀemɔnjɛlmɑ̃] adv. — 1892; de *cérémoniel.*

Didact. (sociol., etc.). De manière cérémonielle.

**CÉRÉMONIEUSEMENT** [seʀemɔnjøzmɑ̃] adv. — 1378; de *cérémonieux.*

♦ **1** Vx. Conformément aux règles.

♦ **2** (1825, *in* D.D.L.). Mod. D'une manière cérémonieuse. *Saluer cérémonieusement qqn. Elle nous a reçus cérémonieusement.*

**CÉRÉMONIEUX, EUSE** [seʀemɔnjø, øz] adj. — 1458, «qui observe les règles traditionnelles»; de *cérémonie.*

♦ **1** Vx ou littér. Qui respecte les formes de la politesse, de la courtoisie. *Attachement, dévouement cérémonieux.*

Il est civil et cérémonieux.
LA BRUYÈRE, les Caractères, XI, 155.

♦ **2** Mod. Qui fait des cérémonies (3.). → **Apprêté, formaliste, obséquieux, poli, révérencieux.** *Un personnage cérémonieux et affecté. Un maître d'hôtel très cérémonieux.*

(Choses). Empreint d'affectation. *Un ton, un air cérémonieux.* → **Solennel.** *Des manières cérémonieuses. Un accueil, un salut cérémonieux.*

CONTR. **Familier, libre, naturel, rond, simple. — Sans-façon, sans-gêne.** ◊ DÉR. **Cérémonieusement.**

**CÉRÉSINE** [seʀezin] n. f. — 1875; probablt croisement du lat. *cera* «cire», et de *résine.*

Techn. Cire de paraffine. «*Un hydrocarbure blanc nommé cérésine qui peut remplacer la cire d'abeilles*» (*Année sc. et industr.* 1895, p. 237).

**CÉREUX, EUSE** [seʀø, øz] adj. — 1842; du rad. de *cérium.*

Chim. Qui contient du cérium trivalent. *Sels céreux.*

HOM. **Séreux.**

**CERF** [sɛʀ] n. m. — 1080; du lat. *cervus.*

♦ **1** [a] Mammifère ruminant ongulé *(Cervidés*)* de grande taille, vivant en troupeaux dans les forêts d'Europe, d'Asie et d'Amérique (→ **Axis, élan, muntjac, orignal, wapiti).**

Spécialt. Cerf d'Europe (nom sc. : *cervus élaphus* → **Élaphe).** *Jeune cerf.* → **Faon, brocard, daguet, hère.** *Cerf mâle, femelle.*

(Dans des noms d'espèces). *Cerf de Virginie, cerf des Andes. Cerf noble :* l'élaphe.

[b] Spécialt. Le mâle adulte, qui porte des bois* d'autant plus grands qu'il est plus âgé. *Femelle du cerf.* → **Biche.** *Les cornes du cerf.* → **Bois** (cit. 46); **andouiller, branchage, cor, corne, dague, empaumure, épois, merrain, paumure, perche, ramure, tête, trochure.** *Le cerf frotte son bois contre les arbres.* → **Frayer.** — Loc. (vén.). *Cerf dix-cors jeunement,* dans sa sixième année; *cerf dix-cors bellement,* dans sa septième année. *Grand cerf :* cerf dans sa huitième année ou de 6 à 8 ans. *Grand vieux cerf :* cerf de neuf à douze ans. *Cerf paumé :* vieux cerf dont le merrain aplati forme l'empaumure. *Cerf*

*qui porte chandelier :* très vieux cerf dont les bois deviennent semblables aux branches d'un candélabre. — *Troupe de cerfs.* → **Harde, harpaille.** *La poitrine du cerf.* → **Hampe.** *Cuissot de cerf. Larme* de cerf* (→ **Larmier**). *Cerf qui rumine.* → **Ronge** (faire le ronge). *Cri du cerf.* → **Bramer, raire.** *Nourriture, pâture du cerf.* → **Saunière; viandis.** — *La chasse au cerf.* → **Courre** (chasse à courre), **curée, trolle.** *Époque de la chasse au cerf.* → **Cervaison.** *Courir, forcer un cerf.* → **Courre; forlancer; rembucher.** *Le cerf s'embûche, se rembuche. Traces du cerf.* → **Abatture, foulée, frayoir, fumée, hardées, marche, menée, route.** *Rets pour prendre le cerf.* → **Bricole, toile.** *Cerf aux abois. Air que l'on joue au cours d'une chasse au cerf* (fanfare, hallali...).

1 Dans le cristal d'une fontaine
Un cerf se mirant autrefois
Louait la beauté de son bois (...)
LA FONTAINE, Fables, VI, 9.

2 Le cor sonne, le bois s'effare,
La lune argente les bouleaux;
À l'eau les chiens! Le cerf qui brame
Se perd dans l'ombre du bassin (...)
HUGO, les Châtiments, III, 10.

3 (...) le cerf en rut éventre sa biche qui lui résiste.
A. DE MUSSET, la Confession d'un enfant du siècle, I, 5, p. 49.

4 (...) l'art de dresser les chiens et d'affaiter les faucons, de tendre les pièges, comment reconnaître le cerf à ses fumées, le renard à ses empreintes (...)
FLAUBERT, Trois contes, «Légende de saint Julien l'Hospitalier», p. 583.

5 Le cerf courait comme un vrai cerf qu'il était, et une cinquantaine de chiens qu'il avait aux trousses n'étaient pas un médiocre éperon à sa vélocité naturelle.
Th. GAUTIER, M^lle de Maupin, p. 34.

♦ **2** [a] Blason. Figure représentant un cerf ou une tête de cerf. → **Cimier, massacre.** *Cerf élancé. Massacre de cerf. Rencontre de cerf.*

[b] Relig., myth. *Le cerf,* figure symbolique (de la renaissance, de la pureté primordiale, de la longévité, etc.).

6 Le cerf symbolise aussi bien l'Époux divin, prompt et infatigable à la poursuite des âmes ses épouses, que l'âme elle-même recherchant la source divine où se désaltérer.
Dict. des symboles, art. *Cerf.*

**DÉR.** V. **Cervaison, cervidés.** ◊ **COMP. Cerf-volant.** — **HOM. Serre, serf,** formes des v. **serrer** et **servir.**

**CERFEUIL** [sɛʀfœj] n. m. — XII^e, *cerfoiz; cerfuel* 1200; du lat. class. *chaerephyllum, cærefolium,* grec *°khairephullon* de *khairein* «réjouir», et *phullon* «feuille».

Plante (herbe aromatique) annuelle (*Ombellifèracées;* nom sc. : *cerefolium*) cultivée et employée comme condiment. *Cerfeuil commun :* herbe aromatique faisant partie des fines herbes. *Cerfeuil frisé. Cerfeuil musqué. Cerfeuil sauvage.*

Absolt. Cerfeuil commun. *Omelette au cerfeuil.*

1. **CERF-VOLANT** [sɛʀvɔlɑ̃] n. m. — 1611; de *cerf,* et *volant.*

Cour. Gros coléoptère dont les mandibules dentelées évoquent les bois du cerf. → **Lucane.** — Au plur. *Des cerfs-volants.*

(...) on entendait seulement passer les hannetons et les cerfs-volants qui traversaient l'air tiède en décrivant des courbes, avec de petits bourdonnements d'été.
LOTI, Mon frère Yves, XLIX, p. 126.

2. **CERF-VOLANT** [sɛʀvɔlɑ̃] n. m. — 1669; de *cerf,* et *volant,* d'orig. obscure.

Objet fait d'une légère ossature sur laquelle un papier fort (ou une étoffe, etc.) est tendu, et qui peut s'élever très haut en l'air lorsqu'on le tire face au vent à l'aide d'une longue cordelette. → **Écoufle.** *Lancer un cerf-volant. La queue d'un cerf-volant. Des cerfs-volants. Les cerfs-volants les plus simples affectent souvent la forme d'un losange.*

Il convient d'y ajouter aussi les accords d'un orchestre aérien, composé d'une douzaine de cerfs-volants, qui, tendus de cordes à leur partie centrale, résonnaient sous la brise comme des harpes éoliennes. 1
J. VERNE, Michel Strogoff, p. 334.

Libre enfin et sans plus d'attache, semblable au cerf-volant dont on aurait soudain coupé la corde, je culbutai, piquant de l'âme vers le sol où je m'écrasai. 2
GIDE, Journal, 5 sept. 1938.

(...) quelques terrains vagues semés de grosses pierres. Là, à l'époque des vols interplanétaires, des hommes viennent élever des cerfs-volants — exercice dont la splendide futilité m'émerveille. 3
(...) Le cerf-volant est monté si haut qu'il ne figure plus qu'un minuscule point gris sur l'azur total. Le fil, vous le distinguez bien au départ, exquisément courbé par son poids, mais il s'amincit avec la hauteur, devient imperceptible, infime queue d'un paraphe encore en suspens. Lui, le petit père, le sorcier accroupi sur le gazon jaune, tient le bout de ce fil et lui imprime des saccades étudiées, l'apprivoise; par ce moyen il converse avec l'aigle de toile qui, là-haut, scrute une étendue considérable et guette de mystérieux signaux.
André HARDELLET, Lourdes, lentes..., p. 179-180.

**DÉR. Cerf-voliste.**

**CERF-VOLISTE** [sɛʀvɔlist] n. — Av. 1978; de 2. *cerf-volant.*

Rare. Personne qui construit et fait voler des cerfs-volants. «*Des compétitions entre cerfs-volistes*» (*l'Express,* n° 1404, juin 1978, p. 195).

**CÉRI-, CÉR-** Élément, du lat. *cera* «cire», servant à former des mots savants empruntés au latin ou directement formés en français, tels que *cérat,* 1. *cérifère, cérumen.* → aussi Céro-.

1. **CÉRIFÈRE** [seʀifɛʀ] adj. — 1863; de *céri-,* et *-fère.*

Didact. (zool., bot.). Qui produit de la cire. *L'abeille, insecte cérifère. Plante cérifère. Espèces cérifères. Le myrica* cérifère,* ou *cirier de la Louisiane.*

**HOM.** 2. **Cérifère.**

2. **CÉRIFÈRE** [seʀifɛʀ] adj. — 1867; du rad. de *cérium,* et *-fère.*

Chim. Qui contient du cérium. *Minerai cérifère.*

**HOM.** 1. **Cérifère.**

**CÉRIQUE** [seʀik] adj. — 1842; du rad. de *cérium.*

Chim. Qui renferme du cérium tétravalent. *Métaux, terres cériques. Oxyde cérique, utilisé dans la fabrication des manchons à incandescence.*

**HOM. Sérique.**

**CERISAIE** [s(ə)ʀizɛ] n. f. — 1397, *cherisoie;* de *cerise.*

Lieu planté de cerisiers. *Cerisaie en fleurs. La Cerisaie,* pièce de Tchekhov.

**CERISE** [s(ə)ʀiz] n. f. — 1190; du lat. pop. *ceresia,* plur. neutre, lat. impérial *cerasium,* lat. class. *cerasum,* grec *kerasion* «cerise».

♦ **1** Petit fruit charnu, à noyau, à peau lisse brillante, rouge (parfois jaune pâle) à maturité, produit par le cerisier. → **Bigarreau, cerisette, griotte, guigne, marasque.** *La cerise est une drupe. Cerises de Montmorency. Des cerises sauvages.* → **Agriote,**

**merise.** *Cerises séchées.* → **Cerisette.** — *Garnir un gâteau de cerises. Clafoutis, tarte aux cerises. Confiture de cerises. Cerises à l'eau-de-vie. Liqueurs aux cerises* (→ **Cerisette, guignolet, kirsch, marasquin).** *Les propriétés diurétiques de la queue de cerise.*

Par compar. *Devenir rouge comme une cerise,* sous le coup de l'émotion, de la confusion. *Avoir la bouche pareille à une cerise,* petite, charnue et très rouge. — *En cerise :* en forme de cerise. *Bouche, sourire en cerise.*

1 (...) nous allâmes dans le verger achever notre dessert avec des cerises. Je montai sur l'arbre, et je leur en jetais des bouquets dont elles me rendaient les noyaux à travers les branches (...) Je me disais en moi-même : Que mes lèvres ne sont-elles des cerises ! comme je les leur jetterais ainsi de bon cœur. ROUSSEAU, les Confessions, IV.

2 M. de Vendôme disait de madame de Nemours, qui avait un long nez courbé sur des lèvres vermeilles : «Elle a l'air d'un perroquet qui mange une cerise».
CHAMFORT, Caractères et Anecdotes, p. 255.

3 (...) des cerises
lisses comme la chair qui rit des jeunes filles (...)
Francis JAMMES, Prière pour aller au paradis avec les ânes.

4 (...) une fillette toute dorée de peau et de poil; sourire en cerise.
G. DUHAMEL, Récits des temps de guerre, IV, p. 69.

5 (...) une jatte de lait reposait sur la table et des cerises noires trempaient (...) dans une terrine d'eau.
H. BOSCO, le Mas Théotime, II, p. 51.

Loc. (vx; jugement de Mme de Sévigné sur les œuvres de La Fontaine). *C'est un panier de cerises :* tout est parfait, agréable (dans cette chose).

*Le temps des cerises :* le printemps.

5.1 Mais il est bien court, le temps des cerises
Où l'on s'en va deux, cueillir en rêvant
Des pendants d'oreilles...
Cerises d'amour aux roses pareilles,
Tombant sous la feuille en gouttes de sang...
Mais il est bien court, le temps des cerises,
Pendants de corail qu'on cueille en rêvant !
Jean-Baptiste CLÉMENT, le Temps des cerises.

Loc. fam., par plais. (parodie d'un pseudo-parler rural). *Aux cerises :* à l'époque des cerises. *Elle aura huit ans aux cerises,* au printemps prochain.

♦ **2** Adj. invar. (1792, *in* D. D. L.). De la nuance de rouge propre à la cerise. *Des rubans cerise.*

6 Le soleil était déjà bas (...) un feu d'abord doré, puis vermillon, puis cerise.
Claude LÉVI-STRAUSS, Tristes tropiques, p. 52.

♦ **3** [a] (Qualifié; désignant des fruits comparés à la cerise, 1.). *Cerise gommeuse :* fruit du savonnier*. — *Cerise des Antilles :* fruit de la malpighie*. — *Cerise carrée :* fruit d'un giroflier appelé *cerisier de Cayenne.*

[b] Spécialt. *Cerise sèche :* fruit séché du caféier. *Cerise fraîche du café,* et, absolt, (en franç. d'Afrique), *cerise :* fruit frais entier (drupe) du caféier (cit.).

[c] Appos. *Tomate cerise* (dite aussi *tomate cocktail*) : tomate à fruits ronds, de très petite taille; ce fruit. *Une barquette de tomates cerises.*

♦ **4** Fam. Tête. *En plein sur la cerise.* → **Cassis.**

♦ **5** Argot. *Avoir la cerise :* être toujours en proie à la malchance. → **Guigne, guignon.** *La Cerise,* roman de A. Boudard.

7 Dudule, c'était un piaf. On avait à la loge un couple de serins qui avait fait des petits. La serine est partie et le mâle a attrapé la cerise : couic, terminé.
Jean FERNIOT, Pierrot et Aline, p. 35.

DÉR. **Cerisaie, cerisette, cerisier.** ◊ COMP. **Laurier-cerise.**

**CERISETTE** [s(ə)ʀizɛt] n. f. — 1310, «petite cerise»; de *cerise.*

♦ **1** (1863). Cerise séchée.

♦ **2** (1907). Boisson rafraîchissante à base de cerise.

♦ **3** (1867). Régional. Morelle*.

**CERISIER** [s(ə)ʀizje] n. m. — 1165; de *cerise.*

♦ **1** Arbre fruitier à fleurs en bouquet (genre *prunus*), qui produit le fruit appelé cerise* (famille des *Rosacées;* nom sc. : *cerasus*). *Variétés de cerisiers.* → **Bigarreautier, griottier, guignier, mahaleb.** *Cerisier sauvage.* → **Merisier.** *Cerisier du Japon,* variété ornementale, à belles fleurs. *Gomme des cerisiers.* → **Bran** (bran d'agace). *Plantation de cerisiers.* → **Cerisaie.** *Des cerisiers en fleurs.*

(...) les cerisiers de la forêt transplantés dans la plaine (...) fleurissaient en quenouilles blanches. 1
René BAZIN, les Oberlé, VII.

La gomme coule en larmes d'or des cerisiers. 2
Francis JAMMES, De l'angélus de l'aube..., «La gomme coule».

♦ **2** Bois du cerisier, employé en ébénisterie. *Une salle à manger en cerisier. Meubles en cerisier.*

♦ **3** (Qualifié; désignant des arbres dont les fruits ressemblent aux cerises). *Cerisier de Cayenne,* nom d'un giroflier. *Petit cerisier d'hiver.* → **Piment** (faux piment).

1. **CÉRITE** ou **CÉRITHE** [seʀit] n. m. — 1757; du lat. sc. *cerithium,* du grec *kérukion* «buccin».

Zool. Mollusque gastéropode prosobranche *(Monotocardes),* à coquille turriculée portant des côtes ornées de tubercules, et vivant dans les mers chaudes et tempérées. *Cérithes fossiles du tertiaire.*

REM. Le mot était d'abord féminin.

Sous ces végétations se dérobaient et se montraient en même temps les plus rares bijoux de l'écrin de l'océan, des éburnes, des strombes, des mitres, des casques, des pourpres, des buccins, des struthiolaires, des cérites turriculées. HUGO, les Travailleurs de la mer, II, I, XIII.

HOM. 2. **Cérite.**

2. **CÉRITE** [seʀit] n. f. — 1804, Berzelius; de *cérium.*

Minér. Silicate hydraté de cérium (minerai du cérium).

HOM. 1. **Cérite ou cérithe.**

**CÉRIUM** [seʀjɔm] n. m. — 1803, deux ans après la découverte de l'astéroïde *Cérès,* d'où son nom.

Chim. Métal (symb. *Ce,* nº at. 58, p. at. 140,1) de densité autour de 6,2, fondant à 795 °C, le plus abondant du groupe des lanthanides (terres rares). *Silicate de cérium* (→ **Cérite),** *phosphate de cérium* (→ **Monazite).** *La monazite est le principal minerai de cérium. Alliage pyrophorique de cérium et de fer* (*ferrocérium* des pierres à briquet). *Le cérium est utilisé dans la fabrication de verres spéciaux.*

DÉR. 2. **Cérite.** — V. **Cérique.**

**CERNE** [sɛʀn] n. m. — 1119, «cercle»; du lat. *circinus* «compas, cercle», de *circus.*

♦ **1** Vieilli. Cercle*.

Il me faut leurs deux noms dans un cerne graver. 1
H. DE RACAN, les Bergeries..., I, 2.

Cette fois-là, c'étaient des moires, rien que des moires changeantes qui jouaient sur la mer; des cernes très légers, comme on en ferait en soufflant contre un miroir. 2
P. LOTI, Pêcheur d'Islande, I, V, p. 57.

♦ **2** Cercle qui entoure qqch.; trait qui cerne une figure (dessin, peinture). → **Cernure.** *Cernes noirs autour d'une figure.*

(Mil. XIV^e^). Cercle livide qui entoure parfois une plaie ou des yeux battus. → **Bleu, marbrure**; → Œil, cit. 12. *Un cerne bleuâtre, livide, blafard autour des yeux.*

3 Un tendre cerne azuré donnait au regard beaucoup de douceur.
G. DUHAMEL, le Temps de la recherche, VI, p. 70.

4 Le colchique couleur de cerne et de lilas
Y fleurit tes yeux sont comme cette fleur-là
Violâtres comme leur cerne et comme cet automne
Et ma vie pour tes yeux lentement s'empoisonne
APOLLINAIRE, Alcools, «Les colchiques».

5 (...) une face livide apparaît, avec des yeux enfoncés dans le cerne des orbites, et des joues creuses, noircies par une barbe de plusieurs jours.
A. ROBBE-GRILLET, Dans le labyrinthe, p. 129.

♦ **3** (1820). Un des cercles concentriques de la tranche d'un arbre coupé, que l'aubier forme chaque année. *On peut estimer l'âge d'un arbre par le nombre de cernes.*

♦ **4** (1458). Cercle nébuleux qui entoure parfois le disque lunaire. → **Halo.**

♦ **5** (1867). Trace laissée sur une étoffe par le contour d'une tache mal nettoyée. → **Auréole.** *Essayer de nettoyer des cernes.*

**DÉR. Cerner.**

**CERNEAU** [sɛʀno] n. m. — Fin XIII^e^, *cerniaux; de cerner* (des noix).

♦ **1** Noix* à demi-mûre tirée de sa coque. *Manger des cerneaux. Extraire au couteau les cerneaux de leur coque.*

Par ext. Noix épluchée.

Alors mon oncle prenait les noix et il les cassait avec un petit marteau très souple. Il mettait les coquilles d'un côté, pour le feu, et dans un panier il jetait les cerneaux.
Jean FERNIOT, Pierrot et Aline, p. 53.

♦ **2 VIN DE CERNEAUX :** vin rosé bon à boire à l'époque où l'on mange les cerneaux (août-septembre).

**CERNER** [sɛʀne] v. tr. — XII^e^; de *cerne.*

**I** ♦ **1** (Sujet n. de chose). Entourer en formant une zone circulaire distincte (cerne). → **Encercler, envelopper.**

1 L'horizon qui cerne cette plaine, c'est celui qui cerne toute vie; il donne une place d'honneur à notre soif d'infini, en même temps qu'il nous rappelle nos limites.
BARRÈS, la Colline inspirée, II, p. 10.

2 Le feu du rasoir cernait ses lèvres épaisses.
F. MAURIAC, le Mal, IX, p. 141.

(1858). Dessin, peint. (Sujet n. de personne). Entourer, souligner le contour d'une figure par un trait. *Cerner une figure d'un trait bleu.* — (Sujet n. de ce qui entoure). *Les traits qui cernent une figure.*

Fig. Délimiter nettement.

3 Autant le gros Jourdain est étoffé par la vie, autant le sec Figaro est précisé, limité, cerné par un dessin de la littérature. A. THIBAUDET, Gustave Flaubert, p. 201.

♦ **2** Spécialt. (Sujet n. de chose; le compl. désigne les yeux). Entourer d'un cerne. *La fatigue cerne ses yeux.* — Pron. réfl. Devenir cerné. *Yeux qui se cernent.*

♦ **3** (1328). Techn. (arbor.). Enlever une bandelette circulaire, par une incision. *Cerner un arbre* (→ Bois, cit. 33).

(1403). *Cerner des noix :* faire des cerneaux*. «*Demi-couteaux dont les petits enfants cernent les noix*» (Rabelais, I, 27).

**II** ♦ **1** [a] Entourer (qqn; un lieu, et, en particulier, un objectif militaire) pour s'en rendre maître, le réduire par la force. *Plusieurs membres du service d'ordre ont rapidement cerné le perturbateur. Cerner une ville fortifiée.* → **Assiéger, bloquer, investir.** *Les blindés cernèrent le nid de mitrailleuses.*

[b] (Sujet n. de chose susceptible de mouvement : fluide, eau en particulier, etc.). Entourer en interdisant tout déplacement en dehors d'une aire précisément circonscrite. *La marée a cerné les promeneurs imprudents sur un banc de sable.*

♦ **2** Fig. *Cerner qqn.* → **Obséder.** — (Sujet n. de chose). *Les soucis le cernent de toutes parts,* l'assaillent, l'accablent.

Il *(ce malaise)* nous cerne de menaces confuses. 4
COCTEAU, la Difficulté d'être, p. 259.

◆ **CERNÉ, ÉE** p. p. adj.

♦ **1** Entouré d'un cerne. *Avoir les yeux cernés.*

♦ **2** [a] Entouré et contenu par la force. *Troupes cernées. Fuyard cerné.*

[b] Entouré par qqch. qui interdit tout déplacement. *Riverains de la Garonne cernés par la crue.*

**DÉR. Cerneau, cernure.**

**CERNURE** [sɛʀnyʀ] n. f. — 1863; *cerneure,* 1562, attestation isolée; de *cerner.*

Littér. Ce qui cerne, entoure en soulignant.

Spécialt. [a] Cerne autour des yeux.

[b] Dessin, peint. Ligne qui cerne, entoure un contour. → **Cerne.**

J'ai fait une petite esquisse où on voit bien mieux la cernure de la plage.
PROUST, À l'ombre des jeunes filles en fleurs, Pl., t. I, p. 860.
REM. C'est le peintre Elstir qui parle.

**CÉRO-** Élément préf. tiré du grec *kêros* «cire», servant à former des mots savants, tels que : *céroplastie* [seʀoplasti] ou *céroplastique* [seʀoplastik] n. f. (1808, *in* Cottez, *céroplastique;* empr. au grec *kêroplastikos* «qui concerne le modelage de la cire») : art de modeler la cire → aussi **Céri-.**

**CÉROTIQUE** [seʀɔtik] adj. — Mil. XX^e^; du grec *kêros, -otis.* → Céro-.

Chim. *Acide cérotique :* acide gras qui se rencontre dans la cire d'abeille et (à l'état d'ester *cérylique*) dans la cire de Chine.

**-CERQUE** Élément final de mots savants, tiré du grec *kerkos* «queue». → **Cerco-.**

**CERS** [sɛʀs] n. m. — 1605; *cyerce,* 1552; mot du bas Languedoc, du lat. **cercius* «vent du nord-ouest».

Régional. Vent d'ouest violent soufflant sur le Sud-Ouest de la France et notamment sur le bas Languedoc.

**CERTAIN, AINE** [sɛʀtɛ̃, ɛn] adj. — 1567; *certan,* 1160; lat. pop. *certanus,* de *certus* «assuré». — REM. (Phonét.). Devant un nom masculin commençant par une voyelle, on prononce [sɛʀtɛn] (ex. : *un certain espoir* [œsɛʀtɛnɛspwaʀ]).

**I** (Placé après le nom, en épithète). ♦ **1** Qui ne fait pas de doute; qui est l'objet d'une adhésion intellectuelle, d'un sentiment assuré de vérité*. → **Assuré, confirmé, incontestable, indéniable, indiscutable, indubitable, sûr.** *Une chose certaine. Cela est, c'est certain. C'est possible, probable, très probable, mais ce n'est pas certain. Un événement certain est un* *événement dont la probabilité est égale à 1. — Il est certain que... La chose est certaine. C'est un fait certain* (→ **Connu, reconnu**). *Regarder une chose comme certaine, prendre, tenir pour certain. La marque certaine d'une chose.*

Cour. Qui ne peut manquer de se produire. → **Inévitable.** *La victoire est certaine. Son départ est certain. Donner pour certain un événement* (→ **Compter**). *S'exposer à un échec certain.* → **Immanquable.** *Un sort certain.* → **Inéluctable**; et aussi **authentique, décisif, évident, flagrant, fondé, formel, infaillible, manifeste, positif.** *Un témoignage certain.* → **Avéré, inattaquable.** — *Un résultat certain.* → **Exact.** *Une déduction certaine.* → **Mathématique, rigoureux.** *Établir le caractère certain d'une chose* (→ **Certifier; authenticité, exactitude, vérité**), *d'une assertion* (→ **Véracité**).

1 (...) Quand le mal est certain,
La plainte ni la peur ne changent le destin;
Et le moins prévoyant est toujours le plus sage.
LA FONTAINE, Fables, VIII, 12.

2 Il se peut faire qu'il y ait de vraies démonstrations; mais cela n'est pas certain. Ainsi, cela ne montre autre chose, sinon qu'il n'est pas certain que tout soit incertain, à la gloire du pyrrhonisme. PASCAL, Pensées, VI, 387.

3 Non, non, je l'ai juré, ma vengeance est certaine (...)
RACINE, Andromaque, II, 5.

4 Cette splendeur, cette pourpre mondaine
D'un règne heureux est la marque certaine.
VOLTAIRE, Défense du Mondain.

5 L'absence n'est-elle pas pour qui aime la plus certaine, la plus efficace, la plus vivace, la plus indestructible, la plus fidèle des présences.
PROUST, les Plaisirs et les Jours, p. 142.

6 *(On remarque que)* l'enchaînement des faits est certain, inévitable, à l'aide des locutions adverbiales, qui renferment cette idée de certitude, *sûrement, nécessairement, inévitablement, infailliblement, immanquablement : Vous semez le vent, vous récolterez* nécessairement *la tempête.*
F. BRUNOT, la Pensée et la Langue, XXII, VIII, p. 840.

6.1 Je ne veux tenir pour certain que ce que j'aurai pu voir moi-même, ou pu suffisamment contrôler.
GIDE, Voyage au Congo, *in* Souvenirs, Pl., p. 695.

7 Ce qu'il y a de certain dans la mort est un peu adouci par ce qui est incertain.
LA BRUYÈRE, les Caractères, XI, 38.

*Un âge certain*, avancé (s'oppose à *un certain âge*, ci-dessous, II. A. 2.).

Cour. Qui est considéré comme vrai, conforme au vrai. → **Réel, vrai.** *Donner la raison certaine de qqch. Une preuve certaine.*

N. m. *Le certain, c'est que... :* ce qui est certain, c'est que... *Quitter le certain pour l'incertain.*

♦ **2** Dr. (dans des expressions). Qui est déterminé, fixé d'une façon précise et invariable. → **Constant, déterminé, fixe, invariable, précis.** *Une date* certaine. L'enregistrement donne date certaine. Prix certain, taux certain. Corps* certain.*

8 Lorsque les époux apportent dans la communauté une somme certaine (...) Code civil, art. 1511.

N. m. *Le certain :* en terme de Bourse, Contre-valeur en francs d'une devise étrangère. *Procédé du certain.*

♦ **3** (Personnes. Surtout attribut). Qui considère une chose pour vraie. → **Assuré, convaincu.** *J'en suis certain. Il affirme comme s'il en était certain* (→ **Affirmatif, dogmatique**). — *Être certain de... Être certain que...* (et indicatif futur). *Tu en es sûr? — Certain! Être certain de réussir. Je suis certain qu'il viendra.* → J'en ai la certitude*, je le crois*, je le parierais*, j'en mettrais ma main au feu*; j'en ai la conviction*.

9 Madeleine, j'en étais certain, ne pouvait ressentir aucun intérêt pour un étranger que le hasard avait jeté dans sa vie comme un accident.
E. FROMENTIN, Dominique, VII.

10 Je ne le *crois* pas, dit-il, j'en suis certain.
A. MAUROIS, Terre promise, XXXI, p. 215.

Loc. fam. (redondance critiquée). *Sûr et certain. Il viendra, j'en suis sûr et certain. La chose arrivera bientôt, c'est sûr et certain.*

**II** **A** Adj. (Placé avant le substantif, en épithète). Exprime une indétermination. ♦ **1** (Précédé de l'art. indéf.) Désigne une quantité donnée, un moment déterminé, une attitude particulière..., mais non précisés. *Un certain nombre de gens. Il restera un certain temps. Une certaine distance. À un certain moment. Il n'aime pas qu'on lui parle sur un certain ton. Un certain regard. Un certain sourire,* roman de Françoise Sagan.

Désigne allusivement un objet, une personne supposés connus mais volontairement non précisés. *Un certain tiroir toujours fermé à clef. Un certain mot malsonnant.* — (Sans article). Littéraire :

10.1 Seil-Kor plaça au pied de la pente abrupte certaine mixture promptement composée avec des pierres crayeuses et de l'eau.
Raymond ROUSSEL, Impressions d'Afrique, p. 60.

10.2 (...) dérobant (...) certaine sacoche qui (...) contenait dans ses divers compartiments une pesante charge d'or et de billets.
Raymond ROUSSEL, Impressions d'Afrique, p. 408.

Loc. cour. *D'une certaine manière. À un certain point. À un certain degré. En un certain sens.*

11 Il faut avoir de l'esprit pour être homme de cabale : l'on peut cependant en avoir à un certain point (...)
LA BRUYÈRE, les Caractères, VIII, 92.

Au plur. (Sans article). Désigne une catégorie à l'intérieur d'un ensemble. *Certains peuples. Dans certains pays.* → **Quelque.** — *Certains jours. Dans certains cas. À certains moments.*

Littér. (précédé de l'art. *de*). Marque une imprécision voulue. *Deviner à de certains indices...*

12 (...) il l'embrassait à de certaines heures. C'était une habitude parmi les autres, et comme un dessert prévu d'avance, après la monotonie du dîner.
FLAUBERT, Mme Bovary, I, VII.

♦ **2** Atténuant l'idée exprimée, par l'indétermination. → **Relatif.** *Il fait preuve d'une certaine audace. Il lui a fallu un certain courage. Un homme d'un certain âge*.*

13 Peut-être faut-il avoir pour produire une certaine suffisance.
Edmond JALOUX, le Dernier Jour de la création, IX, p. 102.

♦ **3** (1283). *Un certain* (placé devant un nom de personne; exprime une nuance de dédain, de mépris, une ignorance affectée). *Un certain Durand, un certain Paul Martin vous a demandé. Un certain M. Blot,* ouvrage de P. Daninos.

14 (...) quoiqu'elle ait fait voir de l'amitié pour un certain Léandre (...) MOLIÈRE, le Médecin malgré lui, I, 4.

REM. Cet emploi paraît peu en usage au fém. : *une certaine Madame Untel.*

**B** Pron. masc. plur. Désigne un nombre indéterminé de personnes, d'objets. *Certains disent, pensent. Certains prétendent.* → **Aucun** (d'aucuns), **plusieurs, quelqu'un** (quelques-uns), **tel** (tels). *Aux yeux de certains.*

15 Certains aiment en amour l'agitation comme ils aiment en mer la tempête.
A. MAUROIS, Un art de vivre, II, 4, p. 72.

*Certains de... :* certains parmi... *Certaines de vos amies.*

(En corrélation avec *d'autres, les autres*). *Certains sont d'accord, les autres non.*

CONTR. **Incertain. — Chimérique, conjectural, contestable, controversable, discutable, douteux, erroné, faux, hasardé,**

**illusoire, problématique, suspect, utopique. — Dubitatif, hésitant, sceptique.** ◊ DÉR. et COMP. **Certainement. Incertain.**

**CERTAINEMENT** [sɛʀtɛnmɑ̃] adv. — V. 1165; de *certain.*

♦ **1** Vieilli. D'une manière sûre, offrant toutes les garanties. *Vérité certainement établie,* avec certitude. → **Formellement; exactement, incontestablement, indéniablement, indiscutablement, indubitablement.**

♦ **2** Mod. De manière certaine, indubitable (en parlant d'un événement à venir). *Cela arrivera certainement.* → **Doute** (sans), **fatalement, inévitablement, infailliblement, nécessairement, sûr** (à coup sûr), **sûrement.**

♦ **3** Sert à renforcer une affirmation. *Croyez-vous que cela vaille la peine? Certainement. Il est certainement le plus doué.* → **Assurément, certes, clairement, évidemment, franchement, incontestablement, naturellement, nettement, réellement, vraiment; vérité** (en).

*Certainement!* → **Parfaitement, sûr** (bien sûr).

1 Voilà certainement d'admirables projets!
MOLIÈRE, les Femmes savantes, III, 2.

*Certainement que...*

2 Les adverbes tels que *certainement* ont donné lieu à des constructions qui jouent un rôle important : De *il viendra certainement, certainement il viendra,* on est passé (...) à : **Certainement qu'***il vous écrira,* sûrement que *vous le verrez.* F. BRUNOT, la Pensée et la Langue, XII, V.

**CERTES** [sɛʀt] adv. — 1050; lat. pop. *certas,* qui a remplacé le lat. class. *certo,* de *certus.* → Certain.

♦ **1** (Indiquant ou renforçant une affirmation, positive ou négative). Certainement, assurément, bien sûr. *Oui, certes! Non, certes! Ah, certes non! Certes, je le vois bien.*

1 Ah! certes le détour est d'esprit, je l'avoue (...)
MOLIÈRE, les Femmes savantes, I, 4.

REM. Au XVII^e s., *certes* vieillissait.

2 *Certes* est beau dans sa vieillesse, et a encore de la force sur son déclin (...)
LA BRUYÈRE, les Caractères, XIV, 73.

♦ **2** (Indiquant une idée de concession, d'opposition). *Certes, je n'irai pas jusqu'à prétendre que...* (Académie).

Souvent en relation avec *mais, néanmoins. Certes je voudrais le croire, mais je ne le peux.*

REM. Sans être archaïque, *certes* est marqué, en français moderne, comme régional ou légèrement affecté; on emploie plutôt, selon les valeurs, *certainement, sûrement, bien sûr.*

**CERTIF** [sɛʀtif] n. m. — 1935; de *certificat.*

Fam. Certificat (d'études primaires, de licence).

On a beau dire, ce n'est pas rien, le Certificat d'Études Primaires (...) Et Yankel souffrait d'entendre ce sale gosse parler irrévérencieusement de «certif». Certif, certif, qu'est-ce que c'est, ça? Ça t'arracherait la bouche de prononcer le mot tout entier?... Tchch!
Roger IKOR, les Fils d'Avrom, Les eaux mêlées, p. 366.

**CERTIFICAT** [sɛʀtifika] n. m. — 1380, «écrit attestant un fait»; bas lat. *certificatum,* p. p. de *certificare.* → Certifier.

♦ **1** Dr. et cour. Document écrit qui atteste un fait. → **Acte** (I., B., 2.), **attestation, constatation, parère.** *Certificat authentique, légalisé. Demander, prendre; délivrer, donner; fournir, produire un certificat.* Écrit émanant d'une autorité compétente. *Certificat médical,* établi par un médecin et constatant des faits d'ordre médical. *Certificat prénuptial. Certificat de vaccination. — Certificat de vie,* établi par les notaires et les maires et confirmant l'existence d'un individu. *Certificat de résidence*. Certificat d'indigence,* qui constate qu'un individu est privé de ressources. *Certificat de travail,* indiquant la nature et la durée du travail effectué par un salarié. *Certificat de nationalité. Certificat d'origine :* titre justificatif de l'origine d'une marchandise; se dit aussi du certificat qui établit l'origine de la propriété d'un titre de rente. *Certificat de propriété,* qui reconnaît les droits de propriété ou de jouissance d'une personne sur des valeurs déterminées. *Certificat de carence*. Certificat d'investissement*. Certificat de visites* ou *de navigabilité,* attestant qu'un navire est en état de naviguer. *Certificat d'urbanisme,* déterminant les règles de constructibilité d'un terrain.

S'il y a dans le monde une histoire attestée, c'est celle des vampires; rien n'y manque; procès-verbaux, certificats de notables, de chirurgiens, de curés, de magistrats; la preuve juridique est des plus complètes; avec cela, qui est-ce qui croit aux vampires? 1
ROUSSEAU, Lettre à l'Archevêque de Paris.

Écrit émanant d'une personne privée, à valeur de témoignage, d'affirmation. *Certificat de bonne vie et mœurs. Certificat de moralité. Certificats d'un domestique.* → **Référence.** *Avoir de bons certificats. — Certificat de complaisance*.*

Par ext. Fig., fam. → **Assurance, preuve, témoignage.** *Un certificat de longévité.*

(...) Je tiens dans mes mains 2
Un bon certificat du mal dont je me plains.
MOLIÈRE, Sganarelle, 6.

♦ **2** (1836). Acte attestant la réussite à un examen ou à un concours; cet examen, ce concours. → **Brevet, diplôme.** *Certificat d'études primaires* (C. E. P. [seøpe]). Cour. *Certificat d'études. Il a, il n'a pas son certificat d'études.* Absolt. *Il a son certificat* (abrév. fam. : *certif*). *Certificat d'aptitude professionnelle* (C. A. P. [seape]). Anciennt. *Certificats* (d'études supérieures) *de licence.* → **Unité** (de valeur), 2. **U. V.** — *Certificat d'aptitude pédagogique* (C. A. P. [seape]). *Certificat d'aptitude au professorat de l'enseignement du second degré* (C. A. P. E. S. [kapɛs]). *Certificat d'aptitude au professorat de l'enseignement technique* (C. A. P. E. T. [kapɛt]). *Titulaire d'un certificat.* → **Certifié.** — *Certificat d'aptitude à la profession d'avocat* (C. A. P. A. [kapa]).

Dans le peuple, l'examen du certificat d'études primaires avait pris, pour clore l'enfance, tous les caractères d'une *consécration* que la première communion avait perdus. 3
Raymond ABELLIO, Ma dernière mémoire, t. I, p. 141.

**CERTIFICATEUR** [sɛʀtifikatœʀ] n. m. — 1611; lat. médiéval **certificator* «celui qui certifie», du supin de *certificare.* → Certifier.

Dr. Personne qui certifie. — REM. Le fém. virtuel, *certificatrice,* ne semble pas employé. — Spécialt. *Certificateur de caution :* personne qui intervient pour garantir l'engagement pris par la caution elle-même (d'après Capitant, *Voc. juridique*). — Appos. *Notaire certificateur,* qui établit les certificats de vie des rentiers et pensionnés de l'État.

**CERTIFICATIF, IVE** [sɛʀtifikatif, iv] adj. — XV^e; lat. médiéval *certificativus.*

Didactique ou droit.

♦ **1** Qui est propre à certifier. *Pièces certificatives.*

♦ **2** Qui affirme avec force, qui certifie.

L'ancêtre eut son mouvement de tête certificatif qui prenait à témoin ses contemporains de ce temps-là, bustes blancs aux yeux vides, alignés sur des piédestaux autour de la salle. Alphonse DAUDET, l'Immortel, p. 345.

**CERTIFICATION** [sɛʀtifikasjɔ̃] n. f. — 1310, *certificacion*; bas lat. *certificatio*, du supin de *certificare*. → Certifier.

Dr. Assurance donnée par écrit. — Spécialt (t. de banque). *Certification de signatures.* → **Authentification.**

**CERTIFIÉ, ÉE** [sɛʀtifje] adj. et n. — V. 1950; de *certificat*, d'après *certifier*.

Rare. Titulaire d'un certificat.

Spécialt. **a** Titulaire du Certificat d'aptitude au professorat de l'enseignement du second degré (C. A. P. E. S.). → **Capésien.** *Professeur certifié.* — N. *Les certifiés et les agrégés.*

Je ne percevrai mon dernier traitement de certifiée stagiaire que dans trois semaines et mon premier traitement d'agrégée que fin octobre.
Yanny HUREAUX, la Prof, p. 35.

**b** (Notamment en Afrique). Titulaire du Certificat d'études primaires.

**CERTIFIER** [sɛʀtifje] v. tr. — V. 1172, *certefier*; bas lat. *certificare*, de *certus* (→ Certain), et *facere* «faire».

♦ **1** Donner (qqch.) pour certain, pour vrai. → **Affirmer, attester, confirmer, garantir.** *Certifier qqch. à qqn et en témoigner*. Je vous certifie que...* → **Assurer**; → Affirmation, cit. 2; et (fam.) Je vous fiche mon billet* que... *Je continue à vous le certifier, à vous certifier que...* → **Maintenir.** *C'est possible, mais je ne peux le certifier, vous le certifier. Je l'ai constaté* moi-même et je puis vous le certifier.*

Je te certifie que je ne m'ennuie jamais avec vous deux (...)
G. SAND, François le Champi, VII, p. 67.

♦ **2** Dr. Garantir par un acte. *Certifier une signature.* → **Authentifier, légaliser.** — (Avec un compl. qualifié par un adj.). *Certifier (un texte) conforme,* certifier qu'il est conforme à l'original. *Collationner et certifier conforme à l'original.* → **Vidimer.** — *Certifier une caution,* répondre de sa solvabilité.

◆ **CERTIFIÉ, ÉE** p. p. adj. *Copie certifiée conforme.* — Ellipt. *Copie certifiée.* → aussi **Certifié,** adj. et n.

CONTR. **Démentir, désavouer, infirmer. — Contester, nier.**

**CERTITUDE** [sɛʀtityd] n. f. — 1375; lat. *certitudo*, de *certus*. → Certain.

♦ **1** Vx. Assurance, garantie. «*Je veux quelque certitude de votre dévouement*» (Balzac, *in* T. L. F.).

♦ **2** Cour. Caractère de ce qui est certain*, indubitable. → **Évidence, vérité; sûreté.** *La certitude d'un fait, d'une affirmation. Affirmation sans certitude. La certitude d'un témoignage. — (Une, des certitudes).* Chose certaine, indubitable. *Certitude absolue, mathématique. Probabilité qui se change en certitude. Certitude morale, métaphysique* (→ ci-dessous, 3.), *certitude intuitive. Esprit plein de certitudes.*

1 Il y a contre lui des présomptions terribles, il n'y a pas une certitude absolue.
Paul BOURGET, le Disciple, II, p. 55.

2 (...) désireux *(le savant)* de certitude, il se défend de deviner. GIDE, le Retour de l'enfant prodigue, p. 23.

3 Ce n'est pas de gaieté de cœur qu'il renonce aux certitudes métaphysiques. Nul défi de mécréant agressif.
A. MAUROIS, Études littéraires, t. II, Duhamel, II, p. 90.

Quand il y a certitude d'une réalité, les faits sont exprimés, ou bien dans une proposition principale accompagnée ou non d'une affirmation de certitude, ou bien dans l'objet d'une phrase dont la principale exprime la certitude : *le train est arrivé, j'en* **suis sûr.** 4
F. BRUNOT, la Pensée et la Langue, XII, III, I, p. 526.

Vx ou littér. → **Stabilité.** *Il n'y a nulle certitude dans les choses du monde.*

Sa certitude d'homme solide sur ses cuisses, sûr de ses muscles, je la voyais s'émietter, se pulvériser, le poudrer d'une douceur qu'il n'avait jamais eue, effriter ses angles rigoureux. J. GENET, Journal du voleur, p. 49. 4.1

♦ **3** (1462). État de l'esprit qui ne doute pas (de qqch.), n'a aucune crainte d'erreur (sur qqch.). → **Assurance, conviction, croyance, opinion.** *La certitude de qqn quant à qqch., sur qqch., à propos de qqch.; sa certitude. Certitude fondée sur des preuves. J'ai la certitude qu'il viendra. Il a la certitude de réussir.*

Absolt. Philos. Adhésion*, assentiment* de l'esprit à la vérité qu'il est assuré de posséder. *Certitude immédiate, médiate, intuitive, discursive. Certitude de la foi* (→ Croire, cit. 68). *Être incapable de certitude* (→ Bonheur, cit. 11).

Les principales forces des pyrrhoniens (...) sont : que nous n'avons aucune certitude de la vérité de ces principes, hors la foi et la révélation, sinon en *(ce)* que nous les sentons naturellement en nous. PASCAL, Pensées, VII, 434. 5

La jalousie se nourrit dans les doutes, et elle devient fureur, ou elle finit, sitôt qu'on passe du doute à la certitude. LA ROCHEFOUCAULD, Maximes, 32, p. 248. 6

(...) c'est la certitude qu'ils tiennent la vérité qui rend les hommes cruels. FRANCE, Les dieux ont soif, p. 11. 7

Je me passai fort bien de certitude dès lors que j'acquis celle-ci, que l'esprit de l'homme ne peut en avoir. 8
GIDE, les Nouvelles Nourritures, p. 93.

Il n'a pas ce besoin de grosse certitude qu'on éprouve quand le doute ou la détresse vous travaillent. 9
J. ROMAINS, les Hommes de bonne volonté, t. II, p. 14.

(...) si ma certitude était à la merci des objections, ce ne serait plus une certitude (...) 10
MARTIN DU GARD, Jean Barois, III, L'enfant, III, p. 406.

La raison d'être d'une foi, c'est d'apporter une certitude. 11
A. MAUROIS, les Discours du Dr O'Grady, II, p. 12.

Loc. adv. *Avec, sans certitude. En toute certitude.* — Vieilli. *De toute certitude.*

CONTR. **Chimère, conjecture, doute, erreur, éventualité, hypothèse, illusion, incertitude, indétermination, probabilité, soupçon, vraisemblance.** ◇ COMP. **Incertitude, quasi-certitude.**

**CÉRULÉ, ÉE** [seʀyle] adj. — 1516; lat. *caeruleus* «bleu (comme le ciel)», de *cælum*. → Ciel.

Littér., rare. D'un bleu d'azur*. → **Céruléen.** «*Ces oiseaux cérulés qui laissaient pendre leurs ailes*» (Chateaubriand, *in* T. L. F.).

DÉR. **Céruléen.**

**CÉRULÉEN, ENNE** [seʀyleɛ̃, ɛn] adj. — 1797; de *cérulé*.

Littér. D'une couleur bleue. → **Cérulé.**

*(Des barques)* ornées, par paire, d'étranges insignes, de figures multicolores rappelant celles du blason (...) tout cela s'éployait splendidement sur le céruléen tapis de la mer (...)
GIDE, Feuillets d'automne, Acquasanta, *in* Souvenirs, Pl., p. 1107.

COMP. **Céruléoplasmine.**

**CÉRULÉOPLASMINE** [seʀyleoplasmin] n. f. — V. 1980, du rad. de *céruléen*, *plasma*, et suff. *-ine*.

Chim., biol. Protéine du sérum sanguin, de couleur bleue, contenant du cuivre.

La céruléoplasmine est une enzyme très importante à base de cuivre, que l'on trouve dans les espèces mammifères, y compris l'homme. Il s'agit d'une grosse molécule — la masse moléculaire est voisine de 150 000 — contenant huit atomes de cuivre. On ne connaît pas sa fonction de façon précise, mais elle semble contrôler la distribution et la labilité du cuivre dans l'organisme.

la Recherche, nº 117, déc. 1980, p. 1371.

**CÉRUMEN** [seʀymɛn] n. m. — 1726; lat. médiéval *caerumen,* du lat. class. *cera* «cire».

Matière onctueuse et jaune qui est sécrétée par les glandes sébacées du conduit de l'oreille externe. *Bouchon de cérumen. Cure-oreille pour ôter le cérumen.*

*Cerumen.* — «Cire humaine». Se garder de l'ôter parce qu'elle empêche les insectes d'entrer dans les oreilles.

FLAUBERT, Dict. des idées reçues.

DÉR. **Cérumineux.**

**CÉRUMINEUX, EUSE** [seʀyminø, øz] adj. — 1735; de *cérumen.*

Rare, physiol. Relatif au cérumen. *Follicules cérumineux* ou *glandes cérumineuses.* — De la nature du cérumen. *Matière cérumineuse.*

**CÉRUSAGE** [seʀyzaʒ] n. m. — Mil. XXᵉ (attesté 1962); de *cérus(e),* et *-age.*

Techn. (ébénisterie). Technique consistant à remplir les pores (d'un bois) d'une matière dure (de céruse, à l'origine).

**CÉRUSE** [seʀyz] n. f. — XIIIᵉ; lat. *cerussa.*

Chim. Hydrocarbonate basique de plomb, substance blanche (appelée aussi *blanc de céruse, blanc d'argent* ou *cérusite*), anciennement employée en peinture et dans les fards. *L'utilisation de la céruse a été prohibée en raison de sa très grande toxicité* (→ Badigeon, cit. 2).

1 (...) ce blanc n'est pas toujours du blanc de Candie, fait de coquille d'œufs; il est souvent composé de magistères de bismuth, jupiter, saturne, de céruse (...)

Ed. et J. DE GONCOURT, la Femme au XVIIIᵉ siècle, t. II, p. 141.

2 Nous l'avons regardé enduire son visage de céruse, mettre une perruque, revêtir son kimono, ce qui est une opération longue et compliquée pour laquelle plusieurs habilleurs l'ont aidé.

S. DE BEAUVOIR, Tout compte fait, p. 295.

DÉR. **Cérusage, cérusé, cérusite.**

**CÉRUSÉ, ÉE** [seʀyze] adj. — XXᵉ (attesté 1952); de *céruse.*

Techn. (ébénisterie). Qui a subi le cérusage. *Bois cérusé.*

J'ai renversé un encrier sur mon bureau de chêne cérusé, mon vélo a crevé deux fois aujourd'hui et j'ai perdu dans la rue une paire de bas gagnée à la Loterie.

Benoîte et Flora GROULT, Journal à quatre mains, p. 169.

**CÉRUSITE** [seʀyzit] n. f. — 1878; de *céruse.*

Minér. Carbonate naturel de plomb ($PbCO_3$).

**CERVAISON** [sɛʀvɛzɔ̃] n. f. — Après 1250; du lat. *cervus* «cerf*».

Vén. Époque où le cerf est gras et bon à chasser.

**CERVEAU** [sɛʀvo] n. m. — 1080, *cervel;* du lat. *cerebellum* «petite cervelle» diminutif de *cerebrum* «cerveau».

♦ **1** Anat. et cour. Partie antérieure et supérieure de l'encéphale des vertébrés formée de deux hémisphères cérébraux et de leurs annexes (méninges). *Du cerveau.* → **Cérébral,** et l'élément **cérébr-.** *Le cerveau est l'organe essentiel du système nerveux central.* → **Encéphale; bulbe, cervelet, pédoncule** (pédoncules cérébraux). *Le cerveau est un viscère. Conformation extérieure du cerveau* (→ **Hémisphère, lobe; circonvolution, scissure).** *Enveloppe osseuse du cerveau.* → **Crâne.** *Membranes du cerveau.* → **Méninge; arachnoïde, dure-mère, pie-mère.** *Anatomie du cerveau :* corps calleux, trigone cérébral, cloison transparente (ou septum lucidum), ventricules latéraux et moyens, épendyme, infundibulum, formations choroïdiennes, glande pinéale ou épiphyse, noyaux gris centraux, capsule interne, substance blanche... *Angéiologie du cerveau :* artères cérébrales, choroïdiennes; veines cérébrales, veines de Galien... *Localisations* sensorielles du cerveau* (→ **Sensorium).** — *Cerveau antérieur, moyen, postérieur :* parties du cerveau qui dérivent des vésicules cérébrales (antérieure, moyenne, postérieure) de l'embryon.

Cour. L'ensemble de l'encéphale. → **Tête; ciboulot** (fam.); → 1. Pensée, cit. 14. — Loc. *Transport au cerveau;* syn. vieilli de congestion cérébrale. *Commotion, congestion, lésion du cerveau* (→ **Cérébral).** *Tumeur au cerveau.* — Vx. *Les cases* du cerveau.*

(...) le cerveau a la pensée, le cœur a l'amour, le ventre a la paternité et la maternité. 1

HUGO, Shakespeare, I, II, II, 12.

(...) parce qu'un employé de chez vous a commis une extravagance sous le coup d'un transport au cerveau (...) 2

COURTELINE, Messieurs les ronds-de-cuir, 6ᵉ tableau, II, p. 68.

(...) les adversaires mêmes du matérialisme ne voient aucun inconvénient à traiter le cerveau comme un récipient de souvenirs. 3

H. BERGSON, Matière et Mémoire, p. 68.

Le cerveau, dit Bergson, est simplement un organe de transmission entre l'esprit et les organes moteurs. 4

A. MAUROIS, Études littéraires, t. I, Bergson, II, p. 165.

Il a parlé lui-même des *«tiroirs de son cerveau»* qu'il ouvrait l'un après l'autre et dans chacun desquels, presque à volonté, il trouvait ce qu'il cherchait. 5

Louis MADELIN, De Brumaire à Marengo, VI, Bonaparte, p. 88.

Il n'est pas exclu que le cerveau soit seulement notre intermédiaire entre l'inconscient et le monde extérieur, qu'il lui prend sous forme d'impressions et qu'il lui rend sous forme d'expressions (...) 5.1

Jean DELAY, la Psycho-physiologie humaine, p. 61.

Par ext. (Par suite de l'ancienne croyance à une communication entre les fosses nasales et le cerveau). *Rhume de cerveau :* inflammation de la muqueuse nasale (→ **Coryza).**

*Cerveau d'animal.* → **Cervelle.** *Le cœnure, parasite du cerveau du mouton.*

Par analogie. *Le cerveau endocrinien :* l'hypophyse* (cit. 1).

♦ **2** (1175, *cervel*). Le siège de la vie psychique et des facultés intellectuelles. → **Esprit, intelligence, raison, tête; cervelle.** *Un cerveau étroit, borné, limité, stérile. Un cerveau puissant, bien organisé, bien fait, subtil, productif, inventif. Le cerveau de qqn, son cerveau. Il a un bon cerveau, qui fonctionne bien. Son cerveau travaille.* — Fam. *Avoir le cerveau troublé, dérangé, brouillé, fêlé, timbré :* être fou*. — *Se creuser le cerveau :* chercher avec acharnement, méditer profondément et avec peine (cf. Se casser la tête; se creuser les méninges). *Faire travailler son cerveau. Bourrer le cerveau de qqn de mensonges.* → **Crâne**; → (fam.) Bourrer* le mou. *Se dessécher, s'alambiquer le cerveau. — Monter* au cerveau* : griser. *Vin qui monte au cerveau. Son succès lui monte au cerveau.* — Loc. *Lavage de cerveau :* action psychologique ou physique sur qqn, et propre à altérer ou annuler son comportement, sa mentalité propres.

6 Il vous a vue deux fois; vous êtes demeurée dans son cerveau comme une divinité (...)
M^me^ DE SÉVIGNÉ, 1220, 28 sept. 1689.

7 Le cerveau brûlé par le raisonnement a soif de simplicité, comme le désert a soif d'eau pure.
RENAN, Souvenirs d'enfance..., Préface, p. 12.

8 (...) le cerveau en feu (...)
M. BARRÈS, la Colline inspirée, II, p. 28.

9 Le cœur, dès qu'il s'en mêle, engourdit et paralyse le cerveau. GIDE, les Faux-monnayeurs, I, XVIII, p. 203.

9.1 Nous voulons, tant ce feu nous brûle le cerveau,
Plonger au fond du gouffre, Enfer ou Ciel, qu'importe?
Au fond de l'Inconnu pour trouver du *nouveau*!
BAUDELAIRE, les Fleurs du mal, «Tableaux parisiens», CXXVI.

Par métonymie. Désigne la personne elle-même. *C'est un cerveau faible; dérangé; un pur cerveau. — Cerveau brûlé* (→ Brûler, cit. 56.1 et *supra*). *Un cerveau creux* :* un visionnaire. — (1586, *in* D. D. L.). Absolt. *C'est un cerveau :* un homme d'une grande intelligence.

9.2 Selon les prudents cerveaux,
Le mari, dans ces cadeaux, *(les repas qu'on donne aux champs)*
Est toujours celui qui paye.
MOLIÈRE, l'École des femmes, III, 2.

♦ **3** (1808). En référence aux fonctions du cerveau. Organe central, organe de direction. → **Centre.** *Cet homme est le cerveau de la coalition. C'est le cerveau de la maison. Le cerveau d'une bande de malfaiteurs, d'un gang.* — (Choses). *La capitale est le cerveau du pays.*

10 L'état-major est vraiment un cerveau sans lequel aucune action des bataillons n'est possible.
A. MAUROIS, les Silences du colonel Bramble, XXIV, p. 242.

(1954). Fig. (non scientifique). *Cerveau électronique :* appareil effectuant automatiquement des opérations complexes portant sur de l'information. → **Ordinateur; cybernétique,** et l'homonyme **servo-.**

DÉR. et COMP. **Cervelet, écervelé, décerveler. — Arrière-cerveau. —** V. **Cervelle.**

**CERVELAS** [sɛʀvəla; sɛʀvəla] n. m. — 1552, *cervelat;* ital. *cervellato* «saucisse milanaise faite de viande et de cervelle de porc», de *cervello* «cervelle».

♦ **1** Gros saucisson cuit, fait de chair à saucisse salée et épicée, introduite dans des boyaux de porc. → **Charcuterie; saucisson.** *Cervelas à l'ail. Du cervelas à la vinaigrette; cervelas vinaigrette. Une tranche de cervelas.*

♦ **2** (Attesté 1845, Bescherelle). Hist. de la mus. Ancien instrument de musique à vent, à anche, court et renflé (en usage au XVII^e^ siècle).

**CERVELET** [sɛʀvəlɛ] n. m. — 1611; de *cerveau.*

♦ **1** Anat. et cour. Partie postérieure et inférieure de l'encéphale*; essentiel à la régulation de la motricité et à l'équilibration. *Du cervelet.* → **Cérébelleux.** *Sillons, lobes du cervelet. Substance grise, substance blanche, écorce du cervelet. Réseau vasculaire du cervelet. Vermis du cervelet :* parties vermiformes.

♦ **2** Fig., fam. Intelligence faible; petit cerveau (2.). *C'est beaucoup pour son cervelet. Avoir un cervelet d'oiseau.* Cerveau (2.). *Mets-toi ça dans le cervelet.* → **Cervelle.**

**CERVELIÈRE** [sɛʀvəljɛʀ] n. f. — 1230, *cervelire; cerveliere,* 1306; de *cervelle.*

Hist. médiévale. Petit casque ouvert que l'on portait sous le heaume ou le bassinet.

Un gros milicien barbu, dessanglé, dort sur un banc, entre sa pique et sa cervelière.
J.-R. BLOCH, la Nuit kurde, p. 112.

**CERVELLE** [sɛʀvɛl] n. f. — 1080, *cervele;* du lat. *cerebella,* plur. de *cerebellum* (→ Cerveau), compris comme fém. singulier.

♦ **1** Substance nerveuse constituant le cerveau* (à la différence de *cerveau,* le mot n'est pas d'usage scientifique). *L'éclatement du crâne fit jaillir la cervelle.* — Loc. *Brûler la cervelle à qqn,* le tuer d'une balle dans la tête. *Se brûler** (cit. 53.3), *se faire sauter la cervelle.*

*Cervelle des animaux* (par oppos. au *cerveau* humain). — Cuis. Cerveau des animaux tués, destiné à servir de mets. *Cervelle de veau, d'agneau. Cervelle frite au beurre.*

Par anal. *Cervelle de palmier :* moelle douce et comestible qui se trouve dans le tronc de certains palmiers.

♦ **2** (1223). Fig., souv. péj. La substance du cerveau en tant que siège des facultés mentales (syn. de *cerveau**). → **Cerveau** (2.), **esprit, jugement.** *Cervelle creuse, vide, dérangée, malade. La cervelle de qqn, sa cervelle.* — Absolt. *De la cervelle :* de l'intelligence, du raisonnement. *Avoir peu de cervelle. N'avoir ni cœur ni cervelle.*

*Tête sans cervelle :* esprit déréglé, fou. → **Écervelé.** — *Avoir une cervelle de lièvre,* ne pas avoir de mémoire. *Une cervelle d'oiseau, d'autruche, de moineau* (cf. Tête de linotte). — Loc. *Se creuser la cervelle* (→ Se creuser le cerveau*). *Cette idée lui tourne, lui trouble la cervelle.* — Fam. *Cela lui trotte dans la cervelle,* il en a l'esprit occupé. — *Se mettre quelque chose, avoir quelque chose dans la cervelle :* avoir une idée bien arrêtée. — *Rompre la cervelle à qqn :* fatiguer par un bruit violent; syn. : *rompre la tête.* — *Mettre la cervelle de qqn à l'envers,* le bouleverser.

(...) si vous avez tant soit peu de cervelle, 1
Vous prendrez d'autres soins.
MOLIÈRE, l'École des maris, II, 2.

(...) un mari à qui le vin et la jalousie, ont troublé de telle 2
sorte la cervelle, qu'il ne sait plus ni ce qu'il dit, ni ce qu'il fait (...) MOLIÈRE, George Dandin, III, 7.

Pauvre Polichinelle, quelle diable de fantaisie t'es-tu allé 3
mettre dans la cervelle?
MOLIÈRE, le Malade imaginaire, 1^er^ intermède.

*Belle tête, dit-il, mais de cervelle point.* 4
LA FONTAINE, Fables, IV, 14.

Mon traitement consiste à ne plus me tourner la cervelle 5
à l'envers, et à mettre un régulateur à ma sensibilité.
LOTI, Aziyadé, Salonique, XVIII, p. 29.

Que les plus évolués d'entre eux, après le lessivage de leur 5.1
propre cervelle, y fassent les retouches inspirées par Mao Tsé-toung, il importe peu.
F. MAURIAC, le Nouveau Bloc-notes 1958-1960, p. 215.

Loc. *Avoir du plomb, manquer de plomb* (cit. 19) *dans la cervelle.*

Par métonymie. (1630). La personne elle-même. *C'est une cervelle folle, légère, évaporée, une petite cervelle.* — *Cervelle brûlée* (→ **Cerveau).**

Si vous n'étiez pas une cervelle folle, 6
Quand vous avez parlé naguère à votre idole,
Vous auriez aperçu Jeannette sur vos pas (...)
MOLIÈRE, l'Étourdi, IV, 6.

7 Corrigez-vous, dira quelque sage cervelle.
LA FONTAINE, Fables, II, 14.

♦ **3** *Cervelle de canut :* fromage blanc battu avec ciboulette hachée, sel, poivre et échalotes (spécialité lyonnaise).

DÉR. **Cervelière.**

**CERVICAL, ALE, AUX** [sɛʀvikal, o] adj. — V. 1560; du rad. du lat. class. *cervix, icis* «cou, nuque».

♦ **1** Anat. Qui se rapporte à la région du cou, appartient au cou. *Vertèbres cervicales.* → **Atlas, axis.** *Colonne cervicale. Nerfs, muscles cervicaux. Ligament cervical.*

♦ **2** (1865). Relatif à un col*, au col (de l'utérus, de la vessie). *Métrite cervicale* ou Cervicite. *Érosion cervicale.*

♦ **3** Relatif au collet* (I., 3.) de la dent.

**CERVICO-** Élément, du lat. class. *cervix, -icis* «cou, nuque», servant de préfixe pour la formation d'adjectifs et de substantifs scientifiques (notamment en anatomie). Ex. : *cervico-brachial, ale, aux,* adj., qui se rapporte au cou et aux bras; *cervico-utérin, ine,* adj., qui se rapporte au col de l'utérus; *cervicalgie* [sɛʀvikalʒi] n. f., douleur localisée au cou, à la nuque; *cervicarthrose* [sɛʀvikaʀtʀoz] n.f., arthrose de la colonne vertébrale. *La cervicarthrose provoque des névralgies irradiant du cou vers les bras.*

**CERVIDÉS** [sɛʀvide] n. m. pl. — 1886; du lat. *cervus* «cerf», et *-idés.*

Zool. Famille de mammifères ongulés artiodactyles ruminants dont les mâles portent des appendices frontaux de nature osseuse (→ **Bois,** II., 3.) se renouvelant chaque année. *Principaux types de cervidés :* cerf*; axis, caribou, chevreuil, daim, élan, muntjac, orignal, renne, wapiti, etc. — Au sing. *Un cervidé.*

**CERVIER** [sɛʀvje] adj. m. → **Loup-cervier.**

**CERVOISE** [sɛʀvwaz] n. f. — V. 1177; *cerveise,* av. 1175; du lat. impérial *cerevisia,* d'orig. gauloise. → Bière, cit. 1.

Bière d'orge, de blé, etc. en usage chez les Anciens et au moyen âge.

Nulle liqueur au quina n'est contraire :
L'onde insipide et la cervoise amère,
Tout s'en imbibe (...)
LA FONTAINE, Poème du Quinquina, II.

Les esclaves de l'Église acquitteront leur tribut conformément à la loi : quinze mesures de cervoise (...) deux mesures de pain (on remarquera que, bière ou pain, les livraisons portent sur des céréales qui, dans la maison de l'esclave, ont été déjà apprêtées pour la consommation) (...)
Georges DUBY, Guerriers et Paysans, p. 53.

1. **CÉRYLE** [seʀil] n. m. — 1869; du grec *kêrulos* «oiseau de mer».

Zool. Martin-pêcheur de grande taille *(Alcédinidés),* au plumage noir et blanc (martin-pêcheur pie) ou gris-bleu à dessous blanc (martin-pêcheur ceinturé).

HOM. **2. Céryle.**

2. **CÉRYLE** [seʀil] n. m. — 1953; du rad. de *cera* «cire», et suff. *-yle.*

Chim. Radical univalent contenu dans l'alcool cérylique.

**CÉRYLIQUE** [seʀilik] adj. — Mil. XXe; du rad. de *cera, -yle,* et *-ique.*

Chim. *Alcool cérylique :* alcool $C_{26}H_{53}OH$ existant dans certaines cires (cire de Chine, etc.) à l'état d'ester *(ester cérylique).*

**CES** [se] adj. dém. pl. → **1. Ce.**

1. **C. E. S.** [seœɛs] n. m. Sigle.

Collège d'Enseignement Secondaire. «*La Municipalité de Neuilly n'est pas propriétaire des terrains (...) sur lesquels elle se propose d'édifier un C. E. S.*» (*l'Express,* 19 févr. 1973, p. 59).

2. **C. E. S.** [seœɛs] ou [sɛs] n. m. — 1991; sigle.

Admin. (En France). Contrat (d') emploi solidarité.

**CÉSALPINÉES** [sezalpine] (vieilli) ou **CÉSALPINIACÉES** [sezalpinjase] n. f. pl. — Mil. XIXe; de *Césalpin* (ital. *cesalpino*), n. d'un botaniste italien.

Bot. Famille de plantes phanérogammes angiospermes, classe de dicotylédones dialypétales, appartenant à la famille des Légumineuses. *Principaux types :* Amherstia, bauhinia, cadie, campêche, caroubier, casse, césalpinie, chicot, copaïer, févier, gainier, tamarinier. — REM. On écrit aussi *Cæsalpinées* (vieilli) et *Cæsalpinacées.*

**CÉSALPINIE** [sezalpini] n. f. — Mil. XIXe; de *Césalpin.* → Césalpiniacées.

Bot. Plante dicotylédone *(Légumineuses, Césalpiniacées),* arbre fournissant des bois tinctoriaux. — On dit et on écrit aussi *Cæsalpinia* [sezalpinja].

**CÉSAR** [sezaʀ] n. m. — 1245, *cézar;* lat. *Cæsar,* surnom de la *gens Julia* et notamment de *Caius Julius Cæsar.*

♦ **1** Hist. Nom illustré par Jules César, que portèrent les empereurs romains qui lui succédèrent, et qui passa aux empereurs germaniques (→ aussi **Kaiser, tsar).**

*(Rome)* à ses Césars fidèle, obéissante (...) 1
RACINE, Bérénice, II, 2.

Ce César l'entendait bien mieux *(que Bonaparte briguant* 2
*le titre d'empereur).* Il ne prit point de titres usés, mais il fit de son nom même un titre supérieur à celui de roi.
P.-L. COURIER, Lettres à M. N., mai 1804.

Loc. (où *César* représente le nom propre). *Le mois de César.* → **Juillet.** *La femme de César* (allusion à la parole de César : *La femme de César ne doit pas être soupçonnée*). — *Le tribut de César :* les taxes et les impôts (allusion à la parole du Christ : *Rendez à César ce qui est à César*).

♦ **2** (1850). Souverain absolu, despote. → **Empereur; dictateur.** «*Le césar d'Allemagne et le sultan d'Asie*» (→ Sultan, cit. 1, Hugo).

Si l'anarchie engendre des Césars parce que l'ordre est un 3
besoin élémentaire des sociétés (...)
J. BAINVILLE, les Dictateurs, Conclusion, p. 297.

♦ **3** Roi de carreau. *Tirer, abattre un César au jeu de cartes.*

♦ **4** Récompense cinématographique française analogue à l'oscar* américain. *La nuit des césars :* la soirée où sont décernés les césars.

♦ **5** Cépage rouge de l'Yonne. — Syn. : *romain.*

DÉR. (Du sens 2.) **Césarien, césariser, césarisme.**

**CÉSARIEN, IENNE** [sezaʀjɛ̃, jɛn] adj. — 1527, «relatif à César ou aux empereurs».

♦ **1** Hist. Qui a rapport à César, qui rappelle César. *Une ambition césarienne.* — Relatif aux Césars, empereurs romains.

♦ **2** Littér. D'un despote, d'un dictateur. *Régime césarien.* → **Césarisme.**

**CÉSARIENNE** [sezaʀjɛn] adj. f. et n. f. — Av. 1595, adj.; du lat. *caesar* «enfant mis au monde par incision», de *caedere* «couper».

Chir. *Opération césarienne* (vx) ou, n. f. (cour.), *césarienne :* opération chirurgicale qui consiste à inciser l'utérus (→ Hystérotomie) par voie abdominale, pour extraire l'enfant de l'utérus de la mère (soit une femme, soit une femelle de quelques espèces animales — en zootechnie). *Faire, pratiquer une césarienne. Subir une césarienne.* → **Césariser, II.**

**CÉSARISER** [sezaʀize] v. — 1590; de *César.*

**I** V. intr. Vx. Agir comme César, en dictateur.

**II** V. tr. (Mil. XX^e^). Faire subir une césarienne à (une femme). — Passif et p. p. (fém.). *Être césarisée :* subir, avoir subi une césarienne; porter une cicatrice de césarienne.

**CÉSARISME** [sezaʀism] n. m. — 1849, Proudhon; de *César.*

♦ **1** Hist. rom. Mode de gouvernement de César, des Césars.

1 Le Sénat lui-même abdiqua sa puissance devant le conquérant des Gaules. Encore une fois l'aristocratie républicaine était vaincue par la dictature. Le césarisme était né.
J. Bainville, les Dictateurs, p. 54.

♦ **2** Système politique consistant dans le gouvernement d'un seul homme désigné par le peuple et exerçant le pouvoir absolu. → **Absolutisme, dictature.** *Le césarisme des Bonaparte.* → **Bonapartisme.**

2 (...) elle *(la guerre)* a si bien préparé la banqueroute de la Révolution en césarisme (...)
Jaurès, Hist. socialiste..., t. III, p. 50.

3 (...) la popularité du césarisme fait le plus dangereux aboutissement des démocraties (...)
Ch. Péguy, Notre patrie, *in* Œ. en prose 1898-1908, Pl., p. 806.

3.1 Le désintéressement, c'est ce qui établit la différence entre cette République consulaire telle que je la conçois et le césarisme. Les Bonaparte se servaient de la France, de Gaulle la sert.
F. Mauriac, le Nouveau Bloc-notes 1958-1960, p. 258.

CONTR. **Démocratie, libéralisme.**

**CÉSIUM** [sezjɔm] n. m. — 1861, mot créé en all. par Bunsen et Kirchhoff; lat. *cæsium,* neutre de *cæsius* «bleu», à cause des deux raies bleues de son spectre.

Chim. Métal (symb. *Cs;* n^o^ at. 55; masse at. env. 133) de la famille des alcalins, mou, jaune pâle. *Cellule photo-électrique au césium.* — REM. On a écrit *cæsium.*

**CESPITEUX, EUSE** [sɛspitø, øz] adj. — 1867; du lat. *cespis, -itis* «touffe, gazon».

Bot. Qui croît, se développe en touffes compactes (→ Touffu). *Plantes cespiteuses.*

**CESSANT, ANTE** [sesɑ̃, ɑ̃t; sɛsɑ̃, ɑ̃t] adj. — 1666, La Fontaine; du p. prés. de *cesser.*

Arrêté, interrompu, suspendu (ne s'emploie que dans les expressions suivantes). — (1632, *in* D. D. L.). *Toutes choses cessantes, toute chose cessante.* — (1666). *Toutes affaires cessantes, toute affaire cessante :* en premier lieu, en interrompant tout le reste.

Mon ami, me dit-elle, je pars pour Genève; ma poitrine est en mauvais état, ma santé se délabre au point que, toute chose cessante, il faut que j'aille voir et consulter Tronchin. 1
Rousseau, les Confessions, IX.

Jean fut confondu de cette bonté et qu'un homme de cette importance se fût, toutes affaires cessantes, dérangé ainsi pour lui. 2
Proust, Jean Santeuil, p. 728.

CONTR. **Incessant.**

**CESSATION** [sesasjɔ̃; sɛsasjɔ̃] n. f. — 1361; lat. class. *cessatio* «lenteur, retard» puis «arrêt», du supin de *cessare.* → Cesser.

Le fait de prendre fin ou de mettre fin (à qqch.). → **Abandon, arrêt, fin, interruption, suspension.** *La cessation des poursuites. Cessation des hostilités* (armistice, trêve). *Cessation du travail* (chômage, grève...). *Cessation de commerce. La cessation momentanée de la douleur.* → **Apaisement, relâche, rémission, répit, repos.** *Cessation complète de qqch.* → **Disparition, suppression.** *Continuer sans cessation.* → **Cesse, interruption.**

La cessation subite d'une douleur aiguë (...) 1
Rousseau, Lettres, 15 janv. 1769.

La cessation de la douleur poignante, fille du soupçon (...) 2
Stendhal, le Rouge et le Noir, XI, p. 66.

Le 22 février 1962 le gouvernement katangais décide de demander à la Belgique la cessation immédiate de l'aide technique sous toutes ses formes. 3
Jean Ziegler, Main basse sur l'Afrique, p. 253.

Comm. *Cessation de paiements :* situation d'un commerçant dont l'actif est insuffisant pour payer ses dettes. → **Faillite** (→ Bilan, cit. 2).

CONTR. **Continuation, durée, maintien, persistance, poursuite, prolongation, recommencement, reprise.**

**CESSE** [sɛs] n. f. — 1155; de *cesser.*

♦ **1** Le fait de cesser*. → **Cessation.** (S'emploie sans article et seulement dans quelques locutions). *Il n'a ni repos ni cesse. Sans cesse ni repos.*

Ô cruauté du sort qui n'a jamais de cesse. 1
H. de Racan, les Bergeries..., II, 2, «Lisimandre».

Point de cesse, point de relâche. 2
La Fontaine, Fables, V, 6.

*N'avoir point, n'avoir pas de cesse que... :* ne pas cesser, ne pas interrompre ses efforts avant que..., jusqu'à ce que...

L'esprit (...) n'a point de cesse 3
Qu'il n'ait mis le fil sous la presse,
Tâché de l'aplatir à grands coups de marteau.
La Fontaine, Contes, IV, 14.

Tu n'as pas écrit à Sainte-Croix. Quand j'étais à Bicêtre, tu semblais ne pas avoir de cesse que tu n'aies mon manuscrit. On semblait vouloir le publier, malgré moi. 3.1
Germain Nouveau, Lettre à sa sœur, 22 févr. 1892, Pl., p. 896.

♦ **2** (Fin XV^e^). *Sans cesse;* (vx) *sans fin ni cesse :* sans discontinuer. → **Continuellement, moment** (à tout moment), **toujours.** *Il ne tarit point sur ce sujet, il en parle sans cesse.*

Peut-on haïr sans cesse? et punit-on toujours? 4
Racine, Andromaque, I, 4.

Vingt fois sur le métier remettez votre ouvrage : 5
Polissez-le sans cesse et le repolissez (...)
Boileau, l'Art poétique, 1.

(...) Et je veux raconter et répéter sans cesse 6
Qu'après avoir juré de vivre sans maîtresse,
J'ai fait serment de vivre et de mourir d'amour.
A. de Musset, la Nuit d'août.

Après avoir souffert, il faut souffrir encore; 7
Il faut aimer sans cesse, après avoir aimé.
A. de Musset, la Nuit d'août.

J'ai dit à mon cœur, à mon faible cœur : 8
N'est-ce point assez d'aimer sa maîtresse?
Et ne vois-tu pas que changer sans cesse,

C'est perdre en désirs le temps du bonheur?
A. DE MUSSET, Premières Poésies, «Chanson».

♦ **3** (En emploi positif). Vx ou régional. *Avoir cesse :* cesser. *Faire cesse :* s'arrêter, s'interrompre — *«Dix heures du matin, qui était notre heure de cesse»* (Giono, *Un de Baumugnes*).

**CESSER** [sese] v. — 1050; lat. *cessare,* fréquentatif de *cedere* (→ Céder) «tarder, se montrer lent», encore au XVIe, d'où «suspendre son activité, s'interrompre».

Ne pas continuer. — REM. Sans être vieilli ni littéraire, le verbe est légèrement marqué par rapport à *arrêter* et *s'arrêter,* plus usuels.

**I** ♦ **1** V. intr. (Sujet nom de chose). Prendre fin; se terminer, s'interrompre. → **Arrêter** (s'), **discontinuer, finir, terminer** (se). *Le vent a cessé. La fièvre a cessé.* → **Disparaître; apaiser** (s'), **calmer** (se), **céder, tomber.** *La douleur cesse par intervalles. L'orage cesse progressivement,* perd de sa force, de son intensité. *Le charme cesse.* → **Effacer** (s'), **enfuir** (s'), **évanouir** (s'), **mourir.** *Ses pleurs ont cessé.* → **Tarir** (se). *L'entretien cessa brusquement* (→ Tourner court). *La lutte, le combat cesse, a cessé. On se demande quand cela cessera.*

1 Désormais, tant que la terre durera, les semailles et la moisson, le froid et le chaud, l'été et l'hiver, le jour et la nuit ne cesseront point.
BIBLE (CRAMPON), Genèse, VIII, 22.

2 Et le combat cessa faute de combattants.
CORNEILLE, le Cid, IV, 3.

3 Le bruit cesse, on se retire (...)
LA FONTAINE, Fables, I, 9.

4 À peine y touchez-vous que le charme cesse.
MASSILLON, Petit carême, prospérité.

5 Là où commence l'action de la justice, là doivent cesser les vengeances populaires.
DANTON, *in* Louis BARTHOU, Danton, p. 105.

6 La vigueur du corps s'entretient par l'occupation physique; le labeur cessant, la force disparaît (...)
CHATEAUBRIAND, Mémoires d'outre-tombe, IV, X.

7 L'influence anesthésiante de l'habitude ayant cessé, je me mettais à penser, à sentir, choses si tristes.
PROUST, À la recherche du temps perdu, t. I, p. 20.

8 Il ne sortait de chez lui qu'à l'heure où la vie cessait, et rentrait quand le petit jour attirait vers la ville les pêcheurs et les maraîchers.
Pierre LOUŸS, Aphrodite, Démétrios, III, p. 40.

9 On invente des vaccins; les microbes s'endurcissent... La lutte de l'homme contre le monde ne cessera jamais...
A. MAUROIS, le Cercle de famille, III, XIX, p. 333.

10 Ses gémissements *(du chien)* s'espacèrent, puis cessèrent tout à fait.
MARTIN DU GARD, les Thibault, t. II, p. 256.

REM. Quelques grammairiens considèrent que *cesser* se conjugue avec *avoir* pour marquer une action, et avec *être* «quand on veut marquer un état, qui persiste, un fait accompli» (Durrieu). Cependant, dès le XVIIIe s. Féraud préférait *avoir* «plus sûr et plus autorisé». La construction avec *avoir* s'impose aujourd'hui dans tous les cas.

♦ **2** V. tr. ind. (Sujet nom de personne ou de chose). **CESSER DE** (et l'inf.). → **Achever, arrêter** (s'). *Cesser d'agir, de parler. Cessons de discuter.* → **Briser** (brisons là). *Cesser d'avancer :* faire halte, s'immobiliser. *Cesser de travailler* (chômer; se reposer; faire grève, se mettre en grève...). *Je cesserai désormais de boire, de fumer.* → **Abstenir** (s'). *Cesser de lutter, de combattre.* → **Abandonner, lâcher, renoncer.** *Cesser d'être, cesser de vivre :* mourir, s'éteindre, expirer. *Son influence, son action cesse de se faire sentir,* diminue ou disparaît. *Usage qui cesse d'avoir cours.* → **Passer, tomber** (tomber en désuétude). *La loi abolie a cessé peu à peu d'être observée.* → aussi **Abolir, abroger.** *Cesser de paraître au lieu de son domicile* (→ Absence, cit. 13). *Cesser d'aimer.* → **Déprendre** (se), **détacher** (se). *Cesser de penser, de comprendre.* → Abîmer, cit. 7. *Cesser d'être... :* ne plus* être...

Quand nous aimons trop, il est malaisé de reconnaître si l'on cesse de nous aimer. 11
LA ROCHEFOUCAULD, Maximes, 553.

Cesser d'aimer, preuve sensible que l'homme est borné, et que le cœur a ses limites. 12
LA BRUYÈRE, les Caractères, IV, 34.

Comme on n'est jamais en liberté d'aimer ou de cesser d'aimer, l'amant ne peut se plaindre avec justice de l'inconstance de sa maîtresse, ni elle de la légèreté de son amant. LA ROCHEFOUCAULD, Maximes, 577. 13

Cessez donc de tenir un langage si vain (...) 14
LA FONTAINE, Fables, IV, 3.

Moi cesser d'être amant! et puis-je être autre chose? 15
LA FONTAINE, Élégie, IV.

Cesse donc à mes yeux d'étaler un vain titre. 16
BOILEAU, le Lutrin, II., *in* LITTRÉ.

Grand roi, cesse de vaincre, ou je cesse d'écrire. 17
BOILEAU, Épîtres, VIII, Au Roi.

(...) on n'a plus le cœur jeune impunément quand le corps a cessé de l'être. ROUSSEAU, les Confessions, X. 18

Ne vaudrait-il pas mieux cesser d'être que d'exister sans rien sentir? 19
ROUSSEAU, Julie ou la Nouvelle Héloïse, II, Lettre XI.

Non contentes d'avoir cessé d'allaiter leurs enfants, les femmes cessent d'en vouloir faire; la conséquence est naturelle. ROUSSEAU, Émile, I, 1. 20

Toutes les fois que je suis devenu amoureux d'une femme, je le lui ai dit, et toutes les fois que j'ai cessé d'aimer une femme, je le lui ai dit de même (...) 21
A. DE MUSSET, la Confession d'un enfant du siècle, I, 3.

La cloche des ateliers ne sonna pas, le puits à roue cessa de grincer (...) 22
Alphonse DAUDET, le Petit Chose, I, 1.

Absolt, vx. *Cesse! Cessez!* → **Arrêter.**

Cesse, cesse, et m'épargne un importun discours. 23
RACINE, Phèdre, IV, 2.

Mod. *Que (cela, ça...) cesse.*

Que ces messes 23.
Basses cessent
Je vous prie. G. BRASSENS, la Marguerite.

(Négatif). **NE PAS CESSER DE...** *Ne point cesser, ne cesser point de...* (voir *infra* les contraires). *Je n'ai pas cessé de la voir, de lui écrire. Il ne cessera pas de m'importuner avant qu'on lui ait donné satisfaction* (Hanse). *Il ne cessera pas de lutter avant d'avoir atteint son but. La pluie n'a pas cessé de tomber.*

(...) durant trois années, nuit et jour, je n'ai point cessé d'exhorter avec larmes chacun de vous. 24
BIBLE (CRAMPON), Actes des Apôtres, XX, 31.

Ne cesseras-tu point de m'être si cruelle? 25
MOLIÈRE, Mélicerte, I, 1.

Elle avait conscience que sa volonté n'avait pas cessé d'agir sur son destin, et que sa réussite était bien son œuvre. 26
MARTIN DU GARD, les Thibault, t. V, p. 159.

Avec ellipse de *pas, Ne cesser de...* marque la constance dans l'action. *Il n'a cessé de m'importuner qu'il n'ait obtenu satisfaction. Ils ne cessèrent de marcher qu'ils n'eussent atteint la forêt, que lorsqu'ils eurent atteint la forêt.*

Napoléon ne cessa d'accroître la proportion de l'artillerie dans les armées : il eut jusqu'à quatre pièces par mille hommes. 27
A. RAMBAUD, Hist. de la civilisation contemporaine en France, p. 152.

Les imprécations contre les agioteurs dits aussi «agiotateurs» (...) ne cessèrent *(sous la Révolution)* de pleuvoir comme grêle dans les Assemblées et dans les Clubs. 28
F. BRUNOT, Hist. de la langue franç., t. IX, II, p. 1080.

29 (...) le cabinet de Saint-James ne cessera d'attiser ces haines, d'armer ces hostilités.
Louis MADELIN, Hist. du Consulat et de l'Empire, t. V, XII.

30 Les années qui précèdent l'âge mûr ne cessent d'accroître les ressources intérieures d'un écrivain (...)
J. ROMAINS, les Hommes de bonne volonté, t. I, préface, p. 6.

♦ **3** V. intr. (le sujet de *cesser* est un nom de chose, placé après le verbe). **FAIRE CESSER :** faire qu'une chose cesse (1.); mettre fin à ... → **Arrêter, interrompre, suspendre.** *Faire cesser un phénomène, une évolution. Faire cesser la colère.* → **Apaiser, calmer; frein** (mettre un frein à). *Faire cesser l'arrogance, l'orgueil de qqn.* → **Abattre, briser, rabattre.** *Faire cesser des querelles, des dissensions,* y mettre le holà*. *Faire cesser un bavardage.* → **Couper** (couper court à...). *Faire cesser l'incendie,* l'éteindre. *Le temps fait cesser les illusions.* → **Dissiper, enlever, ôter, supprimer.** *Faire cesser une interdiction.* → **Lever.**

31 Le même arrêt invita l'archevêque à faire cesser lui-même le scandale.
VOLTAIRE, le Siècle de Louis XV, 36, *in* LITTRÉ.

**II** (XIIe) V. tr. (Sujet nom de personne). Faire finir. *Cessez ces discours. Cesser ses plaintes, ses cris.* → **Arrêter, interrompre.** *Cesser tout effort, le travail, ses fonctions.* → **Abandonner.** *Cesser le combat, les poursuites.* → **Suspendre.** *Cesser ses paiements. Cesser ses disputes.* → **Taire** (faire).

32 L'Aigle et le Chat-huant leurs querelles cessèrent,
Et firent tant qu'ils s'embrassèrent.
LA FONTAINE, Fables, V, 18.

33 (...) et alors je cessai mes folies, ou du moins j'en fis de plus accordantes à mon naturel.
ROUSSEAU, les Confessions, III.

34 Le généreux vainqueur a cessé le carnage.
VOLTAIRE, Henri VIII, *in* LITTRÉ.

35 Tout commerçant qui cesse ses payements est en état de faillite. Code de commerce, art. 437.

CONTR. **Continuer, durer, maintenir, persévérer, persister, poursuivre, prolonger, recommencer, reprendre.** ◊ DÉR. **Cessant, cessation, cesse.** – COMP. **Cessez-le-feu.**

**CESSEZ-LE-FEU** [seselfø] n. m. invar. — 1948, *in* D. D. L.; calque de l'angl. *cease(-)fire,* même sens.

Arrêt des combats. *Ligne de cessez-le-feu.*

1 Peut-être que la guerre est finie depuis minuit, dit Charlot en riant d'espoir. Le «cessez-le-feu», c'est toujours à minuit.
SARTRE, la Mort dans l'âme, p. 47 (1949).

2 Ce ministère avait pour mission d'obtenir d'abord un cessez-le-feu, puis de préparer une paix négociée.
F. MAURIAC, Bloc-notes 1952-1957, p. 224.

**CESSIBILITÉ** [sesibilite] n. f. — 1845; de *cessible.*

Dr. Qualité d'une chose susceptible d'être cédée. *Cessibilité d'un droit, d'un bien, d'une action. Cessibilité d'une valeur.* → **Négociabilité.**

Dr. admin. *Arrêté de cessibilité :* arrêté préfectoral qui, pour raison d'utilité publique, individualise les parcelles d'un terrain objet d'expropriation.

CONTR. **Incessibilité.**

**CESSIBLE** [sesibl] adj. — 1607; lat. *cessibilis,* de *cedere.* → Céder.

Dr. Qui peut être cédé. → **Négociable, transférable, vendable.** *Ces actions ne sont pas cessibles avant deux ans.*

CONTR. **Incessible.** ◊ DÉR. **Cessibilité.**

**CESSION** [sesjɔ̃; sɛsjɔ̃] n. f. — V. 1266; lat. *cessio,* de *cedere.* → Céder.

♦ **1** Dr. civ. Action de céder* (un droit, un bien) à titre onéreux ou à titre gratuit. → **Donation, transfert, transmission, transport, vente.** *La cession d'un bien à qqn (par qqn). Faire cession d'un droit, d'un bien (à qqn). Acte de cession. Cession de bail*. Cession d'intérêt d'un titre minier.* → **Amodiation.**

*Cession de salaire :* paiement direct au créancier d'un employé par prélèvement de tout ou partie du salaire de ce dernier par son employeur – *Cession de biens volontaire ou judiciaire.* → **Abandon, abandonnement, délaissement.**

La cession de biens est l'abandon qu'un débiteur fait de tous ses biens à ses créanciers, lorsqu'il se trouve hors d'état de payer ses dettes. Code civil, Art. 1265. 1

*Cession de créance.* → **Transport; cédant, cessionnaire.**

La vente ou cession d'une créance comprend les accessoires de la créance, tels que caution, privilège et hypothèque. Code civil, Art. 1692. 2

♦ **2** Dr. internat. Abandon par un État, au terme d'accords (de tout ou partie d'un territoire) au profit d'un autre État. *La cession par la France de l'Alsace et de la Lorraine à l'Allemagne* (après la guerre de 1870).

CONTR. **Achat, acquisition.** ◊ DÉR. **Cessionnaire.** – COMP. **Cession-bail.** – HOM. **Session.** – Formes du v. **cesser.**

**CESSION-BAIL** [sesjɔ̃baj; sɛsjɔ̃baj] n. f. — V. 1970; de *cession,* et *bail.*

Fin. Mode de crédit où l'emprunteur rachète progressivement, par une formule de location-vente, un bien dont il a cédé la propriété au prêteur (angl. *lease-back*). *Des cessions-bails* (pluriel anormal pour *bail**).

**CESSIONNAIRE** [sesjɔnɛʀ; sɛsjɔnɛʀ] n. — 1675; «celui qui fait cession», 1520; de *cession.*

Dr. Celui, celle à qui une cession a été faite. → **Bénéficiaire.** *Le, la cessionnaire d'une créance.*

CONTR. **Cédant.**

**C'EST-À-DIRE** [sɛtadiʀ] loc. conj. — 1306; trad. du lat. *id est.*

♦ **1** Annonçant une explication ou une précision. → **Assavoir** (II.), **dire** (je veux dire, disons), **entendre** (j'entends, entendez), **savoir** (à savoir), **soit, terme** (en d'autres termes). *Un radjah, c'est-à-dire un prince de l'Inde. À la température voulue, c'est-à-dire 14 degrés.* Abrév. : *c.-à-d.* → aussi **Id est.**

♦ **2** Annonçant une qualification de l'objet qu'on vient de nommer. *Un livre, c'est-à-dire un ami.*

♦ **3** Annonçant une rectification (emploi stylistique). *Oui, peut-être...; c'est-à-dire non.*

♦ **4** *C'est-à-dire que...* peut précéder :

**a** L'énoncé d'une conclusion. → **Conclure** (j'en conclus que), **conséquence** (en). *L'eau ne coule plus, c'est-à-dire que nous allons mourir de soif.*

**b** Au début d'une réponse, l'énoncé d'une atténuation, d'une rectification. → **Seulement, simplement, surtout.** *Est-ce qu'il me déteste ? C'est-à-dire qu'il en aime une autre.*

**c** Une explication ou un commentaire → ci-dessous, cit.

♦ **5** Interrogatif (pour demander une explication, un commentaire).

Admets (...) que je sois un sous-traitant.
– C'est-à-dire ?
– C'est-à-dire que je fais une besogne que d'autres signent.
E. ESTAUNIÉ, l'Ascension de M. Baslèvre, p. 13, *in* T. L. F.

1. **CESTE** [sɛst] n. m. — XVe; du lat. *cæstus*, même sens, de *caedere* «frapper».

Histoire.

♦ **1** Courroie parfois garnie de plomb dont les athlètes de l'antiquité s'entouraient les mains pour le pugilat.

Le combat du ceste fut plus difficile. Le fils d'un riche citoyen de Samos avait acquis une haute réputation dans ce genre de combats.
FÉNELON, Télémaque, V, p. 111.

Pugilat au ceste.

♦ **2** Pugiliste utilisant cette arme.

**HOM.** 2. **Ceste.**

2. **CESTE** [sɛst] n. m. — 1547; lat. *cestus* «ceinture», grec *kestos*.

**I** Myth. Ceinture de Vénus, qui donnait la séduction aux femmes qui la portaient. — REM. On trouve la var. *ceston de Vénus* (Nerval, *in* T. L. F.).

(...) les trois déesses rivales, Hérè aux bras de neige, Pallas Athénè aux yeux vert-de-mer, et Aphrodite au ceste magique, posèrent nues devant l'heureux berger (...)
Th. GAUTIER, Constantinople, p. 65.

Littér., rare. Ceinture.

**II** (1820). Zool. *Ceste* ou *ceste de Vénus*, animal du plancton marin, translucide, en forme de ruban.

**HOM.** 1. **Ceste.**

**CESTODAIRES** [sɛstɔdɛʀ] n. m. pl. — XXe; de *cestode*, suff. *-aires*, lat. *-arium*.

Zool. Classe de vers plathelminthes* hermaphrodites, parasites des poissons et des chéloniens (tortues), au corps formé d'un seul segment. — Au sing. *Un cestodaire.*

Les Cestodaires (...) sont encore souvent considérés comme un ordre de la classe des Cestodes; mais ils en diffèrent par de nets caractères (...) les quelques formes actuelles sont peut-être les restes d'un groupe autrefois plus important qui aurait eu dans le passé une souche commune avec les Cestodes.
Andrée TÉTRY, Plathelminthes, *in* Encycl. Pl., Zoologie, t. I, p. 580.

**CESTODES** [sɛstɔd] n. m. pl. — 1890, P. Larousse, *Deuxième Suppl.*; altér. de *cestoïde* (1820), du rad. du lat. *cestus*, grec *kestos* «ceinture» (→ Ceste), et *-oïde*.

Zool. Classe de vers plathelminthes* parasites, dont le corps en forme de ruban allongé est muni de ventouses et de crochets, mais dépourvu d'épiderme, de bouche et d'appareil digestif, et qui se nourrissent par endosmose. → Cestodaires, cit. *Les Cestodes sont des endoparasites des vertébrés; leur corps est formé d'une tête* (scolex) *portant des organes de fixation, d'une zone à croissance continue et d'anneaux* (proglottis) *constituant le strobile; ils sont hermaphrodites. On compte au moins neuf ordres et environ trente familles de cestodes, dont les bothriocéphales*, les ténias*.* — Au sing. *Un cestode :* un animal ou une classe d'animaux appartenant à cet ordre.

Le plus grand Cestode, le bothriocéphale de l'homme, mesure une dizaine de mètres; les plus petites espèces atteignent à peine le mm. Le nombre des anneaux varie de 4 à 4 000.
Andrée TÉTRY, Plathelminthes, *in* Encycl. Pl., Zoologie, t. I, p. 588.

**DÉR. Cestodaires.**

**CESTREAU** [sɛstʀo] n. m. — 1808, Boiste; lat. bot. *cestrum*, d'après le grec *kestron* «bétoine».

Bot. Arbrisseau ou arbuste originaire d'Amérique tropicale *(Solanacées)*, dont certaines espèces sont médicinales, tinctoriales (baies), ou cultivées pour la beauté et le parfum de leurs fleurs. *Cestreau à baies noires, utilisé pour la fabrication d'encre à dessin. Cestreau nocturne* (ou galant de nuit), espèce dont les fleurs n'exhalent leur parfum que la nuit. *Cestreau à fleurs blanches* (ou galant de jour). *Cestreau vénéneux* (ou casse-pot), espèce péruvienne dont le bois produit des éclats en brûlant.

**CÉSURE** [sezyʀ] n. f. — 1537, Marot; lat. *cæsura* «coupure», de *caedere* «couper».

♦ **1** En poésie française, Repos à l'intérieur d'un vers après une syllabe accentuée, et en harmonie avec le déroulement de la pensée. *La césure coupe le vers en hémistiches et en marque la cadence.* → **Coupe, hémistiche.** *Vers à une césure, à deux césures, à césure mobile.*

La rime, au bout des mots assemblés sans mesure, 1
Tenait lieu d'ornements, de nombre et de césure.
BOILEAU, l'Art poétique, I.

L'hexamètre, pourvu qu'en rompant la césure 2
Il montre la pensée et garde la mesure
Vole et marche : il se tort, il rampe, il est debout.
Le vers coupé contient tous les tons, il dit tout.
HUGO, Toute la lyre, IV, 14.

♦ **2** En versifications grecque et latine, Syllabe qui finit un mot et commence un pied.

♦ **3** Mus. Temps d'arrêt, généralement marqué par un silence, à l'intérieur d'une phrase musicale.

♦ **4** Interruption, suspension (du discours oral). Fig., littér. → **Coupure, hiatus.**

Entre la pluie et le vent 3
Comme un moment de césure.
ARAGON, le Voyage de Hollande et autres poèmes, p. 14.

**C. E. T.** [seøte] n. m. — D. i.; sigle.

Collège d'enseignement technique. *«Installé dans un vieux bâtiment du XIe arrondissement,* (ce) *C. e. t. est unique en France»* (*l'Express*, 12 févr. 1973).

**CÉTACÉ, ÉE** [setase] adj. et n. m. — 1542, Du Pinet, trad. de Pline, *poissons cetacees*; lat. zool. *cetaceus*, du lat. *cetus*, grec *kêtos* «gros animal marin». → 1. Céto-.

**I** Adj. Vx. Relatif à de gros animaux marins (telle la baleine*) longtemps assimilés à des poissons. *«Les orkes* (orques), *physeteres ou souffleurs... lamies, sont poissons cetacées»* (Furetière, 1690).

Mod. (et rare). *Les grands mammifères cétacés.*

**II** N. m. (1556, d'abord écrit *cetacée* et désignant les «poissons cetacées». → ci-dessus, I.). Mod. *Les Cétacés :* ordre de mammifères aquatiques au corps pisciforme, de taille moyenne (dauphins) ou très grande (baleines, cachalots). *Cétacés à dents* (sous-ordre des *odontocètes*) : Platanistidæ → **Dauphin** (d'eau douce), Delphinidæ (→ **Dauphin, orque, souffleur**), Phocoenidæ (→ **Marsouin**), Delphinapteridæ (→ **Bélouga, narval**), Physeteridæ (→ **Cachalot**), Ziphidæ → **Baleine** (à bec), **hyperoodon**; *cétacés à fanons* (sous-ordre des *mysticètes*) : Balænidæ (→ **Baleine**), Balænopteridæ (→ **Rorqual**). *Les cétacés comprennent les plus grands animaux connus.*

REM. 1. Les *cétacés* ne sont considérés comme des Mammifères que depuis Linné (1758). 2. Le mot *cétacé* est entré dans la langue courante, mais n'y désigne guère que les très grands animaux de l'ordre : baleines, baleinoptères, cachalots.

Au sing. Animal ou type d'animal appartenant à cet ordre (notamment : baleine, cachalot). *Harponner un cétacé. La baleine franche est le plus grand cétacé.*

Le cétacé, profondément engagé dans la vaste baie de l'Union, la sillonnait rapidement depuis le cap Mandibule jusqu'au cap Griffe, poussé par sa nageoire caudale prodigieusement puissante, sur laquelle il s'appuyait et se mouvait par soubresauts avec une vitesse qui allait quelquefois jusqu'à douze milles à l'heure.

J. VERNE, l'Île mystérieuse, t. I, p. 434.

**CÉTANE** [setan] n. m. — 1900, *Nouveau Larousse illustré;* de *cét(ène),* et *-ane.*

Chim., techn. Carbure d'hydrogène saturé. *Indice de cétane du gas-oil* (aptitude à l'allumage).

**CÉTÈNE** [setɛn] n. m. — 1836, Dumas et Peligot; lat. *cetus* (→ Spermaceti), grec *kêtos* «baleine», et suff. *-ène.*

Chim. Carbure éthylénique ($C_{16}H_{32}$).

**CÉTÉRAC** ou **CÉTÉRACH** [seteʀak] n. m. — 1314; lat. médiéval *ceteraceum,* de l'arabe *šītrăk.*

Bot. Fougère* *(Polypodiacées),* appelée aussi *herbe à dorer,* qui pousse entre les pierres des vieux murs.

**CÉTINE** [setin] n. f. — 1816; du même rad. que *cétène.*

Chim. Blanc de baleine.

La *cétine* improprement appelée *blanc de baleine* ou *spermacéti* est produite par un cétacé, le cachalot à grosse tête (...)

Charles BOURGEOIS, Chimie de la beauté, p. 30.

1. **CÉTO-** Élément tiré du grec *kêtos* «gros animal marin», qui entre dans la composition de termes de zoologie ayant un rapport avec les cétacés*. Ex. : *cétodontes* [setodɔ̃t] (1927) n. m. pl. **(→ Odontocètes)**; *cétographie* [setɔgʀafi] (XX^e^) n. f. : étude des cétacés; *cétographique* [setɔgʀafik] adj.; *cétologie* [setɔlɔʒi] (XIX^e^) n. f. : étude et histoire des cétacés; *cétologique* [setɔlɔʒik] adj.; *cétologiste* [setɔlɔʒist] ou *cétologue* [setɔlɔg] (XIX^e^) n. : spécialiste des cétacés.

2. **CÉTO-** Préf. chim. indiquant la présence du groupe fonctionnel de la fonction cétone dans une molécule.

**CÉTOGENÈSE** [setoʒənɛz] n. f. — Mil. XX^e^; de 2. *céto-,* et *genèse.*

Biochim. Ensemble des mécanismes qui aboutissent à l'élaboration des corps cétoniques* par le tissu hépatique.

**CÉTOINE** [setwan] n. f. — 1790; lat. des naturalistes *cetonia,* d'orig. inconnue; P. Guiraud propose l'étymon sav. *ceton,* var. de *seton* «crin, soie», de *seta* «soie, poil», d'où l'adj. *cetonia* «couverte de poils».

Zool. Insecte coléoptère *(Scarabéidés)* aux vives couleurs métalliques. *La cétoine dorée, dite hanneton des roses.*

1 Tu te sens tout heureux une rose est sur la table
Et tu observes au lieu d'écrire ton conte en prose
La cétoine qui dort dans le cœur de la rose

APOLLINAIRE, Alcools, «Zone».

2 Il se veut anthropologue, spécialiste de la duchesse comme de l'usurier. Ne met-il pas sa valeur d'entomologiste au service du capricorne et de la cétoine?

MALRAUX, l'Homme précaire et la Littérature, p. 120.

**CÉTONE** [setɔn] n. f. — 1903, in *Rev. gén. des sc.,* n° 1, p. 54; abrév. de *acétone.*

Chim. Nom des corps chimiques de constitution analogue à celle de l'acétone (R–CO–R' : les radicaux carbonés R et R' pouvant être semblables ou non), à propriétés proches des aldéhydes*. *Les cétones se déduisent des hydrocarbures par remplacement d'un groupe $CH_2$ par un groupe CO. L'acétone est la plus simple des cétones.* — Appos. *Fonction cétone,* correspondant au groupe fonctionnel C=O des cétones : fonction analogue à celle des aldéhydes* (hydrogénation en alcools, formation de dérivés azotés), mais qui en diffère par d'autres points. *Les glucides, certaines hormones possèdent la fonction cétone. Ose renfermant une fonction cétone.* **→ 1. Cétose.** — *Cétone-alcool :* corps renfermant une ou plusieurs fonctions cétone et une ou plusieurs fonctions alcool.

DÉR. et COMP. **Cétonémie, cétonique, cétonurie,** 1. et 2. **cétose. Cétogenèse. Thiocétone. Phénylcétonurie.**

**CÉTONÉMIE** [setɔnemi] n. f. — Mil. XX^e^; de *cétone,* et *-émie.*

Méd. Présence des corps cétoniques dans le sang. **→ Acétonémie.** *La cétonémie normale, chez l'homme, est de 5 à 20 mg par litre.*

**CÉTONIQUE** [setɔnik] adj. — 1899; de *cétone.*

Chim. Qui possède la fonction cétone. *Corps cétoniques,* l'acétone et ses précurseurs métaboliques. *Les corps cétoniques se forment dans le foie* **(→ Cétogenèse)** *et passent dans le sang* **(→ Cétonémie).** *Accumulation de corps cétoniques dans l'organisme.* **→ 2. Cétose.** *Acide cétonique.* — Syn. *Acide cétone.*

Le cycle des cétoses est à l'origine de la plupart des synthèses organiques, grâce précisément aux cétoses, car la fonction cétonique donne beaucoup de possibilités chimiques.

Jules CARLES, la Chimie du vin, p. 57.

**CÉTONURIE** [setɔnyʀi] n. f. — XX^e^; de *cétone,* et *-urie.*

Méd. Présence de corps cétoniques (surtout acétone) dans l'urine; taux représentant cette présence. **→ Acétonurie.**

1. **CÉTOSE** [setoz] n. m. — 1897, *in* Cottez; de *cét(one),* et 1. *-ose.*

Chim. Ose renfermant une fonction cétone (→ Cétonique, cit.). *Le fructose est un cétose. Les aldoses* et les cétoses.*

2. **CÉTOSE** [setoz] n. f. — 1953; de *cét(one),* et 2. *-ose.*

Méd. Accumulation dans l'organisme de corps cétoniques. *La cétose s'observe notamment dans le diabète et diverses affections digestives; elle peut mener à l'acidose*.*

**CEUX; CEUX-CI, CEUX-LÀ → Celui; celui-ci, celui-là.**

**CÉVADILLE** [sevadij] n. f. — 1751, *cevadilla;* esp. *cebadilla,* dimin. de *cebada* «orge».

Bot. Graine du *Sabadilla,* plante monocotylédone du Mexique *(Liliacées). Les cévadilles, pulvérisées, sont employées contre la vermine* (poudre de capucin), *et en médecine* (effet calmant et hypotenseur).

**CÉVENOL, OLE** [sevnɔl] adj. et n. — Av. 1866; de *Cévennes.*

Qui concerne la région, les habitants des Cévennes. *Le climat, le patois cévenol. Le pays cévenol.* — N. *Un Cévenol, une Cévenole :* un natif, une native des Cévennes.

**CEYLANAIS, AISE** [sɛlanɛ, ɛz] adj. et n. → **Cingalais.**

**CEYLANITE** [sɛlanit] ou **CEYLONITE** [sɛlɔnit] n. f. — 1793, *ceylanite; ceylonite,* 1841; de *Ceylan* et de l'angl. *Ceylon.*

Minér. Variété de spinelle*, aluminate de magnésium naturel.

**CÉZIGUE** [sezig] pron. pers. — 1836, écrit *sézigue;* de *ses,* adj. poss., et *zigue* (→ Zig). → Mézigue, tézigue.

Argot. Lui, elle. → **Sézigue.** — Syn. : *cécolle* [sekɔl]. *C'est pour cézigue. Il est un peu taré, cézigue!*

**Cf.** [kɔ̃fɛʀ]

Abréviation de l'impératif *confer* (compare) du v. lat. *conferre* (→ Conférer), invitant le lecteur à se référer à l'indication qui suit.

**C. F. A.** [seɛfa] adj. et n. m. — Sigle de *(franc de la) Communauté financière africaine.*

Se dit de l'unité monétaire (franc), en circulation dans certains États africains (Cameroun, Togo, Sénégal, etc.). *Payer en francs C. F. A.* (ellipt, *en C. F. A.*). *Réajustement du franc C. F. A.*

Collectif (en franç. d'Afrique). *Du C. F. A. :* de l'argent en francs C. F. A. *Faire du C. F. A. :* gagner, économiser de l'argent en francs C. F. A. (se dit des Européens).

**C. F. D. T.** [seɛfdete] n. f. — 1964; sigle.

Confédération française démocratique du travail. *La C. F. D. T. est issue de la scission de la C. F. T. C. Membre de la C. F. D. T.* → **Cédétiste.**

**C. F. T. C.** [seɛftese] n. f. — 1964; sigle.

Confédération française des travailleurs chrétiens.

**C. G. C.** [seʒese] n. f. — 1944; sigle.

Confédération générale des cadres.

**C. G. S.** [seʒeɛs] adj. — Sigle de : centimètre, gramme, seconde.

Se dit du système d'unités physiques dans lequel les trois unités fondamentales sont : le centimètre, le gramme et la seconde (→ **Mesure**). *Le système C. G. S., les unités C. G. S.* → **Cégésimal.** *Le système C. G. S. a été remplacé par le système international SI.*

DÉR. **Cégésimal.**

**C. G. T.** [seʒete] n. f. — XXe; sigle.

♦ **1** Confédération générale du travail. *Membre de la C. G. T.* → **Cégétiste.**

Le lendemain, je recevais sur papier en-tête de la C. G. T. la plus jolie déclaration de sentiments vifs qui m'ait jamais été adressée par lettre. F. GIROUD, Si je mens, p. 52.

♦ **2** Anciennt. Compagnie générale transatlantique.

**Ch** [ʃəvalvapœʀ] Symbole du *cheval*-vapeur.*

**CHABANAIS** [ʃabanɛ] n. m. — 1852; du nom d'une maison de prostitution de la rue *Chabanais* à Paris.

♦ **1** Fam. Vacarme, scandale. Grand désordre.

(...) est-ce une raison pour faire un chabanais pareil? COURTELINE, le Train de 8 h 47, p. 48.

♦ **2** Fam., vieilli. Maison de prostitution. → **Bordel.**

**CHABICHOU** [ʃabiʃu] n. m. — 1877; altér. de *chabrichou,* mot limousin, dér. de *chabro,* forme dial. de *chèvre;* des formes occitanes en *c-* existent.

Régional. Fromage de chèvre du Poitou. *Des chabichous.*

1. **CHABLER** [ʃable] v. tr. — 1386; *bosc cablé* «bois abattu», 1251; de l'anc. franç. *chaable,* du lat. pop. *catabola* «machine à lancer des pierres», du grec *ballein* «lancer».

♦ **1** Régional. Battre à coups de gaule. → **Gauler.** — Faire tomber à coups de gaule. *Chabler des noix.*

♦ **2** (1883). Fig., fam. Frapper brutalement. — Intrans. *Ça va chabler.* → **Barder.**

DÉR. 1. **Chablis.** ◊ HOM. 2. **Chabler.**

2. **CHABLER** [ʃable] v. tr. — 1680; de *chable,* forme dialectale de *câble,* du bas lat. *capulum.*

Régional. Haler (un bateau), tirer (un fardeau) au moyen d'un câble.

HOM. 1. **Chabler.**

1. **CHABLIS** [ʃabli] n. m. — 1600, *bois chablis;* de 1. *chabler.*

Arbre, bois* abattu par le vent, ou tombé de vétusté. → **Chaplis** (régional). — Adj. *Bois chablis.*

HOM. 2. **Chablis.**

2. **CHABLIS** [ʃabli] n. m. — 1789; 1718, *Chably, in* D. D. L.; nom de lieu, du précédent.

Vin blanc sec de *Chablis,* en Bourgogne.

HOM. 1. **Chablis.**

**CHABLON** [ʃablɔ̃] n. m. — 1845, Bescherelle, «calibre du potier»; all. *Sehablone* «pochoir».

Régional (Suisse).

♦ **1** Pochoir. *Motifs peints au chablon.*

♦ **2** Fig. Modèle figé, stéréotype. *Des chablons éculés.*

**CHABOISSEAU** [ʃabwaso] n. m. — 1846, Bescherelle; *chabosseau* mot poitevin, 1484; du lat. pop. **capocius,* de *caput* «tête»; → Chabot.

Régional. Poisson d'eau douce, appelé aussi *chabot.*

**CHABOT** [ʃabo] n. m. — 1544, *in* D. D. L.; 1380, *cabot* (poisson); 1220, (p.-ê. têtard); de l'anc. provençal *cabotz,* du lat. pop. *capoceus* «poisson à grosse tête», de *caput* «tête».

Poisson du genre *Cottus* (→ **Cotte**) à grosse tête, dont une espèce vit près des côtes rocheuses. On l'appelle aussi *cabot, chaboisseau, têtard, meunier.*

**CHABRAQUE** ou **SCHABRAQUE** [ʃabʀak] n. f. — 1803; de l'all. *Schabracke,* mot turc.

♦ **1** Anciennt. Couverture, pièce de drap ou peau que l'on mettait sur les chevaux de selle de certaines troupes de cavalerie. *La chabraque en peau de panthère de Murat.*

Était-ce un reste de luxe satrapesque *(de satrape)* établi autrefois par cet officier de Chamboran qui avait fait payer au vieil avare, son père, quand son régiment fut licencié, vingt mille francs de peaux de tigre pour ses chabraques et ses bottes rouges. 1

BARBEY D'AUREVILLY, les Diaboliques, «À un dîner d'athées».

♦ **2** (1866). Régional. Femme, fille (laide, de mauvaise vie, étourdie, selon les régions).

Sa beauté ne diminua pas. Elle résistait à toutes les avanies. Et, cependant, la vie qu'elle menait devait faire très vite d'elle ce qu'on appelle entre cavaliers une vieille chabraque, si cette vie de perdition avait duré. 2

BARBEY D'AUREVILLY, les Diaboliques, «À un dîner d'athées».

Terme d'injure à l'adresse d'une femme (sans signification très précise; → Garce). *Vieille chabraque!*

Variante : *sabraque.*

3 Elle lui montrait la calèche attelée en ayant l'air de dire : «Des beaux chevaux, hein!», mais tout en murmurant : «Quelle vieille sabraque!»
PROUST, Le côté de Guermantes, Pl., t. II, p. 19.

**CHABRETTE** [ʃabʀɛt] n. f. — 1275; dimin. dial. de *chèvre,* corresp. au franç. *chevrette,* même sens.

Régional (Auvergne, Limousin). Cornemuse. → **Cabrette.**

(...) les musiciens avec leurs chabrettes et leurs violons prenaient la tête du cortège.
Denyse VAUTRIN, le Tourbillon des jours, t. I.

**CHABROL** [ʃabʀɔl] ou **CHABROT** [ʃabʀo] n. m. — 1876; mot régional (Périgord, Limousin et Occitan), var. de *chevreau,* lat. *capreolus; fa chabroù* «boire dans son assiette» venant de *beire à chabro* «boire comme la chèvre».

Régional (Sud-Ouest). Boisson, ou mélange de vin et de bouillon, dans le Sud-Ouest de la France. *Faire chabrol, faire chabrot :* boire ce mélange directement dans l'assiette (notamment après avoir absorbé la quasi totalité d'un potage, d'une soupe).

**CHACAL** [ʃakal] n. m. — 1686; *ciacale,* 1646; *schakal,* 1655; du turc *tchagâl,* dér. du persan.

♦ **1** Mammifère carnivore *(Canidés)* d'Afrique et d'Asie ressemblant au renard. *Chacal commun, chacal à dos noir, chacal du Sénégal, chacal des savanes, chacal aboyeur. Troupeau de chacals. Les chacals jappent.*

1 Là, dans une ombre non frayée,
Grondent le tigre ensanglanté,
La lionne, mère effrayée,
Le chacal, l'hyène rayée,
Et le léopard tacheté. HUGO, les Orientales, XXVII.

2 Il pensait au visage éteint de son ami, que maintenant les chacals avaient peut-être mangé, et il pensait aussi à tous ceux qui étaient morts sur le chemin, abandonnés au soleil et à la nuit. J.-M. G. LE CLÉZIO, Désert, p. 375.

Myth. égyptienne. Symbole d'Anubis, dieu des morts, représenté avec une tête de chacal sur les sarcophages.

♦ **2** Fig., péj. Homme avide, cruel (→ **Loup**) ou rusé (→ **Renard**), qui profite des victoires des autres en s'acharnant sur les vaincus.

♦ **3** Argot milit. (vx). Zouave. *«Pan, pan l'arbi, les chacals sont par ici»* (Chanson militaire du XIXe siècle).

**CHA-CHA-CHA** [tʃatʃatʃa] n. m. — V. 1955; onomat. d'orig. sud-américaine.

Danse d'origine mexicaine dérivée de la rumba et du mambo*. *Danser, faire un cha-cha-cha.* — Abrév. : *cha-cha.*

En septembre, de Gaulle se rendit en Amérique du Sud, ressusciter la latinité. Il y composa un cha-cha-cha célèbre : la mano en la mano *(allus. à un passage en espagnol du discours de de Gaulle à Mexico).*
Claude COURCHAY, La vie finira bien par commencer, p. 17.

**CHACHLIK** ou **CHACHLYK** [ʃaʃlik] n. m. — 1825, *chislik* (cit.); mot caucasien.

Mouton grillé en brochettes. *Manger un chachlik caucasien dans un restaurant «russe» de Paris.*

Vers le soir, le fiévreux (...) s'était encore amusé le reste de la journée à manger du chislik. (Note : Viande de mouton que l'on fait rôtir en petits morceaux au bout d'une baguette.)
Xavier DE MAISTRE, les Prisonniers du Caucase, 30, *in* D. D. L., I, 3.

**CHACONNE** ou **CHACONE** [ʃakɔn] n. f. — 1653; esp. *chacona,* onomat. [tʃak], bruit des castagnettes.

Musique.

♦ **1** Danse des XVIIe et XVIIIe siècles, à trois temps, souvent exécutée en finale d'un ballet.

Que font des menuets et des chaconnes dans une tragédie?
ROUSSEAU, Julie ou la Nouvelle Héloïse, I, 23, *in* LITTRÉ.

♦ **2** Pièce instrumentale dérivant de la chaconne chantée et formée de variations sur un court motif répété à la basse. *Les chaconnes pour clavier de J.-S. Bach. La passacaille* est très voisine de la chaconne.*

**CHACUN, CHACUNE** [ʃakœ̃, ʃakyn] pron. indéf. — 1100, *cascuns; cascune,* adj. fém., 1050; *cadhun,* puis *cheüm,* XIe; du lat. pop. *casquunus,* croisement du lat. *quisqueunis* «chaque un», et *(unum) cata unum* «un par un».

♦ **1** Personne ou chose prise individuellement dans un ensemble, un tout. → **Chaque, un.** *Chacun de nous, chacun d'eux. Chacun d'entre eux. Chacun des deux :* l'un et l'autre. *Chacun des enfants aura sa part. Chacune d'elles s'en alla. — Chacun à son tour, chacun son tour. Ces usines produisent chacune plus que l'année dernière. Retournez chacun à votre place; nous partirons chacun de notre côté. Ils ont bu chacun sa bouteille* ou *chacun leur bouteille. Chacun rentra chez lui, chez soi.*

*(Ragotin)* les quitta sans rien dire, tout rouge de dépit et de honte et rejoignit la compagnie, où chacun parlait de toute sa force sans entendre ce que disaient les autres. 1
SCARRON, le Roman comique, I, X, p. 43.

(...) que tous les hommes qui peuplent la terre sans exception soient chacun dans l'abondance (...) 2
LA BRUYÈRE, les Caractères, XVI, 48.

On l'a vu une fois heurter du front contre celui d'un aveugle (...) et tomber avec lui chacun de son côté à la renverse. LA BRUYÈRE, les Caractères, XI, 7. 3

Chacun en a sa part et tous l'ont tout entier! 4
HUGO, les Feuilles d'automne, I.

Les jeunes filles s'apitoyèrent sur ces petits orphelins, et leur donnèrent la becquée chacune à son tour. 5
Th. GAUTIER, Fortunio, «Le nid de rossignols».

Il suffit, bien souvent, de l'addition d'une quantité de petits faits très simples et très naturels, chacun pris à part, pour obtenir un total monstrueux. 6
GIDE, les Faux-monnayeurs, I, IV, p. 51.

♦ **2** Absolt. Toute personne. → **Tout.** *Chacun pense d'abord à soi. Chacun cherche le bonheur. À chacun selon son mérite, selon son dû. — Chacun pour soi.* → ci-dessous, 5.

(...) à chacun, n'est-ce pas, son plaisir et sa tâche. 7
Victor BÉRARD, Trad. HOMÈRE, l'Odyssée, p. 240.

Chacun se trompe ici-bas (...) 8
LA FONTAINE, Fables, VI, 17.

Chacun son métier, 9
Les vaches seront bien gardées.
FLORIAN, Fables, I, 12, «Le vacher et le garde-chasse».

*Chacun* a le sens de *tous* : «*Elle étourdit* chacun de son caquet (MONTFL., Dupe, I, 2)...» 10
F. BRUNOT, la Pensée et la Langue, IV, X, p. 131.

♦ **3** (En relation avec *chacun*). Vx. *Sa chacune,* la femme, la compagne (d'un homme). *Chacun sa chacune :* une femme pour chaque homme. — Mod. *Chacun avec sa chacune, chacun sa chacune :* en formant des couples (répandu par le texte d'une valse-musette).

À voir chacun se joindre à sa chacune ici, 11
J'ai des démangeaisons de mariage aussi.
MOLIÈRE, l'Étourdi, V, 11.

♦ **4** Class. (vx) ou littér. **TOUT CHACUN** (rare). *«Cette dépêche que tout chacun affirme avoir lue de ses propres yeux»* (Goncourt, *in* T. L. F.). — **UN CHACUN.** *À la portée d'un chacun. Le sentiment d'un chacun. Être la victime d'un chacun.* En fonction de sujet :

12 Un chacun à soi-même est son meilleur ami.
CORNEILLE, Mélite, II, 4, variante.

13 Je ne te dirai point de mal de ma pauvre mère qu'un chacun blâme et insulte (...)
G. SAND, la Petite Fadette, XVIII, p. 126.

**TOUT UN CHACUN** [tutœ̃ʃakœ̃] (forme la plus employée). *Tout un chacun aura son mot à dire. Tout un chacun a sa part de malheur.*

♦ **5** Loc. prov. *Chacun pour soi et Dieu pour tous :* que chacun veille égoïstement à ses intérêts, laissant à Dieu le soin de l'intérêt général. — *Chacun chez soi, chacun pour soi.* — *Chacun prend son plaisir où il le trouve.*

14 (...) chacun pour soi en pareil cas, on ne prend plus garde à personne. LOTI, Mon frère Yves, XXVIII, p. 91.

*Chacun le sien n'est pas trop :* il est normal que chacun ait tout ce qui lui appartient.

REM. 1. *Chacun* n'a pas de pluriel. Il ne s'emploie plus comme adjectif (→ Chaque). 2. L'adj. possessif avec *chacun :* quand *chacun* n'est pas précédé d'un pluriel, on emploie *son, sa, ses. Chacun fera son possible.* — Lorsqu'il renvoie à un pluriel — *a)* De la 1re ou de la 2e pers., on emploie *notre, votre* devant un nom sing., *nos, vos,* devant un pluriel. *Retournez chacun à votre place. Nous sommes partis chacun de notre côté. Nous avons chacun nos idées* — *b)* De la 3e pers., on a le choix entre *son, sa, ses,* et *leur, leurs* (de même pour le *sien, le leur*). Cependant, si la partie de phrase précédant *chacun* forme un tout, on emploie plutôt *son, sa, ses. Les hommes doivent être généreux, chacun selon ses moyens.*

15 Voilà des gens à table, ils sont six; ils ont bu *chacun sa bouteille,* ou ils ont bu *chacun leur bouteille.* Les deux façons de parler sont acceptables.
F. BRUNOT, la Pensée et la Langue, IV, X, p. 131.

On a la même latitude pour l'emploi de *le, lui,* ou *les, leur. Ils s'en tenaient chacun à l'opinion qui* leur (ou qui lui) *paraissait la meilleure.* 3. Emploi de *soi* ou de *lui.* Si *chacun* est indéterminé, on emploie *soi. Chacun pour soi.* S'il représente un cas particulier on emploie plutôt *lui. Après cette rencontre, chacun alla chez lui.* — Si *chacun* se rapporte à un sujet pluriel, on emploie *soi* ou *eux. Ils rentrèrent chacun chez soi, chez eux.*

CONTR. **Aucun, nul.** ◊ DÉR. **Chacunière.**

**CHACUNIÈRE** [ʃakynjɛʀ] n. f. — 1532, Rabelais, *chascunière ; de chacun.*

Vieilli (ou allus. archaïque). Maison (de chacun). *Chacun dans sa chacunière.*

Les filles *(de la Reine)* s'en vont chacune à sa *chacunière,* comme je vous l'ai aussi mandé.
Mme DE SÉVIGNÉ, 357, 15 déc. 1673.

**CHADBURN** [ʃadbœʀn] n. m. — 1932 ; nom du constructeur.

Mar. Appareil transmetteur d'ordres (de la passerelle aux machines).

1 En même temps, le chadburn sonnait : — En avant toute !
Roger VERCEL, Remorques, p. 18.

2 Ça *(la mécanique)* se trouvait à l'autre bout du chadburn et du porte-voix, et il suffisait de sonner ou de siffler pour être obéi par les gens d'en bas.
Albert T'SERSTEVENS, l'Or du «Cristobal», p. 106.

**CHADOUF** [ʃaduf] n. m. — 1854 ; arabe *šādūf,* même sens.

Appareil à bascule servant à tirer l'eau d'un puits ou d'un plan d'eau (dans les pays arabes, et, par anal., dans d'autres régions). *Le chadouf et la noria servent à l'irrigation.*

Les fiers nomades préfèrent (...) ne pas avoir à faire marcher le chadouf, l'appareil élévateur d'eau.
DANIEL-ROPS, le Peuple de la Bible, II, III, p. 124.

**CHAFOUIN, INE** [ʃafwɛ̃, in] n. — 1611 «putois»; 1508, terme d'injure ; terme dialectal ; de *chat,* et *fouin,* masc. de *fouine.*

♦ **1** N. Vx. Personne qui a une mine sournoise, rusée. *Une mine de chafouin. Une chafouine.*

♦ **2** Adj. Mod. Rusé*, sournois*. *Air chafouin. Mine chafouine.*

(...) avec sa petite mine chafouine (...) il a trouvé le moyen 1
de se faire aimer de Mme Colbert (...)
Mme DE SÉVIGNÉ, 822, 21 juin 1680.

Le lustre éclairait son front à demi mangé par une frange 2
noire, et son visage chafouin, qui s'amincissait en triangle jusqu'au menton.
MARTIN DU GARD, les Thibault, t. I, p. 14.

DÉR. **Chafouinerie.**

**CHAFOUINERIE** [ʃafwinʀi] n. f. — 1855, *in* D. D. L. ; de *chafouin.*

Rare. Ruse, sournoiserie.

**CHAGATTE** [ʃagat] n. f. — Mil. XXe ; de *chatte* avec suffixe argotique *-ga-.*

Fam. et érotique. Sexe de la femme.

1. **CHAGRIN, INE** [ʃagʀɛ̃, in] adj. — 1389 ; p.-ê. de 1. *chagriner* en dépit de l'attestation postérieure du verbe.

♦ **1** Vieilli. Qui est rendu triste par un événement fâcheux. → **Affligé, attristé, triste.** *Il est tout chagrin depuis cette aventure.*

(...) les pauvres sont chagrins de ce que tout leur 1
manque (...) LA BRUYÈRE, les Caractères, VI, 48.

Ils *(les marchands)* sont devenus chagrins depuis quelque 2
temps. Mme DE SÉVIGNÉ, 268, 24 avr. 1672.

(...) ce rougeot (...) qui était en colère tout le lundi, chagrin 3
le mardi (...) G. SAND, François le Champi, II, p. 33.

♦ **2** Littér. Qui est ordinairement d'une humeur, d'un caractère triste, morose. → **Atrabilaire, bilieux, bourru, colère, grimaud** (vx), **hypocondriaque, inquiet, maussade, mélancolique, misanthrope, morose, sombre.** *Un rabat-joie toujours chagrin. N'en déplaise aux esprits chagrins...*

Un esprit né chagrin plaît par son chagrin même. 4
BOILEAU, Épîtres, IX.

Tel a vécu pendant toute sa vie chagrin, emporté (...) qui 5
était né gai, paisible (...)
LA BRUYÈRE, les Caractères, XI, 18.

(Choses, actions...). Qui manifeste cette humeur. → **Aigre, contrit, dolent, lugubre, mortifié.** *Discours chagrin. Vieillesse chagrine. Visage chagrin. Mine chagrine. Avoir l'air chagrin.* → **Triste** (faire triste mine). *Avoir qqch. de chagrin dans la mine.* → Méprisant, cit. 1.

(...) tout ce qu'on prévoit, tout ce qu'on s'imagine, 6
Forme un nouveau poison pour une âme chagrine.
CORNEILLE, Suréna, I, 1.

(...) je vous vois l'esprit tout chagrin (...) 7
MOLIÈRE, les Amants magnifiques, IV, 5.

♦ **3** Par anal. (choses). Littér. Qui attriste, rend mélancolique. *Un ciel maussade et chagrin. Couleur, teinte chagrine.*

(...) le ciel est terne ; des couleurs chagrines ont défiguré 8
ce beau pays (...)
E. FROMENTIN, Une année dans le Sahel, p. 107.

CONTR. **Aise, content, enjoué, épanoui, gai, gaillard, hilare, jovial, joyeux, radieux, ravi, rayonnant, réjoui, satisfait.** ◊ HOM. 2. et 3. **Chagrin.**

2. **CHAGRIN** [ʃagʀɛ̃] n. m. — 1450; probablt de 1. *chagrin.*

♦ **1** *(Le chagrin).* État moralement douloureux. → **Affliction** (cit. 5), **déchirement, déplaisir, désespoir, désolation, douleur, ennui, mal, malheur, misère, peine, souci, souffrance, tourment, tristesse.** *L'amertume*, la consternation*, la mélancolie*, causées par un chagrin. Chagrin amer, cuisant, cruel, douloureux, mortel. Grand, immense, noir, profond, sombre, violent chagrin. Le chagrin de qqn, son chagrin. Soulager, bercer, apaiser, calmer le chagrin de qqn.*

Absolt. *Le chagrin :* la douleur morale (→ ci-dessous cit. 7, 10, 14 et 15). *Avoir, ressentir, vivre dans le chagrin. Se ronger le cœur* de chagrin. Avoir le cœur plein, le cœur gros, gonflé de chagrin. Être abattu, accablé, déchiré, écrasé, ruiné, oppressé par le chagrin. Se consumer de chagrin* (→ fam. Sécher* sur pied). *Mourir de chagrin.*

*(Un, des chagrins).* Peine ou déplaisir causé par un événement précis. → **Angoisse, contrariété, déboire, déception, dégoût, dépit, désagrément, désappointement, deuil, inquiétude, mécontentement, regret, remords, tracasserie.** *Un long chagrin. De petits chagrins passagers. Chagrins domestiques. Chagrin d'amour* (→ Amour, cit. 27; monocle, cit. 1). *Éprouver un grand, un terrible chagrin. Un gros chagrin* (enfantin). *Causer, donner du chagrin, causer un grand chagrin à qqn* (→ **Tuer**, fig.). — REM. Le mot avait un sens assez fort dans l'usage classique (→ Peine, tourment; et, par ex., les cit. 3 et 5 ci-dessous). De nos jours, *chagrin* s'emploie surtout pour parler des peines amoureuses et des peines enfantines (→ cit. 6 à 15); dans ce dernier contexte, le mot est usuel, même dans la langue parlée familière : *alors, c'est fini, ce gros chagrin ?*

1 (...) cela me causera des chagrins, je souffrirai un temps (...)
MOLIÈRE, le Bourgeois gentilhomme, III, 10.

2 (...) tout le chagrin que me donnait le mauvais succès de notre entreprise. MOLIÈRE, Dom Juan, II, 2.

3 Laissons, laissons parler mon chagrin et le vôtre,
Et de nos cœurs l'un à l'autre
Exhalons le cuisant dépit. MOLIÈRE, Psyché, I, 1.

4 Le chagrin monte en croupe, et galope avec lui.
BOILEAU, Épîtres, V, À Mme de Guilleragues.

5 Enfin depuis deux jours, la superbe Athalie
Dans un sombre chagrin paraît ensevelie.
RACINE, Athalie, I, 1.

6 (...) ces chagrins d'enfance qui laissent dans l'homme une teinte de sauvagerie difficile à effacer durant le reste de sa vie. A. DE VIGNY, Journal d'un poète, p. 236.

7 — Ne te fâche pas comme cela, Landry, dit Sylvinet tout abattu de chagrin (...)
G. SAND, la Petite Fadette, XXVIII, p. 190.

8 (...) chagrin d'enfant et rosée du matin n'ont pas de durée (...) G. SAND, François le Champi, IX, p. 82.

9 (...) à la maison, quand j'avais quelques petits chagrins, je les déposais dans le sein de mes bons parents (...)
SAINTE-BEUVE, Correspondance, 2, 11 janv. 1819.

10 Prenez garde à la tristesse. C'est un vice, on prend plaisir à être chagrin et, quand le chagrin est passé, comme on y a usé des forces précieuses, on en reste abruti.
FLAUBERT, Correspondance, t. IV, p. 303.

11 Maintenant, voici qu'il était là, devant elle, et dévoré, déchiré par ce chagrin.
Paul BOURGET, Un divorce, IV, p. 113.

12 Ne réveillez pas le chagrin qui dort.
J. RENARD, Journal, 12 sept. 1901.

13 (...) dans la profondeur de son chagrin, elle vit la réalité de son amour.
PROUST, les Plaisirs et les Jours, III, p. 118.

Il y a dans ce monde où tout s'use, où tout périt, une chose qui tombe en ruines, qui se détruit encore plus complètement, en laissant encore moins de vestiges que la Beauté : c'est le chagrin. 14
PROUST, Albertine disparue, p. 365 (éd. La Gerbe).

Le chagrin n'est nullement une conclusion pessimiste librement tirée d'un ensemble de circonstances funestes, mais la reviviscence intermittente et involontaire d'une impression spécifique, venue du dehors, et que nous n'avons pas choisie. 15
PROUST, Albertine disparue, p. 23 (éd. La Gerbe).

Loc. Vx ou littér. *Faire chagrin :* faire de la peine. «*Quitter les livres me fait chagrin*» (E. de Guérin, *in* T. L. F.).

Mod. *Faire du chagrin à qqn,* lui causer de la peine. → 1. **Chagriner.**

Loc. fam. *Noyer son chagrin dans l'alcool.*

♦ **2** Vx (au XVIIe). Irritation (contre qqn, qqch.); humeur maussade, chagrine. → **Bile** (cit. 7), **hypocondrie, mélancolie, morosité; cafard, spleen; humeur** (mauvaise humeur, humeur noire).

J'entre en une humeur noire, en un chagrin profond. 16
MOLIÈRE, le Misanthrope, I, 1.

Quel chagrin vous possède? 17
— Quelle mauvaise humeur te tient?
MOLIÈRE, le Bourgeois gentilhomme, III, 10.

L'âge la fit déchoir : adieu tous les amants 18
Un an se passe, et deux, avec inquiétude;
Le chagrin vient ensuite (...)
LA FONTAINE, Fables, VII, 5.

♦ **3** Argot. *Aller, revenir, retourner au chagrin,* au travail. → Au charbon.

CONTR. **Allégresse, contentement, enchantement, enjouement, gaieté*, hilarité, ivresse, joie, jovialité, jubilation, plaisir, ravissement, satisfaction. — Consolation.** ◊ HOM. 1. et 3. **Chagrin.**

3. **CHAGRIN** [ʃagʀɛ̃] n. m. — XVIe, *sagrin;* du turc *sâgri.*

Techn. Cuir grenu, fait de peau de mouton, de chèvre ou encore d'âne, de mulet, de cheval. *Étui, boîte en chagrin. Livre relié en plein chagrin.*

Le jeune homme (...) témoigna quelque surprise en apercevant au-dessus du siège où il s'était assis un morceau de *chagrin* accroché sur le mur (...) les grains noirs du chagrin étaient si soigneusement polis et si bien brunis, les rayures capricieuses en étaient si propres et si nettes, que, pareilles à des facettes de grenat, les aspérités de ce noir oriental formaient autant de petits foyers qui réfléchissaient vivement la lumière (...)
BALZAC, la Peau de chagrin, «Le talisman», p. 37-38 (éd. 1839).

Loc. fig. *C'est une peau de chagrin :* cela ne cesse de se rétrécir (par allus. au roman de Balzac, *la Peau de chagrin*).

DÉR. 2. **Chagriner.** ◊ HOM. 1. et 2. **Chagrin.**

**CHAGRINANT, ANTE** [ʃagʀinɑ̃, ɑ̃t] adj. — D. i.; p. prés. de 1. *chagriner.*

Qui chagrine, peine, cause du chagrin. *Des propos chagrinants.* → **Chagrineur.**

(...) Sylvinet s'affligeait, lui faisait reproche de s'obstiner dans une idée si répugnante à leurs parents et si chagrinante pour lui-même.
G. SAND, la Petite Fadette, XXXI, p. 205.

CONTR. **Réjouissant.**

1. **CHAGRINER** [ʃagʀine] v. tr. — 1424; p.-ê. de *chat* (se plaindre comme un chat) ou, d'après P. Guiraud, de *cap-* «tête», et *grigner* «faire la moue».

♦ **1** Vx. Irriter, rendre maussade. → **Fâcher, mécontenter.**

♦ **2** Mod. Rendre triste, faire de la peine à (qqn). → **Affecter, affliger, angoisser, assombrir, attrister,**

**consterner, contrarier, contrister, décevoir, déchirer, dépiter, désenchanter, désespérer, désoler, ennuyer, fendre** (le cœur), **inquiéter, mortifier, oppresser, peiner, rembrunir, souffrir** (faire souffrir), **tourmenter, tracasser, tuer** (fig.). *Son départ nous chagrine. Il ne voulait pas vous chagriner.* — Passif et p. p. *Être chagriné.*

1 Je ne saurais voir d'honnêtes pères chagrinés par leurs enfants que cela ne m'émeuve (...)

MOLIÈRE, les Fourberies de Scapin, II, 5.

2 Cette mauvaiseté d'enfant chagrina grandement Landry.

G. SAND, la Petite Fadette, VII, p. 47.

◆ **SE CHAGRINER** v. pron. S'inquiéter, se tourmenter. *Il se chagrine pour un rien.*

3 (...) j'employai la meilleure partie de la nuit à me chagriner, et à me reprocher l'imprudence que j'avais eue de n'être pas demeurée chez moi, plutôt que d'avoir entrepris ce dernier voyage.

A. GALLAND, les Mille et une Nuits, t. I, p. 251.

4 Pierre eut une grosse joie de cette certitude, qui lui arrivait dans la tristesse de ce salon, où, depuis près de deux heures, il se chagrinait et tombait à la désespérance.

ZOLA, Rome, p. 219.

**CONTR. Charmer, contenter, dérider, égayer, enchanter, ragaillardir, réjouir, satisfaire. — Consoler.** ◇ **DÉR.** 1. **Chagrin, chagrineur.** → **HOM.** 2. **Chagriner.**

2. **CHAGRINER** [ʃagʀine] v. tr. — 1700; de 3. *chagrin.*

Techn. Travailler (une peau) de manière à la rendre grenue. *Chagriner des peaux.* — Au p. p. *Peau chagrinée.* — Par anal. *Papier chagriné.*

**HOM.** 1. **Chagriner.**

**CHAGRINEUR, EUSE** [ʃagʀinœʀ, øz] adj. — XVe; de 1. *chagriner.*

Littér. Qui chagrine, rend chagrin. → **Chagrinant.**

(...) si je rapporte à Zizi les propos chagrineurs glanés à droite et à gauche, si je dis que ça ne va pas très fort (...) je sais que sa colère va cliqueter.

A. SARRAZIN, la Cavale, p. 397.

**CHAH** [ʃa] n. m. → **Schah.**

**CHAHUT** [ʃay] n. m. — 1821; de *chahuter.*

♦ **1** Vx. Danse populaire, agitée et considérée comme indécente, à la mode entre 1830 et 1850.

♦ **2** (1837). Mod. Agitation bruyante. → **Bousin, chambard, désordre, tapage, tumulte, vacarme.** *Faire du chahut.* → **Bahuter** (vieilli), **chahuter.** *Quel chahut !*

Vous allez consoler Zaza... veinard ! quand je lui aurai dit tout ce que je sais sur son amant, elle fera du chahut, ce sera la grande scène du désespoir !

G. DE TÉRAMOND, la Petite Zaza, I, VI, 1898, *in* D. D. L. II, 5.

Spécialt. Tumulte d'écoliers, destiné à protester contre un professeur. *Déclencher, faire un chahut.* — Par ext. Manifestation bruyante visant à protester contre qqn ou qqch. *Le chahut des parlementaires lors de l'intervention du ministre.*

**CHAHUTER** [ʃayte] v. — 1821; p.-ê. formation onomat. d'orig. dial. cf. *cahuer* «huer», *cahuler, cahuter* attestés dans le Centre, de *huer,* probablt d'après *chat-huant.* Pour P. Guiraud, il s'agirait d'une forme de *chuter* «tomber, faire tomber», d'où *chahut(e),* forme dial. de *cheute* (lat. *caduta*), correspondant à *chaer,* forme franco-provençale de *choir.*

**I** V. intr. ♦ **1** Vx. Danser le chahut* (1.), en s'agitant, en criant.

0.1 (...) pas moyen pour lui d'évoquer le souvenir d'une petite Léonie qui aurait chahuté dans un caf'conc'.

R. QUENEAU, Pierrot mon ami, p. 160.

♦ **2** (1837). Mod. Faire du chahut (2.) dans une classe (→ Catéchisme, cit. 3.1). *C'est un cancre : il passe son temps à dormir ou à chahuter.*

♦ **3** *Chahuter avec qqn,* s'amuser, plaisanter de manière vive et bruyante. *Cesse de chahuter avec les enfants.*

Fig. *Chahuter avec qqch.* : jouer avec qqch. *On ne chahute pas avec les armes à feu.* — (Le compl. désigne une chose abstraite). *Chahuter avec le règlement.*

♦ **4** Fam., rare. Renverser, se renverser. «*Son chignon chahute... lui retombe dans les yeux*» (Céline, *in* T. L. F.).

♦ **5** Mar. Tanguer violemment. *L'embarcation chahute.*

**II** V. tr. ♦ **1** *Chahuter un professeur,* faire du chahut pendant son cours. — Par ext. *Chahuter un orateur,* manifester bruyamment (pour l'empêcher de parler...). *Se faire chahuter.* — Au p. p. *Un professeur, un orateur chahuté.*

C'est que Poirier était, pour des raisons qui me sont demeurées obscures, le plus «chahuté» de tous les professeurs. 1

G. DUHAMEL, Biographie de mes fantômes, X, p. 204.

(...) j'avais ainsi au lycée Louis-le-Grand un professeur d'histoire qui, ayant besoin d'être chahuté, comme d'une drogue quotidienne, tendait obstinément aux élèves mille occasions de charivari : bourdes, naïvetés, mots à double sens, postures ambiguës, et jusqu'à la tristesse dont il marquait toutes ces conduites secrètement provocantes ; ce qu'ayant vite compris, les élèves s'abstenaient, certains jours, sadiquement, de le chahuter. 2

R. BARTHES, Roland Barthes, p. 153.

♦ **2** *Chahuter qqn,* le taquiner, le plaisanter vivement ; le bousculer. *Une bande de garçons chahute les filles qui passent. Il s'est fait chahuter par des voyous.* — *Chahuter une chose,* la malmener, la maltraiter. *Prenons garde de ne pas trop chahuter les meubles pendant le déménagement.*

Il traversait le Barrio Chino et le Parallelo en chahutant toutes les femmes, tantôt les agaçant, tantôt les caressant, toujours ironique. 3

Jean GENET, Journal du voleur, p. 66.

♦ **3** (Le compl. désigne une chose abstraite). Bouleverser, déranger.

De quel droit un médiocre vient-il me donner des ordres, en se targuant d'une hiérarchie qu'on peut toujours chahuter ? 4

DRIEU LA ROCHELLE, la Comédie de Charleroi, p. 92.

Au jeu naïf des Orientaux, chahutant les formes, les romans opposent un regard moral et inexorable qui atteint nos troisièmes sous-sols. 5

Jacques LAURENT, les Bêtises, p. 359.

♦ **4** Spécialt. *La houle croisée chahutait durement le voilier. Le roulis nous chahute.* — Au p. p. :

Les révolutionnaires (...) regagnèrent la vedette : elle se détacha de la coupée, fila vers le quai, sans détour cette fois. Chahutés par le roulis, les hommes changeaient de costume (...) 6

MALRAUX, la Condition humaine, p. 62.

**DÉR. Chahut, chahuteur.**

**CHAHUTEUR, EUSE** [ʃaytœʀ, øz] adj. et n. — 1837 ; de *chahuter,* I., 2.

♦ **1** **a** Adj. Qui chahute, chahute souvent. *Élèves chahuteurs. Classe chahuteuse.*

**b** N. Celui, celle qui chahute. *Un incorrigible chahuteur. Une petite chahuteuse.*

Rare (de *chahuter,* II., 1. trans.). *Les chahuteurs d'un professeur.*

♦ **2** N. Vx. Personne qui danse le chahut*.

**CHAI** [ʃɛ] n. m. — 1611; *chaiz,* 1482; forme poitevine de *quai,* p.-ê. du gaul. *caio* ou, selon P. Guiraud du lat. médiéval *caius* «barreau».

Magasin situé au rez-de-chaussée, tenant lieu de cave, et où l'on emmagasine les alcools, les vins en fûts. → **Cave, cellier.** *Visiter les chais d'une coopérative vinicole. Maître de chai,* chargé de l'entretien et de la vente des produits entreposés dans le chai (→ aussi **Caviste**). *Vin élevé dans les chais de tel viticulteur.*

Je regardais le toit des chais dont les tuiles ont des teintes vivantes de fleurs ou de gorges d'oiseaux.
F. MAURIAC, le Nœud de vipères, p. 19 (éd. Grasset).

**CHAILLE** [ʃaj] n. f. — D.i. (mil. XX^e?); du régional *chaille* «caillou» (1491 : Suisse, Jura), var. de *caille* (XIV^e). → Caillou.

Argot. Dent (Bernard Clavel, *in* Cellard et Rey).

**CHAÎNAGE** [ʃɛnaʒ] n. m. — 1605, *chesnage;* de *chaîne* et de *chaîner.*

**I** (De *chaîne*). Opération qui consiste à mesurer un terrain avec la chaîne d'arpenteur. → **Arpentage; chaîner.**

**II** (De *chaîner*). Archit. (déb. XIX^e). Dispositif intérieur de bois ou de fer, pour empêcher l'écartement de deux murs.

**III** (V. 1980; de *chaîne,* II., B., 1.). Inform. Parcours des chaînes d'implication par le moteur d'inférence, dans les systèmes experts*. *Chaînage avant* (des antécédents aux conséquents), *chaînage arrière.*

**CHAÎNE** [ʃɛn] n. f. — 1080, *chaeine, Chanson de Roland;* du lat. *catena* «chaîne». → Cadenas.

**I** Ensemble, suite d'anneaux de métal entrelacés. → **Anneau, chaînon, maille, maillon.** *Chaîne de fer. Forger une chaîne. Souder les maillons d'une chaîne. Chaîne forgée. Assembler, relier entre elles deux longueurs de chaîne.* → **Mailler, maillonner, manille.** **A** Dispositif formé d'anneaux entrelacés, servant à orner, tirer, fermer, mesurer.

(Servant à orner). *Chaînes de bijouterie, de joaillerie, d'orfèvrerie. Chaîne de montre.* → **Châtelaine** *(chaîne de gilet),* **gourmette** *(chaîne de sûreté). La barrette d'une chaîne de montre. Suspendre une breloque à une chaîne de montre. — Chaîne à clefs.* → **Châtelaine, clavier.** — *Chaînes d'or, d'argent, de platine,* servant à la décoration, à la parure. *Chaînes d'huissier. Chaîne portant l'emblème d'un ordre. La chaîne de la Toison d'Or. Chaîne servant de bijou.* → **Châtelaine, collier** *(chaîne de cou),* **ferronnière** *(chaîne de front),* **jaseran** ou **jaseron, sautoir.** *Chaîne de diamants,* garnie de diamants. *Le coulant d'une chaîne.* → **Glissoir.**

(Servant à manœuvrer, attacher). *La chaîne d'un puits. Chaîne à godet. — Chaîne d'attelage* (cit. 1) *pour un cheval* (→ **Gourmette, mancelle**). — Ch. de fer. *Chaîne d'attelage (d'accrochage) des wagons. Chaîne de sûreté.*

0.1 Là, suspendu d'une main entre le wagon des bagages et le tender, de l'autre il décrocha les chaînes de sûreté.
J. VERNE, le Tour du monde en 80 jours, p. 266.

Mar. *Chaîne d'abordage :* chaîne munie d'un grappin pour l'abordage. *Chaînes-câbles,* pour l'amarrage des bateaux, le levage des ancres. → **Câble.** *Chaîne d'ancre*. Chaîne de bossoir. Chaîne à étais. Chaîne de monte-charge, d'élévateur, de grue, de pont. Chaîne à barbotin. — Chaîne de chalut*. Chaîne de touage.* → **Touage.** — Mines. *Chaîne flottante, traînante :* dispositif de traction à l'intérieur d'une mine.

Mécan. *Chaîne de transmission, chaîne sans fin (de Galle, Vaucanson) :* suite d'éléments métalliques servant à transmettre un mouvement. *Chaîne en S.* — Cour. *Chaîne de bicyclette, de motocyclette,* qui transmet le mouvement du pédalier, du moteur à la roue. *Le carter abrite la chaîne de bicyclette. Voyous armés de chaînes de vélos* (servant d'arme).

(Servant à barrer, à fermer). *Chaîne de sécurité :* chaîne à laquelle on suspend ses clefs, sa montre; et aussi chaîne qui empêche d'ouvrir complètement une porte. *Chaîne de verrou. Mettre la chaîne intérieure,* dans une chambre d'hôtel. — *Chaîne de rue,* barrant une rue (→ Barricade, cit. 2). — *Chaîne de port :* chaîne de barrage interdisant l'entrée d'un port. → **Estacade.**

(Servant à mesurer). *Chaîne d'arpenteur,* qui sert à mesurer le terrain dans les opérations d'arpentage. → **Chaînée; décamètre.**

(Servant à empêcher le glissement). — Au plur. Dispositif formé de chaînes assemblées, qu'on met aux pneus pour éviter de glisser sur la neige, le verglas. *Mettre des chaînes à ses pneus. Pneus à chaînes.*

**B** ♦ **1** Ce dispositif, servant de lien pour attacher un animal ou une personne. *Attacher un animal à une chaîne.* — Loc. *Mettre un chien à la chaîne.* → **Enchaîner.**

Vx ou littér. *Passer une chaîne aux poignets d'un malfaiteur.* → **Cabriolet, menottes.** — Anciennt. *River un esclave à sa chaîne. Chaînes du bagnard, du forçat, du galérien.* → **Alganon, cadène, fers.** *Double, triple chaîne,* selon la peine encourue. — Absolt. *La chaîne, les chaînes :* les galères, la peine des galères; le bagne. *Compagnon de chaînes. Les chaînes, symboles de l'asservissement* (→ ci-dessous, loc.).

Un captif insolent d'avoir brisé sa chaîne. 1
CORNEILLE, Nicomède, V, 9.

Tandis que l'Orient dans le lit de ses reines 2
Voit passer un esclave au sortir de nos chaînes?
RACINE, Bérénice, II, 2.

Lorsque, dans le silence de l'abjection, l'on n'entend plus retentir que la chaîne de l'esclave ou la croix du délateur (...) l'historien paraît, chargé de la vengeance des peuples. 3
CHATEAUBRIAND, *in* Mercure de France, t. XXIX, juil. 1807.

Comme un chien qui s'agite et qui tire sa chaîne. 4
HUGO, les Châtiments, VI, 13, 9.

— Infâme à qui je suis lié 5
Comme le forçat à la chaîne (...)
BAUDELAIRE, les Fleurs du mal, XXXI.

(...) ces chaînes tendues à travers l'Histoire. Partout, les chaînes appartiennent au domaine nocturne de l'imagination. Elles ont été celles de cachots; elles l'étaient encore, en Chine, il n'y a pas si longtemps, et leur dessin semble l'idéogramme de l'esclavage. 5.1
MALRAUX, Antimémoires, éd. Folio, p. 491.

Loc. métaphoriques ou fig. (1600). Littér. *Tenir, retenir qqn dans les chaînes. Se donner des chaînes. Vivre dans les chaînes. Traîner sa chaîne. La chaîne éternelle de l'homme.* → **Asservissement, assujettissement, captivité, dépendance, discipline, engagement, esclavage, gêne, joug, lien, obligation, servitude, sujétion, tyrannie.** *Les chaînes du despotisme. Ôter les chaînes.* → **Désenchaîner.** *Les chaînes de qqn,* celles qui le contraignent. *Les chaînes d'un engagement, d'un serment,* celles qui viennent d'un engagement, etc. *Briser, rompre, secouer ses chaînes.* → **Affranchir** (s'), **dégager** (se), **délivrer** (se), **libérer** (se). — *À la chaîne :* enchaîné. → ci-dessous, cit. 9, 10 et 12. — Relig. *Les chaînes du péché.* — REM. Ces emplois étaient très usuels dans la langue classique, au moins littéraire.

Brisez votre alliance, et rompez-en la chaîne (...) 6
CORNEILLE, Horace, II, 6.

7 Et ces noms, ces respects, ces applaudissements
Deviennent pour Titus autant d'engagements,
Qui le liant, Seigneur, d'une honorable chaîne (...)
RACINE, Bérénice, V, 2.

8 Je sais de quels serments je romps pour vous les chaînes (...) RACINE, Andromaque, III, 7.

9 L'ambition, l'amour, l'avarice, la haine
Tiennent comme un forçat son esprit à la chaîne.
BOILEAU, Satires, 8, *in* LITTRÉ.

10 Ils tiennent sous leurs pieds tout un peuple à la chaîne.
VOLTAIRE, Henri VII, *in* LITTRÉ.

11 Il est absurde que la volonté se donne des chaînes pour l'avenir. ROUSSEAU, Du contrat social, II, 1.

12 Pas un instant de répit, s'écria-t-il, toujours à la chaîne ! Je ne peux sortir une minute ! Il faut, comme un cheval de labour, être à suer sang et eau ! Quel collier de misère !
FLAUBERT, Mme Bovary, II, 6.

13 La croyance ou l'opinion des uns ne saurait être une chaîne pour les autres.
RENAN, Souvenirs d'enfance, Préface, p. 15.

14 Ivre de l'amour infini, il *(Jésus)* oubliait la lourde chaîne qui tient l'esprit captif (...)
RENAN, Vie de Jésus, Œ. compl., t. IV, XV.

15 (...) une liberté réglée constitue une chaîne plus étroite que l'absence de loi.
RENAN, Questions contemporaines, Œ. compl., t. I, p. 212.

16 Il apercevait bien les chaînes qui le liaient, mais il ne souhaitait pas un instant de les rompre (...)
MARTIN DU GARD, les Thibault, t. III, p. 43.

♦ **2** Fig. Lien d'affection, lien d'habitude qui unit des personnes indépendamment de leur volonté. → **Alliance, attache, attachement, union.** *La chaîne, les chaînes de l'affection, du mariage.* — Spécialt. Liaison* amoureuse difficile à rompre.

17 Du sang qui vous unit je sais l'étroite chaîne.
RACINE, Andromaque, I, 2.

18 (...) des nœuds de chair, des chaînes corporelles (...)
MOLIÈRE, les Femmes savantes, IV, 2.

19 (...) le mariage est une chaîne à laquelle on doit porter toute sorte de respect (...)
MOLIÈRE, George Dandin, II, 2.

20 (...) si, ayant été libre jusqu'à cette heure, vous alliez vous charger maintenant de la plus pesante des chaînes.
MOLIÈRE, le Mariage forcé, I, 1.

21 (...) ne se désaccoutumera-t-on point de s'attacher à ces vilains mortels ? (...) et cependant de quelles chaînes n'y sommes-nous pas attachés !
Mme DE SÉVIGNÉ, 1188, 22 juin 1689.

22 (...) tous ses intérêts sont les miens, je tiens à vous et à lui par mille chaînes.
Mme DE SÉVIGNÉ, 1039, 25 sept. 1687.

Littér. *La chaîne de qqn,* celle qui le retient ; celle par laquelle il ou elle tient qqn d'autre attaché.

23 Quelque fière beauté te retient dans sa chaîne (...)
A. DE MUSSET, la Nuit d'août.

Par métonymie. La personne qui enchaîne. → **Liaison.**

24 (...) Une *vieille maîtresse,* une ancienne et forte liaison, une de ces chaînes qu'on croit rompues et qui tiennent toujours. MAUPASSANT, Clair de lune, l'Enfant.

**II** Objets (concrets ou abstraits) composés d'éléments successifs (→ **Succession, suite**) solidement liés (idées de continuité, d'enchaînement, de liaison, de solidité). **A** (Concret). ♦ **1** (XIIIe). Techn. (tissage) et cour. *La chaîne d'un tissu :* ensemble des fils disposés suivant la longueur du tissu (opposé à *trame*). *Le fil de trame passe entre les fils de chaîne tendus sur deux rouleaux du métier à tisser* (ensouple et rouleau d'appel). *Ourdir la chaîne.* → **Ourdissage.** *Une étoffe à chaîne de coton et trame de laine.* → **Trame ; armature.**

♦ **2** Archit. **a** (1694). Pilastre appareillé incorporé à un mur (généralement construit en matériau plus léger) pour le consolider. *Consolider avec une, des chaînes.* → **Chaîner.**

Les murs extérieurs *(du château de Pouvray)* ont été revêtus de briques avec chaînes de pierre dans le style Louis XIII. 25
A. BILLY, Sainte-Beuve, t. I, 46, p. 328.

**b** Dispositif de consolidation d'une maçonnerie, structure de métal ou de béton solidarisant les différents éléments de la construction — murs porteurs entre eux, murs porteurs et planchers, etc. *Chaînes d'encoignure* (ou *d'angle*) ; *chaînes intermédiaires* (jambes). — Syn. (de a et de b) : *chaînage.*

♦ **3** Régional (Suisse). *Une chaîne d'oignons :* oignons assemblés en ligne et suspendus. → **Chapelet.**

♦ **4** (1653). Cour. Suite d'accidents du relief rattachés entre eux. *Chaîne de montagnes* (→ **Cordillère**). *La chaîne des Alpes, des Pyrénées. Chaîne principale* (axe), *chaîne secondaire. Les avant-monts, les chaînons, les contreforts d'une chaîne de montagnes. — Des chaînes d'écueils, de rochers.* — Par anal. *Une chaîne d'étangs.*

La chaîne dentelée et toujours bleue des montagnes kabyles ferme par un dessin sévère, ce magnifique horizon de quarante lieues. 26
E. FROMENTIN, Une année dans le Sahel, p. 10.

♦ **5** Didact. (sc.). **a** Anat. Succession (d'éléments anatomiques). *Chaînes ganglionnaires* (→ Caténaire). *Chaîne osseuse, nerveuse.*

**b** Chim. Ensemble des atomes de carbone liés les uns aux autres dans les molécules organiques (*chaîne moléculaire,* ou *chaîne carbonée*). *Chaînes ouvertes* (des corps de la série grasse ou acyclique. → **Aliphatique**), *chaînes fermées* (des corps de la série cyclique). — *Chaîne macromoléculaire.*

**c** Biol., écol. *Chaîne alimentaire, biologique, trophique :* rapport nutritionnel qui existe entre chaque espèce, depuis le végétal jusqu'à l'homme. *C'est par la chaîne alimentaire que toute contamination provoquée par la pollution de la biosphère des espèces les plus élémentaires peut se transformer en contamination de toutes les espèces.*

**d** Géol., pédol. *Chaîne des sols :* série des sols étagés de haut en bas d'une pente.

**e** Suite de triangles alignés par les mesures géodésiques. → **Triangulation.**

♦ **6** Radio, télév. (Ensemble d'appareils assurant la transmission des signaux). **a** Cour. *Chaîne haute-fidélité :* électrophone formé d'éléments séparés : tourne-disque (platine) ou radio (tuner) ; préamplificateur et amplificateur ; haut-parleurs en enceintes acoustiques. *Chaîne hi-fi* (anglic.). *Chaîne compacte*. Chaîne stéréophonique ;* fam. *chaîne stéréo.* — (Non qualifié). *Il a acheté une nouvelle chaîne.*

Dans leur petit palais de Draveil, très confortable, doté de tous les perfectionnements modernes (la machine à laver la vaisselle vient d'y faire son entrée) y compris une excellente chaîne stéréo, Jacques, sa femme et sa fille, vivent heureux. Jean FERNIOT, Pierrot et Aline, p. 259. 26.1

**b** Techn. Ensemble d'émetteurs de radiodiffusion, de télévision diffusant un même programme. → **Réseau,** et aussi **station** (au Canada → Canal).

Cour. Système de production et de diffusion de programmes télévisés *(chaîne de télévision). Chaîne publique, chaîne privée. Chaîne payante, à péage. Chaîne musicale ; chaîne généraliste*. Chaîne nationale. Chaînes locales.* — Ces programmes. *Regarder la deuxième chaîne, la chaîne X. L'audience* des chaînes. Changer de chaîne.*

**c** Télécomm. (aéron.). Dispositif de guidage permettant aux avions de déterminer leur position à tout moment.

**d** Cybern. Ensemble d'éléments qui assurent l'émission, la transmission et la réception de signaux. *Chaîne d'asservissement, de régulation.*

♦ **7** Industr. et cour. Installation formée de postes successifs de travail et du système les intégrant. *Chaîne de fabrication, chaîne de montage. Chaîne automatisée.* — Loc. *Travail à la chaîne* (libre ou commandée); par ext. : travail fastidieux, monotone. *«Les Temps modernes», film de Charlie Chaplin, est une satire du travail à la chaîne. Travailleur à la chaîne.* — *La chaîne :* le travail à la chaîne.

5.2 (...) ils disent qu'ils ne veulent pas être ouvriers à la chaîne, cadres à la chaîne, bureaucrates à la chaîne, esclaves à la chaîne des ordinateurs-rois (...) preneurs de métro à la chaîne, automobilistes à la chaîne, estivants à la chaîne (...) troupeau (...) cela, ils le disent (...)
Michèle PERREIN, Entre chienne et louve, p. 136.

Loc. (par anal.). *À la chaîne :* en série, en grande quantité. *Des mariages à la chaîne.*

♦ **8** (V. 1955). *Chaîne commerciale :* association d'entreprises de diffusion des produits dans les magasins de détail. *Chaîne de vente.* — *Chaîne d'hôtels,* dépendant d'un même groupe, portant le même nom, pratiquant les mêmes formules. *Hôtel de chaîne.*

**B** (Abstrait). ♦ **1** Série, succession d'éléments liés les uns aux autres. *La chaîne des causes, des événements, des faits, des idées, des occupations, du raisonnement...* → **Enchaînement, série, succession.** *Chaîne d'implications* (logiques). *Le premier, le dernier anneau d'une chaîne.* → **Anneau** (cit. 2 à 5). *La chaîne des associations* (cit. 2.) *d'idées.* — *La chaîne des êtres :* l'organisation hiérarchique de la vie dans l'univers.

27 Ces longues chaînes de raisons toutes simples et faciles, dont les géomètres *(mathématiciens)* ont coutume de se servir pour parvenir à leurs plus difficiles démonstrations (...) DESCARTES, Disc. de la méthode, II.

28 Tenir toujours fortement comme les deux bouts de la chaîne *(des vérités),* quoique on ne voie pas toujours le milieu par où l'enchaînement se continue.
BOSSUET, Traité du libre arbitre, 4.

29 Pour rompre la chaîne d'une tradition commencée avec l'Église.
BOSSUET, Défense de la tradition sur la communion, II, 43.

30 Ainsi nous allons toujours tirant après nous cette longue chaîne traînante de notre espérance (...)
BOSSUET, Sur l'Impénitence finale.

31 (...) une certaine chaîne de petites occupations, qui font qu'on remet toujours à faire ce qu'on veut pourtant faire une fois. Mme DE SÉVIGNÉ, 1151, 16 mars 1689.

32 (...) cette chaîne de rapports et de combinaisons qui accable de ses merveilles l'esprit de l'observateur.
ROUSSEAU, les Confessions, XII.

33 (...) je n'ai fait que nouer les uns aux autres tant de beaux noms, en remplissant les vides par mon récit, quand quelques anneaux de la chaîne des événements étaient sautés ou rompus.
CHATEAUBRIAND, Mémoires d'outre-tombe, III, 11.

34 (...) marquer avec exactitude tous les anneaux de la chaîne qui lie la cause première à son effet final.
TAINE, Philosophie de l'art, t. I, p. 101.

35 Décomposer les idées, noter leurs dépendances, former leur chaîne de telle façon qu'aucun anneau ne manque et que la chaîne entière soit accrochée à quelque axiome incontestable ou à un groupe d'expériences familières (...)
TAINE, Philosophie de l'art, t. II, p. 100.

*La chaîne du froid :* l'ensemble des moyens de conservation frigorifique des denrées périssables, de la production à la consommation. *Accidents causés par la rupture de la chaîne du froid lors du transport, de la mise en vente... des produits.*

Loc. *En chaîne.* — Sc. et cour. *Réaction* en chaîne :* succession de phénomènes déclenchés les uns par les autres (d'abord en parlant de réactions atomiques).

♦ **2** Sc. *Structure de chaîne :* structure linéaire. — Ling. *La chaîne du discours, la chaîne parlée :* la succession des éléments d'un énoncé. → **Séquence.** — *Grammaire en chaîne, de chaîne,* régie par des règles séquentielles.

**C** (Personnes). ♦ **1** (1832). Suite de personnes qui se transmettent qqch. de main en main. — Loc. *Faire la chaîne.*

Les matelots (...) font la chaîne (...) pour monter à bord tout ce fragile bagage (...) 36
LOTI, Mme Chrysanthème, II.

Fig. *Chaîne d'amitié, de solidarité :* association d'entraide.

♦ **2** Spécialt, danse. Figure de contredanse dans laquelle les danseurs se donnent la main. *Chaîne anglaise. Demi-chaîne.*

(...) regarder la longue chaîne de la gavotte tournoyer et courir (...) LOTI, Mon frère Yves, XCV. 37

**DÉR. Chaîné, chaîner, chaînette, chaînier, chaîniste, chaînon.** ◊ **COMP. Casse-chaîne, garde-chaîne. — Déchaîner, enchaîner.** → **HOM. Chêne.**

**CHAÎNÉ, ÉE** [ʃene] adj. — XVIIIe; de *chaîne.*

♦ **1** Techn. Formé de parties attachées bout à bout, comme les maillons d'une chaîne. *Câble chaîné.*

♦ **2** (XXe). Autom. *Pneu chaîné,* muni de chaînes* antidérapantes.

(...) elle massacrait un paysage de conte d'amour dans un vacarme de moteur, de klaxon, de pneus chaînés.
Maurice BEDEL, Jérôme 60° latitude Nord, X, p. 118.

**HOM. Chaînée, chaîner.**

**CHAÎNÉE** [ʃene] n. f. — 1836; de *chaîner.*

♦ **1** Techn. Mesure faite au moyen d'une chaîne d'arpenteur.

♦ **2** Longueur correspondant à celle de la chaîne d'arpenteur (dix mètres).

**HOM. Chaîné, adj.; chaîner.**

**CHAÎNER** [ʃene] v. tr. — 1836; de *chaîne.*

♦ **1** Techn. Mesurer avec la chaîne d'arpenteur. *Chaîner une longueur.*

♦ **2** Archit. Relier par un chaînage (des murs dont on veut empêcher l'écartement). — Au p. p. *Mur chaîné.*

**DÉR. Chaînage, chaîneur.** ◊ **HOM. Chaîné, chaînée.**

**CHAÎNETIER** [ʃɛntje] n. m. — 1680; de *chaînette.*

Vx. Ouvrier qui fait des agrafes et toutes sortes de petites chaînes. → **Chaîniste.**

**CHAÎNETTE** [ʃɛnɛt] n. f. — V. 1180; *chaanette, chaenete;* de *chaîne.*

♦ **1** Petite chaîne (pour attacher, retenir, décorer). *Chaînette de mors, chaînette de bracelet, de montre.* → **Gourmette.** *Maille d'une chaînette d'acier.* → **Paillon.**

Pour toute parure, elle a passé autour de son cou une petite chaînette d'or avec une simple croix.
A. ROBBE-GRILLET, Projet pour une révolution à New York, p. 76.

♦ **2** *Point de chaînette :* point dont la disposition évoque les maillons d'une petite chaîne. *Broderie au point de chaînette.* — Reliure. *Couseuse au point de chaînette.* → **Brochage.**

♦ **3** [a] Math., mécan. Courbe caractéristique que forme un fil pesant flexible et homogène, suspendu par ses deux extrémités à deux points fixes, qui représente graphiquement la fonction cosinus hyperbolique.

[b] Archit. *Voûte en chaînette.*

DÉR. **Chaînetier.**

**CHAÎNEUR** [ʃɛnœʀ] n. m. — 1836; de *chaîner.*

Techn. Arpenteur qui mesure à la chaîne. — REM. Le fém. *chaîneuse* est virtuel.

**CHAÎNIER** [ʃenje] n. m. — 1795; de *chaîne.*

Technique.

♦ **1** Ouvrier qui forge les grosses chaînes.

♦ **2** (XIXe). Ouvrier qui fabrique des chaînes ornementales. → **Chaîniste.**

REM. Le fém. *chaînière* est virtuel.

**CHAÎNISTE** [ʃenist] n. m. — 1853; de *chaîne.*

Techn. Ouvrier bijoutier qui fait les chaînes en métal précieux.

**CHAÎNON** [ʃɛnɔ̃] n. m. — 1390; «corde pour pendre un homme», v. 1200; de *chaîne.*

♦ **1** Élément, anneau* (d'une chaîne*). → **Maille, maillon.** — Par anal. (vx). Maille (d'un filet).

1 Ronge-maille retourne au Chat, et fait en sorte
Qu'il détache un chaînon, puis un autre, et puis tant
Qu'il dégage enfin l'hypocrite.

LA FONTAINE, Fables, VIII, 22.

♦ **2** Fig. Lien intermédiaire; élément d'une chaîne (II., B.).

2 (...) il n'y a pas de chaînon plus net, ni, aussi, de fil conducteur plus sûr, entre Descartes et Spinoza que le père Malebranche.

FAGUET, Études littéraires, XVIIe s., «Malebranche», II, p. 78.

3 Comment est-ce que ça a commencé? On ne sait plus : de chaînon en chaînon, on se perd en dédale d'idées sans retrouver l'origine.

MARTIN DU GARD, les Thibault, t. I, p. 77.

♦ **3** Géogr. Petite chaîne de montagne ou partie d'une chaîne de montagnes. → Chaîne, II., A., 4.

**CHAINSE** [ʃɛ̃s] n. f. — 1165, Chrétien de Troyes; anc. franç. *chainsil,* du lat. *camisilis.*

♦ **1** Hist. (moyen âge). Tunique que l'on portait comme sous-vêtement.

♦ **2** Régional. Chemise de toile grossière. «*Une fille manante, l'été, c'est une chainse et un jupon lourd*» (J. de La Varende, *in* T. L. F.).

**CHAINTRE** [ʃɛ̃tʀ] n. f. ou m. — 1405, Du Cange; variante de *cintre,* dans le Nord et l'Ouest; cf. Voûte chintrée, Tournai, 1349.

Techn. (agric.). Espace sur lequel tourne la charrue à l'extrémité de chaque raie de labour (→ aussi **Tournière**). — Vitic. *Culture en chaintres :* mode de culture de la vigne consistant à laisser courir sur le sol les sarments autour d'une souche centrale.

**CHAIR** [ʃɛʀ] n. f. — XVe; *car,* 1080, *Chanson de Roland; charn, char,* XIIe; du lat. *caro,* à l'accusatif, *carnem* (opposé à *animus*). → Carnage, carnassier, carnation, carne, carnivore, charnel; acharner.

[I] ♦ **1** Substance molle du corps* de l'homme ou d'animaux (mammifères, oiseaux...), et particulièrement, tissu musculaire*. *La chair et les os. Os dépouillés de chair.* → **Décharné.** *La chair et la peau. La chair et le sang. Chair rouge. Fibres de la chair. Tissu pulmonaire prenant l'aspect de la chair* (→ **Carnification**). *Lésion des chairs :* blessure, plaie. *Lambeaux de chair. Excroissance de chair* (→ **Caroncule**). *Enflure morbide des chairs :* bouffissure, intumescence, tuméfaction. *Chairs baveuses, sanguinolentes, spongieuses, gangrenées, mortes* (→ **Gangrène, mortification, sarcome, tumeur**). *Dégénérescence et régénération des chairs. De la chair.* → **Sarco-.**

Les pièces du squelette sont incapables de se déplacer par elles-mêmes, mais la *chair rouge* qui les recouvre — et qui constitue les *muscles* ou *tissu musculaire* — possède la propriété spéciale de se contracter (...) et d'entraîner avec elle les os sur lesquels elle est fixée (...) L'estomac, l'intestin et les autres viscères abdominaux sont formés d'une chair beaucoup plus pâle que les muscles rouges et constituée par une autre espèce de fibres musculaires que l'on qualifie de *fibres lisses* (...) 1

A. PIZON, Anatomie et Physiologie humaines, p. 68 et 71.

Et l'homme dit : «Celle-ci cette fois est os de mes os et chair de ma chair! Celle-ci sera appelée femme, parce qu'elle a été prise de l'homme.» 2

BIBLE (CRAMPON), Genèse, II, 23.

Ce peu que sur leurs os *(des vieilles)* les ans laissent de chair. 3

MOLIÈRE, l'Étourdi, V, 9.

Il *(le jeune coq)* a la voix perçante et rude, 4
Sur la tête un morceau de chair.

LA FONTAINE, Fables, VI, 5.

Mais je n'ai plus trouvé qu'un horrible mélange 5
D'os et de chair meurtris, et traînés dans la fange,
Des lambeaux pleins de sang, et des membres affreux
Que des chiens dévorants se disputaient entre eux.

RACINE, Athalie, II, 5.

Et cependant du sang de la chair immolée 6
Les prêtres arrosaient l'autel et l'assemblée.

RACINE, Athalie, II, 2.

Eh! qu'importe à sa main toujours créatrice que cette masse de chair conformant aujourd'hui un individu bipède se reproduise demain sous la forme de mille insectes différents? 6.1

SADE, Justine..., t. I, p. 845.

Pas de cadavre sous la tombe, 7
Spectre hideux de l'être cher,
Comme d'un vêtement qui tombe
Se déshabillant de sa chair.

Th. GAUTIER, Émaux et Camées, «Bûchers et Tombeaux».

*(Pour les anachorètes)* la chair ne saurait recevoir de plus glorieuses parures que les ulcères et les plaies. 8

FRANCE, Thaïs, I, Le lotus, p. 4.

Dans cette société israélite du temps des Rois, menacée des pires maladies spirituelles, les Prophètes vont entrer comme le bistouri dans une chair. 9

DANIEL-ROPS, le Peuple de la Bible, III, II, p. 222.

Vx ou littér. Viande. *Manger la chair des animaux* (→ ci-dessous, III., 1.). — Techn. (tannerie). *Côté cuir et côté chair d'une peau.*

Loc. *Chair vive,* saine, sensible. *Tailler, trancher dans la chair vive.* → Amputer* (cit. 5), charcuter (fam.). — *En pleine chair,* profondément; au fig., en plein cœur.

Un sursaut presque animal avait mis à la bouche du jeune homme, atteint en pleine chair, les mots qui devaient faire le plus de mal (...) 10

Paul BOURGET, Un divorce, III, p. 94.

Entre le chirurgien qui, toutes ses facultés requises, tranche à même la chair vive, et le parlementaire éloquent qui plaide pour son programme, il n'y a que peu de rapports. 11

G. DUHAMEL, Chronique des Pasquier, VIII, XX, p. 509.

Loc. **ENTRE CUIR** (peau) **ET CHAIR :** sous la peau. *Les chiques pénètrent entre cuir et chair.*

(...) la peau semblait par instant onduler, comme si des frémissements nerveux se fussent propagés entre cuir et chair. 12

MARTIN DU GARD, les Thibault, t. III, p. 208.

Loc. **En chair et en os :** en personne. — Vx. *En chair et en âme.*

13 Jacques, lui aussi, souriait, envahi soudain par une de ces vagues de tendresse fraternelle qui le soulevaient, malgré tout, chaque fois qu'il retrouvait Antoine, en chair et en os (...) MARTIN DU GARD, les Thibault, t. V, p. 166.

13.1 Un homme (...). Car je ne suis pas une pensée, un rêve, une luciole fugitive, je suis en chair et en os. D'abord en chair et en os. DRIEU LA ROCHELLE, la Comédie de Charleroi, p. 189.

13.2 (...) c'était la première fois que je le voyais *(Charles Boyer)* en chair et en os. J'étais heureux et fier qu'il me parlât, qu'il sût qui j'étais, qu'il me donnât, à moi, un peu de ce charme et de ce prestige qui se dégagent de sa voix, de son regard. Claude MAURIAC, le Temps immobile, p. 442.

Fig. Anciennt. *Marchand de chair humaine :* marchand d'esclaves. *Chair à canon.* → **Canon** (cit. 8.1 et *supra*).

14 Est-ce vraiment Napoléon qui aurait lâché l'affreuse expression de «chair à canon», comme l'en accusait Chateaubriand? BRUNOT, Hist. de la langue franç., t. IX, p. 965.

15 Elle *(la guerre)* ne fait qu'accroître la condition misérable du travailleur! Chair à canon, pendant la guerre; esclave plus durement asservi, après : voilà son lot! MARTIN DU GARD, les Thibault, t. VII, p. 166.

*Être en chair, bien en chair* [bjɛ̃nɑ̃ʃɛʀ] : avoir de l'embonpoint, avoir la chair ferme.

16 C'est une femme vraiment à point. Grande, bien en chair, sans excès. G. DUHAMEL, Chronique des Pasquier, VII, III, p. 25.

*C'est une masse, une grosse masse de chair,* en parlant d'un animal, d'une personne très grosse. *Bourrelets de chair.*

17 (...) et l'on m'a assuré qu'elle portait d'ordinaire sur elle, bon an mal an, trente quintaux de chair (...) SCARRON, le Roman comique, VIII.

♦ **2** (XII^e). État extérieur du corps humain; aspect de la peau. → **Forme, peau.** *La chair de qqn, sa chair. Une chair avachie, bouffie, gonflée, grasse; chair molle, flasque. Chair abondante, arrondie, plantureuse, rebondie. Chair épanouie, florissante, saine. Chair ferme, élastique, douce, fraîche, lisse, tendre. Chair éclatante, nacrée, satinée, blanche, pâle, rose, dorée...* → **Carnation.** *«Ce doux nuage souple de chair émue»* (→ Verni, cit. 1, Giono). *Dévoiler, laisser voir la chair :* dénuder.

18 Chair de la femme! argile idéale! ô merveille!... HUGO, la Légende des siècles, «Sacre de la femme», 4. → Argile, cit. 6.

19 La femme nue, ayant les hanches découvertes,
Chair qui tente l'esprit, rit sous les feuilles vertes (...)
HUGO, les Contemplations, VI, «Au bord de l'infini», XVII.

20 Il est des parfums frais comme des chairs d'enfants (...) BAUDELAIRE, Les Fleurs du mal, IV, Correspondances. → Parfum, cit. 1.

21 *(Des beautés).* Fruits purs de tout outrage et vierges de gerçures,
Dont la chair lisse et ferme appelait les morsures!
BAUDELAIRE, les Fleurs du mal, Spleen et idéal, V, «Correspondances».

22 De l'épiderme sur la soie
Glissent des frissons argentés,
Et l'étoffe à la chair renvoie
Ses éclairs roses reflétés.
D'où te vient cette robe étrange
Qui semble faite de ta chair,
Trame vivante qui mélange
Avec ta peau son rose clair?
Th. GAUTIER, Émaux et Camées, «À une robe rose».

23 *(Tiburce)* prenait plaisir à ces formes rebondies, à ces chairs satinées, à ces carnations épanouies comme des bouquets de fleurs, à toute cette santé luxurieuse que le peintre d'Anvers *(Rubens)* fait circuler sous la peau de ses figures en réseaux d'azur et de vermillon. Th. GAUTIER, Fortunio, «La toison d'or», I.

Comme Rubens, ils se sont complu à peindre la chair florissante et saine, la riche et frémissante palpitation de la vie, la pulpe sanguine et sensible qui s'épanouit opulemment à la surface de l'être animé (...) 24
TAINE, Philosophie de l'art, t. I, I, I, I, p. 4.

Au physique, nous trouvons *(aux Pays-Bas)* une chair plus blanche et plus molle (...) 25
TAINE, Philosophie de l'art, t. I, III, I, II, p. 227.

Et la femme, la maîtresse!... Ce qu'il y avait dans cette chair à plaisir, ce qu'on tirait de cette pierre à feu, de ce clavier où ne manquait pas une note (...) Toute la lyre!... 26
Alphonse DAUDET, Sapho, III, p. 15.

(...) une de ces faces blanches, douces, dont la chair a l'air d'une pâte faite avec du lait. 27
MAUPASSANT, la Vie errante, éd. Conard, p. 170.

Entre ses bas noirs et sa chemise brillait un cercle de chair éclatante. 28
FRANCE, l'Anneau d'améthyste, XV, p. 197.

Madame de Bonmont, les roses de sa chair avivées par la course (...) FRANCE, l'Anneau d'améthyste, III, p. 56. 29

Je ne pouvais détacher mes yeux de sa chair de magnolia (...) 30
PROUST, À la recherche du temps perdu, t. X, p. 28.

Un fruit de chair se baigne en quelque jeune vasque (...) 31
VALÉRY, Poésies, «Baignée», p. 23.

Mais soudain ce regard glissa jusqu'à la saillie de l'épaule, dont la chair nue, fraîche et grasse, palpitait sous les mailles de la dentelle comme un animal pris dans un filet (...) MARTIN DU GARD, les Thibault, t. I, p. 47. 32

Peint. (Au plur.). Parties nues des personnages (→ ci-dessus cit. 23). *Les chairs sont bien rendues* (dans un tableau). *Mollesse et délicatesse des chairs.* → **Morbidesse.**

♦ **3** Loc. **Chair de poule.** *Avoir la chair de poule :* avoir la peau qui se hérisse (sous l'effet du froid, de la frayeur...) par l'érection des follicules pileux (réflexe pilomoteur*). → **Ansérin** (réaction ansérine). Fig. → ci-dessous, cit. 34. — *Donner la chair de poule à qqn,* exciter sa frayeur, son horreur. → **Frisson, frisonnement, horripilation.** Fig. → ci-dessous, cit. 34.1.

(...) tout un affreux micmac jurisprudentiel à donner la chair de poule. 33
COURTELINE, Messieurs les ronds-de-cuir, 5^e tableau, I, p. 170.

(...) dès que tombe une pluie fine, la rivière a la chair de poule... 34
J. RENARD, Histoires naturelles, «Le chasseur d'images».

J'ai passé l'âge de rougir, pas celui de me troubler, tant mieux. Le genou de Narcisse me donne toujours la chair de poule. J.-L. BORY, Ma moitié d'orange, p. 43. 34.1

Lalla regarde les enfants, les femmes, les hommes autour d'elle; ils ont l'air triste et apeuré, ils ont des figures jaunes, bouffies par la fatigue, les jambes et les bras martelés par la chair de poule. J.-M. G. LE CLÉZIO, Désert, p. 244. 34.2

♦ **4** *Couleur de chair* ou (1875, Zola) *couleur chair,* de la couleur rose de la peau dans la race dite «blanche». *Des sous-vêtements, des bas, des chaussettes couleur chair. Une teinte rose chair.*

**II** Fig. **La chair.** ♦ **1** Relig. La nature humaine (→ **Créature**), opposée à *la nature divine;* le corps, opposé à *l'esprit,* à *l'âme,* au *cœur... Le Verbe s'est fait chair* (*Évangile selon saint Jean,* I, 14). → **Incarnation.** *Un être de chair et de sang. La résurrection de la chair. — La chair de qqn,* sa nature physique (→ **Charnel**). *Souffrir dans sa chair.*

Et Yahweh dit : «Mon esprit ne demeurera pas toujours dans l'homme car l'homme n'est que chair (...)» 35
BIBLE (CRAMPON), Genèse, VI, 3.

36 Et Dieu dit encore à Noé : «Tel est le signe de l'alliance que j'ai établie entre moi et toute chair qui est sur la terre.»
BIBLE (CRAMPON), Genèse, IX, 17.

37 C'est l'esprit qui vivifie; la chair ne sert de rien.
BIBLE (CRAMPON), Évangile selon saint Jean, VI, 63.

38 Aimer, c'est savourer, aux bras d'un être cher,
La quantité de ciel que Dieu mit dans la chair (...)
HUGO, la Légende des siècles, XXXVI, 22.

39 (...) ce n'est pas la chair qui est le réel, c'est l'âme. La chair est cendre, l'âme est flamme.
HUGO, l'Homme qui rit, II, IX, II.

40 Pour croire à la résurrection de la chair, peut-être faut-il avoir vaincu la chair.
F. MAURIAC, le Nœud de vipères, p. 134.

*Ne faire qu'une seule chair. Parents selon la chair,* parents biologiques. — Loc. *C'est la chair de sa chair,* son enfant.

41 C'est pourquoi l'homme quittera son père et sa mère, et s'attachera à sa femme, et ils deviendront une seule chair.
BIBLE (CRAMPON), Genèse, II, 24.

42 *À cause de cela, l'homme quittera son père et sa mère, et s'attachera à sa femme, et les deux deviendront une seule chair.* Ainsi ils ne sont plus deux, mais une seule chair. Que l'homme ne sépare donc pas ce que Dieu a uni!
BIBLE (CRAMPON), Évangile selon saint Matthieu, XIX, 5-6.

43 Pour elle, de son côté, il était de nouveau l'enfant qu'elle avait porté dans son sein, la chair de sa chair (...)
Paul BOURGET, Un divorce, VI, p. 205.

♦ **2** (Relig., littér. ou style soutenu). Les instincts, les besoins du corps; les sens*. *L'assujettissement de l'esprit à la chair. Mortifier, affliger, crucifier sa chair* (→ **Ascétisme, mortification).** *La faiblesse de la chair. Calmer sa chair. Assouvissement de la chair.* Spécialt. L'instinct sexuel. → **Concupiscence, luxure, sensualité.** *L'aiguillon, le démon, l'appel de la chair.* → **Tentation.** *Concupiscence de la chair.* → Péché, cit. 11. *Se livrer aux plaisirs de la chair.* → **Libidineux.** *Alanguissement de la chair.* — (Relig.). *Œuvre de chair, péché de la chair.* → **Fornication** (cit. 1).

44 Veillez et priez, afin que vous n'entriez point en tentation. L'esprit est ardent, mais la chair est faible.
BIBLE (CRAMPON), Évangile selon saint-Mathieu, XXVI, 41.

45 Oui, par ses désirs la chair va contre l'esprit (...)
BIBLE, Épître aux Galates, V, 17.

46 *(Jésus)* les avertit *(ses amis)* que l'esprit est prompt et la chair infirme.
PASCAL, Pensées, VII, 553.

47 Ceux qui croient que le bien de l'homme est en la chair, et le mal en ce qui le détourne des plaisirs des sens, qu'il s'en saoûle et qu'il y meure *(sic).*
PASCAL, Pensées, X, 692.

48 Que voulez-vous de moi, flatteuses voluptés?
Honteux attachements de la chair et du monde,
Que ne me quittez-vous, quand je vous ai quittés?
CORNEILLE, Polyeucte, IV, 2.

49 On sait que la chair est fragile quelquefois,
Et qu'une fille enfin n'est ni caillou, ni bois.
MOLIÈRE, le Dépit amoureux, III, 9.

50 *(Vous)* considérez, en regardant votre air,
Que l'on n'est pas aveugle et qu'un homme est de chair.
MOLIÈRE, Tartuffe, III, 3.

51 Vous êtes donc bien tendre à la tentation,
Et la chair sur vos sens fait grande impression?
MOLIÈRE, Tartuffe, III, 2.

52 (...) des nœuds de chair, des chaînes corporelles (...)
MOLIÈRE, les Femmes savantes, IV, 2.

53 Si la chair et le sang, se troublant aujourd'hui,
Ont trop de part aux pleurs que je répands pour lui (...)
RACINE, Athalie, I, 2.

54 Plus d'une fois ma chair s'était émue au passage d'une forme de femme.
HUGO, Notre-Dame de Paris, II, VIII, 4.

55 La chair a ses volontés, ses instincts, ses convoitises, ses prétentions au bien-être; c'est une sorte de personne inférieure qui tire de son côté, fait ses affaires dans son coin (...)
HUGO, Post-Scriptum de ma vie, I, III, V, p. 28.

(...) le cœur plein des félicités de la nuit, l'esprit tranquille, la chair contente, il *(Charles)* s'en allait ruminant son bonheur, comme ceux qui mâchent encore, après le dîner, le goût des truffes qu'ils digèrent. 56
FLAUBERT, Mme Bovary, I, V, p. 27.

(...) elle revint à elle, brisée de joie, la chair heureuse et lasse (...) 57
FRANCE, le Lys rouge, XXI.

(...) l'éveil ardent de son imagination et le travail mystérieux de sa chair la jetaient dans un trouble mêlé de désirs et de craintes. 58
FRANCE, le Lys rouge, I.

La chair est triste, hélas! et j'ai lu tous les livres. 59
MALLARMÉ, Vers et prose, «Brise marine».

Le Christianisme ne fait pas sa part à la chair; il la supprime. 60
F. MAURIAC, Souffrances et Bonheur du chrétien, p. 23.

Une chair qui s'assouvit accompagne toujours un esprit incapable d'adhérer au surnaturel. 61
F. MAURIAC, Souffrances et Bonheur du chrétien, p. 56.

(...) de médiocres aventures où la chair seule est intéressée. 62
F. MAURIAC, la Pharisienne, XIII.

(...) j'ai (...) horreur du péché et celui de la chair demeure, à mes yeux de tous le plus coupable. 63
A. MAUROIS, Terre promise, XXXVII, p. 248.

**III** ♦ **1** Vx ou littér. Partie molle, comestible de certains animaux. → **Viande** (II., 1.); fam. **barbaque, bidoche,** 2. **carne.** *Chair crue, cuite, fraîche. — Ça sent la chair fraîche, dit l'ogre au Petit Poucet. — Chair salée. Chair tendre comme de la rosée. Manger de la chair.* → **Carnivore; créophage, omophage.** — *Mangeur de chair humaine.* → **Anthropophage, cannibale.**

La viande est la chair préparée dans la boucherie ou dans la cuisine pour la nourriture de l'homme ou des animaux. La chair n'a subi aucune préparation et est l'animal lui-même tel qu'il est après avoir été tué. Les animaux carnivores se nourrissent de chair; l'homme mange de la viande. 64
LITTRÉ, Dict., art. *Chair.*

♦ **2** Relig. Aliment gras; viande des mammifères et des oiseaux (sauf, parfois les oiseaux aquatiques) par opposition au poisson, aliment maigre. — Relig. (dans les «commandements»). *Vendredi chair ne mangeras :* tu ne mangeras pas de viande le vendredi.

Loc. fig. *N'être ni chair ni poisson :* être sans caractère, indécis, flottant, vague.

♦ **3** **CHAIR À SAUCISSE :** préparation de viande hachée. — Absolt. *Deux cents grammes de chair.*

Derrière eux, Léon hachait de la chair à saucisse, sur le bloc de chêne, à coups lents et réguliers. 64.1
ZOLA, le Ventre de Paris, t. I, p. 127 (1875).

**CHAIR À PÂTÉ.** — Loc. fam. *Hacher menu comme chair à pâté :* mettre en pièces, en menus morceaux.

♦ **4** (Qualifié). Partie comestible d'animaux (sauf lorsqu'il s'agit de la viande* des mammifères), et de végétaux. *Ces volailles, ce poisson ont une chair délicate. La chair de la dinde, du saumon. La chair du grand gibier. La chair d'un fruit.* → **Pulpe;** (bot.) **sarcocarpe** (du grec *sarco-* «chair»). *La chair fondante de la poire. Chair de la cerise, de la pêche, du melon. Chair du champignon.*

Il (...) cueille artistement cette prune exquise; il l'ouvre, vous en donne une moitié, et prend l'autre : «Quelle chair! dit-il; goûtez-vous cela? (...)» 65
LA BRUYÈRE, les Caractères, XIII, 2.

CONTR. **Squelette; os. — Âme, esprit; cœur.** ◊ COMP. V. **Acharner, charcutier, charnel, charnier, charnu, charnure, décharner, écharner.** — HOM. **Chaire, cheire, cher, chère.**

**CHAIRE** [ʃɛʀ] n. f. — XIe, *chaière;* du lat. *cathedra* «siège à dossier», grec *kathedra.*

♦ **1** Vx. Siège à bras et à haut dossier. *Chaires sculptées des* XIIIe, XIVe *et* XVe *siècles.* → **Cathèdre.**
Relig. Siège du pontife (de l'évêque du lieu) dans le chœur d'une église. — Par ext. Dignité pontificale (→ Anéantir, cit. 2). *Obtenir la chaire épiscopale.*
*La chaire de saint Pierre, la chaire pontificale,* celle du pape, et, par ext., la dignité, l'autorité du souverain pontife. → **Siège** (saint).

♦ **2** Cour. Tribune élevée, du haut de laquelle un ecclésiastique adresse aux fidèles ses instructions et ses enseignements. *La chaire du prédicateur.* → **Tribune** (sacrée). *L'escalier, le dais, l'abat-voix, le rebord de la chaire. Chaire de bois sculpté. Une superbe chaire de style baroque. Chaire des anciennes basiliques.* → **Ambon.** *Monter en chaire. Lire un mandement, une encyclique en chaire.* — (XVe). Loc. fig. *La chaire de vérité, la chaire de l'Évangile.* — (1694). *L'éloquence de la chaire.* → **Prédication; conférence, homélie, oraison, panégyrique, prêche, prône, sermon** (→ Argumenteur, cit. 2; avocat, cit. 5; avril, cit. 6, et ci-dessous cit. 2 et 4).

1 Le temple de Dieu, chrétiens, a deux places augustes et vénérables, je veux dire l'autel et la chaire.
BOSSUET, Parole de Dieu.

2 L'éloquence de la chaire n'est pas propre au récit des combats et des batailles; la langue d'un prêtre destinée à louer Jésus-Christ le sauveur des hommes ne doit pas être employée à parler d'un art qui tend à leur destruction. FLÉCHIER, Oraison funèbre de M. de Turenne.

3 (...) il n'est pas donné à tous de monter en chaire et d'y distribuer en missionnaire ou en catéchiste, la parole sainte (...) LA BRUYÈRE, les Caractères, XVI, 30.

4 L'éloquence n'a plus de tribune; mais la chaire en est une encore pour cette morale sublime que rend plus pure et plus touchante la sainteté de ses motifs.
MARMONTEL, Œuvres, t. I, p. 105, *in* LITTRÉ.

5 *(Bossuet)* est orateur, c'est-à-dire homme de luttes dans le champ des idées. Sa chaire est une tribune. Il veut instruire, prouver, réfuter, convaincre (...)
Émile FAGUET, Études littéraires, XVIIe s., «Bossuet» III, p. 411.

6 Le Père Lathuile posa la main gauche sur le rebord en velours de la chaire; fit un signe de croix, remua les lèvres. On pensa qu'il priait.
J. ROMAINS, les Copains, VI, p. 196.

Par métonymie. Vx. Fonction de prédicateur*. «*Chaires éminentes de l'église*» (Chateaubriand, *in* T. L. F.).

♦ **3** (1269). Tribune* du professeur; spécialt, dans une faculté, une grande école. *Monter sur la chaire, en chaire. Le professeur est en chaire.*
(1636). Le professorat lui-même, la place réservée dans le programme à la branche enseignée. *Être titulaire d'une chaire de droit, de littérature... Professeur* titulaire de chaire. Créer, supprimer une chaire,* un poste de professeur titulaire.

7 Mais comme il voulait concourir plus tard pour une chaire de professeur à l'École (...)
FLAUBERT, l'Éducation sentimentale, I, II, p. 46.

**DÉR.** V. **Chaise.** ◊ **HOM. Chair, cheire, cher, chère.**

**CHAISE** [ʃɛz] n. f. — 1420, *chaeze;* forme dial. de *chaire**, qui s'impose vers la fin du XVIIe.

**I** Siège* à dossier et sans bras, pour une personne. *Les chaises et les fauteuils* d'un salon. Chaise de bois, de velours, de tapisserie. Chaise de paille, paillée* (→ **Empailler, pailler, rempailler).** *Chaise cannée* (→ **Canner, joncer).** *Chaise rembourrée. Chaise métallique. Chaise pliante. Barreau* de chaise, chevillon, dos de chaise. — Chaise de cuisine, de salon, de jardin. Chaise basse* (→ **Chauffeuse).** *S'asseoir, se balancer sur une chaise. Avancer, prendre une chaise. Louer des chaises* (→ **Chaisière).**

(...) il (...) prit une chaise, la retourna, et se campa dessus à califourchon. 1
MARTIN DU GARD, les Thibault, t. VII, p. 168.

*Image d'une chaise* (titre d'un célèbre tableau de Van Gogh, représentant une chaise paillée très simple).

La volonté initiale de l'artiste moderne c'est de tout soumettre à son style et d'abord l'objet le plus brut, le plus nu. Son symbole, c'est la *Chaise* de Van Gogh. 1.1
MALRAUX, les Voix du silence, *in* Romans, Pl., p. 117.

(1710). **CHAISE LONGUE :** siège long et profond, muni d'un appui pour les jambes, fixe ou pliant, de toile (→ **Transatlantique)** ou rembourré. — Par ext. Repos allongé sur une chaise longue. *Faire deux heures de chaise longue. — Chaise d'enfant, chaise haute :* siège surélevé muni de bras et souvent d'un abattant en forme de tablette.
(1470). Anciennt. **CHAISE PERCÉE :** siège percé d'une ouverture et muni d'un récipient, pour satisfaire les besoins naturels. — Mod., fam. et plais. Siège des cabinets* d'aisances. → **Trône.**

Mais elle n'avait pas de vase de nuit. J'ai une sorte de chaise percée, dit-elle. Je voyais la grand-mère assise dessus, raide comme un piquet et fière (...) c'était une pièce d'époque, elle l'étrennait (...) 1.2
S. BECKETT, Premier amour, p. 44.

Relig. **CHAISE DE CHŒUR.** → **Stalle.** — Hist. **CHAISE CURULE*** : chaise d'ivoire sur laquelle siégeaient les principaux magistrats romains.

Le nouveau dieu n'a sauvé personne; les dieux anciens ne l'auraient pas fait non plus. Ni la déesse Rome, affaissée sur sa chaise curule. 1.3
M. YOURCENAR, Archives du Nord, p. 33.

Dr. **CHAISE DE FER** (vx) : siège brûlant sur lequel était assis un supplicié. — (1890). Mod. (calque de l'angl. *electric chair*). **CHAISE ÉLECTRIQUE :** siège électrifié pour l'électrocution des condamnés à mort, aux États-Unis. — Peine capitale infligée au moyen de ce dispositif. *Il risque la chaise électrique ou la chambre* (cit. 12.2) *à gaz.*

(...) au milieu je vis un bon vieux fauteuil de grand-père, en bois : la chaise électrique. Je m'attendais à quelque chose de très martien, tout nickelé, avec des câbles à haute tension et l'on me voiturait cette commodité de la conversation avec Dieu. De larges courroies de cuir noir attendaient des jambes, un buste et une tête... 1.4
Paul MORAND, New-York, p. 95.

Absolt. *La chaise :*

Avait-il envie de tuer Stève? D'abord, cela ne lui servirait à rien, sinon, selon son expression de tout à l'heure, à l'envoyer un jour ou l'autre à la chaise. 1.5
G. SIMENON, Feux rouges, p. 70 (1953).

Fig., fam. *Se trouver, être assis entre deux chaises,* dans une situation incertaine, instable, périlleuse.

N'importe; je m'ingéniais; je faisais de la statistique, je supputais le juste milieu — sans comprendre que les extrêmes se touchent, que qui se couche très tard rencontre qui se lève très tôt, et que qui choisit pour siéger le juste milieu, risque de s'asseoir entre deux chaises. 1.6
GIDE, le Prométhée mal enchaîné, *in* Romans, Pl., p. 308.

Si je l'avais senti plus tôt, je n'aurais pas souhaité d'occuper cette position qui va probablement devenir très difficile, cette position qui consiste à se tenir sur deux chaises, au risque de n'être assis ni sur l'une, ni sur l'autre et de choir entre les deux. 2
G. DUHAMEL, Chronique des Pasquier, VI, Les Maîtres, X.

**II** Par anal. ♦ **1** (1656). Anciennt. **CHAISE,** ou (plus cour.), **CHAISE À PORTEURS :** véhicule composé d'un habitacle muni d'une chaise et d'une porte, dans lequel on se faisait porter par deux hommes au moyen de bâtons* assujettis sur les côtés. → **Brouette, filanzane, palanquin, vinaigrette.**

3 (...) la chaise est un retranchement merveilleux contre les insultes de la boue et du mauvais temps.
MOLIÈRE, les Précieuses ridicules, 9.

Loc. fig. *Mener une vie de bâton de chaise.* → **Bâton.**
Par ext. Anciennt. Voiture à deux ou quatre roues, tirée par un ou plusieurs chevaux. — Syn. : *chaise roulante. Chaise de poste* (→ Arriver, cit. 16).

4 (...) des chaises de poste faites en perfection.
Mme DE SÉVIGNÉ, Lettre à Moulceau, 2 mars 1689.

5 Le voyage s'effectue rapidement. La chaise de poste brûle les étapes. On couche à Délémont.
B. CENDRARS, l'Or, *in* Œ. compl., t. II, p. 39.

♦ **2** (XIVe). Techn. Base, charpente faite de pièces assemblées et supportant un appareil. *Chaise servant à exhausser une chèvre, une grue. Chaise d'une meule de rémouleur. Arbres de transmission tournant dans les coussinets d'une chaise.*
(Archit.). Charpente soutenant certaines construtions. *Chaise d'un clocher, d'un moulin.* — Mar. *Chaise-support d'un arbre d'hélice.*
Mar. *Chaise de gabier, de mâture, chaise de calfat :* sangle formant siège où s'assied un matelot travaillant dans la mâture. — *Nœud de chaise :* nœud utilisé pour former une boucle fermée à l'extrémité d'un filin. *Le nœud de chaise ne glisse jamais et ne se souque pas. Nœud de chaise double. Le nœud de chaise sert à s'amarrer, à passer une boucle sur une bitte, etc. Le nœud de chaise est utilisé par les alpinistes sous son ancienne dénomination de* nœud de bouline.

**CHAISIER, IÈRE** [ʃezje, ʃɛzjɛʀ] n. — 1781 ; de *chaise.*
♦ **1** Techn. Celui, celle qui fabrique des chaises.
♦ **2** N. f. Cour. CHAISIÈRE : loueuse de chaises (à l'église, dans un lieu public).

**CHAIX** [ʃɛks] n. m. — 1846 ; n. pr. de l'indicateur *Chaix.*
Indicateur des chemins de fer. *Consulter le Chaix.*

1. **CHALAND** [ʃalɑ̃] n. m. — 1080, *caland, Chanson de Roland ;* du bas grec *khelandion.*
Bateau, allège à fond plat employé sur les fleuves et les rades pour le transport des marchandises. → **Balandre, bélandre,** 2. **bette, péniche.** *Chaland ponté utilisé aux travaux de force.* → **Ponton.** *Chaland pour le curage des fonds.* → **Drague.** *Chaland à clapet.* → **Marie-salope.** *Train de chalands tirés par un remorqueur. Ancien chaland à voyageurs.* → **Coche.** «*Le chaland qui passe*» (Chanson).

Sur le chaland qui descend la Seine, il y a des hommes à figure patibulaire qui font un petit groupe à part parmi les autres voyageurs.
B. CENDRARS, l'Or, *in* Œ. compl., t. II, p. 201.

*Chaland-citerne,* conçu pour le transport de liquides (notamment pétroliers : *chaland pétrolier*).

DÉR. et COMP. **Chalandage. Porte-chalands.** ◊ HOM. 2. **Chaland.**

2. **CHALAND, ANDE** [ʃalɑ̃, ɑ̃d] n. — 1190, *chalant* «ami, protecteur» ; sens mod. 1548, Rabelais, p.-ê. XIIIe (F. E. W.) ; p. prés. substantivé de *chaloir* «s'intéresser». → Nonchalant.
Vieux.
♦ **1** Acheteur, acheteuse qui va de préférence chez un même marchand. → **Client, pratique.** *Attirer, faire venir les chalands. Perdre ses chalands. Avoir des chalands.* → Être achalandé* (1.).
♦ **2** Prétendant. «*Cette femme est un fort bon parti, elle ne manquera pas de chalands*» (Littré).

DÉR. et COMP. **Achalander, chalandise.** ◊ HOM. 1. **Chaland.**

**CHALANDAGE** [ʃalɑ̃daʒ] n. m. — 1933 ; de 1. *chaland,* et *-age.*
Techn. Mode de transport par chaland.

**CHALANDISE** [ʃalɑ̃diz] n. f. — 1267, «entente» ; de 2. *chaland.*
♦ **1** Vx. Affluence de chalands. → **Achalandé ; clientèle, pratique** (vx).
♦ **2** Mod. (repris XXe). Comm. Ensemble d'achats effectués par une population à un point donné. *Région, zone de chalandise :* territoire sur lequel se trouvent les clients virtuels d'un magasin (syn. : *zone d'attraction commerciale*)

(...) relations publiques, actions (...) sur tel ou tel secteur de la population, au niveau de la nation, de la région, de la ville et de sa zone de chalandise.
Fernand BOUQUEREL, les Études de marchés, p. 10.

**CHALAZE** [kalaz ; ʃalaz] n. f. — 1792, *Encyclopédie ;* du grec *khalaza* «grêlon».
♦ **1** Bot. Point d'attache du nucelle au tégument de l'ovule.
♦ **2** Zool. Point germinatif dans l'œuf d'oiseau. — Par ext. Ligament d'albumine tordu qui maintient suspendu le jaune de l'œuf.
♦ **3** (1838). Vx. Chalazion.

DÉR. **Chalazion.**

**CHALAZION** [kalazjɔ̃ ; ʃalazjɔ̃] n. m. — 1538, *chalazium ;* de *chalaze.*
Méd. Petite tumeur dure, indolore, au bord des paupières. → **Orgelet.**

**CHALCO-** Élément de mots didactiques, du grec *khalkos* «cuivre».

**CHALCOGÈNE** [kalkɔʒɛn] n. m. — 1940 ; de *chalco-,* et *-gène.*
Chim. Chacun des quatre éléments chimiques bivalents du début de la sixième colonne de la classification périodique : oxygène, soufre, sélénium, tellure.

**CHALCOGRAPHE** [kalkɔgʀaf] n. m. — XVIIe ; de *chalco-,* et *-graphe.*
Techn. Graveur sur cuivre, et, par ext., sur métaux.

**CHALCOGRAPHIE** [kalkɔgʀafi] n. f. — 1617, *calcographie ;* de *chalco-,* et *-graphie.*
Technique. → **Métallographie.**
♦ **1** Gravure sur métaux. → **Métallographie.**
♦ **2** (1868). Lieu où l'on fait et où l'on expose des planches gravées par ce procédé, et, par ext., des reproductions d'œuvres d'art. *La chalcographie du Louvre.* — Collection de planches gravées.

En bas, vous avez vu, c'est un libraire, avec la chalcographie que mon père avait autrefois... et en haut ses magasins... et pour nous, nous ne recevons jamais personne...
Ed. et J. DE GONCOURT, Madame Gervaisais, p. 6.

DÉR. **Chalcographique.**

**CHALCOGRAPHIQUE** [kalkɔgʀafik] adj. — XVIIIe ; de *chalcographie.*
Techn. Relatif à la chalcographie.

**CHALCOLITE** [kalkɔlit] n. f. — 1832, Beudant; de *chalco-*, et *-lite (-lithe).*

Chim. Phosphate naturel d'uranium et de cuivre.

**CHALCOLITHIQUE** [kalkɔlitik] adj. — XIXe; de *chalco-*, et *-lithique.*

Préhist. Se dit de la période protohistorique où le cuivre* commence à être en usage. → **Énéolithique.**

**CHALCOPYRITE** [kalkopiʀit] n. f. — 1753; de *chalco-*, et *pyrite.*

Chim., minér. Sulfure double naturel de fer et de cuivre ($CuFeS_2$).

**CHALCOSINE** [kalkozin] n. f. — 1832, *chalkosine;* du grec *khalkos* (→ Chalco-), et suff. *-ine.*

Chim. Sulfure naturel de cuivre ($Cu_2S$) [syn. : *chalcosite*].

**CHALDAÏQUE** [kaldaik] adj. et n. Vx. → **Chaldéen.**

**CHALDÉEN, ENNE** [kaldeɛ̃, ɛn] adj. et n. — XVIe; v. 1501, *caldéien, in* D. D. L.; de *Chaldée.*

♦ **1** Hist. Qui se rapporte à la Chaldée ou Babylonie, ancien pays de Mésopotamie, ou à ses habitants. *Art chaldéen.*

♦ **2** N. *Un Chaldéen, une Chaldéenne,* habitant de la Chaldée antique. *Les Chaldéens :* dans la Bible, la caste des savants de Chaldée.

N. m. Ling. *Le chaldéen :* langue sémitique qui était parlée par les habitants de la Chaldée (→ Approchant, cit. 4).

Syn., vx : *chaldaïque* [kaldaik].

**CHÂLE** [ʃal] n. m. — 1663, *chalou; chal,* 1666; *chale,* 1670; *chaale,* 1770; *schal,* 1791; *schall,* 1811; hindi *shal,* d'orig. persane, répandu dans la première moitié du XIXe s. (d'abord *schawl,* 1793) sous l'influence de l'angl. *shawl.*

♦ **1** Vx. Longue pièce d'étoffe que les Orientaux portent en turban, en ceinture, sur les épaules.

♦ **2** Mod. Grande pièce d'étoffe carrée ou rectangulaire, tricotée, crochetée ou tissée, d'abord à dessins d'inspiration orientale, que les femmes drapent sur leurs épaules. → **Fichu, pointe, sautoir.** *Châle de cachemire, de coton, de crêpe, de laine, de soie. Les franges, les dessins d'un châle. Prends ton châle, mets un châle, il commence à faire frais.*

1 (...) une petite femme maigre (...) emmitouflée jusqu'aux oreilles dans un châle fané.

Alphonse DAUDET, le Petit Chose, I, V.

2 (...) une brise fraîche s'éleva dans la verdure sombre. René décrocha le châle noir et le mit sur les épaules d'Hélène.

FRANCE, Œuvres, t. II, Jocaste, XI, p. 109.

REM. L'orthographe dominante est *schall* ou *shall* à partir du début du XIXe siècle et pendant au moins la première moitié de ce siècle, époque où le mot et la chose se répandent, évoquant encore l'Orient.

3 Ici, à Paris, où tous les schalls sont tellement diminués que pour 150 francs on en a un superbe quasi dans les dessins à la mode.

Laure SURVILLE DE BALZAC, Lettres, 27 avr. 1834, p. 124.

♦ **3** Par appos. *Col châle :* col croisé à revers arrondis.

**CHALEF** [ʃalɛf] n. m. — 1783; *calaf,* 1694; arabe *hilāf* «saule d'Égypte».

Bot. Arbre de la famille des *Elæagnacées,* aussi appelé *olivier de Bohême* (n. sc. : *Elæagnus angustifolia*).

**CHALEIL** [ʃalɛj] n. m. → **Calen.**

**CHALET** [ʃalɛ] n. m. — 1723, mot dialectal répandu en franç. central par J.-J. Rousseau; *chaletus,* 1328, *chaslet,* 1408, *challet,* 1419 en Suisse romande; mot suisse romand, du lat. *cala* «abri».

♦ **1** Maison de bois des pays européens de montagne (Alpes). *Le chalet, habitation paysanne, fut d'abord un abri de berger sur l'alpage et un lieu de fabrication des fromages.* → **Buron** (régional : Auvergne).

Autour de l'habitation principale (...) sont épars assez loin quelques chalets (...) [*en note :* chalet, sorte de maison de bois où se font les fromages et diverses espèces de laitage, dans la montagne]. 1

ROUSSEAU, Julie ou la Nouvelle Héloïse, I, 36.

Maison des Alpes, en bois, caractérisée notamment par un toit faisant fortement saillie. *Chalet savoyard, suisse.*

♦ **2** Maison de plaisance construite dans le goût des *chalets suisses.*

Au Canada, Maison de campagne située près d'un lac ou d'une rivière. On dit aussi *camp* (d'été).

Nous sommes ici dans un pays plat, mais bien ombragé; on a tracé de nombreuses et vastes avenues plantées d'arbres et bordées de gentils chalets. Ces maisons de bois ne prennent pas toujours la forme des chalets suisses, très souvent, elles prétendent à l'imitation des monuments grecs ou romains : grandes colonnes et beaux frontispices. 2

E. MICHEL, le Canada et les États-Unis, p. 37, *in* le Tour du monde en deux cent quarante jours (1884).

♦ **3** (1884, *in* D. D. L.) Vx. *Chalet de nécessité, chalet d'aisance :* petit édicule contenant les W.-C. → **Cabinet.**

(...) j'ai le temps de faire ma tournée d'inspection dans les chalets de nécessité du quartier. 3

G. DE TÉRAMOND, la Petite Zaza, I, (1898), *in* D. D. L., II, 6.

♦ **4** Petite construction de bois, servant d'abri aux baigneurs, sur certaines plages (notamment nord-ouest et nord de la France).

**CHALEUR** [ʃalœʀ] n. f. — Déb. XIIe, *chalour, chalur;* du lat. *calor, caloris,* à l'accusatif *calorem.*

**I** (État de la matière). **A** Cour. ♦ **1** État de la matière qui se traduit par une température élevée (par rapport au corps humain); sensation résultant du contact avec un corps dans cet état. → **Calorique** (vx), **chaud.** *La chaleur d'un fer rouge, de l'eau bouillante.* → **Brûlure.** *La chaleur d'un brasier.*

♦ **2** État de l'air, de l'atmosphère qui donne à l'organisme cette sensation. *La chaleur du soleil. Fournir, donner de la chaleur.* → **Chauffer, dégourdir, échauder, échauffer, réchauffer.** *Soins par la chaleur.* → **Héliothérapie, thermothérapie.** *Mûrir des plantes* (→ **Aoûter**); *les brûler*, les dessécher* (→ **Brouir, recroqueviller**) *par la chaleur. Odeur causée par une forte chaleur.* → **Échauffé, roussi.** *Moiteur, sueur que provoque la chaleur. Douce chaleur. Chaleur modérée.* → **Tiédeur.** *Afflux subit de chaleur.* → **Bouffée, coup, vague.** *Chaleur accablante, étouffante, excessive, suffocante, tropicale.* → **Touffeur; canicule, étuve, fournaise** (fig.). *Être incommodé par la chaleur* (→ **Bouillir, brûler, cuire, étouffer, griller, rôtir, suffoquer**). *Chaleur orageuse. Chemin tout blanc de chaleur.* → **Réverbération** (→ Blanc, cit. 2). — *La chaleur d'une pièce, d'un appartement.*

Il était dans le salon où on prenait bien garde de ne pas ouvrir la fenêtre, devant la cheminée où l'on mettait pour plus de chaleur du charbon qui donnait un feu rouge et près de laquelle ceux qui entraient du dehors, ayant laissé 0.1

leur paletot dans l'antichambre, entraient la figure rouge de froid et, surpris de la bonne chaleur de la pièce, ne pouvaient s'empêcher de sourire, de passer les mains sur leur figure soudain chaude, de se frotter les mains moins de froid que de plaisir (...)
PROUST, Jean Santeuil, Pl., p. 517.

Loc. *Bouche* de chaleur.*

(Plur., 1606). Période, moment où il fait chaud. *La cigale se fait entendre à la saison des chaleurs. Durant les grandes, les fortes chaleurs. Chaleurs de l'été. Fuir les chaleurs.* → **Estiver, transhumer.** *Engourdissement de certains animaux durant les chaleurs.* → **Estivation.**

1 (...) en Provence, c'est l'usage quand viennent les chaleurs d'envoyer le bétail dans les Alpes.
Alphonse DAUDET, Lettres de mon moulin, p. 9.

2 En août, dans nos pays, un peu avant le soir, une puissante chaleur embrase les champs.
H. BOSCO, le Mas Théotime, I, p. 9.

3 Quand une longue période de sécheresse et de chaleur a accumulé dans l'air immobile une réserve trop grande d'énergie, il faut un orage.
A. MAUROIS, Bernard Quesnay, XII, p. 81.

**B** Sc. ♦ **1** Phénomène physique (énergie* cinétique de translation, rotation et vibration moléculaires dans une substance) qui se transmet par conduction*, convection* ou radiation* et dont l'augmentation se traduit par l'élévation de la température*, des effets électriques, la dilatation*, des changements d'état (fusion*, sublimation*, évaporation*). → **Calorifique, thermique; thermodynamique,** et aussi les éléments **calor(i)-, pyro-, therm(o), -therme.** *Quantité de chaleur,* et, absolt, *chaleur :* grandeur physique qui représente cette énergie et ses modifications dans un système matériel (mesure : → **Calorimétrie; calorie, thermie; degré**). *Chaleur latente :* quantité de chaleur nécessaire pour le changement d'état de 1 g de substance, sans changement de température *(chaleur latente de fusion, de vaporisation, de sublimation). Chaleur spécifique* ou *chaleur massique d'un corps :* quantité de chaleur nécessaire pour élever de 1° C la température de 1 g de substance. *Chaleur spécifique à volume constant, à pression constante. Chaleur atomique d'un corps :* produit de son poids atomique par sa chaleur spécifique. — *Chaleur de réaction* (d'une réaction chimique) : chaleur transférée entre le système réagissant et le milieu extérieur. *Chaleur de réaction à pression constante. La chaleur de réaction est positive pour une réaction endothermique*, négative pour une réaction exothermique*. — Transformation d'une unité de chaleur en énergie mécanique* (quantité de travail dite *équivalent mécanique de la chaleur* ou *équiv. Joule*).

♦ **2** Loc. (Physiol.). **CHALEUR ANIMALE,** produite dans l'organisme des êtres animés, par les réactions du catabolisme. → **Caloricité, calorification.** — Cour., fam. Chaleur dégagée par le corps de personnes (notamment de personnes rassemblées dans un lieu fermé).

*Chaleur végétale :* chaleur produite par les végétaux, au cours de certains phénomènes biologiques (respiration, fermentation...).

**II** (Caractère des sensations et sentiments). ♦ **1** (1220). Sensation comparable à celle que produit un corps chaud, éprouvée physiquement. *Sentir une brusque chaleur à la tête. Chaleur se produisant en un point irrité.* → **Inflammation.**

Absolt, dans : *... de chaleur. Coup* de chaleur :* malaise causé par l'excès de chaleur. *Bouffée* de chaleur.*

♦ **2** (1573). Vx. Ardeur des sens. → **Amour, ardeur, concupiscence.**

Certes je ne sais pas quelle chaleur vous monte : 4
Mais à convoiter, moi, je ne suis pas si prompte (...)
MOLIÈRE, Tartuffe, III, 2.

(1387). Mod. État des femelles de mammifères, quand elles acceptent l'approche du mâle. → **Rut; chasse** (être en chasse). (Presque toujours au plur. ou dans la construction : *en chaleur*). *Chatte, chienne, jument en chaleur. Les chaleurs d'une chatte. Elle a ses chaleurs. Entrer en chaleur.* — (1561). *Être en chaleur* (même sens). — Par anal. (personnes) :

Je me concentrais sur les cuisses fantastiques de Mme Chantelauze, je me désaltérais avec sa peau de pêche, je rêvais de son teint de rose (...) Était-ce sa faute si elle était en chaleur? 4.1
Violette LEDUC, la Folie en tête, p. 427.

♦ **3** (1549). Fig. Caractère animé des dispositions, de tendances. → **Animation, animosité, ardeur, effervescence, empressement, enthousiasme, entrain, exaltation, ferveur, feu, fièvre, impétuosité, passion, véhémence, vigueur, violence, vivacité, zèle.** *La chaleur de la jeunesse.* → **Vie** (plein de). *Geste, regard plein de chaleur.* → **Chaleureux.** *La chaleur d'un baiser* (→ 2. Baiser, cit. 2, 17). *Acteur plein de chaleur* (→ Brûler les planches). *Embrasser, défendre avec chaleur la cause de qqn. Parler avec chaleur. Chaleur d'éloquence, de style.* → **Brio, élan** (parler avec élan), **lyrisme, verve.** *Accueillir qqn avec chaleur.* → **Cordialité.** *Un accueil sans chaleur.* — Vx. *(Une, des chaleurs).* → **Ardeur** (→ ci-dessous cit. 5).

C'est d'un nouveau chrétien la première chaleur. 5
CORNEILLE, Polyeucte, III, 3.

(...) la chaleur qu'ils ont pour les intérêts du Ciel (...) 6
MOLIÈRE, Tartuffe, Préface.

Descartes arrive ainsi, sans y faire le moindre effort et 7
même, évidemment, sans s'en soucier, à la véritable et grande éloquence, où il y a, à la fois, chaleur, mouvement, éclat et magnificence.
Émile FAGUET, Études littéraires, XVIIe s., Descartes, IV, p. 63.

(...) la chaleur d'amitié qu'il me marqua durant tout mon 8
séjour chez lui.
G. DUHAMEL, la Pesée des âmes, VIII, p. 200.

Il sent dans tous ses gestes, dans ses mots, dans ses into- 9
nations quelque chose d'un peu guindé, un apprêt, une outrance, tout cela manque de chaleur, de vie (...)
N. SARRAUTE, le Planétarium, p. 294.

*Dans la chaleur de...* → **Fort** (au fort de). *Dans la chaleur du combat, de la dispute, de la discussion.* Loc. vieillie. *Chaleur du sang :* facilité à s'emporter.

♦ **4** Caractère «chaud» (d'une couleur). *La chaleur d'un coloris, des tons.*

CONTR. **Fraîcheur, froid, froidure; tiédeur. — Froideur, glace, indifférence, langueur.** ◇ DÉR. **Chaleureux.**

**CHALEUREUSEMENT** [ʃalœʀøzmɑ̃] adv. — 1360, *chaloureusement; de chaleureux.*

Avec chaleur* (II., 3.), ardeur, enthousiasme. → **Chaudement.** — Spécialt. En témoignant une vive sympathie. *Recommander chaleureusement qqn. Accueillir chaleureusement une personne, un projet. «Il eut un moment d'effusion et me serra chaleureusement les deux mains»* (Alphonse Daudet).

**CHALEUREUX, EUSE** [ʃalœʀø, øz] adj. — 1398; de *chaleur* II., 3; fin XIVe, au sens I de *chaleur.*

♦ **1** Vx ou littér. Qui réchauffe.

Laisse le vieillard jouir de la saison chaleureuse! 1
CLAUDEL, l'Annonce faite à Marie, IV, 5, p. 167.

Par anal. (emplois sentis comme métaphoriques du sens 2). Qui provoque une impression agréable de chaleur. *Vin chaleureux* (→ Ambre, cit. 5). *Tonalités chaleureuses d'un tableau.*

♦ **2** Qui montre, qui manifeste de la chaleur, de l'animation, de la vie. → **Ardent, empressé, enthousiaste, fanatique, pressant, zélé.** *Orateur chaleureux. Accueil chaleureux. Ami chaleureux. Applaudissements chaleureux. Paroles, recommandations, protestations chaleureuses. Style chaleureux.* → **Vif.**

2 De tous nos aînés, Verhaeren était celui qui nous avait fait le plus chaleureux accueil, qui nous avait reconnus et salués comme des porteurs de messages.
G. DUHAMEL, la Pesée des âmes, VIII, p. 199.

CONTR. **Flegmatique, froid, glacé, glacial, rigide, tiède.**
◊ DÉR. **Chaleureusement.**

**CHÂLIT** [ʃali] n. m. — 1174, *chaelit* (orth. mod., 1740); du lat. **catalectus,* p.-ê. par croisement de *catasta* «estrade où étaient exposés les esclaves», et *lectus* «lit».
Cadre de lit. *Châlit en bois, en métal.*

Les deux camps où je passai (...) se ressemblent tant, avec leur paille, leurs châlits, les barbelés (...)
Jacques LAURENT, les Bêtises, p. 244.

**CHALLENGE** [ʃalɑ̃ʒ] n. m. — 1884; angl. *challenge* «défi», de l'anc. franç. *challenge* «débat, chicane»; forme pop. du lat. *calumnia.* → Calomnie.
Anglicisme.
♦ **1** Sports. Épreuve dans laquelle le vainqueur détient un prix, un titre jusqu'à ce qu'un vainqueur nouveau l'en dépossède. → **Compétition.** *Challenge de rugby, d'escrime.* — (1892, *in* Petiot). Par ext. L'objet d'art (coupe, etc.) attribué au vainqueur.
♦ **2** (Angl. *challenge,* en emploi général). Défi*, provocation. — REM. Cet emploi récent est un américanisme à la mode comme l'emploi analogue de *défi.*

Vis-à-vis de l'extérieur, il y avait un challenge, un défi à relever, dont je n'ai pas eu conscience d'ailleurs, parce que je savais bien, moi, ce que j'y faisais dans ce journal.
F. GIROUD, Si je mens, p. 170.

DÉR. **Challenger, challengeur.**

1. **CHALLENGER** [ʃalɑ̃ʒe] v. tr. [CONJUG.: *bouger.*] — 1913; de *challenge.*
Anglicisme. Sports. Chercher à enlever le titre au champion.
REM. Céline emploie cet anglicisme au sens de «jouer, parier au jeu».

Baryton excellait aux jeux d'adresse. Parapine lui challengeait régulièrement l'apéritif et le perdait tout aussi régulièrement.
CÉLINE, Voyage au bout de la nuit, éd. Denoël et Steels, p. 535 (1932).

2. **CHALLENGER** [ʃalendʒœʀ] n. m. — 1900, *in* Höfler; mot angl., de to *challenge.* → Challenge.
Anglicisme.
♦ **1** Challengeur*. — (Francisation graphique plaisante). Par métaphore :

Les mi-lourds de la littérature, les challengeaires des beaux-arts (...)
Jacques PERRET, Bâtons dans les roues, p. 10.

♦ **2** Fig. Compétiteur, rival. *«M. Mitterrand, l'ancien challenger du général de Gaulle»* (*l'Express,* 23 mars 1974).

**CHALLENGEUR** [ʃalɑ̃ʒœʀ] n. m. — 1961; forme francisée de 2. *challenger*;* de *challenge.*
Syn. de 2. *Challenger.*
♦ **1** Sports. Boxeur, et, par ext., tout sportif, toute équipe qui cherche à enlever le titre au champion*.
♦ **2** Par ext. (polit., écon.). Compétiteur, rival.
REM. Le fém. *challengeuse* est virtuel.

**CHALOIR** [ʃalwaʀ] v. impers. défectif — IXe, *chielt,* 3e pers. sing.; du lat. *calere,* fig. «s'échauffer pour». — REM. Rarissime, sauf à la 3e pers. du présent de l'indicatif : *chaut.*
♦ **1** Vx (le plus souvent sens négatif ou atténuatif). Importer. *«Peu me chalait de voir tomber la nuit»* (Barbey d'Aurevilly, *in* G. L. L. F.).

Plus me chaut le faire que son objet.
VALÉRY, Cahiers, t. II, Pl., p. 1022.

(À la forme négative). *Il ne me chaut, point ne m'en chaut,* cela ne m'intéresse pas.

(...) quant à moi, du plaisir ne me chaut, 1
À moins qu'il soit mêlé d'un peu de peine.
LA FONTAINE, Contes, II, 7.

(...) la reine Blanche, disait aux siens pendant la minorité 2
de saint Louis : «Point ne me chaut d'attendre.»
CHATEAUBRIAND, Mémoires d'outre-tombe, IV, II.

♦ **2** Loc. mod. *Peu me chaut* [pøməʃo] : peu m'importe.

(...) peu me chaut ce que je suis ou ce que je ne suis pas 3
moi-même. Je ne m'arrête plus à cela.
GIDE, Journal, 1902, p. 131.

Nous posons en postulat la poursuite de l'expansion en 4
raison géométrique : le sens commun et l'expérience humaine le démentent.
Peu nous chaut. Emmanuel BERL, le Virage, p. 36.

COMP. **Nonchaloir.**

**CHALOUPE** [ʃalup] n. f. — 1522, *chaloppe;* orig. incert., p.-ê. de *écale, échale* et *(envel)oppe* «coquille de noix».
♦ **1** Embarcation* non pontée, dont on se sert dans les ports et que les grands navires embarquent pour le service du bâtiment. → **Barge, coraillère, flette, péniche.** *Chaloupe à voile* (anciennt), *à rame, à moteur.*

Je m'embarquai dans la chaloupe du bâtiment avec le capi- 1
taine (...)
CHATEAUBRIAND, Itinéraire..., I, *in* LITTRÉ.

*Chaloupe de sauvetage* ou *chaloupe :* embarcation arrimée sur un navire pour servir en cas de naufrage. → **Canot.**

(...) le paquebot avait coulé à pic, en dix minutes. C'est 2
tout juste si une trentaine de passagers, dont les cabines se trouvaient sur le pont, eurent le temps de sauter dans les chaloupes.
G. LEROUX, le Parfum de la dame en noir, p. 10.

(1777, *in* D. D. L.). Anc. *Chaloupe canonnière,* armée de canons.

Il fallait bien des capitaines pour trois ou quatre mille 3
rames, chaloupes canonnières, bateaux-plats, bombardes, péniches et bateaux-canonniers.
E. CORBIÈRE, la Mer et les marins, V, II, p. 213, (1833), *in* D. D. L., II, 14.

♦ **2** Régional (Canada). Petit bateau à rames. → **Barque, canot.** *Chaloupe de pêche.* → **Bateau.**
DÉR. **Chalouper, chaloupier.**

**CHALOUPÉ, ÉE** [ʃalupe] adj. — 1867; p. p. de *chalouper.*
Qui évoque le roulis, le mouvement de balancement régulier imprimé par la houle à une chaloupe, à un navire en mer. *Valse chaloupée.* → **Chaloupée.** *Tango chaloupé. La démarche chaloupée des vieux loups de mer.*
HOM. **Chaloupée, chalouper.**

**CHALOUPÉE** [ʃalupe] n. f. — 1910; de valse *chaloupée;* → Chalouper.
Vieilli. Danse (et notamment valse) chaloupée. *Danser la chaloupée.*

Par métaphore (et par référence au sens 2. de *chalouper*).

(...) seuls ses réflexes jouaient. Mais ils jouaient, déclenchés par les surprises de la route, avec une infaillible justesse. La voiture, aux ressorts trop souples, s'enfonçait et se relevait dans une chaloupée incessante. Le jeu des amortisseurs brouillait les chocs, en faisant un balancement qui écœurait.
Roger VERCEL, l'Île des revenants, p. 246.

HOM. **Chaloupé, chalouper.**

**CHALOUPER** [ʃalupe] v. intr. — 1858; de *chaloupe.*

♦ **1** Danser la valse chaloupée.

♦ **2** Fam. Se balancer, aller de côté et d'autre. → **Dandiner** (se), **déhancher** (se).

(...) ils chaloupaient, tête contre tête, entre les passants.
SARTRE, le Sursis, p. 18.

DÉR. **Chaloupé, chaloupée.**

**CHALOUPIER** [ʃalupje] n. m. — 1834; de *chaloupe.*
Marine. Matelot de l'équipage d'une chaloupe.

**CHALUMEAU** [ʃalymo] n. m. — 1464; *chalemel* «roseau», mil. XII^e^; du bas lat. *calamellus,* dimin. de *calamus* «roseau».

♦ **1** Vieilli. Tuyau (d'abord de roseau, de paille). *Souffler des bulles de savon dans un chalumeau. Humer, aspirer une boisson avec un chalumeau.* → **Paille.**

1 Vidalie, dont le système moteur commençait à s'émanciper, essaya vainement de mettre le feu à une poignée de chalumeaux en paille consentie par le barman.
A. BLONDIN, Monsieur Jadis, p. 79.

♦ **2** Mus. Vx ou didact. Instrument de musique pastorale, flûte champêtre constituée par une simple tige percée de trous. → **Flûteau, pipeau** (→ Ajuster, cit. 10). — Tuyau de la musette, du biniou, de la cornemuse.

2 On y est isolé de tout, et on n'y entend aucun bruit, si ce n'est, à la tombée du soir, les chalumeaux des bergers qui rassemblent leurs chèvres, dans les montagnes alentour.
LOTI, les Désenchantées, XXV, p. 158.

3 Le silence est revenu encore, plein d'ivresse et de lueurs. Par moments, la musique des chalumeaux s'élançait à nouveau, glissait, puis s'éteignait.
J.-M. G. LE CLÉZIO, Désert, p. 63.

♦ **3** Chasse. Branches que l'on enduit de glu pour prendre les petits oiseaux. → **Gluau.**

♦ **4** Techn. Vx. Tube de métal ou de verre dont on se sert pour diriger, au moyen d'un courant d'air, la flamme d'une lampe sur les matières que l'on veut échauffer, fondre, souder. → **Soudure** (soudure autogène). — Mod. Appareil qui produit et dirige un jet de gaz enflammé. *Chalumeau oxhydrique,* dans lequel on fait passer un courant d'oxygène sur une flamme produite par la combustion de l'hydrogène, ce qui permet d'obtenir des températures assez élevées pour fondre les substances dites réfractaires*. *Chalumeau oxyacétylénique* (oxygène et acétylène) dit *à acétylène. Chalumeau soudeur. Chalumeau coupeur. Découper au chalumeau.* → **Chalumeur-coupeur.**

4 (...) on se moque d'un ouvrier qui scie une barre de fer au lieu de l'attaquer au chalumeau.
ALAIN, Pragmatisme, *in* les Passions et la Sagesse, Pl., p. 297.

DÉR. **Chalumeur, chalumiste (V. Chalumeur-coupeur).**

**CHALUMEUR-** (ou **CHALUMISTE-**) **COUPEUR** [ʃalymœʀkupœʀ; ʃalymistkupœʀ] n. m. — 1955, *Dict. des Métiers;* de *chalumeau,* et *coupeur.*

Techn. Ouvrier qui découpe les métaux au chalumeau. — REM. Le fém. *chalumeuse (-coupeuse)* est virtuel.

**CHALUT** [ʃaly] n. m. — 1753; p.-ê. mot de l'Ouest ou de Normandie. P. Guiraud y voit un doublet de *chaloupe* «coquille de noix», et «bateau», de *chale* «coquille».

Pêche et cour. Filet en forme d'entonnoir remorqué par un bateau (→ **Chalutier**) pour permettre de pêcher à la traîne sur les fonds *(chalut de fond)* ou entre deux eaux (*chalut pélagique;* → ci-dessous). *Pêcher la morue, le hareng au chalut* (→ **Chaluter**). *Chalut à crevettes. Chaîne de chalut :* chaîne garnie de pointes et enroulée sur la corde de fond pour déloger du sable les poissons plats. *Les ailes d'un chalut :* les deux côtés qui vont s'évasant. *Chalut à vergue, à plateaux. Chalut à perche,* dont la poche s'ouvre au moyen de patins fixés aux extrémités d'une perche en bois. *Chalut à panneaux,* dont la poche est munie de panneaux qui l'écartent par la pression de l'eau (on dit aussi *chalut V. D.* [Vigneron et Dahl] et par anglicisme, *chalut otter-trawl*). — *Chalut bœuf,* tiré par deux bateaux (dits chalutiers bœufs), comparés à une paire de bœufs. — REM. Cette désignation vient probablement d'une confusion avec le provençal *boré* «coup de filet». — *Chalut pélagique,* flottant entre deux eaux sans s'approcher du fond. *Chalut semi-pélagique,* pouvant descendre près du fond sans le racler. — *Jeter, traîner, tirer, ramener le chalut. Réglementation de la pêche au chalut.*

(...) le patron commanda de jeter le chalut. 1
Donc, le grand engin de pêche fut passé par-dessus bord, et deux hommes à l'avant, deux hommes à l'arrière, commencèrent à filer sur les rouleaux les amarres qui le tenaient. Soudain il toucha le fond (...)
MAUPASSANT, les Contes de la Bécasse, «En mer», p. 150.

Et les filets fixes à ralingue, les tramails, la senne qui pourrait t'enfermer dans ton cercle et les terribles chaluts qui draguent le fond, le raclent et ne laissent rien, même pas la plus petite moule et la plus mince des ophiures. 2
Jean CAYROL, Histoire de la mer, p. 116.

DÉR. **Chaluter, chalutier.**

**CHALUTABLE** [ʃalytabl] adj. — 1953; de *chaluter.*

Techn. (pêche). Où l'on peut pratiquer la pêche au chalut. *«(Les) études des fonds chalutables* (par le Conseil des pêches pour la Méditerranée)» (A. Boyer, *Pêches maritimes,* p. 91).

**CHALUTAGE** [ʃalytaʒ] n. m. — 1909; de *chaluter.*

Pêche. Pêche au chalut. *Chalutage par l'arrière, par le côté,* selon que le chalut est tiré sur le côté ou par l'arrière (chalutiers à pêche arrière).

**CHALUTER** [ʃalyte] v. intr. — 1845; de *chalut.*

Pêche. Pêcher au chalut.

DÉR. **Chalutable, chalutage.**

**CHALUTIER** [ʃalytje] n. m. — 1866, Hugo, *les Travailleurs de la mer;* de *chalut.*

♦ **1** Bateau armé pour la pêche au chalut. *Les anciens chalutiers à vapeur. Chalutier à moteur. Chalutier maquereautier, chalutier morutier, chalutier sardinier. Chalutier bœuf* (→ **Chalut** [bœuf]). *Chalutier congélateur,* équipé pour congeler le poisson en mer. *La cale frigorifique d'un chalutier. Chalutier à chalut arrière, latéral, à chalut pélagique, etc.* (→ **Chalut**). *Chalutier à pêche arrière.*

Le chalutier est le bateau de pêche par excellence. Solide à ne craindre aucun temps, le ventre rond, roulé sans cesse par les lames comme un bouchon (...) il travaille la mer, infatigable (...) traînant par le flanc un grand filet qui râcle le fond de l'Océan, et détache et cueille toutes les bêtes endormies dans les roches, les poissons plats collés au sable, les crabes (...) les homards (...)
MAUPASSANT, les Contes de la Bécasse, «En mer», p. 148.

♦ **2** Marin pêcheur qui pêche au chalut, sert sur un chalutier. — Par appos. *Pêcheur chalutier, marin chalutier.*

**CHAMADE** [ʃamad] n. f. — 1570, *chiamade;* de l'italien piémontais *ciamada* «appel»; de l'italien central (toscan) *chiamare* «appeler».

♦ **1** Anciennt. Appel de trompettes et de tambours par lequel des assiégés informaient les assiégeants qu'ils voulaient capituler. → **Batterie, sonnerie.** *Battre*, sonner la chamade et hisser le drapeau blanc.*

1 Ils battirent tout à coup la chamade et demandèrent à capituler.
RACINE, Relation du siège de Namur, V, 329.

♦ **2** Loc. mod. (en parlant du cœur, siège figuré de l'émotion). **BATTRE LA CHAMADE :** être affolé. → **Déroute** (être en déroute). — *La Chamade,* roman de Françoise Sagan (emploi exceptionnel, hors de la loc.).

2 (...) son pauvre petit cœur se mit à battre la chamade dans la forteresse de son corsage (...)
Th. GAUTIER, le Capitaine Fracasse, XVI, t. II, p. 195.

3 (...) j'ai l'esprit qui bat la chamade, j'ai l'âme en vrague[1].
(1. Vrac.) HUYSMANS, la Cathédrale, p. 358.

4 Mais comme vous êtes émotif! Votre cœur bat la chamade. Vous avez de l'appréhension.
Jean-Louis CURTIS, le Roseau pensant, p. 163.

**CHAMÆROPS** [kameʀɔps] n. m. → **Chamérops.**

**CHAMAILLE** [ʃamaj] n. f. → **Chamaillerie.**

**CHAMAILLER** [ʃamaje] v. — V. 1300, au sens 2; p.-ê. d'un croisement entre l'anc. franç. *chapler* «tailler en pièces», du lat. *cappulare* «couper», et *mailler* «frapper».

Familier.

♦ **1** V. intr. (1450). Vx. Se battre, combattre.

♦ **2** V. tr. Rare. *Chamailler qqn,* le tourmenter par des disputes (cf. l'emploi transitif de *Disputer*). *Je ne vais pas vous chamailler pour si peu.*

0.1 Je n'enviais pas les familles complètes de mes camarades, chamaillées par des potentats en veston.
Hervé BAZIN, Qui j'ose aimer, II, p. 23.

◆ **SE CHAMAILLER** v. pron. (1690). Cour. Se disputer bruyamment, en général pour des raisons futiles. → **Disputer** (se), **quereller** (se). — (Réfl.). *Se chamailler avec qqn.* — (Récipr.) *Cessez de vous chamailler, les enfants!*

1 Depuis trente ans qu'ils étaient mariés, ils se chamaillaient tous les jours. MAUPASSANT, Toine, p. 12.

1.1 Ah! ces Parisiens! ça se chamaille pour deux liards et ça va boire le fond de sa bourse chez le marchand de vin.
ZOLA, le Ventre de Paris, t. I, p. 25.

2 Il intervenait *(M. Vinteuil)* entre les gamins qui se chamaillaient sur la place, prenait la défense des petits, faisait des sermons aux grands.
PROUST, À la recherche du temps perdu, t. I, p. 157.

3 — Je vous ai entendu crier. Oui, de ma chambre! Je ne peux pas vous empêcher de vous chamailler : j'ai trop de choses à faire.
DUHAMEL, le Voyage de P. Périot, III, p. 51.

4 Que voulez-vous? Je n'aime pas qu'on se chamaille. Mon seul plaisir est, comme ce soir, de rendre service à tout le monde. Francis CARCO, les Belles Manières, p. 38.

DÉR. **Chamaille, chamaillerie, chamailleur, chamaillis.**

**CHAMAILLERIE** [ʃamajʀi] n. f. — 1680; de *chamailler.*

Fam. → **Dispute, querelle.** *Des chamailleries, des chamailleries continuelles.* — REM. Le plus souvent au pluriel. On dit aussi *chamaille* [ʃamaj], n. f. → Aveugler, cit. 15 et cabrer, cit. 12. → aussi **Chamaillis.**

Il menaça Madeleine de lui clore la bouche d'un revers de main et il l'eût fait si Jeannie, attiré par le bruit, ne fût venu se mettre entre eux sans savoir ce qu'ils avaient, mais tout pâle et déconfit d'entendre cette chamaillerie. 1
G. SAND, François le Champi, IX, p. 79.

(...) la motocyclette (...) était le plus fréquent prétexte de ses disputes avec Lambert; mais il ne s'agissait là que de chamailleries sans aigreur. 2
S. DE BEAUVOIR, les Mandarins, p. 246.

**CHAMAILLEUR, EUSE** [ʃamajœʀ, øz] n. et adj. — 1571; de *chamailler.*

Fam. Personne qui aime à se chamailler. → **Disputailleur, querelleur.**

Adj. *Des enfants chamailleurs.* — (Actions). *Des discussions chamailleuses.*

On n'entendait plus autour de soi la rumeur étouffée des relèves, le bourdonnement chamailleur des corvées (...) 1
R. DORGELÈS, les Croix de bois, XII, p. 240.

Il n'était pas comme Romanil : il n'avait pas une vieille maîtresse à qui rendre des visites babillardes et chamailleuses. 2
G. DUHAMEL, le Voyage de P. Périot, VIII, p. 141.

**CHAMAILLIS** [ʃamaji] n. m. — 1541, «coup violent», sens mod. mil. XVIIIe; de *se chamailler.*

Vx ou régional.

♦ **1** Chamaillerie.

♦ **2** Littér. Piaillement (des oiseaux) [Pommier, *in* T. L. F.].

**CHAMAN** ou **SHAMAN** [ʃaman] ou [ʃamɑ̃] n. m. — 1699; pâli *samana* «religieux», la graphie *sha-* vient de l'anglais.

Ethnologie.

♦ **1** Prêtre-sorcier, à la fois devin et thérapeute dans les civilisations d'Asie centrale et septentrionale. → **Chamanisme.**

On appelle *chamans* les prêtres ou devins des peuplades de Sibérie. 1
DUPRÉ DE SAINT-MAURE, Anthologie russe, p. 10 (1823).

♦ **2** Prêtre-sorcier et devin (dans d'autres civilisations). — REM. La graphie adoptée par les spécialistes est *shaman.*

Ces trois éléments *(l'expérience de shaman, celle du malade, celle du public)* de ce qu'on pourrait appeler le complexe Shamanistique sont indissociables. Mais on voit qu'ils s'organisent autour de deux pôles, formés, l'un par l'expérience intime du shaman, l'autre par le *consensus* collectif. Il n'y a pas de raison de douter, en effet, que les sorciers (...) ne croient en leur mission. 2
Claude LÉVI-STRAUSS, Anthropologie structurale, Magie et religion, p. 197.

REM. Le texte concerne les Indiens de la côte nord-ouest du Pacifique.

(...) le shaman *(dit Lévi-Strauss)* ne touche pas au corps de la malade *(une parturiente)* et ne lui administre pas de remède; mais en même temps il met explicitement en cause l'état pathologique et son siège; nous dirions volontiers que le chant constitue une manipulation psychologique de l'organe malade (...) Le shaman fournit un langage dans lequel peuvent s'exprimer symboliquement des états autrement informulables. 3
Guy PALMADE, la Psychothérapie, p. 86.

DÉR. **Chamanique, chamanisme.**

**CHAMANIQUE** ou **SHAMANIQUE** [ʃamanik] adj. — Mil. XXe; de *chaman.*

Ethnol. Qui est relatif aux chamans. *Pratiques chamaniques* (ou *chamanistiques**). *Le phénomène chamanique.* → **Chamanisme.**

**CHAMANISME** ou **SHAMANISME** [ʃamanism] n. m. — 1801, dans une trad. du russe; de *chaman*. → Chaman.

Ethnol. Religion de certains peuples de Sibérie et de Mongolie occidentale, caractérisée par le culte de la nature, la croyance aux esprits et des pratiques divinatoires et thérapeutiques (du chaman). *Le chamanisme est un ensemble complexe de manifestations centrées sur le personnage socialement reconnu du chaman.*

DÉR. **Chamaniste.**

**CHAMANISTE** ou **SHAMANISTE** [ʃamanist] adj. — 1866, P. Larousse; de *chamanisme*.

Ethnol. Relatif au chamanisme. *Rites chamanistes.* — Subst. *Un chamaniste :* un adepte du chamanisme.

DÉR. **Chamanistique** ou **shamanistique.**

**CHAMANISTIQUE** ou **SHAMANISTIQUE** [ʃamanistik] adj. — 1936, Lowie; de *chamaniste* ou *shamaniste*.

Ethnol. Relatif au chamanisme, aux chamanistes. *Cure shamanistique.*

(...) l'*ars magna* de certaine école shamanistique de la côte nord-ouest du Pacifique, c'est-à-dire l'usage d'une petite couche de duvet que le praticien dissimule dans un coin de sa bouche pour l'expectorer tout ensanglanté (...)
Claude LÉVI-STRAUSS, Anthropologie structurale, Magie et religion, p. 193.

**CHAMARRAGE** [ʃamaʀaʒ] n. m. — 1828; de *chamarrer*.

Rare. Le fait de chamarrer. — Son résultat. → **Chamarrure.**

**CHAMARRER** [ʃamaʀe] v. tr. — 1530; du moy. franç. *chamarre* «longue casaque», XVe, repris par Hugo, *Ruy Blas*, I., 2., dér. de l'esp. *zamarra* «vêtement de berger». → Simarre.

♦ **1** Rehausser d'ornements aux couleurs éclatantes tranchant sur celle du fond. *Chamarrer un costume de galons d'or.* → **Dorer.** *Chamarrer qqch. de bandes de couleur.* → **Billebarrer.** — Au p. p. → ci-dessous Chamarré, adj.

0.1 Alors, on apporte la corbeille (...) on chamarre le tout de rubans et de banderoles.
G. SAND, la Mare au diable, p. 213 (T. L. F.).

Péj. Surcharger d'ornements de mauvais goût aux couleurs criardes et mal assorties.

(Sujet n. de chose). «*Les armes qui chamarraient cette reliure magnifique*» (Stendhal, *Lucien Leuwen, in* T. L. F.).

♦ **2** Fig. et vieilli. Gâter par une accumulation d'ornements hétérogènes. → **Farcir, saupoudrer.** *Chamarrer ses discours de citations latines.*

♦ **3** (Sujet n. de chose). Littér. Orner, colorer de chamarrures. → **Diaprer, panacher.**

1 Les bouquets des cistes pourpres ou blancs chamarraient la rauque garrigue, que les lavandes embaumaient.
GIDE, Si le grain ne meurt, I, II, p. 38.

◆ **CHAMARRÉ, ÉE** p. p. adj.

♦ **1** (Sujet n. de chose). *Un habit chamarré. Une poitrine chamarrée de décorations.*

2 (...) les superbes étoffes chamarrées d'or et de pierreries (...)
TAINE, Philosophie de l'art, t. II, III, II, II, p. 34.

3 Près du Maître, les Dignitaires s'étageaient, couverts de rubans, de crachats et de plaques honorifiques chamarrées d'emblèmes ridicules.
Laurent TAILHADE, Un souper chez Simon le pharisien.

♦ **2** (Personnes). Vêtu d'un habit couvert d'ornements. *Un laquais chamarré, des académiciens chamarrés.*

(...) le défilé grossissait, les magistrats en robe, les officiers 4
en grande tenue, les fonctionnaires en uniforme, une foule galonnée, chamarrée, décorée, qui piétinait les fleurs dont la place était couverte (...)
ZOLA, Son Excellence Eugène Rougon, t. I, p. 121.

♦ **3** Bariolé, multicolore. *Un oiseau au plumage chamarré.*

CONTR. (Du p. p.) **Sévère, uni.** — **Simple, sobre.** ◊ DÉR. **Chamarrage, chamarrure.**

**CHAMARRURE** [ʃamaʀyʀ] n. f. — 1595, Charron; de *chamarrer*.

Assemblage de couleurs voyantes et disparates; ornements dont on chamarre. *Les chamarrures d'un habit, d'un style.*

(...) ces tribunes où étincelaient les costumes officiels, les chamarrures du corps diplomatique (...)
ZOLA, Rome, p. 287.

**CHAMBARD** [ʃɑ̃baʀ] n. m. — Fin XIXe; 1888, dans l'argot de Polytechnique «brimade»; de *chambarder*.

♦ **1** Bouleversement. → **Chambardement.**

Elles avaient la passion des chambards domestiques et des déménagements. Il fallait chaque jour porter des huches, déplacer des bahuts, démonter des lits, coltiner du bois de chauffage (...)
G. DUHAMEL, Biographie de mes fantômes, VII, p. 114.

♦ **2** Vacarme qui laisse supposer quelque manifestation anormale. → **Bruit, chahut.** Violente protestation, scandale. *Faire du chambard, un chambard de tous les diables.*

**CHAMBARDEMENT** [ʃɑ̃baʀdəmɑ̃] n. m. — 1855, en argot milit.; 1881, en polit.; de *chambarder*.

Fam. Action de chambarder (concret ou abstrait); changement brusque et complet. → **Bouleversement, remue-ménage, renversement, révolution, saccage.** — Loc. *Le grand chambardement :* la révolution.

— (...) seuls, une révolution, un chambardement général 1
jailli des profondeurs et qui remettra tout en cause, peuvent désintoxiquer le monde de son infection capitaliste (...) MARTIN DU GARD, les Thibault, t. V, p. 226.

Du reste, beaucoup ne sont révolutionnaires qu'en esprit 2
et ne transportent guère l'idée d'un grand chambardement en dehors de la littérature.
M. AYMÉ, le Confort intellectuel, VI, p. 72.

La vue de ces prolonges décorées sur le panneau arrière 3
de la faucille et du marteau biffés d'une énorme croix gammée, soulevait l'enthousiasme parmi les ouvriers et plongeait dans une muette consternation les bourgeois qui croyaient découvrir, dans les allées et venues de ces véhicules, les signes avant-coureurs du grand chambardement. Francis CARCO, les Belles Manières, p. 31.

**CHAMBARDER** [ʃɑ̃baʀde] v. tr. — 1859; *chamberter*, 1847; orig. obscure; mot dialectal (Bourgogne, Franche-Comté) p.-ê. de *chant* «côté» et *barder* «glisser»; du lat. pop. **barrum* «argile». → Chambouler.

Familier.

♦ **1** Bouleverser de fond en comble. → **Bouleverser, changer, saccager.** *On a tout chambardé dans la maison.*

(...) mes soldats chambardaient les armoires pleines de 1
défroques que des paysannes à court d'argent avaient laissées en gage à l'accoucheuse (...)
M. YOURCENAR, le Coup de grâce, p. 220.

♦ **2** (Abstrait). Changer brutalement, détruire. → **Chambouler, renverser, révolutionner.**

2 À les écouter, rien n'est bien et il faudrait chambarder tout : nos vieilles loges, notre façon de travailler, notre manger, et la manière d'élever les enfants.
M. GENEVOIX, Forêt voisine, XIII, p. 176.

3 (...) c'est «l'irrégulier», le «glorieux irrégulier», c'est-à-dire l'initiatif, celui qui «chambarde» les routines et les règlements surannés pour faire place nette aux nouvelles formules nécessitées par l'éternelle évolution.
L.-H. LYAUTEY, Paroles d'action, p. 53.

CONTR. **Conserver, garder, maintenir.** ◊ DÉR. **Chambard, chambardement. — Chambardeur.**

**CHAMBARDEUR, EUSE** [ʃɑ̃baʀdœʀ, øz] n. et adj. — 1886; de *chambarder.*

Qui aime à chambarder; qui chambarde. — Tapageur, chahuteur. — N. *Un chambardeur, une chambardeuse :* une personne chambardeuse.

**CHAMBELLAN** [ʃɑ̃belɑ̃; ʃɑ̃bɛllɑ̃] n. m. — Mil. XIIe; du francique *kamerling, du lat. *camera* «chambre».

Ancienn. Gentilhomme de la cour chargé du service de la chambre du souverain. → **Camerlingue.** *La clef des chambellans. — Le grand chambellan,* le plus élevé en dignité. → **Officier** (Grands officiers de la couronne). *La charge de grand chambellan fut rétablie par Napoléon Ier.*

C'est donc (...) dans le costume, d'ailleurs somptueux à souhait, de Grand Chambellan — velours rouge, broderies d'or, satin blanc, plumes au chapeau et épée au côté — que le 2 décembre 1804, il *(Talleyrand)* assiste au Sacre de Notre-Dame.
Louis MADELIN, Talleyrand, II, XV, p. 155.

**CHAMBERTIN** [ʃɑ̃bɛʀtɛ̃] n. m. — 1769, *in* D.D.L.; du nom du vignoble de *Gevrey-Chambertin,* près de Dijon.

Vin de Bourgogne, rouge, très estimé.

(...) il faut un petit intervalle de temps pour que le gourmet puisse dire : Il *(le vin)* est bon, passable ou mauvais. Peste! c'est du chambertin! (...)
A. BRILLAT-SAVARIN, Physiologie du goût, t. I, p. 57.

**CHAMBOULEMENT** [ʃɑ̃bulmɑ̃] n. m. — XXe; de *chambouler.*

Fam. Bouleversement. → **Chambardement.** *C'est un chamboulement de toutes nos habitudes.*

(...) son visage accusait le coup, par un imperceptible chamboulement de l'expression, une ombre, un ennui.
A. SARRAZIN, l'Astragale, p. 103>.

**CHAMBOULER** [ʃɑ̃bule] v. tr. — 1807; d'origine discutée pour le premier élément; de *chant* «face étroite d'un objet» ou de *chambe* «jambe», et *bouler, sabouler* «tomber».

Fam. Bouleverser, mettre sens* dessus dessous (concret ou abstrait). → **Chambarder, changer.**

1 (...) la presse d'information montre un attachement sordide aux hiérarchies routinières de l'actualité et beaucoup de lecteurs aimeraient voir un peu chambouler l'échelle des valeurs (...)
Jacques PERRET, Bâtons dans les roues, p. 204.

2 Je ne vais pas chambouler ma vie qui est si bien arrangée pour faire plaisir à Mlle Mignot.
J. DUTOURD, les Horreurs de l'amour, p. 597.

**CHAMBOURIN** [ʃɑ̃buʀɛ̃] n. m. — 1723; origine inconnue.

Techn. (vieilli). Verre grossier, de couleur verte.

**CHAMBRANLE** [ʃɑ̃bʀɑ̃l] n. m. — 1518; croisement de *branler* et de *chambrande* (1313), du lat. *camerare* «voûter» de *camera* «pièce, chambre*».

Encadrement en bois ou en pierre (d'une porte, d'une fenêtre, d'une cheminée). *Un chambranle soutenu par des consoles. Le chambranle d'une porte. Chambranle mouluré. Chambranle de marbre.*

La pesante porte revint s'appliquer hermétiquement sur ses chambranles de pierre sans qu'on vit qui l'avait ouverte ni qui la refermait. 1
HUGO, l'Homme qui rit, IV, V, p. 414.

(...) et sur l'étroit chambranle de la cheminée resplendissait une pendule à tête d'Hippocrate, entre deux flambeaux d'argent plaqué (...) 2
FLAUBERT, Mme Bovary, I, V, p. 26.

Elle n'ouvre pas non plus sa porte davantage, se sentant sans doute plus en sûreté à l'intérieur, tenant le battant d'une main et de l'autre le chambranle, prête à refermer. 3
A. ROBBE-GRILLET, Dans le labyrinthe, p. 57.

**CHAMBRAY** [ʃɑ̃bʀɛ] n. m. — Mil. XXe; mot angl. des États-Unis, attesté 1814; altér. de *Cambrai.*

Toile d'un bleu doux, d'apparence délavée, dont la trame est écrue et la chaîne teinte en indigo. *Chemise, jupe en chambray.*

**CHAMBRE** [ʃɑ̃bʀ] n. f. — XIIe; *cambre,* mil. XIe; du lat. *camera* «voûte», puis «pièce», grec *kamara.*

**I** ♦ **1** Ancienn (et dans des loc.). Pièce d'habitation. → **Pièce, salle.** — Vx. *Chambre à toilette; cabinet de toilette. Chambre de bains.* → **Salle** (mod.). — *Pièce précédant une chambre.* → **Antichambre.** *Petite chambre servant de réduit.* → **Cagibi.** — *Chambre parquetée, planchéiée, lambrissée.*

Régional (Suisse). Pièce* (d'un appartement, d'une maison). *Maison de six chambres.* — Loc. (Vaud, Neuchâtel). *Chambre à manger :* salle à manger. *Chambre de bain :* salle de bains. *Chambre à lessive :* buanderie.

Oh ces soupentes glaciales au dessus de la chambre à lessive (...) 0.1
Jacques CHESSEX, Portrait des Vaudois, p. 62.

Mod. *Chambre à coucher :* chambre (2.).

Vieilli. Pièce destinée au travail intellectuel. → **Cabinet.**

Soit que dans la chambre il médite. 0.2
MALHERBE, II, 3, *in* LITTRÉ.

Loc. *Chambre haute :* pièce aménagée sur un toit en terrasse. → Planchéier, cit.

♦ **2** Mod. Pièce où l'on couche. → Fam. **Cambuse, canfouine** (vx), **carrée, chambrette, crèche, gourbi, piaule, taule, turne.** *Une chambre d'enfants. Chambre de bébé.* → **Nursery.** *Petite chambre.* → **Cellule, chambrette.** *Chambre mansardée.* → **Mansarde; galetas.** *Chambre en soupente. Chambre avec penderie, garde-robes, placards, cabinet de toilette, salle de bains. L'alcôve d'une chambre. Chambres attenantes, contiguës, communicantes. Chambre indépendante. Chambre au fond d'un couloir. Chambre donnant sur la rue, sur la cour. Habiter, se confiner, vivre dans sa chambre. Nettoyer, balayer, faire sa chambre. La chambre des enfants. Va dans ta chambre! La chambre des parents. — Chambre nuptiale* (vieilli).

(...) seule dans ma chambre enfermant mes regrets (...) 1
CORNEILLE, Polyeucte, II, 2.

Mes sœurs, j'entends du bruit dans la chambre prochaine. 2
RACINE, Esther, II, 8.

Ce second terme échu, l'autre lui redemande 3
Sa maison, sa chambre, son lit.
LA FONTAINE, Fables, II, 7.

J'ai découvert que tout le malheur des hommes vient d'une seule chose, qui est de ne savoir pas demeurer en repos dans une chambre. 4
PASCAL, Pensées, I, 139.

5 (...) la chandelle éclairait la chambre, carrée, à deux fenêtres, que trois lits emplissaient. Il y avait une armoire, une table, deux chaises de vieux noyer (...)
ZOLA, Germinal, I, 2.

6 C'est notre attention qui met des objets dans une chambre, et l'habitude qui les en retire, et nous y fait de la place.
PROUST, À l'ombre des jeunes filles en fleurs, éd. la Gerbe, p. 72.

Spécialt. Pièce d'habitation aménagée pour y coucher et considérée comme un logement (opposé à *studio, à appartement*). *Chambre à louer. Chambre meublée, garnie. Chambre d'hôtel. Cet hôtel a deux cents chambres et dix appartements* (ou *suites*). *Chambre individuelle, chambre pour deux, à un grand lit, à deux lits jumeaux. — Louer une chambre à un étudiant. Chambre d'étudiant. — Chambres d'un hôpital, à un, deux, trois... lits* (opposé à *salle commune*).

6.1 Te voici à Amsterdam (...)
On y loue des chambres en latin cubicula locanda.
APOLLINAIRE, Alcools, Pl., p. 13.

7 (...) nous voudrions une chambre (...)
— Mais j'ai une chambre à quatre lits. Si ça ne vous gênait pas de coucher dans la même chambre (...)
J. ROMAINS, les Copains, III, p. 108.

7.1 La chambre n'apprit pas grand-chose à Maigret. C'était la chambre type de ce genre d'hôtels, avec son lit de fer, sa vieille commode, son fauteuil à moitié défoncé et sa toilette à eau courante chaude et froide.
G. SIMENON, Maigret chez le ministre, p. 157.

Loc. **CHAMBRE D'AMI, D'AMIS ; CHAMBRE À DONNER :** dans un appartement, Chambre habituellement non occupée et réservée à des invités de passage. **CHAMBRE DE BONNE :** dans les appartements bourgeois, Pièce généralement séparée, souvent située en haut de l'immeuble, et destinée à loger les domestiques. *Il possède deux chambres de bonne qu'il loue à des étudiants. —* Mod. *Chambre de service.*

Milit. → **Chambrée, dortoir.** *Chef de chambre.*

Par métonymie. Mobilier d'une chambre à coucher (lit, sièges, commode...). *Une chambre Louis XV. Acheter un salon et deux chambres dans un magasin de meubles.*

Loc. *Garder la chambre :* ne pas sortir de chez soi, par suite d'une maladie, d'une indisposition.

8 Un mal subit qui le force à garder le lit (...)
(...) Quand je dis le lit, monsieur, c'est la chambre que j'entends.
BEAUMARCHAIS, le Barbier de Séville, III, 2.

*Faire chambre à part :* coucher dans deux chambres séparées. *Quoique jeunes mariés, ils font chambre à part.*

9 Puis, après une nuit passée dans la même alcôve, ils font chambre à part.
ZOLA, Mademoiselle Férat, *in* T. L. F.

Ancienn. Pièce où dormait un prince, un grand. *La Chambre :* la chambre du roi, sous l'Ancien Régime (→ **Chambellan, chambrier**). *Pages de la chambre.*

*Les valets de la chambre du roi.* → aussi Camérier, camérière, camériste.

10 Ce fut un noble, un vicomte, un gentilhomme de la chambre.
P.-L. COURIER, I, 126, *in* LITTRÉ.

(1690). *Musique de la chambre :* musique du petit coucher du roi (d'après l'ital. *camera*).

Loc. (trad. ital.). *Musique de chambre* (au sens 1 de *chambre*). → **Musique** (cit. 19). *Musicien qui pratique la musique de chambre.* → **Chambriste.**

♦ **3** (Du sens 1). Loc. **EN CHAMBRE :** chez soi. (1303). *Travailler en chambre,* se dit d'un ouvrier, d'un artisan qui travaille chez lui et ne tient pas boutique. *Ouvrier, artisan en chambre,* travaillant en chambre.

Maman, qui a tant cousu dans sa vie, abattait la besogne d'une bonne ouvrière en chambre. 11
DUHAMEL, la Confession de Minuit, p. 161, *in* T. L. F.

Par plais. *Théorie élaborée en chambre,* par un amateur. *Stratégie en chambre.*

Loc. Fam. et vx. *Mettre une fille, une femme en chambre,* l'installer dans un logement et l'y entretenir. — *Mettre, tenir qqn en chambre.* → **Chambrer.**

**... DE CHAMBRE,** qui sert dans l'intimité de la chambre. — *Robe* de chambre. — Pot de chambre.* → **Pot** (cit. 16, 17), **vase** (de nuit).

♦ **4** (1576, *homme de chambre*). **VALET, FEMME DE CHAMBRE :** domestiques attachés au service personnel. → **Valet; camérière, caméristе, chambrière.** — Vx. *Fille de chambre.*

♦ **5** (1691, *chambre aux voiles*). Mar. *Chambre de... :* pièce à bord d'un navire. — Absolt. *Chambre :* logement des officiers (par oppos. au *poste d'équipage.* → **Cabine**). *Passagers de chambre,* que l'on traite comme le capitaine. *Passer à la chambre :* se présenter devant le commandant pour une promotion éventuelle, etc.

(...) celui qui commandait ces galères le reçut dans la sienne et le logea dans la chambre de poupe, ravi d'avoir avec lui un homme de sa condition et de son mérite. 12
SCARRON, le Roman comique, II, XIX, p. 285.

La chambre d'une reine ne peut pas être aussi proprement rangée que celle d'un marin (...) 13
A. DE VIGNY, Servitude et Grandeur militaires, I, V, p. 70.

Le novice fait le service de la chambre, c'est-à-dire du carré des officiers. 13.1
J.-R. BLOCH, Sur un cargo, p. 179.

*Chambre des cartes, chambre de navigation. — Chambre de veille* (sur la passerelle).

Techn. *Chambre de tir d'un canon de marine* (→ **Tourelle**). *Chambre des pompes. Chambre des machines.* — (1866). *Chambre de chauffe.* → **Chaufferie.**

♦ **6** (Qualifié ; dans quelques syntagmes). Pièce spécialement aménagée (et ne servant pas à l'habitation).

**a** *Chambre de sûreté :* local disciplinaire dans une gendarmerie. → **Prison.**

*Chambre de torture*.*

**b** (Attesté 1951, calque de l'angl.). **CHAMBRE À GAZ :** pièce pour l'exécution des condamnés à mort, dans certains États des États-Unis.

(...) un peu partout se dressent encore des potences, s'ouvrent des chambres à gaz (...) la chaise électrique comme la statue de la Liberté font partie du mobilier national (...) 13.2
J. PRÉVERT, Choses et autres, p. 242.

Pièce réservée à l'extermination collective par des gaz toxiques (dans certains camps* nazis).

**c** (1930). *Chambre froide, chambre frigorifique.*

(...) nous passons aux chambres froides, salles immenses, désertes, mortelles que nous traversons (...) entre deux haies de bœufs écorchés. 13.3
G. DUHAMEL, Scènes de la vie future, VIII.

**d** *Chambre forte :* pièce blindée où l'on range des objets de valeur. → **Coffre.** — *La chambre des coffres d'une banque.*

**e** Techn. (agric.). *Chambre noire :* enceinte obscure, de taille et de situation variables (salle souterraine, hangar fermé, etc. ; aussi : simple châssis aveuglé par un panneau opaque), utilisée pour le forçage de certains végétaux (endives, en particulier). — REM. Autre sens en optique, photographie, etc. ; voir ci-dessous, III, 1.

♦ **7** Mines. Cavité, galerie. *Exploitation par chambres et piliers.*

♦ **8** Vén. Endroit où les cerfs, les biches se reposent pendant le jour. → **Demeure, reposée.**

**II** ♦ **1** Salle, ensemble de salles où ont lieu les délibérations d'une assemblée. *La chambre du conseil,* dans un tribunal. — Hist. *La Grande Chambre du Parlement. Chambre d'audience.*
Édifice officiel où siège un parlement. *La Chambre des Députés,* à Paris (ou Palais-Bourbon). — Absolt. *Rendez-vous devant la Chambre.*

♦ **2** → **Assemblée, corps** (→ Assembler, cit. 28, 35).
**a** (1388). Dr. Section d'une Cour ou d'un Tribunal judiciaire. *Première, deuxième chambre d'un tribunal. Président de chambre. Chambres de la Cour de cassation : Chambre civile* (statuant sur les pourvois admis par la Chambre des requêtes); *Chambre criminelle* (qui statue sur les pourvois en cassation en matière criminelle ou correctionnelle); *Chambre des requêtes* (qui examine les pourvois en matière civile). *Chambres réunies,* la Réunion des trois chambres de la Cour de cassation (en matière disciplinaire, elles forment le Conseil supérieur de la magistrature). — *Chambres de la Cour d'appel : Chambre des appels correctionnels; Chambre d'accusation. — Chambre commerciale d'un tribunal civil,* en Alsace. — *Chambre correctionnelle du tribunal. — Chambre des vacations :* section du tribunal qui siège pendant les vacances judiciaires. — *Chambres des référés,* où le président juge seul des affaires urgentes.
Ancienn. *Chambre mi-partie. Chambre des comptes. Chambre de justice. Chambre ardente* (→ Ardent, cit. 12). — *Chambre ecclésiastique. Chambre apostolique :* tribunal chargé des affaires concernant le Trésor, les bénéfices* de l'Église. *Président de la chambre apostolique* (→ **Camerlingue**).
**b** (1789, *chambre* ou *chambre des communes,* d'après l'anglais *chamber* de même orig.). Assemblée* législative (→ **Parlement**). *La Chambre des députés est devenue l'Assemblée nationale. Convoquer les Chambres. Dissoudre la Chambre. La majorité, la minorité, la droite, la gauche de la Chambre. Siéger à la Chambre. Les sessions, les débats de la Chambre.*

14 Le seul souverain (dans la Constitution de 1875) était le Congrès, formé de la réunion des deux Chambres.
Ch. SEIGNOBOS, Hist. sincère de la nation franç., XX, p. 454.

*Le Parlement britannique est composé de la Chambre basse ou Chambre des communes et de la Chambre haute ou Chambre des pairs, des lords.*
**c** (1631, *chambre de commerce*). Assemblées s'occupant des intérêts ou de la discipline d'un corps. *Chambre d'agriculture :* chambre départementale, régionale, jouant auprès des pouvoirs publics un rôle consultatif de défense des intérêts agricoles — *Chambre de commerce :* assemblée représentative des commerçants et industriels auprès des pouvoirs publics. — *Chambre de compensation :* réunion des représentants des principales banques (cf. *Clearing house,* anglic.). — *Chambre de discipline; chambre des avoués, des commissaires-priseurs, des huissiers, des notaires... — Chambre de métiers :* corps élu par les représentants d'une profession. — *Chambre syndicale.* — (1697). *Chambre du travail.*

**III** (1414, armement). Cavité, vide, espace naturel ou provoqué à dessein. → **Alvéole, case, cavité, compartiment.** ♦ **1** (*Chambre close,* 1690). Opt., photogr. **CHAMBRE NOIRE :** enceinte fermée où une petite ouverture (avec ou sans lentille) fait pénétrer les rayons lumineux et où l'image des objets extérieurs se forme sur un écran. → **Cliché; photographie.** *Lentille d'une chambre noire.* — REM. Autre sens en technique (agric.). Voir ci-dessus I., 6., e. — *Chambre obscure* (calque de *camera obscura*). — **CHAMBRE CLAIRE :** appareil formé d'un miroir ou d'un prisme et d'un écran, (sur lequel on peut dessiner l'image optique). → 1. **Caméra** (vx). *Utilisation de la chambre claire pour la cartographie à partir de photographies aériennes.*
*Chambre de prise de vues, chambre métrique. — Chambre pliante d'un appareil photo.* → aussi **Caméra.**

♦ **2** (1671). Techn. Cavité qui reçoit des explosifs. → **Fourneau.**
(1414). Boîte mobile destinée à recevoir la charge (gargousse) des pièces d'artillerie.

♦ **3** (1845). Techn. Enceinte (où s'effectue une opération particulière). *Chambre d'explosion, de combustion,* dans une culasse de moteur à explosion. *Chambre de soupape. Chambre de niveau constant* (dans un carburateur, etc.). *Chambre de combustion d'une chaudière. Chambre à vapeur, de vapeur :* espace entre la surface du liquide et le haut de la chaudière. *Chambre à eau.*

♦ **4** (1891). **CHAMBRE À AIR :** boyau* ou tube contenant l'air dans une enveloppe pneumatique. *Chambre à air en caoutchouc* (→ **Pneumatique**; cf. vx Boudin d'air). *Réparer, mettre une pièce à une chambre à air* (→ **Rustine**). *Valve d'une chambre à air. Gonfler une chambre à air.*

♦ **5** (XX^e^). Phys. *Chambre d'ionisation :* détecteur électronique de radiations (premier instrument qui a permis de mesurer la radio-activité). — *Chambre à étincelles. Chambre de Wilson, chambre à brouillard, chambre à bulles,* enceinte destinée à l'étude photographique de la trajectoire des particules élémentaires électriquement chargées. — *Chambre barométrique,* où règne le vide, dans un baromètre.
Acoust. *Chambre d'écho, chambre de réverbération. — Chambre sourde :* dans un laboratoire de mesures acoustiques (moteurs d'avion) ou radioélectriques (mesure des performances des antennes), Local où les parois absorbent partiellement les ondes.

♦ **6** Anat. *Chambres de l'œil :*

On désigne sous le nom de *chambres de l'œil* tout l'espace qui se trouve compris entre le cristallin et la cornée. L'iris, placé en avant du cristallin, divise cet espace en deux parties; 1° une partie antérieure, plus grande, appelée *chambre antérieure,* 2° une partie postérieure, plus petite, appelée *chambre postérieure* (...) les deux chambres communiquent largement entre elles (...) par l'orifice central de l'iris, la pupille. Elles sont remplies l'une et l'autre par l'*humeur aqueuse.* 15
L. TESTUT, Traité d'anatomie, III, I, VIII, III, p. 643.

♦ **7** Sc. nat. *Chambre pollinique :* cavité de l'ovule des gymnospermes — *Les chambres d'une coquille.* → Chambré, 2.

♦ **8** Techn. Vide accidentel produit à la fonte d'une cloche, d'un canon.

♦ **9** Techn. Espace entre deux portes d'écluse.

DÉR. **Chambrée, chambrer, chambrette, chambrier, chambrière.**

**CHAMBRÉ, ÉE** [ʃɑ̃bʀe] adj. — D.i.; de *chambre,* III., 2. et 7.

♦ **1** Techn. *Pièce chambrée,* qui présente des cavités, des chambres. *Un fusil chambré.*

♦ **2** Zool. *Coquille chambrée,* à cavités, à alvéoles.
HOM. **Chambrée, chambrer** (et p. p.).

**CHAMBRÉE** [ʃɑ̃bʀe] n. f. — 1539; fin XIVe, «mesure pour le fourrage»; de *chambre.*

♦ **1** Ensemble des personnes qui couchent dans une même chambre (dortoir). *Chambrée d'enfants.* — Spécialt. *Une chambrée de soldats. Camarades de chambrée. Plaisanteries de chambrée. Chef de chambrée.*

1 Les grandes chambrées des jeunes Lacédémoniens n'étaient que des écoles de l'amitié.
BERNARDIN DE SAINT PIERRE, Harmonies de la nature, III, De l'amitié.

♦ **2** Pièce où logent les soldats (→ **Dortoir**). *Balayer la chambrée. Les chambrées d'une caserne**.

2 Les soldats (...) vivent gaiement en s'associant par chambrées. VOLTAIRE, l'Homme aux quarante écus.

3 Cette salle, il le remarque à présent, se distingue par un détail important des véritables chambrées de casernement militaire : il n'y a pas de planche à paquetage, courant le long du mur, au-dessus des lits.
A. ROBBE-GRILLET, Dans le labyrinthe, p. 106.

♦ **3** (1680). Vx. Personnes rassemblées dans un lieu de réunion, un théâtre (→ **Auditoire**). *Une belle, une brillante chambrée* (Académie).
HOM. **Chambré, chambrer.**

**CHAMBRER** [ʃɑ̃bʀe] v. intr. et tr. — 1678, «loger ensemble»; de *chambre.*

**I** V. intr. ♦ **1** (Vx). Habiter la même chambre. → **Cohabiter.**

1 Plus de façons entre eux; ils chambraient ensemble, et n'eurent qu'un lit et qu'une table.
A.-R. LESAGE, Gil Blas, IX, 8.

♦ **2** (D'un vin). Prendre la température ambiante. → ci-dessous II., 3. *Faire chambrer du vin.*

1.1 Le champagne, versé à petite quantité pour être tenu glacé et ne point chambrer dans le verre, remuait ses bulles blanches dans de l'or liquide.
Pierre HAMP, la Peine des hommes (Moteurs), p. 100.

**II** V. tr. ♦ **1** Vx. Tenir (qqn) enfermé dans une chambre, une pièce. → **Enfermer.**

1.2 Flaubert racontait que pendant ces deux mois, où il est resté chambré, la chaleur lui avait donné comme une ivresse de travail (...)
Ed. et J. DE GONCOURT, Journal, t. V, p. 217.

♦ **2** Fig. **a** Tenir (qqn) à l'écart, isoler (qqn) pour mieux circonvenir, convaincre. → **Endoctriner, envelopper, sermonner.**

2 Les plénipotentiaires de l'Empereur étant enfin arrivés, le 28 novembre, il *(Bonaparte)* les chambra, les pressa, les accula à se compromettre.
Louis MADELIN, l'Ascension de Bonaparte, XIV, p. 207.

3 Tiens, mon marchand de vinasse, s'écria Desmond. Sauve-toi, je vais le chambrer comme un Corton.
COLETTE, la Fin de Chéri, p. 37 (→ ci-dessous le sens 3).

**b** (Fam). *Chambrer (qqn),* se moquer de lui en paroles. → 1. **Charrier** (II., 1.), **railler**; et → Boîte (mettre en).

4 T'es beau, toi, Max. Rentrer! Où ça? Je suis virée!
Virée? Tu me chambres, ou tu te fais des idées?
A. SIMONIN, Touchez pas au grisbi, p. 125.

♦ **3** (1877; donné comme expression helvétique de Neuchâtel, *in* Littré, *Suppl.*). *Chambrer du vin,* le laisser réchauffer légèrement, à la température de la pièce où il doit être consommé. *Chambrer un bourgogne.* Par métaphore → ci-dessus, cit. 3; → aussi I., 2., intransitif.

♦ **4** V. tr. Creuser une cavité, une chambre.

♦ **CHAMBRÉ, ÉE** p. p. adj. *Vin chambré.*

Pas tout à fait assez chambré mon Pontet-Canet 1947. Mais quelle année divine! Mes grands-parents avaient une propriété à Pauillac. 5
Claude MAURIAC, le Dîner en ville, p. 230.

CONTR. **Libérer; contact** (mettre en contact). — **Combler.**
◈ HOM. **Chambré,** adj.; **chambrée.**

**CHAMBRETTE** [ʃɑ̃bʀɛt] n. f. — Fin XIIe; de *chambre.*
Petite chambre*. *Une minuscule chambrette décorée du nom de studio.*

Les solitaires de Martaigne ont quatre chambrettes, un petit jardin (...)
SAINT-SIMON, Mémoires, I, 32, *in* LITTRÉ.

**CHAMBRIER, IÈRE** [ʃɑ̃bʀije, jɛʀ] n. — XIIe, *chamberiere,* au fém. *Erec et Enide*; de *chambre.*
Hist., technique.

♦ **1** N. m. Hist. Officier de la chambre du roi. — Officier chargé de la garde du trésor royal.
(XIIIe). Trésorier (d'une abbaye).

Ainsi la règle bénédictine prévoit-elle sans aucune réticence l'usage du numéraire; elle institue dans les monastères un office particulier, celui du chambrier, à qui revient le maniement de l'argent et qui préside à l'ouverture de l'économie domestique sur l'extérieur et sur les trafics. Georges DUBY, Guerriers et Paysans, p. 58. 1

♦ **2** N. f. Vx. Femme* de chambre. → **Camérière, camériste.**

Il était une vieille ayant deux chambrières. 2
LA FONTAINE, Fables, V, 6.

HOM. (Du fém.) **Chambrière.**

**CHAMBRIÈRE** [ʃɑ̃bʀijɛʀ] n. f. — 1678; de *chambre,* dans... *de chambre* «qui sert à l'usage quotidien».

♦ **1** Techn. Fouet* léger à long manche employé dans les manèges (les cirques, etc.).

♦ **2** (1803). Techn. Support mobile destiné à soutenir une charrette non attelée. → **Béquille.**

♦ **3** Mar. Raban servant à serrer certaines voiles; estrope servant à suspendre une manœuvre levée.
HOM. Fém. de **Chambrier.**

**CHAMBRISTE** [ʃɑ̃bʀist] n. — 1982; de *(musique de) chambre.*
Mus. Musicien qui joue de la musique de chambre. *Les chambristes d'un quatuor à cordes, à vents.*

**CHAMEAU** [ʃamo] n. m. — 1080, *cameil*; du lat. *camelus,* grec *kamêlos.*

**I** Cour. (au sens large). ♦ **1** Mammifère ongulé possédant une ou deux bosses dorsales, un pelage laineux. *On distingue le chameau à deux bosses, ou chameau d'Asie et le chameau à une bosse ou chameau d'Arabie* (→ **Dromadaire** (cit. 1), **méhari**). *La sobriété, l'endurance du chameau. Le chameau est appelé le vaisseau du désert. Transport à dos de chameau. Le chameau, bête de somme des caravanes** (cit. 2). *Du chameau.* → **Camélien,** 1. **Camelin.** *Cri du chameau* (→ **Blatérer**). *Le chameau baraque* (s'agenouille).

Le premier qui vit un Chameau
S'enfuit à cet objet nouveau; 1
Le second approcha, le troisième osa faire
Un licou pour le Dromadaire.
LA FONTAINE, Fables, IV, 10.

Les chameaux destinés à être tués sont blancs comme la neige, et ne sont jamais ni chargés ni fatigués; leur viande est rouge et très grasse; les chamelles ont une grande abondance de lait; les Bédouins en boivent continuellement (...) 1.1
LAMARTINE, Voyage en Orient, Récit de Fatalla Sayeghir (1836), Œ., t. VI, p. 157.

2 Bien que connu pour ma nature obéissante, ponctuelle, et douce, comme Buffon dit du chameau (...)
PROUST, À la recherche du temps perdu, t. XII, p. 80.

**POIL DE CHAMEAU** : tissu en poil de chameau, et, par ext., tissu de laine épaisse. *Manteau, couverture en poil de chameau.*

2.1 Le café s'appelait *Chez Arys.* Il y avait au comptoir un homme très élégant en poil de chameau et Borsalino, qui tenait en laisse un caniche royal gris, taillé comme un jardin de Le Nôtre (...)
R. GARY, Clair de femme, p. 13.

Loc. *Vouloir faire passer un chameau par le trou d'une aiguille.* → **Aiguille.**

♦ **2** Zool. Chameau à deux bosses (opposé à *dromadaire*). *«Chameau, Dromadaire et Lama ne sont connus qu'à l'état domestique»* (*Zoologie*, t. IV, p. 1125; Encyclopédie Pl.).

2.2 Les bêtes de somme se comptaient par milliers. C'étaient des chameaux de petite taille, mais bien faits, poil long, épaisse crinière leur retombant sur le cou, animaux dociles et plus faciles à atteler que le dromadaire.
J. VERNE, Michel Strogoff, p. 265.

♦ **3** (1828; insulte envers une femme). Fig. et fam. Terme injurieux de mépris s'adressant à une personne méchante, désagréable, quel que soit son sexe (→ Garce, cochon, salaud...). *C'est un chameau, un vrai chameau, un sale chameau. Quel chameau.* — Appellatif. *Chameau!, sale type! «Moi négro* (cit.), *(...) mais toi, chameau!»* (Proust). — N. f. Pop. *Ah, la chameau!* — Adj. *Ce qu'il (elle) est chameau!*

3 Ah! le chameau! répétait la grande Virginie. Qu'est-ce qui lui prend, à cette enragée-là!
ZOLA, l'Assommoir, I, p. 28.

**II** ♦ **1** (1722, du néerl. *kameel* «chameau»). Mar. Combinaison de caissons à air aidant à soulever un navire pour lui faire franchir des hauts fonds.

♦ **2** Argot. Table d'examen gynécologique (A. Sarrazin, *la Cavale, in* Cellard et Rey).

**DÉR. Chamelier, chamelle, chamelon.**

**CHAMELIER, IÈRE** [ʃaməlje, jɛʀ] n. m. et adj.
— 1430, A. Chartier; de *chameau.*

♦ **1** Personne qui conduit les chameaux et dromadaires et en prend soin. — REM. Le fém. *chamelière* est virtuel.

1 J'entendis le cri du chamelier qui conduisait une caravane éloignée. CHATEAUBRIAND, Itinéraire..., t. II, p. 34.

♦ **2** Adj. *Chamelier, ère.* Qui concerne les chameaux, est utilisé par les chameaux. *Piste chamelière.*

2 Selon Abdallah, le convoi d'armes devait franchir la frontière imprécise et contestée du Sahara marocain anciennement espagnol, entre deux heures et trois heures du matin, en empruntant une piste chamelière abandonnée qui passait très près du puits ensablé de Zaïr.
Jean LARTÉGUY, les Prétoriens, p. 644.

**CHAMELLE** [ʃamɛl] n. f. — XIIe; *camoille,* de *chameau.*

Femelle du chameau (1. ou 2.). *Lait de chamelle. Une chamelle et son chamelon.*

(...) une chamelle qui vient de mettre bas, et qui s'en va vers le campement, suivie de son chamelet que poussent, avec des branches, deux petits Arabes dont la figure n'arrive pas au derrière du petit chameau.
MAUPASSANT, la Vie errante, V, Vers Kairouan, p. 263.

REM. Le mot *dromadaire* étant masculin, on utilise en général le mot *chamelle* pour marquer le sexe, dans toute la famille des camélidés.

**CHAMELON** [ʃamlɔ̃] ou **CHAMELET** [ʃamlɛ] n. m.
— 1845, *chamelon; chamelet,* 1877; de *chameau.*

Rare ou didact. Petit du chameau et du dromadaire.

On ne voit jamais le chamelon jouer et se divertir, comme font les poulains, les veaux et les autres petits des animaux. Il est toujours grave, mélancolique, marchant lentement et ne hâtant le pas que lorsqu'il est pressé par son maître.
HUC, Souvenirs d'un voyage dans la Tartarie. ..., t. I, p. 332 (1850).

**CHAMÉROPS** ou **CHAMÆROPS** [kameʀɔps] n. m.
— 1615; lat. *chamærops,* grec *khamairôps,* proprement «buisson à terre».

Bot. Plante monocotylédone *(Palmiers). Chamærops humilis,* ou *palmier* nain. Chamærops excelsa,* dont la hauteur peut atteindre une dizaine de mètres. — On trouve aussi la graphie *chamerops.*

**CHAMITO-SÉMITIQUE** [kamitosemitik] adj. et n. m.
— D. i. (XXe; in *Larousse du XXe s.,* art. *Chamitique*); de *chamitique, de Cham,* deuxième fils de Noé (→ Hamitique), et *sémitique;* le terme aurait été créé en all. par K. Lepsius, v. 1860; cf. angl. *hamito-semitic,* 1908.

Didact. Relatif à la famille de langues à laquelle appartiennent l'hébreu, l'égyptien, le phénicien, l'arabe, le berbère, et le couchitique (Afrique orientale).

N. m. *Le chamito-sémitique* : l'ensemble de ces langues.

**CHAMOIS** [ʃamwa] n. m. — 1170, *camois,* «objet en peau de chamois»; du bas lat. *camox* (Ve), mot préroman (des Alpes).

♦ **1** Mammifère ongulé *(Bovidés-Caprinés),* à cornes recourbées, vivant dans les montagnes. *Les chamois vivent par petits troupeaux sur les pentes des hautes montagnes. Chamois des Pyrénées.* → **Isard.** *L'agilité du chamois. Chasser le chamois.*

Corneille est comme les bouquetins et les chamois de nos montagnes, qui bondissent sur un rocher escarpé et descendent dans des précipices. 1
VOLTAIRE, Lettres à d'Argental, 25 févr. 1763.

Les animaux qui fréquentaient ces hauteurs — et les traces ne manquaient pas — devaient nécessairement appartenir à ces races, au pied sûr et à l'échine souple, des chamois ou des isards. J. VERNE, l'Île mystérieuse, t. I, p. 12. 2

♦ **2** Peau préparée du chamois. — Par ext. Le côté chair de la peau de mouton, de chèvre, etc., après tannage à l'huile (→ **Chamoisage**). — *Gant de chamois.*

Par anal. *Peau de chamois* [podʃamwa] : tissu duveteux et souple pour frotter l'argenterie, etc. → **Chamoisine; chamoisette** (régional). — Ellipt. *Faire briller la carrosserie de sa voiture avec un chamois.*

♦ **3** Adj. invar. (1781, *in* D. D. L.). *Couleur chamois, chamois* : jaune clair. *Une robe, des robes chamois. Papier chamois.* → **Chamoisé,** 2.

♦ **4** (1933, *in* Petiot). Test de performance de l'École de ski français, slalom spécial en temps imposé. — Titre sanctionnant la réussite à ce test, autorisant le port de l'insigne correspondant; cet insigne. *Chamois de bronze, d'argent, de vermeil, d'or. Titre immédiatement inférieur au chamois.* → **Cabri.**

Le Chamois d'or est attribué aux concurrents qui font un temps inférieur à 105% du temps de base. C'est donc une épreuve difficile et on peut dire que les chamois d'or sont d'excellents skieurs. Jean FRANCO, le Ski, p. 53. 3

Skieur, skieuse titulaire du chamois. *C'est une pente que même un chamois d'argent descendrait avec difficulté.*

**DÉR. Chamoiser, chamoisette, chamoisine.**

**CHAMOISAGE** [ʃamwazaʒ] n. m. — 1808; de *chamoiser.*

Techn. Ensemble d'opérations par lesquelles on rend certaines peaux (mouton, chèvre, etc.) aussi souples que la peau du chamois véritable (→ **Tannage :** tannage à l'huile). *Opérations de chamoisage :* lavage (dessaignage), reverdissage, mise en chaux, débourrage, effleurage, écharnage, mise en confit, foulage, échauffe, remaillage, dégraissage, séchage.

**CHAMOISER** [ʃamwaze] v. tr. — Fin XIVe, *camoisser;* repris en 1780; de *chamois.*

Techn. Préparer par chamoisage* (une peau — de chamois ou d'une autre bête).

◆ **CHAMOISÉ, ÉE** p. p. adj.

♦ **1** *Cuir, peau chamoisé(e),* traité(e) par chamoisage.

♦ **2** D'une couleur chamois. *«Un manteau jaune chamoisé»* (Huysmans).

DÉR. **Chamoisage, chamoiserie, chamoiseur.**

**CHAMOISERIE** [ʃamwazʀi] n. f. — 1723; de *chamoiser.*

Technique.

♦ **1** Lieu, atelier où s'effectue le chamoisage.

♦ **2** Industrie, commerce des peaux chamoisées.

**CHAMOISETTE** [ʃamwazɛt] n. f. — XXe; de *chamois.*

Régional (Belgique). Petit chiffon duveteux pour épousseter, astiquer. → **Chamoisine.**

Entre les diverses phases de l'opération, savonnage, rinçage, lustrage à la chamoisette, elle rentrait se chauffer les mains. Vera FEYDER, Caldeiras, p. 17 (1982).

**CHAMOISEUR** [ʃamwazœʀ] n. m. — 1723; de *chamoiser.*

Techn. Ouvrier spécialiste du chamoisage.

**CHAMOISINE** [ʃamwazin] n. f. — 1952; de *chamois.*

Techn. Pièce de coton duveteux, souvent jaune, servant au nettoyage des surfaces lisses à faire briller (meubles, argenterie; carrosseries). → **Chamois** (2.); (Belgique) **chamoisette.**

Amélie rouvrit son carnet et s'absorba dans la liste des articles à commander au grossiste de Sallanches : savon de Marseille, savon noir, papier hygiénique, chamoisines.
H. TROYAT, Tendre et violente Élizabeth, p. 374.

1. **CHAMP** [ʃɑ̃] n. m. — 1080; du lat. *campus* «plaine, terrain cultivé». → Camp.

Espace ouvert et plat. → **Campagne, terrain.**

**I** ♦ **1** Pièce de terre* propre à la culture (et généralement, affectée à une culture particulière). *Sciences relatives à la culture des champs.* → **Agriculture, agrologie, agronomie.** *Cultiver, labourer, emblaver, semer un champ.* → **Agricole** (opérations). *Culture d'un champ; un champ de navets, de betteraves, de blé, de pommes de terre, de trèfle, de luzerne.* → **Culture; aspergerie, câprière, chènevière, emblavure, fougeraie, fourragère, garancière, genêtière, genévrière, guéret, houblonnière, luzernière, melonnière, ravière, rizière, ronceraie, roseraie, tréflière,** et aussi **pâturage, prairie, pré.** *Des champs plantés d'arbres.* → **Plantation, verger.** *Bornes, lisières d'un champ. Irriguer un champ. Champ toujours humide.* → **Mouillère.** *Champ moissonné.* → **Chaume.** *Champ dont on a brûlé les herbes.* → **Brûlis.** *Champ fertile, stérile, en friche, en jachère. Champ d'expérimentation,* pour les expériences agricoles sur les engrais ou les variétés de plantes. *Champ d'épandage*. Superficie* d'un champ, calculée en hectares, en ares.*

Nous cultivions en paix d'heureux champs, et nos mains 1
Étaient propres aux arts ainsi qu'au labourage (...)
LA FONTAINE, Fables, XI, 7.

Antoine regardait avec ravissement de chaque côté du 2
chemin les champs hersés, déjà verdissants, et, sous le ciel clair de l'horizon (...) les coteaux de l'Oise (...)
MARTIN DU GARD, les Thibault, t. I, p. 158.

Par métaphore :

Dans le champ du public largement ils moissonnent. 3
CORNEILLE, Cinna, II, 1.

♦ **2** (XIIIe). Au plur. **LES CHAMPS :** toute étendue rurale, par oppos. à *ville, village, habitation.* → **Campagne,** III. (Surtout dans : *aux champs, des champs*). *La vie des champs; les travaux des champs.* → **Agreste, agricole, arvicole, champêtre, rural; campagnard, paysan.** — (Dans des syntagmes caractéristiques). *Rat des champs :* campagnol*. *Fleurs des champs,* par oppos. à *fleurs de jardin.* — Loc. fig. *La clé* des champs. Donner à qqn; prendre la clé des champs :* libérer qqn; s'enfuir. — *Aux champs. Aller, mener les bêtes aux champs.* — *Dans les champs. Le champi*, enfant trouvé dans les champs.* — Loc. *En pleins champs :* au milieu des cultures. *Marcher, passer la nuit en pleins champs.* — Loc. fig. (vx). *Courir les champs :* se promener, errer (→ Battre la campagne). *Son esprit court les champs. Il est fou à courir les champs.* — *À travers champs :* hors des chemins. *Couper à travers champs.* — Au fig. *Se sauver à travers champs :* esquiver une question, détourner une conversation.

Poét. Étendue, pays. *Les champs azurés :* l'air.

Ô rives du Jourdain, ô champs aimés des Cieux. 4
RACINE, Esther, I, 2.

Loc. Au sing. En plein champ. Techn. *Culture en plein champ* (opposé à *hors-sol*).

♦ **3** Qualifié, dans des syntagmes. Étendue, espace.
**a** Concret. *Champ de foire*. Champ de course* (1867), *de courses*.* → **Hippodrome.** — Vx (av. 1835, *Académie*). *Champ des morts* (syn. pop. : *champ d'oignons, de navets* (1867)). → **Cimetière.** — Milit. *Champ de manœuvres,* où l'on fait manœuvrer les troupes. *Champ de tir,* où des soldats peuvent s'exercer au tir (→ Marqueur, cit. 1). — *Champ de mines,* espace de terrain miné, constituant un obstacle.
**b** Myth., hist. *Les champs Élysées.* → **Élysée,** 3. — *Champ de Mai, champ de Mars,* lieu où se tenaient les assemblées franques de mai, de mars; ces assemblées. *Champ de Mars,* à Rome, Lieu de réunion et d'exercices militaires, à fonction politique et religieuse. *Champ-de-Mars,* à Paris, La «plaine de Grenelle», devenue en 1765 champ de manœuvres.
**c** Contexte du combat. (XIVe; on employait *camp* (1080), *champ,* dans ce sens). *Champ de bataille.* → **Bataille,** *infra* cit. 12.2. — *Champ d'honneur.* → **Honneur,** *infra* cit. 62. — Hist. *Champ d'armes,* lieu de combats réglés, puis de carrousels, joutes et tournois (→ ci-dessous, 4.). — Loc. (plur.). Milit. *Aux champs,* batterie ou sonnerie pour rendre les honneurs. → **Battre,** II., 3.

Je pense aux gloires communes des champs de bataille du 5
passé, depuis le siège d'Orléans que délivra Jeanne d'arc, jusqu'à Valmy où Goethe reconnut qu'une ère nouvelle se levait sur le monde.
Ch. DE GAULLE, Mémoires de guerre, p. 610, *in* T. L. F.

Géogr. et cour. Espace caractérisé. *Champ de dunes. Champ de neige, de glace. Champ de pétrole, champ pétrolifère.* — Géol. *Champ de fracture* (réseau de cassures du sol).

♦ **4 CHAMP CLOS :** lieu formé de barrières, enceinte où avaient lieu les duels, les tournois... → **Arène, carrière, lice.** *Se battre en champ clos* (→ **Champion).**

6 Il défit, en champ clos, tous ceux qui se proposèrent. Plus de vingt fois on le crut mort.

FLAUBERT, Trois contes, «La légende de St Julien l'Hospitalier», II.

Champ (même sens). Vx, sauf dans quelques emplois. *Ouvrir le champ,* y faire entrer les combattants. *Laisser le champ libre :* se retirer, et, fig., donner toute liberté (cf. Carte blanche). *Prendre du champ :* reculer dans la lice pour prendre de l'élan; (1939, *sport*) : distancer qqn; fig. : prendre du recul, du temps.

♦ **5** Blason. *Champ d'un écu,* le fond. *Lion d'or en champ d'azur.*

Par anal. *Le champ d'un tableau, d'une médaille, d'une monnaie,* la face que l'on peint, que l'on creuse, que l'on cisèle. → **Champlever.**

6.1 Le tableau composé successivement de *pièces de rapport,* achevées avec soin et placées à côté les unes des autres, paraît un chef-d'œuvre et le comble de l'habileté, tant qu'il n'est pas achevé, c'est-à-dire tant que le champ n'est pas couvert : car finir, pour ces peintres qui finissent chaque détail en le posant sur la toile, c'est avoir couvert cette toile. E. DELACROIX, Journal, avr. 1854, t. II, p. 337.

**II** Fig. **A** ♦ **1** Domaine (où s'exerce une action). → **Aire, carrière, domaine, matière, occasion, perspectives,** 3. **sujet** (II., 3.), **zone.** *Champ d'action, d'activité.* → **Sphère.** *Champ d'observation* (cit. 6). *Donner libre champ à son imagination, à sa colère. Le champ immense des hypothèses. Le champ des découvertes. Agrandir le champ de la connaissance humaine.* → **Cercle.** *Champ d'une science, d'un art.*

7 L'érudition est bien loin d'être un mal : elle agrandit le champ de l'expérience et l'expérience des hommes et des choses est la base du talent.

Max JACOB, Conseils à un jeune poète, p. 32.

8 Toujours et toujours recommencer les mêmes efforts, dans un champ d'action ridiculement étroit!

MARTIN DU GARD, les Thibault, t. IV, p. 137.

♦ **2** Loc. adv. **SUR-LE-CHAMP.** → **Aussitôt, comptant, délai** (sans délai), **désemparer** (sans désemparer), **heure** (sur l'heure), **immédiatement.** *Partir sur-le-champ. La question fut réglée sur-le-champ.*

9 (...) il fallait parler et parler sur-le-champ, trouver les idées, les tours, les mots au moment du besoin, avoir toujours l'esprit présent, être toujours de sang-froid, ne jamais me troubler un moment.

ROUSSEAU, les Confessions, XII.

**À TOUT BOUT DE CHAMP** (fam.) : à tout instant. → **Bout** (cit. 44, 45).

**B** Sc., techn. Espace limité (concret ou abstrait) réservé à certaines opérations ou doué de propriétés. ♦ **1** (1753). *Champ des instruments d'optique* : secteur dont tous les points sont vus dans l'instrument. Champ d'une lentille, d'un miroir. Angle de champ. — Profondeur* de champ* (aussi en photo, cinéma, → ci-dessous). — Physiol. *Champ du regard, champ de fixation :* portion de l'espace que l'on peut regarder par rotation de l'œil autour de sa position normale. — *Champ auditif tonal. Champ olfactif. — Champ récepteur :* territoire occupé par l'ensemble des récepteurs sensoriels en relation avec une cellule nerveuse.

Cour. **CHAMP VISUEL :** espace qu'embrasse l'œil immobile, et comprenant une zone centrale, une zone moyenne et une zone périphérique. *Champ de l'accommodation.*

10 (...) elle se détourna, et d'un air indifférent et dédaigneux, se plaça de côté pour épargner à son visage d'être dans leur champ visuel (...)

PROUST, À la recherche du temps perdu, t. I, p. 192.

(1911). Portion d'espace dont l'image est enregistrée par une caméra, un appareil de photo (en photo, au cinéma, etc.). *Le champ de la caméra. Être dans le champ. Sortir du champ. — Être hors du champ. Une voix hors champ.* → **Off,** 1. (anglic.). *Un hors-champ :* une prise de vue hors du champ prévu. — Spécialt (par oppos. à *contrechamp**). Prise de vue effectuée dans le sens de la scène filmée. *Champs et contrechamps.*

On cadre Gary Cooper qui sort en plan général. Il traverse presque entièrement le champ pour jeter un coup d'œil dans la ville morte et là (plutôt que de faire un contrechamp sur celle-ci, puis un troisième plan du visage de Gary Cooper regardant), un travelling latéral recadre Gary Cooper qui s'est immobilisé face à la ville abandonnée. 11

J.-L. GODARD, *in* Cahiers du cinéma, nº 92, févr. 1959, «Man of the west» d'Anthony Mann.

♦ **2** (1879). **CHAMP OPÉRATOIRE,** ou **CHAMP :** zone dans laquelle on pratique une opération, et, par ext., compresses stériles qui limitent cette zone. *Poser des champs.*

♦ **3** Anat., embryol. *Champs morphogénétiques de l'embryon.* → **Territoire.** *Champs du cortex, champs corticaux.*

♦ **4** Phys. Zone où se manifeste un phénomène magnétique ou électrique, un système de forces; portion de l'espace où la force appliquée en un point dépend de sa position seule. *Champ électrique, champ magnétique; champ de force d'un aimant. Champ magnétique terrestre.* → **Géomagnétisme.** — *Champs de gravitation*.* — *Ligne de champ :* ligne de force d'un champ.

♦ **5** Math. Ensemble des valeurs que les variables d'un système peuvent prendre (à l'exclusion de tout autre). *Champ scalaire, vectoriel.*

♦ **6** Fig. *Le champ de la conscience :* contenu de la conscience à un moment donné.

♦ **7** Ling. Ensemble structuré (de notions, de sens, de mots). *Champ conceptuel, notionnel. Champ sémantique* (d'après l'all. *Begriffsfeld,* Just Trier). *Champ lexical.*

Si nous considérons le *champ sémantique* global (c'est-à-dire la société entière comme champ de significations, avec des lieux divers, des centres et noyaux disséminés), nous constatons des transformations appréciables. 12

Henri LEFEBVRE, la Vie quotidienne dans le monde moderne, p. 120.

DÉR. et COMP. **Champart, champi, champlever, échampir, contre-champ.** ◊ HOM. **Chand,** 1. et 2. **chant.**

2. **CHAMP** [ʃɑ̃] n. m. → 2. **Chant.**

**CHAMP'** ou **CHAMPE** [ʃɑ̃p] n. m. — 1857, *in* Esnault; abrév. de *champagne.*

Argot fam. Champagne. *Une rouille* (bouteille) *de champ'.*

(...) il apportait du «champe» afin d'arroser mon retour.

Francis CARCO, Ombres vivantes, p. 207.

1. **CHAMPAGNE** [ʃɑ̃paɲ] n. f. — Xe; du lat. pop. **campania,* de *campus.* → Campagne.

♦ **1** Géogr. Plaine crayeuse ou calcaire. *La champagne de Saintonge.* Gén. Étendue de terre cultivée, ouverte.

Appos. (cour.). *Fine champagne :* eau-de-vie provenant de la *Grande* ou de la *Petite Champagne,* premiers crus de la région de Cognac.

♦ **2** (1360). Blason. Tiers inférieur de l'écu (→ Plaine).

2. **CHAMPAGNE** [ʃɑ̃paɲ] n. m. — 1695 ; abrév. de «vin de *Champagne*».

♦ **1** Vin blanc de Champagne, rendu mousseux sans introduction de gaz (→ **Champagnisation**). *Champagne d'Ay* (→ **Ay**), *de Châlons-sur-Marne, d'Épernay, de Reims... Caves à champagne creusées dans la craie.* → **Crayère.** *Champagne nouveau fait avec la mère goutte.* → **Tocane.** *Champagne à mousse peu abondante.* → **Crémant.** *Champagne léger.* → **Tisane** (de champagne). *Le secouage des bouteilles de champagnes. — Bouteille de champagne* (→ **Champenoise**). *Boire une coupe, une flûte de champagne. Sabler* le champagne. Verre de champagne que l'on aspire avec une paille.* → **Soyer.** *Champagne frappé.* → **Frapper.** *Un seau à champagne. Faire sauter un bouchon de champagne. Battre son champagne,* pour en faire partir le gaz carbonique. *Fouet à champagne. — Champagne brut* (non sucré), *sec* (→ **Dry**), *demi-sec. Champagne rosé.* — Abrév. fam. → **Champ'.**

1 (...) oisifs et jouisseurs, engraissés de la sueur du peuple et sablant le champagne avec des filles de joie.
MARTIN DU GARD, les Thibault, t. V, p. 213.

2 Pendant un moment elle battit son champagne en silence (...) S. DE BEAUVOIR, les Mandarins, p. 53.

(Abusif). Vin mousseux préparé selon la méthode champenoise ; vin champagnisé. *Du champagne californien, soviétique* (Crimée).

♦ **2** Vin de Champagne (en général). *Du champagne rouge de Bouzy.* → **Bouzy.**

CHAMPAGNE NATURE : vin blanc sec de Champagne, non champagnisé ; ou crémant de Champagne.

♦ **3** Adj. invar. (1905, *in* D. D. L.). De la couleur du champagne. *Une robe de crêpe champagne. Un diamant champagne,* jaune-brun clair.

3 Cette femme était vêtue de linon rose à revers jonquille, avec bas de soie champagne brut, ombrelle bleue et blanche.
GIRAUDOUX, les Aventures de Jérôme Bardini, p. 34.

DÉR. **Champagniser.**

**CHAMPAGNISATION** [ʃɑ̃paɲizasjɔ̃] n. f. — 1878 ; de *champagniser.*

Procédé de préparation des vins de Champagne, rendus mousseux par mise en bouteille avant la seconde fermentation (méthode étendue à des vins d'autres origines). *Champagnisation par la méthode champenoise.*

**CHAMPAGNISER** [ʃɑ̃paɲize] v. tr. — 1839 ; de 2. *champagne.*

Traiter (les crus de Champagne) pour en faire du champagne (1.). — Traiter (un vin d'autre origine) de manière analogue. — Au p. p. *Vins champagnisés de Californie* (dits abusivt «*champagnes*»). *Champagne non champagnisé :* champagne nature (→ 2. **Champagne,** 2.).

DÉR. **Champagnisation.**

**CHAMPART** [ʃɑ̃paʀ] n. m. — 1270 ; comp. de *champ,* et *part.*

♦ **1** Hist. Droit féodal* qu'avaient les seigneurs de lever une partie de la récolte de leurs tenanciers.

(...) en France le champart ou la tâche furent spécifiques des tenures créées par défrichement.
Georges DUBY, Guerriers et Paysans, p. 228.

♦ **2** Vx ou régional. Mélange de froment, de seigle et d'orge. → **Méteil.**

**CHAMPENOIS, OISE** [ʃɑ̃pənwa, waz] adj. et n. — V. 1200 ; de *Champagne.*

De la Champagne, province de France. *La région champenoise. La méthode champenoise de vinification.* → **Champagnisation.** — *Bouteille champenoise,* ou, n. f., *une champenoise,* bouteille de forme homologuée, au verre épais, utilisée pour les vins de Champagne. *Le magnum* contient deux champenoises, le jéroboam en contient quatre, etc.* (→ **Bouteille**).

**CHAMPÊTRE** [ʃɑ̃pɛtʀ] adj. — XIe ; du lat. *campestris,* de *campus.* → Champ ; campagne.

Vieilli ou littéraire. Qui appartient aux champs, à la campagne cultivée. → **Agreste** (cit. 1), **arcadien** (1.), **bucolique, pastoral, rural, rustique.** *Vie champêtre. Travaux champêtres :* travaux des champs. — Mod. *Plaisirs, divertissements champêtres. Bal*, repas* champêtre.*

On s'élève à la ville dans une indifférence grossière des choses rurales et champêtres.
LA BRUYÈRE, les Caractères, VII, 21.

(Dans un contexte mythologique, antique). *Les faunes*, divinités champêtres. Musiques champêtres ; une flûte champêtre* (→ **Chalumeau**).

Loc. GARDE CHAMPÊTRE. → 2. **Garde,** 1.

**CHAMPI** ou **CHAMPIS, ISE** [ʃɑ̃pi, iz] n. et adj. — 1390 ; encore vivant au XVIe dans l'usage général (par ex., Montaigne) et au XIXe dans les parlers régionaux (Berry : G. Sand) ; de 1. *champ.*

Régional et vieux. Enfant trouvé dans les champs. → **Bâtard.** *François le Champi,* roman de George Sand (1849). — Adj. *Enfant champi.*

— Un instant, dit mon auditeur sévère, je t'arrête au titre. *Champi* n'est pas français. 1
— Je te demande bien pardon, répondis-je. Le dictionnaire le déclare *vieux,* mais Montaigne l'emploie et je ne prétends pas être plus Français que les grands écrivains qui font la langue. Je n'intitulerai donc pas mon conte François l'Enfant-Trouvé, François le Bâtard, mais François *le Champi* (...)
G. SAND, François le Champi, Avant-propos, p. 20.

Au fém. *Une champi* ou *une champise.*

Et tout à coup, dans le ramas d'avortons chassieux, scrofuleux, têtes de misère et de vice, au-dessus de ces malheureuses petites *champises,* il revoyait, sous des cheveux frisés et fins dépassant le triste chapeau de paille, la fière et mélancolique figure... 2
Alphonse DAUDET, la Petite Paroisse, p. 25.

**CHAMPIGNON** [ʃɑ̃piɲɔ̃] n. m. — 1398 ; issu, par changement de suffixe, de l'anc. franç. *champignuel* (*canpegneus* au XIIe), du lat. pop. **campaniolus* «champignon des champs» (→ Campagnol), de *campania* (→ 1. Champagne), qui a supplanté le lat. class. *fungus* (→ Fongus).

**I** Cour. ♦ **1** Végétal sans feuilles, formé d'un pied généralement surmonté d'un chapeau, à nombreuses espèces, comestibles ou vénéneuses, et qui pousse rapidement, surtout dans les lieux humides. *Pied, chapeau des champignons. Cueillir, ramasser des champignons. Cultiver des champignons.* → **Champignonniste, myciculteur.** *Faire sécher, mettre au vinaigre, en conserve des champignons. Champignons lyophilisés* (→ **Lyophiliser**). *Manger un plat de champignons. Croûte, sauce, omelette aux champignons. Champignons à la grecque. — Champignons comestibles.* → **Agaric, amanite** (coucoumelle, golmotte, oronge), **bolet** (cèpe), **chanterelle** (girolle), **clavaire, coprin, coulemelle, farinier, fistuline** (langue-de-bœuf, foie-de-bœuf), **helvelle, hérisson, hydne** (bosselé, imbriqué), **lactaire** (délicieux, taché ; oreillette), **morille, mousseron, pleurote, potiron, psalliote** (boule-de-neige), **rousset** (certaines variétés), **russule** (charbonnière), **souchette, truffe.** *Champignon de couche, champignon de Paris :* agaric* champêtre, cultivé sur couches. → **Champignonnière.** *Semence de champignon de couche.* → **Blanc** (de champignon). *Champignons mortels, toxiques, vénéneux.* → **Amanite** (panthère; tue-mouches ou fausse-oronge; amanite phalloïde, amanite printanière, amanite vireuse [espèces mortelles]), **bolet** (amer, satan), **hypholome, lactaire** (roux, visqueux), **rousset, russule** (émétique), **volvaire.** — *Champignons sylvestres. Champignons des bois, des prés* (→ **Rosé-des-prés**), *des sables.*

0.1 Nous nous arrêtions dans chaque forêt pour cueillir des champignons, car vous distinguez tous les champignons non vénéneux, du mousseron aux cocherelles.
GIRAUDOUX, Siegfried et le Limousin, p. 234.

1 (...) pour peu qu'une tiède averse ait filtré sous l'aiguillée, les champignons soulèvent leur chapeau. Le lactaire délicieux laisse couler son sang, le lactaire poivré gonfle au bord des ornières sa blancheur farineuse et grasse. Violette, la russule au cuir lisse traverse les pâles «ronds de sorcières» où se plaît l'hydne écailleux. Le marasme épanouit sa minuscule corolle, sur un pied si aigu qu'il semble une aiguille morte piquée dans l'épaisse jonchée. Roux et blancs, roses, bais, orangés, verdâtres, les champignons dans l'ombre luisent comme des gemmes (...) Il faut les toucher de la main pour sentir leur élasticité vivante et la douceur de leur chair nue, les meurtrir pour respirer leur arome puissant et fin, où le sous-bois tout entier est enclos. Immobiles, presque minéraux, ils évasent leur conque veinée comme un beau marbre (...)
M. GENEVOIX, Forêt voisine, VI, p. 61-62.

Loc. fig. *Pousser comme un champignon,* avec une grande facilité, une grande rapidité. → **Champignonner.** → Pousser, cit. 52. — (1911, *in* D. D. L.). *Ville-champignon,* qui se développe très vite.

2 Quelques-unes de ces villes tentaculaires devinrent *(au XIXe siècle)* des villes géantes comme les grandes capitales modernes. Nulle part les cités n'ont poussé aussi rapidement que les villes-champignons *(mushroom cities)* aux États-Unis (...)
Paul REBOUD, Précis d'Économie politique, t. I, p. 121.

REM. L'usage courant emploie *champignon* surtout pour désigner les espèces qui comportent la forme caractéristique avec pied et chapeau (d'où le sens 2) ; mais parfois aussi pour d'autres formes de champignons supérieurs, comestibles (morille) ou non. On ne dirait cependant pas spontanément de la truffe qu'elle est un champignon (alors qu'elle l'est pour le botaniste).

Par anal. d'emploi. Végétal à goût et à emploi culinaire comparable. *Champignons chinois* (algues).

♦ **2** Fig. **a** (1639). Vieilli. Renflement spongieux d'une mèche qui brûle mal.

**b** (1931, *in* Petiot). Fam. Pédale d'accélérateur (à l'origine, tige surmontée d'un chapeau). → **Accélérateur.** *Appuyer sur le champignon :* accélérer.

**c** *Champignon d'un portemanteau :* saillie pour accrocher les chapeaux. → **Portemanteau.** *Mettre son chapeau au champignon.* — *Champignon de modiste.* → **Forme.**

**d** Techn. Rond de tôle à l'extrémité d'une cheminée ou d'un tuyau pour en abriter l'orifice. — Partie supérieure d'un rail, renflée. — Sorte de vasque renversée qui fait retomber en nappes les eaux d'une fontaine jaillissante.

**e** Spécialt. → **Cairn.**

**f** *Champignon atomique :* nuage de forme caractéristique (colonne sphérique surmontée d'un nuage hémisphérique) qui s'élève après une explosion atomique.

3 (...) la forteresse volante *Enola-Gay* du capitaine Paul W. Tibbets qui devait faire surgir (...) le 6 août, à 9 h 15 du matin, un champignon d'une monstrueuse réalité : éclair, nuages, fumées, vent, explosion, pluie diluvienne, flammèches, mort par désagrégation, radiation, irradiation, mort continue, mort lente, lèpre et chancre, plaies, brûlures, crevaison.
B. CENDRARS, Bourlinguer, p. 117.

**II** Bot. Classe de plantes cryptogames cellulaires *(Thallophytes)* dépourvues de chlorophylle ainsi que de racines, de tiges et de feuilles et incluant, outre les champignons au sens I, 1, qui sont munis d'un appareil «massif», des formes unicellulaires et filamenteuses. → **Acotylédone, agame, cryptogame; fong(i)-, -myce, myci-, myco-, -mycète, mycét(o)-.** *Étude des champignons.* → **Mycologie.** *L'appareil végétatif du champignon est un thalle* généralement filamenteux cloisonné ou non* (→ **Hyphe, siphon**) *constitué par le mycélium*. La partie aérienne* (→ **Carpophore**) *de certains champignons supérieurs* (ou *massue*) *se présente le plus fréquemment sous la forme d'un parasol; on y distingue le pied* (*pédicule* ou *stipe*) *portant parfois à la base un renflement (bulbe) entouré parfois d'une volve*, reste du voile* général, et surmonté d'un chapeau. Le chapeau du champignon, en dôme ou en entonnoir, est garni en dessous de lames* (ou *feuillets*) *verticales ou de tubes étroits soudés entre eux ou de piquants. Anneau, bague, collier, collerette du champignon :* reste de la membrane *(voile),* qui, avant le complet développement du chapeau, en recouvre la face inférieure. *Matière cireuse qui saupoudre les champignons.* → **Pruine.** *Fructification des champignons.* → **Périthèce, spermogonie.** *Cavité du champignon renfermant les organes de reproduction.* → **Réceptacle** (pycnide, etc.). *Cellules reproductrices des champignons.* → **Asque, baside,** et aussi **paraphyse, spore** (conidie, sporidie), **thèque; oospore.** *Symbiose de l'algue et du champignon.* → **Lichen.** — *Champignons microscopiques.* → **Moisissure, mycorhize, oïdium, pénicilline.** *Maladies provoquées par des champignons.* → **Carie, charbon, ergot, mildiou, muguet, mycose, rouille.** *Médicaments qui détruisent les champignons.* → **Antifongique, antimycosique; antibiotique.** *Les levures sont des champignons.* → **Levure; saccharomyces.** *De nombreux champignons sont saprophytes*, symbiotes ou parasites*.* → **Amadouvier, empuse, fuligo, mycorhize, oïdium, pénicillium, polypore, rhizoctone, spumaire.**

*Classement des champignons* (d'après F. Moreau) : *Champignons primitifs, unicellulaires, à spores souvent flagellées :* Chytridiales (ex. : *Olpidium* [parasite du lin, etc.]).

*Champignons à cellules mobiles flagellées :* a) flagelle postérieur unique : Blastocladiales, Monoblépharidales; b) deux flagelles : Saprolégniales, Péronosporales (ex. : *Phytophthora, Plasmopara*) [parasites, saprophytes].

*Champignons sans flagelles* (plus évolués) : — *Zygomycètes* (Mucorales, Endogonales, etc.) [saprophytes ou parasites]; — *Champignons supérieurs,* caractérisés par la caryogamie «dangeardienne» (de Dangeard) : A. *Champignons à asques* ou *Ascomycètes* :* Aspergillales (ex. : *Aspergillus, Penicillium*); Érysiphales (Oïdium); Pyrénomycétales (ex. *Claviceps,* responsable de l'ergot du seigle); Discomycétales (ex. : *Pézizes, Morilles, Helvelles; Truffes*); Ascomycètes sans périthèce (Taphrinales, Endomycétales, Saccharomycétales ou Levures); B. *Champignons à protobasides* (Protobasiomycètes) : Urédinales (parasites, responsables des rouilles); Ustilaginales (responsables des «charbons»); C. *Champignons à basides* ou *Basidiomycètes** (champignons au sens courant; env. 15 000 espèces) : — a) à basides cloisonnées (ex. : *Oreille de Judas; Trémelles*); — b) à basides non cloisonnées (ou continues) : 1. Hyménomycètes, à hyménium lisse (Clavaires, Chanterelles, Craterelles), à hyménium à pores et à tubes (Polypores, Bolets), à hyménium à piquants (Hydnes), à hyménium à lames (Agarics, Amanites, Lépiotes, Pleurotes, Coprins, Russules, Lactaires, Tricholomes); 2. Gastromycètes, à hyménium interne (Lycoperdon, Clathrus, Phallus).

DÉR. **Champignonner, champignonnière, champignonniste.**

**CHAMPIGNONNER** [ʃɑ̃piɲɔne] v. intr. — XX^e; «se boursoufler», 1771; de *champignon.*

Rare. Pousser vite et proliférer à la manière des champignons.

(...) le premier Parisien avait été bientôt suivi d'un second, puis d'un troisième; et à mesure que propriétés, maisons, villas et pavillons champignonnaient sur le plateau, la méfiance, puis l'hostilité étaient nées entre les villageois du cru et les immigrants.

Roger IKOR, les Fils d'Avrom, Prologue, p. 15 (1955).

**CHAMPIGNONNIÈRE** [ʃɑ̃piɲɔnjɛʀ] n. f. — 1694, *Académie*; de *champignon.*

Lieu, généralement souterrain, où l'on cultive les champignons sur couche. — La couche de fumier ou de terreau préparée pour la culture des champignons (de Paris).

**CHAMPIGNONNISTE** [ʃɑ̃piɲɔnist] n. — 1866; de *champignon.*

Didact. Personne qui cultive les champignons (les champignons de Paris, en particulier). → **Myciculteur.**

**CHAMPION, CHAMPIONNE** [ʃɑ̃pjɔ̃; ʃɑ̃pjɔn] n. — 1080, *campiun; championne,* au XVI^e; issu, par l'interm. du lat. médiéval *campio,* du germanique **kampjo,* de **kamp* «lieu du combat», empr. au lat. class. *campus* au sens de «champ de bataille» (→ 1. Champ; camp).

**I** ♦ **1** N. m. Anciennt. Celui qui combattait en champ clos pour soutenir sa cause ou celle d'autrui. *Choisir, fournir un champion pour un combat singulier. Champions lançant les premiers défis dans un tournoi.* → **Tenant.**

Par ext. Vx et fam. Au plur. Rivaux qui se battent. → **Combattant.**

1 Tandis que coups de poing trottaient,
Et que nos champions songeaient à se défendre (...)

LA FONTAINE, Fables, I, 13.

♦ **2** N. Mod. Concurrent, concurrente, dans une lutte sportive. → **Concurrent.**

2 (...) ils entrent dans l'arène, les *pelotaris,* les six champions parmi lesquels il en est un en soutane, le vicaire de la paroisse.

LOTI, Ramuntcho, I, IV, p. 55.

♦ **3** (1855, *in* Petiot). Athlète, sportif, sportive qui remporte une épreuve sportive particulière (championnat*). *Il est champion du monde en titre. Champion olympique. Le champion du monde des milourds* (boxe). *Le champion a défendu, sauvé, perdu son titre.* → **Tenant** (du titre); **challengeur** (anglic.). *La championne d'Europe du cent mètres brasse.* — (1906, *in* Petiot). Appos. *L'équipe champion (du monde, d'Europe); l'équipe championne* (plus cour.). Athlète (homme ou femme) ou équipe titulaire du titre de champion. *L'ancienne championne du cent mètres nage libre dames.*

Athlète de grande valeur (indépendamment des compétitions, des victoires et des records). *Tous les champions du ski sont réunis pour cette épreuve. Collectionner les photos des champions. Ce n'est pas un champion, mais il nage bien. Les champions de tennis.*

Par analogie :

Il se mit en tête d'être champion de triage de laines et le fut en quinze jours. 3

A. MAUROIS, Bernard Quesnay, XXXIV, p. 234.

♦ **4** Fam. Personne, groupe remarquable dans un domaine. → **As.** *C'est une championne dans son genre. C'est le champion de la gaffe.* — (Choses). *Ce film est champion au box-office.*

En interj. *Champion! :* Bravo!

Adj. invar. (personnes et actes). *Pour ce qui est de taper les copains, il est champion!* (on dit aussi : *c'est un champion*). *Elle est champion, cette fille-là! — C'est champion, c'est un coup champion.* — Ellipt. *Ce morceau, mon vieux, champion!,* c'est remarquable.

(...) qui donc était président de la République? Deschanel, mais non : c'était sous Millerand, Deschanel déjà depuis deux ans (...) et c'est d'ailleurs cette année-là qu'il meurt, le mois, ça je ne sais pas. 3.1
Fait rien. C'est déjà champion. Si on songe à ce que tout le monde sait de l'année vingt-deux!

ARAGON, Blanche..., I, II, p. 33.

**II** (1552). Fig. (de I., 1.) et littér. → **Défenseur.** *Un champion de la foi. Se faire le champion d'une juste cause.*

(...) un orateur des plus distingués, l'avocat ou plutôt le champion, le chevalier intrépide et brillant d'une cause. 4

SAINTE-BEUVE, Causeries du lundi, 5 nov. 1849.
→ Avocat, cit. 16.

Elle avait *(la France)* d'abord, malgré tout, la sympathie des peuples : elle s'était, en 1789, faite le champion de la liberté : elle avait, en abattant les tyrans, brisé les fers des esclaves. 5

Louis MADELIN, Talleyrand, IV, XXVIII, p. 298.

DÉR. et COMP. **Championnat. Super-champion.**

**CHAMPIONNAT** [ʃɑ̃pjɔna] n. m. — 1859, *in* Petiot; de *champion.*

Rencontre, épreuve sportive officielle à l'issue de laquelle un concurrent vainqueur est proclamé champion. *Participer à un championnat. Championnat d'Europe d'athlétisme. Championnat de France, des États-Unis. Championnat annuel; championnat national, championnat du monde; championnat junior, senior. Les épreuves éliminatoires, les quarts de finale, les demi-finales, la finale d'un championnat. Les championnats internationaux de France de tennis. — Championnats de club, championnats départementaux, régionaux* (en France). → aussi **Coupe.**

**CHAMPLEVER** [ʃɑ̃ləve] v. tr. — 1753, *Encyclopédie;* comp. de *champ,* et *lever.*

♦ **1** Techn. Travailler (une surface) en enlevant au burin le champ* autour d'un motif, d'une figure que l'on réserve, pour obtenir des blancs, des reliefs. *Champlever une plaque d'argent, une plaque de bois.*

Spécialt (émaillerie). Pratiquer des alvéoles dans (un support métallique) pour y incruster à chaud de la pâte d'émail.

Au p. p. *Émaux champlevés,* sur support champlevé, par oppos. aux *émaux* dits *cloisonnés*.*

♦ **2** Former, dessiner (une figure) en champlevant une surface (en particulier, une surface destinée à être émaillée).

**CHAMPOING, CHAMPOUINER, CHAMPOUINEUR** → **Shampooing, shampooiner, shampooineur.**

**CHAMPOREAU** [ʃɑ̃pɔʀo] n. m. — Mil. XIX^e; de l'esp. *champurro* «mélange de liqueurs».

♦ **1** Anciennt. Boisson chaude à base de café et d'alcool.

♦ **2** Régional. Bouillon additionné de vin rouge.

**CHAMSIN** [χamsin] n. m. → **Khamsin.**

**CHANÇARD, ARDE** [ʃɑ̃saʀ, aʀd] adj. et n. — 1859; de *chance,* et suff. *-ard* (→ Veinard).

Fam. Qui a de la chance. → **Chanceux.** *Il n'est pas très chançard.* N. *Un sacré chançard, une chançarde.* → **Veinard.**

(...) un de ces déchets comme en laisse derrière elle toute guerre et auprès desquels les morts peuvent se considérer comme des chançards (...)
Claude SIMON, le Vent, p. 138.

**CHANCE** [ʃɑ̃s] n. f. — V. 1175, *chaance; caanche,* 1200, «manière dont tombent les dés»; du lat. pop. **cadentia,* plur. neutre du p. prés. de *cadere* «tomber». → Choir; cadence.

♦ **1** Vx. Façon dont tombent les dés. — Loc. *Donner la chance :* jeter les dés le premier; fig., avoir l'initiative de quelque chose. — *Rompre la chance :* faire manquer une affaire.

♦ **2** (XIIIe). Mod. (littér. ou style soutenu). Manière (heureuse ou malheureuse) dont les choses, les événements se produisent. → **Aléa, fortune, hasard, sort.** *La chance des armes. Nous en courrons la chance.* — Cour. *Souhaiter bonne chance,* et, absolt, *Bonne chance! — La bonne chance. Une heureuse chance. La mauvaise chance. Faire cesser la mauvaise chance. La chance m'est favorable. Mettre la chance de son côté pour réussir.* → **Atout** (mettre les atouts dans son jeu).

Loc. *La chance a tourné :* les choses ont changé.

1 Que si d'un sort affreux la maligne inconstance
Vient par un coup fatal faire tourner la chance (...)
BOILEAU, Satires, IV.

2 La chance peut tourner. Patience et persévérance peuvent beaucoup.
Louis MADELIN, Hist. du Consulat et de l'Empire, L'avènement de l'Empire, XVIII, p. 232.

*Un concours de chances favorables* (→ Circonstance, condition, conjoncture).

3 Tu dis : «Nous étions nés l'un pour l'autre». Mais pense à ce qu'il dut falloir de chances, de concours, de causes, de coïncidences pour réaliser ça, simplement, notre amour!
Paul GÉRALDY, Toi et Moi, p. 36.

3.1 Par une heureuse chance, nous tombons à Sibut le jour du marché mensuel.
GIDE, Voyage au Congo, *in* Souvenirs, Pl., p. 718.

♦ **3** (XVIIIe). Cour. CHANCES : possibilités de se produire par hasard. → **Éventualité, possibilité, probabilité.** *Calculer ses chances. Les chances pour qu'un événement se produise. Il y a beaucoup de chances pour... il y a des chances* (fam. *Y a des chances*), c'est probable. *Il y a des chances qu'il réussisse; il y a peu de chances qu'il y arrive. Vous avez quelques chances de réussir. Les chances sont favorables, défavorables* (→ 2. **Auspice**). — Occasionnellement. *Saisir les chances* → ci-dessous (cit. 5).

4 Tous, tant que nous sommes, nous n'avons à nous que la minute présente; celle qui la suit est à Dieu : il y a toujours deux chances pour ne pas retrouver l'ami que l'on quitte : notre mort ou la sienne. Combien d'hommes n'ont jamais remonté l'escalier qu'ils avaient descendu!
CHATEAUBRIAND, Mémoires d'outre-tombe, I, VII.

5 La guerre et le jeu enseignent ces calculs de probabilités qui font saisir les chances sans s'user à les attendre toutes.
FRANCE, le Jardin d'Épicure, p. 67.

6 Il y a des chances pour qu'il en soit ainsi et vous voilà à peu près fixés sur un des côtés de la question.
COURTELINE, Petit historique de Boubouroche, p. 9.

7 Quant à la jeunesse, — excusez-moi, — toutes les chances de se tromper sont nécessairement avec elle.
VALÉRY, Mon Faust, p. 74.

7.1 Ah! pour ça, monsieur le maire, riait bêtement Parju, y a des chances.
A. ALLAIS, l'Affaire Blaireau, p. 24.

♦ **4** *(La chance).* Résultat heureux, heureux hasard, fortune favorable. → **Aubaine, bonheur, étoile, fortune** (bonne fortune), **heur** (vx), **veine.** *Avoir de la chance* (cf. Retomber sur ses pieds; jouer de bonheur; avoir le vent dans ses voiles). *Avoir beaucoup de chance. Avoir la chance de... Il a eu une sacrée chance de s'en sortir. Avoir une chance de cocu,* une chance extraordinaire. *Il aura de la chance s'il s'en tire. La chance lui sourit.* → Aimer (être aimé des dieux), coiffer (il est né coiffé; les fées ont soufflé sur lui), étoile (être né sous une bonne étoile), favorisé... — Loc. *Porter chance.* → **Bonheur** (porter bonheur); **porte-chance.** *Avoir la chance de réussir. Il a eu de la chance* (cf. Il est bien tombé). *Il n'a pas de chance,* et, absolt, *pas de chance! manque de chance!* (fam. *de bol, de pot*). — *Coup de chance :* chance, occasion heureuse et inattendue. *La chance de qqn, sa chance.* — Iron. *Voilà bien ma chance!* (ma malchance).

8 Ce qui tendrait à prouver qu'il n'y a que les choses les plus notoirement folles qui viennent à bonne fin, qu'il y a une chance pour les fous, un Dieu pour les téméraires.
LOTI, Aziyadé, III, L, p. 149.

9 (...) vous avez de la chance de n'avoir aucun antécédent pathologique du côté respiratoire!
MARTIN DU GARD, les Thibault, t. IX, p. 110.

10 Le bonheur et la chance ont une merveilleuse acoustique (...)
GIRAUDOUX, Bella, VII, p. 165.

11 La chance (...) En ce temps-là, on l'a beaucoup attendue, avec Schborn, en courant de rue en rue. Et le soir venu, on l'attendait encore, fidèles (...) On guettait. Le petit brin de veine. Que ça se décide. Ça ne venait pas.
Louis CALAFERTE, Partage des vivants, p. 79.

*Une chance :* une occasion favorable. *Guetter une chance de... C'est une chance, c'est encore une chance.*

CONTR. **Déveine, guignon, malchance.** ◇ DÉR. et COMP. **Chançard; chanceux. — Malchance.**

**CHANCEL** [ʃɑ̃sɛl] n. m. — Mil. XIIe; var. *chanseau, chanceau,* XIVe; → Cancel.

♦ **1** Archit. Balustrade d'un chœur d'église (syn. vieilli : *cancel*).

Partie du chœur contenant le maître autel (entourée par le chancel). *Les ambons*, tribunes de prédication faisant saillie de part et d'autre du chancel.*

(...) et le chaos redoutable au fond entrait dans le chaos de la nuit, obscurant le public si serré, si étouffé contre la barrière du *chancel,* que les prêtres, dans la foule, retournaient avec la langue les pages de leur *Semaine Sainte.*
Éd. et J. DE GONCOURT, Madame Gervaisais, p. 102.

♦ **2** (1845). Hist. → **Cancel** (2.).

**CHANCELANT, ANTE** [ʃɑ̃slɑ̃, ɑ̃t] adj. — XIIe; de *chanceler.*

♦ **1** Qui chancelle. → **Chanceler.** *Marcher d'un pas chancelant. Démarche chancelante.* — (D'un objet). Peu solide.

1 Et lorsque, tout fumant d'une vineuse haleine,
Sur vos pieds chancelants vous vous tenez à peine (...)
J. F. REGNARD, le Distrait, I, 6.

1.1 Amusante et un peu dangereuse traversée d'une très belle rivière, sur un pont chancelant et à demi ruiné.
GIDE, Voyage au Congo, *in* Souvenirs, Pl., p. 776.

♦ **2** Fig. Faible, peu assuré, fragile. → **Incertain.** *Santé chancelante. Voix chancelante. Autorité chancelante. Empire chancelant. Esprit chancelant. Avoir une foi chancelante; une vertu, une volonté chancelante.*

2 (...) ces esprits faibles et chancelants, qui se laissent aller inconstamment à pratiquer comme bonnes les choses

qu'ils jugent après être mauvaises.
DESCARTES, Discours de la Méthode, III.

3 (...) Mon cœur devient faible, et mon corps chancelant.
MOLIÈRE, Sganarelle, 10.

4 Si mon écriture est un peu chancelante (...) c'est que j'ai froid aux doigts. Mme DE SÉVIGNÉ, 591, 23 oct. 1676.

5 J'ai trouvé son courroux chancelant, incertain (...)
RACINE, Athalie, III, 3.

6 Je la vis retenir dans ses mains assurées
De l'État chancelant les rênes égarées (...)
VOLTAIRE, Sémiramis, II, 4.

7 Ma santé, longtemps chancelante, semblait s'affermir.
G. DUHAMEL, Biographie de mes fantômes, V, p. 78.

CONTR. **Assuré, décidé, ferme, fort.**

**CHANCELER** [ʃɑ̃sle] v. intr. [CONJUG.: *appeler.*] — 1080; du lat. *cancellare* «clore d'un treillis»; évolution de sens obscure.
Littér. ou style soutenu.

♦ **1** Vaciller sur sa base, pencher de côté, et d'autre comme si on allait tomber. → **Branler, flageoler, flotter, tituber, trébucher, vaciller** (cf. Affermir, cit. 2). *Il chancelle comme un homme ivre. Chanceler de faiblesse. La bête farouche chancelle.* → Picador, cit. 1.

1 La bouche du juste profère la sagesse
et sa langue exprime la justice.
La loi de son Dieu est dans son cœur;
ses pas ne chancellent point.
BIBLE (CRAMPON), Psaumes, XXXVII, 30-31.

2 Il frissonne, il chancelle, il trébuche, il expire.
CORNEILLE, Attila, V, 6.

2.1 (...) je chancelais, je perdais à tout moment l'équilibre; il s'extasiait à chacun de mes trébuchements (...)
SADE, Justine..., t. I, p. 42.

3 Dès le premier pas, le malheureux chancela et vint tomber sur la croupe de la bête qui fit tête-à-queue.
M. BARRÈS, la Colline inspirée, XIII, p. 209.

♦ **2** Par métaphore ou fig. Être menacé de ruine, de chute. *Le trône chancelle.* → **Trembler.**
Hésiter. *Sa mémoire, son assurance chancelle.*

4 Le drame de Shakespeare marche avec une sorte de rythme éperdu; il est si vaste qu'il chancelle; il a et donne le vertige (...) HUGO, William Shakespeare, II, I, V.

5 (...) la pensée de l'Allemagne chancelait et ne savait au juste où se fixer.
JAURÈS, Hist. socialiste, t. V, la Révolution en Europe, p. 115.

6 La France s'élève, chancelle, tombe, se relève, se restreint, reprend sa grandeur, se déchire, se concentre, montrant tour à tour la fierté, la résignation, l'insouciance, l'ardeur, et se distinguant entre les nations par un caractère curieusement personnel.
VALÉRY, Regards sur le monde actuel, Images de la France, p. 116.

CONTR. **Affermir** (s'), **dresser** (se), **fixer** (se), **tenir** (bon, ferme)... ◊ DÉR. **Chancelant, chancellement.**

**CHANCELIER** [ʃɑ̃səlje] n. m. — 1050; du lat. *cancellarius* «huissier de l'empereur».

♦ **1** Anc. dr. Fonctionnaire royal ayant la garde et la disposition du sceau de France. → **Justice** (ministre de la Justice); **connétable.** *Dignité de chancelier.* → **Cancellariat; archichancelier.**

1 Les chanceliers n'étaient pas nobles par leur charge, ils avaient besoin de lettres d'anoblissement.
VOLTAIRE, Lettre à Damilaville, 13 févr. 1763.

♦ **2** Mod. Celui qui est chargé de garder les sceaux. *Le chancelier d'un consulat, d'une ambassade,* celui qui dispose des sceaux, et les appose sur les passeports et pièces diplomatiques.

*Le grand Chancelier de l'ordre de la Légion d'honneur :* le chef de l'ordre qui appose le sceau sur les brevets. — *Chancelier de l'Académie française,* celui qui gardait le sceau de l'Académie et qui aujourd'hui préside les séances en l'absence du directeur. — *Chancelier d'un évêché :* ecclésiastique qui dispose du sceau de l'évêque.

♦ **3** (Angl. *Chancellor*). *Chancelier de l'Échiquier* : en Angleterre, le ministre des Finances.

(...) si je désire avoir une voix pour l'élection du chancelier 1.1
de l'Échiquier ou du premier lord de l'Amirauté, je suis un bon citoyen!
A. MAUROIS, les Silences du colonel Bramble, p. 35.

♦ **4** Premier ministre (dans certains pays, Autriche, Allemagne fédérale). *Le chancelier allemand.*

(...) le chancelier autrichien a roulé le nôtre, comme il a 2
roulé toutes les chancelleries d'Europe (...)
MARTIN DU GARD, les Thibault, t. VII, p. 17.

♦ **5** *Chancelier de l'Université,* dignité équivalant à celle de recteur*.
REM. Le fém. (→ Chancelière, I.) désignant en principe l'épouse d'un chancelier, on dirait *chancelier* en parlant d'une femme.

DÉR. **Chancelière, chancellerie.** ◊ COMP. **Archichancelier; vice-chancelier.**

**CHANCELIÈRE** [ʃɑ̃səljɛʀ] n. f. — 1762; sens 1; 1611; de *chancelier.*

**I** Épouse d'un chancelier.

**II** Vieilli. Boîte ou sac ouvert, fourré à l'intérieur, et servant à tenir les pieds au chaud (équivalent du manchon).

(...) le bûcher qui flambait clair et la cheminée, l'ample chancelière où plongeaient, accotés, les pieds de M. de la Hourmerie (...)
COURTELINE, Messieurs les ronds-de-cuir, 1er tableau, II, p. 32.

**CHANCELLEMENT** [ʃɑ̃sɛlmɑ̃] n. m. — XIVe; de *chanceler.*
Le fait de chanceler. *Chancellement dû au vertige.* — Fig. *«Les derniers chancellements de ton âme»* (Gide).

**CHANCELLERIE** [ʃɑ̃sɛlʀi] n. f. — 1174, «charge de chancelier»; de *chancelier.*

♦ **1** Anciennt. Les bureaux, la résidence d'un chancelier. *La grande, la petite chancellerie royale.* — Mod. Services du ministère de la Justice.

♦ **2** Spécialt. *La chancellerie d'un consulat, d'une ambassade.*
*Lettres expédiées en chancellerie. Droit de chancellerie :* taxe perçue à l'occasion d'un acte qui relève de la compétence du chancelier. — *Style de chancellerie :* style diplomatique.

♦ **3** *Grande chancellerie :* ensemble des services placés sous l'autorité du grand Chancelier de la Légion d'honneur.

♦ **4** *La chancellerie du Vatican :* service administratif où l'on délivre les actes concernant le gouvernement de l'Église.

**CHANCEUX, EUSE** [ʃɑ̃sø, øz] adj. — 1606; de *chance.*

♦ **1** Vx ou régional. (Choses). Qui est soumis au caprice de la chance, du hasard. → **Aléatoire, aventureux, hasardeux, incertain.** *Une entreprise, une affaire chanceuse et même dangereuse.*

1 Le père n'exigea aucune promesse, sachant bien que ces promesses-là sont chanceuses, et ne voulant point compromettre son autorité (...)
G. SAND, la Petite Fadette, XXIX, p. 192.

♦ **2** Mod. (Personnes). Qui est favorisé par la chance. — Cour. (franç. du Canada). Qui a de la chance. → **Favorisé** (du sort), **heureux**; fam. **chançard, veinard, verni**; argot, **bidard.**

2 Ainsi George Sand retombait sur ses pieds, comme une chatte adroite et chanceuse.
A. MAUROIS, Lélia, VII, VI, p. 413.

3 Vous êtes chanceux de vivre toute l'année dans la beauté des grands bois.
Jean-Yves SOUCY, Un dieu chasseur, p. 64.

CONTR. **Assuré, certain, sûr. — Malchanceux.**

**CHANCI** [ʃɑ̃si] n. m. — 1694, adj.; de *chancir.*

♦ **1** Vx. Moisi; moisissure. *Une odeur de chanci* (Richepin, *in* T. L. F.).

♦ **2** Techn. Affection des cultures de champignons de couche, due à des moisissures.

♦ **3** Bx-arts. Détérioration du vernis d'un tableau, due à la présence de moisissures.

**CHANCIR** [ʃɑ̃siʀ] v. intr. — 1508; de l'anc. franç. *chanir* «blanchir» altéré d'après *rancir;* du lat. *canere,* de *canus* «blanc».

Rare. Présenter des traces de moisissures*. → **Gâter** (se), **moisir, pourrir.** On dit dans le même sens *se chancir. Ces confitures chancissent, se chancissent.*

◆ **CHANCI, IE** p. p. adj. Moisi. *Peinture chancie,* altérée par des moisissures. → **Chanci, n. m.**

(...) deux ou trois de ces toiles chancies et couvertes d'une fleur de moisissure présentaient des tons de cadavre en décomposition (...)
Th. GAUTIER, le Capitaine Fracasse, t. I, I, p. 8.

DÉR. **Chanci, chancissure.**

**CHANCISSURE** [ʃɑ̃sisyʀ] n. f. — 1539; de *chancir,* d'après *moisissure.*

Rare. Moisissure de ce qui a chanci.

**CHANCRE** [ʃɑ̃kʀ] n. m. — 1256, *cranche;* du lat. *cancer* «ulcère». → Cancer.

♦ **1** Méd., anciennt. Petit ulcère ayant tendance à ronger les parties environnantes. → **Ulcère; phagédénisme.** — Mod. Érosion ou ulcération de la peau ou d'une muqueuse, au premier stade de certaines maladies infectieuses (surtout vénériennes). *Chancre vénérien.* → **Syphilis.** *Chancre mou.* → **Chancrelle.** *Chancre induré, infectant. Chancre blennorragique.*

1 Vingt à trente jours après la contamination, apparaît le *chancre,* à l'endroit même où s'est fait le contact infectant, sous l'apparence d'un petit «bobo» très insignifiant. Ce n'est même pas une ulcération, mais plutôt une érosion plane, à peine suintante, arrondie, rouge et indolore.
P. VALLERY-RADOT, le Grand Mystère de la Cellule..., p. 132.

1.1 Il s'agit d'un homme âgé de 51 ans, M......, pilote à bord d'un aéroplane. Dans ses antécédents personnels nous relevons plusieurs accès de paludisme et un chancre syphilitique il y a cinq ans.
B. CENDRARS, Moravagine, *in* Œ. compl., t. IV, p. 255.

Loc. fam. *Manger comme un chancre :* manger avec excès, par comparaison avec un chancre, qui tend à gagner, à «dévorer» les chairs saines. — Par ext. *C'est un vrai chancre, ce mec!* → **Morfal.**

♦ **2** Bot. *Chancre des arbres :* plaie vive de l'écorce provoquée par un champignon ascomycète.

♦ **3** Par métaphore ou fig. Ce qui ronge, dévore, détruit. → **Fléau, vice.** *La vénalité est un chancre qui dévore ce pays* (Académie).

Nous avons, il est vrai, nations corrompues, 2
Aux peuples anciens des beautés inconnues :
Des visages rongés par les chancres du cœur (...)
BAUDELAIRE, «Spleen et Idéal», V.

DÉR. **Chancrelle, chancreux.**

**CHANCRELLE** [ʃɑ̃kʀɛl] n. f. — 1861; de *chancre.*

Pathol. Maladie vénérienne (aussi appelée *chancre simple* ou *chancre mou*), due à un bacille, et qui se présente sous la forme d'une ulcération assez profonde et molle de la verge ou de la vulve, avec tuméfaction des ganglions de l'aine (bubon chancrelleux).

DÉR. **Chancrelleux.**

**CHANCRELLEUX, EUSE** [ʃɑ̃kʀelø, øz] adj. — 1878; de *chancrelle.*

De la nature du chancre simple. *Bubon chancrelleux.*

**CHANCREUX, EUSE** [ʃɑ̃kʀø, øz] adj. — 1314; de *chancre.*

♦ **1** Qui est de la nature du chancre (1.). *Ulcère chancreux.*

♦ **2** Qui est atteint par le chancre (2.). *Arbre chancreux.*

**CHAND** [ʃɑ̃] n. m. — D. i.; aphérèse de *marchand.*

Fam. et vx. → **Marchand.** *Chand d'habits! Chand de vin.*

(...) après vingt minutes d'attente il eut pu voler jusqu'au premier chand de vins.
MONTHERLANT, Pitié pour les femmes, p. 65.

COMP. **Chandail.** ◊ HOM. **Champ, chant** (1. et 2.).

**CHANDAIL** [ʃɑ̃daj] n. m. — Fin XIXe; de *chand* (marchand) *d'ail,* nom du tricot porté par les vendeurs de légumes aux Halles.

Gros tricot de laine s'enfilant par la tête et couvrant le torse. *Des chandails. Chandail à col roulé, en V. Chandail à motif Jacquard.* → **Pull-over, tricot.** — Vx. *Chandail de coureur cycliste.* → **Maillot.** *Chandail de sport* (→ 1. Barbeau, cit. 2).

Il était habillé, comme la première fois, d'un chandail blanc à col roulé. Un de ces chandails à côtes torsadées, en laine brute qu'en Irlande tricotent les femmes des marins, avec un dessin propre à chaque famille et qui sert à identifier les corps des hommes noyés, que la mer rejette.
Geneviève DORMANN, le Bateau du courrier, p. 87.

**CHANDELEUR** [ʃɑ̃dlœʀ] n. f. — 1119, *chandelur;* du lat. pop. *candelarum,* dans *festa candelarum* «fête des chandelles», de *candela.*

Dans la religion catholique, Fête de la Présentation de Jésus-Christ au Temple, et de la Purification de la Vierge Marie. *Au cours de la cérémonie religieuse de la Chandeleur, les fidèles font bénir des cierges. La Chandeleur se fête le 2 février. Les crêpes de la Chandeleur.*

**CHANDELIER** [ʃɑ̃dəlje] n. m. — 1160; de *chandelle.*

**I** ♦ **1** Support destiné à recevoir les chandelles, les cierges, les bougies. → **Bougeoir, candélabre, flambeau, girandole, lustre, martinet, torchère.** *Chandelier de cuivre, d'argent, de cristal, de bois. La bobèche* d'un chandelier. Chandelier à plusieurs branches. Chandelier d'église.* — Spécialt. *Le chandelier à sept branches* : dans la religion juive,*

*Chandelier qui servait au culte dans le saint du temple.*

1 Lorsque tu placeras les lampes sur le chandelier, c'est sur le devant du chandelier que les sept lampes donneront leur lumière. BIBLE (CRAMPON), Nombres, VIII, 2.

2 (...) Les prêtres (...) entretenaient les lumières de dix chandeliers à sept branches (...)
DANIEL-ROPS, le Peuple de la Bible, III, I, p. 196.

Loc. (style biblique). *Mettre la lumière sur le chandelier,* la rendre visible pour tous.

3 Personne n'allume une lampe pour la mettre dans un lieu caché ou sous le boisseau, mais on la met sur le chandelier, afin que ceux qui entrent voient la lumière.
BIBLE (SEGOND), Évangile selon saint Luc, XI, 33.

♦ **2** (XVIIe). Techn. Support, étai. *Chandeliers de tranchée ou de blinde, de batayole :* pieux verticaux dans une tranchée. — Mar. Barre de fer destinée à soutenir les bastingages, les fanaux...

3.1 Grâce à un copain équipé d'un poste à soudure, j'ai ajouté trois chandeliers sur chaque bord afin de rehausser la filière au voisinage du gouvernail (augmentation de ma sécurité pendant les réglages de la girouette).
Bernard MOITESSIER, Cap Horn à la voile, p. 174.

♦ **3** (De *tenir la chandelle**). Vx. Personne sur qui on attire la jalousie de qqn (mari, etc.). → **Paravent.**

3.2 Et pourquoi à ce personnage ce nom baroque chandelier ? – Eh ! Mais, c'est que c'est lui qui porte la...
A. DE MUSSET, le Chandelier, I, 1.

**II** (1294). Vx. *Chandelier, ière.* Celui, celle qui fabrique et vend de la chandelle.

4 (...) Pour moi, j'aime mieux qu'Émile ait des yeux au bout de ses doigts que dans la boutique d'un chandelier.
ROUSSEAU, Émile, II.

**CHANDELLE** [ʃɑ̃dɛl] n. f. — 1119, *chandeile;* du lat. *candela,* même sens.

♦ **1** Anciennt. Appareil d'éclairage formé d'une mèche* tressée enveloppée de suif. → **Bougie, flambeau, oribus;** argot, **calbombe, camoufle.** *Industrie des chandelles. Chandelle à la baguette, au moule. Blanchiment des chandelles. Papier de chandelle, papier chandelle,* papier de mauvaise qualité pour envelopper les chandelles. *S'éclairer à la chandelle. Appareil servant de support à une chandelle.* → **Chandelier.** *Allumer la chandelle. Souffler la chandelle.* → **Éteindre; éteignoir.**

1 (...) je crie toujours : «Voilà qui est beau», devant que les chandelles soient allumées.
MOLIÈRE, les Précieuses ridicules, 9.

2 Décidément c'était le jour ; elle alla, par économie, souffler sa chandelle et puis revint s'asseoir.
LOTI, Mon frère Yves, LIV, p. 135.

*Bout de la mèche d'une chandelle.* → **Lumignon.** *Moucher la chandelle avec une mouchette :* couper l'extrémité de la mèche qui est consumée. *Moucheur de chandelles.*

3 Elle n'était pas laide, quoique si maigre et si sèche qu'elle n'avait jamais mouché de chandelle avec les doigts que le feu n'y prit.
SCARRON, le Roman comique, I, IV, p. 10.

*Chandelle d'église.* → **Cierge.** *Bout de chandelle* (voir ci-dessous figuré).

♦ **2** Loc. fig. *Moucher la chandelle :* remplir des fonctions subalternes ; et aussi : moucher un enfant dont le nez coule ; → ci-dessous 4. — *Moucher une chandelle à trente pas :* tirer très bien au pistolet. *Brûler, offrir, devoir une chandelle à Dieu,* en signe de reconnaissance. — Loc. fig. *Devoir une chandelle à qqn :* avoir des obligations envers celui qui nous a rendu un grand service. *Il lui doit une fière chandelle.*

3.1 – Le fait est que si nous en échappons, nous devrons une belle chandelle à Notre-Dame des Glaces ! répondit Aupic.
J. VERNE, Un hivernage dans les glaces, p. 241.

*Un bout de chandelle.* — Loc. *Faire des économies de bout de chandelles,* des économies sordides, insignifiantes. — *Brûler la chandelle par les deux bouts :* dépenser trop (→ **Bout,** cit. 16). — *En voir trente-six chandelles,* se dit des lueurs que l'on aperçoit, de l'éblouissement que l'on ressent à la suite d'un coup violent reçu sur la tête (var. : *cent mille chandelles*).

(...) l'hôtesse reçut un coup de poing dans son petit œil qui lui fit voir cent mille chandelles (c'est un nombre certain pour un incertain) et la mit hors de combat. 4
SCARRON, le Roman comique, II, VII, p. 192.

La langue fourmille d'images usées, qui sont demeurées des noms (...) Il n'est que de considérer le mot *chandelle.* C'est un produit presque hors d'usage, au moins dans les villes : on n'en continue pas moins à parler de *brûler la chandelle par les deux bouts, d'économiser sur les bouts de chandelle, de voir trente-six chandelles.* Et tout-à-coup, une de ces expressions pousse un rejeton. 5
F. BRUNOT, la Pensée et la Langue, I, II, VIII.

Fig. *Se brûler à la chandelle.* → **Brûler** (se). — *La chandelle brûle :* le temps presse. — *C'est une chandelle qui s'éteint,* une personne qui meurt insensiblement, de vieillesse.

(1835). Fig. et fam. *Tenir la chandelle :* assister en tiers complaisant à une aventure galante (→ **Chandelier).**

(XVIe). *Le jeu n'en vaut pas les chandelles* (vx), *la chandelle :* cela n'en vaut pas la peine, en parlant d'une entreprise, d'une affaire hasardeuse.

(...) Le jeu, comme on dit, n'en vaut pas les chandelles. 6
CORNEILLE, le Menteur, I, 1.

*Jouer à la chandelle,* au mouchoir*.

♦ **3** *Chandelle romaine :* fusée d'artifice.

♦ **4** (Par anal. de forme). Morve qui coule d'une narine. *Une chandelle pendait de son nez* (→ loc. fig. 2. Moucher).

♦ **5** (1900). *En chandelle :* verticalement. *Monter en chandelle,* en parlant d'un avion. — Figuré :

Le patron a fait comme tout le monde, mais en plus grand : 14 cylindres. Il préfera l'aventure à l'industrie bourgeoise. Il décolle en chandelle dans la finance pendant que les contremaîtres activent l'usine. 7
Pierre HAMP, la Peine des hommes (Moteurs), p. 105.

*Une chandelle :* montée verticale (d'une balle, d'un ballon). — *Faire une chandelle,* au tennis (→ **Lob);** au rugby, au football.

DÉR. **Chandelier.**

1. **CHANFREIN** [ʃɑ̃fʀɛ̃] n. m. — Fin XIIe, *chanfrin;* l'origine du premier élément est controversée : soit de *chief* «tête» qui n'explique pas la nasalisation, soit du bas lat. *camus* «muselière», non attesté dans le domaine gallo-roman ; et du lat. *frenum.* → Frein.

Didact. ou technique.

♦ **1** Pièce d'armure qui couvrait le devant de la tête d'un cheval armé.

♦ **2** Partie antérieure de la tête du cheval et de certains mammifères, et qui s'étend du front aux naseaux. *La liste* du chanfrein. Partie de la bride qui passe sur le chanfrein.* → **Muserolle.**

DÉR. 2. **Chanfrein.**

2. **CHANFREIN** [ʃɑ̃fʀɛ̃] n. m. — XVe ; de *chanfreindre* «tailler en biseau», de *fraindre* «briser, abattre», et de 2. *chant.*

Techn. Demi-biseau que l'on forme en abattant l'arête d'une pièce (de bois, de pierre, de métal, etc.). *Tenailles à chanfrein.*

DÉR. **Chanfreiner.** ◊ HOM. 1. **Chanfrein.**

**CHANFREINER** [ʃɑ̃fʀene] v. tr. — 1676; de 2. *chanfrein.*

Tailler en chanfrein.

**CHANGE** [ʃɑ̃ʒ] n. m. — XIIe; déverbal de *changer.*

**I** Action de changer* une chose contre une autre. → **Changement, échange, troc.** ♦ **1** Loc. *Gagner, perdre au change,* à l'échange. → **Troc.**

Didact. Échange, communication. *Change,* titre d'une revue.

♦ **2** (XIIIe; ital. *cambio*). Action de changer une valeur monétaire contre une valeur équivalente, et particulièrement, échange de deux monnaies de pays différents. *Relatif au change.* → 1. **Cambial.** *Opération de change.* → **Arbitrage, compensation; cambiste, changeur; banque.** *Marché des changes. Lettre de change.* → **Lettre; billet** (à ordre), **effet.** *Agent de change.* → **Agent.** *Change manuel ou local :* change de monnaie, par oppos. à *change tiré :* change de lettre de change. *Contrôle des changes,* effectué par l'État afin d'équilibrer l'offre et la demande des devises* sur le marché des changes. *Bureau de change.*

1 C'est l'abondance et la rareté relatives des monnaies des divers pays qui forment ce qu'on appelle le change.
MONTESQUIEU, l'Esprit des lois, XXII, 10.

1.1 (...) régulièrement tous les huit jours je changeais le billet contre des pièces, les pièces contre un autre billet. On ne perd ni ne gagne au change; c'est une folie circulaire, simplement.
GIDE, le Prométhée mal enchaîné, *in* Romans, Pl., p. 331.

Lieu où se font des opérations de changes.

♦ **3** Par ext. (fin. et cour.). Valeur de l'indice monétaire étranger en monnaie nationale sur une place déterminée. *Cote des changes. Taux de change* (→ **Certain, incertain**). *Parité des changes. Le change est au pair*. Fluctuation, hausse, baisse du change. Le change ne nous est pas favorable.*

2 Puisque le change, dans son cours, éprouve nécessairement des hausses et des baisses alternatives (...)
CONDILLAC, le Commerce et le Gouvernement considérés relativement l'un à l'autre, I, 17.

♦ **4** Prix demandé pour convertir une monnaie en une autre monnaie. → **Commission, courtage.**

**II** (XIIe). ♦ **1** Vén. Substitution d'une nouvelle bête à la place de celle qui a été lancée d'abord. *La bête donne le change,* en fait lever une autre à sa place. *Donner le change aux chiens.*

*Les chiens, les chasseurs prennent le change, tournent au change :* ils quittent la bête lancée pour courir la nouvelle bête.

2.1 (...) il s'est étouffé de crier après les chiens qui étaient en défaut ou après ceux des chasseurs qui prenaient le change.
LA BRUYÈRE, les Caractères, VII, 10.

♦ **2** Fig. *Donner le change à qqn,* le tromper, l'induire en erreur en lui faisant prendre une chose pour une autre. → **Tromper; abuser.**

3 (...) je suis réduit encore à me cacher, à ruser, à tâcher de donner le change (...)
ROUSSEAU, les Confessions, VII.

4 (...) manœuvres dissimulées qui pouvaient donner le change aux autres comédiens, mais n'échappaient pas à la narquoise inquisition de Scapin (...)
Th. GAUTIER, le Capitaine Fracasse, t. I, VI, p. 181.

5 Sans plus les attendre, et pour leur donner le change, j'avais marché vite, je séchais mes pleurs, je reprenais souffle, et composais mon visage.
F. MAURIAC, la Pharisienne, IV, p. 53.

6 Pour donner le change, il s'est mis à inspecter les alentours, à scruter l'horizon, d'un côté, puis de l'autre. Non pas exactement pour donner le change, mais pour bien montrer qu'il attendait quelqu'un et ne se souciait guère de la maison devant laquelle il stationnait ainsi par hasard.
A. ROBBE-GRILLET, Dans le labyrinthe, p. 123-124.

*Prendre le change.* → **Tromper** (se). *Faire prendre le change à quelqu'un :* tromper qqn, l'induire en erreur, se montrer adroit pour l'abuser.

De telle sorte que le général pouvait être trompé sur le sens du pardon demandé par le Polonais à sa fiancée, mais ni Nicole ni moi ne prenions le change : *Serge allait être acculé à la vraie trahison, et il trahirait !...* 7
G. LEROUX, Rouletabille chez Krupp, p. 139.

**III** (V. 1980, de *changer* I., 2., → Rechange). *Change, change-complet :* couche-culotte jetable. → **Couche,** I., 2. *Changes pour malades alités.*

**CHANGEABLE** [ʃɑ̃ʒabl] adj. — XIIe, «inconstant»; de *changer.*

Qui peut être changé. → **Altérable, amovible, échangeable, métamorphosable, modifiable, remplaçable, réversible, transformable.** *Cette décision est changeable en son contraire.*

(...) soyons classiques dans les expressions et les tours; ce sont des choses de convention, c'est-à-dire à peu près immuables ou du moins fort lentement changeables.
STENDHAL, Racine et Shakespeare, t. II, p. 250, *in* BRUNOT.

CONTR. **Immuable, inaltérable, irremplaçable.** ◊ CONTR. et COMP. **Inchangeable.**

**CHANGEANT, ANTE** [ʃɑ̃ʒɑ̃, ɑ̃t] adj. — XIIe; de *changer.*

♦ **1** Qui est sujet à changer, susceptible de changement. → **Incertain, variable.** *Un temps changeant. La fortune est changeante. Caractère changeant. Humeur changeante.* → **Inégal.** *Sentiments changeants. Beauté changeante.* → **Journalier** (vx). *Esprit changeant.* → **Divers, flottant, inconsistant, mouvant, ondoyant, vacillant.** *Idées changeantes et incertaines.* → **Inconsistant, oscillant.** *Un politicien à la conscience changeante.* → **Arlequin, caméléon, opportuniste.** *Aux formes changeantes.* → **Protéiforme.**

Outre le rapport que nous avons du côté du corps avec la nature changeante et mortelle (...) 1
BOSSUET, Oraison funèbre de Henriette-Anne d'Angleterre.

La mort ne l'a point changée, si ce n'est qu'une immortelle beauté a pris la place d'une beauté changeante et mortelle. 2
BOSSUET, Oraison funèbre de Marie-Thérèse d'Autriche.

Quel fruit lui en revint-il, sinon de connaître par expérience le faible des grands politiques, leurs volontés changeantes (...) 3
BOSSUET, Oraison funèbre de Anne de Gonzague.

(Personnes). *Il est changeant, très changeant et imprévisible.* → **Capricieux, fantaisiste, fantasque, inconstant, infidèle, instable, léger, mobile, papillonnant, versatile, volage.** *Il est bien changeant dans ses opinions, ses goûts. Il est changeant comme une girouette.*

Ce qui nous rend si changeant dans nos amitiés (...) 4
LA ROCHEFOUCAULD, Maximes, 80.

♦ **2** Dont l'aspect, la couleur change suivant le jour sous lequel on le regarde. *Couleur changeante de la gorge d'un pigeon. Étoffe changeante.* → **Chatoyant.**

*(Pigeons)* Au col changeant, au cœur tendre et fidèle. 5
LA FONTAINE, Fables, VII, 8.

Qui peut nommer de certaines couleurs changeantes, et qui sont diverses selon les divers jours dont on les regarde? 6
LA BRUYÈRE, Fables, VIII, 3.

Je promène au hasard mes regards sur la plaine, 7
Dont le tableau changeant se déroule à mes pieds.
LAMARTINE, Premières méditations, I, «L'isolement».

8 (...) Touraine incessamment changeante, sans cesse rajeunie par les mille accidents du jour, du ciel, de la saison. BALZAC, la Grenadière, Pl., t. II, p. 193.

9 Et, quand il traverse un rayon de lune,
On voit resplendir, d'un reflet changeant,
Sur sa chevelure un casque d'argent.
LECONTE DE LISLE, Poèmes barbares, «Les elfes».

CONTR. **Constant, égal, fidèle, fixe, immuable, inaltérable, inébranlable, invariable, perpétuel, persévérant, persistant, stable.**

**CHANGEMENT** [ʃɑ̃ʒmɑ̃] n. m. — XII^e, *cangement*, psautier d'Oxford; de *changer*.

**I** Le fait de changer. ♦ **1** Le fait de ne pas rester le même; modification dans le temps.

Absolt, didact., relig. *Le changement* (opposé à la *permanence*). → **Impermanence.**

1 *(Le)* Père des lumières, en qui il ne peut y avoir ni changement, ni ombre de vicissitude. BIBLE (SACY), Épître de Jacques, I, 17.

*Un changement, des changements, le, un changement dans qqch.* : chose, circonstance qui change, évolue. *Changement dans un sens puis dans un autre.* → **Alternance, alternatif** (mouvement), **balancement, bascule, fluctuation, mobilité, mouvement, ondoiement, oscillation, vacillement.** *Changement de cultures.* → **Assolement.** *Changement dans les goûts, dans les opinions, les idées, l'humeur, le ton, le langage.* → **Abandon, caprice, évolution, inconstance, inégalité, infidélité, instabilité, légèreté, palinodie, rétractation, retournement, revirement, saute, versatilité, volte-face, voltigement.** *Changement de mode* (→ Affecter, cit. 5). *Il y a eu des grands changements dans sa vie. Changements de fortune. Changement des choses qui se succèdent.* → **Vicissitude.**

2 (...) j'ai connu que notre nature n'était qu'un continuel changement, et je n'ai plus changé depuis; et si je changeais, je confirmerais mon opinion. PASCAL, Pensées, VI, 375.

*Le changement de qqch., de qqn. Son changement est complet, total. Le changement de notre ami, après sa maladie, nous a surpris.*

3 C'est l'apanage de la créature d'être sujette au changement. BOSSUET, Lettres à l'abbesse de Jouane, 72.

♦ **2** Le fait d'abandonner une chose, une personne pour une autre, de changer de...

En emploi absolu (correspond à *changer*, absolt).

4 (...) tout le plaisir de l'amour est dans le changement. MOLIÈRE, Dom Juan, I, 2.

(Correspond à *changer une chose pour, contre... une autre*). *Le changement d'une chose pour une autre, contre une autre, par une autre.* → **Échange, remplacement, substitution, troc; abandon, cession.**

CHANGEMENT DE... : fait (pour une personne) de laisser, quitter (qqch.) et d'y substituer une chose du même genre. → **Changer** II. (changer de...). *Effectuer, faire le changement de qqch. Un rapide changement de lieu. — Changement de voiture. Changement de logement, de résidence.* → **Déménagement.** *Changement d'adresse. Changement de pays.* → **Dépaysement, émigration, expatriation, immigration, transplantation.** *Changement de climat.* — Loc. *Changement d'air. Vous avez besoin d'un changement d'air. — Changement d'heure. — Changement de place, d'ordre, de classement.* → **Déclassement, déplacement, dérangement, transfert, transport, transposition; interversion, inversion, permutation** (changement réciproque). *Changement de compartiment, de wagon, de train.* → **Correspondance.** — Absolt. *À quelle gare est le changement?*

Loc. *Changement de décor* : le fait, pour qqn, de changer de décor et, fig., de lieu, d'entourage. Voir une autre valeur, ci-dessous 3.

♦ **3** Modification (d'état, de nature, de situation) qui transforme; fait de changer, de se modifier. → **Modification, transformation.** *Subir un changement complet, partiel, rapide, progressif. Le changement de qqch.*, le fait qu'elle change; *le, un changement de...* : fait de changer, en ce qui concerne une qualité. *Le changement d'état, de nature, de substance, de forme* (→ Minéralisation, cit.) *de propriétés (de qqch.).* → **Adultération, allotropie, altération, déformation, déguisement, dénaturation, évolution, falsification, métamorphose, mue, mutation, transfiguration, transmutation, transsubstantiation, travertissement.** *Changements de sens, de valeur, de forme... des mots, des expressions du langage.* → **Altération, métaplasme, métaphore, métastase, métonomasie, métonymie.** *Changement de sens des mots.* → **Évolution.** *Changement de ton, de tonalité,* en musique. → **Modulation, transposition.** *Changement de couleur*.* → **Chatoiement, nuance, reflet.** — *Changement de temps.* → **Éclaircie, embellie, variation.** *Il y a eu un brusque changement de temps. Des changements de temps continuels. Changement de saison. Changement de lune.* → **Alternance.** — *Changement de ministère, de régime. Changement de personnel.* → **Mutation.** *Changement de programme, changement d'orientation, de direction.* → **Détour, déviation, diversion, virage.** *Changement de politique. Un changement de situation, de travail, de métier. — Changement de propriétaire* (d'un magasin). — *Changement de fréquence* (d'une émission).

(...) J'achevai ce travail tout en en faisant d'autres, et trouvant toujours qu'un changement d'ouvrage est un véritable délassement. ROUSSEAU, les Confessions, IX. 5

(...) il sollicita son changement de résidence (...) 6
A. DUMAS (père), le Comte de Monte-Cristo, t. I, p. 637, *in* T. L. F.

Les changements de régime ne changent guère la condition des personnes. Nous ne dépendons point des constitutions ni des chartres, mais des instincts et des mœurs. 7
FRANCE, l'Orme du Mail, XIV, p. 163.

*(Un, des changements).* Modification. *Apporter, opérer des changements superficiels, profonds dans un texte* (→ **Correction, remaniement**), *dans un projet.*

Spécialt. *Changement de décor* : le fait de changer, pour le décor. *Changement à vue*, changement de décor à la vue du spectateur.

♦ **4** État de ce qui évolue, se modifie, ne reste pas identique (choses, circonstances, états psychologiques). *Un changement* (qualifié); *le, les changement(s) de qqch., de qqn*, évolution, modification. *Changement brusque, total.* → **Bouleversement, novation, remue-ménage, renouvellement, rénovation, renversement, retournement, révolution.** *Changement imperceptible* (→ Accoutumer, cit. 16), *faible. Changement passager.* → **Passage, phase.** — *Changement graduel, progressif.* → **Évolution, gradation, transition.** — *Changement en plus.* → **Augmentation.** *Changement en moins.* → **Diminution; commutation, réduction.** *Changement en mieux.* → **Amélioration.** *Changement en mal, en pire.* → **Aggravation, altération, corruption, perversion.** *Un, des changements dans, en quelque chose.*

Lorsqu'un grand changement s'opère dans la condition humaine, il amène par degrés un changement correspondant dans les conceptions humaines. 7.1
TAINE, Philosophie de l'art, t. II, III, II, II.

Absolt. *Le changement :* l'évolution, le caractère changeant (des choses, des êtres, des psychologies). *Aimer, rechercher le changement. Craindre le changement.* (→ **Kaïnophobie, misonéisme**). — Spécialt. *Aimer le changement,* les modifications des conditions de vie.

8 Je peux me vanter d'avoir toujours persévéré dans le changement.
C'est quand même une des formes de la persévérance.
G. DUHAMEL, Chronique des Pasquier, VII, XIX.

♦ **5** Spécialt. *Changement phonétique :* modification du système phonologique d'une langue. → **Variation.**

♦ **6** (Dans l'espace). Modification d'une caractéristique, dans un continuum spatial. *Il y a un brusque changement de niveau* (→ **Dénivellation, inégalité**). *On observe un changement progressif de la nature du sol quand on va vers le sud.*

**II** Par métonymie. Dispositif permettant de changer. — (1889, en *cyclisme; in* Petiot). **CHANGEMENT DE VITESSE.** → **Vitesse.**

CONTR. **Constance, fixité, immutabilité, invariabilité, persévérance, persistance, stabilité.**

**CHANGER** [ʃɑ̃ʒe] v. [CONJUG.: *bouger.*] — Au XII^e, *changier;* du bas lat. *cambiare;* lat. impérial *cambire* «changer, troquer», probablt mot d'orig. celtique.

**I** V. tr. ♦ **1** (Construit avec un compl. dir. et un compl. second introduit par *contre, pour...*). Abandonner (qqch.) et remplacer par autre chose. → **Échanger, remplacer, troquer.** *Changer une chose pour une autre, contre une autre. Changer une voiture contre une autre. Changer son cheval borgne contre* (ou *pour*) *un aveugle**. *Changer sa position contre une autre. Je ne changerais pas ma place pour la sienne.* → **Abandonner, céder, donner*, quitter, renoncer.** — Absolt. *Je ne changerais pas avec lui.* → **Place** (donner, prendre la place).

1 (...) il ne voudrait pas changer sa renommée
Contre tous les honneurs d'un général d'armée.
MOLIÈRE, les Femmes savantes, I, 3.

2 J'ai quelquefois aimé; je n'aurais pas alors
Contre le Louvre et ses trésors,
Contre le firmament et sa voûte céleste,
Changé les bois, changé les lieux
Honorés par les pas, éclairés par les yeux
De l'aimable et jeune bergère (...)
LA FONTAINE, Fables, IX, 2.

3 Il y a des maladies qui viennent de ce qu'on change un bon air contre un mauvais.
MONTESQUIEU, Lettres persanes, *in* LITTRÉ.

Spécialt. *Changer un billet contre des pièces de monnaie. Changer des dollars contre des francs.* → **Change; convertir.** — (Sans compl. second). *Changer de l'argent, des dollars, des devises.*

4 À chaque louis qu'elle changeait, c'était un effort, un arrachement, comme si elle donnait des pierres de son *mas* (...)
Alphonse DAUDET, Numa Roumestan, VII.

Absolt. Faire de la monnaie.

4.1 (...) faute de menue monnaie, on peut crever de faim avec cinquante francs dans sa poche — car, dans aucun des villages que l'on traverse l'on ne trouve à changer.
GIDE, Voyage au Congo, *in* Souvenirs, Pl., p. 814.

♦ **2** (Sans compl. second). *Changer qqch., qqn.* Remplacer* (une chose ou une personne) par une autre de même nature. *Changer sa voiture, son piano. Changer les rideaux de sa chambre. Changer son itinéraire. Changer le personnel d'une administration. Le directeur a été changé.*

5 (...) les nations ne changent ou ne modifient jamais leurs gouvernements que quand l'excès de l'oppression les y contraint (...)
DANTON *in* JAURÈS, Hist. socialiste, t. IV, la République, p. 15.

Tout se tient et je sens, entre tous les faits que m'offre la vie, des dépendances si subtiles qu'il me semble toujours qu'on n'en saurait changer un seul sans modifier tout l'ensemble. 6
GIDE, les Faux-monnayeurs, 1, XI, p. 116.

*Changer le nom d'un enfant.* → **Débaptiser.** *Changer le titre d'un souverain.*

(...) ce qui avait inspiré à Cambacérès, consulté sur l'institution de l'Empire, l'argument : *A quoi bon changer le titre lorsque la chose existe ?* 7
Louis MADELIN, Hist. du Consulat et de l'Empire, l'avènement de l'Empire, VIII, p. 106.

Je n'aime pas (...) changer, comme c'est l'usage, le nom des serviteurs. 8
FRANCE, le Petit Pierre, p. 201.

*Changer les draps :* mettre des draps propres. *Changer le linge d'un malade.* — Par métonymie. *Changer un malade, un enfant. Changer un bébé.* → **Change, III.**

(...) Moi, je ne voyais que mon fils, je vivais avec mon fils, je ne laissais pas sa gouvernante l'habiller, le déshabiller, le changer. 9
BALZAC, les Secrets de la princesse de Cadignan, Pl., t. VI, p. 52.

♦ **3** **a** Changer qqch., qqn de..., faire subir à (qqch., qqn) une modification quant à... (la modification peut concerner la situation ou la nature ; → le sens II.). *On ne le changera pas de caractère, d'habitudes.* Cf. Il ne changera (II.) pas de... *Changer une chose de place*, d'endroit, la mettre ailleurs.* → **Déplacer, déranger, intervertir, inverser, transférer, transplanter, transposer.** *Changer quelqu'un de poste.* → **Déplacer, muter.**

Des pèlerins qui vont y passer quelques heures *(à Notre-Dame de Bétharram),* afin de changer leur piété de place. 10
HUYSMANS, les Foules de Lourdes, p. 7.

**b** Mar. *Changer la barre (de direction) :* mettre le gouvernail dans la direction opposée à celle où il était. → **Virer.** *Changer les voiles.*

♦ **4** *Changer qqch.* (Complément abstrait ou indéfini). Rendre autre ou différent. → **Modifier.** *Changer sa manière de vivre. Changer ses dispositions, ses plans, ses projets. Changer les lois, les institutions, les mœurs, les coutumes. Changer l'ordre, le cours des choses, le destin. Il voudrait changer la face de la terre.* → **Renouveler.** — (Le compl. est un pronom). *Tout changer. Vouloir tout changer.* → **Bouleverser, innover, réformer, renouveler, rénover, renverser, révolutionner, transformer.** *Changer qqch. Ne rien changer. Ne changez rien à vos habitudes. Changer qqn. Changer les hommes, les cœurs. Cela vous change, ça vous changera.* — (Passif et p. p.). *Être changé.* → ci-dessous Changé, cit. 73, 74. *Tout est changé, rien n'est changé.* — REM. L'opposition entre *tout est changé* et *tout a changé* (III.), correspond à la distinction des points de vue : résultat d'un procès ou déroulement du procès.

— Il me semble que (...) le cœur est du côté gauche, et le foie du côté droit. — Oui, cela était autrefois ainsi; mais nous avons changé tout cela, et nous faisons maintenant la médecine d'une méthode toute nouvelle. 11
MOLIÈRE, le Médecin malgré lui, II, 4.

Je vous le dis encor, rien ne peut me changer. 12
CORNEILLE, Pertharite, I, 1.

Propos, conseil, enseignement, 13
Rien ne change un tempérament.
LA FONTAINE, Fables, VIII, 16.

L'autre mois, on l'emploie à changer tous les jours 14
Quelque chose à l'habit, au linge, à la coiffure.
LA FONTAINE, Fables, VI, 21.

(...) Quand le mal est certain, 15
La plainte ni la peur ne changent le destin (...)
LA FONTAINE, Fables, VIII, 12.

Un moment a changé ce courage inflexible. 16
Le lion rugissant est un agneau paisible.
RACINE, Esther, II, 8.

17 La jeunesse change ses goûts par l'ardeur du sang, et la vieillesse conserve les siens par l'accoutumance.
LA ROCHEFOUCAULD, Maximes, 109.

18 (...) un de ces esprits remuants et audacieux *(Cromwell)* qui semblent être nés pour changer le monde.
BOSSUET, Oraison funèbre de Henriette-Marie de France.

19 Ils changent leurs habits, leur langage, les dehors, les bienséances; ils changent de goût quelquefois : ils gardent leurs mœurs. LA BRUYÈRE, les Caractères, XI, 2.

20 Il y a des plantes dont la nature est, pour ainsi dire, artificielle et factice. Le blé, par exemple, est une plante que l'homme a changée au point qu'elle n'existe nulle part dans l'état de nature.
BUFFON, *in* LAFAYE, Dict. des synonymes. *Suppl.*, Artificiel...

21 (...) La misère et l'opprobre changent les cœurs (...)
ROUSSEAU, Julie ou la Nouvelle Héloïse, I, XXVIII.

22 Pour changer un esprit, il faudrait changer l'organisation intérieure; pour changer un caractère, il faudrait changer le tempérament dont il dépend.
ROUSSEAU, Julie ou la Nouvelle Héloïse.

23 Il y a des moments où notre destinée (...) se détourne soudain de sa ligne première, telle qu'un fleuve qui change son cours par une subite inflexion.
CHATEAUBRIAND, Mémoires d'outre-tombe, I, VIII.

24 Le retard d'un courrier a rendu l'Angleterre protestante et changé la face politique de l'Europe. Les destinées du monde ne tiennent pas à des causes plus puissantes : une coupe trop large, vidée à Babylone, fit disparaître Alexandre.
CHATEAUBRIAND, Mémoires d'outre-tombe, III, XIII.

25 Que peu de temps suffit pour changer toutes choses!
Nature au front serein, comme vous oubliez!
HUGO, les Rayons et les Ombres, XXXIV.

26 S'il est quelquefois possible à l'homme de changer brusquement ses institutions politiques, il ne peut changer ses lois et son droit privé qu'avec lenteur et par degrés.
FUSTEL DE COULANGES, la Cité antique, p. 366.

27 Est-ce que ce n'était pas stupide de croire qu'on pouvait d'un coup changer le monde, mettre les ouvriers à la place des patrons, partager l'argent comme on partage une pomme? ZOLA, Germinal, t. I, IV, 4, p. 267.

28 Tirer le profit le meilleur de ce qui est : s'ingénier à l'améliorer plutôt que de chercher à le changer.
GIDE, Journal, 4 juil. 1933.

29 Deux guerres, et quelles guerres, ont, en trente ans, changé la face et l'équilibre du monde (...) rien n'est plus à sa place, la valeur des choses n'est plus la même, les rapports des hommes entre eux sont bouleversés (...)
André SIEGFRIED, l'Âme des peuples, I, p. 6.

30 La volonté change les lignes de nos mains.
COCTEAU, le Grand Écart, X, p. 188.

*Changer ses batteries, changer de batteries, changer son fusil d'épaule :* modifier ses projets.
*Changer sa voix pour n'être pas reconnu.* → **Contrefaire, déguiser.** *Changer un texte, en changer le sens. Changer une virgule, un iota à un texte.* → **Altérer, défigurer, déformer, dénaturer, fausser, truquer.**

30.1 (...) l'article sur Lamennais écrit il y a un siècle et qui aurait pu paraître cette année, pour le centenaire, sans qu'il y ait à y changer une virgule (...)
F. MAURIAC, Bloc-notes 1952-57, p. 128.

*Changer la forme de son ouvrage, de son discours.* → **Refondre, remanier, transposer.**

(Sujet n. de chose; compl. n. de personne ou pron.). *Cette nouvelle coiffure vous change, vous change beaucoup,* vous fait paraître différent.

Fam. *Changer les idées à qqn.* → **Divertir.** *Une promenade lui changera les idées.*

♦ **5** *Changer qqch.,* rarement *qqn en...* → **Convertir, métamorphoser, muer, transfigurer, transformer.** *L'Éternel changea en sang les eaux du fleuve. Jésus changea l'eau en vin. Les alchimistes espéraient changer les métaux en or.* → **Transmuer.** — (Abstrait). *Changer les lamentations en allégresse, la tristesse en joie, un doute en certitude. Changer une défaite en déroute. Changer quelque chose en plus* (→ **Agrandir, augmenter...**), *en moins* (→ **Diminuer, réduire**). *Changer une peine en une autre.* → **Commuer.** *Changer qqch. en bien, en mieux* (→ **Améliorer**), *en mal, en pire* (→ **Aggraver, altérer...**). — Vx. *Changer (qqch., qqn) de..., en...*

Vieillir n'est pas assagir ni quitter les vices, mais seulement les changer en pire. 31
Pierre CHARRON, De la sagesse (1601), XXXVI.

(...) Ne la changez pas de fière en furieuse. 32
CORNEILLE, Tite et Bérénice, V, 1.

Leur intempérance (...) change en poisons mortels les aliments destinés à conserver la vie (...) 33
FÉNELON, Télémaque, XIII.

Lorsqu'on ne peut effacer ses erreurs, on les divinise, on fait un dogme de ses torts, on change en religion des sacrilèges (...) 34
CHATEAUBRIAND, Mémoires d'outre-tombe, II, 3.

Narcissse s'aima. Pour ce crime les dieux le changèrent en fleur. 35
Cette fleur donne la migraine et son oignon ne fait même pas pleurer. COCTEAU, le Grand Écart, IV, p. 65.

Fam. *Changer qqn en bourrique*.* → **Tourner.**

♦ **6** *Changer qqch. à...,* modifier un élément de (le compl. est un pron.). *Ne rien changer à ses habitudes. Changer qqch. à sa coiffure. Cela ne change rien à mes résolutions. — Vous n'y changerez rien. Ce que j'ai dit, je n'y changerai rien. Cela ne change rien à l'affaire.*

**II** V. intr. **CHANGER DE.** ♦ **1** (Sujet n. de personne ou de chose). Abandonner (un lieu, une situation, un milieu...) sans être soi-même modifié. — REM. Ne pas confondre avec I., 3. : *changer qqn, qqch. de...* — *Il refuse de changer d'endroit, de situation, de milieu. Changer de place :* quitter un lieu pour un autre. → **Déplacer** (se); **bouger, remuer.** *Changer de place avec qqn.* → **Permuter.** — Fam. *Changer de crémerie* :* aller ailleurs. *Changer de logement.* → **Déménager; déloger.** *Changer de résidence. Changer de pays.* → **Émigrer, expatrier** (s'). *Changer de climat, changer d'air.* → **Passer** (d'un climat à un autre). — Fam. *Changer d'air :* quitter un lieu (où l'on est menacé, par exemple). → Aérer (s'aérer, 2.). — *Tout a changé d'allure.*

(...) on ne voit rien de juste ou d'injuste qui ne change de qualité, en changeant de climat. 35.1
PASCAL, Pensées, V, 294.

Ne volez plus de place en place; 35.2
Demeurez au logis, ou changez de climat :
Imitez le canard, la grue et la bécasse.
LA FONTAINE, Fables, I, 8.

En changeant de pays, la pudeur change de place. 35.3
FLAUBERT, Correspondance, t. I, p. 226.

*Changer de direction, de route.* → **Tourner** (tourner bride, tourner court); **détourner** (se), **dévier.** *Changer de cap* (fig. → **Cap**). *Changer d'amures.* → **Virer.** *Changer de côté. Changer de camp* (→ **Camp,** cit. 10 et 11).

♦ **2** (Sujet n. de personne). *Changer de :* abandonner, laisser, quitter (qqch., qqn) pour une chose, une personne du même genre qu'on met, prend à la place. *Changer de cheval, de voiture. Changer de vitesse en conduisant une auto. Changer de gouvernement, de régime. Les voyageurs pour Tours changent de train. Changer de décor. Elle a changé de coiffure. Changer de vêtements, de linge, de chemise... — Changer de disque :* remplacer un disque par un autre sur l'électrophone. Fam. Changer de sujet de conversation, cesser de se répéter. (→ Disque, cit. 3).

Ah! que j'ai de dépit que la loi n'autorise 36
À changer de mari comme on fait de chemise!
MOLIÈRE, Sganarelle, 5.

Pour sortir le matin tu changeas de coiffure! 37
Edmond ROSTAND, Cyrano de Bergerac, III, 6.

*Changer d'état, d'occupation, de travail. Il faut un peu changer de lectures.* → **Diversifier, varier.** *Il change sans cesse de sujet.* → **Papillonner, voltiger.** *Changer de style.* → **Modifier, prendre** (un autre style).

38 Je changerai de style en changeant de matière.
LA FONTAINE, Fables, Appendice, V.

39 (...) il n'est qu'une façon de se reposer, et c'est de changer de travail.
G. DUHAMEL, la Pesée des âmes, XII, p. 286.

*Changer d'attitude, de caractère, d'humeur, de langage, de manières, de ton. Changer complètement de vie, de conduite.* — Fig. *Changer de peau.* → **Peau** (faire peau neuve). — *Changer d'avis*. Il a changé d'avis, d'idée. Faire changer qqn de résolution.* → **Retourner, tourner.** *Il change d'opinion à tout moment.* → **Changeant*, versatile** (→ C'est un caméléon, une girouette); **dédire** (se), **évoluer, fluctuer, raviser** (se), **rétracter** (se), **tourner** (tourner casaque, etc.), **varier, virer, voleter, voltiger.** *Changer brusquement d'appréciation.* → Passer du blanc au noir, souffler le chaud et le froid.

40 Il change à tout moment d'esprit comme de mode :
Il tourne au moindre vent (...)
BOILEAU, Satires, VIII.

41 (...) je change de langage en changeant mon humeur chagrine contre une véritable joie.
Mme DE SÉVIGNÉ, 598, 18 nov. 1676.

42 Quelque chose qu'on puisse faire,
On ne saurait le réformer.
Coups de fourche ni d'étrivières
Ne lui font changer de manières (...)
LA FONTAINE, Fables, II, 18.

43 Je ne vous dirai pas : changer de caractère
Car on n'en change point, je ne le sais que trop,
Chassez le naturel, il revient au galop.
Ph. DESTOUCHES, le Glorieux, III, 5.

44 Ce qui est honteux, c'est de changer d'opinion pour son intérêt, et que ce soit un écu ou un galon qui vous fasse brusquement passer du blanc au tricolore, et vice versa.
HUGO, Littérature et philosophie mêlées, Journal des idées, octobre.

45 En ce moment, ma résolution était prise et rien ne pouvait plus m'en faire changer.
FRANCE, le Crime de S. Bonnard, II, p. 473.

46 Mme de Fontanin avait changé d'attitude : il y avait une expression de défi sur son front élevé.
MARTIN DU GARD, les Thibault, t. I, p. 39.

46.1 Quitter tout cela. Changer de peau. Changer de vie.
N. SARRAUTE, le Planétarium, p. 288.

*Changer d'âme.*

47 Jamais un affranchi n'est qu'un esclave infâme;
Bien qu'il change d'état, il ne change point d'âme (...)
CORNEILLE, Cinna, IV, 6.

48 L'espoir changea de camp, le combat changea d'âme.
HUGO, les Châtiments, V, XIII, 2.

♦ **3** **a** (Sujet n. de chose; compl. en *de*, n. de chose ou de personne). Avoir, recevoir un autre caractère. *La rue a changé de nom. La maison a changé de propriétaire. Changer de possesseur, changer de mains.*

49 Cet heureux temps n'est plus. Tout a changé de face (...)
RACINE, Phèdre, I, 1.

50 (...) les seules pierres de ma bâtisse qui n'aient jamais changé d'assise et qui servent toujours.
RENAN, Souvenirs d'enfance..., IV, 2.

*Changer de couleur. Des pierres, des étoffes qui changent de couleur.* → **Chatoyer.** *Changer de forme.* → **Métamorphoser, transformer** (se).

**b** (Sujet n. de personne; valeur passive). *Protée changeait de forme, se métamorphosait de mille manières. Changer de peau, de poil, de voix.* → **Muer.** — *Changer de couleur, de visage,* sous l'effet d'une émotion. → **Troubler** (se); pâlir, rougir.

51 J'ai changé de couleur, je me suis écriée (...)
CORNEILLE, Nicomède, I, 5.

52 (...) Qu'avez-vous? je vous vois tout changé de visage.
MOLIÈRE, le Mariage forcé, 2.

Vous vous troublez, Madame, et changez de visage. 53
RACINE, Britannicus, II, 3.

L'homme comme un nuage erre et change de forme (...) 54
HUGO, la Légende des siècles, XXXVIII, Les esprits.

**III** V. intr. (Sans compl. en *de*). Devenir autre, différent, éprouver un changement. → **Évoluer, modifier** (se modifier, être modifié), **transformer** (se), **varier.** *Tout change en ce monde. Tout change, tout passe* (cit. 71). *Changer en s'adaptant au milieu. Être sujet à changer.* → **Changeant.** *Les choses ont changé. Dans ce pays, sous ce régime, le gouvernement change tous les trois mois.* → **Remplacer** (être remplacé). *Le temps va changer. Le vent a changé.* → **Tourner.** *Changer du tout au tout, du jour au lendemain, brusquement, subitement, à vue d'œil... Changer suivant les circonstances.* — (Personnes). *N'écoutez pas ce qu'il dit, il change sans cesse* (→ Les paroles du matin ne sont pas celles du soir; tantôt ceci, tantôt cela). *Un inconstant* qui change sans cesse* (cit. 8). *Il ne changera jamais.* — (Évolution physique, biologique). *Il a beaucoup changé depuis sa maladie. Vous n'avez pas du tout changé.* → **Vieillir.** *Elle n'a pas changé, elle est toujours la même. Elle a changé à son avantage.* — (Au moral). *Il a changé en bien, en mieux.* → **Améliorer** (s'), **amender** (s'), **corriger** (se). *Changer en mal.* → **Pervertir** (se). *Changer en pire.* → **Empirer.** — *Changer en plus.* → **Augmenter, grandir.** *Changer en moins.* → **Diminuer, rapetisser.**

Toutes choses changent et se succèdent. 55
PASCAL, Pensées, II, 227.

Le nez de Cléopâtre : s'il eût été plus court, toute la face 56
de la terre aurait changé. PASCAL, Pensées, II, 162.

Mais il n'est pas moins vrai que cet ordre des cieux 57
Change selon les temps comme selon les lieux.
CORNEILLE, Cinna, II, 1.

Et qui change une fois peut changer tous les jours. 58
CORNEILLE, la Toison d'or, IV, 3.

(...) nous changeons imperceptiblement, sans remarquer 59
notre changement (...)
LA ROCHEFOUCAULD, Réflexions, De l'amour.

(...) son visage a changé (...) ses yeux se sont animés (...) 60
MOLIÈRE, l'Amour médecin, III, 6.

Un homme qui serait en peine de connaître s'il change, s'il 61
commence à vieillir, peut consulter les yeux d'une jeune femme qu'il aborde (...)
LA BRUYÈRE, les Caractères, III, 64.

Tout est dans un flux continuel sur la terre. Rien n'y 62
garde une forme constante et arrêtée, et nos affections qui s'attachent aux choses extérieures passent et changent nécessairement comme elles.
ROUSSEAU, Rêveries..., 5e promenade.

Tout change dans la nature, tout est dans un flux conti- 63
nuel : et vous *(femmes)* voulez inspirer des feux constants (...) Gardez donc le même visage, le même âge, la même humeur, soyez toujours la même, et l'on vous aimera toujours, si l'on peut. Mais changer sans cesse, et vouloir toujours qu'on vous aime, c'est vouloir qu'à chaque instant on cesse de vous aimer; ce n'est pas chercher des cœurs constants, c'est en chercher d'aussi changeants que vous.
ROUSSEAU, Julie ou la Nouvelle Héloïse, IV, XIV (note).

L'homme absurde est celui qui ne change jamais. 64
A. M. BARTHÉLEMY, Ma justification.

(...) c'est triste de voir les gens qu'on aime changer. 65
FLAUBERT, Correspondance, t. III, p. 372.

Plus ça change, plus c'est la même chose. 66
A. KARR, les Guêpes.

Aussi peu esclave des principes qu'il est possible, il *(Talley-* 67
*rand)* était réaliste et opportuniste : «Ce n'est pas moi qui ai changé, mais les circonstances», dira-t-il après trente-cinq ans d'étonnants avatars.
Louis MADELIN, Hist. du Consulat et de l'Empire, Vers l'Empire d'Occident, III, p. 39.

Ce que je constate surtout, devant un homme, devant un 68
corps vivant d'homme, c'est qu'il change à chaque seconde,

qu'incessamment il vieillit. Jusque dans ses yeux, je vois la lumière vieillir. GIRAUDOUX, Amphitryon 38, I, 5.

69 Défions-nous des «premiers plans»; tout ce qui nous y paraît grand change vite.
GIDE, Journal, 1911, Feuillets.

Loc. iron. (→ ci-dessus, cit. 66). *Plus ça change, plus c'est la même chose; plus ça change, plus c'est pareil* : rien n'a vraiment changé, en profondeur.

Fam. et iron. *Pour changer* : pour ne pas changer, comme d'habitude. *Et pour changer, il est encore en retard.*

◆ **SE CHANGER** v. pron. (V. 1175).

♦ **1** *Se changer en* : se convertir en, être remplacé par, faire place à (→ ci-dessus, I., 5.).

70 Comment en un plomb vil l'or pur s'est-il changé ?
RACINE, Athalie, III, 7.

71 La seule question qu'on agite aujourd'hui consiste à savoir (...) si tout se divise continuellement, et se change en d'autres éléments.
VOLTAIRE, Dict. philosophique, Atomes.

72 Non, elle (*Mme Récamier*) n'a jamais aimé, aimé de passion et de flamme; mais cet immense besoin d'aimer que porte en elle toute âme tendre se changeait pour elle en un infini besoin de plaire, ou mieux d'être aimée (...)
SAINTE-BEUVE, Causeries du lundi, 26 nov. 1849.

♦ **2** (1787). Changer de vêtements. *Vous êtes bien mouillé, changez-vous.*

◆ **CHANGÉ, ÉE** p. p. et adj. (passif).

**a** Emplois passifs et participiaux. *Elle est bien changée depuis sa maladie, depuis la mort de son mari.* → **Méconnaissable.** *Les temps sont changés. Les choses sont bien changées.*

73 Je (*le vieillard*) vous ai dit la vérité sur les temps passés; mais les choses sont bien changées à présent (...)
BERNARDIN DE SAINT-PIERRE, Paul et Virginie, p. 101.

74 Alors Denise comprit que, sous la surface hypocrite et lisse de la vie familiale, rien n'était changé.
A. MAUROIS, le Cercle de famille, I, XI, p. 61.

**b** Emploi adj. Modifié. → **Autre, indifférent.** *Elle dit, d'une voix changée... Visage changé.* — Spécialt. *Nourrisson changé*, dont on a changé la couche.

CONTR. **Conserver, garder, maintenir, perpétuer, persévérer, persister. — Demeurer, durer, subsister. — Stabiliser.**
◈ DÉR. **Change, changeable, changeant, changement, changeur.** → COMP. 1. **Échanger, inchangé, interchangeable, rechange, rechanger.**

**CHANGEUR, EUSE** [ʃɑ̃ʒœʀ, øz] n. — V. 1205; *cangeour*, XIIe; de *changer.*

**I** N. Personne qui effectue des opérations de change. → **Cambiste.** — Spécialt. Banquier qui fait le change des monnaies, moyennant une commission.

Employé d'une maison de jeu chargé de changer les jetons, la monnaie. → **Croupier** (II.).

**II** N. m. ♦ **1** Dispositif assurant le changement des disques sur un électrophone. *Table de lecture avec changeur automatique.*

♦ **2** Techn. Dispositif de changement. *Changeur de fréquence.*

**CHANLATTE** [ʃɑ̃lat] n. f. — XIIIe; de 2. *chant*, et *latte.* Technique.

♦ **1** Latte mise en chant, et qui soutient les dernières tuiles d'un toit.

♦ **2** Pièce de bois mince (planchette, perche, etc.). *Chanlatte d'un métier à broder* (→ Brodeur, cit. 1).

**CHANNE** [ʃan] n. f. — 1150, *chane*; 1360, en Suisse; mot d'anc. franç. conservé régionalement; du lat. *canna.* → 2. Canne, canon.

Régional (Suisse). Broc en étain pour servir le vin.

Les quartettes cependant avaient été apportés, et les channes, qui sont des espèces de hauts pots d'étain à couvercle, et les gobelets où on boit.
C. F. RAMUZ, Guerre dans le Haut-Pays, *in* Œ. compl., t. VI, p. 152.

**CHANOINE** [ʃanwan] n. m. — 1080, *canonie*; du lat. *canonicus.*

♦ **1** Dignitaire ecclésiastique membre du chapitre* d'une église cathédrale ou collégiale, ou de certaines basiliques (→ **Chapitre; capitulaire).** *Le chapitre des chanoines sert de conseil à l'évêque. Dignité de chanoine.* → **Canonicat, chanoinie** (vx). *La vie, les règles des chanoines* (→ 2. **Canonial, canonical).** *Titres de chanoines.* → **Chantre** (grand chantre), **doyen, primicier** (ou princier), **théologal.** *Les génovéfains, les prémontrés étaient des chanoines. Chanoine titulaire, prébendé. Chanoine expectant; régulier, séculier; majeur, mineur; jubilaire. Chanoine honoraire*, qui a reçu d'un évêque le titre honorifique de chanoine. *Aumusse, camail, chape, mosette, rochet de chanoine.*

Chapitres non de rats, mais chapitres de moines, 1
Voire chapitres de chanoines.
LA FONTAINE, Fables, II, 2.

Ses chanoines vermeils et brillants de santé (...) 2
BOILEAU, le Lutrin, I.

Un de ses bâtards (*de Bernard Van-Gallen*) trouva moyen 3
d'être chanoine d'une collégiale.
VOLTAIRE, Philosophie de l'histoire, II, 419.

(...) les personnes habituellement réunies chez madame de 3.1
Listomère lui avaient presque garanti sa nomination à une place de chanoine, alors vacante au chapitre métropolitain de Saint-Gatien (...)
BALZAC, les Célibataires (éd. 1834), p. 35.

Loc. fam. *Mener une vie de chanoine*, une vie douce, paisible et indolente. *Avoir une mine de chanoine, être gras, s'engraisser comme un chanoine* (→ **Moine).**

Et tu vis là, chez moi, comme un chanoine, comme un 4
coq en pâte, à te goberger !
FLAUBERT, Mme Bovary, III, II.

♦ **2** Relig. Nom de certains religieux réguliers, dépendant d'une église. *Chanoines prémontrés.*

DÉR. **Chanoinesse, chanoinie.**

**CHANOINESSE** [ʃanwanɛs] n. f. — 1264; de *chanoine.*

**I** Relig. ♦ **1** Anciennt. Fille noble possédant une prébende dans un chapitre de femmes.

♦ **2** Mod. Religieuse de certaines communautés.

**II** Pâtisserie (appelée plus couramment *nonnette*).

**CHANOINIE** [ʃanwani] n. f. — XIIe; de *chanoine.*

Relig. (vx). Dignité de chanoine, appartenance à un chapitre de chanoines. → **Canonicat,** 2.

Le refus que fait l'abbé de Paris de se démettre de sa chanoinie. RACINE, Lettre à Boileau, 34, *in* LITTRÉ.

**CHANSON** [ʃɑ̃sɔ̃] n. f. — 1080; du lat. *cantio*, à l'accusatif *cantionem*, de *canere* (→ Chanter).

**I** ♦ **1** Composition pour la voix, texte mis en musique, souvent divisé en couplets et refrain. → 3. **Air,** 1. **chant.** *Chansons anciennes, traditionnelles.* → **Ballade, barcarolle, berceuse, bergerette, brunette, cantilène, canzonette, cavatine, complainte, lied, mélodie, pont-neuf, romance, ronde, vaudeville, villanelle.** *L'air, la musique; les paroles d'une* *chanson. La reprise, le refrain d'une chanson traditionnelle* (ex. : *ô gué! larifla, tire-lire, tra-la-la, turlurette*). → aussi **Flonflon.** *Vieille chanson folklorique. Chanson italienne.* → **Canzone,** 2. *Chanson française polyphonique et a cappella du* XVI^e^ *siècle. Chanson d'histoire ou de toile,* que les femmes chantaient en filant (au moyen âge). *Chansons de trouvères*. La séguedille*, chanson espagnole. Chanson populaire; chanson réaliste*.* → aussi **Complainte, goualante.** *Chanson d'amour, chanson de charme. Chanson triste. Chanson gaie, badine; chanson grivoise, gaillarde, chanson d'étudiants. Chanson braillée à tue-tête.* → **Beuglante.** *Chanson à danser. Chanson à boire, chanson de table, de cabaret, chanson bachique* (cit. 1 et 2). *Chanson satirique, chanson rosse* (→ **Chansonnier).** *Chanson d'enfants.* → aussi **Comptine.** *Chanson patriotique. Chanson de marche, de route. Chanson de marins. Chanson de bord. Chansons de cow-boys. Chansons américaines traditionnelles.* → **Folk** (folk-song). — *Chanson ressassée.* → **Rengaine, ritournelle, scie.** — *Écrire, composer des chansons. Parolier de chansons. Chanter, écouter une chanson. Faire des chansons sur qqn. Mettre (qqn, qqch.) en chansons.* → **Chansonner.** *Récital de chansons. Chanteur qui enregistre des chansons. Les chansons de Mireille et Jean Nohain, de Charles Trenet, de Georges Brassens, de Jacques Brel, de Léo Ferré, de Gilles Vigneault. Auteur** (paroles), *compositeur, interprète de chansons. Mise en scène vidéo d'une chanson.* → 2. **Clip.**

1 Mais auparavant, écoute une chanson que je viens de faire (...) Je portais... — Une chanson, dis-tu? — Je port... — Une chanson à chanter. — Je port... — Chanson amoureuse, peste!

MOLIÈRE, la Princesse d'Élide, 3^e^ intermède, 2.

2 C'était bien de chansons qu'alors il s'agissait!

LA FONTAINE, Fables, VII, 9.

3 Troie, que les Dieux ont voulu ruiner, afin qu'elle serve de chanson aux siècles futurs.

RACINE, Remarques sur l'Odyssée, VIII.

4 *Chanson.* Espèce de petit poème lyrique fort court, qui roule ordinairement sur des sujets agréables, auxquels on ajoute un air pour être chanté dans les occasions familières (...) ROUSSEAU, Dict. de musique, Chanson.

5 Ah! ma chanson! Ma chanson est tombée en vous écoutant, courez, courez donc, monsieur! Ma chanson, elle sera perdue!

BEAUMARCHAIS, le Barbier de Séville, I, 3.

6 Vivre est une chanson dont mourir est le refrain.

HUGO, William Shakespeare, I, II, 12.

7 Je ne sais pas, cependant, si je ne préfère pas aux chansons de ceux qui vont se battre et mourir, les chansons de batteur de blé ou de forgeron, qu'un grand mécanicien, qui a l'air doux comme un agneau, mais fort comme un bœuf, chante à pleine voix.

J. VALLÈS, Jacques Vingtras, L'enfant, p. 370.

7.1 Un pauvre homme est entré chez moi
Pour des chansons qu'il venait vendre,
Comme Pâques chantait en Flandre
Et mille oiseaux doux à entendre,
Un pauvre homme a chanté chez moi,
Et c'est pour toute une semaine
Qu'ici mon cœur, sur tous les tons,
Chante les joies de la saison,
Et c'est dans toute une semaine
Où chaque jour a sa chanson.

Max ELSKAMP, Six chansons de pauvre homme.

8 Dans la chanson populaire, les paroles et la musique forment un ensemble souvent parfait; on peut difficilement les dissocier. Initiation à la musique, p. 147.

8.1 Je voudrais avoir connu le premier homme qui a chanté une chanson! (...) Il me semble que, de ce jour seulement, date le règne humain. Se servir de ses doigts est utile, mais faire obéir au dieu intérieur le cri de la bête, voilà qui est la chose divine! J.-R. BLOCH, la Nuit kurde, p. 147.

Loc. *L'air ne fait pas la chanson* (→ L'habit ne fait pas le moine). → **Air.** — *Le ton fait la chanson :* la manière de dire les choses en modifie le sens. — *Comme on dit dans la chanson, comme dit la chanson.*

Allus. littér. *(En France) tout finit par des chansons* (Beaumarchais, *le Mariage de Figaro,* V, 19, Vaudeville) : les Français sont frivoles.

Un homme d'esprit me disait un jour que le gouvernement de France était une monarchie absolue, tempérée par des chansons. 9

CHAMFORT, Maximes et Pensées, «Sur la politique», XIV.

Spécialt. [a] La musique seule. *Siffloter une chanson à la mode. Compositeur de chansons.* — La partition. *Acheter une chanson. Éditeur de chansons.*

[b] Le texte seul; poème mis en chanson. *Une chanson de Prévert, de Queneau. La Chanson de Tessa,* de Giraudoux. — Texte de chanson. *Éditer un recueil des chansons de Brassens.*

Collectif. *La chanson :* l'art de composer, de chanter des chansons (de manière professionnelle); ensemble des compositions musicales populaires pour la voix humaine. *La chanson courtoise, au moyen âge. La chanson française, italienne. Histoire de la chanson. Festival de la chanson. La chanson réaliste* (cit. 4.3). *La chanson satirique. La chanson yé-yé. La chanson pour enfants. la chanson rive* gauche, la chanson engagée. Les vedettes de la chanson.*

♦ **2** Bruit musical. → **Chant; bruit, murmure.** *La chanson des oiseaux, du rossignol. La chanson du grillon. La chanson du vent dans les feuillles.*

♦ **3** Fig. et fam. (dans quelques expressions). Propos rebattus. → **Refrain.** *Il n'a, il ne sait qu'une chanson. C'est toujours la même chanson.* → **Comédie, histoire.** *Il chante toujours la même chanson. Voilà une autre chanson,* une autre affaire, un nouvel embarras.

Comme il continuait cette vieille chanson. 10

Mathurin RÉGNIER, Satires, VIII.

— Monsieur, je me permets de vous interrompre *(c'est le député).* Le lycée Boucher-de-Perthes n'est pas le seul en France. L'État répartit ses crédits en fonction non seulement des besoins, mais aussi des urgences. 10.1
— On connaît la chanson, lance Bébert.

Yanny HUREAUX, la Prof, p. 173.

♦ **4** Vx (généralement au plur.). Propos ou raisons futiles et dont on ne tient aucun compte. → **Bagatelle, baliverne, conte** (conte en l'air), **sornette.** *Il ne se paye pas de chansons.*

Ce sont des chansons que cela : je sais ce que je sais. 11

MOLIÈRE, le Bourgeois gentilhomme, IV, 2.

— Je conte justement ce qu'on verra dans peu. 12
— Chansons!
Ce que je dis, ma fille, n'est point jeu.

MOLIÈRE, Tartuffe, II, 2.

**II** Littér. ♦ **1** Poème épique du moyen âge, divisé en strophes (→ **Laisse).** *Chansons de chevalerie. Chanson de Geste* (→ **Geste).** *La Chanson de Roland* (→ Assonance, cit. 1; assoner, cit.). *La Chanson d'Antioche.*

♦ **2** (Dans des titres). Poème lyrique de style tel qu'il puisse en principe faire l'objet d'une mise en musique sous forme de chanson (style naturel, simple, expressif, structure répétitive). *Les Chansons des rues et des bois,* de Hugo. *La Bonne Chanson,* de Verlaine. *La Chanson des gueux,* de Richepin. *La Chanson du Mal Aimé,* d'Apollinaire.

CONTR. **Sérieux** (chose sérieuse). ◊ DÉR. **Chansonner, chansonnette, chansonnier.**

**CHANSONNER** [ʃɑ̃sɔne] v. tr. — 1734; 1584, «jouer d'un instrument»; de *chanson.*

Se moquer de (qqn) par des chansons satiriques. → **Fronder, moquer** (se moquer de), **railler, ridiculiser.** *Chansonner le gouvernement. Le ministre s'est fait chansonner par les chansonniers.*

**CHANSONNETTE** [ʃɑ̃sɔnɛt] n. f. — XII^e; de *chanson.*

Petite chanson sur un sujet léger.

Plaisants repas, menus devis,
Bon vin, chansonnettes jolies.
LA FONTAINE, Poésies mêlées, LXXI.

Collectif. *La chansonnette. Aimer la chansonnette.*
Fig. *Pousser la chansonnette :* débiter une histoire.

**CHANSONNIER, IÈRE** [ʃɑ̃sɔnje, jɛʀ] n. — XIV^e, au sens 1; de *chanson.*

**I** N. m. Littér. Recueil de chansons. *Chansonnier français.* — Spécialt. Recueil de pièces lyriques des trouvères et troubadours.

**II** N. (1571, «personne qui chante souvent»). **CHANSONNIER, IÈRE.** ♦ **1** (Fin XVII^e). Vx. Compositeur, auteur de chansons. — Spécialt. Personne qui écrit, compose des chansons, surtout des chansons satiriques; personne qui chansonne* quelqu'un.

Les Français sont malins et sont grands chansonniers.
VOLTAIRE, Épître au roi de la Chine, 72.

♦ **2** (1862, Goncourt). Mod. *Un chansonnier :* celui qui compose ou improvise des chansons, des monologues satiriques, des sketches, et qui se produit sur des scènes spécialisées, dans des cabarets. *Théâtre de chansonniers. Spectacle de chansonniers. Chansonnier dans un cabaret, un caveau. Les chansonniers de Montmartre.*

REM. Le fém. *chansonnière* semble très peu usité.

1. **CHANT** [ʃɑ̃] n. m. — XII^e, *Psautier d'Oxford* (sens 1); du lat. *cantus.*

♦ **1** *(Le chant).* Émission de sons musicaux par la voix humaine; technique, art de la musique vocale. *L'art du chant.* → **Voix; bel canto, musique; accent, appui, attaque, débit, émission, intonation, liaison, modulation, phrasé, timbre, vocalise; déclamation** (lyrique), **sprechgesang.** *École, professeur de chant.* → **Conservatoire; solfège.** *Exercices de chant* (→ ci-dessous, cit. 4, 6 et 7).

*(Un, des chants).* Suite des sons émis par une personne qui chante. *Chant mélodieux, harmonieux. Chant discordant, bruyant.* → **Beuglement, bruit, cacophonie, cri, gueule** (coup de gueule). *Entonner un chant. Interpréter* un chant. Écouter un chant* (→ ci-dessous, cit. 1, 2 et 7.1).

Spécialt. Composition musicale destinée à la voix, généralement sur un texte, un poème (→ ci-dessous, cit. 5). *Chant épique, de guerre. Chant national, patriotique.* → **Hymne.** *Chant populaire, folklorique* (→ **Folklore**). *Chant d'allégresse, de joie. Chant de deuil, de lamentation. Le thrène, les Nénies, chants funèbres grecs. Chant d'adieu. Chant lyrique, chant d'amour. Chants profanes...* → 3. **Air,** 2. **aria, ariette, arioso, aubade, ballade, barcarolle, bardit, blues, cantabile, cantilène, cavatine, chanson, complainte, couplet, fado, lied, mélodie, mélopée, péan, psalmodie, ranz, récitatif, refrain, rhapsodie, romance, roulade, sérénade, spiritual, tyrolienne, variation, vocero...** *Chants sacrés, liturgiques, religieux. Chants d'Église.* → **Antienne** (et antiphone), **cantique, hymne, litanie, motet, prose, psaume, répons, séquence; agnus Dei, alléluia, hosanna, magnificat, miserere, noël, requiem, Te Deum...** *Recueil des chants de l'office.* → **Antiphonaire, hymnaire, psautier.**

Spécialt (qualifié). Forme particulière de musique vocale (→ ci-dessous, cit. 3). *Chant ambrosien*. Chant grégorien :* chant ordinaire de l'Église catholique romaine. → **Plain-chant; déchant, neume...** — *Chant à une seule voix.* → **Homophonie, monodie, solo, unisson.** *Chant collectif, chant choral, chant à plusieurs voix.* → **Polyphonie; canon, choral, chœur; duo, trio;** et aussi **chantrerie, manécanterie, maîtrise, psallette, schola cantorum.** *Chant amébée*; chants alternés. Formes musicales destinées au chant.* → **Opéra, opéra-comique, opérette, vaudeville; cantate, choral, messe, oratorio...** *Chant sans accompagnement*, a cappella. — Morceau de chant. Motif, leitmotiv d'un chant. Paroles, musique, partition d'un chant. Canevas d'un chant.*

(...) et quant aux merveilles
Dont votre divin chant vient frapper les oreilles (...) 1
LA FONTAINE, Fables, XI, 5.

Elles *(les courtisanes)*chantaient, et leur chant traînait 2
comme la mer, soupirait comme le vent du midi, haletait comme une bouche amoureuse.
Pierre LOUŸS, Aphrodite, II, VI.

(...) le chant grégorien semble emprunter au gothique ses 3
lobes fleuris, ses flèches déchiquetées, ses rouets de gaze, ses trémies de dentelles, ses guipures légères et ténues comme des voix d'enfants.
HUYSMANS, En route, p. 9.

Bref, *tout se passe comme si* musique, chant et danse 4
étaient sortis du même foyer, dans une sorte d'explosion unanime d'allégresse et de jubilation.
Francis DE MIOMANDRE, Danse, Introduction, p. 4.

(...) *L'internationale,* gueulée sans trêve, à pleines voix, 5
déployait son chant puissamment martelé, qui était comme la pulsation de tous ces cœurs.
MARTIN DU GARD, les Thibault, t. VII, p. 62.

On peut diviser l'art du chant en cinq chapitres : 1. *La* 6
*respiration.* 2. *L'émission,* c'est-à-dire la production de la voix (...) 3. *La virtuosité,* qui est l'utilisation musicale de l'instrument vocal. 4. *Le chant avec paroles (...)* 5. *Le chant artistique et expressif,* synthèse des éléments précédents.
Th. SALIGNAC, *in* Encycl. franç., XVI, I, 36, 7.

Le chant est une fonction naturelle à l'homme (...) On 7
chante pour rythmer son travail, pour stimuler son plaisir, on chante pour bercer sa peine ou pour épancher sa joie. Et l'on chante le plus souvent sans raison, machinalement, en accomplissant les actes les plus ordinaires (...)
Initiation à la musique, p. 119.

Les rues sont pleines de troupes en armes qui défilent en 7.1
scandant des chants rythmés, aux intonations basses, plus nostalgiques que joyeuses.
A. ROBBE-GRILLET, Dans le labyrinthe, p. 211-212.

(Dans un titre). *Les quatre Chants sérieux,* de Brahms. *Le Chant du Départ. — Le Chant des chants* (cour. : *le Cantique* des cantiques*).

Loc. fig. *Chant des sirènes* :* discours séduisant et trompeur. *N'écoutez pas le chant des sirènes.*

♦ **2** Partie mélodique de la musique. → **Mélodie.** *L'harmonie soutient, étoffe le chant. Le chant est repris par les hautbois.*

♦ **3** *(Le, un chant de...).* Bruit harmonieux, d'origine musicale ou non. → **Chanson** I., 2. *Le chant du violon. Le chant des oiseaux, de l'alouette, de la fauvette, du rossignol.* → **Gazouillis, ramage.** *Le chant des insectes, de la cigale, du grillon.* → **Stridulation.** *Le Chant du Monde,* titre d'un roman de J. Giono. *Le Chant de la Terre* (*das Lied des Erde,* de Mahler).

L'insecte (...) s'interrompt et va rapidement porter son 8
chant ou sa plainte à un autre point de rappel.
G. SAND, François le Champi, Avant-propos, p. 7.

Le deuxième Paradis était celui des oiseaux, situé dans un 9
bocage frais où leurs chants ruisselaient sur les feuilles des aulnes qui en devenaient ondulées.
Francis JAMMES, le Roman du lièvre, II.

*Au chant du coq :* au point du jour.

Fig. *Le chant du cygne :* la dernière et la plus belle composition d'un artiste, d'un poète... d'après la légende antique selon laquelle le cygne, avant de mourir, faisait entendre un chant mélodieux.

10 (...) le chant du cygne, un chant merveilleux tout trempé de pleurs, montant jusqu'aux sommités les plus inaccessibles de la gamme, et redescendant l'échelle des notes jusqu'au dernier degré (...)
Th. GAUTIER, Fortunio..., «Le nid de rossignols».

♦ **4** Poésie lyrique ou épique destinée, en principe, à être chantée (→ 2. Carme, vx). *Les chants de Pindare, d'Anacréon. Chant nuptial.* → **Épithalame.** *Chant guerrier. Chant pastoral. Chant funèbre. Chant Royal :* forme poétique française de cinq strophes et un envoi, chacune des six parties se terminant par un même vers, le refrain.

Spécialt. Chaque division d'un poème épique ou didactique. *Le premier chant de l'*Iliade, *de l'*Odyssée. *Les douze chants de l'*Énéide. — *Les Chants de Maldoror,* de Lautréamont.

♦ **5** Plur. Littér. La poésie, les poèmes. → **Poésie.** *Les chants du poète. La muse inspire ses chants. Mes chants rediront tes exploits* (Académie). *Les Chants du crépuscule,* de Hugo.

11 (...) réciter des chants qu'il *(Néron)* veut qu'on idolâtre (...)
RACINE, Britannicus, IV, 4.

12 Les plus désespérés sont les chants les plus beaux,
Et j'en sais d'immortels qui sont de purs sanglots.
A. DE MUSSET, la Nuit de mai.

COMP. **Contre-chant, déchant, plain-chant.**

2. **CHANT** [ʃɑ̃] n. m. — Mil. XIIe; du lat. *canthus* «bande bordant une jante», var. *champ* par confusion avec *champ.*

♦ **1** Rare. Face étroite d'un objet, et, spécialt, d'un parallélépipède. *Le chant d'une brique, d'une pierre.*

♦ **2** Cour. *Mettre, poser de chant (sur chant) une pierre,* de façon que sa face longue soit horizontale et en profondeur (→ **Boutisse**).

REM. L'orthographe *champ* (Littré, Académie Septième éd.), qui résulte d'une confusion avec le mot *champ**, a été abandonnée par la plupart des dictionnaires, y compris celui de l'Académie (huitième éd.).

DÉR. **Chanteau,** 2. **chanterelle, chantignole.** ◊ COMP. **Chantourner.** — HOM. 1. **Champ, chand.**

**CHANTABLE** [ʃɑ̃tabl] adj. — Déb. XIIe; de *chanter.*

Qui peut être chanté. *Un air chantable. Ce n'est pas chantable.*

CONTR. **Inchantable.**

**CHANTAGE** [ʃɑ̃taʒ] n. m. — 1837, Vidocq; de *chanter* I., fig. : *faire chanter.*

♦ **1** Action d'extorquer* à qqn de l'argent ou quelque avantage sous la menace d'une imputation diffamatoire, de la révélation d'un scandale. → **Extorsion; maître-chanteur.** *Le chantage et la tentative de chantage sont punis par l'art. 400 du Code pénal. Pratiquer un chantage. Le marchandage* (cit. 3) *et le chantage.*

1 (...) pour me liquider, j'ai fait un peu de *chantage.*
— Qu'est-ce que le Chantage ?...
— Le Chantage est une invention de la presse anglaise, importée récemment en France (...) Si l'homme compromis ne donne pas une somme quelconque, le Chanteur lui montre la presse prête à l'entamer, à dévoiler ses secrets. L'homme riche a peur, il finance.
BALZAC, les Illusions perdues, Pl., t. IV, p. 381.

2 Le chantage suppose des menaces sous conditions pour extorquer des sommes auxquelles on n'a aucun droit.
M. BARRÈS, Leurs figures, p. 258.

Protos : Le chantage est une sainte institution, nécessaire 3
au maintien des mœurs.
GIDE, les Caves du Vatican, Farce, acte III, 15e tableau.

♦ **2** Manœuvre de menace ou d'intimidation pour influencer qqn. *Un chantage moral, sentimental. Il me l'a fait au chantage. Exercer sur qqn une pression et un chantage constants.*

**CHANTANT, ANTE** [ʃɑ̃tɑ̃, ɑ̃t] adj. — 1281; de *chanter.*

♦ **1** Qui chante. *Le Fou chantant* (surnom de Charles Trénet). Qui a un rôle mélodique. *Basse* chantante* (opposé à *basse profonde*).

♦ **2** Qui est favorable au chant. *Une musique très chantante.*

♦ **3** *Voix chantante,* mélodieuse. *Langue chantante,* où l'accent tonique produit une sorte de chant. *Accent chantant :* prononciation dont l'intonation se rapproche du chant. *Déclamation chantante.*

♦ **4** Où l'on chante. *Café* chantant* (vx). → **Café-concert, goguette, guinguette...** *Les sociétés chantantes du Directoire.*

**CHANTEAU** [ʃɑ̃to] n. m. — 1160, *chantel;* de 2. *chant.*

♦ **1** Vx ou régional. Morceau coupé à un grand pain. *Un chanteau de pain.* — Spécialt. *Chanteau de pain bénit,* que l'on envoie à la personne qui doit rendre le pain bénit le dimanche suivant.

(...) il y avait toujours un tonneau de vin rouge dans leur cave, et, dans leur musette de toile, auprès du chanteau de pain, un litre dont le goulot dépassait.
M. GENEVOIX, Forêt voisine, XIV, p. 204.

♦ **2** (1680, *in* D. D. L.). Techn. Pièce d'un violon (ou violoncelle) qui augmente la largeur de la table ou du fond.

**CHANTEFABLE** [ʃɑ̃t(ə)fabl] n. f. — Déb. XIIIe, Aucassin et Nicolette, *cantefable;* de *chanter,* et *fable.*

Littérature.

♦ **1** Récit médiéval où alternent la prose (récit) et les vers (chant). *Les chantefables du moyen âge.*

♦ **2** Mod. Poème lyrique d'un esprit analogue.

Derème était (...) aux antipodes d'un Robert Desnos dont pourtant les chantefables, qui sont des variétés de comptines, sont bien connues.
André BAY, Trésor des comptines, introduction.

**CHANTEPLEURE** [ʃɑ̃t(ə)plœʀ] n. f. — XIIe; de *chanter,* et *pleurer,* en raison du bruit que fait le liquide en coulant.

Techn. ou régional.

♦ **1** Entonnoir à long tuyau percé de trous et destiné à transvaser le vin, etc. — Robinet de tonneau mis en perce. — Par ext. Pressoir, cuvier à robinet.

*(Les vignes)* vont porter cette année pour la première fois. Je languis de mettre la chantepleure. Si toute ma sueur est comptée, ce sera du vin de dieux.
J. GIONO, Naissance de l'Odyssée, p. 125.

♦ **2** Fente d'un mur de terrasse, pratiqué pour l'écoulement des eaux. → **Barbacane,** 2.

**CHANTER** [ʃɑ̃te] v. intr. et tr. — Xe, *Vie de saint Léger;* du lat. *cantare,* fréquentatif de *canere.*

**I** V. intr. ♦ **1** Former avec la voix une suite de sons musicaux. → **Chanson** (cit. 7.1), **chant; voix.** *Chanter bien, mal; chanter juste, faux* (actuellement ou habituellement). *L'amusie* rend incapable de chanter. Chanter avec art, avec goût, avec talent, avec brio, avec expression.* → **Moduler,**

**nuancer; chant; barytonner, ténoriser, vocaliser; jodler.** *Chanter en mesure. Chanter à livre ouvert.* → **Déchiffrer, lire** (la musique), **solfier.** *Chanter en coulant ses notes, en filant les sons... Chanter doucement, à bouche fermée, à mi-voix, mezza voce, en faux-bourdon.* → **Bourdonner, chantonner, fredonner.** *Chanter fort, à pleine voix, à pleins poumons, à tue-tête* (→ Pondre, cit. 2). → par plais. **Beugler, brailler, braire, bramer, crier, égosiller** (s'), **hurler.** *Chanter d'une voix tremblante, trop forte, aiguë et nasillarde; d'une voix qui sort du ton.* → **Chevroter, gueuler, miauler; détonner.** *Faire des canards**, des couacs en chantant. *Chanter avec mièvrerie.* → **Roucouler.** *Chanter avec monotonie, sur une note.* → **Psalmodier.** *Chanter en solo. Chanter en duo, en trio, en quatuor; dans un chœur, une chorale. Chanter en chœur, à l'unisson; a cappella. Chanter pour passer* (cit. 104) *le temps.*

1 — Vous chantiez? j'en suis fort aise :
Eh bien! dansez maintenant.
LA FONTAINE, Fables, I, 1.

2 Avant d'écrire, chaque peuple a chanté.
NERVAL, la Bohème galante, «Chansons et légendes du Valois».

3 Continuez de chanter et de souffrir : c'est le plus noble état d'un cœur mortel.
Souffrir sans chanter est trop triste.
Chanter sans souffrir, c'est affaire de gosier.
SAINTE-BEUVE, Correspondance, t. IV.

4 Ils chantent avec un certain effort du gosier, comme les muezzins des mosquées, en des tonalités hautes.
LOTI, Ramuntcho, I, IV, p. 49.

5 Et soudain il se prit à chanter, d'une voix grêle et agréable, en s'accompagnant au piano, avec des fantaisies, des accords, des guirlandes et des arabesques (...)
G. DUHAMEL, Chronique des Pasquier, III, p. 325.

5.1 A dix-huit ans Velbar s'était découvert une forte voix de baryton; pendant des journées entières, occupé sur son échafaudage à peindre quelque enseigne, il chantait à pleins poumons maintes romances à la mode, et les passants s'arrêtaient pour l'entendre, émerveillés par le charme et la pureté de son généreux organe.
Raymond ROUSSEL, Impressions d'Afrique, p. 267.

Spécialt et absolt. Maîtriser la technique du chant. *Apprendre à chanter. Il ne sait pas chanter.*

Par ext. Parler, réciter, lire avec des intonations rappelant le chant. *Un bon orateur ne doit pas chanter* (→ **Déclamer**). *Les méridionaux chantent en parlant. Une langue qui chante* (langue chantante*).

♦ **2** Exécuter la partie mélodique d'un morceau, en parlant d'un instrument.

6 Je récolte en secret des fleurs mystérieuses :
Le soir, derrière vous, j'écoute au piano
Chanter sur le clavier vos mains harmonieuses (...)
A. DE MUSSET, À Ninon.

♦ **3** Crier, pousser le cri, les cris propres à leur espèce (en parlant des oiseaux* et de certains insectes). → **Gazouiller, ramager** (rare), **siffler.** *L'alouette, le rossignol chantent. Le coq chante.* → **Coqueriquer.** *Le grillon chante.*

7 La Cigale ayant chanté tout l'été (...)
LA FONTAINE, Fables, I, 1.

8 Le chat persan, jeté comme une écharpe de marabout sur le bord de la fenêtre, s'étire et chante (...)
COLETTE, la Paix chez les bêtes, Automne, p. 131.

Prov. *Ce n'est pas à la poule à chanter devant le coq :* la femme doit céder à l'homme.

9 La poule ne doit point chanter devant le coq.
MOLIÈRE, les Femmes savantes, V, 3.

Produire un son assez harmonieux pour être comparé à un chant. *La source chantait. La bouilloire chante. La porte chante.* → **Grincer.**

♦ **4** Loc. fam. *C'est comme si on chantait :* c'est inutile*.

Fig. *Je le ferai chanter sur un autre ton. Il faut qu'il chante sur un autre ton,* qu'il se conduise autrement.

♦ **5** Littér. Produire un effet poétique. *Les souvenirs chantent dans sa mémoire.*

Ce ne sont pas ses pensées, ce sont les nôtres que le poète fait chanter en nous. 10
FRANCE, le Jardin d'Épicure, p. 73.

(...) n'as-tu pas observé, en te promenant dans cette ville, que d'entre les édifices dont elle est remplie, les uns sont muets; les autres parlent; et d'autres enfin, qui sont les plus rares, chantent! 11
VALÉRY, Eupalinos, p. 106.

Toute son enfance chrétienne se remit à chanter. 12
F. MAURIAC, l'Enfant chargé de chaînes, p. 187.

Mais n'est-ce pas à ces heures-là que le passé chante indéfiniment comme les flots d'une mer calme? 13
F. MAURIAC, l'Enfant chargé de chaînes, p. 127.

Loc. *Les lendemains qui chantent.* → **Lendemain.**

♦ **6** *Faire chanter qqn,* exercer un chantage* sur lui.

♦ **7** Loc. *Si ça (me, te, lui, nous, vous) chante.* → **Convenir, plaire, sourire** (cf. Si ça me dit). *Cela ne me chante guère. Comme ça vous chante :* comme vous préférez.

J'aime (...) à aller et venir comme la tête me chante (...) 14
ROUSSEAU, les Confessions, XII.

Le jeune pianiste jouait, mais seulement si «ça lui chantait», car on ne forçait personne (...) 15
PROUST, À la recherche du temps perdu, t. I, p. 256.

Vous mangerez avec nous quand ça vous chantera et ailleurs quand ça vous chantera davantage. 15.1
Jacques LAURENT, les Bêtises, p. 33.

♦ **8** *Pain à chanter :* pain azyme* dont on fait l'hostie. → **Pain** (cit. 5).

**II** V. tr. ♦ **1** Exécuter (un morceau de musique vocale). → **Chanson, chant.** *Chanter un air, une romance, une chanson. Chanter une berceuse* (cit. 2). *Chanter sa partie dans un chœur. Chanter un cantique, une antienne* (cit. 2). *Chanter la messe, les vêpres.*

Aujourd'hui, ce qui ne vaut pas la peine d'être dit, on le chante. BEAUMARCHAIS, le Barbier de Séville, I, 2. 16

Le monde, tant qu'il y aura un monde, le chantera (ce chant, la Marseillaise) à jamais. 17
MICHELET, Hist. de la Révolution franç., t. I, p. 927.

♦ **2** Loc. fig. (dans des contextes péjoratifs). *Il chante toujours la même chanson, la même antienne.* → **Conter, dire, raconter.** *Il chante cela sur tous les tons.* → **Rabâcher, répéter.**

Loc. vieillies. *Chanter pouilles* à qqn.* — *Chanter la palinodie**, se rétracter. — *Chanter à qqn sa gamme,* lui adresser des reproches (cf. Sonner les cloches). — *Chanter magnificat à matines :* faire tout à contretemps.

Régional (Canada). *Chanter matines* (pour un coq) : chanter le matin.

Célébrer par des chants. *Chantons Noël, chantons l'An neuf!*

♦ **3** Fig. et poét. Célébrer, dire, exalter, louer, proclamer, vanter. *Chanter la gloire, les vertus, la patrie, la victoire, les héros. Chanter la joie, l'amour. Homère a chanté les exploits d'Ulysse.* → **Chantre.**

Je chante ce héros qui régna sur la France 18
Et par droit de conquête et par droit de naissance.
VOLTAIRE, la Henriade, I, 1.

Je ne chante ni l'espérance, 19
Ni la gloire, ni le bonheur,
Hélas! pas même la souffrance.
A. DE MUSSET, la Nuit de mai.

Allons! Chantons Bacchus, l'amour et la folie! (...) 20
Chantons l'or et la nuit, la vigne et la beauté!
A. DE MUSSET, Rolla, III.

Cour., fam. *Chanter victoire :* se glorifier. → **Crier** (victoire).

*Chanter les louanges de qqn :* faire de grands éloges de qqn.

Vx. *Chanter fleurette à qqn.* → **Conter.**

21 (...) elle lui fit entendre que son garçon de moulin était un petit insolent (...) parce qu'il avait eu l'idée de lui chanter fleurette en revenant de nuit par les bois avec elle.
G. SAND, François le Champi, IX, p. 76.

♦ **4** Fam. et iron. (en interrogative). → **Dire.** *Que me chantez-vous là ? Qu'est-ce que tu nous chantes encore ?*

♦ **5** Vx. → **Chansonner, railler.**

22 L'armée se console de la perte d'une bataille lorsqu'elle a chanté le général.
MONTESQUIEU, De l'esprit des lois, IX, 7.

DÉR. et COMP. **Chantable, chantage, chantant, chantefable, chantepleure,** 1. **chanterelle, chantoir, chantonner.** — **Déchanter, rechanter.** — V. aussi **Chanson,** 1. **chant, chanteur ; cantabile, cantate, cantatrice, cantique...**

1. **CHANTERELLE** [ʃɑ̃tʀɛl] n. f. — 1540 ; de *chanter.*

**I** ♦ **1** Mus. Corde la plus fine, ayant le son le plus aigu, dans un instrument à cordes. *Chanterelle de violon, d'alto, de violoncelle, de guitare. Hausser, baisser la chanterelle.*

À l'étourdissant concert des moineaux gorgés, répond, de tous les coins du jardin, le chant de fifre des oiseaux exotiques, sifflante piaillerie, chanterelle infinie qu'écrase ou déchire tout à coup le beuglement sourd d'un grand bœuf (...)
Ed. et J. DE GONCOURT, Manette Salomon, p. 442.

Fig. *Appuyer sur la chanterelle :* insister* sur un point délicat, pour convaincre — *Rabaisser, rabattre, faire baisser la chanterelle à qqn,* le caquet*.

Régional (Canada). *Frotter la chanterelle :* jouer du violon. → Gratter, racler du violon*.

♦ **2** Par ext. Bouteille de verre mince dont on tire des sons en soufflant dessus.

**II** Chasse. → 4. **Chanterelle.**

2. **CHANTERELLE** [ʃɑ̃tʀɛl] n. f. — Mil. XIXe ; de 2. *chant.* Techn. Vx. Fausse équerre de charpentier.

3. **CHANTERELLE** [ʃɑ̃tʀɛl] n. f. — 1752 ; du lat. des botanistes *cantharella,* grec *kantharos* « coupe ».

Champignon basidiomycète hyménomycète *(Agaricinées)* au chapeau en forme de coupe jaune d'or. *Chanterelle comestible.* → **Girolle.** *Chanterelle orangée. Fausse chanterelle.* — Spécialt. Champignon de cette espèce, d'une autre variété que la girolle. — Syn. : *jaunotte.*

4. **CHANTERELLE** [ʃɑ̃tʀɛl] n. f. — 1690 ; de *chanter.* Chasse. Oiseau femelle servant d'appeau par son chant. — Loc. *À la chanterelle :* en utilisant une chanterelle.

On se sert de la femelle de la perdrix pour prendre le mâle. Cela s'appelle chasser à la chanterelle.
FRANCE, la Vie littéraire, t. III, p. 327.

**CHANTEUR, EUSE** [ʃɑ̃tœʀ, øz] n. — XIIe, *chantur,* puis *chanteor ;* du lat. *cantorem* accusatif de *cantor.* → Chantre.

♦ **1** Celui, celle qui chante, et plus spécialement, qui fait métier de chanter ou excelle dans l'art du chant. → **Chant, voix** (et **registre, tessiture).** *Chanteurs et poètes de l'antiquité et du moyen âge.* → **Aède, barde, citharède, coryphée, ménestrel, minnesinger, rhapsode, scalde, troubadour, trouvère.** *Chanteur amateur, professionnel. Chanteur ambulant, chanteur des rues. Chanteur populaire. Chanteur de variétés. Chanteur comique.* → **Comique.** *Chanteuse réaliste** (cit. 4.3). *Chanteuse de beuglant, de café-concert. Chanteur de chansons satiriques.* → **Chansonnier.** *Chanteur d'église.* → **Chantre, castrat.** *Chanteur de chorale.* → **Choriste.** *Les Petits Chanteurs à la croix de bois. Chanteur de concert, d'opéra.* → **Acteur, artiste, exécutant, interprète, soliste, virtuose.** *Chanteur de duo.* → **Duettiste.** *Chanteuse d'opéra, chanteuse légère, chanteuse à voix, forte chanteuse.* → **Cantatrice, diva, vedette.** *Chanteur de blues.* → **Bluesman** (anglic.). *Chanteur de gospel. Chanteur de jazz.* → **Vocaliste,** 2. (anglic.). *Chanteur de charme.* → **Crooner** (anglic.). *Chanteur compositeur. Chanteur interprète* (des chansons écrites par d'autres). *Ce chanteur est auteur*, compositeur, interprète de ses chansons* (au Canada, → **Bozo**). *Chanteur, chanteuse pop, rock, folk. Chanteur en tournée ; chanteur qui passe dans un music-hall, un cabaret ; qui donne un récital. Les admirateurs, les fans d'un chanteur.* — *Ce chanteur chante* faux, détonne, crie, fait des couacs.*

Quand un chanteur met la main sur son cœur, cela veut dire d'ordinaire : je l'aimerai toujours ! 1
BAUDELAIRE, les Curiosités esthétiques, p. 111.

L'Allemande Sontag qui, chanteuse dramatique de premier ordre, pouvait aborder, grâce à la souplesse de sa voix, les rôles les plus légers. 2
Initiation à la musique, p. 130.

Par compar. :

La chouette et l'orfraie et leurs accents funèbres, 3
Voilà les seuls chanteurs que je veuille écouter.
André CHÉNIER, Idylles, « La liberté ».

REM. Jusqu'au XVIe s., le fém. *chanteuse* est concurrencé par *chanteresse,* et aujourd'hui par *cantatrice*,* dont l'emploi est restreint au domaine de la musique classique.

♦ **2** MAÎTRE CHANTEUR, n. m. **a** Mus. → **Maître** (IV., A., 3.).

**b** Fig., cour. Personne qui pratique habituellement le chantage*.

♦ **3** Adj. **a** (Personnes). Rare. Qui chante souvent. « *(Les) races du Midi, si vives et si chanteuses* » (Michelet, *in* T. L. F.).

**b** Se dit d'un animal doué de la faculté de chanter. *Les oiseaux chanteurs.* — N. m. *Le rossignol est un chanteur.*

**CHANTIER** [ʃɑ̃tje] n. m. — Fin XIIe, *gantier* « pièce de bois, étai » ; du lat. *canterius* « mauvais cheval ». Chevalet.

♦ **1** Techn. Pièce servant de support. — Pièce sur laquelle on pose les tonneaux, dans un cellier, une cave (→ **Madrier).** Par ext. *Mettre du vin en chantier, sur le chantier,* dans un tonneau, des tonneaux posé(s) sur des chantiers.

Pièce servant à caler des ballots, etc., sur un navire.

Pièce servant de support à qqch. que l'on façonne, que l'on fabrique. *Poser une pierre sur le chantier pour l'équarrir.* — Loc. *Mettre des matériaux en chantier* (d'où le sens 2).

Mar. Bloc de bois supportant la quille d'un navire en construction, en radoub. → **Tin.** *Navire sur le chantier.*

♦ **2** (1758). Loc. **EN CHANTIER, SUR LE CHANTIER** (avec des verbes tels que *mettre*). → **Train** (mettre en train). *Opération en chantier. Mettre une œuvre en chantier.*

(...) Un Président du Conseil devait, il y a huit mois, déblayer et reconstruire. Son successeur aujourd'hui doit parachever ce qu'il trouve en chantier et maintenir un rythme. 0.1
F. MAURIAC, Bloc-notes 1952-1957, p. 161.

♦ **3** Entassement de matériaux. *Un chantier de bois, de charbon.*

1 La ville (...) l'a louée *(l'aire Saint-Mittre)*... à des charrons du faubourg qui en ont fait un chantier de bois. Elle est encore aujourd'hui encombrée de poutres énormes (...)
ZOLA, la Fortune des Rougon, I, p. 6.

♦ **4** Mod. et cour. Lieu où sont entassés des matériaux. → **Atelier, entrepôt.** *Chantier de construction; de démolition. Travailler sur un chantier. Il ne quittait guère le chantier.* → Pierre, cit. 14. *Les ouvriers d'un chantier. Chantier d'exploitation, d'abattage d'une mine. Cantine* d'un chantier.*

2 Les chantiers du métro, qui se dressaient un peu partout comme des forteresses de terre glaise et de planches, armées d'une artillerie de grues, achevaient d'étrangler les rues, de bloquer les carrefours.
J. ROMAINS, les Hommes de bonne volonté, I, p. 29.

*Chantier naval* (→ Arsenal, cit. 1).

Anciennt. Au Canada, Exploitation forestière. — Habitation pour les bûcherons dans la forêt. *Homme de chantier :* ouvrier forestier. → **Bûcheron.** *Faire chantier :* abattre et scier des arbres.

♦ **5** Fam. Désordre, lieu en désordre. *Quel chantier!* → **Bazar.**

♦ **6** Hist. *Chantiers de jeunesse :* entre 1940 et 1944, Organisme français d'éducation obligatoire pour la jeunesse, selon les principes du régime de Vichy.

**CHANTIGNOLE** [ʃɑ̃tiɲɔl] n. f. — 1676; de l'anc. franç. *chantille*; de 2. *chant.*

Technique.

♦ **1** Pièce de bois soutenant les pannes de la charpente d'un toit.

♦ **2** Brique de demi-épaisseur servant à la construction d'une cheminée.

**CHANTILLY** [ʃɑ̃tiji] n. m. et f. — 1872; de *Chantilly,* commune de l'Oise; *à la chantilly* (1832) désigne une recette de potage.

**I** N. m. Dentelle au fuseau à mailles hexagonales. *Du chantilly. Robe garnie de chantilly.*

C'était Irma Bécot, délicieusement vêtue d'une toilette de soie grise, recouverte de chantilly.
ZOLA, l'Œuvre, p. 334.

**II** (Du château de *Chantilly*). N. f. ou appos. *Crème chantilly, de la chantilly :* crème fouettée, mousseuse et sucrée. *Servir un baba avec de la chantilly, un baba chantilly. Gâteaux à la chantilly :* chou, savarin...

**CHANTOIR** [ʃɑ̃twaʀ] n. m. — 1547, n. f.; mot wallon, de *chanter, tchanter,* d'où, en wallon, *tchantwèr.*

Régional (Belgique) et géogr. Orifice, en terrain calcaire, par où s'engouffre un cours d'eau qui réapparaît plus loin. *Ce qui distingue le chantoir de la bétoire*, c'est la résurgence du cours d'eau souterrain.*

1 Et je vis le pauvre *sotai(gnome)* aller se briser contre les rochers aigus du chantoir d'Adseux. Le torrent impétueux, qui se perdait sous terre avec fracas, l'entraîna (...)
M. LA GARDE, le Val de l'Amblève, Le dernier soltai de la grotte de Remouchamps (1858).

2 On ne peut épuiser le caractère légendaire de ce pays de cavernes, de chantoirs et d'eaux vives.
LANCELOT, Nuées orageuses, *in* le Soir, 25 avr. 1983.

**CHANTONNEMENT** [ʃɑ̃tɔnmɑ̃] n. m. — 1834; de *chantonner.*

♦ **1** Action, fait de chantonner. *Un chantonnement discret, à bouche fermée.*

Son vêtissement et sa toilette ne s'accompagnèrent que de vagues rêveries accompagnées du chantonnement spasmodique de refrains connus. 1
R. QUENEAU, Pierrot mon ami, p. 113.

♦ **2** Figuré :

(...) le chantonnement du gaz sous la marmite, la fuite susurrante du robinet sur l'évier. 2
G. DUHAMEL, Chronique des Pasquier, I, x, p. 123.

**CHANTONNER** [ʃɑ̃tɔne] v. — 1538; de *chanter.*

**I** V. intr. ♦ **1** Chanter à mi-voix. → **Fredonner.**

♦ **2** Fig. *La bouilloire chantonne sur le feu,* produit un bruit léger et modulé.

**II** V. tr. ♦ **1** *Chantonner une chanson, un air connu, une rengaine.*

♦ **2** Figuré :

La bouillotte chantonne sa prière au feu.
J. RENARD, Journal, 22 déc. 1900.

REM. Balzac emploie la var. (dérivée) *chanteronner,* forme régionale du Centre et de l'Ouest.

DÉR. **Chantonnement.**

**CHANTOUNG** [ʃɑ̃tuŋ] n. m. — 1929, var. de *shantung.*
Tissu de soie. → **Shantung.**

(...) un garçon en veste de chantoung blanc s'approcha d'eux et prit note de la commande.
R. QUENEAU, Loin de Rueil, p. 190.

**CHANTOURNEMENT** [ʃɑ̃tuʀnəmɑ̃] n. m. — 1803; «mouvement sinueux», 1611; de *chantourner.*

Technique.

♦ **1** Action de chantourner.

♦ **2** Contour d'une pièce chantournée.

**CHANTOURNER** [ʃɑ̃tuʀne] v. tr. — 1611, «sinuer comme un ruisseau»; 1694, en menuiserie; de 2. *chant,* et *tourner.*

♦ **1** Techn. Tailler en dehors, évider en dedans une pièce de bois, de métal, suivant un profil donné. *Scie à chantourner. Les bordures chantournées sont fréquentes dans le style rocaille.*

♦ **2** Faire apparaître comme saillants certains contours.

◆ **CHANTOURNÉ, ÉE** p. p. adj.

Trois vases qui portent, l'un des orangers, et les deux autres diverses fleurs en confusion, chantournées et découpées à jour.
CORNEILLE, la Toison d'or, Décoration du premier acte.

◆ **CHANTOURNÉ** n. m. Spécialt. Techn. *Chantourné :* pièce de bois travaillée, qui se met entre le dossier et le chevet d'un lit.

DÉR. **Chantournement.**

**CHANTRE** [ʃɑ̃tʀ] n. m. — 1227; du lat. *cantor.* → Chanteur.

♦ **1** Vx (XV^e^ au XVII^e^). Celui qui chante. → **Chanteur.** — Figuré :

(...) Les petits oiseaux,
Ces chantres si doux et si beaux! 1
RACINE, Poésies diverses.

♦ **2** Littér. (suivi d'un compl. en *de*). Poète* épique ou lyrique. — Loc. *Le chantre de Thrace :* Orphée. *Le chantre d'Ionie, le chantre d'Achille :* Homère. *Le chantre thébain :* Pindare. *Le chantre d'Énée, d'Ausonie, des Géorgiques :* Virgile. *Le chantre de Roland :* l'Arioste.

2 Que le chantre flatteur du tyran des Romains,
L'auteur harmonieux des douces Géorgiques (...)
VOLTAIRE, Épîtres, LXXVI.

Auteur qui célèbre (qqn, qqch.).

3 (...) Walter Scott, le chantre des races opprimées.
M. BARRÈS, la Colline inspirée, XVIII, p. 301.

Par ext. *Les chantres des bois :* les oiseaux. *Le chantre du printemps :* le rossignol.

♦ **3** Chanteur dont la fonction est de chanter dans un service religieux. *Voix de chantre,* forte et sonore.

4 Il *(cet enfant)* braille à faire sourd un chantre (...)
HUGO, Notre-Dame de Paris, IV, 1.

5 D'ailleurs, chrétien pratiquant, marguillier de sa paroisse et chantre à voix tonnante.
LOTI, Ramuntcho, I, I, p. 22.

*Grand chantre :* dignitaire maître de chœur, qui préside au chant dans une église cathédrale ou collégiale, dans un chapitre. → **Cantor; chanoine.**

Loc. fam. (vx). *Être gras comme un chantre. Une bedaine de chantre.*

**DÉR. Chantrerie** ou **chanterie.**

**CHANTRERIE** [ʃɑ̃tʀəʀi] ou **CHANTERIE** [ʃɑ̃tʀi] n. f. — 1384; «réunion de chantres d'église», 1335; de *chantre.*

Religion.

♦ **1** Dignité, bénéfice de chantre (3.).

♦ **2** (1669). École de chant d'église. → **Maîtrise, manécanterie.**

**CHANVRE** [ʃɑ̃vʀ] n. m. — 1089, *chenvre;* lat. vulg. **canapus;* provençal *canebe,* du lat. *cannabis.*

**A** ♦ **1** Plante dicotylédone *(Cannabinacées),* scientifiquement appelée *Cannabis sativa,* annuelle, dioïque, à tige droite, à feuilles digitées. *Le chanvre est cultivé dans les régions tempérées et subtropicales pour servir de textile*. Chanvre commun. Terrain planté de chanvre.* → **Chanvrière, chènevière.** *Graines de chanvre.* → **Chènevis.** *Fibre de chanvre.* → **Chènevotte, étoupe, filasse, teille.**

1 Il arriva qu'au temps que la *(le)* chanvre se sème,
Elle vit un manant en couvrir maints sillons.
LA FONTAINE, Fables, I, 8.

2 On distingue à peine la plante qui porte le chanvre d'avec celle qui produit le lin (...)
LA BRUYÈRE, les Caractères, VII, 21.

3 Tout ce fatras fut du chanvre en son temps;
Linge il devint par l'art des tisserands (...)
VOLTAIRE, Dict. philosophique, Livres 2.

*Traitement du chanvre. Extraction des fibres de la tige du chanvre :* rouissage, séchage, halage, teillage... *Instruments servant à travailler le chanvre.* → **Affinoir, brisoir, broie, broyeuse, écang, échanvreur, écouchoir, macque, peigne, regayoir, séran.** *Travailler le chanvre.* → **Chanvreur, chanvrier.**

♦ **2** Textile fabriqué à partir de la tige du chanvre. *Filer le chanvre à la quenouille, au rouet, industriellement. Chanvre écru; chanvre peigné* (→ **Peignon).** *Toile de chanvre.* → **Coutil, cretonne.** *Canevas de chanvre. Cordage de chanvre.* → **Caret, filin, larderasse.** *Corder du chanvre.*

Loc. *La cravate de chanvre :* la corde de la potence.

♦ **3** Textile analogue; plante qui le produit. *Chanvre de Manille,* tiré d'un bananier. → **Abaca.** *Chanvre de la Nouvelle-Zélande.* → **Phormium.** *Chanvre de Bengale.* → **Jute.** — *Chanvre de Guinée :* hibiscus cannabinus.

**B** ♦ **1** *Chanvre indien, chanvre de l'Inde* (n. sc. Cannabis sativa indica. → **Cannabis).** *Utilisation des propriétés stupéfiantes du chanvre indien.* → **Haschisch, herbe** (2., c), **kif, marie-jeanne, marijuana, shit.** *Intoxication chronique par le chanvre indien.* → **Cannabisme, haschischisme.**

Le visage de Landry s'est assombri. On ne sortirait décidément pas de ces histoires de stupéfiants. En cette matière, le Liban est la Terre promise; il est presque aussi facile de s'y fournir de chanvre indien ou de hachisch, que d'acheter un pistolet ou un revolver au Texas. 4
René FLORIOT, la Vérité tient à un fil, p. 131.

♦ **2** Plante comparée botaniquement au chanvre. *Chanvre d'eau.* → **Eupatoire.**

**DÉR. Chanvreur, chanvrier.**

**CHANVREUR** [ʃɑ̃vʀœʀ] n. m. — 1855, G. Sand; de *chanvre.*

Techn. Ouvrier qui travaille le chanvre. — REM. Le fém. *chanvreuse* est virtuel.

**CHANVRIER, IÈRE** [ʃɑ̃vʀije, ijɛʀ] n. et adj. — 1283, *in* Arveiller; de *chanvre.*

Technique.

♦ **1** N. Personne qui travaille le chanvre.

♦ **2** Adj. Du chanvre, qui concerne le chanvre. *Industrie chanvrière.*

**CHANVRIÈRE** [ʃɑ̃vʀijɛʀ] n. f. — 1429; de *chanvre.*

Terre où l'on cultive le chanvre. → **Chènevière.**

**CHAO** [tʃao] interj. → **Ciao.**

**CHAOS** [kao] n. m. — 1377; lat. *chaos,* grec *khaos.*

♦ **1** Relig., mythol. Dans les cosmogonies antiques, Vide obscur et sans bornes qui préexiste au monde actuel.

Dans les religions juive et chrétienne, État confus du monde de la matière, avant la création. → **Tohu-bohu** (étym.). *Le chaos de l'abîme*.*

De quel chaos l'homme est sorti, tu l'apprendras si tu ne le sais pas encore. Il en est mal sorti; de tout son poids naïf il y retombe dès que l'Esprit ne le soulève plus au-dessus. 1
GIDE, le Retour de l'enfant prodigue, 3e tableau.

Il *(Dieu)* est l'esprit organisateur par qui le chaos s'ordonne (...) 2
DANIEL-ROPS, le Peuple de la Bible, I, III, p. 63.

♦ **2** (XVIe). Cour. Confusion*, désordre complet. *Un chaos d'idées, d'arguments.* → **Trouble.** *Le chaos des éléments. Le chaos de la foule.* → **Cohue, mêlée.** *Ses affaires sont dans un chaos épouvantable.* → **Pêle-mêle.**

Et plus mon esprit y repasse, 3
Moins j'en puis débrouiller le funeste chaos.
MOLIÈRE, Amphitryon, III, 1.

Quelle chimère est-ce donc que l'homme? Quelle nouveauté, quel monstre, quel chaos, quel sujet de contradiction, quel prodige! Juge de toutes choses, imbécile ver de terre; dépositaire du vrai, cloaque d'incertitude et d'erreur : gloire et rebut de l'univers. 4
PASCAL, les Pensées, VII, 434.

Un désordre, un chaos, une cohue énorme (...) 5
RACINE, les Plaideurs, III, 3.

6 (...) èsi jamais notre planète est victime d'un cataclysme, à ce moment redoutable, il se trouvera des hommes qui, au milieu du bouleversement et du chaos, auront une pensée désintéressée, scientifique (...)
RENAN, Réflexions sur l'état des esprits, Œuvres, t. I, p. 218.

7 Les mouvements déréglés, l'agitation effrénée, ne sont pas plus nécessaires au bonheur de l'enfant grandi que le chaos des sensations confuses ne l'a été au nourrisson.
MICHELET, la Femme, p. 114.

Anarchie, désordre politique ou social. → **Bouleversement.** *Le chaos révolutionnaire.*

8 L'histoire était *(pour l'auteur)* un tissu de drames sans suite, une mêlée, un chaos où l'intelligence ne discernait rien.
J. BAINVILLE, Hist. de France, Avant-Propos, p. 1.

♦ **3** (1863). Entassement confus, désordonné de blocs, de rochers. *Le chaos de Gavarnie. Un surprenant chaos de rochers énormes.* → 1. Rocher, cit. 5.

9 Le chaos des glaces est maintenant terrible. Imaginez une tempête, avec ses énormes vagues et ses courants contraires, subitement figée.
R. FRISON-ROCHE, Peuples chasseurs de l'Arctique, p. 265.

**CONTR. Clarté, harmonie, ordre, organisation.** ◊ **DÉR. Chaotique.** → **HOM. Cahot. — K.O.** (knock-out).

**CHAOTIQUE** [kaɔtik] adj. — 1838; de *chaos.*

♦ **1** Qui a l'aspect d'un chaos. *Un paysage chaotique* (Académie, 1932). *L'aspect chaotique de cette œuvre. — Un amas chaotique de roches* (→ Chaos, 3.).

♦ **2** Didact. Relatif au chaos (1.) originel.

**DÉR. Chaotiquement.**

**CHAOTIQUEMENT** [kaɔtikmɑ̃] adv. — 1928; de *chaotique.*

D'une manière chaotique.

**CHAOUCH** [ʃauʃ] n. m. — 1854, M. du Camp; *chaoux,* 1547; turc *tchaouch* «sergent».

En Afrique du Nord et dans le Moyen-Orient, Huissier, appariteur. *Des chaouchs.* — **REM.** Mot de voyageur au XIXe s., *chaouch* était courant dans le français d'Algérie, avant l'indépendance.

**CHAOURCE** [ʃauʀs] n. m. — 1926; du nom d'une commune de l'Aube.

Fromage de vache à pâte molle, de forme cylindrique et à croûte fleurie, fabriqué en Champagne.

**CHAPARDAGE** [ʃapaʀdaʒ] n. m. — 1871; de *chaparder.*

Fam. Le fait de chaparder. → **Maraude.** *Il pratique le chapardage.*

*(Un, des chapardages).* Petit vol. → **Larcin.** *Des chapardages aux étalages.*

**CHAPARDER** [ʃapaʀde] v. tr. — 1858, *in* Esnault; argot milit., p.-ê. de *chapar* «vol», sabir algérien, ou de *cape,* par l'anc. picard *caper* «prendre» et le provençal *-acapa* «dérober».

Fam. Dérober, voler (de petites choses). → **Dérober, marauder, voler.** *Les gosses ont dû chaparder les biscuits.*

1 Ce type n'est qu'un vulgaire employé de la gare, un brave type qui apportait sans doute un peu de charbon dans son panier, ou des patates, et la vieille a eu peur (...) Et après? Admettons que ce charbon ait été chapardé?
Francis CARCO, les Belles Manières, p. 103.

Absolt. *Elle chaparde dans les grands magasins.*

Trois négrillons montèrent à bord de *l'Hérétique :* pour la première fois, en Atlantique, j'avais un équipage! Ils ne laissaient pas d'ailleurs de m'inquiéter, furetant partout, fouillant tout, chapardant à droite et à gauche. 2
Alain BOMBARD, Naufragé volontaire, p. 252.

**DÉR. Chapardage, chaparderie, chapardeur.**

**CHAPARDERIE** [ʃapaʀdəʀi] n. f. — 1863; de *chaparder.*

Rare. Action, fait de chaparder. → **Chapardage.**

Tout ce que celui-ci lui disait au sujet de ses chaparderies avait glissé sur cet enfant sans l'émouvoir (...)
GIDE, les Faux-monnayeurs, III, XV, Pl., p. 1225.

**CHAPARDEUR, EUSE** [ʃapaʀdœʀ, øz] adj. et n. — 1858, Esnault; de *chaparder.*

Qui commet de petits larcins. *Un garçon un peu chapardeur.* — N. Celui ou celle qui chaparde.

Sa main rapide de chapardeuse, habile à filouter naguère les oranges des étalages, a saisi une grosse rose pourpre (...)
COLETTE, la Vagabonde, I, éd. Albin Michel, p. 58.

**CHAPARDISE** [ʃapaʀdiz] n. f. — XXe; de *chaparder.* → Gourmandise.

Fam. Activité de chapardeur.

(...) la clientèle enfantine, qui avait du goût pour la mystification et la chapardise (...)
R. QUENEAU, Pierrot mon ami, éd. L. de Poche, p. 78.

**CHAPARRAL** [ʃapaʀal] n. m. — 1894, *chaparal,* Leconte de Lisle; mot esp., de *chaparro* «plantation de chênes», repris en géogr. par l'angl. des États-Unis.

Géogr. Végétation formée de fourrés d'arbustes et d'arbrisseaux à feuilles persistantes.

**CHAPE** [ʃap] n. f. — XIe, *Vie de saint Alexis;* du bas lat. *cappa* «capuchon», puis «manteau». → Cape.

♦ **1** Vx. Cape. — (Après 1250). Liturgie. Long manteau de cérémonie, sans manches, agrafé par devant, et que les ecclésiastiques revêtent pour certains offices. → **Ornement.** *Chape brodée. Chape de drap d'or. Chape blanche, violette, noire. La chape de l'officiant* (→ **Chapier**). — *Chape de cardinal :* habit à capuce doublé d'hermine que portent les cardinaux.

(...) et deux grands coquins de bergers drapés dans des manteaux de cadis roux qui leur tombent sur les talons comme des chapes. 1
Alphonse DAUDET, Lettres de mon moulin, «Installation», p. 10.

Ce fut la dernière fois que Talleyrand coiffa la mitre et officia sous la chape de drap d'or. 2
Louis MADELIN, Talleyrand, I, IV, p. 48.

Loc. prov. *Disputer de la chape de l'évêque :* disputer de choses auxquelles on n'a pas de raison de s'intéresser.

Par ext. *Chape de plomb :* ancien instrument de torture consistant en un manteau de plomb.

♦ **2** (XVIIe). Objet recouvrant quelque chose. → **Couvercle, enveloppe, revêtement.** *La chape d'un alambic :* chapiteau de la cucurbite de l'alambic — *Chape de poulie :* monture, protection de l'axe d'une poulie. *Assemblage de poulies dans une même chape.* → **Moufle.** — *Chape de bielle :* enveloppe des coussinets. — *La chape d'un moule :* enveloppe de bois, de plâtre qui réunit et maintient les différentes pièces d'un moule. *La chape d'un pneumatique de roue.* → **Pneu.** *Changer, réparer la chape.* → **Rechaper.** — Couvercle bombé que l'on met sur un plat pour tenir les mets au chaud. — Futaille de protection dont on entoure un baril de poudre, un tonneau de vin pour le transporter.

Mar. *La chape d'un compas, d'une boussole :* petit cône creux placé au milieu d'une aiguille aimantée, et qui lui permet de tourner dans un plan horizontal.

♦ **3** (XVe). Trav. publ. Surface imperméable qui protège une voûte, un radier. — Mod. *Chape de béton.*

♦ **4** Blason. Pièce honorable triangulaire de l'écu. — REM. Dans ce sens, on écrit aussi *chappe.*

♦ **5** Par métaphore ou fig. (de 1., par ext.). *Une chape de nuages bas. Une chape de plomb* (fig.). — Fardeau moral. *Une chape d'ennui, de tristesse.*

3 (...) nos pensées du sommeil, dérobées par une chape d'oubli, n'ont pas le temps de revenir (...)
PROUST, Sodome et Gomorrhe, éd. L. de Poche, p. 382.

4 Réglée comme un mouvement d'horlogerie, notre civilisation écrase tout sous une chape de laideur, sous une écœurante monotonie, modelant les âmes suivant un prototype médiocre, sans aucune échappée.
Roger NAÏM, l'Ère des truands, p. 191.

DÉR. **Chapé, chaperon, chapier.** ◊ COMP. **Chape-chute, portechape, rechaper, sous-chape.**

**CHAPÉ, ÉE** [ʃape] adj. — 1558; de *chape.*

♦ **1** Relig. Revêtu de la chape (1.) ecclésiastique.

♦ **2** Blason. *Écu chapé,* qui s'ouvre en chape* (4.). → **Chaussé, crénelé, écartelé, enté.** *Chapé de gueules.*

**CHAPEAU** [ʃapo] n. m. — Déb. XIIIe; *chapel,* fin XIe; du lat. pop. *cappellus,* de *cappa.* → Chape.

**I** Coiffure de forme élaborée, souvent rigide (opposé à *bonnet, coiffe, béret...*) que les hommes et les femmes peuvent porter, généralement pour sortir. ♦ **1** Coiffure pour hommes, ayant une forme déterminée (variable selon les époques et les modes) en général avec des bords. → fam. **Bada, bitos, galure, galurin;** argot, **bloum** (vx), **caloquet** (vx), **doulos** (argot). *Chapeaux anciens, du moyen âge, de la Renaissance. Chapeaux à cornes* (notamment au XVIIIe s.). → **Bicorne, tricorne.** *Chapeaux du XIXe siècle.* → **Bousingot, manille, tromblon.** *Chapeau de feutre* (→ **Feutre; albanais, bicoquet, borsalino...**), *chapeau mou* (le plus courant de nos jours). *Chapeau haut de forme.* → **Ascot, bolivar, claque, gibus, haut-de-forme, huit-reflets, tube.** Vx. *Chapeau mécanique*. Chapeau de paille* (cit. 8). → **Canotier, panama.** *Chapeau à bords roulés. Chapeau melon.* → **Melon.** *Chapeau à larges bords. — Chapeau mexicain.* → **Sombrero.** *Chapeau de cow-boy. Chapeau texan.* → **Stetson.** — *Chapeau de gendarme* (au XIXe s.), *de carabinier espagnol. Le petit chapeau de Napoléon* (→ ci-dessous, cit. 1). — *Chapeau de clown. Chapeau pointu.* → Enjoliver, cit. 2.

*La forme d'un chapeau. Le fond d'un chapeau. Les bords larges, étroits, roulés d'un chapeau* (→ **Retroussis**). *La coiffe* d'un chapeau.* → **Coiffant.** *Chapeau en feutre de poils de castor. Étoffe servant à faire des chapeaux.* → **Capade, soie** ou **peluche, sparterie, tagal.** *La carcasse ou galette d'un chapeau. La carre* d'un chapeau. Garniture d'un chapeau :* bordé, bourdalou, cocarde, cordon, crêpe, galon, plume, pompon, ruban. *Brosse à chapeau.*

*Fabrication des chapeaux.* → **Chapellerie** (→ Secrétage, bastissage, appropriage, arçonnage, sémoussage, caillotage, ponçage, apprêt, dressage ou mise en forme). *Enformer, bichonner, fouler, lustrer, relustrer, retaper un chapeau* (→ **Lustre; conformateur, roulet**). *Porter un chapeau. Mettre, enfoncer, camper son chapeau.* → **Coiffer** (se), **couvrir** (se). *Flanquer, porter son chapeau sur l'oreille,* avec désinvolture, par fanfaronnade. *Mettre son chapeau en bataille.* → **Bataille.** *Enlever son chapeau.*

— Metternich (retournant le chapeau et l'approchant de la lumière pour lire, au fond, le nom du chapelier)... : 1
Je t'ai haï, d'abord, à cause de ta forme,
Chauve-souris des champs de bataille ! chapeau
Qui semblait fait avec deux ailes de corbeau !
Edmond ROSTAND, l'Aiglon, III, 8.

(...) se découvrant pour présenter ses hommages à la duchesse, avec une si ample révolution du chapeau haut de forme dans sa main gantée de blanc (...) 2
PROUST, À la recherche du temps perdu, t. IX, p. 155.

Un simple chapeau devient un casque, un boisseau, un tuyau de poêle, un melon, une galette, un camembert ; écrasé, c'est un accordéon, etc. (...) 3
F. BRUNOT, la Pensée et la Langue, II, VIII, p. 77.

Spécialt. *Chapeaux d'ecclésiastiques* (opposé à *barrette, calotte...*). Chapeau de cardinal. — Vx. *Porter le chapeau :* être cardinal. *Obtenir, recevoir le chapeau.*

(...) il s'acheminait tranquillement vers le cardinalat, certain d'avoir le chapeau, sans se donner d'autre peine que d'apporter les nouvelles, aux heures douces de la promenade. ZOLA, Rome, p. 246. 3.1

Blason. Pièce des armes des prélats, représentant un chapeau.

Collectif. *Le chapeau. Porter le chapeau.* Vieilli. *Porter chapeau :* être habillé de manière bourgeoise (le *chapeau* est, au XIXe siècle, opposé à la *casquette* des ouvriers, au *bonnet* des paysans). *«Un monsieur à chapeau»* (Hugo) : un bourgeois. — REM. Le port du chapeau, généralisé dans la classe bourgeoise au XIXe et au déb. du XXe s., tend à devenir exceptionnel.

Le chapeau est une coiffure encore moins disgracieuse que disgraciée. 4
G. DUHAMEL, Cri des profondeurs, I, p. 9.

*Enlever, ôter son chapeau :* saluer qqn en soulevant son chapeau. → **Découvrir** (se). *Tirer son chapeau :* au fig., marquer son admiration, en signe de compliment. *Mettre chapeau bas. Chapeau bas !* (→ **Bas,** cit. 74 et 75). *Parler à qqn chapeau bas. — Donner un coup de chapeau à qqn* (même sens). — *Coup de chapeau :* salut fait en ôtant son chapeau ; fig., témoignage de respect, d'admiration.

Ah ! dit Creval, que ne ferais-je pas pour l'empêcher de pouvoir mettre son chapeau. 5
BALZAC, Œuvres, t. VI, la Cousine Bette, p. 236.

Là, mon petit, il faut tirer le chapeau. Des beautés comme ça, on n'en fait plus. 6
COLETTE, la Fin de Chéri, p. 156.

Nous, nous avons eu des maîtres, des maîtres qui nous ont suffi, et même qui nous ont comblés (...) des maîtres que nous autres, artistes mûrs et grisonnants, nous n'abordons jamais que chapeau bas et cœur battant. 7
G. DUHAMEL, la Défense des lettres, II, I, p. 109.

Ellipt. (fam.). *Chapeau !,* témoigne l'admiration.

(...) oui, j'ai beau chercher, je ne trouve rien par où je puisse les chopper, ces Chefs-là étaient des petits marles, chapeau (...) A. SARRAZIN, la Cavale, p. 343. 7.1

(...) Alors là, chapeau, comme dit Raymond Frôlet. Nous ne pourrons pas descendre plus bas ce soir (...) 7.2
Claude MAURIAC, le Dîner en ville, p. 135.

Loc. fam. *En baver des ronds de chapeau.* → **Baver.** — *Travailler du chapeau.* → **Travailler.**

(1669, *mettre un chapeau sur la tête de qqn,* en médire). Loc. argotique. *Porter le chapeau :* être considéré comme responsable d'une faute, coupable d'un délit. *On lui a fait porter le chapeau.*

Première question, dit Tolstoï, qui portera le chapeau ? 7.3
Vladimir VOLKOFF, le Retournement, p. 329.

♦ **2** Chapeau de femme. → (anciens) **Bavolet, cabriolet, calotte, capeline, capote, charlotte, forme**; (modernes) **béret, bibi, feutre, paille, toque.** *Laitonner* un chapeau de femme. La passe* d'un chapeau. Magasin où l'on fabrique, où l'on vend des chapeaux.* → **Mode; modiste.** *Chapeau de paille, de velours, de satin. Chapeau à plumes. Chapeau cloche. Chapeau de ville, chapeau de soleil, de plage; chapeau de pluie, imperméable. — Carton à chapeaux.*

8 Au lieu du béguin matelassé de mademoiselle du Guénic, elle portait un chapeau vert avec lequel elle devait aller visiter ses melons; il avait passé, comme eux, du vert au blond; et, quant à sa forme, après vingt ans, la mode l'a ramenée à Paris sous le nom de *bibi*.
BALZAC, Béatrix, Pl., t. II, p. 346.

9 Le luxe suprême, pour une femme de chez moi, c'est de porter un chapeau qui soit seul de son modèle dans toute la ville de Paris.
G. DUHAMEL, Scènes de la vie future, XV, p. 231.

Loc. fam. *T'occupe pas du chapeau de la gamine* : ne t'occupe pas de ce qui ne te regarde pas.

♦ **3** Allus. littér. «*Dans son chapitre des chapeaux*» (pour rappeler plaisamment qu'il est impossible de donner la référence, la source d'une citation, d'un argument que l'on avance).

10 — Hippocrate dit... que nous nous couvrions tous deux. — Hippocrate dit cela? — Oui. — Dans quel chapitre, s'il vous plaît? — Dans son chapitre des chapeaux.
MOLIÈRE, le Médecin malgré lui, II, 2.

♦ **4** Coiffure ressemblant à un chapeau. *Faire un chapeau en papier à un enfant. Chapeau de gendarme* (de papier replié).

**II** Par anal. (de forme, de destination). ♦ **1** Bot. Partie d'un champignon à appareil «massif» (→ Champignon, I.), qui surmonte le pied en forme de dôme ou d'entonnoir et garnie en dessous de lames, de tubes ou de piquants.

♦ **2** Cuis. *Chapeau d'un pâté, d'un vol-au-vent* : croûte qui recouvre le pâté.

♦ **3** (1845). Cloche, abri que l'on place au-dessus des plantes pour les protéger du soleil, de la pluie.

♦ **4** Techn. Partie supérieure (d'une pièce). *Chapeau de coussinet. Chapeau de boîte de graissage... Chapeau d'une roue*, chapeau de roue.* → **Enjoliveur** (2.). *Prendre un virage sur les chapeaux de roue.*

11 Il a démarré, comme la première fois, sur les chapeaux de roues, et de nouveau, l'automobile a frôlé le portail avant de disparaître.
Patrick MODIANO, Villa triste, p. 34.

*Chapeau d'horlogerie. Chapeau de lucarne. Chapeau d'escalier.* — (1268). *Le chapeau d'une épée.*

♦ **5** Méd. Croûte qui recouvre parfois la tête d'un nouveau-né. *Cet enfant a encore le chapeau.* → **Coiffe.**

♦ **6** (1829). Mus. CHAPEAU CHINOIS : instrument de musique formé d'un disque de cuivre garni de clochettes et fixé à un manche. Syn. : *bonnet chinois, pavillon chinois.*

♦ **7** Ornithol. Partie supérieure du crâne des oiseaux.

♦ **8** (XXe; mus., 1753). Presse et typogr. Texte court placé à la suite du titre qui surmonte un autre texte pour le présenter au lecteur. *Le chapeau d'un article de journal.*

♦ **9** (Métaphore du sens I, 1, p.-ê. avec infl. formelle de *faire chapelle.* → 2. Chapelle). Argot mar. Loc. *Faire chapeau* : chavirer, renverser son bateau (le bateau «fait chapeau» au-dessus du mât qui s'enfonce dans l'eau). → Faire capot*.

**III** Fig. ♦ **1** Vieilli. Personne qui en «couvre», en protège une autre. *Servir de chapeau à qqn* (cf. la même métaphore avec *chaperon*).

♦ **2** Mar. (vx). Bonification remise à un capitaine sur le fret. *Chapeau de mérite. Chapeau du capitaine.*

DÉR. **Chapeauter**; (de *chapel*) **chapelet, chapelier,** 2. **chapelle, chapellerie.**

**CHAPEAUTER** [ʃapote] v. tr. — 1879, *chapeauté; de chapeau.*

♦ **1** Fam. (Sujet n. de personne ou de chose : coiffure). Coiffer (qqn) d'un chapeau. Pron. *Se chapeauter* : mettre un chapeau. — Au p. p. Plus cour. *Une femme bien chapeautée. Habillé de neuf, ganté, chapeauté.*

♦ **2** (Sujet et compl. n. de chose). Recouvrir comme d'un chapeau. → **Coiffer.**

Elle tourna le robinet d'eau chaude et le vieux chauffe- 1
bain noir, chapeauté de tôle verdie, vrombit, comme prêt à céder sous le choc.
H. TROYAT, la Tête sur les épaules, p. 9.

Deux rangées de fils de fer barbelés chapeautaient la palis- 2
sade (...)
R. QUENEAU, le Chiendent, p. 136.

♦ **3** Présenter (un texte) en le faisant précéder d'un chapeau. — Au p. p. *Texte chapeauté par (d') une courte déclaration.*

♦ **4** Fig. Exercer un contrôle sur (qqn ou qqch.). *Chapeauter un groupement politique. La confédération chapeaute cinq organisations.* (On emploie aussi en ce sens *chapeautage*, n. m.).

**CHAPE-CHUTE** [ʃapʃyt] n. f. — 1576; v. 1165, *chape chaete* «chapeau tombé, perdu»; de *chape*, et *choir.*

Vx. Bonne aubaine due à la négligence d'autrui ou à un accident.

— Encore quelque chape-chute, dit Sylvie. Goriot montra soudain une physionomie brillante et colorée de bonheur, qui pouvait faire croire à sa régénération.
BALZAC, le Père Goriot, éd. 1835, p. 231.

**CHAPELAIN** [ʃaplɛ̃] n. m. — 1155, Wace, *chapelein; de chapelle.*

♦ **1** Anciennt. Bénéficier titulaire d'une chapelle*. *Les chapelains de la Sainte-Chapelle.*

♦ **2** Prêtre attaché à un prince, à un grand seigneur.

♦ **3** Prêtre qui dessert une chapelle privée. → **Aumônier; capelan.**

DÉR. **Chapellenie.**

**CHAPELER** [ʃaple] v. tr. [CONJUG.: *appeler.*] — 1080, *capler* «frapper au combat»; du bas lat. *capulare* «couper».

♦ **1** Anciennt. Couper, tailler en enlevant le dessus de (qqch.). Mod. *Chapeler du pain*, en rogner la croûte. → **Râper; chapelure.**

♦ **2** Régional. Battre le fer de (la faux).

DÉR. **Chapelure.**

**CHAPELET** [ʃaplɛ] n. m. — XIIe; dér. du sens vieilli de *chapel* «couronne de fleurs». → Chapeau; et aussi rosaire, pour le sens.

♦ **1** Objet de dévotion (relig. cathol.) formé de grains enfilés et groupés par dizaines, et que l'on fait glisser entre ses doigts en récitant des Pater et des Ave. *Un grain de chapelet. Long chapelet de quinze dizaines.* → **Rosaire.** *Porter un chapelet à sa ceinture. Égrener son chapelet. Faire bénir un chapelet. Chapelet de nacre, d'ivoire, d'émail, de bois. Les balises** *servaient à faire des chapelets.* — Loc. *Arbre à chapelet.* → **Mélia** (azédarach). — (Autres religions). *Chapelet des musulmans, des bouddhistes.*

1 Entre mes mains de cire pâle,
Que la prière réunit,
Tournez ce chapelet d'opale
Par le pape à Rome bénit :
Je l'égrènerai dans la couche
D'où nul encore ne s'est levé ;
Sa bouche en a dit sur ma bouche
Chaque *Pater* et chaque *Ave.*
Th. GAUTIER, Émaux et Camées, «Coquetterie posthume», p. 26.

1.1 Il y avait les chapelets, des liasses de chapelets pendus le long des murs, des tas de chapelets dans les tiroirs, depuis les humbles chapelets à vingt sous la douzaine, jusqu'aux chapelets de bois odorant, d'agate, de lapis, chaînés d'or ou d'argent (...) ZOLA, Lourdes, p. 205.

♦ **2** Prières récitées que l'on répète en égrenant son chapelet. *Dire, réciter son chapelet. Les cinq dizaines d'un chapelet, séparées par un gros grain sur lequel on dit un Pater. Dire une dizaine de chapelet.*

2 On y récitait le chapelet ; de pieuses personnes, agenouillées ou assises, marmottaient les prières ; c'était un murmure, un chuchotement à ras de terre qui ne semblait pas s'élever bien haut.
Edmond JALOUX, Fumées dans la campagne, XXVI, p. 218.

Loc. fam. *Défiler, dévider son chapelet :* raconter dans le détail et à la suite, sans interruption, ce que l'on a à dire.

♦ **3** Succession (de choses alignées et souvent liées). *Chapelet d'oignons* (→ régional Chaîne). *Des chapelets de saucisses. Un chapelet de bombes, de torpilles. Choses disposées en chapelet,* à la file (cf. À la queue leu leu). *Un chapelet d'îles.*

3 Depuis le port de Gênes jusqu'à la pointe de Porto-Fino, c'est un chapelet de villes, un égrènement de maisons sur les plages, entre le bleu de la mer et le vert de la montagne.
MAUPASSANT, la Vie errante, III, p. 49.

4 Bouffioux marche en tête, portant en sautoir un gros chapelet de boules de pain enfilées sur une corde (...)
R. DORGELÈS, les Croix de bois, V, p. 83.

5 (...) le crépitement vif et pressé des gousses qui éclatent par centaines, projetant à la volée leur chapelet de petites graines rondes.
M. GENEVOIX, Forêt voisine, IV, p. 61.

6 Les bombes lancées en chapelet avaient touché aussi les casernes toutes proches de l'usine.
MALRAUX, l'Espoir, II, VI.

*Chapelet de fleurs* (initialement : couronne, → étym.). (Abstrait). *Un chapelet de reproches, de jérémiades, d'injures.* → **Litanie.** — *Le chapelet des heures.*

Loc. *En chapelet. Éclairs en chapelet.*

Archit. Baguette décorative faite d'une succession de perles, d'olives, de grains ronds.

Mar. Réunion de barriques vides reliées par des amarres et servant à supporter ou à soulever un bâtiment.

(1897). Méd. *Chapelet costal, rachitique, thoracique :* succession de nodosités saillantes observées chez les rachitiques près des cartilages costaux.

Techn. *Chapelet hydraulique :* machine formée d'une chaîne supportant une série de plateaux ou godets, et permettant d'élever l'eau d'un puits lorsque la nature limoneuse de l'eau interdit l'usage d'une pompe. → **Noria.**

**CHAPELIER, IÈRE** [ʃapəlje, jɛʀ] n. et adj. — Fin XII^e^ ; de *chapel.* → Chapeau.

♦ **1** Personne qui fait ou vend des chapeaux pour hommes, pour femmes (→ **Modiste).**

Claude, pendant deux ans, s'était consumé d'amour pour une apprentie chapelière, que chaque soir il accompagnait de loin (...) ZOLA, l'Œuvre, p. 42.

♦ **2** Adj. Qui concerne les chapeaux. *L'industrie chapelière.* — Vx. *Malle chapelière :* malle à chapeaux. → ci-dessous, 3.

♦ **3** N. f. CHAPELIÈRE : malle bombée, à compartiments, destinée à recevoir des chapeaux.

1. **CHAPELLE** [ʃapɛl] n. f. — 1080, *Chanson de Roland, chapele* «oratoire royal» ; du lat. pop. *cappella* (679) désignant d'abord la *cape* ou *chape (cappa)* de saint Martin, relique notoire, puis le trésor des reliques de la cour, enfin l'oratoire du palais des Francs où les reliques étaient conservées.

**I** ♦ **1** (Déb. XII^e^). Lieu consacré au culte dans certaines maisons particulières. → **Oratoire.** *La chapelle d'un collège, d'un hospice, d'une communauté religieuse, d'un château.*

A Crouy, la petite chapelle du pénitencier était comble. 1
MARTIN DU GARD, les Thibault, t. IV, p. 265.

*Tenir chapelle :* (le sujet désigne le pape) assister à un office solennel, sans le célébrer.

(XV^e^). Vx. Bénéfice attaché à une chapelle.

Loc. *Chapelle ardente** (cit. 4).

♦ **2** Petite église* n'ayant pas le titre de paroisse. *Chapelle commémorative* (d'un événement). *Les ex-voto d'une chapelle* (→ **Martyrium).**

*Faire bâtir une chapelle. La chapelle Sixtine,* au Vatican, à Rome (ellipt *la Sixtine*). *Les castrats de la chapelle Sixtine. La Sainte-Chapelle,* à Paris.

Ah, les charitables églises du moyen âge, les chapelles moites et enfumées, pleines de chants anciens, de peintures exquises et cette odeur des cierges qu'on éteint, et ces parfums des encens qu'on brûle. 2
HUYSMANS, En route, p. 36.

♦ **3** (1405). Partie secondaire d'une église où se dresse un autel, et qui est généralement située dans les bas-côtés. *Chapelles s'ouvrant sur l'enceinte du chœur. La chapelle de la Sainte Vierge. La chapelle des fonts baptismaux.* → **Baptistère.** Archit. *Chapelles du transept, du chœur ; chapelles rayonnantes ; chapelles absidiales.* → **Absidiole.**

(...) une église ravissante où se trouvent le long des bas-côtés une quantité de petites chapelles d'époques différentes jusqu'à la Renaissance. 3
SAINTE-BEUVE, Correspondance, 11 oct. 1829.

♦ **4** (1328). Ensemble des objets du culte employés pour célébrer la messe. *Une chapelle de vermeil.* — *Chapelle portative :* réunion dans une mallette portative des ornements et objets cultuels nécessaires à la célébration de la messe.

♦ **5** **a** (1527). Ensemble des ecclésiastiques desservant une chapelle. — Ensemble des chanteurs et musiciens d'une église. *La chapelle Pontificale.* — *Maître de chapelle :* celui qui est chargé de la direction des chants et de la musique sacrée dans une église. → **Cantor ; chantre** (→ aussi Chorale).

**b** Fig. Groupe de personnes soucieuses de demeurer entre soi. → **Clan, coterie.** *La chapelle des romantiques. Un esprit de clan et de petite chapelle* (→ Avant-garde, cit. 2). — (Au XIX^e^ s.). Association mutuelle de secours entre ouvriers.

**II** Techn. Objet dont la forme rappelle la voûte d'une chapelle. ♦ **1** (1392). Couvercle d'un alambic. → **Chapiteau.**

♦ **2** (1332). Techn. Voûte (d'un four de boulanger). — *Enfourner, mettre en chapelle :* enfourner des pièces de poterie sur des plaques de terre cuite disposées en étages.

♦ **3** Techn. Bâti d'un métier à tisser.

DÉR. **Chapelain.**

2. **CHAPELLE** [ʃapɛl] n. f. — 1643; de *chapel.* → Chapeau.

Mar. (vx). *Faire chapelle :* se dit d'un navire obligé brusquement de virer de bord. → Navire, cit. 5.

**CHAPELLENIE** [ʃapɛlni] n. f. — 1278, *chapelenies;* de *chapelain.*

Didact., relig. Dignité, charge ou bénéfice de chapelain*.

(...) il existait à la fin du XIIe siècle des dynasties patriciennes; mais elles s'étaient pour la plupart éloignées des affaires; elles se souciaient de fonder des chapellenies et de marier leurs fils dans les familles d'ancienne aristocratie. Georges DUBY, Guerriers et Paysans, p. 289.

**CHAPELLERIE** [ʃapɛlʀi] n. f. — 1268; de *chapel.* → Chapeau.

♦ **1** Fabrication et commerce des chapeaux d'hommes et de femmes (→ **Mode**).

♦ **2** Magasin de vente des chapeaux. *Une chapellerie de luxe.*

♦ **3** Ensemble d'articles vendus par le chapelier. *La chapellerie et la ganterie.*

**CHAPELURE** [ʃaplyʀ] n. f. — 1393, *chappeleure;* de *chapeler.*

Pain séché (ou biscotte) râpé ou émietté. *Jambonneau recouvert de chapelure. Chapelure servant à paner.* → **Panure.**

(...) dans une rangée de tiroirs numérotés, s'alignaient les chapelures, la fine et la grosse, les mies de pain pour paner, les épices, le girofle, la muscade, les poivres. ZOLA, le Ventre de Paris, t. I, p. 126.

**CHAPERON** [ʃapʀɔ̃] n. m. — 1131; de *chape* au sens de «capuchon».

**I** ♦ **1** Anciennt. Coiffure* à bourrelet et à queue que portaient au moyen âge les hommes et les femmes.

1 Le dauphin lui-même, couvert de leur sang *(de ses conseillers),* fut coiffé par Étienne Marcel du chaperon rouge et bleu comme Louis XVI le sera un jour du bonnet rouge. J. BAINVILLE, Hist. de France, VI, p. 95.

Bande d'étoffe que les femmes portaient sur la tête. *Chaperon en pointe. — Le Petit Chaperon Rouge* (par métonymie) : l'héroïne du conte de Perrault, porteuse du chaperon.

Par anal. Petit bourrelet à pendant d'étoffe garni d'hermine placé sur l'épaule gauche de la robe de certains personnages : avocat, juge, professeur de droit. → **Épitoge.**

♦ **2** Techn. (fauconn.). Coiffe de cuir dont on couvre la tête des faucons pendant la chasse.

**II** (1690). Fig. Personne d'un âge respectable qui, naguère, accompagnait une jeune fille ou une jeune femme par souci des convenances. → **Duègne.** *Servir de chaperon à qqn.* → **Chaperonner.**

Par ext. → **Protecteur; chapeau,** III., 1. (vx).

1.1 Elle n'avait pas accepté l'offre du bonhomme à l'aventure; elle savait trouver en lui un chaperon, elle pressentait peut-être, dans cette boutique sombre de la rue Pirouette, avec le flair des personnes chanceuses, l'avenir solide qu'elle rêvait (...) ZOLA, le Ventre de Paris, t. I, p. 74.

**III** Techn. (Ce qui recouvre, protège qqch.). → Chapeau, II. Partie supérieure d'un mur, faite de tuiles, de maçonnerie en dos d'âne, pour l'écoulement des eaux. → **Abri; crête; toit.**

2 Les murs des jardins, garnis à leur chaperon de morceaux de bouteilles, étaient chauds comme le vitrage d'une serre. FLAUBERT, Mme Bovary, II, III, p. 63.

(...) le jeune homme (...) se décida à monter sur la pierre. Le mur était bas; il posa les coudes sur le chaperon. ZOLA, la Fortune des Rougon, I, p. 10. 3

Assemblage de menuiserie. *Renfort en chaperon.*

DÉR. et COMP. **Chaperonner. Déchaperonner, enchaperonner.**

**CHAPERONNAGE** [ʃapʀɔnaʒ] n. m. — 1867, Goncourt; de *chaperonner.*

Rare. Action de chaperonner (2.) qqn.

**CHAPERONNER** [ʃapʀɔne] v. tr. — 1174; de *chaperon.*

♦ **1** (XVIe). Couvrir d'un chaperon*. — *Chaperonner un faucon. — Chaperonner une muraille.*

♦ **2** (1835). Accompagner (une jeune fille) en qualité de chaperon. — Au p. p. *Jeune fille chaperonnée par sa tante.*

Nous sommes toutes éreintées, nous, mais qui reconnaîtrait en mademoiselle la duègne qui nous chaperonna ces trois jours? COLETTE, Claudine à l'école, p. 238 (1900).

Par ext. Guider.

DÉR. **Chaperonnage.**

**CHAPIER** [ʃapje] n. m. — 1440, sens 3; de *chape.*

♦ **1** Vx. Clerc qui porte la chape, au cours d'une cérémonie religieuse.

La sentinelle (...) se promenait nonchalamment (...) comme un chapier d'église, à vêpres. BARBEY D'AUREVILLY, le Chevalier Des Touches, VII, p. 181.

♦ **2** Rare. Fabricant de chapes*. — REM. Dans ce sens, le fém. *chapière* [ʃapjɛʀ] est virtuel.

♦ **3** Techn. (mobilier). Meuble à grands tiroirs servant à serrer les chapes.

**CHAPITEAU** [ʃapito] n. m. — 1160, *chapitel;* du lat. *capitellum,* de *caput* «tête, sommet».

♦ **1** Partie élargie et généralement ornée, qui couronne le fût d'une colonne. *Le chapiteau dans l'art antique gréco-romain caractérise l'ordre* auquel appartient la colonne. Chapiteaux grecs.* → **Corinthien, dorique, ionique.** *Chapiteau composite des Romains,* combinaison de l'ionique avec le corinthien. *Chapiteau byzantin,* en forme de cube, de pyramide tronquée. *Chapiteau perse. Chapiteaux égyptiens : chapiteau campaniforme, hathorique, lotiforme, palmiforme, papyriforme, protodorique; chapiteau copte. Chapiteau roman, toscan, gothique, Renaissance. Chapiteau carré, évasé, renflé.* → **Campane.** *Plateau* d'un chapiteau.* → **Abaque, tailloir; architrave.** *Moulure d'un chapiteau.* → **Annelet, armilles, astragale, échine, gorgerin, listel, orle, ove.** *Les volutes* d'un chapiteau :* ornement de feuilles d'acanthe, de fleurs, de corbeilles, de langues de serpent (→ Acanthe, cit. 1). *La base, la corne d'un chapiteau. Chapiteaux sculptés. Une grande partie de la sculpture romane consiste en chapiteaux.*

Du chapiteau d'une colonne corinthienne se décrit un demi-cercle dont la pointe descend sur le chapiteau d'une autre colonne corinthienne (...) CHATEAUBRIAND, Mémoires d'outre-tombe, IV, VI. 1

Regardez cette colonnette. Autour de quel chapiteau avez-vous vu feuilles plus tendres et mieux caressées du ciseau? HUGO, Notre-Dame de Paris, X, 1. 2

(...) je m'étais installée, stylite, sur le chapiteau d'un des piliers que reliait l'un à l'autre la grille du jardin (...) COLETTE, Histoires pour Bel-Gazou, VI, «La toutouque», p. 51. 3

♦ **2** Ornement d'architecture formant couronnement. *Chapiteau à balustres*. Chapiteau de pilastre*. Chapiteau de niche :* petits dais surmontant une statue.

Ornement formant saillie qui surmonte une armoire, un buffet. → **Corniche.**

♦ **3** Techn. → **Chapeau** (II.), **couvercle; couronnement.** *Chapiteau d'un alambic,* dans lequel se condensent les vapeurs. → **Chape, chapelle.** — *Chapiteau d'une ruche :* couvercle qui s'emboîte sur le corps de la ruche. — *Chapiteau d'un canon :* petit couvercle sur la lumière d'un canon. → **Couvre-lumière.**

♦ **4** (1905, *in* D.D.L.). Tente d'un cirque. *Monter, démonter le chapiteau. Faire le saut de la mort sous le chapiteau. Le grand chapiteau du cirque X.* Par métonymie. *Le chapiteau :* le cirque.

Tente analogue abritant un spectacle. *Concert sous chapiteau.*

**CHAPITRAL, ALE, AUX** [ʃapitʀal, o] adj. — 1834; de *chapitre.*

Relig. Relatif à un chapitre de religieux. *Maison chapitrale.*

**CHAPITRE** [ʃapitʀ] n. m. — 1119, Ph. de Thaon, *chapitle;* du lat. *capitulum* «article de loi, chapitre d'un écrit», dimin. de *caput* «tête».

**I** ♦ **1** Chacune des parties suivant lesquelles est divisé un livre, un traité, un code... → **Article, livre, partie, question, section, titre.** *Le chapitre premier. Jusqu'au dernier chapitre. Chaque partie de ce traité est divisée en chapitres. Roman divisé en chapitres. Le numéro d'un chapitre. Le titre d'un chapitre.* → **Intitulé; lettrine.** *Vignette à la fin d'un chapitre.* → **Cul-de-lampe.** *Ordonnance, édit divisé en chapitres.* → 2. **Capitulaire.**

1 (...) au seizième et dernier chapitre (...) où les preuves de Dieu (...) sont apportées (...)
LA BRUYÈRE, Disc. de réception à l'Académie, Préface.

2 Il y a, dans toute œuvre immense, des chapitres qui détonnent.
A. MAUROIS, Études littéraires, t. II, Jules Romains, IV, p. 155.

Allus. *Le chapitre des chapeaux** (cit. 10 et *supra*).

♦ **2** Division (d'un budget) groupant les dépenses d'une administration par nature et par destination. *Voter le budget par chapitres. Le chapitre des recettes. Le chapitre des dépenses.*

♦ **3** Fig. (dans quelques expressions). Sujet dont on parle; propos que l'on tient sur une question déterminée. → **Matière, objet, question, sujet.** *Être sévère sur le chapitre de la discipline. Quand il est sur ce chapitre, il est intarissable. Ne traitons pas ce chapitre. En voilà assez sur ce chapitre.*

3 J'ai l'humeur enjouée (...) mais (...) je suis sérieuse sur de certains chapitres (...)
MOLIÈRE, les Fourberies de Scapin, III, 1.

3.1 Hélas! que ne donnerais-je pas pour voir un peu dans votre cœur sur plusieurs chapitres (...)
Mme DE SÉVIGNÉ, Lettre à Mme de Grignan, 18 mars 1671.

4 (...) vous en savez plus que moi sur ce chapitre.
Mme DE SÉVIGNÉ, 1073, 18 oct. 1688.

♦ **4** Passage de l'Écriture sainte qu'on lisait au début d'une assemblée religieuse, et, spécialt, partie *(chapitre)* de la règle d'un ordre religieux lue devant la communauté réunie (orig. du sens II).

**II** ♦ **1** (XIIe). Assemblée de religieux, de chanoines réunis pour écouter la lecture d'un chapitre de la règle, et aussi pour délibérer de leurs affaires (→ 1. **Capitulaire, chapitral).** *Tenir chapitre. Présider au chapitre. Chapitre conventuel. Chapitre provincial, général. Dignitaire de certains chapitres.* → **Primicier.** *Jeton de présence des membres d'un chapitre.* → **Méreau.** *La salle du chapitre.*

Ceux qui siègent à cette assemblée. *Assembler, réunir le chapitre.* → **Chanoine.**

Le lieu où siège le chapitre. *Les bancs du chapitre.*

♦ **2** Communauté des chanoines (d'une église cathédrale ou collégiale). *Le chapitre de Notre-Dame. Le doyen du chapitre.*

(...) cela n'empêchait pas l'archidiacre d'être considéré par 5
les doctes têtes du chapitre comme une âme aventurée dans le vestibule de l'enfer, perdue dans les antres de la cabale, tâtonnant dans les ténèbres des sciences occultes.
HUGO, Notre-Dame de Paris, IV, 5.

Loc. fig., vieilli. *Tenir chapitre :* tenir une réunion pour délibérer gravement et avec affectation.

(...) J'ai maints chapitres vus, 6
Qui pour néant se sont ainsi tenus.
Chapitres non de rats, mais chapitres de moines,
Voire chapitres de chanoines.
LA FONTAINE, Fables, II, 2.

♦ **3** Loc. mod. *Avoir voix au chapitre :* avoir autorité pour prendre part à une délibération et, par ext., pour se mêler d'une affaire.

(...) dans ces occasions-là, les mères n'ont pas beaucoup de 7
voix au chapitre. Mme DE SÉVIGNÉ, 84, 28 août 1668.

Ces «peuples» n'avaient pas, c'est vrai, grande voix au cha- 8
pitre des trônes et des chancelleries (...)
Louis MADELIN, Talleyrand, IV, XXVIII, p. 298.

DÉR. **Chapitral, chapitrer.**

**CHAPITRER** [ʃapitʀe] v. tr. — 1440; de *chapitre.*

♦ **1** Anciennt. Réprimander un religieux en plein chapitre.

♦ **2** Cour. Réprimander (qqn), adresser de sévères remontrances à (qqn). → **Leçon** (faire la leçon à), **morigéner; catéchiser.** *Chapitrer un cancre. Il a voulu le chapitrer mais l'autre ne l'a pas écouté.*

Demandez-lui un peu quelles belles réprimandes je lui ai 1
faites et comme je l'ai chapitré sur le peu de respect qu'il gardait. MOLIÈRE, les Fourberies de Scapin, I, 4.

En tout cas, c'est elle qui monte la tête à Valorin contre 2
moi, qui le chapitre à longueur de journée.
M. AYMÉ, la Tête des autres, II, 7.

**CHAPKA** [ʃapka] n. f. — 1575, *schapka;* 1836, *schapka;* repris XXe; russe *chapka,* p.-ê. de l'anc. franç. *chapel* (→ Chapeau).

Coiffure de fourrure à rabats pour les oreilles. *Des chapkas en astrakan.* → aussi Chapska.

**CHAPLINESQUE** [ʃaplinɛsk] adj. — Mil. XXe; de Charles *Chaplin,* acteur et cinéaste anglais, créateur du personnage de *Charlot.*

Qui se rapporte, ou ressemble au comique propre à Chaplin. *Des gags chaplinesques. «La grande tradition chaplinesque»* (J. Debrix, *in* N.R.F., 1953).

**CHAPLIS** [ʃapli] n. m. — XIIe, *chapleiz;* de l'anc. franç. *chapler* «tailler en pièces». → Chapelure.

♦ **1** Archaïsme. Tumulte, désordre bruyant (Gautier, *le Capitaine Fracasse*).

♦ **2** Régional. Abattis (de branches). → **Chablis** (bois).

**CHAPON** [ʃapɔ̃] n. m. — 1150, *chiapun;* du lat. pop. **cappo,* var. du lat. class. *capo, caponis.* → aussi 1. Capon.

♦ **1** Vieilli, littér. ou régional. Jeune coq châtré que l'on engraisse pour la table. *Un chapon gras. Une aile, une cuisse de chapon. Chapon du Mans.* → **Poulet.**

Un citoyen du Mans, chapon de son métier (...)
LA FONTAINE, Fables, VIII, 21.

♦ **2** Agric. Jeune pousse de vigne qui ne donne pas encore de raisin.

♦ **3** Régional. Morceau de pain trempé dans un bouillon gras, et servi sur un potage maigre. *Chapon (de Gascogne) :* croûte de pain frottée d'ail que l'on met dans une salade.

**DÉR. Chaponneau, chaponner, chaponnière.**

**CHAPONNEAU** [ʃapɔno] n. m. — 1363; de *chapon.*
Vx. Jeune chapon. → **Coquelet.**

**CHAPONNER** [ʃapɔne] v. tr. — 1285; de *chapon.*
Châtrer (un jeune coq) [opération du *chaponnage* [ʃapɔnaʒ] effectuée par le *chaponneur* ou la *chaponneuse*].

**CHAPONNIÈRE** [ʃapɔnjɛʀ] n. f. — 1680; de *chapon.*

♦ **1** Agric. Lieu où l'on engraisse les chapons.

♦ **2** Régional. Récipient dans lequel on fait un ragoût de chapon.

**CHAPPE** [ʃap] n. f. → **Chape.**

**CHAPSKA** ou **SCHAPSKA** [ʃapska] n. m. ou f. — 1838, *schapska;* av. 1855, Hugo, *chapska;* polonais. *czapka,* le *-s-* provenant p.-ê. du dimin. *czapeczka.*

♦ **1** Ancienn. Coiffure militaire empruntée aux Polonais, portée en France par les lanciers du Premier et du Second Empire. → Casquette, cit. 2.1.

Au XX^e^ siècle :

(...) lui le Schertz[1] c'était son uniforme, elles l'avaient tout déshabillé (...) une avait mis son uniforme, ses éperons, et sa schapska...
(1. Un «vieux uhlan».) CÉLINE, Nord, p. 356.

♦ **2** Régional (Canada). *Schapska :* bonnet de fourrure d'origine polonaise, comportant une visière et un rabat. → Chapka.

**CHAPTALISATION** [ʃaptalizasjɔ̃] n. f. — Après 1850; du nom de Chaptal, chimiste français.
Action d'ajouter du sucre au moût de raisin avant la fermentation. → **Sucrage; vinification.**

**CHAPTALISER** [ʃaptalize] v. tr. — Fin XIX^e^; de *Chaptal.*
Techn. Ajouter du sucre au moût avant la fermentation. — P. p. adj. *Des vins chaptalisés.*

**DÉR. Chaptalisation.**

**CHAPUS** [ʃapy] n. m. — XV^e^; de *chapuiser* (vx), bas lat. **capputiare,* de *cappare.* → Chapelure.
Techn. Billot de bois sur lequel on équarrit les ardoises, les douves de tonneaux.

**CHAQUE** [ʃak] adj. indéf. distributif. — XII^e^, *chasque;* du lat. pop. **casquunus.* → Chacun.

♦ **1** Qui fait partie d'un tout et qui est considéré à part. → **Tout; chacun.** *Chaque personne. Chaque pays. Chaque chose. Une place pour chaque chose, chaque chose à sa place. Chaque fois. À chaque instant*. Chaque jour.* — Prov. *À chaque jour suffit sa peine.*

N'ayez donc point de souci du lendemain, car le lendemain aura souci de lui-même; à chaque jour suffit sa peine. 1
BIBLE (CRAMPON), Évangile selon saint Matthieu, VI, 34.

Mon esprit diminue, au lieu qu'à chaque instant 2
On aperçoit le vôtre aller en augmentant.
LA FONTAINE, Fables, XII, 1.

Chaque instant de la vie est un pas vers la mort. 3
CORNEILLE, Tite et Bérénice, V, 1.

(...) chaque homme apporte en naissant un caractère, un génie et des talents qui lui sont propres. 4
ROUSSEAU, Julie ou la Nouvelle Héloïse, V, Lettre III.

(...) même dans le tumulte de chaque jour, le besoin d'apprendre ne cessait de me poindre. Et je suis encore ainsi. 5
G. DUHAMEL, la Pesée des âmes, X.

REM. 1. *Chaque* est invar., et se place devant un nom au singulier. Cependant, on dit dans le langage familier pour marquer la périodicité : *Chaque dix minutes :* toutes les dix minutes. *Chaque trois jours.* 2. Accord avec le verbe : a) Après deux sujets précédés de *chaque,* et non coordonnés, l'usage tend à mettre le verbe au singulier. *Chaque état, chaque âge a ses devoirs* (cf. Hanse). b) Si les sujets sont coordonnés, le verbe se rencontre au pluriel ou au singulier. *Chaque officier et chaque soldat feront leur devoir.* — Cependant, lorsque le complément ne s'applique pas de la même façon aux deux sujets, il est plus clair de mettre le verbe au singulier. *Chaque professeur et chaque élève fera son travail.*

ENTRE CHAQUE... : dans chaque intervalle de la série considérée. *Entre chaque phrase. Entre chaque morceau. Entre chaque maison.* → Chacun (entre chacun des...).

Et, entre chaque ferme, les plaines recommençaient avec d'autres fermes, au loin de place en place. 6
MAUPASSANT, Une vie, VI, p. 128.

♦ **2** Chacun. *Ces cravates coûtent cent francs chaque.* — REM. Les puristes considèrent cette construction comme un abus de la langue commerciale.

Deux anneaux de nuit, d'une valeur de mille écus chaque (...) 7
BALZAC, le Député d'Arcis, I, Pl., t. VII, p. 684.

1. **CHAR** [ʃaʀ] n. m. — V. 1170; du lat. *carrus.*

♦ **1** (1538). Voiture à deux roues qu'utilisaient les Anciens dans les combats, les jeux, les cérémonies publiques. *Char tiré par deux chevaux attelés de front* (→ **Bige**), *par quatre chevaux* (→ **Quadrige**). *Course de chars.* → **Carrière, cirque.** *Conducteur de char dans les courses du cirque.* → **Aurige** (cit.). *Char du triomphe. Captifs suivant le char du vainqueur.* — Fig. *Attacher, atteler* (cit. 3), *enchaîner au char de qqn.* → **Dominer, soumettre, subjuguer.** *S'attacher au char de qqn,* servir cette personne, se dévouer à elle.

Moi-même à votre char je me suis enchaînée. 1
RACINE, Iphigénie, II, 5.

Mythol. *Char d'Apollon, de Diane, de Vénus. Char d'Amphitrite* (→ Amphitrite, étym.).

Poét. *Le char de la Fortune. Le char du soleil, de la lune, de la nuit.*

Et le char vaporeux de la reine des ombres 2
Monte, et blanchit déjà les bords de l'horizon (...)
LAMARTINE, Premières méditations, I, «L'isolement».

Fig. *Le char de l'État.*

Le char de l'État navigue sur un volcan. 3
Henri MONNIER, Grandeur et Décadence de Joseph Prudhomme, II, 13.

Cet épisode de la vie bureaucratique (...) fortifia singulièrement l'estime du tout jeune et passager fonctionnaire que j'étais, pour la valeur morale, l'esprit de justice, la conscience, la dignité simple de la plupart des hommes attelés 4 comme lui au char administratif et qui, malgré les cahots, assurent paisiblement, pour le bien du pays, sa marche régulière. Georges LECOMTE, ma Traversée, p. 130.

♦ **2** (XII^e; spécialisé et réservé au style élevé, XVII^e). Littér. et vieilli. Toute espèce de voiture. *Char rustique.* — (1648). Spécialt. Poét. et vx. Voiture riche ou élégante. → **Carrosse.**

Loc. Mod. *Char funèbre.* → **Corbillard.**

♦ **3** (Surtout dans quelques syntagmes). Voiture rurale, tirée par un animal, à quatre roues et sans ressorts. → **Chariot, charrette.** *Char à foin. Char de vendange. Char à bœufs,* tiré par des bœufs.

5 Les grands chars gémissants qui reviennent le soir.
HUGO, les Rayons et les Ombres, XXXIV.

(1764). *Char à bancs :* voiture légère et longue, munie de bancs, fermée parfois par des rideaux de toile.

♦ **4** Voiture décorée, portant des personnages ou des masques, figurant des scènes... que l'on voit dans les réjouissances publiques. *Char de Carnaval, de la Mi-Carême. Le char du bœuf gras.*

5.1 Défilé de féeries. En effet : des chars chargés d'animaux de bois dorés, de mâts et de toiles bariolés, au grand galop de vingt chevaux de cirque tachetés (...) — vingt véhicules, bossés, pavoisés et fleuris comme des carrosses anciens ou de contes, pleins d'enfants attifés pour une pastorale suburbaine (...) RIMBAUD, les Illuminations, XVI.

♦ **5** (1917, *Larousse mensuel, char d'assaut*). *Char de combat, char d'assaut,* et, absolt, *char :* véhicule automobile blindé et armé, monté sur chenilles. → **Tank.** *Régiment de chars.* → **Cavalerie.** *Char léger, moyen, lourd. Tourelle du char. Périscope d'un char.* → **Stroboscope** (2.). — *Les panzers*, chars de l'armée allemande.*

6 Le char d'infanterie est tout simplement un tracteur sur chenilles, protégé par un blindage, porteur de mitrailleuses et de canons, et qui défend vos fantassins contre des mitrailleuses ennemies (...) Les chenilles lui permettent de franchir les tranchées, sa masse de traverser les réseaux de barbelés (...) Avec les chars, la rupture est possible à peu de frais.
A. MAUROIS, Terre promise, XVII, p. 118.

♦ **6** (1826). Régional (Canada) et vieilli ou rural (angl. *car*). Voiture automobile. → **Auto, voiture.**

Vx. Voiture de chemin de fer. → **Wagon.** *Les chars :* le train (L. Hémon, *Maria Chapdelaine*).

REM. Ces valeurs du mot, dénoncées comme anglicismes, tendent à disparaître au Québec, au moins dans les milieux cultivés.

♦ **7** *Char à voile :* véhicule sur roues ou patins à glace, muni de voiles, et qui se déplace en utilisant la seule force du vent; sport pratiqué sur ce véhicule. *Faire du char à voile sur une plage, une piste. Fédération de char à voile.*

DÉR. **Chariot, charretée, charretier, charreton, charrette, charriage, charrier, charrière, charroi, charroyer, charron, charronnage...** ◊ COMP. **Antichar.**

2. **CHAR** ou **CHARRE** [ʃaʀ] n. m. — 1881, «charriage, vol à l'américaine», Esnault; dimin. de *charriage,* argot de 1. *charrier,* II.

Argot. Exagération mensongère; bluff. *Tout ça c'est du char! Sans char :* sans blague. *Des charres :* des histoires. — *Arrête ton char! :* cesse de raconter des histoires, de bluffer. — REM. Cette expression est comprise comme une métaphore de 1. *char.* — Par plais. *Arrête ton char, Ben Hur!* (allus. à la course de chars des adaptateurs cinématographiques du roman). — Par identification à 1. *char,* 5. *Arrête ton char, la guerre est finie!*

1 Bah, dis-je, tout ça, c'est du char. Je pleure, oui, parce que je suis bien persuadée de quitter Paris pour cinq ans.
A. SARRAZIN, l'Astragale, p. 17.

D'accord, y avait personne, mais tu dois te rendre compte que ça fait pas plaisir à entendre des charres comme ça. 2
Jean GENET, Querelle de Brest, p. 302.

**CHARABIA** [ʃaʀabja] n. m. — 1802; orig. incert.; p.-ê. de l'esp. *algarabia;* arabe *al'arabiya* «langue de l'ouest» : berbère; ou bien du provençal *charra* «causer», et anc. franç. *barat* «vacarme»; cf. lyonnais *charabarat* «maquignonnage».

♦ **1** Vieilli. Patois des Auvergnats (imitation du prétendu chuintement — en réalité, palatalisation du *t,* et non chuintement du *s*).

♦ **2** Fam. Langage, style incompréhensible et incorrect. → **Baragouin, cacographie, jargon.**

Voici vingt-cinq ans que j'habite leur pays, et je n'ai pas encore pu m'y faire, à leur satané charabia!
ZOLA, Rome, p. 45.

Langage spécialisé, technique, difficilement accessible. *Le charabia freudo-marxiste. Charabia diplomatique.*

**CHARADE** [ʃaʀad] n. f. — 1770; provençal *charrado* «causerie», de *charra* «causer».

Énigme où l'on doit deviner un mot de plusieurs syllabes décomposé en parties dont chacune correspond à un mot défini. → **Devinette.** *Le mot de la charade s'appelle* le tout *ou* l'entier (mon premier, mon second... mon tout). *Charade où les mots sont exprimés par des figures.* → **Rébus.** — *Charade en action,* où l'on fait deviner les mots en mimant ce qu'ils expriment. *Jouer aux charades.*

Je me rappelle une charade dont le mot était «marabout». 1
Ed. et J. DE GONCOURT, Journal, t. I, p. 78.

(...) ils ignorent que les conditions (de la «pensée») ne sont 2 pas moins futiles, ni moins fortuites que les conditions d'une charade.
VALÉRY, Rhumbs, Littérature, p. 212.

Fig. Ce qui est bizarre, difficile à comprendre. *Il veut avoir trop d'esprit, il ne parle que par charades* (Académie).

DÉR. **Charadier.**

**CHARADIER** [ʃaʀadje] n. m. — 1834, Balzac, *in* D. D. L.; de *charade.*

Vx. Personne qui fait ou cherche à résoudre une charade.

**CHARADRIIDÉS** [kaʀadʀiide] n. m. pl. — 1867, *charadriadés;* du grec *charadrios* «pluvier».

Zool. Famille d'oiseaux charadriiformes comprenant de «petits échassiers* de rivage ou d'habitudes aquatiques» ou humicoles *(Encyclopédie de la Pléiade). Types principaux de charadriidés :* pluvier, huîtrier, tournepierre, vanneau, gravelot, guignard, jacana, rhynchées. — Au sing. *Un charadriidé.*

Sous-ordre de charadriiformes comprenant, outre la famille traitée ci-dessus, les avocettes et échasses *(Recurvirostridæ),* les glaréoles, les thinocores.

**CHARADRIIFORMES** [kaʀadʀiifɔʀm] n. m. pl. — XX^e; → Charadriidés, et suff. *-forme.*

Zool. Ordre d'oiseaux comprenant les Charadriidés* *(Charadrii),* les Laridés (*Lari :* labbes, goélands, mouettes, sternes), les Alcidés* (*Alcæ :* guillemots, pingouins, macareux). — Au sing. *Un charadriiforme.*

**CHARANÇON** [ʃaʀɑ̃sɔ̃] n. m. — 1678; *charanson,* 1611; *charanton,* 1546; *charenton,* 1508; *charenson,* 1465; orig. obscure; p.-ê. du gaul. **kariantionos* «petit cerf», de *kar-* «cerf»; P. Guiraud propose l'adj. *carians, -anter,* de *caries* «carie».

Insecte coléoptère de la famille des *Curculionidés*.* Par ext. Se dit de plusieurs coléoptères nuisibles, qui rongent divers végétaux. *Charançons rongeant les lentilles, les pois. Charançon du blé, du riz.* → 2. **Calandre;** 5. **botte** (régional). *Charançon des plantes cultivées.* → **Apion.** *Charançon des arbres fruitiers.* → **Anthonome.** *Charançon du pin, du sapin.* → **Hylobe.**

DÉR. **Charançonné.**

**CHARANÇONNÉ, ÉE** [ʃaʀɑ̃sɔne] adj. — 1835; *charansonné,* 1611; de *charançon,* et *-é.*

Attaqué par les charançons. *Blé charançonné.*

**CHARASSE** [ʃaʀas] n. f. — 1898, *Nouveau Larousse illustré;* forme régionale d'*échalas.*

Régional. Caisse* à claire-voie, faite avec des lattes.

**CHARBON** [ʃaʀbɔ̃] n. m. — 1251; *charbun,* déb. XIIe; du lat. *carbo, -onis* «charbon de bois».

[I] Matière de couleur noire où domine le carbone*, utilisée comme source d'énergie. ♦ **1** Combustible solide, noir, d'origine végétale. [a] (Déb. XIIe). CHARBON DE BOIS, obtenu par la combustion lente et incomplète du bois. *Fabrication du charbon de bois* (→ **Cuisage**) *en chaudière, en fosse, en four, en meule, en vase clos.* → **Allumelle, meule.** — (Dans le même sens). Absolt. *Charbon. Lieu où l'on fait le charbon* (→ **Charbonnière**), *où on le vend* (→ **Chantier**). *Bois à réduire en charbon.* → **Charbonnette.** *Bois formant un charbon léger ou réduit en charbons ardents.* → **Braise.** *Charbon incandescent.* → **Tison.** *Charbon qui fume.* → **Fumeron.** *Braise, cendre de charbon qui reste dans le foyer. Étouffoir* à charbon.*

1 Tous deux travaillaient en silence et découvraient le charbon rouge, rouge et rose, doré (...)
M. GENEVOIX, Forêt voisine, XIII, p. 183 (→ Meule).

[b] (1251). *Charbon de terre; charbon minéral* (vieilli), absolt. et cour., *charbon :* roche formée surtout de carbone non cristallisé mélangé à d'autres minéraux (qui produisent les cendres*). → **Anthracite, houille, lignite, tourbe.** *Exploitation du charbon.* → **Charbonnage.** *Extraction du charbon de la mine*. Lavage, criblage du charbon. Industrie, chimie du charbon.* → **Carbochimie.** *Petits morceaux de charbon.* → **Gailletin** (tête de moineau), **grésillon.** *Poussière de charbon.* → **Poussier; escarbille.** *Charbon moulé.* → **Aggloméré** (1.); **boulet, briquette.** — *Panier à charbon.* → **Rasse.** *Seau à charbon. Banne, benne, soute pleine de charbon. Soute* à charbon.* — Maladie due à l'inhalation de poussière de charbon. → **Anthracose.**

2 Les quatre haveurs venaient de s'allonger les uns audessus des autres, sur toute la montée du front de taille. Séparés par les planches à crochets qui retenaient le charbon abattu, ils occupaient chacun quatre mètres environ de la veine; et cette veine était si mince, épaisse à peine en cet endroit de cinquante centimètres, qu'ils se trouvaient là comme aplatis entre le toit et le mur, se traînant des genoux et des coudes, ne pouvant se retourner sans se meurtrir les épaules. Ils devaient, pour attaquer la houille, rester couchés sur le flanc, le cou tordu, les bras levés et brandissant de biais la rivelaine, le pic à manche court.
ZOLA, Germinal, t. I, IV, p. 40.

2.1 Sous Dour où songent les charbons
Serrés dans leurs écluses,
Un bois dormant s'effeuille et s'use
Aux coups de pics profonds.
Les plus beaux yeux du monde sont
Tes yeux toujours nocturnes,
Tes yeux bleus poudrés de charbon,
Rêveur aux lourds cothurnes
Géo NORGE, Famines, «La lampe du mineur», *in* Littératures de langue franç. hors de France, p. 276.

*Charbons flambants,* mêlés à des hydrocarbures solides. — Vx. *Charbon de cornue.* → **Coke.** — *Charbon activé,* préparé à partir de la tourbe. *Relatif au charbon.* → **Charbonnier; charbonnerie; charbonneux.** *Chauffage* au charbon. Transformation d'un corps en charbon.* → **Carbonisation.** — *Charbon de forge. Cémentation* du fer entouré de charbon de bois dur. Combinaison de fer et de charbon.* → **Acier, fonte.** *Revêtement intérieur en argile et charbon des creusets.* → **Brasque.** *Pôle en charbon d'une pile. Balai de charbon. Charbon de magnéto, de lampe à arc. — Procédé au charbon* (pour le tirage des photocopies).

♦ **2** *(Un, des charbons).* Morceau ou parcelle de charbon. *Charbon incandescent.* → **Braise.** *Des charbons ardents* (→ ci-dessous, loc. fig.). *Viande grillée sur des charbons.* → **Carbonnade, charbonnée,** et aussi **barbecue, brasero.** *Avoir un charbon dans l'œil.* Fig., littér. *Avoir des yeux comme des charbons,* des yeux ardents, étincelants. → **Braise.** *Qui brille comme un charbon ardent.* → **Escarboucle** (étym.). — *Accumuler des charbons ardents sur la tête de qqn* (*Épître aux Romains,* XII, 20), l'inciter au remords. — Loc. cour. *Être sur des charbons ardents :* être extrêmement impatient et anxieux. → Être sur la braise*. *Marcher sur des charbons ardents :* se trouver dans une position délicate, périlleuse.

Tout le monde (...) disait que c'était marcher sur des charbons ardents, sur des rasoirs, que de traiter cette matière (...) 3
Mme DE SÉVIGNÉ, 909, 5 mars 1683.

♦ **3** (1821). **CHARBON ANIMAL,** et, absolt, **CHARBON :** produit de réduction par la chaleur des substances animales et qui est employé comme décolorant. → **Noir** (animal). *Poudre de charbon,* pour nettoyer les dents. *Pastilles de charbon,* employées contre certains maux d'estomac.
Viande trop cuite, calcinée. *C'est du charbon. Côtelette en charbon.*

♦ **4** Fusain. *Dessin au charbon.* → **Crayon, fusain.** Fard de couleur noire utilisé pour le maquillage.

♦ **5** Chim. CHARBON ACTIF : charbon obtenu par calcination de matières carbonées végétales (surtout de la tourbe) ou minérales, et utilisé pour ses propriétés absorbantes en médecine et dans l'industrie chimique.

♦ **6** Argot. Travail. *Aller au charbon :* aller au travail.

[II] Par anal. (de couleur). ♦ **1** (1568). Méd., cour. Maladie infectieuse commune à l'homme et aux animaux provoquée par la *bactéridie charbonneuse.* — *Avoir le charbon, la fièvre charbonneuse. Charbon de l'homme.* → **Pustule** (pustule maligne); → aussi Anthrax. *Charbon contagieux du mouton, du porc.* → **Épizootie.** *Le* stomoxe, *mouche susceptible de transmettre le charbon.*

♦ **2** (1701). Champignon parasite des plantes *(Ustilago)* qui a l'aspect d'une poussière noire; la maladie elle-même. → **Anthracnose, carie, charbouille, nielle, rouille; ustilaginisme.** *Charbon des graminées, du blé, de la vigne. Attaqué par le charbon.* → **Charbonné,** II.

DÉR. **Charbonnage, charbonner, charbonnette, charbonneux, charbonnière.** — V. **Charbonnerie, charbonnier.**

**CHARBONNAGE** [ʃaʀbɔnaʒ] n. m. — 1379, *carbonnage*; de *charbon*, et *-age*.

♦ **1** (Fin XIVe). Exploitation de la houille, et, spécialt, d'une houillère*. — Par ext. Au plur. Mines de houille. → **Charbonnière** (I., 3.), **houillère, mine.** *Les charbonnages du Nord. Les Charbonnages de France.*

La crise spéciale des charbonnages anglais, la perte de marchés pendant la guerre (...)
A. SAUVY, Croissance zéro ?, p. 54.

♦ **2** Mar. Vieilli. Action de charbonner (II., 2.).

♦ **3** Vieilli. Fabrication de charbon de bois.

**CHARBONNÉE** [ʃaʀbɔne] n. f. — Fin XIe, *charbonede*; du p. p. de *charbonner*.

**I** Régional. Viande grillée sur des charbons. → **Carbonade.** *Préparer une charbonnée.*

**II** (1757 ; de *charbonner*, I., 2.). Arts (vx). Dessin, esquisse au charbon.

HOM. **Charbonner.**

**CHARBONNER** [ʃaʀbɔne] v. — V. 1190 ; de *charbon*, et *-er*.

**I** V. tr. ♦ **1** **a** (Sujet n. de personne). Noircir avec du charbon. *Charbonner ses joues avec du bouchon brûlé. Se charbonner le visage. — Charbonner un mur (d'inscriptions),* le noircir en griffonnant (des inscriptions).

1 Ainsi tel autrefois qu'on vit avec Faret
Charbonner de ses vers les murs d'un cabaret (...)
BOILEAU, l'Art poétique, 1.

Maquiller de noir, ou, par ext., d'une couleur foncée, d'une manière excessive. *Charbonner ses paupières. Se charbonner les yeux.*

**b** (Sujet n. de chose). Noircir.

2 Elle s'adossa au chambranle, et la lampe qui l'éclairait d'en dessous lui nivelait les lèvres, lui charbonnait l'arête du nez, lui creusait des orbites et des joues de morte.
H. TROYAT, le Vivier, p. 100.

♦ **2** (1549). **a** Arts (vx). Dessiner avec un fusain, un charbon*. *Charbonner quelques croquis. — Se charbonner des moustaches avec un bouchon brûlé.*

**b** Vieilli. Dessiner, esquisser, peindre grossièrement (qqch.).

♦ **3** (1830). Vx. Réduire en charbon. *Charbonner un rôti.* → **Calciner** (mod.).

**II** V. intr. ♦ **1** Se réduire en charbon, sans flamber. *Mèche de lampe* (par métonymie, *lampe*) *qui charbonne. Rôti qui charbonne,* se calcine.

3 Le vent fit charbonner la lampe. Un coq au loin chanta.
BERNANOS, Un crime, *in* Œ. roman., Pl., p. 733.

Par métaphore (de la lampe qui charbonne). Cesser d'éclairer.

4 Toute cette quinzaine je me suis demandé si, étant donné l'amitié qui nous lie, Tristan *(Bernard)* et moi, j'allais accomplir un acte de courage ou de lâcheté. Je ne suis pas bien fixé. Ma conscience m'éclaire mal. Il y a des moments comme ça où la conscience charbonne.
J. RENARD, Journal, 5 déc. 1905.

♦ **2** (1911, *in* D. D. L.). Mar. Se ravitailler en charbon. *Le navire charbonne.*

◆ **SE CHARBONNER** v. pron. (1825 ; du sens I, 3). Se transformer en charbon. *Le bois se charbonne dans l'acide sulfurique.*

◆ **CHARBONNÉ, ÉE** p. p. et adj.

**I** ♦ **1** (1842). Noir ou marqué, barbouillé de charbon, de couleur noire. *Sourcils charbonnés.*

Marqué de noir (naturellement).

Un beau matou siamois, amplement fourré de gris et le museau charbonné. 5
MARTIN DU GARD, les Thibault, La Sorellina, 1928, p. 1207, *in* T. L. F.

*Œil charbonné, paupières charbonnées,* maquillé(es) de noir de manière excessive. → **Charbonneux,** I., 2.

♦ **2** Arts (vx). Dessiné, esquissé grossièrement.

♦ **3** Réduit en charbon. *Bois charbonné.*

**II** (1732). Attaqué par le charbon (II.). *Blés charbonnés.* → **Charbonneux,** II., 2.

DÉR. et HOM. **Charbonnée.**

**CHARBONNERIE** [ʃaʀbɔnʀi] n. f. — 1596 ; *carbonnerie*, 1521 ; de *charbon*, et *-erie*.

**I** (1611). Dépôt, magasin de charbon. — (1521). Fabrique de charbon de bois.

**II** (1838 ; adapt. de l'ital. *carboneria*, de *carbonaro* « charbonnier ». → Carbonaro). Hist. Sous la Restauration, Société politique secrète. → **Carbonaro, carbonarisme.**

L'incapacité est une franc-maçonnerie dont les loges sont en tout pays ; cette charbonnerie a des oubliettes dont elle ouvre les soupapes, et dans lesquelles elle fait disparaître les États. 1
CHATEAUBRIAND, Mémoires d'outre-tombe, IV, IV.

(...) de quel droit parler de patrie si tu ne sais pas que n'importe quel laboureur et tout le *basso continuo* des vies modestes la construisent plus solidement, sillon à sillon et pain quotidien à pain quotidien que ne la construisent toutes les charbonneries avec leurs buissons fiévreux et leurs forêts de Christophe Colomb. 2
J. GIONO, le Hussard sur le toit, p. 192.

**CHARBONNETTE** [ʃaʀbɔnɛt] n. f. — 1765 ; de *charbon*, et *-ette*.

Techn. (vx). Bois préparé, coupé pour faire du charbon.

**CHARBONNEUX, EUSE** [ʃaʀbɔnø, øz] adj. — V. 1610 ; de *charbon*, et *-eux*.

**I** (De *charbon*, I.). ♦ **1** Transformé en charbon. → **Carbonisé.** *Résidu charbonneux.*

♦ **2** **a** Qui a la couleur du charbon ou qui est noir de charbon.

(...) un regard charbonneux qui accentuait la blancheur de la tête (...)
Claude LÉVI-STRAUSS, Tristes tropiques, p. 7.

**b** Maquillé de noir, d'une couleur sombre, de manière intense, excessive. *Des yeux charbonneux.* → **Charbonné** (I., 1.).

**II** (De *charbon*, II.). ♦ **1** Méd. De la nature du charbon. *Tumeur, fièvre charbonneuse. — Mouche charbonneuse,* qui peut transmettre le charbon.

♦ **2** Bot. Attaqué par le charbon. *Blé charbonneux.* → **Charbonné** (II.).

**CHARBONNIER, IÈRE** [ʃaʀbɔnje, jɛʀ] n. et adj. — Fin XIIIe ; *carbonnier*, v. 1230 ; *charboner*, fin XIIe (franco-provençal) ; du lat. class. *carbonarius* « charbonnier ; relatif au charbon ».

**I** N. ♦ **1** Celui, celle qui fait ou qui vend du charbon. → **Bougnat** (fam.). *Noir comme un charbonnier. Rateau, pelle, sac... de charbonnier.*

N. m. Ancienn. Celui qui faisait du charbon de bois. → Piper, cit. 2. → **Carbonaro.**

Celui qui travaille dans une mine de charbon. → **Mineur** (de houille, de charbon).

N. f. Vx. Femme du charbonnier.

1 (...) elle eut une retenue de petite personne avec les filles de la charbonnière qui voulaient jouer avec elle sur le trottoir.

Ed. et J. DE GONCOURT, Sœur Philomène, p. 12.

Loc. prov. *La foi** (cit. 42) *du charbonnier* : la croyance naïve de l'homme simple.

2 Rarement un homme dont la vie fut au total assez malheureuse posséda au départ autant d'atouts de bonheur dans son jeu : une santé de fer, une nature de grand jouisseur, une foi de charbonnier, un métier admirable.

M. TOURNIER, le Vent Paraclet, p. 11.

Loc. (allus. à l'indépendance du charbonnier qui travaillait seul dans la forêt). *Charbonnier est maître dans sa maison, chez soi, chez lui* : chacun vit chez soi comme il l'entend.

♦ **2** N. m. Hist. Membre d'une charbonnerie, société secrète affiliée au carbonarisme. → **Carbonaro.**

♦ **3** N. m. Mar. Cargo destiné au transport du charbon en vrac. *Un charbonnier de fort tonnage.* — Par appos. *Cargo charbonnier.*

**II** Adj. ♦ **1** (1403). Qui a rapport au commerce, à l'industrie du charbon. → **Houiller.** *Centres charbonniers. Production charbonnière.*

♦ **2** (Fin XIIIe). Animaux. Dont le poil, le plumage présente des taches ou des parties d'un noir intense. *Mésange charbonnière.* → **Charbonnière,** II.

HOM. (Du fém.) **Charbonnière.**

**CHARBONNIÈRE** [ʃaʀbɔnjɛʀ] n. f. — Après 1250; *carboniere,* v. 1375; de *charbon,* et *-ière.*

**I** ♦ **1** (1549). Ancienn. Emplacement d'une forêt où l'on fait le charbon de bois. *Les meules* d'une charbonnière.*

♦ **2** Régional (Belgique). Coffre à charbon.

Partout un poêle ronronne, flanqué de sa charbonnière, du tisonnier et d'une pelle.

G. SIMENON, Pedigree, II, VI (1948).

♦ **3** Au plur. Charbonnage (1.), mine. «*Mon père était vice-président des charbonnières de Tosk*» (Sartre, *les Mains sales,* 1948, 3e tableau, *in* T. L. F.).

**II** Ornithol. et cour. Mésange à tête noire. → **Charbonnier,** II., 2. (mésange charbonnière).

**CHARBOUILLE** [ʃaʀbuj] n. f. — 1791; de *charbucle,* par substitution du suff. *-ouille;* du lat. class. *carbunculus* «petit charbon».

Agric., régional. Maladie du froment qui donne aux grains un aspect charbonneux. → **Charbon** (II., 2.).

**CHARCUTAILLE** [ʃaʀkytaj] n. f. — 1939; du rad. de *charcuterie,* et *-aille.*

Fam. Charcuterie. *Commencer par une solide assiette de charcutaille.* → **Cochonnaille.** *Des charcutailles d'Auvergne.*

La charcutaille, les tomates en salade (...) et la fourme formaient la matière solide du déjeuner de huit heures.

R. SABATIER, les Noisettes sauvages, p. 123.

**CHARCUTER** [ʃaʀkyte] v. tr. — Fin XVIe; du rad. de *charcutier,* et *-er.*

♦ **1** (Fin XVIe). Vx. Découper malproprement de la viande (chair).

♦ **2** (1690). Pratiquer maladroitement une opération chirurgicale sur (qqn, une partie du corps). *On lui a charcuté une heure le bras pour en extraire la balle* (Littré). *Le mauvais chirurgien qui l'a charcuté.* → **Taillader.**

Par métaphore. Saccager, abîmer. *Ils ont charcuté mon texte avant de le publier.*

◆ **SE CHARCUTER** v. pron. (XIXe). Se taillader. *Se charcuter avec un rasoir ébréché. Se charcuter le doigt.*

Un des malades de ce matin, tout jeune encore, a tenté de s'opérer lui-même et s'est abominablement charcuté, lardant de coups de couteau cette poche affreuse, qu'il croyait pleine de pus et espérait pouvoir vider.

GIDE, Voyage au Congo, *in* Souvenirs, Pl., p. 724.

**CHARCUTERIE** [ʃaʀkytʀi] n. f. — 1671; *chaircuicterie,* 1549; de *charcutier,* et *-erie.*

♦ **1** (1798). Industrie et commerce de la viande de porc, des préparations à base de porc (→ **Cochon, porc**). *Opérations de charcuterie.* → **Cuisson, découpage, dessiccation, enrobage, fumage, salage.**

♦ **2** (1802). Se dit de toutes les spécialités alimentaires à base de viande de porc. → **Charcutaille, cochonnaille; andouille, andouillette, attignole, bacon, boudin, cervelas, chair** (à saucisse), **chorizo, confit** (de porc), **coppa, crépinette, épaule** (de porc), **fromage** (de cochon, d'Italie, fromage de tête), **galantine, jambon, jambonneau, langue, lard, mortadelle, palette,** 1. **panne, pâté** (de foie, de viande, en croûte), **pied** (de porc), **rillettes, rillons, salami, salé** (petit), **saucisse** (et chair à saucisse), **saucisson, soubressade, terrine.** *Se nourrir de charcuterie. Charcuterie française, auvergnate, bretonne... Charcuterie italienne. Manger de la charcuterie, des charcuteries. Un plat de charcuterie. Assiette de charcuterie et de viandes froides.* → Assiette anglaise. *Acheter de la charcuterie pour une choucroute.*

Par anal. (à cause de la nature de préparations inspirées par la charcuterie). *Charcuterie de la mer* : terrines de poisson, rillettes de saumon, de thon, etc.

♦ **3** (1549). Local où la viande de porc et les viandes cuites sont préparées; magasin où elles sont présentées et vendues. — REM. La viande de porc étant aussi vendue en boucherie*, le mot *charcuterie* a tendance à s'appliquer (en France) à des magasins d'alimentation vendant, outre la charcuterie (1.), des plats cuisinés, des produits alimentaires de luxe (avec des interférences avec *épicerie*, traiteur*...*).

Mais Florent n'avait d'attention que pour la grande charcuterie, ouverte et flambante au soleil levant (...) D'abord, tout en bas, contre la glace, il y avait une rangée de pots de rillettes, entremêlés de pots de moutarde. Les jambonneaux désossés venaient au-dessus (...) Ensuite arrivaient les grands plats : les langues fourrées de Strasbourg, rouges et vernies, saignantes à côté de la pâleur des saucisses et des pieds de cochon; les boudins, noirs, roulés comme des couleuvres bonnes filles; les andouilles, empilées deux à deux, crevant de santé; les saucissons, pareils à des échines de chantre, dans leurs chapes d'argent; les pâtés, tout chauds, portant les petits drapeaux de leurs étiquettes; les gros jambons, les grosses pièces de veau et de porc, glacées, et dont la gelée avait des limpidités de sucre candi (...) Enfin, tout en haut, tombant d'une barre à dents de loup, des colliers de saucisses, de saucissons, de cervelas, pendaient, symétriques, semblables à des cordons et à des glands de tentures riches (...)

ZOLA, le Ventre de Paris, t. I, p. 54-55 (1875).

Abrév. fam. *De la charcut', de la charcute* [ʃaʀkyt].

DÉR. V. **Charcutaille.**

**CHARCUTIER, IÈRE** [ʃaʀkytje, jɛʀ] n. — 1680; *chaircuttier,* 1464; *charcuytier,* 1484; dér. de *chair cuite.*

♦ **1** (1464). Personne qui apprête et qui vend de la viande de porc frais, de la charcuterie* (et divers plats cuisinés, des conserves). → Charcuterie, REM. *Les préparations du charcutier.* → **Charcuterie,** 2. *Les instruments du charcutier.* → **Boudinière, couteau, feuille, fondoir, hache-viande, hachoir.** *La charcutière.* → Saindoux, cit. 2. — *Un garçon* charcutier.*

Quand Gervaise se penchait, elle apercevait encore une boutique de charcutier, pleine de monde, d'où sortaient 1

des enfants, tenant sur leur main, enveloppés de papier gras, une côtelette pannée, une saucisse ou un bout de boudin tout chaud.
ZOLA, l'Assommoir, t. I, II, p. 43.

2 C'était une superbe enfant de cinq ans, ayant une grosse figure ronde, d'une grande ressemblance avec la belle charcutière. ZOLA, le Ventre de Paris, t. I, p. 58.

Cuis. *À la charcutière :* avec une sauce *(sauce charcutière)* à base d'oignons et de cornichons. *Côtes de porc à la charcutière;* ellipt. *côtes charcutière.*

♦ **2** (1866). Fam. Chirurgien* maladroit. — Personne qui taille maladroitement dans les chairs de qqn. → **Boucher.**

Par métaphore. Personne qui abîme, saccage un travail, qqch.

DÉR. V. **Charcuter, charcuterie.**

**CHARDON** [ʃaʀdɔ̃] n. m. — V. 1200; *cardun,* 1086; du bas lat. *cardo, -onis.* → Cardon.

♦ **1** Plante dicotylédone *(Composacées),* à feuilles et bractées épineuses. *Les chardons comportent les carduus* (carduus indigène, fausse carline, bâton du diable, *chardon-Marie) et les cirses : chardon laineux, chardon acaule, chardon d'Angleterre, chardon des champs... Le chardon Notre-Dame ou chardon argenté est cultivé pour sa beauté. Le chardon bleu. Tête de chardon. Les têtes du chardon à foulon* (→ **Cardère**) *étaient employées autrefois pour carder la laine.* → **Carde.** — Spécialt. Le carduus indigène, *ou chardon des champs. Nettoyer un champ de ses chardons.* → **Échardonner; échardonnoir.** *Le chardon, régal des ânes et des bestiaux.*

1 (...) l'âne se mit à paître.
Il était alors dans un pré
Dont l'herbe était fort à son gré.
Point de chardons pourtant; il s'en passa pour l'heure (...)
LA FONTAINE, Fables, VIII, 17.

2 Le chardon importun hérissa les guérets (...)
BOILEAU, Épîtres, III.

3 L'été rit, et l'on voit sur le bord de la mer
Fleurir le chardon bleu des sables.
HUGO, les Contemplations, V, XIII, «Paroles sur la dune».

Loc. *Bête à manger du chardon :* bête comme un âne. *Hérissé comme un chardon.* — Iron. *Aimable comme un chardon.*

*Être sur des chardons,* des piquants (attr. probable de *charbons*).

Fig. Difficulté. → **Cactus** (fam.). *«La vie est semée de chardons»* (T. L. F.).

♦ **2** (Qualifié). Se dit de plantes dont l'aspect rappelle celui du chardon. *Chardon étoilé :* la centaurée chausse-trape. *Chardon bénit :* nom vulgaire du carthame. → aussi **Kentrophylle.** — *Chardon Roland.* → **Panicaut.** — *Chardon aux ânes.* → **Onoporde.**

♦ **3** Image, représentation du chardon.

Blason. Emblème de l'Écosse. *L'ordre du chardon.* — Emblème de la Lorraine.

Archit. Motif ornemental décorant corniches et chapiteaux (XV^e s.). *Feuilles, fleurs de chardon.*

♦ **4** Techn. [a] Pointe de fer destinée à empêcher l'escalade des murs et des grilles.

[b] Tête d'une carde. *Chardons métalliques.*

♦ **5** Bonbon fourré d'eau-de-vie, dont la forme rappelle celle d'une fleur de chardon.

DÉR. et COMP. **Chardonné, chardonner, chardonneret, chardonnette, chardonnier. Échardonner.**

**CHARDONNAY** [ʃaʀdɔnɛ] n. m. — D. i.; nom propre de lieu.

Vitic. Raisin blanc, variété de pinot. — Vin fait avec ce raisin.

**CHARDONNÉ, ÉE** [ʃaʀdɔne] adj. — D. i. (1859, Du Camp, *in* T. L. F.); de *chardon.*

Archit., rare. Orné de chardons peints ou sculptés. *Chapiteau chardonné.*

HOM. **Chardonner.**

**CHARDONNER** [ʃaʀdɔne] v. tr. — 1583; de *chardon.*

Techn., vx. Carder (une étoffe) avec des chardons à foulon ou (anciennt) des cardes (chardons métalliques). → **Carder.**

HOM. **Chardonné.**

**CHARDONNERET** [ʃaʀdɔnʀɛ] n. m. — 1479; de *chardon,* cet oiseau étant friand de graines de chardon.

♦ **1** Zool. et cour. Petit oiseau passériforme conirostre *(Fringillidés),* scientifiquement appelé *carduelis,* aux couleurs brillantes et variées et au chant agréable. *Chardonneret élégant* ou cardinalin, tarin (1. Tarin), *chardonneret citrinelle* dit aussi linotte, sizerin, cabaret. — *Chardonnerets en cage. Chant du chardonneret. Jeune chardonneret, encore gris.* → **Griset.**

C'est ainsi que le chardonneret affectionne le chardon, dont il a pris son nom.
BERNARDIN DE SAINT-PIERRE, Études, I, *in* LITTRÉ.

♦ **2** Pop. et vx (argot faubourien). Gendarme (par référence aux couleurs vives de l'ancien uniforme des gendarmes).

**CHARDONNETTE** [ʃaʀdɔnɛt] n. f. — 1530; de *chardon,* et suff. *-ette.*

Régional. Artichaut sauvage. *La fleur de chardonnette servait à faire cailler le lait.*

**CHARDONNIER** [ʃaʀdɔnje] n. m. — Réfection du moy. franc. *cardonnal,* d'après *chardonnière* (1457), terrain où l'on faisait pousser des chardons à foulon; de *chardon.*

Rare. Terrain où poussent des chardons. *Nettoyer un chardonnier.*

**CHARENTAIS, AISE** [ʃaʀɑ̃tɛ, ɛz] adj. et n. — 1866; de *Charente,* et *-ais.*

♦ **1** Adj. (1867). Des Charentes (départements de la Charente et de la Charente-Maritime).

N. (1866). *Un Charentais, une Charentaise :* personne qui habite les Charentes ou en est originaire.

♦ **2** N. f. (1922, *in* D. D. L.). CHARENTAISE : pantoufle en tissu molletonné à carreaux.

Elle redescendait sur la pointe de ses charentaises (...)
Hervé BAZIN, Qui j'ose aimer, 10, p. 93.

**CHARENTONNESQUE** [ʃaʀɑ̃tɔnɛsk] adj. — 1891; de *Charenton,* et *-esque.*

Fam., vx. Digne d'un fou, d'un échappé de Charenton (ancien asile). — REM. On écrit aussi *charentonesque* et on a dit *charentonnais* [ʃaʀɑ̃tɔnɛ]. — *Des histoires charentonnesques* (ou *charentonnaises*) : des histoires de fous.

**CHARGE** [ʃaʀʒ] n. f. — 1170; *carge,* v. 1130; déverbal de *charger.*

[I] [A] (Ce qui charge). ♦ **1** Ce qui pèse sur (qqch., qqn); ce que porte ou peut porter un animal, un véhicule, un bâtiment. → **Faix, fardeau, poids; capacité.** *Une lourde charge; charge pesante, excessive,* *charge légère. Porter une charge sur les épaules, à bras. La charge de qqn, d'un véhicule. Maintenir la charge d'une charrette avec un tortoir. Soulager un porteur de sa charge. Donner une charge, une charge excessive à qqn.* → **Charger, surcharger.** *La charge d'un âne* (→ **Ânée**), *d'un mulet, d'un cheval. La charge d'une brouette, d'une charrette* (→ **Brouettée, charretée**). *Charge d'un wagon. Charge utile d'un véhicule,* poids maximum qu'il peut transporter. *Charge d'une benne, d'un ascenseur.*

1 Deux mulets cheminaient : l'un d'avoine chargé,
L'autre portant l'argent de la gabelle.
Celui-ci, glorieux d'une charge si belle (...)
LA FONTAINE, Fables, I, 4.

2 Un homme haut et robuste (...) porte légèrement et de bonne grâce un lourd fardeau (...) un nain serait écrasé de la moitié de sa charge.
LA BRUYÈRE, les Caractères, XI, 95.

3 Polyphème arrive : il portait une énorme charge de bois sec. FÉNELON, Télémaque, 397, *in* LITTRÉ.

3.1 Ce qui ajoute à notre indignation, c'est que les charges laissées aux femmes par nos autres porteurs, sont de beaucoup les plus lourdes.
GIDE, Voyage au Congo, *in* Souvenirs, Pl., p. 767.

*De charge. Bête de charge.* → **Somme** (de somme).

**EN CHARGE.** *Prendre en charge un passager dans un véhicule. Prise* en charge. Démarrer en charge,* en étant chargé. *Poids en charge d'un véhicule.*

(1380). *La charge d'un navire.* → **Batelée, cargaison; lest.** *Capacité de charge d'un navire.* → **Port** (en lourd). — Loc. *Prendre charge* (d'un navire) : être chargé. *Rompre charge :* décharger des marchandises en vue d'un transport par une autre voie. → **Transborder.** — *En charge :* chargé (autre sens, → ci-dessous B., 1.). *Navire en pleine charge. Tirant d'eau en charge. — Ligne de charge.* → **Flottaison** (ligne de flottaison).

♦ **2** Techn. Poussée; action d'une masse qui pèse sur un élément de construction. *La charge d'un plancher, d'une voûte, d'une charpente. Pilier, contrefort supportant une charge* (→ **Poussée**). — *Charge admissible, de sécurité. Charge de rupture. Charge limite d'élasticité. Courbe de charge. — Charge d'eau :* hauteur de la colonne d'eau au-dessus d'un point. → **Pression.**

Dr. *Payer les charges d'un mur :* indemniser le voisin, lorsqu'on bâtit sur le mur mitoyen, à raison de la charge supplémentaire.

♦ **3** (1268). Quantité déterminée. → **Mesure, quantité.** *Une charge de blé, de bois.*

4 Paul-Louis amène (...) cinq cents charges de gazon ou terre de bruyère. P.-L. COURIER, II, 182, *in* LITTRÉ.

Métall. Quantité de combustible et de minerai que l'on met à la fois dans un fourneau.

Fam., vx. *Une charge de coups de bâton,* série de coups de bâton.

♦ **4** (XVI^e^; de *charger,* I., 3.). Quantité de poudre, projectiles que l'on peut mettre dans une arme à feu, dans une mine. → **Bourre** (cit. 4), **cartouche, poudre, projectile.** *La charge d'un fusil, d'un canon, d'un pistolet; d'une mine. Charge de combat. Il reçut toute la charge* (de l'arme à feu) *dans le corps. — Charge d'explosifs.* — Loc. *Charge creuse :* masse d'explosifs évidée d'une cavité conique, augmentant la force de pénétration dans un blindage. *Charge coupante :* charge creuse destinée à produire un effet coupant.

5 L'augmentation de force produite par une plus grande charge dans un canon de longueur donnée a des limites très étroites. CONDORCET, d'Arci, *in* LITTRÉ.

5.1 Le projectile à charge creuse, lorsqu'il explosait sur un blindage, projetait un jet de gaz brûlant et un noyau de métal en fusion à la vitesse de plusieurs milliers de mètres à la seconde et à la température de plusieurs milliers de degrés. Par le trou du blindage percé, du métal liquide fusait à l'intérieur du char, blessait ou tuait l'équipage, et enflammait les vapeurs de graisse et d'essence en suspension dans l'habitacle.
M. TOURNIER, le Roi des Aulnes, p. 361.

*Charge nucléaire, thermonucléaire.*

♦ **5** (1832; correspond à *charger,* I., 4.). Phys. Quantité d'électricité à l'état statique. → **Potentiel.** *Charge électrique, magnétique. La charge d'un condensateur. Perte de charge. Unité de charge. — Conducteur en charge. — Charge positive, négative. La charge d'une particule. «Charge nue»* (d'un électron). *Charge d'espace,* répartie sur une portion de l'espace. *Charge d'un noyau :* charge électrique totale (positive) portée par un noyau (par les protons). *Charge nucléaire. — Accumuler la charge.* → ci-dessous B., 3. (mise en charge, etc.).

♦ **6** Techn. Substance ajoutée à une matière souple (papier, plastique) pour lui donner du corps.

Les pâtes sont mélangées intimement dans la pile aux charges, aux colorants et aux colles qui sont nécessaires à la fabrication du papier. 5.2
Les *charges* sont des produits minéraux, tels que le talc, le kaolin, le sulfate de baryum, le carbonate de magnésium et le gypse. La charge moyenne est d'environ le quart du poids de la pâte sèche; dans le papier à beurre, on va jusqu'à 60 %.
F. MEYER et L.-J. OLMER, le Papier, p. 49.

Une charge est en général une substance peu coûteuse que l'on ajoute aux constituants qui doivent former une résine (...) Jean VÈNE, les Plastiques, p. 39. 5.3

♦ **7** Géogr. Matériaux en dissolution ou en suspension dans un cours d'eau.

♦ **8** *Charge (alaire) :* poids supporté par l'unité de surface d'une aile d'avion. *Facteur de charge.*

♦ **9** (Fig. du sens 5, électr.). Psychol. *Charge affective :* possibilité de susciter des réactions affectives. — Cour. *La charge affective d'un texte.*

**B** Rare ou spécialt. Action de charger. → **Chargement.** ♦ **1** **a** (1690). Action de charger un navire (vx, ou dans des loc. : *sabord de charge*). *Vaisseau en charge,* en cours de chargement.

**b** Action de prendre un passager. *Le tarif de la prise en charge,* dans un taxi.

♦ **2** Action de charger (une arme à feu). *La charge en douze temps des anciennes armes.*

♦ **3** Action d'accumuler la charge (I., A., 5.) électrique, magnétique. *Charge à courant constant, à tension constante* (d'un accumulateur). Rare. *La charge d'une batterie d'accumulateurs.* — Cour. *Mettre en charge, mise en charge. Courant de charge.*

**II** (Abstrait; correspond à *charger,* II.). Ce qui pèse (sur qqn, qqch.), constitue une gêne, un embarras, une peine. ♦ **1** Ce qui cause de l'embarras, de la peine. → **Gêne, incommodité, servitude.** *C'est pour lui une charge pénible. Ce travail n'est pas une charge pour moi. Avoir une lourde charge sur les bras* (cit. 28). → **Traîner un boulet***.

(...) la charge épouvantable de sa conscience (...) 6
BOSSUET, Justice, 2.

Aidons-nous mutuellement, 7
La charge de nos maux en sera plus légère.
FLORIAN, Fables, I, 20.

Loc. (Avec à...). (1170). Loc. *Être à charge à qqn, à sa charge.* → **Gêner, incommoder.** *La vie lui est à charge. Je ne voudrais pas lui être à charge. Prendre qqn, qqch. à sa charge.*

8 Quoique sa vie languissante lui fût à charge (...)
FLÉCHIER, Oraison funèbre de la duchesse de Montausier, *in* LITTRÉ.

9 Faut-il toujours être à charge à ceux que l'on aime et torturer ceux qui vous aiment (...)
Edmond JALOUX, Fumées dans la campagne, XXII, p. 185.

♦ **2** (XIIIᵉ). [a] (Au plur.). Ce qui met dans la nécessité de faire des frais*, des dépenses*, d'engager des travaux; obligation onéreuse (→ **Obligation**). *Il a plus de charges que de biens, que de revenus. Charges de famille; charges du mariage, charges d'une succession* (obligations légales). *Charges d'exploitation. Cette dette* est pour lui une lourde charge. Charges personnelles. Charges de copropriété. Charges locatives*. — Spécialt. *Les charges :* les charges locatives. *Le loyer comprend les charges* (d'entretien de l'immeuble, de chauffage). *Les charges sont en sus du loyer. Augmentation des charges.*

10 (...) on ne peut pas *(faire l'aumône),* on a tant de charges (...)
BOSSUET, III, Pentecôte, 2, *in* LITTRÉ.

*Les charges de l'État,* sa dette, ses dépenses.

Spécialt. Obligation résultant d'un contrat. *Cahier des charges.* — Droit réel couvrant un immeuble. → **Hypothèque, servitude.** — Obligation imposée à celui qui reçoit une libéralité. *Donation avec charges.* — → **Imposition, prestation, redevance.** *Charge foncière. Supporter de lourdes charges. Contribution* à une charge. Charges sociales,* imposées par l'État aux employeurs et destinées à la protection sociale. *Charges fiscales :* impôt sur les salaires.

11 Les villes de Lycie payaient les charges selon la proportion des suffrages. MONTESQUIEU, l'Esprit des lois, IX, 3.

Prov. *Il faut prendre le bénéfice avec les charges,* les avantages et les inconvénients.

[b] *La charge, la charge de qqn* (dans quelques constructions).

EN CHARGE. *Prise en charge* (en parlant d'un organisme) : acceptation de verser des prestations à un assuré. *Cure thermale prise en charge par la Sécurité sociale. Prendre en charge* (même sens).

Dr. Volume d'activités fixé à des travaux engagés, aux obligations d'exécuter des travaux (dans : *plan de charge*).

À (LA) CHARGE. *À la charge de* (qqn) : qui doit être payé, réglé par (qqn), qui constitue une obligation pour (qqn). *Les frais, les dépenses sont à sa charge. Les petites réparations sont à la charge du locataire. Être, se mettre, tomber à la charge de qqn,* vivre à ses dépens. *Se rendre à charge à qqn. Il est tombé à sa charge.*

Loc. adj. **À CHARGE.** *Avoir plusieurs personnes à charge,* plusieurs personnes aux besoins desquelles on subvient. *Enfant à charge :* enfant non émancipé de moins de dix-huit ans, ou poursuivant ses études au delà de cet âge, que l'on a à sa charge.

Loc. fig. *À la charge de...* (vx); *à charge de... :* à condition* de... — Vx. *À la charge que...* (et indic.) : à condition que... — Vx. *Promettre qqch. à charge d'autant, à la charge d'autant.*

12 (...) Mais je te pardonne à la charge que tu mourras.
MOLIÈRE, les Fourberies de Scapin, III, 13.

13 (...) la vie est un bien qu'on ne reçoit qu'à la charge de le transmettre (...)
ROUSSEAU, Julie ou la Nouvelle Héloïse, VI, Lettre IV.

14 Rendez-moi ce service à la charge d'autant.
P.-L. COURIER, I, 175, *in* LITTRÉ.

Mod. *À charge de revanche*.*

♦ **3** (V. 1225). Fonction dont qqn a tout le soin; responsabilité assumée (par qqn).

Spécialt. Fonction publique. → **Dignité, emploi, fonction, ministère, office, place, poste.** *La charge de qqn, sa charge. Les devoirs* de sa charge. Charge d'officier ministériel. Charge d'avoué, de notaire* (ou *notariale*), *de greffier. Charge publique. Occuper une charge. Vacance, intérim d'une charge.*

Hist. (Sous l'ancien régime). *Charge de judicature, de finance. Charge militaire, charge dans l'armée, charge d'officier. Acheter, vendre une charge. Vénalité* des charges. Charge onéraire,* réellement exercée. *Charge ne demandant aucun travail.* → **Sinécure.** *Titre* correspondant à une charge.*

Je suis né de parents (...) qui ont tenu des charges honorables. MOLIÈRE, le Bourgeois gentilhomme, III, 12. 15

*(Ils)* furent obligés de se défaire de leurs charges et de quitter la cour. 16
VOLTAIRE, le Siècle de Louis XIV, 26.

(...) ce petit Charles-Maurice joignait, disait-on (...) des titres personnels à un rapide avancement dans les charges et honneurs ecclésiastiques et peut-être dans les carrières publiques. Louis MADELIN, Talleyrand, I, I, p. 12. 17

Ironique :

(...) je vous établis dans la charge de rincer les verres, et de donner à boire (...) MOLIÈRE, l'Avare, III, 1. 18

Dr. Fonction de la tutelle*.

♦ **4** (1802). Responsabilité. *Toute la charge en tombe, en retombe sur moi. Le chef a la charge de ses hommes.* — Loc. cour. *Avoir charge d'âme :* avoir la responsabilité morale de qqn (ou d'un groupe de personnes, d'enfants...).

Je n'ai pas charge d'âmes, et c'est trop d'avoir à gouverner tout seul deux fous comme toi et moi. 19
E. FROMENTIN, Dominique, p. 159.

La société a charge d'âme, elle a des devoirs envers l'individu. RENAN, l'Avenir de la science. 20

(...) il faut gagner la vie de Legrand et la mienne; j'ai charge d'âme (...) J. VALLÈS, le Bachelier, p. 110. 21

*Prendre qqn, qqch. en charge,* s'en occuper, prendre sous sa responsabilité*.

Le chef est celui qui prend tout en charge. Il dit : J'ai été battu. Il ne dit pas : Mes soldats ont été battus. 22
SAINT-EXUPÉRY, Pilote de guerre, XXV, p. 213.

♦ **5** Fonction que l'on donne à accomplir à qqn. → **Attribution, commission, mandat, mission, ordre.** *Confier, donner à qqn la charge de* (qqch., faire qqch.). *La charge ne m'en a pas été donnée.* — (Sans article). *On lui a donné charge de...* → **Charger.** *Il a charge de faire ceci. — La charge de qqn, sa charge. Cela est à ma charge :* on m'en a confié le soin. *S'acquitter plus ou moins bien de sa charge.*

Elle m'avait donné charge de vous le dire (...) 23
CORNEILLE, le Menteur, V, 5.

Un homme d'État, Dieu merci! n'a pas charge de faire régner la vertu ni de punir les vices, mais de gouverner avec les éléments existants et d'ordonner les forces de son époque. M. BARRÈS, Leurs figures, p. 330. 24

Loc. *Femme de charge,* à qui l'on confie les gros travaux de la maison. → **Femme** (III., 1.); cf. Femme de ménage.

Le gros de la besogne était remis aux soins d'une femme de charge (...) 25
G. DUHAMEL, le Temps de la recherche, XI, p. 154.

♦ **6** (1437). *Une, des charges.* Fait qui pèse sur la situation d'un accusé. → **Accusation, indice, présomption, preuve.** *Ceci constitue une charge contre le prévenu. Examiner les charges portées, produites contre un accusé. Les charges contre le prévenu sont insuffisantes pour établir sa culpabilité. Charges suffisantes* (Code d'instruction criminelle, art. 231). *Charges nouvelles* (Code d'instruction criminelle, art. 247).

26 Si grandes que soient les charges qui pèsent sur Robert Greslou, elles reposent sur des hypothèses.
Paul BOURGET, le Disciple, II, p. 55.

*La charge de la preuve** (Code civil, art. 1315).

**À CHARGE.** *Informer, instruire à charge et à décharge. Témoin* à charge,* qui accuse.

♦ **7** (De *charger,* II., 2.). **a** (1680). Ce qui outre le caractère de qqn pour le rendre ridicule. → **Caricature** (cit. 2), **imitation.** *Une charge féroce, comique, réussie.* — Appos. *Un portrait charge.*

Exagération comique. *Cette farce est une charge burlesque. Les étudiants, dans la dernière revue, ont fait la charge de leurs professeurs. C'est une charge du Napoléon de 1812.* → Rhéteur, cit. 2. — *Une charge d'atelier.* → **Mystification, plaisanterie ; canular.**

26.1 (...) ce mot est absolument de son caractère — il est inventé — il est un peu exagéré — comme une charge de son caractère.
VALÉRY, Cahiers, t. II, Pl., p. 6.

**EN CHARGE.** *Portrait en charge. Jouer un rôle en charge.*

**b** (1753). *La charge :* genre littéraire ou artistique caractérisé par l'outrance.

27 J'aime peu la comédie, qui tient toujours plus ou moins de la charge et de la bouffonnerie.
A. DE VIGNY, Journal d'un poète, p. 91.

28 Toutes ces critiques rentrent dans une seule que je m'étais déjà permis d'adresser à votre talent, l'excès, l'abus de la *force,* et passez-moi le mot, la *charge.*
SAINTE-BEUVE, Correspondance, 34, 13 févr. 1827.

**III** (1546). ♦ **1** Action de charger (III.) ; attaque impétueuse d'une troupe. → **Assaut, attaque, choc.** *Charge violente, furieuse. Charge de cavalerie. La Charge de la brigade légère* (titre d'un film). *Charge à la baïonnette. Enlever une position par une charge. Charge en ligne de bataille. Charge en fourrageurs. Commander la charge. — À la charge ! —* Loc. *Pas de charge. Marcher au pas de charge.* — Par métonymie. Le signal de la charge, de charger (III.). *Sonner, battre la charge.* → **Batterie, sonnerie.** → ci-dessous, cit. 29, 30.1.

29 L'insecte du combat se retire avec gloire :
Comme il sonna la charge, il sonne la victoire (...)
LA FONTAINE, Fables, II, 9.

30 Ceux des manifestants qui étaient venus (...) dans le quartier des Ternes, s'étaient vus refoulés par les charges brutales de la police.
MARTIN DU GARD, les Thibault, t. VII, p. 76.

30.1 — Jamais, sachez-le bien, les tambours n'ont consenti à battre la charge derrière les colonnes qu'ils devaient entraîner. La tradition l'atteste : au mépris du règlement, on les a vus le plus souvent se ruer à l'ennemi, vibrants au cœur des compagnies comme les cordes d'une lyre.
A. BLONDIN, Monsieur Jadis, p. 77.

Le fait de charger (III., 2.) en parlant d'un animal. → **Chasse, poursuite.** *La charge d'une bête fauve. La charge furieuse du rhinocéros.*

31 (...) ce grand enfant d'Aouïmer, joyeux comme un cheval qui sent l'écurie (...) poussait des charges à fond de train contre de pauvres lièvres qui (...) prenaient le frais dans l'alfa.
E. FROMENTIN, Un été dans le Sahara, p. 279.

Loc. fig. (1689). *Revenir, retourner à la charge :* insister dans ses démarches, ses prières, ses attaques...

32 Le bonhomme, nanti, n'avait, depuis, cessé de revenir à la charge. Quatre ou cinq fois par an, il se manifestait et toujours pour demander assistance.
G. DUHAMEL, le Voyage de P. Périot, V, p. 96.

♦ **2** (1900, *in* Petiot ; football). Sport. Action de heurter un adversaire qui est en possession du ballon. — Boxe :

Il se baisse sous les coups d'une charge, et met la tête dans l'épaule de l'adversaire, pour porter deux crochets bien secs (...) 33
Jean PRÉVOST, Plaisirs des sports, p. 73.

♦ **3** Par métaphore ou fig. Attaque violente, furieuse. *Subir les charges de l'opposition, de la critique.*

CONTR. **Allégement. — Décharge.** ◊ COMP. **Décharge, monte-charge, recharge, surcharge.**

**CHARGEMENT** [ʃaʀʒəmɑ̃] n. m. — 1253 ; de *charger,* au sens I, et *-ment.*

**A** ♦ **1** Action de charger (un animal, un véhicule, un navire...). *Chargement d'un mulet ; d'un camion ; d'un wagon. Navire en chargement.* → **Charge** (I., B., 1. : *en charge*). *Chargement en grenier. Chargement et arrimage* des marchandises. Parquet de chargement. Plate-forme de chargement.* → **Appontement.** *Chargement en pontée :* arrimage sur le pont. *Appareils de chargement.* → **Chargeuse** (cit.) ; **crône, drop, grue, palan, treuil... ; levage, manutention.** *Cargo à chargement par levage, à chargement vertical ; à chargement horizontal, par roulage. Chargement à la pelle.* → **Paléage.** *Preuve du chargement par connaissement*.*

♦ **2** (1835). Remise à l'administration des postes d'un pli cacheté, en déclarant les valeurs qu'il contient. — (1906, par métonymie). Paquet ainsi remis. *Bureau des chargements.*

♦ **3** Action de charger, de garnir ; opération par laquelle on charge. → **Charge, garnissage, remplissage.** — (1890). Spécialt. *Chargement d'un four.*

(1874). *Le chargement d'une arme à feu.*

(1946). *Le chargement d'un appareil photographique, d'une caméra.*

**B** (Ce qui est chargé). ♦ **1** (1694). Marchandises chargées. → **Cargaison, charge.** *Un lourd chargement. Le chargement de ce camion est trop lourd. Chargement mal arrimé. Le chargement du navire est avarié. Estivage* du chargement. Navire à chargement incomplet* (→ **Lège**). *Un chargement de blé, de bois. Le chargement est avarié.*

♦ **2** Par métaphore. → Charge, I., A., 9. : *charge affective.*

On a souvent parlé de la couleur et de la saveur des mots. Mais on n'a jamais rien dit de leur tension, de l'état de tension de l'esprit qui les profère, dont ils sont l'indice et l'index, de leur chargement.
CLAUDEL, Positions et Propositions, p. 15.

CONTR. **Déchargement.** ◊ COMP. **Téléchargement.**

**CHARGER** [ʃaʀʒe] v. tr. [CONJUG. : *bouger.*] — V. 1170, *chargier ; carger,* 1080 ; du bas lat. **carricare* « charger », de *carrus.* → 1. Char.

(...) certains verbes changent de sens, suivant le milieu où on les emploie. *Charger* pour un cuirassier, c'est mettre son cheval au galop et sabrer l'ennemi ; pour un fantassin ou un artilleur, c'est mettre une cartouche ou une gargousse ; pour un cocher, c'est prendre un client ; pour un conteur, ou un dessinateur, c'est exagérer ; pour un employé des postes, c'est mettre le pli dans les « valeurs déclarées ». 1
F. BRUNOT, la Pensée et la Langue, IX, II, VI, p. 316.

**I** Garnir d'une charge* (I.), faire porter qqch. à (qqn, un animal, un véhicule). ♦ **1** **a** Mettre sur (un homme, un animal, un véhicule, un bâtiment, etc.) un certain poids d'objets à transporter. *Charger un porteur. Charger un mulet, un cheval. Charger une charrette. Charger une voiture. Charger un camion de bouteilles. Charger un navire* (→ **Fréter ; arrimer**). *Charger de lest.* → **Lester.** *On le chargea de paquets. Charger à l'excès.* → **Accabler, surcharger.**

2 Eh quoi ! Charger ainsi cette pauvre bourrique !
LA FONTAINE, Fables, III, 1.

**b** *Charger une lettre de valeurs,* et, absolt, *charger une lettre,* y enfermer des valeurs, et, par suite, l'affranchir de manière spéciale.

♦ **2** (Avec un compl. second introduit par une prép. locative : *sur, dans...*). Placer, disposer pour être porté. → **Mettre, placer, porter.** *Charger une valise sur son épaule. Charger des pierres sur un tombereau. Charger du charbon sur une péniche. Charger des malles dans un wagon. Charger des meubles dans un camion de déménagement.*

(Sans compl. second). *Les déménageurs sont en train de charger des caisses.*

3 Je vois de grands garçons charger un tonneau de vin.
ROUSSEAU, Émile, III.

(Le sujet désigne un véhicule, un navire). Prendre une charge. *Le navire charge sa cargaison,* et, absolt, *le navire charge pour Marseille.* → **Embarquer.**

4 Oh ! mon Dieu, c'était un très modeste petit bateau du port d'Antibes (...) un brick, qui chargeait pour les îles du Levant des jarres de terre cuite fabriquées à Vallauris (...)
LOTI, Matelot, V, p. 22.

(Le sujet désigne le conducteur ou le véhicule). *Taxi qui charge un client,* le fait monter, le prend. → Prise en charge* (I., B., 1.). Absolt. Charger à une station.

♦ **3** **a** (1564). Mettre (dans une arme à feu) ce qui est nécessaire au tir. → **Charge** (I., A., 4.), **chargement** (A, 3.). *Charger un fusil, un revolver, des pistolets* (→ 1. Pistolet, cit. 1). *Charger un canon par la culasse. Charger un canon jusqu'à la gueule.* Absolt. *Charger à balles, à mitraille.* — Par ext. *Charger une mine.*

**b** Garnir (qqch.) d'un poids, d'une quantité déterminée. → **Garnir, remplir.** (Avec ou sans compl. second en *de*). *Charger une bobine de fil. Charger une pipe de tabac. Charger un fourneau, un poêle de combustible. — Charger un appareil de photo, une caméra. — Charger un stylo (avec une cartouche d'encre).*

Techn. *Charger une cuve à teinture (de colorant). Charger un pinceau (de couleur), une plume d'encre.*

♦ **4** (1832 ; correspond à *charge,* I., A., 5.). Phys. *Charger une batterie, une bouteille de Leyde,* y accumuler* suffisamment d'électricité pour l'usage auquel ces appareils sont destinés. → **Charge,** I., A., 5.

♦ **5** Littér. **CHARGER (qqch.) DE (qqch.)** : mettre sous le poids de (une charge), garnir abondamment, avec excès ou avec profusion. → **Accabler, couvrir, recouvrir ; emplir.** *Charger une table de mets. Charger ses mains de bagues. Charger sa poitrine de décorations* (→ **Chamarrer**).

5 Telle qu'une bergère, au plus beau jour de fête,
De superbes rubis ne charge point sa tête (...)
BOILEAU, l'Art poétique, II.

Fig. *Charger un roman de coups de théâtre, d'incidents. Charger son style de métaphores. Charger d'ornements superflus.* → **Tarabiscoter.** *Charger un ouvrage de citations.*

6 *(Corneille)* a aimé (...) à charger la scène d'événements dont il est presque toujours sorti avec succès (...)
LA BRUYÈRE, les Caractères, I, 54.

(Compl. n. de personne). *Charger un esclave, un prisonnier de chaînes.* → **Enchaîner.**

Fig., vx. *Charger un homme de coups.* → **Battre.**

7 (...) tous trois le chargent de coups (...)
MOLIÈRE, le Bourgeois gentilhomme, II, 3 (jeu de scène).

(Abstrait). Littér., vieilli. *Charger qqn d'injures, d'anathèmes, d'opprobres, de malédictions.*

8 N'allons point nous charger d'une haine immortelle.
RACINE, Bérénice, III, 2.

(...) ce blâme public dont ils sont trop chargés. 9
MOLIÈRE, Tartuffe, I, 1.

*Charger qqn d'honneurs.* → **Combler.**

♦ **6** (Sujet n. de chose). Constituer une charge, peser sur. *Les bagages chargent cette voiture. — Cette poutre charge trop la muraille. La retombée de la voûte charge trop ce pilier.*

Fig. *Cette nourriture est lourde et charge l'estomac.*

**II** (Abstrait). ♦ **1** (XII^e). **CHARGER (qqn, qqch.) DE...**, faire porter à... (une responsabilité, une charge ; → Charge, II.), considérer comme coupable, comme responsable. → **Accuser, imputer, taxer.** *Charger qqn de crimes, de torts.*

Ils ne cessaient de le charger tantôt d'avarice, tantôt de trahison. 10
VAUGELAS, QUINTE-CURCE, X, *in* RICHELET.

(...) ce « bouc émissaire », qu'on chargeait de tous les péchés d'Israël par des formules imprécatoires (...) 11
DANIEL-ROPS, le Peuple de la Bible, IV, III, p. 366.

(Correspond à *charge,* II., 6.). Dr. *Charger qqn :* aggraver les chefs d'accusation, apporter des preuves ou des indices de la culpabilité de (qqn, un accusé). → **Déposer** (contre qqn).

Par ext. → **Calomnier, noircir.**

Chargez-le comme il faut (...) et rendez les choses bien criminelles. 12
MOLIÈRE, l'Avare, V, 5.

(Sujet n. de personne). *Charger la mémoire de qqn de trop de faits.* → **Encombrer, remplir, surcharger.** *Charger sa tête, son esprit de balivernes. Charger sa mémoire de détails.* — (Sujet n. de chose). *Les détails qui chargent inutilement la mémoire, l'esprit,* qui l'encombrent.

(...) tout cet amas d'idées qui reviennent à la même, dont ils chargent sans pitié la mémoire de leurs auditeurs. 13
LA BRUYÈRE, les Caractères, XV, 5.

La musique était pour moi une autre passion, moins fougueuse, mais non moins consumante par l'ardeur avec laquelle je m'y livrais, par l'étude opiniâtre des obscurs livres de Rameau, par mon invincible obstination à vouloir en charger ma mémoire, qui s'y refusait toujours, par mes courses continuelles, par les compilations immenses que j'entassais, passant très souvent à copier, les nuits entières. 14
ROUSSEAU, les Confessions, V.

Vx (langue class.). *Charger qqch. de...* → **Aggraver, augmenter.**

Mon courroux n'a déjà que trop de violence, 15
Sans le charger encor d'une nouvelle offense.
MOLIÈRE, Sganarelle, 6.

Établir, imposer (une condition onéreuse, une redevance) à (qqn, un groupe, un bien juridique). → **Grever, imposer.** *Charger qqn de dettes.* → **Écraser, obérer.** *Charger le peuple, le pays de taxes. — Charger une terre de redevances, une succession d'un legs.*

Tout son peuple est heureux avec lui ; il craint de charger trop ses peuples. 16
FÉNELON, Télémaque, VIII.

♦ **2** (Emplois spéciaux). Amplifier, exagérer. *Charger ses comptes,* y exagérer le montant des frais. *Charger le prix d'une marchandise.*

Spécialt. (Correspond à *charge,* II., 7.). Exagérer (les défauts, les traits saillants), afin de rendre ridicule ou odieux. *Charger un portrait.* → **Caricaturer.**

Faire (qqch.) avec exagération, en matière artistique. → **Forcer, outrer.** *Il charge ses descriptions. Cet acteur charge son rôle.*

Un comique outre sur la scène ses personnages ; un poète charge ses descriptions (...) 17
LA BRUYÈRE, les Caractères, III, 48.

On semble exagérer, charger les couleurs, forcer la vérité. 18
Louis MADELIN, De Brumaire à Marengo, III, La France de l'An VIII, p. 37.

♦ **3** (1538). Revêtir (qqn) d'une fonction, d'un office, d'une mission. → **Charge** (II., 3., 4. et 5.); **commettre, déléguer, donner** (donner à faire), **préposer** (à)... *On l'a chargé de faire le compte rendu de la séance. Charger un avocat de la défense de qqn. On l'a chargé de trop de responsabilités. Il fut chargé de les surveiller, de leur surveillance.*

19 Il suffit. Cependant n'as-tu rien négligé
Des ordres importants dont je t'avais chargé?
RACINE, Bérénice, I, 3.

20 Je suis encore chargé de grands et lourds devoirs.
G. DUHAMEL, Inventaire de l'abîme, II, p. 19.

**III** (V. 1195, «attaquer, battre»). ♦ **1** Attaquer* violemment, avec impétuosité. → **Charge** (III.). *Charger l'ennemi.* Absolt. *La cavalerie chargea. Chargez!*

(Animaux). Courir vite pour attaquer. *Le sanglier, l'éléphant chargent.* → **Foncer.**

21 (...) Une fois que vous aurez fait la brèche, on charge et on va attaquer leurs réserves.
R. DORGELÈS, les Croix de bois, X, p. 193.

♦ **2** Sports. *Les avants ont chargé.* → Charge, III., 2.

◆ **SE CHARGER** v. pron.

♦ **1** (Correspond à *charger*, I.). Prendre comme charge pour transporter. *Se charger d'un fardeau.*

(Passif; choses). *Le navire, le camion se charge. Ce canon se charge par la culasse.*

*Le ciel se charge,* il se couvre de nuages. — Se couvrir. *Se charger de pierreries.*

♦ **2** Réfl. (Correspond à *charger*, II.). **a** Prendre la responsabilité (de...). — Fig. *Se charger d'une faute, d'un péché, d'une responsabilité.* → **Assumer, endosser.**

22 Qu'elle semble lourde, aujourd'hui, à nos épaules et à nos bras, cette vérité dont se charge en riant de joie, notre jeunesse fervente!
F. MAURIAC, le Jeune Homme, p. 91.

23 C'était de nos douleurs qu'il s'était chargé (...)
DANIEL-ROPS, le Peuple de la Bible, IV, III, p. 385.

**b** Prendre le soin, la conduite de qqch. → **Affaire** (faire son affaire de...), **prendre** (sur soi), **occuper** (s'). *Je me charge de tout. Se charger de qqn,* de son entretien, de sa subsistance. *Laissez-moi faire : je m'en charge.*

24 Et je me chargerais du soin de la défendre?
RACINE, Phèdre, IV, 5.

25 D'un gendre sans appui voudra-t-il se charger?
RACINE, Mithridate, III, 1.

Iron. *Se charger de qqn,* en faire son affaire.

◆ **CHARGÉ, ÉE** p. p. adj. et n.

**I** Adj. ♦ **1** (Personnes, animaux, véhicules). Qui porte une charge. *Être chargé de colis, de bagages, de paquets.* Absolt. *Vous êtes bien chargé, trop chargé, je vais vous aider. — Mulet, cheval chargé.* — Fam. (Personnes). *Être chargé comme un âne, comme un mulet.*

26 Les transports arrivent et partent chargés de soldats qui s'en vont en guerre.
LOTI, Aziyadé, Eyoub à deux, XXXVII, p. 125.

26.1 Un camion suit l'auto, chargé de trois caisses de sel pour Bosangoa. Ces caisses sont trop énormes pour être confiées à des porteurs (...)
GIDE, Voyage au Congo, *in* Souvenirs, Pl., p. 813.

*Lettre chargée, paquet chargé,* qui contient des valeurs.

♦ **2** Placé comme une charge. *Marchandises chargées et marchandises déchargées* (sur un navire).

♦ **3** (Au sens I, 3 de *charger*). Absolt. *Fusil, pistolet chargé. Attention! il est chargé.*
Électr. *Batterie chargée.*

*Appareil de photo, magnétophone chargé.*

♦ **4** Absolt. Alourdi, embarrassé (d'un organe). *Avoir l'estomac chargé.* → **Lourd.** *La langue chargée,* couverte d'un dépôt blanchâtre (→ Bouillon, cit. 8.1).

♦ **5** (Correspond à *charger*, I., 5.). **a** *Chargé de...* : plein, rempli de... *Mains chargées de bagues. — L'Enfant chargé de chaînes,* roman de Mauriac.

(...) Sa main blême, grasse, courte et chargée de bagues. 27
FRANCE, Jocaste, XI, p. 106.

Fig. *Ciel chargé de nuages. Air chargé de parfums.*

La rue déserte se remplissait paisiblement de cette ombre 28
poudreuse et de couleur rousse, ombre palpable, chargée de chaleur, d'odeurs confuses (...)
E. FROMENTIN, Un été dans le Sahara, p. 261.

(...) les nuages chargés de neige que roulait le ciel (...) 29
M. BARRÈS, la Colline inspirée, IX, p. 148.

(...) le hâle noir lentement accumulé par l'air chargé de 30
vapeurs, de fumées et de couchants rouges (...)
Valery LARBAUD, Amants, heureux amants, p. 11.

*Style chargé de métaphores.* → **Fleuri** et ci-dessous (cit. 33). *Manuscrit chargé de ratures.*

Vx. *Être chargé d'injures.* — Mod. *Être chargé d'honneurs,* honoré, célèbre. — Loc., littér. *Chargé d'ans.* → **Vieux.**

*Une attente chargée d'espoir.* → **Plein, rempli.**

À cette heure chargée d'angoisse, un seul être eût pu com- 31
prendre Inès : Zénith, son lévrier.
Edmond JALOUX, les Visiteurs, XXX, p. 234.

C'est un beau sentiment, vous savez, cette confiance 32
chargée d'espoir qu'on met dans un homme libre.
MONTHERLANT, les Jeunes Filles, p. 16.

**b** Absolt. Compliqué, trop lourd. *Portrait chargé. Description chargée. Décoration chargée,* lourde, compliquée. *Une intrigue trop chargée.* → **Touffu.**

Avec la figure que je viens de peindre, et qui n'est point 33
chargée, M. Simon était galant, grand conteur de fleurettes, et poussait jusqu'à la coquetterie le soin de son ajustement. ROUSSEAU, les Confessions, IV.

*Un casier judiciaire chargé* (de condamnations, etc.).

**c** (Concret). Régional (Suisse). Fort et foncé (d'une substance en infusion). *Un café, un thé chargé.* → **Noir; fort.**

♦ **6** (Personnes). *Chargé de...* : responsable (de...). *Être chargé de famille. Être chargé d'une fonction par un titre* (→ **Attitrer**, p. p.). *L'avocat chargé de l'affaire. Être chargé de soins, d'intérêts. Mineur chargé de famille. Professeur chargé de cours* (→ ci-dessous, n.).

(...) mon cœur sait que tu es chargée d'intérêts et de soins 34
que je ne connais pas et qui te protègent, te prémunissent contre l'obsession dont je meurs.
M. BARRÈS, Un jardin sur l'Oronte, p. 189.

♦ **7** Blason. Se dit des pièces recouvertes par d'autres. *Chevron chargé de billettes.*

♦ **8** (Personnes) Fam. Dopé, drogué.

— Tes tout seul? grinça Broker en écartant la porte du 34
pied.
— Ben... heu... ouais...
— T'as pas l'air sûr.
Chris s'efforça de sourire.
— Ben... chargé comme j'étais hier soir, j'aurais pu être deux ou trois sans m'en rendre compte.
Jacques VETTIER, Nécroprocesseurs, p. 102.

**II** N. (Dans des loc.). **CHARGÉ(E) DE FAMILLE** : personne qui a la charge d'une famille.

**CHARGÉ(E) DE COURS** : professeur* délégué dans l'enseignement supérieur. — *Chargé d'enseignement. Une chargée d'enseignement. — Chargé de recherche* (au C. N. R. S.). *Elle est chargé de recherche* (cour. mais anormal), *chargée de recherche.*

**CHARGÉ(E) D'AFFAIRES** : agent diplomatique, représentant accrédité d'un État. *Le chargé d'affaires, dans la hiérarchie diplomatique, vient après les ambassadeurs, les ministres plénipotentiaires et les ministres résidents.* — REM. Le fém. normal *chargée d'affaires*, semble encore rare. *Mme X, chargé d'affaires de tel pays.*

**CHARGÉ(E) DE MISSION** (dans l'administration, les services publics) : personne non fonctionnaire, liée par contrat en vue d'une mission déterminée. — REM. Même problème au fém. que ci-dessus.

35 (...) chargé de mission, je représente, et suis dès à présent un personnage officiel.

GIDE, Voyage au Congo, *in* Souvenirs, Pl., p. 690.

CONTR. **Décharger. — Alléger. — Excuser. — Diminuer, minimiser. — Exonérer. — Fuir.** — (De *chargé*) **Léger, simple.**
◊ DÉR. **Charge, chargement, chargette, chargeur, chargeuse.**
→ COMP. **Décharger, recharger, surcharger, télécharger.**

**CHARGETTE** [ʃaʀʒɛt] n. f. — XIXe, *in* Hatzfeld; de *charger.*

Techn. Éprouvette métallique servant à déterminer la charge d'une cartouche.

**CHARGEUR** [ʃaʀʒœʀ] n. m. — 1495; *chargeeur*, 1332; de *charger.* — REM. Le fém. *chargeuse* n'est pas attesté; il est virtuel aux sens 1 et 3, a.

♦ **1** (Personnes). [a] (1332). Personne qui charge des marchandises, etc. Vx. *Chargeur de bois, de charbon.* — Mar. (Appos.). *Commissionnaire chargeur :* celui qui se charge de l'expédition de marchandises par bateau.

[b] (1753). Négociant qui possède partiellement la cargaison. → **Affréteur.**

1 On accumule sans ordre et sans arrangement tout ce que les chargeurs apportent.

PEYSSONNEL, Traité sur le commerce de la mer noire, II, 218, *in* LITTRÉ.

[c] Personne, ouvrier qui garnit (un fourneau, etc.).

♦ **2** [a] (1495). Personne qui charge une arme à feu, un canon. *Chargeur d'une pièce d'artillerie, de fusil-mitrailleur. Le chargeur et les pourvoyeurs d'une mitrailleuse.*

[b] (1886). Plus cour. Dispositif permettant d'introduire plusieurs cartouches dans le magasin d'une arme à répétition. *Chargeur de fusil, de revolver, de mitraillette. Bande-chargeur de mitrailleuse. Remplir un chargeur. Vider plusieurs chargeurs en tirant.*

2 L'arme était accrochée au mur, à la tête du lit de Victor. Il y avait un chargeur complet dans un tiroir de la chambre aux outils.

M. AYMÉ, la Vouivre, p. 236.

♦ **3** Techn. Appareil qui charge, garnit (qqch.). *Chargeur mécanique* (d'un four). → **Chargeuse.**

Appareil, dispositif servant à charger (une batterie d'accumulateurs, etc.). *Chargeur de batterie.*

Magasin à pellicule d'un appareil de photo ou d'une caméra. *Chargeur photo, de film. — Chargeur de magnétophone.* → **Cassette.**

**CHARGEUSE** [ʃaʀʒøz] n. f. — 1867, *in* D.D.L.; de *charger.*

Technique.

♦ **1** Machine qui distribue automatiquement des charges d'un produit déterminé (ex. : alimentation en métal des fours sidérurgiques). *Chargeuse de fours Martin.* → **Chargeur,** 3.

(Filature). *Chargeuse mécanique,* utilisée pour régulariser l'alimentation de l'ouvreuse. — Par appos. *« Une machine chargeuse (en verrerie) »* (Meyer et Grivet, *le Verre*, p. 63).

Mais le chargement restant l'une des tâches les plus pénibles de la mine, on tend à employer, si l'aspect de la mine le permet, des *chargeuses* (...)

Jean ROMEUF, le Charbon, p. 62.

♦ **2** Appareil de manutention destiné à charger les véhicules de transport. → **Loader** (anglic.). *Chargeuse à pneus, à chenilles.*

COMP. **Rétrochargeuse.**

**CHARIA** ou **SHARIA** [ʃaʀja] n. f. — Mil. XXe; mot arabe « voie ».

Didact. Loi canonique islamique. *Les intégristes préconisent la stricte application de la charia. « Quant à l'avenir du* tchadri, *des châtiments corporels et des exécutions capitales en public, il* (un responsable taliban) *se montre intraitable. Charia oblige, rien ne doit changer »* (*Manière de voir, le Monde diplomatique*, 1er mars 1999).

**CHARIBOTÉE** [ʃaʀibɔte] n. f. — Av. 1908, Richepin, in *Encycl. du XXe siècle*; de *chariboter*, d'après *charretée*.

Fam. Grande quantité (avec une idée de désordre ou d'excès). *Il y en avait toute une charibotée.*

— Des monsieur Albert t'en trouveras des charibotées si c'est ça que tu cherches.

R. QUENEAU, les Fleurs bleues, p. 266 (1965).

**CHARIBOTER** [ʃaʀibɔte] v. intr. — 1916; « se moquer », 1901; probablt de *charrier (cherrer)* et d'un élément *-boter* qui pourrait représenter *bouter* (cf. le dial. *chariboter* « bousculer, renverser ») avec infl. possible de *botte*, exprimant l'intensité.

Fam. Exagérer. → **Charrier, moquer** (se). *Tu charibotes !*

DÉR. **Charibotée.**

**CHARIOT** [ʃaʀjo] n. m. — 1285; dér. de *charrier*, et *-ot*.

♦ **1** (1285). Voiture* à quatre roues, généralement garnie de ridelles, pour le transport des fardeaux. *Chariot de ferme.* → **Char, charrette, guimbarde.** *Chariot à bœufs. Un chariot de foin, de fourrage,* chargé de foin, de fourrage. *Chariot à petites roues.* → **Berline, binard,** 1. **camion** (anciennt), **fardier, truck.** *Chariot long et couvert.* → **Fourgon.** *Chariot militaire, chariot d'artillerie.* → **Caisson, ribaudequin, triqueballe** (vx). *Chariot russe.* → **Briska, kibitka.** — Mod. Appareil de manutention. *Petit chariot à deux roues basses.* → **Diable.** *Chariot à bagages; chariot des libres-services.* → **Caddie.** *Chariot automoteur, chariot élévateur. Chariot lève-blocs.* → **Bardeur.** *Conduire un chariot de manutention.* → **Cariste.** *Chariot cavalier.* → **Cavalier.** *Transport par chariot.* → **Charroi.** *Convoi de chariots.*

Les chariots sont rentrés chargés de moissons odorantes 1
(...) Chariots pesants, heurtés aux talus, cahotés aux ornières; que de fois vous me ramenâtes des champs, couché sur des tas d'herbes sèches, parmi les rudes garçons faneurs !

GIDE, les Nourritures terrestres, V, II, p. 114.

L'ensemble, en très fin, rappelait ces solides chariots qui 2
servent à rouler malles et ballots sur le quai des gares.

Raymond ROUSSEL, Impressions d'Afrique, p. 53.

Allus. littér. *Le chariot de Thespis :* les acteurs et leur genre de vie.

(1751, *in* D.D.L.). Mines. Petit wagonnet servant à transporter les berlines sur un plan incliné; berline sans parois frontales. *Chariot pour le transport de la houille.* → **Berline.**

♦ **2** (1680). Vx. *Chariot d'enfant, chariot :* appareil roulant pour soutenir les enfants qui commencent à marcher. → **Promenette.** — Jouet formé d'une caisse montée sur quatre roues et tirée par une ficelle.
*Chariot alsacien :* berceau* sur roulettes.

Petite table roulante. *Chariot à desserte, chariot à liqueurs. Le chariot des desserts, des fromages... :* table roulante servant à présenter les desserts, les fromages, dans un restaurant.

♦ **3** (1611). Astron. Les constellations de la grande et de la petite Ourse (qui représentent aussi un chariot). *Le grand, le petit Chariot.*

2 Je ne savais pas très bien où j'étais. Je cherchai, parmi les étoiles et constellations, les chariots, mais je ne pus les trouver. Ils devaient cependant y être. C'est mon père qui me les avait montrés le premier. Il m'en avait montré d'autres, mais seul et sans lui je n'ai jamais su retrouver que les chariots. S. BECKETT, Premier amour, p. 55.

3 Nour regarda au-dessus de lui, à l'endroit où d'ordinaire on voyait les sept étoiles du Petit Chariot, mais il ne vit rien. J.-M. G. LE CLÉZIO, Désert, p. 38.

♦ **4** (1838). Techn. Pièce mobile d'une machine qui transporte, déplace l'objet traité. *Chariot de métier à tisser.* — (1877). *Chariot de machine à écrire. Touche de retour du chariot.*

*Chariot de machine-outil :* pièce mobile à laquelle est fixée, selon le type de machine, soit la pièce à usiner, soit l'outil *(chariot de tour)* et permettant de produire un mouvement déterminé de l'un par rapport à l'autre, qui engendre la forme voulue. *Tour à chariot. Utilisation du chariot pour l'usinage d'une pièce.* → **Chariotage.**

Mar. Pièce mobile de la barre d'écoute, du rail d'écoute d'un voilier, sur laquelle est fixée l'écoute de la grand-voile. *Chariot de barre d'écoute. Chariot à galets.*

♦ **5** (1956, *in* D. D. L.). Au cinéma, Véhicule permettant de déplacer la caméra pendant une prise de vues. *Faire un travelling au chariot ou à la grue.*

DÉR. **Charioter.**

**CHARIOTAGE** [ʃaʀjɔtaʒ] n. m. — 1611 ; de *charioter.*
Techn. Opération qui consiste à charioter (une pièce). *Le chariotage d'une tige filetée.*

**CHARIOTER** [ʃaʀjɔte] v. tr. — 1889, *Année sc. et industr.,* p. 490 ; de *chariot.*
Techn. Usiner (une pièce) au moyen du chariot d'une machine-outil ; spécialt, au moyen du chariot d'un tour. *Charioter un cylindre pour produire un épaulement.*

DÉR. **Chariotage.**

**CHARISMATIQUE** [kaʀismatik] adj. — 1928 ; de *charisme,* d'après le grec *kharismatikos.*
Didactique.

♦ **1** Conféré par la grâce divine (→ Charisme, 1.).

1 Dans *le Figaro,* il est question de sept mille partisans du renouveau charismatique à Lourdes. J. GREEN, Journal, 9 juin 1976, La terre est si belle, p. 15.

♦ **2** (Personnes). Doué d'une influence, d'un magnétisme exceptionnels. → **Charisme,** 2. *Pouvoir, autorité charismatique.*

2 Ses discours *(ceux du général de Gaulle),* ses conférences de presse, n'avaient rien de charismatique. Sa force était — est toujours — dans l'autorité, non dans la contagion. MALRAUX, Antimémoires, Folio, p. 157 (1972).

DÉR. **Charismatisme.**

**CHARISMATISME** [kaʀismatism] n. m. — 1957 ; de *charismatique.*
Théol. Ensemble de dons surnaturels que l'Esprit-Saint confère à chaque croyant.

**CHARISME** [kaʀism] n. m. — 1879, Renan ; grec *kharisma* « grâce, faveur ».

♦ **1** Théol. Don particulier conféré par grâce divine. → **Charismatisme.**

(...) charismes et visions des grands mystiques comme en connaîtront un saint Bernard, une Thérèse d'Avila. 1
DANIEL-ROPS, le Peuple de la Bible, I, III, p. 58.

♦ **2** (Répandu v. 1960 en polit.). Didact. Influence suscitée par une personnalité exceptionnelle (→ **Charismatique, 2.**).

Renoir m'a emmenée un soir entendre Maurice Thorez, en 36. Il était ensorcelant. C'était Jean Gabin plus la dialectique. Je l'ai revu, dans une entrevue privée alors, vingt ans plus tard (...) Il avait vraiment le charisme. 2
F. GIROUD, Si je mens..., p. 50.

(...) les dirigeants de ton Parti n'exerçaient sur toi aucun charisme (...) Régis DEBRAY, l'Indésirable, p. 188. 3

DÉR. **Charismatique.**

**CHARITABLE** [ʃaʀitabl] adj. — V. 1172 ; de *charité.*

♦ **1** Qui a de la charité pour son prochain, qui donne, pardonne aisément, est indulgent. *Une âme charitable. Vous n'êtes pas très charitable envers lui.*

Il est bon d'être charitable ; 1
Mais envers qui, c'est là le point.
LA FONTAINE, Fables, VI, 13.

(...) il était doux, bon, bénin, bénin, bienveillant, bienveillant, charitable, si ce mot chrétien n'offensera pas sa laïcité parfaite (...) Ch. PÉGUY, la République..., p. 188. 2

Qui fait l'aumône. *Une dame charitable.* → Dame* d'œuvres.

♦ **2** Par ext. Qui se comporte avec bienveillance envers autrui. *Il faut être charitable, ce n'est pas sa faute.* → **Bienveillant.** — (Actions, propos). *Ce n'est pas très charitable de votre part.* → **Aimable, gentil.**

♦ **3** (Après 1250). Qui part d'un principe de charité. → **Caritatif.** *Avis, conseil charitable. Fondation charitable.*

Qui incite à faire l'aumône. *Maxime charitable.*

CONTR. **Avare, dur, égoïste, impitoyable, inhumain.** ◊ DÉR. **Charitablement.**

**CHARITABLEMENT** [ʃaʀitabləmɑ̃] adv. — V. 1300 ; de *charitable.*

♦ **1** D'une manière charitable ; avec charité. *Il l'a recueilli charitablement.*

♦ **2** D'une manière compatissante ou avec indulgence. *Parler charitablement.*

Iron. Par bonté, par indulgence. *Je vous avertis charitablement que je vais porter plainte.* — Sans indulgence, désagréablement.

(...) les confrères se prodiguent charitablement cent épithètes gracieuses. Condorcet est appelé le faquin littéraire ; Rochon, le paysan parvenu ; Lalande, le chat des gouttières ; Lavoisier, le père éternel des petites maisons ; Cadet, le torche-cul des douairières.
MARAT, les Pamphlets, Les charlatans modernes, 1791, p. 288, *in* T. L. F.

**CHARITÉ** [ʃaʀite] n. f. — V. 1170 ; *caritet, caritad,* après 950 ; du lat. ecclés. *caritas* « cherté », puis « amour, tendresse », de *carus* « cher ».

♦ **1** (Après 950). Théol. et morale (chrétienne). La plus grande des trois vertus théologales qui consiste dans l'amour de Dieu et du prochain en vue de

Dieu. → **Amour** (cit. 1). *La charité chrétienne. Agir par pure charité. Relatif à la vertu de charité.* → **Caritatif.** *Ces trois choses demeurent : la foi, l'espérance, la charité : mais la plus grande de ces choses, c'est la charité* (Épître 1, Aux Corinthiens, XIII, 13).

1 Et quand je distribuerais tous mes biens pour la nourriture des pauvres (...) si je n'ai pas la charité, cela ne me sert de rien.
La charité est patiente, elle est pleine de bonté; la charité n'est point envieuse; la charité ne se vante point, elle ne s'enfle point d'orgueil, elle ne fait rien de malhonnête, elle ne cherche point son intérêt, elle ne s'irrite point, elle ne soupçonne point le mal, elle ne se réjouit point de l'injustice, mais elle se réjouit de la vérité; elle excuse tout, elle croit tout, elle espère tout, elle supporte tout.
BIBLE (SEGOND), 1re Épître aux Corinthiens, XIII, 3 à 7.

2 Ne faites pas seulement l'aumône, faites la charité; les œuvres de miséricorde soulagent plus de maux que l'argent (...) ROUSSEAU, Émile, II, p. 85.

3 Je comprends la signification des devoirs de charité qui m'étaient prêchés. La charité servait Dieu au travers de l'individu. Elle était due à Dieu, quelle que fût la médiocrité de l'individu.
SAINT-EXUPÉRY, Pilote de guerre, XXVI, p. 225.

Par anal. L'amour de Dieu pour l'homme.

3.1 (...) nous ne sentons la distance que vers le bas. Il est beaucoup plus facile de se mettre par l'imagination à la place de Dieu créateur qu'à la place du Christ crucifié. Les dimensions de la charité du Christ, c'est la distance entre Dieu et la créature. La fonction de médiation, par elle-même, implique l'écartèlement (...) C'est pourquoi on ne peut concevoir la descente de Dieu vers l'homme ou l'ascension de l'homme vers Dieu sans écartèlement.
Simone WEIL, la Pesanteur et la Grâce, p. 94, *in* T. L. F.

♦ **2** Didact. Amour* du prochain. → **Altruisme,** 2. **bien, bienfaisance, complaisance, condescendance, fraternité, humanité, indulgence, miséricorde, philanthropie, pitié...;** → Politesse, cit. 3. *Charité douce, généreuse. Dévouement plein de charité.*

4 (...) il y a deux principes qui partagent les volontés des hommes, la cupidité et la charité.
PASCAL, les Pensées, VIII, 571.

5 (...) la charité ne connaît ni règle ni limite. Elle surpasse toute obligation. Sa beauté est précisément dans la liberté.
V. COUSIN, Du vrai, du beau, du bien, 15e leçon, *in* R. THAMIN et P. LAPIE, Lectures morales, p. 362.

6 Un grand mouvement de pleine charité qui aurait lavé son cœur comme une marée, nivelé toutes les inégalités humaines qui obstruent un cœur mondain, était arrêté par les mille digues de l'égoïsme, de la coquetterie et de l'ambition. PROUST, les Plaisirs et les Jours, p. 64.

6.1 Il est d'usage de distinguer avec soin la justice de la charité, c'est-à-dire le simple respect des droits d'autrui de tout acte qui dépasse cette vertu purement négative. On voit dans ces deux sortes de pratiques comme deux couches indépendantes de la morale : la justice, à elle seule, en formerait les assises fondamentales; la charité en serait le couronnement (...) cette conception est peu d'accord avec les faits. En réalité, pour que les hommes se reconnaissent et se garantissent mutuellement des droits, il faut d'abord qu'ils s'aiment, que, pour une raison quelconque, ils tiennent les uns aux autres et à une même société dont ils fassent partie. La justice est pleine de charité.
É. DURKHEIM, De la division du travail, p. 90, *in* T. L. F.

♦ **3** (V. 1175). Cour. Bienfait *(une, des charités)* ou comportement bienfaisant *(la charité)* envers les pauvres. → **Assistance, bienfaisance, secours.** *Faire la charité à qqn.* → **Aumône, obole, offrande; bien;** → Philanthropique, cit. *Mendiant qui demande la charité. Vivre de charités :* subsister au moyen de secours charitables. *Se recommander aux charités de personnes généreuses. Dames de charité,* qui concourent au soulagement des pauvres. *Filles de la charité :* ordre de religieuses fondé par saint Vincent de Paul. *Sœurs, frères de la charité. Œuvres*, vente de charité...* (→ **Caritatif**). *Bal de charité, spectacle de charité,* permettant d'obtenir des fonds pour les défavorisés. *Visiter par charité les malades.* — *L'hôpital de la Charité :* hôpital à Paris, à Lyon (ellipt., *la Charité*).

Le second de nos saints choisit les hôpitaux. 7
Je le loue, et le soin de soulager ces maux
Est une charité que je préfère aux autres.
LA FONTAINE, Fables, XII, 24.

(...) qu'est-ce qu'une charité qui n'a point de pudeur avec 8
le misérable, et qui, avant que de le soulager, commence par écraser son amour-propre?
MARIVAUX, la Vie de Marianne, I, p. 22.

Prov. *Charité bien ordonnée commence par soi-même :* on s'occupe de son propre intérêt avant de songer à celui des autres.

♦ **4** (1662). Bienveillance, complaisance. *Faites-moi la charité de m'écouter. Je vous avertis par pure charité.* → **Charitablement.**

CONTR. **Avarice, cupidité, dureté, égoïsme, misanthropie.**
◊ DÉR. **Charitable.**

**CHARIVARESQUE** [ʃaʀivaʀɛsk] adj. — 1872; de 1. *charivar(i),* et *-esque.*
Vx. Satirique à la manière du journal *le Charivari.* → **Charivarique.**

1. **CHARIVARI** [ʃaʀivaʀi] n. m. — V. 1370; *chalivali,* 1316; orig. incert., l'hypothèse le plus souvent invoquée est le lat. *caribaria* «lourdeur de tête», du grec; P. Guiraud préfère un composé tautologique, formé sur *varier* (provençal *varai* «remue-ménage»), et le moy. franç. *charrier* «tourmenter» *(charrier-varier).*

♦ **1** (1316). Vieilli ou ethnol. (folklore). Bruit discordant et tumultueux de poêles, de chaudrons, de sifflets, accompagné de cris et de huées, que font des gens attroupés pour témoigner leur réprobation ou dans certaines circonstances définies par la coutume (mariage, et notamment remariages de veufs et veuves). *Donner, faire un charivari.* → **Sérénade.**

Le bruit que vous entendez, répondit le démon, est un 1
charivari. Une veuve de soixante ans s'est mariée ce matin avec un de ses domestiques qui n'en a pas vingt, et tous les rieurs du quartier se sont ameutés pour célébrer ce mariage par un concert de bassins, de poêles et de chaudrons. A.-R. LESAGE, le Diable boiteux, VI, p. 80.

C'était alors un charivari, pareil à celui que l'on fait, le 2
soir de leurs noces, aux veuves qui se remarient, un tam-tam assourdissant, des cris, des huées, de grands éclats de joie, un vacarme d'arrosoirs, de casseroles et de tonneaux, sur lesquels on frappait comme sur des tambours.
M. BARRÈS, la Colline inspirée, XII, p. 195.

Mod. Manifestation bruyante du public; concert de sifflets, de cris, etc.

♦ **2** Cour. Grand bruit collectif. → **Tapage, tumulte, vacarme.**

Ce fut l'écroulement général et de la table, et de la chaise, 3
et de Bourdon, le tout dans un charivari de verres cassés et de bouteilles culbutées (...)
COURTELINE, Messieurs les ronds-de-cuir, 6e tableau, III.

Fig. Musique discordante. → **Cacophonie.** *Ce concert est un vrai charivari.*

Figurez-vous un charivari sans fin d'instruments sans 4
mélodie, un ronron traînant et perpétuel de basses; chose la plus lugubre, la plus assommante que j'aie entendue de ma vie, et que je n'ai jamais pu supporter une demi-heure sans gagner un violent mal de tête.
ROUSSEAU, Julie ou la Nouvelle Héloïse, II, Lettre XXIII.

En effet (nous avouait-il récemment encore), cette musique 5
seule, depuis qu'il l'avait entendue, l'aidait à supporter les

déceptions de la vie et toute autre ne lui semblait plus que du charivari, du «Wagner».

VILLIERS DE L'ISLE-ADAM, Tribulat Bonhomet, p. 13.

REM. Le mot a servi de titre à un célèbre journal satirique.

♦ **3** (XVe). Querelle accompagnée de cris. *Sa femme lui a fait un beau charivari. Il y a de perpétuels charivaris dans cette maison.*

DÉR. **Charivaresque, charivarique, charivariser, charivariste.**

2. **CHARIVARI** [ʃaʀivaʀi] n. m. — 1812; empr. (probablt dû aux contacts entre les troupes françaises et autrichiennes) à une langue d'Europe de l'Est : polonais *szarawary*, russe *charovary* «pantalon bouffant», dial. all. de Danzig *Scharriwarry* «pantalon long», du hindi *saravara* «pantalon».

Vx. Pantalon de cavalier garni de cuir dans l'entrejambe, et de boutons sur les côtés, porté sous la Restauration. — Appos. *Pantalon charivari.*

**CHARIVARIQUE** [ʃaʀivaʀik] adj. — 1839, *in* D. D. L.; de 1. *charivar(i)*, et *-ique*.

Vieux.

♦ **1** Qui a le caractère du charivari. *Des cris, des huées charivariques.*

♦ **2** Fig., fam. Discordant. *Un concert passablement charivarique.* — (Domaine visuel) :

(...) si un propriétaire anticoloriste s'avisait de repeindre sa campagne d'une manière absurde et dans un système de couleurs charivariques (...)

BAUDELAIRE, Curiosités esthétiques, III, III, «De la couleur».

♦ **3** Vx. Qui rappelle le ton satirique du journal *le Charivari.* → **Charivaresque.**

**CHARIVARISER** [ʃaʀivaʀize] v. — 1706; de 1. *charivari.*

Vx. Faire un charivari à (qqn).

**CHARIVARISTE** [ʃaʀivaʀist] n. — 1836; de 1. *charivar(i)*, et *-iste*.

Vx. Personne qui organise un charivari (1. ou 2.), qui y participe.

**CHARLATAN** [ʃaʀlatɑ̃] n. m. — 1572; ital. *ciarlatano* [ʃarlatanɔ], croisement de *cerratano* «habitant de *Cerreto*» (village dont les habitants vendaient souvent des drogues sur les marchés), et de *ciarlare* [ʃarlare] «parler avec emphase».

♦ **1** Anciennt. Vendeur ambulant qui débitait des drogues, arrachait les dents, sur les places et dans les foires. → **Camelot, pharmacopole, vendeur, venteur** (d'orviétan, de mithridate). *Les boniments d'un charlatan. Charlatan et arracheurs* de dents. Remède, poudre de charlatan.* → **Orviétan, poudre** (de perlimpinpin).

Par ext. Guérisseur qui prétend posséder des secrets merveilleux. → **Empirique, guérisseur, rebouteux.** — Mauvais médecin, imposteur.

1 Charlatans, faiseurs d'horoscope,
Quittez les cours des princes de l'Europe,
Emmenez avec vous les souffleurs tout d'un temps :
Vous ne méritez pas plus de foi que ces gens.

LA FONTAINE, Fables, II, 13.

2 La témérité des charlatans, et leurs tristes succès, qui en sont les suites, font valoir la médecine et les médecins : si ceux-ci laissent mourir, les autres tuent.

LA BRUYÈRE, les Caractères, XIV, 67.

3 Un marchand d'orviétan passa dans le village; mon père, qui ne croyait point aux médecins, croyait aux charlatans (...)

CHATEAUBRIAND, Mémoires d'outre-tombe, I, II.

♦ **2** Péj. Personne qui exploite la crédulité publique ou qui recherche la notoriété en se faisant valoir par des promesses, de grands discours. → **Escroc, hâbleur, imposteur, menteur.** *N'écoutez pas ce charlatan. Cette femme est un charlatan. Un charlatan politique.* → **Démagogue.** *Faire le charlatan.* → **Charlataner** (vx).

J'ai acheté la vérité dans les livres : je n'y ai trouvé que le mensonge et l'erreur. J'ai consulté les auteurs; je n'ai trouvé que des charlatans qui se font un jeu de tromper les hommes sans autre loi que leur intérêt, sans autre dieu que leur réputation (...) 4

ROUSSEAU, Lettre à M. de Beaumont, p. 471.

Dans un monde où chacun triche, c'est l'homme vrai qui fait figure de charlatan. 5

GIDE, les Faux-monnayeurs, III, XI, p. 421.

*Il est un peu charlatan.* Par appos. *«Une espèce de médecin charlatan»* (Sainte-Beuve).

♦ **3** En franç. d'Afrique (non péj.). Celui qui a des pouvoirs de devin, de guérisseur. → **Féticheur, marabout, sorcier.**

DÉR. **Charlataner, charlatanerie, charlatanesque, charlatanisme.**

**CHARLATANER** [ʃaʀlatane] v. — 1578; de *charlatan*.

♦ **1** V. tr. Vx, fam. Exploiter la crédulité de qqn par de belles paroles, des promesses.

♦ **2** V. intr. Rare. Faire le métier de charlatan. Se conduire comme un charlatan. — REM. Balzac (*in* T. L. F.) emploie la var. *charlataniser*.

**CHARLATANERIE** [ʃaʀlatanʀi] n. f. — 1575; de *charlatan*.

Rare. Attitude, façon d'agir, propos d'un charlatan. — Par ext. *«La charlatanerie des moralistes»* (Chamfort).

Il n'avait encore aucune charlatanerie dans le regard, rien de théâtral et d'affecté.

CHATEAUBRIAND, Mémoires d'outre-tombe, II, II.

*(Une, des charlataneries).* Action(s) de charlatan (2.).

**CHARLATANESQUE** [ʃaʀlatanɛsk] adj. — Av. 1598; de *charlatan*, et *-esque*.

Rare. Qui tient du charlatan; de charlatan.

(...) à entendre le débit charlatanesque de ce marchand d'orviétan et de panacées merveilleuses, un frisson de peur traversa de son froid madame Gervaisais.

Ed. et J. DE GONCOURT, Madame Gervaisais, p. 290.

**CHARLATANISME** [ʃaʀlatanism] n. m. — 1736; de *charlatan*.

♦ **1** Caractère, comportement du charlatan. → **Cabotinage, charlatanerie, forfanterie, hâblerie.** *Dévoiler le charlatanisme d'un homme d'affaires, d'un politicien.*

Une société où la distinction personnelle a peu de prix, où le talent et l'esprit n'ont aucune cote officielle, où la haute fonction n'ennoblit pas, où la politique devient l'emploi des déclassés et des gens de troisième ordre, où les récompenses de la vie vont de préférence à l'intrigue, à la vulgarité, au charlatanisme qui cultive l'art de la réclame, à la rouerie qui serre habilement les contours du Code pénal, une telle société, dis-je, ne saurait nous plaire. 1

RENAN, Souvenirs d'enfance et de jeunesse, Préface, p. 14.

♦ **2** Art d'exploiter la crédulité.

De la nécessité politique du journal dans les grandes villes naît la triste nécessité du charlatanisme, seule et unique religion du dix-neuvième siècle. 2

STENDHAL, Mémoires d'un touriste, I, p. 32.

**CHARLEMAGNE (FAIRE)** [fɛʀʃaʀləmaɲ] loc. verb. — V. 1800; du nom de l'empereur *Charlemagne* (742-814; nom du roi de cœur, dans un jeu de cartes); par allusion au fait que Charlemagne était resté en possession de toutes ses conquêtes à la fin de sa vie.

Se retirer du jeu après avoir gagné. — Par métaphore :

Tu as joué avec le danger, tu as joué avec le feu. Tu ne peux pas faire charlemagne, au moment où jamais le jeu n'a été aussi tentant, aussi dangereux. Voici la dernière partie. Quitte ou double.

DRIEU LA ROCHELLE, la Comédie de Charleroi, p. 308.

**CHARLESTON** [ʃaʀlɛstɔn] n. m. — 1926, *in* Höfler (le charleston est dansé pour la première fois en France en 1925 à la *Revue nègre* du Théâtre des Champs-Élysées); mot angl. des États-Unis, de *Charleston,* ville de la Caroline du Sud.

Danse très rapide, d'origine américaine, qui se répandit en Europe dans les années 1920. *Danser le charleston.*

1 Plus tard, leurs revues (...) nous apportèrent d'autres danses encore : le black-bottom et cet endiablé charleston (...) qui introduisait une brisure nouvelle dans un rythme déjà à contre-temps et exigeait une telle dépense nerveuse qu'il y fallut bientôt renoncer et s'en reposer (...)

Francis DE MIOMANDRE, Danse, La danse d'aujourd'hui, p. 61.

2 Maintenant, la mode combinait une inspiration Années folles et une inspiration Western, le folklore du charleston et le folklore de la Prairie américaine.

Jean-Louis CURTIS, le Roseau pensant, p. 94-95.

1. **CHARLOT** [ʃaʀlo] n. m. — 1611; probablt empr. au provençal *charlo(t)* «courlis», avec infl. du prénom *Charles.* → Charlottine.

Régional. Courlis* commun (dit aussi alouette de mer).

2. **CHARLOT** [ʃaʀlo] n. m. — 1748, nom du bourreau à Paris; n. commun, 1887; d'après le prénom *Charles* porté par différents bourreaux de Paris.

Argot, vx. Bourreau (à Paris). *La bascule à Charlot :* la guillotine.

3. **CHARLOT** [ʃaʀlo] n. m. — 1900; p.-ê. à rattacher à la racine onomatopéique *tch-,* exprimant le bruit du coup reçu.

Argot, vieilli. Œil au beurre noir. → **Coquard.**

4. **CHARLOT** [ʃaʀlo] n. m. — Mil. XX^e; du surnom franç. de Charlie *(Charles)* Chaplin.

Fam. Individu peu sérieux. → **Guignol, pitre.** *C'est un vrai charlot. On va pas rester là à faire les charlots toute la journée. Une bande de charlots.* — Spécialt. Personnage médiocre et vantard.

1. **CHARLOTTE** [ʃaʀlɔt] n. f. — 1804; du prénom fém. *Charlotte,* pour des raisons inconnues.

Entremets à base de fruits, de biscuits ou de tranches de pain, et de crèmes aromatisées. *Charlotte aux pommes, aux amandes. Charlotte au café, au chocolat. Servir une charlotte.* — *Charlotte russe,* faite de crème fouettée, garnie de petits biscuits.

2. **CHARLOTTE** [ʃaʀlɔt] n. f. — 1905, *in* D.D.L.; du prénom de *Charlotte* Corday.

Chapeau féminin au bord froncé, garni de rubans et de dentelles.

(...) cloches de paille, bérets, charlottes de lingerie (...)

COLETTE, les Vrilles de la vigne, En baie de Somme, p. 220.

**CHARLOTTINE** [ʃaʀlɔtin] n. f. — 1869; empr. au provençal *charloutino* (→ 1. Charlot), avec francisation d'après *charlotte.*

Régional (Provence). Échassier migrateur à queue noire. → **Barge.**

**CHARMANT, ANTE** [ʃaʀmɑ̃, ɑ̃t] adj. — 1550, «qui charme, ensorcelle»; p. prés. de *charmer.*

♦ **1** (XVII^e). Qui exerce un charme (1.). *C'est un homme charmant.* → **Séduisant, charmeur, ensorcelant.**

Charmant, jeune, traînant tous les cœurs après soi. 1

RACINE, Phèdre, II, 5.

(Vieilli ou iron.). *Un prince charmant :* un jeune homme ayant toutes les qualités dont rêve une jeune fille. *C'est le prince charmant de tes rêves.*

N. m. (neutre). Ce qui est charmant. *Le charmant de l'affaire c'est que...*

Nous verrons après qu'il n'est point de milieu 2
Entre le charmant et l'utile.

CORNEILLE, Agésilas, III, 4.

REM. Les emplois, dans la langue classique et jusqu'au XIX^e s., sont très forts. → 2. Charme, REM.

♦ **2** Cour. (choses). Qui est très agréable (à regarder, à fréquenter). → **Agréable, aimable, beau, captivant, intéressant, merveilleux, plaisant, ravissant, séduisant.** *Paysage, site charmant. Séjour charmant. Comédie, scène charmante. Conversation charmante. Style charmant. Un esprit charmant et vif. Des reparties charmantes.* → **Piquant.**

(Personnes). Qui a du charme (cit. 17.2). → **Agréable, aimable, gentil, séduisant.** *Un enfant, une jeune fille charmante. Un charmant garçon. De petits êtres gentils* (cit. 4), *charmants. Il a été tout à fait charmant avec ses invités. Un caractère charmant.*

*Un livre, un récit charmant. Un accueil charmant.* → **Amène.** *Une soirée charmante.*

Charmant séjour au cap d'Antibes, près de Marc Allégret, 3
des René Lefèvre, des Marcel Achard; puis à Vence, chez Hugues, d'un accueil exquis.

GIDE, Journal, 20 août 1940.

♦ **3** Iron. Désagréable, ennuyeux. *Charmante soirée! Il a plu toute la journée : c'était charmant!* → **Gai, joyeux** (emplois ironiques).

CONTR. **Abominable, affreux, blessant, choquant, déplaisant, désagréable, effroyable, ennuyeux, hideux, laid, maussade, rebutant, repoussant.**

1. **CHARME** [ʃaʀm] n. m. — V. 1170; du lat. *carpinus.*

♦ **1** Arbre ou arbrisseau vivace *(Dicotylédones; Cupuliféracées)* très répandu en France et dont le bois est blanc, dur, à grain fin (nom sc. : *carpinus*). Syn. régional : *faux bouleau. Allée, berceau de charmes.* → **Charmille.** *Bois de charmes.* → **Charmeraie, charmoie** (vx).

(...) les haies ici étaient faites d'aubépine ou de charme je crois petites feuilles gaufrées ou plutôt tuyautées comme on dit en termes de repassage (ou peut-être plissé-soleil) comme une collerette de chaque côté de la nervure centrale (...)

Claude SIMON, la Route des Flandres, p. 90.

♦ **2** Bois de cet arbre. *Le charme est employé en ébénisterie, pour la carrosserie, le charronnage, le chauffage.*

DÉR. **Charmeraie, charmille, charmoie.** V. 2. **Charnier.**

2. **CHARME** [ʃaʀm] n. m. — V. 1160; du XII^e au XVII^e au sens de «formule magique»; du lat. *carmen* «formule magique, incantation». → 2. Carme.

**A** ♦ **1** Vx ou littér. (ou loc.). Objet ou acte, pratique supposé(e) exercer une action magique. → **Conjuration, enchantement, ensorcellement, envoûtement,**

**illusion, magnétisme, prestige, sort.** *Charme qui illusionne les sens, change l'ordre naturel. User de charmes. Exercer, jeter un charme. Mettre, tenir qqn sous le charme. Demeurer, être sous le coup d'un charme* (→ **Captif; hypnose).** *Charme maléfique de sorcier.* → **Sortilège.** *Lever, ôter, rompre un charme. Le charme cesse, le bonheur s'envole.*

1 Cet homme donc, par prières, par larmes,
Par sortilèges et par charmes,
Fait tant qu'il obtient du Destin (...)
LA FONTAINE, Fables, II, 18.

2 Par quel charme, oubliant tant de tourments soufferts,
Pouvez-vous consentir à rentrer dans ses fers ?
RACINE, Andromaque, I, 1.

3 Je *(Calypso)* prie Morphée de répandre ses plus doux charmes sur vos paupières appesanties, de faire couler une vapeur divine dans tous vos membres fatigués et de vous envoyer ses songes légers (...)
FÉNELON, Télémaque, IV, p. 76.

4 Je sentis comment la magie du ciel, le charme des lieux, le prestige de la beauté et de la puissance, pouvaient enivrer (...)
CHATEAUBRIAND, Mémoires d'outre-tombe, IV, III.

5 Mais soudain le mauvais enchanteur (...) a passé sur vous et rompu le charme, et toutes en même temps vous vous éveillez ; vous vous éveillez au mal de vivre, à la souffrance de savoir (...) LOTI, les Désenchantées, XIV, p. 116.

6 Mais ils cèdent à ma présence. Ma présence tient lieu des charmes que j'ignore, et c'est parce que je suis là, sans aucune vertu magique, mais porteur d'une double vie, qu'ils sont revenus et qu'ils s'apprivoisent.
H. BOSCO, Un rameau de la nuit, p. 180.

Méd. *État de charme :* état second de l'hypnose.

Moyen magique. → **Philtre, pouvoir.** *Porter un charme sur soi.* — Loc. fig. *Se porter comme un charme :* jouir d'une santé robuste, comme par l'effet d'un charme.

Poét. Influence mystérieuse. → **Remède.** — Loc. cour. *Le charme opère. Le charme est rompu :* l'illusion est détruite.

(Au sens du lat. *carmen ;* → aussi 2. Carme). Littér. Formule d'incantation. *Prononcer des charmes. Charmes,* poèmes de Valéry.

♦ **2** Cour. Qualité de ce qui attire, captive*, plaît sans qu'on puisse en analyser la cause ; effet qu'une telle qualité produit. → **Agrément, attrait, délice, intérêt, plaisir, séduction.** *Le charme d'une personne, d'un paysage, d'un lieu, d'une musique. Avoir du charme.* → **Charmant.** *Un charme irrésistible, puissant, indéfinissable, mystérieux, secret. Charme capiteux, sensuel. Charme éclatant, évident. Charme discret. Le Charme discret de la bourgeoisie,* titre d'un film de Luis Buñuel. *Charme qui atteint, touche, trouble le cœur* (→ Avant-goût, cit. 3). *Un ton agréable, plaisant, vif, qui donne du charme à une conversation. Le charme de la jeunesse, de la nouveauté* (cf. Tout nouveau, tout beau). — REM. Jusqu'au XVIIIe s., le mot garde son sens fort de «séduction mystérieuse, inexplicable, quasi magique» (→ sens 1) ; cette valeur est encore vivante au XIXe s. (ci-dessous, cit. 13, 17.2).

7 Ce qui fait le charme d'un homme, c'est sa bonté.
BIBLE (SEGOND), Proverbes, XIX, 22.

8 Aux Champs Élyséens j'ai goûté mille charmes,
Conversant avec ceux qui sont saints comme moi.
LA FONTAINE, Fables, VIII, 14.

9 (...) l'or donne aux plus laids certain charme pour plaire.
MOLIÈRE, Sganarelle, I, 1.

10 Si une laide se fait aimer, ce ne peut être qu'éperdument ; car il faut que ce soit ou par une étrange faiblesse de son amant ou par de plus secrets et de plus invincibles charmes que ceux de la beauté.
LA BRUYÈRE, les Caractères, IV, 36.

11 A peine l'eus-je vue que je fus subjugué. Je la trouvai charmante, de ce charme à l'épreuve du temps, le plus fait pour agir sur mon cœur. ROUSSEAU, les Confessions, X.

Le succès trop facile ôte bientôt son charme à l'amour : les obstacles lui donnent du prix. 12
STENDHAL, De l'amour, p. 316.

Peut-être que si je l'avais revue, l'ensorceleuse, j'aurais encore subi le charme qu'elle exerçait sur mon pauvre moi (...) Alphonse DAUDET, le Petit Chose, II, XIV. 13

(...) cette campagne et ces vieux bois qui ont leur charme à eux, un grand charme *pastoral,* quelque chose qu'il m'est difficile de définir pour vous, charme du passé, charme d'autrefois et des anciens bergers. 14
LOTI, Aziyadé, Mané, Thécel, Pharès, XXX, p. 218.

(...) ils s'étaient vite laissé séduire *(les nobles émigrés)* par le charme singulier qui se dégageait de sa personnalité. 15
Louis MADELIN, Talleyrand, I, V, p. 61.

Elle zézayait un peu, très peu, juste ce qu'il fallait pour ajouter à son charme redoutable un rien d'ingénu, de rassurant. MARTIN DU GARD, les Thibault, t. III, p. 148. 16

Qui sait s'il n'avait pas subi, à son insu, le charme capiteux de ce jeune corps déjà consacré ? 17
MARTIN DU GARD, les Thibault, t. IV, p. 30.

On me trouvait du charme, imaginez cela ! Vous savez ce qu'est le charme : une manière de s'entendre répondre oui sans avoir posé aucune question claire. 17.1
CAMUS, la Chute, p. 67.

Vieilli. *Le charme des plaisirs, de la poésie, de la vertu.* → **Délice.** *Ajouter du charme à un discours, à un écrit, par un procédé nouveau. Il y a du charme à faire cette chose.* → **Plaisir ; agrément.**

(1817). Mod. *Avoir du charme :* être attirant, plaisant. *Il a beaucoup de charme. Être plein de charme.*

C'est une sorte de rayonnement qu'il dégage, comme un fluide, cela coule vers vous de ses yeux étroits, de son sourire de Bouddha, de son silence... elle ne sait pas ce que c'est... c'est son charme... il est charmant : «Ton beau-père a du charme, tu ne trouves pas ? moi je trouve qu'il a quelque chose, je ne sais pas... je le trouve très séduisant... Ah, il a dû faire des ravages, autrefois...» 17.2
N. SARRAUTE, le Planétarium, p. 136.

(D'une situation). *Cela a son charme. C'est ce qui fait le charme. Travail sans charme. Ça n'a pas de charme, cela n'a aucun charme pour moi.*

♦ **3** *Faire du charme :* avoir des manières séductrices. *Faire du charme à qqn,* chercher à le séduire.

Pour elle, il «faisait du charme» comme pour n'importe qui, par habitude invétérée. 17.3
COLETTE, Julie de Carneilhan, p. 42.

**... DE CHARME :** qui est censé séduire, charmer. — Cour. *Chanteur* de charme.* → **Crooner** (anglic.). — Par anal. *Un détective de charme.*

♦ **4** (1694). Au plur. Vieilli ou iron. *Les charmes d'une femme,* ce qui fait sa beauté plastique. → **Appas, attrait,** et aussi **beauté, chic, élégance, grâce, vénusté.** *Les charmes naturels des formes et du maintien. Des charmes attirants* (cit. 2). *Charmes arrondis du sein* (→ Albâtre, cit. 5). *Charmes qui assiègent les yeux* (→ Absent, cit. 4 ; assaut, cit. 9). — *On ne peut se défendre de ses charmes. Rien ne résiste au pouvoir de ses charmes* (Académie).

Elle pleure en secret le mépris de ses charmes. 18
RACINE, Andromaque, I, 1.

Avec tant de charmes trompeurs, elle avait, comme les Sirènes, un cœur cruel et plein de malignité (...) 19
FÉNELON, Télémaque, III, p. 71.

Quoiqu'elle eût été belle femme, elle avait quelque chose de si bon et de si raisonnable dans la physionomie, que cela avait dû nuire à ses charmes, et les empêcher d'être aussi piquants qu'ils auraient dû l'être. 20
MARIVAUX, la Vie de Marianne, IV, p. 145.

(D'une chose). *Cela a ses charmes.*

**B** (1964 ; angl. *charm*). Phys. Propriété (des quarks*, et, par ext., des particules — hadrons — qu'ils constituent) qui détermine leur comportement, et ne se conserve que dans les interactions fortes et électromagnétiques. *Nombre quantique de charme,* définissant numériquement cette propriété. *«Quelques détails (...) incitèrent des théoriciens imaginatifs à postuler l'existence d'un quatrième quark, plus lourd que les trois premiers et porteur d'une nouvelle caractéristique qu'ils baptisèrent (...) le "charme"»* (*Sciences et Avenir*, n° 373, p. 82). → **Charmé.** *Le charme fait partie des «saveurs»* (types) *des quarks.*

CONTR. **Malédiction; raison, science. — Laideur, horreur, monstruosité.** ◊ DÉR. **Charmer.** — HOM. 1. **Charme.**

**CHARMER** [ʃaʀme] v. tr. — V. 1150; de 2. *charme.*

♦ **1** Vx ou littér. Exercer une action magique, un charme* (1.) sur (qqn ou qqch.). → **Enchanter, ensorceler.** *Charmer qqn par des paroles, par des regards, par un philtre. — Charmer un serpent.* → **Charmeur.**

1 (...) si tu voulais rester encore à me charmer, le sommeil ne saurait s'abattre sur mes yeux.
V. BÉRARD, trad. HOMÈRE, Odyssée, p. 332.

Au p. passé :

2 Il reconnut des yeux dont la douceur exerçait sur lui la puissance du magnétisme, et demeura pendant un moment comme charmé.
BALZAC, les Chouans, Pl., t. VII, p. 900.

→ **Fasciner.** *Le serpent charme l'oiseau.*

♦ **2** (1560). Littér. (Compl. nom abstrait). Tenir sous le charme, faire céder à une influence magique. *Charmer une douleur, une peine. Charmer l'ennui, les regrets de l'absence.* → **Adoucir, apaiser, consoler.**

3 (...) ils prédisent aux hommes qu'ils feront fortune, aux filles qu'elles épouseront leurs amants, consolent les enfants dont les pères ne meurent point, et charment l'inquiétude des jeunes femmes qui ont de vieux maris (...)
LA BRUYÈRE, les Caractères, XIV, 69.

4 (...) tous les divertissements qui peuvent charmer les chagrins des plus mélancoliques.
MOLIÈRE, les Amants magnifiques, I, 2.

5 Je charmerai ta peine en attendant le jour.
LAMARTINE, Méditations, II, 3.

Rendre agréable. *Charmer ses loisirs. Charmer la solitude.*

♦ **3** [a] (Sens fort). Littér. ou style soutenu. Captiver (qqn) par un attrait puissant. → **Attirer, émerveiller, enjôler, entraîner, ravir, séduire.** *Se laisser charmer par la gloire, la volupté; par un spectacle, un chant... Charmer qqn par des attraits. Cette femme charme tous ceux qui l'approchent.*

6 Il n'a dit que deux mots, qui m'ont ravie, et votre fille va être charmée de lui.
MOLIÈRE, le Malade imaginaire, II, 4.

7 (...) toutes les belles ont droit de nous charmer (...)
MOLIÈRE, Dom Juan, I, 2.

8 Il n'est pas sympathique, vous me comprendrez? Je veux dire qu'il n'a pas cette espèce d'intérêt qui passionne, ou qui charme, ou qui émeut agréablement.
MAUPASSANT, Contes, «Le garde», p. 11.

9 A quoi se passait sa vie? D'abord à écrire des lettres (...) qui caressaient la vanité du destinataire, l'inquiétaient par l'ironie de leurs hyperboles, le tourmentaient par leur méfiance et le charmaient par leur ton.
A. MAUROIS, A la recherche de Marcel Proust, III, IV, p. 86.

[b] (Sens faible; → Charmant, 2.; 1. charme, 2.). Cour. Plaire extrêmement à... *Ce spectacle, sa beauté nous a charmés.* → **Donner** (dans l'œil, dans la vue), **parler** (aux yeux). *Ce livre, ce spectacle nous a charmés.* → **Captiver, délecter, enlever, enthousiasmer, transporter.** *Charmer son auditoire.* — Par ext. *Charmer les yeux, l'ouïe, les sens de qqn.*

10 (...) ces deux sœurs si pareilles *(la poésie et la peinture)* Charment, l'une les yeux, et l'autre les oreilles.
MOLIÈRE, la Gloire du Val-de-Grâce, 68.

11 Mlle Rachel a su charmer le public, parce que dans ce siècle de l'exagéré, elle a su marquer la passion sans l'outrer.
STENDHAL, Souvenirs d'égotisme, p. 313.

Absolt. *Mieux vaut charmer qu'éblouir* (Académie).

[c] Cour. Causer une grande joie, de la satisfaction à (qqn). *Cette réputation me charme* (→ **Flatter**). *Ta lettre m'a charmé* (→ **Ravir**).

◆ **CHARMÉ, ÉE** p. p. adj. **A** ♦ **1** Enchanté, pris par un charme. → ci-dessus, cit. 2.

(...) la fée Viviane enchanta l'enchanteur et le retint charmé dans un buisson d'aubépine. 12
A. FRANCE, Vie de Jeanne d'Arc, 1908, p. 201, *in* T. L. F.

♦ **2** (Au sens 3, b ou c; dans des formules de politesse). *Être charmé* : avoir du plaisir, être très heureux. *Je suis charmé de vous voir, de faire qqch. pour vous. Je suis charmé de votre visite. Votre invitation m'a charmé.* — Ellipt. *Charmé, enchanté!* → **Enchanté.**

**B** Phys. Se dit d'un quark, d'un hadron caractérisé par le charme*. *Les quarks sont dits hauts, bas, étranges et charmés. «Le quark charmé* $q_c$ *relayant le quark étrange au tableau des appellations pittoresques»* (*la Recherche*, n° 86, p. 58).

CONTR. **Dégriser, désenchanter. — Attrister, blesser, chagriner, choquer, déplaire, heurter, mécontenter, offenser, offusquer, rebuter, répugner, révolter.** ◊ DÉR. **Charmant, charmeur.**

**CHARMERAIE** [ʃaʀmәʀɛ] n. f. — XXe (1938, Genevoix); de 1. *charme.*

Bois de charmes. → **Charmoie** (vx).

**CHARMEUR, EUSE** [ʃaʀmœʀ, øz] n. et adj. — Mil. XVe; *charmeresse*, 1279; *charmeor*, XIIIe; de *charmer.*

**I** ♦ **1** (1279). Vx ou régional. Personne qui exerce une influence magique. *Un dangereux charmeur.* → **Ensorceleur, magicien.**

Il s'asseyait sur la crèche de ses bœufs, et avait peur que la charmeuse ne lui eût ôté le courage, la raison et la santé. 1
G. SAND, la Petite Fadette, XX, p. 144.

Il croit que son père était «charmeur» et pouvait, en prononçant des paroles magiques, calmer une brûlure, guérir une personne malade. 1.1
J. RENARD, Journal, 9 sept. 1901.

Loc. mod. *Un charmeur, une charmeuse de serpent.* → **Psylle.** — REM. La forme ancienne *charmeresse* se rencontre chez Hugo : *la charmeresse Esmeralda* (*Notre-Dame de Paris*, VIII, 6).

♦ **2** (1624). Mod. Personne qui plaît, qui séduit les gens. → **Séducteur.** *C'est un grand charmeur* (souvent iron.). *Impossible de résister à ce charmeur, à cette charmeuse.*

Lorsque je suis présenté à Alphonse Daudet, ce charmeur se montre d'une extrême bienveillance pour moi, me parle très favorablement de ma pièce (...) 2
Georges LECOMTE, Ma traversée, p. 268.

♦ **3** Adj. *Influence, grâce charmeuse. Un ton, un caractère charmeur.* → **Charmant.** *«Elle souriait d'un air charmeur»* (Sartre).

**II** N. f. **CHARMEUSE.** ♦ **1** N. f. pl. Fam., vieilli. *Les charmeuses* : les moustaches.

(...) il cherchait plus à faire le cœur, juste un peu par la moustache, ses charmeuses, qu'il était aimable autrefois! 3
CÉLINE, Guignol's band, p. 58.

♦ **2** (1909, *in* D. D. L.). Satin ou soierie ayant un côté brillant et un côté mat.

**CHARMILLE** [ʃaʀmij] n. f. — 1669; de 1. *charm(e)*, et *-ille.*

♦ **1** Rare. Plant de petits charmes.

♦ **2** (1732). Allée, haie, palissade de charmes. *Planter, tailler une charmille.* — Par ext. Ensemble d'arbres, d'arbustes taillés (buis, églantier, if). *Des buis taillés en charmille.*

♦ **3** Cour. Berceau de verdure.

Allons sous la charmille où l'églantier fleurit,
Dans l'ombre où sont les grands chuchotements des chênes. HUGO, la Légende des siècles, XXXVI, XXI.

**CHARMOIE** [ʃaʀmwa] n. f. — 1611; *charmoye,* n. de lieu, XIII^e; de 1. *charme.*

Vx. Charmeraie.

**CHARMOUTHIEN** [ʃaʀmusjɛ̃] n. m. — 1898, *Nouveau Larousse illustré;* de *Charmouth,* ville de Grande-Bretagne.

Géol. Étage du lias (entre le lotharingien et le toarcien).

**CHARNAGE** [ʃaʀnaʒ] n. m. — V. 1230; *carnage,* déb. XIII^e; de *charn,* anc. forme de *chair**, et *-age.*

Relig., vx. Période pendant laquelle la religion catholique permet de consommer de la viande (souvent opposé à *carême*).

**CHARNALITÉ** [ʃaʀnalite] n. f. — V. 1300; du lat. chrét. *carnalitas* «faiblesse de la chair, concupiscence», de *caro, carnis* «chair»; → Chair.

Vx. Propriété de ce qui est charnel.

**CHARNEL, ELLE** [ʃaʀnɛl] adj. et n. — V. 1170; *carnel,* après 950; du lat. *carnalis* «de la chair, corporel, physique», de *caro, carnis* «chair». → Chair.

♦ **1** (X^e). Qui relève de la nature animale, de la chair (par opposition à *l'esprit*). → **Chair,** II. Qui a trait aux choses du corps. → **Corporel, naturel.** *Un être charnel,* de chair et de sang.

1 Enfants d'un père charnel, nous naissons tous charnels comme lui. MASSILLON, Carême, Culte, *in* LITTRÉ.

2 Je ne puis parler naturellement que pour moi et pour ceux de ma race, spirituelle parmi ceux de ma race charnelle. Ch. PÉGUY, la République..., p. 280.

2.1 Depuis août 1914, quand, dans une seule rafale de mitrailleuses, cinq cents de ses troupiers en pantalon rouge étaient tombés d'un bloc dans l'herbe, il s'angoissait désespérément sur ce contraste entre le double cri d'appel, sourd et aigu, si charnel, si immédiat de la clique et la mort inhumaine, froide, invisible, qui répondait à cet appel pour le bafouer.
DRIEU LA ROCHELLE, la Comédie de Charleroi, p. 129.

Par anal. Littér. et rare. Qui évoque l'aspect de la chair. *Couleur charnelle :* couleur chair.

♦ **2** Relig. Du domaine de la matière. → **Matériel, sensible, tangible.** *Les biens charnels :* les biens de la terre. → **Mondain, temporel, terrestre.** *Homme, peuple charnel.* → **Matérialiste.**

3 (...) l'immortel et le corruptible, le spirituel et le charnel, l'ange et la bête en un mot, se sont trouvés tout à coup unis. BOSSUET, Sermon sur la mort.

4 (...) les prophéties ont un sens caché, le spirituel, dont ce peuple était ennemi, sous le charnel, dont il était ami. PASCAL, Pensées, VIII, 571.

5 (...) Dieu a choisi ce peuple charnel, auquel il a mis en dépôt les prophéties qui prédisent le Messie comme libérateur et dispensateur des biens charnels que ce peuple aimait. PASCAL, Pensées, VIII, 571.

N. *Les charnels.*

6 Deux sortes d'hommes en chaque religion (...) Parmi les Juifs, les charnels, et les spirituels, qui étaient les Chrétiens de la loi ancienne. PASCAL, Pensées, IX, 609.

*Le charnel :* le monde de la matière.

6.1 Le charnel et sa lourde tristesse, tout ce qui s'étale dans les journaux et qui se traduit par des faits divers ou par la politique (...)
J. GREEN, Journal (Vers l'invisible), 24 oct. 1959.

♦ **3** (V. 1170). Relatif à la chair, aux instincts des sens, et, spécialt, à l'instinct sexuel. *Homme, tempérament charnel,* porté vers les plaisirs des sens. → **Animal, bestial, impur, lascif, libidineux, lubrique, luxurieux, sensuel.** — *Une beauté charnelle* (cit. 7), qui incite à la sensualité. *Passions, désirs, appétits, instinct, amour charnels.* → 1. **Physique,** cit. 5. *L'aiguillon charnel.* → **Concupiscence** (→ Aiguillon, cit. 6). *Attrait charnel.* → 1. Physique, cit. 6. *Accalmie charnelle* (→ Bonace, cit. 4). *Union, consommation charnelle; acte, commerce charnel.* → **Sexuel.**

*(La Vénus de Syracuse)* elle est grasse, avec la poitrine forte, la hanche puissante et la jambe un peu lourde, c'est une Vénus charnelle, qu'on rêve couchée en la voyant debout. 7
MAUPASSANT, la Vie errante, p. 158.

Dompte la gourmandise, et plus facilement 8
Des sentiments charnels tu dompteras le reste.
CORNEILLE, l'Imitation de J.-C., I, 19.

CONTR. **Angélique, spirituel. — Platonique. — Désincarné, esprit** (pur esprit). **— Immatériel, surnaturel. — Idéaliste.**
◈ DÉR. **Charnellement.**

**CHARNELLEMENT** [ʃaʀnɛlmɑ̃] adv. — V. 1135; de *charnel.*

Religion, littéraire ou style soutenu. D'une manière charnelle.

♦ **1** Selon la chair, le corps; de façon humaine, matérielle, physique. *Être lié charnellement à un terroir.*

♦ **2** (V. 1170). Au moyen des sens, de la sensualité physique. *Connaître charnellement qqn :* avoir des rapports sexuels avec qqn.

Elle aimait Daniel comme elle pouvait l'aimer, très tendrement, très charnellement. Elle l'entraînait sur cette pente. Lui, se laissait enivrer du charme de cette chair retrouvée, reconquise. Il eut les emportements ardents, les frénésies d'un renouveau de passion.
VAN DER MEERSCH, Invasion 14, 1935, p. 472, *in* T. L. F.

1. **CHARNIER** [ʃaʀnje] n. m. — V. 1100; du lat. *carnarium* «lieu où l'on conserve la viande», de *caro, carnis.* → Chair.

♦ **1** [a] (V. 1180). Vx. Endroit, récipient où l'on conservait les viandes.

Par métaphore :

Mille autres moutons, comme moi, 1
Pendus aux crocs sanglants du charnier populaire,
Seront servis au peuple roi.
André CHÉNIER, Iambes, VIII.

[b] Par métonymie. Mar. Barrique d'eau douce.

♦ **2** (V. 1100). Lieu où l'on déposait les ossements des morts. → **Ossuaire.** *Charnier des Innocents* (→ Bois, cit. 44).

Par métaphore :

(...) Voilà le jour qui luit 2
Sur ces grands charniers de l'histoire (...)
HUGO, la Légende des siècles, LVIII, XX^e s., II.

♦ **3** Rare. Endroit où un animal prédateur (fauve, rapace...) place les restes de ses proies.

Comme un vol de gerfauts hors du charnier natal (...) 3
J.-M. DE HEREDIA, Trophées, «Les conquérants».

♦ **4** (Av. 1848). Lieu où sont entassés des cadavres. *Les charniers des camps* (cit. 3) *de concentration, d'extermination. Découvrir un charnier.*

On s'habitue très bien aux morts, à la vue, à l'odeur des morts, mais les charniers sont les charniers. Une brute y devient lâche, un lâche y pourrit sur place, se liquéfie. 4
BERNANOS, les Grands Cimetières sous la lune, p. 194.

Avec le calme, la nuit réapparaît sur notre patrie, notre destinée. Cette tranchée qui n'a pas quinze jours d'existence et qui est vieille comme le monde. Sur ces collines, 4.1

ce ne sont que des débris infects, des corps qui pourrissent. Charnier et marché aux puces.

DRIEU LA ROCHELLE, la Comédie de Charleroi, p. 218.

4.2 Nous étions tombés au milieu d'un charnier, d'un tas de cadavres allongés les uns près des autres dans tous les sens, en plein bois (...)

Pierre GASCAR, les Bêtes, Le temps des morts, p. 259.

♦ **5** (Abstrait). Lieu où qqch. meurt, se décompose. → **Cloaque.**

5 La Tragédie espagnole *(la guerre civile)* est un charnier. Toutes les erreurs dont l'Europe achève de mourir et qu'elle essaie de dégorger dans d'effroyables convulsions viennent y pourrir ensemble (...) Sincèrement, je ne crois pas utile de tirer de là aucun de ces cadavres. Pour désinfecter un tel cloaque, image de ce que sera demain le monde, il faudrait d'abord agir sur les causes de fermentation.

BERNANOS, les Grands Cimetières sous la lune, p. 153.

2. **CHARNIER** [ʃaʀnje] n. m. — 1390; *chernier,* v. 1260; orig. incert. probablt dér. de *charne* (→ Charnière) ou forme de 1. *charme.*

Régional (Centre).

♦ **1** Échalas.

♦ **2** Pieu.

**CHARNIÈRE** [ʃaʀnjɛʀ] n. f. — Fin XVI$^e$; *carnière,* XII$^e$; probablt dér. de l'anc. franç. *charne* «pivot, pilier», du lat. class. *cardo, -inis* «gond, point cardinal, pôle».

♦ **1** Attache articulée composée de deux pièces métalliques enclavées l'une dans l'autre et réunies par un axe commun autour duquel l'une d'elles au moins peut tourner librement. *Boîte à charnière. Charnières de portes et de fenêtres.* → **Gond, penture.** *Couplet à charnières. Charnière d'applique, de cadenas. Partie de la charnière qui entre dans l'autre.* → **Mâle.** — *Munir de charnières.* → **Encharner.**

(...) le cadre de bois à peine plus haut que ma cheville, dans la charnière duquel on avait fait pour l'aération de l'hôtel glisser toutes ensemble les vitres qui se continuaient.

PROUST, le Temps retrouvé, Pl., t. III, p. 874.

Fam. *Nom à charnière :* patronyme comportant la particule nobiliaire *de.* Syn. fam. : *nom qui se dévisse.*

♦ **2** Anat. Articulation permettant des mouvements de tension et de flexion. → **Ginglyme.** — (1611). *La charnière du genou.* — (Fin XVI$^e$). Articulation d'un membre artificiel.

(1752). Zool. *Charnière d'une coquille :* muscle de jonction des deux valves.

Géol. Axe (d'un synclinal, d'un anticlinal). *Charnière d'un pli.*

♦ **3** [a] (1676). Techn. Outil de graveur sur pierre, servant à percer des trous.

[b] Reliure. Articulation du dos et des plats dans une reliure.

[c] Philatélie. Bande de papier collant pliée (pour coller les timbres-poste). *«Les cases* (de l'album) *y sont prévues, (...) et les charnières, petites languettes gommées, servent à fixer les timbres»* (R. Valuet, *le Timbre-poste,* p. 88).

♦ **4** (Abstrait). [a] Milit. Point du front où s'articulent deux éléments d'un système stratégique.

[b] Point délicat et primordial qui conditionne tout le reste; point de jonction. → **Articulation.** *Être à la charnière de deux époques.*

(1936). En appos. Intermédiaire. *Œuvre charnière. Date charnière. Événement charnière.*

COMP. **Encharner.**

**CHARNU, UE** [ʃaʀny] adj. — V. 1200; du lat. pop. *carnutus,* de *caro, carnis* «chair».

♦ **1** Formé de chair. *Les parties charnues du corps*

*Antonin* s'amuse à pétrir fortement les parties charnues du corps de sa victime; embrasé des bonds qu'elle fait, il se précipite dans la partie offerte à ses plaisirs de choix. 0.1

SADE, Justine..., t. I, p. 154.

♦ **2** (V. 1200). Bien fourni de chair. → **Chair** (bien en chair). *Lèvres charnues. Bras charnus.* → **Épais, corpulent, dodu.** *Corps charnu. — Elle était assez charnue.* → **Pulpeux.**

Les Finnois ont le corps musculeux et charnu (...) 1

BUFFON, Hist. nat. de l'homme, *in* LITTRÉ.

Si jeunes, et portant en cierge leur queue massive, charnue à la base comme une queue de petit mouton! 2

COLETTE, la Paix chez les bêtes, La mère chatte, p. 108.

Loc. fam. *Les parties charnues du corps :* les fesses.

Anat. *Colonnes charnues du cœur :* faisceaux musculaires qui font saillie sur la face interne du cœur.

♦ **3** Bot. *Feuille charnue,* qui a la consistance de la chair.

(1542). *Fruit charnu,* dont la pulpe est épaisse.

♦ **4** Par métaphore. *Un style charnu, robuste, plein de sève.*

DÉR. **Charnure.** ◊ CONTR. **Osseux. — Décharné, maigre, squelettique.**

**CHARNURE** [ʃaʀnyʀ] n. f. — Fin XIII$^e$, «carnation»; dér. de *charn,* anc. forme de *chair,* et *-ure.*

Vx ou littér. Ensemble, consistance des chairs du corps humain.

... mes charnures décomposées... milliers de gouttes qui gonflent mes cellules...

Tony DUVERT, Paysage de fantaisie, p. 161.

**CHAROGNAGE** [ʃaʀɔɲaʒ] n. m. — 1985; calque de l'angl. *scavenging,* 1983; de *charogner,* 2. → Charognard.

Éthol. Pratiques alimentaires des animaux qui se nourrissent de la viande d'animaux morts.

**CHAROGNARD, ARDE** [ʃaʀɔɲaʀ, aʀd] n. — Fin XIX$^e$ (1894, au sens 2); de *charogne.*

♦ **1** N. m. (1899). Vautour; animal qui se nourrit de charogne (→ **Charogner,** 2.).

Nous quittons ce triste équipage pour une auto, qui nous mène à six kilomètres de la ville, traversant des terrains vagues que hantent des hordes de charognards. 1

GIDE, Voyage au Congo, *in* Souvenirs, Pl., p. 685.

Le bouc gisait éventré sur les pierres, et le gésier écarlate et dénudé qui saillait en avant du plumage des charognards disait assez que le festin avait commencé. 2

M. TOURNIER, Vendredi..., p. 19.

♦ **2** (1894). Exploiteur, exploiteuse impitoyable des malheurs des autres (rare au fém.). → **Chacal, vautour** (fig.).

Mais oui! Mais oui! Il sait bien ce qu'il fait le gredin! Il le sait le petit salaud! Le charognard! La petite frappe! Il a pas les yeux dans sa poche! Il nous a bien vus dépérir! Il est aussi vicieux que méchant! 3

CÉLINE, Mort à crédit, 1936, p. 388, *in* T.L.F.

Appellatif injurieux :

Arsène, dont la fureur semblait encore s'échauffer, continuait à la secouer et à invectiver d'une voix sourde. Voleuse. Charognarde. 4

M. AYMÉ, la Vouivre, p. 204.

♦ **3** N. m. Milit. Vx (pendant la guerre de 1914). Celui qui récolte à l'arrière les places et les décorations sans les mériter.

**CHAROGNE** [ʃaʀɔɲ] n. f. — V. 1120; du lat. pop. *caronia,* du lat. class. *caro, carnis* «chair».

♦ **1** (V. 1120). Corps de bête morte en putréfaction, cadavre humain en décomposition. *Charogne puante. Animaux, oiseaux qui se nourrissent de charognes* (→ **Charogner**). — *Insecte qui dépose ses œufs sur les charognes.* → **Nécrophore.**

1 Ne considérons plus un corps comme une charogne infecte. PASCAL, Lettres, 4, *in* LITTRÉ.

2 Au détour du chemin une charogne infâme (...)
Les jambes en l'air comme une femme lubrique
Brûlante et suant les poisons,
Ouvrait d'une façon nonchalante et cynique
Son ventre plein d'exhalaisons.
Le soleil rayonnait sur cette pourriture
Comme afin de la cuire à point
Et de rendre au centuple à la grande Nature
Tout ce qu'ensemble elle avait joint.
BAUDELAIRE, les Fleurs du mal, «Une charogne».

3 L'Église sait pourtant que la charogne du riche purule autant que celle du pauvre et que son âme pue davantage encore. HUYSMANS, En route, p. 19.

3.1 Un homme mort est une charogne qui pue.
Claude MAURIAC, le Temps immobile, p. 41.

3.2 Patrie, Sacrifice, Héroïsme, Honneur. Le haut lieu de ce culte est l'hôtel des Invalides qui dresse sur Paris sa grosse bulle d'or gonflée par les émanations de la Charogne impériale et des quelques tueurs secondaires qui y pourrissent.
M. TOURNIER, le Roi des Aulnes, p. 84.

♦ **2** (1606, *in* D. D. L.). Fam. (t. d'injure). Individu ignoble. → **Crapule, saleté.** → Carogne, cit. 2, Proust.

4 Y en a, ici, qui sont venues de Grenelle en carrosse, tout exprès pour se faire traiter de charognes.
COURTELINE, Messieurs les ronds-de-cuir, VIe tableau, III.

Adjectif :

5 Les clients pour se le concilier, pour qu'il se montre un peu moins charogne sur la question des renouvellements, s'inquiétaient beaucoup de son état (...)
CÉLINE, Guignol's band, p. 204.

**DÉR. Charognard, charogner, charognerie.**

**CHAROGNER** [ʃaʀɔɲe] v. intr. — 1883; de *charogne.*

♦ **1** Se transformer en charogne, pourrir.

♦ **2** Tuer des proies animales, se nourrir de charognes (en parlant d'un oiseau, en général d'une espèce animale).

*(La rivière en crue)* délayant les bouses fraîches, noyant les grillons et les taupes, forçant les corbeaux ou les pies à charogner en vol comme des mouettes (...)
H. BAZIN, Cri de la chouette, p. 10.

♦ **3** Fig. Se comporter en charogne (2.), comme une crapule.

DÉR. (De 2.). **Charognage.**

**CHAROGNERIE** [ʃaʀɔɲʀi] n. f. — 1861; de *charogne.*

Péj. Caractère, comportement, action d'un individu ignoble (→ **Charognard,** 2.). → **Crapulerie.**

**CHAROGNEUX, EUSE** [ʃaʀɔɲø, øz] adj. — V. 1500; *charoigneux,* XVIe; de *charogne.*

Rare.

♦ **1** (XVIe). Qui se nourrit de charogne, de chair morte.

♦ **2** Qui contient des charognes, des cadavres animaux.

♦ **3** (V. 1500). Littér. Qui tient de la charogne. → **Infect, répugnant.**

(...) l'art vieux est malsain; malsaine en tout cas devrait être sa contemplation prolongée dans les nécropoles froides où ses quartiers reposent; morbide est la délectation prise à la vue de son cadavre, le culte rendu à de charogneux restes.
A. PIEYRE DE MANDIARGUES, la Marge, p. 132.

**CHAROLAIS, AISE** [ʃaʀɔlɛ, ɛz] adj. et n. — 1732; dér. de *Charolais,* région située autour de la ville de Charolles (Saône-et-Loire)

De Charolles ou de Charolais. — (1861). Spécialt. Élevé dans le Charolais (bovins). *Bœuf charolais. Race charolaise.* — N. *Un charolais :* un bovin de cette race. *Des Charolais.*

Les amateurs de côte de bœuf ou de gîte à la noix se gardent d'avoir des yeux pour interroger ceux des charolais musclés, couleur d'aubépine, couleur de terre, couleur de vie, en train de piétiner dans les abattoirs.
Catherine PAYSAN, l'Empire du taureau, p. 116.

**CHARPAGNE** [ʃaʀpaɲ] n. f. — 1498, *charpaigne;* orig. discutée; probablt de **carpinea* «corbeille», de *carpineus* «fait de bois de charme», dér. de *carpinus* «charme».

Régional (Nord-Est de la France). Grand panier d'osier en forme de calotte.

**CHARPENTAGE** [ʃaʀpɑ̃taʒ] n. m. — 1888, Courteline; *carpentage,* 1255; de *charpenter.*

Techn. Travail, construction de la charpente (maison; navire). *Le charpentage des vannes d'écluse.* → **Vannage.**

Charpente (en cours de construction).

Il fallait, premièrement, qu'ils suivissent le canal, puis, parvenus devant le charpentage d'une église en construction, qu'ils tournassent brusquement à gauche et descendissent tout droit la rue de la Rochelle.
COURTELINE, le Train de 8 h 47, 1888, II, IV, *in* T. L. F.

**CHARPENTE** [ʃaʀpɑ̃t] n. f. — 1726; *charpante,* 1563; soit tiré de l'anc. franç. *charpent* «stature, corps», soit déverbal de *charpenter.*

♦ **1** (1563). Assemblage de pièces de bois (par ext., de métal, de béton) constituant l'ossature, le bâti d'une construction. *Charpente de soutien.* → **Armature, bâti, carcasse, châssis, ossature.** *Charpente provisoire.* → **Boisage, coffrage, échafaudage.** *Charpente de bois. Charpente de fer. Charpente métallique. L'échafaudage d'une charpente. Fondation d'une charpente. La charpente d'un mur, d'un toit* (→ **Comble**)*, d'une maison, d'une fenêtre* (→ **Baie**)*, d'un clocher, d'un navire, d'un pont, d'un lit* (→ **Châlit**). — *Ouvrage de, en charpente. Pièces de charpente* (termes de charpentier) : → **Aisselier, arbalétrier, arc-boutant, archine, arêtier, assemblage, batardeau, bâti, beffroi, cage, cale, chanlatte, chantier, chantignole, châssis, cheneau, chevron, cintre, colombage, comble, contre-fiche, contreventement, corbeau, corniche, cornier** (poteau cornier)**, coyau, croisillon, décharge, doubleau, drome, enrayure, entrait, entremise, entretoise, épi, équerre, étai, étrésillon, étrier, faitage, faiteau, ferme, gable, guette, happe, jambe de force, jambette, jumelle, lambourde, latte, limande, linçoir, linteau, longeron, longrine, moise, montant, noue, noulet, pan, panne, patin, pilier, planche, plancher, plançon, plantage, poinçon, point** (d'appui)**, pointal, portée** (de poutre)**, poteau, potelet, potence, poutrage, poutre, pylône, racinal, radier, refend** (poteau de refend)**, sablière, semelle, sole, solive, sommier, sous-faîte, support, surbout, tasseau, tirant, tournisse, travée, traverse, ventrière.** *Travail d'une pièce de charpente.* → **Rainure, refouillement, ruinure; rénette.** *Le plan d'une charpente. La charge d'une charpente. Charpente carrée**, mise d'équerre. *Emboîtement de deux pièces de charpente. Le cadre, le bâti d'une charpente. Tracer le cadre d'une charpente.*

1 Les os sont, dans l'architecture du corps humain, ce que sont les pièces de bois dans un bâtiment de charpente.
BOSSUET, Traité de la connaissance de Dieu..., II, 7.

1.1 Il leva une dernière fois les yeux, il regarda les Halles (...) L'énorme charpente de fonte se noyait, bleuissait, n'était plus qu'un profil sombre sur les flammes d'incendie du levant. ZOLA, le Ventre de Paris, t. I, p. 50.

2 (...) des couchettes qui semblaient creusées dans l'épaisseur de la charpente s'ouvraient comme des niches d'un caveau pour mettre les morts.
LOTI, Pêcheur d'Islande, I, I, p. 2.

Fabrication des charpentes. → **Charpentage, charpenterie.** *Atelier de charpentes. — Bois de charpente :* châtaignier, chêne, orme, pin, sapin.

Par métonymie. Matière première destinée à la construction de charpentes. *Une charpente :* pièce, élément de charpente.

♦ **2** Ce qui soutient (comme le fait une charpente). *La charpente du corps humain.* → **Architecture, carcasse, ossature, squelette, structure.** — *Avoir la charpente solide, avoir une solide charpente.* → **Charpenter** (être bien charpenté).

3 Il *(Gluck)* était grand, gros, très fort, corpulent sans être obèse, de charpente ramassée et musculeuse.
R. ROLLAND, les Musiciens d'autrefois, p. 226.

Bot. *La charpente d'une feuille.* → **Nervure.**

(1924). Hortic. Disposition donnée aux principales branches d'un arbre fruitier. *Charpente à grandes formes* (palmettes), *en cordon.*

♦ **3** (1726). Abstrait. Plan*, structure* (d'un ouvrage littéraire). *La charpente d'une pièce de théâtre, d'un roman.*

COMP. **Sous-charpentière.**

**CHARPENTER** [ʃaʀpɑ̃te] v. tr. — V. 1172, *charpanter;* soit dér. de l'anc. franç. *charpent,* soit du lat. vulg. *carpentare,* de *carpentum* «char à deux roues», soit du rad. de *charpentier,* comme *charcuter* de *charcutier.*

♦ **1** (V. 1172). Tailler (des pièces de bois) pour faire une charpente. → **Dégauchir, équarrir, tailler.** *Charpenter une poutre. — Charpenter un assemblage.* → **Menuiser; cintrer, contreventer, enchaîner, lier, soutenir.**

♦ **2** (1845). Fig. Façonner, construire (un discours, une œuvre littéraire). *Charpenter habilement son discours* (Académie).

♦ **3** Par métaphore ou fig. (Sujet n. de chose). Maintenir, soutenir (comme le fait une charpente). *Les os qui charpentent le corps.* — (Abstrait). *Les liaisons qui charpentent le récit.*

◆ **CHARPENTÉ, ÉE** p. p. adj.

♦ **1** Pourvu d'une charpente.

♦ **2** Par anal. *Poème bien charpenté,* bien construit. — *Corps solidement charpenté,* dont la charpente est forte, équilibrée. — Bien bâti. → **Bâti.**

(...) il avait sous la main une brave fille à peu près de son âge, une enfant du pays, habituée au travail, et crânement charpentée, on peut le dire!...
Alphonse DAUDET, Fromont jeune et Risler aîné, p. 149.

DÉR. **Charpente.**

**CHARPENTERIE** [ʃaʀpɑ̃tʀi] n. f. — V. 1170; de *charpentier,* et *-erie.*

Technique.

♦ **1** Technique des charpentes de bois. → **Menuiserie.** *S'initier à la charpenterie.*

♦ **2** Chantier de charpente. — Atelier de charpentier.

♦ **3** Ensemble des charpentes utilisées pour la construction (d'une maison, d'un navire, etc.).

♦ **4** Mar. Endroit où sont déposés les bois de construction dans un port.

**CHARPENTIER** [ʃaʀpɑ̃tje] n. m. — V. 1175, *carpentier;* du lat. *carpentarius* «charron». → Charpenter.

♦ **1** Celui qui taille et assemble des pièces de bois, fait des travaux de charpente. → **Menuisier** (→ Assujettir, cit. 17; boulonner, cit. 1). *Un charpentier habile, expérimenté. Un chef-d'œuvre de charpentier.* — Appos. *Maître charpentier. Artisan charpentier. — Menuisier-charpentier.*

Mais là-bas dans l'immense chantier 1
Vers le soleil des Hespérides
En bras de chemise, les charpentiers
Déjà s'agitent (...)

RIMBAUD, Poésies, LXXII, «Bonne pensée du matin».

Un de ses frères était curé, un autre, couvreur; un de ses neveux charpentier. 2
A. FRANCE, la Vie de Jeanne d'Arc, p. 4, *in* T. L. F.

*Outillage de charpentier.* → **Amorçoir, bec** (d'âne), **besaiguë, oiseau, ébauchoir, équerre, gouge, hache, herminette, maillet, piochon, rossignol, rouanne, rubrique, simbleau, tarière, tenailles, traceret, traçoir, vérin...** *Craie de charpentier.* → **Arcanne.** *Clou de charpentier.*

♦ **2** Vieilli (pêche). *Charpentier de baleine :* pêcheur de baleine qui la dépèce pour en enlever le lard.

♦ **3** Personne qui établit le plan, la structure d'une œuvre. *«Ce charpentier de la couleur* (Cézanne)» (Renard, *Journal,* 1904, p. 926, *in* T. L. F.).

REM. Le fém. *charpentière* est virtuel.

DÉR. **Charpenterie.**

**CHARPENTIÈRE** [ʃaʀpɑ̃tjɛʀ] n. f. — 1845; de *charpentier.*

Insecte hyménoptère femelle, qui taraude le bois pour y déposer ses œufs. — Appos. ou adj. *Fourmis charpentières.*

**CHARPIE** [ʃaʀpi] n. f. — XIIIe; *carpie,* v. 1300; déverbal de *charpir* «tailler le bois» (vx).

♦ **1** (V. 1300). Anciennt. Amas de fils tirés de vieille toile (remplacée par le coton, la gaze), servant à faire des pansements. *Faire de la charpie. Panser les plaies avec de la charpie. Tampon de charpie.* → **Plumasseau.**

Cette eau, cette éponge, cette charpie avec lesquelles vous lavez ou vous recouvrez une plaie y déposent des germes qui (...) 1
PASTEUR, *in* VALLERY-RADOT, Vie de Pasteur, p. 361.

Tandis que les bonnes sœurs réunissaient les tout petits pour faire des montagnes de charpie, les moyens et les plus grands passaient leurs journées entières à polissonner au milieu des soldats (...) 2
M. BARRÈS, la Colline inspirée, p. 286.

Par métaphore, littér. Matière qui rappelle la charpie.

La neige tombait, et, comme l'épave ne remuait plus, cette charpie blanche faisait sur le pont une nappe et couvrait le navire d'un suaire. 3
HUGO, l'Homme qui rit, t. I, 1869, p. 125, *in* T. L. F.

(...) les lignes solennelles des sapins sous le ciel où le vent du mauvais été poussait une sombre charpie de nuages, le pas des chevaux et le grincement assourdi de la voiture qui suivait, s'accordaient à la marche silencieuse des béquilles caoutchoutées. 4
MALRAUX, Antimémoires, Folio, p. 35.

♦ **2** Loc. *Mettre une chose en charpie,* la déchirer en menus morceaux. — (1300). *Viande (réduite) en charpie :* viande trop cuite. → **Bouillie** (en bouillie).

Par ext. *Mettre qqn en charpie.* → **Écharper.** — *S'en aller en charpie :* se dégrader.

**CHARPIR** [ʃaʀpiʀ] v. tr. — XIe; d'un bas lat. **carpire,* issu par changement de conjugaison de *carpere* «cueillir, arracher».
Vieux.

♦ **1** Effiler la laine, la toile.

♦ **2** (1611). Mettre en petits morceaux, en charpie.

REM. Ce verbe est remplacé par une périphrase contenant la loc. *en charpie.*

DÉR. **Charpie.**

**CHARRE** [ʃaʀ] n. m. → 2. **Char.**

**CHARRÉE** [ʃaʀe] n. f. — V. 1280, *carrée;* dér. d'un terme issu du bas lat. *cathara (aqua)* «(eau) propre, qui purifie».

Ancienn. Cendre de bois employée pour la lessive, et qui servait à l'amendement des terres, ou entrait dans la composition des verres à bouteilles.
Résidu de soude brute.

DÉR. 2. **Charrier.**

**CHARRETÉE** [ʃaʀte] n. f. — 1086, *caretede;* de *charrette.*

♦ **1** Ce que contient une charrette. *Une charretée de foin, de paille, de bois.*

1 Des appels, le bruit d'une pièce de bois ou d'une chaîne de fer tombant sur le pavé, l'éboulement sourd d'une charretée de légumes, le dernier ébranlement d'une voiture buttant contre la bordure d'un trottoir (...)
ZOLA, le Ventre de Paris, t. I, p. 13-14.

2 (...) les paysans avaient fait entrer à Carpentras plus de cinquante charretées de gros melons d'eau.
J. GIONO, le Hussard sur le toit, p. 23.

♦ **2** Fam. Grande quantité. *Une charretée d'injures* (cf. Une bordée, un tas d'injures). *Il y en a des charretées.* → **Charibotée.** — Loc. *Par charretées, à pleines charretées :* en grande quantité.

**CHARRETERIE** [ʃaʀtʀi; ʃaʀetʀi] n. f. — Attesté 1877, Flaubert; de *charrette.*

Régional (Ouest). Remise pour les charrettes.

**CHARRETIER, IÈRE** [ʃaʀtje, jɛʀ] n. et adj. — V. 1273 (n.); de *charrette.*

♦ **1** N. (V. 1273). Personne qui conduit une charrette tirée par des animaux (chevaux, etc.). *Cris de charretier* (→ Hue, dia, huhau). — Loc. compar. (de la réputation de brutalité des charretiers). *Grossier, brutal comme un charretier. Se conduire comme un charretier. Jurer comme un charretier :* jurer grossièrement.

1 Des querelles, des clameurs, dont le bruit se joint (...) aux jurements des charretiers, au bruit des caissons (...)
Ph. P. SÉGUR, Hist. de Napoléon, IV, 7.

Par ext. Homme grossier, rustre. *C'est un vrai charretier.*

En appos. *Garçon charretier. Maître charretier.*

♦ **2** Adj. (Fin XIIe). Destiné aux charrettes. *Chemin charretier. Porte charretière,* qui permet le passage d'une charrette.

2 (...) des portes charretières restent béantes, montrant des enfilades de cours, très profondes (...)
ZOLA, l'Œuvre, p. 77.

3 La porte charretière, tout le village savait comment secouer son gros vantail pour faire tomber, derrière, une lourde barre de fer qui eût dû le verrouiller.
COLETTE, Flore et Pomone, *in* Gigi, p. 151.

*Voie charretière :* distance entre les roues d'une charrette, généralement déterminée par les règlements de police.

**CHARRETON** [ʃaʀtɔ̃] n. m. — V. 1173; de *charrette,* et suff. *-on.*

♦ **1** (Déb. XIVe). Petite charrette sans ridelles.

♦ **2** Voiture à bras.

Il y avait des charretons de tous côtés, chargés de marchandises, derrière lesquels se dissimulaient les femmes aux yeux perçants. 1
J.-M. G. LE CLÉZIO, le Déluge, p. 78.

Maillat entendit un bruit de roues sur les pavés, et au même instant, un petit charreton, poussé par un biffin, débouchait sur sa droite. 2
Robert MERLE, Week-end à Zuydcoote, p. 9.

♦ **3** (V. 1173). Vx. Conducteur de charrette. → **Charretier.**

1. **CHARRETTE** [ʃaʀɛt] n. f. — 1080, *Chanson de Roland, carette;* de *char,* et *-ette.*

♦ **1** Voiture à deux roues et à deux limons, garnie de ridelles, tirée par un ou plusieurs animaux de trait, un ou des hommes, un tracteur, et servant à transporter des fardeaux. → **Berot, carriole, char, chariot, chartil, gerbière, haquet, surtout, tombereau.** *Les ridelles d'une charrette.* → **Haussière; trésaille.** *L'aideau* d'une charrette, appuyé sur les ridelles. Lier un fardeau sur une charrette* (→ **Liure; pouliot; tortoir).** *Atteler, conduire, mener une charrette.* → **Charrier; charretier.** *Charger, décharger une charrette.* → **Charretée** (→ Bolide, cit. 1; bruit, cit. 9). *Fabricant de charrettes.* → **Charron.** *Remise pour les charrettes.* → **Charreterie.** *Chemin de charrettes.* → **Charrière.**

«Aide-toi, le ciel t'aidera.» Pourtant la charrette quelquefois est bien lourde à désembourber. 1
FLAUBERT, Correspondance, t. II, p. 275 (éd. Charpentier).

(1835). **CHARRETTE À BRAS :** petite charrette à brancards tirée par un ou deux hommes. → **Charreton.** (1884, *in* D.D.L.). **CHARRETTE ANGLAISE :** voiture légère à deux ou quatre places et généralement à deux roues, tirée par un cheval.

Je n'ai pas d'hôtel, moi, ni de chevaux, ni de charrette anglaise. Alphonse DAUDET, l'Immortel, p. 33. 1.1

*La charrette des condamnés :* sorte de charrette qui servait à conduire les condamnés à la guillotine pendant la Terreur.

Comme il passait sur le Pont-Neuf, il vit déboucher (...) une charrette qui traînait lentement à la guillotine (...) un ci-devant, le premier condamné du nouveau tribunal révolutionnaire. 2
FRANCE, Les dieux ont soif, III, p. 33.

Fig. Groupe de personnes sacrifiées, licenciées. «*Autant de réductions de personnel. Autrement dit, on prépare des charrettes*» (*le Nouvel Obs.,* 11 déc. 1978).

Par plais. (souvent péj.). Char, chariot. — Fam. Automobile. → **Bagnole.** *Cette charrette ne veut pas démarrer.*

♦ **2** Loc. *C'est une charrette mal attelée* (→ **Atteler).** — *C'est la cinquième roue de la charrette :* c'est une personne qui ne compte pas, dont le rôle est insignifiant.

♦ **3** (1925, argot des Beaux-Arts). Fam. Dans les métiers graphiques, Période de travail intensif permettant de mener à bien un projet particulièrement urgent (par allusion aux élèves architectes qui, le jour de l'exposition, transportaient leurs travaux dans une charrette). *Charrette sur concours.* — Loc. *Être en charrette, être charrette :* être pressé; être en retard; avoir beaucoup de travail urgent.

Ce qui l'immobilisait, c'était l'aspect de la salle, au matin de «la nuit de charrette», ainsi que les architectes nomment cette nuit suprême de travail. ZOLA, l'Œuvre, p. 68. 3

DÉR. **Charretée, charreterie, charretier, charreton.**

2. **CHARRETTE** [ʃaʀɛt] n. f. et interj. — Attesté 1901; altér. de *charogne,* d'après 1. *charrette.*

Régional (Savoie, Suisse).

♦ **1** N. f. Coquin, canaille (nuance fréquemment positive). *Charrette de X...!* → Sacré* X.

♦ **2** Interjection.

Il faut abattre la bête! — Charrette! dit l'un d'eux.
A. L. CHAPPUIS, À petit feu, p. 51.

**CHARRIABLE** [ʃaʀjabl] adj. — V. 1600, repris 1867; «carrossable», XIVe; de *charrier.*

Qui peut être charrié (I., 1.). → **Transportable.** *Ces blocs de pierre sont difficilement charriables à cause de leur volume.*

**CHARRIAGE** [ʃaʀjaʒ] n. m. — 1240, *kariage;* de 1. *charrier.*

**I** ♦ **1** (1240). Action de charrier ou d'être charrié. → **Transport.**

Marguerite prit la chaise par le dossier, et le traîna, renversée, sur les pieds de derrière, qu'un tel charriage usait à la longue.
ZOLA, Au Bonheur des Dames, 1883, p. 636, *in* T. L. F.

Par métonymie. Ce qui est charrié. *«Un charriage lent s'en allait...»* (Zola, *la Terre*).

♦ **2** (En parlant d'un cours d'eau). Action d'entraîner qqch. *Le charriage des glaces par un fleuve.*

(1886). Géol. Déplacement des terrains sous l'effet d'une poussée latérale. *Nappe* de charriage.*

**II** Fam. Action de charrier (II.), d'exagérer.

1. **CHARRIER** [ʃaʀje] v. — V. 1100, *carier;* de *char.* → Charroyer.

**I** ♦ **1** (V. 1100). Transporter* (qqch., qqn, une charge) dans un chariot, dans une charrette. → **Charroyer.** *Charrier des pierres, du grain, des gerbes.*

1 La campagne (...) est couverte d'hommes (...) qui roulent ou qui charrient le bois du Liban.
LA BRUYÈRE, les Caractères, VI, 78.

Transporter par ses propres moyens. *Charrier du bois sur ses épaules.*

Fig., vx. Absolt. *Charrier droit :* bien se conduire.

♦ **2** (1600). Sujet n. de chose : cours d'eau. Entraîner, emporter dans son cours, en parlant d'une rivière. *Charrier des glaçons, du sable, du limon.* — (En parlant d'un canal; le compl. désigne un liquide ou ce qu'il emporte) :

1.1 A la seule idée qu'on pourrait me priver de cette satisfaction, il me semble que mes veines charrient de la bile au lieu de sang, mon pauvre ami!
VILLIERS DE L'ISLE-ADAM, Tribulat Bonhomet, p. 112.

Absolt. Entraîner des glaces. *Le fleuve charrie.* (Le sujet désigne un courant, un mouvement concret ou abstrait). → **Transporter; chasser.** *Charrier qqch. avec soi, derrière soi.*

2 L'air était frais; le ciel charriait des nuages (...)
HUGO, Notre-Dame de Paris, IX, 1.

3 (...) une bise aigre s'était levée, qui charriait de la neige fondue. MARTIN DU GARD, les Thibault, t. IV, p. 67.

4 L'humeur est bien nommée, car ce sont nos humeurs balancées, avec tout ce qu'elles charrient, selon ce qu'elles lavent, ou obstruent, ou irritent, ce sont nos humeurs qui nous font instables en dépit de nos résolutions.
ALAIN, les Aventures du cœur, p. 107.

4.1 Regardez tout ce qu'une civilisation charrie derrière elle, le bon, le mauvais.
MARTIN DU GARD, les Thibault, La Sorellina, 1928, p. 1237, *in* T. L. F.

**II** (1877; altér. de *cherrer,* sous l'infl. de *charrier,* I.). Pop. puis fam. ♦ **1** V. tr. Se moquer de (qqn) en lui faisant accroire. → **Mystifier; blaguer, chambrer, taquiner;** → Faire marcher*, mener en bateau*, mettre en boîte*.

♦ **2** V. intr. Exagérer*, soit en paroles (en se moquant, en mentant, en trompant), soit en actes.

Plaisanter. *Tu charries, non?* → Sans blague*. *Non, sans charrier?* → 2. **Char.**

On peut charrier tant qu'on veut, mais quand on voit des types comme ça mourir, ça fait vraiment quelque chose. 4.2
PROUST, le Temps retrouvé, Pl., t. III, p. 821.

— Tu sais qu'il charrie pas, le mec. 5
Francis CARCO, Jésus-la-Caille, IV, p. 43.

*Il commence à charrier.* → **Exagérer.** *Faut pas charrier. Tu charries!* — Loc. *Charrier dans les bégonias* (→ vx **Cherrer**).

DÉR. (De I.) **Charriable, charriage, charrieur.** — (De II.) 2. **Char** ou **charre.**

2. **CHARRIER** [ʃaʀje] n. m. — 1390; de *charrée,* par substitution du suff. *-ier.*

Vx. Grosse toile sur laquelle on place la charrée, dans un cuvier*.

**CHARRIÈRE** [ʃaʀjɛʀ] n. f. — V. 1119; de *char,* et *-ière.*

Vx ou régional. Chemin par où passent les charrettes.

**CHARRIEUR, EUSE** [ʃaʀjœʀ, øz] n. et adj. — 1834; de 1. *charrier.*

**I** (1867). Personne qui transporte (certaines choses).

Dans les ténèbres de la vallée, sur le tracé des routes, des chemins et des sentiers de petits points lumineux se déplaçaient : c'était la lanterne des patrouilles, le fanal des brancardiers, la torche des charrieurs de morts en travail.
J. GIONO, le Hussard sur le toit, p. 189.

(Appos. ou adj.). Fig. *«Un grand courant charrieur de faits sociaux et de passions humaines»* (Malègue, *Augustin,* t. I, 1933, p. 92, *in* T. L. F.).

**II** (→ **Charrier, II.**). ♦ **1** Personne qui exagère, qui se moque (de qqn).

♦ **2** N. m. (1834). Argot, vx. Voleur, mystificateur.

N. m. et f. Personne qui recrute des clients pour les tripots.

**CHARROI** [ʃaʀwa] n. m. — Mil. XIIe; de *charroyer.*

♦ **1** (1398). Transport par chariot, charrette, tombereau. → **Charriage.** *Un charroi de bois. Chemin de charroi.* — Milit. → **Train, transport.** *Le Charroi de Nîmes,* chanson de geste.

Littér. Agitation d'une foule en mouvement. *«Le vivant charroi des villes»* (Saint-Exupéry, *in* T. L. F.).

♦ **2** (V. 1200). Groupe de chariots qui se déplacent ensemble.

Au fond de l'horizon courait un roulement sourd : le charroi sur la piste de Megalopolis. 1
J. GIONO, Naissance de l'Odyssée, p. 68.

♦ **3** (Mil. XIIe). Vx ou régional. Chariot.

Par métonymie. Ce que transporte un chariot. → **Charretée.**

Il cueillait dans ses prés du foin à pleins charrois (...) 2
G. SAND, la Petite Fadette, I, p. 5.

**CHARRON** [ʃaʀɔ̃] n. m. — 1268; de *char,* et *-on.*

♦ **1** (1268). Anciennt (ou dans une civilisation artisanale). Celui qui fabrique et répare les chariots, les charrettes, ainsi que les roues de ces véhicules (→ **Brouettier**). *Outils du charron :* bec d'âne (bédane), châsse, chèvre, gouge, plane, selle. *Le forgeron et le charron du village.*

En appos. *Apprenti charron.*
REM. Le fém. n'est pas attesté.

♦ **2** Argot. *Aller au charron, crier au charron :* crier fort, crier au secours (devant un voleur).

DÉR. **Charronnage, charronner, charronnerie.**

**CHARRONNAGE** [ʃaʀɔnaʒ] n. m. — 1690, Furetière; de *charron.*

Anciennt. Métier ou travail du charron. *Bois de charronnage :* bois propre aux ouvrages de charronnage (chêne, érable, frêne, hêtre, orme).

**CHARRONNER** [ʃaʀɔne] v. tr. — 1904; de *charron.*

Vx. Travailler (le bois) comme un charron.

Au p. p. :

(...) des roues *(d'une charrette),* charronnées, puis brisées, réparées au moyen d'éclisses de frêne.
B. VIAN, l'Arrache-cœur, p. 162.

Absolt. Travailler à son ouvrage (en parlant d'un charron).

**CHARRONNERIE** [ʃaʀɔnʀi] n. f. — 1295, *caronnerie;* de *charron.*

Anciennement.

♦ **1** (1872). Industrie du charronnage. — Ouvrage du charron.

♦ **2** (1859). Atelier du charron.

**CHARROYER** [ʃaʀwaje] v. tr. — Déb. XIII^e; de *char,* et *-oyer.*

Vieilli ou régional. Charrier, transporter (une charge).

Ils charroient le matériel à l'intérieur et renversent le traîneau les patins en l'air.
Jean-Yves SOUCY, Un dieu chasseur, p. 103.

DÉR. **Charroi, charroyeur.**

**CHARROYEUR** [ʃaʀwajœʀ] n. m. — 1866; de *charroyer.*

Vieilli ou régional. Celui qui charroie. → **Charretier.** — REM. Le fém. *charroyeuse* est virtuel.

**CHARRUAGE** [ʃaʀyaʒ] n. m. — XIII^e, au sens 2; le sens 1, attesté dans les dict. en 1907, est évidemment très antérieur; de *charruer.*

Agriculture.

♦ **1** Labour à la charrue.

Plus d'une déjà l'avait laissé voir, et souvent, quand il s'en allait, à la brune, le corps penché en avant, les pieds raidis par le charruage, suivant le harnais qui rentrait et longeait les «traces» (...)
René BAZIN, le Blé qui lève, 1907, p. 57, *in* T. L. F.

♦ **2** (XIII^e). Étendue de terre qui peut être labourée avec une charrue en une journée. — Par ext. Terre labourée.

**CHARRUE** [ʃaʀy] n. f. — V. 1190; du lat. impérial *carruca* «char d'apparat», puis «char gaulois».

♦ **1** Instrument servant à labourer la terre (instrument aratoire*) dont la pièce principale est un soc tranchant. → **Brabant, buttoir, cultivateur, déchaumeuse, défonceuse, fouilleuse, grattoir, ritte, tourne-oreille.** *Remplacer l'araire, la houe par la charrue. Le bâti d'une charrue.* → **Âge, étançon, entretoise, sep.** *Les pièces travaillantes de la charrue.* → **Coutre, étrier, soc, versoir.** *Les pièces de réglage et de direction de la charrue.* → **Mancheron, palonnier, régulateur, timon.** *Pièces accessoires d'une charrue.* → **Rasette, sellette; enfouisseur.** *Charrue simple.* → **Araire; areau.** *Charrue à support, à sabot, à roulette. Charrue à avant-train,* formée de deux roues. *Charrues à socs multiples. Charrues bissoc, trisoc, polysoc.* → **Bissoc, trisoc, polysoc;** et aussi **canadienne.** *Charrue vigneronne,* servant à labourer les vignes. *Charrue-balance,* mue par un treuil (à vapeur ou électrique). — *Charrue à mains,* en horticulture. → **Binot, ratissoire, sarcloir.** *Le tranchant d'une charrue. Cheville* ouvrière d'une charrue. Crochet d'attelage d'une charrue. Charrue tirée par des bœufs, des chevaux, un tracteur. Nettoyer le soc d'une charrue avec un débouchoir. Retourner la terre, tracer un sillon avec une charrue* (→ **Labourer**). *Premier sillon qu'ouvre la charrue dans un champ.* → **Enrayure.** *Ados formé par la charrue dans une terre labourée.* → **Billon; tranche** (→ Biner, cit. 1).

(...) il conduisit les charrues dans les terres; il y fit passer 0.1
légèrement le soc, et y sema de l'orge mélangé d'avoine, le plus clair possible.
RESTIF DE LA BRETONNE, la Vie de mon père, p. 49.

On ne trouve aucun reste de charrue ni d'instrument ara- 1
toire, de sorte que l'on peut douter que l'homme connût l'agriculture.
FUSTEL DE COULANGES, Leçons à l'impératrice..., p. 15.

Charrues, que des bœufs sur nos champs vous promè- 2
nent! Creusez la terre comme un boutoir : le soc inemployé dans le hangar se rouille (...)
GIDE, les Nourritures terrestres, V, III, p. 121.

(1868). Par anal. *Charrue à neige :* type de chasse-neige.

♦ **2** Fig., littér., vx. Les travaux des champs. → **Agriculture.**

Il ne sait pas que la charrue est plus noble que le froc. 3
VOLTAIRE, l'Homme aux 40 écus.

Loc. *Par le fer et par la charrue* (lat. : *ense et aratro*) : maxime de la conquête coloniale (c'était notamment la devise de Bugeaud).

♦ **3** Loc. fig., fam. (vieilli). *Tirer la charrue :* mener une vie pénible, fatigante — *C'est une charrue mal attelée*.*

Mod. *Mettre la charrue devant, avant les bœufs :* faire d'abord ce qui devrait être fait ensuite, après.

Martial avait mis la charrue devant les bœufs. Il aurait 4
voulu d'abord être sûr que Dieu existe, que la mort n'est pas la mort; et ensuite, fort de cette assurance, il aurait peut-être essayé de vivre un peu mieux (...)
Jean-Louis CURTIS, le Roseau pensant, p. 256.

Loc. vieillie. *Un cheval de charrue :* un homme grossier, stupide. Syn. : *cheval de labour.*

Rare. *Pousser, aider à la charrue :* apporter son aide. → Pousser à la roue*.

C'est vrai? demandait Germaine, anxieuse de comprendre, 5
anxieuse d'aider, de pousser à la charrue.
F. MALLET-JORIS, le Jeu du souterrain, p. 13.

DÉR. **Charruer.**

**CHARRUER** [ʃaʀye] v. tr. — 1339; de *charrue.*

Vx ou régional. Labourer; retourner comme avec une charrue.

Le corps de la terre avait été charrué par les griffes de la 1
pluie. J. GIONO, Naissance de l'Odyssée, p. 73.

Nous écorchons les maisons avec nos ramures mélangées. 2
Nous charruons les rues avec nos racines plus puissantes que les serpents sacrés.
J. GIONO, le Hussard sur le toit, p. 220.

DÉR. **Charruage.**

**CHARTE** [ʃaʀt] n. f. — Mil. XI^e, *chartre; charte,* av. 1338; *chartre,* du lat. class. *chartula* «petit écrit», bas lat. «acte, document», dér. du lat. class. *charta* «feuille de papyrus», d'où «lettre, acte». — REM. La forme *chartre* [ʃaʀtʀ] s'est employée jusqu'au XIXe s.

♦ **1** Au moyen âge, Titre de propriété, de vente, de privilège octroyé. *Charte de dotation à une abbaye. Les chartes des monastères. Charte octroyée à un serf.* — Spécialt. *Charte d'affranchissement des communes. Bénéficier d'une charte. Concéder une charte. Accorder une charte.*

1 Une charte solennelle (...) fixe par le menu tous les avantages dont les hôtes *(des villes neuves)* bénéficieront à jamais. Plus de servage personnel.
Pierre GAXOTTE, Histoire des Français, I, IX, p. 313.

*École nationale des chartes :* école instituée pour préparer des spécialistes des documents anciens. → **Chartiste.**

♦ **2** Lois constitutionnelles établies par un souverain. — (1771). Hist. *La grande Charte d'Angleterre,* accordée par Jean sans Terre à la nation anglaise (*Magna Carta,* 1215).

2 Les seigneurs anglais, révoltés contre lui *(Jean sans Terre),* l'obligèrent à signer la *grande Charte,* par laquelle il renonçait à tous les abus de son pouvoir ; ce fut l'origine des droits des Anglais envers le gouvernement.
Ch. SEIGNOBOS, Essai d'une hist. comparée des peuples..., VII, p. 132.

(1789). *Charte constitutionnelle.* — (1814). *La charte constitutionnelle,* et, ellipt., *la Charte :* Constitution politique de la Restauration octroyée par Louis XVIII en 1814. *La Monarchie selon la Charte.*

3 La Charte pour la plus grande partie de la nation, avait l'inconvénient d'être *octroyée :* c'était remuer, par ce mot très inutile, la question brûlante de la souveraineté royale ou populaire.
CHATEAUBRIAND, Mémoires d'outre-tombe, III, III.

4 D'une Charte imposée, qui l'eût diminué *(Louis XVIII),* qui eût soumis son pouvoir à toutes sortes d'exigences et de capitulations successives, comme il était arrivé à Louis XVI, il fit une Charte accordée, «octroyée».
J. BAINVILLE, Hist. de France, XVIII, p. 431.

♦ **3** Lois, règles fondamentales d'une organisation officielle. *La charte des Nations unies. Charte d'un syndicat.*

**DÉR. Chartisme, chartiste.** — (De *chartre*) **Chartrier.** ◊ **COMP. Charte-partie.**

**CHARTE-PARTIE** [ʃaʀtpaʀti] n. f. — 1372, *chartre-partie ;* de *charte,* et *partie,* p. p. de *partir* «séparer». Cf. Avoir maille à partir.

♦ **1** Anciennt. Acte dont les deux expéditions étaient faites sur une même feuille qu'on traversait, avant de les séparer, de traits en zig-zag, de façon à éviter toute falsification.

♦ **2** (1606). Mar. Écrit constatant l'existence d'un contrat d'affrètement. → **Affrètement, nolissement.** *Des chartes-parties.*

Toute convention pour louage d'un vaisseau, appelée *charte-partie, affrètement* ou *nolissement,* doit être rédigée par écrit.
Code de commerce, art. 273.

**CHARTER** [ʃaʀtɛʀ] n. m. — V. 1950 ; angl. *charter,* nom, du verbe *to charter* «affréter».

Anglic. Avion affrété pour un vol particulier. — T. proposés : *avion* (ou *vol*) *nolisé*, affrété.* — *Aller en charter aux États-Unis. Compagnie de charters,* louant des avions pour un vol (le prix des places étant plus bas, du fait de l'occupation totale).

1 Trois ans plut tôt, j'étais parti en charter avec Etienne pour la Thaïlande et nous avions poussé jusqu'en Indonésie.
Cécil SAINT-LAURENT, la Mutante, p. 271.

En appos. *Avion charter. «Toutes ces compagnies "charter" (sic) qui tendent à se multiplier» (Science et Vie,* no 593, p. 96). *Vol charter. Billet, prix charter.* Par anal. *Train charter (l'Express,* 14 mai 1973). Spécialt. Avion affrété pour le transport forcé de personnes expulsées, d'immigrés en situation irrégulière.

REM. Le verbe tiré de *charter* est normalement (en France) *chartériser,* francisable en *noliser* (ex. au p. p. : *un avion chartérisé*) ; l'exemple suivant ne constitue pas un usage observé, mais probablt un emploi d'auteur :

Au Canada, dix, douze compagnies privées assurent des services réguliers ou «chartent» des avions. Excusez-moi d'employer ce vieux mot français devenu un anglicisme, mais «charter» est vraiment passé ici dans le domaine populaire. N'importe qui peut louer un avion, du plus petit au plus gros, pour son usage personnel et la destination qu'il désire (...) 2
R. FRISON-ROCHE, Peuples chasseurs de l'Arctique, p. 20.

**CHARTIL** [ʃaʀtil] n. m. — XIIIe ; de *char.* → Chenil, fenil. Vieux.

♦ **1** Longue charrette* servant à transporter les gerbes. → **Gerbière.**

♦ **2** Hangar servant de remise (aux charrettes, aux instruments aratoires, etc.).

**CHARTISME** [ʃaʀtism] n. m. — 1846 ; angl. *chartism* «mouvement réformiste anglais» (1838-1848), de *chart* «charte».

En Angleterre, Union des ouvriers formée vers 1838 en vue d'obtenir une amélioration du sort des travailleurs.

**CHARTISTE** [ʃaʀtist] adj. et n. — Av. 1824 ; I., 1. et II. de *charte ;* I., 2. empr. à l'angl. *chartist* «partisan du mouvement libéral anglais» (1838-1848).

**I** ♦ **1** Partisan de la Charte de Louis-Philippe.

♦ **2** (1840, *in* D. D. L.). Partisan du chartisme* anglais.

(...) en Angleterre les *chartistes* cherchèrent à réunir tous les ouvriers en une *classe,* en lutte contre les autres.
Ch. SEIGNOBOS, Essai d'une hist. comparée des peuples..., XVII, p. 369.

**II** (1899 ; de *École des chartes*). Élève de l'École nationale des chartes.

**CHARTRAIN, AINE** [ʃaʀtʀɛ̃, ɛn] adj. — Après 1150 ; dér. de *Chartres,* n. de ville, et *-ain.*

♦ **1** Adj. De Chartres. *Le pays chartrain. «La plaine chartraine»* (Malraux, *les Voix du silence,* p. 266). N. Personne qui habite à Chartres ou qui en est originaire.

♦ **2** Arts. Propre à la cathédrale de Chartres. *L'art chartrain, la sculpture chartraine* (premier gothique).

Le langage des formes de Phidias ou du fronton d'Olympie, pour humaniste qu'il fût, avait été aussi spécifique que celui des maîtres chartrains et babyloniens ou des sculpteurs abstraits, parce qu'il avait été celui de la découverte d'une civilisation, non de son illustration.
MALRAUX, les Voix du silence, p. 87.

1. **CHARTRE** [ʃaʀtʀ] n. f. Vx. → **Charte.**

2. **CHARTRE** [ʃaʀtʀ] n. f. — XIIe ; *cartre,* Xe ; du lat. *carcer* «prison».

Vx (ou archaïsme hist.). → **Prison.** — Loc. *Tenir qqn en chartre privée,* le séquestrer, dans un lieu autre qu'une prison publique.

Elle est par le visage, comme les enfants en chartre (...)
Mme DE SÉVIGNÉ, 262, 6 avr. 1672.

**CHARTREUSE** [ʃaʀtʀøz] n. f. — V. 1300, *chartrouse;* nom *(La Chartreuse)* d'une localité du Dauphiné où saint Bruno fonda un monastère en 1084; du lat. *Cartusia.*

♦ **1** Couvent de chartreux*, construit dans un lieu isolé. *La Chartreuse de Pavie. La Grande Chartreuse,* dans les Alpes. — *La Chartreuse de Parme,* roman de Stendhal.

1 La comtesse (...) ne survécut que fort peu de temps à Fabrice qu'elle adorait, et qui ne passa qu'une année dans sa Chartreuse.

STENDHAL, la Chartreuse de Parme, XXVIII, p. 567.

♦ **2** [a] Vx. Petite maison de campagne isolée. → **Campagne.** *Vivre retiré dans une chartreuse.*
[b] Régional (Gironde). Longue maison basse.

♦ **3** (1857; nom déposé). *La Chartreuse :* liqueur* aux herbes fabriquée par les chartreux. *Chartreuse jaune, verte.*

2 Il s'envoyait des petits verres de vieille chartreuse. Il préférait la verte à la jaune.

B. CENDRARS, Bourlinguer, 1948, p. 75, *in* T. L. F.

♦ **4** (1755). Par référence au régime sans viande des chartreux. Mélange de légumes (navets, carottes, choux, etc.) souvent servis en entrée.

DÉR. **Chartreux.** ◊ HOM. Fém. de **chartreux.**

**CHARTREUX, EUSE** [ʃaʀtʀø, øz] n. et adj. — 1330, *chartroux;* dér. de *chartreuse,* par substitution du suff. *-eux* à *-euse.*

♦ **1** N. Religieux, religieuse de l'ordre de saint Bruno, menant une vie contemplative et austère. *Scapulaire, cuculle de chartreux. Un ermitage de chartreux. Relatif aux chartreux.* → **Cartusien.**

(...) le chartreux fait vœu de n'être jamais que dépendant.

PASCAL, Pensées, VII, 539.

*Une vie de chartreux,* très austère.

♦ **2** Adj. (Fig.). *Champignon chartreux, tulipe chartreuse,* de couleur grise. — N. *Un chartreux, une chartreuse.*
(1723). *Chat chartreux,* ou, n. m., *un chartreux :* chat à poil gris cendré.

HOM. (Du fém.) **Chartreuse.**

**CHARTRIER** [ʃaʀtʀije] n. m. — 1413; *chatrier,* 1370; de 1. *chartre* (→ Charte), et *-ier.*

♦ **1** Lieu où l'on conservait les chartes* du royaume, d'une abbaye.
(1413). Recueil de ces chartes. → **Cartulaire.** *Le chartrier de France.*

Nous avons trouvé ici les vestiges croulants d'une admi- 1
rable civilisation, d'un grand passé. Vous en restituez les assises, vous lui reconstituez son chartrier (...)

L. H. LYAUTEY, Paroles d'action, p. 341.

Il avouait d'ailleurs qu'une pareille affaire était de consé- 2
quence, promettant de la mener jusqu'au bout, d'établir la filiation par des documents authentiques, tirés de son propre chartrier.

BERNANOS, Monsieur Ouine, p. 37.

♦ **2** (1690). Celui qui était préposé à la garde des chartes.

Qu'un gros carme 3
Chartrier
Ait pour arme
L'encrier (...)

HUGO, Ballades, XII, «Pas d'armes du roi Jean».

**CHARYBDE** [kaʀibd] n. m. — 1552, Rabelais; lat. *charybdis,* grec *kharybdis,* nom que les Anciens donnaient à un gouffre situé dans le détroit de Sicile, en face d'un écueil appelé *Scylla.*

Loc. *Tomber de Charybde en Scylla :* n'échapper à un mal que pour tomber dans un autre pire encore.
(Employé en relation avec *Scylla*). Écueil. *«Entre le Charybde académique et le Scylla administratif»* (Hugo, *in* T. L. F.). *Des charybdes.*

Achevé d'imprimer sur les presses de

LTV
LA TIPOGRAFICA VARESE
Società per Azioni
Italie

Dépôt légal Octobre 2001
N° d'éditeur 10079447-(I)-(20) - OSBPI 40